Ouvrages édités par les DICTIONNAIRES LE ROBERT
107, avenue Parmentier, 75011 PARIS (France).

Dictionnaires de langue :

— *Grand Robert de la langue française* (deuxième édition).
Dictionnaire alphabétique et analogique de la langue française (9 vol.).
Une étude en profondeur de la langue française.
Une anthologie littéraire de Villon à Queneau et à nos contemporains.

— *Petit Robert 1 [P. R. 1].*
Dictionnaire alphabétique et analogique de la langue française
(1 vol., 2 208 pages, 59 000 articles).
Le classique pour la langue française : 8 dictionnaires en 1.

— *Robert méthodique [R. M.].*
Dictionnaire méthodique du français actuel
(1 vol., 1 648 pages, 34 300 mots et 1 730 éléments).
Le seul dictionnaire alphabétique de la langue française qui groupe les mots par familles.

— *Micro-Robert.*
Dictionnaire du français primordial
(1 vol., 1 232 pages, 30 000 articles).
Un dictionnaire d'apprentissage du français.

— *Dictionnaire universel* d'Antoine Furetière
(édition de 1690, préfacée par Bayle).
Réédition anastatique (3 vol.), avec illustrations du XVIIe siècle et index thématiques.
Précédé d'une étude par Alain Rey :
« Antoine Furetière, imagier de la culture classique ».
Le premier grand dictionnaire français.

— *Le Robert des sports.*
Dictionnaire de la langue des sports
(1 vol., 586 pages, 2 780 articles, 78 illustrations et plans cotés),
par Georges PETIOT.

Dictionnaires de noms propres :
(Histoire, Géographie, Arts, Littératures, Sciences...)

— *Grand Robert des noms propres.*
Dictionnaire universel des noms propres
(5 vol., 3 504 pages, 42 000 articles, 4 500 illustrations couleurs et noir, 210 cartes).
Le complément culturel indispensable du *Grand Robert de la langue française.*

— *Petit Robert 2 [P. R. 2].*
Dictionnaire des noms propres
(1 vol., 2 106 pages, 36 000 articles, 2 200 illustrations couleurs et noir, 200 cartes).
Le complément, pour les noms propres, du *Petit Robert 1.*

— *Dictionnaire universel de la peinture.*
(6 vol., 3 022 pages, 3 500 articles, 2 700 illustrations couleurs).

Dictionnaires bilingues :

— *Le Robert et Collins.*
Dictionnaire français-anglais/english-french
(1 vol., 1 536 pages, 225 000 « unités de traduction »).

— *Le « Junior » Robert et Collins.*
Dictionnaire français-anglais/english-french
(1 vol., 960 pages, 105 000 « unités de traduction »).

— *Le « Cadet » Robert et Collins.*
Dictionnaire français-anglais/english-french
(1 vol., 624 pages, 60 000 « unités de traduction »).

— *Le Robert et Signorelli.*
Dictionnaire français-italien/italiano-francese
(1 vol., 3 008 pages, 339 000 « unités de traduction »).

Consultez à la fin de ce volume
les titres de la collection « Les usuels du ROBERT ».

LE GRAND ROBERT
DE LA LANGUE FRANÇAISE

LE GRAND ROBERT DE LA LANGUE FRANÇAISE

DICTIONNAIRE ALPHABÉTIQUE ET ANALOGIQUE DE LA LANGUE FRANÇAISE

de Paul ROBERT

DEUXIÈME ÉDITION
entièrement revue et enrichie
par
Alain REY

Tome VII
P - Raisi

LE ROBERT
107, avenue Parmentier, Paris-XIe

Deuxième édition entièrement revue et enrichie.

ISBN 2-85036-099-6 (édition complète).
ISBN 2-85036-095-3 (tome VII).

On trouvera en tête du premier volume
les préfaces de Paul Robert et d'Alain Rey,
l'explication des signes conventionnels, abréviations et conventions,
les principes de la transcription phonétique,
les correspondances des principales datations lexicales
ainsi que la liste des collaborateurs de l'ouvrage;
et en fin d'ouvrage (tome IX) les annexes suivantes :
dérivés de noms propres de personnes et de lieux (noms d'habitants),
tableaux des conjugaisons des verbes français,
bibliographie et liste des suffixes.

P

P [pe] n. masculin.

♦ **1.** Seizième lettre et douzième consonne de l'alphabet. P, *occlusive labiale sourde.* P *majuscule ;* p *minuscule.*

REM. 1. P reste muet à la fin de certains mots tels que *coup* [ku], *drap* [dʀa], *galop* [galo], *loup* [lu], ainsi que dans *beaucoup* et *trop,* sauf dans le cas d'une liaison avec un mot à initiale vocalique (*Il est trop aimable* [tʀopɛmabl] ; *il y aurait beaucoup à dire* [bokupadiʀ]).

2. Dans un groupe de consonnes, *p* est également muet à l'intérieur de certains mots, tels que *compter, sculpture...* Dans *dompter, dompteur, promptement,* l'usage hésite et la tendance — considérée comme incorrecte — est à prononcer le *p.*

3. Le double *p* se prononce comme *p* simple *(opposition, rapport)*; la prononciation «pp» qu'on entend parfois dans certains mots comme *hippodrome* est affectée.

4. Le groupe *ph* se prononce [f] : *pharmacie, physique.*

♦ **2.** Spécialt. *P* utilisé comme abréviation.

(P majuscule). Chim. Symbole du phosphore. — Ecclés. Abrév. de *père. Oraison funèbre du P. Hardouin.*

(p minuscule). Abrév. de *page. Se reporter à la p. 57. — pp. :* pages. *Voir les pp. 31 et 32.* — Dans l'indication d'un pourcentage, abrév. de *pour. 4 p. 100. — p. p.* Abrév. de *participe passé.*

Mus. Abrév. de *piano ; pp. :* pianissimo.

Pa [pea] Symbole du pascal*. — Symbole du protactinium*.

P. A. B. [peabe] n. m.

♦ Chim. Abrév. de *acide para-amino-benzoïque.*

PACA [paka] n. m. — 1603, mot tupi, par le port. ou l'esp. ; emprunt direct *pac,* 1614, Cl. d'Abbeville, *Mission au Maragnon ;* aussi *pague,* 1578, du guarani *paig,* par le port. ou l'espagnol.

♦ Zool. Rongeur de grande taille de la famille des cobayes *(Caviidés)* qui vit dans les lieux humides des forêts d'Amérique, du Mexique ou du Paraguay, en plaine et en moyenne montagne (n. sc. : *cuniculus paca*). *Paca fauve, paca brun. — Paca de montagne,* espèce du Pérou *(Stictomys taczanowskii).*

Le paca (...) se creuse un terrier comme le lapin, auquel on l'a souvent comparé, et auquel cependant il ressemble très-peu ; il est beaucoup plus grand que le lapin, et même que le lièvre ; il a le corps plus gros et plus ramassé, la tête ronde et le museau court ; il est gras et replet, et il ressemble plutôt, par la forme du corps, à un jeune cochon, dont il a le grognement, l'allure et la manière de manger (...) Sa chair est très bonne à manger, et si grasse qu'on ne la larde jamais ; on mange même la peau, comme celle du cochon de lait (...) Sa peau, quoique couverte d'un poil court et rude, fait une assez belle fourrure, parce qu'elle est régulièrement tachée sur les côtés.
BUFFON, Hist. naturelle des animaux, t. III, p. 153-154 (1761).

PACAGE [pakaʒ] n. m. — 1611 ; *pasquage,* 1580 ; *pascage,* 1600 ; *pascuage* «repas», 1330 ; du lat. pop. **pascuaticum,* du lat. class. *pascuum* «pâturage».

Didact. (Dr., agric.) ou emploi régional.

♦ **1.** (XVIe). Action de faire paître le bétail. *Le pacage est interdit dans les bois en défens*.* — Spécialt (1743). *Droit de pacage :* droit de faire pâturer le gros bétail en forêt.

♦ **2.** Terrain où l'on fait paître les bestiaux. — Terrain dont le sol, généralement garni de bois, de buissons, porte dans ses parties libres une herbe fine et drue, difficile à faucher, qui est consommée sur place par le bétail. ⇒ **Pâquis, pâtis, pâturage.** *Conduire les bœufs au pacage* (→ Délier, cit. 1). *Laisser les bêtes chercher leur pitance dans les pacages* (→ Élevage, cit. 1). *Changement de pacage.* ⇒ **Transhumance.**

Le principal c'était qu'on allait dès demain partir pour les pacages d'été. C'est un peu tôt mais là-haut il y a des baraques. J. GIONO, le Chant du monde, II, VII.

DÉR. Pacager.

PACAGER [pakaʒe] v. tr. et intr. — Conjug. *bouger* — 1596, *pascager ;* de *pacage.*

Didact. ou emploi régional.

♦ **1.** V. tr. (Le sujet désigne une personne). Faire paître (les bêtes, les troupeaux) ; emmener pour faire paître. *Pacager les bestiaux, un troupeau.* — Absolt. *« Il est permis de pacager en terre vaine et vague »* (Académie).

♦ **2.** V. intr. (Le sujet désigne les bêtes). Brouter dans une pâture. *Des ruminants pacagent.* — (Factitif). *Faire pacager du bétail.*

PACANE [pakan] n. f. — 1839 ; 1775, désignant l'arbre, *in* D. D. L. ; empr. à un dial. algonquin. → Pécan.

♦ Fruit du pacanier, noix comestible contenue dans un fruit en forme d'olive.

DÉR. Pacanier.

PACANIER [pakanje] n. m. — 1775, *pacane* ou *pacanier, in* D. D. L. ; de *pacane.*

♦ Plante dicotylédone *(Juglandacées* ou *Juglandées),* grand arbre d'Amérique du Nord appelé aussi *carya olivæ formis,* qui donne le bois dit *hickory.*

PACANT [pakɑ̃] n. m. — XVIe, «lourdaud», *in* Esnault ; repris 1790 ; mot régional (Nord, Est) ; p.-ê. argot all. *Packan* «gendarme», de *anpaken* «empoigner» ; P. Guiraud le rattache aux dér. du lat *pascere* «paître», le *pacant* étant «celui qui mène paître les bestiaux».

♦ Vx (pop.). Homme grossier, rustaud.

PACEMAKER [pɛsmɛkœʀ] n. m. — 1964, *in* Höfler ; mots angl. «celui qui règle la marche, le pas *(pace)*», employé d'abord en sport hippique, en parlant du cheval qui règle l'allure, le train, puis en sport en général (1895 «entraîneur») ; de *pace* «pas», et *maker* «faiseur».

♦ Anglic. Chir. Stimulateur cardiaque.

REM. L'adaptation française *stimulateur (cardiaque)* devrait l'emporter.

PACFUNG [pakfɔ̃] n. m. — 1923 ; *packfon,* 1846 ; on trouve aussi les formes *packfond* (1836), *packfong* (1858), *packfung* (1858) ; mot attesté en anglais dès 1775 sous la forme *paaktong ;* d'un mot dial. chinois.

♦ Techn. Alliage de cuivre, de nickel et de zinc qui a l'aspect de l'argent.

PACHA [paʃa] n. m. — 1626 ; *basat,* déb. XVe ; *bacha,* 1457 ; d'après la forme arabe *bâchâ ; pachia,* 1536 ; turc *pacha.*

♦ **1.** Gouverneur d'une province de l'ancien empire ottoman. — (1878). Titre honorifique qui se plaçait après le nom et que portaient en Turquie, avant 1923, certains hauts personnages, de hauts fonctionnaires civils ou militaires. *Réchid pacha* (→ Malade, cit. 11). *Mustapha Pacha. Pachas et effendis* (→ Cadi, cit.).

Le cheik-ul-islam en manteau vert, les émirs en turban de cachemire, les ulémas en turban blanc à bandelettes d'or, les grands pachas, les grands dignitaires, suivaient sur des chevaux étincelants de dorures (...) LOTI, Aziyadé, II, XIII.

(Déb. XXe). Titre honorifique donné à de hauts dignitaires de différents pays musulmans, ainsi qu'à des officiers britanniques exerçant un commandement dans un pays musulman.

♦ **2.** (1874). Fig., fam. *Mener une vie de pacha, faire le pacha :* mener une vie fastueuse, nonchalante ; se faire servir.

♦ **3.** (1865). Argot mar. Commandant, à bord d'un navire de guerre (devenu courant également à bord des navires de commerce). *Le pacha te demande à la coupée.*

COMP. et **DÉR. Capitan-pacha. — Pachalik.**

PACHALIK [paʃalik] n. m. — 1811, *pachalic,* Chateaubriand ; turc *pachalik ;* de *pacha.*

♦ Hist. Division administrative de l'ancien empire ottoman soumise au gouvernement d'un pacha (on dit aussi *sandjak**).

La Morée étant devenue un pachalic, le pacha a fixé sa résidence à Tripolizza (...)
CHATEAUBRIAND, Itinéraire..., I, p. 135.

PACHINKO [patʃinko] n. m. — Attesté v. 1970 ; mot japonais.

♦ Jeu électronique analogue au billard* électrique mais vertical, pratiqué au Japon. *Les pachinkos sont groupés en grand nombre dans des salles de jeu.*

J'ai été frappée par la quantité de salles où on joue au pachinko : c'est un billard électrique mais disposé verticalement et non horizontalement comme le nôtre.
S. DE BEAUVOIR, Tout compte fait, p. 289.

PACHON [paʃɔ̃] n. m. — 1923 ; du nom d'un physiologiste, M. V. *Pachon.*

♦ Méd. Oscillomètre servant à mesurer la tension artérielle.

PACHTO [paʃto] adj. ⇒ **Afghan.**

PACHY- Élément de mots didactiques, tiré du grec *pakhus* « gros, épais », et qui sert à former des noms d'animaux (⇒ **Pachyderme**), de plantes et de maladies.

PACHYDERME [pakidɛʀm ; paʃidɛʀm] adj. et n. — 1795, Cuvier ; *pachuderme,* attestation isolée 1578 au sens propre du grec ; du grec *pakhudermos* « qui a la peau épaisse », de *pakhus* « épais », et *derma* « peau ».

♦ **1.** Adj. (Vx). Sc. nat. Qui a la peau épaisse. *L'éléphant est pachyderme, ainsi que le cochon, l'hippopotame, etc.*

♦ **2.** (1795). Didact. N. m. pl. Ancien ordre de mammifères, selon la classification de Cuvier qui comprenait tous les mammifères à sabots, non ruminants, animaux qu'on classe de nos jours dans l'ordre des ongulés (artiodactyles et périssodactyles). *On divisait les pachydermes en* proboscidiens, pachydermes proprement dits, solipèdes.

♦ **3.** Cour. Au sing. (Généralement en parlant de l'éléphant*). *Un pachyderme* (→ Dépouille, cit. 1).

♦ **4.** Fig. Personne massive, à la peau dure. ⇒ **Éléphant** (fig.). *Une allure, une démarche de pachyderme.* ⇒ **Pachydermique.**

— Je vous prendrai dans mes bras, et nous sauterons ensemble ! (...)
— Ne mettez pas sur ma figure votre main rugueuse, espèce de pachyderme !
IONESCO, Rhinocéros, p. 118.

DÉR. Pachydermie, pachydermique.

PACHYDERMIE [pakidɛʀmi ; paʃidɛʀmi] n. f. — 1878 ; de *pachyderme.*

♦ **1.** Méd. Épaississement pathologique de la peau, généralement limité à une région du corps. *Pachydermie compliquant un éléphantiasis.*

♦ **2.** Vétér. Dermatose de certains mammifères (porc, chien, bovins...) caractérisée par un épaississement de la peau.

PACHYDERMIQUE [pakidɛʀmik ; paʃidɛʀmik] adj. — Déb. XXe ; de *pachyderme.*

♦ Littér. Qui évoque la lourdeur du pachyderme. ⇒ **Lourdaud.** *Une allure pachydermique.* — (Personnes). *Un bonhomme assez pachydermique.*

1 Le pas lourd et quasi pachydermique d'une ouvreuse qui descendait l'allée nous calma instantanément. Joseph JOFFO, Un sac de billes, p. 95.

2 Pachydermique et réprobateur, il la regardait s'affairer pour accueillir un autre homme qu'Aurelio. H. TROYAT, la Pierre, la feuille et les ciseaux, p. 221.

PACHYMÉNINGE [pakimenɛ̃ʒ ; paʃimenɛ̃ʒ] n. f. — XXe ; de *pachy-,* et *méninge.*

♦ Anat. Nom donné à la dure-mère par opposition aux leptoméninges (méninges molles) comprenant l'arachnoïde et la pie-mère.

DÉR. Pachyméningite.

PACHYMÉNINGITE [pakimenɛ̃ʒit ; paʃimenɛ̃ʒit] n. f. — 1905, *Rev. gén. des sc.* n° 5, p. 218 ; de *pachyméninge,* et suff. *-ite.*

♦ Pathol. Inflammation et épaississement de la dure-mère, au niveau de la moelle épinière.

PACHYPLEURITE [pakiplœʀit ; paʃiplœʀit] n. f. — XXe ; de *pachy-,* et *pleurite.*

♦ Pathol. Épaississement fibreux de la plèvre consécutif à une inflammation.

PACIFIANT, ANTE [pasifjɑ̃, ɑ̃t] adj. — 1880 ; de *pacifier.*

♦ Littér. Qui pacifie, apaise, exerce sur l'esprit une action apaisante.

Nous sommes restés jusqu'à la fin, attachés, séduits, détendus par cette pacifiante et tendre musique aérienne, dans ce lieu si bien fait pour elle.
Émile HENRIOT, On n'est pas perdu sur la terre, p. 40.

PACIFICATEUR, TRICE [pasifikatœʀ, tʀis] n. et adj. — Fin XVe ; début XVIe, pour désigner un officier de justice faisant fonction d'arbitre ; lat. *pacificator.*

A. N. ♦ **1.** Personne qui pacifie, qui ramène la paix*. *Bonaparte, le grand pacificateur* (→ Fortifier, cit. 11). *Hoche, le pacificateur de la Vendée.*

♦ **2.** (XVIIe). Personne qui rétablit la concorde entre des individus. *Elle a joué dans sa famille le rôle de pacificatrice* (Académie). — (1859). En parlant d'une chose. (→ cit. Michelet, ci-dessous).

L'amour est le médiateur du monde et le rédempteur de toutes les races humaines. 1
Qui dit amour, dit la paix, la concorde et l'unité. C'est le grand pacificateur.
MICHELET, la Femme, II, I.

B. (1764). Adj. Qui tend à rétablir la paix, à réduire les dissensions. *Esprit pacificateur. Action, influence pacificatrice.*

Certes, il a existé à d'autres époques de grands soldats pacificateurs (...) 2
F. MAURIAC, Bloc-notes 1952-1957, p. 229.

PACIFICATION [pasifikɑsjɔ̃] n. f. — 1450 ; du lat. *pacificatio.*

♦ **1.** Action de pacifier. *Pacification d'un pays, d'une région. Politique, mesures de pacification. Armée employée à des opérations de pacification.*

Cette pacification du Maroc avait été obtenue autant par la persuasion et la 1
conquête morale que par la force. A. MAUROIS, Lyautey, XVI.

Spécialt. (Dans le contexte de l'affaire d'Algérie).

Ce ne saurait être, en tout cas, le rôle d'un ministère de Front Républicain à direc- 2
tion socialiste, de faire la guerre, même en ayant recours à un euphémisme commode - même en biffant le mot guerre pour écrire à la place : pacification.
F. MAURIAC, Bloc-notes 1952-1957, p. 224.

♦ **2.** Fait de ramener le calme, la paix. *Pacification des esprits.* ⇒ **Apaisement, conciliation.** *Agir dans un esprit de pacification.*

PACIFIER [pasifje] v. tr. — Conjug. *prier.* — 1487 ; *pacefier,* 1250, « faire la paix » ; du lat. *pacificare.*

♦ **1.** Ramener à l'état de paix (un pays, un peuple).

À son retour, il pacifia la Sicile, tant par la force que par la clémence, fut com- 1
blé d'honneurs et nommé grand connétable.
Th. GAUTIER, Souvenirs de théâtre, Collection Villafranca.

Par euphém. Rétablir l'ordre, réduire la rébellion dans (un pays).

♦ **2.** Fig. (1530). Rendre calme. *Pacifier les esprits.* ⇒ **Adoucir, calmer.** *Pacifier des querelles.* ⇒ **Apaiser** (→ Arbitrage, cit. 1 ; attiser, cit. 7).

(...) si vous m'en croyez, vous pacifierez tout, 2
Et ne pousserez point les affaires à bout. MOLIÈRE, Tartuffe, IV, 1.

Absolument :

Vous ne savez pas comme c'est bon, d'avoir beaucoup d'argent : comme cela paci- 3
fie ! comme cela rend solide ! quelle confiance en soi cela donne !
MONTHERLANT, le Maître de Santiago, II, 1.

▶ **SE PACIFIER** v. pron.

Revenir à l'état de paix. *Grâce à Henri IV, la France, bouleversée par les guerres de religion, se pacifia rapidement.*

▶ **PACIFIÉ, ÉE** p. p. adj.

Revenu à l'état de paix (en parlant d'un territoire). *Royaume pacifié* (→ Dupe, cit. 10). *Région, zone pacifiée.*

CONTR. Agiter, ameuter, attiser, combattre, courroucer.

DÉR. Pacifiant.

PACIFIQUE [pasifik] adj. — XVe ; *pacific,* dr., attestation isolée, XIVe, « qui ne peut être troublé dans sa possession », sens conservé de nos jours dans l'expr. jurid. *possesseur pacifique;* lat. *pacificus,* de *pax, pacis.* → Paix.

♦ **1.** (Personnes). Qui aime la paix*, qui aspire à la paix. *Homme* (→ Colérique, cit. 1), *roi pacifique* (→ Fonction, cit. 2). — *Pays, puissance, peuple pacifique* (→ Bagarre, cit. 5; belliqueux, cit. 2; conférence, cit. 2; désarmement, cit. 1). — Par ext. (1524). *Cœur, esprit pacifique. Il est d'une humeur trop pacifique.* ⇒ **Débonnaire, tranquille.** *Des intentions pacifiques.*

1 C'était *(Philippe-Auguste)* un prince cauteleux, plus pacifique que guerrier, quelles qu'aient été sous lui les acquisitions de la monarchie.
MICHELET, Hist. de France, IV, V.

2 Elle *(la Turquie)* est, actuellement, l'une des nations les plus pacifiques du monde, et si elle entretient une puissante armée, c'est pour défendre son équilibre présent contre les voisins dangereux. G. DUHAMEL, Turquie nouvelle, II.

N. (1546). *Un pacifique* (le fém. est rare). — Allus. biblique :

3 Heureux les pacifiques, car ils seront appelés enfants de Dieu.
BIBLE (CRAMPON), Évangile selon saint Matthieu, V, 9.

♦ **2.** (1539). Dr. *Possesseur pacifique,* dont le titre n'est pas troublé dans sa possession. ⇒ **Paisible** (dr.).

♦ **3.** (Choses). Qui a la paix pour objet. *Intention* (→ Garant, cit. 6), *volonté pacifique* (→ Main, cit. 105). — *Utilisation pacifique, à des fins pacifiques, de l'énergie nucléaire.*

♦ **4.** Qui ne dénote pas d'agressivité, d'intention polémique ou malveillante. *Un questionnaire d'apparence bien pacifique* (→ Exclusivisme, cit. 2; ouaille, cit.).

♦ **5.** (Déb. XVIe). Qui n'est pas troublé, qui se passe dans le calme, la paix. ⇒ **Paisible.** *Règne pacifique. Coexistence pacifique entre États. Révolution qui s'accomplit de manière pacifique.* ⇒ **Pacifiquement** (→ Expérimentateur, cit. 4).

4 (...) nous sommes dans une époque où les peuples doivent tout obtenir par le développement légal de leurs libertés, et par le jeu *pacifique* des institutions constitutionnelles (...) BALZAC, la Cousine Bette, Pl., t. VI, p. 231.

♦ **6.** Relig. *Sacrifice pacifique :* sacrifice que les Hébreux offraient en action de grâces et dans lequel, à la différence de l'holocauste, on ne brûlait que la graisse et les reins de la victime (→ Autel, cit. 1).

♦ **7.** (1765; *Mer pacifique,* XVIe). *Océan Pacifique :* océan qui s'étend entre l'Amérique et l'Asie, ainsi nommé par Magellan parce que ce navigateur le traversa sans essuyer de tempête. — N. m. (1868). *Le Pacifique.*

5 L'océan Pacifique justifiait assez son nom. Mr. Fogg était aussi calme, aussi peu comunicatif que d'ordinaire. J. VERNE, le Tour du monde en 80 jours, p. 208.

CONTR. Agité, batailleur, belliqueux, emporté, guerrier, violent.
DÉR. Pacifiquement, pacifisme, pacifiste.

PACIFIQUEMENT [pasifikmɑ̃] adv. — V. 1308; de *pacifique.*

♦ D'une manière pacifique, sans violence. *Révolution qui se fait pacifiquement. Pays qui accède pacifiquement à l'indépendance.*

(...) j'ai confiance que tous les intéressés continueront leurs efforts pour résoudre pacifiquement le problème de la Tchécoslovaquie, parce que sur lui repose la paix de l'Europe en notre temps. SARTRE, le Sursis, p. 97.

PACIFISME [pasifism] n. m. — 1845; de *pacifique.*

♦ Doctrine des pacifistes. *Le pacifisme de Hugo* (→ Blaguer, cit. 2). *Pacifisme et neutralisme.*

(...) le pacifisme multiplie quelquefois les guerres et l'indulgence la criminalité.
PROUST, À la recherche du temps perdu, t. IV, p. 194.

CONTR. Bellicisme.

PACIFISTE [pasifist] n. et adj. — 1907; de *pacifique.*

♦ Partisan de la paix entre les nations, les peuples. — Adj. *Idéal pacifiste* (→ Grandeur, cit. 29). — Péj. Partisan de la paix à tout prix; personne qui prétend établir la paix universelle par des moyens illusoires. *Accuser des pacifistes de défaitisme*. Pacifistes bêlants.*

1 Ashley Bell (...) repartit doucement : Vous n'avez pas la prétention d'aimer la paix plus que moi. Je la veux universelle, inébranlable, féconde, et vos compatriotes, s'ils me connaissaient, me flétriraient sûrement du nom de «pacifiste», qui est chez vous, je crois, une injure. A. HERMANT, l'Aube ardente, IX.

2 (...) le chef de bataillon proclama d'une voix résolue : — Il fallait tout oser, pour empêcher la guerre, tout! C'était bien la première fois que j'entendais ce langage dans la bouche d'un officier et je contemplais avec stupeur ce pacifiste imprévu (...) R. DORGELÈS, le Cabaret de la belle femme, p. 98.

Relatif au pacifisme. *Congrès pacifiste. Mouvement pacifiste-neutraliste.*

CONTR. Belliciste, belliqueux.

PACK [pak] n. m. — 1817, *Annales de chimie,* 5, p. 6; angl. *pack-ice* «paquet de glace», attesté en franç. : *«la mer est entièrement couverte de pack-ice très dense»,* Charcot, 1906 *in* D. D. L.

♦ **1.** Mar. «Terme générique pour désigner la banquise, une réunion de plusieurs plaques de glace, ou toute agglomération de glace de mer en dérive» (Gruss).

Mais, Renaud, lui, ne quittait pas du regard l'étrave épaisse et coupante comme un coin d'acier, une étrave faite pour labourer les icefields et crever les packs.
Roger VERCEL, Remorques, p. 27.

♦ **2.** (1912). Sport. Ensemble des avants, au rugby (et, par ext., dans d'autres sports d'équipe).

♦ **3.** (V. 1970). Anglic. Emballage de carton, réunissant un nombre déterminé (6 ou 8, en général) de bouteilles, de canettes ou de boîtes. *Un pack de bière.*

PACKAGE [pakɛdʒ] n. m. — 1968; mot angl. (XVIe), de *to pack* «emballer; rassembler», employé en apposition depuis 1821 aux États-Unis (*package sale,* etc.).

Anglicisme.

♦ **1.** Inform. Élément d'un logiciel destiné au traitement d'une classe d'applications; bloc cohérent de programmes, de jeux d'essais et de documentation commercialisable (termes franç. recomm. : *bloc de programmes;* recomm. off. : *programme-produit, Journ. off.* 12 janv. 1974). *Package de paie.*

Si, pour des programmes simples, des transactions de ce genre (ventes de programmes) sont à la rigueur envisageables, il en va tout autrement pour des programmes, ou des ensembles de programmes, plus complexes tels que ceux qui constituent les packages. Dans ce dernier cas, le fabricant de logiciel se charge en général de la maintenance et de l'assistance. (...) Les packages sont devenus très nombreux mais compte tenu de l'effort de standardisation important que nécessite leur réalisation, tant chez les utilisateurs que chez les fabricants, ce sont surtout les aides à la conception et à la réalisation du logiciel qui sont les plus répandus et les plus utilisés. Pierre MATHELOT, l'Informatique, p. 86.

♦ **2.** Publicité. Ensemble de documents complémentaires constituant un programme complet. — Tourisme. Forfait.

PACKAGE DEAL [pakɛdʒdil] n. m. — 1963; expr. anglo-amér.; de *package,* et *deal* «marché, accord».

♦ Anglic. Écon. Accord global, comprenant de nombreuses conventions. *Des package deals.*

PACKFOND, PACKFONG ou PACKFUNG [pakfɔ̃] n. m. ⇒ Pacfung.

PACKSON [paksɔ̃] n. m. ⇒ Pacson.

PACOTILLE [pakɔtij] n. f. — 1711; empr. esp. *pacotilla,* de la famille de *paquet.*

♦ **1.** Vx. Ballot de marchandises que le capitaine et les membres de l'équipage d'un navire pouvaient transporter avec eux, sans payer de frêt, afin de les revendre à leur profit.

♦ **2.** (1759). Ancienn. Assortiment de marchandises destinées à l'échange, au commerce en pays lointains. ⇒ **Verroterie** (→ Indispensable, cit. 5). — Ce commerce lui-même. *Faire de la pacotille.*

Je ne m'étonne plus qu'il me demande de quoi faire une pacotille pour les Indes! s'écria Cérizet. BALZAC, Splendeurs et Misères des courtisanes, Pl., t. V, p. 788.

♦ **3.** (1835). Mod. Marchandises de mauvaise qualité, de peu de valeur. ⇒ **Camelote** (cit. 2).

DE PACOTILLE : de très mauvaise qualité, sans valeur. *Matériel de pacotille.* — Fig. *Héroïsme de pacotille.*

DÉR. Pacotiller, pacotilleur.

PACOTILLER [pakɔtije] v. intr. — 1842; de *pacotille (2.).*

♦ Vx. Se constituer une pacotille. — Faire le commerce de pacotille. *De nos jours, les matelots n'ont plus de droit de pacotiller.*

PACOTILLEUR [pakɔtijœʀ] n. m. — 1782; de *pacotille.*

♦ **1.** Vx. Celui qui fait le commerce des pacotilles.

♦ **2.** Vx. (XIXe). Commerçant, fabricant dont les produits sont de mauvaise qualité.

Évidemment ni Maradan, ni les Treuttel et Wurtz, ni Doguereau n'ont imprimé ce roman-là, dit Lousteau (...). Ce sera quelque pacotilleur du quai (...)
BALZAC, la Muse du département, Pl., t. IV, p. 128.

PACQUAGE [pakaʒ] n. m. — 1583; de *pacquer.*

♦ Techn. Opération qui consiste à pacquer le poisson.

PACQUER [pake] v. tr. — 1423; «mettre en paquet», 1341; du même rad. que *paquet.*

♦ Techn Emballer*, entasser (le poisson) dans un baril, après salage, en vue de le transporter, de l'expédier.

DÉR. Pacquage.

PACSON [paksɔ̃] n. m. — 1899; *pacmon*, 1822; de *paq(uet)*, et suff. argotique.

♦ Argot. Paquet. — (Nombreuses variantes : *paqson, packson, paxon; pacsin, pacsif*...).

1 Il faut que tout soye prêt à c'soir, et, vous savez, des paxons bien solides.
H. BARBUSSE, le Feu, t. I, p. 74.

2 Julie descendit de sa chaise, plongea sous un comptoir et en sortit un petit paxon qu'elle projeta vers Ganière. R. QUENEAU, le Dimanche de la vie, p. 18.

3 Elle entendit le type qui disait : Tiens où donc j'ai mis mon pacson.
R. QUENEAU, Zazie dans le métro, Folio p. 64.

4 (...) Je me boucle soigneusement dans la loggia, je frime la matonne : bon, elle est absorbée dans le dépouillement du courrier, quel packson, pourvu qu'il y en ait pour moi (...) A. SARRAZIN, la Cavale, p. 129.

PACTE [pakt] n. m. — 1461; *pact*, 1355; du lat. *pactum*, de *pacisci* «faire un pacte». → Paix.

♦ **1.** Convention de caractère solennel ou d'importance particulière entre deux ou plusieurs parties. ⇒ **Convention, marché** (*supra* cit. 19). *Pacte exprès ou tacite* (→ Clause, cit. 4). *Pacte éternel* (→ Alliance, cit. 2), *inviolable. Conclure, faire, sceller, signer un pacte. Rompre, violer un pacte.* — Dr. *Pacte commissoire**. — *Pacte social.* ⇒ **Contrat** (→ ci-dessous, cit. Rousseau). — Dr. intern. publ. ⇒ **Covenant** (angl.), **traité.** *Pacte secret. Pacte d'alliance**, *de non-agression* (cit.). *Pacte conclu en vue de maintenir la paix**. *Pacte de la S. D. N.* (→ Mandat, cit. 4). ⇒ **Diplomatie, politique** (internationale). — *Pacte Atlantique.* ⇒ **Atlantique.** — *Pacte fédéral :* charte de constitution de la Suisse.

1 Si donc on écarte du pacte social ce qui n'est pas de son essence, on trouvera qu'il se réduit aux termes suivants : «Chacun de nous met en commun sa personne et toute sa puissance sous la suprême direction de la volonté générale; et nous recevons encore chaque membre comme partie indivisible du tout.
ROUSSEAU, Contrat social, I, VI.

2 (...) une solennelle promesse, un pacte d'alliance auquel elle ne devait pas manquer. Th. GAUTIER, le Capitaine Fracasse, XVI.

3 Était-ce donc à cette vie tumultueuse qu'il devait s'attendre sous mon toit? N'étions-nous pas tacitement convenus de mener une existence paisible? J'avais rompu le pacte. FRANCE, le Crime de S. Bonnard, Œ. t. II, I, I, p. 298.

Document qui constate la convention.

Hist. (1863). *Pacte colonial :* système autrefois imposé aux colonies des nations européennes, réservant à la Métropole le marché colonial, et donnant à la marine métropolitaine le monopole du pavillon*.

4 (...) le système dit du pacte colonial n'est sans doute plus qu'un souvenir du passé, encore que son esprit ait marqué profondément la réglementation ultérieure de même que toutes les relations de métropole à colonies. Aussi bien, dans le langage polémique de certains, cette expression vise-t-elle à énoncer un caractère d'exploitation et de domination de la métropole sur les colonies.
In ROMEUF, Dict. des Sciences économiques, art. *Pacte colonial.*

♦ **2.** *Pacte avec le diable, le démon* (→ Chiromancie, cit.) : convention d'après laquelle, dans la légende, le démon se met au service d'une personne qui, en échange, lui abandonne son âme. ⇒ **Alliance.** *Le pacte de Faust avec Méphistophélès.*

5 Il signerait volontiers demain un pacte avec le démon, si ce pacte lui donnait pour quelques années une vie brillante et luxueuse.
BALZAC, les Illusions perdues, Pl., t. IV, p. 906.

♦ **3.** Par métaphore. Résolution par laquelle on décide d'être fidèle à qqch.; accord constant. *Pacte avec la chance.* — *Faire un pacte avec la mort.*

6 — Avez-vous fait un pacte avec la victoire?
— Non! nous l'avons fait avec la mort.
Réponse de BAZIRE à Sébastien MERCIER à la tribune de la Convention, le 18 juin 1793, *in* GUERLAC.

DÉR. Pactiser.

PACTISATION [paktizasjɔ̃] n. f. — 1795, Babeuf; de *pactiser.*

♦ Rare. Fait de pactiser.

PACTISER [paktize] v. intr. — 1481; *pastiger*, 1355; de *pacte.*

♦ **1.** Faire un pacte, négocier un accord, la paix avec qqn. *Pactiser avec l'ennemi.*

1 Si je croyais au diable (j'ai fait parfois semblant d'y croire : c'est si commode!) je dirais que je pactise aussitôt avec lui. GIDE, Ainsi soit-il, p. 83.

♦ **2.** Pactiser avec le diable, avec le démon. ⇒ **Pacte,** 2.

♦ **3.** (XIXe). Se mettre d'accord, agir de connivence (avec qqn); (1835) composer (avec qqch.). ⇒ **Composer, transiger.** *Pactiser avec le crime, avec la rébellion, avec sa conscience.* — REM. Depuis le XVIIIe siècle, *pactiser* s'emploie souvent avec une valeur péjorative.

Je ne peux pas pactiser avec tout ça (...) C'est tout ou rien (...) Pourquoi se mentir? Il faut trancher dans le vif, il n'y a pas d'autre moyen (...) 2
N. SARRAUTE, le Planétarium, p. 107.

DÉR. Pactisation, pactiseur.

PACTISEUR, EUSE [paktizœʀ, øz] n. — 1920, au masc., *in* D. D. L.; de *pactiser.*

♦ Rare. Personne qui pactise.

Des brigades d'élèves-officiers (...) avaient été placées aux carrefours de la ville, afin d'assurer la protection de l'auguste vieillard contre les défaitistes et les pactiseurs avec l'ennemi. R. GARY, la Promesse de l'aube, p. 252.

PACTOLE [paktɔl] n. m. — 1860; 1698, métaphore sur le n. pr.; nom d'une rivière de Lydie qui roulait des paillettes d'or.

♦ Source de richesse, de profit (⇒ **Or,** *supra* cit. 17). *Il a trouvé le Pactole* (Académie). *Il a découvert là un nouveau pactole.*

(...) sa totale incapacité à se restreindre, en ses manières fastueuses et dans ses dépenses de nabab. Car voilà la faille par où fuit sans fin le pactole des droits d'auteur de l'écrivain le mieux payé et le plus abondant du siècle : les dépenses du pauvre Balzac. Émile HENRIOT, les Romantiques, p. 308.

PADAN, ANE [padɑ̃, an] adj. — XXe; de l'ital. *padána*, du lat. *Padus*, le Pô.

♦ Géogr. Relatif au Pô. *Plaine padane :* plaine de l'Italie septentrionale, drainée par le système hydrographique du Pô.

Comme un autre vent riche en neige est, surtout au printemps, la «Lombarde» qui souffle de la plaine du Pô vers la Savoie, il ne faut pas s'étonner de voir la Maurienne, plus méridionale certes que la Tarentaise, mais plus ouverte que celle-ci aux influences padanes, recevoir autant de neige à altitudes égales (...) Ce n'est que dans les Alpes du Sud proprement dites, que la latitude vient enfin amenuiser l'enneigement. Charles-Pierre PÉGUY, la Neige, p. 49.

PADDAIR [padɛʀ] n. m. — 1977, n. déposé; de *padd(le) (tennis)* et *(plein) air*, de l'angl. *paddle tennis*, 1925, désignant un jeu primitivement à raquettes de bois pleines *(paddles)*, inventé aux États-Unis en 1924 par Frank P. Beal pour apprendre aux enfants les rudiments du tennis et adopté ensuite par les adultes.

♦ Sports. Sport analogue au tennis, mais qui se joue sur un court quatre fois plus petit (162 m²) et en utilisant, comme au squash, les rebonds de la balle sur les parois du terrain, formées par un haut grillage (3,65 m). *Leçon de paddair. Les parties de paddair «se comptent en 20 points, et l'on sert cinq fois de suite comme au ping-pong»* (*le Figaro*, 6 sept. 1979).

PADDING [padiŋ] n. m. — 1946; de l'angl. *to pad* «rembourrer» (1827), et suff. *-ing.*

Anglicisme.

♦ **1.** (1946). Modes. Rembourrage (d'un vêtement) à l'épaule (⇒ **Épaulette**), à la hanche... *«Une robe désuète, à col châle, padding aux épaules...»* (*l'Express*, 18 déc. 1972, p. 169).

♦ **2.** (1972). Techn. Rembourrage de protection au centre du volant d'un véhicule. *«Un nouveau volant. Plus petit de diamètre, avec un large «padding» central, il protège efficacement le thorax...»* (*le Point*, 3 oct. 1972, Publicité).

PADDOCK [padɔk] n. m. — 1828; mot angl. signifiant «enclos, parc».

♦ **1.** Agric. (vx). Enclos aménagé dans une prairie pour les bœufs, et, spécialt, pour les juments poulinières et leurs poulains. — **(1880).** Enclos dans lequel un cheval pur sang est laissé en liberté.

♦ **2.** (1873 *in* Höfler). Turf. Enceinte réservée dans laquelle les chevaux sont promenés en main, au pesage d'un champ de course ⇒ **Course** (champ de course), **turf.**

Puis, il y avait le padock *(sic)*, une piste de cent mètres de tour, où un garçon d'écurie promenait Valerio II, encapuchonné. ZOLA, Nana, XI. 1

Vous avez eu tort, me dit-il, c'est si joli et si curieux aussi. D'abord cet être particulier, le jockey, sur lequel tant de regards sont fixés, et qui devant le paddock est là morne, grisâtre dans sa casaque éclatante, ne faisant qu'un avec le cheval caracolant qu'il ressaisit, comme ce serait intéressant de dégager ses mouvements professionnels, de montrer la tache brillante qu'il fait et que fait aussi la robe des chevaux, sur le champ de course. 2
PROUST, À l'ombre des jeunes filles en fleurs, Folio p. 565.

♦ **3.** (1923). Pop. Lit. — REM. En ce sens, on écrit aussi *padoc* (1929, *in* Esnault). ⇒ **Page, pageot, plumard.** *Se mettre au paddock.*

Je ne parvenais pas à m'en arracher, du paddock, à distinguer le rêve du réel, à savoir si le toubib était ou non déjà venu. Tout se mêlait dans mon esprit. 3
Albert SIMONIN, Touchez pas au grisbi, p. 92.

DÉR. Paddocker (se).

PADDOCKER (SE) [padɔke] v. pron. — 1939; de *paddock.*

♦ Pop. Se coucher.

À cette heure-ci, trois plombes *(trois heures du matin)*, ça se remarquerait (...)! L'envie de me paddocker me reprenait, insistante.
Albert SIMONIN, Touchez pas au grisbi, p 28.

PADDY [padi] n. m. — 1785; mot angl., du malais.

♦ **1.** Comm. (Cour en franç. d'Afrique). Riz non décortiqué. — Appos. *Riz paddy.*

♦ **2.** Pousse de riz. *Herbe de paddy,* de rizière.

La saison des pluies était arrivée. La mère avait fait de très grands semis près du bungalow. Les mêmes hommes qui avaient construit les barrages étaient venus faire le repiquage du paddy dans le grand quadrilatère fermé par les branches des barrages. M. DURAS, Un barrage contre le Pacifique, p. 57.

PADELIN [padlɛ̃] n. m. — 1875; 1690 «creuset où l'on fait fondre la matière du verre»; du provençal *padel(l)o*,de l'anc. provençal *padela*, du lat. *patella* «plat, assiette».

♦ Techn. Petit creuset utilisé pour faire l'essai des matières premières dans les verreries.

PADICHA ou **PADICHAH** [padiʃa] n. m. ⇒ **Padischah.**

PADINE [padin] n. f. — 1823, au sens de «varech»; orig. inconnue.

♦ Algue brune *(Phéophycées, dictyotées)*, dont les frondes irrégulières s'étalent en éventail.

PADISCHAH ou **PADISHA** [padiʃa] n. m. — 1829, — 1756 Voltaire; mot persan, de *pâd* «protecteur», et *schah* «roi».

♦ Hist. Titre d'honneur que portait l'empereur des Turcs (⇒ **Sultan,** cit. 1, Hugo) et qu'il donnait (1847), dans ses lettres, à certains souverains étrangers. — Vx (1843). Fig. Grand personnage. ⇒ **Manitou.** — REM. On trouve aussi les formes *padicha, padichah.*

Lucien eut sa chemise mouillée dans le dos en voyant l'air froid et mécontent de ce redoutable padischa de la librairie, qui tutoyait Finot quoique Finot lui dît vous, qui appelait le redouté Blondet *mon petit*, qui avait tendu royalement sa main à Nathan en lui faisant un signe de familiarité.
BALZAC, les Illusions perdues, Pl., t. IV, p. 700.

PADMA [padma] n. m. — 1866, Verlaine; mot sanskrit, même sens.

♦ Didact. Lotus rose, symbole de pureté.

PADOU ou **PADOUE** [padu] n. m. — 1679, *padou; padoue,* 1642; du nom de la ville italienne de *Padoue.*

♦ Techn. Ruban mi-fil, mi-soie. — (1867, *padoue*). Faveur rouge utilisée pour ficeler les sacs de bonbons.

PADOUAN, ANE [padwɑ̃, an] adj. et n. — XVIIe; du nom de *Padoue,* ville italienne.

★ **I.** Adj. De Padoue.

★ **II.** N. ♦ **1.** **PADOUAN,** n. m. (1695); **PADOUANE,** n. f. (1762). Pièce de monnaie imitée de l'Antiquité (provenant à l'origine de l'atelier d'un graveur italien de Padoue).

♦ **2.** N. f. (1834). Danse ancienne, originaire de Padoue.

♦ **3.** N. f. (1920). Poule d'une race caractérisée par une grosse touffe de plumes sur la tête.

PAELLA [paeja; paela] n. f. — 1938, P. Montagné; répandu mil. XXe; mot esp., «poêle».

♦ Plat espagnol composé de riz cuit dans un poêlon avec des moules, des crustacés, des viandes, etc. *La paella valencienne.*

(...) ils se retrouvèrent une quinzaine de convives attablés autour d'une paella (...)
S. DE BEAUVOIR, Tout compte fait, p.60.

REM. On écrit aussi *paëlla* (Cesbron, *Abeille,* p. 62).

1. PAF [paf] interj. — 1718; onomatopée.

♦ Interjection qui exprime un bruit de chute, de coup, etc., un accident soudain. *Paf! Il est tombé par terre* (Académie). *Pif* ! paf!*

Le bouchon de champagne fit paf! et la bouteille bava (...)
ARAGON, les Beaux Quartiers, I, XX.

2. PAF [paf] adj. invar. en genre — 1806 *in* D. D. L.; abrév. de *paffé,* p. p. de *se paffer,* syncope de *s'empaffer* «se gaver d'aliments et de vin», 1790; onomat. véhiculant l'idée du gonflement. → Pouf.

♦ Pop. Ivre. *Il est déjà complètement paf. Ils sont pafs. Elles étaient à moitié pafs.*

Vous avez été joliment paf, hier. Ah! papa Camusot, d'abord, moi je n'aime pas 1
les hommes qui boivent (...) BALZAC, les Illusions perdues, Pl., t. IV, p. 745.

Gervaise en vit deux autres devant le comptoir en train de se gargariser, si pafs, 2
qu'ils se jetaient leur petit verre sous le menton, et imbibaient leur chemise, en croyant se rincer la dalle. ZOLA, l'Assommoir, t. II, X, p. 148.

3. PAF [paf] n. m. — Fin XIXe; orig. incert., le rad. *paff-* peut correspondre à l'idée de «coup».

♦ Pop., vulg. Sexe de l'homme, pénis.

... et puis aussi des vues salopes, des imaginations cochonnes ... qu'étaient à hurler 1
... à rugir ... tellement ça me prenait soudain, ça m'empoignait le paf ... Ah! le feu du cul! ... CÉLINE, le Pont de Londres, p. 151.

L'aube pointait, quelle aube que ce paf auréolé pointant hors du froc du voyou, 2
quelle aube attristante! Jean GENET, Pompes funèbres, p. 106.

COMP. Saute-au-paf.

PAGAIE [pagɛ] n. f. — 1762; *pagaye,* fin XVIIe; 1686, *pagais,* n. m., du malais des Moluques *pengajoeh.*

♦ «Aviron court en forme de pelle pour les pirogues, canoës, périssoires, etc.» (Gruss). ⇒ **Rame.** *Pagaie simple, double. Pagaie d'une embarcation.*

Tout notre détachement s'embarqua dans l'un de ces canots, et nous fûmes conduits à la pagaie le long du récif dont j'ai parlé (...)
BAUDELAIRE, Trad. E. POE, les Aventures d'A. Gordon Pym, XIX.

DÉR. Pagayer.

PAGAÏE ou **PAGAILLE** [pagaj] n. f. — 1833, *in* D. D. L.; *en pagale,* 1792; de *pagale, pagalle,* var. de *pagaie,* la rapidité de la navigation à la pagaie ayant évoqué l'idée de désordre.

♦ **1.** Mar. *En pagaïe* : en désordre, avec précipitation. *Mouiller en pagaïe. Jeter des objets en pagale dans la cale d'un navire,* «les jeter à peu près au hasard» (Littré).

♦ **2.** (V. 1914). Fam. Grand désordre; état de désordre (concret ou abstrait). ⇒ **Bordel.** *C'est une pagaïe épouvantable.* ⇒ **Gâchis.**

♦ **3.** *Il met la pagaïe partout. Flanquer, ficher, foutre la pagaille.* ⇒ **Merde.**

S'il y avait autant de pagaille et de saloperies au front comme il y en a à l'arrière, 1
les Boches seraient à Bordeaux depuis une paye.
R. DORGELÈS, les Croix de bois, XVI.

(...) discipline militaire d'abord. Nous sommes ici deux commandants; nous pre- 2
nons les responsabilités. La pagaille est finie. Vous mangerez ce soir. Vous ne coucherez pas dehors. A. MALRAUX, l'Espoir, II, I, I, I.

REM. On écrit parfois *pagaye.*

Défaire ses valises, ajouter encore à la pagaye de son bureau («Surtout, Picard, 3
ne changez rien de place»), il n'en eut pas le courage.
MONTHERLANT, les Lépreuses, II, XX.

Loc. (1890). *En pagaille* : en désordre. *Il a laissé tous ses papiers en pagaille.* — Par ext. En très grande quantité. *Il y en a en pagaille.*

Vous avez vu cette fille? Il y en a comme cela plein, plein, en pagaye! Ce sont tou- 4
tes les femmes que j'ai refusées, parce qu'elles ne me plaisaient pas.
MONTHERLANT, Pitié pour les femmes, p. 153.

CONTR. Ordre.
DÉR. Pagailleux.

PAGAILLEUX, EUSE [pagajø, øz] adj. — XXe; de *pagaille.*

♦ Fam. En désordre, en pagaille.

Ma baraque, vous vous en souvenez? Elle est toujours debout, loué soit Dieu. Mais c'est vraiment loin (...) Terriblement loin et pagailleux, mon capitaine.
Edmonde CHARLES-ROUX, Elle, Adrienne, p. 295.

PAGANISANT, ANTE [paganizɑ̃, ɑ̃t] n. — 1721; p. prés. de *paganiser.*

♦ Hist. relig. Membre de sectes chrétiennes ayant conservé des rites païens.

PAGANISER [paganize] v. — 1445, v. intr. ; dér. du lat. *paganus* «païen».

♦ **1.** V. intr. Vx. Agir, vivre comme un païen, de manière non chrétienne *«Je suis un païen (...) je paganise dans le sanctuaire»* (Bossuet).

♦ **2.** V. tr. (1867). Mod., didact. Rendre païen; convertir au paganisme. *Paganiser un pays, un peuple.* — V. pron. *Se paganiser* : devenir païen. — Au p. p. *Peuples paganisés.*

DÉR. Paganisant.

PAGANISME [paganism] n. m. — 1546; *paienisme,* surtout «terre des infidèles»; lat. ecclés. *paganismus,* de *paganus.*

♦ **1.** Religion polythéiste, et, spécialt, polythéisme gréco-romain (dans le discours des chrétiens). ⇒ **Gentilité, polythéisme**; 1. **gentil,**

païen. *Le paganisme hellénique* (cit. 2). *Fêtes* (cit. 4) *chrétiennes et cérémonies du paganisme. Les dieux* du paganisme.*

1 Le système de réfutation du paganisme qui fera la base de l'argumentation de tous les Pères se trouve déjà complet dans pseudo-Clément. Le sens primitif de la mythologie était perdu chez tout le monde; les vieux mythes physiques, devenus des historiettes messéantes, n'offraient plus aucun aliment pour les âmes. Il était facile de montrer que les dieux de l'Olympe ont donné de très mauvais exemples et qu'en les imitant on serait un scélérat.
RENAN, Marc-Aurèle, Œ., t. V, v, p. 791.

Par ext. L'antiquité gréco-romaine, considérée sous l'angle religieux.

2 Que si l'on demande comment, dans le paganisme, où chaque État avait son culte et ses dieux, il n'y avait point de guerres de religion; je réponds que c'était par cela même que chaque État, ayant son culte propre aussi bien que son gouvernement, ne distinguait point ses dieux de ses lois.
ROUSSEAU, Du contrat social, IV, VIII.

(1605). Ensemble des peuples païens.

♦ **2.** (Déb. XXe). Littér. Doctrine, attitude intellectuelle semblable à celle que l'on prête à l'antiquité gréco-romaine : sensualité, amour de la vie et du beau.

3 Je sais bien ce qui a nui à Théophile Gautier : son paganisme, son amour exclusif de la forme, son art de dur ciseleur. Émile HENRIOT, les Romantiques, p. 201.

CONTR. Christianisme.

PAGAYER [pageje] v. — Conjug. *payer.* — 1866; de *pagaie.*

♦ **1.** V. intr. Manœuvrer la pagaie pour faire mouvoir une embarcation. ⇒ **Ramer.**

♦ **2.** V. tr. (Fin XVIIIe). Manœuvrer (une embarcation) au moyen d'une pagaie.

DÉR. Pagayeur.

PAGAYEUR, EUSE [pagejœʀ, øz] n. — 1691; de *pagayer.*

♦ Personne qui se sert de la pagaie.

Départ d'Irébou en baleinière (...) la traversée prend plus de quatre heures. Les pagayeurs rament mollement.
GIDE, Voyage au Congo, *in* Journal, 1939-1949, II, 16 sept.

1. PAGE [paʒ] n. f. — 1155; du lat. *pagina.*

♦ **1.** Chacun des deux côtés d'une feuille, d'un feuillet de papier, de parchemin, etc., susceptible de recevoir un texte manuscrit, imprimé ou dactylographié, un dessin, une carte... *Première, deuxième page d'une feuille.* ⇒ **Recto, verso.** *Numéro d'une page. Numéroter les pages.* ⇒ **Pagination, paginer.** *Livre de cinq cents pages. La première page.* ⇒ **Une** (la une). *La dernière page des journaux** (→ Nouveauté, cit. 20). — *Cet article se trouve à la page 4, en page 4, page 4. Suite en page 3, 2e colonne. En troisième page* (→ Information, cit. 3). *Ouvrez vos livres page quinze.* — *Les pages d'un livre* (→ Abaisser, cit. 2; ensevelir, cit. 4), *d'un dictionnaire* (→ Exprimer, cit. 47), *d'un atlas, d'un cahier, d'un carnet. Ce livre a cinq cents pages. Un dictionnaire de deux mille pages. Numéroter les pages. Page quadrillée. Couvrir de son écriture* (cit. 8), *noircir* (cit. 5) *des pages.* ⇒ **Écrire.** — *Page blanche** (cit. 10, par métaphore; → aussi allumer, cit. 17; annotation, cit. 2). — *Pages de garde** (*supra* cit. 87). — *Marquer, perdre, retrouver une page, la page* (→ État, cit. 70).

1 Toute son invention *(de Mallarmé),* déduite d'analyses du langage, du livre, de la musique, poursuivies pendant des années, se fonde sur la considération de la *page,* unité visuelle. Il avait étudié très soigneusement (même sur les affiches, sur les journaux) l'efficace des distributions de blancs et de noir (...)
VALÉRY, Variété II, p. 182.

2 (...) quelques lignes écrites sur la première page d'une double feuille de papier quadrillé. J. ROMAINS, les Hommes de bonne volonté, t. III, v, p. 83.

(1914). Loc. **ÊTRE À LA PAGE :** être au courant de l'actualité; suivre la dernière mode, s'engouer de la dernière nouveauté en un domaine quelconque.

3 (...) dans toute société, ce sont toujours les éléments d'intelligence inférieure qui sont affamés d'*être à la page.* MONTHERLANT, les Célibataires, II, VI.

♦ **2.** (1530). Le texte inscrit sur une page (1.). *Pages manuscrites* (→ Fourrier, cit. 3). — *Page d'écriture :* devoir scolaire qui consiste à recopier un modèle d'écriture sur chaque ligne d'une page (→ Langue, cit. 3).

Spécialt. La *page* prise comme référence pour évaluer la longueur d'un texte. *Des lettres de trente pages* (→ Griffonner, cit. 7). *Son chef-d'œuvre n'a que trente pages* (→ Haleine, cit. 19). *Dépouiller* (cit. 11) *deux cents pages d'un ouvrage. Il est payé à deux cents francs la page. Quatre pages de louanges* (→ Aimer, cit. 60). *« Plusieurs pages font un volume »* (→ Gratis, cit. 5).

♦ **3.** La page manuscrite, imprimée ou dactylographiée, considérée dans son aspect matériel. *Le début, le haut de la page; le milieu, le centre de la page. Bas* (1. Bas, cit. 46), *fin de la page* (→ Chevaucher, cit. 4). *En haut, en bas de page. Titre courant en tête de la page. Folio* en haut ou en bas de la page. Page à deux, trois colonnes. Vingt-cinq lignes à la page. Marge* d'une page.* — (T. d'imprim. et de typogr.). *Page grise*.* — (1799). *Belle page :* page impaire, de droite. *Commencer, finir un chapitre en belle page. Fausse page :* page paire.

(1835) **MISE EN PAGES :** opération par laquelle le *metteur en pages* (1828) d'un journal, d'une revue, etc. réunit et dispose les paquets de composition en y intercalant tout ce qui doit rentrer dans le texte (blancs, titres, clichés, etc.). *Mise en pages à l'américaine, à l'italienne...* — (1765). *Mettre en pages,* effectuer cette opération.

Les intrigues étaient si multipliées au sein des bureaux de rédaction, et le soir sur le champ de bataille des imprimeries, à l'heure où la *mise en page* décidait de l'admission ou du rejet de tel ou tel article, que les fortes maisons de librairie avaient à leur solde un homme de lettres pour rédiger ces petits articles où il fallait faire entrer beaucoup d'idées en peu de mots. 4
BALZAC, Illusions perdues, t. IV, p. 781.

Lorsqu'il a fait une maquette précise et qu'aucune information de dernière heure ne vient la bouleverser, le secrétaire de rédaction se contente de surveiller la mise en pages et, éventuellement, d'y apporter les retouches utiles. Lorsque la maquette est incomplète, ou si des erreurs s'y sont glissées, il lui appartient de donner au metteur en pages toutes instructions pour la mise en place des titres, textes et illustrations, de décider la suppression de tel alinéa (...) 4.1
Philippe GAILLARD, Technique du journalisme, p. 119.

♦ **4.** Cour. (XIXe). Feuille, feuillet. *Pli à la page d'un livre.* ⇒ **Oreille.** *Corner les pages d'un livre. Déchirer, feuilleter, tourner les pages* (→ Faire, cit. 193). *Arracher une page. Il manque une page.* — (Déb. XXe). Loc. Fig. *Tourner la page :* passer à une autre occupation, à un autre sujet; oublier volontairement le passé, ne pas se perdre en regrets inutiles.

Ce qu'il faut, c'est avoir le courage de renoncer, d'accepter l'échec, de tourner la page et de recommencer. A. MAUROIS, Terre promise, XLV. 5

♦ **5.** (1697). Souvent au plur. Passage plus ou moins long d'une œuvre littéraire. *Les plus belles pages d'un écrivain, de la littérature française.* ⇒ **Anthologie, œuvre** (œuvres choisies). *Pages médiocres* (→ Carnet, cit. 3), *immortelles* (→ Empreinte, cit. 12), *exquises* (→ Éparpiller, cit. 14), *fielleuses* (cit. 2), *pleines de sensibilité* (→ Intérêt, cit. 30).

C'est par de telles pages, brûlantes, passionnées, et où respire dans l'amour divin la charité humaine, que Pascal a prise sur nous aujourd'hui plus qu'aucun apologiste de son temps. SAINTE-BEUVE, Causeries du lundi, 29 mars 1852. 6

Par ext. (Déb. XXe). En parlant d'un morceau de musique. Composition musicale (→ Cake-walk, cit. 1).

♦ **6.** (Déb. XIXe). Fig. ou par métaphore. Partie de la vie ou de l'histoire d'un individu, d'un groupe, d'une nation... ⇒ **Événement, fait.** *C'est la plus belle page de sa vie, de son histoire. Le Consulat* (cit. 2, Madelin), *l'une des plus belles pages de la plus belle des histoires. Une page glorieuse de l'histoire de France. Une page sanglante* (→ aussi ci-dessus, 4. : *Tourner la page*).

On voudrait revenir à la page où l'on aime 7
Et la page où l'on meurt est déjà sous nos doigts.
LAMARTINE, Poésies diverses, « Vers sur un album ».

Et cette « aventure innocente », si courte et presque irréelle, ne vous aura pas laissé le temps d'arriver à la lassitude. Ce sera, dans votre vie, une page sans verso.
LOTI, les Désenchantées, III, XII

DÉR. (Du même rad. lat.) **Paginer.**

2. PAGE [paʒ] n. m. — 1430; « valet » 1225; soit du grec *paidion* « petit garçon », latinisé, cf. ital. *paggio;* soit (P. Guiraud) de **pageus,* du lat. *pagere, pangere* « convenir, stipuler ».

♦ **1.** Anciennt. Jeune garçon noble qui était placé auprès d'un roi, d'un seigneur, d'une grande dame... pour apprendre le métier des armes, faire le service d'honneur, escorter son maître... ⇒ **Domestique, menin, varlet** (→ Damoiseau, cit. 2; familier, cit. 17; gratis, cit. 5, Chamfort). *Un petit page. « Tout marquis veut avoir* (→ 1. Avoir, cit. 36) *des pages »* (La Fontaine). *Chausses bouffantes des pages.* ⇒ **Trousse**(s). — Vieilli ou littér. (1640). *Effronté* (→ Effronterie, cit. 4), *hardi comme un page, comme un page de la maison du roi* (→ Faubourg, cit. 5).

Sous telle charge au Page ressemblait, 1
Qui jeune d'ans suit son maître à la guerre,
La lance au poing, au flanc le cimeterre,
L'armet au chef, qui trop grand et trop gros
Rebat son front, et lui courbe le dos.
RONSARD, Premier livre des poèmes, « Le satyre ».

Vx. L'état de page. *« Au sortir de page ou devenant écuyer »* (cit. 1, Chateaubriand).

(1532; *hors de page,* 1456). Loc. *Être hors de page,* se disait d'un jeune homme qui avait terminé son service dans les pages. — Par métaphore, vx. Avoir son indépendance, être hors de tutelle.

Mettre hautement notre esprit hors de page. 2
MOLIÈRE, les Femmes savantes, III, 2.

♦ **2.** Techn. (XIXe). Jeune cerf, jeune sanglier qui en accompagne un vieux.

3. PAGE [paʒ] n. m. — 1929; *paj,* 1916; de *pageot.*

♦ Argot. Lit. ⇒ **Pageot.**

Ah! je voulais plus être dérangé (...) Ruminer voilà ce que je voulais (...) Foncer au page (...) réfléchir (...) comme ça dans le creux du polochon, absolument seul! 1
CÉLINE, le Pont de Londres, p. 292.

2 Le champ glacé, le fauteuil club, l'atmosphère douillette du salon, m'amollissaient brusquement. Une bonne envie de me filer au page me venait. Après minuit, je ne suis plus l'homme des aventures.
Albert SIMONIN, Touchez pas au grisbi, p. 21.

DÉR. Pager (se).

PAGEL n. m. ou **PAGELLE** [paʒɛl] n. f. — 1562; *pageau*, 1552; d'un mot lat. non attesté *pagellus*. → Pagre.

♦ Poisson acanthoptérygien *(Sparidés)* scientifiquement appelé *pagellus. Le pagel se pêche sur toutes les côtes de France; sa chair est estimée.*

Régional. Les variantes *pageau, pageot* [paʒo], Sud de la France : *pagest* [paʒɛst], *pageul* [paʒœl] sont usitées pour désigner ce poisson.

Des congres, des pageots, les hideuses rascasses, tressautants ou raidis en forme de croissant de lune, mêlant les lueurs mordorées des nageoires et les luisances aquatiques des écailles, s'entassaient comme une jonchée de fruits (...)
J. GIONO, Naissance de l'Odyssée, p. 133.

1. PAGEOT [paʒo] n. m. — 1895, *pageot; pajot*, 1916; orig. incert. probablt même rad. que *pagnoter*.

♦ Pop. Lit*. *Se mettre, aller au pageot.* ⇒ 3. **Page, pagnot.** — REM. On écrit aussi *pajot*.

1 À deux heures de l'après-midi, tu es encore au pajot!
SARTRE, la Mort dans l'âme, p. 52.

2 Ce n'est plus la peine de se fatiguer dans la vie, on a déjà trouvé ce qu'il y avait de plus intéressant. Le pageot, c'est mon petit paradis à moi tout seul.
Roger NIMIER, le Hussard bleu, p. 265.

DÉR. Pageoter (se) ou **pajoter** (se).

2. PAGEOT [paʒo] n. m. ⇒ **Pagel** (régional).

PAGEOTER (SE) [paʒɔte] v. pron. — 1895; de *pageot, pajot*.

♦ Pop. Se mettre au lit. ⇒ **Pager** (se), **pagnoter** (se). — REM. On écrit aussi *se pajoter*.

On l'a trouvé caché dans un grenier en train de se pageoter avec une rousse.
Roger NIMIER, le Hussard bleu, p. 274.

PAGER (SE) [paʒe] v. pron. — 1915, *se pajer;* de 3. *page*, d'abord *paje*, var. de *se pageoter, se pajoter*.

♦ Argot. Se mettre au lit, se coucher. ⇒ **Pagnoter** (se).

1 Onze heures, le matin, c'est pour le mitan l'heure de la trêve. Par la force des choses, évidemment, et uniquement parce que les uns viennent tout juste de se pager et que les autres sont pas encore sortis du paddock.
Albert SIMONIN, Touchez pas au grisbi, p. 81.

Au participe passé :

2 Je vais probablement passer la fin d'année seul, comme d'habitude. Pagé à neuf heures, avec quelques bons bouquins à relire.
André HARDELLET, Lourdes, lentes..., p. 98.

PAGINATION [paʒinasjɔ̃] n. f. — 1801; du lat. *pagina*.

♦ **1.** Action de paginer un livre, un registre, de mettre un numéro sur chacune de ses pages. *Erreur de pagination.*

♦ **2.** [a] Notation des numéros des pages. *La pagination est erronée dans ce cahier. Pagination en chiffres arabes.*

Le Rédacteur en chef (...) va alors arbitrer et décider de la pagination, c'est-à-dire d'abord du nombre de pages que comportera l'édition (...)
Philippe GAILLARD, Technique du journalisme, p. 105.

[b] Nombre de pages paginées.

PAGINER [paʒine] v. tr. — 1811, au p. p.; du lat. *pagina*.

♦ Numéroter chaque page de (un livre, un cahier, un registre). ⇒ **Folioter.** — Au p. p. *Introduction paginée en chiffres romains.*

PAGNE [paɲ] n. m. — 1691; fém., 1643; *paigne*, fém., 1637; esp. *paño* → Pan.

♦ **1.** Vêtement sommaire, constitué généralement par un morceau d'étoffe, parfois par un assemblage de feuilles, etc., qu'on ajuste autour des reins et qui sert de culotte ou de jupe. *Pagne des Tahitiennes.* ⇒ **Paréo.** *Pagne de raphia. Porter un pagne. Se mettre en pagne.*

1 (...) le torse nu, un pagne blanc et rouge autour des reins (...)
LOTI, l'Inde (sans les Anglais), III, II.

Se faire un pagne avec une serviette de bains.

♦ **2.** Franç. d'Afrique [a] Cotonnade, en général ornée de motifs de couleur. *Du pagne imprimé. Pagne à la cire* (ou *wax*). ⇒ **Batik.**

[b] Pièce de cette cotonnade.

[c] Vêtement de style traditionnel, descendant au moins jusqu'aux mollets.

Je veux dépouiller toutes ces défroques dont je suis affublé 2
Et reprendre le pagne qu'un bourrelet retient à la taille (...)
AGBOSSA MESOU, Haleines sauvages.

PAGNON [paɲɔ̃] n. m. — 1755; cf. *le Français moderne*, XXII, p. 303; du nom d'un fabricant de Sedan.

♦ Techn. Drap noir très fin qui est fabriqué à Sedan.

PAGNOT [paɲo] n. m. — Fin XIXe; de *pagnoter*.

♦ Pop., vieilli. Lit*. ⇒ 1. **Pageot;** 3. **page.** *Se mettre au pagnot.*

PAGNOTER (SE) [paɲɔte] v. pron. — 1878; « manquer de courage », 1859; p.-ê. (selon Ménage) de *soldats de la pagnot(t)e* « mauvais soldats », ital. *pagnotta* « petit pain », ou de l'esp. *pagno* « chiffon », du lat. *panneus*, de *pannus*, mais le franç. a *paniot* « housse », d'où pourrait venir le mot (P. Guiraud).

♦ Pop. Se mettre au lit.

Le lendemain il disait incidemment qu'en réalité il était rentré de bonne heure, 1
en catimini, par la porte de service, et qu'il avait été se pagnotter *(sic)* sans rien dire à personne.
ARAGON, les Cloches de Bâle, VI.

Et l'homme se recouchait à une autre place pour ne pas avoir à s'allonger 2
dans la souille.
— Hé, feignants, tassez-vous, faisait-il. Tout le monde ne peut pas se pagnoter dans de la fourrure, comme ces deux-là qui se masturbent (...)
B. CENDRARS, la Main coupée, Œ. compl., t. X, p. 23.

PAGODE [pagɔd] n. f. — 1553; *paxode*, 1545; port. *pagoda*, du tamoul *pagavadam* « divinité ».

♦ **1.** Temple*, en Extrême-Orient (Birmanie, Chine, Inde, Japon...). *La pagode est généralement un ensemble architectural complexe, qui comprend un sanctuaire entouré de plusieurs murs d'enceinte, des édifices annexes, des étangs sacrés... Pagode chinoise, hindoue* (cit. 1). — REM. Le terme de *pagode*, usuel dans la langue classique, est plutôt pittoresque et évocateur dans la langue didact.; il tend à être remplacé de plus en plus par celui de *temple*.

(...) les pagodes siamoises endormies au monotone tintement de leurs clochettes sous les moussons malaises (...)
MALRAUX, les Voix du silence, p. 170.

♦ **2.** (1553). Vx. [a] L'idole qui est adorée dans ce temple.

[b] (1690). Figurine chinoise de porcelaine, de stéatite, sorte de magot à tête mobile. *Vitrine pleine de pagodes. « Il remue la tête comme une pagode »* (Académie).

♦ **3.** Vx. (1610). Ancienne monnaie d'or de l'Inde, qui portait la figure de la déesse des richesses.

♦ **4.** (1868). Mod. *Manches* (1. Manche, cit. 3) *pagodes* : manches qui vont en s'évasant du coude jusqu'au poignet.

DÉR. Pagodon.

PAGODON [pagɔdɔ̃] n. m. — V. 1930; *pagodin*, 1903; de *pagode*.

♦ Arts. Petite pagode. *Pagodon bouddhique, confucianiste.*

PAGOSCOPE [pagɔskɔp] n. m. — Déb. XXe; du grec *pagos* « glaçon, glace », et *-scope*.

♦ Techn. Appareil utilisé pour la prévision des gelées blanches.

PAGRE [pagʀ] n. m. — 1554; du lat. *pager*, tiré du grec *phagros*.

♦ Poisson acanthoptérygien *(Sparidés)* commun dans les mers chaudes et tempérées.

DÉR. (Du même rad.) **Pagel.**

PAGURE [pagyʀ] n. m. — 1552; du lat. *pagurus*, du grec *pagouros* « qui a la queue en forme de corne ».

♦ Zool. Crustacé décapode *(Paguridés)* anomoure, couramment appelé *bernard-l'hermite**.

PAGUS [pagys] n. m. — 1765, *Encyclopédie;* mot lat. « pays ».

♦ Antiq. romaine. Circonscription rurale. — Plur. *pagi* [pagi].

PAHLAVI [palavi] n. m. ⇒ **Pehlvi.**

PAIDOLOGIE [pedɔlɔʒi] n. f., **PAIDOLOGIQUE** [pedɔlɔʒik] adj., **PAIDOLOGUE** [pedɔlɔg] n. ⇒ **Pédologie, pédologique, pédologue.**

PAIE [pɛ] n. f. ⇒ **Paye.**

PAIEMENT, PAIMENT (rare) [pɛmɑ̃] ou **PAYEMENT** [pɛjmɑ̃] n. m. — 1175, v. 1360; de *payer.*

♦ **1.** Action de payer, exécution d'une obligation.

REM. 1. Dans le langage courant, *paiement* ne s'emploie que s'il s'agit d'une somme d'argent, (→ Dette); en droit, le mot s'étend à toute prestation. → Acquit, acquittement.

2. L'orthographe *payement,* plus usitée jusqu'au XIXe s., s'est généralement conservée dans la langue du droit.

Libération par paiement. Dation en paiement. Effectuer, faire un paiement.* ⇒ **Débourser, payer; dépense** (faire face à une dépense). *Suspendre, cesser* (cit. 35) *ses paiements* (→ Dénouement, cit. 6); *cessation des payements d'un failli* (→ Bilan, cit. 2). ⇒ aussi **Banqueroute** (→ Insolvabilité, cit.). — *Payement d'une lettre de change* (→ 2. Aval, cit. 2). *Paiement de droits* (→ Moyennant, cit. 3), *d'une amende* (→ Escarmouche, cit. 3), *d'un impôt. Payement de frais, de dommages* (cit. 4) *et intérêts* (→ Caution, cit. 9). *Salaire*, traitement, solde, représentant le paiement d'un travail, de services. Paiement d'arrérages.* ⇒ **Rappel.** — *Payement de l'indu.* ⇒ **Indu.** — *Paiement par chèque*, virement*. Paiement en espèces, en numéraire, en nature, en (argent) liquide. Paiement (au) comptant. Accepter des billets en payement* (→ Cours, cit. 20). — *Délai de paiement.* ⇒ **Terme.** *Paiement anticipé.* ⇒ **Escompte.** *Échelonner* des paiements. Ordre de paiement des créanciers.* ⇒ **Collocation.** *Facilités* (cit. 6) *de paiement.* ⇒ **Crédit.** *Le moment du paiement* (→ fam. Le quart* d'heure de Rabelais). — *Comptabilité* des paiements. Émargement*, quittance* attestant le paiement d'une dette* (⇒ aussi **Reçu**). *Opposition* à paiement.*

1 — Monsieur, mon père vient de faire faillite. La banqueroute d'un associé l'a forcé à suspendre ses paiements (...) A. DE MUSSET, Nouvelles, Croisilles, II.

2 Mais autrefois on s'arrangeait pour que ça se vît le moins possible. Un payement se réclamait, et se faisait, avec discrétion. On glissait une pièce dans la main des gens. J. ROMAINS, les Hommes de bonne volonté, t. III, XI, p. 151.

Législ. fin. « Opération par laquelle un comptable de deniers publics acquitte... une dette du Trésor régulièrement ordonnancée*, au créancier justifiant de ses droits » (Capitant). ⇒ **Ordonnance, ordonnateur.**

♦ **2.** (V. 1175). Ce qu'on donne (spécialt, en parlant d'une somme d'argent) pour exécuter une obligation et qui éteint cette obligation. *Recevoir un paiement, son paiement. Imputation d'un payement. Offres*, consignation** (cit.) *répondant à un refus de recevoir un paiement.*

♦ **3.** (V. 1175). Fig. Ce que l'on donne pour s'acquitter; action de s'acquitter (d'une obligation morale). ⇒ **Récompense, rétribution** (→ Gracieuseté, cit. 3).

3 Voilà donc le paiement de l'hospitalité! HUGO, Hernani, III, 5.

4 Orphelin, boursier sans protection, il *(Robespierre)* lui fallait se protéger par son mérite, ses efforts, une conduite excellente. On exige d'un boursier bien plus que d'un autre. Il est tenu de réussir. Les bonnes places, les prix, qui sont la couronne des autres, sont comme un tribut du boursier, un payement qu'il fait à ses protecteurs. MICHELET, Hist. de la Révolution franç., IV, V.

COMP. et **CONTR. Non-paiement.**

PAÏEN, ÏENNE [pajɛ̃, jɛn] adj. et n. — 1080, *Chanson de Roland; pagien,* fin IXe; du lat. *paganus* « paysan »; de *pagus* « campagne », parce que le paganisme se maintint plus longtemps dans les campagnes que dans les villes en face du christianisme.

♦ **1.** (Dans le langage chrétien). Relatif à une religion autre que le christianisme, le judaïsme et l'islamisme, surtout lorsqu'il s'agit d'une religion polythéiste* et du culte des idoles*. ⇒ **Idolâtre; ethnique,** 1. **gentil.** — REM. *Païen* s'emploie surtout par oppos. à *chrétien* et en parlant de l'antiquité gréco-romaine. *La Rome païenne* (→ Catacombe, cit. 2). *Les peuples païens* (→ Catholique, cit. 2). *Les dieux* (cit. 16) *de la civilisation païenne. Rites païens* (→ Gnosticisme, cit.).

1 Les autres religions, comme les païennes, sont plus populaires, car elles sont en extérieur; mais elles ne sont pas pour les gens habiles. PASCAL, Pensées, IV, 251.

N. Personne qui a foi en une religion païenne. *Les païens.* ⇒ **Gentilité, paganisme.** *Conversion* (cit. 2) *des païens* (⇒ **Prosélyte**). *Les ophites* (cit. 2), *païens adorateurs du serpent. Les païens ont divinisé* (cit. 3) *la vie.* — Par ext. (1637). *Les païens :* les hommes de l'antiquité païenne (Grecs, Romains). *Les anciens païens* (→ Bâtir, cit. 10).

2 Descartes, ce mortel dont on eût fait un dieu
Chez les païens (...) LA FONTAINE, Fables, IX, 20.

♦ **2.** (Fin XVIIe). Qui a les caractères des religions, des civilisations païennes; qui est relatif à l'antiquité païenne. *Les vertus païennes* (→ Détracteur, cit. 4). *La grandeur* (cit. 24) *païenne. La sensualité païenne* (→ Hypocrisie, cit. 7; mixture, cit. 4). Par ext. (Littér. et rare). Voluptueux. « *Ton bras païen...* » (→ Gorge, cit. 9, Gautier).

(1669; personnes). Dont l'attitude religieuse, philosophique, artistique s'inspire du paganisme antique. *Un auteur idolâtre et païen* (→ Approuver, cit. 19). *L'École païenne,* article critique de Baudelaire (*l'Art romantique,* XI).

On chérira toujours les erreurs de la Grèce; 3
Toujours Ovide charmera.
Si nos peuples nouveaux sont chrétiens à la messe,
Ils sont païens à l'opéra.
VOLTAIRE, Poésies, Apologie de la fable.

À force de voir des dieux dans les jardins, dans les vers, dans les niches, au-dessus des portes, sur les éventails et les enseignes de cabarets, on est devenu tout à fait païen pour la forme, et beaucoup de gens, fort honnêtes d'ailleurs, étaient plus instruits dans la mythologie que dans le catéchisme (...) 4
Th. GAUTIER, les Grotesques, VII, p. 223.

N. *Un païen, une païenne. Une jolie païenne* (→ Idolâtrie, cit. 2, Mme de Sévigné).

(...) un païen, je veux dire un homme qui sache éprouver la nouveauté mystérieuse d'une idole (...) ARAGON, le Paysan de Paris, p. 206. 5

♦ **3.** (1740). Par ext. (et abusivt). Qui n'a pas de religion. ⇒ **Impie.** *Mener une vie païenne.*

N. (→ Nécessité, cit. 1). *Ces païens qui se soucient comme d'une guigne* (1. Guigne, cit. 2) *de la vie éternelle. Quel païen vous faites !* — Loc. *Jurer comme un païen* (→ Boire, cit. 16).

(...) l'année précédente, on l'avait renvoyée du catéchisme, à cause de sa mauvaise conduite; et, si le curé l'admettait cette fois, c'était de peur de ne pas la voir revenir et de lâcher sur le pavé une païenne de plus. 6
ZOLA, l'Assommoir, t. II, X, p. 113.

CONTR. Chrétien, pieux, religieux.
DÉR. Païennement.

PAÏENNEMENT [pajɛnmɑ̃] adv. — Mil. XVIe, repris fin XIXe; de *païen.*

♦ Littér. D'une manière qui évoque le paganisme de l'antiquité gréco-romaine.

PAIERIE [peʀi] n. f. — 1932; de *payer.*

♦ Admin. Services, bureau d'un trésorier-payeur*. *Paierie générale de la Seine-Saint-Denis.*

HOM. Pairie, péri.

PAILLAGE [pɑjaʒ] n. m. — 1835; de 3. *pailler.*

♦ Agric., hortic. Action de pailler (le sol, un semis, des arbres).

PAILLARD, ARDE [pajaʀ, aʀd] adj. et n. — 1430; XIIIe, « gueux, vagabond » (qui couche sur la paille), sens qui subsiste jusqu'au XVIIIe (cf. La Fontaine, Voltaire *in* Littré); « fainéant » au XVIIe; puis, par ext., « coquin »; de *paille.*

♦ **1.** Vieilli ou plais. Qui mène une vie dissolue, qui est enclin aux plaisirs de la chair (avec une idée de gaieté, de grivoiserie). ⇒ **Débauché, lascif, libertin, luxurieux.** *Des Gascons paillards* (→ Grivoiserie, cit. 2). « *L'homme, tyran goulu, paillard, dur et cupide* » (→ Esclave, cit. 16, Baudelaire).

Panurge était (...) bien galant homme de sa personne, sinon qu'il était quelque peu paillard (...) RABELAIS, Pantagruel, XVI. 1

À entendre un théologien exagérer l'action d'un homme que Dieu fit paillard, et qui a couché avec sa voisine, que Dieu fit complaisante et jolie, ne dirait-on pas que le feu ait été mis aux quatre coins de l'univers? 2
DIDEROT, Addition aux pensées philosophiques, *in* Œ. philos., LVII.

N. (1530). *Un paillard, une paillarde.*

Mais, comme un vieux paillard d'une vieille maîtresse, 3
Je voulais m'enivrer de l'énorme catin
Dont le charme infernal me rajeunit sans cesse.
BAUDELAIRE, le Spleen de Paris, I, Épilogue.

♦ **2.** (1690). Mod. Qui a un caractère de paillardise, de grivoiserie vulgaire. ⇒ **Cochon.** *Regards, yeux paillards.* ⇒ **Polisson.** *Chansons, histoires, plaisanteries paillardes de carabins.*

(...) Toutes les choses rondes ont droit désormais à notre piété. Broudier est un rire gras comme s'il découvrait aux paroles de Bénin quelque sens paillard. 4
J. ROMAINS, les Copains, III.

CONTR. Bégueule, chaste, pur.
DÉR. Paillardement, paillarder, paillardise.

PAILLARDEMENT [pajaʀdəmɑ̃] adv. — V. 1510; XIVe « d'une façon brutale »; de *paillard.*

♦ D'une manière paillarde.

Jusqu'à ce novateur, on s'était contenté de faire l'amour vertueusement ou paillardement, mais dans l'obscurité convenable (...)
Léon BLOY, le Désespéré, p. 197.

PAILLARDER [pajaʀde] v. intr. — V. 1460, Villon; de *paillard.*

♦ Vx. Se conduire en paillard, avoir une conduite de débauché.

▶ **SE PAILLARDER** v. pron. (1612, « se donner du mal pour qqch. »).

♦ **1.** Vx. (1690). Fainéanter.

♦ **2.** (xxe; d'abord argot scol.). S'amuser; mener une vie de débauche.

Vous et moi, me dit Rat en suivant des yeux le postérieur oscillant du général, on est sur la corde raide. Lui, il se paillarde gratis.
Vladimir VOLKOFF, le Retournement, p. 253.

PAILLARDISE [pajaʀdiz] n. f. — 1530; *paillardie,* xve; de *paillard.*

♦ **1.** Penchant immodéré et grossier aux plaisirs de la chair; conduite du paillard. ⇒ **Débauche, lasciveté, luxure.** *La paillardise d'un vieux débauché.*

(Certains disent que) d'ôter les bordels publics, c'est non seulement épandre partout la paillardise qui était assignée à ce lieu-là, mais encore aiguillonner les hommes à ce vice par la malaisance *(difficulté).* MONTAIGNE, Essais, II, XII.

♦ **2.** Part ext. Grivoiserie empreinte de vulgarité. *(Une, des paillardises).* Action ou parole paillarde. *Débiter des paillardises.*

1. PAILLASSE [pajas; pɑjas] n. f. — V. 1250; de *paille.*

♦ **1.** Enveloppe garnie de paille (ou de feuilles sèches, etc.) et constituant une pièce de literie*. ⇒ **Matelas** (→ Lit, cit. 5). *Enveloppe, sac d'une paillasse, toile à paillasse. Paillasse de balle d'avoine, de varech... Paillasse d'un berceau de nouveau-né.* ⇒ **Paillot.** *Coucher sur une paillasse. Paillasse servant de sommier*, sur laquelle on place un matelas.*

1 Dans ce pays, c'est avec de la paille de maïs que l'on remplit les paillasses des lits.
STENDHAL, le Rouge et le Noir, I, IX.

2 (...) une paillasse gonflée de feuilles sèches de blé de Turquie, avec une couverture de laine bise qui paraissait être le lit de l'unique valet du manoir.
Th. GAUTIER, le Capitaine Fracasse, I.

Loc. fam. (1862). *Crever la paillasse à qqn,* lui ouvrir le ventre. ⇒ **Tuer.**

♦ **2.** (1680). Fig., pop. (*Paillasse de corps de garde,* 1680). Prostituée* de bas étage (→ Faire, cit. 111).

3 Elle s'était enfoncée dans la nuit, et personne ne se demandait où elle avait dormi. Pas en peine pour trouver des lits chez les autres, ces paillasses-là.
ARAGON, les Beaux Quartiers, I, XXII.

♦ **3.** Par ext. Techn. (Nombreux emplois régionaux depuis le xve s. : panier, corbeille, abri, natte de paille, etc. → Paillasson. Sens actuel au xviiie s., ces emplacements étant à l'origine protégés par de la paille, des paillassons). Massif de maçonnerie, dallage à hauteur d'appui servant à divers usages (par ex., table dans un laboratoire). — Spécialt. Cour. Partie d'un évier à côté de la cuve, où l'on pose la vaisselle, etc.

3.1 (...) je me rapprochais de l'évier : ce bel évier blanc qu'avait sept ans plus tôt fait poser grand-mère pour remplacer l'évier de grès des anciens temps. Le couteau de cuisine (...) traînait sur la paillasse.
Hervé BAZIN, Qui j'ose aimer, I, p. 15.

DÉR. Paillasson.

2. PAILLASSE [pajas; pɑjas] n. m. — 1782; ital. *Pagliaccio* personnage du théâtre italien, dont l'habit était fait de toile à paillasse. → Paillasse.

♦ **1.** Anciennt. Bateleur d'un théâtre forain. — Par ext. ⇒ **Baladin, clown, queue-rouge** (vx). → Jouer, cit. 63.

4 (...) il y avait une ménagerie dans laquelle d'affreux paillasses, vêtus de loques et venus on ne sait d'où, montraient en 1823 aux paysans de Montfermeil un de ces effrayants vautours du Brésil (...) HUGO, les Misérables, II, III, I.

5 (...) il y a encore des saltimbanques bohèmes qui font le tour de la salle en exécutant la pyramide humaine, de sorte que l'on risque à tout moment de voir tomber un paillasse dans son assiette. NERVAL, Voyage en Orient, Introd., IV.

♦ **2.** (1868). Fig., vieilli. Homme sans consistance, sans caractère. — (V. 1830). Vx. Homme politique changeant (⇒ **Girouette**).

DÉR. Paillasserie.

PAILLASSERIE [pajasʀi; pɑjasʀi] n. f. — V. 1885, J. Vallès; de 2. *paillasse.*

♦ Vx. Caractère, attitude de paillasse, de pitre; action de paillasse.

PAILLASSON [pajasɔ̃; pɑjasɔ̃] n. m. — 1652; « petite paillasse », fin xive; de 1. *paillasse.*

♦ **1.** Agric. Natte ou claie de paille, destinée à protéger certaines cultures (espaliers, châssis, serres...) des intempéries, du gel, du soleil. ⇒ **Abri, abrivent.** *Étendre un paillasson sur une melonnière* (cit.). ⇒ **Paillassonnage, paillassonner.**

♦ **2.** (1750). Cour. Natte épaisse de paille, de jonc, de corde et surtout de jute (ou de fibres analogues), servant à s'essuyer les pieds. ⇒ **Tapis** (tapis-brosse). *Paillasson au bas d'un escalier, devant une porte. Cacher, mettre sa clé sous le paillasson.*

J'avais préparé une lettre, que j'ai voulu glisser sous la porte. Mais un bourrelet m'en empêchait. Je l'ai mise sous le paillasson (...) 1
J. ROMAINS, les Hommes de bonne volonté, t. III, XXIII, p. 325.

(xxe). Loc. fig. *Il n'y a plus qu'à mettre la clé sous le paillasson :* il n'y a plus qu'à partir, qu'à abandonner l'affaire.

♦ **3.** (xxe). Fig. Personnage plat et rampant.

Le rôle du paillasson admiratif est à peu près le seul dans lequel on se tolère d'humain à humain avec quelque plaisir. 2
CÉLINE,Voyage au bout de la nuit, p. 115.

♦ **4.** (1843; modes). Tresse de paille pour faire les chapeaux. *Chapeau paillasson* ou *paillasson,* ce genre de chapeaux. *Les chapeaux paillassons.*

DÉR. Paillassonner.

PAILLASSONNAGE [pajasɔnaʒ] n. m. — 1874; de *paillassonner.*

♦ Agric. Action, manière de paillassonner; son résultat. *Le paillassonnage de cette serre a été mal fait.*

PAILLASSONNER [pajasɔne] v. tr. — 1874; de *paillasson.*

♦ Agric. Couvrir, garnir de paillassons (1.). *Paillassonner un espalier, un châssis.*

DÉR. Paillassonnage.

PAILLE [pɑj] n. f. — V. 1119; du lat. *palea* « balle de blé ».

★ **I.** Tige coupée de certaines plantes.

♦ **1.** (V. 1175). Sens collectif : *la paille.* Tiges des céréales* (et, par ext., des légumineuses cultivées, des oléagineuses), quand le grain* en a été séparé. ⇒ **Chaume, éteule** (qui ne se disent que de la paille restée sur pied, après la moisson), **feurre** (ou fœrre, fouarre). *Paille de blé, de froment, d'avoine* (cit.), *de seigle* (⇒ **Glui**), *de trèfle, de lentilles...* — (1817). *Paille de riz*.* — Spécialt (non spécifié). Paille des céréales courantes, notamment du blé. *Paille fraîche, nouvelle; sèche. Briser la paille avec un brisoir, un hache-paille*, un coupe-paille. Paille servant de nourriture aux bêtes* (⇒ **Fourrage**), *de litière** (⇒ aussi **Fumier**). *Grange* (cit. 2) *remplie de paille. Faire mûrir des fruits sur la paille* (→ Nèfle, cit.). *Botte de paille.* ⇒ **Gerbée** (→ Broche, cit. 1; mangeoire, cit. 1). *Brassée, fourchée de paille. Poignée de paille tortillée.* ⇒ **Bouchon; bouchonner.** *Fétu* (cit. 2), *brin de paille* (→ Espoir, cit. 17, Verlaine; et aussi le sens 3. ci-dessous). *Torche de paille.* ⇒ **Brandon.** — Loc. fig. *Feu de paille.* ⇒ 1. **Feu** (cit. 13 et 14). — Dr. *Brandons* de paille au bord d'un champ saisi.* ⇒ **Saisie-brandon.** — *Garnir de paille.* ⇒ **Empailler.** *Toit de paille* (→ Dorer, cit. 2). *Huttes* (⇒ **Paillote**), *village de paille. Mettre de la paille dans une paillasse*. Emballages de paille* (⇒ **Paillon**).

Hamilcar fit allumer sur la toiture de Khamon un feu de paille humide; et la fumée les aveuglant, ils se rabattirent à gauche (...) FLAUBERT, Salammbô, XIII. 1

Quelqu'un a dû frapper l'été 2
De mauvaise fécondité :
Le blé, très dru, ne fut que paille.
VERHAEREN, les Villes tentaculaires, « Pèlerinage ».

Les chars qui passent par le chemin
Laissent de la paille après les branches chargées de fruits! 3
CLAUDEL, l'Annonce faite à Marie, IV, 5.

Pâte à papier à base de paille (→ Liant, cit. 4). — (xxe). Techn. *Carton-paille,* constitué par « de la paille cuite ou macérée à la chaux, et broyée au meuleton » *(Larousse industriel).*

(1835). Loc. *Vin de paille :* vin blanc, fait de raisins mûris sur la paille. — (Dans le même sens, en appos.). *Vin paille.*

Ce marchand (...) a la clientèle de tous les Lorrains de Paris, et surtout d'une colonie de Montmartre, qui (...) se payent après la séance, une ou deux bouteilles de vin paille du pays. Ed. et J. DE GONCOURT, Journal, t. VI, p. 209. 3.1

N. B. Il s'agit, soit de *vin de paille,* soit de *vin paillé* ou *paillet* (de couleur paille → ci-dessous, I., 5.).

(xiiie). *Coucher sur (de) la paille.* — Loc. fig. (1690). *Coucher, être sur la paille :* être dans la misère. — (Déb. xviiie). *Mourir sur la paille* (→ Abandonner, cit. 16). — (1798). *Mettre qqn sur la paille.* ⇒ **Ruiner** (→ Dévorer, cit. 18). — Loc. plais. *La paille humide* (cit. 5) *des cachots** (cit. 4).

Le collecteur, dit-il, va me mettre en prison, 4
Et n'a laissé dans ma maison
Que six enfants sur de la paille.
FLORIAN, Fables, II, 4.

Si sa mère paye pour lui, il sera mis sur la paille, et je ne sais pas de pire correction pour un noble que d'être sans fortune. 5
BALZAC, Ursule Mirouët, Pl., t. III, p. 353.

Loc. métaphorique. *La paille des mots et le grain** (cit. 6 et 7) *des choses. Séparer la paille et le grain* (→ aussi Le bon grain* et l'ivraie).

Il y a, dans la vertu qui court le monde, beaucoup de paille, et l'apparence seulement de l'épi (...) André SUARÈS, Trois hommes, « Pascal », III. 6

Dans l'immense grange de l'univers, le fléau implacable battra le blé humain, jusqu'à ce que la paille soit séparée du grain. Il y aura plus de paille que de grain, plus d'appelés que d'élus (...) CAMUS, la Peste, p. 110. 7

♦ **2.** Par ext. (1690). Matière (paille filée et tressée, paille de seigle, fibres, tiges de bambou...) utilisée en sparterie, en vannerie... (⇒ aussi **Lacerie**). *Corbeille en paille* (→ Fumeur, cit. 2). *Panier, cabas, couffin de paille. Natte de paille* (→ Lit, cit. 2). *Sièges, chaises de paille* (→ Hauteur, cit. 7; marli, cit.). *Réparer la paille d'une chaise* (⇒ **Rempailleur**).
Chapeau de paille, coiffure, d'homme ou de femme, souple ou rigide (⇒ **Canotier**), servant généralement de coiffure d'été, de chapeau de soleil (→ 1. Barbe, cit. 13; grisette, cit. 4). *Le Chapeau de paille d'Italie,* comédie de Labiche (1851).

(xxe). N. m. Vieilli. *Un paille* (⇒ **Panama**), *une paille :* un chapeau de paille (ne se dit que des chapeaux de femme).

8 Des grands chapeaux de femmes avec des échafaudages de tulle et de plumes, et déjà des pailles qui font à Paris leur apparition bien avant les beaux jours (...)
ARAGON, les Beaux Quartiers, II, XV.

8.1 Quatre, cinq, six gouttes d'eau. Des gens inquiets pour leur paille lèvent le blair. Description d'un orage à Paris. En été. Les craintifs se mettent à galoper; d'autres relèvent le col de leur veston; ce qui donne un air bravache
R. QUENEAU, le Chiendent, p. 21.

Balais en paille de riz.

En Afrique. Tiges et feuilles séchées des grandes graminées, servant à la toiture, à la vannerie.

♦ **3.** (V. 1175). *Une, des pailles.* **a** Brin de paille (⇒ **Fétu;** → Balance, cit. 3), et, spécialt, tige ou fragment de tige de céréale séchée, formant un petit tuyau* (⇒ **Chalumeau**). — *Épinceteuses* (cit.) *qui arrachent les pailles de la laine. Paille longue, courte.*

Loc. (1665; *tirer à la longue paille,* xive). *Tirer à la courte paille :* tirer au sort au moyen de brins de paille de longueur inégale dont une extrémité reste cachée. *« On tira à la courte paille, pour savoir qui serait mangé » (Il était un petit navire,* chanson populaire). → Vx. Tirer à la bûchette*.

9 La seule méthode qui fût à notre disposition pour cette terrible loterie, dans laquelle nous avions chacun une chance à courir, était de tirer à la courte paille. De petits éclats de bois pouvaient remplir le but proposé, et il fut convenu que je tiendrais les lots.
BAUDELAIRE, Trad. E. POE, les Aventures d'A. Gordon Pym, XII.

10 (...) vous laisseriez régir Cinq-Cygne à monsieur d'Hauteserre, et vous tireriez à la courte paille à qui de vous deux serait le mari de cette belle héritière.
BALZAC, Une ténébreuse affaire, Pl., t. VII, p. 559.

Allus. évang. (1672, Lemaistre de Saci). *Voir une paille dans l'œil du prochain et ne pas voir une poutre dans le sien :* voir les moindres défauts d'autrui, en ignorant les siens propres, beaucoup plus graves. — Ellipt. *C'est la paille et la poutre!*

11 Pourquoi regardes-tu la paille qui est dans l'œil de ton frère, et ne remarques-tu pas la poutre qui est dans ton œil? Ou comment (peux-tu) dire à ton frère : « Laisse-moi ôter la paille de ton œil », lorsqu'il y a une poutre dans ton œil? Hypocrite, ôte d'abord la poutre de ton œil, et alors tu verras à ôter la paille de l'œil de ton frère.
BIBLE (CRAMPON), Évangile selon saint Matthieu, VII, 3, 4 et 5.

Loc. fig. (vx). *Enlever, lever la paille :* être excellent, remarquable (par allus. à l'ambre qui attire la paille). Cf. Mme de Sévigné, 19 août 1671, et 13 janv. 1672. — (Fin xvie). Vx. *Rompre la paille :* rompre un marché, un accord, et, par ext., Engager une dispute*, se brouiller* (→ Honneur, cit. 43, Molière).

(1867). Iron. *Une paille :* une chose insignifiante, rien du tout. *Il en demande dix millions : une paille!*

b (1881). Tuyau de paille. *Faire des bulles de savon avec une paille. Boire en aspirant avec une paille* (→ Butyreux, cit.). — Par anal. Petit cylindre en papier, en matière plastique, servant aux mêmes usages.

♦ **4.** Fig. Vx. (xvie). *De paille :* sans valeur (cf. Saint-Simon, Voltaire, *in* Littré).

Loc. HOMME DE PAILLE. **a** Vx. Homme de néant, de rien.

b Mod. (xvie). Celui qui sert de prête-nom dans une affaire plus ou moins honnête. ⇒ **Carton** (personnage de carton). → Opération, cit. 10.

12 — Je ne suis plus que le prête-nom d'un prévaricateur (...)
— (...) c'est bien de Castel-Bénac que vous êtes l'homme de paille?
M. PAGNOL, Topaze, III, 9.

♦ **5.** Adj. invar. (1607). De la couleur jaune caractéristique de la paille de blé. *Jaune paille* (→ Lumineux, cit. 6), *couleur paille. Des gants paille, une robe paille.*

13 (...) le haut-de-chausses bleu, orné d'une sorte de tablier en canons de rubans paille, descendait un peu au-dessus du genou (...)
Th. GAUTIER, le Capitaine Fracasse, III.

N. f. Littér. *La paille :* la couleur jaune paille (→ Jaune, cit. 8, Taine).

♦ **6.** (1873). Par anal. PAILLE DE FER : filaments, copeaux, petites et minces lamelles de métal (fer, acier...) réunis en paquet et servant à nettoyer une surface. *Nettoyer un parquet à la paille de fer.*

Loc. fig. (1831, H. Monnier). *À toi, à moi la paille de fer :* à chacun sa tournée.

♦ **7.** Par anal. (xxe). Adj. invar. *Pommes paille :* pommes de terre frites coupées très fines.

★ **II.** Par anal. ♦ **1.** (1307). Techn. Défaut* (impureté, fissure, loupe...) dans une pièce de métal, (1845) de verre. *Pailles dans un lingot d'acier, de fer* (fer pailleux*). — Par métaphore. *Métal* (cit. 7) *sans paille,* sans défaut.

Ceux qui ont forgé l'épée de la nouvelle royauté ont introduit dans sa lame une paille qui tôt ou tard la fera éclater. 14
CHATEAUBRIAND, Mémoires d'outre-tombe, t. V, p. 264.

Il en ressentit une douleur particulière de vanités et d'habitudes atteintes comme si ses veines charriaient une esquille, comme si une paille compromettait sa base d'or. 15
Ch.-L. PHILIPPE, Père Perdrix, I, V.

(1680). Tache fine et allongée dans un diamant, une pierre précieuse. ⇒ aussi **Crapaud.**

♦ **2.** (1687). Mar. Longue cheville métallique à tête. — (Déb. xxe). *Paille de garniture,* pour soutenir les estropes de poulies, les amarrages.

★ **III.** Dans des syntagmes. (1708) *Paille-en-queue;* (1762) *paille-en-cul** (cit. 15) : le phaéton* (oiseau). *Des pailles-en-queue.*

(...) son caractère le plus frappant *(de l'oiseau du tropique)* est un double long brin qui ne paraît que comme une paille implantée à sa queue, ce qui lui a fait donner le nom de paille-en-queue. 16
BUFFON, Hist. nat. des animaux, L'oiseau du tropique.

(xxe; 1611, *paille marine*). *Paille-de-mer :* posidonie, plante aquatique des fonds marins.

DÉR. Paillard, paillasse, 1. **paillé,** 2. **paillé, paillée,** 2. **pailler,** 3. **pailler, paillère,** 1. **paillet,** 2. **paillet, paillette, pailleur, pailleux, paillis, paillole, paillon, paillot, paillote.**

COMP. Dépailler, empailler, rempailler. — Coupe-paille, hache-paille.

1. PAILLÉ [paje] n. m. — 1842; de *paille.*

Agriculture.

♦ **1.** Fumier pailleux.

♦ **2.** Litière n'ayant servi qu'un jour.

HOM. 2. **Paillé, paillée,** 1. **pailler,** 2. **pailler,** 3. **pailler.**

2. PAILLÉ, ÉE [paje] adj. — xive; de *paille.*

♦ **1.** Qui est garni de paille tressée. *Chaise paillée.*

♦ **2.** (1611). Couleur de paille, jaune paille. — (1555). *Vin paillé* (Balzac, *l'Auberge rouge,* Pl., t. IX, p. 955). ⇒ **Paillet.**

♦ **3.** (1868). Qui a des pailles, des défauts. *Acier paillé.* ⇒ **Pailleux.**

HOM. 1. **Paillé, paillée,** 1. **pailler,** 2. **pailler,** 3. **pailler.**

PAILLÉE [paje] n. f. — 1481; de *paille.*

♦ Agric. Quantité de gerbes de céréales placées sur l'aire pour le battage au fléau.

HOM. 1. **Paillé,** 2. **paillé,** 1. **pailler,** 2. **pailler,** 3. **pailler.**

1. PAILLER [paje] n. m. — 1600; xiie *paillier;* lat. *palearium* « grenier à paille ».

♦ **1.** (xixe). Meule* de paille, formée de paille en vrac ou en bottes. *Pailler à base circulaire, rectangulaire.*

♦ **2.** Basse-cour où il y a de la paille, du foin. — Tas de paille dans une cour de ferme.

(Déb. xviie). Hangar à paille (⇒ aussi **Grenier**). — Loc. (vx). *Être comme un coq sur son pailler; être sur son pailler :* se sentir dans son élément (cf. Mme de Sévigné, Voltaire, Diderot, *in* Littré).

HOM. 1. **Paillé,** 2. **paillé, paillée,** 2. **pailler,** 3. **pailler.**

2. PAILLER, ÈRE [paje, ɛʀ] adj. — 1762; de *paille.*

♦ Vx. *Chapon pailler, poularde paillère,* nourri, nourrie sur le pailler.

HOM. 1. **Paillé,** 2. **paillé, paillée,** 1. **pailler,** 3. **pailler.**

3. PAILLER [paje] v. tr. — 1364, *paillier;* de *paille.*

♦ **1.** Techn. Garnir de paille tressée. ⇒ **Paille** (I., 2.). *Pailler des chaises.* ⇒ aussi **Rempailler.**

♦ **2.** Agric., hortic. Couvrir ou envelopper de paille (en vrac ou sous forme de nattes, de paillassons*...). *Pailler un semis.* ⇒ **Paillis.** *Pailler des arbres fruitiers.* — Par ext. *Pailler des bouteilles* (⇒ **Paillon**).

DÉR. Paillage.

HOM. 1. **Paillé,** 2. **paillé, paillée,** 1. **pailler,** 2. **pailler.**

PAILLÈRE [pajɛʀ] n. f. — V. 1600, *paillière* « chaumière », nombreux sens dans les dial.; de *paille* ou du lat. *paleare,* dér. de *palea* « paille ».

♦ Régional. Meule de paille. — Endroit de la cour de ferme où l'on met la paille. ⇒ 1. **Pailler.**

(...) il était là, contre la paillère, tout *butté* dans la paille à faire le gros dos.
J. GIONO, Colline, Pl., t. I, p. 135.

1. PAILLET [pajɛ] adj. et n. m. — 1538; XIIIe, «gris»; de *paille.*

♦ *Vin paillet* ou *paillet :* vin dont la couleur tire sur le jaune paille (vin blanc) ou qui est peu coloré (rosé, gris). *Boire du paillet.*
N. B. Ne pas confondre avec *vin de paille.*

HOM. 2. **Paillet.**

2. PAILLET [pajɛ] n. m. — XVIIIe; XIIe, «balle de blé»; de *paille.*

♦ **1.** Mar. Natte de fils de bitord, de caret, de torons de cordages. *Paillet lardé,* garni de fils suiffés. *Paillet de garniture entourant une manœuvre dormante* (pour empêcher les frottements).

♦ **2.** Techn. Lame servant de ressort de targette (on dit aussi *paillette*).

HOM. 1. **Paillet.**

PAILLETAGE [pajtaʒ] n. m. — 1890, *le Journal amusant; de pailleter.*

♦ Action de pailleter. — Disposition des paillettes.

PAILLETÉ, ÉE [pajte] adj. — 1382; de *paillette.*

♦ **1.** Orné de paillettes (1.). *Robe, étoffe pailletée. « Jupes longues, craquantes, pailletées, ferblantées »* (→ Étoffe, cit. 2). *Frusques* (cit. 1) *pailletées d'une comédienne. Gilet* (cit. 1) *pailleté.* — Par métonymie. *Femmes, comédiennes pailletées* (→ 2. Estrade, cit. 3).

1 (...) la belle solitude de notre parc, nos fraîches prairies et notre Loire pailletée par ses sables, à laquelle aucune rivière ne ressemble.
BALZAC, Mémoire de deux jeunes mariées, Pl., t. I, p. 271.

2 (...) le bleu des eaux pailletées de soleil. LOTI, Suprêmes visions d'Orient, II.

♦ **2.** (1845). Minér. Disposé en petits cristaux ou semé comme des paillettes. *Mica pailleté.* — (1868). Bot. *Réceptacle pailleté* (des composées), muni de paillettes.

PAILLETER [pajte] v. tr. — 1606; de *paillette.*

♦ Orner, parsemer de paillettes. *Pailleter d'or, d'argent une étoffe.* — Au p. p. *Coiffure* (cit. 5) *pailletée d'or. Maillot noir pailleté d'acier* (→ Gracile, cit. 2). — Par métaphore, fig. (XIXe). Faire étinceler, briller, scintiller par endroits, être épars comme des paillettes scintillantes. ⇒ **Consteller** (→ Étincelle, cit. 14, Verlaine). *Mica, cristaux qui paillettent une roche.* — Au p. p. *Yeux pailletés d'or.* ⇒ aussi **Pailleté,** adj.

1 — Ces yeux sont des puits faits d'un million de larmes,
Des creusets qu'un métal refroidi pailleta (...)
BAUDELAIRE, les Fleurs du mal, «Tableaux parisiens», XCI, I.

2 (...) des sables pailletés de mica. FLAUBERT, l'Éducation sentimentale, III, I.

3 Sur les terres basses, au bord du fleuve, d'innombrables lucioles paillettent l'herbe, mais s'éteignent dès qu'on veut les saisir.
GIDE, Voyage au Congo, II, 5 et 6 sept.

DÉR. Pailletage.

PAILLETEUR [pajtœʀ] n. m. — 1845; «ouvrier qui prépare les paillettes d'or», 1606; de *paillette.*

♦ Techn. Ouvrier qui recueille les paillettes d'or dans les sables aurifères. ⇒ **Orpailleur.**

PAILLETTE [pajɛt] n. f. — 1304; «balle du blé», v. 1119; dimin. de *paille,* par anal. de forme.

♦ **1.** (XVe). Lamelle de métal brillant, de nacre, de plastique, percée d'un petit trou qui permet de la coudre à un tissu. ⇒ **Paillon.** *Broder* (cit. 2) *de paillettes d'or, d'argent* (→ aussi Emboîter, cit. 3). *Robe à paillettes.* ⇒ **Pailleté.** *Paillettes d'une jupe de danseuse qui scintillent* aux lumières.*

1 (...) le ciel transparent du midi ne se chargeait d'aucun nuage, et semblait un voile d'un bleu pâle semé de paillettes argentées (...) A. DE VIGNY, Cinq-Mars, XI.

2 Mais bientôt apparut une figure de nabot habillée d'une tunique à paillettes d'or et coiffée d'un bonnet à grelot d'argent (...)
Aloysius BERTRAND, Gaspard de la nuit, «Chroniques», II.

3 (...) trois odalisques, qui étincelaient de broderies d'or et de paillettes, avec une magnificence adorablement surannée. LOTI, les Désenchantées, V, XXX.

♦ **2.** (1546). Parcelle d'or qui se trouve dans certains sables (sables aurifères). *Or** (→ 1. Or, cit. 1) *en paillettes.* ⇒ **Paillole.** *Extraire les paillettes d'or.* ⇒ **Orpaillage, orpailleur.** — Parcelle de métal précieux (→ 1. Or, cit. 6). *Paillettes de soudure utilisées par l'orfèvre.*

♦ **3.** (1868). Lamelle cristalline de mica (→ Cribler, cit. 9). *« Le mica se sépare en paillettes »* (Académie). — (XXe). Fine lamelle (d'une matière cristalline). *Paillettes de soude. Savon, lessive en paillettes.*

♦ **4.** (1909). Modes (de la paillette). Taffetas léger, plus ou moins brillant. *Cape doublée de paillette.*

♦ **5.** Fig. Point brillant, scintillant ou clair (comparé à une paillette métallique). *Paillette de lumière* (→ Étoile, cit. 30). *Paillettes de gel* (cit. 3).

Dans deux semaines, leurs prunelles d'un bleu provisoire vont se troubler de paillettes d'or, d'aiguilles micacées d'un vert précieux. 4
COLETTE, la Paix chez les bêtes, p. 108.

Ce qui brille, étincelle. *Les paillettes de son style*.*

♦ **6.** (1718). Bot. Bractée de graminée (glumelle).

♦ **7.** (Fin XVIIe). Paille (II.) d'un diamant, d'une pierre.

♦ **8.** (1868). Ressort de targette (on dit aussi *paillet**).

DÉR. Pailleté, pailleter, pailleteur.

PAILLEUR, EUSE [pajœʀ, øz] n. — 1680; de *paille.*
Technique.

♦ **1.** Personne qui vend ou (1762) qui transporte de la paille.

♦ **2.** (1868; → Paille, I., 2.). Personne dont le métier est de pailler les sièges. *Pailleuse de chaises* (⇒ **Rempailleur**).

PAILLEUX, EUSE [pajø, øz] adj. — 1611; XIVe «plein de paille»; XIIe, *paillous;* de *paille.*

♦ **1.** Agric. Qui contient de la paille, qui est fait de paille. *Litière pailleuse.* — Spécialt. *Fumier pailleux,* dont la paille n'est pas encore décomposée. ⇒ 1. **Paillé.** — REM. On rencontre une var. régionale *paillu.*

♦ **2.** Techn. Qui a une ou plusieurs pailles (II., 1.). *Acier, fer, métal pailleux. Glace pailleuse.*

♦ **3.** Rare. Qui a la couleur jaune de la paille. *« La flaque pailleuse de la bougie »* (Giono, Pl., t. I, p. 688).

PAILLIS [paji] n. m. — XIXe; «torchis», 1545; *pailliz,* 1270, «lit de paille»; de *paille.*

♦ Agric., hortic. Couche de paille ou de fumier pailleux dont on recouvre le sol pour entretenir l'humidité, protéger certains fruits du contact de la terre, etc.

1. PAILLOLE [pajɔl] n. f. — Fin XIe; de *paille,* dimin. *-ole.*

♦ Vx. Paillette d'or (des sables de rivière).

HOM. 2. **Paillole.**

2. PAILLOLE [pajɔl] n. f. — 1803; du provençal.

♦ Techn., régional. Filet de pêche à mailles fines.

HOM. 1. **Paillole.**

PAILLON [pajɔ̃] n. m. — 1534, «petite paillasse»; 1560, «grosse paillette d'or»; de *paille.*

♦ **1.** (De *paille,* I., 3., par anal. de forme; → Paillette). Petite lamelle de métal. — Spécialt. (XVIe). Morceau de soudure à l'usage des orfèvres. ⇒ **Paillette.** Alliage de bismuth pour la soudure. — (1723). Feuille mince de cuivre ou d'argent battu que l'on place sous une pierre montée en chaton pour en rehausser l'éclat. — (1868). Plaque métallique servant de fond à un émail translucide. *Émaux de Limoges colorés sur paillon.*

Dans l'argent, sur l'émail où le paillon s'irise, 1
J'ai peint et j'ai sculpté (...)
J.-M. DE HEREDIA, les Trophées, «Le vieil orfèvre».

(1779). Feuille de métal mince (cuivre, etc.) servant à faire les paillettes (1.), et de plus grands ornements (dans les franges, les galons); ces ornements. *Gilet de paillon* (→ Attifer, cit. 2). *Jupe ornée de paillettes et de paillons.*

Sa robe, passée et fripée 2
Au froid humide des tombeaux,
Fait luire, d'un rayon frappée,
Quelques paillons sur ses lambeaux (...)
Th. GAUTIER, Émaux et Camées, «Inès de las Sierras».

(...) droite sur ses pieds, toute bruissante du remuement des paillons de sa jupe (...) 3
Ed. DE GONCOURT, les Frères Zemganno, IV.

Techn. (1763). Lame du ressort à fusée d'une montre. — Maille d'une chaînette.

♦ **2.** Objet de paille, d'osier... — (1803). Panier évasé, sans anses. *Paillon de boulanger.* ⇒ **Paneton.** — (1842). Poignée de paille servant de tamis, de filtre, au fond d'une cuve. — (XIXe). Enveloppe (de paille, de jonc) servant à emballer, à protéger les bouteilles. — Par analogie :

4 Tout l'jour il y a mon vieux qui culotte des pipes (...) Pour ça, i' prépare un paillon. Tu sais c'que c'est qu'un paillon? Tu prends la tige du blé vert, t'ôtes la peau. Tu fends en deux, pis encore en deux (...) pis avec un fil et les quatre brins de paille, il entoure la verge de la pipe. H. BARBUSSE, le Feu, I, XIV.

♦ **3.** (1883). Fig., régional ou argotique. Acte d'infidélité (les femmes, en Anjou, donnant un panier de paille à ceux qu'elles voulaient évincer). *Faire des paillons à sa femme.*

4.1 Dis au daron qu'i' n'oubli' pas d'm'écrire,
Dis à Fernande qu'a n'me fass'pas d'paillons
Aristide BRUANT, « Aux bat'd'Af' ».

5 C'est une femme extraordinaire (...) comme y en a pas beaucoup (...) régulière et simple et sociale, jamais un paillon! CÉLINE, Guignol's band, p. 61.

PAILLOT [pajo] n. m. — 1334; de *paille.*
Vieilli.

♦ **1.** Petite paillasse qu'on met dans un lit d'enfant, un berceau, pour absorber l'humidité.

♦ **2.** (1721). Régional. En viticulture, Ados de terre formé entre les rangées de ceps par le premier labour.

PAILLOTE ou **PAILLOTTE** [pajɔt] n. f. — 1617; de *paille.*

♦ **1.** Construction légère (⇒ **Case, hutte**) dont le toit et parfois les murs sont faits de paille ou d'une matière analogue. *Paillotes d'un village d'Afrique noire, d'Asie.*

1 Dès le coucher du soleil les enfants disparaissaient à l'intérieur des paillotes où ils s'endormaient sur les planchers de lattes de bambous.
M. DURAS, Un barrage contre le Pacifique, p. 116.

2 Le deuxième chant des coqs s'éleva des ombres qui noyèrent le chaos des paillottes aux toits coniques. Abdoulaye SADJI, Maïmouna, p. 9.

Paille (en tant que matériau). *Maison en paillotte.*

♦ **2.** (1877). Toile de paille de riz.

PAILLU, UE [pajy] adj. — D. incert.; var. régionale de *pailleux;* dér. de *paille.*

♦ Régional. Qui contient de la paille.

Il (...) transportait le fumier paillu dans le jardin des sœurs.
R. SABATIER, les Noisettes sauvages, p. 147.

PAIN [pɛ̃] n. m. — 1050; *pan,* 980; du lat. *panis.*

♦ **1.** Aliment fait d'une certaine quantité de farine* mêlée d'eau, fermentée (fermentation panaire*) et cuite au four *(le pain; du pain);* masse déterminée de pâte à pain cuite à part et affectant une forme déterminée *(un pain).* ⇒ fam. **Bricheton, brife, brifeton, brignolet.** — *Fabrication du pain,* mélange de farine de céréales et d'eau, de sel, de levain* (ou de levure industrielle); pétrissage de la pâte (⇒ **Pétrin, pétrir**); division en pâtons, fermentation (dans des panetons*), cuisson au four* (⇒ **Fournée; défourner, enfourner**). ⇒ **Boulanger,** n. (cit. 1), v. (cit.), **boulangerie, paneterie, panification, panifier.** *Faire du pain* (→ 1. Bien, cit. 28; levain, cit. 2). *Cuire* le pain* (→ Fournil, cit.). *Baisure*; fente* (⇒ **Grigne**), *yeux* d'un pain. Pain coquillé*, pain cornu*. Croûte* et mie** (cit. 3 et 4) *du pain, d'un pain. Pain trop cuit, brûlé... — Panier*, sac à pain.* ⇒ **Panetière.** *Huche* (cit. 1) *au pain, à pain.* ⇒ **Maie, panetière.** *Garçon boulanger qui porte le pain. La Porteuse de pain,* roman de X. de Montépin (1884). — *Pain de froment*, de fleur de froment* (⇒ **Fouace**), *de gruau* (pain mousseau).* ⇒ **Blé.** *Pain blanc* (→ Farine, cit. 3). *Pain bis*.* ⇒ **Bisaille** (→ Clairet, cit.). *Pain complet*. Pain de son. Pain de seigle*, de méteil*, de mouture*, de recoupe*. Pain d'avoine* (cit.), *d'orge*.* — (V. 1174). *Pain noir* (cit. 8). — *Pain de ménage, de cuisson,* cuit dans un four privé. *Pain de boulanger.* — (1603). *Pain de ménage* (→ Couteau, cit. 7), *de campagne,* se dit aussi du pain ordinaire par oppos. à *pain de fantaisie** (ne se vendant pas au poids). — (1562). *Pain de munition,* pain grossier fabriqué pour l'armée; boule de ce pain. ⇒ **Manutention, manutentionner.** — *Pain industriel,* fabriqué par une entreprise industrielle pour la vente en grande surface. — *Pains de composition, de fabrication particulière; pain moulé; pain de régime* (sans sel, etc.); *pain de mie*.* — *Pains longs* (⇒ **Baguette, bâtard, flûte, parisien, saucisson**), *très minces* (⇒ **Ficelle**), *pains ronds, en couronne...* ⇒ **Boule, miche; couronne** (cit. 15). *Pain d'un kilo. Pain boulot. Pain polka*, pain viennois*. Petits pains fendus, ronds, nattés...* (→ Assiette, cit. 16; nourrir, cit. 36). *Pain mollet*.* — *Pain frais, chaud, sortant du four. Pain croustillant, croquant* (cit. 1) *sous la dent.* — (V. 1560). *Pain rassis. Pain dur* (⇒ **Croûton**). — *Couper du pain* (→ Couteau, cit. 2 et 7). *Couteau, scie à pain. Planche* à pain. Émietter* (cit. 2) *du pain. Rompre, partager, distribuer le pain, du pain à table. Corbeille* à pain. Offrir le pain et le sel, en signe d'hospitalité. Manger*, grignoter du pain, un morceau, un bout de pain. Mangeure* d'un pain. Morceaux* de pain, d'un pain.* ⇒ **Bouchée, bribe, chanteau** (cit.), **croustille, croûte** (cit. 1 et 2), **croûton** (→ Câliner, cit.), **grignon, lèche, lichette** (cit.), **miette** (cit. 2 à 5), **quignon, tranche.** *Tranche, morceau de pain trempé dans du vin, dans la soupe, le café au lait, dans un œuf.* ⇒ **Chapon, mouillette** (cit. 2), **panade, soupe, trempette.** *Pain rôti, grillé.* ⇒ **Rôtie, toast; grille-pain.** *Pain biscotté.* ⇒ **Biscotte, gressin, longuet.** *Croûtons de pain grillé dans un potage. Mettre, étaler du beurre, de la confiture... sur son pain.* ⇒ **Fripe** (vx), **tartine, tartiner.** *Beurrer* du pain. Sandwich* de pain de mie. Pain frotté* (cit. 20 et 21) *d'ail; à l'ail.* ⇒ **Aillée** (régional); **aillade.** *Croûte de pain râpée utilisée en cuisine.* ⇒ **Chapeler, chapelure; paner, panure.** — (1671). *Pain sec,* sans aucun accompagnement. *Vivre de pain et d'eau* (→ Godaille, cit.). — Loc. (1868). *Mettre un enfant au pain sec,* par punition. *« Jeanne était au pain sec... »* (→ Confiture, cit. 1, Hugo). — Allus. littér. *Manger son pain à la fumée* (cit. 9, Rabelais), *à l'odeur* du rôt.* — Allus. hist. *S'ils n'ont pas de pain, qu'ils mangent de la brioche** (cit.). — Allus. évang. *Le miracle de la multiplication des pains* (cf. Saint Marc, VI, 41; saint Luc, IX, 13; saint Matthieu, XIV, 17).

Il y avait des flûtes longues et minces, des pains polkas pareils à des écus ronds — fuselés d'or à cause de la croûte, et d'argent à cause de la farine saupoudrée — qu'avaient pétris des gindres ignorant l'art du blason; des petits pains viennois, pareils à des oranges pâles, des pains de ménage appelés bouleau *(sic)* ou fendu, selon leur aspect. APOLLINAIRE, l'Hérésiarque..., p. 36. 1

Le pain joue tant de rôles! Nous avons appris à reconnaître, dans le pain, un instrument de la communauté des hommes, à cause du pain à rompre ensemble. Nous avons appris à reconnaître, dans le pain, l'image de la grandeur du travail, à cause du pain à gagner à la sueur du front (...) La saveur du pain partagé n'a point d'égale. SAINT-EXUPÉRY, Pilote de guerre, XXIV. 2

Panturle regarde le bon pain, gros et solide, le pain des champs, le pain de la farine faite au mortier de marbre; le pain, et de sa mie qui est rousse, on tire parfois une longue paille droite et étincelante comme un rayon de soleil.
J. GIONO, Regain, II, I. 3

La surface du pain est merveilleuse d'abord à cause de cette impression quasi panoramique qu'elle donne : comme si l'on avait à sa disposition sous la main les Alpes, le Taurus ou la Cordillère des Andes. 3.1
Ainsi donc une masse amorphe en train d'éructer fut glissée pour nous dans le four stellaire, où durcissant elle s'est façonnée en vallées, crêtes, ondulations, crevasses (...) Et tous ces plans dès lors si nettement articulés, ces dalles minces où la lumière avec application couche ses feux, — sans un regard pour la mollesse ignoble sous-jacente. Francis PONGE, le Parti pris des choses, p. 46.

Par ext. *Pain,* désignant la pâte, les pâtons avant leur cuisson. *Mettre le pain au four.*

(1580). **PAIN BÉNIT :** pain qui est bénit au cours d'une messe solennelle et qu'on distribue aux fidèles. — (1689). *Rendre le pain bénit :* offrir à l'église le pain qui doit être béni. — (1640). Par iron. (Fig.). *C'est pain bénit** (→ Bénir, cit. 27).

Elle quêta, devint dame de charité, rendit le pain bénit, et fit quelque bien dans le quartier, le tout aux dépens d'Hector. 4
BALZAC, la Cousine Bette, Pl., t. VI, p. 267.

Relig. judaïque (v. 1170). *Pains de proposition :* les douze pains offerts à Dieu par les Hébreux le jour du Sabbat. — *Pain sans levain.* ⇒ **Azyme** (cit.). *La pâque, fête des pains azymes.* — Par ext. *La manne** (cit. 2), *pain envoyé aux Hébreux par le Tout-Puissant.*

Relig. chrét. (XIVe). *Pain azyme*, pain à chanter*,* (1868) *pain d'autel :* pain sans levain servant à la fabrication des hosties. ⇒ **Hostie.** *Consécration du pain; pain consacré*, les espèces du pain et du vin.* ⇒ **Espèce** (cit. 3), **eucharistie** (cit. 2 et 3), **impanation** (→ Humanité, cit. 2). *La fraction* (cit. 2 et 3) *du pain. Pain des anges* (→ Néophyte, cit. 2), *de vie* (→ Éprouver, cit. 10), *pain céleste. Pain eucharistique.*

M. Reniant ne croyait pas que ces hosties fussent Dieu. Il n'avait pas là-dessus le moindre doute. Pour lui, ce n'étaient que des morceaux de pain à chanter, consacrés par une superstition imbécile (...) 5
BARBEY D'AUREVILLY, les Diaboliques, « Dîner d'athées », p. 320.

Loc. fig. (1690). *Promettre plus de beurre* que de pain.* — *Manger son pain blanc le premier :* avoir des débuts heureux dans sa vie, dans une carrière (pour éprouver ensuite des déboires et vivre de mauvais jours).

(1840). *Je ne mange pas de ce pain-là :* se dit d'une chose que l'on repousse avec mépris ou indignation (→ Combine, cit. 1).

Mais je ne mange pas de ce pain-là (...) moi! 5.1
— Quel pain?
— Nous nous comprenons (...) Après la noce, monsieur! après la noce!
E. LABICHE, les 37 Sous de M. Montaudon, 13.

Avoir du pain sur la planche : avoir devant soi beaucoup de travail, beaucoup de besogne à accomplir.

Pour une bouchée, un morceau de pain : pour presque rien* : pour un prix dérisoire, très inférieur à la valeur réelle (→ Légitimement, cit.). — *Objets qui se vendent, s'enlèvent comme des petits pains,* très facilement.

(XVIe). *Prendre, emprunter un pain sur la fournée,* se dit d'une fille qui a un enfant avant de se marier.

Être bon comme le pain, comme du bon pain. ⇒ **Bon** (cit. 75, 75.1 et *supra*). — *Grossier comme du pain d'orge*.*

Pain dérobé réveille l'appétit (Ducerceau *in* Littré) : le fruit défendu est plus attrayant que ce qui est permis.

Spécialt. (1844). *Couleur pain brûlé,* d'un brun très foncé. — Ellipt. *Des rubans pain brûlé.*

♦ **2.** (Dans des loc.). **LE PAIN,** symbole de la nourriture*, de la subsistance*. *Gagner son pain à la sueur* de son front. N'avoir pas* besoin de gagner son pain (→ Aiguillon, cit. 5). *Avoir son pain assuré. Mendier son pain. Manquer de pain* (→ Aimer, cit. 6; indigent, cit. 1). *Se procurer du pain* (→ Énergie, cit. 10). *Ôter, retirer, arracher à qqn le pain de la bouche, de la main,* le priver de sa subsistance, d'un profit quelconque (→ Graine, cit. 11). *S'ôter le pain de la bouche :* se priver (pour qqn). *Manger le pain de qqn,* lui devoir sa subsistance. — *Il ne vaut pas le pain qu'il mange,* se dit d'un fainéant*, d'un oisif, d'une bouche inutile*. — *Avoir son pain cuit* (cit. 18 et *supra*), *son pain (cuit) sur la planche :* avoir des provisions.

6 Chaque jour amène son pain. LA FONTAINE, Fables, VIII, 2.

7 Chaque servante, voyant à la pauvre sexagénaire du pain pour ses vieux jours, était jalouse d'elle sans penser au dur servage par lequel il avait été acquis.
BALZAC, Eugénie Grandet, Pl., t. III, p. 494.

8 (...) l'un disait : — Elle a du pain de cuit, celle-là. — Hé! mon gars, répondait le voisin, c'est une brave personne; si le bien tombait toujours en de pareilles mains, le pays ne verrait pas un mendiant (...)
BALZAC, la Vieille Fille, Pl., t. IV, p. 265.

9 Tu m'assassinerais, peut-être, afin de les enrichir, mais tu t'enlèverais pour eux le pain de la bouche. F. MAURIAC, le Nœud de vipères, I, III.

(V. 1120). *Le pain quotidien, le pain de chaque jour* (formule du *Pater noster;* cf. Évangile selon saint Matthieu, VI, 10), la nourriture de chaque jour, ce qui satisfait aux besoins journaliers (→ Aveugle, cit. 17; centupler, cit. 1). — (Déb. XVIIe). Fig. Ce qui est habituel, se reproduit quotidiennement. *Le pain quotidien de l'épreuve* (cit. 29).

10 J'ai ouï conter qu'on avait fait le procès, dans un temps de famine, à un homme qui avait récité tout haut son *Pater noster;* on le traita de séditieux, parce qu'il prononça un peu haut, *Donnez-nous aujourd'hui notre pain quotidien.*
VOLTAIRE, Correspondance, 3657, 26 sept. 1770.

(Déb. XXe). *Long** (cit. 9) *comme un jour sans pain :* très long, interminable, et, fig. (1640), ennuyeux*. — (1640, Oudin). *Ôter à qqn, lui faire perdre, lui faire passer le goût* (cit. 9) *du pain.*

Allus. hist. *Du pain et des spectacles (et des jeux).* ⇒ **Panem et circenses.**

Allus. évang. *« L'homme ne vit pas seulement de pain, mais de toute parole qui sort de la bouche de Dieu »* (saint Matthieu, IV, 4). → aussi Intellectuel, cit. 4.

11 Le diable lui dit alors : « Si tu es Fils de Dieu, ordonne à cette pierre de se changer en pain ». Mais Jésus lui répliqua : « Il est écrit : *L'homme ne vit pas seulement de pain* ». BIBLE (Jérusalem), Évangile selon saint Luc, II, 4.

12 L'homme ne vit pas seulement de pain, mais il vit aussi de pain.
RENAN, Souvenirs d'enfance, Appendice, Œ., t. II, p. 921.

Fig. Nourriture spirituelle. *Le pain du corps et le pain de l'âme* (→ Économiste, cit. 2). *L'espérance est le pain des malheureux.* — Spécialt. Relig. *Le pain de vie, le pain céleste,* métaphore par laquelle Jésus se désigne dans les Évangiles (*« Je suis le pain de vie »,* saint Jean, VI, 48). *La parole de Dieu, du Christ est le pain de vie* (→ au sens concret, *Le pain eucharistique,* ci-dessus, 1., spécialt).

13 Je suis le pain vivant descendu du ciel.
Qui mangera ce pain, vivra à jamais.
Et le pain que moi, je donnerai,
C'est ma chair pour la vie du monde.
BIBLE (Jérusalem), Évangile selon saint Jean, IV, 6.

Pain d'affliction (Deutéronome, 16, 3). *Pain d'amertume* (Massillon), *de douleur* (Bourdaloue)...

14 La souffrance des enfants était notre pain amer, mais sans ce pain, notre âme périrait de sa faim spirituelle. CAMUS, la Peste, p. 246.

Allus. littér. *« Oh! l'amour d'une mère... Pain merveilleux qu'un Dieu partage et multiplie »* (→ 1. Mère, cit. 8, Hugo).

♦ **3.** Par ext. (du sens 1.). **PAIN AU LAIT** ou **PETIT PAIN; PAIN AUX RAISINS, AU CHOCOLAT :** petite pâtisserie simple, sucrée (au lait; aux raisins, au chocolat). — Mets ressemblant au pain ou dans la composition desquels entre du pain (⇒ aussi **Galette, tourte**). *Petit pain anglais.* ⇒ **Bun.**

PAIN DE GÊNES : sorte de gâteau sec à pâte légère, assez semblable au gâteau de Savoie.

PAIN D'ÉPICE (Académie), **D'ÉPICES :** gâteau fait avec de la farine de seigle, de froment, du miel, du sucre et des épices (anis). *Nonnette* de pain d'épice. Cochon en pain d'épice des foires. Foire aux pains d'épice.*

15 (...) voulez-vous me passer le pain d'épices (...) Voici comment il faut l'apprêter, dit Durtal; vous en coupez une tranche, en dentelle, puis vous prenez une tranche de pain ordinaire également mince, vous les enduisez de beurre, les couchez l'une sur l'autre et les mangez; vous me direz si ce sandwich n'a point le goût exquis des noisettes fraîches! HUYSMANS, Là-bas, XX.

Pains de viande, de légumes, de poisson, préparations où il entre de la mie de pain trempée (dans du lait, etc.), des œufs, etc., façonnées en forme de gâteau. *Pain de champignons, de volaille... Pain de fruits,* entremets à base de suc de fruits. *Pain de riz, de semoule.*

PAIN FERRÉ (XIIIe), **PAIN DORÉ, PAIN PERDU** (1384) : entremets formé de tranches de pain trempées dans du lait, puis dans des œufs battus, et frites.

Agric. *Pain de cretons** (pour les chiens).

♦ **4.** Fig. Masse (d'une substance) comparée à un pain. *Pain de glace.* — (1636). *Pain de noix.* — (1875). *Pain de trouille :* tourteau de marc d'olives. ⇒ **Tourteau.** *Pain de savon*. Pain de sel.* ⇒ **Salignon.** *Pain de cire*, cire en pain.* ⇒ **Marquette.** *Pain de beurre* (→ Laiterie, cit. 1).

Anciennt. **PAIN DE SUCRE :** masse conique de sucre. ⇒ **Casson** (→ Incruster, cit. 10). — Fig. (par anal. de forme). *Crâne, montagne en pain de sucre.* ⇒ **Cône** (→ Haut, cit. 22). — Géogr. Piton de granite. *Le Pain de Sucre,* montagne dominant Rio de Janeiro.

Il fut destiné à être brûlé le dimanche suivant en cérémonie, orné d'un grand san- 16
benito et d'un bonnet en pain de sucre, en l'honneur de notre Sauveur et de la Vierge Marie sa mère. VOLTAIRE, Hist. de Jenni, I.

(1765). Minér. *Pain fossile :* concrétion calcaire qui a la forme d'un pain.

♦ **5.** *Pain à cacheter** (cit. 1) : pain azyme qui était utilisé pour cacheter les lettres (→ Écrire, cit. 23; fixer, cit. 3).

♦ **6.** (1791). *Arbre à pain, l'Artocarpus incisa* (⇒ **Artocarpe**), arbre voisin du *jaquier** et aussi de l'*oba.*

Pain de dika : substance comestible provenant des graines de l'oba*.

(1765). *Pain de singe :* pulpe du fruit du baobab*. Var. (en Afrique). *Pain des singes.* — *Pain d'oiseau.* ⇒ **Brize.**

♦ **7.** (1864). Fam. Coup, gifle. *Coller* un pain.*

DÉR. (Du même rad.) V. **Compagnon, paner, paneterie, panetier, panetière, paneton, panier, panifier** (et dér.). — Cf. Panade.

COMP. Gagne-pain, grille-pain, paindépicier. — Cf. aussi Apanage.

HOM. Pin; formes du v. **peindre.**

PAINDÉPICIER [pɛ̃depisje] n. m. — 1665, écrit en trois mots; de *pain d'épice.*

♦ Techn. Pâtissier fabricant de pain d'épice.

1. PAIR [pɛʀ] n. m. — Fin XIe; *per,* v. 1050; *peer,* adj., « égal, semblable », v. 980; du lat. *par,* adj., « égal ».

A. Vx. Ce qui est égal, pareil. ⇒ **Pareil.** — Loc. (XIIIe). Vx. *Sans pair :* sans égal. *« Cette main sans pair »* (Marivaux). *C'est un homme sans pair* (Académie), qui n'a pas son pareil, qui est unique.

Vx. *Au pair, à pair de... :* à égalité, au même rang que. — (1662). Vx. *Tirer du pair, de pair :* mettre au-dessus (des gens, des choses semblables). — Vx. *Aller, marcher du pair.* — (V. 1600). Mod. *Aller (marcher...) de pair,* ensemble sur le même rang (vieilli en parlant des personnes). *« Il va de pair avec les plus savants »* (Académie). *L'avarice et l'égoïsme vont de pair. La corruption peut aller de pair avec la sottise.* ⇒ **Coudoyer** (→ Incompatible, cit. 7). *Intérêts qui marchent de pair. Phénomènes qui vont toujours de pair* (→ Gonflement, cit. 3).

(...) vous irez de pair avec les plus grands Seigneurs de la terre. 1
MOLIÈRE, le Bourgeois gentilhomme, IV, 3.

Elle *(la Grande Mademoiselle)* s'accoutuma naturellement à se considérer comme 2
née d'un tout autre sang que le reste des hommes, même des gentilshommes, et comme n'allant de pair qu'avec les reines et les rois.
SAINTE-BEUVE, Causeries du lundi, 24 mars 1851.

(...) le mysticisme ardent et (...) l'ardente sensualité. (Deux choses, du reste, qui 3
vont souvent de pair, — si inquiétante, hélas! que cette constatation puisse être).
LOTI, l'Inde (sans les Anglais), IV, VIII.

(V. 1530). Vx. **HORS DU PAIR.** — (1718). Mod. et littér. **HORS DE PAIR :** sans pareil, sans égal. ⇒ **Supérieur.** *Collaborateur hors de pair. Réussite hors de pair.* — Cour. **HORS PAIR.** *Un observateur hors* (cit. 10) *pair.*

Mais dans son domaine, qui est la poésie des groupes humains, Romains est hors 4
de pair. A. MAUROIS, Études littéraires, « J. Romains », V.

B. (Personnes). ♦ **1.** Personne semblable, sous le rapport de la fonction, de la situation sociale. *L'artiste et ses pairs* (→ Aide, cit. 6). — (1668). Littér. *Être avec qqn, traiter qqn de pair à compagnon,* comme si on était son égal (→ Chien, cit. 14).

Ces gentilshommes de province (...) furent en peu de temps de pair à compagnon 5
avec le vieux prévôt, comme s'il eût été l'un des leurs.
BARBEY D'AUREVILLY, les Diaboliques, « Bonheur dans le crime », p. 139.

J'y songeais en admirant que le biologiste ne pût affirmer un pas sans prendre à 6
témoin ses pairs du Japon, de l'Europe et des Amériques.
G. DUHAMEL, Scènes de la vie future, Préface.

♦ **2.** (XVIe). Féod. Vassal ayant même rang par rapport au suzerain. *Jugement par les pairs :* droit pour le vassal d'être jugé par les vassaux du même rang que lui. — *Les douze pairs de France :* les douze principaux seigneurs du royaume (six ecclésiastiques et six laïques). *Les douze pairs de Charlemagne,* qui selon la légende étaient considérés par l'empereur comme ses égaux. *Cour** (cit. 26) *des Pairs.* — (Sous l'Ancien Régime). Dignité conférée par les rois aux titulaires de grands fiefs (cit. 1) et aux notables de certaines communes. *Échevins, pairs et jurés de la commune* (cit. 1). *Convocation des pairs au parlement* (→ Noise, cit. 1). — (Dans les Constitutions de 1814 et 1830). Membre de la Haute Assemblée législative ou *Chambre des pairs* (→ Fort, cit. 64; mariage, cit. 17). *Être nommé pair de France* (→ Genre, cit. 40), *duc et pair* (→ Fournée, cit. 3; gouverneur, cit. 1; jouer, cit. 25).

Et les douze pairs, que Charles aime tant, forment son avant-garde avec vingt 7
mille Français. M. BÉDIER, la Chanson de Roland, XLII.

8 La nomination des pairs de France appartient au Roi. Leur nombre est illimité : il peut en varier les dignités, les nommer à vie ou les rendre héréditaires, selon sa volonté. Charte constitutionnelle, 4 juin 1814, art. 27.

9 La cour autrefois n'était autre chose que le salon du roi, où il recevait ses amis naturels ; les nobles des grandes maisons, ses pairs, qui lui faisaient visite pour lui montrer leur dévouement et leur amitié, jouaient leur argent avec lui, et l'accompagnaient dans ses parties de plaisir (...) A. DE VIGNY, Cinq-Mars, I.

(1704 ; angl. *peer*). Mod. En Grande-Bretagne, Membre de la *Chambre des pairs,* ou Chambre des lords. ⇒ **Chambre** (*supra* cit. 14, → Baron, cit. 4). ⇒ aussi **Pairie, pairesse.**

10 Les lords sont pairs, c'est-à-dire égaux. De qui ? du roi. HUGO, l'Homme qui rit, II, II, XI.

C. ♦ **1.** (Déb. XXe). Écon. polit. Rapport de valeur (dans un pays donné) de deux monnaies d'après le poids de métal précieux que chacune d'elles représente. ⇒ **Taux.** *Pair du change.* — (Surtout dans : **AU PAIR**). *Les changes sont au pair réciproque* (au pair dans les deux pays considérés). *Les changes peuvent être à la parité sans être au pair réciproque* (⇒ **Parité**). — (1835). Bourse. Égalité entre le capital nominal d'une valeur et son cours actuel. *Valeur mobilière au pair. Titre, rente au pair. Obligation émise au-dessous du pair.*

11 Mon cher enfant, lui dit d'Aiglemont, les rentes arrivent au pair, vends tes rentes (...) BALZAC, la Maison Nucingen, Pl., t. V, p. 610.

♦ **2.** (1835, Académie). Loc. Fig. Vx. *Être au pair :* n'avoir point d'arriéré dans ses occupations. *Mettre son travail au pair,* à jour.

12 Achevé, hier et ce matin, de mettre au pair ma correspondance. GIDE, Journal, 1er mars 1906.

♦ **3.** (1840). Mod. **AU PAIR :** sans autre rémunération que son logement et sa nourriture. *Travailler au pair. Étudiants qui sont au pair à l'étranger.*

13 Deux ans après, elle était au pair : si elle ne gagnait rien, ses parents ne payaient plus rien pour son logis et sa nourriture. Voilà ce qu'on appelle *être au pair,* rue Saint-Denis. BALZAC, Pierrette, Pl., t. III, p. 662.

14 (...) répétiteur au pair, c'est-à-dire, selon le langage du quartier Latin d'alors, sans appointements. RENAN, Souvenirs d'enfance, Œ. compl., t. II, VI, p. 885.

15 Elle était pour l'instant en Angleterre, au pair, jusqu'au 15 août, chez un pasteur. Elle faisait des progrès incroyables en anglais (...) ARAGON, les Cloches de Bâle, I, I.

DÉR. Pairesse, pairie, parage, parier. — Cf. Parité et dér.
HOM. Paire, père, pers ; formes du verbe **perdre.**

2. PAIR, PAIRE [pɛʀ] adj. et n. m. — V. 1283 ; « pareil, semblable », 1080 ; du lat. *par,* même sens, même rac. que le mot précédent, « semblable », en parlant de deux choses.

♦ **1.** Se dit d'un nombre divisible exactement par deux (étymologiquement, formé de deux nombres entiers semblables). → Géométrique, cit. 5. *Nombres pairs et nombres impairs. 2, 4, 10, 316... sont des nombres pairs.* Par ext. *Numéro pair,* représenté par un nombre pair. *Côté des numéros pairs* (dans une rue). *Jours pairs.*

1 Il avait divisé ses soldats par nombres pairs, en ayant soin de placer dans la longueur des files, alternativement, un homme fort et un homme faible, pour que le moins vigoureux ou le plus lâche fût conduit à la fois et poussé par deux autres. FLAUBERT, Salammbô, VIII.

(XXe). Se dit d'une fonction dont la valeur reste inchangée lorsque les variables changent de signe.

♦ **2.** (1845). Anat. *Organes pairs,* qui existent au nombre de deux, symétriquement. *Les yeux, les oreilles, les poumons sont des organes pairs.*

♦ **3.** (XXe). Techn. *Voie paire, train pair,* dont le sens de circulation se dirige vers l'origine de la ligne.

♦ **4.** N. m. (Mil. XIIIe). *Les pairs et les impairs :* les nombres ou les numéros pairs, impairs. Jeu. *Jouer pair, sur pair. Jeu du pair et de l'impair** (cit. 2).

2 *(ils)* se retrouvèrent à deux mille francs, et les risquèrent sur Pair, pour les doubler d'un seul coup ; Pair n'avait pas passé depuis cinq coups, ils y pontèrent la somme. Impair sortit encore. BALZAC, Illusions perdues, Pl., t. IV, p. 840.

DÉR. Pairement.
CONTR. Impair.
HOM. (Cf. 1. Pair).

PAIRE [pɛʀ] n. f. — V. 1130 ; du lat. *paria,* fém. issu du plur. neutre de *par.* → 1. Pair et 2. pair.

Réunion de deux choses, de deux êtres semblables qui vont ensemble.

A. ♦ **1.** Ensemble, groupe de deux* choses identiques ou symétriques destinées à être utilisées ensemble. *Une paire de souliers* (→ Façonner, cit. 8 ; main-d'œuvre, cit. 3 ; occasion, cit. 13), *une paire de bas, de chaussettes, de gants, de bretelles, d'épaulettes* (→ Épaule, cit. 13). *Une paire de boucles d'oreilles. Paire de draps* (→ Couche, cit. 1), *de rideaux, de chandeliers, de fauteuils... Paire de castagnettes* (→ Guitare, cit. 4). — Loc. *C'est une autre paire de manches.* ⇒ 1. **Manche** (cit. 13 à 15).

(XIVe). *Une paire de... :* un objet unique composé de deux parties semblables et symétriques. *Porter des lunettes* ou *une paire de lunettes* (→ Camper, cit. 2). *Une paire de ciseaux, de tenailles... Paire de culottes* (→ Évaporer, cit. 16).

♦ **2.** Ensemble de deux choses semblables qui se trouvent naturellement ensemble. *Une paire de membres* (→ Articuler, cit. 2), *de jambes, de fesses. Une paire de cornes* (cit. 2). *Une paire d'yeux clairs* (→ Encorbellement, cit. 2). *Une bonne paire de joues.* — REM. Dans cet emploi, à la différence du sens 1., l'emploi de *une paire de...* n'est usuel qu'avec quelques noms. Dans ce sens, comme dans les suivants, certains usages régionaux connaissaient *une paire de...* là où le français « non marqué » emploie *deux...* (*une paire d'heures,* etc. → Couple).

Sc. *Une paire de nerfs, de chromosomes* (→ Gène, cit. 2).

Phys. *Paire d'ions,* produite par une radiation ionisante : l'électron libéré et l'atome ionisé (« Bien qu'impropre au sens littéral, cette expression est consacrée par l'usage » H. Piraux, *Petit lexique de l'énergie atomique*).

(XXe). Ling. *Paire minimale :* ensemble de deux mots de sens différents mais dont les signifiants ne diffèrent que par un phonème. *Rein* [ʀɛ̃] et *sein* [sɛ̃] *forment une paire minimale.*

♦ **3.** (XIXe). Jeu (poker). Réunion de deux cartes de même valeur. *Une paire de valets.*

♦ **4.** (1559). Ensemble de deux animaux de même espèce présentés, vendus ou travaillant ensemble. ⇒ **Couple** (cit. 2). *Une paire de perdrix. Paire de bœufs sous le joug* (cit. 2).

(1690). Ensemble d'un mâle et d'une femelle de la même espèce. *Paire de pigeons achetés pour la reproduction.* ⇒ **Pariade.** *Paire d'animaux de l'arche* (cit. 1) *de Noé.*

♦ **5.** (1462). Désignant deux personnes. ⇒ **Couple, tandem.** *Une paire d'amis :* des amis inséparables, en parfait accord. *Une paire de copains de régiment. Une paire de coquins :* deux coquins bien assortis. — Loc. prov. *Les deux font la paire,* se dit de deux personnes qui se ressemblent, et, spécialt, qui ont les mêmes défauts (→ Ils peuvent se donner la main*).

Ah ! filleul, tu deviens libertin ; j'ai bien peur que Bigre et toi ne fassiez la paire. 1
Tu as passé la nuit dehors. DIDEROT, Jacques le fataliste, Pl., p. 671.

— Les deux hypocrites faisaient la paire. 2
BARBEY D'AUREVILLY, les Diaboliques, « Dessous de cartes... », p. 266.

B. Loc. verb. (1883 ; « faire la paire », 1878). Pop. *Se faire la paire* (sous-entendu de pieds, de jambes ; cf. *En paire de pieds :* en état d'évasion, 1910) : se sauver, s'enfuir. ⇒ **Belle** (se faire la belle).

(...) il était temps que je me fasse la paire, encore une fois les nerfs commençaient 3
à monter. A. SARRAZIN, la Cavale, p. 318.

Partir. ⇒ **Tirer** (se).

Sans hâte, mêlé à un flot de boulots *(ouvriers)* dégorgés par une rame, je me suis 4
fait la paire. Albert SIMONIN, Touchez pas au grisbi, p. 164.

COMP. Apparier ; déparier, rapparier.
HOM. Cf. 1. Pair.

PAIREMENT [pɛʀmɑ̃] adv. — 1582 ; *perment* « également », v. 1120 ; de 2. *pair.*

♦ Arithm. *Nombre pairement pair,* divisible par quatre. — (1690). *Nombre pairement impair,* dont la moitié n'est pas divisible par deux.

PAIRESSE [pɛʀɛs] n. f. — 1698 ; angl. *peeress,* de *peer* « pair », de l'anc. franç. *per* → 1. Pair.

♦ **1.** Hist. Femme d'un pair de France.

♦ **2.** (1835 ; en Grande-Bretagne). Celle qui possède une pairie* femelle. — Épouse d'un membre de la Chambre des pairs.

PAIRIE [peʀi] n. f. — V. 1460 ; 1259 « sorte de tenure » ; de 1. *pair.*

♦ **1.** Féod. Dignité attachée à un grand fief. Dignité de pair de France. — Titre et dignité de membre de la Chambre Haute sous la Restauration. *Pairie à vie. Pairie héréditaire* (→ Hérédité, cit. 7). *Création d'une pairie par le roi. Aspirer à la pairie* (→ Garder, cit. 24).

Ce banquier *(Keller),* récemment nommé comte et pair de France, comptait sans doute transmettre à son fils, alors âgé de trente ans, sa succession électorale pour le rendre un jour apte à la pairie. BALZAC, le Député d'Arcis, Pl., t. VII, p. 645.

♦ **2.** (1933, Paul Morand, *in* D. D. L.). En Grande-Bretagne, Titre et dignité de pair. *Pairie femelle,* titre de pair transmissible aux femmes. ⇒ **Pairesse.**

HOM. Paierie ; péri.

PAIRLE [pɛʀl] n. m. — 1658 ; orig. inconnue.

♦ Blason. Pièce honorable en forme d'Y dont les branches atteignent les angles supérieurs de l'écu. *Meubles rangés en pairle,* dans le sens du pairle.

HOM. Perle.

PAISIBILITÉ [pezibilite] n. f. — 1804, B. Constant *in* D.D.L.; de *paisible.*

♦ Littér. et rare. Caractère de ce qui est paisible.

PAISIBLE [pezibl] adj. — V. 1112; de *pais,* forme ancienne de *paix,* et suff. *-ible.* → -able.

♦ **1.** (V. 1155). Qui demeure en paix (I., 1.), ne trouble pas la paix. ⇒ **Calme, pacifique, placide, quiet, tranquille.** *Homme innocent, simple et paisible* (→ Bergeronnette, cit. 2; lai, cit. 3). *Paisible sans indolence* (→ Montagne, cit. 6). *Vivre paisible* (→ Idée, cit. 52), *être né paisible* (→ 1. Chagrin, cit. 5). *Insulter les gens les plus paisibles* (→ Insolence, cit. 7). — Par ext. *Humeur* (cit. 10), *caractère doux et paisible. Rendre paisible.* ⇒ **Apaiser.** — (Animaux). *L'agneau* (cit. 5), *animal paisible.*

(V. 1175). Qui jouit de la paix intérieure. ⇒ **Serein.** (→ Paix, III., 2.). *Cœur, âme paisible. Il ne faut point troubler les âmes paisibles* (→ Croyance, cit. 9).

1 À l'en croire, son cœur était paisible; et, ce qu'elle n'aurait jamais imaginé, elle éprouvait qu'un ami tel que lui suffisait au bonheur de la vie (...)
DIDEROT, Jacques le fataliste, Pl., p. 610.

2 Ils demeuraient côte à côte, sans effort pour plaire ni parler, paisibles et en quelque sorte heureux. Une longue habitude l'un de l'autre les rendait au silence, ramenait Chéri à la veulerie et Léa à la sérénité. COLETTE, Chéri, p. 25.

Dr. (1507). Qui a la paix (III., 1.), qui n'est pas inquiété (dans la possession d'un bien). *Paisible possesseur d'une terre.* Par ext. *Possession paisible et utile de la chose vendue* (→ Garantie, cit. 1; garantir, cit. 3).

♦ **2.** Qui traduit la paix (avec autrui ou avec soi-même). *Un air paisible et indifférent* (→ Jaser, cit. 2). *Visages paisibles.* ⇒ **Béat, serein** (→ Justification, cit. 2).

3 (...) des traits nobles et réguliers, une expression paisible (...)
J. ROMAINS, les Hommes de bonne volonté, t. IV, XIII, p. 139.

4 (...) et une sorte de sourire paisible s'ordonnait petit à petit sur ce visage torturé.
G. DUHAMEL, Salavin, VI, XXX.

REM. Aux sens 1. et 2., l'antéposition de l'épithète est rare ou stylistique. *De paisibles allures* (→ Apostolat, cit. 1).

♦ **3.** (Choses). Qui ne trouble pas la paix (aux sens I., 1. et III., 1.). ⇒ **Pacifique.** *Mœurs paisibles. Des idées paisibles et douces* (→ Empyrée, cit. 3). *Un désespoir paisible, sans convulsions* (cit. 5) *de colère.* — (Antéposé). *Le paisible plaisir de bouquiner* (2. Bouquiner, cit. 1).

5 Même au fort du déduit parfois, vois-tu, l'amante
Doit avoir l'abandon paisible de la sœur.
VERLAINE, Poèmes saturniens, «Mélancholia», V.

♦ **4.** (V. 1265). Dont rien ne vient troubler la paix, le calme. *Sommeil doux, paisible et tranquille* (→ Cours, cit. 1). *Vie paisible et réglée* (→ Confortable, cit. 2). *Mener une vie paisible.* ⇒ **Doux;** → pop. Peinard, pépère. *Paisible retraite* (→ Ignorer, cit. 30). *Règne paisible* (→ 1. Dire, cit. 87). *Affirmation franche et paisible. Paisible assouvissement* (cit. 7) *d'un vice.*

6 Le bonheur est produit par une suite de sensations agréables, par des sentiments assez paisibles pour se prolonger.
É. DE SENANCOUR, De l'amour..., p. 363, note 40.

7 (...) de distance en distance, une musique harmonieuse donne à ce rassemblement l'air d'une fête paisible, où chacun jouit de soi-même sans s'inquiéter de son voisin.
Mme DE STAËL, De l'Allemagne, I, VII.

(V. 1175). Spécialt. Où règne la paix, le calme. ⇒ **Tranquille.** *La paisible province anglaise* (→ Incinérer, cit. 2). *Village, coin paisible. La forêt paisible* (→ Froissement, cit. 4). *Nuit paisible et belle.*

8 Oui, j'aime à demeurer dans ces paisibles lieux (...)
MOLIÈRE, la Princesse d'Élide, II, 1.

9 (...) j'ai pensé à tout, en particulier au manque de sécurité d'un quartier qui me semblait si paisible, et à la bonne précaution que ce serait pour moi qui vis seul, dans une maison isolée, de me procurer un gros chien de garde (...)
J. ROMAINS, les Hommes de bonne volonté, t. II, XIII, p. 133.

Par ext. Qui produit ou suggère une impression de calme, de sérénité. *Un fleuve paisible* (→ aussi Frappant, cit. 3). *Les lignes paisibles de l'Atlas* (→ Empanacher, cit. 4). *Formes paisibles et douces* (→ Favoriser, cit. 9).

10 Ce sont de grandes lignes paisibles qui se confondent
Tantôt avec le ciel, tantôt avec la terre.
Francis JAMMES, Choix de poèmes, «Ce sont de grandes lignes paisibles...», p. 171.

CONTR. Agressif, belliqueux, emporté, éperdu, exalté, furibond, furieux, turbulent. — Inquiet, ombrageux, tourmenté. — Agité, bruyant, troublé.
DÉR. Paisibilité, paisiblement.

PAISIBLEMENT [pezibləmɑ̃] adv. — V. 1120; de *paisible,* et *-ment.*

♦ **1.** D'une manière paisible, en paix. *Vivre paisiblement. Demeurer* (cit. 9) *paisiblement plusieurs années en un lieu.*

1 La Suisse trait sa vache et vit paisiblement.
HUGO, la Légende des siècles, XXXI, II.

♦ **2.** En étant en paix (psychologiquement). *Mourir paisiblement dans le sein des siens* (→ État, cit. 78). *Instruire paisiblement un procès* (→ Impénétrable, cit. 10).

♦ **3.** Avec calme et tranquillité. ⇒ **Calmement, tranquillement.** *Discuter, répondre paisiblement* (→ Liquider, cit. 5). *Dormir paisiblement.* — (Choses). *Fleuve qui coule paisiblement.* ⇒ **Doucement.** *Des fumées filent* (cit. 16) *paisiblement au-dessus des bois. Le bateau glissait paisiblement sur les flots,* calmement, sans secousses.

2 Et comme un jour les vents, retenant leur haleine,
Laissaient paisiblement aborder les vaisseaux (...) LA FONTAINE, Fables, IV, 2.

3 (...) les curieux se retirèrent paisiblement, sans embarras, sans tumulte, selon l'habitude de la foule russe, la plus tranquille de toutes les foules.
Th. GAUTIER, Voyage en Russie, VIII.

4 Je gagne ma vie paisiblement sans peine, en faisant un travail régulier et facile pour lequel je ne risque pas du tout d'être ennuyé gravement.
Francis PONGE, le Parti pris des choses, p. 17.

PAISSANCE [pɛsɑ̃s] n. f. — 1877, Littré, *Suppl.*; fin XIIe, «pature»; de *paître.*

♦ Dr. forest. Action de faire paître des animaux domestiques en forêt; résultat de cette action. *Bêtes en paissance.*

PAISSANT, ANTE [pɛsɑ̃, ɑ̃t] adj. — 1544; du p. prés. de *paître.*

♦ **1.** Qui paît, en parlant des animaux. *Des béliers paissants* (→ Mouton, cit. 2).

♦ **2.** Blason. Se dit d'un animal représenté tête baissée, comme pour paître.

PAISSEAU [pɛso] n. m. — XIVe; *paissel,* XIe; du lat. pop. **paxellus,* altér. du lat. class. *paxillus* «pieu».

♦ Vx ou régional. Échalas* (cit. 1).

PAISSELAGE [pɛslaʒ] n. m. — 1828; «fourniture d'échalas», 1771; de *paisseler.*

♦ Techn. (Vx). Action de paisseler. *Paisselage d'une vigne.*

PAISSELER [pɛsle] v. tr. — 1213; de *paissel.* → Paisseau.

♦ Techn. (Vx). Munir de paisseaux.

1. PAISSON [pɛsɔ̃] n. m. — XIIIe; du lat. *pastio* «paturage».

♦ Vx. Ce que paissent les animaux.

Spécialt. (Régional). Pâturage des porcs en forêt (glands, faînes, etc.).

2. PAISSON [pɛsɔ̃] n. m. — 1680; «pieu, poteau», 1155; du lat. *paxillus,* dimin. de *palus* «pieu».

♦ Techn. Outil métallique en demi-cercle, muni d'un manche court, et qui sert à tirer et à ouvrir les peaux (ganterie).

DÉR. Paissonner.

PAISSONNER [pɛsɔne] v. tr. — 1680; de *paisson.*

♦ Techn. Tirer et ouvrir (une peau) avec le paisson.

PAÎTRE [pɛtʀ] v. — Conjug. *connaître,* mais défectif : n'a pas de passé simple ni d'imp. du subj., ni de temps comp.; seuls l'inf., le présent et l'imp. de l'indic. sont d'un emploi courant. — V. 1050, *paistre;* du lat. *pascere.*

★ **I.** V. tr. ♦ **1.** Vx. Nourrir (un animal).

(Mil. XIIe). Techn. (Fauconnerie). *Paître l'oiseau.* — Vx. Pron. «*Les corbeaux se paissent de charogne*» (Régnier, *Satires,* III). — Au p. p. *Pu et repu.*

Fig. et vx. *Se paître.* ⇒ **Repaître** (se). «*En cette-ci* (leçon) *l'âme trouve où mordre et où se paître*» (Montaigne, *Essais,* I, XXVI).

♦ **2.** (Fin XIIe). Vx ou littér. Mener (les bêtes) aux champs (afin qu'elles se nourrissent). *Paître un troupeau.*

1 Il mènera son troupeau dans les pâturages comme un pasteur qui paît ses brebis (...) BIBLE (SACY), Isaïe, XL, 11.

2 Et le berger, vêtu de sa cotte de laine,
Qui paît ses moutons noirs au-dessus de la plaine (...)
LECONTE DE LISLE, Poèmes tragiques, «Chapelet des Mavromikhalis».

(V. 1170). Par métaphore. (Relig.). *Pasteur, prêtre qui paît ses bre-*

bis, ses ouailles. — Allus. bibl. «*Pais mes brebis*» (Saint Jean, XXI, 16), parole du Christ à Simon Pierre.

♦ **3.** (V. 1155; le sujet désigne un animal). Manger sur pied, sur place (l'herbe, les fruits tombés...). *Paître l'herbe**. ⇒ **Brouter, gagner** (sens étym.), **herbeiller, pâturer.** «*Paissons l'herbe, broutons* (cit. 4)». *Brebis qui paissent l'herbe salée* (→ Mouton, cit. 5). *L'agneau* (cit. 2) *paît les prés verts.*

3 La bique, allant remplir sa traînante mamelle
Et paître l'herbe nouvelle. LA FONTAINE, Fables, IV, 15.

4 Le cheval paît l'herbe d'automne,
Près d'une mare monotone (...)
VERHAEREN, les Villes tentaculaires, «Donneur de mauvais conseils».

★ **II.** V. intr. ♦ **1.** (XIIe). Manger l'herbe sur pied, les fruits tombés... (en parlant des animaux herbivores). *Bestiaux, troupeaux qui paissent.* ⇒ **Paissance, pâture** (→ Agneau, cit. 6; chardon, cit. 1; meuglement, cit.). *Lieu où l'on fait paître les animaux.* ⇒ **Herbage, pacage, pâtis, pâturage, pâture.** *Mettre à paître dans un herbage.* ⇒ **Herbager; herbagement.** *Paître en montagne* (⇒ **Transhumer**). *Celui qui mène paître un troupeau.* ⇒ **Pasteur, pâtre.** *Nomades* qui se déplacent en menant paître leurs bêtes. Les chevreaux paissant* (→ Essayer, cit. 4).

5 Quand ses propres moutons paissaient sur le rivage (...)
LA FONTAINE, Fables, IV, 2.

6 (...) les troupeaux paissent en silence sans cris de combat.
G. SAND, François le Champi, Avant-propos.

7 (...) le troupeau qui paît et le berger qui dort (...)
MAETERLINCK, la Vie des abeilles, V, X.

♦ **2.** Par métaphore et fig. *Faire paître* (vx) : tromper, berner. *Mener paître quelqu'un* (vieilli), le conduire, lui faire faire ce que l'on veut sans qu'il oppose de résistance. *On vous mène paître* (→ Mouton, cit. 15).

8 Il assiste à cet incroyable épisode d'une vierge *(Jeanne d'Arc)* menant paître, ainsi que dociles ouailles, les La Hire et les Xaintrailles, les Beaumanoir et les Chabannes (...) tous ces vieux fauves qui bêlent à sa voix et portent lainage.
HUYSMANS, Là-bas, IV.

(1424). *Envoyer* paître qqn. Il m'a encore demandé de l'argent, je l'ai envoyé paître.*

9 *Envoyer paître quelqu'un.* C'est-à-dire Chasser une personne, l'envoyer promener comme un sot. RICHELET, Dict.

10 Et quand Edmond avait remis ça en le raccompagnant à la gare de Lyon, l'autre mois, le docteur Barbentane l'avait envoyé paître.
ARAGON, les Beaux Quartiers, II, XII.

COMP. Repaître.
HOM. (Des formes du présent) **Paie, paix, pet.**

PAIX

PAIX [pɛ] n. f. — Fin X^e, *pais; x* étym., du lat. *pax, pacis.*

★ **I.** ♦ **1.** Rapports entre personnes qui ne sont pas en conflit, en querelle. ⇒ **Accord, concorde, entente.** — REM. *Paix* n'implique pas de relations positives entre personnes et désigne plutôt des rapports calmes qui peuvent, d'ailleurs, n'être que de pure forme.

La paix des familles, des foyers. Maison (cit. 17) *où la paix règne sans esclavage* (→ Discorde, cit. 1). *Céder pour avoir la paix chez soi. Mettre la paix entre deux personnes* (→ Exciter, cit. 42; main, cit. 54). *La Paix du ménage,* nouvelle de Balzac. *La Paix chez soi,* comédie de Courteline. — Relig. *Le Christ nous procure la paix avec Dieu* (→ Nativité, cit. 1). — **EN PAIX.** *Vivre en paix avec son prochain, les uns avec* (cit. 43) *les autres, avec tout le monde .* — *Être en paix avec soi-même, avec sa conscience* (→ ci-dessous, III., 2.). — Par ext. (en parlant des animaux). *Deux coqs vivaient en paix* (→ Allumer, cit. 18).

1 N'allez pas croire que je sois venu apporter la paix sur la terre; je ne suis pas venu apporter la paix, mais le glaive. Car je suis venu opposer *l'homme à son père, la fille à sa mère et la bru à sa belle-mère : on aura pour ennemis les gens de sa famille.* BIBLE (Jérusalem), Évangile selon saint Matthieu, III, 10.
(L'éditeur met en note : Jésus est un «signe de contradiction», qui, sans vouloir les discordes, les provoque nécessairement par les exigences du choix qu'il requiert).

2 Faisons en bonne paix vivre les deux Sosies.
MOLIÈRE, Amphitryon, III, 6.

3 La paix est le fruit de l'amour; car pour vivre en paix, il faut savoir supporter bien des choses. F. DE LAMENNAIS, Paroles d'un croyant, XV.

4 Il est certain qu'à notre âge, et après tant d'années passées ensemble, une tolérance réciproque nous est nécessaire pour que nous puissions continuer de vivre en paix. A. DE MUSSET, Nouvelles, «Emmeline», VII.

5 *(il)* se remit au travail avec la sérénité d'un esprit en paix avec les hommes comme avec sa conscience. E. FROMENTIN, Une année dans le Sahel, p. 48.

6 (...) une sorte de manuel qui apprendrait aux femmes à vivre en paix avec l'homme qu'elles aiment (...)
COLETTE, la Naissance du jour, p. 34 (→ Code, cit. 5).

Cessation des conflits, des querelles. ⇒ **Conciliation, réconciliation; pacte.** *Rendre la paix.* ⇒ **Apaiser** (cit. 1). *Allez faire la paix ensemble* (→ Apaiser, cit. 2). ⇒ **Réconcilier** (se). *Le plaisir des disputes* (cit. 4) *c'est de faire la paix. Porter des paroles de paix. Embrassements, excuses, promesses... qui scellent la paix.* — Relig. *Baiser**(cit. 30) *de paix* (se dit dans le lang. courant pour «marque de réconciliation»). — *Calumet** (cit. 1 et 2) *de la paix* (à l'origine cette coutume concerne la paix et la guerre; → ci-dessous, II.).

7 (...) Fanny baissa la voix pour savoir si la malade avait demandé sa sœur. Non, elle n'en ouvrait pas la bouche, comme si Lise n'eût point existé. C'était bien surprenant, car on a beau être brouillé, la mort est la mort : quand donc ferait-on la paix, si on ne la faisait pas avant de partir? ZOLA, la Terre, V, IV.

Dr. civ. *Juge de paix* (qui sert de conciliateur entre particuliers). *Justice de paix.* ⇒ **Juge, justice.**

♦ **2.** (1080). Rapports calmes entre citoyens; absence de luttes, de troubles, de violences. *La paix, qui est le souverain bien** (→ Justifier, cit. 1). *La justice doit faire régner la paix. Établir l'ordre et la paix* (→ 2. Justicier, cit. 2). *Les gardiens de la paix* (⇒ **Gardien**) *font partie des forces de l'ordre*.* Vx. *Officier** (cit. 3) *de paix. Troubler la paix publique. Agitateurs, provocateurs, malfaiteurs... qui attentent à la paix publique. Crime contre la paix publique* (→ Association, cit. 14). *La paix sociale et la lutte des classes* (cit. 6). *Paix économique* (→ Barrière, cit. 5). *Paix scolaire.*

♦ **3.** État de calme, de tranquillité sociale, caractérisé à la fois par l'ordre intérieur dans chaque groupe (→ ci-dessus, I., 2.) et par l'absence de conflit armé entre groupes (→ ci-dessous, II.). *La paix régnait dans ce territoire, parmi ces tribus. Ramener la paix* (au besoin par la force) *dans un pays où régnait la guerre civile.* ⇒ **Pacification, pacifier.**

Ainsi, nous avons apporté dans toute l'Indochine la richesse et, avec la richesse, 8
la paix (...) En Indochine, comme au Maroc, moins vite et moins triomphalement, mais avec un succès finalement égal, nous avons apporté *la paix française.*
Claude FARRÈRE, Mes voyages, II.

Hist. *Paix romaine* (pax romana), que faisait régner la civilisation romaine. *La paix romaine opposée au chaos menaçant de la barbarie* (cit. 6). *Apporter, imposer la paix romaine aux barbares.*

La paix romaine, ce splendide cadeau qu'Auguste, par la création du régime per- 9
sonnel, a donné au monde, apparaît en effet comme un des phénomènes les plus grands, les plus durables, les plus féconds qu'aient enregistré les annales de l'humanité. Ce qu'elle signifie, c'est la fin des guerres traditionnelles, l'ennemi extérieur arrêté aux frontières, les conflits entre cités supprimés, les dissensions intestines abolies. Avec la disparition des particularismes nationaux, c'est l'unité et l'apaisement que la paix impériale apporte à l'ensemble du monde méditerranéen.
Léon HOMO, Auguste, II, IV.

★ **II.** ♦ **1.** Situation d'une nation, d'un État qui n'est pas en guerre; rapports entre États qui jouissent de cette situation. *La paix n'est qu'une forme* (cit. 36) *de la guerre. Intervalle de paix* (cf. Entre-deux guerres). *Jouir de longues années de paix. En temps de paix* (→ Armée, cit. 12). *Armée sur le pied* de paix.* — *Aimer la paix.* ⇒ **Pacifique.** *Vouloir la paix avant tout, être pour la paix.* ⇒ **Pacifisme, pacifiste.** *Tous les peuples sont pour la paix* (→ Gouvernement, cit. 30). *Les ennemis de la paix* (→ Esprit, cit. 82). *La paix et la liberté* (→ Destinée, cit. 12). *La paix et la justice, le droit. Dogmes* (cit. 3) *de la paix. La paix doit reposer sur l'amour de la paix et non sur la crainte de la guerre* (→ Abstention, cit. 1). «*Si tu veux la paix, prépare la guerre**» (*infra* cit. 25). *Projet de paix perpétuelle de l'abbé de Saint-Pierre* (XVIIIe siècle). *Plans de paix économiques, politiques, juridiques. Paix par le désarmement*, par la limitation des armements.* — *Congrès de la paix* (→ Humanitaire, cit. 4). «*L'esprit* (cit. 170) *de la république est la paix et la modération*» (Montesquieu). Allus. hist. *L'Empire c'est la paix* (Déclaration de Napoléon III au congrès de Bordeaux, 9 octobre 1852). *Le rameau d'olivier** (cit. 5), *le caducée*,* symboles de la paix. *L'arbre de la paix :* l'olivier. *La colombe de la paix.* — *La Marseillaise de la paix,* poème de Lamartine. — *La Guerre et la Paix,* roman de Tolstoï.

Paix est trésor qu'on ne peut trop louer 10
Je hais guerre, point ne la doit priser (...) Ch. D'ORLÉANS, Ballade, LXXV.

(...) la paix fonda les villes, 11
La paix fertilisa les campagnes stériles,
La paix dessous le joug fit mugir les taureaux,
La paix dedans les prés fit sauter les troupeaux (...)
RONSARD, Second livre de poèmes, «Exhort. pour la paix».

(...) il faut faire aux méchants guerre continuelle. 12
La paix est fort bonne de soi,
J'en conviens; mais de quoi sert-elle
Avec des ennemis sans foi? LA FONTAINE, Fables, III, 13.

La paix rend les peuples plus heureux et les hommes plus faibles. 13
VAUVENARGUES, Maximes et réflexions, 396.

Le rêve des utopistes de la paix, un tribunal sans armée pour appuyer ses décisions, 14
est une chimère; personne ne lui obéira. D'un autre côté, l'opinion selon laquelle la paix ne serait assurée que le jour où une nation aurait sur les autres une supériorité incontestée est l'inverse de la vérité (...) La paix ne peut être établie et maintenue que par l'intérêt commun de l'Europe, ou, si l'on aime mieux, par la ligue des neutres passant à une attitude comminatoire.
RENAN, Réforme intellectuelle et morale de la France, Guerre entre la France et l'Allemagne, II, Œ., compl., t. I, p. 429.

(...) rien n'est fait pour la paix : un seul «chien enragé de l'Europe», quel qu'il 15
puisse être, aura toujours raison de la Paix (...) Nous croyons la paix fille de la nature. Pas du tout. La paix demande beaucoup d'efforts, d'intelligence, de dévouements ou de sacrifices (...)
Ch. MAURRAS, Mes idées politiques, «La guerre et la paix», p. 139 et 143.

«— (...) En un pareil moment, refuser de servir, c'est faire passer son inté- 16
rêt personnel avant l'intérêt général.» — «Avant l'intérêt *national!*», riposta Jacques. L'intérêt général, l'intérêt des masses, c'est manifestement la paix, et non la guerre! MARTIN DU GARD, les Thibault, t. VII, p. 181.

Paix entre les nations. Paix générale (→ 1. Mine, cit. 13), *mondiale, universelle.* — **EN PAIX.** *Pays en guerre et pays en paix. Pays qui reste en paix dans un conflit.* ⇒ **Neutralité** (cit. 6). — *Paix* *menacée, en danger. Torpiller, violer la paix* (→ Caste, cit. 5). *Sauvegarder, conserver, maintenir* (cit. 40) *la paix* (→ 1. Arbitre, cit. 3). *Asseoir la paix sur des bases stables. Consolider, cimenter la paix. Le prix de la paix. Pays en guerre qui n'aspire plus qu'à la paix* (→ Gaver, cit. 6). *Volonté de paix* (→ Guerre, cit. 26). *Opinion favorable à la paix* (→ Ajourner, cit. 1; gendarmer, cit. 4). *Pétition en faveur de la paix. Offensive de paix. Arbitre* (1. Arbitre, cit. 10) *de la paix. Proposer ses bons offices en faveur de la paix,* pour rétablir la paix. — *Paix durable* (→ Crise, cit. 10). *Paix humaine et désarmée* (cit. 12). *Paix armée** (cit. 21) *ou course aux armements* (→ Guerre* froide). *La course aux armements menace la paix.*

17 (...) cette alliance de la France et de l'Angleterre que j'ai toujours considérée comme la garantie la plus solide du bonheur des deux nations et de la paix du monde. TALLEYRAND, *in* Louis MADELIN, Talleyrand, V, XXXVII.

18 De quelque façon que finisse la guerre, pensa-t-il, à ce point de haine, quelle paix sera possible ici? MALRAUX, l'Espoir, II, I, I, V.

19 — C'est une pétition contre la guerre, dit la demoiselle (...) Zézette lut à mi-voix : « Les femmes de France signataires de la présente pétition déclarent qu'elles font confiance au gouvernement de la République pour sauvegarder la paix par tous les moyens (...) Des négociations, des échanges de vue, toujours : le recours à la violence, jamais. Pour la paix universelle, contre la guerre sous toutes ses formes, ce 22 septembre 1938. La ligue des mères et des épouses françaises. »
SARTRE, le Sursis, p. 246.

20 Le Conseil de Sécurité constate l'existence d'une menace contre la paix, d'une rupture de la paix ou d'un acte d'agression et fait des recommandations ou décide quelles mesures seront prises conformément aux articles 41 et 42 pour maintenir ou rétablir la paix et la sécurité internationales.
Charte des Nations Unies, VII, art. 39.

Traité de paix. ⇒ **Traité**; et ci-dessous 2.

♦ **2.** (Fin XIe). Traité entre belligérants qui fait cesser l'état de guerre*; cessation de l'état de guerre (→ Apposer, cit. 2). *Faire la paix.* ⇒ **Pacte; pactiser, poser** (les armes). → Cardinalat, cit.; fournir, cit. 15. *Droit de faire la paix ou la guerre** (→ Monarque, cit. 2). *Pays qui demande, qui offre la paix* (→ Honteusement, cit. 1). *Faire des offres, des propositions* de paix. Ne pas vouloir entendre* (cit. 46) *parler de paix avant le morcellement du pays ennemi, avant la capitulation sans conditions. Pourparlers de paix. Arrêt des combats précédant la paix.* ⇒ **Armistice, trêve.** *Négocier la paix.* ⇒ **Négociation** (cit. 3; → Nonce, cit. 2). *Articles, clauses de paix discutés au sein d'une Société universelle des Nations* (→ Hargneusement, cit. 1). *Conclure, ratifier, signer la paix. La paix se conclut* (cit. 4). *Conclusion de la paix avec l'Angleterre* (→ Grossir, cit. 6). *Les auteurs de la paix* (→ Désarmement, cit. 1). *Les signataires de la paix. Paix d'Utrecht, de Westphalie...* — *Paix séparée :* paix faite par un cobelligérant alors que ses alliés sont encore en guerre. *Une juste* (cit. 14) *paix. Paix acceptable* (cit.), *honorable, obtenue après une défaite. La paix des braves,* paix honorable pour ceux qui se sont battus courageusement. *Paix forcée, imposée* (⇒ **Diktat**). *Paix honteuse, flétrissante* (cit. 11), *inique. Paix boiteuse* (3. Boiteux; → Offensive, cit. 1). *Paix plâtrée*. Paix fourrée** (cit. 31). — (1762). *Homme de paix,* qui cherche à maintenir la paix.

21 (...) à quoi bon faire une paix honteuse avec un peuple pour en aller guerroyer un autre? MONTESQUIEU, Grandeur et Décadence des Romains, I.

22 Convenons donc que l'état relatif des puissances de l'Europe est proprement un état de guerre, et que tous les traités partiels entre quelques-unes de ces puissances sont plutôt des trèves passagères que de véritables paix (...)
ROUSSEAU, Politique, « Extr. projet paix perpét. Abbé de Saint-Pierre ».

23 *(Le peuple français)* ne fait point la paix avec un ennemi qui occupe son territoire.
Constitution du 24 juin 1793, art. 121.

24 La paix de Westphalie fut signée en octobre 1648. Cette paix, qui devait rester pendant un siècle et demi la charte de l'Europe, couronnait la politique de Richelieu. J. BAINVILLE, Hist. de France, XI, p. 208.

25 L'état de paix commence normalement avec l'échange des documents de ratification du traité de paix ou au moment de leur dépôt dans un lieu déterminé.
L. DELBEZ, Manuel de droit international public, III, VI.

25.1 Vous n'êtes pas des vaincus, le sacrifice de vos morts doit trouver sa justification dans cette « paix des braves » que Charles de Gaulle vous propose et qui constituera votre victoire.
F. MAURIAC, le Nouveau Bloc-notes 1958-1960, p. 120.

★ **III.** ♦ **1.** (V. 1112). État d'une personne que rien ne vient troubler, déranger. ⇒ **Repos, tranquillité.** *Le calme et la paix exaltent les sentiments tendres* (→ Bruit, cit. 4). — *Avoir la paix chez soi. Débrancher le téléphone pour avoir la paix. Avoir la paix avec qqn, qqch.* — *Laisser la paix à qqn,* le laisser tranquille, ne pas l'ennuyer, le tourmenter. *Ficher, foutre la paix* (fam). → Hein, cit. 7. *Foutez-moi la paix, je n'ai pas besoin de vos conseils!* **EN PAIX.** *Être en paix. Vivre, vivoter en paix* (→ Apathie, cit. 4). *Nous cultivions en paix nos champs* (cit. 1). *« Les morts dorment* (cit. 22) *en paix dans le sein de la terre ». Laisser qqn,* et, par ext., *qqch. en paix* (→ Bec, cit. 5). Loc. prov. *Il faut laisser les morts en paix,* ne pas parler d'eux. *Ne donner ni paix ni trêve à quelqu'un,* l'importuner sans relâche.

26 Vivez heureuse au monde, et me laissez en paix.
CORNEILLE, Polyeucte, IV, 3.

27 — Non, mes enfants, dormez en paix;
Ne bougeons de notre demeure. LA FONTAINE, Fables, IV, 22.

28 — Je soutiens qu'il faut dire la figure d'un chapeau, et non pas la forme (...) Laissez la forme et le chapeau en paix. MOLIÈRE, le Mariage forcé, 4.

(...) comme ça du moins on me laissera tranquille, on me fichera la paix. 29
GIDE, Journal, 8 juin 1948.

Interj. Vx. *Paix!,* s'employait pour réclamer le calme, le silence (→ Motus, cit. 1). On dit plutôt de nos jours *La paix!* (sous-entendu : *fichez-nous la paix*). *La paix, les gosses!*

Paix là, taisez-vous, violons (...) Paix donc. 30
MOLIÈRE, le Malade imaginaire, Ier intermède.

♦ **2.** (V. 1050). Calme intérieur d'une personne, état de l'âme qui n'est troublée par aucun conflit, aucune inquiétude. ⇒ **Calme, quiétude, tranquillité** (d'âme). *La paix de l'âme*, du cœur* (cit. 52). → Attester, cit. 4; dégoûter, cit. 7. *Une paix sereine qui imite* (cit. 24) *le bonheur. La paix du bonheur, de l'assouvissement** (donnée par le bonheur...). → Accent, cit. 10. *Jouir de sa propre paix* (→ Allégement, cit. 3). *Goûter une paix profonde* (→ Fumier, cit. 6). *Goûter une tranquille paix dans le crime* (→ Front, cit. 11, Racine). *Chercher, ne pouvoir trouver la paix* (→ Atonie, cit. 1). *Après de longues angoisses* (cit. 9) *j'ai retrouvé la paix* (⇒ **Accalmie, bonace**). — *En paix. Avoir la conscience en paix. Achever* (cit. 17) *ses jours en paix.* — Relig. *La paix de Dieu, du Seigneur,* celle que Dieu apporte aux chrétiens qui accomplissent sa volonté. *La paix soit avec* (cit. 15) *vous* (lat. *Pax tecum*). *Ma paix est avec l'humble* (→ Bénin, cit. 1). *Ta foi t'a sauvée, va* (cit. 69) *en paix.* — *Allez* en paix.* — (En parlant d'un défunt). *Qu'il repose en paix. Ceux qui reposent en paix.* ⇒ **Bienheureux.** — *Paix à ses cendres!* — *Paix sur la terre aux hommes de bonne volonté* (→ Homme, *supra* cit. 70). — *Que l'Éternel te bénisse* (cit. 1) *et te donne la paix. L'ange de paix :* Jésus-Christ. *Ministre de paix :* prêtre.

Ils continuèrent à parler (...) des peines éternelles préparées aux impies dans le gouffre noir du Tartare, et de cette heureuse paix dont jouissent les justes dans les Champs-Élysées, sans crainte de pouvoir la perdre. 31
FÉNELON, Télémaque, IV.

Le premier des devoirs, sans doute, est d'être juste; 32
Et le premier des biens est la paix de nos cœurs.
VOLTAIRE, Poème sur la loi naturelle, IV.

Entre faire le mal ou faire le bien, il n'existe d'autre différence que la paix de la conscience ou son trouble, la peine est la même. 33
BALZAC, le Médecin de campagne, t. VIII, p. 367.

Trop sensible, trop aimante, trop facile à émouvoir pour trouver la paix en elle-même, la religion, disait-elle, lui apportait une tranquillité heureuse. 34
FRANCE, le Petit Pierre, I.

(...) je voulus voir une fois encore cette figure mystérieuse qui respire un sentiment si profond de satiété, de paix sereine, et de dédain. 35
André SUARÈS, Trois hommes, « Pascal », II.

La plupart d'entre nous ont bien davantage besoin de paix intérieure que de vérité : la religion leur est une autre nourriture que la science. 36
MARTIN DU GARD, Jean Barois, III, « Le crépuscule », II.

Par pitié, laissez-moi tranquille. J'ai besoin d'un peu de silence autour de moi pour obtenir la paix en moi-même. 37
GIDE, Journal, Feuillets d'automne, nov. 1947.

♦ **3.** (1779). État, caractère d'un lieu, d'un moment où il n'y a ni agitation ni bruit. ⇒ **Calme, silence, tranquillité.** *La paix des champs, des bois... Paix rustique. La paix du cimetière* (→ Jongleur, cit. 1). *La paix d'une maison* (→ Bruit, cit. 11). *Paix profonde des eaux* (→ Couche, cit. 8). *La nuit répandait sa paix sur la campagne* (→ Exhaler, cit. 4). *Paix qui descend* (cit. 27) *avec le crépuscule. Une journée de paix surnaturelle* (→ Feutrer, cit. 2).

Tout était paix et silence; personne sur la chaussée; dans les bas côtés, quelques rares ouvriers, à peine entrevus, se rendant à leur travail. 38
HUGO, les Misérables, IV, III, VIII.

Restons silencieux parmi la paix nocturne (...) 39
VERLAINE, Jadis et Naguère, « Circonspection ».

C'était une bâtisse surchargée de galeries de bois, que la solitude faisait paraître plus grande, et qui sommeillait dans une paix rustique (...) 40
FRANCE, le Lys rouge, XXVII.

C'est le bruit et le mouvement, tout à coup, après la paix de notre faubourg silencieux. LOTI, Mme Chrysanthème, XII. 41

★ **IV.** (1380; ellipse de *baiser de paix,* salut* traditionnel des juifs, conservé par les premiers chrétiens en signe de fraternité ou de réconciliation). Relig. Plaquette d'ivoire, de bois, de métal représentant ordinairement un sujet de la passion et que l'officiant donne à baiser aux fidèles. ⇒ **Patène.** *Seul le clergé garde la pratique du baiser et de l'accolade, l'usage de la paix* (ou instrument de paix) *ayant remplacé par souci des convenances le baiser charnel des fidèles.*

CONTR. Aigreur, conflit, dispute, querelle; désordre, trouble, violence. — Guerre. — Alarme, angoisse, contention, détresse, enivrement, inquiétude. — Agitation, animation, bruit, clameur.
DÉR. Paisible (V. aussi **Pacifier, pacifique,** et dér.).
COMP. Apaisement, apaiser.
HOM. Paie, pet, formes du v. **paître.**

PAKISTANAIS, AISE [pakistanɛ, ɛz] adj. et n. — 1947; de *Pakistan.*

♦ Du Pakistan, État groupant les parties musulmanes de l'ancien Empire des Indes.

PAL [pal] plur. **PALS** [pal] ou (vx) **PAUX** [po] n. m. — Fin XIe; lat. *palus.*

♦ **1.** Longue pièce de bois ou de métal aiguisée par un bout. ⇒ **Pieu.** *Ficher un pal en terre. Pals* ou *paux* (vx) *qui soutiennent, étançonnent* (cit.) *un arbre.*

Il brisa (...) avec un pal de fer, un précieux secrétaire d'acajou ronceux venu de Paris, qu'il frottait souvent avec le pan de son habit, quand il croyait y apercevoir quelque tache. STENDHAL, le Rouge et le Noir, I, XXI.

(V. 1360). Spécialt. Instrument de supplice formé d'un pal. *Condamner* (cit. 6) *au pal.* ⇒ **Empaler.**

♦ **2.** (1829). Agric. Outil de fer utilisé comme plantoir par les vignerons. — (1888). *Pal injecteur :* pal creux servant à injecter dans le sol des liquides insecticides.

♦ **3.** (1660). Blason. Pièce honorable de l'écu, bande large qui le traverse du haut du chef jusqu'à la pointe. *Rebattement du pal.* ⇒ **Vergette.** *Il porte d'azur au pal d'argent, à trois pals d'or. Pal flamboyant*, retrait*... Réunion de la fasce* et du pal.*

DÉR. et **COMP. Contre-pal. — Empaler. — Palé, palée, palplanche.**

PALA [pala] n. f. — 1906, *Sports mod. illustrés;* mot basque, de l'esp. *pala.*

♦ Sports. Battoir en bois, en forme de raquette allongée, utilisé dans certains jeux de pelote (blaid). *Jeu à pala* et *jeu à chistera.* — Par ext. *La pala* ou *pala aucha* (pala étroite) : le jeu lui-même.

PALABRE [palabʀ] n. f. ou (d'après l'Académie) des deux genres. — 1601; esp. *palabra* «parole».

♦ **1.** Vx. Parole grandiloquente.

♦ **2.** Vx. Présent fait à un roi noir des côtes d'Afrique pour se concilier ses bonnes grâces.

1 PALABRE (...) On appelle ainsi sur les côtes d'Afrique (...) un présent qu'il faut faire aux petits rois et aux capitaines nègres, sur le moindre sujet de plainte qu'ils ont réellement, ou qu'ils feignent d'avoir (...) Ces *palabres* se payent en marchandises, en eau-de-vie et autres choses semblables (...) Encycl. (DIDEROT).

♦ **3.** (1728). Spécialt. [a] Vx. Discours (long et incompréhensible) d'un Africain.

2 Cette méthode d'action conquérante — merveilleusement adaptée à un pays où toute la vie se passe entre la bataille et le palabre, où même au cours d'un combat les adversaires ne cessent pas de s'envoyer des messagers, où pour tout dire, la parole est aussi active que le fusil (...) Jérôme et Jean THARAUD, Marrakech, II.

[b] Mod. En Afrique, Échange de propos (sur des sujets concernant la communauté). Assemblée coutumière des hommes (d'une communauté) où se prennent les décisions, s'échangent les nouvelles. *Arbre à palabres.*

Discussion, débat. *«Après une très longue palabre, nous nous mîmes d'accord.»* (Mongo Beti, *Mission terminée,* in *I. F.A.*). Loc. (Franç. d'Afrique). *Faire palabre, chercher palabre :* chercher querelle (⇒ **Palabreur**).

♦ **4.** N. f. pl. (1838). Mod. Toute discussion interminable et oiseuse (→ Mot, cit. 20, Hugo). *Heures qui passent en palabres administratives* (cit.). *Le temps des palabres est passé.* ⇒ **Conférence** (fam.), **discours, parole** (→ 1. Manche, cit. 7). *Ne nous perdons pas en palabres.* ⇒ **Palabrer.**

3 Échange de saluts. Réflexions pénétrantes sur le climat séquanien, la détresse politique, le régime des épidémies. Ces palabres me sont intolérables (...) G. DUHAMEL, Salavin, Journal, 15 févr.

DÉR. Palabrer, palabreur.

PALABRER [palabʀe] v. — 1842, *in* D. D. L.; de *palabre.*

♦ **1.** V. intr. [a] Tenir des palabres (3. et 4.). ⇒ **Discourir, discuter.**

1 Il fallut courir après eux, les tirer de leur sommeil *(les Askris),* palabrer un grand moment pour les persuader de nous suivre. Jérôme et Jean THARAUD, Marrakech, VIII.

2 (...) elle s'agitait et palabrait au centre d'un groupe de militantes qu'elle avait dû rassembler là pour les endoctriner. MARTIN DU GARD, les Thibault, t. VII, p. 148.

3 (...) Anciens ou Cinq-Cents, se formaient en groupes nombreux sur la terrasse et, en attendant qu'il pussent occuper leurs locaux, se mirent à palabrer. Louis MADELIN, Hist. du Consulat et de l'Empire, «Ascension de Bonaparte», XXIV.

[b] Franç. d'Afrique. Discuter; spécialt, pour l'achat de qqch. (⇒ **Marchander**) ou pour demander justice, se plaindre. — Fig. *«Il parvint à la rivière où palabraient des crapauds»* Bernard Dadié, *le Pagne noir* (Présence africaine, 1955).

♦ **2.** V. tr. ind. *Palabrer de* (qqch.) : parler à plusieurs et avec abondance de... *«De quoi palabrent-ils là-bas dans un coin (...)»* (Proust).

PALABREUR [palabʀœʀ] n. m. — 1611, «celui qui parle de manière grandiloquente»; repris probablt fin XIXe (attesté 1922, D. D. L.) d'après *palabrer;* de *palabre* puis de *palabrer.*

♦ **1.** Personne qui participe à une palabre, à des palabres (3., 4.).

♦ **2.** Péj. Personne qui parle longuement et facilement. ⇒ **Discoureur, phraseur;** → Discourir, cit. 5. *De grands palabreurs.* (→ Fair-play, cit. 2).

REM. Le fém. *palabreuse* est virtuel.

♦ **3.** Franç. d'Afrique. Querelleur, personne qui discute. — Personne qui participe à la palabre.

Aussi ils se tenaient loin derrière, en compagnie des palabreurs de la case. Paul RIBAUD, le Paria, p. 181.

PALACE [palas] n. m. — 1905; mot angl., du franç. *palais;* d'abord «palais», puis spécialisé.

♦ Hôtel* de grand luxe de renom international (→ Hôtelier, cit. 2). *Les palaces d'une métropole.* — Fam. *Mener la vie de palace* (→ Ciné, cit.).

Bientôt, la côte les refoula *(les touristes)* de palace en hôtel et d'hôtel en auberge (...) COLETTE, Belles saisons, p. 38. 1

Oubliant sans doute que lui-même ne touchait pas cinq cents francs d'appointements mensuels, il méprisait profondément les personnes pour qui cinq cents francs ou plutôt, comme il disait, «vingt-cinq louis» est «une somme» et les considérait comme faisant partie d'une race de parias à qui n'était pas destiné le Grand-Hôtel. Il est vrai que, dans ce Palace même, il y avait des gens qui ne payaient pas très cher tout en étant estimés du directeur, à condition que celui-ci fût certain qu'ils regardaient à dépenser non pas par pauvreté mais par avarice. PROUST, À l'ombre des jeunes filles en fleurs, Pl., t. I, p. 663. 2

(Dans le nom propre d'un grand hôtel). *Le Palace, le Grand Palace.*

PALADIN [paladɛ̃] n. m. — 1552; ital. *paladino,* du lat. médiéval *palatinus,* rad. *palatium* «palais».

♦ **1.** Chevalier* errant (1. Errant, cit. 1) du moyen âge, en quête d'actions d'éclat et d'aventures* héroïques dans lesquelles il puisse manifester sa bravoure, sa générosité, sa courtoisie (→ Foudroyer, cit. 12; heaume, cit. 1). *Goût des paladins pour les tournois* (→ 1. Lice, cit. 3 par métaphore). — (1578). Spécialt. Seigneur de la suite de Charlemagne (→ Palefrenier, cit. Hugo).

Et pourquoi, cieux! l'arrêt de vos destins 1
Ne m'a fait naître un de ces Paladins
Qui seuls portaient en croupe les pucelles?
RONSARD, Premier livre des amours, «Cassandre», CL.

Des paladins, toujours armés dans une partie du monde pleine de châteaux, de forteresses et de brigands, trouvaient de l'honneur à punir l'injustice et à défendre la faiblesse. De là (...) dans nos romans la galanterie fondée sur l'idée de l'amour, jointe à celle de force et de protection. MONTESQUIEU, l'Esprit des lois, XXVIII, XXII. 2

Par extension :

Me voilà déjà redresseur des torts. Pour être un paladin dans les formes, il ne me manquait que d'avoir une dame (...) ROUSSEAU, les Confessions, I. 3

♦ **2.** (1606). Fig. et vieilli. Homme très brave*, animé de sentiments généreux et chevaleresques. *Faire le paladin* (→ Ignoble, cit. 4).

DÉR. Paladiner.

PALADINER [paladine] v. intr. — 1887; «se pavaner», déb. XVIe; de *paladin.*

♦ Rare. Faire le paladin.

PALAFITTE [palafit] n. m. — 1865; ital. *palafitta,* déjà employé en 1605 comm sing. collectif, d'un plur. neutre lat. *palaficta,* lat. class. *palificti,* de *palus* «pieu», et *fingere* «façonner».

♦ Archéol. Constructions lacustres* (cit. 2) du néolithique récent.

1. PALAIS [palɛ] n. m. — V. 1160; *paleis,* 1050; du lat. *palatium,* proprt «le (mont) Palatin» sur lequel Auguste avait fait édifier sa demeure.

♦ **1.** Vaste et somptueuse résidence d'un chef d'État, d'un personnage de marque, et, par ext. (1558; sous l'influence de l'ital. *palazzo;* et surtout à propos des grandes maisons de ce pays), d'un riche particulier, d'une famille puissante. ⇒ **Château.** *Roi auguste* (cit. 11) *au milieu de son palais. Bouffon* (cit. 5) *d'un palais. Bâtir* (cit. 10) *des palais superbes et magnifiques. «Les lambris* (cit. 4) *dorés des palais des rois»* (Fénelon). *Façades* (cit. 2) *de marbre des palais. «Des palais romains le front audacieux»* (→ Bâtir, cit. 1, du Bellay). *Un ancien petit palais du XVIIIe siècle.* ⇒ **Hôtel.** *Cour d'honneur* (cit. 88) *d'un palais. Palais ducal* (→ Campanile, cit. 1), *épiscopal* (⇒ **Évêché**). *Palais d'un prince turc.* ⇒ **Sérail.** — *Le palais de l'Élysée* à Paris, du Vatican à Rome. — Révolution* de palais.*

On marche *(à Gênes)* sur le marbre, tout est marbre : escaliers, balcons, palais. Ses palais se touchent les uns aux autres; en passant dans la rue on voit ces grands plafonds patriciens tout peints et dorés. FLAUBERT, Correspondance, 93, 1er mai 1845. 1

2 Les chevaux s'arrêtèrent devant le palais Albertinelli. À la sombre façade, de rustique appareil, étaient scellés ces anneaux de bronze (...) qui marquent, à Florence, l'habitation des plus illustres familles. FRANCE, le Lys rouge, XII.

♦ **2.** (1674). Absolt. (Anciennt). *Le palais* du roi de France à Paris (sur l'emplacement actuel du Palais de Justice jusqu'à Charles VII, puis au Louvre, aux Tuileries) ou à Versailles; par métonymie, la Cour. *Les dames* (cit. 10) *du palais.*

(1690). Hist. Ancienne résidence des rois francs, et, par métonymie, leur entourage immédiat, le gouvernement franc. *Maires* (cit. 3) *du palais. Comte, officier du palais.* ⇒ 1. **Palatin.**

3 Quelle était précisément cette charge des *maires du palais?* (...) Quiconque connaît l'esprit de la *famille* germanique ne s'étonnera pas de trouver dans le maire un officier du palais (...) Chez ces nations, quiconque est grand dans le palais est grand dans le peuple. Le *plus grand* du palais *(major)* devait être le premier des leudes (...) MICHELET, Hist. de France, II, I.

♦ **3.** Logis somptueux. *Mais vous habitez un palais!* — Par plais. Abri, retraite d'un animal. *Un pin, vieux palais d'un hibou* (cit. 1, La Fontaine). *« Du palais d'un jeune lapin... »* (→ Emparer[s'], cit. 2, La Fontaine).

♦ **4.** (1772, dans un nom propre). Ancienne demeure d'un souverain, d'un noble, d'une riche famille, devenue lieu public et abritant un musée, une assemblée, des services d'intérêt général. ⇒ **Monument.** *Le Palais du Louvre, de Fontainebleau, de Versailles* (→ Notoire, cit. 2). *L'Assemblée nationale siège au Palais-Bourbon, le Sénat au Palais du Luxembourg. Galeries et jardins du Palais-Royal* (→ 1. Le, cit. 15; narguer, cit. 2). *Palais des Papes,* à Avignon. — (XIXe). Demeure analogue à l'étranger. *Le Palais Pitti à Florence; le Palais Farnèse à Rome. Le Palais des Doges à Venise. Le Palais d'hiver, à Leningrad.* — (1875). Vaste et grandiose édifice public construit spécialement à des fins semblables. *Le Palais de Chaillot, de la Défense; le Grand et le Petit Palais; le Palais des Sports, à Paris. Palais des expositions.*

4 Le palais ducal *(à Venise),* dans la forme où nous le voyons aujourd'hui, date de Marino Faliero (...) On entre dans cet étrange édifice, — à la fois palais, sénat, tribunal et prison sous le gouvernement de la république, — par une charmante porte à l'angle de Saint-Marc, entre les piliers de Saint-Jean d'Acre et l'énorme colonne trapue supportant tout le poids de l'immense muraille de marbre blanc et rose qui donne tant d'originalité à l'aspect du vieux palais des doges. Th. GAUTIER, Voyage en Italie, X.

♦ **5.** **a** (1135). Hist. Salle d'audience d'une demeure royale ou seigneuriale.

b (XVe). Mod. *Palais de Justice :* édifice où siègent les cours et tribunaux. *Mander* (cit. 5) *un témoin au Palais de Justice,* ou, absolt, *au Palais. Gens du ou de Palais :* juges, avocats... *Salle des pas perdus du Palais. Avocat qui plaide au Palais* (→ aussi Hérisser, cit. 15). — *L'horloge* (cit. 2) *du Palais.* — Littér. *La Galerie* du Palais.*

5 Des sottises d'autrui nous vivons au palais (...) BOILEAU, Épîtres, II.

5.1 C'est ainsi que Jean après s'être lavé, changé, avoir dîné chez lui, venait le soir retrouver Durrieux dans cette taverne et que, après s'être mêlé fiévreusement l'après-midi dans ce palais Renaissance qu'on appelle le Palais de Justice, aux immenses escaliers de marbre, aux longues galeries qui donnent sur le fleuve, aux agitations de ces affaires publiques (...) PROUST, Jean Santeuil, Pl., p. 622.

Par métonymie. Juges, avocats du Palais; leur activité. ⇒ **Tribunal.** *Acte, gazette* du Palais. Le langage, le style du Palais :* le langage, le style juridique. *En termes de Palais* (→ 1. Marc, cit.). — *Jours de Palais :* jours où siègent les tribunaux.

6 (...) les matières de Palais ne pouvaient pas être un sujet de divertissement (...) RACINE, les Plaideurs, Au lecteur.

7 (...) vous êtes d'ores et déjà une des plus grandes vedettes du Palais (...) Et (...) l'annonce d'un procès où le procureur Maillard siégera au banc du Ministère public commence à faire courir toute la capitale (...) M. AYMÉ, la Tête des autres, I, 5.

La profession d'avocat. *Se destiner au palais* (Académie).

CONTR. Bicoque, cagna, chaume, chaumière (cit. 2), **masure.**
DÉR. (Du même rad.) 1. **Palatin.**
HOM. 2. **Palais, palet.**

2. PALAIS [palɛ] n. m. — V. 1120; du lat. pop. **palatium,* du lat. class. *palatum,* « étymologie... p.-ê. étrusque. *Palatium* (palais) pourrait avoir la même origine » (Meillet).

♦ **1.** Anat. et cour. Cloison qui forme la partie supérieure de la cavité buccale et la sépare des fosses nasales; partie supérieure interne de la bouche*. *Voûte du palais* (⇒ 2. **Palatin**) ou *palais dur; voile du palais* ou *palais mou* (→ ci-dessous, cit. Testut). *Muqueuse du palais. Division, malformation congénitale du palais* (⇒ **Bec-de-lièvre,** cit.). *Obturer une perforation du palais.* ⇒ **Uranoplastie.** — *Rôle du palais, du voile du palais dans l'articulation.* ⇒ **Palatal, palatalisation; vélaire, vélarisation.** — *Soif qui dessèche le palais* (→ Fermer, cit. 32; et aussi ardeur, cit. 5). *Poivre qui brûle le palais* (→ Incendier, cit. 2). *Faire claquer, clapper* sa langue contre son palais.*

1 La paroi supérieure de la bouche est formée dans ses deux tiers antérieurs par la voûte palatine, dans son tiers postérieur par une portion du voile du palais (...) La voûte palatine (...) est une région en forme de fer à cheval, circonscrite en avant et sur les côtés par le rebord alvéolaire des deux maxillaires supérieurs (...) Le voile du palais est une cloison musculo-membraneuse, épaisse de un centimètre environ, qui prolonge en arrière la voûte palatine, d'où le nom de portion molle du palais (...) L. TESTUT, Traité d'anatomie, t. IV, p. 22 et 33.

♦ **2.** (V. 1265). Cour. (Considéré comme l'organe du goût). ⇒ **Goût.** *Gourmet* (cit. 2), *gourmand* (cit. 5 et 7) *qui a le palais fin. Mets qui chatouille* (cit. 3), *flatte* (cit. 5) *le palais. Liqueurs frelatées, trop fortes qui blasent* (cit. 2), *gâtent le palais* (→ Fin, adj., cit. 8).

(...) la suprême bonté, qui a fait du plaisir des êtres sensibles l'intrument de leur conservation, nous avertit, par ce qui plaît à notre palais, de ce qui convient à notre estomac. ROUSSEAU, Émile, II. 2

Par métaphore :

(...) le condiment que Théophile Gautier jette dans ses œuvres, qui, pour les amateurs de l'art, est du choix le plus exquis et du sel le plus ardent, n'a que peu ou point d'action sur le palais de la foule. 3
BAUDELAIRE, l'Art romantique, XX, I.

DÉR. (Du même rad.) **Palatal,** 2. **Palatin.**
HOM. 1. **Palais, palet.**

PALAN [palɑ̃] n. m. — 1680; *palenc,* 1573; ital. *palanco,* lat. pop. **palanca,* lat. class. *palanga,* du grec *phâlanga* « rouleau de bois pour faire avancer de lourds fardeaux sous lesquels on glisse l'instrument ».

♦ Appareil de levage* à mécanisme démultiplicateur (poulies, moufles), utilisé soit pour soulever et déplacer des fardeaux dans un espace restreint (→ Atterrissement, cit. 3), soit à bord des navires pour exécuter certaines manœuvres. *Palan ordinaire, différentiel... Palan électrique, pneumatique.* — Mar. *Cordage* (⇒ **Garant**) *et poulies d'un palan. Entourer un fardeau d'une élingue* pour le hisser au moyen d'un palan. Palan de grande dimension.* ⇒ **Caliorne.** *Palans de garde.* ⇒ 1. **Garde** (III.).

À ces quatre madriers étaient attachés quatre palans garnis chacun de leur itague et de leur garant, et ayant cela de hardi et d'étrange que le moufle à deux rouets était à une extrémité du madrier et la poulie simple à l'extrémité opposée (...) À ces palans se rattachaient des câbles (...) 1
HUGO, les Travailleurs de la mer, II, II, III.

On halait sur les palans des porte-embarcations, et un canot était mis à la mer. 2
J. VERNE, l'Île mystérieuse, II, p. 630.

Quand le veau était entré dans la remise, le boucher lui liait une des pattes de derrière et le hissait au palan. Il l'assommait d'un coup de merlin assené bien à plat, pas très fort, et lui perçait le cou. Pierre GASCAR, les Bêtes, p. 47. 3

COMP. Sous-palan.

PALANCHE [palɑ̃ʃ] n. f. — 1723; var. anc. *palangue;* du rad. lat. de *palan.*

♦ Techn. Tige de bois légèrement incurvée que des porteurs se mettent sur l'épaule pour porter deux fardeaux, deux seaux accrochés à chacune des extrémités.

(...) les grands coulis *(coolies)* déchargeurs empaquetés d'épaisses loques, la palanche sur l'épaule comme une pique (...)
CLAUDEL, Connaissance de l'Est, « La marée de midi ».

PALANÇON [palɑ̃sɔ̃] n. m. — 1755; de l'anc. franç. *palanc* « pieu ». → Palan.

♦ Maçonn. Chacune des pièces de bois qui retiennent un torchis. — REM. Ce mot s'emploie presque toujours au pluriel.

PALANGRE [palɑ̃gʀ] n. f. — 1765; mot provençal, p.-ê. d'un lat. pop. **palangrum,* altér. de **panangrum,* de **panagrum,* grec *panagron,* de l'adj. *panagros* « qui peut attraper toute *(pan)* sorte de proie *(agra)* »; les chaînons latins sont hypothétiques.

♦ Pêche. Grosse ligne de fond, à laquelle pendent, sur toute sa longueur, des cordelettes munies d'hameçons. *La* palangrotte, *petite palangre.* — Corde* noyée et soutenue par une flotte, qu'on attache à une nasse entourée de lignes garnies d'hameçons.

REM. 1. On dit et on écrit aussi *palancre* [palɑ̃kʀ] (1838).

2. On trouve le mot employé au masculin.

Il parla de pêche au palangre où il excelle, et il se plaignit du poisson qui se faisait rare. H. BOSCO, Un rameau de la nuit, p. 84.

DÉR. Palangrier, palangrer.

PALANGRER [palɑ̃gʀe] v. intr. — 1769; de *palangre.*

♦ Pêche. Pêcher à la palangre. — REM. On dit aussi *palancrer* [palɑ̃kʀe] (1838).

PALANGRIER [palɑ̃gʀije] adj. et n. m. — 1769; de *palangre.*

♦ Pêche. Qui pêche à la palangre. — Qui est utilisé pour la pêche à la palangre. *Bateau palangrier. « Un palangrier doit être assez bas sur l'eau »* (*Sciences et Avenir,* nov. 1980, p. 50). — REM. On dit aussi *palancrier* [palɑ̃kʀije] (1875).

PALANQUE [palɑ̃k] n. f. — 1624; ital. *palanca*, forme fém. de *palanco*. → Palan.

♦ Techn. En fortification, Mur de retranchement, fait de troncs d'arbres, de gros pieux plantés verticalement et jointivement (⇒ aussi **Palaissage**).

DÉR. 2. **Palanquer.**

PALANQUÉE [palɑ̃ke] n. f. — XXe; de l'anc. forme de *palen*. → Palan.

♦ **1.** Mar. Ensemble des fardeaux réunis par une élingue.

Remarquez ce quai mal fichu, sans aucune manutention. Très peu pour nous de virer à la main les palanquées et d'élever les charges au treuil à bras (...)
B. CENDRARS, Bourlinguer, p. 232 (1948).

♦ **2.** Pêche. Quantité de poissons déchargés d'un chalutier.

1. PALANQUER [palɑ̃ke] v. intr. — Fin XVIe; d'une anc. forme de *palan*. → Palan.

♦ Exécuter une manœuvre au moyen d'un palan. — REM. On dit aussi *palanguer* [palɑ̃ge] (1771).

2. PALANQUER [palɑ̃ke] v. tr. — 1836; de *palanque*.

♦ Techn. (Fortif.). Munir de palanques. *Palanquer la gorge d'un ouvrage.*

PALANQUIN [palɑ̃kɛ̃] n. m. — 1611; *planchin*, 1571; de l'ital. *palanchino*, du port. *palanquim*, du hindi *pâlaki*, sanscrit *paryañka*.

♦ Sorte de chaise* ou de litière* portée à bras d'hommes (parfois à dos de chameau ou d'éléphant), en usage dans les pays orientaux. *Les palanquins les plus simples ne sont que des hamacs couverts d'un dais.*

1 Aussitôt le docteur anglais partit pour Calcutta, et s'adressa au directeur de la compagnie anglaise des Indes, qui (...) lui donna, pour le porter à Jagrenat, un palanquin à tendelets de soie cramoisie, à glands d'or, avec deux relais de vigoureux coolies, ou porteurs, de quatre hommes chacun (...) Les présents chargés sur des chameaux, le docteur se mit en route dans son palanquin (...)
BERNARDIN DE SAINT-PIERRE, la Chaumière indienne.

2 C'était aussi une chose fort pittoresque que les nombreux palanquins des femmes, appareils singuliers, figurant un lit surmonté d'une tente et posé en travers sur le dos d'un chameau. NERVAL, Voyage en Orient, « Femmes du Caire », II, XI.

3 (...) une vingtaine de tout jeunes hommes, le torse nu, portant à l'épaule, dans un palanquin très enguirlandé et fleuri, un des leurs qui est vêtu comme un rajah ou comme un dieu (...) LOTI, l'Inde (sans les Anglais), I, II.

PALASTRE [palastʀ] ou **PALÂTRE** [palɑtʀ] n. m. — 1457, *palastre; palâtre*, 1765; *polastre*, fin XIe « pièce pour le racommodage », du lat. *pala* « pelle », selon Wartburg.

♦ Techn. Boîtier métallique contenant le mécanisme d'une serrure*. — Plaque qui ferme ce boîtier.

PALAT-, PALATO- Élément de mots savants, du lat. *palatum* « palais » (⇒ 2. **Palatin**).

PALATABILITÉ [palatabilite] n. f. — 1973, *la Recherche*, in *la Clé des mots*; de l'angl. *palatable* « savoureux », de *palate* « palais ».

♦ Didact. Aptitude d'un aliment à provoquer ou à stimuler l'appétit. « *Il* (le Prof. J. Le Magnen) *distingue le "goût de l'aliment" (...) du "goût pour l'aliment" qui définit la* palatabilité *de celuici* » (*Sciences et Avenir*, août 1980, p. 69).

REM. On rencontre chez les diététiciens (*l'Express*, 21 juin 1980, p. 121), l'adj. et n. m. *palatable* [palatabl], empr. à l'anglais, au sens de « appétissant ». Cet adj. convient, comme *appétissement* pour « palatabilité ».

PALATAL, ALE, AUX [palatal, o] adj. — 1694; dér. sav. du lat. *palatus*. → 2. Palais.

♦ **1.** Phonét. Se dit des sons, des phonèmes dont l'articulation se fait dans la région antérieure du palais (palais dur). *Son palatal. Consonnes palatales* (ex. : [j, ɲ]). *Voyelles palatales.* ⇒ **Antérieur.** — N. f. (1835). *Une palatale. Les palatales peuvent être articulées en avant du palais, près des dents* (prépalatales), *vers son sommet* (« cacuminales » ou « cérébrales »), *ou près du voile du palais* (postpalatales. ⇒ **Vélaire**).

REM. En phonétique, au sens de « articulé vers la région antérieure du palais », on dit plutôt *antérieur*.

Spécialt. *Palatal* ou *dorso-palatal*, se dit d'une consonne articulée avec le dos de la langue contre le palais dur ou s'en approchant (ex. : [k] en français dans *qui*).

♦ **2.** (XXe). Anat. Relatif au palais*. ⇒ **Palatin.** *Voûte palatale. Abcès palatal.*

DÉR. Palatalisation, palataliser.
COMP. Médiopalatal, prépalatal.

PALATALISATION [palatalizasjɔ̃] n. f. — 1890; dér. sav. de *palatal*.

♦ Phonét. « Modification subie par un phonème dont l'articulation se trouve reportée dans la région du palais dur » (Marouzeau). *Palatalisation de* [k] *en* [ʃ].

Spécialt. Phénomène caractéristique du mouillement* d'une consonne. *Palatalisation du n* [n] (en *gn* [ɲ]), *du l* [l] *en ll* [j]. (⇒ **L**, REM. 3). ⇒ **Mouillure.**

PALATALISER [palatalize] v. tr. — Fin XIXe; dér. sav. de *palatal*.

♦ Phonét. Transformer par palatalisation. *Palataliser une consonne.* ⇒ **Mouiller.** *Les parisiens ont tendance à palataliser* [k] *dans café* [kafe].

▶ **PALATALISÉ, ÉE** p. p. adj.

Se dit d'un phonème transformé par palatalisation. — Spécialt. *Consonne palatalisée.* ⇒ **Mouillé.**

1. PALATIN, INE [palatɛ̃, in] adj. et n. — 1257; *Palasin*, 1160; lat. *palatinus* « du palais », de *palatium*. → 1. Palais.

★ **I.** ♦ **1.** Hist. médiévale. Revêtu d'un office, d'une charge, dans le palais d'un souverain. *Seigneur, comte palatin.* — N. m. *À l'époque franque et sous la féodalité, palatins et grands officiers formaient l'entourage, le conseil du souverain.* ⇒ aussi **Paladin.** — *Comtes palatins d'Allemagne* (de Souabe, de Bavière, de Saxe, de Rhénanie), institués par les empereurs et qui finirent par acquérir une assise territoriale (en particulier *le comte palatin de Rhénanie, l'électeur Palatin, souverain du Palatinat*). — N. m. (1273). *Les palatins d'Allemagne.*

Il *(Othon Ier)*... crée un des frères du duc *(de Bavière)* comte palatin en Bavière, et un autre comte palatin vers le Rhin. Cette dignité de comte palatin est renouvelée des comtes du palais des empereurs romains, et des comtes du palais des rois francs (...) Ces palatins sont d'abord des juges suprêmes. Ils jugent en dernier ressort au nom de l'empereur. 1
VOLTAIRE, Annales de l'Empire, Othon Ier (938 à 940).

N. m. (1694). *Les palatins de Pologne*, gouverneurs de province. — (Mil. XVIe). En Hongrie, Vice-roi. *Le palatin était considéré comme le premier des magnats.*

♦ **2.** Spécialt. Relatif à l'électeur palatin, à la maison souveraine du Palatinat. *La maison, la dynastie palatine.* — (XVIIIe). *La princesse palatine*, se dit spécialement d'Anne de Gonzague de Clèves (1616-1684; → ci-dessous, cit. Bossuet), et de Charlotte-Élizabeth de Bavière (1652-1722), femme de Philippe d'Orléans, belle-sœur de Louis XIV. — N. f. *La Palatine :* Charlotte de Bavière.

Pendant que tant de naissance, tant de biens, tant de grâces qui l'accompagnaient *(la princesse Anne)*, lui attiraient les regards de toute l'Europe, le prince Édouard de Bavière, fils de l'Électeur Frédéric V, comte Palatin du Rhin et roi de Bohême (...) la mérita (...) La princesse Anne l'invite à se faire instruire (...) Heureux présages pour la Maison Palatine! Sa conversion fut suivie de celle de la princesse Louise sa sœur (...) BOSSUET, Oraison funèbre d'Anne de Gonzague. 2

Il y a deux princesses Palatines, la vraie et la fausse. La fausse, qui est la plus célèbre (...) ne fut princesse Palatine qu'en son enfance (...) La vraie princesse Palatine, la seule qui ait droit au titre, s'appelait Anne de Gonzague. 3
Émile HENRIOT, Portraits de femmes, p. 90.

★ **II.** Didact. (XIXe). Dépendant d'un palais (surtout en parlant du palais des rois francs). *L'école palatine* de Charlemagne, à Aix-la-Chapelle. *La chapelle palatine d'Aix, de Palerme.*

DÉR. Palatinat, palatine.

2. PALATIN, INE [palatɛ̃, in] adj. — 1611; dér. sav. du lat *palatum*.

♦ Anat. Relatif au palais*. *Voûte palatine :* partie antérieure de la paroi supérieure de la bouche (par oppos. au *voile du palais*). ⇒ 2. **Palais.** *Crêtes palatines, trou palatin antérieur. Artères palatines*, et, subst., *palatine supérieure. Nerf palatin antérieur.* — (1762). *Os palatin*, et, n. m., *le palatin :* os lamellaire de la mâchoire supérieure, dont la partie horizontale constitue le palais dur.

PALATINAT [palatina] n. m. — 1567; de 1. *palatin*.

♦ Hist. (1607). Dignité de comte palatin (spécialt, en parlant des palatins allemands et polonais). — Pays sous la domination d'un palatin. *Le palatinat de Souabe.* — Absolt. (Nom propre). *Le Palatinat* (du Rhin). — (XIXe). Province polonaise soumise à un palatin. *Le palatinat de Cracovie, de Posnanie.*

La Prusse s'est agrandie du duché ou Palatinat de Posen (...)
CHATEAUBRIAND, Mémoires d'outre-tombe, t. V, p. 56.

1. PALATINE [palatin] adj. et n. f. ⇒ 1. **Palatin.**

2. PALATINE [palatin] n. f. — 1680; de 1. *palatin,* au féminin.

♦ Vx. Courte pèlerine de fourrure, etc.; vêtement mis à la mode par Charlotte-Élizabeth de Bavière, princesse palatine.

Son cou, d'une éclatante blancheur, sortait à demi d'une palatine de plumes de cygne. NERVAL, Aurélia, Œ., t. I, p. 411.

PALATITE [palatit] n. f. — 1836, Académie; du lat. *palatum* «palais».

♦ Méd. Inflammation (stomatite) du palais.

PALATOGRAMME [palatɔgʀam] n. m. — Mil. XXe; de *palato-,* et *-gramme.*

♦ Didact. (Phonét.) Schéma figurant les points de contact de la langue contre le palais. ⇒ **Palatographie.**

PALATOGRAPHIE [palatɔgʀafi] n. f. — Mil. XXe; de *palato-,* et *-graphie.*

♦ Didact. (Phonét.). Enregistrement des mouvements du voile du palais au cours de la phonation.

DÉR. Palatographique.

PALATOGRAPHIQUE [palatɔgʀafik] adj. — Mil. XXe; de *palatographie.*

♦ Didact. (Phonét.). *Méthode palatographique,* permettant de déterminer la position de la langue au cours de la phonation.

PALATOPHARYNGITE [palatofaʀɛ̃ʒit] n. f. — 1833; de *palato-,* et *pharyngite.*

♦ Méd. Inflammation du palais et du pharynx.

PALATOPLASTIE [palatoplasti] n. f. — Déb. XXe; de *palato-,* et *-plastie.*

♦ Chir. Reconstitution chirurgicale du plancher des fosses nasales (dans les cas de destruction, de malformation).

PALATOPLÉGIE [palatopleʒi] n. f. — XXe; de *palato-,* et *-plégie.*

♦ Méd. Paralysie du voile du palais.

PALATORRAPHIE [palatoʀafi] n. f. — 1888; de *palato-,* et *-rraphie,* du grec *rhaphê* «suture».

♦ Chir. Fermeture par suture d'une fissure du palais. — REM. On écrit aussi *palatorrhaphie.*

PALÂTRE [palɑtʀ] n. m. ⇒ **Palastre.**

PALAZZO [paladzo] n. m. — Fin XIXe; mot ital. «palais», du lat. *palatium* comme 1. *palais.*

♦ Didact. Palais, en Italie. *Des palazzi* [paladzi].

PALC [palk] n. m. — 1885; ital. *palco* «tréteau», du francique **balko.*

♦ Rare. Terrain où des acrobates ambulants se produisent. — Les exercices des acrobates. — Var.: *Palque* [palk].

1. PALE [pal] n. f. — 1702; «rame de bateau», v. 1330; provençal *pala,* lat. *pala* «pelle».

★ **I.** ♦ **1.** Extrémité aplatie (d'une rame, d'un aviron) qui agit sur l'eau.

♦ **2.** (1845). Aube* de la roue des premiers bateaux à vapeur (→ Manège, cit. 1).

♦ **3.** (1913, *Année sc. et industr.* 1914, p. 54-55; *palette,* 1864). Élément (d'une hélice) en forme de section hélicoïdale, qui est entraînée par le moyeu et agit sur l'air. ⇒ **Aile.** *Hélice à deux, trois, quatre pales* (hélice bipale, tripale, quadripale). *Pales d'hélice d'avion, d'hélicoptère. Réparer une pale.*

Et je n'ai pas parlé de l'hélice, cette merveille, à la fois tranchante et courbe, ce vortex au pas variable (...) dévorant dans l'ouragan de ses pales tous les échelons de l'éther!
CLAUDEL, Contacts et Circonstances, *in* Classe de Français, 1957, p. 18.

★ **II.** (XVIe). Vanne (d'une écluse, d'un bief).

DÉR. Palastre, paleron, palet, palette.
COMP. Bipale, 2. **empalement.**
HOM. Pal, 2. **pale.**

2. PALE [pal] n. f. — 1690, Furetière; du lat. *palla* «manteau».

♦ Liturg. cathol. Linge sacré (carré et rigide) dont le prêtre recouvre la patène et le calice pendant la messe. *Le corporal et la pale sont bénis par la même formule.*

REM. La graphie *palle* (1693, Bossuet) semble plus archaïque.

(...) je vous ai offerte avec toutes vos peines et vos bons désirs sur le corporal, et avec la palle et le purificatoire, que vous m'avez envoyés, et cela dans les trois messes solennelles de Noël (...) BOSSUET, Lettre à Mme Cornuau, 26 déc. 1693.

HOM. Pal, 1. **pale.**

PÂLE [pal] adj. — 1080, *pale;* du lat. *pallidus,* dér. de *pallere* «pâlir».

♦ **1.** D'une blancheur terne, mate*, en parlant de la carnation, du teint*, de la peau* (et spécialt du visage). — REM. L'épithète est en général postposée, sauf dans des emplois stylistiques. *Un teint un peu pâle.* ⇒ (fam.) **Pâlichon, pâlot.** *Une peau très pâle.* ⇒ **Blafard, blême, livide.** *Visage pâle et défiguré* (→ Entrouvert, cit. 9), *pâle et décomposé. Figure* pâle et blafarde* (→ Lunaire, cit. 4). ⇒ **Défait** (2.). *Front* (cit. 14) *pâle* (→ Écorce, cit. 10; exsangue, cit. 4). *Lèvres pâles.* ⇒ **Décoloré, flétri.** — *Teint pâle.* ⇒ **Pâleur** (→ 1. Avoir, cit. 16; maladif, cit. 4). Loc. *Les pâles couleurs.* ⇒ **Chlorose** (1.; → Grâce, cit. 79; 1. mine, cit. 17).

(...) là où je l'avais trouvé (...) faible (...) ayant le pouls abattu comme de fièvre lente, et tirant à la mort, le visage pâle et tout meurtri, il semblait lors qu'il vînt, comme par miracle, de reprendre quelque nouvelle vigueur, le teint plus vermeil et le pouls plus fort (...) MONTAIGNE, Essais, I, Appendice. 1

Fam. *Faire (une) pâle gueule :* pâlir (de crainte, de dépit...).

Ce que je sais, c'est que la sortie coûtera trois cent mille francs, au bas mot (...) Quand je vais leur annoncer ça, à Paris, ils vont plutôt faire la pâle gueule! (...) Roger VERCEL, Remorques, p. 153. 1.1

(Personnes). Qui a le teint pâle. ⇒ **Exsangue** (cit. 1), **hâve** (cit. 3). *Être pâle comme un linge, plus pâle qu'un drap.* ⇒ **Blanc** (→ Frisson, cit. 4). *Pâle et anémique** (cit. 1). *Pâle et défait. Pâle comme la mort* (1797, in D. D. L.), *comme un mort* (→ Interdire, cit. 17), *comme un cadavre, un spectre*. Il était mortellement* (cit. 2) *pâle* (→ Avoir une mine de déterré*). *Homme maigre et pâle, pâle et maladif.* ⇒ **Ecce homo** (fig., vx); **cadavre** (ambulant). *Jeune fille anémique** (cit. 1) *et pâle.* ⇒ **Étiolé.** — *Devenir pâle* (⇒ **Pâlir**) *sous l'effet du froid*, d'une émotion. Pâle de peur*, de colère*, de rage* (→ Humiliation, cit. 18), *de dégoût...*

Il était, à la vérité, sans toilette et sans poudre; mais je l'ai trouvé pâle et défait, et ayant surtout la physionomie altérée. 2
LACLOS, les Liaisons dangereuses, CXXII.

Et vous, femmes, hélas! pâle comme des cierges, 3
BAUDELAIRE, les Fleurs du mal, «Spleen et idéal», V.

Pâle comme la blanche chicorée des caves. 4
J. RENARD, Journal, 16 avril 1894.

Elle était toute fluette, pâle et comme sur le point de se trouver mal. Je crois qu'elle ne devait pas manger à sa faim. GIDE, Si le grain ne meurt, I, I, p. 20. 5

Elle était pâle de rage, et elle martelait chaque syllabe. 6
MARTIN DU GARD, les Thibault, t. II, p. 271.

Poét. *La Jalousie* (cit. 16), *l'Envie «au teint pâle et livide»* (→ Crochu, cit. 3). — (Antéposé; littér.). *«La pâle Mort»...* (→ Bataillon, cit. 5, Hugo). *Les pâles Danaïdes* (→ Haine, cit. 7). — *Les pâles ombres :* les âmes des morts, dans la mythologie gréco-latine. *«Les pâles humains»* (→ Enfer, cit. 1, Racine).

Pâles esprits, et vous ombres poudreuses (...) 7
DU BELLAY, Antiquités de Rome, 15.

Loc. *Les Visages pâles,* nom donné aux Blancs par les Indiens d'Amérique (dans le langage des romans d'aventures). *Peaux-Rouges et Visages pâles* (→ Indien, cit. 4).

♦ **2.** (1635). Qui est faible, qui a peu d'éclat, en parlant de la lumière. ⇒ **Doux, faible.** *Lumière*, lueurs* (cit. 1 et 4) *pâles* (→ Nasse, cit. 1). *Une pâle lueur. À la pâle clarté des lampes* (cit. 11). *L'aube* (cit. 4) *pâle. Le pâle petit jour du matin* (→ Filtrer, cit. 10). *L'heure douteuse* (cit. 5) *et pâle... «Pâle étoile* (cit. 6 et 11) *du soir». Pâle arc-en-ciel* (→ Halo, cit. 3). Poét. *Le pâle flambeau de la lune* (→ Funèbre, cit. 9). *«L'astre* (cit. 8) *de la nuit... promenait ses pâles déserts...»* (Chateaubriand).

Le ciel sans teinte est constellé 8
D'astres pâles comme du lait (...) APOLLINAIRE, Alcools, p. 40.

Ciel (cit. 40) *pâle.* ⇒ **Incolore.** *Une bruine froide* (cit. 3) *et pâle. «La pâle nuit»* (→ Effacer, cit. 18, Hugo).

♦ **3.** (1538). Épithète postposée. Qui est peu chargé, peu vif ou mêlé de blanc (en parlant d'un coloris). ⇒ **Clair, décoloré, délavé, déteint.** *Yeux bleu pâle* (→ Allumer, cit. 16). *Yeux* (→ Myosotis, cit. 2), *prunelles pâles* (→ Fanal, cit. 9). — *Bleu*, blond* (cit. 5), *jaune, vert* (→ Cèdre, cit. 3) *pâle. Gris* (⇒ **Grisaille**), *rouge pâle. — Lignes pâles peu marquées* (→ Note, cit. 1). *Dessin pâle, à demi effacé. — Bière de couleur pâle.* ⇒ **Pale-ale.**

9 De ces transports plus vifs que des rayons,
Que reste-t-il? C'est affreux, ô mon âme!
Rien qu'un dessin fort pâle, aux trois crayons (...)

BAUDELAIRE, les Fleurs du mal, «Spleen et idéal», XXXVIII, IV.

10 Parmi la masse des blouses, confuse et de tous les bleus, depuis le bleu dur de la toile neuve, jusqu'au bleu pâle des toiles déteintes par vingt lavages, on ne voyait que les taches rondes et blanches des petits bonnets.

ZOLA, la Terre, II, VI.

♦ **4.** (1819). Fig. Sans éclat; sans couleur. ⇒ **Éteint, fade, terne.** *Un style pâle et décoloré.* ⇒ **Affadi.** *Une imitation assez pâle; une pâle imitation* (→ Justice, cit. 19). *Pâle reflet.* Par ext. *Les pâles imitateurs, les pâles disciples de X...*

Fam. *Un pâle voyou, un pâle crétin...* (Cf. Un triste voyou).

♦ **5.** Fam. (Par ext. du sens 1.). Faible. *Avoir les jambes pâles, molles* (cf. En coton). — (V. 1900). Argot milit. Malade* (dans la loc. *se faire porter pâle*).

CONTR. **Coloré, congestionné, rouge, sanguin. — Brillant, éclatant, vif. — Coloré, foncé.**

DÉR. **Pâlement, pâleur, pâlichon, pâlir, pâlot.**

PALÉ [pale] adj. m. — V. 1280; de *pal.*

♦ Blason. Qui est divisé verticalement de parties égales et en nombre pair d'émaux alternés.

COMP. **Contre-palé.**

HOM. **Palée.**

PALÉ- ⇒ Paléo-.

PALÉAGE [paleaʒ] n. m. — 1634; dér. sav. du lat. *pala* «pelle».

♦ Mar. Chargement, déchargement (de sel, de grain, etc.) à la pelle.

PALE-ALE [pɛlɛl] n. m. — 1856; mot angl., *pale,* empr. au franç. *pâle,* et *ale.*

♦ Bière* anglaise blonde, ale* claire.

Il lui offrait donc souvent, au bar-room du Mongolia, quelques verres de whisky ou de pale-ale, que le brave garçon acceptait sans cérémonie et rendait même pour ne pas être en reste.

J. VERNE, le Tour du monde en 80 jours, p. 57.

REM. On écrit aussi *pale ale.*

PALÉANTHROPE [paleɑ̃tʀɔp] n. m. — Mil. XXe; de *palé-,* et *-anthrope.*

♦ Paléont. Hominidé appartenant au groupe des Paléanthropiens.

Le nombre des Paléanthropes connus par leurs restes osseux est comparativement très élevé, plus d'une centaine. Leur diffusion géographique est considérable puisqu'on en a trouvé en Belgique, en Allemagne, en France, en Espagne, en Italie, en Grèce, en Yougoslavie, en Crimée, au Turkestan, en Syrie, en Palestine, en Irak, en Afrique du Nord, en Abyssinie, en Rhodésie, à Java.

A. LEROI-GOURHAN, le Geste et la Parole, t. I, p. 140-141.

PALÉANTHROPIENS [paleɑ̃tʀɔpjɛ̃] n. m. pl. et adj. — Mil. XXe (1964, cit.); de *palé-, -anthrope,* et *-ien.*

Paléontologie.

♦ **1.** N. Groupe d'Hominidés fossiles du Pléistocène moyen et supérieur, dont on a découvert des restes dans de nombreuses régions de l'Ancien Monde (→ Paléanthrope, cit.). *Les Néanderthaliens sont des Paléanthropiens. Industries lithiques des Paléanthropiens.* ⇒ **Abbevillien, Acheuléen, Moustérien.**

1 (...) si nous possédions seulement vingt fossiles complets entre le Zinjanthrope et nous, il n'y aurait pas d'Archanthropiens ou de Paléanthropiens, mais de l'état 1 à l'état 20, une progression sans ruptures, car, malgré les variations entre formes contemporaines, à moins de rester fidèle à des conceptions dépassées, on ne voit ni heurts, ni chevauchements notables entre les quelques fossiles datés sans discussion.

A. LEROI-GOURHAN, le Geste et la Parole, t. I, p. 100.

Au singulier :

2 Le Paléanthropien évolué savait bâtir des abris, huttes ou tentes, il chassait probablement à la sagaie et l'on a les meilleurs témoignages sur son habileté à dépouiller et à découper les animaux. Son outillage de fabricant est réduit, il ne travaille pas l'os mais on peut supposer avec quelque raison qu'il travaillait le bois et l'écorce.

A. LEROI-GOURHAN, le Geste et la Parole, t. I, p. 189.

♦ **2.** Adj. Relatif aux Paléanthropiens. *«La nappe paléanthropienne serait vieille de 500 000 ans environ. Elle se serait éteinte, il y a 35 000 ans, avec les derniers Néanderthaliens classiques»* (Encycl. Univ., *Hominidés,* vol. 8, p. 498b, 1970).

PALÉARCTIQUE ou PALÆARCTIQUE [paleaʀktik] adj. — 1888, Encycl. Berthelot, art. *Asie;* mot angl., 1857; → Palé-, et arctique.

♦ Didact. Qui appartient à la région nord du «vieux monde» (Europe, Afrique du Nord, Asie au nord de l'Himalaya).

Ils *(les Salamandridés)* sont répartis sur la presque totalité de l'hémisphère nord avec une prédominance marquée pour la région palæarctique.

Jean GUIBÉ, les Batraciens, p. 114.

PALÉE [pale] n. f. — 1296; dér. de *pal.*

♦ Rang de pieux fichés en terre pour soutenir un ouvrage en terre, en maçonnerie, former une digue, etc.

HOM. **Palé.**

PALEFRENIER, IÈRE [palfʀənje, jɛʀ] n. — XIIIe; anc. provençal *palafrenier,* de *palafren.* → Palefrin, palefroi.

♦ **1.** Personne (domestique, ouvrier...) chargée du soin des chevaux, des équidés. *Les palefreniers d'une écurie de courses, d'un manège, d'un haras, d'un cirque...* ⇒ **Garçon** (d'écurie), **lad.** *Palefrenier chargé des chevaux dangereux.* ⇒ **Casse-cou.** *Palefrenier qui panse, étrille* (cit. 6) *les chevaux.*

(...) trois mulets chargés de nos hardes et de notre argent, et menés par deux palefreniers, nous suivaient immédiatement (...) 1

A.-R. LESAGE, Gil Blas, XII, XII.

(...) Gwynplaine s'occupait des chevaux, et d'amant devenait palefrenier, comme s'il eût été un héros d'Homère ou un paladin de Charlemagne. 2

HUGO, l'Homme qui rit, II, II, XII.

REM. Le fém. est rare.

Diane, la grande, faite comme Diane d'ailleurs, avec une tête de palefrenière. 2.1

Renée MASSIP, les Déesses, p. 16.

♦ **2.** (XIXe). Péj., vieilli. Personnage grossier, rustre. *Cet homme est un rustre, un palefrenier.* — Au fém. *«Une grosse, lourde, massive, ignoble palefrenière de Bellone»* (Diderot, *in* Littré).

Charlemagne m'apparut comme un gros palefrenier allemand; nos chevaliers me semblèrent des lourdauds, dont Thémistocle et Alcibiade eussent souri. 3

RENAN, Souvenirs d'enfance..., Œ. compl., t. II, II, p. 754.

PALEFRIN [palfʀɛ̃] n. m. — Attesté 1929; pop. ou dial., du même rad. que *palefrenier;* cf. l'anc. franç. *palefren* «palefroi».

♦ Rare. Garçon d'écurie. ⇒ **Palefrenier.**

C'est à cette heure-là que Latouche fait atteler ses six voitures. Un homme crasseux, barbu, le «palefrin», apparaît, portant des bricoles. Il harnache les chevaux, les pousse dans les brancards (...) Enfin les camionneurs grimpent sur leurs sièges et font claquer leurs fouets. Hop! en route pour les Halles.

Eugène DABIT, Hôtel du Nord, XI, p. 76.

PALEFROI [palfʀwa] n. m. — V. 1160; *palefrei,* v. 1155; *palefreid,* 1080, *Chanson de Roland;* du bas lat. *paraveredus* «cheval de poste de renfort», de *veredus* «cheval», mot gaulois, et du préf. *para-.*

♦ Anciennt. Cheval* de marche, de parade, de cérémonie (par oppos. à *destrier,* cit. 3). → Haquenée, cit. 1. *Un puissant palefroi* (→ Épeautre, cit.). *Des palefrois.*

PÂLEMENT [pɑlmɑ̃] adv. — 1540; de *pâle.*

♦ Littér. D'une manière pâle. *«Un ciel de commencement de l'automne, pâlement bleu»* (P. Bourget).

(...) l'eau pâlement verte du fleuve.

Thyde MONNIER, le Fleuve, p. 64.

PALÉMON [palemɔ̃] n. m. — 1808; nom grec *Palaemon,* personnage mythologique changé en dieu marin.

♦ Zool. Crustacé décapode, formant autrefois un genre (aujourd'hui *leander*) comprenant des espèces comestibles (crevette rose, bouquet, salicoque). ⇒ **Crevette.**

PALÉO- Préfixe tiré du grec *palaios* «ancien», et qui entre dans la composition de nombreux mots scientifiques (voir à l'ordre alphabétique).

Outre ceux-ci, on peut signaler des formations avec un nom propre historique, au sens vague ou plaisant de «très ancien». Ex. : *paléogaullisme,* n. m., *paléogaulliste,* adj. et nom.

PALÉOARCHÉOLOGIE [paleoaʀkeɔlɔʒi] n. f. — 1868; de *paléo-,* et *archéologie.*

♦ Didact. Archéologie des temps préhistoriques.

PALÉOBIOCHIMIE [paleobjoʃimi] n. f. — 1970; de *paléo-,* et *biochimie.*

♦ Didact. Branche de la biochimie qui a pour objet l'étude des substances organiques conservées dans les fossiles et les terrains d'âge géologique ancien.

Certains domaines *(de la paléontologie)* ont été marqués par l'utilisation de méthodes nouvelles, comme la micropaléontologie (...) ou de méthodes fines d'analyse comme la paléobiochimie. Cette spécialité se développe sur plusieurs fronts. D'abord, il s'agit d'exploiter les « molécules fossiles », parfois seuls indices d'une activité organique dans des sédiments précambriens par ailleurs non fossilifères, orientations qui rejoignent certaines préoccupations de la paléobotanique. Ensuite, il s'agit de découvrir et de caractériser des restes d'édifices biochimiques dans les fossiles eux-mêmes (présence d'acides aminés dérivés du collagène, de lipides, etc., dans des os de dinosaures et de poissons, par exemple), dans l'espoir de découvrir des résidus moléculaires qui seraient des marqueurs des différents êtres disparus.
la Recherche, mai 1979, p. 537.

PALÉOBIOLOGIE [paleobjɔlɔʒi] n. f. — XXe; comp. de *biologie.*

♦ Didact. Partie de la biologie concernant les formes de vie disparues, aux époques géologiques. ⇒ **Paléontologie.** *Institut de paléobiologie.*

PALÉOBOTANIQUE [paleobɔtanik] n. f. — 1903, *Rev. gén. des sc.*, n° 16, p. 879; de *paléo-*, et *botanique.*

♦ Didact. Paléontologie* végétale.

PALÉOBOTANISTE [paleobɔtanist] n. — 1896, *Année sc. et industr.* 1897, p. 203; de *paléo-*, et *botaniste.*

♦ Didact. Spécialiste de paléontologie végétale.

PALÉOCÈNE [paleɔsɛn] adj. et n. m. — 1888; en all. 1874, Schimpfer; de *paléo-*, et *éocène.*

♦ Didact. (Géol.). Se dit de l'étage géologique correspondant au paléogène inférieur (ou éonummulitique ; ⇒ **Nummulitique**). — N. m. *On divise le Paléocène en Montien et Landénien (Sparnacien et Thanétien).*

PALÉOCHRÉTIEN, IENNE [paleokʀetjɛ̃, jɛn] adj. — XXe; de *paléo-*, et *chrétien.*

♦ Didact. Des premiers chrétiens. *Art paléochrétien.* — REM. On écrit aussi *paléo-chrétien.*

PALÉOCLIMAT [paleoklima] n. m. — XXe; de *paléo-*, et *climat.*

♦ Didact. Climat d'une ancienne époque géologique.

COMP. Paléoclimatologie.

PALÉOCLIMATOLOGIE [paleoklimatɔlɔʒi] n. f. — XXe; de *paléoclimat*, d'après *climatologie.*

♦ Didact. Science des paléoclimats.

PALÉOCRYSTIQUE [paleokʀistik] adj. — 1877; de *paléo-*, et rad. du grec *krustallos* « glace ».

♦ Didact. Se dit de la glace polaire datant de plus d'un an. — REM. Le mot est apparu aussi comme nom propre géographique.

De notre haut observatoire, l'interminable pack paraissait consister en petits floes circonscrits chacun par sa barrière de débris entassés ; dans l'extrême éloignement, il se confondait avec l'horizon.
C'est bien là la « mer Paléocrystique » ou mer des Vieilles glaces.
C. S. NARES, *in* le Tour du monde, 1878, t. II, p. 190.

PALÉOCYTOLOGIE [paleositɔlɔʒi] n. f. — XXe; de *paléo-*, et *cytologie.*

♦ Sc. Science du contenu cellulaire des végétaux fossiles.

PALÉOÉCOLOGIE [paleoekɔlɔʒi] n. f. — 1953, *in* D. D. L.; de *paléo-*, et *écologie.*

♦ Didact. Ensemble des travaux portant sur les écosystèmes et l'activité humaine sur la nature, au cours des temps reculés (et notamment, sur les espèces disparues ; ⇒ **Paléontologie**).

DÉR. Paléoécologique.

PALÉOÉCOLOGIQUE [paleoekɔlɔʒik] adj. — D. i.; de *paléoécologie.*

♦ Didact. De la paléoécologie. *Une approche paléoécologique en paléontologie.*

PALÉOENCÉPHALE [paleoɑ̃sefal] n. m. — XXe; de *paléo-*, et *encéphale.*

♦ Anat. Partie évolutivement la plus ancienne du cerveau (cerveau primitif), comprenant les noyaux gris centraux (thalamus et corps strié). — Var. : *paléencéphale.*

PALÉOGÈNE [paleɔʒɛn] n. m. — 1902, Encycl. Berthelot, art. *Tertiaire ;* en all., Naumann, 1866; de *paléo-*, et *-gène.*

♦ Didact. Vx. Nummulitique.

PALÉOGÉOGRAPHIE [paleoʒeɔgʀafi] n. f. — 1874; de *paléo-*, et *géographie.*

♦ Didact. Partie de la géographie concernant la description du globe aux temps géologiques.

DÉR. Paléogéographique.

PALÉOGÉOGRAPHIQUE [paleoʒeɔgʀafik] adj. — 1872; de *paléogéographie.*

♦ Sc. Relatif à la paléogéographie. *Reconstitution paléogéographique. « (...) les données paléogéographiques permirent de déterminer la géométrie continent-océan »* (*la Recherche,* juil. 1980, p. 794).

PALÉOGRAPHE [paleɔgʀaf] n. — 1827; *palaiographe*, 1760; de *paléographie.*

♦ Didact. Personne qui s'occupe de paléographie. — Par appos. *Archiviste* paléographe diplômé de l'École des Chartes* (Chartiste).

PALÉOGRAPHIE [paleɔgʀafi] n. f. — 1708; de *paléo-*, et suff. *-graphie.*

♦ Didact. Connaissance, science des écritures* anciennes sur supports souples (diplômes*, chartes, etc.), par oppos. à l'*épigraphie** (supports durs : pierre, etc.). *Paléographie et diplomatique** (I.). *Manuscrits, palimpsestes étudiés par la paléographie.*

DÉR. Paléographe, paléographique.

PALÉOGRAPHIQUE [paleɔgʀafik] adj. — 1836; de *paléographie.*

♦ Didact. Relatif à la paléographie. *Études, recherches, découvertes paléographiques.*

PALÉOHISTOLOGIE [paleoistɔlɔʒi] n. f. — XXe; de *paléo-*, et *histologie.*

♦ Didact. Étude des tissus animaux des fossiles, pour la connaissance de l'évolution.

PALÉOLITHIQUE [paleɔlitik] adj. et n. m. — 1866; angl. *paleolithic*, créé par Lubbock en 1865; de *paléo-*, et *-lithic*, → -lithique.

♦ Didact. Relatif à l'âge de la pierre taillée. — N. m. *Le paléolithique :* la première période de l'ère quaternaire (pléistocène), qui vit l'apparition et le développement des premières civilisations humaines, caractérisées par des outils de pierre taillée. *Paléolithique ancien* ou *inférieur :* chelléen*, acheuléen*. *Paléolithique moyen :* moustérien*. *Paléolithique récent* ou *supérieur* (« âge du renne ») : aurignacien (Aurignac, Haute-Garonne), magdalénien* (La Madeleine).

La durée du Paléolithique ancien est énorme, trois ou quatre cent mille ans dans 1
les estimations les moins généreuses. Pendant cette très longue durée les industries évoluent à un rythme si lent qu'elles ne cessent, depuis l'Abbevillien jusqu'à l'Acheuléen final, de conserver le même stéréotype, enrichi seulement de quelques formes et amélioré dans la finesse de son exécution.
A. LEROI-GOURHAN, le Geste et la Parole, t. I, p. 139.

Adj. De l'époque ainsi définie. *Industrie paléolithique. Études paléolithiques.*

Découvert à la fin du XIXe siècle, l'art paléolithique a frappé d'abord par l'extraor- 2
dinaire exactitude anatomique des animaux, exactitude réelle à partir du Magdalénien moyen, mais auparavant aussi relative que celle de l'art assyrien par exemple. Ce qui a le plus échappé, c'est qu'il s'agissait d'assemblages symboliques à éléments juxtaposés ; que les éléments figurés, les animaux comme les êtres humains, étaient faits de l'assemblage d'éléments anatomiques caractéristiques dont l'intégration complète a exigé des millénaires de polissage inconscient et de menues trouvailles individuelles. Les obstacles techniques ont été dominés très tôt et, au contraire, la syntaxe figurative est restée sur un plan qui correspondait au niveau du capital intellectuel général.
A. LEROI-GOURHAN, le Geste et la Parole, t. I, p. 139.

PALÉOLOGUE [paleɔlɔg] n. — 1812; de *paléo-*, et *-logue.*

♦ Vx. Spécialiste des langues anciennes. *Un savant paléologue.*

PALÉOMAGNÉTIQUE [paleomaɲetik] adj. — XXe; de *paléo-*, et *magnétique.*

♦ Didact. Qui concerne le paléomagnétisme. *Mesures paléomagnétiques.*

PALÉOMAGNÉTISME [paleomaɲetism] n. m. — Mil. xxe; de *paléo-*, et *magnétisme.*

♦ Didact. Magnétisme terrestre aux époques géologiques; son étude. *Mesures du paléomagnétisme. Spécialiste de paléomagnétisme :* paléomagnéticien, ienne.

PALÉONTOLOGIE [paleɔ̃tɔlɔʒi] n. f. — 1834; *paléonthologie,* 1830; de *paléo-*, et *ontologie* «science de l'être, des êtres».

♦ Didact. Science des organismes vivants ayant existé sur la terre avant la période historique. *La paléontologie est fondée sur l'étude des restes d'organismes disparus.* ⇒ **Fossile, oryctologie.** *La paléontologie, science auxiliaire de la géologie.* ⇒ **Géognosie, stratigraphie.** *Paléontologie et évolutionnisme.* ⇒ **Évolution** (cit. 15). *La paléontologie est en partie issue des recherches d'anatomie de Cuvier. Paléontologie végétale* (paléobotanique), *animale* (paléozoologie); *paléontologie humaine* (anthropologie* préhistorique).

Le génie de Cuvier a développé ces vues et en a tiré une science nouvelle, la paléontologie, qui reconstruit un animal entier d'après un fragment de son squelette. Cl. BERNARD, Introd. à l'étude de la médecine expérimentale, II, II.

Études paléontologiques appliquées à une catégorie d'organismes *(paléontologie des invertébrés...),* à une région, à une couche géologique *(paléontologie stratigraphique, paléontologie du carbonifère...).*

Ouvrage, manuel de paléontologie.

DÉR. Paléontologique, paléontologiste ou **paléontologue.**

PALÉONTOLOGIQUE [paleɔ̃tɔlɔʒik] adj. — 1836; de *paléontologie.*

♦ **1.** Didact. Relatif à la paléontologie. *Travaux, études* (→ Ère, cit. 9), *découvertes paléontologiques.*

1 La science paléontologique nous permet d'assister, pour ainsi dire, à notre naissance, et c'est seulement dans les jeunes terrains du quaternaire, datant de cent mille ans à peine, que nous retrouvons des squelettes où se révèle sans équivoque la marque de notre espèce (Homme de Cro-Magnon, etc.). Jean ROSTAND, l'Homme, VIII.

♦ **2.** Littér. Très ancien, disparu. *«Une époque révolue et déjà paléontologique»* (Duhamel, *Salavin,* V, p. 221). ⇒ **Fossile** (figuré).

2 Certains s'étonneront peut-être qu'aient pu se conserver si tard ces formes incommodes et quasi paléontologiques de l'humanité (...) GIDE, Si le grain ne meurt, I, II, p. 42.

PALÉONTOLOGISTE [paleɔ̃tɔlɔʒist] ou **PALÉONTOLOGUE** [paleɔ̃tɔlɔg] n. — 1838; de *paléontologie.*

♦ Didact. Savant spécialiste de la paléontologie. *Un, une paléontologiste.*

Lorsqu'on considère avec recul les travaux des grands paléontologistes humains du début de ce siècle, on ne peut qu'être frappé par la rigueur scientifique de leurs analyses et par la pertinence avec laquelle ils ont défini par rapport à nous et par rapport aux singes les formes anciennes d'humanité qui leur étaient connues. A. LEROI-GOURHAN, le Geste et la Parole, t. I, p. 25.

REM. Certains paléontologues sont désignés par des termes spécifiques en *paléo-* (ex. : *paléomammalogiste,* in *la Recherche,* avr. 1981, p. 516).

PALÉOPATHOLOGIE [paleopatɔlɔʒi] n. f. — xxe; de *paléo-*, et *pathologie.*

♦ Didact. Étude des maladies de l'espèce humaine dans les restes d'organismes (squelettes).

DÉR. Paléopathologique.

PALÉOPATHOLOGIQUE [paleopatɔlɔʒik] adj. — xxe; de *paléopathologie.*

♦ Didact. De la paléopathologie.

L'étude paléopathologique permet parfois d'obtenir la preuve étiologique. Par exemple, Ruffer a découvert en 1910 dans des momies égyptiennes des œufs calcifiés de bilharzies. la Recherche, oct. 1980, p. 1045.

PALÉOPSYCHOLOGIE [paleopsikɔlɔʒi] n. f. — xxe (attesté 1963 Larousse); de *paléo-*, et *psychologie.*

♦ Didact. Étude de la psychologie archaïque de l'homme d'après les théories de l'inconscient* collectif.

PALÉOPTÉRYGIENS [paleɔpteʀiʒjɛ̃] n. m. pl. — xxe; de *paléo-*, et d'après *acanthoptérygiens,* etc.

♦ Didact. (Zool.). Poissons fossiles apparaissant au dévonien, et qui sont à l'origine des poissons osseux.

PALÉOSOL [paleosɔl] n. m. — V. 1960-70; de *paléo-*, et *sol.*

♦ Géol. Sol résultant d'une évolution ancienne, formé dans des conditions disparues, et pouvant affleurer à la surface ou être recouvert de dépôts plus récents.

PALÉOSPÉLÉOLOGIE [paleospeleɔlɔʒi] n. f. — xxe; de *paléo-*, et *spéléologie.*

♦ Didact. Étude des cavernes et des eaux souterraines aux époques géologiques.

DÉR. Paléospéléologique.

PALÉOSPÉLÉOLOGIQUE [paleospeleɔlɔʒik] adj. — xxe; de *paléospéléologie.*

♦ Didact. De la paléospéléologie.

Gèse, par une étude paléospéléologique, assigne aux gouffres à phosphorites du Quercy un âge de 40 millions d'années. Félix TROMBE, la Spéléologie, p. 90.

PALÉOTEMPÉRATURE [paleotɑ̃peʀatyʀ] n. f. — xxe (1972, *la Recherche*); de *paléo-*, et *température.*

♦ Didact. Température qui a régné à un moment déterminé d'une période géologique.

PALÉOTHÉRIUM [paleoteʀjɔm] n. m. — 1830; de *paléo-*, et du grec *thêrion* «bête sauvage».

♦ Didact. Mammifère fossile *(Ongulés; Périssodactyles)* de l'éocène.

PALÉOTROPICAL, ALE, AUX [paleotʀɔpikal, o] adj. — 1932, Larousse; de *paléo-* au sens de «ancien» dans «ancien monde», et *tropical.*

♦ Didact. Des régions tropicales de l'«Ancien monde» (Asie, Afrique).

PALÉOZOÏQUE [paleozɔik] adj. et n. m. — 1859, in *D. D. L.;* de *paléo-*, et suff. *-zoïque.*

♦ Didact. Relatif aux fossiles animaux les plus anciens. — Géol. *Période paléozoïque,* et, n. m., *le paléozoïque :* la période des terrains primaires. ⇒ **Primaire** (n. m.).

PALÉOZOOLOGIE [paleozɔɔlɔʒi] n. f. — 1842; de *paléo-*, et *zoologie.*

♦ Didact. Paléontologie animale.

DÉR. Paléozoologique, paléozoologiste.

PALÉOZOOLOGIQUE [paleozɔɔlɔʒik] adj. — 1842; de *paléozoologie.*

♦ Sc. Relatif à la paléozoologie.

PALÉOZOOLOGISTE [paleozɔɔlɔʒist] n. — 1842; de *paléozoologie.*

♦ Sc. Spécialiste de la paléozoologie.

PALERÉE [palʀe] n. f. — 1534, Rabelais; forme anc. de *pellerée,* de *pelle,* lat. *pala.* → Pelle, dérivé.

♦ Régional ou littér. Pelletée.

Il s'arrêta devant un cône de gravier qu'une grue nourrissait à pleines palerées (...) 1
G. DUHAMEL, Salavin, III, X, p. 255.

Figuré :

C'est là que des valets en livrée princière divisent la foule et la poussent par larges palerées, vers les jabots du Gargantua. 2
G. DUHAMEL, Scènes de la vie future, p. 48.

PALERMITAIN, AINE [palɛʀmitɛ̃, ɛn] adj. — 1874; *panormitain,* XVIIIe; de l'ital. *palermitano,* de *Palermo* «Palerme».

♦ Didact. De Palerme, en Sicile. *Architecture palermitaine. «Les tissus dits palermitains ne sont pas tous fabriqués en Sicile»* (M. Beaulieu, *les Tissus d'art,* p. 66).

PALERON [palʀɔ̃] n. m. — 1680; «omoplate» dès 1250; dér. de 1. *pale,* autre forme de *pelle.*

♦ **1.** Partie plate et charnue située près de l'omoplate de certains animaux. *Paleron d'un cheval.*

♦ **2.** Techn. (Boucherie). Partie du bœuf, du porc, située près de l'omoplate, au-dessus et en arrière de l'épaule.

PALESTINIEN, IENNE [palɛstinjɛ̃, jɛn] adj. et n. — 1874; de *Palestine*, n. propre.

♦ De Palestine. *Population palestinienne. La résistance palestinienne.* — REM. Cet adjectif a une fréquence accrue en relation avec les problèmes politiques liés à la situation des Palestiniens (O. L. P. : Organisation de libération de la Palestine, etc.).

PALESTRE [palɛstʀ] n. f. — 1547; «exercice du corps», v. 1130; lat. *palæstra*, grec *palaistra*.

♦ Antiq. Lieu public où l'on s'exerçait à la lutte, à la gymnastique (cit. 6). ⇒ **Gymnase.** *Les futurs athlètes** (cit. 2) *fréquentaient la palestre.*

Les peintures de vases nous montrent partout les éphèbes s'exerçant, depuis l'entrée à la palestre, jusqu'à la sortie; ils se déshabillent, font de la lutte à main plate, toutes prises autorisées, ou du pugilat; ils courent, sautent en longueur et en hauteur, dans le sable fin amené à grands frais d'Égypte (...)
Ch. PICARD, la Vie dans la Grèce classique, p. 104.

Par métonymie. Les exercices de la palestre.

DÉR. (Du même radical) **Palestrique, palestrite.**

PALESTRIQUE [palɛstʀik] adj. et n. f. — 1557; lat. *palæstricus*, grec *palaistrikos*. → Palestre.

♦ Didact. De la palestre*.
N. f. (1721). *La palestrique* : la gymnastique, le sport pratiqué dans les palestres.

PALESTRITE [palɛstʀit] n. m. — xxᵉ; cf. *palestreur*, xvᵉ; *palestique*, n. m., 1567; lat. *palæstrita*, de *palæstra*. → Palestre.

♦ Didact. Athlète de la Grèce antique qui s'exerçait dans les palestres.

Un jeune homme pose le pied sur un monticule, attitude déjà très familière aux peintres, mais qu'en ronde-bosse nous ne connaissions pas; est-ce un palestrite qui ôte ses sandales avant d'entrer en lice et regarde, impatient, ses rivaux déjà prêts?
G. CONTENAU et V. CHAPOT, l'Art antique, p. 264.

PALET [palɛ] n. m. — V. 1307; dér. de 1. *pale*, autre forme de *pelle*, et suff. dimin. *-et*.

♦ **1.** Pierre plate et ronde, ou petite plaque de métal ou de bois de forme arrondie avec laquelle on vise un but convenu. *On se sert d'un palet au jeu du tonneau* ainsi qu'à la marelle.* — (1690). Ce jeu. *Jouer au palet* (→ 1. Or, cit. 4).

♦ **2.** Antiq. Pierre, ou pièce de métal plate et ronde, que les athlètes s'exerçaient à lancer. ⇒ **Disque.**

(...) Zéphire, fâchée d'être dédaignée du dieu, ou jalouse d'Hyacinthe qu'elle aimait, détourna d'un souffle le palet d'Apollon, comme il jouait à ce jeu avec le jeune homme, et d'une façon si malencontreuse qu'il le tua.
Émile HENRIOT, Mythologie légère, p. 54.

♦ **3.** (1898, *in* Petiot). Sports. Disque de caoutchouc durci lancé par la crosse des joueurs, au hockey sur glace.

♦ **4.** Gâteau sec rond et plat. *Des palets aux amandes.*

HOM. 1. **Palais**, 2. **palais.**

PALETOT [palto] n. m. — 1810, «vêtement de marin» *in* D. D. L.; 1690 «casaque de paysan»; 1819 «habit-veste»; 1370, *paltoke* «sorte de justaucorps»; moy. angl. *paltok* «sorte de jaquette»; selon P. Guiraud, de *palle* (lat. *palea* «paille») et *etoc, estoc* «souche» d'où «assise» pour désigner un vêtement rembourré de paille.

♦ **1.** Vêtement d'homme, de femme ou d'enfant, généralement assez court, boutonné par devant, muni de manches et de poches extérieures, et qui se porte par-dessus les autres vêtements. ⇒ **Manteau.** *Collet* (cit. 4) *d'un paletot. Boutonner son paletot* (→ Frissonner, cit. 4).

M. de Coantré avait laissé dans l'antichambre un paletot court (de la forme appelée dans la famille un *rase-pet*) à col de velours, et une canne à poignée argentée et orfévrée, très 1900, elle aussi. MONTHERLANT, les Célibataires, I, III.

Spécialt. Manteau d'enfant.

♦ **2.** Fam. Tout vêtement de dessus en laine, veste, chandail. *Mets ton paletot, tu vas avoir froid!*

♦ **3.** (1821). Loc. fam. *Tomber sur le paletot de qqn*, l'attaquer brusquement (cf. Tomber dessus), soit pour le malmener, soit pour l'arrêter.

♦ **4.** Argot, vieilli. (1867). *Paletot de sapin* : cercueil.

1. PALETTE [palɛt] n. f. — xiiiᵉ; dér. de 1. *pale*, autre forme de *pelle*.

A. ♦ **1.** Objet, instrument de forme mince, plate et allongée. *Palette de bois pour battre le linge.* ⇒ **Battoir.** *Palette d'une baratte.* ⇒ **Batte** (à beurre). *Palette d'un frein de bicyclette.*

(1769). Pêche. Partie aplatie à l'extrémité de la hampe d'un hameçon.

Jeux. (Vx). Sorte de petite pelle de bois en forme de raquette, servant à jouer au volant.

Milit. *Palette de marqueur* : instrument avec lequel les marqueurs* indiquent aux tireurs les points d'impact.

Techn. Pinceau de doreur qui sert à appliquer l'or. ⇒ **Couchoir.**

Techn. (1685). Chacune des parties planes fixées à la circonférence d'une roue* (de moulin, de bateau). ⇒ **Aube, jantille, pale.**

Ils entendaient, dans le brouillard, le bruissement du fleuve et les palettes sonores du bateau qui venait. R. ROLLAND, Jean-Christophe, L'adolescent, III, p. 325. 1

Arts. Plaquette sculptée (d'une matière minérale : schiste, etc.), dans certains arts antiques. *La palette de Narmer* (art égyptien).

Le Musée du Louvre possède des palettes de ce genre (...) 1.1
L'une est une plaque rectangulaire où se voient, d'un côté, des animaux à long cou et, de l'autre, des chiens formant bordure de la plaque (...)
G. CONTENEAU et V. CHAPOT, l'Art antique, p. 18.

♦ **2.** (1611). Bouch. Morceau de viande de mouton, de porc, comprenant l'omoplate et la chair qui l'entoure. ⇒ aussi **Paleron.**

♦ **3.** Mil. xxᵉ (1958, *in* Gilbert). Techn., comm. Plateau de chargement constitué par un ou plusieurs planchers et permettant une manutention automatique (par chariots à fourche). *Palette à simple face, montée sur dés. Palette à « rehausses ». Mettre sur palettes.* ⇒ **Palettiser.** — Appos. *Caisses palettes.*

Nous citerons uniquement les industries de la caisse en bois traditionnelle, des cadres à claires-voies de la caisse en contre-plaqué, des emballages en panneaux de fibres et de particules, de la caisse armée, des palettes de manutention et caisses palettes (...) des emballages légers (billots, basquets, boîtes à fromages)... 1.2
J.-C. REGGIANI, Industries et Commerce du bois, p. 97.

♦ **4.** (1841). Fam. Dent plate et grande (incisives centrales supérieures). → Ongle, cit. 8.

B. ♦ **1.** (1615). Plaque mince de bois dur, de faïence ou de métal émaillé, carrée ou ovale, échancrée et percée d'un trou pour qu'on puisse y passer le pouce, et sur laquelle le peintre étend et mélange ses couleurs. *Charger, composer* (→ Étalagiste, cit. 1), *faire sa palette* : disposer les couleurs (cit. 19) sur sa palette. *Couteau à palette*, qui sert à mélanger les couleurs. *La palette, attribut du peintre, symbole de la peinture.*

C'est à la pratique de l'huile sans doute qu'il *(Ziem)* doit sa supériorité d'aquarelliste, car à la transparence il joint la solidité mais que sa palette soit de bois ou de faïence, il sait toujours y étaler la lumière. 2
Th. GAUTIER, Souvenirs de théâtre..., «Trente-quatre aquarelles de Ziem».

♦ **2.** (1733). L'ensemble des couleurs* dont se sert habituellement un peintre. *La palette de Rubens* (→ Coloris, cit. 1). *Palette riche, pauvre, brillante. Enrichir sa palette.*

La couleur de Latour n'est jamais subordonnée au modèle, qu'elle suscite. Sa palette semble composée autour du rouge. Du rouge au gris, du rouge à l'ocre jaune, du rouge au brun et au noir; une seule de ses toiles retrouvées est réellement multicolore. Et cette palette est parente de celle des *Saint Jérôme*, des *Saint Jean-Baptiste* du Caravage. MALRAUX, les Voix du silence, p. 381. 3

♦ **3.** (1773). Ensemble des moyens techniques dont dispose un artiste (écrivain, musicien...). *Une riche palette expressive, orchestrale.*

(...) j'essaye encore d'être peintre du cœur humain : mais ma palette est desséchée par l'âge et les contradictions. BEAUMARCHAIS, la Mère coupable, Préface. 4

Ensemble de possibilités expressives. ⇒ **Gamme.** *Une palette de sentiments, d'odeurs...*

DÉR. et **COMP. Paletter, palettiser. — Transpalette.**

2. PALETTE [palɛt] n. f. — xvᵉ; altér., d'après le mot précéd., de *paelette* (xiiiᵉ) «petit bassin, petite casserole», dimin. de *paele*, forme anc. de *poêle*. → Palier.

Anciennement.

♦ **1.** Récipient destiné à recueillir le sang d'une saignée. *La palette contenait quatre onces de sang.*

♦ **2.** La quantité de sang contenue dans ce récipient. *Il lui fit tirer six bonnes* (cit. 29) *palettes de sang.*

PALETTER [palete] v. tr. — 1767; de 1. *palette.*
Techn. (Pêche). Aplatir l'extrémité de (l'hameçon).

PALETTISABLE [paletizabl] adj. — 1973, *Journ. off.*; de *palettiser.*

♦ Techn. Qui peut être chargé sur palettes.

PALETTISATION [paletizasjɔ̃] n. f — Mil. xxᵉ (1958 *in* P. Gilbert); de *palettiser.*

♦ Techn. Mise sur palettes (des marchandises). — Organisation (de la manutention) par l'emploi de palettes et de chariots (chariots élévateurs à fourches, etc.). *Palettisation et gerbage* des marchandises.*

PALETTISER [paletize] v. tr. — Mil. xxe (1969 *in* Gilbert); de 1. *palette*, d'après l'angl. *to palletize*. Cf. *Journ. off.* 18 janv. 1973. Technique, commercial.

♦ **1.** Mettre sur palettes (une marchandise).

♦ **2.** Organiser par l'emploi de palettes. *Palettiser le magasinage.*

DÉR. Palettisation, palettisable.

PALÉTUVIER [paletyvje] n. m. — 1722; *apparituriier*, 1614; tupi *apara-hiwa* «arbre *(iba)* courbé *(apará)*».

♦ Grand arbre des régions tropicales à racines aériennes, souvent fixées dans les boues et limons d'une baie (mangrove). — REM. Le mot ne correspond pas à une classe botanique.

Spécialt. Manglier.

Sous les palétuviers visqueux, aux longs arceaux,
Dans l'enchevêtrement aigu des herbes grasses,
Tourbillonne l'essaim des moustiques voraces.

LECONTE DE LISLE, Poèmes tragiques, « L'Aboma ».

PÂLEUR [pɑlœʀ] n. f. — 1677; *pasleur*, xvie; *pallur*, 1240; *pallor* 1120, au sens de «couleur jaune de l'or»; dér. de *pâle*, d'après le lat. *pallor*, suff. *-eur*.

♦ **1.** Couleur, aspect d'une personne qui a le teint pâle*; absence relative de couleurs (→ Livide, cit. 8). *La pâleur, symptôme de l'anémie*, de la chlorose. Pâleur cadavérique, cireuse, marmoréenne* (cit. 2), *mate* (→ Noir, cit. 2). *Pâleur mortelle*. — Pâleur des joues* (→ Amaigrir, cit. 6), *du visage* (→ Amenuiser, cit. 4), *du front* (cit. 7), *du teint. «(...) quelle étrange pâleur De son teint tout à coup efface* (cit. 3) *la couleur?»* (Racine).

1 Les joues étaient pleines, arrondies, d'un contour ferme, mais d'un teint un peu pâle et un peu bruni par le climat, non de cette pâleur maladive du Nord, mais de cette blancheur saine du Midi qui ressemble à la couleur du marbre exposé depuis des siècles à l'air et aux flots. LAMARTINE, Graziella, I, XII.

(Choses). *La pâleur du ciel* (→ Gris, cit. 3), *du couchant* (→ Lune, cit. 5). *La pâleur des blés* (cit. 5) *nouveaux, des fleurs du magnolia* (cit. 2).

2 (...) un ciel balayé, brouillé, soucieux, plein de pâleurs fades, d'où le soleil se retirait sans pompe et comme avec de froids sourires.

E. FROMENTIN, Un été dans le Sahara, p. 47.

♦ **2.** Fig., péj. Absence d'éclat, d'originalité. *Pâleur du style, des expressions.*

CONTR. Couleur. — Brio.

PÂLI ou **PALI, IE** [pali] n. m. et adj. — 1826, Burnouf et Lassen, *Essai sur le pali...*; du pâli *pāli-(bhāsā)* «langue *(bhāsā)* des textes canoniques *(pāli)*», t. adopté par les Occidentaux (par l'intermédiaire du hindī ?).

♦ Ancienne langue, principalement religieuse, de l'Inde méridionale et de Ceylan. *Le pâli appartient comme les prâkrits au stade dit «moyen-indien» des parlers aryens de l'Inde. Canon bouddhique en pāli.* — REM. On trouve aussi la forme *bali*; les spécialistes écrivent *pāli*.

Adj. (1868, Littré). *Langue, littérature palie. Textes palis.* — REM. L'emploi de *pâli*, adj. invar., est aujourd'hui le plus fréquent (→ cit.).

(...) Chan, Siamois et Laotiens se sont convertis au bouddhisme et ont admis nombre de mots pāli : cette intrusion de dissyllabes d'origine cambodgienne et de polysyllabes d'origine pāli a donné au Siamois un aspect particulier.

A. MEILLET et M. COHEN, les Langues du monde, p. 572.

PALI-, PALIN- Éléments, du grec *palin* «de nouveau».

PALICARE [palikaʀ] n. m. ⇒ **Palikare.**

PÂLICHON, ONNE [pɑliʃɔ̃, ɔn] adj. — Fin xixe; en 1867, *le pâlichon* pour désigner, en argot, le double blanc au jeu de domino; dér. de *pâle*.

♦ Fam. Un peu pâle. ⇒ **Pâlot.**

PALICINÉSIE [palisinezi] ou **PALIKINÉSIE** [palikinezi] n. f. — 1932, *palicinésie*; 1952, *palikinésie*; terme dû à Schulmann, 1920; du grec *palin* «à nouveau» et *kinêsis* «mouvement». → Paligraphie, palilalie.

♦ Pathol. Répétition involontaire de gestes ou de mouvements.

PALIER [palje] n. m. — 1287, *paelier*; de *paele*, anc. forme de *poêle*, par analogie de forme (→ Poêle), du lat. *patella*.

★ **I.** (1328). Mécan., cour. Pièce fixe supportant l'arbre* de transmission d'une machine à chacune de ses extrémités ou en un ou plusieurs de ses points intermédiaires. *Paliers qui supportent un vilebrequin. Paliers d'un moteur d'auto. Chapeau, corps, collet*, coussinet*, semelle* d'un palier. Palier à billes, à rouleaux. Palier graisseur. Palier à roulement. Palier de butée*, qui empêche le glissement longitudinal de l'arbre.

★ **II.** ♦ **1.** (1636; *paellier*, 1547). Espace plan (⇒ **Plate-forme**) ménagé entre deux volées d'un escalier* ou dans une rampe à pente douce (→ Assaut, cit. 17), en haut d'un perron, etc. *Palier d'un escalier* (→ Minuit, cit. 3). *Palier de repos établi à mi-étage. Palier de communication*, qui, dans une habitation, un immeuble, dessert plusieurs pièces ou plusieurs appartements au niveau d'un même étage* (⇒ **Carré**). *Les voisins du palier. Ils habitent sur le même palier. Portes donnant directement sur le palier.* ⇒ **Palière.** — (1868). *Palier circulaire*, qui se trouve dans la cage d'un escalier à vis, en colimaçon.

Son Excellence eut même l'amabilité d'accompagner son visiteur jusque sur le palier du grand escalier d'honneur. 1

MARTIN DU GARD, les Thibault, t. VII, p. 23.

En montant, dans l'escalier noir, j'ai heurté le vieux Salamano, mon voisin de palier. CAMUS, l'Étranger, p. 42. 2

♦ **2.** (1845). Partie horizontale, comprise entre deux déclivités (d'une route ou d'une voie ferrée). *Atteindre un palier après une côte. Train, automobile qui fait cent kilomètres à l'heure en palier.* — Aviat. *Voler en palier*, en altitude constante.

Partie horizontale de la courbe d'un graphique.

♦ **3.** (xxe). Fig. Phase intermédiaire de stabilité au cours d'une évolution. *Palier dans la hausse des prix. Atteindre un palier.*

(...) à ses yeux leur amour avait trouvé un équilibre, atteint une sorte de palier qu'elle n'était pas pressée de quitter. 3

J. ROMAINS, les Hommes de bonne volonté, t. V, IV, p. 31.

Spécialt. Niveau des enchères, au bridge.

(V. 1920). Loc. adv. **PAR PALIERS :** par échelons, par phases successives, progressivement (⇒ **Gradation**). *Progresser par paliers.* ⇒ **Degré** (par). *Dégradation* (cit. 6) *par paliers.*

CONTR. Descente, montée.
DÉR. Palière.
HOM. Pallier.

PALIÈRE [paljɛʀ] adj. f. et n. f. — 1770; *marche palier*, n. m., 1750; de *palier*.

♦ *Marche palière :* marche qui est au sommet d'une volée d'escalier et de plain-pied avec le palier. — (1847). N. f. *La palière.* — *Porte palière :* porte qui s'ouvre sur le palier.

On entendit ensuite la porte palière s'ouvrir et se fermer assez rudement. 1

J. ROMAINS, les Hommes de bonne volonté, t. XI, XXVI, p. 254.

Je fonçai, laissant mes bottes boueuses à la palière pour arriver dans le bureau sur mes chaussettes. Hervé BAZIN, Cri de la chouette, p. 32. 2

PALIFICATION [palifikɑsjɔ̃] n. f. — 1765; de l'ital. *palificazione*.

♦ Techn. (vx). Opération qui consiste à palifier un terrain; résultat de cette action. *La palification d'un terrain.*

PALIFIER [palifje] v. tr. — Conjug. *prier*. — 1842; *palifié* «défendu par des palissades», 1611; adapt. de l'ital. *palificare*.

♦ Vx. Consolider, fortifier un terrain en y enfonçant des pieux.

DÉR. (Du même rad.) **Palification.**

PALIGRAPHIE [paligʀafi] n. f. — Mil. xxe; de *pali-*, et *-graphie*.

♦ Psychiatrie. Répétition involontaire du même signe graphique (états démentiels). ⇒ aussi **Palilalie.**

PALIKARE [palikaʀ] n. m. — 1868; *palikar*, 1832, → cit.; grec mod. *pallikari* «gaillard, brave».

♦ (1875). Hist. À l'époque des sultans, Soldat de la milice grecque. — À l'époque de la guerre de l'Indépendance grecque, Nom donné aux soldats grecs, et aussi albanais, qui combattirent contre les Turcs. — REM. On a écrit et on écrit aussi *palicare* (1826), *pallicare* (1875), et *pallikare* (1875).

Le député (grec) descend de cheval, et ses palikars, chargés d'armes superbes, vont se grouper à quelque distance dans la petite plaine qui entoure la salle.

LAMARTINE, Voyage en Orient, 12 août 1832, t. I, p. 169 (éd. 1836).

PALIKINÉSIE [palikinezi] n. f. ⇒ **Palicinésie.**

PALILALIE [palilali] n. f. — xxe; de *pali-*, et *lalein* «parler».

♦ Pathol. Répétition involontaire d'un ou plusieurs mots, observée dans la maladie de Parkinson et dans d'autres maladies du système nerveux. ⇒ aussi **Paligraphie.**

PALIMPSESTE [palɛ̃psɛst] n. m. — 1813; attestation isolée, 1542; du lat. *palimpsestus,* du grec *palimpsêstos* «gratté pour écrire de nouveau».

♦ **1.** Didact. Manuscrit dont on a effacé la première écriture pour pouvoir écrire un nouveau texte. *Au moyen âge, la rareté du parchemin* rendit courant l'usage du palimpseste.* — Adj. (1835). *Un manuscrit palimpseste.*

1 (...) Asie se mit à déplier les papiers avec les soins que les savants prennent pour dérouler des palimpsestes.
BALZAC, Splendeurs et Misères des courtisanes, Pl., t. V, p. 958.

2 (...) les souvenirs du jeune âge reparaissent sous les passions comme le palimpseste sous les ratures (...) HUGO, l'Homme qui rit, I, I, VII.

3 Et je me comparais aux palimpsestes; je goûtais la joie du savant, qui, sous les écritures plus récentes, découvre sur un même papier un texte très ancien infiniment plus précieux. Quel était-il, ce texte occulte? Pour le lire, ne fallait-il pas tout d'abord effacer les textes récents? GIDE, l'Immoraliste, VI.

(1875). Antiq. Tablette dont on pouvait effacer l'écriture afin d'écrire de nouveau dessus.

♦ **2.** (Mil. XIXe). Fig., littér. Œuvre dont le dernier état recouvre des essais antérieurs.

♦ **3.** (1860). Fig., littér. Mécanisme psychologique par lequel de nouveaux sentiments, de nouvelles idées, se substituent aux précédents et les font disparaître. *L'oubli n'est autre chose qu'un palimpseste* (→ Effacement, cit. 1). *L'immense palimpseste de la mémoire* (→ Embaumer, cit. 2).

PALIN- ⇒ **Pali-.**

PALINDROME [palɛ̃dʀom] adj. et n. m. — 1765; grec *palindromos;* de *palin-,* et *-drome.*

♦ Didact. Se dit d'un groupe de mots qui peut être lu indifféremment de gauche à droite ou de droite à gauche en conservant le même sens. *Un vers palindrome,* ou, n. m., *un palindrome.* «Élu par cette crapule» *est un palindrome.* — (En parlant d'un seul mot). *Le célèbre palindrome* Roma - amor.

DÉR. Palindromique.

1. PALINDROMIQUE [palɛ̃dʀomik] adj. — XXe; du grec *palindromos.*

♦ Méd. Qui évolue par récidives, par rechutes. *Rhumatisme palindromique.*

2. PALINDROMIQUE [palɛ̃dʀomik] adj. — XXe; de *palindrome.*

♦ Didact. Du palindrome, de la nature du palindrome. *Des vers palindromiques.*

PALINGENÈSE [palɛ̃ʒənɛz; palɛ̃ʒɛnɛz] ou **PALINGÉNIE** [palɛ̃ʒeni] n. f. — XXe; du grec *palin* «de nouveau», et *genèse, génie.*

♦ Biol. Apparition de caractères hérités d'ancêtres éloignés que l'on ne retrouve pas chez les ascendants immédiats. — REM. On dit aussi *paléogenèse* [paleoʒənɛz], n. f. (XXe; de *paléo-,* et *genèse*).

PALINGÉNÉSIE [palɛ̃ʒenezi] n. f. — 1546; bas lat. *palingenesia,* du grec; de *palin* «de nouveau», et *genesis* «naissance».
Didactique.

♦ **1.** Philos., relig. (Chez les stoïciens). «Retour* périodique éternel des mêmes événements» (Lalande). — (1838). Mod. Renaissance* des êtres ou des sociétés, susceptible de répétition*, et généralement conçue comme source d'évolution et de perfectionnement. ⇒ **Régénération, résurrection.** — Par ext. Doctrine qui admet cette sorte de renaissance. *Palingénésie philosophique,* de Ch. Bonnet (1769). *Essais de palingénésie sociale,* de Ballanche (1827).

1 L'ordre actuel de l'humanité touche à son terme. Ce terme sera une immense révolution, «une angoisse» semblable aux douleurs de l'enfantement : une palingénésie ou «renaissance» (selon le mot de Jésus lui-même), précédée de sombres calamités et annoncée par d'étranges phénomènes.
RENAN, Vie de Jésus, Œ. compl., t. IV, XVII, p. 255.

♦ **2.** Vx. Action de renaître, retour à la vie (après un état de mort réelle ou apparente). — Littéraire :

2 Je tombai malade, je voyageai, je rencontrai Ménalque, et ma convalescence merveilleuse fut une palingénésie. Je renaquis avec un être neuf, sous un ciel neuf et au milieu de choses complètement renouvelées.
GIDE, les Nourritures terrestres, I, II.

DÉR. Palingénésique.

PALINGÉNÉSIQUE [palɛ̃ʒenezik] adj. — 1665; de *palingénésie.*

♦ Didact. (Philos.). Relatif à la palingénésie; qui la produit, la constitue. *Doctrine, théorie palingénésique. Répétition, retour palingénésique* (cf. Éternel retour).

PALINODIE [palinɔdi] n. f. — 1512; lat. *palinodia,* mot grec; de *palin* «de nouveau, en sens inverse», et *odê* «chant». → suff. -odie.

♦ **1.** Dans l'Antiquité, Poème dans lequel l'auteur rétractait ce qu'il avait dit dans un poème antérieur.

♦ **2.** (1566). Parole ou écrit exprimant une rétractation. ⇒ **Changement** (d'opinion), **désaveu, rétractation.** — (1555, *in* D. D. L.). Vx. *Chanter la palinodie :* se rétracter, proclamer le désaveu de ses opinions.

♦ **3.** (1843). Au plur. Mod. Changement d'opinion. ⇒ **Retournement.** *Les palinodies d'un homme politique.* ⇒ **Revirement, volte-face** (cf. aussi Retourner sa veste).

(...) afin de garder ou de reprendre sa place, il chantera toutes les palinodies que le moment ou son intérêt sembleront lui demander (...) 1
CHATEAUBRIAND, Mémoires d'outre-tombe, t. VI, p. 269.

(...) les hommes politiques ne se souviennent pas du point de vue auquel ils se sont placés à un certain moment, et quelques-unes de leurs palinodies tiennent moins à un excès d'ambition qu'à un manque de mémoire. 2
PROUST, À la recherche du temps perdu, t. XI, p. 46.

DÉR. Palinodier, palinodique, palinodiste.

PALINODIER [palinɔdje] v. intr. — 1873, v. tr., «tourner en palinodie»; de *palinodie.*

♦ (XXe). Littér., rare. Changer totalement d'attitude. ⇒ **Désavouer** (se), **rétracter** (se).

PALINODIQUE [palinɔdik] adj. — 1835, *in* D. D. L.; de *palinodie.*

♦ Rare. Qui a le caractère d'une palinodie. *Déclarations palinodiques.*

PALINODISTE [palinɔdist] n. — 1845; de *palinodie.*

♦ Rare. Personne qui fait des palinodies.

PÂLIR [pɑliʀ] v. — V. 1155; de *pâle.*

★ **I.** V. intr. ♦ **1.** (Le sujet désigne une personne, son visage). Devenir pâle*. *Un enfant pâlit et s'étiole* (cit. 2) *dans une chambre fermée. Ses joues avaient un peu pâli sous leur teinte brune* (→ Brugnon, cit.). — Spécialt. Devenir pâle sous l'effet d'une émotion. *Pâlir de colère, d'envie, de rage.* ⇒ **Blêmir, changer** (de couleur, de visage). *Pâlir de crainte, d'effroi*, d'horreur* (cit. 3), *de peur. Pâlir de douleur.* — Absolt. *Il pâlit au seul nom des cuirassiers de l'Empereur* (→ Invincible, cit. 3).

Je le vis, je rougis, je pâlis à sa vue (...) RACINE, Phèdre, I, 3. 1

Quant au gentilhomme, il pâlissait, rougissait tour à tour, et gardait une attitude calme en baissant les yeux pour dérober les étranges émotions qui l'agitaient. 2
BALZAC, les Chouans, Pl., t. VII, p. 878.

La première fois que madame de Rênal essaya avec lui une conversation étrangère à l'éducation des enfants, il se mit à parler d'opérations chirurgicales; elle pâlit et le pria de cesser. STENDHAL, le Rouge et le Noir, I, VII. 3

(...) cette pâleur d'un homme qui pâlissait très peu d'ordinaire, car il était sanguin, et l'émotion, lorsqu'il était ému, devait l'empourprer jusqu'au crâne. 4
BARBEY D'AUREVILLY, les Diaboliques, «Le rideau cramoisi», p. 24.

♦ **2.** (Mil. XVIe). *Pâlir sur les livres, sur un travail, une question difficile,* y consacrer de longues heures, de pénibles efforts (→ Frime, cit. 2). *Pâlir à l'étude* (cit. 1, Du Bellay).

Faire pâlir qqn, l'effrayer* ou encore lui inspirer de la jalousie, du dépit. *Sa promotion a fait pâlir ses confrères. Je loue toujours devant un envieux ceux qui le font pâlir* (→ Envie, cit. 5, Montesquieu).

(...) ta vanité a dû être satisfaite en te baignant au Havre. Je suis sûr que tu nageais de la manière la plus poissonnière et que tu as fait pâlir tes rivales. 5
FLAUBERT, Correspondance, 65, 5 août 1842.

♦ **3.** (XVIIe). (Choses). Perdre son éclat*. *Lumière qui pâlit,* qui s'affaiblit. *Les couleurs ont pâli.* ⇒ **Décolorer** (se), **faner** (se), **jaunir, passer.**

Spécialt. Perdre de son éclat par comparaison avec un objet plus brillant, plus lumineux (→ Nacarat, cit. 2). *Les astres* (cit. 3) *du ciel, les étoiles pâlirent.*

Les lampes de la rue se sont alors allumées brusquement et elles ont fait pâlir les premières étoiles qui montaient dans la nuit. CAMUS, l'Étranger, p. 38. 6

♦ **4.** Fig. Perdre de son intensité, de son prestige, par comparaison avec quelque chose de plus neuf. *Les images* (cit. 58) *du passé pâlissent peu à peu.* ⇒ **Affaiblir** (s'), **estomper** (s'). *Il craint tout ce qui pourrait faire pâlir sa gloire.* ⇒ **Diminuer, éclipser** (cf. Rejeter dans l'ombre). — (XVIIe). *Son étoile pâlit,* son autorité, son crédit, son influence diminue.

(...) les idées philosophiques actuelles sur la civilisation me semblent pâlir devant la sublime et divine idée de la communion catholique (...) 7
BALZAC, le Médecin de campagne, Pl., t. VIII, p. 438.

En dépit de nos efforts les souvenirs pâlissaient chaque jour davantage, les visages s'éteignaient un à un. SARTRE, Situations III, p. 38. 8

★ **II.** V. tr. (Déb. XIIIe). Littér. Rendre pâle, plus pâle. ⇒ **Apâlir** (cit.

Flaubert). *L'étude a pâli son front. La lueur diffuse* (cit. 6) *de la lune pâlissait le ciel.*

10 « Le froid qui le pâlissait semblait déposer sur sa figure une langueur plus douce (...) FLAUBERT, Mme Bovary, II, V.

▶ **PÂLI, IE** p. p. adj. *Teint pâli* (→ Altération, cit. 3 ; morbidesse, cit. 2). *Les traits pâlis* (→ Casser, cit. 19). *Ciel pâli* (→ Argent, cit. 6). *Encore pâlie* (→ Compulser, cit. 2). *Couleurs pâlies* (⇒ **Passer**).

11 La chaude température de la salle avait fait monter une délicate rougeur à ses joues naguère un peu pâlies par la fatigue du voyage. Th. GAUTIER, le Capitaine Fracasse, XI.

CONTR. Brunir, rougir. — Briller, luire.
DÉR. Apâlir. — Pâlissant.
HOM. Pâli, palis.

PALIS [pali] n. m. — XIIe, *paliz ;* dér. de *pal,* forme anc. de *pieu.*

Technique ou didactique.

♦ **1.** Petit pieu* pointu qu'on enfonce en alignement avec d'autres pour former une clôture, généralement sommaire.

♦ **2.** Clôture, enceinte formée de pieux, de palis. ⇒ **Palissade.** *Maison de campagne entourée d'un palis. Écluse en palis.* ⇒ **Portereau.** — (1762). L'espace ainsi entouré. *« Entrer dans le palis »* (Académie).

Au bas, le long du sentier, régnait un rustique palis, perdu dans une haie d'aubépine et de ronce. BALZAC, les Paysans, Pl., t. VIII, p. 43.

♦ **3.** (1765). Filet de pêche en nappe simple, tendu sur des piquets.

♦ **4.** (1875 ; du sens 1.). Zool. Lame verticale calcaire qui prolonge une cloison, dans certains polypiers.

DÉR. Palissade, palisser, palisson.
HOM. Pali.

PALISSADE [palisad] n. f. — V. 1460 ; de *palis.*

♦ **1.** Palis entrelacés de fil de fer barbelé. *Palissade dans un ouvrage fortifié.* ⇒ **Fraise, palanque.**

♦ **2.** (1636). Barrière, clôture faite d'une rangée de pieux, de perches ou de planches. ⇒ **Banquette, barrière, clôture, lice, palis.** *Palissade d'un contre-espalier, d'un jardin* (→ Grésillement, cit. 3).

1 Le vide que la maison démolie a laissé sur la rue est à moitié rempli par une palissade en planches pourries contre-butée de cinq bornes de pierre. HUGO, les Misérables, IV, VI, III.

2 Le périmètre du corral fut donc tracé par l'ingénieur, et on dut procéder à l'abattage des arbres nécessaires à la construction de la palissade ; mais, comme le percement de la route avait déjà nécessité le sacrifice d'un certain nombre de troncs, on les charria, et ils fournirent une centaine de pieux, qui furent solidement implantés dans le sol. J. VERNE, l'Île mystérieuse, t. I, p. 408.

♦ **3.** (1673). Jard. Mur de verdure formé d'une rangée d'arbres ou d'arbustes spécialement taillés (⇒ aussi **Charmille**). *Tailler des arbres en palissade. Palissade d'ifs qui masque le mur d'un jardin.* — (1600). Vieilli. Espalier*.

DÉR. Palissader, palissadique.

PALISSADEMENT [palisadmɑ̃] n. m. — 1842 ; de *palissader.*

♦ Techn. Action ou manière de palissader ; résultat de cette action. *Le palissadement d'un jardin.*

PALISSADER [palisade] v. tr. — 1585 ; de *palissade.*

♦ **1.** Entourer, fermer, protéger au moyen d'une palissade. *Palissader un terrain vague, un passage.* — (1677). Spécialt. Entourer d'une palissade de défense. — P. p. et adj. Fermé par une palissade. *Terrain vague palissadé.*

1 Inlassablement, les soldats remettent de l'ordre dans les maisons abandonnées, puis les palissadent. Une seulement, de loin en loin, leur sert d'asile. Défense d'entrer ailleurs. R. DORGELÈS, la Drôle de guerre, XII.

2 Vers cinq heures du soir, le chariot s'arrêta à six cents pas à peu près de l'enceinte palissadée. Un rideau semi-circulaire de grands arbres la cachait encore. J. VERNE, l'Île mystérieuse, t. II, p. 740.

♦ **2.** (1803). Masquer par une palissade d'arbres. *Palissader les murs d'un parc avec une rangée d'ifs.* — (XIXe). Tailler en palissade (surtout au p. p.). *Charmille palissadée.*
(1703). Vx. Tailler en espalier.

DÉR. Palissadement.

PALISSADIQUE [palisadik] adj. — 1903, au sens 2. : *tissu palissadique, Rev. gén. des sc.,* no 20, p. 1073 ; de *palissade.*

♦ **1.** Techn. En forme de palissade.

♦ **2.** *Parenchyme palissadique :* parenchyme à cellules étroites et serrées de la face supérieure des feuilles.

PALISSAGE [palisaʒ] n. m. — 1690 ; de *palisser.*

♦ Techn. (Arbor.). Opération qui consiste à palisser un arbre ou un arbuste. *Palissage de la vigne.* — (1868). *Palissage à sec,* fait après la taille d'hiver. *Palissage en vert,* fait après la pousse des feuilles.
(1812). Support de la plante que l'on a palissée.

PALISSANDRE [palisɑ̃dʀ] n. m. — 1718, var. *palixandre,* 1723 ; empr. par l'interm. du néerl. *palissander,* d'un dial. de la Guyane.

♦ Bois exotique odorant, d'une couleur violacée, nuancée de noir et de jaune, qui est fourni par différentes espèces de dalbergies*. *Le palissandre est employé en ébénisterie, en marqueterie. Bois de palissandre* (→ Jardinier, cit. 3).

Deux larges sofas, très bas, en bois de palissandre et en soie cramoisie brochée d'or, forment les seuls sièges, à l'exception de deux causeuses, également en palissandre. BAUDELAIRE, Trad. E. POE, Histoires grotesques..., « Philosophie de l'ameublement ».

PÂLISSANT, ANTE [palisɑ̃, ɑ̃t] adj. — Fin XIIe ; de *pâlir.*

♦ Qui pâlit. *Des traits pâlissants. Un visage pâlissant.*

(...) des bruits étranges sur la route, des pas, des poussées, des jurons, épouvantèrent les femmes. Pâlissantes, elles tendaient l'oreille (...) ZOLA, la Terre, I, V.

Des étoiles pâlissantes, à l'aube. Ciel pâlissant. (→ Habitation, cit. 3).
Fig. *Une mode pâlissante.*

PÂLISSEMENT [palismɑ̃] n. m. — 1528 ; de *pâlir.*

♦ Littér., rare. Fait de pâlir. *Un « pâlissement de la lumière »* (Daudet, *in* G. L. L. F.).

PALISSER [palise] v. tr. — 1680 ; « fermer avec des pieux », 1417 ; dér. de *palis.*

♦ Techn. (Arbor.). Étendre et lier les branches d'un arbre ou d'un arbuste contre un mur, un treillage, un support, afin de leur imposer une direction déterminée (⇒ **Espalier ; contre-espalier ; palissage**). *Palisser une vigne. Palisser un rameau horizontalement, verticalement.* — P. p. et adj. *Des pêchers palissés,* taillés en espalier.

DÉR. Palissage.

PALISSON [palisɔ̃] n. m. — 1723 ; *paleszon* « pieu », XIIIe ; de *palis.*

♦ Techn. Instrument de fer, en forme de demi-cercle, dont le chamoiseur se sert pour lisser, assouplir les peaux (chamoisage).

PALISSONNAGE [palisɔnaʒ] n. m. — XXe ; de *palissonner.*

♦ Techn. Action de palissonner ; son résultat.

La peau avait macéré huit jours (...), lorsqu'il l'en retira, la rinça dans l'eau de mer (...). Enfin il la laissa sécher trois jours à l'ombre, et commença le palissonnage à la pierre ponce, alors qu'elle conservait un reste d'humidité. M. TOURNIER, Vendredi..., p. 201.

PALISSONNER [palisɔne] v. tr. — 1842 ; *paleçonner* « mettre des barreaux dans un mur de torchis », 1382.

♦ Techn. Adoucir (les peaux) au moyen du palisson. ⇒ **Assouplir, lisser.**

DÉR. Palissonnage, palissonneur.

PALISSONNEUR [palisɔnœʀ] n. m. — 1907 ; de *palissonner.*

♦ Techn. Ouvrier qui traite les peaux au moyen du palisson. — Adj. *Ouvrier palissonneur.*

PALIURE [paljyʀ] n. m. — 1615 ; lat. *paliurus,* grec *paliouros.*

♦ Bot. Plante dicotylédone vivace *(Rhamnacées)* qui croît en Europe méridionale et en Asie occidentale. *Le paliure, arbrisseau épineux qui, d'après la tradition, aurait servi à tresser la couronne d'épines du Christ, est aussi appelé* épine* du Christ.

PALLADIEN, ENNE [paladjɛ̃, ɛn] adj. — 1874, P. Larousse, art. *Palladio ;* de *Palladio.*

♦ Arts. Relatif au grand architecte italien Palladio (1508-1580), à ses théories et à son style, diffusés dans toute l'Europe.

Aux Pays-Bas, le palais de Maurice de Nassau, à la Haye, est un exemple d'architecture palladienne, construit en 1633 par des architectes hollandais. V.-L. TAPIÉ, le Baroque, p. 120.

1. PALLADIUM [paladjɔm] n. m. — 1562; *palladion,* 1160; lat. *palladium,* du grec *palladion.*

Didactique.

♦ **1.** Antiq. Statue de Pallas dont la possession était considérée par les Troyens comme le gage du salut de leur ville. — (1562). Objet considéré comme le garant du salut d'une nation, d'une cité. *Le bouclier sacré, tombé du ciel sous le règne de Numa, était le palladium des Romains* (⇒ **Amulette**).

♦ **2.** (1748). Littér. (Vieilli). Élément considéré comme un moyen de sauvegarder les intérêts d'un groupe. ⇒ **Bouclier, garantie, sauvegarde.**

(...) il faut suivre à la rigueur la loi civile, qui est le palladium de la propriété.
MONTESQUIEU, l'Esprit des lois, XXVI, XV.

2. PALLADIUM [paladjɔm] n. m. — 1803; mot angl. (1803), du nom de la planète Pallas qui venait d'être découverte (1802).

♦ Chim. Élément (symb. *Pd,* n° at. 46, poids at. 106,7), métal précieux, blanc, très ductile, de densité 12, fusible à 1 550 °C. *Le palladium, extrait autrefois de la mine du platine*, est aujourd'hui un sous-produit de la métallurgie du nickel. Le palladium est utilisé en chimie pour ses propriétés de catalyseur et, sous forme d'alliage, en horlogerie, en mécanique fine, en joaillerie, en orfèvrerie... Sels de palladium employés en photographie. « M. Chenevix a fait connaître une nouvelle substance métallique à laquelle il a donné le nom de palladium »* (C. L. Cadet, *Dict. de chimie*).

DÉR. Palladure.

PALLADO- Élément de mots de chimie, tiré de 2. *palladium.* — Ex. : *palladochlorure,* n. m.; *palladocyanure,* n. m.; etc.

PALLADURE [paladyʀ] n. f. — 1868; de *pallad(ium),* et *-ure.*

♦ Techn. Alliage du palladium* avec un autre métal.

PALLE [pal] n. f. ⇒ 2. **Pale.**

PALLÉAL, ALE, AUX [paleal, o] adj. — 1838; dér. sav. du lat. *palla* « manteau ».

♦ Zool. Relatif au manteau des mollusques. *Cavité* ou *chambre palléale,* qui contient les organes respiratoires des mollusques.

PALLIATEUR, TRICE [paljatœʀ, tʀis] n. — 1739; de *pallier,* et suff. *-ateur.*

♦ Vx. Personne qui pallie (1.), qui cherche à cacher, à déguiser (qqch.). — Adj. ⇒ **Palliatif.**

PALLIATIF, IVE [paljatif, iv] adj. et n. m. — 1314; du lat médical *palliativus,* de *palliare.*

♦ **1.** Adj. Méd. anc. Qui atténue les symptômes d'une maladie sans agir sur sa cause. *Remède, traitement palliatif,* employé pour soulager une maladie incurable. *Médication, cure palliative.*

1 (...) c'était un remède palliatif, et le mal restait toujours.
MONTESQUIEU, l'Esprit des lois, XXXI, XI.

N. m. (1740). Remède qui ne fait que pallier* un mal. *« Le sommeil est un palliatif, la mort est le remède »* (Chamfort).

♦ **2.** N. m. (1729). Mod. Expédient, mesure insuffisante, moyen qui n'a qu'un effet passager.

2 (...) des palliatifs insuffisants et qui ne feront qu'ajourner en France une grande crise morale et politique. BALZAC, le Curé de village, Pl., t. VIII, p. 703.

3 Le désespoir de la situation n'avait plus ni ressource, ni palliatif. On avait épuisé le dernier expédient. HUGO, l'Homme qui rit, I, II, XVIII.

Adj. (1698). Vieilli. *Une mesure palliative.*

CONTR. (De l'adj.) **Efficace.**

PALLIATION [paljasjɔ̃] n. f. — V. 1560; *poliation,* v. 1455; *pauliation* « adoucissement de la couleur » 1314; bas lat. *palliatio.*

♦ **1.** Méd. anc. Action de pallier un mal, une douleur.

♦ **2.** (V. 1455). Fig., vx. Fait de donner un aspect favorable à ce qui est en réalité condamnable. *Palliation d'une faute.*

PALLIDAL, ALE, AUX [palidal, o] adj. — Mil. xxᵉ; de *pallid(um).*

♦ Anat. Du pallidum. *Le système pallidal joue « un rôle important dans les mouvements automatiques, la régulation du tonus musculaire, et l'harmonisation des mouvements »* (A. Galli et R. Leluc, *les Thérapeutiques modernes,* p. 23).

PALLIDECTOMIE [palidɛktɔmi] n. f. — Mil. xxᵉ; de *pallid(um),* et *-ectomie.*

♦ Chir. Destruction du pallidum, en vue de supprimer les symptômes de la maladie de Parkinson.

PALLIDUM [palidɔm] n. m. — Mil. xxᵉ; lat. *pallidus* « pâle ».

♦ Anat. Formation grise interne du noyau lenticulaire du cerveau (on dit aussi *globus pallidus*).

DÉR. Pallidal.
COMP. Pallidectomie.

PALLIER [palje] v. tr. — Conjug. *prier.* — V. 1300; bas lat. *palliare,* proprt « couvrir d'un manteau ».

♦ **1.** Littér. Dissimuler (une faute, une affaire fâcheuse, etc.), chercher à atténuer (une impression défavorable) en présentant sous une apparence spécieuse. ⇒ **Cacher, couvrir** (*supra* cit. 28), **déguiser, voiler.** *Pallier une faute* (→ Combattre, cit. 5; excuser, cit. 3).

(...) l'on ne trouvera sûrement pas que j'aie ici pallié la noirceur de mon forfait. 1
ROUSSEAU, les Confessions, II.

Homme de mérite d'ailleurs, mais fin, méticuleux, défiant, il ne manqua jamais 2
de raisons spécieuses pour pallier les précautions qu'il prenait à mon égard (...)
BALZAC, le Médecin de campagne, Pl., t. VIII, p. 474.

Pauline apporte tous ses soins à pallier les insuffisances et les défaillances d'Oscar, 3
à les cacher aux yeux de tous; et surtout aux yeux des enfants.
GIDE, les Faux-monnayeurs, III, VI.

♦ **2.** (1560). Méd. (vx). Ne guérir (une maladie) qu'en apparence, atténuer (un mal) sans le guérir. ⇒ **Atténuer, diminuer; palliatif, palliation.** *« À la fin d'un long mal vainement pallié »* (→ Esculape, cit. Boileau). — Absolt. *« Ces remèdes ne font que pallier »* (Hatzfeld).

♦ **3.** (xxᵉ). Atténuer, à défaut de mieux, faute de remède véritable. *Pallier un inconvénient, un défaut. Je ne sais que faire pour le pallier.*

Les deux grandes lois que je viens de citer, notamment, s'efforcent à pallier cer- 4
taines infortunes.
G. DUHAMEL, Paroles de médecin, p. 18, cité par GREVISSE.

REM. Dans ce sens, on rencontre couramment la construction *pallier à,* par anal. avec *obvier à, parer à, remédier à;* le tour, critiqué par les puristes, est utilisé par des écrivains consacrés. *« Tout ce que l'homme a inventé pour essayer de pallier aux conséquences de ses fautes »* (A. Gide, *Isabelle,* p. 98). *« On pallie généralement au manque de matériel par des hommes »* (A. Camus, *La Peste,* p. 169), *in* Grevisse, *le Bon Usage,* § 599. REM. 15.

DÉR. (Du même rad.) **Palliatif, palliation.**
HOM. Palier.

PALLIKARE [palikaʀ] n. m. ⇒ **Palikare.**

PALLIUM [paljɔm] n. m. — 1190; *pallion,* v. 1138; lat. *pallium,* « manteau ».

♦ **1.** Liturgie. Ornement sacerdotal, constitué par une bande de laine blanche brodée de croix noires, qui se porte autour du cou à la manière d'un collier, l'une des extrémités pendant sur la poitrine, l'autre sur le dos. *Le pape*, qui porte de droit le pallium, accorde cet insigne aux archevêques, aux patriarches et parfois même à de simples évêques.*

♦ **2.** (xixᵉ; sens repris au lat.). Antiq. rom. Nom que les Romains donnaient à un manteau d'origine grecque pour le distinguer de la toge.

♦ **3.** (1903, *Rev. gén. des sc.,* n° 11, p. 621). Anat. Se dit du cortex cérébral des animaux supérieurs (qui recouvre le cerveau comme un manteau). — Spécialt, zool. Membrane recouvrant les hémisphères cérébraux (poissons).

DÉR. (Du même rad.) V. **Pallier** (et dérivés).

PALMA-CHRISTI [palmakʀisti] n. m. — 1549; mots latins « paume du Christ », ainsi nommé à cause de la feuille en forme de main.

♦ Vx. Nom donné au ricin*. *Huile de palma-christi* (Paré, O. de Serres, *in* Littré).

PALMAIRE [palmɛʀ] adj. — V. 1560; du lat. *palmaris,* de *palma.* → Paume.

♦ Anat. Relatif à la paume de la main. *Régions palmaires externe* (⇒ **Thénar**) *et interne* (⇒ **Hypothénar**). *Muscle palmaire cutané. Muscles interosseux* (→ Inter-, comp.) *palmaires,* ou, n. m. (1802), *les palmaires.* — (1875). *Arcades palmaires :* arcades artérielles, au nombre de deux, qui joignent à la paume de la main les artères radiale et cubitale. *Arcade palmaire profonde, superficielle.*

HOM. Palmer.

PALMARÈS [palmaʀɛs] n. m. — 1842; lat. *palmares* «ceux qui méritent la palme», plur. de l'adj. *palmaris.*

♦ **1.** Liste des lauréats* d'une distribution de prix, liste de récompenses*.

♦ **2.** (1875). Feuille, brochure reproduisant cette liste. *Son nom figure dans le palmarès. Le palmarès annuel d'une classe, d'une école. Le palmarès d'une exposition internationale, d'un concours d'interprétation musicale.* — (XXe). *Le palmarès d'une compétition sportive.* — Par extension :

Il ne s'agit pas d'établir des palmarès : le génie de Giorgione n'affaiblit pas notre admiration pour Titien (...) MALRAUX, les Voix du silence, p. 371.

(1973). Recomm. off. pour remplacer *hit*-parade.*

PALMARIUM [palmaʀjɔm] n. m. — 1903; dér. sav. du lat. *palma.*

♦ Didact. Serre où l'on cultive des palmiers, certaines plantes exotiques. *Les palmariums d'un jardin botanique.*

PALMATI- ⇒ **Palmi-.**

PALMATURE [palmatyʀ] n. f. — 1838; dér. sav. du lat *palmus* «palmé».

♦ **1.** Difformité de la main dont les doigts sont réunis par une membrane (⇒ aussi **Syndactylie**).

♦ **2.** Didact. Membrane joignant les doigts des palmipèdes. ⇒ **Palmure.**

♦ **3.** Vén. Syn. de *paumure.*

1. PALME [palm] n. f. — XIIIe; *paume*, XIIe; lat. *palma*, proprt «paume de la main», et au fig. «palmier», à cause de la disposition des feuilles (palmes) en éventail au sommet de la tige.

♦ **1.** Feuille composée du palmier*. — Cour. Longue feuille composée du dattier (qui n'est pas palmée*, mais pennée*). *Froissement, frémissement des palmes* (→ Cité, cit. 8; grésillement, cit. 2). Allus. évang. *Le dimanche des palmes :* les Rameaux*. *Martyr représenté une palme à la main* (→ ci-dessous, 3., spécialt).

1 Les palmes, toujours indéfiniment les palmes! Il y a les aériennes, groupées en plumets, au bout des tiges trop hautes qui se penchent. Il y a aussi les autres, plus immenses encore, celles des très jeunes arbres, qui jaillissent en faisceau de la terre humide et chaude. Et toutes sont si vertes, si fraîchement lustrées! Au soleil, elles brillent d'un éclat verni (...) LOTI, l'Inde (sans les Anglais), III, X.

2 Ce bel arbitre mobile
Entre l'ombre et le soleil,
Simule d'une sibylle
La sagesse et le sommeil.
Autour d'une même place
L'ample palme ne se lasse
Des appels ni des adieux (...) VALÉRY, Poésies, Charmes, «Palme».

3 Cependant le printemps touchait l'oasis. Une indistincte joie commençait de palpiter sous les palmes. GIDE, Si le grain ne meurt, II, I, p. 34.

Par ext., poét. Branche semblable à une palme (→ Cèdre, cit. 2).

4 Le ciel est, par-dessus le toit,
Si bleu, si calme!
Un arbre, par-dessus le toit,
Berce sa palme. VERLAINE, Sagesse, III, VI.

♦ **2.** (XIIe). Vx. ⇒ **Palmier.** — Loc. (1690). *Vin de palme :* suc fermenté du borasse* et de quelques autres palmiers (aux Indes; ⇒ **Toddy**). — (1768). *Huile de palme*, tirée de la pulpe des fruits de l'éléis* (ou *palmiste*). — (1875). *Sucre de palme :* matière sucrée tirée du jus de certaines espèces de palmiers. — (1875). *Beurre de palme :* matière butyracée extraite des graines de diverses espèces de palmiers.

♦ **3.** (V. 1380). Au sing. *La palme*, symbole de victoire*, de triomphe. *La palme du vainqueur, du lauréat* (⇒ **Palmarès**). *Remporter la palme à l'issue d'un combat, d'une lutte, d'une discussion. Disputer la palme. On lui décerna la palme. À vous la palme! Vous l'emportez!*

5 Le 14 août 1809, dans le palais même de l'empereur d'Autriche, il *(Napoléon)* fait la paix; cette fois, la fille des Césars est la palme remportée (...) CHATEAUBRIAND, Mémoires d'outre-tombe, t. III, p. 178.

6 Puisque je ne te dispute pas la palme du mal, je ne crois pas qu'un autre le fasse : il devrait s'égaler auparavant à moi, ce qui n'est pas facile (...) LAUTRÉAMONT, les Chants de Maldoror, IV.

Spécialt. *La palme du martyre*, et, absolt, *la palme.* *« Mais dans le ciel déjà la palme est préparée »* (Corneille, *Polyeucte*, II, 6.).

♦ **4.** (V. 1170). Archit. (1653). Ornement en forme de feuille palmée stylisée. ⇒ **Palmette.** *Châle de cachemire orné de palmes. Frise de palmes.* (1690). Blason. Ornement composé de deux branches de palmier disposées symétriquement.

♦ **5.** (Du sens 3.). Insigne d'une décoration en forme de palme (feuille pennée) stylisée. — (1866). *Palmes académiques**, et, absolt (1893), *les palmes* (→ Œillade, cit. 2). *Recevoir les palmes.*

«Une somme de trois cents francs reste libre, et aussi un ruban violet d'offi- 7
cier d'Académie, qu'a mis à ma disposition M. le Directeur des Beaux-Arts (...)». (...) une vision surgit devant les yeux de Sainthomme (...) son apothéose glorieuse quand il irait promener son ruban (...) au milieu du murmure flatteur des gens qui font halte sur place et se demandent les uns aux autres : «Quel est donc cet homme distingué qui a les palmes académiques?» COURTELINE, Messieurs les ronds-de-cuir, 6e tableau, II.

♦ **6.** (De *palmé*, 2.). Cour. Nageoire de caoutchouc qui se fixe au pied pour la nage sous-marine et qui augmente la vitesse du nageur. *Mettre des palmes pour faire de la pêche sous-marine. Les palmes et le scaphandre autonome d'un homme-grenouille.*

DÉR. Palmette, palmier, palmitine (et dér.), **palmure.** — V. aussi (du lat.) **Palmé, palmi-.** — (De l'esp.) **Palmiste, palmite.**

2. PALME [palm] n. m. — 1553; lat. *palmus*, tiré de *palma* (→ 1. Palme).

♦ Antiq. Mesure d'environ un travers, une paume de main. *Le palme et l'empan, unités de longueur* ayant pour base la main. Le palme était usité dans le Midi de la France* (Nice), *en Sardaigne...*

En voyant sa gondole à quelque cent palmes de la mienne, il me semble qu'on me place un fer chaud dans le cœur. BALZAC, Massimilla Doni, Pl., t. IX, p. 319.

PALMÉ, ÉE [palme] adj. — 1754, «qui a des cornes à empaumure aplatie»; «orné de palmes», XVIe; du lat. *palmatus.*

♦ **1.** (1758). Bot. Qui est disposé comme les doigts autour de la paume. *Feuille palmée*, à nervation palmée, à folioles rayonnantes et nettement séparées. *Feuille palmée dont les divisions atteignent le milieu du limbe* (feuille palmifide), *approchent* (feuilles palmiparties), *ou atteignent* (feuilles palmiséquées) *la base du limbe. Feuille palmée à divisions arrondies* (palmilobée). *Certaines feuilles qui ne sont pas palmées, mais pennées, portent couramment le nom de palmes*.*

♦ **2.** (1783). Zool., cour. Dont les doigts sont réunis par une membrane. *Pattes, pieds palmés de certains oiseaux.* ⇒ **Palmipèdes.** — (En parlant des doigts réunis par une membrane). *Le canard, l'oie ont trois doigts palmés.*

Par anal. *Doigts palmés.* ⇒ **Palmature, palmure.**

Loc. fam. *Avoir les pieds palmés :* être paresseux, inactif (→ Pieds nickelés*). *Avoir les pattes palmées* (même sens). — Ellipt. *Les avoir palmés.*

♦ **3.** Fam., vx. Décoré des palmes académiques. *« Un licencié ès-lettres, s'il vous plaît, et palmé comme tel »* (Villiers de l'Isle-Adam, *in* G. L. L. F.).

PALMÉE [palme] n. f. — 1368, «poignée de main», d'où «adjudication, enchère», 1611; du lat. *palma* «paume». → Paume, paumée dans des sens voisins.

♦ Littér., rare. Fait de saisir dans la paume de la main; ce qu'on saisit.

(...) Papadakis, qui était d'une force peu commune, tirait calmement, palmée par palmée, les mains dures, les biceps saillants (...) B. CENDRARS, Bourlinguer, p. 173.

1. PALMER [palme] v. tr. — 1723; «polir avec la paume», 1611, Cotgrave; dér. du lat. *palma* «paume de la main».

♦ Techn. Aplatir la tête de (une aiguille), pour pouvoir y percer le chas.

2. PALMER [palmɛʀ] n. m. — 1877; du nom de l'inventeur Jean-Louis *Palmer.*

♦ Instrument de mesure de précision composé d'une pointe fixe et d'une pointe mobile (entraînée par une vis graduée), entre lesquelles on place l'objet dont on veut mesurer l'épaisseur. *Le palmer est utilisé par les planeurs, les tourneurs, les horlogers.*

HOM. Palmaire.

3. PALMER [palme] v. intr. — V. 1965; de 1. *palme.*

♦ Sports. Nager au moyen des palmes. *« Le plongeur en palmant normalement... »* (*Bêtes et nature*, no 33, p. 31).

PALMERAIE [palmәʀɛ] n. f. — 1607, *palmeraye;* rare jusqu'au XIXe, absent de Littré et P. Larousse, qui donnent en ce sens *palmérier*, encore néol. pour Hatzfeld; dér. de *palmier.*

♦ Plantation de palmiers. *Les palmeraies d'une oasis*. Les palmeraies de Biskra, de Marrakech, d'Elche* (Espagne). *Ksar* (cit.) *dans une palmeraie.*

1 (...) quelle magnificence de végétation représentent ces jardins du M'zab! (...) tandis que dans d'autres oasis sahariennes, l'orge ou les fèves sont cultivées aux pieds des palmiers, elles sont souvent ici rejetées sur le bord de la palmeraie, sur la lisière de la forêt, et forment autour des jardins une frange de vert plus clair.
Jean BRUNHES, la Géographie humaine, t. II, p. 600-601.

2 Nour pensait qu'ils pourraient se reposer et boire à satiété, mais la palmeraie était petite, rongée par la sécheresse et par le vent du désert. Les grandes dunes grises avaient mangé l'oasis, et l'eau était couleur de boue.
J.-M. G. LE CLÉZIO, Désert, p. 230.

PALMETTE [palmɛt] n. f. — 1694; dér. de 1. *palme.*

♦ **1.** (XIXe). Vx. Branche ou feuille composée qui rappelle par son aspect la branche de palmier. *Palmette de fougère.*

♦ **2.** Archit. Ornement formé de petites palmes en éventail, stylisées et vues de face, ou de longues palmes pennées s'évasant symétriquement de chaque côté d'une tige. *Palmette simple, double, propre à la décoration de style Empire. Palmettes ornant un antéfixe, une moulure*, une frise...* — Reliure, mode (1835). Ornement en forme de palme. *Décor de palmettes sur les plats.*

♦ **3.** (1842). Arbor. Forme de taille des arbres fruitiers en espalier* ou en contre-espalier (les branches s'évasant symétriquement de part et d'autre de la tige). *La taille en candélabre est une forme particulière de palmette.*

♦ **4.** (XXe). Techn. Petit ornement, forgé dans la masse, qui termine un barreau, un enroulement, etc.

PALMI- Premier élément de mots savants, du lat. *palma* « paume » et « palmier, palme, fruit du palmier ».

PALMIER [palmje] n. m. — V. 1119; de 1. *palme.*

♦ **1.** Arbre des régions chaudes (*Phanérogames angiospermes;* famille des *Palmacées*), à tige simple, nue et rugueuse (⇒ **Stipe**), que couronne un bouquet de grandes feuilles palmées ou pennées (⇒ 1. **Palme**) disposées en éventail, à fleurs en grappes (⇒ **Régime**), et dont les fruits sont des baies ou des drupes (→ Chevelu, cit. 3; éventail, cit. 5; froisser, cit. 12; gris, cit. 8; indigène, cit. 1). *Principaux palmiers.* ⇒ **Arec** (aréquier), **attaléa, borasse** (borassus), **chamerops, cocotier, dattier, doum, éléis, latanier, nipa, palmiste, phœnix, phytéléphas, raphia, rotin** (rotang), **sagoutier, tallipot, washingtonia.** *Palmier à cire* (céroxyle), *à sucre* (borasse), *à huile* (éléis; → Huile, cit. 4). *Palmiers nains* (chamerops, doum, nipa... → Aride, cit. 3). *Palmier doum. Palmier raphia. Palmier rônier.* — Myth. *Le palmier et le laurier, arbres d'Apollon.*

Spécialt. Dattier (aussi appelé *palmier-dattier*). *Plantation de palmiers.* ⇒ **Palmeraie** (cit. 1). *Palmiers de serre, en caisses, en pots.* — *Fécule* (⇒ **Sagou**), *moelle* (⇒ **Palmite**) *de palmier. Les dattes, noix de coco, chou* palmistes, produits comestibles du palmier.* — *Fibre* (⇒ **Piassava, raphia**), *crin* végétal, corde de bourre* (cit. 3) *de palmier. Le corozo* est tiré d'un palmier.*

Il y a cinq palmiers espacés dans la longueur du ravin; leur tête apparaît de loin par-dessus la ligne de la plaine. Trois ont poussé de la même souche; ils sont échevelés, à moitié morts, tout jaunes. Le vent, qui fait un bruit d'enfer dans leurs bouquets de palmes, les rebrousse entièrement comme un parapluie retourné.
E. FROMENTIN, Un été dans le Sahara, p. 99.

♦ **2.** (XXe; de *feuille de palmier*). Gâteau plat, en forme de palmette, de palme en éventail, et à pâte feuilletée.

DÉR. Palmeraie.

PALMIFIDE [palmifid] adj. — 1874, P. Larousse; de *palmi-,* et du lat. *findere* « fendre ».

♦ Bot. Se dit d'une feuille à nervures palmées dont les divisions vont jusqu'au milieu du limbe. — REM. On dit aussi *palmatifide* [palmatifid] adj. (XXe; du lat. *palmatus*).

PALMIFORME [palmifɔʀm] adj. — 1846, en bot.; de *palmi-,* et *-forme.*

♦ Archit. (XXe). *Colonnes palmiformes* (ou *dactyliformes*) *de l'art égyptien :* colonnes dont le chapiteau est en forme de palmier ou de doigts assemblés.

PALMILOBÉ, ÉE [palmilɔbe] adj. — 1845; de *palmi-,* et *lobé.*

♦ Bot. Se dit d'une feuille palmée aux divisions arrondies. — REM. On dit aussi *palmatilobé, ée* [palmatilɔbe] adj. (XXe; de *palmatus*).

PALMINERVÉ, ÉE [palminɛʀve] adj. — 1875; *palminerve,* 1868; de *palmi-,* et *nerv(ure).*

♦ Bot. Se dit d'une feuille à nervures palmées. — REM. On dit aussi *palmatinervé, ée* [palmatinɛʀve] adj. (XXe; du lat. *palmatus*).

PALMIPARTI, E [palmipaʀti] ou PALMIPARTITE [palmipaʀtit] adj. — 1845; de *palmi-,* et *parti* (divisé); lat. *partitus* « divisé ».

♦ Bot. Se dit d'une feuille palmée dont les divisions vont presque à la base du limbe. — REM. On dit aussi *palmatipartite* [palmatipaʀtit] adj. (XXe; de *palmatus*).

PALMIPÈDE [palmipɛd] adj. et n. m. — 1555, attestation isolée; repris en 1760, adj.; lat. *palmipes, -pedis.*

♦ Zool., cour. Dont les pieds sont palmés* (en parlant de certains oiseaux aquatiques). *Oiseaux palmipèdes,* et, n. m., *les palmipèdes :* oiseaux à pattes palmées (Alciformes, ansériformes ou lamellirostres; Colymbiformes; Lariformes; Pélécaniformes [ou Stéganopodes]; Phœnicoptériformes; Procellariiformes). *Principaux palmipèdes :* ⇒ **Albatros, canard, cormoran, cygne, fou, frégate, goéland, gourfou, grèbe, guillemot, harle, hirondelle** (de mer), **macareux, manchot, mouette, oie, pélican, pétrel, pingouin, plongeon, plongeur, sarcelle, stercoraire, tadorne...**

Spécialt. Ordre d'oiseaux ne comptant que des « totipalmes » (aux pattes entièrement palmées). *« Palmipèdes », dans la classification des oiseaux, est synonyme de* « pélécaniformes » (ou *stéganopodes*).

PALMISÉQUÉ, ÉE [palmiseke] adj. — 1874; de *palmi-,* et lat. *sectus* « coupé ».

♦ Bot. Se dit d'une feuille palmée dont les divisions vont jusqu'à la base du limbe (ex. : feuille de marronnier). — REM. On dit aussi *palmatiséqué* [palmatiseke] adj. (XXe; du lat. *palmatus*).

PALMISTE [palmist] n. m. — 1601; mot créole des Antilles, de l'esp. ou du port. *palmito* « petit palmier », modifié d'après le suff. *-iste.*

A. ♦ **1.** Palmier du genre *arec* ou variété de cocotier dont le bourgeon terminal (⇒ **Chou** [chou palmiste]), formé des feuilles tendres de la pousse nouvelle, est comestible. *Bosquets de palmistes* (→ Long, cit. 10).

Virginie aperçut parmi les arbres de la forêt un jeune palmiste. Le chou que la cime de cet arbre renferme au milieu de ses feuilles est un fort bon manger; mais quoique sa tige ne fût pas plus grosse que la jambe, elle avait plus de soixante pieds de hauteur. 1
BERNARDIN DE SAINT-PIERRE, Paul et Virginie, p. 33.

♦ **2.** (XXe). Palmier à huile (éléis). — (Franç. d'Afrique). Amande du palmier à huile. *Huile de palmiste.*

(...) il croyait que le commerce prospérait et que les brimades cesseraient. Hélas, d'année en année, le prix du kilo de palmistes avait diminué. À plusieurs reprises, il avait ramené chez lui de pleins paniers de produits invendus, tellement le prix offert paraissait modique. Fiogbé connut la famine et la détresse. 1.1
Jean PLIYA, l'Arbre fétiche, *in* Littératures de langue franç. hors de France, p. 123.

B. ♦ **1.** (1753). *Palmiste,* et, par appos., *rat palmiste.* ⇒ **Xérus.**

Le palmiste est de la grosseur d'un rat ou d'un petit écureuil; il passe sa vie sur les *palmiers,* et c'est de là qu'il a tiré son nom; les uns l'appellent *rat-palmiste,* et les autres l'*écureuil des palmiers;* et comme il n'est ni écureuil ni rat, nous l'appellerons simplement *palmiste.* 2
BUFFON, Hist. nat. des animaux, Le palmiste.

♦ **2.** (1765; *ver du palmiste,* v. 1730). Par appos. *Ver palmiste :* larve de charançons (calandres) vivant dans les palmiers.

♦ **3.** (1775, Buffon). Zool. Passereau des Antilles et de quelques autres régions chaudes.

PALMITATE [palmitat] n. m. — 1874, P. Larousse; de *palmit(ine),* et *-ate.*

♦ Chim. Sel ou ester de l'acide palmitique. *Palmitate de sodium, utilisé pour solidifier l'essence dans la fabrication du napalm.*

PALMITE [palmit] n. m. — 1590; esp. *palmito.*

♦ Techn. Moelle* comestible du palmier.

PALMITINE [palmitin] n. f. — 1855; dér. de 1. *palme.*

♦ Chim. Ester (triester) de la glycérine (triglycéride) et de l'acide palmitique, substance solide, grasse, qui est l'un des constituants de l'huile de palme.

DÉR. Palmitate, palmitique.

PALMITIQUE [palmitik] adj. — 1855; de *palmit(ine).*

♦ Chim. *Acide palmitique :* acide gras ($C_{15}H_{31}COOH$), très abondant dans les lipides d'origine animale et les huiles végétales *L'acide palmitique forme avec la glycérine la palmitine.*

PALMURE [palmyʀ] n. f. — 1846, Bescherelle ; de 1. *palme.*

♦ **1.** Zool. Membrane qui joint les doigts des palmipèdes. — REM. On emploie parfois *palmature.* — Membrane des pattes des batraciens.

Il existe aussi en Indo-Malaisie des espèces (...) connues sous le nom de Grenouilles volantes : non seulement leur palmure est très étendue mais encore souvent l'avant-bras et le pied sont garnis de franges cutanées qui concourent à freiner la chute lorsque l'animal s'élance du haut d'une branche.
Jean GUIBÉ, les Batraciens, p. 48.

♦ **2.** (XXe). Pathol. Bride cutanée due à une malformation ou à une brûlure grave. *Palmure interdigitale.*

PALOIS, OISE [palwa, waz] adj. et n. — 1890, *in* Larousse, *Deuxième Suppl.* ; dér. sav. du lat. *Palus,* nom lat. de *Pau.*

♦ De la ville de Pau. — *Un Palois, une Paloise* : un habitant, une habitante de Pau.

PALOMBE [palɔ̃b] n. f. — 1539, J. Canappe, in *le Français moderne* ; languedocien et gascon *palomba, paloma* (cf. esp. *paloma*) ; du lat. *palumba.*

♦ Régional (Sud, Sud-Ouest de la France). Pigeon* ramier (→ Lustrer, cit. 2). *La palombe est un gibier apprécié.* — REM. La var. *palonne,* signalée par certains dictionnaires, semble inusitée.

Bientôt passeraient les palombes : il fallait s'occuper des appeaux, leur crever les yeux.
F. MAURIAC, Thérèse Desqueyroux, VI.

DÉR. Palombière ou palomière, palonnière.

PALOMBIÈRE [palɔ̃bjɛʀ] n. f. — Déb. XXe ; *palonière,* 1788 ; de *palombe.*

Régional (Sud, Sud-Ouest de la France).

♦ **1.** Filet employé dans la chasse aux palombes.

♦ **2.** Endroit aménagé pour la chasse à l'affût des palombes.

J'évitais les bois où, à cause des palombières, il faut s'arrêter à chaque instant, siffler, attendre que le chasseur, d'un cri, vous autorise à repartir (...)
F. MAURIAC, Thérèse Desqueyroux, VI.

REM. Les formes *palomière* [palɔmjɛʀ], *palonnière* [palɔnjɛʀ] sont peu usitées.

PALOMBIN [palɔ̃bɛ̃] n. m. — 1823 ; *palombino,* 1818 ; mot ital. ; de *palombo* « pigeon ramier » (→ Palombe), par anal. de couleur.

♦ Techn. Marbre blanc à grain très fin.

PALONNIER [palɔnje] n. m. — 1694 ; var. des formes *palonnel* (1383), *palonneau* (1611) ; dér. probable d'un anc. franç. **palon,* du lat. *palus* « pieu » (Bloch, Wartburg) plutôt qu'altér. de *paronnel,* de même rac. qu'*épar* (Dauzat).

♦ **1.** Barre transversale placée à l'avant d'un véhicule ou d'un instrument de culture à traction animale, et aux extrémités de laquelle on fixe les traits. *Le palonnier est relié à la caisse par un anneau ou un pivot médian. Voiture à palonnier, sans brancards. Palonnier de charrue, de herse...*

1 Oscar admira la vivacité que Pierrotin déployait en décrochant les traits des palonniers pendant que son conducteur défaisait les guides des chevaux de volée.
BALZAC, Un début dans la vie, Pl., t. I, p. 750.

2 La cahute, sorte de cabane-voiture qui suivait l'itinéraire le plus varié, sans sortir pourtant d'Angleterre et d'Écosse, avec quatre roues, plus un brancard pour le loup, et un palonnier pour l'homme.
HUGO, l'Homme qui rit, I, I, II.

♦ **2.** (Par anal. de forme). Techn. **a** (Automobile). *Palonnier compensateur de freinage* : dispositif servant à égaliser l'action des freins sur chacun des tambours.

b (1920). Plus cour. Dispositif de commande du gouvernail de direction (d'un avion) consitué par une barre articulée sur un pivot et manœuvrée aux pieds (→ Commande, cit. 7). *Manœuvrer simultanément le palonnier et le manche à balai pour changer de direction.*

3 (...) si je réduis le moteur de gauche, il me faudra compenser la traction latérale du moteur de droite, laquelle tendra évidemment à faire pivoter l'avion vers la gauche. Il me faudra résister à cette rotation. Or, le palonnier, dont dépend cette manœuvre, est, lui aussi, entièrement gelé.
SAINT-EXUPÉRY, Pilote de guerre, XII.

Techn. Dispositif mobile assurant la liaison entre un appareil de manutention (grue, portique, etc.) et un conteneur. *Palonnier orientable, télescopique.*

1. PALOT [palo] n. m. — 1415, « bêche » ; dér. de 1. *pale,* var. de *pelle.*

♦ **1.** Techn. Pelle d'une forme particulière, utilisée par les tourbiers.

♦ **2.** (1771). Régional. Bêche étroite servant à retirer les vers, les coquillages, etc., du sable, de la vase.

DÉR. Paloter.
HOM. 2. Palot, 3. palot.

2. PALOT [palo] n. m. — 1628 ; de *palot* « pieu ». → 3. Palot, dér. de *pal.*

♦ Vx. (Langue classique). Homme rustre, grossier et stupide. *Un gros palot.* ⇒ **Palotin.**

HOM. 1. Palot, 3. palot.

3. PALOT [palo] n. m. — 1771 ; dimin. de *pal.*

♦ Régional. Piquet, pieu, sur lequel sont tendues les lignes garnies d'hameçons.

HOM. 1. Palot, 2. palot.

PÂLOT, OTTE [pɑlo, ɔt] adj. — 1774 ; *pallaud,* XVIe ; de *pâle.*

♦ Assez pâle, un peu pâle* (se dit surtout en parlant des enfants). ⇒ aussi **Pâlichon.**

Mais qu'as-tu ? Je te trouve pâlotte, ma chère. 1
BALZAC, la Cousine Bette, Pl., t. VI, p. 316.

Et ton cher petit, tout pâlot (...) je lui rendrai les belles couleurs de son ber- 2
ceau (...) BAUDELAIRE, Du vin et du haschisch, II.

Subst. (Rare). *Un petit pâlot assez chétif.*

CONTR. Rose, vermeil.

PALOTAGE [palɔtaʒ] n. m. — 1838 ; de *paloter.*

♦ Vx ou régional. Action de paloter le sable, la terre.

PALOTER [palɔte] v. tr. — Fin XVe ; de 1. *palot.*

♦ Vx ou régional. Remuer, fouiller (le sable, la terre) avec un palot.

DÉR. Palotage.

PALOTIN [palɔtɛ̃] n. m. — 1888, Jarry, *Ubu roi* ; création plaisante désignant les conspirateurs alliés à Ubu, et devenus ses courtisans, p.-ê. dér. de 2. *palot* « homme stupide ».

♦ Littér., plais. Personnage insignifiant (avec influence de *pâlot, falot...*). → 2. Boulotter, cit. 1.

Quand tu t'adresses à quelqu'un, à un zèbre, à un palotin, enfin à un monsieur très bien, c'est-à-dire à un type quelconque, donne-lui toujours tous ses titres, et même ceux qu'il n'a pas.
G. DUHAMEL, Chronique des Pasquier, IV, I.

Personnage officiel plus ou moins ridicule.

PALOURDE [paluʀd] n. f. — 1540 ; *palorde,* XIIIe (nombreuses variantes) ; lat. pop. **pelorida,* du lat. *peloris, idis,* mot grec, désignant un mollusque bivalve des mers chaudes, la *chame* ou *chama.*

♦ Mollusque, coquillage bivalve comestible, du genre *Venerupis,* sous-genre *Tapes* (les praires appartiennent aux genres *Venus*). *La palourde vit dans des sables envasés, à mi-estran ; sa coquille subovale quadrangulaire est striée ; les principales variétés commercialisées sont le* Venerupis decussatus *et le* Venerupis rhomboïde, *à stries concentriques. D'autres palourdes* (*Venerupis pullastra,* à intérieur violacé ; *Venerupis aureus,* plus triangulaire) *ne sont pas exploitées commercialement, car elles voyagent mal. Culture des palourdes (vénériculture, ou tapiculture).*

(En parlant d'autres coquillages). *Palourde de vase.* — Régional. *Palourde d'ivrogne* : la *Dosimia exoleta.*

PALPABILITÉ [palpabilite] n. f. — 1769 ; de *palpable.*

♦ Rare. Caractère de ce qui est palpable ou évident. *La palpabilité d'un fait, d'une preuve.* ⇒ **Évidence.**

PALPABLE [palpabl] adj. — 1372 ; lat. *palpabilis,* dér. de *palpare.* → Palper.

♦ **1.** Qui peut ête palpé, touché ; qui se fait sentir au toucher. ⇒ **Matériel.**

(...) l'aveugle-né rapporte tout à l'extrémité de ses doigts. Nous combinons des points colorés ; il ne combine, lui, que des points palpables, ou, pour parler plus exactement, que des sensations du toucher dont il a mémoire. 1
DIDEROT, Lettre sur les aveugles, Pl., p. 852.
(Cf. aussi le passage sur « l'Arithmétique palpable » [tactile] de Saunderson, p. 100).

2 (...) la palpable réalité de la chair admirable, de la chair élastique et blanche, ronde et ferme et délicieuse sous l'étreinte.
MAUPASSANT, la Vie errante, « La Sicile ».

♦ **2.** (Déb. XVIe). Dont on peut s'assurer par les sens, et particult, par le toucher. ⇒ **Matériel, sensible, tangible.** *Avantages palpables :* positifs, bien réels. ⇒ **Concret.** — (Abstrait). *Bonheur palpable* (→ Forme, cit. 30).

3 (...) c'est *(la force)* une qualité palpable, au lieu que la justice est une qualité spirituelle (...)
PASCAL, Pensées, XIV, 878.

4 (...) sa succession a été réclamée à la Compagnie des Indes par le gouvernement français, reprit le notaire. Elle est en ce moment liquide et palpable.
BALZAC, la Peau de chagrin, Pl., t. IX, p. 162.

5 La danse peut révéler tout ce que la musique recèle de plus mystérieux, et elle a de plus le mérite d'être humaine et palpable. La danse (...) c'est la matière, gracieuse et terrible (...)
BAUDELAIRE, la Fanfarlo.

♦ **3.** (1580, abstrait). Dont on peut s'assurer, que l'on peut vérifier avec certitude. ⇒ **Clair, évident.** *Preuves solides et palpables,* que l'on peut vérifier directement (→ Toucher du doigt, par métaphore), qui tombent sous le sens (→ Dieu, cit. 34, Pascal). *Principes palpables* (→ Esprit, cit. 125). *Différences palpables,* évidentes.

6 Tâchons néanmoins, disait-il *(Buffon),* de rendre la vérité plus palpable ; augmentons le nombre des probabilités ; rendons la vraisemblance plus grande ; ajoutons lumières sur lumières, en réunissant les faits, en accumulant les preuves (...)
SAINTE-BEUVE, Causeries du lundi, 21 juil. 1851.

CONTR. Impalpable. — Immatériel, spirituel. — Illusoire, imaginaire, irréel. — Aléatoire, douteux, incertain, problématique.
DÉR. Palpabilité, palpablement.

PALPABLEMENT [palpabləmɑ̃] adv. — 1584 ; de *palpable.*

♦ Rare. D'une manière palpable. Fig. *Un projet « palpablement insensé »* (Saint-Simon, *in* Littré).

L'être qui était enveloppé du suaire s'avança audacieusement et palpablement dans le milieu de la chambre.
BAUDELAIRE, Trad. E. POE, Histoires extraordinaires, « Ligeia ».

PALPAGE [palpaʒ] n. m. — Mil. XXe (attesté 1973), de *palper,* et *-age.*

♦ Techn. Opération effectuée par un palpeur*. *Dispositif de palpage photoélectrique.*

PALPATION [palpasjɔ̃] n. f. — 1833 ; de *palper.*

♦ Méd. Examen qui consiste à appliquer la pulpe des doigts ou la main entière sur les parties extérieures du corps pour apprécier au toucher les caractères physiques des tissus, la sensibilité des organes, etc. ⇒ **Attouchement, toucher.** *Palpation abdominale pour vérifier la position du fœtus.* — REM. On emploie aussi *palper* [palpe], nom masculin.

PALPE [palp] n. f. ou m. — 1802 ; de *palper.*

♦ **1.** Zool. Organe sensoriel en forme d'appendice mobile, chez les animaux de certains groupes (Annélides, Crustacés, Insectes, Arachnides et Mollusques lamellibranches). — REM. Les naturalistes font souvent *palpe* du masculin. — *Palpes labiales, maxillaires des insectes. Les palpes sont placées autour de la bouche ; elles servent d'organes tactiles et de préhension* (des aliments).

♦ **2.** (1819). Vx ou littér. Barbillon de certains poissons. — REM. On emploie aussi *palpet* [palpɛ] n. m.

Sur le faîte, aux angles, deux poissons roses, dont les longues palpes de cuivre tremblotent, se recourbent (...)
CLAUDEL, Connaissance de l'Est, « Pagode ».

COMP. Pédipalpe.

PALPÉBRAL, ALE, AUX [palpebʀal, o] adj. — 1748 ; lat. *palpebralis,* dér. de *palpebra.* → Paupière.

♦ Anat. Relatif aux paupières*. *Artère palpébrale supérieure, inférieure. Veines palpébrales internes, externes. Muscles, ligaments palpébraux. Poils palpébraux.* ⇒ **Cil.** — *Réflexe palpébral.* — (1875). *Région palpébrale,* qui comprend toute la paupière supérieure.

1. PALPER [palpe] v. tr. — 1488 ; *palpar* en anc. provençal au XIIe ; lat. *palpare.*

REM. Ce mot, relevé par Littré dans Paré, semble inusité au XVIIe s. et rare au XVIIIe s. (→ Doigt, cit. 1, Buffon) ; il n'apparaît que dans la 5e éd. du Dict. de l'Académie (1798) où il est qualifié de familier.

♦ **1.** Toucher avec la main, les doigts, doucement et à plusieurs reprises dans l'intention de connaître, d'examiner*. ⇒ **Manier, masser, tâter, toucher** (→ Gonfler, cit. 7). *Les aveugles palpent les objets pour les reconnaître. Médecin* (cit. 8) *qui palpe un patient* (→ Manipuler, cit. 3). *Palper un tissu* (→ Expert, cit. 5 ; laine, cit. 8). *Palper un melon* (cit. 3). — Par ext. *Main, doigts qui palpent un corps* (→ Élastique, cit. 1).

(...) la vieille vit la redingote accrochée à un clou, et la scruta : la doublure avait été recousue. La bonne femme la palpa attentivement, et crut sentir dans les pans et dans les entournures des épaisseurs de papier. D'autres billets de mille francs sans doute ! 1
HUGO, les Misérables, II, IV, IV.

Et le marbre est vivant. On le voudrait palper, avec la certitude qu'il cédera sous la main, comme de la chair. 2
MAUPASSANT, la Vie errante, « La Sicile ».

Noirs de terre et de crasse humaine, ses doigts de soldat avaient su palper, à coup sûr, des effigies de médailles et de monnaies, reconnaître la tige et la feuille des plantes dont il ignorait les noms (...) 3
COLETTE, la Fin de Chéri, p. 8.

Cette promenade dans l'obscurité parlait à son imagination et, tout en palpant les murs et les meubles de ses doigts écartés, elle redoutait le moment où il faudrait allumer une lampe (...) 4
J. GREEN, Léviathan, II, IX.

Spécialt. Caresser (→ Haletant, cit. 5, Flaubert). ⇒ **Peloter** (fam.).

♦ **2.** (1765, *in* Brunot). Fig., fam. Toucher, recevoir (de l'argent, une somme d'argent). → Offre, cit. 7, Balzac. *Vous avez palpé la dot, l'argent* (Académie, 5e éd., 1798). — Absolt. *Il a déjà assez palpé dans cette affaire.*

— Vous m'apportez donc cent mille écus ? (...) — Oui, monsieur, vous allez voir. Ou vos héritiers les palperont nécessairement si vous venez à mourir, puisque l'entreprise s'engage à les leur compter, ou vous les touchez par vos travaux d'art, par vos heureuses spéculations si vous vivez. 5
BALZAC, l'Illustre Gaudissart, Pl., t. IV, p. 34.

DÉR. Palpation ou **palper, palpe, palpeur.**

2. PALPER [palpe] n. m. — 1868, t. de méd. ; de *palper.*

♦ Rare et didact. Action de palper. — Spécialt, méd. ⇒ **Palpation.** *Palper bimanuel. Paroi abdominale dure au palper.*

PALPEUR, EUSE [palpœʀ, øz] adj. et n. m. — 1827 ; de *palper.*

♦ **1.** Zool., vx. Qui a de longues palpes. — REM. On disait aussi *palpiste* [palpist] (1803). — (Déb. XXe). Mod. Qui fait office de palpe. *Organe palpeur.*

♦ **2.** N. m. (V. 1920). Techn. Se dit des pièces de certains appareils de mesure qui explorent l'objet à calibrer, à mesurer.

♦ **3.** N. m. (XXe). Dispositif d'une cuisinière électrique qui mesure la température du récipient chauffé et qui assure le réglage du thermostat.

♦ **4.** N. m. Sc. Faisceau de fibres optiques situées au centre d'un écran, sur un appareil de mesures en coordonnées rectangulaires. ⇒ **Palpage.**

1. PALPITANT, ANTE [palpitɑ̃, ɑ̃t] adj. — 1519 ; de *palpiter.*

A. ♦ **1.** Qui palpite ; qui est agité de contractions, de frémissements, de convulsions. ⇒ **Pantelant.** *Entrailles palpitantes d'un animal* (→ Haut-le-cœur, cit. 1). *Cadavre encore palpitant. Blessure palpitante.* — Par métaphore (→ Dissection, cit. 2).

Un prêtre, environné d'une foule cruelle (...) 1
Dans son cœur palpitant consultera les Dieux !
RACINE, Iphigénie, IV, 4.

Cœur palpitant (→ Angoisse, cit. 2). ⇒ 2. **Palpitant.** — *Sein palpitant, poitrine palpitante* (→ Confondre, cit. 15). *Narines, paupières palpitantes.*

Une main l'attirait, palpitante de joie ; 2
Déjà deux bras ardents, de baisers enchaîné,
L'avaient comme une proie à l'alcôve traîné.
A. DE MUSSET, Première poésies, « Portia », II.

(...) et, prenant les mains de sa mère, elle les pressa sur ses seins palpitants. 3
FRANCE, Les dieux ont soif, XVIII.

♦ **2.** (1690). Personnes. Qui respire avec des mouvements saccadés. *Être tout palpitant d'angoisse, d'émotion,* violemment ému. ⇒ **Tremblant** (→ Gorge, cit. 8 ; haleine, cit. 17 ; ombrager, cit. 2).

Les mères ont frémi ; les vierges palpitantes, 4
Ô calife, ont pleuré leurs jeunes ans flétris (...)
HUGO, les Orientales, XXIII.

♦ **3.** Par anal. *Lueurs palpitantes,* vacillantes.

(...) la lumière mourante, éparpillée, palpitante, combattue incessamment par l'envahissement de l'ombre. 5
TAINE, Philosophie de l'art, t. II, p. 305.

♦ **4.** (Déb. XXe). Par ext., littér. Qui restitue des mouvements affectifs violents. *Œuvres palpitantes de passion* (→ Évertuer, cit. 7).

B. (V. 1800). Qui fait palpiter ; qui excite l'émotion, un vif intérêt. ⇒ **Émouvant, intéressant, saisissant.** *Récit, roman, film palpitant. L'endroit, le passage le plus palpitant d'une histoire. Événements, expériences d'un intérêt palpitant. Ce n'est pas très palpitant.* ⇒ **Excitant, intéressant.**

(...) il nous eût présenté une vie palpitante d'intérêt, et non un simple récit. 6
BALZAC, le Feuilleton, XXXV, *in* Œ. diverses, t. I, p. 420.

Voilà une heureuse nouvelle, d'un prodigieux intérêt ! Oui, palpitant, en vérité. 7
COURTELINE, Messieurs les ronds-de-cuir, IIe tableau, II.

2. PALPITANT [palpitɑ̃] n. m. — 1725 ; de 1. *palpitant.*

♦ Argot, puis fam. (vieilli). Cœur.

PALPITATION [palpitɑsjɔ̃] n. f. — 1538; lat. *palpitatio.*

♦ **1.** (1694, au plur.). « Battement de cœur sensible et incommode pour le malade, plus fréquent que dans l'état naturel et quelquefois inégal... » (Laënnec). *Les palpitations de cœur sont le plus souvent d'origine nerveuse* (excitation de certains nerfs; effort musculaire; inhibition du centre modérateur cardiaque pendant la déglutition, etc.) *et surtout psychophysiologique* (émotions). *Avoir des palpitations* (→ Haleine, cit. 16).

1 (...) il m'a dit s'être un moment arrêté. Les palpitations de son cœur étaient si fortes, si profondes, si sonores, qu'il en avait été comme épouvanté.
BALZAC, l'Auberge rouge, Pl., t. IX, p. 968.

2 (...) je courus comme un fou jusqu'à sa maison. Alors, craignant de la déranger pendant son repas, j'attendis, en nage, dix minutes, devant la grille. Je pensais que pendant ce temps mes palpitations de cœur s'arrêteraient. Elles augmentaient, au contraire.
R. RADIGUET, le Diable au corps, p. 38.

♦ **2.** (1835). Contraction, frémissement convulsif (et relativement léger, par rapport à *convulsion* ou *spasme*). *Palpitations des paupières, des ailes du nez.* — Par ext. *La riche et frémissante palpitation de la vie* (→ Chair, cit. 24).

3 Toutes ces femmes tenaient à la main une fleur de lotus bleue, rose ou blanche, et respiraient amoureusement, avec des palpitations de narines, l'odeur pénétrante qui s'exhalait du large calice.
Th. GAUTIER, le Roman de la momie, IV.

♦ **3.** (1857). Fig., littér. (Choses inanimées). Frémissement, mouvement alternatif (oscillation, pulsation)... *La palpitation des étoiles* (→ Indéfinissable, cit. 3), *de l'horizon* (→ Indistinct, cit. 4), *d'une flamme.* ⇒ **Vibration.**

4 La palpitation de la mer se faisait sentir dans cette cave.
HUGO, les Travailleurs de la mer, II, I, XIII.

5 Après avoir monté l'escalier, en arrivant à un palier inconnu il se sentit brusquement loin de sa mère. Et au creux de sa poitrine une palpitation faible mais immense s'éveilla, comme au loin l'incessante palpitation de la mer.
PROUST, Jean Santeuil, Pl., p. 256.

♦ **4.** (Fin XVIIe). Littér. Mouvement (de l'âme), vive émotion... *« Les palpitations de ma muse »* (→ Augurer, cit. 3, Chateaubriand). *Palpitation de l'âme* (→ Nouveauté, cit. 2).

PALPITEMENT [palpitmɑ̃] n. m. — 1621, repris au XIXe; de *palpiter.*

♦ Littér., rare. Contraction (d'une partie du corps). *Palpitement des narines.* ⇒ **Palpitation** (2.).

PALPITER [palpite] v. intr. — 1488; lat. *palpitare,* fréquentatif de *palpare* « palper ».

♦ **1.** Avoir des mouvements, des frémissements; être palpitant*, pantelant... (en parlant de la chair, d'un organe, d'un corps vivant ou fraîchement tué). ⇒ **Panteler.** *Blessure qui palpite* (→ Gicler, cit. 4). *Animal qui palpite* (→ Daim, cit. 2).

1 (...) les entrailles *(des victimes)* qui palpitaient encore.
FÉNELON, Télémaque, IX.

2 La beauté de la chair, c'est de n'être point marbre; c'est de palpiter, c'est de trembler, c'est de rougir, c'est de saigner; c'est d'avoir la fermeté sans avoir la dureté (...)
HUGO, l'Homme qui rit, II, I, III, I.

(1680). Fig., vx. Montrer un reste de vie, d'énergie (cf. Saint-Simon *in* Hatzfeld). — Par métaphore :

3 La guerre était finie; les Allemands occupaient la France; le pays palpitait comme un lutteur vaincu tombé sous le genou du vainqueur.
MAUPASSANT, Contes, « Un duel ».

♦ **2.** (1543). Avoir des palpitations* (1.), en parlant du cœur (→ Fouiller, cit. 29).

4 Je pressai son sein contre le mien; et, dans ce court intervalle, je sentis son cœur battre plus vite. L'aimable rougeur vint colorer son visage, et son modeste embarras m'apprit assez *que son cœur avait palpité d'amour et non de crainte.*
LACLOS, les Liaisons dangereuses, VI.

5 (...) mon cœur palpite au seul aspect d'une femme (...)
BEAUMARCHAIS, le Mariage de Figaro, I, 7.

♦ **3.** Avoir des frémissements, des mouvements convulsifs (⇒ **Palpitation,** 2.). *Sein qui palpite* (→ Appel, cit. 13). *Narines* (cit. 3 et 4), *paupières* (→ Endormir, cit. 1) *qui palpitent. Chair* (cit. 32) *qui palpite.* ⇒ **Frémir.**

6 Le roi traversa la salle d'un pas lent et majestueux, sans que ses paupières teintes eussent palpité une fois (...)
Th. GAUTIER, le Roman de la momie, IV.

♦ **4.** (1690). Personnes. Éprouver des palpitations de cœur; trahir son émotion par des palpitations... (→ Fascination, cit. 1). *Palpiter de peur, de convoitise* (cit. 5).

7 À celui qui léger d'argent, qui adolescent de génie, n'a pas vivement palpité en se présentant devant un maître, il manquera toujours une corde dans le cœur (...)
BALZAC, le Chef-d'œuvre inconnu, Pl., t. IX, p. 390.

♦ **5.** (XIXe). Choses. Être agité d'un mouvement, d'un frémissement. ⇒ **Frémir.** *Goutte d'eau qui fait palpiter une mare* (→ Cachot, cit. 2). *Étoiles* (cit. 8), *points lumineux* (cit. 3) *qui palpitent* (→ Diffus, cit. 6). ⇒ **Scintiller.** *Le feu qui palpite et qui fume* (cit. 2). *Voiles qui palpitent au vent* (→ Loin, cit. 4).

8 Du côté du soleil palpitaient et scintillaient des milliers d'éventails et de petits parasols ronds emmanchés dans des baguettes de roseau; on eût dit des essaims d'oiseaux de couleurs changeantes essayant de prendre leur vol (...)
Th. GAUTIER, Voyage en Espagne, p. 52.

Marseille palpite sous le gai soleil d'un jour d'été. 9
MAUPASSANT, Au soleil, « La mer ».

Il est charmant aussi de voir son éventail de plume palpiter près d'elle et 10
battre de son aile blanche.
PROUST, les Plaisirs et les Jours, p. 71.

(...) l'air est si tranquille aujourd'hui qu'à peine on voit au loin les hautes 11
branches de l'avenue palpiter.
GIDE, Journal, 13 mai 1906.

♦ **6.** Par métaphore ou fig. (→ Palme, cit. 3).

L'âme de trente années d'existence, palpitait encore émue dans cette chambre 12
étroite (...)
E. FROMENTIN, Dominique, II.

DÉR. Palpitant, palpitement. — (Du même rad.) **Palpitation.**

PALPLANCHE [palplɑ̃ʃ] n. f. — 1729; de *pal,* et *planche.* Technique.

♦ **1.** (1868). Planche grossièrement équarrie servant au boisage* des galeries de mines.

♦ **2.** (Vx). Madrier* équarri et pointu qu'on enfonce entre les pilotis pour former un encaissement dans l'eau. — Mod. (1750). Chacune des poutrelles métalliques qui, emboîtées bord à bord, forment une cloison étanche (⇒ **Batardeau**) nécessaire aux fondations* dans l'eau d'un pont, d'un bassin, d'un barrage.

PALQUE [palk] n. f. ⇒ **Palc.**

PALSAMBLEU [palsɑ̃blø] — 1694, Regnard, certainement antérieur; *par la sambleu,* Molière 1666; *sanglieu,* 1440, altér. de *par le sang de Dieu.* → Morbleu.

♦ Littér., vx. Juron plus ou moins plaisant. (Cf. la var. rurale *palsangué*).

PALSANGUÉ [palsɑ̃ge] ou **PALSANGUIENNE** [palsɑ̃gjɛn] interj. — XVIIe (1665, Molière); euphém. pour *par le sang (de) Dieu.* → Palsambleu.

♦ Vx (langue classique). Juron en usage surtout au XVIIe siècle, dans les comédies mettant en scène des paysans. ⇒ **Corbleu, morbleu.**

PALTOQUET [paltɔkɛ] n. m. — 1704; *palletoqué* « vêtu d'un justeaucorps », 1546; de *paletoc, paltoke,* anc. formes de *paletot*,* au sens de « casaque de paysan ».

♦ Fam., vieilli. Individu grossier, rustre (→ Injure, cit. 10).

(1735). Mod. Homme insignifiant et prétentieux ou insolent. *Ce petit paltoquet se croit tout permis.* — (T. d'injure). *Paltoquet! Minable!*

Je regarde comme très impertinent et très sot ce paltoquet de jeune seigneur 1
qui a trouvé mauvais que sa souveraine l'envoyât chercher son gant au milieu des lions (...)
BALZAC, Mémoires de deux jeunes mariées, Pl., t. I, p. 161.

Je n'aime pas qu'il *(Francis Jammes)* cite comme un modèle de dignité Henri de 2
Régnier, quand, quelques mois auparavant, il le traitait de paltoquet.
GIDE, Journal, 3 févr. 1908.

PALU [paly] n. m. — XXe; abrév. de *paludisme.*

♦ Fam. Paludisme *« Tu ne vois pas qu'il a le palu? »* (C. Courchay, *La vie finira bien par commencer,* p. 239). — Loc. *Coup de palu.*

Il y a aussi le « palu » qui peut vous secouer une semaine durant.
Abdoulaye SADJI, Nin, mulâtresse du Sénégal, p. 402.

PALUCHE [palyʃ] n. f. — 1940; de 1. *pale.*

♦ Pop. ou fam. Main (→ Pince). *Serrer la paluche à qqn. Il a de grosses paluches.* — *Donner un coup de paluche à qqn,* un coup de main, de l'aide.

Chaque fois, au moment où je le quitte, il m'agite la paluche en me disant (...) « Merci de ta visite ».
SAN-ANTONIO, J'ai essayé : on peut!, p. 121.

PALUD [paly], **PALUDE** [palyd] ou **PALUS** [paly] n. m. ou (vieilli ou rare) f. — V. 1112, *palud; palude,* 1895, Gide; *palus,* 1802; *palie,* v. 1130; lat. *palus, paludis* « marais, étang ». → aussi Palus.

♦ Vx. ⇒ **Marais, palun.** *« Les infernaux* (cit. 1) *palus »* (Villon). *Sainte-Anne-la-Palud,* dans le Finistère. — Littér. *Paludes* (1895), récit d'André Gide.

DÉR. (Du même rad.) **Paludarium, paludéen, paludine, paludisme. — Paludier.**
HOM. Palu, palus.

PALUDARIUM [palydaʀjɔm] n. m. — XXe; dér. sav. du lat. *palus, paludis* « marais, étang ».

♦ Didact. Local (ou récipient) utilisé pour l'élevage de batraciens.

PALUDÉEN, ENNE [palydeɛ̃, ɛn] adj. — 1837; du lat. *palus, paludis* « marais, étang ».

♦ **1.** Didact. Qui est de la nature du marais. ⇒ **Palustre.** *Terres paludéennes.* — Qui est propre aux marais, aux terrains marécageux. *Flore, faune paludéenne.*

♦ **2.** (Fin XIXe). Méd., cour. Dû au paludisme, relatif au paludisme. *Fièvre, cachexie paludéenne* (ou *palustre*). ⇒ **Paludique; malaria, paludisme; maremmatique, palustre** (fièvre).

1 Des égouts cachés, des lavoirs, montait au soir l'exhalaison pestilentielle, à cause des vases qu'y laissait la vaste incurie de la ville; et ces vapeurs paludéennes promenaient des germes de mort. Les marins et les femmes en sentirent leur chair troublée; c'était une naissante inquiétude; ils se lavaient la bouche avec des baumes et l'odeur fade des aromates se mêlait aux chaudes haleines.
GIDE, le Voyage d'Urien, *in* Romans, Pl., p. 38.

2 Il a 47 ans, a fait la campagne de Madagascar où il a pris les fièvres paludéennes.
GIDE, Souvenirs de la cour d'assises, *in* Journal, t. II, p. 635.

Qui est atteint de paludisme (→ Concile, cit. 4). — N. (1896). *Un paludéen, des paludéennes.*

Par extension :

3 Dans l'hébétude des longues siestes paludéennes il fait si chaud que les mouches aussi se reposent.
CÉLINE, Voyage au bout de la nuit, Pl., p. 144.

PALUDERIE [palydʀi] n. f. — XXe; de *paludier.*

♦ Techn. Partie de marais salant qu'exploite un paludier.

PALUDIER, IÈRE [palydje, jɛʀ] n. — 1731; de *palud.*

♦ Techn. Personne qui travaille aux marais salants. *Les paludiers de Bretagne.*

DÉR. Paluderie.

PALUDINE [palydin] n. f. — 1842; du lat. *palus, paludis* « marais, étang ».

♦ Zool. Mollusque gastéropode prosobranche *(Monotocardes)* qui vit dans les étangs, les marais, les cours d'eau.

PALUDIQUE [palydik] adj. — 1877, P. Larousse, *Premier Suppl.*; de *paludisme.*

♦ Méd. Relatif au paludisme. ⇒ **Paludéen, palustre.** — REM. Moins fréquent que *paludéen.*

PALUDISME [palydism] n. m. — 1869; var. *impaludisme* en 1873; du lat. *palus, paludis* « marais, étang ».

♦ Méd., cour. Maladie infectieuse caractérisée par des accès de fièvre* (intermittents, rémittents ou pernicieux), due à un hématozoaire* spécial, l'hémamibe*, inoculé par la piqûre de moustiques du genre anophèle. *Le paludisme,* dit aussi *malaria, fièvre des marais, cachexie paludéenne..., règne à l'état endémique dans les pays chauds et marécageux. Accès de paludisme.* ⇒ fam. **Palu.** *Ancien colonial atteint de paludisme chronique.* ⇒ **Impaludé, paludéen** (2.). *La quinine*, remède spécifique contre le paludisme. Psychoses dues au paludisme. — Inoculation du paludisme.* ⇒ **Impaludation; paludothérapie.** *Étude du paludisme.* ⇒ **Paludologie.**

DÉR. et COMP. Paludique. V. Paludo-. — Antipaludique.

PALUDO- Élément, de *paludisme.*

PALUDOLOGIE [palydɔlɔʒi] n. f. — V. 1959; de *paludo-,* et *-logie.*

♦ Didact. Étude du paludisme. — REM. On dit aussi *malariologie* [malaʀjɔlɔʒi] n. f.

DÉR. Paludologue.

PALUDOLOGUE [palydɔlɔg] n. — V. 1959; de *paludo-,* et *-logue,* d'après *paludologie.*

♦ Didact. Spécialiste de paludologie. — REM. On dit aussi *malariologue* [malaʀjɔlɔg] n.

PALUDOTHÉRAPIE [palydoteʀapi] n. f. — 1913, Legrain; de *paludo-,* et *-thérapie.*

♦ Didact. Inoculation thérapeutique de l'agent du paludisme, notamment pour soigner la paralysie générale. ⇒ **Impaludation.**

PALUN [palœ̃] n. m. — Av. 1896; même rad. que le lat. *palus* « marais ».

♦ Régional (dans le sud-est de la France). Marais, zone de marais. ⇒ **Palud** (palus).

Parfois l'œil s'y trompe et croit voir entre deux « paluns » une étendue d'eau un peu plus bleue.
P. ARÈNE, Veine d'argile, p. 240.

PALUS [paly] n. m. — Attesté XIXe; spécialisation mérid. de *palud.*

♦ Régional. Dans le Bordelais, Terre d'alluvions* ou ancien marais littoral desséché, planté de vignobles. *Les palus de la Gironde. Vin de(s) palus :* vin récolté sur ces terres.

PALUSTRE [palystʀ] adj. — XIVe, rare av. XIXe; du lat. *paluster* ou *palustus* « marécageux ». → Paludier.

♦ **1.** Des marais. — Spécialt (1559). Qui vit, qui pousse dans les marais. *Terrains, plantes, coquillages palustres.*

♦ **2.** Mod. Paludéen*. *Cachexie, fièvre, psychose palustre.*

PALYNOLOGIE [palinɔlɔʒi] n. f. — Mil. XXe; angl. *palynology* (1945), du grec *palunein* « répandre (de la farine) ».

♦ Didact. Étude des pollens, et, spécialt, des pollens contenus à l'état de résidus dans les sédiments (paléobotanique).

DÉR. Palynologique, palynologue.

PALYNOLOGIQUE [palinɔlɔʒik] adj. — Mil. XXe; de *palynologie.*

♦ Didact. Relatif à l'étude des pollens. *Une analyse palynologique.* ⇒ **Pollinique.** « *La lecture palynologique des filtres...* » (*la Recherche,* mai 1980, p. 597).

PALYNOLOGUE [palinɔlɔg] n. — Mil. XXe; de *palynologie.*

♦ Didact. Spécialiste de palynologie. « (le) *IVe Symposium de l'Association des palynologues de langue française, dont le thème était "Palynologie et climats"* ». (*la Recherche,* mai 1980, p. 596).

PÂMANT, ANTE [pɑmɑ̃, ɑ̃t] adj. — 1934; de *se pâmer.*

♦ Littér., plais. Qui fait se pâmer qqn; qui suscite des pâmoisons. ⇒ **Émouvant.**

Le lourd turban de rutilances qui ornait sa tête, et venait mourir à l'ombre de sa nuque en pâmantes douceurs (...)
G. CHEVALLIER, Clochemerle, p. 56.

PÂME [pɑm] n. f. — XIIIe-XVIe, *pasme* « crampe, évanouissement »; de *pasmer* (→ Pâmer), lat. *spasmare* (l'anc. franç. *espasme* vient directement du lat. *spasmus*).

♦ Faux archaïsme plais. *Tomber dans les pâmes :* s'évanouir. — REM. Cette expression n'est pas attestée en ancien français; elle a été forgée pour donner une étymologie à l'expression moderne *tomber dans les pommes** (*supra* cit. 12), d'orig. incert.

(...) la typique maison normande qui fait tomber l'estivant dans les pâmes et qui, à moi, me casse les pieds. 1
R. QUENEAU, Bâtons, chiffres et lettres, p. 307.

Michel l'Albinos, Bénard Grasouillet, Dédé Stock de Plomb, Bob Noël furent tour à tour projetés dans les pâmes. 2
R. QUENEAU, Loin de Rueil, p. 62.

PÂMER [pɑme] v. intr. ou **PÂMER (SE)** v. pron. — V. 1188; *pasmer,* 1080; du lat. pop. **spasmare,* altéré en *pasmare,* de *spasmus* « spasme ».

♦ **1.** Vieilli, littér. ou plais. Perdre connaissance. ⇒ **Défaillir, évanouir** (s'); **pâmoison** (tomber en). REM. *Pâmer,* v. intr. est archaïque. *Elle pâme, se pâme.* — Au p. p. *Elle tombe pâmée* (→ Inanimé, cit. 2).

La frayeur et la fatigue avaient tellement incommodé Manon qu'elle était à demi pâmée près de moi. 1
Abbé PRÉVOST, Manon Lescaut, I.

Ma mère (...) se pâme pour une piqûre d'épingle qu'elle se fait, mais un coup de poignard qu'on vous aurait porté sous ses yeux ne saurait la faire pâlir. 2
M. JOUHANDEAU, Chaminadour, « Bontés ».

Par exagér. *Rire à se pâmer,* à en perdre le souffle, à en avoir le souffle coupé. *Pâmer* (vx), *se pâmer de rire* (→ 1. Entre, cit. 11; guimpe, cit. 2; histoire, cit. 39).

(...) quoique (...) mes transports, mes agitations, mes fureurs, donnassent des scènes à pâmer de rire. 3
ROUSSEAU, les Confessions, I.

(...) il respirait au milieu des phrases, n'ayant pour guide que la mesure de son souffle. Vous jugez quel galimatias; et l'enfant de rire à se pâmer. 4
A. DE MUSSET, Nouvelles, « Emmeline », I.

REM. L'emploi de *pâmer* est encore possible en factitif. *Faire pâmer.*

Il y avait des moments où un mot de lui vous faisait pâmer de rire. 5
RENAN, Souvenirs d'enfance..., Œ. compl., t. II, II, p. 771.

♦ **2.** SE PÂMER (DE...) : devenir, être en quelque sorte paralysé sous le coup d'une émotion ou d'une sensation très violente. *Se pâmer de terreur.* — Spécialt. *Se pâmer d'amour* (→ Cruel, cit. 25), *de plaisir, de volupté.* — (Sans compl. en *de*). *Se pâmer* (d'amour, etc.). — Vx. PÂMER v. intr. (même sens). → cit. 6.

En regardant la muraille, il avait l'air de mourir d'amour, et ne demandait point à boire sans pâmer. Il ponctuait ses phrases de soupirs et faisait, en parlant des 6

choses les plus indifférentes, des clins d'yeux, des airs penchés et des mines à crever de rire; mais les femmes trouvaient cela charmant.
Th. GAUTIER, le Capitaine Fracasse, II.

7 J'irai là-bas, où l'arbre et l'homme plein de sève
Se pâment longuement sous l'ardeur des climats.
BAUDELAIRE, les Fleurs du mal, «Spleen et idéal», XXIII.

Au p. p. *Pâmé d'effroi, de peur.* ⇒ 2. **Mort** (→ Carton, cit. 1). — Spécialt. *Pâmé d'amour, d'ivresse..*

8 Je la saisis, je la tins quelques secondes ainsi collée contre ma poitrine, la tête renversée, les yeux clos, les lèvres froides, à demi morte et pâmée, la chère créature, sous mes baisers. E. FROMENTIN, Dominique, XVII.

Par métaphore. *Des voiles blanches, comme pâmées de chaleur* (→ Immobile, cit. 12, Proust). → aussi Arroseur, cit.

9 Nuit admirable. Tout se pâme et semble s'extasier dans la clarté d'une lune presque pleine. GIDE, Journal, 18 mai 1940.

♦ **3.** Par ext. S'abandonner à de très vifs transports. *Se pâmer d'admiration, d'aise* (→ 1. Comble, cit. 6), *de joie...*

10 (...) Gambara avait lancé de temps en temps des exclamations qui décelaient le ravissement de son âme : il s'était pâmé d'aise (...)
BALZAC, Gambara, Pl., t. IX, p. 450.

11 (...) il vient d'entrer dans l'Université, ce qui le met à même de gagner honorablement sa vie. Il faut voir de quel air il dit cela : *gagner honorablement sa vie!* La vieille Annou s'en pâme d'admiration.
Alphonse DAUDET, le Petit Chose, I, IV.

Vx. (Sans compl. en *de*). Être vivement ému, éperdu d'admiration et l'exprimer (emploi cour. dans l'usage précieux, au XVIIe) → Âme, cit. 44; mourir, cit. 49.

▶ **PÂMÉ, ÉE** p. p. adj. → ci-dessus, cit. 1, cit. 8 et *supra.*

Loc. fam. *Faire la carpe* pâmée.* — Par métonymie (rare au pron.). *Des bras pâmés* (→ Frisson cit. 17). — Par métaphore. → *supra* cit. 9.

DÉR. Pâmoison.

PÂMOISON [pɑmwazɔ̃] n. f. — XIIIe; *pasmeisun,* 1080; de *pâmer.* Vieux ou plaisant.

♦ **1.** Fait de se pâmer (1.), état d'une personne qui se pâme. ⇒ **Défaillance, évanouissement, faiblesse.** *Tomber en pâmoison. Avoir une pâmoison* (→ Garder, cit. 46). *Revenir de pâmoison.*

1 (...) elle ferma les yeux et devint encore plus accablée et abîmée qu'elle n'était avant. Et François ne savait comment la soulager de cette pâmoison (...)
G. SAND, François le Champi, XVIII.

2 (...) Madame Prune, après son dîner, avait été prise de pâmoisons et de vapeurs (...) LOTI, Mme Chrysanthème, XXXIV.

♦ **2.** Littér. ou plais. Fait de se pâmer (2.) en exprimant des sentiments violents. *Les pâmoisons de ces amoureux m'énervent.*

PAMPA [pɑ̃pa] n. f. — 1716; rare jusqu'au XIXe; esp. *pampa;* mot d'Amérique lat., empr. à un terme commun à plusieurs langues indiennes (quechua, aymara...).

♦ Vaste plaine d'Amérique du Sud, dont le climat et la végétation sont ceux de la steppe* (→ Espace, cit. 17). *De la pampa.* ⇒ **Pampéen.** *Gauchos* qui conduisent un troupeau de bœufs, de mustangs* dans la pampa.* — Au plur. *Des pampas.*

La nuit roule de l'Est, où les pampas sauvages
Sous les monts étagés s'élargissent sans fin (...)
LECONTE DE LISLE, Poèmes barbares, «Le sommeil du condor».

DÉR. Pampéen, pampéro.

PAMPE [pɑ̃p] n. f. — 1549; «pétale», 1270; du lat. *pampinus.* → Pampre.

♦ Bot. Fane des graminées.

PAMPÉEN, ENNE [pɑ̃peɛ̃, ɛn] adj. — 1879, cit.; de *pampa.*

♦ Géogr. De la pampa.

(...) trois squelettes d'animaux édentés fossiles, qui ont été recueillis par M. Seguin dans les terrains pampéens de la République Argentine.
L. FIGUIER, l'Année scientifique et industrielle 1880, p. 286 (1879).

PAMPÉRO [pɑ̃peʀo] n. m. — 1771; esp. *pampero,* de *pampa.*

♦ Géogr. Vent violent soufflant du sud et de l'ouest, qui amène les pluies d'hiver en Argentine. — REM. On écrit aussi le mot à l'espagnole, *pampero.*

Les pamperos, coups de vent de sud à sud-ouest beaucoup plus fréquents.
Bernard MOITESSIER, Cap Horn à la voile, p. 235.

PAMPHILE [pɑ̃fil] n. m. — 1792; «homme de caractère servile», fin XVIIe; du nom d'un personnage de La Bruyère, au caractère bas et servile, ayant désigné le valet de trèfle.

♦ Jeu de cartes où l'atout principal est le valet de trèfle. *Le pamphile est très voisin de la mouche. Jouer au pamphile.* ⇒ **Mistigri.**

PAMPHLET [pɑ̃flɛ] n. m. — Fin XVIIe; 1653, en angl.; altér. de *Pamphilet,* nom d'une comédie en vers latins du XIIe siècle.

♦ **1.** Vx. ⇒ **Brochure.**

♦ **2.** (XVIIIe). Petit livre, court écrit de caractère satirique, qui attaque avec violence le pouvoir établi, l'opinion prévalente. *Pamphlets contre le gouvernement, les institutions, la religion, un personnage connu...* ⇒ **Diatribe, factum** (cit. 5), **libelle, placard, satire** (→ Épigramme, cit. 9), **tract.** *Pamphlets publiés contre Mazarin.* ⇒ **Mazarinade.** *Lancer un pamphlet* (→ Brûlot, cit. 2). *Faire saisir un pamphlet. Pamphlets remplis d'invectives, d'injures, qui déchirent* (cit. 30), *diffament, flagellent* (cit. 2) *qqn. Les pamphlets de Voltaire. «La Lanterne», pamphlet d'Henri Rochefort* (→ Mécontentement, cit. 6). — *Le Pamphlet des pamphlets,* de Paul-Louis Courier (→ aussi Nouveauté, cit. 18).

Alors, je lui demandai ce que c'était qu'un pamphlet (...) C'est, répondit-il, un écrit 1
de peu de pages comme le vôtre, d'une feuille ou deux seulement. De trois feuilles, repris-je, serait-ce encore un pamphlet? Peut-être, me dit-il, dans l'acception commune; mais proprement parlant, le pamphlet n'a qu'une feuille seule; deux ou plus en font une brochure. Et dix feuilles? quinze feuilles? vingt feuilles? Font un volume, dit-il, un ouvrage ... le pamphlet ne saurait être bon. Qui dit pamphlet, dit un écrit tout plein de poison.
P.-L. COURIER, Pamphlet des pamphlets, p. 100 et 101.

De tous temps les pamphlets ont changé la face du monde. 2
P.-L. COURIER, Pamphlet des pamphlets, p. 103.

Il *(Chateaubriand)* y entra *(dans la vie politique),* il s'y précipita la torche et le 3
glaive à la main par le pamphlet *De Buonaparte et des Bourbons.* Il ne continua point toutefois sur ce ton de frénésie vengeresse (...)
SAINTE-BEUVE, Chateaubriand..., t. II, p. 89.

Il décida de publier, à ses frais, un pamphlet périodique dont il serait l'unique 4
rédacteur, qu'il remplirait de toutes les indignations de sa pensée et qu'il lancerait chaque semaine sur Paris, comme un tison. Léon BLOY, le Désespéré, p. 236.

Que le journalisme politique soit ainsi un métier *faux,* cela apparaît avec évidence 5
par son arme préférée, qui est le pamphlet, c'est-à-dire un montage de formules dites percutantes ou acérées sur lesquelles la vérité ne peut jamais être posée que de travers puisqu'on y sacrifie la rondeur, la globalité du sens à la partialité des aphorismes, au tranchant des boutades, au piquant des mots.
Raymond ABELLIO, les Militants, p. 86.

DÉR. Pamphlétaire.

PAMPHLÉTAIRE [pɑ̃fletɛʀ] n. — 1790; var. *pamphleter,* Voltaire; de *pamphlet,* d'après l'angl. *pamphleteer.*

♦ Auteur de pamphlets. ⇒ **Libelliste, polémiste.** *Journaliste* qui est un vigoureux pamphlétaire. Pamphlétaire haineux.* ⇒ **Folliculaire.** *Cet écrivain est plus pamphlétaire qu'essayiste.*

Clouerons-nous au poteau d'une satire altière 1
Le nom sept fois vendu d'un pâle pamphlétaire (...)
A. DE MUSSET, Poésies nouvelles, «Nuit de mai».

Hugo est naturellement pamphlétaire, et comme tel sans équité (...) 2
Émile HENRIOT, les Romantiques, p. 72.

Psychopath. Revendicateur qui cherche à attirer l'attention de l'opinion publique sur sa cause, par le moyen d'affiches, de lettres, de livres... *J.-J. Rousseau, célèbre pamphlétaire.*

Adj. Qui a le caractère, le ton du pamphlet. *Écrits pamphlétaires.*

PAMPILLE [pɑ̃pij] n. f. — XIXe, Gautier; déjà aux XVI-XVIIe s., au sens de «fleurons, bouffettes»; de l'anc. franç. *pampe.* → Pampre; cf. esp. dial. *pamponear* «balancer, se dandiner».

♦ Motif de passementerie, frange à pendeloque, qui s'employait comme ornement du vêtement féminin. *Galon, collier à pampilles.*

C'est un rite que ces stations dans la loge de Mme Suzy, entre les photos-souvenirs, où figurent aussi des zouaves, des communiantes, des bébés nus (...) le cosy à volants, l'abat-jour à pompons, le rideau à pampilles, un intérieur résolument 1925 que l'antiquaire du coin déclare «fascinant».
F. MALLET-JORIS, le Jeu du souterrain, p. 148-149.

PAMPLEMOUSSE [pɑ̃pləmus] n. m. — REM. L'Académie donne le mot au fém., contrairement à l'usage. — 1865; *pompelmous,* 1666; néerl. *pompelmoes,* de *pompel* «gros», et *limoes* «citron».

♦ **1.** Bot., agric. Arbre épineux originaire des îles de l'océan Indien *(citrus maxima)* dont le fruit comestible, mais peu juteux, ne se consomme que confit ou sous forme de confiture. — Spécialt. Ce fruit.

♦ **2.** (XXe). Cour. Fruit du pomélo. (⇒ **Grape-fruit**; → Pamplemoussier, cit.). *Jus de pamplemousse.*

Nul Français ne s'aviserait (...) de servir au début du repas un plat sucré, exception faite de certains fruits comme le melon ou le pamplemousse.
G. DUHAMEL, Problèmes de l'heure, p. 235.

REM. Dans ce sens, le mot est fém. en franç. d'Afrique.

DÉR. Pamplemoussier.

PAMPLEMOUSSIER [pɑ̃pləmusje] n. m. — 1870, cit.; de *pamplemousse.*

♦ **1.** Bot. Arbre produisant les pamplemousses (1.).

♦ **2.** Pomélo* (1.).

Je n'ai pas vu de citronniers à San-Geronimo, mais il y a quelques pamplemoussiers, petits orangers tortueux dont les feuilles sont larges comme des camélias, et qui produisent des fruits superbes, ronds, d'un jaune pâle, aussi gros que la tête d'un enfant; ces pamplemousses ont une chair verdâtre très-sucrée, mais qui m'a paru un peu fade.
M. POUSSIELGUE, Quatre mois en Floride, XIII, *in* le Tour du monde, 1870, t. I, p. 390.

PAMPRE [pɑ̃pʀ] n. m. — 1532; *pample,* 1534; altér. de *pampe** «pétale (de rose)», lat. *pampinus.*

♦ **1.** Branche de vigne* avec ses feuilles (et généralement ses grappes). *Pampres flexibles* (→ Marier, cit. 18), *vrillés* (→ Grappillon, cit.). *Pampres d'une gloriette* (cit. 1), *d'une tonnelle* (→ Bigarrer, cit. 1). *Bacchantes couronnées de pampres* (→ Évohé, cit. 2).

1 En haut, les pampres déjà rougis d'une treille faisaient une riche bordure qu'un sculpteur n'aurait pu rendre, tant le jour découpé par les dentelures des feuilles lui communiquait de grâce. BALZAC, le Curé de village, Pl., t. VIII, p. 623.

♦ **2.** (XVIIIe). Poét. Le raisin, la vigne (→ 1. Boire, cit. 24). — Par métonymie. Tonnelle couverte d'une vigne grimpante.

2 Des pêcheurs sont là-bas sous un pampre attablés (...)
HUGO, les Contemplations, VI, X.

♦ **3.** (1694). Archit. Ornement représentant un rameau de vigne avec ses feuilles et ses fruits. *Colonne torse décorée de pampres.*

DÉR. Pampré, pamprée.
COMP. Épamprer.

PAMPRÉ, ÉE [pɑ̃pʀe] adj. — 1564; de *pampre.*

♦ **1.** Vx. Couvert de vigne, de pampres. *Tonnelle pamprée.*

♦ **2.** (1690). Blason. Dont les feuilles, les sarments sont d'un autre émail. *Cep pampré. Grappe pamprée.*

PAMPRÉE [pɑ̃pʀe] n. f. — Av. 1841, Chateaubriand; de *pampre.*

♦ Littér., rare. Ensemble de pampres; tonnelle; vignoble.

PAN-, PANT-, PANTO- Élément, du grec *pan, pantos* «tout», qui entre dans la composition de nombreux mots.

Outre les composés signalés *in* Robert on rencontre des formations libres :

a Adjectifs :

1 (...) Paris (...) haut lieu panculturel confortablement installé dans sa pétition d'éternité. Jacques PERRET, Bâtons dans les roues, p. 25.

2 Les débris du temple de Jupiter panhellénien (...)
H. FORTOUL, *in* Revue des Deux-Mondes, 15 sept. 1839, p. 829.

3 Une construction panméditerranéenne comme fut l'Empire romain devient inconcevable. l'Express, 26 mai 1979, p. 177.

b Noms :

«Cette pan-bourgeoisie occidentale» (J. Cau, *Le Pape est mort,* p. 57). *«Le "pancapitalisme" n'est pas pour demain»* (*l'Express,* 7 août 1972, p. 28). *La panhumanité* (Herzen, v. 1854, *in* D. D. L.).

REM. Les formations les plus nombreuses sont des dérivés d'adj. ethniques en *-isme* : *panlatinisme* (1860, *in* D. D. L.), *pantouranisme* (*le Nouvel Obs.,* 31 oct. 1977, p. 3), de *«touranien»,* etc. V. à l'ordre alphab. pour les plus usuels. Mais d'autres composés sont formés :

4 Tous les dieux et les déesses qui président au panmorphisme, grandeur nature, Cybèle, Pan et Orphée, étaient les seuls garants autorisés pour les blanchisseurs et les recettes à l'impuissance (...) GIRAUDOUX, Siegfried et le Limousin, p. 77.

1. PAN [pɑ̃] n. m. — 1080; du lat. *pannus* «morceau d'étoffe». → Pagne.

♦ **1.** Grand morceau d'étoffe; partie flottante ou tombante (d'un vêtement). *Pan d'une chemise** (cit. 3) *d'homme* (→ aussi Cuisse, cit. 2). *Se promener en pan de chemise.* ⇒ **Bannière.** — *Pan d'une chasuble, d'une écharpe* (→ Balancer, cit. 6), *d'un manteau* (⇒ 1. **Basque,** cit. 2), *d'une redingote* (→ Écarter, cit. 26; froisser, cit. 19). — *S'attacher au pan de l'habit de qqn,* pour le retenir, le solliciter, le supplier (→ Inexorable, cit. 4). *Les pans d'une robe.*

1 Mais l'art, cette fois, consistait à les retenir par le pan de la veste, au moment où la déception leur faisait gagner la porte.
J. ROMAINS, les Hommes de bonne volonté, t. IV, IV, p. 35.

Elle ramena sur ses épaules les pans de la grande écharpe de velours qu'elle portait comme une fourrure. ARAGON, les Beaux Quartiers, II, XXII. 2

♦ **2.** (V. 1155). *Pan de mur* : partie plus ou moins grande d'un mur (→ Éclaireur, cit. 1; écrouler, cit. 2 et 9; glace, cit. 27; main, cit. 93). *De longs pans de muraille* (→ Étayer, cit. 1). *«Gouffre où les régiments, comme des pans de murs, Tombaient...»* (→ Épi, cit. 2, Hugo). — Allus. littér. *Le petit pan de mur* (*infra* cit. 16) *jaune.* — Ossature d'un mur. — Techn. *Pan de bois* : assemblage de charpente* en bois dont on remplit les vides avec de la maçonnerie et qu'on recouvre d'un enduit sur lattes. ⇒ **Colombage.** *Cloison en pan de bois.* — *Pan coupé**. — Par ext. *Pans de rocs* (→ Haut, cit. 20).

Et chaque pan de roche est une sentinelle (...) 3
HUGO, la Légende des siècles, XI, «Petit roi de Galice», V.

(...) une forteresse démantelée, éventrée, effondrée, se dresse avec ses pans de murs dont les pierres continuent la roche. 4
Th. GAUTIER, Souvenirs de théâtre, «Dessins de Victor Hugo».

Par anal. et métaphore. Partie d'une surface, d'un ensemble. *L'oubli engloutit des pans entiers du passé.*

Quand tous ces fleuves se sont gonflés des déluges de l'hiver, quand les tempêtes ont abattu des pans entiers de forêts, les arbres déracinés s'assemblent sur les sources. CHATEAUBRIAND, Atala, Prologue. 5

Pour achever cette scène funèbre, un vaste pan du ciel transformé en vapeurs et poussé par le vent d'ouest, ainsi qu'il arrive souvent sur la fin des journées torrides, entrait comme un grand mur compact, impénétrable à la lumière, dans l'estuaire du Bou Regreg. Jérôme et Jean THARAUD, Rabat, V. 6

De grands pans de passé sortent ainsi du champ de ma conscience. C'est à douter si je les ai vraiment vécus. GIDE, Ainsi soit-il, p. 136. 7

♦ **3.** (XVIe). Face (d'un objet, d'une construction polyédrique). ⇒ **Côté.** *Les pans d'un prisme, d'une tour. Angle* formé par la rencontre de deux pans.* — Techn. *Pan de comble* : chacun des côtés de la couverture d'une construction. ⇒ **Comble.** *Long pan* : côté long d'un toit dans une construction rectangulaire. *Chevron de long pan.*

Le clocher de la cathédrale est élancé, taillé à six pans et découpé à jour (...) 8
NERVAL, Nuit d'octobre, XXIII.

♦ **4.** Techn. **a** Boucherie. Partie importante (d'un animal). *Pan de bœuf* : morceau de bœuf comprenant la cuisse, l'aloyau et le train de côtes. — *Pan de mouton* : gigot entier (y compris le carré).

b *Pan de fer* : ensemble des pièces métalliques formant la charpente (d'un mur). *Poteaux et sablières d'un pan de fer.* — *Pan de verre.* ⇒ **Rideau.**

DÉR. Panneau. V. aussi 5. **Panne, pannicule, panoufle.**
COMP. → **Dépenaillé.**
HOM. 2. **Pan,** 3. **pan, paon.**

2. PAN [pɑ̃] n. m. — Attesté XIXe; de l'anc. franç. *espan* (XIIe), francique **spanna* «unité de longueur».

♦ Régional (Provence), vx. Mesure de longueur.

Des tuiles vieilles (...) longues de trois pans ! M. PAGNOL, Jean de Florette, p. 169.

3. PAN [pɑ̃] interj. — 1731, *in* D. D. L.; onomatopée.

♦ Interjection onomatopéique qui évoque une détonation, un coup de feu, le bruit d'un choc.

Les peintres paysagistes ! Quand j'en rencontre un dans la campagne, j'ai toujours envie de les canarder. Pan ! pan ! (il lève sa canne, cligne un œil et vise les meubles du salon). GIDE, Journal, 4 juil. 1909. 1

Il n'entendait plus : pan pan; pan pan; pan pan; ce qui était le bruit encore un peu vivant du village (...) 2
Et tout le jour il a porté la lourde enclume. J. GIONO, Regain, I, Pl., t. I, p. 341.

Pan, pan, pan, pan, pan, pan ! Six coups de feu de revolver. Qui a tiré ces coups de feu de revolver ? On ne sait pas encore. Que se passe-t-il donc ? Courons ! Allons voir. On court. On va voir. R. QUENEAU, le Chiendent, p. 208. 3

(1803, *in* D. D. L.; souvent répété). Évoquant le bruit d'un coup (du poing, de la main) sur la peau. *Et pan, dans l'œil !* — *Pan, pan* : coups répétés (notamment d'une fessée). — (Nominal; lang. enfantin). *Un pan-pan.* ⇒ **Fessée.**

PANACÉE [panase] n. f. — 1213, attestation isolée; 1550; lat. *panacea,* grec *panakeia,* de *pan* «tout», et *akos* «remède».

♦ **1.** Remède universel, unique pour toutes les maladies (⇒ **Catholicon;** → Immortaliser, cit. 6). *Le gui* (→ 1. Gui, cit. 3), *considéré par les druides comme une panacée. Panacée de la médecine traditionnelle chinoise.* ⇒ **Panax.**

REM. L'expression *panacée universelle,* souvent condamnée comme pléonasme, est courante et se rencontre chez quelques bons écrivains.

Ceux qui se mêlaient d'alchimie disaient que maître Cornélius savait faire de l'or. Les savants prétendaient qu'il avait trouvé la panacée universelle. 1
BALZAC, Maître Cornélius, Pl., t. IX, p. 916.

♦ **2.** Par compar. ou par métaphore. Ce qu'on croit capable de guérir tous les maux, physiques ou moraux (→ Café, cit. 4); formule* par laquelle on prétend tout résoudre.

Tu es ma panacée, à toi je viens ici 2
Pour guérir de ma plaie (...) RONSARD, Élégies, Disc., I.

3 (...) il n'y a pas (...) de panacée sociale, il y a tous les jours un progrès à faire, mais non pas de solution immédiate, définitive et complète.
GAMBETTA, Disc. prononcé au Havre, 18 avril 1872 (Le rappel, 22 avril 1872).

4 (...) Roosevelt voulait qu'il sortît du conflit une organisation mondiale de la paix (...) Pour son idéologie, la démocratie internationale était comme une panacée.
CH. DE GAULLE, Mémoires de guerre, t. III, p. 199.

PANACHAGE [panaʃaʒ] n. m. — Fin XIXe; de *panacher.*

♦ **1.** Action de panacher; son résultat. *Un panachage de couleurs.*

♦ **2.** (1899). Spécialt. Dans une élection*, Mélange sur une même liste de candidats qui appartiennent à des partis différents.

Il *(l'électeur)* peut composer son bulletin à son gré (...) faire une liste composée de noms empruntés aux différentes listes. C'est ce qu'on appelle communément le *panachage.* L. DUGUIT, Traité de droit constitutionnel, t. IV, p. 124.

PANACHE [panaʃ] n. m. — XVe; ital. *pennaccio;* la forme *pennache* est encore usitée au XVIIe.

♦ **1.** Faisceau de plumes serrées à la base et flottantes en haut, qui sert à orner un casque, une coiffure, un ciel de lit, un dais, etc. ⇒ **Aigrette, bouquet, plumet.** *Orner d'un panache.* ⇒ **Empanacher.** *Panache de plumes multicolores. Feutre* (cit. 1) *ombragé d'un panache. Panache qui flotte, ondoie.* — Allus. hist. : *Le panache blanc d'Henri IV.*

1 Ne perdez point de vue, au fort de la tempête,
Ce panache éclatant qui flotte sur ma tête;
Vous le verrez toujours au chemin de l'honneur. VOLTAIRE, la Henriade, VIII.

2 *(Le matin du jour de la bataille d'Ivry)* Henri IV était (comme toujours à de tels moments) d'une gaieté merveilleuse, qui répondait de la journée. Il avait mis sur son casque un énorme panache blanc et un autre gigantesque à la tête de son cheval. Il dit : «Si les étendards vous manquent, ralliez-vous à ce panache. Vous le trouverez toujours au chemin de la victoire.
MICHELET, Hist. de France, t. XII, XX.

♦ **2.** (Fin XIXe). Par métaphore. *« Quand l'hypocrisie a perdu le masque de la honte, elle arbore* (cit. 8) *le panache de l'orgueil »* (Buffon).

3 (...) Quelque chose que sans un pli, sans une tache,
J'emporte malgré vous, et c'est ... — C'est? ... — Mon panache!
Edmond ROSTAND, Cyrano de Bergerac, V, 6.

Fig. *Avoir du panache :* avoir fière allure. Spécialt, en parlant d'un «chef qui, par l'exemple et la contagion de son enthousiasme, sait enlever ses troupes» (Académie). — *Aimer le panache :* avoir un goût très vif pour ce qui a du brio, de l'éclat, pour la gloire, les parades militaires, les attitudes chevaleresques. ⇒ **Brio, éclat.** *Le Français a la réputation d'être cocardier, d'aimer le panache. Une politique de panache.* ⇒ **Prestige.**

4 — C'est de cette particularité de l'âme française que plus tard, à ne le pendre que par le côté tout extérieur et de parade (toujours plus aisément compris), M. Rostand saura façonner son «panache».
GIDE, Nouveaux prétextes, Journal sans dates, II.

5 Il est intéressant de savoir à quelle date remonte la naissance du mot panache, dans le sens de bravoure spectaculaire et plus ou moins gratuite. Littré n'en fait pas mention. Panache est donc une acception du XIXe siècle finissant.
J. DUTOURD, les Taxis de la Marne, p. 82.

♦ **3.** Touffe (de poils, de plumes) qui augmente de volume à partir de la base. *Panache de plumes de la tête d'un oiseau. Panache du paradisier*. — En panache. Queue étalée en panache* (cit. 43). *Queue en panache d'un écureuil* (cit. 2; → aussi Esquirol, cit.). — (En parlant de ce qui flotte, de ce qui ondoie). *Panache de fumée* (→ aussi Cheminée, cit. 3).

6 Et Pierre devant ses yeux troublés crut apercevoir le panache de feu du Vésuve tandis qu'au pied du volcan, des lucioles voltigeaient dans les bosquets d'orangers de Sorrente ou de Castellamare! MAUPASSANT, Pierre et Jean, IV.

7 Tout à coup, il entendit le sifflet de la locomotive; un panache de fumée s'élevait, à sa gauche, au-dessus d'un bouquet d'arbres (...)
MARTIN DU GARD, les Thibault, t. I, p. 182.

Loc. *Faire panache,* se dit d'un cavalier qui tombe en passant pardessus la tête de son cheval, d'un cycliste qui passe par-dessus le guidon de sa bicyclette (cf. Faire un soleil).

♦ **4.** (1762). Techn. Partie supérieure d'une lampe d'église, au-dessus du culot.
(1636). Archit. Ornement* en forme de plumes d'autruche qui remplace parfois le feuillage d'un chapiteau. — Surface triangulaire du pendentif d'une voûte sphérique.

♦ **5.** (1735). Cuis., vieilli. Oreille de cochon panée.

COMP. et **DÉR. Empanacher.** — 1. **Panacher,** 2. **panacher, panachure.**

1. PANACHER [panaʃe] v. — 1667; *pannaché* «coiffé d'un chapeau», 1389; de *panache.*

★ **I.** V. tr. ♦ **1.** Vx. Orner d'un panache. ⇒ **Empanacher.**

♦ **2.** Bigarrer, orner de couleurs variées. ⇒ **Barioler, chamarrer, mélanger.** *« On peut panacher les fleurs par un procédé de culture »* (Académie).

Par ext. Composer d'éléments divers. *Panacher une salade.* — (XXe). Spécialt. *Panacher une liste électorale.* ⇒ **Panachage.**

★ **II.** V. intr. (1690). En parlant d'une fleur, d'un oiseau... Présenter des couleurs variées.

▶ **SE PANACHER** v. pron.

♦ **1.** Vx. Se mettre un panache comme ornement (→ par métaphore Fougère, cit. 1, Chateaubriand). — REM. Dans ce sens, on dit plutôt *s'empanacher.*

♦ **2.** Revêtir des couleurs diverses. *Ces tulipes commencent à se panacher.*

▶ **PANACHÉ, ÉE** p. p. et adj. (1626 au sens 2.; *pannaché,* 1389; *pennaché,* 1596).

♦ **1.** (1774; *pannaché,* 1389). Vx ou blason. Orné d'un panache, empanaché. *Casque panaché.*

♦ **2.** Qui présente des couleurs variées. ⇒ **Couleur.** — Spécialt. (En parlant d'oiseaux, de fleurs). *Canari panaché* (→ Jonquille, cit. 2). *Œillet* (cit. 2) *panaché* (→ aussi Mignardise, cit. 5).

♦ **3.** Cour. Qui est composé d'éléments différents*. ⇒ **Mélangé, varié.** *Style panaché.* ⇒ **Disparate.** — *Liste panachée.* ⇒ **Panachage.** — (T. de cuis.). *Glace, salade panachée. Haricots panachés :* mélange de haricots verts et de haricots blancs.

♦ **4.** *Un demi panaché,* et, n. m., *un panaché :* mélange de bière et de limonade. — Abrév. fam. *Qu'est-ce que tu prends, un demi ou un panache? (un demi panaché)? Un panache bien blanc,* avec beaucoup de limonade.

DÉR. Panachage.

2. PANACHER [panaʃe] n. m. — 1659; de 1. *panache* (1.).

♦ Vx. Artisan qui confectionnait des panaches.

PANACHURE [panaʃyʀ] n. f. — 1758; dér. de *panache.*

♦ Littér. ou didact. Tache, semis de taches de couleur sur un fond de couleur différente. ⇒ **Tache.** *Panachures d'une fleur, d'un fruit, du plumage d'un oiseau, de la robe d'un cheval.*

Les bottes s'assombrissaient, pareilles à des taches de sang, pâlissaient doucement avec des gris argentés d'une grande délicatesse. Près d'une corbeille, une bougie allumée mettait là, sur tout le noir d'alentour, une chanson aiguë de couleur, les panachures vives des marguerites, le rouge saignant des dahlias, le bleuissement des violettes, les chairs vivantes des roses.
ZOLA, le Ventre de Paris, t. I, p. 345.

PANADE [panad] n. f. — 1548; du provençal *panada,* de *pan* «pain».

♦ **1.** Soupe* faite de pain, d'eau et de beurre, liée souvent avec un jaune d'œuf.

Les bons estomacs suivent simplement les prescriptions de leur naturel appétit. Ainsi font nos médecins, qui mangent le melon et boivent le vin frais, cependant qu'ils tiennent leur patient obligé au sirop et à la panade.
MONTAIGNE, Essais, III, IX.

♦ **2.** (1878). Pop. *Être, tomber dans la panade,* dans la misère*. ⇒ **Purée.**

PANADER (SE) [panade] v. pron. — XVe; altér. de l'anc. franç. *pennader,* de *pennade* «saut, ruade», mot empr. au provençal, Dauzat.

♦ Vx, fam. Marcher avec ostentation, à la manière d'un paon* qui fait la roue. ⇒ **Pavaner** (se). → Autre, cit. 5, La Fontaine.

PANAFRICAIN, AINE [panafʀikɛ̃, ɛn] adj. — Mil. XXe; de *pan-,* et *africain.*

♦ Polit. Relatif à l'unité des peuples d'Afrique. *Mouvement panafricain.*

DÉR. Panafricanisme.

PANAFRICANISME [panafʀikanism] n. m. — Mil. XXe; de *panafricain.*

♦ Polit. Doctrine qui tend à développer l'unité et la solidarité africaines.

Mais aussi confuse que soit l'idéologie panafricaine, aussi compliquée et contradictoire qu'ait été l'évolution des organisations tentant de la diffuser, un fait est certain : le panafricanisme refuse toute idée d'assimilation, d'intégration à l'univers du dominateur. Jean ZIEGLER, Main basse sur l'Afrique, p. 78.

PANAGE [panaʒ] n. m. — 1196, *paasnaige;* d'un lat. pop. **pastionaticum,* du rad. de *pascere* «paître».

♦ Dr. Action de faire paître les porcs en forêt. ⇒ **Paisson, pâture.** — *Droit de panage :* «droit pour les habitants d'une commune propriétaire de forêts, pour les usagers ou les adjudicataires de ce droit de faire pâturer des porcs en forêt pour y consommer les fruits des arbres forestiers » (Capitant).

PANAIRE [panɛʀ] adj. — 1756 ; dér. sav. du lat. *panis* « pain ».

♦ Didact., techn. Relatif au pain. *Fermentation panaire.*

1. PANAIS [panɛ] n. m. — 1562 ; *pasnaiz,* 1549 ; *pasnaie,* fém., 1170 ; du lat. *pastinaca.*

♦ Plante dicotylédone bisannuelle *(Ombellifères),* scientifiquement appelée *pastinaca. Racine du panais, charnue et sucrée, utilisée comme légume, et aussi pour l'alimentation du bétail.*

2. PANAIS [panɛ] n. m. — 1876, *pannais.* → cit. 1 ; de 1. *pan,* mot ancien en provençal et dans les dialectes. → Panneau.

♦ Fam. Pan (de chemise). Loc. *En panais :* en pan de chemise. Variantes graphiques : *pannais* n. m. (vx), *panet* n. m.

1 (...) donnant à regarder au-dessous du châle bariolé, un pannais de chemise sortant de sa petite culotte fendue. Ed. DE GONCOURT, les Frères Zemganno, p. 67.

2 Jambes nues, il se glissa chez sa mère (...) Là-dessus, Léon de s'enfermer à double tour avec sa mère, dans la chambre de celle-ci, et de se tenir coi, panet au vent.
MONTHERLANT, les Célibataires, I, 2, p. 60.

PANAMA [panama] n. m. — 1842 ; nom du pays où croît l'arbuste qui sert à fabriquer ce chapeau.

♦ **1.** Chapeau d'été, large et souple, tressé avec la feuille d'un latanier d'Amérique *(bombanaxa).* — Par ext. Chapeau de paille de même forme. *Des panamas.*

Enfin parut le notaire, un panama sur la tête, un lorgnon dans l'œil, car l'officier ministériel n'étouffait pas en lui l'homme du monde.
FLAUBERT, Bouvard et Pécuchet, II.

Techn. Fibre de paille tressée à la main, pour la confection des chapeaux.

♦ **2.** *Bois de panama :* écorce de quillaja.

PANAMÉEN, ENNE [panameɛ̃, ɛn] adj. et n. — XXe ; *panamien,* 1932, Larousse ; de *Panama.*

♦ De Panama, État d'Amérique centrale. *Un cargo panaméen.* — Subst. *Un, des Panaméens.*

PANAMÉRICAIN, AINE [panameʀikɛ̃, ɛn] adj. — 1901, *Congrès panaméricain,* in *Année sc. et industr.,* 1902, p. 372 ; *pan-américain,* 1894, *in* D. D. L. ; de *pan-,* et *américain.*

♦ **1.** Polit. Qui concerne les nations du continent américain tout entier. *Congrès panaméricain.*

♦ **2.** (Mil. XXe). Qui traverse le continent américain. *Voie, route panaméricaine.*

DÉR. Panaméricanisme.

PANAMÉRICANISME [panameʀikanism] n. m. — 1903 ; de *panaméricain.*

♦ Polit. Système qui vise à placer toutes les nations du continent américain sous l'influence politique et économique des États-Unis et à empêcher les puissances européennes de s'ingérer dans les affaires américaines.

PANAMISTE [panamist] n. et adj. — Fin XIXe ; de *Panama.*

♦ Vx ou hist. Spéculateur, financier impliqué dans le scandale de Panama (1892). — Qui concerne le scandale de Panama.

1 En présence d'une pareille injustice, je ne songe pas sans effroi à ce qu'il adviendrait si, dégoûtés d'un métier qui ne nourrit plus son homme, les pickpockets, les escarpes et autres panamistes se mettaient en grève.
A. ALLAIS, Contes et chroniques, p. 222.

2 *(La pitié et le)* mépris excités par son infortune, mépris augmenté par le fait que M. Bontemps eût trahi son drapeau et se fût — même vaguement panamiste, disait-on — rallié au gouvernement.
PROUST, À l'ombre des jeunes filles en fleurs, Pl., t. I, p. 610.

PANARABE [panaʀab] adj. — 1923 ; de *pan-,* et *arabe.* → Panarabisme.

♦ Polit. Du panarabisme. — Relatif à l'unité des peuples arabes. *Conférence panarabe.* → Panislamique.

Les mêmes qui attribuaient à la trahison du parti communiste et à l'indiscrétion des journalistes la perte de l'Indochine, expliquent aujourd'hui le drame algérien par la radio du Caire et par la politique panarabe — une des raisons de notre malheur, certes, mais la plus extérieure, et virulente dans la mesure où le mal existait déjà.
F. MAURIAC, Bloc-notes 1952-1957, p. 222.

PANARABISME [panaʀabism] n. m. — 1923 ; de *pan-,* et *arabisme.*

♦ Polit. Système politique qui tend à unir tous les peuples de langue ou de civilisation arabe.

1. PANARD, ARDE [panaʀ, aʀd] adj. — 1750 ; du provençal mod. *panar,* d'orig. inconnue.

♦ Hippol. Se dit, par oppos. à *cagneux**, d'un cheval dont les pieds de devant sont tournés en dehors. *Jument panarde.* — N. *Un panard, une panarde :* un cheval panard, une jument panarde.

CONTR. Cagneux.

2. PANARD [panaʀ] n. m. — 1910 ; « soulier », 1898 ; selon P. Guiraud, de dér. dialectaux du lat. *pes, pedis* « pied », notamment *penas* « grand pied », d'où *panard* « qui a de grands pieds » (Dauphiné).

♦ **1.** Fam. Pied. *J'ai mal aux panards.*

C'est juste si on n'a pas des larbins en livrée et perruque pour nous border nous sucrer nous chauffer les panards. Tony DUVERT, Paysage de fantaisie, p. 185.

♦ **2.** (Au sens fig. de *pied*). *C'est le panard, le super-panard.* ⇒ **Pied.** *Quel panard !*

PANARIS [panaʀi] n. m. — 1503 ; *panarice,* v. 1363 ; du lat. *panaricium,* altér. de *paronychium,* du grec *parônukhia* « (abcès) près de l'ongle ».

♦ Inflammation aiguë des doigts. ⇒ **Abcès, inflammation, phlegmon.** *Panaris au doigt, à l'orteil. Panaris provoqué par une écharde. Panaris sous-épidermique, érythémateux ou phlycténoïde,* autour de l'ongle (⇒ **Tourniole**). *Panaris profond. Panaris de la gaine. La paronyque passait pour guérir les panaris. Opérer* (→ amputer, cit. 1), *inciser un panaris.*

Croyez-vous qu'il y ait des réactifs qui puissent désorganiser le tissu de la peau jusqu'au point de produire un mal réel, comme un panaris au doigt ?
BALZAC, les Paysans, Pl., t. VIII, p. 262.

PANASIATIQUE [panazjatik] adj. — Mil. XXe ; de *pan-,* et *asiatique.*

♦ Polit. Qui concerne la totalité de l'Asie.

PANASIATISME [panazjatism] n. m. — 1921, *in* D. D. L. ; de *pan-, Asie, asiatique,* et *-isme.*

♦ Polit. Mouvement politique tendant à unir l'Asie.

PANASSERIE [panasʀi] n. f. — 1874 ; du rad. lat. de *pain, (pan-).*

♦ Techn., comm. Fabrication des pains de fantaisie (à Paris) ; ces pains.

PANATELA ou **PANATELLA** [panatela] n. m. — Av. 1867, *panatela ; panatella,* 1843 ; mot esp. *panatela* « sorte de biscuit », par anal. de forme ; cf. lat. *panis* « pain ».

♦ Vieilli. Cigare de la Havane, de forme allongée et mince. — Au plur. *Des panatellas.*

Elle fumait des panatellas et culottait des pipes avec un bonheur particulier.
REYBAUD, Jérôme Paturot, I, 14, *in* LITTRÉ, Culotter, 2°.

PANATHÉNÉES [panatene] n. f. pl. — 1732 ; du grec *panathênaia,* de *pân* « tout », et *Athênai* « Athénée (Minerve) ».
Didactique.

♦ **1.** Antiq. Fête qui se célébrait à Athènes en l'honneur de la déesse Athéna. *Les panathénées, fêtes de l'unité athénienne* (cit. 1). *La procession des panathénées, sculptée sur la frise du Parthénon.*

♦ **2.** Cortège analogue à celui des panathénées du Parthénon.

La nudité des enfants qui riaient si tristement, les vieillards graves, et les panathénées de saris dans la lumière rasante du soleil qui se lève.
MALRAUX, Antimémoires, p. 279 (1971).

DÉR. Panathénien.

PANATHÉNIEN, IENNE [panatenjɛ̃, jɛn] adj. — XVIIIe, *in* Condillac, cité par Littré ; de *panathénées.*

♦ Didact. (Antiq.). Qui est relatif aux panathénées ; qui était célébré à l'occasion de ces fêtes. *Jeux panathéniens.*

PANAX [panaks] ou **PANACE** [panas] n. m. — V. 1560 ; lat. *panax.* → Opopanax.

♦ Bot. Genre de plantes dicotylédones *(Araliacées)* qui comprend plusieurs variétés d'arbres ou d'arbrisseaux exotiques. *La racine de certaines variétés de panax est employée en Chine comme remède sous le nom de ginseng et y est considérée comme une véritable panacée.*

PANCA [pɑ̃ka] n. m. ⇒ **Panka.**

PANCALISME [pɑ̃kalism] n. m. — 1915, d'après Lalande; de *pan-*, et grec *kalos* «beau».

♦ Philos. Doctrine philosophique qui consiste à «concevoir le beau comme la norme catégorique d'où dépendent toutes les autres, et le réel comme l'ensemble de ce qui peut être organisé sous la forme esthétique» (Lalande).

PANCARTAGE [pɑ̃kaʀtaʒ] n. m. — 1966, *in* P. Gilbert; de *pancarte*, et *-age*.

♦ Admin. Affichage* d'indications destinées à des usagers, au moyen de panneaux. *Le pancartage d'une gare. Un pancartage rationnel.*

PANCARTE [pɑ̃kaʀt] n. f. — XVe, *pencarte*, «carte marine, charte, document»; du lat médiéval *pancharta*, p.-ê. comp. hybride du grec *pan* «tout», et du lat. *charta* «charte, papier», ou (P. Guiraud) de *pan* «surface, étendue», rattaché à *pendre*.

♦ **1.** Vx. Charte, document, «vieux papiers, écrits, paperasse» (Richelet, 1680). *«Le latin de nos vieilles pancartes»* (Corneille, *Au lecteur de l'Imitation*).

(Déb. XVIIe). Spécialt. Affiche qui contenait le tarif de certains droits, le prix des marchandises vendues par un commerçant.

Faire-part d'enterrement (cf. La Bruyère, *les Caractères*, VI, 21).

♦ **2.** (1623). Mod. Écriteau qu'on accroche ou qu'on attache à un support, qu'on applique contre un mur, un panneau, etc., pour donner un avis au public. ⇒ **Affiche, écriteau, enseigne, placard.** *Pancarte à la vitrine d'un magasin* (→ Factice, cit. 2; file, cit. 5), *sur la porte d'un local.*

Le poète regarda sur la porte qui correspondait à celle par laquelle il était entré, la pancarte où se lisaient ces mots : BUREAU DE RÉDACTION, et au-dessous : *Le public n'entre pas ici.* BALZAC, Illusions perdues, Pl., t. IV, p. 665.

(XXe). Écriteau portant des slogans, que l'on brandit. *Porter une pancarte dans un défilé, une manifestation* (→ Monôme, cit.).

DÉR. Pancartage.

PANCHROMATIQUE [pɑ̃kʀɔmatik] adj. — 1898, *plaque panchromatique*, in *Année sc. et industr.*, 1899, p. 78; de *pan-*, et *chromatique*.

♦ Techn. Qui est sensible à toutes les couleurs du spectre, en photographie. *Émulsion, pellicule, plaque panchromatique.* — Abrév. : *panchro. Des pellicules panchro.*

PANCHRONIE [pɑ̃kʀɔni] n. f. — D. i.; de *pan-*, et *-chronie* (→ Panchronique), d'après *diachronie** et *synchronie**.

♦ Didact. Dans la description d'un système sémiotique, notamment d'une langue, période de temps qui couvre tous les états fonctionnels (synchronies).

PANCHRONIQUE [pɑ̃kʀɔnik] adj. — XXe; de *pan-*, et *-chronique*, → Synchronique.

Didactique.

♦ **1.** Biol. *Types panchroniques :* genres qui persistent longuement sans varier (on les appelle couramment *fossiles vivants*).

♦ **2.** Qui concerne ou décrit un système indépendamment de son évolution, mais en utilisant des éléments empruntés à divers états successifs. ⇒ **Panchronie** (opposé à *synchronique* et à *diachronique*).

PANCLASTITE [pɑ̃klastit] n. f. — Av. 1864, cit.; de *pan-*, et du grec *klastos* «brisé».

♦ Techn. Composition explosive liquide constituée d'un mélange d'une substance oxydante (le peroxyde d'azote) avec une substance combustible (sulfure de carbone ou un hydrocarbure comme le benzène) et préparée au moment même de son utilisation du fait de sa sensibilité au choc.

Un explosif nouveau, qui a assez fait parler de lui dans ces derniers temps, c'est la panclastite (brise-tout).
L. FIGUIER, l'Année scientifique et industrielle 1865, p. 206 (1864).

REM. Le dérivé verbal *panclastiter*, d'après *dynamiter*, etc., est attesté (Villiers de l'Isle-Adam, *Tribulat Bonhomet*, p. 30, 1887).

PANCOSMISME [pɑ̃kɔsmism] n. m. — 1951; *pancosmism* en angl., 1865; de *pan-*, et du grec *kosmos* «monde».

♦ Philos. Doctrine philosophique selon laquelle toute réalité est contenue dans le monde sous une forme matérielle.

PANCRACE [pɑ̃kʀas] n. m. — 1583; du lat. *pancratium*, du grec *pankration*, de *pan* «tout», et *kratos* «force».

♦ **1.** Anciennt. Exercice gymnique qui combinait la lutte et le pugilat.

Toutes les surprises de la lutte, du pancrace, du cent mètres, du saut en hauteur, trouvent dans le mouvement des passions des bases organiques analogues, elles ont les mêmes points physiques de sustentation.
A. ARTAUD, le Théâtre et son double, *in* Œ. compl., t. IV, p. 155.

♦ **2.** (Mil. XXe). Mod. Combat pugilistique comparable par certains de ses aspects à la lutte gréco-romaine.

DÉR. (Du même rad.) **Pancratiaste.**

PANCRATIASTE [pɑ̃kʀatjast; pɑ̃kʀasjast] n. m. — 1579; lat. *pancratiastes*, mot grec, de *pankration*. → Pancrace.

♦ Athlète grec qui pratiquait le pancrace.

PANCRÉAS [pɑ̃kʀeas] n. m. — 1541; grec *pankreas*, de *pan* «tout», et *kreas* «chair».

♦ Anat., cour. Glande* annexe du tube digestif, de forme allongée, située derrière l'estomac, entre la deuxième portion du duodénum et la rate. *Tête, corps, queue, col ou isthme du pancréas. Le pancréas se comportant comme une glande exocrine, sécrète le suc pancréatique* (⇒ **Trypsine**), *et comme une glande endocrine, l'insuline**.

DÉR. Pancréatine, pancréatique, pancréatite.
COMP. Pancréatectomie.

PANCRÉATECTOMIE [pɑ̃kʀeatɛktɔmi] n. f. — XXe; de *pancréas*, et *-ectomie*.

♦ Chir. Ablation, partielle ou totale, du pancréas.

PANCRÉATINE [pɑ̃kʀeatin] n. f. — 1846; de *pancréas*.

♦ Biochim. Enzyme du suc pancréatique. ⇒ **Amylase, lipase, trypsine.**

PANCRÉATIQUE [pɑ̃kʀeatik] adj. — 1666; de *pancréas*.

♦ Du pancréas. *Calcul pancréatique. Artères, cellules pancréatiques* (→ Insuline, cit.). *Suc pancréatique :* sécrétion du pancréas, déversée dans le duodénum, qui contient divers ferments (amylase, lipase, trypsine) et qui joue un rôle important dans la digestion des glucides, des lipides et des protides. — Qui provient du pancréas. *Diabète pancréatique.*

PANCRÉATITE [pɑ̃kʀeatit] n. f. — 1810; de *pancréas*, et suff. *-ite*.

♦ Méd. Inflammation du pancréas (terme générique). *Pancréatite chronique. Pancréatite aiguë hémorragique.*

PANDA [pɑ̃da] n. m. — 1824, Cuvier (in *Oxford Dict.*); probablt l'un des noms indigènes de l'animal au Népal.

♦ Mammifère *(Procyonidés)*, voisin du Kinkajou, qui vit dans les forêts de l'Himalaya, du Népal et dans le sud de la Chine.

PANDANUS [pɑ̃danys] n. m. — 1816, *pandanus, pandan; pandang*, 1806 (*in* D. D. L.); mot d'orig. malaise.

♦ **1.** Bot. Plante monocotylédone *(Pandanacées)*, arbre ou arbuste des régions chaudes. *Pandanus utilis* (baquois ou vaquois), dont les fruits sont comestibles. — *Pandanus odoratissimus* ou *palmier odorant.*

♦ **2.** Fibre de la feuille de pandanus, utilisée pour faire des sacs, des nattes, des toitures, etc.

Une foule abondante et bigarrée y flânait, à cette heure encore matinale, où le four qu'allait devenir la rue commençait à peine à chauffer : négresses à ramages, noirs en toile blanche, à casque ou à large chapeau de pandanus, vieilles guadeloupéennes en madras cornus. Roger VERCEL, l'Île aux revenants, p. 65.

PANDECTES [pɑ̃dɛkt] n. f. pl. — 1573; «livre contenant toutes choses», 1538; du lat. *pandectæ*, transcription du grec *pandektai*, de *pan* «tout», et *dekhesthai* «recevoir».

♦ Dr. rom. Recueil de décisions d'anciens jurisconsultes romains qui fut composé sur l'ordre de l'empereur Justinien. ⇒ 1. **Digeste** (cit.).

PANDÈMES [pɑ̃dɛm] n. f. pl. — 1839, Boiste, comme n. m. pl.; *pandémon*, 1765; du grec *pandêmos* «(commun à) tout le peuple».

♦ Antiq. Fêtes grecques pendant lesquelles on servait des repas publics.

PANDÉMIE [pɑ̃demi] n. f. — 1771; de *pan-*, et du grec *dêmos* «peuple».

Didactique (Médecine).

♦ **1.** Maladie qui atteint presque tous les habitants d'une région. ⇒ **Endémie, épidémie.**

♦ **2.** Épidémie générale, dont les effets s'étendent à la terre entière.

De nouvelles épidémies locales *(de variole)* se répètent dans des populations très irrégulièrement vaccinées, préparant la *vaste pandémie qui frappera le monde entier de 1869 à 1874.* V. VIC-DUPONT, la Maladie infectieuse, p. 22.

DÉR. Pandémique.

PANDÉMIQUE [pɑ̃demik] adj. — 1740; de *pandémie.*

♦ Didact. D'une pandémie (surtout sens 2.). *Peste pandémique.*

PANDÉMONIAQUE [pɑ̃demɔnjak] adj. — V. 1850, Baudelaire; de *pandémonium*, d'après *démoniaque.*

♦ Littér., rare. Digne du Pandémonium, de la capitale de l'enfer. ⇒ **Infernal.**

PANDÉMONIUM [pɑ̃demɔnjɔm] n. m. — 1714; angl. *pandemonium*, mot créé par Milton; de *pan-*, et du grec *daimôn* «démon».

♦ **1.** Vieilli. *Le Pandémonium :* capitale imaginaire de l'enfer.

♦ **2.** (1835). Fig., littér. Lieu où règne la corruption*, le désordre*. «*C'est un pandémonium, c'est un vrai pandémonium,* se dit d'une réunion de mauvais esprits, de gens qui ne s'assemblent que pour comploter et faire le mal» (Académie). — Par ext. Lieu où il y a beaucoup de bruit, de vacarme. — REM. On écrit aussi *pandemonium.*

En attendant, dis-je à Jupien, cette maison est tout autre chose, plus qu'une maison de fous, puisque la folie des aliénés qui y habitent est mise en scène, reconstituée, visible, c'est un vrai pandémonium. PROUST, le Temps retrouvé, Pl., t. III, p. 832.

DÉR. Pandémoniaque.

PANDICULATION [pɑ̃dikylasjɔ̃] n. f. — V. 1560; dér. sav. du lat. *pandiculari* «s'étendre en bâillant».

♦ Didact. Mouvement automatique qui consiste à étendre les bras en haut en renversant la tête et le tronc en arrière tout en allongeant les jambes. *La pandiculation, souvent accompagnée de bâillements, indique généralement le besoin de sommeil, la fatigue, l'ennui...*

PANDION [pɑ̃djɔ̃] n. m. — 1846; de *Pandion*, nom d'un personnage de la mythologie grecque.

♦ Zool. Oiseau rapace appelé aussi *balbuzard**.

PANDIT [pɑ̃dit] n. m. — 1819; *pandite*, 1614; *pandita*, déb. XVIe; du sanscrit *pandita* «savant».

♦ Titre honorifique donné dans l'Inde à un fondateur de secte, à un savant, généralement un brahmane, versé dans l'exégèse, la science religieuse... ⇒ **Brahmane.** *Le pandit Nehru.*

L'homme qui me parle ainsi est un vieillard, un brahmine; il porte le titre de Pandit, c'est-à-dire de savant en langue et en philosophie sanscrites (...) LOTI, l'Inde (sans les Anglais), VI, VIII.

1. PANDORE [pɑ̃dɔʀ] n. f. — 1519; du lat. *pandura.* → Mandore.

♦ Anciennt. Instrument de musique à cordes pincées, de la famille du luth, qui était en usage aux XVIe et XVIIe siècles.

2. PANDORE [pɑ̃dɔʀ] n. m. — 1857; nom d'un gendarme dans une chanson célèbre de G. Nadaud «Pandore ou les deux gendarmes».

♦ Fam., vx ou emploi stylistique. Gendarme*.

3. PANDORE (BOÎTE DE) loc. nominale. ⇒ **Boîte** (cit. 12 et *supra*).

PANDOUR [pɑ̃duʀ] n. m. — 1664, Promé; du hongrois *Pandur*, nom d'un village de Hongrie où fut levé au XVIIe s. le premier contingent de ces troupes.

♦ **1.** Anciennt, hist. Soldat hongrois de certains corps irréguliers. — En France, Soldat de l'infanterie croate.

REM. On a écrit aussi *pandoure.*

♦ **2.** Fig., vx. Soldat, homme brutal, grossier, rude, pillard.

Tu sais que les défenseurs de Charles VII étaient, pour la plupart, des pandours du Midi, c'est-à-dire des pillards ardents et féroces, exécrés même des populations qu'ils venaient défendre. HUYSMANS, Là-bas, IV. 1

(Terme péjoratif de sens vague). Brute, lourdaud...

«Tous les gamins», selon l'expression des voisins, étaient de petits pandours et de pauvres innocents. Georges BORGEAUD, le Voyage à l'étranger, I, p. 126. 2

1. PANÉ, ÉE [pane] adj. — 1570, *eau panée* (dans laquelle on a fait tremper du pain); de *pain.*

♦ Couvert de panure avant la cuisson. *Côtelettes, escalopes panées; pieds (de porc) panés.*

HOM. Panné.

2. PANÉ, ÉE [pane] adj. ⇒ **Panné.**

PANÉGYRIE [paneʒiʀi] n. f. — 1824, Champollion; *panegyris*, 1765; du grec *pâneguris*, de *pân (pan-)* et *agora* «assemblée».

♦ Didact. Dans l'Antiquité grecque, Assemblée du peuple (d'une cité, d'un pays) autour d'un sanctuaire commun.

PANÉGYRIQUE [paneʒiʀik] n. et adj. — 1512; lat. *panegyricus*, du grec *panêgurikos*, dér. de *panêguris* «assemblée (→ agora) de tout *(pan)* (le peuple), fête solennelle».

★ **I.** N. m. ♦ **1.** Didact. Discours* d'apparat composé à la louange d'une personne illustre, ou, quelquefois, d'une nation, d'une cité. ⇒ **Louange.** *Le panégyrique d'Athènes, par Isocrate. Le panégyrique de Trajan, par Pline le Jeune. L'oraison* funèbre peut contenir des critiques, le panégyrique n'admet que l'admiration.*

Il est toujours à craindre que le panégyrique d'un monarque ne passe pour une flatterie intéressée. L'effet ordinaire de ces éloges est de faire rougir ceux à qui on les donne, d'attirer peu l'attention de la multitude, et de soulever la critique. On ne conçoit pas comment Trajan put avoir ou assez de patience ou assez d'amour-propre pour entendre prononcer le long panégyrique de Pline (...) 1
VOLTAIRE, Panégyrique de Louis XV, Préface de l'auteur.

Spécialt. Sermon, morceau d'éloquence* qui a pour sujet l'éloge* d'un saint. *Le panégyrique de saint Bernard, de saint Paul, par Bossuet.*

Liturgie grecque. Livre qui contient les éloges des saints pour tous les jours de l'année.

♦ **2.** Cour. (mais style soutenu). Parole, écrit, ouvrage à la louange de qqn (⇒ **Apologie**). *Commentaire qui n'est ni un panégyrique, ni une censure* (→ Dépriser, cit. 1). *Faire le panégyrique, se lancer* (1. Lancer, cit. 37) *dans le panégyrique de qqn.* ⇒ **Vanter.**

Péj. ou iron. Éloge outré et emphatique. ⇒ **Dithyrambe.**

C'est un grand patriote (...) 1.1
Le voilà qui part dans le panégyrique du savant. Capitaine d'active au cours de la guerre 14-18, médaille militaire, croix de guerre (...) Des citations longues comme ma jambe! La France lui doit des flopées de découvertes utiles, telles que la crème contre le feu du rasoir (...) SAN-ANTONIO, le Secret de Polichinelle, p. 31.

Iron. Discours malveillant, médisant (→ Oraison* [cit. 3] funèbre).

Écoutez le panégyrique que le voisin fait du voisin. Blanc sur blanc est féroce; si le lys parlait, comme il arrangerait la colombe! Une bigote qui jase d'une dévote est plus venimeuse que l'aspic et le bongare bleu. 2
HUGO, les Misérables, III, IV, IV.

★ **II.** Adj. Didact. Qui est relatif, appartient au discours appelé panégyrique. «*La pompe et la majesté du style panégyrique*» (Bossuet, *Panégyrique de saint François d'Assise*, I).

CONTR. Blâme, calomnie, censure.

PANÉGYRISTE [paneʒiʀist] n. — Fin XVIe; bas lat. *panegyrista.*

Didactique.

♦ **1.** Auteur d'un panégyrique (→ 1. Bien, cit. 101; dénombrement, cit. 2).

♦ **2.** (Souvent péj. ou iron.). Personne qui loue, qui vante qqn ou qqch. (⇒ **Prôneur**). *Le, la panégyriste de (qqn, qqch.).*

Ne sois ni fade panégyriste, ni censeur amer; dis la chose comme elle est. 1
DIDEROT, Jacques le fataliste, Pl., p. 547.

Quoique M. Raynouard ait été jusqu'ici dignement apprécié par des panégyristes et des biographes éminents (...) SAINTE-BEUVE, Causeries du lundi, 6 oct. 1851. 2

PANEL [panɛl] n. m. — 1953, *in* Höfler; mot angl., proprt «panneau».

Anglicisme.

♦ **1.** Psychol. soc. Échantillon* expérimental sur lequel se fait une enquête d'opinion.

Panel : un millier de personnes savamment sélectionnées qui pensent comme cinquante millions de Français. Jacques MERLINO, les Jargonautes, p. 203.

♦ **2.** (1963). Groupe de spécialistes animant une discussion devant un auditoire. — (1970, *in* P. Gilbert). Réunion, débat devant un public. ⇒ **Table ronde.**

PANEM ET CIRCENSES [panɛmɛtsiʀkɛ̃sɛs]. Mots lat. Du pain et des jeux (de cirque) : mots par lesquels Juvénal (*Satires,* X) définit avec mépris les revendications exclusivement matérielles des Romains de la décadence.

PANÉMONE [panemɔn] adj. et n. f. — Av. 1980; de *pan-,* et grec *anemos.* → Anémomètre.

♦ Didact. Qui peut s'adapter à toutes les directions de vent. « *Les éoliennes à axe vertical ont l'avantage d'être adaptées à n'importe quelle direction du vent. On les appelle pour cela panémones (tous les vents).* » (*la Recherche,* mars 1980, p. 265).

PANER [pane] v. tr. — 1660, « faire bouillir du pain dans de l'eau »; 1540 au p. p. (→ Pané); de *pain*.*

♦ Cuis. Couvrir de pain émietté, râpé (⇒ **Panure**) une pièce de viande, de poisson... à cuire, à griller... *Paner un poisson en le roulant dans de la chapelure, de la mie de pain.* — Au p. p. ⇒ **Pané.**

HOM. Panné (dér. de 2. *panne*).

PANERÉE [panʀe] n. f. — 1393; dér. de *panier.*

♦ Vieilli. Contenu d'un panier. *Une panerée de fruits, d'œufs.* ⇒ **Panier.** — Fig. Grande quantité (Cf. Mme de Sévigné, 17 avr. 1671).

1 Dire qu'il y a tous les jours, dans les départements, une locomotive qui chauffe pour nous apporter des panerées d'imbéciles affamés de littérature et de bruit imprimé! (...)
Alphonse DAUDET, Lettres de mon moulin, « Le portefeuille de Bixiou ».

REM. On rencontre souvent l'orthographe anormale *pannerée* (→ Groseille, cit. 1, Colette).

2 Et pourquoi ne serait-ce pas toi? dit Godain tout bas à Catherine, il y aurait une pannerée d'écus à vendanger pour éviter le tapage, et du coup tu serais la maîtresse ici (...) BALZAC, les Paysans, Pl., t. VIII, p. 198.

PANET [panɛ] n. m. ⇒ **Panais.**

PANETERIE [pantʀi; panɛtʀi] n. f. — V. 1300; dér. du rad. de *pain.*

♦ Lieu où l'on conserve et distribue le pain, dans les communautés, les grands établissements. — Absolt. Hist. *La paneterie du roi :* l'office de panetier; l'ensemble des panetiers.

PANETIER, IÈRE [pantje, jɛʀ] n. — 1150; dér. du rad. *pan-* de *pain.*

♦ Vx. Personne préposée à la paneterie. — Hist. Officier de bouche (→ 2. Officier, cit. 2), chargé de la garde et de la distribution du pain à la cour d'un souverain. *Le grand* (cit. 41) *panetier de France. Le panetier et l'échanson.*

PANETIÈRE [pantjɛʀ] n. f. — V. 1175; dér. du rad. *pan-* de *pain.*

♦ **1.** Vieilli. Sorte de gibecière, de sac où l'on met du pain, des aliments. *Panetière de berger, de pèlerin.*

J'en fis ma panetière, où quatre ou cinq cachettes
Se trouvent là-dedans comme belles chambrettes,
L'une à mettre le pain, l'autre à mettre des noix (...) RONSARD, Églogues, V.

♦ **2.** (1546). Petit meuble à claire-voie, sorte de garde-manger où l'on garde le pain. — Mod. Meuble de salle à manger ou de cuisine, sorte de dressoir* fermé. ⇒ **Armoire.**

HOM. Panetière (fém. de *panetier*).

PANETON [pantɔ̃] n. m. — 1812; dér. de *panier.* — REM. Le *paneton* signalé dans Furetière par les étymologistes est un *panneton* de clé.*

♦ Techn. (boulang.). Petit panier, petite corbeille sans anse (⇒ **Banneton**) que l'on garnit de toile et où l'on met les pâtons, pour que la pâte prenne forme. *Paneton rond, long.* — REM. La 8e édition du dictionnaire de l'Académie enregistre l'orthographe *panneton.*

HOM. 1. Panneton.

PANEUROPÉANISME [panœʀɔpeanism] n. m. — 1928, *in* D. D. L., d'après *panaméricanisme;* de *paneuropéen.*

♦ Polit. Tendance à l'unité européenne.

PANEUROPÉEN, ÉENNE [panœʀɔpeɛ̃, eɛn] adj. — 1901; de *pan-,* et *européen.*

♦ Polit. Relatif à l'unité européenne (englobant toute l'Europe). ⇒ **Européen.** *Une conférence paneuropéenne.*

D'ailleurs, ne va-t-on pas, comme de coutume, nous offrir de remonter le Rhône jusqu'à la Mecque pan-européenne, jusqu'à l'écrin du petit bijou S. D. N.
René CREVEL, le Clavecin de Diderot, p. 54.

DÉR. Paneuropéanisme.

PANGÉE [pɑ̃ʒe] n. f. — Av. 1979; de *pan-* et du grec *gê* « la Terre ». → Géo-.

♦ Didact. Continent unique (mégacontinent) formé de toutes les terres émergées (à l'époque hercynienne). « *Dès le début du secondaire, l'impressionnant mégacontinent qu'est la Pangée se met à se disloquer.* » (*Sciences et Avenir,* juil. 1980, p. 48).

PANGERMANIQUE [pɑ̃ʒɛʀmanik] adj. — 1903; de *pan-,* et *germanique.*

♦ Polit. Du pangermanisme.

PANGERMANISME [pɑ̃ʒɛʀmanism] n. m. — 1846; de *pan-,* et *germanisme.*

♦ Polit. Système politique qui tend à grouper dans un État unique tous les peuples supposés d'origine germanique.

PANGERMANISTE [pɑ̃ʒɛʀmanist] adj. et n. — 1905; *pangermane,* 1894, *in* D. D. L.; de *pan-, germain* et *-iste.*

♦ Polit. Relatif au pangermanisme. *Doctrine, mouvement pangermaniste.* — Subst. Partisan du pangermanisme.

PANGOLIN [pɑ̃gɔlɛ̃] n. m. — 1761, Buffon; du malais *panggoling* « celui qui s'enroule ».

♦ Zool. Mammifère édenté* pholidote, arboricole ou terrestre. *Les pangolins se roulent en boule à l'approche du danger.*

Le pangolin se nourrit de fourmis; il a le museau allongé, la gueule étroite et sans aucune dent apparente, la langue longue et ronde : caractères qui lui sont communs avec les mangeurs de fourmis *(fourmiliers);* mais il en diffère (...) par un caractère unique, qui est d'avoir le corps couvert de grosses écailles au lieu de poil (...) BUFFON, Hist. nat. des animaux, Le tamanoir.

PANHELLÉNIQUE [panelenik; panɛllenik] adj. — 1868, de *pan-,* et *hellénique.*

♦ Antiq. Qui appartenait, se rapportait à l'ensemble des Grecs (et non à telle ou telle cité particulière). *Culte panhellénique.* — Cf. Panhellénien (autre sens) sous *pan-.*

PANHELLÉNISME [panelenism; panɛllenism] n. m. — 1868; de *pan-,* et *hellénisme.*

♦ Système politique tendant à réunir tous les Grecs en une seule nation.

PANIC [panik] ou **PANIS** [pani; panis] n. m. — 1403; *penis,* 1282; du lat. *panicum,* dér. de *panus* « fil de tisserand ».

♦ Bot., régional. Plante monocotylédone *(Graminées),* herbacée, annuelle ou vivace, cultivée comme céréale ou plante fourragère. *Panic millet.* ⇒ 2. **Mil, millet.** *Panic d'Italie* (« millet des oiseaux »). *Panic* ou *panis germanicum.* ⇒ **Moha.**

HOM. Panique.

PANICAUT [paniko] n. m. — Fin XIVe; *pain de caulde,* 1517; du provençal *panicau,* du lat. *panis* « pain » et *carduus* « chardon », altér. en *calidus, caldus.*

♦ Bot., régional. Plante dicotylédone *(Ombellifères)* aux feuilles dures, dentées et épineuses, appelée communément *chardon Roland* (pour « chardon roulant »). *Panicaut des champs. Panicaut maritime.*

PANICULE [panikyl] n. f. — 1545; du lat. *panicula,* dér. de *panus* « épi ».

♦ Bot. Mode d'inflorescence en grappe d'épillets (⇒ **Épi**). *Panicules du maïs.*

DÉR. Paniculé.
HOM. Pannicule.

PANICULÉ, ÉE [panikyle] adj. — 1778; de *panicule.*

♦ Bot. Qui a des fleurs en panicule; qui est en forme de panicule.

PANIER [panje] n. m. — 1165; du lat. *panarium* «corbeille à pain», de *panis* «pain».

♦ **1.** Ustensile formant un réceptacle plus ou moins rigide (fait, à l'origine, de vannerie) servant à contenir, à transporter des marchandises solides, des provisions, des animaux... *Couvercle, fond, parois d'un panier. Panier rigide, souple, rond, long, à anses, sans anses. Panier d'osier** (→ Cueillir, cit. 14), *de jonc** (→ Exposer, cit. 17), *de raphia, de rotin, d'éclisses, de treillis métallique, de matières plastiques...* — *Variétés de paniers* (selon la matière, les dimensions, la fonction...). ⇒ **Banne, banneau, banneton, bannette, barquette,** 3. **baste, benne, bourriche, cabas, cloyère, corbeille, couffin** (ou **couffe**), **cueilloir, faisselle, flein, gabion, hotte, maniveau,** 2. **manne,** 2. **mannequin, paneton, panière.** *Panier vide, plein. Panier à...*, servant à emballer, à transporter... *Panier de...*, contenant effectivement... *Panier à provisions, à pain* (→ Fardeau, cit. 1), *à bois... Porter, transporter des marchandises dans des paniers. Paniers des commerçants, des paysans... au marché* (cit. 25). *Panier d'œufs* (→ Étaler, cit. 2), *d'huîtres* (cit. 2)... *Panier de marée.*

Récipient analogue, servant à d'autres usages (généralement agricoles). *Panier où les poules pondent, couvent.* ⇒ **Couvoir, nichoir, pondoir.** *Panier où couche, où est transporté un animal domestique* (→ Habitude, cit. 20; lécher, cit. 2). *Fromage fait dans un panier de jonc* (⇒ **Jonchée**).

1 (...) au-dessus de chaque porte se voit le panier suspendu dans lequel sèchent les fromages. BALZAC, le Médecin de campagne, Pl., t. VIII, p. 318.

2 Au bout d'une ficelle, un joli panier descend du troisième étage, le long du mur, jusqu'à hauteur d'homme. Un maraîcher y met des salades et des fruits, et le facteur qui survient y dépose une lettre. On voit sur l'accoudoir le bras nu ensoleillé qui tient la ficelle. Le panier remonte en faisant des bonds d'allégresse. Valery LARBAUD, Barnabooth, Journal, I.

Antiq. *Panier utilisé dans les mystères.* ⇒ 2. **Ciste.** *Panier de présents à Rome.* ⇒ **Sportule.**

Loc. *Panier à ouvrage*, où les femmes rangent leur matériel de couture. ⇒ **Corbeille.** — *Panier à bouteilles* : panier métallique à compartiments. — *Panier à salade* : réceptacle métallique (d'abord en osier), à ouverture étroite, dans lequel on met la salade pour la secouer, l'égoutter (→ aussi ci-dessous cit. 9, le sens fig. et fam.). — *Panier aux ordures, aux papiers, à papiers* (on dit plutôt *boîte à ordures* et *corbeille à papiers).*

Absolt. (Dans des loc.). *Le panier* : la corbeille où l'on jette les papiers, etc. *Chose inutile, bonne à mettre, à jeter au panier* (→ 1. Livre, cit. 22).

3 Toutes ces pièces, dont beaucoup auraient dû être au panier depuis longtemps, étaient méticuleusement classées (...) MONTHERLANT, les Célibataires, I, IV.

Loc. fig. *Faire danser l'anse** (cit. 3) *du panier.* — *Mettre tous ses œufs** (cit. 10) *dans le même panier. Mettre dans le même panier;* juger de la même façon (→ Mettre dans le même sac*). — Par métaphore. *S'entre-dévorer comme des crabes* (cit. 1) *dans un panier.* — Fig. *Panier de crabes* : ensemble de personnes qui se combattent, se font une guerre sans merci à l'intérieur d'un groupe (parti, société...). — *Faire le panier* (le pot) *à deux anses.*

4 Le forgeron, qui avait sa redingote, tenait Gervaise à son bras gauche et Virginie à son bras droit : il faisait le panier à deux anses, disait-il (...) ZOLA, l'Assommoir, VII, t. I, p. 266.

4.1 Aussi fou qu'elle probablement. À mettre dans le même panier. F. MALLET-JORIS, le Jeu du souterrain, p. 250.

Loc. fig., fam. **PANIER PERCÉ.** *Sa mémoire* est un panier percé :* il ne se souvient de rien. Spécialt. *C'est un panier percé*, une personne qui ne peut rien conserver, rien garder (notamment son argent). ⇒ **Dépensier, mange-tout** (cf. Regnard *in* Littré). Adj. *Il, elle est un peu panier percé.* (→ Famélique, cit. 3).

5 Bahorel était un être de bonne humeur et de mauvaise compagnie, brave, panier percé, prodigue et rencontrant la générosité, bavard et rencontrant l'éloquence, hardi et rencontrant l'effronterie (...) HUGO, les Misérables, III, IV, I.

Loc. prov. *Petit mercier*, petit panier* (cf. Ch. d'Orléans, *Rondeau*, 330). *Adieu* panier, vendanges sont faites.*

Être bête, sot comme un panier. — Fam. *Il est con* comme un panier.*

6 Elle est sotte comme un panier (...) BALZAC, Pierrette, Pl., t. III, p. 700.

♦ **2.** Contenu d'un panier. ⇒ **Panerée.** *Acheter un plein panier de cerises.*

Loc. **PANIER-REPAS** : repas froid distribué à des voyageurs, des excursionnistes... dans un panier, une boîte en carton, etc.

Loc. fig. *Le dessus** (cit. 16) *du panier.* ⇒ **Élite, fleur, gratin, meilleur.** *Le fond du panier.* ⇒ **Rebut.**

6.1 Il y avait sept ou huit convives — mais ils étaient de marque. Le fretin était constitué par Wladimir d'Ormesson, Lucien Romier, Pierre Bresson, Paul Morand et François Mauriac. Ce qui n'était déjà pas si mal. Mais le dessus du panier éclipsait ces pauvres célébrités (...) Claude MAURIAC, le Temps immobile, p. 62.

Le panier de la ménagère : évaluation de la consommation familiale, spécialt en nourriture.

♦ **3.** Objet, ustensile, véhicule... creux, en vannerie, en métal, etc., servant à divers usages.

[a] Pêche. Nasse* pour la pêche aux crustacés.

[b] Vx. *Panier d'un coche* : grande caisse d'osier à l'arrière d'un coche. — Voiture légère, découverte, à fond d'osier.

(...) il n'y avait plus personne dans la voiture lorsqu'un Cavalier de maréchaussée, descendant du panier, reçut dans ses bras d'un de ses camarades également placé dans le même lieu une fille de vingt-six à vingt-sept ans (...) SADE, Justine..., t. I, p. 18. 6.2

[c] Nacelle* (d'un ballon).

[d] Agric. Ruche* de paille, d'osier.

[e] Dans un instrument ménager (réfrigérateur, lave-vaisselle), Récipient destiné à un usage spécifique. *Panier à couverts d'un lave-vaisselle. Panier coulissant, élévateur.*

[f] Photogr. Dispositif contenant des diapositives, et facilitant la projection successive des vues.

♦ **4.** Anciennt. Corps de jupe baleiné (en osier, etc.) servant à faire bouffer les jupes, les robes. *Les paniers d'une robe. Robe à paniers.* — Par ext. Robe à paniers; jupon à paniers, à armature. ⇒ **Bouffante, crinoline, vertugadin.**

Les paniers apportés par une Anglaise à Paris furent inventés à Londres, on sait pourquoi, par une Française, la fameuse duchesse de Portsmouth; on commença par s'en moquer si bien que la première Anglaise qui parut aux Tuileries faillit être écrasée par la foule; mais ils furent adoptés. Cette mode a tyrannisé les femmes de l'Europe pendant un demi-siècle. BALZAC, Albert Savarus, Pl., t. I, p. 755. 7

(...) il *(Louis XV)* les voulait *(ses maîtresses)* telles qu'elles étaient, *sans paniers* (Luynes X, 173, 23 déc.), dans le déshabillé de cette heure avancée. Les paniers étaient tellement dans l'habitude, qu'une femme sans cela semblait nue. À Choisy, il était permis de s'en passer, d'aller en robe flottante (...) Mais à Versailles (...) c'était bizarre, choquant. MICHELET, Hist. de France, XV, t. XVIII, p. 258. 8

(...) la mode définitive du panier appelé proprement panier à cause de sa ressemblance avec l'espèce de cage où l'on met la volaille. Au milieu du siècle, le panier était fait d'une jupe de toile sur laquelle on appliquait des cercles de baleine. Ed. et J. DE GONCOURT, la Femme au XVIIIe s., t. II, p. 56. 8.1

Vx. *Panier roulant* : armature d'osier servant à soutenir les jeunes enfants lorsqu'ils apprennent à marcher (→ Bourrelet, cit. 1, Rousseau).

♦ **5.** (1934). [a] Vx. *Balle au panier.* ⇒ **Basket-ball.**

La balle au panier est un sport fin, grand maître de prestesse et d'adresse, excellent renfort de l'éducation physique, délassement des grands sports ou entraînement d'hiver des athlètes d'été. Mais il n'accroît ni n'utilise la puissance, et l'adresse en est trop manuelle : il ne peut compter parmi les grands jeux. Jean PRÉVOST, Plaisirs des sports, p. 124. 8.2

[b] (1927). Au basket, Armature métallique ronde, horizontale, fixée à un panneau de bois et portant un filet ouvert en bas.

Point marqué en faisant passer le ballon dans le panier du camp adverse. *Réussir un beau panier.*

♦ **6.** (1822). **PANIER À SALADE** : voiture cellulaire; car de police... REM. «Sous la Restauration, les voitures de transport pour les prisonniers étaient en osier, comme un panier à salade, et les voyageurs y étaient secoués comme de la laitue...» (Chautard, *la Vie étrange de l'argot*, p. 314).

Le lendemain, à six heures, deux voitures menées en poste et appelées par le peuple dans sa langue énergique des *paniers à salade* sortirent de la Force, pour se diriger sur la Conciergerie au Palais de Justice. BALZAC, Splendeurs et Misères des courtisanes, Pl., t. V, p. 916. 9

♦ **7.** Motif décoratif composé d'une corbeille remplie de fleurs, de fruits. *Lambris Louis XVI décoré de paniers.* — Archit. *Arc, cintre, voûte en anse* de panier.*

♦ **8.** (1867; *panier à vesse*, 1611; *pot à crottes*, 1654). Pop. **PANIER À CROTTES** : derrière. — Absolt. *Panier* (même sens). ⇒ **Cul, derrière.** *Mettre, coller la main au panier à qqn.*

Querelle se sentait habité par la réflexion du docker : «Il y colle la main au panier!» Jean GENET, Querelle de Brest, p. 293. 10

DÉR. Panière.

PANIÈRE [panjɛʀ] n. f. — 1373; *pennière*, XIIIe; repris au XIXe; de *panier.*

♦ **1.** Grand panier à anses; son contenu. *Porter une panière de linge au lavoir.*

♦ **2.** Valise en paille tressée.

J'avais quitté le monastère aussi pauvre que j'y étais entré. Une panière japonaise dodue et sanglée contenait mes vêtements, c'est-à-dire à peu près rien. Georges BORGEAUD, le Voyage à l'étranger, I, p. 16.

PANIFIABLE [panifjabl] adj. — 1823; de *panifier.*

♦ Techn. Qui peut servir de matière première dans la fabrication du pain. *Céréales, farines panifiables.*

PANIFICATION [panifikɑsjɔ̃] n. f. — 1781 ; de *panifier.*

♦ Techn. Ensemble des opérations qui permettent la transformation en pain de certaines matières premières (farines de céréales...). *La panification comprend la préparation de la pâte, son pétrissage, sa fermentation, son façonnage* (dans les panetons) *et la cuisson du pain.* ⇒ **Boulangerie; pain.**

PANIFIER [panifje] v. tr. — 1600, intrans., O. de Serres ; repris au XIXe ; dér. du lat. *panis* « pain », sur le modèle des verbes en *-fier.*

♦ Techn. Transformer en pain. *Panifier de la farine de seigle, de blé.*

DÉR. Panifiable, panification.

PANIQUARD, ARDE [panikaʀ, aʀd] n. — Mil. XXe ; de 2. *panique.*

♦ Fam., péj. Personne qui se laisse gagner par la panique.

Pendant que ces paniquards se ruaient vers l'arrière où ils ne risquaient même pas, dans le désordre général, d'être cueillis par les gendarmes, des divisions résistaient pied à pied (...) R. DORGELÈS, la Drôle de guerre, XX.

Adj. *Il est un peu paniquard.*

REM. On écrit parfois *panicard* : « envoyé secret de la poisse, génie panicard » (J. Perret, *Bande à part,* p. 152).

1. PANIQUE [panik] adj. — 1534, *terreur panice;* lat. *panicus,* du grec *panikos,* de *Pan,* dieu qui passait pour troubler, effrayer les esprits.

♦ **1.** Qui trouble subitement et violemment l'esprit, en parlant d'un sentiment de peur. *Peur, terreur panique.*

REM. On n'emploie guère, dans le langage courant, que les expressions *terreur, peur panique,* mais on trouve dans la langue littéraire : *« fièvre panique »* (Colette, *Belles saisons,* p. 11), *« scrupules paniques »* (Aragon, *les Beaux Quartiers,* p. 409), etc.

1 Renvoyez, dit quelqu'un, les ânes qui sont lourds,
Et les lièvres, sujets à des terreurs paniques. LA FONTAINE, Fables, V, 19.

2 Foin de ces terreurs paniques qui n'ont pas le sens commun!
ROUSSEAU, Julie ou la Nouvelle Héloïse, VI, II.

3 Cet invisible *(le dieu Pan)* faisait peur : partout pressenti, à l'on ne savait quel signe avant-coureur d'une monstrueuse apparition, une fièvre panique s'emparait des hommes et des bêtes, elles-mêmes soudain précipitées en fuites, en cavalcades éperdues. Émile HENRIOT, Mythologie légère, p. 180.

♦ **2.** Littér. ou didact. Relatif au dieu Pan, à certains aspects lyriques de la nature. *« Le grand appel panique »* (Claudel, *Partage de Midi,* p. 146).

4 (...) Hugo trouve satisfaction de son délire verbal à se perdre dans une confusion panique, Goethe, même dans ses effusions les plus lyriques, tend à nous ramener au pratique. GIDE, Attendu que..., p. 107.

2. PANIQUE [panik] n. f. — 1828, *avoir la panique, Mémoires* de Vidocq ; admis Académie 1835 ; de *peur panique* (1. panique).

♦ **1.** Terreur extrême et soudaine, généralement irraisonnée, et souvent de caractère collectif. ⇒ **Effroi, épouvante; affolement.** *Être gagné* (cit. 67) *par la panique, de panique* (→ Inondation, cit. 8), *pris de panique* (→ Essuyer, cit. 9). *Un vent de panique. Une sorte de panique les prenait* (→ Maîtrise, cit. 3), *s'emparait d'eux. Mater* (1. mater, cit. 5) *une panique intérieure. Foule prise de panique. Jeter, semer la panique dans les rangs de l'ennemi. Panique dans les rangs d'une armée* (⇒ **Déroute, désordre, fuite, sauve-qui-peut**). *Panique à la Bourse.*

1 Ils *(les gens de la cour, les prêtres)* nous ont perdus (...) disaient ces marchands furieux; qu'ils meurent maintenant! Nul doute aussi que la panique n'ait été pour beaucoup dans leur fureur. Le tocsin leur troubla l'esprit (...) Ruinés, désespérés, ivres de rage et de peur, ils se jetèrent sur l'ennemi (...)
MICHELET, Hist. de la Révolution franç., VII, V.

2 Ce que j'éprouvai, ce fut positivement cette sensation qui doit rendre le cœur aussi pâle que la face; ce fut cette panique qui fait prendre la fuite à des régiments tout entiers. BARBEY D'AUREVILLY, les Diaboliques, « Le rideau cramoisi », p. 70.

♦ **2.** Fam. Affolement. *Allons, pas de panique ! On va être en retard à la gare, c'est la panique.* ⇒ **Paniquer.**

DÉR. Paniquard, paniquer.
HOM. Panic.

PANIQUER [panike] v. — 1937, trans. *(paniquer la foule), in* D. D. L. ; de 2. *panique.*

♦ **1.** V. tr. Fam. Frapper de panique (2. Panique, 2.). *Il paniquerait tout le monde si on l'écoutait !* ⇒ **Affoler.**

1 Une centaine de filles et de garçons parfaitement résolus réussissent, par l'irrespect, le mépris des formes et la désobéissance systématique, à harceler, humilier, paniquer et réduire à l'impuissance les adultes.
R. MERLE, *in* le Monde, 15 mai 1968.

Pron. (réfl.). *Se paniquer :* s'affoler.

2 Avec les bruits qui couraient dans le camp ces derniers temps, je me suis paniqué, j'avais cette adresse et je voulais filer avant que les boches débarquent à Golfe-Juan. Joseph JOFFO, Un sac de billes, p. 181.

♦ **2.** V. intr. Être pris de peur ; s'affoler*.

Restée seule, je panique un peu : cette directrice trop courtoise, cette chambre morose qu'il va falloir aménager et entretenir (...) 3
A. SARRAZIN, la Traversière, p. 76.

▶ **PANIQUÉ, ÉE** p. p. adj. *À l'approche des examens il est complètement paniqué,* affolé, angoissé.

N. *Des paniqués.*

Tous ces paniqués qui foutent le camp ont laissé dans les garages des monstres invendables. Michel DÉON, le Jeune Homme vert, p. 325. 4

PANIS [panis] n. m. ⇒ **Panic.**

PANISLAMIQUE [panislamik] adj. — D. i. ; de *pan-,* et *islamique.*

♦ Polit. Du panislamisme. ⇒ **Panarabe.**

PANISLAMISME [panislamism] n. m. — 1905, G. Leroux, *in* D. D. L. ; de *pan-,* et *islamisme.*

♦ Polit. Système politique tendant à l'union de tous les peuples musulmans. ⇒ **Panarabisme.**

PANKA [pɑ̃ka] n. m. — 1875 ; *punka,* 1841 ; *punkaw* attesté en angl. en 1625 ; hindi *pankha,* selon l'*Oxford Dictionary.*

♦ Écran mobile suspendu au plafond, qui se manœuvre au moyen de cordes et qui est utilisé comme ventilateur dans les pays chauds (originellement dans l'Inde). ⇒ **Éventail.** *Les pankas tiennent lieu de ventilateurs*.*

Le panka, comme une aube de toile rayée, faisait passer doucement au-dessus de leurs têtes, un vent doux et régulier. Machinalement Paméla considéra le plafond, où était la poulie, puis, suivant des yeux la corde du panka, descendit du regard jusqu'à la baie ouverte sur un couloir sombre. 1
Paul MORAND, Magie noire, p. 163.

(...) Enfin Bénarès, ses hôtels fermés en cette saison, sa rest-house dont de vieilles femmes tiraient le panka toute la nuit, comme avant la révolte des Cipayes. 2
MALRAUX, Antimémoires, p. 115.

REM. On trouve aussi la graphie *panca* (1890) et la var. ancienne *punka* (1841, Jacquemont). Les graphies *pankha* et *pankah* sont anglaises.

PANLEXIQUE [pɑ̃lɛksik] n. m. — 1823, titre de Boiste ; de *pan-,* et *lexique.*

♦ Rare. Dictionnaire, lexique universel.

PANLOGISME [pɑ̃lɔʒism] n. m. — 1901, *in* Couturat, cité par Lalande ; *Panlogismus* en all. en 1853, de *pan-,* et du rad. de *logik* « logique ».

♦ Philos. « Doctrine d'après laquelle tout ce qui est réel est intégralement intelligible et peut être construit par l'esprit selon ses propres lois » (Lalande).

Dans la mesure où, pour lui, ce qui est réel est rationnel, il justifie toutes les entreprises de l'idéologie sur le réel. Ce qu'on a appelé le panlogisme de Hegel est une justification de l'état de fait. CAMUS, l'Homme révolté, p. 542-543.

PANMICTIQUE [pɑ̃miktik] adj. — D. i. ; de *panmixie.*

♦ Didact. De la panmixie. « *Les mariages panmictiques et le brassage des populations apportent constamment des gènes nouveaux...* » (*la Recherche,* 1972, in *Banque des mots*).

PANMIXIE [pɑ̃miksi] n. f. — 1903, *Nouveau Larousse illustré ;* de *pan-,* et du grec *mixia,* de *mixis* « mélange » ; mot créé par Weissman en all., 1896.

♦ Didact. Reproduction de l'espèce humaine par des unions faites au hasard, en l'absence de sélection naturelle.

DÉR. Panmictique.

1. PANNE [pan] n. f. — 1080, *penne* « peau sur un bouclier » ; du lat. *penna* « plume, aile ». → Penne.

★ **I.** ♦ **1.** (XIIe, *pane*). Étoffe, tissu de laine, de coton, de soie, semblable au velours, mais à poils longs (moins cependant que ceux de la peluche*) et peu serrés. *La panne de laine est utilisée dans l'ameublement.*

Spécialt. *Panne de soie* (→ Hermine, cit. 7). *Panne de soie pour la fabrication des chapeaux hauts de forme.*

Il aspira deux gorgées de barbotage glacé, renversa la tête contre la panne jaune de la banquette, et sentit fondre avec délices la roideur mentale qui l'épuisait depuis quinze jours. COLETTE, la Fin de Chéri, p. 108.

♦ **2.** Blason. *Pannes :* fourrures (hermine, vair...).

★ **II.** (XIIIe, *penne d'oint* « garniture de graisse »). Graisse qui se trouve sous la peau du cochon. *La panne adhère à la couenne du porc. Mettre de la panne dans un ragoût.*

HOM. 2., 3., 4., 5. **Panne.**

2. PANNE [pan] n. f. — 1515, *pene,* sens métaphorique de *penne :* « aile, partie latérale » ; cf. Rabelais, *penes du nez ;* du lat. *penna ;* croisé avec *tomber en panne,* comme un chiffon → 5. panne.

★ **I.** (XVIe ; « pièce latérale d'une vergue latine »). ♦ **1.** (1573, *« bouter vent en penne »*). Mar. *Mettre* (un bateau) *en panne* (1611) : arrêter la marche d'un navire en orientant les vergues (⇒ 2. **Brasser**) de façon qu'elles ne prennent plus le vent, et, par ext., en réduisant la voilure. ⇒ **Cape** (mettre à la) ; **empanner.** *Être, se tenir, rester en panne.*

1 On avait mis en panne, et c'était grande fête (...)
A. DE VIGNY, Poèmes philosophiques, « La bouteille à la mer », IX.

1.1 Nous mettons en panne vers 2 h du matin, foc amené, trinquette à contre et barre dessous. Bernard MOITESSIER, Cap Horn à la voile, p. 164.

(XVIIIe, Saint-Simon ; Richelet, éd. de 1759). Vx. *Se tenir, rester en panne :* s'arrêter d'agir ; attendre le moment favorable.

♦ **2.** (1842). Fam. *Être dans la panne,* dans la misère. ⇒ **Panné ; pauvreté.**

2 Comment ! c'est toi, tu es du quartier ? dit Satin, stupéfaite de la voir en pantoufles dans la rue, à cette heure. Ah ! ma pauvre fille, il y a donc de la panne !
ZOLA, Nana, VIII.

3 C'est toute ma jeunesse, une jeunesse d'humiliation et de panne qui est là, disait-il.
HUYSMANS, En ménage, III.

REM. Selon P. Guiraud, ce sens vient du v. *panner* « ruiner au jeu », correspondant à *panner* « nettoyer » (par métaphore) de *panne* « chiffon » → 5. panne. Mais dans la langue actuelle, le sémantisme rattache l'emploi à 2. *panne.*

(1843). Argot de théâtre. Rôle insignifiant, misérable dans une pièce. (Ce mot s'est employé aussi au masc.). *Ne jouer que des pannes.*

♦ **3.** (1879, cit.). Cour. Arrêt de fonctionnement dans un mécanisme, un moteur, impossibilité accidentelle de fonctionner. *Panne d'automobile* (→ Ennuis* mécaniques ; → Cocher, cit. 3). *Avoir une panne* (→ Démonter, cit. 5). *L'avion, la voiture a eu une panne de moteur. Panne de pneu* (→ Accroc, cit.). — Spécialt. *Panne d'essence, panne sèche :* arrêt du fonctionnement d'un véhicule à moteur à explosion par manque de carburant. — *Panne d'électricité, de courant.* — *Panne de son, de sono(risation).* — *Une panne d'une heure.* ⇒ **Arrêt** (de fonctionnement).

4 J'ai ainsi vécu seul, sans personne avec qui parler véritablement, jusqu'à une panne dans le désert du Sahara, il y a six ans. Quelque chose s'était cassé dans mon moteur. Et comme je n'avais avec moi ni mécanicien, ni passagers, je me préparai à essayer de réussir, tout seul, une réparation difficile.
SAINT-EXUPÉRY, le Petit Prince, II.

5 Y a-t-il une panne d'électricité ? Peut-être un plomb de sauté ? C'est une bougie qui brûle, derrière le paravent. G. DUHAMEL, Salavin, VI, XXII.

5.1 (...) à travers la porte vitrée aucun bruit ne lui parvient, et de ce fait la scène ayant ce on ne sait quoi d'insolite, d'angoissant et d'absurde, comme lorsqu'une panne de son prive tout à coup de la parole les personnages d'un film et qu'on les voit néanmoins continuer à s'agiter et à vivre, leurs bouches s'ouvrant et se refermant sur du silence ! Claude SIMON, le Vent, p. 165.

EN PANNE : incapable de fonctionner ; arrêté par une panne. *Machine, appareil en panne.* ⇒ **Détraqué.** *Voiture en panne. Être en panne :* avoir une voiture en panne. *Nous sommes restés en panne pendant deux jours. Réparer un moteur, une voiture en panne.* ⇒ **Dépanner.** — *Être, rester en panne,* dans l'impossibilité de se déplacer, d'agir. ⇒ **Carafe** (en). — *Être en panne,* dans l'impossibilité momentanée de continuer. *Être en panne de qqch.,* en être dépourvu. *Elle est en panne de domestique.*

6 Leur attention se fixait sur une machine en panne et elles regardaient le nombreux outillage. HUYSMANS, les Sœurs Vatard, p. 237.

HOM. 1., 3., 4., 5. **Panne.**

3. PANNE [pan] n. f. — 1170, *pasne ;* d'un lat. vulg. *patena,* du grec *phatnê* « crêche » (Wartburg).

♦ **1.** Techn. Pièce de charpente horizontale reposant sur les arbalétriers des fermes, qui sert à soutenir les chevrons d'un comble. *Pièces soutenant les pannes.* ⇒ **Chantignole,** 3. **ferme.** *Panne faîtière, sablière, intermédiaire. Cours de pannes :* ensemble des pannes placées à la même hauteur.
Tuile faîtière double.

♦ **2.** Techn. Barrière flottante (à l'entrée d'un port). — Appontement léger.

HOM. 1., 2., 4., 5. **Panne.**

4. PANNE [pan] n. f. — 1680, Richelet ; de 2. *panne, pene* « aile, partie latérale », de l'anc. provençal *penha.*
Technique.

♦ **1.** Partie du marteau opposée à la tête.

♦ **2.** Partie plate d'un piolet. *Donner des coups de panne.*

HOM. 1., 2., 3., 5. **Panne.**

5. PANNE [pan] n. f. — 1905 ; du provençal *pano ;* anc. franç. *pane* « chiffon, étendard », du lat. *pannus.* → 1. Pan.

♦ Rare. Bande de nuages près de l'horizon. — Didact. (météor.). *Panne d'ouragan.*

HOM. 1., 2., 3., 4. **Panne.**

PANNÉ, ÉE [pane] adj. et n. — 1828 ; de 2. *panne,* 2.

♦ Pop., vieilli. Sans argent, dans la misère.

REM. Ce mot a eu en argot divers sens dépréciatifs. Il est souvent orthographié *pané.*

(...) une femme tannée, fanée, *panée,* dit-il en employant une atroce expression de l'argot des ateliers pour faire croire à son mépris par une de ces exagérations qui plaisent aux femmes. BALZAC, la Cousine Bette, Pl., t. VI, p. 347. 1

Matoussaint n'a pas le sou (...) c'est un pané (...) 2
J. VALLÈS, le Bachelier, III, p. 30.

Un individu comme moi, un pané, autant dire une cloche, pas sortable, habillé aux puces, qu'est-ce-que c'est pour un sous-préfet. 3
M. AYMÉ, le Vin de Paris, p. 194.

HOM. Paner (pané), 1., 2. **panner.**

PANNEAU [pano] n. m. — XIIe, *panel ;* d'un lat. pop. **pannellus,* dér. de *pannus.* → 1. Pan.

♦ **1.** (1155). Anciennt. Coussinet de selle, pièce de garniture rembourrée de crin et placée sous l'arçon.

♦ **2.** (XIIIe, *penel*). Morceau d'étoffe ou filet utilisé pour prendre le gibier. ⇒ **Filet.** *Chasse, chasser au panneau, aux panneaux.* ⇒ **Panneautage, panneauter.** *Les panneaux sont considérés comme engins* (cit. 9) *prohibés.*

(XVIIe, Corneille, Scarron). Loc. métaphorique ou fig. ⇒ **Piège.** *Tendre* un panneau à qqn.* ⇒ **Duper.** — *Donner** (*supra* cit. 63), *tomber* dans le panneau* (→ Dupe, cit. 2 ; gober, cit. 5 ; ignorance, cit. 10).

Seigneur ours, comme un sot, donna dans ce panneau. 1
LA FONTAINE, Fables, V, 20.

Le panneau le plus délié et le plus spécieux qui dans tous les temps ait été tendu aux grands par leurs gens d'affaires (...) LA BRUYÈRE, les Caractères, X, 22. 2

L'Accusateur public (...) avait en effet donné dans un panneau très habilement tendu par les défenseurs, et pour lequel Gothard venait de jouer admirablement son rôle. BALZAC, Une ténébreuse affaire, Pl., t. VII, p. 603. 3

(...) grâce aux panneaux qu'elle préparait et où les naïfs venaient tomber (...) 4
PROUST, À la recherche du temps perdu, t. XII, p. 94.

♦ **3.** (XIIIe). Cout. Morceau d'étoffe (⇒ 1. **Pan**), élément d'un vêtement cousu, assemblé. *Les panneaux d'une jupe.* ⇒ **Lé.** Loc., vieilli. *Crever dans ses panneaux :* être suffoqué.

Et sa tunique brodée d'or 5
Était composée de deux panneaux
S'attachant sur l'épaule (...)
APOLLINAIRE, Alcools, 1909.

♦ **4.** (Fin XIIIe, Villard de Honnecourt). Techn., cour. Partie d'un ouvrage de menuiserie, d'architecture, d'une construction..., constituant une surface délimitée (par une bordure, un cadre*, des moulures*, par d'autres panneaux...). *Panneau d'un mur** (face intérieure), *d'une cloison* (→ Clou, cit. 3). ⇒ **Pan.** *Panneau à compartiments séparés par des réglets*. Panneau de menuiserie remplissant le bâti d'un lambris, d'un vantail de porte*... Panneaux de boiserie* (→ Infester, cit. 4 ; lambrisser, cit. 2), *de tapisserie, de glace* (cit. 20 et 24)... *Panneau en saillie.* ⇒ **Table.** *Panneaux de papier d'une maison japonaise* (→ Jouet, cit. 2). *Panneau d'un coffre* (cit. 1), *d'un meuble* (→ Marqueterie, cit. 1). *Meubles à panneaux* (armoires, commodes...). *Panneau mobile, à charnière, à glissière* (cit. 1. → Inopinément, cit. 3). *Panneaux coulissants.*

Les panneaux de glaces qui l'environnaient répétaient majestueusement de toutes parts son énorme personne (...) A. DE MUSSET, Nouvelles, « Croisilles », II. 6

Mar. *Panneau de cale* (cit. 2), *d'écoutille :* couverture des écoutilles. — Par ext. Ouverture du pont d'un navire permettant d'accéder aux cales ou aux ponts inférieurs. *Panneau de vaigrage. Panneau d'un submersible.*

Ils se coulèrent par le panneau entrebâillé qui se referma sur eux (...) 7
LOTI, Mon frère Yves, XXIII.

Techn. Plaque de marbre dans l'encadrement d'un foyer. — Partie du mur d'échiffre (d'un escalier*).

Élément préfabriqué utilisé dans la construction. *Panneaux fibreux. Panneaux agglomérés au ciment.* ⇒ **Aggloméré.** *Panneau stratifié. Panneaux découpés.* — *Panneau chauffant.* — Techn., cour. *Panneau de contreplaqué*.* *Panneau de lattes servant de passage.* ⇒ **Caillebotis.** — Décoration. *Panneau de sculpture. Panneau de fer d'un balcon, d'une rampe* (motifs de fer forgé, etc. qui décorent ce balcon, cette rampe).

8 (...) il avait remarqué, posés contre un mur, deux panneaux de chêne, sculptés et ajourés par endroits (...) Ces panneaux, chargés de figures savantes, creusés de reliefs onctueux et polis par l'âge, dans un bois parfait, lui avaient semblé la chose la plus belle et la plus désirable au monde.
J. ROMAINS, les Hommes de bonne volonté, t. I, XXIV, p. 288.

9 Au-dessus du buffet un panneau décoratif très propre à une salle à manger, puisqu'il était fait d'une tapisserie où l'on discernait des vignes et des grappes, avec un lointain de parc versaillais (...) ARAGON, les Beaux Quartiers, II, XXIII.

Techn. Face d'une pierre taillée. — Patron (de carton, de bois, de métal) pour la taille des pierres.

Panneau solaire : élément d'un dispositif transformant l'énergie solaire en énergie électrique. *« Chaque mètre carré de panneau solaire exposé normalement au rayonnement de l'astre du jour fournissait 100 W »* (*Sciences et Avenir*, mars 1978, p. 26).

Élément d'une verrière enfermant un sujet entier. — Élément plan d'une pièce d'orfèvrerie.

Panneau de contrôle. ⇒ **Tableau.**

♦ **5.** Surface plane (rigide ou d'une matière souple tendue) destinée à servir de support à des inscriptions. *Panneaux d'enseigne*. Panneau-réclame* (→ Hurlant, cit. 2), *panneau publicitaire. Panneaux électoraux*, panneaux de bois (et, par ext., surfaces de mur, etc.) destinés à recevoir les affiches électorales. *Panneaux de signalisation.*

10 La route est bordée d'amples panneaux-réclame, non pas plats ou même peints en trompe-l'œil, mais compliqués de profondeurs et de perspectives.
G. DUHAMEL, Scènes de la vie future, VI.

11 La petite localité (...) était toute bouleversée par la campagne électorale de 1906. Sur les panneaux de bois aux portes de la mairie, à chaque morceau de mur que ne mangeait pas une fenêtre, les affiches contradictoires et grotesques surgissaient. ARAGON, les Cloches de Bâle, II, XV.

♦ **6.** Planche de bois servant de support* à une peinture (⇒ **Tableau**). *Peinture sur panneau. Panneau de chêne, de sapin...*

DÉR. Panneauter, panneauteuse.

PANNEAUTAGE [panotaʒ] n. m. — 1860 ; de *panneauter.*

♦ Techn. (chasse). Chasse aux panneaux (braconnage).

PANNEAUTER [panote] v. intr. — 1798 ; de *panneau*, 2.

♦ Techn. (chasse). Tendre des panneaux pour prendre du gibier. Trans. *Panneauter des lapins.*

DÉR. Panneautage, panneauteur.

PANNEAUTEUR [panotœʀ] n. m. — 1860 ; de *panneauter.*

♦ **1.** Rare. Braconnier qui chasse au panneau.

♦ **2.** Techn. Personne qui transmet des informations par panneaux (notamment, à un pilote, en course).

PANNEAUTEUSE [panotøz] n. f. — Mil. XXe (*in* Larousse, 1963) ; de *panneau* ou de *panneauter.*

♦ Techn. Machine servant à fabriquer des panneaux de bois.

PAN-NÈGRE [pɑ̃nɛgʀ] adj. — 1930 ; de *pan-*, et *nègre.*

♦ Polit. Qui concerne, intéresse l'ensemble des Noirs (en tant que réalité politique et raciale).

REM. Ce mot n'a pas fait fortune.

Le 15 mars 1921, quand on portait plainte contre lui et qu'il allait être arrêté, Jean Galmot a écrit à Marcus Gravey, de Harlem, l'initiateur du grand mouvement pan-nègre : « Il faut que la voix terrible du peuple noir, debout dans le même élan, secoue tous les peuples et leur annonce la libération prochaine des 400 millions de noirs, la plus prodigieuse puissance humaine. »
B. CENDRARS, Rhum, éd. L. de Poche, p. 157.

PANNEQUET [pankɛ] n. m. — 1808 ; de l'angl. *pancake* « gâteau *(cake)* à la poêle *(pan)* ».

♦ Crêpe épaisse.

Adeline, à qui l'on repassait des pannequets à la frangipane (...) attendait que son père eût fini de raconter leur visite chez la nourrice.
Philippe HÉRIAT, Famille Boussardel, XIV.

1. PANNER [pane] v. tr. — 1765 ; de 4. *panne.*

♦ Techn. Travailler avec la panne (d'un marteau).

HOM. Paner, panné, 2. **panner.**

2. PANNER [pane] v. tr. — 1930, *in* Esnault ; de 2. *panne.*

♦ Fam. Argot de métier, vx. Manquer (un ouvrage). ⇒ **Louper, rater.**

HOM. Paner, panné, 1. **panner.**

PANNERÉE [panʀe] n. f. ⇒ Panerée.

1. PANNETON [pantɔ̃] n. m. — 1581 ; var. de *penneton*, dér. de *pennon.*

Technique.

♦ **1.** Partie de la clef* qui pénètre dans la serrure et qui agit sur le pêne.

♦ **2.** Partie de l'espagnolette* qui s'assujettit au crochet.

Elle ouvrit son sac pour en tirer un trousseau de grosses clés à pannetons compliqués, qu'elle jeta sur mon bureau.
Hervé BAZIN, Cri de la chouette, p. 264.

2. PANNETON [pantɔ̃] n. m. ⇒ Paneton.

PANNICULE [panikyl] n. m. — XIVe ; lat. *panniculus*, dimin. de *pannus* « pan, pièce (d'étoffe) ».

♦ **1.** Anat. Couche sous-cutanée, située sous le derme et composée de lobules graisseux. *Pannicule adipeux.*

♦ **2.** Pathol. Excroissance membraneuse sur la cornée*.

DÉR. Panniculite.
HOM. Panicule.

PANNICULITE [panikylit] n. f. — D. i. ; de *pannicule*, et *-ite.*

♦ Méd. Inflammation du pannicule adipeux sous-cutané se présentant sous forme de nodules douloureux, qui peuvent laisser des zones circonscrites d'atrophie.

PANNONIEN, ENNE [panɔnjɛ̃, ɛn] ou PANNONIQUE [panɔnik] adj. — 1875 ; de *Pannonie.*

♦ Géogr., hist. Qui concerne la Pannonie, entité géographique constituée par les plaines de l'Europe du Sud-Est, comprenant la Hongrie, les régions Nord de la Yougoslavie et Ouest de la Roumanie. — N. *Les Pannoniens*, habitants de ces régions.

PANNUS [panys] n. m. — 1721, en pathologie ; lat. *pannus* « pan, pièce (d'étoffe) ».

♦ Pathol. Tissu conjonctif très vascularisé, nouvellement formé au cours d'une inflammation au niveau de la membrane synoviale d'une articulation ou du limbe de la cornée (lésion caractéristique du trachome).

PANO [pano] n. m. ⇒ Panoramique, II.

PANONCEAU [panɔ̃so] n. m. — XIIe, *penoncel* ; dimin. de *pennon, penon* au sens d'« écusson d'armoiries ».

♦ **1.** Hist. (féodalité). Écu d'armoiries* servant de signe de juridiction. ⇒ **Blason, écu.** *Panonceaux d'un seigneur.*

♦ **2.** Mod. Armoiries servant de réclame à un hôtel. ⇒ **Enseigne.** Plaque distinctive peinte ou émaillée signalant les hôtels recommandés par une association touristique ou gastronomique.

♦ **3.** Cour. Plaque signalant un lieu, portant un renseignement (cette extension de sens vient probablement de la paronymie avec *panneau*).

Étienne tourna les talons et se dirigea vers l'arrêt de l'autobus. Une vingtaine de personnes, rangées en file, attendaient sous le panonceau. 1
H. TROYAT, la Tête sur les épaules, p. 111.

(...) la rue encore éclairée par des becs de gaz 1900, le grand mur écroulé et, après le carrefour, passé le panonceau « Défense de déposer les ordures ménagères », la sente des Fauvettes (...) Albert SIMONIN, Touchez pas au grisbi, p. 91. 2

♦ **4.** (1857). Écusson*, plaque métallique placée à la porte, au-dessus de la porte d'un officier ministériel : huissier, commissaire-priseur, notaire* (cit. 3).

(...) des panonceaux brillent à la porte ; c'est la maison du notaire, et la plus belle du pays. FLAUBERT, Mme Bovary, II, I. 3

PANOPHTALMIE [panɔftalmi] n. f. — 1932; de *pan-*, et *ophtalmie.*

♦ Méd. Inflammation purulente de la totalité du globe oculaire, due à une infection par plaie pénétrante ou à une infection généralisée (septicémie).

PANOPLIE [panɔpli] n. f. — 1573; cité comme mot grec en 1551; sens fig. en 1724 «*panoplie dogmatique*», en parlant d'un livre; grec *panoplia* «armure, équipement de l'hoplite»; du préf. *pan-*, et *oplon* «arme».

♦ **1.** (1784). Hist., vieilli. Armure complète d'un chevalier du moyen âge.

1 Pour s'asseoir, chaque panoplie
Fait un angle avec son genou,
Dont l'articulation plie
En grinçant comme un vieux verrou (...)
Th. GAUTIER, Émaux et Camées, «Le souper des armures».

♦ **2.** (1848-1849, Sainte-Beuve). Ensemble d'armes présenté et disposé sur un panneau et servant de trophée, d'ornement. — Par ext. Collection d'armes. *Panoplie d'armes exotiques. Armes de panoplie.*

2 C'est *(la vie de Chateaubriand)* un poème à contrastes, c'est un trophée, je l'ai dit, une *panoplie* qui brille au soleil. SAINTE-BEUVE, Chateaubriand, t. I, p. 237.

3 (...) dans la politique il y a la trahison de même que dans la panoplie il y a le poignard (...) HUGO, Quatre-vingt-treize, III, II, X.

Par ext. (Milit.). Ensemble constitué d'armes, d'engins de même nature (par ex. : engins nucléaires). *La panoplie nucléaire française.*
Fig. *Une panoplie d'arguments.* ⇒ **Arsenal.** — (Souvent iron.). *Il a sorti toute la panoplie des bons sentiments, des contre-vérités et des mensonges par omission.* ⇒ **Gamme.**

♦ **3.** (xxᵉ). Jouet d'enfant, comprenant un équipement, un déguisement présenté sur un carton. *Panoplie de pompier, de facteur, de médecin, d'infirmière...*

4 J'étais flattée de posséder des objets dont les grandes personnes se divertissaient; je les aimais mieux précieux que familiers. De toute façon les accessoires — épicerie, batterie de cuisine, panoplie d'infirmière — n'offraient à l'imagination qu'un mince secours. S. DE BEAUVOIR, Mémoires d'une jeune fille rangée, p. 45.

PANOPTIQUE [panɔptik] adj. et n. m. — 1802; anglicisme (*panopticon*, 1791) emprunté à J. Bentham, *Traité de législation civile et pénale*; de *pan-*, et *optique.*

♦ Techn. Se dit d'un établissement carcéral (prison, maison de correction, etc.) aménagé de telle sorte que le surveillant puisse voir chaque détenu dans sa cellule sans être vu lui-même. *Prison, système panoptique.*

PANORAMA [panɔʀama] n. m. — 1799, Fulton; empr. angl., mot créé par Barker en 1787; du grec *pan-*, et *-orama* «vue». → -Orama; diorama.

♦ **1.** Spectacle constitué par un vaste tableau circulaire peint en trompe-l'œil et destiné à être regardé du centre; la rotonde où se trouve un tel tableau. *Panorama de Paris,* présenté par Fulton en 1799. *Le passage des Panoramas,* et, absolt, *les Panoramas,* à Paris (Cf. Musset, *Mardoche,* XIX).

1 La récente invention du Diorama, qui portait l'illusion de l'optique à un plus haut degré que dans les Panoramas, avait amené dans quelques ateliers de peinture la plaisanterie de parler en *rama* (...) «Eh bien! *monsieurre* Poiret (...) comment va cette petite *santérama?*» BALZAC, le Père Goriot, Pl., t. II, p. 888. (cf. -Orama).

Par ext. Vaste peinture (paysage ou bataille) d'un réalisme poussé. ⇒ **Diorama.**

2 M. Lottier (...) aime à en accuser la crudité *(des climats chauds).* Ces panoramas inondés de soleil sont d'une vérité merveilleusement cruelle. On les dirait faits avec le daguerréotype de la couleur.
BAUDELAIRE, les Curiosités esthétiques, III, XV.

Par métaphore ou figuré. *Panorama de souvenirs.*

3 Ma mémoire est un panorama; là, viennent se peindre sur la même toile les sites et les cieux les plus divers avec leur soleil brûlant ou leur horizon brumeux.
CHATEAUBRIAND, Mémoires d'outre-tombe, t. VI, p. 135.

4 Les personnes sur le point de se noyer présentent cette rapidité de la pensée qui leur fait parcourir d'immenses panoramas, presque leur vie entière.
Henri MICHAUX, La nuit remue, p. 79.

♦ **2.** Vaste paysage que l'on peut contempler de tous côtés; vue circulaire. ⇒ **Vue.** *Splendide panorama* (→ Distraire, cit. 11).

5 L'Alcazar est bâti sur une grande esplanade entourée de remparts crénelés à la mode orientale, du haut desquels on découvre une vue immense, un panorama vraiment magique : ici la cathédrale enfonce au cœur du ciel sa flèche démesurée; plus loin brille, dans un rayon de soleil, l'église de *San Juan de los Reyes* (...)
Th. GAUTIER, Voyage en Espagne, p. 104.

6 De la dernière plate-forme, le panorama qui se déroule est fort beau; d'un côté les Vosges, de l'autre les montagnes de la forêt Noire (...) le Rhin dans un cours de vingt lieues, les premières masses touffues de la forêt des Ardennes, et puis un damier de plaines les plus vertes et les plus fraîches du monde (...)
NERVAL, Lorely, «Du Rhin au Mein», I.

♦ **3.** (Abstrait). Étude successive et complète d'une série, d'une catégorie de questions. *Panorama des verbes français* (Lemare, 1802). *Panorama de la littérature contemporaine.*

DÉR. Panoramique, panoramisme.

PANORAMIQUE [panɔʀamik] adj. et n. m. — 1828; de *panorama.*

★ **I.** Adj. ♦ **1.** Qui offre les caractères d'un panorama; qui permet de voir l'ensemble (d'un paysage, etc.). *Vue panoramique. Croquis panoramique,* représentant schématiquement l'ensemble d'un terrain.
Vue panoramique (en photo), obtenue à l'aide d'un objectif à grand angle.

♦ **2.** Qui permet une visibilité étendue. *Vitre panoramique. Carrosserie, car, wagon panoramique,* à parois largement ou entièrement vitrées. *Restaurant panoramique,* d'où l'on peut contempler un vaste paysage.

♦ **3.** Fig. Qui embrasse de vastes perspectives. *Un regard panoramique. Une vue panoramique d'une période historique.*

★ **II.** N. m. ♦ **1.** (1928; 1858 «appareil tournant», *Année sc. et industr.* 1859, p. 90-92). Techn. (Cin., télév.), cour. Mouvement* d'appareil obtenu par rotation autour d'un axe. *Panoramique horizontal, vertical.*
(1956, *in* D. D. L.). Abrév. fam. *pano,* n. m.

♦ **2.** Vue panoramique (photographie, peinture, etc.). *«Le procédé de sérigraphie (...) a permis d'abaisser le coût des panoramiques, que l'on ne fait plus courir comme autrefois tout autour de la pièce, mais que l'on dispose sur un seul pan de mur, comme une fenêtre ouverte sur l'ailleurs»* (*l'Express,* 29 sept. 1979, p. 43).

DÉR. Panoramiquer.

PANORAMIQUER [panɔʀamike] v. intr. — 1912; de *panoramique,* II.

♦ Cin., télév. Faire un panoramique. *Panoramiquer sur un paysage.*

Quand la caméra panoramique, le paysage devient forcément flou. L'intelligence 1
de Sirk, pour masquer ce flou, est de toujours faire courir des gens en deçà et au-delà des personnages qu'il suit, de supprimer les défauts de la vitesse en allant encore plus vite.
J.-L. GODARD, Jean-Luc Godard, *in* Coll. des cahiers du cinéma, p. 233 (Note).

Par analogie :

Vous gardez le cabinet? 2
Je laisse mon regard panoramiquer sur le décor. Pour appeler «ça» un cabinet, faut vraiment avoir la foi. SAN-ANTONIO, J'ai essayé : on peut!, p. 37.

PANORAMISME [panɔʀamism] n. m. — V. 1960; de *panorama,* et *-isme.*

♦ Autom. Champ de visibilité du conducteur.

PANORPE [panɔʀp] n. f. — 1777; de *pan-*, et grec *orpêx* «aiguillon».

♦ Zool. Insecte névroptère *(Panorpidés),* au corps grêle tacheté de jaune et de noir et porté sur de longues pattes. *La panorpe, qui vit surtout dans l'hémisphère boréal, est aussi appelée* mouche scorpion.

PANORTHODOXE [panɔʀtɔdɔks] adj. — Mil. xxᵉ (*in* Larousse, 1963); de *pan-*, et *orthodoxe.*

♦ Relig. Qui tend à rassembler les Églises orthodoxes.

PANOSSE [panɔs] n. f. — Av. 1450; du lat. *panuccia* «guenille».

♦ Régional (Savoie, Suisse). Serpillère.

DÉR. Panosser.

PANOSSER [panɔse] v. tr. — 1852, Genève; de *panosse.*

♦ Régional (Savoie, Suisse). Passer la panosse, la serpillère, pour nettoyer (une surface, un sol, etc.). *Panosser le carrelage, la cuisine.*

PANOUFLE [panufl] n. f. — 1821; *panufle* «haillon», XIIIᵉ; de l'anc. franç. *pane* «chiffon», de *pannus.* → 1. Pan.

♦ Techn. Morceau de peau de mouton servant à garnir le dessus des sabots.

PANOUIL [panuj] n. m. ⇒ 1. **Panouille.**

1. PANOUILLE [panuj] n. f. — 1868; forme dialectale du bas lat. *panucula,* du lat. class. *panicula* (→ Panicule), de *panus* «épi».

♦ Régional. Épi de maïs, surtout égrené.

REM. On trouve aussi la forme *panouil* [panuj] n. m. (1796) et, dans le même sens ou au sens de «petit épi de maïs», le dér. *panouillon* [panujɔ̃] n. m. (attesté fin XIXe).

2. PANOUILLE [panuj] n. f. — 1899, Esnault; de *panais,* par substitution de suffixe.

♦ Pop. Maladroit, balourd, niais.

PANOUILLON [panujɔ̃] n. m. ⇒ 1. **Panouille.**

PAN-PAN [pɑ̃pɑ̃] ⇒ **Pan.**

PANPSYCHISME [pɑ̃psiʃism] n. m. — 1904, d'après Lalande; de *pan-,* et *psychisme.*

♦ Philos. «Doctrine d'après laquelle toute matière est non seulement vivante *(hylozoïsme)* mais possède une nature psychique analogue à celle de l'esprit humain» (Lalande). *Le panpsychisme de Hugo.*

DÉR. Panpsychiste.

PANPSYCHISTE [pɑ̃psiʃist] adj. et n. — 1915, Gide; de *panpsychisme.*

♦ Didact. Du panpsychisme* (⇒ **Pan-**). — Partisan de cette doctrine.

Bourget m'a dit encore :
«Moi, je suis panpsychiste! Je ne crois plus à la matière.»
GIDE, Journal, 1915, p. 522.

PANSAGE [pɑ̃saʒ] n. m. — Admis Académie, 1798; de *panser.*

♦ Soins de propreté qu'on donne à certains animaux domestiques (spécialt, aux chevaux, aux ânes, etc.). ⇒ **Bouchonnement.** *Matériel de pansage :* bouchon, étrille, brosse, éponge... *Pansage des vaches laitières.*

PANSE [pɑ̃s] n. f. — 1360; *pance,* 1155; du lat. *panticem,* accusatif de *pantex* «intestins, ventre».

A. ♦ **1.** Fam. Gros ventre, abdomen rebondi. ⇒ **Bedaine.** *Avoir une grosse panse, une panse de chanoine...* (⇒ **Obèse**). Spécialt. ⇒ **Estomac** (→ Fête, cit. 10, Villon; jour, cit. 34, La Fontaine). *Se remplir, se garnir, s'emplir la panse; s'en mettre plein la panse* (→ Plein la lampe*). ⇒ **Manger.** *Avoir la panse ronde, pleine, rebondie :* avoir bien mangé (→ Lors, cit. 1).

1 Deux grands pas avant lui on voit marcher sa panse.
Charles DUFRESNY, la Coquette de village, III, 2.

2 Ce n'était pas qu'on eût appétit, car on se gavait de raisin depuis l'aube, le gosier poissé de sucre, la panse enflée et ronde comme une tonne (...)
ZOLA, la Terre, IV, IV.

Loc. *Crever la panse à qqn. Se faire crever la panse :* se faire tuer. — *Avoir les yeux* plus grands que la panse (que le ventre*,* plus cour.). — Prov. *À qui a la panse pleine, il semble que les autres sont soûls* (repus) : les heureux ne voient pas la misère d'autrui (⇒ **Égoïsme**). — Fig. *S'emplir, se remplir la panse :* s'enrichir.

Par métonymie. (Vx). *Une bonne, une grosse panse :* un gros homme pansu.

♦ **2.** (1562, du cheval). Zool. Premier compartiment de l'estomac des ruminants, appelé aussi *rumen.* ⇒ **Estomac.** → Jabot, cit. 1.

B. ♦ **1.** (1379). Partie renflée* (d'une chose, et spécialt, d'un récipient). *Panse d'une bouteille*, d'une cruche*, d'un pot. Vase* à panse renflée* (→ Dressoir, cit.). *Panse d'une cloche*. Panse d'une chaudière, d'un alambic... Panse supérieure, inférieure d'un balustre*. — Panse d'une commode.* ⇒ **Galbe.** — Partie postérieure et élargie d'un collier de cheval.

♦ **2.** Par métonymie. Ancien voilier à coque ventrue (→ Avarie, cit. 3).

♦ **3.** Partie ronde (d'une lettre). *La panse d'un a.* — Loc. *N'avoir pas fait une panse d'a.* ⇒ **A.**

♦ **4.** (1868, Littré). Vitic. Cépage blanc à gros raisins.

DÉR. Pansière, pansu.
HOM. Formes des v. **penser** et **panser.**

PANSEMENT [pɑ̃smɑ̃] n. m. — 1531, *pansements* «soins à un malade»; *pancement,* 1690; de *panser,* et suff. *-ment.*

♦ **1.** [a] Action de panser (une plaie, une blessure...; un blessé, un malade...). *Le pansement relève de la petite chirurgie*. Faire le pansement d'une plaie.* — Cour. *Faire* (→ Morceau, cit. 3), *refaire* (→ Opérer, cit. 6) *un pansement, le pansement des blessés. Pansement douloureux* (cit. 3), *compliqué, difficile...* (→ Fixation, cit. 1). *Matériel, bandages... pour pansements.*

1 (...) mon genou fut étuvé, couvert de compresses et enveloppé de linges. On mit quelques morceaux de sucre enlevés aux fourmis, dans une portion de vin qui avait servi à mon pansement, et je l'avalai (...)
DIDEROT, Jacques le fataliste, Pl., p. 515.

Pendant que les autorités, aidées de l'administration, commençaient une enquête, les médecins procédaient en hâte au pansement des blessés. 2
ZOLA, la Bête humaine, X.

[b] Par métaphore :

(...) à mon âge, au contraire, l'amour est devenu une habitude d'infirme, c'est un pansement de l'âme (...) 3
MAUPASSANT, Fort comme la mort, II, II.

Vx. ⇒ **Pansage.**

♦ **2.** (UN, DES PANSEMENTS). [a] Méd. Tout ce qui sert à soigner, à traiter une plaie, une lésion, et à la protéger des agents infectieux. *Employer le bismuth comme pansement gastrique.* ⇒ **Remède.**

[b] Cour. Linges*, adhésifs, etc. servant à assujettir les produits curatifs, antiseptiques... ⇒ **Adhésif, agglutinatif, bande** (et **bandage, bandelette**), **charpie, compresse, coton, gaze** (cit. 3 et 4), **linge, ouate; topique.** *Boîte à pansements. Pansement simple, humide. Pansement antiseptique*, aseptique*, aseptisé à l'autoclave*. Pansement au collodion*. — Pansement propre* (→ Après, cit. 27); *souillé* (→ Graillon, cit. 1). *Blessés couverts de pansements* (→ Blessure, cit. 3). *Renouveler, changer les pansements des blessés* (→ Itératif, cit. 2). *Pansement au doigt.* ⇒ **Poupée.**

La bande qu'il tisse n'a que quelques centimètres de large et semble une bande pour pansements. 4
GIDE, Voyage au Congo, VII, 20 janv.

Par ext. *Pansements utilisés en chirurgie dentaire.*

Par métaphore. (→ Baume, cit. 10).

HOM. Pensement (vx).

PANSER [pɑ̃se] v. tr. — 1190, *penser de* «prendre soin de»; emploi trans. direct, XVe (sens 1.) et XVIe (sens 2.); spécialisation sémantique et orthographique de *penser,* au sens de «s'occuper de». → Penser; p.-ê. croisé avec un gallo-romain **pannuciare,* du lat. *pannucius* «chiffon», de *pannus* (→ 5. panne), selon P. Guiraud.

♦ **1.** Soigner (un animal domestique, et, spécialt, un cheval) en lui donnant les soins de propreté (⇒ **Bouchonner, brosser, étriller** [cit. 1]; **pansage**). *Panser une jument avec une étrille* (cit. 1). *Chevaux bien pansés et harnachés* (cit. 1). ⇒ **Palefrenier.**

(...) elle *(Laurence)* en fit son palefrenier et lui apprit à panser les chevaux avec le soin et l'attention qu'y mettent les Anglais. 1
BALZAC, Une ténébreuse affaire, Pl., t. VII, p. 484.

Régional (Centre). *Panser des bêtes,* en prendre soin, s'en occuper, et, spécialt, leur donner de l'herbe, du fourrage. *Il est allé panser les lapins.*

♦ **2.** (1314, *penser de* «soigner»; 1680, *panser une plaie*). Vx. Soigner, traiter (un malade), «avoir soin d'un malade, lui fournir les choses nécessaires» (Furetière, 1690). → Molière, *Monsieur de Pourceaugnac,* II, 6.

Allus. hist. *«Je le pansai, Dieu le guérit»,* paroles attribuées à Ambroise Paré.

♦ **3.** Mod. Soigner, traiter (qqn, une partie du corps lésée ou malade) en y appliquant un pansement*. *Panser une plaie, une blessure, un abcès, une escarre...* (→ Douleur, cit. 6). *Panser la main, le pied de qqn avec des bandages, de la charpie*...* ⇒ **Bander.** — (Le complément désigne une personne). *Panser un malade, un blessé,* lui faire ou lui renouveler un pansement (→ 1. Coucher, cit. 3; lavabo, cit. 3; mignoter, cit. 2).

Son premier soin fut de changer le linge de ma blessure, qu'elle avait pansée elle-même avant notre départ. 2
Abbé PRÉVOST, Manon Lescaut, II.

La première messe entendue, elle pansait des vieillards cancéreux parce qu'il n'était personne qui l'intéressât que les enfants et parce qu'aucune maladie ne lui donnait plus de dégoût que le cancer. 3
F. MAURIAC, le Mal, IV.

♦ **4.** Par métaphore ou fig. Soigner en rendant moins pénible. ⇒ **Adoucir, calmer.** *Panser les blessures d'amour-propre* (→ Bonhomie, cit. 3). *La femme est faite... pour panser les plaies, non pour les aviver* (→ Attiser, cit. 7). — *Panser la douleur, la peine de qqn.*

CONTR. Blesser, endolorir.
DÉR. Pansage, pansement, panseur.
HOM. Penser; pensée.

PANSEUR, EUSE [pɑ̃sœʀ, øz] n. et adj. — 1932; de *panser.*

♦ (Rare ou méd.). Personne qui fait des pansements; spécialt. Infirmier, infirmière chargé(e) plus spécialement des pansements.

Outre le chirurgien et ses aides, plusieurs panseuses (infirmières de salle d'opération) sont nécessaires, ainsi que des techniciens (...)
Cl. D'ALLAINES, la Chirurgie du cœur, p. 23.

HOM. Penseur.

PANSEXUALISME [pɑ̃sɛksɥalism] n. m. — 1921, Claparède; de *pan-, sexuel* (lat. *sexualis*), et *-isme.*

♦ Didact. Interprétation par la sexualité. *«Ce qu'on a appelé le "pansexualisme" de Freud»* (S. de Beauvoir, *in* D. D. L.).

PANSIÈRE [pɑ̃sjɛʀ] n. f. — V. 1330, *panciere;* de *panse,* et *-ière.*

♦ Techn. Pièce d'armure* couvrant le ventre; devant du corselet (par oppos. à *dossière*).

PANSINUSITE [pɑ̃sinyzit] n. f. — 1952, *Larousse médical,* art. *Nez;* de *pan-,* et *sinusite.*

♦ Méd. Inflammation simultanée de tous les sinus de la face.

PANSLAVE [pɑ̃slav] adj. — 1874; de *pan-,* et *slave.*

♦ Polit. Relatif à l'ensemble des peuples slaves. — Spécialt. Favorable à la réalisation de l'unité des peuples slaves. *Un congrès panslave.*

PANSLAVISME [pɑ̃slavism] n. m. — 1845; de *pan-,* et *slavisme.*

♦ Polit. Système politique qui tend à grouper tous les peuples slaves sous l'autorité de la Russie.

(...) l'Allemagne avait soudainement appris les inquiétants desseins du panslavisme, et l'importance des préparatifs militaires déjà commencés en Russie.
MARTIN DU GARD, les Thibault, t. VI, p.101.

DÉR. Panslaviste.

PANSLAVISTE [pɑ̃slavist] adj. et n. — 1874; de *panslavisme.*

♦ Polit. Relatif au panslavisme. — N. Partisan du panslavisme.

PANSPERMIE [pɑ̃spɛʀmi] n. f. — 1846, Bescherelle; de *pan-,* et du grec *sperma* «germe».

♦ Hist. sc. Théorie selon laquelle la vie sur la terre provient de germes venus d'ailleurs.

Il est certains esprits à qui répugne l'hypothèse d'une formation de matière organisée à partir des seuls éléments minéraux de notre planète et qui imaginent une dispersion cosmique de germes vivants (panspermie); cette thèse ne saurait être valablement discutée qu'en formulant, au préalable, de nombreuses hypothèses sur l'état physique de l'espace entourant la terre aux époques géologiques (...)
Jacques GUILLERME, la Vie en haute altitude, p. 27.

DÉR. Panspermique, panspermiste.

PANSPERMIQUE [pɑ̃spɛʀmik] adj. — 1866, Littré; de *panspermie.*

♦ Hist. sc. De la panspermie.

PANSPERMISTE [pɑ̃spɛʀmist] n. — V. 1860, Pouchet; de *panspermie.*

♦ Hist. sc. Partisan de la panspermie.

PANSU, UE [pɑ̃sy] adj. — 1360; de *panse.*

♦ **1.** Qui a une grosse panse. ⇒ **Gros, ventru.**

1 C'était un homme pansu, avec un nez rouge (...)
Th. GAUTIER, Mlle de Maupin, X.

♦ **2.** *Balustre* (cit. 1), *récipient, vase pansu.* ⇒ **Renflé.** *Coque pansue d'une barque.*

2 Il me montrait ces vapeurs laiteuses qui s'élevaient doucement de la lisière de la forêt, comme pour aller rejoindre ces nuages bas, pansus, paresseux comme alourdis par leur gros ventre, qui se traînaient à la cime des arbres.
M. CONSTANTIN-WEYER, Source de joie, I, p. 15.

PANTAGRUÉLIQUE [pɑ̃tagʀyelik] adj. — 1552, Rabelais, repris en 1829; de *Pantagruel,* personnage de Rabelais, doué d'un énorme appétit.

♦ Cour. Qui est digne du géant Pantagruel, qui évoque le personnage de Pantagruel. *Appétit, repas pantagruélique.* — On dit dans un sens analogue *gargantuesque*.*

CONTR. Frugal.
DÉR. Pantagruéliquement. — (Du même rad.) **Pantagruélisme.**

PANTAGRUÉLIQUEMENT [pɑ̃tagʀyelikmɑ̃] adv. — 1838, Flaubert; de *pantagruélique.*

♦ Littér. D'une manière pantagruélique.

(...) quoique j'y aie considérablement fumé et *pantagruéliquement* mangé de la matelote, barbue, laitue, saucissons, oignons, durillons, raves, betteraves, moutons, cochons, gigots, aloyaux.
FLAUBERT, Correspondance, 13 sept. 1838, t. I, p. 29.

PANTAGRUÉLISER [pɑ̃tagʀyelize] v. intr. — 1534, Rabelais; sur *Pantagruel;* → Pantagruélique.

♦ Didact. Vivre à la manière de Pantagruel.

(...) en Pantagruélisant, c'est-à-dire beuvans à gré et lisans les gestes horrifiques de Pantagruel. 1
RABELAIS, I, p. 13, signalé par R. ARVEILLER.

(...) il faudra bien que nous fumions quelques vieilles bouffardes en blaguant dans cette bonne chambre, où nous avons tant pantagruélisé (...) 2
FLAUBERT, Correspondance, lettre à E. Chevalier, 10 août 1839.

PANTAGRUÉLISME [pɑ̃tagʀyelism] n. m. — 1535; du même radical que *pantagruélique.*

♦ Didact. Doctrine des bons vivants.

Je suis, moyennant un peu de Pantagruélisme (vous entendez que c'est certaine gaieté d'esprit confite en mépris des choses fortuites), sain et dégourt, prêt à boire, si vous voulez.
RABELAIS, Pantagruel, Quart livre, Prologue.

PANTALON [pɑ̃talɔ̃] n. m. — 1650, «haut-de-chausses étroit qui tient avec les bas» (Furetière); du nom de *Pantalone,* personnage de la comédie italienne qui portait un habit «tout d'une pièce depuis la tête jusqu'aux pieds» (Furetière); sens mod. à partir de la Révolution (attesté 1802).

REM. On trouve en 1550, *«vestu en Pantalon»* (→ 1. Basque, cit. 1) et en 1650, au fig. *un pantalon,* «homme qui prend toutes sortes de figures, et qui joue toutes sortes de rôles pour arriver à ses fins» (Académie, 1re éd. 1694).

★ **I.** ♦ **1.** Culotte longue descendant jusqu'aux pieds. ⇒ **Culotte,** et fam. **Bénard, culbutant, falzar, fendant, fendard, froc, grimpant...** *Pantalon serré* (⇒ **Fourreau,** vx). *Porter un caleçon* sous son pantalon. Soldat au garde-à-vous* (cit. 3), *le petit doigt sur la couture du pantalon. Talonnette* cousue au bas d'un pantalon. — Braguette*, enfourchure*, entre-jambes d'un pantalon. Pantalon à pont des marins. Poches* de pantalon. Poche-revolver d'un pantalon. Bretelles, ceinture de pantalon. — Pantalon de coutil* (→ Gris, cit. 7), *de flanelle blanche, de nankin* (cit. 1)... *Pantalon de toile bleue.* ⇒ **Bleu, cotte.** — *Veste et pantalon d'un costume deux pièces. Il était en jaquette* (cit. 2) *noire et pantalon rayé. Pantalon de fantaisie* (cit. 10). *Pantalon de sport. Pantalon collant, étroit, qui moule* (cit. 8) *le mollet. Pantalon-fuseau* (cit. 3), *à sous-pied.* ⇒ **Fuseau.** *Pantalon droit, à la hussarde*, à pattes* d'éléphant, à revers*. Pantalon bouffant des méharistes, des anciens zouaves* (⇒ **Saroual**). *Garnir de basane* le fond d'un pantalon de cheval. — Pantalon de tennis, de ski... Pantalons de toile.* ⇒ **Blue-jean, jean.** *Pantalon corsaire*. — Pantalon de pyjama*. — Sorte de pantalon des Gaulois.* ⇒ **Braie.** — Par ext. ⇒ **Culotte.** *Pantalon de golf** (cit. 2). ⇒ **Knickerbockers.** — Loc. fig. *Baisser* son pantalon.*

REM. On dit quelquefois, mais à tort, *«des pantalons»* (→ Bretelle, cit. 2; 2. montre, cit. 1).

Son pantalon, un peu trop large, dessinait mal la jambe, semblait s'enrouler autour du mollet (...) 1
MAUPASSANT, Bel-Ami, I, II.

Il portait des pantalons à sous-pied en damier noir et blanc. 2
J. GIONO, Jean le Bleu, VIII.

La prise de la Bastille n'apporte pas, comme on l'a cru, un bouleversement total dans la manière de s'habiller (...) Les hommes conservent d'abord la culotte (...) Les Jacobins (...) réclament un costume national, c'est ainsi que naquit la tenue du *vrai patriote* ou du *sans-culotte* (...) officiellement reconnue en 1794 (...) Elle se composait d'un pantalon à pont retenu par des bretelles, d'une courte veste, la *carmagnole* (...) 3
Michèle BEAULIEU, le Costume moderne, p. 82.

Le pantalon, partie du vêtement féminin traditionnel dans certaines civilisations orientales. Pantalon de soie des Chinoises, des Hindoues, des Mauresques...

La toilette de Soudja-Sari s'acheva (...) Voici comme elle était mise : un pantalon à bandes noires, sur un fond d'or fauve, lui montait jusqu'aux hanches et s'arrêtait un peu au-dessus des chevilles (...) 4
Th. GAUTIER, Fortunio, XXI, p. 162.

Je la vois encore, la chère petite Aziyadé, assise à terre sur un tapis turc rose et bleu (...) droite et sérieuse, les jambes croisées dans son pantalon de soie d'Asie. 5
LOTI, Aziyadé, III, XLIX.

REM. Le pantalon porté autrefois par les femmes en des circonstances bien précises et exceptionnelles, est devenu une pièce courante de l'habillement féminin. *Elle ne porte que des pantalons. Elle s'est acheté plusieurs pantalons : des jeans, un pantalon de flanelle.*

Loc. (1898). *Pantalon-jupe,* analogue à la jupe-culotte. (En élément). *Tailleur-pantalon; costume-pantalon,* comportant un pantalon (au lieu d'une jupe).

♦ **2.** (1797, *in* D. D. L.). Anciennt. (Le plus souvent au pluriel). Culotte en lingerie et à jambes que les femmes portaient comme sous-vêtement. *Pantalons brodés, festonnés. Pantalons fendus, à coulisse* (→ Affaire, cit. 64).

Elle avait du linge de reine (...) des pantalons (...) à vous donner le vertige, les côtés en chantilly blanc, le milieu en chantilly noir (...) 6
COLETTE, la Fin de Chéri, p. 173.

★ **II.** (Anciennt). ♦ **1.** (1840, *in* D. D. L.; du précédent). Théâtre. Élément d'arrière-plan d'un décor, constitué par une toile peinte donnant à voir une perspective par une ouverture. ⇒ **Découverte.**

♦ **2.** Techn. Carénage de la roue d'un avion (lorsque le train d'atterrissage n'est pas escamotable).

♦ **3.** (1840, Thiers *in* D. D. L.). Par métonymie. *Pantalon rouge :* soldat en pantalon rouge.

DÉR. Pantalonné, pantalonnier.

PANTALONNADE [pɑ̃talɔnad] n. f. — 1597, « danse burlesque » ; par anal. avec les bouffonneries de Pantalon au théâtre italien. → Pantalon.

♦ **1.** Farce burlesque* assez grossière. *Le public du XVIe siècle applaudissait aux pantalonnades de Gros-Guillaume, de Turlupin...* — Par métaphore et péj. (→ Humanitaire, cit. 4).

1 Ces pantalonnades théologiques, qu'on faisait applaudir à Notre-Dame à force d'aplomb et d'éloquence, n'avaient aucun succès auprès de ces sérieux chrétiens.
RENAN, Souvenirs d'enfance, IV, Œ. compl., t. II, p. 829.

Par ext., vieilli. ⇒ **Farce.**

♦ **2.** (1751). Manifestation, protestation hypocrite (de dévouement, de loyauté, de regret...). *Ses prétendus remords ne sont qu'une pantalonnade.* ⇒ **Hypocrisie.**

2 Le seigneur Journalisme et ses pantalonnades,
Ce droit quotidien qu'un sot a de berner
Trois ou quatre milliers de sots, à déjeuner (...)
A. DE MUSSET, Poésies nouvelles, « Sur la paresse ».

PANTALONNÉ, ÉE [pɑ̃talɔne] adj. — 1876, de *pantalon.*

♦ Fam. Qui porte un pantalon. ⇒ **Culotté.**

(...) dans un faubourg fleuri, je tombe sur une logeuse d'un âge certain, frisée de roux et pantalonnée de vert, une vieille perruche qui se met aussitôt à jouer les juges d'instruction (...)
A. SARRAZIN, la Traversière, p. 68.

PANTALONNIER, IÈRE [pɑ̃talɔnje, jɛʀ] n. — 1878 ; de *pantalon.*

♦ Techn. Coupeur, coupeuse spécialisé(e) dans la confection des pantalons (ne se dit pas en parlant des tailleurs sur mesure).

PANTANNE [pɑ̃tan] n. f. — 1769 ; var. régionale de *pantenne.*

♦ Techn. (pêche). Enceinte de filets, en mer.

PANTE [pɑ̃t] n. m. — 1833 ; *pantre* « paysan », 1821 ; altération de *pantin.*

♦ **1.** Argot. (Vx). Individu considéré comme bon à gruger, à dévaliser, ou même à assassiner. *Dégringoler* (tuer) *un pante.*
REM. Dans ce sens, on trouve la variante *pantre.*

1 Le voleur a lui aussi sa chair à canon, la matière volable, vous, moi, quiconque passe ; le *pantre.*
HUGO, les Misérables, IV, VII, II.

Homme qui n'est pas du milieu (⇒ **Cave**). — Client d'une prostituée (⇒ **Miché**). *Marcher au pantre :* se prostituer.

2 (...) aussi l'adolescent
Voyant qu'a n'marchait pas au pantre
D'un coup d'surin lui troua l'ventre (...)
Aristide BRUANT, Rose blanche.

♦ **2.** Fam., vieilli. Homme, individu quelconque. *Un drôle de pante.* ⇒ **Mec.**

PANTELANT, ANTE [pɑ̃tlɑ̃, ɑ̃t] adj. — 1578 ; de *panteler.*

♦ **1.** Qui respire avec peine, convulsivement (surtout à cause d'émotions). ⇒ **Haletant.** *Ces explosions* (cit. 8) *de colère le laissaient tout pantelant. Être pantelant de terreur, de fureur. Des spectateurs pantelants (d'émotion).*

1 (...) je m'élançai convulsivement et (...) tombai la tête la première et tout pantelant dans le fond de la nacelle.
BAUDELAIRE, Trad. E. POE, Histoires extraordinaires, « Avent. Hans Pfaall ».

(Sans contenu psychologique). *Chien pantelant.* — *Gorge pantelante.* Fig. Suffoqué d'émotion.

2 Mon cœur tout pantelant comme cerf aux abois (...)
J.-F. REGNARD, le Bal, VIII.

♦ **2.** (1762). (En parlant d'un animal, d'un être humain qui vient d'être tué). Qui palpite encore. *Chair pantelante.* ⇒ **Palpitant.** *Victime pantelante.*

3 Raboliot marcha vers sa chienne, noire et boulée contre le treillis, les ongles plantés et raides en terre, un lapin pantelant dans la gueule.
M. GENEVOIX, Raboliot, I, IV.

♦ **3.** Fig. et littér. Qui exprime le trouble et l'émotion la plus intense. « *Une sympathie pantelante* » (Gide).

PANTELER [pɑ̃tle] v. intr. — Conjug. *appeler.* — 1561 ; *panteisier, pantoillier, pantoier,* 1170 ; du lat. *pantasiare* « avoir des visions », d'où « être suffoqué (d'émotion) » ; du grec *phantasiein* « se figurer, imaginer ». → Pantois.

♦ **1.** Vx. Avoir la respiration saccadée et précipitée. ⇒ **Haleter.** — Fig. et littér. Être violemment ému.

Et puis pour commencer finis de panteler, on ne va pas le tuer, ah non, on ne va pas t'aimer et on ne va pas te tuer (...)
S. BECKETT, Textes pour rien, p. 131.

♦ **2.** Littér. Palpiter* dans la douleur ou l'agonie.

DÉR. Pantelant, pantellement. — (Du même rad.) **Pantois.**

PANTELLEMENT [pɑ̃tɛlmɑ̃] n. m. — 1571 ; de *panteler.*

♦ Littér., rare. Fait de panteler (2.).

PANTENNE [pɑ̃tɛn] n. f. — 1571 ; de l'anc. provençal *pantena* (1336), du rad. de *pantière.*

♦ **1.** Chasse. ⇒ **Pantière** (filet pour la chasse).

♦ **2.** Mar. (1687 ; probablt par compar. entre les voiles et des filets pendus qui sèchent). Loc. adj. **EN PANTENNE** : en désordre*, en parlant d'un gréement. *« Après un coup de vent, un échouage, un bâtiment est en pantenne lorsque ses voiles sont défoncées, ses vergues apiquées, brassées en différents sens »* (Gruss). *Mettre les vergues en pantenne en signe de deuil.*

Par ext. Se dit d'un navire dont le gréement, l'équipement, etc., est en désordre (après un coup de vent, etc.).

Certainement tout était en pantenne, mais des gars décidés auraient déjà eu dégagé ça aux trois quarts ! (...) Même dans cette pagaille, rien n'empêchait vraiment d'aller à l'écubier travailler la chaîne.
Roger VERCEL, Remorques, p. 76.

REM. On trouve aussi la graphie *pantène.*

PANTHÉISME [pɑ̃teism] n. m. — 1709 ; angl. *pantheism,* du grec *pantheos,* de *pan* « tout », *theos* « dieu », et suff. *-ism.*

♦ **1.** Philos., cour. Doctrine métaphysique selon laquelle Dieu est l'unité du monde, tout est en Dieu. *Le panthéisme est d'abord apparu dans les religions de l'Inde, sous forme d'une fusion* de l'individu dans la réalité divine. Le panthéisme stoïcien* (⇒ **Stoïcisme**) *considère Dieu comme l'âme du monde, immanent au monde. Dans le panthéisme de Spinoza* (⇒ **Spinozisme**), *Dieu est la substance unique dont le monde n'est que l'émanation.*

Le *Panthéisme* est la doctrine qui (...) n'admet aucun Dieu qui soit « au-dessus de », « en dehors de » ou « au delà de » la nature. En d'autres termes, Dieu est *immanent* à la nature qui est une totalité infinie et qui par conséquent embrasse et contient toutes choses : tout objet fini, homme, animal ou chose, tout événement se produisant dans le temps, n'est qu'une modification de la nature, c'est-à-dire de Dieu. 1
R. DAVAL, Philosophie générale, p. 372.

Par ext. *Panthéisme matérialiste, naturaliste,* selon lequel « Dieu n'est que la somme de tout ce qui existe » (Lalande, *Voc. de la philosophie*) et non un être personnel (⇒ **Athéisme**).

♦ **2.** Cour. Attitude d'esprit qui tend à diviniser la nature.

Le panthéisme (...) c'est-à-dire la nature divinisée, à force d'inspirer de la religion pour tout, la disperse sur l'univers, et ne la concentre point en nous-mêmes. 2
Mme DE STAËL, De l'Allemagne, III, VII.

PANTHÉISTE [pɑ̃teist] adj. — 1712 ; angl. *pantheist ;* → Panthéisme.

♦ **1.** Philos. et cour. Qui a rapport ou qui appartient au panthéisme. *Doctrine panthéiste.* — Qui est partisan du panthéisme. *Philosophe panthéiste,* et, subst., *un, une panthéiste* (→ Athée, cit. 13).

Schelling s'approche beaucoup, on ne saurait le nier, des philosophes appelés panthéistes, c'est-à-dire, de ceux qui accordent à la nature les attributs de la Divinité. 1
Mme DE STAËL, De l'Allemagne, III, VII.

(Choses).

(...) le terrain du réalisme où s'affrontent les thèses de la transcendance théiste et de l'immanence panthéiste, toutes deux caduques au regard de la réflexion critique. 2
Léon BRUNSCHVICG, Héritage de mots, héritage d'idées, V, p. 61.

♦ **2.** Littér. et cour. Qui divinise la nature, ne croit pas en un Dieu personnel.

(...) en science, on se traite poliment de panthéiste pour ne pas lâcher le mot athée. 3
BALZAC, Guide-âne..., *in* Œ. diverses, t. III, p. 449.

(Choses). *Sentiment panthéiste de la nature. Roman panthéiste* (→ Alambiquer, cit. 8).

DÉR. Panthéistique.

PANTHÉISTIQUE [pɑ̃teistik] adj. — 1832, *in* G. Matoré, *Vocabulaire sous Louis-Philippe ;* de *panthéiste.*

♦ Vx. (Mot littéraire à la mode au XIXe : Gautier, Baudelaire). Panthéiste.

PANTHÉON [pɑ̃teɔ̃] n. m. — 1491 ; lat. *Pantheon,* grec *Pantheion,* de *pan* « tout », et *theos* « dieu ».

♦ **1.** Antiq. grecque et rom. Temple consacré à tous les dieux (→ par métaphore Babel, cit. 4).

Par métonymie. Ensemble des divinités d'une mythologie*, d'une religion polythéiste. ⇒ **Dieu.**

Parfois on essaya de renouveler les vieux personnages du Panthéon romain en leur infusant le sang du mysticisme oriental. 1
DANIEL-ROPS, le Peuple de la Bible, IV, II.

♦ **2.** Monument consacré à la mémoire des grands hommes d'une nation. *Le Panthéon de Paris,* et, absolt, *le Panthéon.*

Par métaphore :

2 Je me suis fait peu à peu une petite galerie de génies familiers, un panthéon portatif composé d'hommes-éclairs. J'accorde la préférence aux héros impétueux, aux génies de primesaut (...) La contemplation de ces surhommes est aussi tonique que l'audition d'une marche militaire. Paul MORAND, l'Homme pressé, I, IX.

♦ **3.** Ensemble de personnages célèbres, considérés comme formant un grand corps. *Le Panthéon littéraire* (Académie).

Consécration, immortalité (conférée par une instance humaine).

3 (...) mon nom restera au panthéon de l'histoire.
DANTON, cité par MICHELET, Hist. de la Révolution franç., XVII, VI.

PANTHÈRE [pɑ̃tɛʀ] n. f. — 1119, *pantere;* du lat. *panthera;* du grec *panthêra* «filet», à cause du pelage.

♦ **1.** Grand mammifère carnassier *(Félidés)* d'Afrique et d'Asie, scientifiquement appelé *felis pardus,* au court pelage, le plus souvent jaune moucheté de taches noires, marbrées ou ocellées. *La panthère, animal féroce, agile et robuste, habite surtout les forêts. Panthère d'Afrique.* ⇒ **Léopard.** *Panthère des neiges.* ⇒ 2. **Once** (cit.). *Panthère noire de Java. Panthère d'Amérique.* ⇒ **Jaguar** (cit. 1). *Fourrure, peau de panthère. — Apprivoiser* (cit. 2), *dompter une panthère. Agilité, souplesse d'une panthère* (→ Leste, cit. 3). — Par compar. *Bondir* (cit. 4) *comme une panthère, faire des bonds de panthère. Une grâce de jeune panthère* (→ Ondoyer, cit. 1). *Des ondulations de panthère* (→ Convoitise, cit. 6).

1 Le Français put alors examiner la panthère ; elle avait le museau teint de sang (...) C'était une femelle. La fourrure du ventre et des cuisses étincelait de blancheur. Plusieurs petites taches, semblables à du velours, formaient de jolis bracelets autour des pattes. La queue musculeuse était également blanche, mais terminée par des anneaux noirs. Le dessus de la robe, jaune comme de l'or mat, mais bien lisse et doux, portait ces mouchetures caractéristiques, nuancées en forme de roses, qui servent à distinguer les panthères des autres espèces de *felis* (...)
BALZAC, Une passion dans le désert, Pl., t. VII, p. 1076.

2 La panthère (...) était (...) de cette espèce particulière à l'île de Java (...) Nulle tache fauve n'étoilait sa fourrure de velours noir, d'un noir si profond et si mat que la lumière, en y glissant, ne la lustrait même pas, mais s'y absorbait (...)
BARBEY D'AUREVILLY, les Diaboliques, «Bonheur dans le crime», p. 128.

Spécialt (en Afrique). *Panthère :* léopard.

Fourrure de cet animal. *Un manteau de panthère.*

♦ **2.** (XIXe ; vieilli). Par métaphore. Femme emportée, violente. (V. 1830). Fig., vx. Femme de mœurs faciles.

3 En ce temps-là, ses pareilles à Paris, qui ne trouvaient pas assez sérieux le joli nom de «lorettes» que la littérature leur avait donné (...) se faisaient appeler orientalement des «panthères». Eh bien! aucune d'elles n'aurait mieux justifié ce nom de panthère (...) Elle en eut, ce soir-là, la souplesse, les enroulements, les bonds, les égratignements et les morsures.
BARBEY D'AUREVILLY, les Diaboliques, «Vengeance d'une femme», p. 386.

Pop. *Ma panthère :* ma femme.

PANTIÈRE [pɑ̃tjɛʀ] n. f. — 1280 ; du lat. *panther,* du grec *panthêra* «large filet». → Panthère

♦ Chasse. Filet* que les chasseurs tendent verticalement pour prendre les oiseaux qui volent par bandes. *Prendre des bécasses, des perdrix à la pantière.* — REM. On dit aussi *pantenne**.

PANTIN [pɑ̃tɛ̃] n. m. — 1747 ; étym. incert. ; p.-ê. de *pantine* (1570) «écheveau de soie», de 1. *pan.*

♦ **1.** Jouet* d'enfant, figurine burlesque de carton ou de bois peint, parfois de chiffon, dont on agite les membres au moyen d'un fil. ⇒ **Fantoche** (cit. 1 par métaphore). — Par ext. Toute espèce de marionnette.

1 Il raccommodait ses joujoux, lui fabriquait des pantins avec du carton (...)
FLAUBERT, Mme Bovary, III, XI.

2 Connaissez-vous, au musée de Madrid, une singulière toile de Goya (...)? Quatre femmes en jupe espagnole, sur une pelouse de jardin, tendent un châle par les quatre bouts, et y font sauter en riant un pantin grand comme un homme (...)
Pierre LOUŸS, la Femme et le Pantin, XII.

Par compar. *Gesticuler comme un pantin. Marcher* (cit. 23) *comme un pantin articulé.* — Par métaphore. Personne qui a dans ses gestes ou ses attitudes l'automatisme, l'aspect dégingandé d'un pantin. ⇒ **Automate.** *La caricature tend à nous faire voir dans l'homme un pantin articulé* (cit. 3, Bergson).

3 (...) j'entendis le battement lourd et rythmé de leurs pas. De ma fenêtre, je les vis passer *(les Prussiens).* Ils défilaient interminablement, tous pareils, avec ce mouvement de pantins qui leur est particulier.
MAUPASSANT, les Contes de la Bécasse, «La folle».

4 Légèrement penché en avant, immobile et les bras ballants, ses vêtements flottant autour de son corps maigre, l'air d'un long pantin dont on oubliait de tirer les ficelles (...) MARTIN DU GARD, les Thibault, t. III, p. 129.

♦ **2.** (1793). Rare. Personne comique ou ridicule par ses gesticulations excessives. ⇒ **Bouffon, guignol.** *Est-il drôle! Un vrai pantin.*

♦ **3.** Personne versatile*, inconsistante*, qui flotte sans cesse d'une opinion à l'autre. ⇒ **Girouette.**

Par métaphore (de 1.). ⇒ **Fantoche, marionnette.** *L'homme, pantin suspendu aux fils* (cit. 16, A. Bertrand) *des passions. Elle a fait de lui un pantin.* ⇒ **Esclave.** — Littér. *La Femme et le Pantin* (1898), roman de Pierre Louÿs.

REM. La forme fém. *pantine* est attestée chez Huysmans.

PANTINE [pɑ̃tin] n. f. — 1570 ; de 1. *pan.*

♦ Techn. Réunion d'écheveaux de soie. *Mettre des écheveaux en pantine* (*pantiner,* v. tr., 1765).

PANTO- ⇒ **Pan-.**

PANTOCRATOR [pɑ̃tɔkʀatɔʀ] adj. et n. m. — 1867, *église du Pantocrator,* à Constantinople ; du grec des Septante *pantokratôr* «tout-puissant» ; Cf. *Pantocrator* «surnom de Jupiter», 1846, Bescherelle.

♦ Didact. (Arts). Se dit du Christ en gloire, tel qu'il est représenté dans l'art byzantin (mosaïque ou fresque des absides ou des coupoles). *Un Christ pantocrator, un Pantocrator.*

À travers la brume rousse de l'encens répandu et des dix mille cierges allumés, le christ pantocrator, la vierge, les apôtres, les saints couronnés d'or (...) restaient lointains. Très haut, la grande coupole écrasée empêchait le rêve naissant de s'évader du temple (...)
Élie FAURE, Histoire de l'art, L'art médiéval, «Byzance», II, p. 197.

PANTOGAMIE [pɑ̃tɔgami] n. f. — XXe ; de *panto-,* et *-gamie.*

♦ Biol. Promiscuité sexuelle pendant la période du rut, courante dans beaucoup d'espèces animales.

PANTOGRAPHE [pɑ̃tɔgʀaf] n. m. — 1743 ; de *panto-,* et *-graphe.*

♦ **1.** Techn. Instrument composé de tiges articulées, qui sert à reproduire, réduire ou agrandir mécaniquement un dessin ou une figure. *Dessiner, reproduire, agrandir un dessin au pantographe.*

♦ **2.** (Par anal. de forme ; 1926). Ch. de fer. Appareil installé sur le toit d'une locomotive* ou d'une motrice électrique et qui transmet le courant de la caténaire aux organes moteurs.

DÉR. Pantographier, pantographique.

PANTOGRAPHIER [pɑ̃tɔgʀafje] v. tr. — 1892, cit. ; de *pantographe.*

♦ Techn. Reproduire, agrandir ou réduire (un dessin, un tracé) au pantographe.

Il suffit de changer les dimensions des cylindres et des vitesses de déplacement des chariots au départ ou à l'arrivée pour pantographier (...) l'épreuve photographique originale.
L. FIGUIER, l'Année scientifique et industrielle 1893, p. 109 (1892).

PANTOGRAPHIQUE [pɑ̃tɔgʀafik] adj. — 1868 ; de *pantographe.*

♦ Didact. Relatif au pantographe, au dessin pantographié.

PANTOIRE [pɑ̃twaʀ] n. f. — 1771 ; *pentoir,* 1415 ; *pentoire* «penture», 1388 ; de *pente,* au sens de «bande qui pend autour d'un ciel de lit, penture».

♦ Mar. «Fort bout de cordage* capelé à un mât, tombant le long de ce mât et terminé par un œillet garni d'une boucle en fer» (Gruss).

PANTOIS [pɑ̃twa] adj. m. — 1534, *pantays* «atteint d'asthme», t. de fauconn. ; «suffoqué», 1546 ; de l'anc. v. *panteisier* (1130), *pantoisier* (1175), d'un lat. pop. **pantasiare* «avoir des visions», du grec *phantasiein.* → Panteler.

♦ **1.** Vx. Qui halète, qui respire avec difficulté. ⇒ **Pantelant.**

♦ **2.** (1658). Fig., mod. Décontenancé par la surprise, l'émotion. ⇒ **Ahuri, déconcerté, interdit, penaud, stupéfait.** *Il en est resté pantois, tout pantois.* (→ Avoir le souffle* coupé). *Demeurer estomaqué* (cit. 2) *et pantois de sa déconvenue.* — REM. Le féminin *pantoise* [pɑ̃twaz] est peu usité.

La vieille se leva, prit le plus fort des quatre, lui appliqua légèrement une tape sur le derrière et le jeta dehors : il ne pleura point, les autres demeurèrent tout pantois. BALZAC, le Médecin de campagne, Pl., t. VIII, p. 326. 1

Je me dressai sur mon séant. Ma bougie à ce moment s'éteignit : je demeurai, dans le noir, tout pantois. GIDE, Isabelle, VI. 2

PANTOMÈTRE [pɑ̃tɔmɛtʀ] n. m. — 1675 ; de *panto-,* et *-mètre.*

Technique.

♦ **1.** Anciennt. Instrument de géométrie*, composé de trois règles mobiles, qui servait à mesurer les angles d'un triangle.

♦ **2.** (1874). Mod. Instrument d'arpenteur servant à la mesure des angles.

PANTOMIME [pɑ̃tɔmim] n. — 1560; lat. *pantomimus,* du grec *pantomimos,* proprt «celui qui mime tout».

★ **I.** N. m. Rare. Acteur qui interprète des rôles entièrement muets, au moyen de danses, de gestes accompagnés d'une mimique expressive. ⇒ **Histrion** (antiq.), **mime.** — REM. Cet emploi est rare : on lui préfère généralement *mime.* Le féminin est pratiquement inusité.

★ **II.** N. f. (V. 1750). ♦ **1.** Jeu du mime; art de s'exprimer au théâtre par la danse, le geste, la mimique, sans recourir au langage. *La pantomime dans l'antiquité.* ⇒ **Orchestique, saltation** (→ Baladin, cit. 3).

1 (...) madame Ferraris (...) jouait un ballet composé pour elle par Perrot, le chorégraphe sans rival (...) Là, pas de causeries, de ricanements, d'œillades aux avant-scènes ou à l'orchestre. C'est bien le monde de la pantomime, d'où la parole est absente; l'action ne déborde pas de son cadre.
Th. GAUTIER, Voyage en Russie, XII.

♦ **2.** Pièce mimée. ⇒ **Mimodrame** (cit. 2). *Répéter une pantomime* (→ Hamadryade, cit. 3). *Clowns qui jouent une pantomime.* ⇒ **Lazzi** (vx), **sketch...** *Pierrot, personnage traditionnel des pantomimes. Le ballet, forme de pantomime.* — (1749). Par appos. *Ballet-pantomime. Danse-pantomime.* — (1892). *Pantomime-vaudeville.*

2 Quelquefois, à la manière des noirs, elle *(Virginie)* exécutait avec Paul une pantomime (...) au son du tam-tam de Domingue, elle se présentait sur la pelouse, portant une cruche sur sa tête; elle s'avançait avec timidité à la source d'une fontaine voisine pour y puiser de l'eau. Domingue et Marie (...) lui en défendaient l'approche, et feignaient de la repousser. Paul accourait à son secours, battait les bergers, remplissait la cruche de Virginie; et, en la lui posant sur la tête, il lui mettait en même temps une couronne de fleurs rouges de pervenches (...)
BERNARDIN DE SAINT-PIERRE, Paul et Virginie, p. 53-54.

3 La danse grecque est essentiellement une pantomime. Les bras, la tête, tout le corps y participent.
Francis DE MIOMANDRE, Danse, p. 12.

3.1 Par «pantomime non pervertie» j'entends la Pantomime directe où les gestes au lieu de représenter des mots, des corps de phrases, comme dans notre Pantomime européenne vieille de cinquante ans seulement, et qui n'est qu'une déformation des parties muettes de la comédie italienne, représentent des idées, des attitudes de l'esprit, des aspects de la nature, et cela d'une manière effective, concrète, c'est-à-dire en évoquant toujours des objets ou détails naturels, comme ce langage oriental qui représente la nuit par un arbre sur lequel un oiseau qui a déjà fermé un œil commence à fermer l'autre. Et une autre idée abstraite ou attitude d'esprit pourrait être représentée par quelques-uns des innombrables symboles de l'Écriture, exemple : le trou d'aiguille à travers lequel le chameau est incapable de passer.
A. ARTAUD, le Théâtre et son double, *in* Œ. compl., t. IV, p. 48.

♦ **3.** Mimique dont on accompagne un texte, des paroles.

4 Ce qu'il y a de plaisant, c'est que, tandis que je lui tenais ce discours, il en exécutait la pantomime. Il s'était prosterné; il avait collé son visage contre terre, il paraissait tenir entre ses deux mains le bout d'une pantoufle; il pleurait, il sanglotait (...)
DIDEROT, le Neveu de Rameau, Pl., p. 438.

Fig. Toute expression par le geste, sans aucune parole (→ Pantomimer, cit.).

5 (...) ne trouvant pas le mot, il remplaça sa fin de phrase par une pantomime expressive, frottant contre son pouce le bout de son index : «Un peu de monnaie, quoi! (...) trois, quat' francs! (...)
COURTELINE, le Train de 8 h 47, I, v.

♦ **4.** Péj. Attitude affectée, outrée, manège ridicule... *Que signifie cette pantomime?* ⇒ **Comédie, cirque.**

6 Un ton philosophe sans pédanterie, des manières naturelles et pourtant prévenantes, également éloignées de la rusticité tudesque et de la pantomime ultramontaine (...)
ROUSSEAU, Discours sur les sciences et les arts, I.

DÉR. Pantomimer.

PANTOMIMER [pɑ̃tɔmime] v. tr. — 1758; de *pantomime.*

♦ Vx. Exprimer, reproduire par des gestes. ⇒ **Mimer.**

Vous connaissez de réputation un acteur anglais, appelé Garrick; on parlait un jour, en sa présence, de la pantomime, et il soutenait que, même séparée du discours, il n'y avait aucun effet qu'on n'en pût attendre (...) poussé à bout, il dit à ses contradicteurs en prenant un coussin : «Messieurs, je suis le père de cet enfant.» Ensuite il ouvre une fenêtre, il prend son coussin (...) il le caresse et se met à imiter toute la niaiserie d'un père qui s'amuse avec son enfant; mais (...) le coussin ou plutôt l'enfant lui échappa des mains et tomba par la fenêtre. Alors Garrick se mit à pantomimer le désespoir du père.
DIDEROT, Réponse à la lettre de Mme Riccoboni.

PANTOMIMIQUE [pɑ̃tɔmimik] adj. — Fin XVIIIe; lat. *pantomimicus,* de *pantomimus.* → Pantomime.

♦ Vx. Relatif à la pantomime, à la mimique. ⇒ **Mimique.**

PANTOPHOBIE [pɑ̃tɔfɔbi] n. f. — 1808, Boiste; de *panto-,* et *phobie.*

♦ Méd. Phobie dans laquelle l'objet d'angoisse n'est pas déterminé, mais qui est suscitée par tous les objets dont le sujet a conscience. *La pantophobie se rencontre dans le* delirium tremens, *par exemple, ou lors de paroxysmes anxieux au cours de névroses.*

PANTOTHÉNATE [pɑ̃totenat] n. m. — Mil. XXe; du rad. de *pantothénique,* et suff. *-ate.*

♦ Chim. Sel de l'acide pantothénique. *Pantothénate de calcium.*

PANTOTHÉNIQUE [pɑ̃totenik] adj. — V. 1935; du grec *pantothen* «de toutes parts».

♦ Chim., biol. *Acide pantothénique :* substance vitaminique («qui possède une grande ubiquité dans la nature», Fabre et Rougier), jouant un rôle important dans les phénomènes de division cellulaire (croissance, cicatrisation).

L'acide pantothénique est une vitamine de croissance et conditionne la multiplication cellulaire.
S. GALLOT, les Vitamines, p. 80.

DÉR. Pantothénate.

PANTOUFLAGE [pɑ̃tuflaʒ] n. m. — Mil. XXe; de *pantoufler.*

♦ Fait de pantoufler (II., 2.).

PANTOUFLARD, ARDE [pɑ̃tuflaʀ, aʀd] adj. — 1889; de *pantoufle.*

♦ **1.** Fam. Qui aime à rester paisiblement chez lui, qui tient pardessus tout à ses aises et à ses habitudes. ⇒ **Casanier.** *Bourgeois pantouflard et timoré* (→ Consommateur, cit. 4). — N. *Un incorrigible pantouflard. Quelle pantouflarde, cette fille!*

Heureusement Rimbaud le mène tambour battant, le fait boire *(Verlaine);* Rimbaud l'insulte, Rimbaud le plaque. Et lui, le «vieux», le Veuf, l'Inconsolé, passe par tous les affres du désespoir, jusqu'au jour où, brusquement, son génie éclate. Dites-vous que la guerre, le Siège, la Commune l'ont à peine éprouvé. Ces terribles événements ne lui font redouter qu'une chose : son renvoi de l'Hôtel de Ville. On en a honte pour lui. Vraiment, ce bureaucrate, ce «pantouflard», c'est ça, Verlaine?
Francis CARCO, Nostalgie de Paris, p. 112.

♦ **2.** (V. 1880, à Polytechnique). Personne qui pantoufle (II., 2.).

CONTR. Bohème.

PANTOUFLE [pɑ̃tufl] n. f. — 1465; étym. obscure; P. Guiraud rapproche le mot de *pantin,* dér. possible de *pantet,* pour *pannetet,* de 5. *panne* «chiffon», le suff. *-oufle* connote le gonflement.

♦ **1.** Chaussure* d'appartement, chausson* bas, sans tige et généralement, sans talon. ⇒ **Charentaise, chausson, savate.** *Pantoufle sans quartier.* ⇒ **Babouche** (cit. 3), **mule.** *Pantoufle de cuir, de drap, de feutre... Une paire de pantoufles fourrées, molletonnées. Pantoufles à pompons. Chausser ses pantoufles et endosser* (cit. 1) *sa robe de chambre. Broder* (cit. 2) *des pantoufles. Chien qui mordille une vieille pantoufle.* — Littér. *Cendrillon* ou *la petite pantoufle de verre* (orth. de l'éd. originale, de *vair*), conte de Perrault.

Sa Marraine ne fit que la toucher avec sa baguette et en même temps ses habits 1
furent changés en des habits de drap d'or et d'argent tout chamarrés de pierreries : elle lui donna ensuite une paire de pantoufles de verre, les plus jolies du monde.
Ch. PERRAULT, Contes, «Cendrillon».

(...) ses pieds d'ivoire jouaient dans des pantoufles de tapisserie de couleurs écla- 2
tantes et bigarées, mignonnes au possible, quoiqu'elles fussent encore trop grandes et sans quartier comme celles des jeunes Romaines.
Th. GAUTIER, Mlle de Maupin, IV.

C'étaient des pantoufles en satin rose, bordées de cygne. Quand elle s'asseyait 3
sur ses genoux *(de son amant)* sa jambe, alors trop courte, pendait en l'air et la mignarde chaussure, qui n'avait pas de quartier, tenait seulement par les orteils à son pied nu.
FLAUBERT, Mme Bovary, III, V.

(...) les bas en spirale tombant sur des pantoufles éculées (...) 4
Léon BLOY, la Femme pauvre, II, XV.

(...) je n'aime pas rester une couple d'heures à la maison sans mettre des pantou- 5
fles et de vieux habits.
G. DUHAMEL, Salavin, I, IV.

Les pantoufles, représentant (avec un nuance plaisante) le bien-être, la vie douillette et paisible, dans l'intimité du foyer. *Rêver à la famille* (cit. 23) *et à ses chères pantoufles. Ne pas quitter ses pantoufles, passer sa vie dans ses pantoufles :* mener une existence casanière, retirée (⇒ **Pantouflard**).

Un peuple de candidats à la bourgeoisie, un peuple d'aspirants à la bedaine. Les 6
pantoufles, quoi! Le dos au feu, le ventre à table, l'idéal de Béranger et de M. Prudhomme.
Valery LARBAUD, Barnabooth, Journal, III.

Loc. fam. (Par un jeu de mots sur *raisonner* et *résonner.* → Raisonner comme un tambour mouillé). *Raisonner comme une pantoufle,* stupidement.

EN PANTOUFLES. *Se mettre en pantoufles. Marcher en pantoufles.* — Fig., vieilli. En prenant ses aises; au naturel, dans l'intimité. *Anatole France en pantoufles,* ouvrage de J.-J. Brousson.

(...) Philéas (...) gagna (...) chaque année une somme équivalente à celle de ses 7
dépenses, outre l'intérêt de ses capitaux, en faisant son métier *en pantoufles,* pour employer une expression proverbiale.
BALZAC, le Député d'Arcis, Pl., t. VII, p. 679.

♦ **2.** (Argot des écoles). Dédit dû par un élève d'une grande école qui quitte le service de l'État pour travailler dans le secteur privé. ⇒ **Pantoufler.** — Par ext. Situation que trouve un fonctionnaire dans le secteur privé lorsqu'il quitte le service de l'État.

♦ **3.** Fam., vieilli. Niais, imbécile. (G. Duhamel, *Cécile parmi nous,* p. 262).

DÉR. Pantouflard, pantouflé, pantoufler, pantouflerie, pantouflier.

PANTOUFLÉ [pɑ̃tufle] adj. m. — XXe, attesté; de *pantoufle.*

♦ Techn. *Fer (à cheval) pantouflé,* dont les éponges sont incurvées vers l'extérieur.

PANTOUFLER [pɑ̃tufle] v. — XVIIe; de *pantoufle*.

★ **I.** V. tr. Munir, chausser (qqn) de pantoufles.

1 Ma mère qui allait de temps à autre lui porter des fruits ou des légumes de notre jardin *(au curé)* s'étonnait de ne jamais le voir pantouflé par ses soins.
Pierre GAXOTTE, le Nouvel Ingénu, p. 19.

★ **II.** V. intr. ♦ **1.** Vx, fam. Converser* familièrement dans l'intimité.

♦ **2.** (1880; de l'argot de Polytechnique). Quitter le service de l'État pour entrer dans une entreprise privée (au besoin en payant un dédit appelé *pantoufle*).

2 Beaucoup d'entre eux (...) sont des polytechniciens qui, ayant quitté le service public, « pantouflent » dans l'assurance (...)
Pierre DANINOS, Un certain M. Blot, p. 49.

DÉR. Pantouflage.

PANTOUFLERIE [pɑ̃tuflәʀi] n. f. — 1836; de *pantoufle;* en 1680 (Mme de Sévigné) « conversation familière », de *pantoufler.*

♦ Techn. Fabrication, commerce des pantoufles (⇒ **Chaussure**).

PANTOUFLIER, ÈRE [pɑ̃tuflije, ɛʀ] n. — XVIIIe, adj., « qui a des pantoufles »; sens mod., XIXe; de *pantoufle.*

♦ Rare. Personne dont le métier* est de fabriquer ou de vendre des pantoufles.

PANTOUM [pɑ̃tum] n. m. — 1829; mot malais.

♦ Didact. Poème à forme fixe d'origine malaise*, composé de quatrains à rimes croisées, dans lesquels le deuxième et le quatrième vers sont repris par le premier et le troisième vers de la strophe suivante, le dernier vers du poème reprenant en principe le vers initial. *Les Romantiques, les Parnassiens, les Symbolistes ont écrit des pantoums. « Harmonie du soir », de Baudelaire (Fleurs du mal,* XLVII*), est un pantoum. « Pantouns malais »,* de Leconte de Lisle *(Poèmes tragiques). « Pantoum négligé »,* de Verlaine *(Jadis et Naguère).*

1 Un *pantoum* ou chant malais, d'une délicieuse originalité (...)
HUGO, Notes des Orientales, (1829).

2 Pour que le pantoum soit parfait, il faut que du commencement à la fin deux sens soient poursuivis parallèlement, l'un dans les deux premiers vers de la strophe, l'autre dans les deux derniers. R. QUENEAU, Bâtons, chiffres et lettres, p. 334.

REM. La variante *pantoun* [pɑ̃tun] semble vieillie.

PANTY [pɑ̃ti] n. m. — 1960, *in* Höfler; mot amér. *panties,* de *pants* « culotte ».

♦ Américanisme. Gaine-culotte à jambes. *Le panty affine la silhouette des hanches et des cuisses. Des panties.*

(...) comme elle avait l'arrière-pensée d'aller aux vêpres, elle passa une robe, et sous celle-ci, comme elle aurait revêtu une cuirasse de chasteté, elle enfila un panty. Cécil SAINT-LAURENT, la Bourgeoise, p. 46.

PANURE [panyʀ] n. f. — 1874; du rad. de *pain.*

♦ Mie de pain rassis ou croûte de pain séchée et finement râpée servant à paner*. *Rouler des côtelettes dans la panure* (⇒ **Chapelure**). *Panure à l'œuf.*

1. PANURGE [panyʀʒ] n. m. — 1818; du grec *panourgos* « capable de tout faire », de *pan* (→ Pan-) et *ourgos,* de *ergon* « action », → Ergo-, appliqué à un homme habile, apte à trouver des expédients (1549, R. Estienne, cf. le personnage de Rabelais).

♦ Zool. Petite abeille fouisseuse qui vit en colonies.

2. PANURGE [panyʀʒ] n. m. — Déb. XXe (*in* Larousse, 1907), → 1. Panurge.

♦ Pièce du harnais* d'un cheval de trait, anneau à chaînette ou à lanière reliant la têtière aux fausses rênes. *Les panurges soutiennent l'enrênement.*

PANURGISME [panyʀʒism] n. m. — 1893, Saint-Pol-Roux, *in* D. D. L.; de *Panurge.*

♦ Didact. Comportement digne des moutons de Panurge; imitation systématique des autres. ⇒ **Suivisme.** — REM. On trouve aussi l'adj. *panurgien, ienne,* dans ce sens (1930, *in* D. D. L.).

Le désarroi des années 45, le panurgisme des spectateurs et la superstition qui régente le théâtre avaient fait d'un provincial de trente ans (...) l'un des arbitres de Paris. G. CESBRON, Voici le temps des imposteurs, p. 53.

PANUS [panys] n. m. — 1874; lat. mod. des botanistes.

♦ Bot. Champignon *(Basidiomycètes, Agaricinées)* qui pousse en automne sur les souches.

PANZER [pɑ̃zɛʀ; pantsɛʀ] n. m. — V. 1940; mot all. « blindé ».

♦ Char de l'armée allemande. *Une division de panzers* (ou, par empr. à l'all.), *une panzerdivision :* une division blindée de l'armée allemande.

Avant qu'Hélène ait eu le temps de s'émouvoir de la mort d'Eugène, de s'attendrir sur Rémi, ç'avait été la ruée des panzers, l'invasion de la Wehrmacht.
Denyse VAUTRIN, le Tourbillon des jours, t. III, p. 294.

PAOLO [paɔlo] n. m. — 1768, *paole; paulle,* 1611; ital. *Paolo,* du lat. *Paulus.*

♦ Hist. Monnaie d'argent des États de l'Église (après 1534, pendant la papauté de Paul III).

PAON [pɑ̃] n. m. — V. 1220; *poün, poon,* 1125; fém. *paonne,* 1469; du lat. *pavonem,* accusatif de *pavo.*

♦ **1.** Oiseau *(Gallinacées, Phasianidés)* de la taille d'un faisan dont l'espèce la plus commune se caractérise, chez le mâle, par une chatoyante livrée bleue mêlée de vert, une aigrette (cit. 1) en couronne, et une longue queue aux plumes ocellées que l'animal peut redresser et déployer en éventail (n. sc. : *pavo*); ⇒ **Roue.** *Originaire de l'Asie, le paon a été acclimaté dans nos contrées comme oiseau d'ornement. Des paons mâles et femelles. — Le paon, la paonne et les paonneaux. Paon qui fait la roue, qui se moire* (cit. 3) *au soleil. Ocelles* (cit. 1), *ocellures* (cit. 3) *du paon. Couleurs fondues* (→ Fondre, cit. 8) *du plumage du paon. — Cri aigre du paon qui braille, criaille.* — Myth. *Le paon, oiseau de Junon.*

Si l'empire appartenait à la beauté et non à la force, le paon serait, sans contredit, le roi des oiseaux (...) la taille grande, le port imposant, la démarche fière, la figure noble, les proportions du corps élégantes et sveltes, tout ce qui annonce un être de distinction lui a été donné; une aigrette mobile et légère, peinte des plus riches couleurs, orne sa tête et l'élève sans la charger; son incomparable plumage semble réunir tout ce qui flatte nos yeux dans le coloris tendre et frais des plus belles fleurs (...) tout ce qui les étonne dans l'éclat majestueux de l'arc-en-ciel (...) 1
BUFFON, Hist. nat. des animaux, Le paon.

Un paon, qu'on n'avait pas vu de tout l'hiver, escaladait lentement le faîte d'une toiture et s'y pavanait, le soir surtout, comme s'il eût choisi pour ses promenades les tiédeurs mordorées d'un soleil bas. Il épanouissait alors sur le ciel la gerbe constellée de sa queue énorme, et se mettait à crier de sa voix perçante, enrouée comme tous les bruits qu'on entend dans les villes. 2
E. FROMENTIN, Dominique, IV.

LE PAON (...) Glorieux, il se promène avec une allure de prince indien (...) Il jette son cri diabolique : Léon ! Léon ! (...) Il relève sa robe à queue toute lourde des yeux qui n'ont pu se détacher d'elle. 3
J. RENARD, Histoires naturelles, « Le paon ».
(Cf. aussi COLETTE, Prisons et Paradis, Les paons.)

(1897, *velours rayé noir et paon, in* D. D. L.). Par anal. avec la couleur du plumage du paon. *Tentures bleu de paon* (→ Fleur, cit. 8), *bleu paon.*

Par compar. (Avec le cri aigre du paon). *Jeter, pousser des cris de paon,* très aigus. — (Avec l'allure majestueuse du *paon* qui fait la roue). *Être glorieux*, orgueilleux, vain, vaniteux comme un paon. Marcher en se rengorgeant comme un paon.* ⇒ **Panader** (se), **pavaner** (se).

Loc. prov. (Allus. littér.). *Le geai* paré des plumes du paon. Se parer des plumes du paon :* se prévaloir d'avantages, d'honneurs, de mérites... qui appartiennent à autrui (se dit particulièrement des plagiaires).

Un autre *(journaliste)* ajoute au laurier de sa critique cet éloge flatteur de ma personne : « La réputation du sieur de Beaumarchais est bien tombée; et les honnêtes gens sont enfin convaincus que, lorsqu'on lui aura arraché les plumes du paon, il ne restera plus qu'un vilain corbeau noir, avec son effronterie et sa voracité. 4
BEAUMARCHAIS, le Barbier de Séville, Lettre sur la critique.

♦ **2.** Loc. (1734; par anal. d'aspect). Papillon* dont les ailes ocellées rappellent plus ou moins la queue du paon. *Paon-de-jour.* ⇒ **Vanesse** (→ Clouter, cit. 2). *Paon-de-nuit.* ⇒ **Saturnie.**

DÉR. Paonne, paonneau, paonner.
HOM. Pan; formes du v. **pendre.**

PAONNE [pan] n. f. — Fin XIVe; *panne,* fin XIIe, fém. de *paon.*

♦ Rare. Femelle du paon (on dit plus souvent : *un paon femelle*).

HOM. Panne.

PAONNEAU [pano] n. m. — 1200, *paonel;* de *paon.*

♦ Rare. Petit du paon, jeune paon. *Couvée de paonneaux.*

HOM. Panneau.

PAONNER [pane] v. intr. — 1544, *se paonner* « marcher d'une manière fière »; de *paon.*

♦ **1.** Rare. Faire la roue.

♦ **2.** Fig., vx. Prendre une attitude prétentieuse; s'étaler avec une contenance ridicule. ⇒ **Pavaner** (se).

PAPA [papa] n. m. — 1256; du lat. *pappus* «aïeul».

♦ **1.** (Notamment en appellatif, dans la bouche d'un enfant). Père. → Affaire, cit. 16; araignée, cit. 9; arranger, cit. 21. *Enfant qui dit papa et maman. Appeler son père papa, cher papa, petit papa.* — (Appellatif; vieilli). *Mon papa* (→ Demander, cit. 33; dire, cit. 71). — *Un papa, des papas. Un papa gâteau.* (⇒ 2. **Gâteau**). *Jouer au papa et à la maman. Le papa de qqn,* son père. *C'est son papa, son vieux papa.*

1 Quand elles me disent cérémonieusement : *Mon père,* elles me glacent; mais quand elles m'appellent *papa,* il me semble encore les voir petites, elles me rendent tous mes souvenirs. Je suis mieux leur père.
BALZAC, le Père Goriot, Pl., t. II, p. 993.

2 — Maman, je pensais à une chose (...) Papa est mort, n'est-ce pas?
— Oui, mon pauvre enfant.
FRANCE, le Livre de mon ami, «Livre de Suzanne», II, I.

2.1 *(Le)* petit enfant poursuit tout homme qu'il voit du nom de «*papa*», il serait également prématuré de dire qu'il les identifie avec son père ou qu'il les range dans une catégorie désignée du nom d'un seul, faute d'en avoir le nom collectif (...)
Henri WALLON, l'Évolution psychologique de l'enfant, p. 166.

Loc. *Fils* à papa.*
Grand-papa, bon-papa : grand-père.

REM. En appellatif, *papa* s'est employé (et s'emploie encore en milieu populaire et petit bourgeois) pour désigner le père de famille d'un certain âge, dit par sa femme.

♦ **2.** Fam. Homme avancé en âge et d'aspect débonnaire (employé le plus souvent devant le nom propre). — REM. Familièrement, le terme peut s'adresser à un homme qui n'est pas âgé. *Vas-y papa!*

2.2 «Tu étais de garde, au Diderot-Hôtel, à l'heure où on a buté le nègre, l'autre nuit (...)»
Il leva la main :
Un moment, papa, fit-il. Avant d'aller plus loin, j'aimerais tout de même savoir à qui j'ai affaire (...) Léo MALLET, la Nuit de Saint-Germain-des-Prés, p. 94.

(Dans certains emplois de *père*). *Un papa Noël.*

3 (...) cet homme qui s'était fait or, et que, par antiphrase ou par raillerie, ses victimes, qu'il nommait ses clients, appelaient papa Gobseck.
BALZAC, Gobseck, Pl., t. II, p. 627.

En français d'Afrique. Appellatif à l'adresse d'un homme mûr ou âgé.

♦ **3.** (1800, *in* D. D. L.). Loc. fam. *À la papa :* sans hâte, sans peine, sans risques. *Il mène son affaire à la papa.* ⇒ **Tranquillement.**

4 Tout va à la papa (...) mais j'ai un froid de chien aux pieds.
HUGO, les Misérables, III, VIII, XVI.

Adj. Tranquille. ⇒ **Pépère.**

5 Et rien pour mettre cette racaille à la raison, rien qu'une police bourgeoise doublée d'une maréchaussée à la papa. A. ALLAIS, l'Affaire Blaireau, p. 86.

(1959). **DE PAPA** (répandu par un discours du général de Gaulle, concernant l'*«Algérie de papa»*). Fam., péj. Désuet, périmé. *Le cinéma de papa.* (Variante : ... *de grand-papa*).

6 Il paraît que je ne fais pas de la critique de papa, mais de la critique de grand-papa. H. GUILLEMIN, *in* le Monde, 29 nov. 1969 (*in* P. GILBERT).

COMP. Grand-papa.

PAPABLE [papabl] adj. — V. 1590; de *pape,* d'après l'ital. *papabile.*

♦ Fam. Susceptible d'être élu pape. *Les cardinaux papables.*

Il *(le père Benedetto Orfei)* était fort bien en cour pontificale, et, n'eussent été ses actes ultérieurs, il serait aujourd'hui cardinal, c'est-à-dire papable.
APOLLINAIRE, l'Hérésiarque..., p. 58.

REM. On a employé souvent (depuis 1960-1970) l'italianisme *papabile* [papabile] n. m. (plur. des *papabili),* tant au propre (*«les* papabili, *c'est-à-dire les cardinaux susceptibles de devenir papes»,* J. Neuvecelle, in *le Point,* 14 août 1978, p. 51) qu'au figuré, au sens de «personne susceptible d'accéder à une haute responsabilité politique». *«Un des "papabili" les plus sérieux pour la chancellerie de Bonn»* (*l'Express,* 14 août 1972, p. 33).

PAPAÏNE [papain] n. f. — 1880, cit.; de *papaye.*

♦ Biochim. Enzyme extrait du latex du papayer* *(carica papaya),* qui active l'hydrolyse des protéines. *La papaïne est prescrite dans les dyspepsies.* — On a dit aussi *caricine.*

Le Docteur Moncorvo, en Amérique, ensuite MM. Wurtz (de l'Institut) et Bonchut ont extrait de ce suc (de papaye) un ferment digestif, qu'ils ont appelé papaïne, ou pepsine végétale.
L. FIGUIER, l'Année scientifique et industrielle 1881, p. 427 (1880).

PAPAL, ALE, AUX [papal, o] adj. — 1315; du lat. *papalis.*

♦ **1.** Qui appartient au pape. *Tiare, croix papale. Autorité papale.* — Anciennt. *Terres papales.*

♦ **2.** Qui émane du pape. *Bulle papale.*

REM. Le pluriel masculin *papaux* est quasi inusité, peut-être à cause de l'homonymie avec *papeau* (chapeau).

DÉR. Papalin.

PAPALIN, INE [papalɛ̃, in] n. et adj. — Av. 1650, n. m., Bassompierre; de l'ital. *papalino.*
Vieux.

♦ **1.** Soldat du pape, garde pontifical.

♦ **2.** Partisan du pape. ⇒ **Papiste.** — Adj. (péj.). *Journaux papalins.*

PAPARAZZI [papaʀadzi] n. m. pl. — V. 1960; mot ital., plur. de *paparazzo* «reporter photographe».

♦ Photographes faisant métier de prendre des photos indiscrètes de personnes connues, célèbres, sans respecter leur vie privée. — REM. Le sing. *paparazzo* ne semble pas utilisé en français.

PAPAS [papas] n. m. — 1743; *palpas,* 1210; grec *papas* «père, patriarche».

♦ **1.** Prêtre, évêque ou patriarche de l'Église grecque. ⇒ **Pope.** *Les papas grecs et les mollahs* (cit.) *turcs.*

Les chants de l'Église grecque ont assez de douceur, mais peu de gravité (...) un enfant commençait le verset d'un psaume dans un ton aigu, et le soutenait ainsi sur une seule note, tandis qu'un papas chantait le même verset sur un air différent et en canon (...) CHATEAUBRIAND, Itinéraire..., III, p. 251.

♦ **2.** (1690). Vx. Grand-prêtre péruvien ou mexicain. — Variante graphique : *pappas.*

PAPAUTÉ [papote] n. f. — XIVe, *papalité,* 1596; de *pape,* sur le modèle de *royauté.*

♦ **1.** Dignité, fonction de pape. ⇒ **Pontificat.** *Cardinal qui aspire à la papauté.* — Par ext. Temps pendant lequel un pape occupe le Saint-Siège. *Pendant la papauté de Pie XII, de Jean XXIII.*

♦ **2.** Système de gouvernement ecclésiastique dans lequel l'autorité suprême est exercée par le pape; par ext. Ceux qui exercent ce gouvernement, principalement le pape. ⇒ **Saint-Siège** (→ Vatican). *Histoire de la papauté. Puissance de la papauté sous Innocent III. La papauté confia des abbayes à des clercs séculiers* (→ Commende, cit. 1).

(...) je ne crois pas que la papauté doive être une espèce de pouvoir dictatorial 1
planant sur des futures républiques (...) Je pense que l'âge politique du christianisme finit, que son âge philosophique commence; que la papauté ne sera plus que la source pure où se conservera le principe de la foi prise dans le sens le plus rationnel et le plus étendu. CHATEAUBRIAND, Études historiques, Préface.

De toutes les monarchies, la Papauté est, sans doute, la seule qui soit à la fois 2
absolue et élective. H. MARC-BONNET, la Papauté contemporaine, p. 8.

PAPAVER [papavɛʀ] n. m. — XIIIe; mot latin.

♦ Bot. Pavot*.

DÉR. Papavéracées, papavérine.

PAPAVÉRACÉES [papaveʀase] n. f. pl. — 1798; de *papaver,* et suff. *-acées.*

♦ Bot. Famille de plantes phanérogames angiospermes, classe des dicotylédones dialypétales, comprenant des plantes herbacées qui renferment un suc aqueux ou lactescent. *Types principaux de papavéracées.* ⇒ **Chélidoine, coquelicot, glaucier, pavot, sanguinaire.** — Au sing. *Une papavéracée.*

PAPAVÉRINE [papaveʀin] n. f. — 1842; de *papaver.*

♦ Chim. Alcaloïde* de l'opium, faiblement toxique.

PAPAYE [papaj] n. f. — 1579, *papaie;* caraïbe des Antilles *papaya.*

♦ Bot. Fruit comestible du papayer, baie qui a la forme et la taille d'un melon.

(...) ces papayes doucereuses au goût de poires urineuses (...)
CÉLINE, Voyage au bout de la nuit, p. 160.

DÉR. Papaïne, papayer.

PAPAYER [papaje] n. m. — 1654; de *papaye.*

♦ Arbre exotique *(Papayacées)* au port de palmier, à fruit comestible (⇒ **Papaye**), dont les tiges et les feuilles renferment un latex (⇒ **Papaïne**). Nom sc. : *carica.* Syn. : *arbre à melon.*

(...) le papayer, dont le tronc sans branches, formé en colonne hérissée de melons verts, porte un chapiteau de larges feuilles semblables à celles du figuier.
BERNARDIN DE SAINT-PIERRE, Paul et Virginie, p. 42.

PAPE [pap] n. m. — 1050; lat. *papa,* titre d'honneur donné d'abord aux évêques, puis réservé à l'évêque de Rome.

♦ Chef suprême de l'Église, devenu après le schisme oriental et la Réforme, le chef de l'Église catholique romaine. *Le pape, successeur de saint Pierre, vicaire de Jésus-Christ, chef visible de l'Église, de la catholicité, évêque de Rome.* ⇒ **Pontife** (souverain pontife). *Notre Saint*-Père le pape* (→ Falloir, cit. 24). *Sa Béatitude* (vx), *Sa Sainteté le pape. On dit Très Saint-Père en s'adressant au pape. Dignité de pape.* ⇒ **Pontificat; papal, pontifical.** *Élection du pape par les cardinaux.* ⇒ **Conclave.** *Tout catholique, même laïque, peut être élu pape; mais pratiquement seuls des cardinaux accèdent au pontificat* (→ Coiffer, ceindre la tiare*). *Cardinal susceptible d'être élu pape.* ⇒ **Papable** (ital. *papabile*). *Introniser un pape.* ⇒ **Intronisation** (cit. 1; → Exaltation, cit. 2). *Insignes du pape.* ⇒ **Clef, croix, pallium, tiare.** *Mule du pape.* ⇒ 2. **Mule.** *Baisement* du pied, de la mule du pape* (→ Baiser, cit. 4). *Chaire du pape* ou trône*, Saint*- Siège. *Palais du pape au Vatican. Gouvernement du pape.* ⇒ **Papauté, Saint-Siège, curie** (congrégations, tribunaux, services administratifs ou offices); **consulte, rote.** *Le pape et les conciles** (→ Démentir, cit. 4). *Personnel travaillant auprès du pape.* ⇒ **Camérier, caudataire, consulteur, scripteur; protonotaire.** *Garde du pape ou garde pontificale** (⇒ **Papalin**). *Ambassadeur du pape.* ⇒ **Légat, nonce, vice-légat.** *Rites orientaux qui reconnaissent le pape.* ⇒ **Uniate.** *Subordination du clergé français au pape.* ⇒ **Gallican, ultramontain.** *Le pape est infaillible lorsqu'il parle ex cathedra** (cit. 1) *pour définir une doctrine sur la foi ou les mœurs.* ⇒ **Infaillibilité** (pontificale). *Lettres du pape.* ⇒ **Bref, bulle** (→ Interdit, cit. 2), **clémentine** (vx), **décrétale** (vx), **encyclique, rescrit.** *Interdiction d'un livre par le pape.* ⇒ **Index.** *Propositions condamnées par le pape.* ⇒ **Syllabus** (→ Janséniste, cit. 1). *Dispense, indulgence du pape* (⇒ **Indult**). *Le pape institue* (cit. 1) *les évêques.* ⇒ **Institution** (cit. 6), **préconisation.** *Droit de dévolution** (cit. 2) *du pape. Bénédiction donnée par le pape.* ⇒ **Apostolique** (cit. 7). *Agnus* dei béni par le pape. Pape qui accorde une année jubilaire* (cit.). *Le pape prononce la béatification*, la canonisation*. Pape schismatique et condamné.* ⇒ **Antipape** (cit. 1 et 2; → Antéchrist, cit. 4). — *Puissance temporelle du pape.* — (Anciennt). *États du pape* : les États de l'Église. *Le traité de Latran* (1929) *reconnaît la souveraineté du pape sur la cité du Vatican. Pape belliqueux* (→ Évanouir, cit. 3) *qui fait et défait les empereurs* (→ Atteinte, cit. 12). *Soumission d'Henri IV d'Allemagne au pape Grégoire VII à Canossa en 1077. Pape en exil* (cit. 7). *Palais des papes à Avignon. Traité entre les papes et les États souverains.* ⇒ **Concordat.** *Redevance perçue par le pape sur les bénéfices* (cit. 9; ⇒ **Annate,** anciennt), *sur les fidèles.* ⇒ **Denier** (de saint Pierre).

1 (...) un pays où le peuple ne connaît que la religion, et révère le pape non seulement comme un souverain mais comme un Dieu sur la terre.
STENDHAL, Souvenirs d'un gentilhomme italien.

2 La primauté romaine se traduit dans les faits par le pouvoir de juridiction suprême que le pape exerce, pouvoir que le code canonique qualifie de « entier, universel, vraiment épiscopal, ordinaire et immédiat ». Elle se reconnaît aux insignes réservés au pape : la tiare aux trois couronnes, le pallium, la croix papale, les clefs, etc. D'autre part, le pape est souverain dans l'ordre international; il ne dépend d'aucune puissance politique, ne reconnaît à aucune d'elles quelque juridiction sur sa personne, ses biens ou son entourage, ne paie impôt à aucune d'elles et ne reçoit d'aucune d'elles la moindre subvention.
M. PACAUT, les Institutions religieuses, II, p. 21.

Littér. *La mule du pape,* conte de Daudet (→ Dicton, cit. 2). — Loc. prov. *Heureux* (cit. 39) *comme un pape* (→ Comme un roi*).

Loc. fam. (iron.). *Sérieux comme un pape* : très sérieux.

Par ext. *Tout protestant fut pape* (→ Bible, cit. 1, Boileau). — *Le pape des fous** (cit. 14).

3 Il est curieux que, pour mieux repousser l'autorité du pontife romain, les peuples du Nord se soient soumis à une foule de papes de village.
André SUARÈS, Trois hommes, « Ibsen », III.

Par anal. Chef dont l'autorité dans un groupe est indiscutée. ⇒ **Pontife.** *Le pape d'une école, d'un parti. Les papes, les conciles* (cit. 2) *et les encycliques du socialisme. André Breton, le pape du surréalisme.*

4 Le pape lui-même, celui des lettres, Jean Paulhan, présente dans un Avant-propos les confidences d'une belle (...) F. MAURIAC, Bloc-notes 1952-1957, p. 135.

DÉR. Papable, papal, papauté, papesse, papisme, papiste. V. Papimane.
COMP. Antipape. — Monnaie-du-pape. — Papefigue.
HOM. Pappe.

PAPEFIGUE [papfig] n. m. — 1552, Rabelais; de *figue* dans *faire la figue,* et *pape.*

♦ Littér. (chez Rabelais). Personne qui « fait la figue au pape »; hérétique.

PAPEGAI [papgɛ] n. m. — V. 1155; de l'anc. provençal *papagai;* de l'arabe *băbăġāo, băbbăġāo,* même sens.

♦ **1.** Vx. Perroquet*. *Des papegais.*

Mais ma chère maman, dans sa prudence, ne consentit à sourire que lorsque mon père l'eut instruite que le perroquet s'appelait autrefois papegai ou papegaut. Ce que mon parrain illustra par cet exemple : — Gai comme un papegai, dit Rabelais.
FRANCE, le Petit Pierre, XII.

REM. Repris par Buffon pour désigner des espèces d'Amérique, *papegai* a été éliminé au XIVe s. au profit de *perroquet.*

♦ **2.** Régional. Oiseau de carton ou de bois placé au bout d'une perche pour servir de but aux tireurs à l'arc, à l'arbalète, dans le Nord de la France. *Tir au papegai.* — On trouve les variantes *papegault, papegaut.*

1. PAPELARD, ARDE [paplaʀ, aʀd] n. et adj. — V. 1200; d'un anc. franç. *papeler* « marmonner » (des prières), du rad. *papp-,* et suff. *-ard.*

♦ **1.** N. Vx. Faux dévot. — Par ext. Homme, femme hypocrite. ⇒ **Hypocrite.**

Ô Clotilde! épargne le cœur brisé de ta sainte mère. N'augmente pas son martyre (...) Et la papelarde sinistre abaissant son chef déplumé dans la direction présumée de son fameux cœur, se tenant debout au pied d'une croix invisible, lança ses immenses bras vers l'un et l'autre horizon (...) 1
Léon BLOY, la Femme pauvre, I, IV.

♦ **2.** Adj. Littér. *Personne papelarde. Voix papelarde* (→ Contrefaire, cit. 11). *Air papelard.* ⇒ **Faux, doucereux, mielleux.**

Je suis plus pauvre que jamais, répondait-il en prenant un air humble et papelard; rien de tout cela n'est à moi. Th. GAUTIER, Portraits contemporains, « Balzac ». 2

Celui-ci était aussi droit, aussi franc, que l'autre était retors et papelard (...) 3
GIDE, Si le grain ne meurt, I, III, p. 79.

DÉR. Papelardement, papelarder, papelardise.
HOM. 2. Papelard.

2. PAPELARD [paplaʀ] n. m. — 1821; de *papier.*

♦ Fam. Morceau de papier écrit. *Du papelard.* — *Des papelards :* des papiers d'identité; des documents.

J'ai aussi dans mes papelards une carte de la région, continue Volpatte. Il la déplie devant la lumière. Élimée et transparente aux plis, elle a l'air de ces stores faits de carrés cousus l'un à l'autre. H. BARBUSSE, le Feu, I, XIV.

Variante graphique : *papelar.*

HOM. 1. Papelard.

PAPELARDEMENT [paplaʀdəmɑ̃] adv. — XXe; de 1. *papelard.*

♦ Littér. D'une manière papelarde. ⇒ **Hypocritement.**

Allons, allons, dis-je papelardement, ne vous mettez pas dans ces états-là.
M. AYMÉ, le Confort intellectuel, p. 77.

PAPELARDER [paplaʀde] v. intr. — V. 1220; de 1. *papelard.*

♦ Faire le papelard. — Trans. Vx. *Papelarder qqn.*

Il le soigne comme père et maire! répliqua Vinet. — Oh! il aura beau le papelarder, répondit Pigoult qui saisit la pensée cachée dans le calembour du substitut, la main de Cécile ne dépend ni du père ni de la mère.
BALZAC, le Député d'Arcis, Pl., t. VII, p. 671.

PAPELARDISE [paplaʀdiz] n. f. — Déb. XIVe; *papelardie* au XIIIe, encore *in* Littré; de 1. *papelard.*

♦ Vx ou littér. Fausse dévotion. Caractère, attitude de papelard. ⇒ **Fausseté, hypocrisie.** *Flatter qqn avec papelardise.*

Ce soin de papelardise embrassait toutes les choses destinées à Rigou. 1
BALZAC, les Paysans, Pl., t. VIII, p. 209.

(...) c'est aussi une attaque sérieuse contre la papelardise des prêtres et l'hypocrisie de l'Église. S. DE BEAUVOIR, Tout compte fait, p. 201. 2

PAPELONNÉ, ÉE [paplɔne] adj. — 1280, *papeillonné;* de *papillon.*

♦ Blason. En forme d'écaille, de demi-cercle; couvert d'écailles. *De gueules papelonné d'argent.* — Par ext. *Toit papelonné,* et, par pléonasme, *papelonné d'écailles.*

(...) celles-là s'emprisonnaient dans un fourreau papelonné d'écailles bleues, vertes et rouges, qui moulaient exactement leurs formes (...) 1
Th. GAUTIER, le Roman de la momie, IV.

L'autre *(clocher),* au contraire, n'a ni un ornement, ni une guipure; il est simplement papelonné comme un homme d'armes d'écailles (...) 2
HUYSMANS, la Cathédrale, p. 55.

Le verbe *papelonner* est attesté chez Gautier.

PAPERASSE [papʀas] n. f. — 1588; *paperas,* 1553; de *papier,* et suff. péj. *-asse.*

♦ Papier écrit considéré comme inutile ou encombrant. — REM. *Paperasse* s'emploie surtout au pluriel, avec une valeur de collectif. *Amas* (cit. 5) *de paperasses qui encombre la table. Des paperasses qui s'échappent de leurs cartons* (cit. 4). *De vieilles paperasses. Chercher dans ses paperasses. Les paperasses administratives, d'un ministère* (→ Croire, cit. 54; éparpillement, cit. 1).

1 Après quelques jours livrés à mon délire champêtre, je songeai à ranger mes paperasses et à régler mes occupations. ROUSSEAU, les Confessions, IX.

2 Ils étaient là comme chez eux; les paperasses d'un antique dossier dont le jeune homme, d'un coup de son canif, avait fait sauter la courroie, leur mettaient sous le derrière l'épaisseur d'un lit de mousse.
COURTELINE, Messieurs les ronds-de-cuir, V^e tableau, III.

(Au sing. collectif, 1893). *De la paperasse* (→ Dossier, cit. 2). *La paperasse d'un ministère* (→ Égarer, cit. 27).

3 Un préfet à qui je parlais, naguère, des excès de la paperasse me dit en levant les bras avec désespoir : « Vous, toute cette paperasse vous gêne. Mais moi, elle me paralyse! » Elle nous paralyse tous. Encore un peu de temps et elle étouffera le pays. G. DUHAMEL, Manuel du protestataire, III.

DÉR. Paperasser, paperasserie, paperassier.

PAPERASSER [papʀase] v. intr. — 1546, « feuilleter des papiers »; de *paperasse.*

♦ Rare. Remuer, ramasser, conserver, écrire des paperasses.

Commencé à paperasser dans nos notes de Rome, à remuer l'embryon de notre roman (...) Ed. et J. DE GONCOURT, Journal, t. III, p. 146.

PAPERASSERIE [papʀasʀi] n. f. — 1845; de *paperasse.*

♦ Ensemble, amas de paperasses. « Multiplication abusive des écritures administratives » (Académie). ⇒ **Bureaucratie** (cit. 1). *La paperasserie d'un service administratif, d'une procédure.*

La plupart des Français loyaux qui pensent avec piété au relèvement de leur patrie avouent se sentir perdus dans le flot de cette paperasserie procédurière et tatillonne qui change tous les deux mois et dont ils sont obligés de s'occuper eux-mêmes parce que, s'ils s'en remettent d'aventure à des soins mercenaires, il leur faut cependant fournir tous les renseignements exigés, donc mettre la main à la pâte. G. DUHAMEL, Manuel du protestataire, III.

PAPERASSIER, IÈRE [papʀasje, jɛʀ] n. et adj. — 1798; de *paperasse.*

♦ Personne qui aime paperasser. — Adj. *Bureaucrate paperassier. Administration paperassière,* qui multiplie les formalités écrites.

1 Aucun greffe préalable. Aucun bureau avec registres. Les prisons de ce temps-là n'étaient point paperassières. Elles se contentaient de se fermer sur vous, souvent sans savoir pourquoi. Être une prison, et avoir des prisonniers, cela leur suffisait.
HUGO, l'Homme qui rit, II, IV, VIII.

2 (...) une bureaucratie gigantesque, paperassière, dont le seul souci est de maintenir exact l'inventaire des petites cuillers. R. BARTHES, Mythologies, p. 133.

PAPÉRISÉ, ÉE [papeʀize] adj. — Av. 1973; de *papier.*

♦ Techn. Qui a pris les caractères du papier.

PAPEROLE [papʀɔl] n. f. — 1929, Proust, cit.; dér. de *papier,* comme *paperasse,* et suff. *-ole.*

♦ Régional. Petit morceau de papier.

1 (...) quand Françoise, voyant Albertine entrer par toutes les portes ouvertes chez moi comme un chien, mettre partout le désordre, me ruiner, me causer tant de chagrins, me disait (car à ce moment-là j'avais déjà fait quelques articles et quelques traductions) : « Ah! si Monsieur à la place de cette fille qui lui fait perdre tout son temps avait pris un petit secrétaire bien élevé qui aurait classé toutes les paperoles de Monsieur! » (...) En me faisant perdre mon temps, en me faisant du chagrin, Albertine m'avait peut-être été plus utile, même au point de vue littéraire, qu'un secrétaire qui eût rangé mes paperoles.
PROUST, le Temps retrouvé, Pl., t. III, p. 909.

2 (...) regarder le journal de radio, bricoler un dispositif pour tenir mes paperolles *(sic),* etc. R. BARTHES, Roland Barthes, p. 76.

PAPESSE [papɛs] n. f — V. 1450; du lat. médiéval *papissa,* de *papa.* → Pape.

♦ Femme pape (selon la légende). *La papesse Jeanne est un personnage mythique.*

Par ext. Femme détenant les pouvoirs d'un chef religieux.

Et quel est le chef de la religion *(anglicane)?* — Oh! c'est sa gracieuse majesté, c'est notre reine d'Angleterre. — Mais c'est une charmante papesse (...)
NERVAL, Voyage en Orient, « Femmes du Caire », VII, III.

PAPET [papɛ] ou **PAPÉ** [pape] n. m. — D.i.; mot régional; provençal *papet,* de même orig. que *papa, pépé.*

♦ Régional et fam. Grand-père (appellatif et n. m.).

1 Le papet de Romuald, qui pourtant avait toujours eu beaucoup de sens, se mit un jour à marcher à quatre pattes, en aboyant de temps à autre.
M. PAGNOL, le Temps des amours, p. 233.

2 Voyez, papé, dit Alain, la superbe plume que j'ai trouvée au bord de la Nesque.
R. SABATIER, les Enfants de l'été, p. 12.

PAPETERIE [papetʀi; paptʀi] n. f. — 1423; du rad. de *papier,* comme *papetier* (du lat. médiéval *papeterius*), et *-erie.*

♦ **1.** Fabrication du papier. ⇒ **Papier.** *Produit utilisé en papeterie* (→ Fécule, cit. 2). *Usine de papeterie. Représenter une maison* (cit. 30) *de papeterie.*

♦ **2.** Lieu où l'on fabrique le papier. *Papeterie qui achète sa pâte à papier aux usines à pâte.* — Commerce du papier. *Voyageur en papeterie.*

Personne n'ignore la célébrité des papeteries d'Angoulême, qui, depuis trois siècles, s'étaient forcément établies sur la Charente et sur les affluents où elles 1
trouvèrent des chutes d'eau. BALZAC, Illusions perdues, Pl., t. IV, p. 491.

♦ **3.** (1890). Magasin où l'on vend du papier, des articles et des fournitures pour le bureau, l'école. *Acheter un carnet, des buvards, des compas... dans une papeterie. Librairie-papeterie* (→ Librairie, cit. 1, 2, 3).

(...) le comte se planta devant une papeterie, où il contempla avec une attention 2
profonde un étalage de presse-papiers, des boules de verre dans lesquelles flottaient des paysages et des fleurs. ZOLA, Nana, VII.

Ellle entra, un peu plus loin, dans une petite papeterie-mercerie, à la devanture 3
de laquelle s'empoussiéraient des réglisses, des Pères la Colique, des bobines de fil et des publications illustrées gauloises ou enfantines.
R. QUENEAU, Pierrot mon ami, p. 76.

Par ext. Articles vendus par le papetier (2.). → Minimum, cit. 3. *Marchand* (cit. 4) *ambulant qui vend de la papeterie. Le rayon de la papeterie dans une librairie.*

C'est par la papeterie, lieu et catalogue des choses nécessaires à l'écriture, que 4
l'on s'introduit dans l'espace des signes; c'est dans la papeterie que la main rencontre l'instrument et la matière du trait; c'est dans la papeterie que commence le commerce du signe, avant même qu'il soit tracé. Aussi chaque nation a sa papeterie. R. BARTHES, l'Empire des signes, p. 115.

♦ **4.** Vx. « Petite boîte qui renferme ce qu'il faut pour écrire et cacheter des lettres » (Académie).

PAPETIER, IÈRE [pap(ə)tje, jɛʀ] n. et adj. — 1507; *papeterius,* 1414; dér. irrégulier de *papier.*

♦ **1.** (Fém. rare). Personne qui fabrique, vend du papier. *Les papetiers et leurs clients imprimeurs.* — Par appos. *Industriel papetier.*

♦ **2.** Personne qui a un commerce de papeterie. *Métier de papetier. Chez la papetière* (→ Mener, cit. 34). *Papetier-libraire.* — Par appos. *Marchand papetier.*

Il est pour les enfants, Madame, celui-là? demandait-elle à la papetière, quand elle n'était pas sûre, en achetant un journal illustré ou un livre.
N. SARRAUTE, Tropismes, p. 121.

♦ **3.** Adj. Qui concerne la fabrication, l'industrie, le commerce du papier (I., 1.). *Industrie papetière.*

PAPHOS [pafos] n. m. — Fin XVIIIe (sans attestation précise); du temple de *Paphos,* consacré au culte de Vénus.

♦ Techn. Grand canapé à dossier et accotoirs droits. — Variante : *paphose,* n. f.

PAPI [papi] n. m. — XXe; var. enfantine de *papa, pépé;* p.-ê. d'après *mamie.*

♦ Fam. (Appellatif et n. m.). Grand-père. — Var. graphique (d'après *mamy*) : *papy. « Même les gens qui se vantent d'avoir un certain respect pour les personnes âgées les affublent de noms tels que "papy", "mémé", "pépé" ». (F. Magazine,* févr. 1981, p. 88).

PAPIER [papje] n. m. — XIIIe; adapt. du lat. *papyrus,* du grec *papuros* « roseau d'Égypte », utilisé comme le papier qui fut inventé au IIe s. par les Chinois et connu en Europe au XIe s. → Papyrus.

★ **I.** *(Le, du papier).* ♦ **1.** Matière à base de cellulose, faite de fibres végétales (naturelles ou déjà transformées) réduites en pâte, qu'on étend et sèche pour former une feuille mince. *Du papier. Une feuille de papier. Pâte à papier :* pâte liquide de matières broyées et épurées dont on fait le papier. *Papier de chiffon* (coton, lin, chanvre), le premier en date, devenu depuis le XIXe siècle papier de luxe. *Chiffons à papier.* ⇒ **Défilé, drapeau,** 2. **drille, peille, pilot; bouillie.** *Papier de bois* (conifères, peuplier, bouleau, hêtre). *Papier de paille* (→ Liant, cit. 4), *de riz* (→ Encre, cit. 4), *d'alfa... Papier fabriqué avec de vieux papiers désencrés.* — *Papier à la main* (dit aussi *à la forme, à la cuve*), fabriqué à la main jusqu'au XIXe siècle et encore de nos jours pour les produits de grand luxe. *Papier à la machine,* pour lequel la forme est remplacée par une *toile métallique sans fin,* ou *table. Préparation de la pâte à papier.* ⇒ **Défilage, défibrer, délissage, effilochage, râperie; affleurage, affleurer; blanchiment; élaver; pourrissage, pourrissoir; raffineur.** *Machine à papier,* qui transforme la pâte en feuilles (et qui comprend : cuve, épurateur, table, caisses aspirantes, presses, cylindres, sécheurs, refroidisseurs, apprêteur, mouilleuse, enrouleuse, calandre*). *Fabrication du papier :* papeterie. *Traitement de la feuille de papier.* ⇒ **Calandrer, calandrage; collage** (ou **encollage**); **glacer; lisser, lissoir; moirage; satiner, satinage; apprêt, sandaraque.** *Ouvriers du papier.* ⇒ **Leveur, lisseur, moireur.** *Faux-pli dans le papier.* ⇒ **Fronce.** *Défaut du papier dû à un amas de matière.* ⇒ **Andouille; pâton.** *Papier mis en rouleaux, en bobines.* ⇒ **Cylindrer.** *Feuilles de papier entassées sur la selle*. Papier en feuilles.* ⇒ **Main** (cit. 112), **rame, ramette.** *Maculature enveloppant une rame de papier. For-*

mats du papier. ⇒ **Format.** — *Grain, filigrane* du papier. Papier bouffant* (qui a conservé un aspect grenu), *granuleux* (cit.), *sans grain* (⇒ **Vélin**), *lisse, glacé*, couché** (cit. 6), *moiré, vergé** (⇒ **Pontuseau, vergeure**). *Papier souple, solide, résistant; papier fin, translucide, transparent; épais, fort.*

REM. On réserve le nom de *papier* aux feuilles dont l'épaisseur n'excède pas 3 dixièmes de millimètre et dont le poids au mètre carré n'est pas supérieur à 150 g (⇒ **Carte, carton**).

Papier blanc (→ Figurer, cit. 3), *de couleur; uni, marbré, ligné, rayé, réglé, quadrillé* (→ Feuille, cit. 9). *Réglure d'un papier.*

1 Le papier, produit non moins merveilleux que l'impression à laquelle il sert de base, existait depuis longtemps en Chine, quand, par les filières souterraines du commerce, il parvint dans l'Asie-Mineure, où, vers l'an 750, selon quelques traditions, on faisait usage d'un papier de coton broyé et réduit en bouillie. La nécessité de remplacer le parchemin, dont le prix était excessif, fit trouver, par une imitation du *papier bombycien* (tel fut le nom du papier de coton en Orient), le papier de chiffon, les uns disent à Bâle, en 1170, par des Grecs réfugiés; les autres disent à Padoue, en 1301, par un Italien nommé Pax.
BALZAC, Illusions perdues, Pl., t. IV, p. 557.

Feuille (cit. 6) *de papier. Bande, carré de papier. Un morceau de papier* (→ Crayon, cit. 1; faux, cit. 57). *Papier pour écrire, imprimer, dessiner. Papier pour emballer, envelopper* (→ Charcutier, cit 1; in-octavo, cit. 2). *Papier jauni* (→ Manuscrit, cit. 4), *usagé. Papier qu'on plie, froisse, chiffonne, déchire... Papier qui brûle, flambe* (→ Envoler, cit. 2). — *Cornet* de papier* (→ Friture, cit. 4). — **EN PAPIER.** *Sac, emballage, couverture* en papier* (→ 1. Marron, cit. 2). *Serviette, nappe, mouchoir en papier. Vitres, panneaux, décor, paravent de papier* (→ Frileux, cit. 4; jouet, cit. 2). *Un chapeau, une ombrelle en papier. Fleurs* (→ Frisotter, cit. 1), *lanterne* (→ Japonaiserie, cit. 1), *guirlandes* (cit. 3), *confetti*, ruban en papier* (⇒ **Serpentin**). *Bigoudi de papier.* ⇒ **Papillote.** *Allumettes en papier. Cocotte* en papier.* — *Calfeutrer une porte avec du papier. Monnaie* (cit. 7 et 8) *de papier ou fiduciaire*.* ⇒ ci-dessous **Papier-monnaie.** — *Bout de papier* (→ Ombrer, cit. 1).

2 Pour éviter d'avoir affaire à la concierge, inscrivez-moi ça sur un bout de papier, que vous glisserez sous mon paillasson, demain dimanche à la première heure.
J. ROMAINS, les Hommes de bonne volonté, t. II, VI, p. 67.

2.1 (...) la feuille de mauvais papier quadrillé, grisâtre, constellé des paillettes jaunes englobées dans la pâte de bois, scintillantes comme du mica dans les reflets de lumière.
Claude SIMON, le Palace, p. 49.

Sortes, qualités de papier. Papier de luxe, pour l'impression. ⇒ **Hollande, japon, vélin.** *Papier de Chine, papier alfa. Papier Ingres, Whatman. Papier torchon*. Papier bible*, pelure*. Papier à cigarettes* (→ Gaufrer, cit. 2). *Papier de soie** (→ Froissement, cit. 6) : papier très fin. *Papier de sûreté, papier des billets de banque.* — (1675, Mme de Sévigné). Dr., cour. *Papier timbré** : papier vergé portant la marque du sceau de l'État et l'indication du prix de la feuille en filigrane, servant à certains actes. *Extrait de naissance sur papier timbré. Feuille de papier timbré* (→ Grosse, cit. 45). *Papier libre,* qui n'est pas timbré. — (1900). *Papier-calque*. Papier cristal,* complètement transparent. *Papier bristol** (→ Légende, cit. 6), *papier maroquin*. Papier buvard*,* qui n'a pas subi l'encollage. *Papier brouillard*,* servant à filtrer les liquides (papier poreux, épais ou plissé). — (1850). *Papier-filtre. Papier joseph*. Papier gris,* ou *d'emballage :* papier grossier non blanchi (→ Lebel, cit. 2). *Papier (de) boucherie. Papier bulle*, papier paille, papier kraft*. Papier imperméabilisé, goudronné* (cit. 3).

3 Le papier de Hollande (ce nom reste au papier fabriqué tout en chiffon de fil de lin, quoique la Hollande n'en fabrique plus) est légèrement collé; mais il se colle feuille à feuille par une main-d'œuvre qui renchérit le papier.
BALZAC, Illusions perdues, Pl., t. IV, p. 944.

4 (...) il avait agi de même pour ces papiers. Las, un beau jour, des chines argentés, des japons nacrés et dorés, des blancs wathmans *(sic)*, des hollandes bis (...) et dégoûté aussi par les papiers fabriqués à la mécanique, il avait commandé des vergés à la forme, spéciaux, dans les vieilles manufactures de Vire où l'on se sert encore des pilons naguère usités pour broyer le chanvre.
HUYSMANS, À rebours, p. 187.

5 (...) quelquefois elle agitait un étendard de papier jaune craquant, le papier de la boucherie; c'est qu'elle espérait rassembler (...) ses chattes vagabondes, affamées de viande crue (...)
COLETTE, la Maison de Claudine, p. 12.

6 (...) dans le cartable, quelques flacons, des enveloppés de papier de soie, des prospectus, avaient remplacé les cahiers et les livres.
J. ROMAINS, les Hommes de bonne volonté, t. III, XXIII, p. 315.

Papier sulfurisé, immergé dans une solution d'acide sulfurique, puis de glycérine pour accroître sa résistance. Syn. : *papier-parchemin* (1868, Littré).

Papier-pierre : carton très dur obtenu par une forte compression de la pâte et utilisé comme pierre lithographique. ⇒ **Papyrographie.**

PAPIER MÂCHÉ : matière faite de pâte à papier additionnée de colle forte, susceptible d'être moulée et assez résistane. *Objet en papier mâché* (→ Ferraille, cit. 3). *Marionnette de papier mâché verni.* Fig. et fam. *Figure, mine de papier mâché,* d'une pâleur extrême, maladive.

(1901, *in* D. D. L.). *Papier hygiénique,* utilisé dans les cabinets. *Rouleau, distributeur de papier hygiénique.* Syn. fam. : *papier de chiottes, papier-cul.*

7 Petite parenthèse scatologique. — J'ai lu, sur un bateau (...) au seuil du « petit endroit » des *premières*, l'inscription (...) qui me priait en termes courtois de « ne point jeter dans les cabinets *autre chose* que du papier ».
COLETTE, Belles saisons, p. 162.

(Le papier servant de support à un produit). *Papier carbone*. Papier collant, gommé, adhésif. Papier tue*-mouches, colle-mouches. Papier sinapisé*. Papier bakélisé,* servant d'isolant électrique. — *Papier sensible (au gélatino-bromure d'argent),* pour la photo. *Papier cache*. Papier au ferroprussiate pour la reproduction des plans des épures.* ⇒ **Bleu.** — *Papier d'Arménie :* papier aromatique imprégné d'une substance qui lui permet de brûler lentement sans flamme en dégageant un parfum caractéristique. ⇒ **Fumigatoire** (→ Consumer, cit. 17). — *Papier-émeri*, papier de verre** (→ Granit, cit. 2). — *Papier à tapisser,* que l'on colle sur les murs à l'intérieur d'une maison. **PAPIER PEINT, PAPIER** (même sens) → Garnir, cit. 10. *Bronzage*, fonçage*, gaufrage du papier peint. Papier (peint) uni, décoré* (par impression). *Papier lisse; velouté* (⇒ **Tontisse**). *Rouleaux, lés, frises, panneaux de papier peint. Le papier des murs* (→ Force, cit. 84). *Papier mal collé, qui gode*. Chambre tendue de papier historié* (cit. 2), *tapissée d'un papier à fleurs* (→ Horizon, cit. 14), *à carreaux* (→ Lithographie, cit. 3). — *Papier-tenture.*

(...) la loge, tapissée d'un papier à sept sous le rouleau, des fleurs roses courant sur un treillage vert. 8
ZOLA, Nana, V.

Les chambres : de naïfs papiers aux murs s'élancent, 9
Papiers de fleurs, d'oiseaux, de personnages clairs
Papiers simples et doux, qui répètent leurs airs
Comme une monotone et sensible romance.
Csse DE NOAILLES, l'Ombre des jours, « Attendrissement ».

(1727). Hist. ou didact. **PAPIER-MONNAIE :** monnaie de papier inconvertible. ⇒ **Billet** (de banque), **monnaie** (*supra* cit. 7). → Dépréciation, cit. 2; déprécier, cit. 7; dévaluation, cit. 2.

REM. 1. On ne dit plus *un papier-monnaie* pour un billet.

2. On utilise maintenant, dans les milieux économiques, le mot *papier* pour désigner la monnaie (cit. 11.1).

L'opération s'acheva sans grande souffrance, et Achmet remit à l'artiste un papier-monnaie de dix piastres, provenant de la bourse d'Aziyadé. 10
LOTI, Aziyadé, III, LVIII.

Il *(le Régent)* fut conquis par le Système de Law, très séduisant en apparence, et qui consistait à créer une richesse artificielle et des ressources fictives, sans avoir l'air de rien demander à personne, en imprimant du papier-monnaie. 11
J. BAINVILLE, Hist. de France, XIV, p 263.

Cependant, la pénurie subsistait partout, non du fait de la baisse de la production, mais de l'abondance de papier. 11.1
A. SAUVY, Croissance zéro?, p. 65.

Papier d'impression, destiné à l'impression des livres. ⇒ **Livre; feuille, feuillet, page.** Imprim. *Marger*, régler*, plier le papier.* ⇒ **Plieuse, régleuse; réglage.** *Couteau*, machine à rogner le papier.* ⇒ **Massicot.** *Rogneur*, rognure de papier. Édition grand papier,* dont les pages ne sont pas rognées. *Bande de papier dans un livre.* ⇒ **Onglet.** *Papier de journal.*

PAPIER JOURNAL : papier de qualité inférieure et peu encollé. *Papier paraffiné pour la polycopie.* ⇒ **Stencil.**

Papier à dessin : papier granulé dit *papier Ingres* ou *Whatman. Peindre sur toile ou sur papier* (→ Homuncule, cit. 2). *Papier autographique.* ⇒ **Autographie.** — *Papier à musique** (au pr. et au figuré).

Papier écolier, pour les cahiers utilisés à l'école (souvent quadrillé ou réglé). ⇒ **Bloc-notes, cahier, carnet, copie...** *Papier de brouillon. Papier ministre. Papier à lettres,* pour la correspondance (→ Faute, cit. 9; missive, cit. 2). *Bloc de papier à lettres. Boîte de papier à lettres contenant tout le nécessaire* (⇒ **Carte-lettre, enveloppe, lettre**). *Papier (à lettres) à en-tête*, à vignette, à initiales* (→ Glaçure, cit.).

Je n'ai pas voulu prendre pour t'écrire mon papier à lettres; il est bordé de noir (...) 12
FLAUBERT, Correspondance, 112, 4 août 1846.

Cette maison ignorait le papier à lettres; on écrivait sur n'importe quoi. Elle déplia une feuille quadrillée, un papier de lettre anonyme. 13
COCTEAU, les Enfants terribles, p. 181-182.

Dessiner, écrire sur du papier (→ aussi 3.). *Noter qqch. sur une feuille de papier. Papier qui glisse, qui accroche. Papier qui boit (l'encre). Plume d'oie* (cit. 3) *grinçant sur le papier.* — *Couper le papier* (d'un livre) *avec un coupe-papier.*

Loc. fam., vx. *Sac* à papier!* (interj.).

♦ **2.** *Papier d'étain** : feuille très mince de métal, servant à envelopper. *Papier doré. Papier d'aluminium.*

Loc. cour. **PAPIER D'ARGENT :** « papier » d'étain.

♦ **3.** Spécialt. *Le papier,* support de ce qu'on écrit. *Du papier, des plumes et de l'encre* (→ Écrire, cit. 25; gauche, cit. 7). *Jeter* (cit. 24), *coucher un mot, une phrase sur le papier.* ⇒ **Écrire** (→ Bouillonner, cit. 6; essentiel, cit. 20). *Idées qui tombent sur le papier* (→ Éparpiller, cit. 13). *Faire sans papier une division de quinze chiffres,* sans écrire, de tête* (→ Hercule, cit. 14). *Gratter* du papier.* Fig. ⇒ **Gratte-papier.**

Le papier, vous le savez, joue le rôle d'un accumulateur et d'un conducteur; il conduit non seulement d'un homme à un autre, mais d'un temps à un autre, une *charge très variable d'authenticité ou de crédibilité.* 14
VALÉRY, Variété III, p. 222.

(Matérialisant la création littéraire). *Poète, écrivain devant son papier* (→ Attraper, cit. 24; exutoire, cit. 1). *Noircir du papier* (→ Irrévérencieusement, cit.). *Brûler* le papier.* — Péj. *Barbouiller* (cit. 7 et 9), *salir du papier. Barbouilleur* (cit. 1 et 4) *de papier* (→ Farrago, cit.). → Pisseur* de copie. *Perdre de l'encre et du papier.* — Prov. *Le papier souffre* tout :* on peut tout écrire, la réaction ne venant qu'avec la lecture.

15 (...) la clarté déserte de ma lampe
Sur le vide papier que la blancheur défend (...)
MALLARMÉ, Poésies, « Brise marine ».

Loc. *Sur le papier :* par écrit*, en projet. ⇒ **Théoriquement.** *Chose qui n'existe* (cit. 3) *que sur le papier. C'est beau sur le papier, en fait c'est tout différent..., c'est irréalisable.*

★ **II.** *(Un, des papiers).* ♦ **1.** Feuille, morceau de papier (⇒ argot 2. **papelard**). *Des papiers. Papier écrit* (⇒ **Écrit,** n. m.), *manuscrit, imprimé* (⇒ **Imprimé,** n. m.). *Un papier griffonné* (cit. 1) *couvert de figures. Papier peu présentable.* ⇒ **Chiffon.** *Notez plutôt cela dans votre carnet que sur un papier* (→ Feuille volante*). *Faire un coin, une corne à un papier. Papier corné. « Ce papier n'est autre que la lettre de mon cousin »* (→ Déplaire, cit. 12, Beaumarchais). *Jeter des papiers, des vieux papiers* (aussi au sens 2.). *Jeter des papiers au panier. Corbeille à papiers. Papiers gras qui traînent* (→ Foule, cit. 7). *Papier beurré pour faire cuire une viande.* ⇒ **Papillote.**

16 J'aime beaucoup ramasser les marrons, les vieilles loques, surtout les papiers (...) En été au début de l'automne, on trouve dans les jardins des bouts de journaux que le soleil a cuits, secs et cassants comme des feuilles mortes, si jaunes qu'on peut les croire passés à l'acide picrique (...) D'autres tout neufs et même glacés, tout blancs, tout palpitants, sont posés comme des cygnes, mais déjà la terre les englue par en dessous. SARTRE, la Nausée, p. 22.

Arts. *Papiers collés :* œuvre picturale composée entièrement ou partiellement de papiers imprimés découpés et collés. *Les papiers collés de Picasso, de Braque.* ⇒ **Collage.**

17 (...) une synthèse de ces intentions sera réalisée d'une façon plus complète avec ce qu'on appellera les « papiers collés ». La composition sera généralement exécutée sur papier à dessiner et comportera, comme en surimpression, des fragments de papiers imprimés, colorés ou décoratifs. Le découpage de ces papiers, qui seront accompagnés ou surchargés de traits ou de couches de crayon, de gouache ou d'encre, se fera selon les procédés de la peinture proprement dite (...)
M. RAYNAL, Peinture moderne, Les papiers collés, p. 176.

Techn. *Papier à pierres :* feuilles destinées à contenir des pierres précieuses. — Loc. *Diamant sur papier,* non monté.

Vx. *Papier public,* ou *papier journal.*

18 L'homme qui tient son papier favori ressemble à un cavalier bien en selle. Il est plein d'assurance et même de morgue. Il sait dans quelle colonne gite la vérité (...)
G. DUHAMEL, Récits des temps de guerre, IV, « Les moutons ».

Journal. Article manuscrit ou dactylographié destiné à un journal. *Envoyer un papier à son journal. Je n'ai pas encore lu votre papier.*

19 Et c'est un inconnu, qui veut savoir de lui si le roman est périmé, et qui une fois sur deux ne publiera même pas sa réponse, parce que son « papier » est déjà trop long, ou parce qu'on a renoncé entre-temps à cette enquête.
MONTHERLANT, les Lépreuses, I, III.

♦ **2.** Papier écrit de quelque importance (par son caractère confidentiel, documentaire, administratif, juridique...). ⇒ **Document, note.** *Liasse** (cit. 1) *de papiers. Serviette pleine de papiers* (→ Battre, cit. 69). *Papiers cachés dans le double fond* (cit. 2) *d'un tiroir. Fouiller* (cit. 26) *dans les papiers de son mari. Classer*, ranger des papiers.* ⇒ **Carton, cartonnier, chemise, classeur, dossier...** (→ Classification, cit. 1 ; joncher, cit. 4). *Papiers en ordre* (→ Finasser, cit. 2). *Vieux papiers* (→ Bouquiner, cit. 2 ; document, cit. 1 et 2). ⇒ **Paperasse.** *Papiers des archives. Ensemble de papiers relatifs à une affaire.* ⇒ **Dossier.** *Réunir les papiers nécessaires à un mariage* (→ Ban, cit. 1). ⇒ **Pièce.** *Papier qui autorise* (cit. 15) *à faire qqch., atteste une chose...* ⇒ **Billet, carte.** *Papiers timbrés* (→ Exploit, cit. 8 ; huissier, cit. 8 ; et ci-dessus, I., 1. : *Du papier timbré*). *Signer un papier* (→ Mandataire, cit. 2). *Signature d'un papier blanc.* ⇒ **Blanc-seing.** — *Papiers diplomatiques* (→ Grille, cit. 20 ; histoire, cit. 7). *Papiers d'un navire* ou *papiers de bord.* ⇒ **Navire.** *Papiers militaires :* le livret* militaire et d'autres pièces concernant la situation militaire d'une personne (→ Munir, cit. 5). *Papiers de famille* (cit. 13).

20 (...) il *(Javert)* s'assit souverainement devant la table, où étaient restées la chandelle et l'écritoire, tira un papier timbré de sa poche et commença son procès-verbal. HUGO, les Misérables, III, VIII, XXI.

21 (...) il avait signé un papier avec le père Saucisse, par lequel celui-ci, après sa mort, lui cédait un arpent de terre, à la condition qu'il toucherait quinze sous chaque matin, sa vie durant. ZOLA, la Terre, IV, IV.

22 (...) il voulait faire, ce soir, un rapide inventaire des papiers intimes qu'avait pu laisser M. Thibault (...) MARTIN DU GARD, les Thibault, IV, p. 223.

23 Prestement, Alfreda rassembla les papiers épars, et les rangea dans la serviette.
MARTIN DU GARD, les Thibault, t. V, p. 94.

24 (...) il emportait une liasse volumineuse de papiers se rapportant plus ou moins à la succession (...) MONTHERLANT, les Célibataires, I, IV.

Loc. fam. *Être dans les petits papiers de qqn,* jouir de sa faveur, de sa considération. — *Rayez cela de vos papiers !,* n'y comptez pas.

25 Moi, votre ami ? Rayez cela de vos papiers.
MOLIÈRE, le Misanthrope, I, 1.

♦ **3.** (1835). *Papiers d'identité,* et absolt, *Papiers :* ensemble des papiers d'identité. ⇒ **Identité, état** (civil). *La carte d'identité, le passeport, le permis de conduire sont des papiers d'identité* (cit. 15). *Vos papiers ! Mettre ses papiers dans son portefeuille. Avoir ses papiers en règle. Individu, enfant* (cit. 27) *sans papiers. Perdre ses papiers. Se faire faire de faux papiers.*

26 Un jeune homme s'est présenté à mon bureau vers huit heures, ce matin, dit le secrétaire (...) Il prétendait être déserteur et porteur de faux papiers. Nous avons en effet trouvé sur lui un passeport espagnol grossièrement imité. Il s'est refusé à décliner son identité véritable. SARTRE, le Sursis, p. 321.

Tous mes papiers, permis de circulation pendant les émeutes, cartes de séjour pendant les révolutions, médailles d'identité pour la ration des denrées indigènes, 27
entrée gratuite aux Pinacothèques et à tous les Musées germaniques, abonnements spéciaux au gaz et à l'électricité, j'en débarrasse tout à l'heure mon portefeuille.
GIRAUDOUX, Siegfried et le Limousin, p. 299.

♦ **4.** Fin. ⇒ **Effet** (de commerce), **titre, valeur** (→ Monnaie scripturale*). *Papiers de commerce, commerçables* (→ Agent, cit. 13), *négociables* (→ Banque, cit. 2). *Papier commercial ; papier financier* ou *de crédit. Papier à vue,* payable à vue. *Papier court :* effet de commerce ayant au plus 15 jours d'échéance. *Trafiquer sur les papiers* (→ Boursicoter, cit. 2). *Bon, mauvais papier,* signé par des gens solvables ou non solvables. *Papier sur Londres, New York...* ⇒ **Devise.**

♦ **5.** (En franc. d'Afrique). *Le papier :* les livres ; la lecture, l'écriture. *Connaître le papier :* être instruit, lettré.

DÉR. 2. **Papelard, paperasse, paperisé, paperole, papeterie, papetier.**
COMP. Coupe-papier, gratte-papier, presse-papiers, serre-papiers.

PAPIER-FILTRE [papjefiltʀ], PAPIER-MONNAIE [papje mɔnɛ], etc. n. m. ⇒ **Papier.**

PAPILIONACÉ, ÉE [papiljɔnase] adj. et n. f. — Fin XVIIe, subst. ; dér. sav. du lat. *papilio, onis* « papillon ».

Botanique.

♦ **1.** N. f. pl. PAPILIONACÉES. Sous-famille de légumineuses à corolles papilionacées et dont les fruits sont des gousses bivalves. *La plupart des légumineuses appartiennent à la sous-famille des papilionacées.* ⇒ **Légumineuse.** — Au sing. *La téphrosie, papilionacée utilisée comme insecticide.*

Et peut-être (...) tenons-nous de notre famille, comme les papilionacées la forme de leur graine, aussi bien les idées dont nous vivons que la maladie dont nous mourrons. PROUST, À l'ombre des jeunes filles en fleurs, Folio, p. 558.

REM. Ce mot n'est pas constitué selon les règles du *Code international de Botanique* (1954) qui veut que le suffixe *-acée* soit ajouté au radical du nom d'un genre-type. Ainsi, les *papilionacées* sont appelées, selon la règle, *tabacées.*

♦ **2.** Adj. (1732). Qui présente l'aspect d'un papillon en vol. *Corolle, fleur papilionacée, à cinq pétales inégaux* (grand pétale supérieur ou étendard*, pétales latéraux ou ailes, pétales inférieurs souvent soudés, ou carène). *Fleur, plante, légumineuse papilionacée.*

PAPILIONIDÉS [papiljɔnide] n. m. pl. — V. 1900 ; *papilionides,* 1812 ; dér. sav. du lat. *papilio, onis* (→ Papillon), et suff. *-idés.*

♦ Zool. Famille de Lépidoptères comprenant le genre *papilio.* — Au sing. *Un papilionidé.* ⇒ **Papillon.**

PAPILLAIRE [papi(l)lɛʀ] adj. — 1665 ; de *papille.*

Anatomie.

♦ **1.** Formé de papilles. *Corps papillaire* (ou couche réticulaire) : partie superficielle du derme, contenant les papilles. *Sillons papillaires de la paume de la main, de la plante du pied. Crêtes papillaires des doigts* (reliefs des empreintes digitales).

♦ **2.** Qui est de la nature d'une papille, ou qui y ressemble. *Tumeurs papillaires.*

PAPILLE [papij ; papil] n. f. — 1372, attestation isolée ; « bout du sein », XVIe ; les papilles dermiques et linguales ont été découvertes en 1664-1665 par Malpighi ; lat. *papilla.* → Papule.

♦ **1.** Anat. et cour. Petite éminence à la surface du derme ou d'une muqueuse, et qui correspond à une terminaison vasculaire ou nerveuse. *Papilles dermiques, simples ou composées* (deux à cinq sommets) : saillie conique du derme vers l'épiderme ; *vasculaires ou nerveuses* (renfermant un corpuscule du tact). *Papilles linguales,* caliciformes, fongiformes (*papilles gustatives.* ⇒ **Gustation ;** → Goût, cit. 2) ; filiformes, foliées et hémisphériques. ⇒ **Langue.**

(...) au moyen des papilles plus ou moins nombreuses dont elle est parsemée, elle 1
(la langue) s'imprègne des particules sapides et solubles des corps avec lesquels elle se trouve en contact (...)
A. BRILLAT-SAVARIN, Physiologie du goût, t. I, p. 50.

(...) les papilles gustatives sont, biologiquement, de simples organes d'alarme, destinés à prévenir l'ingestion de substances dangereuses, ou à reconnaître quelque 2
substance alimentaire comme le sel et le sucre.
A. LEROI-GOURHAN, le Geste et la Parole, t. II, p. 110.

Papilles rénales : sommets des pyramides de Malpighi... (→ 2. Calice, cit. 4).

Papille optique : disque blanchâtre situé au centre de la rétine, correspondant à l'émergence des vaisseaux rétiniens et du nerf optique (fond* de l'œil).

♦ **2.** Bot. Émergence formée par une cellule épidermique. *Ce sont* *des papilles serrées qui donnent à des pétales, à la peau de certains fruits leur velouté.*

DÉR. Papillaire, papilleux, papillifère, papilliforme, papillite, papillome.

PAPILLEUX, EUSE [papi(l)lø, øz; papijø, øz] adj. — 1770; de *papille.*

♦ Didact. Parsemé de papilles. *Surface papilleuse.* ⇒ **Granuleux.**

PAPILLIFÈRE [papi(l)lifɛʀ; papijifɛʀ] adj. — 1838; de *papille,* et suff. *-fère.*

♦ Didact. Qui porte des papilles.

PAPILLIFORME [papi(l)lifɔʀm; papijifɔʀm] adj. — 1817; de *papille,* et suff. *-forme.*

♦ Didact. Qui a la forme d'une papille.

PAPILLITE [papi(l)lit; papijit] n. f. — 1884; de *papille,* et suff. *-ite.*

♦ Méd. Inflammation d'une papille. *Papillite optique. Papillite linguale.*

PAPILLOME [papi(l)lom; papijom] n. m. — 1858, *papilloma;* de *papille,* et suff. *-ome.*

♦ Pathol. Tumeur bénigne de la peau ou d'une muqueuse à épithélium pavimenteux, d'un aspect mamelonné, constituée par un épaississement irrégulier de la couche des cellules épithéliales et du tissu conjonctivo-vasculaire sous-jacent. *Les verrues*, les cors, les végétations* (sur les muqueuses) *sont des papillomes.*

PAPILLON [papijɔ̃] n. m. — 1275; lat. *papilio,* a remplacé la forme pop. *paveillon, pavillon.* → Parpaillot, pavillon.

♦ **1.** Insecte lépidoptère. ⇒ **Lépidoptères** (cit.).

REM. Selon certains entomologistes, on ne devrait appeler *papillons* que les lépidoptères *(Rhopalocères)* de la famille des *papilionidés.* En fait, dans le langage courant, *papillon* désigne surtout la forme adulte (par oppos. à *chenille, chrysalide*) des lépidoptères à ailes colorées (et moins fréquemment des mites, teignes...).

Principaux papillons. ⇒ **Alucite, argus, attacus, aurore, bombyx,** 2. **danaïde, liparis, machaon, mars, morio, noctuelle, paon, parnassien** ou **apollon, phalène, piéride, saturnie, satyre, sphinx, uranie, vanesse, xanthie, zeuzère, zygène.** *Papillons de jour, diurnes; de nuit, nocturnes, crépusculaires. Papillons de vers à soie. Papillon de mite.* ⇒ **Mite** (Cf. Loti, *Figures et choses qui passaient,* titre du chap. XIII). — *Antennes, trompe, ailes à fines écailles* (⇒ **Squamule**) *des papillons. — Transformations* (⇒ **Métamorphose** [cit. 4]) *qui changent la larve* (⇒ **Chenille**) *en nymphe* (⇒ **Chrysalide** [cit.], **cocon**), *puis en papillon. — Envol de papillons* (→ Nature, cit. 36). *Courir après les papillons* (→ Empaler, cit. 2); *attraper, prendre un papillon* (→ Application, cit. 5). *Filet* (cit. 8) *à papillons. Collection de papillons.*

1 Elle passait ses journées (...) à faire la chasse aux papillons. On avait construit de grands capuchons de gaze claire, avec lesquels on prenait les pauvres *lépidoptères* (...) Julien lui racontait les mœurs singulières de ces pauvres bêtes. On les piquait sans pitié avec des épingles dans un grand cadre de carton arrangé aussi par Julien. STENDHAL, le Rouge et le Noir, I, VIII.

2 Le papillon, fleur sans tige,
Qui voltige,
que l'on cueille en un réseau;
Dans la nature infinie,
Harmonie
Entre la plante et l'oiseau! NERVAL, Poésies, Odelettes, « Les papillons ».

3 Le papillon. Ce billet doux plié en deux cherche une adresse de fleur.
J. RENARD, Histoires naturelles, « Le papillon ».

4 Les papillons, qui avaient disparu un moment, voletaient de tous côtés sur la terrasse (...) Je les reconnaissais tous (...) Minuscules papillons bleus du causse, qu'on nomme des argus; vanesses brunes, dont les ailes extérieures sont marbrées de petits losanges de nacre et d'argent; machaons jaunes et bleus; morios noirs et saphir; vulcains noirs et rubis, et ce splendide sphinx des vignes, vert et rose, comme les grappes parmi lesquelles il sommeille. Pierre BENOIT, Alberte, XII.

5 (...) des vols de papillons d'une densité inconnue en Europe : papillons de ton fauve, d'autres noirs à raies bleues, à bandes rouges, toute la *papillonnerie* papillonnante d'un paradis de papillons.
M. BEDEL, Tropiques noirs, *in* Classe de franç., 1957, p. 300.

Papillon de mer ou *papillon :* gouelle (poisson).

Allus. littér. *« Papillon du parnasse et semblable aux abeilles, Je suis chose légère... »* (→ Fleur, cit. 11, La Fontaine).

Par compar. *Se brûler à la chandelle comme un papillon.* ⇒ **Brûler** (*supra* cit. 52). — *Être hardi* (→ Entrer, cit. 8), *étourdi, vif* (→ Causeur, cit. 1), *léger* (→ Danser, cit. 4) *comme un papillon. — Courir après les papillons :* s'amuser à des bagatelles (⇒ **Papillonner**).

6 La femme est sortie de ses vêtements mystérieux comme un papillon de sa larve soyeuse. BALZAC, Autre étude de femme, Pl., t. III, p. 229.

Loc. fam. *Minute* (cit. 7) *papillon!*

Fig. *Un papillon :* un esprit léger, volage, un homme d'humeur inconstante.

Papillons noirs : idées sombres, tristes (et fugaces), mélancolie passagère.

Je parle, n'est-ce pas, à une jeune fille raisonnable, bien élevée, qui n'a pas de papillons dans la tête. Henry BECQUE, les Corbeaux, IV, 6. 7

♦ **2.** Vx. Partie d'une coiffe qui s'élargit en ailes. — Ornement imitant un papillon. *Un papillon de diamants. — Cravate papillon* (→ Hum, cit. 2); *nœud papillon :* nœud plat servant de cravate, en forme de papillon. Abrév. fam. : *nœud pap'* (→ Nœud, cit. 2).

Brasse papillon : nage ventrale, issue de la brasse, dans laquelle le mouvement de retour des bras se fait dans l'air.

Mar. Petite voile placée au-dessus des cacatois.

♦ **3.** (Attestation isolée, 1465; semble inusité jusqu'au XIXe). Feuille de papier sur laquelle figure un avis au lecteur, une analyse jointe à un livre (« prière d'insérer »), un erratum, un texte de publicité, de propagande (⇒ **Tract**). — Avis de contravention. *Agent qui met un papillon au pare-brise d'une voiture en contravention.*

Il m'avait prêté *Émile* et fut fort inquiet parce que, à cette folle déclamation de J.-J. Rousseau : « La mort de Socrate est d'un homme, celle de J(ésus)-C(hrist) est d'un Dieu », il avait joint un *papillon* (bout de papier collé) fort raisonnable et fort peu éloquent et qui finissait par la maxime contraire. 8
STENDHAL, Vie de Henry Brulard, 31.

On appelle, je crois, « papillon », une petite feuille volante que le brocheur glisse dans le volume frais paru. Le *papillon* épargne au critique insouciant la peine d'étudier l'œuvre nouvelle. Maints journaux, et des plus importants, ouvrent avec complaisance leurs colonnes à ces « prière d'insérer ». Le *papillon* est rédigé toujours, sinon par l'auteur lui-même, du moins par ce que Jules Lemaître appellerait sans doute : un ami délicieux. 9
GIDE, Nouveaux prétextes, Journal sans dates, VII.

♦ **4.** Techn. Écrou à oreilles évasées, à ailettes. *Papillons d'une roue de bicyclette.*

Au septième lacet, le Bressan creva. Busard mit pied à terre pour l'attendre. Le Bressan, accroupi, les mains aux papillons de la roue, leva vers lui un regard surpris (...) souleva son vélo à deux mains (...) 9.1
Roger VAILLAND, 325 000 francs, p. 22-23.

Bec à gaz donnant une flamme aplatie qui s'évase en ailes de papillon. Par appos. *Bec papillon* (→ Notoire, cit. 2).

Aussi faut-il faire usage des becs papillon pour le gaz au bois, et leur donner une largeur de neuf dixièmes de millimètre. 9.2
L. FIGUIER, l'Année scientifique et industrielle 1875, p. 396 (1874).

Un bec de gaz, de ceux qu'on appelle, je crois, papillon, siffle et crache au-dessus de ma tête. BERNANOS, Journal d'un curé de campagne, p. 304. 10

(1860, D. D. L.). Dispositif de réglage, dans certaines machines*, certains moteurs. *Papillon de réglage d'une locomotive à vapeur.* Spécialt (autom.). *Papillon des gaz :* robinet d'admission du mélange gazeux dans les cylindres (pièce du carburateur, commandée par la pédale d'accélération).

♦ **5.** Techn. (boucherie). Ensemble formé par le collet et les épaules (adhérentes).

DÉR. Papillonner. V. **Papilloter.** — (Du lat. *papilio*) **Papilionacées.**

PAPILLONNAGE [papijɔnaʒ] ou **PAPILLONNEMENT** [papijɔnmɑ̃] n. m. — 1742, *papillonnage; papillonnement,* 1843; de *papillonner.*

♦ **1.** Rare. Action de papillonner (2.). Battements semblables à ceux des ailes de papillons.

(...) je ne sais quelle impression d'infinie tristesse se dégageait pour moi de sa pauvre petite gaieté si éphémère, de sa course follette, du papillonnement de son burnous grisâtre dans le vent refroidi et dans la lumière pâlie (...)
LOTI, Figures et choses..., « Papillon de mite ».

♦ **2.** Sortie des papillons de vers à soie des cocons.

PAPILLONNANT, ANTE [papijɔnɑ̃, ɑ̃t] adj. — 1874, P. Larousse; de *papillonner.*

♦ Qui papillonne, qui aime à papillonner. *Esprit papillonnant.*

À quarante ans, elle *(madame Ancelot)* était encore blanche, rose, souple et papillonnante (...) Émile HENRIOT, Portraits de femmes, p. 304.

PAPILLONNER [papijɔne] v. intr. — 1348, « palpiter »; sens repris au XIXe, et absent de Littré, Hatzfeld...; de *papillon.*

♦ **1.** Battre, s'agiter comme des ailes de papillon.

(...) ils portent sur le bras un manteau d'étoffe *(capa)* qu'ils déroulent et font papillonner devant le taureau pour l'irriter, l'éblouir, ou lui donner le change. 1
Th. GAUTIER, Voyage en Espagne, p. 54.

♦ **2.** (1608, *in* Littré, *Suppl.*). Passer vivement d'une chose ou d'une personne à une autre, sans s'arrêter. ⇒ **Folâtrer, voltiger.** *Papillonner autour d'une femme.*

Esther furetait comme furètent les femmes avant de se coucher, elle allait et revenait, elle papillonnait en chantant. 2
BALZAC, Splendeurs et Misères des courtisanes, Pl., t. V, p. 740.

Vous savez que vous êtes libre (...) Rendez-moi cette justice que je ne me suis jamais mêlée de vos affaires de cœur. Ne papillonnez pas trop autour d'elle, tout de même. J. ANOUILH, la Répétition, p. 18. 2.1

(Sens abstrait). Passer d'un sujet à l'autre, d'une question à une autre sans rien approfondir. ⇒ **Changer, éparpiller** (s').

3 (...) il *(Viaur)* possédait une grande vertu — (...) il était obstiné. Il ne papillonnait pas. Il était capable de poursuivre jusqu'au bout une recherche dont il avait une bonne fois reconnu les raisons, même si en cours de route cent objections décourageantes s'acharnaient à l'assaillir.

J. ROMAINS, les Hommes de bonne volonté, t. XII, II, p. 29.

DÉR. Papillonnage ou **papillonnement; papillonnant.**

PAPILLOTAGE [papijɔtaʒ] n. m. — 1611, « éclat des paillettes »; de *papilloter.*

♦ **1.** (1684). Effet produit par un grand nombre de points lumineux éparpillés qui empêchent l'unité d'impression, obligent les yeux à se mouvoir sans cesse et fatiguent la vue*. ⇒ **Éblouissement.** *Un papillotage de lumière, de couleurs.*

Spécialt. (Sculpt.). Effet produit par les plis de draperies trop brisés, par l'excès de petites parties inégalement éclairées (Cf. Falconet, *in* Littré).

Typogr. Manque de netteté d'un tirage.

Par métaphore. *Papillotage du style* (→ Impropriété, cit. 3). ⇒ **Clinquant.**

Spécialt. Effet visuel produit par les variations d'intensité lumineuse (cinéma, télévision). *À la télévision, « certaines conditions sont plus dures qu'au cinéma. Le papillotage est beaucoup plus marqué à la même cadence »* (P. Grivet et P. Herreng, *la Télévision,* p. 26).

1 (...) cette grande loi d'harmonie générale condamne bien des papillotages et bien des crudités, même chez les peintres les plus illustres. Il y a des tableaux de Rubens qui non seulement font penser à un feu d'artifice coloré, mais même à plusieurs feux d'artifice tirés sur le même emplacement.

BAUDELAIRE, Curiosités esthétiques, IX, IV.

♦ **2.** (XVIIIe). Mouvements incertains et continuels des yeux, quand ils sont éblouis, et, par ext., battements précipités des paupières.

♦ **3.** Figuré :

2 (...) cette folle et coquette ivresse des grâces du dix-huitième siècle : le papillotage, un mot trouvé par le temps pour peindre le plus précieux de son amabilité et le plus fin de son génie féminin.

Ed. et J. DE GONCOURT, la Femme au XVIIIe siècle, t. II, p. 134.

PAPILLOTANT, ANTE [papijɔtɑ̃, ɑ̃t] adj. — 1767; de *papilloter.*

♦ **1.** Qui éblouit par un grand nombre de lumières, de reflets. *Nuit papillotante de lumières* (→ Écouler, cit. 6).

♦ **2.** Qui papillote, en parlant de l'œil, du regard. ⇒ **Clignotant** (adj.).

Comme nous allions sortir, éblouis de merveilles, les yeux papillotants et remplis de folles bluettes (...) Th. GAUTIER, Voyage en Russie, XVIII.

PAPILLOTE [papijɔt] n. f. — 1408; de *papilloter.*

♦ **1.** Vx. Paillette d'or ou d'argent sur une étoffe. ⇒ **Paillon.**

♦ **2.** (1617). Morceau de papier autour duquel on peut enrouler une mèche de cheveux pour la friser. ⇒ **Coiffure.** *Avoir des papillotes dans les cheveux. Les bigoudis ont remplacé les papillotes.* — Par ext. *Être en papillotes, avoir la tête en papillotes.*

1 — Retirez-vous, dit madame de Merret à sa femme de chambre, je mettrai mes papillotes moi-même. BALZAC, Autre étude de femme, Pl., t. III, p. 258.

♦ **3.** (1803). Papier frisé, tortillé, servant d'enveloppe à un bonbon; le bonbon ainsi présenté. *Dragées en papillotes. — Papier à papillotes enveloppant un pétard* (→ Fulminate, cit. 2).

(1735, *côtelettes en papillotes*). Cuis. Papier beurré ou huilé enveloppant certains poissons, légumes ou viandes à griller. *Côtelettes, cailles en papillotes* (→ Fugace, cit. 2).

♦ **4.** Loc. fig. (1835). *Faire des papillotes avec un papier. Cela n'est bon qu'à faire des papillotes,* se dit d'un papier sans valeur, bon à jeter (cf. Voltaire, Rousseau, *in* Littré).

2 (...) vous voyez à quoi me servent les promesses des amants qui veulent m'épouser en dépit de leurs familles; j'en fais des papillotes.

A.-R. LESAGE, le Diable boiteux, XVII.

PAPILLOTEMENT [papijɔtmɑ̃] n. m. — 1611, « fait d'être pailleté »; sens mod., XIXe; de *papilloter.*

♦ Éparpillement de points lumineux qui papillotent; effet produit par cet éparpillement. ⇒ **Papillotage.**

1 L'esprit sautait d'objet en objet, dans une fièvre épuisante. Ce papillotement d'images lui donnait le vertige.

R. ROLLAND, Jean-Christophe, L'adolescent, I, p. 260.

2 (...) la vision du monde (...) d'un homme assis dans une auto découverte et qui regarde en arrière. À chaque instant des ombres informes surgissent à sa droite, à sa gauche, papillotements, tremblements tamisés, confettis de lumière, qui ne deviennent des arbres, des hommes, des voitures qu'un peu plus tard, avec le recul.

SARTRE, Situations I, p. 73.

PAPILLOTER [papijɔte] v. — 1400, *papeloté;* dér. de l'anc. franç. *papillot,* dimin. de *papillon.*

★ **I.** V. tr. ♦ **1.** Vx. Garnir (qqch.) de paillettes, de paillons. ⇒ **Papillote** (1.).

♦ **2.** (1680). Garnir (qqch.) de papillotes (2. et 3.). *« Papilloter une perruque »* (Littré). *Papilloter une mèche de cheveux.* — (Vx). *Se papilloter :* se mettre des papillotes. — (XIXe). *Papilloter une côtelette.*

★ **II.** V. intr. Mod. ♦ **1.** (1752; par croisement avec *papillonner*). « Se dit des yeux, lorsqu'un mouvement incertain et involontaire les empêche de se fixer sur les objets » (Trévoux). → Chinois, cit. 4. — (Sujet n. de personnes). Cligner, clignoter (des paupières), sous l'effet d'une vive lumière, d'un miroitement.

♦ **2.** (Sujet n. de choses). Fatiguer les yeux par des reflets, des miroitements, des scintillations (semblables à ceux des paillettes, des papillotes [1.] d'une étoffe). *Costumes bigarrés de couleurs vives qui papillotent au soleil* (→ Fourmillement, cit. 1).

(...) Çà et là, des flaques d'eau encadrées de vase brune papillotaient aux yeux comme les miroirs des pièges d'alouettes. 1

Th. GAUTIER, Fortunio, « Toison d'or », I.

Le soleil papillote dans les haies (...) 2

SARTRE, le Sursis, p. 41.

Typogr. Être tremblé, marqué double (en parlant d'un ou plusieurs caractères); manquer de netteté (en parlant du tirage). — Peint. *Couleur, teinte qui papillote. — Image de télévision qui papillote.*

Par métaphore. Fatiguer l'esprit par un excès d'effets brillants (Cf. Marmontel, *in* Littré). *Style qui papillote.*

DÉR. Papillotage, papillotant, papillote, papillotement.

PAPIMANE [papiman] n. m. — 1552, Rabelais; de *papi (pape),* et *-mane.*

♦ Littér. (Chez Rabelais). Adorateur du pape. — Adj. (Vx). Qui montre un zèle absolu pour le pape.

PAPION [papjɔ̃] n. m. — 1766; lat. mod. *papio;* altér. de *babouin.*

♦ Vx. Nom générique de mammifères simiens dont le babouin* est une espèce. ⇒ **Cynocéphales.**

(...) les Italiens sont les premiers qui l'aient nommé *babuino* (...) les Français *babouin,* et tous les auteurs qui, dans ces derniers siècles, ont écrit en latin, l'ont désigné par le nom *papio;* nous l'appellerons nous-même *papion* (...)

BUFFON, Hist. nat. des animaux, Nomencl. des singes.

Spécialt. Babouin.

PAPISME [papism] n. m. — 1553; de *pape.*

♦ **1.** Soumission à l'autorité du pape; doctrine des partisans de l'autorité absolue du pape.

♦ **2.** Péj., vieilli. Catholicisme romain. ⇒ **Église.**

PAPISTE [papist] n. — 1526, Bloch; de *pape.* Cf. angl. *papist.*

♦ Péj. (Vx ou hist.). Personne qui se soumet à l'autorité du pape*, qui est partisan de l'autorité du pape. — Par ext. Catholique romain (spécialt dans le langage des polémistes protestants, du XVIe au XIXe siècle). *Huguenots* (cit. 1 et 2), *calvinistes* (cit. 4) *et papistes* (→ Éterniser, cit. 9).

PAPOTAGE [papɔtaʒ] n. m. — 1837; de *papoter.*

♦ Action de papoter; conversation frivole, propos légers, insignifiants. ⇒ **Bavardage** (→ Comparer, cit. 7). *Papotage de salon. Papotages médisants* (→ Clabauder, cit. 3).

Cette évocation du passé remuait-elle en lui des émotions, des regrets? Ou, simplement, ce papotage l'importunait-il? 1

MARTIN DU GARD, les Thibault, t. IX, p. 95.

(...) des racontars idiots, des cancans, des mensonges (...) des papotages grossiers (...) N. SARRAUTE, le Planétarium, p. 26. 2

PAPOTER [papɔte] v. intr. — 1767; *papeter* en picard, au moyen âge (XIIIe) aux sens de « bavarder, manger »; cf. l'anc. franç. *paper* (XIIe); du rad. onomat. *pap-;* cf. lat. *pappare* « manger ».

♦ Parler beaucoup, à plusieurs, en disant des choses insignifiantes. ⇒ **Bavarder.**

Ils *(les journaux)* vous privent du plaisir de papoter, de cancaner, de commérer et de médire, de faire une nouvelle ou d'en colporter une vraie pendant huit jours dans tous les salons du monde. 1

Th. GAUTIER, Préface de Mlle de Maupin, p. 50, éd. critique MATORÉ.

Lille. — Un froid brusque, noir. Des nouvelles inquiétantes d'une possible grève des postes, que suivra peut-être celle des chemins de fer? La tournée s'agite, papote fiévreusement. C'est à qui fournira le pronostic le plus affolant. 2

COLETTE, Belles saisons, VI.

3 Au temps de Balzac, les belles dames de l'Opéra papotaient dans leur loge, pendant que s'évertuaient chanteurs et musiciens.
G. DUHAMEL, Manuel du protestataire, p. 155.

DÉR. Papotage, papoteur, papotier, papotis.

PAPOTEUR, EUSE [papɔtœʀ, øz] n. — 1870, au fém., → cit.; de *papoter,* et suff. *-eur, -euse.*

♦ Rare. Personne qui papote.

1 Je serai bientôt obligé de vous demander un glossaire de la nouvelle langue française. Que veut dire papoteuse?
MÉRIMÉE, Correspondance générale, XV, 62, 1870, *in* D. D. L., II, 3.

2 Ce ne sont que des racontars. Tu sais comme on est papoteur et malveillant à Treilhac. Denyse VAUTRIN, le Tourbillon des jours, t. II, p. 58.

PAPOTIER, IÈRE [papɔtje, jɛʀ] adj. et n. — 1877, Daudet; de *papoter,* et suff. *-ier, -ière.*

♦ Vieilli. Qui aime à papoter.

PAPOTIS [papɔti] n. m. — XXe; de *papoter.*

♦ Rare. Bavardage insignifiant, frivole. ⇒ **Papotage.**

Elle *(la Chef)* aime parler avec moi, parce qu'elle aime parler, simplement, parce que le potin et le papotis sont les seuls dérivatifs à un métier qui l'ennuie (...)
A. SARRAZIN, la Cavale, p. 195.

PAPOU, PAPOUE [papu] adj. et n. — 1868, *in* Littré; d'un mot malais *papouah,* proprt «frisé».

♦ Relatif aux autochtones de Nouvelle-Guinée et des îles voisines. *Les ethnies papoues.* — N. *Un Papou, une Papoue.*

Adj. et n. m. De la langue des populations non mélanésiennes de Nouvelle-Guinée.

PAPOUILLARD, ARDE [papujaʀ, aʀd] adj. — XXe; de *papouille,* et suff. péj. *-ard.*

♦ Fam. Qui a le caractère d'un attouchement suspect.

(...) comme il n'y a pas de car pour Troyes avant le soir, je me mets pedibus en route vers les Forges de Clairvaux, hélant les rares voitures; et, chance, sans trop de footing ni tentatives papouillardes, je me retrouve à Troyes à moins de dix-sept heures. A. SARRAZIN, la Traversière, p. 85.

PAPOUILLE [papuj] n. f. — 1923; «mot de formation expressive» (Bloch); p.-ê. d'un dial. *palpouille,* de *palper.*

♦ Chatouillement, caresse indiscrète. *Faire des papouilles à qqn* (→ fam. Papouiller, peloter...).

DÉR. Papouillard, papouiller.

PAPOUILLER [papuje] v. tr. — 1951; de *papouille.*

♦ Fam. Faire des papouilles, des caresses à (qqn). ⇒ **Papouiller, peloter.**

Tu vois, dit Paul, si tu papouillais Chantal, ce serait un inceste.
R. QUENEAU, le Dimanche de la vie, p. 142.

PAPPE [pap] n. m. — 1845; «bourre de chardon», mil. XVIe, Rabelais; du lat. *pappas,* du grec *pappos.*

♦ Bot. Aigrette surmontant les semences de certaines plantes, après la floraison.

HOM. Pape.

PAPRIKA [papʀika] n. m. — 1836, *papriko* «soupe au poivre»; mot hongrois.

♦ Variété de piment utilisée en poudre. *Poulet au paprika.*

Une chaleur épaisse s'oubliait au feu des mets au paprika, qui trouait les joues et ne s'apaisait qu'avec un petit vin blanc de Presbourg (...)
Paul MORAND, Ouvert la nuit, p. 158.

PAPULE [papyl] n. f. — 1555; lat. *papula,* var. de *papilla.* → Papille.

♦ **1.** Méd. Lésion élémentaire de la peau* caractérisée par une élevure de forme et de dimension variable («d'un grain de millet à une lentille» [Garnier]), de couleur rouge, rose ou brune, et formée par une augmentation de volume de la couche superficielle (papillaire) du derme.

♦ **2.** Bot. Protubérance, boursouflure, sur l'épiderme de certaines plantes.

DÉR. Papuleux.

PAPULEUX, EUSE [papylø, øz] adj. — 1810; de *papule.*

♦ **1.** Méd. Qui porte des papules. *Épiderme papuleux.* — Qui a le caractère des papules. *Éruption papuleuse.*

♦ **2.** Fig. Granuleux.

Il tâta dans sa poche un carnet; grand comme la main, froid, légèrement papuleux, et dont, rien qu'à le toucher, on sentait qu'il était noir.
J. ROMAINS, les Hommes de bonne volonté, t. IV, VII, p. 64.

PAPYRACÉ, ÉE [papiʀase] adj. — 1722; lat. *papyraceus* «de papyrus». → Papyrus.

♦ Didact. Qui est mince comme une feuille de papier. — Anat. *Lame papyracée :* lame osseuse très mince qui forme la paroi interne de l'orbite.

PAPYRIFORME [papiʀifɔʀm] adj. — 1845, dans un autre sens; de *papyrus,* et *-forme.*

♦ Didact. Qui a la forme d'un faisceau de hampes de papyrus* (3.), dans l'art égyptien.

(...) le temple célèbre d'Ammon, qui tout au bord de la berge, espace le damier de ses colonnes papyriformes (...)
Louis BERTRAND, le Livre de la Méditerranée, p. 160.

PAPYROGRAPHIE [papiʀɔgʀafi] n. f. — 1846, Bescherelle; de *papyrus,* et suff. *-graphie.*

♦ Techn. Procédé, technique de dessin sur papier*-pierre et de reproduction, d'impression à l'aide de ce papier (⇒ **Lithographie**).
REM. Sur un autre emploi du mot, → Papyrologie.

PAPYROLOGIE [papiʀɔlɔʒi] n. f. — 1907; de *papyrus,* et suff. *-logie.*

♦ Didact. Branche de la paléographie qui étudie les papyrus. (On emploie parfois *papyrographie** dans ce sens).

DÉR. Papyrologique. V. Papyrologue.

PAPYROLOGIQUE [papiʀɔlɔʒik] adj. — 1907, Larousse; de *papyrologie.*

♦ Didact. Relatif à la papyrologie. *Recherches papyrologiques.*

PAPYROLOGUE [papiʀɔlɔg] n. — 1907; de *papyrus,* et suff. *-logue.*

♦ Didact. Spécialiste de la papyrologie.

PAPYROS [papiʀos] n. m. invar. — 1893, P. Bourget; mot russe. → Papyrus.

♦ Cigarette formée d'un tube de carton partiellement rempli de tabac. *Les Russes remplacent de plus en plus les papyros par des cigarettes de type occidental.*

PAPYRUS [papiʀys] n. m. — 1562; lat. *papyrus,* du grec *papuros.* → Papier.

♦ **1.** Plante monocotylédone à longue racine rampante, à grosse tige nue renfermant une moelle comparable à celle du sureau (famille des *Cypéracées*). *La tige du papyrus servait à la fabrication d'un support pour les manuscrits* (→ ci-dessous, 2.) *et d'objets de vannerie* (sandales, nacelles...). ⇒ **Souchet.** *Les papyrus poussaient en grand nombre dans les marais du delta du Nil.*

(...) on entendait le petit bruit de la chaînette d'or avec le claquement régulier de ses sandales en papyrus. FLAUBERT, Salammbô, I. 1

Une île apparaît enfin, pleine d'arbustes étranges. Les tiges frêles et triangulaires, hautes de neuf à douze pieds, portent à leur sommet des touffes rondes de fils verts, longs, minces et souples comme des cheveux. On dirait des têtes humaines devenues plantes, jetées dans l'eau sacrée de la source par un des dieux païens qui vivaient là jadis. C'est le papyrus antique. 2
MAUPASSANT, la Vie errante, «La Sicile».

♦ **2.** Matière formée de bandes de papyrus juxtaposées en deux couches perpendiculaires, collées et martelées pour constituer une feuille lisse. *Manuscrit* antique sur papyrus. La ville phénicienne de Byblos, marché du papyrus* (→ Bible, cit. 7).

(...) des bandes en feuille de palmier séchée qui ont l'aspect des anciens papyrus. 3
LOTI, l'Inde (sans les Anglais), III, IX.

(XIXe). *Un papyrus :* un manuscrit, un livre écrit sur papyrus. *Papyrus roulé. Déchiffrer des papyrus égyptiens.*

REM. Dans ce sens, les spécialistes emploient parfois le pluriel latin : « Grâce aux *papyri,* nous connaissons mieux... l'œuvre des Alexandrins » (cf. Bérard, *l'Odyssée,* p. 120).

4 (...) le papyrus, gardien secret de la pensée (...)
MAUPASSANT, la Vie errante, « La Sicile ».

♦ **3.** Motif ornemental de l'art égyptien, formé d'un faisceau de hampes de papyrus.

♦ **4.** Fig. et vieilli. Écrit long et détaillé.

5 Ils prennent leurs précautions, vous pensez! Ils vous font signer, en entrant, tout un papyrus, sur papier timbré, une déclaration en règle.
MARTIN DU GARD, les Thibault, t. III, p. 111.

DÉR. Papyriforme, papyrographie, papyrologie, papyrologue.

PAQSON [paksɔ̃] n. m. ⇒ **Pacson.**

PAQUAGE [pakaʒ] n. m.; **PAQUER** [pake] v. tr. — Variantes orthographiques de *pacquage, pacquer.*

PÂQUE [pɑk] n. f.; **PÂQUES** [pɑk] n. f. pl. et n. m. sing. — x^e^, *paschas;* du lat. pop. **pascua,* altér. par croisement avec *pascua* « nourriture », de *pascha,* du grec *paskha,* hébreu *pesah* « passage ». Cf. Exode, XII; et ci-dessous cit. 2.

★ **I.** LA PÂQUE. n. f. ♦ **1.** Relig. Fête judaïque annuelle célébrée du quatorzième au vingt-deuxième jour de la lune après l'équinoxe de printemps. *La pâque juive*. La pâque commémore l'exode d'Égypte.* ⇒ **Azyme** (Fête des azymes). — Par ext. *Manger la pâque,* l'agneau pascal*, immolé pour célébrer cette fête.

1 (...) vous leur répondrez *(à vos fils)* : « C'est le sacrifice de la pâque en l'honneur de Yahvé, qui a passé devant les maisons des fils d'Israël, en Égypte, lorsqu'il a frappé l'Égypte, tandis qu'il épargnait nos maisons. »
BIBLE (Jérusalem), Exode, XII, 27.

2 Le Seigneur passera pendant la nuit et tuera tous les premiers nés égyptiens. Saura-t-il discerner les enfants d'Israël? Oui, car chaque famille aura, la veille au soir, immolé un agneau; prête au départ, en tenue de voyage, ayant renoncé au pain levé des villes, elle attendra. Sur la porte elle aura inscrit un signe avec le sang de cette victime qui, semblable au bélier d'Abraham, rachète la vie des enfants de Dieu (...) La Pâque est née, la fête du « passage »; Israël la commémorera d'année en année, au souvenir de la nuit où la puissance de mort « passa outre » et contraignit la force brutale à laisser agir Dieu.
DANIEL-ROPS, le Peuple de la Bible, II, I.

♦ **2.** (V. 1170). Vx. ⇒ **Pâques** (II.). *Le dimanche de Quasimodo, qui est l'octave de la grande Pâque* (Furetière, 1690). — On dit encore : *La grande pâque russe.*

★ **II.** Cour. ♦ **1.** PÂQUES, n. f. pl. Fête chrétienne solennelle, célébrée tous les ans, le premier dimanche* suivant la pleine lune de l'équinoxe de printemps, pour commémorer la résurrection du Christ. *Joyeuses Pâques. Souhaiter à qqn de bonnes, d'heureuses Pâques.* Par ext. *Pâques fleuries* (⇒ **Rameaux**). Vx. *Pâques closes* (⇒ **Quasimodo**).

3 (...) un grand crucifix où leur chapelain plaçait un nouveau buis bénit, en même temps qu'il renouvelait au jour de *Pâques fleuries* l'eau du bénitier incrusté au bas de la croix.
BALZAC, l'Enfant maudit, Pl., t. IX, p. 656.

Loc. *Les pâques véronaises :* massacre des Français, à Vérone, le lundi de Pâques de l'année 1797.

(1606). *Faire ses pâques* (Académie), *ses Pâques* (Littré) : recevoir la communion prescrite aux fidèles par l'Église, à Pâques. *Mes Pâques sont faites* (Richelet, 1680).

4 Religieuse sans être dévote, Lydie faisait ses pâques et allait à confesse tous les mois.
BALZAC, Splendeurs et Misères des courtisanes, Pl., t. V, p. 761.

♦ **2.** PÂQUES, n. m. sing. (par ellipse de « jour de Pâques »). *Pâques est célébré entre le 22 mars et le 25 avril. Quand Pâques sera venu; à Pâques prochain* (Académie). *Quand Pâques était tardif* (Mauriac *in* Grevisse).

REM. Lorsque *Pâques* est employé sans article ni qualificatif, rien ne permet de distinguer le féminin pluriel du masculin singulier.

Le jour, le dimanche, la fête de Pâques. La semaine avant Pâques* (semaine sainte). *La semaine de Pâques* (après Pâques), *le lundi de Pâques. Fêtes mobiles dont la date dépend de celle de Pâques :* Septuagésime, Quinquagésime, Rameaux, Quasimodo, Ascension, Pentecôte*, Trinité*... *La quinzaine de Pâques* (entre les Rameaux et Quasimodo). *Vacances de Pâques* (→ 1. Mue, cit. 2). — Loc. *Œufs** (cit. 14 et 15) *de Pâques.*

5 Et Pâques enfin, aux hymnes matinales et joyeuses, Pâques dont les jeunes filles reçoivent la blanche hostie et les œufs rouges!
Aloysius BERTRAND, Gaspard de la nuit, Octobre.

Vx. *Pâques-Dieu,* sorte de jurement.

Prov. *Long comme d'ici à Pâques* (→ Beurrée, cit.). *Noël* au balcon, Pâques au tison. — À Pâques ou à la Trinité* :* très tard, jamais. — Loc. fam. *Faire Pâques avant les Rameaux :* consommer le mariage avant qu'il ne soit célébré.

DÉR. Pâquerette.

PAQUEBOT [pakbo] n. m. — 1665; *paquebouc,* 1634; *paquet-bot, paque-bout,* au XVIIIe; de l'angl. *packet-boat.*

♦ **1.** Vx. Petit navire rapide transportant les paquets de dépêches. Vx. Navire de mer, de dimension moyenne, transportant passagers et courrier (→ Expédier, cit. 13).

(...) Victor annonça qu'il était engagé au long cours, et, dans la nuit du surlendemain, par le paquebot de Honfleur, irait rejoindre sa goélette (...) 1
FLAUBERT, Trois contes, « Un cœur simple », III (cf. aussi Fouetter, cit. 8).

♦ **2.** Mod. Grand navire* de commerce principalement affecté au transport des passagers. (→ Démarrer, cit. 2; halte, cit. 2; hublot, cit. 1). *Paquebot-mixte,* transportant aussi un tonnage important de marchandises. *Paquebot transatlantique. Paquebot de ligne, de croisière. Paquebot à vapeur, à moteur Diesel.*

Elle s'intéressa beaucoup à l'ensemble du navire, qui était d'ailleurs un beau paquebot de seize mille tonnes, d'une construction alors toute récente, prévu à la fois pour l'émigration et pour une clientèle de luxe. 2
J. ROMAINS, le Dieu des corps, VIII.

(...) un énorme paquebot comme le « Normandie », profitant de la nuit, est venu s'y mettre en cale sèche, et des milliers de marteaux frappent joyeusement sur sa coque qui demande à être réparée. 3
Henri MICHAUX, La nuit remue, p. 22.

PÂQUERETTE [pɑkʀɛt] n. f. — 1553, *pasquerette, pasquette;* de *Pâques,* époque de floraison.

♦ Plante dicotylédone *(Composées, Radiées),* annuelle ou vivace et dont certaines variétés sont appelées *Marguerites*;* la fleur de cette plante. *Pâquerette vivace; des jardins... La hâtive* (cit. 4) *pâquerette.*

(...) je préfère une pâquerette sur laquelle tout le monde passe (...) à ces belles tulipes pleines d'or, de pourpre, de saphirs, d'émeraudes qui représentent une vie fastueuse, de même que la pâquerette représente une vie douce et patriarcale (...) — J'avais toujours appelé, jusqu'à présent, les pâquerettes des marguerites, dit-elle. 1
BALZAC, la Recherche de l'absolu, Pl., t. IX, p. 561.

J'allais levant les bras au ciel, désireux de cueillir les étoiles qui me fuyaient, et dédaignant de ramasser la petite pâquerette qui m'ouvrait son cœur d'or dans la rosée et le gazon. 2
Th. GAUTIER, Mlle de Maupin, II.

Loc. *Aller aux pâquerettes :* aller cueillir des fleurs des champs. — Fig., fam. Pour un véhicule, Sortir de la route. → Partir dans la nature*.

PAQUET [pakɛ] n. m. — 1538; *pacquet,* mot flamand, 1368; de l'anc. franç. *pacque,* du néerl. *pak.* → Pack*, anglicisme.

A. ♦ **1.** Assemblage de plusieurs choses attachées* ou enveloppées* ensemble, et, par ext., Objet enveloppé, attaché pour être transporté plus commodément ou pour être protégé... ⇒ **Ballot.** *Faire un paquet de plusieurs objets.* ⇒ **Emballer, empaqueter, ficeler, lier, paqueter.** *Paquet ficelé* (cit. 1), *cacheté, scellé... Paquet-cadeau,* présenté de manière attrayante pour être offert. *Paquet de papiers, de lettres* (→ Faveur, cit. 21; laisser, cit. 53; 2. mort, cit. 25). *Paquet de hardes* (cit. 6), *de linge* (→ Battoir, cit.; mettre, cit. 20). *Paquet lourd, encombrant; gros paquet. Coltiner* (cit. 1), *porter... un paquet* (→ In-octavo, cit. 2). *Ouvrir, défaire un paquet.* ⇒ **Dépaqueter; déficeler.** — *Envoyer, remettre* (→ Messager, cit. 4), *recevoir un paquet. Expédition* d'un paquet par la poste*.* ⇒ **Colis.** *Paquet qui arrive sous le couvert* de qqn.* — *Paquets qu'on emporte avec soi.* ⇒ **Bagage, balluchon, barda...** (→ ci-dessous les locutions : *faire ses paquets,* etc.). — Emballage. *Magasinier qui fait des paquets. Papier d'emballage, ficelle pour faire des paquets.* ⇒ **Emballage.** *Faut-il vous faire un paquet?*

Spécialt. (En parlant d'emballages prêts à la vente). Emballage et son contenu. *Paquet de cigarettes* (→ Côté, cit. 44; 1. feu, cit. 34). *Paquet de gauloises* (cit. 9). — Contenu du paquet. *Il fume plus d'un paquet de cigarettes* (ellipt, *plus d'un paquet*) *par jour.* — *Paquet de café, de lentilles, de bonbons* (⇒ **Sachet**). *Beurre en mottes, au poids ou en paquets.*

REM. L'usage courant emploie même *paquet* là où *boîte* semblerait mieux convenir *(paquet de sucre, de lessive...).*

(...) vous trouverez dans ce paquet des hardes neuves, des bas et des couvertures de laine. 1
HUGO, les Misérables, III, VIII, IX.

(Il découvrit) un paquet de papiers, enveloppé soigneusement dans la toile gommée d'un fond de chapeau. 2
ZOLA, la Terre, IV, IV.

Juliette défit le paquet qu'elle avait apporté sous son bras. Un papier blanc; un papier de soie; un livre à couverture jaune. 3
J. ROMAINS, les Hommes de bonne volonté, t. I, VII, p. 72.

Le paquet que l'on me remit contenait des imprimés, quelques lettres de banque, et trois télégrammes. 4
F. MAURIAC, le Nœud de vipères, XVII.

Quand il ressortit de la charcuterie, il portait au doigt, par une ficelle rose, un petit paquet si blanc, si délicat qu'on eût dit un paquet de gâteaux (...) 5
SARTRE, le Sursis, p. 73.

Région. Faisceau, botte, gerbe...

Justement, cette après-midi-là, Françoise eut l'idée d'aller faucher un paquet de luzerne pour ses vaches. 6
ZOLA, la Terre, V, III.

Par compar. *Suspendre un enfant à un clou comme un paquet de hardes* (→ Maillot, cit. 1, Rousseau). *Se laisser porter, secouer, comme un vulgaire paquet, comme un paquet de linge sale.*

7 Néanmoins, à force de *brouetter le monde,* pour employer une de ses expressions, il avait fini par regarder ses voyageurs comme des paquets qui marchaient, et qui dès lors exigeaient moins de soins que les autres, l'objet essentiel de la messagerie.
BALZAC, Un début dans la vie, Pl., t. I, p. 604.

Loc. fig. *Faire son paquet, ses paquets :* se préparer à s'en aller*, à partir* (→ Faire sa valise*, sa malle*...). Par métaphore. S'apprêter à mourir. *Avoir son paquet prêt* (→ Étrier, cit. 2).

8 La Mort avait raison : je voudrais qu'à cet âge
On sortit de la vie ainsi que d'un banquet,
Remerciant son hôte, et qu'on fît son paquet. LA FONTAINE, Fables, VIII, 1.

(1640). Vx. *Donner à qqn son paquet,* le congédier, le renvoyer. → Faire faire sa valise* à qqn.

Vx. *Risquer le paquet* (en le confiant à qqn de peu sûr) : s'engager dans une entreprise hasardeuse (cf. La Fontaine, Mme de Sévigné, Saint-Simon *in* Littré).

REM. L'expression serait aujourd'hui comprise au sens de «mettre le paquet» (ci-dessous, *infra* cit. 14. 2.).

♦ **2.** Vx. Réunion de lettres, de dépêches portées par le même courrier, destinées à la même personne; lettre sous enveloppe, pli cacheté. *« J'ai reçu mon paquet »* (Académie, 1694).

Par ext. L'ensemble des lettres et dépêches portées par un courrier. *« Le paquet de Londres, d'Amsterdam n'est pas arrivé »* (Furetière). ⇒ **Courrier; paquebot** (1.); **valise.**

9 *(On me remet)* un paquet d'une autre forme que le mien, et sur l'enveloppe duquel je reconnais l'écriture tant désirée. J'ouvre avec précipitation (...) c'était ma lettre elle-même, non décachetée et pliée seulement en deux.
LACLOS, les Liaisons dangereuses, XXXIV.

♦ **3.** PAQUET (DE...) : grande quantité de. *Un paquet d'actions, de fonds :* une liasse imposante (→ Cataplasme, cit. 3). — Absolt. *Toucher un, le gros paquet* (de billets). *Jouer le (gros) paquet :* risquer une grosse mise.

10 Vous qui avez cyniquement abandonné l'accusation contre le plus gros profiteur du béton armé! Vous avez touché un joli paquet, hein?
M. AYMÉ, la Tête des autres, I, 12.

Par ext. Quantité importante, volumineuse; masse* informe... (→ Mendigot, cit.). *Paquet de neige* (→ Égoutter, cit. 2). — *Paquet de mer* (→ 1. Manœuvre, cit. 3), *paquet d'eau* (→ Ballotter, cit. 1; bourrasque, cit. 6). ⇒ **Lame.** — *Des paquets de pluie.*

11 Le vent se leva, ce fut un brusque déluge, des gouttes énormes, des paquets d'eau qui tombaient. ZOLA, Nana, XI.

12 (...) les paquets d'eau salée qui viennent, en écumant, s'abattre sur le pont, comme des montagnes. LAUTRÉAMONT, les Chants de Maldoror, II.

Vx. *Paquet de mitraille. Paquet de balles* (→ Exploser, cit. 1).

Sc. (lang. de la vulgarisation). *Paquet d'énergie.* ⇒ **Quantum.** «(...) *des échanges d'énergie quantifiés sous forme de "petits paquets" qui se présentent comme des particules. On connaît désormais parfaitement ce mécanisme pour l'électromagnétisme, avec le "paquet" élémentaire d'énergie électromagnétique qu'est le photon*» (*Sciences et Avenir,* juil. 79, p. 79).

Anat. *Paquets adipeux du genou. Paquet intestinal* (→ Épiploon, cit.). — Fam. Parties génitales viriles.

12.1 Il se leva, non tout droit mais un peu penché en avant si bien qu'en se redressant il dut faire un mouvement de buste en arrière qui cambra tout son corps et fit sous l'étoffe du pantalon son paquet ressortir.
Jean GENET, Pompes funèbres, p. 23.

Ensemble (d'animaux rassemblés), formant une masse compacte. *Paquet de chenilles* (Littré), *de mouches...*

13 (...) des paquets de mouches fixés aux coins des yeux (...)
E. FROMENTIN, Un été dans le Sahara, p. 152.

(En parlant des personnes). *Foules, vagues d'assaut qui se succèdent par paquets. Les gens se groupaient, entraient par petits paquets.*

14 (...) il est des paquets de fantassins qui se font massacrer dans une ferme indéfendable. SAINT-EXUPÉRY, Pilote de guerre, XVIII.

Sports (rugby). *Le paquet des avants.* ⇒ **Pack.**

14.1 Le paquet d'avants, revenu derrière eux, ferme la route, s'empare à nouveau du ballon (...) Jean PRÉVOST, Plaisirs des sports, p. 134.

(Abstractions). *Des paquets d'idées, d'arguments. Jeter ses idées par paquets,* en grande quantité et en désordre (→ Écrire, cit. 53).

14.2 Ah! voyez-vous, ce qui m'a fait le plus de mal, c'est d'entendre toutes les horreurs que ce gueux apprenait au petit Muche. Non, vous ne pouvez pas croire (...) Il y en avait un gros paquet.
ZOLA, le Ventre de Paris, VI, *in* D. D. L., II, 16.

Loc. *Mettre le paquet :* donner son maximum (en sports, etc. → Mettre toute la gomme*); mettre le maximum de moyens (dans une entreprise, un conflit...). — REM. Loc. d'orig. incert.; selon Wartburg, elle provient du Sud-Ouest (Pau); elle semble se référer aux moyens financiers (paquet de billets).

14.3 *(En parlant à un boxeur).* Maintenant, mets tout le paquet! ordonna Coudur au petit gars quand il vint se rasseoir. Dans trois minutes tu seras champion!
R. DORGELÈS, Tout est à vendre, p. 373.

♦ **4.** (En parlant d'un être vivant, d'une personne). Personne grosse et encombrante, qui se remue difficilement. ⇒ **Obèse.** *Regardez-moi ce paquet! Paquet de graisse.* — Adj. (vieux) :

(...) j'ai pourtant l'air un peu paquet. — Paquet de roses, répondit Marcel. 15
A. DE MUSSET, Mimi Pinson, VII.

Fig. et vx. Personne empruntée, maladroite. ⇒ **Ballot.**

Appellatif (t. d'injure) :

Au cours du dîner, la maladresse d'un laquais qui renversait toute la sauce d'un 15.1
plat sur l'uniforme de Ribouldingue déchaîna la colère de ce dernier. «Pochetée! Crétin! Paquet! Fleur de tourte!
L. FORTON, les Aventures des Pieds-Nickelés, *in* l'Épatant, 1909, p. 76-77.

Loc. mod. *Paquet de nerfs** (*infra* cit. 8). *Paquet d'os :* personne très maigre.

(...) on me prend pour une femme sèche et (...) je suis, au fond, un paquet de nerfs. 15.2
PROUST, le Temps retrouvé, Pl., t. III, p. 1013.

Vx. Nouveau-né. — Pop. *Déposer son paquet.* ⇒ **Accoucher.**

♦ **5.** Loc. fig. (Vx). Chose gênante, embarrassante. *Avoir un paquet sur le nez, sur la conscience...,* une affaire fâcheuse. *Avoir le paquet de..,* l'ennui, l'embarras de... *Avoir son paquet :* être déçu dans son attente. *Donner un paquet à qqn,* lui imputer quelque chose de fâcheux, de mauvais.

(1878). Loc. mod. (Fam.). *Lâcher le paquet :* avouer.

Propos critiques, désagréables (et mérités). *Rendre à qqn son paquet,* lui dire son fait, ses vérités (→ Caquet, cit. 1). *Recevoir son paquet* (⇒ **Apostrophe, réprimande...**). *Voici votre paquet...* (Molière, *le Misanthrope,* V, 4).

(Il) Persiflait la mésange ou bien le roitelet, 16
Donnait à chacun son paquet,
Et se faisait haïr de tout le voisinage. FLORIAN, Fables, II, 22.

(...) qu'elle se tienne tranquille, ou je lui lâche son paquet. 17
ZOLA, Nana, IV.

B. Techn. ♦ **1.** (Typogr., imprim.). Réunion d'un certain nombre de lignes de composition liées ensemble (⇒ **Paquetier**). — *Paquet de caractères* (→ 3. Casse, cit.).

♦ **2.** Inform. Groupe d'informations circulant dans un réseau d'ordinateurs, sous une même étiquette de destination.

DÉR. Paquetage, paqueter, paqueteur, paquetier.
COMP. Dépaqueter, empaqueter.
HOM. Pacquer.

PAQUETAGE [paktaʒ] n. m. — 1842; «mise en paquet», 1836; de *paquet.*

★ **I.** ♦ **1.** Rare. Action de paqueter (⇒ **Empaquetage**); façon de paqueter (⇒ **Emballage**).

♦ **2.** Cour. Effets d'un soldat pliés et placés de manière réglementaire. *Faire son paquetage. Paquetages rangés dans la chambrée. Paquetage dans le sac, le havresac d'un soldat.* ⇒ **Bagage, barda** (→ Gaze, cit. 5).

(...) il regrettait la chambrée, l'odeur violente de ses cuirs, le bel arrangement de 1
ses paquetages et ses batailles à coups de traversin.
COURTELINE, le Train de 8 h 47, I, V.

Chasseriau, Pinette et Clapot s'étendirent côte à côte sur les paillasses. Dandieu 2
tira une couverture de son paquetage et la jeta sur leurs trois corps.
SARTRE, la Mort dans l'âme, p. 174.

★ **II.** Techn. Service qui met le tabac en paquets, dans une manufacture. Ensemble des ouvriers affectés à ce travail.

PAQUETER [pakte] v. tr. — Conjug. *jeter.* — 1494; de *paquet.*

♦ **1.** Vx. Mettre en paquet. ⇒ **Empaqueter.** *« Paqueter les effets d'habillement »* (Hatzfeld).

♦ **2.** Fig., vx. Lier, emprisonner (Saint-Simon *in* Littré, Hatzfeld).

♦ **3.** Fig., rare. *Paqueter qqn de qqch.,* l'habiller comme un paquet avec... ⇒ **Ficeler; empaqueter.**

▶ **PAQUETÉ, ÉE** p. p. adj. Mis, disposé en paquet.

Cheveux au vent, dépoitraillée, paquetée d'un jupon rouge (...) 1
Léon BLOY, la Femme pauvre, II, XV.

Ce wagon était un «sleeping-car», qui, en quelques minutes, fut transformé en 2
dortoir. Les dossiers des bancs se replièrent, des couchettes soigneusement paquetées se déroulèrent par un système ingénieux.
J. VERNE, le Tour du monde en 80 jours, p. 227.

PAQUETEUR, EUSE [paktœʀ, øz] n. — 1562; de *paquet.*

♦ Rare. Personne chargée de faire des paquets. ⇒ **Emballeur.** — Par appos. *Ouvrier paqueteur.*

PAQUETIER, IÈRE [paktje, jɛʀ] n. — 1803; de *paquet.*

♦ Techn. (Vx). Ouvrier, ouvrière typographe, qui compose les lignes et les réunit en paquets.

PÂQUIS [pɑki] n. m. — 1284; croisement de *pâtis** et de l'anc. franç. *pasquier,* d'un lat. vulg. *pascuarium.* → Pacage.

♦ Vx. Lieu où le gibier vient paître. — Par ext. Pâturage.

1. PAR [paʀ] prép. — 842, *per,* dans les *Serments de Strasbourg; par,* xe; du lat. *per* «à travers», et fig. «au moyen de».

★ **I.** (Exprimant une relation de lieu ou de temps).

♦ **1.** (Spatial). À travers*... (le sujet désigne un animé et notamment une personne). *Passer*, entrer, sortir par une issue, un couloir, un lieu... Pénétrer dans un lieu par une porte* (→ Livrer, cit. 32). *Entrer, regarder par la fenêtre. Il est passé par Marseille. Passer et repasser par le même endroit. Passez par chez* (cit. 6) *nous. Pour aller à tel village, il faut passer par ce bourg.* — (Dans une adresse) *X... par Y...* ⇒ **Via** — Spécialt. En empruntant (un chemin, un itinéraire). *Se faufiler* (cit. 8) *par un chemin. Marcher par les boulevards* (→ Machinalement, cit. 1), *par les rues.* — Loc. *Par voies et par chemins* (cit. 35, au fig.). — *Arriver, partir, voyager* par terre, par mer, par air, par la voie des airs.* — Par ext. *Passer par les mains* (cit. 84 et 89) *de qqn.* — *Passer par de rudes épreuves* (cit. 27). — *Laisser passer le jour par des ouvertures* (→ Forêt, cit. 5). — Géom. *Mener une droite par un point A.* — *Idée qui passe par l'esprit.*

1 PAR. — La préposition usuelle *(marquant le lieu de passage)* est par : *La route de Paris à Strasbourg passe* par Châlons*; — elle est sortie* par la porte *du parc; — on devrait les jeter* par la fenêtre*; — regarder* par la lucarne; — (...) — D'où les adresses : *Larcouest* par Ploubazlanec.
F. BRUNOT, la Pensée et la Langue, p. 432.

2 Je volai par les escaliers (...) BALZAC, le Lys dans la vallée, Pl., t. VIII, p. 872.

3 J'irai par la forêt, j'irai par la montagne. HUGO, les Contemplations, IV, XIV.

4 Moi, je meurs. Mon esprit coule par vingt blessures.
LECONTE DE LISLE, Poèmes barbares, «Le cœur de Hialmar».

5 Par la porte de la salle toujours ouverte, ils pouvaient voir la vieille Norine qui tricotait. M. GENEVOIX, Raboliot, II, III.

6 À cause de mon cœur, nous ne prîmes pas par la pente des charmilles et suivîmes l'allée des tilleuls qui contourne la maison.
F. MAURIAC, le Nœud de vipères, XIII.

En traversant, en parcourant (un lieu); à travers, dans. *Errer, se promener, aller et venir par la ville. Le bruit se répandit par le pays. Par le monde; de par le monde*.* Loc. *Par monts et par vaux.* ⇒ **Mont.**

7 (...) le soir, je me promenais par la ville. MÉRIMÉE, Carmen, II.

8 La marquise, qui semblait ne pouvoir tenir en place, se relevant, se mit à marcher par la chambre (...) MAUPASSANT, M. Parent, «La confidence».

9 (...) les calomnies frivoles qu'elle avait semées par la ville (...)
FRANCE, le Mannequin d'osier, Œ. t. XI, XVI, p. 411.

REM. Cet emploi tend à vieillir ou est régional :

9.1 Et qu'est-ce que tu fais par les bois? demanda-t-elle. Tu devrais être sur les prés.
M. AYMÉ, la Vouivre, p. 17.

(Ce qui effectue le mouvement est le complément du verbe). *Envoyer qqn par un itinéraire.* — *Jeter, lancer qqch. par la fenêtre.* — *Jeter, lancer, ficher* (cit. 9), *flanquer par terre** (→ Lourdaud, cit. 2). *Envoyer un navire par le fond.*

Spécialt. *Flanquer* (2. Flanquer, cit. 8) *qqch. par la figure de qqn,* à travers, dans.

10 S'il la pinçait encore, en feignant de ramasser sa serviette, elle lui jetterait son verre par la figure. ZOLA, Nana, VIII.

Dans (un lieu, sans idée de mouvement). *Par les friches, par les bois* (→ Lapin, cit. 3). *Il y a par la ville de nombreux chantiers.* Loc. *Par terre*. Être assis par terre. Par endroits*, par places*...* (→ ci-dessous l'emploi «distributif», II., 2., spécialt).

11 De vastes affiches (...) que l'on lit par les rues.
LA BRUYÈRE, les Caractères, II, 228.

12 Il était à genoux, par terre, devant elle (...) FLAUBERT, Salammbô, XI.

13 Enfin M. Bellaguet jouissait de l'estime générale dans sa maison (...) Par le reste de la terre, on ne l'appelait jamais que ce vieux filou de Bellaguet.
FRANCE, le Petit Pierre, XV.

Fam. Subst. *Le par terre ou le parterre.* ⇒ **Parterre, terre.**

PAR, marquant la position, la direction relative d'une chose, d'un mouvement... *Les deux voitures se sont heurtées par l'avant. Lames de couteau appliquées l'une contre l'autre par le tranchant* (→ Mandibule, cit. 2). — *Par en bas* (cit. 98), *par le bas; par le haut, par en haut. Nez gros par le bout,* au bout, du bout (→ Loupe, cit. 1).

REM. Dans ces emplois, *Par* marque aussi bien un rapport locatif qu'un rapport de manière (→ ci-dessous, II).

Mar. À la hauteur de... *Se trouver par tant de degrés de latitude Nord, de longitude Ouest* (→ Latitude, cit. 3 et 4). *Une embarcation par tribord,* à tribord. *Être, passer par le travers d'un cap.* — *Mouiller par dix brasses* (cit. 3) *d'eau,* à un endroit où il y a dix brasses d'eau.

Loc. **PAR ICI** ⇒ **Ici** (cit. 9, et *supra*); **côté** (de ce côté-ci). — **PAR LÀ** ⇒ **Là** (cit. 46 à 51, et *supra*). *Par là-dessus. Par là bas.* — **PAR-CI, PAR-LÀ** ⇒ **Ci, là** (cit. 52, et *supra*). — REM. Les deux éléments de cette expression peuvent être séparés, soit pour marquer l'opposition de deux lieux, soit la répétition d'un argument, d'une phrase...

14 Je viens de relire *Grandeur et Décadence des R(omains),* de Montesquieu. Joli langage! joli langage. Il y a par-ci par-là des phrases qui sont tendues comme des biceps d'athlète (...) FLAUBERT, Correspondance, 397, 6-7 juin 1853.

15 Si vous saviez comme elles étaient aux petits soins pour moi dans les premiers temps de leur mariage! (...) L'on me recevait : «Mon bon père, par-ci; mon cher père, par-là. BALZAC, le Père Goriot, Pl., t. II, p. 1068.

16 Depuis ce matin, on m'assomme avec Nana. J'ai rencontré plus de vingt personnes, et Nana par-ci, et Nana par-là! ZOLA, Nana, I.

PAR OÙ ⇒ **Où.** — **PAR DEHORS*. PAR DERRIÈRE** ⇒ **Derrière** (cit. 10 à 12). **PAR-DEVANT** ⇒ **Devant** (cit. 16 et *supra*). **PAR-DESSOUS** ⇒ **Dessous** (cit. 5). **PAR-DESSUS** ⇒ **Dessus** (cit. 4 et 5, *supra* et *infra*). *Par-dessus le marché** (cit. 4, 5). **PAR-DEVERS** ⇒ **Devers.** — **PAR DELÀ*** (cit. 4 à 6).

♦ **2.** (Temporel). a Durant..., pendant... (d'abord en parlant des conditions atmosphériques). *Par beau temps; par les mauvais temps* (→ Livide, cit. 6). *Par les jours pluvieux* (→ Lumière, cit. 7). *Par une température glaciale, par − 10°. Par un joli matin* (cit. 5), *par une après-midi* (cit. 6) *glaciale de l'hiver... Par une nuit sans lune* (→ Océan, cit. 1, Hugo). Loc. *Par le temps* qui court* — Par ext. *Par le passé*.* — *Par moments* (→ ci-dessous, II, 2., spécialt).

17 Par le temps actuel, la modestie est une qualité rare (...)
CHATEAUBRIAND, Mémoires d'outre-tombe, t. VI, p. 74.

18 Les habitants de la ville n'osaient, par ce froid terrible, ouvrir leurs fenêtres (...)
Mme DE STAËL, De l'Allemagne, I, II.

19 C'était, il m'en souvient, par une nuit d'automne (...)
A. DE MUSSET, Poésies nouvelles, «Nuit d'octobre».

20 — Hardi chevalier, par la nuit sereine,
Où vas-tu si tard, dit la jeune Reine.
LECONTE DE LISLE, Poèmes barbares, «Les elfes».

21 Par les beaux jours d'été, quand un lourd soleil brûle les rues, une clarté blanchâtre tombe des vitres sales et traîne misérablement dans le passage. Par les vilains jours d'hiver, par les matinées de brouillard, les vitres ne jettent que de la nuit sur les dalles gluantes (...) ZOLA, Thérèse Raquin, I.

b (Emploi distributif). Dans, pendant (un temps), (une ou plusieurs fois). *Plusieurs fois par jour* (→ Communier, cit. 1). *Payer, gagner tant par mois* (→ Fixe, cit. 11; loger, cit. 14). *Par intervalles** (cit. 1, 2 et 17), *par moments** (cit. 23, et *supra*). *Par instants* (→ Livrée, cit. 6). *Par trois fois* (cit. 16). *Aller par dix, par groupes de dix. On causait par petits groupes* (→ Maculer, cit. 1). *On les achète par centaines, par milliers.* — *Dépenser, consommer tant de litres d'essence par kilomètre,* au kilomètre, du kilomètre. *Cent francs par kilo.* ⇒ 1. **Le.** — *Rompre le pain par morceaux, par petites bouchées* (→ 1. Manger, cit. 20).

21.1 Pour répartir, distribuer en portions, on indique par un nombre l'effectif de chaque portion, et on fait précéder ce nombre de la préposition *par : défiler* **par quatre** (quatre de front); — *les invités s'en allaient* **par deux, par groupes** *de deux.* Ou bien on exprime deux fois soit le nombre, soit le nom, en reliant au moyen de *à, par : les enfants s'avançaient deux* **à** *deux, trois* **par** *trois, enfant* **par** *enfant.*
F. BRUNOT, la Pensée et la Langue, p. 130.

(Entre deux noms — souvent deux noms de nombre — redoublés). *Entrez deux par deux. Jour par jour* (→ Longtemps, cit. 7). *Couche par couche* (→ Archéologue, cit. 1), *morceau par morceau...*

21.2 il semblait qu'il y eût pour la première fois des historiens, c'est-à-dire des hommes ayant obtenu une accointance magique avec des morts d'âges très reculés, lisant pensée par pensée dans la tête de ces morts, voyant minute par minute bouger dans un miroir sombre des événements disparus.
J. ROMAINS, les Hommes de bonne volonté, t. XXVII, XXIV, p. 257.

★ **II.** (Marquant le moyen* ou la manière*). — REM. Cette acception de *par* découle de l'idée spatiale de passage. Cf. «*L'ennui est entré dans le monde par la paresse*» (La Bruyère, XI, 101).

♦ **1.** En utilisant tel instrument, tel moyen*. ⇒ **Avec.** (→ Magie, cit. 1). *Par tous les moyens* (→ Intrigant, cit. 1). *Par ses propres moyens* (*infra* cit. 21). *Par là,* par ce moyen (→ Grimace, cit. 3; intégrer, cit. 2). *Imposer, obtenir qqch. par la force* (cit. 43), *par la contrainte. Faire, obtenir qqch. par brigue* (cit. 1, 2, 3, et *supra*). *Par force** (cit. 54, 55 et *supra*). *Pacifier par arbitrage* (cit. 1), *régler un litige* (cit. 3) *par voie* de négociation. Faire périr les hérétiques* (cit. 4) *par l'épée, ou par le feu. «Par le fer et par la charrue». (Ense et aratro).* — Dr. *Par contrat, par testament.* — *Mettre fin à une discussion par une simple parole* (→ Argumentateur, cit. 2). *Répondre* par oui ou par non. Répondre par le silence* (→ 1. Froid, cit. 16). *Appeler qqn par son nom. Défendre par une loi* (cit. 30). *Porte fermée par une serrure, par un loquet* (cit. 1). — Loc. (Vieilli ou régional). *Mot qui s'épelle, s'écrit par deux n.* ⇒ **Avec.** — Math. *Multiplier, diviser une quantité par une autre. Faire la preuve* par neuf.*

22 Vous l'avez eu par brigue, étant vieux courtisan. CORNEILLE, le Cid, I, 3.

23 — Par un K, monsieur le supérieur, par un K! Le nom s'écrit et se prononce à l'anglaise (...) comme ceci, Djack (...) Alphonse DAUDET, Jack, I.

Spécialt. a *Voyager par le train, par train* (moins cour.); ⇒ **En.** (→ Matinal, cit. 1). *Envoyer un colis par la poste, une lettre par exprès*; par avion. Répondre par retour du courrier.*

b *Prendre*, saisir, tenir qqn, qqch. par...* (une de ses parties). *Prendre qqn par le bras* (→ 2. Flanquer, cit. 1), *par la taille* (→ 1. Maigre, cit. 5). *Se tenir par la main, par les épaules...* (→ Foulée, cit. 2; long, cit. 37). *Tenir un couteau par le manche.* — Loc. *Brûler la chandelle par les deux bouts.* — *On ne sait* *par quel bout* le prendre. Mener qqn par le bout du nez*.* — Fig. *Prendre qqn par son faible* (cit. 43 et 45), *par les sentiments, par son bon côté.*

c En invoquant... *Je jure par tous les saints...* — (Dans des jurements). *Par le diable! par ma foi!* (→ 1. Bas, cit. 48), *par ma barbe!* (⇒ **Parbleu**).

24 *(je)* vous jure (...) par l'épée que je porte, par tous les serments que je saurais faire (...) MOLIÈRE, les Fourberies de Scapin, II, 6.

25 Par ma foi, voilà une étrange fausseté! MOLIÈRE, George Dandin, I, 6.

26 Par le salut des Juifs, par ces pieds que j'embrasse,
Par ce sage vieillard, l'honneur de votre race,
Daignez d'un roi terrible apaiser le courroux. RACINE, Esther, III, 5.

27 Il prit dans ses mains deux poignées de cette poussière dont la vue seule faisait frissonner d'horreur tous les Carthaginois, et il dit : « — Par les cent flambeaux de vos Intelligences! par les huit feux des Kabyres! par les étoiles, les météores et les volcans! par tout ce qui brûle! par la soif du Désert et la salure de l'Océan! (...) par la cendre de vos fils, et la cendre des frères de vos aïeux, avec qui maintenant je confonds la mienne! vous, les Cent du Conseil de Carthage, vous avez menti en accusant ma fille! FLAUBERT, Salammbô, VII.

28 Ton œil? Quel œil? Par mon père et ma mère, je ne sais pas ce que tu veux dire. M. GENEVOIX, Raboliot, II, III.

d Loc. *Par l'intermédiaire* (cit. 4). *Par le fait* (cit. 5), *par la faute* (cit. 45 et 46), *par l'entremise** (cit. 3 à 6) *de... Par ministère* d'huissier. Par voie* de...* (→ ci-dessous, sens III).

29 *(Roxane)* Le voyait par mes yeux, lui parlait par ma bouche (...) RACINE, Bajazet, I, 4.

30 (...) je me désespérais de ce désaccord de notre âme, car je dois agir par votre volonté, penser par votre pensée, voir par vos yeux (...) BALZAC, Mémoires de deux jeunes mariées, Pl., t. I, p. 219.

e Littér. D'après, selon. « *Il ne faut pas juger d'un homme par ce qu'il ignore* (cit. 4), *mais par ce qu'il sait* » (Vauvenargues). → Lumière, cit. 33.

31 Je conçois vos bontés par ses remerciements (...) RACINE, Britannicus, III, 8.

Vx. *Par les dernières nouvelles :* aux, selon les dernières nouvelles (cf. Mme de Sévigné, 1209, 24 août 1689).

♦ **2.** Exprimant la manière, la caractérisation d'une action, d'une chose (cette notion se confondant souvent avec l'idée de moyen et celle de cause → III., 1.).

(Syntagmes verbaux et adjectivaux). *Avancer par sauts et par bonds. Mourir, être mort par accident ou par maladie. — Condamné à mort* (cit. 9) *par contumace. Par intérim* (cit. 1). — *Mettre par écrit* (cit. 11). *Procédons par ordre*. Par approximation* (cit. 1). *L'emporter par trois voix* (→ Faveur, cit. 29). *Le projet de loi a été voté par trois cents voix contre... — Par cœur*. Apprendre, connaître* (cit. 18), *savoir par cœur* (→ Livre, cit. 36; livresque, cit. 1). — *Par avance** (cit. 7 à 10, et 14). *Par conséquent** (cit. 4), *par suite*. Par ailleurs** (*infra* cit. 9), *par contre** (cit. 8, et *supra*), *par exemple** (cit. 38 à 42). *Par excellence** (cit. 8). *Par extension*, par analogie, par métaphore,* etc. — *Par degrés* (cit. 32 à 34; → Filament, cit.), *par nuances* (→ 1. Mort, cit. 22).

32 Essayons toutefois si par quelque manière
Nous en viendrons à bout. LA FONTAINE, Fables, III, 1.

Commencer (cit. 15, 16 et 17), *finir* (cit. 18) *par* (suivi d'un nom). *Tout finit par des chansons. La littérature* (cit. 8) *des peuples commence par les fables et finit par les romans.*

33 Ciel, que lui vais-je dire, et par où commencer? RACINE, Phèdre, I. 3.

(Syntagmes nominaux). *Nettoyage par le vide. Contrainte* (cit. 10) *par corps. Oncle par alliance* (→ Maternel, cit. 6). *Société par actions.*

Quant à..., pour ce qui est de... *Œuvre morale par le fond* (cit. 55), *littéraire par la forme... Différer par tel caractère* (→ Litorne, cit.).

34 Quand sur une personne on prétend se régler,
C'est par les beaux côtés qu'il lui faut ressembler.
MOLIÈRE, les Femmes savantes, I, 1.

♦ **3.** Exprimant le moyen ou la manière, et régissant un infinitif présent avec la valeur de *en* + participe présent («gérondif»). ⇒ **En.** — (Vx en emploi général). *Se fatiguer par trop écrire. Il se vengeait par en médire* (cit. 4, Voltaire). — REM. De nos jours, cette tournure reste vivante avec les verbes *Commencer*, finir** (cit. 23, 24, et *supra*). → aussi Loge, cit. 4; luxe, cit. 8 et 12; mystique, cit. 10 — (Plus rarement). *Terminer par...* (Bernardin de St-Pierre, *in* Littré).

35 Il débuta ce jour-là par brûler la patente de comte dressée en faveur de Rassi (...) STENDHAL, la Chartreuse de Parme, II, XXV.

N. B. Si le verbe a un complément direct, la construction est archaïque.

36 (...) il a été dans le secret de la fameuse disette, et a commencé sa fortune par vendre dans ce temps-là des farines dix fois plus qu'elles ne lui coûtaient. BALZAC, le Père Goriot, Pl., t. II, p. 910.

On dirait aujourd'hui : *en vendant...*

★ **III.** (Exprimant une relation de cause à effet. → aussi II., 2.).

♦ **1.** Vieilli. À cause* de, pour le motif, la raison que...; du fait que... ⇒ **Pour** (→ Approuver, cit. 20). *Par le motif, par la raison* que... Par cette raison* (→ 1. Faux, cit. 23). *Par cela seul que...,* par cette seule raison. *Par quoi*,* à cause de quoi. *Par là* (cit. 46, Corneille).

37 Les philosophes ne condamnent les richesses que par le mauvais usage que nous en faisons (...) LA ROCHEFOUCAULD, Maximes, 520.

Je ne savais par quelle raison elle m'éloignait ainsi (...) A. DE MUSSET, les Confessions, III, IX. 38

Personne ne le franchit jamais *(le pont)*. Par hostilité d'abord, ensuite parce que la violence du mistral et la largeur du fleuve à cet endroit en rendent le passage très dangereux. Alphonse DAUDET, Port-Tarascon, II. 39

Par cela seul qu'il pensait, il était un être étrange, inquiétant, suspect à tous. FRANCE, l'Anneau d'améthyste, VI, Œ., t. XII, p. 98. 40

Loc. (vx). *Par ce que.* ⇒ **Parce que.**

DE PAR : à cause de..., du fait de...

De par ses convictions socialistes, Edmond est obligé de croire très fortement à l'existence de classes et à leur profonde séparation. J. ROMAINS, les Hommes de bonne volonté, t. IX, XVII, p. 130. 41

(...) un aristocrate, non point seulement de par sa naissance, mais de par tous ses goûts (...) Louis MADELIN, Talleyrand, V, XL. 42

(En parlant du mobile des actes, le substantif étant sans déterminant). *Agir* par humeur* (cit. 4), *par intérêt* (cit. 20). *Faire le mal* (cit. 39) *par bêtise. Faire des folies* (cit. 25) *par désœuvrement. Plutôt par faiblesse que par passion. Par crainte de..., que... Par prudence. Faire qqch. par frousse* (cit. 2 et 3), *par instinct* (cit. 8). *Par égard* (cit. 9) *à, pour... — Par erreur* (→ Maintenir, cit. 17); *par mégarde** (cit. 1 et 2). — *Fidèle par devoir* (cit. 5). *Ferme* (1. Ferme, cit. 11) *par tempérament et flexible par réflexion.* — Loc. *Par pitié!*

Le développement de ces deux mots *(par* et *pour)* a été longtemps parallèle. D'une part : *par tant, par là, parce que; de l'autre; pourtant, pour cela, pour ce que...* Nous disons encore *agir* **par avarice,** *pécher* **par négligence;** — *Nous le lui donnions souvent* **par badinage** (Lamartine, Raph., I); ... — *Si Frédéric travailla dans les hautes classes, ce fut* **par les exhortations** *de son ami* (Flaubert, Éduc., I, 25.). Il y a là quelque chose d'un peu archaïque (...) Mais on ne peut plus employer *par* avec une valeur causale devant un infinitif (...) F. BRUNOT, la Pensée et la Langue, p. 807. 43

J'avais pressenti cette trahison, mais n'y avais pas arrêté ma pensée, par fatigue, par paresse. F. MAURIAC, le Nœud de vipères, XV. 44

Loc. *Par bonheur* (cit. 7 et 8), *par chance, par malheur. Par miracle. Par nécessité* (*infra* cit. 3). *Par hasard* (cit. 41, 42 et 45). *Par contre-coup* (→ Louange, cit. 3). *Par suite*.*

Je lui demandais seulement de m'avertir, si par cas il faisait d'heureuses découvertes (...) Émile HENRIOT, la Rose de Bratislava, X. 45

(Substantif déterminé). *Par quelle fatalité* (cit. 16). *Par le fait* (cit. 32).

PAR AINSI :

Par ainsi, laissons passer la chose; elle en reviendra d'elle-même si elle veut (...) G. SAND, la Petite Fadette, XX. 46

Ils ont reconnu certaines doctrines, observé certaines disciplines, retrouvé par ainsi la ferveur religieuse. G. DUHAMEL, Manuel du protestataire, Préface. 47

♦ **2.** (Introduisant le nom d'un agent). Grâce à l'action, à cause de l'action de...; du fait de..., grâce à... *Écrasement du faible par le fort* (cit. 78). *Exploitation* (cit. 10) *de l'homme par l'homme. Le soleil est lumineux* (cit. 2) *par lui-même.* ⇒ **De.** *Faire qqch. par soi-même. Ils règnent par eux-mêmes ou par leurs créatures* (→ Financier, cit. 3). — *Je l'ai appris par mes voisins, par le journal.*

Par cette passion de la chasse, quel vieil instinct nous retrouvons au fond de nous! Émile HENRIOT, On n'est pas perdu sur la terre, II, p. 104. 48

(Désignant l'auteur d'une œuvre). — REM. Ce tour s'explique par l'« analogie avec la construction verbale » (G. et R. Le Bidois).

La comédie humaine, par Balzac. ⇒ **De.**

(...) le portrait d'une bisaïeule à elle, par Titien (...) PROUST, À la recherche du temps perdu, t. IV, p. 135. 49

PAR, employé en concurrence avec *de* devant l'agent du passif. *Arbitre* (cit. 3) *choisi par les parties. Logis* (cit. 3) *tenu par deux femmes. L'aventure par lui* (cit. 54) *contée. Bâtisse étayée par des arcs-boutants* (cit. 1). *Cage* (cit. 4) *accrochée par un clou.* « *Un cœur déjà glacé par le froid* (cit. 15) *des années* » (Racine).

Par un charme fatal vous fûtes entraînée. RACINE, Phèdre, IV, 6 (Cf. Fatal, cit. 3). 50

Ma jeunesse ne fut qu'un ténébreux orage, 51
Traversé çà et là par de brillants soleils.
BAUDELAIRE, les Fleurs du mal, « Spleen et idéal », X.

N'y a-t-il pas là-dedans un monde humain créé par nous, imprévu par les Destins éternels, ignoré d'Eux, compréhensible seulement par nos esprits? (...) MAUPASSANT, l'Inutile Beauté, III. 52

Et voilà que je suis tué, dans une embûche, 53
Par derrière, par un laquais, d'un coup de bûche!
Edmond ROSTAND, Cyrano de Bergerac, V, 6.

(...) le complément d'agent se construit avec *par* quand il importe de souligner, non pas le résultat de l'action ou son prolongement dans la durée, mais sa réalisation proprement dite, et l'agent qui l'a accomplie (...) Il en résulte que plus le verbe énonce une activité physique (matérielle), et suppose une intervention de la volonté, une intention, — plus l'emploi de *par* s'impose devant le complément d'agent (...) on remarquera encore que *par* sert généralement à introduire un agent accompagné d'un qualificatif ou d'une détermination précise : « Ils se serrèrent la main, *secoués* des pieds à la tête *par d'invincibles tremblements* » (MAUPASS., Deux amis...). G. et R. LE BIDOIS, Syntaxe du franç. moderne, § 1861. 54

REM. Avec un infinitif à valeur passive construit avec *faire* (cit. 189 et 190), *laisser,* l'emploi de *par* s'impose « quand on veut souligner le caractère actif, volontaire, de l'action » (comparer : *faire prendre, porter un colis par un domestique;* et *faire prendre un verre à un domestique*); « quand le groupe verbal a déjà un objet secondaire » (Ex. : *Ayez soin de faire donner le fouet à ce petit garçon-là, par mon écuyer,* Molière, *la Comtesse d'Escarbagnas,* 2); « quand la phrase contient un pronom réfléchi»; «quand l'emploi de *à* risquerait de faire prendre l'objet pour un objet secondaire (datif), et non pour un agent : On l'accusait d'avoir *fait reporter* le portefeuille *par un compère, par un complice*, MAUPASS., La ficelle» (Le Bidois, *Syntaxe du franç. moderne*, § 1863).

(Avec un pronominal de valeur passive). *Rien ne s'y fait que par la femme* (cit. 50) *et pour elle* (→ Hasard, cit. 42).

55 Le monde par vos soins ne se changera pas (...) MOLIÈRE, le Misanthrope, I, 1.

56 (...) d'un pays
Où le quintal de fer par un seul rat se mange. LA FONTAINE, Fables, IX, 1.

57 Toutes les grandes choses se font par le peuple (...)
RENAN, Vie de Jésus, Œ. compl., t. IV, p. 242.

58 Le travail original de la science et de l'érudition se faisait par quelques hommes isolés. Ch. SEIGNOBOS, Hist. sincère de la nation franç., XVIII.

★ **IV. PAR TROP** (du préfixe augmentatif latin *per* : Cf. Parfaire, parachever, parcourir... Cf. en anc. franç. les emplois du type *moult par, tant par*) : bien trop, beaucoup trop. *Une éducation par trop conventionnelle* (→ Fille, cit. 26).

59 Bonaparte est un bon enfant, mais il est vraiment par trop charlatan.
A. DE VIGNY, Servitude et Grandeur militaires, III, IV.

60 Le hasard est par trop moqueur ce soir (...)
BARBEY D'AUREVILLY, les Diaboliques, «Rideau cramoisi», p. 82.

★ **V. DE PAR** (altér. de *part**) : de la part de, au nom de... *De par le roi, de par la loi.*

61 *Salue Ponocrates, Gymnaste et Eudémon de par moi (...)*
Ton père, Grandgousier. RABELAIS, Gargantua, XXIX.

62 De par le roi des animaux,
Qui dans son antre était malade,
Fut fait savoir à ses vassaux
Que chaque espèce en ambassade
Envoyât gens le visiter (...) LA FONTAINE, Fables, VI, 14.

COMP. Parbleu, pardessus, pardi, parfois, parmi, partout.
HOM. 2. **Par, parr, part**; formes du v. **parer.**

2. PAR [paʀ] n. m. — 1929, *in* Höfler; mot angl. «égalité», du lat. *par* «égal», t. de golf, 1898.

♦ Anglic. Golf. Score (sur un trou ou sur le parcours complet) que doit réussir un joueur sans handicap. *«En général, le par est audessous du bogey pour les dix-huit trous»* (A. Bernard, *le Golf*, p. 13).

HOM. 1. **Par, parr, part**; formes du v. **parer.**

1. PARA [paʀa] n. m. — 1765, *parat;* mot turc, lui-même empr. du persan *parah* «pièce, morceau».

♦ Didact. Petite monnaie de compte de la Turquie. — Monnaie divisionnaire yougoslave, qui vaut un centième de dinar.

(...) et l'on peut ensuite s'abreuver d'un bon verre de vin de Ténédos moyennant dix paras (cinq centimes). NERVAL, Voyage en Orient, Nuits du Ramazan, II, I.

2. PARA [paʀa] n. m. — 1944; abrév. de *parachutiste.*

♦ Fam. Parachutiste. *Un régiment de paras. Béret de para.*

Une révolution, c'est d'abord un règlement de comptes. Celle du 13 mai, si les paras nous étaient tombés du ciel, eût été tout de même un peu moins «civilisée» qu'elle ne le fut en définitive (...)
F. MAURIAC, le Nouveau Bloc-notes 1958-1960, p. 172.

1. PARA- Premier élément (tiré du grec *para* «à côté de») qui entre comme préfixe dans la composition de mots français empruntés du grec, comme *paradoxe*, ou formés récemment comme *paramilitaire*, etc.

Méd. «Préfixe indiquant le voisinage, l'opposition ou la défectuosité» (Garnier). Ex. : *paralysie, paramnésie, paratyphoïde...*

Chim. *Para-*, utilisé pour indiquer une variété moléculaire *(parahydrogène)* allotropique ou isomérique *(paracyanogène)* d'une substance et particulièrement pour désigner certains isomères des dérivés bisubstitués du benzène *(paradichlorobenzène).*

Cour. (et sc., admin., etc.). Premier élément d'adjectifs et, plus rarement, de substantifs signifiant «qui est proche de, semblable à, à peu près comme...». Adjectifs. *Para-agricole, para-artistique, parachimique, paracommercial, paracommunal, paradiplomatique, para-étatique, paraministériel, paramunicipal, parapolitique, parapublic* (organisme), *parascientifique, para-universitaire, paraurbain.* — Noms. *Parachimie, paradélinquance, paraféminisme, paradiplomatie.* On trouve des formations plus libres... (ex. tirés de P. Gilbert, *Dict. des mots contemporains*), outre les mots plus lexicalisés, traités à l'ordre alphabétique (⇒ **Paralittéraire, paralittérature, parapsychologie, parascientifique,** etc.) :

1 Le Grand Magic Circus de Jérôme Savary, représentant officiellement l'Hexagone *(la France)*, aura été le triomphateur des épreuves paraculturelles.
l'Express, 4 sept. 1972, p. 59.

2 La Garde de Franco, autrefois créée par le Caudillo lui-même, est composée de fascistes, de gens du Milieu, de barbouzes. C'est une organisation para-officielle, un pouvoir en marge du pouvoir légal. Actuel, nº 4, févr. 1980, p. 74.

2. PARA- Premier élément de formation tiré de mots empruntés *(parasol, paravent)* qui exprime l'idée de «protection contre» (cf. Parer) et qui entre dans la composition de mots tels que : *parachute, parafoudre, paragrêle, parapluie,* etc.

PARA-AMINO-BENZOÏQUE [paʀaaminobɛ̃zɔik] adj. — Mil. XXᵉ; de 1. *para-, amino-,* et *benzoïque.*

♦ Chim. biol. Se dit d'un acide du groupe vitaminique B, dérivé de l'acide benzoïque. *On explique l'action des sulfamides par leur ressemblance structurale et leur antagonisme fonctionnel avec l'acide para-amino-benzoïque nécessaire aux microbes.* Abrév. : *P.A.B.*

PARA-AMINO-SALICYLIQUE [paʀaaminosalisilik] adj. — XXᵉ; de 1. *para-, amino-* et *salicylique.*

♦ Chim. *Acide para-amino-salicylique.* ⇒ **P.A.S.**

PARA-AXIAL, ALE, AUX [paʀaaksjal, o] adj. — Mil. XXᵉ, *in* Larousse 1963; de 1. *para-,* et *axial.*

♦ Sc., opt. *Rayons para-axiaux,* peu inclinés sur l'axe optique d'un système centré. *Les rayons para-axiaux, utilisés dans l'approximation* de Gauss, sont à la base de la théorie générale des systèmes centrés. — Optique para-axiale,* qui étudie les faisceaux de rayons *para-axiaux.*

PARABASE [paʀabɑz] n. f. — 1819, Boiste; grec *parabasis,* proprt «action de s'avancer».

♦ Didact. (Antiq.). Partie d'une comédie* grecque qui consistait essentiellement en un discours du coryphée, sorte de digression par laquelle l'auteur faisait connaître aux spectateurs ses intentions, ses opinions personnelles, etc.

PARABELLUM [paʀabelɔm] n. m. invar. — 1932; mot formé en all., vraisemblablement d'après le proverbe lat. *si vis pacem, para bellum,* «si tu veux la paix, prépare la guerre».

♦ Pistolet automatique de fort calibre qui était en usage dans l'armée allemande. *Des parabellum.*

PARABIOSE [paʀabjoz] n. f. — 1893, A. Faurel (in *Oxford Dict.*); de 1. *para-,* et grec *biôsis,* de *bios* «vie».

♦ Biol. (Embryologie). Greffe dite «siamoise», par laquelle on soude deux organismes.
État de vie commune, soit de naissance (siamois) soit expérimentale, dû au fait que leurs systèmes circulatoires communiquent.

On soude sans difficulté des embryons d'Amphibiens près d'éclore (stade du bouton caudal) et la *parabiose* devient une méthode variée et féconde.
Maurice CAULLERY, l'Embryologie, p. 66.

1. PARABOLE [paʀabɔl] n. f. — 1265; lat. ecclés. *parabola, -æ,* du grec *parabolê* «comparaison», du v. *parabellein,* au sens de «mettre à côté de, comparer». → -bole et 2. parabole.

♦ **1.** Récit allégorique des livres saints sous lequel se cache un enseignement moral ou religieux (→ Disciple, cit. 2). *Importance des paraboles dans l'exégèse de la Bible*. Les paraboles de Salomon :* le livre des Proverbes. — *Les paraboles de l'Évangile.*

Je vous ai dit ceci en paraboles. Le temps vient où je ne vous entretiendrai plus en paraboles, mais où je vous parlerai ouvertement de mon Père. 1
BIBLE (SACY), Évangile selon saint Jean, XVI, 25.

Telles quelles, ce sont d'admirables morceaux littéraires que ces Paraboles. Renan a raison d'y trouver «quelque chose d'analogue à la sculpture grecque, où l'idéal se laisse toucher et aimer». Tout au long de l'Évangile, on en trouvera, jusqu'aux derniers jours de la vie de Jésus, et certaines — celle du Semeur, du bon grain et de l'ivraie, des Vierges sages et des Vierges folles, du Fils prodigue, du Bon Samaritain, par exemple — sont si bien passées dans nos mémoires qu'elles font indissociablement partie de l'essentiel du génie occidental. 2
DANIEL-ROPS, Jésus en son temps, V, p. 250.

♦ **2.** Littér. Récit, narration à contenu allégorique. ⇒ **Allégorie, apologue** (cit. 1), **comparaison, fable.**

(Une) expression qu'elle prenait lorsqu'elle voulait faire entrer dans ma tête quelque raisonnement à elle, appuyé le plus souvent sur quelque parabole orientale, dont l'effet devait être concluant et irrésistible. 3
LOTI, Aziyadé, III, XLIX.

Fam. *Parler par paraboles :* parler d'une manière détournée, obscure.

DÉR. Paraboliste.

2. PARABOLE [paʀabɔl] n. f. — 1554; grec *parabolê,* au sens géom. → -bole et 1. parabole.

♦ Géom. Ligne courbe dont chacun des points est situé à égale distance d'un point fixe *(foyer)* et d'une droite fixe *(directrice). La parabole résulte de la section d'un cône* par un plan parallèle à* *l'un des plans tangents à la surface du cône. Les deux branches d'une parabole. La parabole, représentation graphique de la fonction du second degré. Axe de symétrie d'une parabole.* ⇒ **Conique** (section conique).

Par ext. Courbe décrite par un projectile et qui affecte à peu près la forme d'une parabole géométrique. ⇒ **Trajectoire.**

Cela fit l'effet d'une fusée lumineuse qui s'élève et s'achève dans une élégante parabole. P. MAC ORLAN, Quai des brumes, VI.

DÉR. 2. **Parabolique, paraboliser, paraboloïde.**

PARABOLICITÉ [paʀabɔlisite] n. f. — 1875, *in* P. Larousse; de 2. *parabolique.*

♦ Didact. Forme, état de ce qui est parabolique. *La parabolicité d'une courbe, d'une surface.*

1. PARABOLIQUE [paʀabɔlik] adj. — V. 1500; lat. ecclés. *parabolicus,* du grec *parabolikos;* → 1. Parabole.
Didactique.

♦ **1.** Qui est relatif, qui appartient à la parabole. Allégorique*. *Exégèse parabolique.*

♦ **2.** Qui est exprimé au moyen d'une parabole. *Prophétie parabolique.*

DÉR. 1. **Paraboliquement.**

2. PARABOLIQUE [paʀabɔlik] adj. — 1505; de 2. *parabole.*

♦ **1.** Géom. Qui est relatif à la parabole (2. Parabole). *Fonction parabolique,* du second degré.

♦ **2.** Plus cour. Qui a la forme d'une parabole. *Ligne, trajectoire parabolique. Miroir parabolique.*

1 — Parfaitement, un saut en hauteur qui devenait parabolique (...) nous en voyons comme cela tous les jours (...) mais leur saut à eux est complètement vertical (...) c'est comme un saut qui monterait dans une cheminée.
Ed. DE GONCOURT, les Frères Zemganno, LXVI.

Spécialt. N. m. *Un parabolique :* radiateur électrique à miroir parabolique (on dit aussi : *radiateur parabolique*).

2 (...) il m'a dit qu'un petit poêle parabolique qu'il possède lui cause des ennuis.
J. ROMAINS, le Besoin de voir clair, Carnet pers. Antonelli, XII.

DÉR. Parabolicité, 2. **paraboliquement.**

1. PARABOLIQUEMENT [paʀabɔlikmɑ̃] adv. — Attesté dès 1450; de 1. *parabolique.*

♦ Rare. Par paraboles. *S'exprimer paraboliquement.* — Cf. aussi Parole.

2. PARABOLIQUEMENT [paʀabɔlikmɑ̃] adv. — 1732; de 2. *parabolique.*

♦ Géom. En décrivant une parabole. *Projectile qui se meut paraboliquement.*

PARABOLISER [paʀabɔlize] v. tr. — 1868; de 2. *parabole.*

♦ Didact. Donner une forme parabolique à.

PARABOLISTE [paʀabɔlist] n. m. — 1891, *in* D. D. L.; de 1. *parabole.*

♦ Littér. et vx. Qui utilise la parabole dans ses écrits. *Un écrivain symboliste et paraboliste.*

PARABOLOÏDAL, ALE, AUX [paʀabɔlɔidal, o] adj. — 1751, Brunot, *Histoire de la langue française,* VI, p. 631; de *paraboloïde.*

♦ Géom. Qui a la forme d'un paraboloïde.

PARABOLOÏDE [paʀabɔlɔid] n. m. — 1691; attesté comme adj. en 1660; de 2. *parabole,* et suff. *-oïde.*

♦ Géom. Surface du second degré qui est engendrée par une parabole se déplaçant de manière telle que son plan reste constamment parallèle à lui-même et que son sommet décrive une autre parabole fixe dont le plan est perpendiculaire au plan de la parabole mobile; quadrige n'ayant pas de centre. *Paraboloïdes elliptiques, hyperboliques,* dont certaines sections planes sont des ellipses, des hyperboles. *Paraboloïde de révolution.*

DÉR. Paraboloïdal.

PARABUÉE [paʀabɥe] n. f. et adj. — 1907; de 2. *para-,* et *buée.*

♦ Techn. Substance (pâte) qui empêche la condensation de vapeur d'eau sur une surface de verre (optiques, pare-brise) — Adj. *Pâte parabuée* (ou *antibuée*).

PARACENTÈSE [paʀasɛ̃tɛz] n. f. — XVIe, Paré, *in* Littré; du grec *parakentêsis* « ponction »; → -centèse.

♦ Chir. Opération qui consiste à pratiquer une ouverture dans une partie du corps afin de retirer le liquide qui s'est amassé dans une cavité naturelle. ⇒ **Ponction.** *Paracentèse abdominale. Paracentèse du péricarde, du tympan.*

PARACERQUE [paʀasɛʀk] n. m. — 1868, Littré; de *para-,* et *-cerque.*

♦ Didact. (Zool.) Fausse queue (plumes du dos, du croupion, etc.) chez les oiseaux.

PARACHEVABLE [paʀaʃvabl] adj. — 1571; de *parachever.*

♦ Littér. Qui peut être parachevé.

PARACHÈVEMENT [paʀaʃɛvmɑ̃] n. m. — Mil. XIVe; de *parachever.*

♦ Littér. Action de parachever; son résultat. ⇒ **Achèvement, perfection.**

PARACHEVER [paʀaʃve] v. tr. — Conjug. *achever.* — 1213; du préf. *par-,* et de *achever.*

♦ Achever complètement, avec le soin le plus minutieux, conduire au dernier point de perfection. ⇒ **Achever, couronner, fignoler** (fam.), **finir, parfaire** (→ Achèvement, cit. 1). *Parachever une œuvre, une élégie, une chanson, un poème.* ⇒ **Polir, raboter** (fig.). *Parachever son équipement* (cit. 2). ⇒ **Compléter.**

Paul Laurens me disait naguère, parlant d'Ingres : « C'est par sa perfection qu'une œuvre de lui se distingue d'une œuvre de ses disciples. Avant que d'être parachevée elle pourrait presque aussi bien être d'un autre. Elle prétend rester banale jusqu'à l'avant-dernier instant; ne s'affirme enfin personnelle que s'il y porte sa magistrale *dernière main.*
GIDE, Nouveaux prétextes, Journal sans dates, I.

DÉR. Parachevable, parachèvement.

PARACHRONISME [paʀakʀɔnism] n. m. — 1691, Bruslé, *in* Littré; de 1. *para-,* et *(ana)chronisme,* du grec *khronos* « temps ». → -chronique; -chronisme.

♦ Didact. Erreur de chronologie qui consiste à placer un événement à une époque postérieure à celle où il a eu lieu réellement. ⇒ **Anachronisme** (plus courant).

PARACHUTAGE [paʀaʃytaʒ] n. m. — 1939; de *parachuter.*

♦ **1.** Action de parachuter d'un avion (des personnes ou des objets). *Parachutage d'armes, de vivres.*

Au début de 1944, les Allemands ayant mis la main sur l'un de nos parachutages, j'avais inspecté pour la première fois les cachettes de tous nos maquis.
MALRAUX, Antimémoires, p. 596.

♦ **2.** Action de parachuter (qqn) dans un emploi; nomination inattendue dans une fonction. — Spécialt. Présentation de (qqn) comme candidat à une élection dans une circonscription où il est inconnu. *Le parachutage d'un candidat métropolitain à la députation dans un département d'outre-mer.*

PARACHUTE [paʀaʃyt] n. m. — 1777, *Mémoires secrets,* Bachaumont; composé, sur le modèle de *parasol,* de 2. *para-,* et de *chute.*

♦ **1.** Cour. Appareil muni d'un dispositif (de nos jours, une coupole d'étoffe) capable de se déployer en l'air et permettant de ralentir la chute d'une personne qui saute, d'un objet qu'on lance à partir d'un aérostat ou d'un avion, de diminuer la vitesse d'un avion, etc. *Éléments d'un parachute :* coupole *ou* voilure, *composée de* fuseaux *et reliée au* harnais (dossard, élévateurs, commande d'ouverture...) *par les* suspentes. *Parachute dorsal, ventral. Parachute à ouverture automatique. Parachute à tuyères. Parachute adapté à un siège éjectable, à une cabine largable. Parachute à personnel, à matériel. Parachute-frein, parachute anti-vrille, pour freiner un avion à l'atterrissage, le stabiliser. Parachute utilisé pour ralentir la chute d'une bombe, récupérer un cône de fusée. Saut en parachute. Sport du saut en parachute.* ⇒ **Parachutisme, parachutiste.** *Le parachute, instrument d'acrobatie et de sauvetage. Utilisations militaires du parachute* (⇒ **Parachutage, parachutiste**). — *Faire parachute,* se déployer comme un parachute et freiner une chute.

Le ballon se dégonflait de plus en plus, et sa concavité, faisant parachute, resserrait le gaz contre les parois et en augmentait la fuite! 1
J. VERNE, Un drame dans les airs, p. 201.

Il existe (...) des formes très variées de parachutes et ses emplois sont de plus en plus nombreux et diversifiés. Outre la fonction de ralentissement de la descente, 2 le parachute s'est d'autre part, tellement incorporé à l'avion qu'il est devenu sur certains appareils aussi indispensable que le train d'atterrissage ou les volets de courbure. J. PELLANDINI, le Parachute, p. 31.

♦ **2.** Techn. Dispositif de sécurité qui permet d'arrêter la chute de la benne dans un puits de mine en cas de rupture des câbles.

Horlog. Pièce qui protège contre les chocs l'axe du balancier d'une montre.

DÉR. Parachuter, parachutisme, parachutiste.

PARACHUTER [paʀaʃyte] v. tr. — 1939; de *parachute*.

♦ **1.** Lâcher d'un avion avec un parachute. *Parachuter des soldats derrière les lignes ennemies. Parachuter des munitions, du ravitaillement à des troupes encerclées.*

1 C'est là, d'ailleurs, que les avions alliés trouvent les meilleurs emplacements pour déposer ou parachuter les agents et les « containers » (...) Encore, malgré les précautions, la moitié du matériel parachuté tombe-t-elle aux mains de l'ennemi.
Ch. DE GAULLE, Mémoires de guerre, t. II, p. 250-253.

V. pron. (réfl.). *Se parachuter :* sauter en parachute.

2 Nous espérons ardemment qu'il a pu se parachuter en quelque plaine de Provence et que nous le retrouverons vivant (...)
A. MAUROIS, Études littéraires, Saint-Exupéry, III.

♦ **2.** (1962). Fam. Nommer brusquement à un emploi*, à un poste une personne qui ne semble pas spécialement désignée par ses aptitudes. — Spécialt. Proposer aux électeurs (un candidat étranger à leur circonscription). *On l'a parachuté dans une circonscription d'outre-mer.*

▶ **PARACHUTÉ, ÉE** p. p. adj. et n. (1939).

♦ **1.** Largué en parachute. *Troupes parachutées.*

♦ **2.** (1956). Se dit d'une personne nommée à un poste, auquel elle ne semble pas particulièrement apte, ou d'un candidat à une élection dans une circonscription où il est étranger. *Un candidat parachuté.* — Subst. *Un parachuté. « Un inconnu, un parachuté (...) a failli lui faire mordre la poussière* (dans une élection) » (*le Monde*, 10 févr. 1967).

PARACHUTISME [paʀaʃytism] n. m. — Après 1920, → Parachutiste; de *parachute*, et *-isme*.

♦ Technique, pratique du saut en parachute. *Parachutisme sportif, militaire. Champion de parachutisme.*

PARACHUTISTE [paʀaʃytist] n. et adj. — 1920, à propos de M. Blanquier, créateur du mot : « l'homme qui tombe du ciel. C'est le *parachutiste!* (...) Maurice Blanquier domine sa timidité pour me déclarer qu'il entend faire métier de Parachutiste. Il faut bien créer des mots nouveaux pour ces types nouveaux d'humanité » (article du 7 nov. 1920); de *parachute*.

♦ **1.** Sportif, sportive qui pratique le parachutisme. *Un, une parachutiste. Brevet de parachutiste.*

♦ **2.** Soldat entraîné à sauter en parachute et qui fait partie d'unités spéciales dont les éléments sont ordinairement destinés à combattre après avoir été parachutés sur un point donné du territoire occupé par l'ennemi (→ Lynchage, cit.). Abrév. : *para.* — *Commando de parachutistes. Béret de parachutiste.*

1 La veille du débarquement et au cours des journées suivantes, nos forces de l'intérieur voient leur tomber du ciel un grand nombre de « containers » et des groupes de parachutistes. Ch. DE GAULLE, Mémoires de guerre, t. II, p. 281.

2 Une République qui s'effondre sous la menace des soldats, c'est la pire humiliation. Les parachutistes et les forces ténébreuses qui se servaient d'eux nous faisaient horreur (...) F. MAURIAC, le Nouveau Bloc-notes 1958-1960, p. 65.

PARACLET [paʀaklɛ] n. m. — 1248, *paraclit;* lat. ecclés. *paracletus*, du grec *paraklêtos*, proprt « qu'on appelle à son secours », traduit généralement, dans les traductions de la Bible, par « avocat » ou « consolateur ». Nom donné par saint Jean au Saint-Esprit.

♦ Didact. (Relig.). *Le Paraclet :* le Saint-Esprit. ⇒ **Esprit** (*infra* cit. 13). — En appos. *Le Vent paraclet*, roman de M. Tournier.

PARACOUSIE [paʀakuzi] n. f. — 1827, *in* Cottez; du grec *parakousis* « fait d'entendre mal » (Galien); → -acousie.

♦ Méd. Anomalie de la perception auditive portant sur la hauteur, l'intensité ou la localisation des sons.

PARADE [paʀad] n. f. — V. 1560; de l'anc. provençal *parada*, 1366; de *parer*, au sens d'« orner » et *-ade*, d'après *-ada*, forme du p. p. du verbe en provençal.

★ **I.** ♦ **1.** Vx. (langue class.). Ornement.

1 Fer, jadis tant à craindre, et qui, dans cette offense,
M'a servi de parade, et non pas de défense (...) CORNEILLE, le Cid, I, 4.

♦ **2.** Mod., littér. Étalage que l'on fait d'une chose, d'une qualité, afin de se faire valoir. ⇒ **Affectation, exhibition,** 1. **montre, ostentation.** *Faire qqch. pour la parade. Ce n'est que de la parade*, du bluff, du chiqué (fam.).

Et puis, en somme, ces entêtements, ces escarpements, sont-ce des vertus? N'y a-t-il pas dans ces affiches excessives d'abnégation et d'honneur beaucoup d'ostentation? C'est plutôt parade qu'autre chose. 2
HUGO, l'Homme qui rit, II, I, I, II.

(...) le désir de parade qui excite devant les femmes tous les buveurs de gloire. 3
MAUPASSANT, Notre cœur, II, III.

Loc. *Faire parade de...* ⇒ **Déployer, étaler, exhiber, parer** (se); **étalage** (faire étalage de), 1. **montre** (faire montre de), **vanité** (tirer vanité de). *Faire parade de son autorité* (→ Masquer, cit. 5), *de sa vertu.* ⇒ **Draper** (se draper dans). *Personne fastueuse** (1.), *qui fait volontiers parade de sa richesse, de ses belles relations.*

Quand on vit isolé, comme on ne se hâte par de lire pour faire parade de ses lectures, on les varie moins, on les médite davantage (...) 4
ROUSSEAU, Julie ou la Nouvelle Héloïse, Entretien sur les romans...

DE PARADE : qui est destiné à être utilisé comme ornement, dans une cérémonie... *Habit de parade* (cf. Habit d'apparat). *Lit** (cit. 24) *de parade.*

C'était une belle arme *(une épée)*, riche sans ornementation superflue, une arme de combat et non de parade. 5
Th. GAUTIER, le Capitaine Fracasse, IX.

Mon âme est une infante en robe de parade, 6
Albert SAMAIN, Au jardin de l'Infante, « Mon âme... »

Fig. *Mythologie* (→ Académique, cit. 1) *de parade. Non-conformisme* (cit.), *vertu de parade*, purement extérieurs, peu sincères.

Quiconque a le courage de paraître toujours ce qu'il est, deviendra tôt ou tard ce qu'il doit être; mais il n'y a plus rien à espérer de ceux qui se font un caractère de parade. ROUSSEAU, Lettre à Sophie *in* LITTRÉ, art. *Parade*, 4°. 7

♦ **3.** [a] Vx. Exhibition des forces militaires en face de l'ennemi. — Revue qu'on faisait passer aux troupes qui allaient monter la garde.

[b] Mod. Se dit de toute cérémonie militaire où les troupes en grande tenue défilent ou se livrent à des évolutions réglées. ⇒ **Cérémonie, défilé, revue.** *Parade militaire. Défiler comme à la parade. — Pas* de parade. — Parade de cavalerie.* ⇒ **Carrousel.**

La magnifique parade commandée par l'empereur devait être la dernière de celles qui excitèrent si longtemps l'admiration des Parisiens et des étrangers. La vieille garde allait exécuter pour la dernière fois les savantes manœuvres dont la pompe et la précision étonnèrent quelquefois jusqu'à ce géant lui-même (...) 8
BALZAC, la Femme de trente ans, Pl., t. II, p. 674.

Spécialt. (Avec une valeur péjorative). *Troupes bonnes pour la parade, mais sans valeur militaire.*

♦ **4.** (1680). Exhibition que font les comédiens, les participants d'un spectacle de cirque (clowns, etc.) avant la représentation, pour attirer les spectateurs (d'un cirque, d'un spectacle forain...). ⇒ **Boniment.** *Faire la parade dans les rues de la ville, à la porte du cirque, d'une baraque foraine... Jouer la parade.*

(Au XVIIIe). Spectacle mondain de genre comique, inspiré des batteleurs. *Jean-bête à la foire, parade de Beaumarchais.* — Par métaphore :

Il me semble que, dans tout ce que j'ai écrit jusqu'à présent, j'ai fait la parade, avant que le *vrai* spectacle ne commence (...) GIDE, Journal, 25 sept. 1913. 9

♦ **5.** Sc. (Éthol.). Comportement ritualisé (de certains animaux) formant prélude à la copulation. *Comportement de parade des oiseaux.* Cf. Danse nuptiale.

★ **II.** (1611; esp. *parada*, du v. *parar* « retenir un cheval », sens également attesté pour *parer* en franç. → 2. Parage). Équit. Arrêt d'un cheval qu'on manie. *Cheval sûr à la parade.*

★ **III.** (1626; de 2. *parer*). ♦ **1.** Escr. Action, manière de parer* un coup. ⇒ **Contre** (1. Contre). *Parade de prime, de seconde... d'octave... Coup dont la parade est inconnue de l'adversaire.* ⇒ 3. **Botte** (botte secrète). *Coup de parade* (→ Hérisser, cit. 32).

(...) rien ne m'était plus facile que de le coucher mort sur le pré, car sa parade ne vaut pas son attaque, étant plus fougueux que prudent et moins ferme que rapide. Th. GAUTIER, le Capitaine Fracasse, XI. 10

Il y avait de grands coups d'estoc portés en cadence, avec des parades vives, des heurts simultanés de toutes les épées, de bruyants cliquetis d'acier. 11
LOTI, Figures et Choses..., Danse des épées.

♦ **2.** Cour. ⇒ **Défense.** *Chercher, trouver la parade à une attaque, à une menace. Trouver la parade à une offensive, à une arme inconnue. — Être prompt à la parade. Il n'est pas heureux à la parade.*

CONTR. (De *parade*, III.) **Attaque.**

DÉR. Parader, paradiste.

PARADENTAIRE [paʀadɑ̃tɛʀ] adj. — XXe; de 1. *para-*, et *dentaire*.

♦ Didact. Situé à côté de la dent. *Tumeur, kyste paradentaire.*

PARADER [paʀade] v. intr. — 1573, *se parader*; de *parade*.

♦ **1.** Se montrer en se donnant un air avantageux. ⇒ **Beau** (faire le beau), **étaler** (s'), **montrer** (se), **pavaner** (se), **plastronner.** *Il allait parader au soleil sur l'esplanade et se montrer* (cit. 30) *à ses compatriotes. Il paradait au milieu de gens fort titrés et de jolies femmes* (→ Occasion, cit. 9).

Il s'agit donc de trouver un millionnaire, un parvenu doué d'une fille, et possédé de l'envie de parader au château des Tuileries?
BALZAC, le Député d'Arcis, Pl., t. VII, p. 733.

♦ **2.** (1598). Équit. *Faire parader un cheval,* le faire manœuvrer.

♦ **3.** Milit. (Rare). Manœuvrer* au cours d'une parade (I., 3.). *Le régiment paradait sur l'esplanade.*

♦ **4.** Mar. (Vx). Croiser, aller et venir en se préparant à attaquer. ⇒ **Croiser.**

DÉR. Paradeur.

PARADEUR, EUSE [paʀadœʀ, øz] n. — 1911; attestation isolée, 1845; «écuyer de cirque», 1879; de *parader.*

♦ Rare. Personne qui aime à parader, qui aime l'ostentation. — Adj. *Elle est très paradeuse.*

Perpignan est la ville des muletiers et des gitanes, des espadrilles et des guitares, des diligences bariolées et des harnais éclatants. Elle est sensuelle et paradeuse.
Louis BERTRAND, le Livre de la Méditerranée, p. 29.

PARADICHLOROBENZÈNE [paʀadiklɔʀɔbɛ̃zɛn] n. m. — xxe; de 1. *para-, di-, chloro-,* et *benzène.*

♦ Chim. et cour. L'un des isomères du dichlorobenzène ($C_6H_4Cl_2$) qui se présente sous la forme d'un corps blanc cristallisé insoluble dans l'eau. *Le paradichlorobenzène est utilisé comme insecticide, pour protéger les vêtements contre les mites.* — REM. Malgré sa longueur et sa complexité, ce mot n'est pas seulement didactique, à cause de l'utilisation ménagère du produit (→ Naphtaline).

La martre-zibeline allez c'est plus joli
Sur Madame en Packhardt
Que quand le paradichlorobenzène emplit
Le nez et les placards.
ARAGON, le Roman inachevé, p. 218.

PARADIGMATIQUE [paʀadigmatik] n. f. et adj. — V. 1960; de *paradigme,* d'après le grec *paradeigmatikos.*

♦ Ling. Étude des rapports (oppositions) entre les termes qui peuvent figurer en un même point de la chaîne parlée et qui font l'objet d'un choix exclusif de la part du locuteur. — Adj. Du paradigme (2.); se dit de ces termes et de leurs relations. *Rapports paradigmatiques* (appelés *associatifs* chez Saussure). *Axe paradigmatique,* constitué par les unités linguistiques qui peuvent commuter en un même point de la chaîne. *Série paradigmatique.* ⇒ **Paradigme.**

CONTR. Syntagmatique.

PARADIGME [paʀadigm] n. m. — 1561; lat. grammatical *paradigma,* du grec *paradeigma* «exemple».

♦ **1.** Gramm. Mot-type qui est donné comme modèle pour une déclinaison, une conjugaison. *«Amo» est le paradigme des verbes latins de la première conjugaison.* ⇒ **Exemple, modèle.**

♦ **2.** (1943). Ling. Ensemble des termes qui peuvent figurer en un point de la chaîne parlée, axe des substitutions. ⇒ **Paradigmatique** (série). — (S'oppose à *syntagmatique*). *Paradigme des noms pouvant servir de sujet à un verbe, des adjectifs pouvant être épithètes d'un substantif.*

♦ **3.** Fig., littér. Ensemble de notions, de réalités ayant un sémantisme commun (synonymes, contraires, etc.).

(...) la Valeur règne, décide, sépare, met le bien d'un côté, le mal de l'autre (le neuf/le nouveau, la structure/la structuration, etc.) : le monde signifie fortement, puisque tout est pris dans le paradigme du goût et du dégoût.
R. BARTHES, Roland Barthes, p. 142.

PARADIS [paʀadi] n. m. — 980; du lat. ecclés. *paradisus,* du grec *paradeisos,* empr. de l'avestique *paridaiza* «enclos du seigneur»; → Parvis.

A. ♦ **1.** Dans la religion chrétienne, Lieu où les âmes des justes et des bienheureux* jouissent en compagnie des anges de la béatitude éternelle. ⇒ **Ciel.** Cf. La cité céleste, la cour céleste, la céleste demeure, le royaume de Dieu, le royaume éternel... *Le paradis céleste. Le Paradis et l'Enfer* (cit. 12). *Félicité éternelle de l'âme au paradis. Les joies du paradis.* ⇒ **Paradisiaque.** *Gagner* (cit. 28), *mériter le paradis par ses bonnes œuvres. Aller, être au paradis, en paradis.* (Cf. Dans le sein de Dieu). *Saint Pierre, portier du paradis. Les clefs du paradis. — Se recommander à tous les saints du paradis :* implorer la protection, l'aide de tout le monde. — Littér. *Le Paradis,* troisième partie de *La Divine Comédie* de Dante. *Paradis,* texte de Philippe Sollers (allusion à Dante).

Puis il *(l'un des voleurs crucifiés en même temps que Jésus)* dit à Jésus : Seigneur, souvenez-vous de moi, lorsque vous serez arrivé dans votre royaume. Jésus lui répondit : Je vous le dis en vérité : Vous serez aujourd'hui avec moi dans le paradis. BIBLE (SACY), Évangile selon saint Luc, XXIII, 42-43. 1

Équivalents du paradis chrétien dans d'autres religions : Olympe* *des anciens Grecs,* Walhalla *des anciens Scandinaves... — Le paradis d'Allah, de Mahomet* (→ Inventeur, cit. 3). *Les houris du paradis* (→ Enchanteur, cit. 5).

Loc. div. (Vx). *Mettre en paradis :* glorifier. — (Vx). *Aller par-delà paradis :* faire plus que son devoir. — *Le chemin* du paradis. Vous ne l'emporterez* pas en, au paradis.*

♦ **2.** Fig. (En parlant d'un état ou d'un lieu de bonheur parfait, d'un séjour enchanteur). ⇒ **Délice** (lieu de délices), **éden, élysée** (→ Avril, cit. 4; blottir, cit. 6). *Avoir le paradis sur la terre* (→ Mariage, cit. 23 et 25). *Être, se croire au paradis, en paradis, dans le paradis :* être au comble du bonheur. *Au sortir de pareilles calamités, la paix semble un paradis* (→ Mieux, cit. 37). *Mener qqn en paradis* (→ Formalité, cit. 9). *—Avoir, faire son paradis en ce monde :* avoir tous les bonheurs, jouir de tous les plaisirs. *«Mais le vert paradis des amours enfantines»* (→ Furtif, cit. 7, Baudelaire). *«Le paradis ou l'enfer des familles dépend de l'opinion* (cit. 17) *qu'elles ont donnée d'elles»* (Beaumarchais). *«Cette plage est le paradis des enfants»* (Académie).

Duclos parlait un jour du paradis, que chacun se fait à sa manière. Madame de Rochefort lui dit : «Pour vous, Duclos, voici de quoi composer le vôtre : du pain, du vin, du fromage et la première venue». 2
CHAMFORT, Caractères et anecdotes, Paradis de Duclos.

On appelait la France le paradis des femmes, parce qu'elles y jouissaient d'une grande liberté (...) Mme DE STAËL, De l'Allemagne, I, IV. 3

(...) c'est de l'enfer des pauvres qu'est fait le paradis des riches. 4
HUGO, l'Homme qui rit, II, II, XI.

(...) les vrais paradis sont les paradis qu'on a perdus. 5
PROUST, À la recherche du temps perdu, t. XV, p. 12.

Si lugubre que fût l'appartement, c'était un paradis pour qui revenait du lycée. 6
GIDE, Si le grain ne meurt, I, IV, p. 107.

Les paradis artificiels, titre d'un ouvrage de Baudelaire (1860) désignant «l'état exceptionnel de l'esprit et des sens», l'euphorie, le bien-être que procurent l'opium, le haschisch, etc.

Ce seigneur visible de la nature visible (je parle de l'homme) a donc voulu créer le paradis par la pharmacie, par les boissons fermentées (...) Parmi les drogues les plus propres à créer ce que je nomme l'*Idéal artificiel* (...) celles dont l'emploi est le plus commode (...) sont le haschisch et l'opium. 7
BAUDELAIRE, les Paradis artificiels, «Poème du haschisch», I.

♦ **3.** *Le paradis terrestre,* ou simplement, *le paradis :* lieu de délices, sorte de jardin merveilleux où, selon la Genèse, Dieu plaça Adam et Ève. ⇒ **Éden** (jardin d'Éden). *L'arbre* (cit. 48) *de vie, au milieu du paradis. Adam chassé du paradis ainsi qu'Ève, après la faute* (→ Fruit, cit. 13). — *Le paradis perdu,* poème de Milton.

Le Seigneur Dieu prit donc l'homme et le mit dans le paradis de délices, afin qu'il le cultivât et le gardât. BIBLE (SACY), Genèse, II, 15. 8

Un paradis terrestre : un séjour enchanteur, un pays délicieux; un état de bonheur extrême.

Le paradis terrestre est où je suis. VOLTAIRE, Satires, Le mondain. 9

(...) flatterie involontaire qui me valut la bienveillance du vieux gentilhomme, j'enviais cette jolie terre, sa position, ce paradis terrestre, en le mettant bien au-dessus de Frapesle. BALZAC, le Lys dans la vallée, Pl., t. VIII, p. 818. 10

♦ **4.** (Mil. xxe). *Paradis fiscal :* pays où le régime fiscal, très avantageux, offre aux capitaux étrangers le moyen d'échapper à la législation plus sévère de leur pays d'origine. *La Suisse, la principauté de Monaco, les îles anglo-normandes, paradis fiscaux.*

B. ♦ **1.** Vx. (xvie-xviie). Bassin aménagé dans un port pour mettre les navires à l'abri du vent et de la mer. *Le paradis de Calais* (→ Bassin, cit. 7).

♦ **2.** (1606). Galerie* supérieure d'un théâtre. ⇒ **Poulailler.**

Pourquoi a-t-on appelé paradis le rang des troisièmes loges à la comédie et à l'opéra? Est-ce parce que ces places étant moins chères que les autres, on a cru qu'elles étaient faites pour les pauvres, et qu'on prétend que dans l'autre paradis il y a beaucoup plus de pauvres que de riches? Est-ce parce que ces loges, étant fort hautes, on leur a donné un nom qui signifie aussi le ciel? 11
VOLTAIRE, Dict. philosophique, Paradis.

C. ... DE PARADIS. ♦ **1.** (1542). *Pommier de paradis* ou *paradis :* variété de pommier *(mala paradisiaca)* utilisée comme porte-greffe. — *Graine de paradis.* ⇒ **Amome, maniguette.** — *Arbre* de paradis.*

♦ **2.** (1585). Zool. *Oiseau de paradis.* ⇒ **Paradisier.**

CONTR. Enfer, géhenne.
DÉR. Paradisier.

PARADISIAQUE [paʀadizjak] adj. — 1838; attestation isolée, 1553; lat. ecclés. *paradisiacus,* de *paradisus.* → Paradis.

♦ **1.** Qui appartient au paradis* (1.). *Joie, état* (cit. 22, Baudelaire) *paradisiaque.*

♦ **2.** Très agréable. *Séjour paradisiaque.* ⇒ **Enchanteur.**

Le printemps naissait sous les palmes; les abricotiers étaient en fleur, bourdonnant d'abeilles; les eaux abreuvaient les champs d'orge; et rien ne se pouvait imaginer de plus clair que ces floraisons blanches abritées par les hauts palmiers, dans leur ombre abritant, ombrageant à leur tour, le vert tendre des céréales. Nous passâmes dans cet éden deux jours paradisiaques, dont le souvenir n'a rien que de souriant et de pur. GIDE, Si le grain ne meurt, II, II, p. 357.

PARADISIER [paʀadizje] n. m. — 1806; de *paradis* (C. 2.).

♦ Oiseau exotique, à plumage souvent chatoyant, appartenant aux *Paradiséidés,* ou oiseaux de paradis *(Passereaux),* dont la taille va de celle de l'alouette à celle de la pie. *Les paradisiers mâles portent généralement sur les flancs des panaches de plumes longues et effilées, aux riches couleurs, qui sont très recherchées pour la plumasserie. Principaux types de paradisiers.* ⇒ **Manucode, séleucide, sémioptère, sifilet.**

(...) empaillé sur son perchoir on voyait un oiseau (...) c'est un *Uranonis rubra* de Nouvelle-Guinée. On ne le trouve plus que là et dans quelques îles avoisinantes. Vulgairement : un Paradisier rouge (...)
H. BOSCO, Un rameau de la nuit, p. 99.

PARADISTE [paʀadist] n. m. — 1838; de *parade.*

♦ Personne qui participe à une parade* (I., 4.). ⇒ **Bateleur.**

PARADONTOSE [paʀadɔ̃toz] ou **PARADENTOSE** [paʀadɑ̃toz] n. f. — XXe; mot créé en all., de *paradentium* «périodonte et maxillaire», de *para-,* lat. *dentium,* et suff. *-ose.*

♦ Didact. (Histol.). Résorption pathologique des gencives, des ligaments ou des alvéoles dentaires (syn. : *paradontolyse*). *Paradontose sénile. Paradontose pyorrhéique :* pyorrhée. *La paradontose aboutit, par destruction des éléments de soutien, à la chute des dents.* Syn. : *parodontose.*

PYORRHÉES ALVÉOLAIRES (Paradentose alvéolyse). L'école de Berlin élargissant un peu la notion du périodonte et y comprenant l'os maxillaire parle de paradentium et propose le nom de *paradentose,* celle-ci étant une lyse et non une clasie.
En France (...) Toirac (...) lui donna le nom de pyorrhée alvéolodentaire (...). L'école de stomatologie semble avoir adopté le terme d'*alvéolyse.*
Held la nomma *paradentolyse* (manifestation régressive des éléments de soutien de la dent). P.-L. ROUSSEAU, les Dents, p. 114.

PARADOR [paʀadɔʀ] n. m. — 1840, Gautier, «auberge»; mot esp., de *parar* «faire halte».

♦ En Espagne, Hôtel (aujourd'hui géré par les services du tourisme national).

C'est un parador, dit Pierre. Il est à la sortie du village. Ce village est déjà dans la paix de la sieste. Le parador est dans un bois de pins là où Pierre a dit. C'est une immense demeure assez ancienne, entièrement close sur la chaleur.
M. DURAS, Dix heures et demie du soir en été, p. 155.

PARADOS [paʀado] n. m. — 1838; de 2. *para-,* et *dos.*

♦ Fortif. Terrassement destiné à parer les coups qui pourraient prendre à revers les servants d'une batterie, les occupants d'une tranchée.

PARADOXAL, ALE, AUX [paʀadɔksal, o] adj. — 1584; de *paradoxe.*

♦ **1.** Qui tient du paradoxe. ⇒ **Paradoxe** (2., vx). *Opinion paradoxale. Des raisonnements paradoxaux. Un enchaînement paradoxal mais logique* (→ Irresponsabilité, cit. 2).

1 (...) pensées le plus souvent simples et vraies, souvent originales, quelquefois paradoxales, mais toujours touchantes et spirituelles, et vous berçant toujours avec un charme infini. BAUDELAIRE, l'Art romantique, V.

Par ext. ⇒ **Bizarre, inconcevable** (→ Mission, cit. 2).

2 Pas du tout pour vous faire un reproche quelconque, ni bien entendu avec l'espoir que vous interviendrez en notre faveur. Ce qui serait un revirement par trop paradoxal. J. ROMAINS, les Hommes de bonne volonté, t. III, XVI, p. 212.

♦ **2.** Qui aime, qui recherche le paradoxe. *Esprit paradoxal.*

♦ **3.** Pathol. Se dit d'un phénomène qui semble contradictoire aux autres symptômes présentés par le malade. *Pouls paradoxal :* pouls lent observé chez un sujet fiévreux. — *Sommeil* paradoxal :* phase périodique du sommeil pendant laquelle le dormeur présente une activité électrique cérébrale et divers symptômes (mouvements du globe oculaire, variations cardio-respiratoires, etc.) caractéristiques de l'état de veille (opposé à *sommeil calme*).

CONTR. Commun.
DÉR. Paradoxalement.

PARADOXALEMENT [paʀadɔksalmɑ̃] adv. — Attestation isolée 1588; Boiste, 1834; de *paradoxal.*

♦ Rare. D'une manière paradoxale. *Parler paradoxalement.* — Cour. D'une manière contradictoire et donc étrange (souvent en incise ou en tête de proposition).

(...) aussi bien savons-nous que, paradoxalement, les plus grands égoïstes ont suscité autour d'eux les plus grands dévouements.
Louis MADELIN, Talleyrand, V, XL.

PARADOXE [paʀadɔks] n. m. — 1485, *paradoce;* grec *paradoxos* «contraire à l'opinion commune, bizarre, extraordinaire», de *doxa* «opinion» (→ Doxa, orthodoxe).

♦ **1.** Opinion, argument* ou proposition qui va à l'encontre de l'opinion communément admise *(doxa),* de la vraisemblance. — REM. «Le *Paradoxe* cache souvent, sous une formule ou une idée qui paraît étonnante, une vérité qu'on peut soutenir» (Bénac). — *Paradoxe étonnant* (→ Homme, cit. 74). *Avancer, soutenir un paradoxe. Aimer le paradoxe. Être porté au paradoxe* (→ Habitude, cit. 18). *Faire du paradoxe* (→ Finir, cit. 9). *Les arguties* (cit. 1) *et le paradoxe dans la sophistique.* — Littér. *Le Paradoxe sur le comédien,* essai de Diderot.

Lecteurs vulgaires, pardonnez-moi mes paradoxes : il en faut faire quand on réfléchit; et, quoi que vous puissiez dire, j'aime mieux être homme à paradoxes qu'homme à préjugés. ROUSSEAU, Émile, II. 1

Ce n'était pas à développer quelque lieu commun de bon sens que Léon Gozlan employait cet esprit, mais bien à soutenir quelque incroyable paradoxe, auquel il finissait par donner toutes les apparences du vrai par la subtilité des déductions et l'appropriation des détails confirmatifs de la donnée primitivement fausse. 2
Th. GAUTIER, Portraits contemporains, «Léon Gozlan».

Les paradoxes d'aujourd'hui sont les préjugés de demain (...) 3
PROUST, les Plaisirs et les Jours, p. 177.

Formations réactives : une doxa (une opinion courante) est posée, insupportable; pour m'en dégager, je postule un paradoxe; puis ce paradoxe s'empoisse, devient lui-même concrétion nouvelle, nouvelle doxa, et il me faut aller plus loin vers un nouveau paradoxe. R. BARTHES, Roland Barthes, p. 75. 3.1

♦ **2.** Être, chose, fait extraordinaire, incompréhensible, qui heurte la raison, le bon sens, la logique. ⇒ **Singularité.** *Un paradoxe de la nature* (→ Échoir, cit. 4). *«Connaissez donc, superbe, quel paradoxe vous êtes à vous-même»* (Pascal, *Pensées,* VIII, 1.).

(...) la jalousie (...) ne suppose pas toujours une grande passion. C'est cependant un paradoxe qu'un violent amour sans délicatesse. 4
LA BRUYÈRE, les Caractères, IV, 29.

Spécialt. ⇒ **Contresens.** *Le despotisme est un paradoxe* (→ Caporalisme, cit. 1)

(...) cette maison de fous qu'on appelle, à Paris, la Bourse? C'est, à la fois, un paradoxe et un symbole. À l'heure où la meute des hommes d'argent encombre cette espèce de temple, chacun y fait assez de bruit pour que l'on n'entende plus personne. G. DUHAMEL, Scènes de la vie future, X. 5

♦ **3.** Log. Se dit d'une proposition qui est à la fois vraie et fausse. ⇒ **Antinomie, contradiction; sophisme.** *Le paradoxe du menteur* (qui dit : «je mens»).

DÉR. Paradoxal, paradoxisme.

PARADOXIE [paʀadɔksi] n. f. ⇒ **Paradoxisme** (2.).

PARADOXISME [paʀadɔksism] n. m. — 1803; de *paradoxe.*

♦ **1.** Didact. Figure de rhétorique, qui consiste à unir deux idées qui paraissent inconciliables. ⇒ **Antithèse.** *Le paradoxisme est fréquent chez Racine* (ex. : *«Pour réparer des ans l'irréparable outrage», Athalie,* II, 5.).

♦ **2.** (1952, Porot). Méd. Manifestation de l'activité génitale hors de la période comprise entre le voisinage de la puberté et les environs de la sénescence. *Paradoxisme infantile, sénile.* — REM. On dit aussi *paradoxie.*

PARADOXURE [paʀadɔksyʀ] n. m. — 1842, *in* Académie *Compl.;* lat. zool. *paradoxurus,* Cuvier, du grec *paradoxus* «bizarre», → Paradoxe, et suff. *-ure* «queue».

♦ Zool. Mammifère carnassier d'Extrême-Orient (Indonésie, Chine), à longue queue enroulante. Syn. : *marte des palmiers, galidie.*

PARAFE [paʀaf] n. m. **PARAFER** [paʀafe] v. **PARAFEUR** [paʀafœʀ] n. m. (Vx). ⇒ **Paraphe, parapher, parapheur.**

PARAFEU [paʀafø] n. m. — 1803; de 2. *para-,* et *feu.*
Technique.

♦ **1.** (Verrerie). Petit mur construit pour protéger du foyer.

♦ **2.** (1871, in *Année sc. et industr.* p. 428). Vx. Dispositif contre les incendies. *«Les parafeux pour les navires chargés de pétrole»* (Ibid.).

PARAFFINAGE [paʀafinaʒ] n. m. — 1875; de *paraffiner.*

♦ Opération qui consiste à enduire de paraffine; résultat de cette opération.

PARAFFINE [paʀafin] n. f. — 1832; *parafine* « poix, résine », 1552. → Diablerie, cit. 4, Rabelais; du lat. *parum affinis* « qui a peu d'affinité ».

♦ **1.** Chim. (Vieilli). Corps appartenant à une série homologue d'hydrocarbures* saturés de formule générale $C_n H_{2n+2}$ et dont le premier terme est le méthane*, constituant principal du gaz naturel. — REM. On emploie plutôt aujourd'hui le syn. *alcane**.

♦ **2.** Cour. Substance solide blanche, constituée d'un mélange d'hydrocarbures supérieurs de la série des paraffines qui fond entre 50° et 60 °C. ⇒ **Cire** (fossile), **graisse** (minérale), **ozocérite.** *La paraffine provient du résidu de la distillation des goudrons de pétrole, de bois, de tourbe, de lignite et de schistes bitumeux. La paraffine, utilisée dans la fabrication de certaines bougies, pour falsifier la cire, imperméabiliser le carton, le papier, protéger les fresques... — Huile de paraffine,* utilisée comme laxatif, comme lubrifiant pour certaines mécaniques délicates.

DÉR. Paraffinage, paraffiné, paraffiner, paraffinique.

PARAFFINÉ, ÉE [paʀafine] adj. — 1867, « qui est de la nature de la paraffine »; de *paraffine.*

♦ Enduit de paraffine. *Papier paraffiné. Toile paraffinée.*

PARAFFINER [paʀafine] v. tr. — 1875; de *paraffine.*

♦ Enduire de paraffine. *Paraffiner une étoffe.*

PARAFFINIQUE [paʀafinik] adj. — V. 1904; de *paraffine.*

♦ Chim. Se dit des composés organiques saturés. *Série paraffinique. Hydrocarbure paraffinique* ($C_n H_{2n+2}$). ⇒ **Alcane** (méthane, éthane, propane, butane...). — Techn. *Brut paraffinique :* pétrole brut dont le résidu est paraffinique.

PARAFISCAL, ALE, AUX [paʀafiskal, o] adj. — Mil. XXe; de 1. *para-,* et *fiscal.*

♦ Admin. Qui a rapport à la parafiscalité. *Taxes parafiscales.*

PARAFISCALITÉ [paʀafiskalite] n. f. — 1949, Mérigot, *Éléments d'une théorie de la parafiscalité;* de 1. *para-,* et *fiscalité.*

♦ Admin. Ensemble des taxes, cotisations, versements obligatoires, distinct des impôts, perçus sous l'autorité légale, quoique non comptabilisés au budget de l'État.

DÉR. Parafiscal.

PARAFOUDRE [paʀafudʀ] n. m. — 1842; « paratonnerre », 1783; de 2. *para-,* et *foudre.*

♦ Techn. Appareil, instrument qui sert à protéger les installations électriques contre les effets de la foudre. ⇒ **Paratonnerre.**

1. PARAGE [paʀaʒ] n. m. — 1050; de *pair.*

♦ **1.** Vx. Naissance, origine. — Loc. *De haut parage :* de haute naissance. ⇒ **Extraction, naissance, race** (→ Dame, cit. 9, Rabelais; éléphant, cit. 2, La Fontaine).

♦ **2.** Féod. Tenure de fief indivis entre frères dont l'aîné seul faisait hommage au suzerain. *Tenure en parage.*

2. PARAGE [paʀaʒ] n. m. — 1732; de 1. *parer.*
Techn. Action de parer.

♦ **1.** Bouch. Action de parer* (les morceaux de viande); son résultat.

♦ **2.** Vitic. Labour (des vignes) avant l'hiver.

PARAGENÈSE [paʀaʒənɛz; paʀaʒenɛz] n. f. — 1877, *paragénésie;* de 1. *para-,* et *-genèse.*

♦ Biol. Modification expérimentale de la croissance d'un embryon pour étudier la morphogenèse (par intervention sur l'œuf fécondé).

PARAGES [paʀaʒ] n. m. pl. — 1544; esp. *paraje* « lieu de station », du v. *parar* « s'arrêter ». → Parade (II.).

♦ **1.** Mar. Endroit, espace déterminé de la mer; étendue de côtes accessible à la navigation. ⇒ **Approche**(s), **atterrage.** *Les parages du cap Horn* (→ Désolation, cit. 2). *Les parages dangereux de l'île de Sein* (→ Écueil, cit. 3). — *Parages des pilotes :* « partie de la mer ou d'un fleuve, où l'on a recours à l'assistance d'un pilote » (Gruss).

1 (...) c'était le commencement des grands vents et des grandes houles; nous venions d'entrer dans les mauvais parages du sud, au milieu desquels il allait falloir se débattre et marcher quand même. LOTI, Mon frère Yves, XIII.

Un navire qui se mettrait ici au plein, dit alors Pencroff, serait inévitablement perdu. Des bancs de sable, qui se prolongent au large, et plus loin, des écueils! Mauvais parages! J. VERNE, l'Île mystérieuse, t. I, p. 357. 1.1

♦ **2.** (1835). Cour. *Dans les parages de la place de la Concorde.* ⇒ **Environ**(s), **lieu** (proche, voisin), **voisinage** (→ Dans les environs de). *Vous habitez donc dans ces parages, dans nos parages?* ⇒ **Contrée, pays.** *Les indigènes, dans ces parages, souffraient de toutes les maladies* (→ Marasme, cit. 1).

À la longue, il crut se retrouver dans les parages qu'il avait quittés et bientôt il aperçut la lumière de la maison qu'il cherchait. 2
ALAIN-FOURNIER, le Grand Meaulnes, I, X.

Quinette trouva préférable de ne pas faire, rue Saint-Antoine, un chemin si long et si ostensible. Il surgirait de terre à la station Saint-Paul, dans les parages mêmes du rendez-vous. J. ROMAINS, les Hommes de bonne volonté, t. I, XIX, p. 215. 3

PARAGNOSIE [paʀagnozi] n. f. — 1951, Piéron; de 1. *para-,* et grec *gnôsis.* → Gnose.

♦ Didact. Trouble dans la reconnaissance des objets. ⇒ **Agnosie.** *La paragnosie est généralement due à une lésion des lobes occipitaux.*

PARAGOGE [paʀagɔʒ] n. f. — 1390; lat. grammatical *paragoge,* du grec *paragôgê* « addition ».
Didactique.

♦ **1.** Gramm. (Vx). Addition d'une lettre ou d'une syllabe à la fin d'un mot. Ex. : *Avecque* pour *avec, jusques* pour *jusque...*

♦ **2.** Hist. (Antiq. grecque). Mouvement d'une armée rangée en colonnes pour se mettre en ordre de bataille.

PARAGRAMMATIQUE [paʀagʀa(m)matik] adj. — 1966, J. Kristeva; de *paragramme* (2.).

♦ Didact. Propre aux paragrammes (2.), au paragrammatisme (2.). *Écriture paragrammatique.*

Les principes énoncés par Ferdinand de Saussure dans ses « Anagrammes », à savoir :
a. Le langage poétique « donne une seconde façon d'être, factice, ajoutée pour ainsi dire, à l'original du mot ».
b. Il existe une correspondance des éléments entre eux, par *couple* et par rime.
c. Les lois poétiques *binaires* vont jusqu'à transgresser les lois de la grammaire.
d. Les éléments du *mot-thème* (voire une lettre) « s'étendent sur toute l'étendue du texte ou bien sont massés en un petit espace (...)
Cette conception « paragrammatique » — le mot « paragramme » est employé par Saussure — implique 3 thèses majeures (...)
Julia KRISTEVA, Pour une sémiologie des paragrammes, I. 2.

PARAGRAMMATISME [paʀagʀa(m)matism] n. m. — 1963; 1868, « allitération » de 1. *para-,* racine de *grammat(ical),* et *-isme.*

♦ **1.** Psychiatrie. Trouble du langage caractérisé par l'emploi de formes orales non grammaticales ou nouvellement créées (⇒ **Néologisme**), observé surtout chez certains schizophrènes délirants.

♦ **2.** Didact. (1966, J. Kristeva; de *paragramme,* 2.). Théorie du langage poétique dérivée des *Anagrammes* de F. de Saussure, fondée sur la présence de correspondances occultes, mais formelles et repérables, dans le texte. Par ext. Caractère pluriel (notamment binaire) du langage poétique, impliquant que le texte est un réseau de connections, qu'il est dialogique (écriture-lecture) et que ce langage est « la seule infinité du code ». ⇒ **Paragramme** 2.; **paragrammatique,** cit.

PARAGRAMME [paʀagʀam] n. m. — 1842; grec *paragramma* → -gramme.

♦ **1.** Faute d'orthographe ou d'impression qui consiste à substituer une lettre à une autre.

♦ **2.** (Grec *paragramma,* et d'après *anagramme*). Didact. Élément d'un système paragrammatique*, tel un texte poétique. ⇒ **Paragrammatisme.** *« Pour une sémiologie des paragrammes »* (ouvrage de J. Kristeva, 1966).

PARAGRAPHE [paʀagʀaf] n. m. — 1283; *paragrafe,* v. 1220; lat. médiéval *paragraphus* « signe de séparation »; du grec *paragraphos,* littéralement « écrit à côté »; → Paraphe.

♦ **1.** Division, section généralement courte d'un écrit en prose, offrant une certaine unité de pensée ou de composition. *Paragraphes d'un chapitre*, d'un article* de loi, d'un traité. Les alinéas* d'un paragraphe... Paragraphes de la Bible.* ⇒ **Verset.** *Apprendre par cœur, lire, écrire, rédiger un paragraphe. Lettrine* en tête d'un paragraphe.*

Antoine reprit en mains le testament de son père. Un monument : paginé, divisé en chapitres, subdivisé en paragraphes comme un rapport, terminé par une Table (...)
MARTIN DU GARD, les Thibault, t. IV, p. 225.

♦ **2.** Signe typographique (§) présentant le numéro d'un paragraphe.

PARAGRAPHIE [paʀagʀafi] n. f. — Mil. xxe; de 1. *para-*, et *-graphie.*

♦ Méd. Trouble de l'écriture caractérisé par l'introduction de mots incorrects ou fantaisistes.

PARAGRÊLE [paʀagʀɛl] n. m. et adj. — 1810; de 2. *para-*, et *grêle.*

♦ Appareil destiné à protéger les cultures contre la grêle (en dissipant les nuages de grêle ou en provoquant leur résolution en pluie). — Adj. *Canon*, fusée paragrêle.*

PARAGUANTE [paʀagɑ̃t] n. f. — 1625; esp. *paraguante,* de *para* «pour», et *guante* «gant».

♦ Vx ou hist. Pot-de-vin, pourboire (pour un service en général illégal).

1 En général les Anglais demandaient à voir la guillotine. M. Sanson satisfaisait ce désir, sans doute moyennant quelque paraguante, et menait les ladies et les gentlemen dans la rue voisine (la rue Albouy, je crois), chez le charpentier des hautes œuvres. HUGO, Choses vues, I, p. 103.

Var. graphique *paraguente :*

2 Victor Hugo qui rapporte l'anecdote écrit : «En général, les Anglais demandaient à voir la guillotine. M. Sanson satisfaisait ce désir, sans doute moyennant quelque paraguente, et menait les ladies et les gentlemen dans la rue voisine». Francis CARCO, Nostalgie de Paris, p. 68.

PARAGUAYEN, ENNE [paʀagwɛjɛ̃, ɛn] adj. et n. — 1839, *paraguayan; paraguéen, in* Voltaire (v. 1778); de *Paraguay.*

♦ Du Paraguay, État d'Amérique centrale.

PARAGUEUSIE [paʀagøzi] n. f. — 1875; de 1. *para-*, et grec *geusis,* de *geuein* «faire goûter à (quelqu'un)».

♦ Didact. Anomalie du sens du goût.

PARAISON [paʀɛzɔ̃] n. f. — 1765, *Encyclopédie,* mais *paraisonnier* est attesté dès 1700 (*in* Savary); de *parer.*

♦ **1.** Techn. Opération par laquelle on manie la pâte de verre pour l'égaliser autour de la canne.

♦ **2.** Masse de verre que l'on travaille ainsi; forme initiale d'un verre.

La paraison est une masse de verre pâteux à laquelle on donne une forme qui rendra le soufflage plus aisé que ne l'aurait été le soufflage direct de la masse cueillie. On entend aussi par le même mot l'action de travailler le verre ainsi. F. MEYER et P. GRIVET, le Verre, p. 49.

Partie du verre où l'on boit.

DÉR. Paraisonner.

PARAISONNER [paʀɛzɔne] v. tr. — 1829, Boiste; de *paraison.*

♦ Techn. Travailler (le verre) par la paraison.

PARAÎTRE [paʀɛtʀ] v. intr. — Conjug. *connaître.* — 980, *pareistre;* du lat. de basse époque *parescere,* lat. class. *parere.* — REM. *Paraître* s'emploie toujours avec l'auxiliaire *avoir* quand le sujet est une personne; il peut se conjuguer avec *être* quand il s'agit d'une chose et spécialt d'une publication (→ ci-dessous, I., 2.). On conjugue le participe passé «avec *avoir,* si l'on pense surtout à l'action prise en soi (considérée dans son accomplissement);... avec *être,* si la pensée s'attache plutôt à l'état (considéré comme résultat de l'action)...» G. et R. Le Bidois, *Syntaxe du franç. mod.,* § 709.

★ **I.** Devenir visible.

♦ **1.** S'offrir subitement ou progressivement à la vue. ⇒ **Apparaître** (1.). *L'aube* (1. Aube, cit. 5) *paraissait à peine. «L'aurore, paraissant derrière les montagnes, enflammait* (cit. 2, Chateaubriand) *l'orient». Le jour est près de paraître.* ⇒ **Poindre, pointer** (→ Heure, cit. 55). *Arc-en-ciel* (cit. 1) *qui paraît après l'orage. Un hydravion parut* (→ Fanal, cit. 4). *Une voiture parut au fond de la place* (→ Fouetter, cit. 3). *Troupe d'oiseaux* (cit. 14) *qui paraît dans le ciel.* ⇒ **Surgir.** *«Que vois-je ici* (cit. 1, La Fontaine) *paraître?»* — (En parlant de choses qu'on aperçoit imparfaitement à cause de leur éloignement). *Collines qui paraissent à l'horizon.* ⇒ **Dessiner** (se). *Mer où des îlots paraissent à fleur* (cit. 37) *d'eau.* ⇒ **Émerger.**

1 (...) lorsque au matin le jour vient à paraître (...) A. DE MUSSET, Premières poésies, «Quand je t'aimais...».

2 Des lumières paraissaient chez les voisins, on commençait à s'inquiéter de cette tuerie (...) ZOLA, la Terre, IV, II.

La canne levée retomba d'abord sur la poitrine de la victime, puis avec une violence frénétique sur le front et les tempes jusqu'à ce que le sang parût. 3
J. GREEN, Léviathan, I, XIII.

Par métaphore :

Quand ce feu caché paraissait, c'était par flammes violentes et brèves qui me réchauffaient le cœur d'autant plus vivement que je les sentais involontaires. 4
A. MAUROIS, Climats, I, IV.

Vx (langue class.). Devenir manifeste, être mis en évidence. ⇒ **Dévoiler** (se), **éclater, ressortir.** *«Les marques de sa cruauté* (cit. 1, La Fontaine) *parurent avec l'aube...». «La maladresse* (cit. 6) *qu'on avait faite parut alors dans son énormité.»*

Que dis-je? Il reconnaît sa dernière injustice. 5
Ses remords ont paru, même aux yeux de Narcisse. RACINE, Britannicus, V, 1.

Fig. Commencer à être, à exister, venir au jour. *Les premières roches qui ont paru sur la croûte* (cit. 7) *terrestre. Mot nouveau qui paraît subitement.* ⇒ **Éclore, naître** (→ Durer, cit. 8). *Dès que la lithographie parut...* (→ Gravure, cit. 4). — Par ext. Commencer à se manifester, entrer en scène. *La règle des trois unités prit un caractère absolu à l'époque où parut Corneille.*

♦ **2.** (1677). En parlant de publications. Être mis en vente, livré au public. *Faire paraître un ouvrage.* ⇒ **Éditer, imprimer, publier.** *Le volume des «Fleurs du Mal» a paru en juin 1857* (→ Manuscrit, cit. 2). *Le nouvel annuaire des Postes est paru. Livre qui doit paraître l'hiver prochain* (→ Minute, cit. 3). *Vient de paraître. À paraître dans cette collection... Journal qui paraît tous les mois* (→ Encyclopédique, cit. 1). *Revues paraissant sur papier de luxe* (→ Difficile, cit. 16). — *Faire paraître un décret au Journal officiel.* ⇒ **Public** (rendre). *Interview* (cit. 2) *qui vient de paraître dans un journal.* — Au p. p. adj. *«Les Olympiques»* (cit. 2) *de Montherlant, parues en 1924. Un petit livre tout frais* (1. Frais, cit. 17) *paru.*

(...) les entretiens de Jacques le Fataliste et de son maître, ouvrage le plus important qui ait paru depuis le *Pantagruel* de maître François Rabelais (...) 6
DIDEROT, Jacques le fataliste, Pl., p. 738.

J'ai lu, avant-hier, tout un volume du père Michelet, le sixième de sa *Révolution,* qui vient de paraître. FLAUBERT, Correspondance, 425, 12 sept. 1853. 7

D'un écrivain vivant, c'est toujours le dernier livre paru qui compte. Le classement définitif se fait pour les morts, plus juste, plus serein et plus désintéressé. 8
Émile HENRIOT, Portraits de femmes, p. 454.

Impers. *Il va paraître, il a* ou *il est paru une nouvelle édition revue et corrigée de cet ouvrage.*

♦ **3.** (Sujet n. de personne). Se faire voir (intentionnellement ou non) avec une certaine soudaineté. ⇒ **Montrer** (se). *«Paraissez, Navarrais, Maures et Castillans»* (cit. Corneille). *«Lorsque l'enfant* (cit. 4, Hugo) *paraît...» Voir paraître quelqu'un* (→ Aussi, cit. 27; époumoner, cit. 1). *Tarder à paraître* (→ Inquiétude, cit. 15). *Dès que Napoléon paraissait, on oubliait les horreurs de la guerre* (→ Abhorrer, cit. 5). *Il suffit qu'il paraisse pour que...* (→ Autour, cit. 13). — *Paraître à la porte, sur le seuil* (→ Cantonade, cit.), *à la fenêtre* (→ Fanfaron, cit. 3). *Le roi parut au balcon.* — *Paraître en un lieu* (→ Audace, cit. 17, Corneille). ⇒ **Présenter** (se). *«Ne parais jamais devant moi autrement qu'en bouffon»* (cit. 6, Musset). — Vx. Apparaître. *«Jésus-Christ paraîtra lui-même à ces malheureux»* (Bossuet).

Non, je ne vous crois point. Mais quoi qu'il en puisse être, 9
Pour jamais à mes yeux gardez-vous de paraître. RACINE, Bérénice, III, 3.

(...) le peuple ne paraissait dans la ville que pour y passer avec précipitation : nul entretien, nulle familiarité (...) LA BRUYÈRE, Disc. sur Théophraste. 10

La porte du fond s'ouvre. Paraît Hernani déguisé en pèlerin. 11
HUGO, Hernani, III, 1 (*jeu de scène*).

La porte de la chambre s'ouvrit. Elle parut, et vint à lui, la main tendue. 12
MAUPASSANT, Notre cœur, II, VII.

Enfin, il avait vu s'entrebâiller la porte extérieure, et paraître la dame (...) 13
J. ROMAINS, les Hommes de bonne volonté, t. II, VI, p. 67.

(...) elle gardait la coquetterie de ses vingt-cinq ans et jamais elle n'eût consenti à paraître devant ses clients avant d'avoir prodigué à sa beauté défaillante les encouragements de la poudre et du rouge. J. GREEN, Léviathan, I, III. 14

★ **II.** (XVIe). Être visible, être vu.

♦ **1.** [a] Vx ou littér. Se voir (sens passif). *Blessure* (cit. 1) *dont la cicatrice paraît toujours. Corps à travers lesquels les objets paraissent.* ⇒ **Transparaître; transparence, transparent** (→ Diaphane, cit. 1).

Fig. Se manifester. *La violence de son amour a paru jusque* (cit. 20) *dans son silence. Il eut un geste où paraissait un peu d'irritation. «Quelque industrie* (cit. 1, Bossuet) *qui paraisse dans ce que font les animaux». L'esprit* (cit. 162, Pascal) *qui paraît dans toute leur conduite.* ⇒ **Briller.**

(...) tous vices de l'âme, mais différents, et qui avec tout le rapport qui paraît entre eux, ne se supposent pas toujours l'un l'autre dans un même sujet. 15
LA BRUYÈRE, les Caractères, XI, 4.

Impersonnel. Vx. *Familles où il paraît de la probité et de la religion* (→ Abondance, cit. 3). — *Il paraît que... :* il est visible que..., on voit que...

Il paraît bien qu'il n'a jamais lu Sophocle (...) RACINE, Bérénice, Préface. 16

b Mod. (Surtout avec un adverbe de manière, de quantité, de temps, ou à la forme négative). *Il en paraît (qqch.)* : on en voit (qqch.). *À juger d'après ce qu'il en paraît* (⇒ **Apparence**). *Vous aurez beau frotter cette tache, il en paraîtra toujours quelque chose. Sans qu'il en parût rien* (→ Inaperçu, cit. 2). — *Il y paraît* : on le voit bien, cela se voit. *Elle venait d'être très malade et il y paraissait encore.* — (Plus cour. en emploi négatif). *Il n'y paraît pas beaucoup* (→ Grâce, cit. 32). *Un peu d'onguent* (cit. 3), *et il n'y paraîtra plus rien.*

17 (...) j'ai vu combien l'usage du grand monde donne d'aisance, aux dames comme il faut, pour mentir sans qu'il y paraisse.
BEAUMARCHAIS, le Mariage de Figaro, II, 24.

18 Ils se décourageaient. Des hordes nombreuses s'en allèrent. La foule était si grande qu'il n'y parut pas. FLAUBERT, Salammbô, XIII.

19 Elle datait du dix-huitième siècle, ma grand-mère. Et il y paraissait bien!
FRANCE, le Livre de mon ami, « Livre de Pierre », II, III.

20 (...) il a encore beaucoup de peine. Dans quelques jours il n'y paraîtra plus.
MAUPASSANT, l'Inutile Beauté, II.

21 Cependant, tout en le suivant, je m'efforçais de le guider sans qu'il y parût.
Jean DE LACRETELLE, Silbermann, IV.

Faire, laisser paraître : rendre visible, laisser voir. ⇒ **Manifester, montrer.** *L'absence de scrupules qu'il laisse paraître* (→ Gêneur, cit.). *Faire paraître son jugement, son bon sens* (→ Hanter, cit. 7). *Cette affabilité* (cit. 2) *que vous faites paraître pour tout le monde.* ⇒ **Témoigner** (→ Désespérer, cit. 4). *La surprise qu'on fit paraître en le revoyant* (→ Ignorer, cit. 31).

22 Qui a de la valeur, si *(qu'il)* le fasse paraître en ses mœurs, en ses propos ordinaires (...) au jeu, au lit, à la table, à la conduite de ses affaires, et économie de sa maison. MONTAIGNE, Essais, II, XXXVII.

23 À cet excès d'amour qu'il me faisait paraître,
Je me croyais déjà maîtresse de ton maître (...)
CORNEILLE, la Galerie du palais, IV, 1.

24 Quels sentiments aurai-je à lui faire paraître? MOLIÈRE, Tartuffe, V, 4.

25 Les deux jeunes gens (...) ressentaient l'un pour l'autre une sympathie assez vive. Mais ils se défendaient d'y céder trop rapidement, et surtout d'en laisser paraître les signes avec une facilité vulgaire.
J. ROMAINS, les Hommes de bonne volonté, t. II, XV, p. 162.

♦ **2.** Se montrer, se trouver dans un endroit, un milieu, dans des circonstances où l'on a à remplir quelque obligation (qui peut aller d'un simple acte de présence à un rôle très actif). *Il n'a pas paru au bureau de la journée. Paraître dans le monde,* (vx) *au monde* (→ Humiliation, cit. 15). *Paraître à, dans une réunion. Paraître à la cour* (→ Côté, cit. 4) *et dans les fêtes* (→ Léthargie, cit. 5). *Il consent à paraître au festin* (→ Morigéner, cit. 2). — *Paraître à son avantage*.*

26 Bien qu'il fût jeune encore et que sa fortune lui permît de paraître avantageusement à la cour (...) A. DE MUSSET, Contes, « Pierre et Camille », I.

Spécialt. *Paraître en justice, devant les juges.* ⇒ **Comparaître.** *Témoin qui paraît à la barre.*

27 (...) perçant la foule pour paraître à l'audience (...)
LA BRUYÈRE, les Caractères de Théophraste, « De l'air empressé ».

Paraître en public, en scène, sur (une, la) scène, à l'écran. ⇒ **Produire** (se). *Danseuse qui paraît dans un ballet à l'Opéra* (cit. 5). *Pièce où certains acteurs ne paraissent pas au premier acte. Masque* (1. Masque, cit. 1) *sous lequel paraissait l'acteur dans le théâtre antique. Faire paraître des personnages sur la scène* (→ par métaphore Idée, cit. 24).

Jouer un rôle dans..., prendre part à... *Paraître dans une affaire louche, un complot.* — Fig. (Sujet n. de chose). Se trouver, être. — *Paraître en nom,* ou, ellipt., *paraître* : faire figurer son nom dans la raison sociale (d'une affaire, d'une entreprise).

28 M. de Montech, dont le nom n'avait jamais paru dans la raison sociale (...)
J. ROMAINS, les Hommes de bonne volonté, t. III, XI, p. 144.

♦ **3.** Absolt. Se mettre en vue, se donner en spectacle. *Chercher à s'effacer* (cit. 29) *plus qu'à paraître.* ⇒ **Briller.** *Aimer* (à) *paraître* : aimer (à) se faire remarquer*. *Le désir* (cit. 10) *de paraître.* ⇒ **Vanité.**

29 Le pantalon bleu, le gilet en étoffe dite écossaise, la cravate en soie bleu de ciel, et la chemise en calicot rayé de bandes roses exprimaient au milieu de tant de ruines un tel désir de *paraître,* que ce contraste formait non seulement un spectacle, mais encore un enseignement.
BALZAC, Un début dans la vie, Pl., t. I, p. 745.

30 Sa femme était fort aimable; je crois qu'elle avait été jolie. Elle aimait un peu trop paraître. FRANCE, le Crime de S. Bonnard, II, Œ., t. II, p. 368.

★ **III.** (XVIe). Dans une phrase attributive. Être vu sous un certain aspect avec les signes extérieurs d'une certaine manière d'être ou d'agir.

♦ **1.** **a** (Avec un attribut du sujet et un complément indirect). Donner (à qqn) l'impression* d'être... ⇒ **Sembler.** *Il m'avait paru changé* (→ Abrutir, cit. 1). *Je vais vous paraître vieux jeu* (cit. 74). *Elle lui parut inaccessible* (cit. 17). *Vous ne me paraissez pas fort en histoire* (cit. 10). *Tout cela nous paraissait assez louche* (1. Louche, cit. 10). *Cela lui parut mesquin* (cit. 6). *C'est l'hypothèse qui me paraît la plus vraisemblable. Rien ne lui paraît plus blâmable* (cit. 3). *Son mariage lui paraissait mal assorti* (cit. 18). — (Avec un substantif pour attribut). *Une bourse d'or me paraît toujours un argument* (cit. 14, Beaumarchais) *sans réplique. Cela lui paraissait une atteinte* (cit. 15) *à son indépendance. Le ton de cette femme lui parut une provocation* (→ Lettre, cit. 4).

Et ton nom paraîtra, dans la race future, 31
Aux plus cruels tyrans une cruelle injure. RACINE, Britannicus, V, 6.

La nuit était fort noire et la forêt très sombre, 32
Hermann à mes côtés me paraissait une ombre.
HUGO, les Contemplations, IV, XII.

Lorsque l'autorité cesse de paraître juste aux sujets, il faut encore du temps pour qu'elle cesse de le paraître aux maîtres (...) 33
FUSTEL DE COULANGES, la Cité antique, IV, VI.

Cette eau-ci lui parut d'une saveur point trop désagréable (...) 34
J. ROMAINS, les Hommes de bonne volonté, t. V, X, p. 81.

Entendre parler de son amour avec cette désinvolture, et par une étrangère, lui parut monstrueux. J. GREEN, Adrienne Mesurat, I, XIII. 35

b (Sans complément indirect). Avoir l'air*. *Paraître impassible* (cit. 5), *indifférent* (cit. 25), *insensible* (→ 2. Affecter, cit. 9). *Des gens qui paraissent agréables* (cit. 6). *Paraître jeune, plus jeune* (cit. 7) *que son âge.* ⇒ **Faire** (III., 5.). *Paraître à son avantage*. Jeune fille que ses nattes* (cit. 5) *font paraître enfant. Cela parut drôle* (→ Ami, cit. 27). *Choses qui paraissent impossibles* (cit. 5). *Minutes qui paraissent interminables* (cit. 4). *Cette formule parut heureuse* (→ Adopter, cit. 5). ⇒ **Avérer** (s'). *Incident* (cit. 5) *qui paraît grave.* — (Avec un substantif pour attribut). *L'inégalité politique parut une iniquité* (cit. 7). ⇒ **Figure** (faire). *Geste qui peut paraître une dérobade* (cit. 2). *Mouche* (cit. 13) *qui paraît (comme) un grain de beauté naturel.* ⇒ **Simuler.**

Tous les bonheurs me viennent donc à la fois (...) puisque c'est toi qui viens me chercher, et que tu parais aussi content que moi-même. 36
G. SAND, la Petite Fadette, XL.

L'œuvre qu'on portait en soi paraît toujours plus belle que celle qu'on a faite. 37
Alphonse DAUDET, Contes du lundi, Dernier livre.

La blessure, qui n'avait pas paru grave, mit longtemps à guérir. 38
J. ROMAINS, les Hommes de bonne volonté, t. XVI, XIX, p. 181.

Les rumeurs lointaines de la fête faisaient paraître le quartier silencieux (...) 39
CAMUS, la Peste, p. 325.

♦ **2.** PARAÎTRE, « semi-auxiliaire » employé devant un infinitif. ⇒ **Sembler.** *Tout le monde parut être de son avis.* ⇒ **Mine** (avoir la). *Sa grande adresse* (cit. 11) *est de paraître me ménager. Paraître douter* (cit. 26) *de soi. Céder* (cit. 18) *sans paraître obéir. Il paraît se destiner* (cit. 8) *à la diplomatie. Elle parut se souvenir de ce nom* (→ Honneur, cit. 93). *Dans le calembour* (cit. 3) *la même phrase paraît présenter deux sens indépendants.* — *Imitation qui nous paraît aller jusqu'à la caricature* (cit. 4).

(...) il me paraît avoir à cœur de me prouver qu'il a en effet plus d'honnêteté qu'on ne lui en suppose (...) LACLOS, les Liaisons dangereuses, XXXVII. 40

Tranquillement installée dans un coin du salon, elle les laissait venir, sans qu'elle parût remarquer leur présence (...) R. ROLLAND, l'Âme enchantée, t. I, p. 172. 41

Spécialt. *Une femme n'a que l'âge* (cit. 16) *qu'elle paraît avoir. Paraître avoir trente ans* et, ellipt., *il paraît trente ans.* ⇒ **Faire** (III., 5.). *Tu ne parais pas ton âge, même à beaucoup* (cit. 21) *près.*

♦ **3.** Par oppos. à « être (1. Être, cit. 52) effectivement » ou à un autre verbe de sens voisin. Se faire passer pour... *L'hypocrite* (cit. 1) *cache ce qu'il est pour paraître ce qu'il n'est pas.* ⇒ **Passer** (pour). *« Les uns veulent paraître ce qu'ils ne sont pas; les autres sont ce qu'ils paraissent »* (→ Déplaire, cit. 9; extérieur, cit. 12, La Rochefoucauld). *« L'orgueilleux se croit quelque chose; le glorieux* (cit. 18, Voltaire) *veut paraître quelque chose ».* — *« Le désir de paraître habile* (cit. 6, La Rochefoucauld) *empêche souvent de le devenir ». « Valoir exactement ce qu'on paraît, ne pas chercher à paraître plus qu'on ne vaut »* (→ Authentique, cit. 17, Gide).

Nous gagnerions plus de nous laisser voir tels que nous sommes, que d'essayer de paraître ce que nous ne sommes pas. LA ROCHEFOUCAULD, Maximes, 457. 42

(...) la passion unique qui fait mouvoir tous ces cœurs parisiens, c'est l'*envie de paraître* justement un peu plus que ce qu'ils sont; la très bonne compagnie se distingue par cela qu'elle veut toujours *paraître* mais seulement paraître ce qu'elle est. STENDHAL, le Rose et le Vert, V. 43

Il s'agit d'être grand, et non de le paraître. 44
R. ROLLAND, Vie de Beethoven, p. VII.

Absolt. Se donner une apparence flatteuse. ⇒ **Valoir** (se faire). *Être* (1. Être, cit. 50 et 51) *et paraître.*

Nous ne nous contentons pas de la vie que nous avons en nous et en notre propre être : nous voulons vivre dans l'idée des autres d'une vie imaginaire, et nous nous efforçons pour cela de paraître. PASCAL, Pensées, II, 147. 45

Dans un pays où tout le monde cherche à paraître, beaucoup de gens doivent croire, et croient en effet, qu'il vaut mieux être banqueroutier que de n'être rien. 46
CHAMFORT, Maximes...

Comment se tirer de cette contrariété de deux instincts capitaux de l'intelligence? (...) L'un nous pousse à paraître et l'autre nous anime à être, et à nous confirmer dans l'être. VALÉRY, Variété II, p. 90. 47

♦ **4.** Impersonnel. ⇒ **Sembler.** Littér. *Il me paraît que* (suivi de l'indicatif ou du conditionnel) : j'ai l'impression que... *Il me paraît bien qu'elle s'est trompée, que vous auriez réussi. Il me paraît que les premiers naturalistes* (cit. 1, Buffon) *ont été aussi les plus grands.* — *Il ne paraît pas que* (suivi du subjonctif). *Il ne paraît pas que la nature ait fait les hommes pour l'indépendance* (cit. 9). *Il ne leur paraissait pas que le départ fût proche.*

Il me paraît, par votre lettre, que vous portez un peu d'envie à Mlle de la Chapelle (...) RACINE, Lettres, 132, 3 oct. 1694. 48

49 Il me paraît qu'on devrait (...) admirer l'inconstance (...) des hommes (...)
LA BRUYÈRE, les Caractères, XIII, 12.

« Suivant, selon, autant qu'il me paraît, à ce qu'il me paraît, cette affaire est fort embrouillée » (Académie). — Plus cour. *À ce qu'il paraît* (→ Ce* semble).
Il paraît (construit avec un adjectif attribut) : *il me paraît bien hardi de...*, suivi de l'infinitif (→ Mandement, cit. 3). *Il paraît enfantin de...* (→ Dénombrer, cit. 2). *Il ne me paraissait plus possible de fausser* (cit. 3) *politesse à mes hôtes. — Il paraît certain, évident que...*, suivi de l'indicatif (→ Incurie, cit. 3). *Il me parut vraisemblable qu'il n'avait pas mangé depuis deux jours* (→ Dévorer, cit. 6). — *Il paraîtra inconcevable que...*, suivi du subjonctif (→ Arroger, cit. 5). *Il me paraît préférable que vous vous taisiez.* — REM. Le mode de la complétive dépend du sens de l'adjectif attribut.

50 Il me paraît superflu que vous me consultiez
Émile AUGIER, le Gendre de M. Poirier, II, 5.

51 Il ne me paraît pas possible qu'on puisse avoir l'esprit tout à fait commun, si l'on fut élevé sur les quais de Paris, en face du Louvre et des Tuileries (...)
FRANCE, le Livre de mon ami, « Livre de Pierre », II, VI.

52 Tout ce qui concernait la sûreté civile gardait à ses yeux trop peu de mystère pour qu'il ne lui parût pas légèrement naïf de s'en émouvoir.
J. ROMAINS, les Hommes de bonne volonté, t. IV, XIX, p. 205.

(1636). **IL** (cit. 22) **PARAÎT..., IL PARAÎTRAIT QUE...**, suivi de l'indicatif : on dit que..., on prétend que... le bruit court que... *Il paraît qu'on va doubler* (cit. 2) *les impôts. Il paraît qu'elle le menait* (cit. 12) *au doigt et à l'œil.* — Pop. *Paraît qu'on va avoir la guerre* (→ Nouvelle, cit. 5; et aussi bousiller, cit. 2; 1. foutre, cit. 6). — **IL PARAÎT...** *Elle va se marier, il paraît, à ce qu'il paraît,* on le dit, à ce qu'on dit. *Nous avons des allures trop indépendantes, à ce qu'il paraît* (→ Mater, cit. 2). — (En incise). **PARAÎT-IL...** *La version, paraît-il, était difficile* (→ Latin, cit. 3; assaut, cit. 3; machine, cit. 15; marché, cit. 16).

53 Bouilhet m'est revenu fort assombri. Il paraît que vous n'avez pas été gais là-bas.
FLAUBERT, Correspondance, 434, 23 oct. 1853.

54 Il paraît que vous avez été étonnant d'esprit?
Émile AUGIER, les Effrontés, IV, 9.

55 (...) le charmant roi mage (...) avec lequel on lui avait trouvé autrefois — paraît-il — une grande ressemblance.
PROUST, À la recherche du temps perdu, t. III, p. 181.

56 Il paraît qu'ils sont saouls la moitié du temps (...)
J. ROMAINS, les Hommes de bonne volonté, t. VI, X, p. 79.

★ **IV.** N. m. (1775). Philos. ou littér. Apparence. *Dualisme de l'être* (2. Être, cit. 3) *et du paraître.*

57 Nous autres, pauvres comédiens, ombres de la vie humaine et fantômes des personnages de toute condition, à défaut de l'*être* nous avons au moins le *paraître*, qui lui ressemble comme le reflet ressemble à la chose.
Th. GAUTIER, le Capitaine Fracasse, V.

CONTR. Cacher (se), disparaître. — Coucher (se), enfoncer (s').
COMP. et **DÉR. Apparaître, comparaître, disparaître, reparaître, transparaître. — Parution.**

PARAKÉRATOSE [paʀakeʀatoz] n. f. — XXe; de 1. *para-*, et *-kératose.*

♦ Pathol. Kératinisation anormale de l'épiderme, se traduisant par la rougeur et la desquamation de la peau.

PARAKINÉSIE [paʀakinezi] n. f. — Mil. XXe; de 1. *para-*, et grec *kinêsis* « mouvement »; → Kinésie.

♦ Méd. Trouble de la motricité caractérisé par l'exécution de mouvements désordonnés.

PARALANGAGE [paʀalɑ̃gaʒ] n. m. — V. 1965; de 1. *para-*, et *langage.*

♦ Ling. Moyen de communication naturel non langagier, employé seul ou plus généralement simultanément avec la parole (mimique, gestuelle, sifflements, etc.).

PARALEXIE [paʀalɛksi] n. f. — 1952, Porot; all. *Paralexie*, t. dû à Kussmaul, 1876, du grec *para-* indiquant la défectuosité, et *lexis* « mot (lu) ». → 1. *Para-*, et *-lexie.*

♦ Méd. Difficulté à la lecture avec substitution de mots dépourvus de sens à certains des mots écrits et incapacité de voir des lettres ou des mots à droite ou à gauche des lignes. *La paralexie est liée à des lésions des voies optiques centrales. Alexie* compliquée de paralexie.*

PARALIPOMÈNES [paʀalipɔmɛn] n. m. pl. — 1690, Furetière; lat. ecclés. *paralipomena*, du grec *paraleipomena* (biblia) « livres laissés de côté », de 1. *para-*, et *leipein* « laisser ».

♦ **1.** Titre de deux livres de la Bible formant un supplément aux livres des Rois. ⇒ 1. **Chronique.**

♦ **2.** Didact. ou littér. Additions à un ouvrage littéraire précédent (par oppos. à *prolégomènes**). Cf. Sainte-Beuve, *in* Littré, *Suppl. Les Paralipomènes d'Ubu*, texte d'A. Jarry.

PARALIPSE [paʀalips] n. f. — 1732; grec *paraleipsis* « action de passer sous silence ».

♦ Rhét. Figure* du discours, par laquelle le locuteur met en relief une idée en prétendant ne pas la développer. ⇒ **Prétérition, réticence.**

PARALITTÉRAIRE [paʀaliteʀɛʀ] adj. — 1935; de 1. *para-*, et *littéraire.*
Didactique.

♦ **1.** Qui concerne des activités ou des travaux annexes de la littérature. *Les professions paralittéraires.*

Fuis surtout les besognes paralittéraires ou juxtalittéraires qui te gâteront la main, épuiseront tes facultés d'invention, te forceront à des corvées pour lesquelles tu n'es pas fait. G. DUHAMEL, Défense des lettres, II, XI, p. 198.

♦ **2.** Qui concerne la paralittérature*.

PARALITTÉRATURE [paʀaliteʀatyʀ] n. f. — V. 1960; de 1. *para-*, et *littérature.*

♦ Didact. Ensemble des productions textuelles sans finalité utilitaire et que la société ne considère pas comme de la « littérature » (roman, presse populaires; chanson, scénario et texte des romans-photos, bandes dessinées, etc.). Littératures marginales.

Le cahier nº 6 *(du centre de bibliographie du Québec). Paralittérature 1* (...) regroupe ce que l'auteur *(Y. Allard)* appelle « l'axe rationnel » de la paralittérature moins la science-fiction, c'est-à-dire le roman d'aventures, le roman historique, le roman d'espionnage, le roman western et le roman policier.
Bibliographie de la France, nº 28, p. 1035 (1975).

PARALITURGIE [paʀalityʀʒi] n. f. — Mil. XXe (1963, Larousse); de 1. *para-*, et *liturgie.*

♦ Didact. (Relig.). Ensemble des cérémonies extérieures à la liturgie, et à caractère initiatique et pédagogique.

PARALLACTIQUE [paʀalaktik] adj. — 1665; lat. sc. du grec *parallaktos.*

♦ Sc. Relatif à la parallaxe. *Angle parallactique.*

DÉR. Parallactiquement.

PARALLACTIQUEMENT [paʀalaktikmɑ̃] adv. — 1874; de *parallactique.*

♦ Sc. Selon un angle parallactique. *« Deux lunettes (...) montées parallactiquement, avec micromètres »*, in *Année sc. et industr.* 1875, p. 11 (1874).

PARALLAXE [paʀalaks] n. f. — 1557, genre encore incertain au XVIIe, masc. chez Boileau, *Épîtres, V*; grec *parallaxis* « changement ».

♦ Astron. Déplacement de la position apparente d'un corps, dû à un changement de position de l'observateur; angle formé par deux droites menées du corps observé à deux points d'observation. *Parallaxe annuelle d'une étoile, parallaxe stellaire :* angle maximum sous lequel on verrait du centre d'une étoile un rayon de l'orbite terrestre. *Parallaxe équatoriale* (d'une planète, du soleil, de la lune), angle sous lequel serait vu, de ces astres, le rayon équatorial terrestre. *La mesure des parallaxes permet de calculer les distances des astres.* — Opt. Angle formé par les axes optiques de deux instruments (ex. : une lunette et son viseur) visant le même objet. *Correction de parallaxe.* — Angle sous lequel est vu (depuis un point examiné) la distance des centres des pupilles des deux yeux d'un observateur. *Parallaxe horizontale* ou *longitudinale; verticale* ou *transversale* (différence algébrique des abscisses; des ordonnées). *Parallaxe stéréoscopique.*

DÉR. Parallactique.

PARALLÈLE [paʀalɛl] adj. et n. — 1532; lat. *parallelus*, grec *parallêlos*, de 1. *para-*, et *allêlous* « les uns les autres ».

★ **I.** ♦ **1.** Géom. et cour. Se dit de lignes*, de surfaces qui, en géométrie euclidienne, ne se rencontrent pas. *Courbes*, ondulations* (cit. 8) *parallèles. Lignes parallèles, dont deux points correspondants sont toujours équidistants** (cit.). — Cour. *Rues, canaux* (cit. 6) *parallèles. Rails parallèles d'une voie de chemin de fer. Rendre parallèles des faisceaux de fibres.* ⇒ **Paralléliser.** — Spécialt. *Droites parallèles*, dont la distance (perpendiculaire menée de l'une à l'autre) est constante, et qui, prolongées à l'infini (cit. 23), ne se rencontreraient pas. *Quadrilatère à côtés parallèles.*

⇒ **Parallélogramme.** *Droite parallèle à un plan. Plans parallèles.* — Mécan. *Composantes parallèles d'un couple** (II., 3.) *de forces.* — Phys. *Faisceau parallèle* (d'ondes). — Cour. *Barres* parallèles,* servant à des exercices de gymnastique. *Plates-bandes parallèles* (→ Gril, cit. 3).

1 À partir de Washington Square et si l'on excepte l'antique Broadway, pas une rue oblique ou tournante : une dizaine de longs sillons parallèles remontent tout droit de la pointe de Manhattan vers la rivière Harlem ; ce sont les avenues, elles sont traversées par des centaines de sillons plus petits qui leur sont rigoureusement perpendiculaires. SARTRE, Situations III, p. 85.

PARALLÈLE n. f. (1680 ; masc. en 1611). Droite parallèle à une droite de référence. *Le postulat des parallèles* (par un point situé hors d'une droite on ne peut mener qu'une parallèle à cette droite) *est l'un des fondements de la géométrie euclidienne. Théorie des parallèles, en géométrie non-euclidienne* (→ Espace, cit. 9 ; hypothèse, cit. 1).

2 Après vingt siècles de recherches, le véritable rôle du postulat des parallèles d'Euclide devait être élucidé au début du siècle dernier. Les travaux de Gauss (...), Lobatchevsky (...), Bolyaï (...), Riemann (...), allaient conduire à la construction de deux géométries non euclidiennes, dans lesquelles le postulat des parallèles n'est pas vérifié (...) Dans la géométrie riemannienne (...) la notion de parallèle n'existe plus. GODEAUX, Géométrie *in* R. DAVAL, Philosophie des sciences, p. 154.

3 (...) la voie ferrée, avec ses deux parallèles luisantes, les attirait (...) P. MAC ORLAN, la Bandera, V.

Électr. Disposition de conducteurs ou de générateurs électriques, dont tous les pôles positifs d'une part, tous les pôles négatifs d'autre part, sont reliés entre eux (opposé à *montage en série*). *Montage, groupement en parallèle* (⇒ 1. **Dérivation,** 3.).

♦ **2.** (1552 Rabelais, *Tiers livre*). Géom. *Cercle parallèle,* et n. m., *parallèle.* Cercle que constitue la section d'une surface de révolution par un plan perpendiculaire à l'axe. Spécialt. Petit cercle d'une sphère (⇒ **Cercle,** I., 1.) parallèle à un plan diamétral de référence. — Spécialt (plus cour.). *Parallèle céleste, terrestre,* petit cercle de la sphère céleste, terrestre, parallèle au plan de l'équateur* (cit. 1). ⇒ **Cercle** (II., 1.), **tropique.** *Les points d'un parallèle ont même latitude*. Arc de parallèle mesurant la longitude*. Méridiens* et parallèles tracés sur une carte*.*

4 (...) C'était par le vingtième parallèle de latitude, dans la région des alizés (...) LOTI, Mon frère Yves, XI.

♦ **3.** N. f. Fortif. (Anciennt). Tranchée, fossé* parallèle au côté d'une place qu'on assiège ou à la ligne du front. *Parapet, banquette d'une parallèle. Parallèle de départ* (pour donner l'assaut).

5 Les Allemands avaient obtenu un effet de surprise en supprimant les parallèles de départ. Ils avaient accumulé leurs troupes d'assaut dans de vastes places d'armes souterraines — ce qui leur avait permis de les loger tout à l'avant. J. ROMAINS, les Hommes de bonne volonté, t. XVI, XII, p. 95.

★ **II.** Fig. ♦ **1.** (XVIIIe). Qui suit la même direction, se développe dans la même direction (⇒ **Accompagner.** → Idée, cit. 32). *L'intelligence et le cœur sont deux régions parallèles* (→ Agrandir, cit. 9). *Symptômes parallèles.* ⇒ **Concomitant.**

6 Les difficultés et mes désirs grandissaient sur deux lignes parallèles. BALZAC, le Lys dans la vallée, Pl., t. VIII, p. 819.

7 Dans un délire parallèle,
Ma sœur, côte à côte nageant,
Nous fuirons sans repos ni trêve
BAUDELAIRE, les Fleurs du mal, « Le Vin », CVIII.

Ethnol. *Filiation parallèle :* règle de filiation, assignant les hommes à des groupes patrilinéaires* et les femmes à des groupes matrilinéaires*, chaque ligne étant reconnue pour un sexe seulement.

Qui a lieu en même temps, porte sur le même objet. *Marché** (*supra* cit. 30) *parallèle,* qui est « parallèle » au marché officiel et en même temps clandestin, « noir ». *Cours parallèle.* — Se dit d'une activité s'exerçant, d'une collectivité, d'une institution, etc. agissant en marge (des institutions reconnues officiellement). (1971). *École parallèle. Circuit parallèle. Police parallèle :* réseau de police occulte qui double la police officielle. *Presse parallèle. Réglementation parallèle.* — (Personnes). *Un informateur parallèle* (ex. tirés des nombreuses attestations de P. Gilbert, *Dict. des mots contemporains*).

7.1 C'est fini Bardot *(dans les journaux, à la radio, etc.) :* il n'y en a plus que pour la police. Parallèle ou pas. ARAGON, Blanche..., II, VII, p. 310.

♦ **2.** Fig. Qui présente une comparaison suivie ; qui décrit ou étudie deux objets de semblable manière (alternativement ou simultanément). *Les Vies parallèles,* de Plutarque (trad. d'Amyot). — Cinéma. *Montage parallèle,* réunissant en des plans alternés deux événements distincts.

N. m. UN PARALLÈLE : comparaison* suivie entre deux ou plusieurs sujets. *Établir, faire, développer un parallèle entre deux questions* (→ Gaz, cit. 2). *Soutenir le parallèle avec...* (→ Fable, cit. 10). — Spécialt. Figure, exercice de rhétorique (→ Antithèse, cit. 8 ; exercice, cit. 10). *Oppositions*, rapprochements* d'un parallèle. Parallèle de Condé et de Turenne* (Bossuet, *Oraison funèbre de Condé*), *de Corneille et de Racine* (La Bruyère, *les Caractères,* I, 54).

8 (...) nous l'engageons à supprimer les parallèles, qui sont tout à fait passés de mode ; et celui qu'il a pris la peine de faire entre Sertorius et Coligny, pour compléter son imitation de Plutarque, est un vrai hors-d'œuvre qui manque même d'exactitude. BALZAC, le Feuilleton, XXXV, *in* Œ. diverses, t. I, p. 420.

Loc. EN PARALLÈLE. *Mettre deux choses, deux personnes en parallèle.* ⇒ **Balance** (mettre en balance) ; **comparer,** et aussi **opposer, rapprocher** (→ Autre, cit. 110). *Entrer* (cit. 40) *en parallèle.*

DÉR. Parallélisme, parallèlement.

COMP. Antiparallèle.

PARALLÈLEMENT [paʀalɛlmɑ̃] adv. — 1584 ; de *parallèle.*

♦ **1.** D'une manière parallèle. *Rue qui court parallèlement à la Seine* (→ Grand, cit. 12). *Deux os qui se disposent parallèlement entre eux* (→ Jambe, cit. 1).

(...) parallèlement s'étendait une galerie, où des bâtons couleur d'or soutenaient un espalier de roses. FLAUBERT, l'Éducation sentimentale, II, VI. 1

♦ **2.** En même temps, corrélativement (→ Emprunt, cit. 7). *Exprimer deux idées parallèlement.* — Allus. littér. Titre d'un recueil de poèmes de Verlaine.

« Parallèlement » à *Sagesse, Amour,* et aussi à *Bonheur* qui va suivre et conclure. 2
Après viendront (...) des œuvres impersonnelles avec l'intimité latérale d'un long *Et cætera* plus que probable. VERLAINE, Préface 1re éd. de Parallèlement (1889).

♦ **3.** Fig. D'une manière simultanée et analogue (choses abstraites). *Idées qui se développent parallèlement. Parallèlement à cette théorie, d'autres systèmes se développent.*

(...) le comique change de nature. Ainsi l'élément angélique et l'élément diabolique fonctionnent parallèlement. 3
BAUDELAIRE, Curiosités esthétiques, De l'essence du rire, IV.

PARALLÉLÉPIPÈDE [paʀalelepipɛd] n. m. — 1690, *parallélépipède ; parallélipipède,* 1570 ; lat. *parallelepipedum,* grec *parallêlepipedos,* de *epipedon* « surface ».

♦ Géom. Hexaèdre dont les faces sont des parallélogrammes, les faces opposées étant parallèles et égales ; prisme* dont les bases sont des parallélogrammes. *Parallélépipède droit, rectangle, oblique. Le cube*, le rhomboèdre sont des parallélépipèdes.* — (Par oppos. aux *cubes* et aux autres *prismes*). *Les cristaux* des systèmes rhomboédriques et tricliniques sont des parallélépipèdes.*

Si je considère, par exemple, le parallélépipède de verre et de ciment où se trouve logé, à Rio de Janeiro, le ministère de l'Instruction publique (...) 1
G. DUHAMEL, la Turquie nouvelle, V.

Dans la plupart des villes, elles *(les maisons)* n'ont pas de toit ; ce sont des cubes ou des parallélépipèdes rectangles, aux façades rigoureusement plates. 2
SARTRE, Situations III, p. 102.

REM. La forme *parallélipipède* [paʀalelipipɛd] est considérée comme un barbarisme par Littré, mais adoptée par l'Académie. Elle semble peu employée.

DÉR. Parallélépipédique.

PARALLÉLÉPIPÉDIQUE [paʀalelepipedik] adj. — 1846 Bescherelle, Suppl. ; de *parallélépipède.*

♦ Géom. Qui a la forme d'un parallélépipède. *Cristal parallélépipédique.*

PARALLÉLISATION [paʀalelizasjɔ̃] n. f. — 1877 ; de *paralléliser.*

♦ Didact. Fait de rendre parallèle. — Spécialt, techn. Opération par laquelle on rend des fibres parallèles.

Ces peignes, dont le principe est toujours en usage, provoquent un affinage, une individualisation et une parallélisation constante des faisceaux de fibres, permettent un étirage régulier et une homogénéisation des rubans. Jacques LOURD, le Lin et l'Industrie linière, p. 18.

PARALLÉLISER [paʀalelize] v. tr. — Mil. XIXe, Turgan *in* P. Larousse ; de *parallèle.*

♦ Techn. Rendre parallèle (spécialt, des fibres textiles pour l'étirage).

PARALLÉLISEUR [paʀalelizœʀ] n. m. — 1903 ; de *paralléliser.*

♦ Techn. Appareil qui réunit parallèlement les rubans (chanvre, lin) avant leur passage au métier.

PARALLÉLISME [paʀalelism] n. m. — 1647 ; empr. grec *parallêlismos,* dér. de *parallêlos.* → Parallèle.

♦ **1.** Géom. État de lignes, de plans parallèles. *Vérifier le parallélisme de deux plans. Parallélisme des roues d'une automobile.* Absolt. *Le parallélisme est correct. Vérifier le parallélisme.*

♦ **2.** Cour. (XVIIIe). Marche, progression semblable, parallèle ; ressemblance suivie entre deux ou plusieurs choses que l'on compare. ⇒ **Accord.** *L'invention de la gravure* (cit. 3) *a concordé par un parallélisme providentiel avec la renaissance des arts.*

Il y a, pour chacun de nous, de certains parallélismes entre notre intelli- 1

gence, nos mœurs et notre caractère, qui se développent sans discontinuité, et ne se rompent qu'aux grandes perturbations de la vie.
HUGO, Notre-Dame de Paris, IV, v.

2 De sorte qu'au lieu de voir, à l'exemple des vitalistes, une sorte d'opposition et d'incompatibilité entre les conditions des manifestations vitales et les conditions des manifestations physico-chimiques, il faut, au contraire, constater entre ces deux ordres de phénomènes un parallélisme complet et une relation directe et nécessaire. Cl. BERNARD, Introd. à l'étude de la médecine expérimentale, II, I.

♦ **3.** Philos. (All. *Parallelismus,* Fechner, 1860). Doctrine selon laquelle « à tout phénomène physique correspond un fait psychique et réciproquement » (Lalande, qui cite Spinoza et Leibniz). — Par ext. Théorie selon laquelle à chaque phénomène psychique correspond un phénomène physiologique (nerveux). *Le parallélisme psychophysique et la métaphysique positive,* essai de Bergson (1901).

3 (...) de ce que le fait psychologique est accroché à un état cérébral, on ne peut conclure au « parallélisme » des deux séries psychologique et physiologique. Quand la philosophie prétend appuyer cette thèse paralléliste sur les données de la science, elle commet un véritable cercle vicieux (...)
H. BERGSON, Matière et Mémoire, p. 5.

♦ **4.** Littér. Procédé poétique qui consiste dans l'emploi de membres de phrases rythmiquement alternés et développant des thèmes parallèles.

CONTR. Convergence, divergence, rencontre, section.

PARALLÉLISTE [paʀalelist] adj. et n. — 1901, Bergson; → Parallélisme, cit. 3; de *parallélisme* (3.).

♦ Philos., psychol. Relatif au parallélisme (3.). Partisan du parallélisme.

PARALLÉLOGRAMMATIQUE [paʀalelɔgʀamatik] adj. — 1751; de *parallélogramme.*

♦ Didact. D'un parallélogramme.

PARALLÉLOGRAMME [paʀalelɔgʀam] n. m. — 1540; lat. *parallelogrammum,* grec *parallêlogrammon.*

♦ Géom. Quadrilatère dont les côtés opposés sont deux à deux parallèles et égaux. *Parallélogramme à quatre côtés égaux* (⇒ **Losange**), *à angles droits* (⇒ **Rectangle**), *à côtés égaux et perpendiculaires* (⇒ **Carré**). *Surface d'un parallélogramme* (produit de la base par la hauteur. → Hauteur, cit. 5). — Mécan. *Parallélogramme des forces*, des vitesses. Règle du parallélogramme.*

(...) le théorème du parallélogramme des forces (...) d'après lequel la résultante de deux forces passant en A est la diagonale du parallélogramme construit sur ces deux forces. Émile BOREL, Évolution mécanique, p. 32.

Techn. *Parallélogramme de Watt :* ensemble de tiges parallèles articulées permettant de transformer un mouvement circulaire en mouvement (approximativement) rectiligne. *Parallélogramme d'une machine à vapeur à balancier, transmettant le mouvement à l'arbre.*

PARALOGIE [paʀalɔʒi] n. f. — Mil. XXe; de 1. *para-,* et *-logie.*

♦ Méd. Enchaînement erroné involontaire du raisonnement, ou raisonnement apparemment correct en partant de prémisses fausses.

PARALOGISME [paʀalɔʒism] n. m. — 1380; empr. grec *paralogismos.*

♦ Didact. Faux raisonnement, fait de bonne foi (par oppos. à *sophisme*); argument fallacieux. ⇒ **Erreur.** *Les paralogismes de la raison pure dénoncés par Kant.*

(...) il y a des hommes qui se méprennent en raisonnant même touchant les plus simples matières de géométrie, et y font des paralogismes.
DESCARTES, Discours de la méthode, IV.

PARALYSANT, ANTE [paʀalizɑ̃, ɑ̃t] adj. — 1845, R. de Radonvilliers; de *paralyser.*

♦ Qui paralyse. Par ext. *Idée* (→ Nerf, cit. 3), *émotion paralysante* (→ Battre, cit. 61).

(...) M. Jacob avait pour ses parents (...) mais principalement pour son vieux père, une vénération quasi religieuse et paralysante.
GIDE, Si le grain ne meurt, I, VIII, p. 206.

PARALYSÉ, ÉE [paʀalize] adj. et n. — V. 1560, Paré; de *paralysie.*

♦ **1.** Atteint de paralysie. *Malade, vieillard paralysé,* incapable de faire un mouvement* (→ Ataxique, cit. 1). — *Bras paralysé* (→ Hémiplégie, cit.).

Oh! si j'avais pu me défendre avec mes bras paralysés; mais, je crois plutôt qu'ils se sont changés en bûches. LAUTRÉAMONT, les Chants de Maldoror, IV.

Par ext. ⇒ **Engourdi, perclus.**

♦ **2.** Frappé d'impuissance, réduit à l'inaction. *Une armée éparse* (cit. 3) *est une armée paralysée. Imagination paralysée* (→ Fonctionner, cit. 4). *Une conscience paralysée* (Chateaubriand).

♦ **3.** N. *Un, une paralysé(e).* ⇒ **Paralytique.** → Agraphie, cit.

PARALYSER [paʀalize] v. tr. — 1765, *Encyclopédie;* dér. formé sur *paralysie* d'après *paralysé.*

♦ **1.** Frapper* de paralysie. *L'attaque qui l'a paralysé.* — Par ext. ⇒ **Immobiliser; figer.** *Le froid* (cit. 4) *paralyse les membres.* ⇒ **Engourdir.** *Entrave* (cit. 4, par métaphore) *qui paralyse la marche.* ⇒ **Bloquer, entraver.** *La camisole de force paralyse les mouvements.*

Comme ces gens qui essaient de se faire mourir par le charbon et qui s'en repentent au dernier moment, lorsqu'il est trop tard et que déjà l'asphyxie les étrangle et les paralyse (...) Alphonse DAUDET, le Petit Chose, II, XIV. 1

La malade sommeillait. Depuis quatre mois qu'une attaque l'avait paralysée en pleine force, cette femme de trente-cinq ans paraissait une vieille et souhaitait mourir. COCTEAU, les Enfants terribles, p. 38. 2

♦ **2.** (1789). Frapper d'inertie, d'impuissance, rendre incapable d'agir ou de s'exprimer, d'extérioriser ses sentiments... ⇒ **Arrêter, figer, glacer** (4.), **stupéfier** (→ Crédit, cit. 13; culot, cit. 2; mouvement, cit. 11). *Examinateur qui paralyse les candidats.* ⇒ **Intimider.** *La timidité le paralyse* (→ Gêner, cit. 20). — Par ext. *L'excès de la douleur paralyse les réactions.* ⇒ **Annihiler, neutraliser** (→ Anéantissement, cit. 9). *Le cœur paralyse le cerveau* (cit. 9). *L'échec risque de paralyser les efforts.* ⇒ **Gêner** (3.; → Inaccessible, cit. 12). *La paperasse* (cit. 3) *nous paralyse, nous étouffe.* Pron. *Esprit qui se paralyse dans l'inaction*.*

Il faut convenir que, pour être heureux en vivant dans le monde, il y a des côtés de son âme qu'il faut entièrement paralyser. 3
CHAMFORT, Maximes..., Philosophie et morale, VI.

J'étais paralysé par la terreur, j'étais ivre d'épouvante, prêt à hurler, prêt à mourir. 4
MAUPASSANT, Contes, « La morte ».

Mouvement de grève qui paralyse l'activité économique d'un pays. ⇒ **Immobiliser.** *Paralyser l'action du gouvernement.*

(...) les premiers troubles avaient suffi à ralentir, puis à paralyser le travail (...) 5
Louis MADELIN, Hist. du Consulat et de l'Empire, De Brumaire à Marengo, III.

CONTR. Aider, animer, éveiller.

PARALYSIE [paʀalizi] n. f. — 1380; *paralisin,* 1190; lat. *paralysis,* grec *paralusis,* de *lusis* « relâchement ». → Paralyser.

♦ **1.** Déficience ou perte de la fonction motrice d'une partie du corps, due souvent à des lésions nerveuses centrales ou périphériques; perte de la sensibilité (*paralysie sensitive.* ⇒ **Anesthésie, insensibilité**). *Il faut distinguer la paralysie de l'apraxie*, de l'ataxie, de la catalepsie*... Paralysie complète, bilatérale; incomplète* (⇒ **Parésie, hémiplégie, paraplégie**). *Paralysie spinale* (de l'enfant ou de l'adulte). ⇒ **Poliomyélite.** *Paralysie intermittente. Paralysie agitante* (maladie de Parkinson; ⇒ **Parkinson**). *Paralysie due à une lésion* cérébrale, un traumatisme, une maladie..., une atrophie des muscles (paralysie musculaire pseudohypertrophique). Paralysie accompagnée d'hypotonie, d'atonie (paralysie flasque). Paralysie hystérique* (sans lésion nerveuse). *Être frappé* (cit. 24) *de paralysie.* ⇒ **Paralytique.**

(...) il tomba frappé d'une attaque de paralysie entre les bras de Lemulquinier qui le ramena chez lui sur un brancard (...) 1
BALZAC, la Recherche de l'absolu, Pl., t. IX, p. 651.

La crise dont Mme Raquin était menacée se déclara. Brusquement, la paralysie, qui depuis plusieurs mois rampait le long de ses membres toujours près de l'étreindre, la prit à la gorge et lui lia le corps (...) Sa langue était devenue de pierre. Ses mains et ses pieds s'étaient raidis. Elle se trouvait frappée de mutisme et d'immobilité. Thérèse et Laurent (...) comprirent alors qu'ils n'avaient plus qu'un cadavre devant eux, un cadavre vivant à moitié qui les voyait et les entendait, mais qui ne pouvait leur parler. ZOLA, Thérèse Raquin, XXVI. 2

♦ **2.** (1822, Bayle; à cause de certains symptômes [paralysie oculaire, tabès...] de cette maladie). *Paralysie générale progressive :* inflammation diffuse du cerveau et de ses enveloppes (méningo-encéphalite), d'origine syphilitique, caractérisée par un « déficit psychique... global et progressif... doublé ou non de productions délirantes » (Ramée *in* Porot), par des difficultés d'articulation, des tremblements, des modifications des réflexes, etc., et présentant des formes variées (expansive, dépressive, apathique, épileptoïde...). ⇒ **Neurosyphilis, tabès.** *Euphorie* (cit. 2) *qui caractérise les débuts de paralysie générale. Paralysie générale et psychiatrie* (cit. 3). *Malade atteint de paralysie générale.* ⇒ **Paralytique** (général). — Abrév. cour. : *P. G.* [peʒe]. *« (...) faute de syphilis, on ne verra bientôt plus de P. G. »* (H. Bazin, citant un aliéniste suisse, in *la Fin des asiles,* p. 31).

Déjà, attaquée par le stovarsol — un composé arsenical — la paralysie générale, horrible et longue déchéance du syphilitique, avait reculé devant la malariathérapie (...) Depuis l'emploi massif de la pénicilline, elle est en voie de disparition. 2.1
Hervé BAZIN, la Fin des asiles, p. 38.

♦ **3.** Par ext., de (1.). Cour. Impossibilité de se mouvoir. ⇒ **Ankylose, engourdissement, immobilité** et aussi **inhibition.**

J'ai tâché ce matin d'étudier mon piano, mais le sentiment de la présence de nos hôtes m'empêche; en vain je lutte contre cette absurde gêne que rien ne justifie 3

et que j'ai connue de tout temps; rien à faire; ce n'est pas seulement une paralysie musculaire, c'est une inhibition de toutes mes facultés.
GIDE, Journal, 17 juin 1914.

♦ **4.** (1701). Fig. Impossibilité d'agir, de s'extérioriser, de fonctionner. ⇒ **Asphyxie** (fig.), **assoupissement, impuissance, inaction, inertie.** *Son esprit subit une espèce de paralysie momentanée* (→ Établir, cit. 21).

4 (...) les dervis *(les prêtres catholiques)* ont en leurs mains presque toutes les richesses de l'État; c'est une société de gens avares qui prennent toujours, et ne rendent jamais : ils accumulent sans cesse des revenus pour acquérir des capitaux. Tant de richesses tombent, pour ainsi dire, en paralysie; plus de circulation, plus de commerce, plus d'arts, plus de manufactures.
MONTESQUIEU, Lettres persanes, CXVIII.

CONTR. Animation, mouvement.

PARALYTIQUE [paʀalitik] adj. et n. — XIIIe, *paralitique;* lat. *paralyticus,* grec *paralutikos.* → Paralysie.

♦ **1.** (Personnes). Qui est atteint de paralysie. *Un vieillard paralytique. Elle est paralytique d'un bras* (Académie). ⇒ **Impotent.** — REM. *Paralytique,* à la différence de *paralysé,* ne s'emploie qu'en parlant des personnes; il s'applique médicalement à la diminution ou à l'abolition de la motricité, et ne doit pas être pris au sens de *perclus, ankylosé...*

N. *Le paralytique guéri par Jésus* (St-Matthieu, IX, 2, etc.). *La fable de l'aveugle et du paralytique. Une paralytique.*

1 Elle ne partait pas, parlait de son pauvre homme, le paralytique, qui ne remuait plus qu'une main. C'était une grande affliction. ZOLA, la Terre, II, III.

♦ **2.** Immobilisé, inactif. *Devenir paralytique pour l'intérêt des autres* (→ Assoupissement, cit. 7, La Rochefoucauld).

2 (...) les vents étaient paralytiques; les fontaines étaient muettes; les oiseaux avaient oublié leur ramage (...)
CYRANO DE BERGERAC, Lettres diverses, « Pour les sorciers ».

♦ **3.** Méd. Loc. (de *paralysie* générale*). *Paralytique général* (expression mal formée, mais courante en psychiatrie depuis la fin du XIXe s.) : malade atteint de paralysie générale.

3 Nous vîmes ensuite le quartier des paralytiques généraux, les seuls à qui on appliquât régulièrement une thérapeutique; en leur inoculant le microbe de la malaria, on arrêtait l'évolution de la maladie au stade euphorique (...)
S. DE BEAUVOIR, la Force de l'âge, p. 260.

Abrév. *Pégé* (*Pé-Gé,* 1908, Bourget; → Paranoïaque, cit. 2) ⇒ **Paralysie.**

♦ **4.** Pathol. Relatif à la paralysie. *Strabisme paralytique.*

PARAMAGNÉTIQUE [paʀamaɲetik] adj. — 1866; d'abord en angl., Faraday, 1851, de *para,* abrév. de *parallel,* et *magnetic.*

♦ Didact. *Substance paramagnétique,* qui s'aimante comme le fer, mais beaucoup plus faiblement. — S'oppose à *ferromagnétique* (aimantation forte) et à *diamagnétique* (corps repoussés par l'aimant).

PARAMAGNÉTISME [paʀamaɲetism] n. m. — 1866; de *paramagnétique.*

♦ Didact. Propriété des substances paramagnétiques, douées d'une faible susceptibilité magnétique positive (perméabilité magnétique supérieure à l'unité).

PARAMÉCIE [paʀamesi] n. f. — 1803, Boiste; lat. *paramecium,* grec *paramêkês* « oblong ».

♦ Zool. Protozoaire de grande taille (*Infusoire**) porteur de cils vibratiles.

PARAMÉDICAL, ALE, AUX [paʀamedikal, o] adj. — Mil. XXe; de 1. *para-,* et *médical.*

♦ (Personnes). Qui se consacre aux soins, au traitement des malades, sans appartenir au corps médical. *« La formation du personnel médical et paramédical »* (F. Cloutier, *la Santé mentale,* p. 88). — Se dit des activités relatives à la santé qui ne dépendent pas directement de la médecine. *Les professions paramédicales.*

PARAMÈTRE [paʀamɛtʀ] n. m. — 1732, Trévoux, « côté droit de la parabole »; de 1. *para-,* et grec *metron* « mesure ».

♦ **1.** Sc. Quantité à fixer librement, maintenue constante, dont dépend une fonction de variables indépendantes, une équation ou une expression mathématique.

1 Je divise toutes les quantités admises dans un calcul en 3 classes : 1° Celles qui se trouvent déterminées et invariables par la nature même de la question (...) De la première de ces 3 classes sont ce qu'on nomme les constantes ou données, telles que les paramètres dans les courbes.
Lazare CARNOT, Réflexions sur la métaphysique du calcul infinitésimal, t. I, § 13, *in* R. DAVAL, Philosophie des sciences, p. 120.

Géom. analytique Variable en fonction de laquelle on exprime chacune des variables d'une fonction. — *Paramètre d'une conique :* « segment de longueur égale au produit... de l'excentricité de la conique (et de) la distance d'un foyer à la directrice correspondante » (Uvarov). *Paramètre d'une parabole,* distance de son foyer à sa directrice.

♦ **2.** Fig. et didact. Élément important dont la connaissance explicite les caractéristiques essentielles de l'ensemble d'une question. — *Paramètres d'une série statistique :* médiane, quartile, moyennes, variance, mode.

Le taux de l'intérêt de l'argent prêté est donc la première mesure donnée, le paramètre, si j'ose ainsi parler, d'après lequel s'établit la valeur vénale des fonds. 2
TURGOT, Œ., t. I, p. 426, *in* BRUNOT, Hist. de la langue franç., t. VI, p. 86.

DÉR. Paramétrique.

PARAMÉTRIQUE [paʀametʀik] adj. — 1842, Landais; de *paramètre.*

♦ Math. Relatif à un paramètre; qui contient un paramètre. *Équation, coordonnées paramétriques.*

Radio. *Amplification paramétrique :* amplification d'un signal résultant des variations d'une caractéristique (ou paramètre) d'un élément.

PARAMÉTRITE [paʀametʀit] n. f. — 1888; de 1. *para-,* et grec *mêtra* « matrice ».

♦ Méd. Inflammation des ligaments larges de l'utérus, qui fixent latéralement l'utérus à la cavité pelvienne.

PARAMIDOPHÉNOL [paʀamidofenɔl] n. m. — 1891, *la Science illustrée,* II, p. 110; de 1. *para-, amidon,* et *phénol.*

♦ Techn. (Photo). Dérivé du phénol employé comme révélateur photographique.

PARAMILITAIRE [paʀamilitɛʀ] adj. — V. 1920; de 1. *para-,* et *militaire.*

♦ Qui est organisé selon la discipline et la structure d'une armée. *Formations, organisations paramilitaires.*

PARAMNÉSIE [paʀamnezi] n. f. — 1843, Lordat; de 1. *para-,* et grec *mnêsis* « souvenir ».

♦ Didact. (Méd.). Perte de la mémoire des mots et de leurs sens entraînant la suggestion et l'emploi de phonèmes, de mots, sans rapport avec la pensée à exprimer. *Paramnésie de certitude :* illusion de fausse reconnaissance ou « illusion du déjà vu ». *Paramnésie de localisation :* souvenir faussement localisé (dans l'espace ou dans le temps).

(...) moi-même, à ce moment, je m'avançais au-devant de cette multitude en armes, j'étais l'orateur investi de toute cette attention, de cette attente. La trompe du car m'éveilla au moment où j'allais parler (...) Je n'ai jamais étudié spécialement ce genre de paramnésies ni voulu en tirer des conclusions aventureuses sur de prétendues « vies antérieures » dont pourtant, en certains cas, l'énigme se pose.
Raymond ABELLIO, les Militants, p. 118.

PARAMNÉSIQUE [paʀamnezik] adj. et n. — XXe; de *paramnésie;* → Amnésique.

♦ Didact. (Méd.). Atteint de paramnésie.

Une affreuse grimace de paramnésique, avec suggestion de sons, de mots sans rapport avec la pensée (...) B. CENDRARS, Bourlinguer, p. 109.

PARAMORPHINE [paʀamɔʀfin] n. f. — V. 1970; de 1 *para-,* et *morphine.*

♦ Chim. Synonyme de *thébaïne*.*

PARANEIGE [paʀanɛʒ] adj. et n. — 1838, comme dispositif, *in* F.E.W., mais employé métaphoriquement par Bernardin de Saint-Pierre; de 2. *para-,* et *neige.*

♦ Rare. Destiné à protéger de la neige. — N. m. Dispositif qui protège de la neige.

PARANGON [paʀɑ̃gɔ̃] n. m. — XVe; *mettre en parragon,* v. 1270, jusqu'au XVIe; esp. *parangon* et ital. *paragone* « pierre de touche », du grec *parakonê* « pierre à aiguiser ».

♦ **1.** Vx. Comparaison (surtout dans : *en parangon*). *Mettre en parangon.*

♦ **2.** (1504). Vx ou littér. Iron. Modèle (3.), patron, type; exemple parfait. *Parangon de vertu. Louis XIV, « ce parangon de l'orgueil* *monarchique*» (P.-L. Courier). «*Parangon de vérité*» (Verlaine, *Élégies*, X).

1 (...) gens de cour, accoutumés à se regarder comme le parangon et le centre de toutes les perfections. Th. GAUTIER, les Grotesques, X, p. 378.

2 Des ministres tarés et d'anciennes filles publiques étaient tenus pour des parangons de vertu. PROUST, À la recherche du temps perdu, t. XV, p. 121.

3 (...) il ne faut pas oublier que nous sommes les fils des vaillants Versaillais du petit Père Thiers, ce parangon des vertus bourgeoises (...)
J. ANOUILH, Pauvre Bitos, p. 129.

♦ **3.** Techn. Pierre précieuse, perle*, diamant* sans défaut. Par appos. *Une perle parangon* (Académie).

♦ **4.** 1620, *parangon italique, in* D. D. L. Techn. (Imprim.). Ancien nom d'un caractère d'imprimerie. *Gros, petit parangon.*

♦ **5.** Marbre noir d'Égypte et de Grèce. — Appos. *Marbre parangon.*

DÉR. Parangonner.

PARANGONNAGE [paʀɑ̃gɔnaʒ] n. m. — 1835; de *parangonner.*

♦ Techn. Alignement du pied des œils de caractères de corps différents (obtenu en typographie au moyen de blancs de dimension appropriée; commandé au clavier, en photocomposition).

PARANGONNER [paʀɑ̃gɔne] v. tr. — 1542; de *parangon.*

♦ **1.** Vx. Comparer; donner comme modèle.

♦ **2.** (1800). Typogr. Effectuer le parangonnage de (une composition).

PARANO [paʀano] n. f., adj. et n. Fam. ⇒ **Paranoïa, paranoïaque.**

PARANOÏA [paʀanɔja] n. f. — 1838, *paranoïe; paranoia* en lat. sav., 1795, cit.; t. dû à l'all. Vogel, 1772, du grec *paranoia* «folie», de *para* (→ 1. Para-), et *noûs* «esprit».

♦ **1.** Psychopath. Vx. Maladie mentale, trouble de l'intelligence (par opposition aux *troubles de l'affectivité*).

1 M. Vogel a agi de même, en séparant des *paranoiæ* les fausses perceptions (...)
CULLEN, Éléments de médecine pratique (trad.), II, p. 469 (1795).

Vieilli. (Jusque vers 1920; acception due à Kraepelin). Délire chronique systématisé avec conservation de la clarté et de l'ordre dans la pensée. Syn. : *délire d'interprétation.* — REM. «Le terme de paranoïa est (...) peu à peu abandonné en France dès la deuxième décennie de ce siècle, en même temps que l'on isole et regroupe les formes cliniques des délires chroniques sur des bases de plus en plus profondes. Le vocable *"paranoïaque"* (...) le remplace en pratique» (Bardenat, *in* Porot, 1975).

Psychan. Psychose chronique caractérisée par un délire, bien systématisé ou non, la prédominance de l'interprétation, l'absence d'affaiblissement intellectuel, et n'évoluant pas en général vers la détérioration. *Freud englobe dans la paranoïa le délire de persécution, l'érotomanie, le délire de jalousie et le délire des grandeurs.*

2 Kraepelin distingue nettement paranoïa d'une part et forme paranoïde de la démence précoce d'autre part; Bleuler fait entrer la paranoïa dans la démence précoce ou groupe des schizophrénies; Freud, lui, rattacherait volontiers à la paranoïa certaines formes dites paranoïdes de la démence précoce, et ceci notamment parce que la «systématisation» du délire n'est pas à ses yeux un bon critère pour définir la paranoïa.
(...) la paranoïa se définit, dans ses différentes modalités délirantes, par son caractère de défense contre l'homosexualité (...) Lorsque ce mécanisme est prévalent dans un délire dit paranoïde, c'est là pour Freud une raison majeure de rapprocher celui-ci de la paranoïa, même en l'absence de «systématisation».
J. LAPLANCHE et J.-B. PONTALIS, Voc. de la psychanalyse.

♦ **2.** Littér., arts (1929, S. Dali). *Paranoïa critique.* ⇒ **Paranoïaque.**

♦ **3.** Cour. Constitution paranoïaque*. — Abrév. fam. (v. 1970). *Parano,* n. f. : état de méfiance exagérée d'un individu ou d'un groupe, à l'égard de menaces réelles ou imaginaires.

3 Dans le train, légère parano à la vue des rochers de banlieue (...)
Actuel, févr. 1980, p. 53.

DÉR. Paranoïaque, paranoïde.

PARANOÏAQUE [paʀanɔjak] adj. et n. — 1908; de *paranoïa.*

♦ **1.** Méd. (Psychopath.). Relatif à la paranoïa. — REM. «Le vocable *"paranoïaque"* (...) ne prétend plus à la désignation d'une entité clinique et nosologique; il permet de souligner des parentés symptomatiques entre une constitution, un délire, une psychose (...) On l'emploie enfin pour identifier la structure (notion nouvelle) d'une psychose» (Bardenat *in* Porot, 1952). — *Constitution paranoïaque :* disposition caractérielle (orgueil démesuré, méfiance, susceptibilité excessive) engendrant de faux jugements (tendance aux interprétations) et des réactions d'agressivité. ⇒ **Paranoïa** (3.). — *Structure paranoïaque :* structure* psychopathique caractérisée par un délire cohérent à thème douloureux de persécution, sans affaiblissement psychique concomitant. «*L'analyse de la structure paranoïaque par les élèves de H. Claude (...) ramène l'accent sur la prééminence (...) des troubles affectifs (...) le malade porte en lui une attitude affective fondamentale qui polarise son activité intellectuelle; de sorte que "la folie raisonnante" est, avant tout, une folie affective*» (Bardenat *in* Porot 1952). — *Psychose paranoïaque :* psychose présentant un délire systématisé, logiquement construit à partir de prémisses fausses, sans altération du fond mental, et évoluant sans démence terminale. ⇒ **Paranoïa** (1.).

N. (1932). Personne de constitution paranoïaque, ou affectée d'une psychose paranoïaque.

(...) ces fameux raisonnements glacés et brûlants, inquiétants dans leur aigre abstraction, dont usent les passionnés, les paranoïaques : leur rigueur est déjà un défi, une menace, leur louche immobilité fait pressentir une lave tumultueuse (...) Preuves d'orateur, de jaloux, d'avocat, de fou. Non de mathématicien. 1
SARTRE, Situations I, p. 146.

Hé bien, Portehaut, votre diagnostic? L'élève intimidé hasarde, hésitant : — «C'est un Pé-Gé» (les deux syllabes qui désignent un Paralytique Général, en argot d'hôpital). — Et vous Croulebois? — «Un Paranoïaque avec appoint éthylique». 2
Paul BOURGET, les Détours du cœur, *in* D. D. L., II, 6.

♦ **2.** (Mil. XXe). Cour. Se dit d'une inquiétude, d'une méfiance exagérées, ou des comportements qu'elles engendrent. *Une conduite paranoïaque.* Subst. *Un, une paranoïaque.* — Abrév. fam. (v. 1970) : *parano :* «*Pour lui, un parano n'est pas plus atteint que les autres*» (*le Nouvel Obs.*, 28 août 1972). *C'est une sacrée parano. Il est un peu parano. Des paranos.*

♦ **3.** Littér., arts (S. Dali). *Méthode paranoïaque-critique.*

C'est en 1929 que Salvador Dali fait porter son attention sur les mécanismes internes des phénomènes paranoïaques, envisage la possibilité d'une méthode expérimentale basée sur le pouvoir subit des associations systématiques propres à la paranoïa; cette méthode devait devenir par la suite la synthèse délirante-critique qui porte le nom d'«activité paranoïaque-critique». Paranoïa : délire d'association interprétative comportant une structure systématique. — *Activité paranoïaque-critique : méthode spontanée de connaissance irrationnelle basée sur l'association interprétative-critique des phénomènes délirants.* 3
ÉLUARD, Donner à voir, «Peintres», p. 99.

PARANOÏDE [paʀanɔid] adj. — 1904, *Rev. gén. des sc.*, n° 19, p. 886; t. dû à Kraepelin, 1892; du rad. de *paranoïa*, et *-oïde.*

♦ Didact. Se dit d'un état qui diffère de la paranoïa par «une structure moins bien organisée, une moindre cohérence et une moindre logique des thèmes délirants... (et par) une évolution vers la désagrégation mentale» (Porot). *Délires paranoïdes. Démence paranoïde :* forme délirante de la démence précoce.

(...) dans certains cas *(des psychoses)* le délire s'effrite, devient plus flou, peu cohérent, en même temps que la pensée prend une forme de plus en plus philosophique et éthérée, formant une sorte de caricature du délire, d'ombre du délire difficile à saisir, ce qu'on désigne sous le nom, pour cette raison, de *syndrome paranoïde (Kraepelin).* Ces malades «*paranoïdes*» malgré leur apparence incohérente et leur langage imagé et plus ou moins incompréhensible sont souvent beaucoup moins touchés qu'ils ne le paraissent.
H. BARUK, Psychoses et Névroses, p. 37.

Psychan. *Position paranoïde :* relation d'objet du nourrisson où l'objet partiel est à la fois bon (pulsions sexuelles) et mauvais (pulsions agressives).

PARANORMAL, ALE, AUX [paʀanɔʀmal, o] adj. — Mil. XXe de 1. *para-*, et *normal.*

♦ Didact. Qui n'est pas explicable par les données et les lois normales, dans le domaine considéré. *Phénomènes paranormaux.* ⇒ **Métapsychique, parapsychique.** *Psychologie paranormale.* ⇒ **Parapsychologie.**

(sous l'influence d'un hallucinogène) le pouvoir séparateur et appréciateur augmente dans l'œil (qui voit les plus fins reliefs, les rides insignifiantes), dans l'oreille (qui entend et de loin les bruits les plus légers et que blessent les forts), dans l'entendement (observateur des mobiles inapparents, des dessous, des plus lointaines causes et conséquences ordinairement inaperçues, des intersections de toute sorte, trop multiples pour être dans d'autres moments saisis à la fois), enfin et surtout dans l'imagination (où passent des images visuelles, avec une intensité inconnue, par-dessus la «réalité», laquelle faiblit et s'amenuise) et, *last but not the least,* dans les facultés paranormales révélant parfois au sujet le don de voyance et de divination.
Henri MICHAUX, Connaissance par les gouffres, p. 12-13.

PARANTHROPE [paʀɑ̃tʀɔp] n. m. — Mil. XXe; lat. sav. *paranthropus,* Broom, av. 1951. → 1. Par(a)-, et anthrope.

Paléontologie.

♦ **1.** Hominidé fossile découvert au Transvaal (Kromdraai) par Broom en 1948.

♦ **2.** Le plus grand, le plus robuste et le plus tardif des deux types connus d'Australopithèques* *(Australopithecus robustus),* représenté jusqu'à présent en Afrique (Transvaal, région des grands lacs, Éthiopie) et à Java par des restes datés du Pléistocène inférieur et moyen. (Opposé à *plésianthrope**). *Le Paranthrope était végétarien.* — Individu rattaché à ce type.

L'état des ossements fait supposer au Dr Brain que le gisement correspond à l'accumulation de restes de repas de carnassiers. Il interprète en particulier deux perforations symétriques dans les pariétaux d'un crâne incomplet de jeune paranthrope comme les traces des canines inférieures de léopard.
la Recherche, n° 3, juil.-août 1970, p. 277.

PARANYMPHE [paʀanɛ̃f] n. — xve; lat. *paranymphus,* du grec; de 1. *para-,* et *numphê* «jeune mariée». → Nymphe.

♦ **1.** Antiq. Personne qui conduisait la mariée, le marié, le jour du mariage. — (À l'époque moderne). Littér. et rare :

(...) la postulante franchit la nef, pénétra dans le chœur, s'agenouilla à gauche, sur un prie-Dieu, devant un grand cierge, assistée de sa mère et de sa sœur, lui servant de paranymphes. HUYSMANS, En route, VIII.

♦ **2.** [a] (1611). Hist. Dans l'ancienne Université de Paris, Celui qui conduisait à la chancellerie le candidat à la licence et le complimentait après sa réception.

[b] Littér. et vx. Discours de félicitation (Cf. Régnier, *Satires,* V).

PARAPET [paʀapɛ] n. m. — 1546, *parapete,* Rabelais; ital. *parapetto,* proprt «qui est devant *(para),* qui protège la poitrine *(petto)*».

♦ **1.** Fortif. Massif ou levée de terre, massif de maçonnerie surmontant un rempart* ou placé devant une tranchée, un abri pour protéger les combattants. ⇒ **Crête, pare-éclats.** *Plate-forme* (⇒ **Banquette, barbette, plongée**) *derrière un parapet. Partie pleine* (⇒ **Merlon**), *embrasure* (cit. 1) *d'un parapet.*

♦ **2.** (1611). Cour. Mur* à hauteur d'appui destiné à servir de garde-fou. ⇒ **Garde-corps, garde-fou.** *Parapet de pierre, de terre.* ⇒ **Banquette, talus.** *Chemin entre un parapet et un fossé.* ⇒ **Berme.** *Le parapet d'un pont*, d'une terrasse* (→ Grimper, cit. 10), *d'un quai* (→ Fureteur, cit. 1). *Mur en parapet* (→ Animer, cit. 7). *Bahut* d'un parapet. — S'accouder à un parapet, enjamber un parapet...*

1 On a bordé le chemin d'un parapet pour prévenir les malheurs : cela faisait que je pouvais contempler au fond et gagner des vertiges tout à mon aise (...)
ROUSSEAU, les Confessions, IV.

2 Le second de ses fils venait de monter sur le parapet du mur de la terrasse, et y courait, quoique ce mur fût élevé de plus de vingt pieds (...)
STENDHAL, le Rouge et le Noir, I, III.

Par ext. Dispositif servant de garde-feu.

3 Les hauts parapets de forte tôle boulonnée lui masquaient la voie; elle distinguait seulement, sur l'horizon lumineux de Paris, l'angle élargi de la gare, une vaste toiture, noire de la poussière du charbon (...)
ZOLA, l'Assommoir, XII, t. II, p. 235.

PARAPHASIE [paʀafazi] n. f. — 1886, Ballet; de 1. *para-,* d'après *aphasie.*

♦ Didact. Trouble du langage, dans lequel le malade altère les mots (par substitution de phonèmes ou de syllabes) ou substitue des mots paronymiques.

PARAPHE [paʀaf] n. m. — 1390, au sens de «paragraphe»; sens mod., 1394; lat. médiéval *paraphus,* altér. de *paragraphus.* → Paragraphe, patarafe.

♦ **1.** Traits de formes variées qu'on ajoute au nom pour distinguer la signature. *Signature ornée d'un paraphe compliqué.* — REM. La graphie *parafe* (1820) ne semble pas courante. *Élégants parafes* (→ Fourrier, cit. 3, Loti). — Par ext. Ornements graphiques ajoutés aux lettres du texte.

1 Au bas de la page, il improvise une signature. Elle tombe, comme une pierre dans l'eau, dans une ondulation et un remous de lignes à la fois régulières et capricieuses, qui forment le paraphe, un petit chef-d'œuvre. La queue du paraphe s'égare, se perd dans le paraphe lui-même.
J. RENARD, Poil de Carotte, «Les joues rouges», IV.

1.1 (...) l'écriture, pleine de paraphes et de queues compliquées, est difficile à déchiffrer (...) B. CENDRARS, l'Or, *in* Œ. compl., t. II, p. 185.

♦ **2.** (1611). Signature schématique, abrégée (souvent formée des initiales du nom). *Apposer son paraphe aux renvois, aux ratures, au bas des pages d'un acte.* ⇒ **Parapher.** Spécialt. Formule et signature apposées par un magistrat pour authentifier la date de présentation, le nombre de feuillets d'un registre.

♦ **3.** Fig., littér. Arabesques, volutes (comparées à un paraphe).

2 Là-dessus, brusquement, la lumière baissa. Il ne resta dans les ampoules qu'une sorte de paraphe rougeoyant, comme une signature méphistophélique.
J. ROMAINS, les Hommes de bonne volonté, t. III, II, p. 32.

DÉR. Parapher.

PARAPHÉNYLÈNE-DIAMINE [paʀafenilɛndjamin] n. f. — 1922, Larousse; de 1. *para-, phényle, -ène, di-,* et *amine.*

♦ Chim., techn. Diamine du benzène, employée en photographie comme révélateur, et dans l'industrie des colorants (teintures).

Les teintures à base de dérivés de la *paraphénylène-diamine* ont supplanté toutes les autres teintures (...) Charles BOURGEOIS, Chimie de la beauté, p. 87.

PARAPHER [paʀafe] v. tr. — 1467, *parapher; parafer,* 1690; de *paraphe.*

♦ Marquer, signer* d'un paraphe. *Parapher une lettre, un écrit, un acte.* Spécialt. *Parapher les ratures d'un acte, toutes les pages d'un contrat... Renvois paraphés* (→ Initiale, cit. 4). Par ext. ⇒ **Signer.**

1 Lucien signa machinalement le procès-verbal, et il en parapha les renvois en obéissant aux indications de Coquart avec la douceur de la victime résignée.
BALZAC, Splendeurs et Misères des courtisanes, Pl., t. V, p. 993.

2 Julien ne travailla plus avec lui sans apporter un registre sur lequel il écrivait les décisions, et le marquis les paraphait. STENDHAL, le Rouge et le Noir, II, VII.

REM. La graphie *parafer* n'est pas courante.

PARAPHERNAL, ALE, AUX [paʀafɛʀnal, o] adj. — 1575; *biens paraphernelz,* xve; bas lat. *paraphernalis,* grec *parapherna,* à côté (1. *para-*) de la dot *(phernê).*

♦ Dr. Se dit des biens d'une femme mariée sous le régime dotal, qui ne sont pas constitués en dot (Code civil, art. 1574). *La femme possède l'administration et la jouissance des biens paraphernaux. Une propriété paraphernale* (Académie). — N. m. *Les paraphernaux.*

Quand Miss Russel est devenue la femme de Jacques, ses paraphernaux, ses biens propres, vous comprenez, étaient de quinze cent mille francs.
Pierre BENOIT, Mlle de la Ferté, p. 303.

CONTR. Dotal.

PARAPHEUR ou (plus rare) **PARAFEUR** [paʀafœʀ] n. m. — 1963; de *paraph(f)er.*

♦ Techn. Chemise cartonnée comportant plusieurs volets entre lesquels sont glissées les lettres pour être présentées à la signature.

Dans le parapheur, les lettres sont classées par ordre, chaque enveloppe jointe à la lettre correspondante. Michèle PERREIN, le Buveur de Garonne, p. 157.

PARAPHIMOSIS [paʀafimozis] n. m. — 1701; de 1. *para-,* et du grec *phimos* «lien».

♦ Méd. Étranglement du gland par le prépuce, pouvant constituer une complication du phimosis.

PARAPHRASE [paʀafʀɑz] n. f. — 1525; lat. *paraphrasis,* mot grec, proprt : «phrase à côté» (1. *para-*).

♦ **1.** Développement explicatif d'un texte. ⇒ **Commentaire, explication, interprétation.** *Élaborer* (cit. 4) *des gloses, des paraphrases. Longue paraphrase d'un texte, sur un texte antique. Auteur de paraphrases.* ⇒ **Paraphraste.** — Littér. *Paraphrase sur le psaume VIII,* de Malherbe. — Par métaphore :

(...) le plain-chant est la paraphrase aérienne et mouvante de l'immobile structure des cathédrales (...) HUYSMANS, En route, I. 1

♦ **2.** (1676). Développement, commentaire verbeux et diffus. ⇒ **Amplification.** *D'interminables, d'ennuyeuses paraphrases. Une traduction* ne doit pas être une paraphrase.* — Spécialt. Texte (explication, commentaire...) qui ne fait que reprendre son modèle en l'allongeant. *Cette explication de texte n'est qu'une paraphrase.*

L'art, devenu un des centres d'intérêt de notre temps, a pâti, au premier chef, de cette végétation touffue de paraphrases qui l'enlacent et l'étouffent de leurs vrilles folles, lancées au hasard, pour la seule jouissance de proliférer. 2
René HUYGHES, Dialogue avec le visible, p. 6.

♦ **3.** Mus. Fantaisie* (arrangement, pot-pourri) écrite généralement sur des airs d'opéra. *Paraphrase de concert,* de Liszt.

♦ **4.** Ling. (angl. *paraphrase).* [a] Phrase synonyme d'une autre (par ex. Jean aime Louise → Louise est aimée de Jean). *Une relation de paraphrase entre deux phrases* (⇒ **Transformation**).

[b] Expression de plusieurs mots synonyme d'un mot unique. ⇒ **Périphrase.**

CONTR. Résumé.
DÉR. Paraphraser, paraphraseur.

PARAPHRASER [paʀafʀɑze] v. tr. — 1534; de *paraphrase.*

♦ **1.** Développer, commenter, expliquer par une paraphrase (1.).

♦ **2.** Développer longuement, amplifier*, faire des paraphrases (2.). *Expliquer un texte est tout autre chose que le paraphraser.* Absolt. *«Ce n'est pas là traduire c'est paraphraser»* (Académie).

(...) Dutocq allait d'un bureau à l'autre, explorait les consciences en disant des gaudrioles, et venait paraphraser ses *rapports* à des Lupeaulx, qu'il instruisait des plus petits événements. BALZAC, les Employés, Pl., t. VI, p. 927. 1

(...) vous me donnez envie de paraphraser ainsi l'histoire de saint Thomas : «Bienheureux les sceptiques, parce qu'ils seront convaincus.» 2
Pierre BENOIT, Mlle de la Ferté, p. 180.

CONTR. Abréger.
DÉR. Paraphraseur.

PARAPHRASEUR, EUSE [paʀafʀɑzœʀ, øz] n. — xvie, attestation isolée; repris fin xviiie; de *paraphraser.*

♦ Personne qui fait des paraphrases (2.), des développements verbeux.

PARAPHRASIE [paʀafʀazi] n. f. — Mil. XXe; de 1. *para-*, et du grec *phrasis* « élocution ».

♦ Méd. Incapacité de construire des phrases correctes.

PARAPHRASTE [paʀafʀast] n. m. — 1542; lat. *paraphrastes*, grec *paraphrastês*.

♦ Didact. Auteur de paraphrases (1.).

PARAPHRASTIQUE [paʀafʀastik] adj. — 1542, « auteur de paraphrase »; de *paraphrase*.

♦ Didact. Qui constitue une paraphrase (1.). *Exégèse paraphrastique.*

PARAPHRÈNE [paʀafʀɛn] adj. et n. — Première moitié XXe; de *paraphrénie*.

♦ Méd. Relatif à la paraphrénie. (On dit aussi *paraphrénique*). — N. Sujet atteint de paraphrénie.

PARAPHRÉNIE [paʀafʀeni] n. f. — 1909; de 1. *para-*, et *-phrénie*.

♦ Didact. (Méd., psychiatr.). Délire chronique reposant sur des mécanismes de fabulation (thèmes délirants, riches, variés et changeants). *La paraphrénie laisse en général intacte l'adaptation au réel.*

J'ai choisi un cas extrême : une femme qui se sait responsable du suicide de sa fille et que tout son entourage condamne. J'ai essayé de construire l'ensemble des sophismes, des vaticinations, des fuites par lesquels elle tente de se donner raison. Elle n'y parvient qu'en poussant jusqu'à la paraphrénie sa distorsion de la réalité.
S. DE BEAUVOIR, Tout compte fait, p. 142.

PARAPHYSE [paʀafiz] n. f. — 1818 *in* D. D. L.; de 1. *para-*, et du grec *physa* « vessie ».

♦ Bot. Cellule allongée et stérile de l'hyménium* des champignons ascomycètes et basidiomycètes.

PARAPLÉGIE [paʀapleʒi] n. f. — 1560, Paré *in* Littré; de 1. *para-*, et *plêgê* « coup, choc ».

♦ Méd. Paralysie des membres, et particulièrement des membres inférieurs.

DÉR. Paraplégique.

PARAPLÉGIQUE [paʀapleʒik] adj. — 1836; de *paraplégie*.

♦ Méd. Qui est atteint de paraplégie. *Les pensionnés paraplégiques sont qualifiés grands mutilés* (cit. 2) *de guerre.* — N. *La rééducation des paraplégiques. Une paraplégique.*

PARAPLUIE [paʀaplɥi] n. m. — 1622, Tabarin; admis Académie 1718; rare jusqu'au XIXe; de 2. *para-*, et *pluie*.

♦ **1.** Objet portatif constitué par une étoffe tendue sur une armature pliante et par un manche, et qui sert d'abri contre la pluie. — REM. Au XVIIe s., on employait plutôt *parasol**, dans ce sens (→ cit. 1). — ⇒ (fam.) **Pébroc, pépin, riflard.** *Mât, branches, baleines* (cit. 1); *coulant, virole* (→ Fil, cit. 6), *manche, poignée, bout, embout* d'un parapluie. Parapluie fermé, serré dans une gaine, un fourreau*. Parapluie télescopique. Ouvrir son parapluie. Parapluie retourné* (par le vent...) [→ Bruit, cit. 7]. — *Parapluie d'homme, de femme. Petit parapluie à manche court* (⇒ **Tom-pouce**). *Ombrelle pouvant servir de parapluie.* ⇒ **En-cas.** — *Préférer l'imperméable au parapluie* (→ Mackintosh, cit.). — *Le parapluie, symbole du bourgeois* (*et de la monarchie bourgeoise.* → Gouverner, cit. 30), *au XIXe siècle.* — *Vendeur à la sauvette, camelot qui étale sa marchandise dans un parapluie renversé.* — Loc. fig., fam. *Il a l'air d'avoir avalé son parapluie :* il a une allure raide et compassée.

1 PARAPLUŸE (...) Quelques Dames commencent à dire ce mot, mais il n'est pas établi et tout au plus on ne le peut dire qu'en riant, et c'est ce qu'on appelle un *parasol*. RICHELET, Dict. (1680).

2 (...) le vrai bourgeois de Paris, homme à parapluie, expert en averse, qui l'a prévue, sorti malgré l'avis de sa femme (...) BALZAC, Ferragus, Pl., t. V, p. 38.

3 Le *parapluie* est le symbole de la vie tranquille et paisible. C'est l'instrument de l'homme rangé, soigneux, du bourgeois, de M. Prudhomme. Quand on veut représenter le type du calme, de la médiocrité et de la bonhomie, il suffit de peindre un homme portant sous son bras un *parapluie* bien solide, bien solennel, un *riflard* bien conditionné. P. LAROUSSE, Dict.

4 (...) un souffle traître prit son parapluie en dessous et le retourna brusquement. M. Godet-Laterrasse rétablit la concavité première de cet appareil domestique; mais le taffetas, rompu de toutes parts, flotta comme un drapeau noir sur l'armature dénudée. FRANCE, le Chat maigre, I, *in* Œ., t. II, p. 140.

5 — Vous n'avez pas de parapluie? Venez vous abriter sous le mien. Ma femme m'a forcé de le prendre. Quelle horreur! Cet instrument me rend honteux et ridicule. G. DUHAMEL, Salavin, III, VII.

Parapluie-canne.

6 l'homme au costume bourgeois qui buvait tout à l'heure au comptoir; il ne s'appuie pas sur une béquille, mais sur un parapluie-canne, qu'il tient devant soi, pointé dans la neige dure, le corps légèrement penché en avant.
A. ROBBE-GRILLET, Dans le labyrinthe, p. 148-149.

Argot. *La maison parapluie :* la police, à cause du parapluie du préfet Lépine. ⇒ **Pébroc.**

À l'atelier, on sait déjà que j'ai été en conférence avec la Maison Parapluie, et le 7
silence est lourd, inquiétant, je sens le poulet. A. SARRAZIN, la Cavale, p. 65.

♦ **2.** Fig. Couverture, protection. — Spécialt. *Parapluie atomique* ou *nucléaire :* protection accordée par une grande puissance nucléaire à ses alliés. « *La première puissance militaire mondiale abrite l'Europe sous son parapluie nucléaire* » (*le Monde*, 19 juin 1975). « *La valeur dissuasive du "parapluie américain"* » (Raymond Aron, in *l'Express*, 23 avr. 1982, p. 113).

Loc. fig. *Ouvrir le parapluie :* prendre ses dispositions pour dégager sa responsabilité ou pour la faire endosser par un autre, par d'autres en cas de difficultés, d'ennuis imprévus. — Argot. *Porter le parapluie :* prendre les responsabilités.

COMP. Porte-parapluie.

PARAPSYCHIQUE [paʀapsiʃik] adj. — 1893, Boirac; art. Télépathie, *in* Encycl. Berthelot; de 1. *para-*, et *psychique*.

♦ Didact. Se dit des phénomènes psychiques inexpliqués. ⇒ **Métapsychique, paranormal.**

PARAPSYCHOLOGIE [paʀapsikɔlɔʒi] n. f. — V. 1948; de 1. *para-*, et *psychologie*.

♦ Didact. Étude des phénomènes parapsychiques, métapsychiques.

PARAPSYCHOLOGIQUE [paʀapsikɔlɔʒik] adj. — 1948, *in* D. D. L.; de 1. *para-*, et *psychologique*.

♦ Didact. De la parapsychologie.

PARAPUBLIC, IQUE [paʀapyblik] adj. — 1979, *l'Express* (14 avr.); de 1. *para-*, et *public*.

♦ Rare. Semi-public.

PARASCÈVE [paʀasɛv] n. f. — 1310, *jour de paraceuve;* du grec *paraskeuê* « préparation ».

♦ Didact. Veille du sabbat, dans la religion judaïque.

PARASCIENTIFIQUE [paʀasjɑ̃tifik] adj. — Déb. XXe; de 1. *para-*, et *scientifique*.

♦ Didact. Qui concerne des domaines, des activités proches de la science.

PARASCOLAIRE [paʀaskɔlɛʀ] adj. — V. 1965; de 1. *para-*, et *scolaire*.

♦ Se dit des activités ou des institutions liées à l'école sans en faire partie intégrante. *Œuvres parascolaires* (⇒ **Périscolaire**).

PARASÉLÈNE [paʀaselɛn] n. f. — 1547; de 1. *para-*, et du grec *selênê* « lune ».

♦ Vx. Cercle lumineux autour de la lune (→ Parhélie).

PARASEXUALITÉ [paʀasɛksɥalite] n. f. — 1968; de 1. *para-*, et *sexualité*.
Didactique.

♦ **1.** Ensemble des phénomènes psychophysiologiques conditionnés par la sexualité.

♦ **2.** Biol. Ensemble des phénomènes de la sexualité primitive (en l'absence de fécondation). *Parasexualité des bactéries* (« conjugaison »).

♦ **3.** Méd. Ensemble des manifestations sexuelles perverses (homosexualité, masochisme, sadisme, voyeurisme, etc.).

PARASEXUEL, ELLE [paʀasɛksɥɛl] adj. — Mil. XXe; de 1. *para-*, et *sexuel*.

♦ Didact. Relatif à la parasexualité.

PARASITAIRE [paʀazitɛʀ] adj. — 1855; de *parasite*.

♦ **1.** Relatif aux parasites (II.). *Spécificité parasitaire.*

♦ **2.** Causé par les parasites. *Maladie parasitaire. Castration para-*

sitaire : arrêt du développement des gonades mâles chez certains animaux inférieurs parasités.

♦ **3.** Littér. Qui vit en parasite ; du parasite (I.). *Mener une existence parasitaire.*

COMP. Antiparasitaire.

PARASITE [parazit] n. m. et adj. — V. 1500, n. m. au sens I. ; du lat. *parasitus,* grec *parasitos* « commensal », de 1. *para,* et *sitos* « nourriture », devenu très tôt péjoratif.

★ **I.** N. m. ♦ **1.** Antiq. Commensal attaché à la table d'un riche, et qui devait le divertir. *Les parasites, personnages de comédie* (→ Bouffon, cit. 3).

1 (...) on nomma parasites les flatteurs et les complaisants, qui pour se procurer une subsistance agréable, y sacrifiaient sans honte la délicatesse et la probité. Les Romains, en les recevant à leurs tables, usaient du droit de les ridiculiser, de les bafouer, et même de les battre. Encycl. (DIDEROT), art. *Parasite.*

Mod. Personne qui se nourrit chez les autres en se faisant inviter (généralement au prix de quelques flatteries ou menus services). ⇒ **Écornifleur, écumeur** (de table), **pique-assiette.** *L'homme riche a des commensaux ou des parasites* (→ Courtisan, cit. 5). *Convive* indélicat, encombrant, qui s'installe en parasite chez son hôte. « Le Neveu de Rameau », de Diderot, peinture d'un parasite.*

2 Pour peu que j'eusse eu d'expérience, je n'aurais pas été la dupe de ses démonstrations ni de ses hyperboles ; j'aurais bien connu, à ses flatteries outrées, que c'était un de ces parasites que l'on trouve dans toutes les villes, et qui, dès qu'un étranger arrive, s'introduisent auprès de lui pour remplir leur ventre à ses dépens (...) A.-R. LESAGE, Gil Blas, I, II.

3 Et toi, roi des valets sans livrée, parasite effronté, laisse ton caractère à la maison ; digère comme digère ton amphitryon, pleure de ses pleurs, ris de son rire, tiens ses épigrammes pour agréables ; si tu veux en médire, attends sa chute. BALZAC, la Peau de chagrin, Pl., t. IX, p. 221.

4 « Madame Peloux en a là pour de l'argent », redisaient dévotement les vieilles parasites qui venaient, en échange d'un dîner et d'un verre de fine, tenir en face d'elle les cartes du bézigue et du poker. COLETTE, Chéri, p. 20.

Par métaphore. *« Ce parasite ailé que nous avons mouche appelé »,* La Fontaine, VIII., 10 (Cf. La Fontaine, IV., 3., *« Nomme-t-on pas aussi mouches les parasites ? »*).

♦ **2.** (1680). Par ext. (ou par métaphore de II.). Personne qui vit dans l'oisiveté, aux dépens des autres, de la société, alors qu'elle pourrait subvenir à ses besoins. *Vivre en parasite. C'est un parasite, une bouche inutile.* ⇒ **Inutile** (subst.). *Société qui ne tolère pas les parasites.* Adj. *Individu parasite.*

5 Vivre oisif de la substance sociale ! être inutile, c'est-à-dire nuisible ! cela mène droit au fond de la misère. Malheur à qui veut être parasite ! il sera vermine. HUGO, les Misérables, IV, IV, II.

6 Nous sommes tous *(les capitalistes)* des parasites. Pourquoi ne pas l'avouer ? Il n'y a là rien qui me choque. En quoi est-il mieux d'être la bête qui a des parasites, que le parasite sur le dos du bétail ? Pour moi, je pense tout au contraire que c'est là ce qui s'appelle la civilisation. ARAGON, les Cloches de Bâle, I, IX.

7 (...) la faiblesse organique des groupes y favorisait le pullulement d'individualités parasites (...) J. ROMAINS, les Hommes de bonne volonté, t. IV, XVI, p. 178.

★ **II.** N. m. et adj. ♦ **1.** Biol. et cour. (1721, adj. ; 1765, bot., au sens où l'on emploie aujourd'hui « épiphyte »). Organisme animal ou végétal vivant en association durable avec un autre (appelé *hôte*) dont il se nourrit, sans le détruire (à la différence des *prédateurs*) ni lui apporter aucun avantage (à la différence des *commensaux,* des plantes *épiphytes*). ⇒ **Parasitisme.** *Parasite animal, végétal. Parasite nécessaire, parasite occasionnel* (qui peut vivre libre). *Parasites externes* (⇒ **Ectoparasite**), *internes* (⇒ **Endoparasite**) qui vivent sur l'hôte, à l'intérieur de l'hôte. *Parasite permanent, momentané* (quant à la durée de l'association) ; *temporaire* (quant à la durée de sa vie) ; *à transmigration* (qui a des hôtes successifs d'espèce différente). *La vie des parasites se borne généralement aux fonctions de nutrition et de reproduction. Action spoliatrice, toxique... des parasites* (→ Infectieux, cit.). — *Parasites animaux d'espèces animales.* ⇒ **Ascaride, anguillule, bilharzie, bothriocéphale, cénure, colibacille, douve, filaire, grégarine, helminthe, hémamibe, hypoderme, mélophage, morpion, œstre, oxyure, pou, puce, punaise, sacculine, sarcopte, spirochète, strongle, ténia, tique, trichine, trichocéphale, trichomonas, trombidion, trypanosome...** *Les sporozoaires, les vers cestodes, trématodes et la plupart des nématodes sont des parasites.* — Adj. *Insecte*, ver parasite. Larve parasite d'insecte, parasite d'une autre larve* (⇒ **Pupivore**). *Microbe pathogène parasite. Forme parasite et forme libre d'une espèce.* — REM. En général le terme de *parasite* ne s'étend pas aux animaux qui ne demeurent pas sur leur hôte (moustique, taons, par exemple). — *Animaux, végétaux parasites.*

7.1 L'une et l'autre de ces classes sont à la société, comme ces excroissances de chair qui, se nourrissant du suc des membres sains, les dégradent et les affaiblissent ; ou, si vous l'aimez mieux, comme ces végétaux parasites qui, se liant aux bonnes plantes, les détériorent et les rongent en s'adaptant leur semence nourricière. SADE, Justine..., t. I, p. 23.

Animaux parasites d'espèces végétales. ⇒ **Carpocapse, chenille*, cynips, doryphore, eumolpe, hylésine, hyponomeute, machaon, puceron, phylloxéra, pyrale, tigre** (du poirier), **zabre.** — *Végétaux parasites d'espèces végétales.* ⇒ **Bactérie, champignon*** (parasite), **moisissure*, urédinales, ustilaginées,** et aussi **cuscute, gui, mélampyre, orobanche...** *Plante parasite sur le tronc des arbres* (→ Fouillis, cit. 3). *Le trichophyton, champignon parasite de l'homme.*

8 Le Peltogaster nous semble parfaitement illustrer une définition du parasitisme. Peltogaster et Pagure réalisent une *association* continue ou en tout cas de longue durée, association qui a un caractère *unilatéral.* Elle est *normale* et *nécessaire* pour le Peltogaster qui se nourrit aux dépens du Pagure. Elle n'est pas indispensable à l'hôte. Celui-ci cependant supporte le parasite. Ainsi nous saisissons la différence entre parasite et prédateur. L. GALLIEN, le Parasitisme, p. 14.

♦ **2.** Cour. (Abusif en sc.) Se dit d'un être vivant qui, dans une association avec un autre, semble vivre à ses dépens (mutualisme, symbiose ; plantes épiphytes... ; on disait parfois en ce sens *faux parasite*), ou d'un être vivant à demeure dans un milieu qu'il détériore (vermine*, tarets, mites, cafards... etc.). *Fleurs parasites des murs* (→ Enraciner, cit. 1).

9 Dans quelques pieds carrés de la forêt, il y a non seulement les racines de ce gros arbre, qui se tordent hors de terre, cette touffe de lierre qui vit en parasite de l'eau qu'elle lui dérobe (...) M. CONSTANTIN-WEYER, Source de joie, p. 14.

Par compar. et par métaphore :

10 (...) une personne n'est jamais ridicule que par une disposition qui ressemble à une distraction, par quelque chose qui vit sur elle sans s'organiser avec elle, à la manière d'un parasite (...) H. BERGSON, le Rire, III, II.

11 (...) Françoise, plante rustique et parasite, est décrite comme vivant en symbiose avec ses maîtres (...) A. MAUROIS, Études littéraires, Proust, IV.

★ **III.** Fig. ♦ **1.** Adj. Se dit de ce qui est superflu et gênant. ⇒ **Encombrant, importun.** *Envahissement* (cit. 3) *d'un chemin par des végétations parasites, de mauvaises herbes. Construction parasite qui défigure un monument. Un passé parasite dont on ne peut se défaire* (→ Incruster, cit. 9). *Tumeur, excroissance parasite chez un être vivant. Phénomènes économiques parasites.*

12 Cette église parasite, monstrueux champignon de pierre, verrue architecturale poussée au dos de l'édifice arabe (...) Th. GAUTIER, Voyage en Espagne, p. 239.

13 Le verdict fulgurant qu'il avait saisi dans le regard de Philip, habitait son esprit, et non seulement son esprit, mais son corps, pareil à une chose énorme, parasite, une dévorante tumeur qui aurait refoulé tout le reste pour s'épanouir monstrueusement et occuper l'être entier. MARTIN DU GARD, les Thibault, t. IX, p. 132.

14 Sois orgueilleux, délibérément. Humilité : vertu parasite, qui rapetisse (...) Parasites aussi, le goût du renoncement, le désir de se soumettre, l'aspiration à recevoir des ordres, la fierté d'obéir, etc. Principes de faiblesse et d'inaction. MARTIN DU GARD, les Thibault, t. IX, p. 226-227.

Littér. *Mots, ornements parasites* (→ Bannir, cit. 20). ⇒ **Superflu.** *Conjonctions* (cit. 8) *parasites. Bruits parasites en radio* (→ ci-dessous).

♦ **2.** N. m. (1923). Perturbation apportée dans la réception des signaux radio-électriques par les variations de l'état électrique de l'atmosphère *(parasites atmosphériques,* ou subst. *atmosphériques)* ou la présence d'appareils électriques *(parasites industriels). Crépitement des parasites. Parasites qui empêchent d'écouter une émission* (⇒ **Brouillage**). *Élimination des parasites.* ⇒ **Antiparasite.**

15 San Antonio entend très mal à cause des parasites. J'entends mal aussi. Je crois être obligé de remonter bientôt l'antenne à cause des décharges. SAINT-EXUPÉRY, Vol de nuit, XII.

16 Avec une modulation en fréquence, l'amplitude de l'onde porteuse émise étant maintenue constante, on peut utiliser, à la réception, des *filtres* exactement réglés sur cette amplitude, ce qui permet d'éliminer la plupart des parasites, atmosphériques ou industriels, qui deviennent surtout gênants lorsque leur amplitude est supérieure à celle du signal. Jean BRUN, Dict. de la radio, Modulation en fréquence.

DÉR. et **COMP. Parasitaire, parasitémie, parasiter, parasiticide, parasitique, parasitisme, parasitologie ; antiparasite.**

PARASITÉMIE [parazitemi] n. f. — Mil. XXe ; de *parasite,* et *-émie.*

♦ Méd. Présence de parasites dans le sang.

PARASITER [parazite] v. tr. — 1599, intrans., « vivre en parasite » au sens I., 1. ; de *parasite.*

♦ **1.** Habiter (un être vivant) en parasite ; vivre aux dépens de... *Ver qui parasite un mammifère. Animal parasité.*

Fig. *Individus qui parasitent une société.*

1 (...) une certaine domination primaire, qui s'est établie vers 1881, qui n'est pas la République, qui se dit la République, qui parasite la République, qui est le plus dangereux ennemi de la République, qui est proprement la domination du parti intellectuel. Ch. PÉGUY, Notre jeunesse, p. 31.

2 Des poètes, et parmi les plus grands, ont laissé parfois le style critique parasiter leurs meilleurs chants. G. DUHAMEL, Chronique des saisons amères, XV.

♦ **2.** (XXe). Perturber (une émission) par des parasites (III., 2.). — (Surtout au p. p.). *Émission parasitée.*

PARASITICIDE [parazitisid] adj. et n. m. — 1668 ; de *parasite,* et suff. *-cide.*

♦ Didact. Qui tue les parasites. — N. m. *Un parasiticide. Les vermifuges sont des parasiticides.*

PARASITIQUE [paʀazitik] adj. — 1539; de *parasite.*

♦ **1.** Qui appartient au parasite (I., 1. et 2.). *Vie parasitique. Mœurs parasitiques.*

♦ **2.** Biol. (Rare). Relatif aux parasites (II.).

PARASITISME [paʀazitism] n. m. — 1719; de *parasite,* I. et II., et *-isme.*

★ **I.** Mode de vie du parasite (I., 1. et 2.).

1 Mais la Patience est forte dans le Parasitisme : c'est sa vertu dominante, régnante toujours triomphante. PLAUTE, la Persane, trad. 1719, *in* D. D. L., II, 7.

2 Avec l'ignoble tendance au parasitisme qu'avaient les gens de sa génération, mâles et femelles, durant ces années-là, elle vivait six mois en Bretagne, chez la cousine à héritage, et six mois à Paris, chez des amis (...) MONTHERLANT, les Célibataires, II, I.

★ **II.** (1832). ♦ **1.** Biol., cour. État d'un être vivant qui vit sur un autre (parasitisme vrai, commensalisme, mutualisme...). On dit aussi, dans ce sens, *parasitisme faux* ou *pseudo-parasitisme.* — Biol. Mode de vie du parasite (II., 1.), dit parfois *parasitisme vrai* (→ Parasite, cit. 8). *Parasitisme intraspécifique,* où le mâle, profondément dégradé, est parasite de la femelle.

♦ **2.** Présence de parasites dans un organisme, dans un organe. *Parasitisme intestinal.*

PARASITOLOGIE [paʀazitɔlɔʒi] n. f. — 1890; de *parasite,* et *-logie.*

♦ Didact. Science des parasites (II.). *Parasitologie animale, végétale.*

PARASITOLOGIQUE [paʀazitɔlɔʒik] adj. — D. i. (attesté XXe); de *parasitologie.*

♦ Didact. Relatif à la parasitologie.

PARASITOLOGUE [paʀazitɔlɔg] n. — D. i. (attesté XXe); de *parasitologie.*

♦ Didact. Spécialiste de parasitologie.

PARASITOSE [paʀazitoz] n. f. — 1933, Larousse; de *parasite,* et *-ose.*

♦ Didact. (Méd.). Affection provoquée par la présence de parasites. *Parasitose du foie, de l'intestin due à la présence de micro-organismes qui en troublent les fonctions. Parasitose génératrice de douleurs chroniques, cause d'anémies.*

Psychiatrie. *Parasitose hallucinatoire :* fausses perceptions de piqûres, de grouillements d'insectes à la surface de la peau, dans certaines intoxications (alcoolisme, cocaïnomanie).

PARASOL [paʀasɔl] n. m. — 1548; ital. *parasole,* proprt «contre le soleil».

♦ **1.** Vx. Objet portatif et pliant dont on se servait comme abri pour se protéger du soleil et de la pluie. ⇒ **Ombrelle, parapluie.**

1 (...) le parasol, dont l'usage est de se défendre du soleil et de la pluie en le portant au-dessus de la tête. RICHELET, Dict.

Mod. Cet objet plus ou moins grand et luxueux destiné à abriter les dignitaires dans certains pays chauds. (On a dit *ombrelle** en ce sens). *Serviteur qui porte le parasol de son maître.*

2 Il était nu-tête, sous un parasol de byssus, que portait un nègre derrière lui. FLAUBERT, Salammbô, VI.

3 Un autre (...) tenait au-dessus de sa tête le parasol de velours vert, insigne de la toute-puissance, et de fois à autre il le faisait doucement tourner entre ses doigts comme une grande fleur, pour suivre les moindres mouvements de l'auguste cavalier et que jamais son visage ne fût touché du soleil. Jérôme et Jean THARAUD, Rabat, VII.

♦ **2.** (XXe). Mod. Objet pliant semblable à un vaste parapluie et fixé à un support, que l'on installe en un endroit pour se protéger du soleil. *Parasol à pied. Parasol fixé au centre d'une table de café, de jardin. Parasol de plage. Parasols des marchés en plein air* (→ Étal, cit. 1). *Ouvrir, fermer, orienter un parasol. Terrasse de café où l'on boit à l'ombre des parasols.*

4 Les invités des fêtes du préfet s'asseyaient sur la terrasse sous des parasols de plage qui se refermaient le soir comme des fleurs à rythme diurne. P. NIZAN, le Cheval de Troie, I, V.

♦ **3.** Par compar. Se dit d'une chose dont la forme rappelle celle d'un parasol. *La queue de l'écureuil* (cit. 2) *s'épanouit au-dessus de sa tête comme un parasol. Pin en parasol* (vx : → Bassin, cit. 10), dont les branches épanouies au sommet du tronc rappellent un parasol. → ci-dessous. *Fleurs en parasol.* ⇒ **Ombelle.**

5 À ces pavillons déserts et poudreux commence une magnifique avenue d'ormes centenaires dont les têtes en parasol se penchent les unes sur les autres et forment un long, un majestueux berceau. BALZAC, les Paysans, Pl., t. VIII, p. 13.

(1762). **PIN PARASOL.**

(...) au milieu de la verdure des mûriers et des pins parasols. 6
FLAUBERT, Correspondance, 263, 26 juil. 1850.

Littér. *Le parasol d'un arbre.*

(...) un petit bois de mûriers et d'oliviers où quelques pins plus rares étendaient 7
çà et là leurs sombres parasols (...) NERVAL, Voyage en Orient, Introd., XV.

PARASOLEIL [paʀasɔlɛj] n. m. — V. 1904; de 2. *para-,* et *soleil.*

♦ Dispositif (généralement tronc de cône d'une matière opaque et sombre) qui se fixe en avant de l'objectif photographique pour éviter les reflets. Syn. : *pare-soleil**.

PARASOLIER [paʀasɔlje] n. m. — Déb. XXe, au sens II.; de *parasol.*

★ **I.** Rare. Porteur de parasol.

(Le sultan) protégé par un grand parasol comme ceux que l'on voit sur la plage 1
de Deauville, monté sur une tige extrêmement longue car le sultan est à cheval et le parasolier le suit à pied (...) GIDE, Retour du Tchad, VI, *in* Journal, 1939-1949, Pl., p. 944.

★ **II.** Arbre tropical *(Moracées)* à port en parasol. *Le bois du parasolier sert à la fabrication de la pâte à papier.*

(...) des parasoliers, çà et là, miteux, poussés dans la caillasse mais des lis pâles 2
aux innervations visibles de racines sous très peu de poussière. P. GRAINVILLE, les Flamboyants, p. 211.

PARASTATAL, ALE, AUX [paʀastatal, o] adj. — XXe; de 1. *para-,* lat. *status* «État», et suff. *-al.*

♦ Admin. (français de Belgique). Semi-public. *Les institutions parastatales.* — N. m. *Le parastatal.*

PARASTATE [paʀastat] n. m. — 1875, P. Larousse; du grec *parastatês* d'abord «choreute», de *parastanai* «se placer à côté», de *para,* et *histanai* «se placer».

Didact. (Antiquité).

♦ **1.** Colonne adossée.

♦ **2.** (1903). Choreute qui se plaçait auprès du coryphée (dans le théâtre antique).

PARASYMPATHICOLYTIQUE [paʀasɛ̃patikɔlitik] ou **PARASYMPATHOLYTIQUE** [paʀasɛ̃patɔlitik] adj. — Mil. XXe (*parasympatholytique,* 1961); de *parasympathique,* et *-lytique.*

♦ Méd. Qui inhibe l'activité du système parasympathique. ⇒ **Vagolytique.** — N. m. *Un parasympatholytique :* une substance, un médicament parasympatholytique.

(Les substances) dont l'action équivaut à une section d'une fibre parasympathique ou qui s'opposent à l'action de l'acétylcholine sont dites *parasympatholytiques.* A. GALLI et R. LELUC, les Thérapeutiques modernes, p. 17.

PARASYMPATHICOMIMÉTIQUE [paʀasɛ̃patikomimetik] ou **PARASYMPATHOMIMÉTIQUE** [paʀasɛ̃patomimetik] adj. — Mil. XXe (*parasympathomimétique,* 1941); de *parasympatique,* et *-mimétique.*

♦ Méd. Se dit des substances qui déterminent dans l'organisme les mêmes effets que l'excitation du parasympathique. — N. m. *Un parasympathomimétique.* ⇒ **Vagomimétique.**

(L'acétylcholine) reproduit les effets de l'excitation du parasympathique (...) On dit que c'est une substance *parasympathicomimétique.* Pierre REY, les Hormones, p. 102.

PARASYMPATHIQUE [paʀasɛ̃patik] adj. et n. m. — 1903, *Rev. gén. des sc.,* n° 21, p. 1108; de 1. *para-,* et *sympathique.*

♦ Anat. et physiol. Se dit de la partie du système nerveux végétatif (ou neurovégétatif) qui comprend deux centres nerveux, aux deux extrémités de l'axe cérébrospinal (*centre supérieur,* cervicocrânien et *centre inférieur,* pelvien ou sacré). ⇒ **Sympathique.** *Système parasympathique.* — N. m. *Le parasympathique et le grand sympathique ont des fonctions antagonistes* (→ Innervation, cit.). ⇒ **Orthosympathique.** *Les vagotoniques sont soumis à une action prédominante du parasympathique.*

(...) certains tests endocriniens, c'est-à-dire empruntés aux glandes à sécrétion 1
interne (...) ont servi à délimiter dans le domaine du système nerveux de la vie végétative deux territoires antagonistes : 1° Le *parasympathique* que paralyserait l'atropine et que stimuleraient électivement la sécrétion interne du pancréas et celle de l'écorce de la glande surrénale; 2° Le *sympathique* proprement dit qu'exciteraient l'adrénaline et la sécrétion de la thyroïde et de l'hypophyse. L. TESTUT, Traité d'anatomie, t. III, p. 362.

Les nerfs autonomes de la région crânienne et de la région du pelvis s'appellent 2
parasympathiques (..) L'action du parasympathique et du sympathique s'opposent l'une à l'autre. Alexis CARREL, l'Homme, cet inconnu, III, XI.

PARASYNTHÉTIQUE [paʀasɛ̃tetik] adj. et n. m. — 1875, Darmesteter; du grec *parasunthetos,* t. de gramm. de même sens que le dér. français.

♦ Didact. (Ling.). Composé par l'addition combinée de plusieurs affixes à une base. *« Incollable » est un parasynthétique.*

Dérivation et composition simultanées. — De *barque,* on forme *embarquer,* en ajoutant le préfixe *en* et le suffixe *er;* sans passer par l'intermédiaire d'un verbe *barquer.* Ces verbes qui portent le nom barbare de parasynthétiques, sont en *er* ou en *ir.* F. BRUNOT, la Pensée et la Langue, p. 214.

PARATAXE [paʀataks] n. f. — 1907; t. d'archéol. militaire, 1838; de 1. *para-,* d'après *(syn)taxe.*

♦ Ling., rhét. Construction par juxtaposition, sans qu'un mot de liaison indique la nature du rapport entre les phrases.

PARATHORMONE [paʀatɔʀmɔn] n. f. — 1941; de *parath(yroïde),* et *hormone.*

♦ Méd. Hormone sécrétée par la parathyroïde, qui règle le taux de phosphore et de calcium de l'organisme. Syn. : *parathyrine.*

(...) il existerait dans le sang un complexe chimique, fort mal défini encore, contenant à la fois du phosphore et du calcium (...) La parathormone agirait sur la formation de ce complexe (...) Pierre REY, les Hormones, p. 68.

PARATHYROÏDE [paʀatiʀɔid] n. f. — 1896; de 1. *para-,* et *thyroïde.*

♦ Anat. et physiol. Chacune des quatre glandules endocrines dans le voisinage de la thyroïde, qui sécrètent une hormone (⇒ **Parathormone**).

PARATOMIE [paʀatɔmi] n. f. — 1963; de 1. *para-,* et *-tomie.*

♦ Biol. Forme de scissiparité dans laquelle la division est précédée d'une prolifération (par ex., chez certains vers annélides).

PARATONNERRE [paʀatɔnɛʀ] n. m. — 1779; de 2. *para-,* et *tonnerre,* sur le modèle de *parasol.*

♦ Appareil destiné à préserver les bâtiments des effets de la foudre, et qui est fait d'une ou plusieurs tiges métalliques fixées aux toits et reliées au sol par des conducteurs (⇒ **Parafoudre**). *Le paratonnerre fut inventé par Franklin. Paratonnerre à tiges multiples réalisant les conditions de la cage* de Faraday.*

1 (...) des paratonnerres mirent à l'abri de la foudre le dôme de Michel-Ange. CHATEAUBRIAND, Mémoires d'outre-tombe, t. V, p. 143.

2 Deux pins gigantesques adossés au chevet servaient de paratonnerres. BALZAC, le Curé de village, Pl., t. VIII, p. 610.

Par métaphore ou fig. *Les moines, paratonnerres de Dieu* (→ Monastique, cit. 2).

3 (...) comme paratonnerre contre ce malheur, Mina de Vanghel, avait un des noms les plus nobles de l'Allemagne orientale. STENDHAL, Mina de Vanghel.

4 (...) les ordres contemplatifs! (...) sont les paratonnerres de la société (...) ils attirent sur eux le fluide démoniaque (...) HUYSMANS, En route, III.

PARÂTRE [paʀɑtʀ] n. m. — 1080, *parastre;* du bas lat. *patraster* « second mari de la mère », de *pater* « père ».

♦ **1.** Vx. Beau-père (2.).

♦ **2.** Fig. (Vx ou plais.). Père méchant (→ Marâtre).

Ce n'était pas le fils Rezeau — ou si peu —, c'était le fils tout court, devenu père de tant de façons, père de première, de seconde main et parâtre et beau-père qui, se croyant rédimé par ses propres enfants, s'est un moment demandé si son nouvel état n'était pas réversible. Hervé BAZIN, Cri de la chouette, p. 297.

PARATYPHIQUE [paʀatifik] adj. — 1897, *bacille paratyphique;* de *paratyphoïde,* sur le modèle de *typhus, typhique.*

Médecine.

♦ **1.** Relatif à la fièvre paratyphoïde et aux bacilles qui en sont la cause. *Infections, troubles paratyphiques* (→ Gastro-intestinal, cit.).

♦ **2.** Qui est atteint de fièvre paratyphoïde. — Subst. *Un, une paratyphique.*

PARATYPHOÏDE [paʀatifɔid] adj. et n. f. — 1907; de 1. *para-,* et *typhoïde.*

♦ Méd. Se dit d'une fièvre rappelant la fièvre typhoïde, généralement de gravité moindre, et provoquée par un bacille différent (bacilles paratyphiques*). *Fièvre paratyphoïde,* et subst. fém., *une paratyphoïde.* — (On dit parfois *paratyphus,* n. m.).

DÉR. Paratyphique.

PARAVALANCHE [paʀavalɑ̃ʃ] n. f. — 1868; de 2. *para-,* et *avalanche.*

♦ Techn. Dispositif (construction, etc.) destiné à protéger des avalanches les routes, les voies ferrées, etc.

PARAVENT [paʀavɑ̃] n. m. — 1599; ital. *paravento,* proprt « contre *(para)* le vent *(vento)* ».

♦ **1.** Châssis fait de plusieurs panneaux verticaux mobiles (feuilles) qu'on dispose en ligne brisée de manière à le faire tenir en équilibre, originairement destiné à protéger contre les courants (cit. 8) d'air, et surtout, de nos jours, à isoler des regards. *Plier, déplier, installer un paravent. Paravent peint, brodé. Écrans de soie et paravents de laque* (→ Chinois, cit. 2). *Coin de pièce, lit, grabat* (cit. 1) *caché par un paravent. Se déshabiller derrière un paravent. Paravent décoratif. Paravents peints. La peinture de paravents,* genre majeur en Chine, au Japon.

(...) il était entouré d'un petit paravent en bois blanc pour le garantir des vents 1
du côté de la fenêtre et du côté de la porte; mais ce paravent, composé de deux feuilles, le laissait recevoir la chaleur du poêle. BALZAC, les Petits Bourgeois, Pl., t. VII, p. 171.

Elle l'avait fait asseoir près d'elle dans un des nombreux retraits mystérieux qui 2
étaient ménagés dans les enfoncements du salon, protégés par d'immenses palmiers contenus dans des cache-pot de Chine, ou par des paravents auxquels étaient fixés des photographies, des nœuds de rubans et des éventails. PROUST, À la recherche du temps perdu, t. II, p. 10.

Loc. fam. *Un Chinois de paravent :* personne ridicule, par comparaison avec les personnages figurant sur certains paravents d'Extrême-Orient.

Vx. Contrevent*.

Écran devant une cheminée. ⇒ **Garde-feu, pare-étincelles.**

♦ **2.** Par métaphore ou fig. Ce qui protège contre les atteintes de l'extérieur, et, cour., ce qui protège en cachant. ⇒ **Abri, couverture** (4.). *Abriter de mauvaises actions derrière le paravent de la légalité* (cit. 1).

Je ne puis rien conclure sans avoir consulté ma femme. Sa femme, qu'il avait 3
réduite à un ilotisme complet, était en affaires son paravent le plus commode. BALZAC, Eugénie Grandet, Pl., t. III, p. 488.

Sous l'ancienne monarchie, les premiers ministres servaient à endosser toutes les 4
fautes et toutes les impopularités du régime. Ils étaient les paravents du souverain. Louis BERTRAND, Louis XIV, II, IV.

On insinuera peut-être même que votre atelier est surtout ... comment dire? ... un 5
paravent. J. ROMAINS, les Hommes de bonne volonté, t. XVI, XVI, p. 156.

PARAVERTÉBRAL, ALE, AUX [paʀavɛʀtebʀal, o] adj. — XXe; de 1. *para-,* et *vertébral.*

♦ Méd. Qui se trouve dans le voisinage immédiat d'une vertèbre ou de la colonne vertébrale. *Musculature paravertébrale. Douleurs paravertébrales.*

PARAVIVIPARE [paʀavivipaʀ] adj. — 1963; de 1. *para-,* et *vivipare.*

♦ Biol. Se dit d'un animal qui se reproduit par des œufs qui sont couvés après la ponte dans une cavité de l'organisme maternel ou paternel.

PARAXIAL, ALE, AUX [paʀaksjal, o] adj. ⇒ **Para-axial.**

PARBLEU [paʀblø] interj. — 1540; euphém. pour *pardieu.* → Corbleu, palsambleu.

♦ Jurement atténué, exprimant l'assentiment, l'évidence (parfois avec une nuance ironique). ⇒ **Pardi** (cf. Bien sûr! dame! et comment! évidemment! tiens!). → Brutalité, cit. 7; cœur, cit. 47; hommage, cit. 15; non, cit. 40. *« Il n'a pas protesté. — Parbleu! ça lui ferait plutôt plaisir! »*

Oh! parbleu! je sais bien que j'en parle à mon aise, tranquillement assis loin du combat (...) GIDE, Ainsi soit-il, p. 157.

REM. Sans être archaïque, l'interj. est aujourd'hui marquée (personnes âgées, régionalisme, effet stylistique).

PARC [paʀk] n. m. — 1155, « clôture » au sens I., 1.; du bas lat. *parricus, parcus,* probablt d'orig. germanique

★ **I. A.** Clôture légère et transportable faite de claies mobiles, disposée de manière à constituer une enceinte rectangulaire, et dans laquelle on enferme les animaux (notamment les moutons) pendant la nuit. ⇒ **Bergerie; parcage, parquer** (→ Fou, cit. 51; haleter, cit. 2; niche, cit. 4). *Moutons* (cit. 6) *qui se pressent vers les parcs.*

1 Aussi le soir, que les troupeaux épars,
Étaient serrés et remis en leurs parcs (...) Clément MAROT, Opuscules, III.

Pêche. Ensemble de filets disposés en fer à cheval, soutenus par des pieux, et qui servent à retenir le poisson. *Bas-parcs :* filets fixes formant barrage pour le poisson (interdits par décret du 1er sept. 1936). *Hauts-parcs :* filets circulaires mobiles.

(XXe). Petite clôture basse et pliante formant une enceinte dans laquelle les enfants en bas âge apprennent à marcher.

2 Pareil à un jeune fauve trébuchant, un troisième s'exerce à marcher dans un petit « parc » à claire-voie. G. DUHAMEL, les Plaisirs et les Jeux, p. 33.

B. (La zone clôturée). ♦ **1.** Enclos (1.) où est enfermé le bétail. — Pré entouré de fossés où l'on met les bœufs à l'engrais. ⇒ **Pâtis.** — Enclos où l'on place les coqs de combat. *« Mise au parc » (le Coq Gaulois,* 15 mars 1971).

♦ **2.** Bassin où sont engraissés des coquillages. *Parc à huîtres.* ⇒ **Clayère, huîtrière** (cit. 2). *Parc à moules.* ⇒ **Bouchot, moulière.** *Des moules de parc.*

3 Ces messieurs parlèrent d'abord des huîtres (...) et des pertes énormes que devaient subir les parcs d'élevage depuis un an et demi.
J. ROMAINS, les Hommes de bonne volonté, t. XVI, XVI, p. 154.

♦ **3.** Enclos servant d'entrepôt. Milit. *Parc des poudres* (vx : XVIe). *Parc d'artillerie. Parc des vivres. Parc à fourrage**. *Parc à munitions, à autos.*

4 (...) les parcs d'artillerie et de munitions. RACINE, Siège de Namur.

♦ **4.** Place réservée dans une ville pour le stationnement des automobiles (mot recommandé comme équivalent de l'anglais *parking.* ⇒ **Parcage**). *Parc de stationnement payant, gardé. Le parc à autos est sur la grand-place* (on dit parfois : *parc auto*). *Mettre, garer sa voiture dans un parc* (⇒ **Parquer ;** et aussi **garage**). *Parc de dissuasion,* établi à la périphérie d'une grande ville pour inciter les automobilistes à y circuler par d'autres moyens.

5 Nulle part je n'ai vu tant de terrains vagues : il est vrai qu'ils ont une fonction précise : ils servent de parcs à autos (...) c'est un « parking » : deux cents mètres carrés de terre nue avec, peut-être, pour seul ornement, une affiche de publicité sur un grand panneau à claire-voie. SARTRE, Situations III, p. 105.

C. Techn., écon. Ensemble des véhicules dont dispose une armée (1835), et, par ext. un pays, une collectivité... *Le parc des voitures françaises augmente chaque jour. Le parc des « deux roues »* (→ Motocycle, cit.). — Ensemble des machines, des wagons d'un réseau de chemin de fer. — Écon. Ensemble d'appareils, d'installations d'une même catégorie, dont dispose une collectivité. *Le parc d'appareils ménagers, de matériel hi-fi, de logements sociaux,* etc.

★ **II.** (1220, « verger »). ♦ **1.** Grande étendue boisée et clôturée où l'on garde les bêtes fauves, le gibier pour la chasse*. — Vaste réserve* isolant et protégeant les curiosités naturelles, la flore et la faune. — (1902). Loc. *Parc naturel, parc national... Interdiction de chasser dans les parcs nationaux. Le premier parc national français a été aménagé dans la Vanoise en 1963. Parcs nationaux d'Afrique.* ⇒ **Réserve.**

5.1 Et, avant de regagner l'Europe, j'avais résolu de passer par un des Parcs royaux du Kenya, ces réserves où des lois d'une rigueur extrême protègent les bêtes sauvages dans toutes les formes de leur vie. J. KESSEL, le Lion, p. 15.

Parc naturel régional, comportant un plan de développement touristique et d'aménagement des sites tendant à retarder l'industrialisation d'une zone.

Hist. *Le Parc-aux-cerfs :* maison d'un quartier de Versailles dit Parc-aux-cerfs (à l'emplacement d'une réserve de gibier dépendant du château aménagée par Louis XIII) où des rencontres galantes étaient ménagées à Louis XV. Fig. Se dit d'un lieu destiné à des rencontres analogues.

6 Louis XV, après Damiens, fut quelque temps captif, n'osait sortir, aller au Parc-aux-cerfs (...) La Pompadour imagina, pour mettre le roi plus à l'aise, de lui faire, au plus près et contre la chapelle, un Parc-aux-cerfs réduit, resserré, ignoré. Dans deux chambres sur la triste cour (...) on lui logea des filles (...) On leur disait que c'était un seigneur. Une dit : « C'est le Roi ! ». Et on l'enferma chez les folles.
MICHELET, Hist. de France, XVIII, XX.

7 Il devait tenir en réserve quelque grisette dans son vivier ! dans son parc aux cerfs !
BALZAC, la Cousine Bette, Pl., t. VI, p. 238.

♦ **2.** (1664). Étendue de terrain boisé clos, dépendant généralement d'un château, d'une grande habitation. — REM. Le *parc* est plus vaste que le jardin* (cit. 1) d'agrément, les arbres y sont plus nombreux et les plantes cultivées ordinairement plus rares. *Arbres* (→ Initiale, cit. 5 ; marronnier, cit. 1), *bosquets* (→ Montueux, cit. 1), *pelouses, pentes gazonnées* (→ Onduleux, cit. 2), *pièce d'eau, bassin, rivière... d'un parc* (→ Imprimer, cit. 12). *Allées, tortilles, point de vue d'un parc. Parc à l'anglaise* (→ Là, cit. 49), *à la française.* ⇒ **Jardin.** *Parc entouré d'une grille, d'un mur. Propriété avec ses parcs, ses jardins, ses réserves et son bois* (→ Mijoter, cit. 2). *Parcs et châteaux* (→ Horizon, cit. 6). *Parc bien entretenu ; à l'abandon* (cit. 4). → Aspect, cit. 15. *Pénétrer dans un parc privé* (→ Clôture, cit. 1 ; escalade, cit. 2). — *Parc public,* où le public est autorisé à se promener. ⇒ **Jardin** (public). *Parc de Loisirs. Le parc de Versailles* (→ Hanter, cit. 17 ; if, cit. 3), *des Buttes-Chaumont* (→ Citadelle, cit. 4), *le Parc Monceau, le parc Monsouris* (à Paris). *Se promener dans son parc, dans un parc* (→ Cours, cit. 19 ; gager, cit. 4 ; jaloux, cit. 23). *Faire le tour du parc* (→ Miroir, cit. 6). *« Dans le vieux parc solitaire et glacé... »* (→ Forme, cit. 13, Verlaine).

(...) le luxe des jardins suppose toujours qu'on aime la nature. En Angleterre, des maisons très simples sont bâties au milieu des parcs les plus magnifiques ; le propriétaire néglige sa demeure, et pare avec soin la campagne. 8
Mme DE STAËL, De l'Allemagne, I, I.

Mon grand-père s'était retiré près d'Uzerches, dans une propriété achetée par son père (...) Cèdres, wellingtonias, hêtres pourpres, arbres nains du Japon, saules pleureurs, magnolias, araucarias, feuilles persistantes et feuilles caduques, massifs, buissons, fourrés ; le parc, entouré de barrières blanches, n'était pas grand, mais si divers que je n'avais jamais fini de l'explorer. 9
S. DE BEAUVOIR, Mémoires d'une jeune fille rangée, p. 27.

Parc zoologique. ⇒ **Zoo.**

(Dans des noms propres). *Le Parc des Princes.*

DÉR. Parquer (et dér.), **parquet.**

COMP. (De I., B, 4.) **Parcmètre.**

HOM. Parque.

PARCAGE [parkaʒ] n. m. — Fin XIVe, *parquaige ;* dér. de *parquer.*

Action de parquer ; résultat de cette action.

♦ **1.** Agric. *Parcage des moutons,* action de les mettre dans un parc ; méthode de fertilisation du sol par les déjections des moutons parqués pendant la nuit.

♦ **2.** (1957). *Parcage d'une voiture. Parcage autorisé, interdit.* ⇒ **Garage, stationnement.** Par ext. Parc de stationnement. ⇒ **Parc.** — REM. On emploie couramment le mot anglais *parking* pour « action de parquer » et « parc de stationnement » (*parking place* en angl.) ; mais les mots *garage, parcage* au premier sens, *parc* ou *parcage* au second sens, le remplacent avantageusement.

PARCELLAIRE [parselɛr] adj. — 1791 ; de *parcelle.*

Didactique.

♦ **1.** Qui est fait par parcelles. *Travail, plan parcellaire.*

♦ **2.** Qui concerne les parcelles de terre. *Cadastre parcellaire. Groupement parcellaire,* ou regroupement cultural.

Mais ce qui frappe le voyageur dès qu'il arrive au-dessus des régions cultivées, c'est le caractère parcellaire de la campagne française. Les champs sont certes petits, la plupart, et voués à des cultures différentes en sorte qu'ils présentent une grande variété de couleurs. Les parcelles, souvent sont closes de haies.
G. DUHAMEL, Préface à « La France » (éd. Larousse), *in* Classe de franç. 1953-1954, p. 349.

PARCELLARITÉ [parselarite] n. f. — 1865 ; de *parcellaire,* et suff. nominal *-ité.*

♦ Didact. Caractère de ce qui est parcellaire.

Je plane aujourd'hui. Je me sens merveilleusement allégé de mon poids. Une parcelle de matière vivante qui serait pleinement consciente de sa parcellarité.
MARTIN DU GARD, les Thibault, t. IX, VIII, p. 221.

PARCELLE [parsɛl] n. f. — 1162 ; d'un lat. vulg. **particella,* lat. class. *particula,* dimin. de *pars, partis* « part, partie ». → Particule.

Petite partie d'un tout.

♦ **1.** Très petit morceau. ⇒ **Fraction, fragment, morceau.** *Parcelles de la matière* (→ Arcane, cit. 2), *d'une matière qu'on travaille* (⇒ **Battitures, déchets**). *Parcelles d'or* (→ Étoiler, cit. 3). *Une parcelle de mica.*

Seil-kor, par prévoyance, résolut de marquer la route du retour à la façon du Petit Poucet. Il ouvrit son panier de provisions, mais, se rappelant la déconvenue du héros célèbre, au lieu de prendre son pain pour l'émietter, il choisit un fromage suisse d'une blancheur éclatante, dont les parcelles peu tentatrices pour des estomacs d'oiseaux, devaient se détacher clairement sur le fond sombre des mousses et des bruyères. Raymond ROUSSEL, Impressions d'Afrique, p. 233. 0.1

♦ **2.** (1838). Portion de terrain de même nature quant à la culture ou l'utilisation, constituant l'unité cadastrale. *Division d'une terre en parcelles* (→ Émietter, cit. 3). *Dimensions, plan d'une parcelle* (→ Graisseux, cit. 1).

Plus tard il avait revendu par petites parcelles pour jardins et cultures les lots de terre riverains du corridor (...) HUGO, les Misérables, IV, III, I. 1

La parcelle de terre, d'une cinquantaine d'ares à peine, au lieu dit des Cornailles, était si peu importante, que M. Hourdequin, le maître de la Borderie, n'avait pas voulu y envoyer le semoir mécanique (...) ZOLA, la Terre, I, I. 2

Spécialt. (En franç. d'Afrique). Terrain bâti ou à bâtir.

♦ **3.** Minuscule partie (considérée abstraitement). ⇒ **Atome, brin, grain, miette...** *Parcelle de l'univers* (→ Mon, cit. 17). *Diviser chacune des difficultés* (cit. 4)... *en autant de parcelles* (Descartes). *Parcelle de conscience* (→ Germer, cit. 10). *Une parcelle du passé* (→ Évoquer, cit. 12). *Parcelle de vraie gloire* (→ Durable, cit. 5). *Parcelle de vérité* (→ Blasphème, cit. 4).

Me dire que je suis une parcelle insignifiante de l'univers. Parcelle gâchée. Tant pis. MARTIN DU GARD, les Thibault, t. IX, p. 159. 3

C'était seulement l'éclat d'un semblant de triomphe, d'une parcelle de bonheur (...) 4
COLETTE, la Naissance du jour, p. 177.

5 Le refus d'aliéner la moindre parcelle de son indépendance, pour quelque motif que ce soit ! A. MAUROIS, Études littéraires, Martin du Gard, III.

CONTR. Bloc, 1. **masse.**
DÉR. Parcellaire, parcellement, parceller.

PARCELLEMENT [paʀsɛlmɑ̃] n. m. — 1859 ; de *parcelle.*

♦ **1.** Écon. et agric. Division d'une même propriété en parcelles dispersées. *Parcellement et morcellement* (cit. 2) *des terres.*

1 Le parcellement peut être défini par le nombre de parcelles cadastrales, d'îlots de propriété ou d'exploitation par propriétaire ou par exploitant. Le parcellement des exploitations présente des inconvénients graves par les pertes de temps qu'il occasionne (...) Pour lutter contre le parcellement des propriétés, de nombreux pays ont favorisé le « remembrement » des parcelles.
M. CÉPÈDE, *in* ROMEUF, Dict. des sciences économiques.

2 *(La discussion)* a traîné aussi sur le prix, Jobeau faisant état du classement des terres en seconde catégorie et des servitudes surgies de la division (qui seront, comme dans tous ces parcellements, un nid de chicanes).
Hervé BAZIN, Cri de la chouette, p. 293.

♦ **2.** (Rare). Action de diviser en parcelles. ⇒ **Parcellisation.**

PARCELLER [paʀsele] v. tr. — 1458, au p. p., *parsellé ;* 1760 à l'actif ; de *parcelle.*

♦ Rare. Diviser en parcelles. ⇒ **Morceler, parcelliser.**

PARCELLISATION [paʀselizɑsjɔ̃] n. f. — 1964, *les Temps Modernes ;* de *parcelliser.*

♦ **1.** Admin. Fragmentation, division en parcelles d'un terrain, d'un territoire.

♦ **2.** Rare. Division excessive (du travail). *« La parcellisation traditionnelle du travail »* (*le Monde,* 17 juin 1965).

PARCELLISER [paʀselize] v. — 1964 ; de *parcelle.*

♦ **1.** V. tr. Admin. Diviser (une terre) en parcelles. Diviser en parcelles, et, par ext., en petites unités. *Parcelliser l'opposition.*

♦ **2.** V. pron. *Se parcelliser :* se fragmenter.

▶ **PARCELLISÉ, ÉE** p. p. adj.
Fragmenté, divisé. *« Les tâches parcellisées de la production industrielle »* (*le Nouvel Obs.,* 20 nov. 1972). *Travail parcellisé.*

PARCE QUE [paʀs(ə)kə] loc. conj. — 1370 ; *parce ke* vers 1200 ; comp. de *par, ce,* et *que.*

♦ Locution conjonctive de cause. ⇒ **Attendu** (que), **car, cause** (à cause que), **comme, effet** (en effet), **pour** (pour ce que), **puisque, que** (c'est que), **raison** (par la raison que), **vu** (que) ; **par** (par ce que) ; fam. **because.** *« Parce que c'était lui, parce que c'était moi »* (→ Aimer, cit. 8, Montaigne). *« Peu de chose nous console parce que peu de chose nous afflige »* (cit. 13, Pascal). *Faites miséricorde parce que vous l'avez reçue* (→ 2. Le, cit. 7).

1 Les grands hommes entreprennent les grandes choses parce qu'elles sont grandes, et les fous parce qu'ils les croient faciles.
VAUVENARGUES, Réflexions et Maximes, 90.

2 Parce que vous êtes un grand seigneur, vous vous croyez un grand génie (...)
BEAUMARCHAIS, le Mariage de Figaro, V, 3.

3 Il n'y a qu'un sot, se dit-il, qui soit en colère contre les autres : une pierre tombe parce qu'elle est pesante. STENDHAL, le Rouge et le Noir, I, XII.

4 Oui, parce que vous m'aviez souri, parce que votre main tremblait dans la mienne, parce que vos yeux semblaient chercher mes yeux, parce que vos lèvres s'étaient entrouvertes, et qu'un vain son en était sorti, oui, je l'avoue, j'avais fait un rêve, j'avais cru qu'on m'aimait ainsi ! A. DE MUSSET, le Chandelier, III, 4.

(Employé quand la proposition causale est précédée de *c'est,* d'un adverbe, quand elle est coordonnée à une première proposition...). *Ce gentilhomme paraît fou* (1. Fou, cit. 43), *moins parce qu'il l'est réellement que parce que ses pensées diffèrent à l'excès de celles du vulgaire. « Il s'avançait sans tomber entre les précipices non parce qu'il les voyait, mais parce qu'il ne les voyait pas »* (→ 2. Œillère, cit. 3).

5 C'est parce qu'il était un conspirateur qu'elle l'avait d'abord aimé.
FRANCE, M. Bergeret à Paris, Œ., t. XII, XII, p. 394.

6 M'aimes-tu parce que tu m'aimes, ou parce que je t'aime ?
R. ROLLAND, Jean-Christophe, L'adolescent, III, p. 345.

7 Qu'est-ce que vous voulez que j'y fasse ? répondit Édouard un peu agacé, non point tant par la question de Bernard, que parce qu'il se l'était déjà posée.
GIDE, les Faux-monnayeurs, III, X.

REM. *Parce que,* bien que marquant la cause, répond normalement à *pourquoi* qui interroge normalement sur le but. ⇒ **Pourquoi.**

PARCE QUE, en emplois stylistiques ou familiers.

a « Pour expliquer un mot ou une phrase qu'on vient de prononcer : "C'est impossible... *une dépravation* aussi précoce... — *Une dépravation ! parce qu'elle* aime ?" (Pailleron, *Le monde où...* I., 10) [= tu l'accuses de dépravation, parce qu'elle aime ?] — ou encore pour justifier une question : "*Vous en avez pour longtemps avec lui ?* — Non. — *Parce que* j'aurais pu vous attendre" (*je vous demande cela* parce que, etc.), J. Romains, *Crime de Quinette,* XV, 163 » (G. et R. Le Bidois, *Synt. du franç. mod.,* § 1462).

b Tours elliptiques :

Les menaces d'Avoyer sont bêtes, parce que transmises par un imbécile. 8
J. ROMAINS, les Hommes de bonne volonté, t. II, XV, p. 181.

(...) il se sentait (...) entouré d'un cercle de mépris (...) Parce que pauvre, — parce que noble, — parce que pauvre et noble, — parce que citadin, — parce que singulier. MONTHERLANT, les Célibataires, II, X. 9

PARCE QUE, employé absolument, marque le refus ou l'impossibilité d'une explication. — Absolt. *» Ursus guérissait, parce que ou quoique »* (→ Aromate, cit. 3).

(...) *parce que !* Un grand mot, le mot des femmes, le mot qui peut expliquer tout, même la création. BALZAC, la Muse du département, Pl., t. IV, p. 205. 10

Mon cher, ça ne vaut rien d'avoir l'air godiche devant sa femme, le premier soir. — Pourquoi ? demanda le comte surpris. — Parce que, répondit-elle lentement, d'un air doctoral. ZOLA, Nana, VII. 11

Vx. (Langue classique). PARCE... QUE, avec disjonction. *« Parce donc que j'ai cru... ; »* (La Bruyère, *Discours de réception à l'Académie,* Préface).

REM. **PARCE QUE et CAR.**

Parce que amène régulièrement la présentation de la cause effective, *car* n'introduit que l'explication, la raison du fait ou du jugement énoncé dans la phrase précédente. Ainsi, dans cet exemple : « Leurs camarades les croient riches, *parce qu'ils se lavent les mains* » (SULLY PRUD., Solitudes), la subordonnée est présentée comme énonçant la cause qui produit, dans l'esprit des petits pauvres, cette opinion sur leurs camarades plus fortunés. Au contraire quand Hugo écrit : « Vous qui pleurez, venez à ce Dieu, *car il pleure* », il n'énonce pas la cause, mais la raison qui justifie son conseil. 12
G. et R. LE BIDOIS, Syntaxe du franç. moderne, § 1463.

PARCE QUE et PUISQUE. ⇒ **Puisque.**

REM. Ne pas confondre *parce que* avec *par ce que : je vois, par ce que vous me dites, que... :* je vois, par les choses que vous me dites, que...

PARCHE [paʀʃ] n. f. — D. et orig. inconnues.

♦ Techn. Endocarpe du fruit du caféier ; spécialt, cet endocarpe, séché (norme AFNOR, févr. 1974).

PARCHEMIN [paʀʃəmɛ̃] n. m. — 1050, *parchamin ;* du bas lat. *pergamena (charta),* du grec *pergamênê* « (peau) de Pergame » par une modification phonétique obscure.

♦ **1.** Peau* d'animal (mouton, agneau, chèvre, chevreau...) préparée spécialement pour l'écriture, la reliure... Spécialt. (techn.) Peau de veau (⇒ **Vélin**), de mouton, raturée sur les deux faces et polie sur la fleur (non tannée). *Parchemin ordinaire, vierge, vitré, parchemin en cosse**... ⇒ **Vélin.** *Fabrication du parchemin :* ébourrage, brochage, hersage, écharnage, édossage, séchage, raturage, ponçage, apprêtage... *Feuille de parchemin* (→ Diaphane, cit. 1 ; heure, cit. 43 ; marge, cit. 2). *Écrire sur du parchemin. Parchemin gratté.* ⇒ **Palimpseste.** *Bande de parchemin enroulée autour d'un bâton.* ⇒ **Scytale** (antiq. grecque). *Reliure en parchemin. Vieil in-quarto vêtu de parchemin* (→ Livre, cit. 9). — Emplois modernes. *Malle, sac, valise en parchemin.*

Pergame, capitale d'un royaume minime, est un foyer brillant de traditions grecques ... *(ses)* Bibliothécaires, pour s'affranchir du papyrus d'Égypte, inventent le « papier de Pergame », le Parchemin. 1
DANIEL-ROPS, le Peuple de la Bible, IV, II.

En appos. *Papier-parchemin :* papier non collé qui a subi une préparation spéciale (sulfurisation) afin de ressembler à du parchemin. *Livret* (cit. 2) *recouvert de papier-parchemin.*

Par anal. d'aspect (en parlant du visage). Peau sèche, pâle ou jaunâtre. ⇒ **Parcheminé.** *Un vrai visage de parchemin* (→ aussi Efflanquer, cit. 2).

(...) ce visage septuagénaire, hâlé, ridé, dont le parchemin ne paraissait devoir plier sous aucune émotion (...) BALZAC, le Curé de village, Pl., t. VIII, p. 745. 2

♦ **2.** *(Un, des parchemins).* Document, écrit (d'ordinaire manuscrit). ⇒ **Écrit.** *De vieux parchemins.* — Spécialt (surtout au pluriel). Titres de noblesse (cit. 10 et 12). ⇒ **Brevet.** — Fam. Diplôme universitaire. ⇒ **Diplôme, peau** (d'âne).

Il était actif, intelligent, chicaneur ; c'était l'avocat consultant du village. Il savait lire et écrire, et, dès sa jeunesse, il s'occupait à déchiffrer et à copier de vieux parchemins. DIDEROT, Jacques le fataliste, Pl., p. 537. 3

(...) le Baron voulut qu'il prît, en cas d'incrédulité ou de refus de la part du Duc, les vieilles chartes, les antiques parchemins auxquels pendaient de larges sceaux de cire sur queue de soie (...) toutes les pièces enfin qui attestaient la noblesse des Sigognac. Th. GAUTIER, le Capitaine Fracasse, IX. 4

Arts (ébénisterie). *Parchemin plié :* décor qui imite un parchemin en partie replié (cf. Le décor à la serviette).

DÉR. Parcheminé, parcheminer, parcheminerie, parchemineux, parcheminier.

PARCHEMINAGE [paʀʃəminaʒ] n. m. — 1894 *in Année sc. et industr.* 1895, p. 217 ; de *parcheminer.*

♦ Rare. Fait de parcheminer ; de se parcheminer. *Le parcheminage du papier.*

PARCHEMINER [paʀʃəmine] v. tr. et pron. — 1836, *se parcheminer*, Balzac; de *parchemin*.

♦ Techn. (1874). Rendre semblable, par la consistance, la couleur, à du parchemin. *Parcheminer du papier.*

▶ **PARCHEMINÉ, ÉE** p. p. adj. (1838; de *parchemin*).
Qui a la consistance ou l'aspect du parchemin. *Cuir, papier parcheminé.* — Spécialt. (En parlant de la peau, du visage). *Face parcheminée* (→ Marquer, cit. 47).

1 Madame Jules n'avait plus d'âge, le visage parcheminé, avec ses traits immobiles des vieilles filles que personne n'a connues jeunes. ZOLA, Nana, V.

▶ **SE PARCHEMINER** v. pron.
Devenir semblable à du parchemin.

2 Les rides du visage se plissèrent, se noircirent et la peau se parchemina.
BALZAC, la Vieille Fille, Pl., t. IV, p. 318.

DÉR. Parcheminage.

PARCHEMINERIE [paʀʃəminʀi] n. f. — 1394; de *parchemin*.

♦ Techn. Lieu où l'on fabrique le parchemin. — Art, commerce du parcheminier.

PARCHEMINEUX, EUSE [paʀʃəminø, øz] adj. — 1858; de *parchemin*.

♦ Rare. Qui a l'aspect ou la nature du parchemin. ⇒ **Parcheminé.**

PARCHEMINIER, IÈRE [paʀʃəminje, jɛʀ] n. m. et f. — V. 1268; de *parchemin*.

♦ Techn. Personne qui prépare, qui vend le parchemin. *Le métier de parcheminier. Selle* de parcheminier.* — Appos. *Ouvrier parcheminier.*

PARCHET [paʀʃɛ] n. m. — XIVe, d'abord «parcelle de terre»; du lat. *parricus* «enclos, parc»; → parc.

♦ Régional. (Suisse). Parcelle de vigne (relativement importante).

Dans quelques parchets, on estime que l'aire atteinte par le froid a subi entre dix et vingt pour cent de dégâts. Vingt-quatre heures, 12 avr. 1978, p. 18.

PARCIMONIE [paʀsimɔni] n. f. — 1495; lat. *parcimonia*.

♦ Épargne minutieuse s'attachant aux petites choses. ⇒ **Économie, épargne, mesquinerie** (cit. 2). → Frugal, cit. 5. *Parcimonie poussée jusqu'à l'avarice.* — Extrême économie. *Dépenser, distribuer, donner, fournir avec parcimonie.* ⇒ **Compter** (2.), **marchander** (5.), **ménager, mesurer** (III., 1.), **plaindre** (fam.).

1 Il *(Harold)* revint enfin avec des troupes victorieuses, mais fatiguées, diminuées, et, dit-on, mécontentes de la parcimonie avec laquelle il avait partagé le butin.
MICHELET, Hist. de France, IV, II.

2 Le fiacre s'arrêta devant une grande maison moderne, construite avec une parcimonie visible et même avec lésine, au mépris de la grâce et de l'art, et pourtant décente et d'assez bon air (...)
FRANCE, le Mannequin d'osier, Œ. t. XI, XIV, p. 395.

Par ext. *Louer, accorder ses éloges avec parcimonie* (→ aussi Goutte, cit. 23).

CONTR. Abondance, gaspillage, générosité, luxe, prodigalité, profusion.
DÉR. Parcimonieux.

PARCIMONIEUSEMENT [paʀsimɔnjøzmɑ̃] adv. — 1831 Balzac; de *parcimonieux*.

♦ Avec parcimonie. ⇒ **Chichement.**

Souvent les gâteaux et le thé, si parcimonieusement offerts dans les salons, étaient ma seule nourriture. BALZAC, la Peau de chagrin, Pl., t. IX, p. 126.

CONTR. Généreusement, profusément.

PARCIMONIEUX, EUSE [paʀsimɔnjø, øz] adj. — 1773; de *parcimonie*.

♦ (Personnes). Qui fait preuve de parcimonie. ⇒ **Chiche, économe** (→ Lamenter, cit. 8). *Parcimonieuse et même avare* (cit. 6). — Par ext. *Terre parcimonieuse.* ⇒ **Avare.**

1 Elle accumule soigneusement ses revenus, et peut-être semblerait-elle parcimonieuse si elle ne démentait la médisance par un noble emploi de sa fortune.
BALZAC, Eugénie Grandet, Pl., t. III, p. 649.

2 Regardant et parcimonieux (...) oui, je sais que je le suis; et je reconnais l'être à l'excès. Mais c'est que je préfère de tout mon cœur pouvoir donner ce que ceux-ci, qui m'appellent avare, dépensent si volontiers pour eux-mêmes.
GIDE, Journal, 12 avril 1929.

3 Grâce au maître-coq parcimonieux, fort ménager de cette précieuse réserve, il restait encore plusieurs veaux (...)
Raymond ROUSSEL, Impressions d'Afrique, p. 420.

Par ext. Qui dénote de la parcimonie. *Distribution parcimonieuse.* ⇒ **Mesquin.**

CONTR. Abondant, dépensier, dissipateur, prodigue.
DÉR. Parcimonieusement.

PAR-CI, PAR-LÀ [paʀsipaʀla] loc. ⇒ **Par.**

PARCLOSE [paʀkloz] n. f. — 1339, *parclouse* «enceinte», de l'anc. v. *parclore*, 1240, «entourer complètement»; de *clore**.
Technique.

♦ **1.** Panneau de boiserie étroit et haut.

♦ **2.** (1832). Séparation entre deux stalles de chœur.

♦ **3.** Menuis. Baguette maintenant un vitrage.

PARCMÈTRE [paʀkmɛtʀ] ou **PARCOMÈTRE** [paʀkomɛtʀ] n. m. — V. 1960; de *parc (à voiture)*, et *-mètre*.

♦ Compteur de stationnement pour les automobiles. « *Quant à* parcmètre *ou mieux* parcamètre *(sic), je le trouve assez peu gracieux* » (Aristide, in *le Figaro littéraire*, 27 nov. 1967).

PARCOURABLE [paʀkuʀabl] adj. — Attesté XXe; de *parcourir*.

♦ Rare. Qui peut être parcouru.

(...) la mémoire en est éteinte aussi, une grande flamme et puis le noir, un grand spasme et puis plus de poids ni d'espace parcourable, je ne sais pas.
S. BECKETT, Textes pour rien, p. 132.

PARCOURIR [paʀkuʀiʀ] v. tr. — Conjug. *courir.* — XVe; *parcorre*, v. 1155; adapt., d'après *courir*, du lat. *percurrere*.

♦ **1.** [a] (Surtout en parlant d'une personne). Traverser un espace dans toute son étendue, d'une extrémité à l'autre. ⇒ **Traverser.** *Parcourir un lieu, en marchant, en courant, en voiture... Parcourir un champ, un terrain à grands pas* (⇒ **Arpenter**), *lentement. Parcourir les bois, la campagne, les forêts, la plaine...* ⇒ **Battre, rebattre** (→ Équipage, cit. 14; indice, cit. 2; malaria, cit.; miroir, cit. 5). *Parcourir les océans.* ⇒ **Franchir.** *Il avait parcouru la terre entière sans parvenir à se désennuyer* (cit. 5). *Parcourir un pays, pour l'explorer*. Parcourir une ville, un village.* ⇒ **Tour** (faire le tour de ville), **visiter** (→ Forcené, cit. 7; fraîcheur, cit. 15; inconnu, cit. 1). — *Parcourir les rues,* les suivre toutes, en suivre plusieurs. *Les soldats parcouraient les rues.* ⇒ **Patrouiller.** *Parcourir les couloirs* (cit. 3), *les salles* (→ Écouter, cit. 7), *les escaliers, les salons d'une habitation* (→ Hôtel, cit. 12).

Mais l'Europe féodale, hérissée de châteaux, n'était pas, au XIe siècle, facile à parcourir. Ce n'était plus le temps où les petits chevaux des Hongrois galopaient jusqu'au Tibre, jusqu'à la Provence. MICHELET, Hist. de France, IV, II. 1

On n'a point vu Rome quand on n'a point parcouru les rues de ses faubourgs mêlées d'espaces vides, de jardins pleins de ruines (...) 2
CHATEAUBRIAND, Mémoires d'outre-tombe, t. V, p. 147.

[b] (1675). Sujet n. de chose mobile. *Le navire parcourait la mer.* ⇒ **Sillonner.** *Fleuve qui parcourt une contrée.* — Spécialt. *Frémissement* (cit. 14), *frisson* (cit. 11, 18 et 26) *qui parcourt le corps* (→ aussi Houle, cit. 7).

Tout son corps maintenant était parcouru par une vibration analogue à celle qui secoue un vapeur, aux moments où, par suite d'un fort tangage, l'hélice tourne hors de l'eau. MONTHERLANT, les Jeunes Filles, p. 236. 3

♦ **2.** Accomplir un trajet déterminé. *Distance à parcourir entre deux arrêts* (⇒ **Étape**). *Parcourir le chemin qui sépare deux villes.* ⇒ **Faire** (II., 6.). *Parcourir une carrière.* ⇒ **Fournir.** *Le son parcourt environ trois cent trente mètres à la seconde. Parcourir une lieue en moins* (cit. 27) *d'une heure. Espace parcouru par un astre* (⇒ **Orbite, révolution**), *un véhicule.* ⇒ **Parcours, route, trajet.**

♦ **3.** Par métaphore ou fig. Passer successivement par les différents états, les différents termes de (une série). *Parcourir la gamme* (→ Descendre, monter). *Parcourir tous les degrés de l'instruction* (→ Instituteur, cit. 4; et aussi licence, cit. 2).

♦ **4.** (XVIe, Montaigne). Examiner*, lire* rapidement (→ Lire* en diagonale). *Parcourir une gazette* (→ Effronté, cit. 8), *un journal, un livre* (⇒ **Feuilleter**), *un ouvrage* (→ Familier, cit. 5). *Ils parcourent tous les livres et ne profitent d'aucun* (→ Histoire, cit. 33).

Si prendre des livres était les apprendre, et si les voir était les regarder et les parcourir les saisir, j'aurais tort de me faire du tout si ignorant que je dis. 4
MONTAIGNE, Essais, III, IX.

(...) il parcourait le texte des yeux, tournait une feuille, puis une autre. 5
J. ROMAINS, les Hommes de bonne volonté, t. II, XIV, p. 145.

♦ **5.** (1669). Regarder successivement les différents éléments de (un ensemble) pour avoir une vue générale; regarder rapidement. ⇒ **Regarder.** *Parcourir des yeux, du regard, une salle, une foule.* — Par ext. *Les regards vigilants du maître* (cit. 11) *d'hôtel parcouraient l'étendue des tables servies* (→ aussi Cambrure, cit. 2; égarer, cit. 14).

6 Je l'attendais partout; et d'un regard timide
Sans cesse parcourant les chemins de l'Aulide,
Mon cœur pour le chercher volait loin devant moi (...) RACINE, Iphigénie, II, 3.

7 D'un regard errant, Pauline parcourut les meubles figés dans la pénombre des persiennes mi-closes, la fenêtre voilée d'un store ocre en broderie anglaise, les tables, les consoles, les murs garnis de portraits, de bibelots, d'éventails encadrés, de glaces mignardes. J. CHARDONNE, les Destinées sentimentales, p. 323.

♦ **6.** Fig. ⇒ **Passer** (en revue). *« Parcourez les maisons et les familles distinguées par les richesses et par l'abondance »* (cit. 3, Bourdaloue; → aussi Histoire, cit. 11).

DÉR. Parcourable. — (Du même rad.) **Parcours.**

PARCOURS [paʀkuʀ] n. m. — 1268, *in* Du Cange, comme t. de dr. féod.; du bas lat. *percursus,* francisé d'après *cours.*

♦ **1.** Féod. Convention entre habitants de deux seigneuries leur permettant de résider dans l'une ou l'autre sans perdre leur franchise. — Dr. (XVe). *Droit de parcours* ou simplement *parcours :* droit (aboli par la loi du 9 juillet 1889) qui permettait aux habitants d'une commune de faire paître leur bétail sur la vaine pâture de la commune voisine et réciproquement. ⇒ **Pâture** (vaine pâture).

♦ **2.** (1865). Mod. et cour. Chemin qu'accomplit ou que doit accomplir une personne, un véhicule, un cours d'eau... pour aller d'un point à un autre. ⇒ **Chemin, circuit, course, itinéraire, trajet** (→ Cheminement). *Cela fait un parcours assez long.* ⇒ **Trotte** (fam. Une bonne trotte). *Effectuer un parcours. Fournir un long parcours sans s'arrêter.* ⇒ **Traite** (d'une seule traite). → Étape, cit. 6. — *Le parcours d'un fleuve.* ⇒ **Cours** (→ Féconder, cit. 3). — Spécialt. Itinéraire déterminé et invariable d'une voiture publique, d'un train... *Modifier le parcours d'un autobus.* — Par ext. *Payer le parcours.*

1 Souvent même il peut somnoler, comme un roulier sur sa voiture dans les parties faciles du parcours. J. ROMAINS, les Hommes de bonne volonté, t. II, XVII, p. 200.

2 L'optimisme des nomades verse sur nous ses bénédictions. Nous lisons, sur le parcours familier, ce que le paysage arbore d'inconnu, villas, cultures neuves, eaux basses, fleuve débordé. COLETTE, Belles saisons, p. 16.

Loc. *Accident, incident de parcours :* difficulté imprévue dans l'accomplissement d'un projet, susceptible de le retarder mais non de l'empêcher.

Sports. Distance déterminée qu'un coureur, qu'un cheval... doit couvrir dans une épreuve. *Un parcours difficile de steeple-chase. Championne du « trois cents mètres », imbattable* (cit. 1) *sur ce parcours.*

3 Digues écroulées, exécutions massives, révolutions de palais (...) désordres populaires qui reprennent soudain au moment où l'on croyait tout apaisé, ces phénomènes, qui partout ailleurs engendreraient des catastrophes, ne sont en Chine que de gros incidents de parcours. l'Express, 8-14 juil. 1968.

Loc. (Milit.) *Parcours du combattant :* parcours semé d'obstacles que doit accomplir un soldat en armes dans un temps donné; ensemble des objets matériels (piste, obstacles : murs, barbelés) formant ce parcours; épreuve qui consiste à accomplir ce parcours, et qui fait partie de l'entraînement du fantassin.

4 J'allais perdre mon temps à des sottises (...) : école à pied, maniement d'armes, instruction, parcours du combattant. J. DUTOURD, Pluche, XIII, p. 236.

♦ **3.** Phys. Trajet effectué par une particule qui traverse de la matière. *Parcours limite, maximum,* après lequel la particule a perdu assez d'énergie pour ne plus produire d'ionisation. *Parcours moyen. Parcours linéaire. Libre parcours moyen :* distance moyenne parcourue par une particule avant de provoquer ou de subir un effet déterminé.

PARDALIE [paʀdali] n. f. — 1875, Pierre Larousse; lat. *pardalios,* mot grec *pardaleios* « de panthère, de léopard *(pardos)* ».

♦ Techn. Pierre précieuse tachetée.

PARDANTHUS [paʀdɑ̃tys] n. m. — 1818; lat. mod., du grec *pardos* « léopard ».

♦ Bot. Iris ornemental tacheté.

PAR-DESSOUS [paʀdəsu], **PAR-DESSUS** [paʀdəsy]. ⇒ **Dessous, dessus.**

PARDESSUS [paʀdəsy] n. m. — 1810, Brunot, H. L. F., t. X, p. 897; forme substantivée de *par-dessus;* Littré écrit encore *par-dessus.*

♦ Vêtement masculin de ville, muni de manches, en étoffe généralement épaisse, qu'on porte par-dessus les autres vêtements pour se garantir des intempéries. ⇒ **Manteau;** fam. **pardingue.** *Pardessus à col de velours* (→ Mécontent, cit. 7). *Pardessus raglan* (→ Descendre, cit. 29). *Pardessus d'hiver* (→ 1. Goder, cit.), *de demi-saison... Pardessus doublé de fourrure.* ⇒ **Pelisse.**

Les passants sous leurs parapluies, se hâtaient, la nuque cachée dans le col relevé des pardessus. MAUPASSANT, Notre cœur, II, VI.

Abrév. fam. : *pardeuss* ou *pardeusse* [paʀdøs], n. m., parfois resuffixé en *pardosse* [paʀdɔs], p.-ê. d'après *dos.*

Outre *pardingue**, on trouve aussi *pardaf* (E. Ajar *in* Cellard-Rey).

PAR-DEVANT [paʀdəvɑ̃]. ⇒ **Devant.**

PARDI [paʀdi] interj. — 1608 *in* D. D. L.; de *pardieu, par dé* (XIIIe); de *par* et *Dieu,* avec diverses altér. par euphém. → Parbleu, pargué, parguienne.

♦ Fam. Exclamation, juron par lequel on renforce une déclaration en insistant sur son caractère logique et naturel. ⇒ **Dame** (3.). *Distrait comme il est, il aura oublié l'heure, pardi !*

Monsieur le Prince disait une fois à un nouveau chirurgien : « Ne trembles-tu point de me saigner? — Pardi, Monseigneur, c'est à vous de trembler. » Il disait vrai. 1
Mme DE SÉVIGNÉ, 535, 10 mai 1676.

REM. La var. *pardine* (1750, *in* D. D. L.) est devenue régionale ou archaïque (avec une connotation populiste).

— Descends, je te dis et cherche-le. — Pardine, je le chercherais bien deux heu- 2
res sans le trouver, dans ces fougères! G. SAND, François le Champi, VIII.

Tu crois qu'ils vont nous le faire garder toute la nuit? 3
— Pardine. Quatre heures du matin. C'est pas une heure pour guillotiner. Où c'est que tu te crois? J. ANOUILH, Pauvre Bitos, p. 63.

PARDIENNE [paʀdjɛn] interj. — XVIe; de *pardieu, par dié* (euphémisme).

♦ Vx. ⇒ **Pardi.**

PARDIEU [paʀdjø] interj. — XIIIe, d'abord *par dé;* de *par* et *Dieu.*

♦ Vx. Exclamation (par Dieu !). ⇒ **Pardi, pardienne.**

Madame, je demande grâce;
Tiens! Grâce! (...) et pardieu! la voilà!
Germain NOUVEAU, Valentines, « la Déesse », Pl., p. 591.

PARDINGUE [paʀdɛ̃g] n. m. — D. i.; resuffixation de *pardessus,* abrégé en *pardeuss.*

♦ Argot fam. Pardessus.

Il porte un pardingue en poils de Camel (chameau) et tient une grosse servetouze de cuir à la main. SAN-ANTONIO, Au suivant de ces Messieurs, p. 58.

PARDON [paʀdɔ̃] n. m. — V. 1135; subst. verbal de *pardonner.*

♦ **1.** Action de pardonner. ⇒ **Absolution, amnistie, grâce** (I., 5.), **indulgence, miséricorde, rédemption, rémission.** *Le pardon du coupable par la victime. Le pardon de la victime, du juge,* accordé par (la victime, le juge). *Demander son pardon,* à être pardonné. *Accorder son pardon :* pardonner. *Implorer* (cit. 5) *le pardon de qqn. Le pardon des fautes, des injures, des offenses, des outrages* (→ Christianisme, cit. 3). *La charité, la clémence incitent au pardon. Un pardon généreux.* — Loc. *Demander pardon.* ⇒ **Amende** (faire amende honorable), **excuse** (faire des excuses). *Demander humblement* (cit. 4) *pardon. Demander pardon de quelque chose à quelqu'un* (→ Calamiteux, cit. 2; impatience, cit. 4). *J'en demande pardon à Dieu et aux hommes* (→ Infamie, cit. 5). *Il faut que je te demande pardon à genoux d'avoir voulu me révolter* (→ Esclave, cit. 15). — *Obtenir son pardon.* ⇒ **Grâce** (rentrer en grâce). *Accorder, donner le pardon, son pardon à quelqu'un.* ⇒ **Bras** (tendre les bras à quelqu'un), **fléchir** (se laisser fléchir), **pardonner** (→ Déplaire, cit. 15). *Intercéder pour obtenir le pardon de quelqu'un. Faute, péché digne* (⇒ **Véniel**), *indigne de pardon* (⇒ **Impardonnable, irrémissible**).

Le *pardon* est un acte moral : il est accordé par la personne même qui a eu à souffrir de l'injure, et il a pour effet d'étouffer en elle le ressentiment. 1
LAFAYE, Dict. des synonymes, Pardon, Absolution...

On nous prêche beaucoup le pardon des offenses : c'est une fort belle vertu sans doute, mais qui n'est pas à mon usage. ROUSSEAU, les Confessions, XI. 2

Si l'effort est trop grand pour la faiblesse humaine 3
De pardonner les maux qui nous viennent d'autrui,
Épargne-toi du moins le tourment de la haine;
À défaut du pardon, laisse venir l'oubli.
A. DE MUSSET, Poésies nouvelles, « Nuit d'octobre ».

La mère de ma petite enfance est, tout entière, assentiment, extase, don et par- 4
don. Parfait don de soi et total pardon de toute offense.
G. DUHAMEL, Chronique des Pasquier, II, XII.

Fam. *Avec cette maladie, il n'y a pas de pardon.* ⇒ **Pardonner** (3.); **salut.**

♦ **2.** (1135). Relig. (Au plur.). Indulgences accordées aux fidèles par l'Église. — (XIIIe). Vx. Fête où l'on peut gagner des indulgences; pèlerinage. — Mod. (1868). Fête religieuse (bretonne), pèlerinage (breton). *Le pardon de Notre-Dame d'Auray. Pardon célébré à l'occasion du départ des terre-neuvas.*

La première fois qu'elle l'avait aperçu (...) c'était le lendemain de son arrivée au 5
pardon des Islandais, qui est le 8 décembre, jour de la Notre-Dame de Bonne-Nouvelle, patronne des pêcheurs, — un peu après la procession, les rues sombres encore tendues de draps blancs sur lesquels étaient piqués du lierre et du houx, des feuillages et des fleurs d'hiver. LOTI, Pêcheur d'Islande, I, IV.

Vx. L'angélus (à la récitation duquel des indulgences étaient attachées). *« Quoi! le pardon sonnant te retrouve en ces lieux! »* (Boileau, *Lutrin,* II.).

Grand pardon ou *jour du Pardon* : fête juive de l'expiation, appelée aussi *Yom kippour, kippour,* célébrée le dixième jour du mois de Tishri (ou Tischri, Tisri) par le jeûne et la prière.

♦ **3. Pardon** : formule de politesse par laquelle on s'excuse de déranger ou d'interrompre quelqu'un, d'avoir à lui demander un service (→ Laver, cit. 18), de lui faire répéter une phrase qu'on a mal comprise (⇒ **Comment**), de le contredire... ou pour introduire une rectification. ⇒ **Excuser** (s'). → Champi, cit. 1. *Dire « Pardon » et « Merci »* (→ Filer, cit. 13). *— Ah, pardon! — Monsieur, il n'y a pas d'offense* (cit. 5). *Ah! mais pardon! je ne suis pas d'accord!* — REM. Cet emploi est une ellipse de la loc. *demander pardon* (à qqn). → cit. 7.

6 Charlemagne, pardon! ces voûtes solitaires
Ne devraient répéter que paroles austères.
HUGO, Hernani, IV, 2.

7 — (...) vous n'êtes pas chez vous, ici. Soupe, humilié, se rebiffa : — Je vous demande pardon, j'y suis. — Je vous demande pardon également, vous n'y êtes pas.
COURTELINE, Messieurs les ronds-de-cuir, IVe tableau, I.

8 Pardon est, en somme, dans la langue moderne, une formule courante de politesse, qui s'emploie dans certaines circonstances où il n'y a, à vrai dire, pas d'offense réelle dont s'excuser, mais où l'omission de *pardon* serait impolie (...)
J. DAMOURETTE et É. PICHON, Essai de grammaire de la langue franç., § 758.

(1800). *Pardon excuse!* (d'abord écrit *pardon, excuse*).

Fam. (Exclamation superlative). *Le père était déjà costaud, mais alors le fils, pardon!* S'emploie en incise, comme mot emphatique.

9 Hier, j'ai entendu chez l'épicier deux femmes harnachées, pardon, fourrures, bijoux et pékinois (...)
M. AYMÉ, le Passe-muraille, « En attendant », p. 257.

CONTR. Aigreur, animosité, rancœur, rancune, ressentiment. — Condamnation, représaille.

PARDONNABLE [pardɔnabl] adj. — V. 1390; *perdunable* « miséricordieux », 1190; de *pardonner.*

♦ Qui est digne de pardon. ⇒ **Graciable, rémissible.** *Défaut* (cit. 25), *méprise* (cit. 3) *pardonnable.* — Qui mérite le pardon (personnes). ⇒ **Excusable.** *De très pardonnables fraudeurs* (cit.). — REM. L'emploi de *pardonnable* en parlant d'une personne, considéré comme incorrect par de nombreux grammairiens, est néanmoins admis par Littré, qui cite Massillon et Marmontel, et par l'Académie.

1 On n'osa trop approfondir
Du tigre, ni de l'ours, ni des autres puissances,
Les moins pardonnables offenses.
LA FONTAINE, Fables, VII, 1.

2 Racine, dans quelques-unes de ses préfaces, a fait sentir l'aiguillon à ses critiques; mais il était bien pardonnable d'être un peu fâché contre ceux qui envoyaient leurs laquais battre des mains à la *Phèdre* de Pradon, et qui retenaient les loges à la *Phèdre* de Racine pour les laisser vides, et faire accroire qu'elle était tombée.
VOLTAIRE, Mélanges historiques, Honnêtetés littéraires, Introduction.

3 Jadis soldat comme eux, il connaissait les joies malheureuses et les joyeuses misères, les écarts pardonnables ou punissables des soldats (...)
BALZAC, le Médecin de campagne, Pl., t. VIII, p. 320.

CONTR. Impardonnable, inexcusable, punissable.

PARDONNER [pardɔne] v. tr. — V. 1050, *pardoner; perdoner la vida* « faire grâce de la vie » en 980; de *par,* et *donner* d'après un bas lat. **pardonare* « accorder (une grâce) », de *per* et *donare.*

♦ **1.** (1845). **a** (Avec un compl. direct). Tenir (une injure, une offense) pour non avenue, ne pas en garder de ressentiment, renoncer à en tirer vengeance. ⇒ **Oublier** (cit. 11), **passer** (sur une faute). → Éponge (passer l'éponge sur...). *Pardonner les offenses* (→ Facile, cit. 24), *une infidélité* (cit. 10), *les torts, les maux qui nous viennent d'autrui* (→ Pardon, cit. 3). *Oublier et pardonner.* ⇒ **Oublier** (cit. 16). *Pardonner les péchés.* ⇒ **Remettre.**

1 Il n'y a point d'injure qu'on ne pardonne quand on s'est vengé.
VAUVENARGUES, Maximes et Réflexions, 582.

Pardonner qqch. à qqn. *Pardonnez-nous nos offenses** (*supra* cit. 6).

1.1 Je te pardonne tout, et veux tout oublier.
LECONTE DE LISLE, Poèmes tragiques, « Les Érinnyes », II, IX.

b (Sans compl. direct). **Pardonner à (qqn),** lui accorder le pardon. ⇒ **Absoudre, innocenter.** *Il faut lui pardonner.* ⇒ **Admettre** (admettre les excuses de qqn), **crédit** (faire crédit à qqn). *Pardonner à son ennemi* (→ Meurtrier, cit. 2). *« Roxane dans son cœur* (cit. 122) *peut-être vous pardonne »* (Racine). *« Pardonnez-leur, car ils ne savent pas ce qu'ils font »* (→ Calvaire, cit. 1, Bible). — Renoncer au droit de punir quelqu'un. *Le roi lui pardonna.* ⇒ **Grâce** (faire grâce), **gracier; amnistier, réhabiliter.**

2 Prenez garde à vous; si votre frère pèche contre vous, reprenez-le, et s'il se repent, pardonnez-lui. Et s'il pèche contre vous sept fois le jour, et que sept fois le jour il revienne à vous, et vous dise : Je me repens, pardonnez-lui.
BIBLE (SACY), Évangile selon saint Luc, XVII, 3-4.

3 (...) elle avait repris ses habitudes d'avant, si vaillante d'ailleurs et si irréprochable que tous l'avaient pardonnée.
LOTI, Ramuntcho, I, I.

REM. La construction *pardonner quelqu'un,* qui se rencontre chez quelques écrivains, est considérée par les grammairiens comme incorrecte. Cependant, la forme passive *Vous êtes pardonné* est admise.

L'un des délinquants fut chassé sur l'heure. Celui-ci avait été pardonné : c'était un sujet hors ligne (...) 3.1
F. MAURIAC, le Nœud de vipères, I, VII.

Fam. et vieilli. *Dieu me pardonne!* Formule qui sert à atténuer une déclaration trop brutale ou surprenante.

Il s'était mis en jeune homme. Dieu me pardonne, je crois qu'il avait du rouge, il m'a paru rajeuni. 4
BALZAC, le Père Goriot, Pl.,t. II, p. 1052.

Pardonner à qqn de faire (ou d'avoir fait) qqch. *Ils ne sauraient me pardonner de dévoiler* (cit. 2) *leurs impostures.*

Par ext. **Pardonner à qqch.** *« Vous perdez le respect, mais je pardonne à l'âge »* (cit. 55, Corneille). *Pardonner beaucoup à la fragilité humaine* (→ Indulgent, cit. 7).

Pardonne, cher Hector, à ma crédulité. 5
RACINE, Andromaque, III, 6.

c Absolt. **Pardonner.** *Il pardonne facilement* (⇒ **Indulgent**), *difficilement* (⇒ **Vindicatif**). *Qui pardonne aisément, invite à l'offenser* (cit. 1). *Pardonner par grandeur d'âme, par bonté, par faiblesse* (cit. 35). *« Je pardonne aisément par la raison que je ne sais pas haïr »* (Montesquieu, → aussi Haïr, cit. 17, Molière). *« L'amour-propre* (cit. 5) *offensé ne pardonne jamais »* (Vigé).

On pardonne tant que l'on aime. 6
LA ROCHEFOUCAULD, Maximes, 330.

On peut pardonner, mais oublier, c'est impossible. 7
BALZAC, Petites misères de la vie conjugale, Pl., t. X, p. 1033.

Pour savoir si la mer est indulgente et bonne, 8
Et parmi les sanglots dont le roc retentit
Un soir ramènera vers Lesbos, qui pardonne,
Le cadavre adoré de Sapho, qui partit
Pour savoir si la mer est indulgente et bonne!
BAUDELAIRE, « Lesbos », les Fleurs du mal, Pièces condamnées, Pl. p. 151.

(...) si l'on ne peut pardonner, cela ne vaut pas la peine de vaincre. Soyons pendant la bataille les ennemis de nos ennemis, et après la victoire leurs frères. 9
HUGO, Quatre-vingt-treize, III, II, VII.

Je tâche de comprendre afin de pardonner. 10
HUGO, l'Année terrible, Mai, VI.

Il n'était point de ceux qui pardonnent, même quittes, et qui anéantissent les comptes après le règlement. Toute victoire avait dans sa bouche amère un goût morose de représaille. 11
A. HERMANT, l'Aube ardente, XI.

♦ **2.** (Sens atténué). **Pardonner qqch. à... :** considérer, juger avec indulgence ou patience en trouvant des excuses, en minimisant la faute. ⇒ **Admettre, excuser, supporter, tolérer.** *Une grâce qui fait tout pardonner* (→ Niais, cit. 1; hors, cit. 14). — **Pardonner à qqn (de...).** *Wilde ne pardonnait pas à Dickens d'être humain* (→ Artiste, cit. 12). — *« Je ne puis pardonner à Descartes... »* (→ Chiquenaude, cit. 4, Pascal).

Je prie (..) le lecteur de me pardonner cette petite préface (...) 12
RACINE, Britannicus, 1re préface.

La privation des grâces est un défaut que les femmes ne pardonnent point, même au mérite (...) 13
ROUSSEAU, Julie ou la Nouvelle Héloïse, I, XLV.

Je ne pardonne point aux hommes d'action de ne pas réussir, puisque le succès est la seule mesure de leur mérite. 14
FLAUBERT, Correspondance, 429, 26 sept. 1853.

Ce que les hommes vous pardonnent le moins, c'est le mal qu'ils ont dit de vous. 15
A. MAUROIS, De la conversation, *in* DUPRÉ, 3996.

Spécialt. Accepter, considérer sans dépit, sans envie, sans jalousie. *Henri de Régnier a eu beaucoup de peine à se faire pardonner son talent* (→ Micmac, cit. 1).

À un malheureux, gangrené de phtisie et d'envie, qui va mourir avant d'avoir eu vingt ans, le prince Muichkine, ouvrant la porte dit : « Passez le premier, et pardonnez-nous notre bonheur ». 16
André SUARÈS, Trois hommes, « Dostoïevski », III.

Au pronominal. *« Nous nous pardonnons tout... »* → Autre cit. 3, La Fontaine.

♦ **3.** (1572). Épargner*. Excepter. *La mort ne pardonne à personne* (Littré). — Absolt. *C'est une maladie qui ne pardonne pas,* qui ne laisse aucune chance de guérison (cf. fam. Il n'y a pas de pardon). Fam. *Une faute, une erreur qui ne pardonne pas,* sans remède, irréparable.

Attention ! On a vite fait de s'accrocher avec des crampons. Marchez lentement, évitez surtout de piétiner la corde, car ça ne pardonnerait pas! 17
R. FRISON-ROCHE, la Grande Crevasse, *in* Classe de franç., 1953-1954, p. 122.

♦ **4.** (XVIe). **Pardonner qqn; pardonner qqch. à qqn.** (Dans une formule de politesse ou d'atténuation). ⇒ **Excuser.** *Je vous prie de me pardonner si telle de mes questions vous paraît indiscrète* (cit. 8). *Pardonnez-moi cette irruption* (cit. 3) *chez vous. Pardonnez-moi cette expression, ce mot* (→ Inconséquence, cit. 11). — Spécialt. (Pour s'excuser de contredire un interlocuteur). *Vous me pardonnerez, pardonnez-moi, mais je suis obligé de vous contredire.*

Madame, pardonnez. J'avoue, en rougissant, 18
Que j'accusais à tort un discours innocent.
RACINE, Phèdre, II, 5.

Doña Sol! — Pardonnez! Nous autres Espagnoles, 19
Notre douleur s'emporte à de vives paroles.
HUGO, Hernani, V, 6.

▶ **SE PARDONNER** v. pron. (XVIe; « se permettre »).

♦ **1.** Être pardonnable, pardonné. *Ce genre de faute ne se pardonne pas.*

♦ **2.** Réfl. *Pardonner à soi-même* (→ Braver, cit. 8; fatal, cit. 12). — Récipr. *Se pardonner mutuellement.* ⇒ **Réconcilier** (se). → Irrémissible, cit. 1.

Le mal se rend chez vous au quadruple du bien. 20
Les daubeurs ont leur tour, d'une ou d'autre manière (...)
Vous êtes dans une carrière
Où l'on ne se pardonne rien.
LA FONTAINE, Fables, VIII, 3.

21 Perfide, cet affront se peut-il pardonner ! RACINE, Iphigénie, II, 5.

22 Une erreur involontaire se pardonne et s'oublie aisément.
ROUSSEAU, Julie ou la Nouvelle Héloïse, II, XXVII.

23 (...) je ne me pardonnerai jamais, à moi chétif enfant des muses, d'avoir été si puissant et si heureux, là où le chantre de la Jérusalem avait été si faible et si misérable. CHATEAUBRIAND, Mémoires d'outre-tombe, t. V, p. 11.

▶ **PARDONNÉ, ÉE** p. p. adj.

(Au sens 1.). En parlant d'une chose, d'une action. *Tous les torts réciproques furent pardonnés* (→ Envoler, cit. 8). *Sa faute est pardonnée. Faute avouée est à moitié pardonnée.* — Allus. bibl. *« Ses nombreux péchés lui sont pardonnés, parce qu'elle a beaucoup aimé »* (cit. 5, Bible).

24 Les fautes de l'amour seront pardonnées. Ou plutôt, on ne fait rien de mal quand on aime seulement. FRANCE, le Lys rouge, XIX.

(Personnes). *Des coupables pardonnés.*

CONTR. Accuser, condamner, frapper, punir.
COMP. et **DÉR. Entre-pardonner (s'), pardonnable.**

PARE- Premier élément (tiré du verbe *parer* [2. Parer.] au sens de « éviter », « protéger contre ». → 2. Para-) qui entre comme préfixe dans la composition de mots désignant, notamment, des objets en forme d'écran. Ex. : pare-brise, pare-éclats... ⇒ 2. **Parer.**

Ces composés s'écrivent avec un trait d'union ; ils sont en principe invariables, ce qui est contraire à la norme générale (on pourrait écrire *un parechoc, des parechocs*).

-PARE, -PARITÉ Suffixes tirés du lat. *-parus*, de *parere* « engendrer », qui entrent dans la composition de mots savants *(sudoripare, vénénipare...)*, notamment de mots relatifs au mode de reproduction des animaux, tels que : *ambipare, gémellipare, multipare, nullipare, ovipare, oviparité, ovovivipare, primipare, scissipare, scissiparité, unipare, vivipare, viviparité...*

1. PARÉ, ÉE [paʀe] adj. ⇒ 1. **Parer.**

2. PARÉ, ÉE [paʀe] adj. ⇒ 2. **Parer.**

PARÉAGE [paʀeaʒ] n. m. ⇒ **Pariage.**

PARE-AVALANCHES [paʀavalɑ̃ʃ] n. m. — 1866 ; de 2. *parer*, et *avalanche.*

♦ Construction très robuste contre les avalanches. — REM. On écrit aussi *paravalanche.*

À un jet de pierre au-dessus du chalet, s'élevait un gros mur en forme d'éperon, constitué d'énormes blocs de granit entassés sur trois mètres de hauteur et près de six mètres d'épaisseur : le pare-avalanches sur lequel venaient parfois mourir au ralenti les dernières langues terreuses des grosses coulées de printemps.
R. FRISON-ROCHE, Premier de cordée, p. 111.

PARE-BALLES [paʀbal] n. m. invar. — 1873, *paraballes ;* de 2. *parer*, et *balle.*

♦ Plaque de protection contre les balles.

Adj. Qui protège des balles (dispositif ; vêtement). *Gilet pare-balles en nylon garni de plaquettes armées.* — N. m. *Porter un pare-balles.*

Ayant aplati ma figure contre la plaque d'acier, et collé ma paupière au trou du pare-balles, je le vis *(un cadavre)* tout entier. H. BARBUSSE, le Feu, II, XX.

PARE-BOUE [paʀbu] n. m. invar. — 1913 ; *paraboue*, 1828, D. D. L. ; de 2. *parer*, et *boue.*

♦ Mod. Dispositif qui empêche les projections de boue ; garde-boue. ⇒ **Garde-crotte.**

(...) les autos des gens de la ville, des commerçants, des notaires commençaient à rentrer avec des gerbes de fleurs, des branchages verts aux portières et sur les pare-boue, comme des wagons de soldats qui partent dans l'aveuglement de la guerre. P. NIZAN, le Cheval de Troie, I, I.

PARE-BRISE [paʀbʀiz] n. m. invar. — 1907 ; de 2. *parer*, et *brise.*

♦ Paroi transparente à l'avant d'un véhicule (automobile, avion...) pour protéger les occupants de l'air, du vent, des poussières. — Vitre avant d'une automobile.

1 Mais les voitures toutes modernes, comme celle de Mareil (...) étaient munies d'un pare-brise. Si bien que les lunettes (...) n'étaient plus qu'un accessoire de secours, pour les jours de poussière ou de grand vent (...)
J. ROMAINS, le Hommes de bonne volonté, t. VIII, XXIV, p. 245.

2 Un bruit sec : une pierre, comme lancée par une invisible fronde, atteint le pare-brise qui se craquelle, puis se rompt.
F. MAURIAC, le Nouveau Bloc-notes 1958-1960, p. 374.

3 Il reste un instant assis sur le siège froid, les mains posées sur le volant, et il regarde le parking, et les arbres à travers le grand pare-brise. Le haut du pare-brise est teinté de vert émeraude, et ça fait une drôle de lueur dans le ciel blanc, quand on bouge la tête. J.-M. G. LE CLÉZIO, Désert, p. 368.

PARE-CHOCS [paʀʃɔk] n. m. invar. — 1925 ; de 2. *parer*, et *choc.*

♦ Garniture placée à l'avant et à l'arrière d'un véhicule (spécialt, d'une automobile) et destinée à amortir les chocs. *Les pare-chocs servent d'amortisseurs en cas de collision. Pare-chocs chromés, caoutchoutés. Butoirs d'un pare-chocs* (⇒ **Banane**).

À un moment une voiture allemande a accroché une camionnette ; les propriétaires sont descendus, et ils ont regardé leur pare-chocs pendant quelques secondes, sans rien dire. J.-M. G. LE CLÉZIO, la Fièvre, p. 89.

PARE-CLOUS [paʀklu] n. m. invar. — V. 1930 ; de 2. *parer*, et *clou.*

♦ Techn. (Anciennt). Bande de caoutchouc que l'on plaçait entre l'enveloppe du pneu et la chambre à air d'une automobile.

PARÈDRE [paʀɛdʀ] adj. et n. m. — 1875, P. Larousse ; du grec *paredros* « assistant, assesseur », de *pare* « à côté » (→ 1. *Para-*), et *hedra* « siège ».

Didactique.

♦ **1.** Adj. (Mythol.). *Dieux parèdres :* dieux inférieurs, associés à un dieu plus puissant.

♦ **2.** N. m. [a] Antiq. grecque. Assesseur (de juge, de président) dans un tribunal, une assemblée.

[b] Mod. En Grèce, Adjoint au maire.

PARE-ÉCLATS [paʀekla] n. m. invar. — 1907 ; de 2. *parer*, et *éclat.*

♦ Fortif. Abri, masse de terre (sur un parapet, une tranchée) destiné à protéger des éclats (d'obus, de bombe). — Mar. Tôle, pont arrêtant « les éclats provoqués par le choc des projectiles sur les plaques de cuirasse et de blindage » (Gruss).

(...) nous contournâmes le gros pare-éclats et nous repartîmes mais comme des colimaçons et à l'aveuglette car derrière ce gros pare-éclats il n'y avait plus de boyau mais un terrain bouleversé, plein de sapes et de trous d'obus, de cagnas effondrées, de parapets soufflés, de sacs de terre éventrés et éparpillés, d'écheveaux embrouillés de barbelés et d'amorces peu profondes de tranchées vaseuses et nauséabondes.
B. CENDRARS, la Main coupée, *in* Œ. compl., t. X, p. 53.

PARE-ÉTINCELLES [paʀetɛ̃sɛl] n. m. invar. — 1880 ; de 2. *parer*, et *étincelle.*

♦ Écran* que l'on place devant une cheminée d'appartement. — Dispositif de toile métallique qui empêche les étincelles de s'échapper d'une cheminée d'usine, de locomotive.

PARE-FEU [paʀfø] n. m. invar. — 1873 *in* Littré, *Suppl. ;* de 2. *parer*, et *feu.*

♦ Appareil ou dispositif de protection contre la propagation du feu, des incendies*. — Spécialt. Zone dégarnie de végétations, dans une forêt, pour limiter l'extension des incendies.

PARE-FLAMME [paʀflam] adj. invar. — 1973, in *La Clé des mots ;* de 2. *parer*, et *flammes.*

♦ Techn. Qui est ininflammable*, n'émet aucun gaz inflammable et est étanche aux flammes (d'un dispositif, d'un élément). *Élément pare-flamme.* ⇒ **Coupe-feu, pare-feu.**

PARE-FUMÉE [paʀfyme] n. m. invar. — 1677 ; de 2. *parer*, et *fumée.*

♦ Dispositif canalisant ou absorbant la fumée.

HOM. Parfumer.

PARÉGORIQUE [paʀegɔʀik] adj. et n. m. — 1549 ; lat. *paregoricus*, du grec *parêgorikos* « qui calme ».

♦ Vieilli. Se disait des médicaments qui calment la douleur. ⇒ **Calmant.** *Un remède parégorique, un parégorique.* — Mod. (1795). *Élixir parégorique :* médicament à base d'opium (teinture anisée d'opium) utilisé comme analgésique contre les coliques. *Intoxication par l'élixir parégorique.* ⇒ **Parégorisme.**

PARÉGORISME [paʀegɔʀism] n. m. — Mil. XXe ; de *parégorique.*

♦ Méd. État d'ivresse euphorique provoquée par l'ingestion d'opium sous forme de teinture anisée (élixir parégorique*).

PAREIL, EILLE [paʀɛj] adj., n. et adv. — 1155 ; du lat. pop. **paricu-lus*, du lat. class. *par.* → Pair.

★ **I.** Adj. ♦ **1.** (Épithète postposée au nom ou attribut). Qui est semblable par l'aspect, la grandeur, la nature, qui a les mêmes caractéristiques. ⇒ **Identique, même, semblable, similaire, uniforme.** *Réunir* (⇒ **Appareillement,** 2. **appareiller, rappareiller**), *séparer deux choses pareilles.* (⇒ **Dépareiller**). *Caractère de plusieurs choses pareilles.* ⇒ **Conformité, uniformité.** *Malgré les apparences, la peur de la mort est pareille chez tous les hommes* (→ Commun). *Conceptions pareilles* (→ Analogue, cit. 3). *On allait au même but par un chemin pareil* (→ Atténuation, cit.). *Effets pareils produits par des causes* (cit. 15) *différentes. Ils sont bien tous pareils! Des rues aux maisons toutes pareilles* (→ Loqueteux, cit. 2). *Tous les soirs étaient pareils* (→ Autre, cit. 45).

(Temporel). Qui ne change pas, qui reste identique à soi-même. *La vie se déroule* (cit. 11), *toujours pareille, avec la mort au bout. J'en ai assez, c'est toujours pareil* (cf. C'est toujours la même chose, la même histoire).

1 Ayant, en outre, posé cette vérité qu'il n'y a pas, de par le monde entier, deux grains de sable, deux mouches, deux mains ou deux nez absolument pareils, il me forçait à exprimer, en quelques phrases, un être ou un objet de manière à le particulariser nettement, à le distinguer de tous les autres êtres ou de tous les autres objets de même race ou de même espèce.
MAUPASSANT, Pierre et Jean, « Le Roman ».

Littér. (Antéposé). ⇒ **Même.** *Il est quatre heures; hier, à pareille heure, je me préparais à partir.*

2 Il y a trois ans, à pareil jour, celui qui m'aimait, le seul homme au bonheur de qui j'eusse sacrifié jusqu'à ma propre estime, est mort (...)
BALZAC, la Femme de trente ans, Pl., t. II, p. 766.

⇒ **Égal.** *« L'infamie* (cit. 1, Corneille) *est pareille, et suit également Le guerrier sans courage et le perfide amant. »*

Non pareil. ⇒ **Nonpareil** (→ Argent, cit. 17).

PAREIL À : qui a les mêmes caractéristiques que. ⇒ **Comparable, conforme; identique, semblable.** *Tâche de trouver de l'étoffe pareille à l'échantillon. Images identiquement pareilles à celles qu'ont révérées les ancêtres* (→ Immuable, cit. 5). *« L'Océan, pareil au bœuf qui beugle »* (cit. 1, Hugo). *Ses cheveux encore mouillés et pareils à des algues* (→ Étaler, cit. 44). *Cette route nationale* (cit. 4), *jamais pareille à elle-même. « Le fleuve est pareil à ma peine... »* (→ Tarir, cit. 4, Apollinaire).

3 Pareil au cèdre, il cachait dans les cieux
Son front audacieux.
RACINE, Esther, III, 9.

4 Mon esprit est pareil à la tour qui succombe
Sous les coups du bélier infatigable et lourd.
BAUDELAIRE, les Fleurs du mal, « Spleen et idéal », LVI, II.

4.1 C'est une rue pareille aux autres. Le gamin l'a conduit jusque-là et l'a laissé seul, devant une maison comme les autres, et lui a dit : « C'est là. » Le soldat a regardé la maison, la rue, d'un côté puis de l'autre, et la porte. C'était une porte comme les autres.
A. ROBBE-GRILLET, Dans le labyrinthe, p. 94.

Loc. Littér. *À nul autre pareil :* sans égal (→ Dévotion, cit. 8). *« La mort a des rigueurs à nulle autre pareilles »* (→ Beau, cit. 79, Malherbe).

PAREIL DE... Vx. — PAREIL QUE... Pop. ou enfantin (fautif). Identique à. *Ici, c'est pareil que chez nous. Il est bien pareil que son père.*

♦ **2.** Épithète antéposée (littér.) ou postposée (cour.) au nom. De cette nature, de cette sorte; aussi extraordinaire (en bonne ou en mauvaise part). ⇒ **Tel.** *En pareil cas* (→ Brasse, cit. 1 ; chacun, cit. 14; divertissement, cit. 3). *En pareille occurrence* (→ Faire, cit. 212). *En un pareil moment* (→ Déserter, cit. 4). *Dans une pareille occasion* (→ Dire, cit. 74), *dans une occasion pareille. On n'a jamais vu pareille chose* (ou : *une chose pareille*). *Rien de pareil ne s'était produit depuis...* (→ Abracadabra, cit. 3). *Voilà longtemps que je n'avais goûté pareille joie* (→ Cambrure, cit. 3). *Jamais il ne s'est trouvé à pareille fête* (→ aussi Gymnastique, cit. 16). *Je ne sais qui vous a donné le droit de m'écrire dans de pareils termes* (→ Gageure, cit. 5). *Quant aux yeux, il n'en exista jamais de pareils* (→ Œil, cit. 18). *Qui m'a donné un enfant pareil!*

5 Est-ce croyable! je vous le demande! une laideron pareille?
FLAUBERT, l'Éducation sentimentale, III, II.

6 (...) toutes ces carafes qui flambent pleines de vins de toutes les couleurs (...) Et la vaisselle d'argent, les surtouts ciselés, les fleurs, les candélabres! (...) Jamais il ne se sera vu un réveillon pareil.
Alphonse DAUDET, Lettres de mon moulin, « Trois messes basses », I.

7 On n'avait pas rencontré depuis des années, une pareille puissance d'idées générales mariée à une telle ampleur d'érudition (...)
Paul BOURGET, le Disciple, I.

★ **II.** N. ♦ **1.** N. m. et f. Personne ou chose semblable ou équivalente (à celle dont il est question). *Cette étoffe est très belle, il faudra trouver la pareille.*

8 (...) sur ces commodes des marchandises de toute espèce; deux trictracs; autour de l'appartement, des chaises assez belles, mais pas une qui eût sa pareille (...)
DIDEROT, Jacques le fataliste, Pl., p. 690.

Spécialt. (Avec un adjectif possessif). Réplique physique ou morale d'une personne. ⇒ **Jumeau** (cit. 5). *Son pareil, sa pareille.* ⇒ **Semblable.** — Personne du même caractère, de la même qualité, de la même condition, d'un rang égal... (surtout au plur.). *« Mes pareils à deux fois ne se font point connaître »* (→ Coup, cit. 56, Corneille; et aussi 2. Cancre, cit. 1 ; dédaigneux, cit. 1). *« Lynx envers* (1. Envers, cit. 6, La Fontaine) *nos pareils, et taupes envers nous. »* ⇒ **Congénère** (péj.), **pair, semblable** (nos semblables).

9 Oui, notre gendre, elle est votre femme; mais il ne vous est pas permis de l'appeler ainsi, et c'est tout ce que vous pourriez faire, si vous aviez épousé une de vos pareilles.
MOLIÈRE, George Dandin, I, 4.

Ne pas avoir son pareil, sa pareille (→ École, cit. 21) : ne pas avoir d'équivalent, être extraordinaire, supérieur à tout le reste. *Elle n'a pas sa pareille au monde.*

(Autres emplois négatifs). *La prose française dont la pareille ne se trouve nulle part* (→ Chef-d'œuvre, cit. 4). *On n'eût pas trouvé son pareil pour...* (→ Gargariser, cit. 1). — *Sans pareil, sans pareille :* qui n'a pas son égal. ⇒ **Beau, excellent, exceptionnel, incomparable, nonpareil, supérieur.** — (En mauvaise part). *Une effronterie sans pareille* (→ Impudent, cit. 5).

Ce mélange d'eau, de neige et de feu, fait de Grenade un climat sans pareil au monde, un véritable paradis terrestre (...) 10
Th. GAUTIER, Voyage en Espagne, p. 164.

Les chevaux andalous, et ceux-ci étaient cependant des rosses authentiques, n'ont pas leurs pareils pour la montagne. Ils sont si dociles, si patients, si intelligents, que ce qu'il y a de mieux à faire, c'est de leur laisser la bride sur le cou. 11
Th. GAUTIER, Voyage en Espagne, p. 193.

Ces fables, d'une naïveté sans pareille, vrai trésor de mythologie celtique (...) 12
RENAN, Souvenirs d'enfance..., II, Œ. compl., t. II, p. 73.

♦ **2.** N. f. (1380). LA PAREILLE (avec quelques verbes). *Rendre la pareille :* faire subir à quelqu'un un traitement analogue à celui qu'on en a reçu. ⇒ **Payer** (de retour), **réciproque** (rendre la réciproque), **tac** (répondre du tac au tac), **talion** (faire subir la peine du talion); → 2. Critique, cit. 27.

Trompeurs, c'est pour vous que j'écris : 13
Attendez-vous à la pareille. LA FONTAINE, Fables, I, 18.

(1534). Loc. adv. Vx (langue class.). À LA PAREILLE : de la même manière; en échangeant des sentiments, des services égaux.

♦ **3.** N. m. Loc. fam. *C'est (ça serait...) du pareil au même :* c'est exactement la même chose (cf. fam. C'est du kif, c'est kif-kif; c'est bonnet blanc et blanc bonnet). ⇒ **Même** (*supra* cit. 21).

— Dis donc, ça m'a l'air aussi moche qu'ailleurs. 14
— C'est du pareil au même. H. BARBUSSE, le Feu, I, V.

★ **III.** Adv. (Fin XVe). Pop. ou fam. De même, de la même façon. ⇒ **Pareillement.** *Essaye de faire pareil!*

Il y avait le papa, la maman, deux grandes jeunes filles, « habillées pareil », d'une vingtaine d'année, et une autre petite fille. 15
A. ALLAIS, Contes et Chroniques, p. 262.

Pop. ou enfantin. PAREIL QUE... *Je serai ingénieur, pareil que papa.* ⇒ **Comme.**

Régional :

Non, c'est d'Achille que je veux parler, Guérillot Achille, quoi, qui nous est mort voilà quinze ans, pour bien dire, l'année qu'il a fait si chaud, une année à puces qu'elles grouillaient sur les gens comme pareil aussi sur les bêtes. 16
M. AYMÉ, le Vin de Paris, p. 103.

CONTR. Autre, contradictoire, contraire, différent, dissemblable, inégal, nonpareil.
COMP. et **DÉR.** 2. **Appareiller, dépareiller, nonpareil, pareillement.**

PAREILLEMENT [paʀɛjmɑ̃] adv. — 1377; *paraument,* XIIIe; de *pareil.*

Littéraire.

♦ **1.** De la même manière. ⇒ **Également, même** (de), **pareil** (III.), **semblablement** (→ Asphyxie, cit. 3; contenter, cit. 4). Rare. *Ils travaillent pareillement.* — (Plus cour., avec un adj. ou un p. p.). *Des cadeaux pareillement empaquetés, empaquetés pareillement.*

Et ce que vous voulez que les hommes fassent pour vous, faites-le pareillement pour eux. BIBLE (SACY), Évangile selon saint Luc, VI, 31. 1

Ils ont tous les trois exactement le même visage; la seule différence entre eux est que l'un se présente de profil gauche, le second de face, le troisième de profil droit; et leurs bras sont pliés pareillement, les six mains reposant de la même façon sur la table. 2
A. ROBBE-GRILLET, Dans le labyrinthe, p. 204.

Pareillement à... ⇒ **Comme, semblablement.**

Les gamins, vêtus pareillement à leurs papas, semblaient incommodés par leurs habits neufs (...) FLAUBERT, Mme Bovary, I, IV. 3

♦ **2.** D'une telle façon, à tel point. ⇒ **Aussi** (→ Fricassée, cit. 2). *Jamais il n'avait rencontré un homme pareillement intelligent.*

♦ **3.** (1868). Aussi, également. *La santé est bonne et l'appétit pareillement.* ⇒ **Avenant** (à l'avenant). *« Bonne année. — Et à vous pareillement. »*

CONTR. Autrement, contraire, opposé (à l'opposé).

PARÉLIE [paʀeli] n. f. ⇒ **Parhélie.**

PARELLE [paʀɛl] n. f. — XIIe; du lat. médiéval *paratella,* dimin. de *parada,* du lat. class. *parare* « préparer ».

Régional.

♦ **1.** Plante voisine de l'oseille, appelée aussi *patience.*

♦ **2.** Lichen du genre parmélie. ⇒ **Orseille.**

PAREMENT [paʀmɑ̃] n. m. — V. 1175; *parament* « vêtement riche », fin IXe; de *parer.*

♦ **1.** Vx. Ce qui sert à orner, à parer. — (Av. 1453). *Épée de parement.* ⇒ **Parade.**

♦ **2.** (1318). Liturgie. *Parement d'autel :* ornement d'étoffe dont on pare un autel et qu'on change selon la couleur liturgique du jour (→ Courtine, cit. 2).

♦ **3.** (XIIIe). Face extérieure d'un mur revêtue de pierres de taille régulièrement appareillées et bien dressées. — Côté visible d'une pierre dans un ouvrage de maçonnerie. *Parement d'une boutisse*.* — Techn. (1676). Face supérieure d'un pavé.

Menuis. *Volet* de parement.* — (1520). Menuis., charpenterie. Partie (d'une pièce de bois) qui reste visible après sa mise en œuvre et sa pose. — Partie extérieure d'un panneau (contre-plaqué, plastiques renforcés). *Les parements et l'âme d'un panneau.*

(V. 1960). Paroi* verticale d'une mine.

♦ **4.** (1677). Cour. Pièce d'étoffe riche ou de couleur tranchante qui orne un vêtement. — Retroussis sur le collet, les manches ou les revers (d'un vêtement). *Parement de soie d'un habit. Jaquette* (cit. 4) *à parements de taffetas.* — Spécialt. *Parement d'un uniforme militaire,* dont la couleur permet de distinguer les corps ou les services. *Parements et passepoils assortis.*

1 Le passage d'une garde de douze hommes, allant à la relève, avec des parements de couleurs vives, des bicornes ou des bonnets à poil (...)
J. ROMAINS, les Hommes de bonne volonté, t. IV, XX, p. 220.

2 Mme Beurdeley avait une robe d'après-midi extrêmement seyante, jaune, ton sur ton, avec de grands parements de dentelle bise.
ARAGON, les Beaux Quartiers, II, XV.

♦ **5.** (V. 1354). Vén. Morceau de chair qui reste attachée à la peau d'un cerf dépouillé.

(1701). Bouch. Graisse qui entoure la panse d'un mouton.

DÉR. Parementer.

PAREMENTER [paʀmɑ̃te] v. tr. — 1838; *parementé* «pourvu d'ornement», 1557; de *parement.*

♦ Techn. Revêtir (un mur) d'un parement. — P. p. adj. *Mur parementé.*

DÉR. Parementure.

PAREMENTURE [paʀmɑ̃tyʀ] n. f. — 1832, *parmenture, in* D. D. L.; de *parementer.*

Techn. (Couture).

♦ **1.** Bande de tissu qui prolonge le revers d'un vêtement jusqu'au bas de ce vêtement.

♦ **2.** Doublure qui assure le maintien des parements d'un costume. ⇒ **Entoilage.**

REM. La var. morphol. *parementage,* n. m. (1843) semble archaïque.

PARÉMIAQUE [paʀemjak] n. m. — 1868; bas lat. *paroemiacum,* grec *paroimiakos,* de *paroimia* «proverbe».

♦ Didact. Prosodie grecque. Mètre utilisé dans la poésie grecque ancienne, dimètre anapestique catalectique.

PARÉMIOGRAPHE [paʀemjɔgʀaf] n. — 1846; du grec *paroimia* «proverbe», et *-graphe.*

♦ Didact. Auteur d'un recueil de proverbes, d'un traité sur les proverbes (⇒ **Parémiologue**).

PARÉMIOGRAPHIE [paʀemjɔgʀafi] n. f. — D. i.; du grec *paroimia,* et *-graphie.*

♦ Didact. Description des proverbes (d'une langue, d'une culture ou de plusieurs).

Dès Platon et jusqu'aux modernes, c'est la «manière de dire», la forme, qui caractérise la paroimia grecque (terme repris dans les mots techniques désignant l'étude des proverbes : parémiologie, parémiographie) ...
Alain REY, *in* Dict. de proverbes et dictons, Préface, p. II.

PARÉMIOLOGIE [paʀemjɔlɔʒi] n. f. — 1842; du grec *paroimia* «proverbe», et *-logie.*

Didactique.

♦ **1.** Étude des proverbes.

♦ **2.** Vieilli. Ouvrage qui traite des proverbes. Recueil de proverbes. *La parémiologie de Leroux de Lincy.*

DÉR. Parémiologique.

PARÉMIOLOGIQUE [paʀemjɔlɔʒik] adj. — 1847, Gratet-Duplessis, *Bibliographie parémiologique ;* de *parémiologie.*

♦ Didact. De la parémiologie. *Études, travaux parémiologiques.*

PARÉMIOLOGUE [paʀemjɔlɔg] n. — 1846; du grec *paroimia,* et *-logue.* → Parémiologie.

♦ Didact. Spécialiste de l'étude des proverbes. ⇒ **Parémiographe.**

On ne peut que déplorer le manque d'intérêt des chercheurs français pour l'étude des proverbes. Les grands parémiologues de notre époque sont américains, allemands, russes ou finlandais.
F. MONTREYNAUD, Lectures sur les proverbes, *in* Dict. de proverbes et de dictons, p. 602.

PARENCHYMATEUX, EUSE [paʀɑ̃ʃimatø, øz] adj. — 1764; de *parenchyme.*

♦ Anat. Relatif au parenchyme; constitué par un parenchyme. — Méd. *Néphrite parenchymateuse.*

DÉR. Parenchymatose.

PARENCHYMATOSE [paʀɑ̃ʃimatoz] n. f. — 1944; de *parenchymat(eux),* et *-ose.*

♦ Didact. (Méd.). «Dégénérescence granulo-graisseuse d'origine infectieuse qui frappe simultanément plusieurs viscères (foie, rein, etc.)» (Garnier-Delamare).

(...) l'auteur aborde l'étude clinique, fonctionnelle et anatomo-pathologique du foie des vieillards. Notre collègue y attire l'attention sur une lésion spécifique du foie des vieillards, «le foie sénile». Pour lui, il s'agit d'une artériosclérose hépatique, sorte de «claudication intermittente», en attendant l'oblitération, qui peut expliquer les accidents évolutifs de la parenchymatose, tout comme une claudication intermittente oriente vers la névrose et la gangrène tissulaire.
Léon BINET, Gérontologie et Gériatrie, p. 52.

PARENCHYME [paʀɑ̃ʃim] n. m. — 1546; grec *parenkhuma.*

♦ **1.** Anat. Tissu d'un organe, d'une glande, qui assure son fonctionnement (par opposition au tissu conjonctif de soutien). *Parenchyme hépatique, pulmonaire, rénal. Inflammation du parenchyme pulmonaire.* ⇒ **Pneumonie.**

♦ **2.** (1675). Bot. Tissu cellulaire spongieux et mou des feuilles (⇒ **Sarcophylle**), des jeunes tiges, des fruits, de l'écorce, des racines... *Parenchyme cortical, lacuneux, palissadique. Parenchyme incolore. Parenchyme vert* (à fonction chlorophyllienne). *Fonction de nutrition, de réserve, de remplissage du parenchyme.*

DÉR. Parenchymateux.

PARE-NEIGE [paʀnɛʒ] n. m. invar. — V. 1960; *paraneige,* 1838; de *pare-,* et *neige.*

♦ Synonyme de *paravalanche.*

PARÉNÈSE [paʀenɛz] n. f. — 1586, lat. impér. *paraenesis,* du grec *parainesis* «exhortation».

♦ Didact. Vx. Discours moral, exhortation à la vertu. ⇒ **Morale.**

DÉR. (Du même rad.) **Parénétique.**

PARÉNÉTIQUE [paʀenetik] adj. — 1574; grec *parainetikos.*

♦ Didact. Vx. Relatif à la parénèse*, à la morale. *Discours parénétique.*

PARENT, ENTE [paʀɑ̃, ɑ̃t] n. et adj. — X[e]; du lat. *parentem,* accus. de *parens* (*parentes* «le père et la mère»).

★ **I.** N. ♦ **1.** Plur. **LES PARENTS :** le père et la mère. ⇒ **Mère, père; géniteurs** (par plais.), **procréateurs** (→ Les auteurs* de nos jours, et pop., les vieux*). *Parents et enfants*.* (→ Avare, cit. 10; caste, cit. 3; éducation, cit. 2; homme, cit. 158; monde, cit. 33; nourrir, cit. 1). *Amour des parents et des enfants* (→ Intimement, cit. 16). *La relation parents-enfants. De bons* (→ 2. Chagrin, cit. 9), *d'excellents parents* (→ Fortune, cit. 11). *De mauvais parents. Parents indignes, dénaturés* (⇒ **Bourreau** [d'enfants]). *Déprécier* (cit. 5), *exalter ses parents. La contrainte* (cit. 1) *des parents. Obéir* (cit. 1) *à ses parents. Parents du conjoint* (⇒ **Beaux-parents**), *du père ou de la mère* (⇒ **Grands-parents; aïeul**). — Fam. *Les parents,* pour «mes, nos parents» (→ Demi, cit. 9).

— Votre père? — Je suis, dit-on, un orphelin 1
Entre les bras de Dieu jeté dès ma naissance,
Et qui de mes parents n'eus jamais connaissance.
— Vous êtes sans parents? — Ils m'ont abandonné. RACINE, Athalie, II, 7.

Les rapports entre parents et enfants sont aussi difficiles et aussi dramatiques que les rapports entre amants. L'enfant qui grandit, qui devient sujet libre, étonne et irrite ses parents. 2
A. MAUROIS, Lélia..., VI, VI.

Parents d'élèves. Ellipt. *Les relations parents-professeurs.*

Par anal. *Parents adoptifs.* — *Parents spirituels :* le parrain et la marraine.

(En parlant d'animaux). *Les oisillons* (cit.) *et leurs parents.*

♦ **2.** Biol. Être vivant par rapport à l'être de même espèce qu'il a engendré. *Les deux parents* (→ Hybridisme, cit.). *Les parents de l'être humain* (cit. 8). → aussi Œuf, cit. 17. *Le parent et le descendant* (→ Héréditaire, cit. 4; hérédité, cit. 10). *Le parent mâle et le parent femelle.*

3 (...) à la notion vague et abstraite du « sang », la biologie a substitué la notion claire et concrète de chromosome (...) Tout ce qu'un enfant reçoit de ses parents, il le reçoit dans les chromosomes qui lui viennent d'eux, et qui descendent en droite ligne de ceux que ses parents eux-mêmes avaient reçus des leurs.
Jean ROSTAND, l'Homme, III.

♦ **3.** Plur. (XIe). Littér. Les ascendants. ⇒ **Ancêtre, ascendant; aïeul, bisaïeul, trisaïeul...** *L'héritage que nous ont laissé nos parents* (→ Cacher, cit. 51). Spécialt. *Nos premiers parents, les parents du genre humain* (Adam et Ève).

♦ **4.** Sing. ou plur. Personne avec laquelle on a un lien de parenté. *Mes parents, ses parents...* ⇒ **Famille, proche** (les proches); cf. les miens, les nôtres, les siens... *Ils sont parents entre eux* (→ Ancêtre, cit. 3). *Un de mes parents* (→ 1. Germain, cit. 5). *Ensemble des parents.* ⇒ **Parentage, parenté, parentèle.** *Parents en ligne directe** (⇒ **ascendant, descendant; père, mère, grand-père, grand-mère; arrière-grand-père,** etc.; **fils, fille, petit-fils...; arrière-petit-fils**); *en ligne collatérale** (⇒ **Collatéral; frère, sœur** (et **demi-frère, demi-sœur**); **oncle, tante, neveu, nièce; cousin...**). *Parents du conjoint.* ⇒ **Allié.** *Parents légitimes et parents naturels* (→ Héritier, cit. 7). *Union, mariage entre parents au degré prohibé.* ⇒ **Inceste** (→ aussi Affaiblir, cit. 6; incestueux, cit. 4). — *Proches parents, parents proches, parents éloignés* (→ Espérance, cit. 48; objecter, cit. 2). *De lointains parents. Avoir de nombreux parents, une multitude de parents* (→ Enrichir, cit. 2). *Amis* (cit. 6 et 16) *et parents. Sans parents, sans amis* (→ Malheur, cit. 12). — *Un parent pauvre* (→ Mystère, cit. 13) : parent, souvent éloigné, de personnes aisées ou riches, qui le traitent avec mépris, condescendance. — Allus. littér. *Les parents pauvres :* titre donné par Balzac à deux romans de la « Comédie humaine » (La Cousine Bette, Le Cousin Pons). — Loc. fig. *Traiter quelqu'un en parent pauvre,* moins bien que les autres.

4 Hier, j'étais comme seul au monde, et voilà que j'ai tous mes parents (...)
BEAUMARCHAIS, le Mariage de Figaro, IV, 1.

5 (...) un étranger aurait hésité à saluer la cousine Bette comme une parente de la maison, car elle ressemblait tout à fait à une couturière en journée.
BALZAC, la Cousine Bette, Pl., t. VI, p. 137.

6 On connaissait leur fidélité *(des junkers).* On savait qu'elle était à toute épreuve. C'en était assez pour qu'on les négligeât, pour qu'on les traitât en parents pauvres.
Pierre BENOIT, Axelle, VI.

7 Les seuls parents de M. Mesurat, une vieille fille de Rennes et un célibataire (...) s'étaient brouillés avec leur cousin Antoine (...)
J. GREEN, Adrienne Mesurat, II, II.

Par ext. Allié. *Parent par alliance.* ⇒ **Apparenté.** *Il est devenu mon parent en épousant ma cousine* (Académie, Littré).

8 Dans le monde et dans les familles on se montra sensible à un tel éclat comme on devait l'être; on rougit, on souffrit. Il y eut je ne sais quel fou qui, sous prétexte qu'il était à demi parent par alliance, se mit à faire feu en tous sens et adressa placet sur placet aux ministres du roi.
SAINTE-BEUVE, Causeries du lundi, 10 juin 1850.

9 Dans le langage courant il n'est pas rare de les entendre appeler *(les alliés)* « parents par alliance ». On voit en quoi cette qualification est inexacte (...) il faudrait dire « membres de la famille par alliance ».
M. PLANIOL, Traité élémentaire de droit civil, t. I, p. 249.

Sociol. Personne liée (à d'autres) par un lien de parenté (cit. 3, Durkheim). — Loc. *Parents à plaisanterie** (en Afrique).

★ **II.** Adj. ♦ **1.** Avec qui on a un lien de parenté. *Une femme qui ne m'est presque pas parente* (→ Extraordinaire, cit. 6). *Ils sont plus ou moins parents.*

♦ **2.** Fig. **Analogue, semblable.** *Intelligences parentes* (→ Conclusion, cit. 7). *Esprits parents* (→ Famille, cit. 33).

CONTR. Enfant; fille, fils. — Étranger.
DÉR. Parentage, parental.
COMP. Beaux-parents, grands-parents.

PARENTAGE [paʀɑ̃taʒ] n. m. — V. 1080, sens 2.; de *parent;* déjà considéré comme archaïque au XVIIe siècle.

Vieux.

♦ **1.** Relation de parenté ou d'alliance. « *Un lion d'un haut parentage* » (La Fontaine, IV., 1.). ⇒ **Lignage** (cit. 2, La Fontaine, par métaphore).

♦ **2.** Ensemble des parents (3.). « *Assembler tout le parentage* » (Académie).

Ces gens s'appelaient Rouveyre. Ils n'avaient, pour autant que je le sache, aucun lien de parentage avec le dessinateur André Rouveyre (...)
G. DUHAMEL, Inventaire de l'abîme, VI.

PARENTAILLE [paʀɑ̃taj] n. f. — Déb. XIXe, P. L. Courier *in* P. Larousse; de *parent, parenté,* sur le modèle de *parentèle,* suff. *-aille.*

♦ Fam. et rare. Parenté; famille (par plais. ou péjorativement).

1 *(Elle)* rédigeait des lettres de quatre pages à une nombreuse parentaille bretonne qui, du reste, ne lui répondait jamais. H. TROYAT, la Faim des lionceaux, p. 87.

Aussitôt, Gérard imagina la sacristie étroite, les mariés et leur parentaille alignés contre le mur. 2
H. TROYAT, l'Araigne, p. 364.

PARENTAL, ALE, AUX [paʀɑ̃tal, o] adj. — 1536, repris XXe; de *parent.*

Didactique.

♦ **1.** Des parents. *Autorité parentale. Retrait d'autorité parentale :* mesure judiciaire retirant aux parents indignes la garde de leurs enfants. *Les rentes que représentait pour lui le travail parental* (→ Fureur, cit. 15). *Les « carences du milieu parental » (le Monde,* 19 sept. 1969). ⇒ **Familial.** *Les images parentales,* paternelle et maternelle.

♦ **2.** Biol. Relatif à l'être qui procrée (⇒ **Parent,** I., 2.).

(...) d'après lui *(Buffon),* le fœtus se forme à partir d'un mélange de semences, extraites du corps des parents : toute modification du corps parental peut donc retentir sur la composition de la semence, et, partant, sur la structure du produit.
Jean ROSTAND, Esquisse d'une histoire de la biologie, p. 63.

PARENTALES [paʀɑ̃tal] ou PARENTALIES [paʀɑ̃tali] n. f. pl. — 1721, *parentales; parentalies,* 1875; lat. *parentalia.*

♦ Antiq. rom. Fêtes annuelles en l'honneur des morts, où chaque famille célébrait la mémoire de ses ancêtres.

HOM. Parental.

PARENTÉ [paʀɑ̃te] n. f. — V. 1190, sens II.; 1155, n. m.; *parentet* « famille, lignage », 1050; lat. pop. **parentatus,* de *parens.*

♦ **1.** (1530). Rapport, lien existant entre personnes (⇒ **Parent**) descendant les unes des autres (⇒ **Ascendance, descendance, filiation, origine**) ou descendant d'un auteur* commun (⇒ **Cousinage, fraternité**). *Lien de parenté.* ⇒ **Famille, lien, parentage, sang** (force, liens du sang), **union; état** (cit. 67). *Avoir un lien de parenté avec qqn* (cf. Toucher de près). *La parenté qui les unit*. En droit, la parenté entre deux personnes se définit au moyen des notions de ligne* (⇒ **Ligne :** ligne directe et collatérale*) *et de degré* (⇒ **Degré,** cit. 4 et 6). *Parenté par les mâles.* ⇒ **Agnation** (cit.). *Parenté en ligne maternelle* (→ Matriarcat, cit. 2) *ou paternelle* (⇒ **Cognation, consanguinité**). *Parenté du côté* maternel* (⇒ **Utérin**). *Droits, obligations dérivant de la parenté. Incapacités dérivant de la parenté* (parenté à un degré prohibé*). — *Parenté proche, éloignée, vague* (→ 1. Cousin, cit. 3). — Par ext. *Parenté par alliance.* ⇒ **Alliance, apparentage.**

Mme Roland, douée d'une excellente mémoire pour les parentés, se mit aussitôt à rechercher les alliances du côté de son mari et du sien, à remonter les filiations, à suivre les branches des cousinages. MAUPASSANT, Pierre et Jean, I. 1

Sociol. Relation entre les membres d'un groupe familial (⇒ **Famille**), d'un clan. *La règle de filiation* et la règle de résidence* composent ensemble le système de parenté d'une société. Structure de parenté harmonique*, dysharmonique*. Les structures élémentaires de la parenté,* ouvrage de Cl. Lévi-Strauss.

Platon dit que la parenté est la communauté des mêmes dieux domestiques (...) C'était, en effet, la religion domestique qui constituait la parenté (...) Le principe de la parenté n'était pas l'acte matériel de la naissance; c'était le culte. 2
FUSTEL DE COULANGES, la Cité antique, II, V.

(Le clan) se distingue des autres sortes de familles par ce fait que la parenté y est fondée uniquement sur la communauté du totem, non sur des relations de consanguinité définies. Ceux qui en font partie sont parents, non parce qu'ils sont frères, pères, cousins les uns des autres, mais parce qu'ils portent tous le nom de tel animal ou de telle plante. 3
DURKHEIM, Année sociol. 1896-1897, *in* BOUGLÉ et RAFFAULT, p. 88.

*Parenté à plaisanterie** (en Afrique).

Fig. *Parenté adoptive* (⇒ **Adoption**). — (1838). *Parenté spirituelle,* entre parrain ou marraine et filleuls. Fig. *Parenté spirituelle* (de deux esprits...).

(...) ces âmes pleines de qualités exquises reconnurent leur parenté. 4
BALZAC, le Curé de village, Pl., t. VIII, p. 709.

♦ **2.** Biol. (⇒ **Hérédité**).

La parenté biologique de père ou de mère à enfant est la seule qui soit définissable de façon précise (...) Alors qu'un enfant, c'est toujours un demi-soi, un frère peut nous être beaucoup plus proche qu'un enfant, mais aussi, à peine moins étranger qu'un étranger. Jean ROSTAND, l'Homme, III. 5

♦ **3.** (1933). Fig. Rapport (entre deux ou plusieurs choses) provenant de leur origine commune. *Parenté entre deux langues* (→ Dialecte, cit. 2), *entre deux sujets* (→ Exergue, cit. 3). — (1860). Rapport étroit (entre choses). ⇒ **Affinité, analogie, proximité, ressemblance.** *L'étroite parenté de la beauté et de la mort* (cit. 11).

Toutes les négations en moi je les ai savamment cultivées. À présent je me débats contre elles; chacune prise à part est assez facile à réduire; mais riche en parentés; savamment alliée à chaque autre. GIDE, Journal, mai 1905, lundi. 6

Collectif. L'ensemble des parents (et par ext. des alliés) de qqn, considéré abstraitement. ⇒ **Parentage, parentèle** (→ Malin, cit. 4).

PARENTÈLE [paʀɑ̃tɛl] n. f. — 1380; lat. *parentela.*

♦ **1.** Littér. Ensemble des parents.

1 Toute sa parentèle était dispersée aux quatre coins de la France et du monde.
G. DUHAMEL, Cri des profondeurs, XI.

REM. Cet archaïsme est fréquent chez Duhamel (cf. *Inventaire de l'abîme*, p. 99; *Voyage P. Périot*, XI, p. 194).

Ethnologie :

2 La parentèle, ensemble de parents consanguins investi d'un domaine foncier et d'un cheptel bovin par l'autorité centrale, constituait un milieu profond de quatre générations, dans lequel se déroulait la vie quotidienne.
A. DORSINFANG-SMETS, *in* Encycl. Pl., Ethnologie régionale, t. I, p. 627.

♦ **2.** (V. 1570). Vx ou didact. (Ethnol.). Parenté, consanguinité. (Scarron, St-Simon, J. B. Rousseau, *in* Littré).

PARENTÉRAL, ALE, AUX [paʀɑ̃teʀal, o] adj. — 1932; de 1. *para-*, et du grec *enteron* «intestin».

♦ Méd. Qui est introduit dans l'organisme par une voie autre que le tube digestif. *Administration parentérale d'un médicament* (par injection).

PARENTHÉSAGE [paʀɑ̃tezaʒ] n. m. — D. i.; de *parenthèse*.

♦ Didact. Ling. Mise entre parenthèses (de groupes de mots) servant à visualiser une analyse linguistique en constituants. *« L'identification des groupes fonctionnels ainsi que la composition des phrases correctes à partir du modèle étudié peuvent être facilitées par des procédés de visualisation tels que parenthésages, emboîtements, arborescences* (...). » (*Circulaires ministérielles,* 29 avr. 1977, nº 77-156).

La var. *parenthétisation,* n. f. est attestée chez des linguistes théoriciens (pour traduire l'angl. *bracketing*).

PARENTHÈSE [paʀɑ̃tɛz] n. f. — 1546; *parentèze,* 1493; lat. *parenthesis,* du grec *enthesis* «action de mettre».

♦ **1.** Insertion, dans le corps d'une phrase, d'un élément (mot, proposition, phrase) qui interrompt la construction syntaxique (à la différence de l'incise*); cet élément lui-même. *Faire des parenthèses, de longues parenthèses. Digressions* (cit. 2) *et parenthèses; s'interrompre par des parenthèses* (→ Écrire, cit. 53).

(1687). Phrase ou épisode accessoire (dans un discours). ⇒ **Digression.** *Histoire entremêlée* (cit. 6) *de parenthèses. Parenthèses « qui font oublier le gros de l'histoire »* (→ Épisode, cit. 5). *Ouvrir, fermer une parenthèse dans son discours* (→ Haut-le-corps, cit. 3).

1 Je n'étais pas sans voir les défauts de Jacques, vous savez (...) Elle se tut de nouveau; puis, comme une parenthèse involontaire, elle ajouta, les yeux au loin : «Mais je les oubliais, dès qu'il était là (...)
MARTIN DU GARD, les Thibault, t. IX, p. 104.

Loc. adv. *Par parenthèse* (1578), *entre parenthèses* (1903) [fig. du sens 2.] : d'une manière accessoire, incidente. ⇒ **Incidemment** (→ 2. Mort, cit. 9).

2 Cet homme (...) avait pris, en prévision d'une fuite, des diamants sur papier; il les mit à mon insu dans ma poche. Par parenthèse, comme j'ignorais le somptueux cadeau de l'Espagnol, mon domestique m'a volé ce trésor, le surlendemain.
BALZAC, la Muse du département, Pl., t. IV, p. 111.

3 (...) qu'est-ce que peuvent bien lui faire, à ta tante, les vers de Corneille! — qui, entre parenthèses, sont de Racine (...) GIDE, la Porte étroite, V.

♦ **2.** (1620). Chacun des deux signes typographiques entre lesquels on place l'élément qui constitue une parenthèse (ou un élément, mot, phrase... que l'on veut isoler), et qui sont ainsi figurés : (...). *Mettre entre parenthèses. Parenthèses, crochets*, tirets.* — Fig. *Mettre entre parenthèses :* mettre de côté, ne pas s'occuper de. ⇒ **Exclure.** *Mettre entre parenthèses un vieux différent.* — Ensemble de ces deux signes et leur contenu. *Ouvrir, fermer la parenthèse.*

Alg. Signe qui isole une expression algébrique et indique qu'une même opération s'applique à l'expression tout entière : $(a + b)(c + d)$; $(a + b)^2$. *Faire sortir un terme d'une parenthèse.*

4 J'ouvre ici une parenthèse; et qu'on se rassure : je la fermerai. Je la fermerai même tout près d'ici (...) Ch. PÉGUY, Note conjointe, «Sur Descartes», p. 126.

Signe analogue (dans la symbolique logique, linguistique). ⇒ **Parenthésage.**

Fig. et fam. (1835). *Avoir les jambes en parenthèses,* arquées.

♦ **3.** Fig. *« La vie..., sorte de parenthèse énigmatique entre la naissance et l'agonie »* (cit. 7, Hugo). — Philos. (Phénoménologie). *Mise entre parenthèses :* «opération par laquelle le philosophe fait abstraction de certains problèmes» (Cuvillier).

5 En Proche-Orient, vers le milieu du Xe siècle avant notre ère, après la parenthèse de l'histoire qui avait permis aux rois d'Israël d'édifier leur belle petite maison, le temps des grands empires est proche.
DANIEL-ROPS, le Peuple de la Bible, III, II.

PARÉO [paʀeo] n. m. — 1895, J. Verne, *l'Ile à Hélice,* p. 203; *pareu, le Tour du Monde,* p. 246, 1875; mot tahitien.

♦ **1.** Pagne tahitien.

♦ **2.** Courte jupe de plage drapée.

Les deux paréos décolorés deviennent piteux (...) Les grands dessins blancs de leur déguisement tahitien datent déjà (...) COLETTE, Belles saisons, p. 35.

PARE-PIERRES [paʀpjɛʀ] n. m. invar. — 1932, Larousse; de 2. *parer* et *pierre.*

♦ Techn. Grille métallique protégeant les phares, le radiateur, etc. (d'une voiture).

PARE-POUSSIÈRE [paʀpusjɛʀ] n. m. invar. — 1902, *in* D. D. L.; de 2. *parer,* et *poussière* → Cache-poussière.

♦ Anciennt. Grand manteau utilisé autrefois par les automobilistes, quand les voitures étaient ouvertes.

1. PARER [paʀe] v. tr. — 980; lat. *parare* «apprêter, disposer», et par ext. «orner».

★ **I. PARER** (qqn, qqch.) **DE** (qqch.). ♦ **1.** Arranger ou orner dans l'intention de donner belle apparence*, de rendre plus agréable*, plus beau... ⇒ **Agrémenter, arranger, décorer, embellir, orner.** *Parer une maison de tentures, de tableaux. Parer un autel. Parer un vêtement d'ornements, de chamarrures* (⇒ **Chamarrer**). — Par métaphore. *Le printemps a paré les prés de fleurs.* ⇒ **Broder, diaprer, fleurir...** — (Passif). *Être paré de...*

Sa Majesté descendit à la belle église neuve qui ce jour-là était parée de tous ses 1
rideaux cramoisis. STENDHAL, le Rouge et le Noir, I, XVIII.

Le mai le joli mai a paré les ruines 2
De lierre de vigne vierge et de rosiers (...) APOLLINAIRE, Alcools, p. 114.

(...) le boucher nous attendait, parant l'agneau maintenant décapité d'une colle- 2.1
rette de papier blanc (...) Pierre GASCAR, les Bêtes, p. 46.

Parer une femme de bijoux, de dentelles... ⇒ **Parure.**

Est-ce donc une offense à la personne aimée, 3
Et s'en doit-elle au fond croire moins estimée,
Si l'on veut la parer, sans pouvoir l'embellir,
D'un pauvre diamant que ses yeux font pâlir? A. DE MUSSET, Louison, I, 2.

(Sans compl. second). *Parer sa maison pour une fête.*

Par ext. (Sujet n. de chose). *Diamants qui parent une femme sans l'embellir* (cit. 2). *Fleurs, fourrés* (cit. 39) *qui parent la terre...* ⇒ **Diaprer, émailler.** *Les grâces qui parent son visage.* ⇒ **Adoniser** (vx), **enjoliver** (→ Accord, cit. 14).

♦ **2.** (XIIIe). Vêtir, habiller (qqn) avec soin, recherche, avec une intention d'élégance. ⇒ **Apprêter, habiller; accoutrer, attifer** (→ Emporter, cit. 2). *Parer un enfant.* ⇒ **Bichonner, pomponner...** *Parer quelqu'un de ses plus beaux atours*.*

Par métaphore. (→ Atour, cit. 7).

La vérité, dites-vous, ne veut aucun ornement; tout ce qui la pare, la cache. Pei- 4
gnez-la donc nue, mais belle (...) P.-L. COURIER, Éloge de Buffon.

♦ **3. PARER QQN DE** (**une qualité**) : attribuer à qqn (une qualité). *Parer quelqu'un de toutes les qualités, de toutes les vertus.* ⇒ **Auréoler, décorer, fleurir, orner.** — (Sans compl. second). *L'imagination* (cit. 20) *pare ce qu'on désire.* ⇒ **Colorer, embellir, farder** (→ Espérance, cit. 5). — Péj. *Parer quelque chose d'un faux brillant* (cit. 31) *d'honneur. Parer ses désirs d'une idéologie* (cit. 5).

Mme Grimoard attendait un autre enfant avec impatience, espérant un garçon. Elle 5
le parait d'avance de toutes vertus refusées à sa fille.
R. RADIGUET, le Bal du comte d'Orgel, p. 19.

(Abstrait). **PARER QQCH. DE QQCH.** *Parer son style*, son discours de figures affectées.* ⇒ **Orner**; et péj. **farder.** *Parer des pensées banales de phrases ronflantes.* ⇒ **Habiller.** — (Sans compl. second) :

(...) cinq ou six grands mots de médecine, pour parer mon discours et me donner 6
l'air d'habile homme. MOLIÈRE, le Médecin malgré lui, III, 1.

★ **II. PARER QQCH.** ♦ **1.** (XIIe). Apprêter, arranger de manière à rendre plus propre à tel usage, à tel effet. ⇒ **Préparer; habiller; perfectionner.** — *Parer sa marchandise,* lui donner une bonne présentation. — Cuis. Préparer (de la viande, des légumes, des fruits...) en ôtant les parties non comestibles, avant de confectionner un plat. *Parer de la viande* (⇒ **Boucherie**). — Techn. (1250). *Parer une étoffe, du drap; parer les cuirs, les peaux,* leur faire subir certains apprêts, certaines façons. — *Parer le pied d'un cheval en enlevant de la corne pour que le fer soit bien ajusté.* — Agric. *Parer du cidre,* le faire fermenter. — Jardinage. *Parer une allée, un fossé. Parer la vigne.* ⇒ **Parage.**

♦ **2.** (1552). Mar. Rendre, tenir prêt* à servir, à être utilisé; mettre en ordre (après une manœuvre). *Parer une manœuvre. Faire parer un cordage,* le dégager ou l'empêcher de s'accrocher. *Parer les armures pour virer de bord.* Ellipt. *Parer à virer. Pare à virer! Pare les écoutes!* (→ Bâbord, cit. 1).

(...) «tout est clair». Mais, selon les vieilles traditions de la marine à voile, notre 6.1
ancre, comme d'habitude, restera parée à mouiller jusqu'au bout de la grande jetée
qui termine le port. Bernard MOITESSIER, Cap Horn à la voile, p. 70.

▶ **SE PARER** v. pron.

♦ **1.** (Passif). Vx ou littér. Être orné, agrémenté. *Les bijoux dont se paraient ses bras.* Par ext. *« Les feux inanimés dont se parent les cieux »* (→ Hommage, cit. 22, Racine).

7 Jamais son visage ne s'est paré de plus vives couleurs.
MOLIÈRE, la Princesse d'Élide, III, 2.

Fig. *Sa conversation se paraît d'élégances fanées* (→ Ancien, cit. 3). *Le superflu, dont l'orgueil se pare* (→ Commode, cit. 10).

8 Des noms les plus fameux dont se pare l'histoire (...)
CORNEILLE, Pertharite..., II, 5.

♦ **2.** (Réfléchi, XVIIe). S'habiller, se vêtir, porter des ornements choisis, disposés avec recherche, avec coquetterie*. ⇒ **Accommoder** (s'), **ajuster** (s'), **apprêter** (s'), **endimancher** (s'), **pomponner** (se); **toilette** (faire toilette). → Gant, cit. 3. *Se parer d'atours* (cit. 3), *d'un uniforme* (→ Distinguer, cit. 3). — Par métaphore. *La nature se pare* (→ Candeur, cit. 5) *en vue d'un époux.*

9 Les paysannes et les servantes, qui n'ont pas assez d'argent pour se parer, ornent leur tête et leurs bras de quelques fleurs, pour qu'au moins l'imagination ait sa part dans leur vêtement (...)
Mme DE STAËL, De l'Allemagne, I, II.

10 (...) elle (...) voulut s'habiller et se parer comme pour un jour de fête (...)
BALZAC, le Curé de village, Pl., t. VIII, p. 740.

Fig. et littér. Faire montre, faire parade (de qualités généralement empruntées). *Se parer d'un titre* dérobé* (cit. 27). ⇒ **Armer** (s'). *« Se targuer de grandeurs fausses, se parer de beautés morales »* (→ Jouer, cit. 68). Loc. prov. *Se parer des plumes du paon*, des dépouilles* d'autrui* (→ Geai, cit. 4). ⇒ aussi **Plagiaire.**

11 Hé bien! sans me parer d'une innocence vaine,
Il est vrai, mon amour mérite votre haine.
RACINE, Mithridate, III, 2.

▶ **PARÉ, ÉE** p. p. adj. (XIIe).

♦ **1.** ⇒ **Orné.** *Demeure parée pour une fête* (cit. 16). *Autel paré.*

12 Est-ce que ta chambre ne te semble pas assez parée (...)
MOLIÈRE, l'Amour médecin, I, 2.

(1827). *Robe parée. Bonnet paré.*

♦ **2.** (Personnes). Qui a mis, qui porte des vêtements, des ornements (⇒ **Parure**) choisis et disposés avec recherche. *Bien paré et bien attifé* (cit. 1). ⇒ **Vêtu** (→ aussi Agencer, cit. 2). *Fille, demoiselle bien parée* (→ Empressement, cit. 1), *très parée* (→ Case, cit. 2), *effrontément* (cit. 1) *parée. Femme superbement parée* (→ Garde-robe, cit. 4).

Loc. *Parée comme une épousée*, comme un devant d'autel*, comme une châsse* (cit.; → Attifer, cit. 3). — *Homme qui sort paré comme une femme* (→ Ajustement, cit. 5), *aussi paré qu'une femme* (→ Agrémenter, cit.). Par métonymie. *Bal** (cit. 7) *paré,* où les invités sont, viennent en habits de bal.

13 Ce n'est pas tant pudeur qu'art et prudence, qui rend nos dames si circonspectes à nous refuser l'entrée de leurs cabinets, avant qu'elles soient peintes et parées pour la montre publique (...)
MONTAIGNE, Essais, II, XII.

14 Le chevalier, presque sans le savoir, avait donc pris le chemin de Trianon. Sans être fort paré, comme on disait alors, il ne manquait ni d'élégance, ni de cette façon d'être qui fait qu'un laquais, vous rencontrant en route, ne vous demande pas où vous allez.
A. DE MUSSET, Contes, « La mouche », IV.

15 Phèdre doit être somptueusement vêtue, « parée » à l'excès de « ces vains ornements » et de « ces voiles » qu'elle laissera tomber en partie une fois assise.
GIDE, Attendu que..., p. 188.

16 Il y a chez les femmes une vanité d'apparence qui est réellement de nécessité pour elles. Il faut qu'elles soient considérées, maquillées, parées.
ALAIN, Propos, 9 mars 1912, « Parures ».

Par métaphore. *Nature luxuriante et parée* (→ Ébouriffer, cit. 3). Fig. *Vice élégant et paré* (→ Galanterie, cit. 8). *Tentation parée de tous les attraits* (→ Frôler, cit. 9).

♦ **3.** [a] (1690). Cuis. Préparé pour être cuit. *Morceau de viande paré.*

[b] Dr. (En procédure). *Titre paré,* en forme exécutoire*.

CONTR. Déparer, enlaidir.
DÉR. Parage, parement, pareur, parure.

2. PARER [paʀe] v. tr. — 1588; XVe, Chastellain, «justifier», *se parer* «se défendre, se justifier»; ital. *parare.*

★ **I.** V. tr. dir. ♦ **1.** Éviter* ou détourner (un coup, une arme) de manière à se protéger. *Parer les coups.* ⇒ **Défendre** (se). → Écuyer, cit. 1. *Le bouclier, l'écu parait les coups.* ⇒ **Garantir** (de). Escr. *Parer une botte.* — (Sans compl. direct). *Parer du sabre* (→ Juste, cit. 42). *Parer du corps,* en évitant la botte. *Parer de la pointe, en quarte...*

1 (...) tu me pousses en tierce, avant que de me pousser en quarte, et tu n'as pas la patience que je pare.
MOLIÈRE, le Bourgeois gentilhomme, III, 3.

Par anal. *Parer la balle,* au jeu de paume.

Par métaphore. Détourner (une attaque, un accident). *« Et ce sont de ces coups* (cit. 38) *que l'on pare en fuyant ». Parer ou encaisser un maître* (cit. 111) *coup.*

2 Quoi qu'il en soit, son crédit ni son éloquence ne purent parer le coup. Prévenu de l'ordre qu'il devait me signifier, il m'en avertit d'avance, et pour ne pas attendre cet ordre, je résolus de partir dès le lendemain.
ROUSSEAU, les Confessions, XII.

3 Il faut parer le coup, mais à la sourdine; et par quel moyen? par une bonne petite calomnie.
Th. GAUTIER, Souvenirs de théâtre, Beauté de l'opéra, III.

♦ **2.** Fig. et vx. Empêcher (une menace, un événement fâcheux) de se produire ou de nuire. ⇒ **Éviter.** *Parer la tempête* (fig.; Corneille, *Pompée,* I., 1.). *Parer (à qqn) un malheur* (St-Simon). *Parer un inconvénient* (Rousseau).

♦ **3.** Vx. *Parer quelqu'un de..., contre...,* le protéger. Pron. *Se parer des coups* (Corneille, *la Galerie du Palais*).

♦ **4.** (1552). Mar. *Parer un abordage,* l'éviter. — Spécialt. Faire le tour de, sans toucher. *Parer un cap.* ⇒ **Doubler.** *Parer une bouée.*

Le temps couvert du Pacifique Sud a fait place au ciel plus dégagé du « bon côté » de l'Amérique du Sud. Le Horn est paré. C'est encore le coup de vent, mais il reste modéré et l'immense houle du Pacifique a fait place à une mer très différente, grosse sous cette brise pesante, mais tellement différente. 3.1
Bernard MOITESSIER, Cap-Horn à la voile, p. 215.

★ **II.** Trans. indir. **PARER À** (1625; *parer aux coups,* 1549) : se protéger de. ⇒ **Face** (faire face à). *Parer à un danger* (→ Esseuler, cit. 2), *à un inconvénient*, à un ennui, à des difficultés.* ⇒ **Remédier; obvier.** *Être incapable de parer à...* (cf. Ne pouvoir qu'y faire).

Fortunio, esprit très inventif et que rien n'embarrassait, avait paré à cet inconvénient : les fenêtres de son salon donnaient sur des dioramas exécutés d'une façon merveilleuse et de l'illusion la plus complète. 4
Th. GAUTIER, Fortunio, XXIV.

Prendre toutes les dispositions nécessaires, en vue de ce qui doit arriver. *Parer à toute éventualité.* ⇒ **Aviser** (à), **veiller** (à). — Loc. *Parer au plus pressé :* s'occuper des problèmes les plus urgents. — *Parer aux besoins* (cit. 23) *de l'existence matérielle.*

Nous autres, gratteurs de papier qui n'avons pas déposé le stylo, nous rêvons pourtant, parce que c'est octobre, parce qu'il faut parer à l'hiver, nous rêvons de faire mieux, d'être, s'il se peut, nouveaux. 5
COLETTE, Belles saisons, p. 103.

Mar. *Parer au grain :* prendre des dispositions pour supporter un grain sans dommage. — Figuré :

Mais remarquez, l'homme de garde est utile parce qu'il peut prévenir : on a installé une sonnette. Vous voyez. Il tire le fil depuis la guérite et on a le temps de parer au grain. 6
Jacques LAURENT, les Bêtises, p. 82.

▶ **PARÉ, ÉE** p. p. adj. (1702).

♦ **1.** Muni du nécessaire pour faire face à, se protéger. ⇒ **Abri** (à l'). *Nous sommes parés contre le froid, contre toute éventualité. Vous voilà paré!*

♦ **2.** Mar. Prêt. — *Paré à virer?* — *Paré* — *Envoyez!* Cf. (vx) À Dieu vat! — Par anal. (Aviat.) → 2. Décoller, cit. 3.

CONTR. Attaquer.
DÉR. Parade.

3. PARER [paʀe] v. — 1598; esp. *parar,* lat. *parare.* → Parade.

♦ Équit. V. tr. Retenir (un cheval). — V. intr. *Cheval qui pare sur les hanches,* qui prend appui sur les hanches (en galopant).

PARÈRE [paʀɛʀ] n. m. — 1769; ital. *parere,* du lat. *parere* «paraître, assister».

♦ Dr. «Certificat* délivré, soit par une chambre de commerce, soit par des commerçants notables, pour établir l'existence d'un usage déterminé» (Capitant). ⇒ **Constatation.**

PARERGON [paʀɛʀgɔ̃] n. m. — 1765; *parergue* 1577 «question accessoire»; lat. *parergon,* mot grec de *para* «à côté» (→ 1. *Para-*), et *ergon* «œuvre».

♦ Didact. (Arts). Élément ajouté à l'ouvrage principal. Plur. *Des parerga.*

PARÉSIE [paʀezi] n. f. — 1741; *parésis,* 1694; grec *paresis* «relâchement».

♦ Méd. Paralysie partielle ou légère, se manifestant par une diminution de la force musculaire.

(...) cette petite parésie du visage — à gauche, toujours! — que j'avais eue à quinze ans et qui passa en une dizaine d'heures après avoir été baptisée « affrigorée » par le médecin.
Jacques LAURENT, les Bêtises, p. 105.

DÉR. Parétique.

PARE-SOLEIL [paʀsɔlɛj] n. m. invar. — 1914, *in* D.D.L., «sorte de chapeau», 1873; de *pare-,* et soleil.

♦ Écran protégeant des rayons du soleil, spécialt dans une automobile, une motrice de chemin de fer, etc (→ Brise-soleil). Appos. *Rideaux pare-soleil.*

PARESSE [paʀɛs] n.f. — Déb. XIIIe; *parece,* v. 1130, de l'anc. franç. *perece,* v. 1155; du lat. *pigritia,* de *piger* «paresseux».

♦ **1.** Goût pour l'oisiveté*, répugnance au travail, à l'activité (ou au changement d'activité); comportement d'une personne qui évite l'effort, se complaît dans l'inaction*. ⇒ **Fainéantise** (cit. 3), **indolence, lâcheté** (vx), **mollesse, néantise** (vx); fam. **cagnardise, cosse, flemme, rame** (→ Appliquer, cit. 36; effaroucher, cit. 3; heure, cit. 57). *Paresse par indifférence, par défaut d'énergie, de volonté...* ⇒ **Apathie** (cit. 5), **inertie, langueur** (cit. 16), **négligence, noncha-**

lance (cit. 2), **nonchaloir** (vx). → Nonchalamment, cit. 2. *Paresse qui alanguit* (cit. 1), *engourdit**.... *Gâter* (cit. 30) *ses qualités par de la paresse. Climat qui incite à la paresse.* ⇒ **Désœuvrement, oisiveté.** *La paresse des nations du Midi* (→ Nord, cit. 3, Montesquieu). *Habitudes de paresse. Jouir* (cit. 5) *de sa paresse. Invincible paresse* (→ Négliger, cit. 6). *Combattre* (cit. 9), *vaincre, dompter la paresse* (→ Céder, cit. 11; exercice, cit. 1). — *S'abandonner à la paresse, croupir dans la paresse.* ⇒ **Acagnarder** (s'), **dorloter** (se), **prélasser** (se). Cf. fam. Tirer au cul, au flanc, ne pas se fouler la rate, ne pas en ficher un coup, une rame, une secousse, se tenir, rester les bras croisés, ne pas se faire d'ampoules, ne rien, ne pas se casser, se tourner les pouces, se les rouler, avoir les pieds nickelés. ⇒ **Paresser.** *Renâcler par paresse devant un travail.*

1 De toutes les passions, celle qui est la plus inconnue à nous-mêmes, c'est la paresse; elle est la plus ardente et la plus maligne de toutes, quoique sa violence soit insensible, et que les dommages qu'elle cause soient très cachés. Si nous considérons attentivement son pouvoir, nous verrons qu'elle se rend en toutes rencontres maîtresse de nos sentiments, de nos intérêts et de nos plaisirs (...) Le repos de la paresse est un charme secret de l'âme qui suspend soudainement les plus ardentes poursuites et les plus opiniâtres résolutions; pour donner enfin la véritable idée de cette passion, il faut dire que la paresse est comme une béatitude de l'âme, qui la console de toutes ses pertes, et qui lui tient lieu de tous les biens.
LA ROCHEFOUCAULD, Maximes, 630. (Cf. aussi les maximes 266, 398, etc.).

2 Une chambre qui ressemble à une rêverie (...) L'âme y prend un bain de paresse, aromatisé par le regret et le désir. BAUDELAIRE, le Spleen de Paris, V.

3 Paresse : habitude prise de se reposer avant la fatigue.
J. RENARD, Journal, 22 mai 1906.

4 (...) il était d'une paresse incurable, et plutôt que de faire un effort pour sortir de sa médiocrité, il se fût laissé mourir de faim, sinon de soif. Il se consolait de son indolence, en disant du mal de ceux qui s'agitent dans la vie (...)
R. ROLLAND, Jean-Christophe, L'adolescent, III, p. 365.

(1656). *La paresse, l'un des sept péchés capitaux.* Prov. *La paresse est la mère de tous les vices.*

5 Ainsi la paresse est mère. Elle a un fils, le vol, et une fille, la faim.
HUGO, les Misérables, IV, VII, I.

Paresse à faire quelque chose, à un travail...

6 Vous connaissez l'homme et sa naturelle paresse à soutenir la conversation.
MOLIÈRE, la Critique de l'École des femmes, 2.

Loc. *Solution de paresse,* la plus facile, celle qui exige le moins d'effort.

7 Mais avoir d'avance consenti pour la France de si grands sacrifices, ç'avait été, somme toute, recourir à une *solution de paresse,* — ce qui cadre assez bien avec le caractère nonchalant et parfois si indifférent du prince.
Louis MADELIN, Talleyrand, IV, XXIX.

♦ **2.** Absence ou refus de l'effort intellectuel, goût de la facilité, du confort moral. ⇒ **Assoupissement, engourdissement, lenteur, lourdeur** et aussi **facilité** (cit. 15 et 16). *Paresse intellectuelle, de l'esprit* (→ Opinion, cit. 13), *d'esprit* (→ Canaille, cit. 12). *L'esprit s'attache* (cit. 70) *par paresse à ce qui lui est facile. Le conformisme, la crédulité, l'absence d'esprit critique, fruits de la paresse.*

8 Nous avons plus de paresse dans l'esprit que dans le corps.
LA ROCHEFOUCAULD, Maximes, 487.

8.1 Chaque jour, il promettait à sa mère de travailler à partir du lendemain, et le lendemain, la paresse, plus insolente que la veille de la nouvelle journée qui lui avait été laissée en pâture, avait vite fermé ses livres ou ôté la plume de ses doigts.
PROUST, Jean Santeuil, Pl., p. 232.

♦ **3.** Méd. Lenteur anormale à fonctionner, à réagir. *Paresse intestinale.* ⇒ **Atonie.**

9 Ces cataplasmes (...) s'ils atténuaient la douleur, ils n'avaient pas sur la paresse des organes l'action que la religieuse avait espérée.
MARTIN DU GARD, les Thibault, t. III, p. 236.

♦ **4.** *(Une, des paresses).* Accès de paresse, envie passagère de ne rien faire. *Combattre ses paresses.*

CONTR. Activité, application, effort, énergie, travail. — Rapidité.
DÉR. Paresser, paresseux.

PARESSER [paʀese] v. intr. — 1606; *parecer,* v. 1160; de *paresse.*

♦ Se laisser aller à la paresse, à l'oisiveté; ne rien faire. ⇒ **Cagnarder, câliner** (1., vx), **fainéanter, flemmarder, lézarder,** 1. **louper** (vx). *Paresser le matin au lit* (→ Condition, cit. 17). *Rester toute la journée à paresser.* ⇒ **Battre** (sa flemme), **traînasser, traîner.**

1 Annette, maintenant, les observait *(les pauvres)* aussi et s'inquiétait de leur existence, de leur profession, s'étonnait qu'ayant l'air si misérables ils vinssent paresser ainsi dans ce beau jardin public.
MAUPASSANT, Fort comme la mort, I, III.

2 J'ai regardé ma montre. Six heures et demie. Je pouvais encore paresser un moment. Et je me suis rendormi (...) R. DORGELÈS, la Drôle de guerre, IX.

REM. Sans être littér., le verbe est d'un usage plus soutenu que *paresse* et *paresseux.*

CONTR. Agir, travailler.

PARESSEUSEMENT [paʀesøzmɑ̃] adv. — Fin XIIe, *perezousement;* de *paresseux.*

♦ **1.** Avec paresse; sans énergie. *Paresseusement occupé à...* (→ 2. Loupe, cit. 3). *S'étendre, s'étirer, dormir paresseusement* (→ 1. Or, cit. 22, par métaphore).

Quel plaisir! Respirer cet arôme de femme 1
Rester là sans penser et paresseusement
Accepter comme il vient le plaisir du moment!
Th. GAUTIER, Premiers poèmes, «Nonchaloir».

Il entend dans la cuisine, remuer paresseusement Mme Lhomme, la femme de ménage. G. DUHAMEL, Salavin, III, II. 2

♦ **2.** (*Pereceusement,* 1208). Avec lenteur. *Fleuve qui coule paresseusement.* ⇒ **Mollement.**

PARESSEUX, EUSE [paʀesø, øz] adj. et n. — V. 1398; *pareceux,* v. 1283; *pereçus,* v. 1119; de *paresse.*

★ **I. A.** ♦ **1.** Qui montre habituellement de la paresse; qui évite l'effort, le travail... ⇒ **Apathique, cagnard** (vx), **câlin** (vx), **cossard** (fam.), **fainéant, feignant, flemmard** (fam.), **inactif, mou, nonchalant, rossard** (→ Bourgeois, cit. 9; écritoire, cit. 3). *Oisif* et paresseux* (→ Commun, cit. 8). ⇒ **Désœuvré.** — Loc. (1875). *Être paresseux comme un loir*...* (cf. les loc. fam. : avoir les côtes en long, ne rien foutre, avoir un poil dans la main, se croiser les bras, avoir les bras retournés, ne rien faire de ses dix doigts). ⇒ **Paresse.** *Enfant paresseux. Trop paresseux pour achever ses études* (cit. 22). *Roi paresseux et fainéant* (→ Nom, cit. 38). — Par ext. *Le blaireau* (cit. 1), *animal paresseux.*

(...) je suis paresseux par tempérament, et si paresseux, que, s'il me fallait travailler pour vivre, je crois que je me laisserais mourir de faim. 1
A.-R. LESAGE, Gil Blas, III, I.

Bonnébault, qui se serait battu comme le plus brave soldat, était faible devant ses vices et ses fantaisies. Paresseux comme un lézard, actif seulement pour ce qui lui plaisait (...) BALZAC, les Paysans, Pl., t. VIII, p. 182. 2

(1552). Vieilli. *Paresseux à faire qqch, à une activité :* réticent par paresse. *Paresseux à se lever* (Lesage, *in* Littré). Vx. (XIIe). *Paresseux de... «Un spectateur toujours paresseux d'applaudir»* (Boileau, *l'Art poétique,* III). — (1893). Mod. *Paresseux pour faire du sport, pour les activités physiques.*

Il ne faut pas moins que l'autorité de Boileau et de Mme de Sévigné pour faire accepter à Féraud *paresseux de,* à côté de *paresseux à...* (Cf. «Si vous êtes si *paresseux d'écrire...* DIDEROT à Grimm, 18 juil. 1759). 3
F. BRUNOT, Hist. de la langue franç., t. VI, p. 1595 et 1596.

Peuple paresseux. Par métonymie. *Venise, paresseuse patrie du plaisir* (→ Matin, cit. 12).

♦ **2.** (XVIIe). Qui a de la paresse intellectuelle. *Esprit paresseux.* ⇒ **Endormi, inactif, inerte, lent** (→ Étonnamment, cit.).

B. (Fin XVe). ♦ **1.** Qui manifeste de la paresse. *Démarche, posture, attitude paresseuse. Paresseuse délectation* (→ Musarder, cit. 2).

♦ **2.** Qui a été choisi par paresse. *Solution paresseuse* (cf. Romains, *les Hommes de bonne volonté,* t. III, p. 78).

Tu fais l'effet d'un beau vaisseau qui prend le large, 4
Chargé de toile, et va roulant
Suivant un rythme doux, et paresseux, et lent.
BAUDELAIRE, les Fleurs du mal, «Spleen et idéal», LII.

♦ **3.** Fig. Qui se déplace avec lenteur, paresse. *Un fleuve paresseux..* — Par métaphore. *Une aurore* (cit. 14) *paresseuse et froide.*

Un nuage orageux, qui passe au-dessus de nous, verse goutte à goutte une pluie paresseuse et parfumée, qui roule en perles lourdes (...) 5
COLETTE, Belles saisons, p. 152.

C. N. Personne paresseuse. ⇒ 1. **Cagnard, cagne, clampin** (vx), **cossard, fainéant, feignant, flemmard, loupeur** (vx), **tire-au-flanc, tire-au-cul** (fam.). Cf. Entrepreneur, inspecteur des travaux finis. *Le paresseux et le nonchalant* (cit. 1), *et le lambin*... Jeune paresseuse* (→ Alouette, cit. 3). *Paresseux qui bâcle* (cit. 3) *ses devoirs, refuse de travailler à l'école.* ⇒ **Cancre** (→ Âne, cit. 11). *Paresseux indécrottable** (cit. 2). *Paresseux qui aime le farniente* (cit. 1). *Un paresseux, un négligent* (cit. 2) *qui oublie ses amis, ne leur écrit pas* (→ Attacher, cit. 113). *Quelle paresseuse! Allons, gros paresseux, debout!*

Il n'y en a point qui pressent tant les autres que les paresseux lorsqu'ils ont satisfait à leur paresse, afin de paraître diligents. 6
LA ROCHEFOUCAULD, Maximes, 587.

Les paresseux ont toujours envie de faire quelque chose. 7
VAUVENARGUES, Maximes et Réflexions, 467.

Tout enfant, j'ai senti dans mon cœur deux sentiments contradictoires : l'horreur de la vie et l'extase de la vie. C'est bien le fait d'un paresseux nerveux. 8
BAUDELAIRE, Journal intime, «Mon cœur mis à nu», LXXIII.

★ **II.** N. m. ♦ **1.** (1640). Mammifère édenté* xénarthre à mouvements très lents, qui vit dans les arbres (en Amérique). ⇒ 1. **Aï** (ou *bradype*); **unau.**

L'on a donné à ces deux animaux l'épithète de *paresseux,* à cause de la lenteur de leurs mouvements et de la difficulté qu'ils ont à marcher (...) ces pauvres animaux (...) consument du temps à se traîner au pied d'un arbre (...) 9
BUFFON, Hist. nat. des animaux, L'unau et l'aï.

(...) l'insensible progression dans les arbres des animaux appelés *paresseux* (...) 10
Ed. DE GONCOURT, les Frères Zemganno, IV.

Ce n'était qu'un «koula», plus connu sous le nom de «paresseux», qui avait la taille d'un grand chien, le poil hérissé et de couleur sale, les pattes armées de fortes griffes, ce qui lui permettait de grimper aux arbres et de se nourrir de feuilles. 11
J. VERNE, l'Île mystérieuse, t. I, p. 198.

♦ **2.** En Afrique, Pérodictique (ou potto).

★ **III.** N. f. **Paresseuse.** ♦ **1.** (1668). Anciennt. Coiffure de femme qui se plaçait sur la tête (comme une perruque) au XVIIe siècle.

♦ **2.** (Première moitié XIXe, Balzac). Modes (anciennt). Corset non lacé (dit aussi : *corset à la paresseuse*).

♦ **3.** (1875). Techn. (Vx). Fait, pour un crochet du métier jacquard, de laisser traîner les fils sous l'étoffe.

CONTR. Actif, alerte, bûcheur, laborieux, travailleur, vif.
DÉR. Paresseusement.

PARESTHÉSIE [parɛstezi] n. f. — 1878; de 1. *para-*, et du grec *aisthêsis* « sensibilité ».

♦ Méd. Trouble de la sensibilité se traduisant par la perception de sensations anormales (fourmillements, picotements, brûlures). ⇒ **Hyperesthésie.**

PARÉTIQUE [paretik] adj. — 1878; de *parésie.*

♦ Didact. (Méd.). Qui se rapporte à la parésie. *Troubles parétiques.* — Var : *parésique.* — Subst. *Un, une parétique.*

PAREUR, EUSE [parœr, øz] n. — 1250; de 1. *parer.*
Technique.

♦ **1.** Ouvrier, ouvrière qui pare, apprête, donne le dernier apprêt à un travail (⇒ 1. **Parer,** II.). *Pareur de corne, de cuir... ; pareuse de tiges* (de chaussures). *Pareur à la main, à la machine. — Pareur encolleur.*

♦ **2.** (1894). N. f. **Pareuse.** Machine à parer les draps... (encolleuse).

PARE-VENT [parvɑ̃] n. m. invar. — 1963; de 2. *parer,* et *vent.*

♦ Techn. Pièce métallique qui protège la flamme d'un réchaud de camping.

PARFAIRE [parfɛr] v. tr. — Conjug. *faire;* inf. et temps comp. seulement. — V. 1119; du lat. *perficere,* d'après *faire.*

♦ **1.** Rare. Rendre (qqch.) complet, en ajoutant* ce qui manque. ⇒ **Achever, compléter, parachever.** *La France de Louis XIV cherchait à parfaire son territoire* (→ Lier, cit. 30). Spécialt. *Parfaire un paiement, une somme..., un nombre.*

1 Elle n'était point vilaine, sa fille et si elle avait un peu plus d'âge que François, elle avait assez d'écus pour parfaire la différence.
G. Sand, François le Champi, XIII.

♦ **2.** (V. 1138). Achever, de manière à conduire à la perfection (⇒ **Parfait**). *Parfaire son œuvre, son ouvrage, son travail...* ⇒ **Ciseler, consommer, couronner, fignoler** (fam.), **finir, limer, peaufiner, perfectionner, polir.** *Infléchir* (cit. 1) *la règle dans le dessein de la parfaire.* — Iron. *Une nouvelle infirmité* (cit. 9, Hugo) *était venue le parfaire* (Quasimodo). — Pron. *Esprit qui cherche à se parfaire.* ⇒ **Former** (se).

2 La vaillance (...) ne se peut parfaire sans l'assistance de la colère.
Montaigne, Essais, II, XII.

3 (...) passant ses journées dans les bibliothèques, avec Alfreda, à lire, à annoter les œuvres des doctrinaires de la Révolution; sans autre but, semblait-il, que de parfaire sa culture politique. Martin du Gard, les Thibault, t. V, p. 32.

4 (...) le propos à Rœderer : « Je vous ai toujours dit qu'il me fallait dix ans (...) Je ne fais que commencer; il n'y a rien d'achevé », nous livre la pensée qui le hantait *(Bonaparte).* Il a beaucoup fait, mais, à son sens, rien n'est fait quand il n'a pu parfaire (...)
Louis Madelin, Hist. du Consulat et de l'Empire, Avèn. Empire, V.

5 La langue, pendant ces longs travaux, n'a cessé de gagner en vigueur et en élégance. Des hommes de goût, des savants ont travaillé sans relâche à la purifier et à la parfaire. G. Duhamel, Refuges de la lecture, VIII.

Loc. (vx). *Faire et parfaire un procès,* le mener jusqu'à son terme (cf. St-Simon, II., VI.). *Il a été ordonné que son procès lui serait fait et parfait...* (Académie).

Absolt. « *Je ne suis pas venu abolir* (cit. 1), *mais parfaire* » (Évangile).

1. PARFAIT, AITE [parfɛ, ɛt] adj. et n. — V. 1155; *parfit,* v. 1050; du lat. *perfectus,* de *perficere.* → Parfaire.

★ **I.** (Attribut ou épithète postposé au nom). Qui est au plus haut, dans l'échelle des valeurs.

♦ **1.** Qui est tel qu'on ne puisse rien concevoir de meilleur, de supérieur; qui réunit toutes les qualités imaginables, souhaitables. ⇒ **Accompli, achevé, admirable, excellent, exemplaire, incomparable.** *Parfait dans le domaine moral* (⇒ **Bon**), *esthétique* (⇒ **Beau;** par hyperb. **adorable, céleste, divin, sublime**). *Parfait en son genre* (cit. 36). ⇒ 1. **Bien,** cit. 1. *Beauté* parfaite* (→ Assembler, cit. 5), *le beau* (cit. 94) *parfait. — Dessins d'une exécution parfaite.* ⇒ **Exquis** (→ Marier, cit. 20). *Visage* (→ Noblement, cit. 4), *corps parfait.* ⇒ **Formé** (bien). — (Œuvres, travaux). Aussi bien fait, aussi réussi que possible. ⇒ **Achevé, impeccable.** *Réglage parfait* (→ Imperfection, cit. 5). *Parfaite œuvre d'art.* ⇒ **Chef-d'œuvre** (→ Érosion, cit. 3). *Ouvrage parfait* (→ Acquérir, cit. 12). *Vers parfait* (→ Jour, cit. 13). — (De la morale, de la conduite). *Vertu parfaite* (→ Héroïque, cit. 13). *Vie parfaite* (→ Évangélique, cit.).

L'humanité n'est parfaite dans aucun genre, pas plus dans le mal que dans le bien. 0.1
Le scélérat a ses vertus, comme l'honnête homme a ses faiblesses.
Laclos, les Liaisons dangereuses, XXXII.

N. m. (XIIIe). *Le parfait et le fini* (cit. 28). ⇒ **Perfection.** *On ne saurait en écrivant rencontrer le parfait* (La Bruyère, I., 15).

(...) que l'histoire n'est pas une vaine série de faits isolés, mais une tendance spon- 1
tanée vers un but idéal; que le parfait est le centre de gravitation de l'humanité comme de tout ce qui vit.
Renan, l'Avenir de la science, X, Œ compl., t. III, p. 865.

(Personnes). Qui est sans défaut, sans reproche*. → Complet, cit. 4. *Les grands croient* (cit. 46) *être seuls parfaits.* « *Instruisez-le d'exemple* (cit. 2, Corneille) *et rendez-le parfait* ». *Je suis loin d'être parfait* (→ N'être pas un saint*).

Les gens sans fortune doivent être parfaits! dit Moreau sans soupçonner la pro- 2
fondeur de cette cruelle sentence. Balzac, Un début dans la vie, Pl., t. I, p. 740.

L'histoire de mon amour ressemble à un interminable voyage sur une surface pure 3
et polie comme un miroir (...) Combien de fois ne me suis-je pas retenu de lui sauter à la gorge, en lui criant : « Sois donc imparfaite, misérable! (...) » Que vouliez-vous que je fisse d'elle, *puisqu'elle était parfaite?*
Baudelaire, le Spleen de Paris, XLII.

Subst. (vieilli). *Les parfaits :* les gens parfaits.

Spécialt. Hist. (XIIIe). *Les Parfaits,* nom que se donnaient les Cathares. *Un parfait.*

J'ai toujours pensé que l'essence même du catharisme albigeois, dégagée de ce 3.1
dualisme ou plutôt de ce dithéisme primaire dans lesquels d'habitude on l'enferme, allait jusqu'à se fondre dans ce Dieu impersonnel abolissant toute distinction, et bien au delà du Père et du Fils, que tous les grands gnostiques ont reconnu, à leurs risques et périls, et dans lequel les Parfaits de l'Église d'Albi voulaient eux-mêmes se perdre. Raymond Abellio, Ma dernière mémoire, t. I, 44.

♦ **2.** (1869). Par hyperb. Dont on n'a qu'à se louer. *Serviteur parfait.* ⇒ **Irréprochable.** *Leur bonne est parfaite* (⇒ **Perle**). *Elle avait trouvé ces gens parfaits, charmants et distingués* (→ Distinguer, cit. 38). Littér. *Se montrer parfait de tact...* (→ Explication, cit. 9). *Vous avez été parfait!* → À la hauteur.

Martial fut parfait et réellement a toujours été parfait pour moi. Je suis fâché de 4
n'avoir pas vu cela davantage de son vivant (...)
Stendhal, Vie de Henry Brulard, 47.

Très bien; on ne peut mieux*. *C'est parfait, votre discours* (→ Fond, cit. 56). Absolt. *Parfait! :* très bien!

Par antiphrase. *Tu fais la tête? Parfait. Eh bien, tu vas voir!*

Eh bien! dit Richard, vous me paraissez bien surveiller vos locataires, c'est parfait. 5
René Floriot, La vérité tient à un fil, p. 60.

Très bon. *Des vins vieux et parfaits* (→ Fagot, cit. 2). *Une parfaite viande rouge* (→ Guère, cit. 25; lapin, cit. 4). *Votre soirée était parfaite. — Ce remède est parfait contre...* ⇒ **Infaillible.**

♦ **3.** (En emplois comparatifs ou superlatifs). Qui est (plus ou moins) proche de la perfection. *Rendre une œuvre plus parfaite* (→ Main, cit. 92). *La sculpture réclame une exécution* (cit. 13) *très parfaite. La loi* (→ Garder, cit. 72), *la morale* (→ Dépraver, cit. 7), *la religion* (→ Calviniste, cit. 2) *la plus parfaite. — Des êtres moins parfaits que l'homme* (cit. 4) *et plus parfaits que l'animal. — La plus parfaite des eaux minérales* (→ Hygiénique, cit. 3).

Car comment serait-il possible que je pusse connaître que je doute et que je désire, 6
c'est-à-dire qu'il me manque quelque chose et que je ne suis pas tout parfait, si je n'avais en moi aucune idée d'un être plus parfait que le mien (...)
Descartes, Méditations, III.

(...) il dirigeait une grande et belle manufacture dont les produits étaient assez 7
parfaits pour fournir les maisons royales.
Th. Gautier, les Grotesques, V, p. 153.

♦ **4.** (Sens fort). Qui réunit toutes les qualités concevables, dans toutes les choses jugées bonnes. *Dieu** (cit. 36) *est parfait* (→ Intouchable, cit. 1), *souverainement parfait* (→ Caution, cit. 4; immortel, cit. 6). *L'être parfait* (→ Extase, cit. 2). ⇒ **Divin.**

La substance que nous entendons être souverainement parfaite, et dans laquelle 8
nous ne concevons rien qui enferme quelque défaut, ou limitation de perfection, s'appelle *Dieu.* Descartes, Objections et réponses, Sec. rép., Raisons..., VIII.

Voilà donc un être parfait : voilà Dieu, nature parfaite et heureuse. 9
Bossuet, Élévations, I, II.

Subst. *L'idée du parfait* (→ Ontologique, cit. 1).

★ **II.** ♦ **1.** (V. 1155). Qui répond exactement, strictement à un concept (type, modèle, idéal...). ⇒ **Absolu, complet, total.** — REM. Dans ce sens, *parfait* peut désigner des choses jugées bonnes, mauvaises ou indifférentes. Dans le premier cas, le sens est voisin du sens I., mais insiste sur l'idée d'achèvement, de totalité, plutôt que sur celle de beauté ou de bonté. Dans cette acception *parfait,* épithète, est assez souvent placé avant le nom. *Type, exemple parfait... ; parfait modèle* (→ Inconstant, cit. 9). *Figure géométrique parfaite* (→ 2. Logique, cit. 1). *Un parfait angle droit* (→ Casser, cit. 20). *Ovale* (→ Heureux, cit. 17), *cercle parfait. Le cygne est d'une blancheur parfaite* (→ Fourrure, cit. 1). —*Automatisme* (cit. 6) *parfait. Parfaite exactitude, exactitude parfaite d'un chronomètre.* — (En parlant d'un rapport entre plusieurs choses). ⇒ **Exact; complet, total.** *Parfait* *accord** (I.), *accord parfait. Parfaite égalité* (cit. 8). *Équilibre* (cit. 14) *parfait. Harmonie* (cit. 43 et 45), *correspondance* (cit. 2 et 3), *ressemblance parfaite* (→ Besson, cit. 1; individu, cit. 4; jumeau, cit. 3). *En parfaite correspondance...* ⇒ **Adéquat.** *Symétrie parfaite* (→ Bordure, cit. 1).

10 David, pour le Seigneur plein d'un amour fidèle,
Me paraît des grands rois le plus parfait modèle. RACINE, Athalie, IV, 2.

11 (...) des seins d'une rondeur parfaite (...)
J. ROMAINS, les Hommes de bonne volonté, t. IV, XV, p. 153.

(Sentiments, comportement...). ⇒ **Idéal, pur, total.** *Avoir une parfaite confiance en qqn.* ⇒ **Entier** (3.). *Bonheur* (cit. 21) *parfait* (→ Heureux, cit. 36); *béatitude* (cit. 10), *allégresse* (cit. 3), *joie parfaite. Amour* parfait.* — Loc. *Filer* (cit. 10) *le parfait amour.* Spécialt. Relig. *Amour parfait.* ⇒ **Désintéressé.** — *Honnêteté parfaite.* ⇒ **Strict** (→ Magistrat, cit. 5). *Apprécier avec une parfaite justesse* (cit. 7). — *Un parfait mépris* (→ Dévergondé, cit. 3). *Parfaite insensibilité* (cit. 6). *Une audace et une impudence* (cit. 5) *parfaites.* ⇒ **Royal.** *Le plus parfait désœuvrement* (cit. 1).

12 Elle est dans une parfaite ignorance (...) Mme DE SÉVIGNÉ, 491, 12 janv. 1676.

13 L'hypothèse d'une félicité parfaite est plus désespérante que celle d'un tourment sans relâche, puisque nous sommes destinés à n'y jamais atteindre. Heureusement qu'on ne peut guère se l'imaginer; c'est là ce qui console.
FLAUBERT, Correspondance, 392, 22 mai 1853.

(Déb. XXe). *Crime parfait,* préparé et exécuté avec tant de précautions, tant d'habileté, que l'auteur n'en peut être découvert.

(Personnes). Qui correspond parfaitement à un type, à un emploi. ⇒ **Accompli, achevé, complet; modèle** (*supra* cit. 4). *Des héros* (de tragédie) *parfaits,* tout à fait bons ou tout à fait méchants (→ Médiocre, cit. 2). *Un monstre parfait* (→ 2. Logique, cit. 3). — *Un parfait gentleman* (→ Apparence, cit. 31). ⇒ **Consommé.** *Un parfait honnête homme. C'est un parfait plaisantin* (→ Bouffon, cit. 2). Péj. *Un parfait filou.* ⇒ **Fieffé.** *De parfaits goujats* (cit. 6).

♦ **2.** Spécialt. [a] Mus. *Consonances** (cit. 2) *parfaites. Intervalle parfait* (correspondant à une consonance parfaite). → 1. Mineur, cit. 1. — (1690). *Accord parfait,* formé de la tonique, de la tierce (majeure : *accord parfait majeur,* ou mineure : *accord parfait mineur*) et de la quinte juste. — *Cadence* parfaite.* — Arithm. (XVe). *Nombre parfait :* nombre entier égal à la somme de ses diviseurs (Ex. 6 = 3 + 2 + 1).

[b] Phys. *Gaz parfait :* gaz théorique, satisfaisant aux lois de Mariotte et de Gay-Lussac, dont se rapprochent tous les gaz à des pressions très basses. — *Liquides parfaits,* « dont l'écoulement ne comporte pas de gains ni de pertes d'énergie appréciables » (J. Larras, *l'Hydraulique,* p. 18). — Chim. *Complexe parfait,* dont les éléments sont complètement dissimulés.

[c] Biol. (1765). Qui est arrivé au terme de son évolution normale. *La forme parfaite d'un insecte* (→ Dépouiller, cit. 12). *De la larve à la nymphe et à l'insecte parfait* (→ Devenir, cit. 16). ⇒ **Imago.**

CONTR. Imparfait*. — Brut, défectueux, déplorable, difforme, exécrable, laid, mauvais. — Correct, médiocre, moyen. — Approximatif, partiel, relatif.

DÉR. 3. **Parfait, parfaitement.**

2. PARFAIT [paʀfɛ] n. m. — 1596; lat. gramm. *perfectum.*

♦ Ling. « Système des formes verbales dont le rôle fondamental est d'indiquer un état résultant d'une activité antérieure » (Marouzeau). *Parfait latin, grec. — Les temps du parfait,* formés sur le radical du parfait en latin. — Abusivt. Le passé (simple ou composé) opposé à l'imparfait (cit. 9). *Parfait antérieur** (cit. 6, Duhamel). *Parfait* (passé) *et imparfait du subjonctif.*

De temps à proprement parler, il n'y en a que deux en sémitique : l'imparfait et le parfait (...) mais sous ces noms de parfait et d'imparfait, il faut se garder d'entendre quoi que ce soit qui ressemble aux temps usités en français; ces noms (...) désignent l'action achevée ou inachevée (...) L'assyrien, par exemple, emploie le « parfait » dans le sens du présent et du futur.
J. VENDRYES, le Langage, p. 118.

COMP. Plus-que-parfait.

3. PARFAIT [paʀfɛ] n. m. — 1869 *in* D.D.L.; de l'adj. 1. *parfait.*

♦ Glace à la crème fraîche (au lieu de lait). *Un parfait au café, au chocolat* (→ Bienfait).

PARFAITEMENT [paʀfɛtmɑ̃] adv. — 1180, *parfetement; parfitement,* v. 1050; de 1. *parfait.*

♦ **1.** D'une manière excellente, incomparable, le mieux* du monde. ⇒ **Admirablement, bien, divinement, excellemment, merveilleusement, supérieurement.** *Hérodote raconte parfaitement* (→ Histoire, cit. 14). *Savoir parfaitement une langue* (→ Enrichir, cit. 5), *son rôle* (→ Sur le bout des doigts*). — Par hyperb. Très bien. *Je comprends, j'admets parfaitement que...* (→ Génial, cit. 2). — *Figure parfaitement dessinée* (→ Faux, cit. 39). *Mollet parfaitement tourné* (→ Exhibition, cit. 5).

♦ **2.** (V. 1220). D'une manière absolue, complète. ⇒ **Absolument, complètement, entièrement, totalement.** *Globules parfaitement sphériques* (→ Mercure, cit. 3). *Parfaitement immobile* (cit. 5). *Être parfaitement bien* (cit. 8), *parfaitement content* (→ Alliance, cit. 7), *heureux* (cit. 38; → Mériter, cit. 3), *parfaitement à l'aise* (cit. 6). ⇒ **Très.** *Chose parfaitement naturelle* (cit. 12). *C'est parfaitement clair.* ⇒ **Souverainement.** *Il est parfaitement capable de dire des âneries...* (→ Tout* à fait; bêtifier, cit. 1). *Il lui est parfaitement égal d'être ici ou là* (→ Apathique, cit. 2). — *Ressembler parfaitement...* ⇒ **Exactement** (→ Gosier, cit. 6; jumeau, cit. 1). — (Avec des adj. de sens péj.; cf. cit. 2). *Gaietés* (cit. 16) *parfaitement anodines. Considérations parfaitement négligeables* (cit. 2). *Une chose si radicalement insensée* (cit. 7) *et si parfaitement impossible... Il est parfaitement idiot, parfaitement illettré* (cit. 4). *C'est parfaitement absurde, inepte...*

(...) nous étions tous les trois parfaitement heureux; ce qui tient peut-être à ce que nous ne pensions à rien. 1
FRANCE, le Livre de mon ami, « Livre de Suzanne », I, I.

(...) je fus étonné de l'entendre se servir de l'adverbe « parfaitement » au lieu de « tout à fait », en parlant de deux personnes, disant de l'une « elle est parfaitement folle, mais très gentille tout de même » et de l'autre « c'est un monsieur parfaitement commun et parfaitement ennuyeux ». 2
PROUST, À la recherche du temps perdu, t. V, p. 133.

♦ **3.** (1868). S'emploie en tête de phrase ou de proposition, pour renforcer une affirmation qui semble étonner l'interlocuteur.

Quand un homme me plaît, je couche avec. Parfaitement, c'est comme ça (...) 3
ZOLA, Nana, XIII.

CONTR. Imparfaitement, mal.

PARFILAGE [paʀfilaʒ] n. m. — 1765; de *parfiler.*

♦ Techn. (Anciennt.). Action de parfiler; son résultat.

PARFILER [paʀfile] v. tr. — XIVe, *porfiler* « border »; de l'anc. v. *pourfiler,* de *par-* (préfixe intensif), et *filer.*

Technique.

♦ **1.** Vx. Tisser avec des fils de métal précieux. — Au p. p. *Damas parfilé d'argent* (→ Étincelant, cit. 13).

(1877). Orner (une pièce de céramique) de filets d'or.

♦ **2.** Anciennt. (1750). Effiler* un tissu d'or ou d'argent, en tirant les fils* de métal précieux.

(...) il est venu un homme qui (...) a parfilé la lumière du soleil, comme nos dames parfilent une étoffe d'or. — Qu'est-ce que parfiler, monsieur? — (...) C'est effiler une étoffe, la détisser fil à fil, et en séparer l'or (...) VOLTAIRE, Dialogues, XIII.

DÉR. Parfilage, parfileur.

PARFILEUR, EUSE [paʀfilœʀ, øz] n. — 1825; de *parfiler.*

♦ Techn. (Anciennt.). Personne dont le métier est de parfiler.

PARFOIS [paʀfwa] adv. — 1530; de *par fois* « par moments », 1270.

♦ À certains moments, par moments. ⇒ **Quelquefois, temps** (de temps à autre, de temps en temps). *Parfois, à l'horizon, une forme vague apparaît* (→ Mirage, cit. 1). *Parfois, elle chantait de vieilles mélodies* (→ Mezzo, cit. 3). *Parfois, la conversation s'éteint* (cit. 35) *comme une lampe. S'exprimer parfois d'une manière* (cit. 21) *un peu tranchante. Son sourire prend parfois une expression désabusée* (cit. 9). « *Il me semble parfois qu'écrire* (cit. 40, Gide) *empêche de vivre* ». *Un homme éloquent, ironique, spirituel, parfois incisif* (cit. 5).

(...) il lui prend parfois des syncopes (...) 1
MOLIÈRE, le Médecin malgré lui, III, 2.

On s'entretient de vous parfois dans les veillées (...) 2
HUGO, les Rayons et les Ombres, XLII.

(...) la mer s'assombrit parfois avec des éclats mortels. 3
RIMBAUD, Illuminations, XVII.

Dans certains cas, en certaines circonstances (→ À l'occasion*). *Ces ruches donnent parfois deux cents livres de miel* (cit. 2). *Il pensait, parfois pendant des mois* (→ Disgracier, cit. 2). *Maladie brève mais parfois dangereuse* (→ Glotte, cit.). *Passions violentes et parfois cruelles* (→ Indignation, cit. 5). *Œuvre exécutée dans l'atelier du maître* (cit. 83) *et parfois achevée par lui.*

Nous serons fiers parfois et toujours indulgents. 4
VERLAINE, la Bonne Chanson, XVII.

En 1950, la démesure est un confort, toujours, et une carrière, parfois. 5
CAMUS, l'Homme révolté, p. 371.

Parfois... parfois. ⇒ **Tantôt** (tantôt... tantôt). « *L'homme retouche la création, parfois en bien* (cit. 2, Hugo), *parfois en mal* ».

CONTR. Jamais, toujours.

PARFONDRE [paʀfɔ̃dʀ] v. tr. — Conjug. *Fondre.* — XVIe; 1382 « fondre complètement »; de *par-,* et *fondre.*

♦ Techn. Faire fondre (de l'émail) auquel on a incorporé des oxydes métalliques colorants. — P. p. adj. *« Un émail bien parfondu »* (Académie).

PARFOURNIR [paʀfuʀniʀ] v. tr. — 1690; « fournir pour compléter », 1538; *parfurnir* « accomplir », v. 1155; de *par-*, et *fournir.*

♦ Dr. Contribuer subsidiairement.

PARFUM [paʀfœ̃] n. m. — 1528; *perfum,* en anc. provençal 1397; de *parfumer* ou ital. *perfumo.*

♦ **1.** Odeur* agréable et pénétrante. ⇒ **Arôme, fragrance, senteur.** *Le doux parfum de la rose* (→ Baigner, cit. 15; mi-clos, cit.). *Basilics* (2. Basilic, cit.), *violettes, qui exhalent* (cit. 1) *les plus doux parfums. Les aromates* (cit. 2) *s'exhalent en parfums délicieux. Atmosphère irrespirable* (cit. 1), *saturée de parfums de fleurs, de lourds parfums d'herbes* (⇒ **Balsamique;** et → Exhaler, cit. 4). *« Que les parfums légers de ton air embaumé... »* (cit. 4, Lamartine). ⇒ **Effluve, exhalaison.** *Parfum des luzernes séchées* (→ Bauge, cit. 2). *Parfum frais des asphodèles* (cit. 2). *Parfum miellé* (cit. 2) *des fleurs d'amandier. Parfum entêtant des acacias* (cit. 2). *Parfum très fort* (cit. 23) *des seringas. — Parfum de fraise* (1. Fraise, cit. 2), *d'œillet, de tubéreuse* (→ 1. Jonchée, cit. 2). *Parfum des encens, de la myrrhe* (cit. 2) *qu'on brûle dans les chapelles* (cit. 2). *— Parfum délicat d'une essence** (cit. 18). *— Parfum d'une haleine* (cit. 3 et 5). *Parfum tiède qui se dégage* d'une fourrure* (cit. 3), *de la fourrure* (cit. 6) *d'un chat. — Parfum de cigare* (→ 1. Fumer, cit. 23), *de tabac anglais* (→ Jasmin, cit. 3). *Parfum qu'on respire dans une fumerie* (cit. 3) *d'opium. — Parfum capiteux, enivrant, fugace, léger* (cit. 12), *suave, subtil* (→ Contenir, cit. 15). *Parfum qui entête* (cit. 3), *qui fait tourner la tête* (→ Alanguir, cit. 2). — *Bouffée* de parfum.* — *Humer* (cit. 6) *respirer, sentir un parfum.*

1 Il est des parfums frais comme des chairs d'enfants,
Doux comme les hautbois, verts comme les prairies,
— Et d'autres, corrompus, riches et triomphants,
Ayant l'expansion des choses infinies (...)
BAUDELAIRE, les Fleurs du mal, « Spleen et idéal », IV. (→ Ambre, cit. 1).

2 En entrant dans la maison du Marocain, nous fûmes enveloppés d'un nuage d'arômes orientaux : le parfum doux et pénétrant de l'eau de rose nous monta au cerveau, et nous fit penser aux mystères du harem et aux merveilles des *Mille et une Nuits.* Th. GAUTIER, Voyage en Espagne, p. 281.

3 Voyez-vous, un parfum éveille la pensée.
HUGO, les Rayons et les Ombres, XXVIII.

4 Les roses d'Ispahan dans leur gaine de mousse,
Les Jasmins de Mossoul, les fleurs de l'oranger
Ont un parfum moins frais, ont une odeur moins douce,
Ô blanche Leïlah! que ton souffle léger.
LECONTE DE LISLE, Poèmes tragiques, « Roses d'Ispahan ».

5 L'air dormait, sans un souffle, dans une moiteur d'alcôve. Un parfum d'amour oriental, le parfum des lèvres peintes de la Sunamite, s'exhalait des bois odorants.
ZOLA, la Faute de l'abbé Mouret, II, XII.

6 (...) le vieux Nice aux parfums de fruits et d'aromates mêlés aux odeurs de chair crue, de pâte aigre, de morue et de latrines (...)
APOLLINAIRE, l'Hérésiarque..., p. 82.

7 Les parfums eux-mêmes des arbres en fermentation, des herbes exaltées, de l'humus tiède, y prenaient je ne sais quel goût de soufre qui en altérait la naturelle et nocturne douceur. H. BOSCO, Un rameau de la nuit, p. 290.

Odeur appétissante. — (D'un produit comestible). ⇒ **Arôme, émanation, fumet.** *Parfum fugace* (cit. 2) *de la caille rôtie. Parfum d'un pot-au-feu qui embaume* (cit. 6). *Parfum d'un vin.* ⇒ **Bouquet.**

8 (...) il se sentait (...) alangui par cette soirée calme, par les parfums du boudin et du saindoux (...) ZOLA, le Ventre de Paris, II, t. I, p. 145.

Goût d'un produit aromatisé. *Liqueur qui a un parfum de framboise* (⇒ **Framboisé**), *de vanille* (⇒ **Vanillé**)... *Voulez-vous une glace? Quel parfum? Chocolat, pistache...?*

9 (...) il ne s'expliquait pas comment l'arôme exquis des grains de café pouvait se transformer en cette boisson très amère; il espérait toujours trouver dans sa tasse le parfum délicieux du café des Pommerel.
J. CHARDONNE, les Destinées sentimentales, p. 139.

Iron. ou par plais. Très mauvaise odeur. *Un parfum d'œuf pourri.*

10 Elle puait comme une fleur moisie.
Moi, je lui dis (mais avec courtoisie) :
« Vous devriez prendre un bain régulier
Pour dissiper ce parfum de bélier. »
BAUDELAIRE, les Épaves, Amœnitates belgicæ, II.

(Av. 1704). Par métaphore, littér. *Remplir le monde du parfum de ses vertus* (→ 1. Lis, cit. 4). *Parfum de chasteté* (cit. 5) *qui flotte autour d'une jeune fille. Le parfum de tristesse que laisse « La cueillaison d'un rêve au cœur qui l'a cueilli »* (cit. 10, Mallarmé). — Spécialt. (Par allus. à la fumée de l'encens qui monte vers la divinité). *Le parfum des louanges*. « Le parfum de la prière s'élève jusqu'à Dieu »* (Académie). — Fig. ⇒ **Émanation.** *Le parfum d'une âme pure.* ⇒ **Beauté.** *Un parfum des anciens jours* (→ Biblique, cit. 2).

11 Un parfum de hautaine vertu émanait de toute sa personne.
BAUDELAIRE, le Spleen de Paris, XIII.

♦ **2.** (1528). Substance aromatique, solide (⇒ **Onguent,** vx) ou liquide (⇒ **Essence,** II.); mélange industriel de corps odorants naturels ou artificiels. *Chimie, industrie des parfums.* ⇒ **Parfumerie.** *Plantes à parfum. Parfums d'origine animale* (⇒ **Ambre, civette, musc...**), *végétale* (⇒ **Benjoin, chypre, ilang-ilang, iris, jasmin, lavande, mille-fleurs, muguet, myrrhe, nard, œillet, opopanax, patchouli, rose, violette...**). *Parfums synthétiques* (⇒ **Citral, coumarine, ionone, méthyle** [salicylate de], **mirbane** [essence de], **terpinol, vanilline...**). *Fragrance, note d'un parfum. Parfum d'ambre concentré* (⇒ **Extrait**), *entrant dans la composition d'une eau* de toilette, d'une lotion, d'une pommade, d'un savon...* (⇒ **Ambré**). — Parfum solide. *Brûler des baguettes* (cit. 9), *des pastilles* de parfum, du parfum dans des cassolettes** (⇒ **Brûle-parfum**), *de la naphte mêlée de parfums. Boîte* (cit. 1) *à parfum. Sachet* de parfum.* — Parfum liquide. *Parfum de toilette.* ⇒ **Eau** (eau de Cologne, de senteur). *Flacon* de parfum* (→ Lavabo, cit. 1). *Vaporisateur*, atomiseur à parfum. Créer, composer un parfum.* ⇒ **Parfumeur.** *Acheter des parfums de luxe* (⇒ **Parfumerie**), *chez un grand parfumeur. S'oindre* (cit. 1) *le corps d'un parfum précieux. Se mettre du parfum.* Cf. De l'odeur (pop.), du sent-bon (enfantin). *Parfum dont se... sert une femme* (→ Émaner, cit. 5), et ellipt, *le parfum, d'un homme, d'une femme,* celui dont il, elle se parfume (considéré quant à l'odeur qu'il répand). *Parfum discret, de bon ton. Parfums violents, vulgaires* (→ Marchand, cit. 12). *Son parfum se répandait jusque sur le palier* (→ Fuser, cit. 4). — *Le parfum de la dame en noir,* roman de G. Leroux.

Les doux parfums n'ont point coulé sur tes cheveux. 12
André CHÉNIER, Bucoliques, XXI, I.

La contemplation de cette femme l'énervait, comme l'usage d'un parfum trop fort. 13
FLAUBERT, l'Éducation sentimentale, I, V.

Le parfum brûle et fume, et le couteau sacré 14
Près des vases d'argent reluit hors de la gaine.
LECONTE DE LISLE, Poèmes tragiques, « Les Érinnyes », I, VI.

Le parfum, dont elle saturait ses vêtements, flottait dans la pièce. 15
MARTIN DU GARD, les Thibault, t. V, p. 155.

Je connais son odeur; pas seulement les parfums qu'elle préfère; non; son odeur 16
sienne. J. ROMAINS, les Hommes de bonne volonté, t. II, XIV, p. 151.

Parfums comestibles (eau de fleur d'oranger, essence de menthe, vanilline...) *utilisés par les confiseurs, les liquoristes, les pâtissiers* (⇒ **Extrait**).

♦ **3.** Fig., fam. (1953). *Au parfum :* informé. ⇒ **Courant** (au). Expression empruntée à l'argot de la police. *Il est au parfum. Mettre qqn au parfum de qqch. Les gens au parfum.*

Bon, vous m'avez l'air au parfum de toutes ses marottes, dit-elle. 17
SAN-ANTONIO, J'ai essayé : on peut!, p. 34.

DÉR. et **COMP. Parfumerie, parfumeur. — Brûle-parfum.**

PARFUMER [paʀfyme] v. tr. — 1532 sens 2.; XIVe, méd. vétérinaire; ital. anc. *perfumare,* du lat. *fumare* « fumer »; à cause des fumées odorantes obtenues par combustion de bois ou d'écorces, qui constituaient les parfums primitifs.

♦ **1.** (1674). Remplir, imprégner d'une odeur agréable. ⇒ **Embaumer.** *Un cassis* (cit. 1) *sauvage parfumait la pièce. Bouchon d'herbes aromatiques qui parfume une flasque.* — Pron. (sens passif). *La fumée d'un houka* (cit. 1) *se parfume en traversant le réservoir.*

Prince, l'unique objet du soin des immortels, 1
Souffrez que mon encens parfume vos autels. LA FONTAINE, Fables, XII, 1.

(...) une femme en toilette fine, charmante et sentant frais, à ne savoir même (...) 2
si ce n'était pas sa peau qui parfumait sa chemise.
FLAUBERT, Mme Bovary, I, IX.

Sachet toujours frais qui parfume 3
L'atmosphère d'un cher réduit. BAUDELAIRE, les Épaves, « Galanteries », X.

Une odeur fraîche et nette de genièvre et l'arôme des vins qui, depuis des siècles, 4
imprègnent les murs, parfumaient l'air tiédi par un petit poêle.
J. CHARDONNE, les Destinées sentimentales, p. 262.

Par métaphore, littér. ⇒ **Imprégner.** *« Le bien* (cit. 16, Hugo) *qu'on fait parfume l'âme ». La volupté parfumait toutes les pensées* (→ Essaim, cit. 10, France).

♦ **2.** Imprégner de parfum (2.). *Parfumer son mouchoir, son papier à lettres...* — Pron. (sens réfl.). *Femme qui se parfume et se farde* (cit. 9). *Se faire* (cit. 252) *la barbe et se parfumer. — Se parfumer au musc* (⇒ **Muscadin**), *à l'œillet...*

Les plus affétés et délicats *(parmi les Anciens)* se parfumaient tout le corps 5
bien trois ou quatre fois par jour. MONTAIGNE, Essais, I, XLIX.

Seigneur, excusez notre pauvreté; nous n'avons, pour parfumer nos hôtes suivant 6
l'usage de l'Inde, ni ambre gris ni bois d'aloès (...)
BERNARDIN DE SAINT-PIERRE, la Chaumière indienne.

Par ext. ⇒ **Aromatiser.** *Les lapins qui... « de thym parfumaient leur banquet »* (→ Éveiller, cit. 32, La Fontaine). — *Parfumer une crème à l'essence de café.*

▶ **PARFUMÉ, ÉE** p. p. adj. — XVIe, *perfumé.*

♦ **1.** (Choses). *Vent chaud, parfumé d'aromates* (cit. 5). *Chemin* (cit. 23) *parfumé d'herbes sèches et de résines amères.*

L'air plus serein des peuples étrangers 7
Et le doux vent parfumé d'orangers
De leur douceur vous ont-ils point ravie?
RONSARD, le Bocage royal, II, « À elle-même ».

Je verrai les chemins encor tout parfumés 8
Des fleurs dont sous ses pas on les avait semés! RACINE, Iphigénie, IV, 4.

9 (...) de charmants climats (...) où l'atmosphère est parfumée par les fruits, par les feuilles et par la peau humaine. BAUDELAIRE, le Spleen de Paris, XVII.

♦ **2.** *Femme trop parfumée, qui laisse derrière elle un sillage de parfum. Mouchoir parfumé* (→ Coupure, cit. 6) *au musc* (⇒ **Musquer**).

10 (...) ce Coran toujours enveloppé d'un mouchoir en soie de La Mecque et parfumé au santal (...) LOTI, les Désenchantées, I, III.

11 Elle (...) mit de côté le sachet parfumé à la racine d'iris, qu'elle conservait parmi les voilettes et les mouchoirs (...) J. CHARDONNE, les Destinées sentimentales, p. 245.

Additionné de parfum. *Huiles parfumées* (→ Badigeonner, cit. 2). *Brillantine parfumée à la fougère, à l'ambre* (⇒ **Ambré**).

Par ext. (En parlant de goûts, de saveurs). Aromatisé. *Cigarettes mentholées, parfumées à la menthe. — Thé parfumé de citron et de rhum* (→ Gourmandise, cit. 8). *Jambon* (cit. 3) *parfumé d'une gousse d'ail. Glace parfumée à l'ananas.* → Glace* à l'ananas.

12 Jean découpe un de ces délicieux petits gigots limousins parfumés aux herbes des collines. J. CHARDONNE, les Destinées sentimentales, p. 313.

♦ **3.** Qui répand une odeur* suave. ⇒ **Fleurant** (vx), **fragrant** (rare). *Houppes* (cit. 7) *parfumées de l'arbousier. Bouffées* (cit. 4) *de brise parfumée.*

13 (...) tu seras constamment enveloppé dans une atmosphère composée des essences parfumées des fleurs les plus odorantes. LAUTRÉAMONT, les Chants de Maldoror, I.

Par ext. Qui a une saveur agréable et prononcée. *Miel parfumé* (→ Mirabelle, cit.). *Un thé léger* (cit. 13), *très parfumé. Boissons parfumées* (→ Fumeux, cit. 2).

CONTR. Empuantir. — Puant.
DÉR. Parfum.
HOM. Pare-fumée.

PARFUMERIE [paʀfymʀi] n. f. — 1802; de *parfum.*

♦ **1.** Industrie de la fabrication des parfums et des produits de toilette, de beauté. *Culture des fleurs pour la parfumerie.*

(1878). Par métonymie. Produits de cette industrie. *Vente de parfumerie en gros.*

♦ **2.** Usine, laboratoire où l'on fabrique des produits de parfumerie. *Les grandes parfumeries de Grasse.*
Boutique, magasin (cit. 1) d'un parfumeur. *Acheter des shampooings, du rouge à lèvres... dans une parfumerie.* (⇒ **Parfumeur**).

(Il) entra dans une parfumerie. Il acheta un échantillon de fougère royale, s'en fut au café de Cluny, où il s'en aspergea dans les lavabos. ARAGON, les Beaux Quartiers, II, V.

♦ **3.** Ensemble des parfumeurs. *Syndicat de la parfumerie.*

PARFUMEUR, EUSE [paʀfymœʀ, øz] n. — 1528; de *parfum.*

♦ **1.** Personne qui crée, fabrique des parfums. *Parfumeur qui découvre, lance une eau de toilette* (→ Élégant, cit. 7).

Le personnage du compositeur de parfum commence sa gestation (...) Voilà que les parfumeurs osent parler d'harmonie, d'accords parfaits (...) de dissonances (...) ils accaparent le vocabulaire des maîtres du conservatoire, à cela près qu'ils ne proposent pas de traités théoriques, mais seulement une pratique. Le maniement des odeurs conserve en effet une grande partie de son secret et, partant, de son mystère. La sophistication des flacons manifeste, elle aussi, les nouvelles ambitions. L'éternité du cristal impose son alliance à la fugacité du parfum (...) Alain CORBIN, le Miasme et la Jonquille, p. 232.

♦ **2.** Personne qui a pour métier de vendre des articles de parfumerie. Par appos. *Coiffeur parfumeur. César Birotteau, marchand parfumeur* (Balzac).

PARGUÉ [paʀge] PARGUENNE [paʀgɛn] PARGUIENNE [paʀgjɛn] interj. — Altération de *pardieu.*

♦ Vx. (Dans le langage paysan, au XVIIe). Juron analogue à *parbleu* ! pardieu !*

PARHÉLIE ou PARÉLIE [paʀeli] n. m. — 1671; *parélie,* 1611; *parahele,* 1547; lat. *parelion;* du grec *parêlios,* de *hêlios* «soleil».

♦ Didact. Image du soleil (dite aussi *faux-soleil*) due au phénomène de réfraction qui produit en même temps le halo. *Parhélie de 22°, de 46°.* — REM. La graphie *parélie* semble vieillie dans la langue scientifique.

Et ce fut à telle seconde de mon appréhension qu'elle changea le sentier flou et aberrant de mon destin en un chemin de parélie pour la félicité furtive de la terre des amants. René CHAR, les Matinaux, Dédicace.

DÉR. Parhélique.

PARHÉLIQUE [paʀelik] adj. — 1846; de *parhélie.*

♦ Didact. Relatif au parhélie. — *Cercle parhélique :* série d'images produites par le phénomène de parhélie, et qui forment un cercle. *«On imite les cercles parhéliques, c'est-à-dire ces traînées lumineuses blanches...»* (*Année sc. et industr.,* 1890, p. 70). — REM. La graphie *parélique* (1875) semble vieillie ou rare.

PARI [paʀi] n. m. — 1642; de *parier.*

♦ **1.** Convention par laquelle deux ou plusieurs parties, en contestation sur tel ou tel point, s'engagent à verser une certaine somme, à exécuter une prestation (⇒ **Enjeu**) au profit de celle qui aura eu raison. ⇒ **Gageure** (vieilli). *Engager, faire un pari.* ⇒ **Parier** (→ Gager, cit. 3). *Faire le pari de...* (et inf.) → cit. 3. *Un pari à qui serait le plus fort s'était ouvert entre eux* (→ Lutte, cit. 2). *Gagner* (cit. 45), *perdre son pari. Pari stupide, dangereux, imbécile.*

Un bon Anglais ne plaisante jamais, quand il s'agit d'une chose aussi sérieuse qu'un pari, répondit Phileas Fogg. Je parie vingt mille livres contre qui voudra que je ferai le tour de la terre en quatre-vingts jours ou moins, soit dix-neuf cent vingt heures ou cent quinze mille deux cents minutes. Acceptez-vous? 0.1
J. VERNE, le Tour du monde en 80 jours, p. 23.

Victor (...) crânait devant ces gamins (...) les poussait à des paris imbéciles, de vider d'en l'air un litre au fond de sa gorge, ou encore de pomper son verre plein avec le nez, sans qu'une goutte passât par la bouche. ZOLA, la Terre, V, IV. 1

S'agissait de savoir à présent qui des deux sortirait le premier (...) Nous faisions des paris. R. ROLLAND, Colas Breugnon, IV. 2

Je ne suis pas de ceux qui font le pari de passer la nuit en compagnie des assassins célèbres, au musée Grévin. COLETTE, Belles saisons, p. 120. 3

Tenir un pari : accepter le pari, la gageure (cit. 3) proposée (→ aussi Relever le défi*).

Par ext. L'enjeu convenu. *Toucher un pari.*

♦ **2.** Forme de jeu* (cit. 39) où le gain dépend de l'issue d'une partie, d'une épreuve, d'une compétition à laquelle le parieur ne prend pas part lui-même; action de parier. *Législation des paris* (cf. Code civil, art. 1965 et 1967). *Paris qui s'engagent sur un combat de coqs, un match de billard, une rencontre de boxe... Les paris au jeu de paume* (→ Commenter, cit. 1). *Prendre les paris. Ouvrir les paris* (→ ci-dessous *les paris sont ouverts*).

Quand il perdait vingt-cinq ou trente louis au jeu dans un pari, naturellement il payait (...) BALZAC, la Maison Nucingen, t.V, p. 610. 4

(...) les paris au jeu de billard sont assimilés aux jeux de hasard lorsqu'ils interviennent entre personnes ignorantes de l'adresse respective des joueurs et alors que la passion du jeu est le mobile principal des paris. 5
DALLOZ, Petit dict. de droit, Jeu, pari, § 14.

Spécialt. (Aux courses). *Législation spéciale des paris sur les courses de chevaux et de lévriers* (Loi du 2 juin 1891). — (Courses de chevaux). *Organisation des paris* (Décret du 7 juillet 1891). *Pari individuel* ou *à la cote**, effectué par l'intermédiaire des bookmakers* et interdit par la loi (→ Fretin, cit. 4). — (1872). *Pari mutuel,* dans lequel le montant des enjeux est soumis à un prélèvement fixé par la loi avant d'être réparti entre les gagnants, proportionnellement à leurs mises. Cour. *Pari (mutuel) jumelé* (réservé aux courses de moins de 8 chevaux), *tiercé,* dans lequel le parieur doit désigner les trois chevaux qui arriveront en tête. ⇒ **Tiercé.** *Pari (mutuel) couplé,* dans lequel le parieur joue un cheval gagnant* et un autre placé*. ⇒ **Couplé** (et aussi **quarté**). *Pari (mutuel) à cote fixe. Paris Mutuel Urbain* (cour. *P. M. U.*). — *Prise des paris sur les champs de courses* (⇒ **Betting**), *dans les agences officielles, bureaux ou guichets du Pari Mutuel Urbain. Ce pari sur un outsider lui a rapporté 50 contre 1.*

(...) une ligne serrée de bookmakers attendaient les parieurs (...) ils affichaient leurs cotes près d'eux, contre les arbres; tandis que, l'œil au guet, ils inscrivaient des paris, sur un geste, sur un clignement de paupières, si rapidement que des curieux, béants les regardaient sans comprendre. C'était une confusion, des chiffres criés, des tumultes accueillant les changements de cote inattendus. 6
ZOLA, Nana, XI.

(...) en 1891, le jeu fut réglementé, et les sociétés de courses acceptèrent d'organiser le Pari Mutuel sur leurs hippodromes et de bénéficier d'un prélèvement sur les mises. Désormais le rôle du pari se trouvait officiellement consacré dans le fonctionnement de l'institution des courses. Il le fut d'ailleurs encore davantage lorsqu'en 1930 fut institué le Pari Mutuel hors des hippodromes (P. M. U.). 6.1
P. ARNOULT, les Courses de chevaux, p. 50.

Fig. *Les paris sont ouverts,* se dit à propos d'une affaire dont le dénouement proche apparaît comme très incertain.

♦ **3.** Philos. *Le pari de Pascal, l'argument du pari,* celui qu'il propose aux incroyants, sous forme d'un raisonnement par lequel il essaie de les convaincre qu'en pariant pour Dieu et la religion ils n'ont rien à perdre, mais tout à gagner (*Pensées,* III, 233).

Voilà comment l'existence de Dieu peut devenir, pour Pascal, l'objet d'un pari. — «Examinons donc ce point, et disons : Dieu est, ou il n'est pas (...) Que gagerez-vous? (...) il faut parier : cela n'est pas volontaire (...) Pesons le gain et la perte en prenant croix, que Dieu est». — Pour comprendre ce passage, il faut, je crois, deux propositions que Pascal a sous-entendues : 1° Dieu, s'il est, nous fera jouir dans une autre vie (...) d'un bonheur infini; 2° ceux-là seuls pourront jouir de ce bonheur, qui auront renoncé en ce monde à l'amour d'eux-mêmes et aux satisfactions dont il est la source (...) On comprend alors comment il a pu assimiler cette affirmation à un pari ou d'une manière générale, à un jeu de hasard. Il y a ici un gain en perspective, c'est la vie éternelle; il y a aussi un enjeu, ce sont les plaisirs terrestres dont nous faisons le sacrifice (...) Celui qui parie que Dieu est n'a à craindre, s'il se trompe, que le néant. Celui qui parie que Dieu n'est pas, compte, au contraire, sur ce néant : mais que lui arrivera-t-il s'il se trompe (...) Il aura perdu, par sa faute, un bonheur infini (...) 7
J. LACHELIER, Notes sur le pari de Pascal, Œ., t. II, p. 40-41.

♦ **4.** (1690). Par ext. Affirmation de grande possibilité d'un événement, sans enjeu précis. *Je te fais le pari qu'il sera là demain.*

PARI ⇒ **A pari.**

PARIA [paʀja] n. m. — 1655, *in* D. D. L., *pareaz,* pl., 1575; mot port., tamoul *parayan* «joueur de tambour» ces musiciens étant considérés comme impurs parce qu'ils accompagnent les morts dans les cortèges funèbres.

♦ **1.** Aux Indes, Individu hors caste*, qui se trouve au plus bas degré de l'échelle sociale, et dont le contact était considéré comme une souillure. ⇒ **Intouchable.** *Les parias sont des hors-caste* (⇒ **Caste**). *Parias de naissance. Hindou devenu paria, une fois exclu de la société brahmanique* (⇒ **Exclusion**). *Les parias étaient privés de tous droits religieux et sociaux. La classe des parias a été abolie en 1947.*

1 Il *(Gandhi)* raconte que, lorsqu'il était petit, un paria venait dans sa maison pour les grossiers ouvrages; on défendit à l'enfant de le frôler sans faire des ablutions; il ne l'admettait point (...) À l'école, souvent il touchait les intouchables. Sa mère lui recommandait, pour se défaire de la souillure, de toucher ensuite un musulman. Mais, à douze ans, son jugement était fait. Il se jurait d'effacer ce péché de la conscience de l'Inde. Il projetait de venir au secours de ses frères dégradés (...) Gandhi eut la joie de voir l'Inde émue par l'appel fait à son cœur, et l'émancipation des parias se réaliser en de nombreuses régions.
R. ROLLAND, Gandhi, II, p.100-101 et 104.

♦ **2.** (1821). Homme mis au ban d'une société, d'un groupe. ⇒ **Exclu, réprouvé.** *Chômeur devenu un paria. Les parias de la société.* → Les damnés* de la terre.

2 Ainsi qu'un paria,
Il erra tout le jour (...)
HUGO, les Rayons et les Ombres, XXXIV.

3 (...) ce galérien morne, sérieux, silencieux et pensif, paria des lois qui regardait l'homme avec colère, damné de la civilisation qui regardait le ciel avec sévérité.
HUGO, les Misérables, I, II, VII.

4 Le soldat, ce vrai paria de l'ancienne monarchie, si maltraité par les nobles (...)
MICHELET, Hist. de la Révolution franç., I, V.

Par métaphore du sens 1. *Traiter quelqu'un en paria,* le dédaigner*, le considérer comme un être inférieur, méprisable. *Vivre en paria,* relégué, repoussé par tous. ⇒ **Misérable.**

5 (...) la Comptabilité, reléguée, celle-ci, en paria, à l'autre bout de la maison, sans qu'il fût possible de comprendre pourquoi, de trouver l'ombre d'un prétexte à un ostracisme démontant (...)
COURTELINE, Messieurs les ronds-de-cuir, Ve tableau, III.

PARIADE [paʀjad] n. f. — 1611; de *parier,* I.

♦ **1.** Saison où les oiseaux monogames, et, spécialt, les perdrix, se réunissent par paires* pour s'accoupler; l'accouplement. *La parade* nuptiale précède la pariade.*

1 Son appel nuptial *(de l'oiseau)* montait sur les arbres du parc et retentissait dans l'immensité de la campagne. C'était le temps des pariades.
H. BOSCO, Un rameau de la nuit, p. 162.

2 La terre feule, les nuits de pariade. Un complot de branches mortes n'y pourrait tenir.
René CHAR, les Matinaux, p. 94.

♦ **2.** Par ext. Couple d'oiseaux.

♦ **3.** Par métaphore, littér. Accouplement; relation sexuelle.

3 Mon aventure, par la révolte ni la revendication jamais commandée, jusqu'à ce jour ne sera qu'une longue pariade, chargée, compliquée d'un lourd cérémonial érotique (cérémonies figuratives menant au bagne et l'annonçant).
Jean GENET, Journal du voleur, p. 10.

PARIAGE [paʀjaʒ] ou **PARÉAGE** [paʀeaʒ] n. m. — 1290, *pariage; paréage,* mil. XVe; dér. sav. du lat. *pariare* «aller de pair». → Parier.

♦ Féod. Seigneurie partagée entre deux ou plusieurs personnes ayant des droits égaux en vertu d'une succession ou d'une convention.

PARIAN [paʀjɑ̃] n. m. — 1868, *in* D. D. L.; mot angl. «de Paros».

♦ Techn. Porcelaine à grain fin, de teinte jaunâtre, dont l'aspect rappelle le marbre de Paros. *Statuette de parian.*

PARIDÉS [paʀide] n. m. pl. — 1903; *parinés,* 1874; dér. sav. du bas lat. *parus,* lat. class. *parra* «mésange»; suff. *-idés.*

♦ Zool. Famille d'oiseaux passeriformes *(Passereaux),* communément appelés *mésanges.* ⇒ **Mésange.** *Le rémiz appartient à la famille des paridés.*

PARIDIGITIDÉ, ÉE [paʀidiʒitide] adj. et n. — V. 1960; du lat. *par* «égal, pareil», et *digitus* «doigt».

♦ Didact. (Zool.). Se dit des mammifères ongulés ayant un nombre pair de doigts à chaque patte. — N. *Le bœuf, le porc sont des paridigitidés.*

PARIER [paʀje] v. tr. — Conjug. *prier.* — V. 1340 «égaler», fin XIIIe, *soi pairier* «s'égaler, se comparer», «s'accoupler»; XVIe, *parier quelque chose contre quelqu'un* «mettre de pair, mettre en balance», d'où le sens mod. proprt «mettre en jeu des sommes égales»; lat. *pariare,* rad. *par* «égal».

★ **I.** (Av. 1466). Vx. Accoupler, apparier.

La chienne dont tout à l'heure je vous parlais est de race; j'en voulais avoir des petits; à grand-peine me procurai-je un mâle assorti, mais quand il fallut les parier, que d'arias! 1
GIDE, Corydon, IIe dialogue, VI.

★ **II.** (1549). Mod. ♦ **1.** Engager (comme enjeu) dans un pari. ⇒ **Gager.** *Il a parié mille francs avec un ami que l'accusé serait gracié. Je te parie une bouteille de champagne que c'est lui qui gagnera.* — (Sans compl. direct, l'enjeu n'étant pas précisé). Faire un pari. *Gamins qui parient à qui sautera le plus haut. Il a parié de manger un gigot à lui tout seul. Tu paries que je me jette à l'eau tout habillé? Chiche! — Parier pour le désistement d'un candidat.* — (1690). Absolt. *Beaucoup parient pour, quelques-uns contre. Il n'aime pas parier, il ne parie jamais.*

(...) vers le milieu du siège, je pariai cent pistoles qu'il serait pris le 18 août; il ne fut pris que le lendemain (...) Tout cela, monsieur, me déroute si fort, que j'ai résolu de prédire toujours et de ne parier jamais. 2
MONTESQUIEU, Lettres persanes, CXXX.

Grand frère Félix et sœur Ernestine parient : — «Il restera une semaine sans boire.» — «Allons donc, s'il tient trois jours (...) ce sera beau». 3
J. RENARD, Poil de Carotte, La timbale.

— Je parie, dit Narcense, que je devine quel métier vous faites. 3.1
— Parions! Dix francs que vous ne devinez pas!
— Dix francs que je devine!
— Cochon qui s'en dédit.
R. QUENEAU, le Chiendent, p. 68.

Par hyperb. (Pour exprimer avec vigueur une certitude). *Parier sa fortune que... Je te parie tout ce que tu voudras qu'il ne viendra pas.* ⇒ **Affirmer, ficher** (son billet). *Je vous parie que cette histoire finira mal. — Elle est arrivée en retard? Je l'aurais parié. Ah, ça, je l'aurais parié!,* c'était évident, sûr.

Je parierais bien qu'elle se vante (...) je m'en suis même presque assurée. 4
LACLOS, les Liaisons dangereuses, LIV.

(Av. 1662). Par ext. Être à peu près certain que... *Je parie qu'il n'aura pas trouvé de place* (→ Lanterner, cit. 2 et aussi mousser, cit. 4). — (Au sens très affaibli de «croire, supposer»). *Vous avez soif, je parie? Je parie qu'il a oublié d'éteindre le gaz.*

Vous êtes un chêne, et je suis un arbuste (...) je parie que vous buvez du vin de Champagne quand je bois du lait (...) 5
VOLTAIRE, Correspondance, 2130, 24 mai 1762.

Je parie même qu'il nous a lâchés, tout à l'heure, pour aller la rejoindre! 6
FLAUBERT, l'Éducation sentimentale, III, II.

Je parie que c'est du bluff, dit-il. Je te parie qu'il y aura un démenti dans la nuit. 7
SARTRE, le Sursis, p. 304.

♦ **2.** (1636). À l'occasion de jeux, de compétitions..., Engager (une somme) avec l'espoir que le joueur, le concurrent qu'on désigne remportera la victoire, auquel cas le parieur reçoit une somme plus importante. *Parier cent francs sur un coureur, un cheval.* — (Sans compl. direct). *Je parie pour lui. — Il avait parié sur un toquard.* ⇒ **Jouer; prendre.** — Absolt. *Parier aux courses. Parier à trois contre un.* — Pron., passif. *Des sommes énormes se parient au P.M.U.*

C'est bête tout de même, de ne pas savoir pour quel cheval parier, disait Nana. Faut que je risque quelques louis moi-même. 8
ZOLA, Nana, XI.

Par métaphore :

(...) ces hommes en vinrent à négliger de plus en plus souvent les règles d'hygiène qu'ils avaient codifiées (...) Ils pariaient, en somme sur le hasard et le hasard n'est à personne. 9
CAMUS, la Peste, p. 212.

Loc. fig. (1868). *Il y a... à parier. Il y a beaucoup, gros* (cit. 31), *tout à parier (pour) que. Il y a cent* (cit. 7 et 8) *contre un à parier (pour) que...* il y a beaucoup de chances, il est à peu près certain que...

On voit, je l'avoue, beaucoup de malhonnêtes gens parmi les roturiers; mais il y a toujours vingt à parier contre un qu'un gentilhomme descend d'un fripon. 10
ROUSSEAU, Julie ou la Nouvelle Héloïse, Ire partie, LXII.

DÉR. (De *parier,* I.) **Pariade.** — (De *parier,* II.) **Pari, parieur.** — (Du même rad.) **Pariage.**

PARIÉTAIRE [paʀjetɛʀ] n. f. — 1544; *paritaire,* XIIIe; lat. *(herba) parietaria,* de *paries* «paroi, mur».

♦ Plante herbacée, annuelle ou vivace (famille des *Urticacées*) qui pousse dans toutes les contrées chaudes ou tempérées, particulièrement sur les ruines, les murs (cit. 4), d'où ses noms courants de *casse-pierre, épinard des murailles, perce-muraille.*

(...) de vieux petits murs de granit où poussent les pariétaires et la mousse.
LOTI, Mon frère Yves, XVII.

PARIÉTAL, ALE, AUX [paʀjetal, o] adj. et n. — V. 1363; dér. sav. du lat. *paries, parietis* «paroi».

Didactique.

♦ **1.** Anat. Qui a rapport à la paroi (d'une cavité). *Feuillet pariétal de la plèvre,* qui tapisse la cavité où se trouve logé le poumon. *Péritoine pariétal,* qui revêt la face interne des parois abdominales.

1 Un examen histologique pratiqué par Mlle Soyez (Germaine) nous a renseignés sur la nature de cette tumeur. Il s'agit d'une tumeur épithéliale kystique développée aux dépens du revêtement du 3e ventricule. Les bourgeons qui font saillie dans la cavité sont formés de tissus conjonctif ou névroglique lâche se continuant avec le tissu sous-épendymaire pariétal revêtu d'un épithélium en voie de prolifération épithéliomateuse. B. CENDRARS, Moravagine, *in* Œ. compl., t. IV, p. 259.

(1611). *Os pariétal :* chacun des deux os plats dont la réunion forme la partie moyenne et supérieure du crâne. — N. m. *Le pariétal droit, gauche. Les pariétaux. — Lobe pariétal droit, gauche du cerveau,* correspondant à chacun des os pariétaux. *Circonvolutions du lobe pariétal.* — N. f. *La pariétale ascendante, la première et la deuxième pariétales.*

♦ **2.** (1800). Bot. *Placentation* pariétale,* celle où les placentas sont logés tout au long des parois du pistil.

N. f. (1875). **LES PARIÉTALES,** n. f. pl. Groupe de plantes dicotylédones à placentation pariétale (cistinées, violacées, papaveracées, crucifèracées...). — Au sing. *Une pariétale.*

♦ **3.** (V. 1950). *Peintures pariétales,* sur des parois rocheuses, dans des grottes. ⇒ **Rupestre.** *Art mobilier et art pariétal de la préhistoire.*

2 Nous savons avec une raisonnable certitude que ce décor, pariétal et mobilier, comporte de nombreuses figures masculines et féminines (représentées de manière réaliste ou à travers des signes) placées au centre du dispositif (...) À ces figures s'ajoute un couple statistique constitué par le bison et le cheval, ou fréquemment, un couple de bisons et un couple de chevaux qui paraissent représenter deux groupes complémentaires. Un troisième animal, mammouth, cerf ou bouquetin, intervient très souvent.
A. LEROI-GOURHAN, les Religions de la préhistoire, p. 153.

COMP. Interpariétal.

PARIEUR, EUSE [paʀjœʀ, øz] n. — 1640; de *parier.*

♦ **1.** Personne qui parie, qui aime à faire des paris.

1 On sait ce qu'est le monde des parieurs en Angleterre, monde plus intelligent, plus relevé que celui des joueurs. Parier est dans le tempérament anglais.
J. VERNE, le Tour du monde en 80 jours, p. 33.

♦ **2.** Personne qui a l'habitude de parier aux courses. ⇒ **Turfiste.** (→ Fretin, cit. 4). *Un parieur enragé, malchanceux.*

2 (...) une surprise effarait les parieurs, la hausse continue de la cote de Nana, l'outsider de l'écurie Vandeuvres (...) Nana était (...) à quinze (...) Une pouliche battue sur tous les hippodromes, une pouliche dont le matin pas un parieur ne voulait à cinquante ! ZOLA, Nana, XI.

PARIGOT, OTE [paʀigo, ɔt] n. et adj. — 1886; de *Paris,* et suff. pop. *-go(t).*

♦ Fam. Parisien populaire. *Accent parigot.* ⇒ **Faubourien.**

1 (...) on distingue les intonations de Wazemmes — encore un peu trop parigotes (...)
J. ROMAINS, les Hommes de bonne volonté, t. V, v, p. 35.

N. *Une petite Parigote. Un vrai Parigot de Paname. Les Parigots sont nés malins* (→ Frotter, cit. 33, Courteline).

2 Je ne peux pas vous dire quelle saveur je trouve à nos poilus, aux petits Parigots, tenez, comme celui qui passe là, avec son air dessalé, sa mine éveillée et drôle.
PROUST, le Temps retrouvé, Pl., t. III, p. 807.

PARIPENNÉ, ÉE [paʀipɛnne; paʀipene] adj. — 1838; 1825, *paripinné;* comp. sav. du lat. *par* «pareil», et *penné.*

♦ Bot. Se dit des feuilles pennées se terminant par deux folioles opposées (dans le pois, par exemple).

PARIS-BREST [paʀibʀɛst] n. m. — 1938; du nom des deux villes.

♦ Pâtisserie en pâte à chou, fourrée de crème pralinée et saupoudrée d'amandes. *Des paris-brests.*

PARISETTE [paʀizɛt] n. f. — 1778; dimin. de *Paris.*

♦ Plante *(Liliacées)* à baies bleuâtres, commune dans les bois et les prairies humides et dont la racine a des propriétés émétiques. *La parisette est scientifiquement appelée* paris, *et régionalement* raisin-de-renard, herbe-à-Paris, étrangle-loup.

PARISIANISER [paʀizjanize] v. tr. — pron. 1877; au p.p. 1846, cit. Baudelaire ci-dessous; de *parisien.*

♦ Rare. Donner des caractères parisiens à (qqch., qqn). *Parisianiser son mode de vie, son langage.*

Pron. (Plus cour.). *Provincial qui se parisianise.*

▶ **PARISIANISÉ, ÉE** p.p. adj.
Qui a pris le ton et les habitudes des Parisiens de la bonne société.

Je vois chaque jour passer sous ma fenêtre un certain nombre de Kalmouks, d'Osages, d'Indiens, de Chinois et de Grecs antiques, tous plus ou moins parisianisés.
BAUDELAIRE, Curiosités esthétiques, Salon de 1846, p. 148.

PARISIANISME [paʀizjanism] n. m. — 1583; repris 1848, Gautier; 1840, *parisiénisme; de parisien.*

♦ **1.** Particularité de langage ou de mœurs propre aux Parisiens.

Et notre stupéfaction est immense, à voir Sainte-Beuve lire ces légendes, en les estropiant par une ignorance de toutes les modernités, de tous les parisianismes (...) 1
Ed. et J. DE GONCOURT, Journal, t. II, p. 104.

♦ **2.** Caractère de ce qui est «bien parisien», c'est-à-dire qui concerne la vie mondaine de Paris (souvent péj.). *Le parisianisme littéraire, intellectuel de Saint-Germain des Prés. Accuser un écrivain de parisianisme.*

(...) les journaux de la zone sud ne publiant que des actualités d'un parisianisme éphémère, plus que superficiel, alléchant, distrayant (...) 2
B. CENDRARS, Bourlinguer, p. 330.

PARISIEN, IENNE [paʀizjɛ̃, jɛn] n. et adj. — V. 1460; *Parisin,* 1312; de *Paris.*

♦ **1.** N. (1771). Natif ou habitant de Paris. ⇒ **Parigot.** *Parisiens et provinciaux. Un Parisien de Montmartre. En trois ans, il est devenu un vrai Parisien. «La Parisienne... point belle, mais jolie»* (cit. 8, Verlaine). *Les Parisiennes et la mode* (→ Avantage, cit. 54).

Il foulait un vrai tapis de Paris, revoyait le type distingué, les formes frêles de la Parisienne, sa grâce exquise, et sa négligence des effets cherchés qui nuisent tant aux femmes de province. 1
BALZAC, la Femme abandonnée, Pl., t. II, p. 218.

Arts. *La Parisienne,* surnom donné à un personnage d'une fresque crétoise.

(En province, et, spécialt, à la campagne). Péj. Citadin qui est ressenti comme étranger. *Ici, on appelle tous les vacanciers des Parisiens. «Parisien, tête de chien, Parigot, tête de veau»* (chanson).

♦ **2.** Adj. De Paris; relatif à Paris, aux Parisiens. *Bassin parisien. La région, l'agglomération, la banlieue parisienne* (→ Aiguillage, cit.; jardin, cit. 1). *Dames parisiennes* (→ Bec, cit. 7, Villon). *Vie parisienne* (→ Aplanir, cit. 3; jour, cit. 46). — *La vie parisienne. Société parisienne* (→ Main, cit. 44; moisissure, cit. 4). *Accent* (cit. 13) *parisien des faubourgs.* ⇒ **Faubourien.** *Accent parisien distingué, snob. Voix parisienne* (→ Manucure, cit.). *Type, nez* (cit. 5) *parisien. Intelligence parisienne aiguë* (cit. 15)... *avide de connaître et prompte à se lasser. Gouaillerie* (cit. 3) *parisienne. Mordant* (cit. 5) *parisien.*

Spécialt. (Du fait de l'influence de Paris en France). Caractéristique de la vie mondaine, intellectuelle, littéraire à Paris. ⇒ **Parisianisme.** *Un spectacle, un événement bien parisien, où est conviée la haute société parisienne* (→ Le Tout*-Paris). *Mariage, dîner bien parisien. Une querelle de chapelles littéraires très parisiennes.*

♦ **3.** (1858, cit.). *Industrie parisienne :* industrie des bijoux de fantaisie, dits «articles de Paris». *L'industrie parisienne des bijoux en aluminium.*

On vend maintenant dans tout Paris des bijoux en aluminium; seulement ils sont d'un prix exorbitant (...) En dehors de la bijouterie, l'aluminium a déjà reçu des applications plus sérieuses dans les mille branches de cette industrie dite avec raison *parisienne.* Ce métal léger, facile à mouler, à ciseler, à estamper, se prête très bien à la fabrication de ces mille riens que consomme en si grande quantité une population riche et arrivée à un grand raffinement de civilisation. 2
L. FIGUIER, l'Année scientifique et industrielle 1858, p. 218 (1857).

♦ **4.** N. m. (1938). Biscuit à la frangipane. Syn. anc. : *polonais,* n. m.

♦ **5.** Régional (Ouest). *Pain parisien,* ou, n. m., *parisien,* ou, n. f., *parisienne :* pain d'une livre de forme allongée comme la baguette (appelé simplement *pain* à Paris).

♦ **6.** (1938). Loc. *À la parisienne :* accompagné d'une garniture de pommes de terre et de petits légumes nouveaux. *Rôti de veau à la parisienne.*

DÉR. Parisianiser, parisianisme.

PARISIS [paʀizi] adj. invar. — XIIe, *paresi,* n. m.; adj., XIVe; lat. médiéval *parisiensis,* du lat. class. *parisii* «Parisiens».

♦ Ancienn, hist. Monnaie frappée à Paris, valant un quart de plus que celle frappée à Tours. *Denier parisis et denier tournois. Sou, livre parisis.* — N. m. *Un parisis.*

(...) il était fantasque : à certains jours il ne leur aurait pas donné un sou parisis; le lendemain, il leur offrait des sommes immenses (...)
BALZAC, Maître Cornélius, Pl., t. IX, p. 914.

PARISYLLABE [paʀisi(l)lab] (rare) ou PARISYLLABIQUE [paʀisi(l)labik] adj. — 1812; du lat. *par* «pareil», et *syllabe.*

♦ Gramm. lat. Se dit d'une déclinaison, et, par ext., d'un mot dont le nombre de syllabes est le même au génitif qu'au nominatif singulier (ex. : *pubes, pubis*). *Nom parisyllabique.*

CONTR. et COMP. Imparisyllabe ou imparisyllabique.

PARITAIRE [paʀitɛʀ] adj. — 1920, *Larousse mensuel,* mai; de *parité,* et *-aire.*

♦ Qui réunit en nombre égal des personnes différentes. *Comité paritaire.* Spécialt. *Commission paritaire,* où employeurs et salariés ont un nombre égal de représentants élus.

PARITARISME [paʀitaʀism] n. m. — V. 1960; 1877, «égalité des cultes»; de *parité.*

♦ Didact. Tendance à la gestion des problèmes sociaux par des organismes paritaires.

1. PARITÉ [paʀite] n. f. — 1345; bas lat. *paritas,* de *par* «égal, pareil»; → Pair.

♦ **1.** Didact., littér. Le fait d'être pareil* (en parlant de deux choses). ⇒ **Pair; concordance, communauté, égalité, ressemblance, similitude.** *Parité de deux cas, parité entre deux situations* (⇒ **Même**). *Dissemblance* (cit. 1) *des sentiments sous la parité des expressions. Il n'y a aucune parité entre ces deux choses* (⇒ **Comparaison**). *Revendiquer la parité des salaires masculins et des salaires féminins.*

1 (...) c'est parce que j'ai cru, d'après votre confidence chez Mongenod, à quelque parité entre votre situation et la nôtre, que j'ai décidé mes quatre amis à vous recevoir parmi nous (...) BALZAC, Mme de La Chanterie, Pl., t. VII, p. 258.

2 Il y avait, entre Ysabeau de Bavière et lui, certaines parités de nature qui font ressembler leur adultère à un inceste.
VILLIERS DE L'ISLE-ADAM, Contes cruels, «la Reine Ysabeau».

3 Quand elle revint, elles les trouva causant théâtre, à propos d'une pièce nouvelle, et si complètement du même avis qu'une sorte d'amitié rapide s'éveillait dans leurs yeux à la découverte de cette absolue parité d'idées.
MAUPASSANT, Bel-Ami, II, II.

(1738). Écon. Égalité de la valeur d'échange des monnaies de deux pays l'une par rapport à l'autre dans chacun de ces pays (⇒ **Pair**). *Parité de change.*

4 Entre deux pays, les changes *tendent toujours à se rapprocher de la parité,* parce que, s'ils s'en écartaient d'une façon sensible, les arbitragistes se hâteraient de profiter de leur différence pour réaliser des bénéfices et leurs opérations ramèneraient les cours à la parité.
REBOUD et GUITTON, Économie politique, t. II, p. 191.

Vx. Égalité de rang entre personnes.

♦ **2.** (1846). Sc. Caractère pair (d'un nombre). — Par ext. Caractère pair ou impair. *Parité impaire d'un nombre.* — Inform. Contrôle de la validité des informations, fondée sur l'utilisation de la parité des nombres de bits.

♦ **3.** Sc. Relation entre les coordonnées d'un système physique et leur opposée algébrique. *La parité est + 1 lorsque la fonction d'ondes du système ne change pas de valeur quand les coordonnées sont transformées en leurs opposées; si la fonction d'onde est transformée en son opposée, la parité est − 1.*

CONTR. Contraste, différence, disparité. — Imparité.
DÉR. Paritaire, paritarisme.

2. PARITÉ [paʀite] n. f. — 1980; du lat. *parere,* d'après *(ovi)parité.* → suff. *-pare* (primipare, etc.).

♦ Didact. Nombre de grossesses, de gestations qu'a eues une femme. *« Parmi ceux* (les facteurs liés à l'organisme) *couramment évoqués, signalons le sexe du fœtus et la parité de la mère »* (*la Recherche,* mai 1980, p. 556).

PARJURE [paʀʒyʀ] n. et adj. — Fin XIe; lat. *perjurus, perjurium,* de *perjurare.*

★ **I.** N. m. Faux serment*, violation de serment. *Être coupable de parjure. Parjure, blasphème et sacrilège* (→ Crime, cit. 16). *Ajouter* (cit. 7) *l'outrage au parjure.*

1 Suffit-il de rompre un serment pour rendre à un autre serment violé toute sa force? Deux parjures équivalent-ils à la fidélité?
CHATEAUBRIAND, Mémoires d'outre-tombe, t.IV, p. 9.

2 *(L'anticléricalisme, l'anticatholicisme politique)* professant, enseignant le mensonge, le parjure et la trahison, ne peut rien, ne vaut rien contre la morale chrétienne (...) Ch. PÉGUY, la République..., p. 97.

3 La différence, monsieur, qui existe entre moi et vous, c'est que ma noblesse est fondée sur le serment, tandis que la vôtre est fondée sur le parjure.
Pierre BENOIT, Mlle de La Ferté, p. 15.

4 À peine de commettre ce qu'on appelle, en cette partie du monde, le crime de parjure, et d'être puni comme tel, rappelez-vous avoir écrit que vous n'êtes pas polygame, que vous ne nourrissez aucun dessein violent contre le gouvernement de la grande république nord-américaine, que vous n'êtes ni difforme ni stropiat.
G. DUHAMEL, Scènes de la vie future, I.

★ **II.** (V. 1155; *perjure,* 1138; lat. *perjurus*). ♦ **1.** N. m. et f. Personne qui commet un parjure. ⇒ **Infidèle, traître.** *Jureurs* (cit.) *et parjures. Une parjure.*

♦ **2.** Adj. Qui parjure, a parjuré. *Être parjure, parjure à sa foi, à son honneur. Amant parjure* (→ Absoudre, cit. 6). *Jurer* (cit. 18) *au risque d'être parjure* (→ aussi Enfreindre, cit. 3).

5 Toutes les fois que les Jésuites surprendront le Pape, on rendra toute la chrétienté parjure. PASCAL, Pensées, XIV, 882.

Ah! Manon, lui dis-je d'un ton tendre, infidèle et parjure Manon! par où commencerai-je à me plaindre? Abbé PRÉVOST, Manon Lescaut, II. 6

CONTR. Engagement, fidélité, foi. — Fidèle.

PARJURER [paʀʒyʀe] v. — 1080, pron.; lat. *perjurare.*

★ **I.** V. intr. (v. 1155). Vx. Commettre un parjure.

★ **II.** V. tr. (déb. XIIIe). Vx. Renier (ce dont on avait juré). *Parjurer sa foi, un vœu.*

★ **III.** V. pron. Faire un parjure. — Violer son serment. *Tu ne te parjureras point* (→ Acquitter, cit. 5).

De grâce, songez bien avant que d'assurer : 1
En manquant de mémoire, on peut se parjurer.
MOLIÈRE, Don Garcie, II, 5.

Faire un faux serment. *Témoin en justice qui se parjure.*

On remarqua qu'au *Te Deum,* le Roi n'était pas venu à Notre-Dame, qu'il n'avait 2
pas, comme on l'espérait, juré sur l'autel. Il voulait bien mentir, mais non pas à se parjurer. MICHELET, Hist. de la Révolution franç., III, v.

PARKA [paʀka] n. f. ou m. (plus cour.). — 1761, attestation isolée; repris 1955, n. f.; 1958, n. f., *in* Höfler; mot d'angl. amér., de l'esquimau des Aléoutiennes.

♦ Manteau de sport, court, en tissu imperméable, parfois fourré, coulissé à la taille et comportant une capuche. *« L'armée française (...) remplace la capote traditionnelle par la "parka" »* (*le Monde,* 6 déc. 1969).

PARKÉRISATION [paʀkeʀizasjɔ̃] n. f. — 1927, *in* Höfler; du nom de Parker.

♦ Techn. Anglicisme. Protection superficielle de pièces métalliques au moyen de phosphates complexes.

PARKÉRISER [paʀkeʀize] v. tr. — 1929, *in* Höfler; de *Parker* et suff. verbal *-iser.*

♦ Techn. Protéger (un métal) par parkérisation.

PARKING [paʀkiŋ] n. m. — 1926 in *la Nature* au sens 2., répandu v. 1945; mot angl. «action de parquer, de garer (une voiture)», de *to park* «parquer».

Anglicisme.

♦ **1.** (1953, *in* Höfler). Action de parquer (une voiture); résultat de cette action. ⇒ **Garage, parcage, stationnement.** *Parking autorisé.*

♦ **2.** (On dit en angl. *parking place*). Parc à voitures, parc de stationnement. ⇒ **Parc** (cit. 5), **parcage** (→ le canadianisme *stationnement,* et l'helvétisme *place de parc* [all. *Parkplatz*]). *Un grand parking. Parking couvert, souterrain, à plusieurs étages. Des parkings. Le parking d'un supermarché. Se garer sur le parking. Parking gratuit, payant. Parking de dissuasion,* destiné à inciter les automobilistes à laisser leur voiture en un lieu.

(...) ce paysage de Los Angeles : en pleine ville, deux immeubles modernes, deux 1
cubes blancs, encadrent un terrain vague, au sol défoncé : parking. Quelques autos sont rangées là, qui paraissent abandonnées. SARTRE, Situations III, p. 106.

Puis j'ai abouti à une place, une espèce d'immense place gondolée (...) où il n'y 2
avait rien, pas un arbre, pas une maison, pas une boutique de glaces ou un marchand de journaux, rien que des voitures immobiles. J'ai traversé le parking dans sa longueur. J.-M. G. LE CLÉZIO, la Fièvre, p. 93.

PARKINSON [paʀkinsɔn] n. m. — XXe; de *maladie de Parkinson,* du nom d'un médecin anglais (1755-1824).

♦ Méd. Maladie dégénérative de certains noyaux gris centraux du cerveau, caractérisée par des tremblements lents (surtout des mains) et une raideur musculaire (syn. : *maladie de Parkinson, paralysie agitante*). *Il est atteint d'un parkinson.* ⇒ **Parkinsonisme.**

DÉR. Parkinsonien.

PARKINSONIEN, IENNE [paʀkinsɔnjɛ̃, jɛn] adj. et n. — 1896, *in* D. D. L.; de *maladie de Parkinson*.*

♦ Méd. De la maladie de Parkinson (⇒ **Parkinson,** n. m.). ⇒ **Pallidum.** *Symptômes parkinsoniens.* — Atteint de cette maladie. — N. *Un parkinsonien, une parkinsonienne.*

(...) *le syndrome parkinsonien* avec akinésie, hypertonie, tremblement (...) 1
Jean DELAY, Introd. à la médecine psychosomatique, Notes et observations, p. 70.

Je devais en effet avancer vite, car je rattrapai plus d'un piéton, voilà les pre- 2 miers hommes, sans me forcer, moi que d'habitude les parkinsoniens distançaient, et alors il me semblait que derrière moi les pas s'arrêtaient.

S. BECKETT, le Calmant, *in* Nouvelles, p. 52-53.

COMP. Antiparkinsonien.

PARKINSONISME [paʀkinsɔnism] n. m. — 1925, *in* D. D. L.; de *maladie de Parkinson.* → Parkinson, n. m.

♦ Méd. Maladie de Parkinson.

En dehors des tableaux névropathiques ou psychopathiques variés (...) que peut réaliser l'encéphalite épidémique en les associant à des troubles neurologiques tels que le parkinsonisme (...) H. BARUK, Psychoses et Névroses, p. 98.

PARLAGE [paʀlaʒ] n. m. — 1773; de *parler.*

♦ **1.** Fam. Vx. Action de prononcer des paroles inutiles ou creuses. ⇒ **Bavardage** (→ aussi Parlementarisme, cit. 1).

1 Le banquet fut bruyant, grâce au parlage du jeune prince : il ne cessa de discourir de sa promenade à cheval (...)

CHATEAUBRIAND, Mémoires d'outre-tombe, t. VI, p. 251.

2 La domination d'intrigue, de parlage facile et vulgaire qu'y exerçait souverainement le triumvirat de Duport, Barnave et Lameth, ne contribua pas peu à rendre Mirabeau accessible aux suggestions de la cour.

MICHELET, Hist. de la Révolution franç., III, VI.

♦ **2.** (Av. 1885). Fam. Vx. Façon de parler. ⇒ **Langage.**

3 « Dites-moi donc, s'il vous plaît, quels sont les éléments cantonnés à X (...) » Les éléments, qu'est-ce que c'est que ce parlage? dit Vompatte.

H. BARBUSSE, le Feu, t. I, IX, p. 52.

PARLANT, ANTE [paʀlɑ̃, ɑ̃t] adj. — 1210; *bien parlant* « éloquent », v. 1175; de *parler.*

♦ **1.** Vx ou didact. Qui parle, est doué de parole. « ... *Les arbres et les plantes Sont devenus chez moi créatures parlantes* » (→ Enchantement, cit. 1, La Fontaine). *La statue mouvante* (cit. 1) *et parlante du Commandeur, dans « Don Juan ».*

Didact., mod. *Le sujet parlant. Ce qu'il y a dans l'esprit du sujet parlant* (→ Négation, cit. 5; et aussi langue, cit. 25). ⇒ **Locuteur.** — N. m. *Le parlant,* celui qui parle. « *L'opposition de l'auteur au lecteur, du parlant au parlé* » (Paulhan, *les Fleurs de Tarbes,* p. 140).

(Fin XIVe). Fam. *Il n'est pas très parlant.* ⇒ **Bavard.**

♦ **2.** (Fin XIXe). Mod. Qui reproduit, après enregistrement, la parole humaine. *Machine parlante.* ⇒ **Phonographe.** *L'horloge** (cit. 7) *parlante.* — (1931). *Le cinéma parlant* (par oppos. au muet). *Films parlants* (→ Muet, cit. 3), *sonores et parlants.* — N. m. (1929). *Le parlant :* le cinéma parlant. *C'était au début du parlant.*

♦ **3.** (1654). Très expressif. ⇒ **Vivant.** *Regards, gestes parlants. Une physionomie parlante. Le mot caprice* (cit. 11) *est d'une origine parlante.* — (1675). Spécialt. *Un portrait parlant,* particulièrement ressemblant*.

(1680). Blason. *Armes parlantes,* « où le nom est figuré par la représentation de l'objet correspondant » (Réau). *Les armes des Mailly, dont les pièces principales sont des maillets, sont parlantes.*

♦ **4.** (XIIIe). Fig. Qui parle de soi-même, éloquent (sans qu'il soit besoin de commentaires). *Des preuves parlantes* (→ Indubitable, cit. 4). « *Mon mariage est une leçon* (cit. 18) *bien parlante* » (Molière).

1 Hélas! c'est ma seule arme! à une autre époque, se disait-il, c'est par des actions parlantes en face de l'ennemi que j'aurais *gagné mon pain.*

STENDHAL, le Rouge et le Noir, I, XXVI.

2 J'ai d'ailleurs des preuves certaines qu'il n'est pas sans attachement pour elle. — Parbleu, ma Femme, la preuve en est parlante!

RESTIF DE LA BRETONNE, la Vie de mon père, p. 80.

PARLÉ, ÉE [paʀle] adj. — 1798; p. p. de *parler.*

♦ Qui se réalise par la parole. *Langue parlée et langue écrite* (→ Faire, cit. 171; grammaire, cit. 6; imparfait, cit. 14; inversion, cit. 4; mot, cit. 1). *Style parlé et style écrit* (→ Naturel, cit. 23). — Ling. *Chaîne parlée,* suite de mots, de phrases du discours. — N. m. *Le parlé.*

Le parlé, ce qui se dit, par opposition à ce qui s'écrit. Comment définir ce mot : Lire? — Substitution d'un parlé à un tracé et non d'un parlé quelconque (...)

VALÉRY, Cahiers, vol. 17, éd. C.N.R.S., p. 134.

Journal parlé : bulletin radiophonique des nouvelles du jour (cette expression ne correspond pas à un emploi du verbe *parler,* en français).

PARLEMENT [paʀləmɑ̃] n. m. — V. 1080; de *parler.*

★ **I.** Vx. Conférence, entretien, pourparler. « *Parlements en traités d'accord* » (Montaigne, I, V). « *Parlement de Cassius et de Brute* (Brutus) » *(in* Racine, *Livres annotés).*

Régional. Discussion, paroles oiseuses. *Pas tant de parlement !*

★ **II.** Assemblée de gens qui discutent, délibèrent.

♦ **1.** (V. 1160). Hist. (Dans les premiers temps de la monarchie française). Assemblée de grands ou de notables parfois convoquée par le roi. « *Les anciens parlements de la nation* » (→ Convoquer, cit. 1).

♦ **2.** (V. 1207). Hist. (Des Capétiens jusqu'à la Révolution). Cour souveraine de justice formée par un « groupe de spécialistes (de la justice) détachés de la Cour du roi » (R. Fawtier, in *Hist. univ.,* t. II). *Les Parlements de Paris, de Poitiers, Toulouse, Grenoble, Bordeaux...*

Le parlement jugea en dernier ressort de presque toutes les affaires du royaume. Auparavant il ne jugeait que celles qui étaient entre les ducs, comtes, barons, évêques, abbés, ou entre le roi et ses vassaux (...) Dans la suite on fut obligé de le rendre sédentaire, et de le tenir toujours assemblé; et enfin on en créa plusieurs pour qu'ils pussent suffire à toutes les affaires. 1

MONTESQUIEU, l'Esprit des lois, XXVIII, XXXIX.

Le Parlement de Paris (→ Assembler, cit. 27; attribuer, cit. 2; fisc, cit. 2; lit, cit. 26; olim, cit.), *de Rouen* (→ Cassation, cit. 1), *d'Aix* (→ Juger, cit. 3), *de Bretagne* (→ Obstiné, cit. 3)... *Les chambres** *du Parlement de Paris* (Grande Chambre, chambre des Enquêtes, chambre des Requêtes). → Assembler, cit. 28. *Enregistrement des édits royaux par le Parlement* (→ Légitime, cit. 6). *Droit de remontrance du Parlement* (→ Exiler, cit. 3; ménager, cit. 5). *Lits** (cit. 25 et 26) *de justice tenus en cas de résistance du Parlement. Conseiller, président au Parlement* (→ Honneur, cit. 76). *Histoire du Parlement de Paris,* par Voltaire (1769).

Chaque période *(du discours)* semblait redoubler tout à la fois l'attention et la désolation de tous les officiers du Parlement (...) La remontrance finie, le Garde des Sceaux (...) jeta les yeux sur le premier président, et prononça : *Le Roi veut être obéi, et obéi sur-le-champ.* Ce grand mot fut un coup de foudre qui atterra présidents et conseillers (...) 2

SAINT-SIMON, Mémoires, VI, VII (cf. tout le passage).

J'avoue que son aventure *(de la veuve Calas)* ne contribue pas à me faire aimer les parlements. Malheur à qui a affaire à eux! fût-on jésuite, on s'en trouve toujours fort mal. VOLTAIRE, Correspondance, 2264, 25 févr. 1763. 3

Par ext. Étendue, ressort de la juridiction d'un parlement. — (V. 1283). Durée de la session.

♦ **3.** (1275). Ensemble des deux assemblées anglaises (Chambre des Lords, Chambre des Communes) qui exercent le pouvoir législatif. *Projet d'acte du parlement.* ⇒ **Bill.** *La constitution du parlement anglais remonte au XIIIe siècle* (→ Baron, cit. 4). *Parlement-croupion*.* « *Vous n'avez pas de parlement* », disait Law à d'Argenson (→ Gouverner, cit. 29). *Sa Majesté Britannique et le Parlement d'Angleterre* (→ Mesure, cit. 18).

C'est sous Édouard Ier qu'apparaît pour la première fois un Parlement, composé de deux chambres, mais la création des institutions parlementaires ne fut pas un acte conscient (...) Convoqué *(le Parlement)* par le Roi comme instrument de gouvernement (...) il devint très lentement pour les barons, puis pour la nation, un instrument de contrôle. A. MAUROIS, Hist. d'Angleterre, III, II, I. 4

♦ **4.** (1825). Assemblée* ou ensemble des chambres* qui détiennent le pouvoir législatif dans les pays à gouvernement représentatif. ⇒ **Corps** (législatif). — Spécialt. (En France). Le Sénat et la Chambre des Députés sous la IIIe République; l'Assemblée nationale et le Conseil de la République sous la IVe République (→ Congrès, cit. 1; convoquer, cit. 2; député, cit. 5; dissoudre, cit. 5; élire, cit. 7; gouvernement, cit. 33); l'Assemblée nationale et le Sénat sous la Ve République. *Siège du Parlement. Membre du Parlement.* ⇒ **Parlementaire, questeur, rapporteur.** *Convocation, dissolution du Parlement. Les débats du Parlement* (⇒ **Interpellation, interruption**). *Opposé au parlement.* ⇒ **Antiparlementaire.** *Session, séance du Parlement. Amendement à une loi, motion de censure votée par le parlement. Clôture des débats du parlement. La majorité du parlement. Parlement élu au suffrage universel. Initiative, discussion, vote des lois au Parlement.* ⇒ **Législateur, législation; représentation.**

Le Parlement comprend l'Assemblée nationale et le Sénat. Les députés à l'Assemblée nationale sont élus au suffrage direct. Le Sénat est élu au suffrage indirect. Il assure la représentation des collectivités territoriales de la République (...) La loi est votée par le Parlement. 5

Constitution de la Ve République, art. 24 (Titre IV, *Le Parlement*) et 34 (Titre V, *Des rapports entre le Parlement et le Gouvernement*).

Le Parlement est réuni en session extraordinaire à la demande du premier ministre ou de la majorité des membres composant l'Assemblée nationale, sur un ordre du jour déterminé. Constitution de la Ve République, art. 29 (Titre IV). 6

♦ **5.** Par ext. Assemblée représentant un ensemble de pays. *Parlement européen* (abusif en dr.).

DÉR. 1. **Parlementaire, parlementer.**

1. PARLEMENTAIRE [paʀləmɑ̃tɛʀ] adj. et n. — 1671; subst., 1644; de *parlement.*

♦ **1.** Hist. (De *parlement,* II., 2.). Qui appartient, qui est propre aux parlements. *Remontrances parlementaires. Magistrats* (cit. 5) *de la vieille race parlementaire française.* « *Nos cannibales* (cit.) *parlementaires* ». — N. m. *Un parlementaire.*

1 Je restai tranquille *(lors des premières attaques contre l'« Émile »)*. Les bruits augmentèrent, et changèrent bientôt de ton. Le public, et surtout le Parlement, semblait s'irriter par ma tranquillité. Au bout de quelques jours la fermentation devint terrible (...) On entendait dire tout ouvertement aux parlementaires qu'on n'avançait rien à brûler les livres, et qu'il fallait brûler les auteurs.
ROUSSEAU, les Confessions, XI.

Spécialt. Qui prend le parti du Parlement (dans les luttes politiques de l'Ancien Régime). *« Je ne serai jamais ni jésuite, ni janséniste, ni parlementaire »* (Voltaire, *Lettre à Damilaville*, 2 mars 1763).

♦ **2.** (De *parlement*, II., 3). **a** (XVIIe). Relatif au Parlement d'Angleterre. — N. m. Partisan du Parlement anglais dans ses luttes contre la monarchie (Cf. Scarron et Retz, *in* Littré).

b (1789). Cour. Relatif aux assemblées législatives modernes constituant le Parlement. *Régime, gouvernement parlementaire.* ⇒ **Constitutionnel, représentatif** (→ Abolir, cit. 10; acheminer, cit. 2; dissoudre, cit. 5; gouvernement, cit. 34). *Régime présidentiel et régime parlementaire. Histoire du gouvernement parlementaire en France,* de Duvergier de Hauranne (1857-1862).

2 On retrouve d'abord, dans le régime parlementaire classique, tous les éléments (...) qui définissent (...) la collaboration des pouvoirs. Mais on y rencontre aussi deux caractères particuliers (...) En premier lieu, le régime parlementaire suppose un exécutif scindé en deux éléments : chef de l'État et cabinet ministériel. En second lieu, les deux organes législatif et exécutif s'y maintiennent dans un strict équilibre (...) Le système des décrets-lois (...) aboutit à déséquilibrer le régime parlementaire au profit de l'exécutif, et spécialement du cabinet ministériel. Dans d'autres régimes (...) la prépondérance de l'exécutif se manifeste plutôt au bénéfice du chef de l'État, le régime parlementaire se rapproche alors du régime présidentiel.
Maurice DUVERGER, Manuel de droit constitutionnel, p. 153 et 158.

Mandat parlementaire (→ Incompatibilité, cit. 7). *Indemnité parlementaire. Commissions, groupes et sous-groupes parlementaires* (→ Arrivisme, cit.). *Le jeu politique et parlementaire* (→ Brouiller, cit. 1); *l'échiquier parlementaire* (→ Escompter, cit. 5). *Immunité, incompatibilités parlementaires. Débats parlementaires. Sténographe parlementaire. L'opposition parlementaire* (→ Légalité, cit. 2, Balzac). *Brouhaha* (cit. 3) *de séance parlementaire.* — Péj. *Le guignol parlementaire* (→ Discourtois, cit. 1). *Les fantoches* (cit. 2) *parlementaires. Mensonge* (→ Contaminer, cit. 2), *corruption* (cit. 12), *scandales* (→ Œil, cit. 25) *parlementaires.*

(1868). Vieilli. Conforme aux usages parlementaires. *Langage, discussion, ton peu parlementaire,* peu courtois.

3 (...) la lutte se précisa entre le plus auguste, le plus grand, le seul vrai pouvoir, *la Royauté*, et le plus faux, le plus changeant, le plus oppresseur pouvoir, le pouvoir dit *parlementaire* qu'exercent des assemblées électives.
BALZAC, la Vieille Fille, Pl., t. IV, p. 319.

♦ **3.** N. (1824). Membre du Parlement. ⇒ **Député, sénateur** (→ Basoche, cit.; chair, cit. 11; député, cit. 5; indemnité, cit. 5; ministrable, cit.). *Une parlementaire en vue* (l'emploi du fém. est flottant; on dira aussi *Mme X est un parlementaire en vue*). *L'honorable* parlementaire. Parlementaire en mission.*

4 Sous les arcades à peu près désertes à cette heure-là, des pas répondaient aux miens, se rapprochaient; chose banale pour une parlementaire, on me suivait.
Pierre KLOSSOWSKI, la Révocation de l'Édit de Nantes, p. 45.

DÉR. Parlementairement, parlementarisme, parlementariste.
COMP. Antiparlementaire, extraparlementaire, non-parlementaire.

2. PARLEMENTAIRE [paʀləmɑ̃tɛʀ] adj. et n. — 1789; de *parlementer.*

♦ **1.** Vx. Relatif à l'action de parlementer. *Pavillon parlementaire,* qu'on hisse pour signifier l'intention de parlementer. *Vaisseau parlementaire,* porteur d'un négociateur ou d'un message envoyé pour parlementer avec l'ennemi. *Drapeau parlementaire.* ⇒ **Drapeau** (blanc).

1 Mais une idée l'illumina (...) Il allait faire un drapeau parlementaire, un drapeau blanc (...) Pommel revint avec le linge demandé et un manche à balai. Au moyen de ficelles, on organisa cet étendard que M. Massarel saisit à deux mains; et il s'avança de nouveau vers la mairie en le tenant devant lui.
MAUPASSANT, Clair de lune, « Un coup d'État ».

2 (...) il y a le pavillon parlementaire blanc au-dessus de ce feu, allumé là sans doute pour le faire bien voir. LOTI, Figures et choses..., Trois journées de guerre.

♦ **2.** N. (1798). Vx. Vaisseau parlementaire.

♦ **3.** N. (1792). Mod. Personne chargée de parlementer avec l'ennemi. ⇒ **Délégué, député, envoyé...; diplomatie.** *Envoyer des parlementaires à l'ennemi.* — Dr. milit. « Officier chargé, en temps de guerre, par l'autorité militaire, de se rendre auprès de l'autorité ennemie en vue de lui faire une communication, d'engager des pourparlers... » (Capitant). → Céder, cit. 16. *Déléguer des parlementaires.*

PARLEMENTAIREMENT [paʀləmɑ̃tɛʀmɑ̃] adv. — 1785; de 1. *parlementaire.*

♦ Vieilli. Conformément aux usages parlementaires.

Ce bel art si choisi d'offenser poliment
Et de se souffleter parlementairement (...)
A. DE MUSSET, Poésies nouvelles, « Sur la paresse ».

PARLEMENTARISME [paʀləmɑ̃taʀism] n. m. — 1845; de 1. *parlementaire.*

♦ **1.** Régime, gouvernement parlementaire. *Le parlementarisme est une variété du régime représentatif*.*

Qu'est-ce que c'est que ça, la tribune? s'écrie M. Bonaparte Louis; c'est du « parlementarisme! » Que dites-vous de parlementarisme? (...) Parlementarisme est une perle. Voilà le dictionnaire enrichi (...) L'oncle avait « les idéologues »; le neveu a « les parlementaristes », mesdames (...) Donc « le parlementarisme », c'est-à-dire la garantie des citoyens, la liberté de discussion, la liberté de la presse, la liberté individuelle, le contrôle de l'impôt (...) le droit de savoir ce qu'on fait de votre argent, la solidité du crédit, la liberté de conscience, la liberté des cultes (...) la sécurité de chacun, le contrepoids à l'arbitraire, la dignité de la nation, l'éclat de la France (...) l'initiative publique, le mouvement, la vie, tout cela n'est plus (...) Aujourd'hui plus de tapage, plus de vacarme, plus de parlage, de parlementarisme. Le corps législatif, le sénat, le conseil d'État sont des bouches cousues. 1
HUGO, Napoléon le Petit, V, VIII et IX, (1852).

Le parlementarisme, c'est une majorité décidée à suivre le gouvernement, lui laissant l'étude et le choix des résolutions, et combattant derrière lui selon la tactique qu'il a arrêtée. 2
M. BARRÈS, Leurs figures, p. 32.

Le parlementarisme classique est un régime de collaboration des pouvoirs, dualiste et équilibré, qui se définit essentiellement par la *responsabilité politique des ministres devant le Parlement.* 3
Maurice DUVERGER, Manuel de droit constitutionnel, p. 154.

♦ **2.** Abus, mauvais fonctionnement du régime parlementaire. *Dénoncer le parlementarisme comme destructeur de la véritable démocratie.*

PARLEMENTARISTE [paʀləmɑ̃taʀist] adj. et n. — 1871, *in* D. D. L.; de 1. *parlementaire.*

♦ Adj. Du parlementarisme. — N. Partisan du parlementarisme.

Ambroise Mancelier vénère le Maréchal, pense que la collaboration avec Hitler est la seule chance de survie de la France pourrie par des années de tripatouillage parlementariste.
Joseph JOFFO, Un sac de billes, p. 241.

PARLEMENTER [paʀləmɑ̃te] v. intr. — V. 1300 « avoir un entretien »; de *parlement.*

♦ **1.** (XIVe). Entrer en pourparlers (avec l'ennemi) par l'intermédiaire de parlementaires en vue d'une convention entre belligérants. ⇒ **Débattre, discuter, négocier, traiter.** *Les assiégés demandèrent à parlementer.* ⇒ **Capituler.** *Parlementer pour gagner du temps.* — Par métaphore. → Capituler, cit. 5, La Bruyère. — Prov. *Ville qui parlemente* (ou *fille qui parlemente*) *est à demi rendue* (⇒ **Céder**).

(1658). Par ext. Discuter (avec un adversaire) en vue d'un accommodement. ⇒ **Négocier.** *Le Président du conseil parlemente avec les chefs socialistes* (→ Dissocier, cit. 5). *Il fallait parlementer, plaider, demander pardon* (→ Grand, cit. 76).

Saint-Just plia son orgueil à parlementer avec eux (...) 1
JAURÈS, Hist. socialiste..., t. VII, p. 31.

♦ **2.** (Av. 1784). Fam. Discuter, s'entretenir longuement; parler interminablement sans se décider. ⇒ **Palabrer.**

Une nuit, vers onze heures, ils furent réveillés par le bruit d'un cheval qui s'arrêta juste à la porte. La bonne ouvrit la lucarne du grenier et parlementa quelque temps avec un homme resté en bas, dans la rue. Il venait chercher le médecin; il avait une lettre. 2
FLAUBERT, Mme Bovary, I, II.

DÉR. 2. **Parlementaire.**

1. PARLER [paʀle] v. — X^e, *parlier*; lat. ecclés. *parabolare.* → Parole.

★ **I.** V. intr. **A.** ♦ **1.** Articuler les sons d'une langue naturelle. *L'espèce humaine est douée de la faculté de parler.* ⇒ **Parole** (→ Agent, cit. 2; bête, cit. 3; caractère, cit. 13). *Enfant qui commence à parler, qui apprend à parler* (→ Développement, cit. 2; naissance, cit. 2). *Babillage, lallation* de l'enfant qui ne parle pas encore. Muet, idiot* (cit. 11) *qui ne peut pas parler. Refus; impossibilité de parler.* ⇒ **Mutacisme, mutisme, mutité.** *Incapacité momentanée de parler* (→ Abattement, cit. 4; honneur, cit. 19; ivre, cit. 2; œil, cit. 1). *Ouvrir la bouche comme pour parler* (→ 2. Mort, cit. 5). *Empêcher qqn de parler.* ⇒ **Bâillonner** (fig.), **taire** (faire). *Parler distinctement.* ⇒ **Articuler** (cit. 6); et aussi **articulation,** (cit. 7). *Parler en détachant, en martelant les syllabes, en psalmodiant. Parler de façon défectueuse.* ⇒ **Bafouiller, balbutier, bégayer, bléser, bredouiller** (cit. 1), **chevroter, grailler, zézayer; lambdacisme, rhotacisme...** *Parler gras* (cit. 32 et 35). ⇒ **Grasseyer** (cit. 1). *Parler de façon confuse, entre ses dents.* ⇒ **Marmotter** (→ Intonation, cit. 6). *Parler bas* (1. Bas, cit. 83), *à voix basse, à mi-voix...* ⇒ **Baisser** (le ton, la voix), **chuchoter, murmurer** (→ Appartenir, cit. 13; apprivoiser, cit. 11; éteindre, cit. 56). *Parler du bout* (cit. 107) *des lèvres. Parler haut** (cit. 103, 104 et 106). → Avoir le verbe* haut. *Parler à voix haute; parler fort* (→ Audience, cit. 13, Chamfort; éclat, cit. 7; égosiller (s'), cit. 1; indescriptible, cit. 3). ⇒ **Brailler, crier, gueuler, voix** (élever la). *S'égosiller, s'enrouer à force de parler. Ne parlez pas si fort, vous nous cassez les oreilles. Gesticuler en parlant. Parler vite, avec volubilité... Parler du nez*.* ⇒ **Nasiller.** *Ventriloque parlant la bouche presque fermée. Parler avec un accent, avec des intonations* (→ Joyeuseté, cit. 2; 2. mal, cit. 12). — Imiter le langage humain, en parlant d'un cri d'animal. *Faire parler un perroquet.*

1 (...) on voit que les pies et les perroquets peuvent proférer des paroles ainsi que nous, et toutefois ne peuvent parler ainsi que nous, c'est-à-dire en témoignant qu'ils pensent ce qu'ils disent; au lieu que les hommes qui, étant nés sourds et muets, sont privés des organes qui servent aux autres pour parler (...) ont coutume d'inventer d'eux-mêmes quelques signes par lesquels ils se font entendre à ceux qui étant ordinairement avec eux ont loisir d'apprendre leur langue.
DESCARTES, Discours de la méthode, V.

2 Tout parle en mon ouvrage, et même les poissons.
LA FONTAINE, Fables, Dédicace à Mgr le Dauphin.

3 Il parlait avec difficulté à cause d'un râtelier qu'il portait seulement depuis peu (...) MARTIN DU GARD, les Thibault, t. III, p. 238.

Loc. *On dirait qu'il va parler,* réflexion populaire à propos d'un portrait fidèle, d'une peinture réaliste.

Par plaisanterie :

3.1 De près, ma pochade ressemble à un vieux gant ou à une poire. À un mètre, c'est l'écureuil dans ses moindres détails (...) la noisette se détache comme si elle était réelle. « On dirait qu'elle va parler », selon la formule de Boulard.
J. DUTOURD, Pluche, VIII, p. 76.

♦ **2.** S'exprimer* en usant de ces sons articulés. ⇒ **Langage, langue, parole.** *Parler de façon à être compris, sans être compris...* (→ Apprêt, cit. 11; après, cit. 19; clairement, cit. 3; humaniser, cit. 1). *Parler clair*, clair et net. Penser et parler* (→ Autant, cit. 19; désapprouver, cit. 3; futilité, cit. 3; main, cit. 18). *Parler et écrire* (→ Arriver, cit. 73; écrire, cit. 51; expression, cit. 9; latin, cit. 4; légèreté, cit. 13). *Liberté* (cit. 29) *de parler et d'écrire* (→ Abus, cit. 3). *Par écrit ou en parlant.* ⇒ **Oralement** (→ De vive voix*). *Parler ou écouter* (→ Attention, cit. 10; conversation, cit. 9; écouter, cit. 13; 1. garde, cit. 32). *Parler ou se taire. « Il est bon* (cit. 104) *de parler et meilleur de se taire ». S'écouter* parler* (→ Latin, cit. 2). — Loc. *On sait ce que parler veut dire** (→ Galéjade, cit. 2). — *Besoin, démangeaison* (cit. 5) *de parler. Interrompre celui qui parle. Répliquer à celui qui parle. N'avoir pas besoin de parler pour s'exprimer. Parler et agir* (cit. 12).

4 (...) s'il y a beaucoup d'art à savoir parler à propos, il n'y en a pas moins à savoir se taire. Il y a un silence éloquent (...)
LA ROCHEFOUCAULD, Réflexions diverses, 4.

5 (...) le Français parle encore plus qu'il n'agit, ou du moins (...) il donne un bien plus grand prix à ce qu'on dit qu'à ce qu'on fait.
ROUSSEAU, Julie ou la Nouvelle Héloïse, IIe partie, XVII.

6 S'il faut agir, prodigue-toi; s'il faut parler, ménage-toi; en agissant, crains la paresse, et en parlant, crains l'abondance, l'ardeur, la volubilité.
Joseph JOUBERT, Pensées, VIII, LXXIII.

7 Il *(Simon Giguet)* s'écoutait parler, il prenait la parole à tout propos, il dévidait solennellement des phrases filandreuses et sèches qui passaient pour de l'éloquence dans la haute bourgeoisie d'Arcis.
BALZAC, le Député d'Arcis, Pl., t. VII, p. 649.

8 Nous ne parlions pas. Que se disent deux cœurs qui s'aiment? Rien. Mais nos yeux exprimaient tout. LAUTRÉAMONT, les Chants de Maldoror, III.

9 Évidemment. Parler ne devrait être qu'un moyen d'agir (...) Mais, tant qu'on ne peut pas agir, c'est déjà faire quelque chose que de parler (...)
MARTIN DU GARD, les Thibault, t. V, p. 96.

10 Si au contraire, dès que je parle, j'ai l'angoissante certitude que les mots m'échappent et qu'ils vont prendre là-bas, hors de moi, des aspects insoupçonnables, des significations imprévues, n'est-ce pas qu'il appartient à la structure même du langage de devoir être compris par une liberté qui n'est pas la mienne?
SARTRE, Situations I, p. 236.

10.1 (...) ceux qui parlèrent sans écrire ont payé de leur vie cet acte destructeur de la Loi, créateur de temps et d'événements : Socrate, le Christ, peut-être Jeanne d'Arc.
Henri LEFEBVRE, la Vie quotidienne dans le monde moderne, p. 329.

Parler en une langue, s'exprimer (occasionnellement) dans cette langue. *Parler en français, en grec... Il ne me parlait qu'en latin* (→ 1. Coulant, cit. 2). *Parler en...* suivi du nom d'une langue (→ Habituellement, cit. 2; humanité, cit. 17). → aussi la construction *parler français* (ci-dessous, II, 1.)

Parler peu (→ Écouter, cit. 4; gendarme, cit. 8), *parler bref.* ⇒ **Laconisme.** *Parler beaucoup, aimer à parler.* ⇒ **Bavard, loquace, parleur, prolixe, verbeux.** *Parler pour parler,* pour le plaisir de parler. ⇒ **Bavarder; jaser, pérorer** (→ Tailler des bavettes*). — Loc. *Parler pour ne rien dire*, pour amuser le tapis* (→ Amuser, cit. 2; beaucoup, cit. 1). *Il parle (bavarde) comme une pie*.* — (1791). *Parlons peu et parlons bien* : réglons la question rapidement. — *Parler beaucoup et sans réflexion.* (→ Discourir, cit. 4). *Parler diffusément. Trop parler* (→ Latin, cit. 7). — Prov. *Trop parler nuit, trop gratter cuit.* — *Parler avec animation, avec facilité.* → N'avoir pas la langue dans sa poche*. *Parler inutilement.* → Dépenser beaucoup de salive*. *Parler tous à la fois* (→ Métropolitain, cit. 5). *Parler tout seul.* ⇒ **Monologue, soliloque.** *Ne pas parler.* ⇒ **Silence** (garder le), **taire** (se); et → Ne pas desserrer les dents*. *Nous marchions* (cit. 44) *sans parler. « Souffre et meurs sans parler »* (→ Énergiquement, cit.).

11 Généralement les gens qui savent peu parlent beaucoup, et les gens qui savent beaucoup parlent peu. ROUSSEAU, Émile, IV.

12 Un jour que l'on ne s'entendait pas dans une dispute à l'Académie, M. de Mairan dit : « Messieurs, si nous ne parlions que quatre à la fois. »
CHAMFORT, Caractères et Anecdotes, « Dispute à l'Académie ».

12.1 On parle toujours pour ne rien dire : parler est s'occuper de choses superficielles. Je n'ai pas parlé sérieusement depuis des années. Avec les bonzes, oui, mais d'une façon (...) professionnelle. Je lis, et ce n'est pas la même chose. Je tiens beaucoup de dialogues imaginaires. J'ai tort. J'aime notre conversation; je ne l'aurai peut-être jamais plus. MALRAUX, Antimémoires, p. 462.

Loc. fam. *Parle toujours, tu m'intéresses!,* se dit à quelqu'un dont on a cessé d'écouter ce qu'il dit, ou d'en tenir compte. Ellipt. *Ça va, parle toujours, mon vieux!*

« Il faut cesser tous les excès, tu me comprends? » Elle hochait la tête comme une vieille piquée, avec un air de dire : « Parle toujours, tu m'intéresses. » 12.2
Marie CARDINAL, les Mots pour le dire, p. 325.

(Relativement à la langue, au style). REM. Dans ces emplois, *Parler* s'emploie souvent pour « s'exprimer » oralement ou non. → ci-dessous, II. — *Parler bien, mal* (→ Avoir, cit. 76, La Bruyère; dire, cit. 109; esprit, cit. 155; exercer, cit. 12). *L'art de bien parler.* ⇒ **Orthologie, rhétorique.** *Parler purement, correctement* (cit. 1; et → Gasconner, cit.; grammairien, cit. 3). *« Leur règle n'est pas de parler juste »* (→ Antithèse, cit. 1, Pascal). *Parler incorrectement, parler mal, mal parler.* ⇒ **Charabia, galimatias.** *On consulte un dictionnaire* (cit. 6) *pour apprendre comment aujourd'hui l'on parle et l'on écrit. Parler gras* (cit. 7), *grossièrement, avec grossièreté. Parler d'une façon décousue* (→ Aller par sauts* et par bonds). *Manières, façons* (cit. 12) *de parler.* ⇒ **Expression, idiome, locution** (→ Atticisme, cit. 1; chacun, cit. 15; copier, cit. 8; enregistrer, cit. 2; finir, cit. 10). — (Avec *ainsi;* loc.). *Si j'ose ainsi parler, si je puis parler ainsi, s'il est permis de parler ainsi* (→ Dépositaire, cit. 6; immensurable, cit. 1; inhérent, cit. 1; intellectuel, cit. 2). *Pour ainsi parler* (→ Approcher, cit. 6; dissoudre, cit. 3). — *C'est une façon** (cit. 17) *de parler. Pour parler exactement, plus exactement* (→ Absolument, cit. 1). *Pour parler comme telle personne,* pour employer son expression, pour le citer (→ Apaisement, cit. 1; démocratie, cit. 8; gorge, cit. 10; nommer, cit. 13). *À proprement* parler* (→ Assimiler, cit. 20; département, cit. 1; dépôt, cit. 2; fierté, cit. 3; funambulesque, cit. 2). *Il faut écrire* (cit. 49) *comme on parle* (→ Demeure, cit. 5). — Loc. *Parler comme un livre** (cit. 36). — *Parler comme une grande personne* (→ 1. Faux, cit. 40).

Quand on se fait entendre, on parle toujours bien. 13
MOLIÈRE, les Femmes savantes, II, 6.

J'ai connu des familles où l'on parlait aussi bien mais pas une où l'on parlât mieux que dans la mienne. Ce n'est point à dire qu'on n'y fît pas communément les huit ou dix fautes dauphinoises. STENDHAL, Vie de Henry Brulard, 29. 14

(...) et si les cœurs qui se brisent et qui saignent étaient autre chose que des façons de parler, à l'usage des poètes, je vous jure qu'on aurait pu trouver derrière moi, sur la plaine blanche, une longue trace de sang. 15
Alphonse DAUDET, le Petit Chose, I, XII.

(Relativement aux dispositions intellectuelles ou morales de celui qui s'exprime). Tenir des propos (de telle ou telle nature). *Parler avec assurance, confiance, conviction, passion... Parler crûment, sec, sèchement, vertement, hardiment* (→ Et, cit. 22), *sans ménager ses termes. Parler sans s'émouvoir* (cit. 21)... *Parler comme un oracle.* ⇒ **Vaticiner.** *Parler avec circonspection, par sous-entendus, à mots couverts, de façon embarrassée, équivoque* (⇒ **Circonlocution, circonvolution, périphrase, tortillage**). → Tourner autour du pot*. — *Parler par allusions...* — Loc. *Parler à cœur** (cit. 137) *ouvert* (→ Naïveté, cit. 1; noble, cit. 1). — *Parler selon sa conscience* (cit. 13), *sans fard* (cit. 8), *contre sa pensée* (→ Farder, cit. 7)... *À parler franc*. Parler net.* — Loc. *Parler d'or** (cit. 29), d'une manière excellente, sage. — *Parler raisonnablement, en connaissance de cause, par expérience* (→ Misogynie, cit.)... *Parler en pesant ses mots. Parler précieusement, avec affectation, prétention.* ⇒ **Phrase** (faire des). *Parler doctoralement.* ⇒ **Dogmatiser; sentencieux.** *Parler étourdiment, à tort et à travers, à la légère, au hasard, en l'air, à contretemps, hors de propos...* ⇒ **Divaguer.** — Loc. *Parler à bâtons* rompus.* — *Parler sur un certain ton*.* ⇒ **Prendre;** → Demande, cit. 4. *Parlez-vous sérieusement? Parler en plaisantant*, pour rire*.* ⇒ **Badiner, blaguer.** *Se répéter en parlant.* ⇒ **Rabâcher, radoter.** — *Parler en..., comme un..., en tant que... Parler en artiste* (→ Méconnaissable, cit. 2), *parler en homme* (→ Naïf, cit. 4).

(En marquant les dispositions bienveillantes ou malveillantes de celui qui parle). *Parler pour quelqu'un, en sa faveur.* ⇒ **Intercéder, plaider** (→ Aujourd'hui, cit. 11). *Parler contre quelqu'un.* ⇒ **Attaquer, invectiver, nuire.** — REM. Ne pas confondre avec *parler pour* au sens de *parler au nom de... Pour qui parles-tu, pour toi ou pour les autres?*

PARLANT, précédé d'un adv. (1644) : en s'exprimant de telle manière. *Généralement parlant,* en parlant de façon générale, d'un point de vue général (→ Apprendre, cit. 25). *Absolument* (→ Oiseau, cit. 4), *strictement parlant. Moralement* (cit. 2) *parlant. Militairement, financièrement parlant* (→ Non-sens, cit. 1; folie, cit. 26). *Littérairement parlant* (→ Journal, cit. 8).

Le seul être avec lequel il communiquait, socialement parlant, était moi (...) 16
BALZAC, Gobseck, Pl., t. II, p. 625.

♦ **3.** Spécialt. [a] Parler pour faire connaître sa volonté, de manière à être obéi. ⇒ **Commander.** *« Mais un devoir austère* (cit. 13) *Quand mon père a parlé, m'ordonne de me taire »* (Racine). *Vous n'avez qu'à parler, on vous obéira* (→ N'avoir qu'un mot* à dire). — *Voilà qui s'appelle parler! Ça c'est parler!,* se dit de quelqu'un qui parle avec autorité et sans réplique. — *Parler ferme, en maître* (cit. 26

et *supra*). *On n'a qu'à parler pour l'obtenir :* c'est une chose simple*, facile à obtenir, à avoir.

17 (...) je n'avais qu'à parler pour avoir tout ce que je souhaitais de mon père!
MOLIÈRE, l'Amour médecin, I, 4.

18 Dieu parle, et d'un mortel vous craignez le courroux!
RACINE, Esther, I, 3.

19 Dieu parle, il faut qu'on lui réponde.
A. DE MUSSET, Poésies nouvelles, « Tristesse ».

20 — Quel compère! s'écria Hulot, c'est comme à l'armée d'Italie, il sonne la messe et il la dit. Est-ce parler, cela? BALZAC, les Chouans, Pl., t. VII, p. 819.

b Parler pour donner ou échanger un avis. *Avec lui, c'est toujours le dernier qui parle qui a raison!* (→ Conteste, cit. 2). *Il a parlé à la dernière réunion et son intervention a été remarquée. Parler à son tour. Parler dans tel ou tel sens* (→ Discréditer, cit. 3). *Parler pour, contre...* (→ Mutilation, cit. 5). *Parler net, avec netteté* (cit. 6). ⇒ **Trancher** (→ Offrir, cit. 11).

c Parler en public. ⇒ **Allocution, conférence, discours, speech; déclamer, discourir, improviser, parole** (avoir, prendre la)... *L'art de parler en public.* ⇒ **Débit, élocution, éloquence; oratoire** (→ Diction, cit. 4; dire, cit. 21). *Parler à la tribune. Parler à la radio* (⇒ **Speaker**). *Facilité de parler.* ⇒ **Brio, faconde, verbosité** (→ Éloquence, cit. 4 et 9). *Parler face à une foule* (→ Gammée, cit. 2; officiel, cit. 1). *Les orateurs qui ont parlé contre la tyrannie* (→ Flatter, cit. 46). *Parler avec force, avec véhémence, chaleur, feu, flamme, fougue...* ⇒ **Tonner.** *Parler avec emphase, grandiloquence...* ⇒ **Tirade.** *Parler d'abondance*, sans notes. Parler ex cathedra*. Parler au nom de son parti.* ⇒ **Porte-parole.** *À l'assemblée du peuple athénien tout homme pouvait parler* (→ Démocratie, cit. 7). ⇒ **Chapitre** (avoir voix au). *Orateur qui tousse, s'éclaircit la voix avant de parler.*

21 Lafayette parla, froidement, sagement, puis Lally-Tollendal avec son entraînement irlandais, ses larmes faciles.
MICHELET, Hist. de la Révolution franç., II, I.

22 Autant il *(Jaurès)* avait de joie exubérante et saine (...) quand il parlait pour convertir, autant ceux qui le connaissaient bien devinaient en lui un arrière-plan de sincère tristesse quand il parlait pour combattre.
Ch. PÉGUY, la République..., p. 20.

d Révéler ce qu'on tenait caché. ⇒ fam. **Accoucher, jacter, sac** (vider son), **table** (se mettre à); **morceau** (manger le); → Accuser, cit. 22; dénoncer, cit. 6. *Parler pour s'épancher* (cit. 24), *pour se soulager. Parleras-tu enfin?* (→ Entendre, cit. 24). *Je lui avais recommandé de ne point parler* (→ Causeur, cit. 3). ⇒ **Indiscret.** *Parler sous la torture, sous la menace. Faire parler quelqu'un* (→ Biaiser, cit. 8; essayer, cit. 23). ⇒ **Délier, dénouer** (la langue), **jaser** (faire), **tirer** (quelque chose de quelqu'un). *La police saura bien le faire parler!* ⇒ **Confesser, ver** (tirer les vers du nez).

23 Un remords le harcelait d'avoir dit cette chose à Jean. Il se jugeait odieux, malpropre, méchant, et cependant il était soulagé d'avoir parlé.
MAUPASSANT, Pierre et Jean, IX.

(Cartes). Annoncer, déclarer son jeu. *À vous de parler! Vous n'aviez pas un jeu à parler. Ne pas parler.* ⇒ **Parole** (passer), **passer.**

♦ **4.** *Parler de (qqch.).* Prononcer des paroles, des discours relatifs à... ⇒ **Attaquer** (un sujet), **citer, mentionner, nommer, tenir** (des discours, des propos). *Parler d'une chose, d'un événement, d'un sujet...* (→ Cerveau, cit. 5; goujat, cit. 1; gourmandise, cit. 11; 2. idéal, cit. 18; médiocrité, cit. 2). *Toute la ville en parle* (→ Honte, cit. 5). *Parler de choses et d'autres, de la pluie et du beau temps. Parler de niaiseries, de banalités.* ⇒ **Débiter.** *Oublier de parler de son sujet :* se perdre en digressions. *Parler de littérature, de peinture, de voyages. Parler d'amour* (voir REM., *infra*). *Parler continuellement de...* ⇒ **Tarir** (ne pas). — *Je veux parler de... :* je fais allusion* à..., il est question* dans ma pensée de... ⇒ **Dire** (vouloir dire). *Je ne parle pas de... :* je ne fais pas allusion à... (→ Différence, cit. 9), je passe sous silence... (→ Campement, cit. 1). ⇒ **Prétérition.** *En parlant de... :* quand il s'agit de... (→ Docte, cit. 1; gribouillage, cit. 1). *Sans parler de... :* pour ne rien dire de..., sans tenir compte de... ⇒ **Indépendamment, outre** (→ Fonction, cit. 4). *Parlons-en!*, se dit ironiquement. *N'en parlons plus :* laissons cela, c'est une affaire entendue. *Cela ne vaut pas la peine d'en parler :* c'est une chose insignifiante, sans importance. *Croyez-moi, on en parlera :* c'est une chose qui fera du bruit* (→ Nullement, cit. 1). *Parler d'une chose comme un aveugle* (cit. 41) *des couleurs* (sans rien en connaître). *En parler à son aise*.* — *Entendre* parler* (vx, *ouïr* parler*) *de quelque chose.* — (1680, *in* D.D.L.). Prov. *Il ne faut pas parler de corde* dans la maison d'un pendu. Quand on parle du loup*, on en voit la queue.*

24 Or, quel est le principe fondamental du gouvernement démocratique ou populaire? (...) C'est la vertu, je parle de la vertu publique (...) de cette vertu qui n'est autre chose que l'amour de la Patrie et de ses lois.
ROBESPIERRE, Discours du 7 févr. 1794.

25 (...) celui-ci lui dit jovialement : « Appelez-moi mon gendre, et n'en parlons plus! » Par la suite on tint pour entendu que Paul (M. Gilson-Quesnel) était fiancé à Diane, et on n'en parla plus. ARAGON, les Cloches de Bâle, I, II.

(Au passif). *Il sera beaucoup parlé de ce voyage, il en sera parlé,* on en parlera beaucoup. *Il n'était parlé de la franc-maçonnerie qu'avec circonspection* (→ Fréquenter, cit. 10).

Il ne fut pas tout d'abord parlé de ce jeune béjaune, mais bien de son frère aîné (...) HUYSMANS, En ménage, XII. 26

Pron. *Il* (cit. 28) *ne se parlait parmi eux que de faux Christs.*

(XVIIe; → Œcuménique, cit. Bossuet). *Parler de* (suivi d'un nom sans prédéterminant). Prononcer, employer le mot de. *Dans ce cas, il vaudrait mieux parler d'orgueil que de timidité.* (⇒ **Dire, énoncer, prononcer**). *Dès qu'il parlait, c'était de...* (→ Cauchemar, cit. 5). *Ils osent parler de liberté* (→ Ameuter, cit. 2). *L'athée* (cit. 4) *parle toujours de religion. On parle sans cesse de bourgeoisie* (cit. 2), *mais... Lorsque le profane parle d'hérédité* (cit. 12) *humaine... Difficulté n'est pas le bon mot, il serait juste de parler d'inconfort* (cit. 2). — REM. On ne doit pas confondre cette construction avec des expressions comme *parler d'amour, de littérature,* où l'absence d'article est due au caractère général de ce dont on parle. *« À force de parler d'amour, l'on devient amoureux »* (cit. 3, attribuée à Pascal; → aussi Fantôme, cit. 6; faveur, cit. 31; ainsi que le tour *parler poésie*, ci-dessous II., 2.).

Et vous parlez d'individus, pauvres philosophes! (...) Que voulez-vous donc dire avec vos individus? Il n'y en a point (...) Il n'y a qu'un seul grand individu, c'est le tout (...) quand vous donnerez le nom d'individu à cette partie du tout, c'est par un concept aussi faux que si, dans un oiseau, vous donniez le nom d'individu à l'aile (...) Et vous parlez d'essences, pauvres philosophes! laissez là vos essences. 27
DIDEROT, Rêve de d'Alembert, Pl., p. 930-931.

(1549). *Parler de* (suivi d'un inf.). Annoncer, plus ou moins vaguement, l'intention, la possibilité de... (→ Intérieurement, cit. 2; infracteur, cit.; lot, cit. 1; miséricorde, cit. 3; nettoyer, cit. 17; novateur, cit. 1; obtenir, cit. 2). *Il parlait d'émigrer au Canada. « Qui parle d'offenser grand-père ni grand-mère? »* (→ Grammaire, cit. 1, Molière). *Ce grigou* (cit. 2) *ne parle pas de me mettre sur son testament.* ⇒ **Oublier.**

On parlait cependant beaucoup de rendre la capitale plus commode, plus propre, plus saine et plus belle qu'elle ne l'était : on en parlait, et on ne faisait rien. 28
VOLTAIRE, Dialogue, I.

Rancé courut de semblables dangers : aussitôt qu'il eut parlé de réforme, on parla de le poignarder, de l'empoisonner, ou de le jeter dans les étangs. 29
CHATEAUBRIAND, Vie de Rancé, p. 91.

Alors Hamilcar fit planter des croix pour ceux qui parleraient de se rendre (...) 30
FLAUBERT, Salammbô, XIII.

PARLER DE QQN (→ Amitié, cit. 24; gêner, cit. 25; hésiter, cit. 19). *Parler de soi avec complaisance, avec forfanterie* (⇒ **Hâbler**). *« On aime mieux dire du mal* (3. Mal, cit. 31, La Rochefoucauld) *de soi-même que de n'en point parler ». « Un homme modeste* (cit. 4, La Bruyère) *ne parle point de soi »* (→ Indiscrétion, cit. 4). *On parle de lui, les oreilles doivent lui tinter*. Ne parler mal* (cit. 8) *de personne,* ne dire du mal de personne. ⇒ **Blâmer, calomnier, critiquer, déblatérer.** *Entendre* (cit. 45) *parler de quelqu'un. Parler de quelqu'un en bien.* ⇒ **Louer, vanter.**

Les oreilles ont dû vous tinter, monsieur, lui dit-elle, pendant le voyage que nous avons fait avec Mme Verdurin. On ne parlait que de vous. 31
PROUST, À la recherche du temps perdu, t. II, p. 211.

Mais il y a toujours quelque ridicule à parler de soi, et juger de son propre personnage est aussi difficile que de se voir de dos dans un miroir de poche. 32
CLAUDEL, Positions et Propositions, t. I, p. 244.

Des gens célèbres, des gens dont on parle (→ Individu, cit. 25), qui sont l'objet de commentaires flatteurs. *Un jeune romancier qui fait beaucoup parler de lui. Homme médiocre* (cit. 7) *qui avec de l'adresse arrive à faire parler de lui.* ⇒ **Bruit, réputation.** — Péj. *Des femmes rejetées par leur milieu « parce qu'on parlait d'elles »* (→ Abreuver, cit. 9). ⇒ **Médire.** *Il, elle a fait beaucoup parler de lui, d'elle,* on en a dit beaucoup de mal (en particulier sur sa conduite, sa vie privée). → aussi Galanterie, cit. 17. ⇒ **Défrayer** (la chronique).

(...) cette estimable feuille qui, semblable aux Académies de province, en fille bien élevée, selon le mot de Voltaire, ne faisait jamais parler d'elle. 33
BALZAC, Illusions perdues, Pl., t. IV, p. 974.

« Faire parler d'elle », cette expression qui dans tous les mondes est appliquée à une femme qui a un amant, pouvait l'être dans le faubourg Saint-Germain à celles qui publient des livres, dans la bourgeoisie de Combray à celles qui font des mariages dans un sens ou dans l'autre « disproportionnés ». 34
PROUST, À la recherche du temps perdu, t. XV, p. 116.

♦ **5.** Avoir une conversation* avec quelqu'un. ⇒ **Causer, converser, deviser, dialoguer, discuter, entretenir** (s'). — REM. *Parler* est le mot le plus général et le plus neutre socialement (*causer* est régional ou marqué; *converser* et *deviser* archaïques, littéraires...). *Parler avec les femmes d'un air doctoral* (cit. 1). *Il avait toujours évité de parler de Berthe avec Marie* (→ Garder, cit. 73). *Nous avons longuement parlé.* ⇒ **Bavarder, giberner.** *Elles parlaient de leur amie interminablement* (cit. 1). *Nous avons à parler.* ⇒ **Entrevue, explication.** *Parler avec ses associés...* ⇒ **Conférer.**

(...) une petite ville (...) où l'on voit parler ensemble le bailli et le président (...) 35
LA BRUYÈRE, les Caractères, V, 50.

Si vous rencontrez un vrai Français, vous trouvez du plaisir à parler avec lui sur la littérature française (...) Mme DE STAËL, De l'Allemagne, I, IX. 36

(1080). **PARLER À QQN :** s'adresser* par la parole (à qqn) que cela aboutisse ou non à une conversation. ⇒ **Parole** (adresser la). *« Être avec des gens qu'on aime... leur parler, ne leur parler point... »* (→ Auprès, cit. 11, La Bruyère). *Parler à un inconnu. Répondez donc quand on vous parle. Tirer quelqu'un à part pour lui parler. Parler à l'oreille de qqn, parler à qqn dans le tuyau de l'oreille.*

⇒ **Souffler.** *Laissez-moi vous parler sans ambages* (cit. 2). *Moi* (cit. 21) *qui vous parle, j'ai connu... Est-ce à votre cocher ou à votre cuisinier que vous voulez parler?* (→ Autre, cit. 106). *Il parlait à son corps comme on parle à un serviteur* (→ Carcasse, cit. 5). *Ma mère ne me parle plus* (→ Encre, cit. 2). *Parler durement.* ⇒ **Rudoyer.** *Qu'est-ce que c'est que ces manières de parler à un supérieur?* (→ Étouffer, cit. 13). *Je vous parle d'homme à homme* (cit. 116). *Une de ces filles insignifiantes* (cit. 7) *à qui on ne parle pas. — Parler à la cantonade*. Parler à un mur*. Autant parler à un sourd*.*

37 Un riche laboureur, sentant sa mort prochaine,
Fit venir ses enfants, leur parla sans témoins. LA FONTAINE, Fables, V, 9.

38 J'ai voulu lui parler, et ma voix s'est perdue.
RACINE, Britannicus, II, 2.

39 Quand une femme vous parle, écoutez ce que disent les yeux.
HUGO, Post-Scriptum de ma vie, «Tas de pierres», VI.

40 (...) de vieilles gens bavardes, qui ressassaient toujours les mêmes plaisanteries et se lançaient dans d'interminables discussions sur l'art, sur la politique, ou sur les généalogies des familles du pays, — bien moins intéressés par les sujets dont ils parlaient, qu'heureux de parler et de trouver à qui parler.
R. ROLLAND, Jean-Christophe, Le matin, I, p. 117.

Loc. *Trouver à qui parler* : trouver un interlocuteur* qui sait répondre, répliquer, tenir tête. *Vous trouverez à qui parler,* se dit en manière de menace.

41 Maxence avait donc en face un ennemi redoutable; il trouvait, selon le mot du pays, *à qui parler.* BALZAC, la Rabouilleuse, Pl., t. III, p. 1055.

42 (...) quant à notre duègne, elle est un peu sorcière, et si le diable vient, il trouvera à qui parler. Th. GAUTIER, le Capitaine Fracasse, II.

Vx. *Parler à moi, à lui...* (au lieu de *me, lui... parler*). *Parlant à vous* (→ Louche, cit. 1, Ronsard).

43 Mais il est mon époux, et tu parles à moi.
CORNEILLE, Polyeucte, III, 2.

Pron. (Réfl.). **SE PARLER.** *Un homme qui se parle à lui-même.* ⇒ **Monologue** (cit. 4. → Fourmiller, cit. 10; interlocuteur, cit. 2). — (Récipr.). *Donner à deux amants l'occasion de se parler* (→ Entremetteur, cit. 5). *Se voir chaque jour sans se parler* (→ Fermenter, cit. 4). *Se parler sans feinte* (→ Fois, cit. 1, Racine). *Ils ne se parlent plus* : ils sont brouillés.

44 Il serait plus doux de se parler que de s'écrire; mais la destinée recule toujours le temps heureux où Paris doit nous réunir.
VOLTAIRE, Correspondance, 702, 11 juil. 1741.

45 Il y a des gens de génie à Paris qui passent leur vie *à se parler,* et qui se contentent d'une espèce de gloire de salon. BALZAC, la Cousine Bette, Pl., t. VI, p. 321.

46 (...) ils se parlaient de plus en plus bas, la main toujours dans la main (...)
LOTI, Pêcheur d'Islande, IV, VII.

47 Nous nous saluons, mais nous ne nous parlons pas.
Mot attribué à VOLTAIRE, à PIRON... à propos de Dieu. — «Il aurait été dit par un libre penseur surpris en train de se découvrir devant un crucifix» (GUERLAC).

Parler de qqch. (de qqn), à qqn. Je voudrais vous en parler. ⇒ **Mot** (toucher un). *Il me parla de toutes sortes de sujets* (→ Converser, cit. 2). *Ceux qui vous parlent de leurs amours* (→ Farceur, cit. 5). *Il n'osa pas lui parler de l'affaire* (→ Go, cit. 1). *«Vous me parlez toujours d'inceste* (cit. 1) *et d'adultère»* (Racine). *Lorsqu'un médecin vous parle d'aider la nature* (→ Médecine, cit. 2; et aussi ci-dessus 4., *supra* cit. 28 avec l'infinitif). — *Il m'a beaucoup parlé de vous et de votre frère... C'est la femme dont il nous parlait l'autre jour.* — Par ext. *La Politique nous parle aussi de liberté* (cit. 25, Valéry).

48 Nous nous taisions donc sur la pensée unique qui nous occupait constamment. Nous nous prodiguions des caresses, nous parlions d'amour; mais nous parlions d'amour de peur de nous parler d'autre chose. B. CONSTANT, Adolphe, V.

49 Nous marcherons ainsi, ne laissant que notre ombre
Sur cette terre ingrate où les morts ont passé;
Nous nous parlerons d'eux à l'heure où tout est sombre.
A. DE VIGNY, Poèmes philosophiques, «la Maison du berger», III.

Parlez-moi de cela, de ça! : c'est une chose remarquable, excellente; vous me ferez plaisir en m'en parlant. *Parlez-moi d'un associé comme ça, c'est un plaisir de travailler avec lui. — Ne m'en parlez pas!,* se dit avec une nuance d'agacement, de mépris, d'une chose désagréable sur laquelle on préfère se taire. *Qu'on ne me parle plus de...* : je ne veux plus entendre* parler de...

50 Qu'on ne me parle plus de la méchanceté du monde. Un simple jeu de petite fille la rend anodine. Qu'on ne me parle plus de la fatalité, elle n'existe que par la veulerie des êtres. Ruses des hommes, désirs des dieux, ne tiennent pas contre la volonté et l'amour d'une femme fidèle (...) GIRAUDOUX, Amphitryon 38, II, 7.

Fam. (À la 2e pers. de l'indic. prés. seulement, avec une nuance de moquerie ou de colère, parfois aussi d'admiration). *Tu parles!* (→ Antiphrase, cit. 2). *Tu parles, Charles! Bonne cuisinière, tu parles! elle n'est pas fichue de faire cuire un œuf! — Tu parles d'un idiot!* (→ Quel* idiot!). *Tu parles de fumiers* (cit. 11, Dorgelès), *ces cuistots-là! Tu parles d'une guerre à la noix* (cit. 7). *Toujours dernier, vous parlez d'un champion!* (→ Drôle de). — (Exprimant l'admiration). *Elle est belle, n'est-ce pas? Tu parles!* ⇒ **Comment** (et comment!).

51 (...) ils vont brûler les documents secrets. Tu parles d'un secret : des ordres que j'ai tapés moi-même. SARTRE, la Mort dans l'âme, p. 65.

B. ♦ **1.** S'exprimer (par écrit, par gestes; autrement que par la parole). *Apprendre aux muets* (cit. 18) *à parler par signes. Se parler des yeux* (cit. 41), *du regard. Leur mimique leur permettait de se parler et de se comprendre. — Ainsi parle Littré* (→ Ironie, cit. 1).

♦ **2.** *Parler de qqn, de qqch.* : traiter par écrit de qqch., aborder par écrit qqch. *J'ai parlé des ruines d'Athènes* (→ Amateur, cit. 3). *On a beaucoup parlé des cahiers* (cit. 6) *des États Généraux* : il y a une littérature abondante sur la question. *J'ai réuni des coupures* (cit. 5) *de journaux qui parlaient de vous. «Pourvu que je ne parle en mes écrits* (cit. 7, Beaumarchais) *ni de l'autorité, ni du culte...» MM. de Port-Royal ont banni de leurs écrits l'usage de parler d'eux-mêmes...* (→ Égoïsme, cit. 1). *Je voudrais pouvoir parler de cela dans la revue* (→ Fin, cit. 42). *Vous ne m'en avez pas parlé dans votre dernière lettre* (→ Ligoter, cit. 2). *Parler d'un camembert* (cit.) *en poésie! Parlons maintenant de...* ⇒ **Venir** (en). *Une nouvelle où il est parlé de deux amants* (→ Manche, cit. 13). ⇒ **Question** (être). Fam. *De quoi ça parle, ce bouquin?*

Je ne parle pas des fous, je parle des plus sages; et c'est parmi eux que l'imagi- 52
nation a le grand don de persuader les hommes. PASCAL, Pensées, II, 82.

Les vers qui parlaient d'amour portèrent à la fois dans l'âme de l'ingénu le plai- 53
sir et la douleur. VOLTAIRE, Ingénu, XII.

Sans doute il est trop tard pour parler encore d'elle. 54
A. DE MUSSET, Poésies nouvelles, «À la Malibran», I.

Est-ce donc la vie d'un homme? Oui, et la vie des autres hommes aussi (...) Hélas! 55
quand je vous parle de moi, je vous parle de vous (...) Ah! insensé, qui crois que je ne suis pas toi. HUGO, les Contemplations, Préface.

Au passif :

(...) un article (...) où il était parlé d'*inquiétude de la jeunesse,* de *déceptions* 56
nationales (...) J. ROMAINS, les Hommes de bonne volonté, t. XI, XXV, p. 245.

REM. Cet emploi correspond à l'absence de cette construction avec le verbe *écrire.*

♦ **3.** *Parler à...* : s'adresser à... (un aspect de la personnalité du destinataire, du lecteur). *Philosophe qui parle à la raison. Rousseau a su parler au cœur de ses contemporains.* ⇒ **Émouvoir, toucher.** (Sujet n. de chose). *Des vers, des mélodies qui parlent à l'âme, au cœur* (cit. 89).

Je voudrais parler non pas à la mémoire de mes lecteurs, mais à leur bon sens, et 57
l'on a plus tôt fini quand on parle au bon sens qu'à la mémoire.
MONTESQUIEU, Cahiers, IX, De l'esprit des lois.

(...) vous verrez que les plus grands *(peintres)* sont des philosophes égarés dans la 58
peinture, plus capable de parler à la raison qu'aux yeux, et dont l'instrument devrait être une plume, non un pinceau. TAINE, Philosophie de l'art, t. I, p. 145.

♦ **4.** (Sujet non humain). Rendre, produire des sons qui ressemblent à la parole ou que l'on interprète comme des paroles porteuses d'une signification. *Des rossignols parlant de leurs douces amourettes* (cit. 2). *Le piano parlait sous les doigts. Faire parler sa lyre.* Loc. *Faire parler la poudre* : tirer des coups de feu; combattre.

L'une *(des voix)* venait des mers; chant de gloire! hymne heureux! 59
C'était la voix des flots qui se parlaient entre eux. HUGO, les Feuilles d'automne, V.

♦ **5.** (Sujet n. de chose). Exprimer qqch. autrement que par la parole. — *Danseuse* (cit. 3) *dont les mains parlent.* ⇒ **Éloquent, expressif.** *Les yeux parlent pour la bouche muette* (→ Inversion, cit. 1).

Un soupir, un regard, une simple rougeur, 60
Un silence est assez pour expliquer un cœur;
Tout parle dans l'amour. MOLIÈRE, Don Garcie, I, 1.

(...) en lui tout parlait d'amour, excepté ses paroles (...) 61
STENDHAL, Romans et Nouvelles, Féder, VI.

Vous êtes peintres, mes enfants; que votre bouche soit muette, et que votre main 62
parle pour vous. A. DE MUSSET, Andréa del Sarto, I, 5.

Sigognac (...) admirait fort l'Isabelle, et ses yeux parlaient pour sa bouche. 63
Th. GAUTIER, le Capitaine Fracasse, II.

Plus cour. (Le sujet désigne une abstraction). *Lorsque la volonté se tait, l'instinct parle* (→ Absence, cit. 16). *La voix du corps parle-t-elle plus haut que celle de l'esprit?* (→ Effervescence, cit. 3). *L'imagination et la volonté parlent ici plus haut que l'intelligence* (→ Farouche, cit. 15). *Quand le cœur parle* (→ Épanchement, cit. 5). *Laisser parler son cœur, son chagrin* (cit. 3). ⇒ **Abandonner** (s'), **communiquer** (se), **confier** (se), **déboutonner** (se). *Les discours où les grandes passions doivent parler* (→ Fleurir, cit. 28). *«Et ce n'est point ainsi que parle la nature»* (cit. 57, Molière). *Quand mes sens ont parlé* (→ Gronder, cit. 4). *«L'honneur* (cit. 29) *parle, il suffit...»* (Racine). *La réalité présente parlait plus haut que les rêves du passé* (→ Impérieux, cit. 10). *La vérité parle par sa bouche. Les faits parlent d'eux-mêmes* (→ Croire, cit. 17), on n'a pas besoin d'y ajouter des paroles, des commentaires. ⇒ **Évident, compréhensible.**

Allez, indigne époux, le fait parle de soi, 64
Et l'imposture est effroyable. MOLIÈRE, Amphitryon, II, 2.

D'un mensonge si noir justement irrité, 65
Je devrais faire ici parler la vérité (...) RACINE, Phèdre, IV, 2.

Fierté, raison et richesse, il faudra que tout se rende. Quand l'amour parle, il est 66
le maître (...) MARIVAUX, les Fausses Confidences, I, 2.

Parler pour... Son mérite, son passé parlent pour lui, en sa faveur (cit. 25). ⇒ **Plaider.** *Il n'a rien qui parle pour lui.* ⇒ **Recommander.** *Tout parle contre lui,* tout l'accuse, le dessert, le rend suspect.

Tout lui parle, Madame, en faveur d'Agrippine (...) 67
(...) Mais tout, s'il est ingrat, lui parle contre moi. RACINE, Britannicus, I, 1.

68 (...) ses quarante mille livres de rente en fonds de terre parlaient suffisamment pour elle *(une jeune fille à marier).*
BALZAC, la Femme abandonnée, Pl., t. II, p. 240.

69 Malheureusement son habit, son triste déguisement, parlait peu pour lui. Ce laquais, en petite perruque, ne rappelait guère le Roi.
MICHELET, Hist. de la Révolution franç., IV, XIII.

Parler, parler à... Les pierres, le marbre doivent parler (→ Architecture, cit. 1). *Certains édifices sont muets, d'autres parlent* (→ Chanter, cit. 11). *Portraits, statues, médailles... ces documents* (cit. 5) *parlent aux yeux.* ⇒ **Impression** (faire). *Spectacle qui parle à l'œil.* ⇒ **Charmer, plaire** (à). *L'imagination* (cit. 6) *parle toujours à nos sens. Nouvelles, chiffres qui parlent à l'imagination* (→ Normal, cit. 3).

70 Ils se plaisent dans l'idéal, parce qu'il n'y a rien dans l'état actuel des choses qui parle à leur imagination. Mme DE STAËL, De l'Allemagne, II, II.

71 Laissons parler ces charmantes gravures où Gavarni a chanté ce vif et brillant poème de la jeunesse (...) Th. GAUTIER, Souvenirs de théâtre..., Gavarni, V.

Parler de... Il n'y a rien dans la nature qui ne lui parle de ce qu'il aime (→ Imaginer, cit. 5). *Tout parle de sa gloire* (→ Mur, cit. 8).

72 (...) ici toute chose aime,
Tout parle de l'amour, tout s'en veut enflammer.
RONSARD, Second Livre des amours, I, XXVIII.

73 Je passe donc rapidement ces cellules déjà à moitié abattues pour me promener dans les salles du palais : là, tout me parle d'un événement dont on ne retrouve de trace qu'en remontant jusqu'à Sciarra Colonna (...)
CHATEAUBRIAND, Mémoires d'outre-tombe, t. V, p. 134.

74 Nous avons fait des moindres choses de la nature des complices de nos félicités; tout est vivant, tout nous parle de nous dans ces bois ravissants.
BALZAC, Mémoires de deux jeunes mariées, Pl., t. I, p. 305.

★ **II.** V. tr. ♦ **1.** Pouvoir s'exprimer au moyen de (une langue). *Parler plusieurs langues. Parler un dialecte, un patois. La langue que parlait Jésus* (→ Araméen, cit.). *La langue qu'il était appelé à parler* (→ Dictionnaire, cit. 16). *Pourquoi les hommes* (cit. 72) *n'ont pas voulu parler une même langue. On parle toutes les langues ici!* (→ C'est une vraie tour* de Babel). *Caractère commun aux sujets parlant un même idiome* (cit. 4). *Il ne parle pas souvent sa langue maternelle* (mais il la connaît, il la «parle» encore, au sens traité ci-dessous). *Il s'est formé et parlé en France une langue romane unique* (→ Matrice, cit. 2). *Langue actuellement parlée* (⇒ **Vivant**), *qui n'est plus parlée* (⇒ **Mort**). *Les langues parlées en Chine* (→ Mandarin, cit. 6). — Pron. (passif). *Le français se parle dans beaucoup de pays.*

75 Mes domestiques français s'impatientaient de la lenteur allemande et s'étonnaient de n'être pas compris quand ils parlaient la seule langue qu'ils crussent admise dans les pays civilisés. Mme DE STAËL, De l'Allemagne, I, XIII.

76 Non, je ne tiens pas à me battre, moi, Français, pour des Français qui parlent ma langue et qui me font sentir si clairement dans notre idiome commun que nous n'avons rien de semblable. J. CHARDONNE, les Destinées sentimentales, p. 336.

Parler français (cit. 15), *anglais, chinois, wolof, arabe, créole...* (→ Assimiler, cit. 20; exterminer, cit. 8; hache, cit. 6). *« Mais sa muse* (cit. 7) *en français parlant grec et latin »* (Boileau). Loc. fig. *C'est comme si on lui parlait hébreu** (cit. 7), *chinois**, il ne comprend pas. *Parler français* (cit. 20) : s'exprimer clairement, intelligiblement. *Parlez-vous franglais?* ouvrage d'Étiemble. — Loc. prov. *Quand les ânes parleront latin* (⇒ **Jamais**).

77 Et, dans le cercle des jeunes filles, aussitôt on se mit à parler allemand, avec la même aisance que tout à l'heure pour le français.
LOTI, les Désenchantées, I, II.

Savoir employer (une langue). *Interprète qui parle couramment deux, plusieurs langues.* ⇒ **Bilingue, polyglotte** (→ Borgne, cit. 4). *Il parle encore, il ne parle plus sa langue maternelle. Parler mal une langue.* ⇒ **Baragouiner, écorcher, jargonner** (→ 1. Lire, cit. 17). — (Suivi du nom d'une langue, précédé ou non de l'article défini — ou de l'article indéf. avec un qualificatif : *il parle un français excellent, approximatif*). *Il parle très bien le français, un français impeccable* (→ Discernable, cit.), *il le parle à merveille* (→ Français, cit. 19).

Loc. *Parler le français comme une vache* espagnole.* — REM. En général, *parler français* signifie simplement «s'exprimer en français», alors que *parler le français* signifie «savoir s'exprimer en français». Cependant la distinction n'est pas absolue : ainsi Montesquieu dit de Mazarin qu'*il ne parle pas bien français* (→ Écorcher, cit. 7), et de même un Français à l'étranger, entrant dans un magasin, demandera : *Parlez-vous français?* Dans ces deux cas on attendrait plutôt *le français* (pour *parler en français*, → ci-dessus, *infra* cit. 10.1).

78 (...) j'entends très bien l'italien; il y a du moins peu de choses qui m'échappent quand on ne le parle pas trop vite; pour ce qui est de le parler, je baragouine quelques mots. FLAUBERT, Correspondance, 273, 4 déc. 1850.

79 (...) bien parler le français c'est le parler sans accent (...)
VALÉRY, Regards sur le monde actuel, p. 128.

Utiliser (une langue spéciale). *Parler argot* (cit. 3 et 6). *« Mais je ne saurais, moi, parler votre jargon »* (cit. 5, Molière). *Parler la langue de Rivarol ou de Chamfort* (→ Cautère, cit. 3). — Ellipt. *« Parler Vaugelas »* (→ Manquer, cit. 43, Molière). — *Parler le langage le plus simple* (→ Chercher, cit. 20), *le langage de l'atelier* (→ Homérique, cit. 3), *la langue des dieux* (→ Improviser, cit. 1), *le langage* (cit. 12) *des halles, de l'enfance* (→ Garçon, cit. 6), *une langue* (cit. 36) *très abstraite, ...* — Au p. p. *Le français bien parlé ne chante presque pas* (→ Diction, cit. 3). — Pron. *Les Français n'ont de goût* (cit. 23) *que pour ce qui se parle et se lit.*

Sans s'en douter, un homme vraiment touché dit des choses charmantes, il parle une langue qu'il ne sait pas. STENDHAL, De l'amour, XXIII. 80

J'aime surtout les vers, cette langue immortelle, 81
C'est peut-être un blasphème, et je le dis tout bas;
Mais je l'aime à la rage. Elle a cela pour elle
Que les sots d'aucun temps n'en ont pu faire cas,
Qu'elle nous vient de Dieu, — qu'elle est limpide et belle,
Que le monde l'entend, et ne la parle pas.
A. DE MUSSET, Premières poésies, «Namouna», II, II.

Par ext. *Le langage* (cit. 8) *que parlent les sourds-muets* (→ Hagard, cit. 4); *la langue* (cit. 26) *que les enfants parlent avant de savoir parler.*

Par métaphore, fig. *La musique* (cit. 8) *est une langue qu'on ne saurait parler sans génie. Chaque art doit parler le langage* (cit. 33) *qui lui est propre. Rembrandt a d'abord parlé la langue de son maître* (cit. 90). *Parler le langage* (cit. 29 et 30) *des passions, de la raison* (→ Couler, cit. 8). *« Tout y parlerait À l'âme en secret Sa douce langue natale »* (cit. 1, Baudelaire). *« L'intérêt parle toutes les langues »* (→ Désintéresser, cit. 3, La Rochefoucauld). — REM. Dans ces emplois plus ou moins métaphoriques, *parler* a la même extension que *langue* et *langage.*

♦ **2.** (Avec un complément sans article). Aborder ou traiter, dans la conversation (un sujet, un thème). → ci-dessus, I., A., 4., *Parler de... Parler affaires, boutique, comptes, chicane, travail...* (→ Causer, cit. 8). *Parler politique, littérature* (→ Franc-parler, cit. 3; goutte, cit. 51; 1. montre, cit. 7). *On leur parle amitié, ils comprennent sexe* (→ Homme, cit. 128).

Moi, j'irais me charger d'une spirituelle 82
Qui ne parlerait rien que cercle et que ruelle.
MOLIÈRE, l'École des femmes, I, 1.

Si vous continuez à parler passion quand je vous parle mariage, nous ne nous entendrons bientôt plus. BALZAC, la Maison du Chat-qui-pelote, Pl., t. I, p. 66. 83

Parler romans, c'est comme si chacun avait parlé de sa vie. 84
BARBEY D'AUREVILLY, les Diaboliques, «Le dessous de cartes...», p. 205.

(...) la conversation allait bon train; on parlait modes nouvelles, ajustements, santé des enfants, singularités des époux, emportements même de ces messieurs (...) 85
J.-A. DE GOBINEAU, Nouvelles asiatiques, p. 103.

J'ai parlé littérature. Je parlerais tout aussi bien langage : discussion, cri, aveux, récits à la veillée. J. PAULHAN, les Fleurs de Tarbes, p. 22. 86

(Il) se mit à parler vers et poètes, revues, écoles, symbolisme, unanimisme, ghildes, hurles aux loups, café du Dôme, simultanéistes (...) 87
R. DORGELÈS, le Cabaret de la belle femme, «Poète sous le pot de fleurs».

M. de Maubrun se taisait. Il souffrait. Le simple fait de «parler gros sous» était, pour lui, déjà, un supplice. Michel DE SAINT-PIERRE, les Aristocrates, V. 88

Parler raison : parler le langage de la raison (→ Entendre* raison). — *Révérence* parler.*

Mon fils aîné a onze ans, reprit Madame de Rênal tout à fait rassurée, ce sera presque un camarade pour vous, vous lui parlerez raison. 89
STENDHAL, le Rouge et le Noir, I, VI.

Rare (avec un compl. déterminé) :

Il doit être fou (...) dit froidement M. de Percy, parlant sa pensée comme s'il avait été seul. BARBEY D'AUREVILLY, le Chevalier des Touches, p. 41. 90

♦ **3.** Mus. Dire sans chanter (une partie du livret). *Ce récitatif est à parler, doit être parlé.* — Au p. p. *Déclamation chantée et déclamation parlée dans l'opéra* (cit. 2). *Pièces vocales insérées au milieu du dialogue parlé* (→ Ariette, cit. 2). N. m. *Le parlé dans l'opéra-comique* (cit.), *dans l'opérette* (cit. 2).

▶ **SE PARLER** v. pron. Voir à l'article.

▶ **PARLÉ, ÉE** p. p. adj. Voir à l'article; et aussi Parlé, adjectif.

CONTR. Taire (se). — **Muet** (être, rester muet).

DÉR. Parlage, parlant, parlé, parlement, 2. **parler, parlerie, parleur, parloir, parlote, parlure.**

COMP. Déparler, pourparler, reparler. — Parlophone.

2. PARLER [paʀle] n. m. — V. 1155; de 1. *parler.*

♦ **1.** (V. 1175). Vx. Action, faculté de parler. ⇒ **Parole.** *N'interromps pas mon parler* (→ Lieu, cit. 21, Montaigne). — Mod. *Franc-parler.* ⇒ **Franc-parler.**

(...) Voulez-vous que j'écoute à jamais? 1
Partageons le parler, au moins, ou je m'en vais.
MOLIÈRE, le Dépit amoureux, II, 6.

♦ **2.** Mod. Manière de parler. **a** Quant à la prononciation. *Un parler confus* (→ Articuler, cit. 7), *mal articulé* (→ Balbutiement, cit. 1), *guttural et rude* (→ Énonciation, cit. 2), *un peu gras* (cit. 35), *grasseyant* (cit. 2), *lent, traînant... Le parler particulier des speakers à la radio* (→ Maison, cit. 42).

Marius était attentif au parler de cet homme. Il épiait l'accent et le geste, mais son désappointement croissait; c'était une prononciation nasillarde, absolument différente du son de voix aigre et sec auquel il s'attendait. 2
HUGO, les Misérables, V, IX, IV.

Son parler avait quelque chose de rude. Cette voix, d'une grâce sévère, apparaissait rauque, masculine aux naïfs. 3
R. RADIGUET, le Bal du comte d'Orgel, p. 28.

b Quant à l'expression, au style. *Affectation* (cit. 5) *dans le parler.*

Le parler obscur, ambigu (cit. 1, Montaigne) *du jargon prophétique. « J'aime un parler succulent et nerveux... »* (cit. 2, Montaigne). *Un parler incorrect, commun. Avoir un parler bref* (cit. 6). *« Le doux* (cit. 7) *parler ne nuit de rien »* (La Fontaine). *Les mots du parler de tous les jours* (→ Désapprobation, cit. 1).

♦ **3.** (1665). Ling., cour. « Ensemble des moyens d'expression employés par un groupe à l'intérieur d'un domaine linguistique » (Marouzeau). ⇒ **Dialecte** (cit. 1 et 2), **idiome, usage, usance.** *Les différents parlers des provinces françaises. Les parlers régionaux* (→ Français, cit. 12), *locaux* (→ Gallo-, cit. 2), *citadins. Parlers ruraux.* ⇒ **Patois.** *Parlers spéciaux* (propres à tel groupe social). ⇒ **Usage; sociolecte.** *Parler d'usage, courant* (par oppos. à *langue littéraire*).

4 (...) on voit apparaître, depuis que le français *se parle* dans les provinces et dans les milieux les plus modestes de la province, une *espèce* nouvelle, qui est de type français (...) modifié par l'accent local, le vocabulaire, la syntaxe du dialecte local (...) Et nous avons là, sur notre sol, l'illustration d'une loi générale : les pays à dialectes tendent à se laisser absorber et unifier par une langue commune; la langue commune (...) tend à se fragmenter en parlers diversifiés.
A. BRUN, les Parlers régionaux, p. 153.

PARLERIE [paʀləʀi] n. f. — 1285; de *parler.*

♦ **1.** Vx. Éloquence (Montaigne).

♦ **2.** (Av. 1615). Fam., rare. Parole pléthorique et inutile. ⇒ **Bavardage, parlage.**

1 (...) il *(Ponge)* s'est détourné de la grande parlerie surréaliste qui a consisté pour beaucoup à choquer des mots sans objets les uns contre les autres.
SARTRE, Situations I, p. 253.

2 Dans ces groupes, on parle pour parler. Pour se sentir ensemble (« in »). Pour communiquer, pour entretenir aussi la vie de groupe qui ne consiste qu'en cette communication, sans objet ni objectif. C'est le règne de la parlerie, du verbiage et du bavardage, passant dans l'écriture à la première occasion. Cette profusion langagière, notée par les écrivains, a des corollaires d'ordre socio-économique.
Henri LEFEBVRE, la Vie quotidienne dans le monde moderne, p. 226.

PARLEUR, EUSE [paʀlœʀ, øz] n. — XIVe; *parlere*, v. 1165; de 1. *parler.*

♦ **1.** (Accompagné d'une épithète précisant la façon de parler). Personne qui parle. *Un grand parleur :* une personne qui parle beaucoup. ⇒ **Bavard, discoureur** (→ Babillard, cit. 1, La Bruyère; désemplir, cit. 2; journalier, cit. 5). *Un parleur agréable, insinuant* (cit. 1). *« Ni fade adulateur* (cit. 2), *ni parleur trop sincère »* (La Fontaine). *« C'est un parleur étrange... »* (→ Discours, cit. 3, Molière). — Vieilli. *Beau parleur :* personne qui s'exprime bien, éloquente. *Avocat qui veut faire le beau parleur* (→ Ichtyophage, cit. 1, Furetière). — (1772). Mod. Qui aime à faire de belles phrases. ⇒ **Phraseur** (→ Beau, cit. 46; égayer, cit. 11).

1 La trop grande parleuse est d'agréable humeur (...)
MOLIÈRE, le Misanthrope, II, 4.

2 (...) beau parleur, c'est-à-dire faiseur de longues phrases, et content de lui si jamais docteur le fut.
ROUSSEAU, les Confessions, II.

3 Un petit homme extrêmement noir entra bientôt avec fracas, et se mit à parler dès la porte (...) Dès l'arrivée de ce parleur impitoyable, des groupes se formèrent, apparemment pour éviter l'ennui de l'écouter.
STENDHAL, le Rouge et le Noir, II, XXI.

4 (...) il est plus parleur agréable qu'orateur, mais cela suffit à ce que nous demandons à la politique.
BALZAC, Mémoires de deux jeunes mariées, Pl., t. I, p. 298.

5 Eux-mêmes *(ces barbares)* parleurs terribles, infatigables, abondants en figures, solennels et burlesquement graves dans leur prononciation gutturale, c'était une affaire dans leurs assemblées que de maintenir la parole à l'orateur au milieu des interruptions.
MICHELET, Hist. de France, I, I.

6 En voiture il était joyeux, parleur et plein de gaietés amusantes qu'il interrompait par d'aimables et ironiques : « Voyons, dis-le, ça te fait de la peine de me voir comme ça ? »
Éd. de GONCOURT, les Frères Zemganno, LXXIX.

7 Un beau parleur, c'est un homme qui jongle très bien avec des boulets vides.
J. RENARD, Journal, 21 janv. 1892.

Adj. (XIIIe). *L'oiseau parleur* (La Fontaine, X, 11).

♦ **2.** (Fin XVIe). Personne qui aime à parler. *Les taciturnes et les parleurs* (→ Groupe, cit. 16).

♦ **3.** (1678). Rare. Personne qui parle en public. ⇒ **Orateur** (→ Ânonner, cit. 2; interrogatif, cit. 4).

8 Le Sénat demanda ce qu'avait dit cet homme,
Pour servir de modèle aux parleurs à venir.
LA FONTAINE, Fables, XI, 7.

9 Rien n'est plus méprisable qu'un parleur de métier qui fait de ses paroles ce qu'un charlatan fait de ses remèdes.
FÉNELON, Lettre à M. Dacier sur des occupations de l'Académie, IV.

10 Mon cher, quel que soit le système politique, les hommes de pouvoir sont toujours des parleurs.
G. DUHAMEL, Salavin, V, IX.

Par extension :

11 L'écrivain est un *parleur :* il désigne, démontre, ordonne, refuse, interpelle, supplie, persuade, insinue.
SARTRE, Situations II, p. 70.

♦ **4.** (1897, *Année sc., et industr.* 1898, p. 220). Fig., vx. *Parleur automatique :* phonographe (→ Haut-parleur).

CONTR. Taciturne.
COMP. Haut-parleur.

PARLOIR [paʀlwaʀ] n.m. — V. 1268; *parleor*, v. 1130; de *parler.*

♦ **1.** Vx. *Parloir aux bourgeois :* hôtel de ville.

♦ **2.** Régional. Grande pièce (dans une maison particulière), sorte de salon où l'on cause, où l'on reçoit. ⇒ **Exèdre.**

Au rez-de-chaussée, la première pièce était un parloir éclairé par deux croisées du côté de la cour, et par deux autres qui donnaient sur un jardin (...) rien ne pouvait égaler aux yeux de Claës, ni au jugement d'un connaisseur, les trésors qui ornaient cette pièce, où, depuis deux siècles, s'était écoulée la vie de la famille. 1
BALZAC, la Recherche de l'absolu, Pl., t. IX, p. 482.

♦ **3.** (V. 1155, *parleür*). Mod. Salle où sont admis les visiteurs qui veulent s'entretenir avec un pensionnaire d'un établissement religieux, scolaire, hospitalier, pénitentiaire, etc. *Parloir d'un couvent* (→ Grille, cit. 6; guichet, cit. 2; monacal, cit. 2). *Parloir d'une prison* (→ Grille, cit. 7). *Élève appelé au parloir. Un tel, au parloir! Les parents qui attendent dans le parloir du lycée, au parloir.* ⇒ **Attente** (salle, salon d'). *La scène du parloir* (du séminaire de Saint-Sulpice), *dans Manon Lescaut.*

Il était six heures du soir. On vint m'avertir, un moment après mon retour, qu'une dame demandait à me voir. J'allai au parloir sur-le-champ. Dieux! quelle apparition surprenante! J'y trouvai Manon. C'était elle, mais plus aimable et plus brillante que je ne l'avais jamais vue. 2
Abbé PRÉVOST, Manon Lescaut, I.

Au couvent de la rue du Temple (...) le parloir lui-même était un salon parqueté dont les fenêtres s'encadraient de bonnes-grâces en mousseline blanche et dont les murailles admettaient toutes sortes de cadres (...) 3
HUGO, les Misérables, II, VI, X.

Un bref séjour à Paris — j'y fêtais mes quinze ans — me permit de visiter la pensionnaire. Mais je vis bien qu'au parloir elle avait hâte de quitter « l'enfant de la laïque », et c'est moi qui eus envie de pleurer. 4
COLETTE, Belles saisons, p. 242.

PARLOPHONE [paʀlɔfɔn] n.m. — V. 1960; marque; mot hybride, de *parler*, et *phone.*

♦ Dispositif acoustique (⇒ **Interphone**) permettant de mettre en communication la porte d'entrée d'un immeuble et les occupants.

C'est comme lorsqu'on remplace les concierges par des parlophones.
Roger BORNICHE, le Ricain, p. 141.

PARLOTAGE [paʀlɔtaʒ] n.m. ⇒ **Parloter,** REM.

PARLOTE ou PARLOTTE [paʀlɔt] n. f. — 1829, *parlotte, La Mode, in* Matoré, *le Vocabulaire et la Société sous Louis-Philippe*, p. 48; de *parler*, et *-ote* ou *-otte.*

♦ **1.** Fam. Assemblée, réunion de gens qui bavardent ou s'exercent à la parole; lieu où se tient une telle réunion. ⇒ **Conférence.** *Assister à des parlottes* (→ Modeste, cit. 3). *Tenir une parlotte.* — (1867). Local où les avocats s'entretiennent au Palais.

Dans la cour et les couloirs de l'École de Droit (...) je me lie avec des camarades qui, au milieu des luttes parlementaires d'alors, s'enfièvrent pour la politique, brûlent de s'y mêler et, en attendant, se plaisent à des simulacres qui leur en donnent l'illusion (...) je me laisse entraîner par eux à une assez gaie et comique parlote d'étudiants où, comme à la fameuse conférence Molé (...) il y avait une Droite, un Centre et une Gauche. 1
Georges LECOMTE, Ma traversée, p. 160.

Le Local, — que les familiers de Meynestrel nommaient généralement la *Parlote,* — était discrètement installé en plein cœur de la haute ville (...) la rumeur des discussions (...) l'avertit qu'il y avait du monde, aujourd'hui, à la *Parlote.* 2
MARTIN DU GARD, les Thibault, t. V, p. 49-50.

♦ **2.** Conversation oiseuse, échange de paroles insignifiantes. *Parlotes et palabres interminables* (⇒ **Papoter, parlotter**).

Communards sans Hébert, Girondins sans Charlotte, 3
Le tout, un vol de sous dans un bruit de parlotte!
VERLAINE, Invectives, XXIX.

On connaît leurs parlotes sans fin *(des Russes)*, se poursuivant indéfiniment sans aboutir nécessairement à des conclusions. 4
André SIEGFRIED, l'Âme des peuples, VI, IV.

DÉR. Parloter ou parlotter.

PARLOTER ou PARLOTTER [paʀlɔte] v.intr. — 1842, *parloter; parlotter*, 1849; de *parlote, parlotte.*

Familier.

♦ **1.** Faire des parlotes (2.) à propos de qqch.; parler de choses insignifiantes, oiseuses. ⇒ **Bavarder, papoter.**

Ils parlotèrent d'abord de politique, échangeant des pensées, non pas sur des Idées, mais sur des hommes, les personnalités, en cette matière, primant toujours la Raison. 1
MAUPASSANT, les Contes de la Bécasse, « Un fils », p. 225.

REM. Le dérivé *parlotage* [paʀlɔtaʒ] n. m., est attesté chez Grécourt (mil. XVIIIe) puis chez Daudet (1877), au sens « bavardage d'avocats ».

♦ **2.** Parler un peu, assez mal (une langue).

Horace et Georges entreprirent une conversation avec les étudiants qui parlotaient anglais et leur apprirent quelques mots difficiles. 2
Michel DÉON, les Poneys sauvages, p. 482.

PARLURE [paʀlyʀ] n.f. — V. 1155, *parleure; parlure*, mil. XIVe, Froissart; de *parler*, et *-ure.*

♦ **1.** Vx ou archaïsme littér. Manière de parler. ⇒ **Langage.** *« La "parlure" française »* (Claudel).

♦ **2.** (1951, cit.). Mod., didact. Usage social d'une langue. ⇒ **Sociolecte.**

Il y a des habitudes caractéristiques de tel ou tel niveau social. Dans chaque classe, les individus recourent aux vocables et aux tournures qui sont consacrées par les mœurs de cette classe; leur parler suffit ainsi, bien souvent, à faire reconnaître au premier abord le degré d'affinement auquel leur famille est parvenue. Nous appellerons parlure la langue telle qu'elle est parlée par les gens d'un niveau social donné.
J. DAMOURETTE et É. PICHON, Essai de grammaire de la langue franç., t. I, p. 45-46.

PARME [paʀm] adj. invar. et n.m. — 1897, *in* D. D. L.; *violette de parme,* 1908, *ibid.*; de *Parme,* ville d'Italie.

♦ **1.** Adj. De la couleur mauve des violettes de Parme. *Un velours parme. Des robes parme.*

Elle est loquée vaporeux, dans les tons parme, avec plein de jolis froufrous blancs un peu partout.
SAN-ANTONIO, T'es beau, tu sais!, p. 158.

♦ **2.** N.m. Cette couleur. *La mode est au parme.*

PARMÉLIE [paʀmeli] n.f. — 1839; lat. sav. *parmelia,* de *parma* «petit bouclier rond», par anal. de forme.

♦ Bot. Lichen qui croît dans les régions froides.

(...) des toits, rongés de mousse et de parmélies (...)
Hervé BAZIN, Cri de la chouette, p. 75.

PARMENTIER [paʀmɑ̃tje] n. m. — XXe; du nom de *Parmentier* (1737-1813), qui introduisit la pomme de terre, un moment appelée *parmentière,* en France.

♦ En appos. *Hachis parmentier :* purée de pommes de terre recouvrant un hachis de viande, et passée au four. *Un parmentier :* un hachis parmentier.

PARMENTIÈRE [paʀmɑ̃tjɛʀ] n.f. — V. 1868, Littré, mais antérieur; de *Parmentier.*

♦ Vx. Pomme de terre (lors de son introduction en France par Parmentier).

PARMENTURE [paʀmɑ̃tyʀ] n.f. — 1925, *parementure;* de *parement.*

♦ Techn. Partie d'un manteau qui forme revers d'encolure.

PARMESAN, ANE [paʀməzɑ̃, an] adj. et n. — XVe, *permigean;* ital. *parmigiano,* de *Parme.*

♦ **1.** Adj. De Parme, ville du nord de l'Italie. — N.m. Peint. *Le Parmesan,* surnom de Mazzolino, peintre italien né à Parme en 1503.

♦ **2.** N. m. (1596). Fromage cuit fait de lait de vache écrémé et de safran, et qui est fabriqué dans les environs de Parme. *Acheter du parmesan. Parmesan râpé. Pâtes, sauce, soupe au parmesan* (→ Oignon, cit. 1).

1 Un parmesan au milieu de cette lourdeur de pâte cuite, ajoutait sa pointe d'odeur aromatique.
ZOLA, le Ventre de Paris, V, t. II, p. 106.

2 (...) dans la cuisine, mijotant les choux-fleurs au parmesan (...)
R. QUENEAU, le Chiendent, p. 254.

PARMI [paʀmi] prép. — V. 1050; de *par,* et *mi* «milieu».

♦ **1.** (Indication de lieu, de milieu). ⇒ **Dans.** — (Suivi d'un nom au sing. à sens non collectif). Vx ou régional. Au milieu de, dans, sur (...) *Aller parmi le thym et la rosée* (→ Aurore, cit. 17, La Fontaine). *S'asseoir parmi la poussière* (→ Foule, cit. 1). *Parmi l'or somptueux d'un soir* (→ Noir, cit. 2, Verlaine; et aussi fuir, cit. 10). — Par ext. *Parmi le vacarme confus des mécontents* (→ Fulminer, cit. 1), *l'écœurante odeur du paquebot* (→ Hublot, cit. 1). — *J'ai trouvé des charançons parmi le blé.*

Fig., vx. (Suivi d'un mot abstrait). *Maintenir sa dignité parmi la corruption* (→ Main, cit. 109, Montaigne). *Pureté de cœur qui se conserve parmi le dévergondage* (cit. 1).

1 Mais parmi ce plaisir quel chagrin me dévore!
RACINE, Britannicus, II, 6.

♦ **2.** Mod. (Suivi d'un nom ou d'un nominal plur. ou collectif, sauf s'il ne s'agit que de deux choses). ⇒ **Entre.** *Ainsi qu'un moissonneur* (cit. 1, Hugo) *parmi des gerbes mûres. Se frayer* (1. frayer, cit. 4) *un passage parmi les banquettes. Maisons disséminées* (cit. 1) *parmi les arbres. Allée* (cit. 3) *qui circule parmi les bosquets. Un canot parmi la masse* (1. masse, cit. 8) *des embarcations.* — Par ext. *Dîner parmi les chants harmonieux* (→ Festin, cit. 2). Fig., littér. «*Parmi les doux plaisirs d'une paix fraternelle* (cit. 4)».

2 Mais parmi ces périls où je cours pour vous plaire,
Me refuserez-vous un regard moins sévère?
RACINE, Andromaque, I, 4.

3 Elle était contente d'aller libre parmi les choses inconnues.
FRANCE, le Lys rouge, II.

(Avec un compl. n. de personne). *Seul parmi les hommes, parmi la foule.* «*Il faut parmi le monde une vertu traitable*» (→ Blâmable, cit. 2, Molière). *Vivre parmi les siens.* ⇒ **Sein** (au sein de). *S'asseoir parmi les dieux* (→ Aller, cit. 40). «*L'éternel vous dispersera* (cit. 3) *parmi les peuples*». *Je viendrai finir* (cit. 4) *mes jours parmi vous.* ⇒ **Avec, côté** (à, au côté de). *Ils sont parmi nous, parmi vous* (→ Des nôtres*, des vôtres*). *Nous souhaitons vous avoir bientôt parmi nous. Cécile parmi nous,* roman de G. Duhamel (*Chronique des Pasquier,* VII).

La destinée a voulu que je me trouvasse parmi une bande de ces personnes qu'on appelle Égyptiens (...) 4
MOLIÈRE, les Fourberies de Scapin, III, 3.

(...) rôdant parmi la foule (...) 5
R. ROLLAND, Jean-Christophe, Buisson ardent, I, p. 1326.

(...) tout est dehors, tout, jusqu'à nous-mêmes : dehors, dans le monde, parmi les autres. Ce n'est pas dans je ne sais quelle retraite que nous nous découvrirons : c'est sur la route, dans la ville, au milieu de la foule, chose parmi les choses, homme parmi les hommes. 6
SARTRE, Situations I, p. 35.

♦ **3.** (1667). Marquant l'appartenance à un ensemble. *Comprendre, compter, englober, mettre, placer, ranger ... parmi ...* (au propre et au fig.). ⇒ **Nombre** (au nombre de), **partie** (faire partie); → Faux, cit. 1; huile, cit. 10. *Mot rangé parmi les termes vieillis* (→ Archaïsme, cit.). *Ranger qqn parmi les hommes qui ..., dont ...* (→ Flatter, cit. 19). ⇒ **Associer.** *Juges* (cit. 5) *choisis parmi des connaisseurs. Compter des héros parmi ses ancêtres* (→ Fier, cit. 21). *Classer les prophètes parmi les mystiques* (→ Dieu, cit. 33). *Parmi tous ces hommes dissolus* (cit. 2) *il en est un qui ... Seuls parmi tous les peintres ...* ⇒ **De** (→ Nimbe, cit. 1). *Plusieurs parmi lesquels celui-ci.* ⇒ **Dont.** *Un rouage parmi d'autres* (→ Agréger, cit. 4). ⇒ **Entre.** *Une habitude parmi les autres* (→ Avance, cit. 15). *Parmi cent cas, un seul ...* ⇒ **Sur.** *Parmi les présents de noces, il y avait* (...) (→ Marital, cit.). *Qui, lequel parmi vous ...?* (→ D'entre* vous, de vous).

Parmi vingt veaux je veux choisir 7
Le plus gras et t'en faire offrande.
LA FONTAINE, Fables, VI, 1.

En combattant pour vous, me sera-t-il permis 8
De ne vous point compter parmi mes ennemis?
RACINE, Andromaque, I, 4.

C'est une solution, un exemple parmi (tant) d'autres, parmi cent autres, qui ne se distingue pas des autres, qui n'a rien d'extraordinaire, qui se confond avec le lot.

Par ailleurs, le Musée Imaginaire, qui n'a d'autre lieu que l'esprit de chacun, ne veut pas être l'héritage d'une nation, comme les Offices ou le Prado, ni même d'une civilisation, comme le Louvre, la National Gallery de Londres ou celle de Washington. En lui, les grands arts européens deviennent de grands arts parmi d'autres, comme l'histoire de l'Europe est devenue pour nous une histoire parmi d'autres. 8.1
MALRAUX, la Métamorphose des dieux, p. 22.

♦ **4.** (Suivi d'un collectif ou d'un pluriel, pour marquer l'appartenance d'un caractère abstrait à un ensemble d'êtres vivants ou à certains des êtres de cet ensemble.) *Un caractère fréquent parmi les animaux* (→ Agacerie, cit. 2). *La foi qui se trouve parmi les musulmans* (cit. 3). *L'inégalité* (cit. 2) *parmi les hommes. Les véritables passions sont rares parmi les hommes* (→ Atténuer, cit. 4). *Le mot* (cit. 32) *fit scandale parmi les lecteurs. Provoquer une vive irritation parmi les catholiques* (→ Laïcisation, cit. 2). *Les exercices en usage parmi les matelots* (→ 1. Canne, cit. 4). *Terme usité parmi les philosophes* (→ Fatum, cit.). *Un libertinage* (cit. 3) *à la mode parmi les jeunes gens.* — (Avec un nom collectif au sing.). *Le témoignage fait autorité* (cit. 51) *parmi le peuple.*

Une douzaine de Messieurs qui (...) font croire parmi le peuple que nous nous ressemblons tous. 9
MOLIÈRE, Critique de l'École des femmes, 5.

Malheureux! mais toujours la patrie et la gloire 10
Ont parmi les Romains remporté la victoire.
RACINE, Bérénice, IV, 5.

♦ **5.** Adv. (V. 1112). Vx ou pop. Au milieu. — Pendant ce temps. *J'en ai trouvé parmi.*

PARNASSE [paʀnas] n. m. — 1660; lat. *Parnassus,* grec *Parnasos,* montagne de Phocide, à double sommet (cf. La double colline), qui était consacrée à Apollon et aux Muses (cit. 2 et 12).

♦ **1.** Littér. Le séjour des muses. La poésie. (→ Atteindre, cit. 22). *Les nourrissons du Parnasse :* les poètes. *Les faveurs du Parnasse* (→ Audace, cit. 27).

Mais je ne me crois pas si chéri du Parnasse
Que de savoir orner toutes ces fictions.
LA FONTAINE, Fables, II, 1.

♦ **2.** (1875). Mouvement littéraire issu de «l'Art pour l'Art», tendant à la synthèse de l'esprit positiviste et de l'esprit «artiste» (Jasinski) et qui s'est exprimé notamment dans les fascicules du «Parnasse contemporain» (1866). *Leconte de Lisle et Heredia, poètes du Parnasse.* ⇒ **Parnassien,** 2.

DÉR. Parnassien.

PARNASSIEN, IENNE [paʀnasjɛ̃, jɛn] adj. et n. m. — 1516, *pernasien;* de *Parnasse.*

★ **I.** ♦ **1.** Vx. Relatif à la poésie. — N. m. *Un parnassien :* un poète.

♦ **2.** (1866). Littér. Poète de l'école du Parnasse. *Les Parnassiens.* Adj. *L'école parnassienne. Poésie parnassienne* (→ Marmoréen, cit. 3).

★ **II.** N. m. (1808). Papillon commun dans les montagnes, dit aussi *Apollon.*

Sur un champ d'euphraises mauve pâle vole un parnassien apollon; je me souviens de ma joie lorsque enfant, pour la première fois, je vis dans le Jura ce papillon superbe que je croyais n'habiter que les Alpes.
GIDE, Nouveaux prétextes, Journal sans dates, IX.

PAROCHIAL, ALE, AUX [paʀɔkjal, o] adj. — V. 1265; n. m. «prêtre», fin XIIe; lat. médiéval *parochialis,* du bas lat. ecclés. *parochia* (→ Paroisse).

♦ Vx ou didact. Paroissial. *Maison parochiale.*

PARODIE [paʀɔdi] n. f. — 1614; grec *parôdia,* de *para-* «à côté», et *odê* «chant». → -odie, proprt «chant qui imite».

♦ **1.** Littér. Imitation satirique d'une œuvre sérieuse dans le style burlesque. *Le Virgile travesti de Scarron est une parodie de l'Énéide. Pastiche* et parodie.*

1 (...) formes secondaires de la satire, le persiflage ou la parodie (...)
GIRAUDOUX, Littérature, p. 187.

Par ext. Œuvre qui reprend certains caractères d'une autre œuvre, généralement de façon plaisante ou dérisoire. ⇒ **Parodique.**

Fig. Peinture fausse, imitation, contrefaçon grotesque. ⇒ **Caricature, travestissement.** *Le drame* (cit. 8) *de la liberté et sa parodie. Une parodie de la vie humaine* (→ Figurine, cit. 1), *de la douleur* (→ Éhonté, cit.).

2 Et les deux vieillards conclurent en même temps, avec un double soupir, dont chacun semblait une parodie de l'autre : «Quelle génération!»
Edmond JALOUX, l'Alcyone, p. 254.

Une parodie de réconciliation : une fausse réconciliation, une réconciliation qui n'en est pas vraiment une. *Une parodie de justice.*

♦ **2.** Vx. Couplet, strophe composée pour être chantée sur un air connu.

DÉR. Parodier, parodique, parodiste.

PARODIER [paʀɔdje] v. tr. — 1580; de *parodie.*

♦ **1.** Imiter (une œuvre) en faisant une parodie. *Parodier une scène d'un auteur.* Par ext. *Parodier un auteur.*

1 S'il *(Charles Perrault)* continuait de lire les Anciens pêle-mêle et à la diable, il ne les respectait guère; il les parodiait d'abord par instinct et divertissement avant que ce fût par calcul. SAINTE-BEUVE, Causeries du lundi, 29 déc. 1851.

♦ **2.** (1829). Fig. Imiter (qqn) de façon grotesque ou dérisoire (→ Accoutrement, cit. 1; affubler, cit. 3). ⇒ **Caricaturer, contrefaire, imiter.** *Parodier un professeur pour s'en moquer.* — Être grotesque en imitant, imiter de façon imparfaite et ridicule. «*Napoléon (...) parodia les rois*» (Musset, *in* G. L. L. F.).

Par ext. (Compl. n. de chose). *Parodier un mot célèbre.*

2 En son honneur, par plaisanterie, ils *(les anciens)* parodiaient le signe de la croix : «Au nom du chose, du contre-appel, du peloton de chasse, ainsi soit-il!», et en somme c'était assez ça. COURTELINE, le Train de 8 h 47, I, II.

3 Les paroles que Mme Legras venait de prononcer rappelèrent à la jeune fille ce que Maurecourt lui avait dit au début de leur conversation (...) le son de cette voix qui semblait parodier celle du docteur la secoua, la fit revenir à elle.
J. GREEN, Adrienne Mesurat, III, VII.

PARODIQUE [paʀɔdik] adj. — 1800; de *parodie.*

Littéraire.

♦ **1.** Qui appartient à la parodie. *Style parodique.*

♦ **2.** Qui constitue une imitation grotesque ou dérisoire; qui est grotesque et imitatif. *Un geste parodique. Une attitude parodique. — Son article est parodique du style de cet écrivain.*

PARODISTE [paʀɔdist] n. — 1723; de *parodie.*

♦ Littér. Auteur d'une parodie. *La Bruyère s'est fait le parodiste de Montaigne.*

PARODONTE [paʀɔdɔ̃t] n. m. — V. 1960; de *para-* et *-odonte.*

♦ Didact. (Histol.). Ensemble des tissus de soutien (fibro-muqueuse, gingivale, ligament alvéolaire, cément et os alvéolaire) qui relient la dent au maxillaire. *Le parodonte et le maxillaire forment le périodonte.*

DÉR. Parodontique, parodontite, parodontopathie, parodontose.

PARODONTIQUE [paʀɔdɔ̃tik] adj. — V. 1960; de *parodonte.*

♦ Méd. Du parodonte. *Thérapeutique parodontique.*

PARODONTITE [paʀɔdɔ̃tit] n. f. — 1874, P. Larousse; var. *parodontis; parodontide,* 1842; de *parodonte,* et *-ite.*

♦ Méd. Inflammation aiguë du parodonte.

PARODONTOPATHIE [paʀɔdɔ̃topati] n. f. — V. 1970; de *parodonte,* et *-pathie.*

♦ Méd. Ensemble des affections touchant le parodonte. *Le gaz carbonique, agent curatif des parodontopathies.*

PARODONTOSE [paʀɔdɔ̃toz] n. f. — V. 1960; de *parodonte,* et *-ose.*

♦ Méd. Syn. de *paradontose.*

PARODOS [paʀɔdɔs] n. m. — V. 1960; mot grec.

♦ Hist. grecque. Premier chant du chœur, dans une tragédie grecque.

PAROI [paʀwa] n. f. — 1175; *pareit* «mur», 1080; lat. pop. **pares, -etis,* class. *paris, -ietis.*

♦ **1.** Ouvrage de maçonnerie vertical qui sert à enclore ou à délimiter. ⇒ **Mur, muraille.** *Une paroi mince, épaisse, haute, basse. Paroi blanche, couverte d'inscriptions* (cit. 3). *Parois décrépites* (→ Enraciner, cit. 1). *Contreforts* (cit.) *soutenant les parois d'un édifice.*

Spécialt. **a** Ce qui fait office de mur dans un bâtiment, sans être en maçonnerie (parois d'un bâtiment à ossature). *Parois de bois, de métal, de verre... Parois et cloisons en matériaux de remplissage* (→ Mur, cit. 9). *Cabane à doubles parois isolantes* (→ Matelas, cit. 4). *Parois de bois d'un chalet. Parois de tôle d'un appentis, parois d'acier d'un hangar.*

b Séparation intérieure d'une maison (⇒ **Cloison**) ou face intérieure d'un mur. *Les parois d'un salon. La paroi du fond* (→ Lueur, cit. 7). *Appuyer son lit contre la paroi. Une mince paroi sépare les deux pièces. Lucarne qui s'ouvre dans la paroi* (→ Loge, cit. 14).

(...) douze portraits accrochés dans la salle à manger, au-dessus d'une desserte, les uns près des autres, de façon à couvrir toute une paroi. 1
J. GREEN, Adrienne Mesurat, I, I.

c Face intérieure (d'un mur). *La paroi d'un mur* (→ Herbe, cit. 6). *Ascenseur à paroi lisse* (sans porte).

d (1935). En parlant d'un véhicule. *Parois d'un navire* (→ 2. Écrou, cit. 2). *Appuyés, adossés à la paroi* (→ Mécanicien, cit. 3). *Parois d'un avion, d'un wagon, d'un ascenseur, d'une cabine...*

♦ **2.** (1809). Partie, surface qui limite (une excavation, naturelle ou creusée par l'homme). *Paroi latérale, paroi supérieure d'une galerie. Paroi lisse, rugueuse... Les parois d'une cavité, d'une caverne* (→ Miner, cit. 1), *d'un cratère. Suintement des eaux le long des parois d'une caverne* (cit. 3). *Parois d'un souterrain* (→ Faisceau, cit. 8), *des voûtes* (→ Catacombes, cit. 1), *d'une tranchée, d'un puits... Soutenir des parois en clayonnant.*

Il y avait là, en effet, une anfractuosité (...) C'était mieux qu'une crevasse. C'était une espèce de porche (...) Il se trouvait dans un couloir fruste avec une ébauche de voûte ogive sur sa tête. Les parois étaient polies et lisses. 2
HUGO, les Travailleurs de la mer, II, IV, I.

♦ **3.** (1749). Roc, terrain à pic, comparable à une muraille. *Paroi rocheuse. Parois d'une montagne, d'une falaise, d'une gorge...* (→ Escalade, cit. 5; gouffre, cit. 8). *Paroi abrupte* (→ 3. Mort, cit. 4).

Le chemin tourne, devient encaissé et sombre. D'un côté, la paroi de la montagne, toute tapissée de fougères mouillées (...) LOTI, Mme Chrysanthème, III. 3

(1765). Zool., techn. Partie extérieure du sabot du cheval visible lorsque le pied repose sur le sol, lame de corne correspondant à l'ongle de l'homme. (On dit aussi *muraille*).

♦ **4.** Par ext. Techn., vx. Ligne qui sépare deux coupes entre les pieds corniers.

♦ **5.** (1762). Partie solide d'un récipient qui isole l'extérieur de l'intérieur, surface interne d'une cavité destinée à contenir quelque chose. — REM. *Paroi* s'applique surtout aux parties latérales. — *Les parois d'un vase, d'une boîte, d'une lanterne* (→ Lampe, cit. 5). *Pied et parois d'une éprouvette. Parois d'un four, d'une fournaise* (→ Éclater, cit. 29), *d'un cylindre de moteur... Parois d'un tuyau, d'un tube. — Pression d'un fluide sur les parois d'un récipient* (→ Force, cit. 60).

Jean s'approcha du poêle, appliqua ses mains ouvertes sur les chaudes parois de faïence (...) J. CHARDONNE, les Destinées sentimentales, p. 231. 4

♦ **6.** (XVe; *parai,* 1414). Biol., anat. et cour. Partie qui limite une structure, enferme une cavité; tissu d'un organe creux. *Paroi buccale* (de la bouche). *Paroi abdominale* (→ Épiploon, cit.). *Paroi de l'estomac. Le chyle* (cit. 2) *est absorbé par la paroi intestinale. Parois vasculaires* (→ Artérite, cit.). *Parois de la voûte du crâne. Paroi cellulaire. Paroi de l'orbite* (⇒ **Pariétal**).

Bot. *Paroi de l'ovaire* (→ Fruit, cit. 6).

PAROIR [paʀwaʀ] n.m. — 1611 ; *de parer*, et *-oir.*

♦ Techn. Instrument, outil qui sert à parer. — Spécialt. *Paroir de corroyeur*, sur lequel on passe les peaux pour les travailler. *Paroir de maréchal-ferrant*, pour parer les pieds des chevaux. — Outil de tonnelier, asse* à tranchant large.

PAROISSE [paʀwas] n.f. — V. 1155; lat. ecclés. *parochia,* lat. *paroecia,* grec *paroikia,* de *para-* «à côté», et *oikia* «maison», proprt «groupe d'habitations voisines».

♦ **1.** Circonscription ecclésiastique où s'exerce le ministère d'un curé* (cit. 2). *Territoire, église de la paroisse. Érection d'une commune en paroisse* (→ Fonds, cit. 8). *Ville qui possède plusieurs paroisses. Paroisse mondaine* (→ Curé, cit. 4), *paroisse riche, pauvre. Le clergé de la paroisse. Le curé, chef ecclésiastique* (cit. 2) *de la paroisse* (→ Église, cit. 12). *Desservant, marguillier* (cit. 1), *vicaire de la paroisse* (→ Champion, cit. 2). *Registres de la paroisse* (→ Ascendance, cit. 1 ; enterrer, cit. 10). *Pour les œuvres, pour les pauvres de la paroisse. Se marier dans sa paroisse.* — (1636). L'ensemble des fidèles de la paroisse. *L'abbé X est estimé de toute la paroisse.*

1 Jour anniversaire de ma nomination au poste d'Ambricourt. Trois mois déjà! J'ai bien prié ce matin pour ma paroisse, ma pauvre paroisse — ma première et dernière paroisse peut-être, car je souhaiterais d'y mourir. Ma paroisse! Un mot qu'on ne peut prononcer sans émotion, — que dis-je! sans un élan d'amour (...) Je sais (...) que nous sommes l'un à l'autre pour l'éternité, car elle est une cellule vivante de l'Église impérissable et non pas une fiction administrative.
BERNANOS, Journal d'un curé de campagne, p. 38.

Division territoriale où s'exerce le ministère d'un pasteur protestant.

2 Lorsque le pasteur Théophile Sabatier fut nommé au temple de l'Oratoire, il désira habiter sa nouvelle paroisse. J. CHARDONNE, les Destinées sentimentales, p. 463.

Fam. *Il n'est pas de la paroisse :* c'est un étranger. — (Av. 1850). *Des gens de toutes les paroisses,* de toute espèce ou provenance (péj.). — (1875). *Être de la même paroisse,* du même avis, de la même opinion. *Querelles de paroisse.* ⇒ **Clocher.** *Coq* de paroisse.* — Prov. *Il faut placer le clocher* au milieu de la paroisse.*

3 Je ne comprends pas (...) que Marie-Gilbert nous invite avec toute cette lie. On peut dire qu'il y en a ici de toutes les paroisses.
PROUST, À la recherche du temps perdu, t. IX, p. 96.

(V. 1175). L'église de la paroisse. ⇒ **Église.** *Aller à la messe à la cathédrale, à la paroisse.*

♦ **2.** (V. 1283). Hist. Unité administrative rurale de l'Ancien Régime, qui était une paroisse (au sens 1). *Les villes et les paroisses. Assemblée de paroisse. La paroisse avait la plupart des fonctions de la commune. Louvois exigea que chaque paroisse lui fournît des miliciens* (→ Milice, cit. 3). *Cahiers de paroisses ou de doléances** (cit. 5).

4 La paroisse est obligée de s'imposer elle-même pour faire face à ces dépenses *(d'intérêt communal),* c'est l'assemblée qui y pourvoit et le seigneur en profite pour lui confier l'assiette et la perception de sa taille. Le roi, à l'exemple du seigneur, utilise le cadre paroissial. Il invite le curé à publier ses ordonnances au prône et il utilise l'assemblée générale pour organiser ses finances et son armée : (...)
P.-C. TIMBAL, Hist. des institutions, t. II, n° 391.

En Angleterre. District administratif correspondant souvent à une paroisse (1.).

DÉR. Paroissien.

PAROISSIAL, ALE, AUX [paʀwasjal, o] adj. et n.m. — V. 1265 ; *parochial,* fin XIIe ; lat. ecclés. *parochialis.*

♦ **1.** Adj. De la paroisse, propre à la paroisse. ⇒ **Parochial.** *Église paroissiale* (→ Baptistère, cit.), *œuvres paroissiales, messe paroissiale.* — *Enclos paroissial :* en Bretagne, Ensemble architectural formé par l'église, l'ossuaire, le cimetière, etc.

Vx. Relatif à la paroisse (2.). *Assemblée paroissiale.*

♦ **2.** N.m. (1927). Rare. Livre de messe. ⇒ **Paroissien.**

PAROISSIEN, IENNE [paʀwasjɛ̃, jɛn] n. — V. 1220 ; *parochien,* fin XIIe ; de *paroisse.*

♦ **1.** Catholique qui dépend d'une paroisse. *Le curé et ses paroissiens. Paroissiens à la messe du dimanche* (→ Curé, cit. 5). *L'opinion de ses paroissiennes* (→ Fermer, cit. 35). *L'indifférence religieuse de ses nouveaux paroissiens* (→ Incident, cit. 3). *Un bon, un mauvais paroissien.*

1 Ce n'est pas non plus un paroissien exemplaire, car, exact à la messe basse chaque dimanche, je ne l'ai encore jamais vu à la Sainte Table.
BERNANOS, Journal d'un curé de campagne, p. 55.

2 (...) le moindre prêtre de campagne qui administre ses paroissiens et qui a entendu la respiration d'un mourant pense comme moi. CAMUS, la Peste, p. 143.

Protestant, protestante, qui dépend d'une paroisse. *Il écrivit au pasteur dont elle était paroissienne* (→ Assoupir, cit. 6).

(XVIe). Fig., fam. Individu*, type (→ Comme, cit. 18). *Un drôle de paroissien.*

Je sais ce qu'il fait de ses nuits et de ses journées, ce paroissien-là ; et je ne veux pas que mes écus aillent dans les endroits où il va. 3
Alphonse DAUDET, Fromont jeune et Risler aîné, IV, II.

♦ **2.** N.m. (1803). Livre de messe. ⇒ **Eucologe, missel, paroissial.**

Malgré sa piété, la pauvre femme anéantie par ces paroles d'une clarté foudroyante ne put prier, elle resta sur sa chaise entre ses enfants, ouvrit son paroissien et n'en tourna pas un feuillet (...) 4
BALZAC, la Recherche de l'absolu, Pl., t. IX, p. 513.

(...) les filles de la Vierge avaient dû se serrer, exemplaires maintenant, le nez dans leurs paroissiens. ZOLA, la Terre, I, IV. 5

PAROLE [paʀɔl] n. f. — V. 1080, aussi «bruit, nouvelle, renommée...» ; lat. vulg. **paraula,* lat. chrét. *parabola* «comparaison». → Parabole «parole divine».

★ **I.** *(Une, des paroles).* Élément de langage parlé (⇒ **Langage**).

♦ **1.** Élément simple du langage articulé. ⇒ **Mot, expression** (*supra* et *infra* cit. 7).

Vx. Mot ; nom (→ Gloire, cit. 8, Bossuet ; naître, cit. 25, Stendhal ; inconnu, cit. 20, Baudelaire).

(...) «Monseigneur» mérite quelque chose, et ce n'est pas une petite parole que «Monseigneur». Tenez, voilà ce que Monseigneur vous donne. 1
MOLIÈRE, le Bourgeois gentilhomme, II, 5.

L'épisode des paroles gelées, dans le Quart-Livre de Rabelais (chap. 55.56).

Lors nous jecta sus le tillac plenes mains de parolles gelées, et sembloient dragée perlée de diverses couleurs. Nous y veismes des motz de gueule, des motz de sinople, des motz de azur, des motz de sable, des motz dorez. Lesquelz, estre quelque peu eschauffez entre nos mains, fondoient comme neiges, et les oyons réalement, mais ne les entendions, car c'estoit languaige barbare (...) 1.1
Panurge requist Pantagruel luy en donner encores. Pantagruel luy respondit que donner parolles estoit acte des amoureux.
«Vendez-m'en doncques! disoit Panurge».
– C'est acte de advocatz (respondit Pantagruel), vendre parolles (...)
Ce nonobstant, il en jecta sus le tillac troys ou quatre poignées. Et y veids des parolles bien picquantes, des parolles sanglantes (...) des parolles horrificques et aultres assez mal plaisantes à veoir. Lesquelles, ensemblement fondues, ouysmes : hin, hin, hin, hin, his, ticque, torche, lorgne, brededin, bredelac, frr, frrr, frrr, bou, bou, bou, bou, bou, bou, bou, bou, traccc, trac, trr, trr, trr, trrr, trrrrrr, on, on, on, on, ouououuon, goth, magoth et ne sçay quelz aultres motz barbares.
RABELAIS, le Quart Livre, 56.

Mod. (Au plur. ou en emplois déterminés). Ensemble de sons articulés. *Articuler* (cit. 12), *former* (→ Agiter, cit. 16) *des paroles.* ⇒ **Parler.** *Bredouiller, crier, hurler, grommeler* (cit. 5), *murmurer* (cit. 6) *des paroles. Paroles prononcées à mi-voix. Parole dite trop haut* (→ Avalanche, cit. 3). *Ses paroles se bloquent* (cit. 5) *dans sa gorge. On ne pouvait lui arracher* (cit. 38) *une parole. Paroles saccadées, entrecoupées* (cit. 7), *hachées. Étouffer* (cit. 23) *le bruit des paroles. Percevoir des paroles.*

Énoncé signifiant. ⇒ **Discours, propos.** *Le sens, la signification de ses paroles m'échappent. Paroles compréhensibles, claires ; incohérentes* (cit. 2), *inintelligibles* (cit. 3 ; ⇒ **Patenôtre,** vx). *Paroles sensées ; absurdes, oiseuses* (cit.), *vaines. Paroles directes, naïves, simples* (⇒ **Naïveté**). *Paroles véridiques. Paroles ambiguës* (cit. 3), *équivoques* (cit. 4), *à double sens. Paroles artificieuses, hypocrites, menteuses* (→ Mimer, cit. 2). *Paroles qui déguisent* (cit. 9) *la pensée* (⇒ **Hypocrisie**). *Circuits, détours de paroles.* ⇒ **Ambages, circonlocution, circonvolution...** — *Paroles aimables* (→ Amadouer, cit. 5), *caressantes* (→ Endormir, cit. 12), *conciliantes, touchantes, douces...* (→ Homélie, cit. 5 ; louange, cit. 6). — Vx. *Paroles de miel, de sucre... :* flatterie (→ mod. Être tout sucre et tout miel*). ⇒ **Flatterie.** — *Paroles de louanges* (⇒ **Compliment**), *paroles de politesse* (⇒ **Civilité**). *Paroles de conciliation, de réconciliation, de paix* (⇒ **Proposition**). *Bonnes paroles* (→ Bistouri, cit. 4 ; emporter, cit. 6). *Paroles consolantes, de consolation.* — *Paroles acerbes, aigres, aigres-douces, blessantes, brutales, désagréables* (→ Échapper, cit. 19), *diffamatoires* (cit. 2), *dures, injurieuses* (→ Malhonnête, cit. 3), *irréparables* (cit. 3), *mordantes* (cit. 2), *offensantes, tranchantes* (→ Huile, cit. 31)... ⇒ **Offense, outrage.** *Paroles d'appel, d'avertissement.* ⇒ **Cri.** *Paroles bien senties. Paroles rudes, vives, violentes.* ⇒ (fig. et vieilli) **Bourrade, coup** (de boutoir). *La verdeur de ses paroles. Paroles de défi* (⇒ **Bravade**), *de blâme, de malédiction, de menace. Paroles blasphématoires* (cit. 1 ; ⇒ **Blasphème**), *impies, sacrilèges* (⇒ **Jurement, juron, sacre**). *Paroles grossières.* ⇒ **Gros** (mot), **grossièreté.** *Paroles grasses* (cit. 6), *obscènes. Paroles compromettantes, imprudentes...* — *Adresser* (cit. 1) *des paroles à qqn.* ⇒ **Parler** (à qqn). *Échanger* (1., cit. 8) *quelques paroles. Petits drames intimes qui se jouent sans paroles* (→ Malentendu, cit. 6). *Abonder* (cit. 7) *en paroles, n'être pas avare de paroles. Paroles qui échappent à qqn* (→ Désavouer, cit. 2). *Calculer, compasser* (cit. 2), *composer* (cit. 13), *mesurer* (cit. 15), *peser ses paroles, toutes ses paroles* (⇒ **Syllabe**). *Ne pas avoir une parole plus haute** (cit. 30) *que l'autre.* — *Exprimer, faire entendre dire* (cit. 107) *beaucoup* (cit. 22) *en peu de paroles.* — *Citer les propres paroles de qqn.* ⇒ **Déclaration, dire.** *Ce sont ses propres paroles. Démentir, désavouer les paroles de qqn* (⇒ **Dédire**). — Loc. *Faire rentrer les paroles dans la gorge de qqn.* — *Les paroles, chaque parole d'une conversation, d'un entretien* (cit. 9) ; *d'un discours* (cit. 20). *Les paroles que distribue le professeur* (→ Envoler, cit. 10). — *Les paroles coulent** (cit. 14), *s'écou-*

lent. Déluge (→ Éloquence, cit. 8), *flots* (→ Crever, cit. 8), *flux* (cit. 2), *inondations* (cit. 4), *jets* (cit. 10), *torrents de paroles... Les paroles ne lui coûtent rien* (⇒ **Bavard**). — Loc. *C'est un moulin** (*supra* cit. 5) *à paroles.* — *Écouter; boire* (cit. 32), *dévorer* (cit. 9) *les paroles de qqn. Écouter ses propres paroles* (→ Fixer, cit. 12). *Galants* (cit. 14) *vains dans leurs paroles. S'enivrer, se griser de paroles* (→ Mien, cit. 13); *être soûl de paroles* (→ Galéjer, cit. 1). — *Les dernières paroles d'un mourant* (→ Expirer, cit. 1; grand, cit. 65). *Les dernières paroles de Gœthe* (→ Lumière, cit. 27). — (Évang.). *Les Sept Dernières Paroles du Christ* (titre d'une œuvre de Haydn). — *Paroles d'un croyant,* œuvre de Lamennais.

2 Un même sens change selon les paroles qui l'expriment. Les sens reçoivent des paroles leur dignité, au lieu de la leur donner. PASCAL, Pensées, I, 50.

3 La parole a été donnée à l'homme pour expliquer sa pensée; et tout ainsi que les pensées sont les portraits des choses, de même nos paroles sont-elles les portraits de nos pensées (...) MOLIÈRE, le Mariage forcé, 4.

4 Sitôt qu'ils *(les enfants)* peuvent dire qu'ils souffrent avec des paroles, pourquoi le diraient-ils avec des cris, si ce n'est quand la douleur est trop vive pour que la parole puisse l'exprimer? ROUSSEAU, Émile, II.

5 — C'est un bien grand orateur! dit Léon à Giraud en lui montrant Canalis. — Oui et non, répondit le conseiller d'État, il est creux, il est sonore, c'est plutôt un artiste en paroles qu'un orateur.
BALZAC, les Comédiens sans le savoir, Pl., t. VII, p. 58.

6 Il sembla, à la façon dont les paroles s'échappaient de sa bouche, incohérentes, impétueuses, heurtées, pêle-mêle, qu'elles s'y pressaient toutes à la fois pour sortir en même temps. HUGO, les Misérables, I, VII, X.

7 Sachez écouter. Malheur à celui qui, sans la ramasser, laisse tomber une parole d'or de la bouche d'autrui. J. RENARD, Journal, 6 mars 1894.

Loc. *En paroles couvertes* (vx) : à mots couverts. — *Dispute de paroles :* discussion, débat qui porte sur les mots et où l'on oublie le fond de la question.

Prov. *Les paroles du matin ne ressemblent pas à celles du soir* (se dit en parlant de la versatilité*, de l'habitude de changer* d'avis).

♦ **2.** *Les paroles.* a Opposé à *écrits* (cit. 2, Montesquieu). Prov. *Les paroles s'envolent et les écrits restent* (Verba volant, scripta manent).

b Opposé à *actes, effets, résultats...* ⇒ **Mot** (cit. 20). *Paroles et actions* (→ Différent, cit. 4). *Des paroles en l'air. Les paroles et les exemples.* ⇒ **Conseil** (→ Ainsi, cit. 20; moral, cit. 2). — Loc. *En paroles :* d'une manière purement verbale (→ Chose, cit. 26). *En actes* (cit. 2) *et en paroles.*

8 (...) il faut faire et non pas dire, et les effets décident mieux que les paroles.
MOLIÈRE, Dom Juan, II, 4.

9 Vous ne savez pas qu'entre les choses qu'on dit quelquefois et celles qu'on pense... Enfin, cet homme avait peut-être une raison pour vous dire non comme cela. Et puis, ça peut n'être qu'une parole en l'air.
J. GREEN, Adrienne Mesurat, III, VII,

c ⇒ **Promesse.** *De belles* paroles. Payer qqn en paroles* (→ En monnaie de singe*). — Prov. *On prend les hommes par les paroles et les bêtes par les cornes* (⇒ **Persuasion**). — Anc. dr. Promesse, engagement de mariage. *Épouser par paroles de présent.*

d Vx. Paroles échangées au cours d'une dispute, d'une altercation. ⇒ **Mot** (*supra* cit. 27). *Avoir, échanger des paroles avec qqn.* ⇒ **Dispute, disputer** (se). — Vx. *En venir aux grosses paroles* (La Fontaine, XII, 8).

e Mots d'une formule* (→ Formalisme, cit. 1). *Paroles magiques* (cit. 2), *rituelles* ⇒ **Incantation, magie.** *Paroles sacramentelles* (→ Foi, cit. 46; garder, cit. 75). *Les paroles de la bénédiction nuptiale* (→ Mari, cit. 1).

♦ **3.** Mot ou expression (d'un texte). *Charme* (→ Enfler, cit. 5), *mélodie* (cit. 9) *des paroles en poésie. Harmonie des paroles* (→ Dissonance, cit. 2). *Tourner les paroles d'un billet de plusieurs façons* (→ Mettre, cit. 44).
Histoire sans paroles : anecdote en images, série de dessins humoristiques qui se passent de légende.

♦ **4.** (Plur.). Texte d'un morceau de musique vocale. *Premières paroles qu'on fait sur un air.* ⇒ **Canevas, monstre.** *Auteur de paroles.* ⇒ **Parolier.** *Les paroles d'une chanson*, d'un air** (→ Fredonner, cit. 1; mélodie, cit. 5). *Mettre des paroles en musique* (→ Lyrique, cit. 9). *L'air* (3. Air, cit. 1 et 2) *et les paroles. Chanter les paroles d'un livret d'opéra.* — *Chanson sans paroles* (→ Épaisseur, cit. 4). *Romances sans paroles :* pièces pour piano de Mendelssohn; titre d'un recueil de poèmes de Verlaine.

10 J'aime ces chants dont je ne comprends point les paroles. Elles nuisent toujours pour moi à la beauté de l'air, ou du moins à son effet. Il est presque impossible que les idées soient entièrement d'accord avec celles que me donnent les sons.
É. DE SENANCOUR, Oberman, LXI.

♦ **5.** Pensée exprimée à haute voix, dite en quelques mots. ⇒ **Apophtegme, devise, mot, sentence** (→ Audience, cit. 5; hasardeux, cit. 4; juger, cit. 10). *Parole célèbre, historique* (cit. 9), *fameuse, mémorable. La parole fameuse de Cavaignac devant la Chambre* (→ Faim, cit. 12). *On lui imputait* (cit. 5) *une parole cruelle.*

10.1 Nous savons que les paroles historiques ne furent jamais dites. Qu'importe! Elles caractérisent des figures qui, sans ces paroles, nous demeureraient fort vagues, et perdraient le profil. COCTEAU, Journal d'un inconnu, p. 140.

♦ **6.** (Au sing.). Engagement verbal. Par ext. Engagement, promesse faite (sur l'honneur). ⇒ **Assurance, engagement, foi, serment** (→ Notaire, cit. 2). *Donner sa parole, sa parole d'honneur** (cit. 16) *de..., que...* ⇒ **Promettre** (→ 1. Lire, cit. 21). — Loc. Vx. *Donner parole de... :* promettre (→ Enterrement, cit. 1, Montaigne; 1. manger, cit. 24, Molière). — *Engager* (cit. 6) *sa parole. Dégager sa parole* (→ 1. Envers, cit. 5); *dégager* (cit. 23) *qqn de sa parole. Rendre, retirer sa parole.* ⇒ **Dédire** (se), **rétracter** (se). — Loc. *N'avoir qu'une parole. Tenir* parole* (→ Mieux, cit. 5), *sa parole.* — *Être fidèle*, faire honneur à sa parole. Manquer** (cit. 39 et 41) *à sa parole, manquer de parole* (⇒ **Déloyal, perfide**). *Fausser parole.* — Loc. *Homme de parole,* loyal, sûr*.

Neptune, par le fleuve aux Dieux mêmes terrible, 11
M'a donné sa parole, et va l'exécuter. RACINE, Phèdre, IV, 3.

(...) la plupart de mes confrères ne se font pas un scrupule de vous manquer de parole. Pour moi (...) je suis esclave de mes serments (...) 12
A.-R. LESAGE, le Diable boiteux, I.

Si tu veux être un homme remarquable, il faut faire de ta parole une seconde religion, et y tenir comme à ton honneur. 13
BALZAC, la Femme de trente ans, Pl., t. II, p. 793.

Pesez ce que vaut, parmi nous, cette expression populaire, universelle, décisive et simple cependant : — Donner sa parole d'honneur. Voilà que la parole humaine cesse d'être l'expression des idées seulement, elle devint la parole par excellence, la parole sacrée entre toutes les paroles, comme si elle était née avec le premier mot qu'ait dit la langue de l'homme; et comme si, après elle, il n'y avait plus un mot digne d'être prononcé, elle devient la promesse de l'homme à l'homme, bénie par tous les peuples; elle devient le serment même, parce que vous y ajoutez le mot : *Honneur.* A. DE VIGNY, Servitude et Grandeur militaires, III, X. 14

Je tiens surtout les paroles que je me donne. 15
FLAUBERT, Correspondance, 1405, sept. 1873.

Nous en sommes convenus, reine. La parole est donnée. — Je la reprends. C'était une parole inique. GIRAUDOUX, Électre, I, 4. 16

Loc. **SUR PAROLE :** sans autre garantie que la parole donnée. *Noblesse* (cit. 12) *incertaine et sur parole. Conclure une affaire sur parole. Jouer, perdre sur parole. Prisonniers* sur parole* (→ 1. Gens, cit. 8). *Liberté* (*supra* cit. 3) *sur parole* (→ Libre, cit. 3). — *Croire* qqn sur parole,* sans autre preuve que ses affirmations (→ Humeur, cit. 33; et aussi modèle, cit. 6).

La plupart de ses affaires s'étaient conclues sur parole, et il avait rarement eu des difficultés. BALZAC, César Birotteau, Pl., t. V, p. 403. 17

Interj. (Vx). *Sur ma parole!* (→ Galant, cit. 1). — (1786). Mod. *Ma parole d'honneur!* (→ Autant, cit. 34); *parole d'honneur!* (→ Innocent, cit. 2). — *Ma parole!* (→ Gouvernement, cit. 13; graine, cit. 11; 1. maigre, cit. 5). — (1830). *Parole! :* je le jure!

Avant la guerre, je laissais pas passer une semaine sans aller à l'Européen ou à Bobino, ma parole d'honneur. M. AYMÉ, le Vin de Paris, «l'Indifférent», p. 9. 17.1

★ **II.** Déb. XIIe. *(La parole).* Expression verbale de la pensée.

♦ **1.** Faculté d'exprimer, de transmettre la pensée par un système de sons articulés (⇒ **Langage,** cit. 3) émis par des organes appropriés (⇒ **Phonation**). *Langage* (cit. 7) *intérieur et parole. La parole, faculté humaine* («Homo loquax»; → Homme, cit. 12). *Aptitude de l'enfant à la parole* (→ Imitateur, cit. 3); *apprentissage de la parole. Être privé de l'usage de la parole, de l'ouïe et de la parole.* ⇒ **Muet.** *Troubles de la parole.* ⇒ **Logopathie; aphasie, dysarthrie, dyslalie, dyslogie...** *Perdre la parole. Recouvrer l'usage de la parole. La parole lui revient* (→ Muet, cit. 2 et 6). — *La langue* (cit. 12), *le larynx, les cordes vocales..., organes de la parole. «La parole dépend (...) de l'écorce cérébrale»* (Chauchard, *le Langage et la Pensée,* p. 47). *Troubles, maladies de la parole.* — *Le Geste et la Parole,* ouvrage de A. Leroi-Gourhan.

Pourquoi ne pourrait-il enfin *(le singe),* à force de soins, imiter, à l'exemple des sourds, les mouvements nécessaires pour prononcer? Je n'ose décider si les organes de la parole du singe ne peuvent (...) rien articuler, mais cette impossibilité absolue me surprendrait (...) 18
LA METTRIE, l'Homme-machine (cité par J. ROSTAND, l'Homme, p. 22).

Il semble que la parole soit la seule prédestination de l'homme et qu'il ait été créé pour enfanter des pensées comme l'arbre pour enfanter son fruit. 19
LAMARTINE, Graziella, III, XV.

Le médecin fut appelé, et l'examen ne fut ni long ni difficile. On reconnut que la pauvre Camille était privée de l'ouïe, et par conséquent de la parole. 20
A. DE MUSSET, Contes, «Pierre et Camille», I.

Loc. *Il ne lui manque que la parole* (se dit d'un animal intelligent, d'un portrait ressemblant). ⇒ **Manquer.**

On pense bien que cette communauté de goût ne fit que resserrer entre Jup et Pencroff ces étroits liens d'amitié qui unissaient déjà le digne singe et l'honnête marin. 20.1
«C'est peut-être un homme, disait quelquefois Pencroff à Nab. Est-ce que ça t'étonnerait si un jour il se mettait à nous parler?
— Ma foi non, répondait Nab. Ce qui m'étonne, c'est plutôt qu'il ne parle pas, car enfin, il ne lui manque que la parole!»
J. VERNE, l'Île mystérieuse, t. II, p. 474.

♦ **2.** Exercice de cette faculté; expression (cit. 3) verbale de la pensée. ⇒ **Langage** (parlé), **verbe.** *Le mot** (cit. 4), *unité sémantique minima de la parole. La pensée et la parole* (→ Beau, cit. 3, Joubert; écouter, cit. 21, Fénelon; étape, cit. 9, Bergson). *Liaison* (cit. 5) *de la parole et de l'idée. La parole a été donnée à l'homme pour cacher* (cit. 19), *dissimuler* (cit. 4), *déguiser sa pensée. La parole et l'écriture*. L'action* (cit. 25), *le geste* (cit. 4) *et la parole.* — Loc. *Encourager qqn de la parole et du geste.* ⇒ **Voix.** — *Avoir la parole facile.* ⇒ **Disert, éloquent; bavard** (→ Être fort en bec*); **verve.** *Facilité* (cit. 11) *de parole* (→ Gouailleur, cit. 1). *Don* de la parole.*

21 La parole, Ronsard, est la seule Magie.
L'âme par la parole est conduite et régie. RONSARD, Élégies, XXI.

22 (...) le perroquet imite le signe le moins équivoque de la pensée, la parole, qui met à l'extérieur autant de différence entre l'homme et l'homme qu'entre l'homme et la bête (...) BUFFON, Hist. nat. des animaux, Disc. s. nat. anim.

23 Des philosophes ont demandé si la pensée peut exister sans parole ou sans quelqu'autre signe : non, sans doute (...) l'idée simple a d'abord nécessité le signe, et bientôt le signe a fécondé l'idée; chaque mot a fixé la sienne, et telle est leur association, que, si la parole est une pensée qui se manifeste, il faut que la pensée soit une parole intérieure et cachée. L'homme qui parle est donc l'homme qui pense tout haut (...) RIVAROL, Littérature, I.

24 Dans toutes les classes, en France, on sent le besoin de causer : la parole n'y est pas seulement, comme ailleurs, un moyen de se communiquer ses idées, ses sentiments et ses affaires, mais c'est un instrument dont on aime à jouer, et qui ranime les esprits, comme la musique chez quelques peuples, et les liqueurs fortes chez quelques autres. Mme DE STAËL, De l'Allemagne, I, XI.

25 (...) la Parole, espèce d'arme à bout portant, n'a qu'un effet immédiat. La Réflexion tue la Parole quand la Parole n'a pas triomphé de la Réflexion. BALZAC, Albert Savarus, Pl., t. I, p. 836.

26 Bourgeois ou peuple, tout Français est gros mangeur de paroles autant que de pain. Mais tous ne mangent pas le même pain. Il y a une parole de luxe pour les palais délicats, et une plus nourrissante pour les gueules affamées. R. ROLLAND, Jean-Christophe, Buisson ardent, I, p. 1277.

27 Entendre la parole (...) c'est d'abord en reconnaître le son, c'est ensuite en retrouver le sens, c'est enfin en pousser plus ou moins loin l'interprétation (...) H. BERGSON, Matière et Mémoire, p. 119.

Prov. *La parole est d'argent et le silence est d'or.*

Spécialt. **LA PAROLE** (dans ses usages esthétiques ou sociaux). ⇒ **Éloquence** (→ 1. Dépendre, cit. 3). *Puissance de la parole* (→ Applicable, cit. 1). *Les artisans* (cit. 8), *les maîtres, les virtuoses de la parole* (→ Improvisation, cit. 2). *L'efficace de la parole* (→ Expression, cit. 20).

Langage* parlé ou écrit. *La littérature* (cit. 5) *a pour substance et pour agent la parole* (→ Littérature, cit. 20).

28 (...) la parole humaine est comme un chaudron fêlé où nous battons des mélodies à faire danser les ours, quand on voudrait attendrir les étoiles. FLAUBERT, Mme Bovary, II, XII.

28.1 (...) j'ai compris quelle lourdeur avait la parole écrite, à côté de la parole pensée. J.-R. BLOCH, Deux hommes se rencontrent, p. 25.

29 Notre premier devoir d'écrivain est donc de rétablir le langage dans sa dignité. Après tout nous pensons avec des mots. Il faudrait que nous fussions bien fats pour croire que nous recelons des beautés ineffables que la parole n'est pas digne d'exprimer. SARTRE, Situations II, p. 305.

Ling. (chez Saussure et ses continuateurs). L'usage que fait un individu du langage (opposé à *langue, système abstrait*). ⇒ **Discours** (4.); **langue** (cit. 43.1, 43.2 et *supra*).

♦ **3.** Fait, action de parler, de dire quelque chose. *Adresser* la parole à qqn,* lui parler (→ Mot, cit. 15). — *Prendre la parole :* commencer à parler (→ Carrément, cit. 3; meneur, cit. 4). *La prise de parole par qqn. Le droit à la parole. — Couper** (cit. 15) *la parole à qqn* (→ Harangue, cit. 4); *lui enlever, lui ôter la parole,* l'empêcher de parler. ⇒ **Interrompre** (→ Étouffer, cit. 19). *Prêter la parole à un personnage* (→ Fils, cit. 16).

30 Il s'écoutait parler, il prenait la parole à tout propos, il dévidait solennellement des phrases filandreuses et sèches qui passaient pour de l'éloquence dans la haute bourgeoisie d'Arcis. BALZAC, le Député d'Arcis, Pl., t. VII, p. 649.

Par métaphore :

31 Parfois ceux qui prennent la parole la gardent terriblement longtemps; des générations, muettes encore, cependant s'impatientent en silence. GIDE, Nouveaux prétextes, p. 26.

Spécialt. Droit de parler, dans une assemblée délibérante. *Demander; obtenir la parole. Accorder, donner, passer, refuser la parole. Durée de la parole* (→ Obstruction, cit.). *Vous avez la parole :* vous pouvez parler. *Temps de parole d'un orateur.* — Par ext. *Taisez-vous! Vous n'avez pas la parole!*

32 La parole est à monsieur Achille Pigoult, dit Beauvisage, qui put prononcer enfin cette phrase avec sa dignité municipale et constitutionnelle. BALZAC, le Député d'Arcis, Pl., t. VII, p. 660.

Jeu. *Passer* parole :* passer à son voisin le droit que l'on a de parler, de faire une annonce. Absolt. *Parole!* je passe.

Loc. Vx. *Porter la parole* (⇒ **Porte-parole**) : parler au nom de plusieurs.

♦ **4.** Façon, manière de parler (d'une personne). ⇒ **Diction, élocution, ton, voix...** *Une parole brève, sèche, froide...* (→ Intonation, cit. 3). *Vivacité de geste et de parole* (→ Nonchalance, cit. 7). *Avoir la parole expansive et le geste démonstratif* (cit. 4).

♦ **5.** (Dans le langage des religions révélées). La révélation de la volonté divine, les textes révélés. ⇒ **Logos** (cit.), **verbe; écriture.** *La parole de Dieu* (cit. 32), *la parole divine.* ⇒ **Pain** (de vie). → Cantonner, cit. 2; esprit, cit. 16; évangile, cit. 2 et 7; frère, cit. 21. *La parole de vie* (→ Ardeur, cit. 7). Absolt. *La Parole* (→ Centuple, cit. 3; disciple, cit. 2). Plais. *Prêcher, porter la bonne parole.*

33 Le Verbe, ou la parole divine, existait avant la création de l'univers; mais pour les poètes, il faut que la création précède la parole. Mme DE STAËL, De l'Allemagne, II, XII.

Loc. fig. *Parole d'évangile*.*

CONTR. Action. — Écrit. — Silence.
DÉR. Parolier.
COMP. Porte-parole.

PAROLI [paʀɔli] n. m. — 1640; mot ital.; de *paro* «je mise», et *li* «les» ou «là».

♦ Vx. Le double de la mise antérieure, lorsqu'on vient de gagner au jeu (au pharaon, au trictrac). — (1718). *Faire paroli.* — *«Offrir, tenir, gagner le paroli»* (Académie).

Il prit le cornet, gagna, se remit à jouer en faisant paroli; bref au bout d'une heure il avait réparé sa perte de la veille et celle de la soirée. A. DE MUSSET, Nouvelles, «le Fils du Titien», II.

(1676, Mme de Sévigné, *in* D.D.L.). Fig. Vx. *Donner, faire, rendre le paroli :* renchérir sur ce qu'a dit qqn (cf. Mme de Sévigné, Furetière, *in* Littré).

PAROLIER, IÈRE [paʀɔlje, jɛʀ] n. — 1757, adj.; «riche en paroles» (d'une poésie), 1584; de *parole.*

♦ **1.** Vx. Personne qui parle beaucoup, sans arrêt. ⇒ **Bavard.**

♦ **2.** (1842, «librettiste»). Mod. Auteur des paroles d'une chanson (⇒ **Chansonnier**).

Parolière et musicienne — ce qui est une faculté toute particulière — Holmès disserte sur la qualité des vers, qu'il faut mettre dans ce qu'elle fait : des vers, dit-elle, légèrement à l'état de squelette, et dont la chair est faite de sa musique. Ed. et J. DE GONCOURT, Journal, t. IX, p. 270. 1

Parolier! Parfaitement. Le fabricant de paroles. Tout se fabrique ici-bas. Et il faut bien qu'il y ait quelqu'un qui s'en charge, des paroles. J. ANOUILH, Ornifle, I. 2

(1972, in *le Point,* 9 oct., p. 90). Par ext. Auteur des textes (d'une bande dessinée). ⇒ **Scénariste; dialoguiste.**

PAROMOLOGIE [paʀɔmɔlɔʒi] n. f. — 1765, *Encyclopédie;* grec *paromologia,* de *paromoios* «presque semblable», et *logos* «discours».

♦ Didact. (Rhét.). Concession* (ou épitrope).

PARONOMASE [paʀɔnɔmaz] n. f. — 1701; *paronomasie,* 1546, Rabelais, *Tiers livre,* X (le mot a été supprimé dans l'édition définitive); lat. *paronomasia,* mot grec, de *para,* et *onoma* «nom».

♦ Rhét. Figure qui consiste à rapprocher dans une phrase des mots de sonorité voisine (⇒ **Paronyme**); ressemblance entre de tels mots.

PARONYME [paʀɔnim] adj. et n. m. — 1805; grec *paronumos.* → Paronomase.

♦ Didact. Se dit de mots phonétiquement voisins, homonymes à un phonème près. (Ex. : *conjecture, conjoncture; éminent, imminent; parotide, carotide...*)

DÉR. Paronymie, paronymique.

PARONYMIE [paʀɔnimi] n. f. — 1846; de *paronyme.*

♦ Didact. Caractère des mots paronymes.

PARONYMIQUE [paʀɔnimik] adj. — 1836; de *paronyme.*

♦ Didact. Relatif aux paronymes. *Attraction paronymique :* tendance à attribuer le même sens à des mots phonétiquement voisins.

PARONYQUE [paʀɔnik] n. f. — 1838; *paronique,* 1778; *paronychia,* 1562; grec *paronuxis,* de *para,* et *onux* «ongle», cette plante passant pour guérir les panaris.

♦ Bot. Plante *(Caryophyllacées),* annuelle ou vivace suivant les variétés. *La herniaire, le scléranthe, plantes voisines de la paronyque.* — REM. Certains auteurs regroupent les paronyques en une famille *(Paronychacées).*

PAROPTIQUE [paʀɔptik] adj. — 1920; autre sens, 1875; de *par(a)-,* et *optique.*

♦ Sc. Qui fait appel à d'autres sens que la vue pour restituer les impressions visuelles.

PAROS [paʀɔs] n. m. invar. — Av. 1872; du nom de l'île.

♦ Didact., techn. Marbre* blanc extrait des carrières de l'île de Paros (Cyclades). *Du paros de première qualité.*

PAROSMIE [paʀɔsmi] ou PARAOSMIE [paʀaɔsmi] n. f. — 1907, *parosmie; paraosmie,* 1932; de *par(a)-,* et *-osmie.*

♦ Didact. Perversion de l'odorat caractérisée par une mésinterprétation des perceptions olfactives, ou la perception d'odeurs inexistantes, le plus souvent désagréables.

PAROTIDE [paʀɔtid] n. f. — 1537; *perotide* «inflammation des glandes», 1490; lat. *parotis, -idis,* grec *parôtis* «près de l'oreille».

♦ Anat. Glande salivaire paire, située au-dessous du conduit auditif externe. *Face postérieure* (mastoïdienne) *de la parotide. La parotide est une glande séreuse; elle élabore la salive*. Inflammations de la parotide.* ⇒ **Oreillon(s), parotidite.**

(...) il dessinait la parotide mise à nu, avec des lambeaux de châir rabattus, pour montrer les rapports de la glande et de sa loge.
ARAGON, les Beaux Quartiers, II, VII.

Par appos. *La glande parotide.*

DÉR. Parotidien, parotidite.
COMP. Parotidectomie.

PAROTIDECTOMIE [paʀɔtidɛktɔmi] n. f. — 1953; de *parotide,* et *-ectomie.*

♦ Chir. Ablation totale ou partielle de la parotide.

PAROTIDIEN, IENNE [paʀɔtidjɛ̃, jɛn] adj. — 1818; de *parotide.*

♦ Anat. Relatif à la parotide, à sa région. *Loge parotidienne. La région parotidienne est traversée par la carotide externe. Artères parotidiennes.*

PAROTIDITE [paʀɔtidit] n. f. — 1830; de *parotide,* et *-ite.*

♦ Méd. Inflammation de la parotide. *Parotidite épidémique.* ⇒ **Oreillons.**

Tout irait bien si mon postérieur ne m'inquiétait un peu. Est-ce la furonculose qui approche? J'ai de plus une petite poussée de parotidite, mais enfin je suis plein d'espoir (...)
Alain BOMBARD, Naufragé volontaire, p. 188.

PAROUSIE [paʀuzi] n. f. — 1903; grec *parousia* «présence».

♦ Didact., relig. Second avènement du Christ glorieux. → Millénium. *« La Parousie achève l'œuvre divine, proclame le triomphe du Christ et de son Église »* (B. Olivier, in *Histoire de la théologie,* t. III, p. 570). — Par analogie :

Si la parousie est proche, c'est à la foi brûlante (...) qu'il faut tout consacrer (...) Mais dès l'instant où la parousie s'éloigne, il faut vivre avec sa foi (...) Alors naissent la dévotion et le catéchisme. La parousie évangélique s'est éloignée; saint Paul est venu constituer le dogme. L'Église a donné un corps à cette foi qui n'était qu'une pure tension vers le royaume à venir (...) Un mouvement similaire est né de l'échec de la parousie révolutionnaire.
CAMUS, l'Homme révolté, p. 261.

PAROXYSME [paʀɔksism] n. m. — 1552; *peroxime,* 1314; grec médical *paroxusmos,* de *oxunein* «aiguiser, exciter». → Oxy-.

♦ **1.** Méd. Période (d'une maladie, d'un état morbide) où les symptômes sont le plus aigus*. ⇒ **Crise.** *Accès qui atteint son paroxysme.*

1 Rassurez-vous, dit-il en lui poussant le coude, je crois que le paroxysme est passé. — Oui, elle repose un peu maintenant! répondit Charles, qui la regardait dormir.
FLAUBERT, Mme Bovary, II, XIII.

♦ **2.** (1831, Balzac). Extrême intensité (d'un sentiment...); le plus haut degré. ⇒ **Exacerbation**... *Atteindre* (cit. 24) *à son paroxysme.* (→ Mêlée, cit. 6). *Pousser, porter à son paroxysme. La haine, dans son paroxysme le plus aigu* (→ Hystérique, cit. 4). ⇒ **Comble** (à son). *Un paroxysme d'attente* (→ Guet, cit. 2). *Moments de paroxysme* (→ 1. Geste, cit. 18). *Au paroxysme de la colère, de la passion, de la douleur.*

2 Cette plaisanterie me fit croire que Rastignac voulait rire et piquer ma curiosité, en sorte que ma passion improvisée était arrivée à son paroxysme quand nous nous arrêtâmes devant un péristyle orné de fleurs.
BALZAC, la Peau de chagrin, Pl., t. IX, p 101.

3 La nuée des spectateurs, au paroxysme de la joie, suivait avec des quolibets.
HUGO, les Misérables, I, V, XIII.

4 Il faillit mourir. Il pensa à se tuer. Il se figura du moins qu'il le pensait. Il eut des désirs incendiaires. On ne se doute pas du paroxysme d'amour et de haine qui dévore certains cœurs d'enfants.
R. ROLLAND, Jean-Christophe, le Matin, III p. 218.

♦ **3.** Phase de plus grande intensité (d'un phénomène physique). — (Surtout avec *à*...). *L'éruption, le séisme, la tempête est à son paroxysme.*

DÉR. Paroxysmal ou **paroxysmique, paroxyste, paroxystique.**

PAROXYSMIQUE [paʀɔksismik] ou **PAROXYSMAL, ALE, AUX** [paʀɔksismal, o] adj. — 1836, *paroxysmique; paroxysmal,* 1932; *paroximique,* 1611; de *paroxysme;* → Paroxystique.

♦ Didact. Relatif au paroxysme, à un paroxysme. *Phase paroxysmale d'une éruption.*

(...) des gaz seront habituellement rejetés par les volcans dès avant la phase paroxysmale (éruption proprement dite), mais aussi pendant celle-ci et, le plus souvent, longtemps encore après disparition de tout autre signe d'activité.
B. GÈZE, *in* Encycl. Pl., la Terre, Les roches volcaniques et la volcanologie, p. 867.

PAROXYSTE [paʀɔksist] n. et adj. — 1866; de *paroxysme;* mot créé par N. Roqueplan en 1816, d'après Gautier, *Histoire du romantisme,* VII.

♦ **1.** N. Anciennt. (Hist. littér.). Artiste recherchant le maximum d'intensité (dans l'expression).

Il était de sa nature ce qu'on appelle, dans le jargon moderne, un paroxyste, c'est-à-dire un tempérament poussant tout au paroxysme et à l'outrance, le paradoxe, la fantaisie, le style, la couleur, l'esprit (...) avec une énergie incroyable, il haussait le diapason naturel des choses et écrivait sur des portées impossibles pour tout autre.
Th. GAUTIER, Portraits contemporains, Gozlan (1866).

♦ **2.** Adj. Rare. Très intense. *« Une tendresse paroxyste »* (Marguerite, *in* G. L. L. F.).

PAROXYSTIQUE [paʀɔksistik] adj. — 1822; *paroxymique,* 1808; de *paroxysme.*

♦ **1.** Méd. Qui se présente sous forme de paroxysmes. *Tachycardie paroxystique.*

(...) l'*épilepsie,* affection redoutable, pouvant retentir sur toutes les variétés des 1
fonctions psychiques, aussi bien sur le caractère, la régulation de l'activité (...) que sur le courant de la pensée (...) et sur la conscience, mais présentant une forme essentiellement paroxystique.
H. BARUK, Psychoses et Névroses, p. 45.

♦ **2.** Littér. D'un paroxysme. *Colère paroxystique. Cérémonies paroxystiques de l'Orient* (→ Fête, cit. 1, *in fine*).

(...) si l'on veut bien admettre que les histoires préférées de l'homme sont celles où 2
le mouvement qui le porte n'est autre que la quête farouche de la mort, on peut alors pressentir que c'est bien la mort qui prend pour lui le visage paroxystique, mais toujours ambigu, de la jouissance (...)
Annie LECLERC, Parole de femme, p. 159.

PAROXYTON [paʀɔksitɔ̃] adj. m. — 1570, *paroxytone;* grec *paroxutonos.* → Oxyton.

♦ Ling. Qui a l'accent de hauteur (et, par ext., l'accent d'intensité) sur l'avant-dernière syllabe (→ aussi Proparoxyton).

DÉR. Paroxytonique, paroxytonisme.

PAROXYTONIQUE [paʀɔksitɔnik] adj. — 1932; de *paroxyton.*

♦ Ling. Qui est caractérisé par une accentuation sur l'avant-dernière syllabe des mots. *Langue paroxytonique.*

PAROXYTONISME [paʀɔksitɔnism] n. m. — 1932; de *paroxyton.*

♦ Ling. Accentuation ou tendance à l'accentuation sur l'avant-dernière syllabe.

PARPAIGNE [paʀpɛɲ] adj. f. — 1578; *pierre de perpagne,* 1409; fém. de l'adj. *parpain.* → Parpaing.

♦ Techn. *Pierre parpaigne,* qui a deux faces extérieures, qui occupe toute l'épaisseur d'un mur. ⇒ **Parpaing.**

DÉR. Parpine.

PARPAILLOT, OTE [paʀpajo, ɔt] adj. et n. — Fin XVIe; «papillon», 1534; du languedocien et gascon *parpailhol* «papillon», à cause des vêtements blancs des calvinistes, avec probablt (P. Guiraud) l'infl. de *paillard.*

♦ Péj. et vx, ou hist., ou plais. Calviniste, protestant.

Me trouvant à Rome à la veille de l'entrée des Alliés, en ma qualité de volontaire 1
à la Croix-Rouge suédoise, je passais là-bas les heures les plus singulières qu'il ait été donné de vivre à une jeune fille de vieille souche parpaillote, qui voit mis à l'épreuve les principes de sa sainte religion.
P. KLOSSOWSKI, la Révocation de l'Édit de Nantes, p. 106.

N. *Un parpaillot, une parpaillote.*

(1803). Par ext. (Vx). Impie, mécréant.

(...) l'abbé Brossette est un malin, votre curé suggère toutes ces mesures-là, parce 2
que vous n'allez pas à la messe, tas de parpaillots! (...)
BALZAC, les Paysans, Pl., t. VIII, p. 217.

PARPAING [paʀpɛ̃] n. m. — 1304, *parpain;* 1291, *perpein* «direction de la longueur»; bas lat. *perpetaneus,* de *perpes, -etis* «ininterrompu, continuel».

♦ **1.** Techn. Pierre de taille (ou moellon) tenant toute l'épaisseur d'un mur et ayant deux parements (à la différence de la *boutisse*). — *Parpaing d'appui,* formant l'appui d'une baie. — Spécialt. Pierre placée sous un pan de bois, sous un treillage, pour servir d'isolement.

Ailleurs on voit monter les immeubles blancs; les façades d'un bel ocre pâle. On 1
flaire l'odeur du parpaing scié.
J. ROMAINS, les Hommes de bonne volonté, t. V, XVIII, p. 132.

Par ext. Bloc (de plâtre, de ciment, de maçonnerie) formant l'épaisseur d'une paroi.

♦ **2.** (1935). Cour. Parallélépipède en mortier de ciment (et de gravillon ou de mâchefer). ⇒ **Aggloméré.** *Parpaing moulé, comprimé. Parpaing creux,* allégé par des alvéoles.

♦ **3.** Fam. Pierre servant de projectile (parfois écrit *parpin,* d'où *parpiner,* v. intr. «tomber [des projectiles]»; Aragon, *Aurélien,* p. 259).

2 (...) à force d'entendre dire que les Fritz bouffaient des briques et de recevoir des parpins sur la gueule. ARAGON, Aurélien, t. I, p. 23.

♦ **4.** Fam. Coup (surtout, coup de poing). *Recevoir un parpaing. Je lui ai envoyé un de ces parpaings!*

PARPELETTE [paʀpəlɛt] n. f. — 1909; orig. incertaine.

♦ Régional. Petite tranche de thon à l'huile.

PARPINE [paʀpin] n. f. — 1838; var. de *parpaigne.*

♦ Techn. Morceau de planche placé dans un mur de pisé pour le consolider.

PARQUAGE [paʀkaʒ] n. m. — XIXe; *parcage,* 1611; de *parquer.*

♦ Action de parquer, de mettre en parc; son résultat. ⇒ **Parcage.**

Sur les boulevards extérieurs, la rencontre des mobiles, revenant avec les souliers jaunes et les couvertures de la distribution, et des deux côtés, entre des murs de planches, le parquage de grands bœufs étonnés.
Ed. et J. DE GONCOURT, Journal, t. IV, p. 35.

PARQUE [paʀk] n. f. — 1529, *Parce;* lat. *Parca.*

♦ **1.** Myth. Chacune des trois déesses (Clotho, Lachésis, Atropos) qui filent, dévident et tranchent le fil* des vies humaines, représentée sous les traits d'une vieille femme*. — Par métaphore. Symbole de la destinée. *« La main des Parques blêmes »* (→ Jouer, cit. 50). *Le fuseau, la quenouille, les ciseaux des Parques.* ⇒ **Filandière** (les sœurs filandières). — Littér. *La Jeune Parque,* poème de Valéry.

1 (...) je l'aurais toujours continuée, si les Parques ne m'eussent point filé d'autres jours fort différents (...) A.-R. LESAGE, Gil Blas, X, X.

2 Et elle dit cela avec l'assurance d'une Parque dont les décrets de mort ne sont pas discutables. LOTI, Ramuntcho, II, XIII.

3 Paul Valéry interprète avec une déconcertante liberté le mythe païen des sœurs filandières, qui tiennent entre leurs mains le sort des mortels. A condition d'imaginer la première des trois Parques sous l'aspect d'une adolescente, on peut admettre que l'œuvre du poète exprime les aspirations contradictoires de l'âme humaine au printemps de la vie.
H. FABUREAU, Notice des poésies choisies de P. Valéry.

♦ **2.** (Av. 1585). Au sing. *La Parque :* la destinée (→ Ourdir, cit. 2); la mort* (→ Nom, cit. 20).

4 La Parque avait écrit de tout temps en son livre
Que l'un de nos enfants devait cesser de vivre. LA FONTAINE, ables, X, 11.

5 Et je serais heureux si la Parque cruelle
M'eût laissé ramener cette épouse fidèle (...) MOLIÈRE, l'École des femmes, V, 7.

6 (...) sans cesse j'entends la Parque, la vieille, murmurer à mon oreille : tu n'en as plus pour longtemps. GIDE, Journal, 8 juin 1948.

HOM. Parc.

PARQUER [paʀke] v. — 1380; de *parc.*

★ **I.** V. tr. ♦ **1.** Mettre (des bestiaux, des animaux) dans un parc*. *Parquer des bœufs, des moutons, des chevaux.*

1 Jusqu'en août, le troupeau mangeait dans les jachères, dans les trèfles et les luzernes, ou encore dans les friches, le long des routes; et il y avait à peine trois semaines, au lendemain de la moisson, qu'il le parquait enfin dans les chaumes, sous les derniers soleils brûlants de septembre. ZOLA, la Terre, IV, I.

(1500). Placer (des soldats) dans un cantonnement.

(Fin XVIIe). Disposer pour former un parc. *Parquer les munitions, les vivres, l'artillerie...*

2 L'ordre rétabli, chaque régiment parqué dans son quartier, le commandant de place nommé, vinrent les administrateurs militaires.
BALZAC, les Marana, Pl., t. IX, p. 792.

♦ **2.** (1819). Fig. Placer, enfermer, renfermer (des personnes) dans un espace étroit et délimité (→ Gâcher, cit. 3; opprimer, cit. 7). *Parquer des détenus, des prisonniers, des suspects. — Être parqué comme du bétail.* — P. p. adj. *Parqué, parquée.*

3 On tient sous le bâton, parqués dans les faubourgs
Les ouvriers ainsi que des noirs dans leurs cases (...) HUGO, les Châtiments, III, I.

4 La foule stationnait contre le mur, parquée symétriquement entre des balustrades.
FLAUBERT, Mme Bovary, II, XV.

4.1 Quant aux prisonniers, ils allaient être parqués dans quelque enclos, où, maltraités, à peine nourris, exposés à toutes les intempéries du climat, ils attendraient le bon plaisir de Féofar. J. VERNE, Michel Strogoff, p. 268.

Emploi pronominal. *Se parquer.*

5 Ces foules qui se ruent. D'abord celles de New York et de tous les ports américains de l'Atlantique, et, immédiatement après, celles de l'hinterland et du Middle West. Un drainage s'effectue. On se parque dans les cales des steamers qui vont à Chiagres. B. CENDRARS, l'Or, VIII, 28.

(Av. 1850). Fig. Enfermer dans un emploi, une situation, un état. *Il voulait me parquer dans cette fonction* (Académie). *« Les mots, bien ou mal nés, vivaient parqués en castes »* (Hugo). → Noble, cit. 16.

Mes idées quelle que soit leur origine, ont tendance à entrer en relations, donc en concurrence. Je ne sais pas les parquer. J. ROMAINS, le Dieu des corps, II. 6

♦ **3.** (V. 1940). Arrêter et ranger (une voiture) dans un parc de stationnement. ⇒ **Garer.** — V. pron. *Se parquer :* parquer sa voiture (⇒ **Parking**).

— Alors, c'est probablement lui que j'ai attrapé parce qu'il avait rangé sa voiture dans la cour à l'emplacement réservé aux autos du ministère (...) 6.1
— Il n'a pas dit son nom?
— Il a haussé les épaules, et est allé parquer la voiture de l'autre côté de la cour.
G. SIMENON, Maigret chez le ministre, p. 164.

★ **II.** V. intr. ♦ **1.** (1660). Être dans un parc. *Bœufs, moutons, troupeaux qui parquent dans un enclos.*

♦ **2.** (1694). Milit. Former un parc.

♦ **3.** (1930). Stationner (dans un parc). REM. On emploie plutôt *se parquer* (ci-dessus).

Descendons, dit Mrs Lytton. Il nous faut «parquer» par ici, loin du centre où le stationnement est tout à fait défendu. G. DUHAMEL, Scènes de la vie future, VI. 7

DÉR. Parquage, parqueur.
COMP. Déparquer.

PARQUET [paʀkɛ] n. m. — 1339, «petit parc»; de *parc.*

★ **I.** ♦ **1.** Vx. Compartiment, espace délimité dans un parc, un pâturage. — Mod. Agric. *Parquet d'élevage :* enclos destiné à l'élevage des volailles.

♦ **2.** (1366). Anciennt. Partie d'une salle de justice où se tenaient les juges ou les avocats. ⇒ **Barreau, barre.**

(1549). Mod. Local réservé aux membres du Ministère public en dehors des audiences. *Parquet d'un tribunal*. Parquet général,* sous l'autorité d'un procureur général. *Petit parquet,* sous l'autorité d'un substitut.

Admirez, s'il vous plaît, ma fermeté; — je viens de me rendre au Palais de Justice. On a souvent peur, — en pareil cas, — de ne sortir du parquet du procureur de la République que pour être guillotiné. 1
NERVAL, Fragment des faux saulniers, I.

(1694). Par métonymie. *Le Parquet :* groupe des magistrats exerçant les fonctions du Ministère public (⇒ **Ministère**), sous l'autorité d'un procureur* général ou d'un procureur de la République (→ Justice, cit. 40; opinion, cit. 23). *Magistrats du Parquet* (magistrature* debout) *et juges* (magistrature assise).

♦ **3.** (Av. 1772). Vx. Partie d'une salle de théâtre située entre la scène et le parterre. ⇒ **Orchestre.** — Par métonymie. *Le parquet applaudit.*

♦ **4.** (1802). Partie de l'enceinte d'une Bourse où se tiennent des agents de change, pendant le marché. ⇒ **Bourse** (cit. 4); **corbeille.**
(1875). Par métonymie. Corps des agents de change d'une Bourse.

♦ **5.** Mar. (vx). Compartiment de la cale d'un navire. *Parquet de chargement.*

★ **II.** (1385, «panneau de retable», du sens I., A. de *parc*).
♦ **1.** (1664). Assemblage soigné et précis de petits éléments de bois (⇒ **Frise, lame, latte,** cit. 2) qui garnissent le sol d'une pièce, d'une salle; partie supérieure apparente d'un plancher*. *Parquet cloué sur des lambourdes*. Parquet à éléments assemblés* (⇒ **Languette, rainure**); *parquet sans joints. Plinthe bordant un parquet* (⇒ **Antébois**). *Parquet d'onglet, à l'anglaise, à points de Hongrie, à bâtons rompus, en mosaïque... Parquet de chêne* (cit. 4), *de noyer... Garnir d'un parquet.* ⇒ **Parqueter.** *Entretien d'un parquet; nettoyer un parquet à la paille de fer; cirer* le parquet.* ⇒ **Cire, encaustique** (cit.). *Parquet ciré* (cit. 2), *verni. Brosse* à parquet. Faire, frotter le parquet.* ⇒ **Frotteur** (cit.). → Frottement, cit. 6; ménage, cit. 5. *Parquet recouvert d'une moquette, d'un tapis...* (→ Couvrir, cit. 5; laine, cit. 7).

(...) plusieurs feuilles du parquet, étaient soulevées (...) Gâter ainsi ce parquet en bois de couleur, qu'il aime tant; quand un de ses enfants y entre avec des souliers humides, il devient rouge de colère. STENDHAL, le Rouge et le Noir, I, XXI. 2

Le parquet, couleur de cire et luisant, craquait tout seul, sans doute à la chaleur du petit poêle de faïence blanche (...) 3
MARTIN DU GARD, les Thibault, t. IV, p. 51.

♦ **2.** (1718). Techn. Assemblage de bois sur lequel est appliquée une glace.

♦ **3.** (1903). Mar. Assemblage de plaques formant une plate-forme pour la circulation (dans une salle de machines, notamment). *Parquet de chauffe.*

DÉR. (Du sens II.) **Parqueter, parqueterie.**

PARQUETAGE [paʀkətaʒ] n. m. — 1621, «marquetterie»; «parc pour les moutons», 1611; «division d'un marais salant», fin XVIe; de *parqueter.*

♦ (1647). Techn. Action de parqueter; son résultat. *Un parquetage soigné.*

PARQUETER [paʀkəte] v. tr. — Conjug. *jeter.* — 1680; «diviser un espace», 1382; de *parquet.*

♦ **1.** Garnir d'un parquet. *Menuisier qui parquette une salle, une chambre.* — Au p.p. *Pièce parquetée.* ⇒ aussi **Planchéier.**

(1690). Par ext. *Parqueter les murs d'une pièce.*

1 Les salles inférieures sont parquetées de planchers de cèdre, qui couvrent immédiatement la surface de l'eau, et que l'on enlève lorsque les dames du sérail veulent s'exercer à la natation.
NERVAL, Voyage en Orient, Nuits du Ramazan, I, V.

2 Il y avait un bon mois de travail, des chambres à parqueter, des portes, des fenêtres à consolider un peu partout. ZOLA, la Terre, II, I.

Rare. (Sujet n. de chose). Former le parquet de.

3 Si ça se trouve, ce chêne Louis XV parquette maintenant le living d'un B.O.F. (...)
Hervé BAZIN, Cri de la chouette, p. 156.

♦ **2.** Techn. *Parqueter un tableau,* en réparer la boiserie ou consolider la toile avec des planches.

DÉR. Parquetage, parqueteur, parqueteuse.

PARQUETERIE [paʀkɛtʀi] n. f. — 1835; de *parquet.*

♦ Techn. Fabrication, pose des parquets. ⇒ **Menuiserie.**

PARQUETEUR [paʀkətœʀ] n. m. — 1691; de *parqueter.*

♦ Techn. Ouvrier, menuisier qui fabrique ou pose des parquets.

PARQUETEUSE [paʀkətøz] n. f. — 1933, Larousse; de *parqueter.*

♦ Techn. Machine à usiner le bois pour fabriquer des éléments de parquets.

PARQUEUR, EUSE [paʀkœʀ, øz] n. — 1868; *parquier* «gardien de bestiaux», XIIIe; «pêcheur», XVIIIe; de *parquer.*

♦ **1.** Techn. Personne qui s'occupe des huîtres d'un parc.

♦ **2.** (1907). Agric. Personne qui garde, soigne les bestiaux dans un parc. ⇒ **Berger.** — On trouve *parquier,* n. m., dans ce sens, au XIXe siècle.

PARR [paʀ] n. m. — 1868; mot anglais.

♦ Techn. Jeune saumon.

HOM. 1. **Par,** 2. **par, part;** formes des v. **parer, partir.**

PARRAIN [paʀɛ̃] n. m. — V. 1155; *parain,* v. 1112; réfection, d'après *marraine,* de *parin, parrin,* du lat. pop. *patrinus,* de *pater* «père».

♦ **1.** Celui qui tient (ou a tenu) un enfant (⇒ **Filleul**) sur les fonts du baptême*. ⇒ **Compère** (vx). *Le parrain et la marraine** (⇒ **Compérage**). *Fonction de parrain.* ⇒ **Parrainage.** *Nom choisi, donné par le parrain* (→ Entendre, cit. 5). *Être le parrain d'un enfant, lui servir de parrain.* ⇒ **Nommer** (vx). → Momerie, cit. 3. — *Parrain,* appellation dont use un filleul à l'égard de son parrain.

Les Buteau, en effet, baptisaient leur enfant, après bien des retards. D'abord, Lise avait exigé d'être tout à fait solide, voulant manger au repas. Puis, travaillée d'une pensée d'ambition, elle s'était obstinée à avoir les Charles pour parrain et marraine (...) ZOLA, la Terre, III, VI.

(1690). Celui qui préside au baptême d'une cloche, au lancement d'un navire. — Celui qui donne un nom à une personne, à une chose, à un ouvrage (→ Métaphysique, cit. 1).

♦ **2.** (1690). Celui qui reçoit une personne dans un ordre de chevalerie, dans un ordre honorifique, qui lui en remet les insignes... — (1868). À l'Académie française, «Chacun des deux académiciens qui accompagnent le récipiendaire le jour de sa réception en séance publique» (Académie). — (1875). Par ext. Celui qui présente quelqu'un dans un cercle, un club.

♦ **3.** Argot, puis cour. et fam. (répandu v. 1970). Chef d'un important groupe de truands (maffia, etc.). *«Certains "parrains" dont Frank Costello, chef d'une des cinq familles new-yorkaises, ne cachaient pas leur hostilité à la drogue»* (*l'Express,* 7 mai 1973, p. 90).

DÉR. Parrainage, parrainer.

PARRAINAGE [paʀɛnaʒ] n. m. — 1829, Vidocq; *parrinaiges* «le parrain et la marraine», 1220; de *parrain.*

♦ **1.** Fonction, qualité de parrain (1.) ou de marraine.

1 (...) il devait croire aux obligations du parrainage et ne déserter aucune des coutumes qui coloraient la vie d'autrefois.
BALZAC, le Contrat de mariage, Pl., t. III, p. 114.

Soutien d'une personne qui demande à être admise dans un ordre, dans une société.

(...) Paul Hervieu, qui, ayant brillamment présidé la Société des Gens de Lettres, s'intéressait toujours à ses destinées, et Marcel Prévost, qui était alors à sa tête, me persuadèrent d'y demander mon admission. Ce que je fis avec le parrainage de François de Curel et de Gaston Deschamps. 2
Georges LECOMTE, Ma traversée, p. 357.

♦ **2.** (1935). Appui moral qu'une personnalité ou un groupe accorde à une œuvre. ⇒ **Patronage.** *Comité de parrainage.* — Soutien financier d'un commanditaire, qui escompte un effet de notoriété de cette commandite (pour traduire l'anglicisme *sponsoring*).

PARRAINER [paʀene] v. tr. — V. 1935; de *parrain.*

♦ **1.** Soutenir (une entreprise, une œuvre) en accordant son parrainage. — REM. Le mot pourrait servir de remplaçant à l'anglicisme *sponsoriser,* dans un emploi spécifique.

♦ **2.** Présenter (qqn) en tant que parrain.

1. PARRICIDE [paʀisid] n. et adj. — 1190; rare jusqu'au XVIe; empr. du lat. *par(r)icida,* d'un premier élément indo-européen **pasos* «parent», et de *cædere* «tuer». → -cide.

♦ **1.** N. Littér. ou style soutenu. Personne qui a commis un parricide (2. Parricide). ⇒ **Assassin,** 1. **matricide, meurtrier** (→ Incendiaire, cit. 2; magistère, cit. 1). *Un, une parricide.*

Un fils avait tué son père (...) 1
Ce parricide eut l'art de cacher son forfait (...) FLORIAN, Fables, III, 18.

Par ext. Auteur d'un crime assimilé au parricide (meurtre d'un membre proche de sa famille, ou du souverain).

C'est l'ennemi commun de l'État et des Dieux (...) 2
(...) Un traître, un scélérat, un lâche, un parricide (...)
(...) Un sacrilège impie : en un mot, un chrétien. CORNEILLE, Polyeucte, III, 2.

♦ **2.** (1530). Adj. *Fils parricide* (→ Étonner, cit. 32). — *Attentat* (→ Couple, cit. 10), *complot, conseil, dessein, fer, main parricide.* — Fig., vx. *Quand la nation se trouve sous le canon* (1. Canon, cit. 2) *des ennemis, l'indulgence est parricide.*

Ne perdez point de temps, nommez-moi les perfides 3
Qui vous osent donner ces conseils parricides. RACINE, Britannicus, IV, 3.

2. PARRICIDE [paʀisid] n. m. — V. 1160; lat. *parricidium.*

Littéraire ou style soutenu.

♦ **1.** Meurtre du père (légitime, naturel ou adoptif) ou de la mère (légitime, naturelle ou adoptive) ou de tout autre ascendant légitime. ⇒ **Assassinat** (cit. 3), **crime,** 2. **matricide, meurtre.**

Le coupable condamné à mort pour parricide sera conduit sur le lieu de l'exécution, en chemise, nu-pieds, et la tête couverte d'un voile noir.
Code pénal, anc. art. 13.

♦ **2.** (Déb. XVIIe). Vx. Meurtre commis contre de très proches parents (fratricide, etc.), attentat contre la vie du souverain (⇒ **Régicide**), contre la patrie (→ Avide, cit. 4, Corneille; fanatique, cit. 4, Voltaire).

PARSEC [paʀsɛk] n. m. — 1923, A. Boutaric, *la Vie des atomes,* p. 100; de *parallaxe,* et *seconde.*

♦ Astron. Unité de longueur qui vaut 3,26 années de lumière. *Le parsec correspond à la distance d'une étoile dont la parallaxe est d'une seconde d'arc.*

PARSEMÉ, ÉE [paʀsəme] p. p. adj. ⇒ **Parsemer.**

PARSEMER [paʀsəme] v. tr. — V. 1480; de *par,* et *semer.*

♦ **1.** PARSEMER... DE... Couvrir par endroits (une surface) en dispersant, en disposant, en répandant qqch. sur (elle). ⇒ **Couvrir, recouvrir, saupoudrer, semer** (de). *Parsemer une étoffe de paillettes.* ⇒ **Pailleter.** *Parsemer la nappe de miettes.* ⇒ **Répandre** (des miettes sur...). *Parsemer un trajet d'obstacles, de difficultés. Jeter, lancer des cailloux sur la route pour l'en parsemer. «Les retentissantes couleurs* (cit. 7) *Dont tu parsèmes tes toilettes»* (Baudelaire). — (Au passif; plus cour.). *La route était parsemée d'obstacles* (→ ci-dessous le participe passé).

Habillés de leurs vêtements les plus frais, des gens revenaient de l'église, allaient au marché, ou se rendaient à la mairie. Got, déjà ivre, offrait des bulletins de vote ou en parsemait la rue. 1
J. CHARDONNE, les Destinées sentimentales, p. 173.

(XVIIIe). Fig. Introduire çà et là (dans un texte, un discours). *Parsemer un récit de mots d'esprit, de plaisanteries.* ⇒ **Bigarrer, entremêler, semer.**

♦ **2.** (XVIIIe). (Sujet n. de chose). Être disposé, jeté, répandu çà et là sur (qqch.). *«Déjà plus d'une feuille sèche Parsème les gazons jaunis»* (cit. 5, Gautier).

2 Selon toute vraisemblance, Bénin arrivait droit d'une boîte à ordures. Des souillures grasses, des plaques de poussière épaisse parsemaient son vêtement.
J. ROMAINS, les Copains, I.

▶ **PARSEMÉ, ÉE** p. p. adj.
Les rameaux des arbres étaient parsemés de boutons (cit. 4) *de fleurs blanches. « Ta barbe en tous endroits de neige* (cit. 6) *parsemée »* (Ronsard). *Ciel parsemé d'étoiles.* ⇒ **Consteller.** *Vêtement parsemé de taches.* ⇒ **Cribler.** *Prairie parsemée de fleurs.* ⇒ **Émailler.** *Route parsemée de maisonnettes* (→ Héritage, cit. 6 ⇒ aussi **Border**).

3 La lune promenant sa lumière argentine
Au milieu d'un ciel pur d'étoiles parsemé (...)
FLORIAN, Fables, V, 1.

CONTR. Accumuler, agglomérer, amasser, grouper, rassembler, réunir.
DÉR. Parsemis.

PARSEMIS [parsəmi] n. m. — XXe; de *parsemer,* d'après *semis.*

♦ Littér., rare. Ensemble de choses parsemées.

Mais il y avait au-delà un parsemis de petites tables et de sièges de rotin (...)
Henri FAUCONNIER, Malaisie, p. 242 (1930).

PARSI, IE [parsi] ou **PARSE** [pars] n. et adj. — 1653, *parsi; parse,* 1868; persan *parsi.*

♦ **1.** N. Se dit des personnes qui, dans l'Inde, suivent la religion de Zoroastre (⇒ **Guèbre**) et descendent des Perses zoroastriens chassés de leur pays par les musulmans. *Un parsi. Une parsie.*

1 Il *(Anquetil-Duperron)* fit le voyage des Grandes-Indes, pour apprendre dans Surate, chez les pauvres Parsis modernes, la langue des anciens Perses, et pour lire dans cette langue les livres de ce Zoroastre si fameux (...)
VOLTAIRE, Dict. philosophique, Zoroastre.

Adjectivement.

2 Village de pêcheurs à l'origine, puis avec la colonisation anglaise, petit port et ville marchande, Karachi s'est trouvée en 1947 promue au rang de capitale (...) tandis que les millionnaires parsis bâtissaient pour les gens d'affaires occidentaux des palaces babyloniens. Claude LÉVI-STRAUSS, Tristes tropiques, p. 106.

♦ **2.** Adj. Qui concerne les parsis. *Langue parsie. Religion parsie.* ⇒ **Parsisme.**

N. m. *Le parsi,* langue indo-européenne du groupe iranien, qui était usitée en Perse à l'époque des derniers rois sassanides. *Le parsi (parsik) ou moyen-perse « continue historiquement le vieux-perse et aboutit au persan moderne »* (Vendryes, *in* Meillet et Cohen).

DÉR. Parsisme.

PARSISME [parsism] n. m. — 1872; de *parsi.*

♦ Didact. Religion des Parsis. ⇒ **Mazdéisme, zoroastrisme.**

1. PART [par] n. f. — 842, *de suo part* «de son côté»; lat. *pars, partis.*

★ **I.** Ce qui revient, échoit à quelqu'un.

♦ **1.** (980). En parlant de choses matérielles ou non, et sans l'idée d'un partage (I., 1.) réel, d'une distribution volontaire. Ce qui revient en propre, ce qui échoit à qqn dans une affaire où il est intéressé (⇒ **Participation**); ce qu'une personne possède ou acquiert en propre et qui la distingue des autres. *Chacun sur terre a sa part de peines et de joies. La témérité est la part de la jeunesse.* ⇒ **Partage** (II., 2.). *Avoir la meilleure part.* — (1835). Loc. *La part du pauvre* (nourriture, couvert), réservée à la venue éventuelle d'un pauvre. — Fig. La plus petite part.

1 Et le Seigneur lui répondit : Marthe, Marthe, vous vous inquiétez, et vous vous embarrassez du soin de beaucoup de choses. Cependant, une seule chose est nécessaire. Marie a choisi la meilleure part, qui ne lui sera point ôtée.
BIBLE (SACY), Évangile selon saint Luc, X, 41-42.

Spécialt., vx. Part d'affection, d'amour. *« Que malgré cette part que j'avais en ton âme »* (→ Généreux, cit. 2, Corneille).

AVOIR PART À (exprimant, par oppos. à *prendre part,* un état plutôt qu'une action). Être mêlé à quelque chose, être dans l'état de responsable d'un fait ou à qui on donne une partie de quelque chose. ⇒ **Participer.** → 1. Âge, cit. 39; associer, cit. 3. *Avoir part aux bénéfices d'une entreprise. Avoir part au gâteau. N'avoir pas de part, avoir peu de part à une action.* — (Sujet n. de chose). *« Si la chair* (cit. 53) *et le sang... Ont trop de part aux pleurs que je répands pour lui »* (Racine). *La religion a une grande part dans l'hospitalité* (cit. 1) *antique* (→ Humeur, cit. 1; jalousie, cit. 15).

2 (...) nous avons peu de part à nos destinées : tout est entre les mains de Dieu.
Mme DE SÉVIGNÉ, 391, 20 janv. 1675.

PRENDRE PART À : jouer volontairement un rôle dans une affaire, s'y mêler activement, apporter son concours à une opération, à une activité. ⇒ **Participer; intervenir.** *Prendre part à une œuvre, à un travail, aux dépenses, aux frais.* ⇒ **Appoint, apport, contribution** (apporter sa); **aider, contribuer.** *Prendre part à un vol* (⇒ **Complice**), *à un combat, à une manifestation* (→ Joue, cit. 3), *à une cérémonie* (→ Marionnette, cit. 6). *Prendre part aux affaires publiques.* ⇒ **Mêler** (se); → Entrer, être dans le jeu*; être de la partie. *Prendre une part minime, considérable à quelque chose.*

Le premier Consul avait pris, dès lors, une part si active aux débats, que les Conseillers d'État en resteront, toute leur vie, frappés d'étonnement. 3
MADELIN, Hist. du Consulat et de l'Empire, Le Consulat, XII.

Spécialt. S'associer aux sentiments d'une autre personne, manifester de l'intérêt pour ce qui lui arrive. ⇒ **Partager** (3.). *Prendre part à la douleur de qqn.* ⇒ **Compatir.** *Je prends part à tout ce qui vous touche* (→ Entrer, cit. 48).

On y sentait l'homme de cœur qu'un hasard a mis en présence d'une infortune étrangère, et qui y prend une part discrète. COURTELINE, Boubouroche, IV. 4

(...) le plus déshérité peut prendre je ne sais quelle silencieuse part, qui n'est pas toujours la moins bonne, à la joie de ceux qui l'environnent (...) 5
MAETERLINCK, la Sagesse et la Destinée, CXVII.

La part que j'ai prise, si naturelle, à votre deuil (...) 6
MARTIN DU GARD, Jean Barois, I, L'anneau, III.

FAIRE PART DE (qqch. à qqn).

a Vx. Partager en communiquant. *« Elles vous feraient part enfin de leur faiblesse »* (Corneille, *Horace,* II, 7).

b Mod. Faire connaître. ⇒ **Communiquer** (à), **informer, instruire.** *À quoi bon faire part aux autres de nos petites brouilleries* (cit. 2). *Faire part de ses opinions à qqn* (→ Légume, cit. 6). ⇒ **Manifester.** — Spécialt. *Faire part d'une naissance, d'un mariage, d'un décès, d'un deuil. Billet, lettre de faire-part,* ou vx, *lettre de part.* ⇒ **Faire-part.**

J'avais appris par M. Le Prévost le malheur qui vous est arrivé; j'ai depuis reçu votre lettre de part et appris d'autres détails tels que vous les savez donner avec votre cœur si filial et si capable de douleur. 7
SAINTE-BEUVE, Correspondance, 296, 10 juin 1833.

Madame la baronne de La Baudraye est heureusement accouchée d'un garçon. Monsieur le baron de La Baudraye a l'honneur de vous en faire part. La mère et l'enfant se portent bien. BALZAC, la Muse du département, Pl., t. IV, p. 180. 8

POUR MA PART ou (VX) **DE MA PART :** en ce qui me concerne, quant à moi (→ Accroître, cit. 5; fi, cit. 4). *Pour sa part* (→ Grâce, cit. 9). ⇒ **Quant.**

♦ **2.** (XIIe). Partie attribuée à qqn ou consacrée à un emploi dans la distribution, la répartition (d'une chose). ⇒ **Contingent, lot, portion; lopin.** *Part proportionnelle.* ⇒ **Prorata.** *Diviser, division en parts.* ⇒ **Partage, partager, partition** (vx). *« Puis en autant de parts le cerf il dépeça »* (cit. 1, La Fontaine). *Une part de gâteau.* ⇒ **Morceau, tranche** (→ Dérober, cit. 31). Loc. fig. *Avoir sa part de gâteau*.* — *Donner sa part de gnôle* (cit. 1) *à un copain.* ⇒ **Ration.** *Une part des bénéfices* (→ Dividende, cit. 1), *du profit.* — (Vieilli). **DE PART.** *Être de part dans une affaire,* être admis à partager les bénéfices. *Mettre qqn de part dans une affaire.* — *Avoir la plus forte, la moindre, la meilleure part. Faire deux parts de son temps* (→ Dispenser, cit. 5). — Allus. littér. *« Chacun en a sa part et tous l'ont tout entier ! »* (→ 1. Mère, cit. 8, Hugo).

Le premier pas de celui qui veut se donner à la sagesse, comme disait la respectable antiquité, est de faire deux parts dans la vie : l'une vulgaire et n'ayant rien de sacré, se résumant en des besoins et des jouissances d'un ordre inférieur; l'autre, que l'on peut appeler idéale, céleste, divine, désintéressée, absorbée dans le culte des formes pures de la vérité, de la beauté, de la bonté morale (...) 9
RENAN, Questions contemporaines, Œ. compl., t. I, p. 219.

Dr. civ. «Portion d'un patrimoine attribuée à un copartageant» (Capitant). ⇒ **Partage** (I., 1.). *Part d'héritage* (cit. 3). *Assigner à qqn une part dans un legs. Part afférente à un héritier dans une succession quand on met fin à l'indivision. L'héritier attributaire de telle part. La part du renonçant accroît* (cit. 8) *à ses cohéritiers. Part dont le de cujus a pu disposer librement.* ⇒ **Quotité** (disponible). — *Part virile :* «portion d'une masse indivise, obtenue en divisant cette masse par le nombre des ayants droit» (Capitant).

Deux parents froids et éloignés délibérèrent sur ce qu'ils feraient des jeunes orphelines; leur part d'une succession absorbée par les créances, se montait à cent écus pour chacune. Personne ne se souciant de s'en charger, on leur ouvrit la porte du Couvent, on leur remit leur dot, les laissant libres de devenir ce qu'elles voudraient. 9.1
SADE, Justine..., t. I, p. 8.

Dr. comm. Partie du capital d'une société, qui appartient à l'un des associés et qui lui donne des droits et des obligations déterminés (→ Apport). *Part sociale ou part d'intérêt :* partie du capital social d'une coopérative, d'une société (à capital variable, en commandite simple, à participation, à responsabilité limitée), qui appartient à chaque associé. *La part d'intérêt est nominative et non négociable.* — *Part de fondateur* ou *part bénéficiaire :* valeur mobilière attribuée aux fondateurs d'une société ou à des personnes qui ont fait bénéficier la société d'un apport matériel ou immatériel.

— J'ai appris que l'entreprise Lampoudre avait déposé son bilan. Vous possédez vingt-cinq pour cent des parts, n'est-ce pas? 9.2
— C'est faux. Elles appartiennent à ma femme et nous sommes séparés de biens.
— Peu importe. En fait, vos intérêts et ceux de l'entreprise Lampoudre sont liés.
— Pas du tout!
Il se lance, sans embarras, dans un tourbillon d'explications qui ne sauraient me convaincre : sa femme est très riche; elle règlera le passif. De toute manière, l'entreprise obtiendra un concordat. À ce moment-là, Mme Glambort cédera ses parts, à n'importe quel prix, pour ne plus entendre parler de Lampoudre.
Pierre MOUSTIERS, la Mort du pantin, p. 61.

Dr. fisc. Unité de base servant à calculer le montant de l'impôt. *Un couple marié sans enfants a deux parts.*

Mar. *Part de prise,* qui revient à chacun des membres de l'équipage après une prise. — *Être à la part, naviguer à la part,* se dit de l'équipage dont chaque membre reçoit une part déterminée des bénéfices.

Partie des bénéfices attribuée à un artiste dans une compagnie théâtrale. *Sociétaire à part entière.* — Par métaphore. *Être un Français, un citoyen à part entière :* jouir de tous les avantages et de tous les droits attachés à la qualité de Français, de citoyen...

9.3 (...) les gens voués par leur situation sociale à une existence partielle s'affairent à la recherche d'un emploi qui leur permette d'être classés dans la catégorie des vivants à part entière. M. AYMÉ, le Passe-muraille, p. 73.

Ce que chacun doit donner. *Il faut que chacun paye sa part.* ⇒ **Contribuer, contribution, quote-part.** — Spécialt. (Dr. fisc.). Cote, quote-part. *Part contributive.*

(1640). Loc. *Il ne donnerait (jetterait) pas sa part aux chiens,* il y tient trop pour en donner à qui que ce soit. *Avoir une part du gâteau*.* — (1835). *La part du lion** (cit. 8 et *supra*).

Fam. *Part à nous deux* (vx) ou *part à deux,* se dit quand on propose à qqn de partager avec lui les bénéfices d'une affaire.

10 (...) Cérizet écouta Dutocq, dont le premier mot fut : — Si c'est bon, part à nous deux! (...) — Pourquoi donc vous êtes-vous levé si matin pour venir me dire cela? demanda le défiant Cérizet, déjà fâché du *Part à deux!* BALZAC, les Petits Bourgeois, Pl., t. VII, p. 175.

♦ **3. FAIRE LA PART... :** assigner, attribuer en partage. *Faire la part belle à qqn :* lui accorder un gros avantage, plus qu'il n'aurait à prétendre, une grande liberté d'action... — *Faire la part du feu.* ⇒ **Feu** (cit. 40). — *Faire sa part à qqch. :* reconnaître certains droits, un domaine délimité à (qqch.). *Le christianisme ne fait pas sa part à la chair* (cit. 60); *il la supprime* (→ Fantastique, cit. 11). — *Faire la part de :* faire entrer en ligne de compte dans une estimation, dans une prévision. ⇒ **Compte** (tenir compte de), **prévoir.** *Faire la part du hasard* (cit. 21). *Il faut faire la part de l'exagération dans ce qu'il raconte.* — (Qualifié). *Faire une large, une grande part, une part trop petite à...* (→ Hasard, cit. 27). — Discerner, distinguer. *Voir clair* (cit. 31) *dans une âme et y faire la part du bien et du mal.* — *Faire la part du diable :* être indulgent, tenir compte de la faiblesse humaine. — *Faire la part des choses :* ne pas être trop absolu dans ses jugements, tenir compte des contingences.

11 On ne divise pas l'homme; on ne fait pas au scepticisme sa part : dès qu'il a pénétré dans l'entendement, il l'envahit tout entier. P.-P. ROYER-COLLARD, Disc. ouverture cours de philosophie, p. 194, 3e année, *in* Fragments.

12 Le rhétoriqueur fait sa part au langage une fois pour toutes, et se trouve ensuite libre de traiter d'amour ou de peur, d'esclavage ou de liberté. J. PAULHAN, les Fleurs de Tarbes, p. 166.

★ **II.** (Sans idée d'affectation, de distribution, de répartition).

Partie (d'un tout, d'un ensemble, d'un groupe, et, spécialt, d'une durée). ⇒ **Division, fraction, fragment, partie.** « ... *Passe une bonne part d'une si belle nuit...* » (Corneille, *le Cid,* IV, 3). *Cette correspondance* (cit. 8) *lui prenait une grande part, la plus grande part de son temps.* ⇒ **Plupart** (la plupart). *Il a perdu une grande part de sa fortune.* ⇒ **Beaucoup.** *Une immense part de la masse humaine* (→ Fuite, cit. 7). *Aliéner une part de sa liberté* (→ Absorbant, cit. 2).

Spécialt. (Abstractions). Élément qui entre dans la composition d'un tout. *Il n'y a point d'amour sans une part de comédie* (cit. 12). *Dans la fatigue* (cit. 7) *la plus réelle, il y a une part qui dépend de l'attention.*

(Avec *Pour*). *Pour une part* (→ Denrée, cit. 1), *une large part* (→ Jalousie, cit. 6), *une bonne part* (→ Moralité, cit. 4) : en partie, en grande partie, dans une large mesure... *Une influence qui, pour une part, nous a paru explicable* (cit. 5) *et pour une part mystérieuse.*

★ **III.** Partie (d'un lieu).

♦ **1.** Vx. Côté*, direction. — Dans des loc., au propre ou au figuré.

(842). **DE LA PART DE :** (vx) du côté de. « *Toutes deux ayant pattes blanches, Quittèrent les bas prés, chacune de sa part* » (La Fontaine, *Fables,* XII, 4).

Mod. Indique la personne de qui émane un ordre, une démarche... ⇒ **Nom** (au nom de). → Aller, cit. 35; bienvenu, cit. 1. *De la part de qui* ou (vieilli) *de quelle part venez-vous?* (→ Fièrement, cit. 1). « *Et de la part du Prince on vous fait prisonnier* » (→ Gîte, cit. 2, Molière). *Je ne veux rien recevoir de sa part.* ⇒ **Main** (de sa main). *Je viens vous avertir de la part de votre ami, de sa part, que... Il ne faut attendre* (cit. 80) *aucune justice de la part des hommes. Cette générosité de la part d'un comédien qui n'était pas riche.* ⇒ **Venir** (venant de). → Magnanimité, cit. 4. *Encore qu'il n'y ait aucune mauvaise foi de sa part* (→ Dommage, cit. 4).

13 Demandez à Mme Forestier si elle peut me recevoir, et prévenez-la que je viens de la part de son mari, que j'ai rencontré dans la rue. MAUPASSANT, Bel-Ami, I, III.

REM. L'ancienne expression *de part* suivie immédiatement d'un substantif (*De part le Roi :* de la part du Roi), n'étant plus comprise, a donné naissance à la locution prépositive *de par,* employée parfois au sens de *par*, par le fait de.*

DE TOUTES PARTS ou **DE TOUTE PART :** de tous les côtés, dans tout l'espace concerné. *La misère avait rabattu de toutes parts des troupeaux d'affamés* (cit. 4) *sur Paris* (→ Discorde, cit. 2). *Navire qui fait eau de toutes parts* (→ Gouverner, cit. 38).

Le vieux roi se trouva attaqué de toutes parts à la fois, au nord de l'Anjou, par le roi de France; à l'ouest, par les Bretons; au sud, par les Poitevins. 14
MICHELET, Hist. de France, IV, V.

Pour moi, j'écrirais, par exemple : « Il en peut venir de toute part », avec part au singulier, et cela signifie de n'importe quel côté. En revanche, j'écrirai : « Il en vient de toutes parts » avec parts au pluriel, et cela signifie qu'il en vient de tous les côtés. 15
G. DUHAMEL, Chronique des Pasquier, V, XI.

D'UNE PART... D'AUTRE PART..., pour mettre en parallèle, pour opposer deux idées ou deux faits, deux aspects d'un objet... (→ Accumulation, cit. 2).

La vie de l'ermite m'aurait séduit si, d'une part, j'avais eu les moyens matériels de la mener, car, aujourd'hui, ce genre d'existence suppose un petit capital, et si, d'autre part, il m'était apparu que la solitude complète fût, pour un homme privé des avantages de la prière, compatible avec la sainteté comme je l'entends. 16
G. DUHAMEL, Salavin, Journal, 30 janvier.

Dr. *Procès entre un tel d'une part et untel d'autre part.* — *D'une part..., de l'autre.* ⇒ **Côté** (d'un côté..., de l'autre). → Désintéressé, cit. 2; incapable, cit. 12; langage, cit. 5.

D'AUTRE PART... (En début de phrase ou de proposition, avant un mot qu'on ajoute ou qu'on oppose à ce qui précède). ⇒ **Ailleurs** (d'ailleurs), **outre** (en outre). → Désavouer, cit. 6; non, cit. 1. *D'un côté, il a raison, (mais) d'autre part, il est trop entier.*

DE PART ET D'AUTRE, D'UNE PART ET DE L'AUTRE : d'un côté et de l'autre, des deux côtés. *L'écoulement de l'air de part et d'autre de la langue* (→ Liquide, cit. 4). — Fig. *Il craignait que la justice* (cit. 9) *ne fût d'une part et les juges de l'autre.* — (Récipr.). *On se disait, de part et d'autre, des injures grossières* (→ Cordialement, cit. 4).

Il faut de part et d'autre avoir un avocat (...) RACINE, les Plaideurs, II, 14. 17

DE PART EN PART : d'un côté à l'autre, d'une face à l'autre. ⇒ **Travers** (à travers). → De bout* en bout. *Percer un rocher de part en part* (→ Obvier, cit. 2). *La pluie a pénétré mon manteau de part en part.* ⇒ **Traverser.**

PRENDRE EN BONNE, EN MAUVAISE PART : interpréter en bien, en mal, une parole, un geste..., y voir une intention favorable, défavorable; donner à un mot un sens favorable, péjoratif. ⇒ **Trouver** (bon, mauvais). → Prendre du bon côté*. *Prendre des paroles, des conseils en mauvaise part* (→ Largeur, cit. 3). *Mot, terme qu'on prend en mauvaise part* (→ Amant, cit. 16; arrogant, cit. 2; domesticité, cit. 1; novateur, cit. 3).

♦ **2.** (Accompagné d'un adjectif indéfini et formant une locution adverbiale de lieu).

NULLE PART : en aucun lieu (contr. : *partout*). *Il n'ose plus aller nulle part* (→ Accompagner, cit. 4). *Je ne les trouve nulle part.* « *Une sphère infinie dont le centre* (cit. 1) *est partout, la circonférence nulle part* » (Pascal). *Je n'ai vu cela nulle part ailleurs.*

Je ne suis jamais bien nulle part, et je crois toujours que je serais mieux ailleurs que là où je suis. BAUDELAIRE, le Spleen de Paris, XXXI. 18

Quant à l'action, elle se passe en Pologne, c'est-à-dire nulle part. 19
A. JARRY, Ubu roi, Introd.

Elle reconnut qu'on n'était bien nulle part, et qu'il y avait partout des rats, ou réels, ou symboliques (...) FRANCE, le Lys rouge, VI. 20

Le haut-parleur cite même une fois le nom de mon cheval. Ce sera la dernière. Dans le tournant, il est absorbé par le peloton. À l'arrivée, je ne suis nulle part (entendez non placé). P. DANINOS, Un certain Monsieur Blot, p. 263. 20.1

AUTRE PART : dans un autre lieu. *Allons, camarade* (cit. 5), *allons chercher fortune autre part* (→ aussi Assurer, cit. 38). *Autre part que chez moi* (→ Encenser, cit. 3).

Nulle autre part, je n'aurai un pareil promenoir (...) 21
Edmond JALOUX, Sous les oliviers de Bohême, *in* Œ. libres, no 130, p. 34.

QUELQUE PART : en un lieu indéterminé (qu'on ne veut pas ou qu'on ne peut pas désigner avec précision). *Quelque part en France. Quelque part dans la cave, mais on ne savait pas où* (→ 2. Magot, cit. 3). — Par ext. *J'ai déjà lu, vu cela quelque part. Trouver quelque part l'explication d'un mot* (→ Archaïque, cit.)

On eût dit que la femme (...) cherchât dans le fond de ses souvenirs les traits du jeune homme qu'elle regardait. C'était drôle, elle l'avait déjà vu quelque part (...) ARAGON, les Beaux Quartiers, II, XVII. 22

Vx. *Quelque part que :* en quelque lieu que, où que... « *De quelque part sur moi que je tourne les yeux* » (Racine, *Andromaque,* II, 1).

Fam. et par euphém. *Aller quelque part,* aux cabinets.

(1816, *in* D. D. L.). *Un coup de pied quelque part,* au derrière.

Voulez-vous bien me donner des bois! Est-ce que ça vous regarde (...) je vas vous allonger mon pied quelque part. ZOLA, Germinal, I, V. 23

♦ **3.** Loc. adv. **À PART :** en séparant (qqn, qqch.) d'un ensemble, d'un groupe, en mettant à l'écart. *Mettre à part.* ⇒ **Écarter, excepter, séparer** (→ Faire le départ*). *Détacher un article* (cit. 15) *de revue et le faire relier à part.* ⇒ **Séparément.** *Laisser, prendre à part* (→ Addition, cit. 0.1; bougre, cit. 2); *laisser, être à part* (→ Isoler, cit. 8).

Les enfants allèrent, mais ils furent pris aussitôt et séparés de leurs serviteurs 24 et de leurs nourriciers; et on les enferma à part, d'un côté les serviteurs et de l'autre les enfants. MICHELET, Hist. de France, II, I.

Prendre qqn à part pour lui parler. ⇒ **Particulier** (en). — *À part de... :* en dehors de... (→ Abstrait, cit. 1). — (Au théâtre). *À part,* indiquant que le personnage parle seul avec lui-même, devant d'autres personnages qui sont censés ne pas l'entendre. ⇒ **Aparté.**

25 Alors, j'essayai de le raisonner, le prenant à part (...)
LOTI, Mon frère Yves, LXVI.

Toute plaisanterie mise à part, ou, ellipt., *toute plaisanterie à part :* sans plaisanter. Fam. *Blague* à part* (→ Blague* dans le coin).

26 Ô çà, intérêt de belle-mère à part, que te semble à toi de cette personne?
MOLIÈRE, l'Avare, IV, 3.

Loc. prép. ⇒ **Excepté.** *À part quelques rares morceaux, son œuvre est un palmarès fastidieux* (cit. 2). *À part les yeux, elle semblait plutôt laide que jolie* (→ Ingrat, cit. 12). *À part cela, je ne vois pas de raison valable.* — Fam. *Et à part ça, qu'est-ce que ce sera pour Monsieur?* — Fam. *À part que :* excepté que, sauf que...

27 À part ces inconvénients passagers, l'influence de la période de la Muse n'entra point dans son œuvre. SAINTE-BEUVE, Portraits contemporains, I, Hugo.

28 Enfin, comme disait le grand-père, amusé et séduit, à part qu'elle volait trop et qu'elle manquait un peu de décence, elle était tout de même une drôle de fille, moins rosse qu'on aurait cru. ZOLA, la Terre, IV, III.

29 À part lui nous ne connaissons personne dans ce voisinage.
A. MAUROIS, Mes songes que voici, p. 136.

29.1 Il alla distribuer ses bouteilles. Il revint en traînant les pieds. Il s'essuyait les mains à son tablier de cuir. Il avait l'œil vague et très bienveillant.
— Et à part ça, dit-il, qu'est-ce que je vous sers pour passer le temps?
J. GIONO, le Hussard sur le toit, p. 82.

À PART (joint à un substantif et placé après lui, en fonction d'adjectif). Qui est séparé d'un ensemble; qui n'entre pas dans une catégorie connue; qui est différent de la majorité des cas, de la normale, de la moyenne. ⇒ **Spécial.** *Occuper une place à part* (→ Monnaie, cit. 5). *Dans une cour à part.* ⇒ **Écart** (à l'écart). → Dogue, cit. 2. — *Tirage* à part.* — *Cette liaison n'est ni passion, ni amitié* (cit. 12) *pure; elle fait une classe à part.* «*Leur gloire a son brillant* (cit. 27) *et ses règles à part*» (Corneille). *C'est un être, une chose à part,* qui ne ressemble pas aux autres, qui fait exception (en bien ou en mal). — *Faire bande** (2. Bande, cit. 9) *à part. Faire lit* (cit. 17) *à part, chambre* (*infra* cit. 8) *à part :* pour un couple, avoir chacun son lit, sa chambre.

30 Et puis les intellectuels anglo-saxons qui forment une classe à part, coupée du reste de la nation, sont toujours éblouis quand ils retrouvent en France des hommes de lettres et des artistes étroitement mêlés à la vie et aux affaires du pays.
SARTRE, Situations II, p. 49.

À PART, suivi d'un pronom personnel. *À part moi :* seul avec moi-même, en moi-même, dans mon for intérieur (→ Amender, cit. 4). *À part lui* (→ Diagnostic, cit. 3). *À part soi.*

31 Rentrons, lui dis-je; et je résolus à part moi de retourner seul au jardin.
GIDE, l'Immoraliste, I, III.

32 Et comme il était croyant, à part lui, il remerciait Dieu.
Émile HENRIOT, Aricie Brun, I, I.

33 Il éprouvait du découragement, de la lassitude; le besoin de rêver un peu, à part lui, avec l'espoir que tant de notions surprenantes et décousues qu'il venait de recueillir arriveraient à se mettre en ordre toutes seules.
J. ROMAINS, les Hommes de bonne volonté, t. X, p. 72.

CONTR. (De *prendre part*) **Abstenir** (s'). — (De *nulle part*) **Partout.** — (De *à part*) **Avec, conjointement, ensemble.**

HOM. Cf. 1. **Part.**

2. PART [paʀ] n. m. — 1170; du lat. *partus* «enfanté».

♦ **1.** Vx. Accouchement. — (Animaux). Fait de mettre bas. ⇒ **Parturition.** *Un part laborieux.*

♦ **2.** Dr. (XVIe). Vx. Enfant nouveau-né. — Mod. *Confusion de part :* confusion de paternité; incertitude sur la paternité d'un enfant. *Exposition* (*supra* cit. 14), *substitution, supposition, suppression de part.*

HOM. Par, 1. **part;** formes des v. **parer, partir.**

PARTAGE [paʀtaʒ] n. m. — 1244; de 2. *partir* «partager».

★ **I.** Action de partager ou de diviser; fait d'être partagé ou divisé.

♦ **1.** (1283). Division d'un tout, d'un ensemble, d'un groupe en plusieurs parts, en plusieurs portions, en vue d'une distribution, d'une répartition. ⇒ **Copartage, distribution, répartition.** *Bien dont on peut faire le partage.* ⇒ **Partageable.** *Personne qui participe à un partage.* ⇒ **Partageant; copartageant.** *Prélever sa part avant le partage. Partage des honoraires entre deux médecins.* ⇒ **Dichotomie.** *Partage des grands domaines.* ⇒ **Morcellement** (→ Agraire, cit.). *Partage des biens* (→ Émietter, cit. 3), *des fortunes* (→ Niveleur, cit.). *Les agrariens, partisans du partage des terres. Égalité dans un partage. Partage léonin*. Partage entre créanciers au prorata de leurs créances, au marc* le franc. Quantum, tantième attribué dans un partage. Partage d'un pays entre plusieurs conquérants. Partage d'un pays entre ses envahisseurs.* ⇒ **Démembrement** (→ Machiavélique, cit. 1); **assassinat** (figuré).

1 Le partage des biens, les lois sur ce partage, les successions après la mort de celui qui a eu ce partage : tout cela ne peut avoir été réglé que par la société, et par conséquent par des lois politiques ou civiles.
MONTESQUIEU, l'Esprit des lois, XXVI, VI.

Dr. Opération par laquelle un bien ou un patrimoine indivis* est partagé entre les copropriétaires, chacun d'eux recevant une part matérielle au lieu de la quote-part qu'il avait jusque-là dans l'indivision. ⇒ **Communauté** (dissolution de la communauté), **copartage, licitation, liquidation, lot, préciput, soulte, succession** (→ Attribuer, cit. 1; attributaire, cit.; garant, cit. 1; indivision, cit.). *Partage amiable, judiciaire. Acte de partage. Attribution* d'un droit, d'une part dans un partage. L'attributaire du lot nº 1 dans le partage de la succession.* — *Partage d'ascendant :* «Opération au moyen de laquelle un ascendant partage tout ou partie de sa succession entre ses descendants par donation ou par testament, en composant lui-même les lots qu'il attribue à chacun» (Capitant). *Partage fait par l'ascendant* (→ Avantage, cit. 25). — *Donation*-partage. Testament*-partage.* — *Partage par souche*.*

♦ **2.** Fait de partager* (3.) quelque chose avec quelqu'un, d'avoir part à quelque chose en même temps qu'une autre personne. *Le partage du pouvoir, des responsabilités.* — Fig. «*Comment souffriez-vous cet horrible partage*» (→ Inconstant, cit. 6, Racine). *Il souffrait de cet inégal partage d'affection* (→ Jalousie, cit. 4).

Un partage avec Jupiter 2
N'a rien du tout qui déshonore (...) MOLIÈRE, Amphitryon, III, 10.

SANS PARTAGE : sans réserve, sans restriction. ⇒ **Entièrement.** *Un amour sans partage.*

La baronne avait donc tenu, pendant douze ans, dans son ménage, le rôle de *prima donna assoluta,* sans partage. 3
BALZAC, la Cousine Bette, Pl., t. VI, p. 156.

♦ **3.** Vx. Division en parties. ⇒ **Division, fragmentation.**

Mod. (Math.). Division d'une grandeur en parties plus petites. *Partage proportionnel d'une quantité. Partage d'une longueur en parties égales, en parties proportionnelles à des longueurs données.*

Inform. *Partage de temps.* → Temps* partagé.

Faire le partage entre deux choses. ⇒ **Différence** (faire la différence).

(1893). *Partage des opinions, des suffrages, des voix, des votes,* division en nombre égal des voix, d'un côté et de l'autre dans une consultation, une délibération. *S'il y a partage, la voix du président est prépondérante.* — (1936). Spécialt. Dr. *Partage d'opinion*.* — Désaccord (→ Dissentiment, cit. 3).

Les lois qui font périr un homme sur la déposition d'un seul témoin sont fatales à la liberté. La raison en exige deux, parce qu'un témoin qui affirme, et un accusé qui nie, font un partage; et il faut un tiers pour le vider. 4
MONTESQUIEU, l'Esprit des lois, XII, III.

♦ **4.** Géogr. et Hydrogr. *Ligne de partage des eaux* (→ Dorsal, cit. 3) : crête qui forme la limite entre deux bassins fluviaux.

★ **II.** La part qui revient à quelqu'un.

♦ **1.** Vx. Lot attribué à quelqu'un dans une succession. *Le prodigue de l'Évangile, qui veut avoir son partage* (→ 2. Bien, cit. 48).

♦ **2.** Littér. Ce qui, par le fait de la nature ou du hasard, revient à quelqu'un en bien ou en mal, ce qui lui est donné pour sa part. ⇒ **Part** (I., 1.).

EN PARTAGE. *Échoir* (cit. 4), *revenir, tomber en partage. Donner, réserver en partage.* ⇒ **Départir, douer, impartir.** *Se donner quelque chose en partage* (→ S'attribuer). *Recevoir en partage. Avoir en partage.* «*Les uns ont la grandeur et la force en partage*» (→ Aigle, cit. 1, La Fontaine; nuit, cit. 7).

Croyez-vous donc avoir tant d'esprit en partage? 5
MOLIÈRE, le Misanthrope, I, 2.

♦ **3.** Mod. **LE PARTAGE DE QUELQU'UN :** le lot, le sort de quelqu'un. *Le désespoir qui semblait devoir être enfin mon partage* (→ Angoisse, cit. 9; héritage, cit. 7; hommage, cit. 12).

Tout lui rirait, Pylade; et moi, pour mon partage, 6
Je n'emporterais donc qu'une inutile rage? RACINE, Andromaque, III, 1.

Le repos? le repos, trésor si précieux 7
Qu'on en faisait jadis le partage des dieux! LA FONTAINE, Fables, VII, 12.

CONTR. Indivision.
DÉR. Partager.
COMP. Copartage.

PARTAGÉ, ÉE [paʀtaʒe] p. p. adj. ⇒ Partager.

PARTAGEABLE [paʀtaʒabl] adj. — 1505; de *partager.*

♦ Rare ou dr. Qui peut être l'objet d'un partage. *Bien partageable.*

CONTR. Impartageable.

PARTAGEANT, ANTE [paʀtaʒɑ̃, ɑ̃t] adj. et n. — 1612; de *partager.*

♦ Dr. (Personne) qui participe à un partage.

PARTAGER [paʀtaʒe] v. tr. — Conjug. *bouger.* — 1398; de *partage.*

♦ **1.** Faire le partage* (I., 1.) d'un tout, d'un ensemble, le diviser* en lots, en parts, en portions, en éléments qu'on peut distribuer à plusieurs personnes, employer à des usages différents. ⇒ **Attribuer,**

départir, dispenser, distribuer, lotir, répartir. *Qui peut* (⇒ **Partageable**), *qui ne peut pas être partagé* (⇒ **Impartageable**). *Partager un morceau de viande* (⇒ **Débiter, découper, dépecer**), *une pomme* (→ Changer, cit. 27). *Partager un gâteau* (cit. 4) *en parts* égales. Partager une succession* (→ Grossoyer, cit. 1), *un domaine, un pays.* ⇒ **Démembrer, morceler.** *Partager par moitié, également, inégalement. Partager quelque chose* (une quantité, une masse, un temps...) *entre plusieurs personnes* (→ Hospitalité, cit. 1). *Partager son temps entre plusieurs occupations.* — Allus. littér. « *Pain merveilleux qu'un dieu partage et multiplie* » (→ 1. Mère, cit. 8, Hugo). — Par métaphore. « *La nature (...) Sait entre les auteurs partager les talents* » (→ Excellent, cit. 3).

1 Le vieil Empire se met en garde... Celui même qui a rêvé l'unité est obligé, comme Dioclétien, de partager ses États pour les défendre, l'un de ses fils gardera l'Italie, l'autre l'Allemagne, le dernier l'Aquitaine. MICHELET, Hist. de France, II, II.

2 Il résultait de la lecture du testament que la petite fortune de M. Mesurat devait être également partagée entre ses deux filles (...)
J. GREEN, Adrienne Mesurat, II, II.

3 L'après-midi se trouva partagée entre les besognes du commerce, la lecture et le travail. G. DUHAMEL, Salavin, VI, V.

♦ **2.** [a] *Partager quelque chose avec quelqu'un :* donner à quelqu'un une part de (ce qu'on possède, ce qu'on acquiert, ce qu'on reçoit...). ⇒ **Commun** (mettre en commun). *Partager les bénéfices avec un associé.* ⇒ **Compte** (être de compte avec). → Invention, cit. 4. *Colon* partiaire qui partage les récoltes avec le propriétaire. Partager avec les pauvres les biens* (2. Bien, cit. 2) *de la terre.* ⇒ **Donner** (→ Aumône, cit. 1). — Absolt. *Il faut lui apprendre à partager. Enfant qui n'aime pas partager.*

[b] Vx. *Partager quelque chose à quelqu'un :* donner à quelqu'un une part de ce qu'on possède; lui réserver en partage. « *Il lui partagera son propre diadème* » (Corneille, *l'Imitation de Jésus-Christ,* I, 1456).

♦ **3.** (Sans compl. second). Posséder (qqch.) avec d'autres personnes; avoir part, prendre part à qqch. en même temps que d'autres. ⇒ **Participer.** *Partager le repas de quelqu'un. Partager la même chambre. Partager le lit, la couche de quelqu'un.*

4 J'avais partagé le dernier menu de quelques autres, le pain, le vin rouge, le saucisson qui avaient été leur cène. GIRAUDOUX, Bella, II.

(Sujet n. de chose). Avoir en commun (un caractère).

Fig. (Chose non matérielle, sentiment, état). Prendre part* à. *Partager les douleurs* (→ Abreuver, cit. 5), *les ennuis* (cit. 3), *les sentiments* (→ Épouser, cit. 4) *de qqn.* ⇒ **Compatir, entrer** (dans les peines, les soucis de quelqu'un), **éprouver.** *Partager la joie* (→ Consoler, cit. 5), *les plaisirs de quelqu'un* (→ Faufiler, cit. 2). *Partager les travaux* (⇒ **Aider**), *le sort* (→ Noble, cit. 4), *les dangers, les fatigues, les privations de quelqu'un* (→ Être frère*, sœur* d'infortune). *Partager la responsabilité d'un acte.* ⇒ **Solidariser** (se). — *Faire partager sa joie, son émerveillement.* ⇒ **Associer, communiquer** (→ Oncle, cit. 2).

5 Il ne faut pas montrer une chaleur qui ne sera pas partagée; rien n'est plus froid que ce qui n'est pas communiqué. Joseph JOUBERT, Pensées, VIII, LXIX.

6 Rancé serait un homme à chasser de l'espèce humaine s'il n'avait partagé et surpassé les rigueurs qu'il imposait aux autres (...)
CHATEAUBRIAND, Vie de Rancé, p. 199.

7 Enfer ou paradis, quel que soit ton sort, je le partagerai!
Th. GAUTIER, Souvenirs de théâtre..., Beautés de l'opéra, I.

8 (...) c'était un courtisan. Et il partageait les joies, les anxiétés et les intrigues des courtisans. À la fois prudent et astucieux, familier et contenu, il avait leur mélange d'arrogance, d'affectation, de tact et d'impersonnalité.
Edmond JALOUX, les Visiteurs, I.

Partager l'avis, les idées (→ Créateur, cit. 6), *les opinions de quelqu'un* (→ Farceur, cit. 4) : être d'accord avec lui; être du même avis. — Allus. littér. « *C'est mon opinion* (cit. 8, Monnier) *et je la partage* ». — *Partager les convictions, les croyances d'une personnes.* ⇒ **Embrasser, épouser.**

9 André Chénier partageait à beaucoup d'égards les idées de son siècle, ses espérances, ses illusions même.
SAINTE-BEUVE, Causeries du lundi, 19 mai 1851.

10 — Pardonnez-moi, dis-je, mais sur ce point, je ne partage pas votre opinion.
M. AYMÉ, le Confort intellectuel, VI.

♦ **4.** Vieilli ou littér. (Surtout au passé). *Partager quelqu'un,* lui donner son lot, sa part, ce qui lui revient (en bien ou en mal). *Le destin l'a bien partagé.* ⇒ **Doter, douer, favoriser.** *Ceux que le bon Dieu a mal partagés* (→ Méprisant, cit. 2). Mod. (Au passif). *Ce pauvre garçon est bien mal partagé* (→ ci-dessous, Partagé, 3.).

11 Trouverait-on mauvais qu'un souverain, dans la distribution de ses faveurs, partage moins ceux de ses sujets qui s'appliquent avec plus de soin et de vigilance à le servir? MASSILLON, Carême, Fautes légères, *in* LITTRÉ.

♦ **5.** (Sujet n. de chose). Diviser (un tout, un ensemble, un groupe) de manière à former plusieurs parties distinctes, effectivement séparées ou non. ⇒ **Couper, départager, diviser, fractionner, fragmenter.** *Partager quelque chose en deux, en quatre, en huit. Partager en deux moitiés, par la moitié.* ⇒ **Dédoubler.** *L'équateur partage le globe terrestre en deux hémisphères. Cloison qui partage une pièce en deux.* (→ Cloisonner, compartimenter). — (Au passif). *Tout le peuple était partagé en cent quatre-vingt-treize centuries* (→ Division, cit. 2).

La Seine, au pied des monts que son flot vient laver, 12
Voit du sein de ses eaux vingt îles s'élever,
Qui, partageant son cours en diverses manières,
D'une rivière seule y forment vingt rivières. BOILEAU, Épîtres, VI.

(...) le nez se dirigeait de droite à gauche, au lieu de partager exactement la figure. 13
BALZAC, Ursule Mirouët, Pl., t. III, p. 273.

♦ **6.** Fig. Vieilli ou littér. Diviser, tirer entre plusieurs tendances, plusieurs sentiments contradictoires. ⇒ **Écarteler** (fig.).

D'ailleurs mille desseins partagent mes esprits (...) 14
RACINE, Mithridate, III, 5.

Diviser (une société, un peuple...) en groupes, en partis distincts, opposés ou hostiles. ⇒ **Séparer.**

Deux sonnets partagent la ville, 15
Deux sonnets partagent la cour. CORNEILLE, Poésies diverses, 1 et 2.

Au douzième siècle, les moines noirs et les blancs formaient deux grandes factions 16
qui partageaient les villes, à peu près comme les factions bleues et vertes partagèrent les esprits dans l'empire romain.
VOLTAIRE, Essai sur les mœurs, LXIII.

► **SE PARTAGER** v. pron. (XVIe, « se retirer à part »).

♦ **1.** (Passif). Être partagé. *Ce gâteau peut se partager facilement.*

♦ **2.** (Réfl.). Être divisé. *Ses cheveux se partageaient en petites mèches* (→ Coiffure, cit. 8). *Les archers se partageaient en deux files* (cit. 6) *de chaque côté de la rue. Le fleuve se partageait en une multitude de bras.* ⇒ **Ramifier** (se).

Vienne est située dans une plaine, au milieu de plusieurs collines pittoresques. Le 17
Danube, qui la traverse et l'entoure, se partage en diverses branches qui forment des îles fort agréables (...) Mme DE STAËL, De l'Allemagne, I, VII.

♦ **3.** Fig. (Réfl.). *Se partager entre diverses impulsions* (→ Contraire, cit. 8), *entre deux maîtres* (→ Licence, cit. 7). — *Ils se sont partagés en deux sectes* (→ Autre, cit. 86).

Au temps du Messie, le peuple se partage. Les spirituels ont embrassé le Messie; 18
les grossiers sont demeurés qui lui servent de témoins.
PASCAL, Pensées, XII, 748.

♦ **4.** (Récipr.). Partager (quelque chose) entre soi. *Se partager les bénéfices. Propriétaire et exploitant se partagent les risques* (→ Exploitation, cit. 4).

Ils se sont partagé l'héritage, les tableaux, les actions, mais il faut un gérant. 19
J. CHARDONNE, les Destinées sentimentales, p. 275.

(Sujet n. de chose). *Magasins concurrents qui se partagent la faveur de la clientèle.*

► **PARTAGÉ, ÉE** p. p. adj.

♦ **1.** Divisé en parts ou en parties. *Bénéfices équitablement partagés.* — *Partagé en deux, trois parties* (→ Biparti, mi-parti, triparti). — Inform. *Temps partagé.* ⇒ **Temps.**

Fig. Accordé, réparti par la nature.

Le bon sens est la chose du monde la mieux partagée : car chacun pense en être 20
si bien pourvu, que ceux mêmes qui sont les plus difficiles à contenter en toute autre chose n'ont point coutume d'en désirer plus qu'ils en ont.
DESCARTES, Discours de la méthode, I.

♦ **2.** Commun à deux ou à plusieurs personnes. *Opinions partagées.* — Qui implique un échange, une réciprocité entre deux personnes ou deux groupes de personnes. ⇒ **Mutuel, réciproque.** *Amour partagé* (→ Exception, cit. 16; imprégner, cit. 7). *Tendresse partagée* (→ Affinité, cit. 6). *Se mettre d'accord sur les torts partagés.*

(...) mon amour n'oubliait pas qu'il lui importait de sembler un amour heureux, un 21
amour partagé (...) PROUST, À la recherche du temps perdu, t. XIII, p. 8.

(...) je ne reviendrai pas ici sur l'histoire archirebattue et d'ailleurs toujours incer- 22
taine des amours fameuses de George Sand et de Musset, où M. André Maurois voit je crois assez justement les torts partagés.
Émile HENRIOT, les Romantiques, p. 194.

♦ **3.** Vieilli. *Bien, mal partagé :* favorisé, défavorisé par le sort, la nature. *Voilà un pauvre homme bien mal partagé!* Rare (d'une chose) :

Dans mon quartier natal on n'eût pas compté vingt maisons privées de jardin. Les 23
plus mal partagées jouissaient d'une cour, plantée ou non, couverte ou non de treilles. COLETTE, Sido, *in* Classe de franç., 1954-1955, p. 255.

♦ **4.** (1678). Figuré.

[a] (Personnes). Divisé entre plusieurs tendances, plusieurs sentiments contradictoires. ⇒ **Déchiré, écartelé** (cit. 5). *Être partagé dans son cœur* (→ Célibat, cit. 1). *Je suis partagé entre des tendances qui se contredisent* (→ Déséquilibre, cit. 3). *Partagé entre* (1. Entre, cit. 11) *un sentiment et un autre* (→ Épate, cit. 1).

Tel était le peuple, partagé entre deux sentiments contraires, l'humanité d'une 24
part, de l'autre l'indignation (...)
MICHELET, Histoire de la Révolution franç., V, II.

Elle demeura immobile un court moment, attendant sans doute une réponse, 25
mais il gardait le silence, partagé entre le désir de courir à elle et l'effroi de lui déplaire.
J. GREEN, Léviathan, I, II.

[b] Divisé en plusieurs partis. *C'est une ville partagée en diverses sociétés* (→ Assemblage, cit. 11).

Eh bien! je crois, s'il m'est permis de parler franc, que cette sorte d'unification 26
des esprits, que l'on admire, reste beaucoup plus apparente que réelle; beaucoup

plus souhaitée qu'obtenue. Bien que touchés par un malheur commun, les Français restent, autant que jamais, partagés. GIDE, Attendu que..., p. 67.

CONTR. Accaparer. — Réunir. — (De *partagé*) **Indivis. — Malheureux** (amour).
DÉR. Partageable, partageant, partageur, partageux.
COMP. Copartager, départager, repartager.

PARTAGEUR, EUSE [paʀtaʒœʀ, øz] n. et adj. — 1544; repris XXe; de *partager.*

♦ **1.** Dr. Vx. (1567). Préposé au partage des successions; liquidateur.

♦ **2.** Mod. (Rare). Personne qui partage volontiers ce qu'elle possède. ⇒ **Partageux.** *Cet enfant n'est pas très partageur.*

PARTAGEUX, EUSE [paʀtaʒø, øz] n. et adj. — 1849; de *partager.*

♦ **1.** N. (Vieilli ou plais., ou hist.). Personne qui préconise le partage, la communauté ou l'égalité des biens. ⇒ **Communiste, socialiste.**

♦ **2.** Adj. Qui partage volontiers ce qu'il possède. ⇒ **Partageur** (2.).

En 19, il avait vu les bolcheviks en Ukraine et le nom de Soviet lui rappelait des visages. Il parlait aux paysans de la collectivisation des campagnes, il leur disait : — Nous ne sommes pas des partageux, nous sommes des rassembleurs. P. NIZAN, le Cheval de Troie, I, IV.

PARTANCE [paʀtɑ̃s] n. f. — Fin XVIe; *partence,* 1395; de 1. *partir.*

♦ Vx. Départ (d'un navire); moment qui précède immédiatement le départ (d'un navire). — Loc. adj. (Vieilli). **DE PARTANCE** (précédé d'un subst.). *Coup de canon de partance, coup de partance :* coup tiré à blanc pour avertir les membres de l'équipage restés à terre que le navire va appareiller. — *Pavillon de partance,* hissé sur un bâtiment pendant les heures qui précèdent le départ. — *Point de partance :* point de départ.

Mod. (1864). **EN PARTANCE :** qui va partir (bateau, grand véhicule). *Navire, avion, train en partance* (→ Halètement, cit. 6). — *En partance pour :* à destination de. *L'avion, les voyageurs en partance pour New York.*

1 (...) une berge que longeaient plusieurs bateaux, les uns en arrivage, les autres en partance (...) HUGO, l'Homme qui rit, II, IX, II.

2 (...) en passant le long de son navire en partance (...) LOTI, les Désenchantées, VI, LIII.

Par ext. *Détachement militaire en partance.*

1. PARTANT, ANTE [paʀtɑ̃, ɑ̃t] n. m. et adj. — 1748; p. prés. de 1. *partir.*

★ **I.** N. m. ♦ **1.** Celui qui part. *Dire adieu aux partants. Les arrivants et les partants.*

1 Je n'ai point encore pu trouver les taffetas que vous désirez, mais j'espère (...) que j'en pourrai charger quelques partants pour l'Italie. Mme DU DEFFAND, Correspondance, Lettre à Mme Aular, 3 mai 1706, *in* D.D.L., II, 4.

♦ **2.** (1923). Cheval qui se présente effectivement au départ d'une course. *Liste des partants. Cheval déclaré non partant à la dernière minute.* — Par anal. Coureur qui part. *Les partants d'une course cycliste, automobile, d'un cross-country. Il y avait plus de partants que l'année dernière.*

★ **II.** Adj. ♦ **1.** Qui part, qui doit partir. *Équipe partante.*

2 Au coup de sirène les équipes partantes vidaient l'atelier. Georges NAVEL, Travaux, p. 94.

♦ **2.** Fam. *Être partant pour :* être volontaire, disposé à, avoir envie de.

3 (...) les appels du loupiot vorace, toujours partant pour un petit bib' de rabe. SAN-ANTONIO, J'ai essayé : on peut!, p. 64.

(Sans compl.). *Si on m'offre le voyage, je suis partante!*

CONTR. Arrivant.

2. PARTANT [paʀtɑ̃] conj. — V. 1130; de *par,* et *tant* (→ Pourtant).

♦ Vx ou littér. Conjonction marquant la conséquence. ⇒ **Ainsi, conséquent** (par), **donc.** *Le chemin était long et partant ennuyeux* (→ Berner, cit. 5; désarroi, cit. 6; être, cit. 11; filiation, cit. 3; fondue, cit. 3; immense, cit. 10; jongleur, cit. 3).

1 Les tourterelles se fuyaient;
Plus d'amour, partant plus de joie. LA FONTAINE, Fables, VII, 1.

2 (...) l'artiste a été élevé parmi des contemporains mélancoliques; partant, les idées qu'il a reçues dans son enfance et celles qu'il reçoit encore tous les jours sont mélancoliques. TAINE, Philosophie de l'art, t. I, p. 58.

3 *Partant* a failli mourir au XVIIe s.; il paraissait vieux. Il est probable que c'est La Fontaine qui l'a sauvé, avec son délicieux vers : *« Plus d'amour,* **partant** *plus de joie ».* F. BRUNOT, la Pensée et la Langue, p. 831.

4 (...) la guerre est arrivée, la défaite a suivi, l'invasion, l'occupation. Plus de locomotives, plus de wagons, plus de voitures, partant, moins à manger. M. AYMÉ, le Vin de Paris, « Le faux policier », p. 157.

PARTENAIRE [paʀtənɛʀ] n. — 1767, *in* Höfler; d'abord écrit *partner;* angl. *partner,* altér., d'après *part,* de *parcener,* anc. franç. *parçonier* « associé ».

♦ **1.** Personne avec qui une personne est alliée contre d'autres joueurs. *Le partenaire d'un bridgeur* (→ Danseur, cit. 7). *Ils jouèrent d'abord en adversaires* (cit. 6) *puis en partenaires. Mauvaise joueuse qui impatiente ses partenaires* (→ Fléau, cit. 9). ⇒ **Compagnon** (de jeu). *Changer de partenaire.* — REM. L'orthographe anglaise *partner* [paʀtnɛʀ] s'est employée au XIXe s. (→ cit. 1 et 3).

Sa conduite au jeu était d'une distinction qui l'eût fait remarquer partout : il ne se plaignait jamais, il louait ses adversaires quand ils perdaient; il n'entreprenait point l'éducation de ses partners, en démontrant la manière de mieux jouer les coups. BALZAC, la Vieille Fille, Pl., t. IV, p. 214. 1

Le receveur David, homme jovial (...) fréquentait assidûment un jeu de boules situé à Saint-Péray. Il y avait pour partenaire un rat-de-cave, Malaparte, originaire des environs de Bastia (...) J. ROMAINS, les Hommes de bonne volonté, t. III, XVIII, p. 239. 2

Personne avec qui l'on danse. ⇒ **Cavalier.** *Le partenaire d'une danseuse* (→ Instruction, cit. 10).

Gilbert restait alors sur sa chaise, perdu dans ses pensées, regardant sa belle partner sauter et sourire, les yeux encore humides. Elle revenait, et ils reprenaient leur triste entretien. A. DE MUSSET, Nouvelles, « Emmeline », IX. 3

Personne associée à une autre dans un exercice sportif, professionnel... *La partenaire d'un patineur, d'un trapéziste, d'un fantaisiste, d'un prestidigitateur...*

(...) Yves Mirande jouait sur la même scène (...) Son partenaire? Un petit débutant fluet, comédien à miracle, un nommé (...) Victor Boucher (...) COLETTE, l'Étoile Vesper, p. 199. 4

Personne avec qui on tient conversation (→ Jargonner, cit. 2; niaiserie, cit. 2). *Trouver un partenaire à la hauteur.*

♦ **2.** Personne qui a des relations sexuelles avec une autre (→ Lesbien, cit.; misère, cit. 17). *Être difficile sur le choix de ses partenaires. Partenaire frigide* (→ Ardent, cit. 25; fiasco, cit. 2).

(...) le caractère plus cérébral que sentimental de ces deux ardents partenaires *(B. Constant et A. Lindsay).* Émile HENRIOT, Portraits de femmes, p. 212. 5

Le paroxysme passé, quand il avait affaire à une maîtresse en titre (...) il lui arrivait (...) de s'aviser néanmoins que sa partenaire n'avait pas dû prendre beaucoup de plaisir. J. ROMAINS, les Hommes de bonne volonté, t. V, VIII, p. 71. 6

♦ **3.** Pays, communauté, entreprise... avec lequel un(e) autre a des relations, des échanges. *« Ce qui fait de lui* (le Brésil) *un partenaire commercial de premier ordre »* (*Paris-Match,* 3 nov. 1973). *Nos partenaires du Marché commun.*

♦ **4.** (V. 1970). Au plur. *Partenaires sociaux :* ensemble des organisations professionnelles représentatives (syndicales et patronales) qui participent conjointement aux négociations sur l'amélioration des conditions de travail.

En sus du financement de centres publics, l'État participe, sur la base de conventions, à l'équipement et au fonctionnement de centres privés (pour l'emploi). *Du côté des partenaires sociaux,* le dispositif mis en place en faveur des salariés menacés ou victimes de licenciement est le fait de l'accord interprofessionnel du 9 juillet 1970. Marcel POCHARD, l'Emploi et ses problèmes, p. 82. 7

CONTR. Adversaire, compétiteur, rival.

PARTERRE [paʀtɛʀ] n. m. — 1546; de *par* « sur », et *terre* « sol ». → Terre (par terre).

♦ **1.** Vx. Sol, « aire plate et unie » (Littré).

Le parterre du poulailler sera quarrellé *(carrelé)* avec de la brique. O. DE SERRES, *in* LITTRÉ. 1

Loc. *Faire un parterre,* une chute (→ ci-dessous, *supra* cit. 9, *Billet de parterre*).

Mod. (Fam. ou régional). Carrelage, plancher. *Laver le parterre. Chiffon de parterre.*

— (...) Mais qu'est-ce que tu fais de récurer la cuisine? On dirait qu'il n'y a pas de besogne plus pressée à la maison. 2
— Sûrement qu'il y en a de plus pressée, mais si Ferdinand arrive (...)
— Il n'ira pas regarder le parterre de la cuisine, qu'est-ce que tu me racontes? M. AYMÉ, la Jument verte, III.

♦ **2.** Partie découverte et plane (d'un parc, d'un jardin d'agrément) où l'on a aménagé des compartiments (2.) de fleurs, de gazon, de buis..., et qui forme un ensemble décoratif. *Plates-bandes, boulingrins d'un parterre. Parterre de fleurs, de bégonias et de géraniums* (→ Jardin, cit. 2). *Parterre de broderie :* parterre fait de rinceaux de buis sur fond de sables de couleur. *Parterres du parc de Versailles* (→ If, cit. 3). *Parterre d'après Le Nôtre* (→ Dessin, cit. 8). *Pelouses, parterres, corbeilles, massifs d'un jardin* (cit. 3).

(...) au milieu de cette cour, le concierge cultive un parterre environné d'une haie de mauves (...) CHATEAUBRIAND, Mémoires d'outre-tombe, t. VI, p. 209. 3

(...) ses parterres brodés, quadrillés et losangés de fleurs, qui ressemblent à de grands tapis (...) HUGO, l'Homme qui rit, I, I, III. 4

(...) les quais des gares, en été, ont des parterres de fleurs. Valery LARBAUD, Barnabooth, Journal, III. 5

♦ **3.** Vx. (Aux XVIIe et XVIIIe). Rez-de-chaussée d'une salle de théâtre où le public se tenait debout. *Le parterre, l'amphithéâtre et les loges. Foule au parterre d'un spectacle* (→ Fortune, cit. 36). *Aller au par-*

terre attaquer une pièce (→ Holà, cit. 5). *La claque du parterre.* — Mod. Partie du rez-de-chaussée d'une salle de théâtre qui est située derrière les fauteuils d'orchestre. *Orchestre, parterre et amphithéâtre* (cit. 2), *et balcons. Places de parterre, être au parterre. Les gens du parterre* (→ Évacuer, cit. 6).

6 Des espèces de loges (...) avaient été pratiquées sur les côtés de la salle, dont le milieu formait le parterre, où se tenaient debout les petits bourgeois, courtauds de boutique, clercs de procureur, apprentis, écoliers, laquais et autres canailles.
Th. GAUTIER, le Capitaine Fracasse, I, IX.

Billet de parterre. N. m. *Un parterre* (vx).

7 (...) je pris un billet de parterre pour aller voir si je découvrirais Manon et G (...) M (...) dans les loges. Abbé PRÉVOST, Manon Lescaut, II, p. 149.

8 Voici, monsieur, trois parterres. Il faudrait être avant 5 h 1/2 au Théâtre, du côté de la rue de Montpensier. SAINTE-BEUVE, Correspondance, 112, févr. 1830.

Loc. fig. et fam. *Prendre un billet de parterre* : tomber, choir.

9 (...) il riait toujours (bien jaune) quand il lui arrivait de prendre un billet de parterre au collège; il disait que c'était *exprès*.
J. VALLÈS, le Bachelier, III, p. 34.

Par métonymie. Spectateurs, public du parterre (souvent pris anciennt au sens de «public populaire»). *Le parterre qui représente le peuple* (→ Flagorner, cit. 3). *La cour, les honnêtes* (cit. 26) *gens et le parterre. Les acteurs, le parterre et l'amphithéâtre* (cit. 3).

10 (...) ces Messieurs du bel air, qui ne veulent pas que le parterre ait du sens commun (...) MOLIÈRE, Critique de l'École des femmes, 5.

11 Au mauvais goût public la belle y fait la guerre;
Plaint Pradon opprimé des sifflets du parterre (...) BOILEAU, Satires, X.

Fig. et vx. Public. *Amuser le parterre* (→ La galerie).

12 Voici un bon mot de Mme Cornuel, qui a fort réjoui le parterre.
Mme DE SÉVIGNÉ, 257, 16 mars 1672.

HOM. V. **Par terre** (loc. adv.).

PARTHÉNO- Élément, du grec *parthenos* «vierge», servant à former des mots didactiques (⇒ **Parthénogamie, parthénogénèse, parthénogénésique, parthénologie**) et littéraires (⇒ **Parthénophobie**).

PARTHÉNOCISSUS [partenosisys] n. m. — D. i.; du grec *parthenos* «vierge», et *kissos* «lierre».

♦ Bot. Vigne vierge (*Ampélidacées*).

PARTHÉNOGAMIE [partenogami] n. f. — xxe; de *parthéno-*, et *-gamie*.

♦ Biol. Forme d'autofécondation entre deux cellules femelles, fréquente chez les levures, les champignons inférieurs, et observée également chez certains invertébrés.

PARTHÉNOGÉNÈSE [partenoʒenɛz] n. f. — 1864; de *parthéno-*, et *-genèse**.

♦ Biol. Reproduction* sans fécondation (sans mâle) dans une espèce sexuée. *Lors de la parthénogénèse l'œuf se développe sans gamète mâle, avec un noyau haploïde ou diploïde selon les espèces. Parthénogénèse naturelle des abeilles, des pucerons, des rotifères... Parthénogénèse accidentelle; cyclique* (alternance de générations sexuées et parthénogénétiques). *Parthénogénèse ne produisant que des mâles, que des femelles. Parthénogénèse provoquée artificiellement chez les poissons, les batraciens, les oiseaux... par des réactifs physiques et chimiques.*

1 (...) quoique vierge elle *(la reine)* n'est pas stérile. Nous rencontrons ici cette grande anomalie, cette précaution ou ce caprice étonnant de la nature qu'on nomme la parthénogénèse, et qui est commun à un certain nombre d'insectes, les pucerons (...) MAETERLINCK, la Vie des abeilles, IV, XII.

2 La reproduction sans mâle, ou parthénogénèse artificielle, déjà réalisée chez le lapin, pourrait bien ne pas tarder à l'être dans nos espèces. Pour l'instant, le seul moyen utilisable consisterait à recueillir les ovules vierges dans la trompe utérine, et à les replacer au même endroit après les avoir soumis à un traitement efficace.
Jean ROSTAND, l'Homme, XI.

3 Les procédés de parthénogénèse artificielle (...) aident à comprendre la parthénogénèse qui intervient avec constance, dans les conditions naturelles, chez un certain nombre d'espèces : car il est permis d'imaginer que le milieu periovulaire, chez ces animaux, contient les facteurs physico-chimiques d'où peut dépendre l'activation de l'œuf et son développement. Ce sont les cas de parthénogénèse naturelle (...) ARON et GRASSÉ, Biologie animale, p. 139.

Par anal. *Parthénogénèse mâle.* ⇒ **Androgénèse.**

DÉR. Parthénogénétique.

PARTHÉNOGÉNÉTIQUE [partenoʒenetik] adj. — 1895, *in* D. D. L.; 1874, *parthénogénésique*; de *parthénogénèse*.

Biologie.

♦ **1.** Relatif à la parthénogénèse. *Génération, reproduction parthénogénétique.*

♦ **2.** Issu de la parthénogénèse. *Œuf, individu parthénogénétique.*

PARTHÉNOLOGIE [partenɔlɔʒi] n. f. — 1771, Trévoux, «traité médical sur les jeunes filles»; de *parthéno-*, et *-logie*.

♦ Méd. Partie de la gynécologie traitant de l'appareil génital féminin avant la puberté.

PARTHÉNOPHOBIE [partenofɔbi] n. f. — xxe; de *parthéno-*, et *-phobie*.

♦ Littér. Horreur des jeunes filles.

Tiens! Qu'est-ce que c'est que cette «parthénophobie» subite?
— Oh, cela n'a rien de subit. Je partage sur les jeunes filles les idées de Baudelaire. Je ne leur ai jamais plu, même quand j'avais dix-huit ans, et elles ne m'ont jamais beaucoup attiré non plus.
J. DUTOURD, les Horreurs de l'amour, p. 120.

1. PARTI [parti] n. m. — V. 1270; xive, «partie, portion» et «situation d'une personne»; subst. verb. de 2. *partir* «partager».

★ **I.** ♦ **1.** (Vx au sens général). Ce qu'une personne a pour sa part. — (1655). Spécialt. Vx. Salaire d'un employé. — Anciennt. Part attribuée à celui qui affermait certains impôts (⇒ **Partisan**). — Vx. Part du profit. ⇒ **Avantage** (3.), **bénéfice.**

Mod. **TIRER PARTI (DE)... :** exploiter, utiliser. *Tirer parti de son expérience* (cit. 27), *d'un événement* (→ Direct, cit. 3). *Nous ne savons pas tirer parti de nos ressources* (→ Enrageant, cit.). *C'est un sol dont on peut tirer parti* (→ Exploitation, cit. 3). *Tirer parti de la laideur* (cit. 5) *elle-même.* (Avec l'article). *Tirer le meilleur parti de l'événement, tout le parti possible de son effort* (→ 1. Écoute, cit. 1). *Ils virent le parti qu'on pouvait tirer de la situation* (→ Diffuser, cit. 2), *d'un aveu* (→ Fécond, cit. 3). *Il ne tire pas le moindre parti de ses vertus* (→ Infériorité, cit. 2). *Tirer un parti personnel d'un service* (→ Désintéressé, cit. 3). *Savoir tirer parti de tout.*

(...) de ma vie il ne m'est arrivé de songer à ma figure que lorsqu'il n'était plus temps d'en tirer parti. ROUSSEAU, les Confessions, II. 1

Les Allemands s'occupent de la vérité pour elle-même, sans penser au parti que les hommes peuvent en tirer. Mme DE STAËL, De l'Allemagne, II, II. 2

Le hasard était fertile en ressources. On n'imagine pas le parti qu'on peut tirer d'un simple morceau de bois, d'une branche cassée, comme on en trouve le long des haies. R. ROLLAND, Jean-Christophe, L'aube, I, p. 17. 3

La source a été exploitée avant vous? 4
Un peu, autrefois, et très localement. Depuis c'est tombé à rien. On n'a jamais essayé d'en tirer parti.
J. ROMAINS, les Hommes de bonne volonté, t. V, XIV, p. 101.

Vx. Estimation relative des chances de gain. *Le problème des partis, posé par Méré à Pascal. La règle des partis* (→ Incertain, cit. 8). ⇒ **Probabilité** (calcul des probabilités).

♦ **2.** Vx. Situation qui est le lot de quelqu'un.

Loc. fig. Mod. *Faire un mauvais parti à quelqu'un,* le mettre à mal, lui faire subir un mauvais traitement. ⇒ **Malmener, maltraiter** (→ Régler son compte* à...).

(...) soyez averti 5
Qu'il vous cherche, et vous peut faire un mauvais parti.
MOLIÈRE, le Dépit amoureux, V, 3.

Vx (langue class.). Situation professionnelle, sociale. ⇒ **Profession.** *Prendre le parti des armes,* le métier de soldat.

(...) vous êtes un homme de très bonne famille, et même au-dessus du parti que vous prenez? «Je ne sens rien qui m'humilie dans le parti que je prends, madame. L'honneur de servir une dame comme vous (...) 6
MARIVAUX, les Fausses Confidences, I, 7.

♦ **3.** (1538). Personne à marier, considérée du point de vue de sa situation sociale. *C'est un parti pour elle, pour lui* (→ Mûrir, cit. 11). *Un riche, un beau parti.* «*Mademoiselle* (cit. 1), *le seul parti de France qui fût digne de Monsieur*». «*À des partis plus hauts* (cit. 40) *ce beau fils doit prétendre*» (Corneille). *Des partis s'étaient présentés* (→ Impossible, cit. 21), *elle ne manquait pas de partis à choisir* (→ Cotret, cit.). *Dédaigner les plus brillants* (cit. 11) *partis. Accepter un bon parti* (→ Faire un beau mariage*).

Je songerai à marier ma fille quand il se présentera un parti pour elle (...) 7
MOLIÈRE, le Bourgeois gentilhomme, III, 3.

La mariée (...) avait été fort courtisée par tous les partis des environs, car on la trouvait avenante, et on la savait bien dotée (...) 8
MAUPASSANT, les Contes de la Bécasse, «Farce normande».

★ **II.** ♦ **1.** (1360). Littér. Solution proposée ou choisie pour résoudre une situation. ⇒ **Solution.** *Le parti que ma conscience me conseillait* (→ Abîme, cit. 29). *Le parti de X fut d'attendre* (→ Bombe, cit. 5). *Il n'y a pas d'autre parti que de...* (→ Approuver, cit. 21). *Hésiter entre deux partis, choisir un parti. Offrir le parti de... Je refusai l'un et l'autre parti* (→ Entrer, cit. 24).

J'en vais alléguer un qui, s'étant repenti, 9
Ne put trouver d'autre parti
Que de renvoyer son épouse,
Querelleuse, avare et jalouse. LA FONTAINE, Fables, VII, 2.

La monarchie est perdue, si l'on ne dissout les États. Parti dangereux, déjà impossible à suivre. MICHELET, Hist. de la Révolution franç., I, III. 10

La charité peut être le pis aller d'une âme sèche et lente à qui la raison persuade le beau parti de s'émouvoir. André SUARÈS, Trois hommes, «Pascal», III. 11

Lorsqu'il hésitait entre deux partis, sans trouver, à la réflexion, plus de raisons 12 d'adopter l'un que l'autre, il choisissait en général celui qui exigeait la plus grande somme de volonté : il prétendait, après expérience, que c'était presque toujours le meilleur. MARTIN DU GARD, les Thibault, t. III, p. 215.

Spécialt. Arts. Didact. Conception d'ensemble d'une œuvre architecturale ou picturale.

♦ **2.** Cour. (Avec le verbe *prendre*). ⇒ **Décision, résolution.** *Savoir choisir et prendre un parti* (→ Artiste, cit. 11). *Prendre le bon parti* (→ Instinct, cit. 22). *Hésiter* sur le parti à prendre. Dans cette alternative* (cit. 4), *je n'avais qu'un parti à prendre. Ne pas savoir quel parti prendre. Quelque parti que tu prennes tu t'en repentiras* (→ Célibat, cit. 6). — **PRENDRE LE PARTI DE** (avec l'inf.). *Prendre le parti de laisser aller* (cit. 85) *les choses, de couper court à la discussion* (cit. 5). *« Ceux qui prennent le parti de louer l'homme »* (→ Blâmer, cit. 4, Pascal). *Il a pris le parti d'en rire. « Prends-moi le bon parti... »* (→ 1. Livre, cit. 27, Boileau). — *Prendre le même parti que quelqu'un, un autre parti.*

13 Les hommes prennent le parti d'aimer ceux qu'ils craignent, afin d'en être protégés. Joseph JOUBERT, Pensées, V, 50.

PRENDRE PARTI. ⇒ **Choisir, décider, opter; position** (prendre). *Il faut prendre parti. Il ne veut pas prendre parti* (→ S'engager; fam. se mouiller). *Nous ne pouvons rester neutres, nous devons prendre parti.* — *Prendre parti sur (quelque chose). L'Église prend parti sur des points de dogme* (→ Désobéir, cit. 3). — *Prendre parti pour, contre :* choisir d'être* pour*, d'être contre*. *Prendre parti pour quelqu'un, prendre le parti de quelqu'un,* lui donner raison (⇒ **Défendre, soutenir**); *contre quelqu'un,* lui donner tort (⇒ **Attaquer;** → Se tourner* contre). *Elle a pris parti pour son fils contre son mari.*

14 Je sais prendre parti sur cette préférence,
Et ce n'est pas mon cœur maintenant qui balance (...)
MOLIÈRE, le Misanthrope, V, 2.

15 (...) il n'y avait là que ce besoin inné du Français de prendre parti, d'être d'un parti, qui se retrouve à tous les âges et du haut en bas de la société française. GIDE, Si le grain ne meurt, I, IV, p. 108.

16 Le Christ oblige tous les hommes à prendre parti. Quiconque n'est pas pour lui est contre lui. F. MAURIAC, Souffrances et Bonheur du chrétien, p. 84.

17 Mais l'objectivité n'est pas la neutralité. L'effort de compréhension n'a de sens que s'il risque d'éclairer une prise de parti. Je prendrai donc parti pour finir. CAMUS, Actuelles III, p. 138.

Prendre son parti : se déterminer à. *Il prit son parti sur-le-champ* (→ Hardi, cit. 2). *Mon parti est pris* (cf. Mon siège est fait). ⇒ **Détermination.** *Je ne pus la détourner* (cit. 10) *de son dessein, elle avait pris son parti.*

18 Ah! la voici, Seigneur : prenez votre parti.
RACINE, Bérénice, III, 2.

19 Mon sentiment est ferme et mon parti bien pris.
G. DUHAMEL, le Temps de la recherche, X.

Prendre son parti de (et l'inf.) : se décider à (faire quelque chose).

Spécialt. *Prendre son parti de (quelque chose), en prendre son parti :* accepter raisonnablement quelque chose de désagréable, de pénible, faute de pouvoir ou de vouloir faire autrement. ⇒ **Accommoder** (s'accommoder de), **résigner** (se), **résoudre** (se); **raison** (se faire une raison). *Prendre son parti d'un échec. Il faudra pourtant que vous en preniez votre parti* (→ Inadmissible, cit.). *Tant pis, j'en prendrai mon parti* (→ Infranchissable, cit. 2). *Il n'y a qu'à en prendre son parti. Il ne prend pas son parti d'avoir dû renoncer* (→ Existence, cit. 26). — *Prendre son parti de* (et l'inf.). — Absolt. *Prendre bravement* (cit. 1) *son parti. Elle prenait son parti beaucoup moins facilement qu'elle ne le disait* (→ Agressivité, cit. 1).

20 Je m'agite, parce que je ne trouve point d'activité; je parle, afin de ne point penser; je m'anime, par stupeur. Je crois même que je plaisante : je ris de douleur, et l'on me trouve gai. Voilà qui va bien, disent-ils, il prend son parti. il faut que je le prenne, car je n'y pourrai plus tenir. É. DE SENANCOUR, Oberman, XLVI.

21 Je trouve qu'en toutes ces décadences physiques les moindres sont les dissimulées. Aussi la perte de mes cheveux m'a-t-elle réellement embêté. Mon parti en est pris maintenant, Dieu merci, et je fais bien! car d'ici à deux ans je ne sais s'il m'en restera de quoi même avoir un crâne. FLAUBERT, Correspondance, 424, 7 septembre 1853.

Littér. **PARTI PRIS :** décision inflexible. *Il y eut hésitation* (cit. 2), *fluctuation..., personne n'avait de parti pris, d'idée arrêtée. Le parti pris de faire du bien* (→ Encontre, cit. 2), *de n'attaquer personne* (→ Inattaquable, cit. 5). *Agir de parti pris,* par système.

22 C'était un parti pris, chez elle, de ne regarder jamais les vieillards et tous les êtres reconnus pour dire des choses tristes. STENDHAL, le Rouge et le Noir, II, VIII.

23 Ce qui apparaît le plus nettement dans une œuvre de maître, c'est la « volonté », le parti pris. Pas de flottement entre les modes d'exécution. Pas d'incertitude sur le but. VALÉRY, Mélange, p. 163.

Cour. Opinion préconçue, choix arbitraire. ⇒ **Préjugé, prévention.** *Un parti pris qui fausse la discussion.* — Par ext. *Le parti pris, du parti pris :* attitude d'esprit de celui qui a des opinions préconçues. *Sans parti pris politique* (→ Français, cit. 10). *L'aveuglement et le parti pris* (→ Anicroche, cit.). *Il y a trop de parti pris dans ses jugements. Être de parti pris.* ⇒ **Exclusif, partial.** Fam. *Avoir du parti pris, trop de parti pris.* Par anal. *Le Parti pris des choses,* œuvre de Francis Ponge.

24 Les écrivains des deux pays sont injustes les uns envers les autres : les Français cependant se rendent plus coupables à cet égard que les Allemands; ils jugent sans connaître ou n'examinent qu'avec un parti pris; les Allemands sont plus impartiaux. Mme DE STAËL, De l'Allemagne, II, I.

Balzac est de tous les auteurs contemporains celui auquel Sainte-Beuve témoigna le plus d'antipathie naturelle et de parti pris. A. BILLY, Sainte-Beuve, p. 233. 25

Intention délibérée (dans un projet, une œuvre); disposition qui en résulte.

Comme l'appartement est bas de plafond, j'ai adopté un parti pris horizontal. — Vous avez bien fait. — Des lignes géométriques, des meubles en longueur. H. TROYAT, la Malandre, p. 278. 25.1

★ **III.** ♦ **1.** Vx. Détachement de soldats. ⇒ **Bande** (armée), **corps** (de troupes). *Partis de soldats rôdant pour piller* (→ Logement, cit. 8). *Un parti d'Indiens* (→ Hacienda, cit.).

(..) un parti des nôtres a été attiré dans une embuscade (...) 26
LA BRUYÈRE, les Caractères, X, 11.

Mon inexpérience m'égara dans les bois, et je fus pris par un parti de Muscogulges et de Siminoles (...) CHATEAUBRIAND, Atala, Les chasseurs, p. 49. 27

Or Ney, dans le repli qui lui avait été ordonné, s'étant (...) heurté à un fort parti russe en marche vers l'Ouest, n'eut pas de peine à se rendre compte qu'il s'agissait là de l'avant-garde d'une considérable armée (...) 28
MADELIN, Hist. du Consulat et de l'Empire, Vers Empire Occid., XX.

(Déb. XVe). Mod. Groupe de personnes défendant la même opinion. ⇒ **Camp, clan.** *Ils étaient divisés en deux partis; le premier voulait que...* (→ Équiper, cit. 2). *Les partis d'une petite ville* (→ Apparence, cit. 45). *Le parti des honnêtes gens* (→ Impliquer, cit. 7).

Fig. *Se mettre, se ranger du parti de quelqu'un,* défendre à ses côtés la même opinion. ⇒ **Côté** (→ Suivre quelqu'un, se ranger sous le drapeau*, l'étendard* de...). — Par anal. *Se mettre du parti du cœur* (→ Dépraver, cit. 6). *La Fortune est du parti des crimes* (→ 1. Forfait, cit. 4).

Cause (d'une ou de plusieurs personnes). ⇒ **Cause.** *Épouser, embrasser le parti de quelqu'un. Prendre le parti de quelqu'un* (→ 1. Balle, cit. 4). *Il a pris le parti des opprimés contre les oppresseurs* (→ Prendre fait et cause* pour). *Vous pouvez bien penser quel parti je sus prendre* (→ Excuser, cit. 1; avertir, cit. 5). — Par ext. *Prendre le parti de la liberté. Le bon parti* (vx) : la bonne cause.

Je suivrai le bon parti jusqu'au feu, mais exclusivement si je puis. 29
MONTAIGNE, Essais, III, I.

(...) quel parti prenez-vous dans la querelle des deux médecins Théophraste et Artémius? MOLIÈRE, l'Amour médecin, II, 3. 30

♦ **2.** Groupe organisé, association* de personnes unies pour la défense d'intérêts, de buts communs. ⇒ (péj.) **Brigue, cabale, chapelle, coterie, faction** (cit. 2), **ligue, secte...** *Former un parti. Entrer dans un parti. Être du même parti.* ⇒ **Bord** (du même). *Enrôler, admettre* (cit. 3) *quelqu'un dans un parti. Se rallier à un parti. Changer de parti* (→ Retourner sa veste, tourner casaque*). *Transfuge* d'un parti. La tête d'un parti.* ⇒ **Chef, coryphée, état-major.** *Un homme de parti,* qui pense, agit dans le seul intérêt de son parti. *Esprit de parti.* ⇒ **Esprit** (cit. 180 et 181). *Intrigues* (cit. 4) *des partis et des ligues. Partis en lutte, déchaînés l'un contre l'autre* (→ 2. Entre, cit. 8). *Parti politique* (→ ci-dessous, spécialt), *parti religieux* (→ Brûler, cit. 56; état, cit. 132), *philosophique* (→ Arracher, cit. 37).

L'homme de parti a besoin de croire qu'il a absolument raison, qu'il combat pour la sainte cause, que ceux qu'il a en face de lui sont des scélérats et des pervers. 31
RENAN, l'Avenir de la science, Œ. compl., t. III, p. 1026.

Tout parti vit de sa mystique et meurt de sa politique. 32
Ch. PÉGUY, Notre jeunesse, p. 55.

(...) dans tous les pays, — dans tous les partis — les intellectuels ont le goût des dissidents. Adler contre Freud, Sorel contre Marx. Seulement, en politique, les dissidents, ce sont les exclus. MALRAUX, l'Espoir, II, I, II, XII. 33

Spécialt. Organisation politique dont les membres mènent une action commune pour donner (ou conserver) le pouvoir à une personne, à un groupe, pour faire triompher une idéologie. *Le parti des Armagnacs et celui des Bourguignons. Le parti de la Fronde* (3. Fronde, cit. 8). *Le parti des Girondins* (→ Équilibrer, cit. 6). *Le parti boulangiste. Parti carliste espagnol, nihiliste* (cit. 2) *russe.* — *Noms de partis.* ⇒ **Formation, mouvement, rassemblement, union...** *Parti désigné par la personne, le groupe social qui doit exercer le pouvoir : parti monarchiste, royaliste, légitimiste* (→ Influence, cit. 15). *Parti républicain, démocrate, populaire, ouvrier; parti national, patriotique* (1789). *Parti militaire* (→ 2. Mèche, cit. 1)... *Parti qualifié par sa politique : parti socialiste, communiste* (cit. 3 et 4), *travailliste, radical, social-démocrate, libéral, progressiste, révolutionnaire, conservateur, modéré* (cit. 6), *national, nationaliste; parti fasciste* (→ Chef, cit. 18), *nazi.* Absolt. *Le parti :* celui dont il est question, et (cour.), le *parti communiste. Il est au parti. Bureau politique du parti.*

Tous les partis, convenons-en, et même celui qu'on appelle le Parti, comme s'il demeurait le seul, paraissent avoir le nerf coupé. 33.1
F. MAURIAC, le Nouveau Bloc-notes 1958-1960, p. 320.

Avait-il été inscrit au Parti? Quelles années? Quel était son répondant? 33.2
Claude COURCHAY, La vie finira bien par commencer, p. 93.

Le parti du mouvement, du progrès, de l'ordre... Parti de droite, de gauche (cit. 16), *du centre... Partis extrêmes, extrémistes* (→ Fumier, cit. 9; gage, cit. 15). *Parti considéré par rapport au Gouvernement : parti gouvernemental, de la majorité; parti d'opposition, les partis de l'opposition.*

Spécialt. (Qualifié). Se dit d'un parti spécifique, à l'époque et dans

le pays du locuteur. En France : *le parti communiste* (P.C.), *socialiste* (P.S.) ; *les partis de la majorité, de l'opposition...*
Régime de parti unique. Dictature d'un parti (→ Asservissement, cit. 3). *Système anglais, américain des deux partis* (→ Exécutif, cit. 3). *Représentation des partis au parlement, à l'assemblée*.* ⇒ **Groupe.** *Liste* (cit. 4) *électorale d'un parti, présentée par un parti. Voter pour tel parti. Encadrement des électeurs et des élus par les partis* (→ Opposition, cit. 12). *Triomphe, défaite, gains, pertes d'un parti aux élections. Alliance, coalition de partis.* ⇒ **Front** (cit. 34), **cartel.** *Parti international* (→ Leurre, cit. 6). *Arbitre* (cit. 9) *entre les partis. Le gouvernement au-dessus des partis* (→ 1. Balance, cit. 17).
Étiquette, couleur, insigne d'un parti. Doctrine (→ Libertaire, cit.), *ligne, slogan* (→ Formule, cit. 14), *déclaration* (→ Führer, cit. 2), *mots d'ordre, consignes d'un parti* (→ Journal, cit. 12). *Publication qui est l'organe* d'un parti. Siège d'un parti. S'inscrire, s'affilier* (cit. 2), *adhérer à un parti, entrer dans un parti, appartenir à un parti* (→ Mêler, cit. 25), *militer dans un parti.* ⇒ **Adhérent, membre, militant.** *Cadre du parti. Chef de parti.* ⇒ **Leader** (cit. 1). → Gouvernant, cit. 1 ; humeur, cit. 6. *Les dirigeants, le secrétaire, l'appareil* (les organes directeurs, administratifs) *du parti. Cellules, sections, fédérations* (cit. 8) *d'un parti. Organisation, discipline d'un parti. Congrès du parti. Parti démocratique, autocratique. Parti monolithique. Être inféodé* (cit. 3) *à son parti. Majorité, minorité, modérés* (cit. 8), *extrémistes d'un parti. Orthodoxes, dissidents, séparatistes d'un parti. Épuration* (cit. 1) *d'un parti. Il a été exclu du parti. Quitter son parti.* ⇒ **Défection.** *Scission d'un parti.*

34 Qu'est-ce que le gouvernement de la République ? Le gouvernement des partis, ou rien. Qu'est-ce qu'un parti ? Une division, un partage. Les *« mots de la tribu »* offrent souvent une contexture sacrée qui en contient, en conserve, en préserve le sens. Ici, il est limpide (...) Les idées des partis, les idées diviseuses ont, en République, des agents passionnés ; mais l'idée unitaire, l'idée de la patrie n'y possède ni serviteur dévoué ni gardien armé.
Ch. MAURRAS, Mes idées politiques, Les partis, p. 188 et 190.

35 (...) elle ignorait ce que représentaient les étiquettes des partis : *Républicain progressif, Socialiste indépendant, Gauche démocratique,* qu'est-ce que tout cela voulait dire ? ARAGON, les Cloches de Bâle, II, XV.

36 *(Dans les régimes de parti unique)* le véritable centre d'impulsion politique est moins le gouvernement proprement dit que le comité directeur du parti. L'exemple de l'U. R. S. S. est ici très frappant, où le *Politburo* du parti communiste a beaucoup plus d'importance que le Conseil des ministres, et où Staline a dirigé pendant longtemps l'État sans autre titre officiel que celui de secrétaire général du parti. Maurice DUVERGER, Manuel de droit constitutionnel, p. 160.

37 Parce que les partis sont nombreux, il n'est pas possible, en effet, que l'un deux possède la majorité dans le pays et au Parlement ; force est donc de constituer des cabinets hétérogènes s'appuyant sur des majorités de coalition. Mais la discipline de chaque parti s'oppose alors à toute solidité véritable de coalition, à toute unité de vues réelle dans le gouvernement.
Maurice DUVERGER, Manuel de droit constitutionnel, p. 168.

COMP. Antiparti, multipartisme, pluripartisme.
HOM. Partie ; formes du v. **partir** ; **party.**

2. PARTI, IE [paʀti] adj. ⇒ 1. **Partir** (p. p. adj.).

3. PARTI, IE ou ITE [paʀti, it] adj. — V. 1210 ; de 2. *partir.*

♦ Blason. *Écu parti :* divisé de haut en bas en deux parties égales. Ellipt. *Parti d'or et de gueules. — Chausses parties,* ou, n. m., *partis.*

Le jockey qui montait Théocrate VI portait une émouvante casaque partie de blanc et de vert (...) M. AYMÉ, le Passe-muraille, p. 35.

COMP. Charte-partie, mi-parti, palmiparti.

PARTIAIRE [paʀsjɛʀ] adj. — 1514 ; *parciaire* « copropriétaire », 1200 ; lat. *partiarius,* de *pars* « part ».

♦ Dr. Qui partage les produits de la terre avec le propriétaire. *Colon partiaire.* ⇒ **Colon.** *Colonage partiaire.* ⇒ **Colonage.**

PARTIAL, ALE, AUX [paʀsjal, o] adj. — 1540 ; subst. *parcial* « personne attachée à un parti », 1370 ; lat. médiéval *partialis,* de *pars* « part ». → le doublet Partiel.

♦ Qui prend parti pour ou contre une personne, une chose, un groupe, sans souci de justice ni de vérité ; qui a du parti pris. ⇒ **Partisan, sectaire.** *Un homme partial* (→ Mortification, cit. 4). *Juge partial qui favorise une personne au préjudice d'une autre.* ⇒ **Injuste.** — (Choses). *Autorité partiale, injuste et oppressive* (cit.). — *Choix partial. Une information* (cit. 4) *partielle et partiale.* ⇒ **Tendancieux.**

1 Le juge partial ne saurait bien juger.
RONSARD, Disc. des misères de ce temps, Réponse injures et calomnies.

2 L'histoire est la plus partiale des sciences.
R. ROLLAND, Voyage musical au pays du passé, V.

3 Il *(l'historien)* tend et atteint à l'impartialité dans la critique des sources et l'établissement des faits, mais resterait-il impartial dans l'organisation des ensembles qu'il n'en serait pas moins *partial* dans la mesure même où il est *partiel.*
R. ARON, Introd. à la philos. de l'histoire, *in* PICON, Panorama des idées contemporaines, p. 293.

CONTR. Impartial, 1. **objectif. — Équitable, juste.**
DÉR. Partialement, partialité.

PARTIALEMENT [paʀsjalmɑ̃] adv. — 1660 ; de *partial.*

♦ Littér. D'une manière partiale. *Choisir, juger partialement.*
CONTR. Impartialement (plus courant).

PARTIALITÉ [paʀsjalite] n. f. — 1611 ; « faction, parti », 1360 ; lat. *partialitas,* de *pars* « part ».

♦ Disposition d'esprit, attitude d'une personne partiale. *Partialité en faveur de quelqu'un.* ⇒ **Aveuglement, faiblesse, favoritisme, préférence.** *Partialité au préjudice de quelqu'un.* ⇒ **Injustice, prévention** (→ Frustrer, cit. 6). *Agir, juger avec partialité* (cf. Avoir deux poids, deux mesures). *Avoir, montrer de la partialité à l'égard de, pour, contre quelqu'un. Il a montré à son égard une grande partialité. Une partialité aveugle pour, contre... Accuser un juge, un arbitre de partialité.*

Le rapport devint ainsi, pour l'affaire et pour le ministre, ce qu'est le rapport à la Chambre des Députés pour les lois : une consultation où sont traitées les raisons contre et pour avec plus ou moins de partialité. 1
BALZAC, les Employés, Pl., t. VI, p. 873.

Le critique ne doit point avoir de partialité et n'est d'aucune coterie. 2
SAINTE-BEUVE, Causeries du lundi, 20 mai 1850.

(...) Vigny ne fait pas état des relations de Richelieu et de la courtisane *(Marion de Lorme)*... C'était manquer une occasion d'ajouter une vilaine touche à ce Richelieu détesté. Étant donné la partialité de l'écrivain, on s'étonne qu'il ait négligé ce racontar. Émile HENRIOT, Portraits de femmes, p. 46. 3

CONTR. Impartialité, objectivité. — Équité, justice.

PARTIBUS [paʀtibys] loc. adv. ⇒ **In partibus.**

PARTICIPANT, ANTE [paʀtisipɑ̃, ɑ̃t] adj. et n. — 1321 ; de *participer.*

♦ Qui participe (à quelque chose). *Les athlètes, participants du concours* (distinct du p. prés. de *participer*). *Les personnes participantes.* — N. (1802). *Liste des participants à une course.* ⇒ **Concurrent.** *Association qui compte de nombreux participants.* ⇒ **Adhérent.**

COMP. Coparticipant.

PARTICIPATIF, IVE [paʀtisipatif, iv] adj. — 1868 ; du rad. de *participer,* et suff. *-atif.*

♦ Admin. Qui correspond à une participation (financière). *« Les "prêts participatifs", prêts à des conditions privilégiées, considérés juridiquement comme des quasi fonds propres de l'entreprise... »* (*Libération,* 16 sept. 1981, p. 4).

PARTICIPATION [paʀtisipasjɔ̃] n. f. — V. 1170 ; lat. *participatio,* de *participare.*

♦ **1.** Action, fait de participer (1.) à quelque chose ; ensemble des actes, des caractéristiques qu'entraîne ce fait. *« La démocratie* (cit. 4) *est la participation à droit égal, à titre égal à la délibération des lois et au gouvernement de la nation »* (Lamartine). *Notre intime participation à l'existence de la France* (→ Circonstance, cit. 6, Valéry). *Participation de l'homme aux réalités supérieures* (→ Dépassement, cit.). — *Acteur qui promet sa participation bénévole, gracieuse... à un gala.* ⇒ **Collaboration, concours.** *Ne comptez pas sur sa participation.* ⇒ **Adhésion, aide.** *Il nous a assurés de son entière participation* (⇒ **Engager**). *Les modérés se sont prononcés pour la participation au gouvernement. Participation des salariés à la gestion de l'entreprise, par l'intermédiaire des comités d'entreprise. Sa participation au crime n'est pas clairement établie.* ⇒ **Complicité, connivence, part** (1.). *Participation sociale,* à l'activité sociale collective.

On sait que Rostopchine a décliné toute participation à l'incendie de Moscou (...) 1
CHATEAUBRIAND, Mémoires d'outre-tombe, t. III, p. 211.

Nous sommes sérieusement lus et discutés ; ces lettres en sont la preuve ; il faut en être fiers et ne pas enfouir dans nos tiroirs cette participation du public à notre effort. MARTIN DU GARD, Jean Barois, II, Le vent précurseur, I. 2

(...) il semble que la voie tracée soit réellement celle de l'évolution. En effet *(les hommes du XXe siècle)* ont la même participation sociale que leurs ancêtres, une participation même considérablement améliorée : par la fenêtre de la télévision et par les lèvres du transistor, ils assistent non pas à une cérémonie villageoise mais aux réceptions des grands de la terre, non plus au mariage de la fille du boulanger mais à celui des princesses (...) 2.1
A. LEROI-GOURHAN, le Geste et la Parole, t. II, p. 202.

Spécialt. *Participation financière. Participation aux frais d'une réunion, à une dépense. Participation des codébiteurs au paiement de leur dette.* ⇒ **Contribution.** *Participation de moitié dans la cons-*

titution du capital d'une entreprise. ⇒ **Apport, mise** (de fonds); **souscription.**

Absolt. Droit de regard des membres d'une communauté sur son fonctionnement. *De la contestation à la participation.*

2.2 Selon les lycées, le tableau que me font mes amis est plus ou moins sombre. Mais tous déplorent l'inertie de leur classe, son absence de participation.

S. DE BEAUVOIR, Tout compte fait, p. 233.

2.3 (...) ce qui compte surtout, c'est d'améliorer l'efficacité pédagogique grâce à une révision profonde des rapports maîtres-élèves. Ces rapports doivent être réciproques. Ils impliquent, avec des modalités différentes, selon qu'il s'agit de l'enseignement secondaire ou de l'enseignement supérieur, un partage des responsabilités. Le refus de ce partage serait aussi injustifié qu'est démagogique et stérile l'idée d'opposer à l'autorité universitaire le «pouvoir étudiant». Il n'y a pas d'autre moyen de préparer aux responsabilités que d'en reconnaître le partage. Mais il serait sommaire de poser en principe que la participation doit être paritaire ou qu'elle doit s'exercer dans tous les domaines.

J. CAPELLE, recteur à l'Université de Nancy, Un plan d'action pour l'Université, *in* le Figaro littéraire, 9-15 sept. 1968.

2.4 Pour les dynamiciens américains, la notion de participation est capitale. En suscitant un libre échange de vues au sein du groupe, on permettra à celui-ci d'atteindre le meilleur équilibre.

le Figaro littéraire, Le couple contestation-participation, 9-15 sept. 1968.

♦ **2.** Action de participer (2.) à un profit; résultat de cette action. *Demander une participation aux bénéfices* (cit. 15). — Spécialt. (Écon.). *Société à participation ouvrière,* celle où les salariés ont droit à une part des bénéfices réalisés par l'entreprise, sans être responsables de sa gestion. ⇒ **Actionnariat** (ouvrier).

3 La participation est susceptible de revêtir les formes les plus variées, mais il faut en tout cas qu'elle soit *contractuelle,* c'est-à-dire qu'elle fasse partie intégrante du contrat de travail (...) Elle est fixée généralement au prorata des salaires, le plus souvent aussi en tenant compte de l'ancienneté.

Charles GIDE, Cours d'économie politique, t. II, p. 402.

Dr. comm. *Association, société en participation :* «société commerciale... par laquelle deux ou plusieurs personnes conviennent de partager, suivant une proportion convenue, les résultats d'une ou de plusieurs opérations de commerce, accomplies personnellement par l'un des associés...» (Capitant).

4 Les associations en participation sont des sociétés dont l'existence ne se révèle pas aux tiers (...) — Chaque associé contracte avec les tiers en son nom personnel. L'association en participation ne constitue pas une personne morale.

Code de commerce, art. 49.

♦ **3.** Vx. Le fait pour une chose, de participer de quelque chose.

5 La seule religion chrétienne (...) apprend aux justes, qu'elle élève jusqu'à la participation de la divinité même, qu'en ce sublime état ils portent encore la source de toute la corruption (...) PASCAL, Pensées, VII, 435.

Absolt. Philos. Chez Platon, Rapport des êtres sensibles avec les idées, et des idées entre elles.

Sociol. Mode de pensée, caractéristique des peuples primitifs, selon lequel des êtres, même très différents, présentent entre eux une identité mystique. *Loi de participation,* formulée par Lévy-Bruhl *(Les fonctions mentales dans les sociétés inférieures).*

CONTR. Abstention.
DÉR. Participationniste.
COMP. Coparticipation, non-participation.

PARTICIPATIONNISTE [partisipasjɔnist] adj. et n. — 1932, repris v. 1968; de *participation.*

♦ Polit. Favorable à la participation (1., absolt). *Étudiant participationniste.* Subst. *Un, une participationniste.*

PARTICIPE [partisip] n. m. — 1220, *participle;* lat. gramm. *participium.*

Forme modale impersonnelle, sous laquelle le verbe «participe» de la nature de l'adjectif et peut en jouer le rôle.

★ **I. FONCTIONS DU PARTICIPE :**

a Participe employé comme verbe, avec des compléments d'objet *(Voyant cela; parti de Paris),* d'agent (*Une mer battue par les orages,* Renan), de circonstance *(Ouvert la nuit...),* avec la valeur d'une proposition subordonnée circonstancielle de temps *(Sitôt couché, il s'endormit),* de cause (*Ne pouvant avilir l'esprit on se venge en le maltraitant,* Beaumarchais), de condition (*Quoi! vous me pleureriez mourant pour mon pays!,* Corneille), de concession *(Comblé de biens et d'honneurs, il ne semblait pas heureux).* Participe en construction absolue avec un sujet propre. ⇒ **Participial** (proposition). Par appos. *Proposition participe.*

1 Dans l'usage moderne, la bonne construction de la phrase veut que le participe détaché en tête se rattache au sujet du verbe personnel qu'il précède. Telle est, du moins, la règle formulée par les grammaires. Les classiques en usaient plus à leur aise. On lit chez (...) Fénelon : *Ayant prononcé ces mots, un doux sommeil se répand sur ses yeux.* Les écrivains contemporains reprennent volontiers à leur compte cette aimable liberté qui n'est pas condamnable en soi quand elle ne nuit pas à la clarté de la phrase. René GEORGIN, Prose d'aujourd'hui, p. 72.

b Participe employé comme adjectif, épithète ou attribut d'un nom, d'un pronom, avec lequel il peut s'accorder en genre et en nombre *(Joues ruisselantes de sueur; elle semblait évanouie).*

★ **II. FORMES ET TEMPS DU PARTICIPE :** *participe présent* (chantant), *passé* (ayant chanté, chanté). *Participe futur des verbes grecs, latins.*

Quoiqu'il y ait un «infinitif présent» et un «infinitif passé», un «participe présent» et un «participe passé», le plus souvent ces formes n'ont aucune valeur temporelle, et le temps de la phrase est marqué ailleurs (...) avec un participe présent, on dira : *l'enfant était resté, regardant le lit vide,* et c'est le passé. *L'enfant est là, regardant le lit vide,* et c'est le présent (...) Les formes composées : *ayant augmenté, devant augmenter,* marquent un temps relatif (...) Le participe dit «passé» a si peu une valeur temporelle fixe que l'étiquette qui porte *vendu* peut avoir deux significations bien distinctes. On la met sur un tableau du Salon. C'est la mention qu'il a été acquis déjà par quelque amateur. La chose a eu lieu. Ailleurs : *marchandise vendue au prix coûtant,* signifie *qui se vend, qu'on vendra* à ce prix au client, s'il s'en présente. 2

F. BRUNOT, la Pensée et la Langue, p. 446 et 447.

A. PARTICIPE PRÉSENT :

♦ **1.** *(En fonction de verbe).* Forme en *-ant,* toujours invariable (par décision de l'Académie française en date du 3 juin 1679), marquant une action ou un fait transitoire, en rapport temporel et généralement logique avec l'action ou le fait exprimé par un verbe voisin à un mode personnel : *«J'ai vu des mères* dépouillant *leurs enfants, des maris* volant *leurs femmes»* (Balzac). — *Sens actif du participe présent. À la différence du gérondif*, le participe présent n'est jamais précédé de la préposition* en (1. En, cit. 43); *à la différence de l'adjectif verbal, il peut avoir un complément d'objet* (Mangeant son pain), *appartenir à un verbe pronominal* (Les chevaux se mettant à galoper), *être accompagné de la négation ne, ne... pas, ne... jamais* (N'entendant rien) *ou suivi d'un adverbe* (Une femme allant souvent dans le monde).

(...) ce qui est mis par le gérondif au premier plan d'éclairage, c'est le fait d'une coïncidence pure et simple. Au contraire, la forme en fonction de participe ne marque nullement de soi un simple rapport de simultanéité (...) quand elle énonce vraiment, comme c'est son rôle propre et sa raison d'être, une action, c'est dans un jour, sous un rapport, non pas chronologique, mais logique. Nous touchons ici à la différence radicale des deux fonctions du mode en *-ant* (...) de tous les procédés syntaxiques propres à rendre le rapport de causalité, aucun n'est plus commode, plus expressif, plus conforme aussi au génie de notre langue, que l'emploi du participe présent. Cette forme verbale a comme un privilège pour rendre avec beaucoup de clarté, de force, et aussi de brièveté la relation causale : Car, *étant* innocents, ils n'ont pas peur du juge (HUGO, Lég., Pauvres gens). 3

G. et R. LE BIDOIS, Syntaxe du franç. moderne, § 797.

REM. Le participe présent est variable, selon l'ancien usage, dans certaines locutions figées (à la nuit *tombante,* toute affaire *cessante*..., séance *tenante*...), spécialt du vocabulaire juridique; les *ayants* droit, la partie *plaignante,* les *tenants* et *aboutissants*...

♦ **2.** *(En fonction d'adjectif).* Forme variable en *-ant.* ⇒ **Verbal** (adjectif verbal).

B. PARTICIPE PASSÉ :

♦ **1.** *(Comme élément constitutif d'une forme verbale).* — Avec un auxiliaire, dans tous les temps composés : *«La cigale, ayant* chanté *tout l'été...»* (La Fontaine). *Elle a* ri. *Nous étions* sortis. *Ces enfants seront* punis. *Le chien aurait* aboyé. *J'eusse* voulu. *Avoir* compris... *Participe passé actif,* conjugué avec «avoir». *Participe passé passif,* conjugué avec «être». *Valeur active du participe passé des verbes pronominaux et de certains verbes intransitifs conjugués avec* «être» (*Elle se sera* trompée. *Ils sont* venus. *Vous étiez* partis).

Il s'est promené longtemps dissimule la verbalité du verbe; le verbe est rompu, brisé en deux : d'un côté nous trouvons un participe passé qui a perdu toute transcendance, inerte comme une chose, de l'autre le verbe «être» qui n'a que le sens d'une copule (...) SARTRE, Situations I, p. 118. 4

ACCORD DU PARTICIPE PASSÉ :

a Conjugué avec *être, le participe passé* s'accorde en genre et en nombre avec le sujet du verbe : *«Tes fils sont* morts, *mon père est* mort, *leur mère est* morte» (Hugo, *Contemplations,* VI, VI, IV). *Ces fleurs sont* fanées. *Sa besogne sera vite* terminée. *Les arbres qui ont été* abattus. — (Avec ellipse de l'auxiliaire). *Une femme* estimée *de tous. Des arbres* abattus *par la tempête* (→ ci-dessous, 2.).

C'est quand il est pris dans la plénitude de sa valeur propre que le participe passif manifeste le mieux sa nature de qualificatif : «Les digues furent *rompues,* et les terres *inondées*». Quant à sa nature de verbe, sujette parfois à s'estomper un peu au profit de l'autre nature (un homme *très avisé,* un esprit *très averti*), elle reprend son relief, elle s'accuse à plein, lorsque le participe est suivi d'un complément d'agent : «Les digues furent *rompues par la force des eaux,* et les prairies *couvertes de boue*». Mais, en somme, que le participe passif apparaisse ou plus adjectif ou plus verbe — et dans ce dernier cas verbe actif, verbe passif, ou verbe intransitif — qu'il s'associe ou non à un copulatif, peu importe pour son accord, simple épithète ou attribut authentique, il joue, dans tous les cas, le rôle de qualificatif, et comme tel, il prend le genre et le nombre du nom ou pronom auquel il se rapporte. G. et R. LE BIDOIS, Syntaxe du franç. moderne, § 1060. 5

REM. 1. Pour l'accord ou l'invariabilité :

a) du participe passé des verbes pronominaux. → Être (1., V., REM.).

b) des participes passés construits avec *ci.* → 1. Ci (1.).

c) des participes passés *«attendu, compris, excepté, ôté, passé, supposé, vu»* (voir à chacun de ces verbes).

d) du participe passé de *donner* dans la locution *étant donné.* → Donner (*supra* cit. 87).

2. «Le participe passé *fini* placé en tête de certaines phrases exclamatives ou interrogatives où il y a ellipse du verbe copule s'accorde généralement avec le sujet... — FINIE, *la division des partis!* (MART. DU

G., Thib., t. VII, p. 123)... — FINIE *la vie glorieuse mais* FINIS *aussi la rage et les soubresauts* (CAMUS, La chute, p. 126)...» (Grevisse).

b Conjugué avec *avoir*, le participe passé reste invariable s'il n'a pas d'objet direct (L'orateur a *parlé* longtemps), ou si l'objet direct est placé après (J'ai *lu* votre lettre); le participe s'accorde en genre et en nombre avec son objet direct quand celui-ci le précède (Les fleurs que j'ai *cueillies;* il vous rendra ces livres quand il les aura *lus*).

6 Au XVIe siècle, un incident se produisit, qui devait avoir une portée immense, étant donné qu'on commençait à imprimer du français, et que la langue allait devenir une langue lue en même temps que parlée. Le roi François Ier, ayant eu la fantaisie d'être informé sur la variation du participe, s'adressa à Marot. Celui-ci, s'appuyant de façon naturelle, mais malencontreuse, sur l'italien, donna la formule : *M'amour vous ay donnée.(...)* Malherbe d'abord, Vaugelas ensuite complétèrent l'œuvre. Le dernier, en proclamant qu'il n'y avait rien en toute la grammaire française de plus important *(que la règle des participes)*, a établi le préjugé moderne. Et cependant, en avouant en même temps qu'il n'y avait «rien de plus ignoré», il reconnaissait qu'il n'existait pas d'usage établi qui s'imposât. Il posa deux règles fondamentales : I. *J'ai reçu les lettres;* — II. *Les lettres que j'ai reçues.* C'était la doctrine de Marot, fondée sur l'ordre des mots.

F. BRUNOT, la Pensée et la Langue, p. 324-325.

REM. 1. (Cas particuliers d'accord). a) Le *participe passé* d'un verbe intransitif employé transitivement (tels que : *coûter* [*supra* cit. 20], *courir* [II., 8., REM. 4], *peser, valoir, vivre*) suit la règle générale d'accord; «Les heures d'angoisse qu'il a *vécues*». — «Les années écoulées sans vous, je ne les ai pas *vécues.*» (France, *le Lys rouge,* XXIII). «Les dernières aventures que j'ai *courues...*» (Gide, *Journal,* 24 avril 1910).

b) Le *participe passé* suivi d'un infinitif pur ou prépositionnel s'accorde avec le pronom objet direct qui précède lorsque ce pronom se rapporte au participe : «L'actrice que j'ai *vue* jouer. Des enfants qu'on a *empêchés* de sortir.» — Le *participe passé* reste invariable lorsque le pronom objet direct qui précède est complément de l'infinitif. «Les comédies que j'ai *vu* jouer. Des livres qu'on m'a *conseillé* de lire.» — (→ Laisser, I., 1., REM.). — N. B. L'usage demeure flottant pour les locutions *avoir à* (→ Avoir, *supra* cit. 93), *donner à, laisser à...* : «les premières *(fonctions)* qu'il eût *eues* à remplir...» (Stendhal, *la Chartreuse de Parme,* II, XXV); «...une des époques les moins souriantes qu'elle eût *eu* à traverser jusque-là» (P. Benoit, *Puits de Jacob,* p. 39). — Mais le participe passé s'accorde si l'infinitif a lui-même un objet direct : «On sait quelles peines la sagesse du roi a *eues* à calmer cette querelle» (Voltaire).

c) Le *participe passé* des verbes d'opinion ou de déclaration suivi d'un *attribut d'objet* s'accorde en principe selon la règle générale. «... quelques étrangers nous ont *vus* tombés dans un état semblable à celui du Bas-Empire..» (Vigny, *Servitude et Grandeur militaires,* La canne de Jonc, X); (sans accord) : «Derrière la maison qu'ils avaient *cru* abandonnée» (Maupassant, *Deux amis*); — N.B. Si l'attribut d'objet est introduit par le verbe *être,* l'accord ne se fait généralement pas (→ ci-dessous, REM. 2., e).

2. (Cas d'invariabilité). Sont invariables :

a) Le *participe passé* des verbes impersonnels ou pris impersonnellement : *«Les froids qu'il a* fait, *les épidémies qu'il y a* eu *cet hiver».*

b) Le *participe passé* du verbe *faire* suivi d'un infinitif (→ Faire, IV., *supra* cit. 178).

c) Le *participe passé,* employé dans certains gallicismes : *«Il l'a* manqué *belle», «Vous me l'avez* baillé *belle»* (→ Échapper, II., 1., REM.).

d) Le *participe passé* ayant pour objet direct le pronom personnel neutre *le* (2. Le, 1., 2.). *«Cette ville est moins belle que je ne l'aurais* cru.»

e) Le *participe passé* des verbes d'opinion ou de déclaration suivi d'un infinitif ou d'une proposition infinitive : *«La maison qu'il a* prétendu *tenir de sa mère», «Les enfants qu'il a* estimé *être les plus sages.»*

f) Le *participe passé* des verbes *croire, devoir, pouvoir, vouloir* et autres semblables, suivi d'un infinitif ou d'une proposition qui peuvent être sous-entendus : *«Il a fait pour vous toutes les démarches qu'il a* pu (faire)». *«A-t-il bien pris toute la peine qu'il aurait* dû (prendre), *que vous auriez* voulu (qu'il prît)?»

g) Le *participe passé* précédé du pronom relatif *que* et suivi d'une relative introduite par *qui (*«*Les événements qu'on avait* annoncé *qui arriveraient»)* ou d'une complétive introduite par *que (*«*La robe qu'elle a* demandé *qu'on lui achète»).*

h) Le *participe passé* précédé de *en* (→ 2. En, II., 3.). — N. B. La règle d'invariabilité est ici très précaire, et, dans la pratique, l'accord se fait souvent, spécialement lorsque le pronom *en* est associé à un adverbe de quantité (combien, que de..., plus..., moins...). *«Combien en as-tu* vu, *je dis des plus huppés?»* (Racine). *«Elle les déclama tout haut avec plus d'expression que son frère n'en avait* mis *à les lire»* (Mérimée, *Colomba,* V). *«J'ai reçu de Dieu plus de grâces qu'il ne vous en a* accordées *jusqu'à cette heure...»* (France, *Les dieux ont soif,* p. 188).

c Conjugué avec *être* ou *avoir* :

a) Pour le *participe passé* en rapport avec un collectif ou un adverbe de quantité suivi de son complément, se reporter aux règles générales d'accord du verbe ayant pour sujet un collectif ou un adverbe de quantité.

b) Pour le *participe passé* en rapport avec *le peu de...* (⇒ **Peu**) — en rapport avec *un(e), des qui..., que...* (⇒ **Un**), — en rapport avec deux antécédents joints par *ni* ou par *ou,* se reporter aux règles générales d'accord du verbe énoncées à *ni* (I., 1., C., REM. 3 et 4.) et *ou* (1., 5., B., REM. 1 et 2).

♦ **2.** *(Comme adjectif).* Le *participe passé* en fonction d'un simple qualificatif épithète ou attribut, s'accordant en genre et en nombre avec le mot auquel il se rapporte (→ ci-dessus, B., 1.). *Des fleurs* flétries. *Un chien* battu. *Une femme* aimée. — *Participes passés à sens actif* (verbes transitifs employés absolument, intransitifs, pronominaux). *Un homme* réfléchi, résolu, osé... *Des jeunes gens* fiancés.

DÉR. **Participial.**

PARTICIPER [paʀtisipe] v. tr. ind. — Fin XIIIe; lat. *participare,* de *particeps* «qui prend part», rad. *pars* «part, partie».
Ne pas rester étranger (à quelque chose).

★ **I. PARTICIPER À... ♦ 1.** Prendre part (I., 1.) à quelque chose, avoir parmi d'autres une action dans... *Participer à la ronde de l'univers* (→ Entrer, cit. 35, Gide). *Inviter quelqu'un à participer à un jeu.* ⇒ **Joindre** (se), **mêler** (se); **danse, jeu** (entrer dans la danse, le jeu). → 2. Mèche, cit. 2. *Si cette entreprise vous intéresse, qu'attendez-vous pour y participer?* ⇒ **Mettre** (se mettre de la partie). *Participer aux efforts de quelqu'un.* ⇒ **Aider, concourir.** — *Participer à l'exercice du droit social* (→ Démocratie, cit. 4), *aux délibérations du gouvernement.* ⇒ **Collaborer, coopérer** (→ Financier, cit. 3). *Leurs querelles ne vous regardent pas; évitez d'y participer.* ⇒ **Immiscer** (s'). *Participer à des festins* (⇒ **Assister;** → 1. Diète, cit. 3), *à toutes les réunions.* ⇒ **Être** (être de), **figurer.** — *Les bassesses, les saletés auxquelles il a participé.* ⇒ **Complice** (être); **tremper** (dans).

(...) le désir qu'il nourrissait depuis trois mois de participer aux œuvres de ces mystérieux personnages devint une passion (...) 1

BALZAC, l'Initié, Pl., t. VII, p. 334.

(...) la préfecture envisage une sorte de service civil pour obliger les hommes valides à participer au sauvetage général. CAMUS, la Peste, p. 141. 2

Spécialt. Payer sa part, une part de... *Convives qui participent aux frais d'un banquet.* ⇒ **Apporter** (son écot). *Participer à l'entretien d'un enfant.* ⇒ **Contribuer, fournir** (à).

Fig. Éprouver*, par sympathie, les mêmes sentiments que quelqu'un. ⇒ **Partager.** *Participer de tout cœur au chagrin, à la joie d'un ami.* ⇒ **Associer** (s').

♦ **2.** Avoir part* (I., 1.) à quelque chose. ⇒ **Partager** (3.). *Participer au succès, à la gloire de quelqu'un* (→ Escadron, cit. 6). *Participer aux privilèges d'une civilisation* (→ Associer, cit. 21).

(...) à cette période de l'ivresse (...) se manifeste une finesse nouvelle, une acuité supérieure dans tous les sens. L'odorat, la vue, l'ouïe, le toucher participent également à ce progrès. 3

BAUDELAIRE, les Paradis artificiels, «Poème du haschisch», III.

Dieu est le grand Solitaire qui ne parle qu'aux solitaires et qui ne fait participer à sa puissance, à sa sagesse, à sa félicité, que ceux qui participent, en quelque manière, à son éternelle solitude! Léon BLOY, le Désespéré, p. 68. 4

Spécialt. Avoir part à un profit. *Patron qui fait participer son personnel aux bénéfices.* ⇒ **Intéresser** (3.). *Associés* (cit. 7) *qui participent aux bénéfices* (⇒ **Participation**).

★ **II.** (1544). Littér. **PARTICIPER DE...** : tenir de la nature* de... *Les nobles* (cit. 22) *participaient jadis du caractère sacré du roi. «Toutes les sensations participent de l'étendue»* (cit. 5, Bergson). *Pour les essentialistes* (cit.), *tout ce qui existe participe du monde des essences. L'inclination* (cit. 17) *de l'homme pour la femme participe du sentiment et de la sensation.*

(...) une chose *participe d'*une autre quand elle en tient relativement à ses qualités constitutives, quand elle a avec elle, non pas un rapport accidentel ou de fait, mais un rapport fondamental ou de nature : telle maladie *participe de* telle autre. 5

LAFAYE, Dict. des synonymes, Être d'humeur..., p. 65.

Cette disposition de l'honneur, elle-même, est plus altière et scabreuse que stable et tout à fait assise : elle (...) participe plus de la générosité que de l'équité et de la justice. SAINTE-BEUVE, Chateaubriand..., t. I, p. 85. 6

Les choses, transfigurées par un violent éclairage, n'appartenaient plus à ce monde et participaient d'un univers inconnu à l'homme (...) 7

J. GREEN, Léviathan, I, XIII.

CONTR. **Abstenir** (s').
DÉR. **Participant.** — (Du même rad.) **Participation.**

PARTICIPIAL, IALE, IAUX [paʀtisipjal, jo] adj. — V. 1380; de *participe.*

♦ Ling. Qui a rapport au participe. *Forme participiale.* — Spécialt. *Proposition participiale,* et, ellipt, *une participiale :* une proposition syntaxiquement indépendante, à valeur circonstancielle, ayant son sujet propre et son verbe au participe présent ou passé. *Dieu* aidant. *Le soir* tombant, *la nuit* (étant) venue, *on alluma les lampes. «Le cauchemar* dissipé, *de quoi parleront-ils ce soir, Bernard et Thérèse?»* (Mauriac, *Thérèse Desqueyroux*). — REM. Il arrive que même dans la construction participiale absolue, le participe se rattache sinon syntaxiquement, du moins par un lien rationnel, à quelque terme de la proposition principale : «*Étant devenu vieux,* on le mit au moulin», La Fontaine, Fables, VI, 7 (G. et R. Le Bidois, *Syntaxe du franç. mod.,*

II, § 1239 bis). *«Son bréviaire* lu, *sa démarche auprès de Bambousse* faite, *il s'en retournait à pas pressés...»* (Zola, *l'Abbé Mouret*, VII, p. 44).

PARTICULAIRE [paʀtikylɛʀ] adj. — 1905, *Rev. gén. des sc.*, nº 6, p. 274; 1838, gramm.; de *particule* (I., 2.).

♦ Didact. Sc. Formé de particules. *Système particulaire et système ondulatoire.*

PARTICULARISATION [paʀtikylaʀizasjõ] n. f. — 1575; de *particulariser.*

♦ Didact. Action de particulariser; son résultat. — Spécialt. Adaptation d'un matériel fabriqué en série aux exigences particulières d'un usager.

CONTR. Généralisation.

PARTICULARISER [paʀtikylaʀize] v. tr. — 1412; du rad. lat. de *particulier.*

♦ **1.** Vx. Faire connaître, exposer (un fait, un événement) dans ses moindres détails et particularités. *«Les histoires qu'on particularise trop, dont on dit trop de détails, sont ennuyeuses»* (Furetière).

♦ **2.** Mod. Distinguer, différencier par des traits particuliers. ⇒ **Individualiser, singulariser.** *Cette profession particularisait une famille* (cit. 10) *sous l'Ancien Régime. Un choix indifférencié* (cit. 2) *que les circonstances particulariseront plus tard. Particulariser un être ou un objet en le distinguant des autres* (→ Pareil, cit. 1).

(...) son grand corps blanc devenant le corps même de la femme, sans plus rien qui le particularise, l'individualise, un corps, c'est tout (...)
F. MALLET-JORIS, le Jeu du souterrain, p. 30.

Par ext. Rendre particulier, ramener à un cas* unique. *Particulariser une vérité générale.*

▶ **SE PARTICULARISER** v. pron. (réfl.).
Se singulariser.

CONTR. Confondre, généraliser.
DÉR. Particularisation.

PARTICULARISME [paʀtikylaʀism] n. m. — 1689; du rad. lat. de *particulier.*

♦ **1.** Théol. Doctrine selon laquelle le Christ n'est mort que pour la rédemption des élus (et non pour tous les pécheurs).

♦ **2.** (1850). Attitude d'une population, d'une communauté qui veut conserver, à l'intérieur d'un État ou d'une fédération, ses libertés régionales, son autonomie, son indépendance.

1 Même dans la Bavière et le Wurtemberg, Bismarck avait des alliés. Le particularisme très vif y était limité par un patriotisme germanique que la Prusse exploita fort adroitement. LAVISSE et RAMBAUD, Hist. générale, t. XI, p. 342.

2 Ce qu'il faut associer sans fondre (puisque la fédération est d'abord l'union des différences) ce ne sont plus des territoires mais des communautés aux personnalités différentes. La solution (...) propose, d'une part, de respecter les particularismes et, d'autre part, d'associer les deux populations à la gestion de leur intérêt commun. CAMUS, Actuelles III, p. 208.

DÉR. Particulariste.

PARTICULARISTE [paʀtikylaʀist] adj. et n. — 1701, n.; de *particularisme.*

♦ **1.** Théol. Partisan du particularisme.

♦ **2.** (1868). Autonomiste. *Certains particularistes penchent pour le fédéralisme* (⇒ **Fédéraliste**), *d'autres pour l'indépendance* (⇒ **Indépendantiste**). — Adj. *Opinions particularistes.*

PARTICULARITÉ [paʀtikylaʀite] n. f. — 1270; lat. *particularitas.*

♦ **1.** Vieilli. Circonstance particulière. ⇒ **Détail, point.** *Mémoire* (1., cit. 15) *qui retient jusqu'aux moindres particularités d'un incident, d'un événement. Historien qui représente les faits en négligeant leurs particularités* (→ Mutiler, cit. 6; invasion, cit. 3). *Les particularités de la petite histoire* (⇒ **Anecdote**).

1 Il fut instruit de toutes les particularités de la mort de Bajazet (...)
RACINE, Bajazet, 1re préface.

2 (...) cette affreuse vieille (...) lui débita de sa voix chargée de pituite toutes les particularités, même les plus secrètes, de sa vie antérieure (...)
BALZAC, les Comédiens sans le savoir, Pl., t. VII, p. 51.

3 J'étais là, assis, et j'avais ma canne. Vous allez bientôt découvrir pourquoi j'insiste sur cette particularité. MARTIN DU GARD, les Thibault, t. II, p. 164.

♦ **2.** Mod. (Littér.). Caractère de ce qui est particulier. *La particularité de ce cas ne permet pas d'en tirer des conclusions générales.*

♦ **3.** Cour. Caractère particulier à (quelqu'un, quelque chose). ⇒ **Caractéristique, modalité.** — (Personnes). *Particularité physique. Particularités d'un tempérament* (→ Intuition, cit. 4). *Privilégiés qui croient à une particularité d'essence* (cit. 15) *de leur personne.* ⇒ **Différence.** — (Choses). *Connaître* (cit. 3) *les particularités d'une chose. Particularités d'un dialecte* (cit. 2), *d'une région* (→ Hagiographie, cit. 1). *Garder sa marque propre et ses particularités.* ⇒ **Attribut.** *Avoir, offrir, présenter telle particularité, la particularité de..., cette particularité curieuse, remarquable de...*, suivi de l'inf. (→ Imparfait, cit. 10). *Découvrir dans une œuvre* (cit. 27) *une particularité qui l'oppose à toutes les autres.* ⇒ **Individualité.** — *Les particularités de la grammaire.* ⇒ **Anomalie, exception.**

(...) il n'est pas neuf dans le pays, dont il comprend les mœurs, les us, le langage, et d'autre part certain recul lui permet d'en goûter toutes les particularités pittoresques. GIDE, Journal, 11 oct. 1916. 4

Enfin, et surtout, Joseph Grand ne trouvait pas ses mots. C'est cette particularité qui peignait le mieux notre concitoyen (...) C'est elle en effet qui l'empêchait toujours d'écrire la lettre de réclamation qu'il méditait, ou de faire la démarche que les circonstances exigeaient. CAMUS, la Peste, p. 58. 5

La véritable élite de la France est diffuse dans son peuple. C'est la gloire de notre pays, sa force, et sa magnifique particularité. 6
J. CHARDONNE, l'Amour du prochain, p. 168.

CONTR. Généralité.

PARTICULE [paʀtikyl] n. f. — 1484; lat. *particula*, dimin. de *pars* «part».

★ **I.** ♦ **1.** Très petite partie, très petit morceau, infime quantité (d'un corps). *«Je n'examine point (...) s'il y a dans une portion finie de matière un nombre infini* (cit. 9) *de particules»* (d'Alembert). ⇒ **Atome** (1.), **molécule** (1., vx). *Corps simple formé de particules ultimes, identiques* (→ Molécule, cit. 4). *Fines particules d'une substance pulvérisée, d'une poudre* (⇒ **Poussière**). — Géol., minér. *Particules intégrantes du grès* (cit. 3). *Gel* (cit. 5) *qui entraîne un écartement des particules rocheuses.*

Corps de très petites dimensions. *Eau chargée de particules calcaires* (→ Incrustation, cit. 2). *Mouvement brownien* des particules en suspension dans une solution. Particules colloïdales en suspension dans un gaz.* — *Particule de matière, d'énergie* (⇒ **Photon, quantum**). *Particules ultimes* (→ ci-dessous 2.).

♦ **2.** (V. 1900; 1903 *in Rev. gén. des sc.*, nº 14, p. 793). Sc. *Particule élémentaire*, ou, absolt, *particule* : élément constitutif de la matière considéré comme simple et dont l'image en terme d'éléments associés (ex. : le neutron considéré comme système formé d'un proton + un méson) n'apporte rien. *Particules libres, particules liées. Particules du noyau de l'atome.* ⇒ **Nucléon.** *On peut classer les particules en* leptons* *ultra-légers* (⇒ **Électron, muon, neutrino**) *et en* hadrons*, *classés en* baryons* (⇒ **Proton, neutron**...) *et en* mésons* (→ Pion). *Particule de spin demi-entier* (⇒ **Fermion**), *entier* (⇒ **Boson**). *Masse, charge électrique d'une particule. Familles de particules. Particules «étranges», «charmées». Sous-éléments de particule.* ⇒ **Parton, gluon, quark.** *À chaque particule correspond une particule de même masse et de charge opposée.* ⇒ **Antiparticule.**

Loc. *Particule α (alpha)*, noyau d'hélium (hélion). — *Particule β (bêta)*, l'électron émis par une substance radio-active.
Accélérateur de particules. ⇒ **Accélérateur, cyclotron** (cit.), **synchrotron.**

Prendre les particules élémentaires des matériaux ultimes avec lesquels est construit notre monde matériel, et *reconstruire l'édifice du monde à sa guise*! (...) un monde qui n'obéirait plus aux règles ordinaires de la physique! Refaire le monde! Voilà le rêve du monstre qui a mis le bon vieux Dieu dans sa poche (...) 0.1
G. LEROUX, Rouletabille chez Krupp, p. 171.

★ **II.** ♦ **1.** (1606). Petit mot invariable, élément de composition (⇒ 1. **Affixe, préfixe, suffixe**) ou de liaison (⇒ **Conjonction, préposition**). *Particule augmentative* (par-, re-), *privative* ou *séparative* (a-, in-). — *Particule conjonctive** (cit. 1), *copulative* (et...). *Particule affirmative* (oc, oïl, oui...), *négative* (pas...), *restrictive...*

On compose aussi à l'aide de particules. La particule est tantôt un adverbe ou un adverbialisé : mal*aise*, arrière-*boutique*, avant-*goût*, un tôt-*fait*, du bien-*être*, un premier *né*, tantôt une préposition : contre-*ordre*, contre-*proposition*, en-*cas*. 1
F. BRUNOT, la Pensée et la Langue, p. 59.

♦ **2.** *Particule nobiliaire*, et, absolt, *particule* : préposition précédant un nom patronymique et, contrairement à l'opinion courante, ne constituant pas par elle-même une marque de noblesse authentique. ⇒ **De** *(La princesse de* Clèves, *Madame du* Deffand. *Jean le Rond d'*Alembert. *Marie-Anne* de *La Trémoille, princesse* des *Ursins). Être fier de sa particule* (→ Faraud, cit. 2). *Avoir un nom à particule* (cf. pop. À rallonge, à tiroir, qui se dévisse).

Un *paléographe* qui travaillait à la table voisine leva la tête et me dit : «La particule n'a jamais été une preuve de noblesse; au contraire, le plus souvent, elle indique la bourgeoisie propriétaire, qui a commencé par ceux que l'on appelait les gens de *franc-alleu*. On les désignait par le nom de leur terre, et l'on distinguait même les *branches diverses* par la désinence variée des noms d'une famille. Les grandes familles historiques s'appellent Bouchard (Montmorency), Bozon (Périgord), Beaupoil (Saint-Aulaire), Capet (Bourbon), etc. 2
NERVAL, les Filles du feu, «Angélique», II.

Une des idées fausses de la bourgeoisie de la restauration en fait d'aristocratie et 3 de noblesse, c'est de croire à la particule. La particule, on le sait, n'a aucune signification. HUGO, les Misérables, III, IV, I.

COMP. Antiparticule.

PARTICULIER, IÈRE [paʀtikylje, jɛʀ] adj. et n. — 1265, *particuler;* lat. *particularis,* du rad. *pars* « partie ».

★ **I.** Adj. et n. m. **A.** ♦ **1.** Adj. Qui est la propriété, l'apanage exclusif* (d'un être individuel, d'une chose) ou d'une catégorie déterminée d'êtres, de choses. ⇒ **Personnel, propre; spécifique.** *Chaque artiste a sa manière particulière de voir et de rendre la nature* (→ Création, cit. 12; et aussi dessin, cit. 5). *Culte particulier rendu à un saint* (→ Béatification, cit.). *Tenter d'imposer son interprétation* (cit. 7) *particulière du monde.*

1 L'ivresse *(du haschisch)*... ne sera, il est vrai, qu'un immense rêve (...) mais elle gardera toujours la tonalité particulière de l'individu.
BAUDELAIRE, les Paradis artificiels, « Poème du haschisch », III.

Log. *Proposition* particulière* (opposé à *universel*).

♦ **2.** Adj. Cour. (domaine humain). Qui ne concerne qu'un individu (ou un petit groupe) dans un ensemble plus vaste (opposé à *collectif, commun, général, public, universel*). ⇒ **Individuel, privé.** *Intérêts* (cit. 11) *particuliers* (→ 2. Bien, cit. 10; institution, cit. 13). *Influences communes et influences particulières* (→ Inconsciemment, cit.). *Morales particulières* (→ Impératif, cit. 6). *Les passions particulières portent atteinte à la fraternité humaine* (→ Fédération, cit. 4). *Province très attachée à ses libertés particulières* (⇒ **Particularisme**). *Jouir de droits particuliers* (⇒ **Privilège**). *Déroger* (cit. 2), *par des conventions particulières, aux lois qui intéressent l'ordre public. Avantages d'une langue universelle sur un idiome* (cit. 2) *particulier.* — Dr. *Legs** (cit. 2) *particulier.*

2 (...) il lui dit que les affaires générales l'empêchaient quelquefois de songer aux particulières, mais qu'elle avait bien des droits sur lui.
BERNARDIN DE SAINT-PIERRE, Paul et Virginie, p. 69.

3 (...) les œuvres les plus humaines, celles qui demeurent d'intérêt le plus général, sont aussi bien les plus particulières, celles où se manifeste le plus spécialement le génie d'une race à travers le génie d'un individu.
GIDE, Nouveaux prétextes, p. 68.

4 (...) naturellement, il était impossible de prendre en considération les cas particuliers (...) cette invasion brutale de la maladie eut pour premier effet d'obliger nos concitoyens à agir comme s'ils n'avaient pas de sentiments individuels.
CAMUS, la Peste, p. 82.

Par ext. Qui a un caractère strictement privé*. *Correspondance secrète et particulière.* ⇒ **Intime.** *Confident particulier. À titre particulier.* — (1868). *Secrétaire particulier (particulière) d'un homme d'État, d'un chef d'entreprise...,* personne qui lui est attachée (→ aussi Factotum, cit. 2).

Qu'on ne partage pas ou qu'on n'est pas contraint de partager avec d'autres personnes. *Hôtel** (cit. 13) *particulier. Entrée, maison particulière* (→ Infestation, cit.). *Avoir son bureau* (cit. 2) *particulier.* ⇒ **Séparé.** *Cabinet* particulier, salon particulier.*

5 (...) les trois hommes sentaient régner entre eux une atmosphère d'excitation mentale (...) un déjeuner en commun, dans un salon particulier, y ajouterait encore.
J. ROMAINS, les Hommes de bonne volonté, t. V, XII, p. 92.

Qui a lieu, se déroule, se tient à part. *Colloques* (cit. 2), *entretiens particuliers* (⇒ **Aparté**). *Leçons* particulières. Recevoir qqn en audience particulière.*

♦ **3.** N. m. ⓐ Vx ou littér. *Le particulier :* l'intimité. *Surprendre qqn dans, en son particulier.* — Absolt. *Dans le particulier :* dans l'intimité (→ Caresse, cit. 16).

6 Mme du Deffand, qui se levait tard et n'était jamais debout avant six heures du soir, s'aperçut que sa jeune compagne recevait en son particulier chez elle, une bonne heure auparavant, la plupart de ses habitués (...)
SAINTE-BEUVE, Causeries du lundi, 20 mai 1850.

7 En général, nous tenions toujours fermée la porte du palier. Comme tous les Français, constructeurs d'enclos, nous avions un sens jaloux de notre particulier, le goût des murailles, des serrures et d'une sécurité même illusoire (...)
G. DUHAMEL, Chronique des Pasquier, II, V.

ⓑ Vx (du sens 1. de l'adj.). **EN MON (TON, SON...) PARTICULIER :** pour ce qui est de moi (toi, lui...); en mon (ton, son) for* intérieur.

♦ **4.** Mod. (1538). Loc. adv. **EN PARTICULIER :** à part*. *Je voudrais vous dire un mot en particulier,* seul* à seul (→ Haut, cit. 106). *Prendre un enfant en particulier pour le faire travailler.*

8 — Monsieur le comte, je voudrais vous parler en particulier, dis-je d'un air mystérieux et en faisant quelques pas en arrière.
BALZAC, le Message, Pl., t. II, p. 176.

B. ♦ **1.** Qui donne à une chose, à un être son caractère original, distinctif. ⇒ **Caractéristique, distinctif, spécial, spécifique.** *Traits particuliers d'un caractère* (→ Désoler, cit. 6). *Le charme particulier de l'aquarelle* (→ Gouache, cit. 1). *Le caractère particulier du comique de Gavarni* (→ Finesse, cit. 4). *Expression particulière d'un visage* (→ Mégère, cit. 3). *Désigner qqch. par une marque particulière* (→ Augmentation, cit. 5). *Donner à chaque objet un nom particulier.* ⇒ **Distinct** (→ aussi 2. Once, cit.).

PARTICULIER À... : qui appartient en propre à... ⇒ **Propre** (à). *Finesse particulière aux gens rusés* (→ Cautèle, cit. 1). *Crânerie* (cit. 2) *particulière aux poltrons. « La légèreté* (cit. 5) *particulière aux Français »* (Voltaire). *« La sotte vanité nous est particulière »* (→ Croire, cit. 72). *La brume dorée si particulière à la vallée de la Seine* (→ Baigner, cit. 9). *Style particulier aux sciences* (→ Didactique, cit. 2). *Obscénité d'expression particulière à une époque* (→ Gâter, cit. 13).

(...) sa figure offrait les apparences de la jovialité particulière aux notaires et aux avoués de Paris. BALZAC, Mme de La Chanterie, Pl., t. VII, p. 255. 9

Il est besoin de rechercher ici les causes particulières au temps, personnelles à la femme d'alors, qui la prédisposaient dès l'enfance à cet état valétudinaire (...) 9.1
Ed. et J. DE GONCOURT, la Femme au XVIIIe siècle, t. II, p. 140.

(...) il rappelait Robert Barnery par la carrure, le port élégant, mais une certaine raideur du cou lui était particulière. 10
J. CHARDONNE, les Destinées sentimentales, p. 265.

♦ **2.** Qui se distingue des autres individus ou objets de même nature, de même classe; qui ne peut être confondu avec aucun d'entre eux. *Espèce, forme particulière d'hypocrisie* (cit. 11), *de bravoure* (cit. 2), *de gouvernement* (→ Exigence, cit. 1). *Loger une huile* (cit. 14) *dans des bidons de forme particulière.* ⇒ **Spécial.** — *« La foi a cela de particulier que, disparue, elle agit encore »* (→ Grâce, cit. 28, Renan).

♦ **3.** Qui n'est pas ordinaire, qui présente des caractères hors du commun. ⇒ **Singulier.** *Le timbre si particulier de sa voix* (→ Bourdonnement, cit. 7). *Une langue des plus particulières* (→ Emphase, cit. 5). *Un cas très particulier. Circonstances, conditions particulières. Jouir d'une considération particulière* (→ Flatter, cit. 18). *Un être doué de qualités particulières.* ⇒ **Extraordinaire** (cit. 17), **remarquable** (→ Fils, cit. 16). *Travail qui demande un talent tout particulier.* ⇒ **Spécial** (→ Illustrateur, cit.). *Prendre un soin très particulier de...* (→ Falsifier, cit. 6). — *Rien de bien particulier dans tout cela.* ⇒ **Original.** — Subst. *Avoir horreur du particulier, de l'anormal* (cit. 3).

(...) j'ai une estime et une amitié pour vous toute particulière (...) 11
MOLIÈRE, le Mariage forcé, 8.

(...) chez Ziem *(un peintre)* l'homme a une originalité qui se reflète sur les choses. D'instinct il choisit le point de vue particulier, l'effet rare, l'heure caractéristique (...) 12
Th. GAUTIER, Souvenirs de théâtre (...), Trente-quatre aquarelles de Ziem.

Il n'était donc pas entraîné à opposer au désir cette résistance toute particulière, qui a pour effet non de le mater, mais de le mettre en fermentation. 13
J. ROMAINS, les Hommes de bonne volonté, t. V, VIII, p. 70.

♦ **4.** Vx. Bizarre, étrange. *S'opiniâtrer* (cit. 2) *dans une opinion particulière.*

Mod. Qui est considéré comme anormal, aberrant. — Spécialt. *Les Amitiés particulières* (homosexuelles), roman de Roger Peyrefitte.

♦ **5.** Qui paraît digne d'être mentionné ou souligné (s'emploie surtout négativement). *Je n'ai aucune sympathie particulière pour votre mère* (→ 1. Mère, cit. 15).

♦ **6.** Loc. adv. **EN PARTICULIER :** d'une manière particulière. ⇒ **Particulièrement** (1.), **spécialement, surtout.** *Un élève très doué, en particulier pour les mathématiques. La légitimité de la monarchie* (cit. 4) *a été souvent contestée, en particulier par les Parlements.* (→ aussi Démon, cit. 27; frapper, cit. 45; habileté, cit. 4).

C. (XVe). Opposé à *général* (→ 1. Général; cit. 2, 5, 7 et 8).

♦ **1.** Qui ne se réfère pas à un ensemble; limité à un élément, à la partie, au détail*. *Application particulière d'une idée générale* (→ Beauté, cit. 4). *Aspects particuliers d'un problème d'ordre général. Il faut tenir compte des cas particuliers* (⇒ **Circonstance**). *Critiques* (cit. 13), *objections particulières. Clause particulière d'un testament.* — *Sur ce point particulier.* ⇒ **Précis.** *Vue aiguë* (cit. 16) *et infiniment particulière du détail.* — (Au compar. et au superl., suivant la compréhension plus ou moins large du terme ou de l'idée). « Atteindre à » *a une signification plus particulière qu'*« atteindre » (cit. 43). *La dissertation* (cit. 2) *est plus particulière que le traité.*

Je tâcherai, en parlant cette fois, devant tout le monde, d'un livre qui a rang parmi nos classiques, d'oublier ce que j'en ai écrit de trop particulier, et de me borner à ce qui peut intéresser la généralité des lecteurs. 14
SAINTE-BEUVE, Causeries du lundi, 29 mars 1852.

(...) la voix haute du pasteur pénétrait dans le mystère de sa vie, le déformant au nom d'une religion qui ignore les circonstances particulières et ne veut connaître de l'homme que l'éternel. J. CHARDONNE, les Destinées sentimentales, p. 469. 15

Subst. *Conclure du particulier au général.* (→ 1. Général, cit. 10). *Aller du général au particulier.* ⇒ **Particulariser** (→ Déduction, cit. 1 et 2). *« Si le propre de l'art est d'attacher le général* (→ 1. Général, cit. 12) *au particulier... »* (Camus). *Domaine où le particulier importe plus que l'essentiel* (→ Emparer, cit. 15).

J'admire sa mémoire, et la qualité de cette mémoire qui retient le particulier de préférence, et jusqu'à la minute. GIDE, Journal, 11 octobre 1916. 16

♦ **2.** Spécialt. Qui appartient, a rapport à l'une des divisions d'une administration, d'une organisation : *Services particuliers, états-majors particuliers de l'armée* (cit. 14). — *Les anciens lieutenants* particuliers.*

♦ **3.** Loc. adv. **EN PARTICULIER :** d'un point de vue particulier (opposé à *en général* [1. Général, cit. 24 et 26]). *Ce musée contient des chefs-d'œuvre, en particulier des sculptures.*

★ **II.** N. (Rare au fém.). ♦ **1.** (1460). Vieilli ou style soutenu. Personne privée, simple citoyen.

[a] Par oppos. à *l'État* (→ Dette, cit. 10). *« Cet homme si fidèle aux particuliers, si redoutable à* (cit. 17) *l'État »* (Bossuet). *Le droit* (1. Droit, cit. 58) *privé règle les actes que les particuliers accomplissent en leur propre nom.*

[b] Par oppos. aux *hommes publics,* aux *grands personnages* (→ Fortune, cit. 9). *Se démettre* (cit. 6) *de la dictature pour vivre en simple particulier. « Certains particuliers se moulent* (cit. 10) *sur les princes »* (La Bruyère).

17 (...) ce qui est dans les grands splendeur, somptuosité, magnificence, est dissipation, folie, ineptie dans le particulier. LA BRUYÈRE, les Caractères, VII, 22.

18 Les particuliers meurent, mais les corps collectifs ne meurent point. Les mêmes passions s'y perpétuent, et leur haine ardente, immortelle comme le démon qui l'inspire, a toujours la même activité. ROUSSEAU, Rêveries..., 1re promenade.

19 L'empereur et ses frères se rangent tranquillement aussi à la file, et veulent être considérés, dans leurs amusements, comme de simples particuliers; ils n'usent de leurs droits que quand ils remplissent leurs devoirs.
Mme DE STAËL, De l'Allemagne, I, VII.

♦ **2.** Fam. vieilli. (souvent péj.). ⇒ **Individu** (→ Enfoncer, cit. 8). *Tu le connais toi, ce particulier? Un particulier, mauvais coucheur* (cit. 2).

20 (...) il aurait vu (...) se diriger de la route vers le plus épais du bois « un particulier » qui n'était pas du tout du pays, et que lui, Boulatruelle, connaissait très bien.
HUGO, les Misérables, II, II, II.

21 Il se mit à le suivre en cherchant dans ses souvenirs, et répétant à mi-voix : « Où diable ai-je connu ce particulier-là? » MAUPASSANT, Bel-Ami, I, I.

Au féminin :

22 Il a parlé de plusieurs de ces dames (...) Il en est venu de lui-même à Mme Chauverel (...) « C'est une particulière, a expliqué le bonhomme, qui est entrée ici il n'y a pas longtemps. Moi je l'ai toujours trouvée un peu bizarre, et bien hardie. Ce n'est pas le genre de la maison. »
J. ROMAINS, le Besoin de voir clair, Carnet pers. Antonelli, XII.

CONTR. Collectif, commun, général, public, universel. — 1. Courant, normal, ordinaire.
DÉR. Particulièrement.

PARTICULIÈREMENT [partikyljɛrmɑ̃] adv. — XVIe; *particular(e)ment,* v. 1346; de *particulier.*

D'une manière particulière.

♦ **1.** D'une manière particulière par rapport à un ensemble. ⇒ **Notamment, principalement, spécialement; particulier** (en).

1 Il aime tous les arts en général et *particulièrement* la peinture, ou, et la peinture *en particulier. En particulier* signifie simplement, entre autres; *particulièrement* entraîne toujours, si légère qu'elle soit, une certaine idée de préférence, de prédilection de la part du sujet, laquelle détermine celui qui parle à choisir cet art parmi les autres pour le citer.
LAFAYE, Dict. des synonymes, Particulièrement...

Des pirates de toutes nations, et particulièrement des Anglais, infestaient (cit. 2) *les mers. L'étude des mathématiques, et particulièrement de l'analyse* (→ Haut, cit. 51). *Bonaparte se préoccupait beaucoup des droits des enfants, particulièrement des mineurs.* ⇒ **Surtout** (→ Humanité, cit. 7).

♦ **2.** D'une façon peu commune, qui mérite attention. ⇒ **Notablement, spécialement.** *Il nous a particulièrement recommandé son protégé. J'attire tout particulièrement votre attention sur ce point.* — (Modifiant un adjectif, un participe). ⇒ **Éminemment, singulièrement.** *Faire courir des bruits particulièrement alarmants* (cit. 2). *Il ne la considérait pas comme particulièrement bonne* (→ Brave, cit. 14). *Être particulièrement sensible à qqch.* (→ Hasard, cit. 29), *particulièrement habile à faire* (cit. 190) *qqch. Avoir l'esprit de famille* (cit. 7) *particulièrement développé. Il est particulièrement peu doué.*

2 Madame (...) j'ai beaucoup vu en Italie une femme qui vous intéresse particulièrement. Mme DE STAËL, Corinne, XVI, VI.

♦ **3.** D'une manière intime, à titre privé. *Je ne le connais pas particulièrement.*

3 Comme je lui eus répondu que je vous connaissais particulièrement (...)
MOLIÈRE, le Bourgeois gentilhomme, IV. 3.

♦ **4.** Vx. D'une manière détaillée, dans le détail (→ Partie, cit. 1). *Les trois choses que la géométrie* (cit. 7, Pascal) *considère particulièrement.*

CONTR. Généralement. — Général (en).

PARTIE [parti] n. f. — 1119; de 2. *partir.*

★ **I.** Élément d'un tout.

A. (Emplois généraux).

♦ **1.** Élément d'un ensemble, d'un tout, envisagé dans ses rapports avec la totalité qui le comprend. ⇒ **Bout, détail, division, élément, fraction, fragment, membre, morceau, parcelle, part, particule, pièce, portion, section.** *Ensemble qui a plusieurs parties* (⇒ **Composé; comprendre, contenir**). *Qui a toutes ses parties* (⇒ **Complet, entier**). *Parties qui forment un tout.* ⇒ **Composer, constituer.** *Arrangement* (cit. 1), *assemblage* (cit. 10 et 13), *organisation, rapports, relations des parties.* ⇒ **Composition, contexture, coordination, ensemble** (2. Ensemble, cit. 1 et 2), **harmonie, structure...** *Coordonner*, harmoniser les parties. Parties qui concourent à l'exercice d'une fonction.* ⇒ **Organe, rouage.** *Parties d'un mélange chimique.* ⇒ **Phase.** — *Parties consubstantielles. Partie constituante, constitutive, intégrante; partie essentielle* (⇒ **Corps**), *centrale* (⇒ **Centre, cœur, milieu**), *latérale* (⇒ **Côté**), *terminale* (⇒ **Bout, extrémité**), *inférieure* (⇒ **Bas, base**), *supérieure* (⇒ **Haut**). *Parties d'un tout* (⇒ **Tout;** → Adhésion, cit. 1; assortir, cit. 16; commun, cit. 6; éternité, cit. 4; façade, cit. 3).

La deuxième (moitié), *troisième* (tiers), *quatrième* (quart), *dixième* (cit. 1), *millième* (cit. 2) *partie d'un tout. Divisé en deux* (⇒ **Biparti, bipartition**), *trois* (⇒ **Triparti**) *parties égales.* — Math. *Parties égales, inégales. Parties aliquantes*, aliquotes*.* — *Couper, diviser, répartir une chose en parties.* ⇒ **Démembrer, diviser, fractionner, division, fraction, morceau, part, portion, quartier** (→ Emboîter, cit. 7; 1. gui, cit. 1; indivisible, cit. 1). *Partie infime.* ⇒ **Bribe, miette, molécule.** *Parties déchirées* (⇒ **Déchirure, lambeau**), *cassées* (⇒ **Fragment**)... *Couper un gâteau en dix parties.* ⇒ **Tranche.** *Se défaire, se désagréger en nombreuses parties. Rassembler les parties.*

Décomposer en esprit une chose dans ses parties. ⇒ **Analyse, analyser, division.** — REM. En logique, en philosophie, *partie* désigne « ce qui est plus petit que le tout... sans être plus simple », et *élément* un « composant plus simple » (Cuvillier). La *partie* est le résultat d'une *division,* l'*élément* celui d'une analyse; il n'est donc pas aussi complexe. — *Juger du tout par la partie* (→ Entendement, cit. 6; et aussi étroit, cit. 10). — Philos. *La grandeur* (cit. 40), *la matière considérées comme formées de parties. L'ancienne philosophie appelait les atomes « petites parties »* (cf. Sévigné, *in* Littré). *Le concept de partie indivisible, insécable.* ⇒ **Atome** (cit. 3, Descartes; cit. 7, Voltaire; → aussi Diviser, cit. 1, Pascal).

(...) je tiens impossible de connaître les parties sans connaître le tout, non plus que de connaître le tout sans connaître particulièrement les parties. 1
PASCAL, Pensées, II, 72.

On ne peut atteindre la partie que par le détour de la suppression du tout. 2
VALÉRY, Rhumbs, p. 70.

Partie d'un espace, d'un lieu (⇒ **Endroit, place**). *Partie, portion délimitée d'une plaine...* (⇒ **Compartiment,** géogr.). *La partie haute* (cit. 23), *basse d'une ville* (→ La ville* haute, basse). *Connaître une ville dans toutes ses parties.* ⇒ **Coin.** *Nous n'habitons pas la même partie de la ville* (⇒ **Quartier**), *de la rue...* — *Parties d'un pays* (→ Aristocrate, cit. 5; carte, cit. 17), *de la terre :* région, contrée... — *Les cinq parties, les parties du monde** (cit. 21), *du globe* (cit. 11) : les continents... (→ Inonder, cit. 11).

Sans une base géographique, le peuple, l'acteur historique, semble marcher en l'air (...) Et notez que *(le)* sol n'est pas seulement le théâtre de l'action. Par la nourriture, le climat, etc., il y influe de cent manières. Tel le nid, tel l'oiseau. Telle la partie, tel l'homme. MICHELET, Hist. de France, Préface de 1869. 3

Absolt, vieilli. *La partie :* le lieu, la région... — REM. En moyen français, *partie* signifiait aussi « pays, côté ». → Part.

Parties d'un groupe, d'une société. Cette partie de la nation qu'on nomme la bourgeoisie (→ Halte, cit. 7). *La partie lettrée du tiers état* (→ Filtrer, cit. 9).

Les nations peuvent se classer comme les animaux. La jouissance commune d'un grand nombre de parties, la solidarité de ces parties entre elles, la réciprocité de fonctions qu'elles exercent l'une à l'égard de l'autre, c'est là la supériorité sociale. 4
MICHELET, Hist. de France, III.

Parties successives d'un développement. ⇒ **Degré, phase, stade; commencement, fin.**

Telle est la première partie de mon aventure qui sera, si vous le permettez, un diptyque. Léon BLOY, la Femme pauvre, I, XV. 5

♦ **2.** Loc. *Une partie de... :* une certaine quantité, un certain nombre de... *Une petite, une grande partie de... :* un peu, beaucoup. *La plus grande partie de la nation* (→ Opprobre, cit. 5), *du peuple* (→ Démocratie, cit. 3), *la majeure partie.* ⇒ **Plupart** (→ Les trois-quarts*). *Perdre une partie de sa valeur* (→ Assigner, cit. 13). *Passer une partie de son temps* (→ Estampe, cit. 1), *de sa vie* (→ Droguer, cit. 1) *à faire une chose.* ⇒ **Moitié.**

(...) je ne vous ai pas dit encore la moindre partie de ce que j'ai à vous dire. 6
MOLIÈRE, George Dandin, III, 5.

REM. Après *une partie de...,* le verbe s'accorde avec le mot *partie* ou avec le complément, suivant que l'on considère l'ensemble (singulier : *« Une partie des gentilshommes... reste à la cour »,* Hugo, *Ruy Blas,* Préf.) ou la pluralité (pluriel : *« Une partie des princes sont revenus de l'armée »,* Racine, *Lettre à Boileau,* 3 oct. 1694).

Une partie de..., s'emploie aussi pour indiquer l'appartenance à... *Une partie de nous-mêmes, de notre être,* un peu de nous-mêmes (→ Entrer, cit. 30; obtenir, cit. 1).

EN PARTIE. ⇒ **Partiellement.** *Chose vraie en partie* (→ Essentiel, cit. 1). *En grande, en majeure partie...* (→ Double, cit. 6). — *En tout ou en partie.* — Vx. *Partie... partie...* — Mod. *En partie..., en partie...* (→ Majesté, cit. 13; nœud, cit. 28).

La véritable tare de Mlle de Bauret, qui était en partie la tare de son âge, et en partie celle de son époque, était que pour elle nouveauté était synonyme de valeur. 7
MONTHERLANT, les Célibataires, II, I.

(Ellipt). PARTIE DE..., EN... *Consister partie en..., et partie en...* (→ Générosité, cit. 3).

8 Cette somme fut aussitôt employée, partie en charités, partie à acquitter des dettes. RACINE, Hist. de Port-Royal, I.

FAIRE PARTIE DE : être du nombre de, compter parmi ; être dans... ⇒ **Appartenir, dépendre** (→ 1. Canne, cit. 3 ; franchise, cit. 10). *Faire partie intégrante* (cit. 2 et 3) *de...* — (Personnes). *Faire partie d'une collectivité* (→ Louable, cit. 3), *d'un groupe* (→ Noyau, cit. 8), *d'une famille* (cit. 7), *d'une société,* en être membre, être de... ⇒ **Nombre** (au nombre de...), **parmi** (→ Aéropage, cit. 4 ; caduc, cit. 6).

9 (...) comme ton bonheur fait partie du mien, il faut que je te connaisse parfaitement. STENDHAL, Lettres inédites *in* Souvenirs d'égotisme, éd. Charpentier, 1893, p. 192.

10 L'humanité a la rage de l'abaissement moral, et je lui en veux de ce que je fais partie d'elle. FLAUBERT, Correspondance, 428, 22 sept. 1853.

11 Les clients de sa tante étaient ainsi depuis toujours (...) ; cela faisait partie de sa vie au même titre que les pierres des maisons qu'elle voyait chaque jour (...) J. GREEN, Léviathan, II, IX.

B. (Emplois spécialisés).

♦ **1.** (XIIIe). Vx. Article d'un compte. — Absolt (au plur.). *Parties :* mémoire où sont énumérés les articles fournis (cf. Molière, *le Malade imaginaire,* I, 1).

(XVIIe). Mod. *Comptabilité** (cit.) *en partie double, à parties doubles :* enregistrement d'un fait comptable sous deux aspects distincts. ⇒ **Compte,** et aussi **contrepartie.**

12 Julien lui proposa de prendre un commis sortant de chez un banquier et qui tiendrait en partie double le compte de toutes les recettes et de toutes les dépenses des terres que Julien était chargé d'administrer. STENDHAL, le Rouge et le Noir, II, VII.

♦ **2.** Comm. (Vx). *Une partie de marchandises.* ⇒ **Quantité.** « *Vendre, placer, acheter une grosse partie, une partie considérable de café,... de drap...* » (Bescherelle). — Vx. Somme d'argent (cf. Mme de Sévigné, *in* Littré).

♦ **3.** (XIVe). Gramm. *Les parties de l'oraison** (vx), *du discours :* les neuf (ou dix, si l'on compte le participe) classes de mots de la classification traditionnelle. ⇒ **Discours** (*infra* cit. 24) ; **grammaire** (cit. 2).

13 On sait ce qu'on entend par là *(les « Parties du discours »)* : les divisions grammaticales dans lesquelles sont répartis les mots. *(Ce nom)* paraît aujourd'hui quelque peu en disgrâce. Pourtant, il est incontestable que la chose continue d'exister : s'il y a encore différentes catégories de mots bien distincts, il y a donc aussi des « parties du discours ». Sur quoi l'on peut discuter, c'est sur leur nombre, ou, ce qui est plus important, sur leur exacte distinction. Pour les grammairiens de jadis (...) ces parties étaient dix en tout (...) il appert d'abord que l'*interjection* n'est nullement (...) une partie du discours ; elle est, à elle seule (...) tout un petit discours. G. et R. LE BIDOIS, Syntaxe du franç. moderne, § 27.

♦ **4.** Un des éléments successifs (d'une œuvre, d'un récit...). ⇒ **Chapitre, fragment, livre, morceau ; acte, scène...** *Les parties de la tragédie* (→ Catastrophe, cit. 3 ; 2. exode, cit. ; nœud, cit. 27 et 28). *Les parties d'un livre, d'un ouvrage* (→ Épuiser, cit. 31), *d'une œuvre* (cit. 27), *d'un opéra* (cit. 3), *d'un discours* (*infra* cit. 18). *Les six parties du Discours de la méthode* (cit. 4). *Partie ajoutée* (appendice, préface, post-face).

14 *Première partie :* Misère de l'homme sans Dieu. *Seconde partie :* Félicité de l'homme avec Dieu.
Autrement : *Première partie :* Que la nature est corrompue (...) *Seconde partie :* Qu'il y a un Réparateur, par l'Écriture. PASCAL, Pensées, II, 60.

Les parties d'une sonate, d'une symphonie (⇒ **Mouvement**), *d'un pot-pourri* (⇒ **Morceau, passage**).

♦ **5.** (XVIe). Élément constitutif (d'un être vivant). — REM. *Partie* n'est que descriptif ; *organe* est toujours fonctionnel. — ⇒ **Membre ;** → Individu, cit. 6. *Ranger les animaux selon une partie, comme les dents, les ongles...* (→ Nomenclateur, cit.).

15 On pourrait dire qu'il y a des parties fondamentales sans lesquelles l'animal ne peut se développer, d'autres qui sont plus accessoires et plus extérieures (...) BUFFON, Hist. nat. des animaux, XI.

Spécialt (de l'homme). *Les parties du corps** (cit. 25). → Extension, cit. 2 ; manipuler, cit. 3 ; nerf, cit. 1. — Absolt, vx. *Le cerveau et les autres parties* (→ Âme, cit. 19). — (Relativement au bon fonctionnement, à la santé). *Les parties saines et les parties malades* (→ Diffus, cit. 2).

Les parties basses (→ Gangrène, cit. 1). *Les parties charnues...* (se dit spécialt, et par euphém., des fesses).

Les parties nobles (cit. 14). — *Parties génitales, honteuses, sexuelles, de la génération* (→ Intromission, cit. 2). — (1512). Absolt. *Parties :* les organes sexuels (d'un mâle).

15.1 Si toucha les parties viriles de son pere, et ietta son charme dessus par enchantement et art diabolique. J. LEMAIRE DE BELGES, Illustrations, 1512, *in* D.D.L., II, 4.

16 Le Dr Brown-Séquard rajeunit des vieillards infirmes, ranime des impuissants avec des injections de parties distillées de lapins et de cobayes. HUYSMANS, Là-bas, XV.

Loc. fam. *Casser les parties à qqn :* importuner. ⇒ **Casser** (les couilles...).

16.1 Je ne discute même pas, je lui réponds qu'il me casse les parties (...) M. AYMÉ, Maison basse, p. 197.

Élément (d'un organe, d'une partie du corps). *Le nez* (cit. 1), *partie la plus avancée du visage.* — Anat. *Partie antérieure, moyenne, postérieure, latérale..., d'un organe.*

♦ **6.** Vx. (En parlant de la vie psychique). Faculté de l'âme (→ Imagination, cit. 10). *La partie qui raisonne en nous* (→ Âme, cit. 20), *la partie raisonnable* (→ Intellect, cit. 1), *intelligente* (→ Esprit, cit. 54)... *Partie sensitive. La partie animale* (cit. 2), *brutale* (cit. 2), *concupiscible, irascible... :* les instincts. — Mod., littér. (au plur.). *Les plus basses parties de nous-même* (→ Mesquin, cit. 7).

Le mal est le plus souvent un effet de la faiblesse, une usurpation de la partie mauvaise sur la bonne, qui est la plus faible, mais qui n'en existe pas moins. 17
André SUARÈS, Trois hommes, « Pascal », II.

♦ **7.** Vx. Qualité particulière (→ Important, cit. 1, Montaigne). « *La science des détails* (cit. 9) *est une partie essentielle au bon gouvernement* » (La Bruyère). Cf. Corneille, Racine, Bossuet, Fénelon, Montesquieu, Vauvenargues, Sainte-Beuve, *in* Littré. — *Avoir des parties,* de l'esprit (cf. Voltaire, *Lettre à d'Olivet,* 20 août 1761).

♦ **8.** Domaine particulier (d'une science, d'une activité). ⇒ **Branche.** *Parties d'une science* (→ Économie, cit. 12 ; histoire, cit. 37 ; monographie, cit. 1). — *Les parties d'une classification, d'un classement**, subdivision, section.

Spécialt (avec un possessif). Branche d'une science, d'une activité, dans laquelle une personne s'est spécialisée. ⇒ **Métier, profession, spécialité** (→ Excellence, cit. 3 ; nullité, cit. 3). *Connaître sa partie* (→ Expérience, cit. 38). *Dans sa partie, il est imbattable.*

♦ **9.** Mus. Rôle d'une voix, d'un instrument dans une polyphonie. ⇒ **Contrepartie, ensemble ; chant, mélodie** (→ Duo, cit.). *Combinaison des parties.* ⇒ **Harmonie.** *Parties récitantes ; parties concertantes* (de chœur) ; *partie fuguée. Imitation* (cit. 22) *à trois, quatre parties.* ⇒ **Voix.** — *Les quatre parties* (dessus ; haute-contre ou quinte ; taille ; basse), *dans le chant classique.*

Pour former en chantant une harmonie ou une suite d'accords, il faut donc plusieurs voix : le chant qui appartient à chacune de ces voix s'appelle *partie,* et la collection de toutes les parties d'un même ouvrage écrites l'une au-dessous de l'autre s'appelle partition. ROUSSEAU, Dict. de musique, Partie. 18

Par anal. *Chanter, exécuter sa partie :* jouer son rôle* (dans le théâtre lyrique).

★ **II.** (XIIIe, « celui qui plaide contre qqn ; adversaire » ; aussi « procès, cause »).

♦ **1.** Dr. Personne physique ou morale qui participe, comme y étant intéressée personnellement, à un acte juridique, en concours avec une ou plusieurs autres (opposé à *tiers*). — Spécialt. Personne engagée dans un procès*. ⇒ **Plaider, plaideur ; cause** (être en cause). → Avocat, cit. 1. *L'une, l'autre* (cit. 39) *partie. Les parties en présence, les parties intéressées* (→ Absence, cit. 13). *La partie adverse* (cit. 1). *La partie plaignante, poursuivante. Les parties contestantes. Parties contraires. Renvoyer les parties dos à dos. La partie lésée. Partie condamnée aux dépens* (cit. 14). — *Contrat* (cit. 5) *par lequel deux parties s'obligent à... Les parties contractantes* (→ Authentique, cit. 3 ; louage, cit. 4, 5 et 6). — Dr. internat. *Les hautes parties contractantes* (dans un traité, une convention...).

(...) il faudrait dire plutôt que l'honnête dépend des conventions, dans le plein sens du mot ; ce que traduit le principe juridique : « Le contrat est la loi des parties ». ALAIN, Propos, 25 avr. 1921, Fruits de la confiance. 19

(...) cela impliquait une sorte de contrat, au sujet duquel l'autre partie n'avait pas été consultée (...) GIDE, Et nunc manet in te, p. 91. 20

Partie civile. ⇒ **Civil** (cit. 8 et *supra*). *Se constituer, se porter partie civile. Constitution* de partie civile.* — Dr. pén. *Partie publique,* le ministère public en tant qu'il exerce l'action publique. *Partie principale,* le ministère public lorsqu'il joue le rôle de demandeur, de défendeur (opposé à *partie jointe*).

Loc. *Entendre les parties.* — Prov. *Qui n'entend qu'une partie n'entend rien.* — Vx. *Se rendre partie contre qqn* (→ Justice, cit. 38). — Loc. cour. *Prendre (qqn) à partie,* lui faire un procès. — Fig. Imputer à (qqn) le mal qui est arrivé ; et, par ext., l'attaquer. ⇒ **Prendre** (s'en prendre à...). → Déni, cit. 4.

Je vous prends à partie, pour me payer dix mille écus qu'il m'a volés. 21
MOLIÈRE, l'Avare, V, 5.

(...) Desmets, gonflé de rage, n'attendait plus que l'occasion de prendre à partie le camarade mal inspiré qui l'avait pistonné pour ce poste de choix. 22
R. DORGELÈS, le Cabaret de la belle femme, p. 135.

Être juge (cit. 6) *et partie :* avoir un pouvoir de décision dans une affaire où l'on est personnellement intéressé.

(...) sans avoir aucun remords d'être à la fois juge et partie, de Marsay condamnait froidement à mort l'homme ou la femme qui l'avait offensé sérieusement. 23
BALZAC, la Fille aux yeux d'or, Pl., t. V, p. 299.

Être partie à une négociation, à un traité. Les parties contractantes.

Je voulais, évidemment, que notre armée entrât en territoire ennemi (...) c'était pour nous le seul moyen assuré d'être partie à la capitulation, à l'occupation et à l'administration du Reich. Ch. DE GAULLE, Mémoires de guerre, t. III, p. 152. 24

Fin. publ. *Parties prenantes :* « créanciers de l'État dont le payement a été assigné sur un fonds particulier » (Littré). → Emploi, cit. 15.

♦ **2.** Par métaphore, fig. Adversaire. *Les parties belligérantes** (⇒ **Guerre**).

Rare. **Forte partie** : adversaire puissant, redoutable. — Loc. cour. *Avoir affaire à forte partie.*

★ **III.** (XIVe, « parti, faction ». → Parti ; XVe, E. Deschamp : *avoir partie avec* « être associé »).

♦ **1.** Vx. (XVe). Projet formé par plusieurs personnes. ⇒ **Association** ; et aussi **part** (avoir, prendre part), **participation.** *Lier* (cit. 22) *partie avec ; avoir partie liée* (cit. 23). ⇒ **Accord.** *La partie est rompue* (Corneille, *Horace*, IV, 4). *Faire partie de...* : projeter, décider de... — Mod. Loc. *Avoir partie liée.* — (Déb. XVIIe). Spécialt. (Vx). « Convention faite entre (les joueurs) de certaines règles ou bornes, dans lesquelles celui qui a plutôt certains avantages... doit tirer de l'argent » (Furetière, 1690).

♦ **2.** Mod. Durée d'un jeu, à l'issue de laquelle sont désignés gagnants et perdants. ⇒ **Jeu.** *Partie en trois temps,* première manche, revanche et belle. ⇒ **Beau** (II., C., 1.). *Partie de jeu* (→ Imposer, cit. 29). *Partie de cartes* (→ Milieu, cit. 6), *de bridge, de poker, d'écarté* (cit. 1)... *Faire une partie de bridge en plusieurs manches* (⇒ **Rob**). *Jouer** (cit. 23) *une partie difficile. Jouer en parties liées*. Partie de dames* (1. Dame, cit. 20 et 21), *de dominos* (cit. 3), *de jaquet* (cit.), *d'échecs* (cit. 19). — (Aux échecs). *Partie à avantage, à l'aveugle. Parties simultanées. — Partie de billard, de boules, de quilles* (→ Flâner, cit. 2). *Partie de championnat* (→ Disqualifier, cit.). *Disputer, gagner, perdre une partie de tennis, de ping-pong..., de ballon. Divisions d'une partie.* ⇒ **Jeu ; manche ; set.** *Partie nulle. Partie nulle aux échecs* (⇒ **Pat**). — REM. En sports, *partie* ne s'emploie que lorsque l'idée de jeu, de divertissement, l'emporte sur celle de compétition réglée (→ Compétition, match, rencontre...). — *Jouer une somme d'argent dans une partie* (→ Cas, cit. 7). *Ne rien omettre* (cit. 43) *à la partie.*

25 (...) qu'est-ce qu'une partie de ballon, sinon des bousculades, des coups de poing et des coups de pied, et enfin des marques noires et des compresses.
ALAIN, Propos, 5 févr. 1913, L'égoïste.

26 On ne jouait là que les grandes parties, rarement, ou tard la nuit (...) Sur la table verte, un râteau et des boîtes. ARAGON, les Beaux Quartiers, III, I.

Par ext. Combat, lutte. *Gagner* (cit. 26 et 44), *perdre la partie. Engager* (cit. 17) *la partie* (→ Étaler, cit. 6). *Abandonner, quitter la partie. La partie est jouée* (→ Laïc, cit. 4). *La partie n'est pas égale* (→ Détruire, cit. 14). *Partie inégale* (cit. 6). *Avoir partie gagnée. — Une hasardeuse partie diplomatique* (→ Gré, cit. 15). — Vx. *Coup de partie* : coup décisif (Mme de Sévigné, 177, 21 juin 1671).

♦ **3.** (XVIIe). Divertissement concerté à plusieurs. ⇒ **Party.** *Partie de plaisir** (→ Frasque, cit. 3 ; maître, cit. 15). — Absolt (vieilli). *Être en partie. Partie de chasse* (→ Garder, cit. 80), *de pêche* (→ Ingénier, cit. 3), *de bateau, de tennis* (→ Invitation, cit. 2). *Partie de campagne** (→ Fashionable, cit. 1 ; 1. flanquer, cit. 7). — *Partie fine* ; partie galante... Partie de débauche*.* ⇒ **Partouse.** *Partie de jambes en l'air, de traversin* : l'acte sexuel.

27 (...) une éblouissante partie de plaisir qui eut lieu le dimanche suivant, les quatre jeunes gens invitant les quatre jeunes filles. HUGO, les Misérables, I, III, III.

28 Les Coupeau sortaient presque tous les dimanches avec les Goujet. C'étaient des parties gentilles, une friture à Saint-Ouen ou un lapin à Vincennes, mangés sans épate, sous le bosquet d'un traiteur. ZOLA, l'Assommoir, IV, t. I, p. 138.

29 Cette pièce trop chauffée, cette table où traînait la débandade du couvert, l'imprévu du voyage qui tournait en partie fine, tout lui allumait le sang, la soulevait d'un frisson. ZOLA, la Bête humaine, I.

(1672, Mme de Sévigné.) Vx. *Partie carrée* : réunion de quatre personnes pour se distraire.

29.1 On appelle partie quarrée celle qui est faite entre deux hommes et deux femmes seulement, pour quelque promenade, ou quelque repas. FURETIÈRE, Dict.

30 L'on voit Glycère en partie carrée au bal, au théâtre (...)
LA BRUYÈRE, les Caractères, III, 73.

Mod. Relation sexuelle entre deux couples qui s'échangent.

31 Elle l'entraînait en riant dans les hôtels borgnes pour y faire des « parties carrées ».
Eugène DABIT, Hôtel du Nord, XXI.

♦ **4.** (Par métaphore des sens 2. et 3.). Loc. *Remettre une partie. Ce n'est que partie remise. Abandonner, quitter* la partie.* ⇒ **Désister** (se), **renoncer.**

32 Allons nous mettre à table, il faut se consoler : après tout, ce n'est pas un partie perdue, ce n'est qu'une partie remise (...)
BALZAC, les Paysans, Pl., t. VIII, p. 276.

Loc. *Se mettre* (cit. 60), *être de la partie* (→ Après, cit. 10 ; déplacement, cit. 2). ⇒ **Jeu** (*infra* cit. 39 : entrer dans le jeu) ; **participer.**

CONTR. (Du sens I.) **Ensemble, totalité, tout.** — (De *en partie*) **Bloc** (en), **entièrement.**
DÉR. Partouse.
COMP. Contrepartie. — Surprise-partie.
HOM. Parti, formes du v. **partir ; party.**

PARTIE-CYCLE [paʀtisikl] n. f. — XXe ; de *partie,* et *cycle.*

♦ Moto. Dans un motocycle, Ensemble constitué par le cadre, les suspensions, les roues, le dispositif de freinage. « *Tous les éléments de partie-cycle* (d'une moto) *étaient français : fourche télescopique, disques, roues, cadre, amortisseurs, etc.* » (*Moto-Revue,* 6 mai 1981, p. 5).

PARTIEL, ELLE [paʀsjɛl] adj. — 1692 ; var. francisée de *partial*,* qui avait en moy. franç. le sens de « partiel » ; lat. médiéval *partialis.*

♦ **1.** Qui ne constitue qu'une partie d'un tout (⇒ **Fragmentaire**). *Une société partielle dans l'État* (→ Énoncé, cit. 1). — Qui ne concerne qu'une partie. *Mouvements* (cit. 7) *d'ensemble et mouvements partiels. Épreuve partielle, examen partiel,* qui ne constitue qu'une partie de l'examen, d'un contrôle continu des connaissances. — N. m. *Un partiel* : un examen partiel.

(Mil. XXe). *Travail à temps partiel.*

Le temps partiel est un « travail effectué de façon régulière et volontaire pendant une durée plus courte que la durée normale (définition du BIT). Son développement est souvent préconisé, car il doit permettre d'éviter, notamment pour les femmes, les inconvénients et les tensions liés au travail à plein temps. 0.1
Marcel POCHARD, l'Emploi et ses problèmes, p. 112.

Résultats partiels (d'une élection, etc.).

♦ **2.** (1823). Qui n'existe qu'en partie (⇒ **Incomplet**). *Incursions* (cit. 2), *invasions partielles d'un pays. Mobilisation* (cit. 1) *générale ou partielle. Information* (cit. 4) *partielle et partiale. Autonomie* (cit. 4) *partielle. Réussites partielles de la science expérimentale* (→ Matérialisme, cit. 4). ⇒ **Relatif.** — *Éclipse* partielle.*

Au nom du ciel, si vous possédez le vrai, adressez-vous donc à l'humanité tout entière. L'homme des sociétés secrètes est toujours étroit, soupçonneux, partiel. L'habitude de ce petit monde déshabitué du grand air (...) 1
RENAN, l'Avenir de la science, Œ. compl., t. III, p. 813.

Élection partielle, qui a lieu en dehors des élections générales et ne porte que sur un ou quelques sièges.

Il *(le scrutin de liste par département)* permet au général Boulanger de se faire plébisciter dans plusieurs départements, lors d'élections partielles, pour le remplacement de députés morts. Georges LECOMTE, Ma traversée, p. 179. 2

(1963). Math. *Dérivée partielle d'une fonction de plusieurs variables* : dérivée de cette fonction par rapport à une seule de ces variables, les autres étant supposées constantes. *Relation d'ordre partiel.*

CONTR. Complet, entier, général, global, intégral.
DÉR. Partiellement.

PARTIELLEMENT [paʀsjɛlmɑ̃] adv. — 1796 ; *parcialement,* v. 1370 ; de *partiel.*

♦ D'une manière partielle ; en partie. ⇒ **Demi** (à). → Bienveillance, cit. 6 ; fausser, cit. 8 ; hypothéquer, cit. 3 ; intellectuel, cit. 5. *Je peux vous l'expliquer partiellement. Il a partiellement raison. Il n'a réussi que partiellement.*

CONTR. Entièrement.

PARTINIUM [paʀtinjɔm] n. m. — V. 1900 (1901, *in* D.D.L.) ; du nom de G. H. *Partin.*

♦ Techn. Alliage d'aluminium, tungstène et magnésium, qui fut employé dans l'industrie automobile.

PARTI PRIS [paʀtipʀi] n. m. ⇒ **Parti.**

1. PARTIR [paʀtiʀ] v. intr. — *Je pars, tu pars, il part, nous partons, vous partez, ils partent ; je partais ; je partirai ; je partirais ; je partis, nous partîmes ; pars, partons, partez ; que je parte, que nous partions ; que je partisse ; partant ; parti.* — REM. *Partir* ne prend plus que l'auxiliaire *être ;* Littré donne encore l'auxiliaire *avoir* pour exprimer l'action : *« Je m'approche d'un chasseur ; je lui demande quand le lièvre a parti ».* (Cet usage est devenu vulgaire). — XIIe, *se partir, partir* « se séparer » (de qqn, d'un lieu) ; lat. pop. *partire,* class. *partiri* « partager ».

★ **I.** ♦ **1.** Se mettre en mouvement pour quitter (un lieu) ; s'éloigner. ⇒ **Abandonner, aller** (s'en aller), **changer** (de place), **éloigner** (s'), **quitter, retirer** (se), **séparer** (se). *Partir d'un endroit* (→ Arrêter, cit. 57 ; grand, cit. 34 ; opulent, cit. 1). *Il est parti de chez lui.* ⇒ **Sortir.** *Partir loin de qqn.* ⇒ **Délaisser, échapper** (s'), **fuir, quitter, séparer** (se). Cf. aussi Fausser compagnie. *Revenir au point d'où l'on est parti* (→ Indifférence, cit. 28). « *De Palos de Moguer, routiers et capitaines, Partaient...* » (→ Gerfaut, cit. 2, Heredia). — *Partir de chez soi pour changer de logement.* ⇒ **Déloger, déménager.** *Partir de son pays.* ⇒ **Émigrer.**

Absolt. Quitter une salle, une maison (⇒ **Gagner** [la porte, la sortie], **sortir**) ; se mettre* en chemin, en route, voyager (→ Évasif, cit. 3) ; aller à la guerre, être incorporé (→ Exempter, cit. 4) ; quitter qqn, l'abandonner, lui fausser (cit. 3) compagnie... (→ Essayer, cit. 24 ; fuir, cit. 28 ; large, cit. 24). — *Partir en hâte, pour échapper à un danger, une obligation, etc.* ⇒ **Décamper, dégager, déguerpir, dénicher** (vx), **déserter, détaler, échapper** (s'), **enfuir** (s'), **filer, fuir, sauver** (se) ; fam. **barrer** (se), **calter, carapater** (se), **casser** (se), **cavaler** (se), **débiner** (se), **décaniller, tailler** (se), **tirer** (se), **tris-**

ser (se), **trotter** (se) ; cf. les loc. Mettre les bouts, les bouts de bois ; ficher, foutre le camp ; prendre la clé des champs ; prendre le large ; se faire la malle ; prendre la poudre d'escampette ; lâcher pied ; tourner les talons ; se faire la valise ; mettre les voiles... *Partir à l'anglaise*, en douce, discrètement, à l'improviste* (cit. 4), *furtivement.* ⇒ **Éclipser** (s') ; **disparaître.** *Partir brusquement* (→ Brûler la politesse*). *Saluer et partir* (cf. Prendre congé, tirer sa révérence). *Invité qui se lève pour partir* (→ Gâter, cit. 16). — *Se préparer à partir* (cf. Plier bagage, faire ses malles, ses paquets, sa valise). *Partez !* ⇒ **Porte** (prenez la porte). → Huit, cit. 2. *Prêt à partir,* sur le départ. *Il a hâte de partir* (cf. vx Le pavé lui brûle les pieds). *Il ne se décide ni à rester ni à partir. Choisir de partir ou de rester. Il partira avant peu* (→ Il ne fera pas de vieux os* ici). — *Partir sans esprit de retour, pour toujours* (cf. Secouer la poussière de ses sandales). *Partir et revenir* (→ 1. Maigre, cit. 1). *Partir de nouveau.* ⇒ **Repartir, retourner** (s'en). *Partir sans dire au revoir, sans se retourner. Partir sans laisser d'adresse* (cit. 1). ⇒ **Déménager** (fam. : à la cloche de bois). *Partir et se dire adieu* (cit. 11). — *Partir en emportant ses biens* (→ Prendre ses cliques* et ses claques), *en enlevant les fonds, en emportant la caisse* (cf. Lever le pied), *sans payer ses dettes* (→ Planter un drapeau*, faire un trou à la lune*). — *Partir tôt, avant le jour* (→ Arbalète, cit. 3). *Partir à pied* (⇒ **Marcher**), *en voiture, par le train, en bateau.* ⇒ **Embarquer** (s'). — *La foule est partie.* ⇒ **Disperser** (se). — *Dès que le patron est parti...,* dès qu'il a le dos* tourné (cf. Quand le chat* n'est pas là...). — Pop. *Il est parti soldat* :* il est parti faire son service militaire.

1 Toujours prête à partir, et demeurant toujours (...)
RACINE, Andromaque, I, 1.

2 — Fuis, ne me livre point. Pars avant son retour ;
Lève-toi, pars, adieu ; qu'il n'entre, et que ta vue
Ne cause un grand malheur, et je serais perdue !
Tiens, regarde, adieu, pars ; ne vois-tu pas le jour ?
André CHÉNIER, Bucoliques, XI.

3 Chateaubriand est encore à Paris (...) Il devait partir ; il n'est pas parti, et nous ne savons plus s'il partira, et comment et quand il pourra partir.
SAINTE-BEUVE, Chateaubriand..., t. II, p. 209.

4 Faut-il partir ? rester ? Si tu peux rester, reste ;
Pars, s'il le faut. L'un court, et l'autre se tapit
BAUDELAIRE, les Fleurs du mal, « La mort », CXXVI, VI.

5 Il salua gaiement la vieille ville, dont le soleil rosissait les toits et le sommet des tours ; et, avec l'insouciance de ceux qui partent (...)
R. ROLLAND, Jean-Christophe, L'adolescent, II, p. 302.

6 Je suis déjà plus qu'à moitié neurasthénique, et je le deviendrai tout à fait si je ne prends pas le large. Il faut que je parte.
Edmond JALOUX, Fumées dans la campagne, XX.

Allus. littér. : *« Nous partîmes cinq cents... »* (→ Cent, cit. 1, Corneille).

7 Partir, c'est mourir un peu ;
C'est mourir à ce qu'on aime.
On laisse un peu de soi-même
En toute heure et dans tout lieu.
Edmond HARAUCOURT, Seul, « Rondel de l'adieu ».

PARTIR POUR... *Partir pour une ville, un pays...* (→ Cessant, cit. ; désignation, cit. 2 ; embarquer, cit. 10 ; enfumer, cit. 4 ; muletier, cit. 1). *Partir pour l'église* (→ 1. Garde, cit. 58), *pour la chasse* (→ Garde-chasse, cit. ; harnacher, cit. 1). — *Partir pour le front* (→ Altérer, cit. 19 ; caporal, cit. 2). *Les troupes qui partaient pour la guerre sainte* (→ Hallali, cit. 2), *pour la croisade. « Oh ! combien de marins, combien de capitaines* (cit. 6) *Qui sont partis joyeux pour des courses lointaines... »* — *Partir pour un voyage.* ⇒ **Voyager.** *Les gares* (1. Gare, cit. 4) *d'où l'on part pour une destination éloignée...*

8 Beau chevalier qui partez pour la guerre,
Qu'allez-vous faire
Si loin d'ici ? A. DE MUSSET, Poésies nouvelles, « Chanson de Barberine ».

9 Partons, dans un baiser, pour un monde inconnu.
A. DE MUSSET, Poésies nouvelles, « Nuit de mai ».

10 Partant pour la Syrie,
Le jeune et beau Dunois
Alla prier Marie
De bénir ses exploits.
A. DE LABORDE, Air mis en musique par la reine Hortense (1810).

N. B. Cet air, « l'idéal de la romance troubadour... devint, sous le Second Empire, l'hymne patriotique, le chant national par excellence » (*in* P. LAROUSSE).

REM. Les puristes, s'appuyant sur l'étymologie (*partir :* s'éloigner, se séparer de.., pour...) condamnent la construction de *partir* avec une préposition autre que *pour.* Faguet qualifie *partir à...* « d'affreux provincialisme de Paris..., d'illogisme... » ; A. Hermant, de « solécisme ignoble » (*Chron. Lancelot,* II, p. 233). Cependant, de nombreux écrivains construisent normalement *partir* avec *à, en, dans, chez...* (cf. Grevisse, *le Bon Usage,* § 942, REM. I., N. B. 3, et Bottequin, à qui sont empruntés la plupart des exemples ci-dessous).

1 Au lieu de faire écho aux innombrables grammairiens (...) qui ont dénoncé ce « solécisme », on peut se demander si *pour* est toujours la préposition qui convient au sens et s'il n'y a pas des cas où *à, en,* (parfois *dans*), ne seraient pas plus justes. Par exemple, quand on veut exprimer, non le but du voyage, mais son résultat (...) il nous semble qu'on pourrait fort bien dire : « Il est *parti à Paris* (pour) faire des achats (...) »
G. et R. LE BIDOIS, Syntaxe du franç. moderne, § 1866.

2 *Partir pour,* n'est-ce pas partir avec l'intention (...) d'arriver dans un endroit, mais sans la certitude complète d'y arriver (...) *Partir à,* au contraire, répond parfaitement à la sûreté et à la rapidité des moyens actuels de déplacement.
PAGOT, le Latin par la joie, cité par A. BOTTEQUIN, Difficultés et finesses de langage, p. 136.

PARTIR À... avec un complément de lieu. *Hippolyte partit à Neuchatel* (Flaubert). *Partir au bureau* (Daudet). *Partir au front* (Dorgelès), *à la promenade* (Duhamel). — (Au passé). *Gontran était parti au casino* (Maupassant). *Les métayers sont partis au bourg* (A.-Fournier). — **PARTIR DANS..., EN...** *Nous partions dans le Midi* (Daudet). *Il est parti en Angleterre...* (M. du Gard, R. Rolland). *Des mères dont le fils est parti en mer* (→ Miraculeusement, cit. 2, Proust). — (Avec un autre complément). *Partir en voyage* (R. Rolland, Gide, Duhamel, Dauzat), *en promenade* (Gide, Léautaud), *en vacances* (Flaubert), *en guerre* (→ 1. Droit, cit. 33), *en permission* (→ Mortel, cit. 7, Courteline). — **PARTIR VERS...** (→ Dispersion, cit. 2, Daniel-Rops ; hirondelle, cit. 5, Sainte-Beuve), **CHEZ...** (Proust). — (Avec un adv. de lieu). *Nous partons là-bas* (A. de Chateaubriant, J. et J. Tharaud). *Partir n'importe où* (Gide).

(...) la femme partait à la « Schola » apprendre le contrepoint (...) 13
PROUST, À la recherche du temps perdu, t. VI, p 38.

Le même jour, Banks partit au front (...) 14
A. MAUROIS, les Discours du Dr O'Grady, XIV.

En vain la grammaire voudrait nous imposer comme *correctes* d'imprononçables bouillies, le bourbeux *Je pars pour Paris,* au lieu du direct et prompt *Je pars à* (...) 15
CLAUDEL, Positions et Propositions, t. I, p. 83.

REM. L'emploi de *partir à... en...* semble particulièrement acceptable : 1° Lorsque le verbe est au passé (→ ci-dessus, cit. Le Bidois) ; 2° Lorsque le complément désigne non pas un lieu concret, mais une action *(Partir à la guerre, en pèlerinage, en promenade).*

PARTIR (suivi d'un infinitif). → Nom, cit. 28. *Il est parti faire un tour.*

Son mari était parti passer huit jours à Paris. 16
MAUPASSANT, les Sœurs Rondoli, Le mal d'André.

Nous étions partis avec des amis, visiter en automobile les ports de la Hollande occidentale. 17
G. DUHAMEL, Discours aux nuages, p. 110.

Par ext. (Sujet n. de chose). *Faire partir, laisser partir une lettre* (cit. 22), *un paquet,* l'expédier. *Votre colis est parti il y a huit jours.*

Je t'écris à la hâte ; ma lettre partira par une occasion que j'ai pour Rouen (...) 18
FLAUBERT, Correspondance, 385, 22 avr. 1853.

♦ **2.** Passer de l'immobilité à un mouvement rapide (par rapport à un point initial). *Partir du pied* droit, du pied gauche. Partir comme un trait* (→ Arriver, cit. 12), *comme une flèche* (→ Éperonner, cit. 5), *comme un éclair* (→ Lèvre, cit. 21) ; fam. *comme un pet. Chevaux qui partent au galop* (→ Cabrer, cit. 5), *au trot* (→ Croupe, cit. 2). *Lièvre qui part en déboulant. L'oiseau est parti.* ⇒ **Envoler** (s'), **voler.**

Spécialt. Prendre le départ (d'une course...). ⇒ **Partant** (n. m.). *À vos marques ! Prêts ? partez !* ⇒ **Départ, starter.** *Faire partir des chevaux.* ⇒ **Lancer** (→ aussi Jockey, cit.). — Loc. prov. *Rien ne sert de courir*, il faut partir à point.*

(Le sujet désigne un véhicule). Commencer à bouger, à marcher. ⇒ **Démarrer, ébranler** (s'). *La locomotive* (cit. 1) *part.* — Par métonymie, en parlant des voyageurs. *On partait* (→ Insensible, cit. 17). — *Le navire va partir.* ⇒ **Appareiller, démarrer.** Cf. Lever l'ancre, mettre à la voile ; partance (en).

Commencer à fonctionner (moteur). *Faire partir un moteur,* le mettre en marche* (sans qu'il y ait déplacement).

♦ **3.** Par métaphore, fig. (Du sens 1). *Partir de ce monde* (→ Enraciner, cit. 10), *de la vie,* et, absolt, *partir.* ⇒ **Mourir** (→ Avertir, cit. 1 ; 1. lever, cit. 39 ; paix, cit. 7). — Fam. *Partir de la caisse :* mourir de tuberculose.

Il faut donc que je me prépare à partir pour l'autre monde (...) 19
A.-R. LESAGE, Gil Blas, II, II.

Comme tout se dégarnit, comme tout s'en va, quel dégel continu que la vie ! Joies, parents, amis, tout meurt, part, file (...) 20
FLAUBERT, Correspondance, 188, 23 févr. 1847.

(D'une évolution intellectuelle, sociale). *L'ignorance* (cit. 20) *d'où ils étaient partis.* — *Partir de rien, de zéro. Partir à la conquête de la gloire, du monde.* ⇒ **Élancer** (s'). *Revenir au point d'où on est parti* (→ Image, cit. 39).

En s'évertuant, en déployant toute son énergie, un jeune homme qui part de zéro peut se trouver, au bout de dix ans, au-dessous du point de départ. 21
BALZAC, Z. Marcas, Pl., t. VII, p. 739.

(...) la grandeur de Napoléon vient de ce qu'il était parti de lui-même : rien de son sang ne l'avait précédé et n'avait préparé sa puissance. 22
CHATEAUBRIAND, Mémoires d'outre-tombe, t. IV, p. 46.

J'avais un manège de chevaux de bois pour enfants, des vrais chevaux de bois qui me venaient de mon père, c'était pas riche je vous assure. Je suis parti de pas grand-chose, c'est certain ; mais voulez-vous voir ce que je suis devenu ? 22.1
R. QUENEAU, Pierrot mon ami, p 40.

(Aux temps composés). Du sens 2. Se mettre à progresser, à marcher. *L'affaire est partie, est bien partie.* ⇒ **Commencer, démarrer.** *C'est assez mal parti.* ⇒ **Barré.** — *Cet élève travaillait mal, mais il est parti* (→ Handicaper, cit. 1).

Armand, qui pendant les trois premières années de ses études a été lourd, méditatif, et qui m'inquiétait, est tout à coup parti. 23
BALZAC, Mémoires de deux jeunes mariées, Pl., t. I, p. 300.

♦ **4.** (Projectiles). Être lancé, commencer sa trajectoire. *Fusée* (cit. 4), *harpon* (cit.) *qui part. Son poing était parti comme une balle de plomb* (→ 1. Lancer, cit. 7). — Par anal. *Le bouchon* (cit. 4) *part*, s'échappe brusquement. ⇒ **Sauter.** — *Un point brillant part comme un éclair.* ⇒ **Jaillir** (→ Incendie, cit. 6). *Des éclaboussements d'étincelles partaient sous les marteaux* (cit. 1). *Des épigrammes qui partent comme des fusées* (→ 1. Feu, cit. 55).

24 Il regardait sa montre, pensait à la minute précise où la phrase effroyable partirait raide comme une balle pour toucher l'homme en un point vulnérable.
P. MAC ORLAN, la Bandera, XVI.

Spécialt. *Un coup** (cit. 29) *de feu partit. Une bande de mitrailleuse* (cit. 2) *part. Entendre partir des coups de fusil* (→ Moment, cit. 4). *Faire partir une mine, un pétard*, les faire exploser (⇒ **Explosion**). — *Fusil* (cit. 4) *qui part* (→ Frère, cit. 27).

25 *(il)* avait été retrouvé sans vie au pied d'une barrière qu'apparemment il s'apprêtait à franchir lorsqu'un mouvement maladroit avait fait partir son fusil.
GIDE, Isabelle, V.

26 Il se mit brusquement à hurler, vingt fusils partirent à la fois, il oscilla, piqua du nez et s'abattit sur les marches du perron. SARTRE, la Mort dans l'âme, p. 188.

Allusion historique :

27 On parle (...) de substituer le drapeau blanc au drapeau tricolore; je crois devoir à ce sujet vous donner un avertissement. Si le drapeau blanc était levé contre le drapeau tricolore (...) *les chassepots partiraient d'eux-mêmes*, et je ne pourrais répondre ni de l'ordre dans la rue ni de la discipline dans l'armée.
MAC-MAHON, au duc d'Audiffret-Pasquier. 1873, *in* P. LAROUSSE, Deuxième Suppl.

♦ **5.** (XVIIIe). Fam., absolt. Éprouver le plaisir sexuel; éjaculer. ⇒ **Jouir.**

♦ **6.** Commencer (à faire qqch.). *Partir dans* (une digression, de grands discours, etc.), se lancer* dans. — REM. Cette forme peut aussi être sentie comme une métaphore du sens 1. *Partir dans une grande colère* (→ Hausser, cit. 3). — *Partir d'un gros éclat* (cit. 11) *de rire**. — (Aux temps comp.). *Partir pour* (et inf.). *Il est parti pour nous raconter sa vie.*

27.1 Il s'était promis de ne parler que trois minutes. Mais il s'aperçut qu'il était parti pour parler au moins un quart d'heure.
G. DUHAMEL, le Voyage de P. Périot, II.

Régional. PARTIR À (et inf.). *Il est encore parti à crier.*

27.2 (...) maman partait à réfléchir. G. DUHAMEL, Chronique des Pasquier, t. I, VIII.

27.3 Je vous en prie, ne me regardez pas, je sens que je partirais à rire encore un coup.
M. AYMÉ, le Passe-muraille, p. 214.

★ **II.** PARTIR DE... ♦ **1.** Venir, provenir (d'une origine*). ⇒ **Émaner, provenir, sortir.** *Canal d'où partent des rigoles* (→ Irrigation, cit. 1). *Le jet d'eau part d'un tuyau* (⇒ **Jaillir**). *Lumière, son qui part d'une source lumineuse, sonore... La voix, le bruit partait de...* (→ Casser, cit. 16; mourant, cit. 5). *Rayons qui partent d'un même centre* (⇒ **Diverger**).

28 (...) mon cœur en ces lieux
Reçut le premier trait qui partit de vos yeux. RACINE, Bérénice, I, 4.

Avoir son origine*, son principe* dans... ⇒ **Procéder** (→ Appel, cit. 14). *Mot qui part du cœur* (cit. 131). *Raisonnement, démonstration qui part d'axiomes indémontrables* (cit.). *Prières jaculatoires* (cit. 1) *qui partent de l'âme. Votre compassion... part d'un bon naturel* (cit. 24). *Les vices partent d'une dépravation* (cit. 1) *du cœur.*

29 Ces manières d'agir ne partent point d'une âme simple et droite, mais d'une mauvaise volonté, ou d'un homme qui veut nuire.
LA BRUYÈRE, les Caractères de Théophraste, De la dissimulation.

(Dans le temps). *Le contrat partira du 1er...* ⇒ **Commencer.**

30 — De quel jour monsieur veut-il que parte son abonnement?
BALZAC, Illusions perdues, Pl., t. IV, p. 665.

Par ext. Vx. Être produit, fait, créé par...

♦ **2.** Commencer un raisonnement, une opération. *Partir de données* (cit. 2) *exactes, d'un indice* (cit. 10), *d'une idée* (→ Logiquement, cit.). *Je pars de ce principe*... En partant de...* (Syn. : *à partir de...*).

♦ **3.** (1787). Loc. prép. **À PARTIR DE** : en prenant (tel moment) pour origine, pour point de départ. ⇒ **Compter, dater; de** (de ce moment), **depuis, dès** (→ Canonnade, cit.; choisir, cit. 8; face, cit. 40...). *À partir d'aujourd'hui, de maintenant* (⇒ **Avenir** [à l'], **désormais, dorénavant**), *de ce jour, de ce moment...* (→ 2. Botte, cit. 1; diriger, cit. 3; 1. flamme, cit. 13; fort, cit. 54; 1. lancer, cit. 21; mensonge, cit. 3).

Par ext. (En prenant pour origine logique; → Futur, cit. 13; jusque, cit. 60). *À partir d'éléments préexistants* (→ Musique, cit. 18). — REM. Emploi critiqué lorsqu'il s'agit du point de départ d'une opération matérielle *(Produits chimiques obtenus à partir de la houille)*.

(En parlant d'un lieu). En partant de... ⇒ **Depuis, dès.** *À partir de cette ville...* (→ Hérisser, cit. 35).

★ **III.** (Choses). S'évanouir, disparaître, ne plus se manifester. *Maladie qui part comme elle était venue* (→ Inefficace, cit. 3). *Faire partir le mal* (⇒ **Déloger**). *Sa jeunesse est partie.* ⇒ **Envoler.** — *Tache qui part difficilement.* ⇒ **Effacer** (s'), **enlever** (s').

Fam. *Partir en brioche*, en eau* de boudin...* — Vulg. *Partir en couille(s).*

▶ **PARTI, IE** p. p. adj.

♦ **1.** Qui a fait mouvement pour aller ailleurs. *Les voyageurs arrivés et partis. Les voyageurs partis par le train, en train.*
(Enfantin). Qui n'est plus visible (souvent prononcé [pati]).

♦ **2.** PARTI DE... : qui provient de. *Tir parti d'une fenêtre* (→ Mitraillette, cit.). *Invasions parties du continent.* ⇒ **Issu.**

♦ **3.** (Personnes).

a Un peu ivre. ⇒ **Gai; éméché.** *Il est complètement parti, il ne dit plus que des bêtises.*

b (1830). Vx. Qui commence à dormir.

c *Être parti à...* (et inf.), *pour...* (et subst.). → ci-dessus (I., 6.). — Loc. fam. *Être parti pour la gloire.*

♦ **4.** Commencé. Loc. fam. (v. 1965). *C'est parti !* : on a commencé. *Allez, c'est parti !* (→ On y va!). *C'est parti mon kiki !* — *Bien, mal parti* : bien, mal engagé. *L'affaire est plutôt mal partie.*

CONTR. **Arriver.** — **Aborder, accoster, atterrir.** — **Engager, envahir.** — **Attendre, demeurer, établir** (s'), **installer** (s'), **rester.** — **Durer.**
DÉR. **Partance,** 1. **partant,** 2. **parti.**
COMP. **Repartir.**

2. PARTIR [paʀtiʀ] v. tr.; seult inf. — 980; lat. pop. *partire*, class. *partiri*, de *pars*. → Part, partage.

♦ Vx ou archaïsme littér. Partager, séparer en parties. ⇒ **Diviser, écarter.**

Il me semblait indigne, d'ailleurs, de partir mon ambition entre le souci d'un effet à produire sur les autres, et la passion de me connaître (...)
VALÉRY, M. Teste, Préface.

Loc. mod. *Avoir maille à partir.* ⇒ **Maille** (cit. 3 et 4).

▶ **PARTI, IE** p. p. adj. ⇒ 2. **Parti.**

DÉR. **Partage,** 1. **parti,** 2. **parti,** 3. **parti, partie.**
COMP. **Départir, répartir.**

PARTISAN, ANE [paʀtizɑ̃, an] n. et adj. — 1483, au fém., Commynes; ital. *partigiano*, de *parte* «part, parti».

★ **I.** ♦ **1.** N. (rare au fém.). Personne qui est attachée, dévouée à une autre personne, à un parti. ⇒ **Adepte, allié, ami, disciple, féal, fidèle, lige;** et péj. **fauteur, suppôt.** *Chef entouré de ses partisans* (→ Les siens*). *Gagner, recruter des partisans.* ⇒ **Adhérent, affilié, associé, recrue.** *Partisans qui conspirent, agissent pour faire triompher leur cause.* ⇒ **Affidé, conspirateur, factieux, militant, propagandiste.** *Partisan déclaré* (⇒ **Sectateur**), *fanatique* (⇒ **Ultra**), *intolérant* (⇒ **Sectaire**), *convaincu, passionné d'un chef politique.* ⇒ aussi **Supporter.** — *Partisan des prêtres, du cléricalisme* (calotins, cléricaux). *Un chaud* (cit. 8) *partisan d'un régime. Partisan de la démocratie* (démocrate), *de la république* (républicain), *de la monarchie* (monarchiste)... ⇒ **Pro-.**

♦ **2.** (1640). Par ext. Personne qui prend parti* pour qqn, pour une théorie, une doctrine... ⇒ **Adepte, défenseur;** préf. **pro-;** suff.**-phile.** *Partisans et détracteurs de Verlaine* (→ Intéresser, cit. 22). *Partisan du féminisme* (cit.). *Partisans et adversaires de l'inoculation* (cit. 2)... *Partisan du déterminisme* (déterministe). *Nouveau partisan.* ⇒ **Converti, prosélyte.** *Devenir partisan de...* ⇒ **Engouer** (s'), **épouser** (une cause). — *Les partisans d'un armistice* (cit. 2).

Il avait lu dernièrement l'éloge d'une nouvelle méthode pour la cure des pieds bots; et, comme il était partisan du progrès, il conçut cette idée patriotique que Yonville, pour *se mettre au niveau*, devait avoir ses opérations de stréphopodie. 1
FLAUBERT, Mme Bovary, II, XI.

♦ **3.** Adj. *Il est très partisan de...* (suivi d'un nom ou d'un infinitif). ⇒ **Pour.** *Elle est partisane de...*

Danville était bien rasoir ce soir au Mercure avec la réforme orthographique, dont il est fort partisan. Je me suis rencontré avec Rémy de Gourmont, contre lui. 2
Paul LÉAUTAUD, Journal littéraire, t. I, p. 147.

REM. Le féminin du substantif est «peu répandu» (Hatzfeld) et critiqué par plus d'un grammairien (*«certains commencent à tort à employer comme nom Partisane qui n'était jusqu'ici qu'adjectif»*, Georgin, *Jeux de mots*, p. 49). La forme *partisante* («d'un emploi absolument courant» selon Damourette et Pichon, § 270) est populaire et s'emploie surtout adjectivt. *Elle est partisante de...*

Elle vous rendait bien justice; vous n'aviez pas de partisane plus sincère. 3
VOLTAIRE, Correspondance, 953, 12 octobre 1749.

(...) les loges grillées, dont la vogue reprenait et dont elle était partisane déclarée (...) Philippe HÉRIAT, Famille Boussardel, XIX. 4

Elle est farouchement partisane (bien qu'elle emploie *partisante*) des laxatifs naturels, Mme Bérurier. SAN-ANTONIO, J'ai essayé : on peut !, p. 23. 4.1

★ **II.** N. m. ♦ **1.** (1560). Vx. «Financier... qui fait des traites, des partis avec le Roi, qui prend ses revenus à ferme, le recouvrement des impôts...» (Furetière, 1690). ⇒ **Fermier, financier.**

5 (...) l'histoire du nôtre *(de notre siècle)* fera goûter à la postérité la vénalité des charges (...) la splendeur des partisans (...)
LA BRUYÈRE, Discours sur Théophraste.

♦ **2.** (1678, « celui qui est adroit à commander et à conduire un parti », Richelet). Officier, et, par ext. (1827), Soldat de troupes irrégulières faisant une guerre d'avant-postes. ⇒ **Franc-tireur, routier** (vx). *Les djichs, troupes de partisans marocains. Armée, groupe de partisans* (→ 1. Estrade, cit. 2). *Guerre de partisans.* ⇒ **Embuscade** (guerre d'embuscade), **guérilla.** *Le chant des partisans.* ⇒ **Résistant.**

★ **III.** Adj. ♦ **1.** (XVIe). Qui témoigne d'un parti* pris, d'une opinion préconçue. *Passion* (→ 1. Détacher, cit. 29), *haine partisane. Témoigner d'un esprit partisan.*

6 (...) il m'a parlé de l'Afrique et du merveilleux travail que font les Français dès qu'ils sont affranchis des haines partisanes. A. MAUROIS, Terre promise, IX.

♦ **2.** Polit. Qui correspond à un parti politique. *« Face aux représentants de la gauche partisane »* (*le Monde,* 16 mars 1982, p. 3).

CONTR. Adversaire, antagoniste, contempteur, contradicteur, détracteur.
DÉR. Partisanerie.

PARTISANERIE [paʀtizanʀi] n. f. — 1943, F. Berge *in* D. D. L. ; de *partisan.*

♦ Rare. Esprit partisan*, attitude partisane.

Le voici, dans ce nouveau livre (...) témoin désintéressé, sans partisanerie aucune (...) Émile HENRIOT, *in* le Monde, 20 avr. 1960.

PARTITA [paʀtita] n. f. — XXe ; mot ital. → Partition.

♦ Hist. de la mus. Pièce musicale pour le clavier, pour un instrument accompagné ou pour un orchestre de chambre, généralement formée d'une suite de danses ou de variations (musique italienne et allemande classique : XVIIe-XVIIIe s.). *Une partita de Bach.* — Plur. *Des partitas,* ou, plur. ital., *des partite* [paʀtite].

PARTITEUR [paʀtitœʀ] n. m. — 1874 ; math., 1515, « diviseur » ; du lat. *partire* « partager ». → 2. Partir.

♦ Techn. Appareil destiné à répartir l'eau d'un canal d'irrigation.

PARTITIF, IVE [paʀtitif, iv] adj. — 1380, *partitis ;* du lat. *partitus,* p. p. de *partire.* → 2. Partir.

♦ Ling. Qui considère une partie d'un tout. *Article partitif.* ⇒ 2. **De, du, des.** *Part, partie, fraction..., substantifs partitifs. Mot à valeur partitive,* et, subst., *à valeur de partitif.*

1. PARTITION [paʀtisjɔ̃] n. f. — 1170, *particion* « division, partage » ; du lat. *partitio* « partage », de *partiri* « partager ». → 2. Partir.

★ **I.** Vx ou didact. Division, partage (encore dans Buffon). — Partage d'un discours (La Bruyère, XV). — Blason. Division de l'écu par des lignes droites (→ Écu, cit. 2).

★ **II.** (Repris à l'angl. *partition*). ♦ **1.** Partage (d'un pays, d'un territoire).

Partition. — Jadis réservé aux compositeurs ou aux héraldistes, aujourd'hui applicable aux pays soumis au partage, terme sans doute trop simple.
Pierre DANINOS, le Jacassin, p. 93.

2 Lorsque j'avais demandé à Nehru « ce qu'il avait jugé le plus difficile », il m'avait répondu très vite, comme pour écarter une autre réponse, — qui eût été, sans doute : le Pakistan. Non qu'il craignît une attaque pakistanaise, comme le suggéraient les journaux européens ; mais parce que l'action non-violente était mise en question plus dangereusement par la Partition qu'elle ne l'avait été par l'Angleterre. MALRAUX, Antimémoires, p. 216.

♦ **2.** Math. Dans un ensemble, Formation de sous-ensembles disjoints (deux à deux) et le recouvrant tout entier.

2. PARTITION [paʀtisjɔ̃] n. f. — 1690 ; ital. *partizione.* → Partita.

♦ **1.** Mus. Notation de l'ensemble des parties* (cit. 18, Rousseau) d'une composition musicale, disposées les unes au-dessous des autres, de l'aigu (en haut) au grave, de manière à se correspondre dans le temps. *Partition d'orchestre, d'opéra... Grande partition,* comprenant toutes les parties. *Partition de poche. Partition abrégée. Partition de chant d'un opéra,* ne comportant que les parties de chant et une réduction de l'orchestre au piano. *Partition de piano, d'orgue. Lire la partition, suivre sur la partition. Chef d'orchestre qui dirige sans partition,* de mémoire. *Écrire une partition de musique* (cit. 33) *pour un poème.*
Cahier où est écrite, imprimée une partition. *Feuilleter la partition. Mettre les partitions sur les pupitres* (→ Gagiste, cit.).

L'usage des *partitions* est indispensable pour composer. Il faut aussi que celui qui conduit un concert ait la *partition* sous les yeux (...) elle est même utile à l'accompagnateur (...) mais quant aux autres musiciens, on donne ordinairement à chacun sa partie séparée (...) Il y a pourtant quelques cas où l'on joint dans une partie séparée d'autres parties en *partition* partielle (...)
ROUSSEAU, Dict. de musique, Partition.

♦ **2.** Composition musicale (→ Inédit, cit. 2). *Les principaux motifs, thèmes, leitmotive d'une partition.*

La phrase dite par le fils sur la tonique, redite par le père sur la dominante, appartient au système simple et grave sur lequel repose cette partition, où la sobriété des moyens rend encore plus étonnante la fertilité de la musique. 2
BALZAC, Massimilla Doni, Pl., t. IX, p. 371.

PARTNER [paʀtnɛʀ] n. ⇒ **Partenaire.**

PARTON [paʀtɔ̃] n. m. — 1973, mot angl., Feynmann ; de *part(icule),* et *-on.*

♦ Phys. Sous-élément entrant dans la composition de certaines particules élémentaires (notamment les nucléons). ⇒ aussi **Quark.**

PARTOUSARD, ARDE [paʀtuzaʀ, aʀd] adj. et n. — XXe ; de *partouse.*

♦ Fam. Qui fréquente les parties de débauche, les partouses. ⇒ **Noceur.** — REM. On écrit aussi *partouzard.*

(...) la diluante futilité des rites et démarches qui s'entortillent autour des gens du monde, gens du vide, fantômes de désirs, partouzards indécis attendant leur Watteau toujours, chercheurs sans entrain d'improbables Cythères. 1
CÉLINE, Voyage au bout de la nuit, p. 72 (1932).

Eh bien, lui dis-je, j'en apprends de belles. 2
— Quoi, Monsieur ?
— Un débauché, un partousard (...)
— Qui, Monsieur ?
— Notre hôte, cher ami.
— Pas possible ?
Robert PINGET, Graal flibuste, p. 112.

Quant aux femmes elles étaient en majorité bien coquines, coucheuses en diable semblait-il et probablement partouzardes. R. QUENEAU, Loin de Rueil, p. 153. 3

La var. *partousier, -ière* est rare. On trouve aussi *partouseur, -euse* et *partouzeur, -euze.*

Du reste, il ne changea rien à son genre de vie et ne tarda pas à se faire à Montmartre une réputation de noctambule tapageur, buveur et partousier. 4
M. AYMÉ, le Passe-muraille, p. 42.

PARTOUSE [paʀtuz] n. f. — XXe ; de *partie,* et *-ouse.*

♦ Fam. Partie de débauche. ⇒ **Partie.** On écrit souvent *partouze.*

(...) elle excitait tout le monde, y compris les femmes, à ce point que je me demandais si tout ça n'allait pas se terminer en partouze. 1
CÉLINE, Voyage au bout de la nuit, p. 366.

Pour embrasser la dam', s'il faut se mettre à douze, 2
J'aime mieux m'amuser tout seul, cré nom de nom !
Je suis celui qui reste à l'écart des partouzes.
Georges BRASSENS, Poèmes et Chansons, « Le pluriel ».

DÉR. Partousard, partouser.

PARTOUSER [paʀtuze] v. intr. — V. 1965 ; de *partouse.*

♦ Pop. Participer à une partouse* ; faire souvent des partouses. — REM. On écrit souvent *partouzer.*

Appuyée contre un arbre, goûtant la fraîcheur exquise de cette nuit de printemps, je regardais défiler les voitures, roulant au pas, les lumières éteintes ou en veilleuses, les phares clignotant pour inviter l'amateur, le couple, ceux avec qui on avait envie de partouzer. Martin ROLLAND, la Rouquine, p. 75.

PARTOUT [paʀtu] adv. — XIIe ; de *par,* et *tout.*

♦ Dans toutes les parties d'un espace, en tous lieux (par rapport à un ensemble spatial déterminé), et, par exagér., en de nombreux endroits, et, fig., en toutes situations. ⇒ **Côté** (de tous côtés), **part** (de toutes parts). → Accompagner, cit. 4 ; ailleurs, cit. 3 ; 2. lieu, cit. 1 ; mystère, cit. 7 ; obsession, cit. 2. *Présent partout.* ⇒ **Omniprésent ; omniprésence, ubiquité.** *Qui s'étend partout.* ⇒ **Universel.** *Toujours et partout* (→ Antithèse, cit. 6). *L'adage* (cit. 2) *qui prétend que les hommes sont partout les mêmes* (→ Non-valeur, cit.). *La mort* (1. Mort, cit. 11), *le mal est partout. L'exilé* (cit. 12) *partout est seul. Une fascination* (cit. 3) *qui est partout et qui n'est nulle part. « C'est une sphère infinie dont le centre est partout... »* (→ Infini, cit. 8, Pascal). *Présent partout et visible nulle part* (→ Œuvre, cit. 22). — *Chercher, aller, courir partout,* aux quatre coins (du pays, etc.), par monts et par vaux. *Mettre le nez, son nez* (cit. 35) *partout :* être indiscret (→ Indécis, cit. 1). *Flâner* (cit. 3), *fouiller* (cit. 24), *fouiner* (cit. 2), *fureter* (cit. 5 et 6) *partout.* — *On ne peut, on ne saurait être partout* (→ Au four et au moulin*). — *« Aimez-vous la muscade ?* (cit. 1) *on en a mis partout ». « Ils ont pissé partout »* (Racine, *les Plaideurs,* III, 3).

Matière de songes est partout ; peines et plaisirs sont de tous lieux (...) 1
CHATEAUBRIAND, Mémoires d'outre-tombe, t. VI, p. 18.

Comme on lui donnait partout à boire gratis, Guyame allait boire partout. 2
APOLLINAIRE, l'Hérésiarque..., p. 127.

Ce qui a été cru par tous, et toujours et partout, a toutes les chances d'être faux. 3
VALÉRY, Tel quel, I.

Là comme partout (→ Individualité, cit. 2). *Partout ailleurs* (→ Alliance, cit. 10 ; destinée, cit. 4 ; négoce, cit. 2). *Partout à la fois* (→ Campagne, cit. 10; étoile, cit. 27). — *Presque partout* (→ Honneur, cit. 120). *Un peu partout* (→ Mettre, cit. 14). — Pop. ou régional (Canada). *Tout partout. J'ai cherché tout partout. Partout dans la maison* (→ Aisance, cit. 9). *Partout où...* (→ Balancer, cit. 15; couvrir, cit. 49; démocratie, cit. 6; étendre, cit. 4 et 22; étoiler, cit. 2; maison, cit. 17).

4 Partout où j'ai voulu dormir,
Partout où j'ai voulu mourir,
Partout où j'ai touché la terre,
Sur ma route est venu s'asseoir
Un malheureux vêtu de noir
Qui me ressemblait comme un frère.
A. DE MUSSET, Poésies nouvelles, « Nuit de décembre ».

De partout (→ Disjoindre, cit. 1; douleur, cit. 6; fourmi, cit. 9; friand, cit. 7; gras, cit. 15; on, cit. 26).

Jeu (dans le décompte des points). Pour chaque adversaire. *Trente, quarante partout* (tennis). — Au domino. *Blanc (un, deux, trois, etc.) partout,* se dit lorsque les deux bouts de la chaîne présentent une même figure.

CONTR. Part (nulle part).
COMP. Passe-partout.

PARTOUZE [paʀtuz] n. f., et dér. ⇒ **Partouse.**

PARTURIENTE [paʀtyʀjɑ̃t] n. f. et adj. — 1598; lat. *parturiens, entis,* de *parturire.* → Parturition.

Vieilli.

♦ **1.** Femme qui accouche.

REM. On écrit aussi *parturiante.*

(...) il parlait, lui, pour se débarrasser, se délivrer. Il poussait son sermon comme la parturiante pousse son enfant. A. BILLY, Sur les bords de la Veule, p. 140.

♦ **2.** Adj. (V. 1900). Vx. *Colique* parturiente* ou *parturiante.*

PARTURITION [paʀtyʀisjɔ̃] n. f. — 1787, *parturation;* lat. *parturitio,* de *parturire* « accoucher ».

♦ Méd. Accouchement* naturel. ⇒ **Enfantement, gésine.** *La gestation se termine par la parturition* (→ Naissance, cit. 4).

0.1 Mais (...) dites-moi, aimable Russule, comment savez-vous que c'est un héritier?
— L'astrologue me l'a dit.
— Quel astrologue?
— Un astrologue que j'ai consulté. Et, pour qu'il surveille les étoiles au moment de la parturition, je l'ai installé dans le châtiau.
R. QUENEAU, les Fleurs bleues, 1965, p. 146.

Mise bas (des animaux). ⇒ **Bas,** 2. **part, ponte.** *Parturition des brebis* (⇒ **Agnelage, agneler**), *des chattes* (⇒ 2. **Chatonner**), *des chiennes* (⇒ **Chienner**), *des chèvres* (⇒ **Biqueter, chevreter, chevroter**), *des truies* (⇒ **Cochonner**), *des biches* (⇒ **Faonner**), *des lapines* (⇒ **Lapiner**), *des hases* (⇒ **Levretter**), *des louves* (⇒ **Louveter**), *des juments* (⇒ **Pouliner**), *des vaches* (⇒ **Vêlage, vêler**)...

Figuré :

1 — Alors tu crois que la pensée humaine est un produit spontané de l'aveugle parturition divine? MAUPASSANT, l'Inutile Beauté, III.

2 Mais où que la parturition s'accomplisse, l'art d'écrire comporte une difficulté, une peine très singulière qu'un demi-siècle de pratique pour moi n'a pas réduite.
F. MAURIAC, la Souffrance d'écrire, *in* le Figaro littéraire, 22 juin 1957.

PARTY [paʀti] n. f. — 1829; mot angl. même sens 1716; d'après le franç. *partie.*

Anglicisme.

♦ **1.** Réunion, réception mondaine. ⇒ **Partie.** *Donner une party. Des parties.* — En appos. ⇒ **Garden-party, surprise-partie.**

♦ **2.** Réunion occasionnelle de personnes dans un but immédiat déterminé.

(...) Claudine, avait été torturée par trois très jeunes hommes (...) Il n'y avait pas eu viol parce que le principal acteur de la « party » *n'avait pas pu* (...)
Michèle PERREIN, Entre chienne et louve, p. 209.

En appos. *Drogue-party.*

HOM. Parti, formes du v. **partir, partie.**

PARU, UE [paʀy] p. p. adj. ⇒ **Paraître.**

PARULIDÉS [paʀylide] n. m. pl. — Mil. XXe, *in* Larousse 1963; du bas lat. *parrus, parus,* de *para* « mésange », et *-idés.*

♦ Zool. Famille de passereaux de petite taille, à bec fin. — Syn. : *fauvettes d'Amérique.*

Au sing. *Un parulidé.*

PARULIE [paʀyli] n. f. — 1690, *parulis;* grec *paroulis,* de *oulon* « gencive ».

♦ Méd. Phlegmon qui se forme dans le tissu des gencives*. ⇒ **Inflammation.**

PARURE [paʀyʀ] n. f. — XIIe; de *parer* (→ 1. Parer).

★ **I. A.** (Correspond à *parer**; → 1. Parer, I., 1.).

♦ **1.** Ce qui sert à parer, à orner (qqn, qqch.). ⇒ **Décoration, ornement.**

(La parure). Fait de se parer. ⇒ **Mise, toilette.**

(La parure de qqn; une, des parures). Ensemble des vêtements, des ornements, des bijoux... qu'une personne porte quand elle est en grande toilette. ⇒ **Affiquet, ajustement, atour, mise, toilette** (→ 2. Négligé, cit. 1). *Briller par sa parure. Parure brillante, cérémonieuse, élégante. Riches parures* (→ Éblouir, cit. 12). — REM. Le mot est vieilli en parlant de l'habillement masculin (→ 1. Bien, cit. 3; friser, cit. 4).

Ma toilette, qui me ravissait dans mon salon blanc et or où je paradais toute seule, était à peine remarquable au milieu des parures merveilleuses de la plupart des femmes. BALZAC, Mémoires de deux jeunes mariées, Pl., t. I, p. 148. 1

La parure a pour objet d'attirer l'attention sur celui ou sur celle qui la porte. Comme les fleurs, par l'éclat de leurs couleurs, appellent au temps de la fécondation l'insecte qui leur donnera le grain de pollen nécessaire, comme les mouches à feu ou les vers luisants, en s'éclairant dans la nuit, signalent à ceux de leur espèce un amour offert, ainsi les femmes, par la grâce ou la hardiesse de leurs robes, se proposent au choix des mâles. A. MAUROIS, Un art de vivre, II, 4. 2

La parure a avant tout une valeur ethnique, l'appartenance au groupe est d'abord sanctionnée par le décor vestimentaire. Prendre le vêtement européen est depuis un siècle la marque de l'acheminement vers la civilisation, un symbole de l'assimilation d'une personnalité sociale idéalement humaine, mais à l'inverse, les dernières bribes du sentiment d'appartenance intime à un groupe s'accrochent au costume folklorique, vestige de la livrée particulière des occupants d'un territoire cohérent. A. LEROI-GOURHAN, le Geste et la Parole, t. II, p. 188. 2.1

Fig. *Parure de noces :* modification de l'aspect de certains animaux, chez les mâles, au moment de la reproduction.

♦ **2.** Objets, généralement précieux et de petite taille, qui servent à orner le vêtement (⇒ **Joyau**). → Famille, cit. 14. *Parure d'agate, de jade* (cit. 2). — Assortiments d'objets qui servent à orner, à parer. — Spécialt. Garniture de pierres précieuses, de perles..., ensemble de bijoux assortis (bracelet, broche, collier, pendants...). *Parure de diamants* (→ 1. Lancer, cit. 10). *La Parure,* nouvelle de Maupassant.

Elle *(Mme Claës)* fit vendre secrètement à Paris les riches parures de diamants que son frère lui avait données au jour de son mariage (...)
BALZAC, la Recherche de l'absolu, Pl., t. IX, p. 512. 3

Les gros brillants d'oreilles valent vingt mille francs, les bracelets trente-cinq mille, les broches, bagues et médaillons seize mille, une parure d'émeraudes et de saphirs quatorze mille (...) MAUPASSANT, Clair de lune, « Les bijoux ». 4

♦ **3.** Spécialt. Col de lingerie et manchettes qui forment un ensemble assorti. *Parure brodée. Parure de dentelle.* — Ensemble assorti de pièces de linge de table (nappe, serviettes). — *Parure de lit :* ensemble constitué du drap de dessus et des taies d'oreiller(s) et de traversin. — (1909). Sous-vêtement féminin qui forme un ensemble assorti et qui comprend la chemise, la combinaison et la culotte (→ Coordonné).

♦ **4.** Ce qui orne, pare. *Les fleurs, parure du printemps.*

Les arbres, les arbrisseaux, les plantes, sont la parure et le vêtement de la terre.
ROUSSEAU, Rêveries..., VIIe promenade. 5

Par métaphore. *Une belle expression est à la fois une parure et une armure* (cit. 6). → aussi Décor, cit. 1.

Le lendemain, j'ai trouvé à mon ami *(le pigeon)* un coin pour lui seul (...) et depuis lors, depuis trois semaines, il fait la parure et l'animation constante de ma maison. 6
M. BARRÈS, le Mystère en pleine lumière, p. 58.

B. (1611). Action de parer ou de se parer; le fait d'être paré (→ Ajustement, cit. 4). *Elle passe trop de temps à sa parure.*

(...) ce constant souci de parure par quoi l'éternel féminin cherche, de tout temps et partout, à aviver le désir de l'homme, à suppléer une insuffisante beauté. 7
GIDE, Corydon, IIIe dialogue, IV.

★ **II.** (1690). Techn. ♦ **1.** Action de parer (→ 1. Parer, II.), de préparer. — Spécialt. Opération par laquelle on amincit les peaux.

♦ **2.** Ce qu'on retranche en parant avec un outil. ⇒ **Rognure.** *Parure d'une peau,* utilisée pour faire de la colle forte. *Parure de graisse,* que le boucher retranche de la viande.

DÉR. Parurerie, parurier.

PARURERIE [paʀyʀʀi] n. f. — Mil. XXe; de *parure.*

♦ Techn., comm. Fabrication, commerce d'articles de fantaisie servant à orner le vêtement féminin.

PARURIER, IÈRE [paʀyʀje, jɛʀ] n. — Mil. XXe; de *parure.*

♦ Techn., comm. Fabricant, commerçant d'articles de fantaisie, de mode, pour orner le vêtement féminin. *Ce parurier travaille pour la haute couture.*

PARUTION [paʀysjɔ̃] n. f. — V. 1920; de *paraître.*

♦ Fait (pour un livre, un article) d'être publié, de paraître en librairie; date, moment de la publication. ⇒ **Publication** (→ 1. Objectif, cit. 12). *Dès la parution, ce roman reçut un accueil enthousiaste.*
REM. Le terme est critiqué par certains puristes qui préfèrent *publication, mise en vente, apparition.* Cependant, Grevisse (*le Bon Usage,* p. 1101), cite le mot chez R. Rolland, du Bos, Bernanos, Camus, Cocteau et d'autres auteurs.

PARVENIR [paʀvəniʀ] v. tr. ind. — Conjug. *venir.* — 1080, *Chanson de Roland; pervenir,* 980; lat. *pervenire.*

♦ **1.** PARVENIR (À...). Personnes; avec l'idée d'effort, de difficulté. Arriver (en un point déterminé) dans un déplacement, un voyage... ⇒ **Aller** (aller jusqu'à), **arriver, atteindre, venir.** *Parvenir péniblement au sommet d'une montagne, à un col* (→ Escalader, cit. 7; et aussi inaccessible, cit. 4).

(Choses). Arriver à destination; être remis à son destinataire. → Factum, cit. 5. *Ma lettre vous est-elle parvenue? Faire parvenir un colis, une lettre* (⇒ **Acheminer, adresser**), *un ordre.* (⇒ **Transmettre**).

1 Adrienne ne sortirait pas et par conséquent ne pourrait mettre sa lettre à la poste à temps pour qu'elle parvînt au loueur de voitures avant la nuit.
J. GREEN, Adrienne Mesurat, I, x.

Parvenir à une certaine distance, très loin...

2 Il n'y a, à cette époque, aucune des ressources que nous possédons aujourd'hui pour faire parvenir à mille lieues un avis, un ordre, un contrordre (...)
Louis MADELIN (→ Contrordre, cit.).

Se propager à travers l'espace jusqu'à un lieu, jusqu'à un point donné; passer* jusqu'à qqn. *Étoiles* (cit. 16) *dont la lumière n'est pas encore parvenue jusqu'à nous* (→ aussi Géophysique, cit.). *La lumière ne parvient pas dans cette pièce.* ⇒ **Entrer, pénétrer.** *Les bruits de la rue me parvenaient amortis* (cit. 10). — Absolt. *Sa faible voix parvint cependant* (→ Fêler, cit. 4). — (Au passif). *Cette nouvelle est parvenue à mes oreilles.* — (Dans le temps). *Son nom est parvenu jusqu'à notre époque. De leurs chants antiques, de leurs vieux livres sacrés, rien n'est parvenu jusqu'à nous* (→ Hellène, cit. 2).

3 S'il nous était parvenu de la légende une rédaction française complète, M. Bédier, pour faire connaître cette légende aux lecteurs contemporains, se serait borné à en donner une traduction fidèle. G. PARIS, *in* BÉDIER, Tristan et Iseut, Préface.

4 Elle était exaspérée de ne pouvoir pas même saisir le sens de cette querelle et fut à un moment sur le point de demander la raison du tapage dont un espèce de houleux écho lui parvenait à peine. J. GREEN, Léviathan, I, x.

♦ **2.** (1559). Fig. Arriver à (un but*, un résultat qu'on se proposait). *Pour parvenir à la perfection, il y a des difficultés à vaincre, des efforts à faire* (→ Atteindre, cit. 43). *Parvenir à ses fins* (→ Loyalisme, cit. 2; ni, cit. 41).

5 (...) *arriver* marque le fait de toucher au terme, le succès; et *parvenir,* ce qu'on fait, la peine qu'on se donne pour obtenir cet avantage : « Considérer, dans les productions des esprits, les efforts qu'ils font pour *parvenir* à la vérité et remarquer en quoi ils y *arrivent* et en quoi ils s'en égarent » (PASCAL).
LAFAYE, Dict. des synonymes, Suppl., Arriver, Parvenir...

Spécialt. *Parvenir à une haute fortune, aux grades élevés* (→ Francmaçonnerie, cit. 2), *au pouvoir* (→ Garçon, cit. 11), *aux richesses, aux honneurs.* ⇒ **Accéder** (à), **élever** (s'). → Indignation, cit. 1. *« J'ai souhaité l'Empire* (cit. 12) *et j'y suis parvenu »* (Corneille).

6 (...) ce n'est que par les beaux sentiments qu'on parvient à la fortune!
BAUDELAIRE, l'Art romantique, IV, II.

(1549). PARVENIR À, suivi d'un infinitif. ⇒ **Moyen** (trouver moyen de), **réussir** (à), **venir** (à bout de)... *Parvenir à se faire accorder ce qu'on désire.* ⇒ **Obtenir.** *Ils sont parvenus à faire marcher l'usine par des moyens de fortune* (cit. 21). *Je ne parvenais pas facilement à sourire* (→ Ascétisme, cit. 3). — Iron. *Vous n'avez pu parvenir encore à gâter* (cit. 26) *la bonté de votre tempérament.*

7 Là, réunissant le peu d'espagnol que nous savions, et nous aidant d'une pantomime pathétique, nous parvînmes à faire comprendre à l'hôtesse (...) que nous mourions de faim (...) Th. GAUTIER, Voyage en Espagne, p. 101.

8 Seulement, je crois qu'aidé de Pierrotte tu parviendras à réaliser notre rêve (...)
Alphonse DAUDET, le Petit Chose, II, XV.

9 Et de même qu'elle ne parvenait pas à se lever, à se remuer, elle se sentait incapable de diriger sa pensée. J. GREEN, Adrienne Mesurat, III, v.

(Sujet n. de chose). *Le feu ne parvenait pas à sécher les murs* (→ Intérieur, cit. 7; et aussi exprimer, cit. 3).

Absolt. (Vieilli). S'élever à une situation sociale éminente, dans l'ordre du rang, de la fortune, de la célébrité... (→ Enthousiasme, cit. 19; intrigant, cit. 4). *Il est habile, il parviendra.* ⇒ **Arriver, réussir** (→ fam. Faire son chemin*). *Pour parvenir, il marcherait, il passerait sur le ventre de tout le monde. Le Moyen de parvenir,* œuvre satirique de Béroalde de Verville (1610).

10 (...) son esprit d'indépendance et le peu d'espoir qu'il avait de parvenir, n'ayant point de patron, tout contribuait à le dégoûter du service (...)
Th. GAUTIER, les Grotesques, VI, p. 198.

11 Il a retenu que la France a fait *la révolution de l'égalité* et il estime l'égalité comme permettant aux talents de parvenir, mais aussi au gouvernement de se libérer des conséquences du Privilège, à l'État tout entier de prévaloir contre les oligarchies.
Louis MADELIN, Hist. du Consulat et de l'Empire, De Brumaire à Marengo, VII.

♦ **3.** PARVENIR À... : en venir, par un processus naturel, à (un certain stade de développement, d'évolution). ⇒ **Atteindre.** *Parvenir à un âge avancé, au terme de sa vie.* ⇒ **Aboutir, accomplir, arriver.** *Il est parvenu à un extrême degré de maigreur.* — (Sujet n. de chose). *Parvenu à un certain degré de maturité* (→ Aoûté, cit.).

Au degré d'exaltation où il était parvenu, l'idée chez lui primait tout le reste, à un tel point que le corps ne comptait plus. 12
RENAN, Vie de Jésus, XVIII, Œ. compl., t. IV, p. 275.

▶ **PARVENU, UE** p. p. adj. et n. (1690).

♦ **1.** Qui est arrivé (en un point déterminé). *« Le venin parvenu dans mon cœur expirant »* (cit. 2, Racine). *Parvenus au point culminant de la crête...* (→ Effréné, cit. 1). — Fig. *Parvenu enfin au généralat* (→ Fortune, cit. 23).

Parvenu au bas de la rue Sainte-Marie, il se demanda s'il passerait par la rue même, ou par l'escalier. 13
J. ROMAINS, les Hommes de bonne volonté, t. I, XVIII, p. 183.

♦ **2.** Qui a atteint rapidement, et sans en acquérir les manières, une importante situation sociale. *Un petit bourgeois parvenu. — Le Paysan parvenu,* roman de Marivaux.

Les épaves de la noblesse sont toujours recueillies par les bourgeois parvenus. 14
MAUPASSANT, Bel-Ami, I, VI.

Mais n'oublie pas une chose, Clovis, c'est que, quand tu seras dans les honneurs, quand tu seras parvenu, quand tu auras le droit de porter un bel uniforme d'ingénieur, quand tu auras le droit d'épouser la fille du patron, alors, à ce moment, ne méprise pas tes parents, ton oncle le concierge, ta tante la sage-femme et ton père et ta mère qui ont fait tant de sacrifices pour t'élever. Ce sont d'horribles sentiments qui révèlent de bas instincts. 14.1
R. QUENEAU, le Chiendent, p. 373.

♦ **3.** N. (1721). Personne qui s'est élevée à une condition supérieure dont elle n'a pu acquérir les manières, le ton, le savoir-vivre. *Une société de parvenus, de nouveaux riches** (→ Agioteur, cit. 3). *Des parvenus grossiers* (→ Inavouable, cit. 2). *C'est maintenant un homme arrivé*, mais il n'a en rien des façons de parvenu. L'insolence* (cit. 8) *d'une parvenue. — Le Bourgeois gentilhomme, Gil Blas, Figaro, types littéraires de parvenus.*

(...) que ces gens inconnus sont fiers! Voilà l'orgueil de tous nos parvenus. 15
Ph. DESTOUCHES, le Glorieux, IV, 9.

C'est *(Diderot)* un nouveau venu, un parvenu dans le vrai monde; vous voyez en lui un plébéien, puissant penseur, infatigable ouvrier et grand artiste, que les mœurs du temps ont introduit dans un souper de viveurs à la mode. Il y prend le dé de la conversation, conduit l'orgie, et par contagion, par gageure, dit à lui seul plus d'ordures et plus de « gueulées » que tous les convives. 16
TAINE, les Origines de la France contemporaine, II, t. II, p. 101.

Il n'y a que deux espèces de parvenus : ceux qui parlent toujours de leurs origines et ceux qui n'en parlent jamais. G. DUHAMEL, Salavin, V, I. 17

PARVIS [paʀvi] n. m. — V. 1235; *parewis, parevis,* v. 1130; du lat. ecclés. *paradisus.* → Paradis.

♦ **1.** Vx. Espace situé devant une église et généralement entouré d'une balustrade ou de portiques (→ Atrium, narthex). — Mod. Place située devant la façade d'une église, d'une cathédrale (→ Nef, cit. 5). *Le parvis de Notre-Dame.*

Antiq. hébraïque. Chacune des trois grandes cours qui précédaient le sanctuaire du Temple de Jérusalem. *Parvis des gentils; parvis d'Israël; parvis des prêtres.*

Poét., vx (souvent au plur.). *Le parvis, les parvis d'un sanctuaire, d'un temple, d'un édifice religieux.*

♦ **2.** Mod. Espace dégagé, en général réservé aux piétons, devant un édifice important, dans un espace urbanisé.

1. PAS [pɑ] n. m. — 1080, *Chanson de Roland; en pas que* « aussitôt que », 980; du lat. *passus.*

★ **I.** UN, DES PAS. ♦ **1.** (1080). Action de transférer l'appui du corps d'un pied* à l'autre, dans la marche. ⇒ **Marche, marcher.** *Faire un pas en avant, en arrière* (cit. 8; ⇒ **Recul**), *sur le côté. Avancer, reculer* (→ Émietter, cit. 2), *se déplacer d'un pas. Cadence* (cit. 4), *rythme des pas* (→ ci-dessous, II., Le pas). *Enfant qui fait ses premiers pas,* qui apprend à marcher.

(...) cette chose merveilleuse : les premiers pas d'un petit enfant. Soutenu jusqu'alors, voici qu'il commence à comprendre qu'il peut se tenir debout sans appui, avancer seul (...) L'humanité n'en est là qu'à peine (...) GIDE, Journal, 15 juil. 1943. 1

Nos pas nous sont faciles et si familiers qu'ils n'ont jamais l'honneur d'être considérés en eux-mêmes, et en tant que des actes étrangers (à moins qu'infirmes ou perclus, la privation nous conduise à les admirer)... 2
VALÉRY, Eupalinos, p. 147.

(...) qu'est-ce qu'un pas? Littré nous dit qu'un pas, c'est l'action de mettre un pied devant l'autre pour marcher. On désigne aussi par pas l'espace qui se trouve compris d'un pied à l'autre quand on marche. Ainsi, dans le langage ordinaire, un pas est constitué par la série des mouvements qui se produisent entre le déplacement d'un pied et celui de l'autre pied. — Marey a fait très justement remarquer qu'au point de vue scientifique, cette définition devrait être étendue, et qu'il fallait désigner par pas la série des mouvements qui s'exécutent entre deux positions semblables d'un même pied, de sorte que le pas de Marey (...) est un double pas. 3
Paul RICHER, Nouvelle anatomie artistique, t. III, p. 113.

Compter ses pas. Faire de grands pas (⇒ **Enjambée**), *de (tout) petits pas. Pas lourds, appesantis* (cit. 15). — (Construit avec *à* et un qualificatif). *À pas comptés* (→ Dos, cit. 5; faculté, cit. 12), *mesu-*

rés (→ Fumant, cit. 2), *réguliers, cadencés* (→ ci-dessous, II., 1., spécialt, milit.). *Aller, marcher à grands pas. Parcourir, arpenter à pas de géant**... ⇒ **Vite.** *À longs pas* (→ Féconder, cit. 2). *Marcher, s'avancer* (cit. 45) *à petits pas, à pas étroits* (→ Importance, cit. 15). ⇒ **Trotter, trottiner.** *À pas lents.* ⇒ **Lentement** (→ Enveloppe, cit. 4). — *À pas légers* (→ Ébrouer, cit. 2; livrer, cit. 6). *À pas furtifs* (cit. 6), *feutrés. À pas pesants.* — Loc. fig. *À pas de tortue :* très lentement. — *À pas de loup :* en marchant très souplement et silencieusement, sur la pointe des pieds... (→ Habiller, cit. 13; manière, cit. 39). *À pas de velours.*

4 Comme un chat entre silencieusement par la fenêtre, il a pénétré à pas de velours dans ma maison, attiré par l'odeur. F. MAURIAC, le Nœud de vipères, I, V.

5 J'ai connu une petite fille qui quittait son jardin bruyamment puis s'en revenait à pas de loup pour «voir comment il était quand elle n'était pas là».
SARTRE, Situations I, p. 256.

Faire un, des pas. ⇒ **Marcher.** *Il ne pouvait faire un pas sans un bâton* (cit. 2). — Par ext. *Ne pas pouvoir faire un pas sans rencontrer...* (→ Emmailloter, cit. 5). — *Reprendre haleine tous les trois pas* (→ Lassitude, cit. 2). — Par ext. *À chaque pas* (→ Démenti, cit. 2), *à tous les pas* (→ Liquide, cit. 8), à chaque instant, à chaque moment, très souvent.

6 (...) l'incommode jaloux qui veille (...) sur ma charmante Grecque, et ne fait pas un pas sans la traîner à ses côtés. MOLIÈRE, le Sicilien, 2.

Loc. *Pas à pas* [pazapa] : lentement, avec précaution, ou encore, régulièrement (→ Aventurier, cit. 1; filet, cit. 7; glaneur, cit. 1).

Faire les cent pas : aller* et venir, se promener de long en large. ⇒ **Allée** (allées et venues).

7 C'est sur cette place qu'Edmond Maillecottin fait les cent pas, la tête un peu inclinée, les mains derrière le dos (...)
J. ROMAINS, les Hommes de bonne volonté, t. IV, I, p. 7.

Salle des pas perdus, des Pas Perdus (dans une gare, un palais de justice...), où vont et viennent des personnes qui attendent. ⇒ **Antichambre** (→ Opposite, cit.).

8 Il jeta un coup d'œil à travers les portes-fenêtres grillagées dans la Salle des Pas Perdus. Sur un banc, deux soldats dormaient. Le gaz éclairait faiblement les salles d'attente, les affiches qui invitaient au voyage.
P. NIZAN, le Cheval de Troie, I, VI.

Faux pas : pas que l'on fait mal, où l'appui du pied manque; fait de trébucher (→ Glissade, cit. 5). *Faire un faux pas et se tordre le pied, tomber...* (⇒ **Achopper, broncher, chopper, trébucher**).

9 Marie heurta tout à coup une pierre et fit un faux pas.
BALZAC, les Chouans, Pl., t. VII, p. 863.

10 Un faux pas, une syllabe achoppée révèlent la pensée d'un homme.
ARAGON, le Paysan de Paris, p. 18.

Le bruit des pas (→ Amortir, cit. 2; bulle, cit. 3; déraper, cit.; étage, cit. 7).

Par métonymie. Bruit de pas. *Entendre un pas lointain. Écouter, entendre des pas* (→ Diagonale, cit. 3; 1. écoute, cit. 3). *Pas qui ébranlent une salle* (→ Arche, cit. 9). *Tapis, linoléum* (cit. 2) *qui étouffe les pas.*

11 Des pas mesurés et lents résonnèrent quelque temps sur le radier, de plus en plus amortis par l'augmentation progressive de l'éloignement (...)
HUGO, les Misérables, V, III, II.

12 (...) les ateliers déserts, où nos pas sonnaient comme dans une église, et les grandes cours abandonnées, que l'herbe envahissait déjà.
Alphonse DAUDET, le Petit Chose, I, I.

Impression (cit. 3), *trace des pas* (→ Imprimer, cit. 20, et ci-dessous, 3.).

Littér. *Les pas de qqn :* sa marche, ses mouvements, sa présence en tel ou tel lieu. *Conduire* (cit. 5), *diriger les pas de qqn* (→ Excuser, cit. 13). *Égarer* (cit. 4) *ses pas. Diriger, porter ses pas vers...* ⇒ **Diriger** (se), **rendre** (se). *Tourner, porter ses pas vers..., dans...* — *Arrêter* (cit. 4), *suspendre les pas,* la marche. — *«J'allais au hasard* (cit. 31), *Où mes pas me portaient».* — *«Ce murmure d'amour élevé sur ses pas»* (→ Aller, cit. 116, Arvers).

13 Vous savez quel sujet conduit ici leurs pas (...) RACINE, Iphigénie, II, 7.

Par métonymie (vx). La personne qui marche. *Accompagner* (cit. 1), *suivre les pas de qqn. S'attacher aux pas de qqn,* le suivre (→ Croire, cit. 50).

Poét., vx. *Les fleurs qui naissent sous les pas :* que l'on voit paraître à son passage.

14 J'inspirerais ici l'amour de la retraite :
Elle offre à ses amants des biens sans embarras,
Biens purs, présents du Ciel, qui naissent sous les pas.
LA FONTAINE, Fables, XI, 4.

Pas de danse, chaque mouvement codifié des pieds du danseur. ⇒ **Chorégraphie, danse** (→ Bondir, cit. 7; œillade, cit. 7). *Pas coulés, coupés...* (→ ci-dessous, II., 2.).

15 (...) ne dit-on pas toujours : «Un tel a fait un mauvais pas dans telle affaire?» (...) faire un mauvais pas peut-il procéder d'autre chose que de ne savoir pas danser?
MOLIÈRE, le Bourgeois gentilhomme, I, 2 (→ aussi Danser, cit. 3).

♦ **2.** Par métaphore, fig. Chaque élément, chaque temps d'une progression, d'une marche. ⇒ **Étape.** *«Chaque instant* (→ 1. Instant, cit. 1) *de la vie est un pas vers la mort». Faire un grand pas vers...* ⇒ **Progrès** (→ Arracher, cit. 36; commencer, cit. 19). *Faire des pas de géant* (→ Égotisme, cit. 1). — (Avec à). *À grands pas :* vite (→ Acheminer, cit. 3 et 5). *Aller à pas mesurés,* avec prudence, circonspection. — *Le premier pas :* le départ, le début*... ⇒ **Essai, jalon.** → Ignorance, cit. 25. *Faire les premiers pas :* s'engager dans une démarche, commencer une affaire, et, spécialt, prendre l'initiative (pour une réconciliation, etc.). ⇒ **Avance**(s). — Prov. *Il n'y a que le premier pas qui coûte* (cit. 26). — *Le dernier pas* (→ Arriver, cit. 32). — *Pas à pas :* d'une manière progressive, graduelle (⇒ **Doucement, graduellement**; → Abord, cit. 11), avec patience*, persévérance. *Avancer pas à pas* (→ 1. Court, cit. 27; fleur, cit. 2).

Enfin, ma belle amie, j'ai fait un pas en avant, mais un grand pas, et qui, s'il ne m'a pas conduit jusqu'au but, m'a fait connaître au moins que je suis dans la route (...) 16
LACLOS, les Liaisons dangereuses, XXI.

Justine caressée lors de son enfance par la Couturière de sa mère, croit que cette femme sera sensible à son malheur; elle va la trouver, elle lui fait part de ses infortunes, elle lui demande de l'ouvrage (...) à peine la reconnaît-on; elle est renvoyée durement. — Oh Ciel! dit cette pauvre petite créature; faut-il que les premiers pas que je fais dans le monde soient déjà marqués par des chagrins! — Cette femme m'aimait autrefois, pourquoi me rejette-t-elle aujourd'hui? 16.1
SADE, Justine..., t. I, p. 10.

S'il parlait d'une affaire, sur-le-champ on voyait la discussion faire un pas. Il y portait des faits, c'était plaisir de l'entendre. 17
STENDHAL, le Rouge et le Noir, II, IV.

Cela suffit, ils sont engagés dans le défilé étroit qui aboutit aux précipices. Au commencement, ils ne s'en doutaient pas; mais un pas entraîne l'autre : bon gré, mal gré, ils avancent ou sont poussés. 18
TAINE, les Origines de la France contemporaine, III, t. I, p. 196.

Elle attendit une phrase de sa mère, qui ne vint pas (...) Anne se résigna à faire les premiers pas. — Nous sommes bien parentes, n'est-ce pas, de Mme de Saint-Selve? Pierre BENOIT, Mlle de la Ferté, I, p. 44. 19

S'il fallait faire le petit pas qui sépare les promesses, les intentions, les paroles, de l'acte qui est vraiment le sacrifice total, le petit pas qui sépare ceux qui consentent à donner *beaucoup* de ceux qui consentent à donner *tout,* le ferais-tu? 20
MONTHERLANT, le Songe, I, X.

Faux pas : écart* de conduite. ⇒ **Chute, faiblesse, faute, glissade** (fig.).

La plus haute vertu peut faire de faux pas (...) CORNEILLE, Suréna, III, 2. 21

*Pas de clerc** (cit. 5 et 6) : démarche, initiative imprudente. ⇒ **Bévue, imprudence.**

Les nations étrangères se moquent souvent des pas de clercs que fait la France en fait de révolutions et des déconvenues qui la font revenir tout bonnement au point d'où elle était partie, après avoir payé chèrement sa promenade. 22
RENAN, l'Avenir de la science, XVIII, Œ. compl., t. III, p. 1025.

Fig, vx. Démarche. *Un pas inutile* (→ Dos, cit. 22).

Poursuis. Tu n'as pas fait ce pas pour reculer. RACINE, Britannicus, V, 6. 23

Sc. (dans quelques expressions). Variation minimale d'une grandeur prenant des valeurs discrètes (surtout dans : *pas à pas*). *Fonctionnement pas à pas.* ⇒ **Incrément, quantum.**

♦ **3.** Trace* laissée par un pied humain. *Un pas. Des pas sur le sable, sur la neige.* — (Au plur.). Endroit où l'on est passé. *Arriver sur les pas de qqn,* tout de suite derrière lui, après lui. *Retourner* (→ Direction, cit. 4), *revenir sur ses pas :* refaire en sens inverse le chemin qu'on a fait, en marchant sur la trace de ses pas (→ Détacher, cit. 7; lisière, cit. 6). — Par métaphore, fig. Revenir en arrière. — *Marcher sur les pas de qqn,* le suivre (→ Devant, cit. 24; immédiatement, cit. 2), et, fig., l'imiter*.

Il me faut sans honneur retourner sur mes pas (...) RACINE, Iphigénie, II, 5. 24

— Ah ça, chevalier, je reviens sur mes pas; je retire mon indulgence, et je veux mettre une condition à l'oubli de votre trahison. 25
DIDEROT, Jacques le fataliste, Pl., p. 710.

Dehors des petits pas s'effaçaient dans la neige (...) 26
HUGO, la Légende des siècles, LVII, «Petit Paul».

Regarde cette vieille ville enfumée (...) il n'y a pas de pavés où je n'ai traîné des talons usés, pas de maisons où je ne sache quelle est la fille ou la vieille femme dont la tête stupide se dessine éternellement à la fenêtre; je ne saurais faire un pas sans marcher sur mes pas d'hier (...) A. DE MUSSET, Fantasio, I, 2. 27

(...) ce voyageur égaré qui aspire au gîte, qui, perdu sans guide dans une forêt obscure, fait mainte fois fausse route va, revient sur ses pas, se décourage, s'assied au carrefour de la forêt (...) 28
SAINTE-BEUVE, Causeries du lundi, 29 mars 1852.

— Le docteur Arnauld, dit Dargoult, va venir vous souhaiter bonne route. Il arrive sur mes pas. G. DUHAMEL, Salavin, VI, XXIX. 29

Trace de pas d'un animal — Loc. prov. *Cela ne se trouve pas dans le pas d'un âne, d'un cheval* (cit. 40), mod. *sous le pas* (sens I.) *d'un cheval* (cit. 31), c'est une chose difficile à obtenir (⇒ aussi **Pas-d'âne**).

Cent mille écus, comme dit le proverbe, ne se trouvent pas «dans le pas d'un âne», et, si Croisilles eût été défiant, il eût pu croire, en lisant la lettre de mademoiselle Godeau, qu'elle était folle ou qu'elle se moquait de lui. 30
A. DE MUSSET, Nouvelles, «Croisilles», V.

— Ils sont extravagants, s'écria Joseph en levant les bras au ciel! Des dollars! Toujours des dollars! Comme si les dollars se trouvaient sous le pas d'un cheval. 31
G. DUHAMEL, Chronique des Pasquier, X, V.

PAS DE TIR : endroit réservé à chaque tireur (et, par ext., aux tireurs) pour tirer à la cible. *Pas de tir éloigné de 200 m des cibles.* — Par anal. Endroit où s'effectue un tir de fusée (cf. Rampe de lancement).

♦ **4.** Longueur approximative d'un pas (de l'appui d'un pied à l'autre). ⇒ **Enjambée.** *Étalonnage, mesure du pas* (→ Étalonner, cit.). — *Mesurer en pas* (⇒ **Compassement, compasser**). *À quelques pas de...* (→ 2. Calme, cit. 3). *Ne pas voir à dix pas* (→ Faiblesse, cit. 6). *Vingt pas plus loin* (→ Après, cit. 30). *Tirer à vingt pas* (→ Jeter, cit. 13). *Une galerie* (cit. 5) *de deux mille pas.* — Loc.

C'est à deux pas, à deux pas d'ici. ⇒ **Près.** — Fig. *Ne pas quitter* d'un pas qqn,* rester constamment près de lui (→ Ne pas quitter qqn d'une semelle*).

32 À quatre pas d'ici je te le fais savoir. CORNEILLE, le Cid, II, 2.

(V. 1974). Par ext. Techn. Distance entre les sièges d'un avion, d'un véhicule de transport en commun.

★ **II.** (XIIe). ♦ **1.** *(Le pas* de qqn, *un pas...).* Façon de marcher, démarche; allure*, rythme que donne la longueur, la rapidité des pas (→ Aisance, cit. 2; épouser, cit. 17). *Pas agile* (cit. 2), *gaillard* (cit. 6), *leste, ferme* (→ 1. Ferme, cit. 6). *Pas inégal* (cit. 11), *lent* (cit. 6). *Un pas grave* (→ 1. Grave, cit. 10), *magistral* (→ Calmer, cit. 15.2 et 17). *Un pas d'ambassadeur* (cit. 3). *Pas timide* (→ Couler, cit. 27). *Pas élastique* (cit. 2), *souple, sautillant* (→ Épouvantail, cit. 2). *Pas nonchalant* (cit. 5). *Pas lourd** (→ Gravir, cit. 7), *maladroit* (cit. 10), *tremblant* (→ Gîte, cit. 3), *chancelant.* — *Allonger le pas.* → Écarter le compas* (fam.). *Hâter* (cit. 7), *presser, précipiter le pas.* ⇒ **Courir** (→ Approche, cit. 5; fuir, cit. 36). *Doubler* (cit. 3) *le pas. Traîner* (→ Déclin, cit. 1), *ralentir le pas* (→ Distancer, cit. 1; instinct, cit. 37). — *Marcher d'un bon pas, d'un pas pressé.*

33 Vous marchez d'un tel pas qu'on a peine à vous suivre.
MOLIÈRE, Tartuffe, I, 1.

34 (...) il se retira d'un pas aussi léger que si les semelles de ses bottes eussent été doublées de feutre. Th. GAUTIER, la Toison d'or, III, *in* Fortunio.

35 Il prenait l'habitude inconsciente de marcher la nuit, sans compagnon. Rapide, allongé, son pas le menait vers un but distinct et inaccessible.
COLETTE, Chéri, p. 121.

Bruit du pas. *Entendre* (→ Filer, cit. 23), *reconnaître* (→ Dresser, cit. 22) *le pas de qqn.*

Marcher (cit. 24) *du même pas.* ⇒ **Ensemble.**

36 Lord Clanwilliam a passé vite : je l'ai retrouvé à Vérone; il est devenu après moi ministre d'Angleterre à Berlin. Nous avons suivi un moment la même route, quoique nous ne marchions pas du même pas.
CHATEAUBRIAND, Mémoires d'outre-tombe, t. IV, p. 177.

Loc. *Emboîter** (cit. 4 à 6) *le pas à qqn.*

Loc. *J'y vais* (cit. 26) *de ce pas,* sans m'arrêter, sans plus attendre. — Vx. *Tout de ce pas.*

37 — Quand allez-vous? — Tout de ce pas, et j'ai déjà préparé toutes choses.
MOLIÈRE, le Sicilien, 9.

38 Adieu : je vais trouver Roxane de ce pas.
RACINE, Bajazet, II, 5.

Par métaphore. *Marcher d'un pas ferme* (→ Œillère, cit. 3). *S'introduire d'un pas oblique* (cit. 3).

AU PAS. *Aller, marcher, avancer au pas* (opposé à *en courant*), à l'allure du pas normal.

39 Ces femmes attiraient donc le soir aux Galeries de Bois une foule si considérable qu'on y marchait au pas, comme à la procession ou au bal masqué. Cette lenteur, qui ne gênait personne, servait à l'examen.
BALZAC, Illusions perdues, Pl., t. IV, p. 694.

Spécialt. *Pas accéléré* (→ Haut, cit. 88), *pas gymnastique* (→ Escouade, cit. 2; 1. masse, cit. 18), *de gymnastique** (cit. 9 et 10). *Au pas de course** (→ Désert, adj, cit. 10; jaillir, cit. 13; manchette, cit. 6).

Façon réglementaire de marcher, pour les soldats en groupe. *Marcher au pas, au pas cadencé. Le pas cadencé* (en France) *correspond à un rythme de 125 pas environ à la minute. Pas redoublé,* très rapide. — Par ext. Rythme vif de certaines marches militaires (à 6/8). — *Pas de chasseur* (des chasseurs alpins), très vif. *Pas de légion,* très lent. *Pas de charge** — *Pas de parade,* généralement assez lent. *Pas de l'oie :* pas de parade de certaines armées, avec élévation de la jambe tendue, appel du talon... — *Pas sans cadence, pas de route* (→ Marche, cit. 29). — *Marquer** (cit. 24, et fig., 28) *le pas.* — *Changer de pas :* passer d'un pied à l'autre pour se mettre à l'unisson avec qqn, avec une troupe en marche.

40 Sur le pavé de l'avenue, on entendit l'aide de camp changer de pas pour prendre celui de son général. A. MAUROIS, les Discours du Dr O'Grady, XXI.

40.1 Et vous ne savez pas quel soldat est le soldat allemand, vous qui ne l'avez pas vu comme moi défiler au pas de parade, au pas de l'oie (...)
PROUST, le Temps retrouvé, Pl., t. III, p. 808.

Fig. *Mettre qqn au pas,* le mettre à la raison*, le réduire à l'obéissance (par comparaison avec le soldat que l'on fait marcher au pas cadencé, à l'unisson des autres). *Se mettre au pas* (→ Modérer, cit. 4).

41 Treilhard devient votre factotum. Je suis là pour le remettre au pas, s'il bronchait.
J. ROMAINS, les Hommes de bonne volonté, t. III, XVI, p. 220.

♦ **2.** Spécialt (danse). *Le pas, un pas :* ensemble de pas (au sens I.), de mouvements requis par l'exécution d'une danse. *Commencer un pas* (→ Magnétiser, cit. 2). *Les pas nationaux* (→ Lascif, cit. 8). *Esquisser un pas de tango.* — Partie d'un ballet dansée par une, deux.... personnes. *Pas de deux :* partie dansée par deux danseurs.

42 (...) il nous fut impossible de suivre le fil de l'action à travers les pas de trois, les pas de deux, les pas seuls et les évolutions du corps de ballet (...)
Th. GAUTIER, Voyage en Russie, XIX.

43 On faisait cercle autour d'elle, le dimanche, lorsqu'elle dansait sur la pelouse; car elle avait eu un maître de danse, et son *pas de bourrée* émerveillait tout le monde.
A. DE MUSSET, Nouvelles, «Margot», II.

♦ **3.** Allure, marche (d'un animal). *Le pas lent et lourd des bœufs* (cit. 3 et 4). *Pas nerveux et relevé d'une mule* (cit. 2). *Le pas de la girafe est un amble. Bêtes au pas de velours* (→ Habituer, cit. 6).

Il marchait d'un pas relevé, 44
Et faisait sonner sa sonnette (...) LA FONTAINE, Fables, I, 4.

Spécialt. Une des allures naturelles du cheval* (opposé à *amble, entrepas, trot, galop*). → Harnachement, cit. *Cheval qui va au pas, trotte, galope* (→ Halter, cit.; heure, cit. 102). *Cheval dont le pas est désuni* (cit. 8).

Le pas, qui est la plus lente de toutes les allures, doit cependant être prompt; il faut qu'il ne soit ni trop allongé ni trop accourci, et que la démarche du cheval soit légère (...) BUFFON, Hist. nat. des animaux, Le cheval. 45

Pas relevé, pas de côté, allures artificielles.

Par ext. *Aller, rouler au pas :* avancer très lentement, en parlant d'un véhicule. *Allez au pas pour entrer dans le garage.*

♦ **4.** Ski. *Pas alternatif :* pas normal de marche du skieur sur terrain plat. *Pas tournant,* pour obtenir un changement de direction sur le plat. *Pas de montée* (alternatif, en ciseau ou en escalier). *Pas de patinage :* succession de pas tournants exécutés alternativement à droite et à gauche.

★ **III.** (XIIe). Passage. ♦ **1.** (Avec quelques verbes : *prendre, céder...*). Action de passer devant, de précéder (⇒ **Préséance**); droit de marcher le premier, de passer devant. *Prendre le pas sur qqn.* ⇒ **Précéder** (→ Intérêt, cit. 20, par métaphore). *Le pas pris sur...* (→ Essai, cit. 23, par métaphore). *Céder* le pas* (→ Dépassement, cit.; 2. général, cit. 12). — Fig. *Avoir le pas sur qqn.* ⇒ **Emporter** (l'). — Vx. *Prendre le pas devant.*

Madame de Langeais avait atteint son but. Le marquis se confondait parmi ses nombreux admirateurs, et lui servait à humilier ceux qui se vantaient d'être dans ses bonnes grâces, en lui donnant publiquement le pas sur tous les autres. 46
BALZAC, la Duchesse de Langeais, Pl., t. V, p. 178.

♦ **2.** (1080). Vx (sauf dans des désignations géogr.). Lieu où l'on passe, où il faut passer. ⇒ **Passage.**

Il n'est pas permis de dire *pas,* pour *passage,* que pour exprimer quelque détroit de montagne, ou quelque passage difficile (...) C'est un mot consacré à un seul usage, où il est si excellent, que ce ne serait pas bien (...) parler, que de n'en user point (...) *Le pas des Thermopyles* 47
VAUGELAS, Remarques sur la langue franç., «Pas...»

(Au sens propre). → Litière, cit. 2. — Spécialt. Col, défilé dans une montagne. — Détroit (dans : *le Pas de Calais*).

On sait que les mauvais pas sont plus difficiles et plus dangereux à descendre qu'à monter, et nous en avions franchi de bien mauvais en montant. 48
H. B. DE SAUSSURE, Voyage dans les Alpes, *in* LITTRÉ.

(V. 1973). Techn. *Pas japonais :* passage fait de dalles sur une pelouse.

Par métaphore, fig. Difficulté, obstacle; moment difficile. *Franchir* (cit. 17), *sauter le pas, un pas :* surmonter un obstacle, et, fig., se décider (→ Force, cit. 26; indompté, cit. 1). — *Sauter le pas :* mourir.

L'Assemblée, le 28 avril, franchit un pas redouté; elle décida que les citoyens actifs pourraient seuls être gardes nationaux. 49
MICHELET, Hist. de la Révolution franç., IV, XI.

Elles furent assez longues à convaincre, les filles (...) Pourtant, le troisième soir, deux des plus audacieuses franchirent le pas. 50
Paul VIALAR, Risques et Périls, XI, p. 193.

Pas glissant (cit. 3), *hasardeux* (cit. 2). *Mauvais pas :* obstacle, situation critique, dangereuse (→ Broncher, cit. 4). *Se tirer, sortir d'un mauvais pas.*

Spécialt. *Pas d'arme :* tournoi* qui consistait à la défense d'un passage. *Ouvrir le pas.*

L'on fit publier, par tout le royaume, qu'en la ville de Paris, le pas était ouvert, au quinzième juin, par Sa Majesté Très Chrétienne et par les princes Alphonse d'Este, duc de Ferrare, François de Lorraine, duc de Guise et Jacques de Savoie, duc de Nemours, pour être tenu contre tous venants, à commencer le premier combat, à cheval en lice, en double pièce, quatre coups de lance et un pour les dames (...) Mme DE LA FAYETTE, la Princesse de Clèves, t. II, p. 304. 51

♦ **3.** Vx. Marche d'escalier. — Fig. *Descendre* (cit. 35) *un pas.* — Seuil* formant une marche. Mod. LE PAS DE LA PORTE : le seuil, ou espace qui se trouve devant une porte (palier, seuil...). *Être sur le pas de la porte* (→ 1. Frais, cit. 10; naître, cit. 16). — Fig. *Pas de porte :* somme que le bailleur ou le détenteur d'un bail (et parfois les deux) exige du preneur pour la location d'un appartement (cit. 6) ou la vente d'un fonds de commerce. — On écrit *pas de porte* ou *pas-de-porte.* — *Des pas-de-porte.* — REM. *Pas de porte* ne s'est d'abord dit que des éléments d'un fonds de commerce (enseigne, nom...) «faisant l'objet d'un prix spécial dans la vente du fonds» (Capitant).

♦ **4.** Techn. Tour d'une rainure en spirale; distance de deux spires consécutives d'une spirale, mesurée parallèlement à l'axe. *Mesurer, vérifier le pas* (d'une vis, d'un filetage...). *Pas de fusée* (horlogerie). *Pas de vis** : distance entre deux filets (→ Mouvoir, cit. 11, fig.).

Pas d'un écrou, d'un boulon. — Pas d'une hélice (cit. 1). *Hélice à pas variable.*

COMP. Contre-pas, entrepas. — Pas-d'âne, pas-de-géant.

2. PAS [pɑ] Auxiliaire de la négation, traditionnellement considéré comme un adverbe. — XIIe, spécialisation du subst. (→ 1. Pas) avec des verbes du type *aller, marcher.* → Mie, goutte, point... : *il ne marche (un) pas.*

1 Des substantifs qui (...) énoncent des quantités infimes ont été de bonne heure ajoutés comme complément d'objet ou complément circonstanciel (adverbial) au verbe accompagné de *ne* (...) *PAS* est le plus ancien, et de beaucoup le plus usité, de ces auxiliaires de *ne.* Continuation du nom latin *passum* (un pas), il est possible qu'il se soit d'abord employé comme complément de verbes de mouvement; très tôt, il s'est appliqué à toute espèce de verbe (...)
G. et R. LE BIDOIS, Syntaxe du franç. moderne, § 1776.

★ **I.** Deuxième élément de la négation, en corrélation avec *ne.* ⇒ **Ne** (cit. 15); et aussi **aucunement, goutte, mie** (vx), **point*.**

♦ **1.** *Je ne sais pas. Il n'en a pas besoin.* ⇒ **Nul.** *Il ne se gênait pas* (→ 1. Faux, cit. 21). *On n'en meurt pas* (→ Forme, cit. 21). *Je n'y manquerai pas. Il ne faut pas. Ça ne va pas. — Ce qui est loi et ce qui ne l'est pas* (→ Exécutif, cit. 2). *Vous n'y êtes* (cit. 60 et 61) *pas. Ce n'est pas son fort* (cit. 70). *Il n'y avait pas moyen* (→ Étouffer, cit. 44). — *Ce n'est pas que...* (avec le subj.) : locution servant à écarter une cause, une éventualité (→ Mâle, cit. 12). *Ne pas laisser de...* ⇒ **Laisser** (cit. 63 à 70).

2 Il n'y a donc pas de corde, pas de fusil, pas de mortier, pas de tromblon, pas de dague, pas de rasoir, pas de septième étage, pas de rivière!
Th. GAUTIER, les Jeunes-France, «Celle-ci et celle-là», p. 177.

3 Saint Jérôme dans son cabinet n'avait pas sur sa cheminée une pendule; premièrement, parce qu'étant dans une grotte, il n'avait pas de cabinet; deuxièmement, parce qu'il n'avait pas de cheminée; troisièmement, parce que les pendules n'existaient pas. HUGO, l'Homme qui rit, II, III, II.

4 Ce n'est pas que la chirurgie lui fît peur (...)
FLAUBERT, Mme Bovary, I, IX.

REM. On peut user indifféremment de *pas* et de *point.* Dans l'usage moderne et urbain du français central, *pas* est beaucoup plus courant.

5 Vous ne vouliez point croire, et l'on ne vous croit pas. MOLIÈRE, Tartuffe, V, 3.

NE... PAS, devant un adverbe de quantité, un comparatif, un nom de nombre. *Pas assez* (cit. 1, 8, 13 et 25...). *Pas autant; pas tant* (→ Madame, cit. 10). *Pas beaucoup. Pas trop* (→ Jouvence, cit. 3). *Pas si* (et adj.) → Lune, cit. 12. *Pas autrement* (cit. 14), suivi d'un attribut : peu, modérément. *Pas davantage* (cit. 4 et 12). *Pas plus* (→ Fondamental, cit. 1; four, cit. 9; livresque, cit. 2). *Pas moins* (→ Lune, cit. 4). *Pas le moins du monde* (→ Falsifier, cit. 6). — *Pas mieux. Pas mal.* ⇒ **Mal** (cit. 32 et *supra*). — *Pas un d'eux...* (→ Même, cit. 4). *Pas une fois* (→ Mannequin, cit. 9). *Pas un ne manquait* (cit. 24). ⇒ **Aucun; un.** *Pas deux, pas dix.*

6 Ah! pour être dévot, je n'en suis pas moins homme.
MOLIÈRE, Tartuffe, III, 3.

7 Je n'avais pas douze ans quand je perdis mon père.
GIDE, la Porte étroite, I.

8 Projets, ruses, complots n'avaient d'autre objectif que les jours qui suivraient ma mort toute proche. Pas plus que ma famille, je ne nourrissais à ce sujet le moindre doute. F. MAURIAC, le Nœud de vipères, II, XVII.

REM. 1. Place des éléments de la négation.

[a] Temps simples, autres que l'infinitif : «Il convient d'abord que le morphème *ne* qui est phonétiquement peu accentué, et qui marque l'idée négative, s'appuie sur le verbe. Quant au second élément, le *pas, point,* etc. qui complète la formule, c'est originellement un nom en fonction d'objet, et sa place régulière est après le verbe... Seuls, les pronoms personnels objets peuvent s'intercaler entre *ne* et le verbe...» (G. et R. Le Bidois, *Syntaxe du franç. mod.,* § 983). *Je ne parle pas. Il ne vous écrira pas. Ne te gêne* (cit. 34) *pas. Glissez mortels, n'appuyez* (cit. 29) *pas. Ne connaissant pas le fond* (cit. 31) *de la combinaison.* — N. B. Dans la langue classique *pas (point, plus),* pouvait être placé avant *ne,* notamment si le sujet n'était pas exprimé. D'où le tour : *pas (point) n'est besoin.*

[b] Temps composés. *Nous n'avions pas déjeuné. Il n'est pas sorti hier. Je n'ai pas eu le loisir* (cit. 11) *de...*

[c] Infinitif présent. — *Ne pas...* réunis avant l'infinitif. *Il croit ne pas pouvoir venir* (Académie). → aussi Falsifier, cit. 6; flou, cit. 6; folie, cit. 21; interprétation, cit. 9; obstacle, cit. 1. — *Décidé à ne pas l'épouser* (→ Irrévocablement, cit. 3). *Pour ne pas l'honorer...* (→ 1. Louer, cit. 2).

9 Écrire est ma raison d'être sur terre. Ne pas écrire me tuerait lentement.
J. GREEN, Journal, 25 sept. 1948.

N. B. Avec l'infinitif, la disjonction de *ne* et *pas* est archaïque ou littéraire.

10 *(Elle avait)* ôté ses gants pour ne les pas gâter.
MAUPASSANT, Miss Harriet, «Mon oncle Jules».

11 (...) de la sottise avec brillant ou de la sottise sans brillant, comment ne préférer pas la seconde? MONTHERLANT, les Célibataires, I, II.

2. Avec *pouvoir* (et inf.), le déplacement de la négation change le sens de la phrase. *Je ne peux pas sortir :* je suis incapable ou empêché de sortir. *Je peux ne pas sortir :* il m'est loisible de sortir ou non.

12 Il peut ne plus aimer, il ne peut pas oublier qu'il a aimé.
R. ROLLAND, Jean-Christophe, Amies, p. 1205.

3. Avec *devoir, vouloir, il faut,...* la négation qui encadre ces verbes porte logiquement sur l'infinitif ou la complétive qui dépend d'eux... *Je ne veux pas, il ne faut pas que cela se sache :* je veux, il faut que cela ne se sache pas. *La flamme ne doit pas s'éteindre et ne s'éteindra pas* (→ Lutte, cit. 10; et aussi loin, cit. 36; magicien, cit. 1). — N. B. La négation peut précéder immédiatement l'infinitif complément. *«Vous deviez ne pas sortir»* (France, *le Lys rouge,* p. 264).

4. Lorsque *ne pas (point)* est suivi d'un substantif. [a] Si la négation porte sur le substantif, on emploie *de. Il n'a pas d'amis. Elle n'avait pas d'heures fixes* (cit. 8). [b] Si la négation ne porte pas sur le nom, on emploie le partitif. *«Il n'avait pas des outils à revendre»* (La Fontaine, v, 1) : il avait des outils, mais pas assez pour en revendre. *«Vous n'avez pas des idées justes de notre enfer»* (A.-R. Lesage, *le Diable boiteux,* p. 5) : vous avez des idées, mais qui ne sont pas justes. — N. B. Si le nom est attribut, le partitif est régulier.

13 Ce jour n'était pas du jour; c'était de la lueur.
HUGO, l'Homme qui rit, II, IV, VIII.

14 (...) ce ne sont pas des reproches que je te fais.
A. MAUROIS, le Cercle de famille, II, III.

5. *Pour que... ne pas, pour ne pas que...* (→ Pour).

♦ **2.** NE... PAS suivi ou précédé d'un adverbe. *Pas toujours* (→ Faire, cit. 67; front, cit. 40). *Pas du tout* (→ Farceur, cit. 4; intelligence, cit. 5); *absolument pas* (renforce la négation). *Il ne comprend pas du tout* (⇒ **Goutte**). — *Pas seulement* (→ Foi, cit. 38; littéraire, cit. 5). *Pas absolument* (→ Fortune, cit. 38). *Pas précisément* (→ Folichon, cit.). *Pas autrement. Pas même* ⇒ **Même.** → Caisse, cit. 5; gaillard, cit. 11. — *Absolument, certainement, évidemment, probablement, à peu près, pour ainsi dire pas.* — REM. Lorsque la particule *pas* est placée avant l'adverbe, elle modifie l'adverbe, en le niant (*pas absolument :* d'une manière qui n'est pas absolue), lorsqu'elle est après, c'est l'adverbe qui modifie la négation (*absolument pas :* d'une manière absolument négative, par une négation absolue). *Il ne couche pas toujours chez lui :* il couche parfois ailleurs, et *il ne couche toujours pas chez lui :* il continue à ne pas coucher chez lui. *Pas encore* (cit. 2); *encore pas. — Pas même; même pas* (valeur identique). → Flétrissure, cit. 1; illusion, cit. 18; inhiber, cit. 3; loger, cit. 8.

♦ **3.** PAS, employé avec un indéfini de valeur positive-négative *(aucun, nul, personne, rien...).*

[a] Dans une même proposition, cet emploi, admis au XVIIe, n'est plus correct aujourd'hui.

15 — Et tous vos biaux discours ne servent pas de rien (...)
— (...) De *pas* mis avec *rien* tu fais la récidive,
Et c'est, comme on t'a dit, trop d'une négative.
MOLIÈRE, les Femmes savantes, II, 6.

16 Ce parfum qu'aucun artifice ne parvient pas à donner aux fruits forcés.
PROUST, À la recherche du temps perdu, t. V, p. 224.

REM. Cette phrase a été corrigée par les éditeurs, et «pas» y a été supprimé.

17 Je n'ai pas besoin d'aucune preuve.
CLAUDEL, la Messe là-bas, p. 46.

[b] Lorsque la principale est suivie d'un infinitif ou d'une complétive, *ne... pas* peut encore s'employer dans certains cas. *«Je ne crois pas qu'aucune puisse y parvenir»* (Littré).

18 Non content de n'être pas sincère, il ne souffre pas que personne le soit (...)
LA BRUYÈRE, les Caractères, VIII, 62.

19 *(Des choses)* Que je n'espère pas oublier jamais.
GIDE, la Porte étroite, p. 211.

♦ **4.** PAS, niant la restriction marquée par NE... QUE (⇒ **Que**). *Ne... pas que. Il n'y a pas que lui.* — REM. Le tour, critiqué par les puristes et encore par *la Grammaire de l'Académie* (p. 197), est entré dans la langue littéraire au XIXe s. (cf. Musset, Hugo, France, Barrès, Morand, Proust, Mauriac, *in* Le Bidois, §§ 592 et 1793; et Hugo, Gautier, Musset, Barrès, Colette, Giraudoux, Gide, Maurois, etc. *in* Grevisse, § 889).

20 Malgré Deschanel, Littré, l'Académie et les puristes, on peut affirmer que la construction incriminée *(ne... pas que)* est non seulement claire et naturelle, mais encore logique. Le tour négatif *«Je n'ai pas qu'un ami»* s'oppose en toute rigueur et exactitude au tour positif *«Je n'ai qu'un ami»* (...) Aussi bien, nos meilleurs écrivains, depuis un bon siècle, ne se font plus faute de l'employer : «Une chandelle qui brille n'attire pas qu'un moucheron» (V. Hugo, *Notre-Dame de Paris*); «Il n'y a *pas que* l'amour seul qui donne de la jalousie» (Musset, *Confession d'un enfant du siècle*); «Il n'y a *pas que* les chevaux et les mulets à qui il faille des œillères (...)» (A. France, *Jardin d'Épicure*); «Mais l'homme ne vit *pas que* de miracles et de surprises» (Valéry, *Variété IV*).
R. LE BIDOIS, «Un prétendu solécisme : Il n'y a PAS que lui», *in* le Monde, 7 mai 1958.

♦ **5.** (En corrélation avec une autre négation).

Ne... pas répété et formant une double négation. *Tu ne peux pas ne pas te poser la question...* (J. Romains, *Montée des périls,* p. 327, *in* Le Bidois), exprime la nécessité (= tu dois te la poser).

Ne... pas repris par *ni.* ⇒ **Ni** (cit. 7 et *supra;* cit. 28 et *supra*).

Vx. *Ne... pas aussi,* après une proposition négative : *Ne... pas non plus.* ⇒ **Aussi** (cit. 49 et *supra*).

Ce n'est pas que... ne (ou *ne pas*) avec le subjonctif, sert à rejeter une négation, à affirmer d'une manière détournée (→ Sans doute). ⇒ **Ce** (*infra* cit. 17); **ne** (cit. 7).

21 Ce n'est pas qu'en effet contre mon père et moi
Ma flamme assez longtemps n'ait combattu pour toi (...)
CORNEILLE, le Cid, III, 4.

22 Ce n'est pas que tes questions à toi ne soient pas très difficiles.
J. ROMAINS, les Hommes de bonne volonté, t. XV, XV, p. 168.

NE... PAS SANS. *Vous n'êtes pas sans savoir :* vous savez certainement. *Ce n'est pas sans peine que les lotions* (cit. 2) *en vinrent à bout* (→ aussi Maçon, cit. 1 ; matière, cit. 24).
Ce n'est pas rien. ⇒ **Rien.**

NON PAS. ⇒ **Non** (cit. 13, 14 et *supra*). *Et, mais non pas.* ⇒ **Non** (cit. 30, 31 et *supra*). *« Il faut manger pour vivre et non pas vivre pour manger »* (→ Frugalité, cit. 1). *« Grand* (cit. 54) *homme, si l'on veut, mais poète, non pas ». Non pas..., mais.* ⇒ **Non** (*infra* cit. 40 ; → aussi Garçonnière, cit. 5 ; glacé, cit. 27 ; logement, cit. 8 ; logique, cit. 1). — *Non pas seulement... mais* (cit. 24 ; → aussi Fonder, cit. 8).

♦ **6.** Omission de *pas* dans les cas où *ne...* seul et *ne... pas* sont également employés (⇒ Ne). — REM. Après *depuis, il y a, voici, voilà* (longtemps,...), où *ne* s'emploie généralement seul (→ Ne), on trouve souvent la négation complète (cf. Grevisse, § 876, Rem. 9°).

★ **II.** Sans *ne.* ♦ **1.** Dans certaines phrases elliptiques, notamment dans les réponses, les exclamations, les comparaisons (→ ci-dessus, I., 1.) *Pas trop, pas beaucoup... Pas du tout*. Pas plus de Procureur que sur la main!* (cit. 9). *Pas avant de t'avoir tué, lâche!* (→ Mouler, cit. 3). — REM. Littré n'admettait l'emploi de *pas,* sans *ne,* que dans une réponse négative ; les autres cas lui paraissaient « suspects d'incorrection ».

23 Pas si loin! pas si haut! redescendons (...)
HUGO, la Légende des siècles, LVIII, II.

24 — Vous m'en voyez navré. — PAS moi, repartis-je.
COLETTE, Chambre d'hôtel, *in* GREVISSE.

25 — Vous les connaissez? — Pas plus que ça.
J. ROMAINS, les Hommes de bonne volonté, t. IV, III, p. 19.

26 Je devrais éprouver le saisissement du choc, puis la peur, puis la détente. Pensez-vous! Pas le temps!
SAINT-EXUPÉRY, Pilote de guerre, XXI.

Pas un [pɑzœ̃]. (⇒ **Aucun, nul**). *Pas un cri, pas une parole* (→ Frémissement, cit. 12). *Pas un geste! Pas un mot* (cit. 16). *« Pas un seul petit morceau* (cit. 1) *de mouche ou de vermisseau »* (La Fontaine). — Fam. *Il se débrouille comme pas un,* mieux que n'importe qui (→ Comme personne*).

27 Il vit une chose lugubre, l'évanouissement de tout. Il n'y avait plus une seule baraque sur le bowling-green. Le circus n'y était plus. Pas une tente. Pas un tréteau. Pas un chariot.
HUGO, l'Homme qui rit, II, IX, I.

28 Il était pieux, et connaissait comme pas un tous les bruits qui couraient sur toutes les âmes de la paroisse.
R. ROLLAND, Jean-Christophe, Le buisson ardent, II, p. 1393.

Régional. *Moins de...* (avec un nom exprimant une durée).

28.1 — Dans pas un mois, tu me verras revenir ici avec elle, mariés tous les deux devant le maire et devant le curé.
M. AYMÉ, la Vouivre, p. 219.

Pas d'histoires (cit. 56). — *Pas de zèle intempestif* (cit. 3), *je vous prie. Pas de blague! Pas de ça, je vous prie!* — Fam. *Pas de ça, Lisette! Pas d'expansion, pas d'abandon* (→ Omettre, cit. 3). — *C'est lui, et pas un autre. « Je veux bien mourir, mais pas qu'ils me touchent »* (Anouilh). *On tuait des loups, mais pas celui-là* (→ Loup, cit. 2). — *Les uns faisaient telle chose, les autres pas.* ⇒ **Non** (II., *supra* cit. 35).

29 Une tignasse jusqu'aux talons (pas ces trois tifs qu'ont les femmes au jour d'aujourd'hui (...)
Paul MORAND, Ouvert la nuit, p. 143.

Ou pas. ⇒ **Non** (ou non). *« Un tel spectacle, concerté ou pas »* (Claudel, *L'œil écoute,* p. 93).

30 D'ailleurs, reprit encore M. de Meillan, âme ou pas âme, il n'y a guère moyen d'être heureux (...)
Francis DE MIOMANDRE, Écrit sur l'eau, Déj. d'affaire, p. 86.

31 Que m'importe aucun d'eux? (...) Qu'ils me suivent ou non? Que m'importe qu'ils m'entendent ou pas?
CLAUDEL, Cinq grandes odes, Prologue.

Pourquoi pas* (Chateaubriand, Sand, Martin du Gard, Gide, *in* Grevisse).
Pas mal (sans *ne*). ⇒ 2. **Mal** (cit. 26, 28, 30 et 31).
REM. Devant un complément introduit par une préposition l'emploi de *ne* est impossible (⇒ 2. **Mal,** cit. 32).

♦ **2.** PAS, sans *ne,* devant un adj. ou un participe. *Les leçons pas sues* (Mauriac) ; *des enfants pas sages* (Henriot).
Un air pas sérieux (→ Galvauder, cit. 4). *C'est un bon turbin, pas fatigant* (cit. 1). *Des framboises pas mûres* (→ Grenade, cit. 3). *Pas changé, celui-là* (→ Figure, cit. 13). *Pas vu, pas pris! Une allure pas ordinaire. Pas folle, la guêpe!* — REM. Cet emploi, souvent considéré comme incorrect ou du moins « négligé » (Georgin, *Difficultés et finesses de notre langue,* p. 208), est entré dans la langue littéraire dès le début du XIXe siècle.

32 C'est aussi un gaillard, pas grand, mais rond, trapu (...)
MAUPASSANT, Monsieur Parent, « Les bécasses ».

33 Ivre et pas fier, il voulait à toute force que l'échanson bût avec lui.
FRANCE, l'Anneau d'améthyste, IV. Œ., t. XII, p. 89.

34 Un drôle sérieux, — pas drôle.
Tristan CORBIÈRE, les Amours jaunes, Épitaphe.

Loc. fam. *Un pas grand-chose.* ⇒ **Grand** (cit. 77 et *supra ;* → aussi Galant, cit. 18). *Une pas grand'chose* (Zola, *Nana,* VI).

♦ **3.** Vx ou littér. En phrase interrogative. ⇒ **Ne** (cit. 16 à 18). *Diraiton pas des yeux jaloux qui vous observent?* (cit. 17). *Voilà*-t-il pas que...?*
Fam. *Pas vrai? :* c'est vrai, n'est-ce pas? *Pas possible?*

(...) je suis bien sûr, madame, qu'elle ne vous donne que des jouissances ; pas vrai, ma petite? 35
BALZAC, la Femme de trente ans, Pl., t. II, p. 784.

Fam. Ellipt. **PAS?** pour *n'est-ce pas?* ⇒ **Être** (cit. 96 à 98 et *supra*).

Je vous écrirai. Vous m'écrirez? Pas? 36
RIMBAUD, Correspondance, VI, 26 sept. 1870.

Comme on l'a vu pour la formule *est-ce que, n'est-ce pas* subit, dans le langage familier, un certain nombre d'altérations et d'écrasements phonétiques : *n'est-ce-pas> ès pas> s'pas> pas...* « C'est vicieux. *pas?* » (dit un voyou) ... « Et c'est pour ça que tu restes ici, *pas?* » Malraux, *Condition hum.,* 245...) « c'est mon béguin ... *s'pas,* monsieur? » Vercel, *Sous le pied...* 125. 37
R. LE BIDOIS, l'Inversion du sujet, p. 70.

♦ **4.** Fam. (cour. dans la langue parlée). ⇒ **Ne** (cit. 20). *Je peux pas. Tu veux pas venir? Y en a pas. Il a pas tort, le gars. Si c'est pas malheureux!* (cit. 26). *Faut pas s'en faire. Faut pas louper* (→ 1. Louper, cit. 2) *son tour. Tombera, tombera pas? Tu penses qu'il viendra? Je crois pas. Elles sont pas encore arrivées.*

— On peut pas, reprit Pépé (...) — Oui. On n'peut pas. T'as raison (...) 38
Francis CARCO, Jésus-la-Caille, III, III.

Il n'est pas jaloux pour un sou (...) Il a un vieux chagrin d'amour. Il a pas envie de le quitter (...) C'était une femme pas sérieuse. Gustin c'est un cœur d'élite. Il changera pas avant de mourir. 39
CÉLINE, Mort à crédit, p. 14.

★ **III.** Adv. et n. m. Opérateur* logique qui transforme une proposition en sa contraire (syn. : *non*). *Le circuit logique* Pas. *Si la proposition* A *signifie* « il fait chaud », *l'opérateur* Pas *la transforme en* $\bar{A}$ (*qui se lit* non-A ou pas-A *et qui signifie* « il ne fait pas chaud »).

CONTR. Bien. — Beaucoup, drôlement..., très.

P. A. S. [peaɛs] n. m. — V. 1950 ; abrév. de *acide P(ara)-A(mino)-S(alicylique).*

♦ Méd. Antibiotique actif contre le bacille tuberculeux.

1. PASCAL, ALE, ALS ou **AUX** [paskal, o] adj. — V. 1112 ; lat. *paschalis.* → Pâques.
Religion.

♦ **1.** Relatif à la fête de Pâques des chrétiens. *Canon pascal.* ⇒ **Canon.** *Cierge pascal,* qu'on bénit le Samedi saint. *Temps pascal :* « la période qui va de Pâques à la fête de la sainte Trinité » *(Dict. de liturgie romaine.). Communion pascale. Devoir pascal :* obligation pour les catholiques de communier chaque année au temps de Pâques.
REM. Au masculin pluriel, Littré recommande de dire *pascaux* plutôt que *pascals,* mais l'Académie (7e éd.) fait observer que *pascaux* est inusité.

De tous ceux à qui j'adresse cette instruction (...) à peine peut-être y en a-t-il quelques-uns qui aient fait le moindre effort pour se disposer à la communion pascale.
BOURDALOUE, Sermons, Sur la communion pascale, I.

♦ **2.** Relatif à la Pâque des juifs. *L'agneau* pascal.*

2. PASCAL, ALS [paskal] n. m. — 1935 ; de Blaise *Pascal,* en hommage à ses travaux sur la pression atmosphérique.

♦ Phys. Unité de mesure de contrainte et de pression* du système M.K.S. (symb. *Pa*). *Un pascal équivaut à la pression due à une force d'un newton exercée perpendiculairement et uniformément sur une surface de* $1 m^2$ *(*$1\ Pa = 1 N/m^2$*). Le bar* vaut* 10^5 *pascals.*

3. PASCAL [paskal] n. m. — 1825 ; *pascaou,* 1772 ; mot provençal, de l'adj. *pascal.*

♦ Techn. Vitic. et régional. Cépage de Provence. *Pascal noir* ou *gros pascal. Pascal blanc* ou *brun-blanc.*

PASCALIEN, IENNE [paskaljɛ̃, jɛn] adj. — 1909 ; de Blaise *Pascal,* et suff. *-ien.*

♦ Didact. Qui appartient en propre à Pascal, qui évoque son œuvre ou sa philosophie. *La pensée pascalienne.*

Ce qu'on appelle roman d'aventures, et qui n'est qu'un enchevêtrement factice de circonstances, peut bien nous divertir, au sens pascalien du mot, c'est-à-dire nous détourner de nous-mêmes.
F. MAURIAC, le Roman, p. 110.

PASCUAN, ANE [paskųɑ̃, an] adj. — Attesté XXe ; mot esp., de *pascua* « Pâques ».

♦ De l'île de Pâques.
N. m. *Le pascuan :* la langue polynésienne parlée à l'île de Pâques.

PAS-D'ÂNE [pɑdɑn] n. m. invar. — 1497, « mors » ; de 1. *pas, d',* et *âne.*

♦ **1.** Techn. Instrument servant à maintenir ouverte la bouche d'un cheval, lorsqu'on l'examine. — Vx. Partie du mors appelée aujourd'hui *liberté de langue.*

♦ **2.** Tussilage.

♦ **3.** (1622). Archéol. Anneau ajouté à la garde d'une épée* et destiné à protéger l'index (et parfois le médius). — Par ext. Garde de l'épée, protégeant toute la main.

PASDAR [pazdaʀ] n. m. — 1979; mot persan.

♦ Membre du mouvement musulman des «gardiens de la révolution» iranienne. *«Le Dr Moustapha Chamrane, "patron" des pasdars et de la nouvelle police secrète...»* (*l'Express,* 1er sept. 1979, p. 80).

REM. On emploie aussi le plur. *pasdaran* : «les milices de *pasdaran*», (*le Nouvel Obs.,* 15 juin 1981, p. 30), aussi écrit (à tort) *pasdarans* (*l'Express,* 14 févr. 1981, p. 81).

PAS-DE-GÉANT [pɑdʒeɑ̃] n. m. invar. — 1901; de *pas, de,* et *géant.*

♦ Techn. Appareil de gymnastique, formé d'un mât muni de cordes auxquelles on s'accroche pour faire de grandes enjambées en tournant. *Des pas-de-géant.*

PAS-DE-PORTE [pɑdpɔʀt] n. m. ⇒ 1. **Pas** (III., 3.).

PASEO [paseo] n. m. — xxe; mot espagnol.
Hispanisme.

♦ **1.** Promenade. *Monter, descendre le paseo. Les paseos du samedi soir.*

1 Les groupes constitués, Serge donna le signal du départ. Ils descendirent le paseo. À gauche, c'était la route de la montagne. Il fallait la suivre pendant cent mètres, puis, après, tourner à droite. H.-F. REY, les Pianos mécaniques, p. 43 (1962).

♦ **2.** Parade d'ouverture dans laquelle les protagonistes d'une corrida sont présentés au public.

2 Le paseo commençait (...) Des fantômes colorés avançaient sur le sable. On entendait à peine leurs pas crissants et très assourdis et, derrière, les chocs sourds des sabots des chevaux des picadores. H.-F. REY, les Pianos mécaniques, p. 130.

PASIGRAPHIE [pazigʀafi] n. f. — 1797; du grec *pâs* «tout», et *-graphie.*

♦ Didact. Système de notation universelle; écriture universelle.

Encyclopédies alphabétiques (...) pasigraphies qui permettent de transcrire selon un seul et même système de figures toutes les langues du monde. Michel FOUCAULT, les Mots et les Choses, p. 100.

PASIONARIA [pasjɔnaʀja] n. f. — 1979; mot esp., «la passionnée», surnom de Dolorès Ibarruri, célèbre révolutionnaire.

♦ Polit. (souv. iron.). Femme qui milite politiquement, de manière active, parfois violente et spectaculaire. *«Une pasionaria de cuir vêtue (...) mime (...) sa triste aventure de péripatéticienne saisie par la Révolution»* (*l'Express,* 4 août 1979, p. 22). *Des pasionarias. «Les dangereuses* pasionarias *des Brigades rouges»* (*le Point,* 11 janv. 1982, p. 44).

PASO DOBLE [pasodɔbl] n. m. invar. — V. 1919; mots esp., «pas redoublé».

♦ Danse qui s'exécute sur une musique de caractère espagnol à mouvement rapide (mesure à deux ou quatre temps), surtout à la mode avant 1940. *Le paso doble est analogue au one step.* — Cette musique.

1 (...) la musique d'un régiment d'infanterie (...) jouait des paso doble sous la galerie qui borde la place du côté de la calle de Bailen. P. MAC ORLAN, la Bandera, XX.

2 (...) quand l'orchestre attaqua un paso doble, elle croisa les bras, rejeta la tête en arrière et, frappant le sol du talon, fit une exhibition de grand style (...) S. DE BEAUVOIR, la Force de l'âge, p. 252.

PASQUEDIEU [paskədjø] interj. — Fin xve; de *pasque* «pâque», et *Dieu.*

♦ Vx. Ancien juron, écrit aussi *pâque dieu.* ⇒ **Morbleu, palsambleu.**

PASQUIN [paskɛ̃] n. m. — V. 1534; aussi *pasquil (le),* xviie; ital. *Pasquino,* nom donné à Rome à une statue antique; → 2. ci-dessous.

★ **I.** ♦ **1.** Vx. Écrit satirique, épigramme malicieuse (→ On, cit. 2, Boileau).

♦ **2.** (Fin xvie). Hist. Statue, colonne sur laquelle on affichait à Rome des écrits satiriques.

♦ **3.** (1798). Vx. Diseur de bons mots, satirique trivial.

★ **II.** (1798; du *Pasquin* de la comédie italienne). Bouffon de comédie. ⇒ **Pitre.**

DÉR. Pasquiner.

PASQUINADE [paskinad] n. f. — 1566; ital. *pasquinata.* → Pasquin.

♦ **1.** Vx. Écrit satirique.

♦ **2.** Vieilli, littér. Raillerie bouffonne (→ Hérédité, cit. 7); action ou parole bouffonne. ⇒ **Facétie, pitrerie.**

Je n'aurais pas pardonné aux Excellences leurs pasquinades diplomatiques, si elles avaient dérangé ma vie. LOTI, Aziyadé, III, XXXVIII.

♦ **3.** Hist. Placard satirique affiché à la statue de Pasquin à Rome. ⇒ **Pasquin** (I., 2.).

PASQUINAGE [paskinaʒ] n. m. — V. 1850, chez Balzac; de *pasquiner.*

♦ Vx. Action de railler, d'accabler de plaisanteries bouffonnes.

PASQUINER [paskine] v. tr. — 1632; au p. p., fin xvie; de *pasquin.*

♦ Vx. Railler durement, avec bouffonnerie.

DÉR. Pasquinage.

PASSABLE [pɑsabl] adj. — V. 1398; «qui peut se glisser en un endroit», 1270; «possible, facile», v. 1195; de *passer.*

♦ **1.** Qui peut passer, qui convient à peu près; qui, sans être considéré comme bon, est cependant d'une qualité satisfaisante, suffisante. ⇒ **Acceptable, admissible, bon** (assez bon), **correct** (*infra* cit. 5), **moyen, potable** (fam.), **supportable.** *Le vin est bon, passable ou mauvais* (→ Chambertin, cit.; fromage, cit. 2). *Eau-de-vie passable* (→ Honnête, cit. 35). *Un travail à peine passable* (⇒ **Médiocre**). *Ce manteau est un peu démodé, mais il est encore passable.* ⇒ **Mettable.**

Elles *(les Parisiennes)* sont tout au plus passables de figure, et généralement plutôt mal que bien : je laisse à part les exceptions. 1
ROUSSEAU, Julie ou la Nouvelle Héloïse, II, XXI.

Moktar affirma qu'il était maître dans la préparation du café. En fait, il servit un 2
café passable et Chavegrand partit à ses affaires. G. DUHAMEL, Salavin, VI, VI.

♦ **2.** (1869; personnes). Qui correspond à la moyenne, est juste au-dessus. *Avoir la mention «passable» à un examen. — À la deuxième interrogation, il se montra passable* (→ Examinateur, cit. 1). *Élève passable* ⇒ **Moyen.**

♦ **3.** (1670). D'une certaine importance, non négligeable. *Il y a un écart passable entre les deux résultats.* ⇒ **Important, remarquable.** — REM. Ce sens correspond à l'emploi le plus cour. de *passablement* (2.).

CONTR. Excellent. — Négligeable.
DÉR. Passablement.

PASSABLEMENT [pɑsabləmɑ̃] adv. — 1531; de *passable.*

♦ **1.** D'une manière passable, pas trop mal. *Parvenir à jouer passablement un morceau de musique* (→ Bougrement, cit. 1). *Une femme passablement jolie.* ⇒ **Assez.** *Il travaille passablement.* ⇒ **Moyennement, raisonnablement.**

♦ **2.** (1713). Plus cour. Plus qu'un peu, assez. *Des idées passablement niaises* (→ Farcir, cit. 6). *Il a passablement voyagé* (→ Il a pas mal voyagé; ⇒ **Mal**). — *Passablement de* (suivi d'un substantif). *Il a dépensé passablement d'argent.*

Monsieur Léon, tout en étudiant son droit, avait passablement fréquenté la *Chaumière,* où il obtint même de fort jolis succès près des grisettes (...) 1
FLAUBERT, Mme Bovary, III, I.

J'ai achevé avant-hier ma préface pour *Armance,* qui m'a donné passablement de 2
mal, car j'étais très fatigué ces derniers temps. GIDE, Journal, 28 mai 1921.

Il faut déjà passablement d'intelligence pour souffrir de n'en avoir pas davantage. 3
GIDE, Journal, 21 mars 1930.

PASSACAILLE [pasakaj] n. f. — 1691; *passecaille,* 1690; *passacaillé,* 1632, *in* D. D. L.; *pasecalle,* 1640; esp. *pasacalle,* de *pasar* «passer», et *calle* «rue».

♦ **1.** Danse à mouvement très lent, originaire d'Italie ou d'Espagne, qui était en faveur en France au XVIIe siècle. — Pièce instrumentale à variations, voisine de la chaconne*; plus tard, dernier mouvement de la suite. *Passacaille de J.-S. Bach.*

♦ **2.** (Fin XVIIe, *passecaille*). Vx. Ruban, ceinture qui soutenait le manchon.

PASSADE [pasad] n. f. — 1454, « partie de jeu »; ital. *passata*, de *passare* « passer ».

♦ **1.** (1573). Manège. Course d'un cheval qu'on fait passer et repasser sur un même parcours.

♦ **2.** (1563, « bref séjour, passage rapide »). Littér. Fait de passer. *Passades de prisonniers* (Claudel, *in* G. L. L. F.). — (1867). Théâtre. Fait de traverser la scène.

(1622, encore chez Balzac). Loc. (vx). *À la passade, en passade :* en ne faisant que passer, rapidement.

♦ **3.** (Fin XVIIe). Cour. Aventure galante, liaison amoureuse de courte* durée. ⇒ **Aventure** (cit. 19), **caprice, fantaisie, galanterie, liaison, passionnette** (fam.). → Dérivatif, cit. 2. *Avoir une passade.*

1 À supposer qu'il *(Flaubert)* se soit arrêté un moment à Marseille, avant de se mettre en route, il n'a pu y demeurer que peu de temps : la conquête d'Eulalie aurait donc été bien rapide et de courte durée. Une passade, tout au plus.
Émile HENRIOT, Portraits de femmes, p. 361.

(1735). Fig. Engouement passager (pour une activité, une doctrine, etc.). ⇒ **Toquade.**

2 C'est à propos de Gide et de sa passade communiste que Lacretelle émet ce jugement. F. MAURIAC, le Nouveau Bloc-notes 1958-1960, p. 108.

♦ **4.** (1656). Escrime. Syn. de *passe**.

1. PASSAGE [pasaʒ] n. m. — 1080, sens II.; de *passer.*

★ **I.** Action, fait de passer (⇒ 1. **Passe** I.).

♦ **1.** Action, fait de traverser un lieu ou de passer par un endroit; moment où l'on passe à un endroit. *Autoriser, permettre le passage. Passage interdit* (→ Écriteau, cit. 3). *Attendre le passage de qqn.* Par métaphore. *L'être vivant est surtout un lieu de passage* (→ Essentiel, cit. 19, Bergson). — (1798). Fam. *Il y a beaucoup de passage dans cette rue, sur cette route,* beaucoup de gens, de véhicules qui passent (cf. Cette rue est très passante). — Dr. *Servitude de passage :* servitude obligeant à laisser passer sur son fonds le propriétaire du fonds voisin (art. 682 à 685 du Code civil). — Par ext. *Il doit le passage dans son champ.*

1 La géographie impose à Canaan un caractère contradictoire; c'est un lieu de passage nécessaire; du Nil à l'Euphrate, nul ne peut éviter de l'utiliser. Mais il est très difficile d'y passer. DANIEL-ROPS, le Peuple de la Bible, II, II.

Le passage de..., suivi du nom désignant le lieu traversé. ⇒ **Franchissement, traversée.** *Le passage de l'équateur, de la ligne*. Passage d'un fleuve à gué. Le passage de la Bérésina. Le passage des Alpes par Hannibal, par Bonaparte.*

2 (...) une princesse russe nous avait raconté que le comte de Westmoreland, ayant énormément souffert du mal de mer pendant le passage de la Manche, et voulant aller en Italie, il tourna bride et revint quand on lui parla du passage des Alpes : — J'ai assez de passages comme cela! dit-il.
BALZAC, Mémoires de deux jeunes mariées, Pl., t. I, p. 231.

Le passage de qqn, le fait qu'il passe; le moment où il passe (→ Indice, cit. 2). *Le passage d'un voyageur. Les journaux annoncent le passage à Paris du Président X.*

3 Puisqu'on avait donné campo à Adrien pour pouvoir applaudir le nouveau président de la République, les deux jeunes gens s'en furent place de la Concorde, où il y avait une foule formidable qui attendait le passage de Poincaré.
ARAGON, les Beaux Quartiers, II, XV.

Bref séjour (→ De passage*, *infra*). *Je l'ai rencontré lors de mon passage à Paris.*

Par métaphore. *Notre vie n'est qu'un bref passage sur la terre* (⇒ **Éphémère**).

(En parlant d'un animal). *Le passage d'une bête* (→ Bulle, cit. 4), *d'un poisson* (→ Héron, cit. 2). *Attendre le passage du gibier.* — (1549). En parlant d'animaux, d'oiseaux migrateurs. ⇒ **Passe** (vx). *Oiseaux** (cit. 5 et 6) *de passage.* — Par métaphore. → Feu, cit. 28; oiseau, cit. 18.

(En parlant d'une chose). *Le passage d'un navire* (→ Événement, cit. 14). *Attendre le passage de l'autobus. Heures de passage des trains. — Passage d'une marchandise dans un pays* (⇒ **Transit**).

(1669). Astron. Instant où un corps céleste coupe la ligne idéale ou le plan qui joint l'œil d'un observateur à un autre corps céleste, ou à un repère déterminé. *Passage d'une planète sur le disque du soleil. Le passage d'un astre au méridien d'un lieu. Lunette de passage* ou *lunette méridienne.*

(En parlant d'un fluide, de la lumière...). Fait de circuler, de s'échapper. ⇒ **Écoulement, fuite.** *Passage de l'eau dans un canal, un conduit, une conduite, un tuyau. Passage d'un gaz à travers une membrane poreuse, de la lumière à travers une matière translucide. Ménager une ouverture pour le passage de la fumée.*

Loc. AU PASSAGE DE QQN, DE QQCH. : au moment où une personne, une chose passe à un endroit. *Chacun, à son passage, la salua respectueusement* (→ Haie, cit. 7). *Attendre, guetter qqn à son passage* (→ Honneur, cit. 111). — *Au passage d'un car* (→ Croisement, cit. 1), *du train.*

Absolt. AU PASSAGE. *« L'un et l'autre rival, s'arrêtant au passage »* (Boileau). — Fig. À l'occasion. *Au passage, regarde s'il est là. Il saisissait au passage des bribes* (cit. 5) *de conversation.*

Et le peuple, saisi de peur, s'est prosterné 4
Au passage du couple abhorré qui le foule.
LECONTE DE LISLE, Poèmes barbares, « Vigne de Naboth », II.

Si ces pétarades *(d'hiatus)* ne nous arrêtent pas toujours, notre oreille, au passage, 5
en éprouve du malaise. G. DUHAMEL, Discours aux nuages, I.

DE PASSAGE : qui ne fait que passer, qui ne reste pas longtemps. *Il ne reste pas, il est seulement de passage. Je suis de passage à Paris* (→ aussi Épanouir, cit. 19; habitation, cit. 1). *L'âme* (cit. 43) *est aussi un hôte de passage* — Fig. *Un bonheur de passage.* ⇒ **Provisoire.**

Bien sûr, je n'ai été pour vous qu'un amant de passage (...) 6
M. AYMÉ, la Tête des autres, II, 8.

♦ **2.** Action, fait de passer, de se rendre d'un lieu à un autre. *Le passage d'une barque* (cit. 3) *d'un bord de rivière à l'autre. Passage d'un soldat à l'ennemi.* — Par ext. *Le passage d'un élève d'une classe dans une autre. — Examen de passage,* qu'on fait subir à un élève pour savoir s'il peut être admis à passer dans la classe supérieure.

Traversée* qu'un voyageur fait sur un navire. ⇒ **Voyage** (→ Indispensable, cit. 5). — Par ext. Prix que coûte une telle traversée. *Payer le passage sur un navire* (⇒ **Billet**), *sur un pont* (⇒ **Péage**). — Dr. marit. *Contrat de passage,* qui fixe les droits et les obligations de l'armateur et du passager relativement à la traversée.

Mais pauvre, et n'ayant rien pour payer mon passage, 7
Ils m'ont, je ne sais où, jeté sur le rivage.
André CHÉNIER, Bucoliques, « L'aveugle ».

♦ **3.** Fait de passer, action de faire passer d'un état à un autre (⇒ **Changement**); moment où un être, une chose passe d'un état à un autre (⇒ **Confins,** fig.). *Le passage de l'état liquide à l'état gazeux* (cit. 1), *du jour à la nuit. — Passage de l'activité* (cit. 4) *à la retraite, de l'adolescence à la vieillesse* (→ Même, cit. 12), *d'une conception abstraite à une œuvre effective* (→ Exécution, cit. 12). Absolt. *« Les mouvements n'existent jamais tout à fait, ce sont des passages, des intermédiaires entre deux existences »* (Sartre, *in* G. L. L. F.).

Tous mes moments ne sont qu'un éternel passage 8
De la crainte à l'espoir, de l'espoir à la rage. RACINE, Bérénice, V, 4.

Spécialt. ⇒ **Transition.** *« Le passage de cette idée à celle qui la suit est trop brusque, n'est pas bien ménagé »* (Académie). — (1720). Peint. « Transition ménagée entre deux tons, entre les ombres et les lumières d'un tableau » (Réau). ⇒ **Gradation.**

(...) et cette tête, comme elle est nonchalamment renversée; et (...) la beauté 9
et la délicatesse des passages, du front aux joues, des joues au cou, du cou à la gorge!
DIDEROT, Salon de 1765, Jeune fille qui envoie un baiser.

La « Jeune Parque » fut une recherche, littéralement indéfinie, de ce qu'on pour- 10
rait tenter en poésie qui fût analogue à ce qu'on nomme « modulation », en musique. Les « passages » m'ont donné beaucoup de mal (...) Rien, d'ailleurs, ne m'intéresse plus dans les arts que ces transitions où je vois ce qu'il y a de plus délicat et de plus savant à accomplir, cependant que les modernes les ignorent ou les méprisent. VALÉRY, Variété V, p. 92.

Spécialt. *Le passage de la vie à la mort.* ⇒ **Trépas** (→ Avertir, cit. 1, La Fontaine).

L'idée que la mort n'est pas une fin mais un passage, qu'elle débouche sur une 11
autre vie, que l'homme échappe à la destruction, qu'il ressuscitera un jour, cette idée qui permet de résoudre l'énigme où la pensée juive s'arrêtait, va progresser lentement et finira par illuminer tout le judaïsme.
DANIEL-ROPS, le Peuple de la Bible, IV, III.

Psychol., cour. *Passage à l'acte*.*

♦ **4.** Action de faire subir à qqn ou à qqch. un certain traitement. *Passage d'une farine au tamis.*

Techn. *Passage des peaux, des étoffes,* dans certains liquides, afin de les apprêter, de les teindre...

♦ **5.** Fam. *Passage à tabac** : fait de « passer à tabac » qqn, volée de coups, correction.

♦ **6.** Loc. *Passage à vide :* moment où une activité s'accomplit sans l'application d'un effort spécifique; cessation momentanée de l'effort, de la volonté au cours d'une action. *Passage à vide dû à la fatigue. Passage à vide dans l'activité d'un parti, d'un homme politique* (cf. dans des emplois voisins, Traversée du désert).

♦ **7.** Action de passer une chose. — Sport. *Le passage de témoin,* dans une course de relais. — Absolt. *Le passage. La zone de passage :* le secteur défini de la piste où le passage peut être effectué.

★ **II.** Endroit par où l'on passe.

♦ **1.** Lieu ou chemin par lequel il est nécessaire ou commode de passer pour aller d'un point à un autre (défilé dans une montagne*; bras de mer; couloir dans un édifice...). ⇒ **Allée, boyau, chenal, col, communication** (porte, galerie de communication), **corridor** (cit. 5), **couloir, dégagement, détroit, galerie, gorge, goulet, ouverture,** 1. **pas** (III.), **passe, seuil, trouée.** *Garder un passage* (→ Détour, cit. 6).

Passage secret (→ Gothique, cit. 8). *Passage en zigzag, en chicane, passage étranglé, étroit. Un sûr passage* (→ Brigandage, cit. 1). *Passage dangereux, difficile. Passage fréquenté, peu connu. Passage obligé, passage-clé,* que l'on ne peut éviter.

12 Je me rappelle en frissonnant un certain passage long de trois ou quatre portées de fusil, large de deux pieds, planche naturelle jetée entre deux gouffres.
Th. GAUTIER, Voyage en Espagne, p. 189.

13 Et Ramuntcho, qui fait ce trajet pour la première fois, n'a aucune idée des passages de chèvre que l'on va prendre, heurte çà et là son fardeau à des choses noires qui sont des branches de hêtre (...) LOTI, Ramuntcho, II, IX.

14 Il s'engouffra si vite dans le couloir d'entrée qu'il trébucha contre les paniers d'huîtres qui répandaient dans le passage un amer relent de marée.
MARTIN DU GARD, les Thibault, t. III, p. 222.

Spécialt. Empreintes laissées par un animal là où il est passé. ⇒ **Trace.**

Techn. Tapis, revêtement de sol qui recouvre le milieu d'un couloir, d'un escalier.

Techn. *Passage de qqch. :* lieu où passe qqch. *Passage de roue, passage de fourches.* Mar. *Passage de manœuvres.*

SUR LE PASSAGE DE : à l'endroit, sur le chemin où passe, où doit passer qqn. *Les gens se pressent sur le passage des cortèges royaux* (→ Domestication, cit.). *Semant la terreur et le meurtre sur leur passage* (→ Forcené, cit. 7). *Se trouver sur le passage de qqn* (→ Éloigner, cit. 8). — Fig. (Pour exprimer une menace). *Il me trouvera sur son passage.* — (Avec l'idée du moment jointe à celle du lieu). → Ci-dessus **AU PASSAGE DE...** *Se pousser le coude* (cit. 4), *se lever sur le passage de qqn* (→ Dictateur, cit. 3).

(Avec l'idée d'obstacles, de difficultés). *Barrer* (cit. 2), *boucher* (cit. 2.1) *le passage à qqn ou à qqch.* (→ Neutre, cit. 4, fig.). *Obstruer* (cit. 2) *le passage. Obstacle qui encombre le passage. — Laisser* (cit. 32), *frayer* (cit. 5), *ouvrir le passage, un passage à qqn ou à qqch.* ⇒ **Voie** (ouvrir la voie). — *Livrer passage à qqn ou à qqch.* (→ Entrebâiller, cit. 2; neutralité, cit. 4). *Dégager le passage. Se frayer* (cit. 4), *s'ouvrir* (→ Maquis, cit. 1) *un passage.* ⇒ **Chemin** (s'ouvrir un chemin). *Jouer des coudes, fendre la foule pour se frayer un passage.*

15 (...) il m'avait trouvé là, en travers de sa porte, lui barrant le passage avec mes bras étendus (...) LOTI, Mon frère Yves, LXXXII.

16 (...) elle qui s'efface un peu pour me laisser le passage, et qui sourit.
J. ROMAINS, les Hommes de bonne volonté, t. III, IV, p. 61.

♦ **2.** (1835). Petite rue interdite aux voitures, généralement couverte (souvent traversant un immeuble), qui unit deux artères. *Maison située entre un passage et une ruelle* (→ Niveau, cit. 3). *Passage couvert. Le passage Choiseul, à Paris.*

17 (...) ces sortes de galeries couvertes qui sont nombreuses à Paris aux alentours des grands boulevards et que l'on nomme d'une façon troublante des *passages,* comme si dans ces couloirs dérobés au jour, il n'était permis à personne de s'arrêter plus d'un instant. ARAGON, le Paysan de Paris, p. 19.

♦ **3.** (1868). **PASSAGE À NIVEAU :** endroit où une voie ferrée croise une route ou un chemin au même niveau (→ Fanal, cit. 3). *Contre-rail, barrière, portillon d'un passage à niveau. Passage à niveau gardé par un garde-barrière.*

18 Le passage à niveau se trouve entre les stations de Malaunay et de Barentin, juste au milieu, à quatre kilomètres de chacune d'elles. Il est d'ailleurs très peu fréquenté, la vieille barrière à demi pourrie ne roule guère que pour les fardiers des carrières de Bécourt, dans la forêt, à une demi-lieue. ZOLA, la Bête humaine, II.

Passage supérieur, inférieur : endroit où une voie de communication (voie ferrée, route) en croise une autre en passant au-dessus, au-dessous.

(1824 en ch. de fer, *in* D. D. L.). **PASSAGE SOUTERRAIN :** sorte de tunnel aménagé au-dessous d'une voie de communication. *Passage souterrain réservé aux automobiles, aux piétons. Passage souterrain permettant aux voyageurs d'accéder aux quais d'une gare sans traverser les voies* (→ aussi Jaillir, cit. 14).

Passage protégé : endroit où une voie prioritaire en croise une autre (les usagers de celle-ci devant céder le *passage* à ceux de la première). — *Passage clouté**. *Passage pour piétons.*

★ **III.** (V. 1175). ♦ **1.** Fragment d'une œuvre. ⇒ **Endroit, extrait, morceau.** *Passage compris entre deux alinéas.* ⇒ **Paragraphe.** *Je relisais un passage d'Atala* (→ Havresac, cit. 1). *Citer des passages de Virgile, d'Horace* (→ Hérisser, cit. 20). *Quelques passages tirés d'Aristote* (→ Contredire, cit. 6). *Lire* (→ Bec, cit. 6), *tronquer* (→ Épiscopal, cit. 1), *supprimer, interpoler* (cit. 1) *des passages. Citation* d'un passage. Trouver un passage dans un volume* (→ Érudition, cit. 5). *Un de mes passages préférés. Le passage où le héros revient. — Jouer un passage d'une sonate. Un passage du « Scherzo » de Chopin* (→ Inhibition, cit. 2; et aussi obstiner, cit. 3).

19 (...) lorsque je lis un livre d'histoire ou un livre sérieux quelconque, j'écris toujours à la première ou à la dernière page quelques mots qui indiquent les sujets essentiels traités, puis, en-dessous de chacun de ces mots, les chiffres des pages qui renvoient aux passages que je désire pouvoir consulter, en cas de besoin, sans avoir à relire le livre entier. A. MAUROIS, Un art de vivre, III, 5.

♦ **2.** (1611). Vx, mus. Ornement improvisé, trait de chant qu'autrefois les chanteurs introduisaient dans leurs airs. *Faire des passages* (→ Aucun, cit. 31).

CONTR. Arrêt, halte. — Barrière, obstacle.
DÉR. 2. **Passager.**

2. PASSAGE [pasaʒ] n. m. — 1611; var. *pasège,* 1625; ital. *passeggio.*

♦ Équit. Figure de haute école dans laquelle l'allure prend la forme d'un trot raccourci.

Le *passage,* trot écourté et raccourci, très rassemblé, très soutenu et très cadencé. Il est caractérisé par un engagement des hanches prononcé et une flexion plus accentuée des genoux et des jarrets ainsi que par la gracieuse élasticité du mouvement. Henri AUBLET, l'Équitation, p. 94.

Air de manège sur lequel s'exécute cette figure.

DÉR. 1. **Passager.**

1. PASSAGER [pasaʒe; pasaʒe] v. — 1678; de 2. *passage;* réfection de l'anc. franç. *passéger,* de l'ital. *passeggiare,* même sens. Équitation.

♦ **1.** V. tr. *Passager un cheval,* le conduire dans la figure du passage.

♦ **2.** V. intr. (1680). Exécuter un passage. *Cheval qui passage bien.*

2. PASSAGER, ÈRE [pasaʒe, ɛʀ; pasaʒe, ɛʀ] n. et adj. — V. 1360, *passagier* « qui prend des passagers »; de 1. *passage.*

★ **I.** N. ♦ **1.** (1690). Vx. Personne qui ne fait que passer en un lieu. ⇒ **Voyageur.** — Poét. « *Habitante* (cit. 7) *du ciel, passagère en ces lieux* » (Lamartine). → aussi Nature, cit. 69, Vigny.

♦ **2.** Personne qui ne fait pas partie de l'équipage et qui est transportée à bord d'un navire (→ Embarquer, cit. 10; 3. gaillard, cit.; lazaret, cit. 1) et, par ext., à bord d'un avion (cit. 3), d'une voiture. — REM. Dans le cas d'un transport par le train ou en autocar, on dit de préférence : « les voyageurs ». — *L'accident a fait deux victimes, le conducteur et l'un des passagers. Équipage* (cit. 3) *et passagers. Passager payant, gratuit. — Passager clandestin :* personne qui, après être montée secrètement à bord, se fait transporter sans avoir payé son passage. *Découvrir un passager clandestin caché dans la cale.*

Sur le bateau de Trouville les passagers montaient déjà. Pierre s'assit, tout à l'arrière, sur un banc de bois. MAUPASSANT, Pierre et Jean, V. 1

À huit heures, le traîneau était prêt à partir. Les voyageurs — on serait tenté de dire les passagers — y prenaient place et se serraient étroitement dans leurs couvertures de voyage. J. VERNE, le Tour du monde en 80 jours, p. 282. 1.1

Passager-kilomètre : unité des statistiques de transport. ⇒ **Voyageur** (voyageur-kilomètre).

★ **II.** Adj. (1564). ♦ **1.** Qui ne fait que passer en un lieu. *Hôte passager. — Oiseau passager.*

♦ **2.** (Choses). Dont la durée est brève. ⇒ **Court, éphémère, momentané, provisoire, temporaire, transitoire;** et aussi **durée** (de courte durée), **éclair** (passer comme l'éclair). *Ondée passagère. Souffle passager* (→ Bouffée, cit. 2). *La condition passagère des choses humaines.* ⇒ **Caducité.** *Mouvement passager d'orgueil.* ⇒ **Bouffée.** *Les mouvements passagers de l'opinion.* ⇒ **Caprice** (cit. 6). *Engouement* (cit. 4) *passager. Sentiment passager* (→ Feu* de paille). *Douleur passagère* (→ Blasphémer, cit. 4). *Briller d'un éclat passager* (⇒ **Météore**). *Un bonheur, un plaisir passager.* ⇒ **Fugace, fugitif, précaire.** « *La beauté* (cit. 24) *du visage est une fleur passagère, un éclat d'un moment* » (Molière). ⇒ **Fragile, frêle.**

Muse, il n'est point de temps que tes regards n'embrassent 2
Tu suis dans l'avenir leur cercle solennel;
Car les jours, et les ans, et les siècles ne tracent
Qu'un sillon passager dans le fleuve éternel. HUGO, Odes et Ballades, II, II, II.

J'avais cru l'averse passagère, mais, tandis que je patientais, le ciel acheva de s'assombrir. GIDE, Isabelle, V. 3

♦ **3.** (1785, Sade *in* D. D. L.). Fam. Très fréquenté; où il passe beaucoup de gens, beaucoup de véhicules. ⇒ **Passant.** *Cette rue est très passagère.*

Aricie et Paul se retrouvaient au Jardin public, dans le coin le moins passager. 4
Émile HENRIOT, Aricie Brun, II, VII.

CONTR. Durable, éternel, permanent.
DÉR. Passagèrement.

PASSAGÈREMENT [pasaʒɛʀmɑ̃; pasaʒɛʀmɑ̃] adv. — 1609; de 2. *passager.*

♦ En passant; pour peu de temps seulement (→ Bleu, cit. 11). ⇒ **Momentanément, provisoirement.**

(...) il ne consentait à accepter que passagèrement cette épreuve (...) 1
LOTI, Matelot, XVIII.

Tel est le seul tableau dont se décore, et bien passagèrement (tableau apparition, tableau rien qu'en reflets, tableau fantôme), la chambre de Jean. Tableau qui ne durait pas longtemps et qui le frappait ainsi bien plus qu'une peinture décidément immobile et qu'il y aurait vue tous les jours. PROUST, Jean Santeuil, Pl., p. 317. 2

PASSANT, ANTE [pasɑ̃, ɑ̃t] adj. et n. — XIIe, «qui sert de passage, où l'on a le droit de passer»; p. prés. de *passer.*

★ **I.** Adj. ♦ **1.** (1538). Qui est très fréquenté; où il passe beaucoup de gens, de véhicules. ⇒ **Fréquenté, passager.** *Cette rue est très passante.*

1 L'endroit est tranquille. Une maisonnette à l'écart de la route. Un pays peu passant et de bons voisins. H. BOSCO, le Jardin d'Hyacinthe, p. 183.

1.1 Le lendemain de ma sortie de prison, par un après-midi de juillet, je me présentais au bar de la Boussole, un établissement miteux sur le côté passant du boulevard Rochechouart. M. AYMÉ, le Vin de Paris, « L'indifférent », p. 9.

♦ **2.** Blason. Se dit d'un animal (quadrupède) qui est représenté sur un écu dans l'attitude de la marche. *D'or au léopard passant de gueules.*

★ **II.** ♦ **1.** N. m. et f. (V. 1250). Personne qui passe dans un lieu, dans une rue. ⇒ **Piéton, promeneur.** *Passants clairsemés, rares* (→ Circuler, cit. 2; curiosité, cit. 19). *Passant attardé* (→ Détour, cit. 2; galop, cit. 10), *égaré* (→ Obligeance, cit.). *Accrocher, interpeller* (→ Direct, cit. 2), *arrêter* (→ Homme, cit. 116), *croiser un passant. Raccrocher, racoler un passant dans la rue. Demander l'aumône aux passants* (→ Boiteux, cit. 4). *Une passante* (→ Adhérent, cit. 1; fantôme, cit. 12). *À une passante,* titre d'un poème des *Fleurs du Mal* de Baudelaire. — (Dans une épitaphe). *Arrête-toi, passant...*

2 Un passant était un ennemi public possible. Cette chose moderne, flâner, était ignorée; on ne connaissait que cette chose antique, rôder. HUGO, l'Homme qui rit, I, II, VI.

3 Les personnages des poètes ont une vie autrement réelle que celle des passants dans les rues. Jérôme et Jean THARAUD, Dingley..., p. 26.

Par métaphore. «*... ce noir passant ailé, Le temps...* » (→ Moment, cit. 24, Hugo).

♦ **2.** N. m. (1347). Anneau aplati de cuir, de métal, etc., qui est placé autour d'une courroie, d'une ceinture, afin de recevoir et de maintenir celle des extrémités de la courroie ou de la ceinture qui est passée dans la boucle.

Passants d'un pantalon : petit morceau de tissu cousu verticalement à la ceinture d'un pantalon, dans lequel on passe la ceinture.

CONTR. (Du sens I., 1.) **Désert.**

PASSAR [pasaʀ] n. m. — Attesté 1903 dans les dict.; mot occitan (languedocien), lat. *passer* «passereau» et fig. nom de poissons.

♦ Régional (Méditerranée). Barbue* (poisson).

PASSARILLE [pasaʀij] n. f. ⇒ **Passerille.**

PASSATION [pasasjɔ̃; pɑsasjɔ̃] n. f. — 1428, *passassion* «décision»; de *passer.*

♦ **1.** (1521). Dr. Action de passer (un acte, un contrat, une écriture comptable). *Passation d'un contrat. Passation d'écriture.*

1 Ainsi, nous le répétons, ne demandez jamais d'expédition chez les notaires, les actes de vente exceptés : contentez-vous de prendre la date de la *passation* de l'acte et le nom du notaire. BALZAC, Code des gens honnêtes, Pl., t. I, p. 124.

♦ **2.** (XXe). Cour. *Passation des pouvoirs :* transmission des pouvoirs à un autre, à d'autres. ⇒ **Transmission.**

♦ **3.** Didact. Fait de passer (un test).

2 Lors de la passation du test, on se heurte à une opposition surtout nette au début de l'examen; Françoise interrompt à diverses reprises, tape sur la table, pousse des cris perçants, son vocabulaire est normal. Roger MISÈS, l'Enfant déficient mental, p. 70.

PASSAVANT [pasavɑ̃; pɑsavɑ̃] n. m. — 1203, *passe-avant* «bannière»; de *passer,* et *avant.*

♦ **1.** (1680). Dr., comm. Document descriptif, permis de circulation autorisant à transporter une marchandise (boisson alcoolisée, etc.) qui est soumise aux droits (contributions indirectes, droits de douane), mais qui bénéficie d'une circulation en franchise, le plus souvent sur un parcours et pour un temps déterminés. ⇒ **Acquit-à-caution, congé, laissez-passer, permis** (de circulation).

♦ **2.** (1773). Mar. Partie du pont supérieur qui sert de passage entre l'avant et l'arrière du navire. — Spécialt. Passerelle légère, souvent amovible, grâce à laquelle on peut passer d'un roof sur un autre, sur un pétrolier.

1. PASSE [pɑs] n. f. — 1383, «but, au jeu de javelines»; de *passer.*

★ **I.** Action de passer. (⇒ 1. **Passage,** I.)

♦ **1.** (1549). Chasse. Passage (du gibier). *La passe des oiseaux.*

♦ **2.** (1867). Vx. Permis de passer; permis de circulation gratuite en chemin de fer. — Vx. *Lettre de passe* (⇒ **Passeport**).

(1875). Mod. **MOT DE PASSE :** formule convenue qui permet de passer librement. ⇒ **Ordre** (mot d'ordre, vx). → 1. Garde, cit. 80. *Donner, avoir, dire le mot de passe.* — Fig. *Le cliché* (cit. 2) *est un mot de passe.*

Ah! si vous avez donné le mot de passe à d'autres, c'est différent (...) 1
LOTI, les Désenchantées, I, II.

— Fais attention que nous sommes dans un camp. Tu ne sais pas le mot de passe. 2
Si tu t'éloignes tu vas te faire tirer dessus. GIDE, Si le grain ne meurt, II, I, p. 297.

♦ **3.** (1829). Rapport sexuel d'une prostituée (ou d'un prostitué) avec son client. *Le prix de la passe. Une passe d'un quart d'heure.* — *Maison de passe,* de prostitution (→ Meubler, cit. 8). *Hôtel de passe,* où les prostituées amènent leurs clients.

(...) ils n'eurent jamais plus d'abandon qu'à ces minutes-là, dans cet hôtel de passe, 3
où on entendait dans le couloir une bande avec des mirlitons, ivre, qui allait s'empiler dans une chambre voisine. ARAGON, les Beaux Quartiers, III, V.

À droite se trouvaient les chambres de passe, à gauche logeaient des pensionnai- 3.1
res, pour la plupart de jeunes couples, si bien que la nuit les couloirs s'emplissaient de soupirs. S. DE BEAUVOIR, la Force de l'âge, p. 234.

♦ **4.** Escr. Mouvement par lequel on passe le pied gauche devant le pied droit pour avancer sur l'adversaire. *Faire des passes. Passe d'armes.* — Se dit aussi du même mouvement dans le tournoi, la joute.

La première partie fut clôturée par une fort belle passe d'armes entre Jacques 4
Rival et le fameux professeur belge Lebègue. MAUPASSANT, Bel-Ami, II, III.

Fig. *Passes d'armes* (cit. 10.1), *passes oratoires :* altercations entre deux personnes.

Danse. Mouvement par lequel on passe un pied devant l'autre latéralement pour changer de direction. *Passes du tango, du paso doble...*

♦ **5.** (Dans les sports d'équipe qui se jouent avec un ballon). Action de passer la balle à un partenaire (→ Marquer, cit. 22). *Passes des joueurs de football, de basket, de volley-ball. Faire une passe à un coéquipier. Une belle passe.*

(...) cette expression est (...) une des règles du football; on ne fait pas de passe 5
à un homme «marqué» par l'adversaire, c'est-à-dire particulièrement surveillé, «repéré» : cette passe aurait trop de chances de ne pas aboutir.
MONTHERLANT, les Olympiques, p. 179 (→ Marquer, cit. 54).

— Te rappelles-tu, aux Jeux, les deux demis Tchèques contre les Suisses? — Ces 5.1
passes à ras de terre, raides, tellement justes. Jean PRÉVOST, Plaisirs des sports, p. 142.

♦ **6.** Mouvement par lequel le matador fait passer près de lui le taureau qui suit le leurre. *Passes de cape* (véronique, etc.). *Passes de muleta. Passe de la gauche, de la droite; passe haute, passe de poitrine, passe à genoux... Mise à mort qui succède aux passes* (→ Matador, cit.).

L'ensemble des passes que le matador réussit avec son chiffon rouge est la 6
«faena». La faena est aujourd'hui le sommet de la lutte (...) de même que la véronique est la clef de voûte du «capeo» *(travail de cape),* la passe majeure est ici la naturelle. Jean TESTAS, la Tauromachie, p. 96.

♦ **7.** Mouvement de main (du magnétiseur [cit.]) sur une personne ou à distance. *Passes magnétiques* (cit. 5). *Faire des passes pour endormir* (cit. 1).

♦ **8.** Techn. Passage d'une pièce au laminoir; passage du balancier dans la frappe des monnaies. — Mar. Tour d'un cordage sur une poulie.

★ **II.** Endroit où l'on passe (⇒ 1. **Passage,** II.).

♦ **1.** (1826). Chasse, pêche. Endroit où passent les animaux. *Pièges à loups à l'entrée des passes* (→ Débouché, cit. 1). — *Passe à poissons dans un barrage.*

(...) la plus belle anguille qui eût jamais été harponnée dans les passes de la 7
chaussée verte (...) A. DE CHATEAUBRIANT, la Brière, II, I.

♦ **2.** (1691). Passage étroit ouvert à la navigation. ⇒ **Canal, chenal** (→ Maëlstrom, cit. 1). *Embouquer une passe. Balisage d'une passe par des bouées. Dragues pour entretenir les chenaux et les passes. Chercher, trouver la passe.*

Vers trois heures, Cyrus Smith et ses compagnons arrivèrent à une étroite crique 7.1
bien fermée, à laquelle n'aboutissait aucun cours d'eau. Elle formait un véritable petit port naturel, invisible du large, auquel aboutissait une étroite passe, que les écueils ménageaient entre eux. J. VERNE, l'Île mystérieuse, t. I, p. 359.

La *Romania* virait pour prendre la passe. 8
MARTIN DU GARD, les Thibault, t. III, p. 102.

Par métaphore :

(...) le pilote unique, seul capable, comme Pitt, Canning et Peel, de trouver la passe 9
entre les récifs ou de donner juste à temps le coup de barre qui sauvera le navire.
TAINE, les Origines de la France contemporaine, t. I, III, p. 226.

♦ **3.** (1606). Jeu. Dans l'ancien jeu de mail, de billard, Arceau par lequel la bille, la boule doit passer (→ Billard, cit. 1). *Être en passe, en bonne passe,* assez proche de la passe pour pouvoir mettre la bille dedans.

Fig., vx. **ÊTRE EN PASSE,** en bonne position.

Que la noblesse est un grand avantage, qui, dès dix-huit ans, met un homme en 10
passe, connu et respecté, comme un autre pourrait avoir mérité à cinquante ans (...) PASCAL, Pensées, V, 322.

Et je crois, par le rang que me donne ma race, 11
Qu'il est fort peu d'emplois dont je ne sois en passe.
MOLIÈRE, le Misanthrope, III, 1.

Mod. (1648). **Être en passe de...**, en position, sur le point de... (⇒ **État, position, situation**). *Il est en passe de réussir, d'avoir sa nomination* (⇒ **Bientôt**). *Livres en passe d'être supprimés* (→ Incriminer, cit. 3).

12 Hélas! nous ne sommes pas encore connues; mais nous sommes en passe de l'être (...) MOLIÈRE, les Précieuses ridicules, 9.

13 Mademoiselle partit donc, dans la joie de son cœur de se trouver enfin en passe de faire quelque action extraordinaire et de conquérir de la gloire.
SAINTE-BEUVE, Causeries du lundi, 24 mars 1851.

14 Après un âpre et long hiver, j'étais en passe de devenir un savant.
FRANCE, la Rôtisserie de la reine Pédauque, XI, Œ., t. VIII, p. 92.

15 — J'avais à l'Institut quelques collègues que j'affectionne, dont votre cher maître Albert Desnos; et je crois bien que j'étais en passe de prendre bientôt place auprès d'eux (...) GIDE, Isabelle, IV.

(1704). Fig. *Bonne passe :* période où la situation est bonne, la chance favorable. *Mauvaise passe :* période d'ennuis, de malheur*. *Être dans une bonne, une mauvaise passe. Être en mauvaise passe.*

16 (...) malgré la mauvaise passe où il se trouvait, l'expression de ses traits était fort douce. STENDHAL, Romans et Nouvelles, « le Coffre et le Revenant ».

17 J'ai attendu à vous écrire, voulant choisir une bonne passe, afin d'être calme et joyeux; mais il me faudrait trop longtemps tarder, et je vous dirai tout bonnement qu'on est à la campagne depuis plus de trois semaines et que par un contretemps fâcheux on s'est heurté aux genoux de manière à devoir garder la chaise (...)
SAINTE-BEUVE, Correspondance, 198, 27 oct. 1851.

18 Sincèrement, j'aurais fait n'importe quoi pour l'aider. Marc n'était plus pour moi qu'un garçon en mauvaise passe. Il devait partir pour une caserne de Versailles, le surlendemain, puis pour un camp de province où on lui remettrait en mémoire le maniement des mitrailleuses. Geneviève DORMANN, la Fanfaronne, p. 125.

♦ **4.** (Mil. XXe). Techn. Étroite bande de cuir servant à maintenir une courroie (→ Passant).

★ **III.** (Ce qui dépasse).

♦ **1.** (1680). Vx. Petite somme complétant la valeur primitive d'une monnaie qui a été réduite. — Petite somme servant d'appoint. — *Passe de caisse :* somme allouée au caissier d'un grand service pour couvrir ses erreurs de caisse.

(1690). Jeu. Mise* que les joueurs doivent faire à chaque coup. — (1838). Série de numéros à la roulette (de 19 à 36), à la boule. *Passe et manque*. Impair, passe et rouge.*

♦ **2.** (1835). Imprim. *Main de passe :* main de papier fournie en sus pour la mise en train. *Livre, exemplaire de passe,* en sus du chiffre officiel du tirage. — *La passe :* l'ensemble des exemplaires de passe.

♦ **3.** (Av. 1486). Techn. Bord d'un chapeau de femme. *Ajuster la passe à la calotte.*

HOM. 2. **Passe,** 3. **passe,** formes du v. **passer.**

2. PASSE [pɑs] n. f. — 1775, Buffon; XIIIe, désignant un poisson; lat. *passer* « passereau » et « carrelet » (poisson).

♦ Régional. Accenteur mouchet (dit aussi fauvette d'hiver). *Passe buissonnière, passe de haie,* etc. (ou *passe*). — *Passe de saule :* friquet (moineau).

HOM. 1. **Passe,** 3. **passe,** formes du v. **passer.**

3. PASSE [pɑs] n. m. — 1894; abréviation.

♦ Abrév. de *passe-partout. Ouvrir une porte avec un passe. Des passes.*

HOM. 1. **Passe,** 2. **passe,** formes du v. **passer.**

PASSE- Premier élément de mots composés, tiré du verbe *passer.* Voir à l'ordre alphabétique.

1. PASSÉ [pɑse] n. m. — 1549; de *passé,* p. p. de *passer.* → Passer.

★ **I.** ♦ **1.** Ce qui a été, relativement à un moment présent donné. Spécialt. Ce qui a été, dans l'expérience humaine, les civilisations. *Connaissances du passé.* ⇒ **Histoire** (cit. 3 et 19). *Recherches sur le passé* (→ Archive, cit. 6; ethnographie, cit. 2). *L'historien* (cit. 6 et 7) *raconteur du passé. Dévoiler le passé et l'avenir* (→ Fantasmagorie, cit. 2). *Formes* (cit. 9), *vestiges du passé* (→ Histoire, cit. 22; néant, cit. 8). *La poussière du passé. Le passé accouche* (cit. 4) *du présent, jette la lumière sur le présent* (→ Enregistrement, cit. 2); *le passé enfante* (cit. 12) *l'avenir, agit sur le futur* (cit. 12). *Préparer un futur* (cit. 13) *identique au passé. Le passé répond de l'avenir. — Juger le passé* (→ Blasphème, cit. 6). *Beauté, mélancolie, charme du passé* (→ 1. Mort, cit. 11; musée, cit. 7). *« Le passé a un visage, la superstition »* (Hugo, → 1. Masque, cit. 20). *Respect profond du passé* (→ Départ, cit. 6). *Vieillard qui dénigre le présent et glorifie* (cit. 2) *le passé* (→ Le bon vieux temps*). *Avoir le culte du passé.* ⇒ **Tradition** (→ aussi Conservateur, réactionnaire, passéiste, traditionaliste.).

1 Quant à nous, nous respectons çà et là et nous épargnons partout le passé, pourvu qu'il consente à être mort. S'il veut être vivant, nous l'attaquons, et nous tâchons de le tuer. HUGO, les Misérables, II, VII, III.

Le passé, c'est la seule réalité humaine. Tout ce qui est est passé. 2
FRANCE, le Lys rouge, XIX.

L'amour du passé est inné chez l'homme. Le passé émeut à l'envi le petit enfant 3 et l'aïeule; il n'en faut pour preuve que les contes de ma mère l'Oie, les contes du temps que Berthe filait, les fables du temps que les bêtes parlaient (...) le passé c'est notre seule promenade et le seul lieu où nous puissions échapper à nos ennuis quotidiens, à nos misères, à nous-mêmes. Le présent est aride et trouble, l'avenir est caché. Toute la richesse, toute la splendeur, toute la grâce du monde est dans le passé. FRANCE, la Vie en fleur, III.

Quant à moi, le passé me lie. Je respecte la tradition, les coutumes, les lois établies. 4
GIDE, Œdipe, II.

Car les objets qui furent aimés pour eux-mêmes autrefois, sont aimés plus tard 4.1 comme symboles du passé et détournés alors de leur sens primitif, comme dans la langue poétique les mots pris comme images ne sont plus entendus dans leur sens primitif. PROUST, Jean Santeuil, Pl., p. 723-724.

Ensemble des événements antérieurs, sur une durée relativement brève, par rapport au moment où l'on se place. *Action ayant un effet sur le passé* (⇒ **Rétroactif**). *Coup d'œil sur le passé* (⇒ **Rétrospectif**). *Oublions le passé et faisons la paix.* — (Employé avec un partitif). Fam. *Tout ça, c'est du passé* (cf. fam. C'est de l'histoire ancienne).

♦ **2.** [a] *Le passé de qqn, un passé :* la vie passée. *Le passé d'un homme. Son passé m'intrigue* (→ Bienséance, cit. 14). *Informations* (cit. 2), *enquête sur le passé de qqn. Son passé de paysanne..., de midinette* (cit. 1). — *Avoir un passé obscur, secret. Un passé léger* (→ Forger, cit. 3), *lourd* (→ Crime, cit. 9; épave, cit. 8). *Un passé louche* (cit. 12). *Les erreurs* (cit. 35) *du passé. Un passé de souffrance, d'humiliation... Un long passé d'efforts et de sacrifices* (→ Aboutissant, cit. 2). *Son passé judiciaire.* — (1893). Loc. *Avoir un passé :* avoir pris part à des affaires louches, avoir eu affaire avec la justice. *À seize ans, il avait déjà un passé.*

Mon passé se colle à moi comme l'emplâtre d'une plaie. 5
J. VALLÈS, le Bachelier, XIV.

Je ne suis pas jaloux de ton passé, chérie, 6
VERLAINE, Odes en son honneur, XVI.

Et maintenant ce qui était en avant de moi, comme un double de l'avenir — aussi 7 préoccupant qu'un avenir puisqu'il était aussi incertain, aussi difficile à déchiffrer, aussi mystérieux (...) — ce n'était plus l'Avenir d'Albertine, c'était son Passé.
PROUST, À la recherche du temps perdu, t. XIII, p. 93.

Le passé d'un peuple, d'une nation (cit. 1). *Le glorieux passé de la France* (→ Lien, cit. 3). *Le riche passé de la race aryenne* (cit. 1). *Le passé de l'humanité* (→ Affranchir, cit. 18).

Comme si nous n'avions pas assez de notre passé, nous remâchons celui de l'huma- 8 nité entière et nous nous délectons dans cette amertume voluptueuse.
FLAUBERT, Correspondance, 186, Début 1847.

(...) la République (...) a derrière elle tout un passé de gloire, tout un passé d'hon- 9 neur, et ce qui est peut-être plus important encore, plus près de l'essence, tout un passé de race, d'héroïsme, peut-être de sainteté (...)
Ch. PÉGUY, Notre jeunesse, p. 16.

Philos. Existence passée (de ce qui est).

(...) la matière (...) répète le passé sans cesse (...) soumise à la nécessité, elle 10 déroule une série de moments dont chacun équivaut au précédent et peut s'en déduire : ainsi, son passé est véritablement donné sans son présent.
H. BERGSON, Matière et Mémoire, p. 250.

[b] Vie passée, ou partie de la vie passée d'une personne, considérée comme un ensemble de souvenirs que la mémoire conserve, peut évoquer. ⇒ **Mémoire** (cit. 2), **souvenir.** *L'homme peut oublier le passé mais il le garde* (cit. 57) *toujours en lui. Rappeler le passé* (→ Anticiper, cit. 1). *Évoquer* (cit. 12) *le passé* (→ Évocation, cit. 9). *Fouiller* (cit. 30) *dans son passé. Tourner les yeux sur le passé* (→ Humilier, cit. 29), *regarder vers le passé.* ⇒ **Arrière** (en arrière). *Un homme se penche sur son passé,* roman de Constantin-Weyer. *Images* (cit. 58) *du passé. Réminiscences, souvenir(s) du passé. Passé qui se représente* (→ Énergie, cit. 8), *resurgit, s'impose au souvenir* (→ Film, cit. 2). *Revivre son passé* (→ Évoquer, cit. 10). *Passé qui laisse des regrets* (→ Attarder, cit. 4), *des remords* (→ Arracher, cit. 49). *Vivre dans le passé :* vivre de souvenirs (→ Diviser, cit. 6). *Vivre sur le passé* (→ Créer, cit. 13). *Abandonner* (cit. 7), *chasser le passé* (→ Attrister, cit. 5); *se détacher* (→ Fragment, cit. 10), *se désencombrer* (→ Disponible, cit. 2) *du passé. Reniements de notre passé* (→ Amputer, cit. 4). *Passé encore vivant, passé mort. « Ce tas de cendre éteint qu'on nomme* (cit. 5) *le passé »* (Hugo). → aussi Cendre, cit. 13.

Le passé a cela de fort, de dangereux, qu'embelli par le temps, par les pertes et 11 les regrets, par les douces larmes qu'on lui donne, il est cent fois plus cher que quand il était le présent. MICHELET, la Femme, II, VII.

Il en est ainsi de notre passé. C'est peine perdue que nous cherchions à l'évoquer, 12 tous les efforts de notre intelligence sont inutiles. Il est caché hors de son domaine et de sa portée, en quelque objet matériel (en la sensation que nous donnerait cet objet matériel) que nous ne soupçonnons pas. Cet objet, il dépend du hasard que nous le rencontrions avant de mourir, ou que nous ne le rencontrions pas.
PROUST, À la recherche du temps perdu, t. I, p. 65.

(...) dès qu'il devient image, le passé quitte l'état de souvenir pur et se confond 13 avec une certaine partie de mon présent.
H. BERGSON, Matière et Mémoire, p. 156.

Le passé et l'avenir n'existent que lorsque nous y pensons; ce sont des opinions, 14 non des faits. Nous nous donnons bien du mal pour fabriquer nos regrets et nos craintes. ALAIN, Propos, 17 avril 1908, « La danse des poignards ».

(...) l'animal vit dans le présent, de sorte que le plus grand nombre de nos maux, 15 imaginaires, habitant la représentation du passé (regrets, remords) ou l'appréhension de l'avenir, lui sont épargnés. GIDE, les Nouvelles Nourritures, p. 294.

16 Mme Forestier était myope et vivait dans le passé : deux raisons qui l'empêchaient de se rendre un compte exact des choses présentes.
COCTEAU, le Grand Écart, p. 55.

17 Inexorablement je porte mon passé
Ce que je fus demeure à jamais mon partage.
ARAGON, le Roman inachevé, p. 177.

★ **II.** ♦ **1.** (1553). Partie du temps antérieure à un présent donné, cadre où chaque chose passée aurait sa place. *Le passé, le présent et l'avenir. Le passé immédiat, récent, proche, éloigné, lointain* (→ Obstacle, cit. 4). *Le passé le plus reculé. Dans un lointain passé* (cf. Dans la nuit des temps; il y a des siècles). *Idée du passé* (→ 1. Hier, cit. 3). — (Avec *dans*). *Situer, localiser un événement dans le passé* (→ Lointain, cit. 17). ⇒ **Date, remonter** (à); **autrefois, hier, jadis, naguère** (cit. 2). *Dans le présent et dans le passé* (→ Essence, cit. 5), *dans le lointain et dans le passé* (→ Estomper, cit. 6). *L'établissement de l'homme est dans le passé ou dans le futur* (→ Instant, cit. 4). *Sentiments enfouis dans la nuit* (cit. 18) *du passé. La guerre s'est enfoncée* (cit. 30) *dans le passé. Cela se produisait dans le passé,* autrefois (→ Dans le temps*). — *Du passé* : syn. de *passé,* adj. ⇒ **Ancien, antique.** *Legs, trésor héréditaire* (cit. 2) *du passé. Grande figure* (→ Attarder, cit. 8), *hautes âmes* (→ Divination, cit. 3), *beautés du passé* (→ Femme, cit. 101). ⇒ **Antan.** *Les coutumes, les monuments du passé* (→ Archéologie, cit. 3).

PAR LE PASSÉ (dans une phrase comparative) : dans le passé, autrefois (→ pop. Dans le temps*). *Son caractère était plus agressif que par le passé* (→ Fondre, cit. 35). *Elle m'observa avec plus d'attention* (cit. 24) *que par le passé. Le même que par le passé* (→ Ingénier, cit. 2).

Littér. Le passé, conçu comme une force de destruction. « *Passé... Que faites-vous des jours que vous engloutissez* » (Lamartine, → Abîme, cit. 8).

♦ **2.** (1550). Gramm., ling. Temps qui n'est plus et dans lequel se situe l'action ou l'état exprimé par le verbe. *Temps* du verbe exprimant le passé.* ⇒ **Imparfait, plus-que-parfait** (→ Passé, ci-dessous, comme nom de temps). *Passé achevé* (⇒ **Parfait**). *Le passé peut aussi être rendu par un présent, un infinitif de narration, les locutions* venir de..., ne faire (cit. 73) que de... *Futur dans le passé, exprimé par un conditionnel* (ex. : Il lui disait qu'il *viendrait*). Passé ou antériorité dans le futur exprimé par le futur antérieur (ex. : Il *aura fini* quand j'arriverai), *l'impératif composé* (ex. : *Soyez rentrés* quand j'arriverai), *l'infinitif composé* (Il veut *avoir fini* quand j'arriverai,... avant mon retour).

18 (...) tandis que le passé se conserve en nous par la mémoire, c'est notre imagination seule qui perçoit l'avenir. Aussi y a-t-il beaucoup plus de formes temporelles distinctes pour l'indication du passé que pour celle de l'avenir. Le verbe français ne compte pas moins de cinq temps principaux du passé, pour l'indicatif seulement : imparfait, passé simple, passé composé, passé antérieur, plus-que-parfait; et ces trois derniers temps ont des formes surcomposées, pour rendre certaines nuances de l'antériorité; cela porte à huit le nombre de nos temps du passé pour le seul mode indicatif (et encore le futur antérieur, et sa forme surcomposée n'y sont-ils pas compris). On voit si c'est avec raison que l'on a dit du français qu'il peut rendre le passé avec un véritable luxe de nuances.
G. et R. LE BIDOIS, Syntaxe du franç. moderne, § 720.

Temps du verbe qui exprime le passé. *Conjuguer un verbe au passé.* — *Passé simple de l'indicatif* (dit aussi *passé défini*, prétérit*, parfait*), qui énonce en principe une action, un état achevés (ex. : Il *vint* chez nous). *Le passé simple peut être considéré comme un passé pur, proche ou lointain, mais totalement séparé du présent; à cause de la difficulté de ses formes on lui substitue souvent dans la langue courante le passé composé* (→ Imparfait, cit. 14).

Passé composé, dit aussi *passé indéfini** (cit. 12 et 13), qui énonce en principe une action achevée gardant un lien avec le présent (ex. : Il *est venu* chez nous). *Emploi des auxiliaires être*, avoir avec le passé composé.* — REM. Dans une proposition conditionnelle introduite par *si*, le passé composé a une valeur de futur antérieur (ex. : Si demain vous n'*avez* pas *donné* votre réponse, je considérerai que vous acceptez).

19 Que dans la valeur temporelle du passé composé il y ait quelque chose pour le présent, cela paraît déjà ressortir de sa forme seule : dans *j'ai lu*, il y a le présent *j'ai (...)* « Désirez-vous que je vous prête ce livre? — Non, merci, *je l'ai lu.* » N'est-ce point là le passé « encore en flux », donc parlait Maupas, c'est-à-dire ce passé qui vient aboutir au présent, et qui, tout en demeurant distinct, ne laisse pas d'y développer ses conséquences, (ici, le refus du livre)? Telle est cette sorte de temps complexe, de temps à deux visages, de passé-présent, dont, plus on l'examine, moins on est capable de dire ce qui au juste y domine, du passé ou du présent.
G. et R. LE BIDOIS, Syntaxe du franç. moderne, § 742.

*Passé antérieur** (cit. 5), servant à exprimer l'antériorité par rapport à une action passée, le plus souvent employé dans une subordonnée (ex. : Quand il *eut écrit* sa lettre, il la cacheta), parfois dans une coordonnée.

Passés surcomposés de l'indicatif, formés de l'auxiliaire *avoir* et du passé composé, du passé antérieur, employés en subordonnée en corrélation avec un passé composé, un passé simple (ex. : Quand j'*ai eu fini*, je suis sorti. « *Quand Dieu m'*a eu donné *une fille, je l'ai appelée Noémi* », Renan).

20 La disparition du passé simple a entraîné la création de passés surcomposés. Il a fallu créer une forme qui jouât vis-à-vis du passé composé, devenu le plus usité, le rôle que le passé antérieur jouait autrefois en face du simple : **j'ai eu** *vite* **deviné** *ses intentions.* Cette forme est extrêmement usuelle, comme temps relatif : *lorsque* **j'ai eu livré** mon poignet (BALZ., *Sc. vie paris.*, 3e liv., 12). — *Et quand* **tu as eu dépensé** *ce qui te restait d'argent... qu'as-tu fait, ma fille?* (E. SUE, *Myst.*, I, 25)...
F. BRUNOT, la Pensée et la Langue, p. 484.

Passé première forme du conditionnel (ex. : *J'aurais fini*), *deuxième forme* (ex. : *J'eusse fini*).

Passé du subjonctif, dit aussi *parfait du subjonctif* (ex. : *Que j'aie fini*).

CONTR. Avenir, futur. — Actualité, aujourd'hui, présent.
DÉR. Passéisme, passéiste.
HOM. 2. Passé, passée.

2. PASSÉ [pɑse] prép. — XIIe, avec l'accord et encore chez Rabelais; invar., XVe; p. p. de *passer.*

Après, au delà, dans l'espace ou le temps.

♦ **1.** (Dans l'espace). *Passé la poste, vous tournerez à droite.* — Fig. *Une limite passé laquelle on ne peut rien faire.*

(...) mais passé la ferme de la Saudraie, l'enfant me fit prendre une route où jusqu'alors je ne m'étais jamais aventuré. GIDE, la Symphonie pastorale, p. 12. 1

♦ **2.** (Dans le temps). *Passé minuit* (→ Emplir, cit. 4). *Passé ces délais, vous n'aurez aucun recours* (⇒ **Passer**).

M. de Courpière n'admet pas que l'on fasse de l'esprit passé une heure du matin (...) A. HERMANT, Souvenirs du Vicomte de Courpière, X. 2

CONTR. Avant.
HOM. 1. Passé, passée.

PASSE-BALLE [pɑsbal] n. m. — 1701; de *passer,* et *balle.*

♦ Vx. Planche percée de trous d'un diamètre déterminé, servant à calibrer des balles. ⇒ **Calibre.** *Des passe-balles.*

PASSE-BANDE [pɑsbɑ̃d] adj. invar. — 1948; de *passer,* et *bande* (de fréquence).

♦ Techn. Se dit d'un dispositif électrique (filtre) qui ne laisse passer qu'une bande de fréquence. *Les filtres passe-bande sont destinés à augmenter la sélectivité des récepteurs de radio; selon qu'ils sélectionnent les fréquences hautes ou basses, ils sont dits* passe-haut *ou* passe-bas.

PASSE-BAS [pɑsbɑ] adj. invar. — 1948; de *passer,* et *bas.*

♦ Techn. *Filtre passe-bas,* qui ne laisse passer que les basses fréquences.

CONTR. Passe-haut.

PASSE-BOUILLON [pɑsbujɔ̃] n. m. — 1903; de *passer,* et *bouillon.*

♦ Fine passoire utilisée pour dégraisser le bouillon. *Des passe-bouillons.*

PASSE-BOULE [pɑsbul] n. m. — 1903; de *passer,* et *boule.*

♦ Jeu d'adresse fait d'un panneau représentant une tête grotesque à la bouche percée d'un trou destiné à recevoir les boules des joueurs. — Par ext. *Avoir une bouche en passe-boule,* largement ouverte. — *Des passe-boules.* — REM. On écrit aussi *un passe-boules* (invariable).

PASSE-CARREAU [pɑskɑʀo] n. m. — 1765, *Encyclopédie;* de *passer,* et *carreau.*

♦ Techn. Planche à bouts arrondis que le tailleur passe sous la partie du vêtement qu'il repasse au carreau*. *Des passe-carreaux.*

PASSE-CHEVRON [pɑsʃəvʀɔ̃] n. m. — Mil. XXe, *in* Larousse 1963; de *passer,* et *chevron.*

♦ Techn. Outil de couvreur, formé d'un crochet à pointe. *Des passe-chevrons.*

PASSE-CORDE [pɑskɔʀd] n. m. — 1765; de *passer,* et *corde.*

♦ Techn. Instrument à tige cylindrique munie d'un œil pour passer les cordes, les lanières dans une matière épaisse. *Passe-corde de bourrelier. Des passe-cordes.*

PASSE-COULOIR [pɑskulwaʀ] n. m. — 1909, *in* D. D. L.; de *passer,* et *couloir,* de *couler.*

♦ Vx. Vêtement chaud court et large, sans manches, qui se passe sur les autres. *Des passe-couloirs.*

PASSE-CRASSANE [paskʀasan] n. f. — 1874; de *passer*, et *crassane*.

♦ Poire d'hiver juteuse et parfumée, à la peau grumeleuse et d'un brun-jaune terne. *Des passe-crassanes*.

PASSE-DEBOUT [pasdəbu] n. m. invar. — 1723; de *passer*, et *debout*.

♦ Anciennt. Permis de passage pour les produits traversant une localité soumise aux droits d'octroi.

PASSE-DIX [pasdis] n. m. invar. — V. 1553; de *passer*, et *dix*.

♦ Vx. Jeu à trois dés où l'on parie d'amener plus de dix (→ Hasard, cit. 1).

PASSE-DROIT [pasdʀwa] n. m. — 1546; de *passer*, et *droit*.

♦ **1.** Faveur, grâce, privilège qu'on accorde à qqn contre le droit, le règlement (en général au détriment d'autrui). ⇒ **Illégalité, irrégularité.** *Sa nomination* (cit. 1) *fut un passe-droit. Passe-droits et injustice* (cit. 8).

1 J'ai les passe-droits en horreur et ne veux profiter de rien que ma valeur n'ait mérité. GIDE, Œdipe, II.

2 (...) voulez-vous repasser lundi prochain, vers la fin de la journée? Votre livre sera prêt. Je ne sais si vous vous rendez compte que c'est un tour de force; (il rit) où plutôt un horrible passe-droit. Tenez! (il montre les exemplaires disloqués sur la petite table). Ces volumes appartiennent à un de mes bons clients qui les attend depuis trois mois (...)
J. ROMAINS, les Hommes de bonne volonté, t. I, VII, p. 74.

2.1 Mais vous ne comprenez donc point que ces deux cent cinquante mille francs les aveuglent! Ils parlent de favoritisme, de passe-droit. De là à prétendre que mon petit Albert touche la forte somme de la famille à laquelle il attribue Gaston il n'y a qu'un pas! J. ANOUILH, le Voyageur sans bagage, p. 80.

Littér. Irrégularité tolérée. *De petits passe-droits appelés licences* (cit. 9) *poétiques*.

♦ **2.** Vx. Injustice (cit. 11) subie par qqn du fait qu'une personne l'emporte sur lui, tout en ayant moins de droits. *On lui a fait bien des passe-droits. Accablé de passe-droits* (→ Camarade, cit. 2).

3 Popinot fut Juge-suppléant jusqu'au jour où le plus célèbre Garde des Sceaux de la Restauration vengea les passe-droits faits à cet homme modeste et silencieux par les Grands-Juges de l'Empire. BALZAC, l'Interdiction, Pl., t.III, p. 21.

PASSÉE [pase] n. f. — 1573; *pessée* «passage», 1290; de *passer*.

Chasse.

♦ **1.** Trace laissée en passant (par certains animaux). *Passées d'un cerf.*

1 Inutile d'ajouter que cette forêt, aussi bien que la côte déjà parcourue, était vierge de toute empreinte humaine. Pencroff n'y remarqua que des traces de quadrupèdes, des passées fraîches d'animaux, dont il ne pouvait reconnaître l'espèce.
J. VERNE, l'Île mystérieuse, t. I, p. 67.

♦ **2.** (1690). Passage des bécasses qui sortent du bois vers la campagne. *L'heure de la passée. Prendre les bécasses à la passée.*

2 Il y a des passées de vanneaux et d'outardes, depuis deux jours, vers une heure du matin. Mus me montrait le bas du parc : — Dans le pré, où se perd l'eau des sources, nous en avions chaque année quelques nids (...)
H. BOSCO, Un rameau de la nuit, p. 171.

HOM. 1. Passé, 2. passé.

PASSEFILAGE [pasfilaʒ] n. m. — 1868; de *passefiler*.

♦ Vx. Action, manière de passefiler.

PASSEFILER [pasfile] v. tr. — 1868; p. p. «crépé au fer», 1611; de *passer*, et *filer*.

♦ Vx. Raccommoder avec du fil à repriser. ⇒ **Raccommoder, repriser.**

DÉR. Passefilage, passefilure.

PASSEFILURE [pasfilyʀ] n. f. — 1868; de *passefiler*.

♦ Vx. Ouvrage passefilé (⇒ **Raccommodage, reprise**).

PASSE-FLEUR [pasflœʀ] n. f. — xve; de *passer*, et *fleur*.

♦ Variété d'anémone. *Des passe-fleurs.*

PASSE-HAUT [pasəo] adj. invar. — 1948; de *passer*, et *haut*.

♦ Techn. *Filtre passe-haut*, qui ne laisse passer que les hautes fréquences.

CONTR. Passe-bas.

PASSÉISME [paseism] n. m. — 1930, C. Mauclair, *in* D. D. L.; de 1. *passé*.

♦ Didact., péj. Goût excessif du passé, de ses institutions, de ses coutumes, de ses arts. *Un passéisme figé. Le passéisme d'un artiste, de ses productions.*

CONTR. Futurisme, modernisme.

PASSÉISTE [paseist] adj. et n. — 1913, *in* D. D. L., arts; de 1. *passé*.

♦ Didact. Qui a le goût exclusif de tout ce qui appartient au passé; partisan du passéisme. *Attitude passéiste. Culture passéiste. Revendications passéistes.* — *Art passéiste* (opposé à *futuriste*).

Il disait en riant qu'il était passéiste : il croyait à un âge d'or de la bourgeoisie, à certaines de ses valeurs, aux vertus de l'artisanat. 1
S. DE BEAUVOIR, la Force de l'âge, p. 37.

Le modèle nouveau de la politique socialiste est apparu en 1968, dans la plus grande confusion, sous des formes parfois apocalyptiques et d'un futurisme aventurier sans grand sens du réel, parfois au contraire, passéistes jusqu'à tenter de recommencer les révolutions du XIXe siècle. 2
Roger GARAUDY, Parole d'homme, p. 203.

CONTR. Futuriste, moderniste.

PASSE-LACET [paslasɛ] n. m. — 1827, *in* D. D. L.; de *passer*, et *lacet*.

♦ Grosse aiguille à long chas et pointe obtuse servant à introduire un lacet dans un œillet, une coulisse. *Des passe-lacets.*

À nos foires, il y a dix ans, j'achetais pour quarante-cinq sous les trois rouleaux d'eau de Cologne que ma femme consomme de la foire d'août à celle de mai; et, maintenant, les spéculateurs nous les apportent eux-mêmes, et je ne paye plus les trois rouleaux que trente sous; encore donne-t-on un passe-lacet, des épingles et un almanach, par-dessus le marché.
BALZAC, 6e lettre sur Paris, XXIII, *in* D. D. L., II, 12.

(1919). Pop. *Être raide comme un passe-lacet* : se tenir très droit, avoir un maintien raide et compassé. — Autre sens (avec effet stylistique sur *raide*, pop., «démuni d'argent») : n'avoir plus un sou.

PASSE-LAIT [paslɛ] n. m. invar. — 1903; de *passer*, et *lait*.

♦ Appareil utilisé pour passer le lait.

PASSE-LIEN [pasljɛ̃] n. m. — xxe; de *passer*, et *lien*.

♦ Instrument servant à passer, à conduire une substance souple. *« Certains objets en os commencent à ressembler, vers le début du VIIe millénaire, à des outils de tisserands, longs passe-liens à encoches (...) »* (*la Recherche*, avr. 1981, p. 459).

PASSEMENT [pasmɑ̃; pasmɑ̃] n. m. — 1539; *passage*, v. 1196; de *passer*.

♦ **1.** Techn. Tissu de fils mêlés (d'or, d'argent, de soie...) servant d'ornement, de garniture. Spécialt. Étoffe mêlée de soie et de métal.
(Av. 1672). Cour. Bande, galon de passement (⇒ **Passementerie; ganse, ruban**). *Passement bordant un habit, un vêtement, l'étoffe d'un meuble* (fauteuil, divan...). *Passement orné d'un picot.*

♦ **2.** Anciennt. Dentelle qui bordait les collets, manchettes, canons (Molière, *Dom Juan*, II, 1).

DÉR. Passementer, passementier.

PASSEMENTER [pasmɑ̃te; pasmɑ̃te] v. tr. — 1542; de *passement*.

♦ **1.** Garnir, orner de passements.

♦ **2.** (1866). Le sujet désigne ce qui orne. *Les fleurs qui brodent et passementent un tapis de végétation* (→ Fourmiller, cit. 7).
(Abstrait). Orner, garnir. *Les dictons* (cit. 2) *dont nos paysans passementent leurs discours.*

▶ **PASSEMENTÉ, ÉE** p. p. adj.

♦ **1.** *Vêtements passementés. Guenilles passementées et dorées* (→ Attifer, cit. 2).

♦ **2.** Par métaphore. *Coquillages* (cit. 1) *tout brodés et tout passementés.*

DÉR. **Passementerie.**

PASSEMENTERIE [pasmɑ̃tʀi; pasmɑ̃tʀi] n. f. — 1439; de *passementer.*

♦ **1.** Ensemble des ouvrages de fil, tels que les passements*, franges, galons..., destinés à l'ornement des vêtements, des meubles, etc. *Ouvrages de passementerie.* ⇒ **Agrément, aiguillette, brandebourg, chamarrure, chenille, cordon, cordonnet, crépine, crête, croquet, dentelle, dragonne, embrasse, épaulette, feston, filet, frange, galon, ganse, garniture, gland** (*supra* cit. 3), **guipure, lézarde, pampille, passepoil, picot, résille, ruban, soutache, torsade, tresse...** *Passementerie de lin, de coton, de soie; de fils métalliques* (or, argent), *de lamés...; de verre filé. Passementerie en macramé. Parement de passementerie autour d'un dais.* ⇒ **Gouttière.**

1 (...) la passementerie éraillée des brandebourgs se défilait par endroits (...)
Th. GAUTIER, le Capitaine Fracasse, II.

2 *(Jean Valjean)* eût voulu (...) l'enthousiasmer *(Cosette)* par quelque chose d'extérieur et d'éclatant. Ces idées, puériles (...) et en même temps séniles, lui donnèrent, par leur enfantillage même, une notion assez juste de l'influence de la passementerie sur l'imagination des jeunes filles. Il lui arriva (...) de voir passer dans la rue un général à cheval en grand uniforme (...) Il envia cet homme doré (...)
HUGO, les Misérables, IV, III, VIII.

♦ **2.** (1669). Commerce, industrie des ouvrages de passementerie. *La passementerie comprend la fabrication des rubans* (⇒ **Rubanerie**), *tresses et lacets; et plus spécialement la fabrication des articles de garniture. Passementerie pour ameublement, passementerie de nouveauté, passementerie militaire...*

3 Cette partie, appelée passementerie d'or et d'argent, comprenait les épaulettes, les dragonnes, les aiguillettes, enfin cette immense quantité de choses brillantes qui scintillaient sur les riches uniformes de l'armée française et sur les habits civils.
BALZAC, la Cousine Bette, Pl., t. VI, p. 160.

PASSEMENTIER, IÈRE [pasmɑ̃tje, jɛʀ; pasmɑtje, jɛʀ] n. et adj. — 1552; de *passement.*

♦ **1.** N. Personne qui fabrique ou vend de la passementerie (⇒ **Crépinier**). *Le guipoir, outil de passementier* (⇒ aussi **Guiper**). — Appos. *Ouvrier passementier.*

♦ **2.** Adj. De la passementerie. *Industrie passementière.*

PASSE-MONTAGNE [pasmɔ̃taɲ] n. m. — 1859, Gautier, *in* D. D. L.; de *passer,* et *montagne.*

♦ Coiffure de tricot qui enveloppe complètement la tête et le cou, ne laissant que le visage découvert (→ Mouflet, cit. 1). *Des passe-montagnes.*

PASSE-MURAILLE [pasmyʀaj] n. m. invar. — 1943; de *passe,* impératif de *passer,* et *muraille.*

♦ Plais. Personne qui aurait la faculté de passer à travers les murs, et, par ext., de s'évader d'un lieu d'une manière incompréhensible. *Le Passe-muraille,* ouvrage de M. Aymé (1943). — Adj. invariable :

Le Chef va certainement nous faire transférer sitôt après le délai d'appel : ce couple de casseurs passe-muraille fait peser sur sa femme et lui de trop lourdes responsabilités.
A. SARRAZIN, la Cavale, p. 313.

PASSE-PARTOUT [paspaʀtu] n. m. invar. — Fin xvie; «homme audacieux», 1564; de *passer,* et *partout.*

♦ **1.** Clef servant à ouvrir plusieurs serrures (généralement dans une même maison, un même établissement). ⇒ **Clef** (cit. 4). *Des passe-partout de cambrioleur; de serrurier* (⇒ **Crochet,** 3. **passe**). *Garçon d'étage, gérant d'hôtel qui ouvre la porte d'une chambre à l'aide de son passe-partout.*

Spécialt. (vx). Clef de la porte extérieur d'une maison «qu'on donne aux locataires, ou aux domestiques» (Furetière 1690). — REM. De nos jours, on dit encore *un passe* en ce sens.

1 Aussitôt le chevalier tire deux clefs de sa poche, l'une petite et l'autre grande. «La petite, me dit-il, est le passe-partout de la rue, la grande est celle de l'antichambre d'Agathe (...)»
DIDEROT, Jacques le fataliste, p. 711.

2 Les locataires de cette maison-là ont des passe-partout pour rentrer la nuit chez eux.
HUGO, les Misérables, III, VIII, XIV.

Par métaphore. *L'argent est un bon passe-partout,* il donne entrée partout.

♦ **2.** (1676). Techn. Grande scie à bois, à large lame sans monture. — (1868). Scie à pierre, à marbre (sans dents). — Petite scie de tonnelier.

♦ **3** (1690). Techn. (Arts). Planche gravée dont le centre évidé peut recevoir des motifs différents (planche à claire-voie). — (1762). Typogr. Ornement dont le milieu évidé peut recevoir une lettre, un motif.

(1825). Cadre à fond amovible pouvant recevoir toutes les estampes, gravures, dessins... de même format. *Photographie montée en passe-partout.*

♦ **4.** (1877). Techn. Brosse de boulanger, servant à enlever la farine des pains.

♦ **5.** Fig. Ce qui va, convient partout. *La périphrase «le fait* (cit. 4) *de...», sorte de passe-partout qu'on substitue aux noms d'action...* — Adj. invar. *Une tenue passe-partout. Des mots, des expressions passe-partout.*

(...) l'équatorial principal *(d'un téléscope)* est muni d'une monture passe-partout, afin que chacun puisse y adapter ses oculaires. 2.1
L. FIGUIER, Année scientifique et industrielle, 1883, p. 36 (1882).

Et puis le personnage se serait peut-être borné à débiter de ces belles phrases passe-partout, que Claude aurait écoutées les lèvres serrées. 3
J. ROMAINS, les Hommes de bonne volonté, t. XI, XVIII, p. 178.

(...) «chose», mot passe-partout (...) J. MAROUZEAU, Aspects du français, p. 39. 4

(...) chaque fois qu'il y a une Légion d'honneur à accrocher, elle trouve un exministre ou un sous-secrétaire d'État en exercice, à tout le moins un directeur de cabinet, qui est libre ce soir-là et prononce un de ces discours passe-partout destinés aux festivités des Sociétés Anonymes et dans lesquels seuls sont à changer les noms de la maison et du récipiendaire. 5
Pierre DANINOS, Un certain Monsieur Blot, p. 143.

PASSE-PASSE [paspas] n. m. invar. — 1530, *tour de passe-passe; un passe-passe,* v. 1420; de l'impér. de *passer* redoublé.

♦ **TOUR DE PASSE-PASSE** : tour d'adresse des joueurs de gobelet (cit. 3), des bateleurs, jongleurs (⇒ **Jongler**), et de nos jours, des prestidigitateurs. ⇒ **Escamotage.**

Il avait des talents divers, il faisait des tours de passe-passe très particuliers. Outre les voix qu'il faisait entendre, il produisait toutes sortes de choses inattendues, des chocs de lumière et d'obscurité, des formations spontanées de chiffres ou de mots à volonté sur une cloison, des clairs-obscurs mêlés d'évanouissements de figures, force bizarreries (...) 1
HUGO, l'Homme qui rit, II, II, VIII.

(Fin xvie). Par métaphore, fig. Tour d'adresse; tromperie, fourberie habile.

(...) tu viens d'inventer ce tour de passe-passe en te trouvant à la tête de quinze mille francs qui ne sont pas à toi! (...) 2
BALZAC, les Petits Bourgeois, Pl., t. VII, p. 195.

En faisant voter dès le second jour la mise hors des débats des accusés, sous le prétexte qu'ils insultaient le Tribunal. Ce n'était rien, mais il fallait y penser : c'était génial. Ce tour de passe-passe permit de les condamner à mort, sans les entendre. 3
J. ANOUILH, Pauvre Bitos, p. 40.

PASSE-PIED [paspje] n. m. — 1532; de *passer,* et *pied.*

♦ **1.** Anciennt. Danse à trois temps d'un mouvement vif.

Des dames de la cour, en habits de gala, causent ou dansent avec des jeunes cavaliers. Les passe-pieds, les sarabandes, se succèdent joyeusement (...)
Th. GAUTIER, Souvenirs de théâtre..., «Beautés de l'Opéra», I.

(1691). Air sur lequel elle se danse, inclus parfois dans la suite comme intermède entre la sarabande et la gigue. *«Le passe-pied est "à peu près semblable" au menuet»* (Rousseau).

♦ **2.** Passage destiné aux piétons, au-dessus d'un barrage.

PASSE-PIERRE [paspjɛʀ] n. m. ou f. — 1664; de *passer,* et *pierre.*

♦ Plante ombellifère, dite aussi *perce-pierre* ⇒ **Christe-marine, crithme, perce-pierre.** *Des passe-pierres.*

PASSE-PLAT [paspla] n. m. — V. 1950; de *passer,* et *plat.*

♦ Guichet pour passer les plats, les assiettes (entre une cuisine et une salle à manger, une salle de restaurant, etc.). *Des passe-plats. Passe-plat d'un monte-charge.* — REM. On écrit parfois *un passe-plats* (invariable).

La porte à glissière du passe-plats était ouverte sur la salle à manger.
H. TROYAT, Tendre et violente Élisabeth, p. 366.

PASSEPOIL [paspwal] n. m. — 1834; «fente du vêtement par où paraissait le poil de la doublure», 1603; de *passer,* et *poil.*

♦ Liséré, bordure de tissu formant un dépassant entre deux pièces cousues. ⇒ **Débord, ourlet** (faux ourlet); **cordon, doublure.** *Pyjama garni d'une ganse en passepoil. Passepoil d'une poche, d'une boutonnière...*

Spécialt. Passepoil de couleur sur les coutures des uniformes militaires (→ Émacié, cit. 2; lancier, cit.).

L'uniforme des cavaliers, d'un drap vert sombre relevé d'un passepoil jaune. Le chapeau incliné sur l'oreille, les gars avaient l'allure martiale.
B. CENDRARS, l'Or, *in* Œ. compl., t. II, p. 175.

DÉR. Passepoiler.

PASSEPOILER [paspwale] v. tr. — 1907 ; *passe-poilé*, p. p., 1833, *in* D. D. L. ; de *passepoil.*

♦ Garnir d'un passepoil. *Passepoiler des boutonnières.* — Au p. p. *Boutonnières passepoilées.*

(...) une culotte noire passepoilée de grenat (...)
GIRAUDOUX, Siegfried et le Limousin, III.

PASSEPORT [paspɔʀ; paspɔʀ] n. m. — 1420 pour des marchandises ; de *passer,* et *port* « issue, passage ».

♦ **1.** (1520). Pièce délivrée à une personne pour lui permettre de voyager librement. — Anciennt. « Lettre ou brevet d'un Prince ou d'un Commandant, pour donner liberté, sûreté et sauf-conduit à quelque personne pour voyager, entrer et sortir librement sur ses terres » (Furetière). → Lettre de passe*. *Passeport pour un pays* (→ 1. Faux, cit. 54).

Mod., cour. Pièce certifiant l'identité délivrée par la préfecture à un ressortissant pour lui permettre de se rendre à l'étranger. ⇒ **Laisser-passer, sauf-conduit ; papier** (*supra* cit. 26 : les papiers). *Demander, se faire faire, renouveler un passeport. Passeport valide, périmé. Il faut un passeport et un visa* pour se rendre dans ce pays. Vous n'avez pas besoin d'un passeport, la carte d'identité suffit. Contrôle des passeports à la frontière, à la douane, dans un aérodrome...* ⇒ **Police** (→ 1. Douanier, cit.). *Examiner* (cit. 10), *viser un passeport. Circuler librement, sans passeport* (→ Barrière, cit. 6). *Passeport consulaire. Passeport intérieur* (en U. R. S. S.). *Passeport des réfugiés et des apatrides.* → Titre* de voyage.

1 Je n'avais point de passeport, mais, dans cet heureux temps, il n'y avait point toutes les difficultés dont chaque démarche a été hérissée depuis que les Français, en essayant d'être libres, ont établi l'esclavage chez eux et chez les autres.
B. CONSTANT, Cahier rouge, II.

2 Mais, demain matin, tu auras un passe-port pour aller en pays étranger dans une ville que je t'indiquerai. BALZAC, Autre étude de femme, Pl., t. III, p. 260.

2.1 Oui. Les passeports ne servent jamais qu'à gêner les honnêtes gens et à favoriser la fuite des coquins. Je vous affirme que celui-ci sera en règle, mais j'espère bien que vous ne le viserez pas (...) J. VERNE, le Tour du monde en 80 jours, p. 44.

3 L'un *(des gardes)* lui dit : « Il faudra faire viser votre passeport (...) » Il se rendit à la Sûreté afin de présenter son passeport. Il s'attendait à ce qu'on apposât tout de suite un cachet sur ce document précieux, après l'avoir contrôlé.
P. MAC ORLAN, la Bandera, II.

4 Vous avez été en Espagne ? — Oui, dit Philippe. Il y a trois ans. — Le passeport n'est plus valable. Il aurait fallu le renouveler. SARTRE, le Sursis, p. 136.

Spécialt. Passeport diplomatique. *Ambassadeur qui demande ses passeports,* qui sollicite son départ du pays où il est accrédité (cf. Lettre de recréance, de rappel).

♦ **2.** (1666). Vx. Permis de naviguer accordé à un navire. — Douane. Pièces délivrées à un navire étranger, après son passage dans un port français, contre perception du droit de passeport. ⇒ 3. **Droit** (*supra* cit. 30 : droit de navigation) ; et aussi **certificat, congé, lettre** (de mer)...

♦ **3.** (Fin XVIe). Par métaphore ou fig. Ce qui fait passer qqn ou qqch., ce qui sert de sauf-conduit. *L'or est un passeport universel.*

5 (...) il est des infortunés trop privilégiés pour suivre la route commune, et pour qui le désespoir et les amères douleurs sont le passe-port de la nature (...)
ROUSSEAU, Julie ou la Nouvelle Héloïse, III, XXI.

6 (...) je pourrais vous dire que mademoiselle Arnould serait un passeport beaucoup meilleur auprès de monsieur votre frère (...)
CHAMFORT, Caractères et Anecdotes, « La C^sse d'Egmont et M. de Fronsac ».

PASSE-PURÉE [paspyʀe] n. m. — 1903 ; de *passer,* et *purée.*

♦ ⇒ **Presse-purée.**

PASSER [pɑse] v. — 1050 ; lat. pop. **passare,* de *passus* « pas ».

★ **I.** V. intr. — REM. D'une manière générale, *passer* se conjugue avec l'auxiliaire *avoir* ou avec l'auxiliaire *être* selon que l'on veut exprimer l'action ou l'état ; cependant l'usage semble faire prévaloir l'emploi de *être.*

A. Se déplacer* d'un mouvement continu (par rapport à un lieu fixe, à un observateur).

♦ **1.** Être, se trouver momentanément (à tel endroit) en mouvement. ⇒ aussi **Aller.** *Passer quelque part, à un endroit, dans un lieu. — Personne qui passe dans une rue* (→ Donner, cit. 60 ; endimancher, cit. 1), *dans un village* (→ Fourcher, cit. 1 ; marmot, cit. 4), *dans un lieu* (→ Album, cit. 1). *Passant rue Saint-Nicaise* (→ Machine, cit. 25). *Où passe-t-il ?* — (Sans compl. de lieu). *Regarder passer la foule.* ⇒ **Passant** (→ Arrêter, cit. 56). *Un homme passait* (→ Dévoiler, cit. 6). *Passer à pied* (⇒ **Marcher**), *dans une voiture* (→ Cahotant, cit.). ⇒ **Circuler.** *Vous restez et nous passons* (→ 1. Feu, cit. 28). *Elle passa, s'éloignant comme elle était venue* (→ Hanche, cit. 7). *Passer sans s'arrêter. Passer rapidement, vivement* (→ Important, cit. 16), *comme un éclair** (cit. 10), *comme une ombre*, en coup de vent*. « Qui est-ce qui passe ici si tard, compagnons de la Marjolaine... »* (chanson populaire).

Dans le temps qu'il se baignait, le roi vint à passer (...) 1
Ch. PERRAULT, le Chat botté.

(...) elle vit passer, avec lenteur, à sa gauche, un vaste oiseau aux ailes noires, qui s'en allait vers la haute mer. Pierre LOUŸS, Aphrodite, III, VI. 2

Cadieux, qui descendait, passa en coup de vent (...) 3
MARTIN DU GARD, les Thibault, t. VI, p. 56.

Et il passe journellement, dans les couloirs, cours et escaliers de l'immeuble, tel ouvrier, tel livreur, tel contrôleur du gaz (...) 4
J. ROMAINS, les Hommes de bonne volonté, t. IV, XIX, p. 212.

(Le sujet désigne les passagers d'un véhicule, d'un navire). *Nous passerons par l'autoroute du Nord et par la Belgique.* — Mar. *Passer au vent, sous le vent* d'un obstacle.*

(Sujet collectif). *La foule passait lentement. Le cortège n'a pas fini de passer.* ⇒ **Défiler.** — Prov. *Les chiens aboient, la caravane passe.*

(Le sujet désigne un animal). *Oiseaux qui passent.* ⇒ **Passe ; migrateur** (→ Grue, cit. 2). *Des troupeaux passaient.*

Trans. **PASSER SON CHEMIN** : poursuivre sa route sans s'arrêter. *Passez votre chemin* (cit. 1). *« Tu passes ton chemin majestueuse* (cit. 1) *enfant »* (Baudelaire). — Vx ou littér. *Passez votre chemin,* se dit pour chasser, renvoyer* un importun.

Au lieu de passer son chemin, ainsi qu'elle aurait dû faire, comment avait-elle pu s'arrêter devant son ennemie et, par une phrase murmurée entre les dents, provoquer cette dispute odieuse ? LOTI, Ramuntcho, I, XXVII. 5

Rester très peu de temps. *« Cette terre (...) où (...) je n'ai fait que passer (...) je viens l'habiter »* (cit. 11, Fromentin). *Ne vous dérangez pas, je ne fais que passer* (→ Entrer* et sortir). — *Le facteur vient de passer.*

Je n'ai fait que passer, il n'était déjà plus. 6
RACINE, Esther, III, 9.

Vous nous expliquerez que vous passiez dans le quartier et qu'à la dernière minute vous êtes venu dire bonjour aux copains. 6.1
René FLORIOT, La vérité tient à un fil, p. 77.

Spécialt. (Dans une tournée). *Le facteur vient de passer. Il passe une fois par mois.*

Le boulanger qui passe pourtant tous les mardis n'est pas venu aujourd'hui. 7
ALAIN-FOURNIER, le Grand Meaulnes, I, IX.

Loc. *Un ange** (cit. 25 et 26) *passe.*

(XVIIe, Molière, La Fontaine). **EN PASSANT** : alors que l'on passe quelque part, sans s'arrêter ou en s'arrêtant très peu de temps. *Apercevoir* (→ Âne, cit. 1), *regarder, jeter un coup d'œil* (→ Affairer, cit. 1), *dire en passant* (→ 2. Marche, cit. 11). *Renverser, heurter qqch. en passant* (→ Mégarde, cit. 2). *Il venait montrer* (cit. 2) *en passant différents articles.*

(...) Augustine, brillante et descendant d'un joli équipage, n'était jamais venue voir sa sœur qu'en passant. BALZAC, la Maison du Chat-qui-pelote, Pl., t. I, p. 56. 8

Fig. *Dire, remarquer qqch. en passant,* au cours d'un récit, d'un discours..., et sans s'y arrêter (⇒ **Incidemment**). *Dire en passant que...* (→ Astral, cit. 2). — Loc. *Soit dit* (1. Dire, cit. 32) *en passant. — Nous avons, en passant, relevé ses torts* (→ Double, cit. 11).

Ou vous n'aurez avec eux nulle paix. 9
Ceci soit dit en passant. Je me tais. LA FONTAINE, Fables, VII, 8.

(Choses ; véhicules, objets mobiles). *Les voitures qui passent dans une rue, à tel endroit. — La Seine passe à Paris.* — (Sans compl. de lieu). *Le chaland qui passe. Le glissement* (cit. 4) *d'une auto qui passait. Un bolide* (cit. 1) *passait en trombe. Avion qui passe avec un bruit fracassant* (cit. 2). *Obus qui passe très haut.*

(Choses matérielles mais non délimitées ; effets d'une action, etc.). *Orage, grain* (cit. 35), *nuée* (cit. 1) *qui passe. Ondes* (cit. 11) *qui passent. Une lueur passa dans ses yeux. Un frisson* (cit. 12) *qui vous passe dans le dos. Faire passer un frémissement* (cit. 13). ⇒ **Provoquer.** *Faire passer un courant électrique. Argent qui passe dans les mains, dans les doigts de qqn* (→ Jeu, cit. 38).

Un souffle d'air froid passa, venu de très loin, de la grande campagne à peine éveillée encore ; et le bois entier frémit (...) 10
MAUPASSANT, Fort comme la mort, I, III.

Ce qui fit passer un éclair de malice dans les yeux d'Alfreda. 11
MARTIN DU GARD, les Thibault, t. V, p. 123.

Loc. *Passez muscade** (cit. 3).

(Dans des contextes techniques ; choses). Se déplacer (continûment ou non) selon un trajet déterminé. *Les pièces usinées passent par ce couloir*

♦ **2.** (En parlant d'un film, dont la pellicule *passe* dans le projecteur). Être projeté sur un écran. *Ce film passe dans les salles d'exclusivité, j'attends qu'il passe dans mon quartier. Ce film est passé deux fois à la télévision.* — Par anal. (En parlant d'un spectacle). *Quand passe cette pièce ?* (→ Impossible, cit. 19). — (D'une personne). *C'est un chanteur qui passe à Bobino. Il passe à la radio demain* (→ aussi B., 3.).

♦ **3.** (Suivi de certaines prépositions). **PASSER SOUS, DESSOUS.** *Passer sous un pont, un porche. Passer sous le gui. Il a passé dessous. Passer sous le joug*, sous les Fourches** (cit. 7) *Caudines.*

— Fam. *Passer sous une voiture, un train... :* être écrasé. — *Faire passer qqch. sous les yeux de qqn,* faire voir (→ Objectivité, cit. 3, fig.). *Filets d'air, odeurs qui passent sous les portes.* ⇒ **Infiltrer** (s'). → Escalier, cit. 6.

12 Passer sous un arc de triomphe, c'est aussi passer sous le joug.
VALÉRY, Mélange, p. 83.

13 Par la suite, Sammécaud fit passer sous les yeux de Gurau des pièces de comptabilité, des statistiques, des rapports confidentiels (...)
J. ROMAINS, les Hommes de bonne volonté, t. III, XVI, p. 215.

Par ext. (Choses). Former un passage. *Tunnel qui passe sous les Alpes.*

Fig. *Passer sous le nez de qqn* (→ Nez, cit. 45). *Il passera de l'eau sous le pont**.

PASSER SUR, DESSUS. *Passer sur un pont, sur la jetée. Le bateau passa sur l'eau* (→ Broyer, cit. 2). ⇒ **Glisser.** *« Sur la maison des morts mon ombre passe »* (→ Apprivoiser, cit. 23, Valéry). *Passer sur la terre* (→ Aimer, cit. 70). *Sourire qui passe sur un visage* (⇒ 2. **Errant,** cit. 10). — Par ext. *Digue, levée* (cit. 1) *sur laquelle passe la grande route. Passer l'un sur l'autre* (⇒ **Croiser, traverser**). — *Passer par-dessus un mur* (⇒ **Enjamber**). — Escr. *Passer sur qqn,* avancer vers lui en portant le pied gauche devant le pied droit (⇒ 1. **Passe**).

Spécialt. *Passer, sur, dessus,* en foulant, en écrasant... *Voiture qui passe sur qqn.* — (Fam.). *Le camion lui a passé dessus. Grenouille sur laquelle a passé la roue d'un tombereau* (→ Aplatir, cit. 6). — Fig. *Passer sur le corps, sur le ventre de qqn :* nuire sans aucun scrupule à qqn pour parvenir à ses fins. ⇒ **Marcher** (sur). → Espérance, cit. 49; impatienter, cit. 8. — Fam. *Tout le pays lui a passé dessus; il n'y a que le train qui ne lui est pas passé dessus* (en parlant d'une femme facile).

Fig. Ne pas s'attarder, ne pas s'appesantir* (sur un sujet). *Passer sur un fait, sur un détail.* ⇒ **Couler** (sur), **écarter, glisser** (sur), **négliger.** Absolt. *Passons! :* passons sur ce détail, n'insistons* pas.

14 (..) nous passions à la hâte sur mille chapitres que nous n'avions pas le temps de traiter à fond.
Mme DE SÉVIGNÉ, 245, 3 févr. 1672.

15 Certes il fallait que madame la princesse de Palestine et moi fussions bien fortes pour résister à tout ce que nous éprouvâmes jusqu'à notre arrivée à *(au)* Maroc! Mais passons; ce sont des choses si communes, qu'elles ne valent pas la peine qu'on en parle.
VOLTAIRE, Candide, XI.

16 On nous saura gré de passer rapidement sur des détails douloureux.
HUGO, les Misérables, II, II, I.

Ne pas tenir compte (d'un inconvénient), prendre son parti de... *Passer sur les défauts de qqch. La maison est chère, mais elle nous plaît tant que nous passerons là-dessus* (fam.), nous l'achèterons en dépit de sa cherté.

Oublier volontairement (les torts d'autrui). *Passer sur les fautes de qqn.* ⇒ **Oublier, pardonner, supporter.** Par ext. *« Et l'amitié passant sur ces petits discords »* (Molière). → 1. Discord, cit. 1.

16.1 Ça ne fait rien, j'aurais passé sur tout, puisque je vous aime. D'ailleurs, j'ai passé sur tout (...)
MONTHERLANT, Pitié pour les femmes, p. 76.

Se dispenser de (une obligation). *Passer sur des formalités* (cit. 8). ⇒ **Éluder, éviter.** — (Dans un sens analogue). *Passer par-dessus une interdiction,* en faire fi. ⇒ **Enfreindre, violer.**

17 Quand je pourrais passer sur quantité d'égards où notre sexe est obligé (...)
MOLIÈRE, l'Avare, IV, 1.

(V. 1175). PASSER OUTRE. ⇒ **Outre** (cit. 8 à 12). *Passer outre à une interdiction.*

PASSER À, AU TRAVERS (⇒ **Traverser**). *Passer au travers d'un pré* (⇒ **Couper;** → Dommage, cit. 5), *des buissons* (⇒ **Brosser,** vx). *Les gros insectes passent au travers des toiles d'araignées* (→ Araigne, cit. 2). *Passer au travers d'un obstacle, des troupes* (→ Fondre, cit. 19). — *Lumière, clarté, rayon qui passe à travers un corps.* ⇒ **Pénétrer, percer** (→ Brillanter, cit. 2; feuille, cit. 14; globe, cit. 12; image, cit. 8). — Par ext. *La voie ferrée passe au travers de la route* (⇒ **Croiser**).

Fig. Se dispenser, être dispensé, exempté... ⇒ **Échapper** (à), **éviter.** *Passer au travers d'une corvée, d'une punition, d'un danger. Il est passé au travers.*

PASSER PRÈS, À CÔTÉ..., LE LONG DE... *Passer à côté de qqn près de qqn* (⇒ **Côtoyer, coudoyer, frôler**). *Elles passaient le long de la grande cour.* ⇒ **Longer** (→ Dévisager, cit. 5). *Planète qui passe près de la terre* (→ Monde, cit. 4). *Flèche qui passe à côté du but, qui ne l'atteint pas. « Le coup* (cit. 27) *passa si près que le chapeau tomba »* (Hugo). — Fig. *Passer à côté.* ⇒ **Côté** (→ Impossible, cit. 29).

18 Que de fois on passe dans la vie à côté de ce qui en ferait le charme, comme le navigateur franchit les eaux d'une terre aimée du ciel, qu'il n'a manquée que d'un horizon et d'un jour de voile!
CHATEAUBRIAND, Mémoires d'outre-tombe, t. II, p. 116.

19 Mon père marche sur le chemin, nous allons l'atteindre. Il n'est pas seul (...) La route n'est pas très large. Nous passons si près les uns des autres que nous pourrions nous toucher.
G. DUHAMEL, Chronique des Pasquier, V, XVII.

PASSER DEVANT, DERRIÈRE. *Passer et repasser devant une fenêtre, une porte* (→ Désarroi, cit. 4; moirer, cit. 3). *Passer devant des groupes de personnes* (→ Attraper, cit. 18). *Passer devant l'autel* (→ Génuflexion, cit. 2). — Fam. *Passer devant monsieur le maire :* se marier (à la mairie). *Faire passer devant un tribunal* (⇒ **Traduire**). *Les chevaux viennent de passer devant les tribunes* (→ Longueur, cit. 4). *La calèche lui passa devant les yeux* (→ Gris, cit. 26).

Spécialt. *Passer devant qqn dans sa marche, dans un ordre de marche. Passer devant qqn pour lui montrer le chemin* (→ Excuser, cit. 22). ⇒ **Précéder.** *Passez derrière moi.* ⇒ **Suivre.** *Notable qui passe devant un autre* (⇒ **Marcher; préséance**).

PASSER AVANT, APRÈS : précéder, suivre (dans le temps). *Passer avant qqn :* passer d'abord; *passer après qqn :* passer ensuite. *« Passez donc! — Après vous! » Ne passez pas avant les autres, attendez votre tour.*

Fig. *Passer avant :* avoir la préférence*, être plus important, supérieur. *Sa mère passe avant sa femme; sa tranquillité passe avant son devoir. Passer avant toutes choses. Faire passer une chose avant tout* (→ Gendelettre, cit.), *son intérêt personnel avant l'intérêt général.*

Passer après : le céder à autre chose, être mis au second rang, être moins important, inférieur (→ Échelon, cit. 7). *Les plaisirs passent après la santé.*

♦ **4.** (Sans compl. de lieu; avec l'idée d'une difficulté, d'obstacles à franchir). Franchir un endroit étroit, difficile, dangereux, traverser un endroit gardé, interdit (→ ci-dessous, B.). *Le col est enneigé, nous ne pourrons pas passer. Passer entre les gens.* ⇒ **Faufiler** (se). → Escarcelle, cit. 2. *Empêcher qqn de passer* (cf. Barrer la route, le chemin). *Défense de passer. Halte! on ne passe pas! Les automobilistes peuvent passer au feu vert. Il est passé au rouge, au feu rouge* (⇒ **Brûler, griller**). *Est-ce que ça passe?* (en parlant d'un objet, d'un véhicule qu'on fait passer en un lieu étroit). *Passer entre deux obstacles. Poisson qui passe entre les mailles d'un filet. « Le bec de la cigogne y pouvait bien passer »* (→ Mesure, cit. 4, La Fontaine). *Calfeutrer une porte pour empêcher le vent de passer.* — Allus. hist. *Ils ne passeront pas,* formule lancée par Pétain à Verdun lors de l'offensive allemande en 1916.

Où le père a passé, passera bien l'enfant. 20
A. DE MUSSET, Poésies nouvelles, « Le Rhin allemand ».

(Churchill) ne supposait pas que la ligne Maginot eût cette force infernale et il repartit émerveillé — mieux qu'émerveillé : triomphant — emportant comme fétiche l'insigne des ouvrages : *« On ne passe pas ».* 21
R. DORGELÈS, la Drôle de guerre, XIII.

De Joffre, de Foch, de Castelnau, de Pétain, nous n'avions jamais parlé. « Mon petit, m'écrivait Robert, je reconnais que des mots comme « passeront pas » ou « on les aura » ne sont pas agréables; ils m'ont fait longtemps aussi mal aux dents que « poilu » et le reste (...) » 21.1
PROUST, le Temps retrouvé, Pl., t. III, p. 752.

LAISSER PASSER : faire en sorte qu'une personne, une chose passe, puisse passer. *Faire la haie* (cit. 6), *s'effacer* (cit. 28) *pour laisser passer qqn* (→ Galant, cit. 4). *Écartez-vous, laissez passer!* ⇒ **Pas** (céder le pas), **place** (faire place). *Bouche qui laisse passer un souffle.* ⇒ **Échapper, sortir** (→ Fût, cit. 6). *Baie qui laisse passer le soleil* (⇒ **Entrer, pénétrer**). *Corps qui laisse passer les fluides.* ⇒ **Perméable** (→ Muqueuse, cit. 1), *la lumière* (⇒ **Translucide, transparent**). — *Permettre, donner la permission de passer.* ⇒ **Laissez-passer, passe** (mot de). *Laisser passer une personne.* (→ Mander, cit. 4), *des marchandises... « Laisser* faire, laisser passer ».*

Spécialt. (En parlant d'un liquide). Traverser un filtre (cit. 1), un tamis. *Le café est en train de passer* (⇒ **Filtrer**).

(...) le café n'était pas prêt. Ce jour-là, il s'entêtait à ne pas vouloir passer. Maman Coupeau tapait sur le filtre avec une petite cuiller; et l'on entendait les gouttes tomber une à une, lentement, sans se presser davantage. 22
ZOLA, l'Assommoir, t. I, VI, p. 231.

(En parlant d'aliments). Être digéré. ⇒ **Descendre** (fam.), **digérer.** *Son déjeuner ne passe pas, a du mal à passer.*

César exhalait un soupir de ruminant. 23
— Rien! fit-il. Mon déjeuner qui ne passe pas.
G. DUHAMEL, Salavin, V, XV.

Fam. *Faire passer un (son) enfant :* avorter. *Elle n'a pas voulu le faire passer.*

Loc. fam. *Le, la sentir passer :* subir qqch. de pénible. *On lui a ouvert son abcès, il l'a senti passer!* Spécialt. (En parlant de gros frais). *Il l'a sentie passer, la note.*

♦ **5.** Fig. (Sans compl.; choses abstraites). Être accepté, admis. *La loi a passé,* a été votée. *Décision qui passe comme une lettre** (cit. 30) *à la poste. Mot qui a de la peine à passer* (→ Magnifier, cit. 1). *Cette scène ne passe pas,* est mauvaise. — (Avec *laisser, faire...*). *Laisser passer un mot* (cit. 18). ⇒ **Admettre, tolérer.** *La forme fait passer le fond* (⇒ **Excuser**). *Faire passer des hardiesses grâce à un style modéré* (→ Grave, cit. 12). *« Le conte fait passer le précepte avec lui »* (→ Fable, cit. 12, La Fontaine). — Loc. prov. *La sauce fait passer le poisson**. — *Chose qui peut passer* (⇒ **Aller; acceptable, passable, supportable**). *Cela peut passer à la rigueur.*

C'est sous cette pression grossière que passent plusieurs décrets, entre autres celui par lequel les Communes se déclarent Assemblée Nationale et prennent le pouvoir suprême. 24
TAINE, les Origines de la France contemporaine, t. I, III, p. 55.

C'est une opinion très répandue (...) Les opinions communes passent sans examen. 25
FRANCE, l'Anneau d'améthyste, VIII, Œ., t. XII, p. 137.

— Vous êtes réellement commandant? gémit le capitaine de La Hure en s'arrêtant net. 25.1
— Naturellement, mon grade ne vaut pas encore ici (...) ou plutôt s'il était connu il me vaudrait quelques ennuis, badina Gustin en se demandant si celle-là allait passer.

Elle passa très bien. Le capitaine, dompté, demanda seulement, au cas où la question ne serait pas indiscrète, quels services Gustin rendait aux gaullistes qui justifiassent une si foudroyante promotion. Jacques LAURENT, les Bêtises, p. 43.

PASSE, PASSE ENCORE : cela peut à la rigueur passer, peut encore passer. *« Passe encore de bâtir... »* (→ Âge, cit. 44, La Fontaine). *Passe encore si c'est nécessaire.* ⇒ **Soit** (→ Lazzi, cit. 1). *Passe pour cette fois, mais ne recommencez plus!* ⇒ **Admettre** (Je l'admets).

26 Si Monsieur votre père était homme farouche,
Passe; mais il permet que la raison le touche.
MOLIÈRE, le Dépit amoureux, III, 9.

27 C'est quelque chose. Encor passe quand on raisonne.
RACINE, les Plaideurs, II, 13.

28 Et si c'était encore pour soutenir des *excentricités*! des traits originaux! Passe encore. Mais non! Ce sont toujours des *banalités* que tu défends, des niaiseries (...)
FLAUBERT, Correspondance, 372, 11 mars 1853.

♦ **6. PASSER PAR :** traverser.

[a] Traverser (un lieu) à un moment de son trajet. *Passer par Calais pour se rendre en Angleterre. « En passant par la Lorraine avec mes sabots... »* (Marche lorraine). *Passer par la porte, par la fenêtre. Passer par le trou d'une aiguille** (*infra* cit. 14). — Fig. *Passer par la filière, par la voie hiérarchique. « Il a passé par ici, le furet* (cit. 4) *du bois joli »* (Chanson). *« (...) les messageries* (cit.) *passaient alors par les Champs-Élysées »* (Hugo). ⇒ **Desservir.** — Par ext. *Une ligne qui passerait par le centre de la terre* (→ Force, cit. 62). *Faire passer un cercle par trois points. — Objet qui passe par les mains de qqn* (→ Drap, cit. 3; illustration, cit. 9).

29 Lorsqu'il était encore à Cluny, le pape Léon IX, parent de l'empereur, et nommé par lui, passa par ce monastère (...) MICHELET, Hist. de France, IV, II.

Par métaphore. *Mouvement philosophique qui va de Ribot à Brunschvicg en passant par Bergson* (→ Liquidation, cit. 1).

PASSER PAR LA TÊTE. *Idée qui passe par la tête,* qui vient à l'esprit, traverse* l'esprit (→ Entracte, cit. 4; imprimer, cit. 31; me, cit. 9). *Dire tout ce qui vous passe par la tête, par l'esprit,* tout ce qu'on pense à un moment donné (→ Gêner, cit. 35; insouciant, cit. 2).

30 Pour la proposition d'aller à Grignan, au lieu d'aller en Bretagne, elle m'avait déjà passé par la tête (...) Mme DE SÉVIGNÉ, 425, 7 août 1675.

31 Vous pouvez me raconter, sans m'ennuyer jamais, toutes les choses tristes ou saugrenues, ou mêmes gaies, qui vous passeront par la tête. LOTI, Aziyadé, I, XV.

[b] (Personnes). Faire un stage, une étape. *Il est passé par l'École polytechnique. Passer par un grade, par tous les degrés* (→ Fortune, cit. 23). — Par anal. (Choses). *Roman qui passe par une série de genèses* (cit. 2).

32 Vous qui devez savoir les choses de la vie,
Qui par tous ses degrés avez déjà passé. LA FONTAINE, Fables, III, 1.

33 Cette ville avait passé, comme tant d'autres, par tous les degrés de la barbarie, de l'ignorance, de la sottise, et de la misère.
VOLTAIRE, la Princesse de Babylone, X.

Utiliser (une personne, un bureau, un organisme...) comme intermédiaire*. *Obligation de passer par un interprète* (cit. 2). ⇒ **Recourir** (à). *Passer par une agence pour louer un appartement. Sans passer par le conseil de la S.D.N.* (→ Garant, cit. 3).

[c] Spécialt. (Choses, personnes). Subir l'action de (quelque chose). *Ce métal a passé par le feu* (→ Attirable, cit.). — Par métaphore. *Passer par les griffes* (cit. 7) *de qqn.* — Fig. *Passer par les volontés de qqn. Il faut en passer par ses volontés, en passer par là* (⇒ **Accepter, céder**). — Loc. prov. *Il faut passer par là ou par la fenêtre.* ⇒ **Résigner** (se), **soumettre** (se).

34 Allons, il faut en passer par là. MOLIÈRE, le Malade imaginaire, I, 2.

(Personnes; le compl. de *passer par* désigne une abstraction). Éprouver successivement. *Les sensations, les sentiments par lesquels on a passé* (→ Horloge, cit. 9; indifférence, cit. 28). *Passer par des alternatives* (cit. 1) *de joie et de malheur* (→ Autant, cit. 18; et aussi alternativement, cit. 2). *Moi qui suis passé par tant d'épreuves* (cit. 27). *Je suis passé par là...,* par ces tribulations, ces chagrins. *On sait ce que c'est, on est passé par là!*

35 Croyez-vous, lui dit-il, mon père, qu'après avoir passé par l'épreuve des sept métempsychoses, je puisse parvenir à la demeure de Brama?
VOLTAIRE, Bababec et les fakirs.

36 Il était naturel qu'à vingt-cinq ans il passât par la commune aventure humaine (...)
A. THIBAUDET, Gustave Flaubert, p. 38.

37 (...) nos concitoyens réagirent de façon contradictoire. Exactement, ils passèrent par des alternances d'excitation et de dépression. CAMUS, la Peste, p. 292.

♦ **7.** (XVIIe; 1665, Molière). **Y PASSER :** passer par là, subir nécessairement (une peine, une violence, un sort commun). *Faute* (cit. 11) *d'y être passés, ils ne savent pas ce que c'est. Il n'épargne personne dans ses critiques, tout le monde y passe* (→ fam. Y avoir droit). — Spécialt. Subir les « derniers outrages ».

37.1 Les gens à qui j'avais affaire n'étaient plus en état de rien entendre, m'entourant tous les quatre, me dévorant de leurs regards en feu, me menaçant d'une manière plus terrible encore; prêts à me saisir, prêts à m'immoler (...) Il faut qu'elle y passe, dit l'un d'eux, il n'y a plus moyen de lui faire de quartier.
SADE, Justine..., t. I, p. 39-40.

Spécialt. Fam. Mourir. *Nous allons tous y passer! J'ai failli y passer.*

38 (...) c'est miracle si tu me retrouves en vie (...) Je n'ai pas voulu t'écrire, parce que ces choses-là, ça ne s'écrit pas (...) J'ai failli y passer; mais maintenant, ça va déjà mieux, et je crois que j'en réchapperai, cette fois-ci encore.
ZOLA, la Bête humaine, VII.

♦ **8.** Loc. fig. *Passer à la casserole** (spécialt → ci-dessus Y passer).

♦ **9.** (Introduisant un attribut). *Passer inaperçu** (cit. 1, 3 et 4).

B. Aller.

♦ **1. PASSER DE... À, DANS, EN... :** quitter (un lieu) pour aller dans un autre. ⇒ **Rendre** (se). *Passer d'un lieu à un autre, dans un autre.* ⇒ **Changer** (→ Mouvement, cit. 1). *Passer d'une pièce dans une autre, à une autre* (→ Marcher, cit. 22). *Passer d'un pays dans un autre.* ⇒ **Migration; émigration, émigrer, immigration...** *Passer doucement d'une place à une autre.* ⇒ **Couler** (se), **glisser** (se). — *Passer, faire passer d'un poste à un autre.* ⇒ **Muter, transférer.** *Passer de main en main** (cit. 64 à 66). ⇒ **Circuler.** *Nouvelle qui passe de bouche en bouche.* ⇒ **Courir, répéter** (se). *Croyance, coutume, mot... qui passe d'un pays à l'autre* (→ 2. Lama, cit.). *Habitudes* (cit. 2) *qui passent de génération en génération, hérédité qui passe du père au fils.*

Cette manière basse de plaisanter a passé du peuple (...) jusque dans une grande partie de la jeunesse de la cour (...) LA BRUYÈRE, les Caractères, V, 71. 39

(...) j'ai eu le temps de passer de Surinam à Bordeaux, d'aller de Bordeaux à Paris (...) et la belle Cunégonde n'est point venue! VOLTAIRE, Candide, XXIV. 40

(...) et le vieux cheval gris qui passe tour à tour des ténèbres à la lumière et de la lumière aux ténèbres, en faisant tourner la meule. 41
Jérôme et Jean THARAUD, Rabat, III.

Fig. (Pour exprimer un changement d'état). *Passer de vie à trépas :* mourir, trépasser. *Passer de la misère à l'opulence* (cit. 1). *« On passe souvent de l'amour à l'ambition »* (cit. 4, La Rochefoucauld). *Passer de l'antipathie* (cit. 3) *à l'amour, de la joie à la tristesse* (→ Bizarre, cit. 6). *Passer du rire aux larmes. On passe facilement d'un excès* (cit. 9), *d'un extrême à l'autre* (⇒ **Tomber**). *Passer sans transition** *de la malveillance* (cit. 2) *à la tendresse. Passer du doute à la certitude* (cit. 6), *du sentiment à l'action* (→ Naturel, cit. 7). *Passer du blanc au noir :* changer d'opinion (→ aussi Changer, cit. 44). — *Ton qui passe de la gaieté à la surprise* (→ Différent, cit. 10).

(...) il lui fut impossible de passer de ces tables si bien servies au brouet lacédémonien d'un restaurant à quarante sous. 42
BALZAC, le Cousin Pons, t. VI, p. 534.

(...) en quelques instants sa physionomie avait passé de la violence effrénée à la douceur tranquille et rusée. HUGO, les Misérables, III, VIII, XX. 43

Cette rapidité avec laquelle Jacques passait d'un extrême à l'autre, l'effrayait comme un danger (...) MARTIN DU GARD, les Thibault, t. VI, p. 272. 44

♦ **2.** Vx. (Sans *à*). **PASSER DE :** sortir de. *Cela m'est passé de la tête* (⇒ **Oublier**).

Il y a cent choses comme cela qui passent de la tête. 45
MOLIÈRE, Monsieur de Pourceaugnac, I, 4.

♦ **3.** Mod. (Sans *de*). **PASSER À, DANS, EN, CHEZ...** (⇒ **Aller**).

[a] (Sujet n. de personne). *Passons à table, au salon..., dans la salle à manger* (→ Interpeller, cit. 1). *Passons à côté. Veuillez passer dans mon cabinet* (⇒ **Entrer**). *Passer dans sa chambre, dans son appartement* (→ Fois, cit. 2; enhardir, cit. 3). *Passer chez qqn* (→ Autant, cit. 24). *Qu'il passe immédiatement ici.* ⇒ **Rendre** (se), **venir** (→ Joindre, cit. 19). *Je passerai chez vous entre six et sept.* ⇒ **Présenter** (se), **visite** (rendre visite). → Lâcher, cit. 17. *Passer chez son notaire.* — Vx. *Passer jusqu'à un lieu.* — *Passer dans l'autre monde* (⇒ **Mourir**). — Par ext. *Passer dans la classe des éphèbes* (cit. 1). *Cet élève doit passer en troisième* (⇒ **Monter**).

Je passais jusqu'aux lieux où l'on garde mon fils. RACINE, Andromaque, I, 4. 46

Je vous quitte et vais passer chez ma fille (...) 47
LACLOS, les Liaisons dangereuses, CLXV.

Je t'ai commandé tantôt ton linge de corps et j'ai passé chez le tailleur pour les habits (...) MAUPASSANT, Pierre et Jean, IX. 48

PASSER (et inf.) : aller (faire qqch.). *Je passerai te chercher vers trois heures.*

— Comment! tu es venu? (...) Pourquoi as-tu refusé de passer me prendre? 49
ZOLA, l'Œuvre, X, p. 407.

Se présenter pour subir. *Passer à la visite médicale, à la radio(graphie). Il faut passer au contrôle des douanes.*

[b] (Sujet n. de personne). Spécialt. (Le passage étant considéré comme définitif). Se rendre en un lieu pour y rester, se joindre à un groupe dont on veut faire partie. *Passer à l'étranger* (⇒ **Émigrer**). *Persécutés qui passent en foule dans les Indes* (→ Guèbre, cit. 1). *Passer en Asie* (→ Entreprendre, cit. 13). *Je passe en Suisse et je m'engage* (cit. 36). — *Passer dans l'opposition, dans un camp.* ⇒ **Joindre** (se). *Passer à l'ennemi* (→ Déserter). ⇒ **Transfuge** (→ fig. Ennemi, cit. 21; opposer, cit. 25). *Passer à un parti, à un homme,* se mettre de son côté.

Déjà l'évêque de Metz, Arnolph et son frère Pépin (...) passèrent à Clotaire avant la bataille; les autres se firent battre (...) MICHELET, Hist. de France, II, I. 50

(...) ma plus grande douleur a été de voir mon frère mourir au service de l'Espagne, et je viens d'écrire à mon neveu que je le déshériterais s'il passait à l'empereur, comme le bruit en a couru. A. DE VIGNY, Cinq-Mars, I. 51

[c] (Sujet n. de chose). Devenir la propriété, un trait de (qqn); venir à faire partie de (qqch.). *Héritage, bien qui passe à qqn.* ⇒ **Succes-**

sion (→ Disposer, cit. 18; héritier, cit. 6 et 7). *Passer à la postérité* (⇒ **Survivre**). *Usage qui passe dans les mœurs*. Le tour est passé dans la langue familière* (→ Maison, cit. 41). *Ce mot est passé dans l'usage.* ⇒ **Entrer.**

(Choses). Être utilisé. *Tout son argent passe dans les livres,* est consacré aux livres. *Les tomates sont passées dans la salade.* — **Y PASSER.** *« Gervaise aurait bazardé sa maison... Tout le saint frusquin* (cit.) *y passait »* (Zola). *Si l'on condamnait les tournures erronées* (cit. 3), *chaque mot y passerait.* — Spécialt. Être dépensé (⇒ **Dépense**). *Cette propriété est au-dessus de ses moyens, tout son argent y passe. Sa fortune y passera.*

52 (...) un rubis d'un prix exorbitant pour les appointements d'un Référendaire; toutes ses économies y passèrent (...)
BALZAC, Modeste Mignon, Pl., t. I, p. 550.

53 Je ne pus m'empêcher de devenir un habitué de cet endroit. Toute ma paye y passait. CÉLINE, Voyage au bout de la nuit, p. 209.

d Fig. (Sujet n. de personne). En venir à, aborder (un sujet), entamer (une action)... *Passer à l'action, aux aveux :* se décider à agir, à avouer. *Il fallut passer aux offres* (→ Inexorable, cit. 3). *Passer à l'examen de la cause* (→ Finir, cit. 9), *aux interrogations* (→ Instruction, cit. 15). *Nous faisons un plan puis nous passons au détail* (→ Mécanisme, cit. 1). *Passons à la suite* (cf. Voyons la suite). *« Passons au déluge »* (cit. 6, Racine). *Passons à autre chose.* ⇒ **Occuper** (s'occuper de). — Vx. *Passer à faire quelque chose.*

54 *Philippe*, déjà vieux, raffine sur la propreté (...) il passe aux petites délicatesses (...) LA BRUYÈRE, les Caractères, IX, 120.

e **PASSER EN, À L'ÉTAT DE...** (Sujet n. de chose). ⇒ **Devenir**. *Ce droit passa à l'état de coutume* (→ Dictateur, cit. 2). *Passer en proverbe*.*

55 (...) ils soutiennent que le hasard, de tout temps, a passé en coutume.
LA BRUYÈRE, les Caractères, XVI, 47.

(Personnes). *Avant le tournant vous passerez en seconde* (vitesse).

♦ **4.** (Suivi d'un attribut exprimant une situation, un grade). ⇒ **Devenir**. *Il est passé capitaine.* ⇒ **Nommer** (être nommé); **nomination.** *Passer novice après deux ans de mousse* (→ 2. Mousse, cit. 2). *Passé maître dans l'art de...* (⇒ **Maître**).

56 (...) Courtecuisse en achetant le domaine de la Bâchelerie, avait voulu *passer* bourgeois, il s'en était vanté. BALZAC, les Paysans, Pl., t. VIII, p. 189.

56.1 Ces paysans, si sobres, devraient être enchantés de passer soldats; pas du tout : leur moral est à la hauteur de leur physique; les plus misérables sont les plus désespérés lorsqu'ils tirent un mauvais numéro.
STENDHAL, Mémoires d'un touriste, t. I, p. 28.

C. (Temporel).

♦ **1.** (XIIe). S'écouler* (en parlant du temps). ⇒ **Couler.** *Le mois qui passe.* ⇒ **Courir** (→ En cours*). *Les mois qui venaient de passer, les mois passés* (→ Habituer, cit. 2). *La journée passe sans qu'il ait pris une décision* (→ ci-dessous, Se passer, I., 1.). *Un an a passé depuis que... Cette nuit passera, le soleil se lèvera* (→ Indifférence, cit. 2). — *Laisser passer le temps* (⇒ **Attendre**); *laisser passer l'heure* (cit. 37). — (Au p. p.). *Ces temps-là sont passés,* révolus.
Plusieurs années ont passé là-dessus : la chose, l'événement est vieux de plusieurs années.

57 Aimez pendant que vous êtes charmante,
Car le temps passe, et n'a point de retour.
MOLIÈRE, Poésies diverses, « Stances galantes ».

58 Trois mille ans ont passé sur la cendre d'Homère,
Et depuis trois mille ans Homère respecté
Est jeune encor de gloire et d'immortalité. M.-J. DE CHÉNIER, Épître à Voltaire.

59 Quarante ans sont passés, et ce coin de la terre,
Waterloo, ce plateau funèbre et solitaire (...)
Tremble encor d'avoir vu la fuite des géants! HUGO, les Châtiments, V, XIII.

60 — Maître, les jours passaient; et j'avançais en âge (...)
LECONTE DE LISLE, Poèmes barbares, « Le corbeau ».

61 On s'agite, on lutte, on espère, quand une seule chose est précieuse : savoir tirer de l'instant qui passe toutes les joies qu'il peut donner (...)
Pierre LOUŸS, Aphrodite, V, V.

62 Passent les jours et passent les semaines
Ni temps passé
Ni les amours reviennent
Sous le pont Mirabeau coule la Seine. APOLLINAIRE, Alcools, p. 17.

(En parlant du temps psychologique). *« Que lentement passent les heures... »* (→ Enterrement, cit. 5, Apollinaire). *Les heures* (cit. 18) *passent vite quand nous sommes ensemble.* ⇒ **Enfuir** (s'), **envoler** (s'), **filer, fuir.** *Déjà huit heures! Comme le temps passe! Hâtons-nous, le temps passe.*

63 Ses journées passaient comme des heures. STENDHAL, le Rouge et le Noir, II, X.

♦ **2.** Cesser d'être. — (Aux temps du passé, au passif et au p. p.). *Les vacances sont passées* (⇒ **Finir, terminer**). *La surprise passée, une fois passée* (→ Dominer, cit. 6). *La mode en est passée. Être passé de mode* (⇒ **Démodé, désuet; vieillir**). *Le plus dur est passé.* — (Au présent, à l'infinitif, au futur...). *C'est un mauvais rêve qui va passer* (→ Fléau, cit. 6). *La douleur va passer.* ⇒ **Cesser** (→ Long, cit. 22). *Ça commence à passer,* à diminuer. — *Faire passer,* faire que qqch. cesse, ne soit plus (⇒ **Enlever, ôter**). *Faire passer un mal de dents. Faire passer à qqn le goût, l'envie* de qqch.*

Mais il ne tient qu'à vous que son chagrin ne passe. 64
MOLIÈRE, le Misanthrope, II, 1.

Et maintenant que le plus dur est passé, ne serait-il pas à souhaiter qu'elle laissât passer ce mois? PROUST, À la recherche du temps perdu, t. XIII, p. 59. 65

Mais Renard ne mangeait toujours rien, et les jours passaient et le froid ne passait pas, et une faim plus féroce minait et dévorait les hôtes de la forêt. 66
L. PERGAUD, De Goupil à Margot, p. 57.

♦ **3.** Avoir une durée limitée, une fin; n'être pas éternel. *« Le temps n'a point de rive; Il coule* (cit. 18) *et nous passons »* (Lamartine). *Que nous passons rapidement sur cette terre!* (→ Écouler, cit. 11). *Les générations passent, les nations se dissolvent* (cit. 7). *« Les dieux* (cit. 18) *passent comme les hommes »* (Renan). *Nos affections passent et changent* (cit. 62). ⇒ **Détruire** (se), **disparaître.** *Cela lui passera, ce n'est qu'un caprice. Tout passe :* rien ne dure (→ Art, cit. 85; et aussi tout a une fin*). — Loc. fam. *Tout passe, tout lasse, tout casse! Voir tout passer autour de soi* (→ Dommage, cit. 7). *« Le ciel et la terre ne passeront point que tout ce qui est dans la loi ne soit accompli »* (→ Iota, cit. 1). *Qui est sujet à passer* (⇒ **Éphémère, fragile, passager, provisoire, transitoire**). — Allus. littér. *« Racine passera comme le café »,* comme la mode du café (mot attribué faussement à Mme de Sévigné).

Le premier serment que se firent deux êtres de chair, ce fut au pied d'un rocher qui tombait en poussière; ils attestèrent de leur constance un ciel qui n'est pas un instant le même; tout passait en eux et autour d'eux, et ils croyaient leurs cœurs affranchis de vicissitudes. Ô enfants! toujours enfants! (...) 67
DIDEROT, Jacques le fataliste, Pl. p. 597.

(...) un homme passe, mais un peuple se renouvelle. 68
A. DE VIGNY, Cinq-Mars, XXVI.

Vous qui pleurez, venez à ce Dieu, car il pleure (...) 69
Vous qui passez, venez à lui, car il demeure.
HUGO, les Contemplations, III, IV.

Les satires personnelles passent, comme les personnes. Pour durer, il faut s'attaquer au durable. FLAUBERT, Correspondance, 404, 2 juil. 1853. 70

Les événements ne sont jamais ceux que nous attendions; et quant à ta peine présente, justement parce qu'elle est très vive, tu peux être sûr qu'elle diminuera. Tout change, tout passe. Cette maxime nous a attristés assez souvent; c'est bien le moins qu'elle nous console quelquefois. 71
ALAIN, Propos, 17 avril 1908, Danse des poignards.

(...) ce dieu présidait également à tout ce qui s'écoule et passe, la route, le crépuscule, la jeunesse, la douceur de la chair. MONTHERLANT, le Songe, I, II. 72

Alain craignait que cette mode, vieille de quelques années, ne passât bientôt. Il ne savait pas qu'à notre époque composite rien ne passe. 72.1
DRIEU LA ROCHELLE, le Feu follet, p. 51-52.

♦ **4.** Par euphém. Vieilli ou régional. (Personnes). Mourir*. ⇒ **Éteindre** (s'). → Rendre l'âme, s'en aller. *Il agonise, il va passer.*

— Votre mari est mort (...) — Il vient de passer entre mes bras. 73
MOLIÈRE, le Malade imaginaire, III, 12.

(...) foudroyé par une attaque d'apoplexie, Mouche respirait encore, d'un petit souffle pénible. Jean, alors, après l'avoir allongé, la tête haute, s'assit sur le banc et fouetta le cheval, ramenant le moribond au grand trot, de peur qu'il ne lui passât entre les mains. ZOLA, la Terre, II, II. 74

Le type a passé pendant qu'on l'opérait d'urgence. Edmond ne supporte plus l'hôpital. Ce n'est pas trop de sensibilité, mais à la fin ça vous écœure, toujours des mourants. ARAGON, les Beaux Quartiers, III, I. 75

♦ **5.** Perdre ses qualités avec le temps.

Cour. (Fleurs). Se flétrir. ⇒ **Faner** (cit. 13). — Fig. *« (Madame) a passé du matin au soir, ainsi que l'herbe des champs »* (→ Fleurir, cit. 6, Bossuet). — Fig. *Ses charmes passent* (→ Médire, cit. 6).

Littér. (Fruits). Devenir blet. — Fig. *L'esprit* (cit. 152) *passe comme les beaux fruits.*

(...) il en est d'elle comme de ces fruits qui passent vite, à cause qu'ils ont été mûrs de trop bonne heure (...) MARIVAUX, la Vie de Marianne, VIII. 76

Cour. (En parlant des couleurs). Perdre son intensité, son éclat. ⇒ **Pâlir; éclaircir** (s'), **ternir** (→ ci-dessous le p. p. adj. Passé, ée). *Le bleu passa au soleil.* Par ext. *Étoffe, papier qui passe,* dont la couleur passe.

D. (Verbe d'état; conjugué avec *avoir*). **PASSER POUR :** être considéré, regardé comme; avoir la réputation de... ⇒ **Air** (avoir l'air), **figure** (faire figure de).

(Suivi d'un nom, d'un pronom ou d'un adjectif). *Passer pour un libertin dans l'esprit de qqn* (→ Désavantageux, cit. 1), *pour traître auprès de qqn. Passer pour un vaurien* (→ Âne, cit. 11), *un voleur* (→ Commettre, cit. 11). *Balzac passe pour un observateur* (cit. 3). *Les penseurs passent pour des négateurs* (cit. 1). *Il passait pour le meilleur des hommes* (→ 3. Mal, cit. 6). — (Suivi d'un nom sans déterminant). *Passer pour une sorcière* (→ Guérir, cit. 11). *Passer pour ce qu'on n'est pas.* — (Suivi d'un adj.) *Passer pour éloquent auprès des femmes* (→ Magnétiser, cit. 6). *Les méchants* (cit. 8) *veulent passer pour bons* (⇒ **Paraître**). *Passer pour prudent aux yeux de qqn* (→ Forme, cit. 62). *Est-il fier? Il passe pour arrogant* (cit. 4).

Vous ne passerez pour telle 77
Qu'autant que je l'aurai dit. CORNEILLE, Poésies diverses, LVIII.

Jamais un lourdaud, quoi qu'il fasse, 78
Ne saurait passer pour galant. LA FONTAINE, Fables, IV, 5.

Je vis un homme d'une taille au-dessus de la médiocre, et qui pouvait passer pour gros dans un pays où il est rare de voir des personnes qui ne soient pas maigres. 79
A.-R. LESAGE, Gil Blas, XI, II.

Au *mas,* on ne vit pas d'abord cette liaison avec plaisir. La fille passait pour coquette, et ses parents n'étaient pas du pays. 80
Alphonse DAUDET, Lettres de mon moulin, « L'Arlésienne ».

81 Je passe, à tort ou à raison, pour un esprit fort, et même, auprès de quelques-uns, pour un mauvais esprit (...) BERNANOS, Sous le soleil de Satan, II, IV.

82 Ne jamais vouloir passer pour ce que l'on ne saurait être.
G. DUHAMEL, Défense des lettres, II, XVIII.

(Choses ; suivi d'un adj. ou, rarement, d'un nom ; → cit. 84). ⇒ **Prendre** (être pris pour). *Les vices à la mode passent pour vertus* (→ Hypocrisie, cit. 10). *Le morceau le plus applaudi* (cit. 21) *passe pour le plus beau. Cela peut passer pour vrai.*

83 La valeur de son père, en son temps sans pareille,
Tant qu'a duré sa force, a passé pour merveille (...) CORNEILLE, le Cid, I, 1.

84 Un songe en notre esprit passe pour ridicule (...)
Mais il passe dans Rome avec autorité
Pour fidèle miroir de la fatalité. CORNEILLE, Polyeucte, I, 3.

85 Le ragoût d'un sonnet, qui chez une princesse
A passé pour avoir quelque délicatesse. MOLIÈRE, les Femmes savantes, III, 2.

86 (...) on ne veut être assujetti qu'à la raison ou à la justice. La coutume, sans cela, passerait pour tyrannie (...) PASCAL, Pensées, V, 325.

87 Voulez-vous qu'un dessein si beau, si généreux
Passe pour le transport d'un esprit amoureux? RACINE, Andromaque, I, 4.

Faire passer (qqn, qqch.) pour... Faire passer qqn pour son fils. Elle le fait passer pour un idiot (→ Fiel, cit. 7), *un monstre* (→ Exultation, cit. 1). *Faire passer qqn pour fou, pour folle. — Faire passer les choses pour autres* (cit. 125) *qu'elles ne sont. Faire passer une idée pour sienne* (⇒ **Donner**). — *Se faire passer pour...* : tromper les autres sur soi (⇒ **Tromper**). *Il s'est fait passer pour un étranger, ... pour riche,... pour plus jeune qu'il n'est.*

88 Je laisse à mes amis le soin de faire passer pour du dédain et de la fierté mon apathie. GIDE, Journal, 7 janv. 1907.

(Suivi d'un infinitif). *Ils passaient pour être les disciples* (cit. 3) *de saint Augustin. Il passe pour avoir fait une folie* (cit. 26). ⇒ **Dire** (on dit que). — *La pierre philosophale passait pour transmuer les métaux* (cit. 3).

89 Les étrangers, qui mettent avant tout leur amour-propre à parler correctement le français, n'osent pas juger nos écrivains autrement que les autorités littéraires ne les jugent, de peur de passer pour ne pas les comprendre.
Mme DE STAËL, De l'Allemagne, I, IX.

★ **II.** V. tr. **A.** Traverser.

♦ **1.** [a] Traverser (un lieu difficile ou dangereux, un obstacle). ⇒ **Franchir, traverser.** *Passer l'eau* (→ Heurter, cit. 22), *un fleuve* (→ Manquer, cit. 61), *une rivière* (→ Canarder, cit. 1). *Passer le détroit* (cit. 1) *de Gibraltar, les mers* (→ Hindou, cit. 3). *Passer le Danube* (→ 2. Germain, cit.), *le Rubicon* (→ Dévouer, cit. 1). *Passer une rivière dans un bac. Les castors passent les étangs sur les ponts* (→ Art, cit. 23). — Par ext. *Passer un pont* (→ Dormir, cit. 31). *Faire passer un gué à qqn* (→ Aider, cit. 11). — *Passer les déserts* (→ Hirondelle, cit. 1), *la plaine* (→ Débucher, cit. 1). — *Passer un mur, un obstacle* (⇒ **Enjamber, escalader, sauter**). *Passer le pas**. — Sports. *Sauteur qui passe 2 mètres* (en hauteur). — *Passer la ligne** (cit. 6), *les lignes. Passer la frontière* : entrer dans un pays (→ Nationalisme, cit. 1). — *Passer la porte, le seuil, la grille* : sortir ou entrer (→ Glisser, cit. 45 ; niveau, cit. 5). — Par métaphore. *Une réplique qui ne passe pas la rampe**.

90 Le père (...) défendit que jamais
On lui laissât passer le seuil de son palais. LA FONTAINE, Fables, VIII, 16.

91 (...) la pluie de l'orage ayant gonflé le ruisseau qui séparait le faubourg de la ville, au point qu'il eût été dangereux de la passer (...)
DIDEROT, Jacques le fataliste, Pl., p. 582.

92 L'escorte s'arrêta pour passer un large fossé rempli d'eau par la pluie de la veille (...) STENDHAL, la Chartreuse de Parme, III.

93 (...) je *(le)* vis (...) pousser la porte, sans doute laissée entrouverte : il passa le seuil, et je le suivis. André SUARÈS, Trois hommes, « Pascal », I.

*Passer des troupes en revue** (cit. 5), et, fig., *passer qqch. en revue* (→ Revue, cit. 6 et 7).

[b] Loc. (Emploi transitif du I.). *Passer son chemin* → ci-dessus cit. 5.

♦ **2.** Fig. *Passer un examen.* [a] Vx. Être reçu (à un examen).

[b] Mod. Subir les épreuves de (→ Examen, cit. 14 ; faire, cit. 68). *Passer le baccalauréat* (→ Diable, cit. 15 ; enseignement, cit. 6), *sa licence ès lettres* (→ Doctorat, cit. 1). *Il a passé l'écrit et attend les résultats. Elle s'est présentée à ce concours, mais, pour des raisons de santé, elle n'a pu le passer.* — Fam. *Nous ppassons les maths demain.* — Ellipt. *Avec quel professeur avez-vous passé? — Passer un test. Passer la visite médicale.*

94 Je vais préparer ici ma thèse de doctorat ès sciences. Pour ma thèse de médecine, que je passerai presque en même temps, je souhaite de travailler chez Nicolas Rohner (...) G. DUHAMEL, Chronique des Pasquier, VI, II.

Être reçu ; passer avec succès. *Il a passé le bac du premier coup.*

♦ **3.** Employer (un temps), se trouver dans telle situation pendant (une durée). *Passer la soirée chez qqn* (→ Asseoir, cit. 40). *Passer la nuit** *à l'hôtel, à la belle étoile* (cit. 14), *avec qqn* (→ Nuit, cit. 37). — Au p. p. *Les moments passés auprès d'elle* (→ Attacher, cit. 35). — *Elle passait dans les églises le plus clair de son temps* (→ Dévot, cit. 3). *Passer sa vie à cheval* (→ Arquer, cit. 2). *Une maison où passer ses vieux jours.* ⇒ **Finir** (→ Hospice, cit. 1). *Passer trente ans de sa vie dans une boutique* (→ Artisan, cit. 3). — *Passer ses vacances à la mer; passer le carnaval* (cit. 2) *à Venise.*

Il y a longtemps que je n'ai passé cette fête *(la Toussaint)* à Paris. 95
Mme DE SÉVIGNÉ, 1079, 1er nov. 1688.

Son mari était parti passer huit jours à Paris. 96
MAUPASSANT, les Sœurs Rondoli, « le Mal d'André ».

C'est un très beau temps de l'année que je passe ici. C'est, je te l'assure, un très beau temps aussi de ma vie. COLETTE, la Naissance du jour, p. 161. 97

Passer le temps, son temps à (et infinitif) ⇒ **Employer, occuper.** *Nous passons... le temps de nos vies à ployer les genoux* (cit. 11). *Passer sa vie à manger et à dormir* (→ Négligent, cit. 2). *Passer ses journées à ne rien faire. Passer la nuit à travailler.* ⇒ **Veiller** (→ Astrolabe, cit. 1).

Passer tranquillement, sans souci, sans affaire, 98
La nuit à bien dormir, et le jour à rien faire. BOILEAU, Satires, II.

J'ai passé tout l'été à me promener en canot et à lire du Shakespeare. 99
FLAUBERT, Correspondance, 90, Janv. 1845.

Il passait, disait-il, ses mauvais moments à rêver, et ses bons moments à réaliser ses rêves (...) A. DE MUSSET, Deux maîtresses, I. 100

(...) j'adressais à Daniel des lettres de trente pages, que je passais une nuit entière à griffonner! MARTIN DU GARD, les Thibault, t. II, p. 262. 101

Passer des mois sans écrire à ses amis. ⇒ **Rester** (→ Attacher, cit. 113). *Il ne passait pas un jour sans l'accabler* (→ Cribler, cit. 12). *Ils passaient des journées sans échanger une parole* (→ Indifférent, cit. 18). — *Passer son temps au jeu ; à des vétilles, à des bêtises...* (⇒ **Consumer, gaspiller, perdre**). — *Ne savoir à quoi, comment passer son temps. — Passer sa vie dans l'ignorance* (→ Extravagance, cit. 3), *dans l'agitation* (→ Fortune, cit. 18). *Passer des années pénibles* (⇒ **Traîner**), *heureuses* (⇒ **Couler**). *J'ai passé d'atroces minutes...* (⇒ **Vivre**). *Ce n'est qu'un mauvais moment à passer.* — Par ext. *Il a passé le plus dur.* Loc. fam. *Passer un mauvais quart d'heure* : traverser un moment pénible. Spécialt. Subir la colère de qqn (→ Coin, cit. 8 ; garantir, cit. 11).

Ce fut dans ces inquiétudes mortelles que Mina passa la journée. C'était la soirée qui devait être difficile à passer. 102
STENDHAL, Romans et Nouvelles, « Mina de Vanghel ».

Entre vous deux, je crois que je vais passer un mauvais quart d'heure. 103
J. ROMAINS, les Hommes de bonne volonté, t. III, XVI, p. 216.

Absolt. *Passer le temps* : avoir des activités destinées à ne pas s'ennuyer pendant un temps. *Nous essaierons de passer le temps agréablement.* ⇒ **Amuser** (s'), **divertir** (se) ; **passe-temps.** *S'occuper à qqch. pour passer le temps,* pour s'occuper, ne pas s'ennuyer (⇒ **Tuer**).

« Bon! Cela fait toujours passer une heure (cit. 3) *ou deux! »* (Racine). *Il faut bien passer le temps !,* s'occuper à quelque chose.

Je chante pour passer le temps 104
Petit qu'il me reste de vivre
Comme on dessine sur le givre
Comme on se fait le cœur content
À lancer cailloux sur l'étang
Je chante pour passer le temps. ARAGON, le Roman inachevé, p. 157.

♦ **4.** Satisfaire (un besoin). ⇒ **Assouvir, satisfaire.** *Passer son envie. Laissez-le passer sa colère. Passer sa colère, sa hargne, sa rage, son dépit... sur qqn,* l'assouvir en s'en prenant à qqn.

Pour un mouton pourri, pour quelque chien hargneux, 105
Dont j'aurai passé mon envie. LA FONTAINE, Fables, X, 5.

♦ **5.** Abandonner (un élément d'une suite). ⇒ **Omettre, oublier, sauter.** *Passer un mot, une ligne en copiant un texte. Passer son tour.* — Jeu. *Passer parole**. — Absolt (attesté 1608 ; *in* D. D. L.). *Je passe* : je ne dis rien, je ne fais pas d'enchères. *Je ne peux pas jouer, je passe* (aux dominos ⇒ **Bouder**).

Ellipt. *Passer à l'as**.

EN PASSER (des choses qu'on pourrait dire).

Loc. *J'en passe et des meilleurs, des meilleures,* se dit d'une énumération incomplète mais probante (→ ci-dessous, cit. Hugo).

Don Ruy Gomez, allant à d'autres portraits. 106
Voilà don Vasquez, dit le Sage,
Don Jayme, dit le Fort. Un jour, sur son passage,
Il arrêta Zamet et cent maures tout seul.
— J'en passe, et des meilleurs. —
Sur un geste de colère du roi, il passe un grand nombre de tableaux, et vient tout de suite aux trois derniers portraits à gauche du spectateur.
HUGO, Hernani, III, 6.

♦ **6.** PASSER QQCH. À QQN. ⇒ **Concéder, excuser, permettre ; indulgent** (être indulgent pour). → aussi ci-dessus, I., A., 3. : Passer sur qqch. *On lui passe tout* : on supporte*, on tolère* tout de lui. *Passer à qqn toutes ses folies* (→ Bon, cit. 73), *tous ses caprices. Un enfant gâté à qui ses parents passent tout. Il ne lui passe rien, il ne le rate pas. Passez-moi le mot, l'expression,* se dit pour s'excuser d'un mot qui pourrait déplaire, choquer. *L'abus de la force, et passez-moi le mot, la charge* (cit. 28). — (En emploi réfléchi). *Se passer la fantaisie* (cit. 20) *de...,* se l'accorder. — Par ext. *Passer condamnation**. — Loc. prov. *Passez-moi la rhubarbe, je vous passerai le séné* : faisons-nous des concessions réciproques (dans ce prov. le verbe *passer* a analytiquement le sens concret ci-dessous III., 7.).

Ils obtiennent les uns des autres, à charge de revanche, les concessions possibles, par l'application du proverbe : *« Passez-moi la rhubarbe, je vous passerai le séné... »* BALZAC, les Petits Bourgeois, Pl., t. VII, p. 201. 107

Une femme qui s'était imposé de si grands sacrifices pouvait bien se passer des 108

fantaisies. Elle s'acheta un prie-Dieu gothique, elle dépensa en un mois pour quatorze francs de citrons à se nettoyer les ongles (...)
FLAUBERT, Mme Bovary, II, VII.

B. Dépasser (ce qu'on a traversé restant derrière soi).

♦ **1.** (Dans l'espace). *Passer un cap** — Loc. fig. *Passer le cap :* franchir un âge critique, une difficulté. *Quand vous aurez passé la gare.* — Par ext. (Vieilli). *Jupon qui passe la jupe.* ⇒ **Dépasser** (mod). Absolt. *Jupon qui passe. Robe qui laisse passer le bout de la bottine mordorée* (cit.).

Fig. (*Dépasser* semble plus cour., en général). *Passer les limites* (cit. 7). *Passer les bornes :* aller trop loin. ⇒ **Outrepasser.** *Insolence* (cit. 3) *qui passe les bornes de la décence.* « *De l'austère pudeur les bornes sont passées* » (→ Ardeur, cit. 18, Racine). « *Et les fruits passeront la promesse des fleurs* » (→ Faucille, cit. 2, Malherbe). — Prov. *Contentement* passe richesse* (cf. Valoir mieux que...). *Ce travail passe ses forces, ses capacités.* ⇒ **Excéder** (cf. Être au-dessus de...). *Ceci passe l'entendement* (⇒ **Confondre**), *leur intelligence* (→ Illuminisme, cit. 1). — Vx. *Cela me passe :* cela me dépasse, je ne comprends pas.

109 Sa jalousie est incroyable, et passe (...) tout ce qu'on peut imaginer.
MOLIÈRE, le Sicilien, 14.

110 Grâce aux Dieux! Mon malheur passe mon espérance.
RACINE, Andromaque, V, 5.

111 Les esprits médiocres condamnent d'ordinaire tout ce qui passe leur portée.
LA ROCHEFOUCAULD, Maximes, 375.

112 (...) j'ai été pris du désir de te connaître et je vois que la vérité passe la renommée.
FRANCE, Thaïs, p. 116.

113 Ce qui passe l'entendement, c'est que vous raisonnez habituellement sur les affaires de ce monde exactement comme nous.
BERNANOS, les Grands Cimetières sous la lune, p. 259.

(Personnes). Vx ou littér. *Passer qqn à la course* (⇒ **Devancer**). — Fig. *Passer qqn en beauté.* ⇒ **Surpasser** (→ 1. Blondin, cit. 3). *Prince qui passe les dieux* (→ Gagner, cit. 30).

114 *(le seigneur Dieu)* n'avait qu'un fils, le prince Jésus, qu'il aimait de tout son cœur et qui passait en beauté les vierges et les anges.
FRANCE, Thaïs, p. 81.

REM. Dans cet emploi, *passer* est toujours marqué (archaïque, littéraire, académique, stylistique) alors que *dépasser* est neutre.

♦ **2.** Cour. (Dans le temps). *Il a passé la limite d'âge pour ce concours. Elle avait passé l'âge de la première communion* (→ Infraction, cit. 2). *Ai-je passé le temps d'aimer?* (cit. 40). → aussi Mariage, cit. 12. « *La nuit est déjà proche à qui passe midi* » (→ Matinée, cit. 1, Malherbe). *Si la vigne peut passer fleur,* passer la floraison (→ Couler, cit. 20). — Spécialt. *Il ne passera pas la nuit, la journée, la semaine...,* il ne vivra pas au delà (→ Assener, cit. 2).

115 Elle *(la comtesse de Bussy)* m'a écrit une très honnête lettre, mais j'ai passé le temps de lui faire réponse.
Mme DE SÉVIGNÉ, 268, 24 avr. 1672.

116 (...) le docteur, tout en promettant de revenir le lendemain, déclara que la pauvre femme ne passerait pas la nuit.
ZOLA, la Terre, V, IV.

★ **III.** V. tr. Faire passer (au sens I.).

♦ **1.** Faire traverser (qqn, qqch.), notamment en déjouant une surveillance ou une difficulté. *Passer les gens* (⇒ **Traverser; passeur**). *Passer des marchandises en transit* (⇒ **Transiter, transporter**). *Passer de la contrebande,* la faire entrer dans un pays. *Passer un faux billet, une fausse pièce,* les faire recevoir en paiement.

117 Je me garderai bien de vous passer à Buenos-Ayres, dit le patron (...)
VOLTAIRE, Candide, XIX.

(Avec un compl. de lieu; le compl. direct désigne une partie du corps). Faire mouvoir, faire aller. *Passer la main sur...* (⇒ **Caresser, promener**), *sous...* (⇒ **Glisser**), *dans...* (⇒ **Introduire**). *Passer les doigts* (cit. 10) *sur son visage, dans ses cheveux* (→ Fauve, cit. 2). *Se passer la main sur le front. Passer les mains autour du cou* (→ Joue, cit. 1).

118 (...) il se passait la main sur le front comme un homme harcelé par les mouches.
FLAUBERT, Salammbô, VII.

119 (...) Barnave passa la tête à la portière, et les regarda (...)
MICHELET, Hist. de la Révolution franç., V, II.

120 Bianchon s'agenouilla pour passer ses bras sous les jarrets du malade, pendant que Rastignac en faisait autant de l'autre côté du lit afin de passer les mains sous le dos.
BALZAC, le Père Goriot, Pl., t. II, p. 1079.

(Le compl. désigne une chose concrète). *Passer le fil dans le chas de l'aiguille, sous le tissu...* (→ ci-dessous, Passé, 4., cout.). *Passer un anneau au doigt, la corde* au cou. Passer le licou* (cit. 1) *aux chevaux. Boucle passée dans le lobe* (cit. 3) *de l'oreille. Passer un chiffon sur les meubles* (→ Essuyer, cit. 7), *un outil sur un objet... Passer l'aspirateur.* — Fig. *Passer l'éponge** (cit. 7 et 8) *sur certains scandales* (→ Œil, cit. 25). *Passer la brosse**.

121 Les vestiges d'un mur séparaient le jardin délabré de la cour, où l'on avait, depuis peu, versé du sable et passé le râteau.
ALAIN-FOURNIER, le Grand Meaulnes, I, XV.

*Passer l'épée** (cit. 4), *se passer l'épée au travers du corps* (→ Forfaire, cit. 1). ⇒ **Enfoncer.** — *Passer l'arme à gauche* (cit. 11). ⇒ **Mourir.**

Loc. fig. *Passer qqch. sous silence**.

♦ **2.** (Le compl. désigne une chose qui peut s'étendre, s'étaler). Étendre, répandre. *Passer de la cire sur les parquets, une couche de peinture sur une porte.* — Fig. *La nuit laiteuse* (cit. 2) *passait sur le monde sa couche de nacre.* — Fig., fam. *Passer un savon* à qqn.* — Fig. *Passer (une engueulade, un savon,* etc...) *à qqn,* l'admonester. — *Qu'est-ce qu'il lui a passé!*

(...) qu'est-ce qu'il lui aurait passé le père Delobelle, s'il avait appris quelque chose! 122
ARAGON, les Beaux Quartiers, I, XIII.

♦ **3.** PASSER PAR, À... : soumettre à l'action de. *Passer qqn par les armes,* le fusiller* (→ Falloir, cit. 2; fusillade, cit. 3). *Passer les prisonniers au fil* (cit. 41) *de l'épée**. ⇒ **Tuer** (→ Habitant, cit. 9). — Fam. *Passer qqn à tabac**, le tabasser. — *Passer un instrument à la flamme, une plaie à l'alcool. Passer des parquets à la cire* (⇒ **Enduire, frotter**), *un réservoir de tôle au minium* (cit.). *Passer qqch. au laminoir* (cit. 2), *au crible*, à l'étamine*. Passer qqch. au bleu** (fig. ⇒ **Escamoter**). — *Passer une viande à la casserole** (*passer à la casserole,* fig., est un emploi de l'intransitif, ci-dessus).

Il fit enlever de force le jeune prince de Condé, duc d'Enghien, qui se trouvait 123
à Ettenheim, en territoire badois, et qui fut passé par les armes après un simulacre de jugement.
J. BAINVILLE, Hist. de France, XVII, p 405.

(...) des organisations ouvrières forcément ouvertes, dont les recrues ne peuvent 124
pas être passées au tamis, ni les délibérations rester secrètes.
J. ROMAINS, les Hommes de bonne volonté, t. IV, X, p. 105.

♦ **4.** (Sans compl. prépositionnel). Faire traverser un filtre, un crible, un tamis, une claie, une passoire... (⇒ **Cribler, filtrer, tamiser**). *Passer un bouillon, une sauce* (→ Filigrane, cit.), *le lait* (⇒ **Couler**). *Passer le café. Passer le thé* (⇒ **Passe-thé**). *Passer des pommes de terre pour en faire de la purée.* — REM. Cf. la construction symétrique : *le café passe.*

♦ **5.** Projeter (un film). *Je vais vous passer le film de nos vacances.* — Par ext. *Le cinéma de notre quartier passe tel film* (⇒ **Jouer**). Fam. *Qu'est-ce qu'on passe au ciné-club?*

Il paraît qu'à sept heures on va passer de vieux films muets. 125
S. DE BEAUVOIR, les Mandarins, X, p. 522.

♦ **6.** Mettre. ⇒ **Enfiler, mettre.** *Passer les menottes* (cit. 2), *la camisole de force à qqn* (→ Maîtriser, cit. 4). *Passer une robe de chambre à la hâte. Passer une veste pour l'essayer. Sans passer les manches* (1. Manche, cit. 5) *de sa veste.*

Les deux hommes passèrent leurs chemises propres et (...) s'assirent de chaque 126
côté de la fenêtre (...)
M. AYMÉ, la Jument verte, XIV.

Enclencher (les commandes de vitesse d'un véhicule). — Ellipt. *Passer ses vitesses*. Passer la seconde après avoir démarré en première.*

Comm. Faire figurer (une opération sur un livre de commerce). ⇒ **Inscrire.** *Passer un article en compte, sur le compte. Passer en comptabilité. Passer à pertes et profits.*

♦ **7.** Remettre (qqch. à qqn). ⇒ **Donner, remettre, transmettre** (→ Manchette, cit. 4). *Passer une lettre à son secrétaire* (→ Net, cit. 18). *Valet qui passe les fusils à son maître* (→ Lâcher, cit. 18). *Mitrailleur* (cit. 1) *qui passe les bandes. Passez-moi le sel. On leur passe de la bière* (→ Malade, cit. 10). — (Sans compl. second). Jeu. *Passer la main**. Fam. *Passons la monnaie!* — Récipr. *Maçons qui se passent les pierres* (→ Goujat, cit. 4).

Tiens, passe-moi une cigarette, dit Jérôme en prenant le bras de Daniel. 127
MARTIN DU GARD, les Thibault, t. II, p. 277.

L'homme qui court passe la balle devant lui; celui qui la reçoit n'est plus séparé 127.1
du but que par les trois joueurs de la défense.
Jean PRÉVOST, Plaisirs des sports, p. 140.

Loc. prov. *Passez-moi la rhubarbe...* (→ ci-dessus cit. 107 et *supra*).

Par ext. *La Grèce a passé le flambeau* (cit. 15) *à l'Italie. Passer les consignes* (cit. 2), *un message à qqn* (⇒ **Communiquer**). — Récipr. *Ils se sont passé le mot.* — *Passer les pouvoirs à son successeur. Passer la parole à qqn,* la lui donner après qu'on a parlé. — Fam. *Passer un coup de fil à qqn,* lui téléphoner. *Passer une personne à qqn,* la mettre en communication téléphonique avec lui.

Allô! allô! Ici Garros ... Je vous entends ... Émettez ... Émettez ... La radio passe 128
vite : — Allô! Un avion non identifié signalé (...)
R. DORGELÈS, la Drôle de guerre, XV.

(...) finalement ce sont les secrétaires qui se parlent : « Passez-moi M. de Stumpf- 129
Quichelier ... Je vous passe M. Ragondeaux.
P. DANINOS, Un certain M. Blot, II.

Passer une maladie à qqn, la lui donner par contact, par contagion. *Il m'a passé son rhume. Passer des aveux :* avouer.

Le meurtrier avait ensuite chargé le corps de sa victime dans sa voiture, était allé 129.1
dans un endroit désert et, après avoir arrosé le cadavre d'essence, y avait mis le feu. Mestorino avait passé des aveux complets et, comme déjà à l'époque l'opinion protestait contre la durée de certaines informations, on avait décidé que l'affaire serait instruite en quelques semaines.
René FLORIOT, La vérité tient à un fil, p. 194.

♦ **8.** Dresser (un acte). ⇒ **Dresser, faire, libeller; passation.** *Passer un acte.* — Au p. p. Dr. *Acte authentique* (cit. 4) *passé dans la forme administrative. Passer un bail.* — Cour. *Ministre* (cit. 7) *qui passe les contrats et les marchés. Passer une commande. Passer commande.* — Par ext. *Passer un accord* (⇒ **Conclure**). — Au p. p. *L'engagement* (cit. 5) *passé entre nous deux.*

▶ **SE PASSER** v. pron.

★ **I.** (Forme réfléchie). ♦ **1.** Écouler sa durée. ⇒ **Écouler** (s'); et

→ ci-dessus, I., C., 1. : Le temps passe. *La journée se passe en agitations* (cit. 4), *en futilités* (cit. 3). *Moments qui se passent dans l'attente* (→ Guet, cit. 2). *Deux jours s'étaient passés sans que...* (→ Aucun, cit. 37). *Bien que sa nuit se fût passée sans sommeil* (→ Jamais, cit. 9). *Un an* (cit. 4) *se passe, et deux... Les jours et les jours se passent* (→ Lorsque, cit. 7). *« La Trinité se passe... Malborough ne revient pas ! »* (chanson populaire). — Impers. *Il ne se passe pas d'année que... — L'action se passe en un seul jour.* ⇒ **Dérouler** (→ Matière, cit. 13). *Plante aquatique* (cit. 2) *dont l'existence se passe au fond de l'eau. À quoi se passe la vie d'un Athénien* (cit. 2). — Loc. prov. *Il faut que jeunesse** (cit. 2) *se passe.*

130 Le temps se passe, et se passant, Madame,
Il fait passer mon amoureuse flam*(m)*e (...) RONSARD, Élégies, XX.

131 Un mois de la sorte se passe (...) LA FONTAINE, Fables, VI, 21.

132 Le meilleur de la vie se passe à dire : « Il est trop tôt », puis : « Il est trop tard ». FLAUBERT, Correspondance, 543, Juil. 1857.

Prendre fin (⇒ **Cesser, finir**). *Attendons que cela se passe. Ça se passera avec un café* (→ Hargneux, cit. 11). — REM. Cet emploi est plus familier que celui de *passer* (ci-dessus, I., C., 2.).

133 C'est un petit ressentiment de l'affaire de tantôt, et cela se passera avec un peu de caresse que vous lui ferez. MOLIÈRE, George Dandin, II, 8.

134 (...) en attendant que le mal de gorge de Jacques se passe, laissons parler son maître. DIDEROT, Jacques le fataliste, Pl., p. 700.

♦ **2.** Être (en parlant d'une action, d'un phénomène, d'un événement qui a une certaine durée). ⇒ **Advenir, arriver, lieu** (avoir lieu), **produire** (se). *L'action, l'histoire se passe au* XVI*e siècle. Cela se passait il y a bien longtemps. — La scène se passe dans un salon. La chose s'est passée chez moi. Ce qui se passe sur l'écran* (cit. 3), *dans la coulisse* (cit. 6); *à l'étranger* (→ Fashion, cit. 1). *Les choses qui se passent au front* (cit. 31). *Cette affaire doit se passer entre nous* (→ Calmer, cit. 15.2). — Spécialt. *Ce qui se passe en qqn,* dans l'esprit, dans le cœur de qqn (→ Deviner, cit. 6; discerner, cit. 9; extériorisation, cit.; faire, cit. 60; 1. garde, cit. 39; introversion, cit.; mordre, cit. 8). — *Manière dont une chose se passe. Comment la chose s'est-elle passée?* (→ Mais, cit. 16). *Elle s'est passée ainsi* (cit. 6). *Dire les choses comme elles se sont passées* (→ Nécessaire, cit. 22). *On sait comment ça se passe avec les notaires* (cit. 4). *Cela s'est bien, mal passé* (→ Cela a bien, mal marché). Fam. *Ça ne se passera pas comme ça :* la chose sera tout autre, ou encore : je ne le tolérerai pas, j'y mettrai bon ordre. — Sc. *Tout se passe comme si... :* la chose observée, le processus, correspond à telles conditions théoriques (cette expression est employée dans l'usage non scientifique : → Antérieur, cit. 4; 1. chant, cit. 4; exception, cit. 16; hérédité, cit. 10). — *Observer ce qui se passe* (→ Observation, cit. 11). *Il voulait être témoin de ce qui se passerait* (→ Inconvénient, cit. 4). *Sans comprendre ce qui se passait* (→ Inopinément, cit. 2).

135 Dans sa cour, dans son cœur, dis-moi ce qui se passe.
Mon Hermione encor le tient-elle asservi? RACINE, Andromaque, I, 1.

136 Voici dans ce moment ce qui se passa dans l'âme de Candide, et comment il raisonna (...) VOLTAIRE, Candide, IX.

137 Et ceci se passait dans des temps très anciens.
HUGO, la Légende des siècles, II, « Booz endormi ».

138 Ils lui racontèrent tout ce qui s'était passé depuis la conclusion de la paix : l'avarice des Anciens, le départ des soldats, leur retour, leurs exigences (...) FLAUBERT, Salammbô, VII.

139 Tout se passe comme si la plupart de ce qui est n'existait pas. Définir quelqu'un, par ce qui n'existe pas pour lui (...) VALÉRY, Mélange, p. 66.

140 Rien ne se passe jamais tout à fait comme on aurait cru (...) C'est là ce qui me porte à agir (...) GIDE, les Caves du Vatican, II, 13.

Impers. *Que se passe-t-il?* (→ Face, cit. 48). *Qu'est-ce qu'il se passe? :* qu'est-ce qu'il y a? ⇒ **Avoir** (*supra* cit. 88). *Il ne se passe rien* (→ Cent, cit. 8). *Il s'y passe des choses qui me déplaisent* (→ Désert, cit. 16). — Fam. *Il s'en passe de belles quand je ne suis pas là! Il s'en est passé, des choses! :* tout a évolué, changé. *Il ne se passe rien entre eux :* il n'y a rien entre eux (→ Entre, *supra* cit. 37).

141 (...) je crois qu'il ne se passe rien entre eux qui ne soit en tout bien et en tout honneur. DIDEROT, Jacques le fataliste, Pl., p. 580.

142 Irène s'ennuyait. Il ne se passait rien, sinon que l'orchestre jouait *Music Maestro please* (...) Il ne se passait jamais rien, d'ailleurs, ou alors, si quelque chose arrivait, par hasard, on ne s'en apercevait pas sur le moment. SARTRE, le Sursis, p. 277.

★ **B.** SE PASSER DE.

♦ **1.** Vx. Se contenter de (qqch.). *« Un homme sobre se passe de peu »* (Trévoux).

♦ **2.** Mod. **a** Vivre sans... (en s'accommodant de cette absence, qu'elle soit voulue ou subie). *Se passer d'argent* (cit. 45). *Apprendre à se passer de qqch.* (→ Criailler, cit.). *Quand on n'en a pas, on s'en passe! J'essaierai de m'en passer. S'il me refuse son consentement, je m'en passerai. Il aime mieux se passer d'un plaisir que s'exposer à une douleur.* ⇒ **Priver** (se), **renoncer** (à). → Opinion, cit. 18. *Objet, habitude, dont on ne peut plus se passer* (→ Aisance, cit. 1; humilité, cit. 2). *Être obligé de se passer de qqch.* (→ fam. Faire ballon, se brosser*, se mettre la ceinture*). *Vouloir se passer de tous les hommes* (→ Obliger, cit. 18). *Se passer de prêtre* (→ Indispensable, cit. 11), *de maître* (→ Liberté, cit. 22). *Nous nous passerons de vous, nul n'est indispensable. Il ne peut se passer d'elle* (→ Captiver, cit. 6).

Celui qui croit pouvoir trouver en soi-même de quoi se passer de tout le monde se trompe fort; mais celui qui croit qu'on ne peut se passer de lui se trompe encore davantage. LA ROCHEFOUCAULD, Maximes, 201. 143

(...) attendu qu'il est écrit là-haut que je vous suis essentiel, et que je sens, que je sais que vous ne pouvez pas vous passer de moi, j'abuserai de ces avantages toutes et quantes fois que l'occasion s'en présentera. DIDEROT, Jacques le fataliste, Pl., p. 646. 144

Je connus mon bonheur et qu'au monde où nous sommes 145
Nul ne peut se vanter de se passer des hommes (...)
Et depuis ce jour-là je les ai tous aimés.
SULLY PRUDHOMME, Épreuves, « Un songe ».

Lorsqu'on ne travaillait plus, il fallait savoir se réduire. Est-ce que la mère, elle aussi, ne pouvait se passer de café noir? ZOLA, la Terre, I, II. 146

(...) ce que les hommes pardonnent le moins, c'est qu'on puisse se passer d'eux. R. ROLLAND, Jean-Christophe, Les amies, p. 1099. 147

Moi, tu sais, je m'en passe des femmes qu'il disait (...) CÉLINE, Voyage au bout de la nuit, p. 286. 148

Je suis revenu parce que... parce que... Il écarta les bras, les laissa retomber, les rouvrit : « Parce que je ne pouvais plus me passer de toi, ce n'est pas la peine de chercher autre chose. » COLETTE, Chéri, p. 183. 149

Se passer de (suivi d'un infinitif)... *Les chameaux se passent de boire* (1. Boire, cit. 7). *Nous nous passerons d'aller au théâtre cette semaine.* ⇒ **Abstenir** (s'). — Vx. *Se passer que...*

Je me passerai bien que vous les approuviez *(mes vers).* 150
Il faut bien, s'il vous plaît, que vous vous en passiez.
MOLIÈRE, le Misanthrope, I, 2.

Par euphémisme. *Se passer des services de qqn,* le renvoyer. *Nous nous voyons dans l'obligation de nous passer de vos services, de votre collaboration.*

Iron. *Se passer volontiers d'une chose désagréable, d'une personne ennuyeuse...* ⇒ **Faire** (n'avoir que faire de). *« Notre vie est assez courte pour qu'on puisse se passer du fléau de la guerre »* (cit. 5, Voltaire). *Je me passerais bien de cette corvée. Une race dont on se passerait volontiers* (→ Militaire, cit. 2). *On se passerait bien de faire ce travail!* ⇒ **Dispenser** (se).

b (Choses). Être sans, ne pas avoir besoin de. *L'esprit ne peut se passer d'idées* (cit. 12) *ni les idées de talent. Une facilité qui peut se passer de profondeur* (→ Facile, cit. 12). *Voilà qui se passe de commentaires!,* qui est évident (en parlant plus spécialement de ce qu'on réprouve).

L'admiration se passe de l'amitié. Elle se suffit à elle-même. J. RENARD, Journal, 17 nov. 1897. 151

On a cru la devoir joindre *(cette lettre)* à ce recueil qui pouvait se passer d'elle, comme elle de lui. VALÉRY, Monsieur Teste, p. 77 (note de l'auteur). 152

(...) un besoin de se confier qui se passe dédaigneusement de la confiance. J. ROMAINS, les Hommes de bonne volonté, t. V, XVI, p. 120. 153

▶ **PASSÉ, ÉE** p. p. adj. (V. 1320, « vieux, usé »).

♦ **1.** (1538). Écoulé, qui n'est plus (en parlant du temps). *Le temps passé* (→ L'ancien temps, et, fam., les vieilles lunes*). ⇒ aussi **Passé,** n. m. *Choses, histoires* (cit. 40) *du temps passé,* d'autrefois (→ Broderie, cit. 4). *Les siècles passés* (→ Exigeant, cit. 7). *L'an passé* (→ Frère, cit. 15). *Je l'ai vu jeudi passé* (⇒ **Dernier**).

(...) lorsqu'on est trop curieux des choses qui se pratiquaient aux siècles passés, on demeure ordinairement fort ignorant de celles qui se pratiquent en celui-ci. VALÉRY, Descartes, p. 74. 154

Dépassé (en parlant d'une durée, d'une heure, d'un âge). *Il est trois heures passées.* ⇒ **Plus** (plus de trois heures). ⇒ **Accompli, révolu** (→ fam. Bien sonnées*).

Puis il dit : — Maintenant, allons déjeuner, il est midi passé. MAUPASSANT, Bel-Ami, I, VII. 155

(En parlant des choses). *Le souvenir, le sentiment des choses passées.* ⇒ 1. **Passé** (→ Aspect, cit. 9; destin, cit. 2). *Fortune, grandeur passée* (→ Arrêter, cit. 40; faiblesse, cit. 15). *Sentiments, plaisirs passés.* ⇒ **Défunt, éteint** (→ Augmenter, cit. 1; habitude, cit. 38). *Les erreurs passées* (→ Désormais, cit. 1). *Mal passé n'est qu'un songe. Vie passée, activités passées* (⇒ **Antécédent, curriculum vitae**). *Abjurer* (cit. 2) *sa vie passée.* — (En parlant des personnes). Rare. *« Les musiciens* (cit. 6) *passés »* (R. Rolland). ⇒ **Ancien.**

Et qu'est-ce que l'histoire? La représentation écrite des événements passés. FRANCE, le Jardin d'Épicure, p. 107. 156

(...) nous n'avons aucune envie de reprendre notre vie passée, mais nous commençons volontiers notre vie à venir. J. PAULHAN, Entretien sur des faits divers, p. 47. 157

Participe passé. Infinitif, impératif passé.*

♦ **2.** Qui a perdu les qualités de sa maturité, de l'état requis pour la consommation. *La fadeur d'un melon passé* (→ Blet, pour les autres fruits).

(...) une femme est incapable de connaître un cantaloup parvenu au moment fugitif de sa maturité savoureuse d'avec un autre encore vert ou déjà passé. FRANCE, la Vie en fleur, XII. 158

♦ **3.** (Couleurs). Qui a perdu son intensité, son éclat (⇒ **Éteint, fané, flétri**). *Faveur d'un rose passé* (→ Manuscrit, cit. 4).

La chambre est d'un blanc un peu terni par le temps, comme aussi l'or des folâtres arabesques montre en quelques endroits des teintes rouges; mais ces effets sont en harmonie avec les couleurs passées du tapis de la Savonnerie (...) BALZAC, Mémoires de deux jeunes mariées, Pl., t. I, p. 133. 159

Par ext. (En parlant des matières colorées). *Une étoffe passée* (⇒ **Décoloré, défraîchi**). *Tenture, costume... passés* (⇒ **Pisseux**).

160 Que ce mot tapisserie n'éveille en votre imagination aucune idée de luxe inopportun. Celle-ci était usée, élimée, passée de ton.
Th. GAUTIER, le Capitaine Fracasse, I.

♦ **4.** Cout. *Point passé :* point où la soie passe au-dessus et au-dessous de l'étoffe sur la même longueur. — N. m. *Broder au passé.*

CONTR. (Du verbe intr. ; de I., 1.) **Arrêter (s'), éterniser (s'), rester.** – (De I., 2., Passer sur) **Appuyer.** — **Durer.** — (Du p. p.) **Actuel, courant, futur, présent, prochain.** — **Éclatant, frais.**

DÉR. Passable, passage, passant, passation, passe, 1. **passé,** 2. **passé, passement, passerelle, passeur, passoire.** V. aussi **Passade.**

COMP. Contre-passer, dépasser, impasse, laissez-passer, passavant, repasser. V. aussi **Passacaille.**

PASSERAGE [pɑsʀaʒ] n. f. — 1549 ; de *passer,* et *rage.*

♦ Plante *(Crucifères),* scientifiquement appelée *lepidium,* herbacée, annuelle ou vivace. *Passerage cultivée ou cresson * alénois. La passerage était considérée comme un remède contre la rage.*

PASSEREAU [pɑsʀo, pasʀo] n.m. — 1532 ; *passerel,* v. 1206 ; *passere,* 1120 ; lat. *passer, -eris* « moineau ».

♦ **1.** Vx. Moineau (→ Becqueter, cit. 1 ; coup, cit. 18).

1 Vous tenez dans vos mains le monde, qui palpite
Comme un passereau sous nos doigts ! HUGO, Odes et Ballades, III, IV, V.

2 (...) passereaux sont d'effrontés larrons, et tant leur plaît la picorée qu'ils seront toujours picoreurs. Ils vendangeront pour vous votre vigne.
Aloysius BERTRAND, Gaspard de la nuit, « Les chroniques », I.

♦ **2.** (1803). Zool. **PASSEREAUX** ou **PASSERIFORMES** n. m. pl. Ordre d'oiseaux comprenant les percheurs et les chanteurs, généralement de petite taille. *L'ordre des passereaux « à limites assez mal définies, (comprend) tous nos oiseaux chanteurs, et d'autres formes si variées qu'il est difficile de donner du groupe une définition un peu précise ».* (Poiré). — REM. Au sens large, on englobe dans l'ordre des *Passereaux* les oiseaux de l'ordre des *Coraciiformes* (engoulevents, huppes, guêpiers, martins-chasseurs, martins-pêcheurs, martinets, rolliers...) ; au sens étroit, les oiseaux *passeriformes* forment un ordre divisé en vingt-deux familles. (⇒ **Oiseau**). *Passereaux conirostres, dentirostres, fissirostres, lévirostres, ténuirostres... Principaux passereaux* (par appos. *oiseaux passeriformes, oiseaux passereaux).* ⇒ **Accenteur, alouette, bec-fin** (ou **becfigue**), **bergeronnette, bouvreuil, bruant** (ou **proyer**), **bulbul, calao, chardonneret, colibri, corbeau, corneille, cotinga, étourneau, fauvette, fourmilier, fournier** (II.), **geai, gobe-mouche, grimpereau, grive, gros-bec, hirondelle, jacamar, jaseur, linot** (ou **linotte**), **loriot, ménure, merle, mésange, moineau, momot, moucherolle, ortolan, paradisier, passerine, pie, pie-grièche, pinson, pipit, rémiz, roitelet, rossignol, rouge-gorge, rouge-queue, séleucide, sittelle, tisserin, traquet, troglodyte, troupiale, tyran, verdier.**

Au sing. Oiseau (individu, espèce, famille...) de l'ordre des Passereaux. *Le corbeau est un passereau, un oiseau passereau.*

PASSERELLE [pɑsʀɛl ; pasʀɛl] n.f. — 1835 ; de *passer.*

A. ♦ **1.** Pont étroit, réservé aux piétons. *Passerelle sur un torrent* (→ Hasardeux, cit. 5), *passerelle jetée* (cit. 9) *sur un abîme. Passerelle sur une voie de chemin de fer, un canal, une autoroute. Garde-fous, rambardes d'une passerelle.*

1 On la traversait *(la Vivonne)* une première fois, dix minutes après avoir quitté la maison, sur une passerelle dite le Pont-Vieux.
PROUST, À la recherche du temps perdu, t. I, p. 225.

Par métaphore :

2 Cette époque, où la franchise manque à tous, serre le cœur : chacun jetait en avant une profession de foi, comme une passerelle pour traverser la difficulté du jour (...)
CHATEAUBRIAND, Mémoires d'outre-tombe, t. III, p. 350.

3 (...) la passerelle que j'étais à même d'offrir, je la tendais à des gens qui méritaient d'être sauvés ; j'en avais la preuve. GIDE, Ainsi soit-il, p. 169.

♦ **2.** Fig. Moyen de communication. ⇒ **Passage, pont.** *Les deux partis en présence ne trouvent pas de passerelle permettant la discussion. Des classes-passerelles,* destinées à assurer le passage des élèves d'une filière dans une autre. *Passerelle entre deux cursus universitaires.*

B. ♦ **1.** (1907). Plan incliné par lequel on peut accéder à un navire. *Passerelle d'un yacht, d'un paquebot. Rentrer la passerelle avant de lever l'ancre* (→ aussi Échelle de coupée).

♦ **2.** Système d'accès à un avion (escalier, couloir mobile). *Approcher, rouler, enlever la passerelle. Passerelle d'embarquement direct. Passerelle télescopique. — Passerelle à soufflets.*

4 Des files de nègres (...) en train de décharger (...) les bateaux (...) grimpant au long des passerelles tremblotantes et grêles (...)
CÉLINE, Voyage au bout de la nuit, p. 123.

♦ **3.** (1893). Mar. Superstructure la plus élevée d'un navire. *Le commandant est sur la passerelle.*

5 Le capitaine était seul sur la passerelle. Dans une cage de verre, derrière lui, le timonier se tenait immobile, les deux mains sur la roue de cuivre, le regard rivé au compas. G. SIMENON, le Passager du Polarlys, p. 24.

PASSERESSE [pɑsʀɛs] n.f. — 1836 ; de *passer.*

♦ Mar. Petit cordage* ou ligne servant de garcette de ris (on dit aussi *hamet, hanet).* — Lacet.

(1907). Ligne servant à faire passer un gros cordage dans une poulie, une drisse dans un mât creux, etc.

PASSERIFORMES [pɑsʀifɔʀm ; pasʀifɔʀm] n.m.pl. – V. 1960 ; du lat. *passer, -eris* « moineau » (→ Passereau), et *-forme.*

♦ Zool. ⇒ **Passereau** (2.).

PASSERILLE [pɑsʀij] ou PASSARILLE [pasaʀij] n.f. — 1583, *passerille ; passarille,* 1570 ; de l'anc. franç. *passe* « sec » (XIIIe) ; lat. *passus,* de *pandere* « étaler (au soleil) ».

♦ Régional. Raisin blanc cultivé dans le Midi de la France pour la production des raisins secs.

PASSERINE [pɑsʀin ; pasʀin] n.f. — 1611, *passerin,* adj., « qui ressemble au moineau » ; lat. *passer, -eris* « moineau ». → Passereau.

★ **I.** Plante *(Daphnoïdés)* appelée communément *langue de moineau, herbe à l'hirondelle,* et très voisine de la *daphné.*

★ **II.** (1775, Buffon, « nom provençal de la fauvette grise »). Oiseau passereau d'Amérique, aux couleurs magnifiques, appelé aussi *pape.*

DÉR. (Du sens II.) **Passerinette.**

PASSERINETTE [pɑsʀinɛt ; pasʀinɛt] n.f. — 1775 ; de *passerine.*

♦ Rare. Fauvette des jardins.

PASSE-RIVIÈRE [pɑsʀivjɛʀ] n.m. — 1907 ; de *passer,* et *rivière.*

♦ Techn. Corde fixée à un support (arbre, portique...) et servant à franchir des obstacles. *Des passe-rivières.*

PASSE-ROSE [pɑsʀoz] n.f. — XIIIe ; de *passer* « surpasser », et *rose.*

♦ Régional. Rose trémière. *Des passe-rose,* ou *des passe-roses.* ⇒ **Primerose.**

Le jardinet avait de belles passe-roses qui montaient jusqu'au toit (...)
FLAUBERT, Correspondance, 413, 14 août 1853.

PASSET [pɑsɛ] n. m. — 1409. Cf. *passe,* 1409 ou de *pas* (1340) « marche d'escalier », du lat. *passus.*

♦ Régional (Belgique, Nord de la France). Petit banc qu'on place sous les pieds lorsqu'on est assis.

PASSE-TEMPS [pɑstɑ̃] n.m.invar. — 1538 ; « joie », 1413 ; de *passer,* et *temps.*

♦ Ce qui fait passer agréablement le temps : occupation plaisante et légère choisie volontairement. ⇒ **Amusement, distraction, divertissement, jeu, récréation** (→ Amateur, cit. 6 ; culture, cit. 11 ; ennuyer, cit. 5). *Les passe-temps des amours* (→ 1. Grison, cit. ; et aussi Escarmouche, cit. 2). *Chercher un passe-temps pour combattre l'oisiveté. Servir de passe-temps* (→ Enchanter, cit. 11). *Faire qqch. par passe-temps et non par obligation. — Passe-temps agréable, innocent. — Le gouvernement* (cit. 13), *« passe-temps naturel des gens qui n'ont plus rien à faire »* (Augier).

Adieu vos plaisants passetemps ; 1
Adieu le bal, adieu la danse,
Adieu mesure, adieu cadence,
Tambourins, hautbois, violons
Puisqu'à la guerre nous allons. Clément MAROT, Épîtres, LXIII.

(...) les polissons de la ville, qui n'ont pas de plus doux passe-temps que de jeter des 2
pierres contre les sculptures. Th. GAUTIER, Voyage en Espagne, p. 20.

Quelquefois, je me demandais si je n'étais pas pour elle un passe-temps, un caprice 3
dont elle pourrait se détacher du jour au lendemain.
R. RADIGUET, le Diable au corps, p. 88.

Il travaillait, il préparait son bachot ou sa licence, mais c'était plutôt par passe- 4
temps, comme les jeunes filles qui suivent des cours à la Sorbonne en attendant de se marier. SARTRE, le Sursis, p. 216.

PASSE-THÉ [pɑste] n.m.invar. — V. 1900 ; de *passer,* et *thé.*

♦ Petite passoire à thé.

PASSE-TOUS-GRAINS ou **PASSE-TOUT-GRAIN** [pɑstugʀɛ̃] n.m.invar. — 1816, *passe-tous-grains; passe-tout-grain*, 1859, *in* D.D.L.; de *passer, tout (tous)*, et *grain*.

♦ Vin rouge de Bourgogne, mélange de plants fins et de gamay.

PASSETTE [pɑsɛt] n.f. — 1765; de *passer*.

♦ **1.** Techn. Crochet utilisé par le tisseur pour faire passer les fils de chaîne dans les mailles des lices.

♦ **2.** (1868). Cour. Petite passoire.

PASSEUR, EUSE [pɑsœʀ, øz] n. — V. 1170; de *passer*.

♦ **1.** Personne qui conduit un bac (cit. 2), un bateau, une barque pour traverser un cours d'eau. ⇒ **Batelier.** — REM. La forme *passeux* est dialectale.

1 À quelque distance de Chardonneux, il y avait un gué à passer. Il avait beaucoup plu depuis un mois à peu près, en sorte que la rivière débordait et couvrait les prés d'alentour. Le *passeux* refusa d'abord la voiture dans son bac, et dit qu'il fallait dételer, qu'il se chargeait de traverser l'eau avec les gens et le cheval, non avec le carrosse. A. DE MUSSET, Contes, « Pierre et Camille », V.

2 J'ai fait *mon* acte, Électre, et cet acte était bon. Je le porterai sur mes épaules comme un passeur d'eau porte les voyageurs, je le ferai passer sur l'autre rive et j'en rendrai compte. SARTRE, les Mouches, II, 8.

♦ **2.** Personne qui fait passer illégalement une frontière, traverser une zone interdite à qqn ou à qqch. *Intercepter un passeur d'héroïne.* ⇒ **Trafiquant;** et aussi **contrebandier.** *Passeur qui fournit de faux papiers à un immigrant.*

♦ **3.** Sports. Personne qui fait une passe, qui passe le ballon.

PASSE-VELOURS [pɑsvəluʀ] n. m. invar. — 1512, *passe-veloux;* de *passer*, et *velours*.

♦ Régional. Amarante.

PASSE-VOLANT [pɑsvɔlɑ̃] n. m. — V. 1570; « petit canon », 1529; de *passer*, et *volant*, p. prés. de *voler*.

Vieux.

♦ **1.** Homme n'appartenant pas à un corps militaire et figurant, dans une revue, pour grossir l'effectif et permettre au capitaine de toucher sa solde (cf. Richelet, Pélisson *in* Littré). *Des passe-volants.*

♦ **2.** Fig. Parasite, intrus, passager de contrebande. ⇒ **Resquilleur** (familier).

♦ **3.** Celui qui ne fait que passer.

PASSE-VUE ou **PASSE-VUES** [pɑsvy] n. m. — V. 1932, *in* D.D.L.; de *passer*, et *vue*.

♦ Dispositif permettant d'amener successivement des vues (diapositives, etc.) devant la fenêtre d'un projecteur. *Passe-vue double*, permettant l'échange des vues à projeter pendant que la vue voisine est projetée (par va-et-vient). *Des passe-vues.* — Appos. *Panier passe-vues*, contenant de nombreuses vues.

PASSIBLE [pasibl] adj. — V. 1130; lat. *passibilis*, de *passus*, p.p. de *pati* « souffrir ».

★ **I.** Théol., didact. (Rare). Qui peut souffrir, éprouver des sensations. ⇒ **Sensible.**

0.1 Attendons tout du ciel dans une entreprise si sainte; et, pour y procéder avec ordre, considérons comme trois degrés par lesquels le Fils de Dieu a voulu descendre de la souveraine grandeur jusqu'à la dernière bassesse. Premièrement, il s'est fait homme, et il s'est revêtu de notre nature; secondement, il s'est fait passible, et il a pris nos infirmités; troisièmement il s'est fait pauvre, et il s'est chargé de tous les outrages de la fortune la plus misérable. BOSSUET, Ier Sermon sur la nativité de Notre-Seigneur.

★ **II.** (1829; « coupable », 1552). Dr., cour. *Passible de (une peine)* : qui doit subir, a mérité de subir (une peine). *Être passible d'une amende, d'un emprisonnement.* ⇒ **Encourir.** *Coupable passible d'une peine.* — Abusivt. Assujetti à, redevable de. *Passible d'un impôt.* ⇒ **Imposable.**

1 (...) David devait d'autant moins être passible des frais faits à Paris sur Lucien de Rubempré, que le Tribunal civil de la Seine les avait, par son jugement, mis à la charge de Métivier. BALZAC, Illusions perdues, Pl., t. IV, p. 936.

2 (...) un nègre passible de je ne sais quelle peine, et en retard pour la purger. CÉLINE, Voyage au bout de la nuit, p. 145.

CONTR. (Du sens I.) **Impassible.**

PASSIF, IVE [pasif, iv] adj. et n. m. — 1220; lat. *passivus*, de *pati* « souffrir, subir ».

♦ **1.** Qui subit ou éprouve l'effet d'une action ou une impression (⇒ **Passion**); qui est caractérisé par le fait de subir et d'éprouver. *Habitude* active et habitude passive. L'expiration* (cit. 1), *phénomène purement passif. Imagination* (cit. 3, Voltaire) *passive. Matière brute et passive* (→ Impression, cit. 1).

(...) les mêmes opérations de la perception, passives aux yeux de Reid en tant que cognitives, sont actives aux yeux de Biran en tant qu'opérations. 1
A. LALANDE, Voc. de la philosophie, art. *Actif* (Observ. de M. Marsal).

(...) dans les espèces inférieures, le toucher est passif et actif tout à la fois; il sert à reconnaître une proie et à la saisir, à sentir le danger et à faire effort pour l'éviter. H. BERGSON, Matière et Mémoire, p. 28. 2

(1495) Dr. *Dettes* actives* (créances) *et dettes passives* (→ Bilan, cit. 3; exigible, cit. 2; inventaire, cit. 3).

N. m. (1789). *Le passif :* « ensemble des dettes et charges évaluables en argent qui grèvent un patrimoine ou une universalité juridique » (Capitant). *Débiteur dont le passif est supérieur à l'actif* (→ Insolvabilité, cit.). *Le passif d'une succession*, de la communauté*.* Ensemble des sources de financement dans une entreprise. *Le passif du bilan.* ⇒ **Comptabilité** (cit.). *Le passif exigible :* ensemble des dettes à court terme.

Le passif de la succession, poursuivit le notaire, excédait l'actif. Mais j'ai pris des arrangements avec les créanciers, dans l'intérêt de la mineure. 3
FRANCE, le Crime de S. Bonnard, Œ., t. II, p. 430.

♦ **2.** (1550; n. m., *le passif*, déb. XVe). Gramm., cour. Se dit des verbes et formes verbales présentant l'action comme subie par le sujet (l'agent, de sujet qu'il est à la voix active, devenant complément). *Verbes passifs* (→ Neutre, cit. 8). *Voix*, conjugaison passive. Sens passif de certains adjectifs en -ible* (cit.), *qui équivalent à une expression verbale passive.*

N. m. *Le passif :* la voix, la conjugaison passive. *Désinences propres au passif dans le grec ancien, le latin... Désinences communes au moyen* et au passif.* ⇒ **Médio-passif.**

REM. En français les divers temps du passif se forment avec l'auxiliaire « être » aux temps correspondants, suivi du participe* passé du verbe (ex. : *le jardinier arrose les fleurs* [*actif*] et *les fleurs sont arrosées par le jardinier* [*passif*]). — En principe, le passif est réservé aux transitifs directs (cf. par exception : *obéir, pardonner*). — La langue française évite le passif, en dehors des cas où il est opposé volontairement à l'actif (ex. : *Il aime et il est aimé*). *Pronominal* à valeur de passif. Passif impersonnel* (→ Il, cit. 32 à 35). « Il est interdit de cracher » *est un passif impersonnel.*

Il faut (...) distinguer le passif réel et le passif grammatical. Le premier est celui de l'action subie, par opposition à l'action faite (...) Le passif grammatical, — celui qui s'énonce par la voix passive, — est non le seul, mais le principal dont la syntaxe ait à s'occuper. 4
G. et R. LE BIDOIS, Syntaxe du franç. moderne, § 695.

Relatif au passif verbal. *Transformation passive* (par mise au passif). ⇒ **Passivation.**

♦ **3.** (V. 1480). Qui se contente de subir, joue un rôle réceptif, ne fait preuve d'aucune activité, d'aucune initiative. ⇒ **Indifférent, inerte.** *Femme passive et résignée* (→ Accepter, cit. 15), *soumise* (→ Conquérir, cit. 12). ⇒ **Obéissant.** *Être passif comme un cadavre* (cit. 5). *Peuple, pays passif* (→ Indétermination, cit. 4). *Être passif devant une situation, rester passif. Avoir un air passif et mou.* — Par ext. *Attitude passive* (→ Ilote, cit. 5). *Une science d'observation est une science passive* (→ Expérimenter, cit. 7). *La contemplation est involontaire et passive* (→ Observation, cit. 5). *Observation passive de la réalité* (→ Observateur, cit. 6). — Loc. *Obéissance** (cit. 4) *passive* (→ Libérateur, cit. 5). *Résistance* passive.* ⇒ **Non-violence.** *Défense* passive.*

Elle l'avait d'ailleurs discipliné militairement, et l'obéissance de cet homme aux volontés de sa femme était passive. Elle lui disait : — Faites une visite à monsieur ou à madame une telle, il y allait comme un soldat à sa faction. 5
BALZAC, Illusions perdues, Pl., t. IV, p. 528.

Toujours ses soupçons finissaient ainsi. Elle s'abandonnait, aimant à se faire cajoler. Il la couvrait de baisers, qu'elle ne rendait pas; et c'était même là son inquiétude obscure, cette grande enfant passive, d'une affection filiale, où l'amante ne s'éveillait point. ZOLA, la Bête humaine, I. 6

Je pensais qu'elle ne s'était aperçue de rien, et je n'imaginais même pas qu'elle pût avoir une opinion. D'ailleurs, son air passif la retranchait du monde à mes yeux. 7
CAMUS, la Chute, p. 75.

Ling. *Vocabulaire passif*, maîtrisé passivement, connu, mais non employé spontanément par le locuteur (opposé à *actif*).

Hist. *Citoyens passifs*, non électeurs (→ Oligarchie, cit.). — (Dans une opposition de rôles). *Homosexuels actifs et passifs.*

N. m. (correspondant aux différents emplois de l'adj.). *Un passif.*

♦ **4.** Techn. *Satellite passif*, ne contenant aucun instrument et lancé pour l'observation de sa trajectoire. — *Circuit électrique passif*, qui transforme l'énergie électrique en énergie calorifique seulement.

(1903). Chim. Se dit des métaux doués de passivité*. *Fer passif.*

♦ **5.** Méd. Se dit d'un mouvement qui n'est pas accompli volontairement, qui résulte de l'intervention d'autrui (médecin qui évalue la mobilité d'une articulation; kinésithérapeute au cours de la rééducation d'un hémiplégique). — (1810). *Congestion passive.* ⇒ **Stase.**

CONTR. Actif (adj. et n.), 2. **avoir.**

DÉR. Passivement, passivité.

PASSIFLORE [pasiflɔʀ] n. f. — 1808; «anémone», 1542, latinisation de *passe-fleur;* lat. bot. *passiflora* «fleur de la Passion», la forme de ses organes rappelant les instruments de la Passion du Christ.

♦ Bot. Plante à larges fleurs étoilées *(Pariétales;* famille *Passifloracées),* présentant des filaments en son centre (comparés à la couronne d'épines), un pistil muni de trois styles (comparés aux clous de la Passion, → Fruit de la Passion*), et à feuilles aiguës (comparées à la lance). *Passiflores ornementales; passiflores à fruits comestibles* (⇒ **Barbadine, grenadille**). *Fruit de la passiflore.* ⇒ **Maracudja, passion** (fruit de la).

DÉR. Passiflorine.

PASSIFLORINE [pasiflɔʀin] n. f. — 1838; de *passiflore.*

♦ Chim. Alcaloïde tiré de la racine de la passiflore.

PASSIM [pasim] adv. — 1868; mot lat., «çà et là».

♦ Didact. Çà et là (dans tel ouvrage), en différents endroits (d'un livre). *Page neuf et passim.*

PASSIMÈTRE [pɑsimɛtʀ] n. m. — 1968; de *pas,* et *-mètre.*

♦ Techn. Appareil utilisé pour vérifier le diamètre d'un alésage.

PASSING-SHOT [pasiŋʃɔt] n. m. — 1928, *in* Petiot; mot angl., «coup *(shot)* passant».

♦ Anglic. Au tennis, Balle rapide en diagonale ou près d'un couloir, évitant un joueur placé pour faire une volée. *Des passing-shots.*

PASSION [pɑsjɔ̃; pasjɔ̃] n. f. — 980, *passiun* «passion du Christ»; lat. impérial *passio* «souffrance». → Pâtir.

♦ **1.** Vx. (Poét. ou archaïque). Souffrance. *«Toutes les passions d'un vaisseau qui souffre»* (→ Gouffre, cit. 5, Baudelaire). *«Bernard Palissy souffrait la passion des chercheurs de secrets»* (→ Inventeur, cit. 2, Balzac). — Loc. *Souffrir mort et passion :* souffrir intensément.

1 Ce n'est pas contre la mort que nous nous préparons; c'est chose trop momentanée. Un quart d'heure de passion sans conséquence, sans nuisance, ne mérite pas des préceptes particuliers. MONTAIGNE, Essais, III, XII.

Mod. Les souffrances et le supplice (du Christ) ⇒ **Croix** (chemin de la). → Fermer, cit. 29; grandeur, cit. 19; ignominieux, cit. 2. *Le récit de la Passion dans l'Évangile selon saint Jean, saint Matthieu. Sermon sur la Passion de Jésus-Christ,* prêché par Bossuet le vendredi saint de 1660. *«Jésus souffre dans sa passion les tourments que lui font les hommes...»* (Pascal). *La semaine de la Passion,* qui précède la semaine sainte. *Le dimanche de la Passion,* qui ouvre cette semaine, où l'on commence à dire l'office* de la Passion. *Le temps de la passion :* les deux semaines qui séparent Pâques du dimanche de la Passion. — *Représentations dramatiques de la Passion dans les mystères du moyen âge.* — (XIVe). *Confrérie, confrères de la Passion,* qui avaient le monopole de ces représentations.

2 Voici le moment d'entrer dans la nuit. Quand il *(Jésus)* aura franchi ce seuil, sa Passion commencera (...) il descend, contourne le Temple que la lune de Pâques éclaire, atteint un enclos au bas du mont des Oliviers. F. MAURIAC, Vie de Jésus, «Gethsémani».

Fruit de la passion : fruit exotique, produit par la passiflore*, au parfum acidulé (Syn. : *grenadille, maracudja*). *Sorbet aux fruits de la passion.*

Mus. Oratorio ayant pour sujet la Passion. *La Passion selon saint Jean, saint Matthieu,* de Bach.

♦ **2.** (V. 1265, et jusqu'au XVIIIe). Vx. État ou phénomène affectif, agitation «de l'âme selon les divers objets qui se présentent à ses sens» (Furetière). ⇒ **Affection, cœur, courage** (vx), **émotion, sentiment.** *La volupté, la douleur, la cupidité, l'aversion, la colère, la crainte, l'espérance sont des passions. Définition de la passion donnée par Descartes dans son* Traité des passions de l'âme (1649). → Agent, cit. 4; émotion, cit. 3. *La terreur et la pitié, passions types de la tragédie* (→ Favori, cit. 2). *La théorie aristotélicienne de la purgation des passions.* ⇒ **Catharsis.** *«L'indignation* (cit. 1) *est une passion bonne et louable»* (Ronsard). — *«La nature, qui n'est pas sensible, n'est pas susceptible de passions»* (→ Nature, cit. 47, Pascal). *Absence de passions chez le sage.* ⇒ **Apathie, ataraxie.**

3 (...) Aristote (...) ne veut pas qu'on en compose une *(tragédie)* d'un ennemi qui tue son ennemi, parce que, bien que cela soit fort vraisemblable, il n'excite dans l'âme des spectateurs ni pitié, ni crainte, qui sont les deux passions de la tragédie (...) CORNEILLE, Héraclius..., Au lecteur.

4 Y a-t-il rien de plus bas (...) que cette passion *(la colère),* qui fait d'un homme une bête féroce? et la raison ne doit-elle pas être maîtresse de tous nos mouvements? MOLIÈRE, le Bourgeois gentilhomme, II, 3.

5 Les P. T. S. *(partisans)* nous font sentir toutes les passions l'une après l'autre : l'on commence par le mépris (...) on les envie ensuite, on les hait, on les craint, on les estime quelquefois, et on les respecte; l'on vit assez pour finir à leur égard par la compassion. LA BRUYÈRE, les Caractères, VI, 14. Cf. Partisan, cit. 5.

♦ **3.** (V. 1155). Cour. «Tendance d'une certaine durée, accompagnée d'états affectifs et intellectuels, d'images en particulier, et assez puissante pour dominer la vie de l'esprit, cette puissance pouvant se manifester soit par l'intensité de ses effets, soit par la stabilité et la permanence de son action» (Lalande).

REM. Ce sens moderne est dès le XVIe s. en concurrence avec le sens défini ci-dessus (2.). Dans la langue classique, des expressions générales comme *la passion* ou *les passions* participent souvent des deux sens (idée de «passivité» et idée de «tendance»). La *passion,* généralement considérée comme une «faiblesse» au XVIIe s., est volontiers réhabilitée au XVIIIe et regardée comme une «force».

Une, des passions. La passion, les passions de qqn. Suivre, n'écouter que ses passions. Obéir, résister, commander à ses passions (→ Affranchir, cit. 14; appétit, cit. 5; assaut, cit. 9; cause, cit. 20; étroit, cit. 6; foncer, cit. 6; force, cit. 19; frein, cit. 6; infinité, cit. 2; libérer, cit. 7; liberté, cit. 36; libre, cit. 9). *Domination, tyrannie, empire des passions. Assouvir, satisfaire ses passions, lâcher la bride aux passions. Imposer silence à ses passions. Se cuirasser contre les passions. Exposé aux passions.* ⇒ **Inflammable.** *Calmer* (cit. 4 et 5), *modérer, refréner, contenir, comprimer, maîtriser, réprimer, dominer, dompter, vaincre... ses passions* (→ Espagnol, cit. 3; guerre, cit. 31). *Les passions et la raison* (→ Diviser, cit. 11; enthousiasme, cit. 6; foule, cit. 9; 1. logique, cit. 7; lumière, cit. 33). *Grandes passions, passions ardentes, vives, impétueuses, violentes, véhémentes...* (→ Agiter, cit. 6; élan, cit. 8; éloquent, cit. 2; impétuosité, cit. 3; indignation, cit. 5; midi, cit. 13). *La jalousie* (cit. 2), *passion stérile. Ardeur, brasier, effervescence, embrasement, feu, fièvre, incandescence... des passions. Bouillonnement, ébullition, fureur des passions.* ⇒ **Exaltation, éréthisme, excitation, folie, furie, rage.** *Assaut, choc, conflit, orage, ouragan, ravage, tumulte des passions. Passions mauvaises*(→ Asile, cit. 23; corrompre, cit. 14; grouillant, cit. 1). *Danger des passions* (→ Aveuglement, cit. 11; église, cit. 3; empoisonner, cit. 17; ennemi, cit. 12; faute, cit. 36; folie, cit. 11). *L'océan* des passions. La mer des passions humaines* (→ Fermenter, cit. 13). *Passions nobles, généreuses* (→ Fond, cit. 57). *Force que peuvent donner les passions* (→ Auxiliaire, cit. 1). *Éloquence des passions.* — *«Du vague des passions»* (Chateaubriand, *le Génie du christianisme,* II, III, IX).

Les passions ont une injustice et un propre intérêt qui fait qu'il est dangereux de les suivre, et qu'on s'en doit défier, lors même qu'elles paraissent les plus raisonnables. LA ROCHEFOUCAULD, Maximes, 9. 6

(...) je ne sais s'il n'est pas mieux de travailler à rectifier et adoucir les passions des hommes, que de vouloir les retrancher entièrement. MOLIÈRE, Tartuffe, Préface. 7

Nous devons peut-être aux passions les plus grands avantages de l'esprit (151). — Aurions-nous cultivé les arts sans les passions? et la réflexion toute seule nous aurait-elle fait connaître nos ressources, nos besoins et notre industrie? (153). — Les passions ont appris aux hommes la raison (154). VAUVENARGUES, Maximes et Réflexions. 8

On parla des passions. Ah! qu'elles sont funestes! disait Zadig. Ce sont les vents qui enflent les voiles du vaisseau, repartit l'ermite : elles le submergent quelquefois; mais sans elles il ne pourrait voguer. VOLTAIRE, Zadig, XX. 9

On déclame sans fin contre les passions; on leur impute toutes les peines de l'homme, et l'on oublie qu'elles sont aussi la source de tous ses plaisirs (...) il n'y a que les passions, et les grandes passions, qui puissent élever l'âme aux grandes choses. Sans elles, plus de sublime, soit dans les mœurs, soit dans les ouvrages (...) DIDEROT, Pensées philosophiques, I. 10

(...) il n'y a réellement que les grandes passions qui puissent enfanter les grands hommes. C.-A. HELVÉTIUS, De l'esprit, III. 11

Il *(Saint-Évremond)* a éprouvé les passions, il les a laissées naître, et les a, jusqu'à un certain point, cultivées en lui, mais sans s'y livrer aveuglément; et même lorsqu'il y cédait, il y apportait le discernement et la mesure. SAINTE-BEUVE, Causeries du lundi, 26 mai 1851. 12

Collectivt. **LA PASSION.** *Nature, puissance de la passion* (→ Dénouer, cit. 19; discipline, cit. 14; formule, cit. 15; fusion, cit. 3; implacable, cit. 7; invective, cit. 2; lyrique, cit. 4). *Entraînement, aveuglement de la passion. La passion est égoïste, exclusive.* — Loc. adv. *Avec passion, par passion,* ou (vx) *de passion.* ⇒ **Passionnément** (→ Aimer, cit. 12; aventure, cit. 10; écrasant, cit. 1; hisser, cit. 12; 3. mal, cit. 50; même, cit. 25). *«Je ne sus jamais écrire que par passion»* (→ Glacer, cit. 16, Rousseau). *Faire semblant de faire par passion ce que l'on fait par intérêt* (→ Bonheur, cit. 20).

Si la passion conseille quelquefois plus hardiment que la réflexion, c'est qu'elle donne plus de force pour exécuter. VAUVENARGUES, Maximes et Réflexions, 125. 13

La passion est toute l'humanité. Sans elle, la religion, l'histoire, le roman, l'art, seraient inutiles. BALZAC, Avant-propos, Pl., t. I, p. 12. 14

Étude, analyse, connaissance, peinture, représentation, expression... de la passion, des passions dans la littérature, dans l'art (→ Beau, cit. 101; couleur, cit. 8; épopée, cit. 2; éprouver, cit. 23; étudier, cit. 16; exemple, cit. 11; expression, cit. 26 et 31; expressionnisme, cit. 1; 1. geste, cit. 1).

Les faiblesses de l'amour y passent pour de vraies faiblesses; les passions n'y sont présentées aux yeux que pour montrer tout le désordre dont elles sont cause (...) RACINE, Phèdre, Préface. 15

Il est si vrai que le christianisme jette une éclatante lumière dans l'abîme de nos passions, que ce sont les orateurs de l'Église qui ont peint les désordres du cœur humain avec le plus de force et de vivacité. Quel tableau Bourdaloue ne fait-il 16

point de l'ambition! Comme Massillon a pénétré dans les replis de nos âmes, et exposé au jour nos penchants et nos vices!
CHATEAUBRIAND, le Génie du christianisme, II, III, II.

17 Sans doute, nous sommes loin ici des certitudes de la chimie (...) Nous ne connaissons point encore les réactifs qui décomposent les passions et qui permettent de les analyser. ZOLA, le Roman expérimental, I.

♦ **4.** (V. 1279). Spécialt. Cour. Amour puissant, exclusif et obsédant. ⇒ **Adoration, aimer, amour.** *Théorie de Stendhal selon laquelle l'amour-passion s'oppose à l'amour-goût, à l'amour physique et à l'amour de vanité* (→ Amour, cit. 15; emporter, cit. 29). *La passion de qqn pour qqn, sa passion. Déclarer, avouer, témoigner sa passion* (→ Ardent, cit. 28; ménager, cit. 9). *La passion qu'on a* (cit. 27), *qu'on éprouve, qu'on ressent* (→ Cacher, cit. 13; coquetterie, cit. 3; double, cit. 15; égarer, cit. 9). *La passion qu'on nourrit... pour qqn* (→ Muer, cit. 7). *Inspirer une passion à qqn* (→ Imprescriptible, cit. 2). ⇒ **Tête** (tourner la). *L'objet de sa passion.* ⇒ **Idole** (→ Érotomanie, cit.). *Captif, prisonnier, esclave de sa passion.* ⇒ **Ensorcelé.** *Fureurs* (→ Convulsif, cit. 1), *transports* (→ durer, cit. 9), *excès* (cit. 14), *paroxysme, vivacité, emportements* (→ Fioriture, cit. 4), *enivrement, flamme* (cit. 13) *de la passion* (→ Fulgurant, cit. 8). *Être transporté, ivre de passion. Passion malheureuse* (→ Empoisonner, cit. 22), *folle* (→ Enivrer, cit. 25), *sans issue* (→ Estival, cit. 2). *Passion ardente, brutale, affolante, brûlante, désordonnée, enragée, éperdue, insatiable, insensée* (→ Héros, cit. 20), *illégitime* (cit. 1), *interdite* (→ Interdit, cit. 12). *Passion incestueuse* (→ Dramaturge, cit. 2). *Regards chargés, brûlants de passion* (→ Consolateur, cit. 3; languissement, cit.). ⇒ **Couver** (des yeux). *Effets de l'absence* (cit. 6) *sur la passion. Passion refroidie, éteinte, morte. Passion qui couve, se réveille... Passion subite et passagère.* ⇒ **Béguin, caprice, emballement, passade** (→ Coup de foudre).

Collectivt. LA PASSION. *Le flamenco* (cit. 1 et 2), *danse de la passion. Racine, peintre de la passion* (→ Corps, cit. 35). *Fatalité de la passion. Idée romantique de la passion purificatrice, rédemptrice...*

18 (...) ce ne sont point *(au théâtre)* des traits morts et des couleurs sèches qui agissent, mais des personnages vivants, de vrais yeux, ou ardents, ou tendres et plongés dans la passion (...) enfin, de vrais mouvements, qui mettent en feu tout le parterre et toutes les loges (...)
BOSSUET, Maximes et Réflexions sur la comédie, IV.

19 (...) et le cri le plus énergique que la passion ait jamais fait entendre, est peut-être celui-ci :
Hélas! du crime affreux dont la honte me suit,
Jamais mon triste cœur n'a recueilli le fruit.
Il y a là-dedans un mélange des sens et de l'âme, de désespoir et de fureur amoureuse, qui passe toute expression.
CHATEAUBRIAND, le Génie du christianisme, II, III, II.

20 La passion est le pressentiment de l'amour et de son infini auquel aspirent toutes les âmes souffrantes. La passion est un espoir qui peut-être sera trompé. Passion signifie à la fois souffrance et transition; la passion cesse quand l'espérance est morte. Hommes et femmes peuvent, sans se déshonorer, concevoir plusieurs passions; il est si naturel de s'élancer vers le bonheur! mais il n'est dans la vie qu'un seul amour. BALZAC, la Duchesse de Langeais, Pl., t. V, p. 220.

21 Il en arrivait maintenant à une passion exclusive, une de ces passions d'hommes qui n'ont pas eu de jeunesse. Il aimait Nana avec un besoin de la savoir à lui seul, de l'entendre, de la toucher, d'être dans son haleine. ZOLA, Nana, XIII.

♦ **5.** (Déb. XVIIe). Vive inclination vers un objet que l'on poursuit, auquel on s'attache de toutes ses forces. *Avoir une passion pour qqch.* ⇒ **Sang** (avoir dans le sang). *La passion qu'on a pour l'or* (→ Espagnol, cit. 2), *les richesses* (→ Alchimiste, cit. 2). ⇒ **Appétit, avidité** (cit. 6), **avarice, convoitise.** *L'amour de soi, passion innée, antérieure* (cit. 1) *à toute autre. Les chirurgiens* (cit. 2) *ont une passion jalouse pour leur ministère. La curiosité* (cit. 20) *n'est pas un amusement mais une passion. Une passion brûlante pour le bien* (→ Haine, cit. 34). *Se prendre d'une belle passion pour les mathématiques.* ⇒ **Éprendre** (s'). *Porter à la patrie une passion intransigeante* (cit. 3). ⇒ **Culte.** *Passion irrésistible et ridicule pour une activité.* ⇒ **Maladie, manie.** — *Avoir la passion de...* (suivi d'un subst.). *Avoir la passion des femmes* (→ Affranchir, cit. 10), *des jeunes filles* (cit. 25). *La passion du jeu* (cit. 37), *des voyages* (→ Éteindre, cit. 38), *de l'art* (→ Frénétique, cit. 3), *de la musique* (→ Fureur, cit. 7). *La passion de l'étude* (→ Instruire, cit. 24), *de la lecture, de la science, de la liberté* (→ Furie, cit. 4). *La passion du pouvoir* (⇒ **Ambition**). — *La passion de...* (suivi d'un infinitif). ⇒ **Désir.** *Passion de régner* (→ Amour, cit. 11), *de connaître* (→ Éprouver, cit. 27), *de moraliser et d'évangéliser* (cit. 3), *de soigner et de guérir* (cit. 7), *de vivre* (→ Malheur, cit. 8).

22 La sotte vanité semble être une passion inquiète de se faire valoir par les plus petites choses (...)
LA BRUYÈRE, les Caractères de Théophraste, « De la sotte vanité ».

23 La passion de l'hôtesse pour les bêtes n'était pourtant pas sa passion dominante (...) c'était celle de parler. DIDEROT, Jacques le fataliste, Pl., p. 590.

24 Ah! cette terre, comme il avait fini par l'aimer! et d'une passion où il n'entrait pas que l'âpre avarice du paysan, d'une passion sentimentale, intellectuelle presque, car il la sentait la mère commune, qui lui avait donné sa vie, sa substance, et où il retournerait. ZOLA, la Terre, II, I.

25 Il avait deux passions, en apparence innocentes et dont il souffrait pourtant. D'abord la passion des pipes (...) L'autre passion de Moineau, pour démodée qu'elle fût, trouvait du moins à s'assouvir. Il faisait partie d'une société de croquet et jouait assidûment dans les allées du Luxembourg.
G. DUHAMEL, Salavin, III, III.

(1671). Objet d'une telle inclination. ⇒ **Cœur** (tenir au); **faible** (le). *La musique est sa seule passion. L'égalité, notre passion naturelle* (→ Envie, cit. 6). *L'étude* (cit. 7) *était sa vocation, sa passion* (→ aussi Géologie, cit. 3). *Le travail était devenu sa passion* (→ Fureur, cit. 9). *Il y a des moments où la vie n'est pas la plus grande passion des hommes* (→ Intérêt, cit. 10).

La peinture, au siècle de Jules II et de Léon X, n'était pas un métier comme aujourd'hui; c'était une religion pour les artistes (...) une passion pour les femmes. 26
A. DE MUSSET, Nouvelles, « Fils du Titien », V.

(Appliqué à une personne). *« Je t'adore, ô ma frivole* (cit. 9), *Ma terrible passion »* (Baudelaire). *Cet enfant, c'est sa passion!* ⇒ **Faible.**

♦ **6.** Affectivité violente qui nuit au jugement. *La passion altère* (cit. 6) *le jugement. Problèmes philosophiques qu'il faut résoudre sans passion* (→ Avocat, cit. 17). ⇒ **Partialité.** *Suivre la passion au lieu de la raison* (→ Boutade, cit. 5). *La passion nous rend sourds et aveugles* (→ Fallacieux, cit. 5). *La passion ne raisonne pas* (→ Imputation, cit. 2). *Passion et parti pris* (→ Je m'enfichisme, cit. 1). *Sa passion l'emporte.*

(Je vous demande) de raisonner ensemble (...) avec un esprit détaché de toute passion. MOLIÈRE, le Malade imaginaire, III, 3. 27

(Le livre de Michelet sur la Renaissance) est écrit avec une passion contagieuse, souvent maladive (...) on est étonné de se sentir remué par des mouvements si brusques et si puissants; on voudrait revenir à la sérénité du raisonnement et de la logique, et on ne le peut pas (...) 28
TAINE, Essais de critique et d'histoire, « Michelet », I.

Opinion irraisonnée, affective et violente. *Céder aux passions politiques, religieuses, nationales...* ⇒ **Fanatisme** (→ Bigotisme, cit. 1; division, cit. 9; histoire, cit. 25; homogénéité, cit. 3; nationalisation, cit. 1). *La passion partisane* (→ 1. Détacher, cit. 29). *Les passions et les préjugés* (→ Colorer, cit. 9). *Flatter* (cit. 26) *les passions du moment. Épouser* (cit. 12) *la passion et les haines de qqn. Irriter* (cit. 19), *déchaîner, attiser les passions de la foule.* ⇒ **Démagogie.** *Événement qui excite les passions.* ⇒ **Levain** (figuré).

La vision des historiens eux-mêmes a souvent été troublée par leur propre tendance; la plupart, engagés dans les conflits de leur temps, ont porté leurs passions politiques, religieuses ou nationales dans l'histoire du passé; ils en ont fait un plaidoyer ou un acte d'accusation. 29
Ch. SEIGNOBOS, Hist. sincère de la nation franç., Introduction.

♦ **7.** Ce qui, dans une œuvre, est le signe, l'indice de la sensibilité, de l'enthousiasme de l'artiste. ⇒ **Animation, chaleur, émotion, feu, flamme, lyrisme, pathétique, sensibilité, vie...** *Œuvre, page pleine de passion, palpitante de passion* (→ Évertuer, cit. 7). *« Cet écrivain n'a mis que de l'esprit où il eût fallu de la passion »* (Académie).

Que dans tous vos discours la passion émue 30
Aille chercher le cœur, l'échauffe et le remue. BOILEAU, l'Art poétique, III.

M. Michelet a laissé grandir en lui l'imagination poétique (...) Son histoire a toutes les qualités de l'inspiration : mouvement, grâce, esprit, couleur, passion, éloquence; elle n'a point celles de la science (...) 31
TAINE, Essais de critique et d'histoire, Michelet, I.

CONTR. Calme, détachement, liberté, lucidité.
DÉR. Passionnaire, passionnel, passionner, passionnette, passionniste.

PASSIONISTE [pasjɔnist; pasjonist] n. m. ⇒ **Passionniste.**

PASSIONNAIRE [pasjɔnɛʀ; pasjonɛʀ] n. m. — 1380; de *passion.*

♦ Liturgie. Livre contenant le récit de la Passion ou des martyres des saints.

PASSIONNANT, ANTE [pasjɔnɑ̃, ɑ̃t; pasjonɑ̃, ɑ̃t] adj. — 1867; p. prés. de *passionner.*

♦ Qui passionne, qui est capable de passionner. ⇒ **Attachant, captivant, dramatique, électrisant, émouvant, empoignant, enivrant, excitant, intéressant.** *Lectures, romans, livres passionnants. Récit, spectacle passionnant.* ⇒ **Beau.** *Une histoire passionnante* (→ Document, cit. 5). *Marché, jeu passionnant* (→ Marchander, cit. 2; ne, cit. 3). *Film, match passionnant. Un pays passionnant. Vous êtes archéologue; mais c'est passionnant! — Les nouvelles ne sont pas passionnantes* (→ 1. Cru, cit. 5), sont sans intérêt. — (Personnes). *J'ai rencontré là des gens passionnants. Elle est passionnante, quand elle raconte ses voyages.*

L'un, le plus sage, sans doute; l'autre, peut-être, le plus fou des mortels; mais par là, l'un et l'autre, les plus passionnants personnages du monde.
VALÉRY, Variété IV, p. 124.

CONTR. Banal, insignifiant, quelconque.

PASSIONNEL, ELLE [pasjɔnɛl; pasjonɛl] adj. — V. 1282, rare av. 1808; lat. *passionalis.*

♦ **1.** Didact. Relatif aux passions, qui dénote de la passion (3., 6.). *Valeur passionnelle du mot mythe* (cit. 10).

— Je soigne ma mère infirme, et vous jouez aux boules de neige. C'est encore vous, je suis sûre, qui avez entraîné Paul, espèce d'idiot! Gérard se taisait. Il connaissait le style passionnel du frère et de la sœur, leur vocabulaire de collégiens, leur tension jamais relâchée. COCTEAU, les Enfants terribles, p. 32. 1

2 (...) on doit cependant reconnaître qu'en ce qui concerne l'Algérie, l'indépendance nationale est une formule purement passionnelle. CAMUS, Actuelles III, p. 202.

Spécialt, psychopath. *État passionnel :* état psychologique dans lequel « le potentiel affectif attaché à un sentiment ou une idée, à un être ou à un objet, s'est accru au point de polariser sur lui toute l'activité cérébrale, troublant l'équilibre mental, obnubilant parfois le jugement, éteignant le sens critique et dictant un comportement antisocial » (Porot, 1952). *Les états passionnels englobent les crises passionnelles, les états passionnels à charge progressive (susceptibles d'une décharge explosive), les délires et psychoses passionnels. Attitudes passionnelles dans l'hystérie* (cit. 2).

♦ **2.** (1893). Cour. Inspiré par la passion amoureuse. *Crime, drame passionnel.*

3 (...) j'envisage de la tuer, et de la tuer pour un motif non « passionnel » : simplement parce qu'elle me gênerait.
MONTHERLANT, Pitié pour les femmes, p. 105.

4 Ça c'est une mort, dit Léonie avec enthousiasme. C'est romanesque, c'est passionnel, c'est vivant. Ce n'est pas mon Pradonet qui trouvera une fin comme celle-là, hein, mon gros frise-à-plat?
R. QUENEAU, Pierrot mon ami, p. 36.

N. Didact. Auteur d'un crime passionnel.

5 (...) un huissier à chaîne qui annonçait, avec une suprême distinction : « Le capitaine Durand, Madame Durand, Monsieur le conseiller municipal Dupont, Madame Dupont. »
— Où avez-vous trouvé celui-là?
— Oh, monsieur le Ministre, au bagne, évidemment : c'est un relégué. D'ailleurs, un simple passionnel...
On me dit une heure plus tard qu'il avait égorgé sa femme. Mais, comme disait le préfet, quel style! MALRAUX, Antimémoires, Folio, p. 179.

DÉR. Passionnellement.

PASSIONNELLEMENT [pasjɔnɛlmɑ̃; pasjɔnɛlmɑ̃] adv. — 1854; de *passionnel.*

♦ Littér. D'une manière passionnelle.

PASSIONNÉMENT [pasjɔnemɑ̃; pasjɔnemɑ̃] adv. — 1578; de *passionné.*

♦ **1.** D'une manière passionnée, avec passion, avec un amour violent. — REM. On emploie de préférence *passionnément* avec les verbes de sentiment et de désir; *avec passion* avec les verbes d'action. *Être passionnément amoureux. Aimer passionnément qqn,* (→ Entourer, cit. 13; indifférent, cit. 23; inspiration, cit. 2; malgré, cit. 2), *qqch.* (→ Épuiser, cit. 18; exclusivement, cit. 3; horticulture, cit.; jeter, cit. 35). ⇒ **Beaucoup, folie** (à la), **follement; fureur** (à la). *S'attacher* (→ Gourgandin, cit. 1; homme, cit. 14) *passionnément à qqn. Il la serra passionnément contre lui* (→ Étreindre, cit. 8).

1 (...) qui se souvient d'Alexandrine, morte en janvier 1815, il y a vingt ans? Qui se souvient de Métilde, morte en 1825? Ne sont-elles pas à moi, moi qui les aime mieux que tout le reste du monde? Moi qui pense passionnément à elles, dix fois la semaine et souvent deux heures de suite?
STENDHAL, Vie de Henry Brulard, 14.

REM. Gautier emploie cet adverbe au sens de « extrêmement, tout à fait ». *Teint passionnément pâle* (→ Gesticulation, cit. 1); *grands yeux noirs passionnément morts* (→ Morbidesse, cit. 3).

♦ **2.** Avec une grande énergie, un intérêt profond et durable. *Croire passionnément à la révolution. Désirer passionnément qqch.* (→ Aventureux, cit. 2; frelater, cit. 5). *S'adonner* (cit. 2) *passionnément à l'étude. S'intéresser passionnément à qqch.* (→ Encourager, cit. 11). *S'attacher passionnément à une idée* (→ Métamorphose, cit. 7).

2 Pas de « vérité » sans passion, sans erreur. Je veux dire : la vérité ne s'obtient que passionnément. VALÉRY, Rhumbs, p. 239.

PASSIONNER [pasjɔne; pasjɔne] v. tr. — 1580; « faire souffrir », v. 1220; de *passion.*

♦ **1.** (XVIe). Exciter la passion (5.) chez (qqn), inspirer de la passion à. *Les luttes de l'hippodrome* (cit. 2) *passionnaient les foules antiques.* ⇒ **Électriser, enfiévrer, enflammer, enthousiasmer, exalter.** *Affaire retentissante qui passionne Paris* (→ Opposition, cit. 11). *« Carmen » passionne le peuple sicilien* (→ Fredonner, cit. 3).

Éveiller un très vif intérêt* chez (qqn). ⇒ **Attacher, intéresser.** *Auteur qui nous irrite* (cit. 2) *et nous passionne à la fois. Analyse laborieuse* (cit. 4) *qui passionne un chercheur. Ce roman, ce film m'a passionné.* ⇒ **Captiver.** *Les problèmes qui passionnent la jeunesse.* — Absolt. *Cette espèce d'intérêt qui passionne ou qui charme* (cit. 8).

1 Les études que j'avais commencées au séminaire m'avaient tellement passionné, que je ne songeais qu'à les reprendre.
RENAN, Souvenirs d'enfance..., IV, Œ. compl., t. II, p. 892.

♦ **2.** Empreindre de passion* (qqch.). — (1675, au sens 7. de *passion*). Vieilli. ⇒ **Animer.** *« Passionner sa voix, son chant »* (Littré). *Rousseau passionne tout ce qu'il écrit.*

Molière a ce bel avantage que ses dialogues jamais ne languissent : une forte et continuelle imitation des mœurs passionne ses moindres discours. 2
VAUVENARGUES, Réflexions critiques, IV, « Molière ».

Et alors il raconta, en passionnant son récit par les éclats de sa voix et la violence de ses gestes, l'histoire du mormonisme, depuis les temps bibliques (...) 2.1
J. VERNE, le Tour du monde en 80 jours, p. 235.

(Av. 1850). Soumettre à des réactions affectives violentes manquant d'objectivité. *Il s'appliquait à ne pas passionner le débat* (cit. 3).

▶ **SE PASSIONNER** v. pron. (1580; « céder à la colère », 1559, jusqu'au XVIIe; « s'inquiéter », v. 1460).
Se passionner pour qqch., y prendre un intérêt très vif. ⇒ **Aimer, emballer** (s'), **engouer** (s'), **enivrer** (s'), **enticher** (s'), **éprendre** (s'), **raffoler.** *Se passionner pour une science, une recherche, une affaire. Se passionner pour certaines œuvres* (→ 2. Critique, cit. 5). — (1850). Vx. *Se passionner de qqch.* → Chasse, cit. 1. — (1611). Absolt. *« Vous vous passionnez trop »* (Académie). *Comédien* (cit. 2) *qui a l'art de se passionner de sang-froid. « Et vous ne devez pas tant vous passionner »* (→ Doux, cit. 38, Molière). ⇒ **Embraser** (s'), **enflammer** (s').

Ces hommes-là, s'étant figuré les choses autrement qu'elles ne doivent être, se sont passionnés. L'épreuve les a désabusés; ne pouvant plus imaginer avec exagération, ils n'imaginent plus. É. DE SENANCOUR, Oberman, XC. 3

(...) des hommes qui crurent à la vérité et se passionnèrent à sa recherche, au milieu d'un siècle frivole, parce qu'il était sans foi, et superstitieux parce qu'il était frivole. RENAN, l'Avenir de la science, XXIII, Œ. compl., t. III, p. 1121. 4

Intéressé d'abord par les expériences de Réaumur, qu'il voulait contrôler, il se passionne bientôt pour ces recherches et, avec l'aide d'un domestique intelligent et dévoué, François Burnens, il *(François Huber)* voue sa vie entière à l'étude de l'abeille. MAETERLINCK, la Vie des abeilles, I, II. 5

▶ **PASSIONNÉ, ÉE** p. p. adj. (Fin XVe; « qui souffre », v. 1220).

♦ **1.** (Personnes). Animé de passions, rempli de passion, qui réagit avec passion (3.). *Hommes, femmes passionnés* (→ Aimer, cit. 26; attacher, cit. 34; incisif, cit. 5; infidélité, cit. 10; libertin, cit. 10). *Âme passionnée* (→ Faire, cit. 36), *tempérament passionné* (→ Mariage, cit. 24). ⇒ **Feu** (de). *Amants tendres et passionnés* (→ Barreau, cit. 3), *ami passionné* (→ Funérailles, cit. 4). *Admirateur* (cit. 2) *passionné.* ⇒ **Chaud.** *Lecteur* (cit. 7), *observateur passionné* (→ Flâneur, cit. 1).

Rempli de passion (6.). *Passionné jusqu'à l'intolérance* (→ Doute, cit. 10). *Partisan passionné* (→ Huguenot, cit. 2). *Passionné, mais d'un ferme jugement* (cit. 16).

(...) un amant, le plus fidèle et le plus passionné de tous les amants. 6
MOLIÈRE, le Bourgeois gentilhomme, III, 9.

Exigerez-vous que des personnages passionnés soient de sages philosophes, c'est-à-dire n'aient point de passions? STENDHAL, Armance, Avant-propos. 7

(...) des femmes passionnées, que l'émotion secoue, qui souffrent, pleurent, se donnent avec transport, enlacent, étreignent et gémissent, qui aiment avec leur chair autant qu'avec leur âme (...) MAUPASSANT, Notre cœur, II, VI. 8

N. *Un exalté, un passionné* (→ Jouisseur, cit.). *Les passionnés* (→ Moquer, cit. 11). ⇒ **Brûlé** (cerveau), **enthousiaste, exalté, romanesque.** — (En mauvaise part). ⇒ **Énergumène, fanatique** (→ Avoir le diable* au corps).

Passionné de... (→ Entrée, cit. 14; folklore, cit. 1); *passionné pour...* (→ Autoriser, cit. 13; gage, cit. 18; naturaliser, cit. 6). Qui a la passion de (qqch.); qui a un vif attachement, une vive inclination pour (qqch.). ⇒ **Affamé, avide, féru, fervent, gourmand.** — Vx. *Être passionné d'une femme, pour une femme,* être vivement épris*. ⇒ **Affolé, amoureux.**

(...) grands sculpteurs du temps, tous passionnés pour l'étude du corps humain, tous admirateurs païens des muscles et de l'énergie animale, si pénétrés par le sentiment de la vie physique (...) TAINE, Philosophie de l'art, II, p. 276. 9

N. *Des passionnés d'échecs, de sport.*

♦ **2.** (Choses). Empreint de passion (4., 5., 6.). ⇒ **Ardent, brûlant, fervent, véhément, vif, violent.** *Amour passionné* (→ Agissant, cit. 5; erreur, cit. 5; idolâtrique, cit.). *Sentiment passionné* (→ Irréfragable, cit. 2). *Entraînements* (cit. 3) *passionnés. Un goût passionné* (→ Faveur, cit. 6). *Ferveur passionnée* (→ 1. Goutte, cit. 11). *Haine* (cit. 31), *animosité passionnée* (→ Aigrir, cit. 14). ⇒ **Effréné, forcené, frénétique.** *Attentes* (cit. 19) *passionnées.* ⇒ **Fébrile.** *Cette préoccupation exclusive* (cit. 3) *et passionnée qu'ils appellent l'amour. Frémissement* (cit. 15) *passionné. Imagination, intelligence passionnée* (→ Modestie, cit. 10). *Phrases, expressions passionnées* (→ Légèreté, cit. 8; moissonner, cit. 4). *Serments passionnés* (→ Mot, cit. 38). *Commentaires contradictoires et passionnés* (→ Houleux, cit. 2). *Airs, regards passionnés* (→ Face, cit. 1). *Son visage a quelque chose de vertueux et de passionné* (→ Autrui, cit. 8). — *Rendre un débat moins passionné.* ⇒ **Dépassionner.** — *Notes profondes et passionnés* (→ Mélodique, cit. 2). *Mélodie aux accents passionnés* (→ Invincible, cit. 8). ⇒ **Doux, lyrique.** — N. m. *Le passionné.*

Il faut qu'un amant (...) sache (...) pousser le doux, le tendre et le passionné, et que sa recherche soit dans les formes. MOLIÈRE, les Précieuses ridicules, 4. 10

(...) considérons *l'amour passionné.* Cet amour n'est ni aussi saint que la piété conjugale, ni aussi gracieux que le sentiment des bergers; mais, plus poignant que l'un et l'autre, il dévaste les âmes où il règne (...) il est à soi-même sa propre illusion, sa propre folie, sa propre substance. 11
CHATEAUBRIAND, le Génie du christianisme, II, III, II.

Quelques phrases d'excuse commencèrent son sermon (...) Ensuite vint la description passionnée du malheureux dont il faut avoir pitié pour honorer dignement la 12

Madone de Pitié, qui, elle-même, a tant souffert sur la terre. L'orateur était fort ému (...) STENDHAL, la Chartreuse de Parme, II, XXVII.

13 (...) avec quelle raison je m'efforçais, à seize ans, de me prouver à moi-même la vérité de cette religion à laquelle je me savais attaché pour l'éternité! L'édition des *Pensées* (...) déchirée, annotée, qui est toujours sur ma table, rend témoignage de ce parti pris passionné (...) F. MAURIAC, Dieu et Mammon.

CONTR. (De l'adj.) **Calme, flegmatique, frigide, froid, lucide, raisonnable. — Détaché. — Intellectuel, objectif, rationnel.**
DÉR. Passionnant, passionnément.
COMP. Dépassionner.

PASSIONNETTE [pɑsjɔnɛt; pasjɔnɛt] n. f. — 1892; de *passion.*

♦ Vieilli. Amourette.

Il avait oublié les soins qu'elle lui avait prodigués pour s'éprendre d'une personne à qui il ne devait rien. Mais Nicole se moquait bien de cette passionnette. Elle n'avait que faire d'un aussi jeune soupirant. H. TROYAT, le Vivier, p. 180.

PASSIONNISTE [pɑsjɔnist; pasjɔnist] n. m. — 1838; de *passion.*

♦ **1.** Hist. relig. Membre d'une secte chrétienne des premiers siècles, qui professait que c'était Dieu le Père qui avait souffert la Passion, et non le Christ.

♦ **2.** (1903). Mod. Membre d'une congrégation fondée par saint Paul de la Croix pour conserver le souvenir de la Passion du Christ. — On écrit aussi *passionistе.*

PASSIVABLE [pasivabl] adj. — 1975; de *passiver.*

♦ Techn. (métall.). Susceptible de subir une passivation*.

PASSIVATION [pasivɑsjɔ̃] n. f. — 1953; mot angl., de *to passivate* «rendre passif» (chimie).

♦ **1.** Techn. Anglic. Préparation de la surface d'un métal (traitement au phosphate), avant la peinture.

Bien qu'il soit corrosif *(l'acide nitrique fumant rouge)*, son transport est relativement élevé avec un produit à haute concentration par suite de la formation d'un film protecteur d'oxyde (phénomène de passivation). J.-F. THÉRY, les Carburants nouveaux, p. 29.

♦ **2.** (1968). Chimie. Action de rendre passif* (un métal).

♦ **3.** Ling. Transformation par mise du verbe au passif.

PASSIVEMENT [pasivmɑ̃] adv. — V. 1370, gramm.; de *passif.*

♦ **1.** (1554). D'une manière passive. *Obéir passivement. Suivre passivement sa destinée* (cit. 14). *Végéter passivement* (→ Entretenir, cit. 11).

1 Elles le servaient *(l'évêque)* passivement, et, si c'était obéir que de disparaître, elles disparaissaient. HUGO, les Misérables, I, I, IX.

2 On s'obstine avec une sorte d'acharnement distrait. On ne sait pourquoi l'on reste à cet endroit où l'on est, mais on y reste. Ce qu'on a commencé activement, on le continue passivement. Ténacité épuisante d'où l'on sort accablé. HUGO, l'Homme qui rit, II, VI, I.

(Dans le domaine érotique; déb. XVIIe). De manière passive.

♦ **2.** Ling. À la forme passive.

CONTR. Activement.

PASSIVER [pasive] v. tr. — 1968; «réduire à un état passif», 1801; de *passif.*

♦ **1.** Chim. *Passiver du fer.* — Au p. p. *Fer passivé.*

♦ **2.** Ling. Rendre passif (une forme verbale, une phrase active).

PASSIVISME [pasivism] n. m. — XXe; de *passif (-ive),* et *-isme.*

♦ **1.** Polit. Position opposée à l'activisme* (s'est dit en particulier d'un mouvement flamingant).

♦ **2.** Psychiatrie. (Rare). Masochisme.

PASSIVISTE [pasivist] adj. et n. — Mil. XXe; de *passif (ive),* et *-iste.*

♦ Didact. Qui donne plus d'importance ou une importance exclusive aux éléments passifs, à la passivité.

Une conception dangereusement passiviste de la création littéraire, selon laquelle l'œuvre serait le lieu du déchaînement des obsessions de l'auteur. R. PICARD, Nouvelle critique ou nouvelle imposture, 1965, *in* D. D. L., II, 7.

CONTR. Activiste.

PASSIVITÉ [pasivite] n. f. — 1697, sens 2; aussi *passiveté,* sens 1; de *passif.*

♦ **1.** (1842). Relig. État de l'âme demeurant passive pour se soumettre complètement à l'action de Dieu. ⇒ **Quiétisme.**

♦ **2.** Cour. État ou caractère (d'une personne, d'un comportement, etc.) passif. ⇒ **Inertie.** *Cette existence qui était tout passivité, tout inactivité* (cit. 2). *Captif, condamné à la passivité* (→ Caillou, cit. 4). *«Mourir est passivité, mais se tuer est acte»* (cit. 8, Malraux).

(...) j'avais adroitement tenté de rompre d'un seul coup (...) toutes ses mauvaises relations et Albertine avait une telle force de passivité, une si grande faculté d'oublier et de se soumettre, que ces relations avaient été brisées en effet (...) PROUST, À la recherche du temps perdu, t. XI, p. 25. 1

Nul homme au monde n'a plus d'aversion pour la passivité que ce lutteur inlassable, qui est un des types les plus héroïques du *Résistant.* R. ROLLAND, Mahatma Gandhi, p. 53. 2

Aujourd'hui le public est, par rapport à l'écrivain, en état de passivité : il attend qu'on lui impose des idées ou une forme d'art nouvelle. Il est la masse inerte dans laquelle l'idée va prendre corps. SARTRE, Situations II, p. 134. 3

Psychopath. Attitude d'inertie générale d'un sujet, privé d'initiative et de spontanéité, qui subit sans réagir tous les événements et influences extérieurs. *Passivité constitutionnelle, acquise. Passivité à la fois psychique et motrice de certains psychotiques.*

Méd. Signe d'hypotonie musculaire, consistant «dans la diminution de la résistance normale involontaire d'un segment de membre aux mouvements qu'on lui fait subir, et dans l'amplitude anormalement grande des mouvements qu'on veut lui imprimer» (Garnier).

♦ **3.** (1877). Chim. Propriété qu'acquièrent certains métaux soumis à des acides, de résister aux oxydations ou à l'action d'autres acides.

CONTR. Activité, dynamisme, initiative, opposition.

PASSOIRE [pɑswaʀ] n. f. — 1660; *passoere,* attestation isolée v. 1350, «crible»; de *passer.*

♦ **1.** Récipient percé de trous et utilisé pour écraser ou égoutter des aliments, pour filtrer sommairement des liquides. ⇒ **Crible, filtre; couloire.** *Petite passoire.* ⇒ **Chinois, passette.** *Passoire à thé.* ⇒ **Passe-thé.**

(...) de larges jattes (...) remplies de lait sous une nappe de crème, que les enfants viennent voler pour leur goûter avec une passoire (...) J. CHARDONNE, les Destinées sentimentales, p. 85.

♦ **2.** Par compar. *Troué comme une passoire* : percé de nombreux trous.

Par métaphore. **a** Ce qui est percé de nombreux trous. — Loc. *Transformer qqn en passoire,* le cribler de balles.

b Ce qui ne retient rien, laisse tout passer. *Ce goal est une vraie passoire.* — (Abstrait). *Sa mémoire est une passoire* : il oublie tout.

PASSURE [pɑsyʀ] n. f. — 1820; *passeüre* «trou», v. 1354; de *passer.*

♦ Techn. (reliure). *Passure en carton* : action de passer les ficelles dans les trous des cartons de la couverture d'un livre afin de les fixer au volume. *Passure en colle* : encollage du dos d'un volume dont les cahiers ont été cousus.

PAST ou **PÂT** [pɑt] n. m. — V. 1265, *past; pât,* 1677; «curée», v. 1175; lat. *pastus* «pâture», de *pasare* «faire paître».

♦ Fauconn. Nourriture des oiseaux de proie.

PASTAGA [pastaga] n. m. — 1952, Esnault; de *pastis,* et suff. argotique.

♦ Argot. Pastis; boisson anisée.

Comme j'aime pas la foule, même motorisée, j'ai foncé à la Cascade, me taper un pastaga. Albert SIMONIN, Touchez pas au grisbi, p. 41.

1. PASTEL [pastɛl] n. m. — XIVe; mot gascon et provençal dimin. de *pasta* «pâte»; bas lat. *pasta.*

♦ **1.** Plante *(Crucifères),* herbacée, vivace, dont les feuilles et les tiges contiennent un principe colorant bleu. ⇒ **Guède, isatis.** *Le pastel, autrefois cultivé comme plante tinctoriale, l'est encore comme plante fourragère. On extrayait l'indigo* du pastel* (⇒ aussi **Florée**).

♦ **2.** (1636, n. m.). Plus cour. (avec infl. de 2. *pastel*). Par appos. *Bleu* pastel.* — *Orangé-pastel* : orangé tirant sur le brun. — N. m. *Pastel, bleu pastel* : couleur bleu clair de pastel.

2. PASTEL [pastɛl] n. m. — 1675, «crayon»; ital. *pastello;* bas lat. **pastellus* → Pastille.

♦ **1.** Pâte faite de pigments colorés pulvérisés, agglomérés et façonnés en bâtonnets (⇒ **Crayon**). *Pastels durs, demi-durs, tendres. Boîte de pastels. Poudre de pastels. Estompe pour étendre le pastel. Portrait au pastel* (→ aussi Notoriété, cit. 3). — Par ext. *Préférer le pastel à la gouache.*

Sur la paroi opposée à la cheminée, deux portraits au pastel (...) BALZAC, Eugénie Grandet, Pl., t. III, p. 493. 1

Par ext. *Teintes, tons de pastel,* doux, veloutés comme ceux du pastel. — Par appos. *Tons pastel. Bleu pastel.* ⇒ 1. **Pastel.**

2 Nous apparaîtrons nous aussi, à nos arrière-neveux, comme de vieilles petites ombres effacées par la distance, avec des tons de pastel pâlis par la fuite des jours.
Jules LEMAÎTRE, Impressions de théâtre, 3e série, Poinsinet...

♦ **2.** *(Un, des pastels).* Œuvre faite au pastel. *Pastel sur carton, sur papier Ingres. Fixer un pastel. Les pastels de La Tour, de Degas.* — (Collectif). *Le pastel. Histoire du pastel en France.*

DÉR. Pasteller, pastelliste.

PASTELLER [pastele] v. tr. — 1871, au p. p.; de 2. *pastel.* Littéraire.

♦ **1.** Dessiner au pastel. — Au p. p. *Têtes d' Espagnols pastellées* (Goncourt, *in* G. L. L. F.). — Var. : *pastelliser* (→ Pastelliste, cit.).

♦ **2.** (Av. 1896; aussi *pastellisé,* p. p., 1874). Donner une teinte pastel, un aspect de pastel à. *« Ce rose du sang qui paraît fleurir et pasteller de carmin la joue des juives »* (Goncourt, *in* G. L. L. F.).

PASTELLISTE [pastelist] n . — 1836; de 2. *pastel.*

♦ Peintre en pastel. *Les grands pastellistes du* XVIII*e siècle.*

C'était *(Madame de Charrière)* une grande Hollandaise, rose et blanche, aux yeux bleus, de belle prestance (...) à en croire les témoignages, sculpté et pastellisé, de Houdon et de La Tour (...) Mais, plus que le pastelliste et le sculpteur, c'est elle-même qui a encore fait son meilleur portrait en ses écrits (...)
Émile HENRIOT, Portraits de femmes, p. 219.

PASTENADE [pastənad] n. f. — 1372; anc. provençal *pastenaga;* lat. *pastinaca.* → Panais.

♦ Régional (Sud et centre de la France). Panais (légume).

PASTENAGUE [pastənag] n. f. — 1562; provençal *pastenago* (1554); lat. *pastinaca.* → Panais.

♦ Régional. Poisson sélacien, raie à longue queue *(Dasyatidés).* ⇒ **Raie.** — Par appos. *Raie pastenague.* — Var. : *pastinague.*

PASTÈQUE [pastɛk] n. f. — 1619; *patèque,* n. m., 1512; port. *pateca;* de l'arabe *baṭṭīhăh,* par une langue indienne.

♦ Plante *(Cucurbitacées)* dont le gros fruit lisse, à chair rose, verdâtre ou blanche, est comestible; plus cour., ce fruit. ⇒ **Melon** (d'eau). *Tranche de pastèque. La saveur fraîche des pastèques* (→ aussi Baiser, cit. 20, Baudelaire).

La pastèque nous fit grand bien; cette pulpe rose dans cette écorce verte a quelque chose de frais et de désaltérant qui fait plaisir à voir. À peine y a-t-on mordu qu'on est inondé jusqu'au coude d'une eau légèrement sucrée d'un goût très agréable (...) Th. GAUTIER, Voyage en Espagne, p. 199.

La coloquinte, variété non comestible de pastèque.*

PASTEUR [pastœʀ] n. m. — 1238; *pastur,* 1050; lat. *pastor, -oris,* cas régime de *pastre.* → Pâtre.

REM. À la différence de *pastour* et de *pastoureau, pasteur* n'a pas de forme féminine; on emploie *bergère.*

♦ **1.** Vx ou poét. Celui qui garde, fait paître le bétail. ⇒ **Berger, gardien, pastour, pâtre** (→ 1. Flageolet, cit. 1; garder, cit. 19; gardien, cit. 1). *Houlette de pasteur* (→ Emblème, cit. 1). *Le pasteur et son troupeau*. Un jeune pasteur.* ⇒ **Pastoureau.** *Qui se rapporte à la vie des pasteurs.* ⇒ **Bucolique, pastoral.** — *Le pasteur de Mantoue :* Virgile (→ Bétail, cit. 2, La Fontaine). *Le pasteur phrygien :* Pâris.

1 Dès la pointe du jour, sortant de son hameau,
Colas, jeune pasteur d'un assez beau troupeau,
Le conduisait au pâturage. FLORIAN, Fables, II, 5.

2 Pasteur, j'ai vu mes bœufs paître dans les vallées,
Tandis que je lisais aux tentes étoilées (...)
LECONTE DE LISLE, Poèmes barbares, « Massacre de Mona ».

♦ **2.** Mod. Didact. Personne qui vit surtout de l'élevage (→ Nomadisme, cit. 1). *Peuple, civilisation de pasteurs. Pasteurs d'Afrique, d'Asie centrale.* — Adj. *Peuples pasteurs.*

3 Les peuples pasteurs ne peuvent se séparer de leurs troupeaux, qui sont leur subsistance; ils ne sauraient non plus se séparer de leurs femmes, qui en ont soin.
MONTESQUIEU, l'Esprit des lois, XVIII, XIII (1734).

♦ **3.** (1678). Par métaphore. PASTEUR DE... ⇒ **Chef, conducteur.** *« Pasteurs des gens »* (→ Diligent, cit. 2, La Fontaine). *Pasteur des peuples* (→ Fondateur, cit. 1). — *Un pasteur des âmes.*

4 Ô vous, pasteurs d'humains, et non pas de brebis,
Rois qui croyez gagner par raison les esprits,
D'une multitude étrangère,
Ce n'est jamais par là que l'on en vient à bout (...) LA FONTAINE, Fables, X, 10.

5 Pasteurs des peuples, conducteurs d'hommes, guides et maîtres, c'est là ce qu'étaient mes pères; et ce qu'ils étaient, je le suis! Je suis gentilhomme, et j'ai une épée (...) j'ai un casque (...) HUGO, l'Homme qui rit, II, V, V.

(1534). Loc. *Le bon pasteur :* le pasteur qui, dans l'Évangile, retrouve et sauve la brebis perdue (Saint Jean, X, 11); le Christ (→ Égarer, cit. 24).

Littér. Celui qui dirige spirituellement un certain nombre de personnes; chef spirituel. *Le pasteur et ses ouailles** (→ Houlette, cit. 3).

♦ **4.** (XIIIe; *pastur,* v. 1190). Vx. Ministre du culte chrétien. ⇒ **Ecclésiastique, prêtre** (→ Dévot, cit. 10; dixième, cit. 2).

Au lieu de suivre l'office, il fut irrésistiblement entraîné à observer le pasteur de qui l'on attendait le miracle de la conversion du criminel. 6
BALZAC, le Curé de village, Pl., t. VIII, p. 614.

(1541). Mod. Ministre protestant. *Le pasteur et ses paroissiens. Charge de pasteur.* ⇒ **Pastorat.** *Le pasteur Brontë* (→ Intransigeant, cit. 2). ⇒ **Révérend.** *La femme du pasteur.* ⇒ **Pastoresse.** — *Pasteur protestant. « Je suis un enfant qui s'amuse doublé d'un pasteur protestant qui l'ennuie. »* (Gide).

Lorsque le pasteur Théophile Sabatier fut nommé au temple de l'Oratoire, il désira habiter sa nouvelle paroisse. J. CHARDONNE, les Destinées sentimentales, p. 463. 7

DÉR. (Des formes anc.) V. **Pastour, pastoureau.**

PASTEURELLA [pastœʀela; pastœʀɛlla] ou **PASTERELLE** [pastəʀɛl] n. f. — 1903; de *Pasteur.*

♦ Biol. Bacille responsable des pasteurelloses*.

PASTEURELLOSE [pastœʀeloz] n. f. — 1905, *Rev. gén. des sc.,* no 7, p. 347; de *pasteurella,* et *-ose.*

♦ Vétér. Septicémie hémorragique infectieuse des animaux domestiques d'origine bactérienne. *La pasteurellose peut, exceptionnellement, atteindre l'homme.*

PASTEURIEN [pastœʀjɛ̃] ou **PASTORIEN, IENNE** [pastɔʀjɛ̃, jɛn] adj. et n. — 1888, *la Sc. illustrée,* t. II, p. 259; *pastorien,* 1891, *in* D. D. L.; du nom de *Pasteur* (1822-1895).

♦ Méd. Relatif aux théories de Pasteur et à leurs applications. *Vaccinations pastoriennes* (anticharbonneuse, antirabique...). *Procédés pasteuriens, méthodes pasteuriennes de stérilisation des liquides fermentescibles.* ⇒ **Pasteurisation** (ci-dessous).

La promulgation des doctrines pastoriennes a été pour l'humanité entière un événement d'une haute importance. 1
Alexis CARREL, l'Homme, cet inconnu, I, III.

N. Personne travaillant dans un institut Pasteur.

Chacun sait que le suffixe « ien » s'ajoute à des noms pour former soit des adjectifs, soit des noms désignant la profession, l'école, la philosophie, la religion, l'appartenance à un ordre : mécanicien, normalien, cartésien, chrétien, cistercien... En attendant qu'un dictionnaire ait fait un acte d'autorité qui sera nécessairement dépassé par l'usage, où, dans tout cela, placer le « pasteurien »? L'éventail du choix est largement ouvert et chacun se décidera suivant son inclination propre. Mes préférences vont à l'appartenance à un ordre. 2
(...) Être « pasteurien », c'est donc appartenir à un ordre. Il convient, ici, de remarquer que l'Institut Pasteur est le seul établissement scientifique dont les membres bénéficient d'une « appellation contrôlée ». Il est parfois question de sorbonnard, de sorbonnien jamais (...) E. LWOFF, *in* le Figaro, 2 mai 1973, p. 5
(« Une collectivité de chercheurs est un ordre mendiant »).

PASTEURISATEUR [pastœʀizatœʀ] n. m. — 1891, *Année sc. et industr.* 1892, p. 181; de *pasteurisation,* et *-eur.*

♦ Techn. Appareil servant à la pasteurisation (des aliments). *Pasteurisateur tubulaire, à plaques, pour le lait.*

PASTEURISATION [pastœʀizasjɔ̃] n. f. — 1887, *Année sc. et industr.,* 1888, p. 371, *pastorisation;* du nom de *Pasteur.*

♦ Opération qui consiste à chauffer un liquide fermentescible, puis à le refroidir brusquement, de manière à y détruire un grand nombre de germes pathogènes (distinct de la *stérilisation**). *Pasteurisation du lait, des jus de fruits, du vin, de la bière. Pasteurisation haute, basse,* effectuée en portant le liquide à une température plus ou moins haute.

PASTEURISER [pastœʀize] v. tr. — 1872; du nom de *Pasteur.*

♦ Stériliser par pasteurisation; détruire les germes de fermentation. *Pasteuriser la bière.* — Au p. p. (→ Frigorifier, cit.). *Lait pasteurisé* (→ Firme, cit.). *Beurre pasteurisé.*

Les procédés de M. Pasteur ont fait leur chemin, au moins à l'étranger; en Hongrie, le mot est fait, on pasteurise les vins avec le plus grand succès (...) 1
Ed. PERRIER, *in* le National, 5 nov. 1872, cité par LITTRÉ, Suppl., Add.

Ils n'absorbent qu'une nourriture de régime, insipide, stérilisée, pasteurisée, qu'ils se préparent avec mille soins et précautions (...) 2
N. SARRAUTE, le Planétarium, p. 194.

CONTR. (Du p. p.). **Fermentescible.**

PASTICHAGE [pastiʃaʒ] n. m. — 1874; de *pasticher.*

♦ Rare. Action de pasticher. ⇒ **Pastiche.** *Le pastichage d'un style, d'un écrivain.*

PASTICHE [pastiʃ] n. m. — 1677; ital. *pasticcio* «pâté»; lat. pop. *pasticium.* → Pastis, pâtisser.

♦ **1.** Peinture, et, par ext. (1799), Œuvre littéraire ou artistique dans laquelle l'auteur a imité la manière, le style d'un auteur, soit pour s'approprier des caractères empruntés (⇒ **Plagiat**), soit le plus souvent par jeu, exercice de style ou dans une intention parodique, satirique. ⇒ **Imitation; copie, manière** (*supra* cit. 22 : Un «à la manière de»). *Recueil de pastiches. Pastiches et Mélanges,* œuvres de Proust. *Les pastiches d'un faussaire.* ⇒ **Faux.**

1 Quant aux *pastiches,* ce sont des «Tableaux, qui ne sont ni des Originaux, ni des Copies», mais des contrefaçons. Leur nom vient de l'italien «*pastici,* qui veut dire *Pâtés :* parce que de même que les choses différentes qui assaisonnent un Pâté, se réduisent à un seul Goût; ainsi les faussetés qui composent un *Pastiche,* ne tendent qu'à faire une vérité» [R. de PILES, Conn. des Tabl., III] (...) Le mot se conserva avec un sens défavorable : *on appelle communément des pastiches les tableaux que fait un peintre imposteur en imitant la main, la manière de composer et le coloris d'un autre Peintre, sous le nom duquel il veut produire son propre ouvrage* (Abbé DU BOS, Réfl. crit., II, p. 74). Diderot éprouvait quelque crainte qu'il n'en fût fait abus : *Je suis bien fâché contre ce mot de pastiche, qui marque du mépris et qui peut décourager les artistes de l'imitation des meilleurs maîtres anciens* (Sal. 1767, X, p. 186).
F. BRUNOT, Hist. de la langue franç., t. VI, p. 718 (et note 3).

Imitation du style, de la manière (d'un écrivain, d'un artiste, d'une école), sans qu'il y ait copie d'une œuvre particulière (→ École, cit. 28; maître, cit. 90). ⇒ **Pastichage.**

2 Si, pour donner l'idée d'un peintre inconnu à Paris, nous avons été obligé de chercher des analogues, ne croyez pas pour cela au pastiche, à la copie, à l'imitation. Zichy est une nature géniale qui tire tout d'elle-même (...)
Th. GAUTIER, Voyage en Russie, XIV.

3 Le pastiche c'est l'imitation étroite et servile. C'est, comme nous le verrons, un exercice de style, un moyen mécanique de se faire la main. Quant au plagiat, c'est le vol déloyal et condamnable. Antoine ALBALAT, la Formation du style, p. 28.

4 (...) tout artiste commence par le pastiche. Ce pastiche à travers quoi le génie se glisse, clandestin (...) C'est le réaliste Courbet qui appelle les tableaux de sa première exposition : *Pastiche florentin, Pastiche des Flamands* (...)
MALRAUX, les Voix du silence, p. 310.

REM. Dans ce sens, et avec une valeur péjorative, Huysmans (1883) emploie *pasticherie,* n.f.

Par ext. Imitation du style, du ton (d'une époque, d'un genre); objet, ouvrage d'imitation.

5 Or ces robes, si elles n'étaient pas de ces véritables robes anciennes dans lesquelles les femmes d'aujourd'hui ont un peu trop l'air costumées et qu'il est plus joli de garder comme pièces de collection (...) n'avaient pas non plus la froideur du pastiche, du faux ancien.
PROUST, À la recherche du temps perdu, t. XII, p. 209.

♦ **2.** (1798). Hist. mus. Opéra formé d'un assemblage d'airs empruntés à d'autres œuvres. ⇒ **Centon** (→ Pot-pourri).

DÉR. Pasticher, pasticheur.

PASTICHER [pastiʃe] v. tr. — 1844; de *pastiche.*

♦ Imiter la manière, le style de. *Pasticher un écrivain, son style.* ⇒ **Contrefaire, copier.**

1 Il avait une aptitude merveilleuse à pasticher Hugo, Balzac, de Musset, et parfois même il continuait un article commencé par nous de façon à nous tromper nous-même. Th. GAUTIER, Portraits contemporains, «Louis de Cormenin».

2 Il advient qu'un style soit pastiché dans son ensemble; et même moins qu'un style : un goût d'époque, l'orfèvrerie du style florentin, la tapisserie du vénitien, l'expressionnisme du gothique allemand finissant, la couleur claire des impressionnistes, la géométrie du cubisme. MALRAUX, les Voix du silence, p. 313.

DÉR. Pastichage.

PASTICHEUR, EUSE [pastiʃœʀ, øz] n. — 1760, au masc.; de *pastiche.*

♦ Auteur de pastiches. *Un pasticheur habile.* ⇒ **Imitateur.** — Péj. *Il n'a rien d'original, c'est un pasticheur.* ⇒ **Copiste** (→ aussi Illettré, cit. 3). — Fig. Imitateur (→ Nervosisme, cit.). — REM. Le fém. est rare.

PASTILLAGE [pastijaʒ] n. m. — 1803; de *pastille.*
Technique.

♦ **1.** Fabrication des pastilles, à la main ou à la machine *(pastilleuse).* — Modelage d'un objet en pâte de sucre.

1 Le Pastillage est une des branches les plus importantes de l'art du Confiseur, et même celle par laquelle cette profession se rattache le plus intimement aux Beaux-Arts, puisqu'un bon Pastilleur doit savoir parfaitement bien dessiner et modeler, et n'être point étranger aux éléments de l'art de peindre, ou tout au moins de colorier. GRIMOD DE LA REYNIÈRE, Almanach des gourmands, *in* D. D. L., II, 3.

♦ **2.** (1874). Procédé de décoration par des ornements modelés à part et collés sur la surface à décorer.

2 (...) on trouve dans les tumulis *(sic)* des poteries faites à la main, moulées ou tournées, séchées au soleil ou cuites au four, ornées soit par incision, soit en relief, en trochisque ou pastillage (...)
B. CENDRARS, Moravagine, *in* Œ. compl., t. IV, p. 185.

♦ **3.** Opération qui s'effectue avant le moulage, dans la fabrication des matières plastiques, et qui consiste à comprimer la poudre à mouler (en pastilles ou tablettes).

PASTILLE [pastij] n. f. — 1539; esp. *pastilla;* lat. *pastillum* «petit pain», de la famille de *panis* «pain».

♦ **1.** Vx. Pâte odorante que l'on brûle pour parfumer l'air. *Pastilles d'encens, de benjoin, en forme de petits pains coniques.*

Mon domestique Achmet prépara deux narguilés, l'un pour moi, l'autre pour lui-même, et posa à mes pieds un plateau de cuivre où brûlait une pastille du sérail. 1
LOTI, Aziyadé, III, XLI.

♦ **2.** (*Pastilles de bouche,* 1690). Mod. Petit morceau d'une pâte pharmaceutique ou d'une préparation de confiserie, généralement en forme de disque. *Pastilles pharmaceutiques : pastilles de gomme* (cit. 2), *pastilles pectorales...* (⇒ **Cachet, comprimé, tablette...**). *Pastille au chocolat, au sucre aromatisé, pastille de menthe* (⇒ **Bonbon**). — (1835). *Pastille de Vichy* (marque déposée).

La plupart des gens toussent comme ils se grattent, avec une espèce de fureur dont ils sont les victimes. De là des crises qui fatiguent et irritent. Contre quoi les médecins ont trouvé les pastilles, dont je crois bien que l'action principale est de nous donner à avaler. ALAIN, Propos, 5 déc. 1912, Irritation. 2

(...) les pastilles de menthe avaient disparu des pharmacies parce que beaucoup de gens en suçaient pour se prémunir contre une contagion éventuelle. 3
CAMUS, la Peste, p. 130.

♦ **3.** Dessin en forme de petit disque. *Tissu, robe à pastilles.* ⇒ **Pois.**

♦ **4.** (1963). Techn. Quantité de matière plastique comprimée (⇒ **Pastillage**).

♦ **5.** (1932). Techn. Pièce d'un mécanisme en forme de petit disque. *Pastille fusible.* ⇒ **Fusible.**

DÉR. Pastillage, pastillé, pastillette, pastilleur.

PASTILLÉ, ÉE [pastije] adj. — 1909, *in* D. D. L.; de *pastille.*

♦ Mod. Décoré de pastilles, de motifs circulaires. *Robe pastillée.* *«Des nappes pastillées de 3 m 40 sur 1 m 50»* (*l'Express,* 29 sept. 1979).

PASTILLETTE [pastijɛt] n. f. — 1939, Gide; de *pastille.*

♦ Rare. Petite pastille.

PASTILLEUR, EUSE [pastijœʀ, øz] n. — 1808, masc.; de *pastille.*
Technique.

♦ **1.** Ouvrier, ouvrière qui met une pâte en pastilles, qui effectue le pastillage* (cit. 1).

♦ **2.** N. m. (1875). Emporte-pièce pour la fabrication des pastilles.

♦ **3.** (Mil. XXe). Ouvrier qui met une pâte en blocs, au moyen d'un moule à froid (matières plastiques), d'une presse à agglomérer...

PASTIS [pastis] n. m. — XXe, attesté; anc. provençal; lat. *pasticius;* Cf. *pastilz* (XIVe) «pâté» → Pastiche.

★ **I.** Boisson alcoolisée à l'anis, qui se consomme avec de l'eau.

— Qu'est-ce que vous voulez? — Eh ben, des pastis, dit Mario. — Trois pastis, dit Gros-Louis. Qu'est-ce que c'est, du vin? (...) Le garçon remplit trois verres d'une liqueur, Mario versa de l'eau dans les verres et la liqueur se transforma en une brume blanche et tournoyante. SARTRE, le Sursis, p. 126. 1

★ **II.** Fig., fam. (Terme d'argot toulonnais et marseillais, «ennui», «chose désagréable», répandu pendant la guerre de 1914-1918). Ennui, désagrément; chose embrouillée, incompréhensible, situation inextricable (⇒ **Désordre, gâchis, imbroglio**). *Quel pastis! Tu nous as fourrés dans un sacré pastis!* → Sac de nœuds*.

★ **III.** (1938). Pâtisserie du Béarn, composée de pâte feuilletée aromatisée à l'anis et à l'armagnac. *«Comme dessert, un pastis gascon, cette superposition de fines couches de pâte feuilletée à l'armagnac...»* (*l'Express,* 20 oct. 1979, p. 32).

(...) une crème au caramel dans laquelle on trempait de grandes tranches de pastis. 2
Christine DE RIVOYRE, le Petit Matin, p. 144.

PASTISSON [pastisɔ̃] n. m. — Attesté, XXe; «courge», 1775. → Pâtisson.
Régional (Midi).

♦ **1.** Coup.

(...) la main lui démange de vous envoyer un pastisson! (...) — À moi, un pastisson? Ô pauvre petit! M. PAGNOL, Marius, I, 10.

♦ **2.** (Injure familière). *Regarde le, ce grand pastisson!* ⇒ **Cornichon, courge.**

PASTON [pastɔ̃] n. m. — 1875, P. Larousse; probablt du provençal *pastoun,* de *pasta* «pâte».

♦ Techn. (Régional). Morceau de pâte servant à ébaucher les petites pièces de poterie.

PASTORAL, ALE, AUX [pastɔʀal, o] adj. — Fin XIIe, sens 3.; rare av. le XVIe; lat. *pastoralis*, de *pastor* → Pâtre, pasteur.

♦ **1.** (1247). Didact. ou littér. Relatif aux pasteurs (1.), aux bergers. *La vie pastorale, les mœurs pastorales. Chant pastoral.*

1 J'aime tout ce qui m'entoure, même cette campagne et ces vieux bois qui ont leur charme à eux, un grand charme *pastoral*, quelque chose, qu'il m'est difficile de définir pour vous, charme du passé, charme d'autrefois et des anciens bergers.
LOTI, Aziyadé, IV, XXX.

(1835). Vieilli. Qui a un caractère de simplicité rustique. ⇒ **Bucolique, champêtre...** (→ Brocher, cit. 2; faner, cit. 2).

♦ **2.** Didact. Relatif aux formes de civilisation dans lesquelles l'élevage est l'activité économique dominante. *Économie pastorale.* ⇒ **Pastoralisme.**

2 (...) l'industrie *pastorale* (...) est le prolongement naturel de la chasse, avec cette différence immense que l'homme, au lieu de détruire les animaux, les élève (...)
Charles GIDE, Cours d'économie politique, t. I, p. 104.

♦ **3.** (V. 1530). Qui dépeint ou évoque les mœurs champêtres, la vie des bergers. ⇒ **Bucolique**; → Arcadien. *L'épigramme* (cit. 2), *l'idylle, peintures pastorales. Comédie pastorale* (→ Héroïque, cit. 7). *L'Astrée, roman pastoral. Scène pastorale. — Poète pastoral.*

3 On dit que les Allemands ont excellé dans le genre pastoral : cela n'est pas vrai. Ils s'y sont appliqués, l'ont affecté, l'ont contrefait; mais ils n'y ont point excellé. Dans leurs pastorales, il n'y a de pastoral que les mots. Leurs bergers sont plus grimaciers que ceux de Fontenelle; ils minaudent la vertu, l'innocence et les mœurs champêtres; ils affectent la simplicité, bien plus que Fontenelle n'affectait la finesse et la galanterie; ils parodient l'âge d'or.
Joseph JOUBERT, Pensées, XXIV, XXX.

La symphonie pastorale : la sixième symphonie de Beethoven. Ellipt. *La Pastorale. — La Symphonie pastorale,* œuvre de Gide (dont le héros est un pasteur protestant; → 4).

4 (...) je n'ai point dit encore l'immense plaisir que Gertrude avait pris à ce concert de Neuchâtel. On y jouait précisément la *Symphonie pastorale.* Je dis « précisément », car il n'est (...) pas une œuvre que j'eusse pu davantage souhaiter de lui faire entendre.
GIDE, la Symphonie pastorale, p. 53.

♦ **4.** (Fin XIIe). Relatif aux pasteurs spirituels et, spécialt, aux évêques. *L'anneau** (cit. 7) *pastoral* (→ Améthyste, cit.), *la croix pastorale. Tournée pastorale* (→ 2. Frais, cit. 2). *Instruction pastorale* (subst. *pastorale,* n. f.), publiée par un évêque.

(1875). Relatif à un pasteur protestant. *La dignité de la redingote pastorale* (→ Inélégance, cit.).

DÉR. Pastoralement, pastoralisme, pastorat.
COMP. Agropastoral.

PASTORALE [pastɔʀal] n. f. — 1559; de *pastoral* (1.).

♦ **1.** (1559). Ouvrage littéraire *(poésie* [⇒ **Églogue; idylle**], *roman, théâtre)* dont les personnages sont des bergers, souvent dépeints d'une manière conventionnelle et raffinée. ⇒ **Bergerie.** — Spécialt. *Pastorale dramatique,* sorte de tragi-comédie (souvent avec de la musique). *Les Bergeries de Racan sont des pastorales.*

♦ **2.** Mus. (Vx). « Opéra champêtre dont les personnages sont des bergers, et dont la musique doit être assortie à la simplicité de goût et de mœurs qu'on leur suppose » (Rousseau, 1767). Pièce de musique, chant de caractère pastoral, qui a « la douceur, la tendresse et le naturel » *(Id.)* du chant des bergers. ⇒ **Bergerette.**

La pastorale exprimait fidèlement l'âme de l'époque *(la fin du XVIe s. en Italie) :* nulle force de passion, nulle grandeur de pensée, nulle liberté, nulle sincérité vigoureuse. Une vie mondaine, une sensibilité érudite, subtile et voluptueuse, une rêverie aristocratique, une âme musicale.
R. ROLLAND, Musiciens d'autrefois, p. 46.

♦ **3.** Peint. Tableau à sujet champêtre. *Les pastorales de Boucher.*

PASTORALEMENT [pastɔʀalmɑ̃] adv. — 1512; de *pastoral.* Rare.

♦ **1.** D'une manière pastorale, comme un berger.

♦ **2.** (1690). En bon pasteur.

PASTORALISME [pastɔʀalism] n. m. — Mil. XXe (D.G.R.S.T., 1973, in *la Clé des mots*); de *pastoral.*

♦ Didact. Économie pastorale; mode d'exploitation agricole fondé sur l'élevage extensif.

Lorsqu'on traverse la wilaya du nord au sud, on rencontre beaucoup de troupeaux, mais aux dires des éleveurs et des bergers, l'élevage a régressé. Le Programme spécial adopté pour la wilaya, il y a un peu plus d'une année en a tenu compte. D'importants crédits ont été dégagés en faveur d'une vaste action qui doit aboutir au développement du pastoralisme.
El Moudjahid, 23 janv. 1973, p. 1.

PASTORAT [pastɔʀa] n. m. — 1611; du lat. *pastor.*

♦ Relig. Dignité, fonction de pasteur spirituel, et, spécialt (1883), de pasteur protestant. *Se destiner au pastorat.*

— Nous autres protestants, dit-il, nous sommes tous plus ou moins fils, frères ou neveux de pasteurs. Le pastorat est un sacerdoce familier, mettons même familial. 1
G. DUHAMEL, Salavin, VI, I.

(...) Tchen venait du collège luthérien, où il avait été l'élève d'un intellectuel phtisique venu tard au pastorat (...) 2
MALRAUX, la Condition humaine, p. 53.

PASTORESSE [pastɔʀɛs] n. f. — 1925, Gide; de *pasteur.*

♦ Rare. Femme d'un pasteur protestant.

Le parloir et le bureau du pasteur Vedel étaient ouverts à la foule des invités. Seuls quelques rares intimes avaient accès dans l'exigu salon particulier de la pastoresse (...)
GIDE, les Faux-monnayeurs, I, XII, Journal d'Édouard.

PASTORIEN, IENNE [pastɔʀjɛ̃, jɛn] adj. ⇒ **Pasteurien.**

PASTORISER [pastɔʀize] v. tr. ⇒ **Pasteuriser.**

PASTORISME [pastɔʀism] n. m. — 1955; de *Pasteur.*

♦ Didact. Doctrine ayant pour fondement les conceptions médicales et thérapeutiques de Pasteur.

Entre une homéopathie anglo-saxonne, particulièrement vivante, et une médecine française qui édifie le pastorisme, l'homéopathie continue en France.
Pierre VANNIER, l'Homéopathie, p. 46.

PASTOUR, OURE [pastuʀ] n. — V. 1265; *pastor,* v. 1155; var. de *pasteur**; lat. *pastor.* → Pâtre.

♦ Vx ou régional. Berger, bergère. — REM. On rencontre chez G. Sand la var. *pâtour* (→ Diable, cit. 8).

C'est un fait noté par Hugo — grand connaisseur — que la volupté d'un beau corps de femme est mieux sentie chez une fille du peuple (...) chez une pastoure, chez une bohémienne (...) 1
Léon DAUDET, la Femme et l'Amour, p. 12.

Il arriva juste pour voir disparaître la dernière pomme; elle était rouge comme des joues de pastoure! 2
J. GIONO, Naissance de l'Odyssée, p. 40.

PASTOUREAU, ELLE [pastuʀo, ɛl] n. — XIVe; *pastourel,* v. 1119; de *pastor* « berger ». → Pasteur.

♦ **1.** Vieilli, littér. Petit berger, petite bergère (→ 1. Frais, cit. 26, Ronsard).

♦ **2.** Hist. *Les pastoureaux,* paysans qui s'insurgèrent en France au XIIIe siècle.

DÉR. V. Pastourelle.

PASTOURELLE [pastuʀɛl] n. f. — V. 1165, *pasturele* → Pastoureau.

♦ **1.** Littér. médiévale. Chanson à personnages consistant en un dialogue entre un chevalier et une bergère, une paysanne.

♦ **2.** (1835). Mus. Vx. **a** Chanson de bergère.

b Quatrième figure du quadrille; air sur lequel elle se dansait. ⇒ **Contredanse.** *« L'orchestre achevait la pastourelle »* (Zola, *l'Assommoir,* XI, t. II, p. 199).

Le cornet à pistons et les deux violons jouaient *« le Marchand de moutarde »,* un quadrille où l'on tapait dans ses mains, à la pastourelle.
ZOLA, l'Assommoir, III, t. II, p. 115.

PAT [pat] adj. invar. et n. m. — 1689; de l'ital. *patta* « quitte », jeu; du lat. *pactum* « accord ».

♦ Échecs. Se dit du roi qui, sans être mis en échec, ne peut pourtant plus bouger sans être pris. *Le roi est pat.* — Par ext. Se dit du joueur dont le roi est pat. *Faire son partenaire pat.*

N. m. Coup qui amène le roi dans cette position. *Faire un pat. Des pats. Dans les tournois, le pat entraîne la nullité de la partie.*

HOM. Patte.

PÂT [pɑ] n. m. ⇒ **Past.**

PATACHE [pataʃ] n. f. — 1566, « bâtiment de servitude »; esp. *patache* « bateau »; probablt de l'arabe *baṭāš* « bateau à deux mâts », substantivation de l'adj. *baṭṭāš* « rapide ».

♦ **1.** (Av. 1628). Anciennt. Petit navire de guerre préposé à la surveillance des côtes. — Bâtiment léger utilisé pour le transport du courrier ou des passagers sur certains cours d'eau.

♦ **2.** Mar. Barque du service des douanes.

(...) les douaniers, qui devaient faire une battue nocturne sur la côte, préparaient, 1

dans l'anse du havre, leur *patache*, petit bâtiment à voile triangulaire, beaucoup plus poétique que son nom.
BARBEY D'AUREVILLY, Une vieille maîtresse, II, XVIII.

♦ **3.** (1793). Anciennt. Diligence* (cit. 8) peu confortable, dans laquelle on voyageait pour un prix très modique.

2 La patache de Gap partait haut bâchée en accrochant toutes les branches des platanes. J. GIONO, Jean le Bleu, I.

♦ **4.** Fam., vx. Mauvaise voiture privée.

3 La vieille avait en effet sous un hangar une façon de carriole en osier (...) — C'était une affreuse guimbarde —, cela était posé à cru sur l'essieu (...) les banquettes étaient suspendues à l'intérieur avec des lanières de cuir; — il pleuvait dedans; — les roues étaient rouillées et rongées d'humidité — (...) une vraie patache! HUGO, les Misérables, I, VII, V.

DÉR. Patachier, patachon.

PATACHIER [pataʃje] n. m. et adj. — 1858; de *patache*.

♦ Mar. (Vx). Douanier qui arme une patache (2.).

PATACHON [pataʃɔ̃] n. m. — 1842; «conducteur de patache», 1836; de *patache*.

♦ Loc. fam. (Par allus. au conducteur de patache toujours en route et buvant copieusement aux relais). *Une vie de patachon :* une vie agitée, toute en parties de plaisir. ⇒ **Godailleur.**

Celles de ses sœurs qui menaient une vie de patachon, un amant aujourd'hui, un autre demain et tous les jours faire la valise, vinrent les premières à résipiscence.
M. AYMÉ, le Passe-muraille, p. 66.

PATAFIOLER [patafjɔle] v. tr. — 1808; de l'anc. dial. *fioler* «saouler», de *fiole*, et rad. expressif *patt-*.

♦ Loc. fam. (vx, régional). *Que le bon Dieu*, que le diable te patafiole!,* te confonde!

PATAGON, ONNE [patagɔ̃, ɔn] adj. et n. — 1875; de *Patagonie*.

♦ **1.** Qui concerne la Patagonie. — Qui habite ou est originaire de la Patagonie.

♦ **2.** N. m. Fam. Jargon, langue incompréhensible.

Un manuscrit, naturellement. Une ancienne danseuse de beuglant qui racontait sa vie, une confession d'une crudité folle dans ce patagon des prostituées parvenues à la notoriété. André CAYATTE, les Marchands d'ombre, p. 191.

PATAPHYSICIEN, IENNE [patafizisjɛ̃, jɛn] n. — 1911, Jarry; de *pataphysique*.

♦ Didact., plais. Adepte de la pataphysique.

Le pataphysicien n'attache aucune importance à la signification du symbole. Il prend le symbole en tant que tel (...) Il confond sciemment le symbole avec ce qu'il symbolise ou prétend symboliser. Il ne fait aucune différence entre l'apparence et la réalité. N. ARNAUD, *in* le Monde, 29 nov. 1967.

Membre du Collège de pataphysique.

PATAPHYSIQUE [patafizik] n. f. et adj. — 1911; comp. plaisant, de *(méta)physique*, pour *épi-métaphysique;* Cf. Jarry, citation.

♦ **1.** Didact., par plaisanterie :

1 Un épiphénomène est ce qui se surajoute à un phénomène.
La pataphysique, dont l'étymologie doit s'écrire epi (meta ta phusika) et l'orthographe réelle *'pataphysique'* précédé d'une apostrophe, afin d'éviter un facile calembour, est la science de ce qui se surajoute à la métaphysique, soit en elle-même, soit hors d'elle-même (...) La pataphysique sera surtout la science du particulier quoiqu'on dise qu'il n'y a de science que du général. Elle étudiera les lois qui régissent les exceptions et expliquera l'univers supplémentaire à celui-ci (...)
Définition. — *La pataphysique est la science des solutions imaginaires, qui accorde symboliquement aux linéaments les propriétés des objets décrits par leur virtualité.* A. JARRY, Gestes et Opinions du docteur Faustroll, II, VIII.

2 (...) le docteur Pichon (...) qui essayait de me détourner de la mythologie comme description de l'espèce humaine, pour m'enseigner conjointement la pataphysique et le jargon des salles de garde. ARAGON, Blanche..., I, II, p. 27.

Le Collège de pataphysique : institution dirigée par un «curateur inamovible» imaginé par Jarry (le docteur Faustroll), un vice-curateur élu et composée de régents qui occupent les chaires du Collège.

Adj. Qui relève de la pataphysique.

3 Ce que certains s'obstinent à nommer «réalité» n'est, lorsque nous la percevons, que la représentation linéaire d'un de ses aspects auquel seule notre imagination prête une totalité (...) Ceux qui pratiquent cette solution imaginaire élémentaire iraient même jusqu'à nier qu'elle en soit une (imagination). Ils sont convaincus de saisir, voire de «posséder» la réalité, alors qu'ils font de la pataphysique sans le savoir (...) Et c'est pourquoi le sens commun, les conventions, la croyance à l'objectivité (...) sont éminemment pataphysiques.
N. ARNAUD, *in* le Monde, 29 nov. 1967.

4 (...) les ombres augustes des «patacesseurs», auteurs qui sont morts trop tôt pour faire partie du Collège, mais dont les œuvres sont déjà consciemment pataphysiques. R. SORIN, *in* le Monde, 29 nov. 1967.

♦ **2.** Relatif à des connaissances bizarres, extravagantes. « *Les élucubrations poétiques ou pataphysiques de X et Y* » (Gide).

DÉR. Pataphysicien.

PATAPON (À PETIT) [aptipatapɔ̃] loc. adv. — 1913; du refrain de la chanson «Il était une bergère» : et ron, et ron, petit *Patapon;* nom propre plaisant et expressif.

♦ Régional, rural. Tout doucement.

Et puis, quand les blés seront poussés, alors la pluie se mettra à tomber tout à petit patapon, sans discontinuer (...)
PROUST, Du côté de chez Swann, Pl., t. I, p. 165.
— C'est Françoise, la bonne, qui parle.

PATAPOUF [patapuf] n. et interj. — 1785 *in* D. D. L.; onomat. évoquant une démarche pesante ou le bruit d'une chute lourde.
Familier.

♦ **1.** N. Personne, enfant gros et gras. *Regardez-moi ce patapouf; cette grosse patapouf.*

(Des couples) tous également lourds et démodés (...) J'avais du mal de ne pas rire de ces patapoufs et de ces femmes lentes et sentimentales (...)
B. CENDRARS, Bourlinguer, p. 262.

♦ **2.** Interj. (1786, *in* D. D. L.). Exclamation imitant le bruit d'une chute. ⇒ **Badaboum, patatras, pouf!**

PATAQUE [patak] n. f. — 1598, *in* D. D. L., de l'ital.; var. *patac* «patard».

♦ Ancienne monnaie italienne (en usage au XVIe s. dans le royaume de Naples, où elle valait cinq carlins).
(1818). Monnaie en usage au Brésil, en Turquie, etc.

PATAQUÈS [patakɛs] n. m. — 1784; formation imitative ironique, d'après les fausses liaisons du type *«ce n'est pas-t-à moi, je ne sais pas-t-à qui est-ce»;* P. Guiraud invoque plutôt *patac* «coup, bruit» → Patatrac, patati-patata.

♦ **1.** Liaison vicieuse. ⇒ **Cuir.** *Faire un pataquès,* en substituant, par exemple, un *s* à un *t* final, ou réciproquement. Par ext. Faute grossière de langage.

(...) les Français ont le sentiment que *pataquès* est une *formation expressive imitative,* pour se moquer de ceux qui font des cuirs. Les deux variantes citées par Léo Spitzer le confirment : *pataquiès = pas-à-qui est-ce* (à côté de *pas-t-à qu'est-ce > pataquès*) et *pata-qui = pas-t-à qui.* La fausse liaison avec pas est regardée comme le type des «cuirs» : je rappellerai un des refrains de Polin qui, vers 1900, était célèbre par ses imitations du soldat mal déniaisé, venu de la campagne : «*C'est pas-t-à moi — c'est pas-t-à toi — c'est à la France*». 1
A. DAUZAT, *in* le Français moderne, XIX, 3, p. 214.

♦ **2.** (1875). Gaffe* grossière; impair (sans qu'il y ait forcément d'incorrection de langage).

Quand on a du chagrin, on ne sait plus très bien ce qu'on dit. Ce serait trop bête 2
vraiment si tu faisais un pataquès (...)
M. DRUON, les Grandes Familles, V, VIII, p. 326.

PATARAFE [pataʀaf] n. f. — 1878; *pataraffe,* 1690; altér. de *paraphe,* probablt par croisement plaisant avec *patte.*

♦ Rare. Vx. Assemblage de traits d'écriture informes. *Illettré qui signe d'une patarafe.*

PATARAS [pataʀa] n. m. — 1757; mot dial., du rad. *patt-,* de *patte.*
Marine.

♦ **1.** «Hauban* supplémentaire destiné à soulager temporairement un hauban soumis à un effort considérable» (Gruss).

♦ **2.** Hauban arrière fixe (d'un voilier de plaisance).

♦ **3.** (1903). Syn. de *patarasse.*

PATARASSE [pataʀas] n. f. — 1687; du provençal *patarasso;* germanique **paita* «morceau d'étoffe».

♦ Mar. Coin de calfat servant à enfoncer l'étoupe dans les coutures du bordage. → Navire (cit. 5).

PATARD [pataʀ] n. m. — Déb. XIVe; mot provençal, altér. de *patac;* esp. *pataca* «pièce d'argent» p.-ê. de *patacada* «lourd», de *patac* «coup», d'un rad. *patt-* (P. Guiraud). → Pataque.

♦ Ancienne monnaie flamande de faible valeur. — Par ext. (Fam., vx). Très petite somme. ⇒ **Centime, sou.** *Pas un patard :* pas un sou.

— Combien, Chateaubriand, vous faudrait-il pour être riche? — Sire, vous y perdriez votre temps; vous me donneriez quatre millions ce matin, que je n'aurais 1
pas un patard ce soir. CHATEAUBRIAND, Mémoires d'outre-tombe, t. VI, p. 65.

2 Bovary cherchait un patard au fond de sa bourse (...)
FLAUBERT, Mme Bovary, Folio, p. 330.

REM. On a aussi écrit *patar.*

PATARIN [pataʀɛ̃] n. m. — 1846, Bescherelle ; de l'ital. *patarino.*

♦ Hist. Membre d'une secte hérétique italienne du XIe siècle. Hérétique cathare* d'Italie ou de France. *Les bogomiles** (cit. 2) *ou patarins.*

Lorsque Guillaume de Nogaret, occitanien et patarin de vieille souche, se mettait au service de Philippe le Bel et allait souffleter le pape Boniface VIII à Anagni, c'était le catharisme tout entier, devenu souterrain, qui, par ce geste extraordinaire, signifiait à l'histoire sa présence capitale, et le pape en mourait.
Raymond ABELLIO, Ma dernière mémoire, t. I, p. 42.

PATATE [patat] n. f. — 1599 ; *batate,* 1519 ; de l'esp. *batata, patata,* de l'arouak (langue indienne) d'Haïti.

★ **I.** Plante *(Convolvulacées)* des régions chaudes, cultivée pour ses gros tubercules comestibles à chair douceâtre. — Spécialt. Le tubercule. *Patate douce* (→ Calorie, cit. 2). *Beignets, confitures de patates.*

1 Virginie venait de servir, suivant l'usage du pays, du café et du riz cuit à l'eau. Elle y avait joint des patates chaudes et des bananes fraîches.
BERNARDIN DE SAINT-PIERRE, Paul et Virginie, p. 69.

REM. On dit plus souvent *patate douce,* pour distinguer ce sens du II., en français d'Europe ; au contraire, en français d'Afrique, *patate* employé seul est d'usage normal dans ce sens.

★ **II.** (1768 ; l'infl. de l'angl. *potato* est controversée). Fam. ou régional, notamment au Québec. Pomme de terre. *Sac à patates* (→ Frigo, cit. 1). *Corvée de patates.*

2 — Aux patates, là-dedans, mes petits agneaux ! brame à la porte (...) une voix sonore. C'est le sergent Henriot (...) On grimpe la rue, on gravit le monticule de terre glaise où fume la cuisine roulante.
H. BARBUSSE, le Feu, I, XI.

(Au Québec). *Patates frites.* ⇒ **Frite.**

★ **III.** Fig. **A.** ♦ **1.** *Comme une patate :* très mal. *Il se débrouille comme une patate. — Le moteur tourne comme une patate.*

♦ **2.** (1893). Fig., fam. Personne niaise, stupide. *Quelle patate, ce type !* — (Surtout en appellatif) :

3 ah ah vrai que mon œil eh patate tiens cours-moi après tu me rattrapes même pas.
Tony DUVERT, Paysage de fantaisie, p. 24.

4 Tu te dépêches, eh ! patate (...)
Jacques MERLINO, les Jargonautes..., p. 175.

♦ **3.** Ennui ; danger. *« La patate la plus imprévue nous tomba sur le coin de la gueule »* (Trignol, *in* Cellard-Rey).

♦ **4.** (1912). Loc. fam. *En avoir gros sur la patate,* sur le cœur.

5 Exactement. Faut en avoir gros sur la patate.
R. QUENEAU, Loin de Rueil, p. 193.

♦ **5.** Tête, visage.

♦ **6.** Bonne forme. ⇒ **Frite, pêche.** *« J'aime filer la patate aux potes »* (*l'Express, in* Cellard-Rey).

B. (Anal. de forme de II.). Fam. Schéma de forme courbe, irrégulière et fermée, symbolisant un ensemble* dans l'apprentissage des mathématiques ensemblistes.

PATATI, PATATA [patatipatata] onomat. — 1809, *in* D. D. L. ; *patatin-patatac,* 1650 ; *pati, pata,* 1651 ; *patatin patata* « bruit du cheval au galop », 1524.

♦ Fam. Double onomatopée évoquant un long bavardage*, une suite de paroles considérées comme oiseuses, qu'on ne prend pas la peine de répéter mot pour mot. *Et patati, et patata* (→ Exercice, cit. 12 ; fleur, cit. 14).

1 Comment va-t-il ? Qu'est-ce qu'il fait ? Pourquoi ne vient-il pas ? Est-ce qu'il est content ? (...) Et patati ! et patata ! Comme cela pendant des heures.
Alphonse DAUDET, Lettres de mon moulin, « Les vieux ».

Variante :

2 « Elle a toujours quelque chose à dire, que je ferme mal les portes, et patatipatali et patatatipatala », Françoise crut sans doute que son incomplète éducation seule l'avait jusqu'ici privée de ce bel usage. Et sur ces lèvres où j'avais vu fleurir jadis le français le plus pur j'entendis plusieurs fois par jour : « Et patatipatali et patatipatala ».
PROUST, le Temps retrouvé, Pl., t. III, p. 749.

PATATRAS [patatʀa] interj. et n. m. — 1650 ; onomatopée.

♦ **1.** Interj. Mot exprimant le bruit d'un corps qui tombe avec fracas. ⇒ **Badaboum, patapouf.** *Patatras ! Voilà le vase cassé !*

Par métaphore :

1 (...) ce roman *(Mlle de Maupin)* manque terriblement de crédibilité psychologique. On croit être dans la vérité, et l'on est près de réfléchir, sinon de s'émouvoir (...) patatras ! l'auteur intervient, éclate de rire, et nous voilà impitoyablement ramenés dans la littérature.
Émile HENRIOT, les Romantiques, p. 210.

♦ **2.** N. m. (1677). Chute, dégringolade bruyante.

2 *(Un président)* renvoyé comme une balle de la commission des Affaires étrangères à la commission des Finances, escaladant entre temps la tribune pour répondre à des interpellations avant de monter dans l'avion de Londres ou d'aller rendre des comptes à ses électeurs, jusqu'au patatras final dans les délais prévus et sous les risées de l'Europe, sans que la solution d'aucun problème ait avancé d'un pouce dans aucun ordre.
F. MAURIAC, le Nouveau Bloc-notes 1958-1960, p. 307.

PATAUD, AUDE [pato, od] n. et adj. — 1485, *Patault,* n. propre d'un chien ; de *patte.*

★ **I.** N. ♦ **1.** N. m. (1694). Jeune chien à grosses pattes.

♦ **2.** N. m. et f. (1612). Fig., vieilli (au fém. surtout). Enfant, individu aux formes épaisses, à la démarche pesante et aux manières embarrassées. ⇒ **Patapouf.** *Un gros pataud.*

(...) bourgmestres gras et cossus (...) hôteliers ventrus (...) patauds, courtauds et lourdauds d'échoppe et de ferme, d'atelier et de cabaret (...) le personnage qu'ils *(les peintres flamands)* ont peint est un corps d'espèce inférieure (...) à la taille rentassée (...) dépourvu de l'activité et de la souplesse qui font l'athlète et le coureur. 1
TAINE, Philosophie de l'art, t. II, p. 306.

Par ext. Personne qui réagit lentement, sans finesse. ⇒ **Lourdaud.**

♦ **3.** (1795 ; altér. péj. de *patriote*). Hist. Péj. Adversaire des Chouans.

★ **II.** Adj. (1501). Cour. Qui est lent et lourd dans ses mouvements. ⇒ **Gauche, lent, lourd, maladroit.** *Enfant pataud comme un jeune chien.* — Par ext. *Gestes patauds. Manières pataudes.*

Mimar avait l'allure pataude d'un paysan. 2
Eugène DABIT, Hôtel du Nord, VIII.

PATAUGAS [patogas] n. — 1959, Queneau ; marque déposée, du rad. de *patauger.*

♦ Chaussure montante en toile robuste destinée à la marche (et utilisée dans l'armée).

On touche des tenues neuves, de nouvelles bottes de saut, une paire de pataugas, de l'armement. 1
Jean LARTÉGUY, les Centurions, p. 263.

(...) des pataugas, ces sandales de toile munies de semelles en caoutchouc, très appréciées pour marcher dans les djebels. 2
Philippe BERNERT, S. D. E. C. E. Service 7, p. 183.

PATAUGEAGE [patoʒaʒ] ou **PATAUGEMENT** [patoʒmɑ̃] n. m. — 1881, *pataugeage ; pataugement,* 1894 *in* D. D. L. ; de *patauger.*

♦ Rare. Action de patauger.

PATAUGEOIRE [patoʒwaʀ] n. f. — 1962, *in* P. Gilbert ; de *patauger.*

♦ Bassin peu profond pour les enfants. *La pataugeoire d'une piscine.*

PATAUGER [patoʒe] v. intr. — Conjug. *bouger.* — Av. 1655 ; (*patter,* 1655) ; *patoier,* XIIIe ; dér. de *patte,* avec une finale non expliquée.

♦ **1.** Marcher sur un sol détrempé, dans une eau bourbeuse. ⇒ fam. **Patouiller, patrouiller** (→ Égaliser, cit. 3). *Patauger dans un marais* (→ Muet, cit. 22), *un marécage.* ⇒ **Enliser** (s'). *Soldats qui pataugent dans la boue gluante* (cit.) *d'une tranchée.* ⇒ **Piétiner.** — Par ext. ⇒ **Barboter.** *Enfants qui pataugent dans les ruisseaux* (→ 1. Canette, cit.). *Chien* (cit. 24) *qui patauge dans des flaques de cambouis.*

(...) je n'entendis plus que la pluie et les pieds de mon cheval, qui pataugeait dans les ornières. 1
A. DE VIGNY, Servitude et Grandeur militaires, I, IV.

♦ **2.** (1739). Fig., fam. Ne pas arriver à se sortir de (une situation intellectuelle ou morale difficile). ⇒ **Perdre** (se). *« La détresse morale dans laquelle je patauge... »* (→ Malheur, cit. 15, Duhamel). Spécialt. *Patauger dans un discours, un raisonnement.* ⇒ **Embarrasser** (s'), **embrouiller** (s') **empêtrer** (s'). — Absolt. ⇒ **Nager.** *Il ne saura jamais se débrouiller tout seul, il va patauger complètement.* ⇒ **Noyer** (se).

Ce qui fait, moi, que je suis si long, c'est que je ne peux penser le style que la plume à la main et je patauge dans un gâchis continuel que je déblaye à mesure qu'il s'augmente. 2
FLAUBERT, Correspondance, 328, 26 juin 1852.

Ma nullité avec les gens du monde dépasse toute imagination. Je m'embarque, je m'embrouille, je patauge, je m'égare en un tissu d'inepties. 3
RENAN, Souvenirs d'enfance..., III, I.

— J'ai pu m'en tirer, à peu près, au Travail, et aux Travaux Publics *(les ministères),* parce que, mon Dieu, ce n'était ni trop éloigné de ma formation, ni bien sorcier. Mais au Quai, je vais patauger complètement. 4
J. ROMAINS, les Hommes de bonne volonté, t. X, XVII, p. 186.

DÉR. Pautageage, pataugement, pataugeoire, pataugeur, pataugis.

PATAUGEUR, EUSE [patoʒœʀ, øz] n. et adj. — 1907 ; de *patauger.*

♦ Rare. Personne qui patauge. Adj. *« Des enfants patataugeurs captureraient un fretin brillant »* (Gide, *in* G. L. L. F.).

PATAUGIS [patoʒi] n. m. — Mot dial., attesté mil. xxe ; de *patauger.*

♦ Rare. Fait de patauger (au propre et au fig.). ⇒ **Embarras, embrouillamini, pataugeage.**

Dans cette liberté qui nous était tout à coup offerte, de nous exprimer directement, naïvement, nous flottions comme des collégiens dans des capotes trop grandes.
Ce fut un beau pataugis. Les questions les plus oiseuses furent posées, sur un rythme pénible, essoufflé (...) J.-R. BLOCH, Moscou-Paris, p. 93.

PATCH [patʃ] n. m. — 1970, *l'Express,* 14 déc. ; mot anglais, « pièce ».

♦ Anglicisme. Méd. Morceau de tissu veineux utilisé pour élargir le diamètre d'un vaisseau sanguin abîmé. *Patch veineux.* — Recomm. off. : *pièce.*

PATCHOULI [patʃuli] n. m. — 1826, *patchaily ;* angl. *patchleaf* « feuille de patch », nom hindou de la plante.

♦ **1.** Plante *(Labiacées)* des régions tropicales qui fournit une essence très parfumée. *Mettre des sachets de patchouli séché dans une armoire pour en éloigner les mites. Patchouli qui brûle dans un houka* (cit.).

♦ **2.** (1834). Parfum extrait de cette plante. *Parfumer son mouchoir de patchouli.*

J'épie Adrienne (...) Je respire autour d'elle ce parfum commun, qu'on achète ici chez Maumond (...) — « Adrienne, vous sentez le patchouli ! décrète ma mère, qui n'a jamais su ce qu'était le patchouli (...) »
COLETTE, la Maison de Claudine, p. 82.

PATCHWORK [patʃwœʀk] n. m. — 1962, *Elle, in* Höfler ; mot angl., de *work* « ouvrage », et *patch* « pièce, morceau ».
Anglicisme.

♦ **1.** Tissu fait de morceaux disparates cousus les uns aux autres (ou de morceaux tricotés de couleurs différentes).

1 Vraiment ravissantes ces chambres : tendues de toile de Jouy, avec des lits campagnards, des couvertures en patchwork, et sur un lavabo une cuvette et un broc en faïence. S. DE BEAUVOIR, les Belles Images, p. 141.

Par métaphore :

2 Je jette ainsi sur l'œuvre écrite, sur le corps et le corpus passés, l'effleurant à peine, une sorte de patch-work, une couverture rapsodique faite de carreaux cousus. Loin d'approfondir, je reste à la surface, parce qu'il s'agit cette fois-ci de « moi » (du Moi) et que la profondeur appartient aux autres.
R. BARTHES, Roland Barthes, p. 145.

♦ **2.** (1966 ; attestation isolée, 1924, *in* Höfler). Fig. Ensemble d'éléments disparates. *« Élections européennes : le patchwork régional »* (*l'Express,* 12 mai 1979, p. 106).

PÂTE [pɑt] n. f. — 1226, *paste ;* du bas lat. *pasta* (v^e), du grec *pastê* « sauce mêlée de farine », avec infl. de *past* « repas » → Paître.

A. ♦ **1.** Préparation plus ou moins consistante, à base de farine (cit. 4) délayée dans de l'eau *(pâte à pain)* ou du lait, additionnée ou non de levain (cit. 1 et 2), d'œufs, d'aromates, de beurre... et que l'on consomme après cuisson. *Boulanger* (cit. 1) *qui bassine, pétrit, malaxe, enfourne la pâte. Partager la pâte en pâtons* au moyen du coupe-pâte. Travailler une pâte* (⇒ **Pâtisser**) *avec les mains* (⇒ **Fraser**), *à la mouvette, au fouet... Obtenir une pâte claire, liquide, épaisse, homogène, lisse, sans grumeaux ni marrons. Laisser reposer la pâte. Pâte qui lève. Abaisser, étendre la pâte au rouleau* (⇒ **Abaisse**). *Boulette, noix de pâte.* — *Pâte à frire. Gâteau de pâte frite.* ⇒ **Merveille.** *Pâte à beignets, à choux, à crêpes, à gaufres, à gnocchi, à nouilles, à tartes. Pâte brisée, pâte feuilletée. Feuilletage d'une pâte à pâté*, à vol-au-vent.* ⇒ **Croûte.** — Par ext. Préparation composée servant à la confection d'un mets et ayant une certaine consistance. *Pâte sans farine. Pâte à meringues. Pâte à croquettes.*

1 La boulangerie (...) avait une bonne tiédeur de pâte cuite (...)
ZOLA, le Ventre de Paris, IV, t. II, p. 31.

2 Ses bras emmanchés de toile blanche disaient qu'elle venait de pétrir la pâte à galette (...) COLETTE, la Maison de Claudine, p. 12.

Absolt, en franç. d'Afrique. Boule de céréales (notamment, de mil). ⇒ **Akassa.**

♦ **2.** (1778, *Pâtes d'Italie*). N. f. *Pâtes alimentaires,* ou *pâtes :* petits morceaux de pâte, souvent allongés, préparés avec de la semoule de blé dur et vendus prêts pour la cuisine. ⇒ **Nouilles.** *Pâtes fraîches, sèches. Pâtes aux œufs* (frais). *Acheter un paquet de pâtes. Variétés de pâtes : pâtes à potage ; petites pâtes* (alphabets, étoiles, langues-d'oiseau...). ⇒ **Vermicelle.**

Pâtes à plats (loc. comm.). ⇒ **Coquillettes, lasagnes, macaroni, nouilles, spaghetti, tagliatelle.** *Pâtes à farcir.* ⇒ **Cannelloni, ravioli.** *Manger des pâtes au gratin, en timbale. Rôti de porc aux pâtes. Manger des pâtes tous les jours. Pâtes à l'italienne, cuites al dente* (peu cuites).

Le peuple se tuait à la porte des boulangers, tandis que certaines personnes allaient chercher sans émeute des pâtes d'Italie chez les épiciers. 3
BALZAC, le Père Goriot, Pl., t. II, p. 919.

♦ **3.** Par métaphore, fig. Tempérament, constitution d'une personne. *Ils sont de la même pâte. Être pétri d'une pâte à...*

(...) vous êtes d'une pâte à vivre jusques à cent ans. 4
MOLIÈRE, l'Avare, II, 5.

Être d'une bonne pâte (→ B., 3., plus courant).

Ah ! bien, reprit-elle, vous êtes encore d'une bonne pâte, vous, ma belle ! (...) 4.1
ZOLA, le Ventre de Paris, t. I, p. 117.

♦ **4.** Loc. fig. *Mettre la main à la pâte :* travailler, et spécialt, travailler soi-même à quelque chose.

(...) maintenant que la pauvre Estelle n'était plus là pour mener la barque, c'était à lui de se corriger, de mettre sérieusement la main à la pâte, s'il ne voulait pas manger la fortune de sa fille. ZOLA, la Terre, IV, IV. 5

*Être comme un coq** (cit. 8) *en pâte,* s'est dit (par allus. à une volaille enfermée dans la pâte d'un pâté) « d'un homme qui est bien couvert et bien chaudement dans son lit, qui ne montre que la tête... » (Furetière), et, par ext. (1694), qui mène une vie très confortable, très heureuse.

J'étais comme un coq en pâte. Mais d'abord il ne me plaît pas beaucoup d'être choyé. GIDE, Œdipe, II. 6

B. ♦ **1.** Préparation, mélange ou substance de consistance plus ou moins molle. *Réduire qqch. en pâte.* ⇒ **Broyer ; impastation.**

L'union de l'eau et de la terre donne la pâte. La pâte est un des schèmes fondamentaux du matérialisme. Et il nous a toujours paru étrange que la philosophie en ait négligé l'étude. En effet, la pâte nous semble le schème du matérialisme vraiment intime où la forme est évincée, effacée, dissoute. La pâte pose donc les problèmes du matérialisme sous des formes élémentaires puisqu'elle débarrasse notre intuition du souci des formes. 6.1
G. BACHELARD, l'Eau et les Rêves, IV, V, p. 142.

(1723). *Fromage* à pâte dure, ferme, molle, moisie, fermentée, pressée, cuite.* — *Pâte de cacao entrant dans la composition du chocolat.* — *Pâte d'amandes. Pâte de fruits :* friandise molle, très sucrée, faite de fruits. *Pâte de cerises* (→ Friandise, cit. 4), *de coings... Motifs en pâte de sucre décorant une pièce montée* (⇒ **Pastillage**).

(...) une longe de veau (...) blanche, délicate, et qui sous les dents est une vraie pâte d'amande (...) MOLIÈRE, le Bourgeois gentilhomme, IV, 1. 7

(...) devant les confiseries de la rue Vavin, je me pétrifiais, fascinée par l'éclat lumineux des fruits confits, le sourd chatoiement des pâtes de fruits (...) 8
S. DE BEAUVOIR, Mémoires d'une jeune fille rangée, p. 11.

Pâte de guimauve (cit. 1), *de jujube. Pâte de lichen officinale* (⇒ **Gelée**). *Pâtes pectorales.* ⇒ **Pastille.**

Pharm. Préparation pour usage externe, moins grasse que la pommade*, contenant une grande quantité de poudre (talc, oxyde de zinc, kaolin). — Cour. *Pâte dentifrice* (⇒ **Opiat**). *Pâte épilatoire.* — Vx. *Entretenir* (cit. 21) *ses mains avec une pâte de senteur.*

Colle de pâte.* — *Pâte réfractaire. Creuset enduit de pâte réfractaire.* ⇒ **Brasque.** *Boucher les trous d'un ouvrage en bois avec une pâte spéciale.* ⇒ **Badigeon.** *Pâte d'orseille*.* — *Astiquer un chaudron avec une pâte à polir, à cuivre.* ⇒ **Crème.**

(1893). *Pâte à papier** (→ Liant, cit. 4 ; malaxer, cit. 1 ; 1. or, cit. 6). *Carton*-pâte.*

Haverkamp tire la feuille, qui est d'un blanc glacé légèrement jaune, avec des stries dans la pâte (...) 9
J. ROMAINS, les Hommes de bonne volonté, t. V, XIII, p. 95.

(1520). *La pâte* (d'une porcelaine). *Appliquer un engobe sur une pâte céramique*. Modeler une pâte par coulage.* ⇒ **Barbotine.** *Pâte de porcelaine** (→ Creuset, cit. 1 ; cuire, cit. 21). *Biscuit en pâte dure* (⇒ **Kaolin**). *Service en pâte tendre de Sèvres,* en matière argileuse plastique (→ 2. Facture, cit.). — **PÂTE À MODELER.** *Enfant qui façonne des personnages avec de la pâte à modeler de toutes les couleurs. Boîte, bâtons de pâte à modeler.*
Pâte de verre.*

(Métaphore de B., 1. ; 1838). *Pâte de riz :* verre blanc translucide, sorte d'opaline.

(1932). Typogr. *Pâte à polycopier :* mastic* à base de gélatine. Absolt. *Tirer des copies à la pâte.*

(1690). Peint. Masse de couleurs préparées sur la palette ou appliquées sur un support et travaillées pour constituer la matière d'une peinture. ⇒ **Empâtement.** *Peindre en pleine pâte, dans la pâte,* couvrir la toile d'épaisses couches de couleurs qu'on modèle encore fraîches. *Demi pâte* (ou *demi-pâte*), glacis auquel on a ajouté « du blanc et quelque couleur opaque » (A. Lhote). — *Ce peintre a une pâte extraordinaire.*

Le peintre dispose sur un plan des pâtes colorées dont les lignes de séparation, les épaisseurs, les fusions et les heurts doivent lui servir à s'exprimer. 10
VALÉRY, Variété I, p. 261.

(Un) procédé de travail de la pâte consiste à la triturer largement, à l'aplatir au couteau à palette et à lui donner des sonorités mates de cuir précieux et de velours. 11
A. LHOTE, *in* Encycl. franç. (DE MONZIE), Composition du tableau, XVI, 30-11.

Par métaphore. *En pleine pâte :* dans toute la richesse et l'épaisseur du concret, de la vie.

11.1 J'ai vu les choses telles qu'elles sont. J'ai travaillé en pleine pâte, dans une vie où rien ne sonnait le creux, toute chaude d'aventures.
MONTHERLANT, *in* G. L. L. F.

Substance destinée à prendre les empreintes des maxillaires avant exécution d'un travail de prothèse. *Pâte à empreintes.*

♦ **2.** (Employé seul). Matière molle, collante. ⇒ **Bouillie, mortier.** *On nous a servi du riz trop cuit, une vraie pâte.* — (1803). Techn. *Composition, forme tombée en pâte,* renversée accidentellement, de telle sorte que les caractères se mélangent. ⇒ **Pâté** (II., 2.).

12 (...) on ne regarde que par terre, la base où l'on glisse. — Mince de bouillasse! À travers champs, on pétrit et on écrase une pâte consistante visqueuse qui s'étale et reflue sans cesse devant les pas.
H. BARBUSSE, le Feu, II, XXIII.

♦ **3.** (V. 1534). Vieilli. *Une bonne pâte d'homme, de femme... :* un homme, une femme... débonnaire, de caractère accommodant et de commerce facile (→ Crème).

13 (...) je suis de ces bonnes pâtes de filles qui revoient toujours avec plaisir un fripon qu'elles ont aimé.
A.-R. LESAGE, Gil Blas, VII, VI.

14 Enfin, le Polonais était la meilleure pâte d'homme qu'une écuyère pût rencontrer : point tracassier, point jaloux, laissant à Malaga toute sa liberté.
BALZAC, la Fausse Maîtresse, Pl., t. II, p. 42.

Mod. *C'est une bonne pâte.* — Adj. *Elle est trop bonne pâte.*

15 Il a, d'ailleurs, cédé tout de suite, sans discussion. Il m'obéit, j'en suis sûr. Je n'ai jamais rencontré de sujet plus docile : une très bonne pâte.
BERNANOS, Sous le soleil de Satan, I, III.

Une pâte molle : une personne sans caractère, soumise à toutes les influences.

DÉR. et **COMP. Carton-pâte, coupe-pâte, demi-pâte.** (Cf. ci-dessus, supra cit. 10). **Empâter. — Pâté, pâtée, pâteux, pâton.** — (Du même rad.) 1. **Pastel, pastiche, pastis, pâtisser.**

PÂTÉ [pɑte] n. m. — V. 1170, *pasté;* de *pâte.*

★ **I.** ♦ **1.** Vx. Pâtisserie salée, pâte feuilletée servant d'enveloppe (à un hachis de viande, de volaille, de poisson...).

1 (...) une forteresse de pâté aux murailles blondes et dorées, qui renfermait dans ses flancs une garnison de becfigues et de perdreaux.
Th. GAUTIER, le Capitaine Fracasse, II.

2 (...) il lui montra un véritable pâté monstre, orné sur sa couverture des armes de M. de Beaufort : le pâté était vide encore, mais près de lui étaient un faisan et deux perdrix, piqués si menu, qu'ils avaient l'air chacun d'une pelote d'épingles.
DUMAS, Vingt ans après, XXV.

♦ **2.** (V. 1175). Mod. Pièce de charcuterie, faite d'un hachis de viandes épicées, de poisson... enveloppé dans une croûte*. *Pâté d'alouettes, de foie gras. Petit pâté à la viande* (⇒ **Friand**). *Pâté d'anguilles. Moule à pâté.* — Par anal. (de forme et de préparation). *Petits pâtés aux champignons.* ⇒ **Croustade.** — REM. On dit plus souvent *pâté en croûte* (pour distinguer du sens 3.).

3 Sur un buffet était le pâté colossal aux armes du duc et paraissant cuit à point, autant qu'on en pouvait juger par la couleur dorée qui enluminait sa croûte.
DUMAS, Vingt ans après, XXV.

4 Si j'étais marié (...) je me ferais faire par ma femme du pâté de lapin en croûte comme on en mangeait chez moi à la maison, quand j'étais jeune (...)
P. MAC ORLAN, Quai des Brumes, II.

Chair à pâté : hachis de viande de porc destiné à faire des pâtés. *Hacher* (cit. 4, 5) *menu comme chair à pâté.*

♦ **3.** (1538). Préparation de charcuterie, hachis de viandes épicées (cit. 3) cuit dans une terrine sans enveloppe de pâte et consommé froid. ⇒ **Terrine.** *Pâté de ménage. Pâté de campagne. Pâté de foie* (→ Index, cit. 2). *Pâté de foie gras* (⇒ aussi **Mousse**). *Pâté de canard, de lapin... Pâté truffé. Sandwich au pâté. Pâté en boîte. Une boîte de pâté.*

5 La charcutière coupait maintenant dans des terrines. Elle prenait sur le bout d'un couteau à large lame des tranches de veau piqué et de pâté de lièvre.
ZOLA, le Ventre de Paris, t. I, II, p. 111.

(1911, en parlant des paumes des mains). Loc. fig. *Avoir les jambes en pâté de foie,* molles, flageolantes.

♦ **4.** Régional (Belgique). Petit gâteau à la crème.

★ **II.** (Par anal. avec l'aspect massif, compact d'un *pâté*). ♦ **1.** (1606). Grosse tache d'encre sur du papier à écrire, sur une page d'un livre... *Faire des pâtés en écrivant.*

6 (...) sa main tremblait, si bien qu'on fut obligé de lui poser les doigts sur le papier, au bon endroit, pour qu'il y mît son nom, dans un pâté d'encre.
ZOLA, la Terre, IV, III.

6.1 (...) humbles caprices de (la) plume qui tantôt grince sans plus le noircir sur le papier, tantôt lui verse avec excès son encre sous forme de petits pâtés qu'il faut ensuite effacer.
PROUST, Jean Santeuil, Pl., p. 409.

Imprim. Endroit trop sombre dans les ombres d'une estampe.

♦ **2.** (1690). Typogr. Composition tombée en pâte.

♦ **3.** (1835). *Pâté de maisons :* ensemble de maisons formant bloc (⇒ **Bloc**). *Faire le tour d'un pâté de maisons. Décombres* (cit. 3) *d'un pâté de maisons.*

♦ **4.** (Déb. XXe). *Pâté de sable,* et, absolt, *pâté :* petite masse de sable que les enfants s'amusent à tasser dans un petit seau ou dans des moules spéciaux, pour la démouler ensuite. *Faire des pâtés sur la plage.*

On ne fait pas des pâtés avec du sable sec, dit Odette. Les tout petits enfants savent déjà ça.
SARTRE, le Sursis, p. 23. 7

♦ **5.** (1721, *in* D. D. L.). Agric., techn. Motte de terre laissée intacte par mégarde dans un labourage, pour servir de témoin dans un terrassement.

HOM. Pâtée.

PÂTÉE [pɑte] n. f. — 1680; *pastée,* 1332; *pastede,* XIe; de *pâte.*

♦ **1.** Mélange de farine, de son, d'herbes, de tubercules (pommes de terre) ou de fruits cuits (châtaignes, glands), délayés avec de l'eau ou du petit-lait jusqu'à consistance de pâte, et dont on engraisse la volaille, les porcs. *Cuire la pâtée des cochons. Donner la pâtée aux oies* (cit. 5 par métaphore). ⇒ **Appâter.**

(1740). Soupe très épaisse, additionnée de viande, de légumes... dont on nourrit les chiens, les chats. *L'heure de la pâtée* (→ Hargneux, cit. 9). *Donner sa pâtée au chien.*

Un garçon venait de déposer une écuelle de pâtée devant le coussin de Fellow (...) Anne (...) toucha l'écuelle avec le dos de sa main : « Parbleu, elle est toute refroidie, votre pâtée! Je vous ai dit : chaude (...) Et aucune graisse (...) Du riz, des carottes et un peu de viande hachée fin ». 1
MARTIN DU GARD, les Thibault, t. VI, p. 24.

♦ **2.** (Fin XVIIIe). Fig., fam. ⇒ **Pitance.** *Donner à qqn la pâtée et la niche* (2. Niche, cit. 5), le vivre et le couvert. *Donner la pâtée à toute la famille.*

La femme faisait des journées de douze heures chez madame Fauconnier, et trouvait le moyen de tenir son chez elle propre comme un sou, de donner la pâtée à tout son monde, matin et soir. 2
ZOLA, l'Assommoir, t. I, IV, p. 120.

♦ **3.** (1808). Soupe pâteuse, nourriture très grossière rappelant la *pâtée* des animaux (→ Enfaîter, cit.).

♦ **4.** (1830). Fig., pop. Volée de coups. *Filer, foutre la pâtée à quelqu'un.*

Immédiatement, il appela les gens de la ferme qui revenaient justement des champs et ceux-ci, armés de triques et de fourches, se ruèrent sur les tonneaux, et passèrent une pâtée en règle aux infortunés Pieds Nickelés. 3
L. FORTON, les Aventures des Pieds-Nickelés, *in* l'Épatant, 1908, p. 32.

Si jamais ça se savait qu'est-ce qu'on m'administrerait comme pâtée. 4
R. QUENEAU, Loin de Rueil, p. 50.

HOM. Pâté.

PATELETTE ou PATTELETTE [patlɛt] n. f. — 1491, « petite bande d'étoffe », spécialisé en 1765; de 1. *patte,* par les dér. dial. du type *padelle, patèle.*

♦ Rare. Petite patte, petit rabat d'un sac, d'une poche.

(...) la façon dont il équilibre le rouleau de corde sous la patelette du sac (...)
R. FRISON-ROCHE, la Grande Crevasse, p. 22.

1. PATELIN, INE [patlɛ̃, in] n. m. et adj. — 1538; de *Pathelin,* personnage d'une farce célèbre du XVe s.; de *pateliner.*

♦ **1.** N. m. Vx. Homme artificieux et cajoleur qui, par des flatteries, une douceur affectée, s'efforce de dissimuler ses intentions pour duper les gens et parvenir à ses fins. ⇒ **Bonhomme** (faire le bonhomme; un faux bonhomme), **trompeur.** *Quel maître patelin!* ⇒ **Archipatelin** (vx).

♦ **2.** Adj. (Fin XVIe). Mod., littér. Qui, avec des manières douces et affables, cherche à tromper. ⇒ **Doucereux, faux, flatteur, peloteur** (fam.).

(...) la vieille (...) devenait de jour en jour plus flagorneuse et plus pateline avec moi : ce qui ne l'empêchait pas de reprocher sans cesse en secret à sa fille qu'elle m'aimait trop, qu'elle me disait tout, qu'elle n'était qu'une bête, et qu'elle en serait la dupe. 1
ROUSSEAU, les Confessions, IX.

(...) elle était pateline et non pas affectueuse; elle me paraissait jouer un rôle en actrice consommée (...) 2
BALZAC, la Peau de chagrin, Pl., t. IX, p. 124.

Les usuriers ne se fient à personne, ils veulent des garanties; auprès d'eux, l'occasion est tout : de glace quand ils n'ont pas besoin d'un homme, ils sont patelins et disposés à la bienfaisance quand leur utilité s'y trouve. 3
BALZAC, César Birotteau, Pl., t. V, p. 374.

(...) un vieil homme en veste blanche parut. Gras, pompeux, patelin, il avait les manières moelleuses et débonnaires d'un chanoine de comédie. 4
A. MAUROIS, les Roses de septembre, I, I.

(Av. 1772). Par ext. *Manières patelines. Un ton patelin.* ⇒ **Hypocrite, insinuant, melliflue** (vx), **mielleux, onctueux...**

Cette femme était cependant une de ces intrigantes secrètes qui jouent la dévotion, qui s'insinuent dans les meilleures maisons, qui ont le ton doux, affectueux, patelin, et qui surprennent la confiance des mères et des filles, pour les amener au désordre. 5
DIDEROT, Jacques le fataliste, Pl., p. 658.

CONTR. Bourru, cassant, hautain, sec.
COMP. Archipatelin.

2. PATELIN [patlɛ̃] n. m. — 1847; *pacquelin,* 1628; de l'anc. franç. *pastiz* « pacage »; du p. p. de *pascere.*

♦ Fam. Village, pays natal. *Retourner dans son patelin* (→ Bourrer, cit. 2). — Par ext. Village, localité, pays. ⇒ **Pays, village.** *Les gars* (cit. 5) *du patelin. Il est allé passer ses vacances dans un patelin perdu.* ⇒ **Bled, trou.**

Moi, je suis de Bar-le-Duc ; mes vieux y habitent (...) J'ai pas du tout envie que mon patelin devienne un territoire allemand !
MARTIN DU GARD, les Thibault, t. VII, p. 280.

PATELINAGE [patlinaʒ] n. m. ou **PATELINERIE** [patlinʀi] n. f. — XVe, *patelinage ; patelinerie,* XVIe ; de *pateliner.*

♦ Vx. Manière d'agir pateline ; action d'un patelin. ⇒ **Hypocrisie** (→ Fausseté).

1 (...) un bandit de Mantoue, appelé Dominique Vitali, à qui l'ambassadeur confia le soin de sa maison, et qui, à force de patelinage et de basse lésine, obtint sa confiance et devint son favori (...) ROUSSEAU, les Confessions, VII.

2 Permettez, monsieur le juge d'instruction, dit Gaudissart avec la patelinerie d'un courtisan, nous avons collé nous-mêmes les papiers aujourd'hui (...)
BALZAC, César Birotteau, Pl., t. V, p. 444.

PATELINER [patline] v. intr. et tr. — 1470 ; déformation de *patiner* ou (P. Guiraud) dér. du rad. onomat. *patt-* avec l'idée de « marmonner ».

♦ **1.** V. intr. Rare. Agir comme une personne pateline, avec patelinerie.

♦ **2.** V. tr. (Av. 1493). (Vx). Traiter qqn d'une manière pateline en vue d'en obtenir un avantage, de l'amener à ses fins (⇒ **Amadouer**). *Vous l'avez bien pateliné. Il s'est laissé pateliner.*

DÉR. 1. **Patelin, patelinage, patelinerie.**

PATELINERIE [patlinʀi] n. f. ⇒ **Patelinage.**

PATELLAIRE [patelɛʀ] adj. — 1923 ; 1868 « en forme de patelle », du lat. *patella* « rotule ».

♦ Méd. *Réflexe patellaire :* réflexe rotulien*.

PATELLE [patɛl] n. f. — 1555 ; du lat. *patella* « petit plat », dimin. de *patera.* → Patère.

♦ **1.** Mollusque gastéropode (Hétérocardes), à coquille conique, rugueuse, côtelée, sans opercule, qui vit fixé aux rochers (→ Coquillage, cit. 1). *La patelle est appelée aussi* bernicle, bernique, jambe *sur les côtes de l'Océan Atlantique, et* arapède *dans le Sud de la France. Ramasser des patelles en les décollant d'un coup de couteau. Manger des patelles.*

Ils vont voir la mer la plage les rosiers les champs ils cueillent des fleurs et ramassent des patelles. Tony DUVERT, Paysage de fantaisie, p. 215.

♦ **2.** (1829). Archéol. Petit vase sacré en forme de plat qui était utilisé au cours des sacrifices pour offrir les libations.

DÉR. **Patelliforme.**

PATELLIFORME [patelifɔʀm] adj. — 1842 ; de *patelle,* et *-forme.*

♦ Didact. En forme de patelle. *Opercule patelliforme.*

PATEMMENT [patamɑ̃] adv. — XVe, *patentement,* 1520 ; de *patent.*

♦ Archaïsme littér. (employé par Chateaubriand, Balzac). D'une manière patente, évidente. ⇒ **Évidemment, ouvertement, visiblement** (→ Occultement, cit.).

(...) un voyageur vêtu tout en noir, les cheveux poudrés, chaussé de souliers en veau d'Orléans à boucle d'argent, (...) à tournure si patemment ecclésiastique, allait lentement (...) BALZAC, Illusions perdues, Pl., t. IV, p. 1014.

PATENCE [patɑ̃s] n. f. — 1972, Manuila ; du lat. *patens.* → Patent.

♦ Méd. Période d'une maladie pendant laquelle on peut trouver dans l'organisme les germes pathogènes ou les parasites qui en sont responsables.

PATÈNE [patɛn] n. f. — 1380 ; attestation isolée, XIIIe ; du lat. *patena,* autre forme de *patina* « bassin, plat ».

♦ Liturgie. Vase sacré qui sert à la conservation des espèces eucharistiques (⇒ **Eucharistie**) et à la célébration de la messe. *De nos jours, la patène, en forme de petite assiette, sert à l'oblation de l'hostie au moment de l'offertoire, à en recueillir les parcelles et à couvrir le calice*.* Anciennt. *Patène qu'on donnait à baiser aux fidèles.* ⇒ **Paix.**

PATENÔTRE [patnotʀ] n. f. — 1636 ; *patrenostre,* v. 1155 ; du lat. *pater noster.* → Pater.

♦ **1.** Vx. Oraison dominicale*. ⇒ **Pater.** — (1208). Par plais. Prière. *Dire ses patenôtres.*

(...) de vieilles femmes à genoux, qui y marmottaient leurs patenôtres.
BARBEY D'AUREVILLY, les Diaboliques, Dîner d'athées, p. 323.

(V. 1534). Vx ou archaïsme plaisant. Paroles inintelligibles. *« Il marmotte* (cit. 1) ; *toujours certaines patenôtres... »* (Racine).

♦ **2.** (1280). Vx, fam. Chapelet. — (Fin XIVe). Au plur. Les grains d'un chapelet. *« Ils se suivaient en file ainsi que patenôtres »* (La Fontaine, *Lettre à Fouquet,* 26 août 1660).

(1676). Archit. Baguette décorée d'une suite d'éléments plus ou moins sphériques.

DÉR. **Patenôtrier.**

PATENÔTRIER [patnotʀije] n. m. — V. 1268 ; de *patenôtre.*

♦ Vx. Fabricant, marchand de patenôtres.

PATENT, ENTE [patɑ̃, ɑ̃t] adj. — 1292, « lettre patente » ; du lat. *patens,* p. prés. de *patere* « être ouvert ; être évident ».

♦ **1.** Vx. Ouvert. — Dr. anc. *Lettres patentes :* décision royale, sous forme de lettre ouverte, accordant ordinairement une faveur à une personne déterminée. *Les lettres patentes devaient être enregistrées au Parlement.* ⇒ **Patente** (1.). → Madame, cit. 3.

♦ **2.** (1370). Mod. Très apparent ; évident ou notable. ⇒ **Évident, flagrant, manifeste.** *Le mécontentement était patent* (→ Comprimer, cit. 16). *La loi patente de l'art* (→ Formule, cit. 16). *Quelque avertissement patent ou occulte* (→ Malheur, cit. 39). *Il est patent que...*

Ses intentions furent alors si patentes que Gaubertin jugea nécessaire de lui faire une part en l'initiant à la conspiration ourdie contre les Aigues. 1
BALZAC, les Paysans, Pl., t. VIII, p. 201.

Lorsqu'il fut patent, au bout de quelques semaines de mariage, que « ça ne tournait pas rond » chez les nouveaux époux, les détestables racontars familiaux s'éveillèrent. COLETTE, Belles saisons, p. 133. 2

CONTR. **Douteux, faux, furtif, latent.**

PATENTABLE [patɑ̃tabl] adj. — 1791 ; de *patente.*

♦ Admin. Qui est assujetti à la patente* (3.). *Commerçants patentables.*

PATENTAGE [patɑ̃taʒ] n. m. — 1949 ; de l'angl. *patent ;* même orig. que *patente.*

♦ Techn. Trempe spéciale des fils d'acier.

PATENTE [patɑ̃t] n. f. — 1595, plur. ; ellipse de *lettres patentes.*

♦ **1.** Anciennt. (Sing. ou plur.). Écrit émanant du roi, d'un corps constitué, d'une université..., qui conférait un emploi, un grade, établissait un droit ou un privilège... ⇒ **Commission, diplôme, patent** (lettres patentes) ; **brevet.**

♦ **2.** (1736). Mar. *Patente de santé,* ou *patente :* document relatif à l'état sanitaire d'un navire* et du port d'où il est parti.

♦ **3.** (1791). Impôt direct annuel assis sur des signes extérieurs, auquel est assujettie toute personne exerçant en France une industrie, une profession, un commerce qui n'est pas compris dans les exceptions légales. ⇒ **Contribution.** *Patente payée par un commerçant. La patente, supprimée comme impôt d'État, subsiste comme impôt local.* — Par métonymie. Quittance attestant le paiement de cette contribution. — Loc. fam., plais. *Bête à payer sa patente :* d'une bêtise chronique.

(...) pour atteindre les consommateurs des cotes pauvres, les patentes des débitants étaient taxées d'après la population des lieux qu'ils habitaient.
BALZAC, les Employés, Pl., t. VI, p. 880.

♦ **4.** Régional (Québec). Brevet d'invention. — Par ext. (Fam.). Invention ; d'où dispositif quelconque. ⇒ **Machin, truc.**

DÉR. **Patentable, patenté, patenter.**

PATENTÉ, ÉE [patɑ̃te] adj. — 1750 ; de *patente.*

♦ **1.** Comm. Soumis à la patente ; qui paye patente. *Commerçant patenté.*

♦ **2.** (1838). Cour. Fig. Fam. Attitré. *« Ce vieux voleur patenté »* (Balzac). *Les grammairiens patentés* (→ Byzantin, cit. 3). *« C'est le défenseur patenté de telle institution »* (Académie).

PATENTER [patɑ̃te] v. tr. — 1791 ; de *patente.*

♦ Admin. Soumettre à la patente ; délivrer une patente à (qqn).

1. PATER [pateʀ] n. m. invar. — 1584; premier mot de cette prière en latin, qui signifie «père».

♦ **1.** Oraison dominicale*, prière qui commence (en latin) par les mots *Pater noster* (Notre Père). ⇒ **Patenôtre** (vx), **pater noster.** *Dire, réciter des* Pater *et des* Ave. ⇒ **Chapelet** (cit. 1); → Infernal, cit. 4. — Loc. fam. *Savoir une chose comme son Pater,* la savoir par cœur.

1 Chaque passant entrait dans la cour, venait s'agenouiller devant le corps, disait un *Pater,* et jetait quelques gouttes d'eau bénite sur la bière.
BALZAC, le Médecin de campagne, Pl., t. VIII, p. 376.

2 Mais, ô vous qui m'avez trouvé,
Moi, pauvre pécheur que Dieu pousse,
Diseur de Pater et d'Ave,
Sans oreiller que le pavé,
Votre présence me soit douce.
Germain NOUVEAU, la Doctrine de l'Amour, «Hymne», Pl., p. 508.

♦ **2.** (1660). Chacun des grains d'un chapelet, plus gros que les autres, sur lesquels on dit le Pater. — REM. *Pater,* dans ce cas, prend la marque du pluriel. *Des paters en ivoire.*

HOM. 2. **Pater, patère.**

2. PATER [pateʀ] n. m. — 1890; apocope de *le paternel* «père».

♦ Fam. (Pour les enfants). Père. ⇒ **Paternel.** *Mon pater et ma mater.*

Le pater est bien trop sévère (...) Mon frère est déjà en pension chez les jésuites (...) René FLORIOT, La vérité tient à un fil, p. 88-89.

HOM. 1. **Pater, patère.**

PATÈRE [pateʀ] n. f. — V. 1500, *pathère;* rare av. 1680; du lat. *patera* «coupe».

♦ **1.** Antiq. Vase sacré, coupe plate utilisée au cours des sacrifices pour offrir les libations.

♦ **2.** Techn. (Archit.). Ornement d'architecture en forme de rosace, qui rappelle l'aspect d'une patère antique.

♦ **3.** Cour. Pièce de bois ou de métal, fixée à un mur par une base en forme de pied de coupe, qui sert à suspendre les vêtements (⇒ **Porte-manteau**), à maintenir l'embrasse d'un rideau (→ Immobile, cit. 10). *Accrocher son pardessus à une patère.*

La décoration, relevée de glaces à cadres dorés et de patères pour accrocher les chapeaux, n'avait pas été changée (...) BALZAC, les Paysans, Pl., t. VIII, p. 256.

HOM. 1., 2. **Pater.**

PATER FAMILIAS [pateʀfamiljas] n. m. invar. — XXe; mots lat. «père de famille».

♦ **1.** Hist. Chef de la famille romaine.

♦ **2.** Littér. Père de famille autoritaire.

Par plaisanterie :

(...) j'ai eu la sensation d'être le père idéal qui sait répondre pleinement aux aspirations de ses enfants — le père comblé, le père comblant, le père-copain, le *Pater familias* modèle sport. Pierre DANINOS, Un certain Monsieur Blot, p. 109.

PATERNAGE [patɛʀnaʒ] n. m. — V. 1980; du lat. *pater* ou de *paternel,* d'après *maternage.*

♦ Rare. Attitude paternelle de protection, de soins attentifs de l'enfant (analogue au maternage pour la mère). *«Les hommes deviennent donc des pères. Cet amour balbutiant du géniteur (...) où le paternage coulera de source...»* (*F Magazine,* févr. 1981, p. 45).

PATERNALISER [patɛʀnalize] v. tr. — 1948; de *paternel.*

♦ Rare. Donner un caractère paternel ou de paternalisme à (un comportement, un sentiment...).

Pronominal :

Tiens! le vieux redevient respectueux des avis de sa femme (...). La fausse camaraderie, qu'il avait cru bon d'adopter au départ, se paternalise de plus en plus.
Hervé BAZIN, Vipère au poing, p. 153.

PATERNALISME [patɛʀnalism] n. m. — 1894, J. Novicow, *in* D. D. L.; de l'angl. *paternalism* (1881).

♦ Conception patriarcale ou paternelle du rôle de chef d'entreprise. — REM. Le mot est ordinairement employé par dénigrement, les adversaires du *paternalisme* dénonçant l'état d'esprit d'un patronat qui prétend accorder par charité ou générosité ce que la justice sociale exige. ⇒ **Paternaliste.** *On accuse souvent les entreprises japonaises de paternalisme.*

(1954). Tendance à imposer un contrôle, une domination, sous couvert de protection.

1 «(...) quelles impressions rapportes-tu du Portugal?» (...) — C'est dégueulasse (...) — Eh bien, dis-leur que le paternalisme de Salazar est une ignoble dictature (...)
S. DE BEAUVOIR, les Mandarins, p. 104-105.

Dans ces discussions *(avec les mouvements d'indépendance nationale)* les socialistes révolutionnaires doivent éviter avec soin l'attitude «paternaliste», y compris ce «paternalisme du frère aîné» qu'Aimé Césaire dénonçait à juste titre dans le comportement du Parti communiste. 2
Yvan CRAIPEAU, la Révolution qui vient, p. 246.

DÉR. Paternaliste.

PATERNALISTE [patɛʀnalist] adj. et n. — Déb. XXe; de *paternalisme.*

♦ Relatif au paternalisme*; qui a le caractère du paternalisme (→ Impérialisme, cit. 1). *Attitude paternaliste. Patron paternaliste.* — N. (1963). Partisan du paternalisme. *Une paternaliste.* — REM. Ce terme est employé péjorativement, en particulier pour qualifier un patron, un supérieur, ses attitudes ou ses pratiques.

Au début, ce ton de Jean-Charles l'a gênée. Pas exactement ironique, ni condescendant : paternaliste. S. DE BEAUVOIR, les Belles Images, p. 39. 1

— C'est réactionnaire d'écrire (...) 2
— Oui! Oui! on te dit que oui! glapit Vivi qui s'énervait. C'est réactionnaire, paternaliste, et de plus de très mauvais goût.
F. MALLET-JORIS, le Jeu du souterrain, p. 17-18.

PATERNE [patɛʀn] adj. — V. 1770; n. m. «Dieu le père», 1080, *Chanson de Roland;* du lat. *paternus.*

♦ **1.** Vx. Paternel.

♦ **2.** (XVIIIe). Iron. ou péj. (Littér. ou vieilli). Qui montre ou affecte une bonhomie paternelle, doucereuse. ⇒ **Bienveillant, bon** (*supra* cit. 58), **doucereux, doux.** *Mon oncle était la crème* (cit. 2) *des hommes : doux, paterne...* (→ Onctueux, cit. 2). — (Manières, ton). *Manières paternes. Air, ton paterne. Leur visage paterne ou bonasse* (cit. 3).

M. de Rênal (...) sortit de son cabinet; du même air majestueux et paterne qu'il prenait lorsqu'il faisait des mariages à la mairie (...) 1
STENDHAL, le Rouge et le Noir, I, VI.

Ils *(les Parisiens)* avaient eu de tout temps un faible pour ce gros homme *(Louis XVI)* qui n'était nullement méchant, et qui, dans son embonpoint, avait un air de bonhomie béate et paterne, tout à fait au gré de la foule. On a vu plus haut que les dames de la halle l'appelaient un *bon papa;* c'était toute la pensée du peuple. 2
MICHELET, Hist. de la Révolution franç., II, IX.

DÉR. Paternement.

PATERNEL, ELLE [patɛʀnɛl] adj. et n. m. — 1180; du lat. *paternus.*

Qui a rapport au père.

♦ **1.** Qui est propre au père (comportement, sentiments). *Amour* (→ Délire, cit. 7; homélie, cit. 5), *sentiment paternel* (→ Éloignement, cit. 6). *Affection* (→ Attiédir, cit. 5), *tendresse paternelle* (→ Indigne, cit. 16).

Par ext. Qui semble venir d'un père. *Une bienveillance* (→ Munir, cit. 4), *une sollicitude paternelle. Gestes paternels* (→ Curé, cit. 5). — (Personnes). Qui, dans ses sentiments, sa conduite, a quelque chose d'un père. *Il était paternel envers ses inférieurs.* ⇒ **Débonnaire.**

Il y a très peu d'exemples en Autriche de crimes qui méritent la mort; tout enfin dans ce pays porte l'empreinte d'un gouvernement paternel, sage et religieux. 1
Mme de STAËL, De l'Allemagne, I, VII.

(...) un petit garçon, bête à ravir, confié aux soins très paternels et très inutiles d'un vieil abbé qui ne lui apprenait rien (...) 2
BARBEY D'AUREVILLY, les Diaboliques, «Dessous de cartes», p. 230.

(...) sa tendresse pour la petite Giulia pouvait avoir quelque chose d'assez paternel, à moins qu'il ne lui eût été naturel d'aimer la fille après avoir aimé la mère. 3
Émile HENRIOT, Portraits de femmes, p. 310.

Psychologie. Qui concerne le père (de qqn). *Image paternelle* (→ Imago).

♦ **2.** Du père (du point de vue de la parenté, des rapports familiaux). *La famille* (cit. 19) *paternelle. Parenté en ligne paternelle. Son oncle du côté paternel. Bisaïeul* (→ Génération, cit. 15), *grand-père paternel* (→ Mutisme, cit. 1). *Les aïeux paternels ou maternels* (→ Croquant, cit. 3). — *L'autorité* (cit. 7) *paternelle. La puissance paternelle* (→ Famille, cit. 5) : «Ensemble des droits et pouvoirs que la loi attribue aux père et mère sur la personne et les biens de leurs enfants mineurs et non émancipés, pour leur faciliter l'accomplissement de leurs devoirs légaux d'entretien et d'éducation» (Capitant). *Déchéance* (cit. 6) *de la puissance paternelle; être déchu de la puissance paternelle. Agir sans l'aveu* (cit. 5) *paternel. Le vœu paternel* (→ Empêchement, cit. 1). — *La maison* (cit. 15) *paternelle* (→ Élever, cit. 39; oisiveté, cit. 3). *«Table toujours servie au paternel foyer!»* (cit. 10, Hugo). *Terre paternelle* (→ Geler, cit. 5). — *Lares* (cit. 2 et 3) *paternels.*

♦ **3.** N. m. (1880). Pop. Père. ⇒ **2. Pater.**

Comment, vous n'avez pas une seule photographie de votre oncle Adolphe qui vous aimait tant! Je vous en enverrai une que je prendrai dans les quantités qu'a mon paternel, et j'espère que vous l'installerez à la place d'honneur (...) 4
PROUST, À la recherche du temps perdu, t. VII, p. 108.

CONTR. Filial.

DÉR. Paternaliser, paternalisme, paternellement.

PATERNELLEMENT [patɛʀnɛlmɑ̃] adj. — 1492; 1390, « avec les sentiments qu'on a envers un père »; de *paternel.*

♦ À la manière d'un père; d'une manière paternelle. *Embrasser un enfant paternellement. Il s'occupe paternellement de ses neveux. Traiter paternellement quelqu'un.*

Gracieux : « Aimez-vous à ce point les oiseaux
Que paternellement vous vous préoccupâtes
De tendre ce perchoir à leurs petites pattes?
Edmond ROSTAND, Cyrano de Bergerac, I, 4.

PATERNEMENT [patɛʀnəmɑ̃] adv. — 1853, Michelet; de *paterne.*

♦ Rare. D'une manière paterne.

PATERNITÉ [patɛʀnite] n. f. — 1380; « qualité de père », en parlant de Dieu, 1160 (→ Paterne); du lat. *paternitas.*

♦ **1.** État, qualité de père; le fait d'être le père d'un enfant; sentiment paternel, amour d'un père pour son enfant (ou, par ext. pour un enfant qu'on considère comme sien).

1 Il voyait Cosette tous les jours, il sentait la paternité naître et se développer en lui de plus en plus, il couvait de l'âme cette enfant (...)
HUGO, les Misérables, IV, III, I.

Dr. civ. Lien juridique unissant le père à son enfant. *Paternité légitime. Paternité naturelle. Paternité civile,* celle qui résulte de l'adoption. *Droits et obligations qu'entraîne la paternité.* ⇒ **Paternel** (puissance paternelle). *Confusion de paternité* ou *de part,* incertitude (quant à la personne du véritable père d'un enfant, dont la mère s'est remariée sans observer le délai de viduité* prévu par la loi). — *Désaveu* de paternité. — La paternité hors mariage* (→ Enlèvement, cit. 4). — *Action en recherche de paternité, en reconnaissance de paternité* (→ Inconduite, cit. 2), pour découvrir le père véritable d'un enfant naturel et le contraindre à reconnaître l'enfant (⇒ **Reconnaissance**).

2 Un enfant ne sera jamais admis à la recherche soit de la paternité, soit de la maternité, dans les cas où, suivant l'article 335, la reconnaissance n'est pas admise.
Code civil, art. 342.

♦ **2.** (1874). *Paternité spirituelle :* affinité spirituelle entre le parrain et le filleul (→ Parrainage).

Fait d'être l'auteur (de qqch.). *Reconnaître, revendiquer, désavouer la paternité d'un ouvrage* (→ Économie, cit. 14; écrire, cit. 43).

PATER NOSTER [patɛʀnɔstɛʀ] n. m. — V. 1170, *paternostre* → Patenôtre; mots lat. « notre Père ».

♦ **1.** (XIIIe). Invar. Prière du Notre Père. ⇒ **Pater.** *Dire des Pater noster.*

♦ **2.** Ascenseur ou monte-charge continu, dont les éléments (cabines) reliés par des chaînes sont comparés aux gros grains d'un chapelet. *Des paters nosters.*

♦ **3.** (1907). Pêche. Montage d'un bas de ligne avec plusieurs hameçons étagés sur potences. « *Une ligne à vieille se monte en* pater noster » (*Au bord de l'eau,* nº 366, p. 20).

PÂTEUSEMENT [pɑtøzmɑ̃] adv. — 1925; de *pâteux.*

♦ **1.** Rare. D'une manière pâteuse; comme de la pâte.

♦ **2.** (Plus cour.). D'une voix pâteuse.

1 À vrai dire, a-t-il ajouté pâteusement, moi, personnellement, je n'approuvais pas ce voyage.
GIDE, les Faux-monnayeurs, III, I.

2 (...) ils nous aperçoivent et vont droit à l'ivrogne (...) J'approche : ils m'attendent, ils ont redressé, tant bien que mal, le camarade qui proteste pâteusement.
Roger VERCEL, Capitaine Conan, p. 47.

PÂTEUX, EUSE [pɑtø, øz] adj. — XIIIe, *pasteux; de pâte.*

♦ **1.** Qui a une consistance semblable à celle de la pâte* (intermédiaire entre celle d'un solide et celle d'un liquide). ⇒ **Mollasse** (fam.), **mou.** *Masse pâteuse.* ⇒ **Magma.** *Glaise pâteuse.* — *Pain pâteux,* mal levé ou insuffisamment cuit. — *Consistance pâteuse* (→ Fèces, cit.). *Matière, métal à l'état pâteux* (→ 1. Fonte, cit. 3).

1 Hier matin, reçu (...) un Allemand rondouillard qui veut fonder une nouvelle revue pour lutter en faveur des tendances modernes (...) Sympathique, mais encore à l'état pâteux; comme tous les Allemands.
GIDE, Journal, 23 févr. 1912.

(Aliment). Qui a la consistance de la pâte, qui n'est pas fondant. *Poire pâteuse.*

(Liquide). Qui manque de fluidité, qui contient des matières en suspension. ⇒ **Épais.** *Encre pâteuse* (⇒ **Boueux**).

(1842). Peint. *Touche pâteuse,* abondante en couleurs. — (1752). *Chairs pâteuses,* peintes d'une manière large et moelleuse.

Fig., péj. *Style pâteux,* lourd, sans élégance (→ Boursoufler, cit. 3).

♦ **2.** Loc. cour. *Avoir la bouche, la langue pâteuse :* avoir dans la bouche ou sur la langue une salive épaisse qui émousse la sensibilité, empêche de prononcer nettement les mots (⇒ **Empâter**). *Avoir la bouche pâteuse après avoir trop bu* (→ Avoir la gueule* de bois).

Ils se réveillèrent, clignotant de la paupière et la gueule pâteuse. 1.1
R. QUENEAU, le Chiendent, p. 417.

Par ext. *Voix pâteuse,* qui manque de netteté, dont le timbre est mou, assourdi. ⇒ **Gras.**

(...) il imitait très bien avec le nez la voix pâteuse de l'empereur. 1.2
ZOLA, le Ventre de Paris, p. 132.

Avoir la parole pâteuse, embarrassée.

Le désespoir de Coupeau se mêlait à un violent mal aux cheveux. Il se passait les doigts dans les crins, il avait la bouche pâteuse des lendemains de culotte, encore un peu allumé malgré ses dix heures de sommeil. 2
ZOLA, l'Assommoir, t. II, IX, p. 83.

DÉR. Pâteusement.

-PATHE Élément, du grec *pathês* (⇒ **-pathie**), servant à former des noms désignant des personnes (tels que *allopathe, homéopathe, névropathe...*).

PATHÉTIQUE [patetik] adj. et n. — 1580; du bas lat. *patheticus,* grec *pathêtikos* « relatif à la passion; capable de sentir, sensible ».

★ **I. A.** Adj. ♦ **1.** (Choses). Qui émeut vivement, qui excite les passions* et les émotions vives (douleur, pitié, horreur, terreur, tristesse...). ⇒ **Émouvant, touchant.** *Discours éloquent et presque pathétique. Scènes, moments pathétiques d'une tragédie. Récit pathétique.* ⇒ **Dramatique, impressionnant** (→ Qui prend aux entrailles*, aux tripes*). *Lettre* (→ Convaincant, cit. 2), *roman pathétique* (→ 3. Mal, cit. 27). *Ton, voix pathétique* (→ Expressif, cit. 1). *Une vie mystérieuse et pathétique* (→ Initier, cit. 4). *La sonate pathétique,* ou ellipt, *la Pathétique,* de Beethoven.

Ce qui est *touchant* ne laisse pas froid, indifférent, produit une émotion douce, 1
intéresse et attendrit (...) Ce qui est *pathétique* émeut fortement, remue, renverse, enlève, entraîne (...) Ensuite, *touchant* est un mot du langage commun, et a plus de rapport aux choses; *pathétique* est un terme de rhétorique et se rapporte davantage à l'expression, au style, au ton, à l'accent.
LAFAYE, Dict. des synonymes, Touchant, pathétique.

Telle était la Champmeslé (...) une voix puissante et pathétique, chantant les vers 2
de Racine comme une mélopée véhémente, emphatique, exactement notée.
R. ROLLAND, Musiciens d'autrefois, p. 147.

J'avais été témoin déjà d'autres agonies, mais qui ne m'avaient point paru si pathé- 3
tique (...) GIDE, Si le grain ne meurt, II, II, p. 367.

(Personnes). *Orateur pathétique. Actrice pathétique* (→ Guêpe, cit. 6).

(...) mais nul génie n'est aussi pathétique que le Christ mort, aux yeux d'un homme 4
qui pense réellement que le Christ est mort pour lui.
MALRAUX, les Voix du silence, p. 222.

♦ **2.** (1695). Anat. *Nerf pathétique :* nerf moteur du muscle grand oblique de l'œil.

B. N. m. (1666). Littér. Ce qui est propre à émouvoir fortement (notamment par l'expression de la souffrance); le genre pathétique. *Le pathétique participe du sublime* (→ Beau, cit. 92), *est infaillible dans l'art* (→ Attendrir, cit. 7). *Il parle avec beaucoup de pathétique* (⇒ **Éloquence**). *Pathétique facile, mélodramatique.* ⇒ **Pathos.**

Pour tempérer les douleurs de l'absence, nous nous écrivons des lettres d'un pathé- 5
tique à faire fendre les rochers. ROUSSEAU, les Confessions, I.

Le moment de la séparation avec les jeunes gens, parents de l'hôtesse, fut du der- 6
nier pathétique (...) STENDHAL, la Chartreuse de Parme, V.

★ **II.** (Grec *pathêtikos* « sensible, capable de sentir »). Psychophysiol. Qui a trait, se rapporte à la sensibilité (opposé à *apathique**).

Les *dépresseurs de l'humeur,* c'est-à-dire de la fonction thymique qui règle les 7
oscillations du tonus émotionnel entre un pôle pathétique et un pôle apathique, comprenant tous les tranquillisants dont l'action est précisément caractérisée par la substitution à un régime pathétique d'un régime apathique.
Jean DELAY, Introd. à la médecine psychosomatique, p. 65.

CONTR. Comique; froid, impassible...
DÉR. Pathétiquement, pathétisme.

PATHÉTIQUEMENT [patetikmɑ̃] adv. — V. 1600; de *pathétique.*

♦ Littér. ou style soutenu. D'une manière pathétique. *S'exprimer, déclamer pathétiquement.*

C'est le pays de vent, de lande et de morne bruyère qu'Emily a peint, pathétiquement, dans *les Hauts de Hurle-Vent.*
Émile HENRIOT, Portraits de femmes, p. 413.

PATHÉTISER [patetize] v. tr. — XXe, Montherlant, Malraux; de *pathétique.*

♦ Littér. Rendre pathétique; dramatiser de manière émouvante.

PATHÉTISME [patetism] n. m. — 1740; de *pathétique.*
Littéraire.

♦ **1.** Art d'émouvoir. ⇒ **Pathos.** *L'emploi, l'abus du pathétisme dans l'éloquence.*

♦ **2.** Caractère de ce qui est pathétique. *Le pathétisme d'un poète. Un pathétisme excessif, insincère.*

PATHIE [pati] n. f. — V. 1960; du grec *pathos;* → -pathie, suffixe.

♦ Didact. (biol.). Réaction motrice par laquelle un animal cherche à éviter une direction.

-PATHIE, -PATHIQUE Éléments, du grec *-patheia, -pathês,* de *pathos* «ce qu'on éprouve», entrant dans la composition de termes scientifiques ou didactiques (ex. : *allopathie, antipathie, apathie, homéopathie, sympathie, télépathie...*), spécialement de substantifs désignant des maladies qui affectent un organe ou un ensemble d'organes déterminés (tels que *encéphalopathie, hémopathie, idiopathie, névropathie...*), des adjectifs (tels que *allopathique, antipathique, apathique...*).

PATHO- Élément, du grec *pathos* «affection, maladie», entrant dans la composition de termes médicaux (ex. : *pathogène, pathognomonie, pathologie*).

PATHOGÈNE [patɔʒɛn] adj. — 1865, *microbe pathogène,* in *Année sc. et industr.* 1866, p. 371; de *patho-,* et *-gène.*

♦ **1.** Méd. Qui peut causer une maladie. ⇒ **Morbifique** (vx). *Agent, bactérie* (→ Exalter, cit. 22), *microbe pathogène.*

♦ **2.** Fig. Qui est cause d'un trouble mental, d'une attitude anormale.

Le moyen principal de l'analyse est la création d'une atmosphère dans laquelle le patient puisse modifier ses habitudes névrotiques, à la faveur d'une «expérience corrective»; ce résultat peut être obtenu avec plus de sûreté (...) si le psychanalyste remplace ses attitudes spontanées (...) par des attitudes assumées consciemment (par exemple, en jouant le rôle d'un père compréhensif si le parent pathogène a été un père autoritaire et dur) (...)
Daniel LAGACHE, la Psychanalyse, p. 106.

COMP. **Psychopathogène.**

PATHOGÉNÉSIE [patɔʒenezi] n. f. — 1819; var. anc. de *pathogénie.*

♦ Méd. homéopathique. Description des effets et symptômes résultant de l'absorption de quantités non toxiques d'une substance.

PATHOGÉNICITÉ [patɔʒenisite] n. f. — XXe; de *pathogénique.*

♦ Méd. Pouvoir pathogène, capacité (d'un agent infectieux) de causer une maladie. *«Une modification de la pathogénicité des souches virales transmises»* (*la Recherche,* oct. 1980, p. 1150).

PATHOGÉNIE [patɔʒeni] n. f. — 1822; de *pathogène,* et suff. *-ie;* var. anc. *pathogénésie* (1819), de *patho-,* et suff. *-génésie.*

♦ Didact. (méd.). Étude du processus par lequel une cause pathogène agit sur l'organisme et détermine une maladie (→ Frigidité, cit. 3); le processus lui-même.

1 En tant que chapitre spécial d'une philosophie générale, la pathogénie n'avait jamais été tentée. A mon avis, elle n'avait jamais été abordée d'une façon strictement scientifique, c'est-à-dire objectivement, amoralement, intellectuellement. Tous les auteurs qui ont traité de la question sont remplis de préjugés. Avant de rechercher et d'examiner le mécanisme des causes morbides, ils considèrent la «maladie en soi», la condamnent comme un état exceptionnel, nocif, et indiquent de prime abord les mille et une façons de la combattre, de la troubler, de la supprimer, définissant, pour cela faire, la santé comme un état «normal», absolu, fixe. B. CENDRARS, Moravagine, *in* Œ. compl., t. IV, p. 62.

2 (...) considérer les désordres corporels consécutifs à l'émotion comme l'expression d'un dérèglement des centres régulateurs de l'équilibre neuro-végétatif (...) produit par des facteurs psychologiques (...) mais qui ne se distingue pas dans ses manifestations des mêmes syndromes produits par une agression cérébrale de toute autre nature intéressant le même dispositif neurophysiologique. Leur pathogénie est la même si leurs étiologies diffèrent, et cette pathogenèse est une neurogenèse.
Jean DELAY, Introd. à la médecine psychosomatique, p. 21.

DÉR. **Pathogénique.**

PATHOGÉNIQUE [patɔʒenik] adj. — 1838; de *pathogénie,* var. anc. *pathogénétique,* 1838.

♦ Didact. (méd.). Relatif à la pathogénie.

PATHOGNOMONIE [patognɔmɔni] n.f. — 1898; de *patho-,* et du grec *gnômôn* «qui discerne».

♦ Méd. Étude des signes pathognomoniques*.

PATHOGNOMONIQUE [patognɔmɔnik] adj. — 1560; du grec *pathognômonikos* «qui connaît la maladie». → Pathognomonie.

♦ Méd. *Signe pathognomonique :* symptôme qui se rencontre seulement dans une maladie déterminée et qui suffit à en établir le diagnostic. ⇒ **Diacritique.**

Poumon droit de plus en plus douloureux. Morphine, toute la journée, par voie buccale. Nouvel abcès? Bardot ne croit pas. Aucun symptôme pathognomonique.
MARTIN DU GARD, les Thibault, t. IX, p. 273.

PATHOLOGIE [patɔlɔʒi] n. f. — 1550; du grec *pathologia;* → Patho-, et -logie.

♦ Didact., cour. Science qui a pour objet l'étude et la connaissance des maladies*, des effets qu'elles provoquent (lésions, troubles). ⇒ **Biologie, physiologie** (→ Expérience, cit. 43; 1. général, cit. 22; gynécologie, cit. 1.; malade, cit. 22). *La pathologie humaine, branche de la médecine*. Pathologie générale :* science «qui traite des éléments communs à toutes les maladies (causes, lésions, symptômes), considérés en eux-mêmes et non plus dans les groupements constituant les différents types morbides» (Garnier). *Pathologie spéciale* ou *descriptive. Pathologie externe. Pathologie interne. Pathologie mentale.* ⇒ **Psychopathologie.** — *Pathologie cellulaire. Pathologie expérimentale. Pathologie comparée* (→ Normal, cit. 1), étude comparative des états et des phénomènes morbides dans les différentes espèces animales. *Pathologie animale, vétérinaire. Pathologie végétale, branche de la botanique*.*

Spécialt. Pathologie animale, notamment humaine.

La connaissance des maladies et des causes qui les déterminent, c'est-à-dire la *pathologie,* nous conduira, d'un côté, à prévenir le développement de ces conditions morbides, et de l'autre à en combattre les effets par des agents médicamenteux, c'est-à-dire à *guérir les maladies.* 1
Cl. BERNARD, Introd. à l'étude de la médecine expérimentale, Introd.

La médecine psycho-somatique a spécialement étudié la filiation entre l'émotion, 2
le trouble fonctionnel, la lésion organique, mettant en évidence la réalité de ce processus à trois étapes dans les domaines les plus divers de la pathologie (...) Par exemple, au cours de la période de tension émotionnelle collective que connurent les Londoniens pendant les bombardements aériens de la guerre de 1940, les médecins anglais ont signalé l'extraordinaire augmentation des cas d'ulcères gastroduodénaux, voire de perforations de ces ulcères, sous l'influence de l'épouvante.
Jean DELAY, la Psycho-physiologie humaine, p. 113-114.

DÉR. **Pathologique, pathologiste.**
COMP. **Anatomopathologie, psychopathologie.**

PATHOLOGIQUE [patɔlɔʒik] adj. — 1552; de *pathologie.* Didact. et courant.

♦ **1.** Relatif à la pathologie. *Anatomie* pathologique.*

♦ **2.** (XVIIIe). Qui est relatif à l'état de maladie*; qui dénote un mauvais état de santé physique ou psychique; qui s'écarte du type normal d'un organe ou d'une fonction. ⇒ **Morbide.** *C'est un cas pour un médecin, cela a qqch. de pathologique* (→ Demeurer, cit. 40). *Antécédents* (cit. 1) *pathologiques. État, gigantisme* (cit. 1) *pathologique.*

La science ne s'établissant que par voie de comparaison, la connaissance de l'état pathologique ou anormal ne saurait être obtenue sans la connaissance de l'état normal, de même que l'action thérapeutique sur l'organisme des agents anormaux ou médicaments, ne saurait être comprise scientifiquement sans l'étude préalable de l'action physiologique des agents normaux qui entretiennent les phénomènes de la vie. Cl. BERNARD, Introd. à l'étude de la médecine expérimentale, Introd.

♦ **3.** Fam. Anormal (d'un comportement). *Une attitude pathologique.*

CONTR. **Normal.**
DÉR. **Pathologiquement.**
COMP. **Anatomopathologique.**

PATHOLOGIQUEMENT [patɔlɔʒikmɑ̃] adv. — 1617; de *pathologique.*

♦ Didact. Du point de vue de la pathologie; d'une manière anormale, pathologique.

PATHOLOGISTE [patɔlɔʒist] n. et adj. — 1765; de *pathologie.*

♦ Didact. Spécialiste en pathologie, et spécialt, spécialiste en anatomie* pathologique. ⇒ **Anatomopathologiste.** — Adj. *Médecin pathologiste.*

COMP. **Anatomopathologiste.**

PATHOMIME [patɔmim] n. — 1908; t. dû à Dieulafoy, de *patho-,* et *mime.*

♦ Didact. (psychol., psychiatrie). Personne qui simule volontairement une infirmité, une maladie physique ou mentale, dans un but utilitaire ou pour des raisons pathologiques. *Certains pathomimes n'hésitent pas à subir plusieurs opérations chirurgicales, à se mutiler.*

DÉR. **Pathomimie.**

PATHOMIMIE [patɔmimi] n. f. — 1908; t. dû à Bourget et Dieulafoy, de *pathomime.*

♦ Didact. (psychol., psychiatrie). Simulation, morbide ou frauduleuse, d'une maladie ou d'une infirmité.

PATHOPHOBIE [patɔfɔbi] n. f. — 1898; de *patho-*, et *-phobie*.

♦ Didact. (psychol., psychopath.). Peur angoissante des maladies. ⇒ **Hypocondrie; nosophobie.**

PATHOS [patos] n. m. invar. — 1671; mot grec «souffrance, passion».

♦ **1.** Vx. Partie de la rhétorique qui traitait des moyens propres à émouvoir l'auditeur; ensemble des mouvements, des figures qu'on employait pour y parvenir. — REM. Ne s'emploie guère que dans l'expression *l'ithos et le pathos.* ⇒ **Ithos** (cit. 1 et 2).

♦ **2.** (1750). Mod., péj. Pathétique* déplacé, chaleur, émotion exagérée et affectée dans un discours, un écrit et, par ext., dans un ouvrage quelconque, dans le ton, les gestes. ⇒ **Amphigouri, emphase, galimatias.** *Le pathos épique de Victor Hugo* (→ Fuligineux, cit. 5). *Faire du pathos.*

1 L'avocat général faisait du pathos en mauvais français sur la barbarie du crime commis (...)
STENDHAL, le Rouge et le Noir, II, XLI.

2 Tout ce qui contribuerait à nous rendre dans l'expression la netteté première, à débarrasser la langue et l'esprit français du pathos et de l'emphase, de la fausse couleur et du faux lyrique qui se mêle à tout, serait un vrai service rendu non seulement au goût, mais aussi à la raison publique.
SAINTE-BEUVE, Causeries du lundi, 12 nov. 1849.

3 (...) il se sentait si honteux de la niaiserie, du pathos prétentieux, de la fausseté criante des mots, des gestes, des attitudes, que par moments, tandis qu'il conduisait l'orchestre, il n'avait plus la force de lever son bâton (...)
R. ROLLAND, Jean-Christophe, La révolte, II, p. 487.

4 (...) le pathos de Beethoven me touche aujourd'hui beaucoup moins que la contemplative adoration de Bach. GIDE, Journal, 19 avril 1917.

5 (...) à la place du *témoin*, dont le discours ne peut être, on le sait, que soumis à des codes de détachement : ou narratif, ou explicatif, ou contestataire, ou ironique : jamais *lyrique*, jamais homogène au pathos en dehors duquel il doit chercher sa place. R. BARTHES, Roland Barthes, p. 89.

PATIBULAIRE [patibylɛʀ] adj. et n. — 1395, *fourches patibulaires*; du lat. *patibulum* «gibet».

★ **I.** Adj. ♦ **1.** Vx. Relatif au gibet. Loc. *Fourches* patibulaires.* — Par plais. *«Je n'ai pas, Dieu merci, les inclinations fort patibulaires»* (Molière, *l'Avare*, II, 1).

♦ **2.** (1675). Mod. Relatif à un homme qui semble digne de la potence. ⇒ **Inquiétant, sinistre.** *Figure, mine, visage, tête patibulaire* (→ Noble, cit. 16, Hugo). — (Personnes). *Un bonhomme assez patibulaire.*

C'était un grand homme sec, à figure patibulaire, ornée de deux yeux terribles, à orbites charbonnées, surmontées de deux sourcils énormes (...)
BALZAC, la Muse du département, Pl., t. IV, p. 60.

★ **II.** N. m. (Déb. XVIe). Vx. Gibet (Cf. La Fontaine, *Fables*, XII, 23).

PATIEMMENT [pasjamɑ̃] adv. — 1532; *pacienment*, 1200; de *patient.*

♦ Avec patience, d'une manière patiente. *Attendre, souffrir patiemment. S'atteler patiemment à un travail délicat.* ⇒ **Calmement, tranquillement.**

Donc, le Tiers attendait le Clergé et la Noblesse; il attendait dans sa force, patiemment, comme toute chose éternelle.
MICHELET, Hist. de la Révolution franç., I, II.

CONTR. Impatiemment.

1. PATIENCE [pasjɑ̃s] n. f. — 1120, *pacience*; du lat. *patientia*, de *pati* «souffrir».

♦ **1.** Trait de caractère, comportement (considéré comme une vertu), qui consiste à savoir souffrir sans se plaindre, à supporter sans révolte et sans colère les désagréments, les malheurs de la vie, les défauts, les actions d'autrui (...) ⇒ **Calme, douceur** (cit. 28), **endurance, flegme, indulgence, longanimité** (cit. 1), **résignation, sang-froid.** *La douceur, la patience, la résignation* (→ Arme, cit. 25; atteinte, cit. 11; enrichir, cit. 14; faim, cit. 12; garder, cit. 48; héroïsme, cit. 9). *Patience inaltérable. La patience de Job. Une patience d'ange, de saint. Écouter, répondre avec patience* (→ Insistant, cit. 1). *Montrer* (→ Combat, cit. 13), *déployer de la patience* (→ Empoisonnement, cit. 3). *S'armer de patience* (→ Ampoulé, cit. 2). *Prendre patience* (→ Fortune, cit. 13). *Qui fait preuve de patience.* ⇒ **Patient.** *Souffrir avec patience.* ⇒ **Endurer** (cit. 3), **tolérer.** *Supporter avec patience les injustices, les vexations* (→ Se laisser tondre la laine* sur le dos). *Je n'aurai jamais la patience de supporter cela. — Prendre ses maux, la vie en patience.* ⇒ **Supporter** (→ Massacrant, cit. 1). — *Manque de patience.* ⇒ **Impatience.** *La patience a des limites* (→ Il n'est bois* si vert qui ne s'allume). *Ma patience est poussée à bout* (→ Malhonnête, cit. 3). *Il mit ma patience à bout* (cit. 34). *Être à bout de patience* (→ Disputer, cit. 12). *La patience me manqua* (→ Diable, cit. 30). *La patience lui échappe*, il ne peut plus contenir sa mauvaise humeur, son irritation. — (1648). *Perdre patience.* ⇒ **Désespérer** (se); **impatienter** (s'); → Faquin, cit. 4. — *Abuser de la patience, exercer, lasser* (cit. 7), *mettre à rude épreuve la patience de qqn.* ⇒ **Impatienter.** *Il lasserait la patience d'un saint :* il est insupportable, exaspérant. — Prov. *La patience est la vertu des ânes* (→ Bât, cit. 3) : c'est une sottise de supporter des désagréments, des vexations qu'on pourrait faire cesser.

J'ai cent fois, dans le cours de ma gloire passée, 1
Tenté leur patience, et ne l'ai point lassée. RACINE, Britannicus, IV, 4.

Ces braves gens souffrent les maux de la guerre avec une patience d'ange. 2
BALZAC, le Médecin de campagne, Pl., t. VIII, p. 380.

La sobriété et la patience des Espagnols à supporter la fatigue est quelque chose 3
qui tient du prodige. Th. GAUTIER, Voyage en Espagne, p. 137.

— La patience m'échappe, dit Tristan. J'espère que tu ne me crois pas assez sot 4
pour me fâcher d'une plaisanterie; mais cette plaisanterie a un motif. Sais-tu ce qu'elle vient chercher ici? Elle vient me braver, jouer avec ma colère, et voir jusqu'à quel point j'endurerai son audace (...)
A. DE MUSSET, Contes, «Secret de Javotte», II.

Il s'était efforcé de prendre son mal en patience, les six kilomètres que lui coû- 5
tait chaque messe, les exigences taquines d'un village sans vraie religion, tant qu'il avait espéré que le conseil municipal finirait par se donner le luxe d'une paroisse.
ZOLA, la Terre, III, VI.

Les hommes de ma génération n'ont pas votre patience; ils sont plus chatouilleux; 6
nous nous refusons à encaisser plus longtemps les provocations allemandes.
MARTIN DU GARD, les Thibault, t. VI, p. 185.

Patience des pauvres, qui t'épuisera jamais? 7
F. MAURIAC, Journal, t. IV, *in* DUPRÉ, no 3993.

♦ **2.** Aptitude à persévérer dans une activité, un travail de longue haleine, sans se laisser abattre par la lassitude, le découragement. ⇒ **Constance, courage, persévérance** (→ Obscur, cit. 19; obstiner, cit. 3; opiniâtreté, cit. 6). *Procéder avec patience et lenteur*, patiemment, pas* à pas. *La patience et le calme*, la tranquillité*. Des années de patience pour obtenir un résultat.* ⇒ **Effort** (de longs efforts). → Échec, cit. 12. *La patience d'un savant dans l'observation de la nature* (→ Avoisiner, cit. 5). *Agir sans patience, en se précipitant. — «Le génie est une longue patience.» «Le génie n'est qu'une plus grande aptitude* (cit. 2) *à la patience»* (→ Génie, cit. 35, 36 et 37). *Avec du temps et de la patience on vient à bout de tout* (→ Tout vient à point à (pour) qui sait attendre*; petit* à petit l'oiseau fait son nid).

Il n'y a point de chemin trop long à qui marche lentement et sans se presser : il 8
n'y a point d'avantages trop éloignés à qui s'y prépare par la patience.
LA BRUYÈRE, les Caractères, XII, 108.

La patience est l'art d'espérer. 9
VAUVENARGUES, Maximes et réflexions, 251.

Ce qu'il a fallu de patience pour découper toutes ces feuilles, fouiller ces plis, évi- 10
der ces branches, détacher du fond tous ces personnages, on n'ose y songer qu'avec effroi. Th. GAUTIER, Voyage en Espagne, p. 29.

C'est une grande et rare vertu que la patience, que de savoir attendre et mûrir, 11
que se corriger, se reprendre et, comme disait l'apôtre : tendre à la perfection. Mais le goût de la perfection va se perdant. C'est dommage. C'était une qualité bien française. GIDE, Attendu que..., p. 61.

Prov. *«Patience et longueur de temps font plus que force* (cit. 1) *ni que rage»* (La Fontaine) : on obtient davantage par la persévérance que par la violence et l'agitation. — *Patience passe science :* la persévérance fait plus que l'habileté et la science.

(Avec l'idée de minutie associée à celle de persévérance). *Sa patience descend* (cit. 14) *jusque dans le moindre détail. Ce travail exige beaucoup de patience* (→ Un travail de bénédictin*).
Ouvrage de patience, qui demande de la minutie et de la persévérance plutôt qu'une grande dépense d'énergie.

♦ **3.** Qualité, disposition d'esprit de celui qui sait attendre ce qui tarde, en gardant son calme et son sang-froid (→ Exiger, cit. 18; guérir, cit. 24). *Inlassable* (cit. 3) *patience. Attendre avec patience.* ⇒ **Patiemment.** *Je n'aurai jamais la patience d'attendre si longtemps* (→ Languir, cit. 24). — (1635). *Prendre patience. Encore un instant de patience, prenez patience.* ⇒ **Patienter.** *Prenez patience, cela ne presse pas* (→ Le feu* n'est pas à la maison, il n'y a pas péril en la demeure*). — *Perdre patience.* ⇒ **Impatienter** (s'). *Après une heure d'attente, il a perdu patience.*

— Ah bien! il faut nous armer de patience, dit Roubaud. Nous sommes là pour 12
deux bonnes heures (...) Asseyez-vous donc! ZOLA, la Bête humaine, IV.

Les hommes ont les yeux fixes; ils regardent la ville à travers les murs; ils ne pen- 13
sent à rien, ils ne remuent plus guère, la grande patience militaire est descendue sur eux avec le soir : ils attendent. Ils ont attendu le courrier, les permes, l'attaque allemande et c'était leur manière d'attendre la fin de la guerre. La guerre est finie et ils attendent toujours. SARTRE, la Mort dans l'âme, p. 213.

♦ **4.** (XVIe). PATIENCE! Interjection pour exhorter qqn ou pour s'exhorter soi-même à la patience (→ Falloir, cit. 41), pour répondre à une interruption, à une objection prématurée.

Patience! Patience! L'avenir, monsieur Chavarax, est à ceux qui savent attendre. 14
La Direction des Dons et Legs est de personnel limité et les mutations y sont rares. Patientez, et laissez-moi faire!
COURTELINE, Messieurs les ronds-de-cuir, IIIe tableau, III.

— Tu vois, nous n'avons pas de chance. Édouard bredouillait, du ton d'un homme 15
qui s'excuse : — Patience! C'est un mauvais moment à passer.
G. DUHAMEL, Salavin, III, XXV.

PATIENCE! Interjection exprimant la menace* (→ Vous ne perdez rien pour attendre*; → Imputer, cit. 5).

16 Je le vois bien, Monsieur, le vin muscat opère
Aussi bien sur le fils que sur l'esprit du père.
Patience! je vais protester comme il faut
Contre Monsieur le juge et contre le cartaut. RACINE, les Plaideurs, II, 12.

Régional. *Sainte patience! Patience des anges!*, exclamation d'impatience.

♦ **5.** [a] *Jeu de patience :* jeu qui consiste à remettre en ordre des pièces irrégulièrement découpées, qui ont été préalablement mêlées, de manière à reconstituer une carte de géographie, un dessin, etc. ⇒ **Casse-tête** (chinois), **puzzle.**

17 (...) l'autre Europe semble faite des morceaux de bois coloriés d'un jeu de patience, un pays de vacances comme les cantons suisses.
Valery LARBAUD, Barnabooth, Journal, II.

[b] *Une patience :* jeu où une personne forme diverses combinaisons en disposant des cartes à jouer dans un ordre déterminé. ⇒ **Réussite.** *Faire des patiences.*

18 Je fais des patiences, ça distrait (...) Les cartes se disposaient en croix, une au centre, en paquets. ARAGON, les Beaux Quartiers, II, XXXI.

♦ **6.** (1831). Anciennt. Petite planchette, percée d'une rainure, utilisée par les soldats pour astiquer les boutons de leur uniforme sans salir l'étoffe.

19 Promptement disparu derrière la Bourse, Bex revint bientôt tenant debout à deux mains une gigantesque patience large d'un mètre et haute du double, faite d'un métal gris terne ressemblant à l'argent.
Une mince fente longitudinale s'ouvrait au milieu de la plaque géante; mais ici l'évasement circulaire destiné au passage des boutons était placé à mi-chemin de la rainure et non à son extrémité.
Raymond ROUSSEL, Impressions d'Afrique, p. 61.

CONTR. Brusquerie, exaspération, impatience.
HOM. 2. **Patience.**

2. PATIENCE [pasjɑ̃s] n. f. — 1544; altér., par attraction du précédent et déglutination de *lapacion* (XVIe), du lat. *lapathium, lapathum,* grec *lapathon.*

♦ Plante dicotylédone *(Polygonacées* ou *Polygonées),* appelée aussi *oseille* épinard, parelle* et scientifiquement *rumex. Les feuilles de patience sont consommées comme des épinards. La racine de patience est un antiscorbutique. La patience, utilisée jadis comme remède laxatif et tonique.*

PATIENT, ENTE [pasjɑ̃, ɑ̃t] adj. et n. — 1120; du lat. *patiens, patientis,* de *pati* «souffrir, supporter».

★ **I.** Adj. ♦ **1.** Qui est doué de patience, fait preuve de patience (1. patience). ⇒ **Doux, endurant** (vieilli), **indulgent, longanime.** *Patiente victime* (→ Éruption, cit. 3). *Il a été humble* (cit. 4), *patient. Des gouvernés* (cit. 48) *doux, patients, modérés. Des gens très patients, très maniables* (cit. 4). *Patient et volontaire, infatigable. Il faut être patient pour devenir maître de soi et des autres* (→ 1. Impatience). *Être patient pour supporter la fatigue, la douleur physique.* ⇒ **Dur** (à...).

1 Sinon, prends garde à toi. J'ai l'habitude d'être
Patient à l'affront comme au feu le salpêtre.
HUGO, la Légende des siècles, XIX, II.

2 Mais le Vieux, qui n'était pas patient, cria :
— Enfin, fous-moi donc la paix! Ch.-L. PHILIPPE, Père Perdrix, I, I.

Subst. *«Le patient vaut mieux que le fort»* (Bossuet, *Oraison funèbre de Henriette d'Angleterre*).

3 Le patient est le fort. HUGO, les Orientales, V, IV.

Par ext. *Caractère patient. Humeur patiente.* ⇒ **Calme, débonnaire, doux, souffrant** (vx). *L'âne* (cit. 3) *est d'un naturel patient.*

♦ **2.** Qui ne se lasse pas (dans un travail, etc.), n'abandonne pas. ⇒ 1. **Patience** (2.); **imperturbable, inlassable, persévérant.** *Un observateur patient et minutieux* (cit. 2). *Âme patiente, tranquille, immuable dans ses projets* (→ Indifférence, cit. 9).

4 Ce n'est jamais qu'aux esprits patients et laborieux qu'appartient le don de l'invention dans les sciences naturelles.
VOLTAIRE, Essai sur les mœurs, CLXXVIII.

Par ext. Qui exige de la patience. *Un patient labeur.* ⇒ **Constant** (→ Aveugle, cit. 17). *Les patients travaux de la science* (→ Exténuer, cit. 5). *Une longue et patiente étude* (cit. 30).

5 Les plus importantes découvertes scientifiques résultent de la patiente observation de petits faits subsidiaires si particuliers, si menus, inclinant si imperceptiblement les balances — que l'on ne consentait pas jusqu'alors à en tenir compte.
GIDE, Journal, 19 juin 1931.

♦ **3.** Qui fait preuve de patience* (1. patience, 3.), qui sait attendre (→ Impulsif, cit. 3). *Soyez patient, dans cinq minutes il sera ici.* — Par ext. *Espoir patient.*

6 (...) les prophéties, à partir du moment où elles traduisent l'espoir vivant de millions d'hommes, ne peuvent rester impunément sans terme. Un temps vient où la déception transforme le patient espoir en fureur (...)
CAMUS, l'Homme révolté, p. 260.

♦ **4.** Vx. Passif. *«Dans les passions, comme nous les considérons, l'âme est patiente...»* (Bossuet, *Connaissance de Dieu et de soi-même,* III, XI). — N. m. Didact. Celui qui est passif. *L'agent** (cit. 4) *et le patient.*

★ **II.** N. (1370). ♦ **1.** Personne qui subit ou va subir une opération chirurgicale; malade qui est l'objet d'un traitement, d'un examen médical. *Le médecin et ses patients.* ⇒ **Client, malade.** *Ausculter, endormir un patient* (→ Opérer, cit. 5). *Il réconforta le patient* (→ Bistouri, cit. 1). *L'état du patient inspirait* (cit. 11) *les plus vives inquiétudes.*

Elle avait (...) disposé sur les tables des linges propres pour les visites des médecins. Elle couchait, le soir, non loin du patient, sur une chaise longue (...) 7
G. DUHAMEL, Salavin, VI, XXIX.

♦ **2.** (1598). Personne qui subit ou va subir un supplice, un châtiment corporel (→ Bûcher, cit. 3). — Fig. (→ Hypocrite, cit. 4, Hugo). — Par ext., par exagér. Personne qui subit une punition (→ Coulpe, cit. 2).

CONTR. (De l'adj.) **Brusque, fougueux, impatient, irrité, prompt, vif, violent.** — (Du subst.) **Bourreau.**
DÉR. Patiemment, patienter.

PATIENTER [pasjɑ̃te] v. intr. — 1560; de *patient.*

♦ Attendre avec patience. *Nous dûmes patienter presque trois heures d'horloge* (→ Daigner, cit. 9). *Faites-le patienter en attendant que je puisse le recevoir* (→ Prendre patience*). *Je n'ai pas envie de patienter des heures.* ⇒ **Poireauter.**

Dix ou quinze loqueteux patientaient sur le trottoir, attendant les reliefs de la table, qu'on leur abandonne en fin de journée.
G. DUHAMEL, Salavin, Journal, 10 août.

CONTR. V. **Impatienter** (s').

1. PATIN [patɛ̃] n. m. — V. 1268, «semelle»; de *patte.*

♦ **1.** Vx. Chaussure à semelle très épaisse ou surélevée, que les femmes portaient pour se grandir (→ 1. Court, cit. 3) ou pour se garantir de la boue, etc. (⇒ **Socque**). — Semelle supplémentaire, pour assurer l'étanchéité d'une chaussure.

Mod. Pièce de tissu sur laquelle on pose le pied (pour garantir un parquet...). *Prendre les patins.*

♦ **2.** (1660; XVIIIe, «dispositif pour marcher sur la neige». → Ski; raquette).

[a] PATIN (À GLACE) : dispositif formé d'une lame verticale fixée à la chaussure, et destiné à glisser sur la glace. *Une paire de patins à glace. Patins vissés, à crampons... Patins de vitesse, de hockey sur glace... Aller en patins, sur des patins.* ⇒ **Patiner, patineur.**

Je ne me plais qu'à avancer dans l'étendue silencieuse (...) sans jamais me retourner et, si souvent et si longtemps que je l'aie fait, je ne me souviens pas d'avoir jamais été fatigué, tant la glace est légère à mes patins rapides. 1
Henri MICHAUX, La nuit remue, p. 20.

Par ext. *Les patins d'un traîneau, d'une luge. Bobsleigh à patins articulés.*

[b] Par anal. PATIN À ROULETTES, ou PATIN (→ Bruit, cit. 17) : dispositif monté sur trois ou quatre roulettes et qui s'adapte au pied. *Une paire de patins à roulettes* (→ 2. Patiner, cit. 2). *Où sont mes patins?*

[c] *(Le patin).* Exercice, sport du patinage (à glace; à roulettes). *Préférer le patin à la planche à roulettes. Faire du patin (à glace), du patin artistique. Championnats de patin.*

♦ **3.** Techn. Pièce de bois ou de métal, servant de support. *Chaise montée sur des patins* (→ Hauteur, cit. 7). — Massif de plâtre, etc., servant à soutenir un échafaudage. — Support du limon (d'un escalier).

Partie inférieure (d'un rail) reposant sur les traverses. ⇒ **Semelle.**

Patin de frein : organe mobile dont le serrage, contre la jante d'une roue, permet de freiner. *Patins en caoutchouc d'un frein de bicyclette.*

♦ **4.** Argot. Loc. *Chercher des patins (à qqn),* lui chercher querelle. ⇒ **Noise** (chercher). — *Prendre les patins (de qqn),* épouser ses querelles.

Si tu as dételé pour ton compte, c'est pas pour venir prendre des patins qui sont pas les tiens. Albert SIMONIN, Touchez pas au grisbi, p. 156. 2

DÉR. 2. **Patiner.**

2. PATIN [patɛ̃] n. m. — D. i.; de *patte* «chiffon».→ Pattemouille.

♦ Fam. (d'abord argot). Baiser sur la bouche. *Rouler un patin à quelqu'un.*

Elle s'est tirée, mutine, en me filant un patin, en signe de gentillesse sans doute, en façon de m'assurer de son dévouement. 1
Albert SIMONIN, Touchez pas au grisbi, p. 91.

je te file tous les patins que tu veux t'as qu'à les garder tes voitures c'est quoi, des patins? quand on s'embrasse avec la langue dans la bouche 2
Tony DUVERT, Paysage de fantaisie, p. 53.

1. PATINAGE [patinaʒ] n. m. — 1829; de 2. *patiner.*

♦ **1.** Pratique, technique du patin à glace. ⇒ **Skating.** *Le patinage fait partie des sports d'hiver. Patinage artistique,* consistant à décrire des figures (imposées ou libres). *Patinage de vitesse. Champion de patinage. Piste de patinage.* ⇒ **Patinoire.**

(...) le professeur de patinage, que l'on voyait le matin voleter tout seul sur la glace (...) J. CHARDONNE, les Destinées sentimentales, p. 488.

Patinage à roulettes. Champion de patinage à roulettes.

♦ **2.** (1875). Action de patiner (2. patiner), de glisser (véhicules). Syn. anc. : *patinement* (1858).

2. PATINAGE [patinaʒ] n. m. — XXe; de 3. *patiner.*

♦ Techn. Opération qui consiste à donner une patine artificielle.

PATINE [patin] n. f. — 1765; ital. *patina;* orig. incertaine.

♦ **1.** Couche adhérente d'hydrocarbonate de cuivre qui se forme à la longue sur les objets de cuivre, de bronze exposés à l'air humide. ⇒ **Vert-de-gris.** — Par anal. (→ Bronze, cit. 3).

1 Au loin, les frondaisons du Luxembourg offraient déjà cette patine bronzée qui précède de peu les rouilles de l'automne.
MARTIN DU GARD, les Thibault, t. VII, p. 235.

♦ **2.** Dépôt qui se forme sur certains objets anciens (⇒ **Concrétion**); couleur qu'ils prennent avec le temps. *La patine du marbre, des pierres d'un ancien édifice, d'une statue; patine d'un tableau* (⇒ **Crasse**). — REM. À l'opposé de ce mot, *patine* est mélioratif.

2 La patine est la récompense des chefs-d'œuvre. GIDE, Journal, 16 janv. 1923.

3 Ces verreries *(du musée de Carthage),* contemporaines des guerres médiques (...) ont gardé de leur long séjour dans la terre une patine d'une délicatesse invraisemblable. Louis BERTRAND, le Livre de la Méditerranée, p. 122.

La patine du temps, du passé... Figuré :

4 J'ai pris de la patine; je suis poli aux angles. L'expérience m'a prodigué ses faveurs. G. DUHAMEL, les Plaisirs et les Jeux, p. 104.

♦ **3.** Coloration ou vernis rappelant la patine naturelle et que l'on produit artificiellement sur divers objets dans une intention décorative ou pour les protéger contre la corrosion.

DÉR. 3. **Patiner.**

1. PATINER [patine] v. tr. — 1408; de *patte.*

♦ **1.** Vx. Manier sans ménagement. ⇒ **Manipuler.**

♦ **2.** Vieilli. ⇒ **Caresser, peloter** (fam.). Absolt. Prendre des libertés avec une femme (⇒ **Galanterie**).

(...) s'approchant des comédiennes, *(il)* leur prit les mains sans leur consentement, voulut un peu patiner, galanterie provinciale qui tient plus du satyre que de l'honnête homme. SCARRON, le Roman comique, I, X.

▶ **SE PATINER** v. pron. (réfléchi).

Mar. Vx, fam. Se hâter, se presser (de *patiner,* vx, au sens de « manœuvrer »).

▶ **PATINÉ, ÉE** p. p. adj. *Fruits patinés.*

DÉR. 1. **Patineur.**
HOM. 2., 3. **Patiner.**

2. PATINER [patine] v. intr. — 1732; de *patin.*

♦ **1.** Glisser sur la glace avec des patins. *Apprendre à patiner; savoir patiner.* — Par anal. *Patiner à roulettes* (et, absolt, *patiner*).

1 Il patinait merveilleusement (...)
(...) Fin comme une grande jeune fille,
Brillant, vif et fort, telle une aiguille,
La souplesse, l'élan d'une anguille. VERLAINE, Amour, « L. Létinois », X.

2 Sur le boulevard Inkermann, il y avait des gosses qui patinaient à roulettes, avec un seul patin au pied, prêtant le second de la paire à un camarade qui n'en avait pas. ARAGON, les Cloches de Bâle, I, V.

Glisser comme sur des patins, *Patiner sur un parquet ciré, sur un dallage* (→ Freiner, cit. 2). *Frotteur* (cit.) *qui patine sur une brosse.*

3 *(le plancher)* est saupoudré d'une légère couche de sable de mer soigneusement tamisé, dont le grain retient le pied et empêche les glissades si fréquentes dans nos salons, où l'on patine plutôt que l'on ne marche.
Th. GAUTIER, Fortunio, « Toison d'or », III.

♦ **2.** (1868, cit.). D'une roue de véhicule. Glisser sans tourner; tourner sans avancer. ⇒ **Chasser, déraper.** *Roues de locomotive qui patinent sur les rails. — Voiture qui patine dans la boue, sur du verglas...*

3.1 Malheureusement, l'hiver étant survenu, le service des facteurs montés sur des vélocipèdes présenta quelques difficultés : les roues patinaient sur la neige durcie et n'avançaient pas.
L. FIGUIER, l'Année scientifique et industrielle 1869, p. 129 (1868).

4 Le premier camion patina, fit un quart de cercle, versa ses hommes comme un panier, s'abattit. MALRAUX, l'Espoir, I, II, II.

(D'un embrayage). Glisser sans entraîner les roues. *Faire patiner l'embrayage.*

♦ **3.** (V. 1970). Fig. Ne pas progresser; manquer d'efficacité. ⇒ **Piétiner.** *Les négociations patinent.*

DÉR. 1. **Patinage, patinette,** 2. **patineur, patinoire.**
HOM. 1., 3. **Patiner.**

3. PATINER [patine] v. tr. — 1867; de *patine.*

♦ Couvrir de patine, et, spécialt, d'une patine artificielle. — Pron. (plus cour.) *Les sculptures commencent à se patiner.*

▶ **PATINÉ, ÉE** p. p. adjectif.

Couvert d'une patine naturelle ou artificielle.

(...) à la place du mince tube creux en métal blanc, imitant misérablement une sorte d'aileron, vient se poser une lourde poignée de vieux cuivre adorablement patiné, une vieille poignée de château (...) N. SARRAUTE, le Planétarium, p. 20.

DÉR. 2. **Patinage.**
HOM. 1., 2. **Patiner.**

PATINETTE [patinɛt] n. f. — Déb. XXe (in *Larousse mensuel,* 1917); de 2. *patiner.*

♦ Jouet d'enfant formé d'une plate-forme allongée montée sur roues, sur laquelle on pose un pied, l'autre servant à donner l'impulsion. ⇒ **Trottinette.**

Il tombe de sa patinette; il tombe assez rudement. Il se relève aussitôt (...)
G. DUHAMEL, les Plaisirs et les Jeux, p. 30.

1. PATINEUR [patinœʀ] n. m. — 1651; de 1. *patiner.*

♦ Vx. Homme qui a l'habitude de patiner (1. patiner, 2.) les femmes. ⇒ **Peloteur** (→ Ah, cit. 4, Molière).

HOM. 2. **Patineur.**

2. PATINEUR, EUSE [patinœʀ, øz] n. — 1728; de 2. *patiner.*

♦ Personne qui patine sur la glace ou pratique le patin à glace. *Patineur artistique. Couple de patineurs. — Valse des patineurs* (ou, vx, *la patineuse*) : valse ancienne comportant deux temps glissés et une volte.

Patineur à roulettes, et, absolt, *patineur (euse)* : personne qui fait du patin à roulettes.

HOM. 1. **Patineur.**

PATINOIRE [patinwaʀ] n. f. — 1921; de 2. *patiner.*

♦ Piste de patinage. *Patinoire naturelle, artificielle, couverte. Patinoire olympique. —* Fig. *La rue est une vraie patinoire,* est très glissante.

Piste en ciment pour le patin à roulettes.

PATIO [patjo] ou prononc. francisée [pasjo] n. m. — 1840, Gautier; mot esp. (1495), d'orig. obscure.

♦ Cour intérieure à ciel ouvert d'une maison espagnole ou de style espagnol. *Patio entouré d'arcades, pavé de carreaux de faïence* (cit. 3).

(...) le *patio* entouré de colonnes d'albâtre, orné d'un jet d'eau dont le bassin est entouré de pots de fleurs et de caisses d'arbustes (...) 1
Th. GAUTIER, Voyage en Espagne, p.158.

À Séville, il y a des *patios;* ce sont des cours de marbre pâle, pleines d'ombre et de fraîcheur; d'eau qui coule, ruisselle et fait au milieu de la cour un clapotis dans une vasque. GIDE, les Nourritures terrestres, p. 138. 2

Cour intérieure.

Vingt-cinq mètres plus loin, sous le patio d'une villa, entre le plant de tomates et la cage aux perruches, un thermomètre montait. 3
J.-M. G. LE CLÉZIO, le Déluge, p. 26.

PÂTIR [pɑtiʀ] v. intr. — 1546, Rabelais, « supporter »; lat. *pati.*

♦ **1.** Vx. Éprouver de la souffrance, de la peine. ⇒ **Souffrir** (→ Expérience, cit. 18, Bossuet). — Vx. *« Ma fierté pâtissait à retourner chez des gens qui... »* (Rousseau).

Quand on a un peu pâti, le plaisir en semble meilleur. 1
MARIVAUX, la Double Inconstance, I, 12.

— Il n'y a que les justes qui pâtissent ici-bas, répondit la portière! 2
BALZAC, Le Cousin Pons, Pl., t. VI, p. 669.

(...) le phénomène ment perpétuellement à la loi; le monde va, et l'homme pâtit; l'espèce humaine, et les individus sont broyés! (...) SAINTE-BEUVE, Volupté, VII. 3

♦ **2.** (Vx ou littér.). Être dans la misère, souffrir d'une privation*.

L'avenir est là sûrement, mais avant que vienne l'avenir, nous serons tous crevés. On doit avoir le courage de pâtir pour d'autres. ZOLA, la Terre, V, I. 4

Languir, stagner. *Les affaires pâtissent.* ⇒ **Péricliter.**

♦ **3.** Mod. **PÂTIR DE** : souffrir, éprouver de la peine, du dommage à cause de... ; subir les conséquences fâcheuses, pénibles de... ⇒ **Supporter.** *Pâtir des événements* (→ Atteindre, cit. 9). *De tout temps, « les petits ont pâti des sottises des grands »* (→ Hélas, cit. 4).

Pâtir de l'injustice. ⇒ **Endurer.** — *Pâtir des restrictions* (→ Fortuné, cit. 7; luxe, cit. 9). *Ils ont durement pâti de la guerre.*

5 On se doute bien que c'est le peuple, et surtout le paysan, qui en pâtit *(de la faim).* Sitôt que le prix du pain hausse, il n'y peut plus atteindre, et même sans hausse il n'y atteint qu'avec peine.
TAINE, les Origines de la France contemporaine, V, t. II, p. 217.

(Choses). → Chêne, cit. 2. *Ses affaires ont pâti de son incurie. Sa santé pâtira de ses excès.*

Vx. *Pâtir pour qqn,* «souffrir d'une faute qu'il a faite, d'un tort qu'il a eu» (Académie, 6e éd.). *«Les bons pâtissent pour les méchants»* (Mme de Sévigné, 20 oct. 1675).

♦ **4.** (1697). Didact. Être dans un état passif, de contemplation, d'inaction. — N. m. *Le pâtir* (cf. Bossuet, *in* Littré). — Par ext. *L'agir et le pâtir* (→ Distinction, cit. 5, Valéry).

CONTR. Bénéficier, jouir, profiter.
DÉR. Pâtira, pâtissant.

PÂTIRA ou PÂTIRAS [pɑtiʀa] n. m. — 1790; deuxième ou troisième pers. du futur du v. *pâtir.*

♦ Fam., vx. Souffre-douleur.

PÂTIS [pɑti] n. m. — 1119, *pastiz;* du lat. pop. **pasticium,* dér. de *pastus* «pâture», de *pascere* «paître». → Pacage, pâquis.

♦ Vx ou régional. (Ouest). Terre inculte (⇒ **Friche, lande**) sur laquelle on fait paître le bétail. *Pâtis et pâturage*. Pâtis semé de bois, de buissons.* ⇒ **Pacage.** *Enclore un pâtis.* ⇒ **Parc.** *Pâtis communal.* — REM. *Le pâtis,* terre inculte, ne procure en général aux bestiaux «qu'une nourriture très maigre» *(Omnium agricole);* La Fontaine écrit cependant : *«les pâtis les plus gras»* (→ Déceler, cit. 5).

Le pâtis est dru pour la saison, sans mousse, sans laîche, et les normandes qui, le mufle dessus, broutent en s'envoyant de temps en temps des coups de langue dans les naseaux, promènent des pis roses et des culottes sans crottillons.
Hervé BAZIN, Cri de la chouette, p. 89.

PÂTISSANT, ANTE [pɑtisɑ̃, ɑ̃t] adj. — 1697, Bossuet; de *pâtir.*

♦ **1.** Relig. Passif.

♦ **2.** Vx, littér. Qui pâtit, souffre. ⇒ **Souffrant.**

PÂTISSER [pɑtise; patise] v. intr. — 1617; *pasticier,* 1278; du lat. pop. **pasticiare,* dér. de *pasticium* «pâté, mélange de pâte», rac. *pasta* «pâté». → Pastiche, pastis.

♦ Travailler la pâte. — Faire de la pâtisserie.

Boussardel ne voulut jamais lui infliger l'humiliation d'un cuisinier mis en sa place, même les jours de festin, d'autant qu'elle cuisinait et pâtissait à merveille (...)
Philippe HÉRIAT, Famille Boussardel, p. 219.

DÉR. Pâtisserie, pâtissier, pâtissoire.

PÂTISSERIE [pɑtisʀi; patisʀi] n. f. — 1668; *pastiserie,* 1328; de *pâtisser.*

♦ **1.** Préparation de la pâte travaillée destinée à divers assaisonnements salés ou sucrés, et spécialt (mod.), à la confection des gâteaux. — *Opérations de pâtisserie :* abaisser (⇒ **Abaisse**), rouler, feuilleter la pâte* (⇒ **Feuilletage, feuilleté**)... dresser, fourrer, glacer, meringuer...; dorer au jaune d'œuf, sucrer, vaniller... *Farine, œufs, lait, levure; sucre, vanille, vanilline, parfums, fruits confits ou secs... utilisés en pâtisserie. Four, moule, rouleau, roulette à pâtisserie. Fouet, batteur, pâtissoire, saupoudroir, tourtière, ustensiles de pâtisserie.*

♦ **2.** (XVIIe). *Une, des pâtisseries.* a Vx. Préparation de pâte «avec plusieurs assaisonnements friands de viandes, de beurre, de sucre, de fruits, comme sont les pâtés, tourtes, tartes, biscuits, brioches, etc.» (Furetière, 1690). ⇒ **Bouchée, friand, pâté, profiterole, rissole, tourte, vol-au-vent.**

1 L'homme manipule avec la seule farine de froment une multitude de pâtisseries.
BERNARDIN DE SAINT-PIERRE, Harmonies de la nature, I.

b Mod. Préparation sucrée de pâte travaillée, cuite au four, souvent garnie de crème, de fruits..., et généralement destinée à être consommée fraîche comme entremets ou comme dessert. ⇒ **Gâteau;** et aussi **Baba, chou, beignet, chanoinesse, croissant, dariole, éclair, flan, religieuse, saint-honoré, talmouse, vitelot... ; pièce** (montée). *Porter des pâtisseries sur un clayon. Les régimes amaigrissants excluent les pâtisseries. Pâtisseries orientales.* — REM. *Pâtisserie* s'emploie parfois improprement au sens de «gâteau* sec». — Collectif. *Boulanger qui vend de la pâtisserie.*

2 La bonne appelée apporta d'abord des gâteaux secs en de profondes boîtes de fer-blanc, ces fades et cassantes pâtisseries anglaises qui semblent cuites pour des becs de perroquet et soudées en des caisses de métal pour des voyages autour du monde.
MAUPASSANT, Pierre et Jean, I.

3 Elle avait surtout une vive tendresse pour la boulangerie Taboureau, où toute une vitrine était réservée à la pâtisserie; elle (...) revenait dix fois, pour passer devant les gâteaux aux amandes, les saint-honoré, les savarins, les flans, les tartes aux fruits, les assiettes de babas, d'éclairs, de choux à la crème (...)
ZOLA, le Ventre de Paris, IV, t. II, p. 30.

♦ **3.** Commerce; industrie de la pâtisserie; fabrication et vente des gâteaux (à l'exclusion des gâteaux secs. ⇒ **Biscuiterie**). Magasin où l'on fabrique et où l'on vend de la pâtisserie, des gâteaux. *Pâtisserie confiserie*. Boulangerie* pâtisserie.*

(...) j'offrais à ma petite compagne un croissant, un pain de seigle, avec un bâton de chocolat, ou même un gâteau plus raffiné, non pas dans une pâtisserie proprement dite (...) — mais dans une boulangerie pâtisserie. 4
J. ROMAINS, les Hommes de bonne volonté, t. III, XXIII, p. 316.

♦ **4.** (Par anal. du sens 1.). Moulage en stuc décorant un plafond.

On s'abstient des affreuses et lourdes «pâtisseries» qui les encadrent *(les plafonds),* des revêtements marron qui enlaidissent, avec une si triste uniformité, les salles à manger. 5
Georges LECOMTE, Ma traversée, p. 92.

(...) les orgueilleuses demeures des propriétaires (celles non pas hollywoodiennes mais aux pâtisseries 1900 des fortunes assises (...) Claude SIMON, le Vent, p. 42. 6

PÂTISSIER, IÈRE [pɑtisje, jɛʀ; patisje, jɛʀ] n. et adj. — 1617; *pasticier,* 1278; de *pâtisser.*

♦ **1.** N. Personne qui fait, qui vend de la pâtisserie, et, spécialt, des gâteaux (→ Matin, cit. 18; nougat, cit. 1). *Pâtissier confiseur. Boulanger pâtissier.* Par appos. *Garçon pâtissier.* ⇒ **Mitron, patronnet** (vx). — *Four de pâtissier. La gâche, la videlle, ustensiles du pâtissier.*

Il était devenu amoureux d'une pâtissière de la rue de l'Université. Le pâtissier était un bon homme qui regardait de plus près à son four qu'à la conduite de sa femme.
DIDEROT, Jacques le fataliste, Pl., p. 579.

♦ **2.** Adj. *Crème pâtissière,* faite de lait parfumé, de jaunes d'œufs, de farine et de sucre, et utilisée pour garnir certaines pâtisseries (choux, éclairs, saint-honorés).

PÂTISSOIRE [pɑtiswaʀ; patiswaʀ] n. f. — 1798; de *pâtisser.*

♦ Techn. Tablette à rebords sur laquelle on fait de la pâtisserie.

PÂTISSON [pɑtisɔ̃; patisɔ̃] n. m. — 1775, *pastisson;* de *pastitz.* → Pâté, pastisson.

♦ Bot. Espèce de courge *(Cucurbitacées),* appelée aussi *artichaut d'Espagne, artichaut de Jérusalem, bonnet de prêtre.*

PATITO [patito] n. m. — 1829, Balzac; ital. *patito,* rac. *pati* «souffrir».

♦ Vx. Amoureux (cit. 15), soupirant qui endure les caprices, les humeurs d'une femme. ⇒ **Galant, sigisbée.**

Dans son coin, le commis voyageur aux cheveux encollés ricane. La majestueuse personne se ressaisit, prend la carte et va la jeter dans son tiroir-caisse, sans y poser les yeux (...) Et elle remonte vers son patito.
J.-R. BLOCH, l'Aigle et Ganymède, p. 299-300.

PATOCHE [patɔʃ] n. f. — 1856, «coup de férule»; de *patte.*

♦ Fam. Main, patte*. ⇒ **Paluche.**

PATOIS, OISE [patwa, waz] n. m. et adj. — V. 1240; probablt v. 1285; du rad. *patt-* (→ Patte), exprimant la grossièreté, le marmonnage, le mouvement des lèvres.

♦ **1.** Parler local employé par une population généralement peu nombreuse, souvent rurale et dont la culture, le niveau de civilisation sont généralement jugés inférieurs à ceux du milieu environnant (qui emploie la langue commune). ⇒ **Parler; idiome.** *Patois et dialectes** (cit. 1); *patois et langue** (cit. 25 et 30). *Les patois d'une région; d'une langue. Des patois allemands, italiens...* — (Sans spécification). Patois gallo-romains parlés en France (dialectes d'oïl, dialectes occitans). *Les patois d'une province, d'une région. Le patois, «ancienne langue qui a eu des malheurs»* (cit. 11, Sainte-Beuve). *Populations rurales, montagnardes qui parlent patois.* ⇒ **Patoisant, patoiser.**

Les parlers de nos campagnes, les patois, comme on les appelle, ont souvent des règles plus strictes que les langues apprises dans les grammaires. 1
J. VENDRYES, le Langage, p. 284.

Une *langue* est un dialecte qui a réussi, un *patois* est un dialecte qui s'est dégradé (...) Le dialecte dégénère quand il ne s'écrit plus; ne s'écrivant plus, il se diversifie en multiples variétés, dissolution qui se précipite quand les classes dites supérieures cessent de l'employer dans l'usage oral, pour adopter une langue commune. 2
A. BRUN, les Parlers régionaux, p. 9.

Adj. *Mot patois. Versions, variantes patoises d'un mot, d'un conte populaire. «Un superbe juron patois»* (Baudelaire, *le Spleen de Paris,* XV).

♦ **2.** Langue spéciale (généralement considérée comme incorrecte ou incompréhensible). ⇒ **Argot, jargon.** *Le patois des savants* (→ Descendre, cit. 23).

Il lui défila de nouveau son jargon romantique. Honteux d'avoir été bête, il vou- 3 lut être roué; il lui parla (...) en patois séminariste de blessures à fermer ou à cautériser (...) BAUDELAIRE, la Fanfarlo.

Péj. Langue pauvre, grossière, rustique. *Notre maudit patois* (→ Délicatesse, cit. 8). — Langage incorrect. ⇒ **Baragouin, charabia, jargon...** *Quel patois!* — Fig. et par plais. (en parlant des animaux). *La chèvre lui dit dans son patois...* (→ Languir, cit. 25).

4 L'âne qui goûtait fort l'autre façon d'aller,
Se plaint en son patois. LA FONTAINE, Fables, III, 1.

DÉR. Patoiser.

PATOISANT, ANTE [patwazɑ̃, ɑ̃t] adj. — 1864, n. m.; de *patoiser.*

♦ Qui emploie, parle le patois. *Nos informateurs patoisants sont en général âgés.* — Qui comprend des éléments de patois. *Français régional patoisant* (dialectal, dialectalisé). *Style patoisant.* — REM. On trouve chez Proust la forme *patoiseur.* («... comme ils sont amusants et gentils avec leurs roulements d'r et leur jargon patoiseur», *le Temps retrouvé,* Pl., p. 807).

N. *Les patoisants :* les personnes qui parlent patois. *Un patoisant, une patoisante.*

Rollon Langrune était un patoisant audacieux. Il méprisait les Académies autant que la gloire et il se servait, en maître, de ces idiomes primitifs. BARBEY D'AUREVILLY, Un prêtre marié, p. 22.

PATOISER [patwaze] v. intr. — 1834; de *patois.*

♦ Parler patois; employer des mots, des tournures propres à un patois.

(...) sœur Perpétue était une forte religieuse, de Marines, près Pontoise, patoisant, psalmodiant, bougonnant (...) HUGO, les Misérables, I, VII, I.

DÉR. Patoisant.

PÂTON [pɑtɔ̃] n. m. — 1483; de *pâte.*

♦ **1.** Techn. ou régional. Morceau de pâte. Spécialt. Morceau de pâte à pain que le boulanger manie dans le pétrin. Chaque morceau de pâte qui, après cuisson, formera un pain. *Enfourner les pâtons.*

♦ **2.** Agric. Morceau de pâte, de graisse... servant à l'engraissement des volailles.

♦ **3.** Techn. (poterie). Appendice de terre formant l'oreille d'une poterie. — (Papet.). Petite masse de matière agglomérée faisant le défaut d'un papier (⇒ **Andouille**).

DÉR. Pâtonnage.

PÂTONNAGE [pɑtɔnaʒ] n. m. — 1903; de *pâton.*

♦ Techn. ou régional. Opération qui consiste à soulever la pâte, au cours du pétrissage.

PATOUILLARD [patujaʀ] n. m. — V. 1900; 1866, «bateau de commerce à vapeur»; de *patouiller.*

♦ Rare. Mauvais bateau; navire lent et lourd. — Marin (ou, plaisance, équipier) maladroit, qui commet des bévues dans les manœuvres.

PATOUILLAT [patuja] n. m. — XXᵉ, attesté; un des nombreux dér. région. de *patouiller; patouille, patouillée in* Wartburg.

♦ Fam. et régional. Boue dans laquelle on patouille, on patauge.

Roch est entré, son chapeau à la main, son paletot sur les épaules, les souliers fort boueux, comme un homme qui vient de trotter dans le patouillat, à bonne allure. G. DUHAMEL, les Maîtres, p. 216.

PATOUILLE [patuj] n. f. — 1473, *patoueil* «bourbier»; de *patouiller.*

★ **I.** Régional. ♦ **1.** Eau boueuse, bourbier.

Dire qu'il faudra quand même plonger dans cette patouille avec *Blonde-Amélie* (nom d'un bateau). Pierre ACCOCE, le Polonais, p. 157.

Mar., fam. (surtout dans des emplois tels que *tomber, se fiche à la patouille).* Eau. *Largue le point d'amure du spi, et tâche de ne pas te foutre à la patouille!*

♦ **2.** Lavette à vaisselle, écouvillon.

★ **II.** (Fin XIXᵉ; de *patouiller* II.). Fam. Caresse. ⇒ **Papouille** (plus courant).

PATOUILLER [patuje] v. — 1213, *patoiller;* du rad. *patt-* (→ Patte), var. *patrouiller.* → aussi Patauger.

★ **I.** V. intr. Fam. Patauger. *Patouiller dans la boue.* ⇒ **Patrouiller.**

1 Vous ne patouillerez pas longtemps dans les marécages où vivent les crapoussins qui nous entourent ici. BALZAC, le Père Goriot, Pl., t. II, p. 982.

★ **II.** V. tr. ♦ **1.** Manier, tripoter brutalement ou indiscrètement. ⇒ **Patrouiller, tripatouiller, tripoter.**

Vous ne voulez pas que je vous aide; je comprends, moi non plus je n'aime pas que 2
n'importe qui patouille mon linge. A. SARRAZIN, la Cavale, p. 210.

(Sans compl.) :

Tout en décochant de larges sourires au téléphone, tout en faisant le joli cœur 3
devant le mur vide, il ne perdait pas des yeux ses trois bonnes femmes qui patouillaient dans les chapeaux avec une jouissance bestiale. Roger IKOR, les Fils d'Avrom, Les eaux mêlées, p. 500.

♦ **2.** (1896). Vieilli. Faire des caresses, des papouilles. ⇒ **Caresser, papouiller.**

DÉR. Patouillard, patouille, patouillet, patouilleur.
COMP. Dépatouiller, tripatouiller.

PATOUILLET [patujɛ] n. m. — 1765; de *patouiller.*
Technique.

♦ **1.** (Vx). Appareil pour le lavage des minerais.

♦ **2.** (Déb. XXᵉ). Malaxeur pour le pétrissage de la pâte à céramique.

PATOUILLEUR [patujœʀ] n. m. — 1829; de *patouiller.*
Technique.

♦ **1.** Vx. Ouvrier qui lave le minerai.

♦ **2.** (Déb. XXᵉ). Ouvrier céramiste qui procède au malaxage de la terre.

PÂTOUR [pɑtuʀ] n. m. ⇒ **Pastour.**

PATRAQUE [patʀak] n. f. et adj. — 1743; provençal *patraco* «monnaie usée, dépréciée», ital. *patraca,* déformation de l'esp. *pataca.* → Patard.
Familier.

★ **I.** N. f. ♦ **1.** Vx. Machine usée, sans valeur ou fonctionnant mal. Spécialt. Vieille montre détraquée.

(...) Binet, *fatigué* d'attendre l'*Hirondelle,* avait définitivement avancé son repas 1
d'une heure, et, maintenant, il dînait à cinq heures juste, encore prétendait-il le plus souvent que la *vieille patraque retardait.* FLAUBERT, Mᵐᵉ Bovary, III, IV.

♦ **2.** Vieilli. Personne faible, maladive.

Quatre-vingt-dix ans! Il n'y en avait pas une d'elles, comme le cria Lucy, fichue 2
de vivre jusque-là. Toutes des patraques. D'ailleurs, Nana déclara qu'elle ne voulait pas faire de vieux os; c'était plus drôle. ZOLA, Nana, VI.

♦ **3.** (Terme dépréciatif et injurieux). Vieilli ou régional.

Ah ça! est-ce que cette grande patraque ne va pas se lever? sept heures et 2.1
demie (...)! grand lâche! gros patapouf (...) E. LABICHE, Mon Isménie, 2.

★ **II.** Adj. Mod. Un peu souffrant, en mauvaise forme. ⇒ **Ergotant, faible, fatigué.** *Il est un peu patraque. Se sentir patraque, tout patraque.* ⇒ **Fichu** (mal), **malade.**

Cette étourdie de Mary a sottement attendu d'être sortie de chez vous pour 3
m'avouer qu'elle se sentait patraque depuis quelques jours, et que la toux l'avait empêchée de dormir ces dernières nuits. MARTIN DU GARD, les Thibault, t. III, p. 178.

PATRAQUERIE [patʀakʀi] n. f. — D.i.; de *patraque.*

♦ Fam. (employé en médecine). Mauvais état de santé chronique, sans cause précise ou connue.

PÂTRE [pɑtʀ] n. m. — XIIᵉ, *pastre,* anc. cas sujet de *pasteur;* du lat. *pastor* «berger». → Pasteur, pastoureau.

♦ Littér. Celui qui garde, fait paître le bétail. ⇒ **Berger, pasteur** (1.). → Épais, cit. 20; histrion, cit. 5; oc, cit. 1. *Pâtre grec.*

Un pâtre ainsi parler! Ainsi parler; croit-on 1
Que le ciel n'ait donné qu'aux têtes couronnées
De l'esprit et de la raison,
Et que de tout berger, comme de tout mouton,
Les connaissances soient bornées? LA FONTAINE, Fables, X, 15.

(...) quelques troupeaux menés à travers le soir d'or par de petits pâtres en bérêts. 2
LOTI, Ramuntcho, I, XXVI.

PATRES (AD) [adpatʀɛs] ⇒ **Ad patres.**

PATRIARCAL, ALE, AUX [patʀijaʀkal, o] adj. — V. 1400, «épiscopal»; lat. ecclés. *patriarchalis.* → Patriarche.

♦ **1.** (XVIIᵉ). Relig. Relatif à la dignité de patriarche. *Le procureur patriarcal de Jérusalem* (→ Métropolitain, cit. 2). *Siège, trône patriarcal. Croix patriarcale.*

♦ **2.** (1752). Relig. Relatif aux patriarches de la Bible. *L'autorité, la famille patriarcale* (→ Coude, cit. 6). *La religion patriarcale :* la religion juive à l'époque des patriarches (→ Monothéiste, cit. 2).

1 Leur rencontre nous fit penser vaguement à la Bible, à Rachel sur le bord du puits, aux scènes primitives des époques patriarcales.
Th. GAUTIER, Voyage en Espagne, p. 281.

♦ **3.** (1756, Voltaire). Qui rappelle la simplicité, les mœurs paisibles des anciennes tribus juives, à l'époque des patriarches. ⇒ **Simple.** *Une vie patriarcale* (→ 1. Barbe, cit. 23). *Un banquet patriarcal* (→ Mariage, cit. 21).

2 J'en ai vu encore le modèle expirant, il y a une trentaine d'années, dans la jolie petite île de Bréhat, avec ses mœurs patriarcales, dignes du temps des Phéaciens.
RENAN, Souvenirs d'enfance..., II, Œ. compl., t. II, p. 769 (cf. Mœurs, cit. 14).

3 (...) il ne reste plus à « Israël » qu'à jouir de sa lente vieillesse dans cette existence si régulière, si paisible, que le mot même de patriarcal en signifie la tranquille majesté.
DANIEL-ROPS, le Peuple de la Bible, I, II.

♦ **4.** (XIXe). Sociol. Qui est organisé selon les principes du patriarcat* (2.). *La famille patriarcale grecque, romaine. Société qui passe du stade matriarcal au stade patriarcal. Système patriarcal* (→ Matriarcat, cit. 1 ; et aussi intérieur, cit. 15).

4 Là, les mœurs sont patriarcales ; l'autorité du père est illimitée, sa parole est souveraine (...)
BALZAC, le Médecin de campagne, Pl., t. VIII, p. 379.

CONTR. Matriarcal.
DÉR. Patriarcalement, patriarcalisme.

PATRIARCALEMENT [patʀijaʀkalmɑ̃] adv. — 1763, Voltaire, « en patriarche » ; de *patriarcal.*

♦ Littér. D'une manière patriarcale, simple et paisible. *Vivre patriarcalement* (→ Brave, cit. 13).

(...) on dîna, et l'on partit ensemble vertueusement, patriarcalement et bourgeoisement, pour la première représentation de la pièce.
Th. GAUTIER, les Jeunes-France, Celle-ci et celle-là.

PATRIARCALISME [patʀijaʀkalism] n. m. — 1854 ; de *patriarcal.*

♦ Didact. Fait, pour une société, d'être patriarcale (4.). « *Le patriarcalisme de la religion islamique* » (*l'Express,* 31 mars 1979).

PATRIARCAT [patʀijaʀka] n. m. — XVIe ; *patriarchat,* 1280 ; lat. ecclés. *patriarchatus.* → Patriarche.

♦ **1.** Relig. Dignité de patriarche. *Être élevé au patriarcat.* — Par ext. Circonscription relevant de l'autorité d'un patriarche. *Le patriarcat d'Antioche, de Constantinople.* ⇒ **Patriarchie.** — Exercice des fonctions de patriarche ; sa durée.

Les opinions varient sur l'origine du patriarcat (...) mais il paraît néanmoins qu'il ne fut établi dans l'Église que vers l'an 385 (...)
CHATEAUBRIAND, le Génie du christianisme, IV III, II.

♦ **2.** (1903). Sociol. Forme de famille fondée sur la parenté par les mâles (famille agnatique) et sur la puissance paternelle ; structure, organisation sociale fondée sur la famille patriarcale.

CONTR. Matriarcat.

PATRIARCHE [patʀijaʀʃ] n. m. — V. 1080 ; lat. chrét. *patriarcha,* grec ecclés. *patriarkhês* « chef de famille ».

♦ **1.** Hist. ecclés. Titre accordé, dans l'Église romaine, à certains évêques titulaires de sièges très importants (évêchés de Rome, d'Alexandrie, d'Antioche, de Constantinople et de Jérusalem, dont les juridictions sont représentées par les cinq églises principales de Rome. ⇒ **Patriarchie.** Par ext. *Patriarche de Lisbonne, de Venise... Les titres de patriarche et de primat sont honorifiques.*

1 Les patriarches de Constantinople avaient un pouvoir immense. Comme dans les tumultes populaires les empereurs et les grands de l'État se retiraient dans les églises, que le patriarche était maître de les livrer ou non (...) il se trouvait toujours, quoique indirectement, arbitre de toutes les affaires publiques.
MONTESQUIEU, Grandeur et décadence des Romains, XXII.

(XVIe, *patriarque*). Chef d'une Église qui n'observe pas le rite latin. *Patriarche des Coptes* (Alexandrie), *des Syriens, des Maronites* (Antioche), *des Arméniens..., des Grecs melchites.*
Chef d'une Église séparée de l'Église romaine (schismatique ou hérétique). → Excommunier, cit. 2 ; gallican, cit. 1.

♦ **2.** (V. 1250). Relig. L'un des chefs de famille que l'Ancien Testament dépeint comme ayant été d'une longévité et d'une fécondité extraordinaires (→ Dîme, cit. 1 ; hospitalité, cit. 2). *Le temps des patriarches,* depuis Abraham jusqu'à Moïse.

2 La longueur de la vie des patriarches, au lieu de faire que les histoires des choses passées se perdissent, servait au contraire à les conserver (...)
PASCAL, Pensées, IX, 626.

3 Le chef de famille ou patriarche résumait toute l'institution sociale du temps. Son autorité était absolue, incontestée (...) Le chef de famille n'avait le plus souvent qu'une seule femme en titre. Dans certains cas, cependant, le patriarche avait pour épouses (...) deux femmes égales, de sang noble (...) Le patriarche possédait, en outre comme concubines toutes les esclaves de sa tente (...)
RENAN, Hist. du peuple d'Israël, *in* BOUGLÉ et RAFFAULT, Éléments de sociologie, p. 101.

♦ **3.** Vieillard d'apparence vénérable. *Une barbe de patriarche* (→ Broussaille, cit. 3). — Par anal. « *Deux bœufs* (cit. 5) *tranquilles... véritables patriarches de la prairie* ».
Vieillard qui mène une vie simple et paisible, entouré d'une nombreuse famille. ⇒ **Patriarcal.** *Mener un vie de patriarche.*

Il y avait parmi ces sauvages un vieillard nommé *Chactas,* qui, par son âge, sa sagesse et sa science dans les choses de la vie, était le patriarche et l'amour des déserts. 4
CHATEAUBRIAND, Atala, Prologue.

Littér. *Le patriarche de Ferney :* Voltaire âgé, après qu'il se fut retiré à Ferney.

DÉR. (Du lat.) **Patriarcal, patriarcat, patriarchie.**

PATRIARCHIE [patʀijaʀʃi] n. f. — 1765, *Encyclopédie ;* de *patriarche.*

♦ Relig. Juridiction d'un patriarche ; l'une des cinq églises principales de Rome, représentant une telle juridiction. ⇒ **Patriarche** (1.).

PATRICE [patʀis] n. m. — 1190, repris 1506 ; lat. *patricius,* de *pater* « père ». → Patricien.

♦ Hist. rom. Titulaire d'une dignité instituée par Constantin. *Les patrices, nommés à vie, avaient le premier rang dans l'empire après les Césars.* — Par ext. *Charlemagne fut patrice de Rome* (→ Autorité, cit. 5).

DÉR. Patricial.

PATRICIAL, ALE, AUX [patʀisjal, o] adj. — 1575 ; de *patrice.*

♦ Hist. rom. Relatif à la dignité de patrice. *Les honneurs patriciaux.*

PATRICIAT [patʀisja] n. m. — 1678 ; *patritiat,* 1565 ; lat. *patriciatus.*

♦ **1.** Hist. rom. Dignité de patrice, de patricien.
Ordre des patriciens. *La puissance du patriciat* (→ Chevalier, cit. 1).

♦ **2.** Fig. Élite, aristocratie. *Le patriciat des âmes* (→ Enlever, cit. 14).

Si la République n'était point renversée, il s'établirait sous vingt ans un patriciat avec un conseil de ministres. 1
SAINT-JUST, 25 avr., *in* Discours et rapports, 1793 (*in* D. D. L.).

(...) ces privilégiés qui, n'étant pas loin de se prendre pour un patriciat, en avaient les vues étroites, en même temps que la méfiance et les caprices populaires (...) 2
P.-J. TOULET, la Jeune Fille verte, p. 168.

Supériorité. *Patriciat moral* (→ Malheureux, cit. 31).

CONTR. Plèbe.

PATRICIEN, IENNE [patʀisjɛ̃, jɛn] adj. et n. — 1350 ; dér. sav. du lat. *patricius,* et suff. *-(i)en.*

♦ **1.** Hist. rom. Personne qui appartenait, de par sa naissance, à la classe supérieure des citoyens romains, et jouissait de nombreuses prérogatives. ⇒ **Noble, patrice.** *Patriciens et clients*. La clientèle d'un patricien.* ⇒ **Patron.** *Les luttes des patriciens et des plébéiens* (→ Classe, cit. 3). — Adj. *Prérogatives des familles patriciennes.* ⇒ **Aristocratique** (cit. 1).

Les familles patriciennes avaient eu, de tout temps, de grandes prérogatives. Ces distinctions, grandes sous les rois, devinrent plus importantes après leur expulsion. Cela causa la jalousie des plébéiens, qui voulurent les abaisser (...) Une monarchie élective (...) suppose nécessairement un corps aristocratique puissant qui la soutienne (...) mais un État populaire n'a pas besoin de cette distinction des familles pour se maintenir. C'est ce qui fit que les patriciens, qui étaient des parties nécessaires de la constitution du temps des rois, en devinrent une partie superflue du temps des consuls : le peuple put les abaisser sans se détruire lui-même. (...) 1
MONTESQUIEU, l'Esprit des lois, XI, XIV.

Il *(Romulus)* donna (...) au peuple (...) toute l'autorité du nombre pour balancer celle de la puissance et des richesses qu'il laissait aux patriciens. Mais, selon l'esprit de la monarchie, il laissa cependant plus d'avantage aux patriciens par l'influence de leurs clients sur la pluralité des suffrages. 2
ROUSSEAU, Du contrat social, IV, IV. (→ Client, cit. 1).

♦ **2.** (XVIIIe). Littér. Aristocrate, noble ; privilégié, puissant. — REM. *Patricien* a été employé comme exact synonyme de *noble,* en parlant de certaines républiques italiennes (cf. Rousseau, *in* Littré), de la France (cf. Chateaubriand, ci-dessous) ; mais le plus souvent il implique une notion morale de fierté, de hauteur plutôt que d'appartenance à une classe sociale précise. *Un bourgeois* (cit. 6) *et une patricienne. Des figures fines et des mains petites de patricien* (→ Griffe, cit. 5).

Les plus grands coups portés à l'antique constitution de l'État le furent par des gentilshommes. Les patriciens commencèrent la Révolution, les plébéiens l'achevèrent : comme la vieille France avait dû sa gloire à la noblesse française, la jeune France lui doit sa liberté, si liberté il y a pour la France. 3
CHATEAUBRIAND, Mémoires d'outre-tombe, t. I, p. 219.

(...) les patriciennes de V..., aussi fières pour le moins que les femmes des paladins de Charlemagne, ne supposaient pas (...) que la plus belle fille de chambre fût plus pour leurs maris que le plus beau laquais n'était pour elles (...) 4
BARBEY D'AUREVILLY, les Diaboliques, « Bonheur dans le crime ».

Mais on dit qu'un artiste de Venise, Fortuny, a retrouvé le secret de leur fabrication et qu'avant quelques années les femmes pourront se promener, et surtout 4.1

rester chez elles, dans des brocarts aussi magnifiques que ceux que Venise ornait, pour ses patriciennes, avec des dessins d'Orient.
PROUST, À l'ombre des jeunes filles en fleurs, Folio, p. 566.

Adj. Aristocratique. *Un luxe patricien, une lenteur patricienne* (Barbey d'Aurevilly, *les Diaboliques,* p. 10 et 91). *Des manières, des mains patriciennes,* distinguées (→ Dépasser, cit. 19).

5 Julien, de son côté, trouvait dans les façons de la maréchale un exemple à peu près parfait de ce *calme patricien* qui respire une politesse exacte et encore plus l'impossibilité d'aucune vive émotion. STENDHAL, le Rouge et le Noir, II, XXVI.

CONTR. Plébéien; populaire; prolétaire, prolétarien.

PATRICLAN [patʀiklɑ̃] n. m. — XXe; du lat. *pater,* et *clan.*

♦ Ethnol. Clan dont le recrutement est assuré par la voie patrilinéaire* (opposé à *matriclan*).

PATRIE [patʀi] n. f. — 1511; lat. *patria* «pays du père», de *pater* «père».

♦ **1.** Nation, communauté politique à laquelle on appartient ou à laquelle on a le sentiment d'appartenir; pays habité par cette communauté. ⇒ **Nation, pays; cité** (3.); → Berceau, cit. 4; 1. bien, cit. 46; drapeau, cit. 2; 3. mort, cit. 9, Renan; nationaliste, cit. 3; patrimoine, cit. 2. *La patrie de qqn, sa patrie. Une patrie. Être né dans sa patrie, loin de sa patrie. Province conquise dont les habitants sont arrachés à leur patrie. Le sol de la patrie. «C'est la cendre des morts* (cit. 6) *qui créa la patrie»* (Lamartine). *Aimer sa patrie; amour de la patrie.* ⇒ **Patriote, patriotisme** (→ Amour, cit. 5; héros, cit. 13). *Idolâtre* (cit. 8) *de sa patrie. Enthousiasme* (cit. 13) *de la patrie. Dévouement du citoyen pour sa patrie.* ⇒ **Civisme.** *Hostile à sa patrie.* ⇒ **Antipatriote, antipatriotisme.** *Trahir sa patrie. Fuir sa patrie.* ⇒ **Expatrier** (s'). *Bannir* (cit. 28) *quelqu'un de sa patrie...* (→ aussi Exil, cit. 4, 8 et 10). *Le mal* (cit. 22) *du pays, regret de la patrie. Faire revenir un exilé dans sa patrie.* ⇒ **Rapatrier.** *Changer de patrie* (→ Naturaliser, cit. 2). *Considérer un pays d'accueil comme sa patrie. Seconde patrie :* pays qu'une personne adopte pour patrie. *N'avoir ni foyer ni patrie* (→ Cosmopolite, cit. 1). *Personne sans patrie, sans nationalité.* ⇒ **Apatride, heimatlos, sans-patrie.** *Avoir la même patrie que quelqu'un.* ⇒ **Compatriote.** — *La patrie menacée* (→ 1. Ban, cit. 7), *en danger* (→ Appartenir, cit. 7; casse-pipe, cit. 1; lâche, cit. 10). Spécialt. *La patrie en danger,* au temps des décrets révolutionnaires de 1792 (4-6 juillet, 11 juillet). *Défense de la patrie* (→ Anathème, cit. 4; mourir, cit. 30). *Mourir pour la patrie* (→ Beau, cit. 54; fraternité, cit. 7). *«Ceux qui pieusement sont morts pour la patrie»* (→ Gloire, cit. 20). — *La mère patrie* (→ Immoler, cit. 15); spécialt : la métropole* (par rapport à des colonies, à des territoires lointains, etc.). — *Le culte, l'autel* (cit. 21) *de la patrie. Travail, Famille, Patrie,* devise du gouvernement de Vichy.

1 On voit là toutes les choses qui unissent les citoyens et entre eux et avec leur patrie : les autels et les sacrifices, la gloire, les biens, le repos et la sûreté de la vie, en un mot la société des choses divines et humaines.
BOSSUET, Politique, I, VI, I.

2 Telle est donc la condition humaine, que souhaiter la grandeur de son pays c'est souhaiter du mal à ses voisins. Celui qui voudrait que sa patrie ne fût jamais ni plus grande, ni plus petite, ni plus riche, ni plus pauvre, serait le citoyen de l'univers. VOLTAIRE, Dict. philosophique, Patrie.

3 Je ne pense plus à mon ancienne patrie qu'avec indifférence (...) Ce n'est pas que je me croie quitte envers elle; on ne l'est jamais qu'à la mort. J'ai le zèle du devoir encore, mais j'ai perdu celui de l'attachement. Mais où est-elle, cette patrie? existe-t-elle encore? (...) Ce ne sont ni les murs ni les hommes qui font la patrie : ce sont les lois, les mœurs, les coutumes, le gouvernement, la constitution, la manière d'être qui résulte de tout cela. La patrie est dans la relation de l'État à ses membres; quand ces relations changent ou s'anéantissent, la patrie s'évanouit.
ROUSSEAU, Correspondance, 1er mars 1764.

4 La patrie n'est point un mot que l'imagination se soit complue d'embellir; c'est un être auquel on a fait des sacrifices, à qui l'on s'attache chaque jour davantage par les sollicitudes qu'il cause; qu'on a créé par de grands efforts, qui s'élève au milieu des inquiétudes, et qu'on aime, autant par ce qu'il coûte que par ce qu'on en espère. ROLAND, Lettre au roi, 10 juin 1792, *in* BRUNOT, Hist. de la langue franç., t. IX, p. 640.

5 (...) quand la liberté a disparu, il reste un pays, mais il n'y a plus de patrie.
CHATEAUBRIAND, Mémoires d'outre-tombe, t. IV, p. 299.

6 Ô patrie! ô patrie! ineffable mystère!
Mot sublime et terrible! inconcevable amour!
L'homme n'est-il donc né que pour un coin de terre,
Pour y bâtir son nid, et pour y vivre un jour?
A. DE MUSSET, Poésies posthumes, «Retour».

7 (...) l'idée de la patrie, c'est-à-dire d'une certaine portion de terrain dessinée sur la carte et séparée des autres par une ligne rouge ou bleue, non! la patrie est pour moi le pays que j'aime, c'est-à-dire celui que je rêve, celui où je me trouve bien.
FLAUBERT, Correspondance, 113, 6 août 1846.

8 Avoir des gloires communes dans le passé, une volonté commune dans le présent (...) voilà les conditions essentielles pour être un peuple. On aime en proportion des sacrifices qu'on a consentis, des maux qu'on a soufferts. On aime la maison qu'on a bâtie et qu'on transmet. Le chant spartiate : «Nous sommes ce que vous fûtes; nous serons ce que vous êtes» est dans sa simplicité l'hymne abrégé de toute patrie. RENAN, Qu'est-ce qu'une nation? III, Œ. compl., t. I, p. 904.

9 La patrie est une *société naturelle,* ou, ce qui revient absolument au même, *historique.* Son caractère décisif est la naissance. On ne choisit pas plus sa patrie. — *la terre de ses pères* — que l'on ne choisit son père et sa mère.
Ch. MAURRAS, Mes idées politiques, La Patrie, p. 252.

10 Certainement le mot *Patrie,* par exemple, ne comprend pas les mêmes paysages pour le paysan du nord de la France et pour celui du midi; il n'est pas compris de même par le cultivateur et par l'intellectuel; par le pauvre et par le riche. Mais c'est un mot de ralliement. Et lorsque nous entendons que «La Patrie est en danger», l'important c'est que nous nous levions et unissions pour la défendre.
GIDE, Attendu que..., p. 39-40.

Pays, État (par rapport à une activité). *La science* (→ Flambeau, cit. 13), *l'art n'a pas de patrie* (→ Artiste, cit. 5 et 6).

Nations! mot pompeux pour dire : Barbarie! 11
L'amour s'arrête-t-il où s'arrêtent vos pas?
Déchirez ces drapeaux; une autre voix vous crie :
«L'égoïsme et la haine ont seuls une patrie;
La fraternité n'en a pas!»
LAMARTINE, Poésies diverses, «Marseillaise de la paix».

Allus. hist. *Ingrate* patrie, tu n'auras pas mes os.* — *On n'emporte* (cit. 9) *pas la patrie à la semelle de ses souliers* (→ aussi Labourer, cit. 4). —*Aux grands hommes, la patrie reconnaissante* (→ Fronton, cit. 3). — *«Allons, enfants* (cit. 35) *de la patrie...»* — *Honneur et patrie,* devise de certains régiments, de certaines troupes (⇒ **Armée**). — *Pour la patrie* (cf. lat. Pro patria).

Par ext. Province, région, ville natale. *Genève patrie de Jean-Jacques Rousseau.*

On se demandait comment s'accomplirait le sacrifice de la patrie provinciale, du sol natal, des souvenirs, des préjugés envieillis (...) Eh bien, la grande patrie leur apparaît sur l'autel, qui leur ouvre les bras (...) Tous s'y jettent, et tous s'oublient; ils ne savent plus ce jour-là de quelle province ils étaient (...) 12
MICHELET, Hist. de la Révolution franç., III, XI.

L'autre patrie (→ Éternel, cit. 32), *la patrie céleste* (→ Exil, cit. 14), le ciel des chrétiens, le paradis. — Par métaphore :

Chaque artiste semble ainsi comme le citoyen d'une patrie inconnue, oubliée de lui-même, différente de celle d'où viendra, appareillant pour la terre, un autre grand artiste (...) Cette patrie perdue, les musiciens ne se la rappellent pas, mais chacun d'eux reste toujours inconsciemment accordé en un certain unisson avec elle; il délire de joie quand il chante selon sa patrie (...) 13
PROUST, À la recherche du temps perdu, t. XII, p. 68.

♦ **2.** Par ext. Lieu, endroit où l'on est, où l'on se sent chez soi. *La patrie est partout où l'on se trouve bien* (cit. 11).

Les gens qui parcourent le monde se croient délivrés de toute servitude; ne pensez-vous pas qu'il leur faut s'improviser une patrie dans leur entrepont de navire ou leur wagon de chemin de fer? Ils doivent parfois même, emporter cette patrie minuscule dans leur valise, dans leur poche, dans le regard d'un compagnon chéri. 14
G. DUHAMEL, Salavin, I, XX.

Par métaphore, fig. Milieu dans lequel on se sent à l'aise, avec lequel on est en harmonie. *La République, cette patrie morale* (→ Guerrier, cit. 10).

♦ **3.** (1835). Contrée, climat propice au développement de..., où il y a beaucoup de... *La patrie des neiges éternelles... La patrie de la poésie, de l'art :* le pays où fleurissent* l'art, la poésie... *Athènes, patrie des philosophes, de la philosophie...*

C'est en Hollande seulement et à Venise, patrie des brumes, qu'il y a eu de grands coloristes. FLAUBERT, Correspondance, 397, 6-7 juin 1853. 15

COMP. Apatrié.

PATRILINÉAIRE [patʀilineɛʀ] adj. — XXe; 1913 en angl., *patrilinear;* du lat. *pater,* et *linearis.* → Linéaire.

♦ Didact. (ethnol.) Se dit d'un type de filiation (puis, par ext., d'un type d'organisation sociale) fondé sur l'ascendance paternelle (opposé à *matrilinéaire**).

Les Miwok sont répartis également en deux phratries exogames patrilinéaires, celle de l'Eau ou du Crapaud-Bœuf, celle de la Terre ou du Geai Bleu. 1
Roger CAILLOIS, l'Homme et le Sacré, p. 80 (1939).

Bien que la parenté s'établisse suivant les deux lignes, le clan, donnant accès au tombeau, est patrilinéaire. Il arrive pourtant que le tombeau de la mère ait droit à un certain nombre d'enfants. 2
Hubert DESCHAMPS, *in* Encycl. Pl., Ethnologie régionale, t. I, p. 1451.

PATRILOCAL, ALE, AUX [patʀilɔkal, o] adj. — XXe; angl. *patrilocal,* du lat. *pater* et de *local* «local».

♦ Ethnol. Se dit d'un type de résidence du couple déterminé par la résidence du père du mari. Par ext. *Organisation, société patrilocale* (opposé à *matrilocal*).

PATRIMOINE [patʀimwan] n. m. — 1160; lat. *patrimonium* «héritage du père»; de *pater.*

♦ **1.** Biens de famille, biens que l'on a hérités de ses ascendants. ⇒ **Fortune, héritage, propriété; domaine** (familial). *Patrimoine paternel, maternel* («matrimoine»). *Maintenir* (cit. 3); *accroître* (cit. 5), *consumer, dilapider* (cit. 2), *engloutir* (cit. 5); *entamer* (cit. 4) *un patrimoine, son patrimoine. Patrimoine qui s'émiette* (cit. 5), *est divisé. Transmission de père en fils du patrimoine et du nom* (→ Identifier, cit. 11).

Chose curieuse, cette possession d'un bien les flatte davantage, quand elle leur vient, non pas de leur effort personnel, mais de l'héritage de leurs pères — d'un *patrimoine* — et d'autant plus que ces pères passent pour plus lointains. 1
Julien BENDA, le Rapport d'Uriel, VIII, p. 106.

L'évasion des capitaux est contre mon pays un chantage aussi efficace que les grèves. «Quoi! n'aurions-nous pas le droit de mettre en sûreté le patrimoine de nos enfants?» Dispensez-vous donc de le faire au nom de la Patrie. Tous vos patrimoines ensemble ne font pas encore la Patrie. 2
BERNANOS, les Grands Cimetières sous la lune, p. 317.

2.1 La famille bourgeoise classique épargne et investit en placements plus ou moins assurés, plus ou moins rentables. Le bon Père constitue un patrimoine ou l'augmente; il le transmet par héritage, encore que l'expérience montre que les fortunes bourgeoises se dissolvent à la troisième génération, que seul le passage à la Grande Bourgeoisie évite la catastrophe.

Henri LEFEBVRE, la Vie quotidienne dans le monde moderne, p. 70.

♦ **2.** Dr. « L'ensemble des droits et des charges d'une personne, appréciables en argent » (Planiol). *Toute personne a un patrimoine; chaque personne n'a qu'un patrimoine* (principe de l'*unité du patrimoine*). *La transmission de l'universalité du patrimoine ne peut se faire qu'à la mort de la personne.* ⇒ **Héritage.** *Actif* (droits, biens), *passif* (obligations, dettes, charges) *d'un patrimoine. Dommage* (cit. 3) *atteignant le patrimoine de la personne. Séparation* (fictive) *des patrimoines entre les mains d'un héritier* (bénéfice accordé aux créanciers du défunt). — Par ext. « Masse de biens ayant une affectation spéciale » (Capitant).

3 Les biens et les charges contenus dans le patrimoine forment ce qu'on appelle une *universalité de droit.* Cela signifie que le patrimoine constitue une unité abstraite, distincte des biens et des charges qui le composent. Ceux-ci peuvent changer, diminuer, disparaître entièrement, et non le patrimoine, qui reste toujours le même, pendant toute la vie de la personne. (En note) « Patrimoine » signifie proprement « biens de famille », ce qui a été recueilli par succession. On en a élargi le sens de façon à comprendre tous les biens de la personne (...) Mais ne commeton pas quelque confusion entre le patrimoine, qui est l'ensemble des biens, et la personnalité, qui est l'aptitude à posséder?

M. PLANIOL, Traité élémentaire de droit civil, t. I, p. 724.

Écon. *Patrimoine national :* valeur nette du patrimoine (excédent des actifs sur les engagements) des unités économiques institutionnelles (cf. Fortune, richesse nationale).

♦ **3.** (1829). Par métaphore ou fig. (du sens 1.). Ce qui est considéré comme un bien propre (⇒ **Apanage**), comme une propriété transmise par les ancêtres (→ Nom, cit. 8, Hugo). *Échoir en patrimoine* (→ Littérature, cit. 7). *Le patrimoine de l'espèce* (→ Cœur, cit. 59), *de l'humanité* (→ Flambeau, cit. 13), *le patrimoine humain* (→ Dresser, cit. 14). *Le patrimoine reçu par une génération* (→ Fondation, cit. 6).

4 Il ne tombera plus du génie de l'homme quelques-unes de ces pensées qui deviennent le patrimoine de l'univers.

CHATEAUBRIAND, Mémoires d'outre-tombe, t. VI, p. 317.

5 Tuez les hommes, mais respectez les œuvres! C'est le patrimoine du genre humain.

R. ROLLAND, Au-dessus de la mêlée, p. 7.

6 Avec le langage et avec le lait, elle *(la mère)* verse fidèlement, dès le berceau, les chansons, les proverbes, les contes, les jeux, c'est-à-dire, tout le premier patrimoine de chaque sang. Ch. MAURRAS, Anthinéa, p. 127.

Le patrimoine artistique, archéologique, culturel d'un pays. L'année du patrimoine.

♦ **4.** Biol. *Patrimoine héréditaire* (cit. 5) *de l'individu* (→ Hérédité, cit. 13; humain, cit. 8; hybridation, cit. 1). *Patrimoine génétique d'un être vivant.* « *Cette branche avicole pour laquelle la France dispose du contrôle de son patrimoine génétique, n'est pas sans intérêt pour l'économie* (...) » *(le Monde,* 3 juil. 1979).

PATRIMONIAL, ALE, AUX [patʀimɔnjal, o] adj. — 1380; lat. *patrimonialis,* de *patrimonium.* → Patrimoine.

Hist. ou droit.

♦ **1.** Qui constitue un patrimoine, fait partie d'un patrimoine (1.). « *Biens propres et patrimoniaux* » (J. Papon, 1575). *Terres patrimoniales. Seigneurie patrimoniale,* attachée à la possession d'une terre. *États patrimoniaux* (→ Léguer, cit. 3).

Il était de la maison, de cette vieille maison patrimoniale des Fouan, bâtie par un ancêtre, il y avait trois siècles, et que la famille honorait d'une sorte de culte.

ZOLA, la Terre, II, III.

♦ **2.** Dr. Relatif au patrimoine (2.). *Droits patrimoniaux, charges patrimoniales,* ayant un caractère pécuniaire.

DÉR. Patrimonialement.

PATRIMONIALEMENT [patʀimɔnjalmɑ̃] adv. — 1788; de *patrimonial.*

♦ Dr. À titre de patrimoine.

PATRIOTARD, ARDE [patʀijɔtaʀ, aʀd] n. et adj. — 1904; de *patriote.*

♦ Qui affecte un patriotisme exagéré, exclusif, chauvin. *Un ardent patriotard.*

Adjectif :

Mais laissons là ces turlutaines patriotardes.

HUYSMANS, Trois églises..., p. 343.

La « classe » *(de 1938)* qui était ainsi incorporée brillait par son manque d'enthousiasme et une profonde conviction, que les événements de 40 devaient justifier pleinement, qu'on la forçait à prendre part à un « jeu de cons ». Je me souviens d'une jeune recrue (...) irritée par les manifestations patriotardes et cocardières de ma mère, si contraires aux bonnes traditions antimilitaristes en vigueur (...)

R. GARY, la Promesse de l'aube, p. 221.

PATRIOTE [patʀijɔt] n. et adj. — 1460; bas lat. *patriota,* grec *patriotês* « compatriote ». → Patrie.

♦ **1.** Vx. Compatriote (encore *in* Rousseau, *Lettres,* 2 août 1766). — Citoyen. *Bon, mauvais patriote.*

♦ **2.** (1674; *patriot,* 1561). Mod. Personne qui aime sa patrie et la sert avec dévouement. ⇒ **Patriotisme;** et aussi **nationaliste.** — REM. Le mot ne s'est répandu qu'au XVIIIe siècle (Cf. un ex. de Saint-Simon, *in* Littré, où il signifiait, selon Brunot, « *celui qui, dans un gouvernement libre, chérit sa patrie, est dévoué... au bien public* » (Brunot, H. L. F., t. VI, p. 135). De nos jours, le mot insiste plutôt sur la volonté de défendre la patrie contre toute attaque. — *Un patriote, un ardent patriote. Patriote d'esprit étroit et cocardier.* ⇒ **Chauvin, patriotard;** → Maniaque, cit. 2.

Tout patriote est dur aux étrangers : ils ne sont qu'hommes, ils ne sont rien à ses yeux. 1

ROUSSEAU, Émile, I.

Hist. Partisan de la Révolution, en 1789-1790... (→ Débusquer, cit. 1; insolence, cit. 7). — Adj. → Lanterne, cit. 10; modéré, cit. 7.

En ce qui regarde l'intérieur, *patriotisme* avait pris un sens politique. De 1787 à 1788, les *patriotes,* c'étaient tous ceux qui combattaient les réformes de Calonne et de Brienne (...) En 1789, tout de suite (...) le mot implique qu'on est imbu de l'esprit nouveau. « Es-tu *patriote?* » demandera Drouet à l'épicier Saulce, maire de Varennes, et cela signifiera : Es-tu décidé à sauver la Révolution en empêchant la fuite du roi? F. BRUNOT, Hist. de la langue franç., t. IX, p. 664. 2

Adj. *Être très patriote. Les ligues* (cit. 7) *patriotes.* ⇒ **Patriotique.**

Mais si nous ne sommes plus chauvins, nous restons pacifiquement patriotes. 3

ARAGON, les Beaux Quartiers, II, V.

CONTR. Antipatriote, cosmopolite.
DÉR. Patriotard, patriotique, patriotisme.
COMP. Antipatriote, superpatriote.

PATRIOTIQUE [patʀijɔtik] adj. — 1750; attestation isolée, 1532, Rabelais, « paternel » dans le jargon de l'écolier limousin (du grec *patriôtês*), de *patriote.*

♦ Qui exprime l'amour de la patrie ou est inspiré par lui (⇒ **Patriotisme**). *Vertus, sentiments patriotiques.* ⇒ **Civique.** *Ardeur* (cit. 37), *élan patriotique* (→ Marraine, cit. 3). *Foi* (cit. 47), *culture patriotique* (→ Humaniste, cit. 4). *Arguments* (cit. 7) *patriotiques. Chants, refrains patriotiques.*

Le sentiment patriotique se compose des souvenirs que les grands hommes ont laissés, de l'admiration qu'inspirent les chefs-d'œuvre du génie national, enfin de l'amour que l'on ressent pour les institutions, la religion et la gloire de son pays. 1

Mme DE STAËL, De l'Allemagne, I, VI.

Ainsi que beaucoup de personnes, j'ai souvent entendu Pierre Dupont chanter lui-même ses œuvres, et comme elles, je pense que nul ne les a mieux chantées. J'ai entendu de belles voix essayer ces accents rustiques ou patriotiques, et cependant je n'éprouvais qu'un malaise irritant. 2

BAUDELAIRE, l'Art romantique, « Pierre Dupont », IX.

COMP. et CONTR. Antipatriotique.
DÉR. Patriotiquement.

PATRIOTIQUEMENT [patʀijɔtikmɑ̃] adv. — 1790; de *patriotique.*

♦ D'une manière patriotique; en patriote.

Puisqu'il veut pas que les ennemis le tuent, eh bien! ça sera nous qui l'tuerons. Bref, on condamna le type à mort et on le colla contre un mur et on y introduisit douze balles dans la peau, patriotiquement. C'est comme ça que Narcense mourut.

R. QUENEAU, le Chiendent, p. 412.

PATRIOTISME [patʀijɔtism] n. m. — 1750; de *patriote.*

♦ Amour de la patrie; désir, volonté de se dévouer et au besoin de se sacrifier pour la défendre, en particulier contre les attaques armées. — REM. Le *patriotisme* diffère du *civisme* en ce qu'il concerne moins le respect du bien public et plus la défense de la patrie contre un agresseur extérieur; du *nationalisme* en ce qu'il ne suppose pas un culte exclusif de la nation. — *Cette manie qu'ont les nationalistes de s'attribuer le monopole du patriotisme* (→ Belliqueux, cit. 4). *Patriotisme et internationalisme* (→ Internationaliste, cit. 1). *Le chauvinisme** (cit. 2), *caricature du patriotisme. Exalter dans le patriotisme la fraternité entre concitoyens* (cit. 2). *L'éveil* (cit. 7) *du patriotisme. La loi de l'intérêt* (cit. 11) *général engendre le patriotisme.* — Allus. hist. *Le patriotisme ne suffit pas à diriger les vaisseaux* (→ Improviser, cit. 11). — Hist. *Le patriotisme sous la Révolution.* ⇒ **Patriote** (cit. 2, Brunot).

Le *patriotisme* véritable ne peut se trouver que dans les pays où les citoyens libres, et gouvernés par des lois équitables, se trouvent heureux, sont bien unis, cherchent à mériter l'estime et l'affection de leurs concitoyens. 1

D'HOLBACH, Éthocratie, p. 288, *in* BRUNOT, Hist. de la langue franç., t. VI, p. 134.

La Presse de Londres n'a pas sur le monde la même action que celle de Paris : elle est en quelque sorte spéciale à l'Angleterre, qui porte son égoïsme en toute chose. Cet égoïsme doit s'appeler patriotisme, car le patriotisme n'est pas autre chose que l'égoïsme du pays. 1.1

BALZAC, Monographie de la presse parisienne, *in* Œ. diverses, t. III, p. 603.

Il y a deux patriotismes : il y en a un qui se compose de toutes les haines, de tous les préjugés, de toutes les grossières antipathies que les peuples abrutis par 2

des gouvernements intéressés à les désunir nourrissent les uns contre les autres (...) Ce patriotisme coûte peu : il suffit d'ignorer, d'injurier et de haïr.
Il en est un autre qui se compose au contraire de toutes les vérités, de toutes les facultés, de tous les droits que les peuples ont en commun, et qui, chérissant avant tout sa propre patrie, laisse déborder ses sympathies au delà des races, des langues, des frontières (...) C'est le patriotisme des religions, c'est celui des philosophes, c'est celui des plus grands hommes d'État; ce fut celui des hommes de 89 (...) celui qui, par la contagion des idées, a conquis plus d'influence à notre pays que les armées mêmes de notre époque impériale (...)
LAMARTINE, Disc. 10 mars 1842, au banquet pour l'abolition de l'esclavage.

3 (...) le patriotisme des anciens, sentiment énergique qui était pour eux la vertu suprême et auquel toutes les autres vertus venaient aboutir.
FUSTEL DE COULANGES, la Cité antique, III, XIII.

Par extension :

4 Le patriotisme de clocher est terrible contre un homme qu'on impose à des électeurs (...) BALZAC, le Député d'Arcis, Pl., t. VII, p. 668.

5 C'est au douzième siècle que dans la poésie apparaît pour la première fois le sens français, le patriotisme des mots, qui parle de notre pays avec toutes les câlineries de l'amour. ARAGON, les Yeux d'Elsa, p. 91.

DÉR. V. **Patrouillotisme.**
COMP. et **CONTR. Antipatriotisme.**

PATRISTIQUE [patʀistik] n. f et adj. — 1813, Gattel; dér. sav. du grec *patêr, patros* «père (de l'Église)».
Didactique.

♦ **1.** N. f. Étude, connaissance de la doctrine, des ouvrages, de la biographie des Pères de l'Église. ⇒ **Patrologie.**

♦ **2.** Adj. (Déb. xxe). Qui a rapport aux Pères de l'Église. *Tradition patristique. Ouvrages patristiques. Textes patristiques.* ⇒ **Patrologie.**

PATROCLINE [patʀoklin] adj. — xxe; du grec *patêr, patros* «père», et *klinein* «pencher vers».

♦ Biol. Se dit d'un individu qui a hérité surtout des caractères venant de son père (opposé à *matrocline*).
DÉR. Patroclinie.

PATROCLINIE [patʀoklini] n. f. — xxe; de *patrocline.*

♦ Biol. Ressemblance plus grande d'un individu à son père qu'à sa mère, du fait de la prépondérance des caractères paternels hérités (opposé à *matroclinie*).

PATROLOGIE [patʀɔlɔʒi] n. f. — 1706; du grec *patêr, patros* «père» et *-logie.*
Didactique.

♦ **1.** Collection complète des ouvrages des Pères de l'Église. *Patrologie grecque, latine.*

Selon notre auteur Jean Gérard, célèbre théologien d'Iéne, étoit un fort bon homme qui n'avoit pas composé sa Patrologie (ainsi s'appelle son livre) à dessein de le faire imprimer. Journal des savants, 28 juin 1706, *in* D. D. L., II, 1.

♦ **2.** (1843). Patristique (1.).

1. PATRON, ONNE [patʀɔ̃, ɔn] n. — 1119; lat. *patronus* «protecteur», de *pater* »père».

★ **I.** N. m. ou f. Saint ou sainte dont une personne a reçu le nom au baptême ou qu'un pays, une confrérie, une corporation reconnaît pour protecteur. *Avoir saint Jacques, saint Michel... pour patron. «Saint Léon, patron de ce lieu et le vôtre...»* (→ Opprobre, cit. 3, Beaumarchais). *Sainte Geneviève, patronne de Paris. La sainte patronne de l'Alsace* (→ Encan, cit. 3). *La fête de saint Éloi, patron des orfèvres, célébrée le 1er décembre. Votre saint patron.* — (Plus cour.). Saint, sainte à qui est dédié un lieu saint (église, chapelle...). *Le patron, le saint patron d'une église.*

1 (...) *Saint-Georges*, — paroisse au patron moitié Anglais, moitié Normand.
BARBEY D'AUREVILLY, Une vieille maîtresse, II, III.

2 (...) au *pardon des Islandais*, qui est le 8 décembre, jour de la Notre-Dame de Bonne-Nouvelle, patronne des pêcheurs (...) LOTI, Pêcheur d'Islande, I, IV.

3 Nous ne connaissons pas les Saints, nous autres, et il semble que vous ne les connaissiez pas beaucoup davantage. Lequel d'entre vous serait capable d'écrire vingt lignes sur son Patron ou sa Patronne?
BERNANOS, les Grands Cimetières sous la lune, p. 251.

Par métaphore. *«La nécessité* (cit. 16), *vraie patronne des intelligences»* (Baudelaire).

Vx. ⇒ **Protecteur.** *Chercher à se faire des patrons* (→ Entremetteur, cit. 1). *Prendre un patron* (→ Lierre, cit. 2). *Servir de patron à qqn.* ⇒ **Appui.**

4 (...) le Breton, homme actif, liant, intrigant, au milieu de son pays, de ses amis, de ses parents, de ses patrons (...) en grand crédit à la cour, à la ville, répandu dans le plus grand monde (...) ROUSSEAU, Correspondance, 2 août 1766.

★ **II.** Personne qui commande à des employés, des serviteurs...

♦ **1.** N. m. (1357). Marin qui commande à l'équipage d'un canot, d'une chaloupe... *Patron de pêche.* ⇒ **Capitaine** (cit. 7 → aussi Chalut, cit. 1; filet, cit. 6). *Le patron d'une barque* (→ Coque, cit. 12; exhorter, cit. 7), *d'un remorqueur.*

Mess Lethierry (...) avait beaucoup navigué. Il avait été mousse, voilier, gabier, timonier, contremaître, maître d'équipage, pilote, patron. Il était maintenant armateur. HUGO, les Travailleurs de la mer, I, II, I. 5

Lui qui parlait avait été obligé de se chercher un remplaçant bien vite et de le faire accepter par le patron de la barque auquel il s'était loué pour la saison d'hiver (...) il allait perdre toute sa part de pêche. LOTI, Pêcheur d'Islande, I, V. 6

♦ **2.** N. m. et f. Maître, maîtresse de maison (par rapport à ses domestiques). ⇒ Fam. **Bourgeois.** *Elle a la confiance de ses patrons. — Elle ne s'entend pas avec sa patronne.*

Fam., vx. *Le patron du logis* (→ Négoce, cit. 2).

Absolt, pop. (en parlant d'un conjoint). *Bien le bonjour au patron,* à votre mari. *Où est la patronne?*

Alors, Poisson se souleva et dit, son verre à la main : «Je bois à la santé de la patronne». Toute la société, avec un fracas de chaises remuées, se mit debout; les bras se tendirent, les verres se choquèrent (...) 7
ZOLA, l'Assommoir, t. I, I, p. 280.

♦ **3.** N. m. et f. (1812). Artisan, petit entrepreneur qui emploie quelques ouvriers, forme des apprentis. *Patron plombier qui travaille avec ses deux compagnons*. Patron boulanger et ses mitrons.*

La lingère, qui s'était fait donner par sa patronne une course pour un quartier lointain (...) J. ROMAINS, les Hommes de bonne volonté, t. IV, XV, p. 159. 8

(Opposé à *commis, garçon, serveur, vendeur...*). Personne qui dirige une maison de commerce, de petite ou moyenne importance, dont elle est généralement propriétaire. *Le patron d'une fruiterie* (→ 2. Haricot, cit. 2). *Le patron, la patronne d'un café* (→ Cantonade, cit.), *d'un hôtel* (→ Glisser, cit. 45), *d'un restaurant* (→ Marquis, cit. 3). ⇒ **Maître** (vx), **tenancier.** *Les patrons d'une auberge* (→ Gérant, cit. 2). — Absolt. *Le patron (la patronne) et les consommateurs. La tournée* du patron.*

(...) le patron lui-même servait, courant de table en table, emportant des bocks vides et les rapportant pleins de mousse. MAUPASSANT, Pierre et Jean, IX. 9

Car tel était l'usage au restaurant Londe. Si le garçon distribuait les additions à la fin des repas, comme cela se pratique en général, c'était entre les seules mains de la patronne que le client versait le montant de son écot. 10
J. GREEN, Léviathan, I, III.

♦ **4.** N. m. (1832). Chef* (d'une entreprise industrielle ou commerciale privée) considéré par rapport aux salariés qu'il emploie (⇒ **Directeur,** fam. **boss,** et pop. **singe**). *Le patron d'une société en commandite, d'une usine... Les patrons ont décidé de fermer les usines* (⇒ **Lock-out,** cit. 1). *Patrons unis pour la défense de leurs intérêts.* ⇒ **Patronat.** — Cour. Employeur* (par rapport à ses subordonnés). *Rapports entre patrons et employés* (→ Arbitrage, cit. 4; et aussi balayer, cit. 16; 1. intestin, cit. 4; mot, cit. 27). *Patron qui embauche, licencie du personnel. Les secrétaires du patron* (→ Grossoyer, cit. 2). *Il est le bras droit du patron. Tais-toi, voilà le patron!*

Dans le langage courant, l'entrepreneur s'appelle *le patron*, mais à y regarder de près, ce nom n'est pas absolument synonyme de celui d'entrepreneur : il peut y avoir des entreprises sans patrons, comme celles des sociétés anonymes. Le titre de patron — on disait autrefois et on dit encore dans les campagnes : le maître — vise plus spécialement les rapports avec les salariés; il connote une certaine idée morale de protection, de *patronage*, une certaine conception des droits et des devoirs d'un chef vis-à-vis de ses subordonnés, qui est étrangère à la définition strictement économique de l'entrepreneur. 11
Charles GIDE, Cours d'économie politique, t. II, p. 414.

Pendant les huit dernières années, il avait un moment dirigé une fabrique de chapeaux (...) son ancien titre de patron restait sur toute sa personne comme une noblesse à laquelle il *(Lantier)* ne pouvait plus déroger. 12
ZOLA, l'Assommoir, t. II, VIII, p. 4.

Car les ouvriers (...) espéraient voir (...) monter sans fin les salaires et baisser les prix des objets déjà fabriqués. Ils en venaient (...) à haïr avec violence des patrons trop constamment heureux. A. MAUROIS, Bernard Quesnay, XII. 1

D'ailleurs Wazemmes s'apercevait à l'instant qu'il avait pour les patrons, et surtout pour l'état de patron, une estime déjà ancienne. Il imagina le jour où quelqu'un dirait au téléphone : «Allez prévenir votre patron, M. Wazemmes (...) 1
J. ROMAINS, les Hommes de bonne volonté, t. I, XX, p. 237.

N'ayant jamais été de ceux qu'on interroge, travailleur de force et patron de combat, il se dispute implacablement son propre salaire, son propre repos, inapprochable et matinal, ainsi qu'un chef d'État, un forcat ou un prêtre. 14.
Kateb YACINE, Nedjma, p. 17.

Loc. **JEUNE PATRON** (du *Centre des jeunes patrons,* C.J.P., créé en 1938 pour l'amélioration des relations entre les cadres et chefs d'entreprise et les salariés, ainsi que l'expansion économique, l'accroissement de la productivité). Type social du chef d'entreprise dynamique. *Il a tout à fait le genre jeune patron* (parfois ironique, désignant le personnage élégant des publicités).

Je me le représente *(Mesnard, un peintre)* à son dîner en ville : le portrait craché du jeune patron, du chef d'entreprise dynamique, ne paraissant pas son âge, marchant avec son époque. L'idéal des jeunes filles de bonne famille. 14
J. DUTOURD, Pluche, VIII, p. 97.

REM. Dans ce sens, on n'emploie pas le fém. *patronne; on dira une femme patron; elle est patron; Mme X est le (mon...) patron.*

♦ **5.** N. m. (1901). Professeur de médecine, chef de clinique ou d'un service hospitalier, au regard de ses élèves, internes ou externes, de ses disciples. *Assister* (cit. 7) *le patron. Étudiants en médecine qui donnent une consultation* (cit. 5) *sous la conduite de leur patron. Les grands patrons.* ⇒ **Mandarin, manitou.** *Mme X est un patron, fait partie des patrons.*

Le Dr Philip attendait (...) «En route, Patron» fit Antoine gaiement (...) Pendant 1

deux années consécutives il avait été son interne, il avait vécu dans l'intimité quotidienne de cet initiateur. Puis il avait dû changer de service. Mais il n'avait pas cessé de rester en relations avec son maître, et aucun autre, dans la suite, n'avait jamais remplacé pour lui « le Patron ». On disait d'Antoine : « Thibault, l'élève de Philip ». Son élève, en effet : son second, son fils spirituel.
MARTIN DU GARD, les Thibault, t. III, p. 127.

♦ **6.** N. m. Personne qui dirige des travaux d'ordre intellectuel ou artistique, qui dispense un enseignement. *Élèves sculpteurs et leur patron. Patron de thèse. Mme X, Mlle X est son patron (de thèse).*

15.1 Va pour la thèse. Encore faut-il trouver un patron.
Claude COURCHAY, La vie finira bien par commencer, p. 28.

Par ext. (Polit.). Le Président, le Ministre, l'homme public à l'égard des membres de son cabinet, de ses collaborateurs.

♦ **7.** (Apellatif). Iron. ou régional. *Salut, patron !* ⇒ **Chef.** — Spécialt, en franç. d'Afrique. Appellatif respectueux, correspondant à *Monsieur.*

★ **III.** N. m. Antiq. rom. Ancien maître d'un esclave affranchi ; patricien*, plus ou moins puissant et riche, protecteur d'hommes libres, mais de condition inférieure, appelés « clients » (cit. 1).

16 (...) il n'y avait pas que les affranchis qui eussent des patrons dont ils continuaient à dépendre. Du parasite au grand seigneur, chacun des Romains se considérait comme lié à plus puissant que lui par les mêmes obligations de respect (...) Le « patron » était tenu d'accueillir chez lui ses clients, de les inviter parfois à sa table, de les aider par ses secours et ses cadeaux.
J. CARCOPINO, la Vie quotidienne à Rome, II, II, I.

CONTR. Créature. — Bonne, domestique. — Garçon. — Apprenti, employé, ouvrier, personnel.

DÉR et COMP. Patronage, patronal, patronat, 1. **patronner, patronnesse, patronnet.**

2. PATRON [patʀɔ̃] n. m. — V. 1119 ; lat. *patronus* « patron », au figuré.

♦ **1.** Modèle sur lequel travaillent les artisans pour fabriquer certains objets. ⇒ **Forme, modèle.** *Patrons de tapisserie, de vitrail...* ⇒ **Carton, dessin.** *Patron de broderie.* — Spécialt. Modèle de papier ou de toile de coton (⇒ **Singalette**) préparé sur un mannequin ou aux mesures d'une personne. *Patron fait sur mannequin, sur mesures, relevé sur un vêtement. Un patron taille 42. Patron édité par un journal de mode. Acheter un patron de tailleur, le patron d'un manteau... Épingler un patron sur une personne. Habit taillé sur un patron* (→ Gala, cit. 3).

1 Si jamais je me marie et que je devienne veuve, je lui demanderai un patron de sa robe, car elle lui va comme un ange. Th. GAUTIER, Mlle de Maupin, XII.

2 Notre nouvelle salle à manger fut transformée (...) en atelier de couture et maman commença de rêver sur des patrons de papier gris (...) De gros ciseaux en main, elle, si vive, réfléchissait longuement avant de tailler à même l'étoffe.
G. DUHAMEL, Chronique des Pasquier, I, IV.

Par métaphore, fig. (→ Livresque, cit. 1).

3 Quelques mois auparavant, Mathilde désespérait de rencontrer un être un peu différent du patron commun. STENDHAL, le Rouge et le Noir, II, XIV.

4 On a taillé sur ce patron plusieurs millions d'êtres absolument semblables entre eux (...) TAINE, les Origines de la France contemporaine, t. I, III, p. 218.

♦ **2.** Techn. Carton ajouré pour le coloriage. *Colorier au patron.* ⇒ **Pochoir.**

♦ **3.** (Abstrait). Équivalent français proposé pour *pattern**. ⇒ **Modèle.**

DÉR. 2. **Patronner, patronnier.**

PATRONAGE [patʀɔnaʒ] n. m. — 1180 ; de 1. *patron.*

♦ **1.** Appui donné par un personnage puissant, un organisme. ⇒ **Protection.** *Accorder son patronage à qqn.* ⇒ **Appui** (cit. 35). *Se mettre sous le patronage de qqn.* ⇒ **Auspice, égide.** — *Gala de bienfaisance placé sous le patronage, sous le haut patronage du Président de la République.* ⇒ **Parrainage.** *Comité de patronage d'une revue scientifique.*

1 C'est un des côtés assez tristes de l'Ancien Régime, peu, bien peu des hommes de lettres, des savants, qui devinrent hommes politiques, avaient pu se passer de haute protection ; tous eurent besoin de patronage.
MICHELET, Hist. de la Révolution franç., IV, VIII.

2 L'assaut *(d'armes)* était donné au profit des orphelins du sixième arrondissement de Paris, sous le patronage de toutes les femmes des sénateurs et députés qui avaient des relations avec la *Vie Française.* MAUPASSANT, Bel-Ami, II, III.

3 Je ne viens vous demander ni patronage, ni référence, ni service d'aucune sorte.
G. DUHAMEL, Salavin, V, I.

Relig. Protection d'un saint (⇒ 1. **Patron**). *Chapelle placée sous le patronage de saint François d'Assise.* ⇒ **Invocation, vocable.**

♦ **2.** (1868). Par métonymie. Œuvre, société de bienfaisance*, de protection, accordant une aide matérielle et morale à certaines catégories de personnes (enfants abandonnés, vieillards, infirmes...).

Spécialt. Organisation créée pour veiller à la santé morale d'enfants, d'adolescents, notamment en leur proposant des distractions les jours de congé. *Patronages scolaires. Patronage laïque, municipal, paroissial. Moniteurs* (cit. 1) *d'un patronage.* — *Salle de patronage.* — Ellipt. *Réunion au patronage.* — Par métonymie. Ensemble des enfants, des jeunes gens qui appartiennent à cette organisation. *Patronage qui campe en forêt.* — Abrév. fam. (1935 *in* D. L. L.) : *le patro.*

Il a donné à M. l'abbé Petitjeannin un beau local, bien aéré, pour y établir un patronage, et là, somme toute, la jeunesse ouvrière a son club, tout comme des gentlemen anglais (...) ARAGON, les Beaux Quartiers, I, IV. 4

Tu avais beaucoup de camarades. Tu penses, avec le collège et le patronage ! (...) 5
J. ANOUILH, le Voyageur sans bagage, p. 46.

Iron. ... *de patronage,* d'un caractère édifiant ou anodin et de piètre valeur. *Roman, film de patronage.*

Notre cabot, à nous, c'était le curé sympa, il nous encourageait à marcher, il chantait ; et pas des chansons de patronage, il se démerdait bien. 6
Jean FERNIOT, Pierrot et Aline, p. 126.

Dr. pén. « Ensemble des œuvres d'initiative privée qui, par des soins matériels ou moraux, tendent à favoriser l'amendement des délinquants, majeurs ou mineurs, et plus spécialement le reclassement social des condamnés libérés (patronage des libérés) » (Capitant).

♦ **3.** Antiq. rom. Rapports entre le patron (1. Patron, III.) et ses clients.

PATRONAL, ALE, AUX [patʀɔnal, o] adj. — 1611 ; de 1. *patron.*

♦ **1.** Relig. Qui a rapport au saint patron (ou à la patronne) d'une paroisse. *Les saints patronaux. Fête* patronale.*

♦ **2.** (1907). Cour. Qui a rapport ou qui appartient aux chefs d'entreprise. *Autorité, fonction patronale* (→ Ouvrier, cit. 12). *Intérêts patronaux.* — Qui est l'œuvre d'un ou de plusieurs patrons. *Institutions patronales.*

Le chef de cabinet (...) fit entrer dans le bureau du préfet les délégués de l'association patronale. J. CHARDONNE, les Destinées sentimentales, p. 332.

Milice patronale.* « *L'utilisation des milices et des commandos patronaux n'est pas en soi chose nouvelle* (... mais) *aujourd'hui les médias se sentent obligés d'en parler* » (*Révolution,* 26 févr. 1982, no 104). — *Syndicat patronal,* suscité par le patronat (ambigu avec le sens 3).
Qui est dû, payé par les patrons. *Cotisation patronale aux Caisses de Sécurité sociale* (couramment appelée « *part patronale* »).

♦ **3.** Qui groupe des patrons. *Organisations patronales. Syndicat patronal.*

CONTR. Ouvrier. — Salarial.

PATRONAT [patʀɔna] n. m. — 1578, « protection » ; de 1. *patron.*

♦ **1.** (1832). Antiq. rom. Titre de patron* (1. patron, III.) ; droit du patron sur ses clients.

♦ **2.** Vieilli. Autorité du patron sur ses employés.

♦ **3.** Mod. Ensemble des patrons, des chefs d'entreprise. *Conseil national du patronat français* (C. N. P. F.). « *Une négociation patronat-syndicat* » (*le Point,* 11 mai 1981, p. 69).

Il y a entre les patrons et les ouvriers, entre le patronat et le prolétariat (...) une antinomie, un antagonisme, des antagonismes particuliers incontestables, indéniables. Ch. PÉGUY, la République..., p. 201.

CONTR. Salariat.

PATRON-JAQUET [patʀɔ̃ʒakɛ] ou PATRON-MINET [patʀɔ̃minɛ]. ⇒ Potron-jaquet, potron-minet.

PATRONNE [patʀɔn] n. f. ⇒ 1. Patron.

1. PATRONNER [patʀɔne] v. tr. — 1501, rare avant 1838 ; de 1. *patron.*

♦ Couvrir de son crédit, de sa protection. *Patronner qqn. Être patronné par un personnage influent.* ⇒ **Aider, protéger, recommander ;** fam. **pistonner.** — *Patronner une candidature.* ⇒ **Appuyer, soutenir.**

La comtesse excita quelques jalousies, entre autres celle de la sœur de son mari, la marquise de Listomère, qui jusqu'alors l'avait patronée *(sic),* en croyant protéger une ombre destinée à la faire ressortir. 1
BALZAC, Une fille d'Ève, Pl., t. II, p. 82.

(...) l'abbé Valfour (...) avait été des premiers à patronner dans Semur le nouvel arrivant. É. ESTAUNIÉ, l'Appel de la route, V. 2

HOM. 2. **Patronner.**

2. PATRONNER [patʀɔne] v. tr. — 1392 ; de 2. *patron.*
Technique.

♦ **1.** Cout. Découper, tailler sur un patron. *Patronner un corsage.*

♦ **2.** Imprim. Imprimer, colorier à l'aide d'un patron à jours.

HOM. 1. **Patronner.**

PATRONNESSE [patʀɔnɛs] adj. f. — 1575, « qui protège », fém. de 1. *patron ;* repris 1833, d'après l'angl. *patroness.*

♦ *Dame patronnesse,* qui se consacre à des œuvres de bienfaisance (souvent ironique).

1 Mme Walter avait promis de venir avec ses filles, en refusant le titre de dame patronnesse, parce qu'elle n'aidait de son nom que les œuvres entreprises par le clergé (...) MAUPASSANT, Bel-Ami, II, III.

1.1 Son nom n'est inscrit parmi les présidentes, les vice-présidentes, les dames patronnesses d'aucune œuvre. Elle n'a jamais signé d'appel à aucune femme de France, elle n'a été dans aucun hôpital soigner des malades.
PROUST, Jean Santeuil, Pl., p. 658.

2 Sous prétexte de quêtes, ce printemps, plusieurs fois, je me promenai, endimanché, une jeune personne à ma droite. Je tenais le tronc; elle, la corbeille d'insignes (...) Nous nous empressions de recueillir, le matin, le plus d'argent possible, remettions à midi notre récolte à la dame patronnesse (...)
R. RADIGUET, le Diable au corps, p. 25.

PATRONNET [patʀɔnɛ] n. m. — 1803; de 1. *patron.*

♦ Vx. Jeune garçon pâtissier.

PATRONNIER, IÈRE [patʀɔnje, jɛʀ] n. — 1680, «celui qui fait des patrons pour les dentelles»; de 2. *patron.*

♦ Techn. Spécialiste qui établit les patrons (en cordonnerie). → Modéliste, styliste. *Modéliste-patronnière.* — REM. Littré (Suppl.) écrit *patronier.*

PATRONYME [patʀɔnim] n. m. — V. 1825; de *patronymique.*

♦ Littér. Nom patronymique; nom de famille. ⇒ **Nom.**

1 En général, Joseph avait l'habitude, à compter du second colloque, d'appeler ses partenaires, sans précautions oratoires, par leur patronyme, tout sec, ou même par leur prénom, ou encore par un surnom.
G. DUHAMEL, Chronique des Pasquier, X, IV.

2 Pourquoi leurs noms conviennent-ils toujours si bien aux gens? N'est-ce pas à croire que le patronyme exerce une action mystérieuse sur celui qui le porte, l'oblige en quelque sorte à se modeler sur lui jusqu'à en devenir la vivante, exacte et précise expression? Émile HENRIOT, le Diable à l'hôtel, IX.

PATRONYMIQUE [patʀɔnimik] adj. m. — 1611; *patrenomique* «nom patronymique», 1220; 1461, *patronomique,* adj.; empr. bas lat. *patronymicus,* grec *patrônumikos,* de *pater, patros* «père» et *onoma* «nom».

♦ Antiq. *Nom patronymique :* nom commun à tous les descendants d'un même ancêtre illustre et tiré du propre nom de ce personnage. *Les descendants d'Hercule portaient le nom patronymique d'« Heraclides ».* — Par ext. *Suffixes patronymiques,* indiquant la filiation dans les langues slaves.

Mod. *Nom* (cit. 14) *patronymique :* nom de famille* (opposé à *prénom*). *Les titres de noblesse* (cit. 16), *accessoires du nom patronymique.*

DÉR. Patronyme.

PATROUILLAGE [patʀujaʒ] n. m. — 1694; de *patrouiller.*

♦ Vx ou dial. Action de patrouiller* (II., 2.); malpropreté, saleté qui en résulte. — Le syn. *patouillage* est attesté en 1535.

PATROUILLE [patʀuj] n. f. — 1553; «action de patauger, de patouiller», 1538; de *patrouiller.*

♦ **1.** Ronde de surveillance faite par un détachement de police militaire ou civile; ce détachement. ⇒ **Guet** (vx). *Patrouilles qui circulent dans les rues à la recherche des vagabonds* (→ Fureter, cit. 9). *Patrouille qui assure la garde** (1. Garde, cit. 18) *d'un camp, d'une ville assiégée. Se faire arrêter par la patrouille.*

1 Quelquefois, un battement de pas lourds s'approchait. C'était une patrouille de cent hommes au moins; des chuchotements, de vagues cliquetis de fer s'échappaient de cette masse confuse; et, s'éloignant avec un balancement rythmique, elle se fondait dans l'obscurité. FLAUBERT, l'Éducation sentimentale, III, I.

2 On entendait le bruit tumultueux de la patrouille qui fouillait le cul-de-sac et la rue, les coups de crosse contre les pierres, les appels de Javert aux mouchards qu'il avait postés, et ses imprécations mêlées de paroles qu'on ne distinguait point.
HUGO, les Misérables, II, IV, VI.

3 Des patrouilles parcoururent la ville. Souvent (...) on voyait avancer, annoncés d'abord par le bruit des sabots sur les pavés, des gardes à cheval qui passaient entre des rangées de fenêtres closes. La patrouille disparue, un lourd silence méfiant retombait sur la ville menacée. CAMUS, la Peste, p. 128.

4 (...) les patrouilles d'agents cyclistes qui circulent en tous sens (...)
J. ROMAINS, les Hommes de bonne volonté, t. V, XXVIII, p. 300.

♦ **2.** (Au combat). Déplacement d'un groupe composé de quelques soldats sous le commandement d'un gradé et chargé de remplir une mission. *Patrouille de contact, d'observation, de reconnaissance. Faire une patrouille. — Aller, partir en patrouille. Être de patrouille* (→ Débusquer, cit. 1; et aussi marcher, cit. 29). — Par ext. Le détachement* lui-même. *Patrouille d'infanterie. Patrouille motorisée. Prendre le commandement* (cit. 11) *d'une patrouille. Chef de patrouille. Patrouille qui circule dans un no man's land* (cit. 1), *se met en liaison* (cit. 13) *avec un poste de combat. Positions d'écoute, rayon d'action d'une patrouille.*

5 Je me souviens mal de cette nuit (...) Nous étions de patrouille (...) Il s'agissait de reconnaître un nouveau poste d'écoute allemand signalé par les observateurs d'artillerie. Vers minuit, on est sorti de la tranchée, et on a rampé sur la descente, en ligne, à trois ou quatre pas les uns des autres (...)
H. BARBUSSE, le Feu, t. II, XX.

Patrouille d'aviation; patrouille légère, lourde. Chasseurs d'une patrouille.

(...) si les «as» de jadis pouvaient reprendre la guerre après vingt ans d'oubli, ce 6
qui les étonnerait le plus, ce serait de pouvoir converser, en plein vol, avec leurs voisins de patrouille, d'entendre, venue du sol, la voix du commandant (...) Généralement, le chef de patrouille seul communique avec la base ou les postes terrestres, mais ses pilotes, eux aussi à l'écoute, ont déjà surpris l'ordre et, au moindre battement d'aile, ils seront en direction.
R. DORGELÈS, la Drôle de guerre, XV.

Détachement de petits bâtiments rapides (qui éclaire une escadre, surveille les côtes...).

PATROUILLER [patʀuje] v. — 1450; var. de *patouiller**.

★ **I.** V. tr. (1450). Vx. Tripoter maladroitement. ⇒ **Patouiller, tripatouiller.**

★ **II.** V. intr. ♦ **1.** (1553). Aller en patrouille, faire une patrouille. *Agents cyclistes qui patrouillent dans les rues* (⇒ **Parcourir**). *Garde-côtes qui patrouillent dans les eaux territoriales.*

(...) la garnison guerrière coule des jours paisibles sous ces toits menacés. Les hommes travaillent, veillent, patrouillent, sans penser que le danger est tout près.
R. DORGELÈS, la Drôle de guerre, XII.

♦ **2.** Vx ou régional (1596). ⇒ **Patauger, patouiller.** *Patrouiller dans la boue.*

DÉR. Patrouillage, patrouille, patrouilleur.

PATROUILLEUR [patʀujœʀ] n. m. — 1914; 1606, «celui qui pétrit le beurre»; de *patrouiller.*

♦ **1.** Soldat qui fait partie d'une patrouille.

♦ **2.** Aviat. Avion de chasse qui effectue une patrouille.

— Altitude! reprend le radio. Altitude : soixante-trois (...) soixante-quatre (...) Le chasseur cette fois ne prend plus la peine de répéter : (...) Invisible, il a pris la piste. Ses deux patrouilleurs derrière lui (...) J'entends, très faible, la voix du chef qui, là-haut, répète l'ordre : — «Direction 180 (...) Avion non identifié (...)
R. DORGELÈS, la Drôle de guerre, XV.

♦ **3.** Mar. Navire de guerre de petit tonnage, utilisé pour la surveillance des routes maritimes, l'escorte des convois et la chasse aux sous-marins. *Aviso* (cit. 1) *aménagé en patrouilleur.*

PATROUILLOTISME [patʀujɔtism] n. m. — 1870, Rimbaud; altér. plais. de *patriotisme,* d'après *patrouille, patrouiller (patouiller)* et p.-ê., *trouille.*

♦ Fam., vx. Patriotisme affecté et affiché.

C'est épatant comme ça a du chien, les notaires, les vitriers, les percepteurs, les menuisiers et tous les ventres qui, chassepot au cœur, font du patrouillotisme aux portes de Mézières; ma patrie se lève! (...)
RIMBAUD, Lettre à G. Izambard, 25 août 1870.

REM. On trouve aussi l'adj. *patrouillotique* (1885).

1. PATTE [pat] n. f. — V. 1220 d'un rad. gallo-romain *patt-,* d'orig. gaul., appliqué à divers objets renflés (surtout avec la var. *pott-*) ou plats, notamment mains ou pattes, lèvres, d'où l'idée de bavardage, marmonnage, et objets (*patte* = languette), P. Guiraud, *Dict. des étym. obscures.*

♦ **1.** Chez l'animal, Membre ou appendice articulé qui joue le rôle d'organe de soutien et de locomotion terrestre, d'organe de préhension, etc. *Extrémité de la patte.* ⇒ **Pied**; et aussi le suffixe **-pode** (Isopode, etc.). *On appelle* pattes *des appendices très variés du point de vue morphologique :* membres* antérieurs et postérieurs des quadrupèdes (⇒ **Jambe**), membres postérieurs des oiseaux, sauf quand il s'agit d'oiseaux de proie (⇒ **Serre**), membres de certains reptiles tels que le crocodile, le lézard..., appendices articulés de certains crustacés, des insectes (⇒ **Hexapode**), des arachnides... *Pattes ambulatoires* (des insectes, des crustacés), qui ne servent qu'à la marche (opposé à *pattes-mâchoires*). *Les pattes d'un chien* (→ Broche, cit. 4) *d'un lion* (→ Étourdi, cit. 10), *d'un lapin* (→ Excitabilité, cit. 2), *d'un cochon* (→ Fourrer, cit. 10), *d'une loutre* (cit. 2)... → Hancher, cit. 2. *Pattes de homard* (cit. 3), *d'écrevisse* (⇒ **Pince**). *Pattes abdominales des crevettes et des crabes* (→ Œuf, cit. 6). *Pattes de faucheux* (cit.), *de fourmi* (→ Fétu, cit. 2), *de hanneton... Pattes de devant* (cit. 23), *de derrière d'un quadrupède. Pattes onglées* (→ Chien, cit. 20), *armées de griffes* (cit. 3). *Pattes palmées* de certains oiseaux. Qui a l'aspect d'une patte d'oie.* ⇒ **Ansérin.** *Qui a de grosses pattes.* ⇒ **Pataud, pattu.** *Un échassier* (cit. 2), *un flamant* (cit. 2) *debout sur une patte. Des hérons* (cit. 2), *une patte pliée sous le ventre. Corbeaux qui fouillent* (cit. 1) *la terre de leurs pattes et du bec. — Jouer des pattes* (→ Escrimer, cit. 1). *Coup de patte* (→ Laper, cit. 2). — *Chien qui donne, qui tend la patte. — Oiseau, mouche qui s'attrape par les pattes à la glu* (cit. 2). *Écraser* (→ Griffon, cit. 3), *casser la patte à un chien.* ⇒ **Épater** (vx). *Marcher sur la patte à un chien, à* *un chat* (→ Imiter, cit. 4; martyr, cit. 5). — Loc. *Ça ne casse pas, il n'a pas cassé trois pattes à un canard.* ⇒ **Canard.**

1 Ce chien, parce qu'il est mignon,
Vivra de pair à compagnon
Avec monsieur, avec madame (...)
Que fait-il? Il donne la patte,
Puis aussitôt il est baisé. LA FONTAINE, Fables, IV, 5.

2 Un vieux petit fox-terrier pointe son museau grisonnant, se dresse sur ses pattes de derrière et s'étire contre sa maîtresse.
P. MAC ORLAN, Quai des brumes, XIII.

3 Elle *(une lionne)* est couchée auprès d'un homme qui lui parle, et elle repose sur son bras une patte qui le couvre, une pesante patte confiante, amie, la paume en l'air. On distingue les énormes pelotes des doigts, et de ces pétales largement charnus les griffes blanches jaillissent comme des étamines.
COLETTE, l'Étoile Vesper, p. 177.

Loc. Régional. *Envoyer la patte :* ruer.

3.1 (...) il y avait des chèvres que l'astucieuse vieille n'a pas traites du jour d'avant, et qui envoient la patte tout le temps, parce que le pis les tourmente.
Ch.-F. LANDRY, Petit Bar Mistral, p. 48.

Par métaphore (1914). *Moteur qui marche sur trois pattes,* dont un des quatre cylindres ne fonctionne pas. *Une deux pattes :* une automobile dite « deux-chevaux », à moteur à deux cylindres.

Mouton à cinq pattes. ⇒ **Mouton** (*infra* cit. 10).

Fam. *Nos compagnons à quatre pattes :* nos animaux familiers et spécialt, les chiens, les chats.

(Personnes). *Se mettre, marcher à quatre pattes,* en posant les mains et les pieds (ou les mains et les genoux) par terre (→ Bête, cit. 24; froncer, cit. 5; malhonnête, cit. 2).

3.2 Allons, la cavalcade! (...) la cavalcade! dit-il à sa nièce. Celle-ci qui savait de quoi il était question, se met tout de suite à quatre pattes, les reins élevés le plus possible, en me disant de l'imiter (...) SADE, Justine..., t. I, p. 185.

4 Les sentinelles ont détourné la tête; il se jette à quatre pattes, se glisse sous les fils de fer, allonge la main (...) SARTRE, la Mort dans l'âme, p. 226.

♦ **2.** Fam. Main* (cit. 6). ⇒ **Patoche.** *Retire tes sales pattes de là. Ils mettaient leurs petites pattes malgracieuses* (cit. 3) *sur mes genoux. — Les grosses pattes de ces rustres* (→ Mouler, cit. 2).

5 La femme est un être si délicat. Il n'y a qu'à regarder les mains à côté d'une grosse patte d'homme.
J. ROMAINS, les Hommes de bonne volonté, t. V, III, p. 23.

5.1 Et pis, ma vieille, si tu laisses tomber une vis, tu peux t'mettre la corde pour la retrouver, surtout qu'on est bête de ses pattes quand on a froid.
H. BARBUSSE, le Feu, t. I, p. 58.

Coup de patte : coup de main habile.

(En parlant d'un artiste et particulièrement d'un peintre). *Avoir de la patte :* avoir une grande habileté, une grande virtuosité (→ Chic, cit. 1). — Par ext. *Style où se reconnaît la patte de l'écrivain de génie.* ⇒ **Cachet.**

♦ **3.** Fam. Jambe* (humaine). *Traîner, se casser la patte. Avec ma patte en bois je ne suis plus bon* (cit. 98) *à rien. Il n'est pas solide sur ses pattes. Être bas, court sur pattes. Avoir une patte folle :* boiter légèrement. —*Aller à pattes,* à pied. — *Tirer dans les pattes de qqn,* lui susciter des difficultés (→ Mettre des bâtons dans les roues). — Loc. fam. *Se tirer des pattes :* partir, sortir.

6 — N'importe, ce ne sera pas pour ce coup-ci. Je vais mieux, je serai sur mes pattes avant quinze jours (...) ZOLA, la Bête humaine, VII.

7 (...) un autre gaillard (...), bas sur pattes, court, replet (...)
G. DUHAMEL, Salavin, V, VI.

8 Il traînait la patte, à cause d'une espèce de douleur rhumatismale, ou de sciatique, il ne savait au juste, dont il n'avait pas pu se débarrasser depuis le début de l'hiver. J. ROMAINS, les Hommes de bonne volonté, t. XVIII, XI, p. 148.

9 Moulay Hafid, le Sultan, nous tire dans les pattes. Il va falloir le remplacer.
ARAGON, les Cloches de Bâle, I, XI.

Loc. *En avoir plein les pattes :* être fatigué après une longue marche; en avoir assez (→ Plein les bottes).

9.1 L'oncle se leva :
— Mon cher Joseph, dit-il, je crois qu'il est temps de rentrer : pour ce premier jour, j'en ai plein les pattes!
Moi aussi, j'en avais plein les pattes, et j'eus de la peine à me mettre debout.
M. PAGNOL, la Gloire de mon père, t. I, p. 283.

Se faire faire aux pattes : se faire prendre. *Il est fait aux pattes.*

9.2 Voilà, dit Dhéry, je n'ai pas l'intention de me laisser faire aux pattes par les Fritz.
— Tiens! Tu vas essayer de t'embarquer, toi aussi?
Robert MERLE, Week-end à Zuydcoote, p. 182.

Loc. *Avoir du poil* aux pattes.*

♦ **4.** Loc. fig. (des animaux; appliqué aux personnes). — (1690). *Coup de patte :* trait malveillant qu'on décoche à qqn en passant. ⇒ **Critique.** —*Avoir, traîner un fil** (cit. 19) *à la patte. — Graisser* (cit. 6 et 7) *la patte à qqn — Ne remuer ni pied ni patte :* rester complètement immobile*; ne pas pouvoir se déplacer, être impotent. — *Retomber sur ses pattes,* en parlant d'un chat (→ Nouvelle, cit. 16); fig., fam. : se tirer sans dommage et habilement d'une affaire fâcheuse. — *Faire patte de velours**.
Bas les pattes, se dit pour faire tenir un chien tranquille. — Par ext., fam. En parlant à une personne qui touche qqch. indiscrètement (notamment dans un contexte érotique) :

10 Elle savait attirer les soldats qui n'obtenaient rien d'elle, même pas un serrement de main. Quand l'un d'eux devenait tendre elle criait, en parlant extraordinairement vite : — Allez, allez, porc, bas les pattes!
P. MAC ORLAN, la Bandera, V.

— Bonjour, madame Cloche. Bonjour, ma p'tite Titine, et lui pinça la taille. 10.1
— Bas les pattes que j'vous dis. M'touchez pas avant qu'on soye mariés.
— Est-elle méchante, fit le sexagénaire. Je reviens de la mairie; tout est en règle. On se mariera le 25 août. R. QUENEAU, le Chiendent, p. 235.

MONTRER PATTE BLANCHE (par allus. à la chèvre de la fable. → cit. ci-dessous) : montrer un signe de reconnaissance convenu, dire le mot de passe nécessaire pour entrer quelque part. — Fig. Être recommandé, présenter des garanties de manière à inspirer confiance et à pouvoir être admis dans un groupe, dans une société...

Le biquet, soupçonneux, par la fente regarde. 11
« Montrez-moi patte blanche, ou je n'ouvrirai point ».
S'écria-t-il d'abord (patte blanche est un point
Chez les loups, comme on sait, rarement en usage).
LA FONTAINE, Fables IV, 16.

Fam. *Être, tomber sous la patte* (→ Livrer, cit. 26), *se fourrer* (cit. 28) *dans les pattes de qqn. Tenir qqn sous sa patte,* sous sa dépendance, à sa merci (→ Sous sa griffe*). *Sortir, se tirer des pattes de qqn,* lui échapper, reprendre son indépendance.

(...) je changerais trois fois de peau avant de me tirer des pattes de ce diable-là. 12
RIVAROL, Lettres, IV, 8 janv. 1785.

♦ **5.** (Par anal. d'aspect ou de forme). **PATTE DE** (et nom d'animal). *Pattes d'araignée*, de mouche** (cit. 11) → Écriture, cit. 8. — (1933, P. Morand). *Pantalon à pattes d'éléphant,* dont le bas des jambes va en s'évasant. — *Pattes de lapin*, de lièvre* (→ 1. Frais, cit. 22) ou, absolt, *pattes.* ⇒ **Favori, rouflaquette.** — *Patte de lièvre :* sorte de houppette utilisée par les acteurs pour étendre le fard, la poudre de riz...

Le prince, d'ailleurs, écoutait complaisamment le marquis de Chouard, qui, prenant sur la toilette la patte de lièvre, expliquait comme on étalait le blanc gras. 13
ZOLA, Nana, V.

Un sous-officier de la légion, long et mince, et qui portait de chaque côté des joues des « pattes » comme un ancien torero, vint prendre livraison du petit détachement. 14
P. MAC ORLAN, la Bandera, IV.

PATTE D'OIE : point de réunion de plusieurs routes... ⇒ **Carrefour** (→ aussi Égout, cit. 2). *Des pattes d'oie,* ou *des pattes-d'oie.* — (1826). Les petites rides divergentes qui se forment à partir de l'angle externe de l'œil. — Mar. *Cordage en patte d'oie :* manœuvre qui se termine par plusieurs branches attachées en différents endroits de l'objet sur lequel on veut agir. — *Mouiller en patte d'oie,* sur trois ancres disposées en triangle. — Assemblage de charpentes en forme de pyramide triangulaire. *Patte d'oie installée dans une rivière pour marquer l'emplacement d'une prise d'eau, protéger la pile d'un pont.*

(...) des pattes d'oie de rides malignes se plissaient à chaque coin de ses paupières pleines de mensonges, de ruses et de fourberies (...) 15
Th. GAUTIER, le Capitaine Fracasse, II.

Ils campaient à l'aventure dans une friche, dans une clairière, dans la patte d'oie d'un entre-croisement de routes (...) HUGO, l'Homme qui rit, I, I. 16

(Souvent régional). *Patte de...,* dans des noms de végétaux (→ Pas* de..., pied* de...).

Le *pas* désigne l'empreinte laissée sur le sol par la patte de l'animal. Toutefois, il est difficile d'opposer *pas* à *patte* et *pied.* De même, l'opposition, *patte/pied* apparaît mal, bien que la *patte* désigne très souvent des plantes à tige rampante et le *pied* des plantes à tige verticale. Mais là encore, la distinction n'est pas toujours très nette : les mêmes plantes portent souvent les noms de *pas, patte, pied.* 16.1
Pierre GUIRAUD, Structures étymologiques du lexique français, p. 164.

(Plantes à feuilles en forme de sabot). *Patte d'âne, de cheval :* le tussilage. *Patte* (pied) *de cheval, de mulet... :* le ficaire. — (Plantes à tige ou à feuilles velues). *Patte d'ours :* la berce; certaines renoncules. *Pattes de lapin, de lièvre :* trèfle des champs. *Patte de loup,* nom de renoncules, du chèvrefeuille (Anjou), du lycopode. *Patte de chien :* primevère. *Patte de chat :* nombreuses plantes, dont la primevère, des renoncules, le séneçon non pubescent (Normandie). — (Plantes à feuilles digitées). *Patte d'oiseau :* dauphinelle; chèvrefeuille. *Patte* (pied) *d'alouette :* dauphinelle. *Patte d'oie :* nom de nombreuses plantes (renoncules, primevères, berce, selon les régions; chénopode [*patte d'oie rouge :* l'anserine]). *Patte de raine* (« grenouille »), *patte de crapaud :* renoncules vénéneuses. *Patte d'araignée :* chèvrefeuille (Cambrai).

♦ **6.** Objet long ou partie allongée (servant à fixer, etc.). — Mar. *Pattes* (ou bras) *d'une ancre :* chacune des parties d'une ancre de chaque côté de la tige. *Les pattes, armées de becs, munies d'oreilles. Ancre à pattes articulées.* — Clou dont une extrémité est aplatie et généralement percée d'un trou et qui sert à fixer un cadre, une glace, un objet lourd, etc. ⇒ **Patte-fiche.** — Crochet de fer (pour suspendre la viande, déplacer les futailles...) ⇒ **Croc, crochet.** — Chacune des deux pièces de fer qui, réunies par des charnières, des rivures, forment un couplet*. ⇒ **Assemblage.** *Joindre avec des pattes.* ⇒ **Empatter.**

Partie la plus mince de la paroi d'une cloche, à sa partie inférieure.

Racine de certaines plantes. *Pattes d'asperges* (on dit plutôt *griffe*).

Cour. Languette* d'étoffe, de cuir, etc. qui sert à saisir le dessus d'un étui, à fermer un portefeuille... — Petite bande d'étoffe, fixée sur un vêtement et souvent munie d'un bouton ou d'une boutonnière* (⇒ **Martingale**). *Patte d'une poche* (→ Couture, cit. 2), *d'un corsage* (→ Métronome, cit.), *d'une casquette. — Patte d'épaule,* fixée sur un uniforme militaire et qui marque le grade (cit. 7). ⇒ **Épaulette.** *Galons fixés sur les pattes d'épaule.*

17 Les autres, sauf le marquis, s'étaient contentés de déboutonner leur gilet, et de dégager un peu leur chemise de la ceinture du pantalon. Ainsi la chemise bouffait, et la patte pointait en avant comme une petite langue.
J. ROMAINS, les Hommes de bonne volonté, t. VIII, I, p. 7.

COMP. et **DÉR. Carapater (se), empatter, épater, mille-pattes, pataud.** — (Du même rad.) **Patauger, patin, patiner, patouille, patouiller, patrouille. — Patté, pattelette, patte-fiche, patte-mâchoire, patte-pelu, pattu.**
HOM. Pat.

2. PATTE [pat] n. f. — XVIe; du lombard **paita* «vêtement».

♦ Régional (Suisse). Chiffon. *Vieille patte.* — (1531). Torchon. *Donner un coup de patte sur la table.* — (1867, Neuchâtel). *Patte à relaver :* torchon à vaisselle. — (1924). *Patte à poussière :* chiffon à poussière. — Loc. fig. *Devenir, venir patte :* devenir mou, flasque comme un chiffon (→ Comme une chiffe*).

PATTÉ, ÉE [pate] adj. — 1390; *paté* «qui a de larges pattes», XIIIe; de *patte.*

♦ **1.** Blason. Dont les branches s'élargissent en s'incurvant à leurs extrémités. *Croix* pattée. Sautoir patté.*

Littér. Qui a des pattes (ayant telle caractéristique) :

Cela commence par la 4241, grosse machine noire à surchauffe, et haut pattée. Je la trouve attelée, le train à quai. Un homme (...) graisse. Le tablier de la locomotive surplombe sa casquette.
J.-R. BLOCH, les Chasses de Renaut, «Locomotives».

♦ **2.** Paléogr. *Lettre pattée,* élargie à ses extrémités.

PATTE-D'ARAIGNÉE [patdaʀeɲe] n. f. **PATTE-DE-CHAT** [patdəʃa] n. f., **PATTE-DE-LOUP** [patdəlu] n. f., **PATTE-D'OIE** [patdwa] n. f. ⇒ **Patte.**

PATTE-FICHE [patfiʃ] n. f. — 1874, Barbey d'Aurevilly; de *patte,* et *fiche.*

♦ Techn. Pièce métallique pointue d'un bout, aplatie de l'autre, servant à assujettir qqch. au mur. — Syn. : *patte, patte à crochet, à scellement, clou à patte...* ⇒ **Patte.** *Des pattes-fiches.*

(...) je lui plantai, à elle, mes deux yeux dans ses yeux, comme si j'y avais enfoncé deux patte fiches *(sic)*
BARBEY D'AUREVILLY, les Diaboliques, «Le bonheur dans le crime».

PATTELETTE [patlɛt] n. f. ⇒ **Patelette.**

PATTE-MÂCHOIRE [patmɑʃwaʀ] n. f. — 1878, P. Larousse, *Premier Suppl.*; de *patte* et *mâchoire.*

♦ Zool. Chacun des appendices (trois paires) des crustacés. *Des pattes-mâchoires.*

PATTEMOUILLE [patmuj] n. f. — 1914; de *patte* «chiffon», mot techn. et dial. *(germanique paita),* et *mouiller.*

♦ Chiffon, linge humecté dont on se sert pour repasser les vêtements, apprêter les étoffes, etc.

Elle renversait le bol de la pattemouille ou bien elle se brûlait au fer.
J. GIONO, Jean le Bleu, VIII.

PATTE-PELU, UE [patpəly] n. — 1548, «dont la patte est couverte de poils»; de *patte* et *pelu.*

♦ Vx. Personne qui dissimule ses mauvaises intentions sous une apparence de douceur, d'honnêteté. ⇒ **Doucereux, hypocrite, sournois.** *Des pattes-pelus.*

PATTER [pate] v. intr. — 1655; de *patte.*

♦ Chasse. Emporter de la terre avec ses pattes en laissant des traces, en parlant du gibier. *Le lièvre patte.*

PATTERN [patɛʀn] n. m. — 1949, *in* Höfler; mot angl., «modèle schématique.

♦ Sc. (Anglic.). Modèle simplifié d'une structure devant avoir des caractères de cohérence et une valeur démonstrative. *Dans les sciences humaines, les patterns sont obtenus par l'analyse des réponses à une série homogène d'épreuves.* — Équiv. franç. : *modèle, patron.*

Une étude qui mériterait les éloges d'un quarteron de spécialistes verserait dans l'examen des stéréotypes, des «patterns» quand ce ne serait pas dans celui des revenus, des strates, des statistiques. Elle n'irait pas jusqu'au fond des choses (...)
Henri LEFEBVRE, la Vie quotidienne dans le monde moderne, p. 353.

PATTINSONAGE [patinsɔnaʒ] n. m. — 1868; de *Pattinson,* nom d'un chimiste anglais.

♦ Techn. Mode de traitement des plombs argentifères par cristallisation fractionnée, qui permet de séparer l'argent du plomb.

PATTU, UE [paty] adj. — V. 1480; de *patte.*

♦ **1.** Qui a de grosses pattes. ⇒ **Pataud.** *Chien pattu.*

♦ **2.** (1549). Se dit de certains oiseaux dont la patte porte une touffe de plumes. *Coq, pigeon pattu* (→ Glouglou, cit. 2).

De ces souliers mignons, de rubans revêtus,
Qui vous font ressembler à des pigeons pattus.
MOLIÈRE, l'École des maris, I, 1.

PÂTURABLE [pɑtyʀabl] adj. — XVIe; de *pâturer.*

♦ Agric., géogr. Qui peut être employé comme pâture* (1.). *Herbe, prairie pâturable.*

PÂTURAGE [pɑtyʀaʒ] n. m. — *Pasturage,* v. 1155; de *pâturer.*

♦ **1.** Droit de faire paître du bétail sur une terre. *«Jouir du pâturage sur une terre»* (Académie).— *Droit de pâturage. Avoir le droit de pâturage dans une forêt* (⇒ **Usage**).

Action de faire pâturer (des animaux). *Pâturage des porcs en forêts.* ⇒ **Paisson** (dér. de *paître**). — Allus. hist. *«Labourage** (cit. 1 et 2) *et pâturage sont les deux mamelles de la France».*

♦ **2.** (1219). Plus cour. Lieu couvert d'une herbe qui, à cause du climat ou de la pauvreté du sol, ne peut être fauchée et doit être consommée sur place par le bétail*. ⇒ **Gagnage, pacage, pâquis, pâtis, prairie** et aussi **herbage** (cit. 2). *Amener, mener, mettre les vaches au pâturage.* ⇒ **Champ, pâture** (→ Instinct, cit. 37). *Pâturages alpestres* (→ Comparable, cit. 3), *de haute montagne.* ⇒ **Alpage.** *Faire séjourner les troupeaux dans les pâturages de montagne.* ⇒ **Estiver.** *Pâturage communal. Pâturages et champs en labour* (→ Alterner, cit. 2). *Gras* (cit. 40 et 41), *maigres pâturages* (→ Brouter, cit. 2).

Dehors, on entendait des sonnailles de troupeaux partant pour les pâturages, des vaches qui beuglaient au jour levant(...)
LOTI, Ramuntcho, I, VII.

COMP. Surpâturage.

PÂTURE [pɑtyʀ] n. f. — V. 1170, *pasture; paisture,* v. 1120; bas lat. *pastura* de *pastus,* de *pascere* «paître». → aussi Appât.

♦ **1.** Ce qui sert à la nourriture des animaux. ⇒ **Aliment, nourriture.** *L'oiseau apporte leur pâture à ses petits.* ⇒ **Becquée.** *«Aux petits des oiseaux il donne leur pâture»* (→ Nature, cit. 46, Racine). *Donner la pâture à la volaille.* ⇒ **Appâter.** *Être, devenir la pâture des bêtes sauvages, des loups* (→ Enterrer, cit. 9; gibet, cit. 3). *Chair qui est la pâture des bêtes sauvages.* ⇒ **Carnage.**

De mille soins divers l'alouette agitée 1
S'en va chercher pâture, avertit ses enfants.
LA FONTAINE, Fables, IV, 22.

Chaque être avait sa pâture ou sa pâtée. Le ramier trouvait du chènevis, le pinson trouvait du millet, le chardonneret trouvait du mouron, le rouge-gorge trouvait des vers, l'abeille trouvait des fleurs, la mouche trouvait des infusoires, le verdier trouvait des mouches. 2
HUGO, les Misérables, V, I, XVI.

Spécialt. Ensemble des aliments qu'on donne au bétail* (notamment l'herbe coupée, le fourrage, la paille, etc.). *Donner sa pâture au bétail.*

Par ext. (Animaux, bétail). Le fait de chercher, de prendre sa nourriture; action de pâturer. *«Un soir qu'il était en pâture, Notre aigle aperçut d'aventure...»* (La Fontaine, *Fables,* V, 18).

Littér. Nourriture de l'homme.

À peine vêtue, n'ayant gardé des deux ou trois toilettes offertes par l'ami défunt que le strict nécessaire; sans gîte maintenant et sans pâture, elle se voyait désormais livrée à Dieu seul (...) 3
Léon BLOY, la Femme pauvre, II, III.

♦ **2.** Par métaphore ou fig. Ce qui sert d'aliment à une faculté, à un besoin, à une passion; ce sur quoi une activité s'exerce. *La vérité qui est la pâture de la raison* (→ Enthousiasme, cit. 6). *Tout ce qui peut servir de pâture à son esprit d'intrigue* (→ Écouter, cit. 9). *Vous voulez lire? je vous apporterai de la pâture.* ⇒ **Lecture.** — *Donner qqch, en pâture à qqn. Être offert en pâture à la malignité publique.* ⇒ **Proie** (être la proie de).

Tout l'univers visible n'est qu'un magasin d'images et de signes auxquels l'imagination donnera une place et une valeur relative; c'est une espèce de pâture que l'imagination doit digérer et transformer. 4.
BAUDELAIRE, Curiosités esthétiques, IX, IV.

(...) Saint-Sulpice, quand j'y passai il y a quarante ans, présentait un ensemble d'assez fortes études. Mon ardeur de savoir avait sa pâture. 5
RENAN, Souvenirs d'enfance..., V, Œ. compl., t. II, p. 859.

Choiseul avait essayé de gouverner avec les Parlements en leur donnant les jésuites en pâture, en flattant leurs sentiments jansénistes(...) 6
J. BAINVILLE, Hist. de France, XIV, p. 294.

Là où une curiosité moins forte que la sienne n'eût trouvé qu'un maigre aliment, elle jouissait d'un festin royal. Rien à ses yeux n'était médiocre. Éperdue de savoir, elle faisait sa pâture de tout et la provenance d'une cravate l'intéressait au même degré que l'origine d'une fortune, car l'avidité ne choisit point. 7
J. GREEN, Léviathan, I, VIII.

♦ **3.** Lieu où croissent les plantes qui servent de nourriture aux animaux, et, spécialt, lieu où croît l'herbe et où l'on fait paître le bétail. ⇒ **Pâturage.** *Mener les vaches en pâture* (→ Herbage, cit. 1). *Pâture des bêtes sauvages.* ⇒ **Viandis.**

Dr. *Vaine pâture* ou *droit de vaine pâture :* usage rural, droit qui permet aux habitants d'un village ou d'une commune de faire paître leur bétail, à certaines conditions, sur les terres particulières non clôturées, une fois que les récoltes sont enlevées. ⇒ aussi **Panage, parcours.** — *Droit de grasse et vive pâture,* qui s'exerce sur les terres encore garnies de leurs récoltes naturelles.

(V. 1520). *Vaine pâture :* ensemble des terres sur lesquelles s'exerce le droit de vaine pâture.

DÉR. Pâturer, pâturin.

PÂTURER [pɑtyʀe] v. — V. 1130, *pasturer;* de *pâture.*

Animaux, bétail.

♦ **1.** V. intr. Prendre sa pâture, manger en paissant. ⇒ **Paître, viander.**

1 Puis ils rencontrèrent le troupeau. Les moutons, çà et là, pâturaient et on entendait leur continuel broutement. FLAUBERT, Bouvard et Pécuchet, II.

P. p. adj. *Herbages pâturés.*

2 (...) au couchant, s'étendent les grandes prairies pâturées et engraissées par tous ces animaux (...) VOLTAIRE, Mélanges littéraires, Lettre à M. Dupont, 7 juin 1769.

♦ **2.** V. tr. Se nourrir de (qqch.), brouter (l'herbe). *Quelques vaches pâturaient l'herbe* (cit. 16) *surabondante et folle* (→ aussi Herbage, cit. 2).

DÉR. Pâturable, pâturage.

PÂTURIN [pɑtyʀɛ̃] n. m. — 1775; de *pâture.*

♦ Plante monocotylédone *(Graminées),* herbacée, généralement vivace. *Le pâturin constitue une grande partie de la végétation des bonnes prairies.*

PATURON [patyʀɔ̃] ou **PÂTURON** [pɑtyʀɔ̃] n. m. — V. 1510; de l'anc. franç. *pasture* « corde avec laquelle on attache un animal par la jambe »; lat. *pastoria* « (corde) de pâtre ».

♦ **1.** Partie de la jambe (du cheval) comprise entre le boulet* et la couronne* et qui correspond à la première phalange. *Crevasses du paturon. Les chevaux enfonçaient* (cit. 20) *jusqu'aux paturons dans la boue. Cheval qui a le paturon trop court, trop long...* ⇒ **Jointé** (bas-jointé, court-jointé, long-jointé...).

♦ **2.** (1628). Fam. Pied; jambes. ⇒ **Patte.**

Il se sent semblable, le Gros, au promeneur imprudent, ayant déjà un paturon engagé dans une nappe de sables mouvants, et qui doit se dégager fissa. Albert SIMONIN, Hotu soit qui mal y pense, p. 241.

PAUCHOUSE [poʃuz] n. f. — XXe; mot dial.; → Pochouse.

♦ Régional. — Var. de *pochouse.*

PAUCI- Élément de composition de termes didactiques, du lat. *paucus* « un petit nombre de ».

PAUCIFLORE [posiflɔʀ] adj. — 1795; de *pauci-,* et *-flore.*

♦ Bot. Qui ne porte que peu de fleurs.

PAUCITÉ [posite] n. f. — V. 1495; lat. *paucitas,* de *paucus* « peu ».

♦ **1.** Vx. Petit nombre.

♦ **2.** Mod. (Didact.). Caractère de ce qui est peu nombreux.

L'antiquité eut des penseurs presque aussi avancés que les nôtres; et pourtant la civilisation antique périt par sa paucité, sous la multitude des barbares. Elle ne portait pas sur assez d'hommes; elle a disparu, non faute d'intensité, mais faute d'extension. RENAN, l'Avenir de la science, *in* Œ. compl., t. III, p. 988.

PAULETTE [polɛt] n. f. — 1612; du nom de *Paulet,* premier fermier de cet impôt (1604).

♦ Hist. Impôt, droit sur les offices, les charges de judicature, que devaient payer les titulaires (magistrats...), à intervalles réguliers, pour en devenir propriétaires et pouvoir ainsi les résigner, les transmettre héréditairement. *La paulette était du soixantième de la valeur de l'office.*

PAULIEN, IENNE [poljɛ̃, jɛn] adj. — XVIIIe; du lat. *pauliana,* du nom d'un préteur appelé *Paulus.*

♦ Dr. rom. *Action paulienne :* action en réparation de préjudice que les créanciers pouvaient intenter contre un débiteur frauduleux (et même contre les tiers acquéreurs qui avaient profité de l'aliénation frauduleuse). — Mod. En procédure civile, Action révocatoire « par laquelle le créancier fait révoquer les actes de son débiteur qui lui portent préjudice et qui ont été accomplis en fraude de ses droits (Code civil, art. 1167) », Capitant.

PAULINIEN, IENNE [polinjɛ̃, jɛn] adj. — 1868, Littré; du nom de l'apôtre *Paul.*

♦ Relig. cathol. Relatif à saint Paul. *Doctrine, philosophie paulinienne. Épîtres pauliniennes.*

DÉR. (Du même rad.) **Paulinisme.**

PAULINISME [polinism] n. m. — 1874; du nom de l'apôtre *Paul.*

♦ Relig. cathol. Doctrine de saint Paul; christianisme universaliste paulinien*.

1. PAULISTE [polist] adj. et n. — 1846, Bescherelle; portugais *paulista,* de *São Paulo.*

♦ De São Paulo (première ville du Brésil). — N. *Les Paulistes et les Cariocas* (habitants de Rio).

(...) les fils des vieilles familles patriciennes paulistes sont ainsi, dont les ancêtres ont parcouru dès le XVIe siècle les solitudes sauvages de l'immense continent sud-américain (...) B. CENDRARS, Bourlinguer, p. 346.

2. PAULISTE [polist] adj. et n. — Fin XIXe; de l'angl. *paulist.*

♦ Membre d'une congrégation catholique américaine fondée en 1858 à New York et dédiée à saint Paul.

PAULOWNIA [polonja; polɔvnja] n. m. — 1864, *Rev. des cours sc.,* p. 272; du nom d'*Anna Pavlovna,* fille du tsar Paul Ier, à laquelle cette fleur fut dédiée.

♦ Bot. Plante dicotylédone *(Scrofularinées),* arbre de grande taille, dont les fleurs bleues ou mauves, campanulées, se présentent en panicules dressées. — Fleur de cet arbre (→ Fleurir, cit. 19). *Des paulownias.*

Dans le jardinet de l'église un énorme paulownia dressait ses girandoles, comme un grand lustre aux pendeloques de cristal. Edmond JALOUX, Fumées dans la campagne, XXVI.

PAUME [pom] n. f. — XIIe; *palme,* 1050, forme que l'on trouve encore chez Lamartine; du lat. *palma.* → Palme.

★ **I.** ♦ **1.** Le dedans, l'intérieur de la main. ⇒ **Creux** (→ 2. Caler, cit. 5; couteau, cit. 4; frottement, cit. 3). *Relatif à la paume.* ⇒ **Palmaire.** *La paume; la paume de la main. Anatomie de la paume.* ⇒ **Hypothénar, thénar.** *Les arcades palmaires, profonde et superficielle, forment le système artériel de la paume.* — *Paume dure* (cit. 3), *calleuse. Paume humide* (→ Main, cit. 25), *moite* (cit. 1). *Paume ouverte* (→ Fasciner, cit. 3), *tendue...* (→ Garçon, cit. 26). *S'enfoncer les ongles dans les paumes* (→ Grincer, cit. 3). *Lisser* (cit. 2) *qqch. avec les paumes. Partie du gant qui recouvre la paume.* ⇒ **Empaumure; paumelle.** *Recevoir* (⇒ **Empaumer**), *lancer une balle avec la paume de la main* (→ ci-dessous, II).

(...) le baiser qu'elle me permettait si rarement de mettre sur sa main dont elle ne voulut jamais me donner que le dessus et jamais la paume, limite où pour elle commençaient peut-être les voluptés sensuelles. 1
BALZAC, le Lys dans la vallée, Pl., t. VIII, p. 850.

(...) ses paumes, tournées vers le ciel portaient les ampoules, les callosités des mains d'homme. 2
P. NIZAN, le Cheval de Troie, I, I.

♦ **2.** (Par anal. avec deux mains jointes aux paumes appuyées). Techn. Assemblage de deux pièces perpendiculaires par une coupe à mi-bois, droite *(paume carrée)* ou oblique *(paume grasse). Enture de paume, en paume :* assemblage bout à bout, formé d'une paume carrée et d'une cheville.

★ **II.** (1320). La balle se lançant primitivement avec la main. Jeu, sport qui consistait à se renvoyer une balle (⇒ **Éteuf**) de part et d'autre d'un filet, au moyen d'un instrument (⇒ **Batte, battoir, crosse, raquette, triquet**) et selon certaines règles. *Jouer à la paume* (→ Exercer, cit. 1; jeu, cit. 28; même, cit. 2, Pascal). *Échanger des balles* (⇒ **Pelotage, peloter**), *engager le jeu, lancer la balle* (⇒ **Serveur, service, servir**), *au jeu de paume. La paume, ancêtre du tennis*.* — *Longue paume,* jouée sur terrain ouvert. *Courte paume,* jouée en terrain clos et souvent couvert. *Paume carrée. Paume au tambourin* (ce dernier tenant lieu de raquette). *Paume au tamis* (la balle rebondissant sur un tamis, au moment du service).

JEU DE PAUME : bâtiment allongé, terrain de jeu de courte paume. ⇒ **Tripot.** — Allus. hist. *Le serment du Jeu* de Paume.*

(...) la maison des bernardines du Petit-Picpus (...) avait été bâtie précisément sur l'emplacement d'un jeu de paume fameux du quatorzième siècle qu'on 3
appelait le *tripot des onze mille diables.* HUGO, les Misérables, II, VI, VIII.

4 Le jeu de paume de Vincennes était un jeu de longue paume, c'est-à-dire en plein air; rien n'était donc plus facile au duc que (...) d'envoyer les balles dans les fossés.
DUMAS, Vingt ans après, XXI.

Par ext. Pelote* basque (→ Bercail, cit. 5).

DÉR. 1. **Paumelle, paumer,** 1. **paumier, paumoyer, paumure.**

PAUMÉ, ÉE [pome] adj. et n. — XXe; *une paumée* «fille perdue», 1899; p. p. de *paumer.*

♦ **1.** Fam. (d'abord argotique). Misérable, pauvre. ⇒ **Marginal.**

1 Je rigole, maintenant, mais je me sens paumée, paumée, paumée. Tant qu'il y avait du pognon, il y avait de l'espoir; les cent sacs du pécule, c'est de la briquette, de la briquette mangeable, mais ça c'est rien, je mangerai autre chose.
A. SARRAZIN, la Cavale, p. 33.

N. *Un paumé, une pauvre paumée. Va donc, eh, paumé!*

2 Au travers des chaises empilées aux terrasses, malgré la buée qui jaunissait les vitres, je distinguais tous les traîne-patins, toutes les paumées, agglutinés autour des comptoirs, devant des crèmes [1], à attendre le premier métro.
Albert SIMONIN, Touchez pas au grisbi, p. 34.

[1] Cafés crème.

♦ **2.** Fam. Perdu, égaré. — Fig. *Il est complètement paumé :* il ne sait plus où il en est.

3 — Alors, mes petits oisillons, vous voilà égarrirtes?
— Paumés, dit la fille. Complètement paumés.
R. QUENEAU, les Fleurs bleues, p. 20.

1. PAUMELLE [pomɛl] n. f. — 1294, «paume de la main»; de *paume* et suff. *-elle.*

Technique.

♦ **1.** (1314). Petite penture articulée sur un gond et fixée au battant d'une porte, d'un volet...

♦ **2.** Bande de cuir (⇒ **Manicle**) renforcée au creux de la main par une plaque métallique piquetée servant à pousser l'aiguille, protégeant la paume de certains ouvriers (voiliers, cordiers, selliers). *Coudre avec la paumelle.* ⇒ **Paumoyer** (2.).

♦ **3.** Planche cintrée servant à assouplir les peaux, utilisée par les corroyeurs.

2. PAUMELLE [pomɛl] n. f. — 1564; du provençal *palmola, paumola,* du lat. *palmula* «petite palme».

♦ Agric. Variété d'orge* commune à deux rangs.

PAUMER [pome] v. tr. — *Palmeier* «manier, brandir», XIIe → Paumoyer; «prendre», argot XVe (Cf. Villon, *le Jargon et Jobelin* IX. «Puis dit un gueux : «*J'ai paumé deux florins*»); de *paume.*

♦ **1.** Argot anc. (1649, *se paumer la gueulle, in* D. D. L.). Donner un coup, frapper. *Paumer qqn.* — Loc. *Paumer la gueule à qqn.* (Th. Corneille, *in* Littré). ⇒ **Casser.**

♦ **2.** Mod. (1837, Vidocq). Argot puis fam. Arrêter (un coupable).

1 Dis donc, vieux, moi, ton salut, je m'en fous, mais il y a le commandant, là derrière, qui vient d'en paumer trois et de prendre leurs noms! (...)
Roger VERCEL, Capitaine Conan, p. 45.

Se faire paumer, se faire prendre* (Cf. fam. Se faire avoir, chauffer, coincer, posséder...).

2 C'est le genre de benêt qui se fera paumer un jour par une rousse pétroleuse, ou une entraîneuse entre deux âges. Elles sauront le faire valser malgré lui.
Benoîte et Flora GROULT, Journal à quatre mains, p. 181.

♦ **3.** (1827). Fam. Perdre. *J'ai paumé le fric.* — Pron. Se perdre. *Il s'est paumé en route.* ⇒ **Paumé.** — Intrans. *On a paumé :* on a perdu.

3 Les artilleurs de la Garde se sont paumés en route, comme nous (...) répondit un gendarme. W. de BAZELAIRE, l'Or de la Bérézina, p. 38.

4 Dans l'état où sont les pistes, je vous parie que les automitrailleuses resteront en carafe. Les G. M. C. aussi. Ils se paumeront tous dans le ravin des Oiseaux.
Cécil SAINT-LAURENT, les Passagers pour Alger, p. 306.

5 Tu as tous les détails sur le bifton, je pense n'avoir rien oublié. Le paume pas, surtout. A. SARRAZIN, la Cavale, p. 328.

♦ **4.** Fam. Recevoir, attraper (un coup). — Absolt, vx. Recevoir un coup, et, par ext., se faire punir, réprimander.

6 Il y a aussi un papa Maubrun en acier chromé dans la Salle des Gardes. Ça vous intéresse? Vous verrez le trou dans son armure. Il a dû paumer un drôle de coup (...) Michel DE SAINT PIERRE, les Aristocrates, XIII.

DÉR. Paumé.

1. PAUMIER, IÈRE [pomje, jɛʀ] n. m. — 1292; de *paume.*

Anciennement.

♦ **1.** Maître de jeu de paume.

♦ **2.** Fabricant, vendeur d'accessoires de jeu de paume. *Une raquette de paumier* (Rousseau, *Émile,* II). — Par appos. *Maître, marchand paumier.*

2. PAUMIER [pomje] n. m. et adj. — 1754, «cerf palmé»; du lat. *palma.* → Palme.

♦ Vén. Daim de cinq ans, dont les andouillers supérieurs sont aplatis et forment des paumures (ou palmatures).

PAUMOYER [pomwaje] v. tr. — XIIe; *palmeier* «tenir à pleines mains», 1080, *Chanson de Roland;* de *paume.*

♦ **1.** (1833, *se pommoyer*). Mar. Haler à la main. *Paumoyer un câble, une aussière, une chaîne... — Paumoyer la toile :* ramasser les plis d'une voile.

♦ **2.** Techn. Coudre en se protégeant la paume de la main avec une paumelle*. *Paumoyer deux pièces de cuir.* — Assouplir (le cuir) à la paumelle.

PAUMURE [pomyʀ] n. f. — 1390, *paumeure;* de *paume.*

♦ Vén. Syn. d'*empaumure.* Partie aplatie au sommet des bois du cerf, des andouillers du daim. — (On emploie aussi *empaumure* et *palmature,* dans ce sens). ⇒ 2. **Paumier.**

PAUPÉRISATION [popeʀizasjɔ̃] n. f. — 1949, *in* D. D. L.; de l'angl. *pauperization,* 1847; du lat. *pauper* «pauvre».

♦ Didact. Abaissement continu du niveau de vie, diminution absolue du pouvoir d'achat *(paupérisation absolue)* ou appauvrissement d'une classe sociale par rapport à l'ensemble de la société *(paupérisation relative). Degrés de paupérisation.*

Les petits commerçants sont à deux sous près en ce moment, tu sais? Et pas d'allocation de chômage pour eux (...) Finalement, ils sont plus malheureux que les ouvriers, d'autant qu'ils tiennent à leur respectabilité (...) Oui, la paupérisation des classes moyennes, on connaît ça! Roger IKOR, À travers nos déserts, p. 284.

PAUPÉRISER [popeʀize] v. tr. — 1963; angl. *to pauperize,* 1834; → Paupérisme, paupérisation.

♦ Didact. Frapper de paupérisation. ⇒ **Appauvrir.** Pron. *Se paupériser.* — P. p. adj. *Un prolétariat paupérisé.*

PAUPÉRISME [popeʀism] n. m. — 1823; de l'angl. *pauperism,* 1815; dér. sav. du lat. *pauper* «pauvre».

Didactique.

♦ **1.** État permanent de pauvreté, d'indigence, manque d'argent, dans une partie de la société; existence permanente d'un grand nombre d'indigents (→ Capitalisme, cit. 2). *«L'extinction du paupérisme»,* œuvre du futur Napoléon III (1846).

Maintenant, elle *(la discussion)* roulait sur le paupérisme, dont toutes les peintures, d'après ces messieurs, étaient fort exagérées. 1
FLAUBERT, l'Éducation sentimentale, II, IV.

Pratiquement, il n'y a pas de misère dans ce pays-là, il n'y a même pas de paupérisme. Je n'ai jamais vu un taudis. 2
J. ROMAINS, les Hommes de bonne volonté, t. XIX, VIII, p. 110.

♦ **2.** Par métonymie. Les indigents. *«Le masque* (cit. 22) *repoussant du paupérisme en révolte»* (Balzac).

PAUPIÈRE [popjɛʀ] n. f. — XIVe; *palpere,* 1120; du bas lat. *palpetra,* lat. class. *palpebra.*

♦ **1.** Chacun des deux voiles musculo-membraneux mobiles qui recouvrent et protègent la partie antérieure du globe oculaire. *Relatif aux paupières.* ⇒ **Palpébral; blépharo-.** *Nos paupières sont interposées* (cit. 1) *entre notre œil et la lumière. Paupière supérieure, inférieure. Principaux muscles des paupières.* ⇒ **Orbiculaire, releveur.** *Membrane joignant la paupière à l'œil.* ⇒ **Conjonctive.** *Bord, commissure des paupières. Poils qui bordent* (cit. 9) *les paupières.* ⇒ **Cil** (→ Franger, cit. 6). — *Paupières qui battent* (→ Attacher, cit. 28; immobile, cit. 5), *clignent* (cit. 3), *palpitent. Battre* (cit. 48), *ciller des paupières; cligner* (cit. 2) *ses paupières. Battement* (→ Limpidité, cit. 4), *cillement, clignotement des paupières.* ⇒ **Clignoter, papilloter.** *Abaisser, baisser* (cit. 19), *fermer les paupières. Relever les paupières, ses paupières* (→ Frange, cit. 3; furtif, cit. 10; œillade, cit. 7). *Paupières closes* (→ Feindre, cit. 4), *fermées* (→ Indescriptible, cit. 1). *Paupières entre-closes* (cit.), *à demi baissées* (→ Irriter, cit. 25). *Occlusion* des paupières. — Abaisser, fermer les paupières d'un mourant,* lui fermer les yeux. *Fermer les paupières,* et littér. *la paupière :* s'endormir, dormir, et aussi mourir* (→ 2. Instant, cit. 2; lumière, cit. 15). *Le sommeil appesantit* (cit. 1) *ses paupières* (littér.). *Avoir les paupières lourdes. Ouvrir la paupière* (littér.), *les paupières :* s'éveiller. — *Larmes* (cit. 2 et 6) *au bord, à l'angle des paupières* (→ Essuyer, cit. 5). *Paupières gonflées* (→ Enchasser, cit. 5). — *Paupières obliques, bridées. Paupières teintées de khôl* (cit. 1). — *Chassie* (cit. 2) *au bord des paupières. Escarbille sous les paupières.* ⇒ **Blépharite** (cit.), **cocotte** (→ Écharde, cit. 2). *Tumeur* (⇒ **Chalazion, compère-loriot, orgelet**), *renversement* (⇒ **Ectropion, éraillement; entropion**) *des paupières. Malformation des paupières.* ⇒ **Lagophtalmie.**

1 Par le mouvement de ses paupières soyeuses, Honorine vous jetait un charme, tant il y avait de sentiment, de majesté, de terreur, de mépris dans sa manière de relever ou d'abaisser ce voile de l'âme. BALZAC, Honorine, Pl., t. II, p. 285.

2 Et quand la tombe enfin a fermé leur paupière (...)
HUGO, les Rayons et les Ombres, XLII.

3 Sa paupière était close, on eût dit qu'il dormait,
Mais ses cils roux laissaient passer de la lumière.
HUGO, la Légende des siècles, XXII, II.

4 (...) du doigt il lui ouvrit les paupières. Elles ne s'abaissèrent point. Les prunelles vitreuses demeurèrent fixes. HUGO, l'Homme qui rit, II, V, I.

5 Ses paupières traînaient comme des loques sur ses yeux encore souriants (...)
FRANCE, le Lys rouge, VI.

6 Entre les paupières courbes, légèrement plissées, qui marquent une attention vigilante, luit un regard vif et direct (...)
MARTIN DU GARD, Jean Barois, I, « Goût de vivre », IV.

7 (...) elle tendait lentement la main droit devant elle pour répondre à un fantôme, le toucher, et les larmes dans chaque œil bleu coulaient de la paupière supérieure à la paupière inférieure qui les buvait, habituées à ne point glisser sur la belle joue en rose. GIRAUDOUX, Siegfried et le Limousin, p. 221.

Zool. *Paupière nictitante** (des oiseaux de nuit).

♦ **2.** Vx. Cil (→ Libre, cit. 32, Mme de Sévigné).

PAUPIETTE [popjɛt] n. f. — 1742; *popiette,* 1735; *poupiette,* 1691; de l'anc. franç. *paupier* « papier enveloppant un gibier », en rapport avec *papillotte** (P. Guiraud).

♦ Cuis. Tranche de viande roulée et farcie. *Paupiettes de veau.*

(...) l'intellect de Césaire, — et même toutes les facultés de son âme —, me paraissaient, pour le moment, absorbées par un plat de paupiettes, son mets favori.
VILLIERS DE L'ISLE-ADAM, Tribulat Bonhomet, p. 85.

PAUSAL, ALE, AUX [pozal, o] adj. — XXe; de *pause.*

♦ Didact. Relatif à une pause (2. et 3.). *Les formes pausales, en hébreu, ont une voyelle modifiée.*

PAUSE [poz] n. f. — V. 1360; du lat. *pausa,* grec *pausis.*

♦ **1.** Interruption momentanée d'une activité, d'un travail. ⇒ **Arrêt, interruption, suspension** (→ Blanc, cit. 30). *Faire plusieurs pauses. Faire une longue pause en attendant* qqn. La pause de midi. Accorder un instant de pause à des écoliers.* ⇒ **Délassement.** — Milit. Temps de repos* interrompant un exercice, une marche (⇒ **Halte**). *Faire la pause.*

1 Le sommeil de ses amis n'était qu'une pause, comme celles où s'abandonnent les soldats entre deux manœuvres, les faucheurs entre deux champs moissonnés (...)
P. NIZAN, le Cheval de Troie, I, I.

Intervalle entre deux événements, deux phénomènes. ⇒ **Intervalle** (cit. 18). — Spectacles. ⇒ **Entracte.**

Fam. Temps d'arrêt, station prolongée. *« J'aurai fait ici une petite pause de dix jours »* (Mme de Sévigné). ⇒ **Séjour.**

2 (...) le sultan a traversé Stamboul dans toute sa longueur pour se rendre au palais du vieux sérail, faisant une pause et disant une prière, comme il est d'usage, dans les mosquées et les kiosques funéraires qui se trouvaient sur son chemin.
LOTI, Aziyadé, II, XIII.

REM. À partir des années 1960 ce terme est entré dans la composition de nombreux substantifs composés désignant l'activité à laquelle on se livre pendant une pause. → Pause-café. Ex. : *pause-goûter, pause-déjeuner, pause-repas, pause-whisky, pause-pipi,* etc.

♦ **2.** Temps d'arrêt dans les paroles, le discours. ⇒ **Silence** (→ 1. Autour, cit. 14; discours, cit. 14; honte, cit. 21; interrogation, cit. 1). *Faire des pauses en parlant. La ponctuation* des phrases marque les pauses.*

3 J'ai dû faire une pause à la fin du précédent livre.
ROUSSEAU, les Confessions, VIII.

4 Cette parenthèse, ouverte et fermée par deux pauses, fit frémir la Cibot, qui pensa sur-le-champ que Frasier se chargerait de la dénonciation.
BALZAC, le Cousin Pons, Pl., t. VI, p. 679.

♦ **3.** (1460). Mus. Silence, intervalle silencieux. — Spécialt. Silence correspondant à la durée d'une ronde; la figure, le signe qui sert à le noter. *Une pause vaut deux demi-pauses, quatre soupirs.*

5 (...) le silence même se définit par rapport aux mots, comme la pause, en musique, reçoit son sens des groupes de notes qui l'entourent.
SARTRE, Situations II, p. 74.

CONTR. Marche, mouvement.
DÉR. Pausal, pauser, pausette.
COMP. Pause-café.
HOM. Pose.

PAUSE-CAFÉ [pozkafe] n. f. — 1966; de *pause,* et *café.*

♦ Fam. Arrêt dans le travail, pour prendre une tasse de café. *Faire la pause-café à 4 heures. Des pauses-café.*
REM. Sur le même modèle, → Pause (1., REM.).

PAUSER [poze] v. intr. — 1690; de *pause,* avec infl. de *poser,* du lat. *pausare.*

♦ **1.** Vieilli. « Appuyer sur une syllabe en chantant » (Rousseau). Par ext. (1829). Faire une pause.

♦ **2.** Fam., régional. *Faire pauser qqn :* le faire attendre (⇒ **Poireauter**).

HOM. Poser.

PAUSETTE [pozɛt] n. f. — XVIe, *in* Huguet, de *pause,* et *-ette.*

♦ Fam. Petite pause.

Ils ne s'étaient pas même rendu compte qu'ils marchaient depuis un bout de temps appréciable. Si on faisait la "pausette"?
J. GIONO, Un de Baumugnes, Pl., t. I, p. 307.

PAUVRE [povʀ] adj. et n. — XVIe; *povre* (adj. et n.), 1050; du lat. *pauper.*

A. ♦ **1.** [a] Adj. (épithète après le nom). Qui manque du nécessaire ou n'a que le strict nécessaire; qui n'a pas suffisamment d'argent pour subvenir à ses besoins. ⇒ **Besogneux, fauché** (fam.), **impécunieux, indigent** (cit. 2), **marmiteux** (vx), **nécessiteux, panné** (fam.); → Acquisition, cit. 1; boue, cit. 6; haine, cit. 20; marier, cit. 16; misérable, cit. 13. *Être pauvre.* ⇒ **Pauvreté.** Cf. Être dans le besoin, n'avoir pas un centime, pas un sou vaillant, pas un rouge liard (vx), pas un radis, pas un rond (fam.)..., être sans un (fam.); être raide (fam.); avoir la bourse vide; tirer le diable* par la queue. *Ceux qui viennent au monde pauvres et nus* (→ Désespérer, cit. 22). *Devenu pauvre.* ⇒ **Appauvri, ruiné.** *Très pauvre, pauvre comme Job* (→ Aristocrate, cit. 3). ⇒ **Indigent, misérable, miséreux; famélique.** *Une fille pauvre et honnête* (→ Dot, cit. 6). (Vx ou iron.). *Pauvre mais honnête. Enfant pauvre* (→ Examiner, cit. 6). *L'avare* (cit. 19) *pauvre et l'avare riche. Des artistes pauvres* (→ Exprimer, cit. 43). *Gens riches et gens pauvres* (→ Caste, cit. 2). — Loc. *Parents* pauvres.* — *Famille pauvre. Une maison pauvre, mais antique* (→ Arme, cit. 18). — Allus. littér. *Le Roman d'un jeune homme pauvre,* d'Octave Feuillet. *La Femme pauvre,* roman de Léon Bloy.

Pauvre je suis de ma jeunesse, 1
De pauvre et de petite extrace (...)
(...) Pauvreté tous nous suit et trace. VILLON, le Testament, XXXV.

Comme eux vous fûtes pauvre, et comme eux orphelin. RACINE, Athalie, IV, 3. 2

LE PAUVRE. Je suis un pauvre homme, Monsieur (...) 3
MOLIÈRE, Dom Juan, III, 2.

Qui n'est pas capable d'être pauvre n'est pas capable d'être libre. 4
HUGO, Post-Scriptum de ma vie, « L'esprit, Tas de pierres », II.

Ni la beauté, ni la grâce, ni la bonté, ni l'esprit, ni la vertu ne faisant oublier qu'on est pauvre, Anna ne devait connaître qu'un reflet lointain de l'amour (...) 5
GIDE, Si le grain ne meurt, I, I, p. 31.

Il se doutait bien que l'étudiant était pauvre. Mais il ne méprisait les pauvres qu'à partir d'un certain âge, et encore sous bénéfice d'inventaire. 6
J. ROMAINS, les Hommes de bonne volonté, t. III, VII, p. 104.

REM. Lorsque *pauvre,* épithète, est placé avant le substantif, l'idée d'indigence s'accompagne d'une nuance de commisération (→ ci-dessous, B., 1.). *Pauvres gens* (→ Obscur, cit. 17). *« Un pauvre bûcheron* (cit. 2)... ». — Loc. *Pauvre hère** (cit. 2). *Pauvres diables** (cit. 38). *Ayez pitié d'un pauvre aveugle.* — Loc. fam. *Le pauvre monde. Dépouiller le pauvre monde* (→ 2. Caler, cit. 6; justice, cit. 25). — *Être de pauvre extraction* (→ Noble, cit. 25).

[b] N. m. UN PAUVRE : celui qui manque du nécessaire, qui est dans le besoin ou dans la misère. — REM. Comme l'adjectif, le substantif, moins fréquent en français moderne (où l'on emploie divers euphémismes : *économiquement faible,* etc.) a changé de connotations au cours du temps. L'emploi substantif est plus fort que l'adjectif : il comporte souvent l'idée de misère, d'indigence (→ ci-dessous, cit. 15). Cependant, l'expression *les nouveaux pauvres,* désignant les victimes des récentes crises économiques, est usuelle depuis 1984.

⇒ **Clochard, gueux, indigent** (cit. 4), **malheureux** (spécialt), **mendiant** (cit. 4), **mendigot, meurt-de-faim, misérable, pouilleux, purotin, va-nu-pieds.** *Les pauvres :* les personnes sans ressources, qui ne possèdent rien. ⇒ aussi **Prolétaire;** → Inégalité, cit. 5. — *Le pauvre et le riche; les pauvres et les riches* (→ Aristocratique, cit. 2; convoiter, cit. 6; égalité, cit. 10; exploiter, cit. 13; filoutage, cit. 2; leçon, cit. 15; naturaliser, cit. 4). *« Le pauvre par l'espoir* (cit. 7) *allège sa souffrance »* (Ronsard). *« Le pauvre en sa cabane... »* (→ 1. Loi, cit. 34, Malherbe). — *Donner aux pauvres; secourir les pauvres.* ⇒ **Aumône** (cit. 1, 3 et 5), **charité** (→ 2. Bien, cit. 1 et 2; mendicité, cit. 1; offrande, cit. 4). *« Qui donne* (cit. 10) *aux pauvres prête à Dieu ». Collecte* (cit.), *quête pour les pauvres. Œuvre de secours aux pauvres. Pour les pauvres de la paroisse, s'il vous plaît! Les pauvres de qqn,* ceux qu'il secourt (cit. 11). — *Un pauvre honteux** (cit. 18). — Littér. *La mort des pauvres* (poème de Baudelaire).

Sur l'éminente dignité des pauvres dans l'Église. 7
BOSSUET, (Titre du) Sermon dimanche Septuagésime, févr. 1659.

Le pauvre n'a pas besoin d'éducation; celle de son état est forcée, il n'en saurait avoir d'autre; au contraire, l'éducation que le riche reçoit de son état est celle qui convient le moins et pour lui-même et pour la société. ROUSSEAU, Émile, I. 8

Monsieur le marquis, il faut que vous donniez quelque chose. Le marquis se retourna et répondit sèchement : — Monseigneur, j'ai mes pauvres. — Donnez-les-moi, dit l'évêque. HUGO, les Misérables, I, I, IV. 9

Pauvre par la dureté de sa famille, il eut les misères morales, les vices du pauvre, par-dessus les vices du riche. MICHELET, Hist. de la Révolution franç., I, II. 10

11 (...) le pauvre, pris en général, est bien plus philosophe que le riche, en ce qu'il montre une résignation plus prompte et plus gaie à ce qu'il considère comme un mal irrémédiable ou une perte irréparable.
BAUDELAIRE, les Paradis artificiels, « Mangeur d'opium », III.

12 Elles quittaient un soir le monde, un matin les mouches, visitaient les pauvres, fréquentaient les églises.
Ed. et J. DE GONCOURT, la Femme au XVIIIe siècle, t. II, p. 174.

13 Le perron de la mairie était plein de pauvres. Une dame secouait son aumônière devant les redingotes qui sortaient : « Donnez, messieurs, c'est pour les pauvres » et les mains laissaient tomber des pièces de toutes les couleurs métalliques.
MAX JACOB, le Cornet à dés, p. 90.

14 (...) la Révolution s'est toujours faite avec les pauvres, bien que les pauvres en aient rarement tiré grand profit. La contre-révolution se fera toujours contre eux (...) La Société s'accommode assez bien de ses pauvres, aussi longtemps qu'elle peut absorber les malcontents soit dans les hôpitaux, soit dans les prisons.
BERNANOS, les Grands Cimetières sous la lune, p. 202.

15 Dans la pauvreté, nous avons été bien souvent jusqu'à l'adjectif; nous ne sommes jamais tombés au substantif. J'entends que si nous avons été presque toujours pauvres, en ce temps, nous n'avons, heureusement, jamais été des pauvres.
G. DUHAMEL, Chronique des Pasquier, II, V.

16 La tare du monde moderne n'est pas tant qu'il y ait des riches qui le sont à l'excès à côté de pauvres qui le sont à l'excès eux aussi : c'est que la hiérarchie sociale et morale qui résulte de cette différence soit reconnue par les pauvres eux-mêmes, que, pour reprendre, en la modifiant, la formule antique, *l'argent seul ait valeur d'estime*.
DANIEL-ROPS, Ce qui meurt..., p. 190.

17 Quand les riches se font la guerre, ce sont les pauvres qui meurent.
SARTRE, le Diable et le Bon Dieu, I, 1.

Relig. *Bienheureux les pauvres en esprit,* ceux qui aiment la pauvreté. ⇒ **Esprit** (IV., 1.). — REM. Souvent compris au sens fig., ci-dessous 3.

♦ **2.** (Choses). Qui a l'apparence de la pauvreté, annonce la pauvreté... *Pauvre maison* (cit. 2; → Déployer, cit. 3; isolé, cit. 3; moellon, cit.). *Le logis était bien pauvre.* ⇒ **Minable, miteux** (fam.). → Cordial, cit. 7. *Ce qu'il y avait de pauvre et de triste dans ces hardes* (cit. 7) *usées.* ⇒ **Râpé.**

♦ **3.** (Personnes). PAUVRE DE... **a** Qui a très peu de... ⇒ **Dénué, dépourvu, privé.** Vx. *« Pauvre... de cinq cent mille livres »* (La Bruyère, I, 261).

b Mod. *Pauvres de talent et de ressources* (Diderot, *in* Littré). Fam. *Pauvre d'esprit* (→ Obstination, cit. 4).

18 Je plains le temps de ma jeunesse (...)
(...) Allé s'en est, et je demeure,
Pauvre de sens et de savoir (...)
VILLON, le Testament, XXIII.

(Choses). PAUVRE EN... : qui a peu de... *Un raisonnement pauvre en arguments.*

19 La brigade trouvait le village pauvre en estaminets et en belles filles.
A. MAUROIS, les Silences du colonel Bramble, XI.

♦ **4.** (Choses). En épithète, avant ou après le nom. Qui est insuffisant, fournit ou produit trop peu. *Terre pauvre :* dont les ressources sont insuffisantes. ⇒ **Aride, maigre, stérile** (→ Glèbe, cit. 2). *Pays, région pauvre, trop pauvre pour nourrir ses habitants. La pauvre et dure Bretagne* (→ Ardoisière, cit.). — *Pauvre récolte; pauvre revenu.* ⇒ **Chétif, modeste.** *Minerai pauvre; gisement, filon pauvre.*

20 (...) le Perche, de l'autre côté du Loir, était un pays pauvre, de maigre culture, presque sans blé, dont les habitants venaient se louer pour la moisson, à Cloyes, à Châteaudun, à Bonneval (...)
ZOLA, la Terre, II, V.

21 Il venait de l'intérieur, à travers des rideaux épais, une lumière pauvre.
J. ROMAINS, les Hommes de bonne volonté, t. I, XIX, p. 218.

Fig. *La mythologie* (cit. 1) *romaine est pauvre, plus pauvre que la grecque. Vocabulaire pauvre* (→ Accent, cit. 5; embarrasser, cit. 22). *Langue pauvre* (→ Enrichir, cit. 9; moderne, cit. 7). *Style banal et pauvre.* ⇒ **Plat.** — *Rime* pauvre.*

22 « Langue un peu pauvre », disait cet excellent Heredia à qui je présentai mon premier livre, et qui s'étonnait de n'y trouver pas plus d'images.
GIDE, Journal, Feuillets, 1911.

(Abstrait). ⇒ **Insuffisant; médiocre; faible.** *Un bonheur imparfait, pauvre et relatif* (→ Heureux, cit. 36). *De bien pauvres sentiments.* ⇒ **Mesquin.** → Incapable, cit. 7.

B. (Avant le n., en épithète). ♦ **1.** (V. 1350; épithète, avant le n.). Qui inspire de la pitié, de la commisération. ⇒ **Malheureux, déplorable, pitoyable; plaindre** (à plaindre); → Avantager, cit. 4; effondrement, cit. 4. *Un pauvre malheureux. Pauvre bougre* (→ Capitulation, cit. 3). *Le pauvre garçon* (cit. 13), *le pauvre gars* (→ Lanterne, cit. 10; maladif, cit. 1). *Ce pauvre type n'a pas eu de chance. Elle était désespérée, la pauvre dame* (→ Bêler, cit. 3). *Un pauvre avorton* (cit. 1). *Le pauvre vieux* (→ Méchamment, cit.). *Pauvre petite femme!* (→ Insensible, cit. 8). *Le pauvre chou* (→ Morfondre, cit. 3). *Pauvre petite* (→ Jouer, cit. 18; lenteur, cit. 3). — Poét. *« Les morts* (3. Mort, cit. 8), *les pauvres morts ont de grandes douleurs ». « Ma pauvre muse... »* (cit. 8 et 10). — Allus. littéraire :

23 — Et Tartuffe? — Tartuffe? Il se porte à merveille,
Gros et gras, le teint frais, et la bouche vermeille.
— Le pauvre homme!
MOLIÈRE, Tartuffe, I, 4.

24 On venait de citer quelques traits de la gourmandise de plusieurs souverains. « Que voulez-vous, dit le bonhomme M. de Brequigny, que voulez-vous que fassent ces pauvres rois? Il faut bien qu'ils mangent. »
CHAMFORT, Caractères et Anecdotes, « Pauvres rois ».

Le pauvre animal, la pauvre bête (→ Assommer, cit. 2; atteler, cit. 2; méfait, cit.). *Son pauvre corps* (→ Agiter, cit. 4). *Ses pauvres mains* (→ Agonisant, cit. 2; durcir, cit. 1). *Son pauvre petit cœur* (→ Chamade, cit. 2). *Un pauvre sourire :* un sourire triste. *La pauvre espèce humaine* (→ Iman, cit.). — *Un pauvre journal d'opinion* (→ Devoir, cit. 3). — *Pauvre France!*

Nous sommes bien bas! Pauvre France! Où allons-nous? C'est un fait sans précédents! Avant longtemps il y aura du nouveau. C'est la fin de la République. 24.1
PROUST, Jean Santeuil, Pl., p. 630.

Spécialt, en parlant d'un défunt, d'un mort (souvent précédé du dém. ou du possessif).

Quand j'ai perdu ma pauvre défunte, j'allais dans les champs pour être tout seul (...) 25
FLAUBERT, Mme Bovary, I, III.

Il ne put pourtant pas se consoler de la mort de sa femme, mais pendant les deux années qu'il lui survécut, il disait à mon grand-père : « C'est drôle, je pense très souvent à ma pauvre femme, mais je ne peux y penser beaucoup à la fois. » 26
PROUST, À la recherche du temps perdu, t. I, p. 27.

Quand nous disons : « Ce pauvre Untel », tout le monde comprend qu'il est passé de vie à trépas. 27
A. HERMANT, la Chronique de Lancelot, II, p. 345.

(En s'adressant à qqn). *Mon pauvre ami, mon pauvre petit* (→ Oison, cit.). *Ma pauvre chérie* (→ Monter, cit. 29). *Ma pauvre Lucie...* (→ Ça, cit. 2). *Mon pauvre vieux, tu n'as pas de chance* (exprimant la condescendance). *Mais enfin, mon pauvre ami, ce n'est pas difficile à comprendre.*

Pauvres maris! voilà comme on vous traite. MOLIÈRE, George Dandin, III, 5. 28

Et dans la paix et le silence susurrant, les douces appellations continuaient longtemps en une espèce de triste mélopée, où un cœur brisé semblait pleurer. Et sans cesse revenait le mot « pauvre », ce mot que les mères et les amantes de la misérable Bohême, toujours peureuses de l'avenir des créatures aimées par elles, accolent perpétuellement à la caresse des diminutifs. 29
Ed. DE GONCOURT, les Frères Zemganno, XIII.

Pauvre, employé en s'adressant à un interlocuteur que l'on espère voir compatir à son propre sort. « Il semble que dans un mouvement de sympathie qui demande la réciprocité..., on donne à autrui sa part du fardeau dont on est chargé », Damourette et Pichon, § 516.

Mon pauvre papa, ne me donnez pas le fouet. 30
MOLIÈRE, le Malade imaginaire, II, 8.

Vous avez remarqué que, lorsqu'on est très malheureux, on parle aux autres hommes en leur disant « mon pauvre ami », ou « mon pauvre monsieur », comme s'ils étaient eux-mêmes à plaindre. 31
G. DUHAMEL, Récits des temps de guerre, II, Amours du ponceau.

Loc. *Pauvre de moi! :* pauvre que je suis! — REM. Il s'agit probablement du *de* que l'on rencontre dans les tours : *ce que c'est de nous; ce que c'est que de nous.*

Pauvre de moi! disait-il. Maintenant, je n'ai plus qu'à mourir (...) Le moulin est déshonoré. 32
Alphonse DAUDET, Lettres de mon moulin, Secret de Maître Cornille.

Pauvre d'eux! Pauvre de nous tous! 33
G. DUHAMEL, *in* « Revue de Paris », juil. 1949, p. 17.

Subst. *Le pauvre, la pauvre. Le pauvre n'a pas eu de chance!* (Au fém.). *Oh, la pauvre! Mon pauvre, ma pauvre,* exprime la commisération.

♦ **2.** Lamentable et méprisable. *Un pauvre sire, un pauvre homme :* un homme sans mérite, sans volonté ni énergie. — Pitoyable, lamentable. *C'est un pauvre type, un pauvre idiot. Pauvres fous que nous sommes...* (→ Douleur, cit. 15). *Pauvre bête!* (→ Astrologue, cit. 1). *Pauvre ignorant* (→ Détourner, cit. 26). — *Pauvre con!* [povkɔ̃] *Pauvre mec!* [povmɛk].

(...) pensant : petit truqueur, pauvre type, un de ces déchets comme en laisse derrière elle toute guerre (...) déclassé — du moins à ce qu'il pensait —, déchu de sa situation (...) 33.1
Claude SIMON, le Vent, p. 138.

♦ **3.** (Choses). Faible, médiocre, insignifiant ou mauvais dans son genre. ⇒ **Malheureux, mauvais, méchant.** *Un pauvre jeu de mots.* ⇒ **Minable, piteux.** *« Une pauvre langue est celle qui, outre la disette des termes, n'a ni douceur, ni énergie, ni beauté »* (Girault-Duvivier, p. 128, 7e éd.). → ci-dessus Une langue pauvre, au sens A., 4.

Le pauvre esprit de femme, et le sec entretien! 34
MOLIÈRE, le Misanthrope, II, IV.

Vx (En corrélation avec une négation). *Sans verser une pauvre larme* (→ Barguigner, cit. 2), la moindre* larme.

CONTR. **Aisé, argenteux** (fam.), **fortuné, opulent, riche*. — Abondant, brillant, copieux, fastueux, fécond, florissant, fourni, généreux, gras, intarissable, luxueux, luxuriant, pourvu.**

DÉR. Pauvrement, pauvresse, pauvret.

COMP. Appauvrir.

PAUVREMENT [povʀəmɑ̃] adv. — 1530; *povrement,* v. 1155; de *pauvre.*

♦ **1.** D'une manière pauvre, indigente. *Vivre pauvrement.* ⇒ **Misérablement.** Par ext. Dans la gêne, à l'étroit*. *« Une maison où l'on entretient environ trois cents personnes assez pauvrement »* (Montesquieu, *Lettres persanes,* 32). — *Être pauvrement vêtu :* d'une manière qui trahit la gêne, la pauvreté. *Maison pauvrement meublée.*

(...) soudain un soir, vers les six heures, un grand jeune homme, pauvrement mais décemment vêtu, s'arrêta soudain devant le magasin (...) Ce grand jeune homme, vous l'avez deviné, n'était autre que le célèbre Jeune Homme Pauvre d'Octave Feuillet.
Valery LARBAUD, Barnabooth, I, II (Le pauvre chemisier).

♦ **2.** Fig. D'une manière insuffisante, médiocre, malhabile. ⇒ **Exécrablement, lamentablement.** *Peindre, écrire pauvrement.* ⇒ **Mal.**

CONTR. **Richement. — Fortement.**

PAUVRESSE [povʀɛs] n. f. — 1785, Sade *in* D. D. L.; de *pauvre,* et *-esse.*

♦ Vieilli. Femme extrêmement pauvre; spécialt, mendiante. → Faire, cit. 91; mont-de-piété, cit.

1 Une pauvresse, ayant un bissac presque vide, vieille et ridée, en haillons (...) gisait sur le bec de la barque, accroupie dans un gros paquet de cordages.
BALZAC, Jésus-Christ en Flandre, Pl., t. IX, p. 253.

2 Les pauvresses, traînant leurs seins maigres et froids,
Soufflaient sur leurs tisons et soufflaient sur leurs doigts.
BAUDELAIRE, les Fleurs du mal, « Tableaux parisiens », CIII.

PAUVRET, ETTE [povʀɛ, ɛt] n. et adj. — 1460; *povret,* XIIIᵉ; de *pauvre.*

♦ Vieilli ou régional. Pauvre petit, pauvre petite (diminutif de commisération et d'affection).

REM. Ce mot, courant aux XVIᵉ et XVIIᵉ s. (→ Assortir, cit. 12; 2. autour, cit. 1; engluer, cit. 1; falloir, cit. 8), est aujourd'hui marqué comme ironique, sauf dans certains usages régionaux.

Soyez à ce pauvret que la haine bénit
Le rire du soleil et les pleurs de l'aurore.
VERLAINE, Parallèlement, Prologue supprimé,...

PAUVRETÉ [povʀəte] n. f. — V. 1155, *povreté; poverté,* v. 1050; du lat. *paupertas, -tatis;* de *pauper.* → Pauvre.

♦ **1.** État d'une personne, d'une collectivité qui manque de moyens matériels, d'argent; insuffisance de ressources. ⇒ **Besoin, dénuement, embarras, gêne, impécuniosité, indigence, nécessité, privation,** et les fam. **débine, dèche, mistoufle, mouise, mouscaille, panade, panne, pétrin, purée** (→ Affreux, cit. 8; épicurien, cit. 1; exalter, cit. 15; intolérable, cit. 1; misérable, cit. 11). *Extrême pauvreté* (→ Indigent, cit. 1). *Misère et pauvreté.* ⇒ **Misère** (cit. 15). *La pauvreté d'un mendiant.* ⇒ **Gueuserie, pouillerie.** *L'avilissement* (cit. 1) *de la pauvreté. Être aigri par la pauvreté* (→ Noircir, cit. 11). *Passer de la richesse, de l'aisance à la pauvreté* (⇒ **Ruine**). — *La pauvreté s'étendit sur toute la société française.* ⇒ **Paupérisme** (→ Lèpre, cit. 5). *Îlots, zone de pauvreté dans une société prospère. La pauvreté et la faim dans le monde.* Loc. *Se jeter sur* (qqch., qqn) *comme la pauvreté sur le monde,* avec une ardeur impitoyable.

1 (...) le caractère de Manon était tel que G... M... se le figurait, c'est-à-dire qu'elle ne pouvait supporter le nom de la pauvreté. Abbé PRÉVOST, Manon Lescaut, II.

2 La pauvreté est un des moyens dont la Providence se sert pour maintenir l'ordre du monde, en réprimant par ce frein quelques méchants, et en contenant leurs murmures par l'exemple de quelques bons qui souffrent comme eux.
Joseph JOUBERT, Pensées, X, XXI.

3 (...) les têtes des grisons se jetteraient là-dessus comme la pauvreté sur le monde.
BALZAC, César Birotteau, Pl., t. V, p. 339.

4 La pauvreté dans la jeunesse, quand elle réussit, a cela de magnifique qu'elle tourne toute la volonté vers l'effort et toute l'âme vers l'aspiration. La pauvreté met tout de suite la vie matérielle à nu et la fait hideuse; de là d'inexprimables élans vers la vie idéale. HUGO, les Misérables, III, V, III.

5 Il *(Patru)* avait manqué de cette assiduité et de cette patience, et l'âge venant, il sentait toutes les gênes et les rigueurs de la pauvreté. Infirme, retiré dans une petite maison du faubourg Saint-Marceau, il allait voir ses livres devenir la proie d'un dur créancier, quand Boileau, généreux comme un souverain, et devançant Colbert, les lui acheta en exigeant qu'il en gardât la jouissance.
SAINTE-BEUVE, Causeries du lundi, 5 janv. 1852.

6 Blanche fille aux cheveux roux,
Dont la robe par ses trous
Laisse voir la pauvreté
Et la beauté (...) BAUDELAIRE, les Fleurs du mal, « Tableaux parisiens », LXXXVIII.

7 Voilà bientôt deux mille ans que l'Église préconise la pauvreté. D'innombrables saints l'ont épousée, pour ressembler à Jésus-Christ, et la vermineuse proscrite n'a pas monté d'un millionième de cran dans l'estime des personnes décentes et bien élevées. C'est qu'en effet la pauvreté *volontaire* est encore un luxe, et, par conséquent, n'est pas la vraie pauvreté, que tout homme abhorre (...) Saint François d'Assise était un amoureux et non pas un pauvre (...) La pauvreté véritable est involontaire, et son essence est de ne pouvoir jamais être désirée.
Léon BLOY, le Désespéré, p. 254.

7.1 Oui, Ernestine, je vous sors de la dèche, de la mouise, de la débine! Je vous sors de la pauvreté, de la misère, de l'indigence. R. QUENEAU, le Chiendent, p. 161.

7.2 (...) la nouvelle pauvreté s'observe un peu partout; quelques besoins élémentaires étant satisfaits (au prix de quels abandons, de quelles démissions?), les besoins affinés que l'on appelle « culturels », et d'autres besoins élémentaires qui peuvent s'appeler « sociaux », restent profondément « insatisfaits » dans cette société productiviste. La nouvelle pauvreté s'instaure, se généralise, prolétarise des couches sociales nouvelles (...)
Henri LEFEBVRE, la Vie quotidienne dans le monde moderne, p. 102.

Loc. prov. *Pauvreté n'est pas vice.*

8 *Pauvreté n'est pas vice.* Parbleu! Un vice est agréable.
Paul LÉAUTAUD, Passe-temps, p. 170.

La pauvreté, érigée par Jésus en béatitude (cit. 11). *La vertu de pauvreté. Vœu* de pauvreté.*

9 J'aime la pauvreté, parce qu'il l'a aimée. PASCAL, Pensées, VII, 550.

10 La « pauvreté » resta un idéal dont la vraie lignée de Jésus ne se détacha plus. Ne rien posséder fut le véritable état évangélique; la mendicité devint une vertu, un état saint. RENAN, Vie de Jésus, Œ. compl., t. IV, XI, p. 199.

Aspect pauvre, misérable. *La pauvreté d'une cabane.* Au plur. Rare. *Les pauvretés, les rides, les taches d'une demeure en ruines* (→ Dévastation, cit. 3).

♦ **2.** Insuffisance, dans le domaine matériel ou moral. *Pauvreté du sol, de la terre.* ⇒ **Stérilité** (→ 2. Coupe, cit. 2). *Pauvreté d'une récolte, des moyens.* ⇒ **Disette, maigreur, pénurie.** *La pauvreté des biens et la pauvreté de l'âme* (→ Guérir, cit. 20, Montaigne).

♦ **3.** (Abstrait). ⇒ **Faiblesse, médiocrité.** *Pauvreté intellectuelle* (→ Fond, cit. 6), *de l'intelligence* (→ Maigreur, cit. 6). ⇒ **Aridité.** — *Pauvreté d'idées, en idées.* ⇒ **Défaut, manque** (→ Bigoterie, cit.).

(...) vous ne croyez pas (...) que cet appétit de bonheur des jeunes femmes de votre 11
génération est plutôt une faiblesse, un signe de pauvreté intérieure?
A. MAUROIS, Bernard Quesnay, XVI.

♦ **4.** Littér. *(Une, des pauvretés).* Action ou parole basse, ridicule, et, spécialt, chose commune, vulgaire, banale ou insignifiante, dans le domaine intellectuel, littéraire. ⇒ **Banalité.**

(...) je devine que les hommes de tous les temps, de tous les lieux, n'ont jamais dit 12
ni pu dire que des pauvretés sur toutes les choses que vous me demandez (...)
VOLTAIRE, Dialogue, XXIX, V.

(...) je l'entendis *(ma mère)* qui disait à l'oreille de mon père : — Quelles pauvre- 13
tés on apprend à cet enfant! — Ce sont, en effet, de grandes pauvretés, dit mon père. Que voulez-vous aussi qu'une vieille fille entende à la pédagogie?
FRANCE, le Livre de mon ami, Livre de Pierre, V.

CONTR. **Aisance, aise, bien-être, fortune, luxe, richesse. — Abondance, bouffissure, excès, faste, fertilité, luxuriance.**

P. A. V. [peave] n. m. — V. 1972; abrév. de « paiement avec préavis ».

♦ Communication téléphonique qui n'est taxée qu'au moment où l'on entre en contact avec son correspondant. *Demander une communication en P. A. V.* (ou *avec préavis*).

PAVAGE [pavaʒ] n. m. — 1389; 1331, « droit, péage pour l'entretien de la chaussée »; de *paver.*

♦ **1.** Travail qui consiste à paver (un sol). *Pavage d'une rue, d'une chaussée.*

♦ **2.** (1701). Revêtement de la chaussée d'une route ou d'une rue, du sol d'une cour ou d'une salle, etc., formé de carreaux, de dalles, de cubes de pierre ou de bois (⇒ **Pavé**), de cailloux ou de pierres (⇒ **Cailloutage, rudération**), de briques, de mosaïque..., et qui a pour objet de rendre le sol dur et uni pour faciliter la marche et le roulement des véhicules. ⇒ **Pavé** (1.), **pavement; carrelage, dallage** (→ Édicule, cit.). *Pavage de grès, de mosaïque. Inégalité dans un pavage.* ⇒ 1. **Flache.** *Refaire le pavage d'une route.*

Ensuite on me désigne ce pavage de porcelaine bleue, vraiment sans prix, si rare qu'on ose à peine y poser les pieds; il fut commandé en Chine, il y a six cents ans, et rapporté à grands frais sur des navires.
LOTI, l'Inde (sans les Anglais), III, XII.

PAVANE [pavan] n. f. — 1529, *pavenne;* de l'esp. *pavana,* de *pavo;* « paon » ou dial. *padana* « de Padoue ».

♦ Danse, de caractère lent et solennel, en vogue aux XVIᵉ et XVIIᵉ siècles. — Musique de cette danse. *Pavane pour une Infante défunte,* de Ravel.

Mais c'est surtout de la *Pavane* que nous avons gardé le plus romanesque souvenir; elle est devenue pour nous le symbole de toute une époque. Peut-être ne nous vint-elle pas d'Espagne, comme on l'a cru, mais c'est en Espagne qu'elle prit son plus grand développement, car son allure lente et cérémonieuse, ses évolutions compliquées, son air de cortège et de solennité la désignaient vraiment pour devenir le divertissement naturel d'une cour figée dans un protocole austère et magnifique. Francis DE MIOMANDRE, Danse, p. 27.

DÉR. V. Pavaner (se).

PAVANER (SE) [pavane] v. pron. — 1611; *se paonner,* 1544; croisement entre *paonner* (de *paon*), et *pavane.*

♦ Marcher avec orgueil, avoir une allure, une attitude pleine de vanité, un maintien prétentieux. ⇒ **Beau** (faire le beau), **panader** (se), **paonner, parader, poser, rengorger** (se), **roue** (faire la roue). *« Ces hommes qui se pavanent, laquais* (cit.) *devant, laquais derrière, en berline de gala ».* — *« Ta tête se pavane avec d'étranges grâces »* (→ Épaule, cit. 7, Baudelaire).

Se comporter d'une manière orgueilleuse, prétentieuse.

Mais les consécrations de l'œuvre entière *(de Pasteur)* accablèrent peu à peu tous les adversaires : les plus cyniques s'abaissèrent en des courbettes lourdaudes, les plus sots, qui s'étaient pavanés agressivement, feignirent de ne pas s'en souvenir.
Henri MONDOR, Pasteur, X.

PAVÉ [pave] n. m. — 1312; p. p. substantivé de *paver.*

♦ **1.** Ensemble des blocs de pierre, de bois, etc. (→ ci-dessous, 2.), des cailloux... qui forment le revêtement d'une route, d'une rue, d'une cour, du sol d'une salle (→ 1. Arche, cit. 9), etc. ⇒ **Pavage** (2.), **pavement** (1.) → argot. Paveton. *Le pavé de marbre, de mosaïque, d'une église.* — Spécialt. La partie d'une voie publique ainsi revêtue. *Le pavé disjoint, inégal* (cit. 8) *d'une rue. Pavé sec, propre* (→ Gelée, cit. 2), *glissant* (cit. 2), *gras* (cit. 27)... *Pluie qui poisse* (→ Appui, cit. 17), *lave le pavé* (→ Grand, cit. 28). *Le galop* (cit. 2) *des chevaux retentissait sur le pavé. Brûler** (cit. 12 et 13) *le pavé.* — (Autom.). *Tenir le pavé :* avoir une bonne tenue de route.

1 (...) à Tolède, où le pavé est composé de petits cailloux polis, luisants, aigus qui semblent avoir été placés avec soin du côté le plus tranchant (...)
Th. GAUTIER, Voyage en Espagne, p. 103.

2 Quand il *(le fidèle)* a fini de lever les yeux (...) s'il regarde le sol où il s'avance, il marche sur une Bible gravée dans la pierre en miraculeuses images. Un art est là, plus fin que la mosaïque (...) Ce pavé n'est pas le témoin d'une ardeur éphémère : on y a travaillé pendant plus de deux cents ans (...) Les Sibylles du Pavé, à Sienne, l'emportent de loin sur les figures symboliques de Raphaël.
André SUARÈS, Voyage du Condottiere, « Sienne », XIII.

Anciennt (à l'époque où le ruisseau occupait le milieu de la rue). Loc. **LE HAUT DU PAVÉ :** la partie d'une rue la plus proche des maisons. *Le haut du pavé, endroit de la rue le plus propre et le plus sûr pour marcher, était réservé à la personne la plus âgée, la plus respectable.* — Vx. *Le bas du pavé,* situé près du ruisseau.

Loc. fig. *Tenir le haut du pavé :* occuper le premier rang; dominer, être le maître. — *Céder le haut du pavé à qqn,* lui laisser la première place par déférence.

Par ext. La rue, la voie publique (→ Noter, cit. 8). *Battre** (cit. 24 et 25) *le pavé. Batteur* (cit. 3) *de pavé.* — (1637). *Être sur le pavé :* être sans domicile, sans emploi. *Mettre, jeter* (→ Meuble, cit. 8) *qqn sur le pavé.* → Mettre à la rue*.

3 Dans la civilisation actuelle, si incomplète encore, ce n'est point une chose très anormale que ces fractures de familles se vidant dans l'ombre, ne sachant plus trop ce que leurs enfants sont devenus, et laissant tomber leurs entrailles sur la voie publique. De là des destinées obscures. Cela s'appelle, car cette chose triste a fait locution, « être jeté sur le pavé de Paris ». HUGO, les Misérables, III, I, VI.

4 Je veux quelqu'un que je puisse balancer au bout de deux mois, s'il ne donne pas satisfaction, sans que ça fasse un drame (...) Un homme de l'âge de M. Paul, on hésite davantage à le flanquer sur le pavé.
J. ROMAINS, les Hommes de bonne volonté, t. I, XX, p. 242.

Sur le pavé de Paris : dans Paris. *« Vous ne trouverez pas la pareille sur le pavé de Paris »* (Académie).

5 En résumé, une de ces femmes qui veulent bien faire comme les autres, à la condition que les autres n'en sachent rien? (...) Elles sont comme ça quelques milliers sur le pavé de la capitale. COURTELINE, Boubouroche, I, 2.

(1561, *in* D. D. L.). *Demeurer, rester sur le pavé,* inconscient, assommé.

Fig. (Pop., vieilli). Gosier (→ Dalle).

♦ **2.** (XVIe). *Un, des pavés.* Chacun des blocs, généralement cubique ou parallélépipédique, de pierre dure (basalte, granit, grès [cit. 1], porphyre...), de bois (→ Macadam, cit. 1), etc., spécialement taillés et préparés pour revêtir la chaussée d'une route, d'une rue, le sol d'une cour, d'une salle... ⇒ **Carreau, dalle.** *Types et dimensions variés des pavés : pavé d'échantillon, pavé bâtard, pavé mosaïque... Pavés disposés en arête* de poisson. Pavés artificiels à base de bitume, etc. Face, parement d'un pavé. Joints entre les pavés. Couchis sur lequel on pose les pavés. Enlever* (⇒ **Dépaver**), *enfoncer* (⇒ 2. **Hier**), *poser des pavés.* ⇒ **Paver.** *Hiement, repiquage des pavés.* — *Arracher les pavés pour faire une barricade* (→ Épaulement, cit. 1; hardi, cit. 21).

6 Elle *(la barricade)* était bâtie de manière que les combattants pouvaient, à volonté, ou disparaître derrière, ou dominer le barrage et même en escalader la crête au moyen d'une quadruple rangée de pavés superposés et arrangés en gradins à l'intérieur. Au dehors le front de la barricade, composé de piles de pavés et de tonneaux reliés par des poutres et des planches (...) avait un aspect hérissé et inextricable. HUGO, les Misérables, IV, XII, V.

Loc. div. *Le pavé de l'ours*.* — Fam. *C'est le pavé dans la mare aux grenouilles, dans la mare aux canards,* se dit d'un événement inattendu qui jette le désarroi, dérange les habitudes, fait scandale.

7 Mais la façon dont les Anglo-Saxons se comportaient à notre égard justifiait que nous jetions un pavé dans leur mare diplomatique.
Ch. DE GAULLE, Mémoires de guerre, t. III, p. 198.

Loc. fig. *Avoir un pavé sur l'estomac,* un poids, une quantité de nourriture indigeste.

♦ **3.** (Désignant des blocs, avec l'idée de grosseur). *Un pavé au poivre :* gros steak au poivre.

8 C'est un carré de filet de bœuf rôti saignant, garni de pommes soufflées et de cresson (...) c'est un véritable pavé de viande. Quelque chose de réellement cubique. Le couteau qui l'a taillé a pu conduire comme il lui plaisait, dans les six directions, des tranches parfaites.
J. ROMAINS, les Hommes de bonne volonté, t. IV, VI, p. 44.

Gâteau, morceau de pain d'épice en forme de pavé plus ou moins allongé. *Un pavé de pain d'épice, de plum-cake* (→ Attaquer, cit. 46). *Un pavé en chocolat.*

Fromage de chèvre en cube, de grand format.

♦ **4.** Article de journal imprimé d'une manière massive; article trop long et lourdement rédigé. — Courte annonce publicitaire ou bref entrefilet rédactionnel inséré dans une page et mis en valeur par un cadre.

Livre très épais, d'une lecture ardue ou ennuyeuse. *Publier un pavé indigeste.*

DÉR. Paveton.
HOM. Pavée, paver.

PAVÉE [pave] n. f. — 1846; mot dial., de *pave,* anc. franç. *paveil* « jonc », du lat. *papyrus.*

♦ Régional. Digitale pourprée.

HOM. Pavé, paver.

PAVEMENT [pavmɑ̃] n. m. — XIIe; de *paver,* d'après le lat. *pavimentum.*

♦ **1.** Sol pavé. ⇒ **Pavage** (2.), **pavé** (1.). *Pavement en grès d'un chemin.* — REM. *Pavement* se dit surtout d'un pavage de luxe qui revêt le sol d'un édifice et, plus particulièrement, des matériaux de prix qui constituent un tel pavage. *Un pavement de mosaïque. Le pavement de la cathédrale de Sienne. « Le pavement des édifices grecs et romains était souvent de marbre de couleur »* (Académie).

♦ **2.** (1483). Vieilli. Travail qui consiste à paver. ⇒ **Pavage** (1.).

DÉR. (Du même rad.) Pavimenteux.

PAVER [pave] v. tr. — 1265; v. 1130 au p. p.; du lat. pop. *pavare,* class. *pavire* « aplanir, niveler le sol ».

♦ **1.** Couvrir (le sol) d'un revêtement formé d'éléments, de blocs assemblés (pavés, dalles, briques, cailloux, pierres, mosaïque). ⇒ **Carreler, daller.** *Action de paver.* ⇒ **Pavage, pavement.** *Paver un chemin.* — Par métonymie. *Paver une ville* (→ Nettoiement, cit. 1). — Absolt. *On est en train de paver dans cette rue.*

Pierre, qui a tout fait, a eu soin de Moscou, en construisant Pétersbourg : il l'a fait paver, il l'a orné et enrichi par des édifices, par des manufactures (...) 1
VOLTAIRE, Hist. de Russie, I, I.

Fig. *Paver le sol de (qqch.),* le recouvrir. *La bataille avait pavé le sol de débris.*

♦ **2.** (Sujet n. de choses). Constituer le pavage de... *Les larges dalles qui pavaient cette cour.*

▶ **PAVÉ, ÉE** p. p. adj. (1150).

Couvert d'un pavage. *Chaussée, cour, route, rue* (→ Essieu, cit. 4; immondice, cit. 4), *salle pavée. Chemin pavé* (→ Gravir, cit. 5). *Escalier* (cit. 4) *aux marches pavées de carreaux rouges.*

Se faire traîner en charrette dans les rues de Paris, à peine pavées et couvertes de fange, était un luxe (...) VOLTAIRE, Essai sur les mœurs, LXXXI. 2

Ayant lâché le train à Bellevue, je me fourvoie dans d'affreux quartiers, routes pavées où la bicyclette devient impossible (...) GIDE, Journal, 24 mai 1907. 3

Fig. *Être pavé de, en être pavé :* être couvert de (qqch.). ⇒ **Truffé.** *Ce texte est pavé de fautes.*

Loc. div. *La ville en est pavée, les rues en sont pavées,* se dit en parlant de choses qui se trouvent facilement en grande quantité. — *Avoir le gosier* pavé. L'enfer* (ou *le chemin de l'enfer*) *est pavé de bonnes intentions*.*

DÉR. Pavage, pavé, pavement, paveur.
COMP. Dépaver, repaver.
HOM. Pavé, pavée.

PAVETON [pavtɔ̃] n. m. — 1927, Esnault; de *pavé.*

♦ Argot. Pavé; pavage.

(...) déjà du haut de la rue Caulaincourt les arroseuses, d'un joli vert dans la lumière toute neuve, descendaient à leur allure de promenade, en crachant la flotte sur le paveton. Albert SIMONIN, Touchez pas au grisbi, p. 34.

PAVEUR [pavœʀ] n. m. — 1260; de *paver.*

♦ Ouvrier qui fait les travaux de pavage. *Outils de paveur.* ⇒ **Dame, demoiselle, hie, mirette.** — Adj. *Ouvrier paveur.*

REM. Le fém. *paveuse* est virtuel.

PAVIE [pavi] n. f. — 1560; du nom de *Pavie,* localité du Gers renommée pour ses pêches.

♦ Variété de pêche dont la chair est ferme et adhérente au noyau.

PAVILLON [pavijɔ̃] n. m. — V. 1130, *paveillon* « tente de campement »; du lat. *papilio, -onem* « papillon », d'où, par métaphore, « tente ».

★ **I.** ♦ **1.** Vx. Tente, souvent terminée en pointe par le haut, qui servait surtout au logement des gens de guerre en campagne.

Va sur les bords du Rhin planter tes pavillons (...) CORNEILLE, Horace, I, 1.

♦ **2.** Liturgie. (Anciennt). Étoffe, voile de soie qui recouvre et protège le ciboire, le tabernacle. ⇒ **Custode.** Vieilli. Sorte de dais au-dessus d'un lit, tour de lit suspendu au plafond et tendu en forme de tente (on dit plutôt de nos jours *couronne*). — Blason. Ornement extérieur à l'écu, en forme de tente, qui enveloppe les armoiries d'un souverain.

♦ **3.** (1508). Cour. Construction légère élevée dans un jardin, un parc, etc., et qui est destinée à servir d'abri. ⇒ **Belvédère, kiosque, rotonde...** *Pavillon chinois.* Par ext. *Pavillon de verdure* (→ Gloriette, tonnelle).

(1566). Petit bâtiment isolé; petite habitation, petite maison située dans un jardin, un parc, un bois... ⇒ **Maison, maisonnette; bungalow, villa.** *Pavillon de chasse.* ⇒ **Muette.** *Pavillons d'un hôpital* (→ Hospitalier, cit. 1). *Construire, réparer un pavillon* (→ Bond, cit. 11). *Habiter un pavillon en banlieue, à la campagne. Pavillon de banlieue* (⇒ **Pavillonnaire**).

2 Le concierge, deux jardiniers et leurs femmes restaient à leur poste; mais leur pavillon est situé à l'entrée des cours, au bout de l'avenue d'Arcis, et la distance qui existe entre ce tournebride et le château ne permettait pas d'y entendre un coup de fusil. BALZAC, Une ténébreuse affaire, Pl., t. VII, p. 567.

3 Il y a là un pavillon soutenu par de hauts piliers, qui recouvre un bassin carré autour duquel des compagnies de femmes viennent souvent se reposer et chercher la fraîcheur. NERVAL, Voyage en Orient, « Femmes du Caire », I, IX.

4 Il s'était réservé, dans le parc, un pavillon, dont la porte donnait sur une ruelle déserte. Il sortait, il rentrait, sans qu'on le sût. ZOLA, la Bête humaine, I.

4.1 L'appartement de banlieue m'était devenu insupportable (...) Ces pavillons cossus qui m'entouraient, ces jardins à saules pleureurs, à cèdres et à gazon, ces portails de fer forgé, ces barrières gentiment blanches, ce calme à peine troublé par des cris d'enfants bien élevés et des sonates de Chopin, ce n'était plus pour moi, je rendais ma place! Marie CARDINAL, les Mots pour le dire, p. 322.

REM. L'emploi élargi de *pavillon* pour désigner toute maison individuelle (au lieu de *maison, villa*) est populaire.

Pavillon d'une exposition : construction indépendante appartenant à l'ensemble des bâtiments constituant une exposition. *« L'exposition du Ministère de la Marine et des Colonies (...) comprend un palais central et une série de pavillons spéciaux »* (*Année sc. et industr.*, 1890, p. 455).

Corps de bâtiment, généralement carré, qui se distingue du reste de l'édifice dont il fait partie par l'alignement, la hauteur, la décoration... *Pavillon central, pavillon d'angle. Le pavillon de Flore, aux Tuileries.*

(1915). Partie supérieure de la carrosserie (d'une voiture).

♦ **4.** (1680; de la forme évasée, conique, de la tente militaire). *En pavillon. Comble en pavillon :* comble de forme pyramidale. — Mus. *Pavillon chinois* ou *chapeau chinois.* ⇒ **Chapeau.**

(1636). Extrémité évasée de certains instruments de musique à vent. *Pavillon d'un cor, d'une trompette* (⇒ **Cornet**). — Par ext. *Pavillon d'un haut-parleur, d'un phonographe.*

4.2 Notre gramophone était un appareil de salon et non un gramophone de bistro à grand pavillon et à la voie glapissante, néanmoins, il me semblait que l'on n'entendait que lui. B. CENDRARS, la Main coupée, Œ. compl., t. X, p. 115.

♦ **5.** (1810). Partie visible de l'oreille externe de l'homme et des mammifères. ⇒ **Oreille.** *Pavillon de l'oreille* (→ Conduit, cit. 2). *Lobe du pavillon.*

★ **II.** (1541). Mar. et cour. Pièce d'étoffe, étendard que l'on hisse sur un navire pour indiquer sa nationalité *(pavillon national)*, la compagnie de navigation à laquelle il appartient *(pavillon d'armateur* ou *de reconnaissance)* ou pour faire des signaux*, donner à distance des renseignements sur la nature du navire, sur ce qui se passe à son bord, etc. ⇒ **Bannière, cornette, drapeau, enseigne, étendard, guidon; pavois** (grand, petit pavois). *Le battant*, le guindant* d'un pavillon. Mât de pavillon,* disposé spécialement à l'arrière d'un navire pour y arborer le pavillon national. *Hampe qui porte un pavillon.* ⇒ **Digon.** *Enverguer un pavillon. Hisser un pavillon à bloc. Assurer son pavillon,* l'arborer en tirant un coup de canon. *Pavillon qui flotte au bout de sa hampe* (cit. 3), *au grand mât* (→ Déferler, cit. 1). *Pavillon de guerre. Pavillon de partance*. Pavillon d'arrondissement,* qui indique à quel arrondissement maritime appartient un navire de commerce. *Pavillon de quarantaine,* qui signale qu'il y a à bord une maladie contagieuse. — *Pavillons de signaux* (pavillon de petite, de grande distance). *Pavillon d'attention; pavillon d'aperçu* (ou *aperçu*, n. m.), qui indique qu'on a vu et compris un signal. — *Arborer* (cit. 4) *le pavillon d'une nation.* ⇒ **Couleur**(s). *Abaisser, amener*, baisser* (cit. 4), *rentrer le pavillon.* — (1669). Fig. *Baisser* (cit. 5 et 6) *pavillon, mettre pavillon bas* (1. Bas, cit. 73) *devant qqn :* céder.

Navire qui coule pavillon haut, sans se rendre. — *Pavillon en berne** (2. Berne, cit.). — *Navire battant** (cit. 43) *pavillon britannique. Naviguer sous pavillon français. — Navire de guerre battant pavillon amiral. Capitaine* de pavillon. — Le pavillon noir, le pavillon à tête de mort,* qui était l'emblème (cit. 2) des pirates.

(1968). *Pavillon de complaisance :* nationalité fictive (Libéria, Panamá, Chypre, etc.) accordée aux navires de commerce, à des conditions avantageuses.

5 (...) la tour était compliquée d'étendards de mer, de banderoles, de bannières, de drapeaux, de pennons, de pavillons, qui montaient de hampe en hampe, d'étage en étage, amalgamant toutes les couleurs, toutes les formes, tous les blasons, tous les signaux, toutes les turbulences (...) HUGO, l'Homme qui rit, I, II, XI.

5.1 Le pavillon du brick, moins tendu, s'engageait dans les drisses, et il devenait de plus en plus difficile à observer.
« Ce n'est point là un pavillon américain, disait de temps en temps Pencroff, ni un anglais, dont le rouge se verrait aisément, ni les couleurs françaises ou allemandes, ni le pavillon blanc de la Russie, ni le jaune de l'Espagne... On dirait qu'il est d'une couleur uniforme... Voyons... dans ces mers... que trouverions-nous plus communément?... le pavillon chilien? mais il est tricolore... brésilien? il est vert... japonais? il est noir et jaune... tandis que celui-ci... »
En ce moment, une brise tendit le pavillon inconnu. Ayrton, saisissant la lunette que le marin avait laissé retomber, l'appliqua à son œil, et, d'une voix sourde : « Le pavillon noir! » s'écria-t-il.
En effet, une sombre étamine se développait à la corne du brick, et c'était à bon droit qu'on pouvait maintenant le tenir pour un navire suspect!
J. VERNE, l'Île mystérieuse, t. II, p. 605.

Son navire, la *Belle-Rose,* qui naviguait sous un pavillon d'Amérique (...) 6
LOTI, Mon frère Yves, LXXIX.

(...) comme en pleine mer, lorsqu'on est sur le pont d'un navire et qu'on entend 7
claquer à la poupe le pavillon déployé au-dessus du sillage qui se déroule.
Louis BERTRAND, le Livre de la Méditerranée, « Espagne », V.

Trafiquer sous pavillon neutre (en dr. internat. publ.), se dit d'un belligérant qui fait transporter par des navires neutres les marchandises qui lui sont destinées. — Loc. *Le pavillon couvre la marchandise,* principe juridique selon lequel un belligérant ne peut saisir une cargaison ennemie transportée sur un navire neutre. — Fig., fam. Se dit en parlant de ce qui est blâmable ou illicite et qui se couvre d'une apparence, d'un prétexte honorable.

Christophe vit aussi des filles galantes, qui étaient partagées, comme Chimène, 8
entre la passion et le devoir : la passion était de suivre un nouvel amant; le devoir était de rester avec l'ancien, un vieux qui leur donnait de l'argent, et que d'ailleurs elles trompaient. À la fin, noblement, elles choisissaient le devoir. — Christophe trouvait que ce devoir différait peu du sordide intérêt; mais le public était content. Le mot de Devoir lui suffisait; il ne tenait pas à la chose : le pavillon couvrait la marchandise.
R. ROLLAND, Jean-Christophe, Foire sur la place, I, p. 712.

Pour la cargaison, la validité de la prise est soumise à une condition supplémen- 9
taire. Il ne suffit pas qu'elle soit ennemie. Si elle est découverte sur un navire neutre, elle n'est pas saisissable en vertu de la célèbre règle de Paris, formulée dans la déclaration du 16 avril 1856 : « Le pavillon neutre couvre la marchandise ennemie. » L. DELBEZ, Manuel de droit international public, p. 326.

Par métonymie. L'ensemble des navires qui appartiennent à un pays; la puissance navale d'une nation. *« Cet amiral, dans la dernière guerre, a soutenu l'honneur du pavillon français »* (Académie). — Dr. mar. *Monopole* du pavillon.*

DÉR. Pavillonnaire, pavillonnerie, 1. **pavillonneur,** 2. **pavillonneur.**

PAVILLONNAIRE [pavijɔnɛʀ] adj. — 1966; de *pavillon,* et *-aire.*

♦ **1.** Qui rappelle les pavillons de banlieue; qui est formé de pavillons. *Rue, quartier, zone pavillonnaire. « Un univers pavillonnaire »* (*le Monde,* 11 févr. 1967).

Pour l'habitant d'un « grand ensemble », c'est-à-dire pour une modalité de l'habitat urbain et une modulation de la quotidienneté particulièrement significative, la somme des contraintes s'approche de la limite supérieure. Elle est moindre pour l'habitant des secteurs pavillonnaires, moindre encore pour le citadin aisé vivant dans un noyau urbain.
Henri LEFEBVRE, la Vie quotidienne dans le monde moderne, p. 167.

♦ **2.** Tourisme. Qui est formé de pavillons séparés, de bungalows, en parlant d'un établissement hôtelier. *Hôtel pavillonnaire.*

PAVILLONNERIE [pavijɔnʀi] n. f. — 1868; de *pavillon.*

♦ Mar. Atelier où l'on confectionne les pavillons pour les navires; magasin où on les garde. *Pavillonnerie d'un arsenal.*

1. PAVILLONNEUR [pavijɔnœʀ] n. m. — 1874; de *pavillon.*

♦ Techn. Ouvrier qui fabrique les instruments de musique en métal.

2. PAVILLONNEUR [pavijɔnœʀ] n. m. — 1978; de *pavillon.*

♦ Fam. Constructeur de pavillons, de maisons individuelles. *« Des kyrielles de pavillonneurs sauvages »* (*le Point,* 23 mars 1981, p. 63). — REM. Le mot, souvent péjoratif, est exclu du langage professionnel des constructeurs de maisons individuelles (cf. *le Moniteur des travaux publics et du bâtiment,* 18 juin 1979).

PAVIMENTEUX, EUSE [pavimɑ̃tø, øz] adj. — 1838; du lat. *pavimentum* « pavement ».

Didactique.

♦ **1.** Propre au pavage, employé pour le pavage. *Roche pavimenteuse.*

♦ **2.** (1855). Biol. *Épithélium* (cit.) *pavimenteux,* à plusieurs couches cellulaires et dont les cellules superficielles sont aplaties.

PAVLOVIEN, IENNE [pavlɔvjɛ̃, jɛn] adj. — Mil. XXe; de I. *Pavlov,* physiologiste russe.

♦ Didact. Qui concerne les théories de Pavlov portant notamment sur les réflexes conditionnés. *La réflexologie pavlovienne.*

DÉR. (Du même rad.) **Pavlovisme.**

PAVLOVISME [pavlɔvism] n. m. — Mil. xxe; de *I. Pavlov.*

♦ Théorie de Pavlov et de ses élèves. *« La psychologie soviétique s'est de fait, confondue avec le pavlovisme »* (*le Nouvel Obs.*, 12 juin 1978, p. 47).

PAVOIS [pavwa] n. m. — 1336, au sens 2; de l'ital. *pavese,* de *Pavie,* ville où les boucliers de ce type ont dû être d'abord fabriqués; mais à rattacher (P. Guiraud) à *paver* «courir», du lat. *pavire* par un roman **pavensis.*

♦ **1.** Anciennt. Grand bouclier* long, en usage chez les Francs et jusqu'au XVe siècle. — Mod. (De l'usage des Francs qui consistait à faire monter le nouveau roi sur un bouclier et à le promener autour du camp). → Audace, cit. 10. Loc. fig. *Élever, hisser qqn sur le pavois,* lui donner le pouvoir, le faire accéder au trône (→ Curée, cit. 5), ou, plus généralt, le mettre en grand honneur, lui donner de la gloire, l'exalter (→ Hisser, cit. 6). — *Monter sur le pavois :* monter sur le trône.

1 Mais Flaubert n'avait plus qu'un souci en tête, achever *Madame Bovary.* La publication de ce livre et son succès, qui mit l'écrivain sur le pavois, retentirent cruellement dans le cœur jaloux de Louise, furieuse de ne pouvoir être associée à la nouvelle gloire de Gustave. Émile HENRIOT, Portraits de femmes, p. 356.

2 La civilisation chrétienne ne méprisait pas l'homme, mais elle ne le mettait pas non plus sur le pavois. DANIEL-ROPS, le Monde sans âme, VIII.

♦ **2.** (1336). Mar. anc. Ensemble des boucliers dont on garnissait le haut du bordage d'un navire, et le tour de hune pour servir de protection. — Partie du bordage située au-dessus du pont. Par ext. (1671; 1643, *paviers*). **a** Anciennt. Bande d'étoffe qui servait à dissimuler le pont pendant un combat ou qu'on tendait, aux jours de fête, le long du bord en signe de réjouissance.

b Mod. GRAND PAVOIS : ensemble des pavillons hissés sur un navire comme signal de réjouissance. *Hisser le grand pavois.* ⇒ **Pavoiser.** — (Moins cour.). *Petit pavois :* pavillons arborés par un navire pour se faire reconnaître.

3 Jour de la fête nationale de France. Sur rade de Nagasaki, grand pavois en notre honneur et salves d'artillerie. LOTI, Mme Chrysanthème, XI.

Par métaphore :

4 Et pour revenir aux questions d'argent, qu'est-ce que vous voulez, moi, il me faut quelqu'un pour passer un coup de faubert sur le pont et hisser le grand pavois les jours de fêtes carillonnées. R. QUENEAU, les Fleurs bleues, p. 82.

DÉR. **Pavoiser.**

PAVOISEMENT [pavwazmɑ̃] n. m. — 1845; de *pavoiser.*

♦ Rare. Action de pavoiser; son résultat. *Le pavoisement des navires. Pavoisement des rues, pour une fête, un défilé.*

PAVOISER [pavwaze] v. tr. — 1360, *paveschier;* de *pavois.*

♦ **1.** Mar. (Anciennt). Garnir (le plat-bord d'un navire) d'un pavois (rangée de boucliers, bande de toile).

Mod. Hisser le pavois en signe de réjouissance.

♦ **2.** (1873). Par anal. Orner de drapeaux (un édifice public, une maison, une ville, etc.) à l'occasion d'une fête, d'une cérémonie, de la visite d'un grand personnage. *Pavoiser une rue. Tout le quartier, tout le port était pavoisé* (→ Illuminer, cit. 20).

1 (...) Hyderabad, pavoisée et en fête, attend depuis une semaine, de jour en jour, son roi qui ne revient plus. LOTI, l'Inde (sans les Anglais), V, II.

1.1 (...) sur le gris effacé du papier peint, des pans d'étoffe pavoisaient les murs, des drapeaux carrés, jaunes, bleus, verts, noirs, dans lesquels la charcutière reconnut les guidons des vingt sections. ZOLA, le Ventre de Paris, V, p. 316.

Absolt. *Pavoiser pour la fête nationale.*

2 On avait dit aux gens de pavoiser : ils ne l'ont pas fait, la guerre a pris fin dans l'indifférence et dans l'angoisse. SARTRE, Situations III, p. 63.

Par métaphore. Décorer, orner, parer (qqn, qqch.). *Pavoiser... de...* (rare, sauf au p. p. adj. et au passif).

3 Mon père, en redingote, en grand chapeau, en gants, offrait le bras à ma mère, pavoisée comme un navire un jour de fête. MAUPASSANT, Miss Harriet, Mon oncle Jules.

4 Il est curieux de comparer la gloire d'un vieux savant, même quand il est couvert d'honneurs et pavoisé de rubans, avec celle d'un jeune romancier (...) G. DUHAMEL, Défense des lettres, II, XV.

5 J'aimai tout de suite beaucoup notre maison de La Saussaye qu'entouraient à perte de vue des champs de blé pavoisés de coquelicots, de bleuets, de marguerites (...) A. MAUROIS, Mémoires, t. I, XIII.

Fig., fam. (intrans.). Manifester une grande joie. *(Il n') y a pas de quoi pavoiser! :* il n'y a pas de quoi se réjouir, de quoi être si fier!

6 La bourgeoisie de toutes les couleurs pavoisait :
— Les noirs, matés pour quatre ans!
Claude COURCHAY, La vie finira bien par commencer, p. 173.

♦ **3.** V. intr. (D'abord argot; idée d'«arborer» une couleur inhabituelle). Saigner à la suite d'un coup; être meurtri.

Je l'ai plié en deux d'une bonne droite au foie, accompagnée d'un coup de melon *(tête)* pas trop méchant, mais qui l'a fait quand même pavoiser. 7
Albert SIMONIN, Touchez pas au grisbi, p. 112.

▶ **SE PAVOISER** v. pron. *Le navire se pavoisa* (Littré). — *Toute la ville se pavoise.*

▶ **PAVOISÉ, ÉE** p. p. adj. ⇒ ci-dessus cit. 1, 3 à 5 et *supra.*

DÉR. **Pavoisement.**

PAVOT [pavo] n. m. — 1260; *pavo,* v. 1175; du lat. pop. *papavus,* lat. class. *papaver;* et suff. de substitution *-ot.*

♦ Plante dicotylédone *(Papavéracées),* herbacée, indigène ou exotique, annuelle ou vivace, scientifiquement appelée *papaver,* cultivée pour ses fleurs ornementales, ses graines et ses capsules. *Petit pavot rouge. Champ de pavots.* ⇒ **Coquelicot, ponceau** (→ Abandonner, cit. 18). *Le pavot somnifère* (papaver somniferum) *comprend le pavot blanc dont on retire le diacode* et l'opium*, et le pavot noir qui fournit l'huile d'œillette*. Le pavot, plante narcotique, est utilisé en infusion.* ⇒ **Amer.**

(...) à l'heure actuelle, le sirop de pavot blanc, le Diacode de l'ancien Codex, n'existe plus; on le fabrique avec de l'opium et du sirop de sucre, comme si c'était la même chose! HUYSMANS, Là-bas, VII. 1

Il but de la vodka en grande quantité. Il prit ensuite le thé, avec un excellent gâteau au pavot. R. GARY, Éducation européenne, p. 152. 2

PAXON [paksɔ̃] n. m. ⇒ **Pacson.**

PAYABLE [pɛjabl] adj. — 1481; *paiavle,* «qui satisfait, de bonne qualité», 1255; de *payer.*

♦ Qui doit être payé (dans certaines conditions de temps, de lieu, etc.). *Payable par année ou à des termes périodiques plus courts* (→ Arrérage, cit. 3). *Somme payable dans un an* (→ Mohatra, cit.). *Objet payable en douze mensualités. Payable en argent, en nature* (→ Métayage, cit. 1). *Taxes obligatoires payables pour chaque pièce de procédure* (→ Épice, cit. 4). *Traite payable à vue*, à quatre-vingt-dix jours... Billet payable au porteur. Chèque payable à Paris.*

Pour moi, dit-il, aussitôt que j'ai été obligé de distinguer entre la lettre de change payable à vue et la lettre payable à échéance, j'ai quitté la banque. 1
CHAMFORT, Caractères et Anecdotes, Amour payable à vue.

Prenez ces chiffons, et mettez-moi là-dessus, dit-il en tirant un timbre, là, en travers : *Accepté pour la somme de trois mille cinq cents francs payable en un an.* Et datez! BALZAC, le Père Goriot, Pl., t. II, p. 981. 2

PAYANT, ANTE [pɛjɑ̃, ɑ̃t] adj. — 1260, «qui doit être payé»; p. prés. de *payer.*

♦ **1.** (1798). Qui paie. *Spectateurs payants* (opposé à *invités*). — N. m. *Les payants.* Fam. *Un cochon de payant :* celui qui paie quand les autres ne déboursent rien.

♦ **2.** Qu'il faut payer. *Billet payant* (opposé à *gratuit*). *Spectacle payant. Entrée payante. Ce n'est pas payant on paie seulement les consommations.*

♦ **3.** (Choses). Qui profite, rapporte. ⇒ **Avantageux, efficace, profitable.**

Le genre désarmé, ce n'est pas toujours payant.
F. MALLET-JORIS, le Jeu du souterrain, p. 54.

Le coup n'est pas payant.

CONTR. **Gratuit.**

PAYE [pɛj] ou PAIE [pɛ] n. f. — XIIe; de *payer.*

REM. La forme *paie* paraît d'un usage plus soutenu, *paye* plus familier.

♦ **1.** Action de payer (les militaires, les ouvriers). *C'est jour de paye. Fermer les ateliers après la paye* (→ Métallurgiste, cit. 1). *La paie a lieu chaque quinzaine, chaque mois.*

Sur le boulevard de la Chapelle, et dans tout le quartier de la Goutte-d'Or, la paye de grande quinzaine, qui tombait ce samedi-là, mettait un vacarme énorme de soûlerie. ZOLA, l'Assommoir, III, t. I, p. 117. 1

Il suffit d'aller le samedi, jour de paye, à la porte des grands établissements industriels, qui foisonnent dans la banlieue de Paris, pour surprendre sur le vif, la grand'pitié des malheureuses, attendant leur homme à la sortie (...) 2
Léon DAUDET, la Femme et l'Amour, I.

Fam. Temps écoulé entre deux payes, surtout dans les loc. fam. *Il y a une paye, ça fait une paye :* il y a longtemps. Au plur. Rare (stylistique) :

Il paraît que c'était très sérieux... qu'on pouvait compter sur ce pote, ce Clodo médecin... le Doctor Clodovitz en question... qu'ils se connaissaient depuis des payes... CÉLINE, Guignol's band, p. 114. 2.1

♦ **2.** Ce qu'on paie; rétribution versée aux militaires (⇒ **Prêt, solde**), aux ouvriers (⇒ **Salaire**). *Matelot qui a touché sa paye* (→ Nocer, cit. 3), *qui dépense toute sa paie. Feuille, bulletin de* *paye d'un ouvrier :* bulletin de salaire. *Haute* (cit. 44) *paye :* paye élevée, gros salaire.

(1903). Par métonymie. *Les hautes payes du régiment :* les militaires recevant de hautes payes. — *Morte paye.* ⇒ **Morte-paye.**

3 Je ne pus m'empêcher de devenir un habitué de cet endroit. Toute ma paye y passait. CÉLINE, Voyage au bout de la nuit, p. 209.

4 Les ouvriers comprenaient souvent mal leur feuille de paye à cause d'un jeu merveilleusement subtil d'amendes, de retenues, de petits vols. P. NIZAN, le Cheval de Troie, I, VI.

♦ **3.** Vx, fam. Celui qui paie (bien ou mal). *C'est une bonne, une mauvaise paye.* Prov. *D'une mauvaise paye on tire ce qu'on peut :* il faut se contenter du peu que les gens sont capables de vous donner.

COMP. Surpaye.

HOM. (De *paie*) V. **Paix.** — (De *paye*) V. **Peille.**

PAYEMENT [pɛjmɑ̃] n. m. ⇒ **Paiement.**

PAYER [peje] v. tr. — *Je paye* [pɛj] ou *je paie* [pɛ], *nous payons; je payais, nous payions; je payerai* ou *je paierai.* — Fin xᵉ, *paier* « se réconcilier avec qqn »; *soi paier de* « s'acquitter de », v. 1200; du lat. *pacare* « pacifier, apaiser ».

A. (Avec compl. dir.). ♦ **1.** (Compl. n. de personne). Mettre (qqn) en possession de ce qui lui est dû (de l'argent, le plus souvent) en exécution d'une obligation ou d'un marché. *Payer un créancier.* ⇒ **Contenter, désintéresser, rembourser, satisfaire** (→ Coffrer, cit. 1; gage, cit. 1; intérêt, cit. 1). *Payer un logeur* (→ Hôtel, cit. 3), *un fournisseur, un marchand* (→ Laine, cit. 13), *des entrepreneurs* (→ Opération, cit. 10). *Payer ses fournisseurs, son tailleur* (→ Engager, cit. 1; fashionable, cit. 2). ⇒ **Régler.** *Payer un domestique, un employé, un fonctionnaire, un ouvrier...* ⇒ **Appointer, rémunérer, rétribuer, salarier; appointement, rétribution, salaire** (→ Joli, cit. 13; magister, cit. 1; morgue, cit. 2). — (Au passif). *Être payé à l'heure, à la semaine, au mois, au cachet, à la pige...; payer qqn bien* (⇒ **Surpayer**), *mal* (⇒ **Sous-payer**). → Incident, cit. 10; journal, cit. 8; malandrin, cit. 1; médecin, cit. 4. *Payer qqn grassement* (cit. 2), *généreusement.* ⇒ **Or** (couvrir d'). *Vous serez payé sur-le-champ* (→ Éclair, cit. 7). *Payer qqn pour un travail, pour faire..., pour qu'il fasse...* (→ Montrer, cit. 32). *Je ne vous paie pas pour ne rien faire! Payer qqn à ne rien faire. Tout le monde se fait payer* (→ Mœurs, cit. 1). *Avoir du mal à se faire payer.* — Spécialt. *Payer une femme* (→ Mesure, cit. 34). — Péj. Corrompre à prix d'argent. ⇒ **Arroser, soudoyer, stipendier; mercenaire.** *Payer des assassins* (cit. 11), *des tueurs* (→ Compte, cit. 7). *Être payé par l'ennemi pour...* (→ Démoralisation, cit. 3). ⇒ **Servir, solde** (être à la).

1 Mais elle bat ses gens, et ne les paye point. MOLIÈRE, le Misanthrope, III, 4.

2 Les dettes du jeu sont sacrées.
On peut faire attendre un marchand,
Un ouvrier, un indigent
Qui nous a fourni ses denrées;
Mais un escroc? l'honneur veut qu'au même moment
On le paie, et très poliment. FLORIAN, Fables, IV, 14.

3 (...) les industriels, pour payer leurs ouvriers, étaient obligés (...) de substituer le paiement en nature au paiement en espèces. JAURÈS, Hist. socialiste, t. III, p. 327.

Au p. p. *Être bien, mal payé.*

4 La différence qui sépare, à culture égale, l'employé à salaire fixe, même bien payé, du commerçant, chez qui l'argent circule avec plus de facilité, plus de caprice, et surtout ne correspond pas aussi étroitement à du travail. J. ROMAINS, les Hommes de bonne volonté, t. III, XXIII, p. 317.

(Par antiphrase). Fam. *Je suis payé pour savoir que... :* j'ai appris à mes dépens, pour en avoir fait la triste expérience, que... *Il est pourtant payé pour le comprendre, pour ne plus s'en étonner!* — (Par plais.). *Je ne suis pas payé pour... :* je n'ai aucune raison de..., j'ai de bonnes raisons de ne... pas... *Je ne suis pas payé pour le mettre au courant, qu'il se débrouille!*

5 (...) elle croit aussi à tout cela? — Mais oui. — Oh! du reste, elle est payée pour y croire, car tous ses songes se sont réalisés. HUYSMANS, En ménage, XI.

5.1 Nous sommes payés pour savoir ce qu'il en coûte à un peuple de voir l'État qui se défait : c'est être frappé à la tête. MAURIAC, le Nouveau Bloc-notes 1958-1960, p. 153.

(Avec un compl. de moyen). — (Introduit par *en*). *Payer qqn en or, en espèces, en nature.* Loc. (vx). *Je le paie en sa monnaie :* je le traite comme il me traite, je lui rends la pareille (→ Enfiler, cit. 11). — Loc. *Payer qqn en monnaie* de singe.* Fig. *Payer qqn en coups de gaules* (cit. 3), *en soufflets* (→ Honnête, cit. 28). — (Avec *de*). *Je la paie d'un fin* (cit. 7) *morceau.* Par métaphore. « *Il faut bien le payer de la même monnaie* » (→ Empressement, cit. 9, Molière). Fig. « *Flattez-les, payez-les d'agréables* (cit. 11) *mensonges* » (La Fontaine).

Mod. *Nous payons de mots* (cit. 23) *les autres, nous les payons de belles paroles, de promesses qui ne coûtent rien, de mauvaises raisons...* — *Payer qqn d'ingratitude,* répondre à ses bienfaits par de l'ingratitude. Vx. *Payer qqn de raison,* lui donner de bonnes raisons.

6 Il est bon de les payer *(les créanciers)* de quelque chose, et j'ai le secret de les renvoyer satisfaits sans leur donner un double. MOLIÈRE, Dom Juan, IV, 2.

7 J'ai tort, je le confesse, et mon âme confuse
Ne cherche à vous payer d'aucune vaine excuse. MOLIÈRE, le Misanthrope, V, 4.

8 (...) le fils d'un fermier, nommé Jarry, qui était ce qu'on appelle un *mauvais gars,* l'ayant embrassée un jour, à la danse, avait été payé d'un bon soufflet. A. DE MUSSET, Nouvelles, « Margot », II.

REM. Sauf dans les syntagmes *payer de mots, de paroles,* l'ensemble de ces emplois est vieilli.

9 Brissot, le diplomate de la Gironde, payait l'Assemblée de paroles. Il comptait que les nations refuseraient de combattre la France révolutionnaire. J. BAINVILLE, Hist. de France, XVI, p. 353.

Payer qqn de retour, reconnaître ses procédés, ses sentiments par des procédés et des sentiments semblables (→ Abandonner, cit. 25).

(Avec un compl. de cause introduit par *de*). *Payer qqn de ses services, de sa peine.* ⇒ **Dédommager, récompenser** (→ Mouche, cit. 7). — (Au passif, plus cour.). *Être payé de sa peine* (→ Heureux, cit. 24), *de toutes ses peines.* Iron. « *Puisse le juste ciel dignement* (cit. 1) *te payer* » (du mal que tu as fait), Racine. *On l'a payé de son insolence* (Littré) ⇒ **Punir.** — *Cela m'a payé de mes peines, je ne demande rien d'autre. Il n'a pas été payé de sa peine. Quelques génuflexions ne peuvent payer Dieu de notre insouciance criminelle* (→ Dimanche, cit. 3). *Rien ne peut me payer d'une telle perte.*

10 Vous êtes bien payé de toutes vos caresses,
Et Monsieur d'un beau prix reconnaît vos tendresses. MOLIÈRE, Tartuffe, III, 5.

11 (...) leur funeste bonté
Ne me saurait payer de ce qu'ils m'ont ôté. RACINE, Phèdre, V, 7.

12 Un souverain est-il payé de ses peines par le plaisir que semble donner une puissance absolue (...)? LA BRUYÈRE, les Caractères, X, 34.

♦ **2.** (Le compl. désigne une obligation). S'acquitter, par un versement de (une obligation, une dette). ⇒ **Libérer** (se). *Payer ce qu'on doit.* ⇒ **Acquitter** (cit. 2). *Payer à qqn son dû.* ⇒ **Donner, verser.** *Payer ses dettes.* ⇒ **Liquider, régler** (→ Cession, cit. 1; engager, cit. 15; équilibre, cit. 23; faillite, cit. 1; gêne, cit. 8; liquider, cit. 1; 2. mal, cit. 2). Prov. *Qui paie ses dettes s'enrichit*.* — *Payer un intérêt, une rente à qqn.* ⇒ **Servir.** *Dette à payer par annuités.* ⇒ **Remboursement.** *Payer tant par jour à qqn* (pour qqch.). *Payer un billet à présentation, un coupon. Payer l'amende* (cit. 4; → Cause, cit. 47), *les dépens, l'impôt* (cit. 8; → Convenir, cit. 23; fonction, cit. 7; incidence, cit. 5; monopole, cit. 3). Mod. *Payer ses impôts. Je n'ai pas encore payé mon acompte. Payer ses contributions* (→ Foncier, cit. 1; denier, cit. 5). Hist. *Payer la dîme* (cit. 2), *la taille* (→ Corvée, cit. 3), *un tribut* (→ Démanteler, cit. 1; expiatoire, cit. 3). — *Payer une rançon* (⇒ **Racheter**). *Payer un droit* (→ Ancrage, cit.), *des réparations* (→ Désarmer, cit. 11). Loc. fig. *Payer son tribut :* mourir. — *Payer une cotisation* (cit.; ⇒ **Cotiser**), *son écot* (cit.), *sa quote-part, sa part.* ⇒ **Contribuer.** *Payer une patente, un loyer* (→ 2. Ensemble, cit. 20; exceptionnel, cit. 9; famille, cit. 12). *Payer l'échéance, le terme* (→ Locataire, cit. 3; menacer, cit. 6), *une rente, une pension, une indemnité, des dommages-intérêts* (→ Garantir, cit. 3). *Payer une soulte, une note* (cit. 30), *une facture de fournisseur. Payer le solde d'un compte.* ⇒ **Solder.** *Déduction, décompte sur une somme qu'on paie.* — Par métaphore. → *infra* cit. 15.

13 Il *(Graslin)* ne donna plus rien à sa femme, en lui disant qu'il paierait tous les mémoires. BALZAC, le Curé de village, Pl., t. VIII, p. 567.

14 Trop fier pour vivre en parasite, il prenait à tâche de dissimuler ses secrets motifs de sagesse, refusait dédaigneusement des parties de plaisir où il ne pouvait payer son écot, et s'étudiait à ne toucher aux riches que dans ses jours de richesse. A. DE MUSSET, Nouvelles, « Deux maîtresses », I.

15 Un arriéré de trois mois de tendresse maternelle qu'elle lui payait tout en une fois. Alphonse DAUDET, Contes du lundi, « Les mères ».

16 On reconnaît qu'une classe est politiquement dirigeante quand elle ne paie pas sa part d'impôts. André SIEGFRIED, La Fontaine..., p. 89.

Payer à qqn ses gages, son salaire, ses honoraires... ⇒ **Régler.** *Payer trente mille francs d'impôts.*

♦ **3.** (Le compl. désigne ce qui est acquis). [a] Verser de l'argent en contrepartie de (un objet, un travail, un service, etc.). ⇒ **Acheter** (on paye qqch. pour l'acheter; on achète qqch. en payant). *Payer comptant* une marchandise* (→ Libraire, cit. 5; mien, cit. 8). *Faire payer la marchandise.* ⇒ **Vendre.** *Payer les consommations* (cit. 10), *son dîner* (→ Extra, cit. 1), *une note de restaurant, d'hôtel. Le rôtisseur voulait qu'il lui payât la fumée* (cit. 9) *de son rôt* (Rabelais). *Payer sa place* (→ Fauteuil, cit. 4), *son retour* (→ 1. Bourse, cit. 9), *sa chambre à l'hôtel* (→ Border, cit. 4; consigne, cit. 4). — Loc. *Payer les pots* cassés, la casse*,* (vx) *les violons*.* Prov. *Qui casse* les verres les paie...* → Les casseurs* seront les payeurs. — *Payer les études* (cit. 24) *de son fils* (→ Établissement, cit. 6). *Payer le travail, les services de qqn* (→ Fort, cit. 54; obliger, cit. 20). *Ce médecin ne fait pas payer ses visites aux indigents.* Vx (sans déterminant devant le complément) :

17 Veux-tu paier pinte, chopine? FURETIÈRE, Dictionnaire, art. *Paier.*

18 Les actrices payent aussi les éloges, mais les plus habiles payent les critiques, le silence est ce qu'elles redoutent le plus. Aussi une critique, faite pour être rétorquée ailleurs, vaut-elle mieux et se paye-t-elle plus cher qu'un éloge tout sec, oublié le lendemain. BALZAC, Illusions perdues, Pl., t. IV, p. 679.

REM. Le complément, outre des objets matériels, peut désigner des services, des avantages, etc., et, par métonymie, des actions ayant une valeur économique reconnue (ex. : *payer les pots cassés, payer la casse*).

(Le compl. désigne par un n. abstrait ou une métonymie l'équivalent d'une dépense ou d'une obligation provenant d'une autre personne que le sujet). *Payer les dépenses, les frais de qqn* (⇒ **Défrayer**).

19 Je me suis vendu aux pétroliers pour payer les prodigalités de ma maîtresse (...)
J. ROMAINS, les Hommes de bonne volonté, t. IV, XI, p. 120.

b (Qualifié par un adv. ou un compl.). Acquérir (qqch.) en versant plus ou moins d'argent. *Payer qqch. cher, bon marché. Ce tableau est assez beau, mais vous l'avez payé trop cher.* ⇒ **Acheter.** *Payer qqch. extrêmement cher, au poids de l'or*. Comment payez-vous ce vase? Par chèque, en liquide, avec une carte de crédit.* ⇒ **Régler.** — *Payer qqch.* (le compl. second, dir., désigne une somme d'argent) *cent, mille francs.* — (Avec un compl. second introduit par une prép.). *Payer d'une obole le passage du fleuve des Enfers* (→ Nautonier, cit. 2). *Payer qqch. en monnaie française, par un chèque...*

c **PAYER QQCH. À QQN.** ⇒ **Acheter, donner, offrir.** *Viens, je te paie un verre. Payer la tournée.* — Vieilli. *Payer bouteille* à quelqu'un.*

20 (...) il se posa naturellement en grand seigneur, il leur paya des talmouses et un verre de vin d'Alicante, ainsi qu'à Mistigris et à son maître, en profitant de cette largesse pour demander leurs noms.
BALZAC, Un début dans la vie, Pl., t. I, p. 647.

d (Dans quelques contextes : nourriture, boisson). **PAYER À** (et inf.) : donner de l'argent pour..., en général en offrant à qqn d'autre. *Payer à boire, à manger à qqn. Il nous a payé à dîner* (→ 2. Niche, cit. 6).

e En franç. d'Afrique. Acheter.

♦ **4.** Fig. (Le compl. désigne ce qui entraîne, en contrepartie, des sacrifices, une punition). ⇒ **Acheter, expier.**

a (Sans compl. second). *Il le paiera!* (→ ci-dessous cit. 21). *Je lui ferai payer ses mensonges.*

b (Avec un adv. ou un compl.). *Une victoire, un succès, un bien qu'on paie très cher* (→ Honnête, cit. 1). *Tu vas payer bien cher ton insouciance* (→ Incurablement, cit. 2). *Il m'a joué un vilain tour, mais il le paiera cher!* ⇒ **Menace; venger** (se). — (Compl. second introduit par *de*, quelquefois par *par*). *Il a payé son crime de sa vie, de sa tête. Ils me paieront ça avec du sang!* (→ 1. Lever, cit. 8). *La civilisation a été payée par beaucoup de sang* (→ Fer, cit. 15). *Plaisir qu'on paie de douleurs* (→ Gratter, cit. 22), *de dérangement* (→ Jeu, cit. 49).

c (Avec un compl. de personne introduit par *à*...). — Sans compl. second. *Il me le paiera!* (→ ci-dessous cit. 23).

21 Je te pardonne; *(elle dit le reste bas)* mais tu le payeras.
MOLIÈRE, le Médecin malgré lui, I, 2.

22 Et ce sont ces plaisirs et ces pleurs que j'envie,
Que tout autre que lui me paierait de sa vie. RACINE, Britannicus, II, 3.

23 (...) je jurai que le prélat me le payerait, et que je réjouirais toute la ville à ses dépens (...)
A.-R. LESAGE, Gil Blas, VII, V.

24 (...) Ah! ma dette est énorme!
Et je la lui paîrai *(sic)*, je vous le jure à tous,
De tout mon sang! — Marquis, depuis quand payez-vous
Vos dettes? — J'ai toujours payé celles qu'on paie
Avec du sang. Mon sang, c'est ma seule monnaie.
HUGO, Marion de Lorme, II, 2.

25 Tout cela me décourage fort : et si jamais j'ai du pouvoir absolu, je le ferai payer à plus d'un que je sais, pour me venger.
SAINTE-BEUVE, Correspondance, 1338, 25 mai 1842.

26 Pourtant, de combien d'efforts, de sacrifices et de douleurs ne l'avons-nous pas payé, cet affranchissement-là? LOTI, les Désenchantées, III, XVI.

Spécialt. (Avec un adv. ou un compl. en *de*). Récompenser (bien ou mal) une action. *« Nous nous faisons payer grassement nos aveux »* (→ Bourbeux, cit. 3, Baudelaire). *Payer d'un amour égal à l'amour d'un autre* (→ Courtisane, cit. 3). *« Un suicide payé d'éternité »* (→ Froc, cit. 4, Hugo). *Payer de haine l'amour qu'on inspire* (→ Ici, cit. 22).

27 À ce que je puis voir, maître Jacques, on paye mal votre franchise.
MOLIÈRE, l'Avare, III, 2.

28 Lorsqu'un heureux hymen, joignant nos destinées,
Peut payer en un jour les vœux de cinq années (...) RACINE, Bérénice, II, 2.

Fam. *Ce n'est pas payé!* : cela méritait un meilleur sort, l'effort est mal récompensé.

♦ **5.** Le compl. désigne ce qui est versé, l'argent, soit pour s'acquitter (sens 2), soit pour acquérir un bien, un service... (sens 3). *S'engager à payer une certaine somme.* ⇒ **Souscrire** (→ Chèque, cit. 1; effet, cit. 41; exécutoire, cit. 3; inscription, cit. 4). *Payer trois mille francs de principal* (→ Exploit, cit. 8), *mille francs de loyer...*

28.1 (...) la cour condamne le défendeur à payer deux mille piastres fortes à la demanderesse (...) BEAUMARCHAIS, le Mariage de Figaro, III, 15.

REM. *Payer de l'argent* semble un pléonasme, mais au passif cet emploi est moins choquant : *l'argent a été payé; l'argent que vous (m')avez payé.*

(Le compl. est le mot *prix*). *Payer le prix* (de qqch.). *Payer le prix du terrain* (→ Cri, cit. 17). *Si l'acheteur ne paie pas le prix de la chose* (→ Délivrer, cit. 11). *Le prix à payer pour une marchandise* (→ Importateur, cit.). *Le prix qui n'a pas été payé* (→ Courant, cit. 5).

B. (Sans compl. dir.) ♦ **1.** Verser de l'argent (pour s'acquitter, pour un achat...). ⇒ **Débourser, décaisser, dépenser, financer,** et, fam., **casquer, cracher, éclairer, fendre** (se); **allonger** (les), **lâcher** (les). *Payer comptant* (cit. 2), *recta*, rubis* sur l'ongle,* sans discuter (→ Jouvenceau, cit. 2). *Acheter sans payer. Accorder un délai pour payer* (→ Escompte, cit. 2). *Il n'a pas encore payé, mais il paiera. Payer d'avance* (→ Heure, cit. 16). *Les marchands ne pouvaient ou ne voulaient pas payer* (→ Invendable, cit.). *Il doit payer dans les trois jours* (→ Mot, cit. 40). *Être astreint à payer* (→ Dommage, cit. 6). *Aller au spectacle en payant, sans payer* (→ Entrée, cit. 14). *Au moment de payer* (→ Éparpiller, cit. 15). *Payer de sa poche*. Payer pour un autre* (→ Obliger, cit. 2). *Paie pour moi, je n'ai pas de monnaie. Il lui fallait payer, payer toujours...* (→ Fonds, cit. 1). *Client, locataire* (cit. 4) *qui paie bien. Client qui ne paie pas volontiers.* ⇒ **Dur** (à la dépense, à la desserte, à la détente). *Refuser de payer. Partir sans payer* (au restaurant, etc.). ⇒ **Grivèlerie.** *Entrer sans payer,* gratuitement. Cf. Pour pas un sou, un rond. *Avoir de quoi payer.* ⇒ **Solvable.** *La banque ne peut plus payer. Faire payer les riches* (→ Intéresser, cit. 24). *Incapable de payer.* ⇒ **Insolvable.** — *« Qu'ils chantent, pourvu qu'ils paient »,* mot attribué à Mazarin.

Pourriez-vous disposer d'un lit? — Non. — Quoi! pas même en payant, en payant bien? — Oh! en payant et en payant bien, pardonnez-moi. Mais l'ami, vous ne me paraissez guère en état de payer, et moins encore de bien payer. 29
DIDEROT, Jacques le fataliste, Pl., p. 545.

On y buvait, on y mangeait, on y criait; on y payait peu, on y payait mal, on n'y payait pas, on était toujours bienvenu. HUGO, les Misérables, IV, XII, I. 30

♦ **2.** Fig. **PAYER DE** : payer avec. *Payer de ses deniers, de sa poche.* Par ext. (fig.). S'acquitter (de ce qu'on doit, de quelque tâche) au moyen de..., donner satisfaction au moyen de... *Payer de sa personne* : agir personnellement, s'exposer, se dépenser. ⇒ **Employer** (s'). *Payer, ne pas payer de mine** (cit. 9, 10 et 11). *Payer d'audace** (cit. 15) : montrer de l'audace faute d'autre chose. Vx. *Payer d'obéissance* (→ Déférence, cit. 1). ⇒ **Preuve** (faire preuve de).

Il faut payer d'effronterie. RACINE, les Plaideurs, II, 4. 31

Toutes les infortunes sont sœurs, elles ont le même langage, la même générosité, la générosité de ceux qui ne possédant rien sont prodigues de sentiment, paient de leur temps et de leur personne. BALZAC, la Peau de chagrin, Pl., t. IX, p. 94. 32

Ça, monsieur le meunier, fit-elle, payant de hardiesse, ne vous rangeriez-vous pas un brin pour laisser passer le monde? G. SAND, François le Champi, XXI. 33

L'oncle et le médecin, n'ayant plus à payer de leur poche, payaient de leurs personnes. Ils n'en récoltèrent pas davantage de gratitude. 34
COCTEAU, les Enfants terribles, p. 150.

(...) je crois que je saurais encore payer de ma personne, j'ai fait la guerre d'Espagne. CAMUS, la Peste, p. 179. 35

♦ **3.** Fig. Subir les conséquences fâcheuses, expier, être puni. *Fini le bon temps, maintenant il faut payer. Il a payé pour tout le monde. J'ai failli payer pour d'autres* (→ Niquedouille, cit. 2).

♦ **4.** (Sujet n. de chose). Anglic. Être profitable. ⇒ **Rapporter, rendre.** *Le crime ne paie pas. Une tactique, un coup qui paie. Métier qui paie mal.* ⇒ **Payant.**

Mais je ne serais pas éloigné d'espérer que, du moins, leur trafic avec les tribus du Sud-Marocain, dont les besoins et les ressources augmenteront vraisemblablement à notre contact, « payera », au sens anglais du mot, et couvrira peut-être un jour, sur d'autres chapitres du budget, les frais de l'occupation militaire (...) 35.1
L.-H. LYAUTEY, Paroles d'action, p. 39.

Petits métiers, grosses fatigues, acceptés par nécessité, quittés sans regret, durant peu et payant moins encore. 35.2
Claude COURCHAY, La vie finira bien par commencer, Gallimard, 1972, p. 8.

▶ **SE PAYER** v. pron.

♦ **1.** (Réfl. dir.). *Voilà cent francs, payez-vous et rendez-moi la monnaie.* — Vx. (Dans le même sens). *Se payer par ses mains* : retenir le montant de sa créance. — Fig. → Désintéresser, cit. 1, La Bruyère. — *Le monde se paie de ce qu'il donne* (→ Aloi, cit. 3). ⇒ **Contenter** (se), **satisfaire** (se). — Loc. mod. *Se payer de mots* : se contenter de vains mots, de vaines paroles, sans tenir compte de la réalité (→ Éclairer, cit. 7; entendre, cit. 18; extérioriser, cit. 2 et ci-dessous cit. 38, 41 et 42).

Quoi? vous voulez que je me paye d'un semblable discours? 36
MOLIÈRE, Dom Juan, V, 3.

(...) ceux qui se payent de mines et de façons de parler (...) 37
LA BRUYÈRE, les Caractères, VIII, 62.

La malheureuse facilité que nous avons à nous payer de mots que nous n'entendons point commence plus tôt qu'on ne pense. ROUSSEAU, Émile, I. 38

Quand je demandais à Rodin pourquoi ce départ m'avait été caché, pourquoi je n'avais pas suivi ma maîtresse, il m'assurait que l'unique raison avait été de prévenir une scène douloureuse pour l'une et pour l'autre, et qu'assurément je reverrais bientôt celle que j'aimais. Il fallut se payer de ces réponses, mais s'en convaincre était plus difficile. SADE, Justine..., t. I, p. 123. 38.1

L'amour est la seule passion qui se paye d'une monnaie qu'elle fabrique elle-même. 39
STENDHAL, De l'amour, Fragm. divers, 145.

Chemin faisant, ils prenaient, pillaient, se payant d'avance de leur sainte guerre. Tout ce qu'ils *(les pèlerins)* pouvaient trouver de juifs, ils les faisaient périr dans les tortures. Ils croyaient devoir punir les meurtriers du Christ avant de délivrer son tombeau. MICHELET, Hist. de France, IV, III. 40

41 Je ne me paye plus de mots, je vous assure, et je vais droit au cœur du problème. Je veux changer quelque chose au monde : moi. G. DUHAMEL, Salavin, V, XIV.

42 On oublie très aisément que, par nécessité de son état, le poète doit être le dernier des hommes à se payer de mots. VALÉRY, Variété II, p. 166.

♦ **2.** (Mil. XIXe). Réfl. indir. Fam. ⇒ **Offrir** (s'). *Se payer un voyage, un bon dîner...* (→ Gueuleton, cit. 2; modéré, cit. 10). *Un spectacle que se paient gratuitement les passants* (→ Morgue, cit. 6). *Se payer une demi-heure de flâne* (cit. 2). *Se payer du bon temps**. Fam. *Se payer une bosse, une bosse* de rire... S'en payer une (bonne) tranche* : s'amuser beaucoup. — *Se payer le luxe** (cit. 13) *de faire, de dire (qqch.)*. → 1. Fumer, cit. 26.

43 (...) pas de curé, ça semblait dire qu'on était trop pauvre ou trop avare pour s'en payer un; enfin, on avait l'air au-dessous de tout, des riens de rien qui n'auraient pas dépensé dix sous à de l'inutile. ZOLA, la Terre, IV, IV.

44 Quelques minutes plus tard, comme il avait faim et qu'aujourd'hui on pouvait se payer un extra, il lui dit (...) Eugène DABIT, Hôtel du Nord, V.

Par plais. (Fam.). *Se payer la tête de qqn* : se moquer de lui.

45 (...) je n'ai pas envie de vous faire rigoler. Vous vous payez déjà suffisamment ma tête. J. ROMAINS, les Hommes de bonne volonté, t. IV, X, p. 99.

Var. (plus fam.). *Se payer la gueule, la fiole (de qqn).*

46 Armand avait l'air de prendre tout ça naturellement, mais il voyait bien à l'œil rusé de l'autre, qu'il se payait doucement sa gueule. ARAGON, les Beaux Quartiers, I, XII.

47 Si je te demande ça, c'est pour le service, t'entends, et je ne veux pas qu'on se paie ma fiole. R. DORGELÈS, le Cabaret de la belle femme, p. 196.

Très fam. *Se payer (qqn).* **a** Mettre à mal. *Celui-là, je vais me le payer*, le corriger. *On a failli se payer un cycliste*, le renverser. **b** Avoir des relations sexuelles avec (qqn). → S'envoyer, se faire. *Il se l'est payée, elle se l'est payé.*

♦ **3.** (Passif). Fig. *Dettes qui se paient* (→ Fouage, cit.). *Une levée qui se paie au prorata de la mise* (→ Miser, cit. 1). Vieilli. *Cela ne peut se payer* : c'est sans prix. ⇒ **Impayable.** — Fig. *Toute faute se paie, tout se paie*, finit par coûter cher, tout s'expie. *Un honneur* (cit. 71) *qui se paie par un peu de médisance. Manquements* (cit. 3) *qui se paient, chez les matelots, par quelques nuits de cachot.*

48 Oui, je trouve ce *oh, oh!* admirable (...) — Ce sont là de ces sortes de choses qui ne se peuvent payer. MOLIÈRE, les Précieuses ridicules, 9.

49 Ce n'est pas impunément que, pendant cinq années, l'univers s'est entredéchiré, que des œuvres de civilisation séculaires ont été détruites. Cela se paye, et cela se paye cher. L.-H. LYAUTEY, Paroles d'action, p. 339.

▶ **PAYÉ, ÉE** p. p. adj.

♦ **1.** *Collaborateurs payés et collaborateurs bénévoles.* ⇒ **Rémunéré, rétribué, salarié...** — *Bien, mal payé* (→ cit. 4). — Fig. (passif et participe). *Être payé pour...* (→ ci-dessus cit. 5 et *supra*).

♦ **2.** *Marchandises livrées mais non payées. Effets non payés.* ⇒ **Impayé.**

♦ **3.** (→ ci-dessus A., 1.). *Besogne, fonction, travail bien payés, mal payés...* (→ Approcher, cit. 21; attacher, cit. 112; capitaliste, cit. 3; crever, cit. 25; employer, cit. 21). — *Journée chômée et payée. Congés* payés.*

CONTR. Devoir, emprunter. — Encaisser, recevoir. — Resquiller. — Donner, vendre.
DÉR. Paiement, paierie. — Payable, payant, paye (ou paie), payeur.
COMP. Impayable, impayé. — Sous-payer, surpayer.
HOM. Peiller.

PAYEUR, EUSE [pɛjœʀ, øz] n. — V. 1245; de *payer*.

♦ **1.** Personne qui paie (bien ou mal) ce qu'elle doit. *Un bon, un mauvais payeur. Elle est mauvaise joueuse et mauvaise payeuse.*

Prov. *Les conseilleurs ne sont pas les payeurs* : ceux qui conseillent tel ou tel acte n'en endossent pas les conséquences; il faut se méfier de ceux qui donnent des conseils dans une affaire où ils ne sont pas intéressés. — Proverbe :

(...) une estampe de six liards représente la mort du malheureux crédit, avec cette légende : *Crédit est mort; les mauvais payeurs l'ont tué.* BALZAC, Dict. des enseignes, Œ. diverses, t. I, p. 160.

Loc. *Les casseurs* seront les payeurs.*

♦ **2.** (Dans quelques syntagmes). Personne chargée de payer, pour une administration, des dépenses, traitements, pensions, rentes, etc.; comptable* du Trésor. *Trésorier*-payeur général. Payeur aux armées* : « fonctionnaire appartenant au corps spécial de la Trésorerie aux armées... qui possède, en ce qui concerne les services du Trésor, des attributions et des obligations analogues à celles des trésoriers-payeurs généraux » (Capitant). — En appos. *Officier payeur* : officier chargé des finances, dans un régiment. ⇒ **Trésorier.**

PAYOL [pajɔl] n. m. — 1382, *paillol*; de l'ital. *pagliuolo* « plancher couvert de paille », de *paglia* « paille », du lat. *palea*; pour le sens 2, du provençal *paiòu*, de même origine.

Vx ou régional. (Marine).

♦ **1.** Vaigrage ou caillebotis placé sur les fonds.

♦ **2.** (1868, Littré). Régional (Provence). Plancher (d'une embarcation).

PAYOT [pajo] n. m. — 1799; de *paillol*. → Payol « fond de cale (d'une galère) ».

♦ Vx. Forçat travaillant comme comptable et magasinier des vivres.

1. PAYS [pei] n. m. — V. 1360, Froissart; *païs*, xe; du bas lat. *page(n)sis* « habitant d'un *pagus* » (bourg, canton), et, par ext., le *pagus* lui-même.

♦ **1.** Territoire habité par une collectivité (nation, région, province, canton, commune), et constituant avec sa population une réalité géographique dénommée.

a (Nation). *Les divers pays du monde, de l'Europe.* ⇒ **État, nation** (→ Attendre, cit. 90; diplomatie, cit. 1; équilibre, cit. 24). *La France (le Canada, l'Espagne...) est un pays qui...* (→ Discorde, cit. 4; exportateur, cit.; gitan, cit. 1). *Les pays du Marché commun, de l'OTAN, les pays occidentaux. Les pays du pacte de Varsovie. Le pays d'Égypte* (→ Abondance, cit. 10), *d'Israël* (→ Dent, cit. 13), *de la Judée* (→ Englober, cit. 1). *Le pays russe* (→ Impénétrabilité, cit. 4)... *Grands* (cit. 23) *et petits pays* (→ Capitale, cit. 3). *Les pays germaniques* (→ Agrandir, cit. 10), *de race slave, catholiques, protestants* (→ Galanterie, cit. 10). *Les pays arabes, d'Islam, islamiques. Pays barbare, civilisé, policé* (→ Dette, cit. 10; habitant, cit. 12). *Pays libres, démocratiques* (cit. 2), *totalitaires...* ⇒ **État** (→ Inamovibilité, cit. 3; inquisiteur, cit. 4; investissement, cit. 2). *Pays riches, pauvres, développés, sous-développés, en voie de développement. Les pays du tiers monde. Pays industriels* (cit. 2), *agricoles. Pays exportateurs de pétrole. Pays autrefois possesseur de colonies.* ⇒ **Empire.** *Pays neufs. Les vieux pays.* — *Dans tous les pays, de tous les pays, en tout pays* (→ Adorer, cit. 3; aristocrate, cit. 2; meeting, cit. 2). *De quel pays êtes-vous?* (→ Huron, cit. 1). *Pays d'origine* d'un immigré* (cit.). *Le pays où ils sont nés, le pays natal.* ⇒ **Sol** (→ Capital, cit. 2; 3. mal, cit. 23). *Les autochtones, les habitants, les indigènes, les naturels d'un pays* (⇒ **Naturaliser**). *S'acclimater* à un pays. Les pays étrangers.* ⇒ **Étranger,** n. m. (→ Discipline, cit. 3; glacer, cit. 15). *Je veux quitter ce pays et m'expatrier* (cit. 4). ⇒ **Émigrer.** *Entrer dans un pays.* ⇒ **Immigration, immigrer.** *« Le bon historien n'est d'aucun temps ni d'aucun pays »* (→ Flatter, cit. 45, Fénelon). *Bornes, frontières d'un pays. Place qui commande l'entrée d'un pays* (⇒ **Clé**). *Pays envahi, occupé.* — *Le pays de qqn, son pays.* — *Aimer, détester un pays. Quel beau pays! Quel sale pays, quel pays pourri!*

Ce n'est pas assez d'écrire et de flatter le pays où l'on est, il faut songer aux hommes de tous les pays. VOLTAIRE, Correspondance, 2036, 9 nov. 1761. 1

(...) quand la liberté a disparu, il reste un pays, mais il n'y a plus de patrie. 2
CHATEAUBRIAND, Mémoires d'outre-tombe, t. IV, p. 299.

L'Angleterre est un empire, l'Allemagne un pays, une race; la France est une personne. MICHELET, Hist. de France, III. 3

— Mais c'est donc tous des gredins dans ce pays? (...) hurla le malheureux Tarasconnais (...) 4
— Mon cher, vous savez, les pays neufs (...)
Alphonse DAUDET, Tartarin de Tarascon, III, VII.

Le pays où s'est formée la nation française a agi sur elle à la fois par sa nature, qui a déterminé le genre de vie des habitants, et par sa position, qui a décidé les relations de son peuple avec les autres peuples du monde. 5
Ch. SEIGNOBOS, Hist. sincère de la nation franç., I.

Entre une terre et le peuple qui l'habite, entre l'homme et l'étendue, la figure, le relief, le régime des eaux, le climat, la faune, la flore, la substance du sol, se forment peu à peu des relations réciproques qui sont d'autant plus nombreuses et entremêlées que le peuple est fixé depuis plus longtemps sur le pays. 6
VALÉRY, Regards sur le monde actuel, p. 117.

Au lendemain de la Seconde Guerre, l'agonie du colonialisme, la rapidité des communications, la création des Nations Unies et une réaction mondiale contre le racisme et les exactions nazies ont créé de nouvelles solidarités internationales, à base d'égalité de droits, qui se sont concrétisées lors de l'expression pays sous-développés (...) devenue dans la suite, par pudeur, pays en voie de développement. 6.1
A. SAUVY, Croissance zéro?, p. 291.

Allus. hist. : *« Prolétaires de tous pays, unissez-vous »*, dernière phrase du Manifeste du parti communiste, de Marx et Engels.

Par métonymie. Les habitants, la population de ce pays. ⇒ **Nation, peuple.** *Tout le pays célébrait la fête* (→ Athénien, cit. 1). *Tout le pays crut à l'innocence de Dreyfus* (→ Fluctuation, cit. 4), tous les Français, la France entière. *Malentendu* (cit. 5) *entre le pays et ses représentants. La volonté du pays* (→ Dissoudre, cit. 5). *Le pays demande, a besoin...* (→ Mutuel, cit. 3). *Le pays est écœuré* (cit. 4) *des abus du pouvoir.* — Spécialt. *Pays légal**.

Je ne sais pourquoi les historiens (...) ne soulignent pas ce grand *fait* que me représente la transformation de Paris en organe central de confrontation et de combinaison, organe non seulement politique et administratif, mais organe de jugement, d'élaboration et d'émission, et pôle directeur de la sensibilité générale du pays. 7
VALÉRY, Regards sur le monde actuel, p. 125.

b (Province, circonscription). Anc. Dr. *Pays d'État*, pays d'élection, pays coutumiers** (cit. 6), *pays de droit* écrit... dans la France de l'Ancien Régime* (→ Fédéraliste, cit.; fédération, cit. 1 et 7). *Pays de grande gabelle* (cit. 2). → Dévorer, cit. 20. *Les pays conquis*, annexés depuis Louis XIII. *Les mœurs de ce singulier pays* (→ 1. Goutte, cit. 9). — (Dans des noms). *Le pays de Gex, le pays de Caux, le pays d'Auge... Le pays breton* : la Bretagne. — *Le* *pays basque* (→ Hommage, cit. 29). Ce syntagme est plus courant de par l'absence de substantif.

c Vieilli ou régional. Village ou petite ville. *«Un petit pays de douze ou quinze feux»* (→ Magister, cit. 1). *Il habite un pays perdu, un petit pays au fin fond de l'Auvergne.* ⇒ **Bled, patelin, trou.** *Ils habitent le même pays, ils sont du même pays* (⇒ **2. Pays**).

Vx. *Le pays latin :* le quartier latin (→ Avaler, cit. 8).

8 J'aime la rue Mouffetard (...) Le pays Mouffetard a ses coutumes propres et des lois qui n'ont plus ni sens ni vigueur au delà du fleuve Monge.
G. DUHAMEL, Salavin, I, v.

Loc. fig. *Se croire en pays conquis.*

Absolt. *Le pays,* la région, la partie de pays dont il est question. ⇒ **Coin, endroit, région.** *Les gens du pays.* ⇒ **Indigène, naturel, natif** (→ Gras, cit. 35; instinct, cit. 30; jocrisse, cit. 2; navet, cit. 2). *Habitudes* (cit. 16), *traditions, langage... du pays* (→ Intelligible, cit. 6; indistinctement, cit.). *Être connu, être nouveau dans le pays* (→ Lin, cit. 1). *Il n'est pas du pays* (→ Matériel, cit. 13). *En usage dans le pays* (→ Grand, cit. 15; levée, cit. 1). *La gazette* (cit. 5) *du pays. Battre, courir le pays, tout le pays. Produits du pays. Vins du pays.* ⇒ **Cru, terroir.** *Vin* de pays.*

Par métonymie. Les gens, les habitants de la région, de la ville (→ Légitime, cit. 5; opérer, cit. 3). *Tout le pays en a parlé.*

♦ **2. LE PAYS DE QQN, SON PAYS :** la nation, la région, le lieu considéré comme sa patrie. ⇒ **Patrie.**

a (Nation). *Mourir pour son pays* (→ Immortaliser, cit. 2; moissonner, cit. 7). *Livrer* (cit. 9) *son pays. Dévoué aux intérêts de son pays* (→ International, cit. 1). *Sauver son pays* (→ Inondation, cit. 5). *Notre pays* (→ Fonder, cit. 8; français, cit. 10). ⇒ **Compatriote, concitoyen.** *Faire honneur à son pays* (→ Allouer, cit.). *Suivre les mœurs* (cit. 12), *les lois de son pays* (→ Autorité, cit. 20; opinion, cit. 10). *«Et qui sert son pays n'a pas besoin d'aïeux»* (cit. 4, Voltaire). — *Le pays de Shakespeare, de Molière...,* l'Angleterre, la France. *C'est au pays de Voltaire que la foi* (cit. 39) *est la plus sérieuse.* — Absolt. *«Mourir pour le pays est un si digne sort...»* (→ Briguer, cit. 4, Corneille). *Pas une de ses pensées qui ne fût pour le pays* (→ Idolâtre, cit. 8). *Le salut du pays* (→ Innocent, cit. 14), *la gloire du pays* (→ Insouciant, cit. 3). *Le mal** (cit. 22, 23 et 25) *du pays.* — N. B. Se dit également de la nostalgie de la «petite patrie».

9 Qui meurt pour le pays vit éternellement. R. GARNIER, Porcie, II, v. 589.

10 Combien j'ai douce souvenance
Du joli lieu de ma naissance!
Ma sœur, qu'ils étaient beaux les jours
De France!
Ô mon pays, sois mes amours
Toujours!
CHATEAUBRIAND, Poésies diverses, Souvenir du Pays de France, Œ. compl., t. III, p. 555.

11 Puis, à l'aspect de ces riches et sublimes tableaux, je pensais amèrement au mépris que nous professons, jusque dans nos livres, pour notre pays d'aujourd'hui. Je maudissais ces pauvres riches qui, dégoûtés de notre belle France, vont acheter à prix d'or le droit de dédaigner leur patrie en visitant au galop, en examinant à travers un lorgnon les sites de cette Italie devenue si vulgaire.
BALZAC, la Femme de trente ans, Pl., t. II, p. 776.

12 Tout homme a deux pays, le sien et puis la France!
H. DE BORNIER, la Fille de Roland, III, 2.

13 La patrie, c'est bien en effet la grande amitié qui contient toutes les autres. J'aime la France, parce qu'elle est la France, et aussi parce que c'est le pays de ceux que j'aime et que j'ai aimés. MICHELET, le Peuple, III, 1.

13.1 Mon pays ce n'est pas un pays c'est l'hiver.
Gilles VIGNEAU, Mon pays (chanson).

Figuré :

14 Chacun est du climat de son intelligence;
Je suis concitoyen de toute âme qui pense :
La vérité, c'est mon pays!
LAMARTINE, Poésies diverses, Marseillaise de la Paix (→ Patrie, cit. 11).

b (Région, ville, village). *Elle a quitté le village où elle était née, pour aller loin de son pays* (→ Dot, cit. 6). *Il était* (cit. 75) *de Brignoles, et de son pays par l'accent. Il est bien de son pays,* on voit bien qu'il n'en est guère sorti. ⇒ **Clocher** (il n'a pas quitté son); **campagne.** *Ces moulins faisaient* (cit. 35) *la joie et la richesse de notre pays* (→ Meunerie, cit.). *Le pays de ses parents* (→ Incartade, cit. 6). *La Gascogne, pays de Montesquieu et de Montaigne* (→ Indifférence, cit. 10). *Revenir dans son pays.* — Prov. *Nul n'est prophète* en son pays* (→ Ailleurs, cit. 1). — Absolt. *Ils parlèrent des choses du pays* (→ Bâbord, cit. 2). *Le mal* du pays. Quitter le pays, revenir au pays.* ⇒ **Foyer.**

15 Pays, Patrie, ces deux mots résument toute la guerre de Vendée; querelle de l'idée locale contre l'idée universelle, paysans contre patriotes
HUGO, Quatre-vingt-treize, III, I, VI.

c **LE PAYS DE (qqch.) :** terre d'élection, milieu particulièrement favorable à, riche en... *L'Allemagne, pays de la musique.* ⇒ **Foyer, patrie.** *Les pays du soleil* (→ Mystère, cit. 12), *du perpétuel été* (→ Devoir, cit. 10). *Banlieue* (cit. 2), *pays des petites maisons... Agen, pays des pruneaux.*

Le pays de... (et n. de personne au plur.) : celui qui convient à... *La Bourgogne, le Bordelais, pays des amateurs de bons vins.*

♦ **3.** Région* géographique, plus ou moins nettement limitée, considérée dans son aspect physique ou humain. ⇒ **Contrée, endroit, lieu, région.** *Description des pays et des continents.* ⇒ **Géographie.** *Des pays chauds, froids, tempérés... humides, arides, nus, déserts...* (→ Aride, cit. 2; dune, cit. 2; erg, cit. 2; irrigation, cit. 2; moscovite, cit. 1). *Pays du Nord, du Midi* (cit. 13). *Un pays plat, accidenté, de plaines, de montagnes...* (→ Caillouteux, cit.; désert, cit. 4; mamelonné, cit.; montée, cit. 9). *Pays plat. Le plat pays :* spécialt, les Flandres. *Le haut, le bas pays :* région haute, basse. *Pays de forêts, de vignes* (→ Bien-être, cit. 5; fardier, cit. 1). *Pays de petite ou de grande culture* (cit. 3), *d'élevage... «Connais-tu le pays où fleurit* (cit. 2) *l'oranger?» Pays voisins, d'alentour.* ⇒ **Parage, zone** (→ Bain, cit. 9; friche, cit. 2; mystique, cit. 2). *Pays proches de la mer.* ⇒ **Bord.** *Un voyage en lointain pays* (→ Assez, cit. 40, La Fontaine). *Pays perdu* (→ Balayer, cit. 16). *Nos pays :* les pays situés dans la même zone de la planète que celui du locuteur (→ Chaleur, cit. 2; invraisemblable, cit. 1). *Loin de nos pays, en d'autres pays.* ⇒ **Ciel** (cieux), **climat.** — Fig. *Être en pays de connaissance*, en pays inconnu* (→ Emprunter, cit. 27).

(...) tout ce pays était fleuri comme un éden (...) LOTI, Mon frère Yves, L. 16

Je demandais pour le cas où il arriverait n'importe quoi à ma belle-mère et où elle aurait besoin de ne pas se sentir là-bas en pays perdu, si vous y connaissez du monde? PROUST, À la recherche du temps perdu, t. I, p. 180. 17

Voilà un pays de belle chasse, broussailleux, boisé (...) peuplé de bêtes dessus et dessous! Un pays frémissant de bruits d'ailes, de galopades furtives, mystérieux et terrible avec ses tentations vivantes (...) M. GENEVOIX, Raboliot, III, III. 18

♦ **4.** (Au sing. seulement). Vx. (Dans des loc.). Terrain, espace plus ou moins étendu. ⇒ **Terrain, terre.** *Gagner du pays, gagner pays :* gagner du terrain, prendre de l'avance. *Tirer pays :* s'en aller, s'enfuir. *Battre du pays :* parcourir beaucoup de lieux différents.

Je ne vous dis point tous les pays que j'ai battus, ni tous les chemins que fait mon imagination (...) Mme DE SÉVIGNÉ, 808, 11 mai 1680. 19

Fig. *Des étendues de pays* (→ Extension, cit. 10). *Dix lieues carrées de pays invendables* (→ Négrier, cit. 2).

Mod. *Voir du pays :* voyager. *Faire voir du pays à qqn,* lui en faire voir*. — Vieilli. *À vue de pays.* ⇒ **Vue.**

(Pays imaginaires). *Le pays des fées* (→ Attente, cit. 11), *des enchanteurs.* — Spécialt. *Pays de Cocagne** (cit. 2) : pays fabuleux où tous les biens sont en abondance (→ Exclure, cit. 12; macaronique, cit. 1). ⇒ **Eldorado.**

Par métaphore. ⇒ **Domaine, royaume.** *La science conquiert des pays nouveaux, inconnus. Le pays des chimères* (→ 1. Idéal, cit. 1). *Voyager au pays des rêves. Ce n'est point ici le pays de la vérité* (→ Errer, cit. 14). *Le pays des âmes :* l'au-delà (Chateaubriand).

Quelque découverte que l'on ait faite dans le pays de l'amour-propre, il y reste encore bien des terres inconnues. LA ROCHEFOUCAULD, Réflexions morales, 3. 20

(...) ce pays où l'amour l'a conduite et que la souffrance lui a expliqué, et qui s'appelle le bonheur. CLAUDEL, Positions et Propositions, Heures du foyer. 21

DÉR. **Paysage, paysan.**
COMP. **Arrière-pays. — Dépayser.**

2. PAYS, PAYSE [pei, peiz] n. — 1605 au masc., *in* D.D.L.; au fém., 1765; attestation isolée, 1512; → 1. Pays.

♦ Régional (ou stylistique : par plais., iron.). Personne du même pays (au sens de «région», «village»). ⇒ **Compatriote.** *Rencontrer un pays, une payse. C'est sa payse. Bonjour, pays!*

À Rouen, où Jacques arriva à cinq heures moins vingt, il descendit, près de la gare, dans une auberge que tenait une de ses payses. 1
ZOLA, la Bête humaine, XI.

Un seul soir il s'était grisé avec des *pays,* parce que c'est l'usage; ils étaient rentrés au quartier, toute une bande se donnant le bras, en chantant à tue-tête. 2
LOTI, Pêcheur d'Islande, II, v.

(...) ce peuple sacrifié, qu'a défendu jadis contre l'égoïsme des grands mon «pays», le vieux Vauban aux yeux bleus. 3
R. ROLLAND, Jean-Christophe, Dans la maison, I, p. 947.

CONTR. **Étranger.**

PAYSAGE [peizaʒ] n. m. — 1549, «étendue de pays»; de 1. *pays.*

♦ **1.** Partie d'un pays, étendue de terre que la nature* présente à l'observateur. ⇒ **Site, vue.** *Paysage immense* (→ Nuage, cit. 3; aplanir, cit. 2). *Grand paysage triste* (→ Estomper, cit. 5). *Paysage blafard* (→ Impressionnable, cit. 4), *étrange* (→ Midi, cit. 2), *monotone* (→ Niveler, cit. 1), *ingrat* (→ Avenant, cit. 4). *Beaux, charmants paysages* (→ Falloir, cit. 16; lancinant, cit. 2). *Paysage champêtre. Paysage de verdure.* ⇒ **Décor.** *Paysage inondé de lumière* (cit. 5), *éclairé par la lune* (→ Fascination, cit. 2). *Paysage lunaire* (→ Monnaie-du-pape, cit.). *Paysage de mort et de cataclysme* (→ Asphalte, cit. 1). *Paysage méditerranéen* (→ Olivier, cit. 1). *Architecture qui s'harmonise avec le paysage.*

Je ne reverrai plus ces beaux paysages, ces forêts, ces lacs, ces bosquets, ces rochers, ces montagnes, dont l'aspect a toujours touché mon cœur : mais, maintenant que je ne peux plus courir ces heureuses contrées, je n'ai qu'à ouvrir mon herbier, et bientôt il m'y transporte.
ROUSSEAU, Rêveries..., VIIe promenade.

Un paysage est le fond du tableau de la vie humaine.
BERNARDIN DE SAINT-PIERRE, Voyage à l'Ile de France, Préface.

Le paysage n'est créé que par le soleil; c'est la lumière qui fait le paysage. Une grève de Carthage, une bruyère de la rive de Sorrente, une lisière de cannes

desséchées dans la Campagne romaine, sont plus magnifiques, éclairées des feux du couchant ou de l'aurore, que toutes les Alpes de ce côté-ci des Gaules.
CHATEAUBRIAND, Mémoires d'outre-tombe, t. V, p. 393.

4 J'ai recherché avec une sensibilité exquise la vue des beaux paysages; c'est pour cela uniquement que j'ai voyagé. Les paysages étaient comme un *archet* qui jouait sur mon âme (...) STENDHAL, Vie de Henry Brulard, 2.

5 Les strophes des grandes odes vont si bien avec les paysages de la Toscane, de la même famille, d'ailleurs, que les paysages de la Provence où Malherbe vécut longtemps. Valery LARBAUD, Barnabooth, Journal, 30 avril 19...

5.1 La lune éclaire sans passion un paysage de poulaillers et de poireaux. Enfin, Étienne arrive à la lisière de la forêt. R. QUENEAU, le Chiendent, p. 101.

5.2 Devant leurs paysages d'Épinal, les vieillards en perruque vous regardaient avec ironie, avec ruse. J.-M. G. LE CLÉZIO, la Fièvre, p. 39.

Allus. littér. *« Un paysage quelconque est un état* (cit. 23) *de l'âme »* (Amiel).

Par métaphore. *Objets qui constituent le paysage intérieur et vivant d'un logement* (→ Home, cit. 2).

6 Le visage humain, le visage féminin surtout, fut toujours mon paysage de prédilection. COLETTE, Belles saisons, p. 82.

Fig. *« Votre âme est un paysage choisi... »* (→ Bergamasque, cit. Verlaine). *Le paysage intérieur d'un être.*

(V. 1965). *Paysage urbain :* aspect que présente à l'observateur une ville, un quartier, etc. (→ Gratte-ciel, cit. 1).

♦ **2.** (1680). Figuration picturale ou graphique d'une étendue de pays où la nature tient le premier rôle et où les figures (d'hommes ou d'animaux) et les constructions (« fabriques ») sont accessoires (⇒ **Dessin, peinture**). *Paysages à la gouache* (→ Disparaître, cit. 4). *Paysages hollandais* (→ Imitation, cit. 19). *Peintres de paysages.* ⇒ **Paysagiste** (→ Nature, cit. 73). *Un paysage de Corot. « On ne fait pas un paysage avec de la géométrie »* (→ Logique, cit. 9, Hugo).

Paysage historique : tableau où le paysage sert de toile de fond à une scène de l'histoire ancienne (ou de la mythologie). *Les paysages historiques de Poussin.*

7 Vous ne savez pas qu'un paysage est plat ou sublime; qu'un paysage, où l'intelligence de la lumière n'est pas supérieure, est un très mauvais tableau; qu'un paysage faible de couleur (...) est un très mauvais tableau (...) qu'il faut y avoir égard, pour la lumière, la couleur, les objets, les ciels, au moment du jour, au temps de la saison; qu'il faut s'entendre à peindre des ciels, à charger ces ciels de nuages tantôt épais, tantôt légers; à couvrir l'atmosphère de brouillards; à y perdre les objets; à teindre sa masse de la lumière du soleil; à rendre tous les incidents de la nature, toutes les scènes champêtres (...)
DIDEROT, Salon 1767, Juliart.

8 Le paysage, *dans le plafond de la bibliothèque du Luxembourg, par Delacroix,* qui néanmoins n'est qu'un accessoire, est (...) une chose des plus importantes. Ce paysage circulaire, qui embrasse un espace énorme, est peint avec l'aplomb d'un peintre d'histoire, et la finesse et l'amour d'un paysagiste. Des bouquets de lauriers, des ombrages considérables le coupent harmonieusement; des nappes de soleil doux et uniforme dorment sur les gazons; des montagnes bleues ou ceintes de bois font un horizon à souhait *pour le plaisir des yeux.* Quant au ciel, il est bleu et blanc (...) BAUDELAIRE, Curiosités esthétiques, Salon 1846, IV.

Paysage abstrait. ⇒ **Paysagisme.**

Collectivt. *Le paysage :* le genre pictural; l'ensemble des paysages. *Le paysage français du XIXe siècle.*

9 Le paysage fut d'abord un fond de campagne (...) *(→ Fond, cit. 39).* Chez les Italiens et chez nous, il devient de l'importance d'un décor. Poussin et Claude *(Lorrain)* l'ordonnent et le composent magnifiquement (...) On use de l'arbre, du bosquet, des eaux, des monts et des fabriques avec une liberté toute ornementale ou théâtrale (...) On arrive à l'extrême de la fantaisie (...) La *vérité* entre en action. De très grands *paysagistes* paraissent (...) peu à peu, ils engagent le corps à corps avec la *nature telle quelle* (...) C'est ainsi que l'intérêt du paysage s'est progressivement déplacé. D'accessoire d'une action (...) il est devenu lieu de merveilles, séjour d'une rêverie (...) Puis, l'impression l'emporte : *Matière* ou *Lumière* dominent. VALÉRY, Degas, Danse, Dessin, p. 116-118.

Techn. (En appos., après un nom de nombre). Se dit du format initialement réservé aux paysages, dont la petite dimension est intermédiaire entre celles des figures et celles des marines. *Un 10-Paysage mesure 55 cm sur 38, alors qu'un 10-Figure fait 46 cm de large et un 10-Marine, seulement 33 cm.*

Par anal. Description littéraire d'un site ou aspect naturel. *Les paysages de Chateaubriand. Les paysages exotiques de Bernardin de Saint-Pierre, de Loti...*

Loc. fam. *Cela fait bien dans le paysage :* cela produit un bon effet (→ Dans le tableau). *« Elle a une grosse dot, cela fait bien dans le paysage »* (Littré).

10 — Vous pardonnerez donc, je l'espère, à l'émotion qui me suffoque. Je dirai plus : certain que vous la partagez, je ne tenterai pas de m'y soustraire. Un trémolo à l'orchestre eût fait merveille dans le paysage.
COURTELINE, Messieurs les ronds-de-cuir, VIe tableau, II.

♦ **3.** Fig. Aspect général. ⇒ **Situation.** *Le paysage économique, social. Paysage politique* (nombreux ex. *in* P. Gilbert).

DÉR. Paysagé, paysager, paysagisme, paysagiste.

PAYSAGÉ, ÉE [peizaʒe] adj. — V. 1970; de *paysage.*

♦ Paysager* (1.). *Parc paysagé,* arrangé par un paysagiste de manière à créer un effet de paysage naturel.

(...) cette campagne-là (...) c'était le pays le moins paysagé, le plus paysan qui fût.
Hervé BAZIN, Cri de la chouette, p. 230.

PAYSAGER, ÈRE [peizaʒe, ɛʀ] adj. — 1846; de *paysage.*

♦ **1.** Vieilli. Se dit d'un jardin pittoresque, disposé de façon à produire des effets de paysage naturel (mod. : *paysagé*). *Un jardin anglais, un parc paysager.*

♦ **2.** (V. 1970). Caractérisé par l'intérêt des paysages. *« La République fédérale élabore actuellement la carte de la végétation naturelle potentielle au 1/200 000 définissant région par région les vocations culturales, mais aussi touristiques et paysagères, et parfois urbanistiques, des différents milieux concernés »* (*Science et Vie,* no 116, p. 18).

PAYSAGISME [peizaʒism] n. m. — D. incert.; de *paysage* (ou *paysagiste*), et *-isme.*

♦ Arts. Art, technique du paysage (dans ses éléments spécifiques). — *Paysagisme abstrait :* art pictural non figuratif présentant les caractères structuraux et expressifs du paysage.
Ensemble des paysagistes; école de paysagistes.

PAYSAGISTE [peizaʒist] n. — 1651; de *paysage.*

♦ **1.** Peintre de paysages (→ Marine, cit. 4). *Les paysagistes hollandais, anglais, français. Une grande paysagiste.*

Monsieur Juliart, vous croyez donc que pour être un paysagiste, il ne s'agit que de jeter çà et là des arbres, faire une terrasse, élever une montagne, assembler des eaux, en interrompre le cours par quelques pierres brutes, étendre une campagne le plus que vous pouvez, l'éclairer de la lumière du soleil et de la lune, dessiner un pâtre, et autour de ce pâtre quelques animaux? et vous ne songez pas que ces arbres doivent être touchés fortement (...) que l'effet de vos lumières doit être piquant; que les campagnes non bornées doivent, en se dégradant, s'étendre jusqu'où l'horizon confine avec le ciel, et l'horizon s'enfoncer à une distance infinie? que les campagnes bornées ont aussi leur magie; que les ruines doivent être solennelles; les fabriques déceler une imagination pittoresque et féconde; les figures intéresser; les animaux être vrais; et que chacune de ces choses n'est rien, si l'ensemble n'est enchanteur (...) DIDEROT, Salon de 1767, Juliart.

(1808). Par appos. *Dessinateur, architecte paysagiste.*

Par anal. *Jardinier paysagiste :* qui dessine des jardins paysagers.

♦ **2.** (V. 1970). Dessinateur qui élabore les plans de jardins, et notamment qui aménage les espaces verts dans les villes.

DÉR. Paysagisme.

PAYSAN, ANNE [peizɑ̃, an] n. et adj. — 1617; *païsant,* 1138; de *pays* « homme d'un pays », ou (Guiraud) d'un dér. roman en *-anus,* comme **pagensanus,* de *pagensis.* → Pays.

♦ **1.** N. Homme, femme vivant à la campagne et s'occupant des travaux des champs. ⇒ **Agriculteur, campagnard, champ** (homme des champs), **cultivateur, contadin** (vx), **éleveur, fermier, Jacques** (vx), **laboureur, manant** (vx), **métayer, rural** (subst.), **vilain** (vx), et (fam., péj., souvent injurieux), **bouseux, cambrousier, cambroussard, croquant, cul-terreux, glaiseux, pedzouille, péquenot, pétrousquin.** *Paysans et* (vx) *ouvriers. Travaux des paysans.* ⇒ **Agricole, agriculture, culture** (→ Besogner, cit. 1; creuser, cit. 4; fatiguer, cit. 23; fouiller, cit. 4; machine, cit. 13). *Maisons de paysans* (→ Brique, cit. 1; hiverner, cit. 3). ⇒ **Ferme.** *Vêtements anciens ou traditionnels de paysan.* ⇒ **Blaude, blouse, sayon...** (→ Costumer, cit.; encapuchonner, cit. 1; habiller, cit. 16). *Coiffe de paysanne. Attachement* (cit. 20) *du paysan à la terre, à la propriété* (→ Arroser, cit. 11; émietter, cit. 3; épargne, cit. 5; expropriation, cit. 2; glèbe, cit. 1). *Paysan propriétaire, fermier, métayer, salarié* (ouvrier agricole). *Gentilhomme campagnard qui mène une vie de paysan. Mœurs, esprit, caractère des paysans* (→ Abriter, cit. 2; assemblée, cit. 6; dialectique, cit. 3; dictionnaire, cit. 14; gain, cit. 8; incarner, cit. 7; obstination, cit. 3). *Individualisme* (cit. 8) *du paysan. Misère des paysans sous la féodalité, l'Ancien Régime* (→ Bestiau, cit. 2; brioche, cit. 1; écorcheur, cit.; étique, cit. 2; hobereau, cit. 2; imposer, cit. 30; inquisition, cit. 3). *Révolte de paysans.* ⇒ **Jacquerie** (→ Jacques, cit. 1). *Paysans kabyles* (→ Ksar, cit.), *égyptiens* (⇒ **Fellah**), *russes* (⇒ **Moujik**)... *Paysans riches, en Russie* (⇒ **Koulak,** cit.). *Les paysans chinois, africains. Les paysans du tiers monde.* — Littér. *Le Paysan parvenu,* roman de Marivaux (1735). *Le Paysan et la paysanne pervertis,* roman de Restif de La Bretonne (1787). *Les Paysans,* roman de Balzac (1845).

J'aime les paysans; ils ne sont pas assez savants pour raisonner de travers. 1
MONTESQUIEU, Pensées diverses, « Variétés ».

Je crains bien que ce sauvage n'ait raison. Le paysan misérable de nos contrées, qui excède sa femme pour soulager son cheval, laisse périr son enfant sans secours, et appelle le médecin pour son bœuf. 2
DIDEROT, Suppl. au voyage de Bougainville, III.

— (...) Ce n'est plus comme autrefois. Si le paysan sait amasser un pécule, il trouve de la terre à vendre, il peut l'acheter, il est son maître! — J'ai vu l'ancien temps et je vois le nouveau (...) répondit Fourchon, l'enseigne est changée, c'est vrai, mais le vin est toujours le même! (...) Est-ce que nous sommes affranchis? Nous appartenons toujours au même village, et le seigneur est toujours là, je l'appelle Travail. BALZAC, les Paysans, Pl., t. VIII, p. 82. 3

(...) les paysans d'Henry Monnier ne sont pas des paysans d'églogue; ils sont voleurs comme des pies, avares comme des griffons, malins comme renards (...) 4
Th. GAUTIER, Portraits contemporains, « H. Monnier ».

(...) le caractère du paysan français (...) sa sobriété, sa ténacité, sa dureté pour lui- 5 même, sa dissimulation, sa passion héréditaire pour la propriété et pour la terre. Il avait vécu de privations, épargné sou sur sou. Chaque année, quelques pièces blanches allaient rejoindre son petit tas d'écus enterré au coin le plus secret de sa cave (...) TAINE, les Origines de la France contemporaine, II, II, p. 227.

6 Le calvaire du paysan, en effet, se déroulait. Il avait souffert de tout, des hommes, des éléments et de lui-même. Sous la féodalité, lorsque les nobles allaient à la proie, il était chassé, traqué, emporté dans le butin. Chaque guerre privée de seigneur à seigneur le ruinait, quand elle ne l'assassinait pas : on brûlait sa chaumière, on rasait son champ. ZOLA, la Terre, I, V.

7 Le paysan travaille seul, au milieu des forces naturelles, qui n'ont pas besoin d'être nommées pour agir. Il se tait. Parain a noté sa «stupeur» quand il rentre au village après avoir labouré son champ et qu'il entend des voix humaines. SARTRE, Situations I, p. 195.

Allus. littér. *Le Paysan du Danube,* fable de La Fontaine (XI, 7), dont le héros, «ours mal léché», mais homme de «grand cœur» et de «bon sens» fait entendre en plein Sénat romain le rude langage de la vérité, en dénonçant les rapines et les exactions des Romains dans sa lointaine province. *Un paysan du Danube :* un homme à l'air mal dégrossi qui scandalise par sa franchise brutale.

8 Franklin parlant ainsi devant le Parlement de la vieille Angleterre, était un peu comme le Paysan du Danube, un paysan très fin à la fois et très digne d'être docteur en droit dans l'Université d'Écosse, libre pourtant et à la parole fière comme un Pensylvanien. SAINTE-BEUVE, Causeries du lundi, 22 nov. 1852.

Péj. (Surtout comme exclamatif et t. d'apostrophe). Rustre, rustaud. *Quel paysan! Va donc, paysan!*

REM. Indépendamment de cet emploi péjoratif, le mot a souvent en français moderne des connotations négatives; on préfère en général *agriculteur, cultivateur* (et : *éleveur, viticulteur,* etc.). Il est à noter que, si le discours tenu sur les paysans est fréquemment positif, le système de désignation des personnes appartenant au monde rural est violemment hostile et défavorable (voir la liste de mots injurieux ci-dessus), exprimant un mépris inacceptable.

♦ **2.** Adj. (1636). Propre aux paysans, relatif aux paysans. ⇒ **Rural, rustique, terrien.** *Familles paysannes* (→ Distinction, cit. 15). *Foules, masses paysannes* (→ Agraire, cit.). *Le monde paysan évolue. Vie, détresse paysanne* (→ Expression, cit. 44). — *Mœurs, coutumes paysannes. Hérédité* (cit. 18), *origine* (cit. 5), *tradition paysanne* (→ Individualiste, cit. 3). — *L'individualisme* (cit. 6) *paysan. Son intelligence paysanne* (→ Mordant, cit. 5). *L'esprit paysan* (→ Obscénité, cit. 3). *L'instinct paysan de prévoyance* (→ Hasard, cit. 23). — *L'alimentation paysanne* (→ Olivier, cit. 1). *Soupe paysanne. — Revendications paysannes. Syndicats paysans.* ⇒ **Agricole.**

9 Cette sagesse des Nations, n'est-ce pas simplement notre vieille sagesse paysanne, celle qui, à l'expérience, s'est révélée la plus efficace, la plus souple, la plus adaptée aux nécessités de la vie? Certains la qualifient de cynique, mais c'est qu'elle tient compte de ce qui est, et cela sans timidité, sans hypocrisie, sans forfanterie de vice non plus. André SIEGFRIED, La Fontaine..., p. 62.

Peuplé de paysans, d'agriculteurs. *Un pauvre hameau* (cit. 2) *paysan.* ⇒ **Rural** (plus cour.).

CONTR. Bourgeois, citadin.
DÉR. Paysannat, paysannerie.

PAYSANNAT [peizana] n. m. — V. 1935; de *paysan.*

♦ **1.** Ensemble des paysans; classe paysanne. ⇒ **Paysannerie.**

(L'administration) fut au Maroc particulièrement audacieuse. Un conseil supérieur du paysannat fut créé en 1945. Un véritable bouleversement social et technique fut un moment conçu (...) On imagina des Kolkhoz en régime capitaliste, qui furent nommés Secteurs de modernisation du paysannat. Ils se heurtèrent à l'hostilité des colons (...) à celle des bénéficiaires eux-mêmes (...) A. AYACHE, le Maroc, p. 135.

♦ **2.** La condition paysanne. *Modernisation du paysannat.*

PAYSANNERIE [peizanʀi] n. f. — 1668, Molière; var. *païsanterie,* 1547; de *paysan.*

♦ **1.** Vx. Condition de paysan. ⇒ **Paysannat.** *La charte de la paysannerie promulguée par le régime de Vichy.*

1 (...) j'aurais bien mieux fait, tout riche que je suis, de m'allier en bonne et franche paysannerie, que de prendre une femme qui se tient au-dessus de moi (...) MOLIÈRE, George Dandin, I, 1.

♦ **2.** Ensemble des paysans (d'une région). *La paysannerie chinoise.*

2 Ils trouvaient beaucoup plus de plaisir à faire figure devant la noblesse et la paysannerie de leur province, que dans le monde de Paris si mêlé et si oublieux. J. ROMAINS, les Hommes de bonne volonté, t. III, XI, p. 146.

♦ **3.** Œuvre littéraire représentant des paysans. *Les paysanneries de George Sand.*

Pb [pebe] Symbole chimique du plomb.

1. P. C. [pese] n. m. — V. 1920; abréviation.

♦ Parti communiste. *Les directives, la stratégie du P. C.* ⇒ **Parti** (absolt : le Parti). *S'inscrire au P. C. Membre, militant du P. C.*

2. P. C. [pese] n. m. — V. 1940; abréviation.

♦ Milit. Poste* de commandement. *Ordres transmis du P. C. — P. C. opérationnel. P. C. de la circulation routière,* où sont centralisées les informations concernant le trafic routier.

Ne dormant qu'à l'occasion, il empêchait son P. C. de dormir. Le jour, on voyait ses fourriers promener des yeux rouges et résignés. Jacques LAURENT, les Bêtises, p. 11.

P. c. c. Abrév. de *pour copie conforme.*

P. C. E. M. [peseφɛm] n. m. — 1966; remplace alors le certificat d'études physiques, chimiques et biologiques, P. C. B.; abréviation.

♦ Premier cycle d'études médicales.

PCHITT [pʃit], PCHUTT [pʃyt] onomat. et n. m. ⇒ Pschit.

P. C. V. [peseve] n. m. — Mil. XXe; abrév. de *(à) p(er)c(e)v(oir).*

♦ Communication téléphonique payée par le destinataire avec l'accord de celui-ci. *Téléphoner, appeler en P. C. V. Demander un P. C. V. pour l'Irlande. Accepter, refuser un P. C. V.*

Pd [pede] Symbole chimique du palladium.

P.-D. G. ou P. D. G. [pedeʒe] n. invar. — V. 1960; abréviation.

♦ Fam. Président-directeur général. *«Sous la présidence de son actuel P. D. G.»* (*l'Express,* 20 oct. 1972). *Des P.-D. G., des P. D. G.* (aussi écrit *P. d. g.* et *pédég : des pédégés*). *Une P. D. G. «L'ancienne P. D. G. Mme R., principale actionnaire de la société»* (*le Monde,* 14 avr. 1978, *in* P. Gilbert).

Le P. D. G. à son tour nous rejoint. Il nous a vus de loin descendant vers l'étang. Pour ne pas se mouiller il n'est pas sorti de voiture et sa Mercédès roule lentement sur l'ancien chemin de ronde (...) Hervé BAZIN, Cri de la chouette, p. 157.

Fam. Type social de l'homme d'affaires, riche, occupé. ⇒ **Businessman.** *Un type avec une allure de P. D. G. Une espèce de P. D. G. en Mercédès.*

PÉAGE [peaʒ] n. m. — V. 1175; *paage,* v. 1150; du lat. pop. *pedaticum* «droit de mettre le pied *(pes, pedis),* de passer».

♦ **1.** (D'abord dr. féod.; repris mil. XXe). Droit, taxe qu'on lève sur les personnes, les animaux, les marchandises pour le passage sur un chemin, une route, un pont..., pour le passage des rivières, des fleuves (cit. 7). *Sous la féodalité, les péages étaient des redevances destinées à l'entretien des voies et des chemins.* ⇒ **Féodal.**

Mod. Droit de passage sur certaines voies (autoroutes), certains ponts..., dans les ports. *Autoroute, pont, tunnel à péage. Péages établis dans un port maritime.*

(...) une espèce de bascule, qui fait mouvoir la poutre avec laquelle on ferme la barrière dispense celui qui demande le péage aux voyageurs de sortir de sa maison pour recevoir l'argent qu'on doit lui payer. Mme DE STAËL, De l'Allemagne, I, XIII

Il gagna le pont d'Austerlitz. Le péage y existait encore à cette époque. — C'est deux sous, dit l'invalide du pont. Vous portez là une enfant qui peut marcher. Payez pour deux. HUGO, les Misérables, II, V, II.

Vx. Somme exigée pour le péage.

Les deux bateliers, hommes vigoureux, stimulés en outre par la promesse d'un haut péage, ne doutaient pas d'ailleurs de mener à bien cette difficile traversée de l'Irtyche. J. VERNE, Michel Strogoff, p. 194.

Système de perception de ce droit. *Péage fermé* (un arrêt à l'entrée, un à la sortie), *péage ouvert* (sortie seulement), *péage fractionné sur les autoroutes.*

♦ **2.** Lieu où se perçoit la taxe de passage.

Il avait fallu tant d'argent au péage des fleuves (...) que le fond de leur bourse était vide (...) FLAUBERT, Trois contes, «Légende de saint Julien l'Hospitalier», II.

Ralentir, péage. Péage à cinq cents mètres. S'arrêter au péage.

Techn., admin. *Péage automatique :* appareil qui vérifie les titres de transport à piste magnétique. *Péage automatique à l'entrée d'une station de métro, du Réseau express régional* (région parisienne).

DÉR. Péager, péagiste.

PÉAGER, ÈRE [peaʒe, ɛʀ] n. et adj. — 1210; de *péage.*

♦ **1.** N. (Vx). Personne qui percevait le péage. ⇒ **Péagiste** (mod.).

♦ **2.** Adj. (1865). Relatif à un péage. *Taxe péagère.*

PÉAGISTE [peaʒist] n. — 1969; de *péage.*

♦ Employé(e) assurant la perception du péage sur une autoroute. → (vx) Péager.

PÉAN ou **PÆAN** [peɑ̃] n. m. — 1765; *Encyclopédie;* lat. *pæan,* grec *paian.*

♦ Didact. Hymne, chant en l'honneur d'Apollon.

Les Romains commencent le chant de Probus (...) Les Grecs répètent en chœur le Pæan, et les Gaulois l'hymne des Druides.
CHATEAUBRIAND, les Martyrs, t. I, p. 236.

Par ext. Poème inspiré du péan grec.

PÉANIEN, IENNE [peanjɛ̃, jɛn] adj. — Mil. XXe; du nom du mathématicien italien Giuseppe Peano.

♦ Math. Se dit d'un ensemble E dans lequel on peut définir une application *f* associant, à tout élément de l'ensemble, son «successeur», unique et satisfaisant à trois conditions, dites axiomes de Peano. *L'ensemble des entiers naturels est péanien. — Courbe péanienne; réseau péanien; surface péanienne.*

PEAU [po] n. f. — Déb. XVe; *pel,* 1080, *Chanson de Roland;* sing. refait sur le plur. *pels, peals, peaus;* du lat. *pellis* «peau d'animal», employé pour *cutis* en lat. vulg.

★ **I.** ♦ **1.** Enveloppe extérieure du corps des animaux vertébrés (⇒ **Tégument**), constituée par une partie profonde (⇒ **Derme,** cit. 1) et par une couche superficielle (⇒ **Épiderme**). *Relatif à la peau.* ⇒ **Cutané, derm-, épidermique.** *L'ectoderme*, feuillet embryonnaire d'où provient la peau. Annexes de la peau.* ⇒ **Phanère; corne, écaille, griffe, ongle, plume, poil; glande** (sébacée et sudoripare). *Insertion des plumes dans la peau des oiseaux.* ⇒ **Ptéryle.** *Tissus placés sous la peau.* ⇒ **Sous-cutané, pannicule.** *Surface de la peau :* saillies, sillons ou plis, orifices (⇒ **Pore**), crêtes papillaires (⇒ **Papille**). *Composition chimique de la peau :* protides (kératines, substances collagènes : osséine, etc.), lipides, eau et sels minéraux. — *Physiologie, fonctions de la peau.* ⇒ **Tact, toucher; perspiration, respiration** (cutanée); **transpiration.** *Sensibilité thermique, douloureuse de la peau. La peau protège, défend l'organisme* (→ Endurcir, cit. 10). — *Épaisseur, résistance, élasticité de la peau. Peau épaisse* (⇒ **Cuir**), *fine. — La peau des mammifères. Peau du porc.* ⇒ **Couenne.** — *Reptile qui change de peau.* ⇒ **Mue, muer.** *Enlever, détacher la peau d'un animal.* ⇒ **Dépiauter, dépouiller, écorcher; équarrir** (→ ci-dessous, 6.).

1 Une brûlure même superficielle, si elle s'étend à une grande partie de la peau, amène la mort. Cette enveloppe, qui isole de façon si parfaite notre milieu intérieur du milieu cosmique, permet cependant les communications physiques et chimiques les plus étendues entre ces deux mondes. Elle réalise le prodige d'être une frontière simultanément fermée et ouverte. Car elle n'existe pas pour les agents psychologiques. Alexis CARREL, l'Homme, cet inconnu, III, III.

L'épiderme humain. ⇒ **Chair** (cit. 22 et 23); **couenne** (fam.), **cuir.** *Apparence; couleur, coloration, coloris* (⇒ **Pigment, pigmentation, teint**); *grain, texture de la peau. Le grenu* (cit. 1) *de la peau. Plis* (⇒ **Fanon**), *sillons de la peau.* ⇒ **Ride; patte** (d'oie). *Pores de la peau* (→ Huiler, cit. 3). — *Belle peau; peau sans défaut* (→ Brûlure, cit. 4). *Peau délicate* (→ Bouton, cit. 6), *douce* (→ Grain, cit. 13), *douillette* (vx), *fine* (→ Indélébile, cit. 3), *lisse, satinée* (→ Coquette, cit. 10), *soyeuse, tendre, veloutée...* (→ Épaule, cit. 5; heureux, cit. 38). *Peau de satin, de velours. Peau enfantine* (→ Fondant, cit. 2), *poupine. — Peau blanche* (→ Éraflure, cit. 2); *blancheur de la peau* (→ Aviver, cit. 1). — (Syntagmes plus ou moins littér.). *Peau rose, lactée, laiteuse, nacrée, neigeuse, opaline; peau ambrée, blonde, dorée, ivoirine. Peau couleur d'ambre* (→ Flamboyant, cit. 4). *Peau carminée. — Peau basanée* (cit. 1), *bistre, bistrée, boucanée, bronzée* (→ Bronze, cit. 3), *brune* (cit. 1), *brunie, cuite* (→ Foncer, cit. 9), *cuivrée, hâlée* (cit. 1; ⇒ **Hâle,** cit. 5). — *Peau claire, fraîche, nette* (→ 1. Mousse, cit. 8). *Peau brillante, éblouissante, éclatante, luisante, lustrée. Peau mate, terne. Peau marbrée* (⇒ **Marbrure**), *nuancée, pommelée, tachée* (→ Carotte, cit. 1), *veinée, vergetée. Peau transparente qui laisse voir les veines. — Peau tendue. Peau flasque, pendante, plissée* (→ Momifier, cit. 2), *ridée. Peau grasse, huileuse; peau rèche, rude, sèche; parcheminée. Peau calleuse* (⇒ **Callosité**), *rugueuse, grumeleuse* (cit. 1)...

2 (...) d'Arthez lui prouva, ce dont elle était convaincue, qu'elle avait la peau la plus délicate, la plus délicieuse au toucher, la plus blanche au regard, la plus parfumée; elle était jeune et dans sa fleur.
BALZAC, les Secrets de la princesse de Cadignan, Pl., t. VI, p. 57.

3 (...) la peau à papilles frémissantes, vaguement bleuie par le lacis des petites veines, vaguement jaunie par l'affleurement des gaines tendineuses, vaguement rougie par l'afflux de sang, nacrée au contact des aponévroses, tantôt lisse et tantôt striée, d'une richesse et d'une variété incomparables de tons, lumineuse dans l'ombre, toute palpitante à la lumière, trahissant par sa sensibilité nerveuse, les délicatesses de la pulpe molle et le renouvellement de la chair coulante dont elle est le voile transparent. TAINE, Philosophie de l'art, t. II, p. 270.

4 (...) il n'y a pas de plus fin, de plus riche, de plus beau tissu que la peau d'une jolie femme. FRANCE, Histoire comique, II.

5 (...) la peau blanche, veinée de bleu ou de rose et faiblement ambrée, par son analogie avec le marbre et certaines pierres légèrement teintées, me semble plus esthétique que toute autre. Léon DAUDET, la Femme et l'Amour, II.

Couleur de peau, caractéristique des différentes races humaines. ⇒ **Pigment, pigmentation.**

REM. Les couleurs réelles de la peau ont souvent peu à voir avec les désignations sociales (blancs, jaunes, noirs...).

La couleur de la peau, symbole des différenciations racistes. *Peau foncée des Noirs, de certains Blancs* (Dravidiens), *des Océaniens, des aborigènes d'Australie. Peau noire, marron, chocolat, café au lait... Peau claire de certains Noirs. Peau cuivrée, blanche, des Jaunes. Peau cuivrée des Indiens.* — Loc. (Vieilli). *Peaux-Rouges* (→ Flamboyant, cit. 5) : les Indiens d'Amérique, à cause de la teinture rouge dont ils couvraient leurs corps. *Une Peau-Rouge.* Adj. *Tribu peau-rouge.*

Je ne me sentis plus guidé par les haleurs. 6
Des Peaux-Rouges criards les avaient pris pour cibles,
Les ayant cloués nus aux poteaux de couleurs. RIMBAUD, Poésies, XLI.

Voici la traduction de ses paroles *(d'un Japonais)* : «Notre peau est jaune, la leur est blanche; l'or est plus précieux que l'argent.» 7
Claude FARRÈRE, la Bataille, XIII.

Contact des objets avec la peau. *Porter une chemise contre la peau, à même la peau, sur la peau (nue).* ⇒ **Cru** (à); → ci-dessous À fleur de peau. *Chatouillement, picotement sur la peau; frisson qui court sur la peau* (⇒ **Chatouiller; démanger**). *Démangeaison provenant d'un trouble des nerfs de la peau.* ⇒ **Prurit.** *Sous la peau* (→ Entre cuir et chair, cit. 12). — *Le froid* (2. Froid, cit. 4 et 5) *mord, glace* (→ Houle, cit. 7), *hérisse* (cit. 22), *pince la peau... — Peau qui se hérisse.* ⇒ **Chair** (de poule). — *Évaporation à la surface de la peau.* ⇒ **Exhalation, sueur, transpiration.** *Peau moite, halitueuse.* ⇒ **Moiteur.**

Loc. **À FLEUR DE PEAU.** ⇒ **Fleur.** Fig. *Avoir les nerfs* (cit. 12) *à fleur de peau :* être très irritable, au moindre contact.

Alors, une crainte vague à fleur de peau, je me lève (...) Vite, je tire la porte sur moi (...) R. DORGELÈS, les Croix de bois, VI. 8

Soins de la peau. ⇒ **Cosmétique** (et cit. 1). *Crèmes, pommades* (⇒ **Cold-cream, ichtyol...**), *poudre* (⇒ **Talc...**) *pour la peau...* (→ Maquillage, cit. 1). *Peau rasée de près. Peau poudrée. — Hygiène de la peau.*

La propreté, le soin de soi-même, en rendant la peau plus délicate, augmentent le plaisir du tact (...) VOLTAIRE, Dict. philosophique, Amour. 9

Affections, lésions, maladies, anomalies de la peau; maladies (cit. 10) *de peau.* ⇒ **Acné, actinite, ampoule, bouton, bube, bubon, bulle, cloche, cloque, comédon, cor, couenne, couperose, crevasse, croûte, cyanose, dartre, dermalgie, dermatite, dermatose, desquamation, durillon, ecchymose, échauboulure, ecthyma, eczéma, efflorescence, éléphantiasis, élevure, envie, éphélide, éruption, érysipèle, érythème, escarre, exanthème, fraise, folliculite, fongus, furoncle, gale, gerce, gerçure, grain** (de beauté), **herpès; ichtyose, impétigo; intertrigo, lentigo, lentille, lèpre, lichen, loupe, lupus, macule, miliaire, molluscum, nævus, nodosité, nodule, œdème, papule, pellagre, phtiriase, pityriasis, prurigo, psora** (vx), **psoriasis, purpura, pustule, rougeole, rousseur** (tache de), **rubéfaction, son** (tache de), **squame, syphilis, tache** (vasculaire ou pigmentaire), **tanne, tavelure, teigne, tubercule, ulcération, urticaire, vergeture, verrue, vésicule, vibices, vitiligo, xérodermie.** — *Étude, soins des maladies de la peau* (⇒ **Dermatologie**). *Troubles de la pigmentation de la peau* (albinisme, mélanisme). *Cancer de la peau. Parasites de la peau. Peau boutonneuse, lentilleuse; ansérine; farineuse. Peau qui se desquame. Peau anémique, chlorotique, blafarde, blanchâtre, blême, cireuse; jaune* (par ex. dans l'ictère ou jaunisse) *ocre, chamois, fauve, citron; rouge, rubescente* (rougeur), *bleue* (cyanotique, asphyxique...). *Peau livide* (cit. 1), *tuméfiée. Peau bulleuse. — Marques, traces, signes laissés sur la peau par un coup, une brûlure, une lésion...* ⇒ **Cicatrice, bleu, brûlure, coupure, écorchure, éraflure, excoriation, griffe, pinçon, suçon; tatouage.** *Vaccination pratiquée par incision de la peau* (⇒ **Cuti-réaction**). *Léser; écorcher, égratigner, érafler, excorier, griffer, labourer... la peau. La balle lui effleura la peau. Détacher, arracher la peau* (⇒ **Écorcher,** cit. 2 et 12); *enlever la peau du crâne* (⇒ **Scalper**).

La question! — On serre ses membres avec des cordes pour le faire parler; sa peau se coupe, s'arrache et se déroule comme un parchemin (...) 10
A. DE VIGNY, Cinq-Mars, XII.

C'était un homme rasé qui avait une maladie de peau, de grandes plaques rouges et granuleuses sur les joues, le menton, et ses cheveux tombaient comme des flocons d'étoupe (...) P. NIZAN, le Cheval de Troie, I, II. 11

Loc. fig. *Crever dans sa peau, être gras à pleine peau :* être très gras*, bouffi. *«On se gaverait* (cit. 2) *de raisin, tant que la peau du ventre en tiendrait». — N'avoir que la peau et les os, que la peau sur les os; avoir la peau collée aux os :* être très maigre*. ⇒ **Os.** — *Avoir la peau trop courte :* être très paresseux. — Vx. *Ne pas tenir, ne pas durer dans sa peau :* être enflé d'orgueil; être en proie à la colère, à l'impatience, au désir...

Fam. *Se faire crever la peau :* se faire tuer. — *Recevoir, prendre douze balles dans la peau :* être fusillé.

Fam. *Attraper qqn par la peau du cou, du dos, par la peau des fesses,* le retenir au dernier moment; l'attraper pour le punir, le battre. Var. vulg. : *par la peau du cul :*

Si je vous retrouve dans mes plates-bandes, j'irai vous dire un mot dans votre étable et je vous attraperai par la peau du cul, comme déjà l'année dernière. Mais cette fois, ce sera plus cher. M. AYMÉ, Travelingue, p. 146. 11.1

Spécialt. Partie visible dénudée de la peau, du corps. *Montrer sa peau.* — Loc. fam. (Vx). **EN PEAU** : très décolletée (en parlant d'une femme en robe du soir).

11.2 *(à force de se compromettre)* avec une dactylo en fourrures, en peau, à poil sur les plages, dans les casinos, aux sports d'hiver.
B. CENDRARS, Bourlinguer, p. 393.

♦ **2.** *(Une, des peaux).* Filet, petit morceau de peau. *Couper les peaux autour des ongles.* ⇒ **Envie.**

11.3 Toujours dans le salon et toujours couvé du regard par la mère, M. Jo apprenait à Suzanne l'art de se vernir les ongles (...)
— Quand vous m'avez enlevé les peaux, ça me pique, grogna Suzanne.
M. DURAS, Un barrage contre le Pacifique, p. 99.

Peau morte : cellules mortes de l'épiderme qui se détachent par plaques. ⇒ **Desquamation.** *Détacher des peaux mortes.*
Figuré :

11.4 Et cet amour n'était plus. On pouvait le toucher aux points jadis sensibles sans que Jean éprouvât rien, comme une peau morte que nous portons encore avec nous, mais qui désormais ne ressentira plus ni caresses ni piqûres, qui n'est plus nous, qui est morte. PROUST, Jean Santeuil, Pl., p. 674.

N.B. Cet emploi joue sur le sens I.

Par ext. Parties dures, tendineuses, coriaces, dans un morceau de viande de boucherie. *Ce bifteck est plein de peaux.*

♦ **3.** (Dans des expressions). Apparence extérieure, personnalité de qqn. *Coller à la peau :* être indétachable, inséparable (de qqn). — (Avec dans). *Vivre dans la peau de..., dans une peau d'homme de bien,* en avoir l'apparence (cit. 23). *Mourir** (cit. 24 et *supra*) *dans la peau de... Je ne voudrais pas être dans sa peau,* à sa place. — Théâtre, Cin. *Entrer, être dans la peau d'un personnage :* se sentir à l'aise dans un rôle, éprouver les sentiments du personnage.

12 Il est trop tard — je me suis fait à mon métier. La vie a été pour moi un vêtement, maintenant il est collé à ma peau. Je suis vraiment un ruffian (...)
A. DE MUSSET, Lorenzaccio, III, 3.

13 Il sortait du saltimbanque et entrait dans le lord. Changements de peau qui sont parfois des changements d'âme. HUGO, l'Homme qui rit, II, v, v.

(1875). *Faire peau neuve, changer de peau :* changer de conduite, de comportement, de personnalité. Par ext. (Choses). *Faire peau neuve :* être renouvelé, modernisé. *Le parti devrait faire peau neuve.*

14 (...) le temps (...) insuffle une autre personnalité (...) aux êtres que nous n'avons pas vus depuis longtemps, depuis que nous avons fait nous-mêmes peau neuve et pris d'autres goûts. PROUST, À la recherche du temps perdu, t. XIII, p. 216.

Loc. fig. *Dans la peau. Être bien, mal dans sa peau :* être satisfait ou non de ce qu'on est, pouvoir (ne pas pouvoir) se supporter.

14.1 Il avait mangé de bon appétit, il avait bu un grog, et maintenant il fumait une cigarette. Il se sentait bien, tout à fait à l'aise dans sa peau, heureux de vivre.
Robert MERLE, Week-end à Zuydcoote, p. 163.

14.2 Du soupçon à la certitude, il y a moins de distance que de la séparation à l'entente. C'est pourquoi il se sentait à présent beaucoup mieux dans sa peau.
S. DE BEAUVOIR, Tout compte fait, p. 101.

Fam. *Avoir qqn dans la peau,* être très amoureux de lui, le désirer.

15 (...) ils réalisent ce qu'on appellerait vulgairement nous mettre une femme dans la peau, jusqu'à nous faire passionnément aimer pendant un sommeil de quelques minutes une laide (...) PROUST, le Temps retrouvé, Pl., t. III, p. 911.

16 Elle fit une pause, avant d'ajouter, d'une voix sourde : « Tant qu'une femme parle d'un homme avec cette espèce de haine-là, c'est qu'elle l'a toujours dans la peau ! »
MARTIN DU GARD, les Thibault, t. III, p. 75.

♦ **4.** (1850). Fam. **LA PEAU** : la vie, l'existence (seulement dans des loc.). *Jouer* (cit. 37), *risquer sa peau. Faire bon marché de sa peau :* s'exposer. *Craindre pour sa peau,* pour sa vie. *Tenir à sa peau,* à sa vie. *Vendre cher sa peau :* se défendre vaillamment. *Sauver sa peau* (→ Intégrité, cit. 2). — Fam. *Avoir la peau d'un adversaire,* le tuer, ou encore en venir à bout par tous les moyens. *J'aurai ta peau!* (1850). *Faire la peau à qqn,* le tuer.

17 Est-ce qu'on n'était pas libre chez soi? Il brandissait les poings, il gueulait qu'il aurait leur peau à tous, s'ils le dérangeaient encore. ZOLA, la Terre, IV, VI.

18 Il se sentait capable de tout pour sauver sa peau, de fuir, de demander grâce, de trahir, et pourtant il ne tenait pas tellement à sa peau. SARTRE, le Sursis, p. 129.

18.1 (...) lui, du moins, nomme les gens, prend ses risques (...) on sait (... de) quels hommes il compte un jour avoir la peau. F. MAURIAC, Bloc-notes 1952-1957, p. 236.

♦ **5.** (T. de dénigrement). **a** Femme de mauvaise vie (⇒ **Prostituée**). — Par ext. *Va donc, eh, vieille peau!,* injure adressée à une femme.

19 Depuis la fête, il culbutait la Bécu dans les coins, tout en la traitant de vieille peau, sans délicatesse. ZOLA, la Terre, IV, III.

19.1 Une dame mûre à prétentions y tenait un petit chien sur ses genoux (...) — Vous avez fait de l'œil à cette vieille peau!
MONTHERLANT, le Démon du bien, p. 234.

20 (...) il s'en allait à la ville où il demeurait quelquefois plusieurs jours, traînant dans tous les mauvais lieux de l'endroit, en compagnie des voyous et des peaux.
M. AYMÉ, la Jument verte, II.

b T. d'injure. **PEAU DE...** (et n.). *Va donc, eh, peau de fesse!*

20.1 C'est cette peau de poubelle de Bonvillain, mais il ne perd rien pour attendre!
René FALLET, le Triporteur, p. 385.

(L'expression fait allusion au sens II., 1.; peau de légume, de fruit qu'on trouve dans les poubelles, objet de rebut. → Ordure).

Peau de vache. ⇒ **Vache.** *Quelle peau de vache! :* quel salaud!

♦ **6.** Dépouille* (de certains animaux) détachée et traitée sous forme de cuir ou de fourrure ou destinée à l'être. *Chasseurs, trafiquants de peaux. — Peau fraîche :* non traitée. *Peau brute, en poil* (fraîche ou conservée par salage, saumurage...). *Côté poil, côté fleur; côté chair d'une peau. Tête, gorge, collet, pattes, flancs d'une peau* (⇒ **Croupon**). *Traitement, travail des peaux.* ⇒ **Cuir; corroyage, mégisserie, pelleterie, tannerie; affaiter, apprêter; chipage, chiper** (ou auvergner), **bigorner, chamoisage, chamoiser, corroyer, délainer, débourrage, dépilage, dépiler, drayer, ébourrer, écharner, effleurer, joncer, mégir, palissonner, pelage, peler, surtonte, tannage, tanner** (et **tan, tanin**). *Ouvrier des cuirs et peaux :* corroyeurs, mégissiers, tanneurs, etc. *Fouler les peaux à la bigorne*, les battre à la triballe* (triballer); *selle* pour poncer les peaux. Naphtaline utilisée pour la conservation des peaux. Déchets, résidus du travail des peaux.* ⇒ **Dégras, parure, retaille.** *Colle* de peaux. — Peau traitée, mégissée* (⇒ **Mégis**), *tannée; peau chamoisée* (⇒ **Chamoiserie**). — *Peau d'agneau* (⇒ **Agnelin**), *de mouton** (⇒ **Basane, bisquain, cosse** [parchemin en cosse]), *de chevreau* (⇒ **Chevreau, chevrotin**), *de chèvre* (⇒ **Maroquin**). ⇒ **Parchemin.** *Peau de buffle* (⇒ **Buffleterie**). *Peau de bœuf, de vache, de veau* (⇒ **Vélin, velot**). *Peau d'âne, de cheval...* (⇒ 3. **Chagrin**). *Peau de porc, de truie* (→ Livre, cit. 6). *Peau de chamois** (→ Couvert, cit. 16; gilet, cit. 5). *Peau de phoque. Peau de crocodile* (⇒ **Caïman,** cit. 2, **croco, crocodile**), *de poisson* (⇒ **Galuchat**), *de lézard* (⇒ **Lézard**). *Étui en peau de serpent* (→ Camper, cit. 4). — *Gant* (cit. 6) *de peau fine. Outre en peau* (→ Canot, cit. 3; jet, cit. 5). *Culotte* de peau. Chabraque* de peau. Mocassin en peau non tannée. Livre relié pleine peau.*

On nous montra aussi des habits de Lapons, faits de peaux de jeunes rennes, avec tout l'équipage, les bottes, les gants, les souliers, la ceinture et le bonnet. 20.2
J.-F. REGNARD, Voyage en Laponie, p. 82.

Acheté, aussi, une collection de valises plates en peau de porc (c'est surtout l'odeur de ces cuirs qui me plaît). 21
Valery LARBAUD, Barnabooth, Journal, 23 avr. 19...

Peaux à fourrure. ⇒ **Fourrure.** *Peau mouchetée, léopardée, tachetée, tigrée... de certains fauves.*

Peau de bête : dépouille de mammifère portant encore les poils. *« Lorsqu'avec ses enfants vêtus de peaux de bêtes... »* (→ Échevelé, cit. 2, Hugo). *Peau de lion* (→ Âne, cit. 16; fauve, cit. 1). *Peau de tigre, de panthère. Peau d'ours* (cit. 2). ⇒ **Oursin.** — Loc. *Vendre la peau de l'ours** (cit. 3 et *supra*). — *Peau de renard.* Prov. *Coudre la peau du renard à celle du lion :* joindre la ruse au courage. — *Peau de mouton. Pelisse en peau de mouton* (→ Moufle, cit. 1). ⇒ **Panoufle.** *Peau de chèvre. La peau de bique des automobilistes 1900. — Peau de lapin*.*

À côté d'elle logeait un artisan tanneur. Il tannait chez lui de petites peaux d'animaux : des peaux de blaireaux, de fouines, de renards, de belettes. Il les pendait pour les faire sécher aux volets de sa fenêtre. 22
J. GIONO, Jean le Bleu, IV.

Peau d'Âne (cit. 17, La Fontaine) : conte de fée dont l'héroïne est vêtue d'une peau d'âne qui la cache et l'enlaidit (cf. Perrault, Contes). Figuré :

Il *(Dos Passos)* a fait le nécessaire pour que son roman ne paraisse qu'un reflet, il a même endossé la peau d'âne du populisme. SARTRE, Situations I, p. 14. 23

Fam. *Peau d'âne :* diplôme, parchemin.

*Peau de chagrin**, se dit, par allusion au roman de Balzac (→ Face, cit. 30), d'un bien matériel ou moral qui s'amenuise, se réduit peu à peu à rien.

Peau de tambour : peau tendue formant la surface de résonance d'un tambour (→ Grillage, cit. 2).

★ **II.** ♦ **1.** (1538). Enveloppe extérieure (des fruits, de certains légumes). ⇒ **Épicarpe.** *Enlever, ôter la peau d'un fruit.* ⇒ **Peler, pelure.** *Peau duveteuse, cotonneuse d'un fruit. Peau de pêche*. Peau d'orange* (⇒ **Écorce;** → Numéro, cit. 11). Techn., méd. et cour. Aspect bosselé un peu luisant. *Aspect en peau d'orange de l'épiderme.* ⇒ **Cellulite.** — *Glisser sur une peau de banane.* Fig. *Peau de banane.* ⇒ **Banane.** — *Muscat à peau épaisse* (→ Olivette, cit. 4). *Peau d'amande* (→ Dent, cit. 6).

Des raisins mûrs apparemment 2
Et couverts d'une peau vermeille. LA FONTAINE, Fables, III, 11.

♦ **2.** Membrane fine à la surface. *Peau du lait :* pellicule qui se forme sur le lait bouilli au repos. → Lait (cit. 13).

Il me sembla d'abord intéressant de noter les dégoûts de ma jeunesse (...) — les soupes au tapioca, au quaker oats, où les grumeaux s'agglomératent jusqu'à me faire, en caressant ma langue, hérisser les cheveux — la « peau » sur le café au lait. 24.
Jacques LAURENT, les Bêtises, p. 74.

Biol. *Peau plasmatique :* membrane entourant la cellule.

♦ **3.** (1872). Fam. (La peau étant considérée comme sans valeur). *La peau :* rien* du tout (formule de négation). — On dit aussi *peau de balle (et balai de crin), peau de zébi.*

C'est toute la pièce ou peau de Zébi! CÉLINE, Guignol's band, p. 83. 2

J'ai fait tout juste un « laranqueté » (quarante sous). 2
— Eh bien (...) et moi (...) peau de balle, déclare la Grande Bringue (...) J'en ai soupé, du truc (...) et je ne vais pas tarder à remiser.
GORON, l'Amour à Paris, t. III, p. 1590.

Absolt. *La peau* (rien du tout) s'emploie surtout en exclamatif ou comme complément d'un verbe marquant la possession.

(...) il faudra que je m'achète de mon propre argent, des bougies (...) car, pour ce qui est des bougies de Madame (...) la peau (...) comme disait monsieur Jean (...) Elles sont sous clé. 2
O. MIRBEAU, le Journal d'une femme de chambre, p. 38.

28 Un insigne (...) pour quoi faire (...)? Ceux du front ont tous la croix de guerre (...) Vous, vous avez la peau! Ça vous fera reconnaître!
Roger VERCEL, Capitaine Conan, I, p. 31.

DÉR. (De *pel*) V. **Pelleterie, pelletier.** — (De *peau*) **Peaucier, peausserie, peaussier, peaussu.**

COMP. Peau-Rouge (voir à l'article I., 1.). — V. **Dépiauter; oripeau.** Cf. les comp. du lat. *cutis* (cuticule, cutané...) et du grec *derma* (derme).

HOM. Pot.

PEAUCIER [posje] adj. et n. m. — V. 1560; de *peau*.

♦ Anat. *Muscle peaucier*, et, subst., *un peaucier :* muscle superficiel qui s'attache à la face profonde du derme. *Le peaucier du cou.*

HOM. Peaussier.

PEAUFINAGE [pofinaʒ] n. m. — 1969; de *peaufiner*.

♦ Action de peaufiner; son résultat. « *Le peaufinage de la politique fiscale du gouvernement* » (*le Monde*, 28 févr. 1969).

PEAUFINER [pofine] v. tr. — 1883; *se peaufiner*, 1865; de *peau*, et *fin*.

♦ **1.** Nettoyer avec une peau de chamois.

♦ **2.** Fig., fam. Préparer, orner minutieusement; fignoler (un travail). *Peaufiner un travail, un rapport, des dossiers. Peaufiner une découverte technique.* — Au p. p. : « *Un élégant pommadé, parfumé, peaufiné* » (J.-R. Bloch).

Laurent officiait et peaufinait le numéro du connaisseur. Humer, effleurer, goûter, savourer, réfléchir et donner son accord.
Christine ARNOTHY, Toutes les chances plus une, p. 31.

DÉR. Peaufinage.

PEAU-ROUGE [poʀuʒ] n. et adj. ⇒ **Peau** (I., 1.).

PEAUSSERIE [posʀi] n. f. — 1723; de *peau*.

♦ **1.** Commerce, métier, travail des peaux, des cuirs. ⇒ **Peau** (I., 6.).

♦ **2.** (*Une, des peausseries*). Peau travaillée. ⇒ **Cuir, peau.**

PEAUSSIER [posje] n. m. — 1545; *paucier*, 1292; de *peau*.

♦ **1.** Artisan, ouvrier qui prépare les peaux pour les transformer en cuir. — REM. Le fém. *peaussière* est virtuel.

♦ **2.** Vx. Par appos. *Médecin peaussier :* spécialiste de la peau. ⇒ **Dermatologiste.** *Muscle peaussier.* ⇒ **Peaucier.**

HOM. Peaucier.

PEAUSSU [posy] adj. — XIIIe; de *peau*.

♦ Littér., vx. Qui n'a que la peau sur les os; dont la peau est tendue.

Son front peaussu avait plus de fossés et de contrescarpes qu'une ville fortifiée à la Vauban.
Th. GAUTIER, Caprices et Zigzags, *in* D. D. L., II, 7.

PEAUTRE [potʀ] n. m. — XIIe; étym. obscure.

♦ Vx. Mauvais lit*, grabat, paillasse.

PEBBLE CULTURE [pebœlkyltyʀ] n. m. — Mil. XXe; mots angl. « culture (civilisation) des galets (*pebble*) ».

♦ Anglic. Didact. Ensemble des niveaux de civilisation technique de la préhistoire correspondant à l'emploi de pièces lithiques sur galets comme les choppers*. — Équivalent français : *culture de galets*, Denise de Sonneville-Bordes, *l'Âge de la pierre*, p. 44, qui emploie aussi *pebble culture* et *pebble-tool* (outils de galet) *culture.*

Les galets éclatés de la pebble culture répondent précisément à un stéréotype attesté par des millions d'objets. Leur confection suppose deux galets, l'un jouant le rôle de percuteur, l'autre recevant des chocs. Le choc est appliqué sur l'un des bords, perpendiculairement à la surface, et détache un éclat qui laisse sur le galet un tranchant vif; deux ou trois éclats successifs font un tranchant plus long et sinueux.
A. LEROI-GOURHAN, le Geste et la Parole, t. I, p. 133.

PÉBRINE [pebʀin] n. f. — 1859, Quatrefages; provençal mod. *pebrino*, de *pebre* « poivre », à cause des taches sombres caractéristiques de la maladie.

♦ Agric. Maladie des vers à soie. *Étude de la pébrine par Pasteur* (→ Évidence, cit. 15).

PÉBROC ou **PÉBROQUE** [pebʀɔk] n. m. — 1907; de 2. *pépin*, et suff. argotique.

♦ Fam. Parapluie. ⇒ **Pépin.**

1 J'ai oublié mon pébroque au bistro. Il s'adressait à lui-même et à mi-voix encore, mais Zazie ne fut pas longue à tirer des conclusions de cette remarque. C'était pas un satyre qui se donnait l'apparence d'un faux flic, mais un vrai flic qui se donnait l'apparence d'un faux satyre qui se donne l'apparence d'un vrai flic. La preuve, c'est qu'il avait oublié son pébroque.
R. QUENEAU, Zazie dans le métro, éd. Folio, p. 59.

Loc. argotique. *La maison pébroc :* la police (par allusion aux inspecteurs du préfet Lépine armés d'un gros parapluie utilisé comme gourdin ou crochet). ⇒ **Parapluie.**

Seulement, parviendrai-je à la passer, cette sacrée frontière? Les employés de la maison pébroque sont maintenant en possession de mon signalement complet. D'heure en heure, ma bouille a dû se préciser pour eux. 2
SAN-ANTONIO, Au suivant de ces messieurs, p. 72.

Fig. (Argot; du sens fig. de *parapluie :* protection). Alibi. *Avoir un bon pébroc.*

Et sézigue, voilà un moment qu'il se trouve du bon côté de la ligne où le Code, tel un pébroc, assure aux paisibles une solide protection. 3
Albert SIMONIN, Hotu soit qui mal y pense, p. 215.

PEC [pɛk] adj. m. — 1391; du néerl. *peckel* « en saumure ».

♦ Techn. *Hareng pec.* ⇒ **Hareng.**

PÉCAÏRE [pekaiʀ] interj. — Attesté 1775, évidemment antérieur; mot provençal « pêcheur », aussi francisé en *pechère* (*pechiere*, XIIIe), *peuchère*.

♦ Régional (Provence). Exclamation exprimant une commisération affectueuse, ou, parfois, ironique. ⇒ **Peuchère.**

— As-tu vu le petit page? — Encore tout froissé. 1
— Ah! pécaïre! BEAUMARCHAIS, le Mariage de Figaro, II, 20.

Pendant quelque temps ils (*les meuniers*) essayèrent de lutter, mais la vapeur fut la plus forte, et l'un après l'autre, pécaïre! ils furent tous obligés de fermer. 2
Alphonse DAUDET, Lettres de mon moulin, « Secret de Maître Cornille ».

PÉCAN [pekɑ̃] n. m. — 1930; mot amér. (*pecan tree*, type de noyer).

♦ Américanisme. Fruit d'un hickory d'Amérique du Nord et du Sud (notamment Brésil), contenant une amande oléagineuse comestible. *Noix de pécan*, ou, en appos. *Noix pécan.* — On écrit aussi (à l'anglaise) *pecan*.

HOM. Pékan.

PÉCARI [pekaʀi] n. m. — 1699; *pacquire*, 1640; mot caraïbe.

♦ Mammifère ongulé (*Suidés*), voisin du sanglier, aux membres grêles, dépourvu de queue et de défenses. ⇒ **Cochon** (sauvage d'Amérique).

Pencroff n'eut pas besoin de demander si ces bêtes-là étaient comestibles. Cela se voyait bien, à leur ressemblance avec le cochon d'Amérique ou d'Europe.
Mais ce ne sont point des cochons, lui dit Harbert (...)
Quant aux animaux en question, c'étaient des pécaris appartenant à l'un des quatre genres que compte la famille, et ils étaient même de l'espèce des « tajassous », reconnaissables à leur couleur foncée et dépourvus de ces longues canines qui arment la bouche de leurs congénères. Ces pécaris vivent ordinairement par troupes, et il était probable qu'ils abondaient dans les parties boisées de l'île. En tout cas, ils étaient mangeables de la tête aux pieds.
J. VERNE, l'Île mystérieuse, t. I, p. 284.

Par métonymie. Cuir de cet animal. *Des gants de pécari.*

PECCABILITÉ [pekabilite] n. f. — 1874; de *peccable*.

♦ Théol. État d'un être peccable*.

PECCABLE [pekabl] adj. — 1050, *Vie de saint Alexis;* du lat. ecclés. *peccare*.

♦ Théol. Enclin, sujet à pécher. Par ext. *La nature peccable de l'homme.*

Si Dieu a créé l'homme peccable, il ne devait pas le punir.
FLAUBERT, Bouvard et Pécuchet, IX.

CONTR. Impeccable (courant).

DÉR. Peccabilité.

PECCADILLE [pekadij] n. f. — Av. 1615; *peccatile*, n. m., av. 1549; de l'esp. *pecadillo* « petit péché », de *pecado* « péché »; lat. *peccatum*, même sens. → Péché.

♦ **1.** Relig. Péché véniel, sans gravité, sans importance (→ Casuistique, cit. 2). *Se confesser d'une peccadille* (→ Béatitude, cit. 12).

♦ **2.** Littér. (Sans idée religieuse). Faute légère, très pardonnable. ⇒ **Faute** (→ 2. Franc, cit. 7; mégalomanie, cit. 2). *Sa peccadille fut jugée un cas* (cit. 10) *pendable. Petite, légère peccadille.* ⇒ **Légèreté** (*supra* cit. 11). *Peccadille de jeunesse :* enfantillage. *Il ne faut pas l'accabler pour cette peccadille.*

Eh bien! de quoi s'agit-il? de quelque peccadille dont votre délicatesse vous exagère la valeur? — Non, non, s'écriait le chevalier en penchant sa tête sur ses deux mains, et se couvrant le visage de honte; c'est une noirceur, une noirceur impardonnable. 1
DIDEROT, Jacques le fataliste, Pl., p. 707.

La peccadille du soldat est un crime chez le général, et réciproquement. 2
BALZAC, Modeste Mignon, Pl., t. I, p. 416.

3 Mon pauvre Michu! dit-elle *(Laurence)* en rentrant au salon, j'avais oublié ta frasque, mais nous ne sommes pas en odeur de sainteté dans le pays, ainsi ne nous compromets pas. As-tu quelque autre peccadille à te reprocher?
BALZAC, Une ténébreuse affaire, Pl., t. VII, p. 560.

PECCAMINEUX, EUSE [pekaminø, øz] adj. — 1884, Huysmans; du rad. du bas lat. *peccamen, inis* «péché»; du lat. class. *peccare* «pécher».

♦ **1.** Didact. De la nature du péché.

1 Qui sait si le père Étienne ne s'était pas, à son tour, châtié d'une pensée qu'il jugeait peccamineuse, en se faisant ainsi pincer?
HUYSMANS, En route, VII.

2 Prendre une maîtresse est un acte évidemment peccamineux que, seule, une pénitence en bonne et due forme peut absoudre.
Louis BERTRAND, Louis XIV, III, IV.

♦ **2.** Littér. (Personnes). Qui pèche, a péché, est susceptible de faire des péchés.

PECCANT, ANTE [pekɑ̃, ɑ̃t] adj. — 1580; *pechantes humeurs,* 1314; lat. médiéval *peccans,* même sens; emploi spécialisé du lat. class. *peccans, -antis* «fautif»; du lat. class. *peccare* «pécher».

♦ Anc. méd. *Humeurs* peccantes,* mauvaises, corrompues. — Par plais. *«Il désigna magistralement le repli de l'intestin où se formaient les vapeurs peccantes»* (Gide, *in* G. L. L. F.).

PECCATA [pekata] n. m. — 1790; emploi plais. du lat. *peccatum* (au plur.) «faute», l'âne étant un animal souffre-douleur.
Vieux, péjoratif.

♦ **1.** Âne, bourrique.

♦ **2.** Homme stupide. ⇒ **Âne.**

PECCAVI [pekavi] n. m. — 1660; *«dire à Dieu peccavi»,* v. 1460; mot lat. «j'ai péché», de *peccare* «pécher».

♦ Vx. (Relig.). Aveu* d'un péché, d'une faute; contrition, repentir. ⇒ **Mea-culpa.** *Je dis mon peccavi* (Bossuet, Rousseau, *in* Littré) : je confesse.

PÊCHABLE [pɛʃabl] adj. — XIVe; de 2. *pêcher.*

♦ Pêche. Où l'on peut pêcher. *«Certaines excellentes places ne sont pêchables que sur une superficie ne dépassant pas un pied carré»* (*Au bord de l'eau,* no 366, p. 20).

PÊCHANT, ANTE [pɛʃɑ̃, ɑ̃t] adj. — XXe; de 2. *pêcher.*

♦ Régional (pêche). Efficace ou favorable pour la pêche.

(...) la manœuvre du filet est plus rapide et plus facile et (...) pour employer un terme de métier, le chalutage par l'arrière est plus *pêchant* (...)
A. BOYER, les Pêches maritimes, p. 42.

PÊCHARD [pɛʃaʀ] adj. et n. m. — Attesté XXe; de 1. *pêche,* et *-ard.* → Pinchard (var.).

♦ Se dit d'un cheval aubère dont la robe est couleur fleur de pêcher. — N. masculin :

On distingue l'aubère clair ou foncé, le pêchard (fleur de pêcher), l'aubère millefleurs.
Jacques GENDRY, le Cheval, p. 47.

PECHBLENDE [pɛʃblɛ̃d] n. f. — 1790; mot all., de *Pech* «poix», et *blende.* → Blende.

♦ Minér. Minerai renfermant une forte proportion d'uranium (principalement sous forme d'oxyde (U_3, O_8), à côté d'autres métaux (baryum, bismuth...) et de petites quantités d'éléments radioactifs (actinium, polonium, radium). ⇒ **Uranite.** *P. et M. Curie ont découvert le polonium et le radium en partant de la pechblende.*

J'ai retiré ce radium de la pechblende
Et j'ai brûlé mes doigts à ce feu défendu.
ARAGON, les Yeux d'Elsa, p. 2.

1. PÊCHE [pɛʃ] n. f. — 1671; *pesche,* fin XIe; du lat. pop. **persica,* plur. neutre de *persicum (pomum)* «fruit de Perse», pris comme subst. fém. singulier.

★ **I.** ♦ **1.** Fruit du pêcher (drupe), à noyau très dur et à chair fine, juteuse. *Pêche à peau duveteuse, veloutée* (→ Meurtre, cit. 7). *Le parfum, le velours de la pêche* (→ Incarnat, cit. 2). *Pêche à peau glabre, lisse.* ⇒ **Brugnon, nectarine.** *Pêche à noyau adhérent.* ⇒ **Alberge, pavie.** *Pêche blanche, pêche-abricot* (ou *abricot-pêche*), *pêche abricotée. Pêche de Montreuil, pêche mignonne, pêche Madeleine... Pêche de vigne** (→ Doré, cit. 3). *Pêche vineuse. Pêche pourpre.* ⇒ **Sanguinole.** — *La pêche* : fruit de dessert. *Pêche Melba*; pêche au vin, au marasquin* (→ Maître, cit. 71). — *Compote de pêches. Pêches au sirop. Liqueur de noyaux de pêches.* ⇒ **Persicot.**

Cette tête ronde et rose, ainsi posée dans ses cheveux, avait l'air d'une pêche sous ses feuilles; elle en avait la fraîcheur et le velouté (...) 1
Th. GAUTIER, Mlle de Maupin, VI.

Les pêches que recouvre un velours vierge encor (...), 2
Albert SAMAIN, Aux flancs du vase, «Le repas préparé».

À l'étalage, les beaux fruits, délicatement parés dans des paniers, avaient des rondeurs de joues qui se cachent (...) les pêches surtout, les Montreuil rougissantes, de peau fine et claire comme des filles du Nord, et les pêches du Midi, jaunes et brûlées, ayant le hâle des filles de Provence. 3
ZOLA, le Ventre de Paris, V, t. II, p. 99.

Loc. fig. *Peau, teint de pêche,* rose et velouté.

Fam. *Rembourré avec des noyaux de pêche.* ⇒ **Noyau** (cit. 2).

♦ **2.** Par appos. D'un rose qui rappelle la peau d'une pêche. *Couleur pêche.* Adj. *Tissu pêche.*

★ **II.** Fig. ♦ **1.** (Déb. XXe). Fam. Coup, gifle. *Filer, flanquer, foutre une pêche à quelqu'un.*

(V. 1900, Bruant). Excrément. *Poser une pêche, sa pêche.*

Une supposition que toute la compagnie se serait arrêtée au bord du chemin pour poser sa pêche devant nous, en ligne sur un rang, et qu'on ait eu un F. M. (...) 3.1
Jacques PERRET, Bande à part, p. 126.

♦ **2.** (1878). Fam. Visage. *Recevoir un coup sur la pêche.* — Loc. *Se fendre la pêche* : rire très fort. ⇒ **Pipe** (se fendre la).

Ça ressemblait si bien à ses feintes habituelles, que j'ai cru qu'il chiquait. Je me suis mis à me fendre la pêche. 4
Albert SIMONIN, Touchez pas au grisbi, p. 208.

♦ **3.** (V. 1960; orig. obscure). Fam. *Avoir la pêche* : avoir le moral, être en forme. ⇒ **Frite.** *Quelle pêche!*

DÉR. Pêchard, 1. **pêcher.**
HOM. 2. **Pêche;** formes du v. **pêcher;** formes avec *è* du v. **pécher.**

2. PÊCHE [pɛʃ] n. f. — 1261, *pesche* «droit de pêcher»; de 2. *pêcher.*

♦ **1.** Action ou manière de pêcher* (2. Pêcher), de chercher à prendre du poisson, et, par ext., des crustacés, des mollusques... et autres produits vivants des eaux douces ou des mers, pouvant servir à l'alimentation de l'homme. *Art de la pêche.* ⇒ **Halieutique.** *Qui pratique la pêche.* ⇒ **Pêcheur.** — REM. Employé sans précision, *pêche,* selon les contextes concerne deux activités principales fort différentes par leurs implications : la pêche individuelle (en rivière, lac ou sur un rivage, etc.) et la pêche en mer, artisanale ou industrielle. *Pêcheur amateur qui rentre bredouille de sa pêche. — Réglementation de la pêche. Ouverture, clôture, fermeture de la pêche côtière, fluviale, lacustre. Pêche interdite. Délit de pêche* (⇒ **Braconner**). *Surveillance de la pêche.* ⇒ **Garde-pêche.** *Braconnier de pêche. — Engins de pêche.* ⇒ **Filet, harpon, ligne, nasse; ansière, arondelle, bosselle, caudrette, foène, harouelle, madrague, palangre, trident, trimmer...** *Accessoires de pêche.* ⇒ **Avançon, bouille, flotteur, hameçon...** *Vieilles méthodes de pêche* (prohibées en eau douce) : *pêche à la main, au feu, au pharillon, à la lanterne... Appareiller des filets de pêche lestés avec un arceau, une cablière, une cliquette, des olives. Ranger du matériel de pêche dans un carbet. Vendre les produits de la pêche.* ⇒ **Mareyeur.**

Décidément, ils ne veulent pas mordre. Ils ne savent donc pas que c'est aujourd'hui l'ouverture de la pêche. 1
J. RENARD, Histoires naturelles, Le goujon.

LA PÊCHE, *industrielle et artisanale. Pêche maritime : pêche hauturière, au large,* dite *grande pêche* (morue, flétan...); *pêche côtière, littorale,* dite *petite pêche* (colin, merlan, raie...). *Pêche au chalut* (cit. 1), *à la traîne. Chalutier à pêche par le côté,* dont le chalut se remonte latéralement; *à pêche arrière,* dont le chalut se remonte par la poupe. *Pêche au hareng* (cit. 1; ⇒ **Harengaison**), *à la langouste, au thon... Pêche à la baleine.* ⇒ **Chasse.** *Appât* utilisé pour la pêche à la morue* (⇒ **Boëte**), *à la sardine* (⇒ **Rogue**)... *Bateaux de pêche.* ⇒ **Bateau, navire** (→ Filet, cit. 6). *Embarquer dans un maquilleur* pour la pêche au maquereau* (⇒ **Maquereaison**). *Départ des Terre-Neuvas pour leur pêche saisonnière. Flottille de thoniers qui se rendent sur leur lieu de pêche. Campagne* de pêche. Canot de pêche groenlandais.* ⇒ **Kayac.** — *Pêche en eau douce.*

La barque était bénie. Les filets étaient heureux. La pêche n'avait jamais autant rendu. La grand-mère ne suffisait pas au soin de vendre les poissons au peuple devant sa porte (...) 2
LAMARTINE, les Confidences, IX, IX.

La pêche allait assez vite; en regardant dans l'eau reposée, on voyait très bien la chose se faire : les morues venaient mordre, d'un mouvement glouton; ensuite se secouer un peu, se sentant piquées, comme pour mieux se faire accrocher le museau. 3
LOTI, Pêcheur d'Islande, I, VI.

LA PÊCHE *pratiquée comme passe-temps, comme exercice, comme sport : Pêche en mer, en étang, en rivière... Aller à la pêche. Partie de pêche au brochet, aux crevettes, aux moules, aux écrevisses* (→ Comploter, cit. 1), *aux grenouilles... Louer une barque de pêche* (→ Mâture, cit. 1), *un canot de pêche.* — Spécialt. *La pêche à la ligne. Articles de pêche.* ⇒ **Bouchon, bourriche, dégorgeoir, épuisette, gaule, leurre, moulinet, plioir, plomb, sonde...** *Boîte à pêche. — Canne à pêche.* ⇒ **Canne.** *Catgut, crin* (⇒ **Florence, racine**), *nylon, soie pour canne à pêche en bambou, en fibre de verre... Plomber l'avancée d'une ligne de pêche* (⇒ **Plombée**). *Embecquer* *l'hameçon avec une èche* (ou *esche*) *qui varie selon la pêche pratiquée :* esche naturelle (chènevis, gruyère, pain...), vivante (asticot, sauterelle, ver...), artificielle (cuiller, devon). *Genres, procédés de pêche : pêche au coup* (des poissons blancs); *pêche au vif* (des poissons carnassiers); *pêches sportives, pêche au lancer, à la mouche...* ⇒ **Lancer, mouche.** — *Pêche sous-marine,* effectuée par des plongeurs équipés d'armes (fusil sous-marin, etc.). — *Droit de pêche. Carte, permis de pêche. Société de pêche. Concours de pêche.* — *Revue de pêche et de chasse.* ⇒ **Chasse.** — UNE PÊCHE, le fait de pêcher pendant un certain temps. *Faire une pêche exceptionnelle. Pendant cette pêche...*

4 — Venez voir Beausire. Il vide la mer, ce gaillard-là. Le capitaine, en effet, faisait une pêche merveilleuse. Mouillé jusqu'aux reins, il allait de mare en mare, reconnaissant d'un seul coup d'œil les meilleures places, et fouillant d'un mouvement lent et sûr de son lanet, toutes les cavités cachées sous les varechs.
MAUPASSANT, Pierre et Jean, VI.

5 (...) ma principale occupation, à La Roque (...) c'était la pêche. Ô sport injustement décrié! ceux-là seuls te dédaignent qui t'ignorent, ou que les maladroits (...) Ma mère se désolait de me voir tant de goût pour un amusement qui me faisait prendre, à son avis, trop peu d'exercice. Alors je protestais contre la réputation qu'on faisait à la pêche d'être un sport d'empoté, pour lequel l'immobilité complète était de règle (...)
GIDE, Si le grain ne meurt, I, III, p. 74-75.

Relig. chrét. *Pêche miraculeuse,* la pêche extraordinairement fructueuse que le Christ, selon l'Évangile, fit faire à ses disciples dans le lac de Génésareth.

6 Simon lui répondit : Maître (...) sur votre parole je jetterai le filet. — L'ayant donc jeté, ils prirent une si grande quantité de poissons, que leur filet se rompait. — (...) ils remplirent tellement les deux barques, qu'il s'en fallait peu qu'elles ne coulassent à fond. — Ce que Simon-Pierre ayant vu (...) il était tout épouvanté, aussi bien que tous ceux qui étaient avec lui, de la pêche des poissons qu'ils avaient faite. BIBLE (SACY), Évangile selon saint Luc, V, 5-6-7-8-9.

Par métaphore :

7 Madame Valiche voyait dans cette guerre confuse une excellente eau trouble, une pêche miraculeuse aux récompenses. COCTEAU, Thomas l'imposteur, p. 25.

Par anal. Action, manière de pêcher des produits vivants non comestibles. *Pêche des éponges, des perles* (⇒ **Récolte**). *Corailleres qui reviennent de la pêche au corail.*

Loc. métaphorique et fig. *Aller à la pêche* (à qqch.) : chercher à obtenir, à trouver (généralement sans méthode). *Aller à la pêche aux emplois, aux nouvelles...* — (D'après l'angl.). *Aller à la pêche aux compliments,* les rechercher.

Fam. *Avoir l'œil à la pêche :* avoir un regard fureteur.

♦ **2.** Endroit où l'on pêche, où l'on peut pêcher. *Adjudication d'un lot de pêche. Limites de pêche. Garde-pêche qui surveille une pêche réservée* (⇒ **Garenne**). *Préparer un coin de pêche en y jetant l'amorce.*

♦ **3.** (1538). Poissons, produits pêchés. *Rapporter une belle pêche. Conserver sa pêche dans une boutique, un vivier.*

8 Quand le coq chante à une heure extraordinaire, la pêche manque.
HUGO, les Travailleurs de la mer, I, VII, II.

9 Il s'agissait d'aller plus loin (...) du côté des larges prairies que quatre ruisseaux traversaient. On ferait plusieurs lieues en pleine herbe; on vivrait de sa pêche, si l'on venait à s'égarer. ZOLA, la Faute de l'abbé Mouret, II, X.

♦ **4.** Droit de pêche. *Affermer la pêche d'une rivière* (Académie). *Riverain qui a la pêche d'un canal jusqu'au milieu du cours de l'eau.*

COMP. Garde-pêche.

HOM. 1. **Pêche**; formes du v. **pêcher**; formes en è du v. **pécher**.

PÉCHÉ [peʃe] n. m. — XIVe; *péchié,* v. 1150; *peched,* v. 980; du lat. *peccatum* «faute», pris dans son sens religieux.

♦ (Spécialt dans les religions judaïque et chrétienne). Acte conscient par lequel on contrevient délibérément aux préceptes, aux lois religieuses, aux volontés divines. ⇒ **Attentat, coulpe** (vx), **crime, faute, manquement, offense** (à Dieu), **sacrilège, transgression.** *Commettre* (cit. 4), *faire un péché.* ⇒ **Pécher.** *Acte, pratique qui constitue un péché.* ⇒ **Impur.** — *S'accuser de ses péchés. Confesser ses péchés.* ⇒ **Confesse** (cit.), **confession.** *Se repentir de ses péchés* (⇒ **Repentance**). *Regretter ses péchés.* ⇒ **Contrit, contrition.** *Expier* (cit. 8), *racheter ses péchés* (⇒ **Pénitence**). *Absolution* (cit. 1), *abolition* (→ Amnistie, cit. 2), *rémission* des péchés.* ⇒ **Justification, indulgence.** *Absoudre, remettre les péchés de qqn* (→ Baptême, cit. 3). *«Vos péchés vous sont remis»* (→ 1. Lever, cit. 27). *Pardon des péchés; pardonner les péchés de qqn* (→ Aimer, cit. 5). *Intercession pour les péchés du monde* (→ Couvent, cit. 3). *À tout péché miséricorde** (⇒ **Indulgence, indulgent**). — *Le bouc* (cit. 2 et 4) *émissaire chargé des péchés d'Israël* (→ Expiation, cit. 4). — *Péché grave; gros, vilain péché* (fam.). *Petits manquements* (cit. 4) *et gros péchés. Petit péché.* ⇒ **Peccadille.** — *Être damné, aller en enfer pour ses péchés.* ⇒ **Damnation.** *Expier ses péchés au purgatoire*.* — *Être sans péché.* Allus. évang. *«Que celui d'entre vous qui est sans péché lui jette la première pierre»* (→ Adultère, cit. 3).

1 Le péché que l'on cache est demi-pardonné.
La faute seulement ne gît en la défense.
Le scandale, l'opprobre est cause de l'offense.
Mathurin RÉGNIER, Satires, XIII.

2 — Tout ce que Dieu ne veut pas est défendu. Les péchés sont défendus par la déclaration générale que Dieu a faite, qu'il ne les voulait pas.
PASCAL, Pensées, X, 668.

3 — Allez, vous êtes folle; vous avez encore une vingtaine d'années de jolis péchés à faire : n'y manquez pas; ensuite vous vous en repentirez, et vous irez vous en vanter aux pieds du prêtre, si cela vous convient (...)
DIDEROT, Jacques le fataliste, Pl., p. 614.

4 (...) la reine se divertit à notre jeu national : le jeu des confessions publiques. Ici, chacun crie ses péchés à la face de tous; et il n'est pas rare, aux jours fériés, de voir quelque commerçant, après avoir baissé le rideau de fer de sa boutique, se traîner sur les genoux dans les rues, frottant ses cheveux de poussière et hurlant qu'il est un assassin, un adultère ou un prévaricateur (...)
SARTRE, les Mouches, I, 5.

Comme le courant électrique donne la lumière, le péché entretient la vie. Selon son intensité, il s'appelle fierté ou orgueil, appétit ou gourmandise, amour ou luxure, pour ne citer que ceux-là. La vie n'est jamais immobile et répond sans cesse à l'appel de l'instant qui suit. Les péchés sont les courants qui alimentent la vie, et continuellement, la transportent vers ses renouveaux. 4.1
M. AYMÉ, le Vin de Paris, «La fosse aux péchés», p. 137.

Loc. *Péché de jeunesse :* faute commise par irréflexion, légèreté, et excusable par suite de la jeunesse de son auteur. — *Péché mignon :* défaut véniel; petit travers. ⇒ **Faible, habitude.** *La gourmandise est son péché mignon.* — *Vieux péché,* commis il y a longtemps. *Mettre au rang des vieux péchés :* ne plus songer à... (→ Fâcher, cit. 18). — Fam. *Être laid* (cit. 5) *comme un péché mortel, comme les sept péchés capitaux,* très laid. — Fam. *Subir qqch. pour ses péchés,* comme une punition pour une faute (→ Gaillard, cit. 2; jeu, cit. 50).

Relig. (Théol. chrét.). *Péché actuel :* commis effectivement (opposé à *péché originel* → ci-dessous). — *Péché par omission,* qui consiste à ne pas accomplir un devoir, une obligation religieuse. *Péché par commission,* effectivement commis. — Cour. *Péché mortel,* celui qui, commis délibérément en une matière grave, entraîne la mort de l'âme, la damnation* du pécheur (opposé à *péché véniel*). — *Péché capital,* l'un des sept péchés correspondant à la classification traditionnelle des plus graves défauts, des vices considérés comme la source, l'origine de tous les autres péchés. ⇒ **Avarice, colère, envie, gourmandise** (cit. 4), **luxure** (cit. 3), **orgueil, paresse.** *Le péché de la chair* (cit. 63) : la luxure. Absolt, vx. *Commettre le péché.* ⇒ **Fauter.** *Péché contre nature :* perversion sexuelle. — *Péché d'Onan :* l'onanisme. — *Le péché contre l'Esprit, contre le Saint-Esprit.* ⇒ **Esprit** (cit. 17, 18 et *supra*). — *Péché de l'esprit,* qui consiste à accepter la tentation avec complaisance. ⇒ **Délectation** (morose). — *Péché de scandale.* ⇒ **Scandale, scandaliser.**

Quelles sont les suites du péché véniel? (...) Il conduit au péché mortel, comme la maladie conduit à la mort. BOURDALOUE, Retraite spirituelle, 2e médit., III. 5

L'envie, la colère et l'avarice règnent chez les uns, la pudeur est bannie de chez les autres; ceux-ci s'abandonnent à l'intempérance et à la paresse, et l'orgueil de ceux-là va jusqu'à l'insolence. C'en est fait; je ne veux pas demeurer plus longtemps avec les sept péchés mortels. A.-R. LESAGE, Gil Blas, III, XII. 6

Qui les considère *(les dévots)* ne peut manquer d'observer que si la foi qu'ils professent ne change pas grand-chose à leur vie, puisqu'ils pratiquent comme nous, aux doses moyennes, six des péchés capitaux, elle empoisonne leurs tristes plaisirs par l'extrême importance qu'elle donne au septième, réputé mortel. 7
BERNANOS, les Grands Cimetières sous la lune, p. 252.

Par le péché mortel l'homme cesse d'être uni au Christ, il se place dans un état d'isolement et de séparation. CLAUDEL, Positions et Propositions, t. II, p. 97. 8

— Un moment. D'abord, j'vous permets pas de m'appeler père comme ça, on n'a pas gardé les cochons ensemble. Hein. Segondo, où les prendrai-je vos vingt mille francs? 8.1
— L'avarice est un péché mortel, M'sieu Taupe.
— L'avarice, l'avarice! Comment peut-on être avare quand on n'a pas l'sou.
— Et l'mensonge aussi, c'est un péché mortel.
— Oh dites donc, M'sieu l'curé, vous commencez à m'embêter.
R. QUENEAU, le Chiendent, p. 334.

Péché originel : le péché commis par Adam, le premier homme, et dont tout être humain est coupable en naissant. ⇒ **Tache** (originelle). → Concevoir, cit. 13; heurter, cit. 11, Pascal; aussi état, cit. 27. *Le sacrement du baptême* lave l'homme du péché originel.* Absolt. *L'humanité déchue par le péché. Marie conçue sans péché* (→ Fils, cit. 10). — REM. Dans cet emploi, *péché* a plus souvent le sens d'*état* (→ ci-dessous) que celui d'*acte,* d'*action.*

En quoi a consisté le Péché originel? Il a consisté dans un acte qui constituait la première *hérésie* ou séparation, c'est-à-dire une préférence de nous-mêmes à Dieu. 9
CLAUDEL, Positions et Propositions, t. II, p. 93.

LE PÉCHÉ : l'état où se trouve la personne qui a commis un péché mortel (opposé à *état de grâce**); la force du mal, en l'homme. ⇒ 3. **Mal** (→ Déplacer, cit. 5; déraison, cit. 1). *Le péché, considéré comme une déchéance* (⇒ **Chute, rechute**), *une souillure, une tache... Le péché salit, souille, obscurcit l'âme* (cit. 53), *avilit* (cit. 12) *le monde, tue la grâce, l'âme. Le péché se glisse* (cit. 48), *s'insinue dans l'âme. Le joug* (→ Attacher, cit. 96), *le poids* (→ Blessure, cit. 10) *du péché. La laideur* (cit. 9) *du péché.* — *Induire* (cit. 4) *au péché,* (vx) *en péché* (→ Infidèle, cit. 3). *S'imputer* (cit. 21) *à péché. Tomber, vivre dans le péché. Retomber dans le péché* (⇒ **Relaps**). *L'homme de péché.* ⇒ **Impie, pécheur** (→ Augmenter, cit. 11). *Il faut haïr le péché, mais non le pécheur* (→ Acharnement, cit. 1). *Endurcissement* (cit. 2) *au péché.* ⇒ **Impénitence** (cit. 1); **errements.** *Peur du péché* (→ Catholique, cit. 4). — *L'humilité* (cit. 13) *efface le péché. L'espérance* (cit. 26, Péguy), *vacillante au souffle du péché. «L'agneau* (cit. 7) *qui ôte le péché du monde».*

(...) le péché est un mouvement de la volonté de l'homme contre les ordres suprêmes de la sainte volonté de Dieu. *(Saint Augustin)* dit donc qu'elle *(la malignité* 10

du péché) est renfermée en une double contrariété, parce que le péché est contraire à Dieu et qu'il est aussi contraire à l'homme.
BOSSUET, Sermons pour IIIᵉ dim. Avent, I.

11 J'appelle principes du péché ces convoitises avec lesquelles nous sommes nés et qui sont, selon saint Jean, la concupiscence de la chair, la concupiscence des yeux, et l'orgueil de la vie; c'est-à-dire, les passions qui nous dominent, les inclinations qui nous entraînent, le penchant de la nature corrompue qui nous emporte (...)
BOURDALOUE, Sermons Fréquente confession.

12 Le péché qui tue l'âme, repétrit le corps à son affreuse ressemblance.
F. MAURIAC, Souffrances et Bonheur du chrétien, p. 115.

13 Rien de plus profond (...) que la vue de Kierkegaard selon quoi le désespoir n'est pas un fait mais un état : l'état même du péché. Car le péché c'est ce qui éloigne de Dieu. L'absurde, qui est l'état métaphysique de l'homme conscient, ne mène pas à Dieu (...) l'absurde c'est le péché sans Dieu.
CAMUS, le Mythe de Sisyphe, p. 60.

PÉCHER [peʃe] v. intr. — Conjug. *céder.* — V. 1190; *pechier,* v. 1050; du lat. *peccare,* dans ses emplois chrétiens.

♦ **1.** Commettre un péché, des péchés; transgresser la loi religieuse. ⇒ **Faillir; offenser** (Dieu). → Forger, cit. 2. Qui pèche. ⇒ **Pécheur.** *Pécher par* (suivi du nom d'un péché). *Pécher par orgueil* (→ Arriver, cit. 67), *par gourmandise* (→ Manquer, cit. 50). *Pécher par...* (suivi du nom de la cause). *Pécher par ignorance, sans malice* (cit. 5). — *Induire* (cit. 2), *inciter à pécher. Être capable* (⇒ **Peccable**), *incapable* (⇒ **Impeccable**) *de pécher. « Et ce n'est pas pécher que pécher en silence »* (→ Éclat, cit. 13). *Pécher gravement contre le ciel* (→ Digne, cit. 7), *contre Dieu, contre l'esprit.*

1 C'est nous inspirer presque un désir de pécher;
Que montrer tant de soins de nous en empêcher.
MOLIÈRE, l'École des maris, I, 2.

2 Être un saint, c'est l'exception; être un juste, c'est la règle. Errez, défaillez, péchez, mais soyez des justes.
HUGO, les Misérables, I, I, IV.

3 — Saint Père, j'ai péché, dit-il d'une voix haute;
J'ai pris une lueur de l'Enfer pour flambeau;
J'ai profané la crosse et j'ai souillé l'anneau;
Saint Père! J'ai péché par ma très grande faute.
LECONTE DE LISLE, Poèmes barbares, « Les deux glaives ».

4 Mopse prétend pécher contre l'Esprit : c'est être
Bien fat. Pour L'offenser, il faudrait Le connaître.
P.-J. TOULET, Contrerimes, Coples, VIII.

5 On n'y peut rien : nous sommes faits pour pécher, au même titre que pour être justes (...)
J. RIVIÈRE, De la sincérité envers soi-même, p. 89.

Pécher contre : faillir contre (une règle morale ou sociale). ⇒ **Contrevenir, manquer** (à). *Pécher contre la bienséance, les bonnes mœurs :* enfreindre, transgresser (la bienséance, etc.).

♦ **2.** (XVIIᵉ). Vx, littér. Commettre une faute, une erreur. *Pécher par excès, par défaut* (cit. 8). *Pécher contre la logique, la grammaire... Pécher par trop d'esprit. — Ce n'est pas par là qu'il pèche :* ce n'est pas là son défaut. *Être puni* par où l'on a péché.*

6 (...) les artistes de notre temps pèchent le plus souvent par grand défaut de patience.
GIDE, Corydon, Préface.

(Sujet n. de chose). *Pécher par l'exécution* (→ Finir, cit. 2). *Pécher contre toutes les règles de l'art* (cit. 47). ⇒ **Clocher.** *Ses récits péchaient par extravagance* (→ Inintéressant, cit.).

7 (...) il ne me convient pas de dire ici : « La loi pèche », ni : « Les hommes se trompent ».
LA BRUYÈRE, les Caractères, XIV, 60.

8 (...) toute cette brochure pèche par une grande obscurité et une grande confusion d'idées. L'auteur *(Saint-Just)* ne s'est point encore tiré à clair lui-même.
SAINTE-BEUVE, Causeries du lundi, 26 janv. 1852.

HOM. Péché. — (Des formes avec *è*) 1. **Pêcher,** 2. **pêcher.**

1. PÊCHER [peʃe] n. m. — 1677; *peskier,* v. 1170; de 1. *pêche.*

♦ Bot. Arbre d'origine exotique *(Rosacées),* scientifiquement appelé *persica,* acclimaté et cultivé pour ses fruits. ⇒ 1. **Pêche.** *Pêcher en plein air, en espalier, greffé sur prunier, sur amandier. Pêcher à fruit duveté, pêcher à fruit lisse* (⇒ **Brugnonier**). *Pêcher atteint de la cloque. L'époque des pêchers en fleurs. Fleurs blanches et roses du pêcher* (→ Blancheur, cit. 3; fleurir, cit. 3). — *Couleur (de) fleur de pêcher,* d'un rose assez vif.

Le printemps venu, Pécuchet se mit à la taille des poiriers (...) Quant aux pêchers, il s'embrouilla sur les sur-mères, les sous-mères et les deuxièmes sous-mères. Des vides et des pleins se présentaient toujours où il n'en fallait pas (...)
FLAUBERT, Bouvard et Pécuchet, II.

HOM. Pécher, 2. pêcher.

2. PÊCHER [peʃe] v. tr. — V. 1138, *pescher;* lat. pop. **piscare,* du lat. class. *piscari,* même sens.

A. ♦ **1.** Prendre ou chercher à prendre (du poisson). *Pêcher la morue, la truite, le thon, la sardine. Pêcher la carpe au blé, au pain... Il a pêché une friture* (→ Même, cit. 11). — Pron. (Passif). *L'anguille se pêche au ver de terre.* ⇒ **Prendre** (se).

(Sans compl. dir.). S'adonner à la pêche* (ci-dessous cit. 1, 3, 4). *Pêcher à la ligne, au filet, à la foène* (⇒ **Foéner**)... *Pêcher avec des asticots,* ou (plus cour.), *à l'asticot, à la mouche... Pêcher en mer, dans un étang, une rivière.*

1 Annette, cependant, à la ligne pêchait;
Mais nul poisson ne s'approchait (...)
LA FONTAINE, Fables, X, 10.

2 Un jour, nous partîmes de la Margellina par une mer d'huile, que ne ridait aucun souffle, pour aller pêcher des rougets et les premiers thons sur la côte de Cumes, où les courants les jettent dans cette saison.
LAMARTINE, Confidences, VII, Épisode, VII.

Il avait enroulé son fil au tolet d'un aviron, et, croisant ses bras, il annonça : — « Je n'essayerai plus jamais de pêcher l'après-midi. Une fois dix heures passées, c'est fini. Il ne mord plus, le gredin, il fait la sieste au soleil ». 3
MAUPASSANT, Pierre et Jean, I.

Ils continuèrent de pêcher, car il ne fallait pas perdre son temps en causeries : on était au milieu d'une immense peuplade de poissons, d'un *banc* voyageur, qui, depuis deux jours, ne finissait pas de passer. 4
LOTI, Pêcheur d'Islande, I, I.

Tandis que pour pêcher la truite, que d'habileté, que de ruse! Théodomir (...) m'avait appris dès mon plus jeune âge à monter une ligne et à appâter l'hameçon comme il faut (...) je pêchais sans flotteur et sans plomb (...) Par contre, j'usais de « crins de Florence », qui sont glandes de vers-à-soie tréfilées; légèrement bleutés, ils ont cet avantage d'être à peu près invisibles dans l'eau; avec cela d'une résistance remarquable (...) 5
GIDE, Si le grain ne meurt, I, III, p. 75-76.

♦ **2.** (Le sujet désigne des animaux aquatiques). Attraper et manger (des poissons).

Quand nous aurons forcé la loute *(loutre),* elle descendra le fil de l'eau, car voilà leur ruse à ces bêtes, elles remontent plus haut que leur trou pour pêcher, et une fois chargées de poisson, elles savent qu'elles iront mieux à la dérive. 6
BALZAC, les Paysans, Pl., t. VIII, p. 38.

(...) un grand héron (...) entra dans l'eau jusqu'aux tarses et se mit à pêcher. Il pêchait à la mode de tous les hérons, le cou fléchi, la pointe de son bec au ras de l'onde (...) 7
A. DE CHATEAUBRIANT, la Brière, II, III.

♦ **3.** (Le compl. désigne des animaux marins autres que les poissons). *Pêcher des crevettes, des éponges, des moules, des perles...*

(...) il était allé, plusieurs années, pêcher l'huile de phoques sur un bateau à autoclaves (...) abattoir marin où l'on tuait les éléphants de mer par dizaines de mille avec des merlins de boucher. 8
Roger VERCEL, Remorques, II.

De l'aube au soir il pêchait des grenouilles pour les vendre, toujours du même mouvement qui lançait sur l'eau brune, entre les plaques de nénufars, la peau verte liée au bout du fil. Dès qu'une bestiole l'ingurgitait, l'homme, d'un coup de poignet huilé, la soulevait dans l'air en un lent battement de pendule, jusqu'à la musette mouillée que sa main gauche entrouvrait une seconde (...) 9
M. GENEVOIX, Forêt voisine, XI.

♦ **4.** Retirer de l'eau. *Pêcher du bois emporté par le courant* (Académie). *Pêcher un noyé.* ⇒ **Repêcher.**

♦ **5.** (XIIᵉ, Chrétien de Troyes). Fig. (Les emplois mod. sont fam., avec une nuance dépréciative). Chercher, prendre, trouver. *Où as-tu été pêcher ce costume?* (→ Endimanché, cit. 2; aussi empressement, cit. 6). *Je me demande où il va pêcher ces histoires.* ⇒ **Imaginer.**

Où pêchez-vous cette fausse et offensante humilité? 10
Mᵐᵉ DE SÉVIGNÉ, 235, 6 janv. 1672.

Godefroid aperçut alors une excellente tasse de café au lait, accompagnée d'une omelette fumante, de beurre frais et de petits radis roses. — Où diable avez-vous pêché des radis (...) demanda Godefroid. 11
BALZAC, l'Initié, Pl., t. VII, p. 368.

♦ **6.** Loc. métaphorique. *Pêcher en eau trouble :* tirer profit d'un état de désordre ou de confusion.

(...) des avantages (...) qu'ils espéraient pêcher en eau trouble. 12
RACINE, Notes historiques, V.

(...) Le physiologiste ne devra pas craindre d'agir même un peu au hasard afin d'essayer, qu'on me permette cette expression vulgaire, de pêcher en eau trouble. 13
Cl. BERNARD, Introd. à l'étude de la médecine expérimentale, I, I.

B. Par métonymie. (Le compl. désigne le lieu de pêche). Techn. *Pêcher un étang,* le mettre à sec pour le vider de ses poissons.

DÉR. Pêchable, pêchant, 2. pêche, pêcherie, pêchette. — (Du même rad.) **Pêcheur.**
COMP. Repêcher.
HOM. 1. **Pêcher; pécher** (dans les formes en *è*).

PECHÈRE [peʃɛʀ], **PÉCHÈRE** [peʃɛʀ] interj. ⇒ **Pécaïre, peuchère.**

PÉCHERESSE [peʃʀɛs] n. f. et adj. — Fin XIIᵉ; *pecheris,* fin XIᵉ; fém. de *pecheor* « pécheur ». → Pécheur.
Religieux ou littéraire.

♦ **1.** N. f. Femme qui a péché, et, spécialt, qui a commis le « péché de la chair ». *Une pécheresse repentante. La Sainte pécheresse :* Marie-Madeleine (→ Blond, cit. 5).

♦ **2.** Adj. fém. ⇒ **Pécheur,** 2.

PÊCHERIE [pɛʃʀi] n. f. — 1606; *pescherie,* v. 1155; de 2. *pêcher.*

♦ Lieu aménagé pour la pêche. *Les pêcheries de Terre-neuve. Pêcherie en rivière.* ⇒ **Gord.** *La pêcherie d'un étang.* ⇒ 3. **Poêle** (3.).

(...) et, maintenant nous voici au milieu des pêcheries, des barques, des filets tendus, au milieu d'une vie lacustre semblable à celle que nous avions déjà connue la veille (...)
LOTI, l'Inde (sans les Anglais), III, XIII.

PÊCHETTE [pɛʃɛt] n. f. — 1868; « petit filet », 1773; de 2. *pêcher.*

♦ Régional. Petit filet rond servant à pêcher les écrevisses. ⇒ **Balance, épuisette.**

PÉCHEUR [peʃœʀ] n. m. et adj. — XIVe; *pecheor,* v. 1155; *pecheür,* fin XIe; *pechedor,* v. 980; du lat. ecclés. *peccatorem,* accusatif de *peccator* «pécheur», de *peccare.* → Pécher.

♦ **1.** Relig. et cour. Personne (au sing., homme) qui est dans l'état de péché, commet habituellement de graves péchés (→ Iniquité, cit. 1; intercession, cit.; montaniste, cit.). *Les justes et les pécheurs; les saints et les pécheurs* (→ Couvrir, cit. 11; croire, cit. 73). *Pécheur endurci** (cit. 20). *Pécheur qui demande le pardon* (→ Humble, cit. 26), *fait pénitence* (→ Drachme, cit. 1). *Pécheur qui retourne au bercail* (cit. 4). → La brebis égarée* (cit. 24). *Pécheur repenti*. Conversion* (cit. 6) *du pécheur.*

1 Le pécheur croit, lorsqu'il succombe,
Que le néant est dans la tombe,
Comme il est dans la volupté; HUGO, Odes et ballades, IV, II.

2 Au pécheur repenti, pourquoi plus d'honneur qu'à lui-même, qu'à lui qui n'a jamais péché? GIDE, le Retour de l'enfant prodigue, 1er tableau.

Allus. bibl. *Dieu ne veut pas la mort* (spirituelle) *du pécheur* : il est indulgent. — Fig. *Ne pas vouloir la mort du pécheur* : ne pas être impitoyable, ne pas chercher à se venger, à punir, etc. (→ Lièvre, cit. 8).

REM. Le fém. *pécheresse* a pris une valeur spéciale, en rapport avec le péché de luxure. → Pécheresse.

♦ **2.** Adj. Qui est dans l'état de péché. *L'homme adamique et l'homme pécheur.* — Rempli de péché. *Une vie pécheresse.* — De la nature du péché. *La «substance pécheresse et corrompue» de l'homme* (Bossuet). *Âme pécheresse.*

PÊCHEUR, EUSE [pɛʃœʀ, øz] n. — *Pescheür,* 1138; fém. *pescheuse,* 1606; du lat. *piscator, -oris* «pêcheur», de *piscis* «poisson».

♦ **1.** Personne qui s'adonne à la pêche*, par métier, ou par plaisir.
REM. Le fém. *pêcheuse* est rare. On dira plutôt : *Mme X est un pêcheur enragé; elle est pêcheur.*
Pêcheur professionnel. Les pêcheurs en mer sont tous inscrits maritimes. ⇒ 2. **Marin.** *Pêcheur de baleines* (cit. 1), *de sardines* (⇒ **Sardinier**), *de morues* (⇒ **Morutier; terre-neuvas**)... *Pêcheur d'Islande,* roman de P. Loti. *Pêcheuse de crevettes, de moules... Pêcheur qui jette le chalut* (⇒ **Chalutier**), *qui pose* (→ Haler, cit. 2), *lève, retire ses filets* (→ Nacelle, cit. 1). *Fuscine* des pêcheurs antiques. Pêcheurs au feu* (1. Feu, cit. 60), *à la lanterne, au lamparo. Pêcheur manœuvrant* (cit. 1) *sa barque à la perche, à la gaffe* (cit. 1). *Cabanes, village de pêcheurs.* — *Pêcheur amateur. Pêcheur au lancer. Pêcheur à la ligne* (cit. 25) *qui amorce* (cit. 1) *l'eau, qui a une touche, ferre, décroche, prend un poisson* (→ Fretin, cit. 1). *Pêcheur adroit, malchanceux...* — *Nœud de pêcheur,* pour réunir deux bouts de ligne à pêche. *Anneau* du pêcheur.*

1 (...) c'était la saison où les pêcheurs du Pausilippe, qui suspendent leur cabane à ses rochers et qui étendent leurs filets sur ses petites plages de sable fin (...) vont pêcher la nuit à deux ou trois lieues en mer (...) LAMARTINE, les Confidences, VII, Épisode, III.

2 La porte tout à coup s'ouvrit bruyante et claire,
Et fit dans la cabane entrer un rayon blanc;
Et le pêcheur, traînant son filet ruisselant,
Joyeux, parut au seuil, et dit : C'est la marine!
HUGO, la Légende des siècles, LII, IX.

3 Il regardait fixement, sur la berge en face, un pêcheur à la ligne immobile. Soudain le bonhomme enleva brusquement du fleuve un petit poisson d'argent qui frétillait au bout du fil. MAUPASSANT, la Femme de Paul.

3.1 Quelquefois on croisait une barque attardée. Un vieux que quelquefois le mousse connaissait, que généralement il ne connaissait pas, disait à Jean comme c'était lui qui tenait le filet : «Bonsoir, bonne pêche», comme à un vrai pêcheur qu'il devenait du reste (...) PROUST, Jean Santeuil, Pl., p. 384.

4 Au bord du quai les pêcheurs ne prenaient rien. Ils n'avaient même pas l'air de tenir beaucoup à en prendre des poissons. Les poissons devaient les connaître. Ils restaient là tous à faire semblant. CÉLINE, Voyage au bout de la nuit, p. 263.

5 Je suis un pêcheur à la ligne. Quelquefois je ferre un brochet, quelquefois une vieille chaussure. J. ANOUILH, Ornifle, I.

Par anal. *Pêcheurs de corail* (→ Écumeur, cit. 1), *de perles... Les Pêcheurs de perles,* opéra de Bizet. — Techn. *Pêcheur de sel* : ouvrier chargé de récolter le sel dans les poêles* des étangs.

Par appos. *Bâteau pêcheur,* destiné à la pêche (→ Loin, cit. 4). *Marin pêcheur. Patron pêcheur.*

6 Quelques barques s'en furent aux moules à la marée basse, je reconnus un patron pêcheur avec qui j'étais déjà sorti (...) H. MICHAUX, La nuit remue, p. 147.

♦ **2.** Fig. *Pêcheur en eau trouble* (→ Insinuer, cit. 12). *Pêcheur de lune(s)* : rêveur.

Allus. bibl. *Pêcheurs d'hommes* : apôtres, missionnaires qui convertissent à la doctrine du Christ.

COMP. **Martin** (cit.)**-pêcheur.**

PÉCLOTER [peklɔte] v. intr. — 1864 (Genève), d'abord «secouer un loquet»; de *péclot* «verrou», puis «mauvaise montre»; du lat. *pessulus* «verrou, loquet».

♦ Régional (Suisse). Mal fonctionner (en parlant d'un mécanisme). *Il y a qqch. qui péclote. Cette voiture péclote un peu.*

Fig. *«À l'évidence, notre démocratie "péclote"; elle s'asphyxie»,* in *Tribune-Le Matin* (Vaud), 26 sept. 1976.

PECNOT, PECQUENOT ou **PECQUENAUD** [pɛkno] n. m. ⇒ **Péquenaud.**

PÉCOPTÉRIS [pekɔpteʀis] n. m. — 1874; du grec *pekos,* var. du grec class. *pokos* «toison», et *ptéris* «fougère».

♦ Paléont. Fougère arborescente fossile des terrains carbonifères. *Les pécoptéris ont servi de type à un groupe* (Pécoptéridées) *associant à ces fougères des Mazattiacées* (ordre des Filicales) *et des plantes à graines* (gymnospermes).

PÉCORE [pekɔʀ] n. f. — 1512; de l'ital. *pecora* «sot, niais» proprt «brebis»; lat. pop. **pecora,* mêmes sens, neutre plur. (pris pour un fém. sing.), du lat. class. *pecus, -oris* «troupeau, bétail».

♦ **1.** Vx. Animal, bête. *Chétive pécore* (→ Crever, cit. 2, La Fontaine).

♦ **2.** Mod., fig. (1532). Vx. Homme ou femme stupide. ⇒ **Animal, bête, sot.**

Allez, vous êtes plus impertinent que celui qui m'a voulu soutenir qu'il faut dire la forme d'un chapeau; et je vous prouverai (...) que vous n'êtes, et ne serez jamais qu'une pécore (...) MOLIÈRE, le Mariage forcé, 4. 1

(1808). Vieilli ou régional. Jeune personne sottement prétentieuse et impertinente. ⇒ **Pecque, péronnelle, pimbêche** (→ Énamourer, cit. 2; haïssable, cit. 3).

— Cette maudite pécore ne sait quoi s'inventer pour nous ennuyer! (...) 2
BALZAC, Ursule Mirouët, Pl., t. III, p. 420.

(...) il finit par éclater de rage, un jour pendant la leçon, contre la stupide pécore, impertinente par surcroît, qui se moquait de son accent, et mettait une malice de singe à faire le contraire de ce qu'il disait. 3
R. ROLLAND, Jean-Christophe, Foire sur la place, I, p. 668.

♦ **3.** N. (1928). Fam., péj. Paysan. ⇒ **Péquenot.** *Bande de pécores!*

DÉR. (Du même rad.) **Pecque.**

PECQUE [pɛk] n. f. — 1630; «vieille jument», 1562; occitan *peco* «femme niaise», fém. de *pec* «sot»; anc. provençal *pec* «sot, niais»; lat. *pecus, -udis* «animal; sot».

♦ Vx ou régional. Femme sotte et prétentieuse qui se rend ridicule par ses manières affectées. ⇒ **Pécore, péronnelle, pimbêche.**

A-t-on jamais vu (...) deux pecques provinciales faire plus les renchéries que celles-là (...) MOLIÈRE, les Précieuses ridicules, I. 1

(...) maugréant contre l'impertinente pruderie de cette pecque assez assurée pour faire languir ainsi un duc jeune et bien fait. 2
Th. GAUTIER, le Capitaine Fracasse, VIII.

(...) il gardait le souvenir de circonstances où il avait été ridicule et dans lesquelles de grandes jeunes filles niaises s'étaient moquées de lui, «de petites dindes, des pecques provinciales, avec des accents de campagnardes». 3
Valery LARBAUD, Fermina Marquez, VIII.

PECTASE [pɛktaz] n. f. — 1848, Frémy; du rad. du grec *pêktos* «coagulé, figé» (→ Pectine), et *-ase.*

♦ Chimie. Enzyme des fruits, qui hydrolyse les matières pectiques*.

PECTEN [pɛktɛn] n. m. — 1710; mot latin.

♦ Zool. Peigne (mollusque).

DÉR. (Du même rad.) **Pectiné.**

PECTINE [pɛktin] n. f. — 1827; du rad. du grec *pêktos* «coagulé, figé» (→ Pectase), et *-ine.*

♦ Biochimie. Substance mucilagineuse contenue dans de nombreux végétaux (mélange d'acides pectiques* et d'autres substances glucidiques), employée comme épaississant et émulsionnant en industrie alimentaire (confiture, mayonnaise) et pharmaceutique.

DÉR. **Pectique.**
COMP. **Amylopectine.**

PECTINÉ, ÉE [pɛktine] adj. et n. m. — V. 1370; lat. *pectinatus* «disposé en forme de peigne»; de *pecten, -tinis* «peigne».

♦ **1.** Anat. *Le pectiné,* ou adj. *le muscle pectiné* (1793) : muscle adducteur, fléchisseur et rotateur externe de la cuisse.

♦ **2.** Didact. (1803). En forme de peigne. — Sylv. *Une feuille pectinée. Sapin pectiné* (abies pectinata).

PECTIQUE [pɛktik] adj. — 1825, *in* Cottez; du rad. de *pectine,* et *-ique.*

♦ Biochim. *Acides pectiques,* qui existent dans les fruits mûrs et proviennent de la transformation des pectines sous l'influence d'un ferment *(pectase). Préparation industrielle de l'acide pectique par hydrolyse des pectines. Rôle des acides pectiques, des jus pectiques* (retirés du marc des pommes) *dans la fabrication des gelées* de fruits. — Composés, substances pectiques.*

PECTORAL, ALE, AUX [pɛktɔʀal, o] adj. et n. m. — 1355, n. m. (2.); v. 1363, adj.; lat. *pectoralis* « de la poitrine », de *pectus, -toris* « poitrine ».

A. Placé sur la poitrine. ♦ **1.** Adj. Qui couvre, décore la poitrine. — Liturgie. *Croix* pectorale d'un évêque.*

1 Comme ce jeune homme se tournait vers lui, Julien vit la croix pectorale sur sa poitrine : c'était l'évêque d'Agde. STENDHAL, le Rouge et le Noir, I, XVIII.

♦ **2.** N. m. Relig. Orfroi quadrangulaire appliqué sur l'aube du prêtre, à la hauteur de la poitrine.

(1546). Hist. Ornement enrichi de pierres précieuses, bijou que portaient sur la poitrine les pharaons, les Égyptiens* de noble famille, le grand-prêtre des Juifs (⇒ **Rational**).

2 Un large pectoral composé de plusieurs rangs d'émaux, de perles d'or, de grains de cornaline, de poissons et de lézards en or estampé, couvrait la poitrine de la base du col à la naissance de la gorge (...)
Th. GAUTIER, le Roman de la momie, I.

3 Les vêtements somptueux qu'ils *(les prêtres de Yahweh)* revêtaient dans les cérémonies signalaient leur caractère sacré (...) mitres ou tiares hautes, ornées d'un diadème, et sur la poitrine, un lourd pectoral « artistement travaillé », garni de quatre rangs de pierres précieuses, où l'émeraude, l'opale, l'onyx et l'améthyste voisinaient avec le saphir et le diamant. DANIEL-ROPS, le Peuple de la Bible, II, II.

Antiq. rom. Partie de l'armure* qui protégeait la poitrine.

B. De la poitrine. ♦ **1.** Qui appartient à la poitrine. — Anat. (1478). *Mamelles pectorales. Région pectorale. Muscles pectoraux,* et, n. m. pl., *les pectoraux,* muscles plats et triangulaires qui, au nombre de deux de chaque côté, s'insèrent au thorax et au membre supérieur. *Le grand, le petit pectoral. Avoir les pectoraux très développés. Haïk* (cit. 1) *qui se porte agrafé sur les pectoraux.*

4 (...) les bras courts, plantés trop en arrière, à cause d'un développement des pectoraux exagéré par une gymnastique mal raisonnée.
ARAGON, les Beaux Quartiers, I, XII.

Zool. De la partie antérieure de la face ventrale. *« L'oiseau* (cit. 2) *a... les muscles pectoraux beaucoup plus... forts que l'homme »* (Buffon). — Par anal. *Nageoires* pectorales des poissons* (→ 2. Goujon, cit. 2).

♦ **2.** (XVIe; A. Paré). Qui est propre à combattre les affections de caractère pulmonaire, bronchique. *Médicament, remède pectoral,* et, n. m., *un pectoral. — Sirop pectoral. Infusion de fleurs pectorales,* dites aussi *quatre-fleurs* (⇒ **Fleur**). *La mauve, la violette, plantes pectorales. Pâtes* pectorales* (de guimauve, de jujube, de lichen, de réglisse). — *Fruits pectoraux,* dits aussi *quatre fruits* (dattes, figues, jujubes, raisins secs), employés en décoction. Nom masculin pluriel (vieux) :

5 (...) au moindre rhume, leur père les bourrait de pectoraux (...)
FLAUBERT, Mme Bovary, II, VI.

PECTOSE [pɛktoz] n. m. — 1848, Frémy; du rad. du grec *pêktos* « coagulé, figé » (→ Pectine), et *-ose.*

♦ Chim. Composé formé dans les tissus végétaux (fruits ou racines) et qui contribue à agglutiner les fibres cellulosiques.

REM. Le mot s'est employé au féminin.

La pectose est insoluble dans l'eau, mais elle devient soluble et se transforme en pectine par l'action des acides étendus.
L. FIGUIER, l'Année scientifique et industrielle 1878, p. 194 (1877).

PÉCULAT [pekyla] n. m. — 1530; lat. *peculatus* « détournement », de *peculari* « détourner de l'argent ». → Pécule.

♦ Admin. Détournement des deniers* publics. ⇒ **Concussion.**

PÉCULE [pekyl] n. m. — V. 1300; lat. *peculium* « petit bien amassé sou par sou par un esclave ».

♦ **1.** Didact. (Antiq. rom.). Économies qu'un esclave amassait par son travail ou son épargne et qui lui servait à acheter sa liberté. — Par anal. *Pécule des fils de famille.*

1 Le mot pécule vient de *pecus,* bétail. Anciennement le *pater (père)* remettait à l'enfant ou à l'esclave un troupeau. Le mot a pris un sens plus large et désigne toute espèce de biens remis à l'*alieni juris (sujet, par oppos. au « chef de famille »)* pour en tirer profit (...) Ces biens constituent entre les mains du *servus (esclave)* ou du *filius (fils)* un petit patrimoine, un tout cohérent, avec actif et passif.
GIFFARD, Précis de droit romain, t. I, § 341.

2 Le sens pratique des Romains, autant qu'un fond d'humanité naturel à leurs âmes paysannes, les avaient préservés de la cruauté envers leurs esclaves, *servi.* Toujours ils les avaient ménagés (...) on les voit, pour en stimuler les efforts, les récompenser de primes et de salaires dont les versements accumulés en un pécule fournissaient, à l'ordinaire, la rançon de la servitude.
J. CARCOPINO, la Vie quotidienne à Rome, I, II, I, II.

Cour. (1611). Somme d'argent économisée peu à peu par une personne en dépendance d'autrui; économie de faible importance. *Amasser, se constituer un léger, un modeste, un modique pécule* (→ Acquérir, cit. 5; aussi, cit. 36).

3 Si le paysan sait amasser un pécule, il trouve de la terre à vendre, il peut l'acheter, il est son maître! BALZAC, les Paysans, Pl., t. VIII, p. 82.

♦ **2.** Dr. (Déb. XXe). Argent qu'une personne en puissance d'autrui acquiert par son travail, mais dont elle ne peut disposer que dans certaines conditions. — Dr. pén. « Ensemble des fonds dont l'Administration pénitentiaire est comptable vis-à-vis du prisonnier et qui proviennent principalement de la portion de salaire qui lui est allouée comme rémunération de travail » (Capitant). *Pécule d'un détenu* (pécule disponible, de réserve). Dr. admin. *Pécule constitué au profit d'un mineur par la personne ou l'association de bienfaisance légalement chargée de sa garde et de son éducation. Pécule rémunérant le travail des malades, en hôpital psychiatrique.* — Admin. milit. *Pécule payable à un engagé qui quitte l'armée après cinq ans de service au moins.*

DÉR. (Du même rad.) **Péculat.**

PÉCUNE [pekyn] n. f. — Fin XIIe; *pecunie,* v. 1120; lat. *pecunia* « avoir en bétail; richesse; argent ».

♦ Vx. ⇒ **Argent** (cit. 32 et 52).

DÉR. (Du même rad.) **Pécuniaire.**

PÉCUNIAIRE [pekynjɛʀ] adj. — 1308; n. m., v. 1300; lat. *pecuniarius* « d'argent », de *pecunia* « argent ». → Pécune.

♦ **1.** Qui a rapport à l'argent. *Situation pécuniaire. Embarras* (cit. 9) *pécuniaires.* ⇒ **Financier.** *Intérêt pécuniaire. Demande pécuniaire :* demande d'argent.

1 On ne peut faire agir les hommes que par leur intérêt, je le sais; mais l'intérêt pécuniaire est le plus mauvais de tous, le plus vil, le plus propre à la corruption (...)
ROUSSEAU, le Gouvernement de Pologne, XI.

2 (...) une demande pécuniaire, de toutes les bourrasques qui tombent sur l'amour, étant la plus froide et la plus déracinante. FLAUBERT, Mme Bovary, III, VIII.

3 Dans un coin, Fanny et Delhomme supputaient à un sou près, devant Jean et Tron, quelle allait être la situation pécuniaire des mariés et quelles seraient leurs espérances : cela dura interminablement, chaque centimètre de terre était estimé, ils connaissaient toutes les fortunes de Rognes, jusqu'aux sommes représentées par le linge. ZOLA, la Terre, II, VII.

♦ **2.** Qui consiste en argent. *Aide pécuniaire* (→ Avance, cit. 21). *Tirer un avantage pécuniaire d'une invention* (cit. 2). — *Peine pécuniaire.* ⇒ **Amende** (→ Convertir, cit. 11). *Composition* pécuniaire.*

DÉR. **Pécuniairement.**

PÉCUNIAIREMENT [pekynjɛʀmɑ̃] adv. — 1495; de *pécuniaire.*

♦ **1.** Relativement à l'argent, au point de vue pécuniaire. *Marché auquel on perd, pécuniairement parlant* (→ Gagner, cit. 12).

♦ **2.** Sous forme pécuniaire; par de l'argent. *Aider qqn pécuniairement.*

1. PÉD-, PÉDO- Élément, du grec *pais, paidos* « enfant, jeune garçon ». ⇒ **Pédiatrie, pédodontie, pédogamie,** 1. **pédogenèse,** 1. **pédologie, pédophile, pédopsychiatre, pédopsychiatrie.** ⇒ aussi **-pédie.**

2. PÉD-, PÉDO- Élément, du grec *pedon* « sol », servant à former des termes didactiques (géologie, géochimie). ⇒ **Pédalfer, pédocal, pédoclimax,** 2. **pédogenèse,** 2. **pédologie.**

PÉDAGOGIE [pedagɔʒi] n. f. — 1495, répandu XIXe; grec *paidagôgia* « direction, éducation des enfants ». → 1. Péd-, pédo-.

♦ **1.** Science de l'éducation* des enfants, et, par ext., de l'éducation, de la formation intellectuelle des adultes (⇒ **Andragogie**). *La pédagogie moderne utilise les données de la psychologie et de la physiologie de l'enfant.* ⇒ **Psychopédagogie, psychologie** (génétique). *Histoire de la pédagogie. Sociologie de la pédagogie. Pédagogie et didactisme*. Les méthodes en pédagogie. Cours, manuel de pédagogie.*

1 Sans rien de ce qu'on appelle maintenant la *pédagogie,* ils pratiquaient la première règle de l'éducation, qui est de ne pas trop faciliter des exercices dont le but est la difficulté vaincue.
RENAN, Souvenirs d'enfance..., Œ. compl., t. II, III, p. 787.

2 Elle *(Mme de Genlis)* manifesta dès l'enfance l'instinct et l'enthousiasme de la *pédagogie,* à prendre ce mot dans le meilleur sens. Il lui avait été ordonné, en naissant, d'être le plus gracieux et le plus galant des pédagogues.
SAINTE-BEUVE, Causeries du lundi, 14 oct. 1850.

Méthode d'enseignement, d'instruction. ⇒ **Apprentissage, enseignement.** *Pédagogie active, fonctionnelle* (cit. 1)... *Pédagogie audiovisuelle. Pédagogie des langues vivantes.*

♦ **2.** (XXe). Qualité du bon pédagogue (B., 2.), sens pédagogique. *Il manque de pédagogie.*

PÉDAGOGIQUE [pedagɔʒik] adj. — 1702; grec *paidagôgikos* «qui concerne l'éducation des enfants», de *paidagôgia*. → Pédagogie.

♦ **1.** Qui a rapport à la pédagogie. *Formation pédagogique des membres du corps enseignant. Certificat d'aptitude pédagogique* (C. A. P.). *Certificat d'aptitude pédagogique à l'enseignement secondaire* (C. A. P. E. S.). *Formules, méthodes pédagogiques nouvelles.* ⇒ **Éducateur.** → Inspecteur, cit. 2. *Conférence pédagogique. L'institution pédagogique.* ⇒ **École.** *Autogestion pédagogique. — Théories pédagogiques de Rabelais, Montaigne, Rousseau, Pestalozzi...*

1 Titularisé plus tard, ayant obtenu son certificat d'aptitude pédagogique, il allait, à vingt-sept ans, être nommé instituteur à Jonville (...)
ZOLA, Vérité, I, I.

2 Cette méthode pédagogique *(la culture de la mémoire)* avait d'abord pour effet de laisser, au fond de l'esprit, des sédiments utilisables (...)
G. DUHAMEL, Inventaire de l'abîme, V.

(Personnes). Qui s'occupe de pédagogie. *Conseiller pédagogique.*

♦ **2.** (1868). Conforme aux règles de la pédagogie, qui est d'un bon pédagogue. *Instituteur qui manque de sens pédagogique. Le sens pédagogique, les qualités pédagogiques d'un vulgarisateur scientifique.* ⇒ **Didactique.**

REM. Il existe plusieurs comp. formés avec *psycho-* et *médico- : consultation médico-psychopédagogique* (C. M. P. P.), *groupe d'aide psychopédagogique* (G. A. P. P.), *commission médico-pédagogique* (C. M. P.), *institut médico-pédagogique* (I. M. P.), etc.

DÉR. Pédagogiquement.

PÉDAGOGIQUEMENT [pedagɔʒikmɑ̃] adv. — 1801; de *pédagogique.*

♦ Sur le plan de la pédagogie. *Méthode pédagogiquement efficace.*

PÉDAGOGUE [pedagɔg] n. et adj. — XIIIe, *in* Cottez; lat. *pædagogus*, grec *paidagôgos* «qui conduit les enfants», et, subst., «esclave chargé de conduire les enfants à l'école; précepteur, mentor». → 1. Pédo-.

A. ♦ **1.** N. m. Celui qui a pour charge d'éduquer, d'instruire un enfant, des enfants. ⇒ **Éducateur, maître, précepteur, régent.** (XVIe) Péj., vx. Homme de collège, précepteur qui montre une grande étroitesse d'esprit, commet des abus d'autorité... ⇒ **Pédant** (vx). *Choisir un pédagogue pour endoctriner* (cit. 1) *un enfant. Passer par les mains* (cit. 89) *d'un grossier pédagogue. La grammaire* (cit. 8) *des pédagogues. «Jugeote* (cit. 1) *d'un pédagogue». «Philistins! magisters! je vous hais, pédagogues!»* (→ Marchand, cit. 11, Hugo).

1 On vient de voir le jeune Gargantua livré aux pédagogues de la vieille école, et les tristes résultats de cette éducation crasseuse, routinière, pédantesque et tout à fait abrutissante, dernier legs du moyen âge expirant.
SAINTE-BEUVE, Causeries du lundi, 7 oct. 1850.

N. m. et f. *Instituteur, professeur.* — Abrév. fam. (1924) *Pédago. Elle est pédago.*

♦ **2.** (1652). Vx ou littér. Personne qui fait étalage de son érudition. ⇒ **Cuistre, pédant.** — Adj. *Ton pédagogue et magistral* (→ Gourmander, cit. 3).

♦ **3.** Littér. Personne qui se mêle de critiquer ou de régenter la vie privée d'autrui. *S'ériger en pédagogue.* ⇒ **Censeur.**

2 N'allez point déployer toute votre doctrine,
Faire le pédagogue, et cent mots me cracher,
Comme si vous étiez en chaire pour prêcher.
MOLIÈRE, le Dépit amoureux, II, 6.

3 Dévote, pédagogue, chagrine (...) le moins que l'on en puisse dire est qu'elle *(Mme de Maintenon)* n'attire pas la sympathie (...)
Émile HENRIOT, Portraits de femmes, p. 115.

B. ♦ **1.** (XIXe). Personne qui s'occupe de pédagogie. ⇒ **Didacticien.** *Les grands pédagogues allemands du XIXe siècle.*

4 (...) ce fervent amateur des planches et ce fin moraliste des familles est aussi un «pédagogue» passionné (je vous avertis que le mot se prend, depuis une quinzaine d'années, dans un sens excessivement favorable).
Jules LEMAÎTRE, Impressions de théâtre, IIIe série, E. Legouvé (année 1888).

5 Locke, que les pédagogues lisent encore, je ne sais pourquoi, ne connaît d'autre moyen que le fouet pour corriger l'enfant menteur.
ALAIN, Propos, 28 oct. 1921, Fausses perspect. du progrès.

♦ **2.** Personne qui possède des qualités pédagogiques, qui a le sens de l'enseignement. *Qualités de pédagogue et de vulgarisateur*. Bon, mauvais pédagogue. Une remarquable pédagogue.* — Adj. *Professeur très savant, mais peu pédagogue.*

CONTR. Disciple.
COMP. Psychopédagogue.

PÉDAL, ALE, AUX [pedal, o] adj. — 1878; lat. *pedalis* «d'un pied; du pied».

♦ **1.** Rare. Qui a rapport au pied. ⇒ **Pédieux.**

♦ **2.** Géom. *Triangle pédal*, qui a pour sommets les pieds des hauteurs d'un autre triangle.

HOM. Pédale.

PÉDALAGE [pedalaʒ] n. m. — 1901, *in* D. D. L.; de *pédaler.*

♦ Action de pédaler.

(...) il calcula que sa randonnée lui nécessiterait au bas mot trente heures effectives de pédalage. 1
René FALLET, le Triporteur, p. 56.

Par anal. (Gymnastique). Exercice au sol, effectué sur le dos, les jambes alternativement fléchies et tendues effectuant un mouvement de rotation. *Une série de vingt pédalages.*

Il n'y a aucune raison, par exemple, pour voir dans le pédalage du nouveau-né le geste déjà tout constitué de la marche, puisqu'elle n'apparaîtra pas avant de longs mois (...) 2
Henri WALLON, l'Évolution psychologique de l'enfant, p. 134.

COMP. Rétropédalage.

PÉDALE [pedal] n. f. — 1560, «pédale d'orgue»; ital. *pedale* «pédale d'orgue»; lat. pop. **pedale* «instrument actionné avec le pied»; de *pes, pedis* «pied».

★ **I.** Organe de commande ou de transmission qui s'actionne avec le pied. ⇒ **Levier** (à pied). **A.** ♦ **1.** (Au sing. ou au plur.). Mécanisme actionné avec le pied.

a (Transformant un mouvement alternatif en mouvement circulaire). *Pédale d'une machine à coudre, d'une machine à imprimer* (→ Minerve, cit.), *d'un métier à tisser, d'une meule de rémouleur, d'un rouet* (→ Marquer, cit. 26), *d'un tour... — Patinette à pédale. Automobile d'enfant à pédales.*

b (Transformant un mouvement déjà circulaire). *Pédales d'un pédalo*. Cheval de bois, chien en peluche à pédales.* — Spécialt. *Les deux pédales d'une bicyclette* (cit. 1), *d'un cycle.* ⇒ **Pédalier.** *Pédale gauche, droite d'une bicyclette. Pédales à patins, à scies. Appuyer sur les pédales* (⇒ **Pédaler**). *Lâcher les pédales. Coup de pédale.* ⇒ **Pédalée.**

La côte était ardue. Chaque pédale, tour à tour, semblait aussi résistante qu'une marche d'escalier. Elle cédait pourtant, et les roues avançaient par saccades. La machine faisait front d'un côté puis de l'autre, comme une chèvre qui lutte contre un chien. 1
J. ROMAINS, les Copains, III.

Loc. fig. et fam. (1944). *Perdre les pédales :* perdre ses moyens, son sang-froid. Spécialt. Perdre le fil de son discours, patauger* dans une explication...

Par métonymie. (Au sing.). Le cyclisme. *Un fervent de la pédale :* un grand amateur de tourisme à bicyclette. *Les as de la pédale :* les champions du cyclisme professionnel. — N. B. Cet emploi est limité par le sens II, et donne lieu à plaisanteries.

(1918). Vx (à cause du sens II). *Une pédale :* un cycliste.

♦ **2.** Pièce d'un mécanisme commandant le déclenchement d'effets mécaniques. *Poubelle* à pédale. Actionner la pédale d'un lavabo pour obtenir de l'eau. Pédale de mise à feu d'une mitrailleuse. Pédale de démarrage d'une motocyclette. — Pédale d'accélérateur, d'embrayage, de frein...* — Aviat. ⇒ **Palonnier.**

Abusivt. (En parlant de leviers à commande automatique). Ch. de fer. *Pédale à pétard. Pédale de disque.*

B. Mus. ♦ **1.** Touche actionnée au pied. *Clavier à pédales de l'orgue.* ⇒ **Pédalier.** *Les registres de combinaison de l'orgue sont actionnés par des pédales, dites pédales d'accouplement, pédale expressive, tirasse... — Les sept pédales de la harpe*, qui permettent de modifier la hauteur des sons par le raccourcissement des cordes. — *Pédales de piano*, que le pianiste abaisse avec les pieds. *Pédale douce, sourde, petite pédale ou sourdine :* la pédale de gauche qui assourdit le son d'une note. *Pédale forte, pédale de droite*, qui prolonge le son d'une note. *La pédale forte agit sur les étouffoirs.* Loc. fig. *Mettre la pédale douce :* agir en douceur.

(...) je pianotais. À mon tour de faire des gammes, de plaquer des accords, de toucher la pédale — toujours trop — et de répéter, vingt fois, la même appogiature. 2
H. BOSCO, Antonin, p. 224.

♦ **2.** *Note de pédale*, et, ellipt., *pédale*, «son tenu et prolongé, généralement dans une partie de basse, tandis que, dans une autre partie, des harmonies (qui peuvent lui être étrangères) se succèdent» (Arma-Tiénot, *Nouveau dict. de mus.*). *Partie de pédale de l'orgue* (où l'on tient fréquemment les notes de basse).

★ **II.** Fam. *Une pédale* (1935, répandu v. 1940-1950; jeu de mots sur *pédé*[*raste*]). Homosexuel.

Alors c'est pour ça, parce que vous êtes une pédale, que la mère vous a confié cette enfant? 3
R. QUENEAU, Zazie dans le métro, p. 84.

Adj. (attribut) :

Et qu'est-ce que ça peut faire qu'ils aiment rigoler entre eux sans bonnes femmes de temps en temps? Ça ne veut pas dire qu'ils soient pédales, quand même. Alors du moment qu'ils ne sont pas pédales, à quoi bon se casser le bol. 4
Christine DE RIVOYRE, les Sultans, p. 113.

Loc. *Être de la pédale, de la pédale qui craque :* être homosexuel. ⇒ **Homosexuel.**

Claudie se mit à rire : «Vernon obéit au doigt et à l'œil à sa femme afin de se 5 faire pardonner ses amitiés masculines ; parce qu'il est de la pédale comme personne (...) » S. DE BEAUVOIR, les Mandarins, p. 250.

DÉR. **Pédaler, pédalier, pédalo.**
HOM. **Pédal.**

PÉDALÉE [pedale] n. f. — 1933 ; de *pédaler.*

♦ Sport (cyclisme). Coup de pédale. *« Malheur à celui qui ne renouvelle pas les calories qu'il brûle à chaque pédalée, la fringale l'abat »* (*l'Express,* 6 juil. 1953, *in* D. D. L., II, 6).
Randonnée à bicyclette.

(...) il roulait sur la route de Londres, tenant bien sa gauche. Je ne raconterai pas cette longue pédalée dans la campagne et les petites villes du Sussex et du Surrey. Michel DÉON, le Jeune Homme vert, p. 156.

PÉDALER [pedale] v. intr. — 1893 ; de *pédale.*

♦ **1.** (1930). Actionner une pédale. *Rémouleur qui pédale* (→ Meule, cit. 3).

1 Dès qu'une forme fut pleine et serrée au moyen de coins, Picquenart (...) la souleva d'un geste adroit, sans laisser tomber un signe, et la porta sur la minerve. Les rouleaux étaient gras d'encre. Picquenart se mit en place et commença de pédaler. Nous regardions (...) les premières feuilles imprimées s'échapper de la mécanique. G. DUHAMEL, Chronique des Pasquier, V, IX.

Spécialt. Cour. Actionner les pédales d'une bicyclette. *Pédaler debout* (→ En danseuse*). *Descendre une côte sans pédaler,* en roue* libre.
Rouler à bicyclette. *Pédaler à vive allure.*

2 Ralentissant leur allure, ils durent pédaler sérieusement dans la côte, parmi les graviers épars. ZOLA, Paris, IV, III.

♦ **2.** Fig., pop. Marcher très vite, courir. ⇒ **Cavaler.**

3 Jamais il n'en usait *(du verbe pédaler)* quand il avait fait une course à bicyclette. Mais si, à pied, il s'était dépêché pour être à l'heure, pour signifier qu'il avait marché vite il disait : « Vous pensez si on a pédalé ! » PROUST, À la recherche du temps perdu, t. IX, p. 245.

♦ **3.** Loc. fig. et fam. *Pédaler dans la choucroute, dans la semoule, dans le yaourt, dans la purée, etc.* (le compl. désigne une substance alimentaire épaisse) : faire des efforts désordonnés et vains ; s'agiter en pure perte ; (abstrait) être perdu, inefficace.

DÉR. **Pédalage, pédalée, pédaleur.**

PÉDALEUR, EUSE [pedalœʀ, øz] n. — 1901, *in* D. D. L. ; au fém., 1894 ; de *pédaler.*

♦ Cycliste considéré dans la puissance ou le style de son coup de pédale. *Un pédaleur infatigable.* ⇒ **Rouleur.**

PÉDALFER [pedalfɛʀ] n. m. — Mil. XXe ; de 2. *péd-, al(uminium),* et *fer.*

♦ Pédol. Sol des climats humides, décalcifié, dont la pédogenèse est caractérisée par l'aluminium et le fer (opposé à *pédocal*).

PÉDALIER [pedalje] n. m. — 1868 ; de *pédale.*

♦ **1.** Mus. et cour. Clavier inférieur de l'orgue*, formé de touches assez grandes pour permettre à l'organiste d'employer alternativement la pointe du pied et le talon *(« doigté » du pédalier). Le pédalier comprend généralement deux octaves et quatre notes, de* do *à* fa.
Pédales (du piano, de la harpe).

♦ **2.** (1892). Cour. Ensemble formé par les pédales, le grand pignon et la roue dentée (d'une bicyclette). *L'axe du pédalier est faussé.*

PÉDALO [pedalo] n. m. — 1936, J. E. Canton ; marque déposée le 3 juin 1936 ; de *pédal(e),* et *-o* ; → Mécano.

♦ Petite embarcation à flotteurs, mue par une roue à pales qu'on actionne au moyen de pédales. *Faire du pédalo, aller en pédalo sur un lac. — Des pédalos.* — REM. Ce terme est réservé juridiquement aux « appareils et engins de navigation » de la marque *Pédalo.*

1 Les marchands de glaces derrière leurs charrettes bariolées, les pédalos alignés devant les corps prostrés des fanas du coup de soleil. Roger BORNICHE, le Play-boy, p. 134.

2 Elles *(les cartes postales)* représentaient des palaces, des filles nues sur les plages, des parasols et des pédalos, des régates et des championnats de ski nautique. Jean LARTÉGUY, les Centurions, p. 313.

PÉDANE [pedan] adj. m. — 1549 ; lat. *pedaneus (judex)* « juge à pied ».

♦ Anciennt. *Juge pédane :* juge subalterne qui jugeait debout des causes sans importance.

PÉDANT, ANTE [pedɑ̃, ɑ̃t] n. et adj. — 1566 ; *pedante,* 1560 ; ital. *pedante* « précepteur » ; du grec *paideuein* « éduquer, enseigner » (→ 1. Pédo-).

A. N. m. ♦ **1.** Vx. Professeur de collège ; précepteur (t. péj.). ⇒ **Magister, pédagogue ; grammatiste.** *Des pédants de collège* (→ Historique, cit. 2). *« De pédants mal peignés un bataillon* (cit. 9) *crotté... »* (Regnard) → Écolier, cit. 4. — *Le Pédant,* personnage de la comédie italienne. — *Le Pédant joué* (1654), comédie de Cyrano de Bergerac.

Nous ne travaillons qu'à remplir la mémoire, et laissons l'entendement et la conscience vide (...) nos pédantes vont pillotant la science dans les livres, et ne la logent qu'au bout de leurs lèvres, pour la dégorger seulement et mettre au vent. 1
MONTAIGNE, Essais, I, XXV, Du pédantisme.

On ne s'imagine Platon et Aristote qu'avec de grandes robes de pédants. C'étaient des gens honnêtes et, comme les autres, riant avec leurs amis (...) 2
PASCAL, Pensées, V, 331.

Doublement sot et doublement fripon, 3
Par le jeune âge, et par le privilège
Qu'ont les pédants de gâter la raison. LA FONTAINE, Fables, IX, 5.

M. Joubert, morne pédant montagnard (...) qui me montrait le latin, Dieu sait avec quelle sottise, en me faisant réciter les règles du rudiment (...) 4
STENDHAL, Vie de Henry Brulard, 7.

Seul un pédant qui ne voit que sa férule peut s'imaginer que l'on crée un destin, de toutes pièces. G. DUHAMEL, les Plaisirs et les Jeux, p. 77. 5

♦ **2.** (1566). Mod. Personne qui fait étalage d'une érudition affectée et livresque. ⇒ **Cuistre** (cit. 1), **esprit** (bel esprit), **pédagogue** (A., 2.). *Des manières de pédant* (→ Qui sentent l'école*). *« Un pédant hérissé de grec »* (→ 1. Barbe, cit. 22, Fénelon). *Un pédant avantageux* (cit. 15). *Une pédante insupportable.* ⇒ **Bas-bleu.** *Tournure condamnée par les pédants* (→ 2. Le, cit. 8).

Tout ce que je fais a l'air cavalier ; cela ne sent point le pédant. 6
MOLIÈRE, les Précieuses ridicules, 9.

Un pédant, enivré de sa vaine science, 7
Tout hérissé de grec, tout bouffi d'arrogance
Et qui, de mille auteurs retenus mot pour mot,
Dans sa tête entassée, n'a souvent fait qu'un sot. BOILEAU, Satires, IV.

Un pédant est un homme qui digère mal intellectuellement. 8
J. RENARD, Journal, 18 mars 1890.

Il aimait la clarté dans les choses, mais il détestait les pédants à système et à programme, qui classent tout d'avance, qui prévoient tout, mais ensuite se laissent berner par la réalité (...) 9
J. ROMAINS, les Hommes de bonne volonté, t. VIII, XIII, p. 161.

B. Adj. (Personnes). Qui manifeste prétentieusement une affectation de savoir, d'érudition. *Bureaucrate méticuleux* (cit. 1) *et pédant.*

Je vis, dans le fatras des écrits qu'il nous donne, 10
Ce qu'étale en tous lieux sa pédante personne :
La constante hauteur de sa présomption,
Cette intrépidité de bonne opinion,
Cet indolent état de confiance extrême
Qui le rend en tout temps si content de soi-même.
MOLIÈRE, les Femmes savantes, I, 3.

(Choses). *Air pédant et gourmé* (cit. 3). ⇒ **Suffisant ; solennel** (→ Marquer, cit. 36). *Professeur qui parle sur un ton pédant.* ⇒ **Dogmatique, magistral.** *Discours pédant et ennuyeux* (⇒ **Pédantesque**).

Elle *(l'École Normale)* a engendré un type d'humour, un peu pédant mais très divertissant : le canular. A. MAUROIS, Études littéraires, J. Romains, I. 11

DÉR. **Pédanterie, pédantiser, pédantisme.** — (Du même rad.) **Pédantesque.**

PÉDANTERIE [pedɑ̃tʀi] n. f. — 1560 ; de *pédant.*

Littéraire.

♦ **1.** Comportement, manière d'agir du pédant (A., 2.). ⇒ **Affectation ; pédantisme.** *La pédanterie dans l'art* (→ Maniéré, cit. 3). — *Conversation savante sans pédanterie* (→ Badin, cit. 7).

♦ **2.** *(Une, des pédanteries).* Parole, acte pédant. *Une petite pédanterie* (→ Hébraïsant, cit.).

♦ **3.** Littér. Ensemble des pédants. *La fine fleur de la pédanterie universitaire.*

PÉDANTESQUE [pedɑ̃tɛsk] adj. — 1580 ; « magistral » (→ Pédant A., 1.), 1558 ; de l'ital. *pedantesco,* même sens, de *pedante.* → Pédant.

♦ **1.** Littér. Propre au pédant, qui tient du pédant (A., 2.). *Ton pédantesque.* ⇒ **Doctoral, emphatique, pédant** (B.).

♦ **2.** Qui est empreint de pédantisme. *La pédantesque philosophie des livres* (→ Intéressant, cit. 1). *Des opéras pédantesques* (→ Amplification, cit. 2).

La guerre était debout dans le lycée, le tambour étouffait à mes oreilles la voix des maîtres, et la voix mystérieuse des livres ne nous parlait qu'un langage froid et pédantesque. A. DE VIGNY, Servitude et Grandeur militaires, I, I.

N. m. (1844, Gautier). *Le pédantesque et le prétentieux.*

DÉR. Pédantesquement.

PÉDANTESQUEMENT [pedɑ̃tɛskəmɑ̃] adv. — 1606; de *pédantesque.*

♦ Rare. D'une manière pédantesque.

(...) renflouer pédantesquement — voir *L'Anneau du Nibelung* — une mythologie qui, trop située et trop doctrinairement élue en tant que produit de la terre ancestrale (...) Michel LEIRIS, Frêle bruit, p. 328.

PÉDANTISER [pedɑ̃tize] v. intr. — XVIe; de *pédant,* et *-iser.*

♦ **1.** Vx (langue class.). Faire le métier de pédant (A., 1.), de pédagogue.

♦ **2.** Péj., vx. Se comporter en pédant (A., 2.).

PÉDANTISME [pedɑ̃tism] n. m. — Av. 1654; «état de professeur», 1580; de *pédant.*

♦ **1.** Littér. Affectation* du pédant. ⇒ **Pédanterie.** *Maintien entaché* (cit. 2) *de pédantisme* (→ 2. Idiotisme, cit. 3, Voltaire). *Le marivaudage* (cit. 1), *sorte de pédantisme sémillant et joli.* ⇒ **Esprit** (bel esprit).

1 Le *pédantisme* est une qualité ou une manière de penser de pédant. «Un livre plein d'un *pédantisme* dégoûtant» (VOLTAIRE). *La pédanterie* est une manière d'agir de pédant (...) «C'est une *pédanterie* insupportable de s'attacher à corriger dans les enfants toutes ces petites fautes contre l'usage» (ROUSSEAU). LAFAYE, Dict. des synonymes, art. *Pédantisme...*

2 J'ai été grotesque. En ces matières, il y a un pédantisme absurde à vouloir en remontrer à la nature. Qui veut faire l'ange fait la bête. J. ROMAINS, les Hommes de bonne volonté, t. IV, XX, p. 218.

3 Le pédantisme a été prodigieux au XVIIe siècle. Les plus grands esprits en sont eux-mêmes empreints. Ils invoquent continuellement les anciens, parlent du haut des règles, ont des scrupules à la fois humbles et suffisants. On sent qu'au-dessous d'eux devaient fourmiller, dans ce siècle d'autorité, d'horribles cuistres (...) Jules LEMAÎTRE, Impressions de théâtre, IIIe série, Molière, I.

♦ **2.** (1847). Caractère de ce qui est pédant. *Terme d'un pédantisme effarant* (→ Brillant, cit. 14). *Pédantisme d'un discours.* ⇒ **Emphase.**

-PÈDE. Élément, du lat. *pes, pedis* «pied» (⇒ **Pédi-**), entrant dans la composition de mots savants, empruntés au latin ou directement formés en français *(vélocipède...),* notamment de mots relatifs aux organes locomoteurs des animaux *(bipède, cirripède, fissipède, lagopède, palmipède, pinnipède, quadrupède, solipède...).* ⇒ aussi **Podo-, -pode.**

PÉDÉ [pede] n. m. et adj. — 1836, répandu XXe; abrév. de *pédéraste.*

♦ Fam. Homosexuel* (cit. 1). → Pédéraste, REM. *Un pédé.* — Adj. *Il est pédé.*

1 (...) je me réveille ils me ramassent sous un porche ils m'enferment dans une pièce sale ils m'y torturent (...) ils me traitent de sadique et de pédé ce mot pédé une chose dans ma vie je ne sais pas quoi ça a rapport au cul (...) Tony DUVERT, Paysage de fantaisie, p. 10.

REM. Le mot est le plus souvent péj. et sert de terme injurieux sans contenu précis. *Bande de pédés!*

Var. argotique. *Pédoque, pédocque* ou *pédoc* [pedɔk]; *pède* (E. Hanska, E. Boudard in D. D. L.).

2 Rebelle à la fesse, au cigare, à la mignonne, dur au whisky, pas pédoc non plus, rien du tout, c'était vraiment un insensible, sauf aux petits airs du piano, à la fantaisie mélodieuse. CÉLINE, Guignol's band, p. 183.

PÉDÉGÉ [pedeʒe] n. m. ⇒ **P.-D. G.**

PÉDÉRASTE [pederast] n. m. — 1584, rare av. XIXe; du grec *paiderastês* «qui aime passionnément les jeunes garçons».

♦ Homme qui a des relations sexuelles avec de jeunes garçons, et, par ext., avec d'autres hommes. ⇒ **Homosexuel, inverti**; fam. **pédale, pédé.** *Pédéraste actif, passif* (⇒ **Sodomite**). — Adj. *Être pédéraste.* → Être de la pédale; en être (⇒ **Homosexuel, adj.**).

1 J'appelle *pédéraste* celui qui, comme le mot l'indique, s'éprend des jeunes garçons. J'appelle *sodomite* (...) celui dont le désir s'adresse aux hommes faits. J'appelle *inverti* celui qui (...) GIDE, Journal, Feuillets, II, févr. 1918.

2 Ses gestes étaient gracieux sans être efféminés. Tant qu'il demeura avec moi il ne se préoccupa jamais des femmes. J'avais la surprise de voir pour la première fois un pédéraste aux allures viriles, un peu brusques même. Il était l'aristocrate de la troupe. Jean GENET, Journal du voleur, p. 99.

3 Madame Lasquin n'ignorait pas qu'il existe des homosexuels, mais n'ayant eu que très rarement l'occasion d'entendre le mot pédéraste et sans qu'il s'accompagnât jamais d'aucun commentaire explicite, elle se laissait abuser par un fallacieux rapprochement d'étymologies et attribuait à ce terme le sens de coureur à pied. M. AYMÉ, Travelingue, p. 210.

REM. L'emploi de *pédéraste* pour *homosexuel* (n. m.) est abusif mais fréquent. L'abrév. *pédé* ne correspond qu'à ce sens extensif.

PÉDÉRASTIE [pederasti] n. f. — 1580, «sodomisation», rare av. XIXe; grec *paiderastia* «amour pour les jeunes gens», de *erân* «aimer», et *paidos.*

♦ Commerce charnel de l'homme avec le jeune garçon, et, par ext., toute pratique homosexuelle masculine. ⇒ **Homosexualité.** *La pédérastie était admise et considérée comme normale dans la Grèce antique.*

DÉR. Pédérastique. — (Du même rad.) **Pédéraste.**

PÉDÉRASTIQUE [pederastik] adj. — 1881; de *pédérastie.*

♦ Qui a rapport à la pédérastie. ⇒ **Homosexuel** (adj.). *Mœurs, tendances, pratiques pédérastiques.*

L'idylle d'Hélène et de Pâris devenait curieusement pédérastique du fait que les deux acteurs étaient des hommes. S. DE BEAUVOIR, Tout compte fait, p. 217.

PÉDESTRE [pedɛstr] adj. — 1529, «propre à l'homme à pied»; n. m. «soldat à pied», v. 1470; du lat. *pedester, pedestris* «qui est à pied».

♦ **1.** (1721). Rare. Qui représente une personne à pied. *Statue pédestre* (opposé à *équestre*).

♦ **2.** (V. 1770). Qui se fait à pied. *Randonnée, promenade pédestre.*

(...) je proposai à Sauttern, sans le prévenir de rien, une promenade pédestre à Pontarlier (...) ROUSSEAU, les Confessions, XII.

DÉR. Pédestrement.
COMP. Auto-pédestre.

PÉDESTREMENT [pedɛstrəmɑ̃] adv. — 1762; de *pédestre.*

♦ Rare ou par plais. D'une manière pédestre, à pied. *Regagner son domicile pédestrement.* → Pedibus cum jambis, fam.

(...) il regagna pédestrement à travers la cour des Tuileries le fiacre qu'il avait laissé sur le quai. BALZAC, le Bal de Sceaux, Pl., t. I, p. 73.

PÉDEZOUILLE [pɛdzuj] n. ⇒ **Pedzouille.**

PÉDI- Élément, du lat. *pes, pedis* «pied» (⇒ **-pède**), entrant dans la composition de termes didactiques ⇒ **Pédicure, pédimane, pédipalpe.** ⇒ aussi **Podo-, -pode.**

PÉDIATRE [pedjatr] n. — 1882; de *pédiatrie.*

♦ Didact. Spécialiste des maladies infantiles. *Emmener régulièrement son enfant chez le, chez la pédiatre.* — En appos. *Psychologue pédiatre.*

PÉDIATRIE [pedjatri] n. f. — 1872; de 1. *péd-,* et *-iatrie.*

♦ Didact. Branche de la médecine qui concerne les enfants. ⇒ 1. **Pédologie.**

DÉR. Pédiatre.

PEDIBUS (CUM JAMBIS) [pedibyskɔmʒɑ̃bis] loc. adv. — V. 1904, *Nouveau Larousse illustré;* lat. *pedibus* «à pied», et lat. de fantaisie *cum jambis* «avec les jambes».

♦ Loc. fam. À pied. ⇒ **Pédestrement.** *Il va falloir y aller* pedibus. *«Je me mets* pedibus *en route»* (→ Papouillard, cit.).

Vous, dit l'Organisateur, vous prendrez le tramway jusqu'à la Barasse, et de là, vous rejoindrez votre paysan *pedibus cum jambis.* Augustine aura une petite place sur le chariot, et les trois hommes suivront à pied, avec le paysan. M. PAGNOL, la Gloire de mon père, t. I, p. 102.

PÉDICELLAIRE [pediselɛr; pedisɛllɛr] n. m. — 1839; de *pédicelle.*

♦ Zool. Petite pince du test des échinodermes.

PÉDICELLE [pedisɛl] n. m. — 1789; lat. mod. *pedicellus* «pédoncule», var. du lat. *pediculus,* même sens. → Pédicule.

♦ **1.** Bot. Dans les inflorescences pluriflores (à l'exception du capitule* et du chaton), Ramification du pédoncule* se terminant par une fleur. *Mode d'insertion des pédicelles dans les grappes, les* *ombelles... Bractées situées à l'insertion des pédicelles.* — Partie inférieure mince et allongée du sporogone des mousses.

♦ **2.** Zool. Deuxième article de l'antenne chez les insectes.

DÉR. Pédicellaire, pédicellé.

PÉDICELLÉ, ÉE [pedisele; pedisɛlle] adj. — 1812; de *pédicelle.*

♦ Bot. Porté par un pédicelle; muni d'un pédicelle. *Fleur pédicellée.*

PÉDICULAIRE [pedikylɛʀ] n. f. et adj. — xvᵉ; lat. *pedicularius,* même sens, de *pediculus,* dimin. de *pedis* «poux».

♦ **1.** N. f. Bot. Plante dicotylédone *(Scrofulariacées)* des régions tempérées, herbacée, vivace, dont une variété, la *pédiculaire des marais,* passe pour gâter le fourrage et donner des poux aux bestiaux, d'où son appellation commune d'«herbe aux poux».

♦ **2.** Adj. (1519). Méd. Relatif aux poux, aux lésions cutanées qu'ils provoquent. ⇒ **Phtiriasis.** *Mélanodermie pédiculaire.*

PÉDICULATES [pedikylat] n. m. pl. ⇒ **Pédiculé** (2.).

PÉDICULE [pedikyl] n. m. — 1534; lat. *pediculus* «petit pied; pédoncule», dimin. de *pes, pedis* «pied».

Didactique.

♦ **1.** Bot. Support allongé et grêle. ⇒ **Queue, tige.** *Pédicule d'un champignon.* ⇒ **Pied, stipe.**

Les troncs de ces palmiers ne paraissent épais que parce qu'ils restent engoncés dans les pédicules tronqués de leurs palmes mortes. Excellente image applicable à certains esprits.
GIDE, Journal, 22 juin 1942.

♦ **2.** (1749). Zool. Pièce allongée supportant un organe. ⇒ **Pédoncule, pétiole.** *Pédicule de l'abdomen d'une fourmi.*

♦ **3.** Méd. **a** Anat. Structure allongée ou étroite supportant un organe ou reliant deux parties d'un organe. *Pédicule vertébral* (ou *de l'arc neural*). — Spécialt. Ensemble formé par des vaisseaux et des nerfs qui relient un organe à d'autres structures de l'organisme et assurent son fonctionnement. *Pédicule hépatique, rénal. Pédicule pulmonaire.*

b Pathol. Structure reliant une tumeur au reste de l'organisme. *Pédicule d'un polype.*

♦ **4.** (1874). Archit. Petit pilier court supportant des fonds baptismaux, un bénitier...

DÉR. Pédiculé.

PÉDICULÉ, ÉE [pedikyle] adj. et n. m. pl. — 1763; de *pédicule.*

♦ **1.** Didact. (Zool., méd.). Qui est pourvu d'un pédicule ou porté sur un pédicule. *Champignon pédiculé. Tumeur pédiculée.* — Archit. *Baptistère pédiculé.*

♦ **2.** N. m. pl. Zool. **PÉDICULÉS :** ordre de poissons acanthoptérygiens qui présente des nageoires «pectorales portées sur les moignons» et des nageoires dorsales dont «les premiers rayons sont libres, mobiles et fonctionnent souvent comme filaments pêcheurs» (R. et M.-L. Bauchot, *les Poissons,* p. 74). On dit aussi *pédiculates.* — Au sing. *Un pédiculé, un pédiculate.*

PÉDICULOSE [pedikyloz] n. f. — 1915, *Larousse mensuel;* du rad. du lat. *pediculus* «pou».

♦ Méd. Lésion de la peau due aux poux. ⇒ **Mélanodermie, phtiriasis, plique.**

PÉDICURAGE [pedikyʀaʒ] n. m. — Fin xixᵉ; de *pédicurer.*

♦ Rare. Fait de soigner les pieds, pour un pédicure.

Il sait le secret des lavages intimes, les polissages raffinés, les pédicurages savants, les maquillages ingénieux (...)
O. MIRBEAU, le Journal d'une femme de chambre, p. 363.

PÉDICURE [pedikyʀ] n. — 1781; de *pédi-,* et du lat. *curare* «soigner».

♦ Personne qui soigne les affections épidermiques et unguéales du pied. *Pédicure qui pratique l'excision d'un cor*, l'ablation d'un ongle incarné. Pédicure chinois.*

C'est un pédicure qui, à défaut d'enseigne, a garni la rue du Petit-Reposoir, du nᵒ 2 au nᵒ 10, d'une immense quantité de placards, où il annonce qu'il est à toutes les heures de la journée à Paris et à Versailles, et qu'il extirpe cors, oignons, durillons, etc.
BALZAC, Dict. des enseignes, *in* Œ. diverses, t. I, p. 181.

DÉR. Pédicurer, pédicurie.

PÉDICURER [pedikyʀe] v. tr. — Fin xixᵉ; de *pédicure.*

♦ Soigner les pieds de (qqn).

(...) une longue galerie dallée de mosaïque, bondée de plantes et d'oiseaux exotiques en cage, où l'on coiffait, manu et pédicurait. 1
Jacques LAURENT, les Bêtises, p. 83.

Pronominal :

Valentin regrette de ne pouvoir se pédicurer; il a essayé deux fois, mais il a constaté que les deux fois il avait loupé la vente. 2
R. QUENEAU, le Dimanche de la vie, p. 159.

DÉR. Pédicurage.

PÉDICURIE [pedikyʀi] n. f. — xxᵉ; de *pédicure.*

♦ Techn. Technique, soins du pédicure. *École de pédicurie.*

-PÉDIE Élément, du grec *paideia* «éducation (des enfants)», de *pais, paidos* (⇒ 1. **Pédo-**). ⇒ **Orthopédie.**

PÉDIEUX, EUSE [pedjø, øz] adj. et n. m. — V. 1560, A. Paré; du rad. du lat. *pes, pedis* «pied». → Pédi-.

♦ Didact. Qui a rapport ou qui appartient au pied. ⇒ **Pédal.** *Artère pédieuse. Muscle pédieux,* et, n. m., *le pédieux :* petit muscle du dos du pied, extenseur des quatre premiers orteils.

PEDIGREE [pedigʀe] n. m. — 1828; mot angl., de l'anc. franç. *pié de grue* «marque faite de trois petits traits rectilignes, dont on se servait dans les registres officiels d'Angleterre pour indiquer les degrés ou les ramifications d'une généalogie» (Bloch), ou de **pied de gré* «pied d'escalier» (Guiraud).

♦ **1.** Extrait du livre généalogique d'un animal de race pure. *Cheval de course au pedigree brillant, prometteur...* ⇒ **Généalogie, origine.** *Établir le pedigree d'un chien de luxe. Exposition féline qui ne réunit que des chats à pedigree, avec pedigrees.*

♦ **2.** (Personnes). Iron. Généalogie. *Il est très fier de son pedigree et de sa particule.*

Origine familiale. *Pedigree,* récit autobiographique de G. Simenon.

PÉDILUVE [pedilyv] n. m. — 1747; lat. médiéval *pediluvium* «bain de pied», de *pes, pedis* «pied» (→ Pédi-), et *luere* «laver».

♦ **1.** Méd. (Rare). Bain* de pieds. *Pédiluve sinapisé.*

♦ **2.** Vétér. Fosse remplie d'une solution médicamenteuse destinée à soigner les animaux que l'on y fait marcher.

♦ **3.** Techn. (Construction). Bac à douche. — Bac peu profond destiné au lavage des pieds (dans les piscines publiques, en particulier). *L'utilisation des pédiluves est obligatoire avant l'accès au bassin.*

PÉDIMANE [pediman] n. m. — 1797, Cuvier; de *pédi-,* et 1. *-mane.*

♦ Zool. Mammifère qui a le gros doigt des pattes postérieures opposable comme le pouce d'une main. *Un pédimane.* — Adj. *La sarigue est pédimane.*

PÉDIMENT [pedimɑ̃] n. m. — 1951; *pediment,* 1937, *in* Höfler; angl. *pediment* «fronton», 1897; lat. *pedamentum* «échalas».

♦ Géol. (Anglic.). Formation rocheuse couverte d'une couche mince d'alluvions, fréquente dans les régions arides ou semi-arides (⇒ **Pédiplaine**).

PÉDIMENTATION [pedimɑ̃tasjɔ̃] n. f. — 1963, *in* Höfler; angl. *pedimentation,* de *pediment.* → Pédiment.

♦ Évolution du relief par formation de pédiments.

PÉDIOMÉTRIE [pedjɔmetʀi] n. f. — xxᵉ; du rad. du grec *pais, paidos* «enfant» (→ 1. Pédo-), et *-métrie.*

♦ Didact. Ensemble de mensurations faites sur le petit enfant (en partic., mesure de la taille au cours de la croissance).

PÉDIPALPE [pedipalp] n. f. — 1868; de *pédi-,* et *palpe.*

♦ Zool. Chacun des deux appendices situés en arrière de la bouche des arachnides et faisant suite aux chélicères*. *Les «pinces» du scorpion sont des pédipalpes.*

PÉDIPLAINE [pediplɛn] n. f. — 1956 ; angl. *pediplain*, même sens, de *pedi(ment)*, et *plain* « plaine ».

♦ Géol. Surface d'aplanissement du sol des régions arides, due à la coalescence des pédiments*. *La pédiplaine du Sahara occidental.*

1. PÉDO- ⇒ 1. **Péd-.**

2. PÉDO- ⇒ 2. **Péd-.**

PÉDOC [pedɔk] n. m. ⇒ **Pédé.**

PÉDOCAL [pedokal] n. m. — Mil. xxe ; de 2. *pédo-*, et *cal(cium)*.

♦ Pédol. Sol des climats arides dont la pédogenèse est caractérisée par la présence de calcium (opposé à *pédalfer*).

PÉDOCLIMAX [pedoklimaks] n. m. — Mil. xxe ; de 2. *pédo-*, et du lat. *climax* « gradation ».

♦ Pédol. Stade d'équilibre d'un sol en dehors de toute transformation écologique. *La maturité d'un sol correspond au pédoclimax.*

PÉDODONTIE [pedodɔ̃si] n. f. — xxe ; de 1. *péd-*, et du grec *odous, odontos* « dent ».

♦ Didact. (méd.). Soins dentaires aux enfants. *Société de pédodontie.*

PÉDOGAMIE [pedogami] n. f. — xxe ; de 1. *pédo-*, et *-gamie*.

♦ Biol. Mode de reproduction par autofécondation où les cellules jeunes formées par division s'unissent immédiatement entre elles ou avec des cellules adultes. *La pédogamie est courante chez les protozoaires et les protophytes.*

1. PÉDOGENÈSE ou **PÉDOGÉNÈSE** [pedoʒənɛz ; pedoʒenɛz] n. f. — Déb. xxe ; de 1. *pédo-*, et *-genèse*.

♦ Zool. Mode de reproduction par parthénogenèse (de certains annélides et quelques insectes) dans lequel les larves donnent naissance à d'autres larves.

2. PÉDOGENÈSE ou **PÉDOGÉNÈSE** [pedoʒənɛz ; pedoʒenɛz] n. f. — xxe ; de 2. *pédo-*, et *-genèse*.

♦ Géol. Mode de transformation et d'évolution des sols.

1. PÉDOLOGIE [pedɔlɔʒi] n. f. — V. 1900 ; de 1. *pédo-*, et *-logie*.

♦ Didact. Étude physiologique et psychologique de l'enfant. *Pédologie et pédiatrie.* — REM. On a écrit *paidologie* pour distinguer le mot de 2. *pédologie*.

2. PÉDOLOGIE [pedɔlɔʒi] n. f. — Fin xixe ; de 2. *pédo-*, et *-logie*.

♦ Sc. Branche de la géologie appliquée qui étudie les caractères chimiques, physiques et biologiques, l'évolution (⇒ 2. **Pédogenèse**) et la répartition des sols. Syn. (rare) : *édaphologie* (du grec *edaphos* « sol »). *Applications de la pédologie à l'agriculture* (⇒ **Agrologie ; agropédologie**).

DÉR. Pédologique, pédologue.
COMP. Agropédologie.

PÉDOLOGIQUE [pedɔlɔʒik] adj. — V. 1904 ; de *pédologie*.

♦ Didact. Qui concerne la pédologie. *Conditions climatiques et pédologiques d'une région vinicole.*

PÉDOLOGUE [pedɔlɔg] n. — xxe ; de *pédologie*.

♦ Didact. Spécialiste de l'étude des sols. *Un, une pédologue agronome.*

PÉDONCULAIRE [pedɔ̃kylɛʀ] adj. — 1800 ; de *pédoncule*.

♦ Bot. Qui a rapport ou qui appartient au pédoncule. — Pathol. *Syndromes pédonculaires,* dus à l'atteinte d'un pédoncule cérébral.

PÉDONCULE [pedɔ̃kyl] n. m. — 1748 ; du lat. *pedunculus*, dimin. de *pes, pedis*. → Pédi-.

♦ **1.** Anat. Structure allongée et étroite (lame, faisceau, cordon) de substance nerveuse unissant deux organes ou deux parties d'organes. ⇒ **Pédicule.** *Pédoncules cérébraux :* les deux gros cordons nerveux blancs qui, prolongeant la moelle allongée, pénètrent dans l'épaisseur du cerveau* par la face interne de chaque hémisphère et le relient ainsi à la protubérance annulaire (⇒ **Encéphale**). — *Pédoncules cérébelleux :* les six cordons nerveux blancs qui sortent par paires du cervelet et l'unissent aux autres parties du système nerveux central. *Pédoncules cérébelleux inférieurs* (qui descendent vers le bulbe), *moyens* (qui se portent vers la protubérance annulaire), *supérieurs* (qui vont vers les tubercules quadrijumeaux).

(La tumeur) occupait l'espace interpédonculaire refoulant latéralement les deux pédoncules cérébraux (...) 1
B. CENDRARS, Moravagine, *in* Œ. compl., t. IV, p. 259.

♦ **2.** (1778). Bot. Support de la fleur dans les inflorescences uniflores, ainsi que dans les capitules et les chatons ; axe principal supportant les pédicelles* dans les inflorescences pluriflores. ⇒ **Queue, tige.** *Pédoncule ramifié des corymbes, des cymes... Fleur à long pédoncule* (⇒ **Macropode**). — REM. Certains botanistes donnent également le nom de *pédoncule* aux *pédicelles*.

(...) des pavots à fleurs roses pendant au bout d'un pédoncule incliné d'un vert pâle. 2
CHATEAUBRIAND, Mémoires d'outre-tombe, t. I, éd. Levaillant, p. 329.

Queue* d'un fruit. *Sécateur qui tranche le pédoncule au ras du fruit* (→ Cueillette, cit. 1).

♦ **3.** Zool. Pièce de support mince et allongée. ⇒ **Pédicule, pétiole.** *Les cirripèdes ont le corps suspendu à la nuque par un pédoncule.*

DÉR. Pédonculaire, pédonculé.

PÉDONCULÉ, ÉE [pedɔ̃kyle] adj. — 1778, *pédunculé ;* de *pédoncule*.

♦ Bot., zool. Qui est pourvu d'un pédoncule ou porté par un pédoncule. *L'abdomen des fourmis est pédonculé. Chêne pédonculé,* dont les glands sont portés par un long pédoncule. ⇒ **Pédiculé.**

CONTR. Sessile.

PÉDOPHILE [pedɔfil] adj. et n. — Fin xixe ; de 1. *pédo-*, et *-phile*.

♦ Didact. Qui ressent une attirance sexuelle pour les enfants, en parlant d'un adulte. *Une lesbienne pédophile.* — Spécialt. Homme qui s'éprend des jeunes garçons (⇒ **Pédéraste**).

DÉR. Pédophilie, pédophilique.

PÉDOPHILIE [pedɔfili] n. f. — xxe ; de *pédophile*.

♦ Didact. Attirance sexuelle pour les enfants. *Pédophilie inconsciente. Pédophilie homosexuelle, hétérosexuelle.*

PÉDOPHILIQUE [pedɔfilik] adj. — xxe ; de *pédophile*.

♦ Didact. Relatif à la pédophilie. *Tendances pédophiliques.*

PÉDOPSYCHIATRE [pedopsikjatʀ] n. — 1973, Lafon ; de 1. *pédo-*, et *psychiatre*, d'après *pédopsychiatrie*.

♦ Didact. Spécialiste de pédopsychiatrie.

PÉDOPSYCHIATRIE [pedopsikjatʀi] n. f. — V. 1920 ; t. dû à Collin, de 1. *pédo-*, et *psychiatrie*.

♦ Didact. Psychiatrie de l'enfant et de l'adolescent. (On dit aussi *psychiatrie de l'enfant, psychiatrie infantile, psychiatrie infanto-juvénile*).

REM. 1. Le terme tend aujourd'hui à se substituer à *psychiatrie infantile*, autrefois plus fréquent.

2. Est également attestée la forme *peidopsychiatrie* (1975, *G.L.E. Suppl.*).

La caractéristique de la pédopsychiatrie c'est d'être une psychopathologie génétique qui s'occupe du développement et de ses troubles et qui, connaissant la genèse des fonctions et leur évolution dans le temps, tient compte de la valeur des possibilités de l'enfant à chaque étape de son évolution et tend à comprendre les diverses phases de cette chronologie en fonction des rapports organisme-milieu.
J. DE AJURIAGUERRA, Manuel de psychiatrie de l'enfant, p. 6.

DÉR. Pédopsychiatrique. — V. Pédopsychiatre.

PÉDOPSYCHIATRIQUE [pedopsikjatʀik] adj. — V. 1973 ; de *pédopsychiatrie*.

♦ Didact. De pédopsychiatrie, relatif à la pédopsychiatrie.

PÉDOQUE, PÉDOCQUE [pedɔk] n. m. ⇒ **Pédé.**

PÉDUM [pedɔm] n. m. — 1839 ; mot lat., « houlette », de *pes, pedis* « pied ».

♦ **1.** Antiq. Bâton recourbé en forme de crosse, attribut de plusieurs divinités champêtres.

♦ **2.** Zool. Mollusque lamellibranche des mers chaudes appelé communément *houlette**.

PEDZOUILLE [pɛdzuj] n. — 1886; orig. incert.; p.-ê. contamination entre *pétard* «cul», et *vezouille*, même sens, ou altération, par attraction de *pet*, de l'argot *pezouille* (1800) «paysan», p.-ê. du provençal *pezouil* «pou» ou simplement (Guiraud) de [pɛzɑ̃] prononc. de *paysan* par changement de suffixe.

♦ Fam., péj. Paysan. ⇒ **Péquenot.**
Personne naïve et ignorante des usages de la ville. *Quelle pedzouille, cette fille! Elle débarque!*

1 Il (...) s'emballa au point de traiter Coupeau lui-même de pedzouille, en l'accusant de ne pas savoir faire respecter un ami par sa femme.
ZOLA, l'Assommoir, IX, t. II, p. 78.

2 Les types se baladaient bien en avant de nos barbelés, s'engueulaient (...) provoquaient les régiments de culs-terreux et de petzouilles qui tenaient le secteur à gauche et à droite de la Légion — d'un côté, des Savoyards et de l'autre, je crois, des Landais.
B. CENDRARS, l'Homme foudroyé, p. 18.

3 J'ai fréquenté des mecs de Paris, moi aussi, avant de connaître Fernand. Mais lui, c'est le vrai pedzouille, qu'est-ce que tu veux. Si je te disais qu'il faut se battre pour le faire laver le samedi (...) Il pue, il parle mal, son gros patois de plouk.
A. SARRAZIN, la Cavale, p. 225.

Adj. *Elle est un peu pedzouille.*

4 L'emmerdant, c'est qu'un pédezouille mâle dans la quarantaine et une jeune fille pédezouille ne s'amadouent pas avec les mêmes méthodes.
Roger IKOR, les Fils d'Avrom, Les eaux mêlées, p. 474.

Var. : *pédezouille* [pɛdzuj], *petzouille, pétzouille* [pɛtzuj].

PEELING [piliŋ] n. m. — 1935; mot angl., de *to peel (off the skin)* «enlever (la peau)».

♦ Anglic. Opération esthétique qui consiste à faire desquamer* l'épiderme du visage pour en atténuer les défauts. *Crèmes, produits pour peeling.* — REM. Comme *lifting**, cet anglicisme serait aisément remplaçable par une traduction française (desquamation, levage, etc.). On a proposé *exfoliation.*

Pour les petites rides, par irritation superficielle de l'épiderme, la neige carbonique, l'étincelage de haute fréquence, ou un PEELING, fait prudemment, on peut obtenir des résultats très intéressants.
Paul BLUM, la Peau, p. 119.

PÉGAMOÏD [pegamɔid] n. m. — XXe, marque déposée, p.-ê. du rad. du grec *pegnunai* «fixer», et *-oïde.*

♦ Tissu recouvert d'un enduit brillant. ⇒ **Simili-cuir.**
REM. On écrit aussi *pégamoïde.*

(...) il a posé sa valise en pégamoïde tout raide.
Thyde MONNIER, Fleuve, p. 304.

PÉGASE [pegaz] n. m. — 1564; du lat. *Pegasus* (→ ci-dessous, 1.), grec *Pêgasos.*

♦ **1.** (1690). Myth. Nom d'un animal fabuleux. Cheval ailé qui d'un coup de pied fit jaillir la fontaine d'Hippocrène où l'on puisait l'inspiration poétique. Fig. Symbole de l'inspiration poétique. — Vx. *Un pégase :* un cheval ailé (→ Lunatique, cit. 3).

1 Oh! vous êtes les seuls pontifes,
Penseurs, lutteurs des grands espoirs,
Dompteurs des fauves hippogriffes,
Cavaliers des pégases noirs!
HUGO, les Contemplations, VI, XXIII, X.

♦ **2.** (1788). Zool. Poisson marin, lophobranche, au tronc ramassé couvert de plaques osseuses et à nageoires pectorales très développées en forme d'ailes. *Le pégase vit dans les mers océaniennes.*
Par apposition :

2 Ensuite vinrent de grands poissons (...) des pégases-dragons, soit élégants, soit disgracieux (...)
Jean CAYROL, Histoire de la mer, p. 58.

PEGMATITE [pɛgmatit] n. f. — 1807; Al. Brongniart; du rad. du grec *pêgma, pêgmatos* «conglomération».

♦ Minér. Roche cristalline, granite* à grands éléments de quartz, de feldspath et de mica blanc.

PÉGOT [pego] n. m. — XIVe; mot dial., du lat. *picare,* «enduire de poix» (rac. *pix* «poix»).

♦ **1.** Régional. Fauvette* des Alpes.

♦ **2.** (1869). Techn. Légère couche de matière gluante que présente le fromage de Roquefort.

PÈGRE [pɛgʀ] n. f. — 1829, *in* Esnault; *paigre,* 1797, n. m., «voleur»; orig. incert., p.-ê. de l'anc. franç. *pigre, pegre* «paresseux»; Oudin supposait un rapport avec le lat. *pix* «poix», le voleur étant censé engluer ce qu'il volait.

♦ Monde des voleurs, des escrocs formant une sorte d'association, de classe*. ⇒ **Canaille.** *La pègre d'un port, d'un pays. Haute, basse pègre. La pègre et le milieu*. Appartenir à la pègre.*

L'un de ces forçats, un libéré nommé Sélérier (...) et qui, dans la société que le bagne appelle la *haute pègre,* avait nom Fil-de-Soie (...) 1
BALZAC, Splendeurs et Misères des courtisanes, Pl., t. V, p. 1043.

Il savait que Trauttenbach avait longtemps vécu dans la pègre berlinoise, et qu'il avait conservé, dans ce milieu interlope, des relations dont il avait déjà tiré profit pour la cause. 2
MARTIN DU GARD, les Thibault, t. VII, p. 20.

Quarante millions de Français étaient bernés et roulés par la haute pègre de ce milieu où l'on ne compte que par milliards et où le million est l'unité. 3
F. MAURIAC, le Nouveau Bloc-notes 1958-1960, p. 167.

DÉR. Pégriot.

PÉGRIOT [pegʀijo] n. m. — 1829, Esnault; de *pègre.*

♦ Argot. Filou, voleur sans envergure.

Pégriot diminutif de «pègre» : voleur, a survécu dans le langage des voyous, tandis que «pègre» (...) est entré dans le vocabulaire français commun, pour désigner le monde des voleurs tout entier.
Albert SIMONIN, le Petit Simonin, Pégriot.

PEHLVI [pɛlvi] n. m. — 1827; de *pahlavik* «des Parthes», mot pehlvi.

♦ Ling. Langue parlée en Perse sous les Sassanides, moyen iranien* occidental dont le parsi* et le parthe sont deux branches. — Adj. *Langue pehlvie.*
REM. On dit aussi *pahlavi* [palavi].

PEIDOPSYCHIATRIE [pɛdopsikjatʀi] n. f. ⇒ **Pédopsychiatrie.**

PEIGNAGE [pɛɲaʒ] n. m. — 1765; de *peigner.*

♦ Techn. Action de peigner (des fibres textiles), opération de filature par laquelle les fibres de laine, de coton, de lin, de chanvre subissent une dernière épuration et sont séparées en fibres longues et fibres courtes, au moyen d'une machine appelée *peigneuse.*

Le but du peignage va (...) être double : épurer les fibres des matières étrangères et les trier en deux lots de longueurs supérieure et inférieure à une longueur de démarcation posée à l'avance. Les unes longues, continueront le cycle de la filature de laine peignée, les autres courtes seront éliminées et dirigées vers la filature de laine cardée (...) L'opération du peignage est effectuée par des «peigneuses». 1
Raymond THIÉBAULT, la Filature, p. 71.

Par ext. *Industries du peignage de la laine,* comprenant outre le peignage proprement dit, le *triage,* le *lavage,* le *cardage** au sens large, le *défeutrage** et le *finissage.*

Le peignage constitue bien une industrie à part, car si les grandes firmes possèdent leurs usines de peignage, nombre de maisons (...) confient leurs laines brutes à des usines de peignage qui les leur rendent traitées et prêtes à la préparation à la filature. Cette industrie groupe les opérations préliminaires de la filature de la laine. 2
Raymond THIÉBAULT, la Filature, p. 88.

Par métonymie. Atelier où se fait le peignage. *Elle travaille au peignage.*
Personnes qui travaillent dans cet atelier. *Le peignage est en grève.*

PEIGNE [pɛɲ] n. m. — V. 1175; réfection, d'après *peigner,* de l'anc. franç. *pigne* «peigne»; du lat. *pecten, -tinis* (accusatif *pectinem*), même sens.

♦ **1.** Instrument présentant des dents* fines et profondes, qui sert à démêler et à lisser la chevelure, la barbe (→ Chevelure, cit. 7). *Peigne de buis, de corne, de celluloïd, d'ébonite, d'écaille, d'ivoire, de métal... Peigne à une, à deux rangées de dents, à manche. Peigne fin* (→ Cold-cream, cit.). *Gros peigne.* ⇒ **Démêloir.** *Peigne de coiffeur* (→ Onde, cit. 8). *Peigne à manche. Peigne de poche dans son étui*. Peigne édenté, sale... Passer le peigne dans ses cheveux* (→ Follet, cit. 5).— *Le peigne, article de tabletterie. Peigne fait à la main* (⇒ **Planeter**), *à la machine.*

Cette toilette était une caresse continuelle; elle donnait à cette tête chérie autant de baisers qu'elle y passait de fois le peigne d'une main légère. 1
BALZAC, l'Enfant maudit, Pl., t. IX, p. 692.

(...) elle peignait avec un vieux peigne cassé ses beaux cheveux (...) 2
HUGO, les Misérables, I, IV, IX.

Spécialt. *Peigne liturgique,* utilisé dans l'Église primitive et encore chez les orthodoxes pour se peigner les cheveux et la barbe avant de dire la messe.

Fig., fam. *Le peigne du père Adam :* les doigts, quand on les utilise pour se démêler les cheveux.

(1713). *Coup de peigne. Se donner un coup de peigne :* se coiffer rapidement. — Coiffure. COUP DE PEIGNE : dernière opération de coiffure, faisant suite à la mise en plis. *Pouvez-vous me prendre pour un coup de peigne?*

(1580). Loc. fig. (Vx). *Donner un coup de peigne à* (un ouvrage), lui donner la dernière finition.

Loc. (1808). *Être sale comme un peigne :* être très sale sur soi. — Loc. fig. *Passer qqch. au peigne fin,* l'examiner minutieusement, sans en omettre une partie, un détail.

Instrument analogue utilisé pour démêler le poil des chiens, le crin des chevaux, etc.

♦ **2.** Instrument analogue, de forme généralement incurvée, à dents plus ou moins nombreuses, que les femmes enfoncent dans leurs cheveux pour les retenir (on dit aussi dans ce sens *peigne de coiffure, peigne à cheveux,* pour distinguer de *peigne,* 1.). *Peigne en écaille* (cit. 13). *Peigne travaillé, orné* (cit. 5) *de boules d'or. Grand peigne des Espagnoles* (→ Mantille, cit. 2). *Coiffure maintenue par des peignes et des barrettes. Elle défit son peigne et ses cheveux tombèrent* (→ 1. Mèche, cit. 8).

♦ **3.** Techn. Instrument à dents pour nettoyer, peigner les fibres textiles (lin, chanvre, laine) dans le filage à la main. ⇒ **Regayoir, séran; peignage.** *Peigne battant, peigne circulaire :* instrument à dents qui attrape les fibres courtes d'un textile pendant le peignage. *Peigne d'ourdissoir*. Peigne*-hérisson.*

(Tissage). Sorte de rateau horizontal où passent les fils de chaîne d'un métier. ⇒ **Ros.** Outil de tapissier, à dents, que l'on fait glisser entre les fils de chaîne pour serrer les fils de trame.

♦ **4.** (Par anal. de forme). Extrémité libre des échalas (d'une clôture, d'un treillage). ⇒ **Herse.**

Zool. Poils à l'extrémité des pattes de certains arthropodes.

♦ **5.** (1507). Zool. Mollusque lamellibranche (*Anisomyaires)* marin, scientifiquement nommé *Pecten,* à deux valves inégalement bombées couvertes de grosses côtes rayonnantes, fixé par un byssus dans son jeune âge et libre à l'âge adulte. *Le peigne est un coquillage comestible très apprécié.* ⇒ **Coquille** (Saint-Jacques). *Variété de peigne.* ⇒ **Amande** (de mer).

♦ **6.** Bot. *Peigne de Vénus :* ombellifère du genre *scandix**.

♦ **7.** Techn. Marbrure utilisée en reliure, obtenue au moyen d'une règle à pointes. *Gros peigne, petit peigne* (selon l'écartement des raies).

DÉR. Peignier. — (Cf. Pectiné).
COMP. Cache-peigne, peigne-hérisson.

PEIGNÉ, ÉE [pεɲe] adj. et n. m. ⇒ **Peigner.**

PEIGNE-CUL [pεɲky] n. m. invar. — Fin XVIIIe (1790, *in* D. D. L.); de *peigne(r),* et *cul.*

♦ Fam., péj. Personne médiocre (socialement, moralement, intellectuellement...); homme de peu, minable. *Des peigne-cul. Quel peigne-cul, ce type!* — Rare au fém. *C'est vraiment une peigne-cul, cette nana!*

Fleury est un pauvre type, toujours à court d'argent. Seulement, il a l'avantage d'être admis dans des milieux où un peigne-c... comme toi se voit fermer la porte au nez. Il a dû lui arriver, moyennant quelques billets, de te refiler des tuyaux sur certains de ses amis. G. SIMENON, Maigret chez le ministre, p. 180.

Syn. : *peigne-zizi,* n. m.

PEIGNÉE [pεɲe] n. f. — 1808, *pégnée;* de *peigner,* fig.; → Peigner (se).

♦ **1.** Fam. Coups*, série de coups. ⇒ **Brossée, raclée.** *Donner une peignée à qqn.* ⇒ **Battre.** *Recevoir une bonne peignée.*

Ce petit jardin fut le théâtre d'un pugilat. À l'ordinaire j'étais calme, plutôt trop doux et je détestais les peignées, convaincu sans doute que j'y aurais toujours le dessous. GIDE, Si le grain ne meurt, I, III, p. 91.

♦ **2.** (1846; de *pigner,* forme anc. de *peigner).* Quantité de fibres textiles que l'on passe au peigne dans le filage à la main.

PEIGNE-HÉRISSON [pεɲeʀisɔ̃] n. m. — 1963; de *peigne,* et *hérisson.*

♦ Techn. Cylindre métallique à dents inclinées, utilisé pendant l'étirage de la laine. *Des peignes-hérissons.*

PEIGNER [pεɲe] v. tr. — XIVe; *peignier,* 1165; du lat. *pectinare* «peigner», de *pecten, pectinis* «peigne».

♦ **1.** Ordonner, lisser (les cheveux, la barbe...) avec un peigne* (1.). — REM. *Peigner* dit moins que *coiffer* qui suppose que la mise en ordre de la chevelure, etc. est réussie. ⇒ **Coiffer, démêler** (→ Non-pareil, cit. 4; cosmétique, cit. 2). *Peigner sa perruque* (→ 2. Air, cit. 17), *sa barbe. Elle lui peignait les cheveux* (→ Habituer, cit. 1). — Par ext. *Peigner qqn :* peigner sa chevelure. *Se faire raser et peigner chez son coiffeur* (cit. 2).

1 Comme elle est belle au soir, aux rayons de la lune,
Peignant sur son col blanc sa chevelure brune!
A. DE MUSSET, Premières poésies, Don Paez, IV.

2 Elle apporta des brosses, des peignes, de l'eau de Cologne, un peignoir. Elle disait : «Cela ne peut pas fatiguer Madame Amédée, que je la peigne (...)»
PROUST, À la recherche du temps perdu, t. VII, p. 192.

Par anal. Démêler, nettoyer le poil de (un animal) avec un peigne. *Peigner un chien, un chat à poils longs. Peigner la crinière, la queue d'un cheval.* — Loc. *Faire ça ou peigner la girafe* ! (cit. 3).

♦ **2.** Techn. Démêler (des fibres textiles) avec un peigne (3.). *Peigner la laine* (→ Lin, cit. 2), *le chanvre.* — Vx. Lainer (une étoffe). ⇒ **Lainage.** *Peigner le drap à la carde* (⇒ **Houpper**).

L'autre par le métier sa navette promène, 3
Ou peigne les toisons d'une grossière laine,
RONSARD, Pièces retranchées, «Hymne des astres».

Fig., vieilli (bx-arts, littér.). *Peigner son style,* le travailler minutieusement. ⇒ **Fignoler.**

▶ **SE PEIGNER** v. pron.

♦ **1.** (Réfl.). → Apprêter, cit. 24; gondolier, cit. *Se peigner devant son miroir. Se peigner à la hâte* (→ Se donner un coup de peigne*).

Aide-moi, puisqu'ainsi tu n'oses plus me voir, 4
À me peigner nonchalamment dans un miroir.
MALLARMÉ, Poésies, «Hérodiade», II.

La pucelle doucement se peigne au soleil (...) 5
elle démêle une lourde auréole;
Et tirant de sa nuque un plaisir qui la tord,
Ses poings délicieux pressent la touffe d'or
Dont la lumière coule entre ses doigts limpides!
VALÉRY, Poésies, Vers anciens, Épisode.

♦ **2.** Récipr. (1640). Fig., vieilli. Se donner des coups. ⇒ **Battre** (se); **peignée.**

▶ **PEIGNÉ, ÉE** p. p. adj.

♦ **1.** *Cheveux peignés à la mode de...* (→ Incroyable, cit. 14). *Perruque mal peignée* (→ Négliger, cit. 17). — *Personne mal peignée* (→ Faire, cit. 262; faiseur, cit. 10). — Par anal. *Gazons* (cit. 4) *peignés à la tondeuse.*

♦ **2.** Techn. Qui a subi le peignage*. Spécialt. *Laine peignée,* dont les longues fibres disposées parallèlement donnent au fil un aspect lisse. *Laine peignée et laine cardée.*

N. m. (1842). *Un peigné, du peigné :* drap de laine peignée, la meilleure qualité de drap. *Costume en peigné bleu.*

♦ **3.** Fig., vieilli. Soigné avec une grande minutie. *Un parler délicat et peigné* (→ Nerveux, cit. 2). *Style trop peigné* (→ Étudier, cit. 25).

(...) ses amis lui ont vu détruire un tableau achevé auquel il trouvait l'air trop peigné. — C'est trop fait, disait-il, c'est trop écolier. 6
BALZAC, Illusions perdues, Pl., t. IV, p. 653.

Par compar. (avec le sens 1) :

Ce fut la dangereuse gloire de ce normalien dont la barbe était peignée, soignée comme le style (...) 7
F. MAURIAC, Génitrix, III.

♦ **4.** Techn. (Pêche). *Harengs peignés,* auxquels on a enlevé les nageoires et qu'on a partiellement écaillés — *Morue peignée,* à laquelle on a enlevé une partie de la peau.

CONTR. Déranger, ébouriffer, écheveler.
DÉR. Peignage, peignée, peignerie, peigneur, peignoir, peignon, peignures.
COMP. Dépeigner, peigne-cul.
HOM. Formes du v. **peindre.**

PEIGNERIE [pεɲʀi] n. f. — 1827; de *peigner.*

♦ Vx. Industrie du peignage*.

PEIGNEUR, EUSE [pεɲœʀ, øz] n. — 1467; *pinerrece,* fém. 1243; de *peigner.*

Technique.

♦ **1.** Ouvrier, ouvrière qui peigne des fibres textiles, qui travaille sur une peigneuse. *Métier de peigneur. Ouvrier peigneur.*

♦ **2.** N. f. (1800). Machine employée au peignage.

♦ **3.** N. m. Élément d'une peigneuse, cylindre garni de fines pointes, qui peigne le tissu.

PEIGNIER [peɲje] n. m. — 1611; *pignier,* v. 1268; de *peigne.*

♦ Techn. Ouvrier, artisan qui façonne des peignes de corne ou d'écaille.

HOM. Peigner.

PEIGNOIR [pεɲwaʀ] n. m. — Fin XVIe; *peignouoir,* Rabelais, 1534; *pignoer* «étui à peignes», 1416; de *peigner.*

♦ **1.** Vx. Vêtement de protection léger et ample, à manches, dont on s'enveloppe pour se peigner. — Mod. Ample vêtement de protection, en usage chez les coiffeurs et dans les instituts de beauté (→ Peigner, cit. 2). *Peignoir de toile blanche, de nylon...*

♦ **2.** (1814). Cour. Vêtement (souvent en tissu éponge), long, à manches, ouvert devant, qui se croise et se ferme avec une ceinture nouée, et que l'on porte en sortant du bain. ⇒ **Baigneuse, sortie** (de bain). *Peignoir de bain. Peignoir blanc, rayé... Se sécher dans son peignoir.*

Sa femme rentra (...) et ne cacha pas assez son muet étonnement de rencontrer Chéri chez lui, en peignoir de bain. 1
COLETTE, la Fin de Chéri, p. 160.

Par anal. Vêtement semblable porté par certains sportifs avant et après le match, l'épreuve. *Boxeurs qui ôtent leur peignoir.*

♦ **3.** (1827, *in* D. D. L.). Vêtement léger d'intérieur, à manches, que les femmes portent lorsqu'elles ne sont pas habillées. ⇒ **Déshabillé, négligé** (n. m.), **saut** (de lit) ; **robe** (de chambre, d'intérieur). *Peignoir de coton imprimé, de molleton blanc* (→ Frangipane, cit.), *de flanelle, de soie... Peignoir fleuri* (→ Développer, cit. 8). *Peignoir qui se croise* (→ Mouvement, cit. 10), *ouvert* (cit. 45). *Se servir d'un kimono* comme peignoir.*

2 Elle était vêtue d'un large peignoir blanc à mille plis et à grandes manches qui, partant du cou, lui tombait jusqu'aux pieds. HUGO, les Misérables, V, VII, I.

3 (...) Mme de Marelle entra en courant, vêtue d'un peignoir japonais en soie rose où étaient brodés des paysages d'or, des fleurs bleues et des oiseaux blancs (...) MAUPASSANT, Bel-Ami, I, V.

4 Elle était à demi vêtue, dans un peignoir qu'elle serrait autour de sa taille, les bras nus dans les larges manches (...) R. ROLLAND, Jean-Christophe, La révolte, II, p. 466.

PEIGNON [pɛɲɔ̃] n. m. — 1726, «déchets de laine peignée»; de *peigner.*

♦ Techn. Quantité de chanvre peigné utilisée par le fileur, le cordier (⇒ **Corde**).

PEIGNURES [pɛɲyʀ] n. f. plur. — 1664 ; de *peigner.*

♦ Rare. Cheveux qui tombent de la tête quand on se peigne. ⇒ **Démêlures.**

PEILLE [pɛj] n. f. — V. 1174 : provençal *pelha ;* du lat. *pil(l)eus, i* (ou *pil(l)eum, i*) «bonnet de feutre».

♦ Techn. (surtout plur.). Chiffon utilisé dans la fabrication du papier*.

DÉR. Peiller.

HOM. Paye, formes du v. **payer.**

PEILLER, ÈRE [pɛje, ɛʀ] n. — 1723 ; de *peille.*

♦ Vx. Chiffonnier, chiffonnière.

HOM. Payer.

PEINARD, ARDE [pɛnaʀ, aʀd] adj. — 1881 ; *vieux pénard* «vieillard cassé par la débauche», 1578 ; de *peine* ou (P. Guiraud) d'un dér. de *panne, penne* «chiffon».

♦ Fam. Paisible, tranquille*, qui se tient à l'écart des soucis, des ennuis.
Il est peinard dans cette planque. Tiens-toi peinarde.

1 Mais, comme tu n'as pas ce type-là à la bonne, pour des raisons qui t'appartiennent, tu ne rateras pas une occasion de lui rentrer dedans et ça se compliquera pour toi. Je me tiens peinard, imite-moi. P. MAC ORLAN, la Bandera, VII.

2 On va nous expédier en Bretagne ou dans le Midi (...) Pour être peinards, nous allons être peinards, c'est bien notre tour. R. DORGELÈS, le Cabaret de la belle femme, p. 151.

3 Les samedis et dimanches, et jours de fête, c'est esquintant, mais les autres jours on est assez peinard (...) R. QUENEAU, Pierrot mon ami, p. 87.

(1907). *Un père peinard :* un homme tranquille. *Vivre en père peinard.* — REM. L'emploi comme substantif *(un peinard, une peinarde)* semble inusité de nos jours. — (Choses). *Mener une petite vie peinarde. Un boulot peinard, pas fatiguant.*

Adv. *Tu pédales peinard, on fait pas la course !...*

DÉR. Peinardement.

PEINARDEMENT [pɛnaʀdəmɑ̃] adv. — 1918, *in* Esnault ; de *peinard.*

♦ Fam. D'une manière peinarde. ⇒ **Tranquillement.** *On a roulé peinardement, sans se presser.*

PEINDRE [pɛ̃dʀ] v. tr. — *Je peins, il peint, nous peignons ; je peignais, nous peignions ; je peignis, nous peignîmes ; je peindrai ; je peindrais ; que je peigne ; que je peignisse* (inus.) ; *peignant ; peint, peinte.* — 1080, *Chanson de Roland ;* du lat. *pingere,* même sens.

★ **I.** ♦ **1.** Enduire de couleurs ; couvrir, colorer avec de la peinture. ⇒ **Peinture** (IV.). *Peindre la porte, les volets d'une maison. Peindre un mur à la peinture* (⇒ **Peinturer**), *au badigeon* (⇒ **Badigeonner**), *au ripolin* (⇒ **Ripoliner**), *à la laque* (⇒ **Laquer**). *Peindre qqch. en donnant l'aspect du granit* (⇒ **Graniter**), *du bronze* (⇒ **Bronzer**), *du bois. Peindre du bois en noir, en bleu..., peindre qqch. de plusieurs couleurs.* ⇒ **Barioler, peinturlurer.** *Peindre une façade à neuf* (2. Neuf, cit. 22). ⇒ **Repeindre.** *Faire peindre son appartement* (⇒ **Peintre** [en bâtiment]) ; *sa voiture, son bateau... Les couleurs inaltérables* (cit. 2) *dont on avait peint ces idoles.*

Pour se distraire, il s'employa chez lui comme homme de peine, et même il essaya de peindre le grenier avec un reste de couleur que les peintres avaient laissé. 1
FLAUBERT, Mme Bovary, II, III.

Au Mecklembourg, au lieu de peindre comme ici les façades des maisons, ils peignent de blanc les rochers, les bornes et jusqu'aux grosses pierres. Quand vous rencontrez une pierre grise, c'est qu'elle n'est sortie du sol mecklembourgeois que de la veille. 1.1
J. GIRAUDOUX, Siegfried et le Limousin, p. 75.

Absolt. *Peindre au rouleau, au pistolet, à la bombe* (⇒ 2. **Bomber**).

♦ **2.** Décorer, orner (un bâtiment, un objet) par une peinture. *Michel-Ange peignit la Chapelle Sixtine* (→ Durer, cit. 10). *Peindre des stores, des dessus de porte* (→ Peintre, cit. 1).

(...) pourquoi s'irriter de penser que les grands Italiens peignaient des coffres de mariage (...) MALRAUX, les Voix du silence, p. 599. 2

♦ **3.** (Vieilli ou péj.). Farder, maquiller. « *Cet éclat* (cit. 28) *emprunté Dont elle eut soin de peindre et d'orner son visage...* » (Racine). *La coutume de ces femmes est de peindre leurs épaules* (→ Avec, cit. 28). — *Se peindre les paupières* (→ Occupation, cit. 4), *les ongles* (⇒ **Vernir**), *les lèvres.*

★ **II.** ♦ **1.** Figurer au moyen de peinture, de couleurs. *Peindre un numéro, une flèche... sur une plaque, les lettres d'une enseigne de magasin. Peindre des armoiries.* ⇒ **Armorier, blasonner.** — Absolt. *Peindre sur porcelaine, sur soie, sur bois.*

Et les marins naïfs peignent son caducée
Sur leur peau rousse et crevassée. VERHAEREN, les Villes tentaculaires, Le port. 3

♦ **2.** Représenter*, reproduire* par la peinture (II.). → Fixer* sur la toile. *Peindre qqn.* ⇒ **Figurer, portraiturer.** *Peindre un personnage au naturel, en cavalier, en héros* (cit. 19)... *Le Titien a peint sa mère* (→ Galerie, cit. 6). *Peindre qqch. Peindre des paysages* (→ Habileté, cit. 3), *des scènes populaires* (→ Bambochade, cit.), *une bataille* (→ Épisode, cit. 6). *Peindre ce qu'on voit* (→ Naïf, cit. 5), *comme on le voit* (→ Impressionniste, cit. 1). *Peindre qqch. sur le vif* (→ 1. Croquer, B., 1., a).

(...) comme ces femmes qui veulent, en se faisant peindre, des portraits qui ne sont point elles (...) MOLIÈRE, le Sicilien, 11. 4

Un souvenir me revient, vers 1807 je me fis peindre, pour engager Mme Alexandrine Petit à se faire peindre aussi, et, comme le nombre des séances était une objection, je la conduisis chez un peintre vis-à-vis la Fontaine du Diorama qui peignait à l'huile en une séance, pour 120 francs. 5
STENDHAL, Vie de Henry Brulard, 3.

Pendant que ceux-ci croient représenter la nature et que ceux-là veulent peindre leur âme, d'autres se conforment à des règles de pure convention (...) imposées par la routine d'un atelier célèbre. 6
BAUDELAIRE, Curiosités esthétiques, Salon 1859, IV.

Vous peignez une coupe de fruits. Le dessin est large et bon. La couleur est délicieuse. La pâte est riche. G. DUHAMEL, l'Archange de l'aventure, IV. 7

Lorsque la décoration du Panthéon fut entreprise, l'État appela quelques hommes de talent et nombre de médiocres ; mais Renoir, Cézanne, eussent-ils accepté d'y participer? La peinture, dit-on, avait rompu avec l'architecture (...)? Ce n'est pas ce mur magnifique, que Renoir ne pouvait pas couvrir : c'est le *Couronnement de Charlemagne,* qu'il ne pouvait pas, ne voulait pas peindre. 8
MALRAUX, les Voix du silence, p. 596.

Loc. fig. et vx. *Une fille faite à peindre,* très jolie, à croquer* (→ 1. Bien, cit. 4). — *Être à peindre,* dans une attitude, un costume ridicule ou amusant.

Absolt. Faire de la peinture* (II.). *Peindre au pinceau, à la brosse...* (⇒ **Brosser**) : mettre la couleur. *Peindre à larges touches. Peindre à la gouache, en pleine pâte* (→ Enluminure, cit. 3). *Peindre à l'huile, à l'eau, à l'aquarelle... Peindre à fresque*. Peindre d'après nature,* d'après un modèle naturel. *Peindre en atelier, en plein air. Manière de peindre* (→ Blanchâtre, cit. ; excentrique, cit. 3). *Peindre grossièrement.* ⇒ **Barbouiller.** *Il ne sait pas peindre* (→ Finir, cit. 2). — Allus. littér. «*... nous aurions le dessus* (cit. 19.), *Si mes confrères savaient peindre*» (La Fontaine).

L'art de peindre n'est que l'art d'exprimer l'invisible par le visible ; petites ou grandes, ses voies sont semées de problèmes (...) qu'il est bon de laisser dans leur nuit comme des mystères. 9
E. FROMENTIN, les Maîtres d'autrefois, Préambule.

(...) il peint (...) d'une façon large, par méplats, dans le sens des formes, avec des accents, des touches, des empâtements même, comme si ses figures étaient de grandeur naturelle. Th. GAUTIER, Souvenirs de théâtre..., Meissonier. 10

(...) il possédait des talents, il peignait à l'aquarelle, savait lire la clef de sol (...) 11
FLAUBERT, Mme Bovary, II, III.

Peindre, c'est user d'un sens spécial, d'un sens donné pour constituer une belle substance. C'est, ainsi que la nature, créer du diamant, de l'or, du saphir, de l'agate, du métal précieux, de la soie, de la chair ; c'est un don de sensualité délicieuse qui peut, avec un peu de matière liquide la plus simple, reconstituer ou amplifier la vie, ou empreindre une surface d'où émergera une présence humaine, l'irradiation suprême de l'esprit. C'est un don de sensualité native, on ne l'acquiert pas. 12
Odilon REDON, Journal *in* Mercure de France, Revue de la quinzaine, 15 nov. 1922.

(...) Cyprien tira du placard une belle toile toute neuve. Il saisit la palette, la garnit largement de couleurs et commença de mêler les tons. Puis sans même esquisser quoi que ce soit au fusain, il commença de peindre. 13
G. DUHAMEL, l'Archange de l'aventure, IV.

Le sens intime ne peut venir que de la manière de peindre, et non de ce que représente le tableau. COCTEAU, Journal d'un inconnu, p. 175. 13.1

♦ **3.** **a** Exécuter au moyen de peinture, de couleurs. *Peindre des décors, des faux-bois, des trompe-l'œil, une ornementation* (cit.) *de feuillages.*

b Faire (une peinture, III.). *Peindre un tableau* (→ Fermer, cit. 39), *une toile, une fresque. Peindre une nature morte, un portrait, une composition abstraite...*

14 On voudrait lui faire dire comment il justifie théoriquement les toutes dernières toiles qu'il vient de peindre.
J. ROMAINS, les Hommes de bonne volonté, t. IV, XXII, p. 248.

★ **III.** (1500, fig. du II.). Représenter par le discours en s'adressant plus spécialement à l'imagination. ⇒ **Dépeindre, montrer, représenter** (cf. Faire une peinture, brosser un tableau, fig.). — REM. Dans cet emploi, *peindre* est souvent métaphorique, mais il peut aussi avoir un sens affaibli et plus abstrait. ⇒ **Conter, décrire, raconter.** — *Peindre la mort de qqn avec des couleurs ineffaçables* (cit. 3). *Peindre une personne* (d'une certaine manière). → Agrandir, cit. 4; baigner, cit. 10. *On nous le peignit des plus noires couleurs* (Académie). *Peindre qqn sous des couleurs, des traits, l'aspect de...* (emploi critiqué). ⇒ **Sous** (→ ci-dessous cit. 19, 22 et 29). *Peindre la société* (→ Demi-monde, cit. 1; ensemble, cit. 15), *les hommes* (→ Culte, cit. 9). *« Corneille peint les hommes comme ils devraient être »* (→ Assujettir, cit. 12, La Bruyère). *Molière s'est appliqué* (cit. 25) *à peindre les défauts des hommes. Il faut sentir la passion pour la bien peindre* (→ Orateur, cit. 1). Absolt. *Pascal suggère plus qu'il ne peint* (→ Développer, cit. 11).

15 Vous qui me l'avez peint de si noires couleurs! VOLTAIRE, Mérope, II, 1.

16 Nous sommes persuadés que les grands écrivains ont mis leur histoire dans leurs ouvrages. On ne peint bien que son propre cœur, en l'attribuant à un autre (...)
CHATEAUBRIAND, le Génie du christianisme, II, I, III.

17 L'on aurait pu se servir avec plus d'art des couleurs de l'Orient pour peindre la Syrie, et caractériser, d'une manière forte, l'état du genre humain sous l'empire de Rome. Il y a trop de discours, et des discours trop longs, dans la Messiade (...)
Mme DE STAËL, De l'Allemagne, II, XII.

18 Tu peindras le vin, l'amour, les femmes, la gloire, à condition, mon bonhomme, que tu ne seras ni ivrogne, ni amant, ni mari, ni tourlourou.
FLAUBERT, Correspondance, 274, 15 déc. 1850.

19 On dirait que M. Sainte-Beuve a voulu venger M. Baudelaire des gens qui le peignent sous les traits d'un loup-garou mal famé et mal peigné (...)
BAUDELAIRE, l'Art romantique, XXIV.

20 Bien définir, c'est voir exactement, sans confusion, ce qu'on regarde avec ce qui est à côté; bien peindre, c'est trouver les mots qui expriment l'objet vu avec tout son relief et sa couleur.
Émile FAGUET, Études littéraires, XVIIe s., La Bruyère, p. 489.

21 (...) les mots qu'il trouvait pour peindre son inquiétude lui remuaient le cœur.
MARTIN DU GARD, les Thibault, t. I, p. 34.

22 (...) sous les traits d'un personnage subalterne, un être de qualité rare est peint (...)
Émile HENRIOT, Portraits de femmes, p. 132.

(Avec un attribut). *On nous l'a peint comme un malhonnête homme* (→ Cabrer, cit. 16). — (Vx ou littér.). *« Je le peins dévot... et déjà il est libertin »* (→ Inquiet, cit. 2). *« Peignez donc, j'y consens, les héros amoureux »* (Boileau, → Doucereux, cit. 4). *Il peignit l'enfer le plus effroyable qu'il put* (→ Gagner, cit. 28).

23 Je les peignis puissants, riches, séditieux (...) RACINE, Esther, II, 1.

Par ext. (En parlant de moyens d'expression autres que le discours). *Wagner excelle à peindre l'espace* (→ Musicien, cit. 5).

(Sujet n. de chose). Exprimer, traduire. *Épithète qui peint bien une chose. Son style peint son caractère* (→ Coloris, cit. 4). ⇒ **Dessiner.** *Ce trait le peint tout entier* (→ Observer, cit. 8). — Par ext. *La musique ne peut tout peindre.* ⇒ **Exprimer** (→ 1. Bien, cit. 105).

24 (...) j'écoutais avec plaisir mille chimères ridicules qui vous peignaient innocent à mon cœur.
MOLIÈRE, Dom Juan, I, 3.

25 Je n'appelle passion que celle éprouvée par de longs malheurs, et de ces malheurs que les romans se gardent bien de peindre, et d'ailleurs qu'ils ne *peuvent pas* peindre.
STENDHAL, De l'amour, Fragm. div., 37.

▶ **SE PEINDRE** v. pron.

♦ **1.** Vx ou par plais. Se farder.

26 La suppression du rose, que je n'avais jamais soupçonné artificiel, de ses lèvres et de ses joues donnait à la figure l'apparence grisâtre et aussi la précision sculpturale de la pierre. Il avait perdu non seulement le courage de se peindre, mais de sourire (...)
PROUST, le Temps retrouvé, Pl., t. III, p. 934.

♦ **2.** Faire son propre portrait, son autoportrait. *Rembrandt s'est peint à des âges divers.*

Fig. Se représenter par le discours (→ Entier, cit. 13). *Auteur qui se peint dans une œuvre* (→ Autobiographie).

27 Me peignant pour autrui, je me suis peint en moi de couleurs plus nettes que n'étaient les miennes premières. Je n'ai pas plus fait mon livre que mon livre m'a fait, livre consubstantiel à son auteur (...)
MONTAIGNE, Essais, II, XVIII.

28 Parler de ceux qui ont traité de la connaissance de soi-même (...) de la confusion de Montaigne (...) Le sot projet qu'il a de se peindre! PASCAL, Pensées, II, 62.

♦ **3.** (Sujet n. de chose). Revêtir une forme sensible (pour l'œil, l'imagination). ⇒ **Apparaître.** *Miroir où les objets se peignent un instant* (→ Insouciance, cit. 3). *L'idée* (cit. 4) *est une image qui se peint dans le cerveau* (Voltaire).

29 La pauvreté de cette petite maison, où l'on devrait vivre avec cinquante louis de rente, se peignait à elle sous des couleurs ravissantes.
STENDHAL, le Rouge et le Noir, I, VIII.

(1689). Se manifester à la vue (en parlant des émotions, des sentiments). *Des yeux où se peint un effarement* (cit. 2) *comique.* — (Au p. p.). *« Un mortel* (cit. 8) *désespoir sur son visage est peint »* (Racine).

30 (...) son amie vit les sentiments les plus actifs, l'exaltation la plus dangereuse, se peindre sur le visage de madame d'Aiglemont qui rougissait et pâlissait tour à tour.
BALZAC, la Femme de trente ans, Pl., t. II, p. 730.

La consternation se peint sur les figures (...) LOTI, Mme Chrysanthème, IV. 31

▶ **PEINT, PEINTE** p. p. adj.

♦ **1.** Couvert, enduit de peinture, de couleur. *Salle peinte* (→ Détacher, cit. 25), *baraque fraîche** (1. Frais, cit. 15) *peinte.* — *Peint en, de* (+ n. de couleur). *Grille peinte en vert; voiture peinte en rouge* (→ Flambant, cit. 14). *Vaisseau peint de pourpre et d'azur* (→ Frissonnant, cit. 3). *Bois sculpté et peint* (→ 1. Joint, cit. 1; logette, cit. 2). *Statue peinte, bas-reliefs* (cit. 3) *peints. Faïence peinte.* — *Papier* peint.*

Les maisons, dans plusieurs villes, sont peintes, en dehors, de diverses couleurs : on y voit des figures de saints, des ornements de tout genre (...) 32
Mme DE STAËL, De l'Allemagne, I, I.

Presque toutes les statues de l'Orient étaient peintes (...) Peintes les statues romanes, peintes la plupart des statues gothiques (et d'abord, celles de bois). 33
MALRAUX, les Voix du silence, p. 45.

♦ **2.** (Vieilli ou péj.). Couvert de fard* (cit. 3); très, trop fardé. *Jeunes filles peintes et poudrées* (→ Mastodonte, cit. 2). *Lèvres* (cit. 7) *peintes. Sourcils peints* (→ Fatal, cit. 9). — Mod. *Ongles peints. Femme aux ongles peints,* aux ongles vernis, laqués.

Le comte Muffat se sentait plus troublé encore, séduit par la perversion des poudres et des fards, pris du désir déréglé de cette jeunesse peinte, la bouche trop rouge dans la face trop blanche, les yeux agrandis, cerclés de noir, brûlants, et comme meurtris d'amour. 34
ZOLA, Nana, V.

Il avait attendu une très jeune femme, très peinte. 35
ARAGON, les Beaux Quartiers, II, VIII.

♦ **3.** Représenté au moyen de peinture, de la peinture. *Figure parfaitement peinte* (→ 1. Faux, cit. 39).

Si j'avais le choix cependant entre la plus belle des créatures vivantes et la femme peinte du Titien que huit jours plus tard je revoyais dans la salle de la tribune à Florence, je prendrais la femme peinte du Titien. 36
MAUPASSANT, la Vie errante, La côte italienne.

♦ **4.** Exécuté avec de la peinture. *Un ornement peint en grisaille* (cit. 3). *Décors peints. Toile peinte vers 1650. Fresques peintes par les élèves* (cit. 1) *de l'Angelico.*

COMP. Dépeindre, repeindre.

HOM. Formes du v. **peigner.** — (Du p. p.) **Pain, pin,** (et du fém.) **pinte.**

PEINE [pɛn] n. f. — V. 1050; *penas,* plur., v. 980, « tourments du martyre »; du lat. *pœna* « réparation, punition, souffrance », grec *poinê* « châtiment ».

★ **I.** (XIIIe). Punition. ♦ **1.** Sanction appliquée à titre de punition, d'expiation ou de réparation pour une action jugée répréhensible, coupable... ⇒ **Châtiment, condamnation, correction, pénalité** (→ Honte, cit. 3; impunité, cit. 3). *Subir la peine de sa faute* (→ Coupable, cit. 3). *Peine légère; sévère. Sévérité* de la peine. La peine infligée par la justice* publique, a remplacé la vengeance privée. Peine du talion*.*

La société institue des peines qui peuvent frapper des innocents, épargner des coupables; elle ne récompense guère; elle voit gros et se contente de peu : où est la balance humaine qui pèserait comme il faut les récompenses et les peines? 1
H. BERGSON, les Deux Sources de la morale et de la religion, p. 6.

Ne pensez-vous pas que c'est la pire peine, celle qu'on subit sans pouvoir la juger imméritée ni pourtant la prendre comme une rédemption? 2
SARTRE, Situations III, p. 35.

♦ **2.** Spécialt. (dr. pén. et cour.). Sanction édictée par le législateur et appliquée par les juridictions répressives, criminelles, correctionnelles, et de police, à la fois dans un but d'exemplarité et de réadaptation du délinquant à la vie sociale. ⇒ **Infraction; contravention, crime, délit** (cit. 1), **faute; pénal** (droit). *Le délit* (cit. 7) *civil n'est frappé d'aucune peine par les lois répressives. Traité des Délits et des Peines,* ouvrage de Beccaria (1764). *Peines prévues, établies* (cit. 9) *par la loi, figurant à tel article du code pénal. Peines encourues.* ⇒ **Encourir** (→ Manquement, cit. 3). *Être passible* d'une peine. — Prononcer, infliger* une peine.* ⇒ **Condamner** (cit. 5), **pénaliser.** *Application, exécution* de la peine, d'une peine* (→ Juré, cit. 1). *Juge* de l'application des peines. — Peine susceptible de degrés. Circonstances* (aggravantes, atténuantes) *pouvant modifier la peine. Peine arbitraire*, discrétionnaire. Le minimum de la peine.* ⇒ **Minima** (à). *Adoucir la peine* (→ Exécuter, cit. 24). *Peine commuable.* ⇒ **Commutation; commuer** (→ Forteresse, cit. 2). *Remettre une peine; remise* de peine. Peine mitigée* (cit. 1). *Aggravation* de peine* (→ Exécrer, cit. 3). *Confusion* des peines. — Principe de la légalité, de l'égalité, de la personnalité des peines en droit français. — Peine criminelle*; correctionnelle*; de simple police** (→ Appareil, cit. 13). — *Peine de droit commun. Peine politique. Peines militaires* (⇒ **Cassation, dégradation**). *Peines disciplinaires** (⇒ **Blâme, réprimande**). *Peine principale; accessoire, complémentaire. — Les peines en matière criminelle sont ou afflictives et infamantes, ou seulement infamantes* (art. 6 du Code pénal). ⇒ **Afflictif** (cit. 1 et 2), **infamant** (cit. 4, 5 et 6). — *Peines pécuniaires.* ⇒ **Amende, confiscation** (→ Convertir, cit. 11). — *Peine corporelle. Exécuteur des peines corporelles.* ⇒ **Bourreau; supplice.** *Suppression des peines corporelles dans les* *civilisations évoluées.* — *Peine capitale*, peine de mort.* ⇒ 1. **Mort** (*supra* cit. 32; → Abolir, cit. 3 et 4; attacher, cit. 40). ⇒ **Décapitation, électrocution, garrot, guillotine, pendaison...** *Militer contre la peine de mort. Abolition de la peine de mort.* — *Peines privatives de liberté.* ⇒ **Bagne, ban, bannissement, déportation, détention, emprisonnement, interdiction** (de séjour), **prison, réclusion, relégation, transportation, travail** (travaux forcés). → Arrêt, cit. 6; arrêter, cit. 35; concussion, cit. 1; enlever, cit. 27. *Peine d'emprisonnement, de prison. Durée, expiration d'une peine* (→ Bannir, cit. 35). *Purger sa peine en prison, dans une colonie pénitentiaire, une maison de force...* Anciennt. *La peine du boulet, du carcan, des fers, des galères* (⇒ **Chaîne**), *du pilori, du fouet, de la roue...* (⇒ **Supplice**). *Peine de la claie.*

3 (...) la peine n'est pas toujours proportionnée au délit (...)
P.-L. COURIER, Pamphlets littéraires, Lettre à M. Renouard, 30 sept. 1807.

Mander à comparoir (cit.) *sous des peines graves, faute d'obéir. Être obligé, sous de grandes peines...* (→ Convocation, cit. 2). *Sous les peines de droit.*

♦ **3.** Loc. **SOUS PEINE DE...** : en faisant encourir telle ou telle peine. *Sous peine de punition* (→ 1. Loi, cit. 13), *de la contrainte par corps* (→ Exploit, cit. 8). *Sous peine d'être pendu* (→ Gibet, cit. 1). — *Sous peine de la vie* (→ Hors, cit. 23) : sous peine de mort. *Défense d'afficher sous peine d'amende.* ⇒ **Défense; menace.** — Fig. Si l'on veut éviter tel ou tel inconvénient, tel ou tel risque. *On doit reconnaître, sous peine de l'absurde...* (→ Autre, cit. 109). *Sous peine de sa haine* (→ Gêne, cit. 5). Avec de et inf. *Chose à laquelle il faut se faire* (cit. 238), *sous peine de trouver la vie insupportable.*

4 La marche devient impossible sous peine de s'égarer.
Alphonse DAUDET, Tartarin sur les Alpes, XIII.

5 (...) il fallait la résoudre *(cette question)*, sous peine d'être un indifférent, ou un hypocrite. R. ROLLAND, Jean-Christophe, L'adolescent, I, p. 243.

SOUS PEINE QUE (et le subjonctif).

6 Le vent du changement souffle en rafales sur la France libérée. Mais la règle doit s'y imposer, sous peine que rien ne vaille rien.
Ch. DE GAULLE, Mémoires de guerre, t. III, p. 91.

Vx ou archaïque. **À PEINE DE...** (→ 2. Efficace, cit. 4; extrait, cit. 3). Fig. Au risque de... (suivi d'un subst. ou d'un verbe à l'inf.). *À peine de désaveu* (cit. 6). **À PEINE QUE** (et le subj.) → Fastidieux, cit. 3.

6.1 Je l'ai *(le chapitre)* repris à différentes reprises, et retravaillé. Je ne peux plus y toucher, à peine de tout gâter.
J.-R. BLOCH, Deux hommes se rencontrent, p. 253.

Vx. **SUR PEINE DE...** *Sur peine de la vie* (Molière, *le Misanthrope*, IV., 1), *de péché mortel* (Pascal).

♦ **4.** (Souvent au plur.). Souffrance* infligée par Dieu pour punir les fautes des hommes (→ Garder, cit. 89). *Peines éternelles, peines de l'enfer.* ⇒ **Dam, damnation, sens** (peine du sens); **enfer** (→ Gouffre, cit. 1; immortalité, cit. 1; malédiction, cit. 12; paix, cit. 31). *Condamner aux peines éternelles.* ⇒ **Damner, réprouver.** *Peines du purgatoire. Relâchement de la peine au moyen des indulgences* (cit. 13 et 14).

Loc. **EN PEINE.** *Âme en peine.* ⇒ **Âme** (cit. 40 et *supra*). → Dérivatif, cit. 2. → *infra* II., 3.

Relig. *Peines canoniques. Peines disciplinaires infligées par la censure ecclésiastique.* — *Peine imposée par le confesseur.* ⇒ **Pénitence.**

★ **II.** (XIIe). Douleur, souffrance. ♦ **1.** (Au sing. ou au plur.). Souffrance morale. ⇒ 2. **Chagrin, crève-cœur, déplaisir, douleur, épreuve, mal, malheur, souci, souffrance, tourment, tracas.** *La cause* (cit. 12 et 17) *d'une peine. L'homme est lui* (cit. 50) *-même la source de ses peines. Endurer, éprouver* (cit. 20) *des peines. Peines et plaisirs* (→ Ajouter, cit. 9; auberge, cit. 2; balcon, cit. 2), *et joies* (→ Édifier, cit. 4), *et bonheurs* (→ Fois, cit. 11). *Les peines de la vie.* ⇒ **Épine, ronce** (fig.). *Peines légères et grands chagrins* (→ Glisser, cit. 33). *Peine vive, cruelle.* ⇒ fig. **Meurtrissure, plaie.** *Peine extrême, indicible* (cit. 2). *Délivrer le cœur et l'esprit d'une terrible peine* (→ Inconcevable, cit. 4). *Peines trop vives* (→ Jeu, cit. 81). *L'habitude émousse* (cit. 4) *les peines. Se consoler de ses peines* (→ Dispenser, cit. 10). *« Invoquez dans vos peines Le grand consolateur »* (cit. 2, Lamartine). *Confier, conter ses peines.* ⇒ **Plaindre** (se). *Déguiser ses peines* (→ Cruel, cit. 20). *Supporter ses peines avec résignation.* ⇒ **Collier** (de misère), **croix.**

7 Les peines doivent produire sur l'âme de l'homme les mêmes ravages que l'extrême douleur cause dans son corps (...)
BALZAC, le Médecin de campagne, Pl., t. VIII, p. 502.

Loc. *Peine de cœur :* chagrin d'amour. *Avoir une peine de cœur.*

♦ **2. LA PEINE** : état psychologique fait d'un sentiment de tristesse, d'angoisse, souvent accompagné de difficulté à agir. ⇒ **Abattement, affliction, agonie** (vx), **amertume, angoisse, anxiété, dépression, déprime** (fam.), **désolation, détresse, douleur** (cit. 13), **ennui** (vx), **gêne, inquiétude, malheur, misère, tristesse** (→ Forcer, cit. 14; nature, cit. 33; 1. ombre, cit. 41). *Sentiment de peine* (→ Inséparable, cit. 2). *Le plaisir* et la peine. Être dans une peine affreuse.* ⇒ **Torture** (fig.). *Noyer* (1. Noyer, cit. 2) *sa peine. Avoir de la peine, beaucoup de peine. Vie médiocre* (cit. 4), *sans joie, sans peine. Délivrer qqn de la peine.* ⇒ **Affranchir, soulager.** *Consoler un ami dans la peine. Je partage votre peine. « De vous dépend ma peine ou ma béatitude »* (cit. 4, Molière).

(...) je n'ai plus que des sensations et ce n'est plus que par elles que la peine ou le plaisir peuvent m'atteindre ici-bas. ROUSSEAU, Rêveries..., VIIe promenade. 8

Et la peine en amour est un plaisir encor. 9
André CHÉNIER, Poèmes, Art d'aimer, IV.

Les philosophes veulent, il est vrai, que la peine donne plus de saveur au plaisir qu'elle accompagne, mais Pippo pensait qu'une méchante sauce ne rend pas le poisson plus frais. A. DE MUSSET, Nouvelles, Fils du Titien, IV. 10

C'est bien la pire peine 11
De ne savoir pourquoi,
Sans amour et sans haine,
Mon cœur a tant de peine.
VERLAINE, Romances sans paroles, III.

S'arrêtant parfois à écouter couler sa peine comme on se penche pour entendre la douce plainte incessante d'une source (...) 12
PROUST, les Plaisirs et les Jours, p. 123.

Faire de la peine à qqn. ⇒ **Affliger, attrister, déplaire, désobliger, peiner, rembrunir, vexer...** (→ Froncer, cit. 2; impossibilité, cit. 8; 1. Mort, cit. 34). *Faire peine. Cette idée me fait peine* (→ Honorer, cit. 21). ⇒ **Peser, tuer** (fig.). Mod. *Ce que vous dites me fait beaucoup de peine.* — Impers. (vx). *Il me fait peine de... :* il m'est pénible de... ⇒ **Coûter.** — Spécialt. *Faire peine :* exciter la pitié, la compassion. *Il fait peine à voir.*

Il y a une chose qu'il faut n'aimer ni à faire ni à donner, c'est de la peine. 13
HUGO, Post-Scriptum de ma vie, L'âme, VI.

Ses traits amaigris, sa face allongée, la pâleur de ses joues, la transparence maladive de ses mains, tout cela me faisait peine à voir (...) 14
Alphonse DAUDET, le Petit Chose, II, XIV.

Certes, je ne cherchais pas à faire de la peine à mon père; pourtant, je souhaitais la chose qui pourrait lui en faire le plus. 15
R. RADIGUET, le Diable au corps, p. 48.

♦ **3. EN PEINE** (vieilli) : dans l'inquiétude, le souci. *Être en peine de...* (suivi d'un subst. ou d'un inf.). ⇒ **Inquiet** (→ Changer, cit. 61). *« Elle était fort en peine »* (→ Oreille, cit. 2). *Se mettre en peine de..., pour... :* s'inquiéter de..., pour... (→ Épurer, cit. 1). *Ne vous mettez pas en peine pour moi, je me débrouillerai.* Vx. *Être en peine si..., où...* (Molière, *l'École des femmes*, V, 3).

— Vivez heureux au monde, et me laissez en paix. 16
— Oui, je t'y vais laisser; ne t'en mets plus en peine.
CORNEILLE, Polyeucte, IV, 3.

(Du sens I, 3). Loc. *Être comme une âme en peine,* très triste, inconsolable (→ Brûler, cit. 26; guérir, cit. 44). Fam. *Il errait comme une âme en peine,* seul et tristement.

Mettre qqn hors de peine, tirer de peine, lui enlever un souci, le rassurer.

★ **III.** (XIe). Fatigue. ♦ **1.** *(La peine, les peines de qqn).* Activité qui coûte, qui fatigue; fatigue qui en résulte. ⇒ **Effort, fatigue.** *Charge, tâche, travail... qui cause, coûte, demande de la peine, beaucoup de peine.* ⇒ **Difficile, laborieux, pénible** (→ Disert, cit. 3; laver, cit. 2). *La peine de qqn, sa peine,* celle qu'il éprouve. *La peine de qqch.,* que qqch. coûte à qqn. *La peine de faire qqch. La peine d'acquérir* (cit. 8 et 9), *de gagner sa vie. La peine de la journée.* ⇒ **Tâche, travail.** Prov. *À chaque* (cit. 1) *jour suffit sa peine.* — *« Travaillez, prenez de la peine »* (→ Fonds, cit. 5, La Fontaine). *La peine qu'une œuvre a coûtée* (cit. 11) *à son auteur. Prendre, se donner beaucoup de peine.* ⇒ **Décarcasser** (se), **démener** (se), **travailler** (cf. Suer sang et eau). *Dès qu'on s'en donne, pour peu qu'on s'en donne la peine :* pourvu qu'on le veuille bien (→ Fourbe, cit. 2). — Allus. littér. *« Vous vous êtes donné la peine de naître, et rien de plus »* (→ Fier, cit. 10). — (Formule de politesse). *Donnez-vous la peine d'entrer, de vous asseoir...,* veuillez... (⇒ **Vouloir**). — *Épargner* (→ Aiguille, cit. 5), *s'épargner* (→ Mercenaire, cit. 1) *de la peine. Ne pas plaindre* sa peine (et ses pas) :* ne pas se ménager, faire de gros efforts. *Dur* (cit. 5), *durci, s'endurcir* (cit. 11) *à la peine* (→ Lacédémonien, cit. 1). *Se tuer à la peine. Mourir à la peine :* mourir après un dur travail. — *Être à l'honneur après avoir été à la peine.* — Prov. *Toute peine mérite* (cit. 8) *salaire* (→ Loyer, cit. 4). — *Pour prix de sa peine* (→ Broche, cit. 4). *Payer qqn de ses peines* (→ Besoin, cit. 73). *S'estimer payé de ses peines, de sa peine* (→ Faire ses frais*; → Heureux, cit. 24). Loc. *N'être pas au bout de ses peines :* avoir encore des difficultés à surmonter. ⇒ **Tribulation** (→ Grabuge, cit.).

J'ai tant fait que nos gens sont enfin dans la plaine. 17
Ça, Messieurs les chevaux, payez-moi de ma peine.
LA FONTAINE, Fables, VII, 9.

Je vous remercie, monsieur du Bousquier (...) de la peine que vous avez prise et que je vous ai donnée hier (...) BALZAC, la Vieille Fille, Pl., IV, p. 304. 18

À quoi bon, cependant? à quoi bon tant de haine, 19
Et faire tant de mal, et prendre tant de peine,
Puisque la mort viendra?
HUGO, les Voix intérieures, XXIX.

On peut dire que, chaque pierre de leur foyer, ils l'ont portée de leurs mains et cimentée de leurs peines. R. ROLLAND, le Voyage intérieur, p. 93. 20

Pour votre peine, se dit pour remercier (par une gratification, un pourboire...), pour payer qqn d'un service, d'un travail fourni. — Par ext. *Pour votre peine, pour la peine :* en compensation, en dédommagement. ⇒ **Compenser.** Iron. *Pour ta peine, tu seras privé de dessert* (l'emploi ironique redonne à «peine» le sens de punition. → ci-dessus, I.).

(1690). *Homme de peine,* qui effectue des travaux de force. *Garçon de peine* (→ Grenier, cit. 7).
Valoir la peine. ⇒ **Valoir.**
C'est bien, c'était bien la peine de se donner tout ce mal : le résultat (mauvais, nul) ne valait pas tout ce travail. *Ce n'est pas la peine de... :* il est inutile de... (→ Flafla, cit. 1). *Est-ce, est-il la peine de... ?* (→ Fois, cit. 29).

21 C' n'était pas la peine,
Non, pas la peine assurément,
De changer de gouvernement. la Fille de Mme Angot, I, 14 (Opérette).

21.1 Eh! bien, me dis-je alors en m'examinant, il est donc vrai qu'il y a des créatures humaines, que la Nature ravale au même sort que celui des bêtes féroces! Cachée dans leur réduit, fuyant les hommes à leur exemple, quelle différence y a-t-il maintenant entre elles et moi? Est-ce donc la peine de naître pour un sort aussi pitoyable? SADE, Justine..., t. I, p. 65.

Perdre sa peine à...; y perdre sa peine : échouer en dépit de ses efforts (→ Battre, cit. 72; embêter, cit. 3). *Perdre son temps et sa peine* (→ Ergoter, cit. 1). *C'est peine perdue.* ⇒ **Inutile, vain.**

22 Il en est ainsi de notre passé. C'est peine perdue que nous cherchions à l'évoquer, tous les efforts de notre intelligence sont inutiles.
PROUST, À la recherche du temps perdu, t. I, p. 65.

En être pour sa peine : ne pas recueillir le fruit de ses efforts. ⇒ **Échouer** (→ En être pour ses frais*).

♦ **2.** Difficulté* qui gêne pour faire une chose, ou qui rend cette chose pénible. ⇒ **Embarras, mal.**

a Au sing. DE LA PEINE. *Avoir de la peine à parler, à marcher... :* parler, marcher avec difficulté. *J'ai de la peine à le croire* (→ Aucun, cit. 35). — (1665). Vx. *Avoir (de) la peine de faire qqch.*

23 (...) Que diable! on a bien de la peine
À se faire écouter : je suis tout hors d'haleine. RACINE, les Plaideurs, II, 2.

24 L'on peut juger ici de la peine que nous avons à nous débarrasser d'une idée toute faite. J. PAULHAN, Entretiens sur des faits divers, p. 15.

(1553). *Avoir peine à s'abstenir* (cit. 1), *à se retenir de faire qqch.* (→ Audace, cit. 23), *à remuer les coudes* (→ Festin, cit. 3). *J'avais peine à le suivre* (→ Accompagner, cit. 2). *Avoir peine à dire* (→ Caprice, cit. 3), *à croire* (→ Nature, cit. 47), *à comprendre, à démêler* (cit. 8). *Avoir grand* peine à...*

25 (...) les deux plus raisonnables personnes du monde ont souvent peine à composer une union dont ils soient satisfaits.
MOLIÈRE, le Bourgeois gentilhomme, III, 15.

Spécialt., vieilli. *Être dans la peine,* dans la gêne, le besoin*, la misère.

b Au plur. *Avoir toutes les peines du monde à... :* avoir beaucoup de difficulté à... (→ Élargir, cit. 7; graisseur, cit. 2).

26 (...) j'avais le cœur serré et toutes les peines du monde à retenir mes larmes (...)
Alphonse DAUDET, le Petit Chose, I, III.

REM. Dans ce sens, *peine* peut aussi bien désigner une difficulté matérielle qu'un obstacle psychologique (manque de disposition, absence d'envie, répugnance*).

♦ **3.** Loc. (aux sens 1 et 2). AVEC PEINE. ⇒ **Difficilement** (cit. 1), **laborieusement** (→ Gros, cit. 4). *Résister avec peine.* ⇒ **Faiblement.**
À GRAND-PEINE. ⇒ **Grand; malaisément, péniblement** (→ Éteindre, cit. 1). Vx. *À toute peine* (→ 1. Ombre, cit. 44).

27 À grand'peine il put monter sur un âne; il s'enfuyait en se cramponnant aux poils, hurlant, pleurant, secoué, meurtri (...) FLAUBERT, Salammbô, II.

28 Le fardeau que nous soulevons avec peine, en grinçant de grimaçant, l'athlète le tire à lui, comme une plume (...) BERNANOS, Sous le soleil de Satan, I, I.

SANS PEINE. ⇒ **Aisément, facilement** (→ Aimer, cit. 68; avantage, cit. 2). *Je vous crois sans peine. On n'obtient, on ne fait, on ne réussit rien sans peine,* sans se donner du mal, sans rencontrer de difficultés, d'obstacles... *Il y est arrivé, non sans peine. Ce n'est pas sans peine que...*

EN PEINE : gêné, embarrassé par des difficultés, des obstacles... *Être, se trouver bien en peine de faire qqch.* (→ Liberté, cit. 25). *J'étais bien en peine de lui répondre. — Il n'est pas en peine pour... :* il n'est pas gêné pour, il est capable de, il peut...

À PEINE. Loc. adv. **a** Vx. Avec difficulté, non sans mal (mod., *avec peine* ou *à grand-peine*). *«À peine je dérobe* (cit. 5) *un moment favorable...»* (Racine) → Autre, cit. 14.

b Mod. Presque pas, très peu... (avec une valeur «d'adverbe négatif, ou de demi-négation», selon Le Bidois). — Avec un adj., un p. p. *Exagération à peine sensible* (→ Caricature, cit. 1). *Le fond de la salle était à peine visible* (→ Amortir, cit. 11). *Cigarette à peine fumée* (→ Jeter, cit. 16). *Sentier à peine tracé* (→ Chemin, cit. 18). *Des bergers* (cit. 6), *couverts à peine de lambeaux déchirés.*

Avec un subst. (ou un syntagme à valeur de subst.) introduit par *de. Il y avait à peine de quoi manger. À peine de pain, à peine assez de pain :* presque pas ou pas assez.

29 (...) sa langue est d'une extraordinaire simplicité (...) À peine d'images.
J. RIVIÈRE, Introd. à l'éd. américaine du «Grand Meaulnes».

(Qualifiant un verbe). *Un faible sourire relevait à peine un coin de sa bouche* (cit. 5). *Des nuances d'art tellement fines que nos raffinés les aperçoivent à peine* (→ Aristocrate, cit. 1). *Suffire* à peine. Pouvoir à peine marcher, se traîner* (→ Altérer, cit. 12; amour-propre, cit. 4). *Il eut à peine la force de...* (→ Introduction, cit. 1). *J'ironise* (cit. 1) *à peine. Il ne parlait qu'à peine* (→ Direct, cit. 1). *Ils étaient à peine des laïcs* (cit. 3).

REM. Lorsque *à peine* est en tête de la proposition, il entraîne régulièrement l'inversion du sujet (cf. R. Le Bidois, *Inversion du sujet,* p. 108-110). *À peine touchions-nous la terre* (→ Marcher, cit. 7). Cette inversion est parfois omise (*«À peine il imprimait* [cit. 20] *la trace de ses pas»*); on peut l'éviter en employant le tour avec *si* (*«À peine si les deux autres le voyaient encore...»* Malraux, *la Condition humaine,* p. 220). On trouve aussi : *C'est à peine si...* (→ Mythologie, cit. 1; obstacle, cit. 4).

À peine ont-elles pu se résoudre à nous faire donner des sièges. 30
MOLIÈRE, les Précieuses ridicules, 1.

Je les goûtais à peine; et voilà que je meurs. 31
André CHÉNIER, Élégies, VII.

Je n'entends ni vos cris ni vos soupirs; à peine 32
Je sens passer sur moi la comédie humaine.
A. DE VIGNY, Poèmes philosophiques, Maison du berger, III.

L'argent nous manquait pour payer notre passage; à peine avions-nous à nous trois de quoi acheter les pioches. 33
Th. GAUTIER, Portraits contemporains, Balzac, II.

Quand il miaule, on l'entend à peine, 34
BAUDELAIRE, les Fleurs du mal, «Spleen et idéal», LI.

C'est à peine si un homme du monde authentique comptait auprès d'un général. 35
PROUST, À la recherche du temps perdu, t. XIV, p. 124.

(Avec un numéral). Tout au plus (le numéral étant donné comme un maximum). *Il y a à peine huit jours que...* (→ Bourrer, cit. 5).

Cet homme ainsi reclus, vivait en joie. — À peine 36
Le spleen le prenait-il quatre fois par semaine.
A. DE MUSSET, Premières poésies, «Mardoche».

(Sens temporel). Depuis* très peu de temps, immédiatement. ⇒ **Juste.** *J'ai à peine commencé, je commence à peine :* je viens seulement de commencer. *«L'année* (cit. 1) *à peine a fini sa carrière».* (Lamartine).

À PEINE, employé dans une proposition subordonnée, coordonnée ou juxtaposée à une autre. *Une mode a à peine détruit une autre mode, que...* (→ Abolir, cit. 7). *«Elle était à peine remise de la frayeur que Swann lui avait causée quand un obstacle fit faire un écart au cheval»* (Proust).

REM. 1. *À peine,* placé en tête de la phrase, entraîne régulièrement l'inversion du sujet. *À peine étais-je endormi, que...* (→ Aubade, cit. 1). *À peine entre-t-on dans la ville, que...* (→ Marteau, cit. 2; cesser, cit. 4; esprit, cit. 115; fils, cit. 6; fort, cit. 32; lumière, cit. 15; 2. magot, cit. 1).

2. La deuxième proposition peut n'être pas subordonnée, mais simplement juxtaposée ou coordonnée à la première (l'idée de succession immédiate est alors soulignée par le changement de temps des verbes). *À peine avez-vous fait une gloire, vous la trouvez trop haute* (→ Ostracisme, cit. 3). *«À peine a-t-il saisi la barre, et déjà nous sentons...»* (Mauriac). «Exceptionnellement, la proposition introduite par *à peine* se trouve placée après l'autre» (*«... elle s'endormit, à peine sa tête avait-elle touché l'oreiller»*. E. Triolet, cité par R. Le Bidois, *Inversion du sujet,* p. 92-93).

À peine avait-il son bonheur entre les mains qu'on voulait le lui prendre. 37
FLAUBERT, l'Éducation sentimentale, I, VI.

À peine suis-je dans la rue, voilà un violent orage qui éclate. 38
Alphonse DAUDET, Lettres de mon moulin, À Milianah.

Un message du général Leclerc m'apprend l'entrée de ses troupes à Strasbourg à peine y ont-elles pénétré. Ch. DE GAULLE, Mémoires de guerre, t. III, p. 137. 39

(Sans inversion). *À peine je suis libre* (cit. 12)... *qu'il faut que...* (→ 1. Limon, cit. 4). *À peine je sors de mon lit..., j'ai coutume de...* (→ Jour, cit. 8). *À peine il achevait* (cit. 3) *ces mots...*

À peine son sang coule et fait rougir la terre, 40
Les Dieux font sur l'autel entendre le tonnerre; RACINE, Iphigénie, V, 6.

Dans une participiale : 1 (ayant même sujet que la principale). *«À peine ouverte au jour, ma rose s'est fanée»* (cit. 9). *À peine arrivée, elle découvrit...* (→ Jeu, cit. 22). *Soldats qui, à peine enrôlés, désertent* (cit. 7). — (Avec ellipse du verbe). *À peine dans la voiture, notre héros... s'endormit profondément* (Stendhal, *la Chartreuse de Parme,* III). — 2 (Avec un autre sujet que la principale). *«À peine la marquise sortie, Clélia appela...»* (Stendhal, *la Chartreuse de Parme,* XXVIII). *«Parfois, à peine ma bougie éteinte, mes yeux se fermèrent!...* (Proust, *Du côté de chez Swann,* I). *«À peine sorti, deux éclatements le courbèrent»* (Dorgelès, *les Croix de bois,* XV).

CONTR. Compensation, consolation, récompense. — Amusement, béatitude, bonheur, calme, félicité, joie, plaisir. — Grandement (à peine).
DÉR. Peiner, peineux.
HOM. Pêne, penne.

PEINER [pene] v. — XIIIe; *pener,* v. 980, de *peine.*

★ **I.** V. tr. ♦ **1.** Faire de la peine à (qqn), causer du chagrin à. ⇒ **Affliger, attrister, chagriner, déplaire, désobliger, fâcher, meurtrir** (par métaphore). → 1. Garde, cit. 26; méchamment, cit. *Cette nouvelle m'a beaucoup peiné* (Académie).

1 Je m'en explique ce soir dans une lettre, qui peut-être la peinera et que j'ai peine à lui écrire; mais la crainte de peiner est une des formes de la lâcheté (...)
GIDE, Journal, 30 mars 1928.

(Au p. p.). *Être peiné, très peiné (de qqch.).*

2 (...) j'ai été vraiment peinée de la douleur de ma respectable amie; elle m'a touchée au point que j'aurais volontiers mêlé mes larmes aux siennes.
LACLOS, les Liaisons dangereuses, XLV.

♦ **2.** Vx. Fatiguer, coûter de la peine à (qqn). — Pronominal :

3 J'aime à vivre aisément, et, dans tout ce qu'on dit,
Il faut se trop peiner pour avoir de l'esprit.
MOLIÈRE, les Femmes savantes, III, 4.

★ **II.** V. intr. (Fin XIe). Se donner de la peine, du mal*. ⇒ **Appliquer (s'), efforcer (s'), évertuer (s'), fatiguer** (et se fatiguer), **gémir** (fig.), **trimer** (fam.); → 1. Coût, cit. 27; élite, cit. 5. *Peiner comme une bête* (cit. 11) *de somme, comme un forçat... Peiner jour* (cit. 42) *après jour. — Élève qui peine sur une composition* (cit. 8) *latine* (au sens III, 2, de *peine*). *Il peinait pour s'exprimer* (→ Facilement, cit. 3). — Par ext. *Respiration, souffle qui peine* (→ Oxygène, cit. 3).

4 J'avais peiné comme Sisyphe
Et comme Hercule travaillé
VERLAINE, Sagesse, I, II.

5 Que des milliers d'êtres aient peiné pour lui assurer le bien-être, voici ce qu'il a besoin d'ignorer pour pouvoir continuer d'être heureux.
GIDE, Journal, Feuillets (1925).

Fam. *Ne pas peiner sur qqch.*, le faire volontiers.

6 — Il a bien mangé? De bon appétit? — Plutôt. Il peine pas sur la nourriture.
R. QUENEAU, Zazie dans le métro, Folio, p. 74.

(Choses). *Respiration, souffle qui peine* (→ Oxygène, cit. 3). *La voiture, le moteur peine dans les montées.*

CONTR. Consoler. — Reposer (se).
HOM. Penné.

PEINEUX, EUSE [penø, øz] adj. — 1580; *peneus*, XIIIe; *penus*, 1080; de *peine*.

Vieux ou régional.

♦ **1.** Qui cause de la peine, de la fatigue. Spécialt (au moyen âge). *La semaine peineuse* : la Semaine sainte.

♦ **2.** (V. 1160). Qui peine, travaille durement (Hamp, A. Theuriet, *in* G. L. L. F.).

PEINTRAILLON [pɛ̃tʀajɔ̃] n. m. — 1869, A. Daudet; dimin. péj. de *peintre*.

♦ Fam. Peintre mineur; mauvais peintre.

PEINTRE [pɛ̃tʀ] n. m. — V. 1212; var. *paintre*, 1260; du lat. pop. **pinctor* (accusatif **pinctorem*), réfection de *pictor* «peintre», d'après *pingere* «peindre».

♦ **1.** Ouvrier, artisan qui applique de la peinture sur une surface, un objet (→ Minium, cit.). *Métier de peintre.* — (1803). *Peintre en bâtiment(s)*, qui fait les peintures d'une maison, colle les papiers (le syntagme est fréquent, pour éviter les ambiguïtés avec le sens 2). *Peintre qui badigeonne* (⇒ **Badigeonneur**). *Échafaudage, échelle de peintre. Outil de peintre.* ⇒ **Brosse, camion, pinceau, pistolet, rouleau, spalter.** *Les plombiers finiront leur travail avant l'arrivée des peintres. Les peintres ont envahi l'appartement.* — (Industr.). *Peintre en machines. Peintre en voitures.* — Arts décoratifs. *Peintre décorateur*, ornemaniste*,* qui peint des ornements sur bois, tissu, faïence, etc.

1 (...) un peintre décorateur de vieille souche, habile à pratiquer les mélanges de couleurs, les dégradés, les fondus. Jadis, quand le commerce de détail favorisait l'art plus qu'aujourd'hui, il a peint des stores de charcuterie et des plafonds (...) Il a orné également de personnages et paysages les panneaux, trumeaux et dessus de porte d'une des plus jolies boulangeries de Belleville.
J. ROMAINS, les Hommes de bonne volonté, t. I, XIII, p. 137.

1.1 Parmi les ouvriers, qui tous avaient fait preuve d'un zèle infatigable, le peintre en bâtiments Toresse et le tapissier Beaucreau méritaient des éloges particuliers. Toresse, qui, fort méfiant à l'endroit des fournitures américaines, s'était muni de barils remplis de peintures diverses, avait recouvert l'édifice entier d'une magnifique teinte rouge (...)
Raymond ROUSSEL, Impressions d'Afrique, p. 299.

♦ **2.** Personne qui fait de la peinture. ⇒ **Artiste** (→ Artisan, cit. 9).
REM. 1. *Artiste peintre* ne se dit plus guère.
2. Comme *écrivain*, *peintre* n'a pas de féminin admis. Cependant le féminin *peintresse* est attesté dès 1313 (paintresse), au sens de «femme peintre» et de «femme d'un peintre» (*painctresse*, 1536). Depuis le XVIIIe siècle (Rousseau) et en français moderne, il ne désigne plus que la femme peintre, avec une valeur ironique et familière. On dira normalement : *le peintre Berthe Morisot; Suzanne Valadon est un excellent peintre.*

1.2 (...) Mlle Jacquemart, la peintresse, en amazone et en chapeau de cheval.
Ed. et J. DE GONCOURT, Journal, t. V, p. 130.

Atelier de peintre, matériel de peintre.* ⇒ **Appui-main, brosse, couleur, chevalet, couteau, godet, mannequin, palette, pinceau, pincelier, spatule, toile...** *Peintre qui broie* (cit. 4) *les couleurs. Le peintre et l'utilisation de la couleur.* ⇒ **Coloriste** (cit. 3). → 2. Franc, cit. 12; grammaire, cit. 12; logique, cit. 11. *Le peintre et la lumière* (⇒ **Luministe**), *le relief* (→ Face, cit. 34), *l'expression* (cit. 28) *psychologique... Technique, métier d'un peintre. Touche* du peintre.* ⇒ **Patte, pinceau** (fig.). → Dessin, cit. 2. *Modèle qui pose pour un peintre. Peintre qui travaille sur le motif*. Esquisse* (cit. 2), *tableau d'un peintre. Peintre qui expose en plein air* (→ Bitume, cit. 2), *aux salons* (→ Cimaise, cit. 1). *Peintre doué* (→ Notoriété, cit. 3), *célèbre* (→ Imitation, cit. 16). — *«Et moi aussi, je suis peintre!»* (cf. *Anch'io son pittore*, phrase du jeune Raphaël). — *Mauvais peintre.* ⇒ **Badigeonneur, barbouilleur, peintraillon** (→ Image, cit. 15). *Peintre amateur. Peintre du dimanche* (cit. 7). *«Le gamin* (cit. 1) *peintre s'appelle Rapin»* (Hugo). ⇒ **Rapin.** *Peintre théoricien, chef d'école.* ⇒ **Maître.** — *Peintre d'aquarelles.* ⇒ **Aquarelliste** (→ Gésir, cit. 4). *Peintre à fresque.* ⇒ **Fresquiste** (→ Manière, cit. 27). *Peintre de pastels* (⇒ **Pastelliste**), *d'icônes* (cit. 2), *de miniatures* (⇒ **Enlumineur, miniaturiste**). *Peintre graveur. Peintre sur verre. — Sujets, thèmes d'un peintre. Peintre de portraits* (⇒ **Portraitiste**), *de nu* (cit. 18), *d'animaux* (⇒ **Animalier**), *de paysage* (⇒ **Paysagiste**), *de marine* (cit. 4), *de nature* (cit. 73) *morte, de genre, d'histoire, de batailles; peintre de l'Orient* (⇒ **Orientaliste**), *peintre religieux... Manière** (cit. 10), *école d'un peintre.* ⇒ **Cubiste, expressionniste, fauve, futuriste, hyperréaliste, impressionniste, intimiste, nabi, naïf** (cit. 5), **naturaliste, pointilliste, préraphaélite, réaliste, romantique** (→ Nuancer, cit. 6), **surréaliste, symboliste...** *Peintre figuratif** (opposé à *peintre abstrait;* ⇒ **Abstrait,** n.). *Peintre académique, officiel. Peintre pompier*. — Peintres primitifs, modernes. Peintres flamands* (→ Mafflu, cit. 2), *italiens, espagnols, français...* (Cf. les peintres désignés par une école locale : *les Florentins, les Siennois, les Vénitiens...*, par le nom d'un maître : *les giottesques* (école de Giotto).

(...) c'est celui-ci qui est un peintre; c'est celui-ci qui est un coloriste (...) 2
C'est celui-ci qui entend l'harmonie des couleurs et des reflets. Ô Chardin! ce n'est pas du blanc, du rouge, du noir que tu broies sur ta palette : c'est la substance même des objets, c'est l'air et la lumière que tu prends à la pointe de ton pinceau et que tu attaches sur la toile.
DIDEROT, Salon 1763, Chardin.

(...) Eugène Delacroix était, en même temps qu'un peintre épris de son métier, un 3
homme d'éducation générale, au contraire des autres artistes modernes, qui, pour la plupart, ne sont guère que d'illustres ou d'obscurs rapins, de tristes spécialistes, vieux ou jeunes; de purs ouvriers, les uns sachant fabriquer des figures académiques, les autres des fruits, les autres des bestiaux. Eugène Delacroix aimait tout, savait tout peindre, et savait goûter tous les genres de talents.
BAUDELAIRE, Curiosités esthétiques, Œuvre et Vie de Delacroix, II.

De même qu'un musicien aime la musique et non les rossignols, un poète les vers 4
et non les couchers de soleil, un peintre n'est pas d'abord un homme qui aime les figures et les paysages : c'est d'abord un homme qui aime les tableaux.
MALRAUX, les Voix du silence, p. 276.

Loc. *Désespoir* des peintres* (plante difficile à peindre).

♦ **3.** (XVIe). Littér. PEINTRE DE... : écrivain, orateur qui peint par le discours. *Peintre des mœurs* (→ Moraliste, cit. 5), *de l'âme* (→ Brouiller, cit. 11), *du cœur humain* (→ 1. Palette, cit. 4), *d'une époque* (→ Mémorialiste, cit.).

(...) même lorsqu'il eut quitté la peinture (...) il resta peintre avec sa plume. 5
SAINTE-BEUVE, Nouveaux lundis, 16 nov. 1863.

Absolt. Écrivain qui excelle dans la description des paysages.

D'autres, par exemple Victor Hugo, voient intérieurement, avec une netteté par- 6
faite et un relief étonnant, les couleurs et les formes (...) Mais ils sont peintres plus que poètes; ils comprennent mieux la figure d'un objet que sa pensée intime (...)
TAINE, Essais de critique et d'histoire, Michelet, II.

DÉR. Peintraillon.
COMP. Peintre-graveur.

PEINTRE-GRAVEUR [pɛ̃tʀəgʀavœʀ] n. m. — V. 1930; de *peintre*, et *graveur*.

♦ Arts. Graveur qui fait de la gravure originale (s'oppose à *graveur d'interprétation*). *Des peintres-graveurs.*

PEINTURE [pɛ̃tyʀ] n. f. — 1120, *pointure*; du lat. pop. **pinctura*, altér. du lat. class. *pictura* «peinture, tableau, description».

★ **I.** Action, art de peindre; résultat de cette action.

♦ **1.** Opération qui consiste à couvrir de couleur une surface. *Procéder à la peinture d'un mur; faire, finir la peinture d'un mur. Apprêt* et peinture d'un plafond, d'un mur* (⇒ **Recouvrement, revêtement**). — Manière de peindre. *Peinture à l'huile et badigeonnage* (→ Azur, cit. 1). *Peinture au pistolet*, à l'aérographe*, au rouleau, à la brosse, au pinceau; au pochoir*. — Peinture décorative, peinture de rinceaux*, d'arabesques*... Peinture sur bois, sur métal, sur porcelaine...* — Absolt. *Peinture en bâtiment. Entreprise de peinture.*

Arts (vx ou rare). *La peinture d'une femme nue.* ⇒ **Image, représentation** (→ Esthétique, cit. 12). *Faire la peinture de qqn*, son portrait peint.

♦ **2.** (XVe). Mod. EN PEINTURE : en portrait peint, en effigie.

Et afin que chacun me voie, 1
Non pas en chair, mais en peinture
VILLON, Testament, CLXXVI.

(...) il n'a rien pour lui. Je ne le voudrais pas dans ma chambre en peinture. 2
ZOLA, Nana, VIII.

Loc. fig. (1868). *Ne pouvoir souffrir, ne pouvoir voir (qqn, qqch.) en peinture,* ne pas pouvoir le supporter.

3 — Je ne peux plus la voir en peinture, répondit Pinette.
SARTRE, la Mort dans l'âme, p. 151.

3.1 Décidément, je ne puis voir l'Amérique en peinture : je fuis son cinéma.
F. MAURIAC, Bloc-notes 1952-1957, p. 348.

♦ **3.** (XVIe). Littér. Description qui parle à l'imagination. ⇒ **Description** (cit. 7), **image; pittoresque.** *Faire de qqn une peinture achevée* (cit. 1). ⇒ **Portrait.** *La peinture de la société* (⇒ **Fresque**), *des passions* (→ Exemple, cit. 11). — Par anal. *La peinture du sentiment par la musique* (→ Échapper, cit. 22).

4 (...) l'homme timide est celui dont je vais faire la peinture.
LA BRUYÈRE, les Caractères de Théophraste, De l'orgueil.

5 (...) les poètes même qui ont chanté la nature, comme Hésiode, Théocrite et Virgile, n'en ont point fait de *description* dans le sens que nous attachons à ce mot. Ils nous ont sans doute laissé d'admirables peintures des travaux, des mœurs et du bonheur de la vie rustique; mais quant à ces tableaux des campagnes, des saisons, des accidents du ciel, qui ont enrichi la muse moderne, on en trouve à peine quelques traits dans leurs écrits.
CHATEAUBRIAND, le Génie du christianisme, II, IV, I.

6 Je ne retiens que ce qui est *peinture du cœur humain.*
STENDHAL, Journal, 10 août 1811.

★ **II.** V. 1150. *(La peinture).* Représentation, suggestion du monde visible ou imaginaire sur une surface plane au moyen de couleurs*; organisation d'une surface par la couleur. L'ensemble des œuvres qui en résultent. ⇒ **Pictural.** *La peinture, art de la surface et de la couleur* (cit. 21). *La peinture, art graphique, plastique. Le dessin* et la peinture. La peinture considérée comme un art d'imitation** (cit. 11), *comme art de la représentation. « Quelle vanité que la peinture... »* (Pascal, → 1. Original, cit. 4). *Rapports de la photographie et de la peinture* (→ Épreuve, cit. 36). *« La peinture..., c'est la nature transmise à l'âme sans intermédiaire »* (cit. 6, Delacroix). *Langage* (cit. 33) *propre à la peinture.* ⇒ **Pictural.** *Esthétique de la peinture* (→ Forme, cit. 45). — *Ouvrage sur la peinture. Dictionnaire universel de la peinture. Essai sur la peinture,* de Diderot.

7 La peinture, disait Léonard de Vinci, est chose mentale.
H. BERGSON, la Pensée et le Mouvant, IX.

8 La peinture tend bien moins à voir le monde qu'à en créer un autre; le monde sert le style, qui sert l'homme et ses dieux.
MALRAUX, les Voix du silence, p. 270.

(Techniques du peintre). *Peinture murale, peinture de chevalet*. Peinture fine d'illustration.* ⇒ **Enluminure, miniature.** *Support utilisé pour la peinture.* ⇒ **Subjectile, support.** *Peinture sur bois, toile, carton, papier... Substances utilisées en peinture.* ⇒ **Enduit; couleur, pigment; médium, véhicule; siccatif; vernis.** *Procédés de peinture. Peinture à l'huile** (de lin, de noix, d'œillette...), *à l'essence* (minérale, de térébenthine), *à l'eau* (⇒ **Aquarelle, détrempe, fresque, gouache, lavis, pastel, sgraffite**), *peinture à l'œuf, à l'encaustique, à la cire... Peinture utilisant des produits variés, des collages.* ⇒ **Papier** (papiers collés). *Peinture à l'acrylique. Peinture au pinceau, à la brosse, au couteau; par dripping...*
Technique de la peinture, termes de peinture. ⇒ **Camaïeu, clair** (n. m.), **clair-obscur, coloris, contour, contraste, dégradation, demi-teinte, dessin, dessous, distribution** (des couleurs), **embu, empâtement, ensemble, expression, fini, flou, fond, fondu, forme, frottis, glacis, grisaille, groupe, harmonie, impression, local** (adj.), **lumière, masse, matière** (*supra* cit. 11), **méplat, modelé, modulation, nombre** (d'or), **notation, ombre, papillotage, passage, pâte** (et demi-pâte), **perspective, plan, plat** (à plat), **profondeur, raccord, relief, rendu** (n. m.), **repeint** (n. m.), **repentir, repoussoir, retouche, surcharge, tache, teinte, ton, tonalité, touche, trait, vaporeux, volume; buste, carnation, chair(s), ciel, draperie, feuillé, figure, horizon, lointain, tête, trompe-l'œil; arrondir, cerner, composer, dégrader, empâter, estomper, fondre, gouacher, grisailler, imprimer, lécher** (cit. 10), **ombrer, rechampir, rehausser, rendre, traiter, vernir.** *Peinture qui rend la troisième dimension* (cit. 3), *peinture qui a de la vigueur, dont les coloris ont de la chaleur, de l'éclat... Mauvaise peinture.* ⇒ **Barbouillage, barbouille, gribouillage.** *Projet de peinture.* ⇒ **Ébauche, esquisse** (cit. 2), **étude, maquette, pochade...** *Les catégories de peinture selon Diderot.* ⇒ **Genre** (cit. 16). *Peinture figurative** (⇒ **Modèle, motif, représentation, sujet**); *peinture non-figurative* (⇒ **Non-figuratif**), *abstraite* (⇒ **Abstrait**). *Peinture de genre*, peinture d'histoire. Peinture pieuse* (→ Égrillard, cit. 5), *peinture anecdotique, naïve... Sujets de peinture.* ⇒ **Académie, allégorie, bambochade, caricature, genre, intérieur, marine, maternité, nature** (morte), **nu, panorama, paysage, portrait, sous-bois, vue...** (Cf. *dans l'iconographie chrétienne :* Annonciation, crucifixion, nativité, pietà*, vierge à l'enfant, etc.). *Écoles de peinture, styles de peinture* (au XIXe et au XXe siècles). ⇒ **Cubisme, dadaïsme, divisionnisme, expressionnisme, fauvisme, futurisme, hyperréalisme, impressionnisme, modern style, naturalisme, pointillisme, post-impressionnisme, préraphaélisme, rayonnisme, réalisme, surréalisme, tachisme** (→ Peintre, 2.). *Peinture académique.* — *Peinture des primitifs, peinture de la Renaissance, peinture classique, baroque, romantique, moderne. Peinture allemande, espagnole, flamande, française, hollandaise* (cit.), *italienne* (spécialt, *florentine, siennoise, vénitienne*). *Peinture de l'École de Paris.* — *Morceau* de peinture. Exposition de peinture.* ⇒ **Exposition, galerie, salon, vernissage; cimaise** (→ Local, cit. 6). *Musée de peinture* (⇒ **Pinacothèque**). — *Faire de la peinture* (⇒ **Peintre,** 2.), *prendre des leçons de peinture dans un atelier* (→ Ouvrir, cit. 24), *une académie. Aimer la peinture* (→ Feuilleton, cit. 5).

Tout morceau de sculpture ou de peinture doit être l'expression d'une grande maxime, une leçon pour le spectateur; sans quoi il est muet. 9
DIDEROT, Pensées sur la peinture, *in* Œ. esthétiques, p. 765.

La peinture, au siècle de Jules II et de Léon X, n'était pas un métier comme aujourd'hui; c'était une religion pour les artistes, un goût éclairé chez les grands seigneurs, une gloire pour l'Italie et une passion pour les femmes. 10
A. DE MUSSET, Nouvelles, « Fils du Titien », V.

La peinture offre aussi, suivant l'époque, et la race, et le peintre, des tendances prédominantes qui lui font revêtir ici un aspect architectural, là un aspect sculptural, ailleurs une association étroite et harmonieuse de tous les éléments plastiques dont elle est l'efflorescence dans le cœur de l'individu. Partout, je ne me lasserai pas de le redire, c'est bien l'individu qu'elle exprime, par son pouvoir de restituer, à l'aide des combinaisons innombrables dont elle dispose — contraste, oppositions, mélanges continuels, lumière, ombre, demi-teintes, valeurs, reflets, passages — la complexité de l'âme humaine et des composantes éternelles ou fugitives qui nous la livrent. 11
Élie FAURE, Histoire de l'art..., Le clavier, IV.

La peinture par projection, par brûlage, par dilacération, comme la sculpture des automobiles à la presse, constituent une réelle plongée dans les structures infrasapiennes puisqu'elles aboutissent, comme l'art des pierres brutes ou des racines, à la mise en situation esthétique à un niveau correspondant à l'homme de Néanderthal, celui des formes nées du jeu des forces naturelles. 11.1
A. LEROI-GOURHAN, le Geste et la Parole, t. II, p. 254.

Fig., fam. *Avoir du goût pour la peinture,* se dit par dérision d'une personne qui a mauvais goût.

★ **III.** ♦ **1.** *(Une peinture).* Surface peinte. *Les peintures de la maison sont grises. Lessivage des peintures. Refaire les peintures d'un appartement. Peinture en grisaille* (cit. 1). *Peinture imitant le bois* (cf. Faux bois), *le marbre...* (⇒ **Marbrer, et dér.**).

J'aimais les peintures idiotes, dessus de portes, décors, toiles de saltimbanques, enseignes, enluminures populaires (...) 12
RIMBAUD, Une saison en enfer, Délires, II.

♦ **2.** Ouvrage de peinture. ⇒ **Tableau, toile** (→ Barbouilleur, cit. 4; impalpable, cit. 1).

REM. *Peinture* est le terme le plus général, et s'applique à un travail de peinture exécuté sur n'importe quel support*. On désigne les peintures par leur procédé : *une huile, une détrempe, une aquarelle,* etc.; par leur sujet : *une nature morte, une annonciation...* (→ *supra* cit. 9). Si les procédés n'emploient pas les couleurs classiques, on dit plutôt *œuvre picturale* que *peinture.*

Peintures pariétales, rupestres. Peintures murales* (→ Grotesque, cit. 2; nuisible, cit. 3). ⇒ **Fresque, plafond.** *Peinture d'autel.* ⇒ **Retable.** *Peinture à volets.* ⇒ **Diptyque, triptyque; polyptyque.** *Peinture à compartiments* (⇒ **Prédelle**). *Peinture japonaise de paravent, sur rouleau...* (⇒ **Kakémono, makémono**). *Les peintures de Lawrence* (→ Flou, cit. 2). *Peinture anonyme.* — *Mauvaise peinture.* ⇒ **Croûte** (→ Plat d'épinards*). *Sujet d'une peinture. Cadre* (cit. 2) *d'une peinture.* ⇒ **Encadrer.** *Conservation d'une peinture* (⇒ **Marouflage; maroufler, rentoiler...**). *Peinture jaunie, noircie, chancie*. Nettoyage, restauration d'une peinture. Les peintures d'une collection. Département des peintures du musée du Louvre.*

Je ne vous conseille point de mettre de cadre à cette peinture : il me semble qu'elle ne vaut guère. 13
Mme DE SÉVIGNÉ, 839, 6 août 1680.

(...) je circulais dans ce clair-obscur, m'arrêtant devant un tableau, puis devant un autre. Le plus grand nombre de ceux qui m'entouraient n'étaient pas ce que j'aurais le plus aimé voir de lui *(Elstir),* les peintures appartenant à ses première et deuxième manières (...) la manière mythologique et celle où il avait subi l'influence du Japon, toutes deux admirablement représentées, disait-on, dans la collection de Mme de Guermantes. 14
PROUST, À la recherche du temps perdu, t. V, p. 87.

Collectif. *La peinture de qqn,* l'ensemble de ses tableaux, de ses œuvres. *Vendre sa peinture* (→ Lésiner, cit.).

★ **IV.** (XIVe). ♦ **1.** Couche de couleur dont une chose est peinte. *Des boiseries* (cit. 1) *sans peinture ni vernis. Peinture d'une carrosserie d'automobile. Faire un raccord de peinture. Défauts de conservation de la peinture.* ⇒ **Écaillage; craquelure.** *Peinture qui cloque*, s'écaille** (→ Coursive, cit.; matraque, cit.), *est soulevée par la rouille* (→ Marquise, cit. 3).

♦ **2.** Couleur préparée avec un véhicule* liquide. ⇒ **Couleur.** *Acheter de la peinture chez le marchand de couleurs. Un pot de peinture. Peinture à l'huile, à la détrempe* (cit. 1; ⇒ **Badigeon**), *à la colle, au caoutchouc... Peinture cellulosique, acrylique. Peinture métallisée. Peinture mate, brillante. Peinture laquée.* ⇒ **Laque.** — *Peinture-émail,* donnant une pellicule lisse, dure, résistante. — *Peinture-émulsion,* dont le liant est une émulsion. *Peinture contre la rouille.* ⇒ **Bitumastic, minium.** *Peinture lavable. Peinture lumineuse, à base de composés phosphorescents. Appliquer la peinture, plusieurs couches de peinture.* ⇒ **Peindre.** *Peinture qui sèche lentement, rapidement. Peinture fraîche. Attention à la peinture!*

Tiens, cette peinture métallique-là, c'est une idée; je vais l'essayer pour la charpente de mon usine de Limoges. 15
J. ROMAINS, les Hommes de bonne volonté, t. XI, XIII, p. 123.

Arts. (Moins usité en ce sens que *couleur*). *Tube de peinture. Boîte de peintures, à peintures. Délayer la peinture avec de l'eau, de l'essence, de l'huile. Mettre de la peinture.* ⇒ **Colorer, colorier.**

Loc. *Un vrai pot de peinture,* se dit d'une femme trop fardée.

Vx. Fard. *La peinture dont les femmes se fardent* (cit. 9). — Mod. (Rare). Vernis à ongles.

16 Elle se parfumait, se mettait de la peinture sur les ongles, du rouge sur les lèvres.
R. QUENEAU, Pierrot mon ami, p. 23.

DÉR. Peinturer, peintureur, peinturier.

PEINTURER [pɛ̃tyʀe] v. tr. — XVe; p. p., «orné de décorations», 1150; de *peinture.*

♦ **1.** Vx. Couvrir de couleur.

♦ **2.** Peindre d'une façon grossière et maladroite. ⇒ **Barbouiller, barioler, peinturlurer.**

1 (...) à l'occasion de cette cérémonie, le révérend Péchard avait fait cadeau à l'église de saint Mathurin et de saint Yves, complètement neufs et peinturés des couleurs les plus éclatantes.
NERVAL, le Marquis de Fayolle, I, XII.

♦ **3.** V. pron. Rare. *Se peinturer :* se farder grossièrement.

2 C'était une femme de quarante-huit ans qui, les jours où elle faisait toilette et se peinturait en blanc, arrivait à n'en paraître que soixante (...)
Paul MORAND, l'Homme pressé, I, V.

REM. Le mot paraît être, soit archaïque, soit familier (il est fréquent dans la langue enfantine); beaucoup le considéreront, à tort, comme une variante fautive de *peindre.*

DÉR. Peinturlurer.

PEINTUREUR [pɛ̃tyʀœʀ] n. m. — 1793, *in* D. D. L.; de *peinture.*

♦ **1.** Vx. Peintre.

♦ **2.** Mod., fam. Mauvais peintre.

REM. On trouve aussi *peinturier.*

PEINTURIER, IÈRE [pɛ̃tyʀje, jɛʀ] n. m. et adj. — V. 1160, n. m. adj. «habile à peindre», v. 1265; de *peinture.*

♦ **1.** N. m. Vx. Peintre. — Mod., péj. Mauvais peintre.

La brutale autant que précieuse médiocrité du peinturier avait trouvé là sa formule.
Léon BLOY, le Désespéré, p. 243.

♦ **2.** Adj. (XIXe, L. Bloy). Rare. Qui se rapporte au peintre.

PEINTURLURAGE [pɛ̃tyʀlyʀaʒ] n. m. — V. 1870; de *peinturlurer.*

♦ Action de peinturlurer*; son résultat.

Ailleurs, sur une humble façade, riait le seul éclat d'un chaud crépi, ou le peinturlurage cru d'un volet bleu.
Émile HENRIOT, le Diable à l'hôtel, VI.

PEINTURLURE [pɛ̃tyʀlyʀ] n. f. — 1867; de *peinturlurer.*

♦ Rare. Peinture aux couleurs vives, criardes (→ Cadre, cit. 3). Par ext. Maquillage grossier.

(...) Souviens-toi (...) de cette tourneuse à la gaie peinturlure rouge et bleue où tu siégeais au long du champ, la tête contre les nuages!
Gustave ROUD, Campagne perdue, *in* Littér. de langue franç., p. 588.

PEINTURLURER [pɛ̃tyʀlyʀe] v. tr. — 1743; p. p., 1628; de *peinturer,* formation plaisante.

♦ **1.** Peindre, orner (qqch.) de couleurs criardes, peu harmonieuses. ⇒ **Barioler.** *Peinturlurer un mur, une maison.* — P. p. adj. *Objets peinturlurés de l'art populaire. Jouets* (cit. 3) *de fer blanc peinturluré.*

1 Il a imaginé de décorer son salon de *marines* peintes à la fresque (des marines en vue de la mer!). Tout est peinturluré, doré, candélabré. C'est pompeux et mastoc.
FLAUBERT, Correspondance, 418, 22 août 1853.

2 Les maisons de briques sont couleur de sang séché ou, au contraire, peinturlurées, barbouillées de jaune vif, de vert ou de blanc cru.
SARTRE, Situations III, p. 102.

3 La plupart des sculptures ressemblaient trop à celles que je connaissais et ressemblaient trop entre elles. Il y en avait d'insolites, en bois peinturluré, qui m'ont étonnée : mais elles étaient presque toutes très laides.
S. DE BEAUVOIR, Tout compte fait, p. 223.

♦ **2.** Absolt. Faire de la mauvaise peinture (II.). ⇒ **Barbouiller, peinturer.**

♦ **3.** Maquiller, grimer grossièrement. *Le clown a peinturluré son visage.*

4 Viens, j'ai organisé une sorte de loge avec des fards et un choix de perruques. Nous allons te peinturlurer.

— Et tu crois que le fait de faire parler Bitos, déguisé en Robespierre, suffira à égayer ta petite surprise-partie?
J. ANOUILH, Pauvre Bitos, p. 14.

Pron. *Se peinturlurer (le visage) :* se maquiller à l'excès et mal.

DÉR. Peinturlurage, peinturlure.

PÉJORATIF, IVE [peʒɔʀatif, iv] n. et adj. — 1834; n. m., 1794; du rad. du bas lat. *pejorare* «rendre pire».

♦ **1.** Adj. Se dit d'un mot, d'une expression, d'une terminaison, d'une acception... qui comporte une idée de mal, déprécie la chose ou la personne désignée. ⇒ **Défavorable.** *Adjectif, mot péjoratif. Épithète péjorative. Suffixes péjoratifs, terminaisons péjoratives :* -ache *(bravache),* -aille*, -ailler*, -ard*, -asse*, -asser *(rêvasser),* -âtre*, -aud *(courtaud),* -esque *(livresque),* -is *(ramassis),* -on *(souillon)... Donner un sens péjoratif à un mot* (→ Faconde, cit. 3). *Le mot d'idéologie* (cit. 6) *a pris un sens nettement péjoratif.*

La prétendue tendance péjorative a encore une autre cause. Il est dans la nature de la malice humaine de prendre plaisir à chercher un vice ou un défaut derrière une qualité. 1
M. BRÉAL, Essai de sémantique, II, IX, p. 101.

♦ **2.** N. m. Mot qui a une valeur péjorative. *Les mots « lourdaud », « bellâtre », « valetaille », « pleurnichard » sont des péjoratifs.* ⇒ **Dépréciatif.**

La langue française aurait bientôt le charme du grec si on y transportait les mots composés, les diminutifs, les péjoratifs. 2
RIVAROL, Disc. sur l'universalité de la langue franç., p. 99.

CONTR. Mélioratif.

DÉR. Péjoration, péjorativement. — (Du même rad.) **Péjorer.**

PÉJORATION [peʒɔʀasjɔ̃] n. f. — 1838; de *péjoratif.*

♦ Didact. Fait d'ajouter une valeur péjorative à un mot; processus par lequel une forme linguistique acquiert une valeur péjorative, une connotation* défavorable.

CONTR. Mélioration.

PÉJORATIVEMENT [peʒɔʀativmɑ̃] adv. — XXe; de *péjoratif.*

♦ D'une manière péjorative, dans un sens péjoratif. *Employer un mot péjorativement.*

PÉJORER [peʒɔʀe] v. tr. — V. 1970; du rad. de *péjoration, péjoratif.*

♦ Amoindrir, déprécier. ⇒ **Désavantager; handicaper.** *Péjorer qqch.* — Par plais.:

Il y avait trois putes dont une Antillaise à une table, je m'étais assis à côté comme un petit garçon qui se sent toujours mieux quand maman est là. Ce n'est pas pour péjorer ma mère qui n'était pas une pute du tout et qui choisissait. Mais je trouve que les putes sont maternelles (...)
É. AJAR (R. GARY), l'Angoisse du roi Salomon, p. 247.

Pron. Fam. *Se péjorer :* devenir pire.

PÉKAN [pekɑ̃] n. m. — 1683; *pekan,* Buffon, 1765; de *pēkanē,* mot algonquin.

♦ Martre* du Canada *(mustela pennanti)* dont la fourrure est très recherchée; cette fourrure.

Après les meilleurs renards croisés, viennent le pékan, la martre et le foutereau. Ces trois animaux sont des putois, et peuvent, quant à la taille et à la valeur, rester dans l'ordre où nous les avons nommés. La peau d'un pékan monte de vingt à trente-huit francs; celle d'une martre de dix-neuf à vingt-neuf, et celle d'un foutereau de douze à dix-huit.
MILTON et CHEADLE, Voyage de l'Atlantique au Pacifique, *in* le Tour du monde, t. XIV, 2e semestre, p. 222.

HOM. Pécan.

PÉ-KAO [pekao] n. m. ⇒ Pekoe.

1. PÉKIN [pekɛ̃] n. m. — 1564; du nom de *Pékin* (Peking), ville de Chine où cette étoffe avait été fabriquée à l'origine.

♦ Anciennt. Étoffe de soie ornée de fleurs ou présentant des bandes alternativement mates et brillantes. ⇒ **Pékiné** (→ Fabriquer, cit. 6).

Un habit de pékin bleu de France, à très larges basques, à revers étroits, liserés d'or, laissait voir par-devant un gilet de piqué anglais. 1
NERVAL, le Marquis de Fayolle, IV.

Les toilettes des femmes sur un yacht, c'est la même chose; ce qui est gracieux, ce sont ces toilettes légères, blanches et unies, en toile, en linon, en pékin, en coutil, qui au soleil et sur le bleu de la mer font un blanc aussi éclatant qu'une voile blanche. 2
PROUST, À l'ombre des jeunes filles en fleurs, Folio, p. 567.

DÉR. Pékiné.

2. PÉKIN ou PÉQUIN [pekɛ̃] n. m. — 1797, *pékin; péquin,* 1776; formation expressive, du radical *pekk-* «petit» (cf. provençal *pequin* «malingre», ital. *piccolo,* esp. *pequeño*), ou du rad. du lat. *pecus, pecoris* «bétail».

♦ Argot milit. (vieilli). Péj. Civil (par oppos. à *militaire*). *Se mettre, s'habiller en pékin* (vx, en bourgeois).

(...) tire-toi du milieu de cette armée en déroute (...) À la première occasion achète des habits de pékin (...) Dès que tu auras sur le dos des habits de bourgeois, déchire ta feuille de route (...) STENDHAL, la Chartreuse de Parme, I, IV.

2 Il y eut, dans les armées impériales, deux nuances chez les militaires. Une grande partie eut pour le bourgeois, pour le *péquin*, un mépris égal à celui des nobles pour les vilains, du conquérant pour le conquis.
BALZAC, la Rabouilleuse, Pl., t. III, p. 947.

3 (...) la terreur qu'inspirent peut-être certains grands chefs d'Algérie au jeune pékin de l'Hôtel Matignon. F. MAURIAC, le Nouveau Bloc-notes, 1958-1960, p. 25.

REM. L'orthographe *péquin* est archaïque.

CONTR. Militaire.

PÉKINÉ, ÉE [pekine] adj. et n. — 1844; de 1. *pékin.*

♦ *Tissu pékiné*, et, n. m., *du pékiné :* tissu présentant des rayures alternativement brillantes et mates. ⇒ 1. **Pékin.**

PÉKINOIS, OISE [pekinwa, waz] adj. et n. — Av. 1874; de *Pékin* (Peking), grande ville de Chine.

♦ **1.** Qui se rapporte à Pékin et/ou à ses habitants. *La population pékinoise.* — N. m. et f. *Les Pékinois et les Cantonais.*

N. m. Ling. Dialecte du chinois parlé dans le nord de la Chine et choisi pour devenir la langue nationale du pays.

♦ **2.** N. m. (1923). Petit chien de luxe, à la tête ronde, à la face camuse, aux oreilles pendantes, au poil long.

Les oreilles du pékinois, paresseusement échoué sur le tapis, eurent un faible frémissement. Anne avait acheté cette boule de soie blonde à l'Exposition de 1900, et elle s'obstinait à traîner partout avec elle cette merveille décrépite, aux dents gâtées, et au caractère grognon. MARTIN du GARD, les Thibault, t. VI, p. 9.

PÉKINOLOGUE [pekinɔlɔg] n. — 1972; de *Pékin*, et suff. *-logue.*

♦ Polit. Spécialiste de la Chine contemporaine, de la politique chinoise (distinct de *sinologue*).

Comment se fait-il que les «pékinologues» soient toujours en retard sur ceux qui se contentent d'étudier la politique chinoise en historiens (...)
ÉTIEMBLE, *in* le Nouvel Obs., 28 août 1972, p. 3.

PEKOE [peko] n. m. — 1834; mot chinois.

♦ Comm. Variété de thé noir chinois. *Orange pekoe.*

Autres graphies : *pé-ko* [peko], *pé-kao* [pekao].

-PÉL- ⇒ **Pélo-.**

PELADE [pəlad] n. f. — 1545; de *peler.*

♦ Chute des cheveux laissant des plaques arrondies de cuir chevelu blanc, lisse, sans pellicules ni inflammation, entourées de zones de cheveux intacts. ⇒ **Alopécie** (cit.), **ophiase, teigne** (→ Guimbarde, cit. 1).

— Il faut que je sois toujours très bien coiffé, me dit-il. On remarque, sans cela, cette vilaine place nette et livide de mon cuir chevelu, et j'ai l'air d'avoir la pelade (...) APOLLINAIRE, l'Hérésiarque..., p. 232.

PELADIQUE [pəladik] adj. — 1890, n. m.; de *pelade.*

♦ Méd. Relatif à la pelade. *Plaque peladique. Processus peladique.* — Qui a la pelade. — N. *Un, une peladique.*

1. PELAGE [pəlaʒ] n. m. — 1469; de *poil.*

♦ Ensemble des poils (d'un mammifère) considéré du point de vue de son aspect extérieur (couleur, finesse, douceur au toucher, épaisseur, etc.). ⇒ **Fourrure, livrée** (cit. 11), **manteau, mantelure, poil, toison.** *Pelage du chat, du cheval* (⇒ **Robe**), *du léopard* (→ Guépard, cit. 2). *Couleurs du pelage. Cette bête a un beau, un superbe pelage. Pelage brillant, lustré, terne, brun, fauve, gris* (→ Loup, cit. 2), *noir, rayé, tacheté... Le pelage des mammifères et le plumage des oiseaux.*

Sur son pelage blanc *(du cheval)*, truité de roux, la sueur avait tracé des filets pareils à ceux dont la pluie raye le plâtre des murailles (...)
Th. GAUTIER, le Capitaine Fracasse, VI.

2. PELAGE [pəlaʒ] n. m. — 1846; «droit ancien sur les peaux», 1732; «action d'écorcher», 1291; de *peler.*

Technique.

♦ **1.** Opération qui consiste à peler (les peaux).

♦ **2.** Action d'ôter la peau (des fruits, des légumes), spécialt, par une opération industrielle de caractère chimique ou mécanique (→ Peleur, 2.).

PÉLAGIANISME [pelaʒjanism] n. m. — 1689, Bossuet; du rad. de 1. *pélagien.*

♦ Relig. Doctrine du moine Pélage et de ses sectateurs (⇒ **Pélagien**), relative à la grâce* et au péché originel (→ Moliniste, cit.). *Le pélagianisme fut combattu par saint Augustin.*

1. PÉLAGIEN, IENNE [pelaʒjɛ̃, jɛn] adj. et n. — 1655; du nom de *Pélage*, moine breton de la fin du IVe.

♦ Relig. Relatif à la doctrine de Pélage, au pélagianisme*. *L'hérésie pélagienne.* — Qui est partisan du pélagianisme. *Auteur pélagien.* — N. *Les pélagiens.*

DÉR. Pélagianisme.
HOM. 2. Pélagien, pélasgien.

2. PÉLAGIEN, IENNE [pelaʒjɛ, jɛn] adj. — XVIIIe, *in* Buffon; du rad. du grec *pelagos* «la pleine mer».

♦ Didact., vx. Relatif à la pleine mer, à la haute mer; qui vit dans les parties de la mer les plus profondes (⇒ **Abyssal**) et les plus éloignées du rivage; qui fréquente la pleine mer. ⇒ **Pélagique.** *Oiseau, poisson pélagien. Faune pélagienne.* ⇒ **Pelagos.**

CONTR. Littoral.
HOM. 1. Pélagien, pélasgien.

3. PÉLAGIEN, IENNE [pelaʒjɛ̃, jɛn] adj. ⇒ **Pélasgique.**

1. PÉLAGIQUE [pelaʒik] adj. — 1802; du rad. du grec *pelagos;* → 2. Pélagien.

♦ **1.** Didact. Relatif à la pleine mer, à la haute mer; qui vit dans la haute mer. ⇒ 2. **Pélagien.** *Courants pélagiques. Faune pélagique. Organismes pélagiques. Vie pélagique*, en pleine mer, dans les eaux proches de la surface (opposé à *benthique**, cit.). — *Œufs pélagiques* (opposé à *œufs démersaux**). — Pêche. *Chalut* pélagique.*

♦ **2.** Géol. *Dépôts, terrains pélagiques :* dépôts qui se forment au fond de la mer, loin des côtes; terrains constitués par ces dépôts.

HOM. Pélasgique.

2. PÉLAGIQUE [pelaʒik] adj. ⇒ **Pélasgique.**

PELAGOS [pelagɔs] n. m. — V. 1965; mot grec «la haute mer».

♦ Didact. Ensemble des organismes marins (faune pélagique*) vivant en pleine eau loin du fond (par opposition au *benthos**) et n'en dépendant pas pour leur subsistance (⇒ **Plancton**).

PELAIN [p(ə)lɛ̃] n. m. ⇒ 2. **Plain.**

PÉLAMIDE ou **PÉLAMYDE** [pelamid] n. f. — 1552; lat. *pelamis, -idis* «jeune thon qui n'a pas un an»; grec *pêlamus, -mudos* «sorte de thon».

Zoologie.

♦ **1.** Poisson acanthoptérygien *(Pélamydés)*, voisin du thon, qui vit dans l'océan Atlantique et la Méditerranée. ⇒ **Bonite.**

♦ **2.** Reptile ophidien *(Protéroglyphes)*, aquatique et venimeux, appelé aussi *hydrurus.*

PÉLAMIDIÈRE [pelamidjɛʀ] n. f. — 1875; *palamidière*, 1771; provençal mod. *palamidiero*, même sens, de l'anc. provençal *palamida* (attesté 1446) «poisson osseux, voisin du thon»; lat. *pelamis, -midis.* → Pélamide.

♦ Régional. Filet à petites mailles pour la pêche à la pélamide.

PELAN [pəlɑ̃] n. m. — 1868; de *peler.*

♦ Techn. Large fragment d'écorce d'arbre destiné à l'industrie.

PELANAGE [pəlanaʒ] n. m.; **PELANER** v. tr. ⇒ **Plamage; plamer.**

PELARD [pəlaʀ] adj. et n. m. — 1611; de *peler.*

♦ Techn. *Bois pelard :* bois qu'on a dépouillé de son écorce afin d'en extraire du tan*. — N. m. *Du pelard.*

PÉLARGONIUM [pelaʀgɔnjɔm] n. m. — 1866; *pélargons*, m. pl., 1808; du grec *pelargos* «cigogne», à cause de la forme du fruit de cette plante qui évoque celle d'un bec de cigogne.

♦ **1.** Bot. Plante dicotylédone *(Géraniacées* ou *Géraniées)*, herbacée, d'origine exotique, acclimatée et cultivée en Europe à cause de la beauté de ses fleurs (⇒ **Géranium**). *Pélargonium « zonale »*, improprement (mais très couramment) appelé *géranium. Pélargonium « peltatum »*, dit aussi *géranium-lierre. Pélargonium « capitatum »* ou *géranium rosat*, dont on extrait l'essence de géranium. *Des pélargoniums.*

♦ **2.** Cour. Une des espèces de *pélargonium*, ornementale (qui n'est pas appelée *géranium*).

PÉLASGIEN [pelaʒjɛ̃] adj. ⇒ **Pélasgique.**

PÉLASGIQUE [pelaʒik] adj. — 1868; *pélasgien*, n. m., 1732; du lat. *Pelasgi, -orum*, «les Pélasges», grec *Pelasgoi*, nom des anciens habitants de la Grèce, de la Crète, de l'Asie Mineure.

♦ Archéol. *Monuments, murs pélasgiques :* murailles, constructions de Grèce et d'Italie qu'on attribuait aux Pélasges et qui sont les vestiges de diverses civilisations préhelléniques. ⇒ **Cyclopéen.** *Les monuments pélasgiques sont construits en blocs de pierre énormes, plus ou moins dégrossis, assemblés sans mortier.*
REM. La var. *pélasgien* semble archaïque.

HOM. Pélagique.

PÉLASTRE [pelastʀ] n. m. — 1688; de *pelle.*

♦ Techn. Partie d'une pelle* formée d'une lame de métal ou de bois large et plate.

1. PÉLAUD ou **PÉLOT** [pelo] n. m. — xxᵉ; probablt de l'anc. v. *pelauder* «battre», bas lat. *pilare* «arracher le poil».

♦ Pop., vx. (Argot, anc.). Coup. — Spécialt. (1918). Projectile, obus (argot milit.).

HOM. Pélot.

2. PÉLAUD [pelo] n. m. ⇒ **Pélot.**

PELAUDER [pəlode] v. tr. — V. 1450; → 1. Pélaud.

♦ Vx. Battre, frapper (→ Gibelin, cit. 1, Montaigne).

PELÉ, ÉE [pəle] p. p. adj. ⇒ **Peler.**

PÉLÉCANIFORMES [pelekanifɔʀm] n. m. pl. — xxᵉ; du bas lat. *pelecanus* «pélican», et *-forme.*

♦ Zool. Autre nom des *stéganopodes** (oiseaux dont le pélican* est le type). — Au sing. *Un pélécaniforme.*

PÉLÉCY- Premier élément de mots savants, tiré du grec *pelekus* « hache ».

PÉLÉCYPODES [pelesipɔd] n. m. pl. — 1846; de *pélécy-*, et *-pode.*

♦ Zool. Vx. Lamellibranches.

PÉLÉEN, ENNE [peleɛ̃, ɛn] adj. — 1906, Lacroix; du nom de la *(montagne) Pelée.*

♦ Géogr. Qui présente le même type d'éruptions que la montagne Pelée, en parlant d'un volcan (émission de lave qui se solidifie en constituant une aiguille rocheuse). *Volcan péléen, de type péléen.*

PÊLE-MÊLE [pɛlmɛl] adv. et n. m. invar. — 1636; *pesle-mesle*, v. 1175; altér. de l'anc. franç. *mesle-mesle*, redoublement expressif de l'impératif de *mêler.* → aussi Méli-mélo.

★ **I.** Adv. Dans une grande confusion*, dans un désordre complet. ⇒ **Désordre** (en). *Dans cette maison, tout est pêle-mêle* (→ Bazar). *Jeter, semer des objets pêle-mêle.* ⇒ **Çà** (çà et là). *Des documents, des faits trop nombreux et présentés pêle-mêle. Marchandise présentée pêle-mêle.* ⇒ **Vrac** (en vrac). *Neuf cents hommes entassés* (cit. 6) *dans l'ordure, pêle-mêle* (→ Force, cit. 50).

1 (...) et le fleuve roulait pêle-mêle les argiles détrempées, les troncs des arbres, les corps des animaux et les poissons morts (...)
CHATEAUBRIAND, Atala, Les laboureurs.

2 Tout ce monde couchait dans la bergerie, vide à cette époque, pêle-mêle sur de la paille, les filles, les femmes, les hommes demi-nus, à cause de la grosse chaleur.
ZOLA, la Terre, III, IV.

★ **II.** N. m. invar. ♦ **1.** (xviiᵉ). Objets en désordre. ⇒ **Capharnaüm, culbutis, fatras, fouillis** (→ aussi Chaos). *Un pêle-mêle d'objets hétéroclites* (→ Grenier, cit. 11). — Fig. *L'effroyable pêle-mêle politique* (→ Gâchis, cit. 3).

Là, dans des casiers, qui encombraient la pièce, traînait un bric-à-brac d'objets de toutes sortes, le déballage d'un revendeur de la rue de Lappe qui liquide, un pêle-mêle sans nom d'assiettes, de coupes en carton doré, de vieux parapluies rouges, de cruches italiennes, de pendules de tous les styles (...) 3
ZOLA, Nana, IX.

(Personnes) :

Là, comme à Hong-Kong, comme à Calcutta, fourmillait un pêle-mêle de gens de toutes races, Américains, Anglais, Chinois, Hollandais, marchands prêts à tout vendre et à tout acheter, au milieu desquels le Français se trouvait aussi étranger que s'il eût été jeté au pays des Hottentots. 4
J. VERNE, le Tour du monde en 80 jours, p. 189.

♦ **2.** (1923). Cadre où l'on peut disposer plusieurs photographies.

CONTR. Ordre (en).

PELER [pəle] v. — Conjug. *geler.* — 1080, *Chanson de Roland;* bas lat. *pilare* «épiler» avec infl. pour le sens de «enlever la peau» de l'anc. franç. *pel* «peau».

★ **I.** V. tr. ♦ **1.** Dépouiller (une peau) de son poil, (un arbre, une branche) de son écorce (⇒ **Écorcher, éplucher**); enlever* à (une chose) sa partie superficielle. *Peler des oignons.* Cour. Dépouiller de sa peau (un fruit). *Peler une banane, une pomme. Action de peler industriellement les fruits.* ⇒ 2. **Pelage.**

♦ **2.** Fam., vx. *Peler quelqu'un*, le battre au jeu. *Se faire peler aux cartes.*

★ **II.** V. intr. ♦ **1.** (1260). Perdre son épiderme par parcelles. (Sujet n. de personne ou de partie du corps). *Cet enfant a pris un coup de soleil, il pèle. Avoir le nez, le corps qui pèle.* — (Avec un pronom compl. d'objet ind.). *La langue me pèle, lui pèle.*

(...) la langue me fait mal à force d'avoir parlé; elle me brûle et me pèle à force d'avoir fumé. J. VALLÈS, le Bachelier, III, p. 36. 1

Nous passions des heures sur la plage, écrasés de chaleur, prenant peu à peu une couleur saine et dorée, à l'exception d'Elsa qui rougissait et pelait dans d'affreuses souffrances. F. SAGAN, Bonjour tristesse, I, I. 2

(...) comme on arrache par morceaux sa peau quand on pèle, comme on se gratte quand on a de l'urticaire (...) N. SARRAUTE, Tropismes, p. 16. 2.1

♦ **2.** Fig., fam. *Peler de froid* ou (absolt) *peler :* avoir très froid. *On pèle ici !* (→ Cailler, geler).

▶ **SE PELER** v. pron.

♦ **1.** (Réfl.). Perdre son poil. *Le cou de ce chien se pèle* (Littré). — REM. Cet emploi est vx; on dit plutôt *peler*, v. intr.

♦ **2.** (Passif). Être dépouillé* de sa peau. *La pêche se pèle facilement.*

▶ **PELÉ, ÉE** p. p. et adj.

♦ **1.** (Surtout d'un animal). Dépouillé de ses poils. *Un vieux chat pelé. Fourrure toute pelée. Des ânes pelés* (→ Galeux, cit. 3). *« Chemin faisant, il vit le col du chien pelé »* (→ Encore, cit. 18; et aussi matou, cit.). — Subst. *« Ce pelé, ce galeux* (cit. 4, La Fontaine), *d'où venait tout le mal ».*

Fam. (En parlant de la tête, du front d'une personne). Dépouillé de ses cheveux. *Crâne pelé.* ⇒ **Chauve.**

Subst. *Un vieux pelé.* Loc. fam. (1790). *Quatre pelés et un tondu* (→ aussi Maître, cit. 100) : un très petit nombre de personnes.

Les socialistes ne sont pas bien nombreux par ici, et ils ne sont pas d'accord. Samedi dernier, à la Fraternelle, nous étions quatre pelés et un tondu et nous nous sommes pris aux cheveux. FRANCE, M. Bergeret à Paris, VII, Œ., t. XII, p. 342. 3

Par métaphore. *Un vieux vêtement tout pelé.*

♦ **2.** Dépourvu de végétation. ⇒ **Nu** (cit. 12). *Les terrains vagues pelés des banlieues industrielles.* — *La montagne Pelée* (ou *mont Pelé*), volcan de la Martinique (⇒ **Péléen**).

La contrée que nous traversions était sauvage sans être pittoresque : des collines pelées, rugueuses, écorchées, décharnées jusqu'aux os (...) 4
Th. GAUTIER, Voyage en Espagne, p. 226.

♦ **3.** Techn. (Arbres). Dont l'écorce a été enlevée.

♦ **4.** N. m. Régional (Belgique). *Le pelé*, partie du gîte à la noix, parfois appelée en France *gousse d'ail.*

CONTR. (Du participe) **Chevelu.**
DÉR. Pelade, 2. **pelage, pelan, pelard, peleur, peloir, pelure.**

PÈLERIN, INE [pɛlʀɛ̃, in] n. — 1080, *Chanson de Roland;* fém., 1416; «étranger», v. 1050; lat. ecclés. *pelegrinus*, dissimilation du lat. class. *peregrinus* «étranger, voyageur». → Pérégrination. — REM. À cause de l'homonymie avec *pèlerine* (vêtement), le féminin est rare (cf. Chateaubriand, *les Natchez*, IV, et → ci-dessous Sade).

♦ **1.** Personne qui fait un pèlerinage* (→ Jubilé, cit.). *Les pèlerins du moyen âge. Le bâton* (cit. 6), *le bourdon*, les coquilles** (I.; cit. 5), *la gourde du pèlerin. Les pèlerins étaient accueillis dans les hospices*. Pèlerins musulmans qui vont à la Mecque.*

0.1 Et où donc, charmante pélerine, me répondit le Moine en m'introduisant dans la sacristie? (...) Quoi! vous craignez de passer la nuit avec quatre saints Hermites! (...) Oh, vous verrez que nous trouverons les moyens de vous dissiper, cher ange (...) SADE, Justine..., t. I, p. 141.

1 — Monseigneur, à la porte
Un homme, un pèlerin, un mendiant, n'importe,
Est là qui vous demande asile. HUGO, Hernani, III, 1.

2 De grands signes éclatent, des multitudes d'hommes s'acheminent déjà un à un, et comme pèlerins, à Rome, au mont Cassin, à Jérusalem.
MICHELET, Hist. de France, IV, I.

3 Il n'est point revenu, pauvre, la corde au rein,
Avec l'humble bourdon et les blancs coquillages,
Par les routes, pieds nus, tel qu'un vieux pèlerin.
LECONTE DE LISLE, Poèmes tragiques, « Lévrier de Magnus ».

Allus. bibl. *Les pèlerins d'Emmaüs*, qui partagèrent leur repas avec le Christ après sa résurrection.

♦ **2.** (1530). Vx. Voyageur (→ Chemin, cit. 2, La Fontaine). — Vx, péj. Personne, individu, gaillard (→ Facile, cit. 7, Molière).

♦ **3.** N. m. Zool. a (Mil. XIIIe, B. Latini). Faucon* commun *(falco peregrinus)*. — En appos. *Faucon pèlerin.*

b (1817). Poisson sélacien, scientifiquement appelé *selache*. *Le pèlerin est le plus grand des requins.* — En appos. *Des requins pèlerins.*

c Criquet migrateur du Moyen-Orient. En appos. *Criquet pèlerin.*

DÉR. Pèlerinage, pèlerine.
HOM. (Du fém.) **Pèlerine.**

PÈLERINAGE [pɛlʀinaʒ] n. m. — 1131; de *pèlerin*.

♦ **1.** Voyage, individuel ou collectif, fait à un lieu saint pour des motifs religieux et dans un esprit de dévotion (⇒ **Pèlerin**). *Faire un pèlerinage. Aller* (cit. 23) *en pèlerinage. Être en pèlerinage* (→ Imputer, cit. 19). — *Rôle littéraire, artistique des pèlerinages au moyen âge. Routes de pèlerinage* (spécialt, les routes menant à Saint-Jacques-de-Compostelle). — Allus. littér. *Le Pèlerinage de Charlemagne*, l'une des plus anciennes chansons de geste françaises. — *Le pèlerinage des chrétiens à Rome, à Lourdes; des juifs à Jérusalem; des musulmans à La Mecque* (→ Hadj, cit. 1; islam, cit. 2); *des Hindous à Bénarès...*

1 Depuis longtemps Jésus avait le sentiment des dangers qui l'entouraient. Pendant un espace de temps qu'on peut évaluer à dix-huit mois, il évita d'aller en pèlerinage à la ville sainte. RENAN, Vie de Jésus, Œ. compl., t. IV, p. 295.

2 Cluny a organisé les pèlerinages. Par là Cluny est l'âme de ce moyen âge mobile qui se déplace et se propage par ondes continues sur les chemins, vers Saint-Jacques-de-Compostelle et vers l'oratoire Saint-Michel du Mont Gargano.
Henri FOCILLON, l'Art d'Occident, I, II, 1, p. 58.

♦ **2.** (1718). Par métonymie. Lieu qui est le but d'un tel voyage. *Saint-Jacques-de-Compostelle, pèlerinage très fréquenté au moyen âge.*

♦ **3.** (1835). Voyage, visite qu'on fait avec l'intention de rendre un hommage, de se recueillir, à un lieu qui est revêtu d'un caractère en quelque sorte sacré; visite qu'on rend à un grand homme qu'on vénère. *Faire un pèlerinage aux lieux où l'on a souffert, où l'on a été heureux. Pèlerinage littéraire* (cit. 2).

3 Cet homme rare avait fait un pèlerinage à Ferney pour voir Voltaire et en avait été reçu avec distinction. Il avait un petit buste de Voltaire, gros comme le poing (...) STENDHAL, Vie de H. Brulard, 3.

4 Le temps de faire un pèlerinage, là-bas, sous les cyprès, à la tombe de Nedjibé, et, laissant tout, il reprendrait le chemin de France; par respect pour le cher passé, par déférence religieuse pour *elle*, il repartirait avant le plus complet désenchantement. LOTI, les Désenchantées, II, V.

♦ **4.** Voyage. Par métaphore. La vie, considérée comme un voyage.

5 Ce n'était point avec le froc et le chapelet, c'est avec le tambour de basque et l'habit de fou que j'entreprends, moi, la vie, ce pèlerinage à la mort!
Aloysius BERTRAND, Gaspard de la nuit, La chanson du masque.

PÈLERINE [pɛlʀin] n. f. — 1806; « fichu servant à masquer le décolleté des robes », 1765; de *pèlerin* « manteau du pèlerin ».

♦ **1.** Vx. Vêtement de femme en forme de grand collet rabattu sur les épaules et la poitrine. ⇒ **Berthe** (→ Épaule, cit. 10). — Mod. *Manteau à pèlerine*, à grand collet.

♦ **2.** Vêtement de dessus, manteau* sans manches, ample, plus ou moins long, souvent muni d'un capuchon* (cit. 1). ⇒ 1. **Cape.** *Pèlerine d'enfant, d'écolier. Pèlerines autrefois portées par les gardiens de la paix. — Pèlerine d'ecclésiastique.* ⇒ **Camail.**

1 Une courte pèlerine de laine noire protégeait ses épaules du froid et lui donnait un faux air d'ecclésiastique en camail. J. GREEN, Léviathan, I, I.

2 L'enfant a changé de costume, sans doute pour sortir : il porte à présent un pantalon à jambes étroites et longues, d'où sortent des chaussures montantes, et que recouvre jusqu'aux hanches un gros tricot de laine à col roulé; une pèlerine, non fermée, pend depuis les épaules jusqu'aux genoux; la tête est couverte d'un béret, enfoncé de chaque côté sur les oreilles.
A. ROBBE-GRILLET, Dans le labyrinthe, p. 90.

HOM. Pèlerine (fém. de *pèlerin*).

PELETTE [pəlɛt] n. f. — 1907, au plur.; de *peler*.

♦ Techn. (En général au plur.). Rebut de filature constitué par les déchets des cocons de ver à soie.

PELEUR, EUSE [pəlœʀ, øz] n. — 1907; « rasette placée en avant du soc d'une charrue », 1861; de *peler*.

♦ **1.** Rare. Personne qui pèle quelque chose.

♦ **2.** N. m. Techn. Appareil destiné à peler (des fruits, des légumes) selon des procédés industriels. *« Les matières premières qui doivent subir un pelage passent généralement dans un peleur continu sous pression de vapeur »* (Revue *Guérir*, oct. 1967).

PÉLIADE [peljad] n. f. — 1868; du rad. du grec *pelios* « livide, sombre ».

♦ Régional. Vipère à museau arrondi, de couleur noirâtre, commune dans certaines régions de la France (Vendée et Normandie notamment).

PÉLICAN [pelikɑ̃] n. m. — 1210; bas lat. *pelicanus*, var. de *pelecanus* « pélican », grec *pelekan, -kanos*, même sens.

♦ **1.** Oiseau palmipède *(Stéganopodes)*, au bec très long et crochu, muni à la mandibule inférieure d'une poche membraneuse dilatable, où il emmagasine la nourriture de ses petits. *Le pélican, symbole de l'amour paternel.* — Blason. *Le pélican, oiseau héraldique.*

Lorsque le pélican, lassé d'un long voyage,
Dans les brouillards du soir retourne à ses roseaux,
Ses petits affamés courent sur le rivage
En le voyant au loin s'abattre sur les eaux (...)
Pour toute nourriture il apporte son cœur.
Sombre et silencieux, étendu sur la pierre,
Partageant à ses fils ses entrailles de père,
A. DE MUSSET, Poésies nouvelles, « Nuit de Mai ».

♦ **2.** Par anal. de forme. Techn. anc. a Alambic dont le chapiteau est muni de deux becs. *Des pélicans, des creusets et des cornues* (→ Hermétiste, cit.).

b Ancien instrument de dentiste, qui servait à extraire les molaires.

c Vx. Valet* d'établi.

PELIN [pəlɛ̃] n. m. ⇒ 2. **Plain.**

PELISSE [pəlis] n. f. — V. 1119, *pelice*; bas lat. *pellicia*, fém. subst. de l'adj. *pellicius* (*i* long), lat. class. *pellicius* (*i* bref), *pelliceus* « de peau, de fourrure », de *pellis* « peau ».

♦ Vêtement (manteau, robe, veste...) orné ou doublé d'une peau (⇒ **Fourrure**) garnie de ses poils. *Pelisse des Orientaux, des Russes* (→ Cimeterre, cit.; geler, cit. 2; hadj, cit. 1; hetman, cit.). *Pelisse courte des anciens hussards.* — Pardessus d'homme, manteau de femme garni ou, plus généralement, entièrement doublé de fourrure. ⇒ **Manteau.** *Pelisse de martre, servant d'imperméable.*

(...) il examina sa femme, qui semblait avoir froid, malgré la pelisse doublée de fourrure dans laquelle elle était enveloppée (...) 1
BALZAC, Ferragus, Pl., t. V, p 58.

(...) une pelisse, ou plus exactement un long pardessus de drap noir à col de loutre, car il ne semblait pas que tout le dedans en fût doublé de fourrure. 2
J. ROMAINS, les Hommes de bonne volonté, t. V, v, p. 36.

Spécialt. Veste bordée d'astrakan que portaient autrefois les officiers.

Il y avait là un officier de la garde civile en pelisse bordée d'astrakan (...) 3
P. MAC ORLAN, la Bandera, III.

DÉR. Pelisson.

PELISSON [pəlisɔ̃] n. m. — Mil. XIVe; *peliçon*, déb. XIIe; de *pelisse*.

♦ Hist. Robe fourrée; gilet fourré (au moyen âge).

PELLAGE [pelaʒ] n. m. — 1810; de *peller*.

♦ Vx. ⇒ **Pelletage.**

PELLAGRE [pelagʀ] n. f. — 1810; du lat. *pellis* « peau », sur le modèle du lat. *podagra* « goutte aux pieds ». → Podagre.

♦ Méd. Maladie due à une déficience alimentaire en vitamine PP (avitaminose* PP), caractérisée par des lésions eczémateuses de la peau des parties découvertes (mains, face), l'inflammation des muqueuses de la bouche, des troubles digestifs et nerveux. *La pellagre atteint sutout les populations qui ne se nourrissent que de maïs.*

DÉR. Pellagreux.

PELLAGREUX, EUSE [pelagʀø, øz] adj. et n. — 1830; de *pellagre*.

Médecine.

♦ **1.** Relatif à la pellagre. *Symptômes pellagreux.*

♦ **2.** Atteint de pellagre. — N. *Un pellagreux, une pellagreuse.*

COMP. Antipellagreux.

PELLE [pɛl] n. f. — XIIIe; *pele*, XIe; lat. *pala* «bêche, pelle». → aussi 1. Pale.

♦ **1.** Outil* composé d'une plaque mince, d'une lame de métal ou de bois, avec ou sans rebords (⇒ **Pelastre**), munie d'un manche plus ou moins long, qui sert notamment à déplacer des matières pulvérulentes (grains, sable, cendre...), pâteuses (boue, mortier...), du charbon, de la pierraille, etc... *Pelle de bois, de fer. Manche de la pelle, généralement assujetti à la lame par une douille parfois munie d'une poignée* (ou manette) *à son extrémité. Contenu d'une pelle.* ⇒ **Pelletée.** *Chargement, déchargement à la pelle.* ⇒ **Paléage.** *La pelle, outil agricole*. La pelle, outil de jardinier* (⇒ aussi **Bêche**), *de maçon, de mineur* (⇒ **Sape**), *de terrassier* (→ Exagérer, cit. 19). *Pelle à tourbe, pelle de tourbier* (⇒ **Palot**). — *Pelle de boulanger, utilisée pour mettre les pains dans le four.* — *Pelle et seau d'enfant, pour jouer dans le sable. Pelle en métal, en plastique.* — *Pelle creuse pour rejeter l'eau hors d'une embarcation.* ⇒ **Écope, épuisette, sasse.** — *Pelle à charbon. Pelle à ordures. Pelle faisant partie de la garniture d'une cheminée*, retenue par un croissant*. La pelle et les pincettes* (→ Envoler, cit. 2 : foyer, cit. 3). — *Pelle à tarte... Pelle à moutarde, à poivre, à sel.*

1 (...) Fauchelevent, qui ne quittait pas des yeux le fossoyeur, le vit se pencher et empoigner sa pelle, qui était enfoncée droite dans le tas de terre.
HUGO, les Misérables, II, VIII, VII.

2 (...) nous étions tous les deux occupés à rentrer des outils du jardin, des pics et des pelles qui avaient servi à creuser des trous (...)
ALAIN-FOURNIER, le Grand Meaulnes, I, VII.

3 L'enfant s'était décidé à se retourner. Mais, pour ne pas paraître céder, il s'assit gravement par terre, prit sa pelle, et remplit le seau de sable.
MARTIN DU GARD, les Thibault, t. IX, p. 25.

♦ **2.** *Pelle mécanique :* machine qui sert à exécuter les gros travaux de terrassement. ⇒ **Excavateur, pelleteuse.** *Pelle mécanique à vapeur.*

3.1 Une pelle géante, baveuse de sable mouillé, passa devant la dernière fenêtre de l'étage, ses dents de bête affamée fermées sur sa proie.
M. DURAS, Moderato cantabile, p. 89.

♦ **3.** Mar. Extrémité large et plate d'un aviron (on dit aussi *pale* ou *plat*).

♦ **4.** Loc. fig. (1697). **À LA PELLE.** *Remuer l'argent à la pelle*, en gagner beaucoup, être très riche. — *On en ramasse à la pelle :* on en trouve facilement, en abondance.

4 Il quittait son dur métier, devenait patron à son tour, dans cette Amérique, dont il entendait les camarades causer comme d'un pays où les mécaniciens remuaient l'or à la pelle.
ZOLA, la Bête humaine, IX.

5 Tous brillants sujets, bien entendu. À Lyon, on les remuait à la pelle.
J. ROMAINS, les Hommes de bonne volonté, t. II, XV, p. 173.

♦ **5.** (1896). Fam. Chute. *Ramasser une pelle :* faire une chute. ⇒ **Tomber.** — Fig. Essuyer un échec. ⇒ **Échouer** (cf. Ramasser une veste).

6 (...) il a ramassé une fameuse pelle dans l'escalier roulant à Pigalle, encore toute une histoire (...)
R. QUENEAU, le Chiendent, p. 23.

♦ **6.** Très fam. *Rouler une pelle à quelqu'un*, lui faire un baiser profond (→ Rouler un patin*).

7 C'est une demoiselle aux sens surmultipliés (...) Je lui roulerais bien la pelle dite du Grand Canal, mais j'aime pas beaucoup ce qu'elle a bouffé au dîner : y'avait trop d'ail dedans.
SAN-ANTONIO, Remets ton slip, gondolier !, p. 101.

DÉR. Pélastre, pellée ou pellerée ou pelletée, peller ou pelleter. V. aussi **Pale** (et ses dér.).

COMP. Pelle-bêche, pelle-pioche.

PELLE-BÊCHE [pɛlbɛʃ] n. f. — 1903; de *pelle*, et *bêche*.

♦ Anciennt. Petite pelle utilisée par les fantassins (en 1914-1918). *Des pelles-bêches.*

PELLÉE [pele] n. f. — V. 1500; *pelede*, fin XIe; de *pelle*.

♦ Vx. ⇒ **Pelletée.**

PELLE-PIOCHE [pɛlpjɔʃ] n. f. — Déb. XXe; de *pelle*, et *pioche*.

♦ Techn. Pelle dont le fer en pointe peut être disposé perpendiculairement au manche, permettant ainsi l'utilisation de l'outil comme pioche. *Des pelles-pioches.*

PELLER [pele] v. tr. — 1868; de *pelle*.

♦ ⇒ **Pelleter** (→ Journalier, cit. 3).

DÉR. Pellage.

PELLERÉE [pɛlʀe] n. f. — 1611; *palerée*, 1534; de *pelle*.

♦ Vx. Pelletée. — REM. Ce mot a été supplanté par *pelletée**.

PELLERON [pɛlʀɔ̃] n. m. — 1868; *paleron*, 1680; «petite pelle», 1419; de *pelle*.

♦ Techn. Petite pelle plate, en bois, utilisée par les boulangers (pour les pains de petite dimension).

PELLET [pelɛ] n. m. — 1952; mot angl. «pelotte, boulette; spécialt, pilule»; franç. *pelotte*. Voir ce mot.

Anglicisme.

♦ **1.** Méd. Comprimé d'hormone destiné à être introduit sous la peau pour suppléer à l'insuffisance d'une glande endocrine, et dont l'absorption lente assure un effet prolongé. ⇒ **Implant.**

♦ **2.** (1969). Métall. Petite boule de minerai de fer destinée à améliorer la teneur en fer du minerai (⇒ **Pelletisation**).

DÉR. Pelletisation.

PELLETAGE [pɛltaʒ] n. m. — 1842; de *pelleter*.

♦ Techn. Opération qui consiste à déplacer, à remuer avec la pelle. *Pelletage du blé.*

PELLETAT [pɛlta] n. m. — 1872; haut breton *pelletâs*, même sens, de *pelleter*.

♦ Régional. Ouvrier qui décharge la morue.

À quelque distance de la bourdingue de Su, là où les pelletats déchargent la morue d'Islande, se trouve un jardin oublié, avec de vieux beaux arbres et un banc de pierre. Parfois, au caprice d'un peu de soleil, Su venait m'y rejoindre.
Jean RAY, les Derniers Contes de Canterbury, p. 245.

PELLETÉE [pɛlte] n. f. — 1680; *paletée*, 1408; de *pelle*.

♦ **1.** Quantité (de matière) que l'on peut prendre d'un seul coup de pelle. *Une pelletée de mortier* (→ Aplatir, cit. 5), *de sable. La première pelletée de terre tomba sur la bière* (→ Entendre, cit. 34), *sur le cercueil* (→ Inhumation, cit. 1; et aussi enterrer, cit. 13). — REM. *Pelletée* a supplanté les formes *pellée* et *pellerée*.

Le Pasteur, suivant l'usage, jeta la première pelletée de terre sur le corps. Au bruit qu'elle fit en tombant sur le cercueil, Edmond s'évanouit. 1
RESTIF DE LA BRETONNE, la Vie de mon père, p. 123.

Un feu de boulets agonisait dans la cheminée. Il y jeta quelques pelletées de charbon (...) 2
G. DUHAMEL, Salavin, III, XXVII.

♦ **2.** (Mil. XIXe). Fig., fam. *Recevoir des pelletées d'injures :* être copieusement injurié. ⇒ **Bordée.**

HOM. Pelté.

PELLETER [pɛlte] v. tr. — Conjug. *jeter*. — 1845; var. *peltrer*, 1776; de *pelle*.

♦ Déplacer, remuer avec la pelle. *Pelleter la terre* (→ Égaliser, cit. 3). — *Pelleter le blé, le grain pour l'aérer.* — REM. La forme *peller* est archaïque.

(...) nous nous arrêtions pour échanger nos outils car nous piochions ou pelletions à tour de rôle (...)
Pierre GASCAR, le Temps des morts, p. 257.

DÉR. Pelletage, pelleteur.

PELLETERIE [pɛltʀi; pɛlɛtʀi] n. f. — V. 1150; de *pelletier*.

♦ **1.** Techn. ou littér. *(Une, des pelleteries).* Peau destinée à être transformée en fourrure. — Fourrure préparée par le pelletier*. *Des velours doublés* (cit. 11) *de pelleteries précieuses* (→ aussi Liserer, cit. 1). — Peau apprêtée fournie par un trappeur, un piégeur.

♦ **2.** (1611). Techn. Préparation des peaux munies de leurs poils, destinée à les transformer en fourrures. *Principales opérations de pelleterie :* alunage, brossage, dégraissage, dressage, écharnage, lustrage, parage, secrétage, tannage... ⇒ **Peau** — Commerce des fourrures (⇒ **Fourreur, pelletier**). *Leipzig était un important marché de la pelleterie.*

PELLETEUR [pɛltœʀ] n. m. — 1836; de *pelleter.*

♦ **1.** Ouvrier qui travaille avec la pelle. *Pelleteur de charbon des anciennes locomotives à vapeur.* ⇒ **Chauffeur.** — REM. Le fém. est virtuel.

♦ **2.** Machine qui effectue le travail d'une pelle. *Pelleteur mécanique.* ⇒ **Pelleteuse.**

PELLETEUSE [pɛltøz] n. f. — 1936; de *pelleter.*

♦ Pelle mécanique pour charger, déplacer des matériaux. ⇒ **Pelle.**

PELLETIER, IÈRE [pɛltje, jɛʀ] n. — V. 1534; *peletier,* v. 1160; de *pel* «peau» → Peau, lat. *pellis.*

♦ Personne qui achète des peaux destinées à faire des fourrures (⇒ **Pelleterie**) et qui les prépare, qui fait le commerce des fourrures. ⇒ **Fourreur.** *Pelletier-fourreur.* — Anciennt. *La corporation des pelletiers.* — Adj. *Marchand pelletier.*

(...) ça c'est du matériel sur les vieux quartiers de Paris, les métiers, j'ai trouvé un petit corroyeur épatant (...) Et les pelletiers du Temple, j'ai des images étonnantes (...) F. MALLET-JORIS, le Jeu du souterrain, p. 59.

DÉR. Pelleterie.

PELLETIÉRINE [pɛltjeʀin] n. f. — 1878; du nom de *Pelletier,* chimiste français, et *-ine.*

♦ Chim. Alcaloïde ($C_8H_{12}NO$) extrait de l'écorce de la racine du grenadier.

M. Tauret a repris cette étude et il a fini par trouver un alcaloïde volatil, qu'il a nommé la *pelletiérine* en souvenir du chimiste Pelletier.
L. FIGUIER, l'Année scientifique et industrielle 1880, p. 161 (1879).

PELLETISATION [pɛlɛtizasjɔ̃] n. f. — V. 1960; de *pellet* (2.), et *-isation.*

♦ Métall. Préparation (d'un minerai de fer) en pellets* pour faciliter sa réduction en haut fourneau.

PELLICULABLE [pelikylabl; pɛlikylabl] adj. — V. 1960; de *pellicule.*

♦ Techn. (photogr.). *Film pelliculable,* dont la couche sensible peut être décollée de son support et appliquée sur métal (photogravure).

PELLICULAGE [pelikylaʒ; pɛlikylaʒ] n. m. — 1903; de *pellicule.*

♦ Techn. (photogr.). Opération par laquelle on sépare la couche sensible, l'émulsion, de son support.

PELLICULAIRE [pelikylɛʀ; pɛlikylɛʀ] adj. — 1834; de *pellicule.*

♦ **1.** Sc. Qui forme une pellicule, une fine membrane ou lamelle.

♦ **2.** Qui forme des pellicules (cheveux). ⇒ aussi **Pelliculeux.**

Des milliers, des millions, des milliards peut-être *(de cheveux...)* s'emmêlaient en nœuds où le peigne accroche et fait mal, les courts et trapus (...) les sains, les pelliculaires, les séborrhéiques (...) J.-M. G. LE CLÉZIO, la Fièvre, p. 54.

COMP. Antipelliculaire.

PELLICULE [pelikyl; pɛlikyl] n. f. — 1503, «fine membrane»; du lat. *pellicula* «petite peau», dimin. de *pellis* «peau».

♦ **1.** Petite peau; fine membrane organique. *Pellicules de l'œuf :* les membranes pellucide et vitelline (→ Étinceler, cit. 8). *Pellicule de baudruche. Pellicule extérieure d'une tige, d'une feuille* (→ Cuticule). *L'écalure**, *pellicule dure des grains de café.*

1 C'était sous sa langue *(du perroquet)* une épaisseur comme en ont les poules quelquefois. Elle le guérit, en arrachant cette pellicule avec ses ongles.
FLAUBERT, Trois contes, «Un cœur simple», IV.

Spécialt. Enveloppe du grain de raisin (appelée «peau» dans le langage courant). → Cuvage, cit. 1. — Tégument séminal du grain de café.

♦ **2.** Petite lamelle d'épiderme détachée par exfoliation. — Cour. Petite écaille formée de tissu épidermique nécrosé qui se détache du cuir chevelu (⇒ **Cheveu**). *Lotion, shampooing contre les pellicules* (⇒ **Antipelliculaire**). *Tête graisseuse* (cit. 2), *étoilée de pellicules. Pardessus semé de pellicules* (→ Essaimer, cit. 4). ⇒ **Pelliculeux.**

2 Deux ou trois vieillards, chevelus, barbus, les épaules saupoudrées de pellicules.
J. ROMAINS, les Hommes de bonne volonté, t. IV, XVI, p. 172.

♦ **3.** (1835). Couche fine d'une matière solide (à la surface d'un liquide, sur la face extérieure d'un autre solide...). ⇒ **Film** (anglicisme). *Pellicule qui recouvre l'étain en fusion* (→ Iriser, cit. 2). *Mince, fine pellicule de boue séchée.*

Il s'amusait avec le coin de son sabot à gratter les carreaux qui, même dans les maisons bien balayées, gardent une pellicule de boue, et il la raclait (...) 3
Ch.-L. PHILIPPE, Père Perdrix, I, I.

♦ **4.** (1891, in *Année sc. et industr.* 1892, p. 84). Feuille mince formant un support souple à la couche sensible (en photo et cinéma). *Pellicule photographique.* ⇒ **Cliché, photographie.** *Pellicule de celluloïd, d'acétate, de nitrate de cellulose. Appareil photographique à pellicule* (opposé aux *appareils à plaques**). *Pellicule vierge,* non impressionnée. *Rouleau de pellicule. Acheter de la pellicule. Format, vitesse d'une pellicule* (on dit plutôt *film**, dans ce cas). *Impressionner de la pellicule* (en prenant des photos). *Fixer quelque chose, une scène sur la pellicule. Gâcher de la pellicule* (en prenant des photos sans intérêt). — *Une pellicule :* bobine, chargeur de pellicule photographique. *Donner une pellicule à développer.* — *Pellicule cinématographique* (rare; on dit *film*). ⇒ **Bande, film.**

Darriand, qui avait lui-même provoqué cet éclairage, tournait maintenant avec lenteur une manivelle silencieuse, adaptée à hauteur de main sur l'extrémité gauche du mur. Bientôt, produite par quelque pellicule coloriée placée devant la lampe, une image se dessina sur l'écran blanc, offrant aux regards de Séil-kor une ravissante enfant blonde d'une douzaine d'années, pleine de charme et de grâce (...) 4
Raymond ROUSSEL, Impressions d'Afrique, p. 148.

Var. fam. (1965). *Péloche, pelloche.*

DÉR. Pelliculable, pelliculage, pelliculaire, pelliculé, pelliculeux.

PELLICULÉ, ÉE [pelikyle; pɛlikyle] adj. — 1875; de *pellicule.*

♦ **1.** Didact. Revêtu d'une pellicule.

♦ **2.** Techn. (V. 1960). Revêtu d'une mince pellicule de protection transparente. *Couverture pelliculée* (d'un livre). *Pochette de disque pelliculée.*

PELLICULEUX, EUSE [pelikylø, øz; pɛlikylø, øz] adj. — Mil. XXe; «plein de petites peaux», 1611; de *pellicule.*

♦ Qui a des pellicules (2.) qui se détachent du cuir chevelu. *Chevelure pelliculeuse et mal soignée.*

PELLUCIDE [pelysid; pɛlysid] adj. — 1560, A. Paré; lat. *pellucidus,* même sens, de *per,* et *lucidus.* → Lucide.

♦ Didact. Transparent, translucide. *Membrane* (ou *zone*) *pellucide de l'œuf,* qui entoure l'ovocyte en voie de maturation.

Littéraire :

(...) c'était un brouillard léger, vivant, pellucide, qui ne cachait point les êtres mais les ornait, les parait, les transfigurait.
G. DUHAMEL, Chronique des saisons amères, III, XIII.

PÉLO-, -PÉL- Éléments, du grec *pêlos* «boue, glaise», qui entrent dans la formation de quelques termes scientifiques (zoologie, géologie). ⇒ **Pélobate, pélodyte, pélogène, pélophage; sapropélique.**

PÉLOBATE [pelɔbat] n. m. — 1847; de *pélo-,* et *-bate.*

♦ Zool. Batracien anoure, du groupe des crapauds*.

PÉLOCHE [pelɔʃ] n. f. — XXe; de *pel(licule),* et suff. argotique.

♦ Fam. Pellicule (photographique; cinématographique).

PÉLODYTE [pelɔdit] n. m. — 1847; de *pélo-,* et grec *dutês* «plongeur».

♦ Zool. Batracien anoure, du groupe des crapauds, qui creuse des galeries dans le sol.

PÉLOGÈNE [pelɔʒɛn] adj. — 1876; de *pélo-,* et *-gène.*

♦ Géol. Qui se forme sur les terres argileuses.

PELOIR [pəlwaʀ] n. m. — 1861; de *peler.*

♦ ⇒ **Peleur.** — REM. On écrit aussi *pelloir* [pɛlwaʀ].

PÉLOPHAGE [pelɔfaʒ] adj. — XXe; de *pélo-,* et *-phage.*

♦ Zool. Qui se nourrit des matières organiques du fond des océans. *Poisson pélophage.* Syn. : *limivore.*

PÉLOT ou (rare) **PÉLAUD** [pelo] n. m. — 1876; altér. dial. de *palet* «pièce de monnaie» (v. 1810), selon Esnault.

♦ Pop. Vx. *Un pélot :* un sou. — Mod., en loc. *Ne pas avoir, ne plus avoir un pélot; être sans un pélot :* ne pas avoir, ne plus avoir un sou ; être démuni d'argent (cf. Ne plus avoir un rond, plus un radis ; être sans un).

1 Vrai... 'ya des mois qu'on n'a pas d'veine.
Quand j'dis des mois, j'sais pas c' que j'dis ;
J'm'ai toujours connu dans la peine,
Sans un pélot, sans un radis... A. BRUANT, Dans la rue, p. 205.

La graphie *pélo* est également attestée.

2 Ben, pour des flics, vous n'êtes pas trop vaches ! affirma un des pickpockets. T'nez v'là not' résultat complet des courses en profonde... On garde seul'ment chacun six pélos pour s'offrir un « glass » et l'métro...
L. FORTON, les Aventures des Pieds-Nickelés, *in* l'Épatant, 1910, p. 124-125.

Rare, mais attesté en emploi libre :

3 Toujours entendu ? Quarante francs la page ? (...)
— Faites pour le mieux. À propos, j'ai bien les poèmes de la mère Cuzdasne, mais pas les pélauds.
— Je vous donnerai le fric demain... R. QUENEAU, Loin de Rueil, II, p. 66.

PELOTAGE [p(ə)lɔtaʒ] n. m. — Fin XVIIe, Saint-Simon ; de *peloter*.

♦ **1.** Vx. Action de jouer sans engager la partie, au jeu de paume, et, par ext., au billard.

♦ **2.** (XIXe). Action de mettre un fil en pelote. *Pelotage des écheveaux.*

♦ **3.** (1866, Goncourt, *Journal*). Fam. Attouchements ; caresses indiscrètes, sensuelles.

Il avait emmené Yvonne vadrouiller toute la journée, il l'avait invitée à dîner, il lui avait fait une cour éperdue, soutenue par un pelotage insistant, mais il n'avait pas pensé un seul instant qu'il pouvait être balancé.
R. QUENEAU, Pierrot mon ami, éd. L. de Poche, p. 105.

PELOTARI [p(ə)lɔtaʀi] n. m. — 1897, P. Loti ; mot basque, du rad. de *pelote*, et suff. *-ari* (lat. *-arius*, servant à former des noms d'agents).

♦ Joueur de pelote basque. *Des pelotaris* (→ Champion, cit. 2).

1. PELOTE [p(ə)lɔt] n. f. — Déb. XIIe ; *pelute*, v. 1119 ; lat. pop. **pilotta*, dimin. de *pila* « balle ».

♦ **1.** (1260). Boule (de fils, ficelles, cordes... roulés sur eux-mêmes). *Pelote de fil* (→ Ariane, cit.). *Chat qui joue avec une pelote de laine* (→ Coquetterie, cit. 9). *Petite pelote.* ⇒ **Peloton.** *Pelote de filin.* ⇒ **Manoque.** *Mettre en pelote.* ⇒ **Empeloter.** *Dévider une pelote. Laine en pelote, en écheveau.* — (1902). Fig. *Se mettre, avoir les nerfs* (cit. 15) *en pelote* : être très énervé (→ Les nerfs en boule*).

♦ **2.** Masse ronde d'une substance quelconque. ⇒ **Boule, sphère.** — Vx. *Pelote de neige* (Voltaire, *in* Littré ; on dit aujourd'hui *boule de neige*). — *Pêche à la pelote* (pratiquée avec des asticots amassés en boule, avec une amorce enrobée de glaise...). — Fig. et fam. *La pelote grossit* (vx), *cela fait une pelote* (vieilli) : se dit de ce qui s'accumule (intérêts, profits...) comme une boule de neige qui roule (cf. St-Simon, d'Alembert). — Mod. (1808). *Faire sa pelote* : faire patiemment grossir son pécule, amasser des économies.

1 Avec cinq cents francs par mois à Eugénie, qui arrondit joliment sa pelote, vous saurez tout ce que fera madame (...)
BALZAC, Splendeurs et Misères des courtisanes, Pl., t. V, p. 798.

2 Maintenant, Zoé triomphait, maîtresse de l'hôtel, faisant sa pelote, tout en servant madame le plus honnêtement possible. ZOLA, Nana, IX.

Sc. nat. *Pelote marine* : amas sphérique formé de filaments d'algues. — Zool. Saillie à l'extrémité du tarse, chez certains insectes.

♦ **3.** [a] (1558). Coussinet sur lequel on peut planter des épingles, des aiguilles. *Pelote à épingles* (→ Feuillure, cit.). *Pelote d'épingles* : pelote à épingles, garnie d'épingles. Fig. *C'est une vraie pelote d'épingles*, une personne désagréable (→ Hérisson).

[b] Chir. Coussinet de charpie destiné à faire pression (dans un pansement). Coussinet d'étoffe, de coton, de caoutchouc utilisé dans les ceintures contre les ptoses stomacales, les hernies... *Pelote herniaire.*

♦ **4.** Anciennt. [a] Balle de jeu de paume*. — Mod. Balle plombée ou de caoutchouc dur recouvert de peau, utilisée dans le jeu de pelote basque. *Le traditionnel jeu basque* (cit. 3), *la pelote au mur. Les pelotes frappent le mur* (→ Fronton, cit. 7).

3 Ils n'en avaient pas moins su tirer peu après les plaisirs les plus vifs, scandés par le bruit sec de cette pelote qui, à intervalles inégaux, frappait les contrevents, tandis qu'un joueur annonçait les points à voix haute.
P.-J. TOULET, la Jeune Fille verte, VI.

[b] **PELOTE, PELOTE BASQUE** : jeu, sport basque où les joueurs (⇒ **Pelotari**), divisés en deux équipes, envoient alternativement la balle rebondir contre un mur (⇒ **Fronton**), à main nue ou à l'aide de la chistera*. *Joueur de pelote* (→ Fréquenter, cit. 3).

4 (...) c'est pour la partie de « pelote » de l'après-midi qu'ils se concertent tous, et ils font signe à Ramuntcho pensif, qui vient se mêler à eux.
LOTI, Ramuntcho, I, IV.

♦ **5.** « Marque blanche qui se trouve sur le front de quelques chevaux » (Académie). ⇒ **Étoile** (III.).

DÉR. Peloter, peloton. — (Du même rad.) **Pelotari.**

2. PELOTE [p(ə)lɔt] n. f. — XXe ; abrév. de *peloton*.

♦ **1.** Argot milit. Peloton de punition. Loc. *Faire la pelote.*

♦ **2.** Loc. fam. *Envoyer (qqn) aux pelotes*, l'envoyer promener*, s'en débarrasser sans ménagements.

Alors, elle t'a envoyé aux pelotes ta petite mijaurée ? comprit Raoul devant la mine sombre de Dimitri. Jacqueline MONSIGNY, le Miroir aux pingouins, p. 34.

PELOTER [p(ə)lɔte] v. — 1489 ; *peluter* « rouler en pelote », v. 1280 ; de 1. *pelote*.

♦ **1.** V. tr. Vx. Mettre, rouler en pelote. *Peloter du fil, de la laine.* ⇒ **Enrouler.** *Peloter une goutte* (1. Goutte, cit. 46) *d'opium.*

♦ **2.** V. intr. (1489). Jouer à la paume, et, spécialt, se renvoyer la balle sans engager une partie. Prov. et fig. *Peloter en attendant partie* : « passer son temps à des occupations mineures en attendant mieux » (Mme de Sévigné, *in* Littré). — Allusion littéraire :

(...) un antique tableau représentant un chat qui pelotait (...) L'animal tenait dans l'une de ses pattes de devant une raquette aussi grande que lui, et se dressait sur ses pattes de derrière pour mirer un énorme balle que lui renvoyait un gentilhomme en habit brodé. 1
BALZAC, la Maison du Chat-qui-pelote, Pl., t. I, p. 18.

Par anal. Jouer au billard sans observer les règles.

♦ **3.** V. tr. (1780, Restif ; aussi comme intr., par ex. chez Sade, *Justine ou les Malheurs de la vertu*). Fig. du sens 1. (Fam.). Caresser, palper, toucher indiscrètement et sensuellement (le corps ou une partie du corps de qqn). ⇒ **Caresser, chatouiller, patiner** (vx). *Se faire peloter.* ⇒ **Chiffonner** (vx), **lutiner.** — REM. Le mot s'est employé aussi au sens de *maltraiter**, *battre.*

Mais, monsieur Swann, vous ne partirez pas sans avoir touché les petits bronzes des dossiers (...) Mais non, à pleines mains, touchez-les bien. — Ah ! si madame Verdurin commence à peloter les bronzes, nous n'entendrons pas de musique ce soir, dit le peintre. — Taisez-vous, vous êtes un vilain (...) Swann palpait les bronzes par politesse et n'osait pas cesser tout de suite. — Allons, vous les caresserez plus tard (...) PROUST, À la recherche du temps perdu, t. I, p. 281. 2

Elle (...) s'indignait de leur tenue qu'elle jugeait révoltante, écrivant qu'« il n'arrêtait pas de lui peloter les cuisses sous la table ». 2.1
M. AYMÉ, Travelingue, p. 25.

Étienne, suivi de sa famille, finit par trouver son train, couvert de fleurs, d'inscriptions vengeresses et de crapauds. Des jeunes filles charmantes distribuent des cocardes tricolores et se font peloter le cul. Une vraie rigolade cette guerre, et qui s'annonçait bien. R. QUENEAU, le Chiendent, p. 395. 2.2

(1902, Willy, *in* D. D. L.). Fig. Flatter*, chercher à amadouer*.

Un peu plus d'influence dans les couloirs. Les ministres qui vous pelotent pour que le « journal de doctrine » ne les abîme pas trop. 3
J. ROMAINS, les Hommes de bonne volonté, t. III, XVII, p. 231.

DÉR. Pelotage, peloteur.

PELOTEUR, EUSE [p(ə)lɔtœʀ, øz] n. et adj. — 1803 ; de *peloter*.

♦ **1.** Vx. Joueur de pelote.

♦ **2.** Techn. Personne qui met les fils en pelotes. — N. f. (1800). *Peloteuse* : machine à mettre les fils en pelotes.

♦ **3.** (1874 ; *peloteuse* d'abord en parlant des prostituées ; cf. Matoré, *le Voc. et la Société sous Louis-Philippe*). Fam. Personne qui aime caresser, peloter. ⇒ **Patineur.** *Un vieux peloteur.* — Adj. *Des gestes peloteurs.*

Il aimait la société des jeunes femmes qu'il traitait avec une insolence caressante et qu'il enveloppait (...) de gestes délicatement peloteurs.
G. DUHAMEL, Chronique des Pasquier, VII, VII.

Fig. Qui flatte avec douceur.

PELOTON [p(ə)lɔtɔ̃] n. m. — 1435 ; de 1. *pelote*.

★ **I.** ♦ **1.** Petite pelote, petite boule (de fils roulés). *Peloton de fil, de laine, de ficelle. Dévider un peloton.* — Par métaphore. (En parlant du fil d'Ariane). *Le peloton conducteur* (→ Labyrinthe, cit. 5 et 6). ⇒ **Fil** (d'Ariane).

Madame de La Chanterie avait près d'elle une vieille table à pieds de biche, sur laquelle étaient ses pelotons de laine dans un panier d'osier. 1
BALZAC, Mme de La Chanterie, Pl., t. VII, p. 245.

(Au sens 2 de *pelote*). Vx. *Les ortolans sont « de petits pelotons de graisse »* (cit. 2, Buffon). *Peloton de laine non cardée* (⇒ **Maton**), *de bourre...*

(Au sens 3 de *pelote*). Vx. Petite pelote à épingles (→ Boutique, cit. 4).

♦ **2.** Fig. (Rare). *Se mettre, se rouler en peloton*, en boule. ⇒ **Pelotonner** (se).

♦ **3.** Sc. nat. Amas, réseau plus ou moins sphérique. — Zool. Agglomération d'insectes. *Peloton d'abeilles, de chenilles.* — Anat. *Pelo-*

tons adipeux. Peloton réticulaire (des branches d'une fibre nerveuse, autour d'un corpuscule de Meissner).

★ **II.** (1578). Groupe de personnes. ♦ **1.** Vx. Groupe (de personnes assemblées) [Vauvenargues, Voltaire, Rousseau, *in* Littré]. *Peloton d'ouvriers* (→ Machine, cit. 13).

♦ **2.** Anciennt. Groupe de soldats en armes, troupe en opérations. — Mod. *Pelotons d'agents* (cit. 11), *de sapeurs-pompiers* (→ Hache, cit. 4). *Peloton de punition, de discipline :* groupe de soldats punis auxquels on inflige des exercices supplémentaires. ⇒ 2. **Pelote.** *Peloton d'instruction :* groupe de soldats recevant une instruction collective pour obtenir le grade de caporal, de brigadier. — Absolt. *Faire le peloton. École* (cit. 11) *du soldat et école de peloton.*
Ensemble de soldats qui tirent. *Tirailler individuellement* (cit. 3) *ou par pelotons. Feu* de peloton :* tir en groupe. — *Peloton d'exécution :* groupe chargé de fusiller (cit. 2) un condamné.
Milit. Subdivision de la compagnie, dans la gendarmerie, dans le train des équipages. Subdivision de l'escadron*, dans la cavalerie, les blindés. *Pelotons de chars. Lieutenant chef de peloton. Les escouades* d'un peloton de cavalerie.*

♦ **3.** (1872). Groupe formé par le gros des chevaux, dans une course (→ Longueur, cit. 4).

2 Quel train ! mes enfants ! (...) Un rude train, sacristi ! À présent, le peloton arrivait de face, dans un coup de foudre. ZOLA, Nana, XI.

Par anal. (Cyclisme, moto...). Groupe compact de coureurs. — (1903). *Le peloton de tête. Le gros du peloton. Coureur retardé par une crevaison, qui rejoint le peloton.*

3 Les 16 coureurs repassaient, sans un écart, toutes les 20 secondes, se surveillaient, en peloton compact. Paul MORAND, Ouvert la nuit, p. 130.

4 Les deux hommes se détachaient promptement du peloton, et l'on reconnaissait à leur allure qu'ils ne couraient pas la même course que le groupe de leurs rivaux. Jean PRÉVOST, Plaisirs des sports, p. 183.

(1968, *peloton de tête, in* Gilbert). Fig. Ensemble (de personnes ; d'entités nationales, juridiques, économiques : pays, entreprises, etc.) réunies par leur place dans une compétition. *Le peloton de tête, de queue :* les premiers, les derniers. *Le peloton des pays industrialisés, des industries de pointe. Être dans le bon peloton, dans le peloton de queue* (cf. Lanterne rouge).

DÉR. Pelotonner.

PELOTONNEMENT [p(ə)lɔtɔnmɑ̃] n. m. — 1845 ; de *pelotonner.*

♦ Action de pelotonner, de se pelotonner. *Le pelotonnement d'un chat.* — Position du corps pelotonné. *Un pelotonnement frileux.*

PELOTONNER [p(ə)lɔtɔne] v. tr. — 1617 ; de *peloton.*

♦ Mettre en peloton. *Pelotonner du fil, de la ficelle.*

▶ **SE PELOTONNER** v. pron. (1784).

(Réfl.). Se ramasser en boule. « *Portions de neige... qui se pelotonnent* » (Buffon, *in* Littré). — Cour. (En parlant des personnes, des animaux). Se ramasser en boule, en tas. ⇒ **Blottir** (se), **ramasser** (se). *Se pelotonner dans son lit* (cf. Se mettre en chien de fusil). *Chat qui se pelotonne sur un coussin.*

1 Cosette se pelotonnait avec angoisse dans l'angle de la cheminée, tâchant de ramasser et de dérober ses pauvres membres demi-nus. HUGO, les Misérables, II, III, VIII.

2 Quelques pauvres toits de hameau se pelotonnent au loin dans les mamelons de cette grande dune. HUGO, France et Belgique, XII.

3 Elle se pelotonnait, avec la volupté d'une chatte frileuse. FRANCE, Jocaste, Œ., t. II, p. 67.

4 Elle s'abandonnait, se pelotonnant sur une chaise, s'y attiédissant, des heures entières (...) HUYSMANS, En ménage, IV.

5 Il se pelotonnait contre elle, dans le noir. Et elle l'avait pris dans ses bras, serré contre elle, comme un enfant. MARTIN DU GARD, les Thibault, t. V, p. 268.

▶ **PELOTONNÉ, ÉE** p. p. adj.

Ramassé en boule. *Accroupi* (cit. 5), *assis* (cit. 23) *et pelotonné. Chats qui dorment pelotonnés* (→ Koubba, cit. 1).

6 Toute la soirée elle avait pu, pelotonnée espièglement en boule sur mon lit, jouer avec moi comme une grosse chatte (...) PROUST, À la recherche du temps perdu, t. XI, p. 93.

CONTR. Étendre (s'), étirer (s').
DÉR. Pelotonnement, pelotonneur.

PELOTONNEUR, EUSE [p(ə)lɔtɔnœʀ, øz] n. — 1875, P. Larousse ; de *pelotonner.*
Technique.

♦ **1.** Vx. Ouvrier, ouvrière qui met le tabac en peloton.

♦ **2.** (XXe). Mod. Ouvrier, ouvrière qui enroule le fil en pelotes.
Pelotonneuse, n. f. Machine qui met (du fil, etc.) en pelotons. ⇒ **Peloteuse.**

PELOUSE [p(ə)luz] n. f. — V. 1582, *in* D. D. L. ; forme dial. (Ouest et Sud), fém. substantivé de l'anc. franç. *peleus* « gazon », lat. *pilosus* « poilu, velu », de *pilus* « poil ».

♦ **1.** Terrain couvert d'une herbe* courte et serrée, sans utilité agricole. *Pelouse de gazon* (cit. 3). ⇒ **Gazon.** *Les pelouses d'un jardin*, d'un parc*, d'un domaine* (cit. 1), *d'un stade* (→ Abandon, cit. 4 ; empanacher, cit. 3 ; lanterne, cit. 5). *Arroser* (→ Arroseur, cit. 1), *tondre, entretenir une pelouse. Prière de ne pas marcher sur les pelouses.* — « ... *Et qui dort son sommeil sous une humble* (cit. 39) *pelouse* » (Baudelaire).

Tout à l'extrémité du parc de Montreuil, au milieu d'une pelouse de gazon entourée de grands arbres (...) A. DE VIGNY, Servitude et Grandeur militaires, II, V. 1

La pelouse est soudain comme une longue joie, 2
Comme un brûlant miroir et comme un vert étang.
Csse DE NOAILLES, Éblouissements, « Poème Île-de-France ».

♦ **2.** Partie d'un champ de courses, généralement gazonnée, ouverte au public. *La pelouse et le pesage.*

(...) elle voyait la pelouse, toute grouillante d'une foule haussée sur les pieds, accrochée aux voitures (...) ZOLA, Nana, XI. 3

REM. Dans ce sens un dér. *pelousard,* n. m., « habitué de la pelouse, des courses » (1903) est attesté. → Turfiste.

PELTA [pɛlta] ou **PELTE** [pɛlt] n. f. — 1875, *pelta ; pelte,* 1732 ; mot lat., grec *peltê,* même sens.

♦ Archéol. Petit bouclier elliptique portant sur chacun de ses côtés une échancrure en forme de croissant, en usage dans l'antiquité grecque (Thrace, Asie mineure).

PELTASTE [pɛltast] n. m. — 1808 ; lat. *peltasta,* grec *peltastês,* même sens.

♦ Archéol. Soldat armé du pelta*.

PELTÉ, ÉE [pɛlte] adj. — 1827 ; du rad. du lat. *pelta.* → Pelta.

♦ Bot. Se dit d'une feuille dont le pétiole est fixé au milieu du limbe. *La capucine a des feuilles peltées.* (On dit aussi *peltiforme.*)

HOM. Pelletée.

PELTIFORME [pɛltifɔʀm] adj. — 1868 ; du rad. du lat. *pelta* (→ Pelta), et *-forme.*

♦ Bot. ⇒ **Pelté.**

PELU, UE [pəly] adj. — V. 1155 ; var. anc. de *poilu.*

♦ Vx. Poilu. *Pattes pelues.*

Au plus fort du combat, il se sentit mordre au gras de la jambe ; il y porta ses mains et, rencontrant quelque chose de pelu, il crut être mordu d'un chien (...) SCARRON, le Roman comique, I, XII. 1

Dès la nuit, c'est, dans la lande, la reptation, patte pelue, vers la chanteuse et la fraîche. J. GIONO, Colline, Pl., t. I, p. 128. 2

COMP. Patte-pelu.

PELUCHE [p(ə)lyʃ] n. f. — 1591 ; de l'anc. v. *peluchier* (→ Éplucher), du lat. pop. **pilucare,* du bas lat. *pilare* « épiler ». → Peler.

♦ **1.** Tissu à armure façonnée, à poils moins serrés et plus longs que ceux du velours*. *Peluche de laine, de coton, de soie* (fond de coton et poils de soie)... *Cache-pot* (cit.), *rideau* (→ Embrasse, cit.), *tapis de peluche* (→ 1. Mou, cit. 2). *Chapeau de peluche.* — *Animaux en peluche* (jouets d'enfants). *Ours en peluche.*

Et vraiment cette région de l'Inde pourrait se passer des quelques rizières que l'on voit çà et là chatoyer comme des carrés de peluche soyeuse. LOTI, l'Inde (sans les Anglais), III, XI. 1

(...) elle n'entra pas sans s'être courbée devant un paravent que l'on avait placé près de la porte et appliqua l'œil à un endroit où la peluche rouge de ce meuble était déchirée. J. GREEN, Léviathan, I, III. 2

♦ **2.** *Une peluche,* ou, fam. et régional, *une pluche :* flocon de poussière ; pelote de menues fibres détachées d'une étoffe.

DÉR. Peluché, pelucher, pelucheux.

PELUCHÉ, ÉE [p(ə)lyʃe] ou **PLUCHÉ, ÉE** [plyʃe] adj. — 1762, *peluché ; pluché,* XVIIe ; bot. « velu » (plantes), 1667 ; de *peluche.*

♦ Qui a de longs poils, qui ressemble à de la peluche ; poilu, velu. *Étoffe peluchée.* — Bot. *Feuille, fleur peluchée,* duvetée.

PELUCHER [p(ə)lyʃe] ou **PLUCHER** [plyʃe] v. intr. — 1798, *pelucher ; plucher,* 1868 ; de *peluche.*

♦ Devenir poilu comme la peluche, en parlant d'une étoffe dont l'usure relève les poils. *Pull-over qui peluche.* ⇒ **Boulocher.**

PELUCHEUX, EUSE [p(ə)lyʃø, øz] adj. — 1822; de *peluche.*

♦ Qui donne au toucher la sensation de la peluche; qui peluche. ⇒ **Duveteux, velouté.** *Étoffe pelucheuse. Fruit pelucheux.*

REM. La variante *plucheux, euse* [plyʃø, øz] (1834) est régionale.

PELURE [p(ə)lyʀ] n. f. — XIIIe; *peleüre* «dépouille, butin», 1156; de *peler.*

♦ **1.** (1260). Peau, enveloppe ou morceau de l'enveloppe détachée d'un fruit, d'un légume qu'on a pelé. ⇒ **Peler.** *Pelures de poires* (→ Écale, cit. 2), *de pommes. Pelures de pommes de terre.* ⇒ **Épluchure.**

1 «Ah! cette peau qu'ils ont!», poursuivait Rachel. «Fine comme une pelure de fruit!» MARTIN DU GARD, les Thibault, t. III, p. 41.

Pelure d'oignon. ⇒ **Oignon.**

Par ext. *Pelure de fromage,* la croûte pelée.

♦ **2.** (XVIIe). Techn. Laine que le mégissier enlève des peaux de moutons.

♦ **3.** (1725). Fam. Habit, vêtement, et, spécialt, manteau. *Je vais enlever ma pelure.*

2 — Quel chien de temps! dit-il. Puis croisant la redingote : — La pelure est trop large. — C'est égal, ajouta-t-il, il a diablement bien fait de me la laisser, le vieux coquin! HUGO, les Misérables, III, VIII, XII.

3 — Dites-moi, madame Marceline, dit Madeleine, quelle pelure dois-je mettre? R. QUENEAU, Zazie dans le métro, Folio, p. 141.

♦ **4.** (XIXe). Fig. et par appos. *Papier pelure,* très fin et légèrement translucide. *Une bible* (cit. 9) *sur papier pelure.* — Ellipt. (N. f.). *Deux doubles dactylographiés sur pelure.*

♦ **5.** T. d'injure. Individu méprisable (→ Déchet, ordure).

4 Euh, fit Pierrot en consultant un vieil as de carreau qui lui tenait lieu de carnet, ça fait 2 356.
— Tant que ça? s'indigna Lafrezique.
— T'as qu'à compter, pelure! René FALLET, le Triporteur, p. 53.

♦ **6.** Techn. Matrice de disques obtenue directement d'après l'original.

DÉR. Pelurer.

PELURER [p(ə)lyʀe] v. tr. — 1821; de *pelure.*

♦ Fam. ou régional. Peler (des fruits, des légumes).

Elle faisait, ce soir-là, un ragoût de mouton avec des hauts de côtelettes. Tout marcha encore bien, pendant qu'elle pelurait ses pommes de terre. ZOLA, l'Assommoir, t. I, IV, p. 125.

PELVI- Élément, du lat. *pelvis* «bassin» (⇒ **Pelvis**), entrant dans la composition de termes didactiques médicaux. (Voir à l'ordre alphabétique.

PELVIEN, IENNE [pɛlvjɛ̃, jɛn] adj. — 1812; du rad. de *pelvis.*

♦ **1.** Anat. Relatif au pelvis, au bassin. *Cavité pelvienne. Ceinture pelvienne,* formée par les deux os iliaques*, qui attachent les membres inférieurs au tronc par l'intermédiaire du sacrum. ⇒ **Iliaque** (os), **pubis** (→ Hanche, cit. 4). *Plancher pelvien.* ⇒ **Périnée.**

♦ **2.** Zool. *Nageoires pelviennes :* nageoires paires, ventrales, des poissons (en arrière des pectorales*).

PELVIGRAPHIE [pɛlvigʀafi] n. f. — 1959; de *pelvi-,* et *-graphie.*

♦ Méd. Radiographie du petit bassin après injection d'une substance de contraste permettant de préciser les contours des ovaires.

PELVIMÈTRE [pɛlvimɛtʀ] n. m. — 1814; de *pelvi-,* et *mètre.*

♦ Méd. Instrument utilisé en pelvimétrie.

PELVIMÉTRIE [pɛlvimetʀi] n. f. — 1868; de *pelvi-,* et *-métrie.*

♦ Méd. Mesure des divers diamètres du bassin de la femme enceinte, permettant de pronostiquer les conditions du futur accouchement.

PELVIPÉRITONITE [pɛlvipeʀitonit] n. f. — 1878; de *pelvi-,* et *péritonite.*

♦ Méd. Inflammation du péritoine du bassin, généralement liée à une infection des ovaires ou des trompes.

PELVIS [pɛlvis] n. m. — 1666, *Journal des Savants : «cette cavité qu'on nomme le pelvis»;* rare av. 1845; mot lat., «bassin (de métal)».

♦ Anat. Bassin.

DÉR. (Du rad.) **Pelvien.**

PELVISUPPORT [pɛlvisypɔʀ] n. m. — 1903; de *pelvi-,* et *support.*

♦ Méd. Appareil servant à soutenir le bassin lors de pansements, d'interventions chirurgicales. *Des pelvisupports.*

PELVITOMIE [pɛlvitɔmi] n. f. — 1878; de *pelvi-,* et *-tomie.*

♦ Chir. En obstétrique, Section de la partie antérieure du bassin pour écarter les os iliaques lors d'un accouchement difficile.

PEMMICAN [pemikɑ̃; pɛmmikɑ̃] n. m. — 1836; mot angl. (1801); algonquin *pimikkân,* de *pimû* «graisse», et *-kân* «préparé».

♦ Préparation de viande concentrée et séchée (utilisée notamment par les marins, les trappeurs, etc.).

(...) des vivres en quantité, tels que le *pemmican,* qui contient une énorme matière nutritive comparativement à son petit volume. 1
BAUDELAIRE, Trad. E. POE, Histoires extraordinaires, «Avent. Hans Pfaall».

Toutes les provisions de viandes salées, de biscuits, d'eau-de-vie, augmentées dans une prudente mesure, commencèrent à emplir une partie de la cale du brick, car la cambuse n'y pouvait plus suffire. On se munit également d'une grande quantité de pemmican, préparation indienne qui concentre beaucoup d'éléments nutritifs sous un petit volume. J. VERNE, Un hivernage dans les glaces, p. 237. 2

PEMPHIGUS [pɑ̃figys] n. m. — 1868; lat. sc. mod., du grec *pemphix, pemphigos* «souffle de vie, âme; ce qui est gonflé comme par un souffle; pustule».

★ **I.** Méd. Maladie de la peau caractérisée par de nombreuses bulles disséminées, formées au sein de l'épiderme et remplies de sérosités. *Pemphigus d'origine bactérienne. Pemphigus congénital. Pemphigus vulgaire,* très grave, de cause inconnue.

(...) il avait rendu visite à une habitante de Florilly atteinte d'un mal mystérieux où le docteur Milot, de Bellefont, avait cru reconnaître d'abord un zona, mais qui n'en était vraisemblablement pas un, caractérisé qu'il était par des plaies répandues partout, dans le dos particulièrement ainsi que sur le visage et dans le cou. On parlait maintenant de pemphigus, mot que le prêtre n'avait jamais entendu prononcer. A. BILLY, Sur les bords de la Veule, p. 212.

★ **II.** (1903). Zool. Puceron qui produit des galles sur les végétaux (notamment sur les peupliers).

PENAILLE [pənɑj] n. f. — 1667; *pennallye,* XIIIe; de l'anc. franç. *pene* «plume; fourrure, doublure»; lat. *pinna* «plume».

♦ Vx et dial. ⇒ **Guenille, haillon, loque.**

DÉR. Penaillon.
COMP. Dépenaillé.

PENAILLEUX, EUSE [pənɑjø, øz] adj. et n. — 1875; mot régional, de l'anc. franç. *penaille* «dépenaillé».

♦ Rare. Habillé de guenilles. Pauvre, miséreux.

Il avait alors pour cousins tous les truands chevaliers, hidalgos dans la débine, penailleux, déclamatoires, populaciers flambergeurs et autres gueux de haute volée. Jacques PERRET, Bande à part, p. 151.

PENAILLON [pənɑjɔ̃] n. m. — 1540; de *penaille.*

Vieux.

♦ **1.** Haillon, loque.

♦ **2.** Péj. Moine mendiant.

PÉNAL, ALE, AUX [penal, o] adj. — V. 1536; *poinal liu* «le purgatoire», 1190; lat. *pœnalis* «qui concerne la punition», de *pœna.* → Peine.

♦ **1.** Dr., cour. Qui est relatif aux peines, et, par ext., aux délits qui entraînent des peines. *Droit pénal.* ⇒ 3. **Droit** (cit. 68 et *supra*); et aussi **criminel** (cit. 12). *Loi pénale* (→ Absolution, cit. 2; atroce, cit. 1). *Code pénal.* ⇒ **Code.** *Condamnation pénale* (→ Excuse, cit. 10). — Dr. civ. *Clause* (cit. 1) *pénale,* fixant le montant des dommages-intérêts à payer en cas d'inexécution d'un contrat.

Les lois pénales ont été faites par des gens qui n'ont pas connu le malheur. BALZAC, le Lys dans la vallée, Pl., t. VIII, p. 823.

N. m. *Le pénal et le civil. Il sera poursuivi au pénal,* pénalement.

♦ **2.** N. m. Argot. Pénitencier. *Le « directeur du pénal »* (H. Charrière, *Papillon*, p. 495).

DÉR. Pénalement, pénaliser, pénalité.

PÉNALEMENT [penalmɑ̃] adv. — 1570, *penallement; de pénal.*

♦ Dr. En matière pénale, en droit pénal. *Majeur pénalement responsable.*

PÉNALISANT, ANTE [penalizɑ̃, ɑ̃t] adj. — 1969, *in* Gilbert; de *pénaliser.*

♦ Qui désavantage, qui pénalise.

PÉNALISATION [penalizasjɔ̃] n. f. — Fin XIXe; angl. *penalization,* même sens.

♦ **1.** Sports. Dans un match, Désavantage infligé à un concurrent qui a contrevenu à une règle. *En football, le coup franc, le penalty* sont des pénalisations.* — Dans un rallye automobile, Temps (ou points) donné(s) pour avance ou pour retard à un contrôle.

♦ **2.** (1973). Désavantage (infligé à un individu, à un groupe). *Cette mesure constitue une pénalisation pour les agriculteurs.*

PÉNALISER [penalize] v. tr. — V. 1900; angl. *to penalize* (1868), de l'adj. *penal* « pénal »; franç. *pénal.*

♦ **1.** Sports. Infliger une pénalisation à. *Pénaliser une équipe, un joueur.*

♦ **2.** Infliger une peine, une punition à. — P. p. *Être pénalisé* : souffrir d'un désavantage imposé. Spécialt. Être frappé d'une pénalité fiscale.

DÉR. Pénalisant.

PÉNALITÉ [penalite] n. f. — 1803; « souffrance », 1319; du rad. de *pénal.*

♦ **1.** Dr. Caractère de ce qui est pénal; application d'une peine. *Un monde où n'existe aucune idée de pénalité ni de coercition* (→ Emmailloter, cit. 5).

1 La loi ignore presque le droit. Il y a d'un côté la pénalité, de l'autre l'humanité.
HUGO, l'Homme qui rit, II, IV, VIII.

♦ **2.** Littér. Ensemble des peines établies par la loi. *La pénalité varie avec les mœurs* (Hatzfeld).

♦ **3.** Cour. Peine, spécialt, en parlant des « Sanctions applicables aux délits fiscaux » (Capitant). — Sports. *Pénalités appliquées par l'arbitre.* ⇒ **Pénalisation** (coup franc*, penalty*...). *Coup de pied de pénalité* (au rugby).

2 Ayant acquis la preuve qu'il ne pouvait sortir de la ville par les moyens légaux, il était décidé (...) à user des autres. Le journaliste commença par les garçons de café (...) Mais les premiers qu'il interrogea étaient surtout au courant des pénalités très graves qui sanctionnaient ce genre d'entreprises. CAMUS, la Peste, p. 156.

PENALTY [penalti] n. m. — 1902; mot angl., « pénalisation » (1512), même rac. que *pénal.*

Sports (football, hockey).

♦ **1.** Faute grave commise par un joueur dans la « surface de réparation » de son camp, et qui est sanctionnée par un coup *(penalty)* tiré de la limite de cette surface directement au but, en face du seul gardien (→ aussi Coup franc*). *Il y a penalty. Siffler un penalty. Des penalties* ou *des penaltys.*

♦ **2.** Coup tiré pour sanctionner cette faute. *Tirer un penalty.* Syn. : *coup de pied de réparation.*

Un penalty, c'est un peu comme un peloton d'exécution : le tireur est tout seul à six mètres du goal et celui-ci n'a le droit de bouger qu'au coup de sifflet, c'est-à-dire lorsque le coup de pied part et que la balle est en demi-seconde aux fins fonds des ficelles *(des buts).* René FALLET, le Triporteur, p. 382.

PÉNARD, ARDE [penaʀ, aʀd] adj; **PÉNARDEMENT** [penaʀdəmɑ̃] adv. ⇒ **Peinard; peinardement.**

PÉNATES [penat] n. m. pl. — 1488; lat. *penates,* n. m. pl., même sens, de *penus* « intérieur de la maison », puis « garde-manger, provisions ».

♦ **1.** Dieux domestiques protecteurs de la cité ou du foyer (se dit surtout de ces derniers) chez les anciens Romains. (→ Dieu, cit. 17). *Les pénates, qui personnifiaient le foyer, étaient honorés deux à deux et associés aux lares*.* — Par appos. *Dieux pénates.* — Par ext. Statuettes des pénates.

Loc. métaphorique *Porter, emporter ses pénates dans tel endroit, chez qqn...,* s'y installer (→ Aurore, cit. 17; homme, cit. 2).

♦ **2.** (1678). Fig. (Vx ou mod. et par plais.). Demeure. ⇒ **Foyer, habitation, maison.** *Regagner ses pénates, revoir ses pénates* (→ Lotus, cit. 2).

Il renonce aux courses ingrates, 1
Revient en son pays, voit de loin ses pénates (...) LA FONTAINE, Fables, VII, 12.

N'empêche que les Turcs eux-mêmes souhaitent de voir mon avis consigné noir sur 2
blanc, — mon avis et mes avis — et que si je ne soufflais mot, à mon retour dans mes pénates, on serait sans doute étonné, de ce côté de la Méditerranée comme de l'autre. G. DUHAMEL, la Turquie nouvelle, III.

PENAUD, AUDE [pəno, od] adj. — 1534; de *peine.*

♦ Honteux, déconfit à la suite d'une déconvenue, d'une déception; confus, gêné par une maladresse. ⇒ **Confus, contrit, déconcerté, embarrassé, honteux, humilié, interdit** (→ Gronder, cit. 24; nigaud, cit. 2). *Se sentir tout penaud. Quelque impair* (cit. 5) *énorme, dont il restait penaud. Faire une mine penaude. Penaud et décontenancé.* ⇒ **Pantois.** *Penaud, l'oreille basse... D'un air penaud* (→ 1. Court, cit. 24).

(...) il écoutait donc d'un air soumis, qu'il essayait de rendre penaud, les remon- 1
trances de sa mère, mais elles se perdaient dans le vide.
BALZAC, Un début dans la vie, Pl., t. I, p. 698.

Boubouroche, penaud, demeurait, les pieds soudés au plancher (...) Et, le front 2
bas, l'épaule ronde, accablé sous le ridicule dont sa maîtresse châtiait si durement sa faute (...) COURTELINE, Boubouroche, Nouvelles, III.

CONTR. Fier, fringant.

PENCE [pɛns] Plur. de *penny.* ⇒ **Penny.**

PENCHANT, ANTE [pɑ̃ʃɑ̃, ɑ̃t] adj. et n. m. — 1532, *mur penchant;* p. prés. de *pencher.*

★ **I.** Adj. Vx ou littér. Qui penche. *« L'eau bleue où fuit* (cit. 13) *la nef penchante »* (Hugo). — Fig. Qui menace de s'effondrer, qui décline, *« Ô d'un État penchant l'inespéré* (cit. 1) *secours »* (Corneille).

★ **II.** N. m. ♦ **1.** (1538). Vx ou littér. Versant, partie inclinée d'une colline (cit. 1), d'un coteau, d'une montagne... ⇒ **Déclivité, inclinaison, obliquité, pente** (→ Bâtir, cit. 45; ébouler, cit. 4).

La grotte de la déesse était sur le penchant d'une colline. 1
FÉNELON, Télémaque, I.

(...) la ville, bâtie sur le penchant d'une montagne dont la pente rapide favorise 2
le prompt écoulement des eaux (...)
NERVAL, Notes de voyage, Lettres des Flandres, II.

Loc. fig. ou métaphorique. (Vx). *Être sur le penchant de la vie* : être sur le déclin* de la vie, aller vers la fin de sa vie. *Dans le premier penchant de l'âge* (cit. 7). — *« C'est fait de l'État; il est du moins sur le penchant de sa ruine »* (La Bruyère, X, 11).

♦ **2.** (1642). Mod., cour. Inclination naturelle vers un objet ou une fin. ⇒ **Amour, désir, faible, faiblesse, goût, habitude, impulsion, inclination, propension, tendance.** — *Penchants naturels.* ⇒ **Nature.** *L'ensemble des penchants d'un individu constitue son caractère, son tempérament. Penchants droits* (1. Droit, cit. 21) *et vertueux. Penchants répréhensibles, mauvais* (→ Égarement, cit. 3; homme, cit. 83), *vicieux...* ⇒ **Défaut, vice.** *Flotter entre ses penchants et ses devoirs* (→ Contradiction, cit. 4). *Suivre, surmonter ses penchants* (→ Donner, cit. 56). *Un penchant à la mélancolie* (→ Misanthrope, cit. 4), *à l'imitation* (→ Modeler, cit. 8). *Avoir un penchant à la paresse, pour la paresse.* ⇒ **Enclin** (être enclin à); **volontiers** (être volontiers...). — *Avoir, manifester un penchant à...* (et inf.) → Habitude, cit. 17; lointain, cit. 11. *Avoir un certain penchant à boire.* — *Penchant qu'on éprouve pour tel travail, tel métier.* ⇒ **Aptitude, disposition, facilité, génie, prédisposition, vocation.**

L'*inclination* est plus faible que le *penchant* (...) L'*inclination* fait tendre vers un 3
objet, le *penchant* y entraîne.
LAFAYE, Dict. des synonymes, Inclination, penchant..., propension.

Il n'est point vrai que le penchant au mal soit indomptable, et qu'on ne soit pas 4
maître de le vaincre avant d'avoir pris l'habitude d'y succomber.
ROUSSEAU, Émile, IV.

Le penchant de Frédéric pour la guerre peut être excusé par de grands motifs 5
politiques. Mme DE STAËL, De l'Allemagne, I, XVI.

(...) j'ai maintes fois remarqué que vous aviez un fâcheux penchant à vous jeter 6
étourdiment dans les entretiens sérieux comme un chien dans un jeu de quilles.
FRANCE, la Rôtisserie de la reine Pédauque, II, Œ., t. VIII, p. 17.

Mais l'enfance, où l'on fait le mal sans le connaître, et la jeunesse, conflit des 6.1
désirs et des devoirs, temps où les habitudes commençantes ne sont encore connues que comme des penchants et sont étroitement mêlées aux remords et aux résolutions, étaient passées. PROUST, Jean Santeuil, Pl., p. 705.

♦ **3.** Spécialt. (Littér.). Mouvement qui porte à aimer qqn, à prendre parti pour une personne... ⇒ **Affection, sympathie.** — *Penchant amoureux.* ⇒ **Amour, passion.** *Avoir un penchant pour une personne.* ⇒ **Tendre** (avoir un tendre pour). *Penchant mutuel* (→ Convenance, cit. 5; époux, cit. 9).

Ils suivaient sans remords leur penchant amoureux (...) RACINE, Phèdre, IV, 6. 7

8 Cet amour inné de la justice, qui dévora toujours mon cœur, joint à mon penchant secret pour la France, m'avait inspiré de l'aversion pour le Roi de Prusse (...)
ROUSSEAU, les Confessions, XII.

CONTR. Antipathie, aversion, répugnance...

PENCHÉ, ÉE [pɑ̃ʃe] p. p. et adj. ⇒ **Pencher.**

PENCHEMENT [pɑ̃ʃmɑ̃] n. m. — 1538; de *pencher.*

♦ Vx (langue class.) ou rare. Fait de pencher; position penchée. ⇒ **Inclinaison.** « *Des penchements de branches* » (Hugo).

PENCHER [pɑ̃ʃe] v. — 1530; *pengier,* 1256; lat. pop. **pendicare,* du lat. class. *pendere* « pendre ».

★ **I.** V. intr. ♦ **1.** **a** Être ou devenir oblique en cessant d'être vertical; être hors de son aplomb, dans un équilibre instable, une position anormale. *Le mur penche.* ⇒ **Déverser, surplomb** (être en surplomb). — Fam. *Ce mur, cet édifice penche du côté où il veut* (pop., *qu'il veut, qu'il va*) *tomber,* il est trop incliné, il menace ruine. — (Personnes). *Pencher de tout son poids, tantôt sur un côté* (cit. 6) *du corps, tantôt sur l'autre.* ⇒ **Chanceler.**

b Être ou devenir oblique par rapport à l'horizontale; être plus bas d'un côté que de l'autre, aller en s'abaissant, en descendant. « *Le toit penche, le mur s'effrite* » (cit. 3). — *Le soleil penchait à l'horizon.* ⇒ **Descendre** (→ Enflammer, cit. 14). *Écriture qui penche vers la droite, à droite.* — Loc. *Faire pencher la balance** (1. Balance, cit. 3; et, fig., cit. 23).

Par métaphore, vieilli. (Personnes, choses). Aller vers son déclin. ⇒ **Décliner.** « *Cependant Claudius penchait vers son déclin* » (Racine, *Britannicus,* IV, 2.).

♦ **2.** Fig. *Pencher à* (vx), *pour, vers qqch., vers qqn :* être porté* par sa nature, son inclination à choisir, à préférer qqch., à prendre parti en faveur de qqn. ⇒ **Incliner, préférer.** *Il pencha pour la deuxième hypothèse* (→ Impuissant, cit. 9), *pour la dernière solution. Je pencherais assez volontiers vers le manichéisme* (cit.). — *Le roi avait penché du côté de Coligny* (→ Impasse, cit. 4).

1 (...) j'aurais refusé également et la religion de Mahomet, et celle de la Chine, et celle des anciens Romains, et celle des Égyptiens, par cette seule raison que l'une n'ayant pas plus *(de)* marques de vérité que l'autre, ni rien qui me déterminât nécessairement, la raison ne peut pencher plutôt vers l'une que vers l'autre.
PASCAL, Pensées, IX, 619.

2 Le superbe Amurat est toujours inquiet;
Et toujours tous les cœurs penchent vers Bajazet (...) RACINE, Bajazet, I, 2.

3 Osmin a vu l'armée; elle penche pour vous;
Les chefs de notre loi conspirent avec nous (...) RACINE, Bajazet, II, 1.

★ **II.** V. tr. (1530). Rendre oblique (par rapport à la verticale ou à l'horizontale), diriger, porter vers le bas. ⇒ **Abaisser, baisser, coucher, incliner, renverser.** *Pencher une carafe pour verser de l'eau.* — (Le compl. désignant la tête). *Pencher la tête sur le côté, vers l'avant.* ⇒ **Courber, incliner.** *Pencher son front* (→ Argenter, cit. 3; assombrir, cit. 10; fée, cit. 2).

4 Leurs yeux, d'où la divine étincelle est partie,
Comme s'ils regardaient au loin, restent levés
Au ciel; on ne les voit jamais vers les pavés
Pencher rêveusement leur tête appesantie.
BAUDELAIRE, les Fleurs du mal, « Tableaux parisiens », XCII.

▶ SE PENCHER v. pron.

♦ **1.** (Personnes). S'incliner. *Se pencher en avant* (→ Équilibre, cit. 4), *tout d'un côté* (→ Croiser, cit. 2). *Les voisins se penchaient aux fenêtres* (→ Lambrequin, cit.). *Défense de se pencher au dehors; de se pencher par la portière. Il se penchait dangereusement au-dessus du vide. Se pencher sur l'épaule de qqn* (→ Dictée, cit. 5), *sur un journal* (→ Éployer, cit. 4); *sur un livre.* — (Partie du corps). *Sa tête se penchait* (→ Dialoguer, cit. 2).

5 Laissez-moi me pencher sur cette froide pierre
Et dire à mon enfant : Sens-tu que je suis là? HUGO, les Contemplations, IV, XV.

6 Après s'être assis d'abord sur leurs talons, les mains ouvertes sur les cuisses, ils se penchent en avant jusqu'à toucher le sol avec le front.
MAUPASSANT, la Vie errante, D'Alger à Tunis.

7 Au-dessus de la rue, pour voir de plus loin, elle se penchait autant que le permettaient les grilles (...) LOTI, les Désenchantées, I, III.

8 Je relis *les Caractères* de La Bruyère. Si claire est l'eau de ces bassins, qu'il faut se pencher longtemps au-dessus pour en comprendre la profondeur.
GIDE, Journal, 26 sept. 1926.

(Choses). *Un arbre qui se penchait au bord du chemin* (→ Hacher, cit. 10).

9 (...) appuyé au marchepied, d'un élan, il monta dans la voiture, qui se pencha un peu et reprit son aplomb pendant qu'il s'installait à côté de Pauline.
J. CHARDONNE, les Destinées sentimentales, p. 98.

♦ **2.** Fig. *Se pencher sur (qqn, qqch.).* **a** (Compl. n. de personne). S'occuper de qqn. *Se pencher sur la croissance* (cit. 1) *mystérieuse de l'enfant. Se pencher sur la misère des humbles.* — Allus. littér. *Un homme se penche sur son passé,* roman de Constantin-Weyer.

b (Compl. n. de chose). S'intéresser à qqch. avec curiosité. ⇒ **Étudier, examiner.** *Se pencher sur un problème, sur une question.*

Vous vous êtes penché sur ma mélancolie, 10
Non comme un insensé, non comme un curieux.
VERLAINE, Amour, « À F. Langlois ».

Nous a-t-on assez dit qu'il *(le réaliste)* « se penchait » sur les milieux qu'il voulait décrire. Il se penchait! Où était-il donc? En l'air? 11
SARTRE, Situations II, p. 10.

Les journalistes, et avec eux les écrivains, abusent du verbe imagé *se pencher sur* au sens de s'intéresser à, étudier : *Je me suis penché naguère sur la solitude d'un grand poète* (B. GRASSET, Aménagement de la solitude). *M'étant penché naguère sur le mécanisme de la découverte* (ID., Sur le plaisir). Cet emploi n'est d'ailleurs pas nouveau. Léon Daudet, parlant de l'époque 1885-1898, notait déjà à propos de Tolstoï : « *Ce fut, pour employer le jargon de l'époque, à qui se pencherait sur les enfers de la société* (L'entre-deux guerres). » 12
René GEORGIN, la Prose d'aujourd'hui, p. 28.

▶ PENCHÉ, ÉE p. p. adj.

Qui se penche ou a été penché. (Personnes). *Elle se tenait un peu penchée en avant* (→ 2. Air, cit. 28). « *Ou penchés à l'avant des blanches caravelles* » (cit. 1, Heredia). *Le laboureur* (cit. 2), *penché sur sa charrue. L'écolier penché sur sa page d'écriture* (→ Langue, cit. 3). — *Avoir la tête penchée* (→ Coude, cit. 2). — Loc. fam. (Souvent iron.). *Avoir, prendre des airs penchés.* ⇒ **Air** (2. Air, *infra* cit. 24). — (Choses). *La chaloupe s'en allait toute penchée sous le vent d'Ouest* (→ Bondir, cit. 13). *Une écriture penchée.* — *La tour penchée de Pise* (→ Incliner, cit. 32).

(...) Hamilcar, en passant, reconnaissait les trirèmes qu'il avait autrefois commandées. Il n'en restait plus qu'une vingtaine peut-être, à l'abri, par terre, penchées sur le flanc ou droites sur la quille (...) 13
FLAUBERT, Salammbô, VII.

(...) ce petit garçon chétif que j'étais, penché sur ses dictionnaires. 14
F. MAURIAC, le Nœud de vipères, I, II.

CONTR. Lever. — Droit.
DÉR. Penchant, penchement.

PENDABLE [pɑ̃dabl] adj. — XVe; *pendavle,* v. 1283; de *pendre.*

♦ **1.** Vx. (En parlant d'une personne). Qui mérite d'être pendu. — Par exagér. (Cf. Molière, *le Misanthrope,* II, 6).

♦ **2.** Vx. (En parlant d'un crime). Dont l'auteur est passible de la pendaison. « *Le vol domestique était un cas pendable* » (Académie). — « *Sa peccadille fut jugée un cas* (cit. 10) *pendable* » (cf. aussi Molière, *Monsieur de Pourceaugnac,* II, 11). — Loc. mod. *C'est un cas pendable,* une action coupable*. — Cour. *Tour pendable :* mauvais tour, méchant tour. *Jouer un tour pendable à quelqu'un.*

PENDAGE [pɑ̃daʒ] n. m. — 1776; de *pendre.*

♦ Techn. Inclinaison d'un filon dans une mine, d'une couche de pierre, d'ardoise dans une carrière. *Un pendage de quinze degrés.*

COMP. Pendagemètre, pendagemétrie.

PENDAGEMÈTRE [pɑ̃daʒmɛtʀ] n. m. — Mil. XXe (*in* Larousse 1963); de *pendage,* et *mètre.*

♦ Techn. Instrument servant à mesurer le pendage.

PENDAGEMÉTRIE [pɑ̃daʒmetʀi] n. f. — V. 1960 (*in* Larousse, *Suppl.,* 1968); de *pendage,* et *-métrie.*

♦ Techn. Étude, mesure des pendages.

PENDAISON [pɑ̃dɛzɔ̃] n. f. — 1644; *pendezon,* XIVe; de *pendre.*

♦ **1.** Action de pendre (qqn). *La pendaison d'un condamné par le bourreau.* ⇒ Vx. 2. **Branchage, penderie** (I.). *Le supplice de la pendaison, peine infligée autrefois en France à certains criminels, encore en usage dans quelques pays.* ⇒ **Corde, fourche** (fourches patibulaires), **gibet, hart** (vx), **potence.** *Pendaison des criminels nazis à Nuremberg en 1945.* — Action de se pendre. *Suicide par pendaison.*

(...) dévoré par la gangrène et souffrant d'atroces tortures, il termina sa vie par l'ignoble pendaison volontaire dont les détails ont écœuré plusieurs virtuoses du suicide. Léon BLOY, le Désespéré, p. 186.

♦ **2.** Rare. Action de pendre (qqch.). — Loc. cour. *Pendaison de crémaillère*.*

1. PENDANT, ANTE [pɑ̃dɑ̃, ɑ̃t] adj. — V. 1138; de *pendre.*

♦ **1.** Qui pend* (I.). *Il était affalé* (cit. 1) *dans un fauteuil, les bras pendants. Les chiens haletaient* (cit. 2), *la langue pendante. Peau pendante. Seins pendants. Épaules, joues pendantes.* ⇒ **Avalé.** — *Voiles pendantes* (→ Frôlement, cit. 3; 1. flasque, cit. 3).

(...) de vieilles négresses aux mamelles pendantes (...) FLAUBERT, Salammbô, IV. 1

À l'arrière les arabas grinçaient pitoyablement. Les conducteurs, à moitié endormis, dodelinaient de la tête, les jambes pendantes presque au ras du sol. 2
P. MAC ORLAN, la Bandera, XIII.

Archit. *Clef pendante :* clef de voûte (⇒ **Pendentif**).

Dr. *Fruits pendants (par branches ou par racines), récoltes pendantes (par les racines),* non récoltés. ⇒ **Fruit.**

♦ **2.** (1265). Dr. Qui est en instance*, qui n'est pas encore jugé. *Cause* (cit. 45) *pendante. Procès pendant* (→ Gros, cit. 21). ⇒ aussi **Litispendance.** — Cour. *Affaire, question pendante,* qui n'a pas reçu de solution, sur laquelle l'accord n'est pas encore fait (cf. Une affaire en cours).

3 Un procès était pendant contre les meurtriers de mai, contre le frère de Froment. Il avançait lentement, ce procès, mais il avançait.
MICHELET, Hist. de la Révolution franç., III, IX.

DÉR. 3. **Pendant.**

2. PENDANT [pɑ̃dɑ̃] n. m. — 1105, *pendanz* «cordons qui servent à attacher»; de *pendre.*

Ce qui pend.

♦ **1.** Archéol. Pièce du baudrier, du ceinturon qui pend au côté et sert à soutenir l'épée.

♦ **2.** Techn. Anneau du boîtier (d'une montre de poche) auquel on attache une chaîne ou un cordon.

♦ **3.** (XIVe). Cour. *Pendants d'oreilles :* paire de bijoux suspendus à l'oreille par une boucle. — Par métonymie. Ces boucles. ⇒ **Girandole; dormeuse, pendentif, pendeloque.** *Un pendant d'oreille. Des pendants d'oreilles* (→ Anneau, cit. 6; lobe, cit. 2). Par comparaison :

3.1 Mais il est bien court, le temps des cerises,
Où l'on s'en va deux, cueillir en rêvant
Des pendants d'oreilles (...)
Jean-Baptiste CLÉMENT, le Temps des cerises.

Absolt. *Une paire de pendants. Pendants d'une parure*.*

4 (...) elle dansait, non pas avec des boucles, mais avec des pendants d'oreilles, j'oserais presque dire des lustres.
BAUDELAIRE, la Fanfarlo.

♦ **4.** (Av. 1690, Furetière). Par anal. (avec l'aspect symétrique). *Le pendant de..., des pendants :* chacun des deux objets d'art formant la paire et destinés à être disposés symétriquement. *Cette estampe est le pendant de l'autre.* — Par ext. Chose comparable, égale à une autre (⇒ **Contrepartie**) ou symétrique; personne qui en rappelle une autre. *Une œuvre à laquelle on ne peut trouver ni modèle ni pendant.* ⇒ **Semblable** (→ Ébahir, cit. 3). — Figuré :

5 (...) on a souvent comparé Eugène Delacroix à Victor Hugo. On avait le poète romantique, il fallait le peintre. Cette nécessité de trouver à tout prix des pendants et des analogues dans les différents arts amène souvent d'étranges bévues, et celle-ci prouve encore combien l'on s'entendait peu.
BAUDELAIRE, Curiosités esthétiques, III, IV.

Faire pendant à, se faire pendant, se dit de deux choses semblables, disposées symétriquement et qui se correspondent* (⇒ **Accord, symétrie**). *Deux bergères* (cit. 2) *qui se faisaient pendant aux deux angles d'une cheminée.* « *Ces deux tableaux, ces deux groupes font pendants, se font pendant* » (Académie).

6 Deux dressoirs ou crédences (...) se faisaient pendants d'un côté de la salle à l'autre (...)
Th. GAUTIER, le Capitaine Fracasse, I.

7 Ces deux déclarations se font pendant et occupent, avec leur courte préparation, à elles seules tout le second acte *(de Phèdre),* dans un équilibre parfait.
GIDE, Attendu que..., p. 202.

3. PENDANT [pɑ̃dɑ̃] prép. — Déb. XIVe; de 1. *pendant,* employé en participe absolu sur le modèle de *pendens* en latin de procédure : *le terme pendant, le siège pendant, etc.* → Cependant.

♦ **1.** Exprime la simultanéité (avec un terme qui désigne l'espace de temps où l'action, le fait a lieu). *Pendant huit ou dix heures de suite* (→ Application, cit. 10). *Pendant l'hiver.* ⇒ **Cours** (au cours de), **dans, durant, en, milieu** (au milieu de). *Il n'a rien fait pendant toute la journée.* ⇒ **De** (*supra* cit. 17). *Pendant ce temps.* ⇒ **Cependant.** *Pendant quelques mois, plusieurs jours, deux nuits, quarante ans* (→ Amitié, cit. 15; appliquer, cit. 3; argent, cit. 4; arrondir, cit. 8)... *Pendant sa vie, pendant tout le cours de sa vie* (→ Aumône, cit. 5). *Pendant le règne d'un roi* (→ Absolu, cit. 3). — (Suivi d'un adv.). *Pendant longtemps* (→ Âme, cit. 42).

1 Dans ce chaste baiser son âme était partie,
Et, pendant un moment, tous deux avaient aimé.
A. DE MUSSET, Poésies nouvelles, « Rolla », V.

(Avec un nom exprimant un état ou un fait). *Pendant un voyage, le voyage.* ⇒ **Chemin** (en chemin). *Juste pendant cet arrêt, des avions ont bombardé la gare* (1. Gare, cit. 5).

2 Pendant sa convalescence, elle s'occupa beaucoup à chercher un nom pour sa fille.
FLAUBERT, Mme Bovary, II, III.

REM. À la différence de *durant, pendant* est employé couramment dans la langue parlée. En principe, *pendant* sert aussi bien à exprimer une simultanéité partielle *(Cette personne est morte pendant la nuit)* qu'une simultanéité continue. *Durant* est réservé plutôt à l'expression d'une simultanéité continue *(Durant toute la journée, il est resté enfermé dans sa chambre).* Mais souvent le choix est une simple variante stylistique : « *Elle me lisait pendant le jour, elle me veillait durant la plus grande partie des nuits...* » (B. Constant, *Adolphe,* V, p. 46).

Ellipt, fam. (Valeur adverbiale). *Avant la guerre et pendant. Avant, pendant et après.*

3 (...) une courte comédie de défense à laquelle rien n'avait manqué : ni, avant, les rodomontades d'une rouée qui joue la gamine et feint de ne pas prendre les choses au sérieux; ni, pendant, les supplications, les appels au mari absent, les bras qui repoussent sans force (...)
COURTELINE, Messieurs les ronds-de-cuir, IIe tableau, I.

(Avec une indication de temps et une relative).

Pendant les quatre mois qu'ils furent enfermés ensemble, elle ne cessa de quereller son compagnon (...) FRANCE, le Livre de mon ami, Livre de Pierre, II, III. 4

Loc. *Pendant le temps que... :* pendant que... « *On les a pris dans le grenier pendant le temps qu'on répare le toit* » (France, *le Crime de Sylvestre Bonnard,* p. 9).

♦ **2.** Loc. conj. **PENDANT QUE** : dans le même temps que; dans tout le temps que. ⇒ **Cependant** (que), **lorsque.**

a (Énonçant la simultanéité). *Pendant que je mangeais, je regardais souvent ce personnage* (→ Attacher, cit. 106). *Pendant qu'il disait ces derniers mots, sa voix se faussa* (cit. 9) *un peu.*

PENDANT QUE doit à sa formation étymologique d'énoncer proprement l'aspect de continuité : son premier élément est un participe absolu (avec ellipse du sujet *ce*), et signifie *cela pendant encore, cela demeurant en suspens.* On comprend qu'uni par *que* à une proposition, il marque la simultanéité de cette proposition avec la principale. Cette simultanéité peut être totale : « *Pendant que* vous me gronderez, je plaiderai ma thèse; *pendant que* je parlerai, vous ferez de la morale » MUSS., *Il ne faut jurer...* I, 1; — ou simplement partielle : « *Pendant qu'il* sommeillait, Ruth, une moabite, S'était couchée aux pieds de Booz... » (HUGO, *Lég.* (Booz). »
G. et R. LE BIDOIS, Syntaxe du franç. moderne, § 1408. 5

(...) amusons-nous pendant que nous sommes jeunes, n'est-ce pas, Caoudal?
Alphonse DAUDET, Sapho, IX. 6

Et pendant deux heures, pendant que j'essayais en vain de le sauver, toujours ce tambour insaisissable m'emplissait l'oreille de son bruit monotone (...)
MAUPASSANT, Contes de la Bécasse, « La peur ». 7

(Avec une valeur voisine de *puisque*). *Pendant que j'y pense... — Pendant que nous y sommes, nous devrions bien...* — Iron. *C'est ça, pendant que vous y êtes, prenez aussi mon portefeuille!*

b (Avec une idée d'opposition, jointe à celle de simultanéité). ⇒ **Alors** (que), **tandis** (que). → Assurer, cit. 22. *Pendant que la bouche accuse, le cœur absout* (cit. 6). *Pendant que par son esprit l'homme tend à un but* (cit. 5), *son cœur l'entraîne insensiblement à un autre. Pendant que ces paniquards* (cit.) *se ruaient vers l'arrière, des divisions résistaient pied à pied.*

Faut-il demander pourquoi des joueurs très habiles se ruinent au jeu, pendant que d'autres hommes y font leur fortune?
VAUVENARGUES, Maximes et réflexions, Caractères, 9. 8

COMP. V. **Cependant.**

PENDARD, ARDE [pɑ̃daʀ, aʀd] n. — 1549; adj., 1513; «bourreau», 1380; de *pendre.*

♦ Vx (langue class.) et fam. (t. d'injure). Coquin, fripon, vaurien. « *Pendard! gueux! bélître*!...* » (Molière). → aussi Audace, cit. 22. « *Parle bas* (1. Bas, cit. 80), *pendarde* » (Molière). — (Dans des emplois non appellatifs). *Un grand pendard.*

Sûr que si tu te décidais à parler Thérèse, Mme la Directrice, elle réunirait les soixante-trois membres du Conseil de discipline et que M. le Recteur approuverait l'exclusion temporaire de trois jours du pendard.
Yanny HUREAUX, la Prof, p. 327.

PENDELOQUE [pɑ̃dlɔk] n. f. — 1640; altér., p.-ê. d'après *breloque,* de *pendeloche* «pénis», (XIIIe), de l'anc. v. *pendeler* «pendiller», de *pendre.*

♦ **1.** Bijou qui est suspendu à une boucle d'oreille. ⇒ **Boucle, dormeuse, girandole, pendant, pendentif.** *Pendeloque de diamant* (→ Coulisse, cit. 4).

Les oreilles étaient ornées de pendeloques en or travaillé.
BALZAC, César Birotteau, Pl., t. V, p. 509. 1

Bijou suspendu à une chaîne ou à un ruban.

Promptement paré de l'insigne suprême, l'enfant s'en retourna fier et heureux, admirant sur sa poitrine l'effet du ruban bleu qui barrait diagonalement son pâle maillot rose, tandis qu'à son flanc gauche la brillante pendeloque, chargée de rayons de lune, se détachait vivement sur le fond noir du caleçon de velours. 1.1
Raymond ROUSSEL, Impressions d'Afrique, p. 192.

♦ **2.** Ornement taillé en forme de poire ou de prisme à facettes, qui est suspendu à un lustre (→ Balancer, cit. 6; hall, cit. 3). *Pendeloque en, de cristal.* — Figuré :

La foule aime le style voyant. Il m'eût été loisible de ne pas me retrancher ces pendeloques et ces clinquants qui réussissent chez d'autres et provoquent l'enthousiasme des médiocres connaisseurs (...) 2
RENAN, Souvenirs d'enfance..., Œ. compl., t. II, VI, p. 898.

Par anal. (de forme). *Fleur en pendeloque des perce-neige* (→ Gangué, cit.).

DÉR. **Pendeloquer.**

PENDELOQUER [pɑ̃dlɔke] v. intr. — 1649, *Ovide bouffon;* de *pendeloque.*

♦ Rare. Pendre*, être suspendu (comme une pendeloque).

(...) un tas de bibelots qui y pendeloquent comme poutres au cou des buffles.
Henri FAUCONNIER, Malaisie, p. 117.

PENDENTIF [pɑ̃dɑ̃tif] n. m. — 1561; du rad. du lat. *pendens, -entis,* p. prés. de *pendere* « pendre ».

♦ **1.** Archit. Triangle sphérique entre les grands arcs qui supportent une coupole. *Les pendentifs permettent de passer du plan carré au plan circulaire.* ⇒ **Panache.** *Le pendentif est parfois sculpté ou orné de mosaïque. Coupole sur pendentifs et coupole sur trompes. Pendentifs d'un dôme.*

(Emploi abusif en archit.). Clef pendante*, cul-de-lampe.

♦ **2.** (1907). Cour. Bijou qu'on porte suspendu au cou par une chaînette, un collier. ⇒ **Sautoir, pendeloque.**

Il avait approché une chaise à la gauche de Carlotta, il y ouvrait ses écrins. Des broches de diamant, un pendentif fait de deux saphirs (...)
ARAGON, les Beaux Quartiers, II, XXXIII.

♦ **3.** (Emploi abusif). Pendants d'oreilles.

PENDERIE [pɑ̃dʀi] n. f. — 1525; de *pendre.*

★ **I.** Vx. Exécution capitale par pendaison.

★ **II.** ♦ **1.** Lieu où l'on pend quelque chose.

♦ **2.** (1802). Vx. Hangar où l'on sèche les peaux

♦ **3.** (1893). Mod. Petite pièce, cabinet, placard, meuble, etc., spécialement aménagé pour y suspendre des vêtements. ⇒ **Dressing-room** (anglic.), **garde-robe.** *Transformer un débarras en penderie. Armoire à penderie. Armoire-penderie.*

PENDEUR [pɑ̃dœʀ] n. m. — V. 1260; de *pendre.*

♦ **1.** Vx. Bourreau chargé de pendre des condamnés.

♦ **2.** (1868). Techn. Ouvrier qui pend, suspend les harengs fumés. REM. Le fém. *pendeuse* est virtuel.

PENDILLER [pɑ̃dije] v. intr. — V. 1215; de *pendre.*

♦ Pendre* (I.), être suspendu en se balançant, en s'agitant en l'air. *Ses restes pendillèrent au haut d'un gibet* (cit. 2). *Le linge qui sèche pendille sur une corde.*

DÉR. **Pendillon.**

PENDILLON [pɑ̃dijɔ̃] n. m. — V. 1690; de *pendiller.*

♦ Techn. Pièce qui transmet le mouvement de l'échappement au pendule d'une horloge. — REM. On dit aussi *fourchette.*

PENDIS [pɑ̃di] n. m. — 1950; autres sens dialectaux anciens; en anc. franç., adj., « qui pend » (v. 1200); de *pendre.*

♦ Techn. et régional. Corde en fibre de coco, attachée à des poutres, sur laquelle on élève les moules en Méditerranée.

PENDJABI [pɛndʒabi] n. m. — 1875; de *Pendjab,* nom d'une région partagée entre le Pakistan et l'Inde.

♦ Ling. Langue indo-aryenne parlée au Pendjab. *Le pendjabi appartient au groupe des langues indo-aryennes.* — On écrit parfois *penjabi* [pɛnʒabi].

PENDOIR [pɑ̃dwaʀ] n. m. — 1680; *pandouer,* XIIIe; de *pendre.*

♦ Techn. Corde ou crochet pour suspendre la viande dans une boucherie.

PENDOUILLER [pɑ̃duje] v. — Mil XXe; cf. anc. franç. *pendoillier,* 1250; de *pendre,* et *-ouiller;* → Pendiller.

♦ **1.** V. intr. Fam. Pendre d'une manière ridicule, mollement. *Avoir une mèche qui pendouille devant les yeux.* ⇒ **Pendiller.**

♦ **2.** V. tr. Rare. Pendre (qqn), exécuter par pendaison. *« Si vous pendouillez Pierre, Tralala..., Pendouillez-moi z'avec... »* (Chanson populaire).

DÉR. **Pendouillis.**

PENDOUILLIS [pɑ̃duji] n. m. — Attesté XXe; var. régionale *pendouillon;* de *pendouiller.*

♦ Fam. Chose qui pendouille.

(...) une pénombre entretenue à grand renfort de pendouillis de toutes sortes, écharpes, foulards, vieux bouts de madras, morceaux de ci et de çà voilant les lampes.
Edmonde CHARLES-ROUX, Elle, Adrienne, p. 217.

PENDRE [pɑ̃dʀ] v. intr. et tr. — Conjug. *rendre.* — 980; lat. pop. **pendere* (*e* bref), class. *pendere* (*e* long), « être suspendu à » (au propre et au figuré).

★ **I.** V. intr. (Choses). ♦ **1.** Être accroché, attaché, fixé par le haut d'une manière telle que la partie inférieure reste libre, ne repose sur aucun support. ⇒ **Suspendre** (être suspendu). *Morceau de viande qui pend à un croc, un crochet, un pendoir. Volant qui pend à un rideau,* (pop.) *après* (cit. 89) *un rideau. Un sabre pendait à son épaule gauche* (→ Kabyle, cit. 1). *Une chaîne d'or, d'où pend une médaille* (→ Huissier, cit. 6). — (En parlant d'une chose longue et souple). Être attaché par une de ses extrémités et flotter, onduler ou retomber librement (→ Escarpement, cit. 1). *Tout ce méli-mélo* (cit.) *de lambeaux pend, claque, flotte. Ses cheveux négligemment* (cit. 1) *peignés pendaient par mèches noires.* ⇒ **Retomber, tomber.**

Des toiles d'araignée pendaient aux poutres, comme des haillons qui séchaient là- 1
haut, alourdies par des années de saleté amassée.
ZOLA, l'Assommoir, VI, t. I, p. 209.

(En parlant d'une partie du corps). *Son bras* (→ Attitude, cit. 12), *sa jambe* (→ Pantoufle, cit. 3) *pendait.* ⇒ 1. **Pendant.** *Il laissait baller* (cit. 3) *sa tête et pendre ses bras. — Cheveux, boucles qui pendent.*

De pâles boucles à l'anglaise pendaient le long de ses joues, comme au bord des 2
eaux les branches mélancoliques des saules.
FRANCE, le Livre de mon ami, Livre de Pierre, II, V.

♦ **2.** Descendre plus bas qu'il ne faudrait, tomber d'une manière irrégulière ou ridicule (⇒ **Pendouiller,** fam.) ou s'affaisser (⇒ **Avachir** [s']). *Jupe qui pend par derrière* (→ Modéliste, cit.), *sur le côté. Son manteau pend jusqu'à terre.* ⇒ **Traîner.** — *Joues qui pendent. Mamelles* (cit. 3), *seins qui pendent comme des sacs vides.*

♦ **3.** Vx. Être au-dessus de; surplomber (avec, souvent, une idée d'instabilité, de menace). *« D'immenses rochers pendaient en ruines au-dessus de ma tête »* (Rousseau, *Julie ou La Nouvelle Héloïse,* I, XXIII). — Loc. *Cela lui pend sur la tête :* cela risque de lui arriver d'un instant à l'autre (cf. C'est une menace suspendue sur sa tête, une épée de Damoclès). — Mod., fam. *Cela lui pend au nez (comme un sifflet de deux sous),* se dit en parlant d'un malheur, d'un désagrément dont quelqu'un est menacé (le plus souvent par sa faute).

★ **II.** V. tr. ♦ **1.** (980). Accrocher, attacher, fixer (qqch.) par le haut de manière que la partie inférieure reste libre, ne repose sur aucun support. ⇒ **Attacher, fixer, suspendre.** *Pendre son manteau à une patère. Pendre un jambon au plafond, un quartier de viande à un crochet, du linge aux fenêtres.* — Loc. *Pendre la crémaillère*.*

Le boucher pendait aux crochets de sa devanture des torses de chevreaux ouverts 3
comme des pastèques.
J. GIONO, le Chant du monde, I, IX.

Techn. *Pendre une porte,* la garnir de ferrures et la placer dans son bâti.

♦ **2.** (XIIe). Spécialt. Mettre à mort (qqn, un animal), en suspendant par le cou au moyen d'une corde, d'une lanière, etc. ⇒ **Pendaison** (cf. Mettre la corde au cou à qqn; mettre à la lanterne). *« Ah! ça ira, ça ira, les Aristocrates on les pendra! »* (Refrain révolutionnaire). — *Pendre un condamné à un gibet*, à une potence*. Pendre un malfaiteur à une branche d'arbre.* ⇒ 2. **Béquiller** (argot), **brancher** (vx). *Pendre un criminel haut et court*. Sous peine d'être pendu* (→ Gibet, cit. 1). *Pendre qqn en effigie* (cit. 7).

Oui, je vous l'ai déjà dit, ils commencent ici par faire pendre un homme, et puis 4
ils lui font son procès.
MOLIÈRE, Monsieur de Pourceaugnac, III, 2.

Quelle joie ce fut pour la cour, au siècle dernier, de pouvoir pendre un pair, lord 5
Ferrers! Du reste, on le pendit avec une corde de soie. Politesse. On n'eût pas pendu un pair de France. Remarque altière que fit le duc de Richelieu. D'accord. On l'eût décapité. Politesse plus grande.
HUGO, l'Homme qui rit, II, VIII, II.

Absolt. Infliger le supplice de la pendaison (→ Cas, cit. 29; incommunicable, cit. 8).

Loc. *Il ne vaut pas la corde* pour le pendre. — Dire* pis que pendre de qqn* (⇒ **Médire**). — *Faire pis que pendre :* commettre toutes sortes de crimes ou de méfaits. — *Qu'il aille se faire pendre ailleurs,* se dit en parlant de qqn dont on a à se plaindre, mais dont on ne veut pas se venger ou qu'on ne veut pas punir soi-même. — *Je veux être pendu, je veux qu'on me pende si...,* se dit familièrement pour appuyer énergiquement sur une déclaration, une affirmation.

Que voulez-vous dire, mon oncle, je veux être pendu si je comprends un seul mot. 6
BALZAC, Eugénie Grandet, Pl., t. III, p. 544.

▶ **SE PENDRE** v. pron. (XIIe; *se pendre à* « pencher, être favorable », 1260).

♦ **1.** Se tenir en laissant pendre (I.) ses jambes. *Se pendre par les mains à une barre fixe, à la branche d'un arbre.* ⇒ **Suspendre** (se). — *Se pendre à l'épaule de qqn,* s'y accrocher, s'y cramponner fortement. — Fam. et par exagér. *Se pendre au cou* de qqn. Se pendre aux jupes de sa mère.*

7 (...) Rose, terrifiée, craignant une bataille entre le père et le fils, se pendit à une épaule de ce dernier, en bégayant : — Malheureux, tu veux donc nous tuer?
ZOLA, la Terre, III, II.

♦ **2.** Se suicider par pendaison. *Il s'est pendu par désespoir.*

8 Je veux faire pendre tout le monde; et si je ne retrouve mon argent, je me pendrai moi-même après. MOLIÈRE, l'Avare, IV, 7.

9 Il monta ensuite sur une chaise, attacha une extrémité de sa corde à un anneau scellé dans le plafond et se passa l'autre bout, terminé en nœud coulant, autour du cou (...) Alors il donna un grand coup de pied dans la chaise et se pendit.
P. MAC ORLAN, Quai des brumes, IX.

Fam. *Il n'y a pas de quoi se pendre :* l'affaire n'est pas si grave... — *Il aurait mieux fait* (cit. 70) *d'aller se pendre :* il a commis une faute lourde de conséquences, une grave erreur (cf. fam. Il aurait mieux fait de se casser une jambe).

▶ **PENDU, UE** p. p., adj. et n. (XIe, personnes).

♦ **1.** (Choses). Accroché. ⇒ **Suspendu.** *Des cages* (cit. 3) *pendues aux branches. Un coquemar* (cit. 1) *de fonte pendu à la crémaillère. Jambon pendu au plafond.* — Loc. fam. *Avoir la langue** (cit. 9) *bien pendue :* être très bavard.

10 Il commença à remplir un très gros chaudron pendu à la crémaillère de la salle commune. J. GIONO, le Chant du monde, II, III.

♦ **2.** (Personnes). Qui se suspend, qui s'accroche (à qqn, qqch.). *Pendu à la corde d'une cloche pour sonner le carillon* (cit. 3). — *Pendu au bras droit de son frère* (→ Efforcer, cit. 9). *Pendus aux crins de nos chevaux* (→ Avancer, cit. 30).

Fig., fam. **a** (Avec l'idée d'insistance). *Être pendu à qqn, aux basques*, à la ceinture* de qqn. Être pendu à la sonnette de qqn, au téléphone.*

10.1 Debout au petit matin ce jour-là, j'étais jeune alors, dans un état, et dehors, ma mère pendue à la fenêtre en chemise de nuit pleurant et gesticulant.
S. BECKETT, Têtes-mortes, p. 9.

b (Avec l'idée d'attention). *Être pendu aux lèvres de quelqu'un.* ⇒ **Suspendu.**

11 Combien ces légistes devaient être chers aux princes, on le conçoit par leurs doctrines, on l'apprend par l'histoire, qui partout désormais nous les montrera près d'eux et comme pendus à leur oreille, leur dictant tout bas ce qu'ils doivent répéter. MICHELET, Hist. de France, IV, V.

12 (...) elle parut avoir quelque chose à dire. Nous étions pendus à ses lèvres.
Émile HENRIOT, le Diable à l'hôtel, XXVIII.

♦ **3.** (Personnes). Mort par pendaison. *On l'a trouvé pendu. « Partout on voit l'alcade et le corrégidor* (cit.), *Pendus, leurs noms au dos, à la potence vile »* (Hugo). — Fam., fig. *Sitôt pris, sitôt pendu,* se dit en parlant d'une décision immédiate.

13 Quels ne furent pas mon horreur et mon étonnement quand, rentrant à la maison, le premier objet qui frappa mon regard fut mon petit bonhomme, l'espiègle compagnon de ma vie, pendu au panneau de cette armoire! Ses pieds touchaient presque le plancher; une chaise qu'il avait sans doute repoussée du pied, était renversée à côté de lui; sa tête était penchée convulsivement sur une épaule; son visage, boursouflé, et ses yeux, tout grands ouverts avec une fixité effrayante, me causèrent d'abord l'illusion de la vie. BAUDELAIRE, le Spleen de Paris, XXX.

N. (XIIIe). *Un pendu, une pendue :* personne qui est morte par pendaison (condamnation à mort ou suicide). *« Un gibet* (cit. 3) *plein de pendus rabougris ».*

Loc. *Tirer la langue comme un pendu.* — *Être sec comme un pendu, comme un pendu d'été :* être très sec, très maigre. — *Avoir de la corde de pendu dans la poche. Il ne faut pas parler de corde dans la maison d'un pendu.* ⇒ **Corde.** — *Avoir une veine* de pendu.* — Littér. *La Ballade des pendus,* titre sous lequel on désigne communément un poème de Villon, dont le véritable titre serait *L'Épitaphe Villon.* — Personne qui est en train de périr par pendaison; personne qui a subi un début d'asphyxie après s'être pendue. *Contorsion finale d'un pendu* (→ Œuvre, cit. 12). *Décrocher un pendu à demi étranglé.* ⇒ **Dépendre.** *Ranimer un pendu.*

14 Quelqu'un des courtisans lui dit qu'à la potence
Il voulait l'aller voir, et que, pour un pendu,
Il aurait bonne grâce et beaucoup de prestance (...) LA FONTAINE, Fables, VI, 19.

15 Et de vols carnassiers faisant un grand bruit d'ailes
Autour de hauts gibets où flottaient, morfondus,
Sous la pluie et le vent des amas de pendus.
LECONTE DE LISLE, Poèmes barbares, « Paraboles de Dom Guy », IV.

CONTR. Décrocher, 2. dépendre.

DÉR. Pendable, pendage, pendaison, 1. pendant, 2. pendant, pendard, penderie, pendeur, pendiller, pendis, pendoir, pendouiller.

COMP. Haut-pendu, rependre. — (Du même rad. lat.) V. **Appendice, appendre, appentis, 1. dépendre, pencher, pendeloque, pendentif, pendule, pente, suspendre.**

PENDULAIRE [pɑ̃dylɛʀ] adj. — Av. 1867, Littré; de 1. *pendule.*

♦ **1.** Relatif au pendule. *Mouvement pendulaire,* dont l'équation est une fonction sinusoïdale du temps.

♦ **2.** Méd. *Rythme pendulaire du cœur fœtal.*

Sociol. *Migration pendulaire :* aller et retour entre le lieu de travail et le domicile.

♦ **3.** Techn. (Ch. de f.). *Dispositif, suspension... pendulaire,* permettant d'obtenir une force transversale proportionnelle au déplacement de la caisse du véhicule par rapport au bogie. — Par ext. *Voiture pendulaire.*

1. PENDULE [pɑ̃dyl] n. m. — 1658, Huyghens; *funependule,* 1646; lat. *fune* (ablatif de *funis*) « par un câble », et *pendulus* « suspendu » (de *pendere* « pendre »).

♦ **1.** Sc. Système oscillant de fréquence constante. — *Pendule simple* ou *pendule :* appareil constitué par une masse (théoriquement ponctuelle) suspendue à un point fixe par un fil tendu (inextensible et sans masse) oscillant dans un plan fixe. — *Pendule composé,* constitué par un solide mobile autour d'un axe horizontal, et dont les oscillations dans le champ de la pesanteur peuvent pratiquement se ramener à celles d'un pendule simple dont la masse serait située au centre de gravité du solide. — *Pendule circulaire, conique, cycloïdal*. — Pendule balistique*, compensateur. — Pendule de Foucault, de Huyghens. — Pendule de torsion,* formé d'un corps mobile oscillant autour d'un fil qui constitue son axe d'oscillation. *Pendule en équilibre stable. Faire osciller* (cit. 1) *un pendule.* ⇒ **Oscillation; amplitude, élongation, fréquence, période.** *Pendule battant la seconde,* faisant une demi-oscillation par seconde. ⇒ **Battre** (cit. 65). — *Applications du pendule :* mesure de l'accélération de la pesanteur; démonstration de la rotation de la terre *(pendule de Foucault);* régularisation du mouvement d'une horloge (→ Horlogerie, cit. 1). — *Pendule d'une horloge*,* composé d'une tige terminée par une masse, souvent appelée lentille. ⇒ **Balancier** (courant).

PENDULE (...) est un corps pesant, suspendu de manière à pouvoir faire des vibrations, en allant et venant autour d'un point fixe par la force de la pesanteur. 1
D'ALEMBERT, *in* Encycl. (DIDEROT), art. *Pendule.*

Le pendule *simple,* étudié par Galilée, est un corps pesant de faibles dimensions, qu'on peut assimiler à un point matériel, suspendu à un fil dont la masse est négligeable. On donne le nom de pendule composé à un corps solide quelconque pouvant osciller autour d'un axe (...) 2
Émile BOREL, Évolution de la mécanique, III, § 27.

Fig., par métaphore (→ Amplitude, cit. 3).

Alpin. Mouvement pendulaire de l'alpiniste (volontaire ou involontaire), manœuvre ainsi réalisée. ⇒ **Penduler.**

Sous le surplomb est fixé à demeure un piton de fer; c'est l'unique assurance du premier de cordée, mais qui ne l'empêcherait pas, en cas de chute, de faire un énorme pendule sur l'à-pic, dans une position d'où il serait bien difficile de le retirer. R. FRISON-ROCHE, Premier de cordée, p. 264. 3

♦ **2.** *Pendule de sourcier, de radiesthésiste,* censé servir, comme la baguette du sourcier, à déceler les « ondes ».

DÉR. Pendulaire, 2. pendule, penduler.

2. PENDULE [pɑ̃dyl] n. f. — 1664; du précédent à cause du *pendule* qui sert de régulateur du mouvement.

Courant.

♦ **1.** Appareil destiné à indiquer l'heure, petite horloge (⇒ **Horloge**) souvent munie d'une sonnerie, facile à déplacer. *Pendule posée sur une cheminée* (→ Chambranle, cit. 2), *un meuble. Pendule murale,* appliquée contre un mur, à l'intérieur d'un édifice, d'un appartement... ⇒ **Pendulette, régulateur.** *Pendule sous un globe* (cit. 13) *de verre. Aiguilles, balancier, barillet, cadran, rouages, roues* (→ Mouvant, cit. 4), *timbre... d'une pendule. Battement* (cit. 12), *tic-tac, carillon, sonnerie d'une pendule. La pendule sonne minuit* (→ Engager, cit. 31). *Consulter, regarder la pendule* (→ Attente, cit. 20). *Pendule mise à l'heure, réglée* (→ Juste, cit. 29). — *« C'est un métier que de faire un livre, comme* (cit. 8) *de faire une pendule »* (La Bruyère). — *Pendule électrique, à quartz. Pendule à aiguilles, à affichage numérique. Pendule réveil.* ⇒ **Réveille-matin.** *Pendule électronique.* — *Pendule astronomique :* pendule électrique très précise qui sert à établir les étalons de temps, à effectuer des mesures astronomiques.

♦ **2.** Par métonymie. Sorte de boîte présentant un caractère plus ou moins artistique et décoratif, qui contient et protège le mécanisme de la pendule proprement dite. *Pendule ornée d'un sujet en bronze. Pendule de marbre. Sujet de pendule.*

(...) une de ces pendules d'écaille de la Renaissance, dont le dôme doré surmonté de la figure du Temps est supporté par des cariatides du style Médicis, reposant à leur tour sur des chevaux à demi cabrés. La Diane historique, accoudée sur son cerf, est en bas-relief sous le cadran, où s'étalent sur un fond niellé les chiffres émaillés des heures. 4
NERVAL, les Filles du feu, « Sylvie », III.

DÉR. Pendulette.

PENDULER [pɑ̃dyle] v. intr. — 1926, cit.; de 1. *pendule.*

♦ Basculer, osciller comme un pendule; effectuer un pendule*. — Spécialt (en alpinisme) :

J'étais étendu sur le dos, plein de malaise et de nausée. Je sentais qu'il allait se passer quelque chose de terrible. Je serrais les dents de toutes mes forces. Le cœur me battait dans la gorge. Il me semblait que je pendulais dans l'espace. Combien de temps s'écoula-t-il? 1
B. CENDRARS, Moravagine, Œ. compl., t. IV, p. 129.

Quel soulagement lorsque sa main gauche rencontre une faible prise! Il y crispe 2 le bout de ses doigts ; ses pieds abandonnent leur point d'appui, son corps pendule et vient se plaquer sur le rocher. R. FRISON-ROCHE, Premier de cordée, p. 199.

REM. Le p. prés. *pendulant* est attesté comme adjectif.

3 (...) une robe de velours violet sur quoi ruisselle, sorti du même écrin que son bracelet et que ses pendulantes boucles d'oreille, un collier de topazes (...)
Hervé BAZIN, Cri de la chouette, p. 195.

PENDULETTE [pɑ̃dylɛt] n. f. — 1893 ; dimin. de 2. *pendule.*

♦ Petite pendule, généralement portative (→ Horloger, cit. 4). *Pendulette de bureau, de voyage. Pendulette électronique, à affichage numérique.*

PÊNE [pɛn] n. m. — 1680 ; *pesne,* v. 1175 ; altér. de l'anc. franç. *pêle, pesle* (v. 1175, jusqu'au XVIIe) ; du lat. *pessulus* « verrou », grec *passalos* « cheville ».

♦ Pièce mobile (d'une serrure), qui s'engage dans la gâche (⇒ **Mortaise**) et tient fermé l'élément (porte, fenêtre) auquel la serrure est adaptée (→ 1. Gâche, cit. ; gâchette, cit. 1). *C'est la clé* qui fait agir le pêne. Cramponnet* dans lequel se meut le pêne. Pêne dormant,* qui ne fonctionne qu'avec la serrure. *Pêne à demi-tour, à ressort,* qu'un ressort maintient saillant (serrure à pompe). *Pêne à nervure. Pêne encoché. Pêne à pignon. Pêne d'un cadenas*.*

1 Il mit la main sur le bec-de-cane, le pêne céda, la porte s'entrebâilla (...)
HUGO, les Misérables, V, VII, I.

2 (...) l'autre referma sa porte si doucement, qu'on n'entendit pas le pêne glisser dans la gâche. ZOLA, la Bête humaine, III.

3 Le soldat retourne jusqu'au seuil et pousse à fond le battant qui claque avec un bruit léger : le déclic du pène *(sic)* qui reprend sa place.
A. ROBBE-GRILLET, Dans le labyrinthe, p. 58.

HOM. Peine, penne.

PÉNÉPLAINE [peneplɛn] n. f. — Fin XIXe ; angl. *peneplain ;* comp. hybride du lat. *pæne* « presque », et de *plain,* francisé en *plaine.*

♦ Géogr. Surface faiblement onduleuse portant des sols (et fréquemment des reliefs) résiduels. *La pénéplaine est le stade pénultième de l'érosion* (→ Cycle, cit. 5). *Pénéplaine naissante, partielle, locale, régionale.*

DÉR. V. Pénéplanation.

PÉNÉPLANATION [peneplanasjɔ̃] n. f. — 1943, *in* Höfler ; mot angl., 1904 ; → Pénéplaine.

♦ Géol. Formation d'une pénéplaine.

PÉNÉTRABILITÉ [penetrabilite] n. f. — 1510 ; du rad. de *pénétrable.*

♦ Littér. Caractère de ce qui est pénétrable.

CONTR. Impénétrabilité.

PÉNÉTRABLE [penetrabl] adj. — 1370 ; lat. *penetrabilis* « qui peut être pénétré, percé », de *penetrare.* → Pénétrer.

Littéraire ou didactique.

♦ **1.** Où il est possible de pénétrer. *Matière très dure, peu pénétrable. Forêt difficilement pénétrable.*

1 Les palais royaux sont très pénétrables ; ces madrépores ont une voirie intérieure vite devinée, pratiquée, fouillée, et au besoin évidée, par ce rongeur qu'on nomme le courtisan. HUGO, l'Homme qui rit, II, I, IX.

Pénétrable à, par qqch. « Un espace pénétrable à la matière » (Laplace). *Substance pénétrable à l'eau, à la lumière.* ⇒ **Perméable.**

1.1 (...) les serrureries compliquées de cette conscience dangereuse, environnée de chausse-trapes et d'oubliettes à engloutir des éléphants, pénétrable seulement par de rares chatières à guillotine où les téméraires les plus altiers ne pouvaient passer qu'en rampant (...) Léon BLOY, le Désespéré, p. 190.

Fig. *Être sensible, pénétrable aux influences* (cit. 3)..., *par les influences.*

2 Les enfants sont plus pénétrables qu'on ne les croit par les invisibles effets des idées (...) BALZAC, le Cabinet des Antiques, Pl., t. IV, p. 342.

♦ **2.** (1690). Qu'on peut comprendre. *Mystère, secret difficilement pénétrable.* ⇒ **Compréhensible.**

CONTR. Impénétrable. — Insondable.
DÉR. Pénétrabilité.

PÉNÉTRANCE [penetrɑ̃s] n. f. — Mil. XXe ; de *pénétrer.*

♦ Biol. Fréquence avec laquelle se manifestent les caractères transmis par des gènes non dominants.

PÉNÉTRANT, ANTE [penetrɑ̃, ɑ̃t] adj. — 1314, *plaie pénétrante ;* de *pénétrer.*

♦ **1.** (XVe). Rare ou didact. Qui pénètre. *Pointe pénétrante. Projectile pénétrant. Rayonnement pénétrant.* — Méd. *Plaie pénétrante,* qui va jusqu'à une cavité viscérale.

Cour. Qui transperce les vêtements ; contre quoi on ne peut se protéger. *Pluie pénétrante et fine. Froid* (2. Froid, cit. 4) *pénétrant, gelée pénétrante* (→ Engourdir, cit. 1). ⇒ **Mordant, perçant.**

(...) l'air vif, pénétrant, glacé, mais sain, vous fouette au visage (...) 1
Th. GAUTIER, Voyage en Russie, VIII.

L'humidité pénétrante des chambres nous laisse sans courage, le soir, pour quitter le brasier du salon. F. MAURIAC, le Nœud de vipères, II, XX. 2

♦ **2.** (XVIe). Qui procure, qui détermine une sensation, une impression puissante. ⇒ **Fort.** *Odeur, senteur pénétrante* (→ 1. Foin, cit. 2 ; herbe, cit. 15 ; palpitation, cit. 3). *Voix pénétrante. Bruit, son pénétrant. Œil, regard pénétrant.* ⇒ **Perçant.** *Influence pénétrante* (→ Magnétisme, cit. 2).

(XVIIe). *Sentiment pénétrant* (→ Joie, cit. 4). *La douleur la plus pénétrante* (→ Lamentable, cit. 3). *« ... ce rêve étrange et pénétrant... »* (→ Aimer, cit. 22). *Que les fins de journées d'automne sont pénétrantes* (→ Infini, cit. 25, Baudelaire).

(...) chercher les sons les plus mélodieux de sa voix pour donner un charme pénétrant à cette phrase banale (...) BALZAC, les Chouans, Pl., t. VII, p. 834. 3

(...) figurez-vous le bruit que font en volant, les soirs d'été, les gros papillons de nuit ; c'est une note grave, douce et pourtant pénétrante. 4
Th. GAUTIER, Voyage en Russie, XIX.

Il y a des façons de dire si pénétrantes et des voix si mélodieuses qu'elles feraient tout passer. SAINTE-BEUVE, Correspondance, t. II, p. 343. 5

♦ **3.** Par métaphore ou fig. Perçant, en parlant des organes des sens. *Vue pénétrante ; regard, coup d'œil pénétrant. Son œil enfoncé* (cit. 49) *prit une expression sagace et pénétrante. Le regard pénétrant d'un Argus.*

Une seule mousseline couvre sa gorge ; et mes regards furtifs, mais pénétrants, en ont déjà saisi les formes enchanteresses. LACLOS, les Liaisons dangereuses, VI. 6

♦ **4.** (Mil. XVIe, Ronsard). Personnes ; capacités intellectuelles. Qui pénètre très avant dans la compréhension des choses. ⇒ **Aigu, clairvoyant, délié, divinateur, lucide, perspicace, profond.** *Esprit clair et pénétrant* (→ Excusable, cit. 6 ; hésitation, cit. 2), *pénétrant et subtil, pénétrant et éveillé* (⇒ **Ouvert**). *Pénétrantes qualités d'observateur* (→ Exercer, cit. 33). *L'habitude* (cit. 39) *de penser nous rend plus pénétrants.*

Tu as la mine d'avoir l'esprit subtil et pénétrant. MOLIÈRE, George Dandin, III, 1. 7

Un homme moins pénétrant que lui ne s'en fût peut-être pas aperçu ; mais il avait déjà été aimé tant de fois qu'il était difficile qu'il ne connût pas quand on l'aimait. 8
Mme DE LA FAYETTE, la Princesse de Clèves, II.

Un esprit extrêmement vif peut être faux, et laisser échapper beaucoup de choses par vivacité, ou par impuissance de réfléchir, et n'être pas pénétrant. Mais l'esprit pénétrant ne peut être lent ; son vrai caractère est la vivacité et la justesse unies à la réflexion. VAUVENARGUES, De l'esprit humain, I, V. 9

(Choses). *Réflexion pénétrante* (→ Palabre, cit. 3). *Un moraliste qui a le secret des accents pénétrants* (→ Incident, cit. 2). *Un mot très pénétrant* (→ Caprice, cit. 6).

(...) son regard n'indiquait rien d'autre qu'une curiosité pénétrante (...) 10
J. ROMAINS, les Hommes de bonne volonté, t. III, XI, p. 153.

CONTR. Borné, obtus.

PÉNÉTRANTE [penetrɑ̃t] n. f. — Mil. XXe, *in* Larousse 1953 ; de *pénétrer.*

♦ Grande voie de circulation (autoroute) allant de la périphérie au cœur d'un important centre urbain. *Projets de pénétrante impliquant la destruction de quartiers anciens.*

PÉNÉTRATION [penetrasjɔ̃] n. f. — 1370 ; lat. *penetratio* « action de percer », de *penetrare.* → Pénétrer.

Action de pénétrer.

A. (Concret). ♦ **1.** (Choses). Action de pénétrer : mouvement par lequel un corps matériel pénètre dans un autre. *La pénétration d'une chose dans un milieu, un espace. Pénétration réciproque entre deux corps.* ⇒ **Compénétration.** *Pénétration d'un gaz, d'un fluide, à travers une membrane* (⇒ **Dialyse**). *Pénétration par osmose* (cit. 1), *par endosmose... Pénétration dans notre corps d'un germe infectieux* (→ Immunité, cit. 5). — *Pénétration du spermatozoïde* (dans l'ovule). → Fécondation, cit. 3. — Balist. *Force de pénétration d'un projectile, d'un obus... Coefficient de pénétration dans l'air d'un avion, d'une fusée.*

Les théologiens disent que les miracles sont surnaturels ou dans leur substance, *quoad substantiam,* comme la pénétration de deux corps, ou la situation d'un même corps en deux lieux et en même temps (...) 1
PASCAL, Pensées, XIII, Appendice, I.

Spécialt. *Pénétration du pénis dans le vagin,* et, absolt, *la pénétration. Relations sexuelles sans pénétration.*

Géom. Intersection de deux solides ; figure formée par leur partie commune. Archit. Surface formée par l'intersection de deux arcs, de deux voûtes.

Littér. Par métaphore. *Pénétration d'une idée dans l'esprit, d'un sentiment dans le cœur... « Ô pénétration sublime de l'esprit dans le limon... »* (→ Argile, cit. 6, Hugo).

2 Il y a des effondrements intérieurs. La pénétration d'une certitude désespérante dans l'homme ne se fait point sans écarter et rompre de certains éléments profonds qui sont quelquefois l'homme lui-même. HUGO, les Misérables, IV, V, I.

3 (...) ce lien de la chair dont il sentait la force ne tenait pas seulement aux rapports directs des corps, mais à un contact constant, indépendant de la volupté, comme une pensée qui vous envelopperait par une pénétration lente (...)
J. CHARDONNE, les Destinées sentimentales, p. 252.

♦ **2.** Action pénétrante. *Puissance de pénétration de la musique* (→ Émotionnel, cit. 3).

Spécialt. *Pénétration publicitaire :* effet obtenu par une publicité (public touché, etc.).

♦ **3.** (Personnes). Fait de pénétrer subrepticement (dans un lieu, sur un territoire). *Pénétration des armées ennemies sur le territoire national.*

B. (1650). En parlant de l'esprit humain. Action de l'esprit par laquelle on pénètre dans la compréhension, par laquelle on connaît.

a (Sans compl.). Qualité de l'esprit, facilité à comprendre, à connaître... ⇒ **Acuité, clairvoyance, finesse, intelligence, lucidité, perspicacité, sagacité** (→ Exercer, cit. 7; héros, cit. 22). *Employer toute sa pénétration à démêler...* (→ Envisager, cit. 2). *Esprit d'une grande pénétration. Pénétration et promptitude d'esprit* (⇒ **Vivacité**). *Il a de la pénétration, il voit loin**. — Vx. *Pénétration à...* (et inf.). → cit. 5.

4 Le plus grand défaut de la pénétration n'est pas de n'aller point jusqu'au but, c'est de le passer. LA ROCHEFOUCAULD, Maximes, 377.

5 Rappelez-vous, exagérez-vous même ce qu'il était; sa pénétration à sonder les matières les plus profondes; sa subtilité à discuter les plus délicates (...)
DIDEROT, Jacques le fataliste, Pl., p. 543.

6 La pénétration est une facilité à concevoir, à remonter au principe des choses, ou à prévenir leurs effets par une suite d'inductions.
VAUVENARGUES, De l'esprit humain, I, V (→ Pénétrant, cit. 9).

b (Avec un compl.). Vieilli. *La pénétration de qqch. :* le fait de pénétrer, de comprendre (qqch.). *Aller loin* (cit. 12) *dans la pénétration des secrets d'autrui.*

7 L'esprit, c'est la clairvoyance, la légèreté, le sens de la relativité, le don de l'observation, la pénétration profonde des sentiments et des idées. C'est le jeu, l'intuition rapide, là où l'intelligence cherche et ne fait qu'un lent travail.
Paul LÉAUTAUD, le Théâtre de M. Boissard, XVII.

8 « Marcel Proust, c'est le Diable », avait dit un jour Alphonse Daudet, à cause de sa pénétration inquiétante et surhumaine des mobiles des autres.
A. MAUROIS, À la recherche de Marcel Proust, III, IV.

COMP. Compénétration.

PÉNÉTRÉ, ÉE [penetʀe] p. p. adj. ⇒ Pénétrer.

PÉNÉTRER [penetʀe] v. — Conjug. *céder.* — 1314; du lat. *penetrare* « faire entrer; porter à l'intérieur ».

★ **I.** V. intr. (1314). ♦ **1.** (Choses). Entrer profondément, en passant à travers ce qui fait obstacle. ⇒ **Enfoncer** (s'), **entrer, insinuer** (s'). *Faire pénétrer qqch. dans un milieu, une matière, un lieu fermé.* ⇒ **Enfoncer, glisser, insinuer, introduire.** *Vis qui pénètre dans le bois.* ⇒ **Mordre.** *Pénétrer un peu, plus avant dans qqch. Faire pénétrer un clou dans le mur* (⇒ **Chasser**), *une balle dans la cible* (⇒ **Loger**). *L'eau pénètre dans le navire par une voie d'eau, pardessus le bordage* (⇒ **Embarquer**). *Liquide qui pénètre à travers une membrane* (⇒ **Filtrer**). *Faire pénétrer de l'air, un liquide, dans une cavité...* (⇒ **Injecter, insuffler, remplir**). — *Terre, matière poreuse qui laisse pénétrer l'eau.* ⇒ **Absorber.** « *Un vieux marbre* (cit. 4) *où les sirops et les liqueurs avaient lentement pénétré* ». — Par ext. *La lumière pénètre dans, à travers...* ⇒ **Filtrer.** *La cour obscure* (cit. 1) *où le soleil ne pénètre jamais.* ⇒ **Parvenir.** *Corps translucide, transparent*, qui laisse pénétrer la lumière.* ⇒ **Passer.** *Rayon qui pénètre dans un diamant* (cit. 6).

1 Le soleil se promène tout autour de ma cellule sans y pénétrer jamais.
E. FROMENTIN, Une année dans le Sahel, p. 11.

♦ **2.** (Êtres vivants). Entrer. *Pénétrer dans l'eau jusqu'à la ceinture, à mi-corps.* ⇒ **Plonger, tremper.**

Par ext. Entrer (dans un bâtiment, un lieu fermé ou couvert). *Pénétrer dans une maison, une pièce.* ⇒ **Accéder, accès** (avoir), **aller, engager** (s'), **entrer** (→ Cours, cit. 25; crypte, cit. 1; logement, cit. 7). *Pièce où l'on pénètre* (→ Lambrisser, cit. 4; livrer, cit. 32). *Pénétrer chez qqn* (⇒ **Arriver**) *à l'improviste* (cit. 2), *y pénétrer de force.* ⇒ **Forcer** (la porte), **violer** (le domicile). *Pénétrer chez qqn par effraction, par bris de serrure.* — Par métaphore. *Pénétrer dans une maison, dans un salon,* s'y faire inviter, admettre (→ Macédoine, cit. 1). *Intrigant qui pénètre partout.* ⇒ **Infiltrer** (s'), **insinuer** (s').

2 Si ta maîtresse peut venir au point du jour, je l'attendrai, et elle pourra pénétrer ici sans être vue de personne. A. DE MUSSET, Nouvelles, « Fils du Titien », IV.

3 Ils se dirigeaient, en causant, vers Saint-Germain-des-Prés (...) Ils pénétraient dans l'église. F. MAURIAC, le Nœud de vipères, II, XV.

Pénétrer sous le couvert (cit. 6) *des arbres, sous une voûte* (→ Demi-tour, cit. 2). *Des halliers* (cit. 2), *des fourrés, des taillis si épineux, si épais qu'on ne peut y pénétrer* (→ Maquis, cit. 1). *Pénétrer dans un endroit dangereux.* ⇒ **Aventurer** (s'). *Pénétrer doucement quelque part.* ⇒ **Couler** (se), **glisser** (se). *Pénétrer à travers la foule, dans la foule.* ⇒ **Fendre.** — *Immigrants* (cit. 1), *envahisseurs qui pénètrent dans un pays, en territoire étranger. Les contrebandiers pénétraient toujours par infiltration* (cit. 3). *Pénétrer* (dans une région) *par un défilé* (cit. 1). — Par ext. Entrer, passer dans (sans idée de difficulté, de résistance). *En allant vers l'Ouest on pénètre dans le Bocage* (cit. 3).

(En parlant d'un véhicule, d'une chose). *Le navire pénétra dans le port, dans le chenal.*

(...) le train ralentit pour pénétrer dans la gare de Vallorbe. 4
MARTIN DU GARD, les Thibault, t. IV, p. 43.

♦ **3.** (En parlant d'une chose abstraite ou considérée abstraitement). *La philosophie pénétra dans le Nord* (→ Aurore, cit. 32). *Faire pénétrer les abus quelque part* (cf. Entrouvrir, ouvrir la porte aux abus). *Habitude qui pénètre dans les mœurs...* (→ aussi Nantir, cit. 2).

(En parlant de la vie psychique). *Conviction, sentiment qui pénètre dans l'âme, le cœur...* ⇒ **Entrer** (fig.). → Constance, cit. 7; dément, cit. 1; inanimé, cit. 1. *Faire pénétrer un sentiment, une opération...* ⇒ **Inculquer.** *Le mépris* (cit. 10) *des passants lui pénétrait dans l'âme.* ⇒ **Toucher.** « *La nature pénétrait en moi par tous mes sens* » (→ Ardeur, cit. 10).

♦ **4.** (Personnes). Littér. Entrer dans la compréhension, la connaissance (⇒ **Approfondir**). *Pénétrer dans tous les détails* (cit. 14). *Pénétrer dans une âme* (→ Énumérer, cit. 2), *dans la structure intime* (cit. 3) *des choses.*

★ **II.** V. tr. (1530). ♦ **1.** Passer à travers, entrer profondément dans... ⇒ **Passer, percer, transpercer, traverser** (→ Impression, cit. 1).

a (Sujet n. de chose). *Liquide qui pénètre une substance.* ⇒ **Imbiber, imprégner, infiltrer, tremper; abreuver** (fig.). *Pénétrer par endosmose, osmose...*

L'eau verte pénétra ma coque de sapin (...) RIMBAUD, Poésies, XLI. 5

La lune pénètre les feuillages. ⇒ **Baigner.** → Frémissant, cit. 1. *Atmosphère pénétrée par une douce lumière* (→ Ardoisé, cit. 1). *Cheveux que pénètre le soleil* (→ Blondir, cit. 1).

La roseraie, écroulement de pourpres, voûte basse de fleurs en paquets, dont l'odeur, au soleil, à peine tolérable, pénètre la peau, s'insinue dans les veines (...) 6
MARTIN DU GARD, les Thibault, t. IV, p. 13.

b (Sujet n. de personne). Spécialt. *Pénétrer une femme,* la posséder* sexuellement (⇒ **Pénétration**).

♦ **2.** Déb. XVIIe. (Sujet n. de chose, compl. n. de personne). Procurer une sensation forte, intense. *Le froid* (cit. 6) *me pénétrait jusqu'à la moelle des os. Une humidité glaciale nous pénétrait.* ⇒ **Transir, transpercer.** *Être pénétré de froid* (→ Geler, cit. 21). *Senteur qui pénètre qqn* (→ Invisible, cit. 7).

(...) le ciel versait avec la neige fondue une froide humeur dont on était pénétré jusqu'aux os (...) 7
FRANCE, la Rôtisserie de la reine Pédauque, V, Œ., t. VIII, p. 31.

Mais la tristesse de madame Morin était égale, mesurée et monotone, médiocre. Elle me pénétrait comme une pluie fine, j'en étais transi. 8
FRANCE, le Petit Pierre, XVI.

(En parlant des sentiments, des idées...). *Pénétrer l'âme, le cœur.* ⇒ **Imprégner, inonder** (fig.), **toucher, visiter.** « *Quelle est cette langueur Qui pénètre mon cœur ?* » (cit. 40, Verlaine). → aussi Mélancolie, cit. 6. *Une gaieté* (cit. 7) *délicieuse le pénétrait tout entier. La haine le pénètre* (→ Liquide, cit. 9). *Tout ce qui l'entourait* (cit. 10) *le pénétrait lentement. La pensée qui le pénétrait.* ⇒ **Atteindre.**

Ce soir, particulièrement, une certitude têtue, qui pénétrait chaque auditeur jusqu'aux moelles, émanait de ces paroles, de cette voix, de cette immobilité : la certitude de la victoire toute proche (...) 9
MARTIN DU GARD, les Thibault, t. VII, p. 57.

Non que la sexualité ne soit partout dans *Guerre et Paix* (...) Mais la sexualité y pénètre tous les personnages comme elle fait de toute vie : elle les pénètre sans se substituer à eux. 10
F. MAURIAC, Guerre et Paix, *in* le Figaro littéraire, 4 juin 1960.

Absolt. *Racine « plaît, remue, touche, pénètre »* (La Bruyère). *Pénétrer qqn de...,* lui donner un fort sentiment de... *Votre bonté* (cit. 5) *me pénètre d'admiration, de respect.*

♦ **3.** Influencer, modifier. *Le machinisme, pénétrant* (sens I, 3) *partout, pénétrait tout* (→ Cadre, cit. 10).

♦ **4.** (1580, Montaigne). Sujet n. de personne. Parvenir à connaître, à comprendre d'une manière poussée. ⇒ **Apercevoir, approfondir, comprendre, connaître, deviner, percevoir, pressentir, réfléchir** (à), **saisir, scruter** (→ Divination, cit. 4). *Pénétrer la réalité* (→ Observateur, cit. 6). « *Impénétrable* (cit. 18), *il pénétrait tout* » (Bossuet). « *Pénétrer vivement et profondément les conséquences des principes* » (→ Esprit, cit. 125, Pascal). — *Pénétrer un mystère, un secret.* ⇒ **Jour** (mettre à). → 2. Général, cit. 6; hypothèse, cit. 7; 1. lever, cit. 12; négociant, cit. 2. *Pénétrer un code, un chiffre.* ⇒ **Découvrir, démêler** (→ Indéchiffrable, cit. 1). — *Pénétrer les intentions, les arrière-pensées de qqn.* ⇒ **Sentir, sonder** (cf. Voir venir, fam.). Vx. *Pénétrer qqn,* le déchiffrer*, découvrir ses pensées, ses intentions, le comprendre (→ 1. Commode, cit. 6; intuition, cit. 4). *Observation* (cit. 2) *qui pénètre l'âme. Pénétrer le tempérament d'un artiste* (→ Exposition, cit. 3).

11 La politique de l'État lui laisse voir tous ses desseins, et elle ne fait pas un pas dont il ne pénètre les intentions. MOLIÈRE, la Comtesse d'Escarbagnas, I.

12 Par lui Julien ne pouvait-il pas avoir pénétré quelque chose des intentions de son père? STENDHAL, le Rouge et le Noir, II, XXXV.

13 (...) ce don de tout comprendre, de tout pénétrer, de tout sentir, d'entrer dans les natures les plus opposées (...) Th. GAUTIER, Portraits contemporains, J. Janin.

14 Tu me permettras de ne point te le dire. Tu as tes procédés d'information que je ne pénètre point. J'ai les miens que je désire garder. MAUPASSANT, Bel-Ami, II, V.

15 En parlant de l'ironie, il me dit assez bien qu'il ne la peut souffrir, qu'avec elle on s'oppose aux choses, que ce n'est que par l'amour qu'on les pénètre, que c'est là l'important (...) GIDE, Journal, 6 janv. 1896.

▶ **SE PÉNÉTRER** v. pron.

♦ **1.** (Passif). Être imprégné. *La terre se pénètre d'eau.*

♦ **2.** (Réfl.). Vx. Se connaître*, s'étudier. — (1843). Mod. *Se pénétrer de... :* se convaincre, s'imprégner (d'une idée). → ci-dessous Pénétré, p. p. adj. (2.). *Il faut bien se pénétrer de cette idée.*

♦ **3.** (Récipr.). Se combiner, se mêler. « *La perception et le souvenir se pénètrent toujours* » (→ Endosmose, cit. 3, Bergson). — Fig. *Âmes, esprits qui se pénètrent* (→ Épanchement, cit. 8). ⇒ **Combiner** (se), **mêler** (se).

▶ **PÉNÉTRÉ, ÉE** p. p. adj.

♦ **1.** Imprégné. *Momies* (cit. 2) *pénétrées de bitume... Vêtements pénétrés d'eau.* ⇒ **Trempé.** — Par métaphore. *Bois... pénétrés de soleil* (Mme de Sévigné). — Fig. *Secret pénétré,* compris, connu, dévoilé.

♦ **2.** (Abstrait; personnes). Rempli, affecté profondément (d'un sentiment, d'une conviction). ⇒ **Imbu, plein** (→ Orateur, cit. 1). *Pénétré de reconnaissance, de repentir :* très reconnaissant, très repentant... *Pénétré de son impuissance* (cit. 6).

16 Je suis trop pénétré de la grandeur des devoirs d'un précepteur, et je sens trop mon incapacité, pour accepter jamais un pareil emploi de quelque part qu'il me soit offert (...) ROUSSEAU, Émile, I.

17 (...) une femme dévote et d'une intelligence étroite qui *pénétrée de ses devoirs* (la phrase classique), avait accompli la première tâche d'une mère envers ses filles (...) BALZAC, Une fille d'Ève, Pl., t. II, p. 62.

Air, ton pénétré. ⇒ **Convaincu** (→ Larme, cit. 15).

♦ **3.** (1798). Souvent iron. *Pénétré de son mérite* (→ Improbation, cit. 1), *de son importance.* ⇒ **Orgueilleux, vaniteux.**

18 (...) lisez dans ses yeux (...) combien il est content et pénétré de soi-même (...) LA BRUYÈRE, les Caractères, VIII, 50.

CONTR. Affleurer, effleurer. — Partir, retirer (se), sortir.
DÉR. Pénétrance, pénétrant, pénétrante, pénétreur.
COMP. Compénétrer, pénétromètre.

PÉNÉTREUR [penetʀœʀ] n. m. — Mil. XXe; de *pénétrer.*

♦ Techn. Dispositif qui pénètre, à pour fonction de pénétrer. « *La sonde orbitale pourrait aussi transporter une batterie de "pénétreurs" (environ 6), qui seraient largués sur la planète à son approche. Les pénétreurs sont des fusées qui se plantent automatiquement de plusieurs mètres dans le sol (...)* » (*la Recherche,* n° 103, sept. 1979, p. 863).

PÉNÉTROMÈTRE [penetʀɔmɛtʀ] n. m. — XXe; de *pénétr(er), -o-,* et *-mètre.*

♦ Techn. Instrument qui mesure la dureté d'un corps, par un essai de pénétration. *Pénétromètre à bitumes. Pénétromètre statique, dynamique.*

(...) la dureté de la chair du fruit (mesurée au pénétromètre, sorte de dynamomètre comportant un cylindre de dimensions connues, pénétrant dans la chair du fruit)... Henri BOULAY, Arboriculture et Production fruitière, p. 71.

PÉNIBILITÉ [penibilite] n. f. — 1952, Dauzat, in *le Monde,* répandu v. 1960; du rad. de *pénible.*

♦ Didact. Caractère de ce qui est plus ou moins pénible; quantité d'effort pénible à fournir. *Pénibilité d'un travail. Coefficient de pénibilité d'un processus de transport.* « *L'amélioration des conditions de vie peut être recherchée de trois manières : la réduction de la durée, de la "pénibilité" et des risques de travail* » (*le Monde,* 17 oct. 1961, *in* Gilbert).

On justifiera cette classification en affirmant que ce travail n'exige pas d'apprentissage (...) et qu'il n'est pas pénible, ce qui est faux : il use les yeux et les nerfs. Seulement, la «pénibilité» a été définie par des hommes, conformément aux «valeurs viriles» : est pénible ce qui demande du muscle, n'est pas pénible ce qui demande de la finesse. M. BOSQUET, *in* le Nouvel Obs., 27 nov. 1972, p. 38.

PÉNIBLE [penibl] adj. — V. 1112; de *peine.*

♦ **1.** [a] Qui se fait avec peine, exige un effort*, de la fatigue... ⇒ **Ardu, assujettissant** (cit. 1), **astreignant, contraignant, difficile, éreintant, fatigant, laborieux, tuant** (→ Délasser, cit. 3; insurmontable, cit. 3). *Labeur, ouvrage, travail pénible.* ⇒ **Ingrat** (→ Gâcheur, cit. 1; hamac, cit. 2; ménage, cit. 3). *L'œuvre pénible du manœuvre* (→ Obscur, cit. 19). *Métier pénible* (→ Exercer, cit. 15), *fonction pénible* (→ 1. Avocat, cit. 5). *Voyage très pénible. Marche pénible* (→ Harasser, cit. 3). *S'éreinter à un travail trop pénible. Caractère d'un travail pénible.* ⇒ **Pénibilié.**

(Un mortel qui soutient...)
Le pénible fardeau de n'avoir rien à faire. BOILEAU, Épîtres, XI. 1

Le courage réel est plus patient qu'audacieux; les obstacles ne l'étonnent pas, mais, loin de les chercher, il n'affecte jamais une préférence farouche pour ce qui sera plus pénible, et non plus convenable. É. DE SENANCOUR, De l'amour, p. 68. 2

Par métonymie. Qui exige un travail, un exercice pénible. (Vx, sauf avec *chemin, route...*). *Chemin pénible.* ⇒ **Malaisé.** « *Le chemin est glissant* (cit. 4) *et pénible à tenir.* » *Bœuf qui trace* « *un pénible sillon* » (→ Aiguillon, cit. 1, Boileau).

[b] (XVIIe). Par ext. Qui se fait avec difficulté. ⇒ **Peine.** *Respiration, haleine pénible,* courte, embarrassée (→ Haleter, cit. 2; oxygène, cit. 3).

[c] Qui trahit la fatigue, qui sent l'effort, en parlant du style, de la manière d'un peintre, etc. *Manière pénible et heurtée* (cit. 34). ⇒ **Embarrassé.**

♦ **2.** (1170). Qui cause de la peine, de la souffrance, de la douleur, ou simplement de l'ennui, et, par ext., qui est difficile à supporter moralement. ⇒ **Déplaisant, désagréable** (cit. 2), **douloureux** (cit. 2); **affligeant, amer, angoissant, âpre, atroce, attristant, cruel, déplorable, dur, embarrassant, ennuyeux, funeste, grave, lourd, mauvais, mortel, navrant, pesant, poignant, rude, triste...** *Rendre un mal plus pénible,* l'aviver (⇒ **Aigrir**). *Supporter une chose pénible.* ⇒ **Fardeau.** *Sensation pénible* (→ Malaise, cit. 2), *atrocement pénible.* ⇒ **Torture** (fig.). *Astreinte* (cit.), *charge*, contrainte pénible* (→ Dérober, cit. 26). *Décision pénible* (→ Faiblesse, cit. 36); *mission pénible* (→ Inculper, cit. 1). *Opération pénible.* ⇒ **Corvée.** — *Secrets pénibles, honteux* (cit. 4). *Une insistance pénible* (→ Exercer, cit. 7). *Souvenir pénible* (→ Assaillir, cit. 11). *Rêve pénible.* ⇒ **Cauchemar.** — *Incident* (cit. 3), *scène pénible* (→ Forcer, cit. 23), insupportable. — *Pénible existence* (cit. 18), *vie pénible* (→ Vie de chien*, de galérien, de forçat...). *Événement pénible :* calamité, malheur, misère... *Situation, séjour très pénible.* ⇒ **Bagne, galère** (fig.). *Bruit, ennui, souci pénible.* ⇒ **Cassement** (de tête), **casse-tête.** *Situation embarrassante et pénible.* ⇒ **Gêne.** *Vivre des moments, des heures pénibles. En cette pénible circonstance. Une pénible extrémité.* — Spécialt. Douloureux ou très désagréable (physiquement). → Boiter, cit. 2; flanchage, cit.; incision, cit. 1. *Climat éprouvant* (cit. 1) *sans être pénible.*

À présent, dans ma pénible solitude, isolée de tout ce qui m'est cher, tête-à-tête avec mon infortune, tous les moments de ma triste existence sont marqués par mes larmes (...) LACLOS, les Liaisons dangereuses, CVIII. 3

À l'air de souffrance qui avait envahi son visage, j'avais compris qu'il y avait là un sujet pénible dont il ne fallait plus parler. A. MAUROIS, Mémoires, I, II. 4

— Je sais bien, reprit-il, que votre père vous a été enlevé dans des circonstances particulièrement pénibles, Mademoiselle. Il est très naturel de céder quelque temps à une douleur aussi forte. J. GREEN, Adrienne Mesurat, III, VI. 5

Pénible à..., pour (qqn). → Nuisible, cit. 2. *Cette exaltation m'était pénible* (→ Atrocement, cit.; désir, cit. 4; exagérer, cit. 3).

Impers. *Il est pénible de...* (et l'inf.) → Faute, cit. 15; mourir, cit. 43. *Il m'est pénible de vous voir dans cet état.* Par exagér. Désagréable. *C'est tout de même pénible d'avoir à répéter cent fois les choses !* ⇒ **Fort** (c'est trop fort).

♦ **3.** (Personnes). Fam. Difficile à supporter. *Il a un caractère pénible, il est pénible,* se dit d'une personne hargneuse, difficile à vivre. ⇒ **Épineux.** *Ces gosses sont vraiment pénibles.*

CONTR. Agréable, aisé, doux, facile, joyeux.
DÉR. Péniblement, pénibilité.

PÉNIBLEMENT [penibləmɑ̃] adv. — 1541; de *pénible.*

♦ **1.** Avec peine, fatigue ou difficulté. *Gravir, monter péniblement.* ⇒ **Difficilement** (→ Avancer, cit. 30; escalader, cit. 7). *Il y est arrivé péniblement, tant bien que mal.* ⇒ **Cahin-caha.** *Trésors péniblement gagnés* (→ Dissipation, cit. 2). *Se baisser péniblement* (→ Ficelle, cit. 1). *Hisser* (cit. 5) *péniblement un fardeau. Démolir* (cit. 6), *détruire ce qui a été péniblement édifié* (→ Instinct, cit. 7). *Il était presque illettré* (cit. 5), *il lisait péniblement.* ⇒ 2. **Mal.** — *Les hommes sortent péniblement de la barbarie* (cit. 15).

Le marquis de Chouard venait d'entrer, chacun s'empressait. Il s'était avancé péniblement, les jambes molles (...) ZOLA, Nana, III. 1

Je n'aime point ceux qui se font un mérite d'avoir péniblement œuvré. Car si c'était pénible, ils auraient mieux fait de faire autre chose. GIDE, les Nourritures terrestres, p. 41. 2

Péniblement Meaulnes ouvrit la portière de la vieille guimbarde, dont la vitre trembla (...) ALAIN-FOURNIER, le Grand Meaulnes, I, XVII. 3

♦ **2.** Littér. Avec douleur, souffrance. *Il a été péniblement affecté.* ⇒ **Cruellement.**

♦ **3.** À peine, tout juste. *Journal qui tire péniblement à trente mille* (→ Courtier, cit. 3).

CONTR. Aisément, facilement.

PÉNICHE [peniʃ] n. f. — 1804; de l'angl. *pinnace* (anc. franç. *pinace,* → 1. Pinasse), par métathèse vocalique et substitution de suffixe.

♦ **1.** Vx. Canot léger; petite chaloupe* pontée (⇒ **Embarcation**). *Les péniches de la flottille de Napoléon, à Boulogne.*

1 J'ai ici, autour de moi, plus de 120 000 hommes et 3 000 péniches et chaloupes *qui n'attendent qu'un vent favorable pour porter l'aigle impériale sur la Tour de Londres.* NAPOLÉON, Lettre à Brune, 8 thermidor, an XII (1804).

♦ **2.** Mod. Bateau fluvial, à fond plat; grand chaland. ⇒ 1. **Chaland.** *Péniche naviguant sur une rivière, un canal*. Péniche halée* (→ Haleur, cit. 2), *menée à la godille* (→ Godilleur, cit.). *De nos jours, les péniches sont tirées par un remorqueur ou équipées de moteurs Diesel. Train de péniches remorquées. Péniche automotrice.*

2 Sur le canal Saint-Martin glisse,
Lisse et peinte comme un joujou,
Une péniche en acajou,
Avec ses volets à coulisse.
P.-J. TOULET, Contrerimes, « Dixains », VIII.

Par ext. Bâtiment militaire à fond plat. *Péniches de débarquement,* utilisées pour la mise à terre de troupes ou de matériel.

♦ **3.** Fam. Chaussure, gros godillot. *Il avait de ces péniches! Au moins du quarante-cinq!* ⇒ **Pompe.**

PÉNICILLE [penisil] (vx) ou **PÉNICILLIUM** [penisiljɔm] n. m. — 1836, « partie disposée en manière de pinceau »; *penicillion,* 1817; lat. *penicillum* « pinceau ».

♦ (1860). Bot. Champignon* ascomycète *(Périsporiacées),* qui forme une moisissure* verdâtre sur certaines matières exposées à l'humidité. *Les moisissures caractéristiques du camembert, du roquefort, des fromages bleus sont des pénicilliums.*

PÉNICILLÉ, ÉE [penisile] adj. — 1798; du rad. du lat. *penicillum,* « pinceau ».

♦ Sc. nat. Qui est en forme de pinceau. *Vaisseaux pénicillés :* vaisseaux capillaires provenant d'une artériole ramifiée.

PÉNICILLINASE [penisilinɑz] n. f. — Mil. XXe (*in* Larousse 1953); de *pénicillin(e),* et *-ase.*

♦ Biochim. Enzyme destructrice de la pénicilline. *La pénicillinase est présente chez certaines bactéries. « Coupler le gène de l'insuline à un gène bactérien, celui de la pénicillinase »* (*la Recherche,* juil. 1979, p. 751).

PÉNICILLINE [penisilin] n. f. — 1948; angl. *penicillin,* 1929, Fleming.

♦ Antibiotique produit par une moisissure* du genre pénicille *(penicillium notatum),* et doué d'une grande activité antibactérienne. *La pénicilline a été découverte par Sir Alexander Fleming en 1928 et introduite en thérapeutique en 1941. Pénicilline synthétique,* fabriquée par des procédés chimiques. *Germe résistant à la pénicilline.* ⇒ **Pénicillino-résistant.**

L'histoire la plus édifiante, en ce qui concerne cette répartition des dons, est celle de la pénicilline. L'antagonisme des microbes et des moisissures a été entrevu et signalé par un Français, Duchêne de Lyon, qui n'a pas poursuivi ses recherches assez loin. La pénicilline a été obtenue par l'équipe d'Oxford, et surtout par Alexandre Fleming, qui a démontré l'efficacité thérapeutique du nouveau produit et l'a obtenu pur. G. DUHAMEL, la Turquie nouvelle, III.

DÉR. Pénicillinase, pénicillinémie, pénicillinique.
COMP. Pénicillino-résistant.

PÉNICILLINÉMIE [penisilinemi] n. f. — Mil. XXe; de *pénicillin(e),* et *-émie.*

♦ Méd. Présence de pénicilline dans le sang.

PÉNICILLINIQUE [penisilinik] adj. — Mil. XXe; de *pénicilline.*

♦ Méd. Concernant la pénicilline. *Propriétés pénicilliniques.* — À base de pénicilline. *Traitement, cure pénicillinique.*

PÉNICILLINO-RÉSISTANT, ANTE [penisilinorezistɑ̃, ɑ̃t] adj. — 1945, Garnier-Delamare; de *pénicillino-* (élément tiré de *pénicilline*), et *résistant.*

♦ Méd. Qui résiste à l'action de la pénicilline, en parlant d'un microbe. *Germe pathogène pénicillino-résistant.*

PÉNICILLIUM [penisiljɔm] n. m. ⇒ **Pénicille.**

-PÉNIE Élément désignant l'appauvrissement, la diminution en nombre, du grec *penia* « pauvreté ».

PÉNIEN, ENNE [penjɛ̃, ɛn] adj. — 1836; de *pénis.*

♦ **1.** Anat. Du pénis. *Artère pénienne.*

♦ **2.** Ethnol. *Étui pénien :* gaine entourant le pénis, portée dans un but de parure ou de protection chez certains peuples d'Afrique et d'Amérique du sud. Syn. : *étui phallique.*

PÉNIL [penil] n. m. — Fin XIIe; lat. pop. **pectiniculum,* même sens, de *pecten, pectinis* « peigne », et fig. « pénil » (Juvénal).

♦ Anat. Large saillie arrondie, au-dessus du sexe de la femme, qui se couvre de poils à l'époque de la puberté. Syn. : *mont-de-Vénus.*

PÉNINSULAIRE [penɛ̃sylɛʀ] adj. et n. — 1556; rare av. XIXe (1834); de *péninsule.*

♦ Relatif à une péninsule, à ses habitants. *Relief, topographie péninsulaire. — L'économie péninsulaire.* — N. (1556). *Un, une péninsulaire :* personne qui habite une péninsule.

PÉNINSULE [penɛ̃syl] n. f. — 1518; lat. *pæninsula* « presqu'île », de *pæne* « presque », et *insula* « île ».

♦ Géogr., cour. Grande presqu'île; région ou pays qu'entoure la mer de tous côtés sauf un. ⇒ **Presqu'île.** *La péninsule grecque* (→ Golfe, cit. 2), *scandinave, balkanique. La péninsule ibérique* (→ Ibère, cit.), et, absolt, *la Péninsule :* l'Espagne et le Portugal. *Péninsule rattachée à la terre par un isthme, une langue de terre.*

(...) ces grandes émigrations qui portèrent dans la péninsule armoricaine le nom, la race et les institutions religieuses de l'île de Bretagne. RENAN, Souvenirs d'enfance..., I, Œ. compl., t. II, p. 725.

Allus. littér. *C'est un cap* (cit. 5)... *C'est une péninsule!* (Rostand, *Cyrano de Bergerac,* tirade du nez).

DÉR. Péninsulaire.

PÉNIS [penis] n. m. — 1618; lat. *penis,* d'abord « queue des mammifères ».

♦ Didact. Organe de la copulation chez l'homme. ⇒ **Sexe; membre** (viril), **verge;** (vulg.) **biroute, bitte, queue, zizi, zob.** *Pénis en érection.* ⇒ **Ithyphalle, phallus.**

La symbolique nous montre que la puissance microcosmique est indifféremment représentée par la tête dressée ou le pénis en érection, quelquefois encore par la main, comme nous l'avons signalé à propos de la main de justice. Gilbert DURAND, les Structures anthropologiques de l'imaginaire, p. 158.

DÉR. Pénien.

PÉNITENCE [penitɑ̃s] n. f. — 1050; lat. *pænitentia* « repentir, regret », de *pænitere* « se repentir ».

♦ **1.** *(La pénitence).* Profond regret*, remords* d'avoir offensé Dieu, accompagné de l'intention de réparer ses fautes et de ne plus y retomber, dans la relig. chrétienne. ⇒ **Contrition** (cit. 2), **résipiscence.** *« Il y aura une grande joie parmi les anges de Dieu, lorsqu'un seul pécheur fera pénitence ».* ⇒ **Repentir** (se). → Drachme, cit. 1, Bible; et aussi juste, cit. 8. *Le De* profundis, psaume* de la pénitence. Accepter la douleur* (cit. 21) *dans un esprit de pénitence* (⇒ **Humilité**) *et de repentir.* — *Faire pénitence :* se repentir. *Faire pénitence d'un péché.*

— J'ai péché, je n'ai pas d'excuse, je fais pénitence de ma faute, sans espérer de pardon. ZOLA, la Faute de l'abbé Mouret, III, VIII. 1

Pénitence, du fond de mes crimes affreux, 2
Luxure, orgueil, colère et toute la filière,
J'invoque ton secours, Vertu particulière,
Seule agréable à Dieu qui voit mon cœur affreux.
VERLAINE, Liturgies intimes, XXII, « Pénitence ».

Par métonymie. Relig. Rite sacramentel, par lequel le prêtre donne l'absolution* (cit. 1) au pécheur qui a avoué ses fautes et exprimé son repentir. ⇒ **Confession.** *Le sacrement de pénitence.* — (Vieilli). *Le tribunal de la pénitence :* la confession. *Régénération* qu'apporte la pénitence.*

— (...) Je suis une de vos pénitentes. Je vous attends depuis longtemps. — Mon enfant, vous savez que ce soir je ne confesse pas. Le vieux clerc se défiait un peu de ces âmes tourmentées, scrupuleuses, qui ont, de la pénitence, un besoin maladif (...) G. DUHAMEL, Chronique des Pasquier, VII, XXIV. 3

Était-il possible que M. l'abbé Petitjeannin eût trahi le secret du Tribunal de la Pénitence? ARAGON, les Beaux Quartiers, I, X. 4

♦ **2.** (V. 1050). *Une, des pénitences.* Peine expiatoire (cit. 2 et 3) que le confesseur impose au pénitent (⇒ **Satisfaction**). *Son confesseur lui a donné pour pénitence un Pater et un Ave à réciter* (Académie). *Pénitence édifiante* (cit. 1), *rigoureuse. Humiliantes* (cit. 3) *pénitences publiques.* — Par ext. Pratique pénible, que les pécheurs s'imposent ou qui leur sont imposées par l'Église en expiation (cit. 11) de leurs péchés. *S'infliger toutes sortes de pénitences* (→ Mortifier, cit. 2). *Consumer* (cit. 4) *son corps par des pénitences, dans les pénitences.* — (Collectif : *la pénitence*) *Exercices, pratiques de pénitence.* ⇒ **Ascétisme** (→ 1. Mère, cit. 16), **austérité** (cit. 14), **mortification.** *Le cilice* (cit. 3), *la haire, la discipline, instruments de pénitence* (→ aussi Flagellation; macération, cit. 1). *Ascètes* (cit. 2) *qui se défendent contre les tentations au moyen de la pénitence. — Faire pénitence. Faire pénitence avec le sac et la cendre, en faisant maigre le vendredi, en observant le jeûne du Carême. Faire pénitence de ses dérèglements* (cit. 8).

5 (...) je suis revenue (...) de toutes mes folles pensées; ma retraite est résolue, et je ne demande qu'assez de vie pour pouvoir expier la faute que j'ai faite, et mériter, par une austère pénitence, le pardon de l'aveuglement où m'ont plongée les transports d'une passion condamnable. MOLIÈRE, Dom Juan, IV, 6.

6 Tous les sens, amortis par la pénitence, furent ainsi sanctifiés, et l'esprit du mal dut être sans pouvoir sur cette âme.
BALZAC, le Curé de village, Pl., t. VIII, p. 767.

Par pénitence : pour se punir.

7 (...) elle avait exigé, par pénitence et par humilité, qu'on mît après ses titres, sur son cercueil et sur son tombeau, qu'elle était une FILLE (...) REPENTIE.
BARBEY D'AUREVILLY, les Diaboliques, « Vengeance d'une femme ».

Fig., fam. *Faire pénitence :* subir des privations, mener une vie pénible.

♦ **3.** (V. 1220). Par ext. Châtiment, punition. *Infliger une pénitence, des pénitences à un enfant. — En pénitence :* puni, qui subit une pénitence. *Être en pénitence. Mettre un enfant en pénitence.*

8 Je sens bien que vous allez ne plus m'aimer autant, et que peut-être vous en aimerez bientôt une autre mieux que moi. Mais ce sera une pénitence de plus de la faute que j'ai commise en vous donnant mon cœur (...)
LACLOS, les Liaisons dangereuses, XLIX.

9 À la suite de ces emportements, force est de mettre le prince en pénitence; on le condamne quelquefois à rester au lit : bête de châtiment.
CHATEAUBRIAND, Mémoires d'outre-tombe, t. VI, p. 66.

10 Moi non plus, je ne voulais pas le laisser ainsi, mais j'avais juré qu'une pénitence et une semonce lui étaient nécessaires, et je restais inexorable.
LOTI, Aziyadé, IV, XVIII.

11 Je sais de reste le tort que je me fais en racontant ceci et ce qui va suivre (...) Mettons que c'est par pénitence que je l'écris.
GIDE, Si le grain ne meurt, I, I, p. 10.

Spécialt. Dans les jeux de société, Sanction légère dont on frappe les joueurs qui ont perdu ou qui ont contrevenu à la règle du jeu. ⇒ **Gage.**

Loc. *Pour (ta, votre...) pénitence :* comme punition (→ Pour ta, votre peine*). *Pour ta pénitence, tu copieras cent lignes.*

CONTR. Endurcissement, impénitence.
DÉR. Pénitencerie. 1. pénitencier, 2. pénitencier, pénitentiaire.

PÉNITENCERIE [penitɑ̃sʀi] n. f. — 1578; « maison de pénitence », XVe; de *pénitence.*
Religion catholique.

♦ **1.** Tribunal ecclésiastique qui siège à Rome pour examiner les demandes de dispenses, les irrégularités canoniques..., et pour donner l'absolution en cas de péchés extrêmement graves que le Pape seul a le pouvoir d'absoudre. *La Sacrée Pénitencerie est présidée par le Grand pénitencier.*

♦ **2.** Dignité, charge de pénitencier. *Il est pourvu de la pénitencerie de cette cathédrale* (Académie).

1. PÉNITENCIER [penitɑ̃sje] n. m. — 1530; « prêtre autorisé à confesser », XIIIe; de *pénitence.*

♦ Dr. canon. Prêtre qui tient du pape ou d'un évêque le pouvoir d'absoudre certains cas réservés. — *Grand pénitencier :* cardinal qui préside à Rome la Pénitencerie* apostolique.

2. PÉNITENCIER [penitɑ̃sje] n. m. — 1842; adj., *maison pénitencière* « où l'on se rend pour faire pénitence », XVe; de *pénitence.*

♦ **1.** Dr. pén. Établissement de détention où se subit une peine de travaux forcés. ⇒ **Centrale, maison** (d'arrêt), **prison; pénitentiaire** (établissement, maison); **bagne;** argot **pénal.** *Le pénitencier de l'île de Ré. — Pénitencier militaire.*

♦ **2.** Cour. (Vieilli). Maison de correction, colonie pénitentiaire* (→ Bourgeron, cit. 1).

Il se rappelait avec obsession cette campagne de presse menée jadis contre le pénitencier; il se rappelait surtout un article intitulé *Bagnes d'enfants,* où l'on décrivait par le menu la misère matérielle et morale des pupilles, mals nourris, mal logés, soumis aux punitions corporelles, abandonnés souvent à la brutalité des gardiens. MARTIN DU GARD, les Thibault, t. I, p. 153.

PÉNITENT, ENTE [penitɑ̃, ɑ̃t] adj. et n. — 1370; lat. *pænitens, -entis,* p. prés. de *pænitere* « avoir du regret ». → Pénitence.

★ **I.** Adj. ♦ **1.** Vieilli. (Personnes). Qui fait pénitence, qui se repent de ses péchés. *Pécheur pénitent.* ⇒ **Contrit, repentant.**

♦ **2.** Par ext. (Choses). Qui est consacré à la pénitence. « *La vie chrétienne* (cit. 3)... *si pénitente, si mortifiée* » (Bossuet). — Où se manifeste le repentir. *Larmes pénitentes. Œil pénitent* (→ Bénir, cit. 26).

★ **II.** N. (XVe; repris 1606). ♦ **1.** Hist. relig. Personne qui, ayant gravement péché, se trouvait momentanément exclue de la participation aux sacrements et devait se soumettre à une longue pénitence avant d'être réintégrée dans la société des fidèles (→ Indulgence, cit. 13). *Exclusion, réconciliation des pénitents.*

Les Pénitents devaient s'abstenir de leurs occupations habituelles, pour s'adonner à la prière et au jeûne; ils ne pouvaient ni se marier, ni user du mariage déjà contracté (...) Vêtus de deuil, ils portaient la chevelure rasée, les pieds nus, pratiquaient la flagellation, parfois en public, et d'autres mortifications corporelles. — Parfois même ils étaient enfermés dans les prisons ecclésiastiques (...) ou bien encore ils devaient, chargés de lourdes chaînes, entreprendre de fatigants pèlerinages. R. LESAGE, Dict. de liturgie romaine, art. *Pénitent.* 1

♦ **2.** Membre d'une confrérie s'imposant volontairement des pratiques de pénitence et des œuvres de charité (⇒ **Ascète**). *Procession de pénitents. Les pénitents portent une cagoule* dont la couleur varie selon les confréries. Pénitents blancs, bleus, gris* (→ File, cit. 6), *noirs.*

Les pénitents de Loudun avaient des cierges énormes à la main, et leur marche lente, et leurs yeux qui semblaient flamboyants sous le masque, leur donnaient un air de fantôme qui attristait involontairement. A. DE VIGNY, Cinq-Mars, II. 2

(...) les prières bourdonnantes des pénitents noirs qui accompagnaient un criminel au supplice. Aloysius BERTRAND, Gaspard de la nuit, Un rêve. 3

♦ **3.** (1636). Personne qui confesse ses péchés (→ aussi Dénoncer, cit. 15). *Confesseur* (cit. 3) *qui absout, bénit son pénitent* (→ Exorciser, cit. 6). *Entendre une pénitente en confession, au confessionnal. Les pénitents (attitrés) d'un prêtre,* les personnes qui se confessent régulièrement à lui (→ Pénitence, cit. 3).

Monsieur Bonnet qui, dès l'arrivée de Véronique à Montégnac, avait reconnu chez elle quelque grande plaie intérieure, jugea prudent d'attendre la confiance entière de cette femme qui devait devenir sa pénitente. 4
BALZAC, le Curé de village, Pl., t. VIII, p. 648.

CONTR. Impénitent.

PÉNITENTIAIRE [penitɑ̃sjɛʀ] adj. — 1835; n. m., « bagne », 1806; de *pénitence.*

♦ Qui concerne les prisons. *Régime, système pénitentiaire* (⇒ **Carcéral; cellulaire**). *Établissement, centre, maison pénitentiaire.* ⇒ 2. **Pénitencier, prison.** *Colonie* pénitentiaire. Administration pénitentiaire. Organisation pénitentiaire* (→ Individualisation, cit. 3). *Projet de réforme pénitentiaire.*

Est-ce que je n'ai pas créé, à ma colonie pénitentiaire de Crouy, un pavillon spécial, où les enfants vicieux (...) sont soumis à un traitement particulièrement attentif? MARTIN DU GARD, les Thibault, I, III.

PÉNITENTIAL, ALE, AUX [penitɑ̃sjal, o] adj. — 1374, *penitencial;* lat. ecclés. *pænitentialis.*

♦ Relig. (Vx au sing.). Qui a rapport à la pénitence. ⇒ **Pénitentiel.** — (1535). *Psaumes pénitentiaux :* les sept psaumes de la pénitence. *Canons pénitentiaux,* relatifs aux anciennes pénitences publiques.

PÉNITENTIEL, ELLE [penitɑ̃sjɛl] adj. et n. m. — 1580; lat. ecclés. *pænitentialis.*
Religion.

♦ **1.** Adj. Relatif à la pénitence. ⇒ **Pénitential.** *Expiation pénitentielle* (→ Ascèse, cit. 3). *Œuvres pénitentielles.*

♦ **2.** N. m. (1690). Rituel de la pénitence, à l'usage des confesseurs.

PENJABI [pɛnʒabi] n. m. ⇒ **Pendjabi.**

PENNAGE [penaʒ; pɛnnaʒ] n. m. — 1525; de *penne.*

♦ Fauconn. Plumage des oiseaux de proie, qui se renouvelle par des mues régulières. *Faucon de second pennage.*

PENNATIFIDE [penatifid; pɛnnatifid] adj. — 1814; du lat. *pennatus* « qui a des ailes, empenné », et *-fide* (du lat. *findere* « diviser »).

♦ Bot. Se dit d'une feuille pennée* dont chaque moitié est partagée en deux lobes aigus.

PENNATIFOLIÉ, ÉE [penatifɔlje; pɛnnatifɔlje] adj. — 1838; du lat. *pennatus* « qui a des ailes, empenné », et *folié* « garni de feuilles ».

♦ Bot. Se dit d'une plante qui a des feuilles pennées*.

PENNATULE [penatyl; pɛnnatyl] n. f. — 1768; du bas lat. *pennatulus* « qui a de petites ailes ».

♦ Zool. Anthozoaire octocoralliaire caractérisé par des polypes transparents dont la disposition rappelle les barbes d'une plume. *La pennatule émet des rayons lumineux.*

Des méduses et des crustacés microscopiques semblables à des lucioles font étinceler les ténèbres. La pennatule, qui le jour est d'un rouge de cinabre, flotte dans une lumière phosphorescente. Jean CAYROL, Histoire de la mer, p. 56.

PENNE [pɛn] n. f. — V. 1119; «plume pour écrire», v. 1050 ; lat. *penna* «plume, aile, flèche»; → 1. Panne.

★ **I.** Zool. Grande plume* de l'aile (⇒ **Rémige**) ou de la queue (plumes rectrices) des oiseaux, formée d'un axe central rigide et de barbes maintenues très étroitement serrées les unes contre les autres par des crochets (→ Base, cit. 2; grisard, cit. 1). — Fauconn. Plume d'essor (des oiseaux de proie). ⇒ **Vanneau.**

(...) deux pennes de coq, bifurquées comme un cimier de cocuage, adornaient grotesquement son feutre gris (...) Th. GAUTIER, le Capitaine Fracasse, II.

★ **II.** Par anal. (de forme) et par métaphore :

♦ **1.** (1685; 1515, *pene* «la plus longue et la plus effilée des deux pièces d'une vergue latine»). Mar. Extrémité supérieure d'une antenne. Par ext. Guipon* de calfat.

♦ **2.** (1573). Archéol. Empennage, aileron (d'une flèche).

DÉR. Pennage, penniforme, pennon, penon.
HOM. Peine, pêne.

-PENNE Élément tiré du lat. *penna* «plume, aile», et entrant dans la composition de mots savants relatifs au plumage des oiseaux : *bipenne, brévipenne, longipenne.*

PENNÉ, ÉE [pene; pɛnne] adj. — 1814; *pinné* «qui a des folioles», 1774; *panné* «emplumé», XIIIe; lat. *pennatus* «qui a des ailes, empenné».

♦ Bot. *Feuille pennée,* dont les nervures (feuille simple) ou les folioles (feuille composée) sont disposées comme les barbes d'une plume. *Feuille pennée du dattier.* ⇒ 1. **Palme.** *Feuille pennée pennatifide. Plante à feuilles pennées.* ⇒ **Pennatifolié.**

HOM. Peiner.

PENNIFORME [penifɔʀm; pɛnnifɔʀm] adj. — 1770; de *penn(e),* et *-forme.*

♦ Bot. *Feuille penniforme,* au limbe en forme de plume.

PENNON [penɔ̃; pɛnnɔ̃] n. m. — V. 1360; *penon,* v. 1130; de *penne,* par anal. de forme.

♦ **1.** Hist., archéol. Drapeau* triangulaire à longue pointe, que les chevaliers portaient au bout de la lance. ⇒ **Étendard, fanion.** *Pennon aux armes de Du Guesclin* (→ Bannière, cit. 1). *Conquistador* (cit. 1) *qui plante son pennon dans une terre nouvelle.*

♦ **2.** (1690). Blason. *Pennon généalogique, héraldique :* écu composé, dont les différents quartiers ou partitions indiquent les alliances ou les degrés généalogiques. — REM. On écrit aussi *penon* [pənɔ̃].

DÉR. Pennonage, pennonceau.

PENNONAGE [penɔnaʒ; pɛnnɔnaʒ] n. m. — 1842; *penonage* «milice urbaine», 1636; de *pennon.*

♦ Archéol. Droit de porter pennon.

PENNONCEAU [penɔ̃so; pɛnnɔ̃so] n. m. — 1875; *penonceau,* XIIIe; *penoncel,* v. 1190; de *pennon.*

♦ Archéol. Petit pennon.

PENNY [peni] n. m. — 1723, *in* Höfler; *penn,* 1558; mot anglais.

♦ Monnaie anglaise*, valant autrefois le douzième du shilling*; depuis l'adoption du système décimal (1971), le centième de la livre* (le shilling n'ayant plus d'existence officielle). *N'avoir plus un penny.* ⇒ **Sou** (→ Border, cit. 4). — Plur. *Des pence* [pɛns].

1 (...) rôdailleur ici, là, partout... guitare au poing... voix poitrinaire... d'une buée... d'un brouillard à l'autre... gigotant d'un mauvais pied pour un penny, deux pences *(sic)* !... CÉLINE, Guignol's band, p. 42.

Pièce de bronze de cette valeur. *Des pennies.*

2 On veut bien donner, mais on ne veut pas que la pièce aille rouler sous les pieds des passants, ou sous les roues des véhicules, où n'importe qui peut la ramasser. Alors on ne donne pas. Il y en a évidemment qui se penchent, mais en général, les gens qui font l'aumône n'aiment pas beaucoup que cela les oblige à se pencher. Ce qu'ils aiment, c'est repérer le gueux de loin, préparer le penny, le lâcher en pleine marche et entendre le *Dieu vous le rendra !* affaibli par l'éloignement. S. BECKETT, Nouvelles, «La fin», p. 98-99.

PÉNOLOGIE [penɔlɔʒi] n. f. — Mil. XXe; du lat. *pœna* «peine», et *-logie.*

♦ Didact. Étude des peines qui sanctionnent les infractions pénales et de leurs modalités d'application (subdivision du droit pénal).

DÉR. Pénologique, pénologue.

PÉNOLOGIQUE [penɔlɔʒik] adj. — Mil. XXe; de *pénologie.*

♦ Didact. De la pénologie.

PÉNOLOGUE [penɔlɔg] n. — Mil. XXe (1975, *Sciences et Avenir,* no 16, p. 65); de *pénologie.*

♦ Didact. Spécialiste de pénologie.

PÉNOMBRE [penɔ̃bʀ] n. f. — 1651; lat. mod. *pænumbra,* même sens, déb. XVIIe; du lat. *pæne* «presque», et *umbra* «ombre».

♦ **1.** Sc. Zone d'ombre* partielle créée par un corps opaque qui intercepte une partie des rayons d'une source lumineuse étendue.

♦ **2.** (1842). Cour. Lumière faible qui ne permet pas de distinguer nettement les formes. ⇒ **Clair-obscur, demi-jour** (cf. Jour douteux, lumière incertaine, tamisée...). *Pièce noyée dans une pénombre crépusculaire* (→ Entrer, cit. 17). *Pénombre d'un cachot* (→ Consommer, cit. 3), *d'une chambre* (→ Cretonne, cit. 1; écarter, cit. 2). *Pénombre piquée de mille petites lumières* (→ Guetter, cit. 13). *Pénombre verte et moite de la forêt* (→ Illuminer, cit. 5).

Dans la pénombre envahissante, une traînée de jour mourant restait sur ces deux images, comme une indication et un appel. LOTI, Matelot, LIV. 1

Là, c'était comme un bain de pénombre, doux et tiède, avec seulement, au loin, la tache éblouissante de la table directoriale, qu'une lampe au bedon hydropique inondait d'un flot de clarté. 2
COURTELINE, Messieurs les ronds-de-cuir, IIe tableau, III.

La pièce était dans la pénombre, les rideaux de perse à ramages bleus étaient tirés. 3
MARTIN DU GARD, les Thibault, t. II, p. 236.

La belle chambre, où régnait une pénombre recueillie derrière les persiennes, entre-closes, vous pénétrait sitôt le seuil d'une déférence quasi inquiète. 4
M. GENEVOIX, Raboliot, II, III.

♦ **3.** (XIXe). Fig. État de ce qui est secret. ⇒ **Ombre.** Situation obscure, ignorée. *Malgré son mérite, il est resté dans la pénombre* (Académie).

DÉR. Pénombreux.

PÉNOMBREUX, EUSE [penɔ̃bʀø, øz] adj. — 1868; de *pénombre,* et *(ombr)eux.*

♦ Littér. De la pénombre; caractérisé par la pénombre.

(...) comme j'avais, en nageant, gagné le fond pénombreux de la grotte, Bernardino (...) vint me rejoindre.
GIDE, Feuillets d'automne, *in* Souvenirs, Pl., p. 1110.

PENON [pənɔ̃] n. m. — 1773; de *penne,* par anal. de forme.

♦ **1.** Mar. «Petite girouette ou banderole en étamine, attachée à quelque hauteur au-dessus du pont (...) pour indiquer la direction du vent» (Gruss).

♦ **2.** Blason. ⇒ **Pennon.**

PENSABLE [pɑ̃sabl] adj. — 1612, répandu XXe; «pensif», XIIIe; de 1. *penser,* formé d'après *impensable.*

♦ Qu'on peut admettre, imaginer (ne s'emploie guère qu'en phrase négative ou de sens négatif, dans le langage courant). ⇒ **Concevable, imaginable, possible; acceptable.** *Ce n'est pas pensable, c'est à peine pensable.* ⇒ **Croyable.**

La cure *(du chaman)* consiste à rendre exprimables et pensables des douleurs d'abord incohérentes et arbitraires. Guy PALMADE, la Psychothérapie, p. 86. 1

La réunification valait bien un sacrifice d'amour-propre et de prestige. Elle n'était pas pensable sans le dialogue entre les deux zones (...) 2
R. D'HARCOURT, l'Allemagne et la Conférence de Genève, *in* Revue de Paris, oct. 1955, p. 5.

(...) il n'est pas pensable, par exemple, que Barnage relève ses lunettes sur son 3
front (...) Pierre DANINOS, Un certain Monsieur Blot, p. 28.

N. m. Didact. *Le pensable et le vraisemblable, et l'imaginable.*

CONTR. Impensable.

PENSANT, ANTE [pɑ̃sɑ̃, ɑ̃t] adj. — XVIIe; «pensif», XIIIe; p. prés. du v. *penser.*

♦ **1.** Qui a la faculté de penser (I., 1. et 2.). *L'homme* (cit. 4), *être pensant.* ⇒ **Intelligent.** *L'homme** (cit. 52 et 55) *est un roseau pensant* (Pascal), *un atome* (cit. 13), *un automate* (cit. 5) *pensant.* Qui forme les idées, les jugements. *Faculté pensante.*

Il se peut que la maladie ait préparé Dostoïevski à ces états les plus rares de l'intuition, où l'élément pensant et l'élément sensible naissent l'un de l'autre, où l'on touche dans le sentiment la pensée à l'état naissant (...) 1
André SUARÈS, Trois hommes, «Dostoïevski», IV.

2 (...) cet enseignement de la métaphysique moderne exhortant l'homme à tenir en assez faible estime la région proprement pensante de son être et à honorer de tout son culte la partie agissante et voulante.
Julien BENDA, la Trahison des clercs, p. 218.

3 La noblesse de tout être pensant réside dans le pouvoir de se vaincre par la réflexion.
F. MAURIAC, Journal, III, p. 200.

♦ **2.** Qui exerce, en fait, sa faculté de penser (I., 1.); spécialt, qui pense de manière active, personnelle. *Le petit nombre d'êtres pensants répandus dans le monde* (→ Lettré, cit. 3). ⇒ **Intelligence.** *Les quelques têtes pensantes qui lisaient encore l'ancienne langue* (→ Abrutissement, cit. 3). Par ext. *La substance pensante d'un pays* (→ Capitale, cit. 3).

4 Son salon était le centre naturel de l'Europe pensante. Toute nation, comme toute science, avait là sa place.
MICHELET, Hist. de la Révolution franç., V, IV.

♦ **3.** Qui pense (d'une certaine façon). *Bien pensant, mal pensant.*

a Vx. Qui a de bons, de mauvais sentiments. *Les esprits mal pensants.* ⇒ **Mécréant.**

b (1798). Mod. *Bien pensant :* qui pense conformément à l'ordre établi, qui professe des opinions reçues, surtout dans le domaine social et religieux (généralt péj.). *Des gens bien pensants* (→ Fréquenter, cit. 7). *Le juste milieu bien pensant et louis-philippard* (cit. 1). *La bourgeoisie bien pensante.* — Par ext. *Un journal, une revue bien pensants.*

5 Le dégoût qu'inspira à Tolstoï la vue des gens riches et *bien pensants*, pour qui la foi n'était qu'une sorte de « consolation épicurienne de la vie », le rejeta décidément parmi les hommes simples, qui mettaient seuls d'accord leur vie avec leur foi.
R. ROLLAND, Vie de Tolstoï, p. 84.

6 Ces jeunes filles étaient « très pieuses et très bien élevées » ; intellectuellement, elles étaient les produits de pensionnats très bien pensants (...)
Valery LARBAUD, Fermina Marquez, XIII.

7 Le Dr Brioude était le médecin bien pensant. Comme tel, il avait la clientèle de personnes âgées (...)
ARAGON, les Beaux Quartiers, I, VI.

N. m. (Nom composé prenant un trait d'union). *Les bien-pensants. À en croire les bien-pensants...* (→ Bien-être, cit. 10). *« La Grande Peur des bien-pensants »*, ouvrage de Bernanos.

8 (...) ceux qui se prétendent amoureux de l'ordre, respectueux des choses établies, ceux que Tirésias appelle *les bien-pensants* (...)
GIDE, Œdipe, II.

Moins cour. *Mal pensant :* dont les opinions s'opposent à l'ordre établi. ⇒ **Mal-pensant.**

PENSÉ [pɑ̃se] n. m. — V. 1120; *pensaez,* fin x[e]; de 1. *penser.*

♦ Philos. Ce qui est pensé, le résultat de la faculté de penser (⇒ 2. **Penser**). Cf. Le senti, le vécu.

(...) rien dans la nature ou dans l'esprit n'est étranger aux déterminations qui font du réel et du pensé un *solidum quid.*
A. LALANDE, Voc. de la langue philosophique, art. *Alogique* (1951).

CONTR. Impensé.
HOM. Panser, pensée, penser.

PENSE-BÊTE [pɑ̃sbɛt] n. m. — V. 1950; de 1. *penser,* et *bête.*

♦ Chose, marque destinée à rappeler ce qu'on a projeté de faire. *Des pense-bêtes.* ⇒ **Guide-âne, mémento.**

1. PENSÉE [pɑ̃se] n. f. — V. 1130; → Pensé, n. m.; subst. verbal de 1. *penser.*

★ **I. A.** Didact., cour. Ce qui affecte la conscience.

♦ **1.** Didact., vx. Tout phénomène psychique* conscient. *La pensée, opposée à l'étendue, à la matière, chez Descartes.*

1 Par le nom de *pensée,* je comprends tout ce qui est tellement en nous, que nous en sommes immédiatement connaissants. Ainsi toutes les opérations de la volonté, de l'entendement, de l'imagination et des sens, sont des pensées.
DESCARTES, Réponse aux 2e objections, Pl., p. 390.

2 J'appelle pensée tout ce que l'âme éprouve, soit par des impressions étrangères, soit par l'usage qu'elle fait de sa réflexion.
CONDILLAC, Origine des connaissances humaines, III, 16.

♦ **2.** Mod. **a** Activité de la conscience* considérée dans son ensemble ou ses manifestations, chez un individu. ⇒ **Âme, cœur, esprit.** *La pensée de qqn, sa pensée,* ce qu'il pense, sent, veut. *« Ton corps est abattu* (cit. 28) *du mal de ta pensée »* (Musset). *Lire au fond* (cit. 26) *de la pensée de qqn. Deviner* (cit. 7), *pénétrer la pensée d'autrui* (→ fam. Ce qu'il a dans la tête*, dans le ventre*). *Le mystère de sa pensée intime demeure impénétrable* (cit. 16). ⇒ **Moi.** — *« La pensée est incommunicable* (cit. 3), *même entre gens qui s'aiment »* (Baudelaire). *Transmission de pensée.* ⇒ **Télépathie.**

3 On cesse de désirer et d'aimer ce qu'on cesse de poursuivre; la pensée ne peut guère s'occuper avidement de ce qui est obtenu, puisque l'imagination n'a plus d'efforts à conseiller.
É. DE SENANCOUR, De l'amour, p. 107.

4 La mélancolie de ces souvenirs comptait peu au prix de ce goût qu'il avait pour la vie d'autrui, pour tout ce qui révélait la pensée, le sentiment des êtres.
MARTIN DU GARD, les Thibault, t. II, p. 221.

Au plur. (En insistant sur la multiplicité des formes que revêt cette activité de l'esprit). *Poésie qui jette le désordre* (cit. 17) *dans nos pensées. Ce souvenir des morts continue à occuper nos pensées* (→ Aura, cit. 1). *Les soucis qui hantent* (cit. 16) *nos pensées.*

Il ne se possédait pas, c'est vrai, mais c'est précisément dans de telles minutes que l'on découvre le fond de ses pensées. 5
Paul BOURGET, Un divorce, III.

b Spécialt. L'activité affective consciente. *Je ne puis détacher ma pensée de lui* (→ Folie, cit. 29). *Toute sa pensée était pour le blessé* (→ 1. Balle, cit. 12). *Mort qui vit dans la pensée des vivants.* ⇒ **Souvenir** (→ Oublier, cit. 19). — Loc. *La dame** (cit. 4, 5 et 8), *la souveraine, la reine de ses pensées* (→ Introniser, cit. 3). — *Pas une seule de ses pensées qui ne fût pour le pays* (→ Idolâtre, cit. 8).

(...) un autre objet a chassé Elvire de ma pensée. MOLIÈRE, Dom Juan, I, 2. 6

c L'intention, la volonté. *Dans la pensée de* (et inf.) : dans l'intention, le dessein de... *Il n'entre pas dans la pensée de l'auteur* (cit. 22) *de... Loin de moi la pensée de...* (→ Contraste, cit. 8; division, cit. 9; incontestable, cit. 2). *Dévoiler, exprimer sa pensée* (→ Blesser, cit. 17). *Son unique pensée était d'aller plus loin* (cit. 5). *Il n'avait plus qu'une pensée, que deux pensées...* ⇒ **Idée** (cit. 52; → Brusquer, cit. 3). *Porter, mûrir, nourrir* (cit. 30) *dans son cerveau des pensées criminelles, malfaisantes* (cit. 4). — *« Une pensée de la jeunesse exécutée* (cit. 26) *par l'âge mûr »* (Vigny). ⇒ **Projet.**

Je souhaitai son lit, dans la seule pensée 7
De vous laisser au trône où je serais placée.
RACINE, Britannicus, IV, 2.

Il formait des desseins politiques et poursuivait la réalisation d'un plan gigantesque. La pensée de sa pensée, l'œuvre de son œuvre était de renverser la république. 8
FRANCE, l'Île des pingouins, V, I.

(Dans le domaine de la création artistique et littéraire). *Ce n'était pas, dans la première pensée de Chateaubriand, le sujet de « René »* (→ Fraternel, cit. 1). — Par métonymie. *La (première) pensée d'un ouvrage,* son ébauche.

Pensée : (Première pensée). Les premiers linéaments par lesquels un maître habile indique sa pensée contiennent le germe de tout ce que l'ouvrage présentera de saillant. 9
E. DELACROIX, Journal, 25 janv. 1857.

B. Activité psychique, faculté ayant pour objet la connaissance.

♦ **1.** LA PENSÉE. ⇒ **Esprit, intelligence, raison.** — Spécialt. La connaissance conceptuelle et discursive (⇒ **Entendement**); les phénomènes cognitifs par lesquels l'activité psychique se manifeste. *L'espace* (cit. 1 et 3), *construction de la pensée. Objet de la pensée abstraite.* ⇒ **Concept, notion.** *Les catégories* de la pensée. Les formes et les degrés de la pensée : pensée conceptuelle, rationnelle; pensée primitive et enfantine* (ou *pensée prélogique**). *Troubles pathologiques du fonctionnement de la pensée* (⇒ **Folie**). *La Pensée et le Mouvant,* de Bergson. *De l'acte à la pensée,* de Henri Wallon. — *« C'est la pensée qui fait l'être* (2. Être, cit. 10), *qui fait la grandeur de l'homme »* (Pascal). *La pensée et la parole remplissent l'intervalle* (cit. 6) *qui sépare l'homme du singe. La pensée artificielle* (P. de Latil), la cybernétique.

Toute la dignité de l'homme est en la pensée. Mais qu'est-ce que cette pensée? 10
Qu'elle est sotte! La pensée est donc une chose admirable et incomparable par sa nature. Il fallait qu'elle eût d'étranges défauts pour être méprisable; mais elle en a de tels que rien n'est plus ridicule. Qu'elle est grande par sa nature! qu'elle est basse par ses défauts!
PASCAL, Pensées, VI, 365.

L'histoire de la philosophie nous fait surtout assister à l'effort sans cesse renouvelé 11
d'une réflexion qui travaille à atténuer des difficultés, à résoudre des contradictions, à mesurer avec une approximation croissante une réalité incommensurable avec notre pensée.
H. BERGSON, la Pensée et le Mouvant, IX, p. 290.

La pensée est une activité immédiate, provisoire, toute mêlée de parole intérieure 12
très diverse, de lueurs précaires, de commencements sans avenir; mais aussi, riche de possibilités, souvent si abondantes et séduisantes qu'elles embarrassent leur homme plus qu'elles ne le rapprochent du terme.
VALÉRY, Variété, V, p. 179.

L'apparition de la pensée a marqué un nouveau et prodigieux progrès de la Vie. 13
Liée à l'existence de la conscience qui en est la condition nécessaire, la Pensée lui est supérieure : ses formes élevées qui tendent, par l'abstraction et la généralisation, à s'affranchir des données toujours limitées et particulières de la perception, dépassent infiniment la simple conscience.
L. DE BROGLIE, Nouvelles perspectives en microphysique, p. 280.

La pensée et la matière, le corps, le cerveau. Théories matérialistes, mécanistes et déterministes de la pensée. Théories vitalistes, spiritualistes de la pensée. Autonomie de la pensée (→ Liberté, cit. 4).

Pour se faire une idée juste des opérations de la pensée, il faut considérer le cer- 14
veau comme un organe particulier destiné à la produire, de même que l'estomac et les intestins à faire la digestion, le foie à filtrer la bile (...) Le cerveau digère en quelque sorte les impressions; il fait organiquement la sécrétion de la pensée.
G. CABANIS, Hist. physiologique des sensations, *in* CUVILLIER, Précis de philosophie, t. II, p. 474.

Nous avons montré que l'intelligence s'est détachée d'une réalité plus vaste, mais 15
qu'il n'y a jamais eu de coupure nette entre les deux : autour de la pensée conceptuelle subsiste une frange indistincte qui en rappelle l'origine.
H. BERGSON, l'Évolution créatrice, III, p. 194.

(...) le mythe matérialiste (...) a l'avantage de ramener la pensée à n'être qu'une 16
des formes de l'énergie universelle et de lui ôter ainsi son aspect pâlot de feu follet.
SARTRE, Situations III, p. 183.

*Problème psychologique de la pensée sans images** (cit. 53). *Pensée et perception* (cit. 1). *Expression* (cit. 5) *de la pensée. « Chez l'orateur, le geste* (1. Geste, cit. 4) *court derrière la pensée »* (Bergson). *Verbalisation de la pensée.* ⇒ **Langage** (cit. 2 et 6), **parole** (cit. 22 et 23). *« Les pensées prennent la teinte des idiomes »*

(→ Former, cit. 41, Rousseau). *La Pensée et la Langue*, de F. Brunot. *Le Langage et la Pensée*, de H. Delacroix.

17 Intellection ou intuition, la pensée utilise sans doute toujours le langage ; et l'intuition, comme toute pensée, finit par se loger dans des concepts (...)
H. BERGSON, la Pensée et le Mouvant, II, p. 31.

♦ **2.** Cour. [a] L'activité cérébrale, considérée comme la source de la faculté de connaître, comprendre, juger, raisonner... ⇒ **Intelligence, raison** ; 2. **penser** (vx) ; et aussi **compréhension.** *Le travail de la pensée* (→ Discours, cit. 13). *Les applications successives et les caprices de notre pensée* (→ 1. Écart, cit. 8). — *La pensée, forme supérieure du génie humain. L'illusion* (cit. 31), *« une nuit pour la pensée »* (Balzac). — *Chemin, démarches*, mouvements, opérations de la pensée.* ⇒ **Raisonnement** (→ Association, cit. 21 ; chercheur, cit. 2). *Pensée qui chemine* (cit. 6) *lentement. Formes, méthodes* (cit. 3) *de pensée.*

18 La pensée est semblable au compas qui perce le point sur lequel il tourne, quoique sa seconde branche décrive un cercle éloigné. L'homme succombe sous son travail et est percé par le compas. A. DE VIGNY, Journal d'un poète, 1829.

19 Sonnez, sonnez toujours, clairons de la pensée.
HUGO, les Châtiments, VII, I.

Absolt. Capacité, puissance intellectuelle de qqn. *Sa pensée s'assoupit* (cit. 13). *Engourdissement* (cit. 4), *éparpillement* (cit. 2) *de la pensée.* — Fam. *La pensée ne l'encombre pas* (→ Go, cit. 2), *ne l'étouffe pas* : il n'est pas intelligent (cf. L'intelligence, l'esprit ne l'étouffe pas).

[b] Manière dont s'exerce cette faculté. ⇒ **Jugement.** *Avoir la pensée prompte, nette* (cit. 22). *Fièvre, souci qui obnubile* (cit.), *obombre* (cit. 2) *la pensée.*

20 (...) ceux dont la pensée, loin d'être obscurcie, dominée et bâillonnée par leurs passions, grandit et divinise toutes les émotions de la vie et dégage l'idéal contenu dans toutes les sensations qu'ils éprouvent.
VILLIERS DE L'ISLE-ADAM, Contes cruels, « L'inconnue ».

(Déb. XIIIe). Loc. *Dans la pensée de qqn* : relativement à sa manière de voir, selon lui, à ses yeux (→ Gehenne, cit. 3). *Dans la pensée des anciens* (→ Attribution, cit. 2), *des modernes* (→ Grotesque, cit. 13)... *Dans ma pensée, ce mot n'a pas une valeur péjorative* (→ Dans mon esprit*).

[c] Effort de l'intelligence. ⇒ **Réflexion.** *Arrêter* (cit. 40), *faire porter sa pensée sur... « Le sérieux que donne nécessairement* (cit. 2) *la pensée continuellement fixée sur ce qui est grand »* (Stendhal). — (Par oppos. à *action*). *La pensée et l'action* (→ Contemplation, cit. 4). *Divorce* (cit. 5) *de la vie pratique et de la pensée théorique. Homme de pensée et homme d'intrigue* (→ Double, cit. 7).

[d] (Au sens le plus courant et le plus vague). ⇒ **Esprit.** *Idée qui se présente, qui vient à la pensée* (→ Néant, cit. 11). *Ce que les mots offrent à la pensée* (→ Dénommer, cit. 2). *Ce que conçoit la pensée* (⇒ **Conception**). *Désordre* (cit. 5 et 18) *de la pensée. Hypothèse* (cit. 4) *qui fixe notre pensée.*

(1636). Spécialt. Par oppos. au réel, à ce qui est objet d'expérience. ⇒ **Imagination.** *L'homme est assujetti* (cit. 28) *à sa pensée* (Fustel de Coulanges). *Pensée diffuse, vagabonde, qui erre* (cit. 24) *sans qu'on puisse la fixer* (cit. 13). *L'avenir est ce qui n'existe que dans notre pensée* (→ Modifiable, cit. 2, Proust).

21 La pensée est une terre vierge et féconde dont les productions veulent croître librement (...). HUGO, Odes et Ballades, Préface. → Classer, cit. 4.

EN PENSÉE, PAR LA PENSÉE... (→ Casimir, cit. ; doux, cit. 20). *Un cérébral*, un contemplatif* (cit. 2) *qui vit par la pensée. Commettre une faute en pensée* (→ Encore, cit. 7). *Se tourner en pensée vers sa jeunesse* (→ Faillir, cit. 7). *Transportez-vous par la pensée dans ce lieu de délices.*

C. La manière de penser, telle qu'elle s'applique à des objets déterminés ; l'attitude d'esprit propre à un individu ou à un groupe.

♦ **1.** Position intellectuelle, métaphysique, morale... telle qu'elle s'exprime de façon plus ou moins systématique. ⇒ **Philosophie.** *La pensée bergsonienne* (→ Négativement, cit. 1). — Par anal. (À propos d'un écrivain). *La pensée de Vigny, de Balzac...*

22 (...) la pensée de Gandhi est à deux étages : des substructions religieuses qui sont considérables, et l'action sociale qu'il construit sur ces bases invisibles (...) Il est religieux par nature, politicien par nécessité.
R. ROLLAND, Mahatma Gandhi, p. 32.

Au sing. collectif. (À propos d'un groupe, d'un milieu, d'une société...). *La pensée chrétienne, hindoue* (→ Forêt, cit. 8). *Les grands courants de la pensée contemporaine, moderne* (→ Existentialisme, cit. 1). — *La pensée européenne, extrême-orientale, africaine. La Pensée sauvage*, ouvrage de Cl. Lévi-Strauss (jeu de mots avec 2. *pensée*).

23 Toute pensée indienne est magique. Il faut qu'une pensée agisse, agisse directement, sur l'être intérieur, sur les êtres extérieurs (...) La philosophie orientale fait croître les cheveux et prolonge la vie.
Henri MICHAUX, Un barbare en Asie, p. 20 et 21.

La pensée artistique, philosophique, politique, religieuse (→ Approfondissement, cit. 5), *scientifique... Les grands courants de la pensée mathématique.*

Par métonymie. Les penseurs*. *Lorsque Bonaparte saisit le pouvoir, que la pensée fut bâillonnée...* (cit. 3, Chateaubriand). *Mettre la pensée au service de la paix* (→ Instituer, cit. 6).

♦ **2.** (Caractères de la pensée). [a] (Relativement aux valeurs intellectuelles). *Pensée claire, puissante, ferme, floue* (cit. 7), *incertaine* (→ Fuyant, cit. 7), *obscure* (→ Ampoule, cit. 3). *« L'homme ne peut jamais être assez sûr de sa pensée pour jurer fidélité* (cit. 8) *à tel ou tel système »* (Renan). *Banalité, originalité, profondeur de la pensée.*

[b] (Relativement à l'expression). *Expression admirablement* (cit. 1) *ajustée à la pensée. Ne pas trouver les mots pour objectiver* (cit. 2) *sa pensée. Mots qui dépassent ou qui diminuent* (cit. 6) *la pensée. Cela a dépassé, trahi sa pensée, ce n'est pas ce qu'il voulait dire. Recherches qui efféminent* (cit. 2) *et trahissent la pensée.*

Que si l'on veut déclarer sa pensée j'aime qu'on l'articule sans chaleur, et en toute 24
transparence, de manière qu'elle s'expose moins comme une production d'un individu que comme un effet de conditions qui se conviennent et se combinent dans un instant, ou comme un phénomène d'un autre monde que celui où l'on trouve des personnes et leur humeur. VALÉRY, Variété V, p. 89.

Le contenu intellectuel (d'un texte). *Chapitre où la pensée manque de clarté, est difficile à interpréter*, où l'auteur n'a pas su exprimer clairement ce qu'il pense. *Notes qui précisent la pensée d'un auteur.* — Le sens profond (d'un texte, d'une œuvre). *La pensée d'un drame* (→ Équation, cit. 3). — (Par oppos. à la *forme*). ⇒ **Contenu.** *Des lettres de pensée nuancée mais de forme lourde* (cit. 7). *L'ouvrage n'est ni grave par la pensée ni calme par le style* (→ Extraordinaire, cit. 16, Chateaubriand). *« Plus la pensée est profonde, plus l'expression est vivante »* (Hugo, *Post-Scriptum de ma vie*).

Un mauvais style, c'est une pensée imparfaite. 25
J. RENARD, Journal, 15 août 1898.

[c] (Relativement aux valeurs morales). *Avoir de l'élévation dans la pensée* (→ Indestructible, cit. 2). *La hauteur de sa pensée* (→ Brièveté, cit. 5). *Avoir la pensée généreuse mais un peu fuyante* (cit. 7). *Avoir une pensée désintéressée* (→ Chaos, cit. 6).

[d] (Relativement à l'aspect social). *Pensée engagée* (cit. 53), qui implique un engagement. — *La liberté* (cit. 12 et 30) *de pensée. Libérer sa pensée* (→ Libertin, cit. 1). *Pensée qui s'affranchit, s'émancipe* (cit. 9). — Spécialt. (Relativement à la religion). *La libre pensée.* ⇒ **Libre** (cit. 7).

♦ **3.** Spécialt. Façon de voir, de juger, dans tel ou tel cas particulier. ⇒ **Sentiment** ; 2. **penser** (vx) ; → ci-dessous, II. *Entrer* dans la pensée de qqn. Je comprends, je partage votre pensée.* ⇒ **Vue** (point de). *Sa pensée dut être que sa sœur voulait mettre la main* (cit. 37) *sur le magot. Cacher* (cit. 19, 22 et 23) *sa pensée. Dissimuler* (cit. 4) *sa pensée. Parler contre sa pensée* (→ Farder, cit. 7). — *Exprimer éloquemment* (cit. 2), *succinctement sa pensée. Aller jusqu'au bout de sa pensée* (cf. fam. Vider son sac). *« Publier votre pensée (...) c'est un devoir »* (cit. 11, P.-L. Courier). ⇒ **Opinion.** — *Je t'ai dit ma pensée.* ⇒ **Avis ; penser** (façon de) ; → Arranger, cit. 18. *Si j'osais dire ma pensée...* (→ 2. Montre, cit. 4). *Ouvrir franchement sa pensée...* (→ Nature, cit. 47).

Ma pensée au grand jour partout s'offre et s'expose ; 26
Et mon vers, bien ou mal, dit toujours quelque chose. BOILEAU, Épîtres, IX.

Voilà. Je vous ai dit à peu près ma pensée. 27
HUGO, la Légende des siècles, XX, III.

★ **II. UNE, DES PENSÉES ; LA PENSÉE DE** (qqch., qqn).

♦ **1.** (XVIIe). *Une, des pensées.* Phénomène psychique à caractère représentatif et objectif. ⇒ **Idée** (cit. 3 et 4). — *« L'esprit* (cit. 41), *faculté productrice de nos pensées »* (Helvétius). *Platon représentait les choses corporelles comme l'ombre des pensées de Dieu* (→ Archétype, cit. 3, Chateaubriand). *Genèse* (cit. 4) *des pensées humaines.*

[a] (Relativement à l'origine des pensées, à leurs rapports, à leur place dans la vie de l'esprit). — *Il sentait des pensées lui venir* (→ Formuler, cit. 5), *lui traverser l'esprit. Il resta incapable* (cit. 6) *d'aucun mouvement, d'aucune pensée. Conduire par ordre* (cit. 6) *ses pensées. L'art de lier ses pensées en écrivant* (cit. 2). *Laisser vaguer ses pensées* (→ Distrait, cit. 20). *Perdre le fil* (cit. 35) *de ses pensées. Foisonnement* (cit.) *des pensées. Pensées errantes* (2. Errant, cit. 11), *incohérentes* (→ Folie, cit. 3). *Pensée lancinante* (→ Abandonner, cit. 11). *Cette pensée lui trottait par l'esprit. Pensées qui assiègent* (cit. 13), *lancinent* (cit. 2), *obsèdent* (cit. 2) *qqn. Balayer* (cit. 13), *chasser des pensées de l'esprit.* — *Le plus clair* (cit. 26) *de nos pensées allait vers..., tournait autour de...* ⇒ **Préoccupation.**

Ces deux pensées étaient si étroitement mêlées dans son esprit qu'elles n'en for- 28
maient qu'une seule ; elles étaient toutes deux également absorbantes et impérieuses, et dominaient ses moindres actions.
HUGO, les Misérables, I, VI, III.

Toujours est-il que le tour des pensées ne saurait rester le même ; elles suivent à 29
la déroute une préoccupation impérieuse. On vient d'ouvrir le couvercle de la boîte.
ARAGON, le Paysan de Paris, p. 10.

[b] (Relativement à la qualité, à l'ampleur ou au contenu intellectuel). *Pensées banales* (→ Esprit, cit. 172), *qui sont devenues des lieux* (cit. 55) *communs. Pensées frivoles, superficielles. Étroitesse*

(cit. 2) *de ses pensées. Pensées mesquines, extravagantes* (→ Élucubration). — *Son front abrite de hautes pensées* (→ Étaler, cit. 29). *Rouler de profondes pensées dans son esprit* (cit. 103). *Élévation, hauteur, profondeur, gravité, sérieux, fluidité* (cit. 3) *et lucidité de ses pensées. Pensées fécondes, stériles* (→ Distinguer, cit. 14). *Cet auteur ne manque pas de pensées fortes, subtiles, originales* (⇒ **Idée**).

30 Ne voulez-vous point vous défaire de vos pensées extravagantes ?
MOLIÈRE, George Dandin, II, 7.

c (Relativement au degré d'intensité). *S'abandonner à de vagues pensées.* ⇒ **Rêverie.** *S'absorber, être perdu dans ses pensées.* ⇒ **Méditation, réflexion.** *Être tout à ses pensées* (→ Familier, cit. 7). *Pensées trop intenses* (cit. 2).

31 Il appuie son coude sur la table, et reste absorbé dans ses pensées comme un somnambule.
LAUTRÉAMONT, les Chants de Maldoror, VI.

32 Dans son cerveau fatigué, des embryons de pensées tentaient de prendre consistance (...)
MARTIN DU GARD, les Thibault, t. IV, p. 196.

d (Relativement aux valeurs morales). *Généreuses, nobles pensées. « Les grandes pensées viennent du cœur* »* (cit. 151, Vauvenargues). *Avoir d'affreuses, de mauvaises pensées* (→ Misanthropie, cit. 2). *Pensées déloyales. Se détourner* (cit. 21) *d'une pensée. Les obscures pensées qui le poussent à s'avilir* (cit. 20). — *Pensées déshonnêtes, impures ; mauvaises pensées :* désirs, imaginations contraires à la chasteté. *S'enfoncer plus avant* (cit. 61) *dans les mauvaises pensées. Pensées immondes* (cit. 6), *coupables* (→ Couvrir, cit. 17).

33 Le gouffre de tes yeux, plein d'horribles pensées,
BAUDELAIRE, les Fleurs du mal, « Tableaux parisiens », XCVII.

34 Les vilaines pensées viennent du cœur.
VALÉRY, Mélange, p. 165.

e (Relativement à l'aspect affectif). *Les petites pensées plaisantes qui lui venaient* (→ Enfouir, cit. 5). ⇒ **Imagination.** — *De noires pensées. Rouler de tristes pensées* (→ Distraction, cit. 4). *Laver* (cit. 20) *son imagination des pensées désagréables.* ⇒ **Image.**

35 Une fois mis en amour, Haverkamp était moins exposé que personne à faire fiasco par suite d'une impression désagréable, d'une pensée importune.
J. ROMAINS, les Hommes de bonne volonté, t. V, VIII, p. 70.

36 Elle se confie à lui, elle met entre les mains de l'homme sa détresse et ses inquiétudes, ses pensées lourdes où reviennent passer les trois mêmes petites figures, déjà pâlottes et comme défleuries.
M. GENEVOIX, Raboliot, III, IV.

f (Relativement à l'objet de pensée). *Des pensées d'avenir, de mort, de paix, de vengeance... Des pensées philosophiques lui venaient à fleur* (cit. 38) *d'âme. — Pensée abstraite.* ⇒ **Notion.**

g (Relativement à l'expression). *Échanger des pensées* (⇒ **Impression**). *« Un cœur généreux ne doit point démentir ses pensées »* (→ Dissimulation, cit. 1, Montaigne). *Déguiser* (cit. 9) *ses pensées, une de ses pensées* (Voltaire ; → Dépraver, cit. 3). — *Expliquer ses pensées* (→ Parole, cit. 3). *Expression qui rend une pensée* (→ Entre, cit. 15). *Lire une pensée dans les yeux de qqn* (→ Béer, cit. 17). — Rhét. *Figures* de pensées.*

36.1 Il n'y a pas de belles pensées sans belles formes, et réciproquement.
FLAUBERT, Correspondance, 143, 18 sept. 1846.

♦ **2.** (XIVe). Manifestation, témoignage d'intérêt, de sollicitude. *Avoir une pensée (affectueuse) pour qqn.* ⇒ **Penser** (à, II., 3.), **souvenir** (→ Oublier, cit. 3). — Par métonymie. *Femme qui est la dernière pensée d'un mourant* (→ Frapper, cit. 18).

(Dans le sens affaibli d'une simple formule de politesse à la fin d'une lettre). *Meilleures pensées. Recevez nos très affectueuses pensées, nos plus tendres pensées.*

♦ **3. LA PENSÉE DE (qqn, qqch.)** : action de penser à qqn ou à qqch. ; résultat de cette action (⇒ **Aspect**). *La pensée du meurtre* (→ Humain, cit. 6), *de la mort* (1. Mort, cit. 3 ; → Atteindre, cit. 15), *d'un acte irréalisé* (→ Mur, cit. 20)... *La seule pensée de ces crimes abominables* (cit. 1). *Il me revient la pensée de...* ⇒ **Souvenir** (→ Fond, cit. 20).

37 (...) la pensée constante d'Odette donnait aux moments où il était loin d'elle le même charme particulier qu'à ceux où elle était là.
PROUST, À la recherche du temps perdu, t. II, p. 74.

La pensée de..., la seule pensée de... (suivi de l'inf.). ⇒ **Idée.** — *La pensée que :* le fait de penser, de savoir que. *La pensée lui vint qu'ils avaient besoin d'un jardinier* (→ Offrir, cit. 10). *La pensée ne m'avait jamais effleuré* (cit. 12) *que je dusse m'en servir. La pensée cruelle que je n'étais pas aimé...* (→ Habiter, cit. 12). — *Rien ne pouvait me distraire* (cit. 6) *de cette pensée qu'elle allait partir. — Se réjouir à la pensée que...* (→ Dirigisme, cit. 1).

38 Consolons-nous de tout par la pensée que nous jouissons de notre pensée même, et que cette jouissance, rien ne peut nous la ravir.
A. DE VIGNY, Journal d'un poète, 1834.

39 Jean ne pouvait rien contre ses désirs : la pensée que cette maison était pleine de livres, fût-ce de livres pour les curés (...) éveillait en lui une tentation aussi violente que les pires.
F. MAURIAC, la Pharisienne, IV.

À la pensée..., à la seule pensée de... (cf. Rien que de penser à...). *À la seule pensée des souffrances de l'humanité future* (→ Monter, cit. 18). — (Avec l'inf.). *À la seule pensée de monter sur la charrette des criminels* (→ Fatal, cit. 8). — *À la pensée, à la seule pensée que...*

(...) à la pensée que j'allais partager le sort de plusieurs petites filles, peu à peu, toutes mes craintes s'évanouirent. 40
FRANCE, le Livre de mon ami, Livre de Pierre, II, V.

Une sorte de panique les prenait à la pensée qu'ils pouvaient, si près du but, mourir peut-être. 41
CAMUS, la Peste, p. 292.

♦ **4.** (1690). Paroles ou écrits par lesquels une pensée est exprimée. *Voilà une pensée intéressante, qui mérite d'être développée.* ⇒ **Observation, remarque** (→ aussi Méditer, cit. 6). *Il a eu, à ce propos, quelques pensées neuves et spirituelles* (→ Entendre, cit. 19). *Aiguiser* (cit. 14), *ciseler de fines pensées. Discours semé de pensées brillantes* (⇒ **Trait**), *dont certaines sont d'un goût douteux* (⇒ **Concetti**). — *Pensée courte, incisive, bien frappée.* ⇒ **Aphorisme, apophtegme, maxime, sentence.** *Pensée populaire.* ⇒ **Adage, dicton, proverbe.**

(...) il s'est glissé dans un livre quelques pensées ou quelques réflexions qui n'ont ni le feu, ni le tour, ni la vivacité des autres (...) 42
LA BRUYÈRE, les Caractères, Introd.

On tourne une pensée comme un habit, pour s'en servir plusieurs fois. 43
VAUVENARGUES, Réflexions et maximes, 491.

Il serait trop aisé de répliquer qu'il est des proverbes étonnants, et des clichés ingénieux ; que telle pensée, pour être commune, ne manque cependant pas d'acuité, ni de finesse. 44
J. PAULHAN, les Fleurs de Tarbes, p. 147.

Littér. (Au plur.). *Pensées sur la comète,* ouvrage de Bayle (1680). — Absolt. Recueil de considérations d'ordre philosophique, moral, politique..., représentant soit des fragments d'un ouvrage demeuré inachevé, soit des extraits de l'œuvre complète d'un auteur. *Les Pensées de Marc-Aurèle, de Pascal* (1670), *de Joubert* (1838). *Pensées, maximes et anecdotes de Chamfort* (1795). → aussi Mépris, cit. 11 ; nul, cit. 10.

HOM. **Panser, pensé** (n. m.), 2. **pensée,** 1. **penser,** 2. **penser.**

2. PENSÉE [pɑ̃se] n. f. — 1512 ; même étym. que 1. *pensée,* la fleur étant considérée comme l'emblème du souvenir.

♦ Violette* (famille des *Violacées,* n. sc. : *Viola tricolor*), d'une variété cultivée dans les jardins pour ses grandes fleurs veloutées, généralement multicolores, aux nuances disposées de façons très diverses ; ces fleurs. *Bordure, corbeille de pensées. Pensée commune, d'un mauve foncé. Pensées blanches, jaunes, noires... Pensées panachées, striées... Pensée demi-deuil. — Pensée sauvage.*

Les bassins, comblés, n'étaient plus que de vastes jardinières (...) Dans un des plus larges, un coup de vent avait semé une merveilleuse corbeille de pensées. Les fleurs de velours semblaient vivantes, avec leurs bandeaux de cheveux violets, leurs yeux jaunes, leurs bouches plus pâles, leurs délicats mentons couleur chair.
ZOLA, la Faute de l'abbé Mouret, II, VII.

(1841, Balzac ; *couleur de pensée,* 1634, *in* D. D. L.). Vx. *Couleur pensée.* (En fonction d'adj. ; 1845). Mod. D'une couleur violet sombre. *Un chapeau pensée.*

HOM. **Panser, pensé** (n. m.), 1. **pensée,** 1. **penser,** 2. **penser.**

PENSEMENT [pɑ̃smɑ̃] n. m. — Fin XIIe ; de 1. *penser,* et *-ment.*

♦ Vx. (Langue class.), ou régional, ou emploi stylistique. Fait de penser. ⇒ **Pensée ; réflexion.**

J'ai vécu sans nul pensement
Me laissant aller doucement
À la bonne loi naturelle (...)
Mathurin RÉGNIER, Épitaphe.

HOM. **Pansement.**

1. PENSER [pɑ̃se] v. intr. et tr. — V. 980, intr. ; bas lat. *pensare,* fréquentatif du lat. *pendere* « peser », au fig. « réfléchir ». → Peser ; et aussi panser.

★ **I.** V. intr. ♦ **1.** (980). Philos. et cour. Appliquer l'activité de son esprit aux éléments fournis par la connaissance (pour les élaborer, les organiser, leur donner un sens) ; former, combiner des idées* et des jugements*. *L'entendement* et la raison* par lesquels l'homme pense.* ⇒ **Pensée.** — REM. *Penser* s'applique aux activités supérieures qui réalisent « un degré de synthèse plus élevé que la perception, la mémoire ou l'imagination » (Lalande). ⇒ **Juger, raisonner, réfléchir, spéculer.** — *La faculté de penser* (→ Homme, cit. 82). *Le pouvoir de sentir, de penser* (→ Âme, cit. 15). *La machine* (cit. 31) *à penser :* l'esprit*. *« Penser, c'est juger »* (Kant). *« Penser, c'est oser »* (cit. 15, Alain). *« Depuis plus de 7 000 ans qu'il y a des hommes et qui pensent »* (→ Dire, cit. 112). *Les hommes qui pensent* (→ Gouverner, cit. 21), qui exercent plus que d'autres leur réflexion, leur sens critique. ⇒ **Pensant.** *On parle à Paris et on ne pense guère* (→ Futilité, cit. 3) *« Les compilateurs ne pensent point, ils disent ce que les auteurs* (cit. 36) *ont pensé ». La plupart des hommes ne pensent qu'autant* (cit. 19) *qu'ils parlent. Penser est un art* (cit. 42) *qu'on apprend, qu'on acquiert* (→ Intellect, cit. 2). *« Avant donc que d'écrire apprenez* (cit. 20) *à penser »* (Boileau). *Un maître* à penser. L'habitude* (cit. 39) *de penser en donne la facilité. Penser fut toujours pour moi une occupation pénible* (Rousseau, → Délasser, cit. 3). *Avoir beaucoup pensé* (→ Écrire, cit. 37). *Plus on écrit* (cit. 42) *moins on pense.*

L'homme ne commence pas aisément à penser, mais sitôt qu'il commence, il ne 1 cesse plus. Quiconque a pensé pensera toujours, et l'entendement une fois exercé à la réflexion ne peut plus rester en repos. ROUSSEAU, Émile, IV.

2 «Quand je ne parle pas, je ne pense pas», disait-il très naïvement, et c'était vrai. La parole ne jaillissait pas chez lui par la force de la pensée, elle la devançait au contraire, l'éveillait à son bruit tout machinal. Alphonse DAUDET, Numa Roumestan, II.

3 Par cela seul qu'il pensait, il était un être étrange, inquiétant, suspect à tous. Il troublait même le libraire Paillot. FRANCE, l'Anneau d'améthyste, VI, Œ., t. XII, p. 98.

4 (...) penser c'est gouverner ses pensées, d'après le double modèle de l'univers résistant et du commun sens. ALAIN, Propos, 2 juil. 1921, Fous.

5 J'ai toujours admiré que l'idée qui survient, fût-elle la plus abstraite du monde, vous donne des ailes, et vous mène n'importe où. On s'arrête, puis on repart, voilà ce qui est penser! VALÉRY, Eupalinos, p. 84.

6 Penser, ce n'est pas unifier, rendre familière l'apparence sous le visage d'un grand principe. Penser, c'est réapprendre à voir, diriger sa conscience, faire de chaque image un lieu privilégié. CAMUS, le Mythe de Sisyphe, p. 63.

Une chose qui donne, qui laisse à penser, qui fait réfléchir (→ Doucement, cit. 7).

7 (...) je vais exposer, en littérature comme en philosophie, des opinions étrangères à celles qui règnent en France; mais soit qu'elles paraissent justes ou non, soit qu'on les adopte ou qu'on les combatte, elles donnent toujours à penser. Mme de STAËL, De l'Allemagne, Observations générales.

Penser sur... : prendre pour sujet de réflexion. ⇒ **Méditer, réfléchir; cogitation.**

8 Il y a sans doute des gens très savants et très favorisés qui se proposent de penser sur un sujet et qui tiennent leur propos; il y a des gens capables de diriger leur esprit comme un navire sur une mer semée de brisants, des gens qui pensent réellement, c'est-à-dire qui pensent ce qu'ils veulent. Heureuses gens! G. DUHAMEL, Salavin, I, X.

Manière de penser (d'exercer la faculté de penser). *L'enfance* (cit. 9) *a des manières de penser qui lui sont propres. La façon de penser du peuple* (→ Dialectique, cit. 3); *des sociétés primitives* (⇒ **Mentalité**). *« Travaillons donc à bien* (1. Bien, cit. 40) *penser... »* (Pascal). *Penser profondément* (⇒ **Méditer, recueillir** [se], **ruminer**). *Penser juste* (→ Habitude, cit. 18), *fortement* (cit. 3).

9 L'homme est visiblement fait pour penser; c'est toute sa dignité; et tout son mérite et tout son devoir est de penser comme il faut. Or l'ordre de la pensée est de commencer par soi, et par son auteur et sa fin. PASCAL, Pensées, II, 146.

10 Deux écrivains dans leurs ouvrages ont blâmé Montagne *(sic)*... L'un ne pensait pas assez pour goûter un auteur qui pense beaucoup; l'autre pense trop subtilement pour s'accommoder de pensées qui sont naturelles. LA BRUYÈRE, les Caractères, I, 44.

11 Enfin je tâche de bien penser pour bien écrire. Mais c'est bien écrire qui est mon but, je ne le cache pas. FLAUBERT, Correspondance, 1564, Déc. 1875.

12 (...) il pense faux, même quand il dit des choses qui paraissent justes. MARTIN DU GARD, les Thibault, t. V, p. 22.

Façon de penser : manière de voir. ⇒ **Pensée** (→ ci-dessous v. tr., III., A., 1.). *Je leur montrerai ma façon de penser* (→ Aviser, cit. 38). ⇒ **Voir.** *Emprunter* (cit. 17) *ses façons de penser. Penser par idées toutes faites* (cit. 270), *par lieux communs, par clichés. Penser par soi-même :* avoir des idées personnelles. *Penser sagement* (→ Absurde, cit. 4), *hardiment* (→ Épuiser, cit. 20). *Bien penser :* penser selon l'ordre établi. ⇒ **Pensant** (3.). *« J'appelle bourgeois* (cit. 12) *quiconque pense bassement »* (Flaubert). *Penser comme qqn, autrement que qqn* (→ Désolidariser, cit. 1; mortifier, cit. 4). *Je pense comme vous. Ils appelaient traîtres, ceux qui ne pensaient pas comme eux* (→ Nationaliste, cit. 2). *Je pense bien différemment* (→ Inanimé, cit. 4). *Liberté* (cit. 29) *de penser,* d'affirmer, d'exprimer ses opinions. — *Mal penser de qqn :* en penser (tr.) du mal. *Penser favorablement* (cit. 1 et 3) *de qqn* (vieilli). — *Je pense comme vous sur ce point, sur ce sujet* (→ Futilité, cit. 1).

13 Ces chers enfants pensent-ils bien? — J'en suis très satisfait, répondit le magister. Le tout est d'être nourri dans les principes. Il faut bien penser avant que de penser. Car ensuite il est trop tard (...) FRANCE, l'Île des pingouins, V, I.

14 Au rez-de-chaussée, c'étaient les libraires Trébuc, famille effacée où l'on pensait peu, mais bien; jusqu'à ne vouloir pas faire venir *Salammbô,* parce qu'il est à l'index (...) P.-J. TOULET, la Jeune Fille verte, VII.

15 (...) vous avez cédé à l'orgueil, à l'esprit de contradiction, à la vanité de penser librement, à la tentation de vous insurger contre un ordre établi (...) MARTIN DU GARD, les Thibault, t. IV, p. 303.

♦ **2.** Faire agir les formes conscientes de la vie intérieure (perceptions, sentiments, idées, volitions...), exercer son esprit. *Je pense, donc je suis,* ou *Cogito, ergo sum* (Descartes). ⇒ 1. **Être** (cit. 3). *«... une substance dont toute l'essence ou la nature n'est que de penser».* ⇒ **Âme** (cit. 41, Descartes). *« Je pense, donc* (cit. 3) *Dieu existe »* (La Bruyère). *Content d'être et de penser* (→ Montagne, cit. 6). *Penser tout haut* (cit. 107 et 108) : dire ce qu'on a en tête; parler lorsqu'on est seul. *Penser dans une langue,* avec les éléments, les structures d'une langue particulière. *En quelle langue pensez-vous?* (→ Maternel, cit. 7). *Penser en langue* (cit. 31) *irlandaise.* — Par ext. Avoir un esprit. ⇒ **Pensant** (adjectif).

16 Qu'est-ce qu'une chose qui pense; C'est-à-dire une chose qui doute, qui conçoit, qui affirme, qui nie, qui veut, qui ne veut pas, qui imagine aussi, et qui sent. DESCARTES, Méditations, IIe.

17 (...) pour moi, je n'ai besoin, quoi qu'en dise Locke, de connaître la matière que comme étendue et divisible, pour être assuré qu'elle ne peut penser; et quand un philosophe viendra me dire que les arbres sentent et que les roches pensent, il aura beau m'embarrasser dans ses arguments subtils, je ne puis voir en lui qu'un sophiste de mauvaise foi, qui aime mieux donner le sentiment aux pierres que d'accorder une âme à l'homme. ROUSSEAU, Émile, IV.

★ **II.** (1250). **PENSER À :** appliquer son esprit à (un objet concret ou abstrait, actuel ou non). ⇒ **Songer** (à).

♦ **1.** Appliquer sa réflexion, son attention à. ⇒ **Réfléchir.** *Penser à la mort. Penser à l'avenir avec joie* (→ Espérance, cit. 33). ⇒ **Envisager.** *J'ai bien pensé à votre proposition.* ⇒ **Examiner; délibérer** (→ Négatif, cit. 5). *Je vais y penser, j'y penserai* (⇒ **Voir**). *Pensez-y mûrement* (cit. 1). *Penser vaguement à...* ⇒ **Rêver.** *À quoi pensez-vous?* (→ Formuler, cit. 10; mais, cit. 11). *Je préfère ne pas y penser. N'y pensons plus :* oublions cela. *Sans penser à rien; ne plus penser à rien* (→ Fatiguer, cit. 18; feuilleter, cit. 2; 1. foin, cit. 4). *Faire une chose sans y penser,* machinalement (⇒ **Automatique**). *Elle avait franchi le seuil sans y penser* (→ Nimber, cit. 3). *Pensez à ce que vous dites :* pesez vos paroles avant de parler.

Les hommes n'ayant pu guérir la mort, la misère, l'ignorance, ils se sont avisés, pour se rendre heureux, de n'y point penser. PASCAL, Pensées, II, 168. 18

À quoi me résoudrai-je? Il est temps que j'y pense. LA FONTAINE, Fables, III, 1. 19

Parler en public. Il n'est pas nécessaire de penser ce qu'on dit mais il faut penser à ce qu'on dit : c'est plus difficile. J. RENARD, Journal, 22 nov. 1906. 20

Vous savez, docteur, dit-il, j'ai beaucoup pensé à votre organisation. Si je ne suis pas avec vous, c'est que j'ai mes raisons. CAMUS, la Peste, p. 179. 21

♦ **2.** Évoquer par la mémoire ou l'imagination. ⇒ **Évoquer, imaginer, rappeler, souvenir** (se). *On peut penser à une chose sans pouvoir l'imaginer* (→ Intellection, cit. 1). *Penser à un objet concret* (→ Dérouler, cit. 2; métropolitain, cit. 9; nom, cit. 30), *à une ville* (→ Image, cit. 63). *Je pleure chaque fois en y pensant* (→ Douloureux, cit. 10). — *Penser à qqn, à un absent* (→ Affleurer, cit. 2; auprès, cit. 11; cruellement, cit. 2; déplacement, cit. 2; faire, cit. 48; force, cit. 84). *Tu as pensé à moi quelquefois?* (→ Maintenir, cit. 11). *J'ai beaucoup pensé à elle. Vouloir oublier* (cit. 6) *qqn, c'est y penser. Pensez à moi, ne m'oubliez* pas.*

Je voudrais vous donner un gage de mon amitié. Je penserai souvent à vous, qui m'avez paru bon et noble, jeune et candide au milieu de ce monde où ces qualités sont si rares. Je souhaite que vous songiez quelquefois à moi. BALZAC, le Père Goriot, Pl., t. II, p. 1060. 22

Elle pensa au loup; de tout le jour la folle n'y avait pas pensé (...) Alphonse DAUDET, Lettres de mon moulin, «La chèvre de M. Seguin». 23

(je) m'efforçais de ne plus penser à Marthe, et, par cela même, ne pensais qu'à elle. R. RADIGUET, le Diable au corps, p. 39. 24

Elle admirait cette poitrine nue, bien carénée, elle pensait à un beau navire. SAINT-EXUPÉRY, Vol de nuit, X. 25

Qu'est-ce que ça veut dire, «penser à quelqu'un»? Ça veut dire : l'oublier (sans oubli, pas de vie possible) et se réveiller souvent de cet oubli. Beaucoup de choses, par association, te ramènent dans mon discours. «Penser à toi» ne veut rien dire d'autre que cette métonymie. Car, en soi, cette pensée est vide : je ne te pense pas; simplement, je te fais revenir (à proportion même que je t'oublie). C'est cette forme (ce rythme) que j'appelle «pensée» : *je n'ai rien à te dire,* sinon que ce rien, c'est à toi que je le dis (...) R. BARTHES, Fragments d'un discours amoureux, p. 187. 25.1

FAIRE PENSER À..., se dit d'une personne ou d'une chose qui évoque*, qui en rappelle une autre par ressemblance. *Le corps nous fait penser à une mécanique* (→ Attitude, cit. 8). *Son cou maigre et son nez busqué font penser à un vautour* (→ Bréchet, cit. 1). *Sa voix musicale* (cit. 3) *faisait penser à la plainte d'une fée.*

Au sommet de la colline, à droite, au-dessus d'un fourmillement de pins, se hérissait un ensemble de murs blancs, vaguement oriental, faisant penser à une pièce de pâtisserie. Edmond JALOUX, les Visiteurs, I. 26

♦ **3.** Ne pas oublier, faire très attention à, s'intéresser à... ⇒ **Occuper** (s'occuper de), **préoccuper** (se préoccuper de). — (Compl. n. de personne, pronom). *Une occupation* (cit. 2) *qui détourne de penser à soi. Ne penser qu'à soi :* être égoïste. *Penser aux autres au lieu de penser à soi-même* (→ Épargne, cit. 9). *Elles ne pensent qu'à leur fidélité* (cit. 6) *et jamais à leur mari. Avez-vous pensé à moi?* (→ Maître, cit. 99). *Si l'on a besoin d'un gouvernement* (cit. 5) *pensez à moi je vous prie.*

(Compl. n. de chose). *Pensons à l'avenir :* soyons prévoyants. *Penser au bonheur des autres* (→ 1. Or, cit. 23). *Le directeur ne pense qu'à la recette* (→ Mousser, cit. 5). — Fam. *J'ai bien autre chose à penser! :* j'ai des préoccupations plus importantes. — *Des garçons* (cit. 17) *qui ne pensent qu'au mariage. Ils nous reprochent de ne penser qu'à cela* (→ Homme, cit. 128). — Avec l'inf. *Il pensait à faire une fin* (cit. 13). *Elle ne pense qu'à s'amuser.*

Les hommes ne veulent pas que l'on découvre les vues qu'ils ont sur leur fortune, ni que l'on pénètre qu'ils pensent à une telle dignité (...) LA BRUYÈRE, les Caractères, VIII, 44. 27

J'aurais le temps de réfléchir plus tard : je ne pensais à rien qu'à trouver mieux. F. MAURIAC, le Nœud de vipères, II, XVIII. 28

Nous sommes des travailleurs de l'esprit; mieux encore, nous sommes des esprits, et cependant, il nous faut penser sans cesse à notre subsistance matérielle, à notre nourriture, comme des animaux. G. DUHAMEL, Chronique des Pasquier, V, XIV. 29

♦ **4.** (Dans un sens affaibli). Avoir dans l'esprit, en tête. *Quand je dis « malheurs »* (cit. 15) *je pense plutôt à la détresse morale.* — Loc. *Sans penser à mal* (3, Mal, cit. 41) : innocemment. — *Je ne sais à quoi je pensais* (→ Ordurier, cit.). *Il pensait à autre chose* (→ Oui, cit. 14).

Avoir présent à l'esprit, garder en mémoire. *N'oubliez pas ceci.* — *J'y pense, j'y penserai, j'essaierai d'y penser* (⇒ **Pense-bête**). *Pendant que j'y pense. Mais j'y pense, c'est aujourd'hui qu'il arrive!* ⇒ **Aviser** (s'), **souvenir** (se).

30 Pendant que j'y pense, je veux vous faire compliment de votre ami Dechartre.
FRANCE, le Lys rouge, V.

31 Pourquoi ne me suis-je pas tué le 29, après la ponction? *N'y ai-je pas pensé* (Strictement vrai!).
MARTIN DU GARD, les Thibault, t. IX, p. 257.

Considérer (qqch.) en prévision d'une action; avoir l'idée* de... (à des fins pratiques). *J'ai pensé à tout* : j'ai tout prévu. ⇒ **Prévoir** (→ Paisible, cit. 9). *Je n'avais pas pensé à cela.* ⇒ **Attention** (faire attention à), **garde** (prendre garde à). *On ne saurait penser à tout,* titre d'un Proverbe d'A. de Musset. *C'est comme l'œuf** (cit. 9) *de Colomb, il fallait y penser.*

(Avec l'inf.). *Il pensa à manger* (→ Lier, cit. 10). ⇒ **Venir** (l'idée lui vint de...). *Jamais ils ne pensent à m'embrasser* (→ Appétissant, cit. 2).— *Pensez à fermer les fenêtres en partant. Avez-vous pensé à essuyer les bougies du moteur?* (→ Injection, cit. 3).

Faire penser (qqn) à... : mettre en tête. *Faire penser à qqch. par une allusion*. Faire penser qqn à ce qu'il peut oublier*.* ⇒ **Rappeler.** *Faites-moi penser à ma lettre, à poster ma lettre. C'est lui qui m'y a fait penser.*

★ **III.** V. tr. (XIIe). **A.** Avoir pour idée, pour pensée.

♦ **1.** Avoir pour opinion, pour conviction (l'objet étant presque toujours un pronom neutre). ⇒ **Estimer** (→ ci-dessus, I., 1. : *façon de penser*). *Pour moi, voici ce que je pense* (→ Absence, cit. 5). *On ne sait que penser* (→ Démentir, cit. 11). *Dire ce qu'on pense* : donner son opinion. *Elle dit toujours ce qu'elle pense* : elle est franche, directe. *Je ne pus m'empêcher de lui dire tout ce que je pensais* (→ Hasard, cit. 37).

32 Penser une chose, en écrire une autre, cela arrive tous les jours, surtout aux gens vertueux.
Th. GAUTIER, Mlle de Maupin, Préface.

33 Il ne pense rien (...) ça lui évite de penser faux. SAINT-EXUPÉRY, Vol de nuit, IV.

Loc. *Laisser (qqch.) à penser.* ⇒ **Imaginer, juger.** *Je laisse à penser si ce gîte était sûr* (→ Blottir, cit. 2). *Cela laisse à penser ce qu'il est capable de faire.* — *Laisser à penser à qqn* (et compl.). *Je vous laisse à penser si..., comment...*

34 Sur un tapis de Turquie
Le couvert se trouva mis.
Je laisse à penser la vie
Que firent ces deux amis.
LA FONTAINE, Fables, I, 9.

PENSER (qqch.) DE. *Ce qu'on pense des hommes* (cit. 47). *Ce que je pense de lui, d'elle* (→ Luxe, cit. 13; noix, cit. 8). *Penser du bien, du mal* de qqn, de qqch.* — Prov. *Honni soit qui mal y pense* (⇒ 3. **Mal**). — *Que penser de la magie?* (→ Inconvénient, cit. 5). *Qu'en pensez-vous?* (→ Qu'en dites*-vous, que vous en semble*, quelle impression* cela vous fait-il?). *Dites-moi ce que vous en pensez. Que faut-il que j'en pense?* (→ 1. Dire, cit. 50). *Il est difficile d'en penser quoi que ce soit,* de juger*. *Je ne sais qu'en penser.* — Loc. *N'en penser pas moins. Il ne dit rien mais n'en pense pas moins* : il se tait mais il a son opinion; il tait ce qu'il sait. *Si je n'en disais mot je n'en pensais pas moins.*

35 — Oui, ma bile s'échauffe à toutes ces fadaises,
Et tout résolument je veux que tu te taises.
— Soit. Mais, ne disant mot, je n'en pense pas moins.
— Pense, si tu le veux; mais applique tes soins
À ne m'en point parler (...)
MOLIÈRE, Tartuffe, II, 3.

36 De tout ce que je vois que faut-il que je pense? RACINE, Bajazet, III, 7.

37 Tout homme est stupéfait par ce que les autres pensent de lui.
A. MAUROIS, Olympio, IV, V.

PENSER... SUR (un objet abstrait). *Voilà ce que nous pensons sur ce sujet. Ce qu'ils pensaient là-dessus* (→ Haut, cit. 111). — REM. *Penser... sur,* s'emploie parfois avec un nom de personne pour compl. indirect, dans un sens plus fort que *penser... de* et en mauvaise part. *Je ne peux lui dire tout ce qu'on pense sur lui.*

♦ **2.** (Dans un sens affaibli et moins affirmatif). Avoir l'idée de. ⇒ **Admettre, croire, imaginer, présumer, supposer, soupçonner.** *Contrairement à ce que j'avais pensé... Ce n'était pas, comme on le pense bien...* (→ Jardin, cit. 3). ⇒ **Douter** (s'en). *Je ne sais que penser. Jamais je n'aurais pu penser cela!* — *Il n'est pas si désintéressé qu'on le pense.* Ellipt. *Il y a bien moins de généraux* (cit. 13) *qu'on pense. Il n'est pas si facile qu'on pense de renoncer à la vertu* (→ Abandonner, cit. 5). — *Qu'est-ce qui vous fait penser cela?* : quelle raison avez-vous de croire cela? *Tu le penses?*, et, ellipt, *Tu penses?, Vous pensez?* — Loc. exclam. *Tu penses!*, oui, en effet, bien sûr (→ Tu parles*!). — *Penses-tu!, Pensez-vous!* : mais non, pas du tout. *« Il a dû être content. — Penses-tu!, il était furieux. »*

38 Le plus âne des trois n'est pas celui qu'on pense. LA FONTAINE, Fables, III, 1.

39 Nos prêtres ne sont point ce qu'un vain peuple pense;
Notre crédulité fait toute leur science.
VOLTAIRE, Œdipe, IV, 1.

40 Vous pensez si j'étais rouge et si j'avais peur!
Alphonse DAUDET, Contes du lundi, « Dernière classe ».

41 (...) quoique je lui eusse dit, il m'interrompait par une locution « Vous pensez! » ou « Pensez! » qui semblait signifier ou bien que ma remarque était d'une telle évidence que tout le monde l'eût trouvée, ou bien reporter sur lui le mérite comme si c'était lui qui attirait mon attention là-dessus.
PROUST, Sodome et Gomorrhe, Pl., t. II, p. 791.

42 Je vais avoir besoin de me suffire à moi-même, bien plus tôt que je ne pensais (...)
MARTIN DU GARD, les Thibault, Pl., t. I, p. 1092.

43 — Ils ne vont pas se battre ici, au moins?... — Pensez-vous, maman : ils sont pas fous.
SARTRE, la Mort dans l'âme, p. 147.

Vx. (Avec un attribut). ⇒ **Croire, juger.** *Lorsqu'il pensa le ressentiment de l'affaire amorti* (→ Hasarder, cit. 19).

Je pense mes raisons meilleures que les vôtres. MOLIÈRE, les Fâcheux, II, 4. 44

(En incise). *Il aurait, pensait-il, l'appui de sa famille, mais il n'en fut rien.* — (À la première personne, pour légitimer une affirmation). *Ce ne sera pas, je pense, la première fois* (→ 1. Dire, cit. 104; accroc, cit. 2; luxe, cit. 10).

♦ **3. PENSER QUE** : croire*, avoir l'idée, la conviction que. *Nous* (cit. 9) *pensons que la vie est bonne. Je pense que c'est fort bien ainsi* (→ Gros, cit. 34). *J'ai souvent pensé, j'ai toujours pensé que...* (→ Associer, cit. 10; mariage, cit. 23).

Je devrais penser qu'il est bien regrettable qu'ils m'aient tiré de là; mais non : j'accepte ce nouvel entracte, avec une joie lâche (...) 44.1
MARTIN DU GARD, les Thibault, Pl., t. II, p. 997.

REM. D'une façon générale, on emploie l'indicatif si le verbe *penser* est positif, et le subjonctif s'il est à la forme négative ou interrogative. Cependant dans l'interrogation « la subordonnée se met au subjonctif ou à l'indicatif suivant que celui qui fait la question est incertain ou sûr de la réponse » (Nyrop, *Grammaire historique de la langue française*, V., p. 318). Le subjonctif s'emploie concurremment avec l'indicatif lorsque *penser* est précédé de *si* (ex. : *Si vous pensez que ce soit possible, que c'est possible*). Jusqu'à l'époque classique, le subjonctif d'éventualité était fréquent : *« Ces messieurs pensaient que ce fût un petit rien »* (Mme de Sévigné). — *Avoir lieu* (→ Grognard, cit. 2), *avoir des raisons de penser que...* (→ Détresse, cit. 10; nombre, cit. 11). *Il est permis, il n'est pas interdit de penser que...* (→ Incestueux, cit. 4). *De là à penser que...* (→ Manitou, cit. 2). *Qui donc oserait penser que...* (→ Abuser, cit. 15). *Tu te trompes si tu penses que l'on t'en estime davantage* (→ Attirail, cit. 4). *Je ne pense pas qu'il faille pousser les choses au noir* (cit. 47). *Il ne pensait pas qu'il fût si dur de refuser* (→ Âpre, cit. 15). *Que penses-tu qu'il fasse?* (cit. 60) *il doit* hésiter.* — (Exclamatif). *Tu penses que j'y ai regardé!* (→ Inutile, cit. 7). *Vous pensez bien que je n'aurais jamais accepté!*

Je pensais qu'à l'amour son cœur toujours fermé 45
Fût contre tout mon sexe également armé. RACINE, Phèdre, IV, 4.

Pensez-vous qu'Hermione, à Sparte inexorable, 46
Vous prépare en Épire un sort plus favorable. RACINE, Andromaque, I, 1.

Mais comment penser que le restaurateur, qui habitait la même maison depuis vingt et un ans, ne payât pas son loyer? 47
FRANCE, le Chat maigre, Œ., t. II, VIII, p. 220.

C'est à cause de moi que tu es revenu (...) — J'ai pensé que tu avais peut-être besoin de compagnie. SARTRE, la Mort dans l'âme, p. 139. 48

Tu ne pensais pas que ce fût très grave, mais simplement que le plus sage était de bannir ce nom de nos propos. F. MAURIAC, le Nœud de vipères, V. 49

♦ **4.** (Suivi de l'inf.). Croire, avoir l'impression, le sentiment de... *Nous pensons avoir résolu ces problèmes ardus* (cit. 2). ⇒ **Espérer.** *Je pense être noté* (cit. 9) *comme un collaborateur consciencieux.* ⇒ **Flatter** (se). *Je pensais lui rendre service* (→ ci-dessous, B., 3., REM.).

— Je ne pensais pas vous revoir, dit-il dignement. — Pourquoi? — Parce que vous vous êtes conduit comme un goujat! SARTRE, le Sursis, p. 315. 50

(Employé à un temps passé et suivi de l'inf.). Vieilli ou littér. ⇒ **Faillir, manquer.** *Il pensa se trouver mal* (→ Douceâtre, cit.), *mourir de dépit* (cit. 1). *Je pensai tomber tout de mon haut* (cit. 63).

Les loups mangent gloutonnement. 51
Un loup donc, étant de frairie,
Se pressa, dit-on, tellement
Qu'il en pensa perdre la vie. LA FONTAINE, Fables, III, 9.

J'ai été condamné à l'amende pour avoir vu passer une chienne; j'ai pensé être empalé par un griffon (...) j'ai été sur le point d'être étranglé parce que la reine avait des rubans jaunes (...) 52
VOLTAIRE, Zadig, X.

REM. Ce tour n'est plus usité que lorsqu'il exprime une impression personnelle; il ne peut être employé pour une constatation objective (sur une personne et même une chose) comme il l'était fréquemment dans la langue classique (→ cit. 53).

Le bal du mardi gras, pensa être renvoyé; jamais il ne fut une telle tristesse. 53
Mme DE SÉVIGNÉ, 134, 12-13 févr. 1671.

Victurnien pensa trahir sa joie en apprenant qu'il aurait deux mille francs par mois. 54
BALZAC, le Cabinet des Antiques, Pl., t. V, p. 373.

B. ♦ **1.** Avoir dans l'esprit (comme idée, pensée, image, sentiment, volonté, etc.). *Il n'y a aucun rapport entre ce qui se passe dans l'inconscient* (cit. 12) *et ce que nous pensons. L'écrivain exprime* (cit. 25) *ce que les autres pensent. Écrire* (cit. 2) *ce qu'on pense. Il dit tout ce qu'il pense* (cf. Tout ce qui lui passe par la tête). *Je dis toujours naïvement ce que je pense* (→ Ingénu, cit. 4). *« Un homme qui dit tout ce qu'il pense et comme il le pense est inconcevable* (cit. 8) *en société. » « Combien tout ce qu'on dit est loin* (cit. 30) *de ce qu'on pense! » Il dit une chose et il en pense une autre.* — Loc. *Ne pas penser un mot de ce qu'on dit* : mentir. *Il n'en pense pas un mot.* — *Je pensais : pourquoi suis-je sur la terre?* (→ Amertume, cit. 11). *Pensez, pensez donc!* : imaginez un peu! *Pensez donc! Venir s'enfermer ici!* (→ Long, cit. 21).

Ils croiraient s'abaisser, dans leurs vers monstrueux, 55
S'ils pensaient ce qu'un autre a pu penser comme eux.
BOILEAU, l'Art poétique, I.

Pensez! depuis quarante ans, il était là, à la même place, avec sa cour en face de lui et sa classe toute pareille. 56
Alphonse DAUDET, Contes du lundi, « Dernière classe ».

57 Non seulement je n'ai rien dit que ce que je pense; chose bien plus rare et bien plus difficile, j'ai dit tout ce que je pense.
RENAN, Souvenirs d'enfance..., Œ. compl., t. II, III, p. 797.

58 Car s'il disait que la noblesse était peu de chose, qu'il considérait ses collègues comme des égaux, il n'en pensait pas un mot.
PROUST, À la recherche du temps perdu, t. VIII, p. 116.

59 Je pourrais épouser mademoiselle Brugère!
(...) Non, je plaisantais; une première chez Dermas, pensez donc! une femme superbe. F. MAURIAC, le Nœud de vipères, XIV.

Par euphém., fam. (Pour désigner des actions ou des choses qu'on ne veut pas nommer). *Il a marché dans ce que je pense,* dans la crotte. *Il lui a flanqué un coup de pied où vous pensez,* au derrière. *Elle a le feu où je pense* (→ Quelque part*).

(Employé et construit comme *dire*). *Vous dites « vérité » et vous pensez « authenticité »* (cit. 8).

60 Que vienne la nuit, pour que se montre à moi quelque évidence qui mérite l'amour! Pour que je pense civilisation, sort de l'homme, goût de l'amitié dans mon pays.
SAINT-EXUPÉRY, Pilote de guerre, I.

61 (...) lorsqu'on pense à la condition des sexes dans la société, pour les femmes on pense plutôt *malheur,* pour les hommes on pense plutôt *embêtements.*
MONTHERLANT, les Jeunes filles, p. 167.

(En incise). *J'aurais pu épouser un tel homme! pensait Madame de Rênal...* (→ 1. Feu, cit. 73). *Et mon diplôme* (cit. 3), *pensa-t-il tout à coup. « Hélas, ai-je pensé... »* (→ Homme, cit. 28, Vigny).

62 On dirait que quelqu'un joue du piano quelque part? pensa-t-il.
ALAIN-FOURNIER, le Grand Meaulnes, I, XI.

63 Il est dur, pensait-il, d'être un juge. SAINT-EXUPÉRY, Vol de nuit, p. 45.

64 Je me demande — pensa tout haut M. Teste — en quoi la « destinée » (...) de l'homme m'intéresse? VALÉRY, Monsieur Teste, p. 108.

♦ **2.** PENSER QUE : avoir la pensée de, imaginer. ⇒ **Représenter** (se). *Je n'ai jamais vu un enfant sans penser qu'il deviendrait un vieillard* (→ Antithèse, cit. 7). *Je suis exaltée en pensant que...* (→ Lis, cit. 12), à l'idée, à la pensée que... — (Exclamatif). *Pensez qu'elle n'a que vingt ans!* (cf. Rendez-vous compte). *Quand on pense que cela pourrait arriver à n'importe qui!*

65 Quand je pense, disait Legrain, qu'Hélène aura bientôt seize ans et que, pendant seize ans, elle n'a jamais respiré un autre air que celui de l'arrière-boutique et de la rue des Lyonnais. G. DUHAMEL, Salavin, V, XII.

♦ **3.** (Suivi de l'inf., avec une valeur de futur). Avoir l'intention*, avoir en vue* de... ⇒ **Compter, projeter.** *Où pensez-vous aller?* (cit. 12). *Que pensez-vous faire à présent? Je voudrais bien savoir ce que vous pensez faire d'un maître à danser* (→ Jambe, cit. 18). — REM. Cet emploi peut entraîner une ambiguïté avec la valeur analysée en A., 4. : *nous pensons, nous avons pensé les imiter, leur rendre service...* peut signifier « nous avons, nous avons eu l'intention de... » ou « nous croyons, nous avons cru... ».

66 Dites-moi, que pensez-vous faire?
Ne quitterez-vous point ce séjour solitaire? LA FONTAINE, Fables, III, 15.

67 (...) je nourrissais le désir de m'illustrer sans retard et de durer dans la mémoire des hommes (...) C'est pourquoi je pensai devenir un saint.
FRANCE, le Livre de mon ami, Livre de Pierre, II, I.

68 Il avait pensé passer la nuit sur un fauteuil, chez son frère, pour ménager son pécule. ARAGON, les Beaux Quartiers, II, XXV.

C. PENSER (une chose). ♦ **1.** Philos. ou littér. Considérer clairement, embrasser par la pensée. ⇒ **Concevoir.** *Il ne croit pas à sa mort, il ne la pense même pas* (→ Enfant, cit. 16). *Penser un mystère* (→ Identifier, cit. 5). *Penser l'histoire en fonction d'une dialectique* (→ Maîtrise, cit. 1). *Penser son destin au lieu de le subir* (→ 1. Masse, cit. 29). *Penser une œuvre d'art.*

69 (...) les âmes des hommes que l'éternel créa par sa seconde idée, après avoir pensé les anges. CHATEAUBRIAND, les Natchez, IV.

70 (...) ma vraie devise d'homme : me penser moi-même le moins possible, et penser toutes choses. ALAIN, Propos, 25 avr. 1909, Mouflons.

71 Non seulement il la voit *(la statuette),* mais il la regarde, quoique son regard ne soit pas exactement actif; il la pense, quoique sa pensée ne soit pas exactement active. Il pense la statuette et il pense en même temps tous les autres objets de sa collection, et il pense en même temps toute la ville d'Uria (...)
Roger VAILLAND, la Loi, p. 91.

♦ **2.** Concevoir en vue d'une exécution matérielle.

71.1 Au lieu de s'être faite à petites économies, avec des matériaux disparates, par ajoutures et flanquements de fortune, elle était d'une seule venue, les murs ayant été pensés par un maître maçon comme la charpente par un maître charpentier.
M. AYMÉ, la Vouivre, p. 23.

★ **IV.** (1881, Daudet). Pron. Régional (rural) et fautif. (Contamination entre *penser,* v. intr., et *se dire*) :

71.2 Voilà plusieurs jours, la poule grise, je me pensais, mais enfin, bon sang, je me pensais, une poule qui mange bien, qui ne refuse pas le coq, elle doit pourtant faire des œufs. M. AYMÉ, la Vouivre, p. 95.

▶ **PENSÉ, ÉE** p. p. adj.
Conçu avec vigueur, en parlant des idées, des ouvrages de l'esprit, des œuvres d'art. *Voilà qui est pensé!* ⇒ **Senti.** *Un roman bien pensé.*

72 Je n'ai jamais rien vu de pensé comme la fin de ce billet, ni tourné si galamment.
Mme DE SÉVIGNÉ, 771, 12 janv. 1680.

CONTR. Oublier. — Désintéresser (se).
DÉR. Pensable, pensé (n. m.), **1. pensée, 2. pensée, 2. penser, pensement, penseur, pensif.**
COMP. Impensable, pense-bête, repenser.

2. PENSER [pɑ̃se] n. m. — V. 1155; inf. substantivé de 1. *penser.*

♦ **1.** Vx. Faculté de penser. — Par ext. Esprit, imagination. ⇒ 1. **Pensée** (I., B., 2.).

♦ **2.** (1690). Vx. Façon de penser. ⇒ **Pensée** (I., C., 3.). *« Ce penser mâle des âmes fortes »* (Rousseau).

♦ **3.** Vx ou littér. ⇒ **Pensée** (II.). *Dans ce penser...* (→ Carrer, cit. 2). *Des pensers si bas* (→ Foudroyer, cit. 1). *Inspirer des pensers qui ne sont pas funèbres* (cit. 15). *« Sur des pensers nouveaux* (cit. 2) *faisons des vers antiques »* (Chénier).

L'usage a préféré (...) *pensées* à *pensers,* un si beau mot, et dont le vers se trouvait si bien! LA BRUYÈRE, les Caractères, XIV, 73. 1

Et la Lorraine, au seul penser de cette injure. 2
VERLAINE, Jadis et Naguère, « La pucelle ».

(...) quant aux sons, je ne me tromperai pas, et loin de m'emballer contre ce penser profane et charmant de Joubert, je dirai : oui, des sons, il est nécessaire qu'il y en ait et dans Racine, il n'y a que cela (...) 3
Germain NOUVEAU, Lettre à Léonce de Larmandie, 23 oct. 1889, Pl., p. 876.

HOM. Panser, 1. pensée, 2. pensée, 1. penser.

PENSEUR, EUSE [pɑ̃sœʀ, øz] n. — V. 1360; adj., « qui réfléchit », 1180; de 1. *penser.*

REM. Le féminin *penseuse* est à peu près inusité, sauf dans l'expr. *libre* penseuse.*

♦ **1.** (Répandu XVIIIe). Personne qui s'occupe, s'applique à penser (I., 1.). *Un penseur, un homme sage* (→ Extérieur, cit. 13). *C'est un penseur. Cette femme est un profond penseur. Le Penseur,* célèbre statue de Rodin représentant un homme nu, assis dans une attitude méditative.

Tous les penseurs, sans chercher 1
Qui finit ou qui commence,
Sculptent le même rocher
Ce rocher, c'est l'art immense. HUGO, les Contemplations, I, XVII.

On peut dire que, depuis les Grecs, l'attitude dominante des penseurs à l'égard de l'activité intellectuelle était de la glorifier en tant que, semblable à l'activité esthétique, elle trouve sa satisfaction dans son exercice même, hors de toute attention aux avantages qu'elle peut procurer (...) 2
Julien BENDA, la Trahison des clercs, p. 220.

(Fin XIIe). Adj. Vx. ⇒ **Méditatif, pensif.** *« Du temps qu'elle était brune et penseuse »* (A. Hermant).

(...) car la jeune femme demeura les yeux penseurs, mais vagues, sans rien dire jusqu'à l'hôtel. BALZAC, la Fausse Maîtresse, Pl., t. II, p. 34. 3

Personne considérée dans sa capacité à former des jugements. *L'honnêteté* (cit. 4) *du penseur et du critique* (Sainte-Beuve) *est inattaquable. C'est un bon poète et un piètre penseur. « Vigny a été l'unique penseur du romantisme »* (Brunetière).

♦ **2.** (1762). Personne qui a des pensées neuves et personnelles sur les problèmes généraux. ⇒ **Philosophe.** *Les plus grands penseurs depuis* (cit. 12) *Aristote. Les penseurs passent aisément pour des obstinés et des négateurs* (cit. 1). *Penseur hérétique* (cit. 8). *Convictions d'un penseur* (→ Martyre, cit. 5). *Le penseur militant* (→ Ébahir, cit. 2).

C'est Voltaire, c'est Rousseau, c'est Montesquieu, c'est toute une grande école de penseurs qui s'empare puissamment du siècle, le façonne et crée l'avenir. 4
RENAN, Questions contemporaines, Œ. compl., t. I, III, p. 225.

Le regard étrange sur les choses, ce regard d'un homme qui ne *reconnaît pas,* qui est hors de ce monde, — œil frontière entre l'être et le non-être — appartient au *penseur.* VALÉRY, Monsieur Teste, p. 140. 5

♦ **3.** *Libre penseur.* ⇒ **Libre.** — Vx. *Franc penseur.*

PENSIF, IVE [pɑ̃sif, iv] adj. — V. 1050; de 1. *penser.*

♦ **1.** Qui est absorbé dans ses pensées. ⇒ **Songeur.** *Promeneur pensif, mais enthousiaste* (cit. 3). *Cette idée la laissait pensive* (→ Montant, cit. 1). *Pensive et triste* (→ Buvard, cit. 1).

Seul et pensif j'allais parmi la rue, 1
Me promenant à pas mornes et lents (...)
RONSARD, Pièces retranchées, VII, IV, Sonnet.

L'homme pensif est souvent l'homme passif. HUGO, l'Homme qui rit, II, IX, II. 2

Vx. *Être pensif de qqch.,* à cause de quelque chose.

♦ **2.** (V. 1196). Qui exprime la méditation, l'exercice de la pensée. *Air pensif.* ⇒ **Absent, méditatif, occupé, préoccupé, rêveur, soucieux.** *Prendre un air pensif* (→ Farceur, cit. 5). *Visage pensif* (→ Lutte, cit. 13). *Le teint pâle et le regard pensif* (→ Maladif, cit. 4). *Expression pensive et désabusée* (cit. 9). *On ne sait quoi de pensif et d'inexprimé* (cit. 2). *Hochements* (cit. 2) *de tête pensifs.*

Petit-Pierre s'était soulevé et regardait autour de lui d'un air tout pensif. 3
G. SAND, la Mare au diable, IX.

DÉR. Pensivement.

PENSION [pɑ̃sjɔ̃] n. f. — 1225, *pensiun de...* « paiement, récompense pour... »; lat. *pensio* « pesée, paiement », de *pendere* « peser le métal pour payer; payer ».

★ **I.** ♦ **1.** Allocation périodique qui est payée à une personne pour assurer son existence, pour la récompenser de services rendus, pour l'indemniser, etc. ⇒ **Allocation, dotation.** *Pension constituant un revenu annuel. — Pension que le roi accordait, sous l'ancienne monarchie, à certains grands seigneurs, à certains écrivains, etc.* (→ Bénéfice, cit. 8, La Bruyère). — *Pension sur l'État,* qui est payée par l'État. — (1845). *Code des pensions,* qui régit les pensions civiles de l'État. — (1868). *Pension de retraite* (→ Chicaner, cit. 5). ⇒ **Retraite.** *Pension proportionnelle. Bénéficiaire d'une pension de retraite.* ⇒ **Pensionné, retraité.** *Pension réversible, pension de réversion,* versée à une veuve, etc. *Pension viagère. Pension de guerre. Ancien ministère des Pensions. — Pension d'invalidité,* versée pour compenser la perte totale ou partielle de capacité de travail qui résulte d'un accident, d'une maladie. — Dr. civ. *Pension alimentaire* (→ Aliment, cit. 3) : «pension dont le caractère propre est d'assurer la subsistance du créancier ou de sa famille» (Capitant). — *Allouer* (→ Enrager, cit. 12), *donner, faire, payer, verser une pension à qqn. Paiement d'une pension. Avoir, toucher une pension. Avoir droit à une pension. Arriéré, arrérages* (cit. 2 et 3) *d'une pension. Carnet de pension. Pension allouée à un étudiant.* ⇒ **Bourse.**

1 Un grand seigneur est un homme qui voit le roi, qui parle aux ministres, qui a des ancêtres, des dettes et des pensions.
MONTESQUIEU, les Lettres persanes, LXXXIX.

2 Ce prospectus lui amena madame la comtesse de l'Ambermesnil, femme de trente-six ans, qui attendait la fin de la liquidation et le règlement d'une pension qui lui était due, en qualité de veuve d'un général mort sur les champs de bataille.
BALZAC, le Père Goriot, Pl., t. II, p. 863.

3 L'Empire, par deux fois, lui offrit *(à Lamartine)* de le renflouer, avec la mauvaise pensée d'amener à résipiscence le vaincu : il avait refusé. Il dut céder, à la fin, accepter les 25 000 francs de pension viagère que le Corps législatif, sur la demande d'Émile Ollivier, lui vota. Émile HENRIOT, les Romantiques, p. 107.

♦ **2.** (1535). Dans des expressions. Fait d'être nourri et logé, ou nourri seulement, chez qqn, d'une manière régulière et pendant un certain temps, gratuitement ou moyennant un prix convenu. *Prendre pension chez un particulier, dans une auberge, un hôtel.* ⇒ **Pensionnaire** (être pensionnaire). — EN PENSION. *Être en pension au pair. Prendre qqn chez soi en pension.* — Par ext. *Vétérinaire qui prend en pension des chiens, des chats pendant les vacances.*

4 (...) tout en flânant et causant avec les habitants, Rodolphe découvrit une maison de petits bourgeois disposés à le prendre en pension, selon l'usage assez général de la Suisse. BALZAC, Albert Savarus, Pl., t. I, p. 780.

Spécialt. *Mettre un enfant en pension,* le mettre pensionnaire* dans une institution d'enseignement. *Être en pension dans un collège, un lycée. Sa fille est en pension à l'institution X.*

5 (...) il *(le général Hugo)* avait exigé que les garçons fussent mis en pension, pour contrebattre l'influence exclusive et agressive de leur mère.
Émile HENRIOT, les Romantiques, p. 29.

Vieilli. *Hôtel sans pension,* qui n'a pas de restaurant, ne fournit pas de repas, sauf le petit déjeuner. *Prendre une chambre sans pension.* — Mod. *Pension complète :* régime hôtelier à forfait, comprenant le logement et les repas. *Demi-pension,* comprenant un repas. *Prendre une chambre avec pension complète* (petit déjeuner, déjeuner et dîner), *avec demi-pension* (petit déjeuner et l'un des deux autres repas).

♦ **3.** (1607). Vieilli. Somme qu'on paye pour être logé et nourri (quotidiennement ou pendant une période donnée). *Payer sa pension.* — Spécialt. Prix qu'on paye pour l'entretien d'un élève pensionnaire (→ Économiser, cit. 2). *La pension est payable par trimestre.*

★ **II.** UNE PENSION. ♦ **1.** Établissement où l'on prend pension, où l'on est logé et nourri pendant un certain temps pour un prix convenu. *Il logeait dans une misérable pension* (→ Évangéliser, cit. 2; interne, cit. 1). — Vx. *Pension bourgeoise* (→ Bûcher, cit. 2).

6 Madame Vauquer, née de Conflans, est une vieille femme qui, depuis quarante ans, tient à Paris une pension bourgeoise établie rue Neuve-Sainte-Geneviève (...) Cette pension, connue sous le nom de la Maison Vauquer, admet également des hommes et des femmes, des jeunes gens et des vieillards, sans que jamais la médisance ait attaqué les mœurs de ce respectable établissement.
BALZAC, le Père Goriot, Pl., t. II, p. 847.

Mod. PENSION DE FAMILLE : établissement hôtelier où les conditions d'hébergement et la restauration ont un caractère familial (pièces se commandant l'une l'autre, repas pris à une table commune, etc.). ⇒ **Hôtel** (→ Habitation, cit. 4).

7 (...) derrière une façade à portiques, qui avançait sur l'alignement général du square, une pension de famille correcte et même luxueuse les attendait.
J. ROMAINS, les Hommes de bonne volonté, t. V, XXVI, p. 258.

♦ **2.** (1740). Établissement, privé ou public, où les élèves reçoivent l'instruction, sont logés et prennent leurs repas. ⇒ **École, institution, internat, maison** (d'éducation), **pensionnat.** *Ouvrir, tenir, diriger une pension.*

8 Mademoiselle Lefort, qui tenait dans le faubourg Saint-Germain une pension pour des enfants en bas âge, consentit à me recevoir de dix heures à midi et de deux heures à quatre. FRANCE, le Livre de mon ami, Livre de Pierre, II, V.

(1721). Ensemble des élèves d'une pension. ⇒ **Pensionnat** (→ Fuyant, cit. 4). *« Toute la pension est en promenade »* (Académie).

COMP. et **DÉR. Demi-pension, pensionnaire, pensionnat, pensionner.**

PENSIONNAIRE [pɑ̃sjɔnɛʀ] n. — 1323; de *pension.*

♦ **1.** [a] Vx. Personne qui reçoit une pension (I., 1.). ⇒ **Pensionné.**

[b] (1702). Hist. *Le grand pensionnaire de Hollande,* ou, ellipt, *le grand pensionnaire :* titre porté par le premier fonctionnaire de Hollande qui joua un rôle important dans la politique de la république des Provinces-Unies au XVIIe siècle. — Adj. *Le conseiller pensionnaire.*

[c] (1782). Hist. Membre titulaire de l'Académie des sciences.

[d] (1835). Mod. (Théâtre). Acteur, actrice dont la rémunération consiste en un traitement fixe et qui ne participe pas aux bénéfices de la société. ⇒ **Acteur, comédien.** — (1893). *Les pensionnaires et les sociétaires de la Comédie-Française.*

[e] (1868). Étudiant ou jeune artiste qui bénéficie d'un séjour dans une fondation, une école. *Pensionnaire de la villa Médicis, de la Fondation Thiers...*

♦ **2.** [a] (1596). Personne qui prend pension (I., 2.) chez un particulier, dans un hôtel, une pension de famille, un restaurant... *Les pensionnaires de madame Vauquer* (→ Fructification, cit. 2; obliger, cit. 19).

Des voisins, à qui on demanda conseil indiquèrent une compatriote, Mme Kergaran, qui prenait des pensionnaires (...) La patronne habitait au premier avec sa bonne; on faisait la cuisine et on prenait les repas au second; quatre pensionnaires bretons logeaient au troisième et au quatrième. 1
MAUPASSANT, les Sœurs Rondoli, «La patronne».

[b] (V. 1872). Personne qui est logée et nourrie dans un établissement public, hospice, hôpital (cit. 3), etc. Fam. *Les pensionnaires d'une prison :* les prisonniers.

♦ **3.** (1680). Élève logé et nourri dans l'établissement scolaire qu'il fréquente. ⇒ **Interne.** *Les pensionnaires, les demi-pensionnaires et les externes. Mettre son fils pensionnaire dans un lycée, dans une institution libre. — Une pensionnaire* (→ Grognon, cit. 4). — N. f. (Avec l'idée d'innocence, de naïveté). → Gobelet, cit. 1. *Elle est naïve comme une petite pensionnaire.*

J'ai dans l'idée que j'emploierai ce temps-là, et que nous lui donnerons une femme toute formée, au lieu de son innocente Pensionnaire. 2
LACLOS, les Liaisons dangereuses, XX.

CONTR. Externe.
COMP. Demi-pensionnaire.

PENSIONNAT [pɑ̃sjɔna] n. m. — 1788; de *pension.*

♦ École, maison d'éducation privée où les élèves sont logés et nourris. ⇒ **Couvent, internat, maison** (d'éducation), **pension** (II., 2.). *Élèves d'un pensionnat* (→ Gourmer, cit. 5). *Cour* (→ Grâce, cit. 87), *dortoir, réfectoire, salles de classe d'un pensionnat.* — (Fin XIXe). L'ensemble des élèves de cet établissement. *Tout le pensionnat est à la promenade.*

(...) il dînait rue Notre-Dame-des-Champs dans le pensionnat où sa femme *professait la musique* (...) Il avait composé des livres par demandes et par réponses, à l'usage des pensionnats de jeunes demoiselles.
BALZAC, les Employés, Pl., t. VI, p. 934.

PENSIONNÉ, ÉE [pɑ̃sjɔne] n. et adj. — 1764, Voltaire; de *pensionner.*

♦ Qui bénéficie d'une pension; retraité. — REM. On disait autrefois *pensionnaire*.* *Les pensionnés titulaires de la carte de combattant* (→ Mutilé, cit. 2). *Homme de lettres pensionné* (→ Historiographe, cit. 1).

PENSIONNER [pɑ̃sjɔne] v. tr. — V. 1340, rare av. XVIIIe; de *pension.*

♦ Vx ou admin. Pourvoir (qqn) d'une pension. *« Le roi, le gouvernement l'a pensionné »* (Académie).

(...) on pensionnera des artistes, des savants et des gens de lettres. On paiera les dettes criardes de tel grand seigneur ou de tel ministre. Ces personnages entraient ainsi dans la clientèle du Roi de France. Louis BERTRAND, Louis XIV, III, I.

DÉR. Pensionné.

PENSIVEMENT [pɑ̃sivmɑ̃] adv. — Fin XIVe; *pensieument,* XIIIe; de *pensif.*

♦ D'une manière pensive, d'un air pensif. *Il examina pensivement la photographie jaunie.*

Elle s'arrêta soudain et dit pensivement : — Nous sommes deux enfants; nous avons fait une folie. ALAIN-FOURNIER, le Grand Meaulnes, I, XV.

PENSUM [pɛ̃sɔm] n. m. — 1740; mot lat., «poids (de laine que l'esclave devait filer chaque jour)» d'où, au fig., «tâche, travail»; emprunté par l'intermédiaire de la langue des collèges.

♦ **1.** Vieilli. Travail supplémentaire imposé à un élève par punition. *Le maître d'étude lui a donné comme pensum cent lignes à copier. Faire un pensum. Les pensums et les retenues* (→ Foudroyer, cit. 13).

(...) il ne connut pas le loisir des récréations, il eut des *pensum* à écrire. Le pensum, punition dont le genre varie selon les coutumes de chaque collège, consistait à Vendôme en un certain nombre de lignes copiées pendant les heures de récréation. BALZAC, Louis Lambert, Pl., t. X, p. 372.

1 Un pensum complet de cinq cents lignes françaises copiées était à côté de lui, tout prêt à être donné au professeur, avec le nom de Jean Santeuil en tête, en majuscules. Le fragment copié était le chapitre des *Essais* de Montaigne sur l'amitié. PROUST, Jean Santeuil, Pl., p. 256.

Par comparaison :

2 Cependant, je travaille, mais sans enthousiasme et comme on fait un pensum. FLAUBERT, Correspondance, t. I, p. 209 (éd. Charpentier).

♦ **2.** (Fin XIXe). Littér. Travail ennuyeux*. ⇒ **Corvée.**

♦ **3.** Texte ennuyeux.

3 J'ai donc avalé sans broncher deux pensums communistes (...) F. MAURIAC, Bloc-notes 1952-1957, p. 122.

PENT-, PENTA- Premier élément, du grec *pente* «cinq», qui entre dans la composition de mots savants.
En chimie, ce préfixe indique la présence de cinq atomes. ⇒ **Pentabromure, pentachlorure, pentane, pentite,** etc.

PENTAALCOOL [pɛ̃taalkɔl] ou **PENTALCOOL** [pɛ̃talkɔl] n. m. ⇒ **Pentite.**

PENTABROMURE [pɛ̃tabʀɔmyʀ] n. m. — XXe; de *penta-*, et *bromure.*

♦ Chim. Bromure dont la molécule comprend cinq atomes de brome.

PENTACHLORURE [pɛ̃taklɔʀyʀ] n. m. — XXe; de *penta-*, et *chlorure.*

♦ Chim. Chlorure dont la molécule comprend cinq atomes de chlore.

PENTACLE [pɛ̃takl] n. m. — 1765; lat. médiéval *pentaculum,* même sens, du grec *pente* «cinq».

♦ Didact. Étoile à cinq branches (→ Évocation, cit. 3). ⇒ **Pentagramme.** *Le pentacle, considéré par les anciens comme le symbole de la perfection.* — Spécialt, occultisme. Tracé matériel d'une étoile à cinq branches (ou talisman : médaille, etc., portant ce tracé), censé posséder des vertus magiques, notamment de protection contre les forces diaboliques.

PENTACORDE [pɛ̃takɔʀd] n. m. — 1762; *pentachorde,* 1721; lat. *pentachordus,* grec *pentachordon,* (sens 1); de *pente* «cinq», et *khordê* «corde».
Didactique. (Musique).

♦ **1.** Lyre à cinq cordes dans la Grèce ancienne.

♦ **2.** (XIXe). Système de cinq sons, dans la musique grecque.

PENTACRINE [pɛ̃takʀin] ou **PENTACRINUS** [pɛ̃takʀinys] n. m. — 1828; *pentacrinite,* 1775, Guettard; *pentacrinos,* 1765 pour désigner une sorte de pierre; lat. mod. *pentacrinus,* même sens, du grec *pente* «cinq», et *krinon* «lis», par anal. de forme.

♦ Zool. Échinoderme crinoïde vivant en eau très profonde. *Les pentacrines sont très fréquents à l'état fossile dans le jurassique inférieur. Genre Pentacrine.*

PENTADACTYLE [pɛ̃tadaktil] adj. — 1775; grec *pentadactulos,* même sens.

♦ Didact. Qui a cinq doigts.

PENTADÉCAGONE [pɛ̃tadekagɔn] n. m. et adj. — 1765; de *penta-* «cinq», *déca-* «dix», et *-gone.*

♦ Géom. Polygone qui a quinze angles (et quinze côtés). — Adj. *Une figure pentadécagone.* — Var. : *pentédécagone* [pɛ̃tedekagɔn] n. m. (1842).

PENTADRACHME [pɛ̃tadʀakm] n. f. — 1875, P. Larousse; grec *pentadrakhmos* «qui pèse — ou vaut — cinq drachmes»; de *pente* «cinq», et *drakhmê.* → Drachme.

♦ Didact. Monnaie grecque de l'Antiquité, en argent, valant cinq drachmes.

PENTAÈDRE [pɛ̃taɛdʀ] n. m. et adj. — 1803; de *penta-*, et *-èdre.*

♦ Géom. Polyèdre à cinq faces. — Adj. *Un solide pentaèdre.*

PENTAGONAL, ALE, AUX [pɛ̃tagɔnal, o] adj. — 1553; *penthagonal,* 1520; de *pentagone.*

♦ Géom. Qui est en forme de pentagone; qui est relatif au pentagone. *Écailles pentagonales* (→ Exfolier, cit. 2). *Plan pentagonal d'un édifice. Base pentagonale d'un prisme.* — Par ext. *Bâtiment, prisme pentagonal.*

PENTAGONE [pɛ̃tagɔn] n. m. et adj. — XIIIe; *penthagone,* 1377; bas lat. *pentagonum* «pentagone», grec *pentagônon,* même sens.

♦ **1.** Géom. Polygone qui a cinq angles (et cinq côtés). → Nomenclature, cit. 2. *Un pentagone régulier. Solide limité par douze pentagones.* ⇒ **Dodécaèdre.** — Adj. (1520). Vx. *Figure pentagone.* ⇒ **Pentagonal.**

L'escalier est en dehors, au milieu, et placé dans une tour pentagone à petite porte en ogive. BALZAC, Une ténébreuse affaire, Pl., t. VII, p. 477.

♦ **2.** (XXe; mot angl.). *Le Pentagone* (n. pr.) : l'état-major des armées des États-Unis, dont le siège est un bâtiment pentagonal.

DÉR. **Pentagonal.**

PENTAGRAMME [pɛ̃tagʀam] n. m. — 1615; grec *pentagrammos* «formé de cinq lignes», de *pente* «cinq», et *grammê* «ligne».

♦ Didact. Figure, étoile à cinq branches. ⇒ **Pentacle.**

PENTAMÈRE [pɛ̃tamɛʀ] adj. et n. — 1806, n. m. pl., Duméril; grec *pentamerês* «composé de cinq parties». → Penta-, et -mère.

♦ Adj. Zool. Qui a cinq articles à tous les tarses (insectes). *Insecte pentamère.* — N. m. pl. *Pentamères :* ancien sous-ordre des insectes coléoptères qui comprenait ceux qui ont cinq articles à tous les tarses. Au sing. *Un pentamère.*

PENTAMÉTHYLBENZÈNE [pɛ̃tametilbɛ̃zɛn] n. m. — XXe; de *penta-*, *méthyl(e),* et *benzène.*

♦ Chim. Carbure benzénique dont la molécule contient cinq fois le groupement ($-CH_3$).

PENTAMÈTRE [pɛ̃tamɛtʀ] adj. et n. m. — V. 1500; *penthamètre,* 1491; lat. *pentameter* «qui a cinq pieds», grec *pentametros,* même sens. → aussi -Mètre.

♦ Didact. *Vers pentamètre :* en métrique grecque et latine, Vers composé de cinq pieds (⇒ **Mètre**) qui, joint à un hexamètre, forme un distique élégiaque. — N. m. (1611). *Un pentamètre.*

PENTANE [pɛ̃tan] n. m. — 1874; de *penta-*, et *-ane.*

♦ Chim. Hydrocarbure, cinquième terme de la série des alcanes (C_5H_{12}) qui existe sous trois formes isomères : *pentane normal, isopentane, tétraméthylméthane.*

PENTAPÉTALE [pɛ̃tapetal] ou **PENTAPETALÉ, ÉE** [pɛ̃tapetale] adj. — 1797, *pentapétale ; pentapétalé,* 1839; de *penta-*, et *-pétale.*

♦ Bot. Qui est composé, qui est muni de cinq pétales. *Corolle pentapétale.*

PENTAPOLE [pɛ̃tapɔl] n. f. — 1732, *pentapôle*; grec *pentapolis* «état formé de cinq villes». → Penta-, et -pole.

♦ Didact. (Hist., géogr.). Groupe formé de cinq cités, de cinq villes (→ Mozabite, cit.). *Une pentapole.*

À toi qui tiens le Siège avec la Pentapole,
Vêtu du pallium, et la chappe à l'épaule (...)
LECONTE DE LISLE, Poèmes barbares, «Paraboles de dom Guy», II.

PENTARCHIE [pɛ̃taʀʃi] n. f. — 1800, Boiste; de *penta-*, et *-archie.*
Didactique.

♦ **1.** Antiq. Gouvernement de cinq chefs. *Certaines cités grecques étaient gouvernées par des pentarchies.*

♦ **2.** Hist. mod. Nom donné aux cinq pays (Autriche, France, Grande-Bretagne, Prusse, Russie) qui exercèrent la suprématie en Europe de 1815 à 1860.

DÉR. **Pentarchique, pentarque.**

PENTARCHIQUE [pɛ̃taʀʃik] adj. — XIXe; de *pentarchie.*

♦ Relatif à la pentarchie ou au pentarque.

PENTARQUE [pɛ̃taʀk] n. m. — 1868; de *pentarchie.*

♦ Hist. antiq. Chacun des cinq membres d'une pentarchie.

PENTASTYLE [pɛ̃tastil] adj. — 1868, Littré; de *penta-*, et grec *stûlos* «colonne».

♦ Didact. (Archit.). Se dit d'un édifice à cinq rangs de colonnes (sur la façade). *Temple pentastyle.*

PENTASULFURE [pɛ̃tasylfyʀ] n. m. — 1875, P. Larousse; de *penta-*, et *sulfure.*

♦ Chim. Sulfure dont la molécule contient cinq atomes de soufre.

PENTASYLLABE [pɛ̃tasi(l)lab] adj. — 1838; *pendesyllabe*, 1611; bas lat. *pentasyllabus* «qui est de cinq syllabes», du grec *pente* «cinq», et *syllabê.* → Syllabe.

♦ Didact. Qui a cinq syllabes. *Vers, mot pentasyllabe.* — N. m. *Un pentasyllabe.*

PENTATEUQUE [pɛ̃tatøk] n. m. — 1690; *pentateucon*, xve; grec *pentateukhos*, même sens, de *pente* «cinq», et *teukhos* «instrument», d'où, au fig., «livre».

♦ Didact. Ensemble des cinq premiers livres de la Bible (Genèse, Exode, Lévitique, Nombres, Deutéronome).

Le canon biblique, tel que l'Église catholique l'a défini en 1546 au concile de Trente, comprend quarante-cinq livres pour l'Ancien Testament. Les cinq premiers forment le Pentateuque, les cinq fondements de la Loi : Genèse, Exode, Lévitique, Nombres et Deutéronome (...)

DANIEL-ROPS, le Peuple de la Bible, p. 310.

PENTATHLE [pɛ̃tatl] n. m. — 1581; lat. *pentathlus*, grec *pentathlos*, même sens; de *pente* «cinq», et *âthlos* «combat».

♦ (1636). Antiq. Athlète qui pratiquait le pentathlon. — Rare. ⇒ **Pentathlon** (1.).

PENTATHLON [pɛ̃tatlɔ̃] n. m. — xvie; bas lat. *pentathlum*; grec *pentathlon*, même sens, de *pente* «cinq», et *âthlon* «prix d'un combat».

♦ **1.** Antiq. Sport qui était pratiqué par les athlètes* grecs et romains (sous le nom de *quinquerce*) et qui comprenait cinq exercices. *Être vainqueur au pentathlon aux Jeux olympiques.* — REM. On trouve parfois la forme *pentathle.*

♦ **2.** (1911). Mod. Ensemble de cinq épreuves d'athlétisme. *Pentathlon classique, tombé en désuétude* (course de deux cents et de quinze cents mètres, saut en longueur, lancement du disque et du javelot). — *Pentathlon moderne*, à caractère militaire (tir au revolver ou au pistolet, natation, escrime à l'épée, cross-country hippique, cross-country pédestre).

DÉR. Pentathlonien.

PENTATHLONIEN [pɛ̃tatlɔnjɛ̃] adj. et n. m. — 1924, Obey, *in* Petiot; de *pentathlon*, et *-ien.*
Sport.

♦ **1.** Adj. Du pentathlon. *Épreuves pentathloniennes.*

♦ **2.** N. m. Athlète spécialiste du pentathlon.

PENTATOME [pɛ̃tatɔm] n. m. ou f. — 1789, *in* D. D. L.; lat. mod., de *penta-*, et *-tome.*

♦ Zool. Insecte hémiptère *(Pentatomidés)*, à l'odeur forte et désagréable, appelé aussi *punaise des bois. Genre Pentatome.*

PENTATOMIQUE [pɛ̃tatɔmik] adj. — Mil. xxe; de *penta-*, et *(a)tomique.*

♦ Chim. Dont la molécule est formée de cinq atomes.

PENTATONIQUE [pɛ̃tatɔnik] adj. — Fin xixe; *pentatonon*, n. m., 1732; de *penta-*, et grec *tonos* «ton».

♦ Mus. Qui est formé de cinq tons. *Échelle, gamme pentatonique.*

Leur musique emploie la gamme pentatonique, la gamme plate, la gamme qui n'accroche pas. Henri MICHAUX, Un barbare en Asie, p. 224.

PENTAVALENT, ENTE [pɛ̃tavalɑ̃, ɑ̃t] adj. — 1903, in *Rev. gén. des sc.*, n° 1, p. 54; de *penta-*, et *valent.*

♦ Chim. Qui possède cinq valences (équivalent formé sur le latin : *quintivalent*).

PENTE [pɑ̃t] n. f. — 1358; du lat. pop. **pendita* «pente, penture», fém. substantivé de **penditus*, participe non attesté du lat. *pendere* «pendre, être suspendu».

★ **I. A.** Disposition oblique, penchée (d'une chose).

♦ **1.** Inclinaison (d'une ligne droite, d'une surface plane) par rapport au plan de l'horizon. ⇒ **Déclivité, dévers, inclinaison, obliquité.** *Pente transversale d'une route*, destinée à faciliter l'écoulement des eaux. *Pente longitudinale d'une route, d'une voie ferrée dans une montée.* — *Pente faible, douce, forte, raide* (→ Couler, cit. 21), *rapide...* — *Pente de comble :* inclinaison de chacun des côtés longs du toit qui couvre une construction rectangulaire.

Les toits à pente rapide tombaient bien bas sur les fenêtres du premier étage comme un chapeau dont on rabat le bord sur ses yeux pour n'être pas reconnu. 1

J. GREEN, Adrienne Mesurat, II, v.

(1868). Didact. (géom., topographie). *Pente d'une droite :* angle (ou tangente de cet angle) formé par cette droite avec sa projection orthogonale* sur le plan horizontal. (Déb. xxe). *Échelle de pente d'une droite*, sa projection orthogonale cotée*. — *Pour les routes, les voies ferrées, etc., la pente s'exprime sous forme d'un pourcentage. Pente de quatre pour cent, de deux pour mille.*
Pente de la courbe d'un graphique, par rapport à l'axe des abscisses. *La pente de la tangente à une courbe en un point donné est égale à la dérivée de la fonction représentée par cette courbe.*

♦ **2.** Direction de l'inclinaison selon laquelle une chose est entraînée. *Eau qui suit la pente.* ⇒ **Couler.** *Ruissellement* de l'eau selon la pente du terrain.* — Par métaphore. *Tu es une eau* (cit. 3) *informe qui coule selon la pente qu'on lui offre. Trouver sa pente*, une issue naturelle.

En quelques minutes, pareil à un fleuve de lave qui a trouvé sa pente, la foule emplit la large tranchée des boulevards (...) 2

MARTIN DU GARD, les Thibault, t. VI, p. 280.

♦ **3.** (1580). Fig. Le penchant* dominant d'une personne. *Suivre sa pente*, son caractère, son goût (→ ci-dessous, B., 2.).

C'est une chose étrange comme vous avez rendu ce petit garçon *(le jeune marquis de Grignan)* hardi et propre à la guerre; il semble que ce soit sa pente naturelle. 3

Mme DE SÉVIGNÉ, 1190, 26 juin 1689.

— (...) Vous ne pouvez (...) apprendre comment vous devez vivre, qu'en vivant. — Et si je vis mal, en attendant d'avoir décidé comment vivre? — Ceci même vous instruira. Il est bon de suivre sa pente, pourvu que ce soit en montant. 4

GIDE, les Faux-monnayeurs, III, XIV.

Loc. Vx. *Avoir une pente pour, vers qqch.*, ou (vieilli ou littér. [1651]) *à qqch.*, pencher vers. ⇒ **Inclination, propension, tendance.** *La pente naturelle au plaisir d'être aimées* (→ Coquetterie, cit. 3). — Vx. *Avoir une pente pour* (1668), *vers* (1690) *une personne.* « *J'ai toujours eu une pente et une inclination pour vous* » (Mme de Sévigné, *Lettre du 6 juin 1668*). — Vieilli ou littér. *Avoir de la pente à...*, suivi d'un inf. (→ Homme, cit. 23, La Fontaine).

Notre zèle fait merveilles, quand il va secondant notre pente vers la haine, la cruauté, l'ambition, l'avarice, la détraction *(le dénigrement)*, la rébellion. 5

MONTAIGNE, Essais, II, XII.

Le grand critique avait une pente à la gourmandise (...) 6

BALZAC, Béatrix, Pl., t. II, p. 413.

Peut-être y a-t-il en Don Alvaro une certaine pente à contredire. Si la société autour de nous était austère, peut-être affecterait-il d'être esprit fort. 7

MONTHERLANT, le Maître de Santiago, II, 3.

♦ **4.** **EN PENTE**, se dit d'une surface, d'une voie qui n'est pas horizontale. ⇒ **Déclive, oblique.** *La rue était en pente assez rapide* (→ Frein, cit. 13). *Terrain en pente pour exercer les chevaux.* ⇒ **Calade.** — *Chemin en pente raide*, abrupt*, escarpé*. *Descente en pente douce. Le pays monte en pente douce d'ouest en est* (→ Dorsal, cit. 3). *Une rampe* qui arrive en pente douce sur la levée* (cit. 1). — (1881). Loc. fam. (d'abord argot). *Avoir la dalle*, le gosier en pente.*

À travers ses grandes fenêtres, on découvre deux étendues plantées de petits oliviers qui descendent chez moi en pente douce et que traverse un vieux chemin (...) 8

H. BOSCO, le Jardin d'Hyacinthe, p. 91.

B. UNE PENTE : surface oblique par rapport à l'horizontale.

♦ **1.** Surface inclinée, plan incliné, oblique par rapport au plan horizontal. *Une bille* (1. Bille, cit. 4) *sur une pente.*

Spécialt. Partie d'un terrain qui est inclinée, qui descend ou qui monte de manière continue, sans dénivellation trop brusque (⇒ **Glacis, talus**). *La pente, les pentes d'une colline* (→ Accrocher, cit. 15; marquer, cit. 30), *d'un coteau* (→ Moussu, cit.; mur, cit. 1), *des montagnes...* ⇒ **Côté, penchant, versant.** *La pente d'une combe* (cit. 2), *d'un ravin. Pente abrupte* (→ Dévaler, cit. 3), *rapide, raide.* ⇒ **Escarpement.** *Pentes boisées* (cit. 2), *rases* (→ Cépée, cit.), *couvertes de broussailles* (→ Couronner, cit. 16). *Des cultures de céréales montent à l'assaut des pentes* (→ Flanc, cit. 10).

La Provence est adossée aux Alpes; elle n'a point les Alpes, ni les sources de ses grandes rivières; elle n'est qu'un prolongement, une pente des monts vers le Rhône et la mer; au bas de cette pente, et le pied dans l'eau, sont ses belles villes, Marseille, Arles, Avignon. 9

MICHELET, Hist. de France, III.

Géogr., hydrogr. *Ruptures* de pente* (→ Caverne, cit. 3; marmite, cit. 5). — Loc. techn. *Pente d'eau :* partie d'un canal présentant une

légère pente, fermée par deux portes, et destinée à faire franchir une différence de niveau aux bateaux.
La partie (d'une voie) qui n'est pas horizontale. ⇒ **Côte, descente, montée, rampe.** *Les pentes raides des sentiers.* ⇒ **Grimpette, raidillon** (→ Bâton, cit. 7). *Descendre* (⇒ **Dévaler**), *gravir* (cit. 6), *grimper* (cit. 14), *monter une pente.*
Par métaphore :

10 Ai-je dit qu'ils avaient passé la quarantaine. L'un d'un an et de quelques mois, l'autre de quelques années. Qu'importe. Quand on est sur la pente redescendante, quand on descend sur cette pente qui aboutit à un seul point, qu'importe qu'on ait passé de quelques mois ou de quelques années la ligne de faîte, la ligne de partage des jours. Ch. PÉGUY, Note conjointe, Sur Descartes, p. 70.

♦ **2.** (1580). Fig. Ce qui incline de façon irrésistible la vie, les mœurs d'une personne dans le sens de la facilité, de la mollesse, du mal. ⇒ **Entraînement.** *« On s'égare un seul moment de la vie (...) aussitôt une pente inévitable* (cit. 6) *nous entraîne et nous perd »* (Rousseau). *La pente du moindre effort* (→ Facilité, cit. 2). *Suivre la pente* (cf. Aller à vau-l'eau). *Pente glissante* (→ Enivrer, cit. 4). — Fam. *Pente savonneuse,* très glissante. — *Être sur la mauvaise pente.* — *Remonter la pente :* cesser de s'abandonner à la facilité. — Par ext. (En parlant des choses). *Entraînée sur une pente effroyable, la Révolution allait aux catastrophes* (→ Garer, cit. 2).

11 Empêcher l'homme de descendre certaines pentes, n'est-ce point un travail de géant. Empêcher l'homme de descendre certaines pentes sentimentales, certaines pentes morales, certaines pentes de conduite, n'est-ce point le travail et la plus grande partie du secret de tant d'arts et des plus grandes morales. Ch. PÉGUY, Note conjointe, Sur Bergson, p. 21.

12 (...) nous aimions raisonner. C'était assez pour qu'on nous accusât d'avoir « mauvais esprit ». Mademoiselle Lejeune (...) déclara que nous nous engagions sur une pente dangereuse. S. DE BEAUVOIR, Mémoires d'une jeune fille rangée, p. 159.

★ **II.** (1497). Anciennt. Ce qui pend. *Pente de lit, de fenêtre :* bande d'étoffe étroite qui pend autour d'un ciel de lit, au-dessus des rideaux, qui descend le long d'une baie.

13 (...) un lit à quenouilles de forme ancienne et garni de rideaux de serge verte et de pentes à grandes dents ourlées de galons jaunes (...) Th. GAUTIER, Fortunio..., « La toison d'or », III.

COMP. et **DÉR. Contre-pente, remonte-pente. — Penture.**
HOM. Pante.

PENTÉCOSTAIRE [pɑ̃tekɔstɛʀ] adj. et n. m. — 1704, n. m. ; du lat. ecclés. *pentecoste.* → Pentecôte.

♦ Didact. De la Pentecôte.

(*Pentécostaire,* qui n'est pas dans le *Robert,* figurera, espérons-le, dans son supplément). C'est un terme de liturgie ; adjectif, il signifie : qui a rapport à la Pentecôte ; substantif, il désigne un livre qui contient l'office, depuis la fête de Pâques jusqu'à la Pentecôte. ARISTIDE, *in* le Figaro littéraire, 1er-7 juil. 1968.

PENTECÔTAL, ALE, AUX [pɑ̃tkotal, o] adj. — 1974 ; de *Pentecôte,* et *-al,* probablt d'après l'angl. *pentecostal.*

♦ Relig. Pentecôtiste*.

PENTECÔTE [pɑ̃tkot] n. f. — 1671 ; *pentecostem,* v. 980 ; lat. ecclés. *pentecoste,* grec *pentêkostê* « cinquantième (jour après Pâques) », de *pentêkostos* « cinquantième », de *pentêkonta* « cinquante ».

♦ **1.** Fête chrétienne célébrée le septième dimanche après Pâques pour commémorer la descente du Saint-Esprit sur les apôtres. *Le dimanche de la Pentecôte* ou *de Pentecôte. Veille, vigile de la Pentecôte* (→ Manquer, cit. 50). *Lundi de Pentecôte. Congé de Pentecôte. La Trinité*, fête célébrée le dimanche qui suit la Pentecôte. Évangile pour le cinquième dimanche après la Pentecôte.*

♦ **2.** (1534). Fête juive célébrée sept semaines après le second jour de la Pâque. *La Pentecôte, fête des moissons, marquée par l'offrande des prémices de la récolte.*

DÉR. Pentécostaire, pentecôtal, pentecôtiste.

PENTECÔTISTE [pɑ̃tkotist] n. et adj. — 1954 ; de *Pentecôt(e),* et *-iste.*

Religion.

♦ **1.** Adj. *Mouvement pentecôtiste :* mouvement religieux protestant, apparu aux États-Unis à l'époque de la guerre de Sécession, et dont les adeptes cherchent à retrouver, en favorisant certains états émotionnels, des expériences spirituelles analogues à celle du Jour de la Pentecôte, rapportée dans les *Actes des Apôtres,* II. ⇒ **Pentecôtal.** — Relatif à ce mouvement. *Église pentecôtiste. Groupe pentecôtiste.*

♦ **2.** N. Adepte du mouvement pentecôtiste. Membre d'une communauté pentecôtiste. *« Les pentecôtistes considèrent le "don des langues" comme le signe de la présence et de la bénédiction divines »* (*Dict. des religions*).

PENTÉDÉCAGONE [pɛ̃tedekagɔn] n. m. ⇒ **Pentadécagone.**

PENTÉLIQUE [pɛ̃telik] adj. et n. m. — 1809, *in* D. D. L. ; grec *Pentelikos* « du mont Pentélique ».

♦ *Marbre pentélique :* marbre blanc très estimé qui provient des carrières du Pentélique, montagne de l'Attique. — N. m. *Du pentélique.*

C'était l'idéal cristallisé en marbre pentélique qui se montrait à moi. RENAN, Souvenirs d'enfance..., II, I, Œ. compl., t. II, p. 753.

PENTHÉMIMÈRE [pɛ̃temimɛʀ] adj. et n. f. — 1842 ; bas lat. grammatical *penthemimeres,* même sens, grec *penthêmimerês,* de *pente* « cinq », *hêmi* « demi », et *meros* « partie ».

♦ Métrique anc. Césure qui tombe après le milieu du troisième pied (c'est-à-dire après le cinquième demi-pied), dans certains vers grecs et latins. — Adj. *Césure penthémimère.*

PENTHIOBARBITAL [pɛ̃tjobaʀbital] n. m. — Mil. XXe ; de *pent-, thio-* (grec *theîon* « soufre »), et *barbital.* → Barbiturique.

♦ Sc. Barbiturique qui, administré par voie intraveineuse, a la propriété de plonger le sujet dans un état de narcose liminaire (au seuil de la conscience) et est utilisé en narco-analyse. ⇒ (cour.) **Penthotal.**

PENTHODE [pɛ̃tɔd] n. f. ⇒ **Pentode.**

PENTHOTAL [pɛ̃tɔtal] n. m. — 1948 ; nom déposé (sous la graphie *pentothal*) d'une spécialité pharmaceutique.

♦ Penthiobarbital (communément appelé *sérum* de vérité*).

(...) je n'ai renié aucun écrit (...), et il faudrait envisager une bonne dose de pentho- 1
tal pour désavouer ma signature. Jacques PERRET, Bâtons dans les roues, p. 225.

J'évite d'aborder les phénomènes assez vulgaires du penthotal, de l'hypnose et de 2
la psychanalyse. Le magasin de la mémoire ne surestime pas ces moyens artificiels de le surprendre. Ce qu'il y lâche est peu, ne dépasse guère ce qu'il y lâcherait sans artifice. Même il s'en amuse, et lâche des objets réclamés par le mensonge. C'est ainsi que des maris ayant exigé d'assister à l'expérience du penthotal, entendirent leurs femmes avouer des fautes qu'elles n'avaient pas commises, des turpitudes dont elles n'étaient pas coupables. COCTEAU, Journal d'un inconnu, p. 161.

PENTHOUSE [pɛntaws] n. m. — 1974 ; mot anglo-amér. (1921), extension de sens de l'angl. *penthouse* (fin XIVe), de *house* « maison », et *pentice* (1325), du franç. *pentis, apentis.* → Appentis.

♦ Anglic. Appartement luxueux construit sur le toit-terrasse d'un immeuble élevé.

Une décoratrice en vogue qui habitait un vaste penthouse, Fifth Avenue, au 16e étage d'un immeuble 1930. Gilbert TANUGI, Requiem pour Woona, p. 229.

PENTIÈRE [pɑ̃tjɛʀ] n. f. ⇒ **Pantière.**

PENTITE [pɛ̃tit] n. f. — 1922 ; de *pent-,* et *-ite.*

♦ Chim. Corps possédant cinq fonctions alcool, pentaalcool. Syn. : *pentitol* ou *pentol,* n. m.

PENTLANDITE [pɛntlɑ̃dit] n. f. — 1856, Dufrénoy ; du nom du naturaliste anglais *Pentland,* et *-ite.*

♦ Minér. Sulfure naturel de fer et de nickel. Syn. : *nicopyrite.*

PENTODE [pɛ̃tɔd] n. f. — 1949 ; en angl., 1919 ; de *pent-,* et *(électr)ode.*

♦ Phys., techn. Tube à vide, comprenant cinq électrodes, utilisé en radio et en électronique. — Var. graphique : *penthode.*

Une tétrode à faisceaux dirigés équivaut à une penthode ; elle lui est même supérieure dans la fonction d'amplificatrice de puissance des fréquences acoustiques, en raison du taux plus bas de distorsion qu'elle produit. Gilbert SIMONDON, Du mode d'existence des objets techniques, p. 30.

PENTOL [pɛ̃tɔl] n. m. ⇒ **Pentite.**

PENTOSANE [pɛ̃tozan] n. m. — XXe ; *pentozane,* 1907 ; de *pentose.*

♦ Chim. Composé formé de plusieurs pentoses (polysaccharide). *« Le bois contient (...) des pentosanes et des hexosanes »* (J.-C. Reggiani, *Industries et commerce du bois,* p. 115). — On écrit parfois *pentosanne.*

PENTOSE [pɛ̃toz] n. m. — 1896, Fischer; de *pent-*, et 1. *-ose*.

♦ Biochim. Glucide non hydrolysable (ose) dont la molécule renferme cinq atomes de carbone. *Plusieurs pentoses sont des constituants importants de la matière vivante.* ⇒ **Ribose.**

DÉR. Pentosane.

PENTU, UE [pɑ̃ty] adj. — Attesté mil. XXe, mot dial.; de *pente*.

♦ En pente. ⇒ **Incliné.** *Un toit pentu. Une rue pentue.*

1 Il évite tout ce qui est pentu, vertical, et voudrait déjà être en bas dans les grasses prairies horizontales (...) R. FRISON-ROCHE, Premier de cordée, p. 202 (1941).

2 *(elle)* se faufila sous l'escalier, dans une resserre à plafond pentu où l'on rangeait un peu de tout.
Christine DE RIVOYRE, la Visite, *in* le Figaro littéraire, 9-15 sept. 1968.

PENTURE [pɑ̃tyʀ] n. f. — 1294; de *pente*, et suff. *-ure*.

♦ **1.** Bande de fer (souvent décorative) fixée à plat sur le battant d'une porte ou d'un volet de manière à le soutenir sur le gond. ⇒ **Ferrure,** 1. **paumelle.** *Fausses pentures qui servent seulement à consolider et à décorer une porte. Penture en fer forgé. Bahuts à pentures de métal* (→ Maroufler, cit.). *Penture anglaise,* en forme de té. *Penture à talon,* dont le bout est coudé à angle droit.

♦ **2.** (1721). Mar. Ferrures (d'un gouvernail, ou, anciennt, d'un mantelet de sabord).

PÉNULTIÈME [penyltjɛm] adj. et n. f. — V. 1268; *penultime,* XIIIe; bas lat. *pænultimus* «avant-dernier», de *pæne* «presque», et *ultimus* «dernier», avec terminaison *-ième* d'après celle des adjectifs numéraux ordinaux tels que *(deux)ième, (trois)ième,* etc. → Avant-dernier.

♦ Didact. Avant-dernier. — Gramm. et métrique. *La pénultième syllabe :* l'avant-dernière. — N. f. *La pénultième. Mot grec qui porte l'accent aigu sur la pénultième* (⇒ **Paroxyton**). *Syllabe avant la pénultième :* antépénultième (⇒ **Proparoxyton**). Littér. *« La Pénultième est morte »* (*Démon de l'analogie,* poème de Mallarmé).

COMP. Antépénultième.

PÉNURIE [penyʀi] n. f. — 1468; rare jusqu'au XVIIIe; lat. *penuria* «manque de vivres, disette».

♦ **1.** Vx. Embarras d'argent. ⇒ **Gêne, misère, pauvreté.** *Sa pénurie est la punition de sa prodigalité* (→ Imprévoyant, cit. 2).

♦ **2.** (1798). Manque de ce qui est nécessaire. ⇒ **Défaut, faute, manque.** — REM. *Pénurie,* généralement accompagné d'un déterminant, s'emploie surtout en parlant de denrées alimentaires, de marchandises. *Pénurie des récoltes* (→ Grain, cit. 3). *Pénurie de vivres.* ⇒ **Disette, épuisement, rareté.** *Privations imposées à la population en temps de guerre en raison de la pénurie des denrées de première nécessité. Pénurie de blé, de charbon, de pétrole.*

On peut admettre que la détermination économique joue un rôle capital dans la genèse des actions et des pensées humaines sans conclure pour cela, comme le fait Marx, que la révolte des Allemands contre Napoléon s'explique seulement par la pénurie du sucre et du café. CAMUS, l'Homme révolté, p. 246-247.

Pénurie de main-d'œuvre qualifiée (→ aussi Munir, cit. 3). *Pénurie de devises.*

CONTR. Abondance, surabondance.

PÉON [peɔ̃] n. m. — 1836, in *Revue des Deux Mondes;* mot esp. «journalier, ouvrier agricole», du bas lat. *pedo, -onis* «qui a de grands pieds». Cf. *peon* «fantassin», en anc. franç. (1180); au XVIIe, «fantassin, domestique à pied», aux Indes (où on l'emploie encore au sens de «planton, garçon de courses»).

♦ **1.** Paysan pauvre (qui n'a pas de cheval), journalier, pâtre... en Amérique du Sud.

À la hacienda Hermanas, il y a 150 péons. Le service de ces péons est loué en même temps que la terre à laquelle ils sont attachés. Sur quelques haciendas, il y a plus de 1 000 péons. Ce système de péonage est un des traits caractéristiques de la constitution du Mexique. Trad. de Saint-Louis Republican, *in* Annales maritimes et coloniales, 1847 (*in* D. D. L., II, 12).

♦ **2.** (XXe). Spécialt. Taurom. L'un des aides du matador.

DÉR. Péonage.

PÉONAGE [peɔnaʒ] n. m. — 1847 (→ Péon, cit.); de *péon;* → anc. franç. «voyage à pied», v. 1190.

♦ Sociol., géogr. État de péon; économie agricole basée sur l'emploi de péons.

PÉOTTE [peɔt] n. f. — 1687; vénitien *peota* «pilote; péotte».

♦ Hist. Grande gondole de l'Adriatique. — REM. On trouve aussi les formes *piote* et *piotte,* n. f. (1752).

PEP [pɛp] n. m. — 1926, *in* Höfler, répandu v. 1960; mot anglo-amér., de *pepper* «poivre».

♦ Anglic. Dynamisme, allant. ⇒ **Enthousiasme, vitalité.** *Elle a du pep.* ⇒ **Punch.**

PÉPÉ [pepe] n. m. — Attesté XXe; onomat., redoublement de la première syllabe de *père*.

♦ **1.** Grand-père (dans le lang. enfantin ou fam.). *Le pépé et la mémé.*

♦ **2.** Fam. Homme âgé, d'allure débonnaire. *Un vieux pépé.* — En appellatif. *Alors, pépé, on prend le soleil?*

HOM. Pépée.

PÉPÉE [pepe] n. f. — 1867; onomat. tirée de *poupée*.

♦ **1.** Vx. Poupée (dans le lang. enfantin).

♦ **2.** (1879). Fam. Femme, jeune fille (dans un contexte plus ou moins érotique). ⇒ **Nana** (→ Dab, cit. 2). *Une jolie, une chouette pépée* (→ Morveux, cit. 4).

(...) pépées à la bouche molle lançant leurs ronds de fumée sous l'assaut des hommes. R. BARTHES, Mythologies, p. 72.

HOM. Pépé.

PÉPÈRE [pepɛʀ] n. m. et adj. — 1833; redoublement enfantin de *père*.

★ **I.** N. m. ♦ **1.** Vx (enfantin). Père (remplacé par *papa*). — Mod. (Attesté XXe). Grand-père. ⇒ **Pépé.**

♦ **2.** Fig., fam. Gros homme, gros enfant paisible, tranquille. *Un gros pépère.* — Loc. *Faire qqch. en pépère,* tout tranquillement.

★ **II.** Adj. ♦ **1.** (1910). Gros, important.

Il est pépère, celui-là!
L'obus fend l'air à mille mètres peut-être au-dessus de nos têtes. Son bruit couvre tout comme d'un dôme sonore. H. BARBUSSE, le Feu, t. II, II, XIX, p. 14. 1

Agréable, bon. *Un gueuleton pépère.*

♦ **2.** Confortable, paisible, tranquille. *Un petit coin pépère* (⇒ **Peinard**). — Par appos. *Maousse pépère, pépère maousse.*

J'ai raconté ailleurs combien Tilloloy était un secteur pépère où il ne se passait jamais rien. À peine une volée d'obus, à midi sur Beuvraignes, et jamais un coup de fusil. B. CENDRARS, la Main coupée, *in* Œ. compl., t. X, p. 27. 2

(...) je te parle du journal pépère, gros tirage, bien assis sur ses fesses dorées et qui finit sous les épluchures de toutes les ménagères modérées de France. Geneviève DORMANN, le Chemin des Dames, p. 90. 3

♦ **3.** Exempt de difficultés. *Vie, travail pépère. C'est tout ce qu'il y a de pépère.*

♦ **4.** Loc. *À la pépère :* syn. de *en pépère* (→ ci-dessus).

(C'est un chauffeur qui parle :) J'y vais à la pépère, dit-il sérieusement au sergeot. Avec un mort, c'est plus convenable. R. DORGELÈS, Tout est à vendre, p. 397. 4

PÉPERIN [pepʀɛ̃] n. m. — 1694; ital. *peperino,* même sens; bas lat. *piperinus* (*lapis* «pierre»), du lat. *piper, piperis* «poivre», par anal. de couleur, de texture.

♦ Géol. Tuf volcanique employé comme pierre à bâtir. *Le péperin est commun dans la région romaine.* — Var. (forme italienne) : *peperino* [peperino].

PÉPÈTES [pepɛt] n. f. pl. — 1879; sing., «pièce de monnaie», 1867; altér. possible de *pépites*.

♦ Fam. *Les pépètes, des pépètes :* l'argent. *Avoir des pépètes, beaucoup de pépètes :* être très riche.

Ah ouiche! ses héritiers! s'exclamait en réponse M. Pétrarque Lescaa. Je pense qu'il n'est pas autrement pressé de leur fournir des pépètes. P.-J. TOULET, la Jeune Fille verte, II.

REM. Le mot est un peu archaïque. On a écrit aussi *pépettes.*

PÉPIAGE [pepjaʒ] n. m. — 1868, Daudet; de *pépier*.

♦ Rare. Pépiement.

PÉPIANT, ANTE [pepjɑ̃, ɑ̃t] adj. — Mil. XXe; de *pépier*.

♦ **1.** Qui pépie. *Des oiseaux pépiants.*

♦ **2.** Fig. Qui jacasse, papote.

Toutes les femmes pépiantes qui envahissaient l'appartement lui paraissaient jeunes, jolies et désirables (...) M. DRUON, les Grandes Familles, IV, III, p. 187.

PÉPIE [pepi] n. f. — V. 1279; lat. pop. **pippita,* altér., par assimilation, de **pittita,* du lat. *pituita* (→ Pituite), p.-ê. par croisement avec un **pepita* «pépin (de fruit)» (selon P. Guiraud).

♦ **1.** Zool. Induration de la muqueuse de la langue chez certains oiseaux.

♦ **2.** (1580). Fig. et cour. Soif. *Avoir la pépie :* avoir très soif. — (1690). *Ne pas avoir la pépie :* parler ou boire beaucoup.

1 Dame, c'est que tout le monde tirait la langue; on avait la pépie, moi comme les autres (...) BALZAC, Souvenirs d'un paria, I, *in* Œ. diverses, t. I, p. 224.

2 — C'est donc qu'on veut nous faire tous crever de la pépie! criait le berger. Et les moutons qui, eux aussi, avaient flairé le tonneau, s'étaient levés en tumulte, s'écrasaient contre les claies, allongeant la tête, bêlant plaintivement. ZOLA, la Terre, IV, I.

PÉPIEMENT [pepimɑ̃] n. m. — 1611; de *pépier.*

♦ Action de pépier; petit cri (des jeunes oiseaux). ⇒ **Cui-cui** (→ Courlis, cit. 2; gazouillement, cit. 6). Spécialt. Cri du moineau, du poussin.

(...) toutes ces Aïchas, ces Zara, ces Yasmin se mirent à remplir l'air de petits cris d'adieu, de cette voix aigrelette et murmurante qui sort du voile de mousseline comme un pépiement d'oiseau. Jérôme et Jean THARAUD, Marrakech, VIII.

Fig. Caquetage, jacasserie.

PÉPIER [pepje] v. intr. — V. 1540; anc. franç. *pipier,* XIVe; formé sur le rad. onomat. *pepp-,* altér. de **pipp-;* cf. lat. *pippare.*

♦ Pousser de petits cris, en parlant des jeunes oiseaux. ⇒ **Crier** (→ Gazouiller, cit. 2). *La ronde pépiante et jacassante des mésanges* (cit.). — Spécialt. Crier, en parlant du moineau.

Et comme le pinson de ma fenêtre
Et le canari, son voisin de cage,
Pépiaient gaiement, je crus reconnaître
L'Oiseau Bleu qui chantait dans le bocage. VERLAINE, Dédicaces, XLVIII.

Fig. Bavarder, jacasser.

DÉR. Pépiage, pépiant, pépiement, pépieur.

PÉPIEUR, EUSE [pepjœʀ, øz] adj. — 1898, au fém., F. Jammes; de *pépier.*

♦ Rare. Qui pépie. « *La grive agile et pépieuse* » (F. Jammes).

1. PÉPIN [pepɛ̃] n. m. — V. 1160; encore *pepin* in Littré; du rad. expressif *pep-* « petit »; var. dialect. *pépion, pipin.*

★ **I.** ♦ **1.** Graine de certaines baies* (lorsqu'il y en a plusieurs; la graine unique de la datte est appelée *noyau*). *Pépins de raisin* (→ Étrangler, cit. 1), *de groseille, de citron, d'orange. Pépins des fruits de cucurbitacées :* citrouille, melon, etc. (⇒ **Pépon**). — REM. *Pépin* n'est employé dans la langue courante qu'en parlant des baies comestibles; scientifiquement, les grains de café, de poivre... sont des pépins. — *L'arboriculture développe des variétés de baies à graines avortées, dites « sans pépins »* (→ Hybride, cit. 3). *Orange sans pépins.*

♦ **2.** Par anal. Se dit de chacune des graines de quelques drupes (pomme, poire), placées dans une loge cornée et dont l'ensemble correspond au noyau des autres drupes.

♦ **3.** Cour. (abusif en bot.). Toute petite graine relativement molle et qui se trouve en assez grand nombre dans un fruit (⇒ **Noyau,** cit. 1). *Fruits à pépins et fruits à noyau. Ôter les pépins.* ⇒ **Épépiner.**

♦ **4.** (1867). Loc. (vx et pop.). *Avoir avalé un pépin :* être enceinte.

★ **II.** Fig. ♦ **1.** (1883). Vx. Amour, amourette. *Avoir un pépin pour quelqu'un.* ⇒ **Amourette, béguin, caprice.**

♦ **2.** (1897). Mod. Ennui, complication, difficulté*. *Avoir un pépin* (→ Couvrir, cit. 34).

Il nous arrive un pépin, s'écria le duc avec entrain. Le van a été ratatiné dans l'effondrement! Un énorme parpaing lui est tombé dessus. R. QUENEAU, les Fleurs bleues, p. 272.

DÉR. Pépinière. — V. aussi **Pépite.**
HOM. 2. **Pépin.**

2. PÉPIN [pepɛ̃] n. m. — 1862; du nom de *Pépin,* complice de Fieschi, qui portait souvent un grand parapluie, selon Wartburg; Bloch le fait venir du nom d'un personnage de vaudeville (*Romainville,* 1807).

♦ Fam. Parapluie.

1 (... *Elle*) voulut ramasser le pépin pour que le jeune homme vît ses belles chaussures. HUYSMANS, les Sœurs Vatard, p. 109.

2 Il devait se ruiner en parapluies car m'ayant un jour invité au *café de l'Univers,* son pépin qu'il ne se résignait pas encore à confier à la dame du vestiaire, glissa le long de la glace et disparut dans des profondeurs insoupçonnées. Francis CARCO, Ombres vivantes, p. 259.

REM. Le mot semble quelque peu vieilli.

HOM. 1. **Pépin.**

PÉPINIÈRE [pepinjɛʀ] n. f. — 1333; de 1. *pépin.*

♦ **1.** Terrain où l'on fait pousser de jeunes végétaux destinés à être repiqués ou à servir de porte-greffes (se dit surtout des cultures de jeunes arbres); ensemble des plantes qui poussent sur un tel terrain (→ Oreille, cit. 4). *Arboriculteur, sylviculteur, horticulteur qui s'occupe de pépinières. Pépinières arbustives, de vignes... Pépinières d'arbres, de plantes d'ornements. Mettre un semis, des plants, du plant en pépinière.* ⇒ **Jauge.** *Multiplier des arbres en pépinière. Carrés de semis, de bouturages; châssis, serres d'une pépinière.*

(...) la pépinière du Luxembourg. Vous ne l'avez pas connue, vous autres, cette pépinière? C'était comme un jardin oublié de l'autre siècle, un jardin joli comme un doux sourire de vieille. Des haies touffues séparaient les allées étroites et régulières, allées calmes entre deux murs de feuillage taillés avec méthode (...) de place en place, on rencontrait des parterres de fleurs, des plates-bandes, de petits arbres rangés comme des collégiens en promenade, des sociétés de rosiers magnifiques ou des régiments d'arbres à fruit. MAUPASSANT, les Contes de la Bécasse, « Menuet ». 1

♦ **2.** (XVIe-XVIIe). Fig. Lieu, établissement, pays qui fournit un grand nombre de jeunes gens propres à une profession, un état. ⇒ **Couvent, école, séminaire.** « *La France est une pépinière de soldats* » (Trévoux, 1732).

— (...) de quelle école sors-tu donc, toi? — De l'École Polytechnique. — Ah! Ah! oui, de cette caserne où l'on veut faire des militaires dans des dortoirs, répondit le commandant dont l'aversion était insurmontable pour les officiers sortis de cette savante pépinière. BALZAC, les Chouans, II, Pl., t. VII, p. 846. 2

Le petit séminaire de Paris n'avait été jusque-là, aux termes du Concordat, que la pépinière des prêtres de Paris, pépinière bien insuffisante, strictement limitée à l'objet que la loi lui prescrivait. RENAN, Souvenirs d'enfance..., III, II, Œ. compl., t. II, p. 805. 3

Par ext. Lieu d'origine, de formation (d'un grand nombre de personnes).

(...) cela seul a fait imaginer le spécieux et irrépréhensible prétexte du soin des âmes, et semé dans le monde cette pépinière intarissable de directeurs. LA BRUYÈRE, les Caractères, III, 42. 4

La province est une pépinière d'ambitieux. F. MAURIAC, la Province, p. 33. 5

DÉR. Pépiniériste.

PÉPINIÉRISTE [pepinjeʀist] n. et adj. — 1690; de *pépinière.*

♦ Jardinier qui cultive une pépinière, s'occupe de plants en pépinière. ⇒ **Arboriculteur, arboriste.** *Arbres-étalons* (1. Étalon, cit. 2) *utilisés par les pépiniéristes.* — Par appos. *Horticulteur, jardinier pépiniériste.*

PÉPITE [pepit] n. f. — 1714; *pepitas,* au plur. (comme mot esp.), 1648; esp. *pepita* « pépin (de fruit) », du rad. expressif *pep-.* → Pépin.

♦ **1.** Morceau d'or natif sans gangue. *Pépites et paillettes. Pépites d'or.* ⇒ **Or** (1. Or, cit. 1).

(...) il désire de recueillir les pépites d'or que roulent mystérieusement les ruisseaux de la colline. M. BARRÈS, la Colline inspirée, XVI. 1

Les plus riches mines du monde. Les plus grosses pépites. C'est le filon. B. CENDRARS, l'Or, VIII, 29. 2

Par ext. (En parlant d'autres métaux*). *Pépites de cuivre, de platine. Pépite alluvionnaire.*

♦ **2.** Par métaphore et fig. Élément précieux. *Un texte confus, mais qui contient des pépites.*

DÉR. V. **Pépètes.**

PÉPLUM [peplɔm] n. m. — 1771; « manteau de Minerve », 1606; *peple* « manteau de femme », 1551; lat. *peplum,* grec *peplos* « étoffe; vêtement de femme ».

♦ **1.** Antiq. grecque. Vêtement de femme, sorte de manteau sans manches qui se portait au-dessus de la tunique et qui s'attachait sur l'épaule par une agrafe. *Drapée de son peignoir comme d'un péplum grec* (→ Hiératique, cit. 4).

Elle était vêtue comme les Romaines, d'une tunique calamistrée avec un péplum à glands d'émeraude (...) FLAUBERT, Trois contes, « Hérodias », I. 1

Didact. Long voile brodé que l'on mettait sur certaines statues de déesses (Athéna, par exemple).

REM. Les formes *péplon* [peplɔ̃] n. m. (1803; var. graph. de *péplum*), *péplos* [peplos] n. m. (1836), sont archaïques.

♦ **2.** Fam. (argot du cinéma). Film historique ayant pour sujet un épisode de l'Antiquité. *Ben Hur a lancé la vogue du péplum.* — Par ext. Récit (roman...) antique analogue.

Les trois salles locales ne passaient que de vieux westerns ou des péplums. Claude COURCHAY, La vie finira bien par commencer, p. 27. 2

PÉPON [pepɔ̃] n. m. — 1791, «courge»; lat. *pepo, -onis* «courge».

♦ Bot. Fruit des cucurbitacées (courge, melon, etc.). — Var. : *péponide* [pepɔnid] n. m. (1868, Littré).

PEPPERMINT [pɛpœʀmint; pɛpɛʀmɛ̃t] n. m. — 1891; mot angl., de *pepper* «poivre», et *mint* «menthe».

♦ Anglicisme. Liqueur de menthe poivrée.

-PEPSIE Élément final de mots savants, du grec *pepsis* «digestion». ⇒ **Apepsie, bradypepsie, dyspepsie, eupepsie.**

PEPSINE [pɛpsin] n. f. — 1841; du rad. du grec *pepsis* «digestion», et *-ine*.

♦ Biochim. Enzyme contenue dans le suc gastrique et qui transforme les protéines en peptides. *La pepsine n'agit qu'en milieu acide. Emploi de la pepsine en thérapeutique stomacale.*

DÉR. Pepsinogène.

PEPSINOGÈNE [pɛpsinɔʒɛn] n. m. — 1903, *Rev. gén. des sc.*, nº 16, p. 884; de *pepsine, -o-*, et *-gène*.

♦ Biochim. Substance sécrétée par certaines cellules de la muqueuse gastrique, qui se transforme en pepsine sous l'effet de l'acidité gastrique.

PEPTIDASE [pɛptidaz] n. f. — V. 1960; de *peptide*, et *-ase*.

♦ Chim. Enzyme protéolytique agissant sur les peptides et les polypeptides.

COMP. Endopeptidase, exopeptidase.

PEPTIDE [pɛptid] n. m. — 1907, Fischer; de *pep(sine)*, et *(pro)tide*.

♦ Chim. Substance protéique formée d'un nombre restreint d'acides aminés (par oppos. aux *polypeptides**).

DÉR. Peptidase, peptidique, peptisant.

PEPTIDIQUE [pɛptidik] adj. — Mil. xxᵉ; de *peptide*.

♦ Chim. De la nature des peptides. *Hormones peptidiques.*

PEPTIQUE [pɛptik] adj. — 1694, «propre à opérer la coction des humeurs»; lat. *pepticus* «digestif», grec *peptikos* «qui aide à la digestion».

♦ Didact. (biochim., méd.). Relatif à la pepsine. *Digestion peptique*, qui se fait dans l'estomac sous l'effet de la pepsine. — Par ext. Qui a trait à la digestion, qui en résulte. *Troubles peptiques.*

DÉR. Peptisation.

PEPTISANT, ANTE [pɛptizɑ̃, ɑ̃t] adj. — V. 1960; du rad. de *peptide*.

♦ Techn. Qui s'oppose à la floculation dans un milieu en suspension (peintures, enduits). *Agents peptisants.*

PEPTISATION [pɛptizɑsjɔ̃] n. f. — 1932; du rad. de *peptique*.

♦ Biochim. Dégradation d'un protide en peptones.

PEPTOGÈNE [pɛptɔʒɛn] adj. et n. m. — 1878; du grec *peptos* (p. p. de *pessein* ou *pettein* «digérer»), et *-gène*.

♦ Biochim. Qui favorise et accroît la sécrétion du suc gastrique. *Substance, agent peptogène.*

PEPTONE [pɛptɔn] n. f. — 1857, in *Année sc. et industr.* 1858, p. 293; all. *pepton* (1849, C. G. Lehmann), neutre du grec *peptos*, p. p. de *pettein* «digérer».

♦ Biochim. Polypeptide produit par l'action d'une enzyme hydrolysant partiellement un protide (notamment des enzymes du suc gastrique agissant sur la viande). *Peptone pancréatique*, produite par l'action de la pancréatine (sur la viande). *Peptone peptique*, produite par l'action de la pepsine*. *Milieu de culture aux peptones. Les peptones sont utilisées en pharmacie comme reconstituants, comme désensibilisants* (dans les allergies).

DÉR. V. Peptonisation, peptoniser.

PEPTONISABLE [pɛptɔnizabl] adj. — xxᵉ (*in* Larousse 1932); de *peptoniser*.

♦ Biochim. Se dit d'une substance (colloïdale) qui se peptonise au contact d'un liquide.

PEPTONISATION [pɛptɔnizɑsjɔ̃] n. f. — 1882; du rad. de *peptone* (→ Peptoniser, plus tardif).

♦ Biochim. Dispersion (d'une substance colloïdale solide) dans un liquide, souvent sous l'action de la chaleur ou d'un agent chimique; propriété (de substances colloïdales) de se disperser, analogue à la dissolution* pour les cristalloïdes. *Peptonisation des protides de la viande par les enzymes, produisant la peptone.*

PEPTONISER [pɛptɔnize] v. tr. — 1903, *in* Larousse (1880, au p. p., en angl., *peptonised*); de *pepton(e)*, et *-iser*.

♦ Biochim. Provoquer la peptonisation* de... « *Un ferment protéolytique ovulaire qui viendrait peptoniser les matières albuminoïdes* » (*Rev. gén. des sc.*, 30 avr. 1905, p. 381). — V. pron. *Se peptoniser.* — P. p. adj. *Peptonisé, ée.*

DÉR. Peptonisable, peptonisation.

PÉQUENAUD, AUDE [pekno, od] n.; **PÉQUENOT** [pɛkno] n. m. — 1936; *péquenot*, 1905; probablt d'un rad. *pekk-* «petit, chétif». → Pékin.

♦ Fam. et péj. Paysan, rustre (→ 2. Marre, cit. 1). — Adj. *Ce qu'il est péquenaud!*

(...) un tas de péquenots qui me paient d'une volaille ou d'un panier de pommes. 1
BERNANOS, Journal d'un curé de campagne, p. 95.

(...) il ne nous reste plus qu'à souhaiter que tout ce ministère de péquenauds, vous 2
et Caillaux mis à part, aille bientôt rouler cul par-dessus tête.
J. ROMAINS, les Hommes de bonne volonté, t. X, IX, p. 121.

REM. On écrit aussi *pecnot, pecquenaud* ou *pecquenot.*

Un Bressan, dit Paul Morel. C'est la première fois qu'il court ailleurs qu'autour 3
de son village. Vingt ans. Un petit pecnot (...)
Roger VAILLAND, 325 000 francs, p. 17.

(...) la naïveté rustique symbolisée (... *par*) le pecquenaud (...) 4
Claude LÉVI-STRAUSS, Tristes tropiques, p. 85.

PÉQUISTE [pekist] n. et adj. — 1968; de *P(arti) q(uébécois).*

♦ Du Parti québécois*; qui est favorable au Parti québécois, au Canada, notamment au Québec. — Le comp. et contr. *antipéquiste* est attesté.

PER- (1809; préfixe intensif; lat. *per-*). Préfixe utilisé dans la nomenclature des composés chimiques et exprimant un excès de la quantité normale d'un élément. Ex. : *peracide; perchlorique* (et dér.), *permanganique* (et dér.), *periodique, peroxyde, persel, persulfate, persulfure.*

PERACÉTIQUE [pɛʀasetik] adj. ⇒ **Peracide.**

PERACIDE [pɛʀasid] n. m. — xxᵉ; de *per-*, et *acide.*

♦ Chim. Acide correspondant au degré d'oxydation le plus élevé d'un élément. *Les peracides sont instables, se décomposent facilement (souvent d'une manière explosive); ce sont des oxydants énergiques.* Ex. : Acide *peracétique* (CH_2CO_2OH). Acide *perazotique*, appelé aujourd'hui *peroxonitrique* (HNO_4). Acides *periodiques* (auxquels correspondent trois séries de sels : *métaperiodates, dimesoperiodates, mésoperiodates*). Acide *pertungstique* (H_2WO_2). Acide *permanganique** (dont les sels sont les *permanganates**).

PÉRAGRATION [peʀagʀɑsjɔ̃] n. f. — 1752; «action de voyager», 1611; lat. *peragratio, -onis* «action de parcourir», de *peragrare* «parcourir».

♦ Astron. (Vx). *Mois de péragration :* temps que la Lune met à faire la révolution du zodiaque.

PERAMBULATION [pɛʀɑ̃bylɑsjɔ̃] n. f. — 1803, *in* D.D.L.; cf. Sainte-Beuve, *in* Littré, *Suppl.*; du lat. tardif *perambulatio, -onis*, même sens.

♦ **1.** Didact. ou littér. Promenade (→ Énergumène, cit. 1).

Il s'enfuyait (...) et marchait hors de Paris, sur les routes et par les chemins déserts, en criant vers Dieu dans d'interminables perambulations solitaires.
Léon BLOY, le Désespéré, p. 225.

♦ **2.** (1875). Techn. Arpentage d'un terrain.

PÉRAMÈLE [peʀamɛl] n. m. — 1804, É. Geoffroy Saint-Hilaire; lat. mod. *perameles*, même sens; du grec *pêra* «sac», et lat. *meles* «martre».

♦ Zool. Mammifère de l'ordre des marsupiaux, à museau allongé, de la taille d'un lapin. *Les péramèles sont des animaux nocturnes.*

DÉR. **Péramélidés.**

PÉRAMÉLIDÉS [peʀamelide] n. m. pl. — XIXe; de *péramèle,* et *-idé.*

♦ Zool. Famille de mammifères marsupiaux comprenant les péramèles, les péroryctes, les rhyncomètes. — Au sing. *Un péramélidé.*

PERARSÉNIATE [peʀaʀsenjat] n. m. — Mil. XXe (*in* Larousse 1963); de *per-,* et *arséniate.*

♦ Chim. Sel contenant plus d'oxygène que les arséniates.

PER ASCENSUM [pɛʀasɛ̃sɔm] loc. adv. — 1905, *Rev. gén. des sc.,* no 8, p. 368; mots lat. «par la montée».

♦ Didact. Par un mouvement ascendant.

Ce gouffre, placé comme un évent sur le trajet de la Vernaison souterraine, a certainement été une résurgence permanente formée *per ascensum.*
Félix TROMBE, la Spéléologie, p. 24.

PERAZOTIQUE [pɛʀazɔtik] adj. — 1881, *Année sc. et industr.* 1882, p. 177; de *per-,* et *azotique.*

♦ Chim. Vx. Peracide* (aujourd'hui appelé *acide peroxonitrique*).

PERBORATE [pɛʀbɔʀat] n. m. — XXe; de *per-,* et *borate.*

♦ **1.** Chim. Sel de bore (persel*). *Les perborates sont des oxydants.*

♦ **2.** Cour. *Perborate de sodium* ($NaBO_3$, $4H_2O$), ou *perborate,* utilisé comme désinfectant et comme produit de blanchiment (*perborax* [pɛʀbɔʀaks]).

PERÇAGE [pɛʀsaʒ] n. m. — 1828; *persage* «droit payé au seigneur pour la mise en perce d'un tonneau», XVe; de *percer.*

♦ Techn. et cour. Opération par laquelle on perce (une matière). *Perçage du bois, des métaux. Le lisage, perçage des cartons pour métiers à tisser. Perçage par poinçonnage, forage à la mèche, au tour..., perçage à l'emporte-pièce, à la poinçonneuse, au foret...* (⇒ **Perceuse**). — *Plaque de perçage :* plaque métallique percée d'un trou, que l'on place au-dessus d'une pièce à percer pour servir de guide au foret. ⇒ **Perçoir.**

PERCALE [pɛʀkal] n. f. — 1701; *percallen,* 1666; var. *perkale* (Jacquemont, 1830); angl. *percale,* même sens, 1621; persan *pargâla* «toile, lambeau de toile»; av. 1840, ne désigne que des tissus importés des Indes.

♦ Tissu de coton, fin et serré. *Percale pour doublures.* ⇒ **Brillantine** (1.). *Bonnets, cols, manchettes de percale* (→ Grisette, cit. 4; linge, cit. 6).

DÉR. **Percaline.**

PERCALINE [pɛʀkalin] n. f. — 1829; de *percale.*

♦ Toile de coton lustrée, souvent utilisée en doublures.

Pauline était là, modestement vêtue d'une robe de percaline (...)
BALZAC, la Peau de chagrin, Pl., t. IX, p. 182.

DÉR. **Percalineuse.**

PERCALINEUSE [pɛʀkalinøz] n. f. — Mil. XXe (*in* Larousse 1962); de *percaline.*

♦ Techn. Ouvrière qui renforce au moyen de percaline les peaux de certaines fourrures.

PERÇANT, ANTE [pɛʀsɑ̃, ɑ̃t] adj. — 1342, sens 3; de *percer.*

♦ **1.** (1690). Qui perce, qui pénètre vivement. — REM. Cet adjectif est inusité au sens concret, et des emplois comme *poinçon perçant, vrille perçante,* ne se trouvent que dans les dictionnaires.

♦ **2.** (1559). Qui donne l'impression de percer, qui pénètre. *Vent froid perçant.* ⇒ **Aigre, pénétrant, vif.** *Un hiver perçant* (Voiture).

♦ **3.** Qui voit au loin, pénètre, perce l'étendue. *Force perçante de la vue* (→ Individu, cit. 22). *Vue perçante; regard perçant* (→ Vue, regard d'aigle*). *Yeux perçants* (→ Étendue, cit. 3; guetter, cit. 2).

Sigognac, dont la vue était perçante, bien que la nuit fût fort noire, avait depuis quelques instants déjà découvert les quatre escogriffes à l'affût.
Th. GAUTIER, le Capitaine Fracasse, IX.

(1670). Par ext. *Yeux perçants,* vifs, brillants. *Elle a les yeux les plus perçants du monde* (Molière, *le Bourgeois gentilhomme,* III, 9).

♦ **4.** (Fin XVIe). Aigu et fort, en parlant d'un son qui paraît percer le tympan. *Des cris* perçants.* ⇒ **Déchirant, strident.** *Voix perçante.* ⇒ **Clairet, criard, éclatant** (→ Bravade, cit. 1; chair, cit. 4; paon, cit. 2). *Le son clair et perçant du clairon*, de la trompette.* ⇒ **Aigu.**

Ainsi criait Mouflar, jeune dogue; et les gens, 2
Peu touchés de ses cris douloureux et perçants,
Venaient de lui couper sans pitié les oreilles.
LA FONTAINE, Fables, X, 8.

♦ **5.** (1670). Fig. et vieilli. Qui discerne avec rapidité et précision. ⇒ **Perspicace.** *Esprit perçant; génie perçant* (Bossuet).

Un esprit perçant fuit les épisodes et laisse aux écrivains médiocres le soin de 3
s'arrêter à cueillir les fleurs qui se trouvent sur leur chemin.
VAUVENARGUES, Réflexions et maximes, 213.

♦ **6.** (XXe). Techn. (Hippisme). Vif et plein d'allant, en parlant d'un cheval. ⇒ **Fougueux, impétueux.**

CONTR. **Contondant** (arme), **émoussé, mousse.** — **Doux** (voix).
HOM. **Persan.**

PERCE [pɛʀs] n. f. — 1493, *mettre à perce;* de *percer.*

♦ **1.** Action de percer (ne s'emploie que dans la loc. *en perce*). *Mettre en perce :* faire une ouverture à un tonneau pour en tirer le vin. — Par métonymie. *Mettre du vin en perce.*

Buteau (...) avait bien eu, pour ne pas perdre son temps à boucher et à déboucher 1
des bouteilles, le soin de mettre simplement un tonneau en perce (...)
ZOLA, la Terre, II, VII.

On buvait aussi 2
Et de temps à autre une cloche
Annonçait qu'un nouveau tonneau
Allait être mis en perce
APOLLINAIRE, Alcools, p. 46.

♦ **2.** (1494). Techn. Outil pour percer (→ Percerette, perceuse...).

♦ **3.** (1812). Mus. Manière dont un instrument à vent est «percé», forme de son canal central, qui détermine un certain nombre de propriétés sonores (timbre, principalement, mais également sûreté de l'émission). *Perce conique, cylindrique, cylindro-conique. La perce d'une clarinette.*

HOM. **Perse.** Fém. de **pers.**

PERCÉ, ÉE [pɛʀse] adj. ⇒ **Percer.**

PERCE-BOIS [pɛʀsəbwa] n. m. invar. — 1751; de *perce* (du v. *percer*), et *bois.*

♦ Insecte qui attaque le bois. *Des perce-bois.*

PERCE-BOUCHON [pɛʀs(ə)buʃɔ̃] n. m. — Déb. XXe; de *perce* (du v. *percer*), et *bouchon.*

♦ Techn. Appareil de laboratoire (notamment de chimie) utilisé pour percer les bouchons (de liège, de caoutchouc). *Des perce-bouchons.*

PERCE-CARTE [pɛʀsəkaʀt] n. m. — 1842; de *perce* (du v. *percer*), et *carte.*

♦ Techn. Appareil permettant de montrer qu'une étincelle électrique peut traverser un carton... *Des perce-cartes.*

PERCÉE [pɛʀse] n. f. — 1750, techn.; de *percer.*

♦ **1.** (1798). Ouverture qui ménage un passage ou donne un point de vue. *Ouvrir une percée dans un bois, une forêt, au milieu des arbres...* ⇒ **Chemin, trouée; orne** (1. Orne : faire orne). → Horizon, cit. 13. — *Les percées pratiquées par Haussmann à travers Paris. Faire une percée dans un mur, dans un toit.* — Par ext. ⇒ **Déchirure** (cit. 5).

(XIXe). Peint. Espace laissé entre des masses d'ombre. — REM. Dans ce sens on a dit aussi *en percé* (n. m., 1758).

♦ **2.** (Académie, 1798). Vx. Action de pénétrer (dans un pays), de passer malgré un obstacle. *Il a fait une percée fort avant dans le Nord* (Littré). — (1845). Milit. Action de percer, de rompre les défenses de l'ennemi (→ Invulnérabilité, cit. 1). *Tenter, faire une percée.* ⇒ **Brèche.**

«Tentatives de percée», disait-on pendant la guerre : je n'arrive pas à percer ce cercle infernal de la solitude.
MONTHERLANT, les Lépreuses, I, IV.

(XXe). Sports. Action de percer à travers la défense de l'équipe adverse.

♦ **3.** (1962). Fig. Développement, réussite spectaculaire malgré les obstacles. *La percée technologique des industries nucléaires. Un* *candidat inconnu a fait une percée surprenante aux dernières élections.*

CONTR. Clôture, fermeture. — Recul.

PERCE-FEUILLE [pɛʀsəfœj] n. f. — 1660; *percefueille,* 1557; de *percer,* et *feuille.*

♦ Buplèvre* à feuilles rondes *(Ombellifěracées). Des perce-feuilles.*

PERCEMENT [pɛʀsəmɑ̃] n. m. — 1500; de *percer.*

♦ **1.** Action de percer, de pratiquer une ouverture, un passage. *Percement de l'isthme de Panamá* (→ Fermeture, cit. 2). — (Le compl. désigne l'ouverture). *Percement d'un tunnel*, d'une rue.*

♦ **2.** Ce qui est percé. — Spécialt, techn. Galerie qui en réunit deux autres, dans une mine.

♦ **3.** Archit., archéol. Ouverture faite dans un mur après sa construction pour y pratiquer une baie; cette baie. *Percement gothique dans un mur roman.*

PERCE-MEULE [pɛʀsəmøl] n. m. — 1803; de *perce* (du v. *percer*), et *meule.*

♦ Techn. Ciseau à froid utilisé pour percer un trou au centre d'une meule. *Des perce-meules.*

PERCE-MURAILLE [pɛʀs(ə)myʀaj] n. f. — 1768; de *perce* (du v. *percer*), et *muraille.*

♦ Pariétaire* (plante). *Des perce-murailles.*

PERCE-NEIGE [pɛʀsənɛʒ] n. f. invar. (selon Littré, Académie, etc. ou n. m. invar. selon Dauzat (*Études de ling.*, p. 249) et l'usage en botanique. — 1660; de *perce* (du v. *percer*), et *neige.*

♦ Bot. Plante monocotylédone *(Amaryllidées*)*, variété de galanthe*, à fleurs blanches qui s'épanouissent en hiver (on les appelle aussi *clochettes* d'hiver*). *Des perce-neige* (→ Ganguer, cit.).

Une Polonaise m'attendait dans des salons de soie (...) elle avait l'air d'un perce-neige à blanches fleurs (...)

CHATEAUBRIAND, Mémoires d'outre-tombe, t. II, p. 181.

PERCENTILE [pɛʀsɑ̃til] adj. et n. m. — Mil. xxᵉ; mot angl. (1885), de *per cent* «pour cent»; lat. *per centum.*

♦ Didact. (statist.). Se dit des valeurs échelonnées entre 0 % et 100 %. — N. m. Grandeur de l'élément qui partage une série de données en cent groupes égaux. *Le cinquantième percentile est la médiane.*

Ainsi le percentile 50 se réfère à la valeur d'un paramètre (poids-taille) au-dessus de laquelle se placent les mesures de 50 % du groupe et en dessous de laquelle se trouvent les mesures des autres 50 % (...) Les chiffres normaux sont ceux situés à l'intérieur des percentiles 3 et 97.

la Recherche, nº 115, oct. 1980, p. 1101.

PERCE-OREILLE [pɛʀsɔʀɛj] n. m. — V. 1560; *persoreille,* 1530; de *perce* (du v. *percer*), et *oreille.*

♦ Insecte dont l'abdomen porte un appendice en forme de pince. ⇒ **Forficule.** *Des perce-oreilles.*

Quelques-uns des articles étaient si violents que ses amis voulaient qu'il poursuivît les diffamateurs. Il répondit qu'il pouvait éprouver de la haine pour un égal, mais ne trouvait aucun plaisir à torturer des perce-oreilles, bien qu'il les détestât.

A. MAUROIS, Vie de Byron, II, XX.

PERCE-PIERRE [pɛʀsəpjɛʀ] n. f. — 1690; nom d'un poisson, 1545; de *perce* (du v. *percer*), et *pierre.*

♦ Plante vivant sur les rochers ou les murs. Spécialt. Saxifrage*, crithme* (appelé aussi *christe-marine, passe-pierre, fenouil de mer*). *Des perce-pierres,* ou, invar., *des perce-pierre.*

PERCEPT [pɛʀsɛpt] n. m. — 1878; angl. *percept* (1837), Hamilton; lat. *perceptum* «(chose) perçue», d'après *concept.*

♦ Objet de la perception (sans référence ontologique à une chose en soi). *Percept s'oppose à concept.*

Mais le philosophe, remontant du percept au concept, voit se condenser en logique tout ce que le physique avait de réalité positive.

H. BERGSON, l'Évolution créatrice, p. 320.

Au plur., on emploie aussi la forme latine *percepta* (1868, Littré).

PERCEPTEUR, TRICE [pɛʀsɛptœʀ, tʀis] n. et adj. — 1432; repris en 1789; du rad. de *perceptum,* supin de *percipere* «recueillir; percevoir».

★ **I.** Fonctionnaire chargé de la perception*, du recouvrement des contributions directes (⇒ **Impôt,** cit. 8), et des amendes et condamnations pécuniaires. ⇒ **Collecteur** (d'impôts). *Le percepteur est un comptable public. Compétence territoriale du percepteur.* ⇒ **Canton** (4). *Recevoir un avertissement* de son percepteur.*

(...) toute l'ambition de monsieur Margueron était de faire nommer son fils unique, alors simple percepteur, receveur particulier des finances à Senlis. 1

BALZAC, Un début dans la vie, Pl., t. I, p. 616.

Le percepteur se mit à rire. — Si, chaque mois, vous chantez cet air-là! Je vous ai déjà expliqué que votre revenu avait dû s'accroître avec vos plantations, sur votre ancien pré de l'Aigre. Nous nous basons là-dessus, nous autres! 2

ZOLA, La Terre, IV, III.

Le percepteur se dirigea vers les bâtiments de la Grand' Rue et s'arrêtant devant la boîte aux lettres, il prit dans sa poche un rectangle de papier vert dont il relut plusieurs fois la suscription. C'était une sommation sans frais qu'il s'envoyait à lui-même. Après un temps d'hésitation, il la mit à la boîte et, prenant dans une autre poche un paquet de sommations destinées à d'autres contribuables, il les envoya rejoindre la sienne. 3

M. AYMÉ, le Passe-muraille, «le Percepteur d'épouses».

REM. En parlant d'une femme, on dit plutôt *percepteur (elle est percepteur, Mᵐᵉ X, percepteur)* que *perceptrice.*

★ **II.** (xixᵉ). Adj. Didact. Qui perçoit. *Les facultés perceptrices* (→ Névro-, cit. 1).

PERCEPTIBILITÉ [pɛʀsɛptibilite] n. f. — 1760; du rad. de *perceptible.*

♦ Didact. Caractère de ce qui peut être perçu.

CONTR. Imperceptibilité.

PERCEPTIBLE [pɛʀsɛptibl] adj. — 1372; bas lat. *perceptibilis* «compréhensible», du lat. *perceptum,* supin de *percipere.* → Percepteur.

★ **I.** ♦ **1.** Qui peut être perçu par les organes des sens; qui peut déterminer une perception. ⇒ **Apercevable, visible; audible; appréciable, sensible.** *Perceptible à l'œil, à l'oreille...* (→ Entendre, cit. 54). *Bruit perceptible* (→ Doucement, cit. 5; effarer, cit. 5; modulation, cit. 2). *Perceptible à quelqu'un* (→ Objet, cit. 2). — (En emploi négatif ou restrictif). *Différences peu perceptibles* (→ Israélite, cit.). *Un point à peine perceptible. Ce n'est pas perceptible à l'œil nu* (⇒ **Imperceptible**).

♦ **2.** (Déb. xviiᵉ). Abstrait. Qui peut être compris, saisi par l'esprit. *Une intention difficilement perceptible. Ironie à peine perceptible. Aisément perceptible* (→ Qui tombe* sous le sens).

(...) car qui n'admirera que notre corps, qui tantôt n'était pas perceptible dans l'univers, imperceptible lui-même dans le sein du tout, soit à présent un colosse, un monde, ou plutôt un tout, à l'égard du néant où l'on ne peut arriver? 1

PASCAL, Pensées, II, 72.

Bien entendu, ces roublardises n'étaient perceptibles que pour un confrère. Le public ne s'apercevrait de rien. 2

J. ROMAINS, les Hommes de bonne volonté, t. V, XXVII, p. 286.

★ **II.** (1611). Qui peut être perçu, en parlant d'un impôt. ⇒ **Percevable, recouvrable.**

CONTR. (Du I.) **Imperceptible, insensible.** — (Du II.) **Irrécouvrable.**
DÉR. Perceptibilité, perceptiblement.

PERCEPTIBLEMENT [pɛʀsɛptibləmɑ̃] adv. — 1484; de *perceptible.*

♦ Rare. D'une manière perceptible.

CONTR. Imperceptiblement.

PERCEPTIF, IVE [pɛʀsɛptif, iv] adj. — 1754; «qui perçoit», 1370; de *perception.*

♦ **1.** Psychol. Relatif à la perception* (→ Aperceptif). *Interprétation perceptive de la sensation. Illusion perceptive. Connaissance perceptive. Complexes perceptifs; structures perceptives.*

♦ **2.** (Fin xixᵉ). Littér. et rare. Qui a beaucoup d'aptitudes pour percevoir.

DÉR. Perceptivité.

PERCEPTION [pɛʀsɛpsjɔ̃] n. f. — 1370; «action de recevoir» (le Saint-Esprit; l'Eucharistie), v. 1170; du lat. *perceptio, -onis* «action de recueillir; récolte; connaissance».

★ **I.** ♦ **1.** (1468). Opération par laquelle l'Administration recouvre les impôts* directs. ⇒ **Recouvrement; collecte, levée, rentrée.** *Perception abusive, inique* (→ Gabelle, cit. 3), *brutale* (→ Maltôtier, cit.). — Par ext. Impôt, taxe, redevance.

Par une autre suite de la même qualité, il *(le seigneur)* perçoit des redevances sur tous les biens que jadis il a donnés à bail perpétuel, et, sous les noms de cens, censives, carpot, champart, agrier, terrage, parcière, ces perceptions en argent ou en

nature sont aussi diverses que les situations, les accidents, les transactions locales ont pu l'être.
TAINE, les Origines de la France contemporaine, I, t. I, p. 39.

♦ **2.** (1829). Emploi de percepteur*. — Plus cour. Bureau du percepteur. *Aller à la perception payer ses impôts.* ⇒ **Recette.**

2 La vacance probable d'une des vingt-quatre perceptions de Paris cause une émeute d'ambitions à la Chambre des députés!
BALZAC, le Cousin Pons, Pl., t. VI, p. 682.

♦ **3.** (1370). Dr. civ. « Opération par laquelle les produits, fruits ou revenus d'une chose sont l'objet d'appropriation ou d'encaissement de la part de la personne qualifiée pour en jouir » (Capitant).

★ **II.** Didact. ou littér. ♦ **1.** (1611). Vx (ou hist. philos.). Chez Descartes et les cartésiens, Acte, opération de l'intelligence; représentation intellectuelle. ⇒ **Idée** (II.), **image** (6.). *« Une perception claire et distincte »* (Descartes, *les Principes de la philos.*, § 45).

3 On les peut nommer *(les passions de l'âme)* des perceptions lorsqu'on se sert généralement de ce mot pour signifier toutes les pensées qui ne sont point des actions de l'âme ou des volontés, mais non point lorsqu'on ne s'en sert que pour signifier des connaissances évidentes (...)
DESCARTES, les Passions de l'âme, 28 (→ aussi Émotion, cit. 3).

4 Nos sensations sont purement passives, au lieu que toutes nos perceptions ou idées naissent d'un principe actif qui juge. ROUSSEAU, Émile, II.

(Chez Bacon, Leibniz). Le fait de subir une action, d'y réagir. ⇒ **Affection.** Déb. XVIIIe. *Les petites perceptions :* les états subconscients. *Perceptions et aperceptions** chez Leibniz (⇒ **Monade**). *Passage d'une perception à une autre* (⇒ **Appétition**).

♦ **2.** (1762). Mod. (Didact. et cour.). Fonction par laquelle l'esprit*, le sujet se représente, pose devant lui les objets* *(la perception)*; acte par lequel s'exerce cette fonction; son résultat *(une perception). Perception et sensation* ⇒ **Sens, sensation.** *La perception, « prise de connaissance d'objets ou d'événements extérieurs qui ont donné naissance à des sensations »* (Piéron); *« représentation, par le moyen (d'une) impression* (cit. 46), *d'un objet externe en un lieu de l'espace »* (Pradines). *Perception visuelle, tactile, auditive. Localisation des perceptions. « L'esprit emprunte à la matière les perceptions »* (→ Nourriture, cit. 9, Bergson). *Les perceptions considérées comme des « hallucinations* (cit. 6 et 7) *vraies ». Théories sensualistes, associationnistes, génétiques de la perception* (se constituant à partir des sensations associées, interprétées, complétées au moyen de la mémoire (→ Coalescence, cit.; endosmose, cit. 3; fusion, cit. 4, Bergson). *Pour la psychologie de la forme** (Gestalt), *la perception n'est pas construite à partir des sensations, c'est une tendance à poser des formes, des structures. Phénoménologie de la perception,* œuvre de M. Merleau-Ponty. *Anomalies, troubles de la perception.* ⇒ **Agnosie, hallucination.** — *Perception et imagination, et pensée. Perceptions et images, et idées.*

5 J'appelle (...) *perception*, l'impression qui se produit en nous à la présence des objets (...) CONDILLAC, Origine des connaissances humaines, I, p. 169 (→ aussi Notion, cit. 5).

6 La perception dispose de l'espace dans l'exacte proportion où l'action dispose du temps. H. BERGSON, Matière et Mémoire, p. 29.

7 La perception est la représentation organisée d'un monde d'objets individualisés occupant les uns par rapport aux autres et tous par rapport à nous des positions définies. BURLOUD, Précis de psychologie, XI.

8 Dans la perception, *j'observe* les objets. Il faut entendre par là que l'objet (...) ne m'est jamais donné que d'un côté à la fois (...) On doit *apprendre* les objets, c'est-à-dire multiplier sur eux les points de vue possibles. L'objet lui-même est la synthèse de toutes ces apparitions. La perception d'un objet est donc un phénomène à une infinité de faces (...) Quand je dis : « l'objet que je perçois est un cube », je fais une hypothèse que le cours ultérieur de mes perceptions peut m'obliger d'abandonner (...) Dans la perception, un savoir se forme lentement (...)
SARTRE, l'Imaginaire, III, *in* R. DAVAL, Psychologie.

Gramm. *Verbes de perception* (regarder, écouter, voir, entendre, sentir).

♦ **3.** Littér. *Perception de quelque chose.* Prise de connaissance, sensation, intuition... ⇒ **Impression** (→ Fond, cit. 47; ignorer, cit. 48; 1. laps, cit. 2). *Perception du bien et du mal :* le sens moral (cit. 1, Chateaubriand).

9 (...) madame Jules fut réveillée par un pressentiment qui l'avait frappée au cœur pendant son sommeil. Elle eut une perception à la fois physique et morale de l'absence de son mari. BALZAC, Ferragus, Pl., t. V, p. 63.

10 Pendant qu'il marchait ainsi, les yeux hagards, avait-il une perception distincte de ce qui pourrait résulter pour lui de cette aventure à Digne?
HUGO, les Misérables, I, II, XIII.

DÉR. Perceptif.

PERCEPTIONNISME [pɛʀsɛpsjɔnism] n. m. — 1882; angl. *perceptionism*, même sens, de *perception*, au sens philos. → Perception.

♦ Didact. (Hist., philos.). Doctrine d'après laquelle l'esprit, dans la perception, a une conscience immédiate de la réalité extérieure *(Le perceptionnisme de Schopenhauer, de Bergson)*, par oppos. aux doctrines où la croyance à notre propre réalité est seule immédiate (Descartes), ou à celles pour lesquelles la croyance à la réalité du moi et du non-moi sont toutes deux acquises (St. Mill, W. James).

DÉR. Perceptionniste.

PERCEPTIONNISTE [pɛʀsɛpsjɔnist] adj. et n. — 1907, cit.; de *perceptionnisme.*

♦ Didact. (Hist. philos.). Du perceptionnisme. — Partisan du perceptionnisme.

Les perceptionnistes veulent supprimer les intermédiaires entre l'esprit et les choses : ils ont raison. Seulement, en conservant la dualité réalistique de l'esprit et des choses, ils s'enlèvent le moyen de réussir et ils font perdre tout sens à leurs formules.
O. HAMELIN, Essai sur les éléments principaux de la représentation, 1907, *in* REY-DEBOVE et GAGNON.

PERCEPTIVITÉ [pɛʀsɛptivite] n. f. — XXe; de *perceptif.*

♦ Physiol. Aptitude à recevoir des impressions par les sens.

PERCEPTUEL, ELLE [pɛʀsɛptɥɛl] adj. — V. 1968; du rad. de *perception*, d'après *conceptuel;* cf. angl. *perceptual* (1889), du lat. *perceptum.*

♦ Didact. Relatif à la perception.

PERCER [pɛʀse] v. — Conjug. *placer.* — 1080, *percier;* lat. pop. **pertusiare* « percer », du lat. *pertusum*, supin de *pertundere* « trouer ». → Pertuis, pertuisane.

★ **I.** V. tr. **A.** (Creuser, traverser). ♦ **1.** Traverser (un objet solide) ou commencer à (le) traverser en faisant un trou, une ouverture relativement petite. ⇒ **Perforer, trouer.** *Percer une planche, une paroi, un mur... à l'aide d'un outil* (⇒ **Forer, poinçonner, tarauder, vriller**). *Instruments pour percer les matières dures.* ⇒ **Drille, foret, mèche, perceuse, perforatrice, perforeuse, pointeau, tarière, trépan, vilebrequin, vrille...** *Percer quelque chose de part en part.* ⇒ **Transpercer.** *Percer le sol avec une sonde.* ⇒ **Sonder.** *Percer un pneu.* ⇒ **Crever.** *Clou, vis... qui perce le bois.* ⇒ **Enfoncer** (s'), **pénétrer.** (XVe). *Percer un tonneau* (par métonymie : *percer du vin*). ⇒ **Perce.** *Commencer à percer quelque chose* (⇒ **Entamer**). — Absolt. *Percer en creusant*, en piquant*...* — *Percer une feuille, un tissu d'un trou, de trous* (→ Frivolité, cit. 9). — Au p. p. *Ustensiles percés de trous.* ⇒ **Crible, écumoire, passoire, tamis.** — *Matière dure, difficile à percer. Les javelots et les lances ne peuvent percer la peau du rhinocéros* (→ Entamer, cit. 2). *Obus qui perce un blindage.*

(...) la terre est travaillée 1
Tout autour de ses bords; on perce en cent endroits
A la fois. FLORIAN, Fables, III, 2.

(...) sachez, en cas de malheur, mademoiselle, que la maîtresse poutre du grenier de mon pavillon a été percée avec une tarière. 2
BALZAC, Une ténébreuse affaire, Pl., t. VII, p. 513.

Spécialt. Traverser, trouer (une partie du corps). *Percer* (1651) *les oreilles, les narines, la lèvre* (cit. 1)... *pour y mettre des boucles* (cit. 1), *des anneaux... Se percer les oreilles* (→ Lobe, cit. 2). — (1665). *Percer un abcès.* ⇒ **Ouvrir** (→ Mûr, cit. 2).

Je n'ai d'autre ressource, pour me soulager dans ces crises, que de donner un libre cours à la fièvre de ma pensée, de même qu'on se fait percer les veines quand le sang afflue au cœur ou monte à la tête. 3
CHATEAUBRIAND, Mémoires d'outre-tombe, t. II, p. 348.

Par métaphore. *Les os lui percent la peau :* il est très maigre.

♦ **2.** (V. 1112). Vieilli. Blesser, à l'aide d'une arme pointue (ou tranchante). ⇒ **Blesser, tuer** (→ 1. Loi, cit. 12). *Percer quelqu'un de coups.* ⇒ **Cribler** (2.); **larder** (→ Gémir, cit. 1). *Percer quelqu'un, son corps... d'une flèche* (cit. 1 et 2), *d'un javelot* (→ Lance, cit. 1; arc, cit. 4; atteinte, cit. 8; cyclope, cit. 1). *Percer quelqu'un de part en part, d'outre en outre* (avec une épée, une fourche, un pal...). ⇒ **Embrocher, empaler, enferrer** (1.), **enfourcher, enfiler** (2.). — Loc. Vx. *Percer à jour un ennemi* (→ Estocade, cit. 1). — *Percer le sein* (→ Écouter, cit. 29), *le flanc* (cit. 6 et 7) *de quelqu'un. Percer la bedaine* (cit. 1). ⇒ **Éventrer.** — Pron. *Se percer le cœur, le sein.*

Les dix mille Grecs (...) rencontrèrent une nation qui les endommagea merveilleusement à coups de grands arcs (...) et des sagettes si longues qu'*(elles...)* perçaient de part en part le bouclier et un homme armé. MONTAIGNE, Essais, I, XLVIII. 4

Par anal. Vx. *« Un air glacé qui perce les plus robustes »* (→ Froideur, cit. 1). Syn. mod. ⇒ **Transpercer.**

Par métaphore. *Une épigramme* (cit. 8) *qui « portait coup et perçait son homme ».*

Par métaphore ou fig. *Percer le cœur** (cit. 1) : affliger, faire souffrir (→ Arracher, cit. 4; assassin, cit. 12; blessure, cit. 5). — Au p. p. *« Percé jusques au fond du cœur... »* (→ Atteinte, cit. 9, Corneille). — *Percer l'âme** (cit. 51). → Mener cit. 11.

Ah, Dieux! — Ah! de quel coup me percez-vous le cœur? 5
RACINE, Esther, III, 4.

(...) mon cœur est grand, il peut tout recevoir. Oui, vous aurez beau le percer, les lambeaux feront encore des cœurs de père. 6
BALZAC, le Père Goriot, Pl., t. II, p. 1043.

7 Le Malheur a percé mon vieux cœur de sa lance.
VERLAINE, Sagesse, I, I.

♦ **3.** (1650). Pratiquer une ouverture pouvant servir de passage à travers (quelque chose). *Percer un rocher de part en part pour pratiquer un tunnel* (→ Obvier, cit. 2). *Percer une digue* (cit. 1). *Percer les monts* (→ Homme, cit. 57; 1. or, cit. 22).
Percer un mur (cit. 21), *une clôture, une maison* (→ Jour, cit. 25), *pour s'introduire. Percer un coffre-fort.* — Par métaphore. *L'honneur... perce la voûte des prisons* (→ Entourer, cit. 7).

Archit. Pratiquer une ouverture, une porte, une fenêtre (⇒ **Fenêtrer**), etc., dans (un mur, une cloison). *Percer une façade de trois fenêtres.* — Au p. p. (plus cour.). *Mur, frontispice* (cit. 1) *percé de trois portes. Mur percé de trous en guise* (cit. 9) *de portes.*

8 (...) des petites fenêtres, dont les maisons sont percées, sortaient les têtes de quelques habitants, que le bruit d'une voiture arrachait à leurs monotones occupations (...)
Mme DE STAËL, De l'Allemagne, I, XIII.

♦ **4.** (V. 1155). Sujet n. de chose. Traverser, passer* au travers de (une protection, un milieu intermédiaire). *La pluie ne perce pas la feuillée* (cit.) *de ces arbres. Averse qui perce les vêtements.* — *Lumière* qui perce les ténèbres.* ⇒ **Sortir** (de). *Le soleil, un rayon perce les nuages, la brume...* (→ Abord, cit. 3; entrouvrir, cit. 3; fugitif, cit. 7). *Façade* (cit. 4) *éclairée qui perce l'obscurité.* — *Son qui perce l'air, le silence.* ⇒ **Déchirer** (→ Discordant, cit. 2). — Par métaphore (du sens 2). *Cris, hurlements* (cit. 6) *qui percent les oreilles, le tympan.*

9 Pendant que nous en étions là, voilà une pluie traîtresse (...) Les feuilles furent percées dans un moment, et nos habits percés dans un autre moment.
Mme DE SÉVIGNÉ, 196, 23 août 1671.

10 Parfois un rayon perçait les nuages qui s'étendaient à travers le ciel et glissait un instant sur les ardoises du toit (...)
J. GREEN, Adrienne Mesurat, I, II.

11 Un cri de locomotive perça la nuit près d'un hangar.
ARAGON, les Beaux Quartiers, I, XXVI.

♦ **5.** (Sujet n. de personne). Se frayer un passage malgré une résistance, passer au travers de... *Percer le front des armées ennemies.* ⇒ **Entamer** (→ ci-dessous, II., 1.).
Percer les buissons, la forêt (→ Moins, cit. 27). *Percer la foule.*

♦ **6.** Fig. et vieilli. Voir au loin, à travers... *Yeux qui percent l'étendue, l'infini* (→ Finesse, cit. 2), *les murailles* (→ Lynx, cit. 2), *l'obscurité, le noir* (→ Marmonner, cit. 2). — Spécialt. *Percer quelqu'un de son regard.* ⇒ **Darder** (2.), **transpercer; perçant.** « *D'après regards se fixaient sur les vôtres pour vous deviner et vous percer* » (→ Effrayer, cit. 11).

12 Assise dans les tribunes de l'Assemblée ou des Jacobins, elle *(Mme Roland)* perce d'un œil pénétrant tous les caractères; elle voit à nu les faussetés, les lâchetés, les bassesses, la comédie des constitutionnels, les tergiversations (...)
MICHELET, Hist. de la Révolution franç., V, V.

13 C'est le moment où il va mentir. Ce n'est pas la peine d'écrire des romans psychologiques, si je ne sais pas le percer en ce moment-ci.
MONTHERLANT, les Lépreuses, II, XVIII.

♦ **7.** (1651). Fig. et littér. Parvenir à connaître, à découvrir (un secret*, un mystère*). ⇒ **Déceler, développer** (2.), **pénétrer.** *Percer une intrigue, un complot. Percer l'avenir* (cit. 15). ⇒ **Prévoir.** *Percer les origines de l'esprit humain* (→ Immiscer, cit. 3), *la nature de l'homme* (→ Néant, cit. 7).

14 (...) le Parisien et la Parisienne de la société, ces civilisés excessifs (...) demandent des années pour qu'on les perce, pour qu'on les sache (...)
Ed. DE GONCOURT, les Frères Zemganno, Préface.

Loc. *Percer (qqch., qqn) à jour* : parvenir à connaître, et aussi faire connaître ce qui était tenu caché. ⇒ **Découvrir** (→ Farce, cit. 6; ornière, cit. 5).

B. Pratiquer, faire (un trou, une ouverture). *Percer un trou dans une planche. Percer les trous d'un fer à cheval.* ⇒ **Étamper.** — *Percer un tunnel, un chemin*. Percer une rue, une avenue dans un quartier.* ⇒ **Ouvrir** (une voie). *Percer une porte, une fenêtre.*

15 Quelle main a percé ces longues avenues?
DANCOURT, Céphale et Procris, I, 1 *in* LITTRÉ.

C. (Considéré comme fautif). Pop. Faire, laisser percer (II., 1.). *Enfant qui perce ses dents.*

★ **II.** V. intr. (XVIe). ♦ **1.** Se frayer un passage en faisant une ouverture, un trou... — (Choses). *Les premières dents percent à cet enfant.* Par métonymie. *Abcès qui perce.* ⇒ **Crever** (II.).

16 (...) j'observais chez Armand des rougeurs et des pâleurs que j'attribuais à la pousse de quatre grosses dents qui percent à la fois.
BALZAC, Mémoires de deux jeunes mariées, Pl., t. I, p. 267.

(Personnes; → ci-dessus, I., 5.). *Percer à travers un fourré* (→ Broussaille, cit. 1), *à travers la foule.* — Milit. *Les ennemis n'ont pas pu percer.* ⇒ **Percée.** — Sports. *L'avant-centre perce* (→ Marquer, cit. 21).
La lumière perce à travers les nuages, le brouillard.

17 Çà et là s'élevaient quelques tentes légères dont les toiles laissaient percer les rayons lumineux des lampes matinales, et des ombres passaient et repassaient audessous.
J.-A. DE GOBINEAU, Nouvelles asiatiques, p. 284.

18 (...) la théorie de la « percée » avait été complétée par cette thèse qu'il fallait avant de percer bouleverser entièrement par l'artillerie le terrain occupé par l'adversaire.
PROUST, À la recherche du temps perdu, t. XIV, p. 71.

♦ **2.** (1690). Vx. Donner passage, se laisser pénétrer, traverser. « *Un papier... qui ne perce pas* » (Rousseau, *in* Littré).

♦ **3.** (Fig. du 1.). Vieilli. Voir au loin par l'esprit, pénétrer. « *Il perçait dans tous les secrets* » (Bossuet). *Percer* « *dans l'avenir* », « *dans les motifs des actions* » (Massillon).

♦ **4.** (1572). Se déceler, se manifester*, se montrer (→ Dévergondé, cit. 3; froideur, cit. 2). *Secret qui perce.* ⇒ **Transpirer.** *Rien n'a percé de leur entretien. Son dédain perce à chaque mot* (→ Développer, cit. 13). *Laisser percer sa préoccupation* (→ Engager, cit. 7). *À travers le charme de son style perce quelque chose de vulgaire* (→ Gâter, cit. 13).

(...) la profonde dissimulation d'une âme énergique, qui ne laisse percer à l'exté- 19
rieur aucun des sentiments qu'elle renferme.
MÉRIMÉE, Colomba, III.

Allus. littér. « *Déjà Napoléon perçait sous Bonaparte...* », se montrait, apparaissait (→ Consul, cit. 4, Hugo).

♦ **5.** (1756). Acquérir la notoriété*, commencer à se distinguer*, à être connu. ⇒ **Réussir.**

Vous avez l'étoffe de trois poètes; mais, avant d'avoir percé, vous avez six fois le 20
temps de mourir de faim, si vous comptez sur les produits de votre poésie pour vivre.
BALZAC, Illusions perdues, Pl., t. IV, p. 676.

— Oh Pierre, il est très intelligent, mais il n'a pas de chance; il n'arrive pas à 21
percer; il n'a jamais que les premiers numéros.
R. QUENEAU, le Chiendent, p. 252.

▶ **PERCÉ, ÉE** p. p. adj.

♦ **1.** Traversé d'un ou plusieurs trous. *Chaussures* (cit. 7) *percées.* ⇒ **Troué.** *Vêtements percés* (→ Démantibuler, cit. 1). *Poche percée.* — *Les Nez Percés* (nom d'une ethnie indienne d'Amérique du Nord). — *Yeux percés comme avec une vrille,* très petits et enfoncés. — *Fenêtres percées en meurtrières* (cit. 5). *Les cinq croisées percées à chaque étage.*

Quel était ce feu intérieur qui éclatait parfois dans son regard, au point que son 22
œil ressemblait à un trou percé dans la paroi d'une fournaise?
HUGO, Notre-Dame de Paris, IV, V.

Qui présente (naturellement) des trous, des ouvertures. ⇒ **Caverneux** (1.; anat.), **criblé, foraminé** (hist. nat.). — Loc. *Panier** (cit. 5) *percé.* — *Chaise* percée.*

Fig. *Être percé jusqu'aux os,* trempé, « transpercé ». *Enfants percés de froid.* — *Cœur percé d'une flèche* : symbole de l'amour.

♦ **2.** (1681). Blason. Se dit d'une pièce à jour.

CONTR. Boucher, clore, fermer, obstruer.
DÉR. Perçage, perçant, perce, percé, percée, (n. f.), **percement, percerette, perceur, perçoir.**
COMP. Entre-percer (s'), perce-bois, perce-bouchon, perce-carte, perce-meule, perce-muraille, perce-neige, perce-oreille, perce-pierre.

PERCERETTE [pɛʀsəʀɛt] n. f. — 1671; de *percer.*

♦ Techn., vieilli. Petit foret*, petite vrille*. (On dit aussi *percette* [pɛʀsɛt], 1877). — Spécialt. (XIXe). Outil, instrument servant à percer les bouchons.

PERCEUR, EUSE [pɛʀsœʀ, øz] n. — XVIe; de *percer.*

♦ **1.** [a] Personne qui perce (telle chose). *Perceur de murailles. Perceur de coffre-fort* (Académie).

Le père Bouvet, le perceur d'oreilles, ne passait qu'une fois l'an, le dimanche qui précédait la foire, à la joie des fillettes et des couturières, car il vendait des boucles pour les oreilles qu'il trouait et lui seul de plus savait ce que c'était que repasser les ciseaux.
GIRAUDOUX, Provinciales, éd. Ferenczi, p. 82.

[b] (1681). Ouvrier, ouvrière qui perce, fore au moyen d'une machine, d'un outil. *Aléseur-perceur. Perceur-taraudeur* (coutellerie). *Perceur de boutons. Perceur mécanicien professionnel* (qui effectue des perçages de précision). — REM. Le fém. est rare en ce sens.

♦ **2.** (1894). N. f. PERCEUSE : machine-outil utilisée pour percer des pièces métalliques, pour la finition de pièces, etc. ⇒ **Ajusteur.** *L'outil de la perceuse est un foret*.* ⇒ **Foreuse.** *Perceuse à tête fixe. Perceuse radiale* (à foret mobile). *Perceuse multiple. Perceuse multibroches,* à plusieurs forets.

PERCEVABLE [pɛʀsəvabl] adj. — 1671; « capable de percevoir », fin XIVe; de *percevoir.*
Qui peut être perçu.

♦ **1.** Fin. Qui peut être perçu (II.), recouvré. *Taxe percevable.*

♦ **2.** (V. 1808). Psychol. (Rare). ⇒ **Perceptible** (I.). Cf. Cabanis, *in* Littré.

PERCEVOIR [pɛʀsəvwaʀ] v. tr. — Conjug. *recevoir.* — 1278, « comprendre, saisir par l'esprit » ; anc. franç. *parceivre* « apercevoir », v. 1120 ; lat. *percipere* « recueillir, saisir par les sens ».

★ **I.** Saisir par la perception*. ♦ **1.** Comprendre, saisir, parvenir à connaître avec une relative rapidité, ou intuitivement. ⇒ **Apercevoir, discerner, distinguer, saisir, sentir.** *Percevoir une intention* (→ Antenne, cit. 3), *un état d'esprit* (→ Nuancer, cit. 5). *Il en percevait les effets* (cit. 8). *Percevoir une différence, une nuance... On ne perçoit que l'apparence* (cit. 26). *Les erreurs* (cit. 38) *qu'ils n'ont pas su percevoir.*

1 (...) l'extrême civilisation, la fusion des arts entre eux, l'habitude de vivre parmi les créations de l'esprit, amènent certaines intelligences d'élite à ne plus percevoir la nature qu'à travers les chefs-d'œuvre des hommes.
Th. GAUTIER, Portraits contemporains, T. Johannot.

2 Nous ne pensons que par hasard aux circonstances permanentes de notre vie ; nous ne les percevons qu'au moment qu'elles s'altèrent tout à coup.
VALÉRY, Regards sur le monde actuel, p. 13.

3 (... *il*) fut frappé d'apercevoir sur le masque de son frère un reflet insolite, la trace d'une émotion dont il perçut confusément le caractère intime, amoureux.
MARTIN DU GARD, les Thibault, t. V, p. 179.

♦ **2.** (Dans un sens proche du sens 3). Avoir conscience de (une sensation faible ou habituellement obscurcie). ⇒ **Éprouver.** *Percevoir une lueur indécise* (⇒ **Apercevoir, voir, vue**), *une faible odeur* (⇒ **Flairer, sentir**)... Spécialt. ⇒ **Écouter** (1.), **entendre** (III., 1.), **ouïe.** *Percevoir un bruit** (→ Océan, cit. 6), *un son* (→ Finesse, cit. 2), *un froissement* (cit. 5 et 6), *un frôlement* (cit. 2). *Malade qui perçoit les battements de son cœur* (→ Bruit, cit. 12).

4 (...) les pieds heurtèrent les barreaux et les firent trembler ; elle perçut le frémissement de la rampe sous sa main (...) J. GREEN, Adrienne Mesurat, I, XIV.

♦ **3.** (1798). Philos., psychol. Constituer et reconnaître comme objet par l'acte de la perception*. *Le sujet, l'homme perçoit les objets* (cit. 3), *le monde. Percevoir l'étendue* (→ Espace, cit. 6, Bergson). *Images* (cit. 50) *perçues et inaperçues.* Absolt. *Percevoir et imaginer* (→ Imagination, cit. 21, Bachelard). *« Percevoir finit par n'être plus qu'une occasion de se souvenir »* (H. Bergson, *Matière et Mémoire,* p. 68).

5 Notre perception dessine, en quelque sorte, la forme de leur résidu *(des objets de l'univers)* ; elle les termine au point où s'arrête notre action possible sur eux (...) Telle est la première et la plus apparente opération de l'esprit qui perçoit : il trace des divisions dans la continuité de l'étendue, cédant simplement aux suggestions du besoin (...) H. BERGSON, Matière et Mémoire, p. 235.

Allus. philos. *Pour* Berkeley, *l'existence des « choses » consiste à être perçues* (esse est percipi), *celle des esprits à percevoir* (esse est percipere).

★ **II.** (1377 ; l'anc. franç. employait *apercevoir,* en ce sens). Recevoir*, recueillir* (une somme d'argent, un produit, un revenu). ⇒ **Empocher** (fam.), **retirer, tirer** (de l'argent). *Percevoir des intérêts* (⇒ **Toucher**), *une indemnité* (cit. 4). *La jouissance* consiste à percevoir les fruits d'une chose.*

6 Quant au casuel épiscopal, rachats de bans, dispenses, ondoiements, prédications, bénédictions d'églises ou de chapelles, mariages, etc., l'évêque le percevait sur les riches avec d'autant plus d'âpreté qu'il le donnait aux pauvres.
HUGO, les Misérables, I, I, II.

Spécialt. Recueillir (le montant d'un impôt, d'une taxe...). ⇒ **Lever, recouvrer.** *Percevoir des droits d'enregistrement* (cit. 1), *de douane*... Fonctionnaire qui perçoit les impôts.* ⇒ **Percepteur.**

CONTR. (De II.) **Payer, verser.**
DÉR. **Percevable, perçu.**
COMP. **Moins-perçu, trop-perçu.**

1. PERCHAGE [pɛʀʃaʒ] n. m. — 1949, Larousse ; de 2. *perche,* et *-age.*

♦ Techn. Dernière opération que l'on fait subir au minerai sulfuré de cuivre pour éliminer les impuretés.

La matte est (...) placée dans un four de *raffinage* où l'oxydation sera poussée aussi loin que possible ; les métaux une fois oxydés forment une scorie que l'on écume au fur et à mesure. La dernière opération est celle du *perchage* qui consiste à brasser la masse liquide avec une perche de bois vert afin d'éliminer le gaz SO_2, qui pourrait subsister ainsi que l'oxyde Cu_2O.
Gaston COHEN, le Cuivre et le Nickel, p. 57.

2. PERCHAGE [pɛʀʃaʒ] n. m. — XXe ; de *percher* (se).

♦ Rare. Position d'un oiseau, d'un animal perché ; fait de se percher, pour un animal (oiseau, en particulier). *Le perchage des pintades, des poules, à la tombée du jour.*

1. PERCHE [pɛʀʃ] n. f. — XIIe ; lat. *perca,* grec *perkê,* même sens ; de *perkos* « tacheté de noir ».

♦ Poisson d'eau douce *(Percidés)* dont certaines espèces sont très estimées pour leur chair (→ Avaler, cit. 7 ; happer, cit. 5). *Perche goujonnière.* ⇒ **Grémille.** *Perche arc-en-ciel, perche argentée, perche dorée, perche truitée* (⇒ **Black-bass**), *perche d'Amérique, perche soleil.*

Parfois, en scrutant davantage le fond de l'eau, Anne apercevait le dos vert sombre d'une perche, rayé de noir comme le dos d'un tigre.
Pierre BENOIT, Mlle de la Ferté, p. 111.

Par anal. *Perche de mer.* ⇒ **Serran.** *Perche grimpeuse.* ⇒ **Anabas.**
HOM. 2. **Perche.**

2. PERCHE [pɛʀʃ] n. f. — V. 1112 ; lat. *pertica* « gaule ; perche d'arpenteur ».

★ **I.** ♦ **1.** Pièce de bois, de métal... longue et mince, de section circulaire, qui sert à maintenir, à accéder à quelque chose. *Perche pour gauler les noix.* ⇒ **Gaule.** *Perche terminée par un crochet.* ⇒ **Croc** (2.). *Perche à crochet servant à tirer la braise du four.* ⇒ **Rouable.** *Perche utilisée comme tuteur* (⇒ **Rame**). *Perche à houblon. Perche d'échafaudage.* ⇒ **Écoperche.** *Perches servant de jalons* (cit. 1). ⇒ **Balise** (2.). *Le carrelet*, filet de pêche attaché au bout d'une perche. Perche servant à remuer le fond de l'eau* (⇒ 1. **Bouille**), *à faire avancer un bateau.* ⇒ **Gaffe** (→ Lent, cit. 5 ; manœuvrer, cit. 1). *Perche de téléski.* — *Perche à son,* qui supporte le micro (cinéma, radio, télévision). ⇒ **Girafe.** *Manœuvrer la perche.*

Il y avait là (...) un grand faisceau de perches à houblon, une charrue, un 1
tas de broussailles sèches (...) HUGO, les Misérables, II, I, I.

Il tenait à la main une longue perche garnie de lanternes multicolores (...) 2
ALAIN-FOURNIER, le Grand Meaulnes, I, XII.

(1896). Sports. *Perche utilisée en athlétisme. Perche en fibre de verre, en fibre de carbone. Saut à la perche :* saut en hauteur dans lequel le sauteur, pour s'élever, prend appui sur une longue perche. *Après sa course d'élan, le sauteur à la perche* (⇒ **Perchiste**) *s'élève en bloquant l'avant de la perche dans un butoir.* — Saut à la perche. *Il est très fort à la perche.*

(...) Adrien qui était très populaire parmi les garçons de son âge, à cause de ses 3
records à la perche en particulier (...) ARAGON, les Beaux Quartiers, I, VII.

Techn. Tige métallique adaptée au toit d'un véhicule (locomotive, trolleybus, tramway) et destinée à capter le courant. ⇒ **Trolley, caténaire.** *Perche de prise de courant.*

Pièce de bois disposée de manière que les oiseaux puissent y percher. ⇒ **Juchoir, perchoir.** *Un coq* (1. Coq, cit. 2) *sur la perche.*

♦ **2.** Loc. *Tendre une perche à une personne qui se noie,* pour qu'elle puisse s'y raccrocher. — (1874). Fig. *Tendre la perche à quelqu'un,* lui fournir une occasion de se tirer d'embarras. ⇒ **Aider.** *Saisir la perche que l'on vous tend.*

(...) qui vingt fois a jeté la perche à un fou qui veut se noyer, peut être forcé un 4
jour ou l'autre de l'abandonner ou de périr avec lui.
A. DE MUSSET, Il ne faut jurer de rien, I, 1.

♦ **3.** (1640). Par métaphore et fam. Personne grande et maigre. ⇒ **Échalas.** *Quelle grande perche, ce garçon, il a grandi trop vite. Regardez-moi cette perche !*

♦ **4.** (V. 1165). Vén. « Les deux grosses tiges du bois ou de la tête du cerf, du daim et du chevreuil, auxquelles les andouillers sont attachés » (Littré).

★ **II.** (XIVe ; XIIe, *perque*). Ancienne mesure de longueur. — (1294). Ancienne mesure agraire qui valait la centième partie de l'arpent. *Une perche de vigne.*

COMP. et **DÉR.** **Écoperche.** — 1. **Perchage, perchée, percher, perchette, perchis, perchiste.**
HOM. 1. **Perche.**

PERCHÉE [pɛʀʃe] n. f. — 1836 ; de 2. *perche.*

♦ Vitic. Petite tranchée ménagée entre deux billons, dans laquelle on plante les ceps de vigne.

HOM. **Percher.**

PERCHER [pɛʀʃe] v. — V. 1354 ; « se mettre debout », 1314 ; de 2. *perche.*

★ **I.** V. intr. ♦ **1.** (Le sujet désigne un oiseau*). Se mettre, se tenir sur un support, au-dessus du sol (branche, perchoir, etc.). — Absolt. Avoir l'habitude de percher. *Cet oiseau perche.* ⇒ **Percheur.**

♦ **2.** (1841). Fam. (Personnes). Loger à un étage élevé (→ Jucher). *Il perche au sixième étage.* — (Déb. XXe). Par ext. ⇒ **Demeurer, loger, nicher** (fam.).

(...) Clémentine dit au comte : — Où perche donc le capitaine ? — Tiens, là, répon- 1
dit Adam, en montrant un petit étage en attique élégamment élevé de chaque côté de la porte cochère (...) BALZAC, la Fausse Maîtresse, Pl., t. II, p. 29.

(Le sujet désigne un lieu). Être situé, se situer.

Virelay, Virelay, où ça perche ce trou-là ? 1.1
Roger IKOR, les Fils d'Avrom, Les eaux mêlées, p. 464.

★ **II.** V. tr. ♦ **1.** (1373). Fam. Placer à un endroit élevé. *Quelle idée, d'avoir perché ce vase sur cette armoire !*

♦ **2.** *Percher sa voix :* parler plus haut.

1.2 Il y a soixante ans, dis-je en perchant ma voix sur un ton délibéré, les parents choisissaient pour nous! (...) P. GUTH, le Mariage du naïf, IV, p. 46.

▶ **SE PERCHER** v. pron.

Se mettre, se tenir sur un endroit élevé. ⇒ **Brancher** (1.), **jucher.** *Les oiseaux se perchaient en grappes* (cit. 8) *sur les petits perchoirs de bois.* — Absolt. *Certains oiseaux ne se perchent pas.* — (1640). Par anal. et fam. (Personnes). ⇒ **Grimper, monter.**

2 Tarrou s'était levé pour se percher sur le parapet de la terrasse, face à Rieux, toujours tassé au creux de sa chaise. CAMUS, la Peste, p. 266.

▶ **PERCHÉ, ÉE** p. p. adj. et n. m.

♦ **1.** Placé sur un endroit élevé. *« Maître corbeau* (cit. 2) *sur un arbre perché... »* (La Fontaine).

3 (...) confiné dans une chambre d'auberge, n'ayant pour toute distraction que la vue des cigognes, lugubrement perchées aux bords de leurs vastes nids (...) E. FROMENTIN, Un été dans le Sahara, p. 2.

Blason. Se dit d'un oiseau qui est représenté perché sur un support. *D'azur à un aigle de sable perché sur une burelle de gueules.*

(Personnes). *Il vivait dans sa mâture, perché comme un oiseau* (→ Gabier, cit. 2). *Perché sur le haut de la diligence* (→ Cœur, cit. 36). *Une fille perchée sur de hauts* (cit. 11) *talons.*

4 (...) il y a partout des veilleurs perchés sur des tréteaux de branchages, pour chasser les rats et les oiseaux (...) LOTI, l'Inde (sans les Anglais), V, I.

(Choses). *Ville perchée sur le haut d'une petite montagne* (→ Chaux, cit. 1).

Géol. *Bloc perché* ou *roche perchée :* bloc de rocher qui, ayant protégé de l'érosion la partie du terrain sur laquelle il repose, se trouve finalement surélevé par rapport au niveau du sol.

Chat perché. ⇒ **Chat** (4.).

N. m. (1798). *Tirer les faisans au perché,* les tirer au moment où ils sont perchés.

♦ **2.** (sens II, 2). *Voix perchée, haut perchée,* aiguë.

4.1 Sur le seuil, elle m'a dit, plus mondaine que jamais, la voix perchée : merci d'être venu. Jean HOUGRON, la Gueule pleine de dents, p. 54.

4.2 Sur le ton haut perché des jeunes femmes du XVIe arrondissement, elle (...) m'introduisit dans une immense chambre ronde. Cecil SAINT-LAURENT, la Mutante, p. 100.

DÉR. Perchage, percheur, perchoir.
HOM. Perchée (n. f.).

PERCHERON, ONNE [pɛʀʃəʀɔ̃, ɔn] adj. et n. — 1836; de *Perche,* région de France.

♦ Du Perche. *Population percheronne.* — *Les Percherons.*

Spécialt. *Cheval percheron :* grand et fort cheval de trait, de labour, originaire du Perche. (→ Colporteur, cit. 2). *Race percheronne.* — N. m. *Un percheron* (→ Grume, cit. 5).

Brusquement, un landau, attelé de deux percherons superbes, s'arrêta devant la porte. ZOLA, la Terre, IV, V.

PERCHETTE [pɛʀʃɛt] n. f. — V. 1240; de 2. *perche,* et *-ette.*

♦ **1.** Vx. Petite perche servant de support.

♦ **2.** (1838). Techn. Petite perche servant de tuteur pour les jeunes arbres.

PERCHEUR, EUSE [pɛʀʃœʀ, øz] adj. et n. — 1827; de *percher.*

♦ Qui a l'habitude de percher. *Oiseau percheur.* — N. m. *Les percheurs.*

PERCHIS [pɛʀʃi] n. m. — 1701; de 2. *perche.*

Technique.

♦ **1.** Clôture faite avec des perches.

♦ **2.** (1828). Arbor. Jeune bois peuplé d'arbres âgés de dix à vingt ans, de grosseur et de hauteur convenables pour faire des perches (trente à soixante centimètres environ de circonférence au pied). ⇒ **Forêt.**

Les murs, construits en terre glaise et détrempés par les pluies, laissaient apparaître la carcasse de soutien, faite d'une sorte de perchis noir et déjà pourri aux endroits les plus exposés. M. AYMÉ, la Vouivre, p. 63.

PERCHISTE [pɛʀʃist] n. — Fin XIXe; de 2. *perche.*

♦ **1.** Équilibriste spécialiste du travail à la perche.

♦ **2.** (1943, *in* G. Petiot). Sport. Athlète spécialiste du saut à la perche, sauteur à la perche. — REM. Dans ce sens, seul le masc. est employé, la discipline étant réservée aux hommes.

♦ **3.** (1973; recomm. off.). Cin., radio, télév. Personne qui tient la perche à son au-dessus de celui qui parle. — REM. Ce terme est concurrent du pseudo-anglicisme *perchman**.

PERCHLORATE [pɛʀklɔʀat] n. m. — 1845; de *per-,* et *chlorate.*

♦ Chim. Sel de l'acide perchlorique. *Perchlorate d'ammonium, perchlorate de potassium, entrant dans la composition de certains explosifs.*

PERCHLORIQUE [pɛʀklɔʀik] adj. — 1845; de *per-,* et *chlorique.*

♦ Chim. Se dit de celui des anhydrides (Cl_2O_7) et de celui des acides ($HC1O_4$) du chlore dans lesquels le chlore manifeste son degré d'oxydation le plus élevé. *L'acide perchlorique, réactif des sels de potassium, est un oxydant énergique et le plus fort de tous les acides connus.*

PERCHLORURE [pɛʀklɔʀyʀ] n. m. — 1845; de *per-,* et *chlorure.*

♦ Chim. Vieilli. Chlorure renfermant une plus grande proportion de chlore que les chlorures normaux. *Perchlorure de fer* (Fe_2Cl_6) ou, mieux, *chlorure ferrique, ou chlorure de fer trivalent, utilisé comme hémostatique.*

PERCHMAN [pɛʀʃman] n. m. — Mil. XXe (1952); pseudo-anglicisme, de *perch* « perche à son », et *man* « homme »; l'équivalent angl. est *boom operator.*

♦ [a] Technicien qui dirige et déplace la perche à son. ⇒ **Perchiste** (3.).

Bien sûr, ça peut aussi exister dans un studio de films, que vous laissiez une certaine responsabilité au perchman, au cadreur, à celui qui pousse le travelling, etc. Mais à la télévision, vous êtes forcé de le faire. J.-L. GODARD, Jean-Luc Godard *in* Coll. des cahiers du cinéma, p. 244.

[b] Celui qui tend les perches d'un remonte-pente aux skieurs.

PERCHOIR [pɛʀʃwaʀ] n. m. — 1583; *percheur* « étagère », 1401; de *percher.*

♦ **1.** Endroit où viennent se percher les oiseaux; bâton isolé ou ensemble de bâtons disposé de manière que les volailles, les oiseaux puissent y percher. ⇒ **Juchoir, perche** (→ Basse-cour, cit. 1; ébrouement, cit. 3). *Perchoir de perroquet. Perchoir dans une cage* (cit. 4). *Les faucons, attachés par rang de taille sur le perchoir* (→ Fauconnerie, cit.).

Un grand arbre, devant ma terrasse, est chaque nuit un de leurs perchoirs d'élection *(des corbeaux...)* jusqu'à l'aube, ses branches restent courbées sous le poids des oiseaux noirs. LOTI, l'Inde (sans les Anglais), III, VII. 1

Dans une cage jaune posée sur le comptoir bancal, un perroquet, toutes plumes retombées, était affaissé sur son perchoir. CAMUS, la Peste, p. 158. 2

♦ **2.** [a] (XIXe). Fam. Appartement, logement qui est situé à un étage élevé.

[b] Siège élevé. *Descends de ton perchoir!*

[c] Spécialt. Tribune élevée où siège le président de l'Assemblée nationale, et, par ext., présidence de l'Assemblée nationale. *La course au perchoir a animé les premières séances de la nouvelle législature. « L'histoire commence l'autre semaine lorsque les barons de la Ve décident de catapulter Chaban* (M. Chaban-Delmas) *à la présidence de l'Assemblée nationale. Le "perchoir", comme on dit dans le monde politique, voilà un bon poste d'observation »* (*le Nouvel Obs.,* 26 mars 1973, p. 39).

PERCIDÉS [pɛʀside] n. m. pl. — 1878; var. *perchides, percoïdes,* XIXe; du rad. du lat. *perca* « perche ».

♦ Zool. Famille de poissons osseux à nageoires épineuses, écailles rugueuses. ⇒ **Bar,** 1. **perche, sandre.** — Au sing. *Un percidé.*

PERCLUS, USE [pɛʀkly, yz] adj. — 1420; lat. médical médiéval *perclusus,* même sens; du lat. *per* (→ Per-), et *claudere* « fermer ».

♦ **1.** (Personnes). Qui est privé, complètement ou partiellement, de manière permanente (par l'effet d'une maladie, d'une infirmité, d'un accident...) ou passagèrement (par l'effet du froid, de l'immobilité prolongée...) de la faculté de se déplacer, de se mouvoir; qui a de la peine à se mouvoir (⇒ **Impotent; paralytique,** REM.). *Être perclus de rhumatismes* (par des rhumatismes). *Transi de froid, immobile et perclus* (→ Frisonner, cit. 1). *Être perclus de tous ses membres. Être perclus, tout perclus, perclus de douleurs,* ankylosé, gêné par des douleurs. — (Animaux). *Un serpent gelé* (cit. 16), *perclus.* — Par ext. En parlant d'un membre. *Bras perclus. Jambes percluses.* ⇒ **Inerte.** — REM. À côté de *percluse,* seul féminin donné par les dictionnaires (Académie, Hatzfeld, Littré, qui signale *perclue* comme genevois), il existe une forme *perclue* attestée aussi dans la langue littéraire (cf. Grevisse, *Le Bon Usage,* § 683, n. 2, qui cite Mauriac et J. Schlumberger).

(...) il reste toujours entre *paralysé* ou *paralytique,* d'une part, et *perclus,* de l'autre, une sensible différence. *Paralytique* et *paralysé* marquent un état plus grave, une affection arrivée au point qu'elle mérite d'être appelée de son nom scientifique et rigoureux, une *paralysie* (...) Il n'en est pas ainsi de *perclus :* c'est un mot vague qui exprime une sorte de *paralysie*, une quasi-*paralysie* (...) La Fontaine applique l'épithète de *perclus* à un serpent qui n'était qu'engourdi par le froid. LAFAYE, Dict. des synonymes, Suppl., Paralytique...

2 — Moi! cria Cornélius qui, après ce mot, resta debout et silencieux, comme un homme perclus de ses membres. BALZAC, Maître Cornélius, Pl., t. IX, p. 947.

3 Tout bien examiné, on découvrit, au quatrième étage d'une vieille maison, une tante à demi percluse, qui ne bougeait jamais de son fauteuil, et qui n'était pas sortie depuis quatre ou cinq ans. A. DE MUSSET, Nouvelles, « Croisilles », VI.

Nom (Rare) :

4 C'était un perclus, à la fois boiteux et manchot, et si manchot et si boiteux que le système compliqué de béquilles et de jambes de bois qui le soutenait lui donnait l'air d'un échafaudage de maçons en marche. HUGO, Notre-Dame de Paris, II, VI.

♦ **2.** (1580). Paralysé. *Il restait immobile, sans dire un mot, perclus de crainte. Perclus de peur, de gêne. — Cerveau, esprit perclus.* ⇒ **Inactif.**

5 (...) Duroy, tout à coup perdant son aplomb, se sentit perclus de crainte, haletant. MAUPASSANT, Bel-Ami, I, II.

6 (...) j'étais déplorablement timide, perclus de réticences, paralysé de scrupules. GIDE, Si le grain ne meurt, I, VIII, p. 217.

7 Les premiers jours, j'avais pris ce grand jeune homme noir et myope, perclus de timidité, pour un être insignifiant (...) F. MAURIAC, le Nœud de vipères, I, VII.

PERCNOPTÈRE [pɛʀknɔptɛʀ] n. m. — 1770; grec *perknopteros*, même sens, de *perknos* « noirâtre » (→ Perche), et *pteron* « aile ». → -ptère.

♦ Zool. Oiseau rapace diurne *(Ægypiidés)*, sorte de vautour de taille moyenne à plumage blanc avec rémiges noires, qui vit dans les régions méditerranéennes. *Le percnoptère était vénéré par les Égyptiens* (on le nomme aussi : *néophron, poule de Pharaon*).

PERCO [pɛʀko] n. m. ⇒ **Percolateur.**

PERÇOIR [pɛʀswaʀ] n. m. — V. 1196; de *percer*.

Technique.

♦ **1.** Outil pour percer.

♦ **2.** Plaque évidée servant à guider le perçage.

PERCOLATEUR [pɛʀkɔlatœʀ] n. m. — 1903; « appareil servant à filtrer (du café, du thé) », 1856; du rad. du lat. *percolare* « filtre ».

♦ Appareil qui sert à faire du café en grande quantité par percolation (ou lixiviation*). *Robinets d'un percolateur. Installer un percolateur dans un café.* — Abrév. fam. : *perco.*

1 Il contempla fixement les surfaces de matière plastique jaune et les chromes du percolateur. J.-M. G. LE CLÉZIO, le Déluge, p. 244.

2 Il n'a pas fini d'attacher ses bretelles que déjà il prépare le café. Il apporte à la toilette du « perco » tous les soins qu'il marchande à la sienne (...) Le « perco » rayonne comme un phare. Dans ses flancs, l'eau bouillonne, une vapeur embaumée s'en échappe. Tout est prêt. Les locataires partiront au travail avec un bon « jus » dans le ventre. Eugène DABIT, Hôtel du Nord, VII.

DÉR. Percolation.

PERCOLATION [pɛʀkɔlasjɔ̃] n. f. — 1903, *Rev. gén. des sc.*, nº 10, p. 548; du rad. de *percol(ateur)*.

♦ **1.** Techn. Procédé de raffinage (huiles de pétrole, de lin) par circulation dans une matière adsorbante.

♦ **2.** Didact. Circulation d'un fluide à travers une substance, par la pression (⇒ **Percoler**). Spécialt. Passage de l'eau à travers un terrain perméable. « *La percolation des eaux de surface, qui pourraient venir éteindre la réaction* » (*Sciences et Avenir*, mai 1979, p. 19). *Pression de percolation* : différence de pression entre deux points d'un terrain, créée par la percolation.

♦ **3.** Agric. Culture au moyen d'une solution nutritive qui traverse de haut en bas un support.

PERCOLER [pɛʀkɔle] v. intr. — XXᵉ; du rad. du lat. *percolare*. → Percolateur

♦ Didact. Circuler au travers (d'une substance) par la pression (le sujet désigne un fluide).

Plus elle *(la lave)* sera fluide, plus aisément les gaz — primitivement dissous puis libérés par la décompression — pourront percoler au travers pour s'échapper dans l'atmosphère. H. TAZIEFF, Histoire de volcans, p. 53.

PERCOMORPHES [pɛʀkɔmɔʀf] n. m. pl. — XXᵉ; du lat. *perc(a)* « perche », et *-morphe*.

♦ Zool. Ordre de poissons osseux à nageoires épineuses, nageoires pelviennes au niveau des pectorales, vessie natatoire fermée ou inexistante. (Ex. : percidés, serranidés : mérou, daurades, scombridés, scorpénidés, trigles). — Au sing. *Un percomorphe.*

PERÇU, UE [pɛʀsy] adj. ⇒ **Percevoir** (p. p.).

PERÇU [pɛʀsy] n. m. — XXᵉ; de *perçu*, p. p. de *percevoir**, pour traduire le lat. *perceptum*.

♦ Philos. L'ensemble des objets perçus, le réel en tant que perçu par un sujet. *Rapport du sujet et du perçu.* ⇒ **Objet.**

PERCUSSION [pɛʀkysjɔ̃] n. f. — 1314, *percution* ; « tribulation, malheur », fin XIIᵉ; lat. *percussio, -onis*, « action de frapper ; coup ». → Percuter.

♦ **1.** Techn. ou littér. Action de frapper ; choc d'un corps contre un autre. ⇒ **Choc, coup.** *La percussion, le frottement suffisent pour donner au fer cette vertu magnétique* (→ Exposition, cit. 12). *Perforeuse à percussion. Percussion brutale, rythmée, violente. Travail de la pierre par percussion.* ⇒ **Percuteur** (2.).

D'après le Rational de Guillaume Durand, la dureté du métal signifie la force du prédicateur ; la percussion du battant *(de la cloche)* contre les bords, exprime l'idée que ce prédicateur doit se frapper, lui-même, pour corriger ses propres vices, avant que de reprocher leurs péchés aux autres. HUYSMANS, Là-bas, IX. 1

Le répertoire des percussions dont un singe anthropoïde est capable est assez étendu mais leur instrument principal est l'appareil dentaire : les incisives coupent ou raclent, les canines percent ou déchirent, les molaires broient. A. LEROI-GOURHAN, le Geste et la Parole, t. II, p. 44. 2

Sc. Force appliquée sur un corps pendant un temps très court. *Lois de la percussion des corps. Percussion ou impulsion d'une force.* ⇒ **Impulsion** (*infra* cit. 3).

Arme à percussion : arme à feu dans laquelle la mise à feu de la charge s'effectue par le choc d'une pièce métallique contre une capsule détonante. ⇒ **Percuteur.** *Fusil à percussion. — Cartouche à percussion centrale, latérale. — Platine* à percussion.*

♦ **2.** (V. 1648). Mus. et cour. *Instrument à percussion* ou *de percussion* : instrument de musique dont on joue en le frappant (avec la main, avec une baguette, un balai*, etc.) et dont le rôle est surtout rythmique. *Principaux instruments de percussion* : caisses (III. ; caisse claire, grosse caisse...), castagnettes, cymbales, glockenspiel, gong, tambour*, tambourin, timbale, triangle, vibraphone, xylophone*...

Par métonymie. Ensemble des instruments de percussion d'un orchestre. ⇒ **Batterie.** *Dans un orchestre de jazz, la percussion est un élément de la section rythmique. Concerto pour deux pianos et percussion*, de Bartok.

♦ **3.** (1770). Méd. « Mode d'exploration clinique, qui consiste à provoquer certains sons en frappant, soit avec les doigts, soit avec un instrument spécial, une région déterminée du corps pour reconnaître l'état des parties sous-jacentes » (Garnier et Delamare). ⇒ **Auscultation, exploration.** *Percussion immédiate. Percussion médiate*, par l'intermédiaire d'un instrument (⇒ **Plessimètre**). — *Marteau à percussion*, destiné à provoquer les réflexes ostéo-tendineux.

DÉR. (Du 2.) **Percussionniste.**

PERCUSSIONNISTE [pɛʀkysjɔnist] n. — Mil. XXᵉ; de *percussion*, 2.

♦ Mus. Musicien qui joue d'un ou plusieurs instruments de percussion. — REM. Dans le jazz, le rock, la variété, etc., on emploie plutôt *batteur*, ou l'anglicisme *drummer*.

PERCUTANÉ, ÉE [pɛʀkytane] adj. — XXᵉ; du lat. *per* « à travers », et *cutané*.

♦ Didact. Qui se produit à travers la peau, traverse la peau. *Pénétration percutanée de substances thérapeutiques.*

PERCUTANT, ANTE [pɛʀkytɑ̃, ɑ̃t] adj. — 1872; p. prés. adjectivé de *percuter*.

♦ **1.** Didact. Qui percute, qui donne un choc. — Mécan. *Le corps percutant et le corps percuté.*

(1903). *Un obus, un projectile percutant*, ou, n. m., *un percutant* : obus, projectile muni d'une *fusée* percutante* et qui éclate par la percussion contre le but ou contre le sol. — (1903). *Tir percutant* : tir exécuté au moyen de ces projectiles.

Il avait appris que le bombardement du bois, après avoir commencé par des percutants et des fusants, s'était continué par des percutants seulement. J. ROMAINS, les Hommes de bonne volonté, t. XVI, I, p. 16.

♦ **2.** (V. 1954). Fig. et cour. Qui frappe par sa netteté brutale, par sa nouveauté, par son caractère imprévu, qui produit un choc psychologique. ⇒ **Frappant, saisissant.** *Un article, un discours percutant. Une déclaration, une formule percutante.* « *Le style rapide, percutant d'un livre* » (Henriot, *in* P. Gilbert).

(Personnes). *Un écrivain, un polémiste percutant. Il n'a pas été très percutant, au cours de l'interview.*

PERCUTER [pɛʀkyte] v. tr. et intr. — 1610, rare av. 1825; «transpercer», v. 980; lat. *percutere* «frapper violemment» (de *per*, et *quatere* «secouer»). → Percussion.

★ **I.** V. tr. ♦ **1.** Frapper, heurter (qqch.). — Mécan. *Mobile qui percute un autre corps.* ⇒ **Percussion.** — Spécialt. Frapper de manière à faire détoner. *Pièce du fusil qui percute l'amorce.* ⇒ **Percuteur.**

♦ **2.** Fam. *Voiture qui percute un arbre* (→ ci-dessous II., 2.).

♦ **3.** (1833). Méd. Explorer un organe, une partie du corps par le procédé de la percussion*. *Percuter la poitrine d'un malade.*

★ **II.** V. intr. ♦ **1.** Heurter en éclatant, en explosant. *Obus qui vient percuter contre le sol, contre un mur.*

♦ **2.** Cour. Heurter violemment, entrer brutalement en contact avec (un obstacle, un véhicule). *L'avion percuta contre le sol. La voiture vint percuter contre un camion à l'arrêt.* ⇒ **Entrer** (fam. entrer dedans).

Fonçant avec un camarade en rase-mottes sur un troupeau d'éléphants, au Congo belge, notre avion vint percuter dans une des bestioles, tuant du même coup l'éléphant et le pilote. R. GARY, la Promesse de l'aube, p. 336.

▶ **PERCUTÉ, ÉE** p. p. adj. *Le corps percutant* et le corps percuté.*

DÉR. Percutant, percuteur.

PERCUTEUR [pɛʀkytœʀ] n. m. — 1868; «qui inflige des vexations», v. 1265; de *percuter.*

♦ **1.** Pièce métallique, de forme allongée et terminée en pointe, qui, dans une arme à feu portative, dans la fusée percutante d'un obus, dans un allumeur de grenade ou de mine, etc., est destinée à frapper l'amorce et à la faire détoner. ⇒ **Concuteur.** *Percuteur à pointe double, à ressort... Percuteur d'un fusil.*

1 (*Il...*) tira de sa poche trois balles : les amorces portaient la trace du percuteur, mais les balles n'étaient pas parties. MALRAUX, l'Espoir, I, I, II, III.

♦ **2.** Archéol. À l'époque préhistorique (Moustérien), silex ou grès de forme arrondie utilisé pour fabriquer des outils (pointe, grattoir, lame, etc.) par percussion*.

2 Au niveau anthropien primitif, les actions complexes de préhension, de manipulation, de pétrissage persistent : elles forment encore une large part de nos gestes techniques. Par contre il est sensible que dès l'apparition du percuteur, du chopper et des bois de cervidés utilisés, les opérations de section, de broyage, de modelage, de grattage et de fouissement émigrent dans les outils. La main cesse d'être outil pour devenir moteur.
A. LEROI-GOURHAN, le Geste et la Parole, t. II, p. 41.

PERCUTI-RÉACTION [pɛʀkytiʀeaksjɔ̃] n. f. — 1908; du lat. *per* «à travers», *cuti(s)* «peau», et de *réaction.* → Percutané et cuti-réaction.

♦ Méd. Réaction cutanée qui se produit à l'endroit où l'on a fait pénétrer par frottement une pommade contenant de la tuberculine concentrée, indiquant que le sujet a déjà été exposé à l'infection tuberculeuse et y est devenu résistant. ⇒ **Cuti-réaction.**

PERDABLE [pɛʀdabl] adj. — XIIIe; de *perdre.*

♦ (Surtout en emploi négatif). Qui peut être perdu. *La partie n'est plus perdable.*

CONTR. Imperdable.

PERDANT, ANTE [pɛʀdɑ̃, ɑ̃t] n. et adj. — 1288; de *perdre.*

★ **I.** ♦ **1.** Personne qui perd au jeu (cit. 39), dans une compétition, une affaire. ⇒ **Battu.** *Partie, match où il n'y a ni gagnant ni perdant.* ⇒ **Nul.** *Il a été le gros perdant dans cette affaire. Un bon, beau perdant,* qui sait perdre avec bonne grâce. — *C'est un perdant,* il échoue souvent. — Adj. *Partir perdant.*

♦ **2.** Adj. Qui perd. *Les numéros perdants, à la loterie.*

★ **II.** N. m. (1836). Mar. *Le perdant :* la marée descendante. ⇒ **Jusant, reflux.**

CONTR. Gagnant.

PERDEUR, EUSE [pɛʀdœʀ, øz] n. — XVIe; de *perdre.*

♦ Rare. Personne qui a l'habitude de perdre, d'égarer les objets. — Adj. *Il est perdeur.*

PERD-FLUIDE [pɛʀflɥid] n. m. invar. — 1890 (*in* P. Larousse, *Deuxième Suppl.*); de *perdre,* et *fluide.*

♦ Didact. Conducteur souterrain d'un paratonnerre, relié à la prise de terre. *Des perd-fluide.*

Les perd-fluides *(sic)* des piliers est et sud de la tour Eiffel, qui offrent une très grande surface enfoncée dans les alluvions de la Seine, n'ont que très peu de résistance (om. 3)...
L. FIGUIER, l'Année scientifique et industrielle 1891, p. 133 (1890).

PERDITANCE [pɛʀditɑ̃s] n. f. — XXe; du rad. de *perdre.*

♦ Techn. Dans une installation électrique, conductance* totale des résistances d'isolement.

PERDITION [pɛʀdisjɔ̃] n. f. — Déb. XIIIe; *perdicium,* 1080; lat. ecclés. *perditio,* même sens; bas lat. *perditio, -onis* «perte, ruine».

♦ **1.** (V. 1120). Relig. Éloignement de l'Église et des voies du salut; ruine de l'âme par le péché (→ Dieu, cit. 27). *État de perdition. Chemin d'enfer et de perdition, qui mène à la perdition* (→ Enfiler, cit. 4; étroit, cit. 5). *Le fils de perdition,* Judas. *L'enfant de perdition,* l'Antéchrist, et, par ext., pécheur endurci.

Ces filles, étonnées de ce qu'on dit, qu'elles sont dans la voie de perdition; que leurs confesseurs les mènent à Genève; qu'ils leur inspirent que Jésus-Christ n'est point en l'Eucharistie, ni en la droite du Père; elles savent que tout cela est faux, elles s'offrent donc à Dieu en cet état : *Vide si via iniquitatis in me est.* 1
PASCAL, Pensées, XIII, 841.

(1694). Cour. *Lieu (endroit,* etc.) *de perdition :* lieu de débauche, de plaisir.

(...) ce théâtre, un abîme de perditions où grimacent des femmes peintes (...) 2
ARAGON, les Beaux Quartiers, II, XI.

♦ **2.** Vx. État de ce qui se perd, se dissipe. ⇒ **Dissipation, perte.** — *En perdition. Tout son bien s'en va en perdition* (Littré, Académie).

(1787). Cour. *Navire en perdition,* dans une position telle qu'il se trouve en danger de faire naufrage. ⇒ **Danger, détresse.** *Canots de sauvetage, remorqueurs au secours d'un vaisseau en perdition.*

Un écueil (...) C'était ainsi que toujours apparaissaient les navires en perdition, devant un écran blême de lames qui montaient jusqu'à hauteur des mâts. Ils n'avaient plus ni avant, ni arrière à opposer aux chocs et tous donnaient de la bande, car leur cargaison roulait du côté où le vent et la mer les poussaient. 3
Roger VERCEL, Remorques, IV.

Fig. *Une entreprise, une économie en perdition.*

CONTR. Salut.
COMP. Déperdition.

PERDRE [pɛʀdʀ] v. — Conjug. *rendre.* — Fin IXe, Cantilène de Sainte Eulalie; lat. *perdere,* dont il a gardé le double sens, actif ou passif.

★ **I.** (Sens passif). **A.** V. tr. Cesser, provisoirement ou définitivement, d'avoir en sa possession ou à sa disposition (un bien, un avantage). ♦ **1.** Fin Xe. (Le compl. désigne un bien qui n'est pas inhérent à la personne). Ne plus avoir (un bien). *Perdre ses biens* (détruits, pris ou acquis par d'autres). *Perdre sa fortune, une somme d'argent...* ⇒ **Appauvrir** (s'), **démunir** (se). → Arrhes, cit. 1; attendre, cit. 86; capital, cit. 7; consommer, cit. 1; exciter, cit. 11; 2. frais, cit. 1; gré, cit. 17; malheur, cit. 10. *L'Allemagne semblait avoir tout perdu* (→ Désarmer, cit. 11). Abstrait. *Perdre son trône, sa couronne, sa place, sa situation, un avantage* (→ Favori, cit. 13; hasard, cit. 5; mot, cit. 27). — Prov. *Qui va à la chasse* perd sa place.* — *Perdre le fruit* (cit. 38) *de son travail* (→ Généralisation, cit. 3). *Perdre un marché* (cit. 31). *Perdre de l'argent au jeu* (cit. 34 et 35). — Par métaphore. *Jouer* (cit. 35) *et perdre son âme.* — Prov. *Pour un point Martin perdit son âne.*

(...) ils disent l'argent qu'ils ont perdu au jeu, et ils plaignent fort haut celui qu'ils n'ont pas songé à perdre. LA BRUYÈRE, les Caractères, VII, 10. 1

(...) un jour, leur absence *(de certains êtres)* était révélée par un signe matériel : on perdait sa situation, on perdait de l'argent à la bourse, on perdait le goût du travail, on perdait toujours quelque chose, un peu plus qu'on avait déjà perdu. 1.1
M. AYMÉ, Maison basse, p. 173.

Absolt. *«On hasarde de perdre en voulant trop gagner»* (cit. 14, La Fontaine). *Jouer* (cit. 29) *et perdre* (→ Hanneton, cit. 4; mise, cit. 2). — *Perdre sur une marchandise :* subir une perte*.

J'avais perdu sur parole, dans une maison de jeu, avec des Portugais. Le lendemain, il fallait donner cet argent (...) LOTI, Mon frère Yves, VIII. 2

Loc. (où *perdre* a pour compl. un indéfini : *tout, rien* ou est employé absolt, sans compl.). *Tout perdre. Craindre de tout perdre* (→ Hasarder, cit. 4; impunément, cit. 11). *Avoir tout à perdre :* être exposé à tout perdre sans contrepartie (→ Modeste, cit. 6). *«L'avarice* (cit. 5) *perd tout en voulant tout gagner». «Quand on a tout perdu, quand on n'a plus d'espoir...»* (cit. 12, Voltaire). *N'avoir rien à perdre* (→ Anticiper, cit. 10; habiller, cit. 3). *N'avoir rien à perdre mais tout à gagner.* — (1836). *Vous ne perdez rien pour attendre** (formule de menace). — *Perdre à... :* être lésé, subir un dommage du fait de... *Perdre au change*. Le lecteur ne perdra rien à ignorer ce détail* (→ Fragment, cit. 8). *Non, je refuse, j'y perdrais* (→ Laver, cit. 4). — Fam. *Tu ne le connais pas? Tu n'y perds rien!,* il ne mérite pas d'être connu. — *Le cœur, l'art y perd* (→ Félicité, cit. 5; gagner, cit. 16). — Vx. *Perdre de...* (et infinitif).

(...) si elle (*Mme de Bouillon*) est innocente, elle perd infiniment de n'avoir pas le plaisir de triompher (...) Mme DE SÉVIGNÉ, 782, 16 févr. 1680. 3

— C'est le plus admirable des poisons (...) — Le respirer peut être mortel, et, de quelque manière qu'on l'absorbe, s'il ne tue pas immédiatement, vous ne perdez rien pour attendre; son effet est aussi sûr qu'il est caché.
BARBEY D'AUREVILLY, les Diaboliques, «Dessous de cartes...».

5 — Seigneur, laissez-moi retourner maintenant dans mon pays (...)
— Partir! Tout ce que nous perdrions! Tout ce que vous perdriez!
— Plutôt perdre que supporter. MONTHERLANT, la Reine morte, I, 1.

(Le compl. désigne un bien psychologique ou moral). *Perdre l'estime* (cit. 10 et 13), *la confiance, la faveur, les bonnes grâces... de quelqu'un* (→ Considération, cit. 10; dur, cit. 25; indigne, cit. 2). ⇒ **Démériter; disgrâce.** *Perdre la grâce de Dieu* (→ Capacité, cit. 2). *Perdre son crédit* (→ Envers, cit. 3), *son ascendant* (cit. 6), *son prestige. Perdre ses droits* (→ Avocat, cit. 6; métropole, cit. 3; ingénu, cit. 3), *l'honneur* (cit. 10 et 17). *« On a perdu bien peu quand on garde* (cit. 45, Voltaire) *l'honneur.*

6 (...) si vous ne voulez pas perdre mon estime après avoir perdu mon amitié (...)
BALZAC, Mme de La Chanterie, Pl., t. VII, p. 283.

♦ **2.** Compl. n. de personne. **a** (V. 1050). Être séparé de (qqn) par la mort. ⇒ **Deuil** (être en deuil de), **perte** (I., 1.). *Perdre sa mère, son père, ses enfants* (→ Douloureux, cit. 4; épouvante, cit. 8; éteindre, cit. 44; fleur, cit. 24; funérailles, cit. 5; miner, cit. 3). — Spécialt. Avoir (des pertes* en hommes, des tués). *L'ennemi avait perdu beaucoup de monde dans la bataille* (→ Ligne, cit. 36).

7 On ne perdit dans le passage *(du Rhin)* que le comte de Nogent et quelques cavaliers qui, s'étant écartés du gué, se noyèrent; et il n'y aurait eu personne de tué dans cette journée, sans l'imprudence du jeune duc de Longueville.
VOLTAIRE, le Siècle de Louis XIV, X.

8 J'avais alors pour voisine une espèce de folle, dont l'esprit s'était égaré sous les coups du malheur. Jadis, à l'âge de vingt-cinq ans, elle avait perdu en un seul mois, son père, son mari et son enfant nouveau-né.
MAUPASSANT, Contes de la Bécasse, « La folle ».

b (Mil. XIIe). Ne plus avoir (un compagnon, un ami, etc.). *« Il faut venger un père et perdre une maîtresse »* (→ Animer, cit. 20, Corneille). *« Un soupir... M'aurait déjà guéri* (cit. 18, Corneille) *de vous avoir perdue ». Perdre une amie* (→ Neutralité, cit. 1).

9 (...) je ne sais pas lequel est le plus cruel, de perdre tout à coup la femme qu'on aime, par son inconstance ou par sa mort.
A. DE MUSSET, Nouvelles, « Frédéric et Bernerette », VIII.

10 J'ai entendu dire qu'on perd une femme pour la trop aimer, qu'une froideur affectée, de temps à autre, réussit mieux.
MONTHERLANT, Pitié pour les femmes, p. 273.

♦ **3.** (Fin IXe). Cesser d'avoir (une partie de soi, un organe; un caractère inhérent). *Perdre un bras, une jambe, un œil, ses dents, ses cheveux...* (→ Fistule, cit.; gagner, cit. 13; manchot, cit. 3). *Perdre ses couleurs, la fraîcheur de son teint* (→ Assombrir, cit. 7; hépatite, cit.; farder, cit. 8). *Animaux qui perdent leurs poils, leurs plumes, leur livrée* (cit. 11). *Perdre un peu, beaucoup de sang* (→ Menstruation, cit.). *Perdre du poids, des kilos :* maigrir. *Arbres* (cit. 17) *qui perdent leurs feuilles.* ⇒ **Dépouiller** (se). *Fleur qui perd ses couleurs et son parfum.* ⇒ **Passer** (→ 1. Fruit, cit. 5). *Perdre la voix, la parole :* devenir muet* (→ Fasciner, cit. 4). *Oppressé* (cit. 2) *jusqu'à perdre la respiration, le souffle. Perdre haleine** (cit. 10 et 11). *Perdre l'appétit*, le boire* et le manger* (→ Maladie, cit. 15; maigrir, cit. 1). *Perdre ses forces, sa force.* ⇒ **Affaiblir** (s'). (→ Jeûne, cit. 4. *Perdre le repos*, le sommeil*... Perdre la vue*. La rétine perd une partie de sa sensibilité* (→ Excitation, cit. 13). *« J'ai perdu ma force* (cit. 12, Musset) *et ma vie... ». Perdre la vie.* ⇒ **Mourir** (→ Brave, cit. 5; crever, cit. 18). *Perdre sa liberté.* ⇒ **Aliéner.** — *Ne rien perdre de son élasticité, de sa force* (cit. 60). *Perdre de sa violence, de sa vivacité.* ⇒ **Amortir** (s'). *Perdre de sa taille, de son volume.* ⇒ **Atrophier** (s')... *Perdre la santé* (→ Fréquentation, cit. 9). *Athlète qui perd sa forme. Faire perdre à quelqu'un ses moyens.* ⇒ **Enlever, ôter.**

11 Comme un beau pré dépouillé de ses fleurs,
Comme un tableau privé de ses couleurs,
Comme le ciel s'il perdait ses étoiles,
La mer ses eaux, le navire ses voiles (...)
RONSARD, Premier livre des poèmes, « Élégie », II.

12 Je sais que le fruit tombe au vent qui le secoue,
Que l'oiseau perd sa plume et la fleur son parfum;
Que la création est une grande roue
Qui ne peut se mouvoir sans écraser quelqu'un.
HUGO, les Contemplations, IV, XV.

13 Par moments, on eût dit que la petite allait perdre ses dernières forces, et tout ce qui lui restait de vie semblait vaciller avec son regard.
MARTIN DU GARD, les Thibault, t. I, p. 63.

13.1 (...) soyez sûrs que votre mère disparue des personnages qui composent la scène de sa vie quotidienne, ne lui manquera pas, comme on continue à manger avec autant de plaisir sur une table qui a perdu un de ses pieds, tout en déplorant de temps à autre qu'elle l'ait perdu. PROUST, Jean Santeuil, Pl., p. 886.

(1080). Contexte psychologique; le sujet désigne toujours une personne. *Perdre la tête*, l'esprit** (cit. 69 et 70), *le jugement, la raison, le sens... :* déraisonner, devenir fou; s'affoler, se démonter (→ Égarer, cit. 17; empresser, cit. 2). Fam. *Perdre la boule. Perdre la mémoire* (→ Œil, cit. 21). ⇒ **Manquer** (de). *Perdre connaissance** (cit. 11) : s'évanouir (cit. 27). *Perdre conscience, la conscience, toute conscience* (cit. 3) *de...* (→ Évanouir, cit. 28; invisible, cit. 7). *Perdre courage* (→ Hâter, cit. 15) *tout courage* (→ Neurasthénie, cit. 1). *Perdre contenance* (cit. 2). *Perdre son sang-froid. Perdre la face** (cit. 19 et 20). *Perdre son orgueil, sa fierté...* ⇒ **Déposer.** *Perdre la notion* (cit. 2), *le sens, le sentiment de...* (→ Démêler, cit. 4; expression, cit. 6; hyperbole, cit. 2; imprimer, cit. 9). *Perdre le goût de...* (→ Ennuyer, cit. 11; immodéré, cit. 6; mollesse, cit. 8). Loc. *Faire perdre à quelqu'un le goût** (cit. 9) *du pain. Perdre l'habitude* (cit. 12) *de...* (→ Amollir, cit. 6; engourdir, cit. 9). *Perdre patience*. Perdre l'espérance* (cit. 6 et 25), *l'espoir. Perdre le respect* (→ Âge, cit. 55; factieux, cit. 1). *Perdre confiance* (→ Néant, cit. 25; non-agression, cit.). *Perdre la foi*. Perdre le souvenir de...* (→ Bienfait, cit. 4; fructification, cit. 3). — Vieilli. *Perdez votre air fâché.* ⇒ **Quitter, renoncer** (à).

C'est perdre toute confiance dans l'esprit des enfants (...) que de les punir des fautes qu'ils n'ont point faites (...) LA BRUYÈRE, les Caractères, XI, 59. 14

— Danser? Reprit Emma. — Oui! — Mais tu as perdu la tête! on se moquerait de toi (...) FLAUBERT, Mme Bovary, I, VIII. 15

Comment puis-je, à ces moments-là, perdre aussi complètement tout contrôle sur moi-même? se demanda-t-il. MARTIN DU GARD, les Thibault, t. V, p. 41. 16

Non, je n'ai pas perdu la foi! Cette expression de « perdre la foi » comme on perd sa bourse ou un trousseau de clefs m'a toujours paru d'ailleurs un peu niaise. 17
BERNANOS, Journal d'un curé de campagne, p. 137.

(Sujet n. de choses; compl. abstrait). *Mot qui perd son sens* (→ Figure, cit. 1; livre, cit. 42 : minimum, cit. 3; moraliste, cit. 5). *Choses qui perdent toute signification, tout intérêt* (→ Altitude, cit. 3; 2. farce, cit. 8 : éprouver, cit. 24). *Les coups perdent leur force* (→ Approcher, cit. 15). *L'avion perd sa vitesse* (→ Altitude, cit. 1). *Perdre une partie de sa valeur* (→ Assigner, cit. 13), *perdre de son prix* (→ Dormir, cit. 5), *de sa qualité..., de son ardeur, de sa puissance...* ⇒ **Moins** (avoir). *Le drame gagne en expression* (cit. 29) *ce qu'il perd en beauté* (→ Freiner, cit. 4 : improbable, cit. 3). *Revue littéraire qui perd sa tenue* (→ Magazine, cit. 1). ⇒ **Dégénérer.**

(...) les idées ne perdent pas de leur valeur à jaillir ainsi de la force des choses plutôt que d'une pensée systématique. JAURÈS, Hist. socialiste..., t. VIII, p. 272. 18

Il en résulta qu'à ses yeux la situation où elle se trouvait ne tarda pas à perdre, autant qu'il était possible, le caractère d'un drame personnel. 19
J. ROMAINS, les Hommes de bonne volonté, t. V, I, p. 10.

♦ **4.** Ne plus avoir en sa possession (ce qui n'est ni détruit, ni pris). ⇒ **Égarer.** *Qu'as-tu perdu?* (→ Divaguer, cit. 4). *Perdre des billets* (→ Inutile, cit. 7), *une bague* (→ Manquer, cit. 17)... *Il est terrible, il perd tout!* ⇒ **Perdeur.** *Perdre l'adresse de quelqu'un.* Dr. ⇒ **Adirer.** Allus. évang. *La drachme* (cit. 1) *qu'une femme a perdue.* — (En parlant d'un être qui échappe accidentellement à la compagnie ou à la surveillance de quelqu'un). *Mère qui a perdu son petit* (→ Arriver, cit. 76; faon, cit. 1). *Le berger a perdu un de ses moutons.*

(...) j'ai appris qu'on perd moins facilement une canne grossière qu'un jonc recourbé à bout de corne. Valery LARBAUD, Barnabooth, Journal, III. 20

Parmi tant de gens dont j'avais perdu les noms, les coutumes, les adresses (...) 21
CÉLINE, Voyage au bout de la nuit, p. 300.

♦ **5.** (Le compl. désigne un vêtement mal assujetti). Laisser échapper; ne pas conserver à sa place. *Il a maigri, il perd son pantalon. Baigneuse qui perd son soutien-gorge. En courant il a perdu sa botte* (→ Distraction, cit. 76). — Par ext. *Perdre ses arçons* (cit. 3), *ses pédales.*

Loc. fig. *Perdre les pédales*.* — (Le sujet désigne un récipient, qui ne retient plus son contenu). *Tonneau qui perd de l'eau* (→ ci-dessous B., 2.).

♦ **6.** (V. 1160). Cesser de voir, d'entendre, de percevoir (ce qui échappe à la portée des sens). *Objet fuyant que les regards suivent et enfin perdent* (→ Distinguer, cit. 21). — *Ne rien perdre de* (un spectacle, etc.) : tout observer. *On n'en perdra rien* (→ Gaze, cit. 7). *Elle ne perdait rien de l'entretien* (cit. 10). *Il ne veut pas en perdre une bouchée, une miette* (fig.). — Loc. *Perdre* (quelqu'un, quelque chose) *de vue :* cesser de voir, de fixer les yeux sur... (→ Apparence, cit. 1; 2. courant, cit. 13). Fig. *Perdre quelqu'un de vue :* ne plus fréquenter, ne plus s'intéresser à quelqu'un. ⇒ **Oublier** (→ Congédier, cit. 2). *Perdre de vue (quelqu'un, quelque chose) :* ne pas prêter attention, ne pas prendre en considération (→ Agitation, cit. 18; attacher, cit. 77; attrister, cit. 4; détail, cit. 14; éblouir, cit. 10; musique, cit. 20). ⇒ **Perte** I., 4. *(à perte de vue).*

Cinq-Mars (...) ne perdait pas un mot de ce qu'on disait, et remplissait son cœur de fiel et d'amertume (...) A. DE VIGNY, Cinq-Mars, V. 22

En effet, madame de Beauséant lorgnait la salle et semblait ne pas faire attention à madame de Nucingen, dont elle ne perdait pas un geste. 23
BALZAC, le Père Goriot, Pl., t. II, p. 949.

(...) Bussière, que j'ai l'avantage de connaître par vous, mais qui se plaint lui-même de vous avoir perdu de vue (non de pensée). 24
SAINTE-BEUVE, Correspondance, 508, 18 déc. 1835.

Malgré son embarras, Jeanne écoutait, sans perdre une syllabe ni une inflexion. 25
J. ROMAINS, les Hommes de bonne volonté, t. III, IX, p. 132.

Mar., vx. *Perdre terre*.*

♦ **7.** Ne plus pouvoir suivre, contrôler. *Perdre son chemin, sa route* (→ Égarement, cit. 1; déployer, cit. 10). *Perdre la trace* de quelqu'un. Les chiens ont perdu la piste, la voie de la bête. Perdre la file, son rang, sa place, son tour... Perdre le fil** (cit. 34, 35 et 39). *Perdre son latin*. Perdre le contact*. Grues qui perdent le vent* (→ Brise, cit. 1). *Perdre terre*, perdre pied* (→ Entrechat, cit. 5). *Perdre l'équilibre* (cit. 5), *perdre son assiette** : être désorienté, affolé (équivaut pratiquement au sens 3. : *perdre la tête).*

Les faibles qui jusque-là allaient d'élan, de sentiment, sans principes, perdirent la voie et se mirent à demander : où sommes-nous? où allons-nous? 26
MICHELET, Hist. de la Révolution franç., IV, III.

27 (...) je tremble à cette idée horrible que je pourrais en effet perdre sa trace, et que je ne trouverais plus personne au monde qui pût jamais me parler d'elle!
LOTI, Azyiadé, IV, XXV.

Loc. *Perdre le nord.*

28 Or M. de Charlus perdait souvent maintenant ce qu'on appelle «le Nord» et ne se rendait plus compte de ce qui se fait et ne se fait pas.
PROUST, À la recherche du temps perdu, t. XII, p. 31.

28.1 (...) elle ne s'emballe pas, elle ne perd jamais le nord (...) il y a quelque chose en elle de froid et d'un peu mesquin (...) de pratique (...) elle voit tous les petits côtés (...) N. SARRAUTE, le Planétarium, p. 115.

Moins cour. (même sens). *Perdre la boussole, la carte.* Vx. *Perdre la tramontane*.*

♦ **8.** Employer ou profiter de (qqch.) sans en tirer ce qu'on attendait. ⇒ **Dissiper, gâcher, galvauder, gaspiller; perte** (I., 5.). — (Le compl. désigne une action, une possibilité). *Perdre sa peine* (→ Ergoter, cit. 1). Vieilli. *Perdre ses peines. Perdre ses pas* (→ Arrondir, cit. 3; épargner, cit. 9). *Perdre son latin** (cit. 13). *Celui qui parle dans ce sens perd sa voix* (→ Discréditer, cit. 3). *Nuire à la réputation de quelqu'un plutôt que de perdre un bon mot* (→ Diseur, cit. 3). *Ne perdre aucune occasion de...* (→ Adepte, cit. 3; 3. botte, cit. 2; intrigant, cit. 3; méchanceté, cit. 6; inopportun, cit.). — (Le compl. désigne une chose concrète). Vx. Gâcher. *« Perdre impunément de l'encre et du papier »* (→ Écrire, cit. 33, Boileau). Mod. *Perdre son argent à des bêtises. Ne pas perdre une bouchée, une miette, une goulée* (→ Mangeaille, cit. 3), *un coup de dent* (cit. 21). *Ne pas perdre un pouce*, une ligne* (cit. 52) *de sa taille* (→ Nain, cit. 5). — REM. Dans beaucoup de ces expressions, la langue actuelle tend à remplacer *perdre* par le tour *laisser perdre* (c.-à-d. laisser se perdre) ou le tour passif *perdu.*

29 Annette, cependant, à la ligne pêchait;
Mais nul poisson ne s'approchait :
La bergère perdait ses peines. LA FONTAINE, Fables, X, 10.

30 Vainement la philosophie
Reproche à l'homme ses travers,
Elle y perd sa prose et ses vers. FLORIAN, Fables, V, Épilogue.

31 Un poète est le plus utilitaire des êtres. Paresse, désespoir, accidents du langage, regards singuliers, — tout ce que perd, rejette, ignore, élimine, oublie l'homme le plus pratique, le poète le cueille, et par son art lui donne quelque valeur.
VALÉRY, Rhumbs, p. 166.

Spécialt. (Le compl. désigne le temps). Vx. *Perdre temps* (→ Amuser, cit. 1), *le temps* (→ Armoire, cit. 2). Mod. *Perdre son temps,* l'employer à des activités inutiles (→ Enfiler des perles, peigner la girafe). → Assemblée, cit. 1; dépenser, cit. 6; écouter, cit. 18; heure, cit. 65; musarder, cit. 2. — *Perdre du temps :* laisser (par lenteur, par maladresse) passer un temps qu'on devrait pleinement utiliser (→ Chipotage, cit.; 2. expédient, cit. 1; instruction, cit. 4; inventeur, cit. 10). *Perdre beaucoup de temps, peu de temps* (→ Bagatelle, cit. 15; brouiller, cit. 22). *Ne pas perdre de temps* (→ Botter, cit. 2). ⇒ **Hâter** (se). *Nous n'avons pas de temps à perdre!* (→ Marée, cit. 4). Iron. *Tu as du temps à perdre! — Sans perdre une minute* (→ Détaler, cit. 4; mêler, cit. 22). *Je n'ai pas une minute* (cit. 3) *à perdre. Sans perdre un instant* (→ Gratter, cit. 8). *Vous n'avez pas un instant à perdre* (→ Jonction, cit. 3). *Perdre une journée* (→ Ennuyeux, cit. 10), *des mois, des années... Plus un jour à perdre!* (→ Loisir, cit. 8). *J'ai perdu ma journée :* j'ai mal employé mon temps dans cette journée. *Cet élève a vraiment perdu son année. Perdre sa vie* (→ Loyer, cit. 6).

32 Un enfant qui, d'après le système de Rousseau, n'aurait rien appris jusqu'à l'âge de douze ans, aurait perdu six années précieuses de sa vie (...)
Mme DE STAËL, De l'Allemagne, I, XIX.

33 Oisive jeunesse
À tout asservie,
Par délicatesse
J'ai perdu ma vie. RIMBAUD, Poésies, LXXIV.

34 Edmond a l'impression de piétiner, de perdre son temps, de ne pas avancer.
A. MAUROIS, le Cercle de famille, II, X.

35 Lorsqu'on s'écrie : « Il n'y a plus une minute à perdre », c'est signe que l'on a perdu des semaines et qu'on se prépare encore à perdre des heures, des journées.
GIDE, Journal, 8 mai 1940.

♦ **9.** (1080). Ne pas obtenir ou ne pas garder (un avantage dans une compétition). Par ext. Ne pas remporter (une compétition). ⇒ **Perte** (I., 6.). *Perdre l'avantage* (→ Nettement, cit. 6). *Perdre sa supériorité, sa suprématie. — Perdre la partie** (→ Gagner, cit. 26). *Perdre une partie, un match, une course... Perdre une bataille* (→ Gagner, cit. 43; glorieux, cit. 2; ignorer, cit. 29; indiscipline, cit. 1), *la bataille* (→ Légitimité, cit. 2), *la guerre* (→ Ligne, cit. 37; marché, cit. 5). *Perdre son procès* (→ Appeler, cit. 35; devoir, cit. 24; égorger, cit. 3), *sa cause* (cit. 49). *Perdre son pari* (→ Faire, cit. 166).

36 (...) ceux qui ne se résignent pas à perdre la partie, qui n'acceptent pas que la vie soit une partie qu'il faut toujours perdre. Jean Racine jamais ne consentit à être battu. F. MAURIAC, Vie de J. Racine, VI.

37 (...) la défaite exaspéra le conflit des générations. Pendant quatre ans, les combattants de « 14 » reprochèrent à ceux de 40 d'avoir perdu la guerre et ceux de 40 en retour, accusèrent leurs aînés d'avoir perdu la paix.
SARTRE, Situations III, p. 41.

38 La France a perdu une bataille!
Mais la France n'a pas perdu la guerre!
Ch. DE GAULLE, Affiche placardée sur les murs de Londres, juin 1940.

Absolt. Être le perdant (dans une compétition). *J'ai perdu* (→ 1. Mat, cit.). ⇒ **Battre** (se faire). *Il n'aime pas perdre* (→ Fléau, cit. 9). *Faire perdre quelqu'un* (→ Brouiller, cit. 1; mettre, cit. 43). *Jouer à qui perd gagne,* la règle du jeu étant inversée, le gagnant étant celui qui réussit à se faire battre.

Perdre du terrain (sur un adversaire), voir diminuer ou croître l'intervalle qui nous sépare de lui, selon que nous sommes poursuivis ou que nous le poursuivons. *Il perd du terrain, il ne vous rattrapera plus.* — Fig. *L'analphabétisme perdait du terrain.* ⇒ **Reculer, recul** (être en).

B. Intransitif. ♦ **1.** Mar. *La marée perd :* le marnage est moins fort d'une marée à l'autre, le cœfficient des marées va décroissant. *Bateau à voiles qui perd au vent.* qui, au louvoyage, se retrouve sous le vent de la route la plus directe, sur un bord ou sur plusieurs.

♦ **2.** (Du sens A, 5.). Ne pas retenir son contenu (d'un récipient). *Ce tonneau perd.* ⇒ **Fuir.** — REM. Les emplois absolus du sens A., 1., et A, 9. ne peuvent pas être considérés comme intransitifs.

★ **II.** (Sens actif). Priver de la possession ou de la disposition de biens et avantages physiques ou moraux. ♦ **1.** (1636). Vx. Faire mourir; causer la mort de qqn. *« Va, perds ces malheureux; leur dépouille* (cit. 7, Racine) *est à toi ». «Adorant en sa main la vôtre qui me perd »* (→ Estomac, cit. 10, Corneille).

♦ **2.** (1546). Littér. ou style soutenu. Ruiner totalement (en détruisant la fortune, la situation, la puissance, le crédit, la réputation, etc.). Vieilli. *Attirer des gens dans un get-apens pour les perdre* (→ Agent, cit. 9). *Perdre un ennemi.* ⇒ **Étouffer** (*supra* cit. 7). → Attaquer, cit. 37; cabale, cit. 6; flatter, cit. 51; humiliation, cit. 5. *Perdre un concurrent.* ⇒ **Démolir** (fam.). *« Il n'y a personne qu'on ne puisse perdre en interprétant* (cit. 4, Voltaire) *ses paroles ». Il m'a perdu dans l'opinion de la ville* (→ Lâche, cit. 8). — (1636). *Perdre qqn d'honneur, de réputation,* en lui ôtant l'honneur... ⇒ **Déconsidérer, décrier** (cit. 2), **déshonnorer.** (1651). *On a voulu me perdre auprès de lui,* (1868) *dans son esprit,* m'ôter sa faveur, la bonne opinion qu'il avait de moi.

Quoi! Rodrigue, en plein jour! d'où te vient cette audace? 39
Va, tu me perds d'honneur; retire-toi, de grâce. CORNEILLE, le Cid, V, 1.

La Reine haïssait Monsieur, l'homme qui avait le plus travaillé, le mieux réussi à 40
la perdre de réputation (...) MICHELET, Hist. de la Révolution franç., V, VII.

Spécialt. (le sujet désigne Dieu). Damner. ⇒ **Perdition** (→ Conversion, cit. 1).

(Sujet n. de chose). *«Amour, tu perdis Troie »* (→ Envenimer, cit. 6, La Fontaine). *Le cotillon* (cit. 4) *l'a perdu. « Ô devoir qui me perd et qui me désespère! »* (cit. 9, Corneille). *Ce qui l'a perdu, c'est sa vanité* (→ Fastueux, cit. 5), *sa bonté* (→ Hasardeux, cit. 2), *son indiscrétion* (cit. 10). *Ce fut ce qui me perdit* (→ Œuf, cit. 1). *Les innovations* (cit. 1) *qui perdirent les Athéniens. Son inexactitude l'a perdu dans l'esprit de ses chefs* (Académie).

Madame de Larçay me calomnie; Dieu sait ce qu'on dit de moi à la *Redoute!* 41
Ces propos de tout le monde me perdront dans l'âme d'Alfred.
STENDHAL, Mina de Vanghel.

(...) le principe d'expédients, d'intérêt, qui s'appela le *salut public,* et qui a 42
perdu la France.
Perdu, en ce que la jetant dans un *crescendo* de meurtres, qu'on ne pouvait arrêter, elle rendit la France exécrable dans l'Europe, lui créa des haines immortelles;
Perdu, en ce que les âmes brisées, après la Terreur, de dégoût et de remords, se jetèrent à l'aveugle sous la tyrannie militaire;
Perdu, en ce que cette tyrannie eut pour dernier résultat de mettre son ennemi à Paris et son chef à Sainte-Hélène.
MICHELET, Hist. de la Révolution franç., IV, IX.

Ce qui perdit Fouquet au degré de chute où il s'abîma, ce n'est pas tant le désordre 43
(...) dont il s'était rendu coupable, ce fut ce qui perdit tant d'autres hommes spirituels et habiles, je veux dire l'excès de présomption et la vanité.
SAINTE-BEUVE, Causeries du lundi, 12 janv. 1852.

Ah! non! pas de lettre, surtout! protesta Hubert. Ce sont toujours les lettres qui 44
nous perdent. F. MAURIAC, le Nœud de vipères, II, XII.

♦ **3.** (Xe). Vx ou littér. Corrompre l'esprit, les mœurs de (qqn). *Il a perdu par ses maximes une infinité de jeunes gens* (Académie). *Les mauvaises fréquentations l'ont perdu. La pente inévitable* (cit. 6) *qui nous entraîne et nous perd. « Ce sont le fer et le blé qui ont civilisé les hommes et perdu le genre humain »* (→ Métallurgie, cit. 2, Rousseau). — Spécialt. Corrompre l'âme, l'exposer à la damnation (→ Démon, cit. 2).

Qu'entends-je? Quels conseils ose-t-on me donner? 4
Ainsi donc jusqu'au bout tu veux m'empoisonner,
Malheureuse? Voilà comme tu m'as perdue. RACINE, Phèdre, IV, 6.

Perdus par une éducation impie et par l'exemple maternel, se soucient-ils de leur 4
mère? CHATEAUBRIAND, le Génie du christianisme, I, VI, V.

♦ **4.** Mettre, volontairement ou non, hors du bon chemin, égarer complètement (qqn). ⇒ **Désorienter, égarer.** *Le père du Petit Poucet alla perdre ses enfants dans la forêt. J'ai l'impression que notre guide nous a perdus.*

♦ **5.** (V. 1380). Vieilli. Endommager gravement, détruire. *Cette seconde gelée perdit tout, les jardins périrent* (→ Orge, cit. 1). — Mod. Fig. *Une situation critique où le moindre échec* (cit. 7) *pouvait tout perdre,* tout compromettre, tout faire échouer. *Son indiscrétion a tout perdu.*

▶ **SE PERDRE** v. pron.

♦ **1.** (Fin XVe). Être réduit à rien, cesser d'exister. *En fait de matière* (cit. 3) *rien ne se perd ni rien ne se crée. Parfum fugace* (cit. 2) *qui s'évapore et se perd. Les années se perdent sans retour dans l'abîme* (cit. 16) *des temps. Usages, traditions qui se perdent* (→ Envoi, cit. 3; étudiant, cit. 3; maestria, cit. 2). *Une habitude qui ne s'est pas perdue* (→ Longévité, cit. 2). *Leur intelligence, leur talent se perd* (→ Inadaptation, cit. 1; médire, cit. 6). ⇒ **Altérer** (s'), **décroître, diminuer, faiblir.** *Leur autorité se perd.* ⇒ **Relâcher** (se). *La grâce* (cit. 64) *s'affaiblit dans l'âge viril et se perd dans la vieillesse. Le sens de ce mot s'est perdu* (→ Fin, cit. 37). *Illusions qui se perdent* (→ Médiocrité, cit. 8). ⇒ **Tomber.**

47 Chaque membre en souffrit, les forces se perdirent. LA FONTAINE, Fables, III, 2.

48 La noblesse se conquiert par l'épée et se perd par le travail. Elle se conserve par l'oisiveté. Ne rien faire, c'est vivre noblement; quiconque ne travaille pas est honoré. Un métier fait déchoir. HUGO, les Travailleurs de la mer, I, III, II.

Spécialt. Périr dans un naufrage. *Le cargo s'est perdu corps et biens.* ⇒ **Sombrer.**

♦ **2.** (1560). Ne plus avoir d'utilité, de valeur; disparaître, à cause d'une utilisation nulle ou défectueuse. *Il n'y a pas de bonne graine qui se perde, qui ne germe* (cit. 10) *un jour. Rien ne se perd de l'effet produit* (→ Nouvelle, cit. 19). *Ainsi se perdait en niaiseries* (cit. 4) *un temps précieux* (→ Enrager, cit. 6). *Il ne faut rien laisser perdre. Ce serait dommage de laisser perdre ces traces de la pensée classique* (→ Archaïque, cit. 1). *Laisser perdre une occasion* (cit. 15). — Fam. *Il y a des gifles, des coups de pied qui se perdent,* se dit en parlant de gens qui en mériteraient.

49 Le cri, si fort et si vivant qu'on en fera quelque chose, un jour. Il est absurde que cette énorme somme d'énergie s'évapore ainsi, se perde dans l'espace. On en fera de la musique, de beaux airs de jazz-band.
G. DUHAMEL, Scènes de la vie future, VIII.

♦ **3.** Cesser d'être perceptible. ⇒ **Disparaître.** *La rivière tour à tour se perdait dans le bois et reparaissait* (→ Brillant, cit. 2). *Château enchanté* (cit. 3) *qui se perd et disparaît aux yeux.* ⇒ **Dérober** (se). *S'évanouir* (cit. 1) *et se perdre comme un fantôme. Se perdre dans la nuit* (→ Liserer, cit. 2), *à l'horizon* (→ Lointain, cit. 10), *dans le noir* (→ Mansarde, cit. 2). *Voix, bruit qui se perd.* ⇒ **Étouffer** (s'), **mourir** (→ Morveux, cit. 6; moteur, cit. 6). *Les petites nuances se perdent dans de grands tableaux* (→ Face, cit. 29). — Par métaphore. *Les origines de la France se perdent dans la nuit* (→ Conjecture, cit. 2). ⇒ **Cacher** (se). *Tout s'oublie et se perd au cours* (cit. 14) *rapide des heures. La notion des durées* (cit. 4) *se perdait dans la monotonie du temps.*

50 Elle gémit en vain : sa plainte au vent se perd. LA FONTAINE, Fables, II, 8.

(En se confondant, en se fondant dans une masse). *Se perdre dans la foule.* ⇒ **Couler** (se).

51 L'exclamation de surprise que jeta la femme du notaire se perdit dans le brouhaha et les bourdonnements de la foule.
BALZAC, la Maison du Chat-qui-pelote, Pl., t. I, p. 33.

Spécialt. (En parlant de l'eau). *Eau, rivière qui se perd, va se perdre dans la terre, sous terre.* ⇒ **Enfoncer** (s'), **engloutir** (s'), **engouffrer** (s'). *Le fleuve* (cit. 5) *se perd dans un golfe, dans la mer.* ⇒ **Jeter** (se). — Par métaphore. « *Les vertus se perdent dans l'intérêt* (cit. 17, La Rochefoucauld) *comme les fleuves se perdent dans la mer* ».

♦ **4.** (V. 1175). Personnes. S'égarer*, ne plus retrouver son chemin. ⇒ **Fourvoyer** (se). *Le promeneur croit se perdre* (→ Différent, cit. 11). *Errer* après s'être perdu. Beaucoup se sont perdus là* (→ Envaser, cit. 1). *Se perdre et se retrouver* (→ Irréel, cit. 2; obscur, cit. 3). *Se perdre dans un labyrinthe, un dédale...* — Par ext. *Le regard se perdait* (→ Allusion, cit. 3; fouiller, cit. 22).

52 Et Phèdre au Labyrinthe avec vous descendue
Se serait avec vous retrouvée, ou perdue. RACINE, Phèdre, II, 5.

53 Nulle part, dans la plaine où le regard se perd (...)
HUGO, la Légende des siècles, XII.

54 (...) nous connaissons bien cependant notre Stamboul, mais les vieux Turcs eux-mêmes se perdent la nuit dans ces dédales. LOTI, Aziyadé, IV, XXII.

Par métaphore ou fig. *Se perdre dans l'espace, dans les espaces* (cit. 25 → Expédition, cit. 11), *dans les nues* (cit. 10), *les nuages. Ma tête commençait à se perdre* (→ Offusquer, cit. 3). *L'orateur ânonna, se perdit, renonça à se retrouver* (→ **Heu !**, cit. 2). *Se perdre en des divagations* (cit. 2) *sans fin, en conjectures* (cit. 1), *en arguties, en déclamations vaines* (→ Égal, cit. 12). *Se perdre dans l'exagération* (→ 2. Original, cit. 7), *dans des digressions, des explications...* ⇒ **Embarrasser** (s'), **embrouiller** (s'), **noyer** (se). — Spécialt. Être incapable de débrouiller, d'expliquer, ne voir plus clair. *Se perdre dans un raisonnement, dans un texte difficile.* — Plus cour. *S'y perdre.* « *Plus je sonde l'abîme* (cit. 32, Lamartine), *hélas! plus je m'y perds* » (→ 1. Droit, cit. 11; gouffre, cit. 12; maquis, cit. 2). *Tant de noms différents qu'on finit par s'y perdre* (→ Microbe, cit. 1; obus, cit. 2). *Je m'y perds :* je n'y comprends rien.

55 (...) ce qui fait que des géomètres ne sont pas fins, c'est qu'ils ne voient pas ce qui est devant eux et qu'étant accoutumés aux principes nets et grossiers de géométries (...) ils se perdent dans les choses de finesse où les principes ne se laissent pas ainsi manier. PASCAL, Pensées, I, 1.

♦ **5.** (1546). **SE PERDRE DANS, EN :** appliquer entièrement son esprit à un objet au point de n'avoir plus conscience de rien d'autre. ⇒ **Absorber** (s'), **plonger** (se). *Se perdre dans la contemplation* (cit. 3) *de quelque chose. Le monde où se complaît et se perd la pensée des astronomes* (→ Ouvrir, cit. 20). *Se perdre dans une pensée, dans un souvenir, dans une rêverie...* ⇒ **Abîmer** (s').

Spécialt (t. de mystique à l'origine). Perdre le sentiment de son existence personnelle, au point de s'identifier avec... ⇒ **Anéantir** (s'), **fondre** (se). *Se perdre en Dieu,* « s'oublier soi-même, pour n'avoir le cœur occupé que de lui » (Bossuet). *S'oublier* (cit. 15) *et se perdre dans le grand tout.*

Ô Seigneur, je m'unis à vous (...) je m'unis autant que je puis à vos lumières et à vos attraits incompréhensibles, et, dans ce silence intime de mon âme, je consens à toutes les louanges que vous vous donnez. Ô Seigneur « le silence est votre louange ! » (...) il faut se taire, il faut se perdre, il faut s'abîmer (...) 56
BOSSUET, Méditations sur l'Évangile, 49e journée.

Plus un contemplateur a l'âme sensible, plus il se livre aux extases qu'excite en lui cet accord. Une rêverie douce et profonde s'empare alors de ses sens, et il se perd avec une délicieuse ivresse dans l'immensité de ce beau système avec lequel il se sent identifié. Alors tous les objets particuliers lui échappent; il ne voit et ne sent rien que dans le tout. ROUSSEAU, Rêveries..., 7e promenade. 57

♦ **6.** (V. 1165). Causer sa propre ruine. *Bourgeoisie qui se perd par des calculs de petits boutiquiers* (cit. 5). *Napoléon s'est perdu pour ne pas céder* (cit. 4) *un village.* « *Je trouvais du plaisir à me perdre pour elle* » (cit. 5, Racine). ⇒ **Sacrifier** (se). *Se perdre de réputation* (→ Compromettre, cit. 10).

Vous n'avez point ici d'ennemi que vous-même (...) 58
(...) Ne veuillez pas vous perdre, et vous êtes sauvé.
CORNEILLE, Polyeucte, IV, 3.

Comme les démocraties se perdent lorsque le peuple dépouille le sénat, les magistrats et les juges de leurs fonctions, les monarchies se corrompent lorsqu'on ôte peu à peu les prérogatives des corps ou les privilèges des villes (...) La monarchie se perd lorsque le prince, rapportant tout uniquement à lui, appelle l'État à sa capitale, la capitale à sa cour, et la cour à sa seule personne. 59
MONTESQUIEU, l'Esprit des lois, VIII, VI.

Laisse-moi te répéter que tu te perdras par le bonheur comme d'autres se perdent par le malheur. BALZAC, Mémoires de deux jeunes mariées, Pl., t. I, p. 309. 60

Spécialt. Devenir mauvais, corrompu. ⇒ **Corrompre** (se), **débaucher*** (se), **dévoyer** (se). *Il s'est perdu par ses fréquentations* (Académie). *Il se perdait avec une femme mariée* (→ Lettre, cit. 23). *Entrer dans le vice sans s'y perdre* (→ Dépraver, cit. 4). — Spécialt. *Perdre la grâce :* se damner (→ Folie, cit. 13; forger, cit. 2; dieu, cit. 38). *C'est le divertissement* (cit. 1, Pascal) *qui nous fait perdre insensiblement.*

Jésus est dans un jardin, non de délices comme le premier Adam, où il se perdit et tout le genre humain, mais un de supplices, où il s'est sauvé et tout le genre humain. PASCAL, Pensées, VII, 553. 61

▶ **PERDU, UE** [pɛʀdy] p. p. adj. (XIVe, « damné »).

★ **I.** Qui a été perdu (→ ci-dessus, I., A.). ♦ **1.** (XIIIe). Dont on n'a plus la possession, la disposition, la jouissance. *L'argent perdu au jeu. À fonds* perdu. Un bonheur si tôt perdu.* ⇒ **Disparu** (→ Existence, cit. 24). *Le Paradis perdu,* poème de Milton. *L'Éden perdu* (→ Auréoler, cit. 1; lyrique, cit. 5). *Tout est perdu :* il n'y a plus d'espoir, plus de remède (→ Cour, cit. 17; écrier (s'), cit. 3; heureux, cit. 40). *Tout est perdu, fors* l'honneur. — Tout serait perdu si...* (→ Exercer, cit. 18). *Tout semble perdu* (→ Désespérer, cit. 7; détermination, cit. 9; miracle, cit. 9). *Il n'y a rien de perdu,* la situation peut encore être rétablie. — *Le temps perdu :* le temps passé, dont nous ne disposons plus (N.B. Ne pas confondre avec le sens 4. ci-après). *À la recherche du temps perdu,* œuvre maîtresse de Marcel Proust. — Prov. *Pour un perdu, deux retrouvés, dix de retrouvés,* se dit de personnes ou de choses dont on pense que la perte sera facilement réparable. ⇒ **Dix** (cit. 5).

Temps jaloux, se peut-il que ces moments d'ivresse (...) 62
(...) Hé quoi ! n'en pourrons-nous fixer au moins la trace ?
Quoi ! passés pour jamais ? quoi ! tout entiers perdus ?
LAMARTINE, Premières méditations, « Le lac » (→ Envoler, cit. 7).

(...) à ce moment-là l'être que j'avais été était un être extra-temporel, par conséquent insoucieux des vicissitudes de l'avenir. Cet être-là n'était jamais venu à moi, ne s'était jamais manifesté qu'en dehors de l'action, de la jouissance immédiate, chaque fois que le miracle d'une analogie m'avait fait échapper au présent. Seul il avait le pouvoir de me faire retrouver les jours anciens, le Temps Perdu, devant quoi les efforts de ma mémoire et de mon intelligence échouaient toujours. 63
PROUST, À la recherche du temps perdu, t. XV, p. 14.

Une amie, une compagne perdue pour jamais (→ Ensevelir, cit. 7). *Elle est perdue à jamais pour moi* (→ Nicodème, cit. 1). *Mes amours perdues* (→ Mitaine, cit. 3).

(...) mais se trouver auprès d'elle, mais la voir, la toucher, lui parler, l'aimer, l'adorer, et, presque en la possédant encore, la sentir perdue à jamais pour moi; voilà ce qui me jetait dans des excès de fureur et de rage (...) 64
ROUSSEAU, Julie ou la Nouvelle Héloïse, IV, XVII.

Un œil perdu et l'autre très menacé (→ Bouillie, cit. 3). *Retrouver les forces perdues. Éléments perdus à jamais lors de la dispersion* (cit. 2) *du peuple juif. Le sens de la mythologie était perdu chez tous* (→ Paganisme, cit. 1). ⇒ **Oublié.**

♦ **2.** (XVIIIe). Égaré. **OBJETS PERDUS :** par métonymie, service où l'on classe et on entrepose les objets perdus. *Je vais essayer de chercher mon parapluie aux objets perdus. — Perdu et bien perdu.* ⇒ **Introuvable.** *Une graine* (cit. 3) *perdue. Parabole de la drachme* (cit. 2), *de la brebis perdue* (→ Après, cit. 42). *Chien perdu.* ⇒ **Errant.** *Enfant* (cit. 27) *perdu.* — Par ext. (D'un lieu). Qui semble ne plus pouvoir être retrouvé. ⇒ **Écarté** (3.); **désert, détourné, éloigné, isolé...** *Pays perdu* (→ Balayer, cit. 16). *Écarts* (cit. 9) *perdus.*

Petite commune perdue (→ Dévorer, cit. 22). *Ferme* (cit. 2) *perdue. Un coin perdu* (→ Monde, cit. 17), *un bled perdu.*

65 (...) au fond du Marais, dans ce quartier si désert, perdu, dangereux (...)
MICHELET, Hist. de la Révolution franç., V, IX.

66 (...) une femme dont le mari ou l'amant avait disparu pendant vingt ans, dans le Centre de l'Afrique, ou enfin dans quelque endroit perdu de ce genre (...)
ARAGON, les Beaux Quartiers, I, V.

♦ **3.** (1845, dans des loc.). Mal contrôlé, abandonné au hasard. (→ ci-dessus, I., A., 7.). *Coups perdus,* tirés au hasard. *Balle perdue,* qui a manqué son but et peut en atteindre un autre par hasard. *Être blessé par une balle perdue. Flottage à bûches perdues* (par oppos. au flottage en trains*). *Ouvrage à pierre(s) perdue(s) :* construction qu'on établit dans l'eau en y jetant de gros quartiers de roc. *À corps** (cit. 31) *perdu* (→ Mêlée, cit. 3).

♦ **4.** Qui a été mal utilisé ou ne peut plus être utilisé. (→ ci-dessus, I., A., 8.). *Mouler* à cire perdue. Pain* perdu. C'est bien de l'argent perdu. Peine* perdue. Autant de paroles perdues* (→ Gymnase, cit. 3). *Salle des pas* perdus* (→ Opposite, cit.). *Son jeu* (cit. 69) *est net, pas de feintes perdues. Un bienfait* n'est jamais perdu. L'effort qu'on fait pour être heureux n'est jamais perdu* (→ Accablant, cit. 4). *Occasion perdue.* ⇒ **Manqué.** *Perdu pour qqn,* dont ce qqn ne tire pas profit (→ À-propos, cit. 5; expérience, cit. 6). Loc. *Ce n'est pas perdu pour tout le monde :* il y a des gens qui en ont profité.

67 Tous ont fui l'ornement et le trop d'étendue.
On ne voit point chez eux de parole perdue. LA FONTAINE, Fables, VI, 2.

68 — Il m'a écrit une lettre fort touchante, par laquelle il vous prie d'avoir pitié pour lui. — Papier perdu, lettre inutile. A.-R. LESAGE, Turcaret, III, 7.

69 Quand je vois un dessin tel que celui-ci, je ne saurais m'empêcher de dire, en soupirant : « Combien de temps, d'études et de talent perdus. Ah ! si je savais faire ce que tu fais, je ferais bien autre chose !
DIDEROT, Sur l'estampe de Cochin.

70 Qui aurait pu leur en vouloir, d'empêcher un tel malheur, de l'argent mis en miettes, perdu pour tout le monde ? ZOLA, la Terre, V, I.

Spécialt. Qui n'est pas remboursé. *Emballage perdu* (1935, *in* D. D. L.), *verre perdu* (opposé à *consigné*). *Temps perdu,* inutilement employé (→ Note, cit. 23). *Que de temps perdu ! Le désespoir, le regret des jours perdus* (→ Amertume, cit. 12). *Vie gâchée* (cit. 6), *dissipée, perdue. « La plus perdue de toutes les journées* (cit. 1, Chamfort) *est celle où l'on n'a pas ri ». Une soirée perdue,* poème de Musset.

71 — Toute cette littérature ne vous effraie pas un peu, madame (...) Car enfin une soirée comme celle-là, c'est autant de perdu pour votre beauté. — Ce que le vulgaire appelle temps perdu est bien souvent du temps gagné, comme a dit M. de Tocqueville ! Éd. PAILLERON, le Monde où l'on s'ennuie, I, 5.

72 Ma jeunesse a été perdue par votre faute. Et ma vie entière (...) Et perdue pour qui ? Pour le *malheureux* que vous êtes !
MONTHERLANT, Pitié pour les femmes, p. 215.

Spécialt. *Heures perdues, moments perdus :* heures, moments de loisir d'une personne ordinairement très occupée. *À temps perdu :* dans les moments de loisir où l'on a du temps à perdre.

♦ **5.** (1660). Où on a eu le dessous (→ ci-dessus, I., A., 8.). *La partie n'est pas définitivement perdue pour nous* (→ 2. Ce, cit. 17). *Bataille perdue* (→ Décourager, cit. 1). *Il est l'homme des causes perdues.*

73 Une guerre absurde, injustifiée, Jacques dit qu'elle est perdue d'avance.
SARTRE, le Sursis, p. 206.

★ **II.** Qui a été perdu (→ ci-dessus, *perdre,* II.), atteint sans remède (par le fait d'une personne ou d'une chose). ♦ **1.** (V. 980). Personnes. Atteint dans sa santé. *Le malade est perdu,* il ne se rétablira pas, sa mort est certaine (→ Côte, cit. 2; euthanasie, cit. 1). ⇒ **Condamné, désespéré, frappé** (à mort), **incurable ;** et les fam. **fichu, flambé, foutu.** *Perdu de santé* (→ Musclé, cit. 2). *Perdu de goutte, de rhumatismes, de vapeurs...* (→ Éteint, cit. 56). — (1538). Atteint dans sa fortune, sa situation, son avenir... *Le voilà perdu, il est impossible qu'il ne soit pas ruiné* (→ Arrérage, cit. 1). *Perdu de dettes,* par les dettes. *Il est perdu, c'est un homme perdu.* ⇒ **Cuit, fini, flambé, frit, mort** (→ C'en est fait* de lui; caudataire, cit. 2; flatterie, cit. 3). *La famille royale, la monarchie, la nation était perdue* (→ Grain, cit. 15; huguenot, cit. 4; mollir, cit. 4). *« Avant que de combattre, ils s'estiment* (cit. 24, Corneille) *perdus ». Elle se serait crue perdue si...* (→ Ménage, cit. 5). Par exagér. *« Je suis perdu, je suis assassiné »* (→ Dérober, cit. 2, Molière). — *Perdu de..., dans... Perdu d'honneur, de réputation. — Perdu dans l'esprit de, auprès de...*

74 Le reste ne vaut pas l'honneur d'être nommé :
Un tas d'hommes perdus de dettes et de crimes. CORNEILLE, Cinna, V, 1.

75 À tout instant, il se prosterne, atterré par la peine :
Je suis au désespoir. Je suis perdu.
André SUARÈS, Trois hommes, « Dostoïevski », I.

76 *(Il)* avait reçu deux ou trois coups de poignard dans le ventre et semblait perdu.
G. DUHAMEL, Salavin, VI, XIV.

(1338). Atteint dans sa vie morale, sans moralité. ⇒ **Corrompu, débauché.** *Fille perdue* (→ Docile, cit. 10) : spécialt, prostituée. *Femme perdue* (→ Infâme, cit. 8; insulter, cit. 3). *Fréquenter une jeunesse perdue. — Perdu de débauche.*

77 (...) traitez-moi de perfide,
D'infâme, de perdu, de voleur, d'homicide (...) MOLIÈRE, Tartuffe, III, 6.

♦ **2.** (Choses). ⇒ **Abîmé, endommagé, gâté.** *Les robes de dames se trouvaient perdues* (→ Ordure, cit. 1). *Les outres* (cit. 1) *se rompent, sont perdues.*

★ **III.** Qui se perd, qui s'est perdu (→ ci-dessus, *se perdre*).

♦ **1.** (1762). Qui est devenu invisible, qui disparaît. *Le fond de la salle était à peine visible, perdu dans une buée* (→ Amortir, cit. 11). *Toits perdus dans la nuit* (→ 1. Gare, cit. 3). *Ciel perdu dans une grisaille* (cit. 5) *brumeuse. Minaret* (cit. 2) *perdu dans la masse des maisons.* ⇒ **Confondu.** *« Perdu dans la nuit* (cit. 19, Hugo) *qui le voile ». « Perdu dans la foule obscure... »* (→ Déployer, cit. 15). *Voix gémissantes* (cit. 2) *perdues dans les nuages. Bruit perdu dans l'immensité nocturne* (→ Mitrailleuse, cit. 2). — Par exagér. *Corps perdus dans des vêtements trop larges* (→ Flotter, cit. 8).

Penser à retrouver cette Rome si perdue, si enfouie dans les ténèbres du sol, si 78
écrasée sous les constructions de la Rome impériale et de la Rome chrétienne serait une pure folie (...)
Th. GAUTIER, Souvenirs de théâtre, Fouilles du mont Palatin.

(...) la plaine, en bas, se prolongeait, perdue dans les vapeurs de la nuit. 79
FLAUBERT, Salammbô, II.

Perdu parmi la foule, Salavin suivait le procès avec une sombre ferveur. 80
G. DUHAMEL, Salavin, V, XXII.

Techn. (Couture). *Reprise* perdue.*

♦ **2.** (XVIIIe). Qui s'est égaré. *J'étais perdu et condamné à chercher mon chemin* (→ Demander, cit. 51). *Perdu pour s'être aventuré* trop loin.* Par exagér. ⇒ **Dépaysé.** *Européens perdus dans une ville étrangère* (→ Associer, cit. 23). *Perdu dans ce vaste univers* (→ Immensité, cit. 11). *Se sentir perdu dans un flot de paperasserie* (cit. 2). — Par ext. *Regard perdu* (→ Inaction, cit. 5).

Ils *(les deux amants)* étaient au fond de cette vaste maison et perdus dans 81
l'immensité de Paris, comme deux perles dans leur nacre, au sein des profondes mers (...) BALZAC, la Vendetta, Pl., t. I, p. 914.

Elle ne répondit point, les regards en l'air, perdus dans le ciel. 82
ZOLA, la Terre, III, IV.

Fig. *Je suis perdu, je ne m'y retrouve plus.* ⇒ **Désaxé.** *Ma tête est perdue :* je perds la tête. — Subst. *Un perdu :* un homme dont la tête est perdue, un fou. *Crier, courir, rire comme un perdu. Une perdue.*

♦ **3.** (XVIIIe). Absorbé. *Perdu dans ses pensées, ses rêveries...* (→ Extatique, cit. 4; mensuellement, cit.). *Perdu dans sa douleur.* ⇒ **Plongé.**

Elle regardait sans voir et semblait perdue dans un rêve. 83
FRANCE, le Livre de mon ami, Livre de Pierre, V.

Et il se mit à la contempler. Elle ne le voyait point, perdue dans sa méditation. 84
MAUPASSANT, Bel-Ami, I, VIII.

CONTR. Acquérir, avoir, capter, conquérir, conserver, contracter, détenir, emparer (s'), gagner, garder, obtenir, posséder, récupérer, regagner, retrouver, sauver, trouver. — Suivre, voir. — Bénéficier, profiter, utiliser. — (De *se perdre*). Accroître (s'). — Servir. — Reparaître.

DÉR. Perdable, perdant, perdeur. — Perditance.

COMP. Perd-fluide.

PERDREAU [pɛʀdʀo] n. m. — V. 1534; de l'anc. franç. *perdrial,* même sens (XIIIe), avec changement de suff.; de *perdrix.* → Perdrix.

♦ **1.** Jeune perdrix de l'année. *Perdreau qui se maille, perdreau maillé.* ⇒ 1. **Maille** (II., 1.), 1. **mailler** (II., 2.). *Couvée, compagnie** (cit. 16) *de perdreaux. Perdreaux couplés* (→ Buse, cit. 1). *Faire lever* (1. Lever, cit. 37) *deux perdreaux. — Perdreau rôti sur canapé.*

(...) le vent d'est dans la nuit claire battait des ailes comme mille compagnies de perdreaux. APOLLINAIRE, l'Hérésiarque..., p. 137.

Franç. d'Afrique. Petit francolin.

♦ **2.** Argot. Policier. ⇒ **Poulet.**

— Qui est à l'appareil ?
— Commissaire San-Antonio...
— Tiens...
Nouveau silence aussi poisseux qu'un berlingot sucé. Un vieux pébroque comme Landolfi a beau se tenir les pieds au sec, ça lui coupe toujours la parlote lorsqu'un perdreau le relance. SAN-ANTONIO, le Secret de Polichinelle, p. 192.

PERDRIGON [pɛʀdʀigɔ̃] n. m. — Av. 1605; var. *perdigoine,* XVIe; altér. d'après *perdrix,* du provençal *perdigon* « perdreau ».

♦ Didact. ou régional. Prune d'une variété dont la couleur rappelle la gorge des perdrix rouges.

PERDRIX [pɛʀdʀi] n. f. — V. 1380; *perdriz,* v. 1170; *perdix,* v. 1119; lat. *perdix, -icis* (à l'accusatif *perdicem*), même sens; grec *perdix, -dikos* « perdrix ».

♦ **1.** Oiseau *(Gallinacés*;* famille des *Phasianidés),* de taille moyenne, au plumage gris ou roux cendré. *Perdrix commune, cendrée, grise* et, absolt, *perdrix,* à plumage gris cendré zébré de raies plus foncées (noires ou marrons). *Perdrix rouge,* à plumage roux (n. sc. : *Alectoris*). *Perdrix bartavelle. Le francolin* (cit.) *est voisin de la perdrix. Cri de la perdrix.* ⇒ **Cacaber.** *Formation des couples* *de perdrix.* ⇒ **Appareillade.** *Couvée* (cit. 3) *de perdrix. Jeune perdrix.* ⇒ **Perdreau.** *La perdrix et la caille sont un gibier apprécié. Chasse à la perdrix, aux perdrix. Faucon, hobereau* (cit. 1) *utilisé pour chasser la perdrix. Lever* (1. Lever, cit. 15) *des perdrix.*

1 Quand la perdrix
Voit ses petits
En danger, et n'ayant qu'une plume nouvelle,
Qui ne peut fuir encor par les airs le trépas,
Elle fait la blessée, et va traînant de l'aile,
Attirant le chasseur et le chien sur ses pas,
Détourne le danger, sauve ainsi sa famille (...) LA FONTAINE, Fables, IX, 20.

2 « Les perdrix », disait Sarcelotte. Et c'étaient des compagnies de rouges qui piétaient par une raie, dans un chaume, la tête droite et presque immobile, les pattes véloces qu'une mécanique semblait mouvoir ; des compagnies de grises qui vous partaient tout à coup sous le nez, vous suffoquaient du fracas caquetant de leur vol. M. GENEVOIX, Raboliot, III, V.

Perdrix aux choux. Potage de perdrix (→ 2. Bisque, cit. 1).

♦ **2.** Par anal. (Autres oiseaux). *Perdrix de mer :* glaréole. — *Perdrix des neiges :* lagopède. — Franç. d'Afrique. Grand francolin.

DÉR. V. **Perdreau.**
COMP. **Œil-de-perdrix.**

PERDU, UE [pɛʀdy] adj. ⇒ Perdre.

PERDURABLE [pɛʀdyʀabl] adj. — Fin XIIIe ; *pardurable,* v. 1120 ; de *perdurer.*

♦ **1.** Didact. et vx. Éternel.

♦ **2.** Mod. et littér. Qui dure longtemps.

1 (...) la perdurable cité socialiste serait de fondation bourgeoise.
Ch. PÉGUY, la République..., p. 19.

2 Il savait que, s'il s'aventurait à formuler une objection, Mme Hortense y trouverait prétexte à des rancunes perdurables (...)
G. DUHAMEL, le Voyage de P. Périot, V.

PERDURER [pɛʀdyʀe] v. intr. — XIIIe ; *pardurer* « durer toujours », 1120 ; lat. *perdurare* « durer longtemps ».

♦ **1.** Vx ou littér. Durer, continuer longtemps, se perpétuer.

Il serait bien étrange que ce parfum qui s'éteint si vite chez elle *(la femelle)* « aussitôt après la fécondation », dit Samson, perdurât une fois transmis (...)
GIDE, Corydon, IIe dialogue, VI.

♦ **2.** Régional (Belgique). Continuer.

DÉR. **Perdurable.**

PÈRE [pɛʀ] n. m. — XIIe ; *pedre,* fin XIe ; *paire,* v. 980 ; lat. *pater, -tris* (accusatif *patrem*) « père ; fondateur ».

★ **I.** ♦ **1.** (V. 1150). Homme qui a engendré, qui a donné naissance à un ou plusieurs enfants. *Devenir père :* donner la vie, le jour à un enfant. *La satisfaction d'être père* (→ 2. Enceinte, cit. 1). *Futur père :* homme dont la femme, la compagne attend un enfant qu'ils ont conçu. *Homme stérile qui ne peut être père. Il n'est pas le père de ses enfants,* il n'est pas leur père naturel (→ ci-dessous, 7. ; *père putatif, légal*).

1 (...) Allons donc, et que les Cieux prospères
Nous donnent des enfants dont nous soyons les pères.
MOLIÈRE, l'Étourdi, V, 11.

2 Maintenant, s'il y a des pères parmi vous, des pères qui ont pour bonheur de se promener le dimanche en tenant dans leur bonne main robuste la petite main de leur enfant, que chacun de ces pères se figure que cet enfant-là est le sien.
HUGO, les Misérables, V, I, IV.

Un père, le père de quelqu'un. ⇒ **Auteur** (des jours), **géniteur** (vx) ; et fam. **dab, daron, paternel** (3.), **vieux.** *Le père et ses enfants, sa descendance, sa géniture* (cit.), *sa lignée* (cit. 1). ⇒ **Filiation, génération.** *Le père et la mère* (⇒ **Parent,** I., 1.). *Le père, la mère et leurs enfants.* ⇒ **Famille** (cit. 15, 19, 21, 22 et 25). *Père et fils, et fille.* ⇒ **Fils** (cit. 2, 4 et 5), **fille** (cit. 6). — *Relations du père et des enfants* (→ Maître, cit. 12 ; mollesse, cit. 5 ; morgue, cit. 1). *Autorité* (cit. 2 et 16), *affection du père.* ⇒ **Paternel.** *Les devoirs de père* (→ Dispenser, cit. 9). *Attachement* (cit. 18) *d'une fille à son père. Sentiment des pères pour leurs enfants. Père affectueux, aimant, compréhensif. Bon* (cit. 45), *tendre père.* — Absolt. *Avoir des qualités de père. Traiter quelqu'un en père, comme un père* (⇒ **Paternellement** ; → Familiarité, cit. 11). — *Père dur, intolérant, sévère. Despotisme* (cit. 7), *tyrannie d'un père* (→ Libérer, cit. 3). *L'imprudente* (cit. 4) *contrainte des pères. — Mauvais père, père indigne* (cit. 17). ⇒ **Parâtre** (2.). — *Obéir* (cit. 1 et 5) *à son père. « Honore ton père et ta mère »* (→ Commandement, cit. 7). *Opposition entre père et fils* (→ Opposer, cit. 18). *Juger* (cit. 9) *son père. Fils qui manque de respect à son père* (→ Dénaturer, cit. 10 ; irrévérence, cit. 2). *Ingratitude* (cit. 2) *des enfants envers leur père. Maudire* (cit. 1) *son père et sa mère. Meurtre du père.* ⇒ **Parricide** (au fig., → ci-dessous *supra* cit. 12). — Allus. bibl. *« L'homme quittera son père et sa mère »* (→ Attacher, cit. 54). *« Je suis venu mettre la division* (cit. 7) *entre l'homme et son père ».* — Prov. *On ne peut contenter** (cit. 3) *tout le monde et son père. Tel père, tel fils. À père avare, fils prodigue* (→ Dépensier, cit. 1). — Allus. littér. *« En cet affront, mon père est l'offensé... »* (cit. 27, Corneille). *« Mon père, ce héros au sourire si doux »* (→ Hussard, cit. 3, Hugo).

Un père en punissant, Madame, est toujours père (...) RACINE, Phèdre, III, 3. 3

Fidèle enfin, au sang qu'ont versé dans ma veine 4
Mon père vieux soldat, ma mère vendéenne ! HUGO, Feuilles d'automne, I.

— Mon père ! — Oui, ton père ! Ah ! je suis un vrai père (...) Que deviendrez-vous 5
donc quand je ne serai plus là ! Les pères devraient vivre autant que leurs enfants (...) Je voudrais prendre vos peines, souffrir pour vous.
BALZAC, le Père Goriot, Pl., t. II, p. 1043.

(...) Il n'est guère d'homme qui ne possède des enfants ignorés, ces enfants dits 6
de père inconnu, qu'il a faits, comme cet arbre reproduit, presque inconsciemment.
MAUPASSANT, Contes de la Bécasse, « Un fils ».

Mon père était tout pour moi, un maître, un roi, un dieu, — un ami, un grand ami. 7
BERNANOS, Journal d'un curé de campagne, p. 152.

Père et mère (de quelqu'un) : les parents. *« Tes père et mère honoreras...* (→ Enfant, cit. 22, Code civil). *« Nos père et mère disparus »* (Henriot, *Diable à l'hôtel,* VI).

Ah ! ces grands chevaux de filles qui courent les chemins seules (...) mènent leur 8
voiture, fument du gros tabac et engueulent père et mère (...)
COLETTE, la Naissance du jour, p. 127.

Loc. *Comme père et mère :* comme le feraient les parents. Par plais. *Il le soigne comme père et maire* (Balzac, → Papelarder, cit. 2). *Tradition transmise de père en fils* (→ Armature, cit. 4). *Magistrats* (cit. 5) *de père en fils* (→ Là, cit. 51).

(Noms donnés au père, en parlant de lui). *Mon père, votre père. Le roi mon père* (→ Appeler, cit. 15). *Monsieur votre père* (→ Malgracieux, cit. 2). *Comment va Monsieur votre père ?* Par plais. *Monsieur mon père m'a encore engueulé. Père* (mon, notre père) *n'était qu'un bourgeois* (cit. 6). *Le père :* mon père, notre père (se dit à la campagne). — Pour distinguer le père de ses fils. *Monsieur Daru le père* (→ Imputer, cit. 20). *Alexandre Dumas père. Monsieur Léniot père* (→ Notabilité, cit. 2). *Un tel père et fils* (dans un nom commercial).

(Appellatif). *Bonjour, père !* ⇒ **Papa** (cit. 1). *Père, mon* (cit. 18) *père.*

— Dis donc, père, (elle appelait son mari « père » dans la maison, et quelquefois 9
« Monsieur Roland » devant les étrangers (...) MAUPASSANT, Pierre et Jean, I.

Dr. et cour. Ascendant mâle au premier degré. ⇒ **Famille** (2.) ; **parent** (I., 2.) ; **parenté** (1.). *Le père du père ou de la mère* (⇒ **Grand-père**), *de la femme* (⇒ **Beau-père**). *Parents du côté du père, par le père.* ⇒ **Agnat, consanguin.** *Garçons issus du même père.* ⇒ **Frère** (cit. 1). *Qualité de père.* ⇒ **Paternité.** *Droits du père* (et de la mère). ⇒ **Paternel** (puissance paternelle). → Administrateur, cit. 1 ; aliment, cit. 3 ; contribuer, cit. 4 ; enfant, cit. 22 ; jouissance, cit. 8 ; maison, cit. 15 (Code civil). *Consentement des père et mère* (→ Dissentiment, cit. 3). — *Transmission des biens du père aux enfants.* ⇒ **Patrimoine** (1.) ; **héritage** (→ 2. Avoir, cit. 3 ; héritier, cit. 19 et 21).

(...) le fait connu est l'état de mariage dans lequel a vécu la mère de l'enfant, le 10
fait inconnu est la paternité. Qui est le père de son enfant ? La loi présume que c'est le mari. Elle y est autorisée parce que les enfants qui naissent pendant le mariage ont d'ordinaire pour père le mari de leur mère. Sans doute la mère a pu être une épouse infidèle, mais la loi doit prendre comme règle le fait ordinaire (...) De là cette règle : « L'enfant conçu pendant le mariage a pour père le mari » (→ *Désavouer, cit. 4*), ou suivant la forme latine : « Pater is est quem nuptiæ demonstrant ». M. PLANIOL, Traité élémentaire de droit civil, t. I, § 1411.

Dr. *Père naturel* (cit. 9). *Père légal.* → ci-dessous 7.

Rôle, autorité, puissance du père dans les différents types de famille ; dans la famille (cit. 5) *romaine, antique* (→ Foyer, cit. 5)... ⇒ **Patriarcal** (3.) ; **patriarcat** (2.). Cf. le lat. *pater familias* (où *pater* ne veut pas dire « géniteur », mais « chef ». Cf. Giffard, *Précis de droit romain,* § 337).

Dans le père est le *pouvoir,* c'est-à-dire la volonté et l'action de produire et de con- 11
server, ou de développer l'intelligence de l'enfant (...) Le père agit pour la conservation, comme pour la production, par le *moyen* ou le *ministère* de la mère (...)
DE BONALD, Démonstration... du principe de la sociologie, *in* BOUGLÉ et RAFFAULT.

Psychol. *Importance du père dans le développement psychologique de l'enfant. Image du père.* ⇒ **Imago** (2.). *Fixation au père. Haine du père. Rivalité sexuelle avec le père. Le meurtre* (symbolique) *du père* (depuis Freud, *Totem et Tabou,* 1912). *Le nom du père,* correspondant à la fonction symbolique de la paternité (Lacan).

Chez le garçon, le *complexe d'Œdipe* positif consiste dans le fait que, intensifiant 12
son amour pour sa mère, il ressent un conflit entre son amour pour son père (basé sur son identification au père) et sa haine contre le père (basée sur les privilèges paternels qui lui sont refusés). Daniel LAGACHE, la Psychanalyse, p. 30.

♦ **2.** **PÈRE DE FAMILLE :** homme marié ou veuf qui a un, ou (plus souvent) plusieurs enfants qu'il élève. ⇒ **Chef** (II., 4., chef de famille). → 3. Droit, cit. 18. *Les droits, les devoirs* (cit. 22), *les responsabilités du père de famille.* Loc. Dr. *En bon père de famille :* d'une manière sage, prudente et scrupuleuse (→ 1. Garde, cit. 4). *Le tuteur* doit administrer les biens du mineur en bon père de famille.* — Fig. et cour. *Placements, valeurs de père de famille :* valeurs sûres qui garantissent un profit régulier, mesuré (→ Épargnant, cit. 2).

(...) les hommes mariés, les pères de famille, ces grands aventuriers du monde 13
moderne. Ch. PÉGUY, Victor-Marie, comte Hugo, p. 221.

La maison était bourgeoisement habitée, et ils occupaient les lieux en bons pères 13.1
de famille, selon la lettre et l'esprit de leurs baux.
M. AYMÉ, Maison basse, p. 19.

♦ **3.** (1555). Biol. Le parent mâle (d'un être vivant sexué). → Fœtus, cit. 1 ; gamète, cit. 2 ; hérédité, cit. 12. *Le père de ce poulain était un pur-sang du nom de...* (→ Éducation, cit. 17).

♦ **4.** (Au plur.). Littér. Ascendant direct. ⇒ **Ancêtre** (cit. 7 et 10), **ascendant.** *Nos pères.* ⇒ **Aïeul** (→ Aimer, cit. 75 ; aussi, cit. 30 ; existence, cit. 14 ; gagneur, cit. 3 ; naïf, cit. 4). *Faire comme faisaient nos pères* (→ Innover, cit. 3). *L'expérience* (cit. 32) *de leurs pères. L'héritage* (cit. 5) *de ses pères. Brûler ce qu'adoraient ses pères* (→ Inconstance, cit. 3). Allus. bibl. *« Les pères ont mangé des raisins verts... »* (→ Dent, cit. 13).

14 Mes chers enfants, dit-il, je vais où sont nos pères.
Adieu (...) LA FONTAINE, Fables, IV, 18.

15 Nos pères sur ce point étaient gens bien sensés,
Qui disaient qu'une femme en sait toujours assez.
MOLIÈRE, les Femmes savantes, II, 7 (→ Capacité, cit. 6).

La terre des Pères. ⇒ **Patrie** (→ Nationalisme, cit. 1). *Dieu de mes Pères* (→ Offenser, cit. 19).

♦ **5.** Par métaphore. Celui que l'on considère comme un créateur, un protecteur. *Le Père éternel, le Père céleste* (des hommes) : Dieu* (→ Messe, cit. 1). *« Âme de l'Univers, Dieu, père, créateur »* (cit. 2). *Notre Père qui êtes aux cieux.* ⇒ **Pater.** — *Nommer* (cit. 3) *un roi Père du peuple. Cicéron fut appelé Père de la patrie.* — Par plais. *Le petit père des peuples :* Staline.

16 Ô Satan, prends pitié de ma longue misère !
Père adoptif de ceux qu'en sa noire colère
Du paradis terrestre a chassés Dieu le Père (...)
BAUDELAIRE, les Fleurs du mal, « Révolte », CXX.

Le Père du régiment : le colonel. — En valeur d'adjectif :

16.1 Rigolage s'est précipité sur ses petites jambes pour m'embrasser, me taper dans le dos, très père-du-régiment (les photographes étaient là). On aurait dit Mangin tirant l'oreille d'un brave en compote, au fort de Vaux.
Geneviève DORMANN, le Chemin des Dames, p. 147.

Relig. La première personne de la Sainte Trinité*. ⇒ **Dieu** (cit. 37). *Au nom du Père, du Fils et du Saint-Esprit :* formule qui accompagne le signe de la croix (→ Antéchrist, cit. 2 ; consacrer, cit. 2). *Consubstantialité* (cit.) *du Père et du Fils* (→ Effusion, cit. 5). *Jésus et son Père* (→ Détresse, cit. 1). *Le Verbe et son Père* (→ Effigie, cit. 3). *Le Verbe, image du Père* (→ Laisser, cit. 39). *« Père, pardonnez-leur... »* (→ Calvaire, cit. 1). *La maison* (cit. 23) *de mon père. La Maison du Père :* le paradis (→ Garçon, cit. 6).

Appos. *Dieu* le Père.* Fam. *Il se prend pour Dieu le père.*

♦ **6.** Fig. (1679). *Le père de* (quelque chose). ⇒ **Créateur, fondateur, inventeur.** *Eschyle, père de la tragédie. Proudhon, le père de l'anarchisme* (cit. 1) *moderne.* — *L'auteur est le père de ses écrits* (→ Écrire, cit. 43). — Relig. *Le père des miséricordes, des lumières :* Dieu. *Le père du mensonge, du mal* (Chateaubriand, *in* Littré) : le démon.

Littér. et vx. (Choses). Origine, source. Cf. l'emploi plus courant de *Mère* (5., fig.), dans ce sens ; → Défaut, cit. 2. *Le père du jour :* le soleil.

17 Le travail est souvent le père du plaisir :
VOLTAIRE, Poésies, « Disc. sur l'homme », IV.

18 Rome sur qui se fonde
La gloire d'un pays deux fois père des arts.
Nicolas GILBERT, Ode à Monsieur, Sur son Voyage en Piémont (7e strophe).

L'ancêtre, le premier. *Le* « Journal (cit. 7) des savants » *est le père de tous les ouvrages de ce genre.*

♦ **7.** (Fin XIIe). Celui qui se comporte comme un père, à l'égard d'un ou de plusieurs enfants ; celui qui est considéré comme un père (par l'enfant ou par la société). — Dr. *Père légal* (dans le cas où ce n'est pas le *père naturel*). *Père putatif*. Père adoptif.* ⇒ **Adoption.** — *Mon grand-père* (cit.) *fut dans le fait mon véritable père. Père nourricier*. Il lui servit de père, il fut un second père pour lui. S'intéresser à quelqu'un comme un second père* (→ Notaire, cit. 2).

19 Madame, dites-moi seulement que j'espère,
Je vous rends votre fils, et je lui sers de père ; RACINE, Andromaque, I, 4.

20 Suivez-moi, fils d'Ulysse ; je serai votre père, jusqu'à ce que vous ayez retrouvé celui qui vous a donné la vie. FÉNELON, Télémaque, IV.

Relig. *Père spirituel.* ⇒ **Directeur** (de conscience). → Ecclésiastique, cit. 5 ; guide, cit. 6.

21 Mazarin n'avait pas de génie. Mais il fut pour Louis XIV le grand initiateur, — son guide et, dans une certaine mesure, son père spirituel.
Louis BERTRAND, Louis XIV, II, II.

Mon père : nom que les pénitents donnent à leurs confesseurs.

22 Quand vint son tour, il devina dans l'ombre le prêtre qui priait, la tête dans ses mains. — Mon père, dit-il, je ne suis pas catholique, mais je voudrais me confesser à vous. A. MAUROIS, les Silences du colonel Bramble, IX.

♦ **8.** (1820). Théâtre. *Père noble*. Jouer les pères nobles* (cit. 10). — REM. On écrit parfois *père-noble. Le père-noble de la troupe* (⇒ **Acteur**).

♦ **9.** (Réemprunté au lat. *pater*). Antiq. rom. *Les pères conscrits** (1.), *les pères.* ⇒ **Sénateur.**

♦ **10.** (V. 1155 ; lat. chrét. *pater*). Titre que l'on donne à certains hommes, en marque de respect, de vénération (spécialt dans le lang. de la religion).

Titre donné aux membres des congrégations et des ordres religieux (⇒ **Moine, religieux**). *Père abbé :* religieux assurant la direction d'un couvent, d'une communauté. — REM. Cette expression constitue un pléonasme, le sens originaire d'*abbé* étant « père ». ⇒ **Abbé** (cit. 1). — *Les Pères de l'Oratoire* (→ Divin, cit. 6), *les Pères Jésuites. Les Pères Blancs. La rue des Saints-Pères, à Paris. Les Pères* (→ Antiphonaire, cit. 1), *les bons Pères* (→ Autodafé, cit. 1) : les religieux. — (Suivi du nom du religieux). *Le Père Malebranche* (→ Chaînon, cit. 2), *le Père Bourdaloue* (→ Désordre, cit. 24). *Le Père Lachaise a donné son nom à un grand cimetière parisien.*

— Quelle idée aussi de mener cet enfant chez les Pères (...) Comme si c'était un pensionnat pour lui, dans sa position (...) Alphonse DAUDET, Jack, I, I. 23

(Appellatif). *Mon père, mon Révérend* Père* (→ Large, cit. 21).

Le Saint-Père, notre Saint-Père le pape.* ⇒ **Pape.** — (Appellatif). *Oui, très Saint Père.*

Hist. relig. *Les Pères de l'Église :* les docteurs* de l'Église (du Ier au VIe s.), dont la doctrine en matière de foi, de morale, a été reçue et approuvée (→ Édifiant, cit. 2 ; paganisme, cit. 1). *Les Pères apostoliques. Les Pères Alexandrins, Carthaginois, Romains. Les Pères de l'Église d'Occident, d'Orient. Les maximes des Pères* (→ 3. Droit, cit. 63). *Étude des textes des Pères.* ⇒ **Patrologie.** — REM. Certains auteurs étendent la dénomination de *Père de l'Église* aux grands philosophes scolastiques du moyen âge (jusqu'aux XIIIe-XIVe s.).

Les Pères du désert : les anachorètes des premiers sièges chrétiens. *Les Pères du Concile :* les évêques qui y sont présents.

♦ **11.** (1636). Suivi d'un nom propre. Homme d'un certain âge, de condition modeste (avec des nuances allant de la sympathie à la condescendance). *Le père Goriot,* roman de Balzac. *Le père Ubu* (Jarry). *Le père Rouault* (→ Maître, cit. 95). *Le petit père Untel.* — Loc. *Le coup** (*infra* cit. 20) *du père François.* — (Avec une nuance d'admiration pour un chef, un grand homme). *La casquette du père Bugeaud. Le père Hugo.* — (Dans un surnom). *Le père la Pudeur. Le père la Pensée* (→ Nuire, cit. 11). *Le père la Victoire* (Clemenceau).

Peut-être l'insouciante générosité que mit à se laisser attraper le père Goriot, qui vers cette époque, était respectueusement nommé monsieur Goriot, le fit-elle considérer comme un imbécile (...) 24
BALZAC, le Père Goriot, Pl., t. II, p. 861 (cf. aussi p. 866).

(...) toute cette bavure qui vient de Voltaire et dont le père Hugo lui-même n'est pas exempt. FLAUBERT, Correspondance, 382, 14 avr. 1853. 25

Il me déplaît de jouer les pères-la-vertu et je m'en garderai. Mais je pose la question : en quoi l'histoire du sexe de cette dame intéresse-t-elle spécialement la nouvelle vague ? F. MAURIAC, le Nouveau Bloc-notes 1958-1960, p. 154. 26

Le père Fouettard. Le père Noël*.*

Loc. (1825). *Un gros père :* un homme, un enfant placide, bonhomme, et qui a de l'embonpoint. ⇒ **Pépère** (→ Caleter, cit. 1). — Fam. *Alors, mon petit père, comment ça va ? Un père tranquille :* un homme paisible, ennemi des complications. ⇒ **Pantouflard.** *Se conduire en père tranquille.*

Petit père (calque du russe), terme affectueux.

Et que d'aimables interpellations suivant la circonstance ! 27
« Allez, mes colombes ! répétait l'iemschik *(cocher).* Allez, gentilles hirondelles ! Volez, mes petits pigeons ! Hardi, mon cousin de gauche ! Pousse, mon petit père de droite ! »
J. VERNE, Michel Strogoff, p. 126.

♦ **12.** Franç. d'Afrique. Homme âgé et respectable.

★ **II.** Techn. Modèle en relief sur lequel on fabrique un moule en creux. — REM. Dans l'industrie du disque, cette première copie est dénommée *matrice**.

CONTR. Fils, fille. — Enfant.

DÉR. et **COMP. Pérot. — Beau-père, grand-père** (et **arrière-grand-père**), **Saint-Père.** (Cf. aussi Pépère). — (Du lat. *Pater*). Cf. Parrain, parricide, pater, paternel, paternité, patrie, patrimoine, patrologie.

HOM. Pair, paire, pers ; formes du v. **perdre.**

PÉRÉGRIN, INE [peʀegʀɛ̃, in] adj. et n. — V. 1120 ; lat. *peregrinus* « de l'étranger ; étranger ». → Pèlerin.

Vieux.

♦ **1.** Étranger, étrangère. *Marchandises exotiques* (cit. 1) *et pérégrines* (Rabelais).

♦ **2.** Voyageur. — N. m. *Un pérégrin.*

(...) ils me tombèrent tous sur le dos (...) me nommant vieux fou, Brugnon bougetoujours, le pérégrin, l'errant, Brugnon frotteur de routes (...)
R. ROLLAND, Colas Breugnon, IV.

♦ **3.** N. m. (1875). Didact. À Rome, Personne libre mais qui ne jouissait pas du droit de cité ni du droit latin.

PÉRÉGRINATION [peʀegʀinasjɔ̃] n. f. — 1546 ; *peregrination* « vie terrestre », v. 1190 ; « pèlerinage », v. 1120 ; lat. *peregrinatio, -onis* « voyage ; séjour à l'étranger ».

♦ **1.** Vx ou littér. Voyage en pays lointain. ⇒ **Errance, erreur** (7., vx). — REM. Le mot était discuté au XVIIe s. (→ Brunot, H. L. F., t. IV, p. 494).

1 Notre d'Hacqueville nous disait (...) en nous entendant parler de notre pérégrination de Bretagne en Provence (...) Mme DE SÉVIGNÉ, 159, 22 avr. 1671.

2 (...) ce fut l'incident le plus dramatique de notre longue pérégrination à travers des contrées réputées les plus dangereuses de l'Espagne (...)
Th. GAUTIER, Voyage en Espagne, p. 232.

♦ **2.** Mod. Plur. *Pérégrinations :* déplacements incessants en de nombreux endroits. *Les pérégrinations d'un grand reporter.*

3 J'ignore si tu prendras grand intérêt aux pérégrinations d'un touriste parti de Paris en plein novembre. NERVAL, Voyage en Orient, « Vers l'Orient », I.

PÉRÉGRINER [peʀegʀine] v. intr. — Fin XVe; « aller en pèlerinage », déb. XIVe; *peregrinar,* au XIVe, en provençal; lat. *peregrinari* « voyager, séjourner à l'étranger ».

♦ Vx (ou archaïsme littér.). Voyager, faire des pérégrinations. *« Pendant que je pérégrinais dans la calèche du prince de Bénévent »* (→ Expectative, cit. 1).

4 Quel est ce tourbillon spectral qui se déchaîne?
Certes, ce ne sont pas chameaux et chameliers
Pérégrinant, selon la coutume ancienne.
LECONTE DE LISLE, Poèmes tragiques, « Lévrier de Magnus », II.

5 (...) parce qu'elle voit pérégriner dans ses rues deux ou trois cents de pioupious, cette benoîte population gesticule, prudhommesquement spadassine, bien autrement que les assiégés de Metz et de Strasbourg!
RIMBAUD, Correspondance, II, 25 août 1870.

PÉRÉGRINISME [peʀegʀinism] n. m. — 1956, L. Deroy, *l'Emprunt linguistique,* p. 224; du lat. *peregrinus* et *-isme.*

♦ Didact. ⇒ **Xénisme.**

PÉRÉGRINITÉ [peʀegʀinite] n. f. — 1765; « chose étrangère », 1552; lat. *peregrinitas,* même sens.

♦ Didact. Condition de pérégrin (3.) dans la Rome ancienne; qualité d'étranger.

PÉREMPTION [peʀɑ̃psjɔ̃] n. f. — 1546; bas lat *peremptio, -onis* « meurtre; destruction »; du lat. *perimere* « anéantir ». → Périmer.

♦ Dr. *Péremption d'instance :* anéantissement des actes de procédure antérieurement accomplis dans une instance, lorsqu'un certain délai s'est écoulé sans qu'aucun acte ait été fait. ⇒ **Périmer** (→ Incident, cit. 12). *La péremption peut être invoquée au bout de trois ans.*

PÉREMPTOIRE [peʀɑ̃ptwaʀ] adj. — 1279; bas lat. *peremptorius* « meutrier, mortel; définitif », du lat. *perimere.* → Péremption.

♦ **1.** Dr. Relatif à la péremption. *Exception* péremptoire,* par laquelle on allègue la péremption.

♦ **2.** (1477; *perentoire,* 1354). Cour. Qui détruit d'avance toute objection; contre quoi on ne peut rien alléguer, rien répliquer. ⇒ **Décisif, tranchant; réplique** (sans). *Argument péremptoire. Documents péremptoires* (→ Attacher, cit. 38). Dr. *Preuve péremptoire. Manière* (→ Malmener, cit. 2), *ton péremptoire.* ⇒ **Magistral** (péj.). → Nerf, cit. 13.

1 (...) et nous sommes obligé de nous ranger à son avis, car il s'appuie sur des raisons si péremptoires, qu'il n'y a pas moyen d'aller contre.
BALZAC, le Feuilleton, XXXVIII, Œ. diverses, t. I, p. 423.

2 Et comme si ces paroles n'eussent pas été assez péremptoires, le cavalier mit le sabre à la main (...) J.-A. DE GOBINEAU, Nouvelles asiatiques, p. 249.

3 Il *(Bonnières)* avait sur n'importe quoi des opinions d'autant plus inébranlables, qu'il n'écoutait jamais que lui. Dieu! que son ton péremptoire me tapait sur les nerfs quand je l'entendais affirmer : — L'œuvre de chaque auteur doit pouvoir se résumer dans une formule. GIDE, Si le grain ne meurt, I, X, p. 273.

(Personnes). Qui n'admet pas la réplique. *Cassant, net et péremptoire.* ⇒ **Autoritaire** (→ Désavouer, cit. 2). *Un homme péremptoire, qui tranche*, décide de tout.* ⇒ **Absolu.**

4 Avec la police russe, qui est très péremptoire, il est absolument inutile de vouloir raisonner. Ses employés sont revêtus de grades militaires, et ils opèrent militairement. J. VERNE, Michel Strogoff, p. 55.

DÉR. **Péremptoirement.**

PÉREMPTOIREMENT [peʀɑ̃ptwaʀmɑ̃] adv. — 1349; *peremptorement,* 1317; de *péremptoire.*

♦ Littér. D'une manière péremptoire (2.), décisive. *Répondre, répliquer péremptoirement à une objection.*

PÉRENNANT, ANTE [peʀenɑ̃, ɑ̃t] adj. — Déb. XXe; de *pérenne.*

♦ Bot. Se dit d'une plante annuelle ou bisannuelle qui peut devenir vivace. — Se dit de la partie d'une plante vivace (bulbe, rhizome, tubercule) qui reste vivante pendant l'hiver.

PÉRENNE [peʀɛn] adj. — 1588; lat. *perennis* « qui dure un an; durable ».

♦ Didact. et vx. Qui dure longtemps, depuis longtemps. ⇒ **Durée.**

A l'extrême conséquence de l'empirisme, le sens est totalement immergé dans le bruit, l'espace de la communication est granulaire; le dialogue est condamné à la cacophonie : le transport de la communication est transformation pérenne.
Michel SERRES, Hermès I, la Communication, p. 44.

DÉR. **Pérennant.**

PÉRENNISATION [peʀenizasjɔ̃] n. f. — XXe; de *pérenniser.*

♦ Didact. Action de pérenniser; son résultat. *Pérennisation d'une loi, d'un enseignement, d'une coutume.* ⇒ **Perpétuation.**

PÉRENNISER [peʀenize] v. tr. — 1803; *parranniser,* mil. XVIe; de *pérenne.*

♦ Didact. Rendre durable, éternel. *Pérenniser une institution. « Le conflit* (psychologique) *n'est pas résolu; il est pérennisé »* (D. Lagache, *La psychanalyse,* p. 59). — *Pérenniser un fonctionnaire,* le titulariser dans sa fonction.

DÉR. **Pérennisation.**

PÉRENNITÉ [peʀenite] n. f. — 1784; « éternité », 1611; *perhennité,* v. 1160; lat. *perennitas* « durée continue ».

♦ Didact. ou littér. État, caractère de ce qui dure* toujours (⇒ **Continuité, éternité, immortalité, perpétuité**) ou très longtemps (⇒ **Durable, durée**). *Croire à la pérennité du goût* (→ Existence, cit. 15). *La pérennité de la lignée* (→ Femelle, cit. 4), *de l'espèce* (→ Mouvement, cit. 13).

Nos lois ont brisé les maisons, les héritages, la pérennité des exemples et des traditions. BALZAC, la Femme de trente ans, Pl., t. II, p. 753. 1

Et elle qui avait cru à la solidité, à la pérennité des choses, à la loyauté de l'avenir, à sa propre force, quel espoir mettre à présent dans la vie? 2
J. GREEN, Léviathan, II, IV.

(...) la force perpétuelle qu'aucun langage ne possédera jamais. Ce qu'aucun homme n'a pu inventer. La pérennité, la douce, la vertueuse pérennité de l'existence. J.-M.-G. LE CLÉZIO, la Fièvre, p. 202. 3

CONTR. **Brièveté.**

PÉRÉQUATION [peʀekwasjɔ̃] n. f. — 1611; « répartition équitable de l'impôt », 1442; lat. jurid. *peræquatio* « répartiton égale »; de *per-,* et *æquare* « égaliser ».

♦ Dr. admin. Rajustement des traitements, pensions, indemnités, allocations, impôts, destiné à les adapter au coût de la vie ou à établir entre eux certaines proportions déterminées. ⇒ **Répartition.** Spécialt. Égalité dans la répartition, répartition égale.

Écon. *Péréquation des prix, des charges, destinée à diminuer les inégalités entre les entreprises. Caisse de péréquation.*

PERFECTIBILITÉ [pɛʀfɛktibilite] n. f. — 1750, Rousseau; du rad. de *perfectible.*

♦ Littér. Caractère de ce qui est perfectible. *Croire à la perfectibilité du genre humain* (→ Humanitaire, cit. 2). *La perfectibilité morale* (→ Nier, cit. 4). *Perfectibilité de l'enfant* (→ Imitateur, cit. 3).

(...) il y a une autre qualité très spécifique qui les distingue *(l'homme et l'animal),* et sur laquelle il ne peut y avoir de contestation; c'est la faculté de se perfectionner (...) l'homme, reperdant par la vieillesse ou d'autres accidents tout ce que sa *perfectibilité* lui avait fait acquérir, retombe ainsi plus bas que la bête même. 1
ROUSSEAU, De l'inégalité parmi les hommes, I.

Mon Dieu! que c'est une sotte chose que cette prétendue perfectibilité du genre humain dont on nous rebat les oreilles! On dirait en vérité que l'homme est une machine susceptible d'améliorations, et qu'un rouage mieux engrené, un contrepoids plus convenablement placé, peuvent faire fonctionner d'une manière plus commode et plus facile. Th. GAUTIER, Mlle de Maupin, Préface. 2

CONTR. **Imperfectibilité.**

PERFECTIBLE [pɛʀfɛktibl] adj. — 1756; du rad. du lat. *perfectus* « parfait ». → Perfection.

♦ Qui est susceptible d'être amélioré*, rendu meilleur, plus parfait*. *L'homme, la nature humaine est perfectible.*

Il *(l'homme)* est perfectible; et de là on a conclu qu'il s'est perverti. Mais pourquoi n'en pas conclure qu'il s'est perfectionné jusqu'au point où la nature a marqué les limites de sa perfection? 1
VOLTAIRE, Essai sur les mœurs, Introd., p. 30.

La science est perfectible; l'art, non. HUGO, Shakespeare, I, III, II. 2

L'optimisme serait une erreur, si l'homme n'était point perfectible, s'il ne lui était donné d'améliorer par la science l'ordre établi. 3
RENAN, l'Avenir de la science, Œ. compl., t. III, p. 752.

CONTR. **Imperfectible.**
DÉR. **Perfectibilité.**

PERFECTIF, IVE [pɛʀfɛktif, iv] adj. — 1909; « qui a le caractère de la perfection », v. 1840; « parfait », 1458; du rad. du lat. *perfectus.*

♦ Ling. « Aspect d'une action envisagée comme aboutissant à un terme » (Marouzeau). ⇒ **Aspect** (IV.), **imperfectif** (cit.). *Verbes de sens perfectif.* (Ex. : arriver, parvenir). *Verbes perfectifs et verbes imperfectifs, en russe.*

CONTR. Imperfectif.

PERFECTION [pɛʀfɛksjɔ̃] n. f. — V. 1190; *perfectium,* v. 1155; lat. *perfectio, -onis* « complet achèvement »; de *perfectus,* p. p. de *perficere* « parfaire », de *per-,* et *facere* « faire ».

★ **I.** Degré le plus haut (dans une échelle de valeurs). ♦ **1.** État, qualité de ce qui est parfait, notamment dans le domaine moral (⇒ **Bien,** cit. 69; **bonté,** 1.) et esthétique (⇒ **Beau,** II.; **beauté**). *Perfection morale. Avoir une idée de la perfection* (→ Complet, cit. 4). *Être épris* (cit. 13) *de perfection. Atteindre* (cit. 43), *s'élever* (→ 1. Bas, cit. 21), *parvenir à la perfection.* — Spécialt. *La perfection chrétienne* (→ Espérance, cit. 23), *évangélique* (→ Humble, cit. 10). — *Il y a dans l'art un point de perfection...* (→ Art, cit. 59, La Bruyère). *La perfection dans le style* (→ Assortir, cit. 3 et 7). *Perfection de la facture* (1. Facture, cit. 2) *du dessin, du modelé...* ⇒ **Fini.** *Artiste, génie qui parvient à la perfection* (→ Ébauche, cit. 3). *Le désir de perfection de l'auteur* (→ Épreuve, cit. 35). *Courbe d'une radieuse perfection* (→ Globe, cit. 2). *La perfection et l'insignifiance* (cit. 1) *de la beauté grecque.* — *La perfection d'un raisonnement, d'une méthode* (→ Exhaustion, cit. 1). *Le français* (cit. 17), *« que Voiture et Balzac ont porté à sa perfection ».*

1 (...) ne cherchons point la chimère de la perfection, mais le mieux possible selon la nature de l'homme et la constitution de la société.
ROUSSEAU, Lettre à d'Alembert.

2 L'idée de la perfection est plus nécessaire aux hommes que les modèles, je ne veux pas dire seulement dans les arts, mais aussi dans les mœurs.
Joseph JOUBERT, Pensées, XVI, XXVIII.

3 Dans ce cas, le poète semble avoir pour but de proposer aux spectateurs un modèle achevé de la perfection humaine. Tout ce qu'il peut trouver de qualités, il l'entasse sur la tête de son prince ou de sa princesse (...)
Th. GAUTIER, Voyage en Espagne, p. 221.

4 *(Flaubert)* n'écrivit guère que pour satisfaire à son idéal et pour s'approcher le plus près possible de la perfection. A. THIBAUDET, Flaubert, p. 269.

5 Tendre à la perfection, donner à une œuvre un temps de travail illimité, se proposer, comme le voulait Goethe, un but impossible, ce sont là des desseins que le système de la vie moderne tend à éliminer.
VALÉRY, Regards sur le monde actuel, p. 208.

6 (...) c'est à la perfection de sa forme que Baudelaire doit sa survie. L'artiste la doit-il jamais à rien d'autre ? (...) GIDE, Nouveaux prétextes, p. 126.

6.1 La perfection, en art, est une idée-piège. Pour qu'elle trouve toute sa force, il lui faut le passé : perfection des Anciens pour notre XVIIe siècle, de Racine contre les romantiques beaucoup plus que contre Pradon. Fait-elle partie de son mythe, fait-il partie du sien ? Car la perfection s'incarne plus qu'elle ne se définit, et il est instructif que Stendhal vénère Raphaël et traite Racine de perruque, non parce qu'il juge le peintre supérieur au poète, mais parce qu'il accepte, en peinture, un mythe qu'il refuse en littérature. La perfection, si elle se définit mal, désigne bien ses adversaires. On peut l'attribuer à un art aussi manifestement élaboré que celui de Racine; évidemment pas à celui de Victor Hugo, et de Rimbaud, moins encore. La comédie de l'esprit consiste à poser un art comme privé de perfection, ce dont en effet il ne se soucie pas (Shakespeare, Rembrandt), puis à lui opposer la « réussite classique » incarnée dans Raphaël, dans Racine, dans une époque. La perfection est le dieu de l'esprit classique, et l'esprit classique, le juge de la perfection. MALRAUX, l'Homme précaire et la Littérature, p. 74-75.

« La perfection n'est pas humaine » (Hugo, *Post-scriptum de ma vie,* « le goût »), *n'est pas de ce monde.*

7 La perfection, ami, n'est pas plus faite pour nous que l'immensité. Il faut ne la chercher en rien, ne la demander à rien, ni à l'amour, ni à la beauté, ni au bonheur, ni à la vertu; mais il faut l'aimer pour être vertueux, beau et heureux autant que l'homme peut l'être. A. DE MUSSET, la Confession d'un enfant du siècle, I, V.

8 C'était l'idéal cristallisé en marbre pentélique qui se montrait à moi. Jusque-là, j'avais cru que la perfection n'est pas de ce monde; une seule révélation me paraissait se rapprocher de l'absolu.
RENAN, Souvenirs d'enfance..., II, Œ. compl., t. II, p. 753.

9 Sous prétexte que la perfection n'est pas de ce monde, ne gardez pas, soigneusement, tous vos défauts. J. RENARD, Journal, 13 mars 1906.

♦ **2.** Absolt (relig., philos.). Réunion de toutes les qualités convenables portées à leur degré le plus haut. ⇒ **Absolu,** 2. **idéal** (cit. 17). *Perfection céleste, divine.* ⇒ **Dieu, divin** (II.).

10 (...) Dieu est absolument parfait; la perfection n'étant autre chose que la grandeur de la réalité positive prise précisément (par abstraction) en mettant à part les limites ou bornes dans les choses qui en ont. Et là où il n'y a point de bornes, c'est-à-dire en Dieu, la perfection est absolument infinie.
LEIBNIZ, la Monadologie, p. 41.

♦ **3.** (Déb. XVe). Excellence, grande qualité; état de ce qui approche de la perfection (au sens 1.). — REM. Dans ce sens *perfection* peut s'employer au comparatif ou au superlatif. — *Degré de perfection* (→ Exact, cit. 18). *Choses parvenues à leur plus grande perfection* (→ Dégénérer, cit. 7). *Sciences poussées à une certaine perfection* (→ Barbarie, cit. 3). — Au sens moral. *Le degré de perfection le plus éminent* (→ Dévotion, cit. 5). *Nous avons été dans un degré de perfection dont nous sommes déchus* (→ Ignorer, cit. 23). *Le sommet de la perfection. Un modèle de perfection* (→ Maître, cit. 62).

(ce sermon de Bourdaloue) fut poussé au point de la plus haute perfection, et certains endroits furent poussés comme les aurait poussés l'apôtre saint Paul. 11
Mme DE SÉVIGNÉ, 378, 5 févr. 1674.

Loc. adv. (1530). EN PERFECTION (vx); (1684). DANS LA PERFECTION (vieilli) : d'une manière parfaite, excellente. ⇒ **Bien** (très bien), **parfaitement** (→ Le mieux* du monde). *En perfection* (→ Façonnier, cit. 1; 1. lire, cit. 8). *Danser la bourrée* (2. Bourrée, cit. 1) *dans la perfection.* — (1668). Mod. À LA PERFECTION. *Posséder un métier* (cit. 16) *à la perfection* (→ Gripper, cit. 4).

J'ai eu une grande conversation avec M. le Camus (...) il est instruit à la perfection. Mme DE SÉVIGNÉ, 248, 12 févr. 1672. 12

Tu y serais fort apprécié, d'abord parce que tu joues du violon en perfection (...) 13
MAUPASSANT, Notre cœur, I, I.

♦ **4.** (1637). *Une, des perfections.* Qualité remarquable. *Voir toutes les perfections dans la personne qu'on aime* (cit. 26; → Cristallisation, cit. 4, Stendhal). *Idéalité* (cit. 3) *parée de nuageuses perfections.* — Spécialt. *« L'erreur* (cit. 10) *n'est pas le simple défaut... de quelque perfection »* (Descartes).

La nature a des perfections pour montrer qu'elle est l'image de Dieu, et des défauts, pour montrer qu'elle n'en est que l'image. PASCAL, Pensées, VIII, 580. 14

Et, dans l'objet aimé, tout leur devient aimable : 15
Ils comptent les défauts pour des perfections,
Et savent y donner de favorables noms. MOLIÈRE, le Misanthrope, II, 4.

(...) toutes les actions de notre âme qui nous acquièrent quelque perfection, sont vertueuses, et tout notre contentement ne consiste qu'au témoignage intérieur que nous avons d'avoir quelque perfection. 16
DESCARTES, Correspondance, 1er sept. 1645.

Il savait que les amoureux découvrent de singulières perfections chez la personne qu'ils aiment. Les trésors d'esprit et de délicatesse qu'il découvrait chez Mina lui persuadaient qu'il était réellement amoureux. STENDHAL, Mina de Vanghel. 17

(...) la jalousie trouve sa joie aux perfections de ce qu'elle aime, et sa plus grande tristesse de ce que ces perfections sont salies ou bien méconnues. L'envieux au contraire souffre de la perfection de quelqu'un et s'efforce de l'imaginer amoindrie. 18
ALAIN, les Aventures du cœur, p. 80.

(1791). Personnes. *Cette jeune fille est une perfection* (⇒ **Ange**). *Une perfection de servante* (⇒ **Perle**).

Je l'ai prise de confiance, et j'ai bien fait. C'est une perfection de femme de chambre. Je ne crois pas qu'elle ait un défaut. 19
BARBEY D'AUREVILLY, les Diaboliques, « Bonheur dans le crime ».

★ **II.** (XIVe). Vx ou littér. *La perfection de* (quelque chose) : état de ce qui est poussé à son terme, de ce qui correspond pleinement à un concept, à un type, à un modèle. ⇒ **Parfait** (II.); **achèvement, consommation, couronnement** (2.), **fin** (I., 5.), **parachèvement.** *Réaliser le type de la vieille fille dans sa funeste* (cit. 21) *perfection. « Le triomphe de la modestie et la dernière perfection de l'honnêteté... » :* le comble de l'honnêteté (→ Carmélite, cit. 1). *Mener à perfection l'affirmation de soi-même,* à son terme (→ Édification, cit. 5). — *Conduire une chose à son point de perfection ultime.* ⇒ **Finir** (I.). *Talent parvenu à son point de perfection.* ⇒ **Maturité** (2.).

Ils semblaient entièrement terrifiés par la soudaineté et la perfection de leur déconfiture (...) 20
BAUDELAIRE, Trad. E. POE, les Aventures d'A. Gordon Pym, XXII.

CONTR. Imperfection*. — Défaut, faute. — Défectuosité, difformité. — Médiocrité. — Approximation.
DÉR. Perfectionner, perfectionnisme, perfectionniste.

PERFECTIONNEMENT [pɛʀfɛksjɔnmɑ̃] n. m. — 1725; de *perfectionner.*

♦ **1.** Action de perfectionner, de rendre meilleur, plus parfait. ⇒ **Amélioration, avancement, couronnement, progrès** (→ 1. Feu, cit. 22; franc-maçonnerie, cit. 3). *Perfectionnement moral.* ⇒ **Édification.** *Perfectionnement des mœurs.* ⇒ **Correction** (I., 1.). *Procédé de perfectionnement, d'enrichissement* (cit. 4). *Travail de perfectionnement* (→ Étranger, cit. 23). *Le perfectionnement du genre humain* (→ Humanitaire, cit. 2). *Perfectionnement technique, perfectionnement des machines complexes* (→ Ouvrier, cit. 5). *Aller vers un perfectionnement* (→ De mieux* en mieux). — *Brevet de perfectionnement.*

La plaie des inventeurs, en France, est le brevet de perfectionnement. Un homme passe dix ans de sa vie à chercher un secret d'industrie, une machine, une découverte quelconque, il prend un brevet, il se croit maître de sa chose; il est suivi par un concurrent qui, s'il n'a pas tout prévu, lui perfectionne son invention par une vis, et la lui ôte ainsi des mains. 1
BALZAC, Illusions perdues, Pl., t. IV, p. 944.

(...) le perfectionnement plus ou moins rapide des moyens de production, la lutte pour la vie ont créé rapidement des inégalités sociales (...) 2
CAMUS, l'Homme révolté, p. 249.

À ceux qui l'écoutent, il veut d'abord donner l'idée que le véritable royaume de Dieu s'ouvre dans le tremblement de l'âme et la volonté de perfectionnement. 3
DANIEL-ROPS, Jésus en son temps, IV, p. 218.

♦ **2.** (XIXe). Sens concret. Procédé par lequel on perfectionne quelque chose; amélioration qui en résulte. *Un, des perfectionnements.* ⇒ **Progrès.** *Perfectionnements techniques* (→ Habile, cit. 4). *Appliquer de nombreux perfectionnements à une voiture* (→ Marcher, cit. 40). *Leurs oreilles « pourvues de tous les perfectionnements de la coquille et du labyrinthe »* (→ Exercer, cit. 4).

CONTR. Corruption, détérioration. — Ébauche.

PERFECTIONNER [pɛʀfɛksjɔne] v. tr. — 1450; de *perfection.*

♦ Rendre meilleur, plus proche de la perfection. ⇒ **Améliorer, parfaire** (→ Civilisation, cit. 10). *L'art* (cit. 31), *la volonté* (→ Embellir, cit. 9), *l'homme cherchent à perfectionner la nature. La société perfectionne l'homme* (cit. 83, Balzac). ⇒ **Exalter; cultiver.** *Perfectionner le goût, les mœurs...* ⇒ **Affiner.** *Perfectionner les sciences* (→ Intelligence, cit. 1). *Perfectionner un ouvrage, son style...* ⇒ **Châtier, corriger, épurer, limer** (cit. 3), **polir, retoucher; parer** (II.); **achever, compléter...** — REM. Sans être vieillis, ces emplois sont marqués; en français contemporain, le verbe est surtout employé à propos des procédés, des objets fabriqués. — *Perfectionner un procédé* (→ Entendre, cit. 93), *une technique. Perfectionner une machine. — Perfectionner une plante* (→ Formule, cit. 10), *une espèce animale...*

1 Comme les hommes ont reçu le don de perfectionner tout ce que la nature leur accorde, ils ont perfectionné l'amour. La propreté, le soin de soi-même, en rendant la peau plus délicate, augmentent le plaisir du tact (...)
VOLTAIRE, Dict. philosophique, Amour.

2 S'agit-il, disons-nous, parmi les adeptes de la foi nouvelle, de perfectionner les choses, ou de perfectionner les gens? (...) Perfectionner les choses n'est pas nouveau; rien n'est plus vieux, tout au contraire, mais aussi rien n'est plus permis, loisible, honnête et salutaire; (...) Mais s'attaquer aux gens en personne et s'en venir les perfectionner, oh! oh! l'affaire est sérieuse (...) Perfectionner un homme, d'autorité, par force majeure et arrêt de la cour, c'est une entreprise neuve de tout point (...)
A. DE MUSSET, Lettres de Dupuis et Cotonet, 2e lettre (→ Humanitaire, cit. 2).

3 (...) travailler jusqu'au matin, employer la journée à revoir, étendre, émonder, perfectionner, polir le travail nocturne (...)
Th. GAUTIER, Portraits contemporains, H. de Balzac, II.

4 En fait de société polie et de conversation, le XVIIIe siècle n'eut qu'à étendre, à régulariser et à perfectionner ce que le XVIIe avait premièrement fondé et établi.
SAINTE-BEUVE, Causeries du lundi, 26 mai 1851.

Absolt :

5 La poursuite des perfectionnements exclut la recherche de la perfection. Perfectionner s'oppose à parfaire.
VALÉRY, Variété IV, p. 16.

▶ **SE PERFECTIONNER** v. pron. (1637).

Acquérir plus de qualités, plus de valeur, élever son degré de perfection. *L'agriculture* (→ Cultivateur, cit.), *les techniques se perfectionnent. Ma connaissance se perfectionne peu à peu* (→ Expérimenter, cit. 2). *Langue qui se perfectionne* (→ Incorrection, cit. 1). *Les premières facultés* (cit. 4) *qui se forment et se perfectionnent en nous* (→ Caractère, cit. 13; perfectibilité, cit. 1).

Les efforts que Démosthène fit pour se perfectionner (→ Copier, cit. 1). *Se perfectionner en anglais,* faire des progrès*.

6 La beauté de toute chose ici-bas, c'est de pouvoir se perfectionner (...)
HUGO, Shakespeare, I, IV, III.

7 (...) une seule chose compte en ce monde : c'est de se perfectionner, c'est le perfectionnement (...)
F. MAURIAC, l'Éducation des filles.

▶ **PERFECTIONNÉ, ÉE** p. p. adj.

Qui a reçu, acquis quelque perfectionnement; muni de perfectionnements. *Langue plus ou moins perfectionnée* (→ Aryen, cit. 1; balbutiement, cit. 5). *Investigation* (cit. 3) *simple ou perfectionnée. L'hypocrisie* (cit. 6) *est plus ou moins perfectionnée. — Gestes d'ouvriers perfectionnés à travers des générations* (cit. 18). — (Plus cour.). *Réalisations perfectionnées* (→ Joujou, cit. 1). *La machine* (cit. 5) *-outil, forme perfectionnée et récente du machinisme. Modèle perfectionné d'une machine. Pompe ultra-perfectionnée* (→ Essai, cit. 14).

CONTR. Abîmer, avilir, corrompre, détériorer...
DÉR. Perfectionnement.

PERFECTIONNISME [pɛʀfɛksjɔnism] n. m. — 1955; de *perfection.*

♦ Tendance à chercher la perfection; attitude perfectionniste.

(...) le psychanalyste comme le patient doit être en garde contre les illusions du perfectionnisme et de la toute-puissance de l'analyse.
Daniel LAGACHE, la Psychanalyse, p. 94.

PERFECTIONNISTE [pɛʀfɛksjɔnist] n. et adj. — 1845; de *perfection.*

♦ **1.** Didact. Personne qui cherche le progrès illimité, la perfection (souvent péj.). — Adj. *Secte chrétienne perfectionniste des États-Unis.*

♦ **2.** Cour. Personne qui recherche la perfection dans ce qu'elle fait, qui s'attache (parfois à l'excès) au fini de son travail.

Tu sais comme elle est perfectionniste! Denyse VAUTRIN, l'Heure d'été, p. 287.

PERFECTUM [pɛʀfɛktɔm] n. m. — 1933, Marouzeau; mot. lat. « l'achevé, le parfait ».

♦ Gramm. lat. Ensemble des formes du verbe dérivées du thème du parfait.

PERFIDE [pɛʀfid] adj. et n. — xe, *perfides,* n. m.; rare jusqu'en 1606, adj.; lat. *perfidus* « sans foi, trompeur » (de *per* « à travers », et *fides* « foi, confiance »).

Vieilli ou littéraire.

♦ **1.** Qui nuit par traîtrise en manquant à la confiance d'autrui. ⇒ **Déloyal** (→ Manquer à sa parole*, violer sa foi*). *Les perfides adorateurs* (cit. 3) *de la fortune qui vous accablent dans la disgrâce. Des fils perfides* (→ Étonner, cit. 32). *La plus perfide des confidentes* (→ Guêpe, cit. 7). *Phèdre, « perfide et incestueuse »* (cit. 1). *Jérusalem, cité perfide* (→ 1. Homicide, cit. 2). *Femme perfide.* ⇒ **Infidèle** (cit. 9). → Galant, cit. 6; lâchement, cit. 2.

Ils me disent que tu es blonde 1
Et que toute blonde est perfide,
Même ils ajoutent comme l'onde. VERLAINE, Chair, « Chanson pour Elles ».

Loc. Péj. ou plais. (XIXe). *La perfide Albion :* l'Angleterre.

En fait, l'opinion se montrait très irritée de la mauvaise foi de l'Angleterre : celle-ci redevenait « la perfide Albion ». 2
Louis MADELIN, Hist. du Consulat et de l'Empire, Avènement de l'Empire, I.

N. Vx (langue class.). *Un, une perfide.* ⇒ **Fourbe, scélérat, traître.** — Spécialt. (dans le domaine amoureux). Qui ne respecte pas ses promesses.

Ah! que vous savez bien ici, contre moi-même, 3
Perfide, vous servir de ma faiblesse extrême. MOLIÈRE, le Misanthrope, IV, 3.

La perfide se rit de toi, 4
Plus elle t'encourage.
Sa lèvre même est un outrage.
Viens, gagnons notre toit. P.-J. TOULET, Contrerimes, XVIII.

♦ **2.** (1609). Choses. Dangereux, nuisible sans qu'il y paraisse. *Les appâts d'un hameçon perfide* (→ Avide, cit. 2). *Pièges perfides* (→ Insidieux, cit. 1). *Glu* (cit. 5) *perfide. Perfide mollesse d'un fleuve* (cit. 6). *Perfide comme l'onde. L'onde perfide. — Chatterie perfide. De perfides promesses.* ⇒ **Fallacieux.** *La louange* (cit. 1), *pratique perfide. Un moyen perfide* (→ Continent, cit. 3). *Manœuvre* (cit. 10) *subtile et perfide.* ⇒ **Machiavélique.** *Adresse perfide* (→ Interlocuteur, cit. 1). *Propos, trait, insinuation perfide.* ⇒ **Empoisonné, envenimé, fielleux, méchant, sournois, venimeux** (→ Avoir la langue bien affilée*).

On fabriquait secrètement une arme perfide et terrible, des fourches dont le dos était une scie. 5
MICHELET, Hist. de la Révolution franç., III, VIII.

⇒ **Trompeur.** *Perfide apparence de santé* (→ Empourprer, cit. 5). *Sensations douces et perfides* (→ Baigner, cit. 5).

CONTR. Loyal.
DÉR. Perfidement.

PERFIDEMENT [pɛʀfidmɑ̃] adv. — 1642; de *perfide.*

♦ Vieilli ou littér. D'une manière perfide, avec perfidie. ⇒ **Déloyalement.** *Des citations fausses ou perfidement isolées* (→ Déprécier, cit. 3).

(il) s'enfermait en un de ces mutismes qui désapprouvent, sécrètent perfidement autour d'eux la gêne des situations fausses point éclaircies. 1
COURTELINE, Messieurs les ronds-de-cuir, 1er tableau, I.

Il entretenait (...) *Sainte-Beuve* beaucoup de ressentiments et de rancunes qui se sont donné jour (...) dans ses articles non signés de *la Revue suisse,* dont il inspirait perfidement la teneur à son ami Juste Olivier. 2
Émile HENRIOT, les Romantiques, p. 268.

PERFIDIE [pɛʀfidi] n. f. — 1510; lat. *perfidia* « mauvaise foi ».

Vieilli ou littéraire.

♦ **1.** *(Une, des perfidies).* Action, parole perfide*. *Faire une perfidie* (→ Médire, cit. 1). *Dire des perfidies et des méchancetés* (→ Hargneusement, cit. 2). *Noire perfidie* (→ Malice, cit. 2). *Être en butte aux perfidies* (→ Cabale, cit. 3). *Les perfidies du sort* (→ Deviner, cit. 5). *« Et souvent la perfidie Retourne sur son auteur »* (cit. 3, La Fontaine).

(...) Je sais mes perfidies, 1
Œnone, et ne suis point de ces femmes hardies
Qui goûtant dans le crime une tranquille paix,
Ont su se faire un front qui ne rougit jamais. RACINE, Phèdre, III, 3.

Tu m'as appris ce qu'est le monde! Ô monde des intérêts, de la ruse, de la politique et des perfidies, à nous deux maintenant! 2
BALZAC, les Ressources de Quinola, V, 6.

(...) mais trahir l'hospitalité, demander une grâce pour tromper son bienfaiteur, ce seraient d'horribles perfidies, et ce remords aurait empoisonné jusqu'à ses plaisirs. 3
SAINTE-BEUVE, Causeries du lundi, 7 avr. 1851.

♦ **2.** (1596). Caractère perfide, défaut des gens perfides. ⇒ **Déloyauté, fourberie, machiavélisme, malignité, noirceur, ruse, scélératesse, trahison** (→ Mauvaise foi*, foi punique*). *La perfidie ne va pas sans la dissimulation* (→ Bouillon, cit. 11). *La malice et la perfidie humaines* (→ Anonyme, cit. 3). — Spécialt (dans les relations amoureuses). *La perfidie d'un séducteur* (→ Fuir, cit. 26). ⇒ **Infidélité** (cit. 7 et 9). → Jalousie, cit. 14. — Par ext. *Perfidie d'une intention* (→ Démonstration, cit. 8).

4 La perfidie, si je l'ose dire, est un mensonge de toute la personne : c'est dans une femme l'art de placer un mot ou une action qui donne le change (...)
LA BRUYÈRE, les Caractères, III, 25 (→ Infidèle, cit. 9).

5 La fidélité n'est qu'un respect pour nos engagements; l'infidélité, une dérogeance; la perfidie, une infidélité couverte et criminelle.
VAUVENARGUES, De l'esprit humain, XLV, Du courage.

6 Lorsqu'on aime en conservant la raison, nécessairement on estime ce qu'on aime, et l'estime doit exclure toute idée de perfidie.
É. DE SENANCOUR, De l'amour, p. 103.

7 La marquise était femme : elle avait calculé sa vengeance avec cette perfection de perfidie qui distingue les animaux faibles.
BALZAC, la Fille aux yeux d'or, Pl., t. V, p. 320.

CONTR. Fidélité, loyauté.

PERFO [pɛʀfo] n. — XXe; abrév. de *perforeuse,* et de *perforatrice.*

♦ ⇒ **Perforeuse** (2.). *On demande perfo-vérif.*

PERFOLIÉ, ÉE [pɛʀfɔlje] adj. — 1755; aussi *perfeuillé,* 1812; du lat *per* «à travers», et *folium* «feuille».

♦ Bot. Se dit d'une feuille dont l'insertion est telle qu'elle embrasse complètement le rameau qui la porte et semble traversée par lui. *Feuilles perfoliées.*

PERFORAGE [pɛʀfɔʀaʒ] n. m. — 1876; de *perforer.*

♦ Techn. Action de perforer. ⇒ **Perforation.**

PERFORANT, ANTE [pɛʀfɔʀɑ̃, ɑ̃t] adj. — 1765, anat.; p. prés. de *perforer.*
Qui perce*, perfore.

♦ **1.** Anat. *Artères perforantes,* qui traversent des espaces interosseux, des muscles.

♦ **2.** Techn. *Instrument perforant* (⇒ **Perforateur**). *Arme perforante.* — Artill. *Balle perforante, obus perforant,* destinés à percer les blindages. — Zool. *Insectes perforants,* possédant une tarière (⇒ **Térébrant**).

♦ **3.** Méd. *Mal perforant :* ulcération qui gagne en profondeur, généralement déterminée par une lésion nerveuse. *Mal perforant plantaire, buccal.*

Je fus placé à l'hôpital où le bulletin définit ma blessure comme «plaie perforante de l'abdomen». Mais rien d'essentiel n'était touché et la plaie se cicatrisa vite.
R. GARY, la Promesse de l'aube, p. 358.

CONTR. Contondant, coupant.

PERFORATEUR, TRICE [pɛʀfɔʀatœʀ, tʀis] adj. et n. — 1813; du rad. de *perforer.*

♦ **1.** Adj. Qui perfore. *Marteau* perforateur.*

1 Ils appartenaient à cette espèce de mollusques perforateurs qui creusent des trous dans les pierres les plus dures (...) J. VERNE, l'Île mystérieuse, t. I, p. 40.

♦ **2.** N. (Déb. XXe). Ouvrier qui perfore. *Perforateur de carton,* qui perfore les cartons de broderie (→ Lisage). — (Surtout fém.). Personne qui transpose un texte sur bande perforée (abrév. fam. *perfo*). ⇒ **Perforeuse.**

♦ **3.** (1843). N. m. Instrument servant à perforer. Chir. *Perforateur à trépanation.* ⇒ **Trépan.**

♦ **4.** N. f. *Perforatrice* (1862, *in Année sc. et industr.,* 1863, p. 171). Machine-outil destinée à percer profondément les roches, le sol. *Les perforatrices agissent par percussion* (⇒ **Fleuret, marteau,** A., 2.), *ou par rotation* (⇒ **Foret, foreuse**). *Perforatrice électrique, à air comprimé. Perforatrices utilisées pour le percement d'un tunnel, de trous de mines, pour les travaux d'entretien des voies publiques...*

♦ **5.** Mécanogr. N. f. Machine destinée à pratiquer les perforations de cartes, de bandes. *Travailler sur une perforatrice.* On dit aussi dans ce sens *perforeuse*.*
Pince perforatrice, et n. f., *une perforatrice :* pince spéciale pour perforer les titres de transport (⇒ **Poinçonneuse**).

2 (...) la pince perforatrice distraite (...) Berthe passait toutes les heures de son service en train de lire et même aux heures de la plus grande affluence, cette employée du métro trouvait moyen de conserver un œil sur le roman qu'elle était en train de lire (...) B. CENDRARS, Bourlinguer, p. 388.

PERFORATIF, IVE [pɛʀfɔʀatif, iv] adj. — XXe; du rad. de *perforer.*

♦ Méd. Qui produit une perforation, en parlant d'une lésion, d'un instrument.

PERFORATION [pɛʀfɔʀasjɔ̃] n. f. — 1398, chir.; du bas lat. *perforatio* «action de trépaner», du lat. *perforare.* → Perforer.

♦ **1.** Chir. (Vx en emploi courant). Action de perforer, d'ouvrir un organe.

♦ **2.** État de ce qui est perforé. Par ext. Endroit perforé. ⇒ **Trou.** — Méd. Ouverture faite dans un organe par la pénétration d'un projectile, d'un objet pointu ou par ulcération *(perforations spontanées).* ⇒ **Térébration.** *Perforation intestinale.*

♦ **3.** *Perforation d'un ticket, d'un billet de transport.* — (1893, in *Année sc. et industr.* 1894, p. 143). Mécanogr. Chacun des petits trous pratiqués sur les cartes, les bandes perforées*, au moyen d'une perforatrice ou d'une poinçonneuse.

Le fichier mécanographique se présente sous forme d'une série de fiches en bristol ou en carton léger sur lesquelles sont portées des perforations et des indications imprimées ou même manuscrites. Les perforations, éléments essentiels de la mécanisation, sont de petites ouvertures rectangulaires situées à des emplacements déterminés de la carte. Elles correspondent à un certain code alphabétique ou numérique et peuvent, pour la commodité de la consultation, être «traduites» en clair (...) QUEMADA, *in* Cahiers de lexicologie, no 1, p. 9.

Opération par laquelle on perfore (des cartes, une bande). Abrév. : *perfo,* n. f.

COMP. Imperforation.

PERFORATRICE [pɛʀfɔʀatʀis] n. f. ⇒ **Perforateur.**

PERFORER [pɛʀfɔʀe] v. tr. — 1130; lat. méd. *perforare* «percer, trouer». → Forer.

♦ **1.** Traverser en faisant un ou plusieurs petits trous. ⇒ **Percer, trouer.** *La balle lui a perforé l'intestin.* — (Sujet n. de personne). *Contrôleur qui perfore un billet d'autocar.*

♦ **2.** (1893). Techn. et mécanogr. Traverser de petits trous réguliers. *Perforer des cartons* (→ Lisage), *des cartes, des bandes. Machine à perforer.* ⇒ **Composteur, poinçonneuse; perforatrice, pince.**

▶ **PERFORÉ, ÉE** p. p. adj.

♦ **1.** (1813). Percé, ée. *Estomac perforé. — Billet de chemin de fer perforé.*

♦ **2.** (1893, *Année sc. et industr.* 1894, p. 142). Techn. Qui présente de petits trous réguliers pratiqués en vue d'un usage mécanique. ⇒ **Perforation.** *Les bandes des films ont des bords perforés. Bandes perforées des pianos mécaniques, des orgues de Barbarie... Cartons perforés des métiers à broder.* Mécanogr. *Cartes, bandes perforées,* munies de trous correspondant à des chiffres, des lettres, et au moyen desquelles les machines peuvent faire automatiquement des calculs, des classements... selon un programme (⇒ **Mécanographie**). → Perforation, cit.

DÉR. Perforage, perforant, perforeuse. — (Du même rad.) **Perforateur, perforatif.**

PERFOREUSE [pɛʀfɔʀøz] n. f. — XXe; de *perforer.*
Technique.

♦ **1.** Machine à perforer. ⇒ **Perforatrice.**

♦ **2.** (V. 1960). Personne faisant fonctionner une perforatrice. (Abrév. : *perfo*). *Perforeuse vérificatrice.* (Abrév. : *perfo-vérif.*).

PERFORMANCE [pɛʀfɔʀmɑ̃s] n. f. — 1839; mot angl. «accomplissement»; anc. franç. *parformance* (XVIe), même sens, de *parformer* (déb. XIIIe) «accomplir, exécuter; achever».

♦ **1.** [a] Turf. Manière dont se comporte un cheval de course au cours d'une épreuve. *Bonne, mauvaise performance.* — Spécialt. Résultat chiffré obtenu au cours de cette épreuve. (Au plur.). Tableau des épreuves subies par le même cheval. — REM. Le mot n'est enregistré qu'au pluriel dans Littré.

[b] (1876). En parlant des athlètes, des cyclistes, etc., au cours d'une épreuve sportive. *Accomplir, réaliser une performance. Performance homologuée* (cit. 3). *Joueur de tennis classé d'après ses performances. Les performances d'un champion. C'est une médiocre performance pour un cycliste de sa classe.* — (XXe). Par ext. *Performance d'une automobile. Voiture classée première à l'indice de performance,* relativement à sa cylindrée.

Les Grecs (...) n'ont gravé sur le piédestal d'aucune de leurs statues d'athlètes les performances du bel humain glorifié. MONTHERLANT, les Olympiques, p. 57. 1

(...) ayant piqué un galop au sortir du village et semé tous ses officiers, il franchit une haie d'un bond (...) précédant de dix longueurs sa suite mortifiée. Le capitaine-adjoint ne fut pourtant pas ébloui par cette performance. 2
R. DORGELÈS, le Cabaret de la belle femme, p. 161.

Sans doute son désir était-il peu fondé, puisque, si elle battait ce record, sa performance, accomplie sans témoins officiels, ne serait pas homologuée. 3
MONTHERLANT, les Olympiques, éd. L. de Poche, p. 77.

(1869). Par anal. Manière de développer un sujet, d'exécuter une œuvre, en public.

C'est au fond à la «performance» que j'en ai. Ce Leonard Bernstein en fait trop, pour mon goût, mais c'est parce qu'il n'y a rien qu'il ne puisse faire. 4
F. MAURIAC, le Nouveau Bloc-notes 1958-1960, p. 128.

♦ **2.** (1924). Résultat sportif exceptionnel. ⇒ **Record.** — (V. 1928). Exploit, réussite remarquable dans tout autre domaine. *Le travail* *a été exécuté en moins de temps qu'il n'était prévu, c'est une belle performance! Performances amoureuses, érotiques.*

♦ **3.** Psychol. (Anglic.). Résultat individuel dans l'accomplissement d'une tâche, dont les facteurs principaux sont l'aptitude et la motivation. *Besoin de performance de l'individu. Niveau de performance :* degré de réussite individuelle. *Index de performance,* évaluant le besoin de performance et permettant un jugement sur l'ambition, la persévérance de quelqu'un. — *Test de performance :* épreuve d'intelligence non verbale.

♦ **4.** (1943, *in* Höfler). Techn. Rendement maximal (d'une machine, et, par ext., d'un être vivant, de l'homme). *Performance d'un système électronique, d'un ordinateur.* ⇒ **Performant.** — Spécialt. Indications quantitatives sur les caractéristiques d'un véhicule, d'un système mécanique... *Les performances d'un avion* (vitesse de croisière, de montée maximale; autonomie; rayon d'action, etc.), *d'une automobile* (accélération, vitesse d'accélération), *d'une machine-outil* (nombre de tours/minute, vitesse de coupe, etc.).

Écon. Rendement maximal; capacités de production (d'une entreprise, d'une méthode de travail, etc.).

♦ **5.** (De l'angl.; mot employé dans ce sens par le linguiste américain N. Chomsky). Ling. Réalisation actuelle, sous forme d'échange d'informations (de messages), des virtualités du langage (appelées dans cette terminologie : *compétence*). *Le modèle linguistique de performance étudie la production des phrases réellement observables, avec tous leurs caractères concrets* (variations dialectales et individuelles, erreurs, lapsus, limitations en durée) *alors que la théorie grammaticale rend compte de la compétence.*

DÉR. Performant.

PERFORMANT, ANTE [pɛʀfɔʀmɑ̃, ɑ̃t] adj. — 1968, Larousse; de *perform(ance).*

♦ Techn. (anglic.). Dont le niveau de performances est élevé, qui est riche de possibilités, en parlant d'un système technique (d'abord, électronique). *Ordinateur individuel particulièrement performant. « Si vous choisissez une calculatrice aux capacités trop réduites, vous serez conduit (...) à vous en procurer une autre plus performante » (Sciences et Avenir,* nº 35, p. 32*).* Par ext. *Une entreprise performante.* (Qualifiant une personne). *Société en pleine expansion recherche pour son réseau étranger directeur des ventes agressif* et performant.*

PERFORMATIF, IVE [pɛʀfɔʀmatif, iv] adj. et n. m. — 1962, trad. Austin; angl. *performative.* → Performance.

♦ Ling. Qui constitue un acte, en parlant d'un énoncé. *Phrases performatives.* — N. m. Énoncé qui constitue simultanément l'acte auquel il se réfère (ex. : *Je vous autorise à partir,* qui est une autorisation).

Je-t-aime est sans nuances. Il supprime les explications, les aménagements, les degrés, les scrupules. D'une certaine manière — paradoxe exorbitant du langage —, dire *je-t-aime,* c'est faire comme s'il n'y avait aucun théâtre de la parole, et ce mot est toujours *vrai* (il n'a d'autre référent que sa profération : c'est un performatif). R. BARTHES, Fragments d'un discours amoureux, p. 176.

PERFUSEUSE [pɛʀfyzøz] n. f. — XXe; de *perfus(ion).*

♦ Méd. Appareil servant à la perfusion de liquides médicamenteux.

PERFUSION [pɛʀfyzjɔ̃] n. f. — 1912; « action de répandre, d'asperger », 1374; lat. *perfusio, onis* « action de baigner »; sens actuel, sur le modèle de *transfusion.*

♦ Méd. Injection lente et continue de sérum* dans un vaisseau. *Perfusion post-opératoire.* — *Perfusion sanguine :* transfusion sanguine. ⇒ **Goutte-à-goutte.**

DÉR. Perfuseuse.

PERGÉLISOL [pɛʀʒelisɔl] n. m. — 1946, K. Bryan; répandu mil. XXe; de *per(manent), géli-* (élément tiré de *gel*), et *sol.*

♦ Didact. Sol gelé en permanence, absolument imperméable (syn. : *permafrost; merzlota*). On écrit aussi *pergelisol.*

La caractéristique essentielle du sol *(des zones froides)* est d'être constamment gelé à une profondeur de l'ordre de 50 cm à 1 m, tout au moins dans les régions vraiment typiques. Au-dessus de ce *pergelisol* (ou *permafrost,* ou *tjaële* d'après le nom suédois, ou encore *merzlota* d'après le nom russe) le sol est seulement gelé en hiver mais dégèle avec l'élévation de température estivale.
B. GÈZE, Altération des roches, *in* Encycl. Pl., la Terre, p. 1146.

PERGOLA [pɛʀgɔla] n. f. — 1924; ital. *pergola,* même sens; du lat. *pergula* « tonnelle ».

♦ Petite construction de jardin ou de terrasse, faite de poutres horizontales en forme de toiture, soutenues par des colonnes, des montants, et destinée à servir de support à des plantes grimpantes. *Rosiers, glycines... d'une pergola. Pergola d'un café. Des pergolas.*

Ils n'ont pas oublié la pergola italienne; encore un peu nue, elle brandit sur ses 1
poutrelles équarries le rosier grimpant, la passiflore et le convolvulus bleu.
COLETTE, Belles saisons, p. 30.

REM. Le plur. italien *pergole* [pɛʀgɔle] est archaïque :

À Peterhof, près de Saint-Pétersbourg on a donné à divers groupes de lampions, 2
heureusement dispersés, des formes originales : ce sont des fleurs grandes comme des arbres, des soleils, des vases, des berceaux de pampres imitant les pergole italiennes, des obélisques, des colonnes. A. DE CUSTINE, la Russie en 1839, p. 190.

PERHYDROL [pɛʀidʀɔl] n. m. — 1908; de *per-, hydr-,* et *-ol.*

♦ Chim., pharm. Eau oxygénée très concentrée.

1. PÉRI [peʀi] n. m et f. — 1697, D'Herbelot, « bibliothèque orientale », *in* Trévoux; var. *pari* XVIIIe; persan *perî,* proprt « ailé ».

♦ Génie ou fée, dans la mythologie arabo-persane. *Des péris* (→ Astrologie, cit. 3; génie, cit. 1). *La Péri,* œuvre musicale (« poème dansé ») de Paul Dukas. *Le Paradis et la Péri,* oratorio de Schumann.

La sultane Schéhérazade fit suivre l'histoire du cheval enchanté par celle du prince 1
Ahmed et de la fée Pari-Banou (...) [*En note*] : Ce sont deux mots persans, qui signifient la même chose, c'est-à-dire génie femelle, fée.
A. GALLAND, les Mille et une Nuits, « Hist. prince Ahmed et fée Pari-Banou ».

(...) au milieu de la foule indienne qui se trouvait là en vêtements plutôt misé- 2
rables, elle avait l'air d'une péri qui se serait égarée. On la voyait de loin scintiller comme une étoile. LOTI, l'Inde (sans les Anglais), IV, VI.

2. PÉRI, IE [peʀi] adj. — 1581; « perdu, anéanti », v. 1165; → Périr.

♦ Blason. Se dit d'un meuble de faible dimension placé au centre de l'écu. *Un bâton péri en barre.*

PÉRI- Élément, du grec *peri* « autour (de) », qui entre dans la composition de nombreux mots savants de formation française ou empruntés, tels que : *périanthe, périmètre, période, péristyle,* etc. — REM. On peut en outre signaler : *péricellulaire* adj. (*Rev. gén. des sc.,* 15 avr. 1903, p. 404); *périnerveux, euse,* adj. (ibid., 15 nov. 1903, p. 1111); *périnucléaire* (ibid., p. 1102).

PÉRIANTHE [peʀjɑ̃t] n. m. — 1749; lat. bot. *perianthum;* → Péri- et -anthe*.

♦ Bot. Ensemble des enveloppes protégeant les organes reproducteurs de la fleur. ⇒ **Calice** (sépales), **corolle** (pétales).

PÉRIAPEX [peʀiapɛks] n. m. — XXe; de *péri-,* et lat. *apex* « pointe, sommet ».

♦ Didact. Partie qui entoure l'apex des dents. *« Une infection du périapex »* (P.-L. Rousseau, *les Dents,* p. 75).

DÉR. (Du même rad.) **Périapical.**

PÉRIAPICAL, ALE, AUX [peʀiapikal, o] adj. — XXe; de *péri-,* et *apical.*

♦ Didact. Qui est autour de l'apex, du sommet. *Granulome périapical.* — On écrit aussi *péri-apical.*

C'est en irritant les tissus péri-apicaux qu'elle *(l'infection)* provoque leur hypertrophie. P.-L. ROUSSEAU, les Dents, p. 47.

PÉRIAPSIDE [peʀiapsid] n. f. — V. 1970; de *péri-,* et *apside.*

♦ Didact. Point de l'orbite d'un corps spatial gravitant autour d'un astre, pour lequel la distance entre le corps et l'astre est minimale.

PÉRIARTÉRITE [peʀiaʀteʀit] n. f. — 1877; de *péri-,* et *artérite.*

♦ Méd. Inflammation de la tunique externe des artères. *Périartérite noueuse :* forme très grave de périartérite, atteignant divers organes.

PÉRIARTHRITE [peʀiaʀtʀit] n. f. — 1871; de *péri-,* et *arthrite.*

♦ Méd. Altération des tendons, des bourses séreuses qui entourent une articulation (hanche, genou, épaule), accompagnée de douleurs et d'une limitation des mouvements. (1873). *Périarthrite scapulo-humérale,* qui atteint l'articulation de l'épaule.

PÉRIASTRE [peʀiastʀ]. n. m. — XXe; de *péri-,* et *astre,* d'après *périgée.*

♦ Astron. Point de l'orbite d'un corps céleste où celui-ci se trouve le plus près de l'astre autour duquel il gravite (⇒ **Apside**). *Périastre* *des satellites de la Terre.* ⇒ **Périgée.** *Périastre des planètes du Soleil.* ⇒ **Périhélie.** *Périastre d'une étoile double* (orbite autour de son compagnon). *Périastre d'un satellite lunaire.* ⇒ **Périlune.**

CONTR. Apoastre.

PÉRIBOLE [peʀibɔl] n. m. — 1752; t. de mar., «parapet», 1690; du bas lat. *peribolus* «galerie extérieure»; grec *peribolos* «clôture; enclos».

♦ Archéol. Espace clos ordinairement planté d'arbres, autour des temples grecs. *Le péribole était parfois orné de statues, d'autels, de monuments.* — Par ext. Espace laissé entre un monument et la clôture qui l'entoure.

PÉRIBUCCAL, ALE, AUX [peʀibykal, o] adj. — xxe; de *péri-*, et *buccal.*

♦ Didact. Qui est situé autour de la bouche, concerne les organes et tissus proches de la bouche. *« La pathologie buccale et péribuccale »* (P.-L. Rousseau, *les Dents*).

PÉRICARDE [peʀikaʀd] n. m. — V. 1560; *pericardium,* 1538; *pericarde,* v. 1370; grec *perikardion,* proprt «ce qui est autour du cœur». → -carde.

♦ Anat. Membrane formée d'un feuillet fibreux et d'un feuillet séreux, qui enveloppe le cœur et l'origine des gros vaisseaux.

DÉR. Péricardique, péricardite.

PÉRICARDIQUE [peʀikaʀdik] adj. — 1842; de *péricarde.*

♦ Méd. Qui appartient au péricarde ou s'y rapporte. *Adhérences péricardiques. Veines péricardiques. Souffle péricardique.*

PÉRICARDITE [peʀikaʀdit] n. f. — 1806; de *péricarde.*

♦ Méd. Inflammation du péricarde, sèche ou avec épanchement (séreux, purulent, hémorragique. → Cardite). *La péricardite séreuse était appelée hydropéricarde.*

PÉRICARPE [peʀikaʀp] n. m. — 1556; grec *perikarpion,* même sens. → -carpe.

♦ Didact. (Bot.). Partie du fruit qui enveloppe la graine (ou les graines). ⇒ **Fruit** (cit. 6). *Le péricarpe est formé de trois couches, de l'extérieur vers l'intérieur.* ⇒ **Épicarpe; mésocarpe; endocarpe.** *Le péricarpe peut être entièrement mou* (chair, pulpe) *en contact direct avec la graine* ou *pépin* (⇒ **Baie**); *partiellement mou, avec l'endocarpe lignifié* ou *noyau* (⇒ **Drupe**); *dur et mince dans les fruits secs* (⇒ **Akène** [caryopse, samare], **capsule** [follicule, gousse, pyxide, silique...]). *Fentes, valves, couvercle du péricarpe des fruits déhiscents. L'écale et la coquille, péricarpe de la noix. Le zeste, péricarpe des agrumes. Graine soudée au péricarpe des graminées. Péricarpe du grain moulu.* ⇒ **Son.**

PÉRICHONDRE [peʀikɔ̃dʀ] n. m. — 1765, *Encyclopédie; de péri-,* et grec *khondros* «cartilage». → Chondro-.

♦ Anat. Membrane de tissu conjonctif qui enveloppe un cartilage non articulaire.

DÉR. Périchondrite. — REM. On trouve aussi l'adj. *périchondral, ale, aux* (Rev. gén. des sc., 30 nov. 1904, p. 1036).

PÉRICHONDRITE [peʀikɔ̃dʀit] n. f. — 1869; de *périchondr(e),* et *-ite.*

♦ Méd. Inflammation du périchondre.

PÉRICLASIE [peʀiklazi] n. f. ⇒ **Périodontoclasie.**

PÉRICLINE [peʀiklin] n. m. — 1844; grec *periklinês* «qui penche de tous côtés»; de *peri-,* et *klinein* «incliner».

♦ **1.** Bot. Involucre des composées.

♦ **2.** Minér. (Fin xixe). Variété vitreuse d'albite.

PÉRICLITER [peʀiklite] v. intr. — 1649; «périr, faire naufrage», v. 1320; lat. *periclitari* «être en danger; risquer»; de *periculum.* → Péril.

♦ **1.** Vx. (Personnes, choses). Se trouver en danger. *Votre fille peut péricliter si on ne lui donne du secours* (→ 2. Chronique, cit. 1).

♦ **2.** (1694). Mod. Aller à sa ruine, à sa fin (en parlant des choses et surtout des affaires). ⇒ **Décliner, dépérir.** *Une affaire, une valeur, un commerce qui périclite* (→ Grossir, cit. 3). ⇒ **Pâtir.** *Les bonnes traditions et l'habileté périclitaient* (→ Exécuteur, cit. 6). *« Sa santé périclite »* (Académie).

(... *le*) P. Annat (...) ne croyait pas que la cause des jésuites pût péricliter en de si bonnes mains. RACINE, Hist. de Port-Royal, II. 1

(...) des biens qu'aucune impéritie ne pourrait faire péricliter. BALZAC, le Lys dans la vallée, Pl., t. VIII, p. 866. 2

(...) le jeune ménage, ambitieux, travaillé d'un désir de fortune prompte, était parti pour Chartres. Mais, d'abord, rien ne leur y avait réussi, tout périclitait entre leurs mains; ils tentèrent vainement d'un autre cabaret, d'un restaurant, même d'un commerce de poissons salés; et ils désespéraient d'avoir jamais deux sous à eux (...) ZOLA, la Terre, I, III. 3

CONTR. Prospérer, réussir.

PÉRICOPE [peʀikɔp] n. f. — 1845, Bescherelle; grec *perikopê* «action de couper autour; division». → -cope.

♦ Liturgie. Se dit des «passages de l'Écriture sainte choisis comme textes des épîtres et des évangiles du Propre du temps» (Dom Joannes Roux). *Péricopes des évangiles.*

Par ext. (didact.). Passage (d'un livre, d'un texte) d'une longueur déterminée.

Je notais sur le Dictionnaire de l'Académie française quinze de ses pages; c'était la tâche pour quinze jours (...) Dans ce premier dictionnaire que j'avais rédigé et qui n'était qu'une ébauche (...) je prenais la péricope correspondant aux quinze pages de l'Académie (...) É. LITTRÉ, Comment j'ai fait mon dictionnaire.

PÉRICORONAIRE [peʀikɔʀɔnɛʀ] adj. — xxe; de *péri-*, et *coronaire.* → Couronne.

♦ Didact. Qui est autour de la couronne (dentaire). *« Une infection de la cavité péricoronaire »* (P.-L. Rousseau, *les Dents,* p. 28). — *Accidents, infections péricoronaires. Sac péricoronaire.*

DÉR. Péricoronarite.

PÉRICORONARITE [peʀikɔʀɔnaʀit] n. f. — xxe; du rad. de *péricoronaire,* et *-ite.*

♦ Méd. Infection de la zone péricoronaire, du sac péricoronaire d'une dent incluse ou en évolution. *Accidents « cellulaires, par diffusion de la péricoronarite suppurée »* (P.-L. Rousseau, *les Dents,* p. 31).

PÉRICRÂNE [peʀikʀɑn] n. m. — 1541; du grec *perikranios* «qui enveloppe le crâne».

♦ Anat. Périoste* de la surface extérieure du crâne.

(...) l'impartialité du coup de sabot qu'il lui eût appliqué sur le péricrâne. Léon BLOY, le Désespéré, p. 191.

PÉRICYCLE [peʀisikl] n. m. — 1822, Van Tieghem; de *péri-*, et *-cycle.*

♦ Bot. Assise de cellules de la tige et des racines située entre l'endoderme, d'une part, le bois et le liber d'autre part.

DÉR. Péricyclique.

PÉRICYCLIQUE [peʀisiklik] adj. — xxe; de *péricycle.*

♦ Bot. Du péricycle.

(...) les fibres qui, dans la tige, forment un anneau péricyclique autour du bois (...) Jacques LOURD, le Lin et l'Industrie linière, p. 11.

PÉRIDERME [peʀidɛʀm] n. m. — 1838; en all., 1836, Von Mohl; de *péri-*, et *-derme.*

♦ Biol. Tissu périphérique des tiges et des racines (bot.); paroi des loges d'animaux en colonie (zool.). *« Le périderme* (...) *ne s'étend pas sur les polypes reproducteurs »* (O. Tuzet, *in* Encycl. Pl., zoologie, t. I, p. 477).

PÉRIDINIENS [peʀidinjɛ̃] n. m. pl. — 1841, Dujardin, *Hist. nat. des zoophytes,* p. 371; du rad. de *peridinium* «genre d'animalcules infusoires», 1838, Ehrenberg, du grec *peridinoumai* «tournoyer», et suff. *-ien.*

♦ Didact. (zool., bot.). Protistes aquatiques à deux flagelles dissemblables disposés dans des plans orthogonaux, et comportant des plastes qui renferment généralement de la chlorophylle avec souvent des pigments jaunes et bruns. — REM. On dit aussi *dinophycées, dinoflagellés.*

Les Péridiniens sont généralement considérés comme une classe d'algues (embranchement des Pyrrophycophytes, *phylum des* Chromophytes). *Péridiniens à coque cellulosique épaisse. Péridiniens nus ou à coque mince* (appelés *Gymnodiniens*). *Péridiniens marins, dulçaquicoles, euryhalins. Péridiniens luminescents.* (⇒ **Noctiluque**). *Mitose propre aux Péridiniens* (dinomitose). — Au sing. *Un péridinien.*

PÉRIDOT [peʀido] n. m. — 1634; *perido*, 1353; *peritot*, 1220; orig. inconnue.

♦ Minér. Pierre semi-précieuse, de couleur vert clair, silicate de magnésium et de fer. *Le péridot et la chrysolite*, formes nobles de l'olivine*, utilisés en joaillerie.*

Le cercle de son heaume est fait de péridots (...)
Le pommeau de son glaive est fait d'une émeraude.
Edmond ROSTAND, Princesse lointaine, II, 1.

DÉR. et COMP. Péridotite.

PÉRIDOTITE [peʀidɔtit] n. f. — 1866, Littré; de *péridot*, et *-ite*.

♦ Géol. Roche ultrabasique dont le principal constituant minéral coloré est le péridot. *Péridotite à grenat, à amphibole. Intrusions stratifiées de péridotite et de gabbro* (⇒ **Laccolite, lopolite**). — Adj. « *(...) roches péridotites hautement magnésiennes* » (*la Recherche*, déc. 1980, p. 1381).

PÉRIDROME [peʀidʀom] n. m. — 1732; *peridromide*, 1547; grec *peridromos* «course circulaire; péridrome».

♦ Archit. Galerie qui servait de promenade autour d'un édifice.

PÉRIDURAL, ALE, AUX [peʀidyʀal, o] adj. — 1960; de *péri-*, et *dural*.

♦ Didact. (Méd., chir., obstétrique). *Anesthésie péridurale :* anesthésie régionale extradurale* dans laquelle les anesthésiques sont introduits au niveau désiré, entre la septième vertèbre cervicale et la cinquième lombaire, sur la ligne des apophyses épineuses. « *Dans plusieurs maternités américaines, l'anesthésie péridurale a été généralisée* » (*le Nouvel Obs.*, 13 nov. 1978, p. 57). — N. f. *Une péridurale.* — REM. *Anesthésie épidurale*, employé dans ce sens, est un anglicisme.

PÉRIGÉE [peʀiʒe] n. m. — 1557; du grec *perigeios* «qui entoure la terre». → -gée.

♦ Astron. et cour. Périastre d'une planète par rapport à la Terre; point de l'orbite* d'un astre (ou d'un satellite artificiel) où il se trouve à la distance la plus courte de la Terre. *La Lune est dans son périgée. Le périgée d'un satellite.* — Abusif, mais relativement fréquent dans la langue courante. Périastre de la Terre, périhélie.

La Terre ne décrit pas un cercle autour du Soleil, mais bien une ellipse, ainsi que le veulent les lois de la mécanique rationnelle. La Terre occupe un des foyers de l'ellipse, et, par conséquent à une certaine époque de son parcours, elle est à son apogée, c'est-à-dire à son plus grand éloignement du Soleil, et à une autre époque, à son périgée, c'est-à-dire à sa plus courte distance.
J. VERNE, l'Île mystérieuse, t. II, p. 775.

Adj. (Rare). *La Lune est périgée.*

CONTR. Apogée.

PÉRIGLACIAIRE [peʀiglasjɛʀ] adj. — Mil. XXe; de *péri-*, et *glaciaire*.

♦ Géogr. *Zone périglaciaire*, proche des régions de glaciers et caractérisée par l'importance du gel dans l'évolution du relief. *Terrasses périglaciaires.*

(...) aux environs mêmes de Paris, les graviers grossiers des vallées, qu'on exploite de nos jours pour le béton, témoignent des crues puissantes des rivières, sous climat périglaciaire, lors des glaciations quaternaires.
V. ROMANOVSKY et A. CAILLEUX, la Glace et les Glaciers, p. 88.

PÉRIGOURDIN, INE [peʀiguʀdɛ̃, in] adj. et n. — 1580; de *Périgord*, province française.

♦ **1.** Du Périgord, ou de Périgueux. *Paysans périgourdins* (→ 1. Marron, cit. 5). — N. *Un Périgourdin, une Périgourdine. Le périgourdin*, ancien dialecte (→ Arabesque, cit. 3).

Au retour, nous trouvions le déjeuner périgourdin, toujours fin, résultat de méditations savantes (...) A. MAUROIS, Mémoires, I, XIX.

♦ **2.** N. f. Sauce à base de truffes et de madère. — *Garniture à la périgourdine :* garniture de truffes, accompagnée ou non de foie gras.

PÉRIGUEUX [peʀigø] n. m. — 1701; *pierigot*, 1590; de *Périgueux*, ville du Périgord où l'on trouve cette pierre.

♦ Techn. Pierre noire très dure servant à polir, employée par les émailleurs et les verriers.

PÉRIHÉLIE [peʀieli] n. m. — 1690, Furetière; de *péri-*, et grec *hêlios* «soleil», d'après l'angl. *perihelion* (1666), forme hellénisée du lat. mod. *perihelium* (Kepler, 1596).

♦ Astron. Périastre d'une planète, d'une comète... par rapport au Soleil; point de son orbite* où la distance au Soleil est la plus courte. *La Terre est à son périhélie. Périhélie d'une comète.* — Adj. *Planète périhélie.*

CONTR. Aphélie.

PÉRIHÉPATITE [peʀiepatit] n. f. — 1903; de *péri-*, et *hépatite*.

♦ Méd. Inflammation de l'enveloppe péritonéale du foie.

PÉRI-INFORMATICIEN, IENNE [peʀiɛ̃fɔʀmatisjɛ̃, jɛn] n. — 1977; de *péri-informatique*.

♦ Techn. Spécialiste de la péri-informatique. *Les matériels* « *devraient être soit importés, soit achetés (...) à des péri-informaticiens français* » (*le Monde*, 18 févr. 1977, p. 1).

PÉRI-INFORMATIQUE [peʀiɛ̃fɔʀmatik] n. f. et adj. — V. 1970; de *péri-*, et *informatique*.

♦ Techn. Ensemble de techniques en relation avec l'informatique; applications de celle-ci. « *Le ministre semble soucieux d'élargir au maximum l'effort informatique français à la péri-informatique, aux minicalculateurs, aux composants électroniques et aux télécommunications* » (*le Monde*, 30 janv. 1975). — Adj. « *Équipements péri-informatiques* » (*le Monde*, 23 févr. 1977).

DÉR. Péri-informaticien.

PÉRIL [peʀil] n. m. — 1080; «malheur», v. 980; du lat. *periculum*, «épreuve», et, par ext., «épreuve périlleuse, danger».

♦ **1.** Littér. État, situation où l'on court de grands risques (le péril); ce qui menace la sûreté, l'existence d'une personne ou d'une chose (*un, des périls*). ⇒ **Danger, difficulté, écueil, épreuve, hasard** (II., 1.), **risque.** — REM. *Péril*, à la différence de *danger*, ne s'emploie pratiquement plus dans la langue parlée courante sauf dans quelques expressions. *Être ferme, intrépide* (cit. 1) *dans le péril, dans les périls* (→ Héros, cit. 10). *De grands, d'affreux périls* (→ Entamer, cit. 11; héros, cit. 9). *La montée des périls* (tome IX des «Hommes de bonne volonté») de J. Romains. — *En cas de péril* (→ Disponible, cit. 1; fonctionner, cit. 6). *Au milieu des périls* (→ Implicitement, cit.). — *Il y a péril à...* (et inf.). → Emporter, cit. 31. *Le péril de...* (et inf.). → Démoder, cit. 2; ensabler, cit. 1. — Loc. prov. *Il y a péril, il n'y a pas péril en la demeure* (→ Demeure, I., 1.). — *Sans péril* (→ Attaquer, cit. 42). «*À vaincre sans péril, on triomphe sans gloire*» (Corneille, *le Cid*, II, 2). — *Être en péril. Être en péril de mort* (→ Être entre la vie et la mort*). *Chefs-d'œuvre en péril. Entreprise en péril, qui périclite. Mettre en péril quelqu'un ou quelque chose.* ⇒ **Compromettre** (2.), **exposer, hasarder, menacer.** *Courir un péril, des périls* (→ Entraîner, cit. 16; illégal, cit. ; 1. lie, cit. 6). *S'exposer* (cit. 24), *être exposé au péril, à des périls* (→ Éviter, cit. 15). *Affronter, braver les périls. Cherchant... périls et aventures* (→ Aller, cit. 19). — *Exposer* sa vie, sa tête aux périls* (→ Approcher, cit. 15). — *Être hors de péril.* ⇒ **Sauf.** *Échapper, se soustraire au péril, aux grands périls* (→ Doubler le cap* des tempêtes; affaire, cit. 41; entreprendre, cit. 5; jouer, cit. 62). — *Préserver, sauver, tirer d'un péril, protéger contre un péril.* ⇒ **Salut** (assurer le salut de), **sauver, sûreté** (mettre en sûreté), **veiller** (au grain).

Danger (...) paraît être le terme général. Il exprime toutes les situations où on craint un mal, quel qu'il soit (...) *Péril* (...) signifie l'espèce de *danger* la plus pressante, la plus extrême, la plus imminente, la plus terrible, et presque toujours celle où il y va de la vie, celle qu'on court dans les combats, par exemple. 1
LAFAYE, Dict. des synonymes, Danger...

Maintenant il faut se soutenir par le courage. Avant que de se jeter dans le péril, il faut le prévoir et le craindre; mais, quand on y est, il ne reste plus qu'à le mépriser. FÉNELON, Télémaque, Introd. 2

Le mal est l'unique raison d'être du bien. Que serait le courage loin du péril et la pitié sans la douleur? FRANCE, le Jardin d'Épicure, p. 68. 3

Il fallait continuer à tenir le buste droit et surveiller de près la respiration; mais le péril immédiat était conjuré. MARTIN DU GARD, les Thibault, t. IV, p. 173. 4

On semble découvrir une à une, de grosses vérités qu'il y a péril à méconnaître. 5
GIDE, Journal, 8 mai 1940.

Pour échapper à un péril très évident, nous nous précipitons vers un autre, plus subtil, non encore apparent, mais qui, demain, n'en sera que plus redoutable. 6
GIDE, Journal, 1er juil. 1942.

Spécialt. Ce qui compromet le salut de l'âme. *Les plus grands périls dont une âme chrétienne peut être assaillie* (→ Arrêter, cit. 12).

♦ **2.** (1080). Risque qu'une chose fait courir. *Il était trop avisé* (cit. 5) *pour se dissimuler les périls de sa situation.* — Par exagér. *Les périls du style marotique* (cit. 2). Dr. *Arrêté de péril :* arrêté municipal qui ordonne l'évacuation d'un immeuble risquant de s'effondrer.

Spécialt. Vx. *Périls de mer* ou *périls de la mer :* accidents, sinistres maritimes. — *Saint-Michel au péril de la mer*, ou (vx) *du Péril* (cf. Chanson de Roland, CLXXVI, v. 2394), qu'on invoque dans les périls de la mer. *Le Mont-Saint-Michel au péril de la mer.*

Polit. *Le péril russe* (→ Hypnotiser, cit. 6). — *Le péril rouge :* le péril communiste. — *Le péril jaune :* le danger (d'invasion brutale, d'immigration massive, de concurrence économique, de domination politique, etc.) que l'expansion démographique des peuples jaunes pourrait faire courir aux autres peuples, en particulier aux peuples d'Europe.

7 Mon père qui était en train de manger son capital vouait à la ruine toute l'humanité; maman faisait chorus. Il y avait le péril rouge, le péril jaune : bientôt des confins de la terre et des bas-fonds de la société une nouvelle barbarie déferlerait; la révolution précipiterait le monde dans le chaos.
S. DE BEAUVOIR, Mémoires d'une jeune fille rangée, p.129.

♦ **3.** Loc. *Aux périls de...* (vx), ou, mod., *au péril de...* (suivi d'un nom de chose) : en faisant courir des risques, subir un danger à... — (1651). *Au péril de sa vie, de ses jours :* en risquant sa vie.

8 Un Gallois le suivit *(Becket)* dans l'exil, au péril de ses jours, ainsi que le fameux Jean de Salisbury. MICHELET, Hist. de France, IV, V.

Vx. *Aux périls de quelqu'un.* — Mod. *Aux risques et périls de...* (→ Expéditeur, cit. 1) : en prenant sur soi seul toutes les responsabilités* d'une initiative, en acceptant d'en subir personnellement toutes les conséquences. *À mes risques et périls.* — Dr. *Prendre une affaire à ses risques, périls et fortunes,* se charger de tout ce qui peut en arriver.

9 Mais moi, qui ne reconnais le gouvernement que comme gouvernement de *fait,* j'ai le droit, à mes risques et périls, de ne pas répondre. Mes accusateurs mêmes trouveraient dans mon silence un avantage, puisque je me priverais volontairement du plus puissant moyen de défense.
CHATEAUBRIAND, Mémoires d'outre-tombe, t. V, p. 453.

CONTR. Sûreté.
DÉR. Périlleux.

PÉRILLEUSEMENT [peʀijøzmɑ̃] adv. — V. 1265; *perillosement,* v. 1196; de *périlleux.*

♦ Littér. D'une manière périlleuse; avec danger. « *Marcher périlleusement entre des précipices* » (Académie). ⇒ **Dangereusement.**

PÉRILLEUX, EUSE [peʀijø, øz] adj. — V. 1360; *perilleus,* v. 1175; de *péril,* d'après le lat. *periculosus* «dangereux».

♦ Littér. ou vieilli. Qui présente du péril, qui expose à un péril. ⇒ **Dangereux, difficile, hasardeux.** *Entreprise périlleuse.* ⇒ **Aventure** (3.). *Vous abordez là un sujet périlleux.* ⇒ **Brûlant, délicat, scabreux.** — *Il est périlleux de...* (suivi de l'inf.). *Il est parfois périlleux de se mêler des affaires des autres.*

1 S'il est périlleux de tremper dans une affaire suspecte, il l'est encore davantage de s'y trouver complice d'un grand : il s'en tire, et vous laisse payer doublement, pour lui et pour vous. LA BRUYÈRE, les Caractères, IX, 38.

2 Un voyage en Espagne est encore une entreprise périlleuse et romanesque; il faut payer de sa personne, avoir du courage, de la patience et de la force; l'on risque sa peau à chaque pas (...) Th. GAUTIER, Voyage en Espagne, p. 197.

3 Une troisième tentative du parti royaliste, bien autrement grave, fut faite par Malouet; ce fut l'une des épreuves les plus fortes, les plus dangereuses que la Révolution ait rencontrées dans sa périlleuse route, où chaque jour ses ennemis mettaient devant elle une pierre d'achoppement, lui creusaient un précipice.
MICHELET, Hist. de la Révolution franç., II, IV.

Cour. *Saut* périlleux.*

CONTR. Sûr.
DÉR. Périlleusement.

PÉRILOGIE [peʀilɔʒi] n. f. — XXᵉ; de *péri-,* et *-logie.*
Didactique.

♦ **1.** Partie de la biologie qui étudie les rapports existant entre les organismes vivants et le milieu où ils vivent. *La périlogie englobe l'écologie et la biogéographie.*

♦ **2.** Connaissances et méthodes nécessaires à la mise en œuvre d'un ordinateur.

PÉRILUNE [peʀilyn] n. m. — XXᵉ; de *péri-,* et *lune.*

♦ Astron. Périastre d'un satellite lunaire.

CONTR. Apolune.

PÉRILYMPHE [peʀilɛ̃f] n. f. — 1875; de *péri-,* et *lymphe.*

♦ Didact. Liquide contenu dans le labyrinthe de l'oreille interne.

PÉRIMAXILLITE [peʀimaksilit] n. f. — XXᵉ; de *péri-, maxill(aire),* et *-ite.*

♦ Didact. (Méd.). Périostite des maxillaires. *Souffrir d'une périmaxillite aiguë.*

PÉRIMÉ, ÉE [peʀime] adj. — 1804; p. p. de *(se) périmer.*

♦ **1.** Dont le délai de validité est expiré. *Billet de chemin de fer, passeport, permis de chasse périmé.* ⇒ **Nul** (II., 1.).

♦ **2.** (Av. 1841). Qui n'a plus cours. ⇒ **Ancien, attardé, caduc** (cit. 4), **démodé, désuet, retard** (qui est en retard), **temps** (qui a fait son temps). *Mœurs et coutumes périmées* (→ Conservateur, cit. 1). *Institution périmée* (→ Métayage, cit. 2). *Époque périmée.*

Ce sont des économies de bouts de chandelle, et ça répond à des conceptions périmées. J. ROMAINS, les Hommes de bonne volonté, t. II, VI, p. 56. 1

Quand le mal et le bien sont réintégrés dans le temps, confondus avec les événements, rien n'est plus bon ou mauvais, mais seulement prématuré ou périmé. 2
CAMUS, l'Homme révolté, p. 259.

Peu de romans portent plus leur date que celui-là, tout chargé qu'il est d'une idéologie, il faut bien le dire, périmée. 3
Émile HENRIOT, les Romantiques, p. 130.

CONTR. Actuel; valide.

PÉRIMER (SE) [peʀime] v. pron. — XIXᵉ; *perimir* «se détruire», 1464; lat. jurid. *perimere* «détruire». → Péremption.

♦ **1.** Dr. Se dit d'une instance qui vient à s'annuler, faute d'avoir été poursuivie avant l'expiration du délai fixé. *Cette instance risque de se périmer.* ⇒ **Annuler** (s'). — (Avec ellipse de *se*). *Laisser périmer une instance, une inscription hypothécaire.*

♦ **2.** Cour. (Déb. XXᵉ). Cesser d'être valable. *Laisser périmer un billet de chemin de fer.* ⇒ **Périmé.**

♦ **3.** Fig. (Mil. XIXᵉ, repris XXᵉ). Être démodé, désuet. *Ces coutumes se périment, finiront par se périmer.*

REM. On rencontre quelques emplois de *périmer,* v. tr. : « *En périmant produits, machines métiers* (...) *elle* (la concurrence) *provoque une mobilité de l'emploi.* » (R. Priouret, *l'Express,* 28 août 1972, p. 27).

DÉR. Périmé.

PÉRIMÉTRAL, ALE, AUX [peʀimetʀal, o] adj. — 1869 *in* Littré, *Suppl.;* de *périmètre.*

♦ Didact. Du périmètre. *Ligne périmétrale.*

PÉRIMÈTRE [peʀimɛtʀ] n. m. — 1538; lat. *perimetros,* mot grec «circonférence, pourtour», de *péri* «autour» et *metron.* → -mètre.

★ **I.** ♦ **1.** Géom. et cour. Ligne qui délimite le contour d'une figure plane. ⇒ **Contour** (1.), **limite** (2.). *La circonférence*, périmètre du cercle.* — Spécialt. (1875). Longueur de cette ligne. *Périmètre d'une ligne brisée fermée, d'un polygone,* égal à la somme des longueurs des segments de cette ligne, des côtés de ce polygone. *Polygones qui ont des périmètres égaux.* ⇒ **Isopérimètre.**

Cour. Ligne qui limite un espace quelconque. *Le périmètre de cette ville dépasse dix kilomètres.* ⇒ **Enceinte, tour.**

♦ **2.** (1847 Balzac; → 2. Neuf, cit. 20). Zone qui s'étend autour d'un espace, d'un édifice, d'un lieu déterminé. Par ext. Zone, surface quelconque. *Dans un périmètre de 5 km.* ⇒ **Distance, zone.** *Mise en valeur des périmètres irrigués* (cit. 3). — *Périmètre d'agglomération :* zone à l'intérieur de laquelle les services publics et les utilités publiques (eau, électricité, etc.) sont assurés par la collectivité. — *Périmètre de protection* (commerces de gros).

(...) j'ai eu cette impression charmante qu'on ne sort du périmètre où l'on entend bruire une fontaine que pour rentrer aussitôt dans la zone d'une autre (...) 1
Émile HENRIOT, le Diable à l'hôtel, IV.

Une source est rarement seule. Et on a vu dans un même périmètre un débit passer de un à dix par suite d'explorations intelligentes. 2
J. ROMAINS, les Hommes de bonne volonté, t. V, XIV, p. 108.

★ **II.** (Mil. XXᵉ). Didact. Appareil destiné à mesurer l'étendue du champ visuel, composé d'un arc de cercle mobile autour de son axe.

DÉR. Périmétral, périmétrie, périmétrique.
COMP. Isopérimètre.

PÉRIMÉTRIE [peʀimetʀi] n. f. — 1705; de *périmètre.*

♦ **1.** Vx. Mesure du périmètre (I.).

♦ **2.** Méd. (Mil. XXᵉ). Évaluation de l'étendue du champ visuel au moyen du périmètre (II.).

PÉRIMÉTRIQUE [peʀimetʀik] adj. — 1836; de *périmètre.*

♦ Didact. Du périmètre (I.). *Mur périmétrique.*

PÉRINATAL, ALE, ALS [peʀinatal] adj. — V. 1963; de *péri-,* et *natal.*

♦ Méd. Qui précède et suit immédiatement la naissance. *Période périnatale,* ou *périnatalité,* du vingt-huitième jour de la gestation au septième jour après la naissance. *Médecine périnatale.* ⇒ **Périnatalogie.** *Accidents périnatals.*

DÉR. Périnatalité, périnatalogie.

PÉRINATALITÉ [peʀinatalite] n. f. — V. 1970; de *périnatal.*

♦ Période périnatale*.

PÉRINATALOGIE [peʀinatalɔʒi] n. f. — 1969; de *périnatal.*

♦ Méd. Médecine périnatale. *« Un important congrès portant sur la périnatalogie »* (*La Croix*, 2 mai 1969).

PÉRINÉAL, ALE, AUX [peʀineal, o] adj. — 1812; de *périnée.*

♦ Didact. Relatif au périnée. *Hernie périnéale.*

PÉRINÉE [peʀine] n. m. — 1534; du grec *perineos*, même sens.

♦ Anat. Plancher du petit bassin, constitué par une zone limitée en avant par le bord inférieur de la symphyse pubienne, sur les côtés par les branches ischio-pubiennes et en arrière par le sacrum et le coccyx (→ Face, cit. 35; lèvre, cit. 31). *Le périnée s'étend entre l'anus et les parties génitales. La prostate, glande située dans la région du périnée.*

Loc. fam. *Soutenir le périnée à qqn*, le soutenir, l'aider.

DÉR. Périnéal.

PÉRIODE [peʀjɔd] n. f. et m. — 1422; *peryode*, v. 1270; lat. *periodus* « période (oratoire) »; grec *periodos*, proprt « chemin autour ». → -ode.

★ **I.** N. f. ♦ **1.** Cour. Espace de temps (plus ou moins long). *Période* ou *période de temps* (→ Indéfini, cit. 13). ⇒ **Durée.** *Pendant de longues périodes* (→ Endormir, cit. 24). *Pour une longue période* (→ Crise, cit. 14). *Pendant une période d'un an, d'une année.*

Période de, des... : espace de temps plus ou moins long marqué par un fait ou déterminé par certains caractères. *La période des vacances. Une longue période de sécheresse et de chaleur* (cit. 3). *Période de chômage, de dépression* (cit. 4) *économique.*

1 Cette illusion de l'été est produite par l'enfance, qui est très sensible à la chaleur et au froid, et, surtout, par le souvenir qui construit l'image d'une longue période de froid ou de chaleur, tandis que, en réalité, quelques jours seulement eurent ce caractère. J. CHARDONNE, l'Amour du prochain, p. 189.

(Dans l'histoire de l'humanité, d'un peuple, d'un groupe). Division* du temps marquée par des événements importants, caractérisée par un certain état de choses. ⇒ **Époque.** *Division de l'histoire en périodes par la chronologie.* ⇒ **Ère.** *Période comprise entre deux dates*.* ⇒ **Intervalle.** *Une période cataloguée dans les manuels d'histoire sous le nom d'entre-deux-guerres. La période hellénistique* (→ Hellénisme, cit. 3), *mérovingienne* (cit.), *révolutionnaire. La période des grandes invasions. Alternance des périodes glorieuses et sombres dans la vie d'un peuple. Les périodes troublées* (→ Migration, cit. 1). *Dresser* (cit. 14), *de période en période, l'inventaire de l'humanité.* ⇒ **Étape.** — (En parlant de l'histoire des arts, des styles, des lettres, de la pensée). *La plus belle période de l'art égyptien* (→ Dénoter, cit. 3). *Cet esprit* (cit. 124) *a dominé la littérature pendant la période dite classique.*

2 Ces barbares désolèrent le Nord, tandis que des Sarrasins infestaient le Midi; je ne donnerai pas ici la monotone histoire de leurs excursions. Il me suffit d'en distinguer les trois périodes principales : celle des incursions proprement dites, celle des stations, celle des établissements fixes. MICHELET, Hist. de France, I, III.

3 *(Vico)* proclame que l'histoire est une suite d'alternances entre une période de progrès et une période de régression; il en donne *deux* exemples; celui-ci *(Saint-Simon)* qu'elle est une succession d'oscillations entre une époque organique et une époque critique; il en donne *deux* exemples (...) Julien BENDA, la Trahison des clercs, p. 257.

Époque de la vie (d'un individu). ⇒ **Âge.** *La dernière période de sa vie.* ⇒ **Acte.** *Il traversa une longue période d'abattement et de tristesse. Sa période de dissipation* (cit. 7) *n'a jamais été une période d'impiété.*

4 C'est une période bien redoutable qu'aborde, au sortir de son obscurité première, l'homme public. Il y rencontre l'illusion d'un acquiescement universel. COLETTE, l'Étoile Vesper, p. 68.

Arts. Caractérisation de la manière d'un peintre à un moment donné (choix des sujets, de la palette, etc.). *La période sombre de Goya. La période bleue de Picasso. La période bretonne de Gauguin.*

5 On parle des périodes de peintres : période blanche, période bleue, période italienne ou normande; on pourrait tout aussi bien parler des périodes morales que traversa la fermière. J. DUTOURD, Au bon beurre, I, III.

♦ **2.** Didact. Espace de temps, généralement de durée bien déterminée, caractérisée par un certain phénomène ou par une certaine phase de ce phénomène. ⇒ **Phase, stade.**

(1793). Durée plus ou moins longue d'une manifestation physiologique. *La période de l'ovulation* (→ Féconder, cit. 1; cycle, cit. 3). *Période menstruelle.* ⇒ **Menstrues.** — *La période fontanellaire* (→ Fontanelle, cit.).

Phase d'une maladie. *Période d'incubation.*

Géol., cour. [a] Chacune des grandes divisions chronologiques de l'histoire de la terre (→ Ère).

[b] (1838). Géol. Division d'une ère géologique, elle-même subdivisée en époques* (cit. 17). *Période houillère de l'ère primaire, période crétacée de l'ère secondaire.* — *Ensemble des terrains correspondant à une période.* ⇒ **Système.**

C'est James Hutton qui devait le premier établir la délimitation des grandes 6
périodes géologiques sur des données stratigraphiques, aujourd'hui encore considérées comme fondamentales. Émile HAUG, Traité de géologie, t. II, p. 542.

Les divisions du second ordre *(après les ères)* sont les *périodes*, et l'ensemble des 7
terrains qui correspond à l'une d'elles constitue un *système.* Émile HAUG, Traité de géologie, t. II, p. 560.

♦ **3.** (XXe). Dr. Durée déterminée pendant laquelle on peut ou on doit accomplir certains actes juridiques, ou qui est caractérisée par un régime juridique particulier. — *Période suspecte*, qui précède le jugement déclaratif de faillite, et pendant laquelle les actes du failli sont nuls ou annulables. — *Période électorale*, qui précède le jour du scrutin et pendant laquelle les candidats jouissent d'un régime spécial concernant la liberté de réunion, la liberté de la presse, etc.

(1903). Milit. et cour. *Période d'instruction* ou *période :* temps pendant lequel les officiers, sous-officiers et hommes de troupe de réserve sont remis à la disposition de l'autorité militaire pour compléter l'instruction militaire reçue pendant le service actif, pour participer à des grandes manœuvres... *Accomplir, faire une période, une période de vingt-huit jours* (cf. Faire ses vingt-huit jours). *Faire un période militaire.*

Jean Rabe pénétra dans Toul un dimanche, convoqué par l'autorité militaire, 8
afin de faire une période de vingt-huit jours, dans une vieille caserne aménagée à proximité des remparts. P. MAC ORLAN, Quai des Brumes, XII.

♦ **4.** (1938). Sc. *Période de radio-activité d'un radio-élément, d'un radio-isotope :* temps nécessaire pour que la masse d'un radio-élément diminue de moitié. — *Période biologique :* temps nécessaire pour qu'un individu élimine par voie naturelle la moitié de la quantité absorbée d'un radio-élément.

♦ **5.** Sc. Intervalle de temps séparant les moments auxquels se reproduit un phénomène caractérisé par une répétition plus ou moins régulière.

Méd. Temps qui s'écoule entre deux accès d'une fièvre intermittente.

Phys. Temps écoulé entre deux passages successifs d'un système oscillant dans la même position et avec la même vitesse (⇒ **Cycle**). *La période est la grandeur inverse de la fréquence.* — *Période d'un pendule :* intervalle de temps qui sépare deux passages d'un pendule en un même point avec un mouvement de même sens. *Période d'une onde :* intervalle entre deux maxima successifs en un point donné. *Période d'un courant alternatif. L'intensité d'un courant alternatif reprend la même valeur, changée de signe, au bout d'une demi-période* (⇒ **Alternance**). *Un courant de cinquante périodes par seconde.*

(1671). Astron. Espace de temps qui s'écoule entre les deux moments auxquels se reproduit un phénomène astronomique. ⇒ **Cycle.** *Période julienne* (7 980 ans), utilisée pour l'établissement des tables astronomiques. *Période undécennale* (onze ans) *des taches solaires. Période du retour des éclipses.* ⇒ **Saros.** — Spécialt. Temps que met une planète, un corps céleste à effectuer sa révolution, de manière à revenir à la même position. *Période de Neptune autour du Soleil. Période lunaire. Période de la révolution de la Lune autour de la Terre* (⇒ **Consécution**).

Math. *Période* ou *période fondamentale (d'une fonction périodique) :* quantité fixe la plus petite possible qui peut s'ajouter à la variable sans changer la valeur de la fonction. ⇒ **Périodique** (I., 2.) *Période d'une fraction* périodique :* la suite de chiffres qui se reproduit dans le développement de la fraction.

★ **II.** N. f. (1596). « Phrase complexe dont les membres composants sont groupés de telle façon que, si variés qu'ils soient dans leur structure, leur assemblage donne une impression d'équilibre et d'unité » (Marouzeau). *Période historique ou narrative; période oratoire. Les périodes d'un discours. Une période de Cicéron, de Bossuet* (→ Maintenant, cit. 2). *Membres rythmiques, cadence, chute, nombre d'une période.* — *Protase, acmé, apodose d'une période. Arrondir* (cit. 4) *des périodes. Période arrondie* (cit. 11). *Période harmonieuse, musicale* (cit. 4), *nombreuse, ronflante.* — *Période poétique, qui comprend plusieurs vers, déborde même parfois le cadre de la strophe.*

La *période* constitue le mécanisme le plus savant de l'art d'écrire. C'est un atte- 9
lage à conduire. Il ne faut perdre les guides d'aucun des chevaux qu'on dirige, toujours marcher vers le but, maintenir les incidentes rebelles, bien aligner ses régimes, garder la clarté et la logique, tout en prodiguant ses images à travers l'encombrement de la marche. Antoine ALBALAT, l'Art d'écrire, p. 140.

La langue a passé par des siècles de tâtonnements avant de trouver la « période », 10
c'est-à-dire cette forme harmonieuse de lignes, équilibrée et souple, qui groupe dans un ensemble logique une série d'idées, ayant chacune leurs éléments nécessaires. F. BRUNOT, la Pensée et la Langue, p. 32.

Mus. *Période musicale*, ou, absolt, *période :*

11 La période est une portion de mélodie formant un tout. À l'époque classique y règne la symétrie : toute construction mélodique cherche alors un équilibre toutes les deux, quatre ou huit mesures. La période de huit mesures est la plus usuelle; elle peut être subdivisée, par une demi-cadence, c'est-à-dire un repos transitoire sur la dominante, en deux parties de quatre mesures (...) Avant les classiques, chez les anciens contrepointistes et même chez Bach, on remarque des périodes irrégulières, composées d'un nombre impair de mesures; cette irrégularité est devenue générale à l'époque moderne. Une succession ordonnée de périodes forme une phrase. André CŒUROY, la Musique et ses formes, p. 26.

★ **III.** N. m. (XVIe, Montaigne, *le dernier période*). Vx ou littér. État ou degré de l'évolution d'une chose, moment de la vie d'une personne, et, spécialt, le plus haut degré* auquel une personne ou une chose puisse atteindre. ⇒ **Maximum** (→ Apogée, paroxysme, point culminant*). — REM. Ne s'emploie guère que dans les expressions : *le plus haut période, le dernier période. Au plus haut période du bonheur* (→ Assemblage, cit. 19). *La misère était arrivée à son dernier période* (→ Gratification, cit. 5; et aussi harde, cit. 5).

12 Ce jeune garçon, qui était vigoureux et sain lors de son arrestation, est aujourd'hui au dernier période de la phtisie. FRANCE, le Mannequin d'osier, Œ., t. XI, p. 349.

13 (...) telle avait été la récompense de tout ce que je venais de faire pour ce malheureux; et portant l'infamie au dernier période, ce scélérat après avoir fait de moi tout ce qu'il avait voulu (...) SADE, Justine..., t. I, 63.

COMP. et **DÉR. Périodemètre, périodisation.** — (Du même rad.) **Périodique.**

PÉRIODEMÈTRE [peʀjɔdmɛtʀ] n. m. — 1973, in *la Clé des mots;* de *période,* et *-mètre.*

♦ Sc., techn. Appareil de mesure des périodes (I., 5.).

PÉRIODICITÉ [peʀjɔdisite] n. f. — 1665; du rad. de *périodique.*

♦ Caractère de ce qui est périodique, retour d'un fait à des intervalles plus ou moins réguliers. *Périodicité annuelle* (⇒ **Annualité**), *bisannuelle. La périodicité diurne et semi-mensuelle des marées* (cit. 1). — *Périodicité de certaines maladies. La périodicité de certaines variations mathématiques, de certains phénomènes physiques.*

À un degré plus élevé de complexité, c'est à la périodicité qu'on demande de représenter les propriétés continues, car cette périodicité, qu'elle ait lieu dans le temps ou dans l'espace, n'est autre chose que la division d'un objet de pensée, en fragments tels qu'ils puissent se remplacer l'un par l'autre, à de certaines conditions définies, — ou la multiplication de cet objet sous les mêmes conditions. VALÉRY, Variété I, p. 247.

Chim. *Périodicité des propriétés des éléments.* ⇒ **Périodique** (classification périodique).

PÉRIODIQUE [peʀjɔdik] adj. — 1398, méd.; lat. *periodicus,* même sens; grec *periodikos* «qui revient à époques fixes».

★ **I.** ♦ **1.** (1749). Qui revient, qui se reproduit à certaines époques déterminées, à des intervalles réguliers. ⇒ **Fréquent.** *Somme payable à des termes périodiques* (→ Arrérages, cit. 3). *Cérémonies, fêtes* (cit. 1), *inondations périodiques* (→ Inonder, cit. 2). *Phases périodiques de prospérité et de marasme.* ⇒ **Alternatif.** *Caractère périodique de certaines crises* (cit. 7) *économiques. — Retour périodique des temps forts et des temps faibles dans un vers.* ⇒ **Rythme.**

Spécialt. [a] Méd. Qui se manifeste par des accès intermittents revenant à intervalles réguliers. *Maladie périodique. Fièvre* périodique.* — Psychiatrie. *Psychose périodique,* «qui se reproduit plusieurs fois avec les mêmes caractères dans la vie d'un individu» (Porot, 1952, art. Périodicité). → Folie* circulaire, intermittente, psychose maniaque* dépressive. — N. *Un, une périodique :* une personne atteinte de psychose périodique.

[b] *Serviettes, garnitures, tampons périodiques* (ou *hygiéniques**), que les femmes mettent pendant les règles. — N. f. (Rare) :

1 Je suis comme qui dirait un confesseur, muet comme la pierre tombale et discret comme une périodique. R. QUENEAU, le Dimanche de la vie, p. 158.

[c] (1721). Qui paraît selon une périodicité déterminée. *Un écrit, un journal, une publication périodique* (→ Étouffer, cit. 27; gérant, cit. 3). — (1869). *Presse périodique.*

2 Les écrits périodiques sont ceux publiés par feuilles ou fascicules, à des intervalles plus ou moins éloignés, même irréguliers, pourvu que la succession en soit prévue comme indéfinie. Tel est le cas des journaux et revues. Tel n'est pas le cas des livres publiés par livraisons successives, des calendriers, agendas, etc., des bulletins techniques publiés sans être destinés à la vente. DALLOZ, Petit dict. de droit, p. 980.

N. m. (1874). UN PÉRIODIQUE (→ Attentif, cit. 17; dépôt, cit. 3). ⇒ **Écrit; journal, magazine, publication, revue.**

♦ **2.** (1634). Didact. Qui est caractérisé par une période* (I., 5.). — Math. (1838). *Fonction périodique :* fonction à variables réelles, qui reprend la même valeur lorsqu'on ajoute à la variable une quantité fixe, dite *période. Les fonctions circulaires sinus et cosinus sont des fonctions périodiques de période 2 π. Les fonctions elliptiques possèdent deux périodes. — Fraction périodique.* ⇒ **Fraction.**

Phys. *Quantité périodique :* quantité qui reprend les mêmes suites de valeurs après des intervalles de temps égaux. — *Phénomène périodique :* phénomène qui peut être représenté par une fonction périodique (→ Oscillatoire). *L'onde, phénomène périodique. — Mouvement périodique :* mouvement effectué par un point ou un mobile dont la position est une fonction périodique du temps. — *Mouvement périodique d'un pendule.*

♦ **3.** Chim., phys. *Classification périodique* (ou *naturelle*) *des éléments* (Tableau de Mendéléev, 1867) : classification des éléments chimiques dans l'ordre croissant de leurs numéros atomiques, disposés de telle sorte que des éléments ayant des propriétés analogues se trouvent dans les mêmes colonnes verticales (groupes). *La classification périodique a permis de prévoir l'existence et les propriétés d'éléments dont l'expérimentation n'avait pas encore révélé l'existence; elle a rendu de très grands services dans les recherches sur la structure de la matière; c'est la seule classification utilisée aujourd'hui tant par les physiciens que par les chimistes.*

★ **II.** (1671). Didact., vx. Qui est relatif à la période* (II.); qui a les caractères d'une période; qui procède par périodes. *Phrase, style périodique.* — (Métrique grecque et lat.). *Vers périodique :* hexamètre, dans lequel alternent les dactyles et les spondées.

Mus. *Air, composition périodique.*

COMP. et **DÉR. Antipériodique, apériodique, périodicité, périodiquement.**

PÉRIODIQUEMENT [peʀjɔdikmɑ̃] adv. — 1611; de *périodique.*

♦ D'une manière périodique. *Phénomène qui se reproduit périodiquement.* ⇒ **Régulièrement.** *Revue qui paraît périodiquement. Laisser la terre en repos périodiquement* (→ Extensif, cit. 1). *Périodiquement, il retourne dans sa ville natale.*

PÉRIODISATION [peʀjɔdizɑsjɔ̃] n. f. — XXe; du rad. de *période.*

♦ Didact. Division significative et explicative en périodes (d'un temps de l'histoire). *« Cette "périodisation" rompt avec les découpages traditionnels et permet de prendre conscience de l'originalité de la "génération des secondes lumières" »* (*le Monde,* 7-8 oct. 1973, p. 15).

PÉRIODONTE [peʀjɔdɔ̃t] n. m. — 1852; de *périodontite.*

♦ Didact. (Anat.). Articulation entre la dent et le maxillaire, formée de faisceaux fibreux reliant le cément dentaire à la paroi de l'alvéole, et d'un tissu conjonctif.

DÉR. Périodontie.

PÉRIODONTIE [peʀjɔdɔ̃ti] n. f. — XXe; de *périodonte.*

♦ Méd. Traitement du périodonte. *Seringues pour périodontie.*

PÉRIODONTITE [peʀjɔdɔ̃tit] n. f. — 1866, Littré; de *périodonte,* et *-ite.*

♦ Méd. Inflammation aiguë du périodonte.

PÉRIODONTOCLASIE [peʀjɔdɔ̃toklazi] ou **PÉRICLASIE** [peʀiklazi] n. f. — 1931; mot angl.; de *péri-, (odonto-),* et *-clasie.*

♦ Méd. (Anglic.). Pyorrhée alvéolaire.

PÉRIŒCIENS [peʀjesjɛ̃] n. m. pl. — 1576, *perieciens,* pour désigner ceux qui, de part et d'autre de l'équateur, habitent sous le même parallèle; du rad. du grec *perioikoi,* même sens; de *peri-,* et *oikein* «habiter».

♦ Géogr. Habitants de la Terre qui, par rapport à un lieu donné, demeurent en un lieu situé sur la même latitude, mais séparé par 180° de longitude (lorsqu'il est midi pour les uns, il est minuit pour les autres).

PÉRIONYXIS [peʀiɔniksis] n. f. — XXe; de *péri-,* et grec *onux, onukhos* «ongle».

♦ Méd. Inflammation localisée au pourtour de l'ongle, causée par des germes pyogènes ou par des levures.

PÉRIOPHTALME [peʀiɔftalm] n. m. — 1816, Cuvier; lat. sc. *periophtalmus,* même sens, Bloch, fin XVIIIe; cf. Péri-, et grec *ophtalmos* «œil».

♦ Zool. Poisson osseux des côtes tropicales à palétuviers (mangroves), de la famille des *Gobiidés.*

Le Périophtalme, poisson des côtes tropicales (qui doit son nom à ses gros yeux saillants qu'il peut mouvoir en tous sens), s'en sert *(de ses nageoires)* comme de béquilles pour se traîner sur les plages où il capture les insectes. R. et M.-L. BAUCHOT, les Poissons, p. 22.

PÉRIOSTAL, ALE, AUX [peʀjɔstal, o] adj. — 1855; de *périoste.*

♦ Didact. (Anat.). Relatif au périoste. *Douleur périostale.* — On dit encore *périostéal* ou *périostique.*

PÉRIOSTE [peʀjɔst] n. m. — 1560; *periostion,* 1538; grec *periosteon,* même sens; de *periosteos* «qui entoure les os». → -oste.

♦ Anat. Membrane conjonctive, fibreuse et élastique qui constitue l'enveloppe d'un os. *Périoste des os du crâne.* ⇒ **Péricrâne.** *Importance du périoste dans la formation ou la reconstitution du tissu osseux dans la croissance ou en cas de fracture.*

DÉR. Périostal, périostique, périostite, périostose.
COMP. Sous-périosté.

PÉRIOSTIQUE [peʀjɔstik] adj. — 1904, in *Rev. gén. des sc.,* 30 nov. 1904, p. 1036; de *périoste.*

♦ Anat. Du périoste. ⇒ **Périostal.**

PÉRIOSTITE [peʀjɔstit] n. f. — 1823; de *périoste.*

♦ Méd. Maladie qui consiste en une inflammation aiguë ou chronique du périoste. *Périostite tuberculeuse. Périostite alvéolodentaire.* ⇒ **Alvéolite.**

PÉRIOSTOSE [peʀjɔstoz] n. f. — 1803; de *périoste.*

♦ Méd. Épaississement du périoste d'un os.

PÉRIPATÉTICIEN, IENNE [peʀipatetisjɛ̃, jɛn] n. et adj. — 1694; *perypatheticien,* n., 1370; de *péripatétique.*

♦ **1.** (1694, *péripatéticien,* n. m.). Didact. Partisan de la philosophie, de la doctrine d'Aristote. *Les péripatéticiens* (→ Espèce, cit. 2; 1. incontinent, cit.). — Adj. *Un philosophe péripatéticien.* — Qui est relatif à la philosophie d'Aristote. *La doctrine, l'école péripatéticienne.*

REM. 1. De nos jours, *péripatéticien* ne s'emploie plus guère que substantivement.

2. À la différence d'*aristotélicien,* le terme de *péripatéticien* s'applique plutôt à la doctrine des disciples d'Aristote qu'à celle d'Aristote lui-même. → Aristotélicien.

♦ **2.** PÉRIPATÉTICIENNE n. f. (1860, → cit.; par allus. plaisante au sens du grec *peripatein* «se promener»; d'après l'angl. *peripatetico,* de Quincey, 1821). Fam. Prostituée qui racole dans la rue.

Pour tout dire en deux mots, notre vagabond s'était lié d'une amitié platonique avec une péripatéticienne de l'amour.
BAUDELAIRE, les Paradis artificiels, «Un mangeur d'opium», II.

PÉRIPATÉTIQUE [peʀipatetik] adj. — 1495; *perhipatétique,* 1372; lat. *peripateticus,* grec *peripatêtikos* «(adepte) de la philosophie d'Aristote»; de *peripatein* «se promener», à cause de l'habitude qu'avait Aristote d'enseigner en se promenant avec ses disciples.

♦ Philos. Vx. Qui suit la doctrine d'Aristote. *Un philosophe péripatétique.* — N. m. Vx. ⇒ **Péripatéticien** (cf. Racine, *les Plaideurs,* III, 3).

Vx. Relatif au péripatétisme, à la philosophie d'Aristote (→ Aristotélique). *Doctrine péripatétique.*

DÉR. Péripatéticien, péripatétisme.

PÉRIPATÉTISME [peʀipatetism] n. m. — 1660; de *péripatétique.*

♦ Philos. Vx. Doctrine, philosophie d'Aristote (aristotélisme).

PÉRIPÉTIE [peʀipesi] n. f. — 1605; grec *peripeteia* «événement imprévu».

♦ **1.** (1740). Didact. Chacun des changements subits de la situation dans une œuvre dramatique ou narrative (→ Intérêt, cit. 30; 1. ménager, cit. 15). — Spécialt. L'événement qui, dans une pièce de théâtre, amène la crise d'où sort le dénouement* (cit. 1 et 2). ⇒ **Nœud.** *Importance de la péripétie dans l'action* d'une tragédie.*

♦ **2.** (1762). Cour. Événement imprévu (→ Coup de théâtre*); épisode, incident émouvant ou remarquable, mais qui ne modifie pas le cours général des événements. ⇒ **Événement, épisode, incident.** *Sa vie est pleine de péripéties dramatiques.*

1 Le mot *péripétie* est un terme de littérature qui signifie *coup de théâtre* (...) La Saint-Barthélemy, les Vêpres Siciliennes, la mort de Lucrèce, les deux débarquements de Napoléon à Fréjus, sont des péripéties politiques.
BALZAC, la Physiologie du mariage, Pl., t. X, p. 803.

2 Antoine se rappelait les moindres détails, le dernier bain, Jacques, la piqûre libératrice, toutes les péripéties de cette agonie.
MARTIN DU GARD, les Thibault, t. VIII, p. 264.

PÉRIPHÉRIE [peʀifeʀi] n. f. — 1544; *peryfere,* v. 1270; bas lat. *peripheria,* grec *periphereia* «circonférence»; de *peri* «autour (de)», et *pherein* «porter».

♦ **1.** Ligne qui délimite une figure curviligne, une surface. ⇒ **Bord, contour, pourtour.** *Périphérie d'un cercle.* ⇒ **Circonférence** (→ Idée, cit. 9). — *Périphérie d'une ville.*

Surface extérieure d'un volume. — Ensemble des régions externes du corps d'un être vivant. *Vaisseaux qui irriguent la périphérie du corps.*

♦ **2.** (XXe). Ensemble des quartiers éloignés du centre et situés de part et d'autre de la limite, de l'enceinte d'une ville, soit à l'extérieur (⇒ **Banlieue**), soit à l'intérieur. *Les arrondissements de la périphérie de Paris.* ⇒ **Périphérique.**

Rue des Entrepreneurs, ou rue des Volontaires, par exemple, ça sent la périphé- 1
rie, mais la périphérie médiocre (...)
J. ROMAINS, les Hommes de bonne volonté, t. III, XXIII, p. 315.

Il est de règle, aux États-Unis, que les beaux quartiers glissent du centre à la péri- 2
phérie; au bout de cinq ans le centre est *pourri* (...)
SARTRE, Situations III, p. 98.

CONTR. Centre.
DÉR. Périphérique.

PÉRIPHÉRIQUE [peʀifeʀik] adj. et n. m. — 1838; de *périphérie.*

♦ **1.** Qui est situé à la périphérie; qui est relatif à la périphérie. *Quartiers périphériques* (opposé à *central*). ⇒ **Excentrique, faubourg.** — (1964, *Libération,* 22 oct.). *Le boulevard périphérique :* à Paris, voie circulaire express. N. m. *Prenez le périphérique.* Abrév. fam. *Le péri* [peʀi], *le périph* [peʀif].

Georges Gerfaut est en train de rouler sur le boulevard périphérique extérieur. Il 1
y est entré porte d'Ivry. Il est deux heures et demie ou peut-être trois heures un quart du matin. Une section du périphérique intérieur est fermée pour nettoyage et sur le reste du périphérique intérieur la circulation est quasi nulle. Sur le périphérique extérieur, il y a peut-être deux ou trois ou au maximum quatre véhicules par kilomètre.
J.-P. MANCHETTE, Trois hommes à abattre, p. 7.

À l'intérieur de Paris, jusque dans les quartiers périphériques, de larges îlots de 2
calme subsistent entre les quelques voies directes par où se fait le ruissellement matinal des piétons vers le centre, et qu'emruntent les véhicules de commerce qui se dirigent vers les barrières.
J. ROMAINS, les Hommes de bonne volonté, t. IX, I, p. 5.

(Mil. XXe). *Poste, station, émetteur* (de radio-diffusion ou de télévision) *périphériques,* qui émettent à partir des pays limitrophes, hors de France, et échappent ainsi au monopole d'État. *Europe 1, Radio Monte-Carlo, Radio-Télé Luxembourg sont les principales stations périphériques.* — N. m. *Écouter les périphériques.*

♦ **2.** (1838). Anat., physiol. Qui est situé dans les régions externes du corps ou à la région externe d'un organe; qui est relatif à ces régions. *Appareil périphérique de la vision* (→ Œil, cit. 4). *Système nerveux périphérique* (→ Articulaire, cit. 1; coccyx, cit.). — *Sensibilité périphérique.* — Psychol. *Théorie périphérique des émotions.*

L'acuité de ces émotions s'évalue au nombre et à la nature des sensations périphé- 3
riques qui les accompagnent. Peu à peu, et à mesure que l'état émotionnel perdra de sa violence pour gagner en profondeur, les sensations périphériques céderont la place à des éléments internes (...)
H. BERGSON, Essai sur les données immédiates de la conscience, p. 23.

♦ **3.** N. m. (Après 1960). Inform. Élément de matériel (unité de stockage d'entrée, de sortie, ou ordinateur satellite) distinct de l'unité centrale d'un ordinateur. *«Un lecteur enregistreur de données (...) C'est un nouveau périphérique...»* (*le Point,* 9 oct. 1972, Publicité).

CONTR. Axial, central.

PÉRIPHLÉBITE [peʀiflebit] n. f. — 1873; de *péri-,* et *phlébite.*

♦ Méd. Inflammation du tissu conjonctif qui entoure une veine.

PÉRIPHRASE [peʀifʀɑz] n. f. — 1529; lat. *periphrasis,* grec *periphrasis,* même sens; de *periphrazein* «parler par circonlocutions». → Phrase.

♦ Rhét. Figure, procédé qui consiste à exprimer une notion unique par un groupe de plusieurs mots. ⇒ **Circonlocution, circuit, détour.** *La périphrase, procédé grammatical. Rôle de la périphrase dans la conjugaison* (temps composés). *Périphrase faite avec les verbes* voir (→ Désir, cit. 10), finir (cit. 10), achever. *Périphrase qui remplace un nom qui manque* (→ Fait, cit. 4). — *User de périphrases pour toucher à un sujet délicat* (cit. 11). ⇒ **Euphémisme.** — *La périphrase, procédé de style. Une superbe périphrase de Bossuet pour désigner le confessionnal* (cit. 2) : *«Ces tribunaux qui justifient ceux qui s'accusent.» Enrichir* (cit. 10) *les vers, orner le style de périphrases. Abus de la périphrase dans la poésie pseudo-classique. Périphrase élégante* (→ Espion, cit. 6), *discrète* (→ Limoger, cit. 1), *ampoulée, obscure, précieuse, prétentieuse... S'exprimer, parler par périphrases.* ⇒ **Discours** (faire des discours), **périphraser.**

Aussi «le prince des critiques» était en ce temps, et l'est encore, une périphrase 1
courante comprise de tout le monde pour désigner Jules Janin (...)
Th. GAUTIER, Portraits contemporains, J. Janin.

2 J'ai de la périphrase écrasé les spirales (...) HUGO, les Contemplations, I, VII.

Gramm. Groupe de mots synonyme d'un seul mot (ex. : *femelle du cheval* pour *jument*). *La définition est une périphrase synonymique.* ⇒ **Paraphrase.** *Périphrase et expansion*.*

DÉR. Périphraser.

PÉRIPHRASER [peʀifʀɑze] v. intr. — 1551 ; de *périphrase,* sur le grec *periphrazein.*

♦ Vx. S'exprimer, parler par périphrases.

PÉRIPHRASTIQUE [peʀifʀastik] adj. — 1838 ; *périphrastic* « qui tient de la périphrase », 1555 ; du rad. de *périphrase.*
Didactique.

♦ **1.** Qui abonde en périphrases. *Style périphrastique.*

♦ **2.** Qui constitue une périphrase. *Expression, tournure périphrastique.*

Parfois l'expression périphrastique ajoute quelque chose à la présentation de l'idée toute nue. Mais, souvent, la périphrase n'est autre chose qu'un jeu gratuit.
BRUNEAU, Hist. de la langue franç., t. XII, p. 41.

PÉRIPHYTON [peʀifitɔ̃] n. m. — XXe ; de *péri-,* et grec *phuton* « (chose) qui pousse ; plante ».

♦ Didact. Ensemble des organismes végétaux (microorganismes) supportés par les êtres immergés dans l'eau.

PÉRIPLE [peʀipl] n. m. — Déb. XVIIe, repris XVIIIe ; lat. *periplus,* grec *periplous* « navigation autour » ; de *peri* « autour (de) », et *plein* « naviguer ».

♦ **1.** Didact. (Antiq.). Voyage d'exploration maritime, navigation autour d'une mer, des côtes d'un pays, d'une partie du monde. ⇒ **Circumnavigation.** *Le périple d'Hannon.* — Récit d'un tel voyage. *« Arrien nous a laissé un Périple du Pont-Euxin ».*

(XIXe). Expédition maritime, parcours d'un navire. *Périple entrepris par Magellan autour du monde* (⇒ **Cercle**).

♦ **2.** (XXe). Cour. (sens critiqué). Voyage par voie de terre, qu'il soit circulaire ou non. ⇒ **Tour, tournée, voyage.**

1 Le sens étymologique de *périple* est complètement oublié. Aussi, est-il inutile de vouloir réagir contre l'usage, même lorsque ce dernier est contraire à l'étymologie.
A. BOTTEQUIN, Subtilités et Délicatesses de langage, p. 277.

2 *Périple* est souvent employé à contresens, alors qu'il n'est nullement question de voyage par eau : *Les deux autos effectuant encore une fois le même périple* (CÉLINE, Voyage au bout de la nuit)... *Un grand seigneur espagnol l'emmena de couvent en couvent ; après un long périple, il finit par se fixer à Séville* (Lise DEHARME, Le château de l'horloge). Mais on peut fort bien accepter l'emploi figuré et imagé de périple pour parler d'un voyage de l'esprit, comme dans cette phrase de B. GRASSET à propos de Marcel Proust : *Certains n'ont vu dans son périple de vingt années qu'une patiente et minutieuse exploration de la société qu'il devait décrire* (Les chemins de l'écriture).
René GEORGIN, la Prose d'aujourd'hui, p. 21.

PÉRIPNEUMONIE [peʀipnømɔni] n. f. — 1549 ; *péripleumonie,* XIVe ; *periplomie,* v. 1363 ; bas lat. *peripneumonia,* grec *peripneumonia* « inflammation des poumons ». → Pneumonie.

♦ **1.** Méd. Vx. « Nom sous lequel on désignait autrefois la pneumonie en la confondant avec d'autres affections thoraciques, notamment la pleurésie » (Garnier).

♦ **2.** (1794). Vétér. Maladie épizootique, provoquée par un microbe spécifique, qui atteint l'espèce bovine. *La péripneumonie est caractérisée par une inflammation du poumon et de la plèvre.*

PÉRIPTÈRE [peʀiptɛʀ] adj. et n. m. — 1547 ; lat. *peripteros,* même sens ; grec *peripteros,* propr « entouré d'ailes ».

♦ Archit. Se dit d'un temple grec, d'un édifice à colonnades qui est entièrement entouré d'un rang de colonnes isolées du mur. *Un édifice périptère.* — N. m. *Un périptère. La Madeleine, à Paris, est un périptère.*

Périptères, leurs colonnes se doyvent asseoir par tele raison, qu'autant comme il y en aura au front, autant deux foys y en ait il sur les costez.
J. MARTIN, Trad. de VITRUVE, Architecture ou art de bien bastir, *in* D. D. L., II, 5.

PÉRIR [peʀiʀ] v. intr. — 1050 ; lat. *perire* « s'en aller tout à fait ».
Littéraire.

♦ **1.** Mourir (avec, généralement, l'idée d'une mort prématurée ou violente). ⇒ **Finir, mourir.** *Périr par l'épée* (cit. 1), *sur l'échafaud* (→ État, cit. 32). *Périr à la guerre.* ⇒ **Tomber.** *Périr noyé, asphyxié* (→ Malheureux, cit. 14). *Périr de froid* (→ Bouge, cit. 2), *de faim, de misère.* — *Tout l'équipage du navire a péri dans la tempête* (l'emploi de *périr* est normal dans ce contexte. → ci-dessous 2.). — *Bétail qui périt dans une épizootie.* — *Arbres, plantes qui périssent au cours d'une trop longue sécheresse.* — (Impers.). *Il y périt un grand nombre de soldats.* — REM. Jusqu'au XVIIIe s., *périr* pouvait se conjuguer avec les auxiliaires *être* ou *avoir ;* de nos jours, seul l'auxiliaire *avoir* est normal.

Chilpéric lui-même périt bientôt, assassiné, selon les uns, par un amant de Frédégonde, selon d'autres par les émissaires de Brunehaut (...) 1
MICHELET, Hist. de France, II, I.

(XVIIIe). Cour. *Périr d'ennui, de mélancolie* (→ Anémique, cit. 2), *de langueur* (→ Crever, cit. 22). *Sans le mensonge* (cit. 11), *l'humanité périrait d'ennui. S'ennuyer à périr.*

Relig. Mourir de la mort spirituelle (→ Pain, cit. 14).

♦ **2.** Mar. Disparaître en mer, sombrer (navire). *Navire qui périt corps et biens,* qui fait naufrage, qui s'engloutit avec toutes les personnes et toutes les marchandises qu'il transporte (→ ci-dessous, cit. 3, par métaphore).

En arrivant à Penmarch, Pierre et le matelot apprirent que leur voyage était inutile, que l'on ne mettrait pas le canot de sauvetage à la mer, parce que c'était impraticable, et que d'ailleurs toutes les embarcations étaient rentrées depuis deux jours que commençait la tempête ; deux avaient péri et sans doute aucun nouveau bateau ne passerait sur ces côtes par un temps pareil. 1.1
PROUST, Jean Santeuil, Pl., p. 374.

♦ **3.** (V. 1188). En parlant d'une chose inanimée. Disparaître. ⇒ **Anéantir** (s'), **crouler, décadence** (entrer en décadence), **écrouler** (s'), **finir, ruine** (tomber en ruine). → 1. Général (cit. 2). *Si l'Europe doit voir périr ou dépérir* sa culture* (cit. 18). *« Ta mémoire, ton nom, ta gloire vont périr »* (→ Âme, cit. 31). *Des admirations et des affections qui ne périssent pas.* ⇒ **Impérissable** (→ Détraquement, cit. 2).

Depuis quarante ans, tous les gouvernements n'ont péri en France que par leur faute. CHATEAUBRIAND, Mémoires d'outre-tombe, t. VI, p. 149. 2

Un monde, un monde tout entier, a péri, sombré, corps et biens (...) On a retrouvé un poème, on a retrouvé des ossements au fond des cavernes, mais point de noms, point de signes (...) MICHELET, Hist. de la Révolution franç., Introd., I, IV. 3

N. B. Il s'agit d'une métaphore du sens 2.

Et Carthage a péri dans sa sombre tunique 4
De mensonge, de dol, de nuit, de foi punique.
HUGO, la Légende des siècles, XX, I.

Périr, employé (à la troisième personne du présent du subjonctif) dans une imprécation. *Ah ! périsse l'homme indigne qui marchande* (cit. 5) *un cœur !* — Allus. hist. *Périssent les colonies plutôt qu'un principe,* formule par laquelle on a résumé les discours que Robespierre et Dupont de Nemours prononcèrent en 1791 au sujet de l'émancipation des esclaves noirs.

Périsse le Troyen auteur de nos alarmes ! RACINE, Iphigénie, II, 2. 5

♦ **4.** (1690). **FAIRE PÉRIR :** tuer, détruire (→ Croix, cit. 1). *Faire périr les hérétiques* (cit. 4) *par l'épée, par le feu.* ⇒ **Brûler.** *Il les fit tous périr jusqu'au dernier.* ⇒ **Exterminer.** — *Faire périr un arbre* (→ Mutiler, cit. 4). *La sécheresse fait périr les plantes* (→ Dessécher).

L'histoire du neuf thermidor n'est pas longue : quelques scélérats qui firent périr quelques scélérats. J. DE MAISTRE, Considérations sur la France, VIII. 6

(...) Clovis fit périr tous les petits rois des Francs par une suite de perfidies. 7
MICHELET, Hist. de France, II, I.

▶ **PÉRI, IE** p. p. adj. (qui pouvait, jusqu'au XVIIIe, s'employer sans auxiliaire).

a *« Ce nombre prodigieux (...) d'illustres citoyens péris sur un échafaud en place publique »* (Voltaire, *Dict. philosophique,* « Supplices »).

Mod. *Marins péris en mer.* ⇒ **Noyé.** — N. m. *Les péris en mer. Prier pour les péris en mer.*

b Blason. ⇒ **2. Péri.**

COMP. et **DÉR.** Cf. Dépérir. — 2. **Péri, périssable, périssoire.**

PÉRISCÉLIDE [peʀiselid] n. f. — 1875 ; *perside,* fin XIVe ; lat. *periscelis,* grec *periskelis* « sorte de pantalon » ; de *peri* « autour (de) », et *skelos* « jambe ».

♦ Didact. Anneau de jambe orné de métaux précieux.

PÉRISCIENS [peʀisjɛ̃] n. m. pl. — 1576 ; du grec *periskios* « où l'ombre fait un tour entier » ; de *peri* « autour (de) », et *skia* « ombre ».

♦ Géogr. anc. Habitants des zones polaires qui, dans l'espace de vingt-quatre heures, peuvent voir leur ombre se projeter successivement dans toutes les directions du plan de l'horizon.

PÉRISCOLAIRE [peʀiskɔlɛʀ] adj. — 1957 ; de *péri-,* et *scolaire.*

♦ Admin. Complémentaire de l'enseignement scolaire. *Œuvres, activités périscolaires. Beaucoup d'instituteurs travaillent dans les œuvres périscolaires ou post-scolaires.* ⇒ **Parascolaire.**

PÉRISCOPE [peʀiskɔp] n. m. — Av. 1903 *(Nouveau Larousse illustré)*; zool., «genre de reptiles ophidiens», 1874; angl. *periscope* (v. 1830, Grubb); du grec *periskopein* «regarder tout autour».

♦ Instrument d'optique permettant à un observateur de voir un objet qui n'est pas situé au même niveau que son œil ou qui en est séparé par un obstacle, ou servant de système de vision à la surface de la mer aux sous-marins en plongée peu profonde. *Périscope formé d'un tube et de deux miroirs plans inclinés à quarante-cinq degrés. Périscope de tranchée pour observer par-dessus le parapet. Périscope d'un char d'assaut. — Grands périscopes des sous-marins. Prismes, lentilles, objectif, oculaire, tubes télescopiques d'un périscope.*

Des officiers circulent, munis de périscopes et de longues-vues.

H. BARBUSSE, le Feu, t. II, XX.

PÉRISCOPIQUE [peʀiskɔpik] adj. — 1814; angl. *periscopic* (Wollaston, 1804); du grec *periskopein.* → Périscope.

♦ **1.** Didact. Opt. *Verres périscopiques* : verres d'optique à grand champ visuel. *Objectif périscopique.*

♦ **2.** (1923; de *périscope*). *Lentille, objectif périscopique.* — Relatif au périscope. *Tube périscopique d'un sous-marin.*

PÉRISPERMATIQUE [peʀispɛʀmatik] adj. — 1875, Larousse; du rad. de *périsperme.*

♦ Bot. Du périsperme.

PÉRISPERME [peʀispɛʀm] n. m. — 1789; de *péri-*, et *-sperme.*

♦ Bot. Tégument extérieur qui constitue un tissu de réserve dans certaines graines (graines du nénuphar, du poivrier...). *Le périsperme et l'endosperme*. Graine sans périsperme.* ⇒ **Apérispermé.**

DÉR. Périspermatique.
COMP. Apérispermé.

PÉRISPLÉNITE [peʀisplenit] n. f. — 1877; de *péri-*, et grec *splên, splênos* «rate».

♦ Méd. Péritonite* localisée à la rate (dite anciennt *glande splénique*).

PÉRISPORIACÉES [peʀispɔʀjase] n. f. pl. — Déb. XXᵉ; de *péri-*, et du rad. de *spore.*

♦ Bot. Groupe de champignons ascomycètes au mycélium cloisonné, au périthèce entièrement clos (on dit aussi *Tubéracées*). *Types principaux* : achorion, aspergille, pénicillium, sporotric, trichophyton, tuber (ou truffe). — Au sing. *Une périsporiacée.*

PÉRISSABLE [peʀisabl] adj. — 1416; «qui fait périr», v. 1380; de *périr.*

♦ **1.** Littér. Qui n'est pas éternel, qui est sujet à périr; qui n'est pas durable. ⇒ **Court, éphémère, fragile, fugace.** *Un monde où tout est fugitif* (cit. 12), *périssable, incertain. Ce qu'il y a dans la personne humaine de transitoire et de périssable* (→ Narcissisme, cit. 3). — N.m. *Sacrifier l'éternel* (cit. 17) *au périssable.*

Le bien de la fortune est un bien périssable;
Quand on bâtit sur elle on bâtit sur le sable.

H. DE RACAN, les Bergeries..., Stances, «Thirsis»,...

♦ **2.** (1873). Cour. *Denrées périssables,* qui se conservent difficilement, qui supportent mal le transport. *Les fruits, le poisson, la viande sont des denrées périssables.*

CONTR. Durable, éternel, immarcescible, immortel, impérissable, incorruptible.
COMP. Impérissable.

PÉRISSANT, ANTE [peʀisɑ̃, ɑ̃t] adj. — XVIᵉ, p. prés. de *périr.*

♦ Littér. Qui périt, est en train de périr.

PÉRISSODACTYLES [peʀisodaktil] n. m. pl. — 1874; du grec *perissos* «surnuméraire, impair», et *daktulos* «doigt». → -dactyle.

♦ Zool. Sous-ordre de mammifères placentaires ongulés qui comprend des animaux reposant sur le sol par un nombre impair de doigts *(Imparidigités)* dont le médian est le plus développé. *Le rhinocéros, le tapir sont des périssodactyles.* — Au sing. *Un périssodactyle. L'hipparion, périssodactyle fossile.* — Adj. *Un mammifère périssodactyle.*

Quelle histoire me cherchez-vous à cause d'un quelconque périssodactyle qui vient de passer tout à fait par hasard, devant nous? Un quadrupède stupide qui ne mérite même pas qu'on en parle! Et féroce en plus (...)

IONESCO, Rhinocéros, p. 40.

PÉRISSOIRE [peʀiswaʀ] n. f. — 1867; de *périr* : «embarcation qui "périt", chavire facilement».

♦ Embarcation (cit. 2) longue et étroite qui se manœuvre à la pagaie ou à l'aviron. ⇒ **Canot**; → Marinier, cit. 4. *«Des canotiers en périssoires»* (France). *Périssoire à une, à deux places.*

PÉRISSOLOGIE [peʀisɔlɔʒi] n. f. — 1765; grec *perissologia,* de *perissos* «superflu». → -logie.

♦ Didact. [a] Manière de s'exprimer qui consiste à répéter inutilement une idée déjà énoncée (ex. : *descendre en bas*). ⇒ **Pléonasme, tautologie.**

[b] Rhét. Procédé de style qui consiste à insister sur une idée en l'exprimant plusieurs fois en des termes différents.

PÉRISTALTIQUE [peʀistaltik] adj. — 1618; grec *peristaltikos,* de *peristellein* «envelopper, comprimer».

♦ Physiol. Relatif au péristaltisme. *Onde péristaltique.*

DÉR. Péristaltisme.
COMP. Antipéristaltique.

PÉRISTALTISME [peʀistaltism] n. m. — 1877, Littré et Robin; de *péristaltique.*

♦ Physiol. Ondes de contractions musculaires d'un organe tubulaire, en particulier de l'intestin, se propageant de proche en proche et faisant avancer le contenu de l'organe.

(L'atropine) provoque l'arrêt du péristaltisme de l'intestin et ses contractions spontanées.

A. GALLI et R. LEDUC, les Thérapeutiques modernes, p. 22.

PÉRISTASE [peʀistɑz] n. f. — V. 1960; grec *peristasis* «circonstance, situation». → Antipéristase; -stase.

♦ **1.** Biol. Ensemble des facteurs du milieu environnant susceptibles de modifier les caractères apparents d'un individu.

♦ **2.** Psychol. Ensemble des conditions d'environnement d'un sujet. *«Cette notion de péristase, surtout invoquée dans la formation et le développement psychique et caractériel de l'enfant (...) a été souvent opposée au fatalisme de l'hérédité et des constitutions mentales préétablies»* (Porot, 1975).

PÉRISTÉRAPHILE [peʀisteʀafil] adj. et n. — 1875; du grec *peristera* «pigeon», et *-phile.*

♦ Didact., rare. Qui concerne l'élevage des pigeons, et, spécialt, des pigeons voyageurs. ⇒ **Colombophile.**

PÉRISTÈRE [peʀistɛʀ] n. m. — 1869; grec *peristera* «pigeon».

♦ Didact. Colombe eucharistique.

PÉRISTÉRONIQUE [peʀisteʀɔnik] adj. — 1875; du grec *peristera* «pigeon».

♦ Techn. Relatif à l'élevage des pigeons voyageurs.

PÉRISTOME [peʀistɔm] n. m. — 1812, *in* D. D. L.; de *péri-*, et grec *stoma* «bouche».

♦ **1.** Bot. Couronne dentelée marquant la limite selon laquelle l'opercule se détache de l'urne, chez les mousses.

♦ **2.** (1869). Zool. Région qui entoure l'ouverture du test des gastéropodes. — Spécialt. Sillon garni de cils vibratiles dans lequel s'ouvre l'orifice buccal des protozoaires. *Le péristome d'un infusoire, d'un hétérotriche.*

DÉR. Péristomial ou **péristomal.**

PÉRISTOMIAL, ALE, AUX [peʀistɔmjal, o] ou **PÉRISTOMAL, ALE, AUX** [peʀistɔmal, o] adj. — 1897, Cuénot, *Année biol.*, p. 329; 1903, Larousse; de *péristome.*

♦ Sc. nat. Du péristome. *Segment péristomial d'un annélide.*

PÉRISTYLE [peʀistil] n. m. — 1546, *in* D. D. L.; lat. *peristylum,* grec *peristylon.* → -style.

♦ **1.** Colonnade disposée autour de la cour intérieure d'un édifice. Adj. *Temple péristyle,* orné à l'intérieur de colonnes disposées parallèlement aux murs. — (1838). Partie de la maison romaine située derrière l'atrium et qui consistait en une colonnade entourant une cour ou un jardin.

♦ **2.** (1546). Galerie* formée par un ou plusieurs rangs de colonnes

isolées et disposées, à l'extérieur, autour d'un édifice. *Péristyle du Parthénon* (→ Dorique, cit. 1 ; 1. frise, cit. 1).
(1605). Colonnade qui décore la façade d'un édifice (→ Colonnade, portique). *Péristyle du Panthéon.* — Vestibule d'allure monumentale.

En entrant chez Beauvisage, on trouvait devant soi un péristyle où se développait au fond un escalier. BALZAC, le Député d'Arcis, Pl., t. VII, p. 683.

PÉRISTYLIQUE [peʀistilik] adj. — 1869 ; de *péri-, style,* et *-ique.*

♦ Bot. Situé autour du style*.

PÉRISYSTOLE [peʀisistɔl] n. f. — 1765 ; de *systole.*

♦ Physiol. Intervalle de temps compris entre la systole et la diastole du cœur.

PÉRITECTIQUE [peʀitɛktik] adj. — 1968 ; de *péri-* « autour », et grec *têktos* « qui fond », d'après *eutectique.*

♦ Techn. *Réaction péritectique,* qui se produit au cours du refroidissement d'un métal liquide et au cours de laquelle une phase solide se forme au détriment de la solution solide précédemment formée, par transition d'une forme à l'autre (caractérisées par des compositions différentes). *Température péritectique,* ou *de transition,* à laquelle cette réaction se développe. *Composition péritectique d'un métal, d'un alliage* (pour lequel cette réaction se fait complètement). *Alliage péritectique.*

PÉRITHÈCE [peʀitɛs] n. m. — 1846, *périthécion ;* de *péri-,* et grec *thêkê* « boîte, étui ».

♦ Bot. Ensemble des organes qui produisent les asques, chez les champignons ascomycètes. ⇒ **Fructification.**

PÉRITOINE [peʀitwan] n. m. — 1538 ; *peritoneum,* v. 1370 ; lat. *peritonoeum,* grec médical *peritonaion* « ce qui est tendu autour ».

♦ Anat. Membrane séreuse qui tapisse les parois intérieures de la cavité abdominale et pelvienne *(péritoine pariétal)* et qui recouvre les organes contenus dans ces cavités *(péritoine viscéral),* à l'exception de l'ovaire. *Du péritoine* ⇒ **Péritonéal.** *Replis du péritoine viscéral* (ligaments, mésentère). — *Hydropisie* (⇒ **Ascite**), *inflammation du péritoine.* ⇒ **Péritonite.**

DÉR. Péritonéal.

PÉRITONÉAL, ALE, AUX [peʀitɔneal, o] adj. — 1814 ; de *péritoine.*

♦ Anat. Relatif au péritoine. *Ligaments péritonéaux. Séreuse péritonéale* (→ Enveloppe, cit. 3). *Nerfs péritonéaux.*

COMP. Sous-péritonéal.

PÉRITONÉOSCOPIE [peʀitɔneɔskɔpi] n. f. — Mil. xxe (*in* Larousse 1963) ; de *périton-* (péritoine) et *-scopie.*

♦ Méd. Endoscopie de la cavité péritonéale.

PÉRITONISATION [peʀitɔnizasjɔ̃] n. f. — 1902, Landouzy ; de *péritoine,* et *-isation.*

♦ Chir. Réparation de l'ouverture chirurgicale du péritoine.

DÉR. Péritoniser.

PÉRITONISER [peʀitɔnize] v. tr. — Mil. xxe ; de *péritonisation.*

♦ Chir. Pratiquer la péritonisation de.

PÉRITONISME [peʀitɔnism] n. m. — 1878, *in* D. D. L. ; de *péritonite.*

♦ Méd. Ensemble de troubles simulant une péritonite (douleurs abdominales, troubles digestifs) en l'absence d'inflammation du péritoine.

PÉRITONITE [peʀitɔnit] n. f. — 1802 ; lat. médical *peritonitis* (1795, en franç., trad. de Cullen « Éléments de médecine pratique », I, p. 271) ; du lat. *peritonœum.* → Péritoine.

♦ Cour. Inflammation du péritoine. ⇒ **Mésentérite, périsplénite, pérityphlite.** *La péritonite peut compliquer une appendicite. Péritonite aiguë, chronique, généralisée, localisée. La péritonite est souvent en rapport avec une maladie de l'intestin, elle résulte parfois d'une appendicite.*

PÉRITRACHÉEN, ENNE [peʀitʀakeɛ̃, ɛn] adj. — 1869 ; de *péri-,* et *trachéen.*

♦ Anat. Qui entoure les trachées.

PÉRITROPHIQUE [peʀitʀɔfik] adj. — 1903 ; de *péri-,* et grec *trophê* « nourriture ». → Trophique.

♦ Biol. *Membrane péritrophique,* qui entoure les aliments dans l'intestin de certains insectes.

PÉRITYPHLITE [peʀitiflit] n. f. — 1855, Nysten ; grec *typhlos* « aveugle ». → Typhlite.

♦ Méd. Inflammation de la région du péritoine qui entoure le caecum. ⇒ **Péritonite.**

PÉRIURBAIN ou **PÉRI-URBAIN, AINE** [peʀiyʀbɛ̃, ɛn] adj. — 1966, *péri-urbain, le Monde, in* Gilbert ; de *péri-,* et *urbain.*

♦ Situé aux abords immédiats d'une ville. ⇒ **Périphérique, suburbain.** *De nouvelles constructions s'implantent dans les zones périurbaines ou suburbaines. Équipements sociaux périurbains.*

PÉRIURÉTRAL ou **PÉRI-URÉTRAL, ALE, AUX** [peʀiyʀetʀal, o] adj. — 1972 ; de *péri-,* et *urétral.*

♦ Anat. Situé autour de l'urètre.

PÉRIUTÉRIN ou **PÉRI-UTÉRIN, INE** [peʀiyteʀɛ̃, in] adj. — 1869 ; de *péri-,* et *utérin.*

♦ Anat. Situé autour de l'utérus.

PÉRIVISCÉRITE [peʀiviseʀit] n. f. — 1932 ; de *péri(toine),* et *viscère.*

♦ Méd. Inflammation des séreuses qui enveloppent les viscères.

PÉRIZONIUM [peʀizɔnjɔm] n. m. — 1963 ; mot lat. ecclés., du grec.

♦ Didact. Pièce de tissu qui ceint les reins du Christ en croix.

PERLABORATION [pɛʀlabɔʀasjɔ̃] n. f. — 1967, Laplanche et Pontalis ; du lat. *per* « à travers », et *(é)laboration ;* calque de l'angl. *working-through* et de l'all. *Durcharbeit.*

♦ Psychan. Mécanisme par lequel un sujet parvient à surmonter la résistance qu'éveille en lui l'interprétation de ses conflits.

PERLAGE [pɛʀlaʒ] n. m. — 1926, t. de mode ; sens mod., mil. xxe ; de *perler.*

♦ **1.** Fait de perler, de se former en fines goutelettes, pour un liquide. — Spécialt, techn. (autom.). Formation de gouttelettes d'huile aux électrodes des bougies d'un moteur à explosion, par suite d'une combustion incomplète.

♦ **2.** Confis. Ensemble de petites dragées servant de garniture pour les boîtes de confiserie.

PERLANT [pɛʀlɑ̃] adj. et n. m. — 1963 ; de *perler ;* cf. Faire la perle, 1838, *in* Académie.

♦ Techn. (Œnologie). Se dit d'un vin qui forme quelques petites bulles quand on le verse.

PERLE [pɛʀl] n. f. — 1140, ital. *perla,* altér. du lat. *perna* « cuisse ; pinne marine ».

★ **I.** ♦ **1.** Concrétion dure et brillante, le plus souvent sphérique, formée de couches concentriques de nacre sécrétées par l'épithélium du manteau chez certains mollusques (⇒ **Huître, mulette**) pour enrober et isoler un corps étranger, qui est utilisée pour faire des bijoux. *Orient* (cit 9) *d'une perle fine. Perle de belle eau**, *d'un bel œil**. *Perle parangon**, *vierge. Perles irisées, qui étincellent* (cit. 13). *Perle qui meurt, perle morte,* qui perd, qui a perdu son éclat. *Perle trouble.* ⇒ **Loupe.** — *Perle blanche, rose, noire... Une blancheur de perle* (→ Emplir, cit. 5 ; étoile, cit. 8). — (1669). *Gris** (cit. 21 et 23) *de perle* et, par appos. (1671), *gris perle, gris* (cit. 25) *-perle. Couleur perle.* Ellipt. *Des gants perle* (→ 1. Goutte, cit. 47). — *Formes des perles : perle ronde, en larme, en poire, perle baroque**. *Semence de perles :* perles minuscules et de peu de valeur. — *Pêcheurs de perles,* d'huîtres perlières*. *Les Pêcheurs de perles,* opéra de Bizet. *Pêcheries de perles du golfe Persique.* — *Perles véritables, naturelles ; perles spontanées ; perles de culture,* obtenues par l'introduction d'un grain de nacre dans la coquille d'huître d'élevage.

1 Rien ne s'obtient qu'avec effort; tout a son sacrifice. La perle est une maladie de l'huître et le style, peut-être, l'écoulement d'une douleur plus profonde.
FLAUBERT, Correspondance, 426, 16 sept. 1853.

2 Mais les perles valent cent mille roubles, et jamais pêcheur n'en rapportera de plus rondes ni d'un orient plus pur des profondeurs de l'Océan!
Th. GAUTIER, Voyage en Russie, XI.

3 (...) un petit écrin contenant trois perles, trois perles du plus bel orient — un parangon et deux princesses (...)
B. CENDRARS, Bourlinger, p. 94.

4 L'imagination chez Stendhal est semblable à la naissance des perles qu'on nomme de culture, par opposition aux perles naturelles et aux perles artificielles. Les huîtres auxquelles on fait une minuscule blessure, en y plaçant un très petit noyau, construisent autour de lui une perle tout à fait naturelle, mais provoquée.
Claude ROY, l'Homme en question, p. 104.

(V. 1268). Techn. *Perle fausse* (1. Faux, cit. 13), *perle d'imitation* : petite sphère creuse de verre fin, emplie d'essence d'orient et recouverte à de la cire.

Loc. *Perle d'aigri* : substance analogue au corail, de couleur bleu-vert, translucide, qui faisait l'objet d'un commerce sur la côte du Bénin (I. F. A.).

Utilisation des perles en bijouterie, joaillerie... Acheter, vendre des perles. Porter des perles. ⇒ argot **Perlouse.** — Loc. *Enfiler** (cit. 1 et 2) *des perles.* — *Incruster* (cit. 11) *des perles.* — *Collier* (cit. 2), *rang de perles. Chaîne de grosses perles* (→ Jouer, cit. 14). *Bijou enrichi de perles.* ⇒ **Emperler.** *Front ceint* (cit. 7) *d'un cercle, d'un diadème de perles* (→ Ferronnière, cit.). *Des mariées* (cit. 12) *chargées de dentelles et de perles.* — *Les perles de la couronne.*

5 D'un pli de l'écharpe blanche surgit, serpenta et resplendit au jour un sautoir de perles, que Chéri reconnut. Captives sous la peau de la perle, tissu immatériel, les sept couleurs d'Iris jouaient comme une secrète ignition aux flancs de chaque sphère précieuse. Chéri reconnaissait la perle frappée d'une fossette, la perle un peu ovoïde, la perle la plus grosse qui se signalait par un rose unique.
COLETTE, la Fin de Chéri, p. 97.

(1783). Par ext. Petite boule de matière dure, percée d'un trou, et destinée à être enfilée avec d'autres pour former un bijou, un objet décoratif, etc. *Perles d'ambre, de buis, d'un chapelet.* ⇒ **Grain.** *Perles de jais*. Perles de plastique. Perles de verre pour couronnes mortuaires, pour rideaux...*, en verre filé et coloré (→ Café, cit. 7). *Le Jeu des perles de verre*, roman de Hermann Hesse. *Souffleur de perles. Abat-jour en perles de bois multicolores.*

6 Les rideaux de perles qui tombaient devant la porte des boutiques frémissaient sur leur passage avec un bruit de roseaux secs.
P. NIZAN, le Cheval de Troie, I, I.

7 Et prépare-moi deux petites couronnes de perles bleues, pour la tombe des jumeaux Azioume, qui sont nés et morts le même jour.
COLETTE, la Maison de Claudine, p. 74.

(1553). Loc. (Bibl.). *Jeter des perles aux pourceaux, devant les pourceaux* (lat. *margaritas ante porcos*) : faire à qqn une faveur, un avantage... dont il est incapable d'apprécier la délicatesse, le prix. ⇒ **Marguerite** (vx).

8 Gardez-vous bien de donner les choses saintes aux chiens, et ne jetez point vos perles devant les pourceaux, de peur qu'ils ne les foulent aux pieds, et que se retournant, ils ne vous déchirent.
BIBLE (SACY), Évangile selon saint Matthieu, VII, 6.

9 Dans une Université pourtant très désireuse d'un rapprochement entre l'Occident et l'Orient, un éminent sanscritiste hindou fut prié (...) de traduire pour le public européen, tel et tel texte de chansons : *« Est-ce qu'on jette des perles au-devant des pourceaux? »* telle fut la réponse.
Henri MICHAUX, Un barbare en Asie, p. 76.

♦ **2.** Par métaphore. Littér. Dent petite et d'un blanc éclatant (→ Écrin, cit. 2; gencive, cit. 4). *Bouche qui laisse voir une double file de perles d'orient* (→ Grenade, cit. 5). *Le rire « qui montre en même temps des âmes et des perles »* (→ Ironique, cit. 3, Hugo).

★ **II.** ♦ **1.** (Mil. XVIe). Petite quantité d'un liquide, de forme sphérique et brillant. ⇒ **Goutte.** *Une grosse perle de mercure* (cit. 4). *Les perles de la grêle* (cit. 2), *de la rosée* (→ Aurore, cit. 11).

10 L'air sur les fleurs en perles se résout.
MOLIÈRE, la Princesse d'Élide, I, 2.

11 Demain, je surprendrai l'aube rouge sur les tamaris mouillés de rosée saline, sur les faux bambous qui retiennent, à la pointe de chaque lance bleue, une perle (...)
COLETTE, la Naissance du jour, p. 13.

12 Il prit d'une main le bras nu et doré d'Aïscha et, de la pointe de son couteau, il traça une croix sur la peau fine. Le sang apparut en petites perles.
P. MAC ORLAN, la Bandera, XII.

(Déb. XIXe). Techn. *Faire la perle.* ⇒ **Perler.**

♦ **2.** Confis. Minuscule dragée ronde. — (1853). Pharm. Capsule renfermant un médicament liquide et volatil de goût désagréable. — (1835). Archit. Ornement en forme de grain taillé dans les petites moulures dites *baguettes.*

♦ **3.** (1721). Insecte de couleur brunâtre à reflets nacrés, proche de l'éphémère.

♦ **4.** (1894). Pop. Pet. *Lâcher, laisser tomber une perle.*

12.1 De quoi donc? ... on dirait d'un merle,
Ej' viens d'entende un coup d'sifflet! ...
Mais non, c'est moi que j'lâche eun' perle,
(...) Va, mon vieux, pèt' dans ta culbute,
T'es dans la ru', va, t'es chez toi.
A. BRUANT, Dans la rue, p. 12.

★ **III.** Fig. ♦ **1.** (1549). Personne de grand mérite, chose de grande valeur; ce qui surpasse tout en son genre. *La perle des duègnes* (→ Dragon, cit. 4). *La perle de la littérature galloise* (→ Kymrique, cit. 2). — Absolt. *Leur cuisinier, leur bonne est une perle.* ⇒ **Parfait.** *La petite était une perle* (→ Distingué, cit. 38).

(...) mademoiselle Godeau, la perle du Havre, riche héritière fort courtisée. 13
A. DE MUSSET, Nouvelles, « Croisilles ». I.

(Par jeu avec *jeter des perles aux pourceaux.*)

Cette exquise petite, et ce mufle qui lui fait la tête! 13.1
Si ce n'est pas une pitié, une telle perle à ce pourceau!
MONTHERLANT, Pitié pour les femmes, p. 45.

Ce jeu fut applaudi de toute la salle, et le seigneur de Bruyères se disait tout bas qu'il avait eu le bon goût en jetant son dévolu sur cette perle des soubrettes. 14
Th. GAUTIER, le Capitaine Fracasse, V.

Cette île, perle de la Méditerranée (...) 15
MAUPASSANT, la Vie errante, « La Sicile ».

Ah! ma pauvre Martine, c'est donc ça que nous avons mangé tant de pommes de terre! Vous êtes une perle d'économie, mais vraiment gâtez-nous un peu plus. 16
ZOLA, le Dr Pascal, XIII.

♦ **2.** (1935). Par antiphr. Erreur grossière et ridicule. *Perles relevées dans des copies d'élèves. Perles recueillies dans un sottisier.* Déclaration, phrase ridicule, dérisoire.

Ce juste propos de M. Antoine Pinay répondait à cette perle (...) : « Il faudrait mobiliser quatre classes et les envoyer au Maroc pour maintenir l'ordre. » 17
F. MAURIAC, Bloc-notes 1952-1957, p. 194.

COMP. et **DÉR. Emperler.** — **Perlé, perler, perlier, perlite,** 2. **perlot, perlouse, perlure.**
HOM. Pairle.

PERLÉ, ÉE [pɛʀle] adj. — V. 1360; de *perle.*

♦ **1.** Orné de perle. *Broderie perlée. Tissu perlé* (ou, n. m., *du perlé*). — Blason. *Croix perlée.*

♦ **2.** En forme de perle. *Gouttelettes perlées* (→ Bassin, cit. 6). — (1765). Techn. *Orge*, riz* perlé. Sucre perlé*, qui atteint le degré de cuisson où se forment à sa surface de petites perles rondes. — N. m. *Sucre qui est au perlé, au grand perlé.*

(1861). Méd. *Crachats perlés*, contenant des particules blanches, et par lesquels se termine une crise d'asthme.

♦ **3.** (1659). Qui brille, qui a des reflets nacrés comme ceux des perles. *Une étoffe perlée. Laine perlée.*

♦ **4.** (1694). Mus. Dont le son est nettement détaché (⇒ **Perler**). *Notes* (cit. 6) *perlées* (→ aussi Diane, cit. 3).

Ah! que la grâce minaudière de ce mi bémol ainsi perlé paraît donc sûre de son affaire (...) 1
GIDE, Journal, 18 nov. 1929.

Littér. *Rire perlé.*

(...) un petit rire perlé de jeune fille mondaine, qui vient de risquer un mot dont elle n'est pas sûre. 2
ARAGON, les Beaux Quartiers, II, XXIV.

♦ **5.** (1835; p. p. de *perler*). Vx. ou littér. Fait à la perfection*.

Vimeux avait une si grande aptitude à son travail qu'il l'expédiait plus promptement que personne. — « Ce jeune homme est doué! » disait Phellion en le voyant se croiser les jambes et ne savoir à quoi employer le reste de son temps, après avoir fait son ouvrage. — « Eh voyez! c'est perlé! » disait le rédacteur à du Bruel. 3
BALZAC, les Employés, Pl., t. VI, p. 937.

Oh! je n'attaque pas votre travail, vous travaillez dans la perfection, je le sais, dit madame Goujet. Ainsi, voilà un bonnet qui est perlé. Il n'y a que vous pour faire ressortir les broderies comme ça. Et les tuyautés sont d'un suivi! Allez, je reconnais votre main tout de suite. 4
ZOLA, l'Assommoir, VI, t. I, p. 224.

♦ **6.** (1911, *Larousse mensuel*, mars, p. 72). *Grève perlée* : forme de grève larvée qui interrompt l'activité d'une entreprise, par des arrêts ou des ralentissements de travail à une phase, à un stade de la production.

PERLÈCHE [pɛʀlɛʃ] ou POURLÈCHE [puʀlɛʃ] n. f. — 1886, *perlèche; pourlèche*, v. 1900; de *pourlécher*, var. dial. *perlécher.*

♦ Méd. Infection de la commissure des lèvres par des streptocoques, avec formation de fissures et de croûtes humides.

PERLER [pɛʀle] v. — 1610, « orner de perles »; de *perle.*

★ **I.** V. tr. ♦ **1.** (1834). Littér. Exécuter, faire (un ouvrage, un travail) avec un soin minutieux. *Perler son discours.*

(...) vous avez voulu arracher leurs secrets aux démons de la nuit. En faisant cela aves subtilité, avec raffinement, avec un talent curieux (...) en *perlant* le détail, en *pétrarquisant* sur l'horrible, vous avez l'air de vous être joué; vous avez pourtant souffert (...) 1
SAINTE-BEUVE, Causeries du lundi, 20 juil. 1857 (Lettre à Baudelaire, Appendice, IX).

♦ **2.** (1838; → Perlé). Mus. Exécuter (un morceau, un passage...) en détachant très nettement chaque note (→ Musique, cit. 25).

♦ **3.** Techn. Fabriquer (des confiseries) en forme de perles. — Recouvrir de perles (des confiseries).

Dépouiller de ses pellicules et réduire en grains (de l'orge, du blé) (→ Orge* perlé, riz* perlé).

★ **II.** V. intr. (1844). ♦ **1.** (En parlant d'un liquide qui s'écoule). Se présenter sous forme de petites gouttes arrondies. *La sueur lui perle au crâne* (cit. 3), *au front.* ⇒ **Suinter; emperler.** *Elle s'est piquée en cousant, une goutte de sang perle à son doigt.*

2 À mesure que d'Artagnan poursuivait ses investigations, une sueur plus abondante et plus glacée perlait sur son front, son cœur était serré par une horrible angoisse (...) DUMAS, les Trois Mousquetaires, XXIV.

3 Quelques gouttes de sueur perlaient sur son front, mais il ne les essuyait pas. CAMUS, l'Étranger, I, I.

4 (...) l'eau perlait de ses pores et trempa d'un seul coup sa chemise (...) SARTRE, la Mort dans l'âme, p. 30.

♦ **2.** Fig. Se former peu à peu. *« Un petit sourire perla sur ses lèvres. »* (Beauvoir, *in* G. L. L. F.). ⇒ **Poindre.**

DÉR. Perlage, perlant, perleur, perloir.

PERLEUR [pɛʀlœʀ] n. m. ou **PERLEUSE** [pɛʀløz] n. f. — 1875; de *perler.*

♦ Techn. Appareil utilisé pour perler le riz.

PERLIER, IÈRE [pɛʀlje, jɛʀ] adj. et n. — 1686, *barque perlière;* de *perle.*

★ **I.** Adj. (1771). *Huître perlière,* appartenant à l'une des espèces qui peuvent sécréter des perles (méléagrine, pintadine). *Mulette perlière.*

(1893). Qui a rapport aux perles. *Industrie perlière.*

★ **II.** N. (1949). Techn., comm. Personne spécialisée dans le commerce ou le montage des perles. *Les diamantaires et les perliers.*

PERLIMPINPIN [pɛʀlɛ̃pɛ̃pɛ̃] n. m. — 1690; *prelim-,* 1610; orig. inconnue, onomatopéique.

♦ Fam. *Poudre* de perlimpinpin. — ... de perlimpinpin,* se dit d'une chose imaginaire, trompeuse. *«Acheter des mines de perlimpinpin»* (Aragon).

PERLINGUAL, ALE, AUX [pɛʀlɛ̃gɥal, o; pɛʀlɛ̃gwal, o] adj. — 1972; du lat. *per* «à travers», et *lingual.*

♦ Méd. (Médicaments). Qui se résorbe par la langue. — Par ext. *Administration par voie perlinguale.*

PERLITE [pɛʀlit] n. f. — 1812, Mozin, au sens 1; de *perle,* et *-ite.*

♦ **1.** Minér. Silicate naturel, pauvre en eau, de la famille des feldspaths.

♦ **2.** (V. 1960). Techn. Constituant microscopique des alliages ferreux (Fe_3C). *Perlite lamellaire,* constituée de lamelles superposées de ferrite et de cémentite. *Perlite globulaire,* formée de globules de cémentite noyée dans la ferrite. *Fonte à perlite.* ⇒ **Perlitique.**

DÉR. Perlitique.

PERLITIQUE [pɛʀlitik] adj. — 1878; de *perlite,* et *-ique.*

♦ **1.** Minér. Se dit d'une structure des roches volcaniques vitreuses caractérisée, sous l'action du refroidissement, par la contraction du verre en forme de perles. — Par ext. *Roche perlitique.*

♦ **2.** (1952). Techn. Caractérisé par la présence de perlite. *Fonte perlitique, « à structure perlitique »* (G. Cohen, *Le Cuivre et le Nickel,* p. 89).

PERLOCUTOIRE [pɛʀlɔkytwaʀ] adj. — Av. 1972; du lat. *per* «par, à travers», et *locutoire*.*

♦ Ling. Se dit d'un acte de langage qui n'a d'effet qu'en raison de la situation de communication. *Acte perlocutoire* (opposé à *acte locutoire, acte illocutoire*). *On fait un acte perlocutoire en disant* «Quelle belle robe!» *pour signifier* «Vous avez une belle robe». *Exemple d'acte perlocutoire dans le théâtre de Racine :* «Il avoit votre port, vos yeux, votre langage» (*Phèdre,* II, 5).

PERLOIR [pɛʀlwaʀ] n. m. — 1752; de *perler.*

Technique.

♦ **1.** Outil de ciseleur, qui sert à faire des ornements en forme de perle.

♦ **2.** (1803). Entonnoir de confiseur utilisé pour faire des bonbons en forme de perle.

PERLON [pɛʀlɔ̃] n. m. — V. 1940; mot all., finale de *(ny)lon.*

♦ Comm. Fibre textile obtenue par polycondensation (nom générique); tissu constitué d'une telle fibre. — REM. Cet emprunt à l'allemand est de plus en plus fréquemment remplacé par le mot formé en français *polyamide.*

1. PERLOT [pɛʀlo] n. m. — 1866; de *semperlot,* p.-ê. de *semper virens* «chèvrefeuille».

♦ Pop., vx. Tabac ordinaire (dans l'armée, en particulier).

HOM. 2. **Perlot.**

2. PERLOT [pɛʀlo] n. m. — 1877; de *perle.*

♦ Techn. Petite huître pêchée sur les côtes de la Manche.

HOM. 1. **Perlot.**

PERLOUSE ou **PERLOUZE** [pɛʀluz] n. f. — 1920; de *perle,* et suff. argotique. → Bagouse.

Argot.

♦ **1.** Perle. Spécialt. Perle fine, de prix.

J'étais rencardé sur un boulot pépère 1
Trois kilos de diam's, de la perlouz' et puis du jonc.
B. VIAN, Tango interminable des perceurs de coffres-forts.

Par plaisanterie :

Le diam et la perlouze ont pas même origine (...) 2
l'autre c'est l'animal souffrant d'une diarrhée
qui lui exalte une hypocrite maladie
pour en sublimer un complexe monovalve (...)
R. QUENEAU, Petite cosmogonie portative, p. 115.

♦ **2.** «Perle», pet.

PERLUÈTE ou **PERLUETTE** [pɛʀlɥɛt] n. f. ⇒ **Éperluète.**

PERLURE [pɛʀlyʀ] n. f. — 1655; *perleure,* 1578; de *perle.*

♦ Techn. (Chasse). Petite inégalité du bois d'un cerf.

1. PERM ou **PERME** [pɛʀm] n. f. — 1885, Esnault; apocope de *permission.*

♦ Fam. Permission* (cit. 4) militaire. *Avoir une perm. Soldat en perme. Sucrer* (supprimer) *les permes.*

Des permes! Faut croire qu'on vous trouvait trop gonflés (...) Est-ce que nous avions des permes en 14? SARTRE, la Mort dans l'âme, p. 211.

HOM. 2. **Perm** ou **perme.**

2. PERM ou **PERME** [pɛʀm] n. f. — XXe; apocope de *permanence.*

♦ Argot des lycées. Permanence*. *Aller en perm. Avoir une heure de perme entre le cours de math et la gym.*

HOM. 1. **Perm** ou **perme.**

PERMAFROST [pɛʀmafʀɔst] n. m. — 1956; mot amér. (1946), abrév. de *permanent frost* «gel permanent».

♦ Anglic. (Géogr.). Sol perpétuellement gelé des régions arctiques. *« Les Esquimaux creusaient un trou dans le* permafrost *et gardaient la viande dans ces réfrigérateurs naturels. »* (*Paris-Match,* 8 sept. 1973). Recomm. off. : *permagel.* Syn. : *merzlota* (russe), *pergélisol, tjaële* (suédois).

PERMALLOY [pɛʀmalɔj; pɛʀmalwa] n. m. — 1925, *in* Höfler; en angl., 1923; de *per(meable)* «perméable», et *alloy* «alliage».

♦ Techn. Alliage de fer et de nickel (à 78 % de nickel) que sa très grande perméabilité magnétique fait utiliser, après traitement convenable, à former des cuirasses magnétiques, à augmenter la self-induction des câbles téléphoniques, etc.

PERMANENCE [pɛʀmanɑ̃s] n. f. — 1370; lat. médiéval *permanentia.* → Permanent.

♦ **1.** Caractère de ce qui est durable, permanent (cit. 2, Taine); longue durée* de quelque chose. *La permanence de la nature* (cit. 52). *L'association* (cit. 12) *implique un certain caractère de permanence.* ⇒ **Continuité, stabilité.** *La permanence de ses goûts.* ⇒ **Fixité.** *La permanence du moi.* ⇒ **Constance, identité** (→ Dissociation, cit. 2).

La valeur curative d'une doctrine n'est pas dans sa vérité logique, mais dans sa permanence. A. MAUROIS, les Discours du Dr O'Grady, II. 1

Dans son amour pour Pauline, Jean sentit incorporée une substance d'essence magique, une espèce d'éternité et c'est pourquoi l'instant fugace où elle était mêlée lui donnait une sensation étrange de permanence. 2
J. CHARDONNE, les Destinées sentimentales, p. 335.

♦ **2.** (1789). Dr. *Permanence des assemblées. — Commission de permanence,* nommée par une assemblée pour siéger en son absence.

On dit d'une assemblée qu'elle est permanente quand elle a constitutionnellement le pouvoir de fixer elle-même, comme elle l'entend, la date et la durée de ses ses- 3

sions. On voit par cette définition que la permanence n'implique nullement que l'assemblée soit toujours en session.
L. DUGUIT, Traité de droit constitutionnel, t. IV, p. 234.

♦ **3.** (1875). Cour. Service chargé d'assurer le fonctionnement ininterrompu d'une administration, d'un organisme public ou privé... *Les bureaux sont fermés le samedi, mais il y a une permanence. Instituer, tenir une permanence. La permanence sera assurée* (cit. 19) *par M. X...* — (En parlant des employés chargés de ce service). *Être de permanence.*

(Déb. xxe). Par métonymie. Local où fonctionne ce service. *Permanence d'un commissariat de police. Adressez-vous à la permanence, première porte à gauche. Permanence du parti socialiste.* — *Permanence électorale, permanence d'un candidat :* local où un candidat aux élections se tient toujours prêt à recevoir ou à faire recevoir ses électeurs.

(Déb. xxe). Salle d'études d'un établissement d'enseignement, où est constamment assurée la surveillance d'élèves qui ne sont pas en classe (fam. *perm*).

4 « Il est si facile, quelle que soit la surveillance, de travailler sans relâche (...) Le jeudi et le dimanche, pour éviter la promenade, je me glissais à la Permanence. Ce nom vous plaît-il autant qu'il me plaisait : travail permanent, permanente gloire! »
GIRAUDOUX, Simon le pathétique, I.

(1801, *in* D. D. L.). Loc. adv. EN PERMANENCE : sans interruption*. ⇒ **Constamment, toujours** (→ Faussaire, cit. 6). *Assemblée qui siège en permanence. Vous n'allez pas rester ici en permanence? Il s'est installé en permanence à la campagne.* ⇒ **Demeure** (à).

Par ext. Très souvent, sans laisser de répit à qqn ou qqch. *Il la taquine en permanence,* sans cesse, sans relâche.

5 De ce jour, il fallut admettre que la Cité universelle ne pourrait se construire qu'à deux conditions. Ou bien des révolutions quasi simultanées dans tous les grands pays, ou bien la liquidation, par la guerre, des nations bourgeoises; la révolution en permanence ou la guerre en permanence.
CAMUS, l'Homme révolté, p. 289.

CONTR. **Altération, conversion, évolution, interruption, modification. — Devenir. — Fuite, instabilité. — Intermittence.**
DÉR. **Permanencier.**

PERMANENCIER, IÈRE [pɛʀmanɑ̃sje, jɛʀ] n. — V. 1960; de *permanence,* et suff. *-ier.*

♦ Admin. Personne qui assure une permanence. *Adressez-vous au permanencier.*

PERMANENT, ENTE [pɛʀmanɑ̃, ɑ̃t] adj. — 1370; *permegnant* « stable », 1120; lat. *permanens,* p. prés. de *permanere* « demeurer jusqu'au bout, rester de façon persistante ».

♦ **1.** Qui dure, demeure sans discontinuer ni changer, soit éternellement, soit dans un certain espace de temps. ⇒ **Constant, stable.** *Un état permanent* (→ Bonheur, cit. 2). *L'essence* (cit. 5) *permanente des choses. Édifier* (cit. 2) *quelque chose de permanent. Éléments permanents de la famille* (cit. 19). ⇒ **Fixe.** *La morale* (cit. 7, Chateaubriand) *est permanente.* ⇒ **Inaltérable.**

1 Félicité est l'état permanent, du moins pour quelque temps, d'une âme contente; et cet état est bien rare.
VOLTAIRE, Dict. philosophique, Félicité.

2 Quand nous concevons tel homme vivant, Pierre, Paul, ou nous-mêmes (...) nous affirmons (...) qu'il est un être permanent; il y a en lui quelque chose qui dure et demeure le même. Je suis aujourd'hui, mais j'étais déjà hier et avant-hier; de même pour Pierre et pour Paul. Si, à certains égards, eux et moi, nous avons changé, à d'autres égards, eux et moi, nous n'avons pas changé, et je conçois en eux comme en moi quelque chose qui est resté fixe. Mais, en disant cela, je ne fais qu'affirmer la permanence de quelque chose en eux et en moi (...) je pose sa durée, non sa qualité (...)
TAINE, De l'intelligence, II, III, I.

3 (...) ce n'est point une habileté d'artiste, mais bien une vérité psychologique, que de montrer la trame permanente de ce caractère (...)
A. MAUROIS, Études littéraires, J. de Lacretelle, II.

(Déb. xxe). *Spectacle permanent* et, par métonymie, *cinéma* (cit. 6) *permanent,* où le même film est projeté chaque jour plusieurs fois de suite et presque sans interruption. *Permanent de 14 h à 24 h.*

Par métaphore :

3.1 L'histoire de la Russie soviétique et celle des Républiques populaires constituent un film permanent que l'électeur regarde se dérouler avec répulsion et qui lui dicte son vote.
F. MAURIAC, Bloc-notes 1952-1957, p. 56.

(1835). Phys. Vx. *Gaz permanent,* que l'on croyait impossible à liquéfier.

♦ **2.** (Par oppos. à *passager, provisoire, transitoire...*). Qui ne cesse pas, qui ne se relâche pas. ⇒ **Continu.** *Assiduité* (cit. 3) *permanente. Établir une liaison* (cit. 16) *permanente entre des services. Contrôle permanent. Collaboration* (cit. 2) *permanente.* — *Révolution* permanente.* — Phys. *Aimantation permanente :* propriétés magnétiques que conservent certaines substances *(aimants permanents)* soustraites à toute influence d'un champ magnétique extérieur (⇒ **Rémanence, rémanent**).

4 (...) il faut distinguer les erreurs transitoires et passagères des erreurs permanentes (...)
D'ALEMBERT, Lettre au roi de Prusse, 27 nov. 1777.

5 Une anxiété permanente agitait les collèges des pontifes. Ceux de la Rabbetna surtout avaient peur (...)
FLAUBERT, Salammbô, XIII.

♦ **3.** Adj. et n. f. (1949, nom déposé). *Ondulation* permanente,* et n. f., *une permanente :* traitement appliqué aux cheveux pour les friser de manière plus ou moins durable. ⇒ **Indéfrisable.** *Coiffeur qui fait une permanente.* ⇒ **Permanenter.** *Permanente à chaud, à froid. Permanente qui tient trois mois, six mois. Se faire faire une permanente* (→ fam. Se faire permanenter) *et une mise en plis.*

(...) mes tristes cheveux alternativement trop raides ou trop frisés par de mauvaises permanentes. 6
J. ANOUILH, Ornifle, IV.

♦ **4.** Qui fonctionne en permanence* (cit. Duguit), qui exerce une activité permanente. *Assemblée permanente. Entretenir une armée permanente.* — (Par oppos. à *spécial, extraordinaire...*). *De notre correspondant, notre envoyé permanent à Washington. Le représentant permanent de la France à l'O. N. U.* — *Agent politique, syndical permanent.*

Un comité permanent est nommé pour veiller, nuit et jour, à l'ordre public. 7
MICHELET, Hist. de la Révolution franç., I, VI.

N. *Les permanents d'un syndicat, d'un parti :* les membres rémunérés pour se consacrer à l'administration de cette organisation. *Les permanents et les bénévoles, les permanents et la base.*

CONTR. **Éphémère, évanescent, fugace, fugitif** (cit. 10), **passager, transitoire. — Intermittent.**
DÉR. **Permanenter, permanentiste.**

PERMANENTER [pɛʀmanɑ̃te] v. — 1953, cit. *infra,* de *permanente.* → Permanent, 3.

♦ Faire une permanente à (qqn); friser à la permanente. *Se faire permanenter :* se faire faire une permanente.

Pendant l'occupation allemande, nos dames étaient permanentées par l'entremise de pauvres diables qui pédalaient dans la cave. Leurs jambes assuraient le courant électrique.
COCTEAU, Journal d'un inconnu, p. 98.

Au p. p. adj. *Cheveux permanentés.*

PERMANENTISTE [pɛʀmanɑ̃tist] n. — V. 1960; de *permanente.*

♦ Techn. (Coiffure). Spécialiste des frisures à la permanente.

PERMANER [pɛʀmane] ou PERMANOIR [pɛʀmanwaʀ] v. intr. — Déb. xve, *permaner; permanoir,* v. 1190; lat. *permanere* « rester jusqu'au bout ».

♦ Littér. Rare. Rester longtemps.

PERMANGANATE [pɛʀmɑ̃ganat] n. m. — 1848, *in* D. D. L. *per-manganate;* de *permanganique.*

♦ Chim. Sel de l'acide permanganique, inconnu à l'état libre. *Permanganate de potassium,* $KMnO_4$. *Les permanganates de potassium et de calcium ont des propriétés antiseptiques.* — Cour. *Permanganate de potassium,* utilisé pour désinfecter l'eau, à laquelle il donne une couleur violacée.

Des centres prophylactiques marqués d'une croix rouge venaient des effluves de permanganate, de savon noir (...)
R. GARY, la Promesse de l'aube, p. 291.

DÉR. **Permanganaté.**

PERMANGANATÉ, ÉE [pɛʀmɑ̃ganate] adj. — 1895; de *permanganate.*

♦ Chim. Mêlé de permanganate. « *L'eau permanganatée* » (*Année sc. et industr.,* 1896, p. 87 [1895]).

PERMANGANIQUE [pɛʀmɑ̃ganik] adj. — 1848, *in* D. D. L.; de *per-**, et *manganique.*

♦ Chim. Se dit de composés du manganèse. *Anhydride permanganique* (Mn_2O_7) : liquide noir verdâtre, huileux, que tous les réducteurs et toutes les substances organiques réduisent, en provoquant souvent de violentes explosions. *Acide permanganique* (MnO_4H), non isolé et connu seulement à l'état dissous; acide fort (peracide*) dont les sels sont les permanganates.

DÉR. **Permanganate.**

PERME [pɛʀm] Abrév. de *permission* ou de *permanence.* ⇒ 1. Perm, 2. perm.

PERMÉABILISATION [pɛʀmeabilizɑsjɔ̃] n. f. — Mil. xxe, de *perméabiliser.*

♦ Didact. Fait de devenir perméable; opération consistant à rendre perméable (ce qui par nature ne l'est pas). « *(...) faire entrer les gènes isolés dans les cellules grâce à la perméabilisation des membranes cellulaires* » (*la Recherche,* n° 123, juin 1981, p. 749).

PERMÉABILISER [pɛʀmeabilize] v. tr. — 1949; de *perméable.*

♦ Rare. Rendre perméable. — Au p. p. *Être perméabilisé à une influence.*

DÉR. Perméabilisation.

PERMÉABILITÉ [pɛʀmeabilite] n. f. — 1743; « qualité de ce qui coule facilement », 1625; de *perméable.*

Didactique ou littéraire.

♦ **1.** Propriété des corps perméables. *La perméabilité du sol. Perméabilité à l'air, à l'eau.* — Biol. *Perméabilité sélective des cellules vivantes,* grâce à laquelle se font les échanges. *Perméabilité d'un canal, d'un conduit organique.*

(1890). Phys. *Perméabilité magnétique :* propriété d'un corps qui se laisse traverser par un flux magnétique. Constante caractéristique d'un milieu, mesurant par rapport au vide l'accroissement de l'induction magnétique. *Substance douée d'une perméabilité magnétique supérieure* (substance paramagnétique), *inférieure* (substance diamagnétique) *à l'unité. Perméabilité magnétique très élevée des corps ferromagnétiques, du permalloy*.*

Ainsi, l'emploi de tôles au silicium, ayant une perméabilité magnétique plus grande et une hystérésis plus réduite que les tôles de fer a permis de diminuer le volume et le poids des moteurs de traction tout en augmentant le rendement.
G. SIMONDON, Du mode d'existence des objets techniques, p. 53.

♦ **2.** Fig. Capacité, tendance à se laisser pénétrer par des idées, à subir des influences extérieures. *La perméabilité d'un milieu intellectuel (aux influences).*

CONTR. Imperméabilité.

PERMÉABLE [pɛʀmeabl] adj. — 1743; « où le liquide peut pénétrer », 1556; bas lat. *permeabilis,* de *permeare* « passer à travers ».

♦ **1.** Qui se laisse traverser par un fluide, et, spécialt, par l'eau. ⇒ **Pénétrable.** *La toile est très perméable.* — *Perméable à... Tissu perméable à l'air et imperméable à l'eau.* — Géol. *Roches, terrains perméables,* qui se laissent traverser par les eaux d'infiltration (→ Caverne, cit. 3; dissolution, cit. 2; loess, cit. 2).

♦ **2.** Par anal. **PERMÉABLE À :** qui se laisse facilement traverser par. *Corps perméable à la lumière* (⇒ **Transparent**). — Par ext. Qui se laisse pénétrer par des substances dissoutes. *Le protoplasma des globules rouges du sang est perméable à l'urée* (→ Membrane, cit. 1).

Les mimosas d'alentour sont perméables à ses rayons pâles comme le seraient nos arbres en hiver, tant sont légers leurs branchages, aux imperceptibles feuilles.
LOTI, l'Inde (sans les Anglais), IV, II.

♦ **3.** Fig. Qui se laisse atteindre, toucher par (qqch.). *Être perméable aux conseils, aux suggestions... Un homme perméable à toutes les influences. Il n'est pas perméable.*

CONTR. Étanche, imperméable.
DÉR. Perméabiliser, perméabilité.

PERMETTRE [pɛʀmɛtʀ] v. tr. — Conjug. *mettre.* — 980, *permetre;* rare av. 1410; lat. *permittere,* sous l'infl. de *mettre.*

♦ **1.** (Sujet n. de personne ou de chose signifiant une volonté humaine). Laisser faire (qqch.), ne pas empêcher. ⇒ **Autoriser, tolérer.** *« La liberté est le droit de faire tout ce que les lois permettent »* (Montesquieu). *Permettre l'exportation* (cit. 6) *de certains produits. Si Dieu n'eût permis qu'une religion...* (→ Discerner, cit. 2). *Je ne permettrai pas plus longtemps ce vacarme.* ⇒ **Endurer, souffrir, supporter.**

1 Il pense aux civilisations qui permettaient l'orgie (...)
J. ROMAINS, les Hommes de bonne volonté, t. IV, XV, p. 155.

Permettre que (suivi du subj.). ⇒ **Admettre, approuver, consentir; bon** (trouver); **vouloir** (bien). *L'évêque permit qu'il restât en habit laïque* (cit. 5). *Je vous supplie de permettre qu'il soit des nôtres* (→ 1. Être, cit. 74). *Sa mère permettait parfois qu'il prolongeât la veillée* (→ Intraitable, cit. 2). *Elle a permis qu'il s'en aille.*

2 — Protège-moi, mon doux Jésus! (...) Ne permets pas que le fantôme accomplisse ce que n'a point accompli le corps. Quand j'ai triomphé de la chair, ne souffre pas que l'ombre me terrasse.
FRANCE, Thaïs, p. 221.

3 *(Ces folles plaisanteries)*
Je me les sers moi-même, avec assez de verve,
Mais je ne permets pas qu'un autre me les serve.
Edmond ROSTAND, Cyrano de Bergerac, I, 4.

(Suivi de l'indic. ou du cond.). *Le ciel permit que... ; Dieu, la Providence a permis que...* ⇒ **Vouloir** (→ Après, cit. 60).

(1572). *Permettre qqch. à qqn.* ⇒ **Accorder, autoriser.** *Permettre à qqn l'entrée de l'église* (→ Naturaliser, cit. 4). *Permettre quelques licences* (cit. 8) *aux poètes. Elle m'a demandé à partir plus tôt; je le lui ai permis* (⇒ **Acquiescer; aller** [laisser]). — *Votre indulgence* envers cet enfant dépasse les bornes; vous lui permettez tout.* ⇒ **Passer.**

4 (...) bien que les magistrats lui aient permis tels transports de bois qu'il lui plairait (...) il n'a point voulu user de ce privilège.
LA BRUYÈRE, les Caractères de Théophraste, « De l'ostentation ».

(...) la trahirez-vous, cette confiance que vous-même avez semblé me permettre, et à laquelle je me suis livré sans réserve? 5
LACLOS, les Liaisons dangereuses, XXIV.

(Au passif et p. p.). *L'usage de la poste restante n'est permis qu'aux plus de 18 ans* (→ Falsifier, cit. 5).

Il croit que tout lui est permis, qu'il a le droit de faire, de dire n'importe quoi. Ellipt. *Se croire tout permis.*

Peuple, ne croyons pas que tout nous soit permis. 6
Craignez vos courtisans avides,
Ô peuple souverain!
André CHÉNIER, Odes, « Jeu de Paume », XVII.

Littér. *Se croire permis de* (et inf.).

Ma belle-sœur est injuste parce qu'elle est en discussion d'intérêt avec elle et qu'elle se croit permis de la traiter de toutes les manières. 7
G. SAND, François le Champi, XXI.

Spécialt. (En parlant de prescriptions médicales). *Son médecin lui permet le tabac.* — (Passif). *Les exercices violents lui sont interdits, mais la marche lui est permise.*

Permettre de (suivi de l'inf.). Donner le droit*, la liberté, le pouvoir de... ⇒ **Laisser.** *Je vous en conjure à mains* (cit. 104) *jointes, permettez-moi de l'épouser. Il va mieux, mais on ne lui permet pas encore de se lever. Son patron lui a permis de ne pas venir travailler ce matin* (⇒ **Dispenser**). — (Sans compl. ind. exprimé). *Les biens dont la loi permet de disposer* (→ Legs, cit. 2). *L'ordonnance ne permet de faire un emprunt* (cit. 1) *qu'à condition de...*

Ils ont permis à leur fille d'accepter mes cadeaux; ils m'ont laissé vingt fois en tête-à-tête avec elle (...) 8
DIDEROT, Jacques le fataliste, Pl., p. 701.

(Passif impers.). *Il est, il n'est pas permis de... ; il est permis à... de... Il n'est permis à personne de violer sa foi* (→ Infidélité, cit. 9). *Il n'est jamais permis de détériorer* (cit. 1) *une âme humaine* (Rousseau). *En province, il n'est pas permis d'être original* (2. Original, cit. 12, Balzac). *Il vous est permis de penser tout autrement.* ⇒ **Loisible.** — Ellipt. et fam. *« Mangeons comme de droit, buvons comme permis »* (→ Haleine, cit. 10, Verlaine).

Il ne m'est pas permis, à ces conditions, de vous rien refuser : je ferai ce que vous voudrez. 9
MOLIÈRE, le Sicilien, 15.

La Grèce a-t-elle encor quelque droit sur sa vie? 10
Et seul de tous les Grecs ne m'est-il pas permis
D'ordonner d'un captif que le sort m'a soumis?
RACINE, Andromaque, I, 2.

Fam., plais. *Ce n'est pas permis d'être aussi naïf, aussi bête,* c'est excessif.

Vieilli. *Permis à vous, à lui...* ⇒ **Libre.**

J'ose même ajouter qu'elle n'a connu qu'un seul vrai plaisir au monde; c'était d'en faire à ceux qu'elle aimait. Toutefois, permis à chacun d'argumenter là-dessus tout à son aise (...) 11
ROUSSEAU, les Confessions, V.

♦ **2.** (Sujet n. de chose). Rendre possible, faire que (qqch.) soit possible. *Son attitude permet tous les soupçons.* ⇒ **Autoriser** (cit. 12); **place** (laisser place à). — *Il a été aussi amical* (cit. 3) *que le permet son caractère.* ⇒ **Comporter.** *Se laisser entraîner* (cit. 16) *sur une pente qui ne permet pas de retour. L'art du gouvernement* (cit. 15) *doit permettre l'accomplissement maximum de la personne humaine.* ⇒ **Aider.**

(Avec un compl. ind.). *Son endurance permet à cet athlète de ne pas souffrir. Sa santé ne lui permet aucun excès de table. Elle grimpa* (cit. 15) *aussi vite que ses jambes le lui permettaient* (→ Hâter, cit. 11).

(...) sa hiérarchie lui permet une sélection de plus en plus rigoureuse. 12
J. ROMAINS, les Hommes de bonne volonté, t. IV, X, p. 108.

Permettre de... (suivi de l'inf.). Donner, laisser la faculté, le moyen, la possibilité de... *Ses infirmités* (cit. 8) *ne lui permettent pas d'aller en voiture. L'état du malade ne permet de tenter aucune intervention* (cit. 5). *Sa fortune lui permettait de garnir* (cit. 6) *sa table.* — *Une embellie* (cit. 2) *nous permit de sortir.* — *Glace* (cit. 24) *à trois panneaux qui permet de se voir de face, de dos et de profil. Les objets qui ont permis d'établir l'identité* (cit. 14) *de la victime. Une bonne expérience* (cit. 46) *est celle qui permet de généraliser. Chaque effet permet de remonter à une cause* (→ Deviner, cit. 4, Balzac). *L'histoire ne nous permet guère de prévoir.* — Donner l'occasion de... *« Une fonction qui lui permettra d'approcher* (cit. 21) *des hommes intelligents. » Cet examen permet de penser que..., voilà qui permet de supposer que...* ⇒ **Lieu** (donner lieu). — Donner le loisir de... *Le temps ne me permet pas de m'étendre* (cit. 43) *plus longuement. Une affaire qui ne me permet pas d'attendre* (cit. 27), *d'arrêter* (cit. 49) *en chemin.*

(...) La nuit ne permit pas 13
De voir de quel côté se dirigeaient ses pas.
A. DE MUSSET, Premières poésies, « Portia », II.

Mes moyens ne me permettant pas de prendre un cabriolet et mes goûts un omnibus. 14
FLAUBERT, Correspondance, 73, fin janv. 1843.

Rêve de grandes choses : cela te permettra d'en faire au moins de toutes petites. 15
J. RENARD, Journal, 9 mai 1894.

(Passif impers.). ⇒ **Possible; pouvoir** (v. tr.). *Autant qu'il est permis d'en juger* (→ Moelle, cit. 6). *Des choses sur quoi il est permis de faire fond* (cit. 34). *S'il est permis de parler aussi...*

Enfin! seul! (...) il m'est donc permis de me délasser dans un bain de ténèbres! 16
BAUDELAIRE, le Spleen de Paris, X.

Il n'est pas permis à tout le monde de réussir, d'avoir des dons pour la musique... ⇒ **Donner.**

♦ **3.** (1636). Dans des formules de politesse. ⇒ **Accepter, agréer.** *Permettez, Madame, que je vous raccompagne. — Permettez-moi de vous présenter M. X... Voulez-vous nous permettre de vous jouer* (cit. 56) *quelque chose?* — (En manière de précaution oratoire). *Permettez-moi cette épithète* (→ Maître, cit. 113). *J'ajouterai, si vous le permettez, que... Permettez-moi de vous dire que...* (→ Nomination, cit. 1). — (Passif impers.). *S'il est permis de le dire* (→ Affection, cit. 7), *d'emprunter cette expression* (→ Laine, cit. 6), *d'employer ce mot* (→ Négligé, cit. 4).

17 Permettez-moi de vous remercier, monsieur, de la lettre que vous avez bien voulu m'adresser.
L.-V. DE BROGLIE, *in* CHATEAUBRIAND, Mémoires d'outre-tombe, t. V, p. 169.

Permettez! vous permettez?, formules pour contredire qqn, protester ou imposer sa volonté avec une apparence de courtoisie. *Permettez! je ne suis pas de votre avis. Je passe devant vous, vous permettez?*

17.1 (...) c'est vous qui m'avez fait la commande!
— J'ai été l'intermédiaire, permettez!
FLAUBERT, l'Éducation sentimentale, II, IV.

18 — Je vous empoigne par le fond de la culotte, et je vous envoie, par cette croisée, voir les poules! (...) — Permettez! (...) — Silence! taisez-vous!
COURTELINE, Boubouroche, Nouvelle, IV.

18.1 Alors, l'homme se rapprocha. — Vous permettez. Elle ne s'étonna pas, toute à son désarroi. M. DURAS, Moderato cantabile, p. 35.

▶ **SE PERMETTRE** v. pron. (1559).
Permettre à soi-même.

♦ **1.** S'accorder (qqch.). *Se permettre un peu de franc-parler* (cit. 3), *quelques petites douceurs, une distraction. — Les mensonges oratoires que se permettent les historiens* (→ Harangue, cit. 2).
Faire, dire... (quelque chose qui dépasse les limites permises en matière de bienséance, de morale, de discrétion...). *Se permettre une réflexion pareille est du dernier* (cit. 14) *goujat. Se permettre des impertinences* (cit. 10), *des observations* (cit. 8) *déplacées, des libertés avec une femme* (→ Frôlement, cit. 1).

19 (...) elle en fut choquée comme d'une privauté qu'il se fût permise (...).
MARTIN DU GARD, les Thibault, t. II, p. 227.

♦ **2.** *Se permettre de* (suivi de l'inf.). Prendre la liberté de... ⇒ **Aviser** (s'), **oser.** *Je ne me permettrai pas de juger sa conduite* (→ Louable, cit. 2). *Des limites* (cit. 7) *qu'ils ne se sont jamais permis de passer. Ce jour-là il s'était permis de hausser* (cit. 3) *le ton.* ⇒ **Enhardir** (s'enhardir jusqu'à).
Avoir la hardiesse, l'impudence de... *Se permettre d'apostropher, de narguer qqn* (→ Galérien, cit. 3; gond, cit. 4). *Des hommes qui se permettent d'être indécents* (cit. 3).

♦ **3.** (1672). Dans des formules de politesse, en manière de précaution oratoire. ⇒ **Oser.** *Je me permettrai de vous demander si..., de vous faire remarquer... Puis-je me permettre de...?*

20 Je me permettrai de venir vous voir demain à 5 heures. Votre affectionné, Léon.
MONTHERLANT, les Célibataires, I, IV.

▶ **PERMIS, ISE** p. p. adj.

♦ **1.** Autorisé. *Tout ce qui n'est pas défendu est permis. — Plaisirs permis.* ⇒ **Légitime, licite** (cit. 2).

21 *(cette comédie)* se tient partout dans les bornes de la satire honnête et permise (...)
MOLIÈRE, les Précieuses ridicules, Préface.

♦ **2.** (Dans des emplois attributs). → ci-dessus, cit. 6, 7 et *supra;* cit. 9, 11 et *supra.*

♦ **3.** Didact. *Application permise d'une règle.* — Math. *Sous-ensemble permis à droite, à gauche.*

CONTR. Défendre (cit. 42), **empêcher, interdire, prohiber. — Consigner. — Brider, contraindre, forcer. — Défendu.**
DÉR. Permis, permissible.

PERMIEN, IENNE [pɛʀmjɛ̃, jɛn] adj. et n. m. — 1842; de *Perm,* ville russe, située dans une province où ce terrain est particulièrement étendu.

♦ Géol. Qui appartient à la dernière période géologique de l'ère primaire, faisant suite au carbonifère. *Terrain permien, formation permienne.* — N. m. *Les trois âges du permien :* saxonien, thuringien, tatarien.

Vers le Permien, avant la fin de l'ère primaire, se produit un événement capital : les Reptiles accèdent à la locomotion quadrupède dressée et leurs membres prennent l'aspect de ceux du chien ou de l'éléphant.
A. LEROI-GOURHAN, le Geste et la Parole, t. I, p. 71.

PERMIS [pɛʀmi] n. m. — 1721; *permisse,* sens 2, v. 1360; p. p. de *permettre.*

♦ **1.** Autorisation officielle écrite. *Démarches* (cit. 7) *à faire pour se procurer un permis. — Permis de circulation délivré par la S. N. C. F. à ses agents et leur donnant droit à des voyages gratuits. Permis de navigation. — Obtenir de la mairie un permis de bâtir, de construire* (⇒ **Permission**). *Journaliste qui visite une zone opérationnelle muni de son permis de circuler.* ⇒ **Laissez-passer, sauf-conduit.** *Prendre un permis de chasse, de pêche.* ⇒ **Licence.** *Permis d'inhumer* (cit. 2). *Permis de séjour pour les étrangers.*
Dr. *Droit de permis,* dû aux douanes par l'expéditeur ou le destinataire de toute marchandise en provenance ou à destination de l'étranger. *Permis de transport exigé pour certains produits.* ⇒ **Passavant, passe-debout** (vx). *Permis d'assigner.*

♦ **2.** (Av. 1818). Littér. Autorisation. « *M. de Charlus m'avait donné son permis, en l'entourant de réserves* » (Proust).

♦ **3.** (1905, *in* D. D. L.). PERMIS DE CONDUIRE : « certificat de capacité... nécessaire pour la conduite d'un véhicule automobile... ou d'un motocycle à deux roues... et délivré par le préfet sur avis favorable d'un expert accrédité par le ministre des Travaux publics, qui fait subir un examen spécial aux postulants » (Capitant). *Permis de conduire et carte grise. Retrait, suspension du permis de conduire pour infraction au code de la route.* — Ellipt. *Permis « tourisme, poids lourds, transports en commun ». Permis moto. Avoir son permis.* — Par ext. Examen du permis de conduire. *Préparer le permis de conduire,* et, ellipt, *le permis* (⇒ **Auto-école**). *Passer son permis. Être reçu au permis. Le code et la pratique au permis* (⇒ **Code, conduite**).

(...) D'abord : vous avez votre permis? 1
— Naturellement, dit Pierrot.
— Je m'en doutais. Vous sauriez conduire une camionnette?
— Je veux, dit Pierrot.
R. QUENEAU, Pierrot mon ami, éd. L. de Poche, p. 131.

Il pourrait faire enlever son permis de conduire au chauffeur maladroit. 2
R. QUENEAU, le Chiendent, p. 50.

Permis de conduire les navires de plaisance à moteur.

COMP. Permis-chef.

PERMIS-CHEF [pɛʀmiʃɛf] n. m. — 1963; de *permis,* et *chef.*

♦ Techn. Déclaration des marchandises à la douane.

PERMISSIBLE [pɛʀmisibl] adj. — Mil. XXe; de *permettre,* d'après *permission.*

♦ Didact. Que l'on peut autoriser, permettre. «*Aux États-Unis, cette dose permissible était, pendant plusieurs années, de 100 microwatts par centimètre carré (...)* » (*Science et vie,* févr. 1974, p. 28).

PERMISSIF, IVE [pɛʀmisif, iv] adj. — 1880; «*Système permissif*», techn., *Année sc. et industr.* 1881, p. 160; gramm., *voix permissive,* 1869; cf. moy. franç. *permissif* «qui donne une permission», fin XIVe; de *permission.*

♦ **1.** (1949). Techn. *Bloc permissif :* signal de chemin de fer qui peut être franchi dans certains cas.

♦ **2.** (1970; angl. *permissive*). Cour. Qui se caractérise par l'absence d'interdictions et de sanctions. *Attitude, société permissive. Parents permissifs. Ils sont trop permissifs et l'enfant est anxieux, agité.* — N. Personne permissive.

C'est bien notre chance à nous, élevés au temps des interdits, c'est aussi la raison de nos faibles réticences que d'avoir été les derniers-nés de la société de rigueur et en même temps les premiers permissifs! Mais délogeant l'honneur de son triangle noir, où l'hygiène le remplace, ne sommes-nous pas allés un peu loin, un peu vite, dans le souci de la compréhension?
Hervé BAZIN, Cri de la chouette, p. 104.

Par ext. Trop tolérant, laxiste.

PERMISSION [pɛʀmisjɔ̃] n. f. — 1404; *par la Dieu permission* «par la volonté de Dieu», 1180; lat. *permissio,* rad. *permittere.* → Permettre.

♦ **1.** Fait de permettre (qqch.); acte, parole qui autorise. ⇒ **Autorisation.** *La permission de qqch. Avoir la permission de... Permission accordée, donnée par qqn. Demander, solliciter la permission de faire qqch.* (→ Augurer, cit. 9; féliciter, cit. 2). *Extorquer* (cit. 3) *une permission.* ⇒ **Acquiescement, consentement.** *Agir avec, sans la permission de qqn.* ⇒ **Approbation.** *Donnez-nous la permission d'allumer du feu.* ⇒ **Droit, liberté** (→ Broche, cit. 1). — Vx. *Donner, porter permission.* ⇒ **Licence.** — *Écoliers qui ont la permission d'aller s'amuser* (⇒ **Campos, congé**). *Invalide qui a obtenu de l'hospice* (cit. 2) *sa permission de sortir.* ⇒ **Exeat.**

Il partit pour Paris, afin de demander au roi la permission de tenir en règle 1
l'abbaye de la Trappe. CHATEAUBRIAND, Vie de Rancé, p. 93.

(...) à chacun il avait été rappelé par l'autorité diocésaine que la permission de 2
dire la messe dans la chapelle privée du château avait été retirée (...)
F. MAURIAC, le Sagouin, p. 25.

(1636). *Avec votre permission,* formule de politesse usitée en manière de précaution oratoire. ⇒ **Permettre** (si vous le permettez). *Avec votre permission, je dirai que c'est un crétin* (cf. Sauf votre respect). — Ellipt. *Permission? :* vous permettez?

(...) mais je leur demande, avec leur permission, sur quoi ils fondent cette belle 3
maxime. MOLIÈRE, Tartuffe, Préface.

3.1 (...) puis elle *(Liliane)* dit en allumant une cigarette : — Permission (...) et alors vous la pipelette? Je suis la petite Lili du Monsieur bien mis.

M. AYMÉ, Maison basse, p. 143.

Dr. *Permission de construire.* ⇒ **Permis.** (Par oppos. à *concession*). *Permission d'occupation du domaine public (permission de voirie, de stationnement).*

Fig. *Abuser* (cit. 3) *de la permission :* dépasser les bornes, les limites permises (en quoi que ce soit).

♦ **2.** (1836). Congé accordé à un militaire. ⇒ (fam.) **Perm, perme** (→ ci-dessous cit. 4). *Permission de convalescence, de détente. Permission de minuit. Permission exceptionnelle* (à l'occasion d'un mariage, d'une naissance, d'un décès, à titre de récompense). — *Permission agricole,* accordée aux agriculteurs à l'époque des moissons. *Permission libérable*. Soldat qui a quinze jours de permission* (→ Malhabile, cit. 2), *qui part, qui est en permission.* ⇒ **Permissionnaire** (→ Malotru, cit. 2; mortel, cit. 7). *Le quartier est consigné, toutes les permissions sont supprimées.* — Par ext. Temps de ce congé. *Se marier pendant sa permission.*

4 (...) la nouvelle bousculade des embusqués arrachant leurs pardessus aux chasseurs du restaurant où j'avais dîné avec Saint-Loup un soir de perme (...)

PROUST, À la recherche du temps perdu, t. XIV, p. 55.

5 Mais laisse-moi te conter ce qui m'est arrivé lors de ma dernière permission, la seconde (...) La première, celle de fin de convalescence, je l'avais passée dans la Charente-Inférieure (...)

J. ROMAINS, les Hommes de bonne volonté, t. XV, XV, p. 185.

6 (...) un fils m'était né, très exactement le 11, c'est-à-dire quatre jours auparavant. C'était là un de ces motifs majeurs pour lesquels on délivrait d'office une permission exceptionnelle. G. DUHAMEL, la Pesée des âmes, X.

Titre de permission, et, ellipt, *permission. Faire timbrer, viser sa permission.*

7 Voici également deux permissions, de 24 heures chacune, et comptant de demain au réveil, l'une à votre nom, l'autre au nom... Ah! oui, au fait, qui décidez-vous d'emmener? ... — Commandez Croquebol, reprit le sous-officier qui remplit aussitôt au nom de Croquebol une permission restée en blanc (...)

COURTELINE, le Train de 8 h 47, I, V.

♦ **3.** Franç. d'Afrique. Autorisation d'absence (au travail).

CONTR. Défense, empêchement, interdiction.
DÉR. Permissif, permissionnaire.

PERMISSIONNAIRE [pɛʀmisjɔnɛʀ] n. m. — 1836; «celui qui a la permission du chantre de Notre-Dame d'élever de petits pensionnaires», 1680; de *permission.*

♦ **1.** Soldat en permission. *Train de permissionnaires.* — Adj. *Officier permissionnaire.*

(...) pour tous ceux de ma génération le nom de soldat n'évoque que l'image banale d'un civil mobilisé. Je me souviens de ces permissionnaires qui nous arrivaient chargés de musettes et que nous revoyions le même soir déjà vêtus de velours — des paysans comme les autres.

BERNANOS, Journal d'un curé de campagne, p. 262.

♦ **2.** Admin. Personne bénéficiaire d'un permis (de construire, de chasse, etc.).

PERMISSIVITÉ [pɛʀmisivite] n. f. — 1967; adapt. de l'angl. *permissiveness.*

♦ Fait d'être permissif; disposition à permettre sans conditions. *La permissivité d'un éducateur, d'un milieu.*

Il apparaît (...) que ce qu'on a baptisé du nom barbare de «permissivité» (traduction littérale, faite d'une acceptation aveugle du mot anglais *permissiveness*) a eu de piètres résultats. La psychanalyste américaine Edith Sterba comparait ellemême l'enfant élevé sans opposition ni contrainte à un homme qui avance dans le brouillard et qui sait néanmoins qu'il risque à chaque instant de buter douloureusement contre un obstacle.

C. KOUPERNIK, Un traitement d'exception, *in* la Nef, n° 31, p. 163.

PERMITTIVITÉ [pɛʀmitivite] n. f. — 1955, *in* Höfler; angl. *permittivity* (1919), de *to permit.* → Permettre.

♦ Sc. Propriété d'un diélectrique* d'affaiblir les forces électrostatiques, par référence à ces mêmes forces s'exerçant dans le vide. Constante caractéristique de ce diélectrique, mesurant cet affaiblissement. *La permittivité de l'eau est de 80.*

PERMIXTION [pɛʀmikstjɔ̃] n. f. — V. 1560; lat. *permixtio.*

♦ Chim. Vx. Mélange intime de plusieurs produits.

PERMSÉLECTIF, IVE [pɛʀmsɛlɛktif, iv] adj. — 1974; de *perm(éable),* et *sélectif.*

♦ Sc. Qui est perméable de façon sélective. *Membrane permsélective.* ⇒ **Électrodialiseur.** *«La formation de couches denses permsélectives»* (*la Recherche,* janv. 1974).

REM. 1. Ce mot-valise est à la fois mal formé et peu prononçable.
2. On trouve aussi le dér. *permsélectivité,* nom féminin.

PERMUTABILITÉ [pɛʀmytabilite] n. f. — 1834; de *permutable.*

♦ Didact. Caractère de ce qui est permutable.

PERMUTABLE [pɛʀmytabl] adj. — 1503; aussi *parmutable,* 1506; de *permuter.*

♦ Qui peut être déplacé par rapport à une autre personne ou chose par une permutation*. *Éléments permutables. Pièces permutables. Facteurs permutables.*

CONTR. Impermutable.
DÉR. Permutabilité.

PERMUTANT, ANTE [pɛʀmytɑ̃, ɑ̃t] n. — 1516; de *permuter.*

♦ Admin. Personne qui change d'emploi avec une autre.

(...) ça me serait très facile de trouver un permutant. — Qu'est-ce que c'est, un permutant? — Quelqu'un qui change sa place pour la mienne.

M. PAGNOL, Fanny, III, 3.

PERMUTATION [pɛʀmytasjɔ̃] n. f. — 1261, «échange, troc»; *permutacion* «changement de résidence», v. 1180; lat. *permutatio,* de *permutare.* → Permuter.

♦ **1.** (1474). Échange* d'un emploi, d'un poste... contre un autre (chaque titulaire prenant la place de l'autre). *Permutation de deux officiers, de deux fonctionnaires.* (⇒ **Permutant**).

Par ext. Changement réciproque de deux choses (ou de plusieurs choses deux à deux) : échange (cit. 3) réciproque. *Contrepèterie, anagramme* consistant en permutations de lettres ou de syllabes.* — Chim. *Permutation d'atomes dans une réaction chimique* (⇒ **Substitution**).

(1802). Ling. *Permutation* (changement de place réciproque dans la phrase) *et commutation*.*

♦ **2.** (1613). Math., log. *Permutation sur un ensemble :* bijection de cet ensemble sur lui-même. *Le nombre de permutations sur un ensemble fini de cardinal* n est égal à n!* (factorielle* n). Spécialt. Chacun des arrangements que peut prendre un nombre défini d'objets différents. *Le nombre des permutations de n objets est égal à n!. Permutation circulaire :* étant donné un nombre fini d'éléments que l'on suppose disposés sur un cercle, toute permutation qui correspond à l'ordre des éléments successifs placés sur le cercle, en conservant le même sens de parcours et en partant d'un élément quelconque pour décrire le cercle en entier.

L'opération permettant de passer d'une permutation à une autre.

PERMUTATRICE [pɛʀmytatʀis] n. f. — 1923; de *permuter.*

♦ Techn. Appareil qui transforme un courant alternatif en courant continu.

PERMUTER [pɛʀmyte] v. — 1337, *permuer* «changer, échanger»; lat. *permutare* «changer», de *mutare.* → Muer, muter.

★ **I.** V. tr. ♦ **1.** Vieilli. Changer, échanger (un emploi, une charge). Permuter son emploi contre un emploi équivalent. *Ils ont permuté leurs emplois.*

♦ **2.** Mettre une chose à la place d'une autre (et réciproquement). *Permuter deux mots dans la phrase.* ⇒ **Intervertir.** *Permuter des étiquettes.*

♦ **3.** Sc. Effectuer les différentes permutations d'une série. *12 objets se permutent de 479 001 600 manières.*

★ **II.** V. intr. Changer de place réciproquement. — (1835). Faire une permutation avec qqn. *Ces deux officiers veulent permuter.*

Plus tard, Agathe put fort heureusement permuter, sans avoir de soulte à payer, avec le titulaire d'un bureau situé rue de Seine (...) 1

BALZAC, la Rabouilleuse, Pl., t. III, p. 1100.

Toujours raisonnable d'intention, il se dit qu'il chercherait à permuter et à partir (...) LOTI, Matelot, XXX. 2

DÉR. Permutable, permutant, permutatrice.

PERMUTITE [pɛʀmytit] n. f. — 1963; marque déposée.

♦ Techn. Produit utilisé dans les adoucisseurs d'eau pour éliminer les sels calcaires et magnésiens.

PERNE [pɛʀn] n. f. — 1806; lat. *perna.* → aussi Perle.

♦ Zool. Mollusque lamellibranche *(Anisomyaires),* appelé communément *jambon.*

PERNETTE [pɛʀnɛt] n. f. — 1756; provençal *perneto,* anc. provençal *pern* «clou à tête large», de *perna* «flèche de lard»; lat. *pona* «cuisse».

♦ Techn. Pièce maintenant les poteries ou les émaux pendant leur cuisson. ⇒ **Colifichet.**

PERNICIEUSEMENT [pɛʀnisjøzmɑ̃] adv. — 1516; de *pernicieux.*

♦ Littér. D'une manière pernicieuse, malfaisante, néfaste. ⇒ **Dangereusement.**

C'est savoir presque toujours inutilement, et quelquefois pernicieusement, que de savoir superficiellement et sans principes.
VAUVENARGUES, Réflexions et maximes, 217.

PERNICIEUX, EUSE [pɛʀnisjø, øz] adj. — 1314; lat. *perniciosus,* de *pernicies* «ruine», de *nex, necis* «mort violente». → 1. Noyer.

♦ **1.** Vx. (Êtres vivants). Qui cause du mal*. ⇒ **Dangereux, malfaisant, malin** (cit. 7), **mauvais** (cit. 1), **nocif, nuisible.** *Pernicieux à..., pour quelqu'un.*

1 Jetez cet animal traître et pernicieux,
Ce serpent. LA FONTAINE, Fables, X, 9.

♦ **2.** Mod. Dangereux pour la santé, la vie. *Surmenage pernicieux* (→ Amusement, cit. 12). *Usage pernicieux pour les enfants;* (vx) *aux enfants* (→ Berceau, cit. 1). *L'alcool est particulièrement pernicieux dans son cas.*
(1810). Méd. Se dit d'une affection dont l'évolution est très grave. *Anémie pernicieuse. Accès pernicieux de paludisme.*
Littér. Nuisible moralement. ⇒ **Funeste.** *Erreur pernicieuse.* (→ Attendre, cit. 107). *Tentatives pernicieuses.* ⇒ **Dangereux.** *Des liens forts et pernicieux* (→ Attacher, cit. 48). *Doctrines, théories très pernicieuses.* ⇒ **Peste, poison** (fig.). — Littér. *Pernicieux à qqn. Il y a des talents qui nous sont pernicieux* (→ Guéri, cit. 10). — *Idée pernicieuse pour la jeunesse. — Pernicieux conseils* (→ Hérisser, cit. 27). *Pernicieux amusements des esprits oisifs* (→ Billevesée, cit. 2). *Invention, machination pernicieuse.* ⇒ **Diabolique.** — (Personnes). *Un individu pernicieux* (⇒ **Sinistre**). *Pernicieuse beauté* (→ Enlaidir, cit. 3). *Ange pernicieux :* mauvais ange.

2 (...) la paix n'étant juste et utile que pour la sûreté du bien, elle devient injuste et pernicieuse quand elle le laisse perdre (...) PASCAL, Pensées, XIV, 949.

3 Leur tort n'a donc pas été de m'écarter de la société comme un membre inutile, mais de m'en proscrire comme un membre pernicieux (...)
ROUSSEAU, Rêveries..., VIe promenade.

4 (...) une femme perdue de réputation, qui ne peut avoir avec vous que des relations pernicieuses au salut de votre âme (...) A. DE VIGNY, Cinq-Mars, XIX.

5 (...) il *se perdait avec une femme mariée;* et aussitôt la bonne dame, entrevoyant l'éternel épouvantail des familles, c'est-à-dire la vague créature pernicieuse, la sirène (...) FLAUBERT, Mme Bovary, III, VI (→ Lettre, cit. 23).

6 Les plus coupables, ce sont ces parents cruels qui, au lieu de réprimer ces chants moqueurs, aussi pernicieux pour leurs enfants qu'insultants pour ceux qu'ils attaquaient, les ont soufferts complaisamment et souvent même les excitaient par leurs éclats de rire. M. BARRÈS, la Colline inspirée, XIII.

7 (...) Sully Prudhomme, dont je raffolais alors et dont l'exemple et le conseil étaient bien les plus pernicieux que pût écouter et suivre l'écolier sentimental que j'étais.
GIDE, Si le grain ne meurt, I, VIII, p. 221.

CONTR. Avantageux, bienfaisant, bon, salutaire.
DÉR. Pernicieusement, perniciosité.
COMP. Antipernicieux.

PERNICIOSITÉ [pɛʀnisjozite] n. f. — 1544; de *pernicieux.*

♦ Littér. Caractère pernicieux. — Didact. (Méd.). Caractère des maladies pernicieuses.

PERNIOSE [pɛʀnjoz] n. f. — 1972, Manuila; du lat. *pernio* «engelure», et *-ose.*

♦ Méd. Lésion de la peau provoquée par le froid. ⇒ **Engelure, gelure.**

PERNITRIQUE [pɛʀnitʀik] adj. — 1888; de *per-,* et *nitrique.*

♦ Chim. ⇒ **Perazotique.**

PERNOD [pɛʀno] n. m. — 1898, *pernod-sucre, in* D. D. L.; marque déposée par la firme de ce nom.

♦ Apéritif alcoolisé, à l'anis, qui se boit mélangé à de l'eau où il prend une teinte laiteuse. ⇒ **Pastis.** *Pernod grenadine* (⇒ **Tomate**), *Pernod menthe.* ⇒ **Perroquet** (cit. 12). — REM. Le mot s'écrit en principe avec la majuscule (nom de marque).

1 Les seuls concessionnaires qui étaient restés dans la plaine y vivaient du trafic du pernod ou de celui de l'opium.
M. DURAS, Un barrage contre le Pacifique, p. 27.

2 Quelques mois plus tôt, à Rouen, elle avait voulu expérimenter les effets de l'alcool; elle avait avalé à un zinc deux pernods coup sur coup : le résultat avait dépassé de loin ses prévisions (...) S. DE BEAUVOIR, la Force de l'âge, p. 290.

PÉRODICTIQUE [peʀodiktik] n. m. — 1856; *perodicticus,* 1847, mot du lat. zool., du grec, de *peris* «scrotum, bourses» et *deiktikos* «qui montre»; créé en angl., 1830, Bennet.

♦ Didact. Lémurien d'Afrique occidentale et du Gabon.

PÉRODICTIQUE POTTO : C'est ainsi que l'ont baptisé les savants. Il n'a pas d'autre nom dans notre langage. Mais je l'appelais Dindiki, nom que lui donnent les indigènes de là-bas.
Ce petit animal, bien que de la famille des primates, n'a presque rien des singes. Il fait plutôt songer à un hérisson à poils doux, ou à un très petit ours (...)
C'est un grimpeur (...) De plus c'est un nocturne. Pour ces deux raisons, il est très difficile à saisir (...) Le pelage du pérodictique est gris brun cendré (...)
Son museau n'est pas plus allongé que celui d'un ours. De ses yeux, on ne voit qu'un iris mordoré (...) Les coques arrondies de ses très petites oreilles sont noyées dans le poil; il a des incisives de rongeur (...)
GIDE, Feuillets d'automne, *in* Souvenirs, Pl., p. 1112-1115.

PÉROMÉLIE [peʀɔmeli] n. f. — 1972, Manuila; du grec *pêros* «estropié», et *melos* «membre».

♦ Pathol. Malformation caractérisée par l'amputation d'un ou de plusieurs segments de membres survenant au cours de la vie fœtale, par troubles de la vascularisation, brides amniotiques, compression.

PÉRONÉ [peʀɔne] n. m. — 1541; grec *peronê,* proprt «cheville, agrafe».

♦ Os long et grêle, situé en dehors du tibia, avec lequel il forme l'ossature de la jambe (cit. 1 et 29). *Espace interosseux entre tibia et péroné. Tête, col du péroné. Fracture du péroné.*

DÉR. Péronier.
COMP. Péronéo-tibial.

PÉRONÉE [peʀɔne] n. f. — 1875; lat. mod. *peronea,* grec *peronê.* → Péroné.

♦ Papillon (tordeuse*) nuisible aux arbres fruitiers.

PÉRONÉOTIBIAL ou **PÉRONÉO-TIBIAL, ALE, AUX** [peʀɔneotibjal, o] adj. — 1855, Nysten; de *péroné,* et *tibial.*

♦ Anat. Relatif au péroné et au tibia. *Articulations péronéotibiales.*

PÉRONIER, IÈRE [peʀɔnje, jɛʀ] n. m. et adj. — 1687, n.; aussi *péronien,* 1819, Boiste; de *péroné.*

♦ Anat. *Péronier antérieur :* muscle qui fléchit le pied et le porte en abduction et en rotation en dehors. — Adj. (1749). Relatif au péroné. *Artère péronière.*

PÉRONISME [peʀɔnism] n. m. — V. 1955-1960; de Juan Domingo *Perón,* homme politique argentin (1895-1974).

♦ Polit. Mouvement, tendance politique de Péron et de ses partisans, tentative de concilier le capitalisme et certains aspects du socialisme et du syndicalisme ouvrier.

PÉRONISTE [peʀɔnist] n. et adj. — 1955, *Larousse mensuel,* nov.; de *Perón.*

♦ Polit. Partisan du péronisme. *Le mouvement péroniste. Les forces péronistes. Manifestation péroniste.*

PÉRONNELLE [peʀɔnɛl] n. f. — 1658, Scarron, n. pr. (héroïne d'une chanson du XVe), tiré du rad. *Petrus* «Pierre»; forme pop. de *Pétronille* p.-ê. avec infl. de *pérorer* et du dial. *pironelle* «toupie» (P. Guiraud).

♦ Fam. Vieilli. Jeune femme, jeune fille sotte. *« Taisez-vous, péronnelle »* (Molière, *les Femmes savantes,* III, 8). *Une péronnelle insupportable, babillarde, bavarde...*

J'étais fait pour être turc, regardant toute la journée des péronnelles orientales exécuter des exquises danses d'Égypte lubriques comme les songes d'un homme chaste (...) HUGO, les Misérables, IV, XII, II.

PÉRONOSPORACÉES [peʀɔnɔspɔʀase] n. f. pl. — 1924; *péronosporées,* 1890; rac. grecque *peronê* «agrafe» (→ Péroné), et *spora.*

♦ Bot. Groupe de champignons siphomycètes parasites de plantes phanérogames (betterave, luzerne, pomme de terre, vigne) et dont les principaux types sont les *plasmopora,* le *phytophtora,* le *péronospora* (mildiou des betteraves). — Au sing. *Une péronosporacée.*

PEROPÉRATOIRE ou **PER-OPÉRATOIRE** [peʀɔpeʀatwaʀ] adj. — 1961, → cit.; du lat. *per-,* et *opératoire.* → Pré- et post-opératoire.

♦ Méd. Qui se fait, se produit pendant une opération chirurgicale (soins annexes, anesthésie, etc.). *Traitement per-opératoire. Accident peropératoire.*

La réanimation peut s'entendre en plusieurs sens : elle est d'abord pré-opératoire, lorsqu'il s'agit d'améliorer l'état du malade, trop gravement atteint pour suppor-

ter une opération immédiate. Elle est aussi per-opératoire, complétant l'anesthésie, et d'autant plus que l'opération est plus importante. Elle est enfin post-opératoire.
Cl. D'ALLAINES, Histoire de la chirurgie, p. 111.

PÉRORAISON [perɔrɛzɔ̃] n. f. — 1671; *peroration*, 1512, *in* D. D. L.; lat. *peroratio*, d'après *oraison*. → Pérorer.

♦ **1.** Didact. ⓐ Conclusion d'un discours. ⇒ **Fin.** *Péroraison concise, frappante, violente...* (→ Mouche, cit. 12). *Péroraison pathétique* (→ Joute, cit. 3), *émouvante; pompeuse.*

1 Le temps est gros de ma vengeance, il t'apportera la laideur et une mort solitaire, à moi la gloire! — Merci de la péroraison!» dit-elle en retenant un bâillement et témoignant par son attitude le désir de ne plus me voir.
BALZAC, la Peau de chagrin, Pl., t. IX, p. 144.

ⓑ Par ext. Dernière partie.

2 Douze hommes vêtus comme des facteurs soufflaient dans des cuivres. Le hall gémissait de leur violence. Mais la péroraison de l'hymne éclata. Et il y eut soudain un silence stupide.
J. ROMAINS, les Copains, II.

♦ **2.** Discours vain et creux d'une personne qui pérore.

CONTR. Exorde. — Commencement.

PERORAL, ALE, AUX [perɔral, o] adj. — 1972, Manuila; de *per-*, et *oral.*

♦ Méd. Qui est administré par la bouche, par voie orale (⇒ **Per os**).

PÉRORER [perɔre] v. — 1380; lat. *perorare* «plaider, exposer jusqu'au bout», de *orare.* → Oraison.

★ **I.** V. intr. Discourir, parler d'une manière prétentieuse, avec emphase* (→ Écouter, cit. 22; gargariser, cit. 4). *Pérorer comme un bas* (cit. 7) *-bleu, un pédant. Pérorer en débitant* des sottises. Il reste des heures à pérorer.*

1 En se voyant écoutée avec extase, elle *(Dinah)* s'habitua par degrés à s'écouter aussi, prit plaisir à pérorer, et finit par regarder ses amis comme autant de confidents de tragédie destinés à lui donner la réplique.
BALZAC, la Muse du département, Pl., t. IV, p. 63.

2 Quand il avait bu quelques coupes de champagne, il fallait qu'il pérorât au dessert (...)
A. DE MUSSET, Contes, «Pierre et Camille», I.

3 Le diable existe. Il pérore à la Chambre, il plaide au palais (...)
Aloysius BERTRAND, Gaspard de la nuit, Introd., I.

★ **II.** V. tr. Rare. Vx. *Pérorer qqn,* le haranguer (Babeuf, *in* Littré). *«Ce roi qui va pérorer le perroquet»* (Chamfort, *Commentaire sur la Fontaine, in* Littré, *Supplément*).

DÉR. Péroreur.

PÉROREUR, EUSE [perɔrœr, øz] n. et adj. — 1775; de *pérorer.*

♦ Rare. Personne qui pérore. Discoureur pédant.

1 (...) Gautier, un des plus inutiles péroreurs dont puisse s'encombrer une littérature.
GIDE, Journal, Feuillets, 1921.

Adj. Qui pérore.

2 (...) si mon individu critique et dogmatique, mon moi péroreur se contredit quelquefois, (...) mon autre moi, qui est taciturne et constructeur, (...) n'en est finalement pas atteint.
J.-R. BLOCH, *in* Deux hommes se rencontrent, p. 102.

PER OS [pɛrɔs] loc. adv. — 1963; loc. lat., de *per* «par le moyen de», et *os* «bouche».

♦ Didact. Par la bouche. *Prescrire une médication* per os (⇒ **Oral, peroral**).

PÉROT [pero] n. m. — 1465; de *père.*

♦ Sylv. Arbre, baliveau qui a deux fois l'âge de la coupe.

PÉROU [peru] n. m. — 1688; nom de pays.

★ **I.** ♦ **1.** Vx. *Un pérou :* un trésor, une fortune (cf. Saint-Simon, Dancourt, Marivaux, *in* Littré).

♦ **2.** (1790). Loc. Mod. *Ce n'est pas le pérou :* c'est une somme bien modeste; c'est d'un rapport médiocre.

La! vous voyez bien!... deux francs! ... une heure de fiacre! ... v'là-t-y pas le Pérou!
E. LABICHE, Frisette, 14.

★ **II.** *Baume du Pérou.* ⇒ **Myroxyle.**

PEROXONITRIQUE [pɛrɔksɔnitrik] ⇒ **Perazotique.**

PEROXYACIDE [pɛrɔksiasid] n. m. — 1963; de *per-, oxyde,* et *acide.*

♦ Chim. ⇒ **Peracide.**

PEROXYDASE [pɛrɔksidaz] n. f. — 1903, *Rev. gén. des sc.,* n° 1, p. 53; de *peroxyde,* et *-ase.*

♦ Chim. Enzyme qui catalyse les réactions d'oxydation.

PEROXYDATION [pɛrɔksidasjɔ̃] n. f. — 1963; de *peroxyder.*

♦ Chim. Oxydation maximale.

PEROXYDE [pɛrɔksid] n. m. — 1827; de *per-,* et *oxyde.*

♦ Chim. Vx. Combinaison renfermant le plus grand nombre d'atomes d'oxygène (opposé à *protoxyde*). ⇒ **Oxyde.** — Mod. Combinaison renfermant le radical diatonique O_2, et dégageant de l'eau oxygénée (H_2O_2) par acidification (les autres corps contenant le radical O_2 sont appelés *dioxydes* ou *bioxydes*). *Peroxyde d'azote* (NO_2 plus ou moins mélangé de N_2O_4) entrant dans la composition de certains explosifs (panclastites). *Peroxyde d'hydrogène* (H_2O_2) communément désigné sous le nom d'eau oxygénée. *Parmi les peroxydes minéraux on distingue les* peroxydes *qui contiennent deux atomes d'oxygène unis par une seule liaison covalente* (⇒ **Valence**) *des* bioxydes (ainsi BaO_2 est le *peroxyde de baryum* et TiO_2 le *bioxyde de titane*). *Peroxyde de sodium* (Na_2O_2), *de magnésium, de zinc* (connu en pharmacopée sous le nom d'ektogan), etc.

PEROXYDER [pɛrɔkside] v. tr. — 1872; *peroxydé,* 1834; de *per-,* et *oxyder.*

♦ Chim. Oxyder au plus haut degré possible.

DÉR. Peroxydation.

PEROXYGÉNÉ, ÉE [pɛrɔksiʒene] adj. — 1963; de *per-,* et *oxygéné.*

♦ Chim. Qui contient plus d'oxygène que la normale.

PEROXYSEL [pɛrɔksisɛl] n. m. — 1963; de *per-, oxy-,* et *sel.*

♦ Chim. ⇒ **Persel.**

PERPENDICULAIRE [pɛrpɑ̃dikylɛr] adj. — 1520; *perpendiculer,* 1380; lat. *perpendicularis,* de *perpendiculum* «fil à plomb». — REM. On trouve *perpendicule* en français, au sens de «fil à plomb, verticale», jusqu'au XVIIIe siècle.

♦ **1.** Vx. Littér. Vertical, d'aplomb. *Mur* (cit. 1), *rideau perpendiculaire* (→ Immobile, cit. 10). *Les domestiques sont roides et perpendiculaires* (→ Effigie, cit. 4). — Spécialt. *Écriture perpendiculaire,* dont les caractères sont disposés verticalement.

Par ext. Qui se trouve à la verticale, au zénith.

«Le soleil était déjà presque perpendiculaire quand je m'arrêtai sur les débris de l'ancienne kasbah, devant le panorama de la plaine.» 1
E. FROMENTIN, Un été dans le Sahara, p. 247.

Les ombres contre le mont perpendiculaire 1.1
Grandissaient ou parfois s'abaissaient brusquement
APOLLINAIRE, Alcools, p. 61.

♦ **2.** (1637). Mod. *Perpendiculaire à :* qui fait un angle droit avec (une droite ou un plan). ⇒ **Orthogonal.** *Droite perpendiculaire à un plan. Le grand cercle perpendiculaire à la ligne des pôles* (→ Équateur, cit. 1). *Perpendiculaire à l'horizon :* vertical (→ ci-dessus, le sens 1). *La pesanteur est perpendiculaire à la surface des eaux* (→ Horizontal, cit. 13). — Vx. *Droite perpendiculaire sur un plan.* — (Avec un n. au plur.). *Droites*, plans perpendiculaires* (entre eux). *Lignes, droites perpendiculaires et parallèles d'un quadrillage* (⇒ **Carré, carreau**). — N. f. (1662). *Une perpendiculaire :* une droite perpendiculaire. *Élever la perpendiculaire d'une droite en un point; abaisser d'un point la perpendiculaire sur une droite. Tirer* une perpendiculaire. Perpendiculaire abaissée du centre d'un polygone sur un de ses côtés* (⇒ **Apothème**), *du sommet d'un triangle au côté opposé* (⇒ **Hauteur,** *supra* cit. 5). *Perpendiculaire menée du milieu du côté d'un triangle.* ⇒ **Médiatrice.** *Perpendiculaire à la tangente d'une courbe.* ⇒ **Normal.** *Abaisser d'un point, d'un côté la perpendiculaire à l'autre côté d'un angle,* pour déterminer le sinus, le cosinus, la tangente... *Équerre*, té servant à mener, à lever des perpendiculaires.*

♦ **3.** (1932; angl. *perpendicular*). Archit. *Style perpendiculaire :* style gothique anglais, à partir du XIVe siècle, caractérisé par l'abondance des lignes horizontales et verticales (remplaçant les remplages du style flamboyant). *Cathédrale de style perpendiculaire.*

L'Angleterre a connu la plénitude de son style flamboyant dans les deux premiers tiers du XIVe siècle, avec l'épanouissement du curvilinéaire. Le style perpendiculaire, qui succède à ce dernier, peut être considéré comme une réaction. Son nom en définit avec exactitude le caractère essentiel, l'emploi des verticales, qui refendent les surfaces et qui, par des nerfs horizontaux secondaires, complètent un système de cadres de faible saillie (...) C'est la revanche de la ligne droite, dans 2 sa raideur et sa pureté, substituée aux capricieuses flexions de la courbe et de la contre-courbe. Henri FOCILLON, l'Art d'Occident, p. 284.

DÉR. **Perpendiculairement, perpendicularité.**

PERPENDICULAIREMENT [pɛʀpɑ̃dikylɛʀmɑ̃] adv. — 1512; de *perpendiculaire.*

D'une manière perpendiculaire.

♦ **1.** Vx ou littér. Verticalement.

1 Tout à coup il aperçut à l'horizon, derrière Tunis, comme des brouillards légers (...) puis ce fut un grand rideau de poudre grise perpendiculairement étalé, et, dans les tourbillons de cette masse nombreuse, des têtes de dromadaires (...) FLAUBERT, Salammbô, III.

1.1 Elle s'assura que la couture de ses bas s'élevait bien perpendiculairement le long de ses jambes (...) R. QUENEAU, Pierrot mon ami, éd. Livre de Poche, p. 71

♦ **2.** (1542). Mod. À angle droit. ⇒ **Orthogonalement.**

1.2 Cyrus Smith enfonça la perche de deux pieds dans le sable, et, en la calant avec soin, il parvint, au moyen du fil à plomb, à la dresser perpendiculairement au plan de l'horizon. J. VERNE, l'Île mystérieuse, t. I, p. 178-179.

2 Quinette regardait (...) le passage qui s'allongeait entre les deux maisons basses, perpendiculairement à la rue. J. ROMAINS, les Hommes de bonne volonté, t. II, VII, p. 73.

PERPENDICULARITÉ [pɛʀpɑ̃dikylaʀite] n. f. — 1700; de *perpendiculaire.*

♦ Didact. Rare. État de ce qui est perpendiculaire à quelque chose.

À Saint-Denis, la perpendicularité de la nouvelle direction ne changeait en rien l'intensité de cette force. Étienne conservait son air soucieux et inquiet. R. QUENEAU, le Chiendent, p. 329.

PERPÈTE, PERPETTE [pɛʀpɛt] n. f. — 1836; de *perpétuité.*

★ **I.** Argot. Bagne, prison à perpétuité.

— Alors, Damien, ça va aller, au moins? Qu'est-ce qu'il en pense, votre avocat? — La perpète prévention non comprise, dis-je pour la rassurer. A. SARRAZIN, la Cavale, p. 294.

★ **II.** Loc. adv. (1859). Fam. **À PERPÈTE, À PERPETTE.**

♦ **1.** À perpétuité, pour toujours. *Condamné à perpète. Je ne vais pas l'attendre jusqu'à perpette.*

♦ **2.** Très loin. *Il habite à perpète.*

PERPÉTRATION [pɛʀpetʀasjɔ̃] n. f. — 1532; repris 1829; lat. chrét. *perpetratio.*

♦ Dr. ou littér. Accomplissement (d'une action que la loi ou la morale réprouve). *La perpétration du délit* (→ Négatif, cit. 13).

PERPÉTRER [pɛʀpetʀe] v. tr. — Conjug. *céder* — 1360; *parpreter,* 1232; lat. *perpetrare* «accomplir».

♦ Dr. ou littér. Faire, exécuter (un acte criminel). ⇒ **Accomplir, commettre, consommer.** *Perpétrer un crime* (cit. 17), *un forfait. Les «massacres perpétrés pour cause de religion»* (Voltaire, *in* Littré) — Pron. *Se perpétrer.*

1 (...) les détails du crime dont je vais vous parler n'ont pas été connus au-delà du Département où il fut *perpétré.* BALZAC, la Muse du département, Pl. t. IV, p. 114.

2 Je criai : — Assassin! va perpétrer ailleurs des crimes que tu crois pardonnables! APOLLINAIRE, l'Hérésiarque..., p. 45.

3 (...) je pus en un clin d'œil me persuader que l'étroit canal où nous nous étions engagés circulait entre des murs sourds et aveugles, parfaitement inattentifs et indifférents à ce qui pouvait bien se perpétrer à leur base. GIDE, Ainsi soit-il, p. 101

Par extension :

4 Le sacrilège est d'ordre social. Il est perpétré aux dépens de la majesté, de la hiérarchie et du pouvoir. Roger CAILLOIS, l'Homme et le Sacré, p. 147.

PERPÉTUALISME [pɛʀpetɥalism] n. m. — 1956; de *perpétuel,* et *-isme.*

♦ Didact. Philos. Conception selon laquelle certains éléments possèdent une valeur absolue et définitive (lorsque ces éléments sont considérés comme relatifs et transitoires par ceux qui emploient ce terme).

Ce que Comte reproche aux classiques *(de l'économie politique),* c'est ce qu'on a appelé leur perpétualisme. Ils prêtent à leurs lois une valeur absolue. Or *tout est relatif.* J. LACROIX, la Sociologie d'Auguste Comte, p. 29 (1956).

PERPÉTUALISTE [pɛʀpetɥalist] adj. et n. — Av. 1970; de *perpétuel,* et *-iste.*

♦ Didact. (Philos.). Du perpétualisme. — Partisan du perpétualisme.

PERPÉTUATION [pɛʀpetɥasjɔ̃] n. f. — 1422; de *perpétuer.*

♦ Littér. Action de perpétuer; son résultat. ⇒ **Continuité, durée.** *La perpétuation de l'espèce par la reproduction des individus* (→ Orgasme, cit.).

PERPÉTUEL, ELLE [pɛʀpetɥɛl] adj. — V. 1260; *perpétual,* 1236; mot probablt plus anc.; lat. *perpetualis,* de *perpetuus.*

♦ **1.** Qui dure toujours, infiniment ou indéfiniment; qui ne comporte pas d'interruption. ⇒ **Continu, continuel** (cit. 3), **durable, éternel, incessant, indéfini, infini.** *Un perpétuel devenir* (cit. 17). *Le perpétuel écoulement de tout ce qui nous entoure* (→ Fuite, cit. 13). *L'histoire, considérée comme un perpétuel recommencement* (→ Contestable, cit. 2). *Miracles* (cit. 3) *perpétuels.* — Relig. *Adoration perpétuelle du Saint Sacrement* (→ Face, cit. 44). — *La vie, combat* (cit. 23 et 24) *perpétuel. Lutte perpétuelle. Oscillation* (cit. 3 et 4) *perpétuelle.* — *Le pays du perpétuel été* (→ Devoir, cit. 10). *Un hiver* (cit. 8) *perpétuel. Neiges perpétuelles. Demi-jour perpétuel* (→ Grisaille, cit. 7). — *Principes perpétuels.* ⇒ **Impérissable, inaltérable.** *Caractère perpétuel d'un sacrement* (⇒ **Indélébile, indissoluble; indestructible**).

L'une des seules positions philosophiques cohérentes, c'est (...) la révolte. Elle est un confrontement perpétuel de l'homme et de sa propre obscurité. Elle est exigence d'une impossible transparence. Elle remet le monde en question à chacune de ses secondes. CAMUS, le Mythe de Sisyphe, p. 77. 1

Loc. *Mouvement perpétuel,* qui, une fois déclenché, continuerait éternellement sans recevoir d'énergie (un tel mouvement, qui fournirait du travail sans consommer d'énergie, est impossible). — Fig. *Chercher le mouvement perpétuel,* une chose impossible (cf. La quadrature du cercle). — Fig. (et fam.). *C'est le mouvement perpétuel,* se dit d'une personne qui ne peut rester en place. — Mus. *Mouvement perpétuel :* pièce instrumentale où un dessin mélodique rapide se poursuit du début à la fin.

(1868). *Calendrier* perpétuel.*

Dr. *Rente* perpétuelle* (→ Arrérage, cit. 3). — (1804). *Perpétuelle demeure :* «manière dont un meuble doit être attaché à un fonds pour devenir immeuble par destination». ⇒ **Demeure** (cit. 15).

♦ **2.** (XIIIe). Qui dure, doit durer toute la vie. *Exil, bannissement perpétuel* (→ Équipée, cit. 5). *Vœux perpétuels.* — *Une perpétuelle jeunesse* (cit. 20). — *Dignité, fonction perpétuelle,* à vie. *Secrétaire perpétuel de l'Académie française.* N. m. *Monsieur le perpétuel.* — Par anal. *Voltaire, le journaliste, l'avocat et le député perpétuel de son époque* (→ Magasin, cit. 4).

Sommes-nous assez heureux pour que M. d'Alembert soit notre secrétaire perpétuel? Je réponds du moins que, s'il y a de la perpétuité, ce sera pour son nom. VOLTAIRE, Correspondance, 3872, 11 avr. 1772. 2

♦ **3.** (1655). Qui ne s'arrête, ne s'interrompt pas. ⇒ **Continuel, incessant.** *Angoisse* (cit. 11) *perpétuelle. L'inquiétude* (cit. 4) *d'un malaise perpétuel. Mécontentement perpétuel* (→ Contradiction, cit. 3), *perpétuel sarcasme* (→ Développer, cit. 10). *Une hargne* (cit. 3) *perpétuelle. «La constance en amour est une inconstance* (cit. 5) *perpétuelle»* (La Rochefoucauld). — *Un va-et-vient, un bruit, un murmure* (cit. 10) *de feuilles perpétuel.* — (1847). Personnes. *Une perpétuelle malade, une perpétuelle mourante* (→ 1. Mou, cit. 16). *Invité* (cit. 4) *perpétuel.*

(...) ils ont dit que la loi qu'ils avaient n'était qu'en attendant celle du Messie : que jusque-là elle serait perpétuelle, mais que l'autre durerait éternellement (...) PASCAL, Pensées, IX, 617. 3

(...) et comme (...) les intérêts particuliers sont toujours opposés entre eux, c'est un choc perpétuel de brigues et de cabales (...) ROUSSEAU, Julie ou la Nouvelle Héloïse, II, XIV. 4

L'action s'y déroule à travers un perpétuel changement de décors qui amène des intérieurs, des paysages, des marines, des vues de villes et de citadelles assiégées (...) Th. GAUTIER, Souvenirs de théâtre, Collection Villafranca. 5

Dans la cour, un va-et-vient perpétuel (...) J. ROMAINS, les Hommes de bonne volonté, t. II, IX, p. 92. 6

♦ **4.** (1668). Par ext. (au plur.). Qui se renouvellent souvent. ⇒ **Continuel, fréquent, habituel.** *Des fêtes et des congés perpétuels* (→ Étude, cit. 20). *Perpétuels soucis financiers* (→ Exubérant, cit. 5). *Perpétuelles récriminations. Jérémiades perpétuelles.*

Il *(le prince Eugène)* avait bien raison : ce sont les perpétuelles réformes qui font que l'on a besoin de réforme. MONTESQUIEU, Cahiers, X. 7

Il ne se plaignait jamais quoiqu'il eût de perpétuels sujets de plaintes. Les maladies prenaient volontiers pour séjour sa chétive personne (...) FRANCE, le Petit Pierre, XXXII. 8

(...) il était bien excusable de perdre quelquefois patience, tant son personnel l'assommait de ses perpétuelles réclamations. COURTELINE, Messieurs les ronds-de-cuir, IIIe tableau, III. 9

CONTR. **Court, éphémère, momentané, passager, temporaire. — Annuel. — Changeant, discontinu, sporadique.**

DÉR. **Perpétuellement.**

PERPÉTUELLEMENT [pɛʀpetɥɛlmɑ̃] adv. — XIIIe; *perpetualment,* v. 1120; de *perpétuel.*

D'une manière perpétuelle.

♦ **1.** Toujours, éternellement. *L'âme vivante, perpétuellement chan-*

geante (→ Contraste, cit. 10). *Théorie d'une création* (cit. 6) *perpétuellement recommencée. La nature* (cit. 34) *est un ouvrage perpétuellement vivant.*

Toutes les choses de la vie sont perpétuellement en fuite devant nous.
HUGO, les Misérables, I, VI, V.

♦ **2.** Sans cesse, sans arrêt, constamment (→ Analyse, cit. 1; fugitif, cit. 9; grisette, cit. 5). *Une assemblée* (cit. 2) *perpétuellement délibérante. Sa nature tendait perpétuellement au sacrifice* (→ Grandeur, cit. 22). *Des âmes qui oscillent* (cit. 6) *perpétuellement.*

♦ **3.** (1665). Fréquemment, très souvent, trop souvent. *Hypothèses perpétuellement remaniées* (→ Indifférent, cit. 29). *Il arrive perpétuellement en retard.* ⇒ **Éternellement** (péjoratif).

CONTR. Momentanément.

PERPÉTUEMENT [pɛʀpetymɑ̃] n. m. — 1948, Morand; de *se perpétuer.*

♦ Littér., rare. Fait de se perpétuer. ⇒ **Perpétuation.**

PERPÉTUER [pɛʀpetɥe] v. tr. — V. 1340; lat. *perpetuare,* de *perpetuus.*

♦ Faire durer* constamment, toujours ou très longtemps. ⇒ **Continuer, éterniser** (cit. 8). → Détruire, cit. 4; oppresseur, cit. 5. *Perpétuer les émotions heureuses* (→ Étendre, cit. 23). *Perpétuer l'espèce, la vie...* ⇒ **Transmettre; reproduction.** *Monument qui perpétue le souvenir de qqn* (→ aussi Ossuaire, cit. 2). *Perpétuer la mémoire.* ⇒ **Immortaliser.** *Perpétuer une tradition, un abus*.* ⇒ **Maintenir.**

1 La force a fait les premiers esclaves, leur lâcheté les a perpétués.
ROUSSEAU, Du contrat social, I, II.

2 J'ai donc un fils, enfin quelque chose qui porte mon nom et qui peut le perpétuer.
BALZAC, l'Enfant maudit, Pl., t. IX, p.707.

3 (...) travaillons, bâtissons des choses éternelles, perpétuons notre mémoire, parlons aux âges futurs en langue de marbre et de granit.
MICHELET, la Femme, II, X.

▶ **SE PERPÉTUER** v. pron.

♦ **1.** (1549). Se continuer*. ⇒ **Durer, rester** (→ Collectif, cit. 1). *Les espèces* (cit. 28) *se perpétuent.* ⇒ **Reproduire** (se). *Images immuables* (cit. 5) *qui se sont perpétuées de siècle en siècle. Le besoin que l'individualité éprouve de se perpétuer dans le temps* (→ Individu, cit. 6). *Se perpétuer dans ses enfants, dans son œuvre* (⇒ **Survivre**).

4 Le malheur qui se perpétue produit sur l'âme l'effet de la vieillesse sur le corps; on ne peut plus remuer; on se couche.
CHATEAUBRIAND, Mémoires d'outre-tombe, t. VI, p.310.

5 Elle *(la richesse)* ouvrait seule toutes les magistratures; et bien que la puissance et l'argent se perpétuassent dans les mêmes familles, on tolérait l'oligarchie, parce qu'on avait l'espoir d'y atteindre.
FLAUBERT, Salammbô, VI.

♦ **2.** (1694). Fam., vieilli. Rester très longtemps, se maintenir éternellement. *Se perpétuer dans un emploi, une charge.*

CONTR. Changer. — Cesser, finir.
DÉR. Perpétuation, perpétuement.

PERPÉTUITÉ [pɛʀpetɥite] n. f. — 1236; lat. *perpetuitas,* de *perpetuus.*

★ **I.** Littér. Durée infinie ou indéfinie, et, par ext., très longue, sans interruption, sans discontinuité. ⇒ **Durée, pérennité; perpétuel** (cit. 2). *Contribuer* (cit. 2) *à la perpétuité de la race humaine.* ⇒ **Perpétuation.**

1 La perpétuité : nulle religion n'a la perpétuité.
PASCAL, Pensées, IV, 289.

2 Je sentais vivement la grandeur morale d'une vie à deux assez intimement partagée pour que les actions les plus vulgaires n'y soient plus un obstacle à la perpétuité des sentiments.
BALZAC, le Médecin de campagne, Pl., t. VIII, p. 488.

3 Droit de marier le fils : le mariage du fils intéresse la perpétuité de la famille.
FUSTEL DE COULANGES, la Cité antique, II, VIII.

★ **II.** Loc. adv. (1257). **À PERPÉTUITÉ :** (cour.), pour toujours*. *Concession* à perpétuité* (→ Exhumer, cit. 2), accordée pour une durée illimitée. *Fondation* (cit. 6) *à perpétuité.*

4 En vous promenant dans cet élégant cimetière *(du Père-Lachaise),* vous verrez un terrain acheté à perpétuité, où s'élève une tombe de gazon surmontée d'une croix en bois noir (...)
BALZAC, Illusions perdues, Pl., t. IV, p. 656.

(1263). Pour toute la vie. *Avoir une charge à perpétuité.* — Spécialt. *Travaux forcés* (→ Contrefaire, cit. 9; falsifier, cit. 4), *déportation* (cit.), *galères* (cit. 8, fig.) *à perpétuité. Être condamné à perpétuité* (⇒ **Perpète**).

5 (...) il sourit amèrement en songeant que le vol des quarante sous à Petit-Gervais le faisait récidiviste, que cette affaire reparaîtrait certainement, et, aux termes précis de la loi, le ferait passible des travaux forcés à perpétuité.
HUGO, les Misérables, I, VII, III.

Ellipt. *La perpétuité :* condamnation à perpétuité.

6 — Qu'est-ce qu'il risque?
— Perpétuité.
Nous ne fîmes aucun autre commentaire.
Jean GENET, Journal du voleur, p. 65.

CONTR. Instant. — Brièveté.
DÉR. Perpète ou perpette.

PERPHOSPHORÉ, ÉE [pɛʀfɔsfɔʀe] adj. — 1869; de *per-,* et *phosphoré.*

♦ Chim. Qui contient le plus de phosphore possible.

PERPIGNAN [pɛʀpiɲɑ̃] n. m. — 1829; de *Perpignan,* ville française où l'on fabrique cet objet.

♦ Vx. Manche de fouet en bois de micocoulier. — Par métonymie. Le fouet lui-même.

PERPLEXE [pɛʀplɛks] adj. — 1355; var. *perplex* jusqu'au XVIIe; lat. *perplexus,* proprt «embrouillé», rac. *plectere* «tisser».

♦ **1.** Qui hésite dans une situation embarrassante. ⇒ **Inquiet; embarrassé, hésitant, indécis** (→ Demander, cit. 54). *Cette demande me rend perplexe, m'a laissé perplexe.* — Par ext. *Un air perplexe.*

L'attitude de Goethe en face de Napoléon nous laisse un peu gênés; du moins perplexes (...) 1
GIDE, Attendu que..., p. 123.

Le prestige s'évanouit brusquement, au bout d'une vingtaine de minutes, me laissant sur les bords de la Seine, aussi perplexe que la cane de la Fable qui vit éclore un cygne de l'œuf qu'elle avait couvé. 2
VALÉRY, Variété V, p. 93.

Qui est de caractère hésitant, irrésolu. — Par ext. *«Esprit perplexe»* (Académie). — N. *Un, une perplexe* (→ Hésiter, cit. 5).

Ce fut pendant la vingtième année de son règne, qu'un jour, après tant de jours paisibles, le Roi Pausole ressentit les difficultés de la vie et le poids d'une âme perplexe. 3
Pierre LOUŸS, les Aventures du roi Pausole, I, I.

Les tendances les plus opposées n'ont jamais réussi à faire de moi un être tourmenté; mais perplexe (...) 4
GIDE, Journal, Feuillets, II (1923).

♦ **2.** (Fin XVe). Vx. Qui rend perplexe. *Affaire perplexe.*

CONTR. Assuré, convaincu, décidé, résolu.

PERPLEXITÉ [pɛʀplɛksite] n. f. — 1370; «ambiguïté de la pensée», XIIIe; empr. bas lat. *perplexitas,* de *perplexus* (→ Perplexe).

♦ État d'une personne perplexe; «irrésolution (cit. 2) inquiète» (Vauvenargues). ⇒ **Doute, embarras, incertitude, indécision, irrésolution.** *Être dans une grande, dans la plus complète perplexité. Déclaration qui jette dans la perplexité* (→ Embarrasser, cit. 8). *Demeurer dans la perplexité par impossibilité de choisir* (→ Déterminer, cit. 7).

En quel gouffre de soins et de perplexité 1
Nous jette une action faite sans équité!
MOLIÈRE, le Dépit amoureux, II, 5.

Croira-t-on que la nuit qui suivit une aussi brillante journée fut une nuit d'angoisse et de perplexité pour moi? 2
ROUSSEAU, les Confessions, VIII.

Même mon insomnie m'apparaissait, cette nuit, comme une forme de perplexité, une difficulté de me décider à dormir. 3
GIDE, Journal, 19 janv. 1912.

Mais, depuis trois ou quatre ans, il avait, lui aussi, connu avec angoisse, la perplexité de l'homme devant l'Univers. 4
MARTIN DU GARD, les Thibault, t. IV, p. 301.

Rare. *(Une, des perplexités).* Sentiment, impression qui contribue à rendre qqn perplexe. *Flotter* (cit. 17) *dans les plus inquiétantes perplexités.*

Tandis que vous déclamez contre la fortune et ma négligence, vous voyez que je m'informe adroitement de tout ce qui peut assurer notre correspondance et prévenir vos perplexités. 5
ROUSSEAU, Julie ou la Nouvelle Héloïse, I, XX.

CONTR. Assurance, certitude, décision, résolution.

PERQUISITEUR [pɛʀkizitœʀ] n. m. — 1879; «celui qui fait des recherches», 1370; lat. *perquisitor,* de *perquisitum,* supin de *perquirere.*

♦ Rare. Celui qui fait une, des perquisitions. Syn. : *perquisitionneur.*

PERQUISITION [pɛʀkizisjɔ̃] n. f. — XVe, «action de rechercher»; «recherche judiciaire», 1473; sens mod., 1690; du bas lat. *perquisitio* «recherche», de *perquirere* «rechercher», de *per-,* et *quaerere* «chercher».

♦ **1.** (1643). Recherche d'une chose, d'une personne, opérée sur les lieux par la justice; «procédé d'information consistant de la part du juge d'instruction, à se transporter en tous lieux, notamment au domicile du prévenu, pour y chercher et saisir tous papiers, effets ou objets qu'il jugerait utiles à la manifestation de la vérité» (Capitant). *Faire une perquisition, des perquisitions.* ⇒ **Perquisitionner.** *Perquisition au domicile de l'inculpé.* ⇒ **Visite** (domiciliaire). *La perquisition doit être en principe faite de jour en présence du prévenu. Mandat de perquisition.*

Les perquisitions les plus minutieuses de la justice de province, qui a beaucoup de temps à elle, n'apportèrent aucune lumière sur les secrets de cette existence. 1
BALZAC, le Curé de village, Pl., t. VIII, p.582.

2 Nous avons cherché *partout* (...) Nous avons entrepris la maison de chambre en chambre (...) Nous avons d'abord examiné les meubles de chaque appartement. Nous avons ouvert tous les tiroirs possibles; et je présume que vous n'ignorez pas que, pour un agent de police bien dressé, un tiroir *secret* est une chose qui n'existe pas. Tout homme qui, dans une perquisition de cette nature, permet à un tiroir secret de lui échapper est une brute.
BAUDELAIRE, Trad. E. POE, Histoires extraordinaires, « La lettre volée ».

3 À la suite d'un interrogatoire subi par Groult, une perquisition fut ordonnée au domicile de l'inculpé. FRANCE, Jocaste, XII, Œ., t. II, p. 115.

4 Au matin, ils sont venus à quatre. Ils ont fait ouvrir la porte, au nom de la loi. D'ailleurs, ils m'avaient pris les clefs. Ce qu'on appelle une perquisition.
G. DUHAMEL, Salavin, V, XVIII.

5 La visite domiciliaire et la perquisition sont des actes d'instruction; on ne pourra y recourir que si, l'instruction étant ouverte, l'individu dans le domicile duquel on veut pénétrer est prévenu d'être auteur ou complice du fait criminel ou, du moins, présumé détenir chez lui les objets relatifs au fait incriminé.
Code d'instruction criminelle, art. 87.

6 Si le prévenu ne peut être saisi, le mandat d'arrêt sera notifié à sa dernière habitation, et il sera dressé procès-verbal de perquisition.
Code d'instruction criminelle, art. 109.

Par ext. Toute recherche de caractère policier au domicile de qqn. *Perquisitions des occupants en temps de guerre.*

Abrév. argotique. *Perquise.*

♦ **2.** Fig., littér. Recherche insistante. ⇒ **Inquisition, investigation.**

7 Au moins lorsqu'ils ne se voyaient que le dimanche, avides l'un de l'autre, il ne prenait pas le temps de ces perquisitions morales, outrageantes et minutieuses. Mais rapprochés, avec la continuité de la vie à deux, ils se torturaient jusque dans leurs caresses. Alphonse DAUDET, Sapho, VIII.

DÉR. Perquisitionner.

PERQUISITIONNER [pɛʀkizisjɔne] v. intr. — 1836; de *perquisition.*

♦ Faire une perquisition. *La police a perquisitionné chez lui, à son domicile.* ⇒ **Fouiller** (→ aussi Fouiner, cit. 2).

(...) ce matin même, *à l'improviste,* on avait perquisitionné chez M. de Houten. Miss Baxton mettait sur cet improviste une emphase à croire que dans la bonne société on prévient avant d'aller perquisitionner chez les gens.
ARAGON, les Cloches de Bâle, III, I.

REM. L'emploi transitif *(perquisitionner un local, un appartement)* est considéré comme fautif; il est attesté depuis 1870.

DÉR. Perquisitionneur.

PERQUISITIONNEUR, EUSE [pɛʀkizisjɔnœʀ, øz] n. — XIXe; de *perquisitionner.*

♦ Rare. Personne qui perquisitionne. ⇒ **Perquisiteur.**

PERRÉ [pɛʀe] n. m. — 1767; adj. « de pierre », 1180; « gué pavé », 1553; dér. anc. de *pierre.*

♦ Techn. Mur de soutènement, revêtement en pierre sèche sur un talus pour maintenir la terre. *Le perré empêche les éboulements, le ravinement, l'érosion... Perré de remblai, de tranchée; perrés des talus d'un pont.*

DÉR. Perreyé.

PERREYÉ, ÉE [pɛʀeje] adj. — 1855; de *perré.*

♦ Techn. Revêtu d'un perré. *Talus perreyé.*

PERRIER [pɛʀje] n. m. — XVe; « celui qui manœuvre une machine à jeter des pierres » (→ Perrière), déb. XIIIe; dér. anc. de *pierre.*

♦ Vx. Carrier. — (1803). Régional. Ouvrier ardoisier, dans une carrière.

PERRIÈRE [pɛʀjɛʀ] n. f. — 1130, *perere;* de *pierre.*

♦ **1.** Archéol. Machine* de guerre à bascule et à contrepoids lançant des projectiles (principalement des pierres), au moyen âge.

♦ **2.** Régional. Carrière, et, spécialt, carrière d'où l'on tire l'ardoise (en Anjou).

PERRON [pɛʀɔ̃] n. m. — 1200; *perrun* « bloc de pierre », 1080; de *pierre.*

♦ **1.** Petit escalier extérieur se terminant par une plate-forme de plain-pied avec l'entrée principale d'une habitation, d'un monument. — La plate-forme supérieure. *Les degrés* (→ Espalier, cit. 5), *les marches du perron* (→ Accéder, cit. 1; herbe, cit. 16). *Un large perron, raide et droit* (→ Château, cit. 1). *Perron à double rampe du château de Fontainebleau. Perron abrité par une marquise*. Perron d'une église. Il nous a accueillis sur le perron.*

1 Il existe en effet à l'angle de la cour un perron composé de plusieurs marches, par lequel on entre dans la maison; et l'on descend au jardin par un autre perron construit au milieu de la façade intérieure.
BALZAC, l'Interdiction, Pl., t. III, p. 60.

2 N'a-t-on pas vu bien des fois ce genre de maison dans la banlieue parisienne? Avec son perron à encorbellement et sa marquise en forme de coquille elle semble avoir été l'idéal de toute une classe de la société française (...)
J. GREEN, Adrienne Mesurat, I, II.

♦ **2.** Hydraulique. Ensemble des degrés (d'une chute d'eau).

DÉR. Perronné.

PERRONNÉ, ÉE [pɛʀɔne] adj. — 1754; de *perron.*

♦ Blason. *Croix perronnée,* dont les bras se terminent par une pièce en forme de marches.

HOM. Péroné, péronée.

PERROQUET [pɛʀɔkɛ] n. m. — 1537; *Paroquet,* n. pr., 1395, dimin. de *Perrot,* lui-même dimin. du prénom *Pierre,* les mots ital. *parrocco, parrochetto* sont postérieurs au français.

★ **I.** ♦ **1.** Oiseau grimpeur *(Psittacidés)* scientifiquement appelé *psittacus,* exotique, au plumage vivement coloré, à gros bec très recourbé, capable d'imiter la parole (cit. 22) humaine. *Perroquet d'Afrique* (⇒ **Jacquot**), *d'Amérique* (⇒ **Papegai**), *d'Amazone* (⇒ 2. **Amazone**). *Le chrysotis, perroquet vert. Le pioné, perroquet bleu d'Amérique. Perroquet amazone* (→ Caractère, cit. 12). — Par ext. (Cour.). Oiseau de la famille des psittacidés (→ Lori, stringops...); (abusif en zool.) oiseau grimpeur ressemblant au perroquet. ⇒ **Ara** *(Platycercidés),* **cacatoès** *(Cacatuidés). Le perroquet parle, jase* (→ Babillard). *La voix du perroquet. Apprendre, faire répéter un mot à un perroquet. Perroquet domestique, apprivoisé, sur son perchoir* (→ Meute, cit. 5). *Le perroquet de Robinson Crusoé. Maladie des perroquets.* ⇒ **Psittacose.** — *Bâton, échelle de perroquet :* perchoir fait d'un bâton vertical traversé d'échelons, fixé à un plateau de bois. — Fig. Succession de degrés, d'étapes. *Monter à l'échelle de perroquet.*

Vert-Vert était un perroquet dévot (...) 1
Jamais du mal il n'avait eu l'idée,
Ne disait onc un immodeste mot :
Mais en revanche il savait des cantiques,
Des *oremus,* des colloques mystiques (...)
Le beau Vert-Vert ne bougeait du parloir (...)
Nul ne dormait dans tout son auditoire,
Quel orateur en pourrait dire autant?
J.-B.-L. GRESSET, Vert-Vert, Chant II, *in* BRAUNSCHVIG, Notre littérature..., t. II, p. 267.

Un de ces perroquets de Guinée, endoctriné en route par un vieux matelot, avait pris sa voix rauque et sa toux, mais si parfaitement qu'on pouvait s'y méprendre (...) BUFFON, Hist. nat. des animaux, Le Jaco ou perroquet cendré. 2

Comment avez-vous un perroquet qui ne dit mot? Ayez-en un qui dise au moins : *Vive le roi!* — Dieu m'en préserve, dit-elle, un perroquet disant : *Vive le roi!* je ne l'aurais plus : on en aurait fait un notable. 3
CHAMFORT, Caractères et Anecdotes, « Perroquet et notable ».

(...) il n'y a d'exotique, dans leur entourage, qu'un beau perroquet royal du Brésil, un « loro » rouge feu, à qui elles apprennent à parler. 4
Valery LARBAUD, Barnabooth, Journal, IV.

Appos. *Vert perroquet :* vert vif et criard. — *On dirait un perroquet, c'est un vrai perroquet,* se dit d'une personne vêtue de couleurs criardes et disparates.

Un habit jaune et vert! C'est donc le médecin des perroquets? 5
MOLIÈRE, le Médecin malgré lui, I, 4.

Être bavard comme un perroquet, très bavard. *Répéter comme un perroquet :* répéter ce que qqn a dit sans comprendre (→ 1. Général, cit. 11); → ci-dessous, 2.

(...) qu'a-t-il à répéter toujours ces deux vers, comme un perroquet. 6
GIRAUDOUX, la Folle de Chaillot, I.

♦ **2.** Fig. Personne qui répète les connaissances, les opinions d'autrui sans les comprendre (→ Aurore, cit. 20). *Réciter une leçon comme un perroquet,* par cœur. *Je n'ai été qu'un perroquet* (→ Ignorer, cit. 5). *Ce dressage* (cit. 1) *de perroquet que nous appelons l'instruction.* (⇒ aussi **Psittacisme**).

Il se peut bien qu'on m'ait fait la leçon, et que je ne sois qu'un perroquet mal appris. A. DE MUSSET, On ne badine pas avec l'amour, II, 5. 7

(...) lui *(Hégésippe Moreau),* le perroquet si niais des badauds de la démocratie (...) 8
BAUDELAIRE, l'Art romantique, XXII, X.

On avait réussi, vers quatorze ou quinze ans, à faire assez bien de moi un bon perroquet cornélien. R. ROLLAND, Compagnons de route, p. 26. 9

Par ext. Imitateur.

(...) les femmes, loin d'être les oracles des modes de l'esprit, en sont plutôt les perroquets attardés. PROUST, les Plaisirs et les Jours, Pl., p. 178. 10

♦ **3.** (Par anal. d'aspect, de couleur). *Perroquet de mer,* nom vulgaire du macareux (→ Oiseau, cit. 3). *Poisson perroquet.* ⇒ **Scare.** *Tulipe perroquet.*

♦ **4.** Loc. *Bec* de perroquet.*

★ **II.** ♦ **1.** (1525; par anal. de forme avec le bâton de perroquet). Mar. anc. Mât gréé sur une hune. — Par ext. Voile carrée supérieure au hunier. *Grand, petit perroquet. Perroquet de fougue,* envergué sur un mât qui surmonte le mât d'artimon (hunier d'artimon). — Par ext. L'ensemble de la voile, du mât et du gréement. *Voile d'étai du mât de perroquet de fougue*.* ⇒ **Diablotin.**

Le vent vint à fraîchir, et, de bonne brise, il passa à l'état de coup de vent, c'est- 11

à-dire qu'il acquit une vitesse de quarante à quarante-cinq milles à l'heure, et qu'un bâtiment en pleine mer eût été au bas ris, avec ses perroquets calés.
J. VERNE, l'Île mystérieuse, t. II, p. 581.

♦ **2.** (1924). Porte-manteau à pieds, à patères courbes. *« Perroquet style bistro. En bois massif »* (*Catalogue de la Redoute,* Printemps 1981).

★ **III.** (1866, Delvau « mélange d'absinthe et de menthe » ; des couleurs jaune et verte). Boisson de café, mélange de pastis et de menthe.

12 Le Pernod laiteux venu de Pontarlier se colorait de grenadine pour devenir « une tomate » ou de menthe verte pour s'appeler « perroquet ».
R. SABATIER, les Allumettes suédoises, p. 79.

PERRUCHE [pɛʀyʃ ; peʀyʃ] n. f. — 1732 ; resuffixation de *perrique* (1645) ; esp. *perico,* du n. pr. *Perico,* dimin. de *Pero,* pour Pedro équivalent au franç. *Pierre.* → Perroquet.

★ **I.** ♦ **1.** Oiseau grimpeur *(Platycercidés),* exotique, de petite taille, au plumage vivement coloré, à longue queue, qui a les mœurs du perroquet mais ne parle pas. *Perruche verte, jaune, bleue* (→ Invraisemblablement, cit.). *Couple de perruches en cage.*

(...) des perruches, vertes comme des émeraudes, descendaient des lataniers voisins (...)
BERNARDIN DE SAINT-PIERRE, Paul et Virginie, p. 49.

♦ **2.** Fig. Femme bavarde qui fatigue par des propos sans intérêt. *Faites taire ces deux perruches !*

♦ **3.** (1743, Trévoux). Vx. Perroquet femelle.

★ **II.** Mar. anc. (Calque du sens II. de *perroquet*). Voile d'artimon, au-dessus du perroquet de fougue.

PERRUQUE [pɛʀyk ; peʀyk] n. f. — XVIe ; « chevelure », XVe, orig. obscure, l'ital. *perruca* est postérieur ; l'esp. *peluca* suggère un dér. de *pilus* « poil » et une parenté avec *peluche,* selon Guiraud.

♦ **1.** Coiffure de faux cheveux, chevelure postiche. *Perruque d'homme, de femme. Dans l'usage moderne, les perruques sont portées par les femmes. Aux XVIIe et XVIIIe siècles, les hommes de rang social moyen et élevé portaient perruque. Perruque portée sur les cheveux ; perruque pour cacher une calvitie* (⇒ **Moumoute**). *Perruque de déguisement. Perruques de crin des anciens Égyptiens. Perruque de filasse, de cheveux véritables. Perruque Louis XIV, Louis XV, Louis XVI. Perruque à boudins, à marteaux** (cit. 7), *à catogan* (→ Masquer, cit. 13), *poudrée* (→ 1. Mauve, cit. 4). *Porter une perruque* (→ Incroyable, cit. 10) ; *porter perruque.*

1 *(Ménalque)* passe sous un lustre où sa perruque s'accroche et demeure suspendue : tous les courtisans regardent et rient ; Ménalque regarde aussi et rit plus haut que les autres ; il cherche des yeux dans toute l'assemblée celui qui montre ses oreilles, et à qui il manque une perruque.
LA BRUYÈRE, les Caractères, XI, 7.

2 La perruque noire était tombée. Un crâne poli comme une tête de mort rendit à cet homme sa vraie physionomie (...)
BALZAC, Splendeurs et Misères des courtisanes, Pl., t. V, p. 701.

3 Elle cachait ses cheveux gris sous une perruque frisée dite *à l'enfant.*
HUGO, les Misérables, I, II, II.

4 Je vous ai fait longtemps attendre : je m'en excuse. J'ai été débordé de travail aujourd'hui. Et je vous reçois en perruque, vous voyez (...) Je m'apprête à partir pour le bal.
J. ANOUILH, Ornifle, II.

♦ **2.** Par anal. d'aspect. **a** Pêche. Enchevêtrement d'une ligne ; partie enchevêtrée, emmêlée, de la ligne.

b Techn. Outil de bijoutier, masse de fil de fer sur laquelle on soude les métaux.

♦ **3.** Fig. Vx. (XIXe). Personne âgée attachée à des goûts démodés, des opinions, des préjugés ridicules. *Une vieille perruque.*

5 Les romantiques se composent de jeunes gens, et les classiques sont des perruques : les romantiques l'emporteront. Le mot perruque était le dernier mot trouvé par le journalisme romantique, qui en avait affublé les classiques.
BALZAC, Illusions perdues, Pl., t. IV, p. 673.

6 — Ah ! ah ! ah ! vous vous êtes dit : Pardine ! je vais aller trouver cette vieille perruque, cette absurde ganache ! Quel dommage que je n'aie pas mes vingt-cinq ans ! comme je te vous lui flanquerais une bonne sommation respectueuse !
HUGO, les Misérables, IV, VIII, VII.

7 M. Marc Ribert m'enseignait que Racine était une perruque et une vieille savate.
FRANCE, la Vie en fleur, VIII.

Adjectif. (Vieux) :

8 Rien n'existait pour eux, à cette heure de la mode, que Jean-Sébastien Bach, et Claude Debussy. Encore le premier, dont on avait beaucoup abusé dans ces dernières années, commençait à paraître pédant, perruque, et pour tout dire, un peu coco.
R. ROLLAND, Jean-Christophe, Foire sur la place, I, p. 685.

♦ **4.** Fam. Travail effectué illégalement par un ouvrier, un technicien, avec les matériaux et l'outillage de l'entreprise. *Faire des perruques.* — Par ext. Détournement de matériaux ou d'outils appartenant à l'employeur. *Faire de la perruque.*

DÉR. Perruquer, perruquier. — (Du 3.) **Perruquisme.**

PERRUQUER [pɛʀyke ; peʀyke] v. intr. — XVIe, Ronsard, *in* Littré ; de *perruque.*

♦ **1.** Vx. Coiffer d'une perruque.

♦ **2.** Pêche. Emmêler la ligne (en formant un amas appelé *perruque*). — Trans. *Perruquer la ligne.*

♦ **3.** Fam. Faire de la perruque (4.).

▶ **PERRUQUÉ, ÉE** p. p. adj. (V. 1700 ; « qui a de longs cheveux », mil. XVIe, Ronsard).
Coiffé d'une perruque.

C'était merveille de voir monsieur de Lyon fort élégamment vêtu et perruqué jouer des coudes pour se frayer un passage.
Nicole AVRIL, Monsieur de Lyon, p. 208.

PERRUQUIER [pɛʀykje ; peʀykje] n. m. — 1564 ; de *perruque.*

♦ **1.** Vx. Artisan qui confectionne des perruques, coiffe et fait la barbe. ⇒ **Coiffeur, merlan** (→ Futile, cit. 1 ; massacre, cit. 6).

Le perruquier perdait à la fois son existence et son importance (...) Valet de chambre, perruquier ou perruquier-maître, il était admis le matin au plus intime intérieur, et témoin de bien des choses, confident sans qu'on songeât à se confier à lui. Le perruquier était comme un animal domestique, un meuble de dames ; il participait fort de la frivolité des femmes auxquelles il appartenait. 1
MICHELET, Hist. de la Révolution franç., V, VIII.

Il est indigné de ce que je porte les cheveux longs et il voulait à toute force, hier, m'entraîner chez un perruquier pour me les faire couper à la mode. 2
FLAUBERT, Correspondance, 61, 3 juil. 1842.

(...) une devanture de perruquier de petite ville, peinte en vert, toute pleine de flacons aux couleurs tendres, égayait ce coin d'ombre du vif éclair de ses plats de cuivre tenus très propres. 3
ZOLA, l'Assommoir, IV, t. I, p. 124.

♦ **2.** Mod. Fabricant de perruques et de postiches.

PERRUQUISME [pɛʀykism ; peʀykism] n. m. — Fin XIXe-déb. XXe (attesté chez A. France) ; de *perruque* (3.). Cf. Perruquinisme, v. 1860, Gautier.

♦ Fam., vx. Goûts et préjugés ridicules, archaïques.

PERS, PERSE [pɛʀ, pɛʀs] adj. — V. 1175 ; « livide », 1080 ; du bas lat. *persus ;* lat. class. *persicus* « persan ».

♦ Vx ou littér. Se dit de couleurs où le bleu domine (bleu-vert, glauque, bleu-violet, bleu-noir...), surtout en parlant des yeux. *La déesse aux yeux pers :* Minerve.

Et sous mes pieds, la mer, jusqu'au couchant pourpré, 1
Céruléenne ou rose ou violette ou perse (...)
J.-M. DE HÉRÉDIA, Trophées, « Floridum Mare ».

(Le concierge) était un homme silencieux et tolérant. Il avait de beaux yeux marrons, très parlants, et ma concierge de très beaux yeux pers, un peu contemplatifs, ce qui lui donnait l'air d'une fée déguisée. 2
B. CENDRARS, la Main coupée, *in* Œ. compl., t. X, p. 238.

HOM. Pair, père.

PERSAN, ANE [pɛʀsɑ̃, an] n. et adj. — 1512 ; de *Perse** ; cf. anc. franç. *Persien* (XVe), lat. *Persia,* du grec.

♦ **1.** (Personnes). De Perse, appelée de nos jours Iran. ⇒ **Iranien,** 1. **perse.** — REM. *Persan* s'emploie généralement pour la période qui va de la conquête arabe (VIIe s.) au XXe s. *Les Persans sont en majorité musulmans chiites. Des Persanes* (→ Disputer, cit. 11). — Adj. *Roi persan.* ⇒ **Schah.** *Comment peut-on être Persan?* (→ ci-dessous, cit. 1), phrase célèbre qu'on emploie ironiquement pour souligner l'étonnement et l'incompréhension dont les étrangers sont l'objet.

(...) je ne me croyais pas un homme si curieux et si rare (...) si quelqu'un par hasard apprenait à la compagnie que j'étais Persan, j'entendais aussitôt autour de moi un bourdonnement : Ah ! ah ! monsieur est Persan ! C'est une chose bien extraordinaire ! Comment peut-on être Persan? 1
MONTESQUIEU, Lettres persanes, XXX.

♦ **2.** (1616, *in* D. D. L.). Ling. *Le persan,* principale langue iranienne, parlée de nos jours, notée en caractères arabes, et très proche du parsi* tardif. ⇒ **Parsi.** Sarabande, *mot emprunté du persan par l'espagnol. Persan moderne.* ⇒ **Néo-perse** — Adj. *Langue persane. Mot persan.*

♦ **3.** Adj. Venant de Perse ou concernant la Perse ; d'Iran. ⇒ **Iranien.** *Chat persan :* chat à la tête carrée, au corps trapu, aux longs poils soyeux de couleurs diverses selon les types (→ Chanter, cit. 8), d'une race très recherchée. — N. m. *Un persan bleu, blanc...* — *Cheval persan :* cheval de type arabe, de taille moyenne, à front plat, utilisé comme cheval de selle. — *Marché persan* (Caravansérail, 2. khan,...). *Art persan. La littérature persane. Tapis persan. Minia-*

tures persanes. Le rial, le toman, monnaies persanes. — Les Lettres persanes, œuvre de Montesquieu (1721).

2 Il était rose, — ainsi doivent être les persans dits «crème», quand ils sont parfaits (...) D'un rose à peine cuivré, très près du sol par ses pattes de devant, un peu haussé sur son train de derrière. COLETTE, le Fanal bleu, p. 39.

HOM. Perçant.

1. PERSE [pɛʀs] adj. et n. — Av. 1500; *pers,* 1080; bas lat. *persus.*

♦ Hist. De l'ancienne Perse (antérieurement à la conquête arabe, VIIe s.). *Les armées perses. Domination perse sur l'Asie occidentale* (VIe s. av. J.-C.). *Gouvernement perse.* ⇒ **Satrape, satrapie.** *Zoroastre* (Zarathoustra), *fondateur de la religion perse.* ⇒ **Manichéisme, mazdéisme, parsisme, zoroastrisme; guèbre, parsi; mage** (→ Dualiste, cit.). *Écriture perse cunéiforme. Tiare des souverains perses. La darique, monnaie perse.* — Archit. *Chapiteau perse,* à deux têtes de taureaux opposées. — N. Habitant de la Perse antique. *Les Mèdes et les Perses. Les Perses,* tragédie d'Eschyle.

(1874). Ling. *Langues perses.* ⇒ **Iranien.** — N. *Vieux perse :* perse très ancien à alphabet cunéiforme. *Moyen perse.* ⇒ **Parsi.**

HOM. Perse (de *pers*), 2. **perse.** — Formes du v. **percer.**

2. PERSE [pɛʀs] n. f. — 1730; du précédent.

♦ Tissu d'ameublement, toile peinte originaire de l'Inde (mais que l'on croyait être de Perse). — Mod. Cretonne imprimée.

Je m'étendis sur un lit à colonnes drapé de perse à grandes fleurs rouges. NERVAL, Aurélia, I, IV.

HOM. Perse (de *pers*), 1. **perse.** — Formes du v. **percer.**

PERSÉCUTANT, ANTE [pɛʀsekytɑ̃, ɑ̃t] adj. — 1656, de *persécuter.*

♦ Rare. Qui persécute. *Une religion persécutante. Quand* (la superstition) *cette infâme* (cit. 5) *est persécutante.* — N. ⇒ **Persécuteur.**

C'est donc un grand avantage, pour exciter la commisération, que la proximité du sang et les liaisons d'amour ou d'amitié entre le persécutant et le persécuté (...) CORNEILLE, Disc. de la tragédie.

CONTR. Protecteur.

PERSÉCUTER [pɛʀsekyte] v. tr. — Fin Xe, relig.; du lat. *persequi,* d'après les dér. *persécuteur, persécution;* aussi «poursuivre». → Persécution.

♦ **1.** Tourmenter* durablement par des traitements injustes et cruels. ⇒ **Martyriser, opprimer.** *Persécuter son prochain* (→ Calomnier, cit. 3), *les gens de bien* (→ Captieux, cit. 2). *Persécuter ceux qui sont dans l'erreur* (→ Intolérance, cit. 4). *Édit* (cit. 1) *qui ordonne de persécuter les chrétiens. J'ai été chassé, traqué, poursuivi, persécuté* (→ Maudit, cit. 10). *Les novateurs* (cit. 6) *ont été persécutés. Priez pour ceux qui vous persécutent* (Bible; → Haïr, cit. 1). *Persécuter qqn, c'est le grandir* (→ Innocenter, cit. 1), *c'est faire des prosélytes* (→ Martyre, cit. 2).

1 Polyeucte, aujourd'hui qu'on nous hait en tous lieux,
Qu'on croit servir l'État quand on nous persécute,
Qu'aux plus âpres tourments un chrétien est en butte (...)
CORNEILLE, Polyeucte, I, 1.

2 Oui, les Grecs sur le fils persécutent le père;
Il a par trop de sang acheté leur colère. RACINE, Andromaque, I, 2.

3 En France, on laisse en repos ceux qui mettent le feu, et on persécute ceux qui sonnent le tocsin.
CHAMFORT, Maximes et Pensées, «Sur l'homme et la société», XIX.

4 Si, comme il est écrit, les choses cachées nous doivent être révélées un jour, nous saurons, sans doute à la fin, pourquoi tant de faibles furent écrasés, brûlés et persécutés dans tous les siècles (...) Léon BLOY, le Désespéré, p. 67.

Par ext. *Persécuter une œuvre, une religion. L'Encyclopédie* (cit. 3) *fut persécutée.*

5 Voici une comédie (...) qui a été longtemps persécutée (...)
MOLIÈRE, Tartuffe, Préface.

6 Au Cid persécuté Cinna doit sa naissance (...) BOILEAU, Épîtres, VII.

7 Quelque méchants que soient les hommes, ils n'oseraient paraître ennemis de la vertu, et lorsqu'ils la veulent persécuter, ils feignent de croire qu'elle est fausse, ou ils lui supposent des crimes. LA ROCHEFOUCAULD, Maximes, 489.

(Sujet n. de chose). *Orgueil qui persécute la vertu* (→ Foncier, cit. 2).

8 Seigneur, mille malheurs persécutent sa vie. RACINE, Britannicus, III, 8.

♦ **2.** (1611). Poursuivre en importunant. ⇒ **Acharner** (s'acharner contre), **harceler, importuner, molester, presser, tyranniser.** *Ses créanciers le persécutent. Journalistes qui persécutent une vedette. «Il me persécute par ses assiduités»* (Académie).

9 Je le fais seulement pour donner à gagner aux libraires qui me persécutent.
MOLIÈRE, les Précieuses ridicules, 9.

10 Vous, à qui je n'ai jamais rien fait, voilà maintenant que vous vous mettez au nombre de mes ennemis et que vous venez me persécuter avec M. Letondu!
COURTELINE, Messieurs les ronds-de-cuir, IIIe tableau, III.

▶ **PERSÉCUTÉ, ÉE** p. p. adj. et n.

♦ **1.** Adj. En butte à une persécution. *Peuple opprimé, persécuté* (→ Chrétien, cit. 1; fidèle, cit. 18). *Jésus persécuté* (→ Croix, cit. 4). *Juive persécutée* (→ Donner, cit. 74). *Mourir persécuté* (→ Inventer, cit. 7). *La vertu persécutée* (→ Cabrer, cit. 14).

Confus, persécuté d'un mortel souvenir (...) RACINE, Phèdre, V, 7. 11

Jean-Jacques *(Rousseau)* vieillissait, malade, seul, persécuté ou croyant l'être, 12
entouré d'imaginaires ennemis, d'autres réels.
Émile HENRIOT, Portraits de femmes, p.187.

♦ **2.** N. Victime d'une persécution. *Un persécuté, une persécutée. Les persécutés* (→ Crainte, cit. 11, persécutant, cit.). ⇒ **Victime.** Spécialt. Psychopath. Personne qui a des idées de persécution, ou qui est atteinte d'un délire de persécution*. *Persécutés persécuteurs**.

CONTR. Favoriser, protéger.
DÉR. Persécutant, persécutif.

PERSÉCUTEUR, TRICE [pɛʀsekytœʀ, tʀis] n. et adj. — XIVe, relig.; *persecutur,* 1190; lat. ecclés. *persecutor,* proprt «celui qui poursuit», de *persequi* «poursuivre», d'abord employé à propos des persécutions chrétiennes.

♦ **1.** N. Personne qui persécute. *L'intolérant* (cit. 5) *est souvent un persécuteur. La haine des persécuteurs* (→ Âpre, cit. 10). *Cruels* et lâches persécuteurs* (→ Asile, cit. 20). *Les persécuteurs du Christ* (→ Disciple, cit. 5). — (Compl. n. de chose). Rare. *Persécuteur de l'insolence* (cit. 6).

Et de toute vertu zélé persécuteur. RACINE, Athalie, I, 1. 1

Quel est le persécuteur? c'est celui dont l'orgueil blessé et le fanatisme en fureur 2
irritent le prince ou les magistrats contre les hommes innocents, qui n'ont d'autre crime que de n'être pas de son avis.
VOLTAIRE, Dict. philosophique, Persécution.

Voilà le bien que m'ont fait mes persécuteurs, en épuisant sans mesure tous les 3
traits de leur animosité. Ils se sont ôté sur moi tout empire, et je puis désormais me moquer d'eux. ROUSSEAU, Rêveries..., 1re promenade.

Adj. (XVIIe). *Un Dieu persécuteur* (→ Effroi, cit. 7; fureur, cit. 3). ⇒ **Cruel.** *Les dissidents* (cit.) *persécutés deviendront persécuteurs. Une France persécutrice de ses prêtres* (→ Calotin, cit. 1). — (En parlant d'une chose). *Religion persécutrice.* ⇒ **Persécutant.**

Arrivés au pouvoir en 1820 (...) ils se retournèrent contre la liberté de la presse : 4
de persécutés, ils devinrent persécuteurs (...)
CHATEAUBRIAND, Mémoires d'outre-tombe, t. IV, p. 223.

♦ **2.** Adj. Psychopath. *Persécuté persécuteur :* persécuté* à tendances revendicatrices qui cherche à se faire justice en persécutant ses ennemis (réels ou imaginaires).

♦ **3.** Rare. Qui importune. ⇒ **Importun, incommode.**

CONTR. Protecteur.

PERSÉCUTIF, IVE [pɛʀsekytif, iv] adj. — XXe; de *persécuter.*

♦ Didact. Qui détermine un sentiment de persécution.

La compulsion de répétition fait ainsi le jeu des besoins inconscients d'agression et d'auto-punition et perpétue un mode persécutif de relation avec autrui.
Daniel LAGACHE, la Psychanalyse, p. 47 (1950).

PERSÉCUTION [pɛʀsekysjɔ̃] n. f. — 1155; lat. ecclés. *persecutio,* appliqué aux chrétiens, du supin de *persequi* «poursuivre».

♦ **1.** Traitement injuste et cruel infligé avec acharnement. *La persécution de la victime par le bourreau. Une, des persécutions.* ⇒ **Martyr.** *Le zèle du salut des hommes n'est point la cause des persécutions* (→ Meurtrier, cit. 11). *Les persécutions, don de Dieu* (→ Centuple, cit. 2). *Persécutions subies par les Juifs* (cit. 4). *Cruelles, sanglantes persécutions* (→ Exiler, cit. 1). — (1680). Mauvais traitement dont on est la victime. *Être en butte à la persécution d'un homme odieux* (→ Esclavage, cit. 9). *Attirer* (cit. 32) *la persécution et la haine. La fureur de la persécution* (→ Haro, cit. 2). *Les persécutions de la tyrannie. Asile contre la persécution.*

Il y a plaisir d'être dans un vaisseau battu de l'orage, lorsqu'on est assuré qu'il ne 1
périra point : les persécutions qui travaillent l'Église sont de cette nature.
PASCAL, Pensées, XIV, 859.

Le génie étant vérité et étant liberté, a le droit à la persécution. 2
HUGO, Shakespeare, III, I.

(...) Zichy a résumé d'une manière aussi pittoresque que profonde la double persé- 3
cution politique et religieuse qui, sous prétexte de venger la mort d'un Dieu, s'acharnait contre le malheureux peuple d'Israël.
Th. GAUTIER, Voyage en Russie, XIV.

(...) outre la souffrance qui lui est infligée, la persécution l'atteint dans sa per- 4
sonne morale; presque toujours la persécution fausse l'esprit et rétrécit le cœur.
RENAN, Souvenirs d'enfance..., IV, I, Œ. compl., t. II, p. 822.

L'Assemblée a traité les nobles comme Louis XIV a traité les protestants. Dans 5
les deux cas, les opprimés étaient une élite. Dans les deux cas, on leur a rendu la France inhabitable. Dans les deux cas, on les a réduits à l'exil et on les a punis de s'exiler. Dans les deux cas, on a fini par confisquer leurs biens, et par punir de mort tous ceux qui leur donnaient asile. Dans les deux cas, à force de persécutions, on les a précipités dans la révolte.
TAINE, les Origines de la France contemporaine, t. III, p. 250.

♦ **2.** Loc. (1852, Lasègue). Psychopath. *Manie, folie de la persécution* (vx), *délire de persécution :* délire systématisé de celui qui se croit persécuté, soit par hallucination, soit par fausse interprétation de faits réels. *Idées de persécution :* idées délirantes du même ordre mais non systématisées, qui se forment dans des circonstances pathologiques diverses. — (Dans le langage courant). Se dit de l'attitude d'une personne (d'un groupe) qui se pose constamment en victime sans raisons suffisantes (→ Atteindre, cit. 18; histoire, cit. 24; juger, cit. 21).

6 (...) Rousseau se crut visé, prit feu et flamme, alluma là son délire de la persécution. A. THIBAUDET, Gustave Flaubert, p. 67.

♦ **3.** Rare. Importunité continuelle. *Les persécutions qu'on me faisait pour passer la nuit au château* (→ Instance, cit. 3).

CONTR. Protection.

PERSÉIDES [pɛʀseid] n. f. pl. — 1875; de *Persée,* nom d'une constellation, et suff. *-ide.*

♦ Astron. Étoiles filantes qui semblent venir de la constellation de Persée. *L'époque des Perséides* (le mois d'août).

PERSEL [pɛʀsɛl] n. m. — 1922; de *per-,* et *sel.*

♦ Chim. Sel dérivant d'un peracide. *Les percarbonates, les pernitrates, les perphosphates sont des persels.*

PERSÉVÉRAMMENT [pɛʀseveʀamɑ̃] adv. — 1190; de *persévérant.*

♦ Rare. Avec persévérance.

« Point de culte, point de gouvernement », devait-il proclamer. C'était le principe de l'action qu'il allait persévéramment exercer.
Louis MADELIN, Hist. du Consulat et de l'Empire, « Le Consulat », VII.

PERSÉVÉRANCE [pɛʀseveʀɑ̃s] n. f. — 1160, « continuité d'un état de choses »; lat. *perseverantia,* de *perseverans,* de *perseverare.* → Persévérer.

♦ **1.** Vx. Action de persister; résultat de cette action (en parlant d'un état de choses). ⇒ **Continuité, maintenance, persistance.** *La persévérance des arbres* (cit. 15) *toujours verts. Persévérance d'une vertu* (→ Dont, cit. 8).

♦ **2.** Mod. (Personnes). Action de persévérer; résultat de cette action; qualité, conduite d'une personne qui persévère. ⇒ **Constance, courage, énergie, entêtement, fermeté, fidélité, insistance, obstination, opiniâtreté** (cit. 6), **patience, ténacité, volonté.** *Persévérance dans un effort* (→ Dignité, cit. 6), *dans la lutte.* ⇒ **Acharnement.** *Il faut de la persévérance pour réussir* (→ Diplomate, cit. 1). *Patience et persévérance peuvent beaucoup* (→ Chance, cit. 2). *Une indomptable* (cit. 6) *persévérance. Avoir de la persévérance.* ⇒ **Suite** (de l'esprit de suite, de la suite dans les idées). → aussi Creuser son sillon* comme un bœuf; aller contre vents* et marées. *Vous y parviendrez avec de la persévérance* (→ Petit* à petit l'oiseau fait son nid). *Travailler avec persévérance* (cf. Pas à pas).

1 La persévérance n'est digne ni de blâme, ni de louange, parce qu'elle n'est que la durée des goûts et des sentiments, qu'on ne s'ôte et qu'on ne se donne point.
LA ROCHEFOUCAULD, Maximes, 177.

2 La persévérance est au courage ce que la roue est au levier; c'est le renouvellement perpétuel du point d'appui. HUGO, les Travailleurs de la mer, II, II, IV.

3 Il en conçut le légitime orgueil d'un monsieur qui a su, par sa persévérance, son opiniâtreté au-dessus de tout éloge, atteindre le but qu'il a laborieusement visé.
COURTELINE, Messieurs les ronds-de-cuir, Vᵉ tableau. I.

4 Il se rendit compte de ce qui, avec l'indiscrète persévérance (l'insistance, l'humilité, la patience, l'opiniâtreté, la violence, l'exigence) des pauvres, le sollicitait, comme un mendiant dont on prend tout à coup conscience qu'il vous suit en psalmodiant depuis déjà un long moment.
CLAUDE SIMON, le Palace, p. 76.

Relig. *Catéchisme de persévérance,* dont les enfants catholiques suivent l'enseignement, après leur communion solennelle, pour faire leur renouvellement*.

CONTR. Abandon, abjuration, caprice, changement, désistement, inconstance, versatilité.

PERSÉVÉRANT, ANTE [pɛʀseveʀɑ̃, ɑ̃t] adj. — 1180, *parsevrant* « qui persiste, qui dure »; lat. *perseverans* et p. prés. du v. *persévérer.*

Qui persévère; qui a de la persévérance.

♦ **1.** Vx. (Choses). ⇒ **Persistant.** *La persévérante union du visible et de l'invisible* (→ Constant, cit. 4).

♦ **2.** (Personnes). *Un homme persévérant.* ⇒ **Constant, entêté, fidèle, obstiné, opiniâtre, patient.** *Ouvrier habile et persévérant* (→ Atteindre, cit. 23). *Soyez persévérant, vos efforts seront récompensés.*

CONTR. Capricieux, changeant, inconstant, versatile.
DÉR. Persévéramment.

PERSÉVÉRATION [pɛʀseveʀasjɔ̃] n. f. — 1932; le mot existait en anc. franç. (XIIᵉ) au sens de « persévérance » ou « obstination »; de *persévérer.*

♦ Physiol. Persistance de l'action d'un stimulus après l'excitation.

Méd., psychopath. Persistance d'un trouble entretenu consciemment ou inconsciemment par un malade, alors qu'il n'est plus motivé par une cause physiologique ou mécanique.

Psychol., psychopath. Continuation ou répétition d'attitudes, de gestes ou de comportements quand plus rien ne les justifie. *Persévération mentale :* troubles mentaux (de l'attention, de la mémoire; inertie mentale) qui peuvent persister au delà d'un accès psychotique. *Persévération des attitudes :* catalepsie*.

La tendance d'un acte à se répéter se présente encore sous forme de *persévération.* Fréquente chez l'enfant, elle dénote un certain degré d'inertie mentale et la prépondérance de l'exécution sur l'idéation motrice. Elle est, dans la même mesure, en opposition avec ce modelage du mouvement sur une intuition ou sur une image qu'est l'imitation.
Henri WALLON, l'Évolution psychologique de l'enfant, p. 145.

PERSÉVÉRER [pɛʀseveʀe] v. intr. — Conjug. *céder.* — 1120, trans. *persévérer que;* lat. *perseverare,* de *per-,* et *severus* « sérieux » → Sévère.

♦ **1.** (Personnes). Continuer de faire, d'être ce qu'on a résolu, par un acte de volonté toujours renouvelé. ⇒ **Demeurer, insister, obstiner** (s'), **opiniâtrer** (s'), **persister, poursuivre.** *Persévérer dans l'effort.* ⇒ **Acharner** (s'), **soutenir** (son effort). *Persévérer dans un travail, une recherche,... une doctrine* (→ Magnétisme, cit. 2). *Persévérer dans le mal, l'erreur* (→ Duper, cit. 4), *l'impiété* (→ Incorrigible, cit. 1). *Il n'a guère persévéré, ses résolutions n'ont pas duré*. La foi donne l'entêtement qu'il faut pour persévérer* (→ Agir, cit. 3). *Persévérer par obstination, orgueil, honte de se dédire* (→ Cabale, cit. 7). Loc. prov. *Point n'est besoin d'espérer pour entreprendre** (cit. 12) *ni de réussir pour persévérer.*

Les hommes (...) souffrent beaucoup à être toujours les mêmes, à persévérer dans la règle ou dans le désordre (...) LA BRUYÈRE, les Caractères, XI, 147. 1

Il avait glissé, grimpé, roulé, cherché, marché, persévéré, voilà tout. Secret de tous les triomphes. HUGO, l'Homme qui rit, I, III, I. 2

Il n'est pas sain de persévérer dans le paradoxe. Vous avez donné la mesure d'une âme étonnante. Ça va bien. Ne jouez pas, par entêtement, une honorable réputation d'intelligence. 3
G. DUHAMEL, Salavin, III, XXIX.

Alors que pendant des mois, avec une obscure ténacité, malgré la prison et l'exil, ils avaient persévéré dans l'attente, la première espérance suffit à détruire ce que la peur et le désespoir n'avaient pu entamer. CAMUS, la Peste, p. 293. 4

Relig. *Persévérer dans le bien. Croyant qui persévère.*

Vx ou littér. *Persévérer à...* (devant l'infinitif).

De la pendule en garni dont la voix sévère 5
Voudrait persévérer à nous donner le trac. VERLAINE, Chair, « Vers sans rimes ».

♦ **2.** (Choses). Vx ou didact. Continuer, durer. ⇒ **Persister** (→ Persévérance, étym.). *La douleur, l'infection persévère.*

Prenez garde qu'au moins cette noble colère 6
Dans la même fierté jusqu'au bout persévère (...) MOLIÈRE, Dom Garcie, IV, 8.

CONTR. Abandonner, abjurer, cesser, changer, désespérer (se), désister (se), détromper (se), lasser (se), renoncer.
DÉR. Persévération. — V. Persévérant.

PERSICAIRE [pɛʀsikɛʀ] n. f. — XIIIᵉ; lat. médiéval *persicaria,* de *persicus* « pêcher », originellement « arbre de Perse ».

♦ Bot. Renouée* *(Polygonées)* dont certaines variétés à fleurs roses, rouges ou blanches sont cultivées comme plantes d'ornement (→ Marsault, cit.).

PERSICOT [pɛʀsiko] n. m. — 1692, *persico;* rad. du lat. *persicus* « pêcher ».

♦ Vx ou techn. Liqueur faite avec de l'alcool, du sucre et des noyaux de pêches écrasés.

PERSIENNE [pɛʀsjɛn] n. f. — 1732; fém. pris substantivement de l'anc. adj. *persien* (XIVᵉ), de *Perse,* nom de pays.

♦ Châssis de bois extérieur et mobile, muni d'un panneau à claire-voie, qui sert à protéger du soleil et de la pluie une fenêtre (cit. 4) ou une porte-fenêtre tout en permettant à l'air de passer. ⇒ **Contrevent, jalousie, volet.** *Les persiennes de bois ont généralement deux vantaux** (d'où l'emploi fréquent du mot *persienne* au pluriel); *ceux-ci s'ouvrent à l'extérieur, en s'appliquant contre le mur. Ouvrir, fermer les persiennes* (→ Exposer, cit. 13). *Montants, traverses, lames d'une persienne. Regarder par les fentes d'une persienne.* — Par ext. *Persiennes de fer :* panneaux articulés qui peuvent s'ouvrir en se repliant contre les tableaux de la fenêtre. ⇒ **Volet.**

Les persiennes diffèrent à la fois des contrevents et des jalousies avec lesquels on les confond souvent : elles sont à claire-voie, tandis que les contrevents sont des panneaux pleins; d'autre part, leurs lames de bois ne sont pas mobiles, tandis que celles des jalousies peuvent être manœuvrées de façon à épier ce qui se passe dans la rue sans être vu. 1
Louis RÉAU, Dict. d'art et d'archéologie, art. *Persienne.*

2 Pour plus de sûreté, les fenêtres étaient pourvues de persiennes au dehors et de volets en dedans. BALZAC, la Cousine Bette, Pl., t. VI, p. 493.

3 Et puis, une fois monté, sans ouvrir les persiennes, j'ai regardé par les fentes pour voir s'il y avait toujours des gens (...) CÉLINE, Voyage au bout de la nuit, p. 265.

PERSIFLAGE [pɛʀsiflaʒ] n. m. — 1735; de *persifler.*

♦ Action de persifler; discours, propos ironique d'une personne qui persifle. ⇒ **Dérision, ironie, médisance, moquerie, raillerie.** *Un spirituel persiflage* (→ Bafouer, cit. 6).

Des hommes connus en France sous le nom de persifleurs ont essayé de répandre du ridicule sur la démarche de M. de Lameth. Nous croyons rendre un service important à la patrie, en lui dénonçant le persiflage comme une aristocratie, et de l'espèce la plus dangereuse, car on peut définir le persiflage, l'aristocratie de l'esprit. RIVAROL, Politique, II.

PERSIFLER [pɛʀsifle] v. tr. — 1735; du lat. *per-*, et de *siffler.*

♦ Littér. ou style soutenu. Tourner en ridicule (qqn) en lui parlant ironiquement ou en feignant de le louer, de lui témoigner de la sympathie, de l'intérêt. ⇒ **Bafouer** (cit. 4), **moquer** (se), **railler.** *Quand j'ai à me plaindre de quelqu'un, je ne le persifle pas; je fais mieux; je me venge* (→ Manière, cit. 15). — Absolt. *« On ne sait que penser de tout ce qu'il dit, il persifle sans cesse »* (Académie). — (Compl. n. de chose). *Ils persiflaient les préjugés familiaux* (→ Économe, cit. 4).

C'est de l'usage de tout dire sur le même ton qu'est venu celui de persifler les gens sans qu'ils le sentent. ROUSSEAU, Émile, I.

S'il n'était pas un homme estimable, on aurait peur d'un genre de supériorité qui s'élève au-dessus de tout, dégrade et relève, attendrit et persifle, affirme et doute alternativement, et toujours avec le même succès. Mme DE STAËL, De l'Allemagne, II, VII.

(...) il persiflait cruellement ses projets *(d'un jeune homme),* ses espoirs de succès, comme s'il eût voulu se persifler lui-même puisqu'il se retrouvait en lui. Il s'acharnait froidement à détruire sa foi dans la vie, sa foi dans l'art, sa foi en soi. R. ROLLAND, Jean-Christophe, La révolte, III, p. 547.

Pron. (Vieilli). *Se persifler :* se moquer de soi-même.

DÉR. Persiflage, persifleur.

PERSIFLEUR, EUSE [pɛʀsiflœʀ, øz] n. et adj. — 1755; de *persifler.*

♦ Personne qui aime à persifler, qui a l'habitude de persifler. — Adj. (plus cour.). *Il est très persifleur.* ⇒ **Moqueur.**
Qui présente le caractère du persiflage. *Prendre un ton persifleur.*

(...) ils commençaient d'échanger leurs pensées vraies, ayant quitté vite ce ton moitié persifleur dont ils s'étaient servis pour masquer l'embarras du début. LOTI, les Désenchantées, II, VI.

PERSIL [pɛʀsi] n. m. — XIIIe; *perresil,* XIIe; du bas lat. *petrosilium,* lat. class. *petroselinum,* du grec *petroselinon,* de *petra* « roche », et *selinon* « persil ».

★ **I.** ♦ **1.** Plante potagère dicotylédone *(Ombellifères),* bisannuelle, très aromatique. *Ombelles* (cit. 1) *du persil. Le persil ne doit pas être confondu avec la petite ciguë* (æthusa), *vénéneuse, appelée aussi* faux persil. *L'apiol* principe actif extrait des semences du persil. — Bouquet de persil. Le persil, utilisé comme condiment.* ⇒ **Assaisonnement, herbe** (fines herbes). *Garniture de persil* (→ Gelée, cit. 5). *Tête de veau relevée de persil.*

À peu de temps de là, m'étant introduit dans notre cuisine (...) j'y trouvai la vieille Mélanie qui hachait avec un couteau du persil sur une planche. Je fis diverses questions touchant cette herbe dont l'âcre parfum me chatouillait les narines. Mélanie me répondait abondamment : elle m'apprit que le persil était employé dans les ragoûts et servait d'assaisonnement aux viandes grillées (...) FRANCE, le Petit Pierre, VII.

♦ **2.** Fam., vx. ⇒ **Cheveu.** *N'avoir plus de persil sur le crâne, sur le caillou.*

★ **II.** (1840, Halbert d'Angers, *in* Larchey). ♦ **1.** Argot. Activité de la prostituée. *Persil en fleur* ou *persil :* prostitution. Loc. *Faire son persil, aller au persil :* racoler les clients.

Par métonymie. (Vx). Le milieu de la prostitution.

♦ **2.** Fam., vieilli. *Faire son persil :* se promener (notamment pour se montrer, se faire remarquer).

Tiens! il n'y aura encore qu'une bonne promenade au bois pour me remettre de tant d'émotion! Allons faire notre « persil » Rouletabille! (...) G. LEROUX, Rouletabille chez Krupp, p. 81.

DÉR. Persillade, persillé, persiller, persillère, persilleuse.

PERSILLADE [pɛʀsijad] n. f. — 1690; de *persil.*

♦ **1.** Cuis. Sauce ou assaisonnement à base de persil haché, avec des fines herbes, de l'ail, de l'huile, du vinaigre...

♦ **2.** Mets qui consiste en tranches de bœuf froid servies avec cet assaisonnement.

Tantôt ce plat de bouilli fricassé aux oignons, tantôt des reliefs de poulet sauté, tantôt une persillade et du poisson à une sauce inventée par la Cibot (...) BALZAC, le Cousin Pons, Pl., t. VI, p. 565.

PERSILLÉ, ÉE [pɛʀsije] adj. et n. — 1694; de *persil,* par anal. avec l'utilisation du persil qui parsème un plat.

★ **I.** Adj. ♦ **1.** *Fromage persillé,* dont la pâte est parsemée de petits points verdâtres. *Un bon roquefort bien persillé.* — Bouch. *Viande persillée,* parsemée d'infiltrations de graisse. *Une entrecôte* (cit. 1) *persillée.*

♦ **2.** (XXe). Accompagné de persil haché.

Les justes proportions, ah, pour ça il s'y connaît (...) un peu d'oignon, un peu d'ail, et persillées, salées, poivrées (...) les plus délicieuses carottes râpées (...) N. SARRAUTE, le Planétarium, p. 120.

★ **II.** N. m. Fromage fermier à moisissures.

HOM. Persiller.

PERSILLER [pɛʀsije] v. tr. — 1907; de *persil.*

♦ Parsemer de persil coupé fin.

HOM. Persillé.

PERSILLÈRE [pɛʀsijɛʀ] n. f. — 1868; de *persil.*

♦ Récipient, pot percé de trous, dans lequel on fait pousser du persil en toutes saisons.

PERSILLEUSE [pɛʀsijøz] n. f. — Av. 1862; de *persiller* (1867), de *persil,* II.

♦ Argot. Vieilli. Prostituée.

PERSIQUE [pɛʀsik] adj. — 1676; lat. *persicus* « de Perse », grec *Persikos.*

♦ **1.** Didact. (Archit.). *Ordre persique :* ordre d'architecture dans lequel le fût de la colonne dorique est remplacé par des figures de captifs soutenant l'entablement (primitivement des statues de prisonniers perses).

♦ **2.** Cour. *Golfe Persique :* golfe qui s'étend entre l'Arabie et l'Iran (→ Autorité, cit. 19). — N. B. La dénomination est contestée par les États arabes du Golfe.

PERSISTANCE [pɛʀsistɑ̃s] n. f. — 1495; *persistence,* 1460; de *persister.*
Fait de persister.

♦ **1.** Manière d'agir, de penser de celui qui persiste, qui persévère. ⇒ **Constance, fermeté.** *Affirmer qqch. avec persistance.* ⇒ **Maintenir.** *« Mettre de la persistance à quelque chose »* (Académie). ⇒ **Entêtement, obstination, opiniâtreté.** *Persistance dans l'erreur, dans le péché.* ⇒ **Impénitence.**

♦ **2.** Caractère de ce qui est durable, de ce qui persiste; le fait de persister. ⇒ **Continuité, durée.** *Le froid s'installa* (cit. 13) *avec une persistance inusitée. La persistance des courants manichéens.* ⇒ **Constance.** *La persistance des images rétiniennes.*

Les rudes visages aux nez camards, aux méplats anguleux (...) rappelaient par la persistance du type les effigies toutes pareilles des Trajans et des Galbas (...). Louis BERTRAND, le Livre de la Méditerranée, p. 61.

CONTR. Abandon, caducité, cessation, changement, évanouissement.

PERSISTANT, ANTE [pɛʀsistɑ̃, ɑ̃t] adj. — 1321; p. prés. de *persister* employé adjectivement.

♦ **1.** Qui persiste, qui se maintient sans faiblir, qui se conserve, qui dure malgré les obstacles. ⇒ **Constant, continu, durable, fixe, inébranlable.** *Effort persistant.* ⇒ **Obstiné, opiniâtre, soutenu** (→ Informer, cit. 2). *Un fonds persistant de férocité* (cit. 3). *Troubles persistants* (→ Hérédité, cit. 8). *Fièvre, fatigue persistante. — Neige persistante,* qui ne fond jamais.

(...) tout un lot de chiffons, blancs du lavage, exhalant, malgré la lessive, une odeur persistante de musc. ZOLA, la Terre, III, VI. 1

♦ **2.** Bot. *Feuilles persistantes,* qui restent vertes pendant un ou plusieurs hivers. Spécialt. *Arbre à feuillage persistant* (opposé à *caduc*). — Calice persistant, qui dure jusqu'à la maturité du fruit, au lieu de tomber après la floraison, (opposé à *labile*).

(...) des arbres à feuillages persistants, cèdres, pins, mélèzes, thuyas, buis, houx, chênes verts (...). Th. GAUTIER, Portraits contemporains, « Gavarni ». 2

CONTR. (De 1.) **Changeant.** — (De 2.) **Caduc.**

PERSISTER [pɛʀsiste] v. intr. — 1321; lat. *persister, de per-,* et *sistere* « s'arrêter », de *stare* « se tenir debout ».

♦ **1.** (Sujet n. de personne). *Persister dans... :* demeurer inébranlable dans... (ses résolutions, ses sentiments, ses opinions) en dépit des résistances et des obstacles. ⇒ **Obstiner** (s'), **persévérer.** *Persister dans son aveuglement* (cit. 3), *dans une entreprise* (→ Échéance, cit. 5), *dans ses projets. Je persiste dans mon opinion* (→ Je ne sors* pas de là, je n'en démords pas).

1 (...) si vous persistez dans votre refus (...) je vais vous faire voir jusques où peut aller la résolution d'une personne qu'on met au désespoir.
MOLIÈRE, George Dandin, III, 6.

Persister à... suivi d'un inf... (→ Loquet, cit. 3). *L'accusé persiste à nier avec énergie.* ⇒ **Continuer.**

2 Je persiste à croire que la présence de quelques troupes françaises en Italie produirait un grand effet sur l'opinion et que le gouvernement du Roi en retirerait beaucoup de gloire. CHATEAUBRIAND, Mémoires d'outre-tombe, t. IV, p. 173.

Absolument :

3 (...) tous me conseillèrent unanimement de ne me point mêler d'une si mauvaise affaire; tout le monde me condamna, et je persistai (...)
VOLTAIRE, Politique et Législation, Lettre à Damilaville, 1er mars 1765.

♦ **2.** (1829; *parsister,* v. 1500). Sujet n. de chose; sans compl. prép. Continuer à être. ⇒ **Demeurer, durer, rester, subsister.** *Ce soleil, qui persistait toujours malgré la saison d'automne* (→ Dépaysement, cit. 1). *Cette mode ne persistera pas.* ⇒ **Tenir.** *L'intérêt de ce roman persiste jusqu'à la fin.* ⇒ **Soutenir** (se). *La langue reste, persiste de siècle en siècle* (→ Dissoudre, cit. 7). *Le rayonnement des jours heureux persiste longtemps encore après qu'ils ne sont plus* (→ Effacer, cit. 24). *La fixité* (cit. 7) *de la résolution qui, une fois prise, persiste invincible.*

4 Ce développement spontané et régulier montre que les instincts nationaux persistent sous l'empire de la mode étrangère; vienne une secousse qui les relève, ils reprendront l'ascendant (...) TAINE, Philosophie de l'art, t. II, p. 39.

Impers. ⇒ **Rester.** *Il persiste encore des traces de son influence.*

5 Il persiste chez lui *(Taine)* un restant de professeur faisant sa classe.
Ed. et J. DE GONCOURT, Journal, p. 77.

CONTR. Faiblir, flancher, renoncer. — Cesser, évanouir (s').

DÉR. Persistance, persistant.

PERSONA [pɛʀsɔna] n. f. — D. i.; en all., Jung; latin *persona.*

♦ Psychan. (Dans la théorie de Jung). Comportement qu'un individu adopte artificiellement dans sa vie en société et qui n'est pas le reflet exact de son moi. ⇒ **Rôle** (social).

PERSONA GRATA [pɛʀsɔnagʀata] — 1890; mots lat. qui signifient «personne bienvenue».

♦ Diplom. Représentant d'un État lorsqu'il est agréé par un autre État (inversement le représentant jugé indésirable est qualifié de *persona non grata*). — Par anal. Personnage qui a ses entrées dans un milieu officiel ou très fermé.

(...) Williams était *personna* (sic) *grata* à Washington. Les pétroliers de là-bas avaient grande confiance en lui. ARAGON, les Cloches de Bâle, III, XI.

PERSONNAGE [pɛʀsɔnaʒ] n. m. — 1250, «dignitaire ecclésiastique» (le mot désigne aussi la dignité ecclésiastique au moyen âge); de *personne.*

♦ **1.** (V. 1470). Personne qui joue un rôle social important et en vue. ⇒ **Grand, dignitaire, notable, notabilité, personnalité;** et (fam.) **bonnet** (gros bonnet), **bonze, huile, légume, manitou, matador** (vx ou régional), **ponte.** *Grands personnages* (→ Éloquence, cit. 16; gracieuseté, cit. 1); *hauts personnages* (→ Appendre, cit. 2; orgueil, cit. 13). *Personnage important* (→ Associer, cit. 8), *considérable* (→ Main, cit. 50), *haut placé. Personnage puissant par sa richesse.* ⇒ **Ploutocrate, potentat.** *Personnage influent. Personnage officiel* (→ Indiscrétion, cit. 13). *Personnage de marque, de premier plan.* ⇒ aussi **Vedette, V.I.P.** (anglic.). *Les principaux personnages de la ville* (→ Gala, cit. 2). — *Personnage éminent.* ⇒ **Autorité, pontife, sommité.** *Un savant personnage* (→ Atome, cit. 1).

1 L'abbé Trublet avait alors la rage
D'être à Paris un petit personnage (...) VOLTAIRE, le Pauvre Diable.

2 Avant la Révolution, quand un grand personnage, un maréchal de France, un prince, un duc et pair, traversait une ville de Bourgogne ou de Champagne, le corps de ville venait le haranguer (...) HUGO, les Misérables, II, VI, IX.

Les grands personnages du passé, de l'histoire. Célèbre, illustre personnage (→ Blanchir, cit. 7). *Personnage connu* (→ Évangile, cit. 5). ⇒ **Célébrité, figure, gloire, illustration.** — REM. Dans ces emplois, *personnage* a un sens voisin du sens 3. — *Personnage historique* (→ Légendaire, cit.; mérite, cit. 12). *Personnage transfiguré par la renommée* (→ Idée, cit. 19). — Absolt. *Se prendre pour un personnage* (→ Ne pas se moucher* du coude, se croire quelqu'un*). *«Se croire* (cit. 72) *un personnage est fort commun en France»* (La Fontaine).

3 Être un *personnage* pour eux, c'est avoir une position indépendante, puissante, telle qu'ils soupçonnent pouvoir un jour avoir besoin de vous à leur tour.
SAINTE-BEUVE, Correspondance, 484, 29 juil. 1835.

♦ **2.** Personne, considérée dans son rôle social ou quant à son comportement, à son apparence... (→ Maraîcher, cit. 1). — *Grave personnage* (→ Émeute, cit. 2). *Saint personnage* (→ Employer, cit. 20). *Inquiétant* (→ Approche, cit. 14), *singulier* (→ Huileux, cit. 4) *personnage.* ⇒ **Individu.** *Un drôle de personnage.* ⇒ **Citoyen,** 4. **coco, paroissien.** *Fastidieux* (cit. 4), *plat personnage. Un personnage de petite, de pauvre apparence* (→ Mastic, cit. 4). *Personnage adipeux* (→ Graisse, cit. 7). — *Des personnages qui échappent à ma mémoire* (→ Fouiller, cit. 29).

Je ne parlerai donc que de votre attitude publique, du personnage qui dîne en ville, 4
joue au bridge, pérore à son cercle, préside les conseils d'administration, bref, du personnage qu'un certain nombre de messieurs cravatés de noir reconduiront poliment un jour jusqu'au cimetière, et qui est rarement celui avec lequel une pauvre femme couche tous les soirs, ou celui que Dieu jugera.
BERNANOS, les Grands Cimetières sous la lune, p. 300.

(...) une sorte d'image spéculaire que la société nous renvoie de nous-mêmes et 5
qui est celle du *personnage* que nous «faisons» dans le monde. Nombreux sont les gens qui ne se connaissent que par l'opinion d'autrui et ne voient d'eux-mêmes qu'un reflet. Mais tous, tant que nous sommes, nous faisons les gestes que commandent notre profession, notre situation sociale, ceux que les autres attendent de nous. BURLOUD, Précis de psychologie, p. 161.

Le Personnage est l'homme que les autres imaginent que nous sommes, ou avons 6
été. Il peut être multiple. Deux personnages différents, contradictoires, et même l'un à l'autre hostiles, peuvent nous survivre dans l'esprit de nos amis, de nos ennemis, et continuer, après notre mort, une lutte dont notre figure posthume est l'enjeu. A. MAUROIS, Mémoires, I, I.

♦ **3.** (1403). Chacune des personnes qui figure dans une œuvre théâtrale et qui doit être incarnée par un acteur, une actrice. ⇒ **Rôle.** *Personnage principal.* ⇒ **Héros, protagoniste.** *Personnage épisodique* (cit. 1), *secondaire* (⇒ **Comparse**), *muet... Personnages comiques, grotesques, ridicules... de la comédie italienne : arlequin, bouffon* (cit. 3), *capitan, paillasse... Hamlet, personnage complexe* (cit. 4). *Les personnages de Molière* (→ Avare, cit. 19; humain, cit. 20; misanthrope, cit. 2). *Personnage de comédie.* ⇒ **Comédie.** → Caractériser, cit. 4. *Acteur, clown, comédien... qui joue un personnage.* — Loc. *Se mettre, entrer dans la peau* de son personnage,* l'incarner avec conviction, vérité. — *Étoffer* (cit. 3) *le personnage.* — Allus. littér. *Six personnages en quête d'auteur,* pièce de Pirandello.

Les personnages de Racine, comme je l'ai dit, sont et ne sont point des personnages grecs; ce sont des personnages chrétiens : c'est ce qu'on n'avait point du tout compris. CHATEAUBRIAND, Mémoires d'outre-tombe, t. II, p. 204.

Quand on dit d'un comédien : «Voilà un bon comédien», on se sert d'une formule qui implique que sous le personnage se laisse encore deviner le comédien (...)
BAUDELAIRE, le Spleen de Paris, XXVII.

Les personnages d'un poème (→ Douceur, cit. 23; dramatique, cit. 3), *d'un roman, d'un livre* (→ 1. Livre, cit. 2), *d'une œuvre* (cit. 20). *On dirait un personnage de roman, un personnage de Balzac, de Céline.*

Personnage historique (cit. 6), *réel, fantastique* (cit. 1), *de légende, légendaire* (→ Ballet, cit. 4). *Personnages à clefs* (cit. 17) *d'un livre.*

Je ne me lasserai point d'admirer la prodigieuse étendue de tête qu'il t'a fallu, pour conduire des drames de trente à quarante personnages, qui tous conservent si rigoureusement les caractères que tu leur as donnés (...)
DIDEROT, Éloge de Richardson.

Entre tant de personnages historiques ou fabuleux, déplorables ou risibles, qui 1
s'agitent sur la grande scène du monde et que le caprice du premier grimaud expose à être transformés subitement tout vifs en héros dramatiques sans qu'ils aient rien à dire, il est une classe de gens *(les comédiens)* que leur profession même semble mettre expressément à l'abri d'un pareil malheur.
Th. GAUTIER, les Grotesques, p. 320.

Snob, Balzac l'était aussi, mais le travail lui faisant passer tellement plus d'heu- 10
res avec des personnages imaginaires, c'est-à-dire avec lui-même, qu'avec des personnages réels (...) PROUST, Jean Santeuil, Pl., p. 487.

Voulez-vous que vos personnages vivent? Faites qu'ils soient libres.
SARTRE, Situations I, p. 37.

Par métaphore. *«La nature* (cit. 53) *est un drame avec des personnages.» Les personnages de la comédie humaine* (→ Fierté, cit. 3). — *C'est un personnage de comédie*, un personnage de roman.*

♦ **4.** Rôle que l'on joue dans la vie. *Faire, jouer** (cit. 66 et 70), *exécuter différents personnages, un personnage* (→ Exposer, cit. 27; 1. grave, cit. 3; hypocrisie, cit. 10). *Remplir son personnage* (→ Garde-à-vous, cit. 2). *Soutenir un personnage difficile* (→ Aviner, cit. 1). *Composer* (cit. 14) *son personnage.* — Allus. littér. *«L'esprit* (cit. 87) *ne saurait jouer longtemps le personnage du cœur»* (La Rochefoucauld).

Il était alors de ces gens qui semblent moins vivre leur vie que jouer leur propre personnage. G. DUHAMEL, la Pesée des âmes, XII.

♦ **5.** (1422). Être humain représenté (dans une œuvre d'art) (→ Figure, cit. 7; groupe, cit. 2; grouper, cit. 3). — *Le principal personnage d'un tableau* (→ Description, cit. 2). *Les personnages du Caravage* (→ Éclairage, cit. 4), *de Latour* (→ 1. Geste, cit. 11). *Personnage allégorique. Un personnage en premier plan. De petits personnages dans les lointains.* — *Tapisserie, indienne* (cit. 2), *papier* (cit. 9) *à personnages.*

(...) ses personnages *(de Decamps)* étaient (...) toujours posés, drapés ou habillés selon la vérité et les convenances et coutumes éternelles de leur individu.
BAUDELAIRE, Curiosités esthétiques, III, VI.

PERSONNALISATION [pɛʀsɔnalizɑsjɔ̃] n. f. — 1845, «action de faire des allusions personnelles»; de *personnaliser.*

♦ **1.** Didact. ou comm. Action de personnaliser. *Personnalisation de l'impôt* (cit. 15). — Philos. *Personnalisation des valeurs.*

♦ **2.** (V. 1950; d'après l'angl.). Comm., publicité. Fait de personnaliser.

(...) les annonceurs et les éditeurs publicitaires s'ingénient (...) à imposer la lecture de leurs papiers : une des dernières inventions dans ce domaine a été la personnalisation.
Ce système permet de lancer des lettres ou imprimés quelconques, établis au nom de chaque prospecté (...)
B. DE PLAS et H. VERDIER, la Publicité, 1951, p. 86.

CONTR. Dépersonnalisation.

PERSONNALISER [pɛʀsɔnalize] v. — 1704; dér. sav. de *personnel*, d'après le lat. *personalis.*

★ **I.** V. tr. ♦ **1.** Vx. Prêter une existence, un caractère personnel à (une abstraction, une chose). ⇒ **Personnifier.**

♦ **2.** (xxᵉ). ⓐ Rendre personnel. *Personnaliser l'impôt.*

(Mil. xxᵉ; d'après l'angl.). Comm., publicité. Donner l'apparence d'une chose unique, destinée personnellement à qqn, à (un objet, un imprimé, etc.). *Personnaliser une publicité.* — Donner une note personnelle à (un objet de série). *Personnaliser une voiture, un appartement.* — P. p. adj. (d'après l'angl. *personalized*) :

La grande idée d'Hubert, c'est l'assurance personnalisée, ou plutôt, pour employer un terme qui fleurit sur toutes les lèvres, *fonctionnelle.* Finies ces polices anonymes qui ne tenaient aucun compte des particularités de chacun et s'appliquaient aussi bien au garagiste de Dunkerque qu'au vigneron de Perpignan.
Pierre DANINOS, Un certain Monsieur Blot, p. 48.

ⓑ (Le complément désignant un fait de discours, des paroles). Donner un caractère personnel à, transformer de telle sorte que la personnalité même des individus prend le pas sur les idées générales. *Il n'est certes pas dans mes intentions de personnaliser le débat.*

♦ **3.** Dr. Donner à (qqch.) la qualité de personne morale. — Au p. p. *Une association personnalisée. Groupement non personnalisé* (→ Institution, cit. 7).

★ **II.** V. intr. (1768). Vx. Faire des attaques personnelles contre une ou des personnes. ⇒ **Personnalité.**

CONTR. Dépersonnaliser.
DÉR. Personnalisation.

PERSONNALISME [pɛʀsɔnalism] n. m. — 1737, « défaut de celui qui a de la personnalité, de l'égoïsme »; sens philos. en 1903 Renouvier, employé en anglais dès 1865 *(personalism)*; de *personne.*

♦ Philos. Se dit des philosophies pour lesquelles la personne est la valeur suprême. *Le personnalisme de Renouvier. Le personnalisme chrétien d'E. Mounier, doctrine morale et sociale fondée sur la personne* (et s'opposant à l'individualisme).

(...) le personnalisme est une philosophie, et non pas seulement une attitude. Mais son affirmation centrale étant l'existence de personnes libres et créatrices, il introduit (...) un principe d'imprévisibilité qui disloque toute volonté de systématisation (...)
E. MOUNIER, le Personnalisme, p. 6.

DÉR. Personnaliste.

PERSONNALISTE [pɛʀsɔnalist] adj. et n. — 1894, Sachs-Villatte; « relatif à la doctrine de ceux qui admettent un Dieu personnel » 1887, Janet; de *personnalisme.*

♦ Relatif au personnalisme. *Doctrine, philosophie personnaliste. « Révolution personnaliste et communautaire »*, ouvrage d'Emmanuel Mounier. — N. *Les personnalistes chrétiens.*

PERSONNALITÉ [pɛʀsɔnalite] n. f. — 1495; lat. *personalitas*, de *personalis* « personnel ».

★ **I.** ♦ **1.** Caractère de l'être qui est une personne* (1. Personne, 3.) morale, ce qui fait son individualité. ⇒ **Être, moi, nature, soi.** — *Liberté* et personnalité. L'idée d'âme* (cit. 42) *et l'idée de personnalité. Opposer la personnalité et la fonction sociale* (⇒ **Personnage**), *et l'individualité...*

Fonction par laquelle un individu conscient se saisit comme un *moi*, comme un sujet unique et permanent (→ Flux, cit. 4; individu, cit. 17). ⇒ aussi **Caractère, constitution, moi, tempérament.** *« Notre mémoire, en retenant le fil de notre personnalité identique »* (cit. 5, Proust). *Tests de personnalité, analytiques et projectifs (ou synthétiques). Maladies, troubles* (→ Encéphalite, cit.), *altérations, détériorations de la personnalité* (troubles de l'identité, de l'unité, de la continuité, de la perception). ⇒ **Dédoublement** (→ Dépersonnalisation, cit. 3), **délire** (de négation, de transformation), **dépersonnalisation, désagrégation, dissociation, dissolution, névrose.** *Distorsion* (→ Épilepsie, cit. 2) *de la personnalité.*

En tant qu'individualité psychologique, la notion de personnalité n'est pas prise ici comme signifiant l'*influence* exercée par un individu sur un autre (« il a une personnalité marquante »)... Elle ne signifie pas non plus l'*apparence* qu'on se donne (« prendre » une personnalité)... Elle ne désigne pas davantage l'*idéal* que peut se faire l'individu de lui-même (« chercher à cultiver sa personnalité »)... Enfin, il ne s'agit pas ici de l'*essence* métaphysique et hypothétique de l'être humain (« la personnalité de chacun est inviolable... ») le psychologue laisse au moraliste la notion de *personne* (...) la personnalité est *la configuration unique que prend au cours de l'histoire d'un individu l'ensemble des systèmes responsables de sa conduite.*
J.-C. FILLOUX, la Personnalité, p. 10.

Le concept de personnalité recouvre ainsi deux idées différentes : celle d'*intégration* plus ou moins parfaite : elle est l'ensemble ou le système de tout ce qu'il y a en moi — et celle d'*individualité* : la forme que prennent en moi les éléments qui y figurent m'appartient en propre et me distingue des autres. Parler de la personnalité humaine, c'est dire, en somme, que chaque homme est *un* et qu'il est *unique.* Gaston BERGER, Caractère et Personnalité, p. 2. 2

Sociol. *Personnalité de base* : « configuration psychologique propre aux membres d'une société donnée et qui se manifeste par un certain style de vie » (M. Dufrenne).

♦ **2.** Cour. (→ ci-dessus, cit. 1). Apparence d'une personne (⇒ **Personnage**); aspect sous lequel une personne se considère. *Les personnalités successives de qqn* (→ Discontinuité, cit.).

(...) notre personnalité sociale est une création de la pensée des autres. 3
PROUST, À la recherche du temps perdu, t. I, p. 31.

Caractère original; ce qui différencie une personne de toutes les autres; ce qui constitue l'idéal, le projet d'un individu (quant à lui-même). *Affirmer* (cit. 9 et 10), *développer sa personnalité. Avoir une forte, une puissante personnalité.* Absolt. ⇒ **Originalité** (→ Falloir, cit. 31). *Un être banal, sans personnalité. « Des personnes sans personnalité, des êtres sans originalité, nés pour la fonction »* (→ Estimable, cit. 3, Baudelaire). — *Style sans personnalité.* ⇒ **Caractère.**

Par ext. *Personnalité d'un peuple* (→ Malaxer, cit. 3), *d'une nation* (cit. 4), *de la patrie* (→ Fixité, cit. 5). *Notre personnalité française* (→ Étranger, cit. 47).

La personnalité française est la plus vive, la plus individuelle de l'Europe (...) la plus multiple, la plus difficile à connaître. MICHELET, la Femme, II, II. 4

(...) le peuple arabe a gardé sa personnalité qui n'est pas réductible à la nôtre. 5
Ces deux personnalités, liées l'une à l'autre par la force des choses, peuvent choisir de s'associer, ou de se détruire. CAMUS, Actuelles III, p. 145.

♦ **3.** Dr. *Personnalité juridique* : aptitude à être sujet de droit. ⇒ **Personne** (1. Personne, 4.). *Droits de la personnalité. Personnalité civile, morale, juridique d'un groupement, d'un établissement* (qui constitue une personne* morale), *d'une association.* — *Personnalité comptable* (→ Exercice, cit. 22). *Doctrines sur la personnalité de l'État.*

♦ **4.** Vx, péj. « Attachement à sa propre personne » (Littré); égoïsme empreint d'orgueil (⇒ **Moi**). Cf. Mᵐᵉ du Deffand, Marmontel, Mᵐᵉ de Staël, *in* Littré; → aussi Exaltation, cit. 6. *« Auguste Comte oppose souvent, en ce sens,* personnalité *et* socialibilité *ou* sympathie » (Lalande).

♦ **5.** (1697). Vieilli (au plur.). Désignation de la personne visée par telle allusion blessante, telle critique, tel blâme présenté sous une forme générale. ⇒ **Personnaliser** (II.). *Je ne veux pas faire de personnalités.*

(...) ma franchise n'est point satirique : toutes personnalités odieuses sont bannies 6
de ma bouche et de mes écrits (...)
ROUSSEAU, Lettre à Mᵐᵉ la marquise de Créqui, 8 sept. 1755.

♦ **6.** Caractère de ce qui s'applique aux personnes, de ce qui est personnel. *Personnalité de l'impôt. Personnalité des peines en droit français.*

★ **II.** (1867). ♦ **1.** Rare. Personne morale considérée comme réalisant plus ou moins « les qualités supérieures par lesquelles la personne se distingue du simple individu biologique » (Lalande). *Une puissante, une remarquable personnalité.* ⇒ **Caractère, individualité, nature.** *Personnalité éminente.* ⇒ **Sommité; figure.**

♦ **2.** Personne en vue, remarquable par sa situation sociale, son activité. ⇒ **Notabilité, personnage.** *« Il y avait sur l'estrade un grand nombre de personnalités »* (Académie).

(...) Joseph parle comme les journaux. Il appelle les personnes des personnalités. 7
Il trouve que ça fait mieux, que c'est plus fort.
G. DUHAMEL, Chronique des Pasquier, X, VI.

♦ **3.** *Culte de la personnalité* (adaptation du russe) : attitude politique qui consiste à donner plus d'importance à l'image du chef qu'aux intérêts de la collectivité (explication rationalisée du régime dictatorial).

Le culte de la personnalité, en voilà un crime ! Ce n'est pas le vôtre, camarades 7.1
staliniens. F. MAURIAC, Bloc-notes 1952-1957, p. 253.

CONTR. Impersonnalité.

1. PERSONNE [pɛʀsɔn] n. f. — 1180; lat. *persona* « personnage, personne », mot d'orig. étrusque « masque de théâtre ».

♦ **1.** Individu de l'espèce humaine (considéré en tant que sujet conscient et libre). ⇒ **Créature, être, homme, individu, mortel, particulier, quidam.** *Les personnes et les choses.* ⇒ **Gens.** *Relatif à une personne.* ⇒ **Individuel, personnel.** *Le gouvernement* (cit. 8 et 9) *des personnes et l'administration des choses. Socrate épargnait les personnes et blâmait les mœurs* (→ Cynique, cit. 1). *Une personne.* ⇒ **Quelqu'un; on.** *Des personnes.* ⇒ **Gens.** *Chaque, toute personne qui...* ⇒ **Chacun, quiconque.** *Certaines, de nombreuses personnes disent que...* ⇒ **Beaucoup, certain, tel.** *La personne qui...* ⇒ **Celui.**

Les personnes qui nous entourent. ⇒ **Prochain, semblable.** *Un certain nombre, un grand nombre de personnes* (→ Aristocratie, cit. 1; assemblée, cit. 1). *Rassemblement de plus de quinze personnes* (→ Attroupement, cit. 1 et 3). *Groupes de personnes.* ⇒ **Association, classe** (cit. 1), **corps, société.** *Distribuer une part, une portion par personne.* ⇒ **Tête.** *Tant* par personne.* — *Passer par une tierce* personne* (→ Interprète, cit. 2), *par personne interposée. Sans acception* de personne. Ce qui différencie les personnes.* ⇒ **Individualité, personnalité.** *Le corps et l'esprit d'une personne* (→ Âge, cit. 7). *On change, on n'est plus la même personne* (→ Guérir, cit. 21). *L'originalité d'une personne* (→ Gagner, cit. 15). — Être humain — en particulier lorsqu'on ne peut ou ne veut préciser l'âge, le sexe (⇒ **Homme, femme**), l'apparence (⇒ **Monsieur, dame**), etc. *Une personne de connaissance, connue.* ⇒ **Visage.** — (D'après la place, l'importance dans la société). ⇒ **Personnage.** *Personne de distinction* (→ Orchestre, cit. 1), *de qualité* (→ Mettre, cit. 27 et 66), *de condition, d'importance* (cit. 11). *Une personne très convenable, très comme il faut.* — (D'après le comportement, le caractère). *Personnes graves* (1. Grave, cit. 8). *Une brave personne* (→ Pain, cit. 8). *De fort honnêtes personnes* (→ 1. Gens, cit. 34). *C'est une excellente personne. Personne humble* (→ Cabinet, cit. 4; docte, cit. 2), *simple* (→ Épais, cit. 18). *Dons, talents d'une personne.* «*Des dons que le ciel fait à peu de personnes*» (→ Art, cit. 6). *Personne supérieure* (→ Jalousie, cit. 3). *Personnes de goût* (cit. 20), *d'action et de pensée* (→ Démontrer, cit. 4). *Personne frivole* (cit. 7). *Personnes faibles* (cit. 17).

1 Eh! Messieurs les badauds, faites vos affaires, et laissez passer les personnes sans leur rire au nez. MOLIÈRE, Monsieur de Pourceaugnac, I, 3.

2 (...) cette personne de mérite, si délicate à la fois et si bien pensante, et qui fit de ses qualités et de sa fortune un si noble usage (...)
SAINTE-BEUVE, Causeries du lundi, 9 juin 1851.

REM. De nombreux emplois de *personne,* dans ce sens, sont vieillis. — (Pour insister sur le caractère indifférencié) :

3 C'était une personne — nous n'osons dire une femme — calme, austère, de bonne compagnie, froide, et qui n'avait jamais menti. HUGO, les Misérables, I, VII, I.

Être (une) personne à... → Être homme*, femme* à...

4 Ce n'était pas une personne à demeurer en repos.
Edmond JALOUX, l'Ami des jeunes filles, p. 138.

(D'après l'âge, l'apparence physique). *Personne d'âge* (→ Ivresse, cit. 1; oncle, cit. 2), *personnes âgées. Les personnes valides* (→ Forcer, cit. 33). *Une personne plus forte* (cit. 5).

Spécialt. **GRANDE** (cit. 18) **PERSONNE :** adulte* (→ Enfance, cit. 10; indulgent, cit. 8; jouer, cit. 1). *Les grandes personnes et les enfants.* — REM. Au XVIIe s. on employait absolument *personne* dans ce sens.

5 (...) elle lit, elle travaille : enfin c'est une personne.
Mme DE SÉVIGNÉ, 799, 12 avr. 1680.

6 Toutes les grandes personnes ont d'abord été des enfants (Mais peu d'entre elles s'en souviennent). SAINT-EXUPÉRY, le Petit Prince, Dédicace.

La personne que nous aimons, qu'on aime, la personne aimée (→ Attacher, cit. 56; constance, cit. 5; délibération, cit. 7; évanouir, cit. 12; irradier, cit. 3). *Construire* (cit. 2) *sa vie pour une personne. Deux personnes indissolublement* (cit. 1) *unies dans le mariage.*

REM. Dans la langue classique, *personne* est parfois suivi d'un mot (pron., adj.) au masculin (lorsqu'il s'agit d'un homme).

7 Jamais je n'ai vu deux personnes être si contents l'un de l'autre (...)
MOLIÈRE, Dom Juan, I, 2.

Spécialt (XVIIe). Vieilli. Femme* ou jeune fille. *Une jeune personne* (→ Engoncer, cit. 2; entacher, cit. 2). *Cette petite personne...* (→ Beauté, cit. 39; enfantin, cit. 2). *Une belle personne* (→ Conquérant, cit. 2). *Aimable, jolie personne. Les vieilles personnes qui ont été aimables* (cit. 1). — Absolt, vx. *Un galant près d'une personne...* (→ Alphabet, cit. 1, La Fontaine).

♦ **2.** *La personne de qqn,* sa personnalité, notamment dans ses manifestations extérieures (→ Appareil, cit. 6; hétéroclite, cit. 4). *Faire grand cas, être content de sa personne, de sa petite personne* (→ Gober, cit. 9). *Le monde affectif* (cit. 2), *pour lui, se limite à sa personne. Ne savoir que faire de sa personne* (→ Grimaud, cit. 5). — Loc. *Payer* (cit. 34 et 35) *de sa personne.* — *La personne et l'œuvre* (d'un écrivain, d'un artiste...). ⇒ **Homme.** → Écraser, cit. 10; fantastique, cit. 7. — «*Le ciel joignit en sa personne...*» (→ Aimer, cit. 71). *En sa personne se confondent le juge et le justicier* (→ 2. Justicier, cit. 1). *Honorer* (cit. 8) *dans la personne de quelqu'un...*

8 Recevez donc, Monsieur, avec l'hommage de toute mon admiration pour votre génie, l'assurance de tout mon dévouement pour votre personne.
FLAUBERT, Correspondance, 395, 2 juin 1853.

(XIIe). Le corps*, l'apparence extérieure... (→ Agrément, cit. 6; hâle, cit. 1). **a** *De sa personne. Agréable* (cit. 14), *bien fait de sa personne* (→ Galanterie, cit. 17). Plus cour. *Il est bien de sa personne. Panurge, galant homme de sa personne* (→ Argent, cit. 17). — *L'air de propreté répandu sur toute sa personne* (→ Fraîcheur, cit. 11). *Soigneux, peu soigneux de sa personne* (→ Malpropre, cit. 1; miasme, cit. 3).

b *Toute sa personne...* (→ Difformité, cit. 1; exotique, cit. 4). «*Toute sa petite personne dodue...*» (→ Gonfler, cit. 9). *Tout son visage, toute sa personne respiraient la bonté* (→ Mansuétude, cit. 1). «*Toute sa personne velue...*» (→ Cacher, cit. 52, La Fontaine).

Ne trouves-tu pas (...) qu'il est bien fait de sa personne? 9
MOLIÈRE, le Malade imaginaire, I, 4.

(...) comment ne savez-vous donc plus que je me suis si bien incarné à votre cœur que mon âme est ici quand ma personne est à Paris? 10
BALZAC, le Lys dans la vallée, Pl., t. VIII, p. 914.

Le soin exclusif de sa personne et le dandysme qu'il affecta me choquèrent tout d'abord (...) BAUDELAIRE, la Fanfarlo. 11

(...) il ne comprend pas les choses; mais c'est un soldat dans chaque pouce de sa personne. A. MAUROIS, les Discours du Dr O'Grady, VII. 12

Vie. *Exposer sa personne* (→ Intrépide, cit. 1). *Sauver, non sa personne, mais son âme* (→ Honnête, cit. 7).

Spécialt. *La personne d'un souverain, d'un roi, son auguste personne.*

(1464). **EN PERSONNE :** soi-même, lui-même. ⇒ **Même.** → En chair et en os. *Venir* (→ Courrier, cit. 7), *aller quelque part* (→ Main, cit. 13) *en personne. L'évêque officiait en personne* (→ Notabilité, cit. 1). — Fig. *La vérité en personne* (→ Excuse, cit. 6) : la vérité personnifiée*, incarnée.

Il est impassible, il se moque de tout, c'est vraiment le calme en personne, la sécurité dans la force. Émile HENRIOT, le Diable à l'hôtel, VII. 13

♦ **3.** Individu, être individuel, en tant qu'il possède la conscience, l'unité, la continuité de la vie mentale (⇒ **Personnalité**), la liberté, et, sur le plan éthique *(personne morale),* la capacité de distinguer le bien du mal et «de se déterminer par des motifs dont il puisse justifier la valeur devant d'autres êtres raisonnables» (Lalande). ⇒ **Âme** (II.), **moi** (cit. 65 et 66), 3. **sujet;** → Déterminisme, cit. 5; intuition, cit. 2. *L'individu** (cit. 10) *et la personne. Le respect de la personne, de la personne humaine. Unité* (→ Flux, cit. 9), *complexité de la personne* (→ Humanisme, cit. 7). *L'accomplissement, l'autonomie* de la personne humaine** (→ Gouvernement, cit. 15). *La personne et la masse* (→ Lutte, cit. 8). *La personne et la loi. Les régimes qui ont tenté de dégrader et d'asservir la personne humaine* (→ 3. Droit, cit. 8). — *Être qui constitue, ne constitue pas une personne.* ⇒ **Personnel; impersonnel.** *La personne et la fonction, et le personnage* (⇒ **Homme**).

Dans le langage psychologique, on entend généralement par *personne* l'individu qui a une conscience claire de lui-même et agit en conséquence (...) 14
Th. RIBOT, les Maladies de la personnalité, Introd., §1.

(...) la personne n'est rien d'autre que sa liberté. SARTRE, Situations II, p. 26. 15

La personne, c'est l'homme d'une totale responsabilité. Radicalement séparée de toute masse, de toute collectivité, elle n'existe pourtant que liée, par sa responsabilité même, à ce qui l'entoure. Elle est un acte autant qu'une présence, une présence autant qu'un acte. Ce qu'elle apporte à soi-même, elle l'apporte au monde. Ce n'est pas dans une glorification de son égoïsme qu'elle trouve sa signification profonde, c'est dans la puissance de son rayonnement parmi les vivants. 16
DANIEL-ROPS, Ce qui meurt..., p. 26.

Par ext. Dieu conçu comme personnel (→ Dieu, cit. 19). Spécialt. Théol. chrét. *Les trois personnes de la Trinité*.* ⇒ **Hypostase** (→ Coexistence, cit. 1). *Personne divine* (→ Esprit, cit. 16).

♦ **4.** Dr. «Être auquel est reconnue la capacité d'être sujet de droit» (Capitant).

L'esclave (...) n'est pas une personne dans l'État : aucun bien, aucun droit ne peut s'attacher à lui. BOSSUET, Ve avertissement aux protestants, L. 1

(En parlant des personnes physiques). → Absence, cit. 13; assister, cit. 8; diffamation, cit. 3; ligne, cit. 49. *Incapacité* (cit. 7) *d'une personne. L'état* (cit. 67, 68 et 71) *des personnes. Identité, signalement d'une personne. Exploits* (cit. 6) *faits à personne ou domicile. Acception* de personne.* — *Personnes à la charge, à charge...,* dont la subsistance et l'entretien sont assurés par quelqu'un. *Personne incertaine, indéterminée,* dont l'identité n'est pas déterminée. *Personne future,* qui n'est pas née au moment où se produit un fait juridique. *Personne interposée* (cit. 8 et 9), *interposition** (cit. 1) *de personne. Erreur* (cit. 39) *dans, sur la personne.* Cour. *Il y a erreur sur la personne. La personne, sujet de droits civiques, politiques.* ⇒ **Citoyen.** — *La personne et les biens du mineur* (→ Assimiler, cit. 2), *des associés* (→ Association, cit. 6)... *Dommage* (cit. 3) *qui frappe la victime dans sa personne physique.* — *Comparaître* (cit. 3) *en personne.*

Personne morale : groupement ou établissement possédant la personnalité morale, titulaire d'un patrimoine collectif et d'une certaine capacité juridique, mais n'ayant pas d'existence corporelle (opposé à *personne physique :* individu). *Personnes morales de droit public* (État, départements, communes, colonies, établissements publics), *de droit privé* (sociétés, associations, syndicats). *Personne publique* (→ Cité, cit. 1). *L'État, personne internationale* (→ Nationalité, cit. 4).

Cour. (Métaphore du sens 1). *La nation* (cit. 4) *est une personne. Considérer l'opinion* (cit. 37) *comme une sorte de personne.* ⇒ **Personnalité.**

L'Angleterre est un empire, l'Allemagne un pays, une race; la France est une personne. MICHELET, Hist. de France, III.

♦ **5.** (Attestation isolée, XIIIe; *persone,* XVe). Ling., cour. «Indication du rôle que tient celui qui est en cause dans l'énoncé, suivant qu'il parle en son nom (première personne), qu'on s'adresse à lui (deuxième personne) ou qu'on parle de lui (troisième personne)» (Marouzeau, *Lexique de la terminologie linguistique*). ⇒ **Conjugaison, verbe.** — *Première* (⇒ **Je, nous**), *deuxième* (⇒ **Tu, vous**), *troi-*

sième (⇒ **Il, elle**) *personne d'un verbe.* ⇒ **Personnel.** *Flexions de personne* (→ Désinence, cit. 1). *Verbes qui n'ont point de personnes* (⇒ **Impersonnel,** cit. 1), *qui n'ont qu'une personne* (⇒ **Unipersonnel**). *L'infinitif* (cit. 4) *ne connaît ni la personne ni le nombre. — Utiliser la première, la troisième personne dans un récit. Roman écrit à la première, à la troisième personne. User de la troisième personne en parlant à quelqu'un* (→ Déférent, cit. 3; glacer, cit. 27). — Par anal. *Psychologie* à la première personne* (subjective), *à la troisième personne* (objective).

19 (...) la première personne du singulier exprime pour moi tout le concret de l'homme. Toute métaphysique est à la première personne du singulier. Toute poésie aussi. ARAGON, le Paysan de Paris, p. 250.

DÉR. Personnage, personnalisme, personnifier. — (Du lat. *personalis*) **Personnaliser, personnalité, personnel.**

2. PERSONNE [pɛʀsɔn] pron. (nominal) indéfini. — 1226, *persone*; du précédent.

♦ **1.** Une personne, quelqu'un (dans une subordonnée dépendant d'une principale négative). *Il ne pense pas que personne veuille...* (→ Dresser, cit. 10).

1 Non content de n'être pas sincère, il ne souffre pas que personne le soit. LA BRUYÈRE, les Caractères, VIII, 62.

2 Ne vous figurez pas que vous choquerez personne. J. ROMAINS, les Hommes de bonne volonté, t. III, VII, p. 111.

3 Mourir? Il n'est pas question que personne meure. J.-R. BLOCH, ...Et compagnie, p. 270.

Sans... personne; sans que... personne.

4 (...) je veux vivre et mourir tranquille dans le sein de l'Église catholique (...) sans attaquer personne, sans nuire à personne, sans soutenir la moindre opinion qui puisse offenser personne (...) VOLTAIRE, Mélanges littéraires, Lettre au P. de La Tour, 7 févr. 1746.

5 Le nom de Saintenois a été prononcé, sans que personne parût soupçonner la tragédie (...) Paul BOURGET, la Geôle, VII.

(En phrase comparative). *Vous le savez mieux que personne.* ⇒ **Quiconque** (→ Affaire, cit. 83; brouiller, cit. 8; nuancer, cit. 4). *Plus dénué* (cit. 5),... *plus désarmé que personne au monde. Comme personne :* aussi bien que n'importe qui.

6 Je suis meilleur juge que *personne* de ce qui lui convient. Émile AUGIER, les Effrontés, V, IV.

7 (...) Haverkamp savait comme personne initier à ce genre de poésie les âmes rudimentaires. J. ROMAINS, les Hommes de bonne volonté, t. V, XVIII, p. 130.

♦ **2.** (V. 1288). Sens négatif. Avec *Ne.* Aucune personne. ⇒ **Aucun, nul.** → Néant, cit. 1, Sartre. *Personne ne le sait* (→ Pas un). *Jamais personne n'en a rien su* (→ Bavarder, cit. 2). — *Ni moi* (cit. 15) *ni personne. Rien ni personne ne m'en empêchera.*

8 D'où vient que personne en la vie
N'est satisfait de son état? LA FONTAINE, Fables, XII, 9.

9 (...) et comme il ne se résistait jamais à lui-même, il n'admettait pas que rien pût lui résister, ni personne. GIDE, Si le grain ne meurt, II, II, p. 338.

Personne de vous deux n'a encore... (→ Glace, cit. 9). *Personne parmi nous n'y trouve à redire* (→ Exagérer, cit. 21). ⇒ **Aucun.**

10 Je n'ai perdu personne des miens. Mais je suis arrivée à l'âge où on fait le deuil de sa vie. MAUPASSANT, Bel-Ami, II, VII.

11 Huit jours passèrent. Huit jours sans que l'on vît au dehors personne des Baillard. M. BARRÈS, la Colline inspirée, XII.

Je n'accuse (cit. 2), *je ne nomme personne. Le temps n'attend* (cit. 35) *personne. Ne laisser entrer* (cit. 7) *personne. N'offenser* (cit. 7 et 10) *personne. Je n'ai connu personne qui fût plus injuste* (cit. 5). *Ne voir personne, ne s'intéresser à personne. — Il n'y avait personne* (→ Pas un chat*), *presque personne* (cf. Trois pelés et un tondu). — Fam. *Il n'y a plus personne :* il, elle n'est plus disponible (pour le travail, etc.). *Toujours prêt à s'amuser; mais quand il s'agit de travailler, il n'y a plus personne! — Il n'y a personne, presque personne, quasi personne qui ne...* (→ Agréable, cit. 6; ingratitude, cit. 1). — *Il ne confie* (cit. 8) *jamais à personne ce qu'il fait. Chacun se donnant à tous ne se donne à personne* (→ Associer, cit. 3). *Je ne veux de mal* (→ 3. Mal, cit. 9) *à personne. Personne ne s'intéresse à personne* (→ Monde, cit. 65). *Non, l'avenir* (cit. 13) *n'est à personne! N'être l'obligé* (cit. 18 et 20) *de personne. Ce n'est la faute* (cit. 48) *de personne. Je ne suis mal avec personne* (→ Chemin, cit. 45). — *Ne se gêner* (cit. 33) *pour personne. Qu'on ne me dérange pas, je n'y suis pour personne.*

12 Par moments il croyait voir quelqu'un venir à lui. Ce n'était personne. C'était lui, dans une glace, en habit de seigneur. HUGO, l'Homme qui rit, II, VII, II.

13 (...) elles ne rencontrèrent personne dans leur courte sortie, personne qu'un porteur d'eau (...) LOTI, les Désenchantées, I, II.

14 — Jacques, ne craignez personne, puisque vous n'êtes comparable à personne. FRANCE, le Lys rouge, XXIX.

15 (...) Bobillard, si férié que soit le jour, ne va chez personne et ne reçoit chez lui âme qui vive. M. JOUHANDEAU, Chaminadour, II, XII.

Sans *ne.* (Avec un verbe de sens négatif : empêcher, retenir...). *Cela m'interdit de prévenir personne. — Avant que personne s'en aperçoive. — Avoir de l'esprit comme personne* (→ Accorder, cit. 12). — (Dans une réponse). *Qui est venu? Personne.*

16 Qui vient? qui m'appelle? — Personne. A. DE MUSSET, Poésies nouvelles, « Nuit de Mai ».

17 La crainte de soupçonner à tort m'a retenu d'accuser personne (...) GIDE, les Faux-monnayeurs, III, VI.

Allus. littér. (Homère, *l'Odyssée*, IX). Nom que se donne Ulysse pour tromper le cyclope Polyphème (par jeu de mots entre *Outis* « personne », et *Odysseus* « Ulysse »).

— Eh, Cyclope! criaient-ils (...) Dis-nous qui t'a pincé? — C'est Personne! répon- 18
dit le Cyclope. C'est Personne! — Qui est-ce, ton Personne! demandèrent les Cyclopes, car ils voyaient, à l'absence de la négation, que Personne était un nom propre et point un pronom. GIRAUDOUX, Elpénor, Le Cyclope.

REM. 1. Que la négation soit ou non exprimée, *personne* est senti de nos jours comme un pronom et ne se construit plus guère avec un adjectif : *« J'espère montrer ici qu'il n'y a personne raisonnable qui puisse parler de la sorte »* (Pascal, *Pensées*, III, 194). On emploie plutôt le tour avec *de* en faisant l'accord régulier au masculin : *« Je ne connais personne de plus élégant que cette femme ».*
2. *Personne*, indéfini, est normalement du masculin, mais la langue classique le faisait des deux genres.

Au XVIe siècle, quand le nominal *personne* ne faisait que de naître, même pris au 19
sens indéfini il gardait son genre originel, le féminin (...) Au XVIIe siècle, Vaugelas veut que, parlant en général, on le fasse suivre du masculin : « *personne n'est venu* »; mais que, s'il s'agit d'une femme, on mette le féminin : « Je ne vois *personne* si *heureuse* qu'elle (...) » G. et R. LE BIDOIS, Syntaxe du franç. moderne, § 393.

(...) il n'y a personne au monde si bien liée avec nous de société et de bienveil- 20
lance (...) qui n'ait en soi (...) des dispositions très proches à rompre avec nous (...) LA BRUYÈRE, les Caractères, VI, 59.

Personne de..., suivi d'un adj. ou participe au masc. *Il n'y a personne de blessé. Personne d'autre.* — (Littér.). *Personne autre* (cit. 71) *que...* (→ Fumier, cit. 1).

Personne, autre qu'elle, son fils et les ouvriers, n'était encore entré, afin que la 21
surprise fût complète quand on verrait combien c'était joli. MAUPASSANT, Pierre et Jean, VII.

Personne autre que moi-même n'aura mission d'arrêter ma fille. 22
Pierre LOUŸS, les Aventures du roi Pausole, IV, I.

Personne d'autre que Frantz n'avait vu la jeune fille. 23
ALAIN-FOURNIER, le Grand Meaulnes, I, XIV.

(...) en avant de nous, personne de vivant, mais le sol est peuplé de morts (...) 24
H. BARBUSSE, le Feu, II, XX.

Vous n'avez personne de sérieux à me recommander? 25
J. ROMAINS, Knock, III, 4.

CONTR. Quelqu'un; monde (tout le monde).

PERSONNEL, ELLE [pɛʀsɔnɛl] adj. et n. m. — V. 1190, *personel*, en gramm.; sens juridique XIIIe; lat. *personalis* (de *persona*), sur le modèle de *personne*.

★ **I.** Adj. Relatif à une personne, à la personne.

♦ **1.** (1455). Qui concerne une personne, lui est particulier, lui appartient en propre. ⇒ **Individuel, particulier, propre.** *Vie personnelle. Destin* (cit. 27) *personnel. Considérations, préoccupations personnelles. Privilèges personnels.* ⇒ **Exclusif.** *Intérêt* (cit. 7) *personnel et intérêt général* (cit. 15). *Gain personnel. La fortune personnelle de qqn. Effets, objets, livres personnels. Malheur particulier et personnel* (→ Égarement, cit. 2). *Souvenirs personnels* (→ Exposé, cit. 2; héréditaire, cit. 7). *Avoir des idées personnelles,* des idées bien à soi (→ Garder, cit. 42). Contr. : *cliché, poncif... Ma vérité personnelle* (→ Dépasser, cit. 16). *Se faire* (cit. 248) *une opinion personnelle. Chacun donne son interprétation* (cit. 8) *personnelle. Une réflexion très personnelle* (→ De son cru*). *La poésie lyrique* (cit. 4) *est l'expression de sentiments personnels. — Affaire personnelle. — Du mérite personnel,* titre du chap. II des *Caractères* de La Bruyère.

(...) ces documents n'étaient pas pour lui « objectifs » (...) c'est-à-dire froids, inertes, 1
morts — étrangers; c'était à proprement parler des souvenirs : il en est d'héréditaires ainsi que de personnels; c'était des traditions (...) A. HERMANT, l'Aube ardente, XIII.

Il y avait les sentiments communs comme la séparation et la peur, mais on conti- 2
nuait aussi de mettre au premier plan les préoccupations personnelles. CAMUS, la Peste, p. 92.

C'est une affaire strictement personnelle (...) Je n'ai jamais pu me passionner pour 3
les affaires personnelles. Ni pour celles des autres ni pour les miennes. SARTRE, Morts sans sépulture, I, I.

Personnel à qqn. Les choses qui m'étaient absolument personnelles (→ Incommunicable, cit. 6). ⇒ **Intime.** Qui s'adresse à quelqu'un, en tant que personne, personnellement. *Lettre personnelle* (opposé à *lettre d'affaires, lettre officielle*). Absolt. *Personnelle* ou *personnel :* suscription sur une lettre personnelle. *Strictement personnel.* ⇒ **Confidentiel.** — *Allusion* (→ Boxe, cit. 3), *attaque, injure* (cit. 5) *personnelle.* ⇒ **Personnalité.** *Considération* (cit. 5), *estime personnelle. — Haines personnelles* (→ Infecter, cit. 9). *Querelle* (→ Dur, cit. 23), *lutte personnelle* (→ Exclusive, cit. 9). *Ennemis personnels,* qui s'opposent pour des raisons personnelles.

Il n'avait pas oublié le code de la politesse britannique, et que les questions per- 4
sonnelles sont inconvenantes, mais il ne sut pas résister. A. MAUROIS, les Discours du Dr O'Grady, XIX.

Qui exprime le caractère particulier, unique d'une personne, appartient en propre* à quelqu'un. ⇒ **Original.** *Accent* (cit. 7), *style* (→ 1. Hermétique, cit. 12) *personnel; qualité, valeur personnelle* (→ Assimiler, cit. 6; distinction, cit. 11; originalité, cit. 5).

(...) la littérature, où rien ne vaut que ce qui est personnel (...) 5
GIDE, Journal, 24 janv. 1914.

Par ext. ⇒ **Original.** *Il a une manière de dire bonjour très personnelle.* ⇒ **Spécial.** *Ces manières d'être personnelles appelées des excentricités* (→ Mentir, cit. 17).

6 C'est un personnage qui porte des gants, qui boutonne son veston (...) et qui a une façon bien personnelle de toucher le bord de son chapeau.
G. DUHAMEL, Salavin, III, II.

N.m. *Le nouveau, l'exceptionnel, le personnel* (→ Inauthentique, cit. 1).

♦ **2.** (XVIIIe). Vx. Qui s'occupe de sa propre personne. ⇒ **Égoïste; personnalité.** *Instinct personnel et instinct sympathique, chez Comte* (→ Animalité, cit. 3). — Mod. (Personnes). *Joueur trop personnel,* qui manque de l'esprit d'équipe, qui joue comme s'il était seul (→ Inter-, cit. 16).

7 (...) les vieillards, qui, devenus, par leurs infirmités et par leurs besoins, plus personnels et plus concentrés dans ce qui les touche, éprouvent quelquefois, en perdant leurs amis même, la consolation secrète de jouir encore de la vie (...)
D'ALEMBERT, Éloge de Saint-Aulaire, Œ. compl., t. III, p. 295.

8 (...) rien d'impertinent dans son succès, rien de personnel dans le sentiment de sa force.
G. SAND, la Mare au diable, Appendice, I.

♦ **3.** Qui concerne les personnes, la personne, en général. *La pensée est personnelle* (→ Fugitif, cit. 11). *Morale personnelle et morale collective, universelle...*

9 Inviter ses compatriotes à ne connaître qu'une morale personnelle et à rejeter toute morale universelle, c'est se montrer un maître dans l'art de les exciter à se vouloir distincts entre tous les hommes (...)
Julien BENDA, la Trahison des clercs, p. 172.

Relig. *Salut personnel* (→ Mystère, cit. 5).
Libertés personnelles (ou individuelles). → Encontre, cit. 3; énergie, cit. 15.

Dr. *Droit personnel* (opposé à *réel*). *Corvée* (cit. 1) *personnelle. Esclavage personnel* (→ Ilote, cit. 1). *Impôt* (cit. 4 et 10) *personnel,* qui tient compte de l'ensemble des ressources et des charges du contribuable (opposé à *impôt réel*). *Taxe, contribution*, cote personnelle* (→ Foncier, cit. 1). *Loi* (cit. 22) *personnelle. — Actions personnelles ou mobilières* (→ Connaître, cit. 29), *personnelles ou réelles...*

♦ **4.** Relig. Qui constitue une personne. *Être personnel. Dieu personnel.* Par ext. (Théol.). *Union personnelle.* ⇒ **Hypostatique** (cit. 1).

♦ **5.** (V. 1190; premier emploi du mot). Gramm. Se dit des formes du verbe, lorsqu'elles caractérisent une personne réelle (opposé à *impersonnel*). Il chante *est personnel et* il neige, *impersonnel.* — Qui prend, qui contient l'indication de la personne ou des personnes grammaticales. *Modes personnels* (indicatif, subjonctif...) *et impersonnels* (infinitif...). Il neige *est une forme personnelle par rapport à* neiger.

Qui désigne un être en marquant la personne grammaticale. *Pronom personnel,* et, n.m., *un personnel. Pronom personnel de la première* (⇒ **Je, me, moi**), *de la seconde* (⇒ **Tu, te, toi**), *de la troisième* (⇒ **Il, le, lui; elle, la**) *personne du singulier; de la première* (⇒ **Nous**), *de la seconde* (⇒ **Vous**), *de la troisième* (⇒ **Ils, les, leur; eux; elles**) *personne du pluriel. Pronom personnel réfléchi* (3e personne). ⇒ **Se, soi.** *Pronom personnel atone de forme faible* (je, me, te, se); *tonique* (moi, toi, soi, eux...). *Pronom personnel sujet, complément, attribut. Pronoms* (ou adverbes pronominaux) *employés comme personnels.* ⇒ **En, y.** *Renforcement des personnels par même*, seul, autre, tel... Il, pronom personnel neutre. Le nominal personnel* on (cit. 27).

★ **II.** N.m. (1834). Ensemble des personnes employées dans une maison, une entreprise, un service, et, par ext., une catégorie d'activités. *Le personnel et le matériel d'une armée. Le personnel d'une maison, d'un hôtel.* ⇒ **Domesticité, domestique.** *Frais* (2. Frais, cit. 3) *d'entretien et de personnel. Le personnel et le matériel* (cit. 13)) *d'un hôtel. Personnel d'un atelier, d'une usine.* ⇒ **Main-d'œuvre; ouvrier.** *Le patron* et son personnel. Réduction du personnel.* ⇒ **Licencier** (cit.). *Directeur du personnel. Délégués du personnel. — Personnel d'un bureau, de la mairie* (→ Diminuer, cit. 17). *Les réclamations du personnel* (→ Emballer, cit. 3). *Bureau du personnel. — Personnel du pont, des machines... sur un navire* (→ 2. Marin, cit. 5).

10 Malgré la fortune des Beauvisage, le personnel de leur maison se composait de la cuisinière et d'une femme de chambre (...)
BALZAC, le Député d'Arcis, Pl., t. VII, p. 683.

10.1 (...) vous vous teniez (...), sur le perron, prête à nous accueillir, nous, le personnel des Fonderies.
M. DURAS, Moderato cantabile, p. 77.

L'ensemble des personnes qui exercent la même profession. *Le personnel de maison :* les domestiques. *Le personnel enseignant* (→ Laïcité, cit. 3). *Le personnel de l'armée* (cit. 14). *Le personnel féminin des armées, de l'armée de l'air, de la marine. Personnel civil, militaire* (cf. dans le langage militaire le composé *antipersonnel. Mines, engins, grenades antipersonnel*). — Personnel administratif (→ Arguer, cit. 2), *gouvernemental* (cit. 2)..., *politique.* — Aviat. *Le personnel navigant :* l'ensemble des navigants (opposé à *personnel au sol*). ⇒ **Navigant;** et aussi **équipage.**

11 (...) le personnel littéraire se recrute en gros dans le même milieu que le personnel politique, Jaurès et Péguy sortent de la même école, Blum et Proust écrivent dans les mêmes revues. Barrès mène de front ses campagnes littéraires et ses campagnes électorales.
SARTRE, Situations II, p. 208.

Sa grande trouvaille était de se hisser à bord d'un avion de l'escadrille voisine 12
dès qu'on le pourchassait au sol, puis de se réfugier à l'intérieur du bar de ladite escadrille quand on explorait les carlingues afin de l'en déloger. Et, même au bar il s'était allié tant de sympathies agissantes que le personnel navigant l'aidait à disparaître lorsqu'il lui arrivait parfois d'attirer l'attention sur sa chétive personne.
Francis CARCO, Ombres vivantes, p. 222.

CONTR. Impersonnel. — Collectif, commun, général; emprunté. — Réel. — Matériel.
DÉR. Personnellement.
COMP. Antipersonnel, impersonnel, unipersonnel.

PERSONNELLEMENT [pɛʀsɔnɛlmɑ̃] adv. — 1333; déb. XIIIe, *personnament;* de *personnel.*

♦ **1.** En personne, soi-même. *Je vais m'en occuper personnellement. Courir* (cit. 55) *personnellement un risque. Ce qu'il a personnellement observé* (→ Guider, cit. 12).

♦ **2.** D'une manière personnelle, en tant que personne. *Le seigneur et le vassal étaient liés personnellement* (→ Aveu, cit. 1).

♦ **3.** En la personne de... (l'adverbe se rapportant au complément du verbe). *Les gens qui servent personnellement les rois,* qui servent la personne des rois (→ Loin, cit. 28) — REM. Cet emploi peut prêter à confusion, *s'occuper personnellement de quelqu'un* pouvant signifier « s'en occuper soi-même, sans laisser ce soin à un intermédiaire », ou « s'occuper de sa personne ».

♦ **4.** Pour sa part, quant à soi. *Personnellement, je pense que...*

— Je vous ferai remarquer, reprit Bart en pesant sur chaque mot, que, personnellement, je me serais abstenu de vous proposer une corvée désagréable.
G. DUHAMEL, Salavin, V, XVI.

PERSONNIFICATION [pɛʀsɔnifikasjɔ̃] n.f. — XVIIIe; de *personnifier.*

♦ **1.** Action de personnifier, de représenter sous les traits d'une personne. *La personnification des péchés capitaux dans la sculpture romane.*

♦ **2.** *(Une, des personnifications).* L'être, la personne, le personnage qui représente, évoque une chose abstraite ou inanimée. ⇒ **Abstraction, allégorie, incarnation.** *Les figures, les personnifications de la mort* (1. Mort, cit. 21).

♦ **3.** (En parlant d'une personne réelle). *Néron fut la personnification de la cruauté.* ⇒ **Incarnation, type.**

(...) il se rencontre dans le million d'acteurs qui composent la grande troupe de 1
Paris, des Hyacinthes sans le savoir qui gardent sur eux tous les ridicules d'un temps, et qui vous apparaissent comme la personnification de toute une époque (...)
BALZAC, le Cousin Pons, Pl., t. VI, p. 525.

La Maharanie (...) en son costume national, semble une attachante personnifica- 2
tion de l'Inde.
LOTI, l'Inde (sans les Anglais), III, VII.

PERSONNIFIER [pɛʀsɔnifje] v. tr. — 1674; de *personne,* et *-fier,* lat. *facere.*

♦ **1.** Évoquer, représenter* (une chose abstraite ou inanimée) sous les traits d'une personne (→ Majuscule, cit. 2). *Personnifier la destinée* (cit. 2), *la mer* (cit. 4)... — Pron. *Une image fantastique où se personnifiait le pouvoir de l'or* (→ Grandir, cit. 8). — (Au p. p.). *Les vices et les vertus personnifiés.*

La lutte de la France et de l'Empire, de la ruse héroïque et de la force brutale, 1
s'est personnifiée de bonne heure dans celle de l'Allemand Zwentebold et du Français Rainier (Renier, Renard?), d'où viennent les comtes de Hainaut.
MICHELET, Hist. de France, III.

Dans son besoin d'adorer et de conjurer l'invisible, et de personnifier ses craintes, 2
l'imagination populaire a pu créer le monstre initial et tout-puissant auquel elle a dressé des temples.
Émile HENRIOT, Mythologie légère, Avant-propos.

(En parlant du personnage qui représente une abstraction). *Harpagon personnifie l'avarice.*

(...) l'Olympe des dieux charmants, charnels, passionnés comme nous, faits comme 3
nous, qui personnifiaient poétiquement toutes les tendresses de notre cœur, tous les songes de notre âme, et tous les instincts de nos sens.
MAUPASSANT, la Vie errante, « La Sicile ».

♦ **2.** (1851). Réaliser, montrer dans sa personne une qualité, un caractère, un défaut, d'une manière exemplaire. *Il personnifie l'honnêteté.* — (Au p. p.). *C'est la mauvaise volonté personnifiée.*

André Chénier va nous personnifier en lui une autre manière d'être et de se com- 4
porter en temps de Révolution, une manière de sentir plus active, plus passionnée, plus dévouée et plus prodigue d'elle-même, une manière moins philosophique sans doute, mais plus héroïque.
SAINTE-BEUVE, Causeries du lundi, 19 mai 1851.

Par ext. *Personnifier un pays, une époque, une chose...* ⇒ **Incarner.**

5 À la fin de sa carrière, dernier survivant de la grande Renaissance, il la personnifiait, il était à lui seul tout un siècle de gloire.
R. ROLLAND, Vie de Michel-Ange, p. 152.

DÉR. Personnification.

PERSONNOLOGIE [pɛʀsɔnɔlɔʒi] n. f. — Mil. XXe; angl. *personology*, 1938, Murray; de *personne*, et *-logie*.

♦ Didact. (Psychol.). Science de la personnalité humaine envisagée comme une unité.

Le premier réseau *(de l'œuvre de Freud)* est constitué avec l'interprétation du rêve et du symptôme névrotique et aboutit, dans les *Écrits de métapsychologie*, à l'état de système connu sous le nom de première topique (la série « moi, ça, surmoi » constituant plutôt, selon le mot de Lagache, une personnologie).
P. RICŒUR, Une interprétation philosophique de Freud, *in* la Nef, n° 31, p. 114.

PERSPECTIF, IVE [pɛʀspɛktif, iv] adj. — 1545, peinture; 1480 au sens de « qui se propose quelque chose »; bas lat. *perspectivus*. → Perspective.

Didactique.

♦ **1.** Qui représente un objet ou un groupe d'objets en perspective. *Dessin, plan perspectif. Représentation perspective.*

♦ **2.** Relatif à la perspective, qui appartient à la perspective. *Lignes perspectives d'un dessin.*

PERSPECTIVE [pɛʀspɛktiv] n. f. — 1547; « théorie sur la réfraction », v. 1270; bas lat. *perspectiva (ars)* « art perspectif », de *perspectus*, p. p. de *perspicere* « apercevoir ». → Perspectif. L'emploi de ce mot comme terme de peinture est dû à l'ital. *prospettiva*.

A. Concret. ♦ **1.** Art, science qui a pour but de représenter les objets sur une surface plane de telle sorte que la représentation de ces objets coïncide avec la perception visuelle qu'on peut en avoir, compte tenu de leur position dans l'espace par rapport à l'œil de l'observateur. — Chacun des procédés particuliers par lesquels on représente ainsi les objets. — *Perspective spéculative, pratique.* — *Perspective linéaire* ou *conique*, qui concerne la dimension des lignes, leurs directions, les angles qu'elles font entre elles. — *Perspective cavalière* : perspective de convention (l'œil de l'observateur étant supposé situé à l'infini) qui est employée en stéréotomie, etc. — Peint. *Perspective aérienne*, qui indique l'éloignement relatif des objets au moyen des différences de valeurs, de la dégradation des couleurs et des tons (→ Maladroit, cit. 3). — Vx. *Perspective de sentiment* ou *sentimentale*, qui s'applique aux objets qui ne présentent pas de lignes droites ni de courbes définies. — *La perspective, branche de la géométrie* qui utilise les propriétés projectives des figures.* ⇒ **Projection.** *Dessin géométral*, qui ne tient pas compte de la perspective. La perspective permet à un dessin de représenter la troisième dimension*, de rendre la profondeur*, détache les objets sur le fond*, distingue les plans* (premier, second plan..., arrière-plan). *La perspective fait fuir* (cit. 20) *les objets par la seule dégradation de leurs grandeurs. — La fuite*, effet de perspective.* ⇒ **Fuyant.**

1 (...) l'effort d'Elstir de ne pas exposer les choses telles qu'il savait qu'elles étaient mais selon ces illusions optiques dont notre vision première est faite, l'avait précisément amené à mettre en lumière certaines de ces lois de perspective, plus frappantes alors, car l'art était le premier à les dévoiler.
PROUST, À la recherche du temps perdu, t. V, p. 91.

2 La perspective italienne fait place à la perspective sensible qui ne tient aucun compte du point de fuite et qui accorde parfois à l'objet reculé une importance plus grande qu'à celui du premier plan.
A. LHOTE, Traité du paysage, p. 151.

3 Claude *(Lorrain)* sait noter dans leur irradiation et leurs colorations les feux du jour changeant au crépuscule du matin comme à celui du soir. Il sait aussi faire de ces rais lancés à travers l'espace les instruments d'une perspective convergente qui creuse vertigineusement la profondeur vers le soleil et ordonne l'espace tout entier selon la même logique qui commande aux lignes fuyantes des architectures.
René HUYGHE, Dialogue avec le visible, p. 148.

En perspective : en respectant les règles de la perspective, en tenant compte de l'éloignement relatif des objets. *Représenter un objet en perspective. Un dessin en perspective.*

(Une, des perspectives). Peinture, figuration qui représente un lointain (jardins, paysages, édifice...) qu'on dispose à l'extrémité d'une allée de jardin ou d'une galerie pour donner une impression de profondeur. ⇒ **Trompe-l'œil.**

♦ **2.** Aspect (considéré surtout du point de vue esthétique) que présente un ensemble architectural, un paysage, etc., quand on le regarde à une certaine distance* ou d'un point de vue particulier; cet ensemble, ce paysage lui-même. ⇒ **Échappée.** *Perspective solennelle* (→ Bas-côté, cit. 2), *splendide* (→ Brise, cit. 3). « Place, rue ou groupe de voies adjacentes dégageant une impression esthétique d'ensemble que l'Administration a le pouvoir de protéger en interdisant les constructions qui, notamment par leur hauteur ou leur étrangeté architecturale, porteraient atteinte à cet ensemble » (Capitant).

4 (...) elle regardait l'une des plus tristes perspectives qu'on puisse avoir devant les yeux : l'étroite cour d'une longue maison où se trouvait logée une entreprise de diligences.
A. DE MUSSET, Contes, « Pierre et Camille », VIII.

La vue que l'on découvre de l'emplacement du château est peut-être la plus grande beauté de Marly. Les arbres géants de la perspective s'écartent comme un rideau de théâtre, et c'est une échappée soudaine sur les méandres de la Seine et les hauteurs de Saint-Germain. 5
Louis BERTRAND, Louis XIV, III, III.

Spécialt. (Pour traduire le russe *prospekt*). *La perspective de Newski* (→ Omnibus, cit. 1), ou, plus cour., *la Perspective Newski* ou *Nevski*, à Léningrad (anciennement Saint-Pétersbourg), grande avenue en ligne droite.

B. Abstrait. (XVIIe). ♦ **1.** Fig. Événement ou succession d'événements qui se présente comme probable ou possible; attente, crainte ou espérance d'un tel événement. ⇒ **Expectative; éventualité.** *Une lointaine perspective* (→ Battre, cit. 73). *Une perspective inquiétante, rassurante. La perspective d'une guerre.* ⇒ **Idée.** → Civil, cit. 12. *La perspective de...*, suivi d'un infinitif (→ Combat, cit. 7; fureur, cit. 32). — Domaine qui s'ouvre à la pensée, à l'activité de quelqu'un. ⇒ **Champ, horizon.** *Des perspectives d'avenir. Vous avez ouvert dans ma vie des perspectives toutes nouvelles* (→ Éclair, cit. 5; et aussi entrouvrir, cit. 5; nouveau, cit. 19). — *À la perspective de...* : à l'idée de...

Dinah vivait! elle trouvait l'emploi de ses forces, elle découvrait des perspectives inattendues dans son avenir (...) 6
BALZAC, la Muse du département, Pl., t. IV, p. 149.

(...) rien que la perspective d'y passer une nuit me serre le cœur (...) 7
LOTI, Mme Chrysanthème, IV.

Il nous fallait donc coucher à l'hôtel. Je n'y étais jamais allé! Je tremblais à la perspective d'en franchir le seuil. 8
R. RADIGUET, le Diable au corps, p. 169.

Ainsi, pendant quelques jours, Jenny allait se trouver seule à Paris? Cette perspective favorable atténuait un peu sa déception. 9
MARTIN DU GARD, les Thibault, t. VI, p. 181.

En perspective : dans l'avenir; en projet, en vue. *Il a un bel avenir, de sérieux ennuis en perspective.*

On conçoit dès lors que Lamartine (...) se soit si aisément laissé retenir et peut-être circonvenir par les sollicitudes familiales, un mariage en perspective, dans son provincial Mâconnais. 9.1
Émile HENRIOT, les Romantiques, p. 102.

♦ **2.** Manière particulière de voir* les choses; aspect sous lequel les choses se présentent. ⇒ **Aspect, côté, éclairage, optique, point** (de vue). *Dans la perspective de notre situation historique* (→ Faire, cit. 224). *Dans une perspective marxiste, freudienne.*

Et la femme qu'il rejetait, il la voyait comme s'il l'avait créée, tout entière connue sous des perspectives différentes, à la fois odieuse, innocente, fautive et noble, à jamais présente, vivante, insurgée. 10
J. CHARDONNE, les Destinées sentimentales, p. 186.

Il est fort rare qu'on ne désoblige pas ceux qu'on raconte, et même si nous ne tournons pas leurs actes à notre avantage mais à notre désavantage, l'optique et les perspectives du point fixe où nous sommes contredisent l'angle sous lequel ils les observent. 11
COCTEAU, la Difficulté d'être, p. 166.

DÉR. Perspectiviste.

PERSPECTIVISME [pɛʀspɛktivism] n. m. — 1913, Berthelot, à propos de Nietzsche; all. *Perspectivismus*, Nietzsche; → Perspective.

♦ Philos. Le fait que toute connaissance est relative aux besoins vitaux de l'être qui connaît, est « perspective ».

L'ouverture et le monde comme hypothèse — le perspectivisme — la psychanalyse l'a appelé le *fantasme* (...)
J. GILLIBERT, la Création littéraire, *in* la Nef, n° 31, p. 93.

PERSPECTIVISTE [pɛʀspɛktivist] n. — 1963; de *perspective*.

♦ Didact. [a] Artiste qui utilise de manière significative les effets de la perspective dans son œuvre.

[b] Architecte spécialisé dans le dessin en perspective, dans la représentation en perspective des projets.

PERSPICACE [pɛʀspikas] adj. — 1495; rare jusqu'en 1788; lat. *perspicax* « clairvoyant », de *perspicere*. → Perspectif.

♦ Qui est doué d'un esprit pénétrant, subtil, qui aperçoit nettement et rapidement ce qui est difficile à voir, ce qui échappe à la plupart des gens. ⇒ **Intelligent, sagace** (→ Deviner, cit. 7; équitable, cit. 7). *C'est un homme très perspicace* (→ Un homme de jugement*).

Par ext. *Esprit, pensée perspicace.* ⇒ **Clair, clairvoyant, fin, lucide, pénétrant, perçant, subtil.**

Mais comme les sens, les intelligences n'ont pas toutes la même puissance ni la même acuité, et il est des rapports subtils et délicats qui ne peuvent être sentis, saisis et dévoilés que par des esprits plus perspicaces, mieux doués ou placés dans un milieu intellectuel qui les prédispose d'une manière favorable.
Cl. BERNARD, Introd. à l'étude de la médecine expérimentale, I, II.

Une remarque, une attitude perspicace. Une chronique politique très perspicace.

CONTR. Aveugle, myope.
DÉR. Perspicacement, perspicacité.

PERSPICACEMENT [pɛʀspikasmɑ̃] adv. — Attesté XXe; de *perspicace*.

♦ Littér. D'une manière perspicace. ⇒ **Lucidement, subtilement.**

PERSPICACITÉ [pɛʀspikasite] n. f. — 1444; lat. *perspicacitas,* tiré à basse époque de *perspicax.*

♦ Qualité d'une personne perspicace. ⇒ **Acuité, clairvoyance, finesse, flair, habileté, intelligence, jugement, lucidité, pénétration** (d'esprit), **sagacité** (→ Effet, cit. 18). *Faire preuve de perspicacité* (→ Avoir le nez fin*, le coup d'œil* pénétrant; voir loin*). *Manquer de perspicacité* (cf. Avoir la vue basse, courte). *La perspicacité de qqn.*

1 La perspicacité que l'habitude des méditations donne aux prêtres, était bien supérieure à celle du Parquet et de la Police.
BALZAC, le Curé de village, Pl., t. VIII, p. 599.

2 (...) elle avait, à l'égard de tout ce qui n'est pas de parfait aloi, une perspicacité singulière. Par une sorte d'intuition subtile, une inflexion de voix, l'ébauche d'un geste, un rien l'avertissait (...) GIDE, Et nunc manet in te, p. 20.

CONTR. Aveuglement, cécité, erreur.

PERSPICUITÉ [pɛʀspikɥite] n. f. — 1538; au sens de «transparence» en 1390; lat. *perspicuitas.*

♦ Vx. ⇒ **Clarté** (cit. 12), **netteté.** *Perspicuité des idées, du style.*

PERSPIRATION [pɛʀspiʀasjɔ̃] n. f. — 1539; lat. *perspiratio;* de *perspirare,* de *per-,* et *spirare.*

♦ Physiol. Ensemble des échanges respiratoires (absorption d'oxygène, exhalation d'acide carbonique) qui se font à travers la peau*. *La perspiration est importante chez certaines espèces animales* (batraciens). *Perspiration insensible :* élimination de vapeur d'eau par l'expiration ou par évaporation cutanée (sans sudation apparente). *Perspiration cutanée. Perspiration sensible :* évaporation de la sueur éliminée par la peau.

PERSUADER [pɛʀsɥade] v. tr. — 1370; empr. lat. *persuadere,* de *per-,* et *suadere* «conseiller».

♦ **1.** *Persuader qqn de qqch. :* amener quelqu'un à croire, à penser, à vouloir, à faire quelque chose par une adhésion complète (sentimentale autant qu'intellectuelle). ⇒ **Convaincre;** et aussi **agir** (sur qqn), **amadouer, catéchiser, conduire** (qqn à ses raisons), **entendre** (faire entendre raison à qqn), **prêcher** (fig.), **séduire, toucher.**

1 *Convaincre* (...) marque un acquiescement de l'esprit produit par des preuves qui forcent de convenir que celui qui parle a raison, et ne laissent rien à objecter. *Persuader* (...) exprime un acquiescement de la volonté, gagnée à ce qu'on lui propose, et comme tournée ou convertie.
LAFAYE, Dict. des synonymes, Convaincre...

2 *Persuader.* C'est l'art d'éveiller dans les cœurs une complaisance secrète.
CLAUDEL, Conversations sur J. Racine, p. 35.

Persuader quelqu'un. Goethe ne veut ni nous surprendre, ni nous en imposer, mais nous persuader doucement (→ Inculquer, cit. 8). *Persuader des hommes assemblés.* ⇒ **Gagner;** → Cri, cit. 21. *Il sait choisir ses arguments pour persuader son auditoire.* ⇒ **Prendre** (il sait prendre les gens). *Il est difficile à persuader.* ⇒ **Rétif.** *Se laisser persuader.* ⇒ **Vaincre.**

3 On peut convaincre les autres par ses propres raisons; mais on ne les persuade que par les leurs. Joseph JOUBERT, Pensées, VIII, XLV.

Persuader quelqu'un de..., suivi d'un nom de chose. «*Il m'a persuadé de la sincérité de ses intentions*» (Académie). ⇒ **Assurer.** — *Persuader quelqu'un de...,* suivi de l'infinitif. ⇒ **Décider, déterminer, entraîner, exciter, exhorter.** *Il fallut palabrer* (cit. 1) *un grand moment pour les persuader de nous suivre.* — *Persuader quelqu'un que...,* suivi d'un mode personnel. *Il finit par persuader beaucoup de gens qu'il était un homme impassible* (→ Effaroucher, cit. 5). — REM. Cette tournure, blâmée par certains puristes, est néanmoins acceptable puisqu'on dit correctement à la forme pronominale : *il a fini par se persuader lui-même que...* ou, au passif, *étant persuadé que...* — *Persuader que...,* employé sans complément d'objet direct. *Nous n'avouons* (cit. 25) *de petits défauts que pour persuader que nous n'en avons point de grands.*

4 (...) vous croirez lever le scandale que vous avez causé, et nous persuader de votre respect envers Lui (...) PASCAL, Proverbes, XIII.

5 Je n'eus pas trop grand-peine à la persuader que tout le bénéfice de cet air tonique était acquis (...) GIDE, l'Immoraliste, p. 222.

(Passif et p. p.). *Être persuadé de..., que... Nous sommes persuadés de sa bonne foi.* → ci-dessous cit. 19 et *supra.*

Absolt. «*L'art* (cit. 3) *de persuader*». ⇒ **Éloquence, rhétorique.** *L'homme le plus simple qui a de la passion persuade mieux que le plus éloquent* (cit. 1) *qui n'en a point. Les passions sont les seuls orateurs* (cit. 5) *qui persuadent toujours. J'avais tort de vouloir convaincre* (cit. 4) *par le raisonnement dans un genre où il ne faut que persuader par le sentiment* (→ Parler* au cœur).

6 L'art de persuader a un rapport nécessaire à la manière dont les hommes consentent à ce qu'on leur propose, et aux conditions des choses qu'on veut faire croire.
PASCAL, Opuscules, III, XV.

7 (...) les anciens ont défini l'éloquence, *le talent de persuader,* et (...) ils ont distingué *persuader* de *convaincre,* le premier de ces mots ajoutant à l'autre l'idée d'un sentiment actif excité dans l'âme de l'auditeur et joint à la conviction.
D'ALEMBERT, Mélanges littéraires, Élocution, Œ. compl., t. IV, p. 518.

(Sujet n. de chose). *La vanité les persuade qu'un échec déshonore* (cit. 6). — Absolument. :

(...) il parle avec un air de vérité qui persuade. 8
STENDHAL, Journal, 28 juil. 1801.

♦ **2.** Vx. Faire admettre (qqch.) par la persuasion. *Persuader qqch.* (→ Autorité, cit. 38). *Cette vérité peut être facilement persuadée.* — Vieilli. *Persuader quelque chose à quelqu'un.* ⇒ **Croire** (faire croire), **inculquer.** → aussi Fourrer (fam.), mettre quelque chose dans la tête de quelqu'un. *Toutes les sottises qu'un parleur insinuant* (cit. 1) *pourrait persuader au peuple de Paris.* ⇒ **Insinuer, suggérer.** *L'opinion que je lui ai persuadée.* — Mod., littér. *Persuader à qqn de...,* suivi de l'infinitif. ⇒ **Dire** (à quelqu'un de), **inspirer.** — *Persuader à qqn que...* (→ Boue, cit. 7; coquetterie, cit. 3). — Vx. *Persuader à qqn,* suivi d'une proposition infinitive. *Des marchés de dupe, qu'ils lui persuadaient être des marchés d'escroc* (→ Brocantage, cit. 1).

Si un homme veut persuader sa religion à des étrangers ou à ses compatriotes, ne doit-il pas s'y prendre avec la plus insinuante douceur, et la modération la plus engageante? VOLTAIRE, Dict. philosophique, Religion, 7e question. 9

Il faut donc qu'une femme qui veut conserver plusieurs amants persuade à chacun d'eux qu'elle le préfère, et qu'elle le lui persuade sous les yeux de tous les autres, à qui elle en persuade autant sous les siens. ROUSSEAU, Émile, V. 10

Il n'y a rien que la crainte et l'espérance ne persuadent aux hommes. 11
VAUVENARGUES, Réflexions et maximes, 320.

Nous nous flattons sottement de persuader aux autres ce que nous ne pensons pas nous-mêmes. VAUVENARGUES, Réflexions et maximes, 113. 12

On ne persuade aux hommes que ce qu'ils veulent. 13
Joseph JOUBERT, Pensées, XXIII, CXI.

(...) aucun argument ne pouvait lui persuader de manquer à cet engagement. 14
R. ROLLAND, Jean-Christophe, Le matin, I, p. 132.

(...) je lui persuadai que ce qu'il nous fallait, c'était gagner Biskra au plus vite. 15
GIDE, l'Immoraliste, p. 239.

▶ **SE PERSUADER** v. pron.

♦ **1.** (1546). Sens réfléchi. (Sujet n. de personne). Se rendre certain de. *Se persuader d'une chose. Il faut ne s'entretenir* (cit. 35, Pascal) *que de Dieu, qu'on sait être la vérité; et ainsi on se la persuade à soi-même. La vérité qu'il s'est persuadée. Ils se sont persuadé notre bonne volonté. Un orgueilleux se persuade aisément de sa supériorité.*

Cour. *Se persuader que...,* suivi de l'indicatif. *Un homme du peuple, à force d'assurer* (cit. 23) *qu'il a vu un prodige, se persuade faussement qu'il a vu un prodige.* — REM. Dans la forme pronominale ainsi employée devant *que,* on peut voir dans *se* soit un complément indirect, soit un complément direct, ce qui, aux temps composés, permet indifféremment de laisser le participe invariable ou de l'accorder. «Lorsque *se persuader* est suivi d'une subordonnée objet introduite par *que,* l'accord du participe est facultatif : *Ils se sont* persuadé(s) *qu'on n'oserait les contredire* (ils ont persuadé eux que...; ou bien : ils ont persuadé à eux que...). — *Elle s'est* persuadé *que la gloire de la femme est de s'élever au-dessus des sens* (Faguet, *En lisant Molière,* p. 227). — *Jacques était en retard; (...) elle s'était* persuadée *qu'il lui était arrivé quelque chose* (Martin du Gard, *les Thibault,* VII, 3, p. 116)», *in* Grevisse, *le Bon usage,* § 796, a, Rem. 4. — Alors que Littré admet qu'on a le choix, l'Académie, depuis 1835, ne mentionne que le tour avec le participe invariable.

En entendant tout le monde rendre justice à ses talents postiches, le marquis d'Aiglemont finit par se persuader à lui-même qu'il était un des hommes les plus remarquables de la cour (...) 16
BALZAC, la Femme de trente ans, Pl., t. II, p. 706.

Ayant décidé qu'ils étaient excellents et qu'ils devaient lui plaire, il s'efforçait, en Allemand qu'il était, de se persuader qu'ils lui plaisaient en effet. Mais il n'y réussissait point (...) R. ROLLAND, Jean-Christophe, L'adolescent, I, p. 237. 17

Je me persuadais que chaque être, ou tout au moins : que chaque élu avait à jouer un rôle sur la terre, le sien précisément, et qui ne ressemblait à nul autre (...) 18
GIDE, Si le grain ne meurt, I, X, p. 274.

Se persuader de..., suivi d'un infinitif. *Ils se persuadent de ne rien devoir à ceux qui les ont précédés* (→ Insatiabilité, cit.).

♦ **2.** Vx. Sens passif. (Sujet n. de chose). Être inculqué par persuasion. *La religion se persuade et ne se commande* (cit. 39) *pas.*

▶ **PERSUADÉ, ÉE** p. p. adj. ⇒ **Certain, convaincu, croire.** *J'en suis absolument persuadé* (→ J'en mettrai ma main au feu*). *Être persuadé que...* ⇒ **Croire, imaginer** (s'); → Espionner, cit. 1. — Absolt. *S'il lui est permis, comme à tout homme persuadé, de traiter du haut* (cit. 76) *en bas les incrédules.*

Enfin la marquise, après cette explication, se dit *convaincue,* mais non pas *persuadée* encore; elle n'est pas fâchée d'avoir à entendre une autre fois de nouvelles raisons (...) SAINTE-BEUVE, Causeries du lundi, 7 avr. 1851. 19

CONTR. Cabrer, dissuader.
DÉR. Persuasif, persuasivement.

PERSUASIBLE [pɛʀsɥazibl] adj. — V. 1370, Oresme; lat. *persuasibilis* «persuasif», sens donné également à *persuasible* au XVIe; de *persuader,* d'après *persuasion.*

♦ Rare. (Personnes). Qui peut être persuadé.

(...) dans certains pays où l'on soigne la propagande et où l'on a l'heur de tomber sur des inhabitants *(sic)* persuasibles par de tels moyens (...)
Boris VIAN, l'Automne à Pékin, p. 171.

PERSUASIF, IVE [pɛʀsɥazif, iv] adj. — 1376; empr. lat. scolast. *persuasivus*, de *persuasum*, supin de *persuadere*. → Persuader.

♦ **1.** (Choses). Qui est propre à persuader, qui a le pouvoir de persuader. *Discours persuasif. Éloquence, voix persuasive* (→ Maître, cit. 71). *Ton persuasif.* ⇒ **Éloquent** (→ 1. Froid, cit. 19).

♦ **2.** (XVIIe). Personnes. Qui sait persuader, qui a le talent de persuader. *Un orateur très persuasif.*

1 Permettez-moi de vous dire que j'aime l'homme en vous autant que j'estime le philosophe. Vous êtes si persuasif que vous me faites trembler pour le newtonisme, si vous le combattez. VOLTAIRE, Correspondance, 508, 11 sept. 1738.

2 Il s'abusait un peu lorsqu'il se croyait capable d'une éloquence douce et persuasive (...) SAINTE-BEUVE, Proudhon..., p. 90.

CONTR. Dissuasif.

PERSUASION [pɛʀsɥazjɔ̃] n. f. — 1315; lat. *persuado*; de *persuasum*, supin de *persuadere*. → Persuader.

♦ **1.** Action, fait de persuader* (qqn). *La persuasion de qqn par qqn. User de son influence* sur quelqu'un pour agir par persuasion. Il vaut mieux agir par la persuasion que par la force* (→ le prov. On prend les hommes par les paroles* et les bêtes par les cornes). *Obtenir la pacification* (cit. 2) *d'un pays par la persuasion. La force de persuasion de son style. Renoncer aux effets de persuasion facile* (cit. 14). → fam. Bourrage* de crâne. — Capacité de persuader. *La persuasion de qqn.*

1 Le métaphysicien vous fera une démonstration simple qui ne va qu'à la spéculation : l'orateur y ajoutera tout ce qui peut exciter en vous des sentiments et vous faire aimer la vérité prouvée; c'est ce qu'on appelle persuasion (...) Cicéron a eu raison de dire qu'il ne fallait jamais séparer la philosophie de l'éloquence, car le talent de persuader sans science et sans sagesse est pernicieux; et la sagesse, sans art de persuader, n'est point capable de gagner les hommes (...) La persuasion a donc au-dessus de la simple conviction, que non seulement elle fait voir la vérité, mais qu'elle la dépeint aimable et qu'elle émeut les hommes en sa faveur.
FÉNELON, Dialogue sur l'éloquence, II.

2 La psychologie fine et sûre est au premier rang des moyens de persuasion. On est porté à céder à qui vous pénètre et à obéir à qui vous connaît.
Émile FAGUET, Études littéraires, XVIIe s., Bossuet, p. 417.

3 La musique de la phrase (...) j'y attache aujourd'hui moins de prix qu'à sa netteté, son exactitude et cette force de persuasion compagne de son animation profonde.
GIDE, Journal, 28 juil. 1931.

4 (...) dans un livre elle *(la beauté)* se cache, elle agit par persuasion comme le charme d'une voix ou d'un visage, elle ne contraint pas, elle incline sans qu'on s'en doute et l'on croit céder aux arguments quand on est sollicité par un charme qu'on ne voit pas. SARTRE, Situations II, p. 75.

♦ **2.** (1549). Fait d'être persuadé; état de celui qui est persuadé. ⇒ **Assurance, conviction, croyance** (→ aussi Confiance). *Cette persuasion vive de leur religion qui se trouve parmi les musulmans* (cit. 3). — (Avec *que*). *Une certaine persuasion qu'il y a un enfer* (cit. 7).

5 (...) la persuasion où j'étais que le gouvernement de France, sans peut-être me voir de fort bon œil, se ferait un honneur, sinon de me protéger, au moins de me laisser tranquille. ROUSSEAU, les Confessions, IX.

6 (...) rien n'éloigne plus sûrement l'amour que la persuasion de ne le pouvoir inspirer. F. MAURIAC, le Jeune Homme, p. 67.

CONTR. Dissuasion, doute.

PERSUASIVEMENT [pɛʀsɥazivmɑ̃] adv. — 1565; de *persuasif.*

♦ Rare. De manière à persuader, d'une façon persuasive. *Parler persuasivement.*

PERSULFATE [pɛʀsylfat] n. m. — 1898; in *Année sc. et industr.* 1899, p. 105; de *per-*, et *sulfate.*

♦ Chim. Persel* obtenu par électrolyse d'un sulfate. *Il existe deux sortes de persulfates, les* peroxosulfates *et les* peroxodisulfates *dérivant des deux acides non isolés, l'acide* peroxosulfurique ($H_2S_2O_5$) *et l'acide* peroxodisulfurique ($H_2S_2O_8$). *Certains persulfates sont utilisés pour leurs propriétés oxydantes : persulfate de sodium, décolorant et désinfectant.*

PERSULFURE [pɛʀsylfyʀ] n. m. — 1845; de *per-*, et *sulfure.*

♦ Chim. Sulfure renfermant une plus grande proportion de soufre que les sulfures normaux correspondant à l'hydrogène sulfuré H_2S. *Il existe divers persulfures, appelés aujourd'hui de préférence* polysulfures : bisulfure d'hydrogène (H_2S_3), d'où dérivent des sels, les *persulfures* (ou polysulfures) *métalliques* (par ex. : de sodium).

PERSULFURÉ, ÉE [pɛʀsylfyʀe] adj. — 1845; de *persulfure.*

♦ Chim. À l'état de persulfure.

PERSULFURIQUE [pɛʀsylfyʀik] adj. — 1888; de *persulfure.*

♦ Chim. Se dit de l'anhydride S_2O_7, des acides $H_2S_2O_8$ et H_2SO_5 (acide *permono-* et *perdi-sulfurique*).

PERTE [pɛʀt] n. f. — 1050; lat. vulg. *perdita*, fém. substantivé du p. p. de *perdere* «perdre».

★ **I.** Fait de perdre* (I., A.) qqn, qqch.; la personne ou la chose perdue; l'étendue du dommage subi ou de la peine éprouvée.

REM. Dans l'usage normal, *perte* ne correspond pas à tous les emplois transitifs et pron. de *perdre*; la nominalisation serait alors stylistique *(la perte du poids, la perte de l'esprit, la perte de sens d'un mot*, etc.), mais en général possible.

♦ **1.** Fait de perdre (I., A., 2.) une personne, d'en être séparé, d'être privé de sa présence par l'éloignement ou, plus généralement, par la mort; sentiment ou effet de privation qui en résulte (pour l'entourage ou pour la société). → Enlever, cit. 32. *La perte d'une personne qui nous est chère.* ⇒ **Mort** (→ Affliction, cit. 1). *« La perte d'un époux* (cit. 2) *ne va point sans soupirs »* La Fontaine. *Quelle perte pour la société que ce grand nombre d'hommes morts dès leur naissance.* ⇒ **Appauvrissement** (→ Dépopulation, cit. 1). — (Dans un faire-part). *La famille X a la douleur de vous faire part de la perte cruelle qu'elle vient d'éprouver...* ⇒ **Malheur.**

(...) sous prétexte de pleurer la perte d'une personne qui nous est chère, nous nous pleurons nous-mêmes; nous regrettons la bonne opinion qu'elle avait de nous; nous pleurons la diminution de notre bien, de notre plaisir, de notre considération. 1
LA ROCHEFOUCAULD, Réflexions et maximes, 233.

La pauvre Mme de La Fayette ne sait plus que faire d'elle-même; la perte de M. de La Rochefoucauld fait un si terrible vide dans sa vie (...) 2
Mme DE SÉVIGNÉ, 795, 3 avr. 1680.

Richardson n'est plus. Quelle perte pour les lettres et pour l'humanité! 3
DIDEROT, Éloge de Richardson.

La plus violente douleur qu'on puisse éprouver, certes, est la perte d'un enfant pour une mère, et la perte de la mère pour un homme. 4
MAUPASSANT, les Contes de la Bécasse, «Menuet».

Non, jamais, depuis la mort de Jacques, jamais il n'avait si exactement mesuré l'irréparable de cette perte. MARTIN DU GARD, les Thibault, t. IX, p. 80. 5

(1824). Au plur. Effectifs qu'une armée ou une unité perd au cours d'une opération ou d'une guerre (tués, blessés, prisonniers, disparus ou malades); total des habitants d'un pays qui périssent au cours d'une guerre. *L'ennemi a été repoussé avec de lourdes pertes, avec des pertes sérieuses. Infliger des pertes sévères à l'ennemi. — Ce pays a éprouvé des pertes civiles et militaires très élevées pendant la guerre* (⇒ **Hémorragie,** fig.). — Par ext. *Pertes en vies humaines et en matériel.*

On a fait ce calcul et établi cette proportion : Perte d'hommes : (...) À Waterloo, Français, cinquante-six pour cent; alliés, trente et un. Total pour Waterloo, quarante et un pour cent. Cent quarante-quatre mille combattants; soixante mille morts. HUGO, les Misérables, II, I, XVI. 6

On ne conçoit même pas un chef de police qui ferait avancer à découvert, contre deux ou trois bandits bien armés, une troupe d'agents bien disciplinés, disant : «Les pertes n'importent point, pourvu que force reste à la loi.» 7
ALAIN, Propos, 12 juin 1921, Convulsions sans pensée.

(...) nos militaires confondant sous le même vocable de «pertes» à la fois les morts et les blessés. Claude LÉVI-STRAUSS, Tristes tropiques, p. 205. 7.1

Vieilli et fig. *Être repoussé avec perte :* avoir le désavantage dans une discussion. — De nos jours et fam. *Être mis à la porte avec perte et fracas** (→ pop. Il y a de la casse*).

♦ **2.** Fait de perdre (I., A., 1.) partiellement ou en totalité, un avantage, un bien (matériel ou non); fait d'être privé d'une chose dont on avait auparavant la propriété ou la jouissance; fait de subir un dommage. ⇒ **Privation.** *La perte de qqch. (par qqn). La perte de tous ses biens. — La perte d'une maison détruite par un incendie.* ⇒ **Sinistre.** *D'admirables édifices dont la perte sera irréparable* (→ Écrouler, cit. 1). *Manuscrits anciens défigurés par la perte de plusieurs fragments.* ⇒ **Mutilation.** — (Compl. abstrait). *Perte de valeur* (d'une chose). ⇒ **Discrédit.** *Perte de connaissance.* ⇒ **Évanouissement, syncope.** *Perte des forces au cours d'une maladie.* ⇒ **Déperdition.** Loc. (Vieilli). *Courir à perte d'haleine. — Perte de l'honneur* (→ Conflagration, cit. 3), *de la liberté, de la vie.* — Théol. *Perte de la grâce.* ⇒ **Amission.** — Dr. *Perte d'un droit.* ⇒ **Déchéance.**

Est-ce qu'ils sont si fermes qu'ils soient insensibles à tout ce qui les touche? éprouvons-le dans la perte des biens ou de l'honneur (...) 8
PASCAL, Pensées, III, 194 bis.

Une perte : la perte d'un bien, d'un avantage. *Éprouver, souffrir une perte. Faire subir une perte à quelqu'un.* ⇒ **Préjudice.** *Un avantage personnel qui se solde par une perte pour la Patrie.* ⇒ **Mal** (→ Nationaliste, cit. 3). *Les pertes de qqn :* celles qu'il a subies.

(Une, des pertes). Fait de perdre de l'argent, de subir une diminution de son avoir, d'éprouver un dommage dont l'étendue peut être évaluée en argent; la somme perdue, le montant du dommage; la diminution du profit escompté (→ Plaie d'argent* n'est pas mortelle). *Essuyer une perte considérable* (cf. Boire un bouillon; laisser des plumes). *Compenser une perte par un gain. — Des pertes appréciables en argent.* ⇒ **Dégât, dommage** (cit. 3). *Le preneur du bail supportera la moitié de la perte* (→ Croît, cit.). — *La perte*

au change : ce qui est perdu par le fait du change des monnaies (→ Dépréciation, cit. 2).

Comm., comptab. Excédent des dépenses sur les recettes; diminution de l'avoir qui résulte d'une différence entre le débit et le crédit d'un compte. ⇒ **Déficit.** — *Compte de profits et pertes* (ou *de pertes et profits*) : tableau donnant le résultat d'une entreprise en fin d'exercice à partir du résultat d'exploitation des pertes et des profits hors exploitation. — *Passer une créance au compte de pertes et profits,* la considérer comme perdue définitivement. — Fig. (Loc. cour.). *Passer une chose au compte de profits et pertes, aux profits et pertes,* la considérer comme perdue, en faire son deuil.

Comm. *Perte sèche,* qui n'est compensée par aucun bénéfice. — Cour. Perte sans contrepartie. *C'est une perte sèche pour nous.*

Vendre à perte : vendre à un prix inférieur au prix d'achat ou au prix de revient. ⇒ **Mévendre** (vx). *Cette entreprise travaille à perte. Travailler à perte.*

9 La catastrophe approchait (...) C'était le commencement des temps prédits, le blé au-dessous de seize francs, le blé vendu à perte, la faillite de la terre, que des causes sociales amenaient, plus fortes décidément que la volonté des hommes.
ZOLA, la Terre, V, IV.

10 Si tu as des Ports de Touapsé, tu ferais aussi bien de les vendre demain, dès l'ouverture, même à perte (...) ARAGON, les Beaux Quartiers, II, IV.

Fait de perdre; somme perdue. *Subir de grosses pertes au jeu.* ⇒ **Lessivage** (vx), **lessive.** → Prendre une culotte*. *Être en perte de mille francs.* — *Se retirer sur sa perte :* quitter le jeu après avoir perdu.

11 Ce n'était pas qu'il jouât gros jeu, mais une déveine le poursuivait, si constante, si noire, que les petites pertes de chaque jour additionnées, arrivaient à se chiffrer par de grosses sommes. ZOLA, la Bête humaine, IX.

♦ **3.** Fait d'égarer, de perdre* (I., A., 4.) quelque chose. *La perte d'un parapluie* (par qqn). — *Les voituriers sont responsables de la perte et des avaries* (cit. 5) *des choses qui leur sont confiées.* — Dr. *Perte de la chose due :* « destruction ou disparition de l'objet de l'obligation, qui entraîne, suivant les cas, la responsabilité contractuelle du débiteur ou sa libération » (Capitant).

♦ **4.** Au sens I, A, 6 de *perdre.* (1606). **À PERTE DE VUE :** si loin*, jusqu'à une distance* telle que la vue ne peut plus distinguer les objets (→ Carte, cit. 21; fresque, cit. 6). *S'étendre* à perte de vue. C'étaient des forêts et des forêts, à perte de vue* (→ Manteau, cit. 11). — Par métaphore. (→ Échafauder, cit. 4). — *Discourir, raisonner à perte de vue,* interminablement. — Rare. *À perte d'ouïe :* si loin qu'on ne peut plus entendre.

12 Après la messe, M. Venture reçut des compliments à perte de vue des chanoines et des musiciens, auxquels il répondait en polissonnant, mais toujours avec beaucoup de grâce. ROUSSEAU, les Confessions, III.

13 (...) de quelque côté que vous vous tourniez, votre œil s'égare à travers des allées de colonnes qui se croisent et s'allongent à perte de vue, comme une végétation de marbre spontanément jaillie du sol (...)
Th. GAUTIER, Voyage en Espagne, p. 238.

♦ **5.** Fait de perdre* (I., A., 8.), de gaspiller quelque chose, de laisser échapper ce qu'on pourrait saisir; ce qui est ainsi perdu, gaspillé. ⇒ **Coulage, gâchage, gaspillage.** *« Il y aura de la perte dans la coupe de cet habit, dans la taille de ce bois, de cette pierre, de ce marbre »* (Littré). ⇒ **Déchet.** — *Perte de temps. La perte d'une occasion.*

14 Le mâle coquet se joue de la femelle; la femelle coquette se joue du mâle : jeu perfide qui amène quelquefois les catastrophes les plus funestes; manège ridicule, dont le trompeur et le trompé sont également châtiés, par la perte des instants les plus précieux de leur vie. DIDEROT, Suppl. au voyage de Bougainville, IV.

15 Mauvaise journée après une mauvaise nuit. Énervement, dépossession de moi-même. Perte de forces et de temps. GIDE, Journal, 2 mai 1907.

EN PURE PERTE, ou, (vx), **À PURE PERTE :** inutilement*, sans aucun profit, sans compensation. *Tout ce génie dépensé au théâtre en pure perte* (→ Fixer, cit. 5). *Agir en pure perte.*

16 Le mot manqua son effet. Dea et Gwynplaine n'écoutaient pas (...) Ursus était profond en pure perte. HUGO, l'Homme qui rit, II, II, VII.

(En parlant d'un fluide). Ce qui s'échappe, ce qui se perd. *Perte d'eau, de gaz dans une conduite en mauvais état.* ⇒ **Fuite.** — REM. Cet emploi correspond à *perdre* I., B., 2. (intr.). → ci-dessous III.

(En parlant de l'énergie, de la chaleur, etc.). Quantité qui se dissipe inutilement. ⇒ **Déperdition.** *Perte de lumière, de chaleur. Perte de puissance dans une machine par transformation d'énergie cinétique en chaleur. Perte de charge :* diminution de la pression d'un fluide qui s'écoule. Spécialt. *Perte de charge dans une tuyauterie :* baisse* de pression qui résulte du frottement du fluide contre les parois, des inégalités du diamètre des tuyaux, etc. — *Perte d'électricité,* par défaut d'isolement des conducteurs. *Perte en ligne; perte au sol ou à la terre.* — *Perte de vitesse*.*

Au plur. (Physiol.). Diminution de poids, élimination ou destruction de substance causée soit par l'activité physiologique normale, ou par un accident. *Réparer les pertes causées par les évaporations vitales* (→ Goût, cit. 1).

(1669). Méd. *Pertes de sang,* ou, absolt, *pertes :* écoulement* menstruel excessif (→ Métrorrhagie). — *Pertes blanches.* ⇒ **Leucorrhée.** — *Pertes séminales :* émissions de sperme intervenant hors de l'activité érotique volontaire (acte sexuel, masturbation, etc.).

♦ **6.** Fait d'être vaincu, de perdre* (I., A., 9.) (une bataille, un procès, etc.). ⇒ **Insuccès.** *La perte d'une bataille.* ⇒ **Défaite** (→ Chanter, cit. 22). *La perte d'un pari.*

Elle avait appris que cette femme, ruinée par la perte de son procès, en avait été réduite à tenir tripot. DIDEROT, Jacques le fataliste, Pl., p. 605. 17

Quelle quantité de faute y a-t-il de la part de Napoléon dans la perte de cette bataille? HUGO, les Misérables, II, I, III. 18

★ **II.** Fait de périr, de se perdre, de disparaître; fait de perdre* (II.) qqn, qqch.

Vx, littér. (sauf dans quelques expr.). En parlant d'une personne. Mort*, ou, par ext., dommage grave, ruine,... *Courir à sa perte. Travailler à sa perte* (→ Insolent, cit. 7). *Cette imprudence causera sa perte.* ⇒ **Perdre** (II., 1.). → Coûter la vie. *Décider, jurer* (→ Différer, cit. 2), *résoudre* (→ Ici, cit. 23) *la perte de quelqu'un. Ces causes qui ont mis le genre humain à deux doigts de sa perte* (→ 1. Bien, cit. 98).

(...) et cette chère tête, 19
Pour qui l'art d'Esculape en vain fit ce qu'il put,
Dut sa perte à ces soins qu'on prit pour son salut.
LA FONTAINE, Fables, VIII, 16.

Ruine. *Le mont-de-piété est la perte de l'emprunteur* (cit. 2).

Connaître ce qui lui était caché, c'est la griserie, l'honneur et la perte de l'homme. 20
COLETTE Mélanges, Œ., t. XV, p. 337, *in* DUPRÉ, 3570.

Relig. *La perte de l'âme.* ⇒ **Damnation.** — *Votre perte est assurée* (→ Fortune, cit. 38).

(Choses). ⇒ **Anéantissement, décadence, dégénérescence, dégradation, dépérissement, extinction, naufrage** (fig.), ruine. *L'anarchie cause la perte des États.* — *Perte d'un navire.* ⇒ **Naufrage, perdition.**

★ **III.** Par métonymie. Géol. *Perte d'un cours d'eau :* lieu où disparaît, où se perd* un cours d'eau qui réapparaît ensuite en formant une résurgence, après avoir effectué un trajet souterrain.

CONTR. Accroissement, aubaine, avantage, bénéfice, butin, conquête, conservation, croît, détention, excédent, gain, profit.

PERTINACE [pɛʀtinas] adj. et n. — V. 1265; lat. *pertinax, -acis,* de *per-* et *tenax, -acis* « qui tient », de *tenere.*

♦ Vx ou littér. et rare. Obstiné.

PERTINACITÉ [pɛʀtinasite] n. f. — 1416; bas lat. *pertinacitas,* de *pertinax* « tenace ».

♦ Rare. Ténacité poussée à l'extrême. ⇒ **Entêtement, ténacité.**

PERTINEMMENT [pɛʀtinamɑ̃] adv. — 1499; *pertinement,* 1366; de *pertinent.*

♦ Littér. D'une manière pertinente; raisonnablement, avec compétence. ⇒ **Connaissance** (en connaissance de cause), **justement.** *Disserter* (cit.), *parler pertinemment d'une chose.* — Loc. cour. *Savoir pertinemment quelque chose,* en être informé d'une manière certaine et précise. *Je sais pertinemment qu'il a menti.*

Il parle, ce me semble, assez pertinemment. RACINE, les Plaideurs, II, 13.

PERTINENCE [pɛʀtinɑ̃s] n. f. — XVIe; attesté dès 1320 au sens de « présomption »; de *pertinent.*

♦ **1.** Dr. Caractère de ce qui est pertinent* (1.). *Pertinence des moyens, des faits et articles.* — Littér. Caractère, qualité de ce qui convient à l'objet dont il s'agit, et, par ext., de ce qui est conforme à la raison, au bon sens. ⇒ **Accord, à-propos, bien-fondé, convenance.** *Parler avec pertinence.* — *La pertinence d'un argument, d'une preuve.*

(...) il convenait de parler bas, de ne pas toucher aux objets exposés, d'exercer avec modération, mais fermeté, son esprit critique, de n'oublier en aucun cas la plus française des vertus, la Pertinence. SARTRE, l'Âge de raison, p. 77. 1

♦ **2.** Didact. Caractère d'un élément pertinent. *La pertinence d'une opposition sémiologique.*

(...) la pertinence d'un système de classement, c'est-à-dire le fait que les caractéristiques définissant les classes que ce système comporte, et ces caractéristiques seules, comptent pour l'identité que l'on reconnaît aux objets qu'il concerne, ne saurait s'expliquer par ces caractéristiques elles-mêmes, mais seulement par le point de vue d'où on considère les objets en question. 2
L. J. PRIETO, Pertinence et Pratique, p. 101.

CONTR. Impertinence.

PERTINENT, ENTE [pɛʀtinɑ̃, ɑ̃t] adj. — 1300, « qui a rapport à... »; lat. *pertinens,* p. prés. de *pertinere* « concerner », de *per-,* et *tenere* « tenir »; → Impertinent.

♦ **1.** Dr. *Moyens pertinents et admissibles, faits et articles pertinents :* moyens, faits qui ont rapport à la question, qui se rapportent au fond même de la cause.

♦ **2.** Cour. Qui convient exactement à l'objet dont il s'agit (⇒ **Approprié, congru, convenable**). *Une réflexion, une remarque pertinente.* — Spécialt. Qui convient à ce qu'on veut prouver. *Argument pertinent. Alléguer des raisons pertinentes.* — Par ext. Qui dénote du bon sens, de la justesse d'esprit, de la compétence. ⇒ **Judicieux.** *Une analyse, une étude pertinente.*

1 « *Méfions-nous des mots qui affectent un air d'universalité : ils cachent un sens très particulier* ». La remarque nous paraîtrait plus pertinente si, chez Chardonne, ce genre de réflexions ne se répétait sans cesse au cours du livre, répondant à un besoin quasi mécanique de son esprit qui les cliche. Cela devient une manie, un tic.
GIDE, Attendu que..., p. 15.

♦ **3.** Didact. (Ling., sc.). Se dit d'un élément doué d'une fonction dans un système, une structure. *Élément pertinent,* dans le système phonologique d'une langue (phonème). *Oppositions pertinentes* (permettant de dégager des éléments fonctionnels). *Trait pertinent.*

2 (...) si un sujet peut reconnaître, par exemple, qu'un son du français qui est /r/, c'est-à-dire vibrant, est aussi uvulaire, c'est parce que ce sujet est capable d'opérer non seulement avec la structure sémiotique qu'est la langue française, mais aussi avec une autre structure sémiologique pour laquelle la caractéristique uvulaire est pertinente ; par exemple, celle dans laquelle l'origine « septentrionale » ou « méridionale » du locuteur est en correspondance avec la prononciation uvulaire (grasseyée) ou « apicale » (roulée) du r.
L. J. PRIETO, Pertinence et Pratique, p. 118-119.

CONTR. Impertinent.
DÉR. Pertinence, pertinemment.

PERTUIS [pɛʀtɥi] n. m. — 1150 ; subst. verbal de l'anc. verbe *pertucer, pertuiser,* autre forme de *percer**.

♦ **1.** Vx ou régional. ⇒ **Ouverture, trou** (→ Melon, cit. 3).

♦ **2.** Mod. Techn. Ouverture à barrage mobile ménagée dans une écluse et qui permet de retenir l'eau ou de la laisser passer dans le coursier (1. Coursier, 2.). — Ouverture pratiquée dans une digue pour les bateaux. — Ouverture d'accès dans une cale sèche. — Géogr. Étranglement d'un fleuve. *Les pertuis de la Seine.* — Sur les côtes de l'ouest de la France, Détroit* entre deux îles, entre une île et la terre... *Le pertuis d'Antioche, entre l'île de Ré et l'île d'Oléron.*

À Belle-Anse on n'entend pas le bruit des eaux acharnées contre les dunes, mais parfois les détonations lointaines du pertuis de Maumusson (...)
J. CHARDONNE, les Destinées sentimentales, p. 366.

COMP. Mille-pertuis.

PERTUISANE [pɛʀtɥizan] n. f. — 1564 ; *partisanne,* XVe ; altér. de l'ital. *partigiana,* par croisement avec *pertuis.*

♦ Archéol. Ancienne arme d'hast, en usage du XVe au XVIIe siècle, munie d'un long fer triangulaire, souvent garni à sa base de deux oreillons symétriques. ⇒ aussi **Hallebarde, lance** (→ Bassinet, cit. 2).

1 (...) il vit dix hommes masqués qui gardaient la porte, armés de pertuisanes et de carabines.
SCARRON, le Roman comique, I, IX.

2 Et, sous la longue pertuisane,
Les archers venus de Lausanne (...)
HUGO, Odes et Ballades, Ballade VI.

DÉR. Pertuisanier.

PERTUISANIER [pɛʀtɥizanje] n. m. — 1680 ; de *pertuisane.*

♦ Hist. Soldat armé de la pertuisane.

(...) une galerie à pilastres où alternaient en sentinelle, de pilastre en pilastre, des pertuisaniers d'Angleterre et des hallebardiers d'Écosse.
HUGO, l'Homme qui rit, II, VIII, I.

PERTURBATEUR, TRICE [pɛʀtyʀbatœʀ, tʀis] n. et adj. — 1418 (fém. 1618) ; *perturbeor* en 1283 ; bas lat. *perturbator, -trix,* de *perturbare.* → Perturber.

♦ **1.** N. Personne qui trouble, qui met en désordre. *Les perturbateurs de la société. — Nation traitée en perturbatrice du monde* (→ Incendie, cit. 9). — Spécialt. *Faire expulser les perturbateurs au cours d'une réunion publique.*

Un éclat de rire, qui semblait sortir d'une poitrine forte, s'entendit dans la foule. Le président rougit, et fit signe à des archers qui essayèrent en vain de trouver le perturbateur.
A. DE VIGNY, Cinq-Mars, IV.

♦ **2.** Adj. *Éléments perturbateurs* (→ Après-guerre, cit. 2). *Causes perturbatrices. — Forces perturbatrices,* qui provoquent la perturbation* des planètes.

PERTURBATION [pɛʀtyʀbasjɔ̃] n. f. — 1295, « trouble, angoisse » ; lat. *perturbatio,* de *perturbare.* → Perturber.

♦ **1.** Anomalie, dérangement, irrégularité dans le fonctionnement d'un système, d'une machine, d'un organisme, dans l'évolution d'un phénomène, dans la vie d'un individu ou d'une collectivité. ⇒ **Dérangement, dérèglement, déséquilibre, trouble.** — Phys. Changement brusque et passager de la direction de l'aiguille aimantée par rapport au méridien magnétique. *Perturbation dans la réception de signaux radiophoniques :* bruit* affectant aléatoirement la régularité d'un signal. ⇒ **Parasite** (III., 2.). — Astron. *Perturbations d'une planète* (→ Gravitation, cit.), ensemble des déviations du trajet d'une planète, dues à l'action des autres corps célestes, par rapport à l'orbite qu'elle suivrait si elle était soumise à la seule action du soleil (→ aussi Inégalité, *supra* cit. 12). *L'étude des perturbations d'Uranus conduisit Le Verrier à la découverte de Neptune.* — Par ext. *Perturbations du mouvement des satellites d'une planète.* (1860, cit.). Absolt. *Une perturbation venant du sud-ouest. — Courant de perturbation. Perturbation atmosphérique :* mouvement violent de l'atmosphère (→ Cyclone).

Le baromètre, le thermomètre, la girouette, sont les simples instruments qu'elle emploie ; son champ est l'atmosphère terrestre, dont elle s'efforce d'analyser les mouvements réguliers ainsi que les perturbations. 0.1
A. LAUGEL, Progrès et Découvertes de la météorologie, *in* Revue des Deux-Mondes, juil. 1860, p. 32.

Un front chaud est généralement associé au front froid qui le suit, pour former un « cyclone » ou perturbation. 1
A. VIAUT, la Météorologie, p. 60.

(Méd., physiol.). Modification pathologique d'un organe (⇒ **Lésion**) ou d'une fonction. ⇒ **Désordre, détraquement.** — Modification, déviation dans l'évolution normale d'une maladie, sous l'influence d'un agent extérieur, d'un médicament. — *Perturbations fonctionnelles que produit le physiologiste au cours d'une expérience* (cit. 43). *Perturbation du comportement* (→ Névrose, cit. 1).

♦ **2.** (Métaphore du sens 1, → cit.). Bouleversement (dans la vie sociale, dans la vie individuelle). *Perturbations politiques* (→ 1. Entraver, cit. 4), *sociales.* ⇒ **Bouleversement.** *Perturbation brusque dans l'équilibre économique.* ⇒ **Crise** (cit. 7). — *Apporter, mettre de la perturbation dans un service, dans une réunion.*

Par métaphore :

Et cependant, dans le voisinage, il y avait — suivant l'expression des astronomes — un astre troublant qui aurait dû produire certaines perturbations sur le cœur de ce gentleman. Mais non ! Le charme de Mrs. Aouda n'agissait point, à la grande surprise de Passepartout, et les perturbations, si elles existaient, eussent été plus difficiles à calculer que celles d'Uranus qui ont amené la découverte de Neptune. 1.1
J. VERNE, le Tour du monde en 80 jours, p. 142.

(...) les journées de juin même furent une deuxième explosion, une explosion redoublée de la mystique républicaine ; au contraire le 2 décembre fut une perturbation, une introduction d'un désordre, la plus grande perturbation peut-être qu'il y eut dans l'histoire du dix-neuvième siècle français (...) 2
Ch. PÉGUY, Notre jeunesse, p. 35.

(...) si je vous parais valoir les perturbations et les soucis qu'entraîne en effet l'amour pour celui qui aime une femme, et juge qu'elle les vaut, alors appelez-moi, et je serai à vous (...) 3
MONTHERLANT, Pitié pour les femmes, p. 244.

CONTR. 1. Calme.

PERTURBER [pɛʀtyʀbe] v. tr. — XIIe, rare av. XIXe sauf au p. p. ; lat. *perturbare,* de *per-,* et *turbare* « troubler, agiter », de *turba* « cohue ». → Tourbe.

♦ Troubler par une perturbation* ; empêcher de fonctionner normalement. ⇒ **Déranger.** *Planète qui perturbe le mouvement d'une autre planète. — Grève qui perturbe les services publics, les transports.*
Troubler* profondément. ⇒ **Bouleverser.** *Les événements qui perturbent le monde* (→ Échelle, cit. 22).

— Laissez-le ! laissez-le ! vous lui perturbez le moral avec votre mysticisme ! 1
FLAUBERT, Mme Bovary, II, XI.

Selon lui, il fallait supposer que tous ces services, perturbés pendant l'épidémie, auraient un peu de mal à démarrer de nouveau. 2
CAMUS, la Peste, p. 301.

▶ **PERTURBÉ, ÉE** p. p. adj. *Zone perturbée :* affectée par une perturbation météorologique. — Fam. *Il avait l'air tout perturbé,* troublé.

DÉR. Perturbateur, perturbation.

PÉRUVIEN, IENNE [peʀyvjɛ̃, jɛn] adj. et n. — 1776 ; esp. *peruviano,* de *Perú* « Pérou ».

♦ Du Pérou. *Population péruvienne.* — N. Habitant du Pérou. *Les Péruviens. — Les anciens Péruviens* (→ Inca).

PERVENCHE [pɛʀvɑ̃ʃ] n. f. — XIIIe ; du lat. *pervinca,* abrév. de *vincapervinca.*

♦ **1.** Plante *(Apocynées)* vivace à fleurs axillaires pédonculées, qui croît dans les régions chaudes ou tempérées (→ 1. Écarter, cit. 1 ; pantomime, cit. 2). *Grande pervenche* (Vinca major), ou *violette des sorciers,* aux grandes fleurs d'un bleu clair. *Petite pervenche* (Vinca minor), aux fleurs d'un bleu foncé, utilisée en infusion comme vulnéraire. *Pervenche de Madagascar* (Vinca rosea), aux fleurs blanches ou roses. *Genre Pervenche.*

Parfois nous rencontrions sous nos pas les pervenches si chères à Rousseau, ouvrant leurs corolles bleues (...) 1
NERVAL, les Filles du feu, « Sylvie », V.

♦ **2.** Couleur d'un bleu clair tirant sur le mauve*. *Des yeux* (cit. 19) *de pervenche* (→ aussi Fatras, cit. 5). — (1900). Adj. invar. (→ Ardoisé, cit. 3). *Du bleu pervenche. — Des yeux pervenche.*

Elle portait une robe bleue, bleu pervenche (...) 2
R. DORGELÈS, les Croix de bois, VI.

♦ **3.** Fam. (à cause de la couleur de l'uniforme). Auxiliaire féminine de la police municipale parisienne, chargée du contrôle du stationnement des véhicules. ⇒ **Contractuel(le).** *Les pervenches ont remplacé les « aubergines ».*

PERVERS, ERSE [pɛʀvɛʀ, ɛʀs] adj. et n. — 1120, *purvers;* lat. *perversus,* p. p. de *pervertere.* → Pervertir.

♦ **1.** Littér. Qui est enclin au mal*, qui se plaît à faire le mal ou à l'encourager. ⇒ **Corrompu, dépravé, méchant, vicieux.** *Âme perverse.* ⇒ **Noir** (I., B., 2.), **satanique.** — *« À ces mots, l'animal* (cit. 3) *pervers... »* (La Fontaine).

1 (...) un petit nombre d'hommes, qu'une nature perverse que rien ne peut corriger entraîne au vice. DIDEROT, Entretien d'un philosophe avec la Maréchale de ***.

2 Les hommes sont pervers; ils seraient pires encore s'ils avaient eu le malheur de naître savants. ROUSSEAU, Disc. sur les sciences et les arts, I.

3 Shakespeare est le plus pervers des hommes, et le plus innocent. Tous les vices, tous les crimes sont en lui (...) Incomparable perversité de Shakespeare, et son innocence en est faite, puisque tout ce qui est de sa nature tourne en imagination. André SUARÈS, Valeurs, p. 299-300.

4 (...) les êtres vraiment pervers sont presque aussi rares en ce monde que les saints. F. MAURIAC, la Pharisienne, VIII.

Par ext. Mauvais sur le plan moral; dit ou fait par perversité (1.). *Une machination perverse.* ⇒ **Diabolique.** *Approuver* (cit. 14) *des choses perverses ou immorales. Conseils pervers ; doctrine perverse.* — *« Tandis qu'à leurs œuvres perverses... »* (→ Averse, cit. 2, Gautier).

N. Vx. ⇒ **Méchant** (surtout au plur.; rare au fém.). *Les injustices des pervers* (→ Épargner, cit. 24). *Dieu, qui dompte les pervers* (→ Hausser, cit. 10).

5 La vie est une cour d'assises; on amène
Les faibles à la barre accouplés aux pervers. HUGO, les Contemplations, V, III.

♦ **2.** (1909, Dupré). Didact. et cour. (À distinguer de *perverti*). Qui témoigne de perversité (2.). — REM. Le terme est ambigu, dans la mesure où il correspond aux deux substantifs *perversité* et *perversion* (→ ci-dessous). L'acception correspondant à *perversité* est plus fréquente dans le langage courant.

Comportement pervers : « ensemble de conduites récidivantes à orientation antisociale, fréquemment nuisible et même destructeur, sans motivation nettement apparente » (R. Bascou, *in* Lafon). *Acte pervers. Tendances perverses.* ⇒ **Dénaturé, dépravé, vicieux.** — Cour. *Il est un peu pervers.*

6 Nous ne pouvons approcher des êtres les plus pervers, sans reconnaître en eux des hommes. Et la sympathie pour leur humanité entraîne notre tolérance pour leur perversité. PROUST, Jean Santeuil, Pl., p. 872.

Qui témoigne de perversion (2.). *Goûts pervers.* — Psychan. *Disposition perverse polymorphe :* disposition de la sexualité, quand elle est soumise au jeu de pulsions partielles (et non pas unifiée en fonction de l'acte génital). *« (...) la disposition perverse polymorphe définit toute sexualité infantile »* (Laplanche et Pontalis). — Par exagér. Qui est anormal, morbide, semble marquer une légère perversion (→ Complexe, cit. 7; hommasse, cit. 2). — *Beauté, grâce perverse d'une femme* (→ Fuselé, cit. 1).

♦ **3.** N. Sujet caractérisé par la perversité*, ou par une perversion des instincts élémentaires. *Pervers constitutionnel* (vx). *Pervers sexuel.* — REM. On réserve la dénomination de *pervers* à celui qui, « accomplissant systématiquement des actes immoraux ou antisociaux, est en même temps porteur (...) d'un net syndrome pathologique » (Le Gall, *Caractérologie des enfants...,* p. 417).
Spécialt. *Pervers polymorphe* (Freud) → ci-dessus, 2.

CONTR. Bon, vertueux. — Normal.
DÉR. Perversement.

PERVERSEMENT [pɛʀvɛʀsəmɑ̃] adv. — XIIIe; « à contresens », 1200; de *pervers.*

♦ Littér. D'une manière perverse.

PERVERSIBILITÉ [pɛʀvɛʀsibilite] n. f. — XXe; du rad. de *perversion.*

♦ Didact. Caractère d'une personnalité qui peut devenir perverse, être conduite à la perversion (2.) par des difficultés affectives.

PERVERSION [pɛʀvɛʀsjɔ̃] n. f. — 1444; lat. *perversio,* de *pervertere.* → Pervertir.

♦ **1.** Littér. Action de pervertir*; changement en mal. ⇒ **Altération, dépravation.** *La perversion des mœurs, des coutumes.* ⇒ **Corruption, dérangement, dérèglement, égarement.** *Perversion morale* (→ Dessécher, cit. 9). *Une perversion du goût artistique.*

♦ **2.** Psychiatr., cour. Altération, déviation des tendances, des instincts, due à des troubles psychiques (et souvent associée à des déficits intellectuels, à des déséquilibres constitutionnels). *Perversions sensorielles* (de l'ouïe, du goût*...). ⇒ **Pica ; anomalie, détraquement.** *Perversions instinctives.* — *Perversion sexuelle :* toute tendance à rechercher la satisfaction sexuelle autrement que par l'acte sexuel « normal », défini comme accouplement avec une personne du sexe opposé, en vue d'obtenir l'orgasme par pénétration génitale. ⇒ **Bestialité** (ou **zoophilie**), **exhibitionnisme, fétichisme, homosexualité, masochisme, nécrophilie, pédophilie, sadisme, voyeurisme.**

Psychan., cour. Perversion sexuelle. *Association de perversions* (ex. : *sado-masochisme*). *Selon Freud, « la perversion serait une régression à une fixation antérieure de la libido »* (Laplanche et Pontalis).

Le pouvoir de jouissance d'une perversion (en l'occurrence celle des deux H : homosexualité et haschich) est toujours sous-estimé. La Loi, la Doxa, la Science ne veulent pas comprendre que la perversion, tout simplement, rend heureux, ou pour préciser davantage, elle produit un plus : je suis plus sensible, plus perceptif, plus loquace, mieux distrait, etc. R. BARTHES, Roland Barthes, p. 68.

♦ **3.** Par ext. *Perversion du sens esthétique, du jugement... Perversion du sens moral.* ⇒ **Folie** (morale); et aussi **perversité.**

CONTR. Amélioration, conversion, correction.

PERVERSITÉ [pɛʀvɛʀsite] n. f. — 1190; lat. *perversitas,* dér. de *perversus.* → Pervers.

♦ **1.** Vieilli. Goût pour le mal, recherche du mal*. ⇒ **Pervers** (1.); **malignité, méchanceté.** *La perversité humaine la plus épouvantable* (→ Effronté, cit. 8). *Perversité des mœurs.* ⇒ **Corruption, dépravation...**

Trop de perversité règne au siècle où nous sommes. 1
MOLIÈRE, le Misanthrope, V, 1.

La perversité avait gagné jusqu'aux plus basses classes de la société; et Pigault-Lebrun, dans ses romans scandaleux, n'a fait que peindre sans exagération les mœurs du pays où il vivait. SAINTE-BEUVE, Correspondance, 12, 11 sept. 1823. 2

Il y a dans l'homme, dit-il *(Poe),* une force mystérieuse dont la philosophie moderne ne veut pas tenir compte; et cependant sans cette force innomée, sans ce penchant primordial, une foule d'actions humaines resteront inexpliquées, inexplicables. Ces actions n'ont d'attrait que *parce que* elles sont mauvaises, dangereuses; elles possèdent l'attirance du gouffre. Cette force primitive, irrésistible, est la perversité naturelle, qui fait que l'homme est sans cesse et à la fois homicide et suicide, assassin et bourreau (...) 3
BAUDELAIRE, Notes nouvelles sur Poe, II.

Vx. Caractère de celui qui cherche à nuire, à faire du mal* (3. Mal, 1.). ⇒ **Malignité.** *La perversité des femmes.* ⇒ **Perfidie.**

Perversité de femme! pensa Julien. Quel plaisir, quel instinct les porte à nous tromper. STENDHAL, le Rouge et le Noir, I, XXI. 4

(Une, des perversités). Action perverse, méchante. ⇒ **Vice.** *Expiations pour les perversités* (→ Encouragement, cit. 1).

♦ **2.** Mod. Tendance pathologique à accomplir des actes immoraux, caractérisée par le plaisir de nuire, l'agressivité, la malveillance systématique et, souvent, la dissimulation. *La perversité constitue une perversion des instincts de moralité.*

(...) tandis que la perversion est une orientation permanente et pathologique de l'être, la perversité peut n'être qu'épisodique, limiter même son application à un objet, à une entreprise déterminée et être le fait d'individus normaux. Elle se rencontre (...) dans certains actes de cruauté physique ou morale accomplis sous l'empire d'une passion exaspérée (...) Elle est à la base de nombreux faits de vandalisme (...) Ch. BARDENAT, *in* POROT, Manuel de psychiatrie, art. *Pervers, perversité.* 5

Abusivt. Perversion (2.).

CONTR. Bonté, vertu. — Bienveillance.

PERVERTIR [pɛʀvɛʀtiʀ] v. tr. — 1115, *purvertir;* lat. *pervertere* « renverser, retourner », de *per-,* et *vertere* « tourner ».

♦ **1.** Faire changer en mal, rendre mauvais. ⇒ **Corrompre.** *Pervertir qqn.* ⇒ **Débaucher, dépraver, déranger, dévoyer, gâter.** → Libertin, cit. 5. *Livre, théorie qui pervertit la jeunesse.* ⇒ **Empoisonner.** *Pervertir les mœurs.* — Pron. *Se pervertir.*

Puis la guerre civile et l'effroyable anarchie qui suivit la mort de Boris Godounof pervertirent complètement ces soldats et leur donnèrent le goût du pillage et du désordre. MÉRIMÉE, Hist. du règne de Pierre le Grand, p. 7. 1

Au p. p. *Être perverti. Le Paysan perverti,* œuvre de Restif de La Bretonne. — Subst :

(... *il)* n'était probablement pas pervers : il fut un des grands *pervertis* de l'Histoire. Louis MADELIN, Talleyrand, XL. 2

♦ **2.** Modifier en dérangeant ou en détournant (de sa fin, de son sens...). ⇒ **Altérer, corrompre, dénaturer, détériorer.** *Pervertir l'ordre de la nature.* ⇒ **Troubler** (→ Jour, cit. 30). *Des institutions que l'on a misérablement perverties* (→ Gibet, cit. 5). *Pervertir l'esprit, le cerveau de qqn.* ⇒ **Détraquer, fausser.** — Pron. *Se pervertir.* ⇒ **Dégénérer.** — Au p. p. *L'idée de justice, bizarrement* (cit. 2) *pervertie...*

La nature veut que les enfants soient enfants avant que d'être hommes. Si nous voulons pervertir cet ordre, nous produirons des fruits précoces, qui n'auront ni maturité, ni saveur, et ne tarderont pas à se corrompre (...) 3
ROUSSEAU, Émile, II.

Le sentiment religieux chez les peuples jeunes est souvent perverti par des superstitions ridicules ou barbares (...) 4
MÉRIMÉE, Hist. du règne de Pierre le Grand, p. 302.

(...) ce goût de confusion qui est le propre des sens, qui les porte à détourner chaque objet de son usage, à le pervertir comme on dit. 5
ARAGON, le Paysan de Paris, p. 66.

Didact. *Pervertir le sens d'un texte, d'un passage,* le dénaturer, l'altérer, lui donner un sens faux.

♦ **3.** Adj. Didact., cour. **PERVERTI, IE :** dont la perversité (2.) est acquise. *Enfant perverti* (à distinguer de *pervers**) : enfant « dont le sens moral a été dévié par le contact avec un milieu social néfaste et qui se livre à des conduites malignes ou délictueuses apprises» (d'après R. Bascou, *in* Lafon). — N. *Un perverti* (→ ci dessus 1., cit. 2).

CONTR. Améliorer, amender, convertir, corriger, édifier, élever, épurer.
DÉR. Pervertissement, pervertisseur.

PERVERTISSEMENT [pɛʀvɛʀtismɑ̃] n. m. — 1453; de *pervertir.*

♦ Littér. Fait d'être perverti. ⇒ **Perversion** (1.); **dégénérescence.**

CONTR. Amélioration, correction.

PERVERTISSEUR, EUSE [pɛʀvɛʀtisœʀ, øz] n. et adj. — 1534; de *pervertir.*

♦ Personne qui pervertit (1.). Cf. d'Alembert, *in* Hatzfeld.

Adjectif :

J'écartais de ces lecteurs d'élite, par ce moyen, les livres médiocres ou pervertisseurs, que mon jury se gardait (...) de mentionner (...)
GIDE, Robert, *in* Romans, Pl., p. 1321.

PERVIBRAGE [pɛʀvibʀaʒ] n. m. — 1932; de *per-*, et *vibrer.*

♦ Trav. publ. Opération par laquelle on vibre le béton en pleine masse. ⇒ **Vibrage.** — REM. On trouve aussi la var. *pervibration,* nom féminin.

PERVIBRATEUR [pɛʀvibʀatœʀ] ou **PERVIBREUR** [pɛʀvibʀœʀ] n. m. — 1932; de *pervibrer.*

♦ Techn. Appareil pour pervibrer le béton.

PERVIBRER [pɛʀvibʀe] v. tr. — XXe; de *per-*, et *vibrer.*

♦ Techn. Vibrer (le béton) en pleine masse. ⇒ **Vibrer.** — Au p.p. *Béton pervibré.*

DÉR. Pervibrateur, pervibrage.

PESABLE [pəzabl] adj. — Déb. XVIIIe, Meslier; de *peser.*

♦ Rare. Qui peut être pesé.

Il est constant, clair et évident que toutes les modifications de la matière (...) ne doivent pas toujours être divisibles au couteau ou à la hache, et ne doivent pas toujours être mesurables au pied ou à la toise, ni pesables au poids ou à la balance.
J. MESLIER, Mémoires, *in* D. D. L., II, 7.

PESADE [pəzad] n. f. — 1611; altér. de *posade* (1579) sous l'infl. de *peser;* ital. *posata* «action de se poser».

♦ Équit. Parade (II.) du cheval qui se dresse sur les pieds de derrière.

PESAGE [pəzaʒ] n. m. — 1236, «droit payé par les marchandises pesées»; dér. de *peser.*

♦ **1.** Détermination, mesure des poids. ⇒ **Pesée.** *Appareils de pesage pour poids lourds.* ⇒ **Bascule** (romaine, automatique); *appareils pour pesages commerciaux et de précision.* ⇒ **Balance, peson.** *Vérification, contrôle des appareils de pesage.*

♦ **2.** (1854). Turf. Action de peser les jockeys avant une course. — Par ext. Endroit où s'effectue le pesage. *L'enceinte du pesage* (→ Fretin, cit. 4; hippodrome, cit. 3). — Cette enceinte elle-même.

Plus tard, quand il sera riche, il fréquentera peut-être le pesage (...) On regarde les nouvelles toilettes de la saison. On aperçoit par-dessus les chapeaux haut de forme, les casaques bariolées des jockeys.
J. ROMAINS, les Hommes de bonne volonté, t. I, XIII, p. 142.

PESAMMENT [pəzamɑ̃] adv. — XIIIe; de *pesant.*

♦ **1.** Avec un grand poids, d'une manière pesante. ⇒ **Lourdement.** *Être pesamment chargé. Pesamment armé* (Montesquieu) : armé de toutes pièces. — *Un cuirassier, pesamment et carrément assuré sur sa selle...* (→ Galop, cit. 5). *Tomber, retomber pesamment.*

♦ **2.** D'une manière lourde, lente, pénible. *Marcher* pesamment. Cortège qui s'ébranle* (cit. 26) *pesamment* (→ aussi Geignement, cit. 2). *Monter* (cit. 6) *pesamment un escalier. Enfourcher* (cit. 2) *pesamment un cheval. Danser pesamment,* sans grâce. *Dormir pesamment* (→ Ignorance, cit. 27).

1 On se remet en marche, parsemés sur la route maintenant grisâtre, très lentement, très pesamment, avec des geignements et de sourdes malédictions (...)
H. BARBUSSE, le Feu, II, XIX.

2 Il secoua la tête, fit un effort pour se dresser debout et, pesamment, retomba.
BERNANOS, Sous le soleil de Satan, I, III.

Fig. Sans vivacité, sans grâce. *Écrire pesamment. Insister pesamment.* ⇒ **Lourdement.**

CONTR. Légèrement. — Agilement, vivement.

PESANT, ANTE [pəzɑ̃, ɑ̃t] adj. — 1080, *Chanson de Roland,* déjà au propre («lourd») et au figuré («pénible»); p. prés. de *peser.*

♦ **1.** Qui pèse* lourd; qui a un poids* relativement élevé. ⇒ **Lourd** (II.); et aussi **grave** (vx). *Rendre pesant.* ⇒ **Aggraver** (vx), **alourdir, appesantir.** *Masse pesante.* ⇒ **Bloc, charge** (I.), **fardeau** (cit. 1 et 2). *Éponge* (cit. 2) *chargée d'eau qui devient pesante. Une porte pesante,* massive. *L'or* (cit. 22), *ce métal si pesant.* — (Av. le n.; vx ou littér.). *Un pesant haltère* (cit. 1). — *Ramure pesante de fruits,* lourde de fruits (→ Fléchir, cit. 14).

Le rat s'étonnait que les gens 1
Fussent touchés de voir cette pesante masse (...) LA FONTAINE, Fables, VIII, 15.

Un pesant registre est ouvert sur ses genoux. G. DUHAMEL, Salavin, VI, VIII. 2

Sc. Qui est soumis à la pesanteur*. *Les corps pesants. Corps également pesants* (→ Équilibre, cit. 2).

♦ **2.** Loc. [a] N. m. (dans les loc.). *Valoir son pesant d'or.* ⇒ **Poids.** — Par plais. *Valoir son pesant de moutarde, de cacahuètes :* être remarquable dans son genre (→ Fadé, gratiné).

[b] Adv., vx. *Un jambon de quinze livres pesant* (Regnard, *in* Hatzfeld).

Une morue de cinquante livres en a *(des œufs)* quatorze livres pesant! 3
MICHELET, la Mer, II, I.

♦ **3.** (1080). Par métaphore ou fig. Qui est pénible à supporter, comme un fardeau pesant. *« La garde de deux filles est une charge un peu trop pesante pour un homme de mon âge »* (→ Bras, cit. 28). ⇒ **Charge** (II.); **assujettissant.** *La plus pesante des chaînes* (cit. 20). *Soutenir une croix* (cit. 9) *pesante. Harnais* (cit. 7), *joug* (cit. 7) *pesant.* ⇒ **Tyrannique.** *La vie, le temps lui semblent pesants. Sa présence nous est pesante,* importune. ⇒ aussi **Encombrant.**

(...) que le temps me semble pesant depuis que vous êtes partie! 4
STENDHAL, Lettres intimes, éd. Charpentier, p. 275.

La vie est si pesante que ceux-mêmes pour qui le fardeau doit être le moins lourd 5
en sont souvent accablés! FLAUBERT, Correspondance, 27, 26 déc. 1838.

♦ **4.** Spécialt. Qui procure une gêne par une impression de poids. *Se sentir la tête pesante.* ⇒ **Alourdi, appesanti, lourd** (*supra* cit. 15). *Aliments pesants* (contr. : *digestible*). — Par ext. *Sommeil pesant,* lourd (*supra* cit. 13), abrutissant.

Puis il se mit au lit accablé de fatigue et de chagrin, et il dormit d'un pesant sommeil. 6
MAUPASSANT, Clair de lune, « Les bijoux ».

♦ **5.** (Par ext. du sens 1). Qui donne une impression de pesanteur, de lourdeur, et souvent de maladresse (→ ci-dessous, 8.), par une apparence massive. ⇒ **Lourd.** *Nef aux pesants berceaux* (cit. 15). *Architecture pesante et massive* (→ Gothique, cit. 7). *Monument pesant* (→ Majestueux, cit. 7). — *Nuages pesants* (→ Fumée, cit. 6; glisser, cit. 27; incandescent, cit. 1). — *Un homme lourd et pesant.* ⇒ **Gros, massif.**

♦ **6.** Qui frappe, tombe avec force; qui appuie fortement sur... ⇒ **Peser.** *Des coups pesants.* — Mar. *Mer pesante; lames, vagues pesantes,* qui frappent avec violence (→ Fouetter, cit. 8). — Fig., littér. *Un soleil pesant* (→ Exhaler, cit. 4).

Il lui ferma la bouche d'un baiser pesant. FRANCE, le Lys rouge, XXI. 7

Loc. Vieilli. *Avoir la main pesante :* avoir la main lourde* (cit. 22, et *supra*).

♦ **7.** Qui est pénible* et lent, semble embarrassé par son poids. ⇒ **Lourd.** *Allure*, marche* pesante, embarrassée. Pas* pesants,* lourds et lents* (→ Juchoir, cit. 1).

Ils entendirent, dans l'escalier, le pas pesant du vicaire, un peu plus pesant 8
que d'habitude (...) BERNANOS, Sous le soleil de Satan, p. 98.

Par ext. Qui se meut, se déplace, agit avec peine, d'une manière maladroite, embarrassée. *Mains pesantes* (→ Maladroit, cit. 1).

♦ **8.** Fig. Qui manque de vivacité, de prestesse (dans le domaine intellectuel). *Esprit pesant.* ⇒ **Épais, lourd** (cit. 2), **matériel.** → Exercer, cit. 9. *Un homme pesant* (→ 1. Grave, cit. 4).

Par ext. *Un livre pesant et ennuyeux* (→ Dégrossir, cit. 5). *Style* pesant.*

(...) le ton de la conversation y est coulant et naturel; il n'est ni pesant ni fri- 9
vole (...) ROUSSEAU, Julie ou la Nouvelle Héloïse, II, XIV.

CONTR. Léger. — Impondérable. — Agréable, supportable. — Aérien, élancé, fringant, gracieux. — Agile, dispos, éveillé, prompt, vif.
DÉR. Pesamment, pesanteur.

PESANTEUR [pəzɑ̃tœʀ] n. f. — 1538; *pesantur,* 1170; de *pesant.*

♦ **1.** *La pesanteur de (qqch.).* Caractère de ce qui pèse lourd, de ce qui a un grand poids. *La pesanteur d'une charge, d'un fardeau.* ⇒ **Pesant; lourdeur.**

Phys. Caractère de ce qui a un poids*; application de la force d'attraction de la Terre à un corps. *Substance sans pesanteur* (→ Ondulation, cit. 1). *Pesanteur de l'air* (→ Baromètre, cit. 1;

condensation, cit. 1; inventer, cit. 4). *Objets de pesanteurs différentes* (→ Jongler, cit. 1). — Par métaphore :

1 Les événements ont une pesanteur, et la loi du carré des vitesses leur est applicable. Ils tombent dans le public et s'y enfoncent avec une rapidité inouïe.
HUGO, l'Homme qui rit, II, VIII, V.

♦ **2.** Absolt. **LA PESANTEUR** : force qui entraîne les corps vers le centre de la Terre (ou, par anal., d'un astre) et qui résulte des lois de la gravitation. ⇒ **Attraction** (cit. 5), **gravitation** (cit.), **gravité** (→ Corps, cit. 3; 1. masse, cit. 34). *Pesanteur à la surface de la Terre, de la Lune. L'intensité de la pesanteur correspond au poids de l'unité de masse* (g*). *Un corps qui tombe dans le vide et n'est soumis qu'à l'action de la pesanteur a un mouvement uniformément accéléré* (loi de la chute des corps). *Variations de l'intensité de la pesanteur à la surface de la Terre, selon l'altitude et la latitude. Champ de pesanteur de la Terre. Absence de pesanteur.* ⇒ **Apesanteur.** *La gravimétrie, étude des variations de la pesanteur, est une des principales méthodes de la géophysique* (cit.). *Direction de la pesanteur.* ⇒ **Verticale** (→ Horizontal, cit. 3).

2 La mécanique nous enseigne que la pesanteur (...) est une force (ou plus exactement une accélération, quotient de la force de la pesanteur par la masse sur laquelle elle s'exerce) qui dérive d'un potentiel. Elle résulte en effet de la composition de l'attraction newtonienne due à la masse de la Terre, et de la force centrifuge produite par sa rotation (...)
J. GOGUEL et J. SEGONS, Formes et dimensions de la Terre, *in* Encycl. Pl., la Terre, p. 75.

Cour. *Acrobate sur qui les lois de la pesanteur semblent n'avoir aucune prise* (→ Bondir, cit. 7). *Défier les lois de la pesanteur.* — Par métaphore. *Échapper à la pesanteur,* se sentir libre, léger (→ Devoir, cit. 4).

♦ **3.** Fig. Poids. *La pesanteur de l'âge.* — Sensation de lourdeur, de poids, d'engourdissement, qui gêne. ⇒ **Gravatif, lourd,** II. → Endormir, cit. 6. *Pesanteur de tête* (⇒ **Malaise,** cit. 4), *d'estomac*...* — *Une, des pesanteurs.* ⇒ **Lourdeur.**

♦ **4.** (Par ext. du sens 1). Caractère de ce qui paraît lourd, massif. *Pesanteur d'un édifice.* — *Avoir la lourdeur, la pesanteur d'un bœuf* (cit. 9).

♦ **5.** Littér. *Pesanteur d'un coup,* force, violence. — Par ext. *Pesanteur du bras, de la main* (pour frapper). → Insolence, cit. 6.

♦ **6.** Lenteur et lourdeur pesantes. *Pesanteur de la marche, des mouvements, dans les mouvements* (→ Embonpoint, cit. 4).

♦ **7.** Fig. *Pesanteur d'esprit*.* ⇒ **Lenteur, lourdeur.** *Discuter avec pesanteur* (→ Honorifique, cit.). *Pesanteur d'exécution* (→ Brio, cit. 4), *du style* (→ Indigeste, cit. 3).

3 (...) cette lenteur à comprendre, cette pesanteur d'imagination (...)
MOLIÈRE, le Malade imaginaire, II, 5.

4 (...) prenant de leur clientèle paysanne la pesanteur réfléchie, la circonspection sournoise qui noient de longs silences et de paroles inutiles le moindre débat.
ZOLA, la Terre, I, II.

♦ **8.** *(Une, des pesanteurs).* Ensemble de forces (psychologiques, sociologiques...) qui retardent une évolution. *Les grandes mutations politiques sont freinées par des pesanteurs sociologiques. Les pesanteurs idéologiques.*

CONTR. Légèreté. — Esprit. — Rapidité, vivacité...
COMP. Apesanteur, non-pesanteur.

PÈSE [pɛz] n. m. ⇒ Pèze.

PÈSE- Premier élément de composés, tiré du v. *peser.*

PÈSE-ACIDE [pɛzasid] n. m. — 1838; de *peser,* et *acide.*

♦ Techn. Aréomètre pour mesurer la densité d'une solution acide. ⇒ **Acidimètre.** *Des pèse-acide* ou *des pèse-acides.*

PÈSE-ALCOOL [pɛzalkɔl] n. m. — 1850; de *peser,* et *alcool.*

♦ Techn. *Des pèse-alcool* ou *des pèse-alcools.* ⇒ **Alcoomètre.**

PÈSE-BÉBÉ [pɛzbebe] n. m. — 1875; de *peser,* et *bébé.*

♦ Balance (ou bascule) dont l'un des plateaux (ou le plateau) est disposé de manière à pouvoir recevoir un bébé. *Des pèse-bébés.*

Le pèse-bébé, qui évalue les générations en grammes et a inauguré la tendresse au poids, aurait encore sa raison d'être dans le bazar des Champs-Élysées.
le Journal amusant, 17 juil. 1875, *in* D. D. L., II, 14.

PESÉE [pəze] n. f. — 1331; p. p. fém. substantivé de *peser.*

♦ **1.** Quantité pesée en une fois. *La première pesée est de cinquante kilogrammes* (Académie). *Une pesée de quinine.*

♦ **2.** (1586). Opération par laquelle on détermine le poids de qqch. ⇒ **Pesage, peser.** *Effectuer, faire une pesée à l'aide d'une balance*, d'une bascule. Pesée de précision. Procédé de la double pesée.*

1 Elle sortit de son sac un de ces tickets que donnent les pharmaciens, après les pesées de leurs clients, et le tendit à Costals. Il lut : *9 décembre — 59 kg 100.*
MONTHERLANT, les Lépreuses, I, III.

La pesée (ou le *pèsement*) *des âmes,* dans la religion égyptienne, dans l'art chrétien (symbole du Jugement dernier). — Fig. *La pesée des âmes,* ouvrage de G. Duhamel. — Fig. *La pesée des motifs, des intentions, des termes d'une déclaration.* ⇒ **Approfondissement, examen.**

♦ **3.** (1721). Pression exercée sur un objet pour le déplacer. ⇒ **Effort.** *Forcer une porte d'une violente pesée. Soulever* une dalle d'une seule pesée, à l'aide d'un levier*.* — *Étouffer* (cit. 43) *sous une pesée invisible.* ⇒ **Poids.**

2 Quelquefois le vitrage semblait près de ployer et de s'ouvrir, comme si l'on eût fait une pesée à l'extérieur.
Th. GAUTIER, le Capitaine Fracasse, I.

3 Et, d'une pesée spéciale, faisant crier, sous la terre, la rouille des puissants leviers de jadis, voici que deux de ces énormes roches se sont écartées, laissant à découvert l'entrée séculaire.
VILLIERS DE L'ISLE-ADAM, Axël, II, 7.

PÈSE-ESPRIT [pɛzɛspʀi] n. m. — 1838; de *peser,* et *esprit.*

♦ Vx. Aréomètre (→ Pèse-alcool) destiné à évaluer la densité des spiritueux. *Des pèse-esprits.*

PÈSE-GRAINS [pɛzgʀɛ̃] n. m. invar. — 1873; de *peser,* et *grain.*

♦ Balance, bascule servant à peser les grains.

PÈSE-LAIT [pɛzlɛ] n. m. — 1838; de *peser,* et *lait.*

♦ Techn. Aréomètre pour déterminer la densité du lait. *Des pèse-lait* ou *des pèse-laits.*

PÈSE-LETTRE [pɛzlɛtʀ] n. m. — 1873; de *peser,* et *lettre.*

♦ Appareil (balance ou peson) servant à déterminer le poids d'une lettre. (On écrit aussi *un pèse-lettres*). *Des pèse-lettres.*

Vous n'avez pas affranchi suffisamment votre dernière lettre (...) et cela est fatal, avec les feuillets compacts que vous m'envoyez; ainsi je dois payer des surtaxes exorbitantes. Vous devriez acheter un pèse-lettres.
MONTHERLANT, les Jeunes Filles, p. 191.

PÈSE-LIQUEUR [pɛzlikœʀ] n. m. — 1674; de *peser,* et *liqueur.*

♦ Vx. ⇒ **Alcoomètre, aréomètre.** *Des pèse-liqueur* ou *des pèse-liqueurs.*

PÈSEMENT [pɛzmɑ̃] n. m. — 1898, Huysmans; *pesement,* 1611; *paisement,* attestation isolée XIIIe; de *peser.*

♦ Rare. Action de peser. ⇒ **Pesage, pesée.** — Icon. *Pèsement des âmes,* au Jugement dernier. ⇒ **Pesée.**

PÈSE-MOÛT [pɛzmu] n. m. — 1838; de *peser,* et *moût.*

♦ Techn. ⇒ **Glucomètre.** *Des pèse-moût* ou *des pèse-moûts.*

PÈSE-PERSONNE [pɛzpɛʀsɔn] n. m. — 1969; de *peser,* et 1. *personne.*

♦ Bascule plate à cadran gradué, servant à se peser. *Le pèse-personne des salles de bains a supplanté la bascule du pharmacien.* — Plur. *Des pèse-personnes.*

(...) montons sur le pèse-personne, à cadran-loupe, toujours rangé sous la lucarne et qui depuis des années contrôle les kilos de la famille comme la toise en forme de girafe, clouée en face sur le Ripolin, en a contrôlé les tailles. Malgré un coup de pouce à la molette pour bien mettre l'aiguille sur zéro, car cette balance a tendance à compter fort, je ne fais pas tout à fait soixante-quinze.
Hervé BAZIN, Cri de la chouette, p. 8.

PESER [pəze] v. — Conjug. *lever.* — 1050, au sens fig. «être pénible à...», var. *peiser, poiser;* du lat. *pensare* (→ Penser), lat. vulg. **pesare,* dér. de *pendere* «peser».

★ **I.** V. tr. (V. 1165). ♦ **1.** Cour. Déterminer le poids* de (qqch.) par comparaison avec un poids connu. *Peser un objet avec une balance*, au trébuchet* (⇒ **Trébucher**), *à la bascule*. Peser le chargement d'une voiture, la tare d'une marchandise.* ⇒ **Tarer.** *Peser un livre dans sa main.* ⇒ **Soupeser.** *Qui peut, ne peut pas être pesé.* ⇒ **Pondérable; impondérable.** *Peser pour doser*. Peser qqch. avec de faux poids* (→ Langage, cit. 19). — *Il faut peser cet enfant. Médecin* (cit. 8) *qui pèse un malade.* — Pron. *Se peser.*

1 Il monta sur la balance automatique et se pesa pour voir s'il n'avait pas engraissé depuis la veille.
SARTRE, l'Âge de raison, IX.

Par métaphore. *«Peser des œufs de mouche dans des balances* (cit. 2) *de toile d'araignée»* (Voltaire). *Peser chaque chose à la balance* (cit. 10) *de la raison.*

2 Tous ces poèmes sont faits avec un soin, une clarté et une délicatesse extrêmes;

on voit que l'auteur, dans ses longs loisirs laborieux, pesait chaque vers, chaque mot, chaque syllabe dans des balances d'or (...)
Th. GAUTIER, Portraits contemporains, Brizeux.

♦ **2.** (V. 1190). Fig. Apprécier, examiner avec attention, en comparant avec un étalon, pour déterminer la valeur, les avantages et les inconvénients... ⇒ **Apprécier, balancer, calculer, considérer, estimer, examiner, juger** (→ Balance, cit. 10; estimation, cit. 3). *Les mains de Dieu* (cit. 44) *pèsent le mal et le bien. Peser les circonstances* (→ Cas, cit. 11; froidement, cit. 3), *les conséquences*... *Pesons le gain et la perte.* ⇒ **Balance** (mettre en), **comparer** (→ Gager, cit. 2, Pascal). *Peser le pour et le contre** (cit. 31) : réfléchir* aux suites, aux avantages, aux inconvénients d'un projet... (→ Énergie, cit. 12; hésiter, cit. 5; octroyer, cit. 4). *Peser ses mots, ses paroles,* les employer après réflexion. *Parler en pesant ses mots* (→ aussi Fédéral, cit. 1). *Peser mûrement* (cit. 2) *le parti à prendre. Bien peser qqch.* ⇒ **Approfondir, étudier** (→ Détruire, cit. 23). — Au p. p. Délibéré. *Une parole lente, pesée* (→ Étriqué, cit. 3). *Lettres pesées, concertées* (→ Indigeste, cit. 3). *Tout bien pesé...* : après mûre réflexion (→ Jouer, cit. 39). *Tout pesé, tout examiné* (cit. 4). *Se sentir pesé, jugé, inspecté* (cit. 2). — *« Je ne compte pas mes emprunts* (cit. 8), *je les pèse »* (Montaigne). — Absolt. *Pesez, décidez* (→ cidessous, cit. 4, Rousseau).

3 Ce n'est pas assez de compter les expériences, il les faut peser (...)
MONTAIGNE, Essais, III, VIII (→ Conclusion, cit. 3).

4 Lecteur sensé, pesez, décidez; pour moi, je me tais.
ROUSSEAU, les Confessions, XI.

5 J'avoue que, tout bien pesé, la tentative des réformateurs politiques de 89 me semble plus hardie, quant à son objet, et surtout plus inouïe que celle des réformateurs sociaux de nos jours.
RENAN, l'Avenir de la science, Œ. compl., t. III, p. 755.

6 Avec un scrupule admirable et une délicatesse de tact infinie, écrivains et gens du monde s'appliquent à peser chaque mot et chaque locution, pour en fixer le sens, pour en mesurer la force et la portée (...)
TAINE, les Origines de la France contemporaine, I, t. I, p. 296.

7 (...) d'autres événements récents furent examinés, commentés, tournés sous toutes leurs faces, pesés à leur valeur, avec ce coup d'œil pratique et cette manière de voir spéciale des marchands de nouvelles, des débitants de comédie humaine à la ligne, comme on examine, comme on retourne et comme on pèse, chez les commerçants, les objets qu'on va livrer au public.
MAUPASSANT, Bel-Ami, I, II.

7.1 (...) un homme sérieux, bien vêtu, réservé, n'ouvrant la bouche que pour articuler avec soin, des mots pesés et choisis.
G. DUHAMEL, les Compagnons de l'Apocalypse, VIII.

Peser que... (vx. → Évangile, cit. 3). — *Peser si...*

8 Une semaine s'écoulerait avant que Rhadidja arrivât à Marrakech. Il pesa s'il l'attendrait, et finalement le trouva inutile. Le lendemain, il partit pour la montagne.
MONTHERLANT, les Lépreuses, II, XIV.

★ **II.** V. intr. **A.** Concret (v. 1165). ♦ **1.** Avoir tel ou tel poids. *Peser deux grammes, cinquante kilos, une tonne...* ⇒ **Faire** (→ Écritoire, cit. 1). *Ça pèse des tonnes* : c'est très lourd.

9 Il pesait cent deux kilos, et ça paraissait à peine.
ARAGON, les Beaux Quartiers, II, IX.

Peser peu (⇒ **Léger**), *beaucoup* (⇒ **Lourd, pesant**). *Peser lourd. Ne pas peser plus qu'une plume* : être très léger. — Par exagér. *Elle ne pèse rien* (→ Malade, cit. 12).

Par métaphore. *Cela ne pèse pas un grain* (cit. 32), *une once* : cela n'a guère d'importance. *Cela ne pèse pas une once devant..., à côté de...* (→ Autorité, cit. 29). *Tout cela ne pèserait pas lourd* (cit. 33) *si...* — Fig., vx. Valoir.

10 (...) le héros (...) et (...) le grand homme (...) mis ensemble ne pèsent pas un homme de bien.
LA BRUYÈRE, les Caractères, II, 30.

11 Il s'agit de la vérité scientifique et tout le reste ne pèse rien.
G. DUHAMEL, Chronique des Pasquier, VI, XVI.

12 Je suis sûre qu'il me préfère à toute autre; mais absente, je ne pèse pas lourd; c'est comme ça qu'il est.
F. MAURIAC, la Fin de la nuit, II.

Absolt. **a** Avoir un poids, subir les effets de la pesanteur. *La règle par laquelle les corps pèsent, gravitent* (→ Inverse, cit. 2).

b Cour. Être lourd. *Ça pèse, ce truc-là.*

♦ **2.** PESER SUR..., CONTRE... : exercer une poussée, une pression. ⇒ **Appuyer, charger, haler** (bas), **pousser, presser.** *Peser sur un levier.* ⇒ **Pesée** (→ Ouvre-boîte, cit. 1). *Peser sur, contre une porte pour l'ouvrir.*

13 Il est monté au village, il a pesé de l'épaule contre la porte, à la maison de la Mamèche; la porte s'est étalée à plat sur le plancher et il est entré.
J. GIONO, Regain, II, II.

(Le sujet désigne ce qui est pesant). *Fardeau, charge qui pèse sur les épaules.* — Absolt. *Fardeau qui pèse.* ⇒ 2. **Farder** (vx).

14 (...) cette croûte gelée de deux ou trois pieds d'épaisseur au plus, où pesaient sur le même point des milliers de curieux et un nombre considérable de chevaux (...)
Th. GAUTIER, Voyage en Russie, IX.

Par ext. Donner une impression de poids (en parlant d'une partie du corps). *Son bras pèse comme du plomb* (→ Hémiplégie, cit.). — Spécialt. *Aliment lourd, indigeste*, qui pèse, pèse sur l'estomac**.

15 Ton corps est abattu du mal de ta pensée;
Tu sens ton front peser et tes genoux fléchir.
A. DE MUSSET, Poésies nouvelles, « Lettre à Lamartine ».

Par métaphore. Donner une sensation de poids, d'oppression... *« Quand le ciel* (cit. 32) *bas et lourd pèse comme un couvercle... »* (Baudelaire). *Atmosphère* (cit. 7) *étouffante qui pèse sur la foule. « Le monstrueux édifice pèse sur vous »* (→ Étouffer, cit. 14; et aussi espérance, cit. 7; mystérieux, cit. 3). *« L'universelle nuit pèse sur l'univers »* (→ Étendre, cit. 54).

Le ciel lourd d'un soir d'été pesait sur la ville et sur la grande avenue où commençaient à sautiller sous les feuillages les refrains alertes des concerts en plein vent. 16
MAUPASSANT, Fort comme la mort, II, I.

(Sujet abstrait). *Rien ne pèse tant qu'un secret* (→ Difficile, cit. 1). *« Sans rien en lui qui pèse ou qui pose »* (→ Impair, cit. 1, Verlaine).

Les mêmes défauts qui dans les autres sont lourds et insupportables, sont chez nous comme dans leur centre; ils ne pèsent plus, on ne les sent pas. 17
LA BRUYÈRE, les Caractères, XII, 72.

L'homme est fragile et le génie pèse. 18
CHATEAUBRIAND, Vie de Rancé, p. 124.

B. Abstrait. ♦ **1.** (Sujet n. de chose). PESER SUR... : faire sentir son poids, constituer une charge pénible. ⇒ **Accabler, opprimer...** (→ Bouillonnement, cit. 1; courber, cit. 9). *Le fardeau* (cit. 17) *qui pèse sur sa vie. Inquiétude, terreur qui pèse sur le cœur, sur l'âme* (→ Incarner, cit. 11; néant, cit. 9). *Les remords pèsent sur la conscience. Malédiction* (cit. 14), *menace* (cit. 7) *qui pèse sur...* ⇒ **Assombrir.** — *En Prusse, le joug* (cit. 4) *militaire pèse sur vos idées. Faire peser le joug de la tyrannie sur...* ⇒ **Appesantir.** — Impers. *Il pèse sur lui un soupçon, un reproche...* (→ Facilité, cit. 16). — *Les charges* (cit. 16) *qui pèsent sur qqn.* — *Une responsabilité* écrasante pèse sur vous.* ⇒ **Incomber, retomber** (→ aussi Acariâtre, cit. 2). — *La classe sur laquelle pèsent les impôts* (cit. 1). *Inscriptions* (cit. 5), *hypothèques qui pèsent sur une propriété.* ⇒ aussi **Grever.** — Absolt. Être lourd, pénible à supporter.

(...) cinquante francs, pour des gens comme nous, ça commence à peser. 19
G. SAND, la Mare au diable, V.

De la lassitude pèse pourtant sur tous, les faces sont jaunies, les paupières rougies (...) Tous, depuis quelques jours, nous nous courbons et nous avons vieilli. 20
H. BARBUSSE, le Feu, II, XX.

PESER À (qqn) : être pénible, difficile à supporter. ⇒ **Coûter, dégoûter, ennuyer** (cit. 13), **fatiguer, importuner, peine** (faire). *« Que ces vains ornements* (cit. 2), *que ces voiles me pèsent ! »* (Racine). *La solitude lui pèse* (→ Effrayer, cit. 12). *Cette vie lui pèse.* ⇒ **Étouffer** (→ 1. Flétrir, cit. 13).

Après cela, comment me reçois-tu? avec une politesse glacée, et en tranchant du seigneur. On dirait que mes visites commencent à te peser. 21
A.-R. LESAGE, Gil Blas, VIII, XIII.

(...) l'argent qu'il avait reçu lui pesait si fort qu'il le jeta en passant par le soupirail d'une cave. 22
R. ROLLAND, Jean-Christophe, Le matin, I, p. 115.

Plus rien ne me pesait. Dans la rue, je marchais aussi légèrement que dans mes rêves. 23
R. RADIGUET, le Diable au corps, p. 64.

♦ **2.** (Sujet n. de personne ou de chose). Exercer une pression morale; avoir une importance décisive. *Peser sur la décision de qqn.* ⇒ **Influencer, intimider.** *Peser d'un poids énorme dans la création de...* (→ Christianisme, cit. 9). *Peser dans la balance* (cit. 17) *pour un parti. Élément qui pèse le plus dans une décision.* ⇒ **Prépondérant.**

(...) j'ai horreur de peser sur la décision d'autrui. Si j'invite un camarade à dîner, et s'il n'accepte pas tout de suite, je n'insiste jamais, tant je crains d'entreprendre sur sa liberté, et tant je suis loin de considérer ma compagnie comme une aubaine hors de discussion. 24
J. ROMAINS, le Dieu des corps, II.

▶ **PESÉ, ÉE** p. p. adj. Voir à l'article (cit. 5, 7.1 et *supra*).

DÉR. Pesable, pesette, peseur, peson.

COMP. Pèse-acide, pèse-alcool, pèse-bébé, pèse-esprit, pèse-grains, pèse-lait, pèse-lettre, pèse-liqueur, pèse-moût, pèse-sel, pèse-vin.

PÈSE-SEL [pɛzsɛl] n. m. — 1838; de *peser,* et *sel.*

♦ Techn. Aréomètre destiné à déterminer la densité et la concentration des solutions salines. *Des pèse-sel* ou *des pèse-sels.*

PÈSE-SIROP [pɛzsiʀo] n. m. — 1829, G. Sand (Corresp.), *in* D. D. L.; de *peser,* et *sirop.*

♦ Techn. Aréomètre destiné à mesurer la densité, la concentration des solutions de sucre. *Des pèse-sirop* ou *des pèse-sirops.*

PESETA [peseta]; francisé [pezeta] n. f. — 1787, *pesetta, in* D. D. L.; mot esp.; de *peso* « poids ». → Peso.

♦ Unité monétaire espagnole. *Des pesetas* [peseta; pezeta(s)]. → Courir, cit. 21.

Fam., vieilli. *Avoir des pesetas :* avoir de l'argent. ⇒ **Pésètes.**

Ah! dame, s'il y a des gosses trop tendres qui ont une hésitation, on les fusille immédiatement, douze balles dans la peau, vlan! D'un côté, il faut ça. Et puis, les officiers, qu'est-ce que ça peut leur faire? Ils touchent leurs pesetas, c'est tout ce qu'ils demandent.
PROUST, le Temps retrouvé, Pl., t. III, p. 748.

PÉSÈTES [pezɛt] n. f. pl. — 1926 à Lyon; probablt dér. de *pèse* « pois; argent ». (→ Pèze); l'infl. de *pesetas* n'est pas exclue → Peseta, cit.

♦ Argot fam. *Des pésètes :* de l'argent.

PESETTE [pəzɛt] n. f. — 1569 ; de *peser.*

♦ Petite balance de précision pour les monnaies.

PESEUR, EUSE [pəzœʀ, øz] n. — 1252, *peseor ;* de *peser.*

♦ **1.** Rare. Personne chargée d'effectuer des pesées. *Peseur d'or. Peseur juré,* exerçant sur les marchés. — Par métaphore. *Le Peseur d'âmes,* nouvelle d'A. Maurois.

♦ **2.** (1649). Fig., littér. Personne qui examine avec minutie (le plus souvent, avec un comp. : *peseur de...*). *Un incorrigible peseur de cheveux coupés en quatre. Un peseur vétilleux.*

PÈSE-VIN [pɛzvɛ̃] n. m. — 1838 ; de *peser,* et *vin.*

♦ Techn. Œnomètre*. *Des pèse-vin* ou *des pèse-vins.*

PESO [peso] francisé [pezo] n. m. — 1839 ; attestation isolée, 1787, dans une traduction (*in* D. D. L.) ; mot esp., XVIe, « poids » (d'or).

♦ Unité monétaire de plusieurs pays d'Amérique latine.

PESON [pəzɔ̃] n. m. — 1676 ; « poids qui fait tourner le fuseau », 1243 ; dér. de *peser.*

♦ **1.** Anciennt. Petit poids placé au bout du fuseau à filer pour en faciliter la rotation. — Vx. Contrepoids.

♦ **2.** (1676). Anc. Balance à poids constant dont le fléau, horizontal à la position d'équilibre, porte à sa partie inférieure une aiguille fixée perpendiculairement qui se déplace devant un cadran gradué. Mod. *Peson à ressort* (par oppos. à l'ancien peson à contrepoids) ou, plus cour. (le peson à contrepoids n'étant plus en usage), *peson :* appareil à peser dont la partie utile est constituée par un ressort étalonné. *Le manque de fidélité du peson a fait proscrire son utilisation dans le commerce.* — Techn. *Peson d'un appareil de forage,* indiquant le poids du train de tiges supporté par le crochet.

PESSAIRE [pesɛʀ] n. m. — XIIIe ; « remède contre les maladies utérines » ; 1765, sens mod. ; bas lat. *pessarium,* dér. de *pessum,* grec *pessos* « tampon de charpie pour une plaie ».

♦ **1.** Méd. Petit appareil, introduit dans le vagin de la femme, utilisé pour remédier aux déviations de l'utérus. *Pessaire en caoutchouc, pessaire à air, à tige.*

1 (...) cela vaudrait bien une annonce de trois lignes dans les *Débats* et le *Courrier français,* les cols en crinoline, les biberons en tétine incorruptible (...)
Th. GAUTIER, Préface de Mlle de Maupin, p. 51 (éd. critique Matoré).

♦ **2.** Préservatif anticonceptionnel pour la femme. ⇒ **Diaphragme.**

2 Le salut du monde était dans la limitation préventive des naissances (...) Robin (...) expliquant à son contradicteur que la licence due au pessaire n'était point licencieuse (...) Croizet chevauchait un autre dada : la vertu du cacahuète (...) Il faut de tout pour faire un monde, même des cacahuètes et des pessaires, le pessaire évitant seul le surnombre qui eût diminué pour chacun sa part de cacahuètes.
Francis JOURDAIN, Sans remords ni rancune, p. 23-24.

PESSE [pɛs] n. f. — XVIe ; du lat. *picea* « arbre à résine », de *pix* « poix ».

♦ **1.** Vx. Épicéa.

♦ **2.** (1784). *Pesse d'eau,* et, absolt, *pesse :* plante dicotylédone *(Onagrariacées),* herbe aquatique des régions tempérées, à tige grêle et à feuilles verticillées, parfois appelée *pessereau* [pɛsʀo], nom masculin.

PESSIMISME [pesimism] n. m. — 1759 ; dér. sav. du lat. *pessimus,* superl. de *malus* « mauvais ».

♦ **1.** Disposition d'esprit qui porte à négliger les aspects favorables positifs, à tenir pour assuré que les événements tourneront mal. *Tempérament porté au pessimisme.* ⇒ **Pessimiste** (→ Voir tout en noir*). *Un mélange* (cit. 14) *paradoxal de pessimisme et d'optimisme. Afficher* (cit. 4) *sur les hommes et la vie un pessimisme foncier. Expérience* (cit. 49) *qui confirme le pessimisme. Le pessimisme sans merci des esprits lucides* (→ 1. Mou, cit. 16).

1 (...) la principale division entre les hommes n'est pas tant celle des idées ni même des intérêts que celle des tempéraments, qui se résume en cette dualité essentielle : optimisme, pessimisme.
R. ROLLAND, Compagnons de route, p. 10.

2 Le romantisme ne survécut pas à la Révolution. L'enthousiasme, déçu par l'avortement des grandes espérances de 1848, se tourna en un pessimisme amer qui poussa les écrivains à représenter de préférence les côtés pénibles ou laids de la vie humaine.
Ch. SEIGNOBOS, Hist. sincère de la nation franç., XIX.

Par ext. Caractère de ce qui est pessimiste, qui traduit le pessimisme. *Pessimisme de la littérature* (cit. 14) *réaliste.* — Caractère de ce qui annonce, signale une disposition d'esprit pessimiste. *La mélancolie de ses yeux, le pessimisme de ses lèvres...* (→ Incurable, cit. 9).

Spécialt. Sentiment d'amertume et d'inquiétude, état d'un esprit qui attend une issue malheureuse, un dénouement fâcheux à telle ou telle situation. ⇒ **Défaitisme.** *Ce pessimisme n'est pas de saison. Le vent est au pessimisme. Je ne partage pas votre pessimisme.*

La Bourse suivit le mouvement général de pessimisme ; les fonds d'État tombèrent de trois, puis de six points. 3
Louis MADELIN, Hist. du Consulat et de l'Empire, Vers Empire d'Occident, VI, XXI.

(...) le docteur Richard fut enlevé par la peste, lui aussi, et précisément par le palier de la maladie. 4
L'administration, devant cet exemple, impressionnant sans doute, mais qui, après tout, ne prouvait rien, retourna au pessimisme avec autant d'inconséquence qu'elle avait d'abord accueilli l'optimisme.
CAMUS, la Peste, p. 257.

♦ **2.** (1819, en all., chez Schopenhauer). Doctrine philosophique d'après laquelle le mal l'emporte sur le bien dans un monde qui est l'œuvre d'une volonté indifférente au bien et au mal. *Pessimisme religieux des bouddhistes.*

L'optimisme et le pessimisme ne combattent point avec les mêmes armes. Le pessimisme fait avancer les faits accomplis ; cette armée de témoignages s'accroît avec le temps. Et dans le fond tout est mal, dès que l'on forme l'idée que ce qui est arrivé, bon ou mauvais, ne pouvait pas être autrement. Or, dès que l'on explique, on arrive là. D'où il vient que les plus savants dans les choses humaines ont souvent de l'aigreur. 5
ALAIN, Minerve, XLVI.

CONTR. Optimisme.
DÉR. (Du même rad.) **Pessimiste.**

PESSIMISTE [pesimist] adj. et n. — 1789 ; dér. sav. du lat. *pessimus.* → Pessimisme.

♦ **1.** Qui est naturellement porté à prévoir le pire, à être toujours sombre, mécontent du présent et inquiet pour l'avenir. ⇒ **Bilieux, maussade, mélancolique.** *Écrivain isolé* (cit. 12) *et pessimiste. Ses malheurs l'ont rendue pessimiste. Caractère, esprit pessimiste.* — N. *Un pessimiste invétéré. C'est une pessimiste.*

Considérer les pessimistes comme des ennemis personnels. Et ce sont ceux-là mêmes, les assombrisseurs de la vie, qui se cramponnent le plus à la vie. 1
GIDE, Journal, 11 mars 1933.

On conçoit qu'il y ait de quoi désespérer, mais c'est la grande erreur des pessimistes de n'être jamais certains que du pire, et de toujours mettre le meilleur en doute, quitte à se priver de bien des douceurs. 2
Émile HENRIOT, Portraits de femmes, p. 152.

Par ext. Qui pense, dans une circonstance particulière, que les choses vont mal tourner. ⇒ **Alarmiste, défaitiste.** *Les diplomates sont assez pessimistes sur (à propos de, quant à) l'évolution de la situation internationale.* — (Choses). Qui traduit le pessimisme, l'amertume, l'inquiétude. ⇒ **Sombre.** *Conclusion pessimiste* (→ 2. Chagrin, cit. 15). *Cela dépasse* (cit. 13) *les prévisions les plus pessimistes.*

Certains, parmi les lecteurs catholiques de Mauriac, lui reprochaient cette vue pessimiste du monde. Il leur reprochait ces reproches (...) 3
A. MAUROIS, Études littéraires, Mauriac, III.

♦ **2.** (1834). Qui a rapport au pessimisme philosophique ou à ses partisans. *Doctrine, philosophie pessimiste.* — N. Théoricien ou partisan du pessimisme. *Les pessimistes.*

CONTR. Optimiste.

PESTE [pɛst] n. f. — 1475 ; lat. *pestis* « épidémie, fléau » et fig. « ruine, destruction ».

★ **I.** ♦ **1.** Anciennt. Toute épidémie caractérisée par une très forte mortalité. ⇒ **Pestilentielle** (maladie). *Vent qui souffle la peste* (→ Malsain, cit. 4). *Les grandes pestes qui ravagent parfois la terre* (→ Épidémique, cit. 2 ; cataclysme, cit. 2 ; 1. mal, cit. 11). — *La peste d'Athènes* (429 av. J.-C.), *décrite par Thucydide et Lucrèce, la peste de Rome* (165 après J.-C.) *furent peut-être des épidémies de peste* (au sens mod.) *ou de choléra...* — Littér. *Les Animaux malades de la peste,* fable de La Fontaine (VII, 1).

Un mal qui répand la terreur, 1
Mal que le ciel en sa fureur
Inventa pour punir les crimes de la terre,
La peste (puisqu'il faut l'appeler par son nom),
Capable d'enrichir en un jour l'Achéron,
Faisait aux animaux la guerre.
LA FONTAINE, Fables, VII, 1.

Une peste terrible désola l'Aquitaine ; la chair des malades semblait frappée par le feu, se détachait de leurs os, et tombait en pourriture. 2
MICHELET, Hist. de France, IV, I.

♦ **2.** Mod. Très grave maladie infectieuse, épidémique et contagieuse, due au bacille de Yersin *(Yersinia pestis). Peste bubonique, pneumonique, septicémique. Peste noire, à manifestations hémorragiques.* ⇒ **Pétéchie.** *Transmission de la peste par les rats, les puces* (→ Infection, cit. 5). *Attraper la peste* (→ 1. Grave, cit. 24). *Inciser les bubons d'un malade atteint de la peste.* ⇒ **Pestiféré** (→ Laboratoire, cit. 4). *Les morts, les victimes de la peste* (→ Nombre, cit. 17 ; normal, cit. 3). *Ville où sévit la peste.* ⇒ **Empester** (cit. 6). *Traitement préventif et curatif de la peste, par sérum et vaccin antipesteux.* — *Épidémies* (cit. 1) *de peste.* — *Une peste :* une épidémie de cette maladie. *Les grandes pestes meurtrières : la peste des croisades* (dont mourut Saint Louis), *la peste noire de 1347, la peste de Londres* (1655), *de Marseille* (1720), *de Messine* (1747 ;

→ Lazaret, cit. 1), *de Saint-Jean-d'Acre* (1799), *de Chine* (1844), *de Manchourie* (1910-1911). — Littér. *La Peste,* roman de Camus (1947).

3 (...) ce curé faisait la quarantaine pour avoir enterré, depuis trois semaines, son dernier paroissien qui était effectivement le dernier de douze mille personnes mortes de la peste dans sa paroisse. RETZ, Mémoires, II, p. 806.

4 Une mauvaise nouvelle m'attendait à mon réveil; le drapeau jaune de la peste était arboré sur Mansourah, et nous attendait encore à Damiette (...) NERVAL, Voyage en Orient, Femmes du Caire, V, VI.

5 (...) le mot (...) résonnait encore dans la pièce : la peste. Le mot ne contenait pas seulement ce que la science voulait bien y mettre, mais une longue suite d'images extraordinaires (...) les vieilles images du fléau, Athènes empestée et désertée par les oiseaux, les villes chinoises remplies d'agonisants silencieux, les bagnards de Marseille empilant dans des trous les corps dégoulinants, la construction en Provence du grand mur qui devait arrêter le vent furieux de la peste, Jaffa et ses hideux mendiants, les lits humides et pourris collés à la terre battue de l'hôpital de Constantinople, les malades tirés avec des crochets, le carnaval des médecins masqués pendant la Peste noire, les accouplements des vivants dans les cimetières de Milan, les charrettes de morts dans Londres épouvanté, et les nuits et les jours remplis partout et toujours du cri interminable des hommes. CAMUS, la Peste, p. 52.

5.1 La peste de 1720 à Marseille nous a valu les seules descriptions dites cliniques que nous possédions du fléau.
Mais on peut se demander si la peste décrite par les médecins de Marseille était bien la même que celle de 1347, à Florence, d'où est sorti le Décaméron. L'histoire, les livres sacrés, dont la Bible, certains vieux traités médicaux, décrivent de l'extérieur toutes sortes de pestes dont ils semblent avoir retenu beaucoup moins les traits morbides que l'impression démoralisante et fabuleuse qu'elles laissèrent dans les esprits. C'est probablement eux qui avaient raison. Car la médecine aurait bien de la peine à établir une différence de fond entre le virus dont mourut Périclès devant Syracuse (...) et celui qui manifeste sa présence dans la peste décrite par Hippocrate, que des traités médicaux récents nous donnent comme une sorte de fausse peste. A. ARTAUD, le Théâtre et son double, le Théâtre et la peste, *in* Œ. compl., t. IV, p. 22-23.

♦ **3.** Loc. compar. *Fuir (qqn) comme la peste, se garder* (cit. 80) *de qqch. comme de la peste. — Craindre, redouter, haïr qqn, qqch. comme la peste,* extrêmement, au plus haut point.

6 (...) telles gens se devraient fuir comme peste, n'ayant autre Dieu que le gain et le profit. RONSARD, Œuvres en prose, Épître au lecteur.

7 Il n'hésitait jamais, à la place des autres. C'était un très gentil garçon, duquel il se fallait méfier comme de la peste. COURTELINE, Messieurs les ronds-de-cuir, IIe tableau, II.

♦ **4.** Art vétér. *Peste bovine :* maladie infectieuse épizootique, qui attaque les ruminants. — *Peste aviaire, porcine :* maladies infectieuses et contagieuses frappant les poules, les porcs.

REM. Les pestes animales, affections virales, sont étiologiquement bien distinctes de la peste humaine, dont l'agent est une bactérie.

♦ **5.** Fig. [a] Odeur infecte, puanteur (→ Ferrer, cit. 1).

[b] Vx. (Dans des formules d'imprécation, de malédiction où *peste* a le sens 1). *La peste te crève*, t'étouffe** (cit. 6), *t'étrangle ! — « La peste soit de l'avarice et des avaricieux ! »* (→ Morveux, cit. 1, Molière; et aussi bœuf, cit. 11). Ellipt. *La peste du bourreau !* (→ Note, cit. 15). — *Peste soit le coquin !* (→ Infamie, cit. 6).

8 La peste soit de tout l'univers ! A. DE MUSSET, les Caprices de Marianne, II, 7.

9 La peste soit de ces gens devant lesquels on ne peut pas renifler sans qu'aussitôt ils vous demandent : « — Vous êtes enrhumé ? » GIDE, Journal, 2 oct. 1926.

[c] Vieilli. Interjection courante marquant un étonnement ironique ou admiratif. *Peste ! c'est du chambertin !* (cit.). → aussi Chanson, cit. 1; gentillesse, cit. 3.

10 On te rappellera bientôt. Peste! Un homme comme toi ne se remplace pas aisément. DIDEROT, Jacques le fataliste, Pl., p. 703.

★ **II.** (V. 1500) *(Une, des pestes).* Personne ou chose nuisible, funeste, pernicieuse. ⇒ **Choléra** (→ Honnête, cit. 2). — Spécialt. Femme ou fille très méchante, odieuse. ⇒ **Choléra, gale** (cit. 3). → Parricide, cit. 2. *Quelle peste ! C'est une vraie peste.*

11 Je me glissais furtivement lorsque Alice, une peste femelle que ma tante avait à son service, surgit de derrière la porte du vestibule, où apparemment elle était embusquée (...) GIDE, Si le grain ne meurt, I, V, p. 125.

Enfant insupportable. Fillette espiègle, impertinente, insupportable. *C'est une vraie petite peste.* — Adj. (Vieilli). *Est-elle peste, cette gamine !*

COMP. et **DÉR. Empester, malepeste.** — **Pester, pesteux.** — V. aussi **Pesticide** (anglicisme).

PESTER [pɛste] v. intr. — 1639; *pester quelqu'un* « le traiter de "peste" », en 1617; de *peste.*

♦ Manifester son mécontentement, sa colère, par des paroles hargneuses et violentes. ⇒ **Fulminer, grogner, invectiver, jurer, maugréer; détester** (vx), **maudire** (cit. 4); fam. **rager, râler.** *Pester contre quelqu'un, contre le mauvais temps. Charretier qui peste contre* (cit. 17) *ses chevaux.*

1 Ce sont vingt mille francs qu'il m'en pourra coûter :
Mais, pour vingt mille francs, j'aurai droit de pester
Contre l'iniquité de la nature humaine (...) MOLIÈRE, le Misanthrope, V, 1.

2 Je pestais (...) contre le toit de mon auto qui m'isolait de la nature et ne me permettait de voir que des tronçons de paysage. GIDE, Ainsi soit-il, p. 87.

3 Mme Barbentane pestait contre Marthe, la cuisinière, qui avait laissé tourner le lait. ARAGON, les Beaux Quartiers, I, XXIII.

Absolt. *Un grincheux qui ne fait que pester.* ⇒ **Fumer** (→ 1. Fumer, I., 3.). *Pester intérieurement* (→ 1. Don, cit. 12). *Il pestait, grommelait* (cit. 1)... ⇒ **Râler, rouspéter** (fam.).

PESTEUX, EUSE [pɛstø, øz] adj. — XVIe; de *peste.*

♦ **1.** Didact. Qui appartient à la peste, est caractéristique de la peste. *Bubon, charbon pesteux. Pneumonie pesteuse.* — Qui cause la peste. *Bacille pesteux.*

♦ **2.** Cour. Qui est atteint de la peste. *Rat pesteux.* — N. *Un pesteux, une pesteuse :* une personne atteinte de la peste. ⇒ **Pestiféré.**

— Fils, les médecins n'en savent pas plus que nous. Ils prendront ta pécune, et, pour tout ton potage, ils t'enverront gésir dans un parc à pesteux, où tu ne manqueras point d'empester tout à fait. R. ROLLAND, Colas Breugnon, VII.

REM. *Pesteux* est plus médical, plus technique que *pestiféré.*

PESTICIDE [pɛstisid] adj. et n. m. — V. 1960; mot angl., de *pest* « parasite nuisible », et *-cide.*

♦ Anglic. (Techn. agric.). Produit employé contre les parasites végétaux ou animaux des cultures (⇒ **Débroussaillant, fongicide, herbicide, insecticide, raticide**). — REM. Ce mot, compte tenu du sens de *peste* en français, est mal formé; *insecticide* et *antiparasite* peuvent le remplacer. — *L'emploi abusif des pesticides met en danger les équilibres naturels.* — Adj. *Produits, plaquettes pesticides,* employés contre les parasites des cultures.

PESTIFÉRÉ, ÉE [pɛstifeʀe] adj. et n. — 1503; *pestiferat* en anc. provençal; de l'anc. adj. *pestifère* (1350); empr. lat. *pestifer* « qui porte (→ -fère) la peste ».

♦ Qui est infecté ou atteint de la peste. *Navire pestiféré. Malade pestiféré.*

(...) les pauvres chiens, les chiens crottés, ceux-là que chacun écarte, comme pestiférés et pouilleux (...) BAUDELAIRE, le Spleen de Paris, L. 1

N. Plus cour. *Un pestiféré. Bonaparte visita les pestiférés de Jaffa. Les Pestiférés de Jaffa,* tableau de Gros (1804).

(...) nous avons surpris, non loin du palais, un groupe de pestiférés. Souillés de déjections, de vomissures, ils se tordaient dans des coliques affreuses et semblaient s'aider l'un l'autre à mourir. GIDE, Œdipe, I. 2

Une autre partie des équipes (...) assurait le transport des pestiférés et même, par la suite, en l'absence de personnel spécialisé, conduisit les voitures des malades et des morts. CAMUS, la Peste, p. 151. 3

Fuir quelqu'un comme un pestiféré, l'éviter à tout prix. *Sa mésalliance l'isola* (cit. 3) *comme un pestiféré.*

PESTIFÉRER [pɛstifeʀe] v. tr. — Conjug. *céder.* — 1482; → Pestiféré.

♦ Rare. Infecter, corrompre, et, spécialt, infecter de la peste, ou d'une autre grave maladie contagieuse.

(...) la nécessité de désencombrer la voie publique, des immondices qui la pestifèrent. Léon BLOY, le Désespéré, p. 168.

PESTILENCE [pɛstilɑ̃s] n. f. — 1120; lat. *pestilentia,* rad. *pestis* « épidémie ». → Peste.

♦ **1.** (1170). Vx. Maladie épidémique caractérisée par une forte mortalité (→ Avec, cit. 33), et, spécialt, la peste.

Lundi de la semaine passée, un cas de pestilence fut semé à Saint-Fargeau (...) À la fin de la semaine, il y en avait dix autres. Puis, puis, se rapprochant de nous, hier, la peste éclate à Coulanges-la-Vineuse. R. ROLLAND, Colas Breugnon, VII. 1

♦ **2.** (1256). Mod., littér. Odeur infecte, miasme putride. ⇒ **Infection.** *Pestilence qui se dégage d'un tas d'ordures* (cit. 2). — *Pestilence d'un marécage.* ⇒ **Corruption.**

(...) la famine, les cadavres abandonnés partout et que finissent par dévorer les survivants épars, la grande pestilence qui oblige les belles dames de la cour à se boucher le nez quand elles vont en partie fine chez les beaux messieurs de l'armée. G. DUHAMEL, Refuges de la lecture, IV. 2

♦ **3.** Théol. *Chaire de pestilence,* d'où l'on professe une doctrine pernicieuse, propre à corrompre les âmes.

DÉR. Pestilent, pestilentiel.

PESTILENT, ENTE [pɛstilɑ̃, ɑ̃t] adj. — V. 1370; de *pestilence,* ou lat. *pestilens.*

♦ Vx. Pestilentiel. *Fièvre pestilente.*

PESTILENTIEL, ELLE [pɛstilɑ̃sjɛl] adj. — 1390; de *pestilence.*

♦ **1.** Didact. Qui tient de la peste, qui a les caractères de la peste (ou d'une autre maladie épidémique très meurtrière). Vx. *Maladies pestilentielles :* maladies quarantenaires. ⇒ **Peste.**

(...) il y mourut des fièvres pestilentielles qui y règnent pendant six mois de l'année (...) BERNARDIN DE SAINT-PIERRE, Paul et Virginie, p. 15. 1

♦ **2.** Qui répand une odeur infecte*. ⇒ **Puant.** *Latrines pestilentielles.*

♦ **3.** Qui est propre à favoriser la propagation d'une grave infection (→ par métaphore, Imperceptible, cit. 1). *Miasmes* (cit. 1) *pestilentiels.* ⇒ **Contagieux.** *Marais* (cit. 1) *pestilentiels.*

2 Le boulevard du quai est un marais d'ordures, et les rues étroites, originales, enfermées comme des corridors entre deux lignes tortueuses de maisons démesurément hautes soulèvent incessamment le cœur par leurs pestilentielles émanations.
MAUPASSANT, la Vie errante, « Côte italienne ».

♦ **4.** Fig., vx. Propre à corrompre les âmes. *Doctrine pestilentielle.*

COMP. Antipestilentiel.

PET [pɛ] n. m. — V. 1260; du lat. *peditum,* même sens.

★ **I.** ♦ **1.** Vulg. Gaz* intestinal qui s'échappe de l'anus avec bruit. ⇒ **Vent;** (fam.) **prout.** *Lâcher, faire un pet.* ⇒ **Péter.** *Pet nauséabond.* ⇒ **Vesse.**

1 (...) saint Augustin allègue avoir vu quelqu'un qui commandait à son derrière autant de pets qu'il en voulait (...) MONTAIGNE, Essais, I, XXI.

2 Enfin, ne parlant plus, et déjà dans les combats de l'agonie, elle fit un gros pet. Bon! dit-elle, en se retournant, femme qui pète n'est pas morte.
ROUSSEAU, les Confessions, II.

3 Il but, fit claquer sa langue, puis lâcha un pet en disant à Prosper : — Essaye de l'attraper, toi qui as été Parisien. APOLLINAIRE, l'Hérésiarque..., p. 129.

♦ **2.** Loc. Fam. *Ça ne vaut pas un pet, un pet de lapin** : cela n'a aucune valeur, cela ne mérite pas d'être pris en considération.

4 Peut-être était-il (...) revenu de la gloire, depuis son triomphe à Cloyes. Il secoua sa tête inculte (...) il dit à Canon : — « Tiens! veux-tu savoir? tout ça ne vaut pas un pet ». — Et, levant la cuisse(...) il en fit un, dédaigneux et puissant, comme pour en écraser la terre. ZOLA, la Terre, IV, III.

5 Et puis aussi, pour ce qui est des choses de la maison, — ces femmes-là, d'ailleurs c'est toujours comme ça — elle vaut pas un pet de lapin.
J. GIONO, Regain, II, III.

Loc. prov. *On tirerait plutôt un pet d'un âne mort qu'un sou de sa bourse,* se dit en parlant d'un avare*. — Loc. fam. *Se sauver, filer comme un pet, lâcher quelqu'un comme un pet,* précipitamment, brusquement. ⇒ **Péteux.** *Comme un pet sur une toile cirée.* — *S'inquiéter pour un pet de travers :* s'alarmer pour peu de chose, manifester des inquiétudes excessives à propos d'un incident sans gravité. — *Avoir un pet de travers :* être mal disposé, être de mauvaise humeur (avec ou sans motif); aussi : souffrir d'une indisposition passagère, d'un malaise physique peu grave (et le plus souvent de cause indéterminée).

★ **II.** (1837; de *pétard* par allus. au bruit du pet). Argot. Éclat, tapage fait autour d'une affaire. *Il va y avoir du pet.* — Loc. *Porter le pet :* porter plainte en justice ou auprès d'une autorité supérieure.
Danger, péril. *Il y a du pet. Guetter au pet.*

5.1 Ça, fait-il en montrant d'autres mômes à la porte, c'est mes ouvriers (...) moi je veille pour la rousse (...) je guette au pet.
Ed. et J. DE GONCOURT, Journal, t. III, p. 30.

6 Moi, je surveille par là, dit Dandieu. Toi par là. S'il y a du pet, tu ne fais rien sans me prévenir. SARTRE, la Mort dans l'âme, p. 174.

Faire le pet : faire le guet pour prévenir du danger un complice en action.

(En forme d'interj.). *Pet! :* Attention!

7 Mais la porte s'entrouve. Une paire de moustaches apparaît(...) Pet-pet. Le vieux qui revient! crie Frédie. Hervé BAZIN, Vipère au poing, XII.

Vieilli. *Y a pas de pet! :* il n'y a pas de discussion possible; c'est sûr.

8 Y a pas d'pet! dit Blaire. Les allumettes boches sont de meilleure qualité qu'les nôtres. H. BARBUSSE, le Feu, t. II, p. 11.

DÉR. et **COMP. Pétarade, pétard, pet-de-loup, pet-de-nonne, pet-en-l'air, péter, péteux, pétiller, pétoire, pétomane, pétrousquin.**
HOM. Paie, paix. — Formes des v. paître, payer.

PÉTAINISME [petɛnism] ou, moins cour., PÉTINISME [petinism] n. m. — 1943, *pétinisme;* de *Pétain.*

♦ Attitude politique et sociale, idéologie des partisans du maréchal Pétain et de son régime, pendant l'occupation de la France par les Nazis.

PÉTAINISTE [petɛnist] ou, moins cour., PÉTINISTE [petinist] adj. et n. — V. 1943-1944; de *Pétain.*

♦ Partisan du maréchal Pétain et de sa politique de collaboration avec l'occupant allemand. — Adj. Qui concerne les idées ou les actes de Pétain.

1 Tout le monde se réconcilie en de Gaulle. Même les pétainistes lui pardonnent, et pas seulement du bout des lèvres.
F. MAURIAC, le Nouveau Bloc-notes 1958-1960, p. 104.

2 Il a déclaré que les pétinistes avaient aimé la France à leur manière et qu'ils sont plus près des gaullistes qu'un résistant séparatiste.
S. DE BEAUVOIR, les Mandarins, p. 552.

PÉTALAIRE [petalɛʀ] adj. — Mil. XXe (1963, Larousse); de *pétale.* — Le mot est dans Littré comme n. f. dans un autre sens.

♦ Bot. Des pétales.

PÉTALE [petal] n. m. — 1718; lat. des botanistes *petalum,* du grec *petalon* « feuille ».

♦ **1.** Bot. et cour. Chacun des organes foliacés qui composent la corolle* d'une fleur. *Le pétale, feuille modifiée* (→ Métamorphose, cit. 7) *et ordinairement colorée. Limbe, onglet d'un pétale. Pétale bifide. Pétale onguiculé, ongulé. Pétale supérieur d'une orchidée* (⇒ **Labelle**). *Pétales des papilionacées.* ⇒ **Étendard...** *Rose qui défleurit* (cit. 1) *et perd ses pétales.* ⇒ **Effeuiller** (s'). *Un pétale de fleur humide de rosée* (→ Fondant, cit. 2).

Les fleurs sur les marchés n'arrivaient plus en boutons, elles éclataient déjà et, 1
après la vente du matin, leurs pétales jonchaient les trottoirs poussiéreux.
CAMUS, la Peste, p. 129.

Adrienne (...) regarda les géraniums (...) du doigt elle fit tomber les pétales que 2
la chaleur avait brunis (...) J. GREEN, Adrienne Mesurat, I, VI.

♦ **2.** Techn. Substance alimentaire (pains de maïs, etc.) réduite en minces lamelles.

DÉR. Pétalaire, pétalé, pétalisme, pétaloïde.

-PÉTALE Élément de mots botaniques (du précéd.), désignant les plantes d'après la disposition de leurs pétales. ⇒ **Apétale, dialypétale, dipétale, gamopétale, hexapétale, homopétale, monopétale, pentapétale, polypétale...**

PÉTALÉ, ÉE [petale] adj. — 1771; de *pétale.*

♦ Bot. Qui a un ou plusieurs pétales.

CONTR. Apétale.

PÉTALISME [petalism] n. m. — 1611; grec *petalismos;* → Pétale.

♦ Antiq. grecque. Mode d'ostracisme* en usage à Syracuse (ainsi nommé parce que les suffrages étaient inscrits sur une feuille d'olivier ou de figuier).

PÉTALOÏDE [petalɔid] adj. — V. 1770, Rousseau; de *pétale,* et *-oïde.*

♦ Sc. nat. Qui ressemble à un pétale, par sa forme, sa couleur... *Sépales pétaloïdes.*

PÉTANQUE [petɑ̃k] n. f. — Répandu v. 1930; provençal *pèd tanco* « pied fixé » (au sol), d'où l'expr. *jouer à pétanque,* déformée en *jouer à la pétanque.*

♦ Régional (Sud de la France), cour. Jeu de boules*, dont les règles sont sensiblement différentes du jeu dit « national » (en particulier pour le tir). *Partie de pétanque. Équipe de deux* (doublette) *ou trois* (triplette) *joueurs de pétanque. Pointeurs et tireurs à la pétanque.*

PÉTANQUEUR [petɑ̃kœʀ] n. m. — Mil. XXe; de *pétanque.*

♦ Joueur de pétanque. ⇒ **Bouliste.**

PÉTANT, ANTE [petɑ̃, ɑ̃t] adj. — XXe; de *péter.*

♦ Fam. *L'heure pétante :* l'heure juste, sonnante*. *À cinq heures pétant* (ou *pétantes :* pour l'accord, voir l'article *heure*).

Tous les soirs pendant la saison, à neuf heures pétantes, elle va s'asseoir à côté de la caissière de l'Alpinic-Railway et de son poste d'observation elle surveille le Park.
R. QUENEAU, Pierrot mon ami, éd. L. de Poche, p. 39.

PÉTARADANT, ANTE [petaʀadɑ̃, ɑ̃t] adj. — Fin XIXe; de *pétarader.*

♦ Qui pétarade. *Le vacarme des cyclomoteurs pétaradants.*

PÉTARADE [petaʀad] n. f. — 1649; *pétarrade,* XVe; de *pet,* par l'intermédiaire du provençal *pétarrada.*

♦ **1.** Série de pets que laissent échapper certains animaux en ruant. *Cheval, âne qui fait une pétarade* (→ Camarade, cit. 1).

♦ **2.** (1649). Plus cour. Suite de détonations*. *Pétarades d'un feu* *d'artifice, d'une motocyclette...* — Fig. *Bois qui brûle dans une pétarade d'étincelles* (→ Flammèche, cit. 2).

Vieilli. Bruit violent d'un tir d'artillerie. ⇒ **Canonnade.**

DÉR. Pétarader.

PÉTARADER [petaʀade] v. intr. — 1560, *petarrader;* repris déb. xxᵉ; de *pétarade.*

♦ Faire entendre une pétarade. *Camion qui s'ébranle, motocyclistes qui roulent en pétaradant* (→ Gazogène, cit. 2; invulnérable, cit. 3).

Puis ils s'occupèrent à faire pétarader sur les chemins sablés du parc la vieille Renault, peinte en rouge comme une voiture de pompiers.
Michel DE SAINT-PIERRE, les Aristocrates, IV.

DÉR. Pétaradant.

PÉTARD [petaʀ] n. m. — 1584; *pétart,* 1495; de *pet.* — Le mot est en grande partie démotivé, ainsi que ses dérivés; il n'est donc pas vulgaire.

★ **I.** ♦ **1.** Charge d'explosif placée dans une enveloppe dont la forme et la matière varient selon la destination de l'engin. *Pétard qui éclate, explose.*

Milit. *Pétards utilisés pour la destruction des obstacles. Pétard de mélinite. Douille d'amorçage d'un pétard.*

Techn. (Ch. de fer). Dispositif de signalisation acoustique, «double capsule métallique, chargée d'une composition fulminante, et qu'un levier spécial vient présenter sur le rail quand un signal est en position "fermé"» (P. Devaux, *les Chemins de fer,* p. 88).

1 (...) son unique défaut était là, dans un entêtement à ne pas s'arrêter, désobéissant aux signaux, croyant toujours qu'il aurait le temps de dompter la Lison : aussi, parfois, allait-il trop loin, écrasait les pétards (...) ce qui lui avait valu deux fois des mises à pied de huit jours.
ZOLA, la Bête humaine, VII.

Pièce d'artifice*, composée d'un cylindre ou d'un cube (⇒ 1. **Marron**) de carton fort, empli de poudre bien tassée. *Tirer des pétards. Allumer un pétard. Les pétards du 14 Juillet.* — Modèle réduit de pétard, formé de bandes de papier collées ensemble et imprégnées de poudre fulminante. *Enfants qui font claquer des pétards* (→ Amorce, capsule).

2 (...) tout est pavoisé et on tire des pétards en l'honneur de la France.
LOTI, Mᵐᵉ Chrysanthème, XI.

3 Le Quatorze Juillet arriva. Bienheureux jour où les boutiques des marchands de vin sont pleines de drapeaux, où les pétards partent en pleine rue, où les comités socialistes-révolutionnaires célèbrent leurs victoires.
Ch.-L. PHILIPPE, Bubu de Montparnasse, I, II.

♦ **2.** Fam. Nouvelle sensationnelle ou profession de foi tapageuse, dont on espère un grand retentissement. *Lancer un pétard.* ⇒ **Bombe.**

4 Je te parlais tout à l'heure d'une recherche universelle de l'épate (...) chez les autres *(les artistes, les écrivains),* c'est l'effort désespéré pour se faire entendre; c'est la bombe qu'on flanque dans la gueule des gens, parce que ça, au moins, ils s'en apercevront (...) Quant à Moréas lui-même, après avoir lancé aussi quelques pétards dans sa jeunesse, il en est venu à une sérénité olympienne.
J. ROMAINS, les Hommes de bonne volonté, t. IV, XXII, p. 238.

♦ **3.** (1869). Fam. Bruit*, tapage. ⇒ **Pet,** II. *Qu'est-ce qu'ils font comme pétard! Vous entendez ça?*

♦ **4.** Fam. (P.-ê. sous l'influence d'un anc. verbe *pêter, pester* «trépigner de colère»). *Faire du pétard :* protester bruyamment, manifester à grand bruit son mécontentement. *Il va y avoir du pétard.* — Par ext. *Être en pétard,* en colère.

4.1 Il se balance. Il est en pétard lui-même. CÉLINE, Guignol's band, p. 79.

♦ **5.** (1859). Par métonymie. Argot. ⇒ **Revolver; calibre, feu, flingue, pétoire** (argot).

4.2 Il a reçu un coup de pétard dans le buffet. R. QUENEAU, Loin de Rueil, p. 41.

♦ **6.** (1885). Interj. Vieilli (ou euphémique). *Mille pétards! Pétard de nom de Dieu!*

★ **II.** (1859). Derrière, postérieur. ⇒ **Cul.**

5 Ces femmes moutonnantes, avec leurs pétards plantureux (...)
MONTHERLANT, les Lépreuses, II, XXII.

PÉTARDAGE [petaʀdaʒ] n. m. — Mil. xxᵉ; de *pétarder;* cf. *pétardement,* 1874.

♦ Techn. (carrières). Opération par laquelle on fait sauter avec des explosifs des blocs de pierre trop gros pour le transport.

PÉTARDER [petaʀde] v. — Fin xvıᵉ; de *pétard.*

★ **I.** V. tr. Techn. Faire sauter avec des pétards, des explosifs.

★ **II.** V. intr. (1883). Fam., vieilli. Faire du pétard (I., 3.), du tapage. ⇒ **Pétardier.**

PÉTARDIER, IÈRE [petaʀdje, jɛʀ] adj. — 1885, Esnault; de *pétard,* I., 4. «colère».

♦ Pop. De tempérament irascible, colérique.

(...) le grand séco (...) qui jactait les lèvres serrées, en tordant la bouche, d'un air pétardier et sournois. Albert SIMONIN, Touchez pas au grisbi, p. 111.

PÉTASE [petaz] n. m. — xvıᵉ; lat. *petasus,* grec *petasos.*

♦ Didact. (Antiq. grecque). Chapeau à larges bords, que portaient les jeunes Grecs pour s'abriter de la pluie et du soleil pendant leurs exercices à la palestre. — Chapeau de voyage (des Grecs, des Romains). — Myth. *Le pétase ailé d'Hermès.*

Mercure avait perdu ses sandales et nous lançait un œil mauvais sous son pétase déplumé. Jacques PERRET, Bande à part, p. 177.

PÉTASITE [petazit] n. m. — D. i.; grec *petasitês,* même sens.

♦ Bot. Tussilage*, plante *(Composacées)* médicinale aux propriétés antitussives.

PÉTASSE [petas] n. f. — Attesté dans les dialectes, avec diverses variantes; → Péteux «peureux», dès 1803; dér. de *pet;* → Pétoche.

♦ **1.** Fam., vieilli. Peur intense. ⇒ **Pétoche; péteux.**

Je sais ce que c'est que la frousse, mon vieux! Je l'ai vue! Les types qui ont la pétasse, mais là, la vraie, ils ne sont plus responsables! 1
Roger VERCEL, Capitaine Conan, X, p. 169.

♦ **2.** (1881). Vulg. Prostituée. ⇒ **Poufiasse.** — Terme injurieux à l'adresse d'une femme (sans connotation sexuelle). *Une espèce de petite pétasse. Vieille pétasse!*

(...) en train de faire des confidences au milieu de la nuit, à une grande pétasse que je ne connais pas. Christine DE RIVOYRE, les Sultans, p. 11. 2

PÉTAUDIÈRE [petodjɛʀ] n. f. — 1694; de *Petault, Pétaud,* nom d'un mystérieux personnage légendaire du xvıᵉ, probablt var. de *petier, péteur,* dér. de *pet.*

♦ Assemblée, groupement humain où, faute de discipline, règnent la confusion* et le désordre*. ⇒ **Cour** (du roi Pétaud). *Une ingouvernable* (cit. 2) *pétaudière.*

(...) par essence, l'anarchie est à la fois grotesque et tragique, et, dans cette dislocation universelle, la capitale, comme le royaume, ressemble à une pétaudière, quand elle ne ressemble pas à une Babel.
TAINE, les Origines de la France contemporaine, I, III, p. 130.

PÉTAURISTE [petoʀist] n. m. — 1624; du grec *petauristein* «danser sur la corde».

Didactique.

♦ **1.** Antiq. grecque. Danseur, sauteur de corde.

(...) Gianni lisait à son frère, en ses vieux caractères, des pages sur les sauteurs *pétauristes,* tirant leur nom grec du saut à demi-volant que les poules font, en rentrant pour se coucher, *dessus la perche de leur gélinier* (...)
Ed. DE GONCOURT, les Frères Zemganno, XLVI.

♦ **2.** (1827). Zool. Écureuil volant d'une variété australienne.

PET D'ÂNE [pɛdɑn] n. m. — 1812; *pédane,* 1778; de *pet,* et *âne.*

♦ Régional. Plante voisine du chardon, à fleurs rouges ou blanches (n. sc. : *onopordon**). *Des pets d'âne.*

PET-DE-LOUP [pɛdlu] n. m. — 1888; d'après le n. d'un personnage créé par Nadar en 1849; de *pet,* et *loup.*

♦ Fam., vx. Vieil universitaire ridicule. *Des pets-de-loup.* — REM. On trouve d'autres formes graphiques au plur. : *des pet de loups* (A. Hermant); *des Pet de loup* (Daudet; le mot est ici pris comme nom propre de personnage).

PET-DE-NONNE [pɛdnɔn] n. m. — 1795; *pet d'Espaigne* en 1393; *pet* en 1718; de *pet, de,* et *nonne**.

♦ Beignet soufflé, très léger, confectionné avec de la pâte à choux. *Des pets-de-nonne.*

PÉTÉ, ÉE [pete] adj. — Mil. xxᵉ; de *péter* «casser».

♦ **1.** Fam. Fou, insensé. *Il est vraiment pété, ce gars-là! Il ne sait plus ce qu'il fait.*

♦ **2.** Ivre. *Il a tellement fêté l'événement qu'il était complètement pété.*

Dites donc, une fois, on m'appelle dans un restaurant pour charger une petite dame, bon. Pétée à mort, elle était. Tenait plus debout et j'm'en suis aperçu tout de suite, bon. Geneviève DORMANN, Je t'apporterai des orages, p. 151-152.

PÉTÉCHIAL, ALE, AUX [peteʃjal, o] adj. — 1732; de *pétéchie.*

♦ Méd. Qui est accompagné de pétéchies, qui se manifeste par des pétéchies. *Typhus pétéchial* (ou *exanthématique*).

PÉTÉCHIE [peteʃi] n. f. — 1564, *pétèche;* ital. *petecchia,* d'orig. obscure.

♦ Méd. Petite tache rouge apparaissant sur la peau à la suite d'une hémorragie cutanée. ⇒ **Purpura.** *Pétéchies caractéristiques de la peste* noire, du scorbut...* — REM. Ce mot s'emploie le plus souvent au pluriel.

D'autres pestiférés qui, sans bubons, sans douleur, sans délire et sans pétéchies, se regardent orgueilleusement dans des glaces, se sentant crever de santé, tombent morts (...) A. ARTAUD, le Théâtre et son double, Œ. compl., t. IV, p. 29.

DÉR. Pétéchial.

PET-EN-L'AIR [pɛtɑ̃lɛʀ] n. m. invar. — 1726; de *pet,* et loc. *en l'air.*

♦ Vx. Court veston d'intérieur qui s'arrête au bas des reins (⇒ **Rase-pet**). *Des pets-en-l'air.*

1 Le torse flexible (...) transparaissait au travers de la fluide flanelle, couleur crème et liserée de vert d'ortie, d'un pet-en-l'air matinal. Léon BLOY, le Désespéré, p. 188.

2 Vous voilà en état d'affronter le vaste monde. Un paletot pour l'hiver, un pet-en-l'air pour la demi-saison. R. QUENEAU, le Vol d'Icare, p. 57.

PÉTER [pete] v. — Conjug. *compléter.* — 1380; de *pet;* a remplacé l'anc. franç. *poire* (XIIIe), du lat. *pedere.*

♦ **1.** a V. intr. Vulg. Faire un pet (cit. 2), lâcher* des vents. ⇒ **Vesser.**

1 Le marquis de Lescous, à la fin des repas, rote et pète comme un sapeur-pompier. J. ROMAINS, les Hommes de bonne volonté, t. VIII, V, p. 33.

Loc. *Vouloir péter plus haut que le cul*, plus haut que son derrière :* avoir des ambitions qui passent ses moyens; être outrecuidant, prétentieux. — *Péter dans la soie :* avoir des vêtements de prix, être habillé d'une manière luxueuse, et, par ext., vivre sur un grand pied, mener grand train.

1.1 Conscient de son infériorité sociale, il n'osait lever les yeux sur elle : il ne voulait pas péter plus haut qu'il n'avait le derrière. R. QUENEAU, Zazie dans le métro, p. 77.

Loc. fig. *Envoyer péter qqn.* ⇒ **Chier, paître** (envoyer).

b Trans. (Par anal. avec *cracher, jeter...*). Fam. *Péter du feu, des flammes... :* être bouillant d'ardeur, déborder d'entrain, de dynamisme, de vitalité... — *Ça va péter le feu :* les choses vont prendre une tournure violente (→ Ça va chauffer, faire des étincelles...).

2 — Unger n'a pas le poids. Il pète du feu, mais il se calmera. Paul MORAND, Champions du monde, p. 103.

♦ **2.** (1819). V. intr. Fam. Éclater avec bruit. ⇒ **Exploser.** *Pétards au fulminate* (cit. 2) *qui pètent ferme. Faire péter une grenade. La carabine lui a pété dans les mains.*

3 Au tir, cela pétait ferme. ARAGON, les Beaux Quartiers, I, XXVII.

♦ **3.** Fam. a V. intr. Se rompre brusquement. ⇒ **Éclater.** *Attention, le ballon va péter!* — Loc. fig. *Manger à s'en faire péter la sous-ventrière. Péter dans sa graisse* (→ Crever, cit. 16). — *Maille, couture qui pète.* ⇒ **Sauter.** *Capote* (cit. 1) *trop étroite dont les boutons sont prêts à péter.*

4 Ah! oui, on s'en flanqua une bosse! (...) Vrai, on voyait les bedons se gonfler à mesure (...) Ils pétaient dans leur peau, les sacrés goinfres! ZOLA, l'Assommoir, t. I, VII, p. 279.

Loc. *Le crâne, la tête lui pète :* il souffre de violents maux de tête; il est en proie à des soucis obsédants.

5 — Toujours pareil. Une nuit terrible. J'en ai le crâne qui pète. J. GIONO, Colline, p. 62.

Loc. *Il faut que ça pète, que ça casse ou que ça dise pourquoi :* il faut, coûte que coûte, que ça finisse.

6 (...) le siècle ne pouvait s'achever sans qu'il y eût une autre révolution (...) un chambardement qui nettoyerait la société du haut en bas (...) — Il faut que ça pète, répéta énergiquement madame Rasseneur. — Oui, oui, crièrent-ils tous les trois, il faut que ça pète. ZOLA, Germinal, III, I.

(Abstrait). *Si vous hésitez plus longtemps, l'affaire va vous péter dans la main.* ⇒ **Échouer, rater.**

b V. tr. *Péter quelque chose :* casser.

7 (...) quelqu'un lui demande vous n'auriez pas un lacet de soulier par hasard je viens de péter le mien. R. QUENEAU, Zazie dans le métro, p. 77.

8 (...) les enquêteurs cherchèrent dans leurs dossiers et découvrirent que, deux mois auparavant, une vitrine de joaillerie avait été pétée après que la glace principale eut été quadrillée de bandes de tissu gommé, identiques à celles trouvées dans la tire de Hans. Coup classique, pour que les éclats de verre ne réveillent pas le voisinage en tombant. Martin ROLLAND, la Rouquine, p. 21.

♦ **4.** Loc. pop. *Péter la gueule à quelqu'un :* le battre, lui donner une correction. ⇒ **Casser.**

8.1 Je trouverai bien un prétexte pour lui péter la gueule quand tu en auras fini avec lui. Jean HOUGRON, la Gueule pleine de dents, p. 292.

Se péter la gueule : se casser la figure, tomber, etc. *Je me suis pété la gueule dans l'escalier.*
La péter : avoir faim, soif. ⇒ **Crever** (de faim). *On la pète, ici!*
Se péter (la gueule) : s'enivrer. ⇒ **Pété** (2.).

▶ **PÉTÉ, ÉE** p. p. adj.
Cassé, démoli. *Il est complètement pété, ton vélo.* — Fig. ⇒ **Pété.**
COMP. et **DÉR. Contrepèterie, pète-sec, péteur, péteux, rouspéter.**

PÈTE-SEC [pɛtsɛk] n. et adj. invar. — 1866; de *péter,* et *sec.*

♦ Fam. Personne autoritaire qui parle toujours sur un ton de commandement hargneux et cassant. *Une gouvernante tyrannique et pète-sec.* — *Quel pète-sec!*

(...) ce grand pète-sec, ce millionnaire à la mode d'aujourd'hui, hein? regardait-il les gens du haut de sa grandeur, jusqu'à refuser de goûter le vin du pays, de peur sans doute d'être empoisonné! ZOLA, la Terre, IV, V.

REM. On écrit parfois *pétesec.*

PÉTEUR, EUSE [petœʀ, øz] n. — 1380; de *péter.*

♦ Personne qui a l'habitude de laisser échapper des vents. ⇒ aussi **Pétomane.** — Au fém. (avec une valeur analogue à *pisseuse*,* et pouvant être considéré aussi comme fém. de *péteux**). ⇒ **Pétasse.**

Ah non! Elle va pas jouer les tyrans, cette péteuse! SAN-ANTONIO, le Secret de Polichinelle, p. 106.

PÉTEUX, EUSE [petø, øz] n. — 1790, *in* D. D. L.; forme pop. de *péteur* par allus. au flux intestinal que peut déclencher la peur; → Avoir la colique*; foireux.

♦ Personne peureuse*. ⇒ **Pétochard.** *S'enfuir, foutre le camp comme un péteux.* — T. d'injure. Personne (souvent : personne jeune, enfant) de peu d'importance; être insignifiant, méprisable. *Débarrasse-moi le plancher, espèce de petit péteux!*

PÉTILLANT, ANTE [petijɑ̃, ɑ̃t] adj. — 1480 (en parlant des yeux); p. prés. de *pétiller.*

♦ **1.** Qui pétille. *Eau minérale, bière pétillante. Vin pétillant.* ⇒ **Mousseux.**

L'eau dégageait quelques bulles (...) — Elle est plus pétillante que ça quand elle 1
sort de la source. J. ROMAINS, les Hommes de bonne volonté, t. V, X, p. 81.

♦ **2.** Qui brille d'un vif éclat. *Avoir l'œil pétillant. Regard pétillant de malice* (→ In petto, cit. 2).

♦ **3.** Fig. ⇒ **Pétiller** (3.). *Discours pétillant d'esprit, de fantaisie. Style pétillant.* ⇒ **Scintillant.**

Il fut pétillant de saillies, et sut mettre en train tous les convives. 2
BALZAC, le Père Goriot, Pl., t. II, p. 995.

PÉTILLEMENT [petijmɑ̃] n. m. — 1636; «chatouillement», XVe; de *pétiller.*

♦ **1.** Fait de pétiller (1.); bruit de ce qui pétille. *Pétillement du bois vert qui brûle. Pétillement du sel jeté dans le feu.* ⇒ **Décrépitation.**

Quelques poignées de bourrée avaient ravivé la flamme, et le pétillement des bran- 1
ches sèches qui se tordaient dans le brasier réjouissait les voyageurs (...) Th. GAUTIER, le Capitaine Fracasse, III.

Dans l'intérieur de la cabane où brillait un feu de sarments tout en pétillements 2
et en clarté (...) Alphonse DAUDET, Contes du lundi, «Paysages gastronomiques».

Par anal. *Pétillement du champagne* (→ Humer, cit. 7).

♦ **2.** Effet de ce qui jette de vifs éclats. *Pétillement d'étincelles. Un pétillement de lumière.* ⇒ **Scintillement** (→ Fantasia, cit. 1).

(...) du bord de ce nuage, frangé d'or, un large rayon coulait, qui allumait les mil- 3
liers de vitres de la rive gauche d'un pétillement d'étincelles (...) ZOLA, l'Assommoir, t. I, III, p. 102.

Par ext. *Pétillement malicieux du regard.*

♦ **3.** Fig. Vivacité d'esprit (→ Marivaudage, cit. 1) ou de manières; transport (de joie, de gaieté...).

(...) elle me servait, avec quel pétillement de joie dans les mouvements (...) 4
BALZAC, le Lys dans la vallée, Pl., t. VIII, p. 934.

PÉTILLER [petije] v. intr. — 1453; de *pet* ou de *péter,* et suff. dimin. — Le mot est complètement démotivé et n'a aucune connotation vulgaire.

♦ **1.** Éclater avec de petits bruits secs et répétés. *Bois vert, sarments qui pétillent dans la cheminée.* ⇒ **Crépiter, décrépiter; péter** (→ Hotte, cit. 2). — Par métonymie. *Feu* (1. Feu, cit. 11) *qui pétille.*

Quand déjà pétillait et flambait le bûcher (...) VERLAINE, Jadis et Naguère, «La Pucelle».

Par analogie (de bruit) :

2 (...) l'on entendait vaguement pétiller des coups de fusil comme des grains de sel que l'on jetterait au feu. Th. GAUTIER, Voyage en Espagne, p. 279.

3 (...) j'entends le grésil qui pétille sur la vitrine du passage et l'eau des gouttières qui tombe à grand bruit dans la cour (...)
Alphonse DAUDET, le Petit Chose, II, XV.

(En parlant de boissons gazeuses dont les bulles éclatent en projetant de minuscules gouttelettes). *Vin d'Asti qui pétille dans les coupes. Mousse* (1. Mousse, cit. 7 et 9) *de bière, de champagne qui pétille.*

Loc. (Vx). *Avoir le sang qui pétille :* être bouillant d'ardeur, d'impatience, d'indignation... (→ Extravagant, cit. 3; impassible, cit. 2). — Fig. (Sujet n. de personne). Vx. *Pétiller de... :* être transporté de... *« Il pétille d'impatience de voir arriver le jour de ses noces »* (Furetière). → aussi Lubrique, cit. 2.

(En parlant de choses qui semblent jaillir avec éclat et d'un mouvement rapide, désordonné). *Traits d'esprit, mots amusants* (cit. 3) *qui pétillent dans une conversation* (→ Fourmiller, cit. 5).

♦ **2.** Littér. Briller* d'un éclat très vif. *Joyaux qui pétillent de tous leurs feux.* ⇒ **Chatoyer, scintiller.**

4 Le soleil pétillait et donnait je ne sais quoi de pur à l'air (...)
BALZAC, le Médecin de campagne, Pl., t. VIII, p. 323.

5 Autour de sa tête, dans ses nattes noires, il y avait des plaques de métal qui pétillaient au soleil et faisaient à son front une couronne d'étoiles.
HUGO, Notre-Dame de Paris, VIII, IV.

(XVIe). *Œil qui pétille de rage* (→ Lascif, cit. 3). — *La joie pétille dans ses yeux.* ⇒ **Éclater.**

6 (...) le désir et l'impatience qui pétillaient dans tous les traits de cette jolie personne. BALZAC, la Femme de trente ans, Pl., t. II, p. 674.

7 Et les yeux d'or du faune ont pétillé dans l'ombre.
Albert SAMAIN, Aux flancs du vase, « Rhodante ».

8 Sous les sourcils broussailleux, les yeux de Philip pétillèrent d'une sorte de malice, presque cruelle (...) MARTIN DU GARD, les Thibault, t. VII, p. 267.

♦ **3.** Fig. Vx. *Pétiller d'esprit* (cit. 158) : manifester un esprit vif, piquant, qui éclate en saillies.

9 (...) vous l'allez voir tout à l'heure rire sur la scène à gorge déployée, pétiller d'esprit, de verve et de grâce.
Th. GAUTIER, Portraits contemporains, « Mlle S. Brohan ».

DÉR. **Pétillant, pétillement.**

PÉTINISTE [petinist] adj. et n. ⇒ **Pétainiste.**

PÉTIOLAIRE [pesjɔlɛʀ; petjɔlɛʀ] adj. — 1777; de *pétiole.*

♦ Sc. nat. Du pétiole.

PÉTIOLE [pesjɔl; petjɔl] n. m. — 1749; lat. *petiolus.*

♦ Bot. Partie rétrécie de certaines feuilles*, unissant le limbe à la tige. ⇒ **Queue.** *Feuille sans pétiole.* ⇒ **Acaule, engainant, sessile.** *Pétiole amplexicaule*. — Pétiole commun des feuilles composées.*

Zool. ⇒ **Pédicule, pédoncule.**

(...) chacun des parasites effarés est assailli par trois ou quatre justicières qui s'évertuent à lui couper les ailes, à scier le pétiole qui relie l'abdomen au thorax (...) MAETERLINCK, la Vie des abeilles, VI, II.

DÉR. **Pétiolaire, pétiolé.**

PÉTIOLÉ, ÉE [pesjɔle; petjɔle] adj. — 1766; de *pétiole.*

♦ **1.** Bot. Porté par un pétiole (feuilles). — *Cotylédons pétiolés,* dont la base forme une sorte de pétiole.

♦ **2.** Zool. Attaché par un pédoncule. ⇒ **Pédonculé.** *Abdomen pétiolé des fourmis, des guêpes.*

CONTR. (Du 1.) **Sessile.**

PETIOT, OTE [pətjo, ɔt] adj. et n. — XIVe; de *petit.*

♦ Fam. (En parlant d'un enfant, d'un jeune animal). Tout petit (I., 1.). *Elle est encore bien petiote pour être grondée.*

Tout *petiot*, dès l'âge de trois ou quatre ans, Nello apportait aux exercices de la troupe la curiosité de ses yeux éveillés et la joie remuante de son corps.
Ed. DE GONCOURT, les Frères Zemganno, VI.

Vrai de vrai, c'est monsieur Jean. J'étais petiote à son départ, mais je le remets bien. Hervé BAZIN, Cri de la chouette, p. 76.

N. *Comment va le petiot? Viens, mon petiot. C'est une jolie petiote.*

PETIT, ITE [p(ə)ti, it] adj., n. et adv. — 980, « jeune »; du lat. pop. *pittitus,* attesté dès 775, de formation obscure, vraisemblablement d'un rad. *pitt-* du langage enfantin. Cf. bas lat. *pittinus* « petit garçon ».

Qui est en dessous de la moyenne. — REM. Le mot perd souvent ce sens absolu quand il est affecté d'un degré de comparaison.

★ **I.** Dans l'ordre physique (quantité mesurable). ♦ **1.** (En parlant d'êtres vivants). Dont la hauteur, la taille est faible, inférieure à la moyenne (le terme est toujours relatif à la norme implicite du substantif : *un petit éléphant, une petite baleine*). — REM. *Petit* épithète se place normalement avant le n., sauf lorsqu'il est précédé d'un adv. *Un homme assez petit, très petit, tout petit...* (→ Corps, cit. 22; fort, cit. 6; hauteur, cit. 3). ⇒ **Court, lilliputien, minuscule** (→ On le mettrait dans sa poche*; il est haut comme une botte*, trois pommes*). *Petit et chétif.* ⇒ **Rabougri.** *Un petit homme* (→ Dessécher, cit. 13; dos, cit. 5; malingre, cit. 2). ⇒ **Avorton, bout** (d'homme), **crapoussin, criquet, demi-portion, extrait, gringalet, marmouset, microbe, myrmidon, nabot, nain, puce, pygmée.** *Un petit bonhomme rablé, gros.* ⇒ **Pot** (à tabac). *Petite femme* (→ Cahoter, cit. 2; gras, cit. 15). ⇒ **Bout** (de femme), **miniature, naine** (cit. 5). *Une petite blonde, une petite brune. Une petite bonne femme. Sa petite personne* (→ Distinguer, cit. 39). *Un petit vieux* (→ Alerte, cit. 7; avaler, cit. 9). *Une petite vieille ratatinée*. Il est petit, plutôt petit pour son âge. Elle est très petite. Il est plus petit que son frère* (moins grand*). Par ext. (avec un subst. abstrait). *Petite taille* (→ Bossuer, cit. 3; femme, cit. 13; grandeur, cit. 15). — *Petits animaux* (→ Détendre, cit. 1; dévaler, cit. 2; farfadet, cit. 3; fécond, cit. 3; lézard, cit. 2), *plus petits, moins petits que d'autres* (→ Casoar, cit. 1; dromadaire, cit. 1; mulot, cit. 1). *« Dame fourmi trouva le ciron trop petit »* (→ Colosse, cit. 1, La Fontaine). ⇒ **Animalcule.** *Petit insecte.* ⇒ **Moucheron.** *Petits oiseaux* (cit. 12, 14 et 15). Fig. *La Petite Ourse*. — Petits arbres.* ⇒ **Arbrisseau** (→ Marier, cit. 13; if, cit. 2). *Petites fleurs. La petite fleur* bleue.* — Prov. *On a souvent besoin d'un plus petit que soi* (→ Obliger, cit. 9, La Fontaine).

Sa petite médaille annonçait un bon coin. 1
Il était très bien pris; — on eût dit que sa mère
L'avait fait tout petit pour le faire avec soin.
A. DE MUSSET, Premières poésies, « Namouna », I, X.

Il est un peu petit, et c'est pour excuser sa taille qu'il rappelle à tout propos son 2
grade de lieutenant dans la cavalerie de réserve.
Valery LARBAUD, Barnabooth, Journal, II, p. 200.

Le Petit Caporal : Napoléon Ier (surnom donné à l'Empereur par ses soldats, qui l'avaient nommé caporal, par allusion à sa petite taille, et avec une valeur affectueuse).

Se faire petit, tout petit : s'efforcer de réduire sa taille (ou son volume), en se ratatinant*. Fig. Éviter de se faire remarquer, en adoptant une attitude humble (cit. 12), effacée (→ Humblement, cit. 5; faire, cit. 237).

(...) il *(Saint-Ismier)* se baissa beaucoup et se fit petit, se cachant derrière le poteau 3
d'un garde-fou qui se trouvait dans la rue à huit ou dix pas des maisons.
STENDHAL, Romans et nouvelles, « le Chevalier de Saint-Ismier ».

♦ **2.** (La taille marquant un degré de croissance). Qui n'a pas encore atteint toute sa taille. ⇒ **Jeune.** *Quand elle était petite* (→ Dodeliner, cit. 1; jucher, cit. 1). *Laisser deux enfants encore petits. Tu es trop petit pour comprendre, pour sortir seul. Petit enfant*, petit gosse, petit bonhomme. Petit garçon. Petite fille.* ⇒ **Fille.** *Un petit jeune homme, une petite jeune fille. Un petit diable*. La petite Marie, le petit Calyste...* (→ Dodeliner, cit. 2). *Un petit ange*. Le Petit Chose,* roman d'A. Daudet, *La Petite Fadette,* de G. Sand. *Le Petit Prince,* de Saint-Exupéry. *Le P'tit Quinquin* (chanson). *Petit Savoyard, petits Arabes* (→ Marche, cit. 18; marmotte, cit. 1). *Petit nègre :* négrillon. Par ext. *Parler petit nègre*. — La petite bonne* (→ Lutiner, cit. 4). — Fam. (Devant un n. de famille). *Les petit(e)s Herpain,* les filles de M. et Mme Herpain, les enfants* Herpain (→ 1. Le, cit. 8). — *Petit frère, petite sœur :* frère, sœur plus jeune, par rapport à un des enfants (→ Auprès, cit. 14; divertir, cit. 14; maçon, cit. 1). — *Apprivoiser des animaux en les prenant tout petits* (→ 2. Fier, cit. 1). *« Le petit chat est mort »* (Molière, *l'École des femmes,* II, 5). *Petit poisson deviendra grand* (→ Attendre, cit. 87, La Fontaine). *Petit faon* (cit. 2) *encore aux mamelles* (cit. 5).

Tu dis : S'ils étaient grands! leur père est seul! — Chimère! 4
Plus tard, quand ils seront près du père et partis,
Tu diras en pleurant : Oh! s'ils étaient petits!
HUGO, la Légende des siècles, LII, IV.

« Elle avait encore toutes les grâces de l'enfant et déjà tout le charme de la 5
femme; elle était dans cette nuance adorable de transition de la petite fille à la jeune fille : nuance fugitive, insaisissable, époque délicieuse où la beauté est pleine d'espérance, et où chaque jour, au lieu d'enlever quelque chose à vos amours, y ajoute de nouvelles perfections. Th. GAUTIER, Mlle de Maupin, XV.

Deux petits hommes, les miens... Encore un peu de temps et ces petits hommes 6
seront des hommes. G. DUHAMEL, les Plaisirs et les Jeux, I, III.

N. UN PETIT, UNE PETITE : enfant encore petit; très jeune homme ou jeune fille. *Ce petit, cette petite* (→ Aplomb, cit. 9). *Cette chère petite* (→ Graine, cit. 9). *Le petit, la petite, les petits* (→ Caisse, cit. 8; distinguer, cit. 38; garder, cit. 3; giletier, cit.). *Pauvre petite* (→ Jouet, cit. 18). — Spécialt. (Dans un établissement scolaire). *Les petits,* les élèves les moins âgés (→ Chamailler, cit. 2; grand, cit. 10). *La cour des petits.*

N. m. TOUT PETIT : enfant très jeune. ⇒ **Bébé.** → Gazouiller, cit. 3. *Magasin de vêtements pour les tout petits.*

Adj. *Le petit lycée, le petit séminaire,* où vont les élèves les plus jeunes.

Dans la famille on appelait toujours Jean « le petit », bien qu'il fût beaucoup plus 7
grand que Pierre. MAUPASSANT, Pierre et Jean, I.

Au vrai, avait-elle jamais arrêté sa pensée sur cette enfant (...) Et voici soudain 8
ce qu'elle n'eût jamais imaginé : la petite, ce soir, remettait tout en question (...)
La petite qui n'était plus la petite (...) F. MAURIAC, la Fin de la nuit, II.

N. f. Fam. PETITE. S'emploie absolt au sens de «jeune fille». *Une belle petite, une jolie petite* (surtout dans le français régional du Midi).

8.1 Il aurait continué à discuter le coup (...) si deux petites, se tenant par le bras et en quête de galants, n'avaient passé devant son nez.
R. QUENEAU, Pierrot mon ami, éd. L. de Poche, p. 9.

N. m. (Avec un poss. ou un compl. d'appartenance). Jeune animal. ⇒ **Jeune** (*supra* cit. 8); **bébé** (3.). *«Aux petits des oiseaux il donne* (cit. 30) *leur pâture»* (Racine). *La martre fait* (cit. 11) *ses petits dans le nid de l'écureuil. L'ours lèche* (cit. 1) *ses petits. Mammifère* (cit. 2) *donnant à téter à ses petits.* ⇒ **Portée.** *Noms de petits des animaux :* agneau, agnelet, aiglon, ânon, baleineau, bécasseau, biquet, brocheton, cailleteau, caneton, carpeau, carpillon, chamelon, chaton, chiot, chevreau, civelle, cochet, coquelet, cochonnet, dagard, daguet, dindonneau, éléphanteau, faisandeau, faon, fauconneau, goret, hère, héronneau, lapereau, levraut, lionceau, louveteau, marcassin, merleau, oiselet, oisillon, oison, ourson, outardeau, paonneau, perdreau, piat, piballe, pigeonneau, pintadeau, porcelet, poulain, poulet, poussin, raton, renardeau, serpenteau, souriceau, taurillon, tourtereau, veau... → aussi Alevin, ammocète, fretin, lamprillon, larve, leptocéphale, naissain, nourrain, tacon, têtard...

9 Quand la perdrix
Voit ses petits
En danger, et n'ayant qu'une plume nouvelle,
Qui ne peut fuir encor par les airs le trépas,
Elle fait la blessée (...)
LA FONTAINE, Fables, IX, XX.

(En parlant des hommes). Fam. ⇒ **Enfant.** *Les paysans besognaient* (cit. 1) *dur pour élever leurs petits. Ton cher petit* (→ Pâlot, cit. 2).

10 Quand j'ai vu vos petites si jolies et si propres et si contentes, cela m'a bouleversée. J'ai dit : voilà une bonne mère.
HUGO, les Misérables, I, IV, I.

10.1 ... (non pas comme les petits des hommes dont on est obligé de guider les premiers pas en les tenant, vacillants, mous, baveux et ataxiques sur leurs jambes tordues, mais comme le petit de l'aigle *(qui)* sait naturellement voler, ou les alevins vivre et filer dans l'eau comme des flèches).
Claude SIMON, le Palace, p. 41.

Fig., fam. *Faire des petits :* se reproduire, se multiplier. *L'argent fait des petits.* ⇒ **Produire, pulluler** (→ Dot, cit. 2).

10.2 Pouthier, qui a toujours une insolente confiance dans la Providence, et qui est toujours persuadé que sa dernière pièce de quarante sous fera des petits le lendemain, est venu dîner chez nous.
Ed. et J. DE GONCOURT, Journal, t. I, p. 82.

Aussi, par plais. : se casser en plusieurs morceaux. *Emballe le vase avant de le mettre dans le coffre de la voiture, sinon, il risque de faire des petits.*

(Appellatif). *Comment vas-tu, mon petit? Hep! petit, va porter çà à ta mère.* — Répété (au plur. ou au sing. collectif), s'emploie pour appeler des jeunes animaux, des oiseaux, des volailles, etc.

10.3 (...) venez donc voir s'il est pas caché par là. Petit petit petit.
R. QUENEAU, Loin de Rueil, p. 42.

♦ **3.** Par ext. (Qui évoque l'enfance par son caractère attendrissant, son aspect aimable).

a Fam., comme t. d'affection, comme synonyme de «aimé», de «chéri», de «mignon*», avec une valeur hypocoristique (le plus souvent avec un possessif). *Mon petit mari, ma petite femme, ma petite chérie...* (→ Affection, cit. 15; gueule, cit. 21), *mon petit lapin* (cit. 7), *mon petit bouchon* (cit. 2), *mon* (cit. 19) *petit chou... Ma petite bellotte. Ma petite dame, ma petite demoiselle. Petite madame. — Salut, petit père! Alors, la petite mère, ça va?*

11 (...) découvre-moi ton petit cœur (...) dis tes petites pensées à ton petit papa mignon.
MOLIÈRE, l'Amour médecin, I, 2.

11.1 En entrant dans la salle à manger chaudement éclairée, il dit : «Bonjour, mon petit papa, bonjour ma petite maman, bonjour mon petit grand père» (...)
PROUST, Jean Santeuil, Pl., p. 225.

12 — Mais, mon chéri, mon tout petit lapin, mon tout petit loup, puisque je t'assure, mon tout petit rat (...) — Assez, Gaston! Vous êtes ridicule avec cette ménagerie lilliputienne. On vous écoute.
J. ANOUILH, Ardèle ou la Marguerite, p. 87.

13 — Mais regarde-moi donc, petite gueule, dis-moi pourquoi tu tiens à lui tant que ça.
SARTRE, l'Âge de raison, p. 32.

Loc. fig., fam. *La petite reine :* la bicyclette.

(En parlant de choses que l'on considère avec attendrissement ou bien avec une sorte d'admiration). *Son pauvre petit cœur* (→ Chamade, cit. 2). *Mes pauvres petits yeux* (→ Abîmer, cit. 4). *Ce qu'il était chic, mon petit costume!* (→ Kimono, cit. 3). *Une petite soie à rayures délicieuse* (→ Occasion, cit. 13). — Fam. *Comment va cette petite santé?* (→ Panorama, cit. 1). *De bons petits plats* (→ Friand, cit. 1). *Un petit marc* (cit. 1). *Un petit coup de rouge. On va se taper un bon petit gueuleton. — De petits noms :* des termes d'affection (→ Mon, cit. 20); aussi, pop., *le petit nom :* le prénom (ou le surnom, le diminutif familier). *Mon nom, c'est Perrin, mais vous pouvez m'appeler Henri, c'est mon petit nom.*

14 Ah! la belle jolie charmante petite noce que cela va faire!
HUGO, les Misérables, V, V, IV.

15 Leur rêve *(des Français)* est de se retirer, après une bonne *petite* vie, dans un *petit* coin tranquille (...) avec une *petite* femme qui (...) lui mitonnera de bons *petits* plats et saura à l'occasion recevoir gentiment les amis pour faire une *petite* belote.
DANINOS, les Carnets du Major Thompson, cité par HÉRISSON, *in* le Franç. moderne, janv. 1960.

(Dans des titres de journaux). *Le Petit Journal, le Petit Parisien* (Cf. C.-D. Hérisson, *L'hypocoristique «petit» dans les titres de journaux,* in *le Français moderne,* janv. 1956).

b Péj. (Avec une nuance de condescendance ou de dédain). *Mon petit monsieur* (cit. 3). *Eh bien, la petite mère...* (→ Notre, cit. 12). *Petit misérable, petite maladroite* (cit. 9). *Certains petits impertinents* (→ Libertin, cit. 7). *Un petit salaud. Quelle petite garce! Petit con! Une sale petite frappe* (2. Frappe, cit. 2). *Ce petit cuistre* (→ Désigner, cit. 2). *Les petits marquis*. Le petit Un tel. Petite nature*.*

— Mon petit maître à danser, je vous ferais danser comme il faut. Et vous, mon petit musicien, je vous ferais chanter de la belle manière (...) Comment? petit impertinent (...) — Comment? grand cheval de carrosse. 16
MOLIÈRE, le Bourgeois gentilhomme, II, 2.

c N. (Toujours avec un poss.). *Mon petit, ma petite,* tantôt dans un sens affectueux (→ Maritorne, cit. 1), tantôt avec une nuance de dédain.

— Ma petite, dit-elle, car elles *(Bette et Mme Marneffe)* se traitaient mutuellement de *ma petite,* pourquoi ne m'avez-vous pas encore présenté votre amoureux? 17
BALZAC, la Cousine Bette, Pl., t. VI, p. 222.

— Ma petite Lisbeth (...) — Je ne suis ni Lisbeth, ni votre petite, je vous prie d'être convenable. 18
COCTEAU, les Enfants terribles, p. 33.

d Par euphém. PETIT AMI, PETITE AMIE : amant, maîtresse. → Bon ami*, bonne amie, légèrement archaïques, et aussi ami, amie (spécialt). *Il est venu avec sa petite amie,* sa maîtresse. *Elle a plusieurs petits amis.*

♦ **4.** (Avec un subst. n. de chose). Dont les dimensions sont inférieures à la moyenne. **a** (De faible longueur). ⇒ **Court.** *Petits pieds, petites mains* (cit. 6), *petites jambes, petits bras...* (→ Aiguille, cit. 4; griffe, cit. 5; longueur, cit. 2). *Petites moustaches* (cit. 1). *Petites oreilles* (→ Levretté, cit.). *Marcher* (cit. 11) *à petits pas. Petites foulées* (cit. 2). *Petite jaquette* (→ Boudinement, cit.). *Petite jupe* (→ Jaquette, cit. 3). ⇒ aussi **Mini-.**

(...) ce petit être râblé, dont le corps tout entier était de signification si particulière. — Oui, Toulouse-Lautrec était aussi peu haut que lui mais contrefait; Philippe était d'aplomb; il avait de petites mains, de petits pieds, des jambes courtes — le front bien fait. Près de lui, au bout d'un peu de temps, on prenait honte d'être trop grand. 19
GIDE, Nouveaux prétextes, p. 175.

(Quant à la hauteur, même valeur que I., 1.). *Petite montagne, petite tour.*

b (Dans le temps, dans le déroulement ou à la fois dans le temps et l'espace). ⇒ **Bref.** *Petit moment* (cit. 8 et 15). *Petites étapes* (→ Capricieux, cit. 6). *Petite promenade, petit tour* (→ Marionnette, cit. 1). *Petite note* (cit. 20). ⇒ **Sommaire, succinct.** *Petites phrases* (→ Aiguiser, cit. 13). *Petits vers* (→ Miniaturiste, cit.), *petits mots* (→ Désinence, cit. 2).

c (Quant à la surface). ⇒ **Exigu.** *Petit appartement* (cit. 5), *petite pièce, petite chambre, petit salon...* (→ Discret, cit. 7; intimité, cit. 11). *Petite cour* (→ Linge, cit. 4). — Spécialt (par euphém.). *Le petit endroit*, le petit coin** (→ Papier, cit. 7). — *Petit bois.* ⇒ **Boqueteau.** *Petit espace* (→ Durée, cit. 2). *Petit format* (cit. 3). *Petite bouche, petits yeux* (→ Mignard, cit. 4; orner, cit. 4; bouffissure, cit. 1). *Petits points* (→ Infini, cit. 31), *petits carreaux* (→ Jurer, cit. 13). *Petites taches* (→ Panthère, cit. 1). *Texte imprimé en petits caractères. Reliure à petits fers*.* — Loc. *Le monde* est petit* (quand on rencontre quelqu'un inopinément).

Se dit d'une lettre minuscule. *Un petit f et un F majuscule.* Spécialt, dans la notation algébrique. *Petit a* (a) *et grand a* (A). — *Petit a, petit b, petit c...,* employé pour numéroter des paragraphes (→ Premièrement, deuxièmement...).

Je vais piquer ces muguets, c'est sûr, et sans remords, puisque, *petit a,* je ne cours aucun risque, *petit b,* leurs seigneurs et maîtres ont en leur pouvoir de charmantes compensations à une perte aussi dérisoire. 19.1
René FALLET, le Triporteur, p. 249.

d (Quant au volume et à l'ensemble des dimensions en général). *Petite maison* (cit. 3 et 4). *Les Petites Maisons** (cit. 37). *Petites constructions* (→ Logette, cit. 2; maison, cit. 8). *Petite tour* (→ Arsenal, cit. 2)... *Une charmante petite villa* (→ Un vrai bijou*, un joujou*...). — *Petit pain* (→ Assiette, cit. 16; blanc, cit. 17). *Une petite colline. Les petits ruisseaux* font les grandes rivières. Il lui a offert un bouquet bien petit.* ⇒ **Rikiki.** *Petits bateaux, petits bâtiments...* (→ Capitaine, cit. 7; dévaster, cit. 1). *«Maman, les p'tits bateaux, qui vont sur l'eau»* (chanson). *Un petit vélo. Une petite voiture. Les petites cylindrées. En petits morceaux.* ⇒ **Menu** (→ Ferraille, cit. 1). *Petits fragments.* ⇒ **Miette.** *Du petit bois*. — Une mallette* (cit.) *n'est pas une petite malle.* ⇒ **Diminutif,** et suff. **-et, -ot.** *Un petit paquet, une petite boîte. Cette valise est trop petite, toutes mes affaires n'y tiendront pas. Un briquet tout petit.*

Dans les petites boîtes (les petits pots) les bons onguents. La plus petite marchandise d'un commerçant.* ⇒ **Nonpareille.** *Extrêmement petit.* ⇒ **Imperceptible, invisible, microscopique, minuscule.** — Spécialt (Vieilli). *Petits corps.* ⇒ **Atome** (cit. 1, 2 et 3), **corpuscule, molécule.** — N. m. *Les infiniment** (cit. 3, 4 et 5) *petits* (→ Lactique, cit. 1). *L'infiniment petit* (→ Atome, cit. 17). ⇒ aussi **Micro-.**

(...) le chevalier, après l'avoir embrassé tendrement, s'approcha du fleuve dans l'espoir de trouver quelque petit bateau; il eut le bonheur de voir près du bord un pêcheur qui, monté dans la plus exiguë des nacelles, retirait son filet. 20
STENDHAL, Romans et nouvelles, «le Chevalier de Saint-Ismier».

21 On a pu y faire des choses grandes; mais il est fort petit, ce boudoir (...)
BARBEY D'AUREVILLY, les Diaboliques, « Le plus bel amour... », p. 87.

(Éléments, parties du corps). *Avoir de petits poignets.* ⇒ **Fin, mince.** *De petits seins. Des fesses petites et hautes. Petits os* (cit. 4).

(Désignant, avant le n., une catégorie particulière de la chose). *Le petit doigt**. Loc. fig. *Au petit pied**. — Cuis. *Le petit salé**. *Des petits fours**. *Petits pois**. *Petits suisses**. ⇒ aussi **Petit-beurre.**

21.1 Pendant qu'on trinquait, j'ai remarqué qu'ils tenaient tous le petit doigt en l'air, bien détaché des autres doigts. M. AYMÉ, Travelingue, p. 263.

(Désignant une plante d'apparence voisine d'une autre plante ou comparable à celle-ci, mais de taille nettement plus réduite). *Petit buglosse :* lycopsis. *Petit chêne :* germandrée. *Petite centaurée :* érythrée. *Petite chélidoine :* ficaire. *Petite ciguë :* éthuse. *Petit cyprus :* euphorbe. *Petite douve :* renoncule. *Petite éclaire :* ficaire. *Petit houx :* fragon. *Petite marguerite :* pâquerette. *Petite oseille :* rumex. *Petit nénuphar :* hydrocharis. *Petit triolet :* lupuline. *Petit vesceron :* errum. ⇒ **Petit-dragon.**

♦ **5.** (En parlant des mesures et des évaluations). *Un mètre de tissu en petite largeur. Petit volume**. *Petite quantité.* ⇒ **Faible, infime, infinitésimal** (cit. 1). — Subst. *Étude des infiniment petits.* ⇒ **Différentiel** (calcul). — *La plus petite quantité.* ⇒ **Minimum.** *Cartes à petite échelle* (→ Littoral, cit.). *Petit nombre** (cit. 13 et 14). *Petite vitesse**. *Aller son petit bonhomme** *de chemin. Un petit peu** (→ Manque, cit. 11). ⇒ **Rien** (un). — Spécialt. *C'est à une petite lieue d'ici :* pas même à une lieue, à une lieue tout au plus. *Il m'a fallu une petite heure**. *Je vous demande une petite minute.* — *À la petite semaine**.

♦ **6.** Dont l'abondance, l'importance, l'intensité est faible. *Sa fortune* (cit. 41) *était petite, plus petite.* ⇒ **Moindre.** *Petite gratification* (cit. 1 et 2). *Petites sommes* (→ Jeu, cit. 38). *Petit loyer* (cit. 2), *petite rente.* ⇒ **Maigre** (cit. 14). *Un très petit bénéfice.* ⇒ **Dérisoire, modique.** *Petit groupe* (→ Maculer, cit. 1). *Petite troupe* (→ Maquisard, cit. 1). *En petit comité**. — *Petites pluies d'octobre* (cit. 3). *Petite pluie abat grand vent. Petite inondation* (cit. 2). *Petit vent, petit souffle.* ⇒ **Léger** (→ Lame, cit. 8). *Petite lumière.* ⇒ **Faible, méchant.** *Au petit jour** (cit. 8). *À petit feu** (→ Absence, cit. 5; brûler, cit. 5 et 6). *À petit bruit** (→ Dormir, cit. 28). *Petits cris* (→ Dos, cit. 24). *Une petite voix douce.* ⇒ **Filet** (→ Intelligible, cit. 8). *Un petit orchestre* (→ Jouer, cit. 47). *À petits coups* (→ Maréchal, cit. 1). *Au petit trot**. *Par petites bouchées* (→ Manger, cit. 20). *Un petit verre**. *Petite santé.* ⇒ **Délicat.**

22 (...) ses libéralités avaient un peu remonté mon petit équipage, très modestement toutefois (...) ROUSSEAU, les Confessions, II.

23 Desglands donna sa parole d'honneur qu'il ne jouerait plus. — Ni gros ni petit jeu? — Ni gros ni petit jeu. DIDEROT, Jacques le fataliste, Pl., p. 642.

Petit déjeuner. ⇒ **Petit déjeuner** (n. m.); **petit-déjeuner** (v.).

★ **II.** Dans l'ordre qualitatif (non mesurable). ♦ **1.** (1361). Au sens le plus général. De peu d'importance. ⇒ **Mince, minime.** *Petites occupations* (→ Chaîne, cit. 31). *Petites choses* (→ Dédaigner, cit. 8; exagération, cit. 2). *Petites entreprises* (→ Diplomatie, cit. 3). *C'est une bien petite chose.* ⇒ **Bagatelle, broutille, plaisanterie, rigolade.** *Petits désagréments* (cit. 4). *Petits inconvénients* (→ Désastre, cit. 1). *Petits défauts* (cit. 19 et 27), *ennuis* (→ Heureux, cit. 44). *Petits faits* (cit. 18 et 23). *Petits détails* (→ Louangeur, cit.). *Petite faute* (→ Maintenant, cit. 2). *Petits scandales* (→ Mannequin, cit. 10). *Petits propos* (→ Médisance, cit. 2). *Petites misères* (cit. 7). *Petites faveurs* (→ Oie, cit. 9 et 10). *Petits maux* (→ Nombre, cit. 27). *Petit effort* (→ Arrêter, cit. 25). *Petit problème* (→ Attaquer, cit. 53). *Petits chagrins* (cit. 9). *Petits besoins**. — Loc. *Ce n'est pas une petite affaire* (cit. 48) : c'est important, difficile. — *Petite vérole**.

24 (...) le Saint-Empire romain croule. Cet immense événement fut à peine remarqué; après la Révolution française, tout était petit (...)
CHATEAUBRIAND, Mémoires d'outre-tombe, t. III, p. 143.

25 Ce que décident ici-bas les plus petites choses, ce que les objets et les circonstances en apparence les moins importants amènent de changements dans notre fortune, il n'y a pas, à mon sens, de plus profond abîme pour la pensée.
A. DE MUSSET, la Confession d'un enfant du siècle, II, I.

Petite ville, petit bourg, petite commune (→ Apparence, cit. 45; dévorer, cit. 22; maire, cit. 1). — REM. *Petit* entre dans le nom de certaines agglomérations doubles, pour en désigner la partie la plus petite à l'origine : *Petit-Quevilly, Petite-Rosselle.* — *Petits États* (→ Autonome, cit. 1; étendre, cit. 40). *Petit pays* (→ Magister, cit. 1). *Petit trou**. — *Le petit commerce, la petite industrie. Les petites et moyennes entreprises. Petit fonds de commerce* (→ Manquer, cit. 54). *Petite mercerie* (cit.), *petite librairie* (cit. 5). *Petits métiers* (cit. 12). *Petit théâtre* (→ Boui-boui, cit. 1), *petit cinéma* (→ Miteux, cit. 1). *Petits journaux* (→ Canard, cit. 5).

26 Quand reverrai-je, hélas, de mon petit village
Fumer la cheminée (...) DU BELLAY, Regrets, XXXI.

Spécialt. Qui n'a pas atteint un haut degré dans tel ou tel état. *Un petit buveur. Un petit joueur. Petit voleur, petit escroc, petit filou* (cit. 2). *Petits morphinomanes* (cit. 2).

En raccourci, en miniature. *Quel beau château, c'est un petit Versailles! Faire* (cit. 164) *son petit Robespierre. Jouer au petit soldat**, *à la petite guerre. De petits saints* (→ Archipatelin, cit.; jusque, cit. 18).

Notre orgueil aveugle, nous remplissant de nous-mêmes, nous érige en de petits dieux. BOSSUET, Premier sermon, Nativité de N.-S., 3. 27

Elle est, au cœur de la Touraine, une petite Touraine où toutes les fleurs, tous les fruits, toutes les beautés de ce pays sont complètement représentés. 28
BALZAC, la Grenadière, Pl., t. II, p. 185.

♦ **2.** (980). Qui a une condition, une situation peu importante (au point de vue social ou politique). *Petit roi, petit prince, petit dignitaire...* (→ Ambassadeur, cit. 2; mandater, cit. 1). *Petit personnage.* ⇒ **Insignifiant.** *Petit fermier* (→ Dépendre, cit. 13), *petit rentier* (→ Détacher, cit. 4). *Petit épicier* (→ Détaillant, cit. 2). *Petit artisan.* Fig. *Petite main**. *Petit bourgeois**. ⇒ **Petit-bourgeois,** adj. *La petite bourgeoisie* (→ Minorité, cit. 7). *Les petites gens** (cit. 16; et → Degré, cit. 14; déshonorer, cit. 17; lignée, cit. 4). *Le petit peuple.* — *Un petit Blanc :* personne de race blanche qui occupe une position sociale subalterne ne correspondant pas à la situation privilégiée des Blancs dans le sud des États-Unis ou dans les pays du tiers monde (cour. en franç. d'Afrique). — Loc. péj. *Un petit chef :* un cadre subalterne qui abuse de son autorité. — Spécialt (par humilité). *Petits frères** *de Marie, petites sœurs** *des pauvres.*

Le petit peuple est pauvre dans le riche pays de l'Inde, ainsi que dans presque tous les pays du monde (...) VOLTAIRE, Essai sur les mœurs, CXIV. 29

N. m. (au plur. ou au sing. collectif). *Justice indulgente aux grands, dure* (cit. 18) *aux petits* (→ aussi Esquiver, cit. 4; grand, cit. 49; humilité, cit. 19; justice, cit. 44; médiocre, cit. 6; médiocrité, cit. 2; moquer, cit. 12). *Les petits, la masse* (→ Flancher, cit. 1). *« Et nous, les petits, les obscurs, les sans-grades »* (→ 1. Le, cit. 25, Rostand). *La haine du petit pour le grand* (→ Haïr, cit. 12). *C'est toujours le petit qui trinque.* ⇒ **Lampiste.** *De tous temps « les petits ont pâti des sottises des grands »* (→ Hélas, cit. 4).

Par ext. *Petite origine, petite naissance.* ⇒ **Modeste** (→ Arriver, cit. 67; distinction, cit. 10). — *Petite tenue**. — *Petite situation, petit emploi.* ⇒ **Médiocre.**

♦ **3.** (XVIe). Qui a peu de valeur, quant au mérite, aux qualités intellectuelles ou morales, aux talents et, en général, dans l'ordre des valeurs. *« Il n'y a que les petits hommes qui redoutent les petits écrits »* (→ Blâmer, cit. 7, Beaumarchais). *Les petits esprits* (cit. 119).

Petit poète, petit peintre. ⇒ **Mineur.** — Littér. *Napoléon le Petit,* pamphlet de V. Hugo (contre Napoléon III).

Par ext. (En parlant des choses humaines). ⇒ **Bas, étriqué, étroit, mesquin, piètre, vil.** *« Quand tout se fait petit, femmes, vous restez grandes »* (cit. 58, Hugo). *Un petit esprit* (cit. 75). *Le plus petit et le plus mauvais goût* (→ Façade, cit. 6). *Petites conceptions* (→ Lobe, cit. 1). *« Que ce milieu* (cit. 4) *du dix-huitième siècle est sot et petit! »* (Voltaire). *Petit dessein. Petit horizon* (→ Milieu, cit. 30). ⇒ **Borné.** — Loc. *Prendre les choses par leurs petits côtés* (→ Minutie, cit. 1). *Voir par le petit bout de la lorgnette**. — (Attribut). *« Il est petit de passer sa vie à dire comment les autres ont été grands »* (cit. 56, Stendhal). — Subst. → ci-dessous cit. Hugo, Romains.

Toujours petits tableaux, petites idées, compositions frivoles, propres au boudoir d'une petite-maîtresse, à la petite maison d'un petit-maître; faites pour de petits abbés, de petits robins, de gros financiers ou autres personnages sans mœurs et d'un petit goût. DIDEROT, Salon de 1767, « Baudoin ». 30

(...) l'architecte de l'éléphant *(de la Bastille)* avec du plâtre était parvenu à faire du grand, l'architecte du tuyau de poêle *(la colonne Vendôme)* a réussi à faire du petit avec du bronze. HUGO, les Misérables, IV, VI, II. 31

Mais laissons ce petit homme à ses petites craintes; pourquoi a-t-il pris dans sa maison un homme de cœur, tandis qu'il lui fallait l'âme d'un valet? 32
STENDHAL, le Rouge et le Noir, I, XXIII.

« Mon Dieu! que tout ça est petit ». Il y a du petit dans toute ma vie; du miteux (...) J. ROMAINS, les Hommes de bonne volonté, t. III, XVII, p. 231. 33

♦ **4.** (Avec une nuance méliorative). Qui a un caractère de minutie, de recherche attentive du détail. *« De petits vers doux, tendres et langoureux »* (cit. 3, Molière). *Des petits soins**, *des délicatesses* (cit. 23; et → Mignardise, cit. 2). *De petites attentions.* ⇒ **Prévenance.** *Faire de petites façons* (→ Minauder, cit. 2), *de petites mines* (cit. 24 et 26).

♦ **5.** Franç. d'Afrique. **a** *Petit français :* variété populaire de français, fortement pidginisé, et parlé en milieu urbain hétérogène (par ex. à Abidjan).

b (Avec des n. de personnes). *Petit frère :* frère cadet, jeune cousin, parent plus jeune (et souvent de moindre niveau social). *Petit père :* frère cadet du père. *Petite mère :* sœur cadette de la mère. *Petite sœur :* sœur cadette, jeune cousine, parente plus jeune. — *Petite femme :* femme épousée en dernier lieu (Mali, Niger); fiancée encore enfant (Haute-Volta).

c (Choses). *Petite banane**. *Petit mil.*

★ **III.** Adv. ♦ **1.** (1654). EN PETIT : dans de modestes proportions, sur une petite échelle. *On veut que l'univers ne soit en grand que ce qu'une montre est en petit* (→ Mécanique, cit. 5, Fontenelle). — En raccourci. *Un modèle en petit* (Académie). ⇒ **Réduit.**

34 Le schisme entre Samarie et Jérusalem était en petit ce que le schisme entre les Grecs et les Latins est en grand. VOLTAIRE, Dict. philosophique, Alexandre.

35 — En petit, dit Blondet, l'affaire peut paraître singulière ; mais en grand, c'est de la haute finance. BALZAC, la Maison Nucingen, Pl., t. V, p. 632.

♦ **2.** (1080). PETIT (vx) : peu (→ l'expr. Gagne*-petit). — *Voir, prévoir petit :* être mesquin. ⇒ **Juste** (un peu trop).

♦ **3.** (V. 1170). PETIT À PETIT : peu à peu (→ Couler, cit. 21 ; crescendo, cit. 5 ; devoir, cit. 6). ⇒ **Graduellement, progressivement** (contr. : *brusquement*). *Gagner petit à petit* (→ Sou* par sou). — Prov. *Petit à petit l'oiseau fait son nid :* c'est graduellement que l'on réussit, que l'on fait fortune, que l'on parvient à ses fins.

♦ **4.** Vx. (Déjà vieilli ou pop. au XVIIe). *Un petit :* un peu. ⇒ **Brin** (→ Un petit peu*).

36 Qu'avez-vous ? Vous grondez, ce me semble, un petit ?
MOLIÈRE, l'École des femmes, II, 5.

CONTR. Grand. — Colossal, élevé, géant, gigantesque, haut, immense, immensurable. — Âgé, adulte. — Ample, étendu, large, long. — Énorme, gros, volumineux. — Abondant, copieux, fou, nombreux. — Considérable, important, imposant, moyen, puissant. — Digne, généreux. — Grandiose, magnifique, noble.

DÉR. Petiot, petitement, petitesse.

COMP. Apetisser. — Gagne-petit. — Petit-beurre, petit-bois, petit-bourgeois, petite-bourgeoisie, petit-cousin, petit-déjeuner, petit-derrière, petit-dragon, petite-fille, petite-oie, petit-fer, petit-fils, petit-gris, petit-lait, petit-maître, petit-neveu, petite-nièce, petits-enfants, petit-suisse.

PETIT-BEURRE [p(ə)tibœʀ] n. m. — 1909, *petits-beurres ;* de *petit,* et *beurre.*

♦ Gâteau sec de forme rectangulaire fait au beurre. *Un paquet de petits-beurre* (plur. « logique » ; on trouve aussi *petits-beurres*).

PETIT-BOIS [p(ə)tibwa] n. m. — 1765 ; de *petit,* et *bois.*

♦ Techn. Chacun des éléments d'un châssis de croisée, de porte-fenêtre, d'imposte, etc., en menuiserie, de section plus faible que les montants et les traverses haute et basse, qui divisent le jour horizontalement (et parfois verticalement ou obliquement), et qui permettent d'éviter les surfaces vitrées de trop grande dimension. *Toupiller un petit-bois. Petits-bois obliques d'une imposte en anse de panier.*

PETIT-BOURGEOIS, PETITE-BOURGEOISE [p(ə)tibuʀʒwa, p(ə)titbuʀʒwaz] n. et adj. — Av. 1788, L.-S. Mercier ; de *petit,* et *bourgeois.*

♦ **1.** N. Souvent péj. Personne qui appartient à la partie la moins aisée de la bourgeoisie (petite-bourgeoisie).

1 Croyez que le petit-bourgeois est le plus cruel ennemi des sans-culottes, parce qu'il est plus près d'eux. Journal de la Montagne, 13 juin 1793, *in* D. GUÉRIN, la Lutte des classes sous la 1re République, *in* D. D. L., II, 11.

2 Il a risqué sa vie dans l'incendie. Pourquoi, Luc ? Pour des pas même petits-bourgeois.
— « Petit-bourgeois ! » Tu parles comme un dictionnaire !
Édouard GLISSANT, la Lézarde, II, IX, p. 127.

3 Petit-bourgeois : ce prédicat peut venir coller à n'importe quel sujet, de ce mal, personne n'est à l'abri (c'est normal : toute la culture française, bien au-delà des livres, passe par là) : dans l'ouvrier, dans le cadre, dans le professeur, dans l'étudiant contestataire, dans mes amis X., Y. et en moi, il y a du petit-bourgeois.
R. BARTHES, Roland Barthes, p. 147.

♦ **2.** Adj. Péj. Propre à la petite bourgeoisie. *Esprit petit-bourgeois. Attitude, réaction petite-bourgeoise.*

4 Petit-bourgeois est d'ailleurs un qualificatif de mieux en mieux porté, à mesure qu'en sont affublées des choses comme l'honneur, la charité, la famille, la responsabilité, l'amour, la foi, la sainteté, Dieu lui-même étant infiniment petit-bourgeois et suprême caution de l'idéal petit-bourgeois.
Jacques PERRET, Bâtons dans les roues, p. 130.

DÉR. Petite-bourgeoisie.

PETIT-COUSIN [p(ə)tikuzɛ̃], PETITE-COUSINE [p(ə)titkuzin] n. — D. i. ; de *petit,* et *cousin, cousine.*

♦ Fils ou fille du cousin ou de la cousine, par rapport à l'arrière-cousin ou à l'arrière-cousine.

COMP. Arrière-petit-cousin.

PETIT DÉJEUNER [p(ə)tideʒœne] n. m. — 1922, Larousse (*petit déjeuner* opposé à *grand déjeuner*), mais probablt déb. XXe ; de *petit,* et *déjeuner.*

♦ Repas du matin (⇒ **Déjeuner**). *Prendre du thé, du café, du chocolat au petit déjeuner. Petit déjeuner anglais,* copieux et comportant un jus de fruit, des céréales, un plat salé (œufs au bacon, saucisses et haricots verts, haddock, etc.) accompagné généralement de thé. ⇒ **Breakfast.** *Petit déjeuner continental,* plus léger et consistant pour l'essentiel en une boisson chaude (café ou café au lait, le plus souvent) accompagnée de tartines ou de croissants, sans mets salé. — Abrév. fam. : *petit déj'* [p(ə)tideʒ].

PETIT-DÉJEUNER [p(ə)tideʒœne] v. intr. — XXe ; de *petit déjeuner*.*

♦ Fam. Prendre le petit déjeuner. *On a petit-déjeuné à huit heures.*

Un matin le facteur apporta le courrier tandis que nous petit-déjeunions sous la tonnelle. Michel DÉON, les Poneys sauvages, p. 242.

PETIT-DERRIÈRE [p(ə)tidɛʀjɛʀ] n. m. — Fin XIXe, Huysmans ; de *petit,* et *derrière,* adverbe.

♦ Argot de marine, vieilli. Mousse (apprenti matelot). *Des petits-derrière.*

PETIT-DRAGON [p(ə)tidʀagɔ̃] n. m. — D. i. ; de *petit,* et *dragon.*

♦ Régional. Arum (fleur) de la variété *Arum dracunculus.*

PETITE-BOURGEOISIE [p(ə)titbuʀʒwazi] n. f. — Av. 1788 ; de *petit,* et *bourgeoisie.*

♦ Ensemble des petits-bourgeois.

PETITE-FILLE [p(ə)titfij] n. f. — XIIIe ; de *petit,* et *fille.*

♦ Fille d'un fils ou d'une fille, par rapport à un grand-père ou une grand-mère. *Hugo et sa petite-fille Jeanne, dans « L'art d'être grand-père ».* ⇒ **Petit-fils.**

COMP. Arrière-petite-fille, belle-petite-fille.

PETITEMENT [pətitmɑ̃] adv. — 1270 ; de *petit.*

♦ **1.** D'une manière petite. *Être logé petitement,* à l'étroit.

♦ **2.** Fig. *Vivre, recevoir petitement,* chichement, mesquinement. *C'est petitement fait,* sans grandeur, sans génie, sans élévation. *Penser, agir petitement. Se venger petitement,* bassement.

Notre docteur régalait sa moitié, 1
Petitement ; enfin c'était pitié.
LA FONTAINE, Contes, II, « Calendrier des vieillards... ».

Il vivait petitement et fort serré de son salaire de député (...) 2
MICHELET, Hist. de la Révolution franç., IV, V.

♦ **3.** Rare. (Opérations concrètes). Un petit peu, faiblement, rapidement.

Peu s'en fallut que je renonçasse à me laver petitement au bord de l'eau. 3
Robert PINGET, Graal flibuste, p. 27.

CONTR. Grandement. — Généreusement.

PETITE-NIÈCE [p(ə)titnjɛs] n. f. — 1598 ; de *petit,* et *nièce.*

♦ Fille d'un neveu ou d'une nièce, par rapport à un grand-oncle ou à une grand-tante. ⇒ **Nièce.**

COMP. Arrière-petite-nièce.

PETITE-OIE [p(ə)titwa] n. f. ⇒ Oie.

PETITESSE [pətitɛs] n. f. — 1170, *petitece ;* de *petit.*

♦ **1.** Caractère de ce qui est petit* en dimension, en étendue, en volume... ⇒ **Exiguïté.** *Petitesse d'un être, de sa taille* (→ Antiphrase, cit. 1 ; corps, cit. 15 ; haut, cit. 11 ; moyenne, cit. 2). *Petitesse des fenêtres* (→ Meurtrier, cit. 5), *d'une roue motrice* (cit. 3), *d'un angle* (→ Diamant, cit. 6), *des caractères d'imprimerie... Globules d'une petitesse extrême* (→ Mercure, cit. 3). *Les deux infinités* (cit. 1, Pascal) *de grandeur et de petitesse.*

(...) le petit homme qui les voulut traiter dans une petite maison de campagne qui était proportionnée à sa petitesse. SCARRON, le Roman comique, II, XVI.

Qu'un ciron lui offre dans la petitesse de son corps des parties incomparablement plus petites (...) il pensera peut-être que c'est là l'extrême petitesse de la nature. Je veux lui faire voir là-dedans un abîme nouveau (...) qu'il se perde dans ces merveilles, aussi étonnantes par leur petitesse que les autres par leur étendue (...)
PASCAL, Pensées, II, 72.

La finesse des attaches, la petitesse des mains et des pieds ne laissent rien à désirer. Sans aucune exagération poétique, on trouverait aisément à Séville des pieds de femme à tenir dans la main d'un enfant.
Th. GAUTIER, Voyage en Espagne, p. 246.

(...) de noires fourmis laborieuses (...) s'acharnant sur une besogne démesurée, géante à côté de leur petitesse (...) ZOLA, la Terre, I, I.

⇒ **Modicité.** *La petitesse de ses revenus, d'un don.*

♦ **2.** Caractère mesquin, sans grandeur. *La petitesse de sa condition, de son état. « Rome, née dans la petitesse pour arriver à la grandeur »* (Montesquieu). *La petitesse d'une existence* (cit. 28) *bourgeoise.* ⇒ **Médiocrité.** — *Petitesse de l'homme, d'un homme.* ⇒ **Bassesse, faiblesse** (→ Assujettissement, cit. 1 ; brillant, cit. 12 ; habile, cit. 18). *Petitesse d'esprit, de cœur.* ⇒ **Étroitesse, mesquinerie** (→ Adoration, cit. 5 ; opiniâtreté, cit. 3). *La petitesse de ses procédés.*

5 J'eus honte pour lui de sa petitesse au milieu de tant de grandeur, de sa pauvreté au milieu de tant de luxe. BALZAC, la Peau de chagrin, Pl., t. IX, p. 127.

6 Jadis sa tyrannie paraissait liberté à notre servitude; maintenant sa grandeur paraîtrait despotisme à notre petitesse.
CHATEAUBRIAND, Mémoires d'outre-tombe, t. IV, p. 78.

♦ **3.** *(Une, des petitesses).* Trait, action dénotant un esprit petit, étroit ou sans noblesse. ⇒ **Bassesse, mesquinerie.** *Les petitesses qui se rencontrent dans presque tous les grands caractères* (→ Emparer, cit. 14). ⇒ **Défaut, faiblesse.** *Les petitesses des âmes étroites* (→ Haine, cit. 5). *Esprits lilliputiens* (cit. 2) *qui supposent leurs petitesses chez les autres.*

7 À la cour, à la ville, mêmes passions, mêmes faiblesses, mêmes petitesses, mêmes travers d'esprit, mêmes brouilleries dans les familles et entre les proches, mêmes envies, mêmes antipathies. LA BRUYÈRE, les Caractères, IX, 53.

8 (...) les petitesses de la vie privée peuvent s'allier avec l'héroïsme de la vie publique. VOLTAIRE, Essai sur les mœurs, CLXXV.

9 Les petitesses d'un grand homme paraissent plus petites par leur disproportion avec le reste. HUGO, Post-scriptum de ma vie, L'esprit, Tas de pierres, IV.

10 Tout cela me paraît profondément ordinaire et bête. Mais la Société n'est-elle pas l'infini tissu de toutes ces petitesses, de ces finasseries, de ces hypocrisies, de ces misères? FLAUBERT, Correspondance, 403, 25-26 juin 1853.

11 (...) les grandes choses ont toujours de grandes causes dans la nature de l'homme, bien que souvent elles se produisent avec un cortège de petitesses qui, pour les esprits superficiels, en offusquent la grandeur.
RENAN, Vie de Jésus, Œ. compl., t. IV, p. 251.

CONTR. Grandeur, hauteur. — Ampleur, immensité. — Générosité.

PETIT-FER [p(ə)tifɛʀ] n. m. — V. 1900 (Larousse, 1903); de *petit,* et *fer.*

♦ Techn. Élément d'un châssis vitré, homologue en menuiserie métallique du petit-bois* en menuiserie traditionnelle. *Des petits-fers.*

PETIT-FILS [p(ə)tifis] n. m. — XIIIe; de *petit,* et *fils.*

♦ Fils d'un fils ou d'une fille, par rapport à un grand-père ou à une grand-mère. *Louis XVI était le petit-fils de Louis XV.* ⇒ **Petite-fille.**

COMP. Arrière-petit-fils, beau-petit-fils.

PETIT-GRIS [p(ə)tigʀi] n. m. — 1621; de *petit,* et *gris.*

♦ **1.** Écureuil* de la Russie boréale, de la Sibérie; fourrure fournie par cet animal, d'un gris ardoisé piqueté de gris bleu, dite *vair* en termes de blason. ⇒ **Menu-vair.**

Ces petits-gris sont ce que nous appelons écureuils en France, qui changent leur couleur rousse lorsque l'hiver et les neiges leur en font prendre une grise.
J.-F. REGNARD, Voyage en Laponie, p. 153.

♦ **2.** Escargot* de taille moyenne, à coquille brunâtre et chagrinée, recherché pour ses qualités gastronomiques. *Des petits-gris.*

PÉTITION [petisjɔ̃] n. f. — XIIIe; *peticiun* «demande, requête», au sens général, 1120; lat. *petitio* au sens jurid. du v. *petere* «chercher à atteindre».

★ **I.** ♦ **1.** Dr. Requête, réclamation faite en justice. *Pétition d'hérédité :* «action donnée à l'héritier pour revendiquer la succession contre toute personne qui se prétend elle-même héritière» (Capitant).

♦ **2.** (1661). Log. *Pétition de principe :* faute logique par laquelle on tient pour admise, sous une forme un peu différente, la proposition même qu'il s'agit de démontrer.

REM. Une confusion entre cette locution et l'expression *déclaration de principe,* favorisée par le sens II de *pétition* («écrit que l'on signe au nom de *principes* philosophiques, politiques, etc.»), conduit fréquemment aujourd'hui à comprendre et à employer *pétition de principe* au sens de «déclaration concernant les convictions personnelles, les valeurs morales». Cet emploi, fautif, est à proscrire.

★ **II.** (1704 à propos de l'Angleterre; 1789 pour la France; repris à l'angl. *petition,* issu du français, dans ce sens dès le XVe). Écrit adressé aux pouvoirs publics, par lequel toute personne (seule ou avec d'autres) peut faire savoir son opinion sur ce qui la concerne ou sur une question d'intérêt général. *Droit de pétition reconnu en 1789.* ⇒ aussi **Placet.** *Pétition au Parlement. L'Assemblée nationale reçut une pétition de la mère d'une religieuse que l'on retenait de force* (cit. 52). *«Pétition à la chambre des députés pour les villageois que l'on empêche de danser»,* de P.-L. Courier. *Une pétition de Jacobins* (cit. 1) *demanda la mort de Louis XVI. Pétition contre la guerre, pour la paix* (cit. 19). *Faire signer une pétition. Recueillir des signatures pour une pétition. Apostiller une pétition.*

Le 16, les Jacobins déposèrent au Champ-de-Mars, sur l'autel de la patrie, une pétition qui réclamait la déchéance *(du roi)* et ils organisèrent contre l'Assemblée une manifestation (...) J. BAINVILLE, Hist. de France, XVI, p. 345.

Quel que soit le nombre des signatures personnelles que porte une pétition, elle reste individuelle. Elle ne cesse de l'être que lorsqu'elle est adressée par une association, une corporation (...) Il est certain que les fonctionnaires (...) peuvent adresser des pétitions et les signer avec leur qualité de fonctionnaires. Mais les corps constitués ne peuvent comme tels adresser des pétitions ni au gouvernement ni aux chambres. L. DUGUIT, Traité du droit constitutionnel, t. V, p. 444.

Demande, protestation collective que l'on fait parvenir à qqn. *Pétition de locataires à leur propriétaire, d'employés à leur chef...*

DÉR. Pétitionnaire, pétitionner.

PÉTITIONNAIRE [petisjɔnɛʀ] n. — 1784; «représentant du roi dans un pays», 1603; de *pétition* (II.), d'après l'angl. *petitioner* (1414).

♦ Dr. Personne qui fait, signe une pétition (→ Diplômé, cit. 1; instigation, cit. 2).

PÉTITIONNEMENT [petisjɔnmɑ̃] n. m. — 1836; de *pétitionner.*

♦ Action de faire une pétition.

PÉTITIONNER [petisjɔne] v. intr. — 1697, repris v. 1784 au sens angl.; de *pétition.*

♦ Dr. ou rare. Faire une pétition; demander*, protester par une pétition.

«*Pétitionner* est un droit de la nature», disait Lanjuinais. Ce verbe, qui scandalisait Necker, est désormais partout. Les «signataires» ou «pétitionnaires» étaient introduits à la barre et on leur accordait souvent les honneurs de la séance.
F. BRUNOT, Hist. de la langue franç., t. IX, p. 783.

DÉR. Pétitionnement.

PETIT-LAIT [p(ə)tilɛ] n. m. — XIIe; de *petit,* et *lait.*

♦ Liquide séreux qui reste après la coagulation du lait, contenant du lactose et des sels minéraux (appelé aussi *lactosérum*). ⇒ **Babeurre.** Plur. (rare). *Petits-laits.* — Loc. *Cela se boit comme du petit-lait,* facilement, en abondance tant c'est agréable.

PETIT-MAÎTRE, PETITE-MAÎTRESSE [p(ə)timɛtʀ, p(ə)titmɛtʀɛs] n. — 1617; fém., 1747; de *petit,* et *maître, maîtresse.*

♦ Vieilli. Jeune élégant ou élégante, à la mise recherchée, à l'allure maniérée et prétentieuse. ⇒ **Élégant** (cit. 3); **dameret, dandy, muscadin...** *Des petits-maîtres.*

(...) nous jouissons aujourd'hui de Vauvinet, l'usurier bon enfant, petit-maître qui 1
hante les coulisses, les lorettes, et qui se promène dans un petit coupé bas à un cheval (...) BALZAC, les Comédiens sans le savoir, Pl., t. VII, p. 36.

Doué d'instincts de petite-maîtresse, qui contrastaient singulièrement, d'ailleurs, 2
avec sa laideur de chenille, il usait de savons parfumés à l'héliotrope le plus pur (...) COURTELINE, le Train de 8 h 47, I, I.

PETIT-NEVEU [p(ə)tin(ə)vø] n. m. — 1598; de *petit,* et *neveu.*

♦ Fils d'un neveu ou d'une nièce, par rapport à un grand-oncle ou à une grand-tante. ⇒ **Arrière-neveu, neveu.**

COMP. Arrière-petit-neveu.

PÉTITOIRE [petitwaʀ] n. m. et adj. — V. 1378; lat. *petitorius,* de *petere* «demander».

♦ Dr. «Action qui a pour objet la reconnaissance, la protection et le libre exercice d'un droit réel immobilier» (Capitant). *Distinction du pétitoire et du possessoire*. Le cumul* du pétitoire et du possessoire n'est pas autorisé.* — Adj. *Action pétitoire.*

PETITS-ENFANTS [p(ə)tizɑ̃fɑ̃] n. m. pl. — V. 1555; de *petit,* et *enfant.*

♦ Enfants d'un fils ou d'une fille, par rapport à un grand-père ou à une grand-mère.

COMP. Arrière-petits-enfants.

PETIT-SUISSE [p(ə)tisɥis] n. m. — V. 1910; *suisse,* 1872, Littré; de *petit,* et *suisse.*

♦ Petit fromage* frais à la crème. *Une boite de petits-suisses* ou *de suisses.* ⇒ **Suisse,** 3.

PÉTOCHARD, ARDE [petɔʃaʀ, aʀd] n. — XXe; de *pétoche* «peur», et suff. péj. *-ard.*

♦ Fam. Personne qui a la pétoche. ⇒ **Froussard, péteux, peureux, trouillard.**

Où qu'ils sont, les tués et les blessés? Si tu les as vus, c'est que t'as de la chance. 1
Moi, je n'ai vu que des pétochards comme toi, qui couraient sur les routes avec le trouillomètre à zéro. SARTRE, la Mort dans l'âme, p. 48.

Hou hou, la salope, qu'ils criaient, oh le vilain dégonflé, le foireux lardé, le por- 2
cine lope, le pétochard affreux, le patriote mauvais, le marcassin maudit, la teigne vilaine, le pleutre éhonté, le poplican félon, la mauviette pouilleuse, le crassou poltron, l'ordcouard, le traître pleutre qui veut laisser le tombeau de sire Jésus aux mains des païens (...) R. QUENEAU, les Fleurs bleues, p. 26.

PÉTOCHE [petɔʃ] n. f. — xxe; dér. de *pet* ou de *péter;* en 1869 (Littré) «chandelle de résine (qui crépite)».

♦ Fam. ⇒ **Peur.** *Avoir la pétoche :* avoir peur.

Notre brochette de flics *(y)* rumine paisiblement, fesses bien calées; nos frères aussi ruminent : peut-être (...) ont-ils la pétoche, une pétoche qui doit se préciser à mesure que l'horloge tourne et que leur tour approche.
A. SARRAZIN, la Cavale, p. 398.

PÉTOCHER [petɔʃe] v. intr. — xxe; de *pétoche.*

♦ Fam. Avoir la pétoche, avoir peur. ⇒ **Trembler.**

«Et s'ils le torturent, s'ils le font parler, s'il leur raconte que je suis là sous mon buisson.» Et je sursautais de plus belle, je pétochais des pieds à la tête, je m'en coupais la respiration tout seul.
Jean HOUGRON, la Gueule pleine de dents, p. 250.

PÉTOIRE [petwaʀ] n. f. — 1743, *canne-pétoire;* dér. de *péter.*

♦ **1.** Jouet d'enfant, sorte de seringue à air comprimé dont le corps est constitué d'une branche de sureau vidée de sa moelle, et au moyen de laquelle on lance de menus projectiles (boulettes, etc.).

♦ **2.** Mauvais fusil*.

1 (...) de patients chasseurs battaient la plaine et découpaient sur l'horizon leurs silhouettes dégingandées, mais nul coup de feu ne partait jamais de leurs pétoires antiques!
Émile HENRIOT, le Diable à l'hôtel, XXVIII.

Argot. Arme à feu, à main, et, particult, pistolet.

2 Y avait urgence à mettre mes pétoires en lieu sûr.
Albert SIMONIN, Touchez pas au grisbi, p. 67.

♦ **3.** Véhicule pétaradant.

3 Vous n'aviez qu'à emprunter une de ces pétoires à pétrole qui grimpent partout et à sauter dessus.
G. CHEVALLIER, Clochemerle, p. 238.

PÉTOMANE [petɔman] adj. et n. — 1898; de *péter, -o-,* et *-mane.*

♦ Fam., vieilli. Artiste de variétés qui était capable de contrôler ses gaz intestinaux et de moduler la hauteur tonale de leur émission. *Le Pétomane eut son heure de gloire en 1900.* — Par ext. (adjectif) :

Tu sais sûrement qu'Hitler est pétomane.
Michel DÉON, les Vingt Ans du jeune homme vert, p. 166.

PETON [pətɔ̃] n. m. — 1532, Rabelais; dimin. de *pied.*

♦ Fam. Petit pied*. *Les jolis petons!* (→ aussi Chérir, cit. 9). *De petits petons.*

1 (...) baiser (...) les petits bouts de vos petons.
MOLIÈRE, le Médecin malgré lui, III, 3.

2 (...) elle *(Nana)* trotta en chemise, ses petons nus effleurant à peine le carreau (...)
ZOLA, l'Assommoir, IX, t. II, p. 82.

PÉTONCLE [petɔ̃kl] n. m. — 1552; lat. *pectunculus,* dimin. de *pecten* «peigne».

♦ Mollusque lamellibranche *(Anisomyaires)* de la Manche et de l'Atlantique, coquillage comestible de forme analogue à celle de la coquille Saint-Jacques, mais plus petit.

PÉTOUILLER [petuje] v. intr. — 1824 au sens 2; de *pet,* et *-ouiller;* lat. *peditum.*

Régional (Suisse).

♦ **1.** (Personnes). Ne rien faire de bon.

Jusqu'à présent, je n'ai fait que pétouiller; tu vas voir maintenant ce dont je suis capable (...)
P.-L. BOREL, la Vie d'Alfred Thélin, t. II, p. 260.

Il n'y a plus à pétouiller, à hésiter, à tergiverser (cf. français familier : ... *pas à chier*).

♦ **2.** (Êtres animés, choses). Aller mal.

PÉTOULET [petulɛ] n. m. — 1936, Esnault; de *pétard,* même sens.

♦ Pop. et vieilli. Postérieur, fessier. *Avoir le pétoulet à zéro :* avoir la frousse, la trouille (→ Avoir le trouillomètre* à zéro; les avoir à zéro).

La robe printanière et le tailleur, toujours si flatteur pour le pétoulet petit-bourgeois, triomphaient déjà.
Albert SIMONIN, Touchez pas au grisbi, p. 209.

PÉTRARQUISER [petʀaʀkize] v. intr. — V. 1555, cit. *infra;* de *Pétrarque,* poète ital. du XIVe siècle.

♦ **1.** Vx. Aimer platoniquement (comme Pétrarque aimait Laure).

1 Les amants si froids en été,
Admirateurs de chasteté,
Et qui morfondus pétrarquisent,
Sont toujours sots, car ils méprisent
Amour qui de sa nature est
Ardent et prompt (...)
RONSARD, Pièces retranchées, Mélanges, «Odelette à sa maîtresse».

♦ **2.** (1558). Hist. littér. Imiter Pétrarque (comme le faisaient les poètes de la Pléiade); chanter les perfections de sa maîtresse par des comparaisons outrées ou précieuses qui sentent l'artifice.

J'ai oublié l'art de Pétrarquiser, 2
Je veux d'Amour franchement deviser (...)
DU BELLAY, Jeux rustiques, «Contre les Pétrarquistes».

Au p. prés. adj. *Les poètes pétrarquisants.* ⇒ **Pétrarquiste.**

PÉTRARQUISME [petʀaʀkism] n. m. — 1842; de *Pétrarque* (→ Pétrarquiser), et *-isme.*

♦ Hist. littér. Imitation de Pétrarque en poésie.

PÉTRARQUISTE [petʀaʀkist] n. et adj. — 1558; → Pétrarquiser.

Histoire littéraire.

♦ **1.** Imitateur de Pétrarque.

♦ **2.** Adj. (1580). De Pétrarque, des pétrarquistes. *Inspiration pétrarquiste.*

Pindarisme et Pétrarquisme, c'est tout le Ronsard du début (...) Ronsard a été pétrarquiste dans les *Amours de Cassandre,* dans la seconde partie des *Amours de Marie* et un peu (...) dans toutes ses œuvres élégiaques. 1
Émile FAGUET, Études littéraires, XVIe s., Ronsard, p. 230 et 241.

PÉTRAS [petʀa] n. m. — 1808; anc. franç. *pietre* (XVe) «individu méprisable»; *paestre* (v. 1220); lat. *pedester* «qui va à pied».

♦ Régional (Est). Fam. Personne qui manque de finesse. ⇒ **Lourdaud, rustre.**

PÉTRÉ, ÉE [petʀe] adj. — 1690, *Arabie pétrée;* «qui naît sur les pierres», 1545; lat. *petraeus,* de *petra* «pierre».

♦ **1.** Rare. Qui ressemble à la pierre. — Couvert de pierres. ⇒ **Pierreux.** — Vx ou géogr. *Arabie Pétrée.*

(...) des montagnes nues, rocheuses et graves, des promontoires pétrés, des défilés taillés au ciseau et au maillet dans de sourcilleuses falaises calcaires.
G. DUHAMEL, Inventaire de l'abîme, IV.

♦ **2.** (1814). Anat. Qui a la consistance de la pierre.

PÉTREL [petʀɛl] n. m. — 1705; mot angl. (1676), altér. de *pitteral;* p.-ê. de *Petrus* «Pierre» (oiseau de saint Pierre) ou de *péterel,* de *pétereau* «bombarde», de *péter,* l'oiseau projetant par les narines un liquide huileux sur ses agresseurs (selon P. Guiraud).

♦ Oiseau palmipède *(Procellariidés),* très vorace, appelé *«oiseau de saint Pierre», «oiseau des tempêtes»,* qui vit en haute mer. *Pétrel fulmar. Pétrel-tempête. Pétrel à queue courte, pétrel géant. Pétrel cul-blanc*. Pétrel brun.* ⇒ **Damier** (→ Engrais, cit. 3).

(...) on trouve encore sur cette île beaucoup d'autres oiseaux, parmi lesquels on peut citer le fou, le pétrel bleu (...) le sterne, la guifette, le pétrel des tempêtes (...) le grand pétrel (...) enfin l'albatros. Le grand pétrel est aussi gros que l'albatros commun, et il est carnivore. On le nomme souvent pétrel brise-os ou pétrel-balbusard. Ces oiseaux ne sont pas du tout farouches (...) quelquefois, en volant, ils rasent de très près la surface des eaux, avec les ailes étendues, et sans paraître les remuer (...) 1
BAUDELAIRE, Trad. E. POE, les Aventures d'A. Gordon Pym, XIV.

Nous allons avoir une mauvaise nuit, monsieur Spilett! dit le marin. De la pluie et du vent à faire la joie des pétrels! 2
J. VERNE, l'Île mystérieuse, t. I, p. 74.

PÉTREUX, EUSE [petʀø, øz] adj. — Fin XVe; «os petreus», 1314; lat. *petrosus,* de *petra* «pierre».

♦ Anat. Qui a rapport au rocher* de l'os temporal. *Nerf pétreux. Antre pétreux :* cavité postéro-externe de l'oreille moyenne. *Sinus pétreux inférieur, supérieur.*

PÉTRI, IE [petʀi] adj. ⇒ **Pétrir.**

PÉTRICHERIE [petʀiʃʀi] n. f. — 1690; esp. *petrecho* «armement», du lat. *pertrahere* «traîner».

♦ Techn. Armement de pêche (appareils, engins) utilisé pour la morue.

PÉTRIFIANT, ANTE [petʀifjɑ̃, ɑ̃t] adj. — 1580; de *pétrifier.*

♦ **1.** Littér., rare. Qui pétrifie, qui change en pierre. *Le regard pétrifiant de Méduse la Gorgone.* — (1819). Fig. Qui frappe de stupeur. *Une panique pétrifiante.*

♦ **2.** (1783). Qui opère la pétrification, en parlant des eaux. *Source* *pétrifiante. Fontaine pétrifiante de Saint-Alyre, à Clermont-Ferrand.*

Le sommeil est une fontaine
Pétrifiante. Le dormeur,
Couché sur sa main lointaine,
Est une pierre en couleurs.

COCTEAU, Opéra, Musée secret, « Le modèle des dormeurs ».

PÉTRIFICATION [petʀifikasjɔ̃] n. f. — 1503; de *pétrifier.*

Fait de pétrifier, de se pétrifier; transformation en pierre. *Le thème de la pétrification est fréquent dans les récits mythiques* (mythe de la Méduse), *dans la Bible* (femme de Lot changée en statue de sel), *etc.* — Spécialement :

♦ **1.** Didact. ou littér. Transformation (de structures organiques) par imprégnation de composés minéraux (silice, carbonate de calcium...). *La pétrification de certains organismes permet leur fossilisation**. — Par ext. (vx). Fossilisation.

♦ **2.** Transformation des objets séjournant dans l'eau calcaire, qui s'incrustent de carbonate de calcium et prennent l'aspect de la pierre. — (1690). *Une pétrification :* un corps, un objet, un organisme fossile entouré d'une couche pierreuse (→ Fossile, cit. 1).

♦ **3.** (1782). Fig. Durcissement et immobilisation.

1 Dans son impassibilité, peut-être seulement apparente, étaient empreintes les deux pétrifications, la pétrification du cœur, propre au bourreau, et la pétrification de l'esprit, propre au mandarin. HUGO, l'Homme qui rit, I, II, II.

2 (...) la rue Vivienne se trouve subitement glacée par une sorte de pétrification. Comme un cœur qui cesse d'aimer, elle a sa vie éteinte.

LAUTRÉAMONT, les Chants de Maldoror, VI.

PÉTRIFIER [petʀifje] v. tr. — 1515; du lat. *petra* « pierre », et *-fier.*

♦ **1.** Changer en pierre.

1 Il *(Persée)* attaqua Méduse sans la regarder, lui trancha le col et rapporta sa tête horrible, qui le servit heureusement dans tous ses combats. Il n'avait qu'à la présenter au regard de ses ennemis pour les pétrifier, comme il arriva au roi de la Mauritanie, Atlas, que cette vue changea en montagne.

Émile HENRIOT, Mythologie légère, p. 157.

(Sujet n. de chose). Rendre minérale (une structure organique). ⇒ **Lapidifier.** *Silice qui pétrifie du bois.* ⇒ **Fossiliser.** *Ce bitume noir qui pétrifie les cadavres* (→ Embaumeur, cit. 1).

♦ **2.** (Le sujet désignant l'eau). Recouvrir d'une couche minérale (carbonate de calcium). *Eaux calcaires qui pétrifient les corps.* ⇒ **Incruster; pétrifiant.**

♦ **3.** (1747). Immobiliser (qqn) par une émotion violente. *Cette nouvelle l'a pétrifié.* ⇒ **Glacer, méduser.**

2 Ce refus, que la détestable courtoisie de ce mirliflore rendait encore plus implacable, pétrifia cette vieille mère qui tomba sur un fauteuil auprès de l'abbé Goujet, joignit les mains et fit un vœu.

BALZAC, Une ténébreuse affaire, Pl., t. VII, p. 516.

Immobiliser, figer (une chose en mouvement). *C'est donc en vain que l'on voudrait pétrifier la mobile physionomie de notre idiome sous une forme donnée.* ⇒ **Fixer** (cit. 16, Hugo).

3 Ai-je par un écrit
Pétrifié sa veine et glacé son esprit? BOILEAU, Satires, IX.

▶ **SE PÉTRIFIER** v. pron.

Devenir minéral. *Cadavres qui se sont pétrifiés sous une forme hideuse* (→ Momie, cit. 2). *Une mousse* (1. Mousse, cit. 8) *qui semblait se pétrifier.*

Se recouvrir de pierre. *Objets qui se pétrifient dans une eau calcaire.*

Fig. S'immobiliser définitivement. — Être paralysé.

4 *(Les réfugiés français à Berlin)*... conservaient encore un respect superstitieux pour le siècle de Louis XIV; leurs idées sur la littérature se flétrissaient et se pétrifiaient, à distance du pays d'où elles étaient tirées (...)

Mme DE STAËL, De l'Allemagne, I, XVII.

▶ **PÉTRIFIÉ, ÉE** p. p. adj.

♦ **1.** Changé en pierre. — Devenu minéral. *Fossile pétrifié. Coquilles* (1.) *pétrifiées. Tout semblait pétrifié* (→ Carboniser, cit. 2). — Par compar. Passif et comme pétrifié (→ Éveil, cit. 5).

5 Un écueil, c'est de la tempête pétrifiée.

HUGO, les Travailleurs de la mer, II, I, XI.

6 Fouan avait repris connaissance. Ses yeux grands ouverts se tournèrent avec lenteur, regardèrent fixement? mais il ne remua pas la tête, il semblait pétrifié.

ZOLA, la Terre, V, I.

♦ **2.** Fig. Immobilisé par une émotion violente. ⇒ **Immobile** (→ Cloué* sur place; glacé; paralysé). *Elle resta pétrifiée de surprise, sans pouvoir articuler* (cit. 12) *une parole. Pétrifié de douleur, d'admiration... Pétrifié par la peur* (→ Battre, cit. 40).

7 À l'immobilité d'Isabelle, pétrifiée et médusée de terreur, l'enfant l'avait crue endormie (...) Th. GAUTIER, le Capitaine Fracasse, X.

8 Il recula terrifié et pétrifié, n'osant ni respirer, ni parler, ni rester, ni fuir (...)

HUGO, les Misérables, II, IV, V.

9 (...) elle resta sans faire un mouvement, pétrifiée dans son désespoir; n'étant plus un être, mais une chose en ruines. FLAUBERT, Bouvard et Pécuchet, VII.

(Choses). Figé, fossilisé.

Les religions sont pétrifiées et les mœurs se modifient sans cesse. 10

RENAN, l'Avenir de la science, Œ. compl., t. III, p. 1117.

DÉR. Pétrifiant, pétrification.

PÉTRIN [petʀɛ̃] n. m. — 1688; *pestrin,* 1170; lat. *pistrinum* « moulin à blé, boulangerie », sens spécialisé en bas lat. de Gaule.

♦ **1.** **a** Coffre dans lequel on pétrit* le pain. ⇒ **Huche, maie.** *Pétrin de boulanger.*

b *Pétrin mécanique,* ou *pétrin :* appareil composé d'une cuve et d'un moteur pour pétrir le pain mécaniquement.

♦ **2.** (1790). Dans des loc. Situation pénible, embarrassante d'où il semble impossible de sortir. *Être, se fourrer* (cit. 29) *dans le pétrin. Tirer, sortir qqn du pétrin.*

Vous avez tous l'air d'avoir oublié les causes véritables du pétrin où nous sommes : le capitalisme, l'impérialisme des gouvernements! 1

MARTIN DU GARD, les Thibault, t. VII, p. 291.

(...) que je trouve seulement monsieur Lalique, tu verras qu'il ne me laissera pas dans le pétrin. SARTRE, l'Âge de raison, p. 142. 2

PÉTRIR [petʀiʀ] v. tr. — V. 1175, *pestrir;* var. *paitrir,* jusqu'en 1732; bas lat. *pistrire,* de *pistrix* « boulangère », de *pistor* « boulanger »; → Pétrin.

♦ **1.** Presser, remuer fortement et en tous sens avec les mains ou à la machine (une pâte* consistante). ⇒ **Travailler.** *Pétrir la pâte à pleines mains, du bout des doigts* (cf. Travailler la pâte). *Le boulanger pétrit la pâte dans un pétrin*. Pétrir et cuire des gâteaux* (→ Froment, cit. 7).

Ses bras emmanchés de toile blanche disaient qu'elle venait de pétrir la pâte à galette, ou le pudding saucé d'un brûlant velours de rhum et de confitures. 1

COLETTE, Histoires pour Bel-Gazou, p. 23.

(1180). Par ext. *Pétrir la pâte à papier.* ⇒ **Brasser, écraser, malaxer** (cit. 1). *Pétrir le mortier.* ⇒ **Corroyer.** — *Pétrir pour donner une forme; pétrir de l'argile, de la cire...* ⇒ **Façonner, manier, manipuler, modeler.**

J'ai pétri de la boue et j'en ai fait de l'or. 2

BAUDELAIRE, Poèmes divers, II, « Orgueil ».

Le sculpteur est lourd du poids de son œuvre : peu importe s'il ignore comment il pétrira. De coup de pouce en coup de pouce, d'erreur en erreur, de contradiction en contradiction, il marchera droit, à travers la glaise, vers sa création. 3

SAINT-EXUPÉRY, Pilote de guerre, XXIV.

Il avait un nez si curieusement mol et malléable qu'il parvenait à le changer de forme en le pétrissant avec soin. 4

G. DUHAMEL, Chronique des Pasquier, IX, XVII.

♦ **2.** (1762). Palper fortement en tous sens. *Ses doigts chauds lui pétrissaient le poignet* (→ Étreinte, cit. 2). *Il n'osait plus la manier brutalement* (cit. 2), *la pétrir.*

(...) ses mains qui pétrissaient la tablette de la tribune. 5

M. BARRÈS, Leurs figures, p. 108.

Il pétrissait entre ses doigts la main de la jeune fille (...) 6

MARTIN DU GARD, les Thibault, t. VII, p. 208.

Louis prit sa serviette, la pétrit d'un geste machinal, en fit une boule qu'il posa sur la table. G. DUHAMEL, Salavin, VI, XVIII. 7

Techn. Masser* en pressant, en comprimant profondément les tissus.

♦ **3.** (1580). Fig. Donner une forme (cit. 47) à, façonner. *Pétrir et manipuler* le langage* (→ Faire, cit. 227). *Les individus* (cit. 15) *sont pétris par la société. Cerveaux enfantins pétris par un enseignement* (→ Formel, cit. 5; maniable, cit. 2).

Le bercement des nourrices, les câlineries maternelles, les chatteries des sœurs, surtout des sœurs aînées, espèce de mères diminutives, transforment pour ainsi dire, en la pétrissant, la pâte masculine. 8

BAUDELAIRE, les Paradis artificiels, « Mangeur d'opium », VII.

Nous avons tous été pétris et repétris par ceux qui nous ont aimés et, pour peu qu'ils aient été tenaces, nous sommes leur ouvrage, — ouvrage que d'ailleurs ils ne reconnaissent pas, et qui n'est jamais celui qu'ils avaient rêvé. 9

F. MAURIAC, le Désert de l'amour, IV.

♦ **4.** Littér. (Surtout au passif et p. p.). **PÉTRIR DE... :** former, faire avec... *L'homme est pétri du limon* (cit. 3) *de la terre* (→ Arrogance, cit. 3). *Âmes* (cit. 72) *pétries de boue et d'ordure* (→ Albâtre, cit. 5).

Je vois un visage pétri de grâces, de beaux yeux bleus pleins de douceur, un teint éblouissant, le contour d'une gorge enchanteresse. 10

ROUSSEAU, les Confessions, II.

Blonde aussi, comme toutes les Flers, mais d'un blond d'or fluide, elle avait un teint pétri de lait et de lumière (...) 11

BARBEY D'AUREVILLY, Une vieille maîtresse, I, II.

Adj. (V. 1665). *Pétri de :* fait de; qui consiste surtout en. *Être pétri d'orgueil,* très orgueilleux. *Pétri de contradictions.*

(...) il pardonnait beaucoup aux paysans, même en les trouvant pétris d'ignorance et de défauts, quand ce n'est pas de vices. E. FROMENTIN, Dominique, II. 12

(...) Robinson est d'abord un véritable Anglais, tout pétri des profonds instincts de sa race (...) TAINE, Philosophie de l'art, t. II, p. 261. 13

La concupiscence dont l'humanité déchue est pétrie, ne peut être vaincue que par une délectation plus puissante (...) la délectation victorieuse de la Grâce. 14

F. MAURIAC, Souffrances et Bonheur du chrétien, p. 78.

15 L'homme trop heureux, trop sûr de lui, est inhumain. Comment comprendrait-il les vies des autres qui, presque toutes, sont pétries de douleur?
A. MAUROIS, À la recherche de Marcel Proust, VII, VII.

16 — La pauvre! Regardez! Comme elle a mal! — Elle est toute pétrie d'orgueil. Et c'est son orgueil que ce glaive transperce.
MONTHERLANT, la Reine morte, I, 1.

DÉR. Pétrissable, pétrissée, pétrisseur.

PÉTRISSABLE [petʀisabl] adj. — 1749; de *pétrir.*

♦ Rare. Qui peut être pétri. — (1878). Fig. *Une personnalité trop faible, aisément pétrissable.*

PÉTRISSAGE [petʀisaʒ] n. m. — 1764; *pétrissement,* xve; de *pétrir.*

♦ Action de pétrir (la pâte à pain; toute pâte destinée à être mangée après cuisson). — (1875). Action de pétrir (une substance pâteuse non comestible). *Le pétrissage de l'argile.*

(1923). Spécialt. Mode de massage qui consiste à presser, comprimer profondément les tissus.

PÉTRISSÉE [petʀise] n. f. — 1963; de *pétrir.*

♦ Techn. Quantité de pâte que peut brasser le pétrin.

PÉTRISSEUR, EUSE [petʀisœʀ, øz] n. — 1538; *pestriseur,* 1260; de *pétrir.*

♦ **1.** Ouvrier boulanger qui pétrit la pâte, à la main ou mécaniquement. — Par métaphore :

Machiavel a eu de nombreux disciples, non pas seulement parmi les pétrisseurs de pâte politique, comme Bismarck, Mussolini ou Staline, mais parmi les écrivains, les hommes d'affaires, les entrepreneurs de publicité.
André SIEGFRIED, La Fontaine..., p. 18.

♦ **2.** N. m. **a** (1830). Pétrin mécanique.

b Appareil de massage utilisé pour le pétrissage des tissus.

♦ **3.** N. f. (1807). Machine à pétrir.

♦ **4.** Adj. Littér. Qui pétrit. *Des mains pétrisseuses.*

1. PÉTRO- Élément, du grec *petros* «pierre». Ex. : *pétrographie, pétroglyphe, pétrologie.*

2. PÉTRO- Élément de composition, de *pétro(le).*

REM. Ce préfixe, assez productif dans la langue technique contemporaine (→ Pétrochimie, pétrodollar) a été critiqué comme une troncation abusive de *pétrole* (voir ce mot). Les recommandations officielles préconisent de le remplacer par *pétrolo-* (→ Pétrolochimie, ci-dessous).

PÉTROCHIMIE [petʀoʃimi] (forme critiquée, mais plus cour.) ou **PÉTROLOCHIMIE** [petʀɔloʃimi] (recomm. off.) n. f. — Mil. xxe, *pétrochimie; pétrolochimie,* v. 1965; aussi *pétroléochimie,* 1968; de *pétrole,* et *chimie.*

♦ Techn. Chimie industrielle des dérivés du pétrole. *Le développement de la pétrochimie. Pétrochimie aromatique, inorganique.*

DÉR. Pétrochimique ou **pétrolochimique, pétrochimiste.**

PÉTROCHIMIQUE [petʀoʃimik] ou **PÉTROLOCHIMIQUE** [petʀɔloʃimik] adj. — 1959, *pétro-chimique;* aussi *pétroléochimique,* 1969; de *pétrochimie, pétrolochimie.*

♦ Techn. Relatif à la pétrochimie. *L'industrie pétrochimique. Un complexe pétrolochimique. Production pétrochimique.*

PÉTROCHIMISTE [petʀoʃimist] n. — 1969; de *pétrochimie.*

♦ Techn. Spécialiste de la pétrolochimie.

PÉTRODOLLAR [petʀodɔlaʀ] n. m. — 1974; *pétro-dollar,* l'Aurore, 9 sept. 1974; de 2. *pétro-,* et *dollar.*

♦ Fin. Unité monétaire provenant de la vente du pétrole par les pays producteurs. « *Les pétrodollars constitueront une épargne mondiale, d'un volume sans précédent ...* » (*l'Express,* 3 févr. 1975). *Les détenteurs de pétrodollars.*

PÉTROGALE [petʀɔgal] n. m. — 1837, D'Orbigny, *Dict. universel d'hist. nat.;* de 1. *pétro-,* et *galê* «belette».

♦ Zool. Petit mammifère *(Marsupiaux macropodidés)* qui vit en Australie.

PÉTROGLYPHE [petʀɔglif] n. m. — Déb. xxe, «rocher sculpté»; de 1. *pétro-,* et *-glyphe.*

♦ Didact. (archéol.). Gravure sur pierre.

Les dessins incisés dans la pierre, dits *pétroglyphes,* qui se rencontrent un peu partout, d'Europe aux îles du Pacifique, ont (...) préparé, par leur symbolique rituelle (arbres, animaux, roues, croix, signes géométriques) ..., l'éclosion de l'écriture synthétique.
Ch. HIGOUNET, l'Écriture, p. 7 (1955).

PÉTROGRAPHE [petʀɔgʀaf] n. — 1907; de 1. *pétro-,* et *-graphe.*

♦ Didact. Spécialiste de la pétrographie.

PÉTROGRAPHIE [petʀɔgʀafi] n. f. — 1842; de 1. *pétro-,* et *-graphie.*

♦ Didact. Science des roches, de leur structure, de leur composition. ⇒ **Minéralogie, pétrologie.**

DÉR. Pétrographique.

PÉTROGRAPHIQUE [petʀɔgʀafik] adj. — 1842; de *pétrographie.*

♦ Didact. Relatif à la pétrographie.

PÉTROLAGE [petʀɔlaʒ] n. m. — 1902, *in* D. D. L.; de *pétrole.*

♦ Techn. Destruction (des insectes) par épandage de pétrole à la surface des eaux infestées. *Le pétrolage des moustiques.*

PÉTROLATUM [petʀɔlatɔm] n. m. — Mil. xxe (*in* Larousse 1963), dér. sav. de *pétrole* ou lat. *petroleum.*

♦ Techn. Substance pâteuse obtenue par centrifugation des hydrocarbures lourds.

PÉTROLE [petʀɔl] n. m. — Attestation isolée, XIIIe; 1611; du lat. médiéval *petroleum* «huile de pierre»; de *petra* «pierre», et *oleum* «huile».

♦ **1.** Huile minérale naturelle (bitume* liquide) accumulée en gisements et utilisée comme source d'énergie. Syn. (journalistique) : *or* noir. Le pétrole, mélange d'hydrocarbures*, provient des vases organiques* (sapropel) *transformées par l'action de fermentations anaérobies. Gisements de pétrole du Texas, du Venezuela, du Moyen-Orient, du Sahara... Les pétroles roumains, sahariens... Prospection et exploitation du pétrole.* ⇒ **Roche** (roche mère, roche magasin), **forage; derrick, trépan.** *En droit, les puits* de pétrole sont des mines* (cit. 3). *Magasin, réservoir de pétrole* (→ Flamboiement, cit. 3). *Pétrole naturel ou brut* (⇒ **Brut,** n. m.) ou (vx, XVIe) « *huile de pétrole* ». ⇒ **Naphte; craquage.** *Raffinage, distillation du pétrole. Raffinerie de pétrole. Produits dérivés du pétrole : gaz, éther de pétrole* (⇒ **Gazoline, ligroïne**), *essences légères, lourdes* (⇒ **Essence**); *kérosène*, gas-oil*, huiles légères, lourdes, de graissage* (⇒ **Huile**), *paraffine*, résidus* (⇒ **Fuel, mazout; vaseline; bitume, brai; white-spirit**). *Synthèse du pétrole. Chimie du pétrole.* ⇒ **Pétrochimie.** *Transport du pétrole par pétrolier*, pipe-line*, tanker*, wagon-citerne*... — Exporter* (cit. 2) *du pétrole... Marché du pétrole* (⇒ **Pétrodollar**). *Pays producteurs de pétrole. La production et le prix du pétrole sont calculés en barils*. La crise du pétrole. Épuisement des réserves de pétrole. Remplacement du charbon par le pétrole, et du pétrole par l'énergie nucléaire, par les énergies renouvelables. Production du pétrole off-shore*.* — L'une des fractions de la distillation de cette huile naturelle, très utilisée naguère pour l'éclairage *(pétrole « lampant* »). Âcre odeur de pétrole* (→ Essence, cit. 20; lampe, cit. 6). *Ancien éclairage au pétrole* (→ Lampisterie, cit.)... *à pétrole. Lampe* (cit. 7) *à pétrole* (→ Brûler, cit. 38). *Poêle, réchaud à pétrole.*

Les lueurs vacillantes du pétrole qui brûlait dans des vases de porphyre effrayèrent (...) les singes consacrés à la lune.
FLAUBERT, Salammbô, I.

Les pétroles naturels sont tout aussi variables au point de vue physique, qu'au point de vue de leur composition chimique. Certains sont *fluides,* d'autres sont *visqueux;* les premiers sont en général *clairs,* jaunes penchant sur le rouge ou le brun, et même parfois presque incolores; les seconds sont *foncés* et vont du brun foncé au noir, en passant par le vert (...) L'odeur varie selon la nature des composants volatils.
É. DALEMONT, le Pétrole, p. 26.

♦ **2.** (1962). Appos. *Bleu, vert pétrole,* nuances où entrent du bleu, du gris et du vert. *Des voitures bleu pétrole.*

DÉR. Pétrolage, pétrolé, pétroler, pétrolerie, pétrolette, pétroleuse, pétrolier.
COMP. Pétrolifère, pétrolochimie, pétrolochimique.

PÉTROLÉ, ÉE [petʀɔle] adj. — xxe; de *pétrole.*

♦ Techn. (d'un diamant). Qui n'est pas parfaitement transparent, qui présente des traces de bleu pétrole et de brun ou de jaune.

PÉTROLER [petʀɔle] v. tr. — 1871 ; de *pétrole.*

♦ **1.** Vx. Incendier au pétrole.

♦ **2.** Techn. Couvrir de pétrole. *Pétroler un étang pour tuer les insectes* (⇒ **Pétrolage**).

DÉR. Pétrolage.

PÉTROLERIE [petʀɔlʀi] n. f. — V. 1975 ; de *pétrole.*

♦ Techn. (Canadianisme). Ensemble des activités liées à l'extraction du pétrole et des résultats qui en découlent sur le plan écologique.

PÉTROLETTE [petʀɔlɛt] n. f. — 1895 ; de *pétrole.*

Familier.

♦ **1.** Vx. Petite automobile.

1 La pluie tombait si fort que déjà nous renoncions à descendre, mais le commandant nous invite dans sa pétrolette.
GIDE, Voyage au Congo, *in* Souvenirs, Pl., p. 685.

♦ **2.** (1895 ; nom de marque). Mod. Petite moto, vélomoteur.

2 (...) il avait fui Paris le 11 juin 1940 (...) Sur les routes encombrées de vélos, de taxis, de carrioles, de tombereaux, d'autobus, de corbillards, de chars à bœufs, de Rolls, de pétrolettes et de voitures d'enfant, il avait, sans s'en être rendu compte, fait partie d'une immense communauté dont tous les membres, de quelque condition ou de race qu'ils fussent, se retrouvaient et se reconnaissaient à leur air d'égarement.
Francis CARCO, les Belles Manières, p. 51.

PÉTROLEUSE [petʀɔløz] n. f. — 1871 ; de *pétrole.*

♦ **1.** Hist. *Les pétroleuses :* les femmes qui, aux dires de certains, auraient pendant la Commune allumé des foyers d'incendie en se servant de pétrole répandu. ⇒ **Incendiaire.** *Une pétroleuse.*

1 C'était une étrange créature. Ses mèches grises, échevelées, lui donnaient dans les meetings une allure de pétroleuse.
MARTIN DU GARD, les Thibault, t. VI, p. 238.

2 Il savait ce qu'était une pétroleuse : il avait vu cent fois cette image du *Monde illustré* de 1871 où deux femmes accroupies, la nuit, près d'un soupirail, allument une espèce de feu. Des mèches dépassent leur bonnet de femme du peuple.
F. MAURIAC, le Sagouin, p. 49.

♦ **2.** Par ext. [a] Femme qui professe avec véhémence des opinions progressistes, militante passionnée d'un syndicat, d'un parti de gauche.

[b] (Sans référence à la politique). Femme au caractère impétueux, au comportement entier et plus ou moins violent.

3 C'est le genre de benêt qui se fera paumer un jour par une rousse pétroleuse, ou une entraîneuse entre deux âges. Elles sauront le faire valser malgré lui.
Benoîte et Flora GROULT, Journal à quatre mains, p. 181.

PÉTROLIER, IÈRE [petʀɔlje, jɛʀ] n. m. et adj. — 1889, in *Année sc. et industr.* 1890, p. 149, *navire pétrolier ;* « conducteur de voiture à pétrole », 1898, *in* D. D. L. ; de *pétrole.*

♦ **1.** Navire-citerne construit pour le transport du pétrole en vrac. ⇒ **Navire** (navire-citerne) ; **tanker.** *Les pétroliers de la Marine marchande. Pétrolier au long cours, pétrolier long-courrier. Pétrolier transporteur de brut. Le gigantisme des pétroliers modernes.* ⇒ **Superpétrolier, supertanker.** *Équipage réduit d'un pétrolier. Station de dégazage* pour pétroliers.* — Adj. *Navire pétrolier.*

(...) la radio allemande prétend avoir coulé le dernier convoi de pétroliers des Alliés.
GIDE, Journal, 16 janv. 1943.

♦ **2.** Adj. Relatif au pétrole. *Recherche, prospection pétrolière. Industrie et commerce pétroliers. Société pétrolière, trust pétrolier. Produits pétroliers. Production pétrolière. Transport pétrolier. Flotte pétrolière d'un pays. Port pétrolier. Les milieux pétroliers. Les cours pétroliers. Gisement pétrolier. Achats pétroliers, facture pétrolière.*

Producteur de pétrole. *Pays pétroliers. Compagnie, société pétrolière.*

Qui est spécialisé dans la prospection pétrolière. *Géologue pétrolier.*

♦ **3.** N. m. (1933). Financier, industriel, qui a de gros capitaux dans les sociétés pétrolières. *Les pétroliers fournisseurs des armées* (→ Commerce, cit. 8). *Fille* (cit. 16) *de pétroliers.*

Pétrolier, nom masculin, a acquis depuis peu une nouvelle acception, plus rare d'ailleurs que celle de « navire » ; il s'applique, avec une nuance dépréciative, aux hommes qui règnent sur les sociétés de recherches et de raffinage et dont la puissance financière, économique et politique réussit, dit-on, à faire céder les gouvernements eux-mêmes.
P. GILBERT, l'Énergie dans le vocabulaire, *in* Classe de franç., 1958, p. 39.

(1962). Travailleur spécialiste de la prospection, de l'exploitation du pétrole.

COMP. Superpétrolier.

PÉTROLIFÈRE [petʀɔlifɛʀ] adj. — 1867 ; de *pétrole,* et *-fère.*

♦ Qui contient, fournit du pétrole. *Gisement pétrolifère. Champs, couches pétrolifères des bassins sédimentaires. Terrain, zone pétrolifère.*

PÉTROLO- Élément de composition, de *pétrole.* ⇒ 2. **Pétro-.**

PÉTROLOCHIMIE [petʀɔloʃimi] n. f. — 1962 ; de *pétrolo-,* et *chimie.*

♦ Recomm. off. pour *pétrochimie.*

PÉTROLOCHIMIQUE [petʀɔloʃimik] adj. — 1967 ; de *pétrolochimie.*

♦ Recomm. off. pour *pétrochimique.*

PÉTROLOGIE [petʀɔlɔʒi] n. f. — 1845, Bescherelle ; de 1. *pétro-,* et *-logie.*

♦ Didact. rare. Étude des pierres. ⇒ **Minéralogie ; pétrographie.**

PÉTROLOGIQUE [petʀɔlɔʒik] adj. — Attesté XXe ; de 1. *pétro-,* et *-logique.*

♦ Didact. Relatif à la pétrologie. « *Les basaltes de la série initiale montrent, au point de vue pétrologique, un caractère (...) de moins en moins évolué* » (*Sciences et Avenir,* févr. 1980, p. 53).

PÉTROMINÉRALIER [petʀomineʀalje] n. m. — V. 1970 ; de 2. *pétro-,* et *minéralier.*

♦ Techn. Navire équipé pour transporter soit du pétrole (⇒ **Pétrolier**), soit des minerais (⇒ **Minéralier**).

PÉTROSILEX [petʀosilɛks] n. m. — 1753 ; de 1. *pétro-,* du grec *petros* « pierre », et *silex.*

♦ Didact. et vx. Silicate naturel, analogue au feldspath.

PÉTROUSQUIN [petʀuskɛ̃] n. m. — 1850, *in* D. D. L. ; de *pétras*,* ou de *petrous,* altér. de *péteux,* et *troussequin* « derrière ».

Argot.

♦ **1.** Vx. Civil, pour les militaires ; pékin. — Paysan, rustre. ⇒ **Pétras.**

♦ **2.** Vieilli (ou effet stylistique). Postérieur. ⇒ **Pétoulet.**

Manque de bol, les petits, qui avaient le pétrousquin survolté, ont couru se barricader dans leur piaule pour jouer papa-maman !
SAN-ANTONIO, Des gueules d'enterrement, p. 84.

PETTO (IN) [inpeto ; inpɛtto] loc. adv. ⇒ **In petto.**

PÉTULAMMENT [petylamɑ̃] adv. — 1680 ; « insolemment », 1552 ; de *pétulant.*

♦ Rare. D'une manière pétulante.

PÉTULANCE [petylɑ̃s] n. f. — 1676 ; « insolence », 1529 ; attestation isolée 1372 ; lat. *petulantia,* de *petulans.* → Pétulant.

♦ Ardeur exubérante quelque peu brusque et désordonnée. ⇒ **Fougue, turbulence, vitalité, vivacité.** *La pétulance des jeunes gens. Pétulance des gens toujours en mouvement*. Avec une pétulance et une joie charmantes* (→ Empiler, cit. 2). *Pétulance d'une danseuse* (→ Fougue, cit. 3). *Pétulance du talent.* ⇒ **Brio** (cit. 2). — (En parlant des animaux). *Pétulance d'un cheval, d'un chien* (→ Loulou, cit. 1).

(...) j'eusse craint ta pétulance et ton esprit dans une conversation, tandis que je sais que tu réfléchiras à ton avenir en me lisant. 1
BALZAC, Mémoires de deux jeunes mariées, Pl., t. I, p. 261.

Grenade est gaie, riante, animée, quoique bien déchue de son ancienne splendeur (...) La pétulance andalouse répand dans les rues un mouvement et une vie inconnus aux graves promeneurs castillans, qui ne font pas plus de bruit que leur ombre (...) 2
Th. GAUTIER, Voyage en Espagne, p. 153.

Ces hors-d'œuvre de la représentation, ces petits tours, souvent manqués, Nello les faisait et les refaisait avec une pétulance, une alacrité, un entrain où il y avait le plaisir d'un gamin qui joue, un rire des yeux rempli d'une émotion humide, des saluts de ses petis bras contournés et gracieux à l'adresse des applaudisseurs, tout à fait amusants (...) 3
Ed. DE GONCOURT, les Frères Zemganno, XI.

Par ext. *Pétulance d'un geste, d'un comportement.*

Pour donner à sa peinture l'apparence d'être faite avec une grande fierté de touche, il jette çà et là des coups de brosse d'une pétulance et d'une brutalité incroya- 4 bles, des lueurs minces et acérées qui traversent les ombres comme des lames de sabre (...) Th. GAUTIER, Voyage en Espagne, p. 23.

CONTR. Mollesse, nonchalance, réserve.

PÉTULANT, ANTE [petylɑ̃, ɑ̃t] adj. — 1330; lat. *petulans,* de *petere* «se jeter sur».

♦ Qui manifeste une ardeur exubérante. ⇒ **Fougueux, impétueux, turbulent, vif.** *Petits garçons pétulants.* ⇒ **Débordant** (de vie). → Étourdir, cit. 12. *Étourdi* (cit. 3), *pétulant, volage* (→ Fixer, cit. 17. — (En parlant des animaux). *Âne, cheval pétulant.* ⇒ **Fringant** (→ Braire, cit. 1).

1 (...) ils se montrèrent violents, durs, pétulants, impatients, dans la discussion relative au droit d'émigrer. MICHELET, Hist. de la Révolution franç., IV, IX.

2 Elle se donnait ainsi des airs de maîtresse de maison animée, presque pétulante (...) J. ROMAINS, les Hommes de bonne volonté, t. III, XIV, p. 185.

Par ext. *Humeur pétulante.* (→ Métamorphose, cit. 11). *Une réponse pétulante.*

3 (...) des portes s'ouvrirent et donnèrent passage à des essaims d'enfants qui commencèrent leurs jeux. Leur joie pétulante, leurs cris, leurs éclats de rire m'excitèrent bientôt (...) BALZAC, Souvenirs d'un paria, IV, *in* Œ. diverses, t. I, p. 248.

4 Un joyeux et pétulant rayon de soleil entra vivement dans la chambre, comme un garçon mal élevé, mais accoutumé à être bien reçu partout à cause de sa bonne humeur. Th. GAUTIER, Fortunio, II.

CONTR. Anémique, endormi, mou, nonchalant, réservé.
DÉR. Pétulamment.

PÉTUN [petœ̃] n. m. — 1555; du port. *petum,* d'orig. brésilienne.

♦ Vx. Tabac.

DÉR. Pétunia, pétuner.

PÉTUNER [petyne] v. intr. — 1612; de *pétun.*

♦ Vx. Fumer, priser du tabac. (→ 1. Feu, cit. 41, Ed. Rostand).

Quelques-uns pétunaient dans de longues pipes de Hollande et s'amusaient à souffler de la fumée par les naseaux. Th. GAUTIER, le Capitaine Fracasse, XII.

PÉTUNIA [petynja] n. m. — 1869; *pétunie,* 1823; de *pétun* «tabac».

♦ Cour. Plante dicotylédone *(Solanacées)* herbacée, très appréciée comme plante ornementale pour ses fleurs violettes, roses, blanches. *Pétunias hybrides à fleurs doubles. Pétunias en massifs, en bordures. Pots de pétunias sur un balcon.* — Fleur de cette plante.

PETZOUILLE [pɛtzuj] n. m. ⇒ **Pedzouille.**

PEU [pø] adv. — V. 1170; *pou, poi,* XIe (adv.); du lat. pop. **paucum,* neutre adverbialisé, class. *pauci* «en petit nombre».

★ **I.** (*Po,* Xe). En fonction de nom ou de nominal. Faible quantité, considérée soit comme simplement petite, soit comme insuffisante.

♦ **1.** Précédé d'un déterminatif. **a** (Après l'art. défini *le,* un dém., un poss.). *Le peu que j'ai appris* (cit. 6). *Joindre une gratification* (cit. 3) *au peu qu'il lui doit. Le peu que je gagne* (→ Marcher, cit. 39), *que je possède* (→ Nécessiteux, cit. 2). *«(...) communiquer tout le peu que j'aurais trouvé (...)»* (→ Esprit, cit. 114). *Excusez* du peu! Ce peu que je te donne* (→ Distraire, cit. 10). — *Le peu de cas* (cit. 20) *que l'on faisait de ma personne. «Le peu de soin, le temps, tout fait qu'on dégénère»* (→ Cultiver, cit. 8, La Fontaine). *Le peu qu'ils avaient de bon* (→ Hériter, cit. 15). *Le peu d'épaisseur de la cloison* (→ Latte, cit. 1). *Le peu de succès de sa plaisanterie* (→ Narquois, cit. 3). *«Ce peu que sur leurs os les ans laissent de chair»* (cit. 3, Molière). *En ce peu de temps* (→ Moyen, cit. 6). *Ton peu d'entendement* (cit. 9). *Son peu de raison* (→ Esclandre, cit. 4). *Son peu de fortune* (→ Gueule, cit. 13), *Leur peu de culture* (→ Insatiabilité, cit.). *Ce peu de mots* (→ Éveiller, cit. 12). — REM. On trouve parfois le subjonctif après *le peu qui..., que...* (→ ci-dessous cit. 5, Proust).

1 Quelques-uns achèvent de se corrompre par de longs voyages, et perdent le peu de religion qui leur restait. LA BRUYÈRE, les Caractères, XVI, 4.

2 Je ne puis m'empêcher de rire, malgré le peu d'envie que j'en ai. A. DE MUSSET, le Chandelier, I, 2.

3 Le peu que nous croyons tient au peu que nous sommes. HUGO, les Voix intérieures, XXVIII.

4 (...) ce peu de charmes que je suis heureuse d'avoir pour te l'offrir. FRANCE, le Lys rouge, XXIIII.

5 (...) le peu de jour qui restât faiblissait (...) PROUST, À la recherche du temps perdu, t. II, p. 215.

6 Euphémie ne se charge que de deux ou trois besognes de cinq minutes, comme on donne l'exemple et elle monte aussitôt ce peu en épingle pour que tout le monde le voie. M. JOUHANDEAU, Chaminadour, II, XV.

REM. (Accord du verbe ou du participe passé après *le peu (ce peu)* suivi d'un substantif complément). Si l'accent est mis sur *peu,* qui marque alors le manque, l'insuffisance, c'est le mot *peu* qui règle l'accord (masculin et singulier) : *«Le peu de confiance que vous m'avez témoigné m'a ôté le courage»* (Girault-Duvivier, *in* Littré). *«Le peu de qualités dont il a fait preuve l'a fait éconduire»* (Académie). Si l'accent est mis sur le complément, *peu* prend alors une valeur positive avec l'idée de quantité faible mais non jugée insuffisante, et l'accord se fait avec le complément : *«Le peu de confiance que vous m'avez témoignée m'a rendu le courage»* (Girault-Duvivier, *in* Littré). *«Le peu de services qu'il a rendus ont paru mériter une récompense»* (Académie). Cependant «cette distinction n'est pas observée par tous les écrivains» (G. et R. Le Bidois, Syntaxe du franç. mod., § 1040). → Arbitraire, cit. 11, Chateaubriand; irrémissiblement, cit. Stendhal.

Je ne crois pas que j'eusse besoin de cet exemple d'Euripide pour justifier le peu de liberté que j'ai prise. RACINE, Andromaque, 2e Préface. 7

Le peu de sûreté que j'ai vu pour ma vie à retourner à Naples, m'a fait y renoncer pour toujours (...) MOLIÈRE, l'Avare, V, 5. 8

(...) ce peu d'heures, saintement passées (...) tiennent lieu toutes seules d'un âge accompli. BOSSUET, Oraison funèbre de la duchesse d'Orléans. 9

Fais connaître le peu de talents que la nature et le travail t'ont donnés. LAMARTINE, Raphaël, LVII. 10

— Pour le peu de besogne que tu as abattu, ce soir, tu aurais tout aussi bien fait de me mener dans le monde. HUYSMANS, En ménage, IV. 11

Le peu de cheveux qui me reste grisonne allégrement. G. DUHAMEL, les Plaisirs et les Jeux, VI, XII. 12

b UN PEU DE. ⇒ **Brin, grain, miette.** *Un peu de sel* (→ Abstinence, cit. 1), *de sang* (→ Blet, cit. 2), *de thym* (→ Bouillir, cit. 1)... *Un peu d'esprit critique* (→ Camaraderie, cit. 1), *de patience, de mâle* (cit. 10) *énergie... Un peu d'espoir.* ⇒ **Lueur.** *Le monde se nourrit d'un peu de vérité et de beaucoup de mensonge* (→ Esprit, cit. 43). *Un petit peu, un tout petit peu de cognac.* ⇒ **Goutte, larme.** *Un peu de lait dans le thé.* ⇒ **Nuage, soupçon.**

Avant qu'un peu de terre, obtenu par prière, 13
Pour jamais sous la tombe eût enfermé Molière. BOILEAU, Épîtres, VII.

Un peu de philosophie écarte de la religion, et beaucoup y ramène. RIVAROL, Maximes et pensées, Religion. 14

Un coin où nous aurions des arbres, des pelouses, 15
Une maison petite avec des fleurs, un peu
De solitude, un peu de silence, un ciel bleu. HUGO, les Contemplations, II, XXI.

Après tout, un peu de charlatanerie est toujours permis au génie, et même ne lui messied pas. BAUDELAIRE, Préface à la Genèse d'un poëme (d'E. POE). 16

Loc. adv. (XXe). *Pour un peu :* il suffirait, il aurait suffi de peu de choses pour que... → Un peu plus*, et... *Pour un peu, je ne consentirais à y voir qu'un sport...* (→ Attrait, cit. 13, Gide). *Pour un peu il serait dangereux...* (→ Interdire, cit. 7, Valéry). *Pour un peu, il aurait pris rang...* (→ Ordinaire, cit. 4, Romains).

On trouve aux yeux des regards expressifs, et pour un peu l'on trouverait que la petite bête a une allure de bête intelligente. Ch.-L. PHILIPPE, la Mère et l'Enfant, p. 10. 17

Pour un peu il eût dit à cette dame trop fardée des choses désagréables. J. ROMAINS, les Hommes de bonne volonté, t. I, XXII, p. 264. 18

c Littér. **QUELQUE PEU DE :** une certaine partie, une certaine quantité de. *Il a laissé quelque peu de sa fortune.*

♦ **2.** (Sans déterminatif introducteur). **a** (Sans complément). *«On promet beaucoup pour se dispenser* (cit. 16) *de donner peu»* (Vauvenargues). *Auteur qui produit peu, et peu à la fois* (→ Burineur, cit.). *Peu lire* (→ Digérer, cit. 6). *Manger peu et vite* (→ Endurcir, cit. 12). *Exiger* (cit. 7) *beaucoup pour obtenir peu. Ceux qui ont peu et ceux qui n'ont pas* (→ Fédération, cit. 5). *Gagner peu à être connu* (→ Fécondité, cit. 7). *«On a perdu bien peu quand on garde* (cit. 45) *l'honneur»* (Voltaire). *Gagner bien peu.*

Loc. (Vieilli; v. 1615 *in* D. D. L.). *Si peu que rien :* pour ainsi dire rien. — *Ce serait trop peu dire* (→ Lacune, cit. 5; lucide, cit. 3). *Ce n'est pas peu dire :* c'est dire beaucoup, sans commettre nulle exagération. — *Se contenter de peu* (→ Mieux, cit. 36). *Il est content de peu* (→ Épicurien, cit. 1). *Vivre de peu. Avoir tant fait avec si peu* (→ Institution, cit. 4). *Dans l'extrême misère* (cit. 10), *on se trouve riche de peu. Il est de peu mon aîné. Éviter de peu.* ⇒ **Justesse** (de).

Si vous faites cela, vous ne ferez pas peu. MOLIÈRE, le Misanthrope, I, 1. 1

Moi, pour vouloir si peu je ne suis pas si fou! HUGO, Hernani, I, 4. 2

— Qui a écrit cela? — C'est moi, madame. — Tu as peu et bien dit, c'est un talent rare. A. DE MUSSET, Barberine, III, 11. 2

La philosophie de M. Bergson est presque aussi mal comprise par ses adversaires que par ses partisans. Et ce n'est pas peu dire. Ch. PÉGUY, Note conjointe, Sur Bergson, p. 11. 2

Loc. *À peu près.* ⇒ **Près.**
Très peu. Fam. *Très peu pour moi :* formule de refus.

Ah! non! Solange... Très peu pour moi... Tirez-moi de cette histoire... A. MAUROIS, le Cercle de famille, II, XIII. 2

Il faut matériellement (cit. 3) *peu pour accomplir de grandes choses dans l'ordre moral. Peu s'en faut..., il s'en faut de peu...* ⇒ **Falloir** (cit. 7 à 11), et → Autant* vaut.

PEU, en fonction d'attribut. Vx. *Être peu :* être une petite chose, sans importance, qui ne compte guère. *«Tout votre sang est peu pour un bonheur si doux»* (Corneille, *Polyeucte,* IV, 3). *«Suis-je trop peu pour vous?»* (→ Offrir, cit. 11, Corneille). — (Vieilli). *Homme de peu,* de basse condition. *Choses de peu :* petites choses (→ Commander, cit. 38, Corneille). — Mod. *C'est peu :* ce n'est pas grand-chose, cela ne suffit pas. *On a deux jours pour se retourner, c'est peu. Ce sera trop peu* (→ Ingrat, cit. 7). *C'est peu de...,* suivi de l'inf. (→ Faucher, cit. 6; imagination, cit. 28). *«C'est trop peu d'être *blanc, le lys était candide»* (→ Lis, cit. 5). *C'est peu que...*, suivi du subj. (→ Fourmiller, cit. 5). *Il serait peu que...* (→ Esprit, cit. 45). — (Vx). *C'est peu (que) de..., du...*, suivi d'un subst. : il ne suffit pas de, on ne se contente pas de.

24 C'est peu de violer l'amitié, la nature,
C'est peu que de vouloir, sous un couteau mortel,
Me montrer votre cœur fumant sur un autel (...) RACINE, Iphigénie, III, 6.

25 Tout l'univers, c'est peu. HUGO, la Légende des siècles, XIII.

Loc. adv. **PEU À PEU** : en progressant par petites quantités, par petites étapes. ⇒ **Doucement, graduellement, insensiblement, jour** (de jour en), **lentement, mesure** (à), **petit** (à petit), **progressivement** (→ Absorber, cit. 3 et 5; accoutumer, cit. 13; cellule, cit. 9; croître, cit. 9; disjoindre, cit. 1; fanfaronnade, cit. 2). — REM. L'inversion du sujet est possible après *peu à peu.*

26 Peu à peu, avec une lenteur désespérante, le jour s'échappe du ciel.
H. BARBUSSE, le Feu, II, XX.

27 C'est ainsi que peu à peu me vint le désir de lui conter l'histoire d'Antonia.
J. ROMAINS, les Hommes de bonne volonté, t. XVIII, XVI, p. 218.

b (Suivi d'un compl.). *Avoir peu de temps* (→ Examen, cit. 17). *En peu de temps* (→ Flétrir, cit. 18). *Peu de temps après* (→ Navire, cit. 11). *«Que peu de temps suffit pour changer toutes choses!»* (→ Métamorphose, cit. 9, Hugo). *Peu ou point de mouvement, d'action...* (→ Halte, cit. 6; 2. palais, cit. 3). *Cela a peu, très peu, bien peu d'importance. J'y attache si peu d'importance* (→ Brouiller, cit. 20). *Avoir peu d'argent, de fortune. Il a peu de patience. Homme de peu de foi*.*

28 Las! voyez comme en peu d'espace,
Mignonne, elle a dessus la place,
Las! las! ses beautés laissé choir! RONSARD, Odes, I, XVII.

29 Voilà une belle merveille que de faire bonne chère avec bien de l'argent : c'est une chose la plus aisée du monde (...) mais pour agir en habile homme, il faut parler de faire bonne chère avec peu d'argent. MOLIÈRE, l'Avare, III, 1.

30 — Votre cœur est pris? — Oui, madame, depuis peu de temps, mais pour toute ma vie. A. DE MUSSET, Barberine, III, 5.

31 (...) peu de sang versé, peu d'honneur conquis, de la honte pour quelques-uns, de la gloire pour personne; telle fut cette guerre (...)
HUGO, les Misérables, II, II, III.

PEU DE CHOSE : une petite chose, quelque chose d'insignifiant, de négligeable*. ⇒ **Bagatelle, misère, rien.** *«Peu de chose nous console parce que peu de chose nous afflige»* (cit. 13, Pascal). *C'est peu de chose* (→ Arriver, cit. 28; concorde, cit. 4; noblesse, cit. 9) cf. De la bricole, de la gnognote (fam.) *Le talent sans génie* (cit. 33) *est peu de chose. Posséder est peu de chose* (→ Heureux, cit. 37). *L'homme* (cit. 55) *est bien peu de chose. Ce je* (cit. 1) *ne sais quoi, si peu de chose... Il faut peu de chose pour rendre le sage heureux* (→ Content, cit. 6). *«Qu'il fallait peu de chose à ma rêverie!»* (→ Mousse, cit. 1, Chateaubriand). *Combien peu de chose il faut pour émouvoir...* (cit. 9). *Sa vanité était blessée* (cit. 13) *pour peu de chose. Réduire à peu de chose* (→ Élégance, cit. 11). *Compter pour peu de chose* (→ Habileté, cit. 18). *À peu de chose près** (→ Mobilier, cit. 2). *Avoir peu de chose à dire.* ⇒ **Grand-chose** (pas).

2 (...) il ne put s'empêcher de songer combien c'est peu de chose que nos afflictions, puisqu'elles servent quelquefois à nous faire trouver une joie imprévue dans la plus faible lueur d'espérance. A. DE MUSSET, Nouvelles, «Croisilles», III.

3 C'est un triste jour que celui où l'on découvre que ce quelqu'un qu'on s'était plu à parer de toutes les perfections et à combler de tous les dons n'était que *si peu de chose.* Elle eut des années à méditer sur cette amère découverte.
SAINTE-BEUVE, Causeries du lundi, 24 mars 1852.

4 Le chef-d'œuvre du style, c'est d'exprimer supérieurement l'ordinaire, de faire quelque chose de rien, ou plutôt une grande chose avec peu de chose.
Paul LÉAUTAUD, Propos d'un jour, p. 46.

PEU DE..., suivi d'un plur. *Peu de gens* (→ 1. Agréer, cit. 3; apprécier, cit. 2). ⇒ **Nombre** (un petit), **guère** (cit. 2). *Une femme comme on en voit peu* (→ Dépérir, cit. 3). *Il y a si peu de jours dans la vie* (→ Même, cit. 4). *Il est peu de plus belles pages architecturales* (cit. 1). *«Qu'il est peu de sujets fidèles* (cit. 1) *à leurs maîtres»* (Corneille). *En peu de jours* (→ Déplaire, cit. 3). *Mourir* (cit. 31) *en peu d'heures. Dans peu d'instants* (→ Café, cit. 4; lit, cit. 10). *Il dit beaucoup en peu de mots* (→ Fatras, cit. 8). ⇒ **Bref, brièvement, succinctement.** *Un pamphlet* (cit. 1) *est un écrit de peu de pages. Vivre à peu de frais** (→ Apprêt, cit. 3).

5 Peu de gens savent être vieux. LA ROCHEFOUCAULD, Maximes, 423.

6 Très peu de jours après, le mariage eut lieu. E. FROMENTIN, Dominique, VII.

7 Peu d'amis la regrettèrent, ses façons étant d'une hauteur qui éloignait.
FLAUBERT, Trois contes, «Un cœur simple».

Ellipt. et dans les loc. Peu de temps. *Dans peu* (→ Chanson, cit. 12; faible, cit. 2; jeu, cit. 60), *sous* peu, avant peu.* ⇒ **Bientôt; avenir** (dans un proche), **incessamment.** — *Il y a peu* : récemment. *Depuis** (cit. 9) *peu.* ⇒ **Récemment** (→ Exposer, cit. 4; naître, cit. 25; nymphe, cit. 4). *D'ici** (cit. 24) *peu.* (Employé seul). Un petit nombre des gens ou des choses dont il est question. *Assez* (cit. 54) *de gens méprisent le bien, mais peu savent le donner. Fort peu deviennent incrédules* (cit. 5). → Militaire, cit. 6. — REM. *Peu de* (choses, gens) suivi d'un relatif (qui, que, dont...) entraîne parfois le subjonctif (→ ci-dessous, cit. 40, Fénelon).

8 Ainsi les derniers seront les premiers, et les premiers seront les derniers; car beaucoup sont appelés, mais peu sont élus.
BIBLE (SACY), Évangile selon saint Matthieu, XX, 16.

Je vous aurais tiré d'affaire avant qu'il fût peu. 39
MOLIÈRE, le Malade imaginaire, III, 5.

(...) voilà la véritable gloire. Mais qu'il y a peu de rois qui sachent la chercher et qui ne s'en éloignent point! 40
FÉNELON, Télémaque, XI.

Si une pensée ou un ouvrage n'intéresse que peu de personnes, peu en parleront. 41
VAUVENARGUES, Maximes et réflexions, XI.

Ma santé est rétablie. Avant peu, je retournerai à mon rocher. 42
HUGO, Lettres de l'exil, 28 mai 1861.

Mourir! pour qui? pour moi? Se peut-il que tu meures 43
Pour si peu? HUGO, Hernani, III, 4.

Bien peu suivaient Christophe dans l'audace de ses dernières compositions 44
R. ROLLAND, Jean-Christophe, La nouvelle journée, I, p. 1434.

(...) il en est peu qui aient le bonheur de s'endormir aussitôt la tête sur l'oreiller. 45
J. ROMAINS, les Hommes de bonne volonté, t. III, XVII, p. 224.

Un taxi de Kratié avait percuté la rizière, il y a peu. 45.1
Claude COURCHAY, La vie finira bien par commencer, p. 216.

★ **II.** En fonction adverbiale. ♦ **1.** (V. 1050). Avec un verbe. En petite quantité, dans une faible mesure seulement. ⇒ **Beaucoup** (ne... pas), **guère** (ne), **médiocrement, modérément, peine** (à). *Aimer peu la comédie* (→ Bouffonnerie, cit. 1), *les enfants* (→ Marâtre, cit. 2). *Cela compte peu* (→ Homme cit. 14). *Estimer, goûter peu...* (→ Illusion, cit. 13; Imprégner, cit. 8). *La lampe éclaire peu.* ⇒ **Faiblement, mal.** — Loc. *Peu importe*; il importe peu. Peu me chaut* (→ Chaloir, cit. 3). — *Travailler très peu, bien peu, assez peu* (→ Laborieusement, cit.). *Crains-tu si peu le blâme?* (cit. 1). *Une femme à laquelle je tiens si peu* (→ Négliger, cit. 7). *Nous sortons peu le soir.* ⇒ **Rarement.** *Leur beauté dure peu* (→ 1. Espalier, cit. 4). ⇒ **Longtemps** (ne... pas). *Coûter* peu.* ⇒ **Marché** (bon). — Loc. *Peu ou prou, ni peu ni prou.* ⇒ **Prou.**

L'esprit a besoin d'être occupé, et c'est une raison de parler beaucoup que de penser peu. VAUVENARGUES, Maximes et réflexions, 464. 46

Le doute a désolé la terre : 47
Nous en voyons trop ou trop peu.
A. DE MUSSET, Poésies nouvelles, «L'espoir en Dieu».

— Parlons peu, mais parlons bien, lui dit-il. Tu es une vieille crapule. 48
FRANCE, l'Île des pingouins, VI, I.

Il faut me connaître bien peu pour accepter comme mienne une phrase aussi dégonflée. GIDE, Journal, 8 févr. 1933. 49

(Avec un adj.). Pas très. *Peu utile.* ⇒ **Autrement** (pas). *Rapport peu sincère* (→ Imputer, cit. 19). *Fort peu recommandable* (→ Aujourd'hui, cit. 10). *Si peu humain* (→ Cadavre, cit. 4). *Peu nombreux. Assez peu scrupuleux* (→ Inconséquence, cit. 10). *Aussi peu capable...* (cit. 9). *Il n'était pas peu fier* : il était très fier (→ 2. Officier, cit. 6; infatuer, cit. 7). — REM. Dauzat (*Gramm. raisonnée*, p. 334) note que *peu* ne s'emploie pas devant un adjectif monosyllabique : on remplace *peu grand, peu fort* par *pas très grand, pas très fort.*

On dit que peu sensible aux charmes d'Hermione, 50
Mon rival porte ailleurs son cœur et sa couronne (...) RACINE, Andromaque, I, 1.

(...) il était trop peu délicat sur le choix des moyens en les trouvant tous bons (...) 51
BALZAC, César Birotteau, Pl., t. V, p. 359.

(Avec un adv.). *Peu souvent* (→ Lyrique, cit. 1). *Peu profondément. Nous pénétrons si peu avant dans le for* (cit. 4) *intérieur d'autrui. Blessé peu gravement. Peu après* (→ Fistule, cit.). *Peu avant d'y arriver* (→ Iode, cit.). *Peu loin de la ville* (→ Fonder, cit. 5).

(1549). **SI PEU QUE** (suivi du subj.). *Si peu intuitive* (cit. 4) *qu'elle fût* : quoiqu'elle fût bien peu intuitive. *Si peu que ce soit* : en quelque petite quantité que ce soit, en si faible mesure que ce soit. *Quelque chose qui nous ressemble, si peu que ce soit* (→ Mouvement, cit. 19). *Si peu que ce fût.* → Destinée, cit. 20.

TANT SOIT PEU : si peu que ce soit. *Je ne peux me rapprocher tant soit peu de l'infini* (cit. 19). — Subst. *(Un) tant soit peu de... Si vous avez tant soit peu de cervelle* (cit. 1, Molière) : si vous avez de la cervelle, même très peu. — REM. *Pour si peu que* (ce fût), dans cet emploi, est pléonastique et incorrect.

(...) si je vous disais que je suis tant soit peu scandalisé de la vie que vous menez? 52
MOLIÈRE, Dom Juan, I, 2.

Tu me parais un tant soit peu misanthrope et enclin à la mélancolie. 53
A. DE MUSSET, Fantasio, I, 2.

Si peu que j'aie causé avec lui, il a trouvé le temps de me dire (...) 54
GIDE, les Faux-monnayeurs, III, IV.

(...) pour ne rien faire qui pût sembler tant soit peu insolite au voisinage (...) 55
J. ROMAINS, les Hommes de bonne volonté, t. I, XIX, p. 211.

Loc conj. **POUR PEU QUE...** (avec le subj.) : si peu que ce soit, pourvu que, dès l'instant où... *Pour peu qu'on réfléchisse, on comprendra que... Pour peu que l'on considère* (→ Locution, cit. 2), *qu'on soit un lettré* (→ Musarder, cit. 2). *Pour peu qu'on s'attache aux idées et non aux formes* (→ Démarcation, cit. 4). *«La chose serait aisée, pour peu qu'on voulût trahir le bon sens»* (→ Naturel, cit. 29, Racine).

Pour peu qu'on encourage une amante passionnée, elle est intrépide. 56
VOLTAIRE, l'Ingénu, XV.

Pour peu que, si peu que relèvent (...) de la phrase concessive et sont sensiblement synonymes; la valeur d'indétermination et de potentialité explique le subjonctif qui les suit nécessairement : *«Pour peu qu'on ait pratiqué* les savants, on s'aperçoit qu'ils sont les moins curieux des hommes» (FRANCE, Jard. d'Épic., p. 97). 57
G. et R. LE BIDOIS, Syntaxe du franç. moderne, § 1694.

— Pour peu que je l'en eusse priée, Miss Ashburton serait venue volontiers. 58
GIDE, la Porte étroite, II.

♦ **2.** (Précédé de *un*). UN PEU : dans une mesure faible mais non négligeable. — REM. *Un peu* à une valeur positive, exprimant une quantité petite, mais appréciable; *peu* exprime une quantité petite et pour ainsi dire négligeable par rapport à une quantité à laquelle on se réfère tacitement *(il a peu travaillé — il a un peu travaillé).*

[a] (Emploi normal). *Il a un peu l'air* (cit. 30) *de...* ⇒ **Vaguement.** *Il est un peu de mes amis* (cit. 14). *Elle zézayait un peu, très peu* (→ 2. Charme, cit. 16). *Mon examen commence à m'inquiéter un peu, mais pas plus qu'un peu* (→ Fouler, cit. 13). *On dansa un peu* (→ Gai, cit. 5). *S'intéresser un peu à quelqu'un* (→ Gorge, cit. 28). *Ne... pas qu'un peu :* beaucoup (→ Fouetter, cit. 18). *« Et je lui crois, pour moi, le timbre un peu fêlé »* (→ Après, cit. 19 Molière). *Je le trouve un peu faible* (→ 3. Droit, cit. 70). *Il est un peu artiste* (→ Afficher, cit. 3). — Littér. (même sens). QUELQUE PEU. *Il nageait quelque peu* (→ Aide, cit. 2). *Si l'on monte quelque peu* (→ Brise, cit. 3). *Attendez quelque peu* (→ 1. Lever, cit. 39). *Quelque peu pris au dépourvu* (→ Épate, cit. 1). *Quelque peu ridicule* (→ 1. Marque, cit. 2). *Panurge était quelque peu paillard* (cit. 1).

59 Il se sentait quelque peu étourdi, comme un homme qui descend d'un vaisseau (...)
FLAUBERT, l'Éducation sentimentale, II, I.

60 Elle pense à nous, lorsque le régiment est aux tranchées. Et quand le canon tonne dur, elle compte candidement chaque coup (...) « Un peu... Beaucoup... Passionnément... » comme si elle effeuillait la marguerite.
R. DORGELÈS, les Croix de bois, VI.

61 Je relis avec ravissement ce chef-d'œuvre *(Iphigénie)*, pourtant un peu artificiel, un peu construit, un peu extérieur à Racine comme à moi-même, un peu *œuvre d'art.*
GIDE, Journal, 18 févr. 1934.

Un peu au-dessous de la moyenne (cit. 1). *Un peu partout. Un peu plus, un peu plus de...* (→ Appétit, cit. 8; bouleverser, cit. 4; imprégner, cit. 11), *un peu moins...* (→ Lors, cit. 1). *Un peu plus ou un peu moins de bile* (→ Distinguer, cit. 1). *Un peu mieux* (→ Huile, cit. 34). ⇒ **Légèrement.** *Il faut voir un petit peu plus loin que le bout de son nez* (cit. 26). *Il va un tout petit peu mieux. Un peu trop...* (→ Appuyer, cit. 23 et 26; cabinet, cit. 3; lèvre, cit. 4). *« Il faut être un peu trop bon* (cit. 72) *pour l'être assez »* (Marivaux). — Spécialt. *Un peu plus* (formant une proposition ellipt.). ⇒ **Plus.**

[b] (Emplois stylistiques). Pour atténuer un ordre ou souligner une remarque. *« Écoute, bûcheron, arrête* (cit. 21) *un peu le bras »* (Ronsard). Fam. *Je me demande* un peu lequel* (cit. 21) *de nous deux... Je vous demande* un peu!* (→ Note, cit. 30). *Voyez un peu le grand malheur!* (cit. 17). *Pense un peu à toutes les combinaisons* (→ Marquer, cit. 22). *Descends un peu, que je te parle. Nous verrons un peu si...* (→ Nouvelle, cit. 16). *Aie un peu l'œil* (cit. 30) *à tout cela. Va voir un peu ce qu'elle a fait* (→ Aller, cit. 108).

62 — Votre médecin, ma foi! qui me voulait tâter le pouls. — Voyez un peu, à l'âge de quatre-vingt-dix ans!
MOLIÈRE, le Malade imaginaire, III, 11.

63 (...) apportez une chaise que je descende un peu de cette mule-ci sans me casser le cou (...)
A. DE MUSSET, On ne badine pas avec l'amour, I, 1.

64 — Lâche! feignant! sors donc un peu, que je te démolisse!
ZOLA, la Terre, II, VI.

(Poli ou iron.). Bien, trop. *C'est un peu court, un peu jeune*! C'est un peu simpliste* (→ Dérober, cit. 9). *C'est un peu fort* (cit. 25) *de café, un peu fort! C'est un peu tard! Un peu longuet* (cit. 1 et 2). *Couleurs un peu violentes pour le bleu de la robe* (→ Lophophore, cit. 1). *C'est un peu tiré par les cheveux. Il charrie un peu, le gars!* — (Dans le même sens). *Un peu bien* (→ Mince, cit. 12). — (1578; H. Estienne, *in* D. D. L.). *Un peu beaucoup. Il se moque un peu beaucoup de nous* (Académie).

65 Mais, mon oncle, il me semble que vous vous jouez un peu beaucoup de mon père.
MOLIÈRE, le Malade imaginaire, III, 14.

66 (...) il est peut-être un peu bien familier d'appeler Isabelle tout court la fille légitime d'un prince (...)
Th. GAUTIER, le Capitaine Fracasse, XXI.

67 — Ah! non! c'est un peu court, jeune homme!
On pouvait dire (...) Oh! Dieu (...) bien des choses en sommes (...)
Edmond ROSTAND, Cyrano de Bergerac, I, 4.

(Pour accentuer une affirmation). Beaucoup, certainement. *Tu ferais ça! — Un peu!* (cf. Et comment, je veux!). Pop. *Un peu, mon neveu!* (phrase forgée pour l'assonance; cf. Tu parles, Charles!).

68 Il était un peu père, lui.
BALZAC, Eugénie Grandet, Pl., t. III, p. 551.

68.1 Est-ce que ça vous regarde? répond le garçon avec calme.
— Un peu, mon nveu.
R. QUENEAU, le Dimanche de la vie, p. 106.

Loc. *Être un peu là** (cit. 12).

Pop. *Un peu que...* (soulignant une affirmation).

69 — On vous a oubliés, pauvres vieux! — Un peu! s'écrie Fouillade, qu'on nous a oubliés! Quatre jours et quatre nuits dans un trou d'obus (...)
H. BARBUSSE, le Feu, I, IV.

70 — C'est bien toi qui es Lapointe? — Un peu que c'est moi qui est *(sic)* Lapointe.
G. DUHAMEL, Lapointe et Ropiteau, I.

[c] En franç. d'Afrique (oral). *Un peu :* pas très. *« C'est un peu loin, on sera vite arrivé ».*

CONTR. Beaucoup, fort, foule, nombreux, quantité. — Abondamment, amplement, bien, complètement, drôlement, excessivement, extrêmement, extraordinairement, foison (à), force, fortement, grandement, gros, hautement, longtemps (peu de temps), **très.**

PEUCÉDAN [pøsedɑ̃] ou **PEUCEDANUM** [pøsedanɔm] n. m. — 1795, *peucédan; peucedanum*, 1562; *peucedane*, 1549; *phecédan*, 1213; lat. *peucedanum;* grec *peukedanon*, rac. *peukê* « pin, résine ».

♦ Plante dicotylédone, herbacée, vivace *(Ombellifèracées)*, qui pousse dans les prés et appelée aussi *persil des montagnes, persil de cerf, fenouil de porc. Peucédan officinal, peucédan palustre, utilisés autrefois comme diurétiques.*

PEUCHÈRE [pøʃɛʀ] interj. — 1880, *pechère.*

♦ Forme francisée de *pécaïre**. Var. : *pechère* [pəʃɛʀ]. → Languir, cit. 26.

PEUH [pø] interj. — Attesté 1831; onomatopée.

♦ Interjection exprimant le mépris, le dédain, ou l'indifférence.

Tristan l'Hermite s'avança et, désignant Gringoire du doigt : — Sire, peut-on pendre aussi celui-là? ... — Peuh! répondit négligemment le roi. Je n'y vois pas d'inconvénients. 1
HUGO, Notre-Dame de Paris, II, X, V.

(...) Mariolle fit un : « Peuh! je n'y tiens guère » où le dédain voulu se mêlait au consentement acquis déjà. 2
MAUPASSANT, Notre cœur, I, I.

HOM. Peu; formes du v. **pouvoir.**

PEUL [pøl] adj. et n. — 1872; *Foules*, XVIIIe, désignant le même peuple; mot africain, sing. *Pullo*, plur. *Ful'be.*

♦ Adj. Relatif à un peuple d'Afrique occidentale, à traits fins, nez droit ou courbé, à peau cuivrée ou noire.

(...) souplesse de la hanche, feu du regard : les femmes peules. 1
Abdoulaye SADJI, Maïmouna, *in* Pages africaines, II, p. 22.

N. Personne de ce peuple. *Un Peul, une Peule. Les Peuls sont des pasteurs.* (Syn. : *Foulbé*).

(...) les immenses troupeaux de ces Peuls qui ne mangent presque jamais de viande, tant il est vrai que l'abondance dégoûte (...) 2
Birago DIOP, Nouveaux contes d'Amadou Koumba, *in* Pages africaines, II, p. 24.

N. m. *Le peul :* la langue du groupe sénégalo-guinéen parlée par les Peuls. *Le peul a le statut de langue nationale en Guinée, au Niger et au Mali; il est parlé aussi au Sénégal, en Mauritanie, en Haute-Volta, au Dahomey, au Togo, au Nigeria, au Cameroun, au Tchad, en Centrafrique et au Soudan.*

REM. Les graphies *peuhl, peulh* sont critiquées par certains spécialistes (Pierre Alexandre, notamment).

Le peul est fondamentalement une langue de pasteurs de bovins qui se sont dispersés au cours des siècles de la vallée du Sénégal à celle du Nil (...) Le nombre des sujets parlant peul peut être estimé à six ou sept millions (...) L'islamisation et la familiarité qu'elle entraîne avec l'arabe n'a pas été sans influence sur le lexique peul. 3
Le nom de *fulfulde* est celui que la majorité des groupes peuls donnent à leur langue. En Guinée se rencontre aussi le terme *fulde*, tandis que les Peuls et les Toucouleurs du Sénégal le nomment *pulaar*. L'origine même du vocable français « peul », longtemps orthographié on ne sait pourquoi *peulh*, provient du Wolof *pøl*. « un Peul ». En anglais, c'est un emprunt au haoussa, *fulani*, qui est traditionnellement employé à la fois pour la langue et ses locuteurs. Enfin, certains linguistes la dénomment *ful* ou *fula* (...)
Pierre-Francis LACROIX, le Peul, *in* les Langues dans le monde, p. 19.

PEULVEN [pølvɛn] n. m. — 1833, cit.; mot breton, pour peulmen, de *peul* « pilier », et *mean* « pierre ». → Menhir.

♦ Rare. Menhir* (cit. 1).

Peulven indique les pierres debout de médiocre grandeur. On sait qu'on appelait pierre fiche ou fichée (en celtique menhir, pierre longue, peulven, pilier de pierre) ces pierres brutes qu'on trouve simplement plantées dans la terre.
MICHELET, Hist. de France, t. I, IV, note (1833).

(...) un bloc de granit isolé s'appelle un peulven.
STENDHAL, Mémoires d'un touriste, t. I, p. 12.

Var. régionale : *peulvan.*

Une minute plus tard, le maître brandit devant nous l'image d'un menhir. Louis le lorgne du coin de l'œil et soudain s'exclame, soulagé :
— Ah oui, monsieur. C'est un peulvan.
Voilà le maître interloqué. Son tort est de rabrouer le fauteur de trouble, le récidiviste. L'autre mettra du temps à lui pardonner un faux pas. Le vrai nom breton du monument préhistorique en question est bien peulvan (pieu de pierre ou pierre fitte) et non menhir (pierre longue), terme inusité au moment où parle le petit Louis. Il y a une ferme, sur la route de Plozévet, qui s'appelle Peulvan.
P.-J. HÉLIAS, le Cheval d'orgueil, p. 209.

PEU OU PROU [pøupʀu] loc. adv. ⇒ **Prou.**

PEUPLADE [pøplad; pœplad] n. f. — 1564; de *peupler*, d'après l'esp. *poblado.*

♦ **1.** Vx. Groupe de personnes allant peupler un territoire ou s'y installant.

(1636). Vx. Action de peupler. ⇒ **Peuplement** (cf. Voltaire, Rousseau, *in* Littré).

♦ **2.** (1613). Mod. Groupement humain de faible ou de moyenne importance, dans une société primitive. ⇒ **Horde, tribu** (→ Esprit, cit. 37; forestier, cit. 2). *Peuplades errantes* (2. Errant, cit. 5), *nomades. Peuplades des steppes* (→ Langage, cit. 34). *Peuplades sauvages anthropophages* (→ Distributeur, cit. 2).

Ces peuplades *(les Samnites)*, habitant des lieux fortifiés par la nature, n'avaient guère de villes, et les méprisaient.
MICHELET, Extraits historiques, Hist. romaine, p. 27.

♦ **3.** Fig. Groupe, rassemblement. *Une immense peuplade de poissons* (→ Banc, cit. 9). *Des peuplades de grandes jonques* (→ Nef, cit. 2).

2 Le mistral et le vent d'ouest s'y déchaînent en liberté, au milieu de peuplades d'amandiers frêles et chétifs, tordus en des formes plaintives (...)
Ch. MAURRAS, Anthinéa, VI, p. 206.

1. PEUPLE [pœpl] n. m. — V. 1430; *poblo*, 842, *Serments de Strasbourg; pueble, pueple, pople,* XIe; lat. *populus.*

★ **I.** ♦ **1.** Ensemble d'humains vivant en société, habitant un territoire défini (⇒ **Habitant**) ayant en commun un certain nombre de coutumes, d'institutions, et parfois, une communauté d'origine. ⇒ **Association,** 1. **gent** (vx), **nation, pays** (*supra* cit. 7), **population, société.** — REM. La notion de *peuple* est très vague et peut correspondre à une ethnie, à une communauté politique (Nation, État; → ci-dessous, II.), à une communauté linguistique, culturelle, religieuse, etc. (→ Communauté, cit. 1). *Il voulait ne faire qu'un peuple du genre humain* (→ Empire, cit. 15). *Relatif à un peuple.* ⇒ **Public.** *Dénomination d'un peuple.* ⇒ **Ethnique.** *Étude des différents peuples.* ⇒ **Ethnographie, folklore, sociologie...** « *La loi gouverne* (cit. 34) *tous les peuples de la terre* ». — *Peuple et nation* (cit. 2), *peuple et patrie...* (cit. 8). *L'œuvre non d'un homme, mais d'un peuple* (→ Anonyme, cit. 2). — *Les différents peuples d'un empire, d'un État fédéral. La nation française est une agglomération* (cit. 3) *de peuples.* — *Peuple divers* (cit. 5), *hétérogène* (cit. 2), *composé d'éléments variés* (→ Individualité, cit. 11)... *Classes, groupements... qui forment un peuple.* — *Les institutions* (cit. 15) *des peuples. Peuple opprimé* (cit. 4), *en esclavage. Peuples libres* (→ 3. Droit, cit. 8). *Libertés des peuples* (→ Pacifique, cit. 4). *Le droit des peuples à disposer d'eux-mêmes.* — *Degré d'évolution, de civilisation d'un peuple. État social* (→ Exemple, cit. 33), *coutumes, mœurs, morale* (cit. 13) *d'un peuple* (→ Capitale, cit. 1; mœurs, cit. 7). *Peuple sauvage, barbare* (cit. 8); *arriéré*, primitif. Peuple avancé*, civilisé, évolué** (cit. 4). — *Religions d'un peuple. Les mythologies* (cit. 1) *des différents peuples. Il y eut autant de dieux* (cit. 11) *que de peuples.* — *La langue* (cit. 28 et 38), *le langage d'un peuple. La littérature, l'art d'un peuple.* « *L'histoire* (cit. 24)... *enivre les peuples* » (Valéry). — *Peuple qui habite une contrée* (→ Empreinte, cit. 8), *un pays, une terre* (→ Fondre, cit. 32). *Peuples d'Asie, d'Europe, d'Orient..., du Nord, du Midi* (cit. 13). — *Peuples marins* (→ Mer, cit. 3), *montagnards. Peuple autochtone, indigène.* — *Peuples de race blanche, noire, jaune... Le peuple français* (→ Géographique, cit. 2). *Le peuple américain* (→ Futur, cit. 4), *canadien* (cit. 1), *espagnol* (cit. 2), *grec* (cit. 1), *hellène* (cit. 3)... — *Histoire d'un peuple. Le présent et l'avenir* (cit. 27) *des peuples. Peuple jeune, vieux* (→ Futur, cit. 4). *Peuple neuf* (cit. 17). *Peuple en décadence* (→ Meilleur, cit. 16). — *Relations entre les peuples. Guerre entre les peuples; peuples en conflit* (→ Asphyxiant, cit. 2). *Rome avait anéanti* (cit. 8) *tous les peuples. Peuple vaincu* (→ Exploiter, cit. 9), *exterminé* (cit. 5). *Faire la paix* (cit. 21) *avec un peuple. La volonté pacifique des peuples* (→ Dessein, cit. 4).

J'ose dire, Seigneur, que par tous les climats
Ne sont pas bien reçus toutes sortes d'États;
Chaque peuple a le sien conforme à sa nature,
Les Macédoniens aiment le monarchique,
Et le reste des Grecs la liberté publique;
Les Parthes, les Persans veulent des souverains
Et le seul consulat est bon pour les Romains.
CORNEILLE, Cinna, II, 1.

(...) un homme passe, mais un peuple se renouvelle.
A. DE VIGNY, Cinq-Mars, XXVII.

À Paris, capitale des peuples. HUGO, l'Année terrible, Dédicace.

Les hommes sentent dans leur cœur qu'ils sont un même peuple lorsqu'ils ont une communauté d'idées, d'intérêts, d'affections, de souvenirs et d'espérances.
FUSTEL DE COULANGES, Questions contemporaines, p. 96.

(C'est Dieu qui parle) :
Peuple secrètement aimé c'est toi qui as le mieux réussi.
Peuple jardinier toujours une eau saine arrosera tes terres.
Peuple; peuple qui ne recule devant aucunes pestilences.
Ô mon peuple français, ô mon peuple lorrain (...)
(...) Peuple laboureur et cultivateur.
Peuple qui laboures le plus profondément
Les terres et les âmes (...)
(...) Peuple qui suis le mieux, qui a le mieux pris les leçons de mon fils.
Ch. PÉGUY, le Porche du mystère..., *in* Œ. poétiques, p. 272.

La République et les peuples des territoires d'outre-mer qui (...) adoptent la présente Constitution instituent une Communauté. La Communauté est fondée sur l'égalité et la solidarité des peuples qui la composent. Constitution de 1958, art. 1.

Fig. (Dans le lang. des fables). Ensemble d'animaux d'une même race. *Le peuple aquatique* (cit. 1, La Fontaine). ⇒ **Gent.**

Le peuple de la Bible. Le peuple élu* (→ Armature, cit. 7; mission, cit. 4), *le peuple de Dieu* (→ Dessein, cit. 10; histoire, cit. 1) : le peuple juif.

♦ **2.** Ensemble d'hommes qui, ayant même origine ethnique, même religion..., ont le sentiment d'appartenir à une communauté (bien qu'ils n'habitent pas le même territoire). *La dispersion du peuple juif*. Le peuple chrétien* (cit. 1) : la chrétienté (→ aussi Catholique, cit. 2).

♦ **3.** Vx. Population. *Le peuple d'un bourg, d'un village.*

On peut mesurer un corps politique de deux manières, savoir : par l'étendue du territoire, et par le nombre du peuple (...) ROUSSEAU, Du contrat social, II, X. 7

★ **II.** **LE PEUPLE, UN PEUPLE** : corps de la nation, ensemble des personnes soumises aux mêmes lois. — REM. *Peuple* peut désigner la totalité de la nation*, en tant que sujet de droit, ou la partie de la nation qui est gouvernée, soumise à d'autres éléments (souvent en s'opposant aux gouvernants, ou aux classes dirigeantes). *Peuple* est d'un emploi moins abstrait, moins théorique et plus affectif que *nation* ou *pays* (*supra* cit. 7). *Relatif au peuple.* ⇒ **Populaire.**

Mirabeau préférait la formule : Représentants du *peuple* français. Ce mot, disait-il, était élastique, pouvait dire peu ou beaucoup. C'est précisément le reproche que lui firent deux légistes éminents, Target (de Paris), Thouret (de Rouen). Ils lui demandèrent si *peuple* signifiait *plebs* ou *populus.* L'équivoque était mise à nu. Le Roi, le Clergé, la Noblesse, auraient sans nul doute interprété *peuple* dans le sens de *plebs*, du peuple inférieur, d'une simple *partie* de la nation. 8
MICHELET, Hist. de la Révolution franç., I, III.

Le mot *peuple* (...) avait un sens précis quand on pouvait rassembler *tous* les citoyens d'une cité autour d'un tertre, dans un Champ de Mars. Mais l'accroissement du nombre, le passage de l'ordre des mille à celui des millions, a fait de ce mot un terme monstrueux dont le sens dépend de la phrase où il entre; il désigne tantôt la totalité indistincte et jamais présente nulle part; tantôt le plus grand nombre, opposé au nombre restreint des individus plus fortunés ou plus cultivés (...) 9
VALÉRY, Regards sur le monde actuel, p. 19.

Le peuple personnifié. *La liberté guidant le peuple* (→ Iambe, cit. 4).

Allus. littér. *Le Peuple,* œuvre de Michelet. *Le Livre du Peuple,* de Lamennais. — REM. Le mot *peuple* entre dans le titre de nombreux journaux.

♦ **1.** L'ensemble d'une population, **a** en tant que sujet de droits politiques. *Souveraineté* du peuple* (→ Motion, cit. 1); *le peuple souverain**(→ Intelligent, cit. 2). *Gouvernement du peuple.* ⇒ **Démocratie** (cit. 1, 3, 4, 6, 7 et 8), **démocratique** (cit. 2). *Les droits du peuple* (→ État, cit. 98). *La volonté du peuple.* « *Nous sommes ici par la puissance du peuple...* » (→ Arracher, cit. 40). *La voix du peuple est la voix de Dieu* (cf. Vox populi, vox dei). *Le peuple s'exprime par des élections, par un vote...* (⇒ **Plébiscite**) — *Les peuples et les gouvernements* (cit. 30). « *Ce sont les peuples qui font la force et la faiblesse* (cit. 12) *des régimes* ». — *Révolution qui met le pouvoir aux mains du peuple* (→ aussi Glisser, cit. 12). — *Les députés, les élus, les mandataires* (cit. 4) *du peuple.* Hist. *Le sénat et le peuple romain...* (S. P. Q. R. : abrév. de Senatus populusque romanus). *Les tribuns du peuple* (→ Établir, cit. 7). Spécialt. *Les commissaires du peuple,* ancien titre équivalent à celui de ministre, en Russie soviétique. — *Le peuple et la foule* (cit. 13 et 14). *Le peuple et les masses.*

Le peuple qui a la souveraine puissance doit faire par lui-même tout ce qu'il peut bien faire; et ce qu'il ne peut pas bien faire, il faut qu'il le fasse par ses ministres. 10
MONTESQUIEU, l'Esprit des lois, II, II.

(...) la volonté générale est toujours droite et tend toujours à l'utilité publique : mais il ne s'ensuit pas que les délibérations du peuple aient toujours la même rectitude. On veut toujours son bien, mais on ne le voit pas toujours : jamais on ne corrompt le peuple, mais souvent on le trompe (...) 11
ROUSSEAU, Du contrat social, II, III.

Il y a deux vérités qu'il ne faut jamais séparer, en ce monde : 1° que la souveraineté réside dans le peuple; 2° que le peuple ne doit jamais l'exercer. 12
RIVAROL, Politique, I, Notes et petits articles.

La convocation des États généraux de 1789 est l'ère véritable de la naissance du peuple. Elle appela le peuple entier à l'exercice de ses droits. Il put du moins écrire ses plaintes, ses vœux, élire les électeurs. 13
MICHELET, Hist. de la Révolution franç., I, I.

— Les peuples, c'est rien et ça devrait être tout, dit en ce moment l'homme qui m'avait interrogé — reprenant sans le savoir une phrase historique vieille de plus d'un siècle, mais en lui donnant enfin son grand sens universel. 14
H. BARBUSSE, le Feu, I, XXIV.

Développer entre les nations des relations amicales fondées sur le respect du principe de l'égalité de droits des peuples et de leur droit à disposer d'eux-mêmes (...) 15
Charte des Nations Unies, art. 1, 2°.

Son principe *(de la République française)* est : gouvernement du peuple, par le peuple et pour le peuple. 16
La souveraineté nationale appartient au peuple qui l'exerce par ses représentants et par la voie du référendum.
Aucune section du peuple ni aucun individu ne peut s'en attribuer l'exercice.
Constitution de 1958, art. 2 et 3.

b En tant que soumis au pouvoir politique. *Le peuple et ses maîtres* (cit. 19). *Le peuple et les princes, les rois...* (→ Convertir, cit. 4; fonder, cit. 11; garder, cit. 48; liberté, cit. 22; 1. mine, cit. 13). *Nommer* (cit. 3) *un roi père du peuple.* — *Guider* (cit. 7), *conduire le peuple. Conducteur* de peuple. Instruire, améliorer* (cit. 1) *le peuple. Soulager le peuple* (→ Gorge, cit. 29). *Gagner la faveur du peuple.* ⇒ **Popularité.** — Allus. hist. *L'Ami du peuple,* journal de Marat. — *Séduire, tromper, endormir le peuple. L'opium* du peuple. Flagorner* (cit. 3), *flatter le peuple.* ⇒ **Démagogie** (→ Flatteur, cit. 6). — *Ameuter* (cit. 1), *fanatiser* (cit. 1), *soulever* (→ Frondeur, cit. 2) *le peuple.* — *Affamer* (cit. 2), *exploiter le peuple. Oppresseur* (cit. 1), *tyran du peuple.* « *Un drapeau* (cit. 2) *traîné dans le sang du peuple».* — *Le peuple en armes. Guerre d'arme et guerre* (cit. 34) *de peuple.* ⇒ **Populaire.**

17 (...) ce sont les peuples qui font les rois, et les rois sont faits pour les peuples, et les peuples ne sont pas faits pour les rois.
F. DE LAMENNAIS, Paroles d'un croyant, XIX.

18 Ce peuple *(anglais)* qu'aucun ne dépasse en puissance et en gloire, s'estime comme nation, non comme peuple. En tant que peuple, il se subordonne volontiers et prend un lord pour une tête. HUGO, les Misérables, II, I, XVI.

19 Le peuple donne son sang et son argent, moyennant quoi on le mène.
HUGO, l'Homme qui rit, II, I, III.

Spécialt (avec le poss.). Les sujets. *Le prince, le roi et son peuple* (→ Amaigrir, cit. 1; berger, cit. 14). *La constitution que Louis XVIII destinait à son peuple* (→ Garantie, cit. 8). *Tout mon peuple* (→ Funérailles, cit. 8).

Par ext. (Vx). *Le peuple d'un évêque,* ses ouailles.

♦ **2.** Le plus grand nombre, opposé aux classes supérieures, dirigeantes (sur le plan social) ou aux éléments les plus favorisés, matériellement ou culturellement, de la société. ⇒ **Foule, masse, multitude;** et, péj., **canaille** (cit. 4), **plèbe, troupeau.** — *Le peuple et les grands* (cit. 49), *et les nobles* (cit. 18), *sous l'Ancien Régime.* ⇒ **Roturier** (→ Âme, cit. 68; arroger, cit. 4; aveugle, cit. 20; noblesse, cit. 21; nu, cit. 5). *Le peuple, la noblesse et le clergé.* ⇒ **Tiers-État.** *Le peuple, opposé à la bourgeoisie.* ⇒ **Prolétariat.** *Le peuple des villes et le peuple des campagnes.* ⇒ **Ouvrier, paysan.** — (1796, Babeuf). *Le peuple ouvrier* (→ Heure, cit. 13). — *Dans le peuple, parmi le peuple...* (→ Famille, cit. 26). — *Être, sortir du peuple* (→ Épanouir, cit. 17). *Fils du peuple* (titre des Mémoires de M. Thorez). *Homme, femme, gens du peuple* (→ Assurer, cit. 23; enivrer, cit. 17; misère, cit. 15).

20 J'entends par peuple, la populace, qui n'a que ses bras pour vivre (...) Il me paraît essentiel qu'il y ait des gueux ignorants.
VOLTAIRE, Correspondance, 2824, 1er avr. 1766.

21 Partout s'étalait, s'ébaudissait le peuple en vacances (...) En ces jours-là il me semble que le peuple oublie tout, la douleur et le travail; il devient pareil aux enfants. BAUDELAIRE, le Spleen de Paris, XIV.

22 Le peuple, volontiers secourable, a conservé beaucoup, parmi ses misères et ses défauts, de ce désintéressement et de cette générosité qui furent les qualités des premiers âges (...) Le peuple, a dit Adam Smith, aime la vertu, tellement que rien ne l'entraîne comme l'austérité.
RAVAISSON, cité par BERGSON, la Pensée et le Mouvant, IX, p. 288.

23 La République flattait le peuple; et puis, elle le faisait sabrer. Le peuple, de son côté, cassait la tête à quelques enfants du peuple, — officiers et soldats.
R. ROLLAND, Jean-Christophe, Foire sur la place, II, p. 752.

24 Il y a une bourgeoisie de gauche et une bourgeoisie de droite. Il n'y a pas de peuple de gauche ou de peuple de droite il n'y a qu'un peuple.
BERNANOS, les Grands Cimetières sous la lune, p. 49.

Le peuple et les lettrés (→ Instruire, cit. 6). *Écrire pour le peuple* (→ Heureux, cit. 23). ⇒ **Public** (grand public). *Mettre à la portée du peuple.* ⇒ **Populariser, vulgariser.** *Qui plaît* (⇒ **Populaire**), *déplaît* (⇒ **Impopulaire**) *au peuple... La façon de penser du peuple* (→ Dialectique, cit. 3). *La langue énergique* (→ Panier, cit. 9), *le langage du peuple* (→ Fortune, cit. 36). *Les gens, dont le peuple dit...* (→ Gaillard, cit. 13).

25 Qui dit le peuple dit plus d'une chose (...) Il y a le peuple qui est opposé aux grands : c'est la populace et la multitude; il y a le peuple qui est opposé aux sages, aux habiles et aux vertueux : ce sont les grands comme les petits.
LA BRUYÈRE, les Caractères, IX, 53.

26 C'est le peuple ignorant qui a formé les langages; les ouvriers ont nommé tous leurs instruments. Les peuplades, à peine rassemblées, ont donné des noms à tous leurs besoins; et, après un très grand nombre de siècles, les hommes de génie se sont servi, comme ils ont pu, des termes établis au hasard par le peuple.
VOLTAIRE, Correspondance, 1886, 24 janv. 1761.

Péj. et vx. Les personnes de goût vulgaire, de faibles connaissances.

27 Elle *(Mme de Lambert)* veut qu'elle aussi *(sa fille),* pour être heureuse, elle apprenne à penser sainement, à penser différemment du peuple sur ce qui s'appelle morale et bonheur de la vie : «J'appelle *peuple,* ajoute-t-elle, tout ce qui pense bassement et communément : *la Cour en est remplie.* »
SAINTE-BEUVE, Causeries du lundi, 9 juin 1851.

Le petit, le menu peuple (→ Ignoble, cit. 1) : les couches les plus humbles, les plus modestes de la société. — Péj. et vx. *Le bas* (cit. 23) *peuple.* ⇒ **Canaille** (cit. 1 et 8), **populace, populo, tourbe, vulgaire** (n.). *Qui imite les manières du bas peuple.* ⇒ **Poissard.**

28 Même dans le bas peuple (qui au point de vue de la grossièreté ressemble si souvent au grand monde), la femme (...) a la curiosité de certaines délicatesses, respecte certaines beautés (...)
PROUST, À la recherche du temps perdu, t. V, p. 23.

La lie (cit. 6, 7) *du peuple.*

Allus. littér. *Ce qu'un vain peuple pense* (→ Crédulité, cit. 2). *«Le peuple n'est pas si vain qu'on dit»* (→ Fonder, cit. 25).

♦ **3.** Adj. invar. Populaire. *Être peuple :* avoir des manières populaires (→ Faire, cit. 79; compagnie, cit. 10). *Manières* (cit. 43) *un peu peuple. Un cadre* (cit. 7) *tout à fait peuple.*

29 Sauviat était un petit homme gras (...) Son front ne manquait pas de noblesse, il ressemblait au front classique prêté par tous les peintres à saint Pierre, le plus rude, le plus peuple et aussi le plus fin des apôtres.
BALZAC, le Curé de village, Pl., t. VIII, p. 540.

30 Ce qu'il y a dans le peuple de plus peuple, je veux dire de plus instinctif, de plus inspiré, ce sont, à coup sûr, les femmes.
MICHELET, Hist. de la Révolution franç., II, VIII.

Tout était peuple en elle, et son esprit naturel donnait une vie surprenante aux longues histoires qu'elle racontait (...) 31
RENAN, Souvenirs d'enfance..., I, Œ. compl., t. II, p. 735.

(...) la tradition exige que l'air fameux «La fleur que tu m'avais jetée» soit «gueulé». Si jamais un ténor essayait de le chanter comme une confidence murmurée, avec de sourds éclats étouffés, on verrait qu'il y a là une romance très «peuple» (...) F. MAURIAC, Bloc-notes 1952-1957, p. 83. 31.1

★ **III.** ♦ **1.** Vieilli. Foule, multitude de personnes assemblées. ⇒ **Assemblage, concours.** *Place encombrée de peuple* (→ Dégorger, cit. 2). *Un peuple considérable envahit la nef* (cit. 5). *Débordement de peuple* (→ Étager, cit. 3). *Tout un peuple se massait* (cit. 2). *Tout le peuple se leva* (→ Honneur, cit. 66). — *Un peuple adorateur* (cit. 2, Racine)...

Mod. fam. *Il y a du peuple,* du monde. ⇒ **Populeux.** *Quel peuple, aujourd'hui.*

♦ **2.** Vx. Le public (→ Applaudir, cit. 4). *«Un peuple d'aristocrates* (cit. 1), *un public tout entier composé de connaisseurs... »*

Il s'endort à un spectacle, et il ne se réveille que longtemps après qu'il est fini et que le peuple s'est retiré. 32
LA BRUYÈRE, les Caractères de Théophraste, «De la stupidité».

♦ **3.** Fig. et fam. *Se moquer, se ficher, se foutre du peuple,* du monde, des gens.

— J'aurais parié vingt sous (...) Est-ce que tu te fous du peuple? Nous t'attendons. 33
ZOLA, la Terre, I, IV.

♦ **4.** Littér. *Un peuple de... :* un grand nombre de... *Un peuple de pêcheurs, de matelots* (→ Dépendre, cit. 13), *d'ouvriers* (→ Opération, cit. 2). *Un peuple de faunes, de satyres, de nymphes* (→ Mythologie, cit. 2). — *Femme suivie d'un peuple d'adorateurs* (→ Éclat, cit. 30).

Fig. *Un peuple d'oiseaux* (cit. 14), *d'hirondelles* (cit. 6). — *Le peuple de statues des cathédrales* (→ Exprimer, cit. 33; grec, cit. 4). — *L'immense peuple des tuiles* (d'un toit). → Bruit, cit. 20.

(...) tout le peuple gothique des sommets d'églises que dominait la flèche aiguë de la cathédrale (...) MAUPASSANT, Bel-Ami, II, I. 34

Paris, ville de pierre, peuple de monuments, peuple de mémoires, peuple d'anciennes actions. Paris, capitale du monde, ville capitale (...) 35
Ch. PÉGUY, Notre patrie, p. 304.

CONTR. Individu.
DÉR. Peupler.

2. PEUPLE [pœpl] n. m. — XVe; lat. *populus.*

♦ Vx. ⇒ **Peuplier.**

DÉR. Peuplier.

PEUPLEMENT [pœpləmɑ̃] n. m. — 1260; de *peupler.*

♦ **1.** Processus démographique par lequel un territoire reçoit ou accroît sa population. *Le peuplement des terres vierges.* — *Peuplement lent, progressif; rapide. Peuplement par immigration, par excédent de la natalité sur la mortalité.* — *Colonie de peuplement,* destinée à recevoir une population d'immigrants. ⇒ **Peuplade; colonie, immigration...** *Colonisation* (cit. 2) *de peuplement.*

♦ **2.** (XVIIIe). Action de peupler d'animaux. *Peuplement d'une garenne, d'une basse-cour; d'un étang.* — *Peuplement d'une forêt.* ⇒ **Arbre, plantation.**

♦ **3.** Ensemble des personnes qui peuplent un territoire (⇒ **Peuple**); caractère de la population. *Géographie du peuplement. Évolution du peuplement.*

(...) parmi les faits que décèle toute la vision de l'écorce terrestre, apparaît certes, et en toute première ligne, ce revêtement inégal que constitue le peuplement humain lui-même. Jean BRUNHES, la Géographie humaine, t. I, p. 87.

Par anal. *Peuplement clair, serré d'une forêt.*

♦ **4.** (1865). Écol. Ensemble des organismes animaux et végétaux vivant dans un même milieu biogéographique. ⇒ **Biocénose, biote, faune, flore.**

CONTR. Dépeuplement.
COMP. Repeuplement, sous-peuplement, surpeuplement.

PEUPLER [pœple; pøple] v. tr. — Fin XIIIe; *puepler,* 1155; de 1. *peuple.*

★ **I.** ♦ **1.** Pourvoir (un pays, une contrée) d'une population (→ Habitant, cit. 10). *Romulus peupla Rome de gens ramassés...* (→ Asile, cit. 2). *Peupler une région, une île déserte en y envoyant une colonie...* — (1508). Par anal. *Peupler un pays de gibier*. Peupler une garenne* (cit. 1). *Peupler un étang.*

(V. 1240). Par ext. *Peupler un bois, une forêt, une vigne,* y mettre du nouveau plant. ⇒ **Planter.**

♦ **2.** (1690). Littér. Emplir, remplir (de personnes, de choses).

Le Salomon des Francs, comme celui des Juifs, peuple ses palais de belles femmes (...) MICHELET, Hist. de France, II, I.

Pendant le mois de décembre, elle *(la peste)* ... peupla les camps d'ombres aux mains vides (...) CAMUS, la Peste, p. 279.

(Abstrait; v. 1770). *Les hommes ont peuplé la forêt* (cit. 4) *de leurs rêves...* (→ aussi Idéal, cit. 1). *La mythologie* (cit. 2) *peuplant l'univers d'élégants fantômes.*

3 Je peuplais les coteaux et les nuages de figures divines dont il me semblait voir distinctement les formes. NERVAL, Aurélia, I, VII.

4 Multitude, solitude : termes égaux et convertibles par le poète actif et fécond. Qui ne sait pas peupler sa solitude, ne sait pas non plus être seul dans une foule affairée. BAUDELAIRE, le Spleen de Paris, XII.

★ **II.** ♦ **1.** (1690). Habiter, occuper, former la population de (une contrée, un pays). *Les hommes qui peuplent la terre* (→ Chacun, cit. 2). *Colonies* (cit. 1) *qui peuplent un pays.* ⇒ **Peuplade.** — (1875, animaux). *Alevins destinés à peupler un étang.*

♦ **2.** (Av. 1842). Habiter, occuper, être en grand nombre dans (un lieu). *Ces jeunes gens, ces gamines* (cit. 10) *qui peuplent les facultés.* ⇒ **Remplir.** *Des écrivains qui mériteraient de peupler Bicêtre* (→ Loustic, cit. 5).

5 Les étudiants qui peuplent cette maison de famille étaient partis en vacances. F. MAURIAC, le Nœud de vipères, II, XVI.

(1841). Abstrait. (Littér.) ⇒ **Hanter** (surtout au passif et au p. p.). *Crypte* (cit. 2) *peuplée d'ombres. Les êtres dont mon imagination est peuplée* (→ Création, cit. 11). *« Tes yeux creux sont peuplés de visions nocturnes »* (→ 1. Muse, cit. 10).

6 (...) pouvait-il encore faire la distinction entre le réel et ces incohérentes visions qui peuplaient son délire ? MARTIN DU GARD, les Thibault, t. IV, p. 149.

▶ **SE PEUPLER.** v. pron.
Se remplir d'habitants.

7 Dans les terribles bouleversements des premiers siècles du moyen âge, cette grande ville ecclésiastique *(Lyon)* ouvrit son sein à une foule de fugitifs, et se peupla de la dépopulation générale, à peu près comme Constantinople concentra peu à peu en elle tout l'empire grec, qui reculait devant les Arabes ou les Turcs. MICHELET, Hist. de France, III.

Figuré :

8 (...) la rade se peuple de navires de plaisance (...) HUGO, l'Archipel de la Manche, VIII.

▶ **PEUPLÉ, ÉE** p. p. adj. (Fin XIIIe; *pueplé*, v. 1188).
Où il y a une population des habitants*. ⇒ **Fréquent** (vx), **habité... ; populeux, surpeuplé.** *Ville, contrée plus ou moins peuplée* (→ Beaucoup, cit. 19; double, cit. 12). *Quartier, faubourg* (cit. 2) *peuplé comme une fourmilière.* ⇒ **Vivant** (→ Extérieur, cit. 1). *« Paris est une solitude peuplée »* (→ Désert, cit. 18). — Rempli. *L'express* (1. Express, cit.) *peuplé comme un village...*

9 Ce pays trop peuplé que fauche la souffrance, BAUDELAIRE, les Épaves, Pièces diverses, XX.

Figuré :

10 (...) je ne comprends plus le mot : *solitude ;* être seul en moi, c'est n'être plus personne ; je suis peuplé. GIDE, les Nourritures terrestres, p. 170.

CONTR. Dépeupler, vider. — Déserter. — (Du p. p.) Désert.
DÉR. Peuplement.
COMP. Dépeupler, repeupler, sous-peuplé, surpeuplé.

PEUPLERAIE [pøpləʀɛ] n. f. — V. 1600 ; de *peuplier.*

♦ Plantation de peupliers, lieu planté de peupliers.

Une peupleraie doit disposer d'espace et de lumière. Les arbres sont de plein vent. J. TAILLEMAGRE, Une peupleraie, *in* le Monde, 18 déc. 1955.

PEUPLIER [pøplije] n. m. — XIVe; *pouplier*, 1165 ; de *peuple* « peuplier » ; du lat. *populus.*

♦ **1.** Arbre élancé, de haute taille, des régions tempérées *(Salicacées)*, à petites feuilles. *Peupliers blancs.* ⇒ **Grisard, tremble, ypréau** *(peuplier de Hollande). Peuplier tremble.* ⇒ **Tremble.** *Peupliers noirs* (pyramidal, d'Italie, de Virginie, *peuplier franc*). ⇒ 2. **Liard.** — Cour. Peuplier blanc à feuilles argentées (*populus alba* ou ypréau). *Le peuplier, arbre d'Hercule. Peupliers qui se dressent* (cit. 24) *comme des doigts en l'air. Les hauts peupliers* (→ Briser, cit. 26 ; friselis, cit. 1). *L'ombre des peupliers* (→ Allonger, cit. 8 ; barrer, cit. 5). *Sous les frais peupliers* (→ Long, cit. 36). *L'écorce argentée* (cit. 5) *des peupliers. Feuillage, branche* (→ Mitron, cit. 2) *de peuplier. Les peupliers jaunissants* (→ Alterner, cit. 3). *Route bordée de peupliers* (→ Goudronner, cit. 3). *Allée de peupliers. Massif* (cit. 11), *plantation de peupliers.* ⇒ **Peupleraie.** — *La leucome, chenille des peupliers. — Onguent de populeum*, fait avec des bourgeons de peuplier.*

Les peupliers de l'île semblaient en ce moment diviser les eaux avec les ombres allongées de leurs têtes déjà jaunies, auxquelles le soleil donnait l'apparence d'un feuillage d'or. BALZAC, le Curé de village, Pl., t. VIII, p. 595.

.1 Les peupliers y agitent sans arrêt leurs feuillages. Le savant qui trouva la méthode pour utiliser la force des marées, vient souvent les écouter, et cherche un moyen de capter toute cette douceur et tout ce bruissement. GIRAUDOUX, Siegfried et le Limousin, p. 119.

Droit, grand, mince, élancé comme un peuplier.

Cette brune jeune fille, à la taille de peuplier (...) BALZAC, le Lys dans la vallée, Pl., t. VIII, p. 957.

♦ **2.** Bois de peuplier. *Le peuplier est un bois blanc. Caisse en peuplier.*

DÉR. Peupleraie.

PEUR [pœʀ] n. f. — 1290 ; *pavor*, Xe; lat. *pavor, oris.*

♦ **1.** Phénomène psychologique à caractère affectif marqué, qui accompagne la prise de conscience justifiée ou non d'un danger*, d'une menace pour la vie ou la sensibilité du sujet, et qui peut prendre la forme soit d'une émotion-choc (⇒ **Affolement, alarme, alerte, effroi, épouvante, frayeur, terreur**), soit d'un sentiment pénible d'insécurité, de désarroi à l'égard d'événements actuels ou prévus (⇒ **Angoisse, appréhension, crainte, inquiétude ;** fam. **frousse, pétoche, trouille,** et ci-dessous : *avoir peur*). — *Manifestations de la peur :* troubles de l'appareil moteur (cataplexie, paralysie plus ou moins accentuée ou, au contraire, fuite éperdue et agitation désordonnée, tremblement convulsif, difficulté ou impossibilité de parler...), gêne respiratoire, bouche sèche, constriction spasmodique des vaisseaux, accélération du pouls (⇒ **Angoisse**) ; choc au cœur, sueur* froide, pâleur... ⇒ **Affres.** *Frisson de peur. Avoir les traits altérés, bouleversés par la peur. La peur le rendait vert* (→ Foireux, cit. 2). *La peur m'empêche de parler* (→ Ouf, cit. 1). *Être cloué au sol, glacé* (cit. 28, Racine), *paralysé par la peur. La peur donne des jambes* (→ Ingambe, cit. 1). *Fuir sous l'empire de la peur. — Une belle peur, une peur bleue. Peur panique. La peur grossit les dangers. Éprouver, ressentir de la peur. Suer* la peur.* ⇒ **Suée** (pop.). *La peur s'est emparée de lui. En proie à la peur.* ⇒ **Apeuré.** *Dominer, maîtriser sa peur. Être maître de sa peur* (→ Courage, cit. 6). *Dissimuler sa peur.* ⇒ **Crâner** (→ Gascon, cit. 4). *Inaccessible à la peur.* ⇒ **Impavide.** *Inspirer de la peur. « Quand le mal est certain* (cit. 1), *la plainte ni la peur ne changent le destin »* (La Fontaine).

Disposition à ressentir cette émotion, ce sentiment de façon constante, intense ou même dans des circonstances qui objectivement ne les justifient pas. ⇒ **Couardise.** *La peur est souvent liée chez les enfants à l'émotivité et à l'imagination. Il échappait* (cit. 26) *à la peur par manque d'imagination.* — Prov. *La peur n'est bonne à rien, la peur ne guérit de rien. — On ne saurait guérir de la peur. Il n'y a pas de médecin de la peur. — La Peur,* nouvelle de Maupassant.

Et au même siège fut mémorable la peur qui serra, saisit et glaça si fort le cœur d'un gentilhomme, qu'il en tomba raide mort par terre à la brèche, sans aucune blessure. 1
Pareille peur saisit parfois toute une multitude. En l'une des rencontres de Germanicus contre les Allemands, deux grosses troupes prirent d'effroi deux routes opposites ; l'une fuyait d'où l'autre partait.
Tantôt elle nous donne des ailes aux talons, comme aux deux premiers ; tantôt elle nous cloue les pieds et les entrave, comme on lit de l'Empereur Théophile, lequel, en une bataille qu'il perdit contre les Agarenes, devint si étonné et si transi, qu'il ne pouvait prendre parti de s'enfuir (...) MONTAIGNE, Essais, I, XVIII.

(...) la peur ou l'épouvante, qui est contraire à la hardiesse, n'est pas seulement une froideur, mais aussi un trouble et un étonnement de l'âme qui lui ôte le pouvoir de résister aux maux qu'elle pense être proches. 2
(...) aussi n'est-ce pas une passion particulière, c'est seulement un excès de lâcheté, d'étonnement et de crainte, lequel est toujours vicieux (...) et parce que la principale cause de la peur est la surprise, il n'y a rien de meilleur pour s'en exempter que d'user de préméditation et de se préparer à tous les événements, la crainte desquels la peut causer. DESCARTES, les Passions de l'âme, I, art. 174 et 176.

La peur (et les hommes les plus hardis peuvent avoir peur), c'est quelque chose d'effroyable, une sensation atroce, comme une décomposition de l'âme, un spasme affreux de la pensée et du cœur, dont le souvenir seul donne des frissons d'angoisse. MAUPASSANT, les Contes de la Bécasse, « La peur ». 3

(...) on est accessible à la crainte dans la mesure où la représentation du mal futur est intense, c'est-à-dire affective et non intellectuelle, sentie et non conçue. Chez beaucoup de gens l'absence de peur n'est qu'une absence d'imagination. Th. RIBOT, Psychologie des sentiments, p. 219. 4

Ces tremblements, ces glapissements puériles, ce talon qui heurte le sol en cadence suivant l'automatisme même de l'inconscient déchaîné, ce double qui, à un moment donné, se cache derrière sa propre réalité, voilà une description de la peur qui vaut pour toutes les latitudes et qui montre qu'aussi bien dans l'humain que dans le surhumain les Orientaux peuvent nous rendre des points en matière de réalité. A. ARTAUD, le Théâtre et son double, Idées/Gallimard, p. 81-82. 4.1

La peur, émotion collective (⇒ **Panique**), *sentiment collectif. C'est la peur qui fait naître les guerres* (→ Courage, cit. 9). — Hist. *La grande peur,* qui précéda la nuit du 4 août 1789. — Littér. *La Grande Peur des bien-pensants,* ouvrage de G. Bernanos.

C'est l'étrange, la mystérieuse panique connue sous le nom de *la grande peur,* l'un des rares événements de la Révolution dont le souvenir ait subsisté dans les campagnes, le plus important de tous peut-être. Partout, ou presque partout, on croit, on annonce que des « brigands » viennent. Pendant qu'on s'arme et qu'on se fortifie dans les villes, les campagnards émigrent dans des retraites, cavernes ou forêts. LAVISSE et RAMBAUD, Hist. générale du IVe siècle à nos jours, t. VIII, p. 69. 5

♦ **2.** UNE PEUR (ou *la peur* et adj.) : l'émotion de peur particulière qui saisit qqn dans une occasion précise. *Une peur bleue,* intense. *Avoir, éprouver une peur irraisonnée, panique. Mes colères juvéniles, mes peurs, mes déboires* (→ Loisir, cit. 5). *Peurs imprécises* (→ Esprit, cit. 82). Fam. *J'ai eu ; il m'a fait une de ces peurs !* (j'ai eu peur de lui ou pour lui).

Toutes mes peurs, toutes mes ignorances, 6
Vous, Dieu de paix, de joie et de bonheur,
Vous connaissez tout cela, tout cela, VERLAINE, Sagesse, II, I.

De peur : par l'effet de la peur. *Être blanc, blême, pâle, transi, vert de peur. Claquer des dents, frémir* (→ Épervier, cit. 1), *trem-*

bler de peur* (→ Faon, cit. 2; Jésus, cit. 2). — Par hyperb. *Mourir de peur* (→ Conte, cit. 1; 1. entre, cit. 11). *Être mort de peur* (→ Être plus mort* que vif).

7 Faisant tel bruit et tel fracas
Que moi, qui, grâce aux dieux, de courage me pique,
En ai pris la fuite de peur, LA FONTAINE, Fables, VI, 5.

SANS PEUR : sans éprouver de peur. *« Ils abordent* (cit. 1) *sans peur »* (Corneille) → aussi Loup, cit. 2. — Adj. Qui n'éprouve pas la peur. *Jean sans Peur,* duc de Bourgogne, fils de Philippe le Hardi. — *Bayard, le chevalier sans peur et sans reproche.*

Loc. *Avoir plus de peur que de mal. N'avoir que la peur, que la peur pour tout mal* (cit. 2). *En être quitte* pour la peur.*

La peur de (suivi du nom de la personne ou de l'animal qui éprouve la peur). *Cette peur du gibier devant le chasseur, de la souris devant le chat* (→ Natif, cit. 3).

La peur de... (suivi du nom de l'être ou de l'objet qui inspire la peur). *La peur de soi-même* (→ Honte, cit. 25). *La peur du danger* (cit. 9), *de la mort.* ⇒ **Hantise** (→ Futur, cit. 5; libre, cit. 6). *« Souvent la peur d'un mal nous conduit dans un pire »* (Boileau). — Peur morbide de certains objets, de certains animaux. ⇒ **Aversion, phobie, répulsion;** et suff. **-phobe, -phobie.** — *La peur de...* (suivi d'un inf.). *La peur de mourir, de mourir avant l'âge* (→ Accabler, cit. 16). *La peur d'affronter la vie, la peur de vivre.*

8 Quand on cède à la peur du mal, on ressent déjà le mal de la peur.
BEAUMARCHAIS, le Barbier de Séville, II, 2.

9 Dans cette âme, si bien morte, une chose restait vivante : la peur de mourir. Sans cesse, il parlait de mort, de convoi, de funérailles. Il pressentait souvent celles de la monarchie. Qu'elle vécût autant que lui il n'en voulait pas davantage.
MICHELET, Hist. de la Révolution franç., Introd., II, V.

10 Plus je m'approche de la mort et plus la peur de la mort s'atténue.
GIDE, Journal, 13 juil. 1930.

(Sens faible). *La, une peur de...* (suivi d'un nom, d'un inf.) : légère appréhension*; souci, désir d'éviter une chose considérée comme inopportune, désavantageuse, désagréable pour soi-même ou pour les autres. *Il était retenu par la peur de déplaire, par la peur du ridicule. La peur de gêner ses voisins* (→ Maladif, cit. 5). *La peur d'avoir fait une gaffe* (cit. 3), *d'être dupe* (→ Lanterne, cit. 8). — *La peur que...* (suivi du subj.). *La peur qu'on le perçût mal le retenait d'agir.*

11 La peur du ridicule obtient de nous les pires lâchetés.
GIDE, les Nouvelles Nourritures, p. 272.

12 Notre faiblesse principale à nous Français : la peur de s'emballer, la peur d'être dupe, la peur de prendre les choses au sérieux, la peur du ridicule (...) l'ironie comme argument préalable.
J. ROMAINS, les Hommes de bonne volonté, t. XXIII, XX, p. 171.

La peur, une peur de..., que... me vint, me prit.

13 (...) son cœur battait à grands coups, une peur lui venait de se conduire comme un enfant (...) ZOLA, Nana, IX.

14 À me voir si sage (ou si léger) la peur la prenait que je ne l'aimasse moins.
R. RADIGUET, le Diable au corps, p. 167.

♦ **3.** (Av. 1825). Sans l'article, dans la loc. **PRENDRE PEUR.** ⇒ **Épouvanter** (s'). → Maniable, cit. 4.

15 Le cheval se mit à trembler et, soudain, comme il s'ébranlait, entendant derrière soi cliqueter cette machine effrayante, il prit peur, se cabra (...)
G. DUHAMEL (→ Cabrer, cit. 5).

(Fin Xe). **AVOIR PEUR.** ⇒ **Craindre** (→ fam. ou argot Avoir la chiasse*, les chocottes, la colique*, les colombins, les copeaux, les foies*, les foies blancs (les avoir blancs, tricolores), la frousse*, les grelots*, les jetons* (cit. 5), la pétasse, la pétoche*, le trac*, la tremblote*, la trouille*, la venette*; avoir le trouillomètre à zéro, les avoir à zéro; chier, faire dans sa culotte, dans son froc, foirer*...; serrer les fesses*; caler, caner, se dégonfler*. — *Avoir grand-peur, bien peur, très peur. Il se cacherait dans un trou* de souris, tellement il a peur. Il n'a pas peur. Où serait le mérite, si les héros* (cit. 15) *n'avaient jamais peur?* — Pour rassurer quelqu'un. *N'ayez pas peur, n'aie pas peur* (→ fam. Ne vous frappez* pas; bedaine, cit. 1; faim, cit. 13). — (Av. 1648; *avoir peour de,* v. 1207). *Avoir peur pour (qqn, qqch. qui est en danger).* ⇒ **Trembler** (→ Dissuader, cit. 1; frappeur, cit. 3).

16 — Par le digne froc que je porte (dit frère Jean à Panurge)... durant la tempête tu as eu peur sans cause et sans raison. Car tes destinées fatales ne sont à périr en eau. Tu seras haut en l'air certainement pendu (...)
RABELAIS, le Quart Livre, XXIV.

17 La peur! Charles V se moqua plaisamment de cette épitaphe qu'il lut en passant : *Ci-gît qui n'eut jamais peur.* Et quel homme n'a jamais eu peur dans sa vie? qui n'a point eu l'occasion d'admirer (...) la toute-puissante faiblesse de cette passion, qui semble souvent avoir plus d'empire sur nous à mesure qu'elle a moins de motifs raisonnables?
J. DE MAISTRE, les Soirées de Saint-Pétersbourg, 7e entretien.

18 Il fallait qu'il eût bien peur pour avoir tant de courage. À quels actes de vaillance l'épouvante peut pousser un lièvre! Le chamois éperdu saute les précipices. Être effrayé jusqu'à l'imprudence, c'est une des formes de l'effroi.
HUGO, l'Homme qui rit, II, IV, IV.

19 Elle dut avoir grand-peur, car il l'entendit sauter du lit et parler seule comme dans un rêve. MAUPASSANT, les Sœurs Rondoli, « Décoré ».

20 Jean tout d'un coup eut peur pour Catherine, il la tira vers le côté de la route où l'on était à l'abri des balles (...) ARAGON, les Cloches de Bâle, II, X.

21 Je ne rêvais pas : de nouveau on marchait dans la cour. Mon cœur palpitait à rompre. Je m'étais appuyé à un arbre et j'écoutais. Mais je n'entendais contre mes tempes que le battement de mon sang sauvage. J'avais peur. Je ne pouvais pas douter de ma peur; mes jambes tremblaient, mon corps était paralysé d'émotion (...) H. BOSCO, Hyacinthe, p. 61.

Tous les hommes ont peur. Tous. Celui qui n'a pas peur n'est pas normal; ça n'a rien à voir avec le courage. SARTRE, le Sursis, p. 56. 22

(XIIIe). *Avoir peur de* (suivi d'un nom). ⇒ **Redouter.** *Des dogues* (cit. 2) *qui n'ont pas peur des lions. J'avais peur de sa vengeance* (→ Échapper, cit. 34). — *N'avoir peur de rien* (→ Invulnérable, cit. 2). *Avoir peur de tout* (→ Avoir peur de son ombre*). — (Sens atténué). *Il ne faut jamais avoir peur de la banalité* (cit. 4) *d'un sujet. N'avoir pas peur des mots* (→ Ergoter, cit. 3) : ne pas recourir à des circonlocutions, ne pas hésiter à employer l'expression exacte (→ Appeler* les choses par leur nom). — *Avoir peur de,* suivi de l'inf. *« Qui marche assurément* (cit. 1) *n'a point peur de tomber »* (Corneille). *Il a peur d'être renvoyé.* ⇒ **Appréhender, inquiet** (être inquiet). → Légèreté, cit. 9. — (Sens atténué). *N'ayez pas peur d'insister sur ce point. Si je n'avais peur de vous déranger...* — *Avoir peur que* (suivi du subj. introduit ou non par *ne*). *Avoir grand-peur que* (→ Marmot, cit. 3; nature, cit. 23). — *J'ai peur qu'il ne vienne pas.* — *J'ai peur que mon héroïne ne vous semble niaise* (cit. 1). — *Avoir très* peur, si* peur de... que...* — (Renforcé). *Avoir grand'peur* (vx), *grand-peur. Elle a grand-peur de sa maman* (→ Maîtresse, cit. 61).

J'ai peur que mon héros ne vous paraisse étrange (...) 23
A. DE MUSSET, Premières poésies, « Namouna », I, XXV.

(...) j'ai bien peur que tu sois un enfant toute ta vie. 24
Alphonse DAUDET, le Petit Chose, I, XII.

(...) j'étais très en retard pour aller à l'école, et j'avais grand'peur d'être grondé (...) 25
Alphonse DAUDET, Contes du lundi, « Dernière classe ».

Il n'avait qu'une peur, c'était qu'il ne rêvât, et qu'il ne vînt à s'éveiller inconnu d'elle. Sans doute, il faisait un songe. FRANCE, le Lys rouge, XXVIII. 26

Il *(mon père)* avait aussi toujours eu peur que je tombasse entre les mains d'une mauvaise femme. R. RADIGUET, le Diable au corps, p. 90. 27

Il est évident (...) que l'homme qui a peur a peur *de* quelque chose. Même s'il s'agit d'une de ces angoisses indéfinies qu'on éprouve dans le noir, dans un passage sinistre et désert, etc., c'est encore *de* certains aspects de la nuit, du monde que l'on a peur. SARTRE, Esquisse d'une théorie des émotions, cité par S. DAVAL et B. GUILLEMAIN, Psychologie, II, p. 666. 28

(Fin XIIe). **FAIRE PEUR** : donner de la peur (→ vx. Faire frayeur*; frissonnant, cit. 2; infranchissable, cit. 1). *Faire peur à...* ⇒ **Apeurer, effaroucher, effrayer, épeurer, épouvanter, intimider, menacer.** *« Ah! vous me faites peur et tout mon sang se fige »* (cit. 2, Molière; → Mon sang* n'a fait qu'un tour). *Une mouche me fait peur* (→ Effaroucher, cit. 3). *« Un songe, un rien, tout lui fait peur »* (→ Aimer, cit. 9, La Fontaine). *Mon ombre* (1. Ombre, cit. 35) *me fait peur. Cela est tout juste bon à faire peur aux enfants. Les enfants s'amusent à se faire peur. Il n'a plus peur du noir.* — (Sens atténué). *Les longs ouvrages me font peur* (→ Épuiser, cit. 11). *La marche ne lui fait pas peur.* — Vx. *Faire peur à quelqu'un de,* suivi de l'inf. (→ 3. Mal, cit. 19). — Avec l'article et un qualificatif. *Je ne vois pas de monstre* (cit. 7) *qui nous fasse la moindre peur.* — Au plur. et fam. *Vous m'avez fait une de ces peurs!* ⇒ **Un.** *Faire peur* (par son apparence) : être effrayant (→ ci-dessous cit. 29). — **À FAIRE PEUR** : en effrayant par son apparence. *Il est laid à faire peur. Maigre à faire peur :* effroyablement* maigre. *Habillé à faire peur :* très mal. *« Noire à faire peur »* → Défaut, cit. 18, Molière.

On demandait à Madame Cramer, de retour de Genève à Paris, après quelques années : « Que fait madame Tronchin *(personne très laide)*? — Madame Tronchin fait peur », répondit-elle. 29
CHAMFORT, Caractères et Anecdotes, Mme Cramer et Mme Tronchin.

(...) madame de Beauséant elle-même mettait instinctivement de la recherche dans sa toilette et se disait en arrangeant sa coiffure : — Je veux cependant pas être à faire peur. BALZAC, la Femme abandonnée, Pl., t. II, p. 217. 30

Quand il en rencontrait une *(femme),* il lui faisait peur, et il en avait peur. 31
HUGO, les Travailleurs de la mer, I, IV, I.

— Plutôt que de me faire une peur pareille, tu aurais bien pu ne venir que demain matin. R. RADIGUET, le Diable au corps, p. 73. 32

(XIIe). **PAR PEUR DE..., DE PEUR DE...,** ou (vx) **PEUR DE...** (cf. Molière, *l'École des femmes,* I, 2). *De peur du scandale* (→ Affoler, cit. 7). *De peur du ridicule* (→ 2. Général, cit. 2). — (Fin XIIIe). *Par peur de, de peur de* (suivi d'un inf.); *de peur que* (suivi du subj. introduit ou non par *ne** et ayant la valeur d'une conj. de but*). *Par peur d'être vue :* afin de ne pas être vue (→ Engouffrer, cit. 5). *« Il faut rire avant que d'être heureux* (cit. 33), *de peur de mourir sans avoir ri »* (La Bruyère). — *« Je me presse de rire de tout, de peur d'être obligé* (cit. 14) *d'en pleurer »* (Beaumarchais). — *Ces Gribouilles* (cit.) *impatients de se jeter à l'eau de peur d'être mouillés.* — *On se cache de la pitié, de peur qu'elle ne ressemble à la faiblesse* (→ Durcir, cit. 2).

De celui-ci contentez-vous, 33
De peur d'en rencontrer un pire. LA FONTAINE, Fables, III, 4.

Tords-lui le cœur, abbé, de peur qu'il n'en réchappe. 34
A. DE MUSSET, Premières poésies, « Marrons du feu », VI.

Oh! moi (...) je tâche de m'oublier, de peur de devenir triste, et je pense aux autres (...) ZOLA, la Joie de vivre, VII. 35

De peur de l'inquiéter, elle passa vite à d'autres idées (...) 36
FRANCE, le Lys rouge, XXIX.

Ces deux locutions *(de peur que, de crainte que),* qui expriment avec force et netteté l'intention négative (quand il s'y mêle un sentiment de crainte ou d'aversion), se font toujours suivre du subjonctif. Elles ont exactement le même sens, mais la première est beaucoup plus employée (...) Ces locutions se présentent (...) parfois sous la forme *par peur que (de),* ou encore *dans la peur (crainte) que (de) :* « Elle 37

me renvoyait *par peur que* je la fatigue» Proust, Swann, I, 80 (...) «Elle se réservait de *(les)* nettoyer elle-même *dans sa peur qu'*on ne les abimât» Ibid., II, 11.
G. et R. LE BIDOIS, Syntaxe du franç. moderne, § 1498-99.

38 Il était comme un homme qui retient son souffle et craint de respirer, de peur que l'illusion ne cesse. R. ROLLAND, Jean-Christophe, Nouvelle journée, III, p. 1551.

39 Je me retenais et me faisais lourde, par peur qu'on ne m'aperçût de l'autre rivage.
GIRAUDOUX, Suzanne et le Pacifique, p. 187.

CONTR. **Audace, bravoure, courage, intrépidité. — Désir.**
COMP. et **DÉR.** **Apeurer. — Épeurer. — Peureux.**

PEUREUSEMENT [pœʀøzmɑ̃] adv. — Fin XIIIe; *paureusement,* v. 1175; de *peureux.*

♦ D'une manière qui dénote de la peur. ⇒ **Craintivement** (→ Nouveau, cit. 24). *Se blottir, se cacher peureusement.*

(...) je tombe dans un groupe de femmes, parlant déjà peureusement du partage des biens. Ed. et J. DE GONCOURT, Journal, t. IV, p. 85.

CONTR. **Audacieusement, bravement, courageusement.**

PEUREUX, EUSE [pœʀø, øz] adj. — 1370; *peoros,* v. 1130; de *peur.*

♦ Sujet, enclin à la peur. ⇒ **Couard, craintif, lâche, poltron, pusillanime;** fam. **capon, dégonflé, foireux, froussard, péteux, trouillard.** *Un enfant peureux.* — Qui est sous l'empire de la peur. *Il alla se cacher dans un coin, tout peureux.* Rare. *Peureux de faire un faux pas.* (En parlant d'un animal. → Grenouille, cit. 4; lièvre, cit. 4; mouton, cit. 6). *Cheval peureux.* ⇒ **Ombrageux.** — Par ext. *Regards peureux* (→ Combiner, cit. 12; effrayer, cit. 11). *Il est d'un naturel peureux.*

1 Je dus avoir une expression bien bestiale, car je la vis peureuse, cherchant des yeux le signal d'alarme. R. RADIGUET, le Diable au corps, p. 139.

2 Peureux comme un lièvre, il court moins bien. Je le rattraperai quand je voudrai.
M. JOUHANDEAU, Tite-le-Long, XXII.

N. *Un peureux. Tu n'as pas honte, gros peureux! C'est une peureuse. Des peureux* (→ Mors, cit. 5).

CONTR. **Audacieux, brave, courageux, crâne, crâneur, déterminé, effronté, fort.**
DÉR. **Peureusement.**

PEUT-ÊTRE [pøtɛtʀ] adv. — 1680; *puet estre,* XIIIe; ellipse de *puet ce estre* «cela peut être», 1120.

♦ **1.** Adverbe de modalité marquant le doute, indiquant que l'idée exprimée par la proposition ou une partie de la proposition est une simple possibilité*. ⇒ **Possible** (vx). *Il changera peut-être d'avis* (→ 2. Carrière, cit. 18). *Ils ne viendront peut-être pas. Des desseins qu'ils dissimulent au monde, et peut-être à eux-mêmes* (→ Extravagance, cit. 2). *Il s'écoula peut-être trois heures.* — *Peut-être bien* (marquant une probabilité, une vraisemblance). *Il venait le diable sait d'où* (cit. 79), *peut-être bien de Hongrie.*

1 Aucune voix solennelle à son chevet ne prononça le nom d'un Père peut-être terrible ou ne la menaça d'une miséricorde peut-être inexorable.
F. MAURIAC, Génitrix, IV.

2 Il y a peut-être dans mon cas un peu de lâcheté? C'est possible (...)
J. ROMAINS, les Hommes de bonne volonté, t. XVIII, p. 95.

Peut-être, employé ellipt. dans un dialogue (→ Imposer, cit. 42) ou après une interrogation. — *Peut-être pas :* il est possible que cela ne soit pas. *Il a dit ça? Peut-être pas, mais c'est ce qu'il voulait dire.*

3 Ho! Monsieur, j'entrerai. — Peut-être. — J'en suis sûre.
RACINE, les Plaideurs, II, 10.

4 — Crois-tu, si je voulais, que je serais le maître?
— Montaigne eût dit : *Que sais-je?* et Rabelais : *Peut-être.*
HUGO, Marion Delorme, IV, 8.

Peut-être..., mais... ⇒ **Doute** (sans). *Ne pas monter bien haut, peut-être, mais tout seul* (→ Lors, cit. 4, Rostand).

5 Pensa-t-elle qu'Olivier l'avait réellement trompée. Peut-être. Mais qu'importe?
R. ROLLAND, Jean-Christophe, Les amis, p. 1213.

Peut-être, employé en tête d'une proposition, avec, ou, plus rarement (vx, ou relâché), sans inversion du sujet. *Peut-être a-t-il un cœur facile* (cit. 22) *à s'attendrir. Peut-être surmonterez-vous cet obstacle* (→ Flatter, cit. 52). — *«Peut-être nous touchons à notre heure* (cit. 69, Racine) *dernière». Peut-être il obtiendra la guérison commune* (→ Dévouement, cit. 1, La Fontaine).

6 Qui sait? Peut-être avons-nous encore des sensations après notre mort (...)
STENDHAL, le Rouge et le Noir, II, XLV.

7 Peut-être n'y a-t-il pas plusieurs amours. Peut-être n'est-il qu'un seul amour.
F. MAURIAC, Génitrix, VII.

Peut-être, détaché en fin de phrase et exprimant le défi.

[a] (Renforce l'affirmation précéd.). J'en suis bien persuadé (cf. Sans doute, je suppose). *«Vous n'êtes pas exempt* (cit. 2, Beaumarchais) *de politesse, peut-être?»*

8 Je sais, à mon âge, comment je dois me conduire, peut-être!
BALZAC, Eugénie Grandet, Pl., t. III, p. 551.

9 Je suis libre de faire ce que je veux, peut-être! FRANCE, Histoire comique, III.

[b] (Après une phrase iron., affirme que l'on attribue une telle pensée à son interlocuteur). Iron. C'est sans doute ce que vous pensez.

Vous n'avez pas d'ordre à recevoir d'un officier, peut-être! Et un officier, vous ne savez pas ce que c'est, peut-être! 9.1
Robert MERLE, Week-end à Zuydcoote, p. 13.

(Parfois au milieu de la phrase) : *«Nous ne l'étions pas, peut-être, fatigués* (Rostand, *l'Aiglon,* II., 9.).

♦ **2.** (1640; *peut estre que,* v. 1450). **PEUT-ÊTRE QUE.** *Peut-être que Dorante prendra du goût* (cit. 38) *pour ma sœur. Peut-être bien que, le jour où éclaterait une querelle, ils se massacreraient* (cit. 6).

(...) dans tout cela, jamais il n'était question de son enfant (...) peut-être qu'elle n'y pensait pas. FLAUBERT, Mme Bovary, II, XII. 10

Peut-être bien aussi que je m'étais mis dans la tête de ne pas céder. 11
GIDE, Si le grain ne meurt, I, II, p. 65.

Peut-être que les petites filles sont toutes comme cela. 12
GIRAUDOUX, Choix des élues, p. 45.

Mon père, l'ai-je tué lui aussi bien que ma mère, peut-être bien qu'oui en un sens, mais plus question de me casser la tête avec ça, beaucoup trop vieux et faible. 12.1
S. BECKETT, Têtes-mortes, p. 20.

Loc. *Peut-être bien que oui, peut-être bien que non,* réponse de Normand*. — (Paysan ou plais.). *P'têt'ben qu'oui, p'têt'ben qu'non.*

♦ **3.** N. m. (1643). Littér. *«Je m'en vais chercher un grand peut-être» :* phrase que Rabelais, sur son lit de mort, aurait écrite dans une lettre destinée au cardinal de Châtillon.

Ainsi, dans trois jours, à cette même heure, je saurai à quoi m'en tenir sur le *grand peut-être.* STENDHAL, le Rouge et le Noir, II, XLI. 13

Là, du soir au matin, roule le grand *peut-être,* 14
Le hasard, noir flambeau de ces siècles d'ennui.
A. DE MUSSET, Poésies nouvelles, «Une bonne fortune», XIII.

Les brusqueries de l'océan sont obscures. Elles sont le perpétuel peut-être. Quand on est à leur merci, on ne peut ni espérer ni désespérer. Elles font, puis défont. L'océan s'amuse. HUGO, l'Homme qui rit, I, II, XV. 15

Qui connaît le destin? qui sonda le peut-être? 16
HUGO, la Légende des siècles, XXII, III.

Je songe à ce «peut-être» qui, dans le cœur de beaucoup d'hommes, infuse un subtil poison d'incertitude (...) G. DUHAMEL, Discours aux nuages, p. 20. 17

CONTR. **Assurément, forcément.**

PEYOTL [pɛjɔtl] n. m. — 1926; mot angl., 1892; mot indien du Mexique *(Nahuatl).*

♦ Plante du Mexique *(Cactées)* scientifiquement appelée *echinocactus Williamsii. Le peyotl contient un alcaloïde, la* mescaline, *qui a la propriété de provoquer des hallucinations.*

Ils éprouvent une sensation étrange, comme s'ils mâchaient de ces graines qu'absorbent les Indiens, du peyotl, ou fumaient du haschisch (...) 1
N. SARRAUTE, le Planétarium, p. 241.

Il advient que certaines plantes, certains gaz nous prolongent dans une direction ou dans l'autre. (Le Peyotl qui nous fait passer outre notre code des perspectives et des couleurs. Le protoxyde d'azote qui nous fait passer outre notre code du temps.) COCTEAU, Journal d'un inconnu, p. 167. 2

PÈZE [pɛz] n. m. — 1813; p.-ê. de *pèse,* mot occitan «pois»; lat. *pisum.*

♦ Fam. (d'abord argot). Argent. ⇒ **Blé, fric.** *J'ai pas d'pèze* (→ Bouffer, cit. 2). *Faire du pèze :* gagner de l'argent. — (1901). *Un type au pèze :* un homme riche.

«Toi, c'est dégoûtant, je t'ai aperçu devant l'Olympia avec deux cartons. C'est pour te faire donner du pèze. Voilà comme tu me trompes». Heureusement pour celui à qui s'adressait cette phrase, il n'eut pas le temps de déclarer qu'il n'eût jamais accepté de «pèze» d'une femme, ce qui eût diminué l'excitation de M. de Charlus (...) PROUST, le Temps retrouvé, Pl., t. III, p 825. 1

(...) jusqu'au jour où elles rencontrent un vieux tout à fait au pèze, qui claque au bout de dix-huit mois en les collant sur son testament, ou en leur laissant des colliers, des bagues (...) de quoi vivre de ses rentes, dans un joli patelin de banlieue (...) ou dans le Midi (...) 2
J. ROMAINS, les Hommes de bonne volonté, t. XI, XXIV, p. 236.

PÉZIZE [peziz] n. f. — 1881; grec *pezis.*

♦ Champignon discomycète, comestible. *Pézize vésiculeuse; pézize cochenille; pézize oreille d'âne. Pézize orangée.*

PFENNIG [pfenig] n. m. — 1903; *pfenning,* 1359; mot allemand.

♦ Monnaie divisionnaire allemande qui vaut la centième partie du mark*. *Des pfennigs.*

(...) faut pas qu'il fasse ouf! tu sais, si tu le rates, je ne donne pas un pfennig de notre peau à tous les deux (...) G. LEROUX, Rouletabille chez Krupp, p. 161.

PFF(T) [pf(t)], PFUT [pfyt] — Onomatopée.

♦ **1.** Interjection exprimant l'indifférence, le mépris. *Pfft...! il est bien incapable.*

Mais puisque tu me dis que tu aurais voulu être honnête, pourquoi n'essaies-tu pas? 1
— Pff (...) Ça, c'est comme les gens qui disent : travaille — à quelqu'un qui ne sait rien faire. Sacha GUITRY, Ils étaient 9 célibataires, p. 15.

Vous croyez vraiment que ça sert à quelque chose ces commissions et ces sous-commissions et ces comités des six et des quatre, hein? — Pffff (...) C'est du vent, bien sûr, on se f... de nous, pour ça comme pour le reste. 2
Pierre DANINOS, Un certain Monsieur Blot, p. 235.

♦ **2.** Interjection exprimant la soudaine disparition, la fuite de qqn ou de qqch.

3 (...) dès qu'il s'agit de faire un effort, de sortir, c'est fini, il n'y a plus personne, aussitôt qu'un jeune homme s'approche, pfuitt, elle a envie de ficher le camp, elle en a peur (...)
N. SARRAUTE, Martereau, p. 57.

P. G. C. D. [peʒesede] n. m. — XXe ; abréviation.

♦ Arithm. Abréviation de *plus grand commun diviseur.*

pH [peaʃ] n. m. invar. — 1909, Sörensen ; abrév. de *potentiel d'hydrogène.*

♦ Indice exprimant l'activité (ou la concentration) de l'ion hydrogène dans une solution, à l'aide d'une échelle logarithmique. *On définit le* pH *comme l'exposant négatif de 10 qui donne l'activité de l'ion hydrogène. Si le* pH *est inférieur à 7 la solution est acide ; s'il est supérieur à 7 elle est alcaline ou basique ; s'il est égal à 7 elle est neutre. Taux normal et variations pathologiques des* pH *sanguin, urinaire... Le* pH *gastrique oscille entre 1,5 et 2,5.* ⇒ **Acidité.** *Le* pH *d'un sol,* obtenu en plaçant un échantillon de ce sol en suspension dans de l'eau pure.

ph [peaʃ] Phys. Symbole du *phot**.

PHACOCHÈRE [fakɔʃɛʀ] n. m. — 1822 ; du grec *phakos* « lentille », et *khoiros* « petit cochon ».

♦ Didact. Mammifère ongulé *(Suidés)* d'Afrique, voisin du sanglier.

Au matin nous repassons le Niger. Toujours la brousse poudreuse. Décombres végétaux. Phacochères, cochons sauvages.
Paul MORAND, Paris Tombouctou, p. 83.

Cour. (en franç. d'Afrique). *Phaco* [fako] n. m.

PHACOMATOSE [fakɔmatoz] n. f. — 1932 ; t. dû à Van der Hoeve, de *phacome.*

♦ Méd. Affection congénitale caractérisée par la présence de diverses lésions, à la fois au niveau de la peau, du système nerveux et de l'œil, auxquelles peuvent s'associer d'autres malformations et troubles (troubles endocriniens, troubles du comportement et du caractère...). *Ichtyose appartenant au groupe des phacomatoses.*

PHACOME [fakɔm] n. m. — Déb. XXe ; du grec *phakos* « lentille », et *-ome,* suffixe de noms de tumeurs, de productions pathologiques.

♦ Méd. « Néoformation bénigne de la peau, du système nerveux central ou de la rétine, caractéristique d'une phacomatose » (Manuila). « *Le phacome rétinien (...) décrit comme signe commun par Van der Hoeve, est en fait assez exceptionnel* » (Porot, 1975).

DÉR. Phacomatose.

PHACOMÈTRE [fakɔmɛtʀ] n. m. — 1898, Littré, *Dict. de méd.* ; du grec *phakos* « lentille », et *-mètre.*

♦ Sc., techn. Instrument permettant de connaître par lecture directe le nombre des dioptries d'un verre optique.

PHAÉTON [faetɔ̃] n. m. — 1668 ; attestation isolée, 1636, dans une traduction (*in* D. D. L.) ; du nom mythologique de *Phaéton,* fils du Soleil, qui périt en conduisant le char de son père.

♦ **1.** Vx. et plais. Charretier, cocher.

1 Le Phaéton d'une voiture à foin
Vit son char embourbé.
LA FONTAINE, Fables, VI, 18.

♦ **2.** (1792). Anciennt. Petite voiture à quatre places, légère et découverte, très haute sur roues. *Double phaéton.*

2 Une sorte de phaéton était arrêté au milieu de la route, attelé de deux jolis chevaux alezan clair (...) Les grandes roues d'arrière, avec leurs fins rayons d'un jaune pimpant, développaient cet arome de sveltesse orgueilleuse, à quoi se reconnaissent volontiers les choses d'aristocratie (...)
J. ROMAINS, les Hommes de bonne volonté, t. XX, XVIII, p. 199.

(1892, Guérin). Ancien modèle de voiture automobile découverte à deux ou quatre places.

3 Après avoir rêvé d'une grosse Mercédès, il s'était contenté d'une quarante-chevaux Bertrand, carrossée en phaéton à deux places, avec spider.
J. ROMAINS, les Hommes de bonne volonté, t. V, XXIII, p. 195.

♦ **3.** (1780, Buffon). Oiseau stéganopode ou palmipède *(Phaétonidés)* de grande taille, à bec pointu, à longue queue prolongée par deux plumes médianes minces, presque sans barbes, qui ont fait donner à cet oiseau des tropiques le nom courant de *paille-en-cul, paille-en-queue.*

4 (...) celui-ci *(le paille-en-queue)* semble au contraire être attaché au char du soleil sous la zone brûlante que bornent les tropiques : (...) *(Note :* C'est sans doute dans cette idée que M. Linnæus lui donne le nom poétique de *phaéton, phaeton æthereus).*
BUFFON, Hist. nat. des oiseaux, Oiseau du Tropique...

PHAG-, -PHAGE, -PHAGIE, -PHAGIQUE, PHAGO- Éléments, du grec *-phagos* et *-phagia,* de *phagein* « manger » qui entrent dans la composition de nombreux mots savants formés en français ou empruntés au grec, au latin, et qui impliquent le plus souvent l'idée d'absorption, de consommation, d'ingestion, de nourriture*... (⇒ **-vore**) : *Aérophagie ; anthropophage, anthropophagie ; autophage, autophagie ; coprophage ; créophage ; entomophage ; galactophage ; géophage, géophagie ; hippophage, hippophagie, hippophagique ; ichtyophage, ichtyophagie ; lithophage ; mélophage ; nécrophage ; œsophage ; omophage, omophagie ; onychophagie ; ophiophage ; phytophage ; rhizophage ; saprophage ; sarcophage ; xylophage ; zéophage ; zoophage, zoophagie.*

PHAGE [faʒ] n. m. — 1972, cit. *infra* ; aphérèse de *bactériophage.*

♦ Biol. Bactériophage. « *Les bactéries ont (...) des envahisseurs, des sortes de virus baptisés phages* » (*L'Express,* 10-16 juil. 1972, p. 55).

PHAGÉDÉNIQUE [faʒedenik] adj. — 1545 ; lat. *phagedaenicus* ; grec *phagêdainikos,* de *phagêdaina* « ulcère rongeur ».

Médecine.

♦ **1.** Qui a tendance à s'étendre en rongeant les tissus. *Chancre, ulcère phagédénique.*

♦ **2.** (1663). Vx. Utilisé pour panser les ulcères, ou comme remède contre les parasites. *Eau phagédénique.*

PHAGÉDÉNISME [faʒedenism] n. m. — 1858, Nysten ; de *phagédénique.*

♦ Méd. Extension continue d'une ulcération, d'un chancre, d'un ulcère. *Phagédénisme mutilant des lésions de la syphilis tertiaire.*

PHAGO- ⇒ **Phag-.**

PHAGOCYTAIRE [fagɔsitɛʀ] adj. — V. 1885 ; de *phagocyte.*

♦ Biol. Relatif ou propre aux phagocytes, à la phagocytose. *Fonction phagocytaire des leucocytes. Réaction, inflammation phagocytaire.*

PHAGOCYTE [fagɔsit] n. m. — V. 1885 ; du grec *phagein* « manger », et *kutos* « cellule ». → -cyte.

♦ Physiol. Cellule possédant la propriété d'englober et de détruire, en les digérant, diverses particules étrangères, en particulier des micro-organismes pathogènes. ⇒ **Macrophage.** *Phagocytes mobiles* (leucocytes mononucléaires, polynucléaires...), *fixes* (cellules endothéliales des vaisseaux...). *Rôle des phagocytes dans la lutte de l'organisme contre les bactéries.* ⇒ **Phagocytose.** *Max et les phagocytes,* roman de Boris Vian.

DÉR. Phagocytaire, phagocyter.

PHAGOCYTER [fagɔsite] v. tr. — 1897, au p. p., E. Metchnikoff, in *l'Année biol.,* p. 263 ; de *phagocyte.*

♦ **1.** Biol. Détruire par phagocytose.

Des leucocytes, vivant dans des flacons, phagocytent des microbes et des globules rouges, bien qu'ils n'aient pas à défendre le corps contre les incursions de ces étrangers. 1
Alexis CARREL, l'Homme, cet inconnu, III, XIII, p. 125.

♦ **2.** Fig. Absorber et détruire (comme par phagocytose). *Ce groupe a été phagocyté par un grand parti* (⇒ **Noyauter ; entrisme**).

Il sentait que la vie, ça ne pouvait être seulement ça, tant d'ennui pour rien. C'est long d'avoir tout le temps raison contre tout le monde. Dans l'absolu, on peut. Au jour le jour ça use. Un matin, il se réveillerait phagocyté à son tour. 2
Claude COURCHAY, La vie finira bien par commencer, p. 12.

PHAGOCYTOSE [fagɔsitoz] n. f. — V. 1885 ; de *phagocyte.*

♦ **1.** Biol. et physiol. Mécanisme par lequel certaines cellules animales vivantes (surtout les leucocytes), ou certains organismes unicellulaires (amibes) englobent et digèrent des particules étrangères (débris de cellules nécrosées, micro-organismes, particules nutritives). *La phagocytose, moyen de défense de l'organisme.* (→ Immunité, cit. 5). *La phagocytose est aussi un mécanisme de métamorphose chez les insectes et les batraciens, les phagocytes dévorant les tissus larvaires.*

(...) les globules blancs possèdent la remarquable propriété, appelée diapédèse, de traverser la paroi des capillaires pour en chasser les microbes qu'ils englobent et digèrent. Ils la doivent à la présence de prolongements protoplasmiques leur permettant de se mouvoir à la façon des amibes (...) à la suite d'une piqûre septique du doigt, on observe (...) une réaction inflammatoire douloureuse. Au niveau du point infecté, le doigt est rouge et gonflé. — Que s'est-il passé ? Un phénomène de défense naturelle auquel Metchnikoff a donné le nom de phagocytose. L'intro-

duction de microbes sous la peau a provoqué un développement considérable de globules blancs (...) Se servant de leurs prolongements comme de bras, les leucocytes englobent les microbes et les neutralisent.
P. VALLERY-RADOT, Notre corps..., p. 57.

♦ **2.** (1922, *in* D. D. L.). Fig. et didact. Processus de destruction ou d'absorption d'un individu ou d'un groupe par un autre (⇒ **Phagocyter,** plus cour.).

PHAGOTROPHE [fagɔtʀɔf] adj. — Mil. xxe (*in* Larousse, 1963); de *phago-* et *-trophe,* du grec *trophein.*

♦ Didact. Qui se nourrit de proies introduites dans la bouche. *Animaux parasites et animaux phagotrophes.*

PHALANGARQUE [falɑ̃gaʀk] n. m. — 1842, Académie; grec *phalaggarkhês,* de *phalagx* (→ Phalange) et *arkhein* «commander», → Monarque.

♦ Didact. (antiq.). Commandant d'une phalange (I., 1.) grecque.

PHALANGE [falɑ̃ʒ] n. f. — 1113; lat. *phalanx, phalangis,* mot grec.

★ **I.** ♦ **1.** Antiq. grecque. Formation de combat dans l'armée grecque, corps de fantassins rangés dans un ordre compact, sur quatre, six, huit... et jusqu'à seize rangs de profondeur. *La phalange lacédémonienne. Philippe, créateur de la célèbre phalange macédonienne* (→ Conquérant, cit. 3; bataillon, cit. 2; infanterie, cit. 2). *Les piquiers de la phalange, armés de la sarisse**. *Commandant de phalange.* ⇒ **Phalangarque.**

1 Au milieu se hérissait la phalange, formée par des syntagmes ou carrés pleins, ayant seize hommes de chaque côté (...) cette horrible masse quadrangulaire remuait d'une seule pièce, semblait vivre comme une bête et fonctionner comme une machine.
FLAUBERT, Salammbô, VIII.

(1635). Littér. Armée, corps de troupes. *«De nos honteux* (cit. 7, Voltaire) *soldats les phalanges errantes».* — Poét. *Les phalanges célestes :* les anges.

2 Et ce trésor à part créé
Suivrait parmi les airs les célestes phalanges.
LA FONTAINE, Fables, IX., 21.

3 Tel est l'effet de la camaraderie qui lie entre eux les glorieux restes de la phalange napoléonienne, ils se croient toujours au bivouac, obligés de se protéger envers et contre tous.
BALZAC, la Cousine Bette, Pl., t. VI, p. 388.

Hist. mod. *La Phalange* (n. pr.) : le parti espagnol fondé en 1933, dont les troupes participèrent aux côtés du général Franco à la lutte contre les républicains pendant la guerre civile de 1936-1939 (⇒ **Phalangiste**). *L'idéologie de la Phalange est proche de celle du fascisme italien.*

4 Le soulèvement de la Catalogne, pourtant si proche, en 1934, n'éveilla aucun écho *(à Palma).* Au témoignage du chef de la Phalange, on n'aurait pas trouvé dans l'île cent communistes réellement dangereux.
BERNANOS, les Grands Cimetières sous la lune, p. 100.

♦ **2.** Fig. et littér. Groupement humain dont les membres sont étroitement unis. — (1808, Fourier, *in* D. D. L.). Spécialt. (Dans le système fouriériste). ⇒ **Phalanstère.** — *La Phalange,* journal fondé par Ch. Fourier.

5 Nous tous qui avons vécu ensemble, ô les miens, ô mes amis (...) Nous tous qui avons eu l'âge ensemble, enfin notre phalange est bientôt vaincue, notre promotion ne se connaît plus (...)
Léon-Paul FARGUE, Poèmes, «Les compagnons».

★ **II.** (1690). Chacun des os longs qui soutiennent les doigts* et les orteils. *Première, deuxième* (⇒ **Phalangine**), *troisième phalange* (⇒ **Phalangette**) *de l'index, du médius... La première phalange s'articule à l'os correspondant du métacarpe ou du métatarse. Les phalanges s'articulent les unes aux autres par des trochlées* (articulations interphalangiennes). — *Faire craquer ses phalanges* (→ Embrun, cit.).

Spécialt (par oppos. à *phalangine* et à *phalangette*). Première phalange.

Cour. Chacun des segments (os et parties molles qui l'entourent) qui forment un doigt ou un orteil. *Deux phalanges qui sortent d'une mitaine* (cit. 2).

6 (...) de longues mains dont la peau tachetée de brun se ridait sur les phalanges (...)
J. GREEN, Adrienne Mesurat, II, III.

DÉR. (De *phalange,* II.) **Phalanger, phalangette, phalangien, phalangine, phalangisation.** — (De *phalange,* I.) **Phalangiste.**

PHALANGER [falɑ̃ʒe] n. m. — 1776; de *phalange,* II. → ci-dessous, cit., Buffon.

♦ Mammifère océanien *(Marsupiaux)* aux nombreuses espèces, dont la taille varie de celle d'un gros chat à celle d'une marmotte. *Le phalanger renard fournit la fourrure dite «opossum d'Australie».*

(...) aucun voyageur n'ayant nommé ni indiqué cet animal, nous avons fait son nom et nous l'avons tiré d'un caractère qui ne se trouve dans aucun autre animal; nous l'appelons *phalanger,* parce qu'il a les phalanges singulièrement conformées (...)
BUFFON, Hist. nat. des animaux, Le phalanger.

PHALANGETTE [falɑ̃ʒɛt] n. f. — 1810; de *phalange.*

♦ Anat. Dernière phalange des doigts et des orteils. *Les phalangettes portent les ongles.*

PHALANGIEN, IENNE [falɑ̃ʒjɛ̃, jɛn] adj. — 1822; aussi *phalangide,* 1858; de *phalange.*

♦ Anat. Propre aux phalanges. *Articulations métacarpo-phalangiennes, métatarso-phalangiennes.*

PHALANGINE [falɑ̃ʒin] n. f. — 1810; de *phalange.*

♦ Anat. Seconde phalange des doigts autres que le pouce et le gros orteil.

PHALANGISATION [falɑ̃ʒizasjɔ̃] n. f. — Mil. xxe, *in* Larousse, 1963; de *phalange.*

♦ Chir. Opération qui consiste à séparer l'os métacarpien du pouce et à le recouvrir de peau pour remplacer le pouce en cas d'amputation.

PHALANGISTE [falɑ̃ʒist] n. — 1936, *in* D. D. L.; «soldat de la phalange grecque», 1752; de *phalange.*

♦ Membre de la Phalange espagnole. *Les phalangistes et les républicains.* — Adj. *Parti phalangiste.*

PHALANSTÈRE [falɑ̃stɛʀ] n. m. — 1816, Fourier, de *phalange* «groupement», et la désinence de *monastère.*

♦ **1.** Didact. Dans le système de Fourier (⇒ **Fouriérisme**), Communauté et unité de travail; domaine où vit et travaille cette communauté (appelée aussi *phalange*).

Fig. Endroit où vivent en commun de nombreuses personnes qui poursuivent une même tâche ou qui sont unies par des intérêts communs; ce groupe humain lui-même.

♦ **2.** (Av. 1850). Littér., vieilli. Bâtiment, immeuble qui abrite, loge (cit. 16) de nombreuses familles.

DÉR. Phalanstérien.

PHALANSTÉRIEN, IENNE [falɑ̃steʀjɛ̃, jɛn] n. et adj. — 1833, *in* D. D. L.; de *phalanstère.*

Didactique.

♦ **1.** N. Adepte du système de Fourier. — Membre d'un phalanstère.

♦ **2.** Adj. (1842). Qui a rapport ou qui appartient au fouriérisme (cit. 2). *Système phalanstérien.* ⇒ **Fouriériste** (cit.).

PHALÈNE [falɛn] n. f. ou (plus cour.) m. — 1568; grec *phalaina,* n. f., même sens.

♦ Grand papillon nocturne ou crépusculaire (*Géométridés**), aux ailes délicates, à l'abdomen mince. *Chenilles des phalènes* (⇒ **Arpenteuse, géomètre**).

Le phalène doré, dans sa course légère, 1
Traverse les prés embaumés.
A. DE MUSSET, Premières poésies, «Le saule», II.

L'aile d'un phalène grésille sur la flamme de la lampe et l'éteint presque. 2
COLETTE, la Maison de Claudine, p. 87.

PHALÈRE [falɛʀ] n. f. — 1903; *phalérie,* 1874; grec *phaleros* «tacheté de blanc».

♦ Zool. Insecte lépidoptère *(Nodontidés)* des régions tempérées, gros papillon appelé aussi *bucéphale, lunule.*

PHALÈRES [falɛʀ] n. f. pl. — Déb. xvie; lat. *phaleræ,* grec *phalara.*

♦ Antiq. rom. Plaques métalliques brillantes utilisées comme ornements.

HOM. Phalère.

PHALLE [fal] n. m. — Mil. xxe; francisation de *phallus.*

♦ Littér. Phallus.

Le char ne lâche pas d'un phare, d'un feu la pleine débandade des girafes fuyantes. Les cous s'allongent encore et dansent comme des phalles d'or, et le corps massif paraît receler un trésor.
P. GRAINVILLE, les Flamboyants, p. 205.

PHALLINE [falin] n. f. — 1937; du rad. de *phalloïde.*

♦ Biochim. L'un des principes très toxiques de certains champignons vénéneux (amanites phalloïdes et printanières, volvaires). ⇒ **Phalloïdine.**

PHALLIQUE [falik] adj. — 1520, repris 1819; lat. *phallicus.*

♦ **1.** Didact. (antiq.). Qui a rapport au phallus (1.). *Culte phallique. Symboles phalliques.* — Qui a trait au culte du phallus. *Chants, danses phalliques. Processions phalliques* (ou *phallophories*). — *Fêtes phalliques,* et, n. f. (1721), *les phalliques :* fêtes religieuses grecques et latines en l'honneur de Dionysos, Bacchus. ⇒ **Bacchanale.**

1 Le panthéisme sexuel de ces poètes *(noirs)* est sans doute ce qui frappera d'abord : c'est par là qu'ils rejoignent les danses et les rites phalliques des Négro-Africains.
SARTRE, Situations III, p. 266.

Étui phallique. ⇒ **Pénien** (étui pénien).

2 Un fragment *(de palette égyptienne)* nous montre le pharaon sous forme d'un taureau, comme dans la palette de Narmer; il piétine un ennemi vêtu seulement d'une ceinture et de l'étui phallique (...)
G. CONTENAU et V. CHAPOT, l'Art antique, p. 18.

♦ **2.** Psychan. Qui se rapporte au phallus en tant que symbole. ⇒ **Phallus,** 3. *Stade phallique du développement de la sexualité infantile,* qui succède au stade oral, et pendant lequel l'intérêt de l'enfant mâle se porte sur sa verge.

(Personnes; femmes). Qui est fantasmatiquement et symboliquement pourvue du phallus (3.). *Mère phallique. Femme phallique.*

3 Dans l'ensemble, le terme de femme phallique désigne la femme *qui a* un phallus et non pas l'image de la femme ou de la fillette *identifiée* au phallus. Notons enfin que l'expression femme phallique est souvent employée dans un langage approximatif pour qualifier une femme qui a des traits de caractère prétendument masculins, femme autoritaire par exemple, ceci sans que l'on sache quels sont exactement les fantasmes sous-jacents.
J. LAPLANCHE et J.-B. PONTALIS, Voc. de la psychanalyse.

4 Leur mère était-elle présente-absente, forte-faible, captatrice-rejetante, phallique-paumée?
Michèle PERREIN, Entre chienne et louve, p. 127.

PHALLISME [falism] ou **PHALLACISME** [falasism] n. m. — 1923, *phallisme; phallacisme,* 1963; de *phallus.*

♦ Didact. Culte du phallus, symbole de l'énergie reproductrice.

PHALLO [falo] adj. et n. m. — V. 1965; de *phallocrate,* par apocope.

♦ Fam. Phallocrate. *Il est gentil, mais un peu phallo.* — N. *Des vieux phallos.* ⇒ **Macho.** — (Choses). «*Sous ses habits neufs, le mélo reste phallo*» (*F. Magazine,* janv. 1980, p. 56).

«Ah, ah» ricane un homme en aparté. Le voici aussitôt traité de phallo, abréviation de l'épithète phallocrate : «qui fonde son pouvoir sur le phallus», mot devenu si familier qu'on ne peut plus dire d'un être un peu insignifiant «il est falot» sans préciser «avec un f».
Jacques MERLINO, les Jargonautes.., p. 89.

HOM. Falot.

PHALLO- Premier élément de composés, tiré du grec *phallos* «phallus».

Outre les mots traités ci-dessous, on trouve des formations plus occasionnelles : «*S'amuser de la phallomanie de l'homme*» (A. Leclerc, *Parole de femme,* p. 154). «*Phallophile, sinon phallocrate*...» (*l'Express,* 2 oct. 1978, p. 41).

PHALLOCENTRIQUE [falosɑ̃tʀik] adj. — V. 1965; de *phallus,* et *centre,* d'après *égocentrique,* etc.

♦ Didact. Qui considère la symbolique du phallus comme caractéristique de toute l'espèce humaine; qui privilégie l'homme par opposition à la femme. *Société phallocentrique. L'attitude phallocentrique des freudiens stricts.* ⇒ **Phallocrate.**

DÉR. Phallocentrisme.

PHALLOCENTRISME [falosɑ̃tʀism] n. m. — 1957, Lacan, en psychanalyse, répandu v. 1965; de *phallocentrique.*

♦ Psychan. Centrage sur le phallus.

Tout le problème des perversions consiste à concevoir comment l'enfant, dans sa relation à la mère (...) s'identifie à l'objet imaginaire de ce désir en tant que la mère elle-même le symbolise dans le phallus.
Le phallocentrisme produit par cette dialectique est tout ce que nous avons à retenir ici.
J. LACAN, Écrits (1957-1958), p. 554-555.

Didact. Attitude phallocentrique. — Tendance à tout ramener à la symbolique du phallus. *Les mouvements féministes dénoncent le phallocentrisme des civilisations modernes.* ⇒ **Machisme.**

PHALLOCRATE [falɔkʀat] n. et adj. — V. 1965; de *phallus,* et *-crate.*

♦ Cour. Tenant de la phallocratie. *Un phallocrate.* Abrév. fam. : *un phallo.* — Adj. *Un comportement phallocrate.* ⇒ **Phallocratique.**

Elle nous traita de phallocrates sadiques.
René FALLET, Y a-t'il un docteur dans la salle?, p. 154.

PHALLOCRATIE [falɔkʀasi] n. f. — V. 1965; de *phallus,* et *-cratie.*

♦ Cour. Domination des hommes sur les femmes; imposition de la symbolique du phallus à l'ensemble de l'espèce humaine. «*(...) Un autre volet de la phallocratie, le paternalisme*» (*le Nouvel Obs.,* déc.-janv., n° 425, 1973). *La phallocratie des machos.* ⇒ **Phallocentrisme, sexisme.**

(...) il faudrait qu'ils *(les partis d'extrême gauche européens)* arrivent à percevoir le lieu où, pour les femmes, se rencontrent bureaucratie autoritaire et phallocratie dominante.
Michèle PERREIN, Entre chienne et louve, p. 226.

DÉR. Phallocratique, phallocratisme.

PHALLOCRATIQUE [falɔkʀatik] adj. — V. 1965; de *phallocratie.*

♦ Relatif à la phallocratie. *Attitude phallocratique.*

Certes, les hommes ont pris le pouvoir. Certes nos sociétés sont phallocratiques. Mais s'est-on jamais profondément interrogé là-dessus? N'a-t-on pas toujours fait comme si la virilité, d'ores et déjà donnée, vouait l'homme au pouvoir, soit en raison d'un irrépressible penchant, soit en raison d'une aptitude toute particulière?
Annie LECLERC, Parole de femme, p. 137.

PHALLOCRATISME [falɔkʀatism] n. m. — V. 1965-1970; de *phallocratie.*

♦ Tendance à la phallocratie, phallocratie en système. ⇒ **Phallocentrisme.** «*Le phallocratisme, la peur des femmes, ou le profond désir des hommes de maintenir les inégalités ne sont pas spécifiques de l'Islam le plus figé*» (*l'Express,* 24 mars 1979, p. 109).

PHALLOÏDE [falɔid] adj. — 1823, Boiste; de *phallus.*

♦ Didact. Qui a la forme d'un phallus.

Cour. *Amanite phalloïde,* le plus vénéneux de tous les champignons. — N. f. *Une phalloïde.*

DÉR. Phalloïdien, phalloïdine.

PHALLOÏDIEN, IENNE [falɔidjɛ̃, jɛn] adj. — Mil. XXe, *in* Larousse 1963; de *phalloïde.*

♦ Didact. Relatif à l'amanite phalloïde. *Intoxication phalloïdienne.*

PHALLOÏDINE [falɔidin] n. f. — Mil. XXe; de *phalloïde,* et suff. *-ine.*

♦ Chim., biol. Substance protidique (peptide) toxique contenue dans l'amanite phalloïde. ⇒ **Phalline.**

PHALLOS [falos] n. m. — 1922, cit.; mot grec. → Phallus.

♦ Didact. et rare. Phallus.

J'ai dans ma poche cette belle médaille que votre ligue distribue pour avertir vos vierges et qui représente l'Allemagne nue enchaînée à un gigantesque phallos coiffé d'un casque de nègre. Général, que pensez-vous de la Honte Noire?
GIRAUDOUX, Siegfried et le Limousin, p. 191.

PHALLUS [falys] n. m. — 1615; *fallot,* 1570; mot lat., grec *phallos.*

★ **I.** ♦ **1.** Image d'un membre viril en érection (⇒ **Ithyphalle**), emblème mythologique de la fécondité et de la puissance reproductrice. *Culte rendu au phallus dans les fêtes de Dionysos, de Priape*... ⇒ **Phallique.**

(...) chez eux *(les Anciens),* l'âme ne siège pas à une hauteur sublime, sur un trône isolé, pour dégrader et reléguer dans l'ombre les organes qui servent à un moins noble emploi (...) Leurs noms ne sont ni sales, ni provocants, ni scientifiques (...) L'idée qu'ils éveillent est joyeuse dans Aristophane (...) Elle apparaît vingt fois dans une scène, en plein théâtre, aux fêtes des dieux, devant les magistrats, avec le phallus que portent les jeunes filles et qui lui-même est invoqué comme un dieu. 1
TAINE, Philosophie de l'art, t. II, p. 163.

♦ **2.** (1875). Physiol. Verge, pénis en érection. *Phallus artificiel.* ⇒ **Godemiché.** *Du phallus.* ⇒ **Ithyphallique, phallique.**

♦ **3.** Psychan. Fonction symbolique du pénis. — (Chez J. Lacan). L'organe mâle, en tant que «signifiant du désir». *Envie, revendication du phallus.* ⇒ **Phallique.**

Le phallus dans la doctrine freudienne n'est pas un fantasme, s'il faut entendre par là un effet imaginaire. Il n'est pas non plus comme tel un objet (partiel, interne, bon, mauvais...) pour autant que ce terme tend à apprécier la réalité intéressée dans une relation. Il est encore bien moins l'organe, pénis ou clitoris, qu'il symbolise. Et ce n'est pas sans raison que Freud a pris la référence au simulacre qu'il était pour les Anciens (...) 2
Car le phallus est un signifiant, un signifiant dont la fonction, dans l'économie intrasubjective de l'analyse, soulève peut-être le voile de celle qu'il tenait dans les mystères. Car c'est le signifiant destiné à signifier dans leur ensemble les effets de signifié, en tant que le signifiant les conditionne par sa présence de signifiant.
J. LACAN, Écrits, la Signification du phallus, p. 690.

★ **II.** (1791; par anal. de forme). Bot. Variété de champignons *(Basi-*

diomycètes) qui, à maturité, répandent une odeur infecte. *Phallus impudique* (ou «satyre puant»). *Phallus de chien.*

COMP. et DÉR. **Ithyphalle, phallique, phalloïde.**

-PHANE, -PHANIE Suffixes tirés de composés grecs en *-phanes,* et *-phaneia,* de *phainein* «paraître», et entrant dans la composition de quelques mots savants *(angélophanie, cellophane, lithophanie)* ou directement empruntés au grec *(diaphane)* ou au latin *(épiphanie).*

PHANÈRE [fanɛʀ] n. m. — 1823, Boiste; grec *phaneros* «apparent».

♦ Didact. Production épidermique apparente (poils, plumes, écailles, griffes, ongles, dents, etc.).

PHANÉRO- Élément de composition de mots didactiques, du grec *phaneros* «apparent». (Ex. : *phanérogame*).

PHANÉROBRANCHE [faneʀobʀɑ̃ʃ] adj. — 1847; lat. sc. *phanerobranchiata,* Fitzinger; de *phanéro-,* et *-branche.*

♦ Didact. (zool). Se dit d'un animal dont les branchies sont apparentes.

Après quelques jours on voit apparaître sur les côtés de la tête des branchies externes (...) La larve à ce stade est dite larve phanérobranche.
Jean GUIBÉ, les Batraciens, p. 78.

CONTR. **Cryptobranche.**

PHANÉROGAME [faneʀɔgam] adj. et n. — 1791; du grec *phaneros* «apparent», et *-game.*

♦ Bot. Se dit des plantes qui ont les organes de fructification apparents. *Nucelle* d'une plante phanérogame.* — N. f. pl. (1813; par oppos. à *cryptogames*). *Les phanérogames :* un des deux anciens grands embranchements du règne végétal, correspondant à la division actuelle des *spermatophytes,* et comprenant les plantes qui portent des fleurs à un moment donné de leur développement, et se reproduisent par graine. *Sous-embranchement des phanérogames.* ⇒ **Angiosperme, gymnosperme.** *Classes de phanérogames.* ⇒ **Dicotylédone, monocotylédone.** — Au sing. *Un, une phanérogame.*

DÉR. **Phanérogamie.**

PHANÉROGAMIE [faneʀɔgami] n. f. — 1791; de *phanérogame.*

Botanique.

♦ **1.** Vx. Caractère d'une plante phanérogame.

♦ **2.** (1963). Mod. Étude des phanérogames. *Le laboratoire de phanérogamie du Muséum.*

PHANÉROGLOSSES [faneʀɔglɔs] n. m. pl. et adj. — 1839, Boiste; lat. sc. *phaneroglossa,* Wagler; de *phanéro-,* et *-glosse,* grec *glossos* «langue».

♦ Didact. (zool.). Ordre d'amphibiens anoures comprenant des animaux pourvus d'une langue. — Au sing. *Un phanéroglosse.* — Adj. *Les anoures phanéroglosses* (opposé à *aglosse*).

PHANÉROPHORE [faneʀɔfɔʀ] adj. — 1869; de *phanère,* et *-phore.*

♦ Anat. Qui produit des phanères. *Tissu phanérophore.*

PHANIE [fani] n. f. — 1966; mot angl. (Stevens, Hanes, 1951); rad. du grec *phanos* «lumineux». → -phane.

♦ Didact. Intensité lumineuse perçue, étudiée par rapport à l'intensité objective. *Les variations individuelles de la phanie sont importantes.*

PHANOTRON [fanɔtʀɔ̃] n. m. — 1948; de *phano-* (grec *phanos* «lumineux», → -phane), et suff *-tron.*

♦ Techn. (électr.). Lampe à deux électrodes dont l'ampoule est remplie d'une vapeur ou d'un gaz. Syn. : *diode à vapeur* (à gaz); et, cour., *tube à gaz.*

Var. rare : *phanatron* [fanatʀɔ̃].

PHANTASMASCOPIE [fɑ̃tasmaskɔpi] n. f. — 1968, Larousse; de *phantasme,* et *-scopie.*

♦ Didact. Vision hallucinatoire de silhouettes.

PHANTASME [fɑ̃tasm] (et dér.). ⇒ **Fantasme** (et dér.).

PHARAMINEUX, EUSE [faʀaminø, øz] adj. ⇒ **Faramineux.**

PHARAON [faʀaɔ̃] n. m. — 1597; *pharao,* 1190; lat. *pharao, -onis,* grec *pharao,* de l'égyptien.

★ **I.** Souverain absolu de l'Égypte antique. *Pharaon coiffé du pschent* et portant le pectoral*. Momies, sarcophages des pharaons. Tombeaux des pharaons.* ⇒ **Pyramide.** *Femme d'un pharaon.* ⇒ **Pharaonne.**

(...) le Pharaon se leva avec une lenteur majestueuse, et se tint debout quelques 1
secondes dans une immobilité parfaite. Ainsi monté sur ce socle d'épaules, il planait au-dessus des têtes et paraissait avoir douze coudées (...) sous ce costume dont les dorures et les émaux scintillaient brusquement, il ressemblait à Osiris ou plutôt à Typhon; il descendit les marches d'un pas de statue (...)
Th. GAUTIER, le Roman de la momie, IV.

★ **II.** (1691; du n. du roi de cœur dans certains jeux). Anciennt. Jeu de hasard et d'argent qui se joue avec des cartes. *Banquier de pharaon. Ponter au pharaon.*

(...) il faut bien vous avouer que j'ai perdu près de cent louis au pharaon, selon 2
ma louable coutume de faire tous les ans quelque lessive au jeu.
VOLTAIRE, Correspondance, 38, sept. 1722.

DÉR. **Pharaonien** ou **pharaonique.**

PHARAONIEN, IENNE [faʀaɔnjɛ̃, jɛn] ou **PHARAONIQUE** [faʀaɔnik] ou (rare) **PHARAONESQUE** [faʀaɔnɛsk] adj. — 1874, *pharaonien; pharaonique,* 1840; *pharaonesque,* av. 1872; de *pharaon.*

Didactique.

♦ **1.** Relatif aux pharaons, à leur époque. *Tombeaux pharaoniques* (→ Graine, cit. 4).

L'Égypte pharaonique était un État supérieurement bureaucratique, où des mil- 1
liers de fonctionnaires contrôlaient le pauvre monde avec une implacable minutie.
DANIEL-ROPS, le Peuple de la Bible, I, II.

Une pestilentielle et pharaonesque bouffée de poison. 2
Claude SIMON, le Palace, p. 155.

♦ **2.** Qui évoque le pouvoir absolu des pharaons et le gigantisme des édifices (temples, pyramides...) construits sous leur règne (le plus souvent, à propos d'urbanisme, d'architecture, etc.). *Le projet pharaonique d'une capitale au milieu de la forêt vierge.*

PHARAONNE [faʀaɔn] n. f.; fém. de *pharaon.*

♦ Pharaon femme (rare). — Femme d'un pharaon.

Fig. Femme comparée à une souveraine égyptienne.

(...) un joyau baroque, une façon de ferronnière que l'on admirait sans penser un instant qu'on puisse la porter. Formant sur le front une frange de pharaonne — cette frange qui, quelque dix ans plus tard allait devenir la «frange Chanel» — elle était faite non point de cheveux mais de diamants.
Edmonde CHARLES-ROUX, l'Irrégulière, p. 502.

1. PHARE [faʀ] n. m. — 1546; lat. *pharus,* grec *Pharos,* n. d'une île voisine d'Alexandrie, où fut édifié, au IIIe s. avant J.-C., un *phare* en marbre blanc classé parmi les sept merveilles du monde.

♦ **1.** Construction en forme de haute tour élevée sur une côte ou un îlot, une jetée, et munie à son sommet d'un feu* (⇒ **Fanal**) qui guide la marche des navires pendant la nuit; ce feu. *Phare qui signale des parages dangereux, l'entrée d'un port, d'une rade... Portée lumineuse d'un phare. Phare de grand atterrissage; phares d'entrée de port. Phare qui porte à 40 milles. Phare à feu fixe, scintillant, tournant, à éclats, à occultations; à feu coloré, alternativement rouge et vert* (ou *alternatif*). *Feu principal, auxiliaire d'un phare. Phare qui balaie la mer d'un faisceau lumineux* (phare-balai). *Lanterne de phare, abritant une lampe à arc, à incandescence. Sémaphore* jumelé à un phare. La hauteur d'un phare, la couleur de sa tour permettent de l'identifier le jour. Service des phares et balises. Gardien de phare. Vigie d'un phare* (→ Événement, cit. 14). *Bateau muni d'un phare, mouillé en pleine mer.* ⇒ **Bateau-feu.**

(...) enfin là-haut, tout en haut (...) la maison du phare, avec sa plate-forme en 1
maçonnerie blanche, où les gardiens se promènent de long en large, la porte verte en ogive, la petite tour de fonte, et au-dessus la grosse lanterne à facettes qui flambe au soleil et fait de la lumière même pendant le jour (...)
Alphonse DAUDET, Lettres de mon moulin, «Phare des Sanguinaires».

Au sud de Saint-Mathieu, le phare du Vieux-Moine s'alluma (...) Il redevenait une 2
lampe, après avoir été, tout le jour, un ermite de pierre, à capuchon de zinc. Puis (...) dans le ciel, quelque chose tourna. Ce n'était pas encore une lueur, mais un rayon d'air doré qui traçait, dans le soir clair, un vaste cercle : le phare-balai de Saint-Mathieu.
Roger VERCEL, Remorques, IX.

Par anal. *Phare d'un aéroport.*

Et Casablanca essaya ses feux. La rampe de balisage découpa en rouge un mor- 3
ceau de nuit, un rectangle noir (...) Puis un second interrupteur brancha les phares. Ils versèrent la lumière au milieu du champ comme une flaque de lait.
SAINT-EXUPÉRY, Courrier Sud, III, I.

Par anal. Dispositif qui envoie au loin des radiations, comme le phare envoie des radiations lumineuses. *Phare hertzien.* ⇒ **Radiophare.**

Par métaphore et fig. Ce qui peut guider, éclairer. ⇒ **Flambeau.** — *Les Phares,* poème de Baudelaire.

4 C'est sur cette Mer orageuse et fameuse *en naufrages,* que j'ai besoin pour guide du phare de tes inventions. CYRANO DE BERGERAC, le Pédant joué, IV, 4.

♦ **2.** (1893). Vx. *Phare de cimetière :* lanterne* des morts.

♦ **3.** (1903; 1859, cit. 4.1, *phares ambulants*). Projecteur placé à l'avant d'un véhicule, d'une voiture automobile. *Automobiliste qui allume, règle, éteint ses phares* (→ aussi Conduire, cit. 2). *Mettre ses phares en veilleuse.* ⇒ **Lanterne.** *Phares codes*. Phares antibrouillard. Phare à iode. Phare blanc, jaune. Appel de phares.*

4.1 (...) il a appliqué le gaz à l'éclairage des simples voitures circulant dans les rues et sur les grandes routes. Au mois de mai 1858, une voiture tapissière traversa Paris pendant plusieurs soirées, munie de deux phares ambulants dont l'éclat était éblouissant. L. FIGUIER, l'Année scientifique et industrielle 1859, p. 241 (1858).

5 Les phares d'une voiture, dans la plus proche avenue, percèrent les feuillages de deux blancs rais tournants. COLETTE, la Chatte, p. 22.

Spécialt. Position du commutateur des phares d'une automobile, dans laquelle ceux-ci éclairent le plus (opposé à *feu de croisement,* ou *« code »,* à *veilleuse*). *Être en phares.* Syn. : *feu* de route.*

Par anal. Projecteur placé à l'arrière d'un véhicule. *Phares de recul.* — Projecteur indépendant d'un véhicule, qui peut souvent pivoter selon deux axes, horizontal et vertical (surtout sur des véhicules spéciaux : tout terrain, véhicules de secours, de dépannage, etc.).

6 Fogar effectua un imperceptible mouvement du corps, qui fit agir son aisselle sur la manette.
Aussitôt le phare s'alluma, projetant verticalement dans la direction du sol une gerbe électrique de blancheur éblouissante, dont l'éclat se décuplait sous l'action d'un réflecteur fourbi à neuf.
Raymond ROUSSEL, Impressions d'Afrique, p. 174.

DÉR. Pharillon.

COMP. Bateau-phare, dynamophare, gyrophare, lave-phares, radiophare.

HOM. Far, fard, 2. phare.

2. PHARE [faʀ] n. m. — 1842; var. orthographique de *fard (*même orig. que *fardaye, fardeau*, farder**) adoptée sous l'influence de 1. *phare,* ou du grec *pharos* «toile, voile», par les parlers méditerranéens.

♦ Vx. Mât d'un navire, avec ses vergues et ses voiles. *Phare de l'avant, de l'arrière.* — Mod., seulement dans la loc. *gréement à phares carrés :* gréement d'un navire qui porte à tous ses mâts des voiles carrées.

PHARILLON [faʀijɔ̃] n. m. — 1771; *farillon,* 1755; de *phare.*

♦ Pêche. Petit réchaud suspendu à l'avant d'un bateau de pêche et dans lequel les pêcheurs allument un feu vif pour attirer le poisson. *Pêche au pharillon* (dite aussi : *pêche au feu*). ⇒ **Lamparo.** — (1869). Mode de pêche qui utilise le pharillon.

PHARISAÏQUE [faʀizaik] adj. — 1541; lat. ecclés. *pharisaicus.* → Pharisien.

♦ **1.** Hist. relig. Qui appartient aux mœurs, au caractère des pharisiens tels que les Évangiles les dépeignent. *Orgueil, affectation pharisaïque.*

♦ **2.** Fig. et littér. Hypocrite.

1 (...) M. Hartford passait pour avoir toutes les qualités pharisaïques et protestantes que les Anglais sous-entendent dans le confortable mot d'*honorability.* BARBEY D'AUREVILLY, les Diaboliques, «Dessous de cartes...», p. 221.

2 Les «complications sentimentales» (...) exigeaient les loisirs d'une vie comblée et se fortifiaient des obstacles créés par les règles d'une société pharisaïque et hiérarchisée. F. MAURIAC, Bloc-notes 1952-1957, p. 79.

DÉR. Pharisaïsme.

PHARISAÏSME [faʀizaism] n. m. — 1541; de *pharisaïque.*

♦ **1.** Didact. Mœurs, caractère des pharisiens.

♦ **2.** (1743). Fig. (littér.) Ostentation de la dévotion, de la piété, de la vertu; comportement de pharisien. ⇒ **Hypocrisie.**

Un croyant (...) que l'orgueil chrétien révoltait plus que le pharisaïsme crucificateur de la Thora, ne pouvait pas se faire beaucoup d'amis dans le sacerdoce. Léon BLOY, le Désespéré, p. 36.

PHARISIEN, IENNE [faʀizjɛ̃, jɛn] n. et adj. — 1190; lat. ecclés. *pharisæus,* grec *pharisaios,* araméen *pharisch,* de l'hébreu *paruchim,* proprt «les séparés, ceux qui sont à part».

♦ **1.** Antiq. *Les pharisiens,* Juifs qui vivaient dans la stricte observance de la Loi écrite (Thora) et de la tradition orale (enseignement des scribes), et que les Évangiles accusent de formalisme et d'hypocrisie (→ Dévotion, cit. 5; observance, cit. 6). *« Malheur à vous, scribes et pharisiens hypocrites »* (cit. 15). — Adj. *Légalisme pharisien.*

Alors Jésus déclara aux foules et à ses disciples : «Les Scribes et les Pharisiens occupent la chaire de Moïse : faites donc et observez tout ce qu'ils pourront vous dire; mais ne vous réglez pas sur leurs actes : car ils disent et ne font pas. Ils lient de pesants fardeaux et les imposent aux épaules des gens, mais eux-mêmes se refusent à les remuer du bout des doigts. En tout ils agissent pour se faire remarquer des hommes». 1
BIBLE (Jérusalem), Évangile selon saint Matthieu, XXIII, 1.

Un pharisien était un homme infaillible et impeccable, un pédant certain d'avoir raison, prenant la première place à la synagogue, priant dans les rues, faisant l'aumône à son de trompe, regardant si on le salue. 2
RENAN, Vie de Jésus, XX, Œ. compl., t. IV, p. 291.

♦ **2.** (Avant 1662). Vx. Personne qui n'a que l'ostentation de la piété, de la vertu; faux dévot (⇒ **Tartuffe**). *L'affectation du pharisien.* ⇒ **Faux, hypocrite.** *Le mot bienfaisance* (cit. 4) *m'a été gâté par les pharisiens qui l'ont trop employé.* — Adj. *« Piété pharisienne »* (Bourdaloue).

♦ **3.** Mod. Personne qui croit incarner la perfection et la vérité, du moment qu'elle observe strictement un dogme, des rites et se reconnaît par là le droit de juger sévèrement autrui, de condamner sa conduite sous couleur de lui rendre service. — *La Pharisienne,* roman de Mauriac.

Le Pharisien est un homme qui croit en Dieu, et qui croit que Dieu est content de lui (...) *(il)* fait voir cette union incroyable de la religion ingénue et de l'admiration de soi (...) Qui offense le Pharisien offense Dieu. «Seigneur, tu es juste; tu connais mon esprit et mon cœur. Tu n'aurais pas éclairé ce pauvre charpentier et cette pauvre bergère *(Jésus et Jeanne d'Arc).* La lumière morale, c'est moi qui l'ai; la lumière politique, c'est moi qui l'ai. Toute perfection agit par moi, par moi et par toute la hiérarchie, et par tous ceux qui la reconnaissent. C'est pourquoi je n'ai pas le droit de pardonner.» 3
ALAIN, Propos, 5 juin 1913, Le pharisien.

(...) ce qu'elle allait supprimer de sa vie, c'était en cela justement qu'avait consisté à ses yeux la religion : tout ce qui satisfaisait son goût de dominer, de régenter, de ne le céder à personne pour la pureté ou pour la perfection (...) Non que la pharisienne fût morte en elle : la lucidité qui lui avait permis de se juger et de se condamner la rendait fière (...) Elle ne s'avouait pas qu'il lui était agréable maintenant de ne plus diriger personne. F. MAURIAC, la Pharisienne, XVI. 4

Adjectif :

Je redoutais aussi qu'à la longue, elle (...) perdît (...) cette largeur d'esprit, cette indulgence que j'avais accoutumé de trouver en elle et qui diminuaient déjà, qui cédaient la place à un esprit quinteux, tatillon, à cette tournure pharisienne, que donnent trop souvent l'abus des fréquentations religieuses et cette vanité d'être des élus, que l'on ressent, quand on se groupe entre gens de même paroisse, autour du même curé (...) Edmond JALOUX, Fumées dans la campagne, XVI. 5

PHARMACEUTIQUE [faʀmasøtik] n. f. et adj. — 1547, n.; lat. *pharmaceuticus,* grec *pharmakeutikos.*

♦ **1.** N. f. Didact. Vx. Partie de la médecine qui traite de la composition et de l'emploi des médicaments (→ Immédiat, cit. 4). ⇒ **Pharmacologie.**

♦ **2.** Adj. (1752). Cour. Qui appartient, a rapport à la pharmacie. *Préparation, produit, spécialité pharmaceutique* (→ Ballotter, cit. 8; négatif, cit. 2). *Recueil de formules pharmaceutiques.* ⇒ **Codex.** *Chimie pharmaceutique.* ⇒ **Pharmacie.** *Industrie, laboratoire pharmaceutique.*

Tout a son importance dans les opérations délicates de notre art! Mais, que diable! il faut établir des distinctions et ne pas employer à des usages presque domestiques ce qui est destiné pour les pharmaceutiques! 1
FLAUBERT, Mme Bovary, III, II.

N. m. Rare. Ce qui relève de la pharmacie.

Veut pas rester dans le vétérinaire, veut se hisser dans le pharmaceutique. 2
R. QUENEAU, Loin de Rueil, p. 123.

PHARMACIE [faʀmasi] n. f. — XVIe; *farmacie* «remède purgatif», 1314; lat. méd. *pharmacia,* grec *pharmakeia,* rac. *pharmakon* «poison, remède».

♦ **1.** a Science des remèdes et des médicaments, art de les préparer et de les contrôler. *Pharmacie chimique* (étudiant les produits définis); *pharmacie galénique* (étudiant les mélanges). *Étudier la pharmacie, étudiant, préparateur en pharmacie.* ⇒ **Pharmaceutique, pharmacologie.** *Préparateur en pharmacie. Docteur en pharmacie. La faculté de pharmacie. Opérations de pharmacie.* ⇒ **Broyer, diluer, doser, édulcorer, émulsionner, enrober, grabeler** (vx), **malaxer, manipuler, mélanger, pulper** (vx), **triturer...; colature, édulcoration, impastation** (vx), **manipulation, mixtion, pulpation** (vx)... *Substances officinales* utilisées en pharmacie, formes sous lesquelles elles sont présentées.* ⇒ **Médicament; cachet, colature, dilution, drogue, élixir, embrocation, émulsion, gélule, hydrolat, intrait, magistère** (vx), **oléolat** (vx), **onguent, pilule, tablette, teinture...** *Instruments utilisés en pharmacie.* ⇒ **Fiole, mortier, pilon, pilulier, spatule...** *Laboratoire de pharmacie,* où les médicaments sont préparés industriellement pour être distribués dans le commerce.

b Profession du pharmacien. *Il veut exercer la pharmacie.* — Études de pharmacie. *Elle finit sa pharmacie.*

♦ **2.** (1732). Local où l'on vend les médicaments (spécialités ou préparations), des substances à usage thérapeutique (alcool, éther, eau oxygénée...), des produits, objets et instruments destinés aux soins du corps (⇒ **Hygiène, toilette**), éventuellement de l'herboristerie et de la parfumerie. ⇒ **Officine.** *Laboratoire et boutique d'une phar-*

macie. Commerce de pharmacie. Médicament préparé en pharmacie (⇒ **Préparation**) *sur ordonnance* du médecin* (⇒ **Magistral**) *ou selon des formules codifiées.* ⇒ **Codex, pharmacopée.** *Médicament vendu en pharmacie tout préparé* (⇒ **Spécialité**), *sur ordonnance, ou en vente libre. Ordonnancier* d'une pharmacie. Pots, bocaux..., balance d'une pharmacie. Pharmacie allopathique, homéopathique. Pharmacie qui a un laboratoire d'analyses.* Vx. *Pharmacie normale ; de première classe. Sonnette de nuit d'une pharmacie. Pharmacie de garde ouverte les jours fériés. Pharmacie mutualiste.* — Par ext. Local où sont préparés, rangés les médicaments dans un hôpital, un hospice... *La pharmacie de l'Hôtel-Dieu. Pharmacie attachée à une infirmerie*.*

1 Mais ce qui attire le plus les yeux, c'est en face de l'auberge du *Lion d'Or,* la pharmacie de M. Homais ! Le soir, principalement, quand son quinquet est allumé et que les bocaux rouges et verts qui embellissent sa devanture allongent au loin, sur le sol, leurs deux clartés de couleur, alors, à travers elles, comme des feux de Bengale, s'entrevoit l'ombre du pharmacien accoudé sur son pupitre. Sa maison, du haut en bas, est placardée d'inscriptions écrites en anglaise, en ronde, en moulée : « Eaux de Vichy, de Seltz et de Barèges, robs dépuratifs, médecine Raspail, racahout des Arabes, pastilles Darcet, pâte Regnault, bandages, bains, chocolats de santé, etc. » Et l'enseigne, qui tient toute la largeur de la boutique, porte en lettres d'or : *Homais, pharmacien.* Puis, au fond de la boutique, derrière les grandes balances scellées sur le comptoir, le mot *laboratoire* se déroule au-dessus d'une porte vitrée (...)
FLAUBERT, Mme Bovary, II, I.

1.1 (...) la radio (...) préférait indiquer les bureaux payeurs des allocations, les convois funèbres et les pharmacies de garde.
Claude COURCHAY, La vie finira bien par commencer, p. 189.

(Au Canada, déb. xxe). Établissement commercial comprenant une pharmacie, un débit de tabac, et parfois un comptoir où l'on sert des rafraîchissements, des repas légers, et où l'on vend des produits de beauté et de menus articles. ⇒ **Drug(-)store** (anglicisme) ; et aussi **tabagie** (3.).

♦ **3.** (1781). Assortiment de produits pharmaceutiques usuels que l'on garde chez soi, qu'on emporte avec soi. *Pharmacie portative, de poche... Pharmacie de voyage* (→ Caisse, cit. 2).

(1858). Collectif. Produits pharmaceutiques. *Acheter de la pharmacie. Note de pharmacie.*

1.2 Ce qu'elle absorbe, ce sont des cachets, des sirops, des gouttes, des pilules, toute une pharmacie qu'il faut avoir bien soin de mettre sur la table, à chaque repas, devant son assiette (...)
O. MIRBEAU, le Journal d'une femme de chambre, p. 31.

2 *(elle)* s'en fut tout droit à l'armoire de pharmacie, dont elle retira la seringue de Pravaz et une ampoule de morphine. Hervé BAZIN, Vipère au poing, X.

Par ext. Armoire à produits pharmaceutiques. *Rangez le coton dans la pharmacie.*

DÉR. Pharmacien. — Cf. Pharmaco-.

PHARMACIEN, ENNE [faʀmasjɛ̃, ɛn] n. — 1620, au masc. ; dér. de *pharmacie.*

♦ Personne diplômée qui exerce la pharmacie. — Spécialt, cour. Personne qui tient une officine. ⇒ **Apothicaire** (vx), **pharmacopole** (vx et péj.), **potard** (fam. et vx). *Métier, profession de pharmacien. Diplôme de pharmacien délivré par l'État.* — Vx. *Pharmacien de première classe.* — *Pharmacien militaire. Pharmacien d'officine, de laboratoire, de production. Ordre des pharmaciens. Inspection des pharmaciens. Pharmacien herboriste. S'établir pharmacien* (→ Échantillon, cit. 2). *Aide du pharmacien.* ⇒ **Préparateur.** *Boutique du pharmacien.* ⇒ **Pharmacie** (→ Officine, cit. 3). *Aller chez le pharmacien. La pharmacienne exécute l'ordonnance, colle les vignettes. Une pharmacienne* ou *une femme pharmacien. Elle est pharmacien* (ou *pharmacienne*). — *Homais, le pharmacien de* Madame Bovary (→ Pharmacie, cit. 1).

1 Chez le pharmacien de la rue Grande, parmi les dorures, Palmyre, éreintée et debout, attendait qu'on lui préparât une potion pour son frère, malade depuis une semaine : quelque sale drogue qui lui mangeait vingt sous, sur les quarante si durement gagnés. ZOLA, la Terre, II, VI.

2 *(La responsabilité civile...)* est engagée toutes les fois que le pharmacien a contrevenu aux prescriptions légales ou réglementaires. Un pharmacien est responsable de l'exécution d'une ordonnance, alors même que l'ordonnance serait mal rédigée tout au moins quand il lui est facile de s'apercevoir que le produit qu'il livre présente un danger évident. Il est responsable, à titre de commettant, des fautes de son préparateur dans l'exécution des ordonnances.
DALLOZ, Dict. de droit, Pharmacie, 22.

N. f. (1845). Vx. *La pharmacienne :* la femme du pharmacien.

3 Il s'agissait maintenant d'approcher la pharmacienne, et il n'y avait qu'un moyen : payer d'audace, entrer à la pharmacie et se présenter (...) Le sort en était jeté : il traversa la rue, et, poussant la porte entrouverte, il entra. La boutique était pleine. Le pharmacien vint s'excuser (...)
GIRAUDOUX, Provinciales, II, La pharmacienne, III.

PHARMACO- Élément du grec *pharmakon* « remède », entrant dans la composition de mots savants. Voir à l'ordre alphab. et aussi *pharmacoclinique,* adj. ; *pharmacosimulation,* n. f. (*la Clé des Mots,* janv. 1974).

PHARMACOCINÉTIQUE ou PHARMACO-CINÉTIQUE [faʀmakosinetik] n. f. et adj. — Avant 1975, *in* G. L. E., *Deuxième Suppl.* ; de *pharmaco-,* et *cinétique.*

Didactique. Pharmacie, médecine.

♦ **1.** N. f. Étude du comportement des médicaments dans l'organisme, visant à en tester l'activité, la toxicité. « *(...) pharmaco-cinétique, (...) résistance et (...) effets secondaires néfastes des drogues anticancéreuses* » (*la Recherche,* avril 1981, p. 514).

♦ **2.** Adj. Relatif à la pharmacocinétique. *Les « données pharmacocinétiques connues de la drogue utilisée »* (*la Recherche,* mars 1981, p. 371).

PHARMACODÉPENDANCE [faʀmakodepɑ̃dɑ̃s] n. f. — Mil. xxe ; de *pharmaco-,* et *dépendance,* t. recommandé par l'O. M. S.

♦ Didact. Dépendance physique ou psychique par rapport à une substance médicamenteuse qui apparaît après un certain temps d'utilisation. ⇒ **Accoutumance, toxicomanie.**

PHARMACODYNAMIE [faʀmakodinami] n. f. — 1857, *in* D. D. L. ; de *pharmaco-,* et *-dynamie.*

♦ Didact. Partie de la pharmacologie qui a pour objet l'étude de l'action exercée par les médicaments sur l'organisme sain.

PHARMACODYNAMIQUE [faʀmakodinamik] adj. — 1855, Nysten ; de *pharmaco-,* et *dynamique.*

♦ Didact. Relatif à l'action des médicaments sur l'organisme sain (pharmacodynamie physiologique) ou sur l'organisme malade (pharmacodynamie pathologique). *Biochimie pharmacodynamique. Action psychologique des agents pharmacodynamiques. Exploration, épreuve pharmacodynamique.*

Ne lit-on pas dans Galien : « Les temples d'Esculape nous fournissent la preuve que beaucoup de malades peuvent guérir uniquement par la secousse qu'on imprime au moral ». Que cette secousse puisse aussi bien être déclenchée par des moyens pharmacodynamiques que par des moyens psychologiques, constitue l'aspect nouveau de ce très vieux problème.
J. DELAY, Introd. à la médecine psychosomatique, p. 39.

PHARMACOGÉNÉTIQUE [faʀmakoʒenetik] n. f. — 1972 ; de *pharmaco-,* et *génétique.*

♦ Didact. Étude du rôle des facteurs génétiques dans la réaction de l'organisme aux médicaments.

PHARMACOGNOSIE [faʀmakognozi] n. f. — 1903 ; de *pharmaco-,* et *-gnosie.*

♦ Didact. Étude des médicaments d'origine animale et végétale.

PHARMACOLOGIE [faʀmakɔlɔʒi] n. f. — 1738 (on disait *la pharmaceutique*) ; de *pharmaco-,* et *-logie.*

♦ Didact. Étude des médicaments, de leur action (propriétés thérapeutiques, etc.) et de leur emploi. ⇒ **Pharmacie, pharmacodynamie, pharmacothérapie ; psychopharmacologie.**

DÉR. Pharmacologique, pharmacologiste ou **pharmacologue.**

PHARMACOLOGIQUE [faʀmakɔlɔʒik] adj. — 1808 ; de *pharmacologie.*

♦ Didact. Qui a rapport à la pharmacologie. *Études pharmacologiques. Effet pharmacologique.*

DÉR. Pharmacologiquement.

PHARMACOLOGIQUEMENT [faʀmakɔlɔʒikmɑ̃] adv. — xxe ; de *pharmacologique.*

♦ Didact. Quant à la pharmacologie.

Le médecin (...) lorsqu'il (...) veut ménager une période d'observation sans mécontenter le malade, qui exige un traitement immédiat, a parfois recours à une thérapeutique d'attente, pharmacologiquement anodine, mais non toujours dénuée d'action. Les pilules de mie de pain des anciennes pharmacopées trahissent cette préoccupation. A. LE GALL et R. BRUN, les Malades et les Médicaments, p. 47.

PHARMACOLOGISTE [faʀmakɔlɔʒist] ou PHARMACOLOGUE [faʀmakɔlɔg] n. — 1799, *pharmacologiste ; pharmacologue,* 1836 ; de *pharmacologie.*

♦ Didact. Spécialiste de la pharmacologie*. *L'étude et l'utilisation des plantes par le pharmacologiste. « L'aubépine fournit au pharmacologiste et au thérapeute ses fleurs et ses baies »* (« L'homme et le Végétal », in *Guérir,* oct. 1967).

PHARMACOMANIE [faʀmakomani] n. f. — 1953, Quillet ; de *pharmaco-,* et *-manie.*

♦ Méd. « Propension à absorber des médicaments sans raison ou sans mesure » (Manuila), syn. : *pharmacophilie. La pharmacomanie est le fait d'hypocondriaques, d'anxieux, d'obsédés, de phobiques. La narcomanie, toxicomanie engendrée par pharmacomanie.*

PHARMACOPAT [farmakɔpa] n. m. — Mil. xxe (*in* Larousse 1963); de *pharmaco-*, et *hôpital*, d'après *internat**, *externat**.

♦ Didact. Concours d'accès à la profession de pharmacien des hôpitaux.

PHARMACOPÉE [farmakɔpe] n. f. — 1680; «préparation des remèdes», 1571; grec *pharmakopoiia* «confection de remèdes».

♦ **1.** Didact. Recueil officiel national des médicaments, donnant leur constitution, leur activité et leur mode de préparation. ⇒ **Codex.** *Pharmacopée internationale*, élaborée par l'Organisation mondiale de la Santé et proposée comme référence et moyen de contrôle de la qualité des produits pharmaceutiques.

♦ **2.** (1867). Cour. Ensemble des médicaments. *La pharmacopée chinoise traditionnelle.*

(...) dans l'arsenal de la pharmacopée, — dis-moi donc, connais-tu point quelque remède spécifique, ou quelque corps exactement antidote, pour ce mal d'entre les maux, ce poison des poisons, ce venin opposé à toute la nature? (...)
VALÉRY, Eupalinos, L'âme et la danse, p. 163.

PHARMACOPHILIE [farmakofili] n. f. — 1959, Garnier et Delamare; t. dû à Hayem et Lion, de *pharmaco-*, et *-philie*.

♦ Méd. Pharmacomanie*.

PHARMACOPOLE [farmakɔpɔl] n. m. — 1537; lat. *pharmacopola*, grec *pharmakopôlês*.

♦ Vx et péj. Pharmacien; charlatan qui vend des drogues.

PHARMACOPSYCHOLOGIE [farmakopsikɔlɔʒi] n. f. — 1967, cit. *infra*; de *pharmaco-*, et *psychologie*.

♦ Didact. Traitement de troubles psychologiques par des procédés pharmacodynamiques.

La guérison du symptôme est souvent un alibi dont le patient s'autorise pour mettre un terme prématuré à la cure *(analytique)*, avant toute transformation notable de son économie psychique : les psychothérapies par la suggestion ou la pharmacopsychologie obtiennent plus vite encore le même résultat, en prémunissant encore moins des rechutes.
D. ANZIEU, le Moment de l'apocalypse, *in* la Nef, no 31, p. 128.

PHARMACOTECHNIE [farmakotɛkni] n. f. — V. 1945; au sens de «pharmacologie», 1817; de *pharmaco-*, et *-technie*.

♦ Didact. Technique de la fabrication (extraction, synthèse) des médicaments. ⇒ **Laboratoire** (pharmaceutique).

DÉR. Pharmacotechnique.

PHARMACOTECHNIQUE [farmakotɛknik] adj. — Mil. xxe; de *pharmacotechnie*.

♦ Didact. De la pharmacotechnie.

PHARMACOTHÉRAPIE [farmakoterapi] n. f. — 1882, *in* D. D. L.; de *pharmaco-*, et *-thérapie*.

♦ Didact. Emploi thérapeutique des médicaments. Étude de l'action des médicaments sur l'organisme malade (partie de la pharmacologie).

PHARMACOVIGILANCE [farmakoviʒilɑ̃s] n. f. — 1975; de *pharmaco-*, et *vigilance*.

♦ Didact. Recensement et analyse des effets secondaires des médicaments (et notamment des effets indésirables), fondés sur la centralisation des observations communiquées par les prescripteurs. *Centre hospitalier de pharmacovigilance.*

PHARYNGAL, ALE, AUX [farɛ̃gal, o] adj. et n. f. — 1933; de *pharynx*. → Pharyngé, pharyngien.

Didactique (phonétique).

♦ **1.** Adj. Se dit d'une consonne articulée avec la racine de la langue fortement repoussée vers l'arrière et se rapprochant de la paroi postérieure du pharynx. Par ext. *Une articulation pharyngale.*

♦ **2.** N. f. *Une pharyngale* : une consonne pharyngale.

PHARYNGÉ, ÉE [farɛ̃ʒe] adj. — 1765; du rad. grec de *pharynx*.

♦ Didact. (surtout en méd.). Relatif au pharynx, qui appartient au pharynx. ⇒ **Pharyngien.** *Toux pharyngée, réflexe pharyngé. Artère pharyngée. Affections pharyngées, rhino-pharyngées.*

PHARYNGECTOMIE [farɛ̃ʒɛktɔmi] n. f. — 1932; du rad. de *pharynx*, et *-ectomie*.

♦ Didact. (chir.). Ablation totale ou partielle du pharynx (⇒ **Pharyngotomie**).

PHARYNGIEN, IENNE [farɛ̃ʒjɛ̃, jɛn] adj. — 1745; du rad. grec de *pharynx*.

♦ Didact. (surtout en anat.). Qui appartient au pharynx, qui s'y rapporte. ⇒ **Pharyngé.** *Amygdale pharyngienne, plexus pharyngien.* Méd. *Angine pharyngienne.*

PHARYNGISME [farɛ̃ʒism] n. m. — 1878, P. Larousse, *Premier Suppl.*; du rad. de *pharynx*, et suff. *-isme*.

♦ Didact. (méd.). Contraction spasmodique des muscles du pharynx.

PHARYNGITE [farɛ̃ʒit] n. f. — 1823; du rad. de *pharynx*.

♦ Méd. Inflammation du pharynx, angine pharyngienne.

COMP. Rhino-pharyngite.

PHARYNGO- Élément tiré du radical grec de *pharynx.*

PHARYNGO-LARYNGITE [farɛ̃golarɛ̃ʒit] n. f. — 1836, *in* D. D. L.; de *pharyngo-*, et *laryngite*.

♦ Méd. Inflammation simultanée du pharynx et du larynx.

PHARYNGOPLASTIE [farɛ̃goplasti] n. f. — Mil. xxe; de *pharyngo-*, et *-plastie*.

♦ Chir. Fermeture d'une fissure congénitale du palais par transplantation d'un lambeau de la paroi postérieure du pharynx, suturé au voile du palais.

PHARYNGOPLÉGIE [farɛ̃gopleʒi] n. f. — Mil. xxe; de *pharyngo-*, et *-plégie*.

♦ Méd. Paralysie des muscles du pharynx.

PHARYNGOSCOPE [farɛ̃gɔskɔp] n. m. — 1877, Littré, *Suppl.*; de *pharyngo-*, et *-scope*.

♦ Didact. (méd.). Instrument pour l'examen du pharynx (analogue au laryngoscope).

PHARYNGOSCOPIE [farɛ̃gɔskɔpi] n. f. — 1877; de *pharynx*, et *-scopie*.

♦ Didact. (méd.). Examen du pharynx au moyen du pharyngoscope.

PHARYNGOSPASME [farɛ̃gospasm] n. m. — Mil. xxe; de *pharyngo-*, et *spasme*.

♦ Méd. Contracture brusque des muscles du pharynx (surtout au niveau du voile du palais et de ses piliers).

PHARYNGOTOMIE [farɛ̃gɔtɔmi] n. f. — 1793, *in* F. E. W.; de *pharyngotome*, 1752, «instrument pour ouvrir les abcès du pharynx».

♦ Didact. (chir.). Ouverture chirurgicale du pharynx (→ Pharyngectomie). *Pharyngotomie pratiquée pour extraire un corps étranger enclavé dans le pharynx.*

PHARYNX [farɛ̃ks] n. m. — 1538; *faringa*, 1478; grec *pharugx*, *pharuggos* «gorge».

♦ Conduit musculo-membraneux qui constitue un carrefour des voies digestives et respiratoires, entre la bouche et l'œsophage d'une part, les fosses nasales et le larynx d'autre part. *Le pharynx est une cavité où aboutissent les conduits digestifs* (bouche, œsophage) *et respiratoires* (fosses nasales, larynx, trachée-artère). *Portion supérieure, nasale, du pharynx,* ou *rhino-pharynx, moyenne,* ou *oro-pharynx, inférieure,* ou *laryngo-pharynx. Muscles constricteurs et élévateurs du pharynx. — Affections du pharynx.* ⇒ **Aphte, pharyngite** (et **rhino-pharyngite**). — *Examen du pharynx au pharyngoscope*.*

Le pharynx, deuxième portion du tube digestif, est un conduit musculo-membraneux, à direction verticale, situé en arrière des fosses nasales et de la bouche et aboutissant en bas, d'une part au larynx et à la trachée, d'autre part à l'œsophage.

Conduit mixte au point de vue physiologique, il livre passage à la fois, mais jamais simultanément, au bol alimentaire et à l'air de la respiration (...)
L. TESTUT, Traité d'anatomie, t. IV, p. 110.

PHASCOLOME [faskɔlɔm] n. m. — 1808, cit. ci-dessous; du grec *phaskôlos* «poche», et *mus* «rat».

♦ Petit mammifère australien *(Marsupiaux)* appelé aussi *wombat*, aux membres courts, aux pattes fouisseuses.

Cette période a fait connaître de nouvelles espèces de gibier que l'on pourrait répandre dans nos bois, comme le phascolome de la Nouvelle-Hollande, etc.
CUVIER, Rapport historique sur le progrès des sciences naturelles, *in* D. D. L., II, 12.

PHASE [fɑz] n. f. — Attestation isolée, 1544, sens 4; répandu XIXe; grec *phasis* «lever d'une étoile», rac. *phainein* «apparaître».

♦ **1.** (1661). Astron. Chacun des aspects que présentent la Lune et les planètes à un observateur terrestre, selon leur éclairement par le Soleil. ⇒ **Apparence.** *Les phases de la Lune* (cit. 1). *Phases de Vénus, de Mars, de Mercure.*

♦ **2.** (1903). Phys. Constante angulaire caractéristique d'un mouvement périodique (spécialt, considérée dans le cas de plusieurs mouvements de même période). *L'élongation est fonction du temps et de la phase. Le déphasage, différence de phase entre deux mouvements de même période. Mouvements de même période en phase* (débutant en même temps, leurs fonctions ayant leurs maximums et leurs minimums pour des valeurs identiques de leurs variables), *en opposition de phase* (l'un des mouvements débutant une demi-période après l'autre; *l'angle de phase,* qui exprime la différence de phase, étant alors de 180 degrés), *en quadrature retard ou avance,* déphasés d'un quart de période.

Électr. *Différence de phase entre plusieurs courants alternatifs simultanés.* ⇒ **Polyphasé, triphasé.**

♦ **3.** Chim. Dans un système chimique, Chacune des différentes parties homogènes, mais physiquement distinctes, qui ont leur situation propre dans l'espace et sont limitées par des surfaces de séparation. *La glace, l'eau liquide et la vapeur d'eau sont trois phases distinctes d'un même composé chimique, l'eau. Un mélange gazeux ou une solution liquide ou solide constituent chacun une seule phase; une solution saturée d'un sel en présence d'un excès de sel et de vapeur constitue un système à trois phases. Lois des phases,* liant le nombre de phases (d'un constituant) à la pression et à la température (W. Gibbs, 1877).

♦ **4.** (1810). Cour et sc. Chacun des états successifs (d'une évolution). ⇒ **Période.** — *Les phases d'une maladie.* ⇒ **Épisode, stade.** *Phase intense* (⇒ **Acmé**), *critique* (⇒ **Crise**). *Phases d'un accès d'hystérie* (cit. 2). *Phases de l'ivresse, de l'effet d'un stupéfiant* (→ Kief, cit. 2). *Le mal entre dans sa seconde phase. — Les phases de la croissance. Les trois phases du cycle menstruel : phase folliculaire, phase lutéinique*, phase cataméniale**. Psychan. *Phase orale, anale, génitale.* ⇒ **Stade.** — *Phases d'un mouvement, d'un thème de danse* (→ Chorégraphe, cit.). *Phase d'appui* (cit. 2) *dans la marche, la course* (cit. 1). — *Phases de la civilisation, du langage* (⇒ **Étape;** → Archaïsme, cit. 1), *du développement intellectuel* (⇒ **Forme**), *économique... Les phases d'un drame intérieur* (→ Mental, cit. 1). *Les phases de la fortune.* ⇒ **Échelon.** *La première phase d'une bataille, d'un combat* (→ Hésitant, cit. 5). ⇒ **Partie.** *Phases d'une fabrication* (→ Cuvage, cit. 1), *d'un processus technique. — Passer par une phase nouvelle.* ⇒ **Changement.** *Par phases successives.* ⇒ **Palier.**

1 Nous sommes dans la phase de la passion contenue.
FRANCE, le Crime de S. Bonnard, Œ., t. II, p. 496.

2 «Tout le possible a été tenté», se dit-il, en se remémorant les diverses phases de l'opération.
MARTIN DU GARD, les Thibault, t. V, p. 271.

3 Il commente, pour la foule, toutes les phases du match (...)
G. DUHAMEL, Scènes de la vie future, XII.

DÉR. Phasemètre.

PHASEMÈTRE [fazmɛtʀ] n. m. — 1907; de *phase,* et *-mètre.*

♦ Phys. Dispositif permettant de mesurer la différence de phase entre deux grandeurs électriques alternatives de même fréquence.

PHASIANIDÉS [fɑzjanide] n. m. pl. — 1842, Barre; du lat. *phasianus* «faisan».

♦ Zool. Famille d'oiseaux galliformes *(Gallinacés)* ayant pour type le genre *faisan. Principaux phasianidés.* ⇒ **Argus, bartavelle, caille, coq, faisan, francolin, lophophore, paon, perdrix, pintade, poule.** — Au sing. *Un phasianidé.*

-PHASIE Élément de composition de mots savants, du grec *-phasia,* de *phanai* «dire», impliquant l'idée de parole (apparu d'abord dans *paraphasie,* il sert principalement à former des mots désignant des troubles du langage. ⇒ **Aphasie,** etc.).

PHASME [fasm] n. m. — 1803; grec *phasma* «fantôme».

♦ Zool. Insecte *(Phasmidés)* au corps allongé et frêle imitant la forme des tiges sur lesquelles il séjourne.
Par ext. (au plur.). *Les phasmes :* les phasmidés*.

(...) où s'émiettent, sous verre, les panoplies de phasmes, de vanesses (...)
SAINT-JOHN PERSE, Exil 5, éd. Seghers, p. 173.

DÉR. Phasmidés.

PHASMIDÉS [fasmide] n. m. pl. — 1896, *in* D. D. L.; *phasmiens,* 1845; de *phasme.*

♦ Zool. Famille d'insectes orthoptères marcheurs, des régions tropicales, présentant des cas de mimétisme. *Principaux phasmidés :* phasme, phyllie. — Au sing. *Un phasmidé.*

PHASOTRON [fɑzɔtʀɔ̃] n. m. — Mil. XXe; de *phase,* et suff. *-tron* de *cyclotron.*

♦ Phys. Syn. de *synchrocyclotron.*

PHATIQUE [fatik] adj. — Mil. XXe; angl. *phatic,* Malinowski, 1930; du grec *phatis* «parole».

♦ Didact. *Fonction phatique :* fonction du langage, lorsqu'il est utilisé uniquement pour établir une communication, sans apport d'information. — *Acte phatique* (angl. *phatic,* Austin) : acte énonciatif où la langue est utilisée abstraction faite de ce à quoi on veut référer (s'oppose à *rhétique*). *Le comédien qui dit un texte appris fait un acte phatique.*

«Ici Rogers — je te reçois cinq sur cinq.» «Tu m'entends? oui, je t'entends.» «On se reçoit, on se parle.» «Oui, on se parle.» Telle est la litanie des réseaux *(de radio),* y compris et surtout des réseaux pirates et alternatifs. On y joue à se parler, à s'entendre, à communiquer, on y joue des mécanismes les plus subtils de mise en scène de la communication. Fonction phatique, fonction de contact, la parole soutenant la dimension formelle de la parole : cette fonction isolée et décrite pour la première fois par Malinowski chez les Mélanésiens, reprise ensuite par Jakobson dans sa grille des fonctions du langage, devient hypertrophique dans la télédimension des réseaux. Le contact pour le contact devient une sorte d'autoséduction vide du langage lorsqu'il n'a plus rien à dire.
J. BAUDRILLARD, De la séduction, p. 222.

PHÉBÉEN, ENNE [febeɛ̃, ɛn] adj. — Avant 1848; de *Phébé* «Diane, la Lune», grec *Phoibê.*

♦ Littér. Relatif à la Lune. *« L'azur des clartés phébéennes »* (Chateaubriand).

PHÉBUS ou **PHŒBUS** [febys] n. m. — 1609, *parler phébus;* lat. *Phœbus,* grec *Phoibos,* proprt «celui qui brille», autre n. d'Apollon, dieu du Soleil et de la poésie.

♦ Vx. Galimatias, style obscur et ampoulé (surtout : *diseur de phébus*). *« Ce que nos pères appelaient un diseur de phébus »* (Proust, → Alambiquer, cit. 7). *Parler phébus.*

(...) Nicodème était un grand diseur de beaux mots, de pointes, de phœbus et de galimatias (...) 1
FURETIÈRE, le Roman bourgeois, I, p. 15.

(...) vous voulez, *Acis,* me dire qu'il fait froid; que ne disiez-vous : «Il fait froid?» 2
(...) Une chose vous manque, Acis, à vous et à vos semblables les diseurs de *phœbus* (...) une chose vous manque, c'est l'esprit.
LA BRUYÈRE, les Caractères, II, 7.

PHELLO- Élément de composition de quelques mots savants, du grec *phellos* «liège».

PHELLODERME [felɔdɛʀm; fɛllɔdɛʀm] n. m. — 1890; de *phello-,* et *-derme.*

♦ Bot. Écorce secondaire qui se forme sur la face interne d'une tige, d'une racine, à partir de l'assise phellogène.

PHELLOGÈNE [felɔʒɛn; fɛllɔʒɛn] adj. — 1903; autre sens, 1890; de *phello-,* et *-gène.*

♦ Bot. Qui produit le liège, en parlant d'un tissu végétal. *Assise phellogène d'un tronc d'arbre.*

-PHÉN- ⇒ **Phéno-.**

PHÉNACÉTINE [fenasetin] n. f. — 1890; de *phéno-, acétique,* et suff. *-ine.*

♦ Chim., pharm. Médicament dérivé de l'aniline, fébrifuge et antinévralgique, qui peut s'avérer toxique pour le sang et le rein.

PHÉNAKISTISCOPE [fenakistiskɔp] ou **PHÉNAKISTICOPE** [fenakistikɔp] n. m. — 1842; du grec *phenakizein* «tromper», et suff. *-scope.*

♦ Didact. Appareil formé de deux disques, qui donne l'illusion du mouvement par la persistance des images rétiniennes (→ Baudelaire, *Curiosités esthétiques*, IV, « Morale du joujou »). *Phénakistiscopes perfectionnés.* ⇒ **Praxinoscope, zootrope.** *Le phénakistiscope, ancêtre du cinéma.*

PHÉNANTHRÈNE [fenɑ̃tʀɛn] n. m. — 1890; de *phénol*, et grec *anthrax* « charbon ».

♦ Chim. Carbure cyclique ($C_{14}H_{10}$) isomère de l'anthracène, produit de la distillation du goudron de houille, utilisé pour fabriquer le noir de fumée et des matières colorantes.

PHÉNATE [fenat] n. m. — 1869; de *phénol.*

♦ Chim. Syn. : *phénolate.*

-PHÈNE ⇒ **Phéno-.**

PHÉNICIEN, IENNE [fenisjɛ̃, jɛn] adj. et n. — 1690; de *Phénicie*, pays côtier d'Asie Mineure dans l'antiquité.

♦ De la Phénicie. *Colonies phéniciennes d'Afrique.* ⇒ **Punique.** *Alphabet phénicien emprunté et transformé par les Grecs.* — *Les Phéniciens furent des navigateurs et des commerçants* (→ 2. Marin, cit. 2).

N. m. (1875). Ling. *Le phénicien*, langue sémitique ancienne qui forme, avec l'hébreu et le moabite, le groupe cananéen. *Le phénicien de Carthage ou punique, un peu différent du phénicien oriental, s'est peut-être conservé jusqu'à l'invasion arabe* (VIIe s.).

PHÉNICOPTÈRE [fenikɔptɛʀ] n. m. — 1541; *phœnicoptere*, 1534; grec *phoinikopteros*, de *phoinix* « pourpre », et *pteron* « aile ».

♦ Didact. Flamant*.

Les voyageurs ont parlé des flamants ou phénicoptères qui animent cette grande flaque d'eau *(le lac de Tunis)* (...) CHATEAUBRIAND, Itinéraire..., VII, p. 424.

PHÉNIQUE [fenik] adj. — 1841; de *phénol.*

♦ Chim. Vx. *Acide phénique* : phénol*.

PHÉNIQUÉ, ÉE [fenike] adj. — 1866, *in* D. D. L.; de *phénique.*

♦ Didact., vx. Qui contient de l'acide phénique, ou *phénol. Eau phéniquée.*

PHÉNIX [feniks] n. m. — 1121, *fénix*; lat. *phœnix*, grec *phoinix.*

♦ **1.** Animal fabuleux de la mythologie gréco-latine, oiseau unique de son espèce, qui vivait plusieurs siècles, se brûlait et renaissait de ses cendres (→ 1. Engendrer, cit. 10).

♦ **2.** (1544). Personne unique en son genre, supérieure par ses dons, ses brillantes qualités. ⇒ **Aigle, as, génie** (cf. Oiseau rare, fig.). *« Vous êtes le phénix des hôtes de ces bois »* (cit. 16, La Fontaine). — (S'emploie surtout de nos jours dans une phrase négative). *Cet écolier est un bon élève, ce n'est pas un phénix* (Académie). ⇒ **As, crack.**

1 (...) comment trouver un gendre qui convînt également au père et à la fille? Un pareil homme était le phénix des gendres.
BALZAC, Illusions perdues, Pl., t. IV, p. 496.

S'est dit aussi en parlant des choses.

2 Un sonnet sans défauts vaut seul un long poème.
Mais en vain mille auteurs y pensent arriver;
Et cet heureux phénix est encore à trouver. BOILEAU, l'Art poétique, II.

3 Si *l'Iliade* et *l'Odyssée* sont les chefs-d'œuvre de l'épopée qui se peut nommer *populaire;* si *l'Énéide* est le chef-d'œuvre de l'épopée *savante*, pourquoi ne pas dire que *les Martyrs* sont le phénix de l'épopée *systématique?*
SAINTE-BEUVE, Chateaubriand..., t. I, p. 330.

♦ **3.** [a] (1875). Paradisier. — (1903). *Coq phénix* : variété de coq domestique du Japon, remarquable par la longueur des plumes de sa queue.

[b] (1690). Arbre, palmier ornemental qui peut être cultivé dans le Midi de la France.

HOM. Phœnix.

PHÉNO-, -PHÉN-, -PHÈNE Éléments de composition de mots de chimie, du grec *phainô* « j'éclaire », introduits « en 1836 par Laurent pour désigner un "radical fondamental" correspondant à la benzine » (H. Cottez) — celle-ci ayant été isolée dans le gaz d'éclairage —, et conservés dans les noms de nombreux composés benzéniques.

PHÉNOBARBITAL [fenobaʀbital] n. m. — Mil. XXe; de *phén(o)-, barbit-(urique)*, et suff. *-al.*

♦ Pharm. Médicament barbiturique (phényl-éthyl-malonylurée).

(...) le phénobarbital (gardénal, luminal) est peu employé comme hypnogène mais reste un très grand médicament comme sédatif général, comme tranquillisant et comme antiépileptique.
A. GALLI et R. LELUC, les Thérapeutiques modernes, p. 49.

PHÉNOGÉNÉTIQUE [fenoʒenetik] adj. et n. f. — 1963; de *phéno(type)*, et *génétique.*

♦ Biol. Qui concerne le milieu et son influence sur le phénotype.

N. f. Science de l'influence du milieu sur les caractères individuels (⇒ **Phénotype**).

PHÉNOL [fenɔl] n. m. — 1843; du grec *phainein* « briller », et suff. chimique *-ol.*

♦ **1.** Chim. et cour. Corps composé (C_6H_5OH), solide cristallisé blanc, soluble dans l'eau, corrosif et toxique, à odeur caractéristique, qu'on obtient par distillation du goudron* de houille ou par synthèse à partir du benzène*, et qui est le premier terme et le plus simple de la série des *Phénols* (→ ci-dessous). *Acide phénique*, ancienne dénomination du phénol. Sel de phénol.* ⇒ **Phénolate.** *Le phénol est un antiseptique employé en pharmacie* (→ Eau phéniquée). *Le phénol utilisé dans la fabrication de la bakélite, de produits colorants.* ⇒ **Indophénol** (autrefois appelé *bleu* de houille*).

♦ **2.** (1875). Chim. *Phénols* : série de composés organiques résultant du remplacement d'un ou plusieurs atomes d'hydrogène d'un noyau « aromatique » (d'un dérivé du benzène) par un ou plusieurs hydroxyles, OH (de la même façon que les alcools résultent du remplacement d'un ou plusieurs atomes d'hydrogène par un ou plusieurs hydroxyles dans un hydrocarbure acyclique ou dans la chaîne latérale d'un hydrocarbure cyclique; il y a donc de nombreuses analogies entre les phénols et les alcools). — *Le premier terme et le plus simple des phénols est le phénol ordinaire*, C_6H_5OH (→ ci-dessus). — Au sing. *Un phénol* : un corps de la série des phénols. ⇒ **Naphtol, pyrogallique** (acide), **picrique** (acide), **résorcine, thymol...**

DÉR. Phénolate, phénolique.
COMP. Diamidophénol, indophénol.

PHÉNOLATE [fenɔlat] n. m. — 1904; de *phénol*, et suff. *-ate* désignant un sel.

♦ Chim. Sel de l'acide phénique ou phénol (syn. : *phénate*). *Phénolate de sodium, de calcium.*

PHÉNOLIQUE [fenɔlik] adj. — 1903, *Rev. gén. des sc.*, no 1, p. 55; de *phénol.*

♦ Chim., techn. Préparé à partir des phénols. *Colle phénolique. Résines phénoliques. Composés phénoliques.*

PHÉNOLOGIE [fenɔlɔʒi] n. f. — 1907; formation savante, p.-ê. d'après l'angl. *phenology* (1875), du grec *pheno(menon)*, et *-logy.*

♦ Didact. Discipline qui étudie les variations que font subir les climats aux phénomènes périodiques de la végétation (germination, feuillaison, floraison, etc.) et au règne animal (chant des oiseaux, migration, hivernation, etc.). ⇒ **Bioclimatologie.**

DÉR. Phénologique.

PHÉNOLOGIQUE [fenɔlɔʒik] adj. — 1907; all. *Phänologisch*, Fritsch, 1853; de *phénologie.*

♦ Didact. Relatif à la phénologie. *Cartes phénologiques.*

Les espèces de vignes vraies (...) ne sont séparées que par des barrières géographiques, écologiques ou phénologiques.
Louis LEVADOUX, la Vigne et sa culture, p. 22.

PHÉNOMÉNAL, ALE, AUX [fenɔmenal, o] adj. — 1803; de *phénomène.*

♦ **1.** Didact. De la nature du phénomène, du fait sensible. — *Lois phénoménales* (→ Corrélation, cit. 1). — (Chez Kant). *Monde phénoménal et monde nouménal.*

(...) tout ce qui est du monde *phénoménal* est du domaine de la *science*, tout ce qui est du monde invisible est du domaine de la *religion*.
BALZAC, le Feuilleton, XXIII, *in* Œ. diverses, t. I, p. 404.

♦ **2.** (1827). Cour. Qui sort de l'ordinaire. ⇒ **Étonnant, extraordinaire, monstrueux, surprenant.** *« Un prodigieux, un phénoménal, un* *hyperbolique... chapeau»* (→ Épithète, cit. 2, Gautier). *Un acrobate phénoménal* (→ Bondir, cit. 7).

DÉR. Phénoménalement.

PHÉNOMÉNALEMENT [fenɔmenalmɑ̃] adv. — 1845; de *phénoménal.*

♦ **1.** Didact. Relativement au phénomène.

♦ **2.** (1875). Cour. Prodigieusement, étonnamment.

PHÉNOMÉNALISME [fenɔmenalism] n. m. — 1823; de *phénoménal.*

♦ Philos. Doctrine selon laquelle l'homme ne peut connaître que les phénomènes et non les choses en soi (sans nier qu'elles existent). *Le positivisme de Comte est un phénoménalisme.*

PHÉNOMÉNALITÉ [fenɔmenalite] n. f. — 1850; de *phénoménal.*

♦ Philos. Caractère, nature du phénomène.

PHÉNOMÈNE [fenɔmɛn] n. m. — 1554, astron.; grec *phainomena* «phénomènes célestes», de *phainesthai* «apparaître».

♦ **1.** (1664). Ce qui se manifeste à la conscience, que ce soit par l'intermédiaire des sens *(phénomènes extérieurs, physiques, sensibles)* ou non *(phénomènes psychologiques, affectifs...). Au sens le plus large, on nomme phénomène tout fait qui peut être objet de connaissance rationnelle, de science.* ⇒ **Fait** (cit. 36, et *supra*). *Phénomènes et essence* (cit. 4) *des choses.* ⇒ **Apparence.** *Relations entre les phénomènes.* ⇒ **Déterminisme** (cit. 1), 1. **loi** (cit. 60 et 63). → Corrélation, cit. 1; enchaîner, cit. 15; exact, cit. 15; exception, cit. 14; indéterminisme, cit. 3. *Phénomène* (cause) *qui en produit un autre* (effet). → Efficient, cit. 1. *Phénomène accessoire.* ⇒ **Épiphénomène.** *Suite, cycle* de phénomènes.*
Phénomènes généraux (1. Général, cit. 8). *Phénomène complexe* (→ Différenciation, cit. 2; hasard, cit. 30). *Étude des phénomènes par la science.* ⇒ **Expérience** (cit. 42 et 43), **observation** (→ Expérimentateur, cit. 1 et 2; observer, cit. 15). *Phénomène explicable* (cit. 2). *Phénomène étrange* (→ Lévitation, cit.), *inexplicable... Mesure* (cit. 1) *des phénomènes. — Phénomènes de la nature* (cit. 48). ⇒ **Physique.** *Phénomènes électriques, magnétiques* (cit. 4)... *Phénomènes économiques* (cit. 1); *phénomènes étudiés par la démographie* (cit. 1), *la géographie* (cit. 2, 3 et 4). *Phénomènes sociaux, moraux* (→ Éthique, cit. 3)... *Phénomènes physiologiques* (→ Impression, cit. 47), *psychiques.* — Méd. *Phénomène critique; phénomènes nerveux.* ⇒ **Manifestation.**

1 (...) aucun phénomène observable ne saurait évidemment manquer de rentrer dans quelqu'une des cinq grandes catégories dès lors établies des phénomènes astronomiques, physiques, chimiques, physiologiques et sociaux.
A. COMTE, Philosophie positive, I, II.

2 Bouvard doutait des causes. — De ce qu'un phénomène succède à un phénomène, on conclut qu'il en dérive. Prouvez-le.
FLAUBERT, Bouvard et Pécuchet, VIII.

(1801, *in* D. D. L.). Philos. Chez Kant, Tout ce qui est objet d'expérience possible, qui apparaît dans l'espace et dans le temps, par oppos. au noumène*. — Dans la philos. contemporaine. ⇒ **Phénoménologie.**

♦ **2.** (1680). Fait, événement anormal ou surprenant; chose ou personne rare, extraordinaire. ⇒ **Merveille.** *Berlioz, le phénomène le plus prodigieux de la musique du XIXe siècle.* ⇒ **Miracle** (cit. 11), **prodige.**

3 (...) presque seul en place au milieu des mœurs démocratiques, il *(Talleyrand)* paraissait un phénomène (...)
CHATEAUBRIAND, Mémoires d'outre-tombe, t. VI, p. 301.

4 Toutes les femmes regardaient Lucien comme un phénomène. Son impertinence inattendue avait laissé madame du Châtelet sans voix ni réponse.
BALZAC, Illusions perdues, Pl., t. IV, p. 1002.

♦ **3.** (1777). Individu anormal. *Phénomène qu'on montre dans les foires.* ⇒ **Monstre** (cit. 1).

5 (...) j'ai vécu quelque temps en tête-à-tête avec un *phénomène* vivant. Elle mangeait, mâchait, broyait, dévorait, engloutissait (...) J'aurais pu faire ma fortune en la montrant dans les foires comme *monstre polyphage.*
BAUDELAIRE, le Spleen de Paris, XLII.

5.1 Mais tu as une mine superbe, dis-moi, tu sais que tu es un phénomène (...) tu ne changes pas, tu vivras jusqu'à cent ans, tu seras comme grand-maman Bouniouls (...) — Grand-maman Bouniouls (...) non, ma petite Berthe, je ne crois pas, je crois plutôt que j'ai pris un bon coup de vieux ces derniers temps (...)
N. SARRAUTE, le Planétarium, p. 171.

(Av. 1878). Fam. Individu, personne bizarre. ⇒ **Excentrique, original.**

6 Non, c'est impayable, il n'y a que toi, tu es un phénomène (...) Mais, mon pauvre chien, tu as dû être d'un bête! Quand un homme ne sait pas, c'est toujours si drôle!
ZOLA, Nana, VII.

7 «Je suis un phénomène» : «Vous êtes le contraire d'un phénomène. Vous êtes une jeune fille exactement pareille aux autres.»
MONTHERLANT, Pitié pour les femmes, p. 74.

DÉR. Phénoménal, phénoménalisme, phénoménalité, phénoménique, phénoménisme, phénoméniste, phénoménologie.

PHÉNOMÉNIQUE [fenɔmenik] adj. — Mil. XIXe; Bautain, mort en 1867, cité *in* P. Larousse; de *phénomène.*

♦ Didact. Qui concerne le phénomène (mot créé pour éviter *phénoménal,* devenu courant au sens de «extraordinaire»).

Le statut phénoménique est sans doute, de tous les statuts existentiels, le plus obvie, le plus manifeste.
E. SOURIAU, *in* FOULQUIÉ, Dict. de la langue philosophique.

PHÉNOMÉNISME [fenɔmenism] n. m. — 1844; de *phénomène.*

♦ Philos. Doctrine d'après laquelle il n'existe que des phénomènes (au sens kantien).

PHÉNOMÉNISTE [fenɔmenist] n. — 1903; de *phénomène.*

♦ Didact. Partisan du phénoménisme.

PHÉNOMÉNOLOGIE [fenɔmenɔlɔʒi] n. f. — 1823, répandu XXe; de *phénomène,* et *-logie.*
Didactique.

♦ **1.** Vx. Description des phénomènes. → Capricieux, cit. 5.

♦ **2.** (1840). Philos. *La Phénoménologie de l'esprit,* de Hegel (1807).
(1931). Mod. Chez Husserl, Méthode philosophique qui se propose, par la description des choses elles-mêmes, en dehors de toute construction conceptuelle, de découvrir les structures transcendantes de la conscience (idéalisme transcendantal) et les essences. — Par ext. Philosophie qui s'inspire de cette méthode.
Étude phénoménologique. — Phénoménologie de la perception, ouvrage de M. Merleau-Ponty.

Il n'y a jamais de pensée pure : toute conscience est la conscience *de* quelque chose. Mais cet objet, tout en étant transcendant à la conscience, n'est considéré par Husserl qu'en tant que *donné à elle,* dans son rapport au sujet. C'est ce que signifie le terme de *phénoménologie* par lequel il caractérise sa méthode : il ne s'agit pas du tout ici du «phénomène» au sens kantien, simple «apparence» d'une «chose en soi» inaccessible, mais de la façon dont l'objet pensé, la «chose», est *donné à la conscience.* Mais ces «choses», ces données sont ici des réalités intelligibles (...)
CUVILLIER, Précis de philosophie, II, p. 423-429.

DÉR. Phénoménologique, phénoménologue.

PHÉNOMÉNOLOGIQUE [fenɔmenɔlɔʒik] adj. — 1835, au sens 1 de *phénoménologie;* de *phénoménologie.*

♦ Relatif à la phénoménologie. *L'Être et le Néant,* de Sartre, *«essai d'ontologie phénoménologique».*

PHÉNOMÉNOLOGUE [fenɔmenɔlɔg] n. — 1859, sens mod. après 1930; de *phénoménologie.*

♦ Philos. Philosophe qui emploie la méthode phénoménologique (→ Famille, cit. 33).

PHÉNOPLASTE [fenoplast] n. m. — 1953; des rad. *phénol,* et *plastique.*

♦ Techn. Matière plastique à base de phénol. *La bakélite est un phénoplaste.*

PHÉNOTEXTE [fenotɛkst] n. m. — 1968; empr. au russe; de *phéno-,* et *texte.*

♦ Didact. Texte, considéré comme le résultat observable d'un processus (s'oppose à *génotexte*).

Le texte n'est pas un phénomène linguistique, autrement dit il n'est pas la signification structurée qui se présente dans un corpus linguistique vu comme une structure plate. Il est son engendrement; un engendrement inscrit dans ce «phénomène» linguistique, ce phénotexte qu'est le texte imprimé, mais qui n'est lisible que lorsqu'on remonte verticalement à travers la genèse (...) Ce qui s'ouvre dans cette verticale est l'opération (linguistique) de génération du phéno-texte. Nous appellerons cette opération un géno-texte en dédoublant ainsi la notion de texte en phéno-texte et en géno-texte.
Julia KRISTEVA, Sêmeiôtikê, p. 219.

PHÉNOTHIAZINE [fenotjazin] n. f. — V. 1944; de *phén(o)-, thi(o)-,* et suff. *azine.* — REM. Dénomination commune internationale.
Pharmacie.

♦ **1.** Substance cristalline jaune ($C_{12}H_9NS$) à odeur caractéristique, autrefois utilisée comme vermifuge.

♦ **2.** Dérivé tricyclique de la phénothiazine, à propriétés pharmacologiques (neuroleptiques). ⇒ **Chlorpromazine, promazine.**

On sait que de 1952 à 1964 tous les neuroleptiques efficaces ont été découverts dans trois groupes chimiques : phénothiazines, réserpiniques et butyrophénones.
Pierre DENIKER, la Psychopharmacologie, p. 68.

PHÉNOTYPE [fenɔtip] n. m. — 1937; de *phéno(mène),* et *type.*
Didactique (biologie).

♦ **1.** Vx. ⇒ **Péristase.**

♦ **2.** Mod. Ensemble des caractères individuels correspondant à une réalisation du génotype (cit. 2), déterminée par l'action de facteurs de milieu au cours du développement de l'organisme. ⇒ **Hérédité.**

Le but ainsi poursuivi n'est que l'accomplissement de ce que le génotype, ou germe de l'individu, tenait en puissance. Le plan suivant lequel chaque être se développe dépend donc de dispositions qu'il tient de sa toute première formation. La réalisation en est nécessairement successive, elle peut ne pas être totale, et enfin les circonstances la modifient plus ou moins. Aussi a-t-on distingué du génotype le phénotype, qui consiste dans les aspects sous lesquels l'individu s'est manifesté au cours de sa vie. L'histoire d'un être est dominée par son génotype et constituée par son phénotype.

Henri WALLON, l'Évolution psychologique de l'enfant, p. 33.

Par ext. Caractère phénotypique. *« Un même phénotype peut correspondre à des génotypes différents »* (Caullery, *Génétique et Hérédité*, p. 87).

DÉR. Phénotypique.

PHÉNOTYPIQUE [fenɔtipik] adj. — V. 1937; de *phénotype.*

♦ Didact. Relatif au phénotype. *Caractère phénotypique. L'effet phénotypique d'un gène.*

PHÉNYL- Préfixe entrant dans la composition de mots de chimie et indiquant la présence du radical phényle dans un composé (ex. : *acide phénylacétique; phénylamine* ⇒ **Aniline;** *esters phényliques,* divers composés du benzène*).

PHÉNYLALANINE [fenilalanin] n. f. — 1897, in *l'Année biol.,* XIV, p. 272 (1899); de *phényl-,* et *alanine.*

♦ Chim. Acide aminé nécessaire à l'homme, qui se rencontre dans certains germes de végétaux (vesces) et qui se forme au cours de la putréfaction des albuminoïdes. *La phénylalanine est à l'origine de l'adrénaline, des hormones thyroïdiennes, de la mélanine synthétisées dans l'organisme.*

PHÉNYLARSINE [fenilaʀsin] n. f. — 1933; de *phényl-,* et *arsine.*

♦ Chim. Composé dérivé de l'hydrogène arsénié AsH_2 par substitution d'un radical phényle à l'hydrogène. *Dichlorure de phénylarsine.*

PHÉNYLBUTAZONE [fenilbytazɔn] n. f. — 1975, Robert, *Suppl.;* du nom chimique de cette substance : *(dioxo-di)phényl-but(ylpyr)azo(lidi)ne.*

♦ Pharm. Médicament antirhumatismal, antipyrétique, anti-inflammatoire. *« La phénylbutazone a supplanté dans ce domaine* (anti-inflammatoire) *l'antipyrine et le pyramidon »* (A. Galli et R. Leluc, *les Thérapeutiques modernes,* p. 100).

PHÉNYLCÉTONURIE [fenilsetɔnyʀi] n. f. — 1969; *phénylacétonurie,* Porot, 1952, p. 326; de *phényl-, cétone,* et *-urie.*

♦ Méd. Trouble héréditaire du métabolisme de la phénylalanine, pouvant entraîner une arriération mentale (oligophrénie phénylpyruvique), qui se manifeste par l'élimination d'acide phénylpyruvique dans les urines.

PHÉNYLE [fenil] n. m. — 1837; de *phén(ol),* et grec *hulê* « bois ».

♦ Chim. Radical dérivé du phénol ou du benzène (C_6H_5). *Salicylate de phényle.* ⇒ **Salol.**

Je donne le nom de *phène* au radical fondamental des acides précédents (...) puisque la benzine se trouve dans le gaz d'éclairage. J'ai rejeté le nom de benzine parce que je crois que tout hydrogène carboné doit porter un nom isolé, indépendant, et parce qu'il est impossible de faire dériver des noms de benzine sans les confondre avec les nombreuses combinaisons du benzoïle (...) Le radical correspondant au benzène ou *phène* devient ainsi le radical *phényle* que nous représentons actuellement par C_6H_5.

A. LAURENT, Annales de chimie (1837).

PHÉNYLÉTHYLIQUE [feniletilik] adj. — 1933; *phényléthyle,* v. 1870; de *phényl-,* et *éthylique.*

♦ Chim. *Alcool phényléthylique,* qui se rencontre dans l'essence de rose.

PHÉNYLHYDRAZINE [fenilidʀazin] n. f. — 1890; de *phényl-,* et *hydrazine.*

♦ Chim. Hydrazine de formule $C_6H_5NH\text{-}NH_2$ dérivé de l'aniline.

PHÉNYLIQUE [fenilik] adj. — 1903; de *phényle.*

♦ Chim. Qui contient le radical phényle*. *Ester phénylique.*

PHÉNYLPYRUVIQUE [fenilpiʀyvik] adj. — 1947, Delay, *in* Garnier et Delamare; de *phényl-,* et *pyruvique.*

♦ Biochim., méd. *Acide phénylpyruvique :* acide cétonique comportant le radical phényle. — *Oligophrénie phénylpyruvique :* arriération entraînée par la phénylcétonurie*.

PHÉO- Élément de mots didactiques, du grec *phaios* « brun ». ⇒ **Phéophycées.**

PHÉOCHROMOCYTOME [feokʀɔmositɔm] n. m. — 1975, Robert, *Suppl.;* de *phéo-, chromo-, cyto-,* et suff. *-ome.* Médecine.

♦ **1.** Physiol. Adrénaline hypertensive.

♦ **2.** Pathol. Tumeur de la surrénale sécrétant de l'adrénaline en excès. *« Un autre type d'hypertension par vasoconstriction dont le phéochromocytome, qui est une tumeur de la glande médullo-surrénale, pourrait être un exemple »* (*la Recherche,* nov. 1979, p. 1074).

PHÉOPHYCÉES [feofise] n. f. pl. — V. 1900; de *phéo-,* et *phukos* « algue ».

♦ Bot. Ordre d'algues, chez lesquelles la chlorophylle est recouverte de pigments jaunes (fucoxanthine, xanthophylle, carotène). *Les phéophycées sont appelées* algues brunes. ⇒ **Algue; diatomées, fucacées, phéosporées.** — Au sing. *Une phéophycée.*

PHÉOSPORÉES [feospɔʀe] n. f. pl. — 1892, *phéosphorées,* Guérin; de *phéo-,* et *spore.*

♦ Bot. Famille d'algues brunes à thalle cloisonné. ⇒ **Laminaire, lessonia...** — Au sing. *Une phéosporée.*

PHÉRO-HORMONE [feʀɔɔʀmɔn] n. f. ⇒ **Phéromone.**

PHÉROMONAL, ALE, AUX [feʀɔmɔnal, o] adj. — Av. 1980; de *phéromone.*

♦ Didact. Des phéromones; relatif aux phéromones, formé de phéromones. *« Les cellules* (sensorielles) *spécialistes sont utilisées pour la détection des phéromones et des composés du bouquet phéromonal »* (*la Recherche,* avr. 1981, p. 412).

PHÉROMONE [feʀɔmɔn] n. f. — 1969; angl. *pheromone,* P. Karlson, 1960; du grec *pherein* « porter, transporter », et *(hor)mone.*

♦ Physiol. Substance chimique sécrétée par un organisme et qui, perçue ou reçue par un autre organisme de la même espèce, provoque chez celui-ci une réaction spécifique ou un processus biologique évolutif. — REM. On a dit aussi *phéro-hormone* et on trouve aussi *phérormone. Phéromone sexuelle, phéromone de marquage territorial, de défense. Des phéromones ont été identifiées chez des algues* (gamètes), *chez des insectes, des poissons, des mammifères, mais aucune chez les oiseaux.*

Certaines phéromones sont dites sexuelles parce qu'elles déterminent l'approche d'un individu de sexe opposé et souvent aussi déclenchent le déroulement du comportement sexuel (...)
Certaines phéromones exercent leur action non par voie olfactive mais par voie orale. Tel est le cas de la substance sécrétée par la reine des Abeilles et que les ouvrières lèchent à la surface de son corps. L'absorption de cette substance (cétoacide non saturé dont la structure est connue) entraîne l'atrophie des ovaires de l'ouvrière.

M. FONTAINE, *in* Encycl. Pl., Physiologie, p. 1700.

DÉR. Phéromonal.

PHI [fi] n. m. — Attesté *in* Littré, 1869; mot grec.

♦ Vingt et unième lettre de l'alphabet grec (Φ, φ), correspondant à un *p* aspiré en grec ancien, à un *f* en grec moderne. *Le phi grec est transcrit* ph *et se prononce* [f] *en français.* — φ, *symbole de la philosophie.* — Signe numérique valant 500 (φ') ou 500 000 (φ). (1921). Argot scol. *Tangente phi :* départ en vacances.

HOM. Fi; formes du v. **faire.**

PHIALE [fjal] n. f. — 1843, *phiala;* grec *phialê,* lat. *phiala.* → Fiole.

♦ Didact. (archéol.). Coupe à libations.

(...) des formes comme la phiale à omphalos, dont le fond est en relief, le vase avec bec (...) la coupe évasée (...) 1

G. CONTENAU et V. CHAPOT, l'Art antique, p. 191.

Un matin, qu'installée en face du dieu Baal, j'astiquais avec amour les sept phiales d'argent, une troupe de la police montée encercla Abercrombie-Manor. 2

Jean RAY, les Derniers Contes de Canterbury, p. 76.

PHIDIAQUE [fidjak] ou **PHIDIEN, ENNE** [fidjɛ̃, ɛn] ou **PHIDIESQUE** [fidjɛsk] adj. — Déb. xxe, *phidien*, Nouveau Larousse illustré; de *Phidias*.

♦ Arts. Propre au sculpteur grec Phidias, à son style, à ses canons esthétiques.

Laissons les termes de « phidiaque » ou « phidiesque », par lesquels on voudrait définir des expressions, des profils, des jeux de draperie.
G. CONTENAU et V. CHAPOT, l'Art antique, p. 224.

PHIL-, PHILO- Premier élément de mots savants, tiré du grec *philos* « ami », ou *philein*, « aimer » (voir à l'ordre alphabétique). ⇒ **-phile.**

Outre les mots directement empruntés à des comp. grecs ou latins et les formations modernes (françaises ou empruntées à l'all., l'angl., etc.) on trouve des formations occasionnelles, avec le sens de « qui aime, apprécie... » où *philo-* peut s'opposer à *anti-* (⇒ **Pro-**). Ex. : *philosémite*, adj. (1890, Pierre l'Ermite, *in* D. D. L.); *philosémitisme*, n. m. (1915, trad. de Merejkovski, ibid.).

Le corps moderne, comme l'esprit moderne, a besoin du choc (...) Ils sont philoclassiques.
VALÉRY, l'Idée fixe, *in* Œ., t. II, Pl., p. 257.

PHILANTHE [filɑ̃t] n. m. — 1839; de *phil(o)-*, et *-anthe*.

♦ Zool. Insecte hyménoptère à abdomen noir et jaune.

HOM. Filante. (V. Filant).

PHILANTHROPE [filɑ̃tʀɔp] n. — V. 1692; attestation isolée, 1370; grec *philanthrôpos*, de *philos*, et *anthrôpos* « homme ».

♦ **1.** Vx. Personne qui est portée à aimer tous les hommes.

♦ **2.** (1834). Mod. Personne qui s'emploie à améliorer le sort matériel et moral des hommes. ⇒ **Humanitariste** (→ Bureau, cit. 5). *Philanthrope qui s'occupe d'œuvres sociales.*

(...) un étudiant (...) voulut parler d'un philanthrope; c'est un vieux mot qui s'entendait : *philos*, ami, *anthrôpos*, homme. Mais que voulez-vous? le mot ne vint pas; *humanitaire* fut fabriqué (...)
A. DE MUSSET, Mélanges..., Lettres de Dupuis et Cotonet, II.

Par ext. Personne qui a une conduite désintéressée, ne cherche aucun profit. *Je suis un commerçant, je ne suis pas un philanthrope!*

CONTR. Misanthrope. — Égoïste.

PHILANTHROPIE [filɑ̃tʀɔpi] n. f. — 1551, rare av. XVIIe; grec *philanthrôpia*.

♦ **1.** Amour de l'humanité; caractère, vertu du philanthrope. ⇒ **Charité.** *Les béats* (cit. 6, Chateaubriand) *de philanthropie... « L'humanitarisme* (cit. 1), *fils aîné de défunte philanthropie »* (Balzac).

♦ **2.** Activité du philanthrope (2.). ⇒ **Bienfaisance, charité** (→ Léguer, cit. 1). *Exercer* (cit. 26) *la philanthropie.* — Par ext. Désintéressement.

CONTR. Misanthropie. — Égoïsme.

PHILANTHROPIQUE [filɑ̃tʀɔpik] adj. — 1780; grec *philanthrôpikos*.

♦ Relatif à la philanthropie; inspiré par la philanthropie. *La Franc-Maçonnerie* (cit. 3), *organisation philanthropique. Doctrines* (→ Imbu, cit. 3), *illusions* (cit. 13) *philanthropiques. Dans un esprit philanthropique* (→ Docteur, cit. 7).

Comme il se méfiait de toute charité officielle, et qu'il savait que penser des associations philanthropiques, il faisait la charité seul (...)
R. ROLLAND, Jean-Christophe, Dans la maison, I, p. 970.

CONTR. Misanthropique.

PHILATÉLIE [filateli] n. f. — 15 nov. 1864, Herpin, cit.; var. *philatélisme*, 1903; de *phil-*, et grec *ateleia* « exemption d'impôts », pour « affranchissement », de *telos* « charge, impôt ».

♦ Connaissance des timbres*-poste; art de les classer, de les présenter en collections; goût pour les collections* de timbres. *Aimer, pratiquer la philatélie.*

N'est-il pas étrange, écrivait-il, que, depuis six ou sept ans que l'on s'occupe de l'étude et de la recherche des timbres-poste, on n'ait pas encore songé à donner un nom à cette attrayante occupation qui fait le bonheur des uns et la fortune des autres. Il est impossible de regarder comme une dénomination acceptable le mot : timbromanie (...) C'est donc faute de mieux qu'on l'a employé jusqu'ici mais il est temps de le bannir ignominieusement de notre vocabulaire (...) Les néologismes empruntant leurs éléments au latin ou au grec, nous allons tenter une incursion dans l'un de ces idiomes et proposer aux amateurs le mot philatélie (...) formé de deux mots grecs : ami, amateur et franc, libre de toute charge ou impôt, affranchi (...) Philatélie signifierait donc : amour de l'étude de tout ce qui se rapporte à l'affranchissement.
HERPIN, *in* le Collectionneur de timbres-poste, 15 nov. 1864, cité par R. VALUET, le Timbre-poste, p. 85-86.

DÉR. Philatélique, philatéliste.

PHILATÉLIQUE [filatelik] adj. — 1865, *Société philatélique française*; de *philatélie*.

♦ Relatif à la philatélie. *Journal, rubrique philatélique. Bourse philatélique.*

PHILATÉLISTE [filatelist] n. — 1864; de *philatélie*.

♦ Collectionneur de timbres-poste. *Matériel de philatéliste :* loupe, pince, charnières, odontomètre, filigranoscope. *Album, classeur pour philatéliste. Philatéliste qui collectionne des timbres neufs, des oblitérés.*

-PHILE, -PHILIE Suffixes tirés du grec *philos* « ami ».

♦ **1.** Servant, avec des noms de peuple, à former des composés au sens de « sympathisant avec, partisan de... ». Ex. : *anglophile, francophile, germanophile, russophile, slavophile, turcophile, xénophile...* (⇒ **Phil-**).

♦ **2.** Servant à former des composés au sens de « amateur de... » (Ex. : *bibliophile, colombophile*) en parlant d'animaux, de végétaux, de choses.

♦ **3.** Servant à former des composés savants désignant une tendance... Ex. : *ammophile, anémophilie, dendrophile, hémophile, hémophilie, hydrophile, œnophile, scatophile, spermophile.*

PHILÉDON [filedɔ̃] ou **PHILÉMON** [filemɔ̃] n. m. — 1846, *philédon*, Bescherelle; *philémon*, P. Larousse, 1874; du grec *philos* « ami », et *adein* « chanter ».

♦ Zool. Oiseau passeriforme de Nouvelle-Guinée et d'Australie.

Ailleurs, sur les rives et sur l'îlot, se pavanaient des canards sauvages, des pélicans, des poules d'eau, des becs-rouges, des philédons, munis d'une langue en forme de pinceau (...)
J. VERNE, l'Île mystérieuse, t. I, p. 158.

PHILHARMONIE [filaʀmɔni] n. f. — 1845; de *philharmonique*.

♦ **1.** Vx. Amour de la musique.

♦ **2.** Mod. Société philharmonique locale. *La philharmonie donne un concert public.*

PHILHARMONIQUE [filaʀmɔnik] adj. — 1797; n. m. « membre d'une société littéraire de Vérone », 1739; de *phil(o)-*, et *harmonia*, d'après l'ital. *filarmonica*.

♦ **1.** Vx. Qui aime la musique, l'harmonie.

♦ **2.** (1805). Mod. Se dit d'une société d'amateurs de musique, d'une formation musicale locale (⇒ **Philharmonie**), de certains grands orchestres de musique classique. *Société, orchestre, chœur philharmonique.*

Une réunion publique musicale avait lieu deux ou trois fois la semaine. Le soir (...) de petites ouvrières, leur panier au bras, des garçons ouvriers (...) se pressaient pêle-mêle dans une salle; on leur donnait en entrant un feuillet noté, et ils se joignaient au chœur général avec une précision étonnante (...) (Cette société philharmonique avait ses chefs. Je fus prié à un banquet musical).
CHATEAUBRIAND, Mémoires d'outre-tombe, III, II, 2, 4 (éd. Levaillant).

DÉR. Philharmonie.

PHILHELLÈNE [filelɛn; filɛlɛn] n. — 1823, Boiste; grec *philellen*.

♦ Hist. Partisan de l'indépendance grecque. — Adj. *Mouvements, sociétés philhellènes* (ou *philhelléniques*). — Par ext. Ami de la Grèce. *Les Français sont traditionnellement philhellènes.*

Dans tous les comités philhellènes formés en Europe on remarque des noms qui, par des oppositions politiques, semblaient devoir difficilement se réunir (...) aucune passion (...) aucun esprit de parti n'entre dans l'opinion qui sollicite la délivrance de la Grèce (...)
CHATEAUBRIAND, Itinéraire... « Note sur la Grèce », Avant-propos.

DÉR. Philhellénisme.

PHILHELLÉNISME [filelenism; filɛlenism] n. m. — 1838; de *philhellène*.

♦ Hist. Intérêt porté à la cause des Grecs (dans leur lutte pour l'indépendance).

PHILIBEG ou **FILIBEG** [filibɛg] n. m. — 1801, *philibeg, in* Höfler; *filibeg,* 1932; angl. *filibeg, philibeg,* du gaélique *feileadh-beag* «petit kilt».

♦ Rare. Sorte de jupon court que portent les Écossais. ⇒ **Kilt.**

PHILIPPIN, INE [filipɛ̃, in] adj. et n. — 1874; de *Philippines,* n. propre.

♦ Des îles Philippines. *Coutumes philippines. Économie philippine.* N. Habitant ou personne originaire des Philippines.

PHILIPPINE [filipin] n. f. — 1869, Littré; altér. sous l'infl. de *Philippe,* de l'all. *Vielliebchen* «bien-aimé».

♦ Jeu où deux personnes, après s'être partagé deux amandes (ou noisettes) jumelles, conviennent que la première qui dira à l'autre *Bonjour Philippine,* après un délai convenu, sera la gagnante. — Par ext. *Amandes philippines :* jumelles.

(...) marchant, ramant, roulant par paires, les nouveaux impétrants se veulent aussi semblables que deux amandes philippines, que deux marrons dans la même coque, que Narcisse et son image (...) COLETTE, Belles saisons, p. 12.

PHILIPPIQUE [filipik] n. f. — 1624; XVIᵉ, «discours de Démosthène», puis «satire politique»; grec *philippikos* (logos) : discours (de Démosthène) contre *Philippe,* roi de Macédoine.

♦ Littér. Discours violent contre une personne.

Toujours est-il que son nom seul excitait chez le baron les plus violentes colères, les philippiques les plus éloquentes mais les plus terribles.
PROUST, *in* G. L. L. F.

CONTR. Apologie.

PHILISTIN, INE [filistɛ̃, in] n. et adj. — 1832; empr. argot des étudiants allemands *philister* «celui qui n'a pas fréquenté les universités»; d'après le peuple de Palestine hostile aux Juifs et combattu par Samson, dans la Bible, lat. *Philistini,* hébr. *Phelischti.* → Mâchoire, cit. 6.

♦ **1.** N. et adj. Personne de goût vulgaire, fermée aux arts et aux lettres, aux nouveautés... ⇒ **Béotien, bourgeois** (→ Marchand, cit. 11).

1 (...) une Vierge d'André del Sarto, d'une beauté à donner des frissons au bourgeois le moins connaisseur, au philistin le plus cuirassé de prosaïsme.
Th. GAUTIER, Voyage en Italie, XXIV.

2 (...) sa franchise, quand il *(Gautier)* peut prendre des franchises, quand il n'est pas en face du *philistin ennemi* (...) BAUDELAIRE, l'Art romantique, XX, VI.

REM. Le n. f. *philistine* est rarement usité.

Adj. *Des goûts philistins ; une attitude philistine.* ⇒ **Grossier.**

♦ **2.** N. m. (XXᵉ). Langue de l'ancien peuple des Philistins, appartenant au groupe illyrien.

DÉR. Philistinisme.

PHILISTINISME [filistinism] n. m. — Mil. XIXᵉ (1869, Littré); de *philistin.*

♦ Littér. Caractère du philistin; manque de goût, incompréhension.

(...) l'ignorance vulgaire devant *(ces)* opérations (...) est tout à fait assimilable au philistinisme en face des mathématiques supérieures. On ne comprend pas, alors on accuse. ARAGON, les Cloches de Bâle, II, VII.

PHILLUMINISTE [filyminist] n. — 12 janv. 1953, *le Monde ;* probablt de l'angl. *phillumininist.*

♦ Didact. Personne qui collectionne les boîtes, paquets, pochettes d'allumettes.

PHILO [filo] n. f. — 1888; abrév. de *philosophie.*

♦ Fam. Philosophie. *Bonnes notes en philo* (→ Faible, cit. 11). *Élève, classe, prof de philo. Un devoir de philo.*

PHILO- ⇒ **Phil-.**

PHILODENDRON [filodɛ̃dʀɔ̃] n. m. — 1874; grec *philodendros,* adj., de *philos* «ami», et *dendron* «arbre».

♦ **1.** Arbuste des pays tropicaux d'Amérique, de la famille des aracées, à rhizome rampant, à feuilles coriaces, à fleurs en spadice, souvent très odorantes, dont certaines variétés sont cultivées comme plantes ornementales; la fleur de cette plante.

♦ **2.** Abusivt. Monstera* (liane).

(...) le haut philodendron dont s'étagent près de la fenêtre les larges feuilles dentelées et sombres, avec, tout au faîte, le vert tendre d'une pousse neuve, accuse ce qu'une telle réunion a de suranné.
Claude MAURIAC, le Dîner en ville, p. 205.

PHILOLOGIE [filɔlɔʒi] n. f. — 1690; XIVᵉ, puis 1547, «amour des lettres, érudition»; lat. *philologia,* mot grec, de *philein* (→ Phil-), et *logos* (→ -logie).

♦ **1.** Vx. Étude des disciplines littéraires (rhétorique, grammaire, poétique, antiquités, histoire, philosophie) auxquelles s'ajoutent parfois quelques matières scientifiques (mathématiques, médecine, par ex.). «Littérature universelle qui s'étend sur toutes sortes de sciences et d'auteurs» (Furetière, 1690). ⇒ **Littérature** (vieux).

♦ **2.** (1839). Hist. Sc. Science historique ayant pour objet l'étude des civilisations passées, fondée sur les documents qu'elles nous ont légués.

Par ext. «Science des produits de l'esprit humain» (Renan, *l'Avenir de la science,* VIII).

♦ **3.** (1818, Schlegel). Vx. Étude générale des langues. ⇒ **Linguistique.**

♦ **4.** (1818). Étude scientifique d'une langue par l'analyse critique des textes. ⇒ **Critique, linguistique.** *Grammaire* (cit. 8) *et philologie. Philologie romane, germanique. Certificats de grammaire et philologie.*

♦ **5.** (1803). Spécialt. Étude formelle des textes dans les différents manuscrits qui nous ont été transmis (⇒ **Épigraphie, paléographie**).

DÉR. Philologique.

PHILOLOGIQUE [filɔlɔʒik] adj. — 1836 au sens mod., → Philologie 2. et 4.; 1666, «relatif aux belles-lettres»; de *philologie.*

♦ Relatif à la philologie (4.), à l'étude des textes. *Notes* (cit. 16) *et commentaires philologiques. Étude philologique* (grammaticale et linguistique) *et étude littéraire d'un texte.*

Spécialt. *Étude philologique d'un texte ancien ou médiéval :* étude de ses différents manuscrits, de leur transmission, des variantes.

DÉR. Philologiquement.

PHILOLOGIQUEMENT [filɔlɔʒikmɑ̃] adv. — 1842; de *philologique.*

♦ Didact. Du point de vue de la philologie (4.). *Étudier philologiquement un texte ancien.*

PHILOLOGUE [filɔlɔg] n. — 1816; 1534, *philologe,* Rabelais, «érudit en matière d'antiquité, humaniste»; lat. *philologus,* grec *philologos* «qui se livre à des recherches érudites, en particulier sur les mots, les langues, l'histoire».

♦ **1.** (Au sens large). Spécialiste de l'étude grammaticale, linguistique des textes. ⇒ **Grammairien, linguiste...** (→ Lexicographe, cit. 2).

♦ **2.** Mod. Spécialiste de l'étude des textes et de leur transmission. *Les éditions des textes du Moyen Âge ont été fournies par les philologues.*

Didact. (au sens 2 de *philologie*). Personne qui étudie les textes non pour leur structure linguistique, mais pour leur contenu socioculturel. — Adj. *Il est plus philologue que linguiste dans ses travaux sur le latin.*

PHILOMÈLE [filɔmɛl] n. f. — 1669; nom mythologique, lat. *Philomela,* grec *Philomêla,* de *philein* (→ Phil-) et *melos* «chant».

♦ Vx et poét. Rossignol*.

PHILOSOPHAILLER [filɔzɔfɑje] v. intr. — 1801, Mercier; de *philosopher,* et suff. péj. *-ailler;* cf. *la philosophaille* «les mauvais philosophes», 1771.

♦ Fam. Philosopher (2.) d'une manière oiseuse.

DÉR. Philosophaillerie.

PHILOSOPHAILLERIE [filɔzɔfɑjʀi] n. f. — XIXᵉ, Chateaubriand, Baudelaire; de *philosophailler.*

♦ Fam. Action de philosophailler; théories philosophiques confuses.

PHILOSOPHAL, ALE [filɔzɔfal] adj. — XVᵉ; XIVᵉ, *corps philosophal* «corps prêt à la transmutation»; dér. de *philosophe,* au sens anc. de «alchimiste».

♦ **1.** (1581). Vx. Relatif à l'alchimie*. ⇒ **Philosophie** (1.; spécialt et vieux).

Loc. mod. (hist.). *Pierre philosophale :* substance longtemps recherchée par les alchimistes et qui devait posséder des propriétés merveilleuses, notamment celle de transmuer les métaux (cit. 3) en or*. ⇒ **Transmutation** (→ Mercure, cit. 1).

1 Il est vrai qu'on ne peut trouver la pierre philosophale, mais il est bon qu'on la cherche : en la cherchant, on trouve de forts beaux secrets qu'on ne cherchait pas (...)
FONTENELLE, Dialogues des morts, II.

♦ **2.** (1671). Par métaphore et fig. *Pierre philosophale :* secret impossible à découvrir, problème très difficile (cit. 14)... *« Cette pierre philosophale qu'on nomme la vérité »* (Voltaire, *in* Littré).

2 J'avais résolu, dit-il, de chercher l'art comme au moyen âge les roses-croix cherchèrent la pierre philosophale; l'art, cette pierre philosophale du XIXe siècle!
Aloysius BERTRAND, Gaspard de la nuit, Introd., I.

PHILOSOPHANT, ANTE [filɔzɔfɑ̃, ɑ̃t] adj. — 1661 ; n. m., 1640 ; en 1491 au plur. « étudiant de philosophie » ; p. prés. de *philosopher.*

♦ Littér. et vieilli. Qui traite de philosophie. *« Tous ces livres philosophants »* (Maupassant, *in* G. L. L. F.).

PHILOSOPHARD, ARDE [filɔzɔfaʀ, aʀd] adj. — Déb. XXe, Daudet ; de *philosophe,* et suff. péj. *-ard.*

♦ Péj. Qui a des prétentions philosophiques ; qui philosophe (2.).

Tout ce que tu racontes est exact (...). Un peu philosophard, peut-être. Quand on est peintre, c'est mauvais de faire de la philosophie.
J. DUTOURD, Pluche, XIII, p. 211.

PHILOSOPHE [filɔzɔf] n. et adj. — V. 1160 ; empr. du lat. *philosophus,* grec *philosophos* « ami de la sagesse ».

★ **I.** N. ♦ **1.** Anciennt. Personne qui s'adonne à l'étude rationnelle de la nature (des « causes naturelles » ; syn. : *physicien*) et de la morale. ⇒ **Philosophie** (1.). — REM. Dans ce sens, *philosophe* signifie à la fois *savant et sage* (→ ci-dessous, 4.), il s'applique à la fois aux *penseurs* (philosophes au sens moderne), aux *écrivains* (moralistes) et aux professionnels de la scolastique (avec une valeur péjorative).

1 (...) À votre fille aînée
On voit quelque dégoût pour les nœuds d'hyménée :
C'est une philosophe enfin, je n'en dis rien (...)
MOLIÈRE, les Femmes savantes, II, 8.

2 Philosophe, *amateur de la sagesse,* c'est-à-dire *de la vérité.* Tous les philosophes ont eu ce double caractère (...) Le philosophe est l'amateur de la sagesse et de la vérité : être sage, c'est éviter les fous et les méchants. Le philosophe ne doit donc vivre qu'avec des philosophes.
VOLTAIRE, Dict. philosophique, Philosophie, I et V.

(1637). Anciennt. Savant, homme de science (→ Assembler, cit. 8, Voltaire ; avoir, cit. 45, Molière ; misanthrope, cit. 4 ; optique, cit. 1). *Le génie* (cit. 37) *de Buffon participe du poète et du philosophe. Le philosophe recherchait les principes et les causes.*

(XIVe). Anciennt. Personne qui pratiquait l'alchimie. ⇒ **Alchimiste** (→ Hors, cit. 17). *L'arbre**, *le mercure** (cit. 1) *des philosophes. La pierre des philosophes.* ⇒ **Philosophal.**

(1655). Anciennt. Moraliste qui étudie particulièrement le comportement de l'homme dans la société (→ Observer, cit. 7, La Bruyère).

♦ **2.** (XVIIe). Hist. Personne qui s'appuie sur la raison, et récuse la révélation, la foi. *« Tout philosophe est cousin d'un athée »* (→ Douter, cit. 20, Musset). *« De dévot il devint philosophe »* (Saint-Simon, *Mémoires,* II, XX).

(XVIIIe). Personne qui, par le culte de la raison (→ ci-dessus, 1.), appliquée aux sciences de la nature et de l'homme, par l'honnêteté morale mise au service de l'humanité, cherchait à répandre le libre examen et les lumières* (→ Majorité, cit. 2 ; manger, cit. 12 ; nier, cit. 5). ⇒ **Encyclopédiste.** *Les Philosophes,* comédie satirique de Palissot (1760). *« Cette philosophe »* (Voltaire parlant de Mme du Châtelet).

3 Je n'ai donc fait, dans les horribles désastres des Calas et des Sirven, que ce que font tous les hommes ; j'ai suivi mon penchant. Celui d'un philosophe n'est pas de plaindre les malheureux, c'est de les servir. Je sais avec quelle fureur le fanatisme s'élève contre la philosophie. Elle a deux filles qu'il voudrait faire périr comme Calas, ce sont la *Vérité* et la *Tolérance ;* tandis que la philosophie ne veut que désarmer les enfants du fanatisme, le *Mensonge* et la *Persécution.* Des gens qui ne raisonnent pas ont voulu décréditer ceux qui raisonnent : ils ont confondu le philosophe avec le sophiste ; ils se sont bien trompés. Le vrai philosophe (...) sait, comme le sage de Montbar *(Buffon),* comme celui de Voré *(Helvétius),* rendre la terre plus fertile, et ses habitants plus heureux. Le vrai philosophe défriche les champs incultes, augmente le nombre des charrues, et par conséquent, des habitants, occupe le pauvre et l'enrichit (...) Il n'attend rien des hommes, et il leur fait tout le bien dont il est capable.
VOLTAIRE, Politique et Législation, Lettre à Damilaville, 1er mars 1765.

♦ **3.** Personne qui fait des études, des recherches dans un domaine de la philosophie* (3. et 4.), et qui élabore une doctrine ou des éléments de doctrine philosophique. ⇒ **Penseur.** — REM. Quoique la distinction de *savant, moraliste* (→ ci-dessus, 1.) et de *philosophe* ne se soit établie qu'au début du XIXe s., cette acception est très antérieure, surtout en parlant des grands penseurs (fin XVIe s.). Par ailleurs, il arrive qu'on appose le *philosophe* (créateur) au professeur, au technicien de la philosophie. — *Les recherches, les spéculations, les travaux, les méthodes des philosophes...* (→ Détective, cit. 2 ; divisibilité, cit. ; faux, cit. 31). *Le dialecticien* (cit. 1) *et le philosophe. Grand* (cit. 61), *célèbre philosophe. Les philosophes antiques* (→ Moral, cit. 2). *Philosophe idéaliste* (cit. 1), *matérialiste. — Pourquoi des philosophes ?,* essai de J.-F. Revel.

(...) il y a eu de tout temps de grands hommes qui ont tâché de trouver un cinquième degré pour parvenir à la sagesse (...) c'est de chercher les premières causes et les vrais principes dont on puisse déduire les raisons de tout ce qu'on est capable de savoir ; et ce sont particulièrement ceux qui ont travaillé à cela qu'on a nommés philosophes. 4
DESCARTES, Principes de la philosophie, Préface.

Le philosophe, c'est l'esprit saintement curieux de toute chose ; c'est le *gnostique* dans le sens primitif et élevé de ce mot ; le philosophe, c'est le penseur, quel que soit l'objet sur lequel s'exerce sa pensée. 5
RENAN, l'Avenir de la science, IX, Œ. compl., t. III, p. 853.

Certes, le philosophe fut pendant longtemps celui qui possédait la science universelle ; et aujourd'hui même que la multiplicité des sciences particulières, la diversité et la complexité des méthodes, la masse énorme des faits recueillis rendent impossible l'accumulation de toutes les connaissances humaines dans un seul esprit, le philosophe reste l'homme de la science universelle, en ce sens que, s'il ne peut plus tout savoir, il n'y a rien qu'il ne doive s'être mis en état d'apprendre. 6
H. BERGSON, la Pensée et le Mouvant, p. 134.

Les « nouveaux philosophes », nom donné vers 1978 à de jeunes essayistes politiques antimarxistes.

(1875). Spécialt. Élève qui étudie les matières philosophiques. *Les philosophes et les scientifiques.*

♦ **4.** (1637). Celui qui pratique la sagesse, conforme sa vie à ses principes... ⇒ **Sage.** *Le vrai philosophe méprise l'argent* (cit. 23), *les richesses. Le philosophe opposé à l'homme passionné* (cit. 7). *Attendre* (cit. 53) *la mort en philosophe,* sans peur. *Le Philosophe sans le savoir,* comédie de Sedaine (1765). — Spécialt. Sage de l'antiquité. (→ Nécessité, cit. 13, Descartes). *Le mépris des richesses, la constance des philosophes* (→ Avilissement, cit. 1 ; mourir, cit. 6, La Rochefoucauld).

J'étais ennuyé à l'excès de mes camarades, et ne trouvais rien de si doux que de vivre à Paris, en *philosophe,* c'était le mot dont je me servais alors avec moi-même, au moyen des cent cinquante francs par mois que mon père me donnait. 7
STENDHAL, Vie de Henry Brulard, I.

♦ **5.** (1920). Fam. Personne d'esprit calme, qui prend la vie du bon côté. ⇒ **Optimiste.**

★ **II.** Adj. (1534, « qui a des dispositions naturelles pour les spéculations philosophiques »).

♦ **1.** (1584). Vieilli. Relatif à la philosophie (1.), aux philosophes (1.). ⇒ **Philosophique.** *Un ton philosophe sans pédanterie* (→ Pantomime, cit. 6).

On ne s'imagine Platon et Aristote qu'avec de grandes robes de pédants. C'étaient des gens honnêtes et, comme les autres, riant avec leurs amis ; et, quand ils se sont divertis à faire leurs *Lois* et leur *Politique,* ils l'ont fait en se jouant ; c'était la partie la moins philosophe et la moins sérieuse de leur vie, la plus philosophe était de vivre simplement et tranquillement. 8
PASCAL, Pensées, V, 331.

♦ **2.** (Fin XVIIe). Qui montre de la sagesse, de la fermeté d'âme, de la résignation. ⇒ **Calme, résigné, sage.** — (Vieilli, avant 1662, en parlant des choses). *« Ce chagrin* (cit. 4) *philosophe »* (Molière, → Flegme, cit. 3 ; mercenaire, cit. 2). — *La femme la plus philosophe* (→ Crime, cit. 19).

Que c'est donc bête, vieux, de vous tourmenter comme ça ! Tapez sur moi, si ça vous soulage ; mais vous n'êtes guère philosophe, ah ! non (...) 9
ZOLA, la Terre, IV, III.

(1920). Fam. Qui prend du bon côté tous les incidents désagréables de la vie.

★ **III.** N. m. (1874). Marabout (oiseau).

DÉR. Philosophal, philosophisme.
COMP. Antiphilosophe.

PHILOSOPHER [filɔzɔfe] v. intr. — 1380, lat. *philosophari,* de *philosophus.* → Philosophe.

♦ **1.** Penser, raisonner* sur des questions, des problèmes philosophiques (aux sens 1, 2, 3 de *philosophie*). *L'esprit* (cit. 47) *humain emploie trois méthodes de philosopher* (A. Comte). *Philosopher par ordre* (→ Métaphysique, cit. 1, Descartes).

Cicéron dit que Philosopher ce n'est autre chose que s'apprêter à la mort (...) c'est que toute la sagesse et discours du monde se résout enfin à ce point, de nous apprendre à ne craindre point à mourir. 1
MONTAIGNE, Essais, XX (Que philosopher, c'est apprendre à mourir).

Or, c'est proprement avoir les yeux fermés, sans tâcher jamais de les ouvrir, que de vivre sans philosopher (...) 2
DESCARTES, Principes de la philosophie, Préface.

Se moquer de la philosophie, c'est vraiment philosopher. PASCAL, Pensées, I, 4. 3

Allus. prov. (cf. *Primum vivere, deinde philosophari*).

On dit : vivre d'abord, ensuite philosopher ; c'est le peuple qui parle ainsi ; mais le sage dit : philosopher d'abord, et vivre ensuite si l'on peut (...) 4
DIDEROT, Hist. des règnes de Claude et de Néron, II, 2.

♦ **2.** (Déb. XVIIe). Raisonner*, discuter* sur quelque sujet que ce soit. *Philosopher sur qqch.* — (1668, par plais., en parlant d'animaux). *« Miraut, sur leur odeur ayant philosophé, Conclut que c'est son lièvre »* (La Fontaine, V, 17).

Impossible, en semblable pays, de rêver, de philosopher à l'allemande, de voyager parmi les chimères de la fantaisie et les systèmes de la métaphysique. 5
TAINE, Philosophie de l'art, t. I, p. 249.

♦ **3.** (1553). Péj. Raisonner d'une manière savante, compliquée, oiseuse. *Il philosophait sans jamais raisonner.*

PHILOSOPHERIE [filɔzɔfʀi] n. f. — 1612, « rêverie philosophique, spéculation » ; de *philosophe* ou *philosopher*.

♦ Vx. Mauvaise philosophie. ⇒ **Philosophaillerie.**

PHILOSOPHICO- Premier élément de mots didact., tiré de l'adj. *philosophique,* et signifiant « philosophique et... ». Ex. : *philosophico-économique* (1875, *in* D. D. L.) ; *philosophico-politique, philosophico-social* (1890, *in* D. D. L.).

PHILOSOPHIE [filɔzɔfi] n. f. — 1160 ; lat. *philosophia,* mot grec de *philosophos* (*sophia* « sagesse »). → Philosophe.

♦ **1.** (V. 1265). Anciennt. Toute connaissance par la raison* ; tout savoir rationnel (par oppos. à *histoire** et à *poésie*). ⇒ **Science.** *La philosophie comprenait l'étude rationnelle de la nature* (*philosophie naturelle**, opposée à l'histoire naturelle, et correspondant à nos sciences de la nature : physique, chimie, biologie...) *et la théorie de l'action humaine* (*philosophie morale,* désignant à la fois la morale et la science des mœurs (aujourd'hui : sciences humaines). *Philosophie première* (→ ci-dessous, 3.).

(1637). *Philosophie spéculative ou théorique,* opposée à la *philosophie pratique* (chez Descartes, → Nature, cit. 59), *expérimentale... Philosophie* (ou *science*) *et foi, au XVIe siècle* (⇒ **Humanisme**), *et religion* (→ Beaucoup, cit. 5). ⇒ **Théologie.** *Philosophie et érudition* (cit. 6). *« Les hautes régions de la philosophie »* (→ Essor, cit. 8). *La philosophie est devenue bien mécanique* (cit. 5, Fontenelle). *« La philosophie, comme la médecine, a beaucoup de drogues »* (cit. 5, Chamfort). — *Faculté de philosophie.* ⇒ **Art** (I., 3. ; vieux).

1 (...) j'ai voulu éviter, autant que j'ai pu, les controverses de la théologie, et me tenir dans les bornes de la philosophie naturelle.
DESCARTES, Correspondance, Au P. Mesland, 2 mai 1644.

2 (...) ce mot de *philosophie* signifie l'étude de la sagesse, et (...) par la sagesse *(on entend)* une parfaite connaissance de toutes les choses que l'homme peut savoir (...) et (...) afin que cette connaissance soit telle, il est nécessaire qu'elle soit déduite des premières causes (...)
DESCARTES, Principes de philosophie, Préface.

3 La philosophie n'est autre chose que l'application de la raison aux différents objets sur lesquels elle peut s'exercer. Des éléments de philosophie doivent donc contenir les principes fondamentaux de toutes les connaissances humaines (...)
D'ALEMBERT, Éléments de philosophie, III, Œ. compl., t. I, p. 126.

4 La philosophie expérimentale ne sait ni ce qui lui viendra, ni ce qui ne lui viendra pas de son travail ; mais elle travaille sans relâche. Au contraire, la philosophie rationnelle pèse les possibilités, prononce et s'arrête tout court. Elle dit hardiment : *on ne peut décomposer la lumière :* la philosophie expérimentale l'écoute, et se tait devant elle pendant des siècles entiers ; puis tout à coup elle montre le prisme, et dit : la lumière se décompose.
DIDEROT, Interprétation de la nature, XXII.

Spécialt et vx. *Philosophie,* s'est dit en parlant de sciences particulières : la physique (XVIIe), la psychologie (XVIIIe)... — (XIVe). *Philosophie hermétique ;* (1721) *philosophie chimique :* l'alchimie. ⇒ **Art** (grand art). — *La Philosophie botanique,* œuvre de Linné. *La Philosophie zoologique,* œuvre de Lamarck.

♦ **2.** (Au XVIIIe). Attitude rationnelle et libérale des philosophes* (I., 2.). *La philosophie pénètre le Nord* (→ Aurore, cit. 32, Voltaire). — (1773). Par ext. Les philosophes. *Le déchaînement des hypocrites* (cit. 12) *contre la philosophie. Philosophie et encyclopédisme au XVIIIe siècle.*

5 Tout siècle qui pense bien ou mal, pourvu qu'il croie penser (...) se pare du titre de *philosophe* (...) Notre siècle s'est donc appelé par excellence *le siècle de la philosophie ;* plusieurs écrivains lui en ont donné le nom, persuadés qu'il en rejaillirait quelque éclat sur eux (...)
D'ALEMBERT, Éléments de philosophie, I, Œ. compl., t. I, p. 122.

6 La superstition met le monde en flammes ; la philosophie les éteint.
VOLTAIRE, Dict. philosophique, Superstition, III.

Allus. littér. *La Philosophie dans le boudoir,* ouvrage de Sade (où *philosophie* prend le sens de *libertinage**).

♦ **3.** Mod. Ensemble des études, des recherches visant à saisir les causes premières, la réalité absolue ainsi que les fondements des valeurs humaines, envisageant les problèmes à leur plus haut degré de généralité, et s'exprimant dans une langue naturelle, sans appareil formel. — REM. Ce sens apparaît en grec chez Platon, pour qui la *philosophie* est la science de l'Être (et non des apparences), il s'est perpétué en français dans l'expression aristotélicienne de *philosophie première* (où *philosophie* a le sens 1), mais ne s'est répandu, en évinçant le sens 1, qu'au XIXe s.

Divisions traditionnelles de la philosophie. ⇒ **Esthétique, éthique, logique, métaphysique, morale, ontologie, téléologie.** *Philosophie et psychologie**. — REM. Seule la logique traditionnelle relève du concept moderne de philosophie ; la logique moderne constitue une discipline distincte, notamment par son langage en partie formalisé.

« La philosophie, science de l'absolu » (Hegel). *La description de l'essence relève de la philosophie* (→ Existence, cit. 9). *La philosophie, effort vers une synthèse, une explication globale de l'univers. La philosophie et la science**. *La philosophie* (⇒ **Métaphysique, théorie**) *opposée à l'action, à la pratique ; philosophie et histoire. Histoire de la philosophie. Professeur de philosophie* (→ ci-dessous, 5.).

La philosophie (...) n'est pas une science à part ; c'est un côté de toutes les sciences (...) La philosophie est cette tête commune, cette région centrale du grand faisceau de la connaissance humaine, où tous les rayons se touchent dans une lumière identique (...) L'antiquité avait merveilleusement compris cette haute et large acception de la philosophie. La philosophie était pour elle le sage, le chercheur, Jupiter sur le mont Ida, le spectateur dans le monde. 7
RENAN, l'Avenir de la science, IX, Œ. compl., t. II, p. 852.

La vérité est que la philosophie n'est pas une synthèse des sciences particulières, et que si elle se place souvent sur le terrain de la science, si elle embrasse parfois dans une vision plus simple les objets dont la science s'occupe, ce n'est pas (...) en portant les résultats de la science à un plus haut degré de généralité. Il n'y aurait pas place pour deux manières de connaître, philosophie et science, si l'expérience ne se présentait à nous sous deux aspects différents (...) 8
H. BERGSON, la Pensée et le Mouvant, p. 136.

La philosophie, si l'on en déduit les choses vagues et les choses réfutées, se ramène maintenant à cinq ou six problèmes, précis en apparence, indéterminés dans le fond, niables à volonté, toujours réductibles à des querelles linguistiques, et dont la solution dépend de la manière de les *écrire* (...) Ce n'est donc plus faire de la philosophie que d'émettre des considérations même admirables sur la nature et sur son auteur, sur la vie, sur la mort, sur la durée, sur la justice (...) Notre philosophie est définie par son appareil, et non par son objet. 9
VALÉRY, Variété I, p. 108-109.

La philosophie apparaît à certains comme un milieu homogène : les pensées y naissent, y meurent, les systèmes s'y édifient pour s'y écrouler. D'autres la tiennent pour une certaine attitude qu'il serait toujours en notre liberté d'adopter. D'autres pour un secteur déterminé de la culture. A nos yeux *la* philosophie *n'est pas ;* sous quelque forme qu'on la considère, cette ombre de science, cette éminence grise de l'humanité n'est qu'une abstraction hypostasiée. En fait il y a *des* philosophies ou plutôt (...) en certaines circonstances bien définies, *une* philosophie se constitue pour donner son expression au mouvement général de la société (...) 10
SARTRE, Questions de méthode, I, *in* les Temps modernes, sept. 1957.

Spécialt (Lachelier). Métaphysique (excluant morale et esthétique).

Anciennt. *Philosophie première :* partie de la philosophie (au sens 1) concernant les causes premières, les premiers principes. *Méditations métaphysiques... touchant la philosophie première* (titre français des *Méditations* de Descartes). — (De nos jours). *Philosophie générale :* expression d'A. Comte, adoptée dans l'enseignement en 1907, et qui tend à remplacer le mot « métaphysique ».

Principales notions étudiées ou envisagées par la philosophie. ⇒ **Essence,** 2. **être, existence ; état, hypostase, identité, individualité, individuation, modalité, mode, nature, substance ; accident, apparence, attribut, catégorie, épiphénomène, phénomène, qualité ; chose** (en soi), **entéléchie, entité, monade, noumène, soi** (en soi, pour soi...). **Universel** (n.). — **Abstrait, concret ; actuel, virtuel ; absolu, relatif ; immanence, immanent ; transcendance, transcendant.** — **Néant, non-être.** — **Âme, conscience, esprit, je, moi, personne, sujet** (et **subjectif**). — **Chose, monde, nature, non-moi, objet** (et **objectif**). — **Connaissance ; acatalepsie, agnosticisme, certitude, cognition, conception, croyance, doute, expérience, heuristique, hypothèse, intuition, observation.** — **Axiome, postulat, principe, thèse** (et **antithèse**) ; **preuve. Méthode ; analyse, synthèse...** — **Abstraction, concept, idée, notion, pensée... Entendement, esprit, intellect, jugement, pensée, raison. Catégorie** (Kant) ; **a priori, transcendantal.** — **Acte, action, pratique** *(praxis).* — **Espace, temps.** — **Devenir, dialectique, mouvement.** — **Forme, ordre, structure.** — **Déterminisme, loi ; contingence, contingent, médiat, médiation, nécessaire, nécessité ; cause, condition, effet, finalité. Liberté ; hasard.** — **Valeur ; beau, bien, vérité, vrai ; sens** (et **non-sens**) ; **fin, moyen.**

♦ **4.** (XVIIIe). **PHILOSOPHIE DE... :** ensemble de connaissances, de considérations tendant à ramener une branche de connaissances ou d'activité humaine à un petit nombre de principes généraux. *Philosophie de l'histoire* (cit. 17 ; → Dresser, cit. 14), *du droit, des beaux-arts* (→ Esthétique, cit. 1)... *La Philosophie de l'art,* ouvrage de Taine. *Philosophie des sciences.* ⇒ **Épistémologie, méthodologie.** *Philosophie du langage.* — Par ext. *Philosophie de la misère,* ouvrage de Proudhon (réflexions générales sur l'économie, la réalité sociale, auxquelles Marx répondit par *Misère de la philosophie*). — (Dans un sens très général, qui rejoint le sens 2). *Philosophie de la nature ; Philosophie de l'esprit,* ouvrages de Hegel.

♦ **5.** (Fin XVIe). Enseignement qui se dispense dans les classes terminales des lycées et collèges et qui comprend la *philosophie* (au sens 3) : traditionnellement divisée en logique, morale, métaphysique (philosophie générale), et psychologie. *Dissertation de philosophie.* — (Enseignement supérieur). *Licence* (cit. 5), *agrégation, doctorat de philosophie.* — Par ext. Classe où l'on enseignait la philosophie comme matière principale, et à l'issue de laquelle les élèves passaient la deuxième partie du baccalauréat. *Élèves de philosophie et de mathématiques élémentaires.* (1690). *Faire sa philosophie* (→ Lycée, cit. 2). Abrév. : *philo**.

En France, la philosophie est à la fois une matière d'enseignement et un objet de méditation pour l'honnête homme. Nous avons une classe de philosophie dans les lycées, ce qui montre assez clairement qu'il n'y a point pour nous de véritable culture si, au delà de toutes les disciplines spéciales, la réflexion ne vient pas s'appliquer aux lois de la pensée, aux principes de la conduite, à la vie profonde de l'homme pour en scruter la signification et la valeur. 11
L. LAVELLE, *in* LE SENNE, Introd. à la philosophie, Avant-propos.

♦ **6.** (Fin XVIe). **UNE PHILOSOPHIE.** Se dit d'un ensemble de conceptions (ou d'attitudes) philosophiques (qu'il s'agisse d'une doctrine constituée ou d'un courant philosophique). ⇒ **Doctrine, système, théorie ; école.** *La pluralité des philosophies* (→ Civilisation, cit. 14). *Dogmes* (cit. 2), *philosophies, idéaux hétérogènes... Toute philosophie est nécessairement imparfaite* (→ Cadre, cit. 6). *Phi-*

losophie ésotérique, exotérique; athée, déiste... — (Doctrines, écoles constituées). *Philosophies antiques, grecques.* ⇒ **Académie, alexandrinisme, aristotélisme, cynisme, éléatisme, épicurisme, ionien, néoplatonisme, péripatétisme, platonisme, pyrrhonisme, pythagorisme, socratique, sophiste, stoïcisme...** *La philosophie du Portique. Philosophies médiévales.* ⇒ **Scolastique, scotisme, thomisme...** *Philosophies occidentales modernes.* ⇒ **Cartésianisme, hégélianisme, kantisme, marxisme, néo-thomisme, spinozisme.** *La philosophie de Locke* (lockisme), *de Leibniz* (leibnizianisme), *de Nietzsche* (nietzschéisme), *de Bergson* (bergsonisme), *de Heidegger...* ⇒ **Néo-kantisme, néo-positivisme.** — (Doctrines caractérisées par leurs éléments remarquables). ⇒ **Absurdisme, acosmisme, activisme, agnosticisme, animisme, associationnisme, atomisme, conceptualisme, conventionnalisme, criticisme, déterminisme, dogmatisme, dualisme, dynamisme, éclectisme, empiriocriticisme, empirisme, épiphénoménisme, essentialisme, eudémonisme, évolutionnisme, existentialisme, fidéisme, finalisme, formalisme, gestaltisme, globalisme, gnosticisme, hédonisme, humanisme, hylozaïsme, idéalisme, idéologie, illationnisme, illuminisme, immanentisme, immatérialisme, indéterminisme, individualisme, innéisme, instrumentalisme, intellectualisme, intuitionnisme, matérialisme, mécanicisme, mécanisme, méliorisme, mobilisme, monadisme, monisme, mysticisme, naturalisme, néo-criticisme, nihilisme, nominalisme, objectivisme, organicisme, palingénésie, pancalisme, panlogisme, panthéisme, perpétualisme, personnalisme, perspectivisme, phénoménisme, phénoménologie, physicalisme, pluralisme, positivisme, pragmatisme, probabilisme, rationalisme, réalisme, relativisme, scepticisme, sensationnisme, sensualisme, solipsisme, spiritualisme, subjectivisme, substantialisme, symbolisme, syncrétisme, transcendantalisme, tutiorisme, unicisme, utilitarisme, vitalisme, volontarisme.** — REM. On se reportera aussi aux noms de doctrines scientifiques *(fixisme, transformisme...)* ou sociales, politiques *(collectivisme, communisme...)*, comportant un aspect philosophique.

12 (...) l'esprit humain, par sa nature, emploie successivement dans chacune de ses recherches trois méthodes de philosopher (...) De là, trois sortes de philosophies, ou de systèmes généraux de conceptions sur l'ensemble des phénomènes (...)
A. COMTE, Philosophie positive, I, I.

13 À mon avis, *toute Philosophie est une affaire de forme.* Elle est la forme la plus compréhensive qu'un certain individu puisse donner à l'*ensemble* de ses expériences internes ou autres (...) VALÉRY, Variété III, p. 143.

Ensemble des conceptions philosophiques communes (à une école, à un pays, à une époque, à un groupe social...). *La philosophie grecque, allemande, française. Philosophie occidentale et philosophie orientale.* ⇒ **Pensée.** *Les philosophies orientales sont en même temps des religions.* ⇒ **Bouddhisme, brahmanisme, confucianisme, taoïsme, zen** et aussi **yogi.** *La philosophie du Shinto. Les philosophies africaines traditionnelles. Histoire de la philosophie du moyen âge, de la philosophie moderne.*

♦ **7.** (Fin XVIe). Conception générale, vision plus ou moins méthodique du monde et des problèmes de la vie. *Tout homme a plus ou moins consciemment une philosophie. La tragédie d'Hamlet, qui est en même temps une philosophie...* (→ Atermoyer, cit. 1). *Un homme dur, appuyé sur une philosophie froide* (cit. 20). *Une philosophie gaie* (→ Habitude, cit. 31), *optimiste, pessimiste, fataliste...* ⇒ **Fatalisme, optimisme, pessimisme...** *Philosophie généreuse, humanitaire.* ⇒ **Humanitarisme...** — Spécialt (en parlant d'un écrivain). *La philosophie de Vigny, de Hugo.* ⇒ **Idée**(s).

14 (...) il y avait en lui une de ces philosophies personnelles, propres à notre siècle, qui germent quelquefois dans les esprits solitaires et s'y construisent et y grandissent jusqu'à y remplacer les religions (...)
HUGO, les Misérables, I, I, XIV.

La philosophie de qqn, sa philosophie (sur un problème, un sujet), ses principes généraux.

La philosophie (de qqch.), principe général sur lequel se fondent la réalisation, le fonctionnement (d'un système, d'un mécanisme). — (V. 1965). Idée directrice présidant à l'établissement d'un plan, d'un projet d'ordre économique, financier, etc. *Une philosophie du transport.*

♦ **8.** Élévation d'esprit, fermeté d'âme. ⇒ **Calme, équanimité, raison, sagesse** (→ Nourrir, cit. 21). *Exercer* (cit. 14) *sa philosophie. Supporter les revers de fortune avec philosophie.* ⇒ **Résignation** (→ Prendre* les choses comme elles viennent). *Caractère plein de bonne humeur, de philosophie* (→ Enjoué, cit. 3). *Une philosophie et un flegme admirables* (→ Moucher, cit. 4).

PHILOSOPHIQUE [filozɔfik] adj. — 1380; bas lat. *philosophicus*, lat. class. *philosophus*; grec *philosophikos*, de *philosophia*.

♦ **1.** Relatif à la philosophie*. *Opinions philosophiques et théologiques* (→ Adopter, cit. 4). *Croyances religieuses et philosophiques. L'émancipation philosophique* (→ Ouvrir, cit. 52). *L'âge politique et l'âge philosophique de la religion* (→ Papauté, cit. 1). — *Réflexion* (→ Embarquer, cit. 12), *spéculation* (→ Dérober, cit. 19) *philosophique. En termes philosophiques* (→ Existence, cit. 7). *Généralisation* (cit. 1) *philosophique. Les grands problèmes moraux et philosophiques. Attitude plus philosophique que scientifique. Discours philosophique et discours littéraire. Notes* (cit. 16) *et commentaires philosophiques.* — *École, mouvement philosophique* (→ Généralité, cit. 5). *L'humanisme, discipline de l'intelligence plutôt que conception philosophique* (→ Humaniste, cit. 2). — N. *Le philosophique et le poétique* (→ Magique, cit. 4).

La faculté maîtresse de M. Taine (...) est assurément l'esprit philosophique (...) Cet esprit réside par essence dans le pouvoir et le goût de concevoir les choses par vastes ensembles. Un groupe d'événements une fois donné, la grande affaire du philosophe est de déterminer la loi générale qui les gouverne. 1
Paul BOURGET, Essais de psychologie contemporaine, Appendice F, p. 194.

(Au XVIIIe). Relatif à la philosophie telle qu'elle était conçue par les philosophes (I., 2.) du XVIIIe siècle. *Le parti, le mouvement philosophique.* ⇒ **Philosophe,** 2. (→ Arracher, cit. 37; obscur, cit. 15). — *Dictionnaire philosophique; Lettres philosophiques sur l'Angleterre* (ou *Lettres anglaises*), de Voltaire.

(1689). Théol. *Péché philosophique,* commis par une personne qui ignore Dieu et donc n'a pas l'intention de l'offenser (par opposition au *péché théologique).*

♦ **2.** (1580). Profond, quant à la pensée; qui touche à des problèmes de philosophie (→ Drame, cit. 5). *Dialogues philosophiques,* de Renan. — Didactique, intellectuel.

L'art philosophique n'est pas aussi étranger à la nature française qu'on le croirait. La France aime le mythe, la morale, le rébus; ou, pour mieux dire, pays de raisonnement, elle aime l'effort de l'esprit. 2
BAUDELAIRE, Curiosités esthétiques, XIX.

♦ **3.** (1580). Qui dénote de la sagesse, de la résignation... ⇒ **Philosophe** (II.), **philosophie** (8.). *Dédain philosophique.* (→ Enivrer, cit. 7). *Son attitude n'est pas très philosophique.* — REM. L'adverbe *philosophiquement* est plus courant dans ce sens.

COMP. et CONTR. Antiphilosophique.
DÉR. Philosophiquement.

PHILOSOPHIQUEMENT [filozɔfikmɑ̃] adv. — 1487; *philosophiquement*, 1380; de *philosophique.*

♦ **1.** (1529). Didact. D'une manière philosophique, en philosophe (→ Influence, cit. 12).

♦ **2.** Cour. Avec sagesse, résignation, calme (⇒ **Philosophique,** 3.). *Accepter, supporter philosophiquement son sort* (→ aussi Guetter, cit. 9).

Les gens de la campagne meurent tous philosophiquement, ils souffrent, se taisent et se couchent à la manière des animaux.
BALZAC, le Médecin de campagne, Pl., t. VIII, p. 425.

PHILOSOPHISME [filozɔfism] n. m. — 1377, «argument philosophique, plus ou moins captieux»; «fausse sagesse», 1777; de *philosophie.*

♦ **1.** (1829). Péj. et vx. Manie, abus de la philosophie.

(...) mes idées, qui, pendant un temps, avaient été fort tournées au philosophisme, et surtout à un certain philosophisme, celui du XVIIIe siècle, se sont beaucoup modifiées, et ont pris une tournure dont je crois déjà sentir les bons effets. 1
SAINTE-BEUVE, Correspondance, 78, 26 juil. 1829.

♦ **2.** Didact. Importance exclusive ou dominante accordée à l'attitude philosophique.

Cet ouvrage *(Introduction à la Critique de la vie quotidienne, de l'auteur)* comporte une interprétation de la pensée marxiste sur laquelle il faut revenir. Elle récuse d'un côté le philosophisme et de l'autre l'économisme. Elle n'admet pas que l'héritage légué par Marx se réduise à un système philosophique (le matérialisme dialectique) ou à une théorie d'économie politique. 2
Henri LEFEBVRE, la Vie quotidienne dans le monde moderne, p. 62.

PHILOTECHNIQUE [filɔtɛknik] adj. — 1795; du grec *philotekhnia* «goût des arts»; de *philos* «ami», et *tekhnê* «art».

♦ Vx. *Société philotechnique,* destinée à encourager et à vulgariser les arts et les sciences.

PHILTRE [filtʀ] n. m. — 1381, var. *filtre* par confusion avec l'hom. *filtre**; lat. *philtrum*, grec *philtron.*

♦ **1.** Breuvage magique, destiné à provoquer un effet psychologique, et, spécialt, à inspirer l'amour. *Le philtre de Tristan et Yseut* (→ Breuvage, cit. 5). *Des enchantements, des philtres et des maléfices** (→ Essentiel, cit. 6). ⇒ 2. **Charme; magie, sorcellerie.** — *Philtre d'amour.* ⇒ **Aphrodisiaque.**

(Apulée) fut accusé par un chrétien, dont il avait épousé la fille, de l'avoir ensorcelée par des philtres. VOLTAIRE, Dict. philosophique, Enchantement. 1

Ensuite, avec le vin, il versait aux héros 2
Le puissant népenthès, oubli de tous les maux;
Il cueillait le moly, fleur qui rend l'homme sage;
Du paisible lotos il mêlait le breuvage.
Des mortels oubliaient, à ce philtre charmés,
Et la douce patrie et les parents aimés. André CHÉNIER, Bucoliques, IV.

(...) la grande pluie des étoiles au début d'août, est propice aux sorcières de Provence qui préparent les philtres d'amour (...) 3
ARAGON, les Beaux Quartiers, I, XXVII.

(1738). Par ext. Boisson dangereuse (→ Ivre, cit. 3).

♦ **2.** (1764). Fig. Ce qui peut inspirer de l'amour ou susciter un sentiment hors du commun.

4 Tes baisers sont un philtre et ta bouche une amphore
Qui font le héros lâche et l'enfant courageux.
BAUDELAIRE, les Fleurs du mal, « Spleen et idéal », XXI.

5 La jeunesse est le plus puissant des philtres. « Avec ce breuvage-là, dit Gœthe, tu verras Hélène en toute femme ». A. MAUROIS, Un art de vivre, II, 1.

HOM. Filtre.

PHIMOSIS [fimozis] n. m. — XVIe, Paré; grec médical *phimôsis* « resserrement ».

♦ Méd. Étroitesse du prépuce, empêchant de découvrir le gland. *Phimosis congénital, accidentel. Circoncision pratiquée en cas de phimosis.*

PHLÉB-, PHLÉBO- Premier élément de mots de médecine, du grec *phleps, phlebos* « veine ».

PHLÉBECTOMIE [flebɛktɔmi] n. f. — Mil. XXe, *in* Larousse 1953; de *phléb-*, et *-ectomie.*

♦ Méd. Résection d'une veine.

PHLÉBITE [flebit] n. f. — 1818, Breschet; dér. sav. du grec *phleps,* génitif *phlebos* « veine », et suff. *-ite.*

♦ Méd., cour. « Inflammation aiguë, subaiguë ou chronique d'une veine » (Garnier). *Souffrir d'une phlébite.*

Il désigne, au-dessus de la boiserie, une guerrière de Rubens à gros genoux nus, bottée d'azur : — Elle aussi, elle a une phlébite. Si, si, je vous assure, je connais maintenant cette forme de jambe-là. COLETTE, Belles saisons, p. 186.

Vétér. Inflammation des veines consécutives à une saignée ou une piqûre.

PHLÉBOGRAPHIE [flebɔgʀafi] n. f. — 1952; « description des veines », 1808; de *phlébo-*, et *-graphie.*

♦ Méd. Radiographie des veines après injection d'un produit opaque aux rayons X. *Phlébographie orbitaire.*

DÉR. Phlébographique.

PHLÉBOGRAPHIQUE [flebɔgʀafik] adj. — V. 1960; « relatif à la description des veines », 1875; de *phlébographie.*

♦ Méd. Relatif à la phlébographie.

PHLÉBOLITHE [flebɔlit] n. f. — 1972, *in* G. L. L. F.; de *phlébo-*, et *-lithe.*

♦ Méd. Calcification de la paroi d'une veine.

PHLÉBOLOGIE [flebɔlɔʒi] n. f. — 1795; repris 1878; de *phlébo-*, et *-logie.*

♦ Didact. (méd.). Description des veines. — Étude des maladies des veines, de leurs traitements.

PHLÉBONARCOSE [flebonaʀkoz] n. f. — Mil. XXe; de *phlébo-*, et *narcose.*

♦ Didact. (méd.). Narcose obtenue par injection d'une solution narcotique (chloroforme, éther, etc.).

PHLÉBORRAGIE [flebɔʀaʒi] n. f. — 1822; de *phlébo-*, et *-rragie.*

♦ Méd. Hémorragie veineuse.

PHLÉBOTOME [flebɔtɔm] n. m. — 1533, *flebotome;* du lat. *phlebotomus,* grec *phlebotomos.* → 2. Flamme.

★ **I.** Chir. Vx. Lancette* utilisée pour les phlébotomies.

★ **II.** (XXe). Zool. Insecte diptère nématocère (famille des *Psycholidés*) dont certaines espèces peuvent transmettre des maladies infectieuses (dengue, fièvre de trois jours, etc.). *Les phlébotomes.* — *Genre Phlébotome.*

PHLÉBOTOMIE [flebɔtɔmi] n. f. — 1549; *flebothomie,* XIIIe; du lat. *phlebotomia,* mot grec. → -tomie.

♦ Méd. Incision d'une veine pour provoquer la saignée. — Par ext. ⇒ **Saignée.**

Moi, si j'étais le gouvernement, je voudrais qu'on saignât les prêtres une fois par mois. Oui, madame Lefrançois, tous les mois, une large phlébotomie, dans l'intérêt de la police et des mœurs ! FLAUBERT, Mme Bovary, II, I.

DÉR. Phlébotomiser.

PHLÉBOTOMISER [flebɔtɔmize] v. tr. — 1549, R. Estienne; de *phlébotomie.*

♦ Méd. anc. Saigner (qqn) par une phlébotomie.

PHLEGMASIE [flɛgmazi] n. f. — V. 1380, *flegmazie;* repris 1765; grec *phlegmasia,* de *phlegmainein* « être enflammé ».

♦ Méd. anc. Inflammation*.

DÉR. Phlegmasique.

PHLEGMASIQUE [flɛgmazik] adj. — 1833; de *phlegmasie.*

♦ Méd. anc. Qui tient de l'inflammation. *État phlegmasique d'un organe.*

PHLEGMATIQUE [flɛgmatik] adj., **PHLEGME** [flɛgm] n. m. ⇒ **Flegmatique, Flegme.**

PHLEGMON [flɛgmɔ̃] n. m. — 1538; *fleugmon,* 1314; du lat. médical *phlegmon(e),* grec *phlegmonê,* de *phlegein* « brûler ».

♦ Méd. Inflammation purulente du tissu sous-cutané ou du tissu conjonctif de soutien d'un organe. ⇒ **Abcès, anthrax, furoncle, tumeur...** *Phlegmon circonscrit* (vieilli) : abcès. *Phlegmon diffus, ligneux... Phlegmon des doigts.* ⇒ **Panaris, tourniole.** *Phlegmon des gencives.* ⇒ **Parulie.** *Inciser un phlegmon au bistouri* (cit. 2).

Au-dessus du poignet, un phlegmon superficiel, bien circonscrit, semble déjà collecté. Antoine, qui ne songe plus à l'heure, pose l'index sur l'abcès : puis, avec deux doigts de l'autre main, il fait mollement pression sur un autre point de la tumeur. Bon : il a nettement senti sous son index le déplacement du liquide. MARTIN DU GARD, les Thibault, t. III, p. 112.

DÉR. Phlegmoneux.

PHLEGMONEUX, EUSE [flɛgmɔnø, øz] adj. — 1538; de *phlegmon.*

♦ Méd. De la nature du phlegmon, propre au phlegmon. *Érésipèle phlegmoneux* (ou *phlegmon diffus*). *Pus phlegmoneux.*

PHLÉOLE [fleɔl] n. f. ⇒ **Fléole.**

PHLOGISTICIEN [flɔʒistisjɛ̃] n. m. — 1842; de *phlogistique.*

♦ Hist. sc. Partisan de la théorie du phlogistique.

PHLOGISTIQUE [flɔʒistik] n. m. — 1747; du lat. sc. mod. *phlogisticum,* mot formé par Becher d'après le grec *phlogistos* « inflammable », et repris par Stahl.

♦ Hist. sc. (chim.). Feu* (cit. 7) considéré « comme un des matériaux ou principes de la composition des corps »; car, « selon la doctrine de Stahl (...), le principe que les chimistes ont désigné par les noms de *soufre, principe sulfureux (...), principe inflammable, terre inflammable (...)* n'est autre chose que le feu même (...), la vraie matière, l'être propre du feu (...) » (*Encyclopédie,* Feu, 1756). ⇒ **Fluide** (calorique). *La théorie du phlogistique, après avoir régné plus d'un demi-siècle, fut ruinée par Lavoisier.* ⇒ **Combustion.** — Adj. *Principe phlogistique :* principe du feu.

(...) avant cet illustre chimiste *(Lavoisier)* on s'imaginait que les corps ne brûlaient qu'en laissant dégager un principe insaisissable, auquel on donnait le nom de *phlogistique;* d'où il suit qu'on devait regarder ces corps comme des combinaisons de *phlogistique* et de ceux que nous appelons aujourd'hui *oxides* (sic) ou *acides.* Toutes les fois que le phlogistique se dégageait d'un corps, il y avait combustion, et le corps cessait d'être combustible. Toutes les fois, au contraire, que le phlogistique était absorbé par un corps incombustible, celui-ci devenait combustible. L.-J. THÉNARD, Traité de chimie (6e éd., 1834), p. 39.

CONTR. et COMP. Antiphlogistique. — V. aussi **Aphlogistique.**
DÉR. Phlogisticien.

PHLOX [flɔks] n. m. invar. — 1794; lat. *phlox* « violette sauvage », grec *phlox* « flamme », à cause de la couleur d'un rouge intense d'une des variétés.

♦ Bot. Plante dicotylédone *(Polémoniacées),* herbacée, d'origine exotique, annuelle ou vivace, cultivée pour ses fleurs de couleurs variées.

Les plantes à fleurs sont sans nombre : l'éphémère de Virginie (...) le dahlia, l'hellénie d'automne, les phlox de toutes les espèces (...)
CHATEAUBRIAND, Voyage en Amérique, Hist. nat., Arbres et plantes.

PHLYCTÈNE [fliktɛn] n. f. — 1586, repris 1741 ; *phlystène, in* Trévoux, 1732 ; du grec *phluktaina,* de *phluzein* « couler en abondance ».

♦ Méd. Soulèvement de l'épiderme, rempli de sérosité* transparente. ⇒ **Ampoule.** *Les phlyctènes apparaissent notamment à la suite de brûlures, de contusions et dans certaines affections cutanées.*

Une tuméfaction livide s'étendait sur la jambe, et avec des phlyctènes de place en place, par où suintait un liquide noir. FLAUBERT, Mme Bovary, II, XI.

PHLYCTÉNOÏDE [fliktenɔid] adj. — 1869 ; grec *phluktainoeidês,* de *phluktaina.* → Phlyctène.

♦ Méd. Qui ressemble à une phlyctène. — Qui est caractérisé par des phlyctènes. *Éruption phlycténoïde.*

pH-MÈTRE [peaʃmɛtʀ] n. m. — Mil. xxe ; de *pH,* et *-mètre.*

♦ Techn. Appareil qui permet de mesurer le pH d'une solution.

-PHOBE, -PHOBIE Deuxième élément de mots savants formés sur le modèle des composés grecs en *-phobos* (adj.), et *-phobia* (n.), du rad. *phobos* « crainte », désignant soit la peur morbide de l'objet désigné par le premier élément du composé (⇒ ci-dessous **Phobie**), soit, plus couramment, l'aversion ou l'hostilité plus ou moins irraisonnée (⇒ **Anglophobe, anglophobie, francophobe, francophobie, gallophobe, gallophobie, xénophobe, xénophobie,...**).

PHOBIE [fɔbi] n. f. — V. 1880 ; isolé des comp. sav. en *-phobie.*

♦ **1.** Didact., cour. Peur, crainte angoissante spécifiquement liée à certains objets, certains actes, certaines situations, certaines idées. (⇒ **Acrophobie, aérophobie, agoraphobie, algophobie, anémophobie, claustrophobie, éreuthophobie, nosophobie, phobophobie, photophobie, zoophobie...**) *Phobie d'impulsion*. Les phobies se rencontrent fréquemment dans les névroses* et dans certaines psychoses* (ex. : *névrose obsessionnelle, hystérie d'angoisse, schizophrénie*). *Obsessions* et phobies. Phobie et angoisse*, et anxiété*. Personne sujette à la phobie.* ⇒ **Phobique.**

1 Sur la question des peurs morbides, actuellement désignées sous le nom de *phobies,* il existe un très grand nombre d'observations, notes, mémoires, qui ne font que s'accroître chaque jour (...) J. Falret et Westphal (dans un travail sur l'agoraphobie, 1872) paraissent les premiers qui soient entrés dans cette voie. À la peur des espaces de Westphal et à la crainte du contact de Falret, s'en ajoutent bientôt d'autres et l'on traverse une première période, où se produit une véritable inondation de phobies, ayant chacune son nom spécial (...) Toute manifestation morbide de la crainte est aussitôt dénommée par un vocable grec ou réputé tel et nous avons (...) jusqu'à (...) la triakaidekaphobie (peur du nombre treize !).
Th. RIBOT, Psychologie des sentiments, 1896, p. 220.

♦ **2.** (Déb. xxe). Cour. Peur ou aversion instinctive. ⇒ **Dégoût, haine, horreur.** *Il a une vraie phobie de l'uniforme, la phobie de l'uniforme* (→ Il est allergique* à...).

2 Flaubert y est conduit d'abord *(à l'emploi du participe présent)* et surtout par sa phobie des pronoms relatifs, par sa timidité excessive devant les *qui* et les *que.*
A. THIBAUDET, Gustave Flaubert, p. 236.

DÉR. Phobique. V. **Phobophobie.**

PHOBIQUE [fɔbik] adj. et n. — 1903, *Rev. gén. des sc.,* no 6, p. 337 ; de *phobie.*

Psychologie, psychopathologie.

♦ **1.** Relatif à la phobie, à une phobie. *Symptômes phobiques. Obsession phobique :* phobie devenue obsédante. — Psychan. *Névrose phobique :* névrose où la phobie constitue le symptôme central. ⇒ aussi **Hystérie** (d'angoisse).

♦ **2.** Atteint de phobie. — N. *Les phobiques et les obsédés* (→ Impuissance, cit. 13).

DÉR. Phobiquement.

PHOBIQUEMENT [fɔbikmɑ̃] adv. — Attesté xxe, → cit. ; de *phobique.*

♦ Rare. Par (une) phobie, avec un dégoût instinctif et irrépressible.

...depuis mon enrôlement de la place Clichy, j'étais devenu, devant tout héroïsme verbal ou réel, phobiquement rébarbatif.
CÉLINE, Voyage au bout de la nuit, p. 52 (1932).

PHOBOPHOBIE [fɔbɔfɔbi] n. f. — Av. 1972 ; de *phob(ie),* et *-phobie.*

♦ Psychopath. « Crainte morbide d'être atteint d'une phobie » (Manuila).

PHOCÉEN, ENNE [fɔseɛ̃, ɛn] adj. — 1732 ; du lat. *Phocaeus,* grec *Phôkeus,* nom de peuple.

♦ **1.** Hist. anc. Originaire de la ville grecque de Phocée ou de sa région, la Phocide — REM. *Phocidien, ienne* [fɔsidjɛ̃, jɛn] (1903), convient mieux dans ce dernier cas.

Marseille fut fondée par une colonie phocéenne. — N. *Les Phocéens* (→ Denier, cit. 8).

♦ **2.** (1875). Par ext. ⇒ **Marseillais, massaliote.** *La vieille cité phocéenne :* Marseille.

PHOCIDÉS [fɔside] n. m. pl. — 1875 ; du lat. *phoca* « phoque », et du grec *eidos* « forme ».

♦ Zool. Famille de mammifères pinnipèdes comprenant les phoques et les genres voisins. — Au sing. *Un phocidé.*

PHOCIDIEN, IENNE [fɔsidjɛ̃, jɛn] adj. et n. ⇒ **Phocéen.**

PHOCOMÈLE [fɔkɔmɛl] adj. et n. — V. 1840 ; du grec *phôkê* « phoque », et *mêlos* « membre ».

♦ Méd. Dont les membres sont réduits à leur seule extrémité (pieds et mains reliés au tronc). *Monstre phocomèle.* — N. *Un, une phocomèle.*

Les phocomèles. Ces monstres, comme leur nom l'indique, ont des membres très courts, rappelant un peu les membres des phoques. Dans le cas de la phocomélie brachiale, les mains sont attachées à l'épaule sans interposition du bras et de l'avant-bras. De telles anomalies sont viables (...)
La catastrophe récente due à la thalidomide a mis en vedette cette malformation et posé la question de son déterminisme par des substances spécifiques.
E. WOLFF, *in* Encycl. Pl., Biologie, p. 571-573.

DÉR. Phocomélie.

PHOCOMÉLIE [fɔkɔmeli] n. f. — 1846, Bescherelle ; de *phocomèle.*

♦ Méd. État d'un organisme phocomèle. → Phocomèle, cit.

PHŒNIX [feniks] n. m. invar. — 1694 ; du grec *phoiniks* « palmier ».

♦ Bot. Plante monocotylédone, de la famille des palmiers*. *Le dattier* est un phœnix. Phœnix des Canaries :* palmier ornemental. ⇒ **Phénix.**

HOM. Phénix.

PHOLADE [fɔlad] n. f. — 1555 ; du grec *phôlas, phôlades,* proprt « qui vit dans des trous ».

♦ Zool. Mollusque lamellibranche *(Isomyaires)* vivant dans les trous qu'il creuse dans les roches tendres, la vase. *Les pholades sont comestibles.*

PHOLCODINE [fɔlkɔdin] n. f. — V. 1960 ; de *(mor)phol-,* et *cod(é)ine.*

♦ Pharm. Corps voisin de la codéine, employé contre la toux. — Syn. : *morpholinyl-éthyl-morphine.*

PHOLIDOTES [fɔlidɔt] n. m. pl. et adj. — 1756, Brisson ; du grec *pholidôtos* « écailleux ».

♦ Zool. Sous-ordre de mammifères édentés, ne comprenant que les pangolins*. — Au sing. *Un pholidote.*

PHOLIOTE [fɔljɔt] n. f. — V. 1905 ; lat. bot. *pholiota,* du grec *pholis,* et suff. *-ote.* → Psalliote.

♦ Bot. Champignon croissant par touffes à la base des arbres *(Agaricacées).*

PHON-, -PHONE, -PHONIE, PHONO- Éléments de mots savants empruntés au grec ou formés en dérivation du rad. *phônê* « voix, son », et sur le modèle des composés grecs en *-phônos,* et *-phônia.* ⇒ **Aphone, aphonie ; bigophone ; cacophonie ; euphonie ; gramophone ; graphophone ; homophone, homophonie ; microphone ; orthophonie ; polyphone, polyphonie ; radiophonie ; sarrussophone ; saxophone ; stéréophonie ; symphonie ; téléphone, téléphonie** (et dér.) ; **xylophone,** ainsi que les formations en *phono-* (voir à l'ordre alphabétique).

PHONATEUR, TRICE [fɔnatœʀ, tʀis] adj. — 1836 ; du rad. de *phonation.*

♦ Didact. Qui concourt à la phonation. *L'appareil phonateur* (appareil respiratoire, larynx, cavités supraglottiques). *Organes phonateurs. Aptitudes phonatrices.* ⇒ **Phonatoire.**

PHONATION [fɔnasjɔ̃] n. f. — 1834; dér. sav. de *phon-*, et suff. *-ation.*

♦ **1.** Didact. Ensemble des phénomènes qui concourent à la production de la voix et du langage articulé. ⇒ **Articulation** (II.), **parole, voix.** *Troubles de la phonation.* ⇒ **Dysphonie; phoniatrie.**

Pendant la respiration normale, la glotte est ouverte, et de même pendant l'articulation de certaines consonnes sourdes. Pour la phonation, la glotte doit se fermer tout le long de la ligne médiane. Si la partie de la glotte qui se trouve entre les aryténoïdes reste ouverte en laissant passer l'air, on obtient une voix chuchotée.
B. MALMBERG, la Phonétique, p. 28.

♦ **2.** (xxe). Rare. Manière de parler (→ Maison, cit. 42).

PHONATOIRE [fɔnatwaʀ] adj. — xxe; du rad. de *phonation.*

♦ Didact. De la phonation. ⇒ **Phonateur.** *Processus phonatoires. Fonction phonatoire des cordes vocales. Spasme phonatoire.*

Il faut se souvenir qu'un phonème est identifié quand on a déterminé l'acte phonatoire. F. DE SAUSSURE, Cours de linguistique générale, p. 69.

PHONAUTOGRAPHE [fɔnotɔgʀaf] n. m. — 1878; la date de 1855 correspond à l'invention par Scott; 1859 en angl.; de *phon-, auto-*, et *-graphe.*

♦ Didact. Appareil enregistreur des vibrations sonores.

Cette gravure peut se faire sur acier et (si le mouvement a été assez rapide pour que les ondulations ne soient pas trop heurtées) servir à conduire une pointe solidaire d'une plaque résistante qui reproduira les sons avec autant d'intensité qu'on voudra.
Ce tracé des vibrations sur papier noirci (dans le phonautographe de MM. Scott et Koenig), cette gravure au bitume de Judée par la lumière, enfin la reproduction des sons par leurs vibrations inscrites en leurs amplitudes relatives et leurs fréquences, ces trois éléments de mon projet sont aujourd'hui expérimentés (...)
Charles CROS, Textes scientifiques, Pl., p. 582 (avr. 1878).

PHONE [fɔn] n. m. — 1857; dér. sav. de *phon-.*

♦ **1.** (V. 1949). Phys. Unité de puissance sonore. *« L'intensité, en phones, d'un son quelconque, est égale à l'intensité en décibels* d'un son de fréquence 1.000 qui semble aussi fort à l'oreille que le son considéré »* (Uvarof et Chapman, *Dict. des Sciences*).

♦ **2.** (1857). Ling. Vx. Unité sonore servant à l'expression linguistique.

Nous ne parlerons point de diphtongues. Ces genres de phones appartiennent aux éléments de la grammaire.
LENGLET-MORTIER et VANDAMME, Nouvelles et véritables étymologies médicales, p.13, 1857, *in* D. D. L., II, 7.

Mod. Réalisation concrète d'une unité phonologique (phonème*), variable suivant les déterminations socio-culturelles du locuteur, et plus généralement selon les conditions de la communication.

-PHONE ⇒ **Phon-.**

PHONÉMATIQUE [fɔnematik] adj. et n. f. — xxe; de l'angl., dér. de *phoneme.* → Phonème.

♦ Ling. Relatif au plan du phonème. ⇒ **Phonologique.** *La transcription phonétique d'un mot constitue sa définition phonématique* (par oppos. à *définition sémantique, graphématique...*). — *Niveau, rang phonématique,* où les phrases sont représentées par des suites de phonèmes*.

(...) le symbolisme de l'inconscient n'est pas un phénomène linguistique *stricto sensu :* il est commun à plusieurs cultures sans acception de langue, il présente des phénomènes, tels que déplacement et condensation, qui opèrent au niveau de l'image et non de l'articulation phonématique ou sémantique (...)
P. RICŒUR, Une interprétation philosophique de Freud, *in* la Nef, no 31, p. 118.

N. f. *La phonématique.* ⇒ **Phonologie.**

PHONÈME [fɔnɛm] n. m. — 1873; du grec *phônêma* « son de voix ».

★ **I.** ♦ **1.** Phonét. (emploi ambigu, depuis la phonologie, → 2.). Élément sonore du langage articulé, considéré du point de vue physiologique (formation par les organes vocaux) et acoustique (caractères objectifs ou subjectifs à l'audition). ⇒ **Son** (→ Phonétique, cit.). *La phonétique traditionnelle classe les phonèmes, d'après la présence ou le défaut de voix, en voyelles, consonnes, sonantes et semi-voyelles* (ou *semi-consonnes*). *Nasalisation* (cit. 2) *de certains phonèmes.*

1 La phonétique est la science des phonèmes articulés qui constituent le langage.
K. NYROP, Manuel phonétique du langage parlé, p. 1.

2 Le nombre des phonèmes possibles s'étend presque à l'infini. Aucun instrument de musique ne permet d'émettre des sons aussi variés que l'appareil humain. Mais (...) le nombre des phonèmes de chaque langue est au contraire assez limité.
J. VENDRYES, le Langage, p. 40.

♦ **2.** (Depuis la phonologie de l'école de Prague [Troubetskoy, Jakobson] mais ce concept était déjà en germe chez certains linguistes et phonéticiens; Cf. Saussure, *Cours de linguistique générale*, p. 66 : *« le phonème [...] est déjà une unité complexe [...] On peut parler de* t *en général comme de l'espèce* T *[...], de* i *comme de l'espèce* I, *en ne s'attachant qu'au caractère distinctif »*, et p. 69 : *« pour classer* [les phonèmes], *il importe bien moins de savoir en quoi ils consistent que ce qui les distingue les uns des autres »*). Unité distinctive de l'expression phonique (parole), dégagée par la mise en contraste d'éléments plus complexes (morphèmes, monèmes) et constituée par un ensemble de traits* pertinents. *Le phonème est la plus petite unité distinctive de la chaîne parlée.*

★ **II.** Pathol. Hallucination auditive dans laquelle le sujet entend des voix.

DÉR. Phonémique. — V. **Phonématique.**
COMP. Archiphonème.

PHONÉMIQUE [fɔnemik] adj. et n. f. — Mil. xxe; de *phonème.*

♦ Ling. Relatif au phonème. *Opposition phonémique.* — Rare. *La phonémique.* ⇒ **Phonématique.**

PHONÉTICIEN, IENNE [fɔnetisjɛ̃, jɛn] n. — 1894; 1848 en angl. (écrit phonétiquement); de *phonétique.*

♦ Spécialiste de phonétique. *Bourciez, Fouché, Grammont..., phonéticiens français. Phonéticien acousticien, physiologiste, linguiste* (⇒ **Phonologue**). *Phonéticien, spécialiste de phonétique appliquée, d'orthophonie* (⇒ **Orthophoniste**).

PHONÉTIQUE [fɔnetik] adj. et n. f. — 1827, adj.; du grec *phônêtikos*, adj., de *phonêtos* « qu'on peut dire », de *phônein.*

♦ **1.** Adj. Relatif aux sons d'une langue. *Aspects phonétiques et aspects graphiques des unités de la langue. Composante phonétique et composante sémantique. Évolutions phonétiques. Altérations phonétiques* (→ Fin, cit. 37; 2. pas, cit. 37). — (1876). *Lois phonétiques :* lois qui régissent l'évolution des sons d'une langue et le passage d'une langue à celles qui procèdent d'elle (→ Doublet, cit. 1; étymologie, cit. 2).

Qui transcrit graphiquement les sons d'une langue (et non pas les unités sémantiques ou notionnelles). *Écriture phonétique et écriture idéographique, et écriture pictographique. Hiéroglyphes idéographiques et hiéroglyphes* (cit. 3) *phonétiques.* — Spécialt. Qui correspond au son minimal, au phonème (opposé à *syllabique*).

Qui transcrit les sons d'une langue d'une manière univoque. *Orthographe, notation phonétique. L'espagnol possède une orthographe d'usage plus phonétique que celle du français ou de l'anglais.*

(1890, *in* P. Larousse, *Deuxième Suppl.*). *Alphabet phonétique :* ensemble de signes analogues aux lettres mais destinés à transcrire chacun un son distinct. *Alphabet de l'Association phonétique internationale,* ou *A. P. I.*

(1877, in *Romania*). *Transcription phonétique :* représentation d'un élément de discours à l'aide d'un tel alphabet. *Le dictionnaire utilise la transcription phonétique pour tous les mots et pour un certain nombre de syntagmes.*

♦ **2.** N. f. (1869, Littré). Ensemble des sons d'une langue.

♦ **3.** N. f. Étude scientifique des sons des langues naturelles (⇒ **Linguistique**). *Phonétique générale (acoustique* et *physiologique),* qui étudie les possibilités acoustiques de l'homme et analyse ses capacités articulatoires et les particularités des sons émis, au moyen d'appareils acoustiques. *Phonétique descriptive :* étude des particularités phonétiques d'une langue. — (1917). *Phonétique évolutive* ou *historique :* étude des changements phonétiques d'une langue au cours de son histoire, ainsi que des facteurs qui y concourent. *Phonétique normative* (ou *orthoépie*), dont l'objet est d'établir les règles de la bonne prononciation* d'une langue. — (1897). *Phonétique expérimentale* ou *instrumentale,* dont l'objet est d'étudier les caractères objectifs, physiques, de phénomènes concernant la perception auditive. *Phonétique fonctionnelle.* ⇒ **Phonologie.** — *Rôle de la phonétique dans l'étymologie*.* — *Phonétique et phonologie.*

La transmission du son semble aujourd'hui l'objet principal de l'étude des phonéticiens : c'est en effet à l'analyse des vibrations qu'ils s'attachent de préférence (...) La phonétique prend dès lors une singulière précision; elle a notamment le moyen de définir les sons par la fréquence et la forme des vibrations qui les caractérisent. Nous nous en tiendrons ici aux habitudes de la vieille école, en nous bornant à étudier la production du son, c'est-à-dire la phonation, et à décrire les résultats de la phonation, c'est-à-dire les phonèmes.
J. VENDRYES, le Langage, p. 22.

CONTR. (De l'adj.) **Idéographique.**
DÉR. Phonéticien, phonétiquement, phonétiser, phonétisme.

PHONÉTIQUEMENT [fɔnetikmɑ̃] adv. — 1822; de *phonétique.*

♦ Au point de vue phonétique, d'une manière phonétique. *Texte transcrit phonétiquement.*

Vous avez sans doute remarqué, Monsieur, dans mon mémoire sur l'écriture démotique égyptienne, que ces noms étrangers étaient exprimés phonétiquement au moyen de signes plutôt syllabiques, qu'alphabétiques.
CHAMPOLLION, Mém. sur les hiéroglyphes phonétiques, 5, 1822, *in* D. D. L., II, 5.

PHONÉTISER [fɔnetize] v. tr. — D. i.; de *phonét(ique),* et suff. *-iser.*

♦ Didact. Rendre phonétique (1., spécialt) une écriture. — Au p. p. :

La plupart des auteurs récents ont très bien perçu la difficulté de l'étape pictographique pour conduire à l'écriture phonétisée, mais ils ne semblent pas avoir perçu le lien qui existe entre le très vieux système de notation mythographique qui implique une idéographie hors des dimensions orales et une écriture qui paraît se phonétiser à partir des nombres et des quantités.
A. LEROI-GOURHAN, le Geste et la Parole, t. I, p. 282.

PHONÉTISME [fɔnetism] n. m. — 1824, *in* D. D. L.; de *phonétique.*

♦ Didact. Ensemble des moyens phonétiques d'une langue à un moment donné de son évolution. *Histoire du phonétisme français.*

PHONIATRE [fɔnjatʀ] n. — Mil. xxe; de *phon-,* et suff. *-iatre.* → Phoniatrie.

♦ Didact. Spécialiste des troubles de la phonation.

PHONIATRIE [fɔnjatʀi] n. f. — V. 1945; de *phon-,* et suff. *-iatrie.*

♦ Didact. Branche de la médecine qui s'occupe de tous les phénomènes pathologiques de phonation, des troubles de la parole.

1. PHONIE [fɔni] n. f. — 1949; de *(télé)phonie.*

♦ Techn. Transmission de messages parlés, dans la téléphonie* sans fil (opposé à *graphie,* transmission au moyen du morse). *Envoyer un message en phonie.*

2. PHONIE [fɔni] n. f. — 1972, *Dict. de ling.*; du grec *phônê.*

♦ Rare. Phonation.

-PHONIE ⇒ **Phon-.**

PHONIQUE [fɔnik] adj. — 1751; de *phon-,* et suff. *-ique.*

♦ Didact. Qui a rapport aux sons ou à la voix en général (⇒ **Phonation**). — Phonét. *Système phonique propre à une langue.* ⇒ **Phonétique.** *Procédé phonique,* qui fait appel à certaines particularités de l'emploi des sons (ex. : *onomatopée, rime,* etc.). — (Vieilli). *Signaux phoniques.* ⇒ **Acoustique.** *Signes phoniques :* écriture phonétique.

PHONISME [fɔnism] n. m. — xxe; de *phon-,* et suff. *-isme.*

♦ Méd. Sensation auditive provoquée par une stimulation qui n'est pas due à des ondes sonores (lumière, odeur, etc.).

PHONO [fɔno] n. m. — V. 1900, cit. 1; de *phono(graphe).*

♦ Fam. Phonographe. *Il a trouvé un vieux phono à pavillon chez un antiquaire.*

1 (...) un domestique parut.
— « Le phono à madame ! » dit le banquier.
Le domestique s'inclina et reparut bientôt avec l'instrument demandé.
— Quand Mme Ponto sort, dit le banquier, elle laisse toujours ses instructions dans le phono et elle ne manque pas de dire où elle va... c'est très commode !
M. Raphaël Ponto toucha le bouton du phonographe (...)
A. ROBIDA, le Vingtième Siècle, p. 9.

2 A-t-il à tout jamais décidé de se taire
Quand la douceur d'aimer un soir a disparu
Le phono mécanique au coin de notre rue
Qui pour dix sous français chantait un petit air
ARAGON, les Yeux d'Elsa, p. 12.

Par ext., vieilli. Électrophone. *Il nous a passé des disques sur son phono. Des phonos.*

PHONO- ⇒ **Phon-.**

PHONO-AUDIOLOGIE [fɔnoodjɔlɔʒi] n. f. — D. i.; de *phono-,* et *audiologie.*

♦ Didact. Étude de la parole et de l'audition sous tous leurs aspects (physiologique, pathologique, psycho-intellectuel, acoustique, linguistique).

PHONOCAPTEUR [fɔnokaptœʀ] n. m. — Mil. xxe; de *phono-,* et *capteur.*

♦ Techn. Dispositif qui recueille les sons enregistrés par gravure. ⇒ **Tête** (de lecture). « *Les diamants utilisés comme aiguilles sur les phonocapteurs actuels* » (*Ingénieurs et Techniciens,* n° 200, p. 20). Syn. : *lecteur* (de son).

PHONOCARDIOGRAPHE [fɔnokaʀdjɔgʀaf] n. m. — V. 1970; de *phono-,* et *cardiographe.*

♦ Méd. Appareil qui enregistre les bruits du cœur.

PHONOCARDIOGRAPHIE [fɔnokaʀdjɔgʀafi] n. f. — Mil. xxe; de *phono-,* et *cardiographie.*

♦ Méd. Enregistrement des bruits du cœur. « *La phonocardiographie (...) constitue comme on l'a dit l'"auscultation écrite" du cœur. Elle remonte au* XIXe *siècle mais subit une longue éclipse et son application pratique n'excède pas une vingtaine d'années* » (*Sciences et Avenir,* « Le Cœur », p. 44, n° 22).

PHONOCONTRÔLE [fɔnokɔ̃tʀol] n. m. — 1943; de *phono-,* et *contrôle.*

♦ Techn. Dispositif de contrôle du son (enregistrement).

Pour le son, nous savons que la simple affluence du public fait déjà varier les caractéristiques d'une salle. L'opérateur peut contrôler ces variations et les corriger, avec un appareil dit « phonocontrôle », micro accouplé à un amplificateur, qui lui fait entendre exactement ce qu'entend le spectateur dans la salle. Il corrigera ainsi le son trop faible, ou trop grave, ou trop grinçant, etc.
L. DUCA, Technique du cinéma, p. 125.

PHONOGÉNIE [fɔnoʒeni] n. f. — 1929, *in* D. D. L.; de *phono-,* et *-génie.*

♦ Didact. Aptitude d'une voix ou d'un instrument à être l'objet d'un enregistrement et d'une reproduction de qualité.

Il arrive, d'ailleurs, que les caprices mystérieux de la matière idéalisent d'une façon singulière les sons qu'on lui confie. Il y a tout un art encore mal étudié de la « phonogénie » qui donne à certaines sonorités d'étranges privilèges, lorsque le microphone est chargé de les recueillir. Des compositeurs adroits arriveront ainsi à obtenir, grâce à la composition mécanique, des effets inédits d'orchestration.
E. VUILLERMOZ, *in* Encycl. franç. (DE MONZIE), l'Avenir du disque, XVI, 88-89.

DÉR. Phonogénique.

PHONOGÉNIQUE [fɔnoʒenik] adj. — 1929, *in* D. D. L.; de *phonogénie,* d'après *photogénique.*

♦ Didact. Doué de phonogénie. *Voix peu phonogénique.*

PHONOGRAMME [fɔnɔgʀam] n. m. — 1889, in *Année sc. et industr.,* 1890, p. 94; de *phono-,* et *-gramme.*

Didactique.

♦ **1.** Tracé enregistrant les vibrations produites par la voix, dans la parole.

♦ **2.** (1890). Signe graphique représentant un son. *Le passage de l'idéogramme* au phonogramme est une étape capitale dans l'histoire des écritures.*

PHONOGRAPHE [fɔnɔgʀaf] n. m. — 1877, nom donné par l'abbé Lenoir à l'appareil imaginé par Charles Cros et réalisé en 1878 par Edison; de *phono-,* et *-graphe.*

♦ **1.** Anciennt. Appareil constitué d'un récepteur, d'un enregistreur et d'un reproducteur des sons ou de la voix. ⇒ **Aiguille, cornet, diaphragme, pavillon.**

♦ **2.** (Déb. xxe). Mod. *Les premiers phonographes à cylindre et à gravure en profondeur ont été remplacés par les phonographes à disques* et à gravure latérale, ou gramophones** (seulement reproducteurs). *Le phonographe a été progressivement remplacé par l'enregistrement électromécanique.* ⇒ **Électrophone, pick-up, tourne-disque.** *Phonographe criard* (cit. 3), *qui glapit* (cit. 4). *Danser* (cit. 7) *au son d'un phonographe. Mettre un disque sur le plateau du phonographe.* — Abrév. : *phono*.*

Il y a des caractères plus dociles que d'autres; il y a aussi des mémoires qui retiennent mieux; de même, parmi les phonographes, il y en a qui reproduisent en grinçant et en nasillant, d'autres qui, au contraire, imitent merveilleusement les voix. 1
ALAIN, Propos, 22 oct. 1907, Les phonographes.

Je retrouvai là un de mes anciens camarades que, pendant dix ans, j'avais vu presque tous les jours (...) il me dit d'une voix que je reconnus très bien : « C'est une bien grande joie pour moi après tant d'années. » Mais quelle surprise pour moi ! Cette voix semblait émise par un phonographe perfectionné, car si c'était celle de mon ami, elle sortait d'un gros bonhomme grisonnant que je ne connaissais pas, et dès lors il me semblait que ce ne pût être qu'artificiellement, par un truc de mécanique, qu'on avait logé la voix de mon camarade sous ce gros vieillard quelconque. 2
PROUST, le Temps retrouvé, Pl., t. III, p. 941.

(...) j'entends ce disque pour la dernière fois (...) Madeleine va le déposer sur le plateau du phonographe, il va tourner; dans les rainures l'aiguille d'acier va se mettre à sauter et à grincer et puis, quand elles l'auront guidée en spirale, jusqu'au centre du disque, ce sera fini, la voix rauque qui chante « Some of these days » se taira pour toujours. 3
SARTRE, la Nausée, p. 216.

(...) un phonographe datant de 1912, avec enregistrement sur cylindres, lesquels étaient au nombre de trois, et c'est à savoir (...) la *Chanson des blés d'or,* un monologue égrillard, et le duo de *Charlotte et de Werther.* 4
M. AYMÉ, le Passe-muraille, « Les Sabines », p. 65.

Elle prit le phonographe avec précaution et le déposa sur la table de la salle à 5 manger. Il était noir, en peau granitée avec une poignée chromée (...) Suzanne souleva le couvercle et l'intérieur du phonographe apparut : un disque de drap vert, un bras en métal chromé, éblouissant. Sur la face interne du couvercle, il y avait une petite plaque de cuivre sur laquelle un petit fox-terrier était représenté assis devant un pavillon trois fois gros comme lui. Au-dessous de la plaque il y avait écrit : LA VOIX DE SON MAÎTRE.

M. DURAS, Un barrage contre le Pacifique, p. 83.

DÉR. Phonographier, phonographique.

PHONOGRAPHIE [fɔnɔgʀafi] n. f. — 1842; de *phono-*, et *-graphie.*

♦ **1.** Vx. Gramm. Manière de figurer les sons des mots. ⇒ **Graphie.** — Rare, littér. Transcription du langage parlé.

♦ **2.** (1869). Phonét. Manière graphique de représenter les vibrations produites par les corps sonores. ⇒ **Phonogramme.**

♦ **3.** (XXe). Rare. Enregistrement et reproduction des sons par un procédé mécanique.

PHONOGRAPHIER [fɔnɔgʀafje] v. tr. — Av. 1889, Villiers de l'Isle-Adam; de *phonographe.*

♦ Vx. Enregistrer (des sons) avec le phonographe.

PHONOGRAPHIQUE [fɔnɔgʀafik] adj. — 1842; de *phonographie.*

♦ **1.** Vx. Relatif à la phonographie (1. et 2.).

♦ **2.** (1862, *méthode phonographique,* in *Année sc. et industr.* 1863, p. 58). Didact., dr. ou vieilli.

[a] Propre au phonographe, destiné à l'enregistrement au phonographe.

Les fenêtres des cuisines, ouvertes les autres jours, et d'où s'échappaient alors les rengaines phonographiques et les cris ancillaires, étaient closes.

MONTHERLANT, Pitié pour les femmes, p. 88.

[b] Par ext. Qui est propre à l'enregistrement sur disques, qui y a trait. *Œuvres phonographiques* (→ Dépôt, cit. 3). *Les droits des auteurs sur les enregistrements musicaux phonographiques et cinématographiques.*

DÉR. Phonographiquement.

PHONOGRAPHIQUEMENT [fɔnɔgʀafikmɑ̃] adv. — 1920, A. France; de *phonographique.*

♦ Rare. Avec le phonographe; au moyen du phonographe, et, par ext., des techniques d'enregistrement sur disques.

PHONOLITHE [fɔnɔlit] n. m. (Académie, Littré) ou n. f. (Larousse). — 1842; écrit *phonolite,* 1812; de *phono-*, et *-lithe* «pierre qui résonne».

♦ Minéralogie. Se dit de certaines roches*, «trachytes à feldspathoïdes, qui se présentent sous forme de laves compactes, grises, à éclat gras et sonores sous le choc» (Lexique de pétrographie, *in* La Terre, Encycl. Pléiade). *Phonolithe à leucite, à néphéline. Des éboulements de phonolithes* (→ Courir, cit. 3).

DÉR. Phonolithique ou **phonolitique.**

PHONOLITHIQUE ou **PHONOLITIQUE** [fɔnɔlitik] adj. — 1842, Barré; de *phonolithe.*

♦ Minéréralogie. De la nature des phonolithes. *Roches phonolithiques.* — (XXe). Producteur de phonolithes. *Volcans phonolithiques.*

PHONOLOGIE [fɔnɔlɔʒi] n. f. — V. 1925; «traité des sons», Bescherelle, 1845; de *phono-*, et *-logie.*

♦ **1.** Vx. [a] Phonétique.

[b] (Saussure; Grammont). Phonétique générale, synchronique.

1 La phonétique est une science historique; elle analyse des événements, des transformations et se meut dans le temps. La phonologie est en dehors du temps, puisque le mécanisme de l'articulation reste toujours semblable à lui-même.

F. DE SAUSSURE, Cours de linguistique générale, p. 56.

♦ **2.** Mod. (depuis l'École de Prague). Branche de la linguistique qui étudie les phonèmes non en eux-mêmes, mais quant à leur fonction dans la langue ou quant à leur fonction psychologique (→ ci-dessous, cit. Brunot). *La phonologie est appelée par certains linguistes phonétique fonctionnelle* (ou encore *phonématique*). *La notion de phonème* selon la phonologie.*

2 La phonologie, au sens actuel du mot, étudie les phonèmes, non en eux-mêmes, mais dans la conscience du sujet parlant (l'opposition entre patte et pâte est un fait phonologique). BRUNOT et BRUNEAU, Précis de grammaire historique, p. 3.

Phonologie générative.

DÉR. Phonologique, phonologue.
COMP. Audiophonologie, morphophonologie.

PHONOLOGIQUE [fɔnɔlɔʒik] adj. — V. 1929; «qui concerne les sons vocaux», Bescherelle, 1845; de *phonologie.*

♦ Ling. Propre à la phonologie, ou qui y a trait.

[a] Au sens traditionnel et vieilli de *phonologie* «phonétique générale».

[b] Au sens moderne de *phonologie* (sens 2), et opposé à *phonétique : Règles phonologiques. Opposition phonologique. Système phonologique.*

PHONOLOGIQUEMENT [fɔnɔlɔʒikmɑ̃] adv. — Av. 1915, Saussure; de *phonologique.*

♦ Didact. Par la phonologie (au sens traditionnel de «phonétique générale» ou, de nos jours, au sens de «phonétique fonctionnelle», et dans ce dernier cas, opposé à *phonétiquement*).

Si, par exemple, à un moment donné, dans une langue donnée, tout *a* devient *o*, il n'en résulte rien; on peut se borner à constater le phénomène, sans chercher à l'expliquer phonologiquement.

F. DE SAUSSURE, Cours de linguistique générale, p. 78.

PHONOLOGISATION [fɔnɔlɔʒizasjɔ̃] n. f. — 1972, *Dict. de linguistique;* de *phonologique,* et suff. *-isation.*

♦ Didact. Transformation d'une variation phonétique en opposition phonologique.

PHONOLOGUE [fɔnɔlɔg] n. — XXe; de *phonologie.*

♦ Ling. Spécialiste de phonologie. *Les grands phonologues de l'École de Prague.*

PHONOMÈTRE [fɔnɔmɛtʀ] n. m. — 1820; de *phono-*, et *-mètre.*

♦ Didact., vx. Instrument destiné à mesurer l'intensité des sons (vocaux en particulier).

PHONOMÉTRIE [fɔnɔmetʀi] n. f. — 1842; de *phono-*, et *-métrie.*

♦ Didact. (phys.). Mesure de l'intensité des sons.

DÉR. Phonométrique.

PHONOMÉTRIQUE [fɔnɔmetʀik] adj. — 1836; de *phonométrie.*

♦ Didact. (phys.). Relatif à la phonométrie.

PHONON [fɔnɔ̃] n. m. — V. 1965; de *phon-*, et suff. *-on,* sur le modèle de *photon.*

♦ Phys. Quantum d'oscillation d'une particule dans un réseau cristallin. *«Cette énergie* (des électrons de valence interagissant avec un réseau cristallin) *contribue à exciter les vibrations de noyaux ou phonons qui se propagent suivant la périodicité du réseau»* (*la Recherche,* juin 1980, p. 716).

PHONOPSIE [fɔnɔpsi] n. f. — XXe; de *phon-*, et *-opsie.*

♦ Méd. Sensation visuelle provoquée par la perception de sons.

PHONORÉCEPTEUR [fɔnɔʀesɛptœʀ] n. m. — XXe; de *phono-*, et *récepteur.*

♦ Physiol. Récepteur des stimuli sonores.

PHONOSCOPE [fɔnɔskɔp] — 1892; «appareil destiné à l'étude de la voix», 1888; de *phono-*, et *-scope.*

♦ Anciennt. Appareil qui reconstituait les mouvements d'une figure parlante. *Le phonoscope, ancêtre du cinéma* parlant.*

PHONOSTYLISTIQUE [fɔnostilistik] n. f. — XXe; de *phono-*, et *stylistique.*

♦ Didact. Étude des sons d'une langue dans leur valeur expressive et dans leur fonction de symptômes (variantes régionales, socioculturelles, etc.).

PHONOTHÉCAIRE [fɔnɔtekɛʀ] n. — Mil. xxe, d'après *bibliothécaire*; de *phonothèque.*

♦ Rare. Personne qui s'occupe d'une phonothèque.

PHONOTHÈQUE [fɔnɔtɛk] n. f. — 1929; de *phono-*, et *-thèque.*

♦ Établissement destiné à réunir et conserver les documents enregistrés constituant les « archives de la parole ». (*Discothèque*, plus cour., se dit surtout des disques de musique). ⇒ **Sonothèque.** *La phonothèque d'un institut de linguistique. Phonothèque du Musée de l'Homme, à Paris, créée en 1938.*

DÉR. Phonothécaire.

PHOQUE [fɔk] n. m. — 1611; *focque,* 1532; lat. *phoca,* du grec *phôkê.*

♦ **1.** Mammifère pinnipède*, type de la famille des *Phocidés,* amphibie, aux membres antérieurs courts et palmés, au cou très court, aux oreilles dépourvues de pavillon, et au pelage ras. *Selon les espèces, les phoques sont parfois appelés* chiens, lions de mer, loups, veaux marins. *Les phoques sont piscivores. Phoque chien de mer,* ou *veau marin* (cit. 2), qui se rencontre de la Méditerranée aux mers arctiques. *Phoque à capuchon (cystophore),* qui vit en haute mer dans les parages de Terre-Neuve. *Phoque du Groenland,* ou *phoque stellé. Phoque macrorhine,* ou *éléphant* de mer :* très gros phoque pourvu d'une sorte de petite trompe et vivant dans les mers australes. *Phoque à ventre blanc,* appelé *moine,* qui habite la Méditerranée. *On chasse les phoques particulièrement pour leur graisse et leur peau. — Bébé phoque* (d'après l'angl.) : très jeune phoque, dont la fourrure est recherchée. *Militer contre le massacre des bébés phoques. Huile de phoque* (→ Graisser, cit. 4; igloo, cit. 1). *Kayac* fait de peau de phoque. Fourrure de phoque.*

1 J'ai toujours eu de la sympathie pour les phoques (...) Ces animaux servent de *chiens* aux pêcheurs; ils ont la tête du dogue, l'œil du veau et les fanons du chat. — Dans la saison de la pêche, ils suivent les barques et rapportent le poisson, quand le pêcheur le manque ou le laisse échapper.

NERVAL, Fragments, Fragm. faux saulniers, I.

2 (...) nous commençâmes à explorer la côte, à la recherche du veau marin (...) Nous vîmes beaucoup de phoques à fourrure, mais ils étaient extrêmement soupçonneux, et (...) nous ne pûmes nous procurer que trois cent cinquante peaux en tout. Les éléphants de mer, ou phoques à trompe, abondent (...) mais nous n'en tuâmes qu'une vingtaine (...) Sur les petites îles nous découvrîmes une grande quantité de phoques à poil rude (...)

BAUDELAIRE, Trad. E. POE, les Aventures d'A. Gordon Pym, XIV.

2.1 Il fallait les laisser prendre terre, car, avec leur bassin étroit, leur poil ras et serré, leur conformation fusiforme, ces phoques, excellents nageurs, sont difficiles à saisir dans la mer, tandis que, sur le sol, leurs pieds courts et palmés ne leur permettent qu'un mouvement de reptation peu rapide.

J. VERNE, l'Île mystérieuse, t. I, p. 195.

2.2 Le temps est une belle ordure, il vous dépiaute alors que vous êtes encore vivant, comme les tueurs de bébés phoques.

É. AJAR (R. GARY), l'Angoisse du roi Salomon, p. 75.

Par ext. (abusif en zool.). *Phoque à oreille.* ⇒ **Otarie.**

REM. La langue courante confond souvent *phoques* et *otaries* sous le nom de *phoques.*

♦ **2.** Fourrure de phoque (ou d'otarie). *Un manteau en phoque, en bébé phoque.*

♦ **3.** Loc. (1846). *Souffler comme un phoque :* respirer avec effort, avec bruit.

3 Je ne puis me défaire de cet affreux administrateur qui souffle comme un phoque, qui a des nageoires dans les narines (...)

BALZAC, la Cousine Bette, Pl., t. VI, p. 296.

DÉR. Phoqueteau, phoquier.
HOM. Foc.

PHOQUETEAU [fɔkto] n. m. — 1880, *in* D. D. L.; de *phoque,* et suff. *-(et)eau.*

♦ Rare. Jeune phoque (la langue courante dit *bébé phoque*).

PHOQUIER [fɔkje] n. m. — 1910, J. B. Charcot, *in* D. D. L.; de *phoque.*

♦ Rare. Chasseur de phoques.

HOM. Focquier.

-PHORE Deuxième élément de mots composés savants soit empruntés du grec, soit formés sur le modèle des composés grecs en *-phoros* « qui porte », de *pherein* « porter » (→ -fère). ⇒ **Aérophore, anthophore, astrophore, canéphore, choéphore, chromophore, cténophore, doryphore, électrophore, galactophore, lampadophore, lophophore, métaphore, nécrophore, œnophore, phosphore, photophore, pyrophore, rhéophore, rhyzophore, rhynchophore, sémaphore, siphonophore, zoophore** (aussi [du rad. *pherein*] Amphore, anaphore, euphorie).

PHORMION [fɔʀmjɔ̃] ou **PHORMIUM** [fɔʀmjɔm] n. m. — 1812, *phormion; phormium,* 1804; *phormione,* 1878; du lat. *phormium* « natte », grec *phormion,* nom d'une plante dont on faisait des nattes.

♦ Bot. Plante monocotylédone, de la famille des *Liliacées,* vivace, à rhizome épais, appelée aussi *chanvre* ou *lin de la Nouvelle-Zélande* (ses feuilles donnent une fibre textile). ⇒ **Crin** (végétal).

PHOSGÈNE [fɔsʒɛn] n. m. — 1823; comp. sav. d'après le grec *phôs* « lumière », et *-gène.*

♦ Chim. Gaz incolore, très toxique, qui est obtenu par la combinaison du chlore* et de l'oxyde de carbone ($COCl_2$). — REM. On dit aussi *chlorure de carbonyle, oxychlorure de carbone. Le phosgène, utilisé comme gaz de combat dans la première guerre mondiale, est employé comme matière intermédiaire dans l'industrie de certains colorants.*

PHOSPHAGÈNE [fɔsfaʒɛn] n. m. — 1949, → Phosphorolyse, cit.; probablt de l'angl. *phosphagene,* Eggleton, 1927, de *phospha(te),* et *-gen* (→ -gène).

♦ Biochim., physiol. Composé représenté dans le règne animal, qui constitue une haute réserve énergétique potentielle, en permettant la synthèse d'ATP (acide adénosine triphosphorique) par transfert du groupement phosphoryle qu'il contient sur l'ADP (acide adénosine diphosphorique). *Tous les phosphagènes renferment un radical phosphoryle et un radical guanidyle. La phosphoarginine, phosphagène mis en évidence chez certains invertébrés.* — Spécialt. Phosphagène des muscles de vertébrés (ou *phosphocréatine**).

PHOSPHATAGE [fɔsfataʒ] n. m. — Fin XIXe; de *phosphate.*

♦ **1.** Agric. Opération qui consiste à répandre des phosphates de calcium sur une terre pour la fertiliser. *Phosphatage d'un champ.*

♦ **2.** Techn. Addition de phosphates de calcium dans le moût* en vue d'activer la fermentation.

PHOSPHATASE [fɔsfatɑz] n. f. — Av. 1949, cit.; de *phosphate,* et suff. *-ase.*

♦ Chim. Enzyme qui favorise la libération de l'acide phosphorique lié à diverses substances organiques sous forme d'esters*.

Revison a montré que certaines enzymes, des phosphatases, interviennent pour enrichir le territoire qui doit s'ossifier, en ions PO^4, lesquels draineraient par la suite les ions calciques. On trouve également des phosphatases chez les animaux qui excrètent des coquilles ou coquillages : ainsi la coquille d'œuf, la carapace des crustacés, etc.

A. DEMOLON et A. MARQUIS, le Phosphore et la Vie, p. 42 (1949).

PHOSPHATATION [fɔsfatɑsjɔ̃] n. f. — Mil. xxe (*in* Larousse 1963); de *phosphater.*

♦ Techn. Formation de phosphates à la surface des pièces métalliques, pour les rendre moins sensibles à la corrosion. ⇒ **Bondérisation, parkérisation.** *Phosphatation des alliages ferreux ou d'aluminium.*

PHOSPHATE [fɔsfat] n. m. — 1782; de *phosph(ore),* et suff. *-ate.*

♦ **1.** Chim. Sel résultant de l'action d'un des acides phosphoriques avec une base. *Il existe trois séries de phosphates : les orthophosphates,* dérivant de l'acide orthophosphorique H_3PO_4, *les pyrophosphates,* dérivant de l'acide pyrophosphorique $H_4P_2O_7$, et *les métaphosphates,* dérivant de l'acide métaphosphorique (HPO_3) n. *Phosphates naturels.* ⇒ **Apatite, phosphorite, stercorite, uranite.** *Extraction des phosphates de calcium.*

♦ **2.** Cour. Phosphate (orthophosphate) de calcium (engrais). (⇒ aussi **Superphosphate**). *Importance des phosphates dans la vie des animaux et des végétaux* (⇒ **Phosphorisation, phosphaturie**).

C'était sur le flanc de cette colline que s'étalait le champ d'ananas. Sur beaucoup de rangées ceux-ci étaient morts mais sur d'autres ils étaient florissants. — C'est le phosphate, dit Agosti, faut être moderne, c'est un essai que j'ai fait. Encore trois ans comme ça et je fous le camp avec du fric.

M. DURAS, Un barrage contre le Pacifique, p. 336.

DÉR et COMP. Phosphatage, phosphatase, phosphaté, phosphatémie, phosphater, phosphaterie, phosphatide, phosphatier, phosphatique, phosphaturie. — Superphosphate, triphosphate.

PHOSPHATÉ, ÉE [fɔsfate] adj. — 1803; de *phosphate.*

♦ **1.** Didact. Qui contient du phosphate de calcium; qui est à l'état de phosphate. *Composé, engrais phosphaté.*

♦ **2.** Cour. Se dit des préparations fortifiantes contenant du phosphate de calcium (ex. : *la phosphatine,* n. f., marque déposée).

(...) Jardin se rabattit sur un simple médecin de quartier, qui lui conseilla le repos, 1
les distractions tranquilles, et les aliments phosphatés.

M. AYMÉ, Maison basse, p. 56.

2 (...) elle avait voulu prendre de la phosphatine, de la kola (...)
GIRAUDOUX, les Aventures de Jérôme Bardini, p. 7.

PHOSPHATÉMIE [fɔsfatemi] n. f. — D. i.; de *phosphate,* et suff. *-émie.*

♦ Méd. Taux des phosphates dans le sang.

PHOSPHATER [fɔsfate] v. tr. — Début xxe; de *phosphate.*

♦ **1.** Agric. Fertiliser en répandant du phosphate de calcium comme engrais. *Phosphater un champ, une terre.*

♦ **2.** (1932). Techn. Recouvrir (une pièce métallique) d'un dépôt de phosphates.

DÉR. **Phosphatation.**

PHOSPHATERIE [fɔsfatʀi] n. f. — xxe; de *phosphate.*

♦ Techn. Transformation industrielle du minerai de phosphate en engrais. — Lieu où s'effectue cette transformation.

PHOSPHATIDE [fɔsfatid] n. m. — xxe (*in* Larousse 1932); de *phosphate,* et suff. *-ide.*

♦ Chim., biol. Lipide combiné au glycérol et à l'acide phosphorique (nom générique).

PHOSPHATIER [fɔsfatje] n. m. — 1955, *Dict. des Métiers;* de *phosphate.*

♦ Techn. Mineur dans une mine de phosphate.

PHOSPHATIQUE [fɔsfatik] adj. — 1836; de *phosphate.*

♦ Didact. Qui contient du phosphate de calcium, qui est composé de phosphate. *Dépôt phosphatique.* — Méd. *Calcul, concrétion phosphatique,* qui se forme dans les voies urinaires chez les malades atteints de phosphaturie*.

PHOSPHATURIE [fɔsfatyʀi] n. f. — 1877, *in* D. D. L.: de *phosphate,* et *-urie.*

♦ Méd. Élimination excessive des phosphates (de calcium, magnésium, ammonium) par les urines. *La phosphaturie est souvent accompagnée de polyurie.*

PHOSPHAZÈNE [fɔsfazɛn] n. m. — 1979, in *la Recherche,* sept., p. 894; de *phosph(ore), az(ote),* et suff. *-ène.*

♦ Chim. Polymère à squelette inorganique formé d'atomes de phosphore et d'azote liés entre eux par une double liaison. *Phosphazènes cycliques* (cyclophosphazènes). *La chimie des phosphazènes trouve de nombreuses applications récentes dans les domaines de la technique, de la médecine.*

PHOSPHÈNE [fɔsfɛn] n. m. — 1838, Savigny; comp. sav. d'après le grec *phôs* «lumière», et *phainein* «briller».

♦ Didact. (physiol.). Sensation lumineuse qui résulte de l'excitation des récepteurs rétiniens par un agent autre que la lumière (choc, compression externe ou interne du globe oculaire, excitation électrique).

PHOSPHINES [fɔsfin] n. f. — 1874, plur., sens 1; de *phosphore.* Chimie.

♦ **1.** Plur. *Phosphines :* classe de composés organiques qui dérivent de l'hydrogène phosphoré gazeux PH_3 par substitution de radicaux alcooliques à un ou plusieurs atomes d'hydrogène. — Au sing. *Une phosphine :* un composé de cette classe.

♦ **2.** (1959). *La phosphine :* l'hydrogène phosphoré liquide.

PHOSPHITE [fɔsfit] n. m. — 1787; de *phosphore.*

♦ Sel formé par la combinaison de l'acide phosphoreux avec une base.

PHOSPHO- Élément de mots chimiques, tiré du rad. de *phosphore.*

PHOSPHOAMINOLIPIDE [fɔsfoaminolipid] n. m. — Mil. xxe; de *phospho-, amine,* et *lipide.*

♦ Chim., biol. Lipide phosphoré et azoté complexe que l'on trouve dans les graines oléagineuses, les tissus animaux. « *Les lécithines végétales qui contiennent de 6 à 8 % de P^2O^5 sont des glycéro-phospho-aminolipides* » (Demolon et Marquis, *le Phosphore et la Vie,* p. 22).

PHOSPHOCALCIQUE [fɔsfokalsik] adj. — 1949, cit.; de *phospho-,* et *calcique.*

♦ Chim., biol. Qui se rapporte au phosphore et au calcium. *Métabolisme phosphocalcique.*

REM. On a écrit *phospho-calcique.*

L'extraction par les racines des phosphates dissous dans les films liquides qui relient les particules de terre, a pour effet d'épuiser rapidement les composés d'adsorption phospho-calciques dont les équilibres de désorption se rétablissent peu à peu. En conséquence, la concentration en phosphate s'abaisse, et les autres combinaisons ferriques cèdent progressivement les ions phosphoriques qui reforment des composés d'adsorption phospho-calciques.
A. DEMOLON et A. MARQUIS, le Phosphore et la Vie, p. 18.

PHOSPHOCRÉATINE [fɔsfokʀeatin] n. f. — 1949, *phosphocréatine,* → Phosphorolyse, cit.; de *phospho-,* et *créatine.*

♦ Biochim., physiol. Phosphagène* des vertébrés qui, en perdant son radical phosphoryle, donne la créatine*. (On dit aussi *créatine phosphate*). *La phosphocréatine est plus abondante dans les muscles striés que dans les muscles lisses.*

PHOSPHOLIPIDE [fɔsfolipid] n. m. — 1949, Demolon et Marquis; de *phospho-,* et *lipide.*

♦ Chim., biol. Lécithine; acide d'un groupe lipidique qu'on rencontre chez les végétaux (Syn. : *acide phosphatidique*).

PHOSPHOPROTÉIDE [fɔsfopʀɔteid] n. m. — 1949, Demolon et Marquis; de *phospho-,* et *protéide.*

♦ Biochim. Protéine renfermant de l'acide phosphorique. (On dit aussi *phosphoprotéine*). *Les phosphoprotéides, constituants normaux de la cellule animale, entrent dans la composition de nombreux enzymes.*

PHOSPHOPROTÉINE [fɔsfopʀɔtein] n. f. — 1949, Demolon et Marquis, *le Phosphore et la Vie,* p. 41; de *phospho-,* et *protéine.*

♦ Biochim. ⇒ **Phosphoprotéide.**

PHOSPHORE [fɔsfɔʀ] n. m. — 1677; du grec *phôsphoros* «lumineux», de *phôs* «lumière». → aussi -phore.

♦ **1.** Vx. Substance capable de devenir lumineuse dans l'obscurité. *Phosphore de Bologne* (ou *litheosphorus,* pierre de Bologne) : pierre de sulfate de baryum, découverte près de Bologne et qui, après avoir été calcinée et refroidie, émettait une lueur rougeâtre dans l'obscurité. *Phosphore de Baudoin* (nitrate de calcium calciné), *de Homberg* (chlorure de calcium fondu au feu), *de Kunkel* (phosphore au sens moderne).

♦ **2.** (1677). Mod. Élément de n° at. 15 (symb. *P,* p. at. 30,974), dont on connaît six isotopes radioactifs et qui existe sous plusieurs formes allotropiques. *Le phosphore 32* (isotope 32) *est très employé par la recherche biologique. Phosphore blanc :* solide fusible à 44 °C, très facilement inflammable, luminescent dans l'obscurité (⇒ **Phosphorescence**), très toxique (⇒ **Phosphorisme**). *Phosphore rouge :* autre variété allotropique du phosphore ne s'enflammant qu'au-dessus de 250 °C et non toxique. *Combinaisons du phosphore avec un métal* (phosphures métalliques). *Le phosphore a été découvert en 1669 par l'alchimiste Brand, qui cherchait à obtenir la pierre philosophale en partant de l'urine humaine. De nos jours, le phosphore s'extrait des os des animaux, mais surtout des phosphates naturels* (réduction au four électrique par du charbon en présence de silice). — *Le phosphore est très disséminé dans la nature : on le trouve sous forme de phosphates* minéraux, dans certains minerais de fer* (→ Minette, cit. 4), *sous forme d'acide phosphorique* dans la terre arable ; dans les tissus animaux...* (les os notamment). — *Utilisation du phosphore :* autrefois, fabrication des allumettes* phosphorées; de nos jours, préparation de l'acide phosphorique*, de dérivés halogénés (pour la fabrication d'insecticides, d'anticryptogamiques...), chargement de projectiles incendiaires *(bombes au phosphore).*

♦ **3.** (1812). Par métaphore (en parlant de choses qui brillent, de lueurs). *Des yeux de phosphore* (→ Luire, cit. 8; nocturne, cit. 5).

Une zone de phosphore, rouge de la rougeur boréale, flottait comme un haillon de flamme spectrale derrière les épaisseurs de nuages. 1
HUGO, les Travailleurs de la mer, II, III, VI.

Il n'y avait pas de coups de tonnerre; mais de grands éclairs bleuâtres, incessants, semblaient courir au ras du sol, en larges sillons de phosphore (...) 2
ZOLA, la Terre, II, II.

3 Enfin le soir les volets de fer claquaient fort
Et des hommes en bleu vers l'Étoile épinglaient
Aux becs de gaz des boutonnières de phosphore
ARAGON, le Roman inachevé, p. 36.

4 Et puis, sur le grand miroir phosphorescent de la mer, il y avait des milliers de flammes folles; c'étaient comme des petites lampes qui s'allumaient d'elles-mêmes partout, mystérieuses, brûlaient quelques secondes et puis mouraient. Ces nuits étaient pâmées de chaleur, pleines de phosphore, et toute cette immensité éteinte couvait de la lumière (...) LOTI, Mon frère Yves, XI.

COMP. et DÉR. Phosphate. Phosphines, phosphite, phosphoré, phosphorer, phosphorescence, phosphoreux, phosphorique, phosphorisme, phosphorite, phosphorolyse, phosphoryle, phosphure. Cf. les éléments **phospho-, phosphoro-** (et composés).

PHOSPHORÉ, ÉE [fɔsfɔʀe] adj. — 1808; de *phosphore.*

♦ Qui contient du phosphore, qui est enduit de phosphore. Anciennt. *Allumettes phosphorées. — Pâte phosphorée,* employée comme toxique pour la destruction des animaux nuisibles. — *Huile phosphorée,* utilisée comme stimulant du système nerveux et pour combattre le rachitisme. — *Hydrogène phosphoré* ou *phosphure* d'hydrogène.*

PHOSPHORER [fɔsfɔʀe] v. intr. — Fin XIXe; de *phosphore.*

♦ **1.** Littér. (rare). Briller d'un éclat vif. *Ses yeux phosphoraient.*

1 Ses yeux *(d'une chienne),* au cœur de l'ombre louche, accrochèrent le reflet de la lampe qui brillait dans l'arrière-salle, phosphorèrent une seconde d'une chaude et rousse lumière. M. GENEVOIX, Raboliot, p. 32.

♦ **2.** (XXe). Fam. Travailler intellectuellement.

2 Il travaille donc, il travaille, il travaille. Mieux! il phosphore, il rupine à bloc (...) R. QUENEAU, Loin de Rueil, p. 45.

PHOSPHORESCENCE [fɔsfɔʀesɑ̃s] n. f. — 1784; de *phosphore.*

♦ **1.** (1861). Phys. Propriété qu'ont certains corps d'émettre, sous l'excitation de radiations visibles ou non et sans dégagement sensible de chaleur, des radiations de longueur d'onde différente (photoluminescence), même après suppression de l'excitation. *La phosphorescence, à la différence de la fluorescence*, ne peut se produire que par un apport extérieur d'énergie; elle persiste après la suppression de l'excitation. Certains sulfures et séléniures métalliques* (calcium, baryum, strontium) *sont doués de phosphorescence.*

♦ **2.** Cour. Luminescence du phosphore et luminescences analogues (dans la terminologie scientifique, c'est une *chimiluminescence*).

Biol., cour. Particularité de certains organismes animaux ou végétaux d'émettre de la lumière dans l'obscurité. *La phosphorescence des animaux et végétaux* (agaric, capucine, souci...; ver luisant, pholade, etc.) *est une bioluminescence.* ⇒ **Chromophore, photogénèse.** *La phosphorescence de la mer* (⇒ **Brasillement**) *due à des protozoaires* (⇒ **Noctiluque**) *est une bioluminescence.*

Par ext. Toute luminescence faible.

(...) une lumière verdâtre, en quelque manière sous-marine, dont la source restait invisible. Cela tenait de la phosphorescence des poissons, comme il m'a été donné de la constater quand j'étais encore enfant sur la jetée de Port-Bail, dans le Cotentin (...) ARAGON, le Paysan de Paris, p. 28.

Fig., par métaphore. (→ Halo, cit. 4).

DÉR. Phosphorescent.

PHOSPHORESCENT, ENTE [fɔsfɔʀesɑ̃, ɑ̃t] adj. — 1789; de *phosphorescence.*

♦ **1.** Qui est doué de phosphorescence (au sens courant). ⇒ **Fluorescent, luminescent, photogène.** *Corps phosphorescent. La calamine est phosphorescente par frottement. — Animal phosphorescent* (⇒ **Luisant**). *Yeux phosphorescents* (→ Humide, cit. 12). — *Mer phosphorescente* (→ Exciter, cit. 16; phosphore, cit. 4, Loti). — Par ext. *Brume phosphorescente.* ⇒ **Brillant, étincelant** (→ Illumination, cit. 7). — *Le jet du lance-flammes* (cit. 3), *phosphorescent dans l'obscurité.* ⇒ **Lumineux.**

Chaque soir, espérant des lendemains épiques,
L'azur phosphorescent de la mer des Tropiques
Enchantait leur sommeil d'un mirage doré (...)
J.-M. DE HEREDIA, les Trophées, « Les conquérants ».

♦ **2.** Qui a rapport ou ressemble à la lumière émise par un corps doué de phosphorescence. *Lueur phosphorescente.*

Un coup de feu vient de retentir à côté de nous, traçant un court et brusque trait phosphorescent. H. BARBUSSE, le Feu, II, XX.

♦ **3.** Phys. De la phosphorescence (1.).

PHOSPHOREUX, EUSE [fɔsfɔʀø, øz] adj. — 1787; de *phosphore;* le féminin est inusité.

♦ Chim. Qui contient du phosphore. *Alliage, bronze phosphoreux. — Acides phosphoreux* (H_3PO_3 *et les acides hypophosphoreux,* H_3PO_2; *pyrophosphoreux,* $H_4P_3O_5$; *métaphosphoreux,* HPO_2). *Sel de l'acide phosphoreux.* ⇒ **Phosphite.** — *Anhydride phosphoreux* (P_2O_3), produit par combustion lente du phosphore.

COMP. Hypophosphoreux.

PHOSPHORIQUE [fɔsfɔʀik] adj. — 1753; de *phosphore.*

♦ **1.** Littér. Qui brille à la manière du phosphore (→ Indescriptible, cit. 1).

Nous fûmes enveloppés d'une nuit éternelle que ne tempérait même pas l'éclat phosphorique de la mer auquel nous étions accoutumés sous les tropiques. 1
BAUDELAIRE, Trad. E. POE, Histoires extraordinaires, Manuscrit trouvé dans bouteille.

♦ **2.** Qui contient du phosphore. *Allumettes phosphoriques. Bougie, briquet phosphorique.*

Il y a un briquet phosphorique à côté de la pendule. Allumez la bougie, faites du feu (...) STENDHAL, Romans et nouvelles, « Le philtre ». 2

♦ **3.** (1782). Chim. *Acides phosphoriques : acide orthophosphorique* (H_2PO_4), *acide pyrophosphorique* ($H_4P_2O_7$), *acide métaphosphorique* ($(HPO_3)_n$), etc. — REM. Quand on parle simplement d'*acide phosphorique* on désigne l'*acide orthophosphorique. La terre arable renferme de l'acide phosphorique indispensable au développement des végétaux. L'acide phosphorique pur, fabriqué en partant du phosphore, est utilisé pour rendre solubles les phosphates naturels. Sels des acides phosphoriques.* ⇒ **Phosphate.** *L'acide phosphorique, combiné à la glycérine, donne l'acide glycérophosphorique, dont les sels sont les glycérophosphates*. — Acide phosphorique médicinal (acide orthophosphorique),* utilisé autrefois contre le rachitisme, de nos jours contre l'ostéomalacie. *Limonade phosphorique. — Anhydride phosphorique* (P_2O_3), formé par combustion vive du phosphore.

DÉR. Phosphoriser.
COMP. V. **Hypophosphorique, métaphosphorique, pyrophosphorique.**

PHOSPHORISATION [fɔsfɔʀizasjɔ̃] n. f. — 1842; de *phosphoriser.*

♦ Physiol. Action ou formation du phosphate de calcium dans l'organisme animal.

PHOSPHORISER [fɔsfɔʀize] v. tr. — 1842; de *phosphorique.*

♦ **1.** Chim. Faire passer à l'état de phosphate.

♦ **2.** Brûler au phosphore, en utilisant des armes, des bombes au phosphore. *« Les lycéennes qui se font mitrailler à Kaboul, et les femmes au visage phosphorisé... »* (*l'Express,* 7 juin 1980).

DÉR. Phosphorisation.

PHOSPHORISME [fɔsfɔʀism] n. m. — 1869; au sens de « phosphorescence », 1783; de *phosphore.*

♦ Méd. Intoxication par le phosphore blanc. *Phosphorisme aigu, chronique.*

PHOSPHORITE [fɔsfɔʀit] n. f. — 1842; de *phosphore.*

♦ Chim. Phosphate naturel de calcium (⇒ **Apatite**).

La mer contient, en outre, des gisements de phosphorite, par des fonds allant de 50 à 200 mètres, exploitables mais coûteux.
A. SAUVY, Croissance zéro?, p. 187.

DÉR. Phosphoritique.

PHOSPHORITIQUE [fɔsfɔʀitik] adj. — 1875; de *phosphorite.*

♦ Minéralogie. Qui contient de la phosphorite.

PHOSPHORO- Élément tiré de *phosphore,* qui entre dans la composition de mots savants.

PHOSPHOROGRAPHIE [fɔsfɔʀɔgʀafi] n. f. — 1886; de *phosphoro-,* et *-graphie.*

♦ Techn. Méthode de reproduction des objets en lumière infrarouge, au moyen d'un écran phosphorescent.

DÉR. Phosphorographique.

PHOSPHOROGRAPHIQUE [fɔsfɔʀɔgʀafik] adj. — XXe; de *phosphorographie.*

♦ Relatif à la phosphorographie.

PHOSPHOROLYSE [fɔsfɔʀɔliz] n. f. — 1949, cit.; de *phosphore,* et *-lyse.*

♦ Biochim. Lyse (d'un composé) par l'acide phosphorique. *La phosphorolyse du glycogène s'effectue grâce à la phosphorylase* (cit.).

On sait depuis Parnas que le glycogène est transformé en acide lactique et que le phosphore intervient à tous les stades de cette dégradation, soit sous forme minérale, soit sous forme organique (acide adénosine triphosphorique). On sait également qu'intervient dans cette réaction complexe, le phosphagène phospho-créatine (...)
Ce qu'il faut voir surtout dans ces phénomènes de phosphorolyse, c'est leur intervention dans le processus libérant l'énergie nécessaire à la contraction musculaire.
La réaction de transformation d'acide adénosine triphosphorique en acide adénylique libère 24 000 calories. Ces processus de dégradation se compliquent d'une resynthèse du phosphagène.
A. DEMOLON et A. MARQUIS, le Phosphore et la Vie, p. 42-43.

PHOSPHOROSCOPE [fɔsfɔʀɔskɔp] n. m. — 1866; de *phosphoro-*, et *-scope.*

♦ Techn. Appareil utilisé pour déterminer la phosphorescence d'un corps et en mesurer l'intensité.

PHOSPHORYLASE [fɔsfɔʀilaz] n. f. — 1949, cit.; de *phosphoryle*, et suff. *-ase.*

♦ Biochim. Enzyme qui catalyse une réaction de phosphorylation*, à partir de l'acide phosphorique.

Spécialt. Enzyme qui catalyse la phosphorolyse* de certaines liaisons glucosidiques des chaînes d'amylose.

(...) l'hydrolyse de l'amidon livre du maltose, puis du glucose, celle des graisses donne le glycérol et les acides gras, celle des protéines aboutit à la libération d'acides aminés. Quelquefois il se produit une phosphorolyse ou rupture de macromolécules en présence de phosphates, avec formation de petites molécules phosphorylées. L'amidon dans les cellules des fleurs vertes engendre ainsi un phosphate de glucose au cours d'une réaction catalysée par une phosphorylase présente dans les grains d'amidon eux-mêmes.
Alexis MOYSE, *in* Encycl. Pl., Physiologie, p. 65-66.

PHOSPHORYLATION [fɔsfɔʀilɑsjɔ̃] n. f. — Attesté 1949, mais antérieur, → cit. 1; de *phosphoryle, phosphoryler* paraissant postérieur.

♦ Chim., biochim. Réaction chimique dans laquelle un radical phosphoryle se fixe sur un composé organique. (La réaction inverse est appelée *déphosphorylation*). *Phosphorylation oxydative.*

1 Verzar (1938) pense que la phosphorylation des acides gras dans la muqueuse intestinale est un phénomène préliminaire nécessaire à l'absorption au niveau de la muqueuse et à la resynthèse ultérieure des lipides dans l'organisme. Ce point de vue est d'ailleurs controversé.
A. DEMOLON et A. MARQUIS, le Phosphore et la Vie, p. 43 (1949).

2 La phosphorylation a lieu dans toutes les cellules, lorsqu'elles oxydent leurs aliments. Elle se déroule essentiellement dans les mitochondries et l'ADP (acide adénosine diphosphorique) lui-même est un puissant stimulant des oxydations qui lui permettent de se phosphoryler en ATP (acide adénosine triphosphorique).
Alexis MOYSE, *in* Encycl. Pl., Physiologie, p. 25.

COMP. Déphosphorylation.

PHOSPHORYLE [fɔsfɔʀil] n. m. — 1949; de *phosphore*, et suff. *-yle**.

♦ Chim. Radical trivalent dans lequel sont associés un atome d'oxygène et un atome de phosphore (OP═).

En appos. *Radical phosphoryle.*

Enfin il est significatif que la plupart des composés enzymatiques qui contiennent dans leurs molécules une vitamine renferment également presque toujours un ou plusieurs groupements phosphoryles. La fréquence avec laquelle on les trouve justifie qu'on leur attribue un rôle essentiel.
A. DEMOLON et A. MARQUIS, le Phosphore et la Vie, p. 41 (1949).

DÉR. Phosphorylation, phosphoryler.
COMP. Phosphorylase.

PHOSPHORYLER [fɔsfɔʀile] v. tr. — 1969; de *phosphoryle.*

♦ Chim., biochim. Pourvoir (un composé organique) d'un radical phosphoryle. « *Une protéine (...) capable de phosphoryler une protéine de la cellule, constituant ainsi la première étape de la transformation tumorale* » (*la Recherche*, mai 1980, p. 380).

Pron. (réfl). *Se phosphoryler* : acquérir un radical phosphoryle (→ Phosphorylation, cit. 2).

P. prés. adj. *Oxydation phosphorylante.*

P. p. adj. *Molécules phosphorylées.*

DÉR. V. **Phosphorylation.**

PHOSPHOSIDÉRITE [fɔsfosideʀit] n. f. — Déb. XXe; de *phospho-*, et *sidérite.*

♦ Chim. Phosphate hydraté naturel de fer.

PHOSPHURE [fɔsfyʀ] n. m. — 1787; de *phosphore.*

♦ Chim. Combinaison formée par le phosphore avec certains corps simples. *Phosphure de zinc*, utilisé en pharmacie. — *Phosphures d'hydrogène* (ou *hydrogènes phosphorés*), *phosphure gazeux* (PH_2), *phosphure liquide* (P_2H_4), *phosphure solide* (P_4H_3). — REM. La nomenclature actuelle (1959) désigne l'hydrogène phosphoré gazeux PH_3 par le nom de *phosphine**, et l'hydrogène phosphoré liquide par *diphosphine.*

PHOT [fɔt] n. m. — 1903; du grec *phôs, phôtos* « lumière ».

♦ Phys. Unité d'éclairement* d'une surface en un point donné, dans le système C. G. S. (flux de 1 lumen par cm²). *Le phot équivaut à dix mille lux**. — Symb. : *ph.*

PHOT-, PHOTO- Élément de mots savants, tiré du grec *phôs, phôtos* « lumière ».

a Avec le sens de « lumière », dans des composés scientifiques, depuis la fin du XVIIIe siècle (*photomètre*, 1792; *photophobie*, 1812; *photographie*, 1839, etc.) et de plus en plus nombreux au XXe siècle. Outre les mots traités à l'ordre alphabétique, on trouve des composés plus rares ou plus occasionnels, comme : *photoacoustique*, adj. (*la Recherche*, janv. 1980, p. 58); *photobiologie*, n. f. (*la Recherche*, janv. 1974, p. 94); *photocourant*, n. m. (« courant obtenu par effet photoélectrique »); *photométéore*, n. m. (1973, « météore lumineux »); *photopolarimètre*, n. m. (1979, *Sciences et Avenir*); et *photopolarimétrie*, n. f.; *photoréaction*, n. f. (*la Recherche*, oct. 1973) ainsi que des formations archaïques : *photochronographie*, n. f. (*Année sc. et industr.*, 1896, p. 42) « photographie des couleurs »; *photospire*, n. m. (*Année sc. et industr.*, 1890, p. 79).

Certes on peut citer comme applications possibles ou déjà introduites au stade industriel *(des phénomènes photoniques)* un certain nombre de procédés : synthèse de polyamides, photochloration, photosulfonation, photo-oxydation, photopolymérisation, séchage des encres, synthèse de la vitamine D (...) 1
Sciences et Avenir, mai 1981, p. 38.

b Avec le sens de « photographie », à partir de la diffusion de cette technique au milieu du XIXe siècle. Ex. à l'ordre alphabétique et : *photo-club*, n. m. (1894, in *Année sc. et industr.*, 1895, p. 532); *photographisme*, n. m. (1974, in *la Clé des mots*, « graphisme obtenu photographiquement »); *photohéliographe*, n. m. (1872, in *Année sc. et industr.*, 1873, p. 17, « appareil pour photographier le soleil »); *phototitrage*, n. m. (*Année sc. et industr.*, 1896, p. 43), et les suivants :

Les progrès de la science ont permis de supprimer à peu près complètement l'usage de la palette et du pinceau. Sauf quelques retardataires obstinés, les peintres ou plutôt les photopeintres collaborent avec la lumière électrique ou solaire; ils obtiennent ainsi presque instantanément de véritables merveilles en photopeinture (...) A. ROBIDA, le Vingtième Siècle, p. 50 (v. 1900). 2

(...) le bruit, l'étourdissement, l'espèce de magie de l'atelier de photosculpture de Dalloz, où il l'avait fait placer. Ed. et J. DE GONCOURT, Journal, t. III, p. 47. 3

-PHOTE Élément final de mots didactiques, tiré du grec *phôs, phôtos* « lumière ». Ex. : *cataphote.* ⇒ **Phot-.**

PHOTIQUE [fɔtik] adj. — 1974, in *la Clé des mots*, oct. 1975; dér. sav. du grec *phôs, phôtos.*

♦ Didact. De la lumière. *Le seuil photique* (de la photosynthèse).

PHOTISME [fɔtism] n. m. — 1893; de *phot-*, et suff. *-isme.*

♦ Méd. Sensation visuelle de couleur provoquée par une perception auditive, olfactive, gustative ou tactile.

PHOTO [fɔto] n. f. — 1878; abrév. de *photographie.*

♦ **1.** Photographie (1.). — REM. Dans ce sens *photo* est en concurrence avec photographie, sauf dans : *appareil de photo.* ⇒ **Caméra; appareil.** Fam. *Appareil photo.* « *L'appareil photo sous-marin* » (*Année sc. et industr.*, 1894, p. 47), (voir le vocabulaire à *photographie*). — *Matériel de photo.*

(Techn., arts). *Faire de la photo, aimer la photo. Histoire de la photo.*

♦ **2.** Image photographique (⇒ **Cliché, diapositive, image, photographie,** 2.). — REM. Dans ce sens, seul *photo* est usuel. *Prendre une photo. Photo surexposée, sous-exposée. Prendre deux photos sur une même pellicule* (⇒ **Surimpression**). *Prendre une photo avec un flash*. Photo manquée* (cit. 80), *ratée, floue* (⇒ **Bougé**); *halo**, *voile sur une photo. Le négatif* d'une photo. Développement, tirage d'une photo. Format d'une photo. Retoucher une photo.* ⇒ **Retouche.** *Photo truquée. Transmission des photos par bélinographe*, téléphotographie. Album de photos. Montrer ses photos de vacances.*
Portrait photographique (→ Employer, cit. 9; paternel, cit. 4). *Photos de stars* (→ Feuilleton, cit. 5). *Des photos avec dédicaces* (cit. 5). *Photo d'identité* (→ Examiner, cit. 10). — **EN PHOTO.** *Prendre qqn en photo.* ⇒ **Photographier.** *Il est mieux en photo qu'au naturel.* ⇒ **Photogénique.** — *Photo-souvenir* (portrait ou site).

Les passions de l'amour chargent la photographie d'une présence quasi mystique. L'échange des photos s'introduit au sein du rituel des amants qui se sont unis de corps, ou, à défaut, d'âme. La photo reçue devient chose d'adoration comme de possession. La sienne s'offre au culte en même temps qu'à l'appropriation. Le troc

des images accomplit magiquement le troc des individualités où chacun devient à la fois idole et esclave d'autrui, et qui est l'amour (...) la photographie est au sens strict du terme présence réelle de la personne représentée, on y peut lire son âme, sa maladie, sa destinée. Mieux : une action est possible, par elle et sur elle.
Si l'on peut posséder par photo, c'est évidemment que celle-ci peut vous posséder. Les expressions « prendre en photo », « être pris en photo » ne trahissent-elles pas une croyance confuse en ce pouvoir?
E. MORIN, le Cinéma ou l'Homme imaginaire, p. 28.

2 Quelle est donc la fonction de la photo? Multiforme et toujours au dernier moment indéfinissable. Être encadrée, collée dans des albums, glissée dans un portefeuille, regardée, aimée, baisée? Tout cela, sans doute (...) Elle commence à la présence morale; elle va jusqu'à l'envoûtement et la présence spirite. Entre ces deux pôles, la photo est amulette, fétiche. Fétiche donc, souvenir, présence muette, la photo se substitue ou fait concurrence aux reliques, fleurs fanées, mouchoirs précieusement conservés, mèches de cheveux, menus objets, bibelots, tour Eiffel et place Saint Marc miniatures.
E. MORIN, le Cinéma ou l'Homme imaginaire, p. 30.

En appos. *Crédit photo* (dans *appareil photo* et *crédit photo* on peut considérer *photo* comme l'abréviation de *photographique*).

PHOTO- ⇒ **Phot-.**

PHOTOBACTÉRIE [fɔtobakteʀi] n. f. — 1903, in *Rev. gén. des sc.*, nº 13, p. 733; de *photo-*, et *bactérie.*

♦ Sc. Bactérie luminescente.

PHOTOBIOLOGIE [fɔtobjɔlɔʒi] ou **PHOTOLOGIE** [fɔtɔlɔʒi] n. f. — V. 1960, *photobiologie; photologie,* v. 1965 (*photologie* « traité, histoire de la lumière », 1869); de *photo-*, et *biologie.*

♦ Didact. Étude de l'action de la lumière sur les êtres vivants, et notamment sur les végétaux.

PHOTOCALQUE [fɔtokalk] n. m. — Fin XIXe; de *photo-*, et *calque.*

♦ Techn. Image (⇒ **Photocopie**) obtenue par contact sur une surface sensible d'un dessin transparent.

PHOTOCAPTEUR [fɔtokaptœʀ] n. m. — 1971, in *la Clé des mots,* nov. 1973; de *photo-*, et *capteur.*

♦ Techn. Dispositif destiné à capter un signal lumineux.

PHOTOCARTE [fɔtokaʀt] n. f. — D.i., in *la Banque des mots,* nº 11; de *photo-*, et *carte.*

♦ Techn. Carte photographique, photoplan* portant divers tracés et diverses informations.

PHOTOCATALYSE [fɔtokataliz] n. f. — 1948, Larousse; de *photo-*, et *catalyse.*

♦ Chim. Effet catalytique des radiations lumineuses qui provoque la transformation de corps mélangés à ceux qui les absorbent.

PHOTOCATHODE [fɔtokatɔd] n. f. — 1948, Larousse; de *photo-*, et *cathode.*

♦ Techn. Cathode d'une cellule photoélectrique. *La photocathode émet des électrons lorsqu'elle reçoit une radiation lumineuse, des rayons X ou des rayons γ.*

PHOTOCELLULE [fɔtoselyl] n. f. — 1938, M. Boll, *les Deux Infinis,* p. 18; de *photo-*, et *cellule.*

♦ Techn. Cellule photoélectrique.

PHOTOCHIMIE [fɔtoʃimi] n. f. — 1865; de *photo-*, et *chimie.*

♦ Sc. Étude des réactions chimiques en relation avec l'énergie rayonnante (et, spécialt, des transformations de la matière sous l'influence du spectre compris entre l'ultraviolet extrême et le début de l'infrarouge).

DÉR. Photochimique.

PHOTOCHIMIQUE [fɔtoʃimik] adj. — 1865, in *Rev. des cours sc.*, t. II, p. 578 (1859, selon Cottez); de *photochimie,* d'après l'all. (1855, Bunsen).

♦ Sc. De la photochimie. *Réactions photochimiques. Gravure* photochimique* (photogravure).

PHOTOCHROMIE [fɔtokʀɔmi] n. f. — 1868; de *photo-*, et *-chromie.*

♦ Techn. Ensemble des procédés utilisant la photographie pour obtenir des reproductions en couleurs.

La scène représentait maintenant un site près de Rome, avec une exactitude d'autant plus complète que le décor était tout simplement une photochromie sur toile (...)
A. ROBIDA, le Vingtième Siècle, p. 66 (1900).

DÉR. Photochromique.

PHOTOCHROMIQUE [fɔtokʀɔmik] adj. — 1877; *photochromatique,* 1866, in *Année sc. et industr.* 1867, p. 160; de *photochromie.* Technique.

♦ **1.** Relatif à la photochromie. *Épreuve photochromique.*

♦ **2.** (XXe). Dont la couleur varie sous l'action d'un rayonnement lumineux, spécialt, sous l'action du rayonnement solaire. *Vitrage, verre photochromique.*

PHOTOCOLLOGRAPHIE [fɔtokɔ(l)lɔgʀafi] n. f. — Fin XIXe; de *photo-*, du grec *kolla* « colle », et *-graphie.*

♦ Techn. (anciennt). Procédés de reproduction à plat, à l'encre d'imprimerie, utilisant des colloïdes (gélatine, bitume de Judée). ⇒ **Héliotypie, phototypie.** *Photocollographie sur pierre* (photolithographie), *sur zinc* (zincographie)... ⇒ **Gravure.**

PHOTOCOLORIMÈTRE [fɔtokɔlɔʀimɛtʀ] n. m. — Mil. XXe (*in* Quillet, 1953); de *photo-*, et *colorimètre.*

♦ Techn. (photogr.). Instrument capable de mesurer la température de couleur d'une source lumineuse.

La température de couleur renseigne sur la nature du rayonnement émis par un corps chauffé. La connaissance de celle-ci, concernant la source éclairante, est du plus haut intérêt. En effet, les films en couleurs ont été conçus pour être employés, avec une faible marge de sécurité, sous une température de couleur déterminée. On la définit avec précision à l'aide d'un kelvinomètre... (Appareil souvent appelé improprement thermocolorimètre ou photocolorimètre).
Gérard BETTON, la Photomacrographie, p. 99.

PHOTOCOMPOSEUSE [fɔtokɔ̃pozøz] n. f. — Av. 1966; de *photocomposition, photocomposer,* et suff. *-euse.*

♦ Techn. Machine de photocomposition. *Photocomposeuse à composition classique* (le métal coulé étant remplacé par des caractères transparents photographiés). *Photocomposeuse électronique.*

Pour la composition à froid, on utilise une photocomposeuse; l'action d'une touche place un caractère transparent sur le trajet d'un faisceau lumineux qui impressionne un film. Celui-ci sera simplement découpé pour la mise en pages. Selon les indications données par le secrétaire de rédaction, l'opérateur linotypiste ou photocomposeur sélectionne le caractère et règle la justification avant de composer.
Philippe GAILLARD, Technique du journalisme, p. 95.

PHOTOCOMPOSITION [fɔtokɔ̃pozisjɔ̃] n. f. — Mil. XXe (*in* Larousse, 1963); de *photo-*, et *composition.*

♦ Techn. (imprim.). Composition photographique; ensemble des méthodes de composition par photographie donnant par contact ou projection des textes sur film. *Photocomposition programmée,* utilisant l'ordinateur. — Abrév. : *photocompo.*

PHOTOCONDUCTEUR, TRICE [fɔtokɔ̃dyktœʀ, tʀis] adj. et n. m. — Mil. XXe (*in* Larousse, 1953); de *photo-*, et *conducteur.*

♦ Phys. Se dit de la variation de la conductibilité électrique de certaines substances sous l'effet de radiations *(effet photoconducteur),* et de ces substances *(substances photoconductrices).* — Par ext. *Cellule photoconductrice.* — N. m. Substance photoconductrice.

PHOTOCONDUCTIBILITÉ [fɔtokɔ̃dyktibilite] n. f. — Mil. XXe; de *photo-*, et *conductibilité.*

♦ Phys. Phénomène présenté par les photoconducteurs.

PHOTOCONDUCTIVITÉ [fɔtokɔ̃dyktivite] n. f. — Mil. XXe (*in* Larousse, 1963); de *photo-*, et *conductivité.*

♦ Sc. Variation de la conductivité sous l'action de la lumière; conductivité variable (d'une substance) sous cette action.

PHOTOCOPIE [fɔtokɔpi] n. f. — 1894; de *photo-*, et *copie.*

♦ **1.** Techn., rare. Reproduction d'un phototype sur une surface sensibilisée (⇒ **Photogramme**). — REM. On dit plutôt *positif, épreuve positive.* — *Photocopie sur verre.* ⇒ **Diapositive.**

♦ **2.** (Mil. XXe). Cour. Reproduction photographique ou xérographique d'un document. ⇒ **Copie, photostat.** *Faire trois photocopies d'un document. Reproduction par photocopie* (⇒ **Reprographie**).

Par métonymie. Machine, service, local où se font les photocopies. *La secrétaire est à la photocopie.*

DÉR. **Photocopier, photocopiste.**

PHOTOCOPIER [fɔtɔkɔpje] v. tr. — 1907, répandu dans les années 60; de *photocopie.*

♦ Reproduire (un document) par la photocopie. *Faire photocopier un contrat, un diplôme. Machine à photocopier.*

DÉR. **Photocopieur** ou **photocopieuse.**

PHOTOCOPIEUR [fɔtɔkɔpjœʀ] n. m. ou **PHOTOCOPIEUSE** [fɔtɔkɔpjøz] n. f. — 1966, *photocopieur; de photocopier.*

♦ Didact. Machine à photocopier. ⇒ **Copieur.**

Sur place, en Guinée, des escrocs passent les billets tchèques à la thermocopieuse (ancêtre de la photocopieuse), se fabriquant ainsi leur propre fausse monnaie.
Philippe BERNERT, S. D. E. C. E. Service 7, p. 254.

PHOTOCOPISTE [fɔtɔkɔpist] n. — 1910, in *Larousse mensuel,* répandu dans les années 60; de *photocopie.*

♦ Didact. Personne spécialisée dans la photocopie.

PHOTODÉGRADABLE [fɔtodegʀadabl] adj. — 1974, in *la Clé des mots;* de *photo-,* et *dégradable,* d'après *biodégradable.*

♦ Didact. Qui peut se décomposer sous l'action de la lumière (visible ou non visible). *Plastique photodégradable aux ultraviolets.*

PHOTODERMATOSE [fɔtodɛʀmatoz] n. f. — Mil. xxe; de *photo-,* et *dermatose.*

♦ Méd. Affection de la peau due à une sensibilité exagérée à la lumière.

PHOTODÉSINTÉGRATION [fɔtodezɛ̃tegʀɑsjɔ̃] n. f. — 1957; de *photon, et désintégration.*

♦ Phys. nucl. Désintégration (d'un noyau atomique) sous l'effet d'un photon.

PHOTODESTRUCTIBLE [fɔtodɛstʀyktibl] adj. — 1972, in *le Point,* 9 oct. 1972, p. 55; de *photo-,* et *destructible.*

♦ Techn. Photodégradable.

PHOTODIODE [fɔtodjɔd] n. f. — Mil. xxe; de *photo-,* et *diode.*

♦ Techn. (électr.). Diode à semi-conducteurs, sensible aux rayonnements infra-rouges, visibles, et à l'ultraviolet proche.

PHOTODISSOCIATION [fɔtodisɔsjasjɔ̃] n. f. — V. 1960; de *photo-,* et *dissociation.*

♦ Chim. Dissociation (d'une molécule) sous l'effet d'un rayonnement de photons.

PHOTOÉLASTICIMÉTRIE [fɔtoelastisimetʀi] n. f. — 1949; de *photo-, élasticité,* et *-métrie.*

♦ Techn. Étude optique des contraintes dans la masse d'une pièce métallique.

PHOTOÉLECTRICITÉ [fɔtoelɛktʀisite] n. f. — Mil. xxe; de *photo-,* et *électricité.*

♦ Phys. Émission d'électrons (photoélectrons) par un métal soumis à des radiations de fréquence supérieure à un seuil (seuil photoélectrique).

On écrit aussi *photo-électricité.*

PHOTOÉLECTRIQUE ou **PHOTO-ÉLECTRIQUE** [fɔtoelɛktʀik] adj. — 1846, in *Année sc. et industr.,* 1857, p. 466; de *photo-,* et *électrique.*

♦ Sc. Relatif à la photo-électricité. *Effet photo-électrique :* phénomène d'émission d'électrons sous l'influence de la lumière visible, des rayons X ou des rayons γ. — Cour. *Cellule photoélectrique :* instrument utilisant l'effet photoélectrique pour mesurer, sous forme de courant, l'intensité lumineuse qu'il reçoit. (On dit aussi *photocellule*). ⇒ **Œil** (électrique), **photopile; photométrie, télévision.**

(...) une cellule photo-électrique est un appareil qui peut être traversé par un courant électrique (...) Ce courant photo-électrique, très faible (il se mesure en microampères), va dans la cellule de l'anode à la cathode; il est proportionnel à l'éclairement.
P. GRIVET et P. HERRENG, la Télévision, p. 33.

PHOTOÉLECTRON [fɔtoelɛktʀɔ̃] n. m. — Av. 1932, Larousse; de *photo-,* et *électron.*

♦ Phys., techn. Électron expulsé dans l'effet photo-électrique.

(...) on peut considérer une cellule photoélectrique comme une diode, car les photoélectrons se conduisent comme les thermoélectrons dans le vide de la cellule (dans le cas de la cellule à vide, et aussi dans celui de la cellule à gaz, mais le phénomène est compliqué par l'émission d'électrons secondaires s'ajoutant aux photoélectrons).
Gilbert SIMONDON, Du mode d'existence des objets techniques, p. 43.

PHOTOÉMETTEUR, TRICE [fɔtoemetœʀ, tʀis] adj. — Mil. xxe; de *photo-,* et *émetteur.*

♦ Phys. Se dit d'un corps qui émet des électrons par l'effet photoélectrique*. *Cellule photoémettrice. Le potassium est photoémetteur.*

PHOTOFILMEUR [fɔtofilmœʀ] n. m. — V. 1966; de *photo-,* et *filmeur.*

♦ Photographe qui fait des prises de vues filmées sur la voie publique. « *Les places et les voies interdites à l'exercice de la profession de photofilmeur, dans la capitale, font l'objet d'un nouvel arrêté* » (*le Monde,* 25 mars 1966).

PHOTOFINISH ou **PHOTO-FINISH** [fɔtofiniʃ] n. f. — Mil. xxe; de *photo(graphie),* et angl. *finish* «arrivée des chevaux», de *to finish* «finir, arriver».

♦ Anglic. Enregistrement photographique de l'arrivée d'une course; appareil qui l'effectue. *Des photos-finish.* « *Les arrivées sont contrôlées au "photofinish", vérifiées par des mouchards électroniques* » (*le Nouvel Obs.,* 4 sept. 1972, p. 38).

PHOTOFISSION [fɔtofisjɔ̃] n. f. — V. 1968; de *photo-,* et *fission.*

♦ Phys. nucl. Fission d'un atome sous l'effet de photons.

PHOTOFLOOD [fɔtoflɔd] adj. et n. m. — V. 1966; angl. *photoflood (lamp)* av. 1966; de *photo-* (→ Photo-), et *flood,* n., d'après *floodlamp,* 1916, littéralt «lampe qui inonde (de lumière)».

♦ Techn. (photogr., cin.). Syn. de *flood.* — Adj. invar. *Lampes, projecteurs photoflood.*

N. m. *Un photoflood.*

Les lampes quartz-halogène (à vapeur d'iode ou de brome) présentent sur les photofloods plusieurs avantages : faible encombrement, meilleur rendu des couleurs (...) et notable accroissement de la brillance et de la durée de vie.
Gérard BETTON, la Photomacrographie, p. 58.

PHOTOGÈNE [fɔtɔʒɛn] adj. — 1903; n. m., «huile d'éclairage», 1836; de *photo-,* et *-gène.*

♦ Vx. Luminescent.

PHOTOGÉNÈSE [fɔtɔʒenɛz] ou **PHOTOGENÈSE** [fɔtɔʒənɛz] n. f. — Déb. xxe; de *photo-,* et *genèse.*

♦ Didact. (biol.). Production de lumière par un organisme vivant. ⇒ **Phosphorescence** (2.); **luminescence.**

PHOTOGÉNIE [fɔtɔʒeni] n. f. — 1851; de *photo-,* et *-génie.*

♦ **1.** Didact., vx. Production de lumière.

♦ **2.** (1920). Qualité de ce qui est photogénique. — Spécialt. « *La photogénie, c'est l'accord du cinéma et de la photographie* » (Delluc, *Photogénie,* 1920).

PHOTOGÉNIQUE [fɔtɔʒenik] adj. — 1839, Arago, «qui produit de la lumière»; de *photo-,* et *-génique,* d'après l'angl. *photogenic,* Talbot, 1839.

♦ **1.** (1858). Qui donne une image nette, bien contrastée, en photographie. « *Une robe blanche n'est pas photogénique* » (Littré). « *La clarté photogénique qu'a seule la peau anglaise* » (Ed. de Goncourt, *La Faustin,* cité par *Classe de français,* 1957, p. 218).

♦ **2.** (xxe). Cour. Se dit de ce qui produit, au cinéma, en photographie, un effet égal ou supérieur à l'effet produit au naturel. *Un visage, un acteur photogénique,* qui est plus beau, plus expressif, etc., en photo ou au cinéma qu'au naturel.

C'est la photographie qui avait fait naître en 1839 le mot de photogénie. Il y est toujours utilisé. Nous nous découvrons, devant nos clichés, «photogéniques» ou non (...) La photographie nous flatte ou nous trahit; elle nous donne ou nous dénie un je ne sais quoi.
E. MORIN, le Cinéma ou l'Homme imaginaire, II, p. 25.

Vous savez bien qu'il est préférable de ne pas avoir de talent au cinéma (...) — (...) Sans doute, mais faut-il encore qu'on soit photogénique !
Sacha GUITRY, Ils étaient 9 célibataires, p. 48.

PHOTOGLYPTIE [fɔtɔglipti] n. f. — 1872, *in* Littré, *Suppl.* ; de *photo-*, et du grec *glyptos* « gravé ».

♦ Techn., rare. Ensemble des procédés de gravure photochimique, et, spécialt, des procédés de gravure en creux, à la gélatine bichromatée (photoglyptographie). ⇒ **Héliogravure.**

Quand on tire une épreuve au moyen de cette planche et d'une encre gélatineuse, on obtient des dessins en photoglyptie qui reproduisent fidèlement l'épreuve photographique.
L. FIGUIER, l'Année scientifique et industrielle 1878, p. 426 (1877).

PHOTOGRAMME [fɔtɔgʀam] n. m. — 1866, in *Rev. des cours sc.*, III, p. 746 ; de *photo-*, et *gramme.*

♦ **1.** Vx. Épreuve photographique positive. ⇒ **Photocopie** (1.).

♦ **2.** (1945). Mod. Techn. Chacune des images* photographiques d'un film cinématographique. ⇒ **Cinéma.** *Les photogrammes d'un plan.*

PHOTOGRAMMÉTRIE [fɔtɔgʀametʀi] n. f. — 1875, Vogel ; de *photo-*, *-gram(me)*, et *-métrie.*

♦ Sc., techn. Détermination de la dimension des objets, au moyen de mesures faites sur des perspectives de ces objets, en général des photographies. *Photogrammétrie appliquée à l'astronomie, à la chirurgie, à la médecine... La photogrammétrie permet l'étude de la forme d'une surface en mouvement* (étude de la houle, des sillages des navires, etc.), *la détermination de la trajectoire d'un corps en mouvement* (applications à la balistique)... *Photogrammétrie aérienne, terrestre.*

DÉR. Photogrammétrique.

PHOTOGRAMMÉTRIQUE [fɔtɔgʀametʀik] adj. — 1878 ; de *photogrammétrie.*

♦ Sc., techn. Relatif à la photogrammétrie. *Documents, relevés photogrammétriques. Techniques photogrammétriques.*

PHOTOGRAPHE [fɔtɔgʀaf] n. — 1842, Barré ; « auteur qui écrit sur la lumière », 1836 ; de *photographie.*

Personne qui fait de la photographie, professionnellement ou non.

♦ **1.** Personne qui prend des vues photographiques. ⇒ **Opérateur.** *Photographe amateur, professionnel. Reporter photographe, photographe d'un journal, d'un magazine. Photographe de mode, photographe publicitaire. Photographe illustrateur. — Photographe d'art* (se chargeant souvent du développement des clichés). *Atelier de photographe.* ⇒ **Studio.**

Les photographes les plus médiocres, abandonnant l'habitude de photographier leurs modèles « en pied », avaient pris celle de les photographier à mi-corps, ou d'en isoler le visage, depuis des dizaines d'années, lorsque oser couper un personnage à mi-corps transforma le cinéma.
MALRAUX, les Voix du silence, p. 122.

♦ **2.** (XXe). Professionnel, commerçant qui se charge du développement, du tirage des clichés (et généralement de la vente d'appareils, d'accessoires). *Porter des photos à développer chez un photographe.*

PHOTOGRAPHIABLE [fɔtɔgʀafjabl] adj. — D. i. ; de *photographier.*

♦ Qui peut être photographié ; qui mérite d'être photographié (→ Filmable). « *(...) un photographe auquel il ne suffit pas de photographier ce qui est photographiable (...) Il poursuit l'insaisissable* » (*le Nouvel Obs.*, 15 janv. 1973, p. 13).

PHOTOGRAPHIE [fɔtɔgʀafi] n. f. — 1839, d'après l'angl. *photography* (1839, Herschel) ; « partie de la physique qui s'occupe de la lumière », 1835 ; de *photo-*, et *graphie.*

♦ **1.** Procédé, technique permettant d'obtenir l'image durable des objets, par l'action de la lumière sur une surface sensible. *Invention, débuts de la photographie.* ⇒ **Daguerréotypie.** *Matériel de photographie.* ⇒ **Appareil, caméra, chambre** (noire) ; **cadrage, bonnette, cellule, diaphragme, écran, filtre, flash, focal, grand-angulaire, lampe, lentille, magasin,** 2. **objectif, obturateur, parasoleil, polaroïd, posemètre, reflex, soufflet, triplet** (objectif), **viseur, zoom ; angle** (de champ), **focale, foyer, hyperfocale, profondeur** (de champ) ; **point** (mettre, mise au point) ; **accélérateur ; armer.** *Support de l'image, en photographie.* ⇒ **Film, papier** (sensible), **pellicule, plaque ; bobine, rouleau** (de pellicule) ; **émulsion, sensibilisation, sensibiliser ; antihalo, panchromatique ; collodion, bromure** (d'argent), **gélatine, gélatino-bromure** (cit.). *Révélation* (réduction des sels d'argent), *fixation de l'image, en photographie.* ⇒ **Affaiblisseur, alunage, bain, désensibilisateur, développateur, développement, développer, fixage, fixatif, glaceuse, inactinique, réducteur, renforçateur, renforcement, révélateur, révéler, sensibilisateur, tirage, tirer, virage, virer ; silhouettage, solarisation, solariser, sous-exposition.** *Sels d'argent* (bromure, chlorure, iodure), *de palladium, de platine* (⇒ **Platinotypie**) *utilisés en photographie. Atelier, appareils, instruments de photographie.* ⇒ **Agrandisseur, amplificateur, cache** (et **dégradateur**), **châssis** (châssis à négatifs : boîte étanche ; châssis-presse : cache servant au tirage), **cuvette.** — *Photographie en couleurs* (⇒ **Autochrome, chromophotographie, héliochromie, photochromie, trichromie...**), *en relief.* ⇒ **Holographie.** *Photographie au téléobjectif.* ⇒ **Téléphotographie.**

Photographie scientifique ; applications de la photographie aux mesures physiques (photogrammétrie), *à l'étude des mouvements* (⇒ **Chronophotographie**), *des petits objets* (⇒ **Macrophotographie**), *des phénomènes microscopiques* (⇒ **Photomicrographie**), *à l'astronomie, à l'astrophysique,* etc. ⇒ aussi **Radiographie.** *Photographie aérienne, sous-marine. Photographie et archives, et documentation.* ⇒ **Microphotographie.**

Par ext. (Surtout *photo*). La technique, l'art de prendre des images photographiques (⇒ **Photographe**). *Photographie automatique.* ⇒ **Photomaton.** *La photographie primitive* (→ Épreuve, cit. 36). *Gravure* (cit. 2), *peinture et photographie. Photographie et cinéma*.* *Salon de la photographie.*

Dès son origine, la photographie se trouva en face des problèmes du style et de la représentation. Le photographe se sentait pleinement maître de la pomme, et de la statue des natures mortes ; mais pourquoi les photographier, pourquoi photographier une table de face, en pleine lumière ? Dès qu'il composait sa nature morte — dès qu'il *composait* — il retrouvait la peinture. La composition devenait le cadrage ; l'idéalisation et le caractère devenaient l'éclairage (selon qu'il est éclairé en « flou » ou en « dur » un visage change d'âme) ; le mouvement devenait l'instantané. Ainsi la photo devenait-elle captive d'un réel *isolé*, devenu significatif par son isolement. MALRAUX, les Voix du silence, p. 300. 1

Sc. Obtention d'images par l'action de radiations quelles qu'elles soient (infrarouges, ultraviolettes ; particules α...).

♦ **2.** (1858, *Année sc. et industr.*, p. 47). Vx. ou didact. *Une photographie.* Image obtenue par le procédé de la photographie (spécialt, le cliché positif). ⇒ **Image ; cliché, épreuve, négatif, phototype ; diapositive, photocopie** (1.), **photogramme** (1.), **positif.** (REM. La langue courante n'emploie dans ce sens que *photo**). *Prendre une photographie.* ⇒ **Impressionner, instantané, pose, sous-exposer, surexposer.** *Développer* une photographie* (→ Médailler, cit. 2). *Montage de photographies* (photo-montage). *Reproduction des photographies par photogravure*, photolithographie*, procédés photomécaniques*.*

Et j'offre à ceux qui déjà l'ont 2
Dans le cœur, ma photographie.
MALLARMÉ, Vers de circonstance, « Photographies », VI.

Il en est des plaisirs comme des photographies. Ce qu'on prend en présence de l'être aimé n'est qu'un cliché négatif, on le développe plus tard, une fois chez soi, quand on a retrouvé à sa disposition cette chambre noire intérieure dont l'entrée est condamnée tant qu'on voit du monde. 3
PROUST, À la recherche du temps perdu, t. V, p. 131.

Comparant ces images avec celles que j'avais sous les yeux de ma mémoire, j'aimais moins celles qui m'étaient montrées en dernier lieu. Comme souvent on trouve moins bonne et on refuse une des photographies entre lesquelles un ami vous a prié de choisir, à chaque personne et devant l'image qu'elle me montrait d'elle-même j'aurais voulu dire : Non, pas celle-ci, vous êtes moins bien, ce n'est pas vous. Je n'aurais pas osé ajouter : Au lieu de votre beau nez droit on vous a fait le nez crochu de votre père que je ne vous ai jamais connu. 3.1
PROUST, le Temps retrouvé, Pl., t. III, p. 935.

♦ **3.** *Photographie de...,* reproduction exacte, fidèle.

Le réaliste, s'il est un artiste, cherchera, non pas à nous montrer la photographie banale de la vie, mais à nous en donner la vision plus complète, plus saisissante, plus probante que la réalité même. MAUPASSANT, Pierre et Jean, Préface. 4

DÉR. Photographe, photographier, photographique.
COMP. Astrophotographie.

PHOTOGRAPHIER [fɔtɔgʀafje] v. tr. — 1849, Flaubert ; de *photographie.*

♦ **1.** Obtenir l'image (d'une personne ou d'une chose) par les procédés de la photographie (Cf. Prendre en photo). → Magnésium, cit. 1.

L'appareil gainé de cuir est comme son talisman qu'il *(le touriste)* porte en bandoulière (...) Le voyage est une chevauchée seulement entrecoupée de multiples déclics. On ne regarde pas le monument, on le photographie. On se photographie soi-même aux pieds des géants de pierre. La photographie devient l'acte touristique lui-même. E. MORIN, le Cinéma ou l'Homme imaginaire, II, p. 27. 1

♦ **2.** (XXe). Fig. Imprimer dans sa mémoire (l'image d'une personne ou d'une chose). *Photographier mentalement qqn. Physionomistes d'un casino qui photographient un tricheur.*

Ô ma chérie miraculeuse 2
Mes cinq sens te photographient en couleurs
Et tu es là tout entière APOLLINAIRE, Ombre de mon amour, p. 96.

(1863). Représenter, décrire ou peindre avec une exactitude minutieuse (⇒ **Photographique**).

PHOTOGRAPHIQUE [fɔtɔgʀafik] adj. — 1840 ; de *photographie*.

♦ **1.** Relatif à la photographie ; qui sert à faire de la photographie ; qui est obtenu par la photographie. *Art, technique, industrie* (→ Étude, cit. 22) *photographique. Papier, plaque, pellicule photographique. Épreuve, image, impression* (cit. 9) *photographique.* — Vx. ou didact. *Appareil photographique* (→ Magnésium, cit. 2). (Syn. mod. : *appareil de photo**).

1 Un touriste, là-dessus, fit mine de braquer son appareil photographique et le sauveteur aussitôt tourna le dos. G. DUHAMEL, Salavin, VI, II.

Formé de photos. *Archives photographiques.* ⇒ **Photothèque.**
Qui utilise la photo, les photos. *Album photographique.*

2 (...) deux fois par semaine, l'*Époque* publie un numéro extraordinaire typographique et photographique.
Les anciens journaux illustrés, qui suffisaient à nos simples aïeux du siècle dernier, ont tous été remplacés par des journaux photographiques : au lieu de gravures reproduisant d'une façon toute fantaisiste les faits de la semaine, les journaux nouveaux donnent des photographies instantanées de ces faits ; l'*Époque illustrée* est le meilleur de tous les journaux photographiques. A. ROBIDA, le Vingtième Siècle, p. 210.

♦ **2.** (Av. 1872). Qui est aussi fidèle, aussi exact que la photographie (→ Exactitude, cit. 13 ; fidélité, cit. 11).

3 Le réalisme de Ver Meer est si poussé qu'on pourrait croire d'abord qu'il est photographique. SARTRE, Situations II, p. 105.

DÉR. Photographiquement.

PHOTOGRAPHIQUEMENT [fɔtɔgʀafikmɑ̃] adv. — 1869, Littré ; de *photographique*.

♦ **1.** À l'aide de la technique photographique. *Reproduire photographiquement un document, une scène.*

♦ **2.** (xxe). Avec une exactitude photographique.

PHOTOGRAVEUR [fɔtɔgʀavœʀ] n. m. — 1901 ; de *photo(gravure)*, et *graveur*.

♦ Professionnel spécialiste de la photogravure. — Par appos. *Technicien photograveur.*

PHOTOGRAVURE [fɔtɔgʀavyʀ] n. f. — 1867, in *Année sc. et industr.*, 1868, p. 265 ; de *photo-*, et *gravure*.

♦ **1.** Ensemble des procédés de gravure* photochimique en relief (procédés typographiques. ⇒ **Phototypographie**), utilisant des clichés* métalliques (zinc, cuivre). *Photogravure au trait, sur zinc,* où la morsure est précédée d'un encrage. ⇒ **Gillotage.** *Photogravure en demi-teintes.* ⇒ **Similigravure.** — Par ext. *Photogravure en creux.* ⇒ **Héliographie, héliogravure, photoglyptie.**

♦ **2.** *(Une, des photogravures).* Planche gravée, cliché métallique obtenu par photogravure. — Tirage obtenu d'après une telle plaque. *« Un livre illustré de photogravures »* (Académie).

Le plan couché et les photogravures de cette basilique illustrent un intéressant volume (...) HUYSMANS, la Cathédrale, VI, p. 116.

PHOTO-IDENTIFICATION [fɔtoidɑ̃tifikɑsjɔ̃] n. f. — Av. 1974, *Science et Vie*, n° 106, p. 15 ; de *photo-*, b, et *identification*.

♦ Didact. Identification au moyen de la photographie aérienne. ⇒ **Photo-interprétation.**

PHOTO-INTERPRÉTATION [fɔtoɛ̃tɛʀpʀetasjɔ̃] n. f. — Av. 1966 ; de *photo-*, et *interprétation*.

♦ Techn. Analyse des photographies aériennes servant à établir les éléments de base d'une carte. *La cartographie actuelle utilise les données fournies par la photo-interprétation.*

PHOTO-IONISATION [fɔtojɔnizɑsjɔ̃] n. f. — V. 1960 ; de *photo-*, et *ionisation*.

♦ Phys. Ionisation des atomes ou des molécules d'un gaz sous l'action d'un rayonnement ultraviolet.

PHOTOLECTURE [fɔtolɛktyʀ] n. f. — Mil. xxe ; de *photo-*, et *lecture*.

♦ Techn. Technique de lecture automatique par des moyens optiques.

PHOTOLITHOGRAPHIE [fɔtolitɔgʀafi] n. f. — 1861, Poitevin (Cottez) ; de *photo-*, et *lithographie*.

♦ Techn. Procédé de gravure* photochimique à plat (⇒ **Planographie**) dans lequel l'épreuve photographique était reportée sur une pierre lithographique. — Par ext. Se dit de la *photométallographie* (→ cit. ci-dessous). ⇒ **Zincographie.**

1 Mais voici venir M. Poitevin, l'inventeur de la photolithographie, qui nous apporte un fait de la plus haute importance, concernant la reproduction photogénique des couleurs naturelles, et, cette fois, sur papier. L. FIGUIER, l'Année scientifique et industrielle, 1867, p. 159 (1866).

2 (...) la *photolithographie* mise au point par Poitevin dès 1855 (...) fut bientôt détrônée par la photométallographie, procédé qui consiste à reproduire une image photographique sur une feuille de zinc dont la surface est chimiquement modifiée, encrée et passée sous la presse comme une pierre lithographique (...) J. PRINET et G. BLÉRY, la Photographie et ses applications, p. 53.

DÉR. Photolithographique.

PHOTOLITHOGRAPHIQUE [fɔtolitɔgʀafik] adj. — Déb. xxe ; de *photolithographie*.

♦ Techn. Relatif à la photolithographie.

PHOTOLOGIE [fɔtɔlɔʒi] n. f. ⇒ **Photobiologie.**

PHOTOLUMINESCENCE [fɔtolyminesɑ̃s] n. f. — V. 1930 ; de *photo-*, et *luminescence*.

♦ Sc. Ensemble des phénomènes d'émission, dans toutes les directions, de radiations visibles ou invisibles dont la longueur d'onde est différente de celle des radiations excitatrices. ⇒ **Fluorescence ; phosphorescence.** *À la photoluminescence se rattache la* radioluminescence. ⇒ **Luminescence..**

DÉR. Photoluminescent.

PHOTOLUMINESCENT, ENTE [fɔtolyminesɑ̃, ɑ̃t] adj. — V. 1930 ; de *photoluminescence*.

♦ Sc. Relatif à la photoluminescence.

PHOTOLYSE [fɔtɔliz] n. m. — 1911, *in* D. D. L. ; de *photo-*, et du grec *lusis* « dissolution ».

♦ Sc., techn. Décomposition chimique due à la seule intervention de radiations lumineuses. *Destruction de l'ozone par photolyse.*

DÉR. Photolytique.

PHOTOLYTIQUE [fɔtɔlitik] adj. — 1973, in *la Clé des mots* ; de *photolyse*.

♦ Sc., techn. De la photolyse. *Dégradation photolytique des plastiques.* ⇒ **Photodégradable.**

PHOTOMACROGRAPHE [fɔtomakʀɔgʀaf] n. — 1976 ; de *photomacrographie*, d'après *photographie/photographe*.

♦ Didact., techn. Photographe qui se spécialise en photomacrographie.

PHOTOMACROGRAPHIE [fɔtomakʀɔgʀafi] n. f. — 1950, Pizon, *Photomacrographie et photomicrographie*, Éd. de la *Revue d'Optique* ; de *photographie*, avec infixation de *macro-*, d'après *photomicrographie*.

♦ Didact., techn. Macrophotographie*. *Accessoires pour la photomacrographie* (bagues d'inversion ; bagues-, tubes-, soufflets — allonge ; lentilles additionnelles convergentes ; objectifs dits « macro » ; téléobjectifs).

Épreuve obtenue selon cette technique.

Dans le format 24 × 36 mm, on considère comme photomacrographique toute prise de vue effectuée à une échelle de reproduction de 1:10 à 4:1 environ. Un négatif de bonne qualité se laissant agrandir 10 fois dans ce format, l'agrandissement sur papier peut être compris entre 1 et 40. Gérard BETTON, la Photomacrographie, p. 7.

DÉR. Photomacrographe, photomacrographique.

PHOTOMACROGRAPHIQUE [fɔtomakʀɔgʀafik] adj. — 1976 ; de *photomacrographie*.

♦ Didact., techn. Relatif à la photomacrographie. ⇒ **Macro.** — Syn. : *macrophotographique**.

Les petits animaux : insectes, arachnides, myriapodes, crustacés (...) — ceux dont la taille ne dépasse pas 10 ou 15 cm — sont extrêmement nombreux (...) Le champ d'action qui s'ouvre devant le photographe est pour ainsi dire sans limites (...)
On choisira de préférence un appareil reflex automatique équipé de bagues ou d'un soufflet-allonge (...) Des soufflets avec poignée revolver (...) destinés à une mise au point rapide et précise conviennent bien à la chasse photomacrographique. Gérard BETTON, la Photomacrographie, p. 112-113.

PHOTOMAGNÉTIQUE [fɔtomaɲetik] adj. — 1842 ; de *photo-*, et *magnétique*.

♦ Sc. Qui concerne l'action de la lumière sur la susceptibilité magnétique, la photoconductibilité...

PHOTOMATON [fɔtɔmatɔ̃] n. m. — V. 1930; marque déposée, de *photo(graphie), (au)toma(tique)*, et suff. pseudo-scientifique *-on*.

♦ Appareil qui prend, développe et tire automatiquement des photographies; lieu où fonctionne un tel appareil. *Cabine de photomaton. Se faire faire des photos d'identité dans un photomaton.*

1 (...) voici mon portrait comme tiré au *Photomaton*, car les machines patentées aussi et les automates d'aujourd'hui (...) sont les délégués de Satan (...)
B. CENDRARS, Bourlinguer, p. 103.

(N. m. ou f.). Par ext. Photo provenant d'un photomaton.

2 Nos tronches, à la première page, je trouvais ça révoltant. Pour Josy, Lola avait dû refiler un photomaton, un de ces portraits que toutes les gonzesses ont coutume d'échanger, à propos de bottes. Albert SIMONIN, Touchez pas au grisbi, p. 135.

PHOTOMÉCANIQUE [fɔtomekanik] adj. — 1878, *in* D. D. L.; de *photo-*, et *mécanique*.

♦ **1.** Didact. Relatif à la fois au mouvement et à la lumière.

La plaque apparaissait maintenant à nu, montrant une surface brune, lisse et brillante. Tous les regards fixaient avidement cette mystérieuse matière, dotée par Louise d'étranges propriétés photo-mécaniques.
Raymond ROUSSEL, Impressions d'Afrique, p. 201.

♦ **2.** Techn. (terme scientifiquement impropre). Se dit des procédés de reproduction utilisant des clichés (des matrices, des planches) photographiques. ⇒ **Gravure** (photochimique), **photographie.**

PHOTOMÈTRE [fɔtɔmɛtʀ] n. m. — 1792, Saussure; lat. mod. *photometria* (1760); de *photo-*, et *-mètre*.

♦ Techn. Appareil servant à mesurer les intensités lumineuses *(microphotomètres, spectrophotomètres).* — REM. On utilise surtout de nos jours les cellules photo-électriques. ⇒ **Posemètre; luxmètre.**

Méd. *Photomètre visuel*, servant à la mesure de l'acuité visuelle par détermination de la plus faible intensité de lumière à laquelle un objet devient visible.

Météor. Appareil utilisé pour mesurer la radiation du soleil ou du ciel dans une partie du spectre.

La physique nous parle en effet des degrés d'intensité lumineuse comme de quantités véritables : ne les mesure-t-elle pas au photomètre?
H. BERGSON, Essai sur les données immédiates de la conscience, p. 39.

COMP. Astrophotomètre.

PHOTOMÉTRIE [fɔtɔmetʀi] n. f. — 1812; de *photo-*, et *-métrie*.
Science.

♦ **1.** Mesure des rayonnements par impression visuelle *(photométrie visuelle).*

♦ **2.** Mesure de l'intensité des rayonnements visibles ou non visibles, quelle que soit leur place dans le spectre et quel que soit l'appareil de mesure employé. *Photométrie par égalisation de la brillance de deux plages lumineuses* (et mesure de leur distance), *par mesure du courant produit au moyen d'une cellule photo-électrique* (luxmètres, posemètres), *par la mesure du noircissement photographique* (sensitométrie photographique).

DÉR. Photométrique.

PHOTOMÉTRIQUE [fɔtɔmetʀik] adj. — 1825, Bailly, *Manuel de physique*, p. 233; de *photométrie*.

♦ Sc. De la photométrie, mesure des intensités lumineuses. *Méthodes photométriques de l'astrophysique. — Caméras photométriques,* munies de dispositifs photométriques de haute précision. — *Échelle photométrique.*

On comprendra maintenant le sens des expériences photométriques. Une bougie, placée à une certaine distance d'une feuille de papier, l'éclaire d'une certaine manière : vous doublez la distance, et vous constatez qu'il faut quatre bougies pour éveiller en vous la même sensation.
H. BERGSON, Essai sur les données immédiates de la conscience, p. 41.

DÉR. Photométriquement.

PHOTOMÉTRIQUEMENT [fɔtɔmetʀikmɑ̃] adv. — V. 1830, Arago; de *photométrique*.

♦ Sc. Par la photométrie.

PHOTOMICROGRAPHIE [fɔtomikʀɔgʀafi] n. f. — 1864, in *Année sc. et industr.*, 1865, p. 403; de *photo-*, et *micrographie*.
Didactique, technique.

♦ **1.** Photographie d'images agrandies fournies par un microscope ou par des objectifs spéciaux.

♦ **2.** Épreuve photographique ainsi obtenue. — REM. Ne pas confondre avec *microphotographie**.

La photomicrographie consiste à photographier par l'intermédiaire d'un microscope, ce qui ne se confond nullement avec la microphotographie, comme on l'appelle souvent improprement, qui, elle, consiste à produire des micro-images, c'est-à-dire des microfilms. Les premières photomicrographies ont été réalisées par le procédé de Daguerre et présentées à l'Académie des sciences par le Dr Donné en 1840. Ce dernier, dès 1844, faisait paraître avec Foucault un Cours de microscopie complémentaire des études médicales, puis un Atlas exécuté d'après nature au microscope daguerréotype.
J. PRINET et G. BLÉRY, la Photographie, p. 83.

DÉR. Photomicrographique.

PHOTOMICROGRAPHIQUE [fɔtomikʀɔgʀafik] adj. — 1876; de *photomicrographie*.

♦ Didact., techn. Relatif à la photomicrographie. *Procédé, appareillage, chambre photomicrographique.*

Les naturalistes se servent souvent du microscope solaire pour agrandir les objets qu'ils veulent dessiner. Mais ces dessins offrent beaucoup de difficultés d'exécution. Pour conserver ces agrandissements, on a recours à la photographie, et c'est ainsi qu'on obtient les épreuves dites photomicrographiques, qui sont d'un grand secours dans l'histoire naturelle. M. Vogel (...) est arrivé à photographier directement les images perçues avec le microscope ordinaire. Il (...) a combiné l'image formée par le microscope avec une petite chambre photographique munie d'un objectif simple, à vues, de quatre pouces de foyer environ. Les deux instruments furent placés de telle sorte que la coïncidence des axes d'optique fût parfaite et que l'objectif de la chambre fût presque en contact avec l'oculaire du microscope.
L. FIGUIER, l'Année scientifique et industrielle, 1877, p. 423 (1878).

PHOTOMONTAGE [fɔtomɔ̃taʒ] n. m. — 1935; de *photo-*, et *montage*.

♦ Montage* d'images photographiques, de photos. — On écrit aussi *photo-montage.*

PHOTOMULTIPLICATEUR [fɔtomyltiplikatœʀ] n. m. — 1957; de *photo-*, et *multiplicateur*.

♦ Phys. Tube électronique comprenant une photocathode, plusieurs cathodes secondaires (qui provoquent des émissions secondaires de plus en plus fortes) et une anode. *Le photomultiplicateur, dispositif amplificateur de brillance par effet photo-électrique, est utilisé dans les lunettes, les télescopes et en radioscopie.* — Adj. *Compartiment photomultiplicateur.*

PHOTON [fɔtɔ̃] n. m. — 1927, compte rendu de l'Académie des sciences, mot formé en angl. par G. N. Lewis, 1926; de *phot-*, et suff. *-on*.

♦ Phys. Corpuscule, quantum* d'énergie dont le flux constitue le rayonnement électromagnétique. ⇒ **Lumière, particule** (→ Onde, cit. 17). *Énergie, longueur d'onde d'un photon. Controverse entre Einstein et Niels Bohr à propos de l'expérience de la « boîte à photons »* (1927-1931).

Nous avions donc montré, pour la première fois, qu'un rayonnement de photons est capable de provoquer l'émission de positrons et il y avait lieu de croire qu'il s'agissait d'une propriété générale des photons de grande énergie quantique. 1
F. JOLIOT et I. JOLIOT-CURIE, *in* Rev. gén. des sc. (1934), t. 45, p. 232.

Il devenait nécessaire (en 1923) [...] de réintroduire dans la théorie de la lumière la notion de corpuscule en admettant que dans toute onde lumineuse monochromatique de fréquence v, l'énergie est concentrée en grains de valeur h_v, où h est la constante des quanta de Planck. Ces grains de lumière, ces photons comme on commençait alors à les nommer, se manifestent par des actions locales, et on peut leur attribuer une énergie et une quantité de mouvement obéissant aux lois générales de conservation. L. DE BROGLIE, Physique et Microphysique, p. 169. 2

C'était une plage vraiment extraordinaire, qu'on ne pouvait pas oublier. Elle était toute auréolée de lumière, étendue de cailloux miroitants qui se recourbait dans le genre d'une route. Elle était dessinée comme avec des tubes de néon dans le ciel noir, blanche, phosphorescente, toute vibrante de vie. La lumière était en elle, puis elle ressortait de chaque galet en hérissant ses cheveux, ses rayons; la lumière blanche s'exhalait de la plage à la manière d'une brume; tout était tellement saturé de photons que c'était comme du gaz. 3
J.-M. G. LE CLÉZIO, les Géants, p. 102.

DÉR. Photonique.

PHOTONIQUE [fɔtɔnik] adj. — 1942, J. Thibaud; de *photon*.

♦ Phys. Relatif aux photons, au rayonnement lumineux. *Rayonnement photonique.*

PHOTONUCLÉAIRE [fɔtonykleɛʀ] adj. — Mil. xxe; de *photo-*, et *nucléaire*.

♦ Phys. Relatif à l'action des rayonnements électromagnétiques sur le noyau d'un atome.

PHOTOPÉRIODE [fɔtopeʀjɔd] n. f. — Mil. xxe; → Photopériodisme, 1952; de *photo-*, et *période*.

♦ Didact. Durée du jour, considérée dans ses effets biologiques; régime ou cycle d'éclairement naturel. ⇒ **Photopériodique.**

PHOTOPÉRIODIQUE [fɔtopeʀjɔdik] adj. — Mil. xxe; de *photo-*, et *périodique*.

♦ Bot. Relatif à la succession de lumière et d'obscurité dans la vie des plantes, et plus généralement dans les phénomènes biologiques.

DÉR. **Photopériodisme.**

PHOTOPÉRIODISME [fɔtopeʀjɔdism] n. m. — 1952, *Larousse mensuel ; de photopériodique.*

♦ Bot. Ensemble des phénomènes photopériodiques.

PHOTOPHILE [fɔtɔfil] adj. — V. 1965 ; de *photo-* « lumière », et *-phile* « qui aime ».

♦ Sc. Se dit d'animaux qui vivent dans des conditions d'éclairement vif. *Poisson photophile.*

Les peuplements peuvent être divisés en photophiles (tolérant ou exigeant un éclairement vif) et sciaphiles (tolérant ou exigeant un éclairement modéré).
J.-M. PÉRÈS, la Vie dans les mers, p. 28.

PHOTOPHOBIE [fɔtɔfɔbi] n. f. — 1812 ; de *photo-*, et *-phobie.* Médecine.

♦ **1.** Horreur*, crainte pathologique de la lumière. ⇒ **Phobie.**

♦ **2.** Sensibilité excessive des yeux dans certaines maladies oculaires.

DÉR. **Photophobique.**

PHOTOPHOBIQUE [fɔtɔfɔbik] adj. — xxᵉ, *l'Express,* 7 août 1972 ; de *photophobie.*

♦ Méd. Relatif à la photophobie.

PHOTOPHORE [fɔtɔfɔʀ] n. m. — 1803 ; de *photo-*, et *-phore.*

♦ **1.** Didact., rare. Personne, objet portant une source lumineuse.

1 Ce sont des enfants nus qui les apportent en courant, lampes ou torches d'un extrême archaïsme (...) On ouvre une porte bardée de fer, et les jeunes photophores entrent les premiers (...)
LOTI, l'Inde (sans les Anglais), IV, IX.

♦ **2.** Techn. Lampe à réflecteur.

2 Dans la brousse, aussitôt qu'on s'éloigne des maisons des fonctionnaires, où les photophores grésillent sous les varangues, la chaleur est plus dense, et la nuit est lourde de paroles et de murmures.
B. CENDRARS, Rhum, p. 155.

♦ **3.** Coupe décorative en verre, destinée à recevoir une bougie ou une veilleuse.

PHOTOPILE [fɔtopil] n. f. — Mil. xxᵉ ; de *photo-*, et *pile.*

♦ Techn. Appareil transformant la lumière en courant électrique, utilisé notamment en photographie (cellule photo-électrique*) et dans les véhicules spatiaux (batterie solaire). *Photopile au silicium monocristallin.*

La photopile au silicium pur, produit des grands ensembles électrotechniques industriels, est l'élément qui n'est pas encore incorporé à un individu technique ; elle n'est encore qu'un objet de curiosité situé à l'extrême pointe des possibilités techniques de l'industrie électrométallurgique, mais il est possible qu'elle devienne le point de départ d'une phase de développement analogue à celle que nous avons connue et qui n'est pas encore complètement achevée, avec le développement de la production et de l'utilisation de l'électricité industrielle.
Gilbert SIMONDON, Du mode d'existence des objets techniques, p. 69.

PHOTOPLAN [fɔtoplɑ̃] n. m. — Mil. xxᵉ ; de *photo-*, et *plan.*

♦ Techn. Plan photographique, assemblage de photographies aériennes redressées à une même échelle. ⇒ **Photocarte.**

PHOTOPOLARIMÈTRE [fɔtopɔlaʀimɛtʀ] n. m. — V. 1970, de *photo-*, et *polarimètre.*

♦ Didact. Instrument (télescope muni de filtres, d'analyseurs) servant à mesurer les propriétés de réflexion et de diffusion des particules présentes dans une atmosphère planétaire. « *Le photopolarimètre de l'engin* (Voyager 2) *s'étant employé à résoudre l'anneau de Saturne...* » (*Sciences et Avenir,* oct. 1981, p. 58).

REM. On rencontre aussi le terme *photopolarimétrie*, n. f. (1974, *la Clé des mots*).

PHOTOPROJECTEUR [fɔtopʀɔʒɛktœʀ] n. m. — V. 1965 ; de *photo(graphie)*, et *projecteur.*

♦ Techn., comm. Projecteur pour diapositives. ⇒ **Visionneuse ; passe-vues.**

PHOTOPSIE [fɔtɔpsi] n. f. — 1869 ; de *photo-*, et *-opsie.*

♦ Méd. Perception visuelle anormale (cercles irisés, points lumineux intermittents) en rapport avec certaines lésions de la rétine (décollement, en particulier) ou des centres nerveux de la vision.

PHOTORÉCEPTEUR, TRICE [fɔtoʀesɛptœʀ, tʀis] adj. et n. m. — V. 1965 ; de *photo-*, et *récepteur.*

♦ Didact. Sensible aux radiations lumineuses (cellule vivante, organe, organisme). ⇒ **Photosensible.** — N. m. Récepteur des stimuli lumineux (cônes et bâtonnets de la rétine).

Y a-t-il des organes photo-récepteurs que nous ignorons encore ? Il ne semble pas, car les espèces aveugles sont en général munies d'appendices tactiles perfectionnés qui doivent suffire à la recherche de la nourriture.
R. et M.-L. BAUCHOT, les Poissons, p. 118.

On écrit aussi *photo-récepteur.*

PHOTORÉSISTANCE [fɔtoʀezistɑ̃s] n. f. — V. 1960 (*in* Larousse 1968) ; de *photo-*, et *résistance.*

♦ Phys. Conducteur électrique à résistance variable selon l'éclairement. *La photorésistance d'une cellule photoélectrique.*

PHOTORÉSISTANT, ANTE [fɔtoʀezistɑ̃, ɑ̃t] adj. — Av. 1933 ; de *photo-*, et *résistance (électrique).*

♦ Phys. Se dit d'un corps dont la résistance électrique varie selon les radiations qu'il reçoit. *Cellule photorésistante.* ⇒ **Photoconducteur.**

PHOTORÉSISTIVITÉ [fɔtoʀezistivite] n. f. — Mil. xxᵉ (Larousse 1963) ; de *photo-*, et *résistivité.*

♦ Syn. de *photo-conductivité.*

PHOTORESPIRATION [fɔtoʀɛspiʀasjɔ̃] n. f. — V. 1965 ; de *photo-*, et *respiration.*

♦ Biol. Phénomène affectant certains tissus chlorophylliens exposés à la lumière, et s'ajoutant à la respiration normale des tissus végétaux.

PHOTO-ROBOT [fɔtoʀɔbo] n. f. — V. 1954 ; de *photo(graphie)*, et *robot.*

♦ Portrait élaboré d'après des témoignages, et destiné à remplacer la photo d'une personne recherchée par la police (→ Portrait-robot). *Des photos-robots.*

PHOTOROMAN [fɔtoʀɔmɑ̃] n. m. — 1949 ; de *photo(graphie)*, et *roman.*

♦ Roman populaire dont le récit est constitué par des photos légendées. Syn. : *roman-photo.* ⇒ aussi **Bande** (bandes dessinées). « *Comment le photoroman fait rêver des millions de femmes* » (*le Nouvel Obs.*, 1ᵉʳ avr. 1974, p. 44).

On écrit aussi *photo-roman.*

Un personnage, disait Robert. Un héros pour midinettes, un séducteur de photo-romans, sa belle chevelure, ses dents blanches, ses yeux bleus, francs.
F. MALLET-JORIS, le Jeu du souterrain, p. 20.

PHOTOSENSIBILISATION [fɔtosɑ̃sibilizasjɔ̃] n. f. — xxᵉ ; de *photo-*, et *sensibilisation.*

♦ Méd. État de la peau devenue anormalement sensible à la lumière solaire et qui réagit par diverses manifestations (démangeaisons, eczéma, phlyctènes).

PHOTOSENSIBILITÉ [fɔtosɑ̃sibilite] n. f. — 1938, M. Bale, *les Deux Infinis,* p. 71 ; de *photo-*, et *sensibilité.*

♦ Sc. Sensibilité à la lumière.

PHOTOSENSIBLE [fɔtosɑ̃sibl] adj. — V. 1930 ; de *photo-*, et *sensible.*

♦ Sc. Sensible à la lumière. *Surface photo-sensible. Éléments photosensibles d'un écran de télévision.* — REM. En parlant de la matière vivante, on emploie aussi l'adj. *photorécepteur, trice.*

PHOTOSOURCE [fɔtosuʀs] n. f. — V. 1965 ; de *photo-*, et *source.*

♦ Phys. Appareil produisant des particules, et, spécialt, des neutrons.

PHOTOSPHÈRE [fɔtɔsfɛʀ] n. f. — 1842; de *photo-*, et *sphère.*

♦ Astron. Ensemble des couches du soleil qui émettent un rayonnement reçu par la terre.

DÉR. Photosphérique.

PHOTOSPHÉRIQUE [fɔtɔsfeʀik] adj. — 1877; de *photosphère.*

♦ Astron. Relatif à la photosphère. *Granulation photosphérique.*

(des mouvements) divisent la surface solaire en régions de calme et d'activité, en formant ce que M. Janssen appelle le réseau photosphérique solaire.
L. FIGUIER, l'Année scientifique et industrielle, 1879, p. 35 (1878).

DÉR. Subphotosphérique.

PHOTOSTAT [fɔtɔsta] n. m. — Mil. xxe; n. déposé; de *photo-*, et suff. *-stat* (rhéostat).

♦ **1.** Sc. Photographie obtenue par réflexion de la lumière.

♦ **2.** Syn. de *photocopie**.

Le secrétaire poussait des boutons. Un léger bourdonnement se faisait entendre dans la machine et il y introduisait les feuilles une à une, en même temps que d'autres feuilles d'un papier spécial. Maigret, qui connaissait le système, mais qui avait rarement vu un appareil de ce genre chez un particulier, suivait l'opération avec une apparente indifférence.
— Belle invention, n'est-ce pas? disait Mascoulin avec toujours un vilain pli des lèvres. Des gens n'hésitent pas à contester un carbone. Il est impossible de renier un photostat.
G. SIMENON, Maigret chez le ministre, p. 161.

PHOTOSTOP [fɔtɔstɔp] n. f. — Mil. xxe; de *photo(graphie),* d'après *auto-stop.*

♦ Comm. Photo prise par un photostoppeur.

PHOTOSTOPPEUR, EUSE [fɔtɔstɔpœʀ, øz] n. — V. 1960; de *photo(graphie),* d'après *auto-stoppeur.*

♦ Comm. Personne qui photographie les passants et leur propose de leur vendre la photo. ⇒ **Photofilmeur.**

PHOTOSTYLE [fɔtɔstil] n. m. — D. i.; de *photo-*, et grec *stulos.* → -style.

♦ Techn. Dispositif permettant d'introduire dans la mémoire d'un ordinateur une information (coordonnées ponctuelles) sur un écran de visualisation (créé pour rendre l'anglais *light pen*; recomm. off.).

PHOTOSYNTHÈSE [fɔtosɛ̃tɛz] n. f. — 1902, Macchiati, in *Rev. gén. des sc.*, 15 janv. 1903, p. 50; de *photo-*, et *synthèse.*

♦ Biol. Production de glucides par les plantes à partir du gaz carbonique de l'air qu'elles peuvent fixer grâce à la chlorophylle, en employant comme source d'énergie la lumière solaire.

La photosynthèse est le processus qui permet aux plantes d'utiliser l'énergie de la lumière pour fabriquer, à partir du gaz carbonique, les glucides qui seront la matière première de toute la substance vivante : la photosynthèse est la réaction qui fait pénétrer le carbone dans le cycle vital.
Jean CARLES, l'Énergie chlorophyllienne, p. 37.

DÉR. Photosynthétique.

PHOTOSYNTHÉTIQUE [fɔtosɛ̃tetik] adj. — Déb. xxe; de *photosynthèse.*

♦ Didact. Qui se rapporte à la photosynthèse. *Activité photosynthétique des organes verts d'une plante.*

(...) les yeux poussants *(de la vigne)* sont susceptibles de donner naissance aux prompts-bourgeons et l'activité photosynthétique des organes verts se poursuit; seulement les produits de synthèse sont (...) entreposés par la plante dans ses tissus et dans ses fruits.
Louis LEVADOUX, la Vigne et sa culture, p. 16.

PHOTOSYSTÈME [fɔtosistɛm] n. m. — D. i.; de *photo-*, et *système.*

♦ Sc. Système assurant la capture de la lumière et les réactions photochimiques.

PHOTOTACTISME [fɔtotaktism] n. m. — 1897; de *photo-*, et *tactisme.*
Biologie.

♦ **1.** Sensibilité, réaction du protoplasme à la lumière. ⇒ **Phototaxie.**

♦ **2.** (Déb. xxe). Propriété qu'ont certains éléments intracellulaires de végétaux verts, de modifier leur position selon que la lumière est faible ou forte.

PHOTOTAXIE [fɔtotaksi] n. f. — 1907; de *photo-*, et *-taxie.* → Phototactisme*.

♦ Biol. Mouvement d'un organisme déclenché par la lumière, vers la source lumineuse *(phototaxie positive)* ou dans la direction opposée *(phototaxie négative).* ⇒ **Tropisme; phototropisme.**

PHOTOTHÉCAIRE [fɔtotekɛʀ] n. — 1968, Larousse; d'après *bibliothécaire*; de *photothèque.*

♦ Rare. Personne responsable d'une photothèque.

PHOTOTHÈQUE [fɔtɔtɛk] n. f. — Mil. xxe; de *photo-*, et *-thèque.*

♦ Didact. Collection d'archives photographiques; lieu où une telle collection est conservée (et le cas échéant mise à la disposition du public pour le prêt ou la consultation). « *Une image statique dont on peut garder la trace en photothèque* » (*Sciences et Avenir*, mars 1978, p. 68).

DÉR. Photothécaire.

PHOTOTHÉRAPIE [fɔtoteʀapi] n. f. — 1899, *Année sc. et industr.*, 1900, p. 180; de *photo-*, et *-thérapie.*

♦ Méd. Traitement par un rayonnement complexe (bains de lumière, de soleil). ⇒ **Radiothérapie.**

DÉR. Photothérapique.

PHOTOTHÉRAPIQUE [fɔtoteʀapik] adj. — 1923, Larousse; de *photothérapie.*

♦ Méd. De la photothérapie.

PHOTOTROPISME [fɔtotʀɔpism] n. m. — Fin xixe; cf. *phototropique*, 1883, in *Année sc. et industr.*, 1884, p. 290; de *photo-*, et *tropisme.*

♦ Sc. Tropisme déterminé par l'action de la lumière. ⇒ **Héliotropisme** (cit.). *Phototropisme positif.* ⇒ **Actinotropisme.**

PHOTOTYPE [fɔtɔtip] n. m. — 1896; de *photo-*, et *-type.*

♦ Rare. Image photographique directe. ⇒ **Cliché, négatif.**

PHOTOTYPIE [fɔtɔtipi] n. f. — 1843, Berres (*in* Cottez); de *photo-*, et *-typie.*

♦ Techn. Procédé de reproduction, de gravure* photochimique à plat (⇒ **Planographie**) dans lequel les négatifs sont reportés sur verre (garni de gélatine* bichromatée). ⇒ **Albertypie; photocollographie; héliotypie.** *La phototypie, procédé utilisant les encres* grasses, est une technique d'imprimerie* lithographique voisine de la photolithographie, de l'offset.*

DÉR. Phototypique.

PHOTOTYPIQUE [fɔtɔtipik] adj. — 1903, in *Rev. gén. des sc.*, p. 621; de *phototypie.*

♦ Techn. De la phototypie. *Reproduction phototypique.*

PHOTOTYPOGRAPHIE [fɔtotipɔgʀafi] n. f. — 1877, Littré, *Suppl.*; de *photo-*, et *typographie.*

♦ Techn. Procédé de photogravure* (en relief) utilisant des clichés* métalliques.

PHOTOVOLTAÏQUE [fɔtovɔltaik] adj. et n. m. — 1937, *Larousse mensuel; de photo-*, et *voltaïque.*

♦ Techn. Qui produit du courant électrique par transformation directe de l'énergie de la lumière en énergie électrique. *Cellule photovoltaïque.* ⇒ **Photopile.** *Système, générateur, centrale photovoltaïque.* — Relatif à ce mode de production du courant électrique. *Effet photovoltaïque. Énergie électrique d'origine photovoltaïque.* « *Les travaux du C. N. R. S. sur la* conversion photovoltaïque *doivent aboutir à un abaissement spectaculaire des coûts de production (...)* » (*la Recherche*, juin 1979, p. 694).

N. m. « *La thermodynamique vient en tête (...) suivie de près par le photovoltaïque et l'habitat solaire* » (*la Recherche*, juin 1979, p. 693).

PHRAGMITE [fʀagmit] n. m. — 1818; grec *phragmitês* « qui sert à faire une haie, une clôture ».

♦ **1.** Bot. Plante monocotylédone *(Graminées)*, herbacée, vivace, qui croît dans les marais, les fossés, et dont le type le plus connu est le roseau* commun ou roseau à balai, employé à divers ouvrages de vannerie.

♦ **2.** (Fin XIXe, *Nouveau Larousse illustré*). Zool. Fauvette des marais. ⇒ **Rousserolle.**

PHRASE [fʀɑz] n. f. — 1546; du lat. *phrasis,* mot grec «élocution, style».

♦ **1.** (XVIe et XVIIe). Vx. «Manière d'expression, tour ou construction d'un petit nombre de paroles» (Furetière). ⇒ **Expression, locution.** — REM. Ce sens étymologique est le seul connu au XVIe et au XVIIe s., et c'est à tort que Littré cite des auteurs du XVIIe s. pour illustrer le sens actuel. — *Notre langue manque d'un grand nombre de mots et de phrases* (→ Appauvrir, cit. 2, Fénelon). *«Les synonymes sont plusieurs dictions* (cit. 1) *ou plusieurs phrases différentes qui signifient une même chose»* (La Bruyère). *«Des gens pétris de phrases et de petits tours d'expression»* (→ 1. geste, cit. 2, La Bruyère). *«Lieux communs* (cit. 24) *et phrases proverbiales»* (La Bruyère).

1 «Se louer de quelqu'un» (...) phrase délicate dans son origine (...)
LA BRUYÈRE, les Caractères, IX, 37.

2 Il nous faudrait, outre les mots simples et nouveaux, des composés et des phrases où l'art de joindre les termes qu'on n'a pas coutume de mettre ensemble fit une nouveauté gracieuse (...) C'est ainsi qu'on a dit *velivolum* en un seul mot composé de deux; et, en deux mots, mis l'un auprès de l'autre, *remigium alarum* (...)
FÉNELON, Lettre à l'Académie, III.

(1772). Mod. (dans quelques expressions). *Faire des phrases :* avoir recours à des façons de parler recherchées ou prétentieuses. *Faire des phrases et du bel esprit* (→ Gouvernement, cit. 24). *Ne faites donc pas tant de phrases!* — (1762; *diseur de phrases,* 1718). *Faiseur de phrases* (→ Estimer, cit. 18). ⇒ **Bavard, phraseur.** —*Aimer les phrases* (→ Homélie, cit. 1). — (Dans le même sens). *Faire de grandes phrases.* ⇒ **Emphatique, sonore.** *«Les grandes phrases d'honneur et de dévouement* (cit. 5) *dont on abuse»* (Beaumarchais). — (1688). *Phrases toutes faites :* expressions ou formules conventionnelles, banales (⇒ **Cliché**). *Ces phrases toutes faites* (→ Omettre, cit. 2, La Bruyère; et aussi convention, cit. 14; formule, cit. 14; frapper, cit. 51). — (1875). *Sans phrases :* sans ajouter de commentaires plus ou moins entortillés, sans détour. ⇒ **Circonlocution, circonvolution.** Allus. hist. «*La mort* (1. mort, cit. 32), *sans phrases*».

3 Parler par *phrases* (...) c'est quitter une expression courte et simple qui se présente d'elle-même, pour en prendre une plus étendue et moins naturelle, qui a je ne sais quoi de fastueux (...) Un écrivain qui aime ce qu'on appelle *phrase* (...) ne dira pas (...) *Si vous saviez vous contenir dans de justes bornes,* mais il dira : *Si vous aviez soin de retenir les mouvements de votre esprit dans les bornes d'une juste modération* (...) Rien n'est plus opposé à la pureté de notre style.
P. BOUHOURS, *in* Encycl. (DIDEROT), art. *Phrase.*

4 Il y a sur chaque sujet tant de phrases toutes faites en France, qu'un sot, avec leur secours, parle quelque temps assez bien, et ressemble même momentanément à un homme d'esprit. Mme DE STAËL, De l'Allemagne, I, X.

5 Je n'irai pas par quatre chemins; je ne sais pas faire de phrases, moi, je dis ce que je pense. Marcel ARLAND, Monique, p. 165 (éd. 1949).

♦ **2.** Mil. XVIIIe, mais encore de façon équivoque et contradictoire, comme le montre la citation suivante :

6 Il ne sera pas inutile d'observer que les propositions et les énonciations sont quelquefois appelées *phrases :* mais *phrase* est un mot générique qui se dit de tout assemblage de mots liés entre eux, soit qu'ils fassent un sens fini, ou que ce sens ne soit qu'incomplet. Ce mot *phrase* se dit plus particulièrement d'une façon de parler, d'un tour d'expression, en tant que les mots y sont construits et assemblés d'une manière particulière.
DU MARSAIS, *in* Encycl. (DIDEROT), art. *Construction.*

Gramm. «Système d'articulations liées entre elles par des rapports phonétiques, grammaticaux, psychologiques, et qui, ne dépendant grammaticalement d'aucun autre ensemble, est apte à représenter pour l'auditeur l'énoncé complet d'une idée conçue par le sujet parlant» (Marouzeau). *La phrase peut consister en un terme unique ou prédicat* qui est l'objet essentiel de l'énoncé* (ex. : viens!), *mais contient habituellement un second terme qui est le sujet* de l'énoncé* (ex. : tu viens). *Analyse* logique de la phrase en ses diverses propositions*. La phrase du point de vue phonétique.* ⇒ **Accent** (cit. 2), **chute, coupe, membre, mot.** *Son et sens d'une phrase. Phrase simple,* composée d'une seule proposition*. *Phrase complexe,* composée d'autant de propositions qu'elle contient de prédicats. *Phrase et proposition* (→ Démarcation, cit. 4, Brunot). *Exclamation* (cit. 1) *qui tient lieu d'une phrase entière. Le mot* (cit. 3, 4 et 7) *et la phrase. Phrase nominale** (cit. 4) *et phrase verbale*. Phrases énonciatives*, assertives*, interrogatives** (→ Interrogation, cit. 5), *impératives*, exclamatives*. Phrases elliptiques** (cit. 1; → Ellipse, cit. 1). — En tant que structure syntactique (propre à chaque langue). *La phrase française* (→ Assemblage, cit. 24; désinence, cit. 2), *latine* (→ 1. Finale, cit. 1), *chinoise* (→ Idéographie, cit. 2)... *Ordre** (cit. 10) *et construction* (cit. 8) *de la phrase française.* ⇒ **Syntaxe** (→ Effet, cit. 35).

7 On peut définir la *phrase* la forme sous laquelle l'image verbale s'exprime et se perçoit au moyen de sons. Comme l'image verbale, la phrase est l'élément fondamental du langage. Ce sont des phrases que deux interlocuteurs échangent entre eux. C'est par phrases que nous avons acquis notre langage; c'est par phrases que nous parlons, par phrases aussi que nous pensons (...) Certaines phrases se composent d'un seul mot : «Viens!», «Non!», «Hélas!», «Chut!»; chacun de ces mots forme un sens complet, qui se suffit à lui-même (...) La phrase comporte tous les degrés, depuis les articulations grossières par lesquelles l'enfant formule un besoin jusqu'à l'ample période, harmonieusement balancée, dans laquelle s'enferme la pensée d'un Démosthène, d'un Cicéron ou d'un Bossuet.
J. VENDRYES, le Langage, p. 82.

La phrase exprime évidemment d'abord une unité psychologique, autrement dit un sens complet, ou plus simplement encore une pensée (...) Mais en même temps la phrase se présente de toute nécessité comme une unité formelle faite d'une combinaison, d'un arrangement de vocables. Cet ensemble se trouve matériellement délimité par deux signes de ponctuation forts, *i.e.* par deux pauses entre lesquelles se déroule, dans le cas où la phrase est parlée, sa mélodie : unité *phonologique* par conséquent. — Mais inséparablement aussi unité *stylistique,* dès l'instant que les fonctions sémantiques et phoniques se teignent d'effets de sens et d'effets de mélodie et de rythme. — Enfin cet ensemble est (...) constitué de mots euxmêmes organisés le cas échéant en groupes, voire en propositions : autrement dit la phrase est une unité *syntaxique,* plus ou moins complexe. 8
G. ANTOINE, la Coordination en français, t. I, p. 410-411.

Du fait que la phrase ne constitue pas une classe d'unités distinctives, qui seraient membres virtuels d'unités supérieures, comme le sont les phonèmes ou les morphèmes, elle se distingue foncièrement des autres entités linguistiques. Le fondement de cette différence est que la phrase contient des signes, mais n'est pas ellemême un signe. Une fois ceci reconnu, le contraste apparaît clairement entre les ensembles de signes que nous avons rencontrés aux niveaux inférieurs et les entités du présent niveau. 8.1
Les phonèmes, les morphèmes, les mots (lexèmes) peuvent être comptés; ils sont en nombre fini. Les phrases, non.
Les phonèmes, les morphèmes, les mots (lexèmes) ont une distribution à leur niveau respectif, un emploi au niveau supérieur. Les phrases n'ont ni distribution ni emploi.
Un inventaire des emplois d'un mot pourrait ne pas finir; un inventaire des emplois d'une phrase ne pourrait même pas commencer.
La phrase, création indéfinie, variété sans limite, est la vie même du langage en action.
E. BENVENISTE, Problèmes de linguistique générale, t. I, p. 129 (→ Proposition, cit.).

(...) la phrase se divise en deux parties (...) la cause appelle la conséquence, le thème le prédicat, la principale la subordonnée. 8.2
J.-M. G. LE CLÉZIO, la Fièvre, p. 146.

La phrase du point de vue du style. Stylistique de la phrase. Mouvement, rythme, cadence, harmonie (cit. 25 et 26) *de la phrase. Écrivain qui balance exactement, harmonieusement ses phrases* (→ Annuler, cit. 5). *Le nombre** (cit. 32) *d'une phrase* (→ Arrangement, cit. 6; convenance, cit. 4). *Chaque auteur* (cit. 40) *affectionne certaines coupes de phrase. Les phrases courtes, coupées du dialogue* (cit. 5). *Phrases longues, courtes. La phrase de Gide suggère plus qu'elle n'affirme* (→ Insinuation, cit. 2). *L'écrivain et la création des phrases* (→ Assouplir, cit. 7; capter, cit. 3; écrire, cit. 6; facette, cit. 4; glisser, cit. 49; notation, cit. 3). *Phrase oratoire.* ⇒ **Période.** *Phrase poétique* (→ Mesure, cit. 35). *Tour, tournure d'une phrase* (→ Nouveauté, cit. 12). *Phrase boiteuse, irrégulière, solide...* (→ Bloc, cit. 7; impropriété, cit. 2). *Écrivain dont on cite telle ou telle phrase célèbre.* ⇒ **Formule, sentence** (→ 2. Coudre, cit. 4; drapeau, cit. 3; fils, cit. 4; infamie, cit. 5) — *La phrase de Bossuet, de Saint-Simon, de Proust.* ⇒ **Style.**

Quelquefois une phrase seule occupait toute une veille; elle était prise, reprise, tordue, pétrie, martelée, allongée, raccourcie, écrite de cent façons différentes, et, chose bizarre! la forme nécessaire, absolue, ne se présentait qu'après l'épuisement des formes approximatives (...) 9
TH. GAUTIER, Portraits contemporains, «Balzac», III.

J'aime par-dessus tout la phrase nerveuse, substantielle, claire, au muscle saillant, à la peau bistrée : j'aime les phrases mâles et non les phrases femelles, comme celles de Lamartine (...) FLAUBERT, Correspondance, 87, 7 juin 1844. 10

Alors, je ruminerai mon plan qui est fait et je m'y mettrai! Et les *affres* de la phrase commenceront les supplices de l'assonance, les tortures de la période! 11
FLAUBERT, Correspondance, 551, août 1857.

(...) la petite phrase nette a le ton impérieux ou sautillant (...) la longue phrase périodique a le souffle oratoire et l'emphase majestueuse (...) 12
TAINE, Philosophie de l'art, t. II, p. 323.

La phrase de Rabelais est un orchestre où chaque mot éclate et se fond comme un instrument qui fait sa partie. Gustave LANSON, l'Art de la prose, p. 33. 13

(...) la première phrase apparut, sûre de son élan, de sa courbe et de son but, heureuse de sa longueur promise, avec les anneaux coruscants de ses *qui* et de ses *que,* avec ses parenthèses, ses fautes de grammaires (voulues), ses virgules et ses points et virgules (il la scandait tout haut : «virgule... point et virgule...») 14
MONTHERLANT, le Démon du bien, p. 275.

Les phrases dans la langue parlée, la conversation (→ Aiguiser, cit. 13; couper, cit. 10; éluder, cit. 5; former, cit. 19; gêner, cit. 27; incident, cit. 15; insistance, cit. 1). — (Dans un sens moins précis). Énoncé. *Dire, prononcer une phrase.* ⇒ **Parole** (→ Croire, cit. 38; dictionnaire, cit. 13; gamme, cit. 3). *Hacher* (cit. 12.1 et 13) *ses phrases. Chercher ses phrases* (→ Bredouiller, cit. 1). *Échanger quelques phrases.* ⇒ **Propos** (→ Échange, cit. 14). *Phrases d'un discours.* ⇒ **Tirade** (→ Ânonner, cit. 2; cadence, cit. 8). *Achever sa phrase* (→ Flou, cit. 6). *Il ne finit jamais ses phrases. Faire sonner la fin* (cit. 12) *de ses phrases.* — (Quant au sens, à l'effet). *Phrases menteuses* (→ Arrêter, cit. 64), *réticentes* (→ Contenir, cit. 14), *mielleuses* (→ Cordial, cit. 6), *passionnées* (→ Légèreté, cit. 8)... *Phrase longuement préparée* (→ Neutre, cit. 10). *Phrases d'excuse, de compliment...* (→ Passionné, cit. 12). *Phrases creuses.* ⇒ **Phraséologie,** 2.

Marivaux disait que le style a un sexe, et qu'on reconnaissait les femmes à une phrase. CHAMFORT, Caractères et Anecdotes, «Sexe du style», p. 999. 15

Il commençait à ne pas mal se tirer de la phrase sentimentale et pittoresque qu'on appelle esprit dans certains salons. STENDHAL, le Rouge et le Noir, II, XXV. 16

Spécialt (opposé aux *actes*). ⇒ **Discours, mot.** *Des actes, et non des phrases!*

♦ **3.** (1742). Mus. Succession ordonnée de périodes* venant aboutir à une cadence* (mus. class.; → Arpège, cit.; effet, cit. 32; exercer, cit. 43; fioriture, cit. 2; mélodie, cit. 3 et 4; partition, cit. 2), ou constituant un tout complet. *Phrase mélodique*, harmonique**.

Phrase principale et contrechant. Une phrase de Beethoven* (→ Émouvoir, cit. 24). Allus. littér. *La « petite phrase » de la sonate de Vinteuil dans Proust, les phrases de la musique de Vinteuil* (→ Architecture, cit. 10; banal, cit. 3; → *infra,* cit. 18, Proust).

17 C'est dans l'invention des *phrases* musicales, dans leurs proportions, dans leur entrelacement, que consistent les véritables beautés de la musique (...)
ROUSSEAU, Dict. de musique, Phrase.

18 À son entrée, tandis que Mme Verdurin (...) lui indiquait une place à côté d'Odette, le pianiste jouait, pour eux deux, la petite phrase de Vinteuil qui était comme l'air national de leur amour. Il commençait par la tenue des trémolos de violon que pendant quelques mesures on entend seuls, occupant tout le premier plan, puis tout d'un coup ils semblaient s'écarter et (...) tout au loin, d'une couleur autre, dans le velouté d'une lumière interposée, la petite phrase apparaissait, dansante, pastorale, intercalée, épisodique, appartenant à un autre monde.
PROUST, À la recherche du temps perdu, t. I, p. 294.

19 Alors vers la droite, du côté où sont les sources, des rossignols se mirent à chanter, lançant d'abord trois appels virils, puis déroulant leur phrase festonnée et brodée, qu'ils répètent trois fois, dans trois tons voisins.
ALAIN, Propos, 11 juin 1910, Prairial.

20 L'une des phrases de ce choral *(de Bach)* me touche toujours au plus secret de l'âme. C'est la phrase du courage retrouvé. C'est la phrase de l'espoir renaissant.
G. DUHAMEL, l'Inventaire de l'abîme, II.

DÉR. Phraséologie, phraser, phrastique.
COMP. (Du même rad.) **Antiphrase, métaphrase, paraphrase, périphrase.**

PHRASÉ [fʀaze] n. m. — Av. 1778; de *phraser.*

♦ **1.** Mus. Art, manière de phraser. *Un bon, un mauvais phrasé. Le phrasé d'un chanteur* (⇒ **Chant**), *d'un pianiste.*

Le *phrasé* consiste à faire entendre une *phrase* musicale, une mélodie (c'est-à-dire une série de notes accompagnées ou non de paroles), d'une façon homogène, nette et impeccablement juste, en faisant bien valoir ses contours et ses nuances, en respectant sa ponctuation (c'est-à-dire ses arrêts plus ou moins longs), tout en lui donnant *l'accent* et *les accents* imposés par le sentiment de la musique, et s'il s'agit d'un chant avec paroles, par la signification des mots.
Initiation à la musique, p. 140.

♦ **2.** (XXe). Art de construire harmonieusement un discours.

PHRASÉOLOGIE [fʀazeɔlɔʒi] n. f. — 1778; comp. sav. du grec *phrasis, -eôs,* et suff. *-logie.* → Phrase.

♦ **1.** (1812). Système d'expressions (terminologie et particularités syntactiques) propre à un écrivain, à une langue, un milieu, une époque. ⇒ **Style, terminologie.** *La phraséologie judiciaire, administrative.* — (Déb. XXe). Spécialt. Recueil de locutions (destiné à l'enseignement des langues, etc.). *Une phraséologie française.*

1 (...) Gaston écrivit à madame de Beauséant la lettre suivante, qui peut passer pour un modèle de la phraséologie particulière aux amoureux (...)
BALZAC, la Femme abandonnée, Pl., t. II, p. 229.

2 J'ai regretté que Lerminier, dans l'article plein de verve qu'il a lancé à vos opposants, n'ait fait aucun pas au-devant de vous, hors de son idéologie et de sa phraséologie particulière, et qu'il ait prétendu juger les *Paroles d'un croyant* dans les limites de son propre terrain.
SAINTE-BEUVE, Correspondance, 398, 5 sept. 1834.

♦ **2.** Littér. Emploi de phrases et de grands mots vides de sens, discours creux et pompeux. ⇒ **Bavardage.** *Phraséologie vague* (→ Gâteux, cit. 2; jongler, cit. 2). *Ce n'est que de la phraséologie, il n'y a pas la moindre idée dans tout cela.*

3 Un style dans lequel se trouvent les mots de Dieu, de vertu, de liberté, est puissant : il plaît aux hommes, les rassure et les console; combien il est supérieur à ces phrases affectées, tristement empruntées des locutions païennes, et fatalisées à la turque : *il fit, ils ont été, la fatalité les entraîne!* phraséologie stérile, toujours vaine, alors même qu'elle est appuyée sur les plus grandes actions.
CHATEAUBRIAND, Mémoires d'outre-tombe, t. III, p. 218.

4 Ce qui l'exaspérait surtout dans ces œuvres, c'était leur mensonge. Rien de senti. Une phraséologie apprise par cœur, une rhétorique d'écolier : il parlait de l'amour, comme un aveugle des couleurs; il en parlait par ouï-dire, en répétant les niaiseries courantes.
R. ROLLAND, Jean-Christophe, La révolte, I, p. 380.

DÉR. Phraséologique.

PHRASÉOLOGIQUE [fʀazeɔlɔʒik] adj. — 1839; de *phraséologie.*

♦ **1.** Littér. Empreint de phraséologie (2.). *Une analyse bien phraséologique de la situation politique.*

♦ **2.** Ling. Qui concerne les locutions. *Dictionnaire phraséologique.*

PHRASER [fʀaze] v. tr. et intr. — 1755; de *phrase.*

♦ **1.** Mus. Délimiter par le mode d'exécution (musique instrumentale) ou ponctuer par des respirations (musique vocale) les périodes successives du discours musical. ⇒ **Phrasé,** 1. *Pianiste, chanteur qui phrase bien un air, un passage.* — Absolt. *Savoir phraser.*

1 Ô jeune fille à la voix perlée! — tu ne sais pas *phraser* comme au Conservatoire; — *tu ne sais pas chanter,* ainsi que dirait un critique musical (...)
NERVAL, Nuits d'octobre, X.

♦ **2.** (Vx). Articuler en détachant les phrases, les membres de phrase; débiter à la façon d'un acteur. *Phraser un dialogue* (cit. 5).

2 Ce fonctionnaire attendait près de la cheminée le moment de remercier le Secrétaire général, dont la retraite brusque et imprévue le surprit au moment où il allait phraser un compliment.
BALZAC, les Employés, Pl., t. VI, p. 896.

♦ **3.** V. intr. Régional. Faire des phrases. (On rencontre aussi le dér. péj. *phrasouiller*).

Arrête de phraser! Je te dis que tu m'énerves. 3
Jean FOLLONIER, la Sommelière, p. 22.

DÉR. Phrasé, phraseur.

PHRASEUR, EUSE [fʀazœʀ, øz] n. — 1788; *phrasier* en 1736; de *phraser.*

♦ Faiseur de phrases*, de vains discours. ⇒ **Bavard, déclamateur, parleur, rhéteur.** *Phraseur et insincère* (cit.). *Un phraseur grandiloquent, verbeux.* — Adj. Qui dénote le goût de la déclamation. *Rôles phraseurs et héroïques* (cit. 9) *au théâtre.* ⇒ **Déclamatoire, grandiloquent.** — REM. Le mot est peu usité au féminin.

Tyrtée, c'est le raseur, c'est l'annaliste à gages, c'est le rhétoricien politique, c'est le guerrier en pantoufles qui célèbre l'héroïsme sans bouger de chez lui, c'est le phraseur qui fait les beaux discours destinés à abuser les niais (...)
Paul LÉAUTAUD, le Théâtre de M. Boissard, XXIII.

PHRASTIQUE [fʀastik] adj. — V. 1960; de *phrase,* d'après le grec *phrasticos,* adjectif.

♦ Ling. De la phrase, relatif à la phrase. *Les structures phrastiques.*

PHRATRIE [fʀatʀi] n. f. — 1842; déjà *phratriarque* « chef d'une phratrie » au XVIIIe; du grec *phratria.*

Didactique.

♦ **1.** Antiq. grecque. Division de la tribu* chez les Athéniens. *Les quatre tribus primitives comprenaient chacune trois phratries.*

♦ **2.** (XXe). Sociol. Groupe de clans, dans une tribu ou un groupe de tribus. *Les phratries sont généralement exogamiques.*

Lorsqu'une tribu ou un groupe de tribus comprend plusieurs clans, ceux-ci se groupent presque toujours en phratries. Seuls les membres de phratries différentes peuvent se marier entre eux.
Gaston BOUTHOUL, Traité de sociologie, p. 204.

REM. Á distinguer de *fratrie*.*

PHRÉATICOLE [fʀeatikɔl] adj. — Mil. XXe; de *phréatique,* et *-cole.*

♦ Didact. Qui vit dans les nappes d'eau souterraines. ⇒ **Phréatique.**

PHRÉATIQUE [fʀeatik] adj. — 1887, Daubrée; dér. sav. du grec *phreas, -atos* « puits ».

♦ Didact. *Nappe phréatique :* nappe* d'eau souterraine qui alimente des sources.

Les *nappes libres* ordinaires (*nappes phréatiques* de DAUBRÉE) sont des nappes profondes dont la surface est généralement assez éloignée de la surface du sol, et qui sont peu sensibles à l'évaporation.
E. DE MARTONNE, Traité de géographie physique, t. I, p. 454.

PHRÉATOBIOLOGIE [fʀeatobjɔlɔʒi] n. f. — V. 1960; de *phréato-* (→ Phréatique), et *biologie.*

♦ Didact. Étude des animaux phréaticoles. ⇒ **Limnologie.**

PHRÉNIQUE [fʀenik] adj. — 1654; dér. sav. du grec *phrên, phrenos* « diaphragme ».

♦ Anat. Qui appartient ou qui a rapport au diaphragme*. *Artères phréniques. Nerf phrénique* (ou, n. m., *le phrénique*), provenant du plexus nerveux cervical et qui fournit l'innervation motrice du diaphragme.

PHRÉNOLOGIE [fʀenɔlɔʒi] n. f. — 1810, Spurzheim, qui désigna par ce mot ce que Gall avait appelé d'abord craniologie*; comp. sav. du grec *phrên,* au pluriel « intelligence », et suff. *-logie.*

♦ Anciennt. Théorie de Gall, « d'après laquelle l'inspection et la palpation du crâne et la recherche de ses protubérances (ou bosses*) permettraient de connaître les facultés et instincts dominants chez un sujet, d'après un système hypothétique de localisations* cérébrales » (Garnier). *La phrénologie fut en vogue dans la première moitié du XIXe siècle.*

La phrénologie et la physiognomonie, la science de Gall et celle de Lavater, qui sont jumelles, dont l'une est à l'autre ce que la cause est à l'effet, démontraient aux yeux de plus d'un physiologiste les traces du fluide insaisissable, base des phénomènes de la volonté humaine, et d'où résultent les passions, les habitudes, les formes du visage et celles du crâne.
BALZAC, Ursule Mirouët, Pl., t. III, p. 318.

DÉR. Phrénologique.

PHRÉNOLOGIQUE [fʀenɔlɔʒik] adj. — 1828; de *phrénologie.*

♦ Vx. Relatif à la phrénologie. *Observations phrénologiques* (→ Nez, cit. 16).

Il crut pouvoir le plaindre d'être une haute intelligence mal dirigée peut-être (...) lui trouva un front de génie et lui demanda la permission de lui tâter la tête, pour en examiner les bosses phrénologiques. NERVAL, Mes prisons.

DÉR. Phrénologiquement.

PHRÉNOLOGIQUEMENT [fʀenɔlɔʒikmɑ̃] adv. — 1836; de *phrénologique.*

♦ Vx. Du point de vue de la phrénologie.

PHRÉNOLOGISTE [fʀenɔlɔʒist] ou **PHRÉNOLOGUE** [fʀenɔlɔg] n. — 1829, *phrénologiste; phrénologue,* 1842; de *phrénologie.*

♦ Vx. Personne qui s'occupe de phrénologie; partisan des théories phrénologiques.

PHRYGANE [fʀigan] n.f. — 1654; lat. *phryganius,* nom d'insecte, du grec *phruganion* «petit bois sec».

♦ Zool. Insecte névroptère *(Phryganidés),* dont les larves aquatiques au corps mou sont enfermées dans des fourreaux (⇒ **Indusie**) variés (d'où les noms divers de *porte-bois, porte-feuille,* etc. que leur donnent les pêcheurs qui les utilisent comme appâts). *La phrygane adulte a l'aspect de certains papillons de nuit.*

PHRYGIEN, ENNE [fʀiʒjɛ̃, ɛn] adj. et n. — 1562; du lat. *Phrygius,* grec *Phrugios,* de *Phrugia* «Phrygie», contrée d'Asie Mineure.

♦ Antiq. grecque. Qui appartient à la Phrygie. — (1546). Spécialt. (mus.). *Mode* phrygien.* — Hist. *Bonnet* phrygien* (semblable à celui que portaient les anciens Phrygiens et, à Rome, les esclaves affranchis). *Buste de femme au bonnet phrygien, emblème* de la République française.*

Leurs têtes étaient surmontées d'une sale toque en laine rouge, semblable à ce bonnet phrygien que la République adoptait alors comme emblème de la liberté. BALZAC, les Chouans, Pl., t. VII, p. 766.

PHRYNÉ [fʀine] n.f. — XVIIe; du grec *Phrunê,* nom d'une courtisane grecque du IVe siècle av. J.-C., célèbre par sa beauté.

♦ Vx, littér. *Une phryné.* ⇒ **Courtisane.**

Quand la virginité
Disparaîtra du ciel, j'aimerai des statues.
Le marbre me va mieux que l'impure Phryné
Chez qui les affamés vont chercher leur pâture,
Qui fait passer la rue au travers de son lit,
Et qui n'a pas le temps de nouer sa ceinture
Entre l'amant du jour et celui de la nuit.
A. DE MUSSET, Premières poésies, «La coupe et les lèvres», Invocation.

PHTALÉINE [ftalein] n.f. — 1874; tiré de *phtal-,* du mot *naphtalène*,* et suff. *-ine.*

♦ Chim. Composé obtenu par l'union de l'anhydride phtalique* et d'un phénol et qui, en se dissolvant dans les solutions alcalines, prend des colorations vives. *Utilisation des phtaléines comme substances colorantes.* ⇒ **Fluorescéine.** — Absolt. *Phtaléine* se dit de la *phtaléine du phénol* (ordinaire), utilisée en analyse chimique comme indicateur coloré.

PHTALIQUE [ftalik] adj. — 1869; tiré de *phtal-,* du mot *naphtalène*.*

♦ Chim. Se dit de certains dérivés du naphtalène*. *Acides phtaliques :* biacides isomères (formule $CO_2H\text{-}C_6H_4\text{—}CO_2H$) dont le plus important est *l'acide phtalique ordinaire* ou *orthophtalique,* obtenu par oxydation du naphtalène ou du tétrachlorure de naphtalène. *Anhydrides phtaliques* ou diméthylbenzènes, dérivés des acides phtaliques par élimination de l'eau. *L'anhydride phtalique* est l'anhydride orthophtalique.

PHTIRIASIS [ftiʀjazis] n.m. ou **PHTIRIASE** [ftiʀjaz] n. f. — XVIe, *phtiriasis; phtiriase,* 1611; lat. *phtiriasis,* du grec *phtheiriasis,* de *phtheir* «pou».

♦ Méd. Dermatose* provoquée par la présence de poux* sur le corps. ⇒ **Pédiculaire** (maladie). *Phtiriase du pubis, du cuir chevelu.* Vétér. Affection cutanée provoquée par les poux piqueurs (anoploures) et broyeurs (mallophages).

PHTIRIUS [ftiʀjys] ou **PHTIRUS** [ftiʀys] n.m. — 1903, *phtirius; phtirus,* XXe; *phtyrie,* 1875; du lat. sc. mod., du grec *phtheir* «pou».

♦ Didact. Pou du pubis. ⇒ **Morpion.**

PHTISIE [ftizi] n.f. — 1545; *ptisis, tesie, tisie* en anc. franç.; du lat. *phtisis,* mot grec, proprt «consomption».
Médecine.

♦ **1.** (1694). Vx. Toute forme de consomption. ⇒ **Étisie.**

♦ **2.** (XVIIe, Bayle). Vx. Méd. Forme consomptive de la tuberculose pulmonaire. — Par ext. (Vieilli sauf dans quelques expressions). Tuberculose* pulmonaire (→ Empoisonner, cit. 20; magnétiser, cit. 1; pardonner, cit. 16). *Phtisie aiguë :* forme aiguë de la tuberculose. *Phtisie ulcéreuse* ou *chronique :* forme commune de la tuberculose. *Phtisie galopante :* forme rapide de la phtisie ulcéreuse. — (1812). *Phtisie laryngée :* laryngite* tuberculeuse. — (1694). *Phtisie dorsale :* mal* de Pott. — Vétér. *Phtisie calcaire des bovins.*

Nello contractait l'habitude de toussoter, et cette petite toux, qui n'avait cepen- 1
dant rien d'inquiétant, réveillait dans la mémoire de Gianni un souvenir, le souvenir que leur mère était morte d'une phtisie.
Ed. DE GONCOURT, les Frères Zemganno, XXXIV.

(...) tu avais perdu deux frères, tous deux emportés au moment de l'adolescence 2
par la phtisie. F. MAURIAC, le Nœud de vipères, I, IV.

La tuberculose frappe les hommes à tout âge (...) La phtisie, connue des anciens, 3
est l'une des formes de ses attaques. Mais ce n'est pas la seule (...)
Jacques DELARUE, la Tuberculose, p. 61.

L'état pulmonaire s'aggrava et c'est avec les symptômes d'une phtisie à forme 4
bronchopneumonique que le malade succomba le 17 février 1917.
B. CENDRARS, Moravagine, *in* Œ compl., t. IV, p. 258.

Par métaphore. → Monachisme, cit.

COMP. Phtisiologie.

PHTISIOLOGIE [ftizjɔlɔʒi] n.f. — 1715; de *phtisie,* et *-logie.*

♦ Méd. Partie de la médecine qui étudie la tuberculose.

DÉR. Phtisiologue, phtisiologique.

PHTISIOLOGIQUE [ftizjɔlɔʒik] adj. — 1836; de *phtisiologie.*

♦ Méd. De la phtisiologie.

PHTISIOLOGUE [ftizjɔlɔg] n.m. — XXe; de *phtisiologie.*

♦ Méd. Médecin spécialiste en phtisiologie, dans le traitement de la tuberculose pulmonaire.

Le professeur Letulle était phtisiologue et cela signifie qu'il étudiait particulièrement la tuberculose pulmonaire. G. DUHAMEL, le Temps de la recherche, VIII.

PHTISIQUE [ftizik] adj. et n. — 1538; *tisique, thisique,* en anc. franç.; du lat. *phtisicus,* grec *phthisikos.* → Phtisie.

♦ Vieilli. Atteint de phtisie. ⇒ **Tuberculeux.** *« Négresse* (cit. 2) *amaigrie et phtisique »* (Baudelaire). — N. *Un, une phtisique.*

PHYCO- Premier élément de nombreux composés savants, du grec *phukos* «algue». ⇒ **Algo-.**

PHYCOCYANINE [fikosjanin] n. f. — Déb. XXe; *phycocyane,* 1869; de *phyco-,* et grec *kuanos* «bleu sombre».

♦ Biochim. Pigment bleuté que l'on extrait des algues bleues et qui est employé comme matière colorante.

PHYCOÉRYTHRINE [fikoeʀitʀin] n. f. — Déb. XXe; de *phyco-,* et grec *eruthros* «rouge».

♦ Biochim. Pigment protéique qui donne une couleur rouge à quelques espèces d'algues.

PHYCOÏDÉES [fikɔide] n. f. pl. — 1842, Barré; de *phyco-, -oïd(e),* et désinence d'adjectif.

♦ Bot. Algues brunes *(Phéophycées* ou *Fucacées*).* — Au sing. *Une phycoïdée.*

PHYCOLOGIE [fikɔlɔʒi] n. f. — 1841, *in* Cottez; de *phyco-,* et *-logie.*

♦ Sc. Partie de la botanique consacrée à l'étude des algues. ⇒ **Algologie.**

DÉR. Phycologique, phycologiste.

PHYCOLOGIQUE [fikɔlɔʒik] adj. — 1875; de *phycologie.*

♦ Sc. Relatif à la phycologie. ⇒ **Algologique.**

PHYCOLOGISTE [fikɔlɔʒist] ou **PHYCOLOGUE** [fikɔlɔg] n. — 1877; de *phycologie.*

♦ Spécialiste de phycologie. ⇒ **Algologue.**

PHYCOMYCÈTES [fikomisɛt] n. m. pl. — Déb. xxe; *phycomyce,* 1828; de *phyco-,* et *-mycète.*

♦ Bot. Groupe de champignons dont le mode de reproduction rappelle celui de certaines algues. ⇒ **Siphomycètes.** — Au sing. *Un phycomycète.*

PHYCOMYCOSE [fikomikoz] n. f. — Mil. xxe; de *phyco-,* et *mycose.*

♦ Méd. Mycose due à des champignons inférieurs.

PHYCOPHÉINE [fikofein] n. f. — Déb. xxe; de *phyco-,* et grec *phaios* «brun».

♦ Biochim. Pigment qui donne une couleur brune à quelques espèces d'algues.

REM. On dit aussi *phycoxanthine* [fikogzɑ̃tin] n. f. (1875; du grec *xanthos* «jaune»).

PHYCOXANTHINE [fikogzɑ̃tin] n. f. ⇒ **Phycophéine.**

PHYLACTÈRE [filaktɛʀ] n. m. — 1553; *filatire,* v. 1160; *filatiere, philatere,* XIIIe; du lat. ecclés. *phylacterium,* grec *phulaktêrion,* employé pour traduire l'hébreu *tephîlîn.*

♦ **1.** (1611). Vx. Amulette, talisman (relique, fragment d'un texte saint).

1 Parfois, répliqua Sigognac, tous les enchantements sont vains et l'ennemi pénètre en la place malgré les phylactères, les tétragrammes et les abracadabras.

Th. GAUTIER, le Capitaine Fracasse, XI.

♦ **2.** Didact. Petite boîte carrée, de parchemin ou de cuir, renfermant des bandes de parchemin ou de vélin sur lesquelles sont inscrits des versets de la Bible, que portaient les Juifs pieux à l'époque de Jésus, et que portent encore les Juifs orthodoxes pendant la prière du matin, au bras et au front.

2 Ils *(les Pharisiens)* devaient, partout, se faire remarquer par leur austérité, leur air grave, les «phylactères» qu'ils portaient aux tempes tout le jour (alors que le simple Juif ne mettait que pour prier ces petites boîtes contenant des versets de la Loi)...

DANIEL-ROPS, Jésus en son temps, III, p. 164.

♦ **3.** (Déb. xxe). Archéol. Banderole à extrémités enroulées portant des légendes du sujet représenté, que les imagiers du moyen âge ou de la Renaissance mettaient dans les marges des manuscrits ou auprès des personnages de l'image.

(xxe). Par ext. Didact. Ballon, bulle (d'une bande dessinée). ⇒ 1. **Bulle** (*supra* cit. 8).

PHYLACTIQUE [filaktik] adj. — Mil. xxe; du grec *phulaktikos.*

♦ Didact. (physiol.). Relatif à la propriété désensibilisante de certaines substances (indépendamment de leurs propriétés pharmacodynamiques). *Action phylactique du bismuth.* — *Réaction phylactique :* réaction de défense de l'organisme contre des germes agresseurs.

PHYLARCHIE [filaʀʃi] n. f.— 1869; du grec *phularkhia* «commandement d'un groupe de cavalerie».

♦ Antiq. grecque. Fonction, dignité de phylarque*.

PHYLARQUE [filaʀk] n. m. — 1732, Trévoux; du lat. *phylarchus,* grec *phularkhos.*

♦ Antiq. grecque. Président d'une tribu, à Athènes; commandant d'un corps de cavalerie fourni par une tribu.

PHYLAXIE [filaksi] n. f. — V. 1930; grec *phulaxis* «protection».

♦ Physiol. Pouvoir de défense de l'organisme contre les infections. *La phylaxie comprend la phagocytose et la formation d'anticorps.*

PHYLÉTIQUE [filetik] adj. — 1874, trad. de Haeckel, *l'origine phylétique (...) du genre humain;* de l'all. → Phylum.

♦ Relatif aux modes de formation des espèces, au phylum.

DÉR. **Phylétiquement.**

PHYLÉTIQUEMENT [filetikmɑ̃] adv. — 1970; de *phylétique,* et 1. *-ment.*

♦ Didact. Relativement à la phylogénèse.

PHYLL-, -PHYLLE, PHYLLO- Éléments de composés savants, du grec *phullon* «feuille». ⇒ **Phyllade, phyllanthe, phyllie, phyllopodes, phylloxéra; aphylle, chlorophylle, épiphylle, kentrophylle, monophylle, myriophylle, sarcophylle, triphylle, xanthophylle, zygophylle.**

PHYLLADE [filad] n. m. — 1839; du grec *phullas, phullados* «feuillage, lit de feuilles». → Phyll-, -ade.

♦ Didact. «Schiste* dur et luisant, généralement quartzeux, où la recristallisation de l'argile (...) donne un aspect soyeux à la roche» (Lexique de pétrographie, *in* La Terre, *Encycl. Pléiade*). *Certaines ardoises sont des variétés de phyllades.*

PHYLLANTHE [filɑ̃t] n. m. — 1765, *Encyclopédie, phyllanthus;* du lat. *phyllanthes.* → Phyll-, -anthe.

♦ Bot. Plante dicotylédone (*Euphorbiacées**), arbrisseau à rameaux élargis.

HOM. **Filante, philante.**

PHYLLIE [fili] n. f. — 1812; de *phyll-,* et *-ie.*

♦ Zool. Insecte orthoptère* marcheur *(Phasmidés*),* au corps aplati, aux larges élytres couverts de nervures, remarquable par son adaptation mimétique qui le fait ressembler à une feuille.

PHYLLO- ⇒ **Phyll-.**

PHYLLOPODES [fi(l)lɔpɔd] n. m. pl. — 1823, Boiste; de *phyllo-* au sens de «aplati (comme une feuille)», et *-pode.*

♦ Zool. *Les phyllopodes :* l'une des deux divisions des crustacés* branchiopodes. — Au sing. *Un phyllopode.*

PHYLLOSPONDYLES [fi(l)lospɔ̃dil] n. m. pl. — xxe; de *phyllo-,* et *spondyle.*

♦ Didact. (paléont.). Groupe d'amphibiens fossiles. (Syn. : *branchiosaures).* — Au sing. *Un phyllospondyle.*

PHYLLOTAXIE [fi(l)lotaksi] n. f. — xxe; *phyllotaxis,* 1875; de *phyllo-,* et grec *taxis* «arrangement».

♦ Bot. Disposition des feuilles sur la tige des plantes; manière particulière dont elles s'insèrent (dans une espèce, etc., donnée).

PHYLLOXÉRA ou **PHYLLOXERA** [filɔkseʀa] n. m. — 1869, Planchon, in *Année sc. et industr.* (1870, p. 517); lat. mod., de *phyllo-,* et grec *xeros* «sec», proprt «qui dessèche les feuilles».

♦ **1.** Zool. Cour. Insecte hémiptère aphidien, puceron parasite dont les piqûres sur les racines de la vigne font naître des nodosités qui en quelques années provoquent la mort du cep. *Le phylloxéra de la vigne fut importé accidentellement avec des ceps américains en France vers 1865.*

♦ **2.** (1875). Maladie de la vigne due à cet insecte.

(...) ce fut une grande épreuve pour sa conscience lorsque le phylloxéra en 1880 détruisit les vignobles charentais. Les souches des vignes arrachées s'entassaient dans les bûchers; les petites chaudières paysannes étaient éteintes (...) C'est à cette époque, après le désastre du phylloxéra et parmi la ruine des campagnes, que s'édifièrent, dans les villes, des fortunes inconnues jusqu'alors. L'emploi de l'alcool du Nord permit de composer un produit moins cher pour une clientèle plus nombreuse.

J. CHARDONNE, les Destinées sentimentales, p. 13.

DÉR. **Phylloxéré, phylloxérien** ou **phylloxérique.**

PHYLLOXÉRÉ, ÉE [filɔkseʀe] adj. — 1873; de *phylloxéra.*

♦ Atteint par le phylloxéra. *Vignes phylloxérées traitées par le sulfure de carbone.* ⇒ **Sulfatage.**

PHYLLOXÉRIEN, IENNE [filɔkseʀjɛ̃, jɛn] ou **PHYLLOXÉRIQUE** [filɔkseʀik] adj. — 1871, *phylloxérien; phylloxérique,* 1875; de *phylloxéra.*

♦ Didact. Propre au phylloxéra; qui est dû au phylloxéra, qui en résulte.

PHYLOGÉNÈSE [filɔʒenɛz] ou **PHYLOGENÈSE** [filɔʒənɛz] n. f. — 1874, trad. de Haeckel; var. *phylogénie,* 1874, *ibid.;* d'après l'all., du grec *phulon* «race, tribu», et *-génèse, -genèse.*

Biologie.

♦ **1.** Mode de formation des espèces, développement, généalogie de l'espèce (par oppos. à *ontogénèse** ; → Onto-, cit. 2).

♦ **2.** (xxᵉ). Partie de la biologie qui traite de cette évolution. *La phylogénèse s'appuie sur l'étude des fossiles*.*

DÉR. Phylogénétique.

PHYLOGÉNÉTIQUE [filɔʒenetik] adj. et n. f. — 1874; var. *phylogénique*; de *phylogénèse*.

Biologie.

♦ **1.** Adj. De la phylogénèse, qui a rapport à la phylogénèse.

♦ **2.** N. f. Branche de la génétique qui étudie les modifications d'ordre génétique qui se produisent au sein des espèces (animales, végétales).

DÉR. Phylogénétiquement.

PHYLOGÉNÉTIQUEMENT [filɔʒenetikmɑ̃] adv. — 1874; de *phylogénétique*.

♦ Du point de vue phylogénétique.

(...) ne pas avoir à penser avec ses dix doigts équivaut à manquer d'une partie de sa pensée normalement, philogénétiquement humaine.
A. LEROI-GOURHAN, le Geste et la Parole, t. II, p. 62.

PHYLUM [filɔm] n. m. — 1874; d'après l'all.; du grec *phulon* «race, tribu».

♦ Biol. Souche primitive d'où est issue une série généalogique (cit. 2); suite des formes revêtues par les ascendants d'une espèce. *Relatif au phylum.* ⇒ **Phylétique.** — Plur. *Des phylums* ou *des phyla* (plur. lat.). *« Tous les phyla actuels (à l'exception d'un seul) possédant des squelettes persistants sont apparus dès la fin du Cambrien »* (*la Recherche*, juin 1980, p. 669).

Zool. Syn. mod. de *embranchement.*

DÉR. (Du même rad.) **Phylétique.**

PHYNANCES [finɑ̃s] n. f. pl.

♦ Orthographe plaisante de *finances** (chez Jarry, parfois reprise).

PHYSALIE [fizali] n. f. — 1803; du grec *phusaleos* «gonflé».

♦ Zool. Animal cœlentéré* de la classe des Hydroméduses *(Siphonophores)*, formé d'un flotteur caréné en dessus et continué par un stolon allongé le long duquel sont fixés des polypes de teinte violette. *La physalie est appelée aussi* galère*, argonaute, poumon marin.

PHYSALIS [fizalis] n. m. — 1839, *physalide*; grec *phusalis*, de *phusan* «gonfler», à cause de la forme de la fleur.

♦ Bot. Plante *(Solanacées)* originaire d'Amérique, dont plusieurs espèces (et notamment l'alkékenge*) sont ornementales. — Spécialt. L'alkékenge* *(Physalis alkekengi)* lui-même.

-PHYSE Dernier élément de mots savants, du grec *phusis* «croissance, production». ⇒ **Apophyse, diaphyse, épiphyse, hypophyse.**

PHYSICALISME [fizikalism] n. m. — 1934; all. *Physicalismus*, 1931, Carnap; dér. sav. du lat. *physicalis*, de *physica*. → 2. Physique.

♦ Philos. Doctrine empiriste selon laquelle les sciences humaines doivent s'exprimer dans le vocabulaire des sciences physiques et s'inspirer de leur méthodologie.

D'un tel point de vue, qui est celui des tendances les plus actuelles de la psychologie, il s'est produit une sorte de renversement assez impressionnant par rapport au physicalisme classique : la théorie de l'information, née de considérations essentiellement humaines, s'est trouvée converger en partie, mais de façon remarquable par son appareil formel et mathématique, avec les équations fondamentales de la thermodynamique concernant l'entropie.
J. PIAGET, Épistémologie des sciences de l'homme, p. 168-169.

DÉR. Physicaliste.

PHYSICALISTE [fizikalist] adj. — Mil. xxᵉ; de *physicalisme.*

♦ Philos. Du physicalisme.

PHYSICIEN, IENNE [fizisjɛ̃, jɛn] n. — 1155, *fisicien*, adj., «naturel»; de 2. *physique.*

♦ **1.** N. m. (1538). Vx. (Celui) «qui connaît et qui étudie la Nature, qui rend raison de ses effets» (Diderot, *Encyclopédie*). ⇒ 2. **Physique** (1.); → Généraliser, cit. 4. *Physicien qui classe les plantes* (→ Arrangement, cit. 3), *qui étudie la génération* (cit. 1) *des animaux. Plusieurs physiciens soutiennent qu'il n'y a point de miracles* (cit. 3, Voltaire).

Vx. Médecin.

Ceux que nous nommons aujourd'hui médecins étaient par nos ancêtres appelés physiciens. 1
É. PASQUIER, Recherches, VIII, 6, *in* HUGUET, p. 59.

— La lamproie ne vous vaut rien, répondit le *physicien.* Ce nom, récemment substitué à celui de *maître myrrhe (sic)*, est resté aux docteurs en Angleterre. Le titre était alors donné partout aux médecins. 2
BALZAC, Maître Cornélius, Pl., t. IX, p. 937.

♦ **2.** N. (1680). Mod. Personne qui s'occupe de physique* (2. Physique, 2.) : astrophysicien, atomiste, électricien, électronicien, mécanicien, opticien... *Les physiciens et les chimistes* (cit. 2). *Physicien qui étudie la pesanteur* (→ Corps, cit. 3). *Le temps du physicien et la durée* (cit. 7) *psychologique. Physiciens de l'atome* (cit. 18). ⇒ **Atomiste.**

Le physicien étudie à part dans son cabinet, sur de petits exemples choisis, les lois de la pesanteur, de la chaleur, la formation des vapeurs, leur congélation, leur liquéfaction. 3
TAINE, De l'intelligence, t. I, p. 20.

COMP. Astrophysicien.

PHYSICISME [fizisism] n. m. — 1808; de 2. *physique.*

♦ **1.** Philos. Doctrine philosophique selon laquelle tout phénomène est fondamentalement un événement physique localisé et daté.

♦ **2.** (xxᵉ). Didact. (Hist. de la philos.). Doctrine de l'école physicienne de l'Ionie antique.

DÉR. Physiciste.

PHYSICISTE [fizisist] adj. et n. — V. 1820, adj.; de *physicisme.*

♦ Philos. Relatif au physicisme (1.). *Thèse physiciste.* — N. (1888). Partisan du physicisme.

PHYSICO- Élément, tiré de 2. *physique*, qui sert à former des mots composés.

PHYSICOCHIMIE [fizikoʃimi] n. f. — 1845, écrit *physico-chimie*; de *physico-*, et *chimie.*

♦ Sc. Branche du savoir à la limite de la physique et de la chimie; science expérimentale qui emprunte ses concepts, ses modèles, ses techniques, etc., à la fois à la physique et à la chimie. *« L'application d'acquisitions des mathématiques et de la physicochimie à des problèmes rencontrés dans l'étude des êtres vivants »* (*la Recherche*, mars 1980, p. 369).

(...) il *(Guyénot)* reconnaissait que notre physique, notre chimie, — et il insistait sur ce *notre* — sont impuissantes à rendre compte de toutes les propriétés vitales. Cette lumière que la physico-chimie *actuelle* est incapable de nous donner, il nous est permis de l'attendre d'une physico-chimie plus poussée et plus pénétrante. La conception mécaniste de la vie est loin d'avoir épuisé sa fécondité.
Jean ROSTAND, la Vie et ses problèmes, p. 156.

DÉR. Physicochimique, physicochimiste.

PHYSICOCHIMIQUE [fizikoʃimik] adj. — 1855, *physico-chimique*; de *physicochimie.*

♦ Sc. Qui participe à la fois de la physique et de la chimie; qui relève de la physicochimie. *Phénomènes physicochimiques* (→ Eau, cit. 9). *Les phénomènes biologiques et leurs conditions physicochimiques. Facteurs physicochimiques dont dépend l'activation de l'œuf* (→ Parthénogénèse, cit. 3). *Parallélisme* (cit. 2) *des manifestations physiologiques* et physicochimiques.*

PHYSICOCHIMISTE [fizikoʃimist] n. — 1903, *physico-chimiste, Rev. gén. des sc.*, nº 20, p. 1060; de *physicochimie.*

♦ Sc. Spécialiste de la physicochimie. *Des physicochimistes.*

PHYSICOMATHÉMATIQUE ou **PHYSICO-MATHÉMATIQUE** [fizikomatematik] n. f. — 1630, adj., *physico-mathématique*; 1749, n.; de *physico-*, et *mathématique.*

♦ Hist. des sc. «Partie de la physique où l'on réunit l'observation et l'expérience au calcul mathématique» (Diderot, *Encyclopédie*). — Adj. *Sciences physico-mathématiques.* — Mod. Mathématiques appliquées à la physique (on dit plutôt : *physique mathématique*).

Elle *(la physique)* diffère des sciences physico-mathématiques, en ce qu'elle n'est proprement qu'un recueil raisonné d'expériences et d'observations; au lieu que celles-ci, par l'application des calculs mathématiques à l'expérience, déduisent quelquefois d'une seule et unique observation un grand nombre de conséquences qui tiennent de bien près par leur certitude aux vérités géométriques.
D'ALEMBERT, *in* Encycl., Discours préliminaire.

PHYSICOTHÉOLOGIQUE [fizikoteɔlɔʒik] adj. — 1913; de *physico-*, et *théologique.*

♦ Théol. *Preuve physicothéologique de l'existence de Dieu*, par laquelle on montre l'ordre, l'unité, la finalité du monde, dont on refuse d'attribuer l'existence au hasard.

PHYSIO- Élément tiré du grec *phusis* « nature », entrant dans la composition de mots savants, tirés du grec ou formés directement en français.

PHYSIOCRATE [fizjɔkʀat] n. m. — 1758; de *physio-*, et *-crate.*

♦ Hist. Se dit de divers économistes du XVIIIe siècle, spécialt, des disciples de Quesnay. ⇒ **Physiocratie** (cit. 2). *Le libéralisme* des physiocrates* (→ « Laissez* faire, laissez passer »). *Les physiocrates, considérés comme les véritables fondateurs de l'économie politique* (→ Libéral, cit. 10).

Les Physiocrates ont été les premiers qui ont eu une vision d'ensemble de la science sociale, dans le sens plein de ce mot, c'est-à-dire qui ont affirmé que les faits sociaux étaient liés par des rapports nécessaires et que les individus et les gouvernements n'avaient qu'à les apprendre pour y conformer leur conduite.
GIDE et RIST, Hist. des doctrines économiques, p. 3.

PHYSIOCRATIE [fizjɔkʀasi] n. f. — 1758; de *physio-*, et *-cratie;* mot créé par Dupont de Nemours.

♦ Hist., écon. polit. Doctrine de certains économistes du XVIIIe siècle, les physiocrates, fondée sur la connaissance et le respect des « lois naturelles » et donnant la prépondérance à l'agriculture (opposé à *mercantilisme*). *La physiocratie considérait l'agriculture comme la seule source de richesse, préconisait la libre circulation des biens, un système fiscal limité à l'impôt foncier, un gouvernement monarchique.*

1 Le système de Quesnay s'était d'abord appelé le système agricole, ou la doctrine des philosophes économistes. Plus tard seulement, le jour vint où l'un de ses disciples inventa, pour le désigner, le mot de *Physiocratie.*
R. GONNARD, Hist des doctrines économiques, p. 230.

2 À mesure, cependant, que le siècle prend de l'âge, les idées de domination moins absolue, donc de modération en termes de population, font leur chemin. L'angoisse de Montesquieu devant le dépeuplement continu depuis les Romains, fait place à une vue plus statistique, grâce à Expilly, tout en étant moins optimiste. Aussi, tout en considérant la terre comme source de toute richesse, la physiocratie de Quesnay estime que la nourrice n'est pas gratuite. Pour chaque homme nouveau, il faut faire à la terre des « avances » (défrichements, etc.), que nous appellerions aujourd'hui investissements; mais une fois ces conditions réalisées, l'idée de limitation n'est pas présente à l'esprit des physiocrates.
A. SAUVY, Croissance zéro?, p. 29.

DÉR. Physiocratique.

PHYSIOCRATIQUE [fizjɔkʀatik] adj. — 1768; de *physiocratie.*

♦ Hist., écon. Relatif à la physiocratie, aux physiocrates (→ Industrialisme, cit.). *Thèses physiocratiques.*

PHYSIOGÈNE [fizjɔʒɛn] adj. — V. 1965; de *physio-*, et *-gène.*

♦ Didact. (méd.). Dont la cause est de nature physiologique (en parlant de maladies mentales où interviennent des lésions organiques).

CONTR. Psychogène.

PHYSIOGÉNÈSE [fizjoʒenɛz] ou **PHYSIOGENÈSE** [fizjoʒənɛz] n. f. — Déb. XXe, *Nouveau Larousse illustré; de physio-*, et *-génèse, -genèse.*

♦ Didact. (méd.). Genèse, processus de développement sur le plan physiologique (par oppos. à *psychogénèse*).

PHYSIOGÉNIE [fizjoʒeni] n. f. — Déb. XXe, *Nouveau Larousse illustré; de physio-*, et *-gén(ie);* cf. angl. *physiogeny.*

♦ Didact. (méd.). Mécanisme causal de nature physiologique (par oppos. à *psychogénie*). ⇒ **Embryogénie.**

DÉR. Physiogénique.

PHYSIOGÉNIQUE [fizjoʒenik] adj. — Déb. XXe; de *physiogénie;* cf. angl. *physiogenic.*

♦ Didact. (méd.). Qui se rapporte à la physiogénie.

PHYSIOGNOMONIE [fizjognɔmɔni] n. f. — 1562, Ronsard; lat. sc. *physiognomonia*, mot grec. → aussi -gnomonie, physionomie.

♦ Vieilli. Science qui a pour objet la connaissance du caractère d'une personne d'après les traits de son visage. ⇒ **Front, physionomie.** — REM. De nos jours, on dit plutôt *morphopsychologie.*

1 Ils deviennent appris en la Mathématique,
En l'art de bien parler, en Histoire et Musique,
En Physiognomonie, à fin de mieux savoir
Juger de leurs sujets seulement à les voir.
RONSARD, Disc. des misères de ce temps, « Adolescence du Roi ».

2 (...) cette forme épaisse est, suivant les lois impitoyables de la physiognomonie, l'indice d'une violence quasi morbide dans la passion.
BALZAC, le Curé de village, Pl., t. VIII, p. 547.

(1835). Ouvrage qui traite de cette science. *La Physiognomonie de Lavater.*

DÉR. Physiognomonique, physiognomoniste.

PHYSIOGNOMONIQUE [fizjognɔmɔnik] adj. — 1721; de *physiognomonie.*

♦ Vieilli. Relatif à la physiognomonie.

Les signes physiognomoniques seraient infaillibles, si on les connaissait tous, et bien.
BAUDELAIRE, Essais, Notes et fragments, I.

PHYSIOGNOMONISTE [fizjognɔmɔnist] n. — 1803; de *physiognomonie.*

♦ Vieilli. Personne qui connaît, qui pratique la physiognomonie.

(...) je savais déjà obscurément que, quand Elstir m'appellerait pour me présenter, j'aurais la sorte de regard interrogateur qui décèle non la surprise, mais le désir d'avoir l'air surpris — tant chacun est un mauvais acteur, ou le prochain, un bon physiognomoniste — que j'irais même jusqu'à indiquer ma poitrine avec mon doigt pour demander : « C'est bien moi que vous appelez? »
PROUST, À l'ombre des jeunes filles en fleurs, Folio, p. 515-516.

PHYSIOGRAPHE [fizjɔgʀaf] n. — Déb. XXe; « personne qui décrit la nature, ses productions », 1803; de *physiographie.*

♦ Rare. Personne qui s'occupe de physiographie.

PHYSIOGRAPHIE [fizjɔgʀafi] n. f. — Déb. XXe; « description de la nature, de ses productions », 1784; de *physio-*, et *-graphie.*

♦ Didact. Partie de la géographie qui traite du relief et de certains phénomènes naturels tels que courants marins, variations atmosphériques, etc.

DÉR. Physiographe, physiographique.

PHYSIOGRAPHIQUE [fizjɔgʀafik] adj. — 1819, Boiste; de *physiographie.*

♦ Didact. De la physiographie. *« Les bouleversements physiographiques »* (*Science et Vie*, no 106, 1974, p. 143), séismes, éruptions, etc. *« Un catalogue des formes physiographiques du fond de l'océan »* (*la Recherche*, avr. 1978, p. 314). *Carte physiographique.*

PHYSIOLOGIE [fizjɔlɔʒi] n. f. — 1611; « étude des choses naturelles », 1547; lat. *physiologia*, mot grec. → Physio-, -logie.

♦ **1.** Partie de la biologie; science qui a pour objet d'étudier les fonctions et les propriétés des organes et des tissus des êtres vivants. — (1829). *Physiologie générale :* étude des phénomènes généraux de la vie (échanges et respiration cellulaires, diastases, etc.). ⇒ **Vie.** — (1817). *La physiologie végétale*, partie de la botanique*. — (1835). *Physiologie animale*, partie de la zoologie. — (1875). Spécialt. *Physiologie humaine*, qui étudie les fonctions (généralement, les fonctions normales) de l'organisme humain (nutrition, motricité, sensibilité, régulations, etc.). ⇒ **Fonction** (*supra* cit. 8); **circulation, excrétion, nutrition, respiration; nerf, nerveux** (physiologie du système nerveux), **sens, sensation; motricité; hormone** (fonctions hormonales), **régulation.** *L'anatomie*, base de la physiologie* (→ Dissection, cit. 1). *La physiologie fait partie des études de médecine*.* — (1903). *Physiologie pathologique.* ⇒ **Physiopathologie.** *Physiologie psychique.* ⇒ **Psychophysiologie.** *La physiologie doit beaucoup à Claude Bernard* (→ 1. Général, cit. 22).

Nous définirons donc la physiologie : la science qui a pour objet d'étudier les phénomènes des êtres vivants et de *déterminer* les conditions matérielles de leur manifestation. 1
Cl. BERNARD, Introd. à l'étude de la médecine expérimentale, II, I.

(...) le rôle de la physiologie est de rechercher ce qu'il y a de physique et de chimique dans le vital (...) 2
H. BERGSON, les Deux Sources de la morale et de la religion, p. 116.

♦ **2.** (1826). Étude spécialisée (d'une fonction, d'un organe, d'un élément d'un organisme vivant). *Physiologie d'une fonction. La Physiologie du goût*, œuvre de Brillat-Savarin. *Physiologie d'un organe.* ⇒ **Mécanisme; fonctionnement.** *Physiologie du cœur, du foie, du rein... — Physiologie de la cellule, cellulaire.* — (Mil. XXe). *Physiologie du gène*, étude de son mode d'action.

♦ **3.** (1825). Hist. littér. Ouvrage décrivant une réalité humaine d'une manière objective (à la mode au début du XIXe siècle). *La Physiologie du mariage*, œuvre de Balzac.

DÉR. Physiologiste. — (Du même rad.) **Physiologique.**
COMP. Anatomophysiologie, électrophysiologie, psychophysiologie.

PHYSIOLOGIQUE [fizjɔlɔʒik] adj. — 1547, « qui s'occupe des choses naturelles »; lat. *physiologicus*, du grec *phusiologikos.*

♦ **1.** (1751). Relatif à la physiologie; qui concerne le fonctionnement d'un organisme vivant, d'un organe, d'une cellule. *Études physiologiques. Aspect physicochimique* des faits physiologiques.*

Facteurs anatomiques et physiologiques (→ Hermaphrodite, cit. 2). *Action physiologique* (→ Pathologique, cit.).

♦ **2.** (1865). Qui concerne les activités de l'organisme humain se traduisant par des modifications physicochimiques (par oppos. à *psychique*). ⇒ **Somatique.** *Activités physiologiques et mentales* (→ Glande, cit. 2). *Fonctions physiologiques et psychologiques de l'homme* (cit. 86). *L'état physiologique du malade* (→ Indice, cit. 4). *Misère* (cit. 16) *physiologique. Le langage* (cit. 4) *est un acte physiologique et psychologique.* ⇒ **Psycho-physiologique.** *Troubles physiologiques.*

(...) avec Claude Bernard, la barrière tombe, — du point de vue méthodologique — entre la science de l'animé et la science de l'inanimé. Le fait physiologique dépouille sa spontanéité, sa fantaisie, sa liberté : il prend place dans le réseau inflexible des effets et des causes (...) Mais, de ce que les phénomènes de la vie obéissent à un déterminisme strict, Claude Bernard ne conclut nullement qu'ils soient réductibles à la physico-chimie. Il admet l'existence, dans les corps organisés, de forces particulières et législatrices, qui commandent aux forces matérielles et exécutrices. C'est à ces forces qu'il attribue l'arrangement et l'harmonie des phénomènes vitaux.
Jean ROSTAND, la Vie et ses problèmes, p. 143.

♦ **3.** Relatif aux troubles fonctionnels qui ne sont pas d'ordre pathologique*. *Albuminurie physiologique,* qui se produit après un effort physique. *Astigmatisme physiologique :* astigmatisme des sujets jeunes, qui disparaît avec l'âge. *Tremblement physiologique,* déclenché par le froid, l'émotion.

DÉR. Physiologiquement.

PHYSIOLOGIQUEMENT [fizjɔlɔʒikmɑ̃] adv. — 1787; de *physiologique.*

♦ D'une manière, d'un point de vue physiologique.

PHYSIOLOGISTE [fizjɔlɔʒist] n. — 1757; «naturaliste», 1669; de *physiologie.*

♦ Personne qui fait des recherches de physiologie (→ Crâne, cit. 2; cybernétique, cit.; individualité, cit. 1). *Physiologiste mécaniste, vitaliste.* — Adj. *L'expérimentateur physiologiste* (→ Matérialisme, cit. 2).

(...) le physicien et le physiologiste se distinguent en ce que l'un s'occupe des phénomènes qui se passent dans la matière brute, et l'autre des phénomènes qui s'accomplissent dans la matière vivante.
Cl. BERNARD, Introd. à l'étude de la médecine expérimentale, II, I.

PHYSIOLOGUE [fizjɔlɔg] n. — 1842; *phisiologue,* 1518; «naturaliste», 1599; de *physio-,* et *-logue.*

♦ Vieilli. Physiologiste.

PHYSIONÉVROSE [fizjonevʀoz] n. f. — XXe; de *physio-,* et *névrose.*

♦ Méd. Névrose dans laquelle prédominent les troubles des fonctions physiologiques (par oppos. à *psychonévrose**).

PHYSIONOMIE [fizjɔnɔmi] n. f. — 1552; *phisanomie,* 1256; du lat. *physiognomia,* altér. de *physiognomonia.* → -gnomonie, physiognomonie.

♦ **1.** Vx. Didact. Physiognomonie.

♦ **2.** (1606; *fisonomie,* v. 1354). Mod. L'ensemble des traits*, l'aspect du visage. ⇒ **Face, facies,** 1. **physique** (II.); **visage.** *Une physionomie terreuse et verdâtre* (→ Enlaidir, cit. 5), *hideuse* (→ Loucherie, cit. 1.). — Cour. Les traits du visage considérés du point de vue de leur expression, permanente ou passagère. ⇒ **Air, attitude, expression, figure, masque, mine.** *Le caractère d'une physionomie* (→ Iconographique, cit. 2). *Les mystères de la physionomie de la femme* (→ Expression, cit. 35). *Mobilité, vivacité de la physionomie. Sa physionomie se rembrunit, s'anima, s'illumina. Jeux* (cit. 77) *de physionomie.* ⇒ **Mimique.** *Physionomie ouverte, animée* (cit. 40), *boudeuse, spirituelle. Une physionomie douce* (→ Blasement, cit.), *ardente* (→ Courage, cit. 15), *énergique* (→ Fuyant, cit. 6), *pleine d'esprit* (→ Manière, cit. 40), *joyeuse, triste* (→ Notre, cit. 16)...

1 Oui, fiez-vous-y à cette physionomie si douce, si prévenante, qui disparaît un quart d'heure après, pour faire place à un visage sombre, brutal, farouche, qui devient l'effroi de toute une maison!
MARIVAUX, le Jeu de l'amour et du hasard, I, 1.

2 La physionomie est l'expression du caractère et celle du tempérament. Une sotte physionomie est celle qui n'exprime que la complexion, comme un tempérament robuste, etc.; mais il ne faut jamais juger sur la physionomie (...)
VAUVENARGUES, De l'esprit humain, XXXVII, «De la physionomie».

3 L'art de la physionomie offre d'excellentes études à qui voudrait s'y livrer (...) Toute l'antiquité a cru à la vérité de cette science, et Lavater l'a portée de nos jours à une perfection inconnue.
CHATEAUBRIAND, Essai sur les révolutions, I, XVIII, p. 315, note.

Vieilli. Caractère original et expressif d'un visage, considéré indépendamment de la beauté ou de la régularité des traits. *Beauté qui est plus dans la physionomie que dans les traits* (→ Éclat, cit. 29). — *Visage qui prend de la physionomie* (→ Habituel, cit. 3).

(En parlant d'un animal). Face (cit. 13; → Fade, cit. 6; 1. fouine, cit. 1).

♦ **3.** (1788). Choses. Aspect particulier (propre à une chose, à un objet). ⇒ **Apparence, aspect, face.** *Physionomie de certaines rues de Paris* (→ Ancien, cit. 2), *d'une machine* (cit. 14). — *La géographie* (cit. 5) *étudie la physionomie du globe.*

Par leur seule physionomie, les mots raniment dans notre cerveau les créatures auxquelles ils servent de vêtement. BALZAC, Louis Lambert, Pl., t. X, p. 356. 4

Pour obtenir une paix durable par une sorte d'équilibre, tentative que les congrès européens recommencent au moins une fois tous les cent ans, on procéda à de nombreux échanges de territoires. La physionomie de l'Europe en fut transformée. 5
J. BAINVILLE, Hist. de France, XIII, p. 250.

Les lieux sont des personnes à qui l'humanité qui est en nous a donné une physionomie — non pas humaine, car c'est une physionomie de lieux, mais une physionomie de personne, de personne qui se configure avec une cathédrale sur une falaise, un enfoncement d'estuaire dans le lointain, des champs surélevés quand on sort dans la campagne après la petite ville. Physionomies qui font que rien ne nous les remplace, que nous pensons bien souvent au plaisir de les revoir, physionomie qui est en nous autant qu'en eux (...) 6
PROUST, Jean Santeuil, Pl., p. 535.

(Abstrait). Allure générale (d'un processus, d'un phénomène). *Voici quelle est la physionomie d'ensemble de la situation, du scrutin...*

DÉR. Physionomique, physionomiste.

PHYSIONOMIQUE [fizjɔnɔmik] adj. — 1549; de *physionomie.*

♦ Vieilli. Relatif à la physionomie; qui rend la physionomie. *Dessin* (cit. 7) *physionomique.*

PHYSIONOMISTE [fizjɔnɔmist] n. et adj. — 1537; de *physionomie.*

♦ **1.** N. Personne qui sait juger du caractère d'une personne d'après sa physionomie (→ Aspect, cit. 8).

Quelques folies qu'aient écrites certains physionimistes de nos jours, il est certain que l'habitude de nos pensées peut déterminer quelques traits de notre physionomie. Nombre de courtisans ont l'œil faux, par la même raison que la plupart des tailleurs sont cagneux. CHAMFORT, Maximes, «Sur la noblesse», XVI. 1

Nos monologues ont sur notre front une vague réverbération distincte au regard du physionomiste. HUGO, l'Homme qui rit, II, II, XI. 2

♦ **2.** (XXe). [a] Adj. Qui est capable de reconnaître au premier coup d'œil une personne déjà rencontrée. *Vous ne le reconnaissez pas? Vous n'êtes pas physionomiste.*

[b] Nom :

— Je vous ai tout de suite reconnu. 3
— Je trouve cela extraordinaire.
— C'est comme ça, sidi Mouilleminche. Je suis une physionomiste.
R. QUENEAU, Pierrot mon ami, éd. L. de Poche, p. 72.

Personne qui utilise dans son métier ses aptitudes de physionomiste, et, spécialt, employé d'un établissement de jeu chargé de repérer les indésirables (tricheurs professionnels, pickpockets, interdits de jeu, etc.). *Les physionomistes d'un casino, d'un cercle.*

PHYSIOPATHOLOGIE [fizjopatɔlɔʒi] n. f. — 1898; de *physio-,* et *pathologie.*

♦ Didact. Physiologie* pathologique, étude des troubles qui surviennent dans le fonctionnement des organes au cours d'une maladie.

DÉR. Physiopathologique.

PHYSIOPATHOLOGIQUE [fizjopatɔlɔʒik] adj. — 1903, in *Rev. gén. des sc.;* de *physiopathologie.*

♦ Didact. Relatif à la physiopathologie. *« Les signes physiopathologiques présentés par le malade »* (P. Vannier, *l'Homéopathie,* p. 34).

PHYSIOTHÉRAPIE [fizjoteʀapi] n. f. — Fin XIXe; de *physio-,* et *-thérapie.*

♦ Méd. Thérapeutique qui utilise les agents naturels : air, eau, lumière, etc.

1. PHYSIQUE [fizik] adj. et n. m. — 1651; «naturel», 1487; du lat. *physicus;* du grec *phusikos.*

★ **I.** Adj. ♦ **1.** Qui se rapporte à la nature*, au monde concret. ⇒ **Matériel.** *Le monde* (cit. 12) *physique et le monde intelligent. État physique du globe* (cit. 10) *terrestre. Géographie* (cit. 2), *océanographie* (cit. 3), *optique* (cit. 2)... *physique. Excitant physique de la sensation* (→ Impression, cit. 45). *Propriétés physiques, physiologiques ou mentales* (→ Maléfique, cit. 1). *Lois* (1. Loi, cit. 58 et 62) *physiques. Variations physiques* (→ Bloc, cit. 9). *Mesure** (cit. 3) *des grandeurs physiques. Unités physiques. Certitude physique.* ⇒ **Réel.**

♦ **2.** (1785). Qui concerne le corps humain, par oppos. à *moral, mental, psychologique, psychique.* ⇒ **Corporel, matériel.** *L'anthro-*

pologie (cit. 2) *classe les hommes d'après leurs caractères physiques. Nature physique* (⇒ **Complexion, constitution**). *Beauté physique* (→ Laideur, cit. 6). *Force physique* (cour.); *vigueur physique* (→ Application, cit. 8; différer, cit. 13). *Aptitudes physiques* (→ Gladiateur, cit. 2). *Supériorité, infériorité physique* (→ Handicap, cit. 2). *État physique.* ⇒ **Santé.** *Troubles physiques* (⇒ **Organique, physiologique, somatique...**). *Bonne forme physique* (→ Hardiesse, cit. 27). *État de faiblesse, de fatigue physique* (→ Céder, cit. 17; obsession, cit. 4). *Lassitude physique ou mentale* (→ Impatience, cit. 13). *Douleur, souffrance physique* (→ Abattement, cit. 1; 3. affecter, cit. 4; desserrer, cit. 3; diffus, cit. 2; épreuve, cit. 29). *Malaise, tourment, torture physique* (→ Aviver, cit. 10; grotesque, cit. 10). *Effort* (cit. 7) *intellectuel et effort physique.* — Spécialt. *Dégoût, peur, horreur... physique,* que la volonté ne contrôle pas, qui est de l'ordre du réflexe (→ Habitude, cit. 25; juger, cit. 10). *J'y peux rien, c'est physique!* (fam.). — *Les manifestations physiques de l'émotion* (cit. 11). *Indices physiques qui trahissent la pensée* (→ Expression, cit. 35). *Occupation physique* (→ Cesser, cit. 6). *La vie physique* (→ Passionné, cit. 9). *Sentiment de l'existence physique* (→ Évanouissement, cit. 4). *Mort physique* (→ Évaporer, cit. 8). — Spécialt (dr.). *Personne* physique* (→ Dommage, cit. 3), par oppos. à *personne morale.*

0.1 (...) il n'y a aucune proportion raisonnable entre ce qui nous touche, et ce qui touche les autres; nous sentons l'un physiquement, l'autre n'arrive que moralement à nous, et les sensations morales sont trompeuses; il n'y a de vrai que les sensations physiques.
SADE, Justine..., t. I, p. 49-50.

1 Je ne sais rire que des lèvres : j'ai le *spleen,* tristesse physique, véritable maladie (...)
CHATEAUBRIAND, Mémoires d'outre-tombe, t. VI, p. 8.

2 Il n'y a pas qu'un plaisir spirituel à écrire. Également un plaisir physique. Le grincement de ma plume d'oie sur le papier : un délice.
Paul LÉAUTAUD, Propos d'un jour, p. 75.

3 (...) la beauté strictement physique affiche d'une façon arrogante d'être partout chez soi.
COCTEAU, le Grand Écart, I.

Loc. *Éducation physique. Culture physique.* ⇒ **Gymnastique.**

♦ **3.** (1745). En parlant de relations amoureuses. Qui concerne le corps, par oppos. à ce qui est sentimental. ⇒ **Charnel, sexuel.** *Amour** (cit. 15) *physique* (→ Civilisation, cit. 4; obséder, cit. 7), *passion physique* (→ Frénésie, cit. 10). *Désir* (→ Aiguillonner, cit. 3), *possession physique* (→ Humain, cit. 6). *Plaisir physique :* plaisir des sens* (→ Inconstance, cit. 8).

4 (...) la passion de l'amour, réduite à un simple appétit physique, n'y produisait aucun de nos désordres.
DIDEROT, Suppl. au voyage de Bougainville, IV.

5 J'aimerais encore mieux «amour charnel», parce que, pour moi au moins, «charnel» sonne plus riche et plus loin que «physique».
J. ROMAINS, Quand le navire..., II.

♦ **4.** (1680). Qui se rapporte à la nature, à l'exclusion des êtres vivants. *Les sciences physiques :* la physique* et la chimie*, par oppos. aux *sciences naturelles* (→ Exactitude, cit. 20; laboratoire, cit. 1).

♦ **5.** (1869). Qui concerne la physique (2. Physique) au sens restreint (par oppos. à *chimique*). *Phénomènes physiques. Propriétés physiques et chimiques d'un corps* (⇒ 2. **Physique,** 2.). *Modifications physiques et chimiques des roches* (→ Métamorphisme, cit.).

♦ **6.** Vx. Qui concerne la nature. ⇒ **Naturel.** *Nécessité* (cit. 9) *physique ou causale. L'inégalité* (cit. 3) *physique opposée à l'inégalité morale ou politique.*

★ **II.** N. m. ♦ **1.** (1762). L'aspect extérieur, l'ensemble des caractères morphologiques d'un individu. *L'antithèse de la matière et de l'esprit, du physique et du moral* (→ Homme, cit. 3). *Si le physique va trop bien, le moral se corrompt* (cit. 21).

Spécialt. Ce qui est charnel. *Distinguer le moral* (cit. 12) *du physique en amour.*

6 L'amour, c'est le physique, c'est l'attrait charnel, c'est le plaisir reçu et donné, c'est la jouissance réciproque, c'est la réunion de deux êtres sexuellement faits l'un pour l'autre.
Paul LÉAUTAUD, Propos d'un jour, p. 13.

(Fin XVIIIe). **AU PHYSIQUE :** en ce qui concerne le physique, le corps (→ Blond, cit. 6). ⇒ **Physiquement.** *Au physique et au moral* (→ Exercice, cit. 7; figurer, cit. 13).

♦ **2.** (1782). Aspect général (de qqn). ⇒ **Physionomie.** *Le physique de Balzac* (→ Corpulence, cit. 2). *Avoir un physique de jeune premier. Son physique le destinait à jouer ce rôle.* — (1878). *Avoir le physique de l'emploi,* un physique convenable au rôle interprété, et, par ext., un physique évocateur du métier, de la situation particulière du personnage.

7 Elle en a le physique *(d'une proxénète),* pensait-il, et quand on a le physique d'un emploi, on en a l'âme.
MAUPASSANT, Mont-Oriol, II, IV.

8 À quoi lui servait ici son physique de casseur de cœurs?
ARAGON, les Beaux Quartiers, I, XVIII.

9 Yves Montand : j'ignore si c'est à son physique ou à son art qu'il doit d'avoir su exprimer ce qu'il y a d'irréparablement flétri chez un jeune être noble, mais aussi la pureté de la créature encore près de sa source (...)
F. MAURIAC, Bloc-notes 1952-1957, p. 42.

CONTR. Mental, moral.
DÉR. Physiquement.
COMP. Antiphysique.

2. PHYSIQUE [fizik] n. f. — 1487; *fusique* «art médical», v. 1130; *fisique* «connaissance des choses de la nature», mil. XIIe; du lat. *physica* «connaissance de la nature», du grec *phusikê.*

♦ **1.** (Vx; au sens large). «Science des causes naturelles qui rend raison de tous les phénomènes du ciel et de la terre» (Furetière, *Dictionnaire,* 1690).

Mais d'exiger de moi des démonstrations géométriques en une matière qui dépend de la Physique, c'est vouloir que je fasse des choses impossibles. Et si on ne veut nommer démonstrations que les preuves des Géomètres, il faut donc dire qu'Archimède n'a jamais rien démontré dans les Mécaniques, ni Vitellion en l'Optique, ni Ptolémée en l'Astronomie, etc. 1
DESCARTES, Lettre à Mersenne, 17 mai 1638.

♦ **2.** (1708, Fontenelle). Science qui étudie les propriétés générales de la matière et établit des lois qui rendent compte des phénomènes matériels. ⇒ **Matière** (→ Divisibilité, cit.). *Physique et chimie* (⇒ **Physicochimie**) *opposées à physiologie* (→ Organiser, cit. 6). — (1893). *Physique mathématique.* ⇒ **Physicomathématique** (→ Objet, cit. 12). — (XXe). *Physique atomique, nucléaire* (par oppos. à *physique classique,* qui n'étudie pas les phénomènes à l'échelle des atomes et des noyaux) : science qui étudie la constitution intime de la matière, l'atome*, le noyau. ⇒ **Particule.** *Physique quantique.* ⇒ **Quanta.** *Physique microscopique* (→ Indéterminisme, cit. 3; indéterministe, cit. 2). ⇒ **Microphysique.** — *Physique relativiste.* ⇒ **Relativité.** — *Expérimentation en physique, expérience de physique* (→ Exactitude, cit. 21). *Physique expérimentale* (→ Mesure, cit. 2). *Parties de la physique.* ⇒ **Acoustique, aérodynamique, aérologie, astrophysique, biophysique, calorimétrie, cryoscopie, dioptrique, électricité, électrodynamique, électromagnétisme, électronique, hydraulique, hydrodynamique, hydrostatique, magnétisme, mécanique** (cinématique, dynamique, statique, mécanique ondulatoire*), **optique, optométrie, thermodynamique; mesure** (science des mesures). — *Applications de la physique.* ⇒ **Technique, technologie** (chauffage, éclairage, photographie, cinéma, téléphonie, télégraphie, radio-électricité, télévision; techniques de l'énergie, moteurs, etc.).

Termes de physique, relatifs à l'aspect des corps (⇒ **État,** *supra* cit. 51), *aux grandeurs physiques* (⇒ **Angle, capacité, chaleur, densité, énergie, force, fréquence, longueur, masse, poids, pression, surface, température, temps, tension, travail, vitesse, volume...**) *et à leurs mesures* (⇒ **Mesure** [unités de mesure, appareils et instruments de mesure]), *aux propriétés et aux phénomènes physiques.* ⇒ **Absorption, accélération, adhérence, agravitation, aimantation, attraction, attrition, capillarité, chaleur, chute, compressibilité, condensation, conduction, congélation, décharge, détente, dextrogyre, diamagnétisme, dichroïsme, diffraction, dilatation, dispersion, dissolution, électricité, endosmose, équilibre, évaporation, exosmose, expansibilité, fluorescence, fusion, gravitation, gravité, induction, inertie, inflexion, interférence, isolant, isolateur, liquéfaction, magnétisme, onde, osmose, périodique** (phénomène), **polarisation, poussée, radiation, radioactivité, rayon, rayonnement, réflexion, réfraction, résistance, retardation, solidification, spectre, transmutation, vibration, vibratoire...** *Instruments*, appareils* utilisés dans les expériences de physique* (→ Galerie, cit. 5). *Le ludion, l'éolipile, les hémisphères de Magdebourg..., appareils de démonstration de physique.* ⇒ **Machine** (machines simples). *Systèmes d'unités en physique.*

(...) si l'expérience est tout, quelle place restera-t-il pour la physique mathématique? Qu'est-ce que la physique expérimentale a à faire d'un tel auxiliaire qui semble inutile et peut-être même dangereux? 1.1
Et pourtant la physique mathématique existe; elle a rendu des services indéniables (...) C'est qu'il ne suffit pas d'observer, il faut se servir de ses observations, et pour cela il faut généraliser.
Henri POINCARÉ, la Science et l'Hypothèse, p. 167.

Qu'on me permette de comparer la Science à une bibliothèque qui doit s'accroître sans cesse; le bibliothécaire ne dispose pour ses achats que de crédits insuffisants; il doit s'efforcer de ne pas les gaspiller. 1.2
C'est la physique expérimentale qui est chargée des achats; elle seule peut donc enrichir la bibliothèque.
Quant à la physique mathématique, elle aura pour mission de dresser le catalogue. Si ce catalogue est bien fait, la bibliothèque n'en sera pas plus riche. Mais il pourra aider le lecteur à se servir de ces richesses.
Et même en montrant au bibliothécaire les lacunes de ses collections, il lui permettra de faire de ses crédits un emploi judicieux; ce qui est d'autant plus important que ces crédits sont tout à fait insuffisants.
Tel est donc le rôle de la physique mathématique; elle doit guider la généralisation de façon à augmenter (...) le rendement de la science.
Henri POINCARÉ, la Science et l'Hypothèse, p. 171-172.

Une fois prouvée l'existence des atomes, on s'est aperçu que l'atome n'était certainement pas la particule simple et insécable qu'avaient imaginée les philosophes de l'Antiquité, et sans doute aussi les premiers promoteurs de l'hypothèse atomique dans la science moderne (...) Dès lors se posait la question d'imaginer la structure interne de l'atome, d'en déduire les lois des émissions spectrales et d'y rattacher l'ensemble des propriétés physiques et chimiques de la matière. On se trouvait ainsi devant une immense branche nouvelle de la Physique qui était entièrement à créer (...) on lui a donné le nom de Physique atomique. 2
L. DE BROGLIE, Physique et Microphysique, p. 44.

Étudier la physique. Cours, travaux pratiques de physique. Avoir de bonnes notes en physique et en chimie (→ Faible, cit. 11). Livre de physique. *La Physique de X.*

Par ext. Étude physique d'un problème. *Physique du globe :* géophysique. *Physique des basses températures, des états condensés...*

Loc. (Vieilli). *Physique amusante :* expériences démonstratives portant sur des sujets de physique élémentaire. *Tours de prestidigitation et de physique amusante.*

Par plaisanterie :

3 Un jour Cunégonde, en se promenant auprès du château, dans le petit bois qu'on appelait parc, vit entre des broussailles le docteur Pangloss qui donnait une leçon de physique expérimentale à la femme de chambre de sa mère, petite brune très jolie et très docile. VOLTAIRE, Candide, I.

DÉR. Physicien, physicisme.
COMP. Astrophysique, géophysique, microphysique.

PHYSIQUEMENT [fizikmɑ̃] adv. — 1488 ; de 1. *physique.*
D'une manière physique, d'un point de vue physique.

♦ **1.** ⇒ **Matériellement.** *Chose physiquement impossible. Territoire physiquement envahi* (→ Nationalisme, cit. 1).
⇒ **Corporellement.** *Il est très diminué physiquement. Ne faire physiquement aucun mal* (→ Déshonorer, cit. 4). *Une souffrance physiquement supportable.*

1 La vue de cette femme qui l'avait tant aimé fit trembler le bras de Julien d'une telle façon, qu'il ne put d'abord exécuter son dessein. Je ne le puis, se disait-il à lui-même ; physiquement, je ne le puis. STENDHAL, le Rouge et le Noir, II, XXXV.

Spécialt. Sexuellement.

2 Il n'avait plus envie d'elle physiquement, et il savait qu'elle n'avait pas, qu'elle n'avait jamais eu envie de lui. MONTHERLANT, les Lépreuses, I, VI.

♦ **2.** Au physique, en ce qui concerne l'aspect physique d'une personne. *Il est physiquement séduisant. Très bien physiquement.*

3 Elle parlait par phrases jumelles, contradictoires, la première commençait par le mot « physiquement », et l'autre par « moralement ». — Physiquement, il est très mal, disait-elle. Moralement, il est parfait. GIRAUDOUX, Suzanne et le Pacifique, p. 12.

CONTR. Moralement, psychologiquement. — Sentimentalement.

PHYSISORPTION [fizisɔʀpsjɔ̃] n. f. — 1968 ; de 2. *physi(que),* et *(ad)sorption.*

♦ Chim. Adsorption sans formation de liaison chimique.

PHYSOPHORES [fizofɔʀ] n. m. pl. — 1808, Boiste ; lat. sc. *physophora,* Eschscholtz ; de *physo-,* grec *phusa* « vésicule » (→ Physostomes), et *-phore.*

♦ Didact. (zool.). Ordre de siphonophores pourvus d'un pneumatophore*, de cloches natatoires et d'un stolon* non rétractile. *Chez les physophores les plus évolués, le pneumatophore et les cloches natatoires sont remplacés par un flotteur de grande taille.* — Au sing. *Un physophore.*

PHYSOSTIGMA [fizostigma] n. m. — 1873 ; comp. sav., du grec *phusa* « vésicule », et *stigma* « stigmate ».

♦ Bot. Plante dicotylédone *(Légumineuses, Papilionacées)* exotique, herbacée, volubile, communément appelée *fève de calabar,* dont les graines renferment un alcaloïde vénéneux, la *physostigmine* ([fizostigmin] n. f., 1873), appelée aussi *calabarine, ésérine.*

PHYSOSTIGMINE [fizostigmin] n. f. ⇒ **Physostigma.**

PHYSOSTOMES [fizostɔm] n. m. pl. — 1890 ; comp. sav., du grec *phusa* « vessie », et *stoma* « bouche ».

♦ Zool. Ordre de poissons téléostéens (osseux) à rayons de nageoires mous et à branchies pectinées, qui possèdent une vessie natatoire en communication avec l'œsophage (⇒ **Malacoptérygiens,** vx). — Par appos. *Le corégone, le gymnote, la murène, le silure, l'umbre sont des poissons physostomes.* — Au sing. *Un physostome.*

PHYT-, -PHYTE, PHYTO- Éléments de mots savants, du grec *phuton* « plante ». ⇒ **Bryophytes, mésophyte, ptéridophytes, saprophytes, spermatophytes, thallophytes** (bot.) ; **zoophyte** (zool.) ; et aussi **néophyte.**

PHYTÉLÉPHAS [fitelefas] n. m. — 1846, Bescherelle ; de *phyt-,* et grec *elephas* « ivoire ».

♦ Bot. Plante monocotylédone *(Palmiers*),* arbrisseau dont le fruit est une agglomération de drupes et dont la graine fournit l'ivoire* végétal. ⇒ **Corozo.**

PHYTHORMONE [fitɔʀmɔn] ou **PHYTOHORMONE** [fitoɔʀmɔn] n. f. — Av. 1949, *phythormone ; phytohormone,* v. 1953 ; de *phyt-, phyto-,* et *hormone.*

♦ Biol. Hormone végétale. ⇒ **Auxine.** *« Les phytohormones épandues par pulvérisateur, par avion ou hélicoptère, sont absorbées par les feuilles, puis véhiculées par la sève jusqu'aux organes souterrains »* (*Science et Vie,* févr. 1976, p. 47).

PHYTO- ⇒ **Phyt-.**

PHYTOALEXINE [fitoalɛksin] n. f. — V. 1965 ; de *phyto-,* et *alexine.*

♦ Biol. Substance antibiotique que produisent les plantes vertes attaquées par une bactérie ou un champignon.

PHYTOBIOLOGIE [fitobjɔlɔʒi] n. f. — 1830 ; de *phyto-,* et *biologie.*

♦ Didact. (bot.). Biologie végétale. ⇒ **Botanique.**

DÉR. Phytobiologique, phytobiologiste.

PHYTOBIOLOGIQUE [fitobjɔlɔʒik] adj. — 1875 ; de *phytobiologie.*

♦ Didact. (biol.). Relatif à la phytobiologie.

PHYTOBIOLOGISTE [fitobjɔlɔʒist] n. — xxᵉ ; de *phytobiologie.*

♦ Didact. Spécialiste de biologie végétale.

PHYTOÉCOLOGIE [fitoekɔlɔʒi] n. f. — V. 1960 ; *phytœcologie,* 1932.

♦ Didact. Étude du milieu (climat, sol, faune) dans ses rapports avec la végétation.

DÉR. Phytoécologique.

PHYTOÉCOLOGIQUE [fitoekɔlɔʒik] adj. — V. 1960 ; de *phytoécologie.*

♦ Didact. Relatif à la phytoécologie. *Relevé phytoécologique.*

PHYTOGÉOGRAPHE [fitoʒeɔgʀaf] n. — 1903 ; de *phytogéographie.*

♦ Didact. Spécialiste de géographie botanique.

PHYTOGÉOGRAPHIE [fitoʒeɔgʀafi] n. f. — 1842 ; de *phyto-,* et *géographie.*

♦ Didact. (bot.). Partie de la botanique qui étudie la distribution des plantes sur le globe terrestre. — On dit aussi *géographie botanique.*

DÉR. Phytogéographe, phytogéographique.

PHYTOGÉOGRAPHIQUE [fitoʒeɔgʀafik] adj. — 1858 ; de *phytogéographie.*

♦ Didact. De la phytogéographie.

PHYTOHORMONE [fitoɔʀmɔn] n. f. ⇒ **Phythormone.**

PHYTOPARASITE [fitopaʀazit] adj. et n. m. — V. 1960 ; de *phyto-,* et *parasite.*

♦ Didact. Parasite d'un végétal.

PHYTOPATHOLOGIE [fitopatɔlɔʒi] n. f. — 1858 ; de *phyto-,* et *pathologie.*

♦ Bot. Partie de la botanique qui étudie les maladies des plantes. — On dit aussi *pathologie végétale.*

DÉR. Phytopathologique, phytopathologiste.

PHYTOPATHOLOGIQUE [fitopatɔlɔʒik] adj. — xxᵉ ; de *phytopathologie.*

♦ Didact. Relatif à la phytopathologie.

PHYTOPATHOLOGISTE [fitopatɔlɔʒist] n. — 1822, Larousse ; de *phytopathologie.*

♦ Didact. Spécialiste de la pathologie végétale.

PHYTOPHAGE [fitɔfaʒ] adj. et n. — 1808, Boiste; de *phyto-*, et *-phage.*

♦ Didact. (zool.). Qui se nourrit de matières végétales (plus général que *herbivore*).

PHYTOPHARMACEUTIQUE [fitofaʀmasøtik] adj. — Mil. xxe; de *phytopharmacie.*

♦ Sc., techn. Se dit de produits utilisés en phytopharmacie.

PHYTOPHARMACIE [fitofaʀmasi] n. f. — 1949; de *phyto-*, et *pharmacie.*

♦ Sc., techn. Étude et fabrication des produits qui combattent les maladies des plantes (antiparasitaires, etc.). *Phytopharmacie arboricole.*

DÉR. Phytopharmaceutique, phytopharmacien.

PHYTOPHARMACIEN, IENNE [fitofaʀmaʃjɛ̃, jɛn] n. — Mil. xxe; de *phytopharmacie.*

♦ Sc., techn. Spécialiste de phytopharmacie. *Agronome phytopharmacien.*

PHYTOPHTHORA [fitoftɔʀa] n. m. — Déb. xxe; de *phyto-*, et grec *phthorios* « destructeur ».

♦ Bot. Champignon siphomycète *(Péronosporées)*, parasite des végétaux. ⇒ **Mildiou.**

PHYTOPLANCTON [fitoplɑ̃ktɔ̃] n. m. — 1905, *Rev. gén. des sc.*, no 7, p. 324; de *phyto-*, et *plancton.*

♦ Sc. Plancton végétal. *Le plancton se divise en deux grands groupes : le zooplancton et le phytoplancton.*

PHYTOSANITAIRE [fitosanitɛʀ] adj. — Mil. xxe; de *phyto-*, et *sanitaire.*

♦ Didact. Relatif aux soins à donner aux végétaux. *Produits phytosanitaires.* « (Un) *fabricant de produits phytosanitaires, d'engrais et de terreau* » (*le Point*, 21 juin 1982, p. 159).

PHYTOSOCIOLOGIE [fitosɔsjɔlɔʒi] n. f. — 1936; *phytosociologique*, 1920; de *phyto-*, et *sociologie.*

♦ Didact. Étude des associations végétales.

(...) la distribution et les caractères de la faune sont, dans leur ensemble, plus rudimentaires que pour la flore. Rien d'étonnant à cela : les méthodes statistiques qui motivent le développement de la phytosociologie n'ont, ici, que fort peu de prise, la mobilité des individus, les éventuelles migrations saisonnières de colonies rendent les recensements bien aléatoires (...)

Jacques GUILLERME, la Vie en haute altitude, p. 46.

PHYTOTHÉRAPIE [fitoteʀapi] n. f. — 1944; de *phyto-*, et *-thérapie.*

♦ Didact. Traitement des maladies par les plantes ou par leurs extraits.

DÉR. Phytothérapique.

PHYTOTHÉRAPIQUE [fitoteʀapik] adj. — Mil. xxe; de *phytothérapie.*

♦ Didact. Relatif à la phytothérapie. *Sédatifs phytothérapiques.*

PHYTOTOXICITÉ [fitotɔksisite] n. f. — V. 1960; de *phytotoxique*, d'après *toxicité.*

♦ Sc., techn. Toxicité à l'égard des végétaux. « *La phytotoxicité de ces substances* (les herbicides) *à l'égard des arbres fruitiers n'est pas entièrement précisée* » (H. Boulay, *Arboriculture et Production fruitière*, p. 92).

PHYTOTOXINE [fitotɔksin] n. f. — V. 1960; de *phyto-*, et *toxine.*

♦ Didact. Substance toxique d'origine végétale.

PHYTOTOXIQUE [fitotɔksik] adj. — V. 1960; de *phyto-*, et *toxique.*

♦ Sc., techn. Toxique pour les végétaux. *Substances phytotoxiques.*

DÉR. Phytotoxicité.

PHYTOTRON [fitɔtʀɔ̃] n. m. — 1950, *in* D. D. L.; mot angl. (aux États-Unis, 1949); de *phyto-*, d'après *cyclotron.*

♦ Bot. Laboratoire permettant de réaliser toutes les conditions expérimentales de croissance des végétaux (sols, nutrition, températures, éclairements, etc.).

(...) toutes les tentatives de culture *(du Vératrum)* dans diverses stations échouèrent jusqu'au jour où Went put reprendre expérimentalement la question avec son « phytotron » : cet engin est une sorte de serre à laquelle sont annexés plusieurs dispositifs permettant à tout moment de contrôler tous les paramètres physico-chimiques du milieu ou encore de les faire varier avec précision, selon un plan préétabli.

Jacques GUILLERME, la Vie en haute altitude, p. 32-33.

PHYTOZOAIRE [fitozɔɛʀ] n. m. — 1828; de *phyto-*, et grec *zôon* « animal ».

♦ Zool. Animal métazoaire à symétrie rayonnée (dont la structure simple peut être comparée à celle des plantes).

LES PHYTOZOAIRES, n. m. pl : une des deux grandes divisions (avec les artizoaires) du sous-règne des métazoaires*. ⇒ **Cœlentérés, échinodermes, éponges** *(Spongiaires).*

PI [pi] n. m. — Transcrit XIXe; mot grec.

♦ **1.** Seizième lettre de l'alphabet grec (π), correspondant au *p* français.

♦ **2.** Géom. Abréviation du grec *periphereia*, adoptée comme symbole du nombre qui représente le rapport constant de la circonférence d'un cercle quelconque à son diamètre*. Π *(pi), nombre incommensurable irrationnel. On donne à* π, *dans les calculs courants, la valeur de 3,1416* (pour 3,1415926...).

HOM. 1. **Pie,** 2. **pie,** 1. **pis,** 2. **pis.**

PIACULAIRE [pjakylɛʀ] adj. — 1752; lat. *piacularis.*

♦ Didact. Relatif à une expiation*. ⇒ **Expiatoire.** *Sacrifice, victime piaculaire.*

(...) l'égalité dans la souffrance piaculaire, dans la douleur réparatrice, n'existe pas.

HUYSMANS, En route, II, v.

PIAF [pjaf] n. m. — 1896; orig. inconnue, p.-ê. autre forme de *piaffe**, selon Wartburg, ou onomat. d'après le cri de l'oiseau, selon Dauzat.

♦ Fam. (d'abord argot). Moineau*. — Petit oiseau.

HOM. Piaffe, formes du v. **piaffer.**

PIAFFANT, ANTE [pjafɑ̃, ɑ̃t] adj. — Av. 1618; de 1. *piaffer.*

♦ Qui piaffe. *Être tout piaffant d'impatience.*

Jean-Richard Bloch (...) me présentait les uns et les autres avec une bonne grâce contrainte. Tous, piaffants et contrariés, faisaient l'effet de pur-sang entravés.

Ch. DE GAULLE, Mémoires de guerre, t. III, p. 64.

PIAFFE [pjaf] n. f. — 1574; orig. inconnue, p.-ê. formation expressive. → Piaf.

♦ **1.** Vx. Fam. ⇒ **Faste, ostentation.**

♦ **2.** Loc. fam. et vieillie. *Faire de la piaffe*, de l'esbroufe.

(...) ils ont beau se laver dans des machins d'argent et faire de la piaffe (...) je les reconnais ! (...)

O. MIRBEAU, le Journal d'une femme de chambre, p. 109.

HOM. Piaf, formes du v. **piaffer.**

PIAFFEMENT [pjafmɑ̃] n. m. — 1842; de 1. *piaffer.*

♦ Mouvement du cheval qui piaffe; bruit qu'il fait en piaffant. ⇒ **Piétinement** (→ Frottement, cit. 4).

1. PIAFFER [pjafe] v. intr. — 1601; au p. p., *paroles piaffées* « paroles prétentieuses », 1586; orig. incert., p.-ê. onomatopée.

♦ **1.** Vx. Faire de l'embarras, se donner de grands airs.

♦ **2.** (1690). Se dit d'un cheval qui, sans avancer, frappe la terre en levant et en abaissant alternativement chacun des pieds de devant (→ Hennir, cit. 3).

(1677). Manège. Lever les jambes très haut et les laisser retomber précipitamment (en parlant d'un cheval).

♦ **3.** (1879). Personnes. Frapper du pied, piétiner. ⇒ **Agiter** (s'). *Piaffer d'impatience.* ⇒ **Trépigner.**

1 L'attente de la communication *(téléphonique)* me procura l'une des plus atroces angoisses dont il me souvienne. Je piaffais sur place, j'avais une sueur froide et j'oubliais positivement de respirer.
A. HERMANT, Souvenirs du vicomte de Courpière, XIV.

2 Il vit la fillette en chapeau rond, mâchonnant son ombrelle et piaffant avec une impatience de jeune cheval, comme elle avait l'habitude quand, toute prête à sortir, elle attendait sa mère (...)
FRANCE, le Chat maigre, VI, Œ., t. II, p. 198 (1879).

DÉR. Piaffant, piaffement, 2. piaffer, piaffeur.

2. PIAFFER [pjafe] n. m. — 1874, «mouvement du cheval qui piaffe» (→ Piaffement); v. substantivé; de 1. *piaffer.*

♦ Équit. Figure de haute école dans laquelle l'allure prend la forme d'un trot rassemblé sur place. Air de manège sur lequel on exécute cette figure.

Rien n'alourdissait une démarche magnifique, un piaffer royal.
Edmonde CHARLES-ROUX, Elle, Adrienne, p. 77.

PIAFFEUR, EUSE [pjafœʀ, øz] adj. — 1678; au fém., «coquette, élégante», v. 1570; de 1. *piaffer.*

♦ **1.** Qui a l'habitude de piaffer. *Cheval piaffeur. Jument piaffeuse.*

♦ **2.** (1584, fém.; 1587, masc.). Vx. (Personnes). Qui aime à faire de l'embarras.

PIAILLANT, ANTE [pjajɑ̃, ɑ̃t] adj. — V. 1860, Baudelaire; p. prés. de *piailler.*

♦ Qui piaille.

PIAILLARD, ARDE [pjajaʀ, aʀd] adj. et n. — 1746; de *piailler.*

♦ Fam. Qui piaille, qui a l'habitude de piailler. ⇒ **Piailleur.** *Oiseau piaillard. — Enfant piaillard.* ⇒ **Bruyant.** — *Une femme piaillarde.* ⇒ **Criailleur.** — N. *Un piaillard.* — Par ext. *Humeur* (cit. 12) *piaillarde.*

C'était bien, en effet, le peuple piaillard des oiseaux d'eau, campé, comme une armée de tribus diverses, sur les bords du lac (...)
MAUPASSANT, la Vie errante, Vers Kairouan, 13 déc.

PIAILLEMENT [pjajmɑ̃] n. m. — 1782; de *piailler.*

♦ Fam. Action, fait de piailler. ⇒ **Piaillerie.** Le petit cri fait en piaillant. *Un piaillement suraigu.* — Par anal. Cri poussé en piaillant. — Fig. *Les piaillements d'une troupe d'enfants.* ⇒ **Criaillerie.**

1 Le cortège était fermé par des oies, qui, fatiguées de la route, se dandinaient sur leurs larges pattes (...) et poussaient des piaillements rauques (...)
Th. GAUTIER, le Roman de la momie, VIII.

2 Il cherche querelle à Jibé, frappe du poing sur la table, se répand en piaillements : «Ils auront de mes petites nouvelles! Je leur donnerai du fil à retordre!»
G. DUHAMEL, Salavin, Journal, 25 avr.

PIAILLER [pjaje] v. intr. — 1607; sans doute onomat. → Piauler.

♦ **1.** Fam. En parlant de certains oiseaux (perroquets, poussins...). Pousser de petits cris aigus. ⇒ **Jaser.**

1 (...) une douzaine d'aras et de kakatoès qui piaillaient sur leurs perchoirs (...)
Th. GAUTIER, Voyage en Russie, I, I.

2 (...) si les moineaux n'avaient choisi sa cour pour y venir en essaims innombrables piailler à-bec-que-veux-tu. FRANCE, le Crime de S. Bonnard, V, Œ., t. II, p. 405.

♦ **2.** (1690) Personnes. Fam. Pousser des cris aigus. *Enfant, marmaille* (cit. 2), *marmot qui piaille.* ⇒ **Crier** (cit. 3); → Égosiller, cit. 3; grondeur, cit. 4. — (1690). Spécialt. Manifester son mécontentement d'un ton aigre. ⇒ **Criailler.** *Qu'est-ce qu'il a à piailler sans cesse?* — Choses. *Bastringue* (cit. 4) *qui grince et piaille.*

3 Les paysans piaillent, voilà tout. Mais quant à passer de la criaillerie au fait, du délit au crime, ils tiennent trop à la vie, à l'air des champs (...)
BALZAC, les Paysans, Pl., t. VIII, p. 166.

DÉR. Piaillard, piaillement, piaillerie, piailleur.

PIAILLERIE [pjajʀi] n. f. — 1642; de *piailler.*

♦ Fam. Action, fait de piailler. ⇒ **Piaillement.** *Piaillerie des oiseaux. — Piaillerie des enfants.* ⇒ **Caquet, caquetage.** — Vx. Récriminations faites d'un ton aigre. *Les piailleries d'un vieux grognon.* ⇒ **Criaillerie.**

(...) cette pétarade! ... les mille moteurs relancés ... à l'assaut de la rampe! ... les bahuts furieux! à l'abordage! ... à la saccade! ... broyée cohue! ... et la piaillerie des piétinés! des écorchés de la folle colonne! ...
CÉLINE, Guignol's band, p. 16.

PIAILLEUR, EUSE [pjajœʀ, øz] n. et adj. — 1611; de *piailler.*

♦ Fam. Personne qui a l'habitude de piailler. ⇒ **Piaillard.** — Adj. *Un oiseau piailleur. Un enfant piailleur.*

(...) mari que son ménage assomme avec trois mioches piailleurs, sales, dans un logement mesquin. ARAGON, les Beaux Quartiers, I, VII.

PIAN [pjɑ̃] n. m. — 1578, *pians;* empr. d'une langue indigène du Brésil.

♦ Méd. Maladie infectieuse chronique non vénérienne des pays tropicaux, provoquée par un tréponème. *L'évolution du pian se fait en trois stades comme dans la syphilis, mais sans atteinte des organes profonds. Malade du pian.* ⇒ **Pianique.**

Or, un des fils de Savadogo, chef du village de Toula, tomba malade. Ni les herbes des sorciers, ni les impositions de mains des mages, ni les prières des notables ne furent d'un grand secours. L'enfant était frappé de pian : Henry par une asepsie appropriée, le sauva, et le mur d'antipathie jadis levé, disparut.
Yambo OUOLOGUEM, le Devoir de violence, p. 141.

DÉR. Pianique.

PIANE-PIANE [pjanpjan] adv. — 1565; de l'ital. *piano,* avec conservation de l'accent tonique sur la première syllabe.

♦ Fam. Vieilli. Tout doucement. ⇒ 2. **Piano.**

Il salue Marcel, le coiffeur, Cerutti, un entrepreneur de peinture, et piane-piane, arrive rue Bichat où il allume une nouvelle cigarette.
Eugène DABIT, Hôtel du Nord, XI.

PIANINO [pjanino] n. m. — 1834; dim. de *piano,* en italien.

♦ Hist. de la mus. Petit piano droit. *Des pianinos.*

PIANIQUE [pjanik] adj. et n. — XXe; de *pian.*

♦ Didact. (méd.) et franç. d'Afrique. Qui est malade du pian. — Nom :

Un jeune homme en haillons, couvert de la tête aux pieds de plaies larges et purulentes. C'était un pianique. AMON D'ABY, la Mare aux crocodiles, *in* Contes et légendes de Côte-d'Ivoire (1974).

PIANISSIMO [pjanisimo] adv. — 1775; superl. ital. → 2. Piano.

♦ **1.** Mus. Tout doucement (abrév. : *PP* ou *pp*). — Par métaphore. (→ Calomnie, cit. 5, Beaumarchais). — N. m. *Passage qui s'achève par un pianissimo.* — Au plur. *Des pianissimi ou des pianissimos.*

(...) attentifs à la beauté adoucie de la nature, à l'harmonie enchanteresse de ses 1
derniers accords, qui s'éteignaient dans un *pianissimo* insaisissable.
G. SAND, François le Champi, Avant-propos.

(...) au moment d'un pianissimo où les sons de plus en plus doux et de plus en 2
plus rapides s'entendaient pourtant avec une égalité parfaite, — résultat auquel arrive tout bon élève du Conservatoire (...) PROUST, Jean Santeuil, Pl. p. 800.

♦ **2.** Fam. Très doucement*, très lentement*. *Soyez très prudent, allez-y piano, piano, pianissimo!* ⇒ **Piane-piane.**

PIANISTE [pjanist] n. — 1807; de 1. *piano.*

♦ Personne dont la profession est de jouer du piano. *Un grand pianiste. Une pianiste de concert. Pianiste soliste, concertiste, accompagnateur. Pianiste de jazz.*

L'ami de Pons était un professeur de piano (...) Ce pianiste, comme tous les pia- 1
nistes, était un Allemand, Allemand comme le grand Liszt et le grand Mendelssohn (...) Quoique grand compositeur, Schmucke ne pouvait être pur démonstrateur, tant son caractère se refusait à l'audace nécessaire à l'homme de génie pour se manifester en musique. BALZAC, le Cousin Pons, Pl., t. VI, p. 538.

Fam. *Ne tirez pas sur le pianiste* (par allus. à certains établissements du Far West américain au XIXe siècle), se dit par plaisanterie pour réclamer l'indulgence à l'égard d'une personne pleine de bonne volonté. *Tirez sur le pianiste,* film de F. Truffaut.

Personne qui joue du piano en amateur, mais avec un certain talent. *Un, une pianiste* (→ Creuser, cit. 5; effet, cit. 36). — *Elle est très bonne pianiste.*

(...) comme le pianiste appliqué mais maladroit, qui souligne courageusement ses 2
fausses notes. G. DUHAMEL, les Plaisirs et les Jeux, II, I, IX.

PIANISTIQUE [pjanistik] adj. — 1900; de *pianiste.*

♦ Relatif au piano; fait pour le piano (spécialt, en parlant d'œuvres susceptibles de mettre en valeur les qualités propres de l'instrument). *Technique pianistique. Qualités pianistiques d'un morceau.*

1. PIANO [pjano] n. m. — 1774, *in* D. D. L.; abrév. de *piano-forte* (1771), *piano et forte* (1766), empr. à l'ital., cet instrument, à la différence du clavecin, permettant de jouer à volonté «doucement» (→ 2. piano) ou «fortement» *(forte);* une autre forme, *forte-piano,* se trouve encore chez Littré.

REM. On emploie encore parfois *piano-forte* [pjanofɔʀte] ou *forte-piano* [fɔʀtepjano] dans les ouvrages d'histoire de la musique pour parler des premiers pianos, dont la sonorité était différente de celle des pianos actuels.

♦ **1.** Instrument de musique à clavier*, dont les cordes sont frappées par des marteaux (et non pas pincées comme celles du clavecin [cit. 2].). — Au plur. *Des pianos, des pianos-forte, des forte-pianos. — Accessoires, éléments, mécanisme d'un piano.* ⇒ **Clavier**

(→ Chanter, cit. 6), **corde, échappement, étouffoir, harmonie** (table d'harmonie), **marteau, pédale, sommier, touche.** *Tabouret* de piano.* — (1806). *Piano carré* (type aujourd'hui abandonné). — (1828). *Piano droit,* à table d'harmonie verticale. — (1806). *Piano à queue,* à table d'harmonie horizontale (→ Draper, cit. 4; funèbre, cit. 18). *Piano demi-queue, quart de queue, piano « crapaud »,* de format plus réduit. *Piano de concert. Piano d'accompagnement; piano d'ensemble; piano d'étude. — Érard, Gaveau, Pleyel, célèbres facteurs* de pianos. — Accorder un piano. Clef d'accordeur de piano.* ⇒ **Accordoir.** *Mauvais piano.* ⇒ **Casserole** (fam.), **chaudron.** *Ouvrir* (→ Brio, cit. 3), *fermer un piano,* lever, baisser le couvercle qui protège le clavier. *Se mettre, être au piano* (→ Illico, cit. 1). *Jouer du piano* (→ Ballade, cit. 7; ouvrage, cit. 2). *Tapoter, toucher du piano.* ⇒ **Pianoter.** *Accompagner qqn, s'accompagner au piano* (→ Arabesque, cit. 10). *Un virtuose du piano* (→ Intellect, cit. 2). *Récital de piano. Musique, sonate pour piano et violon* (→ Graduer, cit. 2). *Arrangement pour piano. Morceau de musique à quatre mains** (*supra* cit. 78) *pour piano. Jouer un blues, un boogie-woogie au piano.*

1 Ces couplets-ci ne valent pas les premiers, il s'en faut bien (...) mais cela est assez bon pour un piano-forte, qui est un instrument de chaudronnier en comparaison du clavecin. VOLTAIRE, Correspondance, 4148, 8 déc. 1774.

2 Ce qui est conservé dans toute sa simplicité, c'est un piano ou épinette dont la forme mesquine fait sourire, quand on songe aux pianos à queue d'aujourd'hui. Le son de chaudron que rendaient les cordes n'était pas au-dessus de cette humble apparence. NERVAL, Lorely, Souvenirs de Thuringe, VII.

3 Il ouvre son piano, et fait courir ses doigts effilés sur les touches d'ivoire. Les cordes de laiton ne résonnent point. LAUTRÉAMONT, les Chants de Maldoror, VI.

Piano mécanique (→ Catafalque, cit. 2).

4 Le piano se remontait à la manivelle et se mettait en marche par l'introduction d'une pièce de deux sous (...)
J. ROMAINS, les Hommes de bonne volonté, t. XVIII, X, p. 138.

Piano préparé.

5 John Cage (...) s'intéressant surtout au piano comme instrument de percussion, introduisait entre les cordes des objets divers : tournevis, clés, bouteilles de coca-cola. Cette technique a depuis pris le nom de « piano-préparé ».
M. PLEYNET, Réalités, juil. 1966, p. 78 *in* la Banque des mots, n° 5, p. 113.

Piano massacre, piano bastringue : piano volontairement désaccordé (pour l'interprétation de morceaux de ragtime, etc.).

Pop. *Piano à bretelles :* accordéon.

6 Se faire appeler « poupée » au rythme du piano à bretelles, dans une salle obscure, éclaboussée de petites taches de lumières multicolores projetées par une boule miroitante, pour une modiste du 18e arrondissement, c'était le choc.
Martin ROLLAND, la Rouquine, p. 248.

♦ **2.** Technique du piano; musique de piano. *Étudier le piano. Faire du piano.* — Par métaphore :

7 À peine entend-on sur les toits le piano lointain des pluies.
ARAGON, le Voyage de Hollande et autres poèmes, p. 211.

(Avec un déterminant). Ensemble d'œuvres pour piano. *Le piano classique, romantique. Le piano de Beethoven, de Liszt.*

♦ **3.** Fam. Pupitre de commande à plusieurs touches.

♦ **4.** Techn. Fourneau de milieu, dans les cuisines d'un restaurant, d'un hôtel.

DÉR. Pianiste, pianoter.

2. PIANO [pjano] adv. et n. m. — 1752; mot ital., « doucement ». → 1. Piano.

♦ **1.** Mus. Doucement (abrév. : *P* ou *p*). *Ce passage doit être joué* piano, *puis* forte. ⇒ **Forte-piano.** — Par métaphore. (→ Calomnie, cit. 5, Beaumarchais). — N. m. *Observer les* pianos *d'un morceau.*

♦ **2.** Fam. ⇒ **Doucement, doux** (tout doux), **lentement, piane-piane, pianissimo.** *Allez-y piano!* — Prov. ital. *Chi* va piano va sano...*

Le tour est des meilleurs. Or donc, la porte ouverte,
On vous introduira piano. A. DE MUSSET, Premières poésies, « Marrons du feu », 5.

CONTR. Forte.

PIANO-FORTE [pjanofɔʀte] n. m. ⇒ 1. Piano.

PIANOLA [pjanɔla] n. m. — Av. 1922; de l'angl.; marque déposée.

♦ Piano mécanique de la marque de ce nom.

Je restais dans mon lit et elle *(Albertine)* allait s'asseoir au bout de la chambre devant le pianola, entre les portants de la bibliothèque. Elle choisissait des morceaux ou tout nouveaux ou qu'elle ne m'avait encore joués qu'une fois ou deux, car, commençant à me connaître, elle savait que je n'aimais proposer à mon attention que ce qui m'était encore obscur (...)
PROUST, la Prisonnière, Pl., t. III, p. 372 (1922).

PIANOTAGE [pjanɔtaʒ] n. m. — 1866; de *pianoter.*

♦ Fam. Action de pianoter.

Docile, elle prit sa machine, s'accroupit sur le parquet, le dos contre le lit, et commença son pianotage. MARTIN DU GARD, les Thibault, t. V, p. 35. 1

REM. On trouve parfois la forme *pianotement* [pjanɔtmɑ̃] n. m. (1927).

Les mouvements de balancement, de pianotement, de battement périodique (...) correspondent à une pression constante — 2
se produisent toujours dans les extrémités — doigts, mollets, pieds, queue (...)
VALÉRY, Cahiers, t. I, Pl., p. 1135.

PIANOTEMENT [pjanɔtmɑ̃] n. m. ⇒ Pianotage.

PIANOTER [pjanɔte] v. intr. — 1841; *pianotiser,* 1837; de 1. *piano.*

♦ **1.** Jouer du piano maladroitement, sans talent, comme un débutant.

♦ **2.** Tapoter (sur qqch.) avec les doigts en imitant le geste du pianiste sur le clavier (→ Friture, cit. 3). *Pianoter sur une table, une vitre.* — Trans. (Rare). Tapoter sur (qqch.).

(...) d'autres encore se dandinaient debout devant des glaces, en pianotant, du bout des doigts, leurs faux cheveux lustrés par un coiffeur (...) 1
HUYSMANS, À rebours, XIII.

Il se tut encore, pianota de la main droite sur sa table, pendant que, de la gauche, il se caressait lentement la barbe. 2
J. ROMAINS, les Hommes de bonne volonté, t. III, XXII, p. 296.

Spécialt. Manœuvrer les touches d'un clavier d'ordinateur. *Pour s'initier à l'informatique, il faut surtout pianoter.*

DÉR. Pianotage, pianotement.

PIASSAVA [pjasava] n. m. — 1869; empr., par l'interm. du portugais *piassaba,* à une langue indigène du Brésil.

♦ **1.** Palmier de l'Amérique du Sud dont on extrait une fibre textile.

♦ **2.** Fibre de piassava. *Brosse, câble, paillasson en piassava.*

PIASTRE [pjastʀ] n. f. — 1595; de l'ital. *piastra.*

♦ [a] Monnaie, actuelle ou ancienne, de divers pays (→ Falloir, cit. 37; papier, cit. 10). *Piastre d'argent, de cuivre* (→ Embrasure, cit. 5). *La piastre indochinoise. Le scandale des piastres* (affaire du *trafic des piastres*).

[b] Spécialt, au Canada. (De la *piastre* espagnole). Pop. Dollar. *Une piastre :* un billet d'un dollar. — Fig. Symbole de l'argent. — Loc. *Un baise-la-piastre :* un avare.

Des émissaires parcourent les villages indiens, et 250 anciens protégés des Missions sont occupés dans les différents travaux avec leurs femmes et leurs enfants. Tous les trois mois arrivent de nouveaux convois de Canaques et les terres cultivées s'étendent à perte de vue. Une trentaine de Blancs établis dans le pays sont venus se mettre à son service. Ce sont des Mormons. Suter les paie trois piastres par jour. B. CENDRARS, l'Or, *in* Œ. compl., t. II, p. 171. 1

Marion a maintenant de belles propriétés à Denver (Colorado), et vient de se faire mineur; il a acheté à Salt-Lake une mine qu'il est en train d'exploiter, et il espère la vendre un million de piastres (5 millions de francs). 2
Ernest MICHEL, le Tour du monde en deux cent quarante jours, Le Canada et les États-Unis, p. 102-103.

PIAT [pja] n. m. — 1611; *piart,* XVIe; de 1. *pie.*

♦ Rare ou didact. Petit de la pie.

PIAULANT, ANTE [pjolɑ̃, ɑ̃t] adj. — XXe; signalé comme dial. *in* Wartburg; de *piauler.* → Piaulard, piaulis.

♦ Qui piaule. *Des oiseaux piaulants.* — Familier :

Oui, dit Alex en prenant une voix piaulante (...) mon grand amour.
J. CAU, la Pitié de Dieu, p. 221.

PIAULARD, ARDE [pjolaʀ, aʀd] adj. et n. — XVIIe; de *piauler.*

♦ Fam. (Oiseaux, personnes). Qui piaule. *Des enfants piaulards.* ⇒ **Criard; pleurard.**

1. PIAULE [pjol] n. f. — 1835; *piolle,* 1836; *piolle* « cabaret », 1628; selon Wartburg, dér. de l'anc. franç. *pier* « engloutir, boire ».

♦ Fam. Chambre, logement (→ Embobiner, cit. 1; main, cit. 82). *Rentrer dans sa piaule. Louer une piaule.* — Var. graphique (vx) : *piolle.*

— Dame, fit l'enfant, nous n'avions plus du tout de logement où aller. — Moutard ! reprit Gavroche, on ne dit pas un logement, on dit une piolle.

HUGO, les Misérables, IV, VI, II.

HOM. 2. Piaule.

2. PIAULE, PIOLE ou **PIOLLE** [pjol] n. f. — D. i. ; de *piauler.*

♦ Argot de la mar. Fort vent. *Un coup de piaule. — Une sacrée piaule.*

HOM. 1. Piaule.

PIAULEMENT [pjolmɑ̃] n. m. — 1842 ; *piolement,* 1570 ; de *piauler.*

♦ Cri des petits poulets et de certains oiseaux. ⇒ **Piaillement ; piaulis.** — Par anal. *Des piaulements d'enfant.*

1 Au plus haut du ciel tournoyaient des gypaètes dont le silence général permettait d'entendre le piaulement aigu (...) Th. GAUTIER, le Roman de la momie, I.

2 Parfois, le gargouillement sonore de l'accordéon d'un bal ou l'aigre piaulement d'une vielle, d'une musette, vous frappait l'oreille au passage. Sur le seuil de leurs portes, les concierges attendaient les journaux du soir. Des chats miaulaient.

Francis CARCO, Nostalgie de Paris, p. 170.

PIAULER [pjole] v. intr. — 1606 ; *pioler,* 1540 ; onomat. → Piailler.

♦ **1.** (En parlant des petits poulets et de certains oiseaux). Crier*. (→ Albatros, cit. 2 ; épervier, cit. 2).

♦ **2.** Faire entendre des cris aigus, plaintifs. *Le chacal piaule.* ⇒ **Glapir.**

♦ **3.** (1611). Crier en pleurant. *Enfant qui piaule.* — (Choses). Produire un grincement aigu. *Les poulies grinçaient* (cit. 7), *piaulaient. Vent qui piaule dans les hauteurs d'un navire* (→ ci-dessous sens 4). ⇒ **Grincer.**

1 Et, au logis, il y a des petits qui piaulent avec des voix de chacal en détresse (...) LOTI, Mon frère Yves, LXXXVIII.

V. tr. Dire, chanter en piaulant.

2 Pendant qu'il dînait, des Allemandes (...) vinrent piauler piteusement devant sa table un lieder *(sic)* lamentable en s'accompagnant du violon et autres instruments disgracieux. Th. GAUTIER, Fortunio, « La Toison d'or », I.

♦ **4.** V. impers. Argot de la mar. *Ça piaule :* il vente fort.

DÉR. Piaulant, piaulard, 2. piaule, piaulement, piaulis.

PIAULIS [pjoli] n. m. — 1824 ; *piolis,* 1863 ; de *piauler.*

♦ Rare. Ensemble de piaulements*.

PIAYE [pjaj] n. m. — 1778, Buffon, cit. ; « diable, sorcier », 1765, *Encyclopédie.*

♦ Zool. Coucou terrestre d'Amérique tropicale, à longue queue.

J'adopte le surnom de piaye que l'on donne à ce coucou dans l'île de Cayenne, mais je n'adopte point la superstition qui le lui a fait donner : *Piaye* signifie *diable* dans la langue du pays, et encore *prêtre,* c'est-à-dire (...) *ministre* ou *interprète du diable* (...).

Le piaye est peu farouche (...) on compare son vol à celui du martin-pêcheur ; il se tient communément au bord des rivières (...)

BUFFON, Hist. nat. des oiseaux, Les oiseaux d'Amérique.

HOM. Formes du v. **piailler.**

PIAZZA [pjadza] n. m. — 1977, in *le Monde ;* mot ital., « place ».

♦ Vaste espace libre aménagé pour les promeneurs, dans un ensemble urbain. « *Celui* (le service d'accueil) *des enfants avec un très grand espace, niveau piazza* (à Beaubourg) » (*le Monde,* 1er févr. 1977, p. 24).

PIB ou **P. I. B.** [peibe] n. m. — Abréviation.

♦ Écon. Produit intérieur brut.

PIBALE [pibal] n. f. — 1554 ; mot dial. ; cf. *pibole* « chalumeau, pipeau », mot poitevin.

♦ Régional (côte atlantique ; Charentes). Jeune anguille*. — Syn. : *bouiron, civelle.*

PIBLE (À) [apibl] loc. adv. — 1842 ; de l'anc. franç. *pible* « peuplier » ; cf. lat. *populus.*

♦ Mar. *Mât à pible :* mât formant une seule pièce de la base au sommet (par oppos. aux mâts dits *à brisure* des anciens voiliers).

PIBLOKTO [piblɔkto] n. m. — 1972, Manuila ; mot eskimo (inuit), 1898 en angl., à propos des chiens.

♦ Ethnol., ethnopsychiatrie. Comportement observé chez les Esquimaux à la suite d'une vive émotion, consistant en diverses manifestations spectaculaires (agitation, dénudation, déambulation furieuse, bain de neige, imitation de cris d'animaux), sous forme d'une crise durant de une à deux heures.

REM. 1. On dit aussi *hystérie arctique.*

2. La forme *pibloktoq* est attestée (1975, Porot).

PIBROCK [pibʀɔk] n. m. — 1862 ; *pibroch,* 1839 ; du gaélique *pibbaireachd* « art de jouer la cornemuse », par l'anglais.

♦ **1.** Cornemuse écossaise (→ Highlander, cit.).

Le joueur de cornemuse au centre *(du 75e régiment des Highlanders),* pendant qu'on s'exterminait autour de lui, baissant dans une inattention profonde son œil mélancolique plein du reflet des forêts et des lacs, assis sur un tambour, son pibroch sous le bras, jouait les airs de la montagne. Ces Écossais mouraient en pensant au Ben Lothian, comme les Grecs en se souvenant d'Argos. Le sabre d'un cuirassier, abattant le pibroch et le bras qui le portait, fit cesser le chant en tuant le chanteur. HUGO, les Misérables, II, I, X.

♦ **2.** Air écossais joué avec cet instrument.

1. PIC [pik] n. m. — Fin XIVe ; anc. provençal *pic,* XIIe ; du lat. pop. **piccus,* lat. class. *picus.*

♦ Oiseau grimpeur* *(Picidés)* de la taille du pigeon, nichant dans des trous d'arbres et se nourrissant surtout de vers, de larves qu'il fait sortir des écorces en y frappant à coups répétés de son bec conique. *Pic vert.* ⇒ **Becquebois, pivert.** *Pic épeiche*,* dit aussi *pic rouge ; pic épeichette*.* ⇒ **Damette.** *Pic noir,* dit aussi *pic de montagne.*

Un pic tapait du bec, tout près, dans les écorces. Il s'envola soudain avec un cri trois fois répété. M. GENEVOIX, Forêt voisine, VII.

HOM. 2. Pic, 3. pic, 4. pic, pique.

2. PIC [pik] n. m. — V. 1155 ; probablt par emploi fig. de 1. *pic,* et sous l'influence du verbe *piquer.*

♦ Instrument composé d'un fer pointu, légèrement courbé, fixé à un manche en bois par une douille et servant à creuser, casser, détacher une matière dure naturelle : roche, cailloux (cit. 1), ardoise, houille... *Le pic, outil du carrier, du terrassier... Pic de mineur à deux têtes* (⇒ **Rivelaine**), *à tête, sans tête. Attaquer une veine de charbon* (cit. 2) *au pic. L'abattage au pic est abandonné. Pic de démolisseur* (⇒ **Pioche**), *de maçon* (⇒ **Picot**). *L'outillage agricole* comprend des pics de forme variable pour le défoncement, le labour des sols pierreux.*

(Le mineur) faisait, avec son pic, une entaille dans le toit, puis une autre dans le mur ; et il y calait les deux bouts de bois, qui étayaient ainsi la roche.

ZOLA, Germinal, I, IV.

DÉR. 1. Pioche.

HOM. 1. Pic, 3. pic, 4. pic, pique.

3. PIC [pik] n. m. — 1350 ; d'un préroman *pikk,* de formation analogue à celle des dér. de **pikkare.* → Piquer.

★ **I.** Montagne, éminence dont le sommet* dessine une pointe très aiguë. *Le pic du Midi de Bigorre. Le pic de Ténériffe* (→ Dresser, cit. 6). — Spécialt. Cime pointue. ⇒ **Dent** (cit. 29), **piton.** *Les pics enneigés des Alpes* (→ Austérité, cit. 6 ; 1. glacier, cit. 2), *de l'Atlas* (→ Empanaché, cit. 4). *Pics et vallées* (→ Mur, cit. 18).

Parmi un entassement confus de roches amoncelées, au milieu d'un monde varié d'arbres et de verdure, se dressait un pic immense. Ce solitaire, noir et chauve, était trop visiblement le fils des profondes entrailles du globe. Nulle verdure ne l'égayait, nulle saison ne le changeait ; l'oiseau s'y posait à peine, comme si, en touchant la masse échappée du feu central, il eût craint de brûler ses ailes.

MICHELET, Hist. de la Révolution franç., Introd., I, III.

Par métaphore. Didact. Partie aiguë d'une courbe enregistrée, spécialement en physiologie. — Syn. : *clocher.*

★ **II.** (1833, *in* D. D. L.). Mar. anc. « Partie de la corne* d'artimon qui se trouve en dehors de la brigantine... » (Gruss). — Mod. Corne d'une voile aurique. *Drisse de pic.*

CONTR. Gouffre.

HOM. 1. Pic, 2. pic, 4. pic, pique.

4. PIC [pik] n. m. — XVIIe ; 1397, « coup porté avec un objet pointu » ; par ext. « pointe, tout ce qui est pointu ». Cf. nombreux emplois dialectaux : « piqûre d'insecte, bâtonnet pointu, crochet... » ; subst. verbal de *piquer.*

Technique.

♦ Jeux. Anciennt. Se disait, au jeu de piquet*, quand le premier à jouer, totalisant 30 points à son compte avant que le second joueur en ait marqué un seul, gagne alors le droit de doubler son avantage et d'annoncer 60 points. *Faire un pic* (ou un « soixante »). *Faire pic, repic et capot.* — Adj. *Faire son partenaire pic,* lui infliger un pic (Au fig. → 3. Capot, cit. 1).

COMP. Repic.

HOM. 1. Pic, 2. pic, 3. pic, pique.

5. PIC (À) [apik] loc. adv. — 1611 ; de *piquer,* comme 4. *pic ;* rattaché à 3. *pic* « montagne ».

♦ **1.** Verticalement. *Rochers coupés* (cit. 28) *à pic, qui s'élèvent à pic au-dessus des flots* (→ Arc, cit. 7). *Falaise* (cit. 1) *tombant à pic dans la mer. Chemin, sentier taillé à pic* (→ Gorge, cit. 30 ; grimper, cit. 11). *Route qui dévale à pic. Mur* (cit. 4) *qui donne à pic sur une rivière.* — Adj. *Montagne à pic.* ⇒ **Escarpé** (→ Accessible, cit. 3 ; fjord, cit. 3 ; île, cit. 5). — N. m. *À-pic.* ⇒ **À-pic.**

1 Cube immuable, il *(l'écueil)* plonge à pic ses flancs rectilignes dans les innombrables courbes serpentantes de la mer. HUGO, l'Homme qui rit, I, II, XIV.

2 Autour des bords à pic d'un gouffre circulaire (...)
L.-P. FARGUE, Poèmes, p. 117.

Bateau, noyé qui coule (cit. 22) *à pic,* en allant droit au fond de l'eau.

♦ **2.** (1875). Fig., fam. À point* nommé, à propos. *Vous arrivez à pic.* ⇒ **Pile.**

3 Il faut, dit-il, reconnaître que ça tombe à pic.
G. DUHAMEL, Chronique des Pasquier, II, VII.

1. PICA [pika] n. m. — V. 1560 ; mot. lat., « pie » ; par allus. à la voracité de cet oiseau.

♦ Méd. Dépravation* de l'appétit*, goût morbide pour des substances non comestibles constituant fréquemment le symptôme d'une carence, d'une anémie. ⇒ **Malacie.**

2. PICA [pika] n. m. — Répandu mil. xxe ; angl. *pica,* d'abord « comput ecclésiastique », puis « force de corps d'une famille de caractères » (l'évolution qui mène d'un sens à l'autre reste sujette à conjectures) ; probablt lat. *pica* « pie ».

♦ Techn. (imprim.). Unité de mesure typographique utilisée surtout en photocomposition et valant 4,21 mm. *Le pica est issu du système de mesures anglo-saxon.* — Appos. *Point pica :* douzième partie du pica (soit 0,351 mm).

Caractère pica, et, ellipt., *le pica, du pica :* caractère de machine à écrire mécanique ou électro-mécanique d'un dessin très répandu.

PICADOR [pikadɔʀ] n. m. — 1776, dans une traduction (*in* D. D. L.) ; mot esp., même racine que le franç. *piquer.*

♦ Cavalier qui, dans les courses de taureaux, fatigue l'animal avec une pique. *Des picadors. Cheval caparaçonné de picador. Les picadors se sont fait huer.*

1 Le *picador* ainsi attaqué était Sevilla (...) il abaissa la pointe de sa lance, se mit en arrêt, et soutint le choc du taureau si victorieusement, que la bête farouche chancela, passa outre, emportant une blessure (...) elle s'arrêta incertaine (...) puis fondit avec un redoublement de rage sur le second *picador* posté à quelque distance. Th. GAUTIER, Voyage en Espagne, p. 56.

2 (...) le picador entrait en scène. Il n'était pas aujourd'hui celui qui, dans la course, doit fatiguer le garrot du fauve pour qu'il baisse la tête quand le matador enfoncera l'épée. MONTHERLANT, les Bestiaires, II.

PICAGE [pikaʒ] n. m. — 1895 ; du lat. *pica* « pie » ; par allus. à la voracité réelle ou supposée de cet oiseau, mais spontanément rattaché au verbe *piquer.*

♦ Vétér. Tendance pathologique propre aux gallinacés captifs sous-alimentés, qui les porte à s'arracher les plumes entre eux.

HOM. Piquage.

PICAILLON [pikajɔ̃] n. m. — 1750 ; antérieurement dans le dial. savoyard, « petite pièce de monnaie en cuivre » ; de l'anc. franç. *piquar* « sonner, tinter », par allus. au bruit de la monnaie ; rad. lat. **pikkare.*

♦ Fam. (Au plur.). Argent*. *Être avare de ses picaillons.* — Loc. *N'avoir plus un picaillon.* ⇒ **Sou.**

1 Je vois avec plaisir que nous avons encore des amis au ministère ; plaise à Dieu qu'ils nous soient bons, car le besoin de picaillons se fait beaucoup sentir !
NERVAL, Correspondance, 57, mars 1840.

2 (...) personne ne me jugera assez bête pour retourner dans le quartier où je fus pris. Allons-y donc et peut-être y trouverai-je du travail, car les picaillons d'LN se sont presque épuisés en raison de sa longue absence qui me chagrine bien fort.
R. QUENEAU, le Vol d'Icare, p. 141-142.

PICAMÈTRE [pikamɛtʀ] n. m. — Mil. xxe ; de 2. *pica* et *-mètre,* d'après *typomètre.*

♦ Techn. (imprim.). Règle graduée analogue au typomètre*, mais divisée en picas (au lieu de l'être en cicéros). *La claviste a vérifié l'empagement avec son picamètre.*

PICARD, ARDE [pikaʀ, aʀd] adj. et n. m. — 1295, *piqart ;* de *Picardie.*

♦ De Picardie (région correspondant à peu près aux départements français de la Somme, de l'Aisne, et à une partie des départements de l'Oise et du Pas-de-Calais). *Les plages picardes. Cheval picard. Dialecte picard* (→ Français, cit. 14). — N. *Les Picardes ; les Picards.* — *« Tout Picard que j'étais... »* (→ Apôtre, cit. 8, Racine).

N. m. *Le picard,* dialecte de langue d'oïl de la Picardie.

DÉR. Picardisant, picardisme.

PICARDAN ou **PICARDANT** [pikaʀdɑ̃] n. m. — 1544 ; de *piquer* (au goût), et *ardant* « ardent ». → Ardent.

♦ Cépage du Bas-Languedoc fournissant une variété de vin muscat* ; ce vin lui-même.

PICARDISANT, ANTE [pikaʀdizɑ̃, ɑ̃t] adj. — xxe ; de *picard.*

♦ Ling. Marqué par le dialecte picard. *Un français un peu picardisant.*

PICARDISME [pikaʀdism] n. m. — xxe ; de *picard.*

♦ Ling. Trait linguistique propre au dialecte picard.

PICAREL [pikaʀɛl] n. m. — 1558 ; de *piquer,* probablt parce qu'on embroche ce poisson sur un fil de fer pointu pour le faire sécher.

♦ Zool. Poisson acanthoptérygien *(Ménidés)* de la Méditerranée, à chair médiocre, scientifiquement appelé *smaris* et très voisin de la mendole.

PICARESQUE [pikaʀɛsk] adj. — 1835 ; esp. *picaresco,* de *picaro* « aventurier ».

♦ **1.** Hist. littér. Relatif ou propre aux picaros, aventuriers espagnols (type littéraire du XVIe au XVIIIe siècle). *Aventures, mœurs picaresques.* — Spécialt. Qui met en scène des picaros. *Littérature picaresque. Les premiers romans picaresques :* Lazarillo de Tormes (1554), Guzman de Alfarache... Gil Blas, *roman picaresque de Lesage. Genre, tradition picaresque.* — *Tableaux picaresques* (→ Glacer, cit. 35). — N. m. (xxe). *Le picaresque :* le genre représenté par les romans picaresques.

♦ **2.** Qui évoque le genre picaresque. *Des aventures picaresques.*

(...) j'interrogeai Federico sur ses débuts de novice. Rares étaient les apprentis tore- 1
ros qui pouvaient encore raconter quelque souvenir picaresque. Le temps romantique était fini où les illuminés quittaient leur maison pour courir le hasard des pâturages et des routes. Joseph PEYRÉ, Sang et Lumières, p. 123 (1935).

Calamiteux commercialement (et assez picaresque pour disparaître en fin de 2
compte après avoir empoché l'argent d'une commande qu'il ne livra pas) Archibald Leahy était doté, professionnellement, d'une sorte de génie (...)
Michel LEIRIS, Frêle bruit, p. 294.

PICARO [pikaʀo] n. m. — Mil. XVIIIe ; mot espagnol.

♦ Didact. (hist.). Aventurier espagnol, héros principal de la littérature dite « picaresque ». — Par ext., vx. Tout intrigant sans scrupules. ⇒ **Fripon.**

Le *picaro* ou coquin a, lui aussi, le sens épique, mais il l'emploie à narrer sa lutte quotidienne contre la faim et la souffrance physique (...) rien d'étonnant à voir le *picaro* prendre devant la mort une attitude désinvolte (...) Le *picaro,* sans rien craindre et sans rien désirer, n'y voit que le terme d'un combat incessant (...) Ce n'est pas lui qui portera son cœur en écharpe : l'amour idéal ne l'inquiétera pas. La faim va le hanter plutôt (...) Dans cette quête vulgaire (...) le coquin apportera souvent de la gaîté (...) Mais son rire résonnera à travers les âges avec un accent particulier qui n'exprimera souvent que la fantaisie outrancière du désespoir.
Jean CAMP, la Littérature espagnole, p. 46-47.

DÉR. (Du même rad.) Picaresque.

PICCALILLIES [pikalili(z)] n. m. pl. — 1877 ; mot angl. (1769), d'orig. obscure, p.-ê. composé d'après *pickles* (→ Pickles), et *chili* « piment ».

♦ Rare. Condiment composé de petits légumes, fruits, etc., conservés dans du vinaigre (⇒ **Pickles**) et aromatisés à la moutarde.

Joli songe doré des bords de la Tamise, on se fatigue à la fin de comparer ces réverbères à des points d'orgue. La diversion survint heureusement sous les espèces d'une fille de comptoir dans une de ces maisons de piccles *(sic)* et de piccalillies *(sic)* qui parfument tout un quartier au vinaigre rose, encens d'un culte inconnu. ARAGON, Anicet, p. 13-14.

Au sing. *Du piccalilli* [pikalili]. *Un bocal de piccalilli.*

PICCOLO ou **PICOLO** [pikɔlo] n. m. — 1828 ; mot ital., « petit ».

★ **I.** Mus. Petite flûte* en *ré* qui donne l'octave aiguë de la grande.

★ **II.** (1874). Jeux (au boston*, au whist, à la couleur). *Demander un piccolo :* s'engager, en jouant pour son compte personnel, à ne faire qu'une levée.

★ **III.** (1876 ; de la métaphore *jouer de la flûte* « boire »). Fam. Vieilli.

Petit vin de pays, léger et clairet. — (Déb. xxe). Par ext. Vin rouge de qualité courante. *Siffler du piccolo au bistrot* (cit. 3).

Le cidre et le picolo rassemblaient leurs bulles sous le bouchon dans les caves d'Argenteuil et du Mont-Valérien.
J. ROMAINS, les Hommes de bonne volonté, t. X, XI, p. 132.

PICHENET [piʃnɛ] n. m. — 1877, Zola; orig. obscure; p.-ê. de *pichenette*, par allus. au «coup dans le nez».

♦ Pop. Vx. Vin rouge grossier. ⇒ **Piccolo.**

PICHENETTE [piʃnɛt] n. f. — 1820; altér. probable du provençal *pichouneto* «petite», dimin. de *pichoun* «petit», mais, selon Guiraud, aussi dér. de *piquer* par une forme *piquenotte, piquenaude* comme *chiquenaude*.

♦ Chiquenaude* (→ Envoyer, cit. 27; jeter, cit. 39).

1 (...) Mignon plaisantait de nouveau, en bourrant Fauchery de caresses. Il venait d'inventer un petit jeu, il lui appliquait des pichenettes sur le nez, pour le garantir des mouches, disait-il.
ZOLA, Nana, V.

2 (...) le rouleau de cendre tombait sur les plis de son gilet. Il s'époussetait négligemment d'une pichenette, avec quelque retard.
J. ROMAINS, les Hommes de bonne volonté, t. XI, II, p. 8.

PICHET [piʃɛ] n. m. — XIIIe; anc. franç. *pichier*, altér. des anc. dial. *bichier, bichié*, du bas lat. *becarius*, grec *bikos* «amphore pour le vin». → Bichet.

♦ Récipient, petit broc* à grosse panse, rétréci au collet, servant de pot à eau ou de récipient pour la boisson, l'huile. ⇒ **Cruche, pot.** *Anse, bec d'un pichet. Pichet en faïence, en grès, en terre cuite vernissée. Pichet d'étain. Tirer du cidre dans un pichet.* — Par métonymie. *Un pichet de vin* (→ Commander, cit. 16).
REM. On trouve chez Balzac la variante régionale, poitevine et vendéenne *piché*.

Deux énormes *pichés*, pleins de cidre, se trouvaient sur la longue table. Ces ustensiles sont des espèces de cruches en terre brune (...).
BALZAC, les Chouans, Pl., t. VII, p. 958.

PICHOLINE [piʃɔlin] n. f. — 1723; du provençal *pichoulino;* cf. provençal *pichon, pitchoun* «petit».

♦ Agric. Variété de petite olive*, à bout pointu, qui se consomme marinée, confite. — Adj. (1835). *Des olives picholines.*

PICIDÉS [piside] n. m. pl. — 1875; du lat. *picus* «pivert», et *-idé.*

♦ Zool. Famille d'oiseaux qui comprend les pies et les torcols. — Au sing. *Un picidé.*

PICKER [pikœʀ] n. m. — 1961; mot angl., de *to pick* «cueillir».

♦ Techn. Anglic. Machine utilisée pour la cueillette mécanique du coton.
REM. La traduction française *cueilleuse* devrait éliminer cet anglicisme inutile.

La machine à cueillir le coton est un vieux rêve d'inventeur (...) aujourd'hui réalisé. Sous les noms de *stripper* (déshabilleur) ou *picker* (cueilleur) un certain nombre de types de machines (...) sont actuellement en service.
Pierre DE CALAN, le Coton et l'Industrie cotonnière, p. 19.

PICKLAGE [piklaʒ] n. m. — Mil. xxe; de *pickler.*

♦ Techn. Traitement des peaux avant tannage (conservation ou préparation) par bain dans une solution de sel marin et d'acide.

PICKLER [pikle] v. tr. — Mil. xxe; de l'angl. *to pickle* «saler». → Pickles.

♦ Techn. Soumettre (des peaux) au picklage*.

DÉR. Picklage.

PICKLES [pikœls] n. m. pl. — 1823; mot angl., «saumure» (XIVe), au plur. en ce sens (XVIIe).

♦ Condiment composé de petits légumes, fruits et graines aromatiques macérés et conservés dans du vinaigre. ⇒ **Achards.** *Préparer des pickles avec des petits oignons, des câpres, des noix vertes, des tomates vertes, des cornichons... Pickles à la moutarde.* ⇒ **Piccalillies.**

(...) des pots de confitures et des bocaux de pickles, confectionnés, ces jours derniers, par sa femme, et dont, un moment, dans une enfantine gaieté, il me faisait voir les jolies colorations, sentir les arômes piquants.
Ed. et J. DE GONCOURT, Journal, t. VI, p. 233.

Var. graphique (rare) : *piccles.* → Piccalillies, cit.

PICKPOCKET [pikpɔkɛt] n. m. — 1765, *in* Höfler; mot angl. (1726), du v. *to pick* «enlever, cueillir», et *pocket* «poche». → Piquer (I., B., 1.).

♦ Voleur à la tire*. *Pickpocket qui opère sur les boulevards, dans les grands magasins, le métro...*

J'aperçois d'ici des fripons qui plongent leurs griffes ingénieuses dans les goussets de leurs voisins imbéciles. Chers pickpockets, de la pudeur! Boxez le prochain, si vous voulez, ne le dévalisez pas. Vous fâcherez moins les gens en leur pochant un œil qu'en leur chipant un sou. 1
HUGO, l'Homme qui rit, II, VI, II.

(...) elle lui avait subtilisé, avec une prestesse de pickpocket, la lettre qu'il tenait entre ses doigts, et elle avait bondi dehors. 2
MARTIN DU GARD, les Thibault, t. III, p. 180.

Le fém. *une pickpocket* est rare. — En appos. :

En voilà un genre que j'aime pas!... les femmes pickpockets!... 3
CÉLINE, Guignol's band, p. 62.

PICK-UP [pikœp] n. m. invar. — 1928, *in* Höfler; angl. *pick up*, du v. *to pick up* «ramasser, recueillir».

♦ **1.** Techn. et vieilli. Dispositif servant à recueillir et transformer en courant variable des vibrations sonores enregistrées sur disques. ⇒ **Lecteur** (3.). *Pick-up d'un tourne-disque. Pick-up électromagnétique, à cristal piézo-électrique. Pick-up à tête amovible, tournante. — Bras de pick-up.*

♦ **2.** Cour. Électrophone, tourne-disque. *Mettre un disque sur le pick-up*, sur le tourne-disque. *Table, tête de lecture, amplificateur*, haut-parleur* d'un pick-up. Récepteur de radio muni d'une prise de pick-up* (abrév. : *P. U.*).

Il m'est apparu, grâce au pick-up, que la gêne (...) qui, dans une salle de concert, naissait de mille petites causes (...) que ce malaise disparaissait d'un coup dans la pièce familière où j'étais seul avec la musique choisie par moi, selon mon cœur ce soir-là. 1
F. MAURIAC, Journal, III, p. 52.

Variante orthographique plaisante, conforme à la prononciation : *piqueupe.*

Le barman avait une casquette blanche de marin et le piqueupe dévidait en sourdine une chanson de mer. 2
M. AYMÉ, Travelingue, p. 218.

(...) en sifflotant vaguement un air qu'il ne connaissait pas et dans lequel, plus musicien, il aurait pu reconnaître celui que déversait le piqueupe du manège (...) 3
R. QUENEAU, Pierrot mon ami, éd. L. de Poche, p. 65.

REM. Même dans cet emploi non technique, le mot tend à vieillir.

♦ **3.** (1933, *in* Höfler). Techn. (agric.). Dispositif de ramassage automatique (fourrage, etc.). ⇒ **Picker.**

♦ **4.** (1950, *in* Höfler; de l'anglo-amér. *pickup*, forme abrégée de *pickup truck* «camion de ramassage»). Petite camionnette à plateau découvert. — Véhicule tout terrain à châssis court.

♦ **5.** (Av. 1966). Phys. Réaction nucléaire sans formation de noyau composé, dans laquelle le projectile enlève un des nucléons du noyau cible. Recomm. off. : *rapt* (*Journ. off.*, janv. 1973).

PICO- Phys. Élément (de l'ital. *piccolo* «petit») qui, placé devant le nom d'une unité, désigne l'unité un million de millions de fois plus petite. ⇒ 2. **Nano-.** — Symb. : *P.*

PICOFARAD [pikofaʀad] n. m. — 1948, Larousse; de *pico-*, et *farad.*

♦ Phys. Un millième de milliardième de farad.

PICOLER [pikɔle] v. intr. — 1901; p.-ê. sous l'infl. de l'anc. franç. *pier* «boire»; → Pictonner.

♦ Fam. Boire (du vin, de l'alcool). ⇒ 1. **Boire.** — Spécialt. Boire du vin, de l'alcool (avec excès). *Tu picoles trop. Il est gentil, mais il picole.* — Var : *piccoler.*

Faut vous dire que maman pouvait pas blairer papa, alors papa, ça l'avait rendu triste et il s'était mis à picoler. Qu'est-ce qu'il descendait comme litrons. 1
R. QUENEAU, Zazie dans le métro, p. 53.

Écoute, Dominique, t'as eu une mauvaise vie. Tu picolais et t'avais l'vin mauvais. T'as un sale casier judiciaire. 2
H. BARBUSSE, le Feu, t. II, II, XXI, p. 47.

DÉR. Picoleur.

PICOLEUR, EUSE [pikɔlœʀ, øz] n. — xxe; de *picoler.*

♦ Fam. Personne qui picole*. *Un sacré picoleur.* ⇒ **Buveur, ivrogne.**

Picoleur? Il l'avait jamais été, et flambeur pas davantage. 1
A. SIMONIN, Touchez pas au grisbi, p. 181 (1953).

On redemande d'urgence personne sachant rédiger, si picoleuse s'abstenir! 2
A. SARRAZIN, la Traversière, p. 267.

PICOLO [pikɔlo] n. m. ⇒ **Piccolo.**

PICORÉE [pikɔʀe] n. f. — 1587; *pécorée*, 1571; de *picorer.*

♦ Vx. Maraude. *Aller à la picorée* (→ Passereau, cit. 2). — Pillage.

PICOREMENT [pikɔʀmɑ̃] n. m. — Attesté xxe; de *picorer.*

♦ Action de picorer.

PICORER [pikɔʀe] v. — xvie; d'après *piquer*, au sens de «voler au passage, enlever à la dérobée».

♦ **1.** V. intr. Vx. Marauder.

1 Une petite fille, sans doute chargée de garder la maison, mais occupée à picorer dans le jardin, entendit (...) les pas d'un homme (...) Elle vint. Étonnée d'être surprise un fruit à la main, un autre entre les dents, elle ne répondit rien (...)
BALZAC, le Curé de village, Pl., t. VIII, p. 609.

♦ **2.** (1654). Fig. Vx. ⇒ **Plagier.**

♦ **3.** (1718). Chercher sa nourriture (en parlant des oiseaux). *Dindons, poules qui picorent sur le fumier* (cit. 2).

2 *(Chantecler s'adressant aux poules) :*
Vous, alignez-vous! Vous irez, d'un pas preste,
Picorer dans les prés. Edmond ROSTAND, Chantecler, I, 2.

Rare ou vx. Butiner (en parlant des abeilles).

♦ **4.** V. tr. (1648). Piquer, prendre de-ci de-là avec le bec. ⇒ **Becqueter.** *Moineaux qui picorent le crottin* (cit. 1), *les graines. Corbeau picorant la glèbe* (cit. 2).

3 (...) des poussins, qui viennent picorer, sur le seuil, des miettes de pain bis trempé de cidre. FLAUBERT, Mme Bovary, II, I.

4 (...) les poules en liberté picoraient de menus vermisseaux et les petits cailloux qui devaient former la coquille de leurs œufs.
L. PERGAUD, De Goupil à Margot, p. 92.

Par métaphore. ⇒ **Grappiller.**

5 Il ouvre son journal et, telle une poule des graviers, il y picore deux ou trois nouvelles. G. DUHAMEL, Salavin, III, II.

♦ **5.** Psychol. Prendre et porter à la bouche (en parlant de jeunes enfants).

DÉR. Picorée, picorement, picoreur.

PICOREUR, EUSE [pikɔʀœʀ, øz] n. — 1588; de *picorer.*

♦ Vx. Personne qui picore (1. et 2.).

PICOSECONDE [pikos(ə)gɔ̃d] n.f. — Mil. xxe; de *pico-*, et *seconde.*

♦ Phys. Unité de temps égale à un millième de milliardième de seconde. « *L'unité de mesure de temps des informaticiens est la picoseconde, aussi courte par rapport à une seconde qu'une seconde par rapport à trente et un mille ans* » (*Science et Vie*, n° 592, p. 50).

PICOT [piko] n.m. — 1330, «pointe ferrée»; «toute espèce de pointe», xive; du rad. de *piquer.*

Technique.

♦ **1.** (1690). Vx. Petite pointe en saillie sur du bois qui n'a pas été coupé net.

♦ **2.** (1690). Petite dent aiguë (⇒ **Engrêlure**) au bord d'une dentelle, d'un passement. *Les brides avec picots d'un point de Venise. Dentelle à fond de barrettes festonnées à picots* (ou *picotées*).

♦ **3.** [a] (1730). Marteau pointu du carrier*.

[b] (Déb. xxe). Sorte de pic* (appelé aussi *dégrade-joint*) utilisé pour dégrader les joints de maçonnerie.

[c] Long coin de bois très dur placé derrière le cuvelage des puits de mines.

♦ **4.** Pêche (par allus., d'après Wartburg, à la coutume qu'ont les pêcheurs de «piquer» ou d'agiter le fond aux environs de ces filets). Filet* en usage sur les côtes normandes pour la capture des poissons plats.

♦ **5.** (xxe). Variété de paille fine employée dans la confection des chapeaux. *Paille picot.*

PICOTAGE [pikɔtaʒ] n.m. — 1842; «maraude», xvie; de *picoter.*

♦ Techn. Action, manière de picoter (3.).

PICOTE [pikɔt] n.f. — 1552; de *picoter.*

♦ **1.** (Par allus. aux démangeaisons que cause cette maladie). Variole du mouton, ou *clavelée.*

♦ **2.** (1732). Ancien tissu de laine grossière orné de petits points.

PICOTEMENT [pikɔtmɑ̃] n. m. — 1552; de *picoter.*

♦ Sensation pénible de légères piqûres répétées (sur la peau, les muqueuses). *Avoir, éprouver des picotements dans la gorge* (⇒ **Chatouillement**), *dans les jambes* (⇒ **Fourmi, fourmillement**), *au creux de l'estomac* (⇒ **Mordication,** vx). *Picotements et chatouillements.* ⇒ **Picotis.**

Une chaleur insupportable montait le long de son échine, comme si le matelas, sous ses reins, se fût changé en brasier. Des picotements, des pointes de feu lui trouaient la nuque. ZOLA, la Bête humaine, VIII.

PICOTER [pikɔte] v. tr. — xvie; *picquoter* «harceler», 1500; var. de *piquoter*, fréquentatif de *piquer.*

♦ **1.** Piquer* très légèrement et à petits coups répétés. *Picoter une feuille de papier avec une aiguille.* — Équit. *Cavalier qui picote son cheval,* qui l'éperonne légèrement à plusieurs reprises.

Spécialt (le sujet désigne un oiseau). ⇒ **Becqueter; picage.** *Poule blessée que toute la basse-cour* (cit. 2) *s'acharne à picoter.* « *Une poule sur un mur Qui picote du pain dur...* » (ronde enfantine). ⇒ **Picorer.** — Par anal. *Picoter du raisin, une grappe de raisin,* en cueillir* quelques grains. — Par métaphore. *Picoter des petits fours dans une assiette* (→ Éparpiller, cit. 15).

♦ **2.** (V. 1560). Sujet n. de chose. Irriter comme par de légères piqûres répétées; faire éprouver des picotements*. *Vêtement de laine rugueuse, qui picote la peau. Fumée de bois vert qui picote les yeux. Gratter un bouton qui picote.* ⇒ **Démanger.** *Des herbes folles qui lui picotaient les jambes.* ⇒ **Chatouiller.**

Par les soirs bleus d'été, j'irai dans les sentiers, 1
Picoté par les blés, fouler l'herbe menue (...) RIMBAUD, Poésies, III.

Par métaphore :

L'inquiétude commençait à picoter légèrement le cœur de Musidora. 2
Th. GAUTIER, Fortunio, XV.

♦ **3.** (V. 1500). Fig. et littér. Sujet n. de personne. Irriter, agacer (qqn) par des sarcasmes, des insinuations ironiques... ⇒ **Taquiner.**

(...) il la picota en paroles jusqu'à lui faire lever la main. Mais il esquiva les tapes, 3
sachant bien que la colère s'en va avec les coups et que femme qui frappe est soulagée de son dépit. G. SAND, François le Champi, XXI.

♦ **4.** (1414). Marquer de taches de diverses couleurs, de petits trous, de points. — P. p. adj. Marqué de petites taches, de petits points. *Visage picoté de petite vérole.*

♦ **5.** (1842). Techn. (par l'interm. de *picot*, 3.). *Picoter un puits de mine,* y enfoncer des picots pour le boisage.

DÉR. Picotage, picote, picotement, picoterie, picotis. — V. **Picotin.**

PICOTERIE [pikɔtʀi] n. f. — 1580; *picquoterie*, xve; de *picoter.*

♦ Vx et littér. Parole, écrit fait pour blesser, pour taquiner.

PICOTEUX [pikɔtø] n. m. — 1765, *picoteur;* de *picot.*

♦ Régional. Anc. Barque* de pêche à voiles des côtes françaises de la Manche (baie de Seine, en particulier), en usage jusqu'à la généralisation de la propulsion à moteur.

PICOTIN [pikɔtɛ̃] n. m. — xiiie; orig. obscure; un rapport avec *picoter* «butiner, becqueter» n'est pas impossible.

♦ **1.** Mesure de capacité* pour la ration d'avoine d'un cheval. *Le picotin* (2,5 l) *vaut le quart du boisseau.*

♦ **2.** Par métonymie. La ration d'avoine. *Musette* (1. Musette, cit. 3) *contenant le picotin d'un âne.* — Par ext. Portion de nourriture (foin, paille) donnée à une bête de somme, à un cheval de course.

La soupe à mes chiens, un picotin d'avoine à mon cheval (...)
Th. GAUTIER, le Capitaine Fracasse, III.

PICOTIS [pikɔti] n. m. — 1958; de *picoter.*

♦ Rare. Légère sensation de démangeaison. ⇒ **Picotement.**

Je n'ai pas envie d'elle, mais la pensée que je ne l'ai pas me picote. En la prenant, je ne chercherais qu'à faire passer ce picotis.
MONTHERLANT, la Mort qui fait le trottoir, *in* D. D. L., II, 7.

PICOUSE ou **PIQUOUSE** [pikuz] n. f. — 1922; de *piquer* (I., A., 1.).

♦ Argot, fam. Piqûre, injection par piqûre (spécialt, de morphine, d'héroïne, etc., dans l'argot des toxicomanes).

L'effet des piquouses du toubib commençait à se dissiper et je dégustais un 1
coup de barre maison. Albert SIMONIN, Touchez pas au grisbi, p. 73.

La meilleure façon de se procurer de la merde *(de la drogue)*... c'est de 2
dire qu'on ne s'est jamais piqué et alors les mecs vous font tout de suite une piquouse gratis, parce que personne ne veut se sentir seul dans le malheur.
É. AJAR (R. GARY), la Vie devant soi, p. 92.

On écrit parfois *piquouze.* « *La piquouze antirabique* » (*le Nouvel Obs.*, 17 mai 1981).

DÉR. Picouser ou **piquouser.**

PICOUSER ou **PIQUOUSER** [pikuze] v. tr. — 1945; de *picouse.*

♦ Fam. Piquer; faire une piqûre (de drogue) à (qqn). *Se faire picouser :* se faire piquer. — V. pron. *Se picouser.*

Le vaccin, répéta François. On a commencé par les nègres, les chinetoques. Y en a qu'étaient malades; même à bord, tu peux pas descendre sans qu'on t'ait piqué.
Francis CARCO, Brumes, p. 42.

PICPOUILLE, PIQUEPOUILLE [pikpuj] ou **PICPOULE** [pikpul] n. m. — 1874, *picpouille; picpoule,* 1863; *pique-poule,* 1611; *piquapol,* en anc. provençal, 1849; orig. obscure; selon Wartburg, en rapport avec *piquer.* → Picardant.

♦ Vitic. et régional. Cépage cultivé dans le Languedoc et en Provence. *Picpouille blanc, noir* ou *rouge. Picpouille gris,* dit aussi *picpouille rose.* — Par ext. Vin obtenu avec ce raisin. — REM. On écrit aussi *piquepoul, piquepoule, piquepoult.*

PICR-, PICRO- Éléments de composition de mots savants, du grec *pikros* «amer».

PICRATE [pikʀat] n. m. — 1836; de *picr-,* et *-ate.*

♦ **1.** Chim. Sel de l'acide picrique. *Les picrates métalliques tels que le picrate de potassium constituent de violents explosifs*.*

1 C'est sous l'action de ce cylindre, chargé d'une substance explosive, nitroglycérine, picrate ou autre matière de même nature, que l'eau du canal s'était soulevée comme une trombe (...) J. VERNE, l'Île mystérieuse, t. II, p. 657.

♦ **2.** (1916; nom d'un café, 1882). Fam. Vin rouge de mauvaise qualité. ⇒ **Piccolo** (III.).

2 (...) c'était un gros homme qui sentait l'ail, il avait chanté l'*Internationale* depuis leur départ et bu deux litres de picrate. SARTRE, le Sursis, p. 197.

DÉR. Picrater (se).

PICRATER (SE) [pikʀate] v. pron. — 1943; de *picrate* (2.). → Picr-.

♦ Fam. S'enivrer au vin. ⇒ **Picter.**

PICRIDIUM [pikʀidjɔm] n. m. ou **PICRIDE** [pikʀid] n. f. — 1839, *picridion;* de *picr-,* et *-idium, -ide.*

♦ Bot. Plante *(Composacées)* sécrétant un suc amer.

PICRIQUE [pikʀik] adj. — 1836; de *picr-,* et *-ique.*

♦ Chim. *Acide picrique* (ou *trinitrophénol*) : dérivé nitré du phénol (C_6H_2 $(NO_2)_3$ OH), solide cristallisé d'un jaune brillant, toxique, fusible à 122 °C et détonant quand il est chauffé brusquement. *Emploi de l'acide picrique dans la fabrication des explosifs* (⇒ **Lyddite, mélinite**), *comme colorant de la laine et de la soie, et autrefois comme calmant dans les brûlures* (cit. 2).

PICRIS [pikʀis] n. m. — 1823; du grec *pikris.*

♦ Bot. Plante dicotylédone *(Composacées),* dont une espèce à fleurs jaunes est communément appelée *fausse épervière.*

PICROTOXINE [pikʀotɔksin] n. f. — 1816; de *picro-,* et *toxine.*

♦ Chim., biol. Substance toxique extraite des graines d'une liane originaire d'Inde et de Malaisie, stimulant du système nerveux central.

PICTE [pikt] n. et adj. — 1740, Trévoux; lat. *pictī,* n. m. pl., v. 300 après J.-C., soit p. p. *picti* «ceux qui sont peints, tatoués», de *pingere* «peindre» (→ ci-dessous, cit. 1), soit assimilation d'un nom indigène.

Histoire.

♦ **1.** N. m. pl. *Les Pictes :* peuple probablement préceltique qui habitait les basses terres de la Calédonie (Écosse actuelle) et qui disparut au IXe siècle dans les guerres contre les Scots. — *Mur des Pictes* (lat. *murus pictatus*) : muraille élevée d'abord sur l'ordre de l'empereur Hadrien, de l'embouchure de la Tyne au golfe de Solway, contre les incursions des Pictes (on dit aussi *mur d'Hadrien*).

1 Les *Pictes* étoient originairement Scythes (...) Quelques Auteurs disent qu'ils ne vinrent que de Danemarck, et non de Scythie. Cambden prétend que c'étoient les vrais et anciens *Britanni,* parceque *Brit* signifie la même chose en Celtique que *pictus* (...) en Latin, c'est-à-dire *peint.* Les autres répondent que cela ne prouveroit qu'ils seroient venus de Scythie, parceque les Scythes se peinturoient (...) Les *Pictes* habitoient dans cette partie de la grande Bretagne que nous nommons Écosse (...) Kenneth Roi d'Écosse, après les avoir soumis, en abolit le nom vers le milieu du IX siècle en 855. Leur nom vient, dit-on, ou de leur coûtume de se peindre le corps, ou des différentes couleurs des drapeaux qu'ils portoient à la guèrre. Dict. de Trévoux, art. *Picte,* 1740.

Adj. Relatif aux Pictes.

2 Les voisins septentrionaux et occidentaux de la Bretagne romaine (...) furent également assez vite conscients de sa faiblesse (...)
Le danger picte ne fut vraiment grave que vers la fin du IVe siècle et dans la première moitié du Ve siècle. Il fut bientôt neutralisé, les Pictes étant attaqués dans leur propre pays par les Scots.
Encycl. Universalis, art. *Invasions (grandes),* vol. IX, p. 58a.

♦ **2.** N. m. (1821, *in* D. D. L.). Langue parlée par les Pictes.

PICTER [pikte] v. intr. — 1628; de *piquette,* d'abord écrit *piqueter.* → 2. Piqueter.

♦ Argot. Boire.

HOM. 1., 2. **Piqueter.**

PICTOGRAMME [piktɔgʀam] n. m. — Mil. XXe; de *pictographie, pictographique,* et *-gramme.*

♦ Didact. Dessin utilisé comme signe graphique à l'intérieur d'un code (écriture pictographique). *Les pictogrammes sont des signes de nature iconique.*

On est ici dans le domaine de la préécriture (...) Le dessin peut être employé seulement comme aide-mémoire, servant à déclencher une récitation. Il s'apparente alors pour l'usage à certaines marques ou dispositions d'objets qui jouent le même rôle. On a ainsi des dessins qui font parler, ou des pictogrammes-signaux.
D'autres pictogrammes portent en eux-mêmes leurs significations, ils «parlent» à la vue : ce sont des dessins parlants ou pictogrammes-signes.
Marcel COHEN, l'Écriture, p. 16.

PICTOGRAPHIE [piktɔgʀafi] n. f. — 1877; Quatrefages, *in* Littré, *Suppl.* (angl. *pictography,* 1851); dér. sav. du lat. *pictus,* et *-graphie.* → Pictographique.

♦ Didact. Système de notation pictographique, par un code de dessins reconnaissables. ⇒ **Pictogramme.**

Le dessin, en une ou plusieurs couleurs, peut être utilisé, en dehors de son intérêt ornemental, esthétique, à des fins intellectuelles. On parle alors de pictographie et de pictogrammes (de la racine latine signifiant «peindre» et de la racine grecque signifiant «écrire»)... L'emploi développé de la pictographie se rencontre surtout chez les populations de chasseurs et de pêcheurs-navigateurs, à groupements homogènes relativement denses ou pratiquant sur des domaines assez étendus des relations régulières de groupe à groupe. Marcel COHEN, l'Écriture, p. 16. 1

Il est, d'autre part, facile de concevoir un système qui aligne trois traits et le dessin d'un bœuf, sept traits et celui d'un sac de grain. Dans ce cas, la phonétisation est spontanée, la lecture proprement inévitable. C'est probablement la seule forme de pictographie qui ait existé à l'origine de l'écriture.
A. LEROI-GOURHAN, le Geste et la Parole, t. I, p. 280. 2

PICTOGRAPHIQUE [piktɔgʀafik] adj. — 1860, *in* D. D. L.; comp. sav. du lat. *pictus* «peint», et suff. *-graphique,* probablt d'après l'angl. *pictographic* (1851).

♦ Didact. Se dit d'une écriture (cit. 3) qui traduit les idées par des scènes figurées et symboliques. ⇒ **Idéographique.**

On pourrait penser qu'en définitive peu de chose distingue une telle écriture de la pictographie, si l'on entend par pictographie la succession de dessins figurant des actions ou des objets hors de tout phonétisme. L'écriture chinoise s'en rapprocherait en apparence par son principe selon lequel une moitié du caractère est «pictographique» l'autre phonétique, mais ce serait restreindre abusivement leur sens que de ne voir dans les caractères chinois qu'un indicatif de catégorie (radical) accolé à une particule phonétique.
A. LEROI-GOURHAN, le Geste et la Parole, t. I, p. 284.

PICTO-IDÉOGRAMME [piktoideɔgʀam] n. m. — Mil. XXe; de *picto(gramme),* et *idéogramme*.*

♦ Didact. Pictogramme employé comme signifiant d'un concept. ⇒ **Idéogramme** (→ ci-dessus Pictogramme, cit.).

Les caractères sont des petits dessins représentant des objets ou des figures humaines de manière artistique (...) Il est acquis que certains sont des *picto-idéogrammes.* Expliquons ce terme : un idéogramme (du mot grec *idea :* idée et de la racine «écrire») ou signe-chose est un caractère ou un ensemble de caractères représentant une notion qui par ailleurs est exprimée par un mot unique, pouvant donc se lire en une langue quelconque; *picto* exprime le fait que le caractère consiste en un dessin reconnaissable. C'est ce qu'on peut appeler un rébus direct (en latin, *rebus :* par les choses). En fait, on sait la ou les significations de certains de ces *idéogrammes,* ainsi l'image stylisée du soleil signifie «soleil» ou «jour». On ne sait pas si d'autres que les Mayas lisaient ces caractères. Pour les Mayas, on sait qu'ils les lisaient dans leur langue : de cette manière le signe-chose devenait un signe-mot; ainsi *kin* pour le *soleil.*
Marcel COHEN, l'Écriture, p. 21.

PICTO-IDÉOGRAPHIE [piktoideɔgʀafi] n. f. — Mil. XXe; de *picto(graphie),* et *idéographie.*

♦ Didact. Système de notation utilisant des picto-idéogrammes.

Une part, peut-être la plus importante, de l'art figuré relève de ce que, faute de mieux, je désignerai ici comme «picto-idéographie». Quatre mille ans d'écriture linéaire nous ont fait séparer l'art et l'écriture et il faut un réel effort d'abstraction et tous les travaux ethnographiques de ces cinquante dernières années pour reconstruire en nous une attitude figurative qui a été et qui est encore commune à tous les peuples tenus à l'écart de la phonétisation et surtout du linéarisme graphique. A. LEROI-GOURHAN, le Geste et la Parole, t. I, p. 269.

PICTON [piktɔ̃] n. m. — 1790; de *picter,* rad. de *piquette,* d'abord écrit *piqueton.* → Piqueton.

♦ Fam. et vieilli. Vin. ⇒ **Piccolo, picrate.**

Il s'aperçut qu'il était très seul, dans cette voiture où l'on chantait :
Un coup d'picton!
Moi j'm'en fiche,
Faut que j'liche
Un coup d'picton... Philippe HÉRIAT, Famille Boussardel, p. 167.

DÉR. Pictonner.

PICTONNER [piktɔne] v. intr. — 1830; de *picton.*

♦ Pop. Boire. ⇒ **Picter.**

PICTURAL, ALE, AUX [piktyʀal, o] adj. — V. 1840; dér. du lat. *pictura* « peinture ».

♦ Qui a rapport ou appartient à la peinture. *Art pictural. Œuvre picturale* (→ Chorégraphe, cit.). *Manuel de technique picturale* (→ Iconographie, cit. 1 et 6). *Sujet très pictural,* qui réunit les qualités propres à inspirer en peinture. — Spécialt. *Harmonies et valeurs picturales* (→ Dérouler, cit. 6; musique, cit. 17).

(...) j'essaierai autant qu'il sera possible de distinguer ce qui est proprement « plastique » (domaine de la forme), de ce qui est « pictural » (domaine des effets appartenant exclusivement à la matière). La couleur participe des deux : elle joue un rôle plastique, dans la mesure où elle sert à souligner, à qualifier les formes; elle joue un rôle pictural dès l'instant où elle devient solidaire de la pâte pour exalter ses effets. René HUYGHE, Dialogue avec le visible, p. 76.

N. m. *Le pictural :* le domaine de la peinture, l'aspect propre à la peinture. *Le pictural et le figural, et l'iconographie dans un tableau.*

DÉR. Picturaliser.

PICTURALISER [piktyʀalize] v. tr. — 1973, Malraux, au p. p.; de *pictural.*

♦ Didact. Rendre pictural.

PIDGIN [pidʒin] n. m. — Déb. XXe; *pijin English* et *pidjin English,* 1875, in *le Tour du monde; pigeon-english,* 1859; mot angl. (1851), altér. du mot *business* prononcé par les Chinois.

♦ Didact. (ling.). Langue de contact, faite d'anglais modifié et d'éléments autochtones, en usage en Extrême-Orient. — Spécialt. *Le pidgin english* (vocabulaire anglais modifié), opposé au *bichlamar* ou *bêche-de-mer* (*pidgin mélanésien,* à vocabulaire mixte, anglo-malais).

1 La langue qu'il parle n'est pas celle dont Blanche a plus ou moins pris coutume à Batavia dans la vie courante, et devant lui la jeune femme rougit du pidgin malais avec lequel elle se débrouille habituellement (...)
ARAGON, Blanche..., II, IV, p. 231.

Par ext. Langue de contact, système composite plus complet qu'un sabir (quelles que soient les langues concernées).

2 On parle (...) de langue pidgin lorsqu'il y a eu création d'une langue grammaticalement cohérente, et qui répond, au même titre que les langues nationales et les dialectes, à l'ensemble des besoins de communication de ses utilisateurs (avec la possibilité de devenir le support d'une littérature).
O. DUCROT et T. TODOROV, Dict. encycl. des sciences du langage, p. 82.

1. PIE [pi] n. f. et adj. invar. — XIIe; du lat. *pica,* fém. de *picus* « pic ».

★ **I.** N. f. ♦ **1.** Oiseau passeriforme *(Passereaux, Corvidés),* à plumage noir et blanc ou bleu et blanc, à longue queue. *La pie est traditionnellement caractérisée par ses jacassements** (cit. 2) *et son attrait pour les objets brillants qu'elle vole et emporte dans son nid ou dans des cachettes. Margot* (cit.) *la pie,* appelée aussi *agace, caquet bon bec. La pie et ses piats*. La pie, oiseau babillard, jaseur, qui cajole*, jacasse*, jase*. Pie apprivoisée, qui parle* (1. Parler, cit. 1). — *La Pie voleuse,* opéra de Rossini.

1 LA PIE (...) Commune, si dédaignée qu'elle semble immortelle, en habit dès le matin pour bavarder jusqu'au soir, insupportable avec sa queue-de-pie, c'est notre oiseau le plus français. J. RENARD, Histoires naturelles, « La pie ».

2 Une des pies descendait dans l'allée, sautait devant nous à pattes jointes. Ce n'était pas une pie blanche et noire, mais un bel oiseau mauve et bleu, du mauve de la neige au soleil, du bleu des nuits les plus veloutées du mois d'août.
M. GENEVOIX, Forêt voisine, XI.

Loc. fam. (V. 1660). *Bavard, bavarde comme une pie* (→ Boutade, cit. 2), *comme une pie borgne*. — Fam. *C'est une vraie pie.* — (V. 1835). *Voleur comme une pie.*

3 Pourtant Masséna, de moi bien connu, était voleur comme une pie, ce qui veut dire par instinct (...) STENDHAL, Vie de Henry Brulard, 41.

3.1 La jeune fille s'intéressait depuis peu à une pie apprivoisée trouvée dans d'étranges conditions. L'oiseau lui était apparu pour la première fois un dimanche, en plein bois de Chaville. Midi venait de sonner au loin, et Louise, après une fatigante séance d'herborisation, s'était assise au pied d'un arbre pour faire un frugal repas. Soudain une pie effrontée et gourmande s'approcha d'elle en sautillant, comme pour quêter des miettes de pain, qui lui furent aussitôt jetées en abondance. Raymond ROUSSEL, Impressions d'Afrique, p. 406.

Loc. fig. *Trouver la pie au nid :* faire une découverte d'importance, une trouvaille de prix.

— Eh! crois-tu donc trouver ici la pie au nid? dit Blanchon. Ta marquise, mon cher, ne me revient pas du tout. BALZAC, l'Interdiction, Pl., t. III, p. 12. 4

♦ **2.** Par anal. (d'aspect et de cri avec l'oiseau). *Pie-de-mer.* ⇒ **Huîtrier** (cit. 1).

♦ **3.** (1680). *Fromage à la pie :* fromage blanc préparé avec du lait écrémé et mélangé de fines herbes, et qui rappelle par son aspect le plumage noir et blanc de la pie.

♦ **4.** (1868). Mar. anc. *Nid-de-pie* :* sac en filet où les ouvriers qui travaillaient au gréement ou le long de la coque rangeaient leurs outils. — Mod. ⇒ **Nid.**

★ **II.** Adj. invar. (1549; par anal. avec le plumage noir et blanc de l'oiseau). ♦ **1.** *Cheval*, jument pie,* à robe noire et blanche, ou fauve et blanche. *Troupeau de vaches pie. Race pie rouge de l'Est :* race de bovins à poil roux et blanc. *Bétail rouge-pie* ou *pie-rouge,* selon que la couleur domine ou non par rapport au blanc.

N'auriez-vous point aperçu un grand homme sec, monté sur un cheval pie? 5
DIDEROT, Jacques le fataliste, Pl., p. 560.

♦ **2.** (XXe). *Voitures pie de la police,* à carrosserie blanche et noire.

DÉR. et COMP. Piat. — Pie-grièche. — Queue-de-pie. — (Du même rad.) Pica. — Picage.
HOM. Pi, 2. pie, 1. pis, 2. pis.

2. PIE [pi] adj. f. — V. 1160, « pieuse »; *œuvres pies,* 1544; lat. *pius* « pieux ».

♦ Usité seulement dans les expressions *œuvre pie, action pie.* ⇒ **Pieux.** *C'est faire œuvre pie que de venir en aide à ce malheureux* (→ Jeter, cit. 11).

Un jour, dans trois mois, un pauvre prêtre viendra vous demander quarante mille francs pour une œuvre pie, un couvent ruiné dans le Levant, dans le désert!
BALZAC, la Cousine Bette, Pl., t. VI, p. 462.

HOM. Pi, 1. pie, 1. pis, 2. pis.

PIÉÇA [pjesa] adv. — XIIe; contraction de *piece a* « il y a une pièce de temps ».

♦ Vx. Depuis longtemps.

Quand de la chair que trop avons nourrie,
Elle est piéça dévorée et pourrie (...). VILLON, Poésies diverses, « Épitaphe ».

PIÈCE [pjɛs] n. f. — 1080; gaulois *pettia* (gallois *peth* « chose », breton *pez*). Cf. lat. médiéval *pecia, petia.*

★ **I.** ♦ **1.** Partie séparée (arrachée, brisée, déchirée...) d'un tout. ⇒ **Division** (3.), **fragment, morceau.** *Détacher*, emporter*, découper une pièce.* ⇒ **Emporte-pièce.** — Fig. *Emporter** (cit. 13 et 14) *la pièce* (cf. Enlever, emporter le morceau).

(...) trois procureurs, dont icelui Citron 1
A déchiré la robe. On en verra les pièces.
Pour nous justifier, voulez-vous d'autres pièces? RACINE, les Plaideurs, III, 3.

EN PIÈCES, se dit d'un objet brisé, cassé ou déchiré; d'un être vivant déchiqueté, dépecé*. ⇒ **Lambeau, morceau** (cit. 6), **quartier.** *Briser en mille pièces.* ⇒ **Miette.** *Mettre en pièces.* ⇒ **Briser, déchirer** (1.), **écharper** (3.), **rompre** (→ Goéland, cit. 1; hacher, cit. 6; lier, cit. 35).

(...) j'entendis le bruit d'un cristal, jeté violemment sur le sol, et qui y volait en 2
mille pièces. BARBEY D'AUREVILLY, les Diaboliques, Dîner d'athées, p. 358.

(1685). *Mettre en pièces* (qqn) : tuer, massacrer (→ Fanatisme, cit. 3). — (1666). Fig. Détruire, déchiqueter (→ Analyser, cit. 2).

Spécialt. Mettre à mal par des médisances, des calomnies. ⇒ **Médire** (de).

(...) il mit en pièces, et la fille, et la mère, et le père, et les tantes, et toute la 3
famille qu'il me montra comme un ramas de canailles indignes de moi, mais bien dignes de lui; ce sont ses propres mots. DIDEROT, Jacques le fataliste, Pl., p. 709.

(1654). *Tailler en pièces :* tuer, massacrer à coups d'épée, d'arme blanche... — Par ext. *Les ennemis, les adversaires ont été taillés en pièces,* entièrement défaits, battus.

♦ **2.** Vx. Morceau, partie, portion (d'un tout, d'une substance). *Pièce de chair* (vx), *de viande. De grosses pièces de pain* (→ Escrimer, cit. 3). *Pièce de bois* (→ Grouiller, cit. 1, Molière). — REM. Dans ce sens, on emploierait de nos jours *morceau,* le mot *pièce* s'étant spécialisé en français (→ II. et III. ci-dessous).

★ **II.** (XIIIe, *pièce de chandelle*). **A.** (Sens général; dans des expressions). Chaque objet, chaque unité (d'un ensemble). *Marchandises vendues en gros ou à la pièce. Ces fruits valent dix francs pièce, la pièce.* — (1845; *à la pièce,* 1835). *Ouvrier qui travaille à la pièce, aux pièces. Salaire aux pièces,* qui est rémunéré selon le nombre de pièces exécutées. — Fam. *On n'est pas aux pièces! :* le travail n'est pas pressé (et, par ext., rien ne presse).

(...) madame Séchard vendit, à douze lieues à la ronde d'Angoulême, trois mille 4
feuilles qui lui coûtèrent trente francs à fabriquer et qui lui rapportèrent, à raison de deux sous pièce, trois cents francs. BALZAC, Illusions perdues, t. IV, p. 892.

5 Depuis, il lui arrive (...) de calculer mentalement combien le travail qu'il fait en une heure lui aurait été payé selon l'ancien tarif aux pièces.
J. ROMAINS, les Hommes de bonne volonté, t. IX, III, p. 23.

B. Emplois spéciaux. ♦ **1.** (1606). *Pièces d'un jeu d'échecs* (cit. 20). — Spécialt. Les figures. *Les pions et les pièces.*

6 Et satisfaite, elle fit glisser son vase de fleurs un peu à droite, avec le geste triomphal du joueur d'échecs qui déplace une pièce et compromet du même coup la victoire de son adversaire.
J. GREEN, Léviathan, I, III.

♦ **2.** Blason. *Pièces de l'écu.* — Spécialt. *Pièce honorable :* figure qui charge le blason, couvrant une partie importante de l'écu (ex. : chef, champagne, churon, franc, pal, fasce, croix, bande, barroir, sautoir, etc.). ⇒ **Blason** (→ Écu, cit. 2). *Pièces et meubles. Pièces appointées, pièce alésée, pièce brochante...*

7 On appelle *pièces honorables* de l'Escu le chef, la fasce (...) et généralement celle qui peut occuper le tiers de l'Escu, quand elle est seule (...)
FURETIÈRE, Dictionnaire, art. Pièce.

♦ **3.** Élément (d'un mobilier, d'un ensemble ménager). ⇒ **Meuble.** *Service de table* (argenterie, vaisselle) *de trente-six pièces.*

8 Les pièces du mobilier dont Germaine est la plus fière sont une paire de bergères (...)
ROMAINS, les Hommes de bonne volonté, t. I, II, p. 36.

♦ **4.** (1636). Élément (d'une collection). *Pièces d'une collection. La pièce la plus importante de l'exposition* (→ Beau, cit. 119). *Pièce de cabinet** (cit. 10 et 12), *de collection** (→ Pastiche, cit. 5), *de musée... :* objet de valeur, digne de figurer dans une collection, un musée...

9 (...) des merveilles que Roelliers avait faites pour Mme du Barry. Elle mourait d'envie, s'il en existait encore quelques pièces, de les voir, moi de les lui donner.
PROUST, À la recherche du temps perdu, t. XII, p. 208.

10 Est-ce qu'ils n'auraient pas pu, eux, se constituer un ensemble de style, et d'époque, avec des pièces de premier ordre, et signées?
J. ROMAINS, les Hommes de bonne volonté, t. III, XIII, p. 175.

♦ **5.** (V. 1490). *Pièces d'un vêtement. Costume trois-pièces* (veste, pantalon, gilet). *Maillot de bain* (de femme) *deux-pièces.* — Ellipt. *Un deux-pièces.* ⇒ **Deux-pièces.**

11 C'était le matin. Joseph brossait et revêtait l'une après l'autre les pièces de son uniforme.
G. DUHAMEL, Chronique des Pasquier, II, XVI.

12 Il était généralement habillé avec de petits trois-pièces, en velours noir ou marine, le gilet de satin blanc.
ARAGON, les Cloches de Bâle, I, V.

(1830). Vx. *Pièce d'estomac :* jabot.

Vx. *Être habillé de toutes pièces,* des pieds à la tête, complètement. — Fig. et vieilli. *Habiller, accommoder** (cit. 6) *qqn de toutes pièces,* en dire beaucoup de mal, le ridiculiser.

(V. 1360). *Pièces d'une armure.* — (Fin xve). *Armé de toutes pièces,* de pied en cap. ⇒ **Armer** (*supra* cit. 19).

♦ **6.** *Pièce anatomique :* partie d'un corps, membre, organe, etc., préparée pour l'étude.

♦ **7.** Quantité déterminée (d'une substance formant un tout). *Pièce de drap, d'étoffe, de tissu, de velours* (→ Nippe, cit. 2), *de soie* (→ Draper, cit. 3). *Coupon fait d'une pièce entamée. Morceau d'une pièce servant d'échantillon*.*

13 (...) madame Borel, qui devait être la belle-mère de M. Mounier, était venue acheter du drap, M. Mounier, commis de son père, déploya la pièce, fit manier le drap et ajouta : — Ce drap se vend vingt-sept livres l'aune. — Hé bien! monsieur, je vous en donnerai vingt-cinq, dit madame Borel. Sur quoi M. Mounier replia la pièce de drap, et la reporta froidement dans sa case.
STENDHAL, Vie de Henry Brulard, 5.

Pièce de bois : planche, poutre... servant de matière première pour un travail de menuiserie. *Pièce de chêne* (→ Menuisier, cit. 2).

♦ **8.** (Devant un sing. collectif désignant des animaux). Individu (de telle espèce). *Pièce de bétail.* ⇒ **Tête.** *Pièce de gibier*, de poisson* (→ 2. Mulet, cit. 2). *Prendre une belle pièce, de grosses pièces* (à la pêche). → Ligne, cit. 27.

♦ **9.** Cuis. *Une pièce de viande.* — (Mil. xvie). *Pièce de four*.* — (1694). *Pièce de pâtisserie.* (→ Hérisser, cit. 31). — (xviiie). *La pièce de résistance d'un repas.* ⇒ **Plat.**

13.1 (...) il ne manquerait pas de vous exagérer lui-même toutes les pièces du repas qu'il vous donnerait, et de vous faire tomber d'accord de sa haute capacité dans la science des bons morceaux (...)
MOLIÈRE, le Bourgeois gentilhomme, IV, 1.

(1807). **PIÈCE MONTÉE :** grand ouvrage de pâtisserie et de confiserie, aux formes architecturales, d'effet décoratif.

13.2 (...) il apporta, lui-même, au dessert, une pièce montée qui fit pousser des cris.
FLAUBERT, Mme Bovary, I, IV (cf. tout le passage).

C. (Autres emplois spéciaux, où l'élément est plutôt considéré en lui-même que dans un ensemble, et qui sont, de ce fait, plus lexicalisés.)
♦ **1.** (V. 1167). **PIÈCE DE TERRE,** ou **PIÈCE :** surface de terre cultivable. ⇒ **Champ** (→ Hypothéquer, cit. 2; 1. faucheur, cit. 1). *Cette pièce était restée indivise* (cit. 2). — (xixe). Par ext. *Une pièce de blé, d'avoine,* de terre plantée en blé, en avoine.

14 Jean, qui remontait la pièce du midi au nord, avait justement devant lui, à deux kilomètres, les bâtiments de la ferme.
ZOLA, la Terre, I, I.

(1694). **PIÈCE D'EAU :** grand bassin ou petit étang dans un jardin, un parc. ⇒ **Bassin** (2.), **étang** (→ Exiguïté, cit. 3; orangerie, cit. 1). *Les pièces d'eau d'un jardin* à la française, d'un parc.*

♦ **2.** (V. 1268). **PIÈCE DE VIN :** quantité déterminée de vin en fût; le fût lui-même. ⇒ **Barrique, fût, futaille, tonneau.** *Mettre en perce une pièce de vin.* — Spécialt. Mesure de capacité pour les vins, le cidre..., variable selon les régions et valant environ deux cent vingt litres.

♦ **3.** (xvie). **PIÈCE DE MONNAIE,** et, absolt, **PIÈCE.** Morceau de métal, plat et généralement circulaire, revêtu d'une empreinte distinctive et servant de valeur d'échange. ⇒ **Monnaie*** (cit. 2 et 3); **jeton, piécette** (→ Blanc, cit. 34; louis, cit. 1). *Monnaie* (cit. 11) *en pièces. Pièces et billets* (→ Gueule, cit. 23). *Frappe* (cit. 1) *d'une pièce. Côtés* (avers, revers; pile, face) *d'une pièce.* — *Pièces d'or* (1. Or, cit. 15 et 23), *d'argent* (→ Jeu, cit. 36), *de nickel...* ⇒ **Espèce** (II., B. : espèces). *Pièce fausse* (→ 1. Faux, cit. 56). *Cisailler* des pièces de rebut.* — *Pièce d'or montée en épingle* (cit. 9). *Numismate* (cit.) *qui étudie une pièce. Pièces et médailles*.*

(...) des colliers d'introuvables pièces d'or portugaises, datant de la splendeur de Goa et ayant dormi des siècles dans les coffres de santal. 15
LOTI, l'Inde (sans les Anglais), III, VIII.

Glisser une pièce dans la main de qqn (→ Paiement, cit. 2), *lui donner une pièce.* — Loc. (1640). *Donner la pièce à qqn,* lui donner une gratification, un pourboire.

Tu feras bien de donner la pièce à Georges *(le chauffeur).* Ça se fait, tu sais (...) 16
MONTHERLANT, les Célibataires, I, III.

Rendre à qqn la monnaie (cit. 12) *de sa pièce;* au fig. ⇒ **Monnaie** (*supra* cit. 15).

Loc. fam. (D'après une méthode des sages-femmes pour apprécier l'état de dilatation des organes). *En être à la pièce de cent sous :* être sur le point d'accoucher.

(...) je ne sais pas comment il s'appelle, ce gynécologue, sinon je ne me gênerais pas pour lui téléphoner que je vais mettre bas : « Allo! mademoiselle Mireille, dites à votre type de se rhabiller et presto, c'est pour très vite, j'en suis à la pièce de cent sous. » 16.1
Christine DE RIVOYRE, les Sultans, p. 121.

♦ **4.** [a] (V. 1490). **PIÈCE D'ARTILLERIE, DE CANON,** ou **PIÈCE :** bouche* à feu avec son affût. ⇒ **Artillerie** (cit. 1), 1. **canon** (→ Attaquer, cit. 6; capitulation, cit. 1). *Repérer une pièce* (→ Arrosement, cit. 3). *Nos pièces s'étaient mises à tirer* (→ Ligne, cit. 38). *Chef de pièce* (→ Caronade, cit. 1). *Canonniers, à vos pièces!* — *Pièces de campagne, de siège, de D.C.A. Calibre d'une pièce. Pièce de soixante-quinze.* — Admin. milit. Chaque division d'une batterie* d'artillerie.

Sur quinze servants d'une pièce d'artillerie, dix tombent, parce que l'on a estimé inutile de faire un abri pour eux. 17
GIDE, Journal, 23 oct. 1916.

(1869). Unité élémentaire d'une batterie d'artillerie. *La pièce de fusil-mitrailleur forme avec l'équipe de fusiliers-voltigeurs le groupe de combat* (dans une section d'infanterie). *Caporal chef de pièce.*

[b] *Pièce d'artifice* :* chaque fusée, pétard, etc. *Pièce montée :* ensemble de pièces d'artifice montées sur un support.

♦ **5.** (1549). Écrit servant à établir un droit, à faire la preuve d'un fait... ⇒ **Acte, certificat, diplôme, dit, document** (cit. 2 et 4), **note, papier, titre.** *Pièces justificatives** (→ Incident, cit. 14), *certificatives. Pièces en règle* (→ Législation, cit. 1). *Pièce authentique* (→ Généalogiste, cit. 3). *Liste de pièces.* ⇒ **Bordereau.** *Pièces d'identité** (*supra* cit. 13). ⇒ **Papier** (II., 3. : papiers). *La signature* des pièces* (→ Mariage, cit. 5). *Communication*, production* des pièces. Fuite* (cit. 14) *des pièces.* — *Les pièces d'un procès.*

(...) le dossier se compliquait encore des pièces judiciaires : le procès-verbal de constat rédigé par le greffier que le procureur impérial et le juge d'instruction avaient amené sur le théâtre du crime (...) 18
ZOLA, la Bête humaine, IV.

Dr. **PIÈCE À CONVICTION** (vx. : *pièce de conviction*) : objet à la disposition de la justice pour fournir un élément de preuve dans un procès pénal (→ Conviction, cit. 2). — Par ext., cour. Élément de preuve constitué par un objet matériel.

PIÈCE (même sens, dans les loc. *sur pièces, pièces à l'appui). Fournir des pièces à l'appui.* — Loc. *Juger, décider sur pièces, avec pièces à l'appui.*

L'abbé Gédoyn le sentit si bien (et c'est son honneur), qu'ayant achevé son Mémoire par une sorte de compliment pour les académiciens devant qui il le lisait, il se hâta d'y ajouter un post-scriptum, et d'indiquer du doigt Mme de Caylus comme exemple plus concluant, et comme *pièce à l'appui.* 19
SAINTE-BEUVE, Causeries du lundi, 28 oct. 1850.

♦ **6.** (1580). Ouvrage littéraire ou musical (vieilli, sauf en loc.). *Pièce de vers, de poésie.* ⇒ **Poème, poésie** (→ Iambe, cit. 5). *L'épigramme* (cit. 2), *petite pièce. Pièce de circonstance*. Pièces fugitives.* — *Pièce d'éloquence :* discours, sermon... (→ Maître, cit. 79).

Morceau (de musique). *Pièce vocale* (→ 2. Canon, cit. 6; nocturne, cit. 4). *Ouverture* (cit. 7) *d'une pièce. Le madrigal* (cit. 1), *pièce de musique savante.*

Bon travail (...) et piano. Je commence à revoir les pièces d'Albeniz que j'avais apprises par cœur l'an passé. 20
GIDE, Journal, 25 avril 1917.

(V. 1650). Spécialt. **PIÈCE DE THÉÂTRE,** et, absolt, **PIÈCE :** ouvrage dramatique. ⇒ **Théâtre; comédie, drame** (cit. 4), **tragédie; revue, vaudeville...** (→ Creuset, cit. 4; durée, cit. 5). *Pièce en un, trois, cinq actes** (→ Hôtel, cit. 14), *dix scènes*, dix tableaux*. Auteur* (cit. 19) *de pièces médiocres. Créateur d'une pièce; créer* une pièce* (en parlant d'un acteur). *Écrire, monter* (cit. 27), *jouer, mettre en scène une pièce.* — *Pièce à un personnage* (⇒ **Monologue**), *pièce dialoguée* (cit. 3). ⇒ **Dialogue.** *Pièce de caractère* (cit. 68). *Intri-*

gue d'une pièce (→ Naturel, cit. 21). *Cette pièce faiblit* (cit. 3) *de scène en scène. Évolution* (cit. 14) *des personnages d'une pièce. Pièce gaie* (cit. 8), *comique... — Pièce faite pour être jouée* (cit. 58). *Pièce injouable* (cit. 1). *Pièce qui a eu du succès* (→ Approuver, cit. 6). — (1863). *Pièce de circonstance,* sur un sujet d'actualité.

21 Je suis bien loin de justifier en tout la tragédie d'*Hamlet* : c'est une pièce grossière et barbare, qui ne serait pas supportée par la plus vile populace de la France et de l'Italie. VOLTAIRE, Sémiramis, Dissertation sur la tragédie, III.

22 (...) se rendre dans le pays même où le drame s'était déroulé, c'était un peu forcer la main au destin, de même que la réapparition d'un acteur sur la scène provoque le dénouement de la pièce. J. GREEN, Léviathan, II, VIII.

(1643). Fig. et vx. « Tromperie, moquerie, petit complot, comparé à une pièce de théâtre » (Littré). *Faire, jouer une pièce, des pièces à qqn; déjouer une pièce* (→ Force, cit. 66).

23 Moi, marié! ce sont pièces qu'on vous a faites;
Quiconque vous l'a dit s'est voulu divertir. CORNEILLE, le Menteur, III, 5.

Loc. Mod. **FAIRE PIÈCE À QQN,** en user mal avec lui, lui faire tort (→ Interdiction, cit. 2). — Par ext. S'opposer à, faire échec...

24 Cette éducation était dirigée comme pour faire pièce à la logique. STENDHAL, Souvenirs d'égotisme, 7.

25 Ce que je puis dire, c'est que ce poème gigantesque et monotone *(Ève, de Péguy)* fut écrit (je n'ose dire : improvisé) pour faire pièce à un volume de vers de Lucas de Pesloüan. GIDE, Ainsi soit-il, p. 30.

♦ **7.** (1694). Chaque partie isolée, entourée de murs, de cloisons, ou nettement séparée, dans une maison*, un appartement (à l'exclusion des entrées, couloirs, galeries, parties communes et généralement des cuisines et salles de bain). ⇒ **Salle.** *Maisonnette qui comprend deux pièces par étage. Appartement* (cit. 5) *de trois pièces, d'une seule pièce.* ⇒ **Studio.** *Logement* de deux pièces* (→ Infime, cit. 4; kitchenette, cit. 2). *Les pièces d'un meublé* (cit. 8). *Une pièce baptisée* (cit. 7) *laboratoire. Une pièce qu'on appelait bibliothèque* (cit. 7). *Pièces qui se commandent* (cit. 40), *communiquent* (cit. 11)... *Enfilade* (cit. 2) *de pièces. Pièce servant d'entrée.* ⇒ **Antichambre, vestibule.** *Pièce où l'on couche* (⇒ **Chambre**), *où l'on mange.* ⇒ **Salle** (à manger). *Pièce de réception* (⇒ **Salon**), *de séjour* (⇒ **Living-room**). *Petite pièce.* ⇒ **Cabinet, cellule** (→ Où, cit. 7). *Dans quelle pièce loge-t-il?* ⇒ **Endroit.** *Large* (cit. 2), *vaste pièce* (→ Meuble, cit. 4). *Immense pièce* (→ Imprimerie, cit. 5). *Fondre quatre pièces en une* (→ Hall, cit. 2). *Pièce éventée* (cit. 11), *sans air* (→ Odorant, cit. 2), *exposée au nord* (cit. 2). — *Habiter deux pièces sommairement meublées* (cit. 7). *Familles entassées* (cit. 12) *dans quelques pièces.*

26 La salle à manger seule donne sur la rue. C'est une pièce de trois mètres cinquante sur trois mètres vingt, avec deux mètres soixante-dix de hauteur de plafond. L'un des angles est coupé par un vieux poêle de faïence, surmonté d'une niche. J. ROMAINS, les Hommes de bonne volonté, t. I, V, p. 57.

27 Six pièces, rue Mozart, c'est-à-dire presque au bout d'Auteuil, et de ces pièces d'immeuble moderne, où chaque couloir, chaque panneau, chaque encoignure, semble gémir sur le prix du terrain (...) J. ROMAINS, les Hommes de bonne volonté, t. III, XIII, p. 174.

28 « Quelle jolie maison! » disait René parcourant les pièces du long rez-de-chaussée, le couloir voûté blanchi à la chaux, la galerie... J. CHARDONNE, les Destinées sentimentales, p. 368.

Ellipt. *Un deux pièces, un trois pièces* : un appartement de deux, trois pièces. *Acheter, louer un deux pièces cuisine.*

28.1 Elle avait loué (ou acheté), rue François-Ier, un dix-pièces aux moquettes infinies, mais n'avait jamais daigné le meubler. Jacques LAURENT, les Bêtises, p. 67.

★ **III.** Chacun des éléments dont l'agencement, l'assemblage forme un tout organisé; élément destiné à s'intégrer à un tel ensemble. ⇒ **Partie** (I.). ♦ **1.** (Déb. XVIe). Élément (d'un tout organisé). *Assemblage de pièces.* ⇒ **Assemblage, assembler.** *Pièces d'un mécanisme, d'une machine* (cit. 13 et 16), *d'un moteur...; d'un appareil*, d'un engin* (cit. 6). ⇒ **Organe; machine, moteur** (→ Cause, cit. 5; détraquer, cit. 1). *Les pièces d'une pendule* (→ Démonter, cit. 10). ⇒ **Horlogerie; cadrature.** *Pièces de serrurerie*. Les deux pièces d'un compas.* ⇒ **Branche.** *Pièces de bois, de charpente* (⇒ **Armature, charpente; bâti**), *de menuiserie.* ⇒ **Menuiserie.** *Pièce verticale* (montant); *horizontale* (traverse), *longue* (barre, tige); *massive* (bloc)... *Pièces jumelles*. Pièces d'appui*. — Assemblage, décoration de pièces rapportées.* ⇒ **Marqueterie, mosaïque.** — *Démonter, remonter les pièces d'un appareil, d'un assemblage...* ⇒ **Démontage, remontage.** *Désassembler*, disjoindre des pièces. Pièces interchangeables*. — Pièces de rechange*. Pièces détachées* (d'une machine, d'un moteur). → Graissage, cit. 4. *Magasin de vente de pièces détachées. Service des pièces détachées. Montage* des pièces. Pièces accessoires.* ⇒ **Accessoire** (II.). *Munir des pièces et accessoires prévus par le constructeur.* ⇒ **Équiper.** *Pièces d'assemblage** : boulons, écrous, vis, chevilles... — *Fabrication : ajustage*, finissage, usinage; centrage*... des pièces mécaniques.* — *Pièce de coin* (dans l'assemblage d'un ensemble métallique).

Spécialt (couture). *Pièces assemblées par un bâti*, une couture*. Pièce rapportée.* ⇒ **Découpe, empiècement.** — Par métaphore. *Un tissu de pièces rapportées* (→ 1. Jargon, cit. 4). — Fig. Personne qui ne fait partie d'une famille que par alliance (en général péjoratif).

29 À leurs yeux, les familles qui s'alliaient à la nôtre demeuraient étrangères et indignes. Ils appelaient leurs beaux-frères et belles-sœurs : « Les pièces rapportées », « Les œufs de canard », et les traitaient avec condescendance. A. MAUROIS, Mémoires, I, I.

(1869). Anat. *Les pièces osseuses* (cit. 1) *du squelette, d'une articulation, d'un membre* (→ Coude, cit. 1). *Pièces buccales d'un insecte.*

Fig. Élément (d'une œuvre). → Assortir, cit. 16; ordonnance, cit. 5.

♦ **2.** (XVIe, *pièce de rajout*). Élément destiné à réparer (une déchirure, une coupure). *Mettre une pièce à un vêtement, à un pneu...* ⇒ **Rapiécer; raccommoder, rapetasser.** *Pièce d'un pantalon.* ⇒ **Fond.**

♦ **3.** Loc. *Être fait d'une seule pièce, tout d'une pièce* : être d'un seul tenant, d'un seul bloc* (→ Orthopédiste, cit. 1). — (1690). *Ne se mouvoir* (cit. 11) *que tout d'une pièce,* avec raideur, brusquerie (comme si le corps n'était pas articulé). ⇒ **Rigide.** — (V. 1175). *Tout d'une pièce* : franc et direct, ou encore simple, sans détour, sans finesse, sans tolérance (→ Badiner, cit. 5). *Rôle tout d'une pièce* (→ Étoffer, cit. 3). *Ces personnages sont sans vie, tout d'une pièce.*

Je veux mourir si je n'aime mille fois mieux les jésuites : ils sont au moins tout d'une pièce, uniformes dans la doctrine et dans la morale. 30
Mme DE SÉVIGNÉ, 625, 16 juil. 1677.

(...) M. de Bouillon n'est pas plus près d'être ministre que moi, quand le roi l'embrasserait. Il a de grandes qualités; mais il ne parviendra pas, parce qu'il est tout d'une pièce (...) A. DE VIGNY, Cinq-Mars, XIX. 31

La jeune fille se tourna tout d'une pièce, comme sur un tabouret de piano. 32
P.-J. TOULET, la Jeune Fille verte, IV.

(...) ses robes de soie noire, d'une seule pièce et boutonnées devant (...) 33
J. CHARDONNE, les Destinées sentimentales, p. 73.

Fait de pièces et de morceaux, se dit, au propre et au fig., de tout ce qui manque d'unité, d'homogénéité. ⇒ **Disparate** (→ Effondrement, cit. 2; hacher, cit. 17; ordonnateur, cit. 4; et aussi la loc. De bric* et de broc).

De toutes pièces, se dit de ce qui est fait, inventé entièrement, complètement par son auteur. *Créer* (→ 1. Héros, cit. 6), *inventer* (cit. 4 et 17) *qqch. de toutes pièces. Illusions* (cit. 4) *forgées de toutes pièces. Construire le monde de toutes pièces, sur des hypothèses* (cit. 5).

Pièce à pièce : progressivement*, morceau par morceau, élément par élément (→ L'un après* l'autre). *S'écrouler pièce à pièce* (→ Échafaudage, cit. 6).

CONTR. **Ensemble, tout.**

DÉR. et **COMP.** **Dépecer** (et dér.). — **Dépiécer.** — **Empiècement.** — **Piéça.** — **Rapiécer.** — **Piécette.**

PIÉCETTE [pjesɛt] n. f. — 1812, « monnaie d'argent d'Espagne »; *piecete* « petit morceau », 1247; de *pièce* (II., C., 3.).

♦ **1.** (1834). Petite pièce de monnaie.

La personne dont je vous parle a dix-huit ans! Dix-huit ans! Un teint, des cheveux! Et bonne fille! Bien entendu, une piécette de temps à autre facilite les relations (...) J. GREEN, Léviathan, I, VII. 1

(...) les enfants du château comptaient l'argent en francs et non en centimes ils gardaient les centimes quand même pour leurs friandises ils répandaient un gros sac de piécettes sur le comptoir de l'épicière et déclaraient Bonne femme payez-vous (...) Tony DUVERT, Paysage de fantaisie, p. 108. 2

♦ **2.** Archit. Ornement formé d'un chapelet de petits disques.

♦ **3.** (1875, *in* D. D. L.). Rare. Petite pièce de théâtre.

(...) dans la piécette de M. Miguel Zamacoïs, *Au bout du fil,* où il figure l'amant d'une femme mariée imprudemment abonné au téléphone (...) 3
A. JARRY, Critiques de théâtre, Œ. compl., t. VII, p. 249 (1903).

♦ **4.** Techn. Pièce triangulaire placée à la base de chacun des doigts d'un gant.

PIED [pje] (On ne fait la liaison que dans quelques loc., où le *d* se prononce *t* : *mettre pied à terre, de pied en cap...*). n. m. — Xe; du lat. *pedem,* accusatif de *pes, pedis;* souvent écrit *piés, pié,* du XIIIe au XVIe, encore chez La Fontaine. → Demi-, cit. 13.

★ **I.** Extrémité inférieure de la jambe* chez l'homme, de la patte* chez certains animaux, servant à l'appui et à la locomotion.

A. Chez l'homme. ♦ **1.** [a] Le dernier segment du membre pelvien, partie inférieure articulée à l'extrémité de la jambe, pouvant reposer à plat sur le sol et permettant la station verticale et la marche. ⇒ **Pède-, -pédi, -pédie.** *Le pied droit, gauche. Les pieds et les mains.* ⇒ **Extrémité** (A., 1. : extrémités). *Parties du pied.* ⇒ **Cou-de-pied, plante, talon** (→ Frisson, cit. 11). *Pointe du pied. Doigts* du pied, doigts de pied.* ⇒ **Orteil** (→ Articuler, cit. 1; frileux, cit. 4). *Pouce* du pied. Articulation du pied.* ⇒ **Cheville, malléole.** *Partie dorsale, plantaire du pied. Squelette du pied.* ⇒ **Métatarse, tarse** (astragale, calcanéum, scaphoïde, cunéiformes); **phalange** (des orteils). *Muscles des pieds* (abducteurs, adducteurs, fléchisseurs des orteils, interosseux [⇒ **Inter-**], pédieux*)... — *Étude du pied.* ⇒ **Podologie.**

Noms donnés au pied, dans le langage familier. ⇒ **Arpion, nougat, panard, patte, paturon, pince, pinceau, ripaton...**

Formes, dimensions du pied. Jolis pieds, pied mignon (→ Attacher, cit. 90; joli, cit. 9). *Petits pieds.* ⇒ **Peton.** *Pieds fins* (→ Large, cit. 3). *Pieds cambrés. Pieds déformés, comprimés des femmes de l'ancienne Chine. Avoir de grands pieds* (cf. fam. Chausser du 42 fillette). *Berthe au grand pied.* — *Monomanie* (cit. 2), *fétichisme du pied.*

1 Mais elle avait le pied gros et court, signe indélébile de sa naissance obscure. Jamais un héritage ne causa plus de soucis. Florine avait tout tenté, excepté l'amputation, pour le changer. Ses pieds furent obstinés, comme les Bretons auxquels elle devait le jour; ils résistèrent à tous les savants, à tous les traitements; Florine portait des brodequins longs et garnis de coton à l'intérieur pour figurer une courbure à son pied. BALZAC, Une fille d'Ève, Pl., t. II, p. 104.

2 (...) c'étaient bien les deux plus adorables pieds du monde, pas plus grands que cela, blancs comme de l'ivoire neuf et un peu rosés par la pression de la chaussure où ils étaient en prison depuis dix-sept heures, des pieds trop petits pour une femme, et qui semblaient n'avoir jamais marché (...)
Th. GAUTIER, Mlle de Maupin, VI.

3 Madame alléguera qu'elle monte en berline;
Qu'elle a passé les ponts quand il faisait du vent;
Que, lorsqu'on voit le pied, la jambe se devine;
Et tout le monde sait qu'elle a le pied charmant.
A. DE MUSSET, Premières poésies, « Namouna », I, IV.

4 Je me rappelle surtout deux petits pieds tout blancs, les plus nus, les plus blancs. Leur pas était toujours égal, sage, mesuré par une chaîne invisible. J'imagine que c'était ceux d'Électre. GIRAUDOUX, Électre, I, 1.

Difformités, maladies... du pied. Pied-bot ou *pied bot.* ⇒ **Bot** (cit.). → Équin, cit. *Pied tors* (→ Nain, cit. 3). *Pied creux. Pied plat :* malformation du pied (→ ci-dessous le sens fig.). *Pied d'athlète, pied de Madagascar, pied de Hong-Kong :* dermatose mycosique du pied. ⇒ **Athlète.** *Cals, callosités du pied.* ⇒ **Cor** (2. Cor, cit.), **durillon, oignon...** *Avoir mal aux pieds, souffrir des pieds* (→ Gros, cit. 4). ⇒ **Tarsalgie.** *Blessure au pied. Se fouler** (cit. 12), *se tordre le pied. Avoir une épine au pied, dans le pied.* — Loc. fig. *Tirer, ôter une épine** (cit. 13) *du pied.* — *Boiter* (cit. 3) *du pied droit, gauche.* ⇒ **Boiter, boiteux.** *Amputation du pied.*

5 Popinot était petit et pied-bot, infirmité que le hasard a donnée à lord Byron, à Walter Scott, à monsieur de Talleyrand, pour ne pas décourager ceux qui en sont affligés. BALZAC, César Birotteau, Pl., t. V, p. 368.

6 Tandis qu'il étudiait les équins, les varus et les valgus, c'est-à-dire la stréphocatopodie, la stréphendopodie et la stréphexopodie (ou, pour parler mieux, les différentes déviations du pied, soit en bas, en dedans ou en dehors), avec la stréphypopodie et la stréphanopodie (autrement dit : torsion en dessous et redressement en haut), M. Homais, par toutes sortes de raisonnements, exhortait le garçon d'auberge à se faire opérer. FLAUBERT, Mme Bovary, II, XI.

7 (...) Rosa en fut si bouleversée qu'elle oublia qu'elle sautait, et se tordit le pied. Elle fût tombée, si Christophe ne l'avait retenue, pestant tout bas contre l'éternelle maladroite. R. ROLLAND, Jean-Christophe, L'adolescent, I, p. 256.

Soin, hygiène des pieds. ⇒ **Pédicure; podologue.** *Bain de pieds.* ⇒ **Bain, pédiluve** (→ Ordonner, cit. 14). *Se laver les pieds* (→ 1. Guigne, cit. 2). — Relig. *Le lavement* des pieds.* — *Avoir les pieds sales. Sentir des pieds.*

Avoir chaud, froid aux pieds. Avoir les pieds gelés. Avoir les pieds au chaud. Se chauffer (cit. 3) *les pieds.* ⇒ **Bouillotte, chancelière, chauffe-pieds, chaufferette.** *Les pieds devant le feu, sur les chenêts* (cit. 2). *Couverture sur les pieds.* ⇒ **Couvre-pieds.** — *Se brûler les pieds.* — Loc. fig. *Les pieds lui brûlent* (cit. 40), *le pavé lui brûle* (cit. 26) *les pieds :* il a hâte de partir*. — *Avoir les pieds secs, mouillés. Se tremper les pieds* (cf. Faire trempette). — Loc. *Passer une rivière à pied sec,* sans se mouiller les pieds.

8 *(Ce grand Dieu)*
Qui noya Pharaon sous les ondes salées,
Et fit passer son peuple, ainsi que par bateaux,
Sans danger, à pied sec par le profond des eaux.
RONSARD, Disc. des misères de ce temps, « Remontrance au peuple de France ».

Pieds nus (→ Dépenaillé, cit. 2), *nu-pieds.* ⇒ **Nu** (1. Nu, cit. 7). *Courir les pieds nus, à pieds nus* (vieilli), *pieds nus, nu-pieds. Chausser son pied. Un pied chaussé et l'autre nu.* — *Partie du vêtement qui couvre, protège le pied.* ⇒ **Chaussure** (cit. 4; → Pantoufle, cit. 2 et 3). *Mettre son pied dans une chaussure.* ⇒ **Chausser.** *Pieds chaussés de pantoufles* (→ 1. Cotte, cit. 2), *de sandales* (→ Huron, cit. 1). — *Avoir* (une chaussure) *au pied,* (des chaussures) *aux pieds,* et, pop., *dans les pieds. Avoir aux pieds des galoches* (cit. 2). — Loc. fig. *Une chaussure à tous pieds. Trouver chaussure à son pied.* ⇒ **Chaussure** (→ Marier, cit. 7). *Avoir les deux pieds dans le même sabot :* être maladroit, emprunté. — *Pantalon, guêtre munis d'une bande passant sous le pied.* ⇒ **Sous-pied.** — *Pièce d'armure protégeant le pied.* ⇒ **Soleret.**

9 Qu'Émile coure les matins à pieds nus, en toute saison, par la chambre, par l'escalier, par le jardin; loin de l'en gronder, je l'imiterai; seulement j'aurai soin d'écarter le verre. ROUSSEAU, Émile, II.

b Loc. *Pieds nickelés*.* — *Avoir les pieds plats* (comme les paysans qui portaient des souliers sans talon) : être rustre. ⇒ **Pied-plat.**

L'animal à deux pieds sans plumes : l'homme.

10 Ce Pencroff était un Américain du nord, qui avait couru toutes les mers du globe, et auquel, en fait d'aventures, tout ce qui peut survenir d'extraordinaire à un être à deux pieds sans plumes était arrivé. J. VERNE, l'Île mystérieuse, t. I, p. 20.

Fam. *Être bête comme ses pieds,* très bête. *Faire qqch. comme un pied,* très mal (→ Épauler, cit. 1). *Il a joué comme un pied. Il se débrouille comme un pied.* — Par ext. *Quel pied ! :* quel imbécile!

11 Espèce ed' *(de)* pied, exclame-t-on dans l'autre coin, très en colère, pourquoi qu't'as pas joué, atou, alors? H. BARBUSSE, le Feu, t. II, II, XX, p. 28.

Marcher sur le pied de qqn (→ Faute, cit. 16; impolitesse, cit.). — Fig. *Marcher sur les pieds de qqn,* lui manquer, chercher à l'évincer.

— Je ne sais ni pourquoi, ni de quoi vous criez. 12
— C'est qu'il ne fait pas bon me marcher sur les pieds.
A. DE MUSSET, Premières poésies, « À quoi rêvent les jeunes filles », II, III.

Fam. *Casser les pieds.* ⇒ **Ennuyer; casse-pieds.**

Fam. *Faire les pieds* (à qqn), lui donner une leçon, le dresser, lui apprendre à vivre (peut-être, à l'origine, en parlant d'une marche forcée infligée par punition à des soldats).

— Vous savez, dit-il, c'est la première fois de ma vie que ça m'arrive. — Quoi? 13
Jeune ingénu! — (...) d'être rabroué comme ça. — Eh, bien, ça vous fera les pieds. ARAGON, les Cloches de Bâle, III, XX.

Lola avait l'air absent, il eut envie de la faire souffrir un peu, pour lui faire 14
les pieds (...) SARTRE, l'Âge de raison, p. 36.

Fam. *Occupe-toi de tes pieds* (cf. De tes fesses, de tes oignons).

c (Contextes du mouvement et de la lutte). *Mettre, poser son pied sur..., dans...* ⇒ **Marcher** (II., B.). *Mettre le pied dans une flaque d'eau. Poser un pied par terre, sur le sol, sur une marche*, un marchepied*. Essuyer ses pieds sur un paillasson*.* — *Les pieds en l'air, la tête en bas.* — Loc. *Avoir le pied, un pied dans la fosse** (cit. 6), *dans la tombe* :* être très vieux* ou moribond*. ⇒ **Mourir.** — *Avoir, mettre le pied dans la vigne du Seigneur :* être ivre. — Loc. fam. *Mettre les pieds dans le plat :* aborder une question délicate avec une franchise brutale; commettre une bévue grossière, un grave impair. ⇒ **Gaffe.**

Certains hommes boitaient dont on sentait bien que ce n'était pas par suite d'un 15
accident de voiture, mais à cause d'une attaque et parce qu'ils avaient déjà, comme on dit, un pied dans la tombe.
PROUST, À la recherche du temps perdu, t. XV, p. 96.

Il perd beaucoup, mais il sait travailler : il faut mettre les pieds dans le plat et 16
lui demander où il en est (...) A. MAUROIS, Bernard Quesnay, XXIII.

Poser son pied sur celui de sa voisine. Effleurer, frôler du pied.

(...) son pied, aussi expressif que sa main, s'appuya avec le même aplomb, la même 17
passion, la même souveraineté, sur mon pied, et y resta tout le temps que dura ce dîner (...)
BARBEY D'AUREVILLY, les Diaboliques, « Le rideau cramoisi ».

Loc. *Faire du pied à qqn,* poser le pied sur le sien (pour l'avertir, marquer un intérêt galant, etc.). *Se faire du pied.*

Loc. fam. *Ne pas se moucher** (cit. 7 et 8) *du pied. Avoir, mettre (le) pied à..., dans tel ou tel endroit,* y être, y aller. — *Mettre pied à terre :* descendre* d'une monture, d'un véhicule (→ Débrider, cit. 1; gravir, cit. 5). *Mettre le pied à terre :* s'arrêter. ⇒ **Pied-à-terre.** *Avoir le pied à l'étrier** (cit. 2). — (1680). Fig. *Avoir toujours un pied en l'air :* être vif, changer sans cesse de place.

Mettre, remettre le pied, les pieds quelque part, y aller*, y retourner*. *Mettre le pied dehors :* sortir (→ Déniaiser, cit. 3). *Il n'y a jamais* (cit. 10) *mis les pieds. Je n'y remettrai plus les pieds. Dès qu'il eut remis un pied dans le monde* (→ 1. Lancer, cit. 40).

Ce pays est à toi! et pourquoi? parce que tu y as mis le pied? Si un Taïtien débar- 18
quait un jour sur vos côtes, et qu'il gravât sur une de vos pierres ou sur l'écorce d'un de vos arbres : *Ce pays appartient aux habitants de Taïti,* qu'en penserais-tu? DIDEROT, Suppl. au voyage de Bougainville, II.

Avoir les pieds par terre : être réaliste (cf. Terre à terre).

Nous ne pouvons pas penser sur les ailes du vent. D'autre part, s'il est essentiel 18.1
que nous ayons les pieds par terre, il l'est également que nos têtes ne restent pas au niveau du sol. MALRAUX, Antimémoires, Folio, p. 341.

Positions et mouvements des pieds dans l'appui, la marche...* ⇒ **Marche, marcher, pas** (1. Pas, cit. 3). — Loc. *Mettre un pied devant l'autre :* marcher (→ Bourrelet, cit. 1). *Il ne peut plus mettre un pied devant l'autre.* — *Partir du pied droit, du pied gauche :* commencer à marcher en prenant appui sur le pied droit, gauche. — Loc. fig. *Il s'est levé du pied gauche, du mauvais pied :* il est de mauvaise humeur.

(...) il y a des jours comme ça où on se lève du mauvais pied, où on ne prend plai- 18.2
sir à rien (...) S. DE BEAUVOIR, les Belles Images, p. 22.

Pirouette sur un pied. Sauter, sautiller d'un pied sur l'autre. « Leurs pieds* (des danseuses) *semblent écrire »* (→ Gracieux, cit. 10, Valéry). — *Avoir, tourner les pieds en dedans, en dehors. Pieds écartés, joints.* — *À pieds joints. Sauter* à pieds joints.* — *De plain-pied.* ⇒ **Plain.** — *Lever les pieds en marchant. Traîner* les pieds. Frotter ses pieds par terre. Avancer, reculer le pied.* — *Placer, tenir le pied à l'endroit marqué.* ⇒ **Piéter.** *Faute de pied* (au basket-ball, au tennis...). *Prendre son appel du pied droit, gauche, en sautant. Pied d'appel. Battre, taper des pieds, du pied; battements* (cit. 1) *de pieds.* ⇒ **Piétiner, trépigner.** *Frapper du pied* (par terre). → Nez, cit. 30; par métaphore, 1. arbitre, cit. 15. — *Heurter un obstacle du pied.* ⇒ **Achopper, buter.** *Les pieds glissent dans la boue* (→ Bâton, cit. 7; fange, cit. 3). *Le pied lui a manqué** (cit. 28). *Tirer par les pieds* (→ Enlisement, cit. 1). — *Entraver, attacher, lier les pieds.* ⇒ **Empêtrer.** *Dégager les pieds.* ⇒ **Dépêtrer.** — Loc. *Pieds et poings liés* (cit. 26 et 29) : réduit à l'impuissance*, à l'inaction totale. — Fam. *Ne pouvoir remuer ni pied ni patte :* être complètement immobilisé. ⇒ **Immobile** (→ Clouer, cit. 3).

Il y avait une grande querelle dans Babylone (...) qui partageait l'empire en deux 19
sectes opiniâtres : l'une prétendait qu'il ne fallait jamais entrer dans le temple de Mithra que du pied gauche : l'autre (...) n'entrait jamais que du pied droit. On attendait le jour de la fête solennelle du feu sacré pour savoir quelle secte serait favorisée par Zadig. L'univers avait les yeux sur ses deux pieds (...) Zadig entra dans le temple en sautant à pieds joints (...) VOLTAIRE, Zadig, VII.

20 Si je pouvais mettre un pied devant l'autre, vous croyez bien que mes deux pieds seraient chez vous. VOLTAIRE, Correspondance, 4106, 20 juin 1774.

Trace, empreinte (cit. 3) *du pied sur le sol.* ⇒ 1. **Pas** (I., 3.; → Marquer, cit. 41).

*Fouler** (cit. 7 et 9) *aux pieds.* — (Vx). *Fouler du pied. Écraser sous les pieds. Feuilles sèches qui craquent sous le pied. La terre lui manqua sous les pieds. Avoir sous les pieds la terre ferme, un bateau* (→ Manœuvrer, cit. 7). — Par métaphore (→ Désagrégation, cit. 1). — Loc. *Couper l'herbe** (cit. 19) *sous les pieds de qqn.*

Loc. fig. et fam. *S'en aller les pieds devant, les pieds les premiers :* être mort.

21 (...) cet hiver, autour d'elle *(Maman Coupeau)*, on disait qu'elle ne sortirait plus de sa chambre que les pieds en avant; et elle avait, à la vérité, un fichu râle qui sonnait joliment le sapin (...) ZOLA, l'Assommoir, IX, t. II, p. 78.

Lever un pied, le pied. — Spécialt. Cesser d'accélérer (opposé à *mettre le pied à fond*). — Loc. fig. *Lever** *le pied :* s'en aller, partir. *Appuyer, manœuvrer avec le pied. Mettre, enfoncer le pied sur l'accélérateur.* — (Argot autom.). *Pied dedans :* en accélérant à fond.

COUP DE PIED : coup (cit. 11) donné avec le pied (→ Coup de botte*). *Donner, envoyer* (cit. 23) *un coup de pied. Coup de pied en vache. Coup de pied au cul* (cit. 6 et 8), *au derrière* (cit. 19). *Lutte à coups de pied.* ⇒ **Pantoufle, savate.** — Sports. Coup frappé dans le ballon avec le pied. ⇒ **Shoot.** *Donner un coup de pied dans le ballon.* ⇒ **Shooter.** *Coup de pied à suivre. Coup de pied touché, de pénalité.* — *Se donner des coups de pied en courant.* — Loc. fig. *Ne pas se donner de coups de pied :* se vanter*. — Loc. métaphorique. *Coup de pied de Vénus :* maladie vénérienne*. — Par ext. *Aller quelque part d'un coup de pied,* y aller à pied, rapidement.

Balle au pied. ⇒ **Football.**

21.1 Antoine (...) sonnait du clairon dès que l'un d'eux avait la balle au pied. René FALLET, le Triporteur, p. 397.

Se battre, lutter avec les pieds et les mains. Faire tomber avec son pied, en faisant un croche-pied. ⇒ **Croc-en-jambe.** — Loc. *Lutter* (cit. 4) *des pieds et des mains.* — Loc. *Faire des pieds et des dents** (cit. 16). — (Vx). *Faire des pieds et des mains :* se démener, employer tous les moyens (→ Arracher, cit. 41; décider, cit. 28).

22 (...) si je savais qu'il existe quelque part une société secrète, de gens qui aient en gros le même but que moi, et décidés à tout, je ferais des pieds et des mains pour y entrer. J. ROMAINS, les Hommes de bonne volonté, t. IV, X, p. 100.

Mettre à qqn son pied quelque part, lui donner un coup de pied au derrière (→ 1. Part, cit. 23).

(1594, *in* D. D. L.). Vx. *Tenir le pied sur la gorge à qqn,* le tenir à sa merci.

Loc. *De pied ferme :* les pieds solidement appuyés au sol. *Tenir de pied ferme,* sans reculer. *Attendre* (cit. 21) *qqn de pied ferme,* avec détermination. — *Lever* (1. Lever, cit. 5) *le pied,* se dit d'un dépositaire de fonds qui s'enfuit en emportant l'argent dont il avait la garde.

Au pied levé (1. Lever, cit. 39) : sans apprêt, sans préparation. ⇒ **Incontinent.**

Haut le pied. ⇒ **Haut** (cit. 87 à 89).

D'arrache-pied. ⇒ **Arrache-pied.**

d Loc. (avec *sur, à, en*). **SUR LES PIEDS, SUR UN PIED...** ⇒ **Debout, dressé, levé.** *Se lever* (→ Noir, cit. 8), *se mettre, se tenir* (→ Chancelant, cit. 1) *sur ses pieds. Sauter sur ses pieds* (→ Camper, cit. 9). *Planté sur ses pieds* (→ Foi, cit. 18). *Tomber sur ses pieds,* sans se faire de mal. — Fig. *Retomber sur ses pieds :* se tirer à son avantage d'une situation difficile, dangereuse, par adresse ou par chance. — *Être en équilibre sur un pied* (→ Étonner, cit. 10). *Sauter sur un pied.* ⇒ **Cloche-pied** (à). — Fig. *N'être que sur un pied,* dans une situation instable, difficile. *Ne pas savoir sur quel pied danser :* être dans l'indécision*, ne savoir quelle attitude, quelle contenance* prendre (→ Avenant, cit. 5).

23 Et puis avec lui on sait sur quel pied on danse. J. ROMAINS, les Hommes de bonne volonté, t. IV, II, p. 14.

SUR PIED (dans cette expression, *pied* reste au singulier). Debout*, éveillé. *Il est sur pied à cinq heures du matin.* — Guéri*, rétabli*. *Il garde encore la chambre, mais il sera sur pied dans quelques jours. Remis sur pied.* — *Armée, troupe sur pied,* prête au combat. ⇒ **Paré** (→ ci-dessous, III., 4., dans un autre sens : *sur le pied de guerre*). — Fig. *Mettre sur pied une affaire, une entreprise, une société,* la monter, la mettre en état de commencer son activité. ⇒ **Constituer, organiser.** *La mise sur pied a été longue, difficile. Remettre qqn, une entreprise sur pied,* rétablir sa situation.

24 Je vous prie, Monsieur, de me donner le petit secours que je vous demande. Cela me remettra sur pied (...) MOLIÈRE, l'Avare, II, 5.

25 Le hasard avait voulu que (...) la population, pour des causes diverses, fût tenue toujours sur pied, toujours en émoi. MICHELET, Hist. de la Révolution franç., V, VI.

26 Eh bien, je venais... je venais te demander un coup de main... En dix minutes tu me mettrais ça sur pied, toi, tu me montrerais la tournure qu'il faut prendre. MAUPASSANT, Bel-Ami, I, III.

27 (...) le feu prit à la petite cagna dans laquelle vivaient nos officiers d'administration. En une seconde, je fus sur pied (...) G. DUHAMEL, la Pesée des âmes, VIII.

Sur la pointe des pieds (→ Hisser, cit. 11; dresser, cit. 27).

À PIED : en marchant. ⇒ **Marche, marcher** (on dit, par pléonasme, *marche à pied, marcher à pied*). → Aimant, cit. 2; carriole, cit 2; 1. caravane, cit.; facteur, cit. 13; galoche, cit. 1; 2. marche, cit. 6; marcheur, cit. 2. *Aller** (→ Arriver, cit. 16), *partir* (→ Ivresse, cit. 22) *à pied.* ⇒ **Pédestrement** (cf. fam. À pattes, à pinces). *Voyager à pied. Ceux qui vont à pied.* ⇒ **Piéton.** *Armée*, troupe* qui combat à pied.* ⇒ **Fantassin, infanterie, piétaille.** *Course* à pied* (→ Athlète, cit. 4). — Par ext. *Course à pied* (opposé à *course cycliste, automobile*). *Coureur à pied. Chasseur* à pied.* — *Auberge où on logeait à pied et à cheval,* les voyageurs à pied et les voyageurs à cheval.

Faire route à pied par un beau temps, dans un beau pays, sans être pressé, et avoir pour terme de ma course un objet agréable : voilà de toutes manières de vivre celle qui est le plus de mon goût. ROUSSEAU, les Confessions, IV. 28

Allons, mesdemoiselles, passez à l'ombre, rangez un peu vos voitures! place aux honnêtes femmes qui vont à pied! Th. BARRIÈRE, les Filles de marbre, IV, 4. 29

Loc. fam. *Je l'emmerde à pied, à cheval et en voiture,* de toutes les façons, copieusement.

Naturellement Jacques lui répond sans hésitation qu'il l'emmerde et copieusement même et à pied aussi bien qu'à cheval. R. QUENEAU, Loin de Rueil, p. 150. 29.1

Être à pied : n'avoir pas d'équipage (vx), et de nos jours, fig. Être sans revenus, sans emploi, sans situation stable (→ Sur le pavé*). *Se faire mettre à pied.* ⇒ **Renvoyer, suspendre.** *Mise à pied.*

Vx. **DE PIED.** *Aller de pied,* à pied (encore *in* Balzac, *le Cousin Pons,* Œ., t. VI, p. 576). — *Gens** (1. Gens, cit. 27) *de pied et gens de cheval.* — *Valet de pied.* ⇒ **Valet.**

Dix mille chevaliers le suivirent avec soixante-dix mille hommes de pied, Français, Lorrains, Allemands. MICHELET, Hist. de France, IV, III. 30

EN PIED : représenté debout, des pieds à la tête. *Portrait en pied* (→ Grandeur, cit. 37).

Les photographes les plus médiocres, abandonnant l'habitude de photographier leurs modèles « en pied » (...) MALRAUX, les Voix du silence, p. 122. (→ Photographe, cit.). 31

(Dans l'exercice d'une fonction). En titre. *« Il n'était que surnuméraire dans cette administration; il y est maintenant en pied »* (Académie). — Par plaisanterie :

Je suis l'amant en pied de la dame rose; c'est presque un état, une charge, et cela donne de la consistance dans le monde. Th. GAUTIER, Mlle de Maupin, III. 32

AUX PIEDS DE QQN, devant lui, en se baissant, en se prosternant (→ Affoler, cit. 2; apporter, cit. 21; hoquet, cit. 3). *Se jeter*, se prosterner*, tomber aux pieds de qqn* (→ Embrasser, cit. 8; esclave, cit. 15; inanimé, cit. 2; malheur, cit. 16). *Demander grâce aux pieds du vainqueur.* ⇒ **Implorer.** *Hommages** (cit. 23 et 24) *déposés, mis aux pieds de qqn* (→ Dépouille, cit. 5). — *Mettre ses ennemis à ses pieds,* les soumettre, les vaincre (→ Bénin, cit. 8). — *Chien aux pieds de son maître* (cit. 9 et 10). *Hercule aux pieds d'Omphale* (→ Filer, cit. 2).

(...) il n'a qu'un mot de repentir à m'adresser, et je vole, je ne dirai pas dans ses bras, mais à ses pieds. STENDHAL, Romans et nouvelles, « Le philtre ». 33

Au pied!, ordre donné à un chien de venir se coucher devant la personne qui l'appelle (dressage).

e *Les pieds,* considérés comme une des extrémités du corps. *De la tête aux pieds, des pieds à la tête* (→ Casser, cit. 16; envelopper, cit. 19). *Depuis les pieds jusqu'à la tête* (→ Nègre, cit. 4). *Considérer, dévisager* (cit. 3), *mesurer* (cit. 5) *qqn des pieds à la tête.* — *De pied en cap* (tête). *Armé* (cit. 19), *habillé* (cit. 17) *de pied en cap* (cit. 1). ⇒ **Complètement.** — Fig. *Intelligente* (cit. 4) *de la tête aux pieds.* — *Manteau, lévite* (cit. 4) *allant, traînant jusqu'aux pieds.* — Loc. *L'arme* (cit. 2) *au pied.*

(...) le héros d'une tragédie ne doit pas l'être de pied en cap (...) il doit, pour intéresser, rester un homme (...) SAINTE-BEUVE, Causeries du lundi, 6 oct. 1851. 33.1

Baiser les pieds de qqn. Baiser (cit. 4) *les pieds du pape* (→ Lier, cit. 28). ⇒ **Mule.** — Fig. et vx. S'humilier.

♦ **2.** *Pied* (après un verbe et sans article), désignant le contact avec le sol, l'assise. *Avoir pied* (dans l'eau) : pouvoir se tenir debout en tenant la tête hors de l'eau. — Fam. *Il y a pied, on a pied. Perdre* pied et se noyer** (cf. au fig., Se troubler, perdre le contrôle, le fil de ses idées). — *Prendre pied :* se trouver sur le sol ferme, et, fig. (milit. et cour.), s'établir solidement. *Puissance qui prend pied dans une région.* ⇒ **Fixer** (se), **installer** (s').

Dans les réalisations du théâtre Balinais l'esprit a bien le sentiment que la conception s'est d'abord heurtée à des gestes, a pris pied au milieu de toute une fermentation d'images visuelles ou sonores. A. ARTAUD, le Théâtre et son double, *in* Œ. compl., t. IV, p. 75. 33.2

Perdre pied : ne plus avoir pied, perdre le contact ou la position.

(...) en 1115 le seigneur du Bourbonnais, voisin du Berry, appela le roi à son secours contre le frère de son prédécesseur, qui lui disputait cette seigneurie. Louis le Gros y passa avec une armée, et le protégea efficacement. Dès lors, il eut pied dans le Midi. MICHELET, Hist. de France, IV, IV. 34

Plus on perd pied, plus on relève la tête. L'amour-propre national se réfugie dans ces colonies qui (...) GIDE, Journal, 7 févr. 1942. 35

J'appliquai mon esprit à éclaircir le sens de cette scène étrange (...) Mais dès que j'eus lié deux ou trois réflexions, je sentis que je perdais pied. Je me retins de tomber dans le vide. Car le vide était là. Je ne saurais mieux exprimer le vertige qui me saisit tout à coup. J'allais déraisonner, je touchais à l'absurde (...) H. BOSCO, le Jardin d'Hyacinthe, p. 141. 36

Lâcher pied (vx, *lâcher le pied*) : ne plus tenir de pied ferme contre l'adversaire, céder. ⇒ **Enfuir** (s'), **reculer.** *Armée qui lâche pied* (→ Ébranlement, cit. 2). — Par ext. Se retirer, partir. — Fig. Céder, flancher.

37 Et pas une ne parlait de lâcher pied, retenue par le spectacle, voulant voir jusqu'au bout.
ZOLA, la Terre, II, II.

♦ **3.** (Dans des expressions). Manière de se tenir, de marcher. *Avoir le pied sûr. Pied peureux* (→ Froisser, cit. 6), *furtif* (cit. 5), *timide* (→ 1. Limon, cit. 4). *S'en aller d'un pied léger. Partir d'un bon pied,* allégrement. *Achille au pied léger.* — *Avoir le pied marin** (1. Marin, cit. 4 et 5). — *Avoir bon pied, bon œil** (cit. 5).

Spécialt. ⇒ 1. **Pas.** *S'en aller du même pied.* — (Rare). *Tenir pied à qqn,* aller à la même allure que lui.

38 Et, leste comme un perdreau, elle trotte, elle se dépêche. L'homme a peine à lui tenir pied.
Alphonse DAUDET, Contes du lundi, « Les mères ».

♦ **4. PIED À PIED :** pas à pas. *Lutter* (→ Évertuer, cit. 7), *résister, battre en retraite pied à pied* (→ Brèche, cit. 4; paniquard, cit.). *Avancer, gagner pied à pied. Forcer pied à pied une résistance* (→ Arme, cit. 34). — Fig. Par degrés*, graduellement*.

39 — Si ce n'était pas un jeune homme, se disait Hulot en rétrogradant pied à pied, nous n'aurions pas été attaqués.
BALZAC, les Chouans, Pl., t. VII, p. 796.

♦ **5.** Par anal. *Les pieds d'une statue, d'une poupée, d'une figure dessinée, etc.* — Loc. *Le colosse aux pieds d'argile** (cit. 7 et 8).

Image, trace d'un pied (humain). *Il y a un pied sur le sol.*

♦ **6. PIED DE FER, DE FONTE :** enclume en forme de pied sur laquelle le cordonnier enfile les chaussures qu'il répare.

40 Le marteau du savetier sonna nerveusement sur le pied de fer.
G. DUHAMEL, Salavin, V, VI.

♦ **7. PIED DE BAS :** partie du bas qui recouvre le pied. *Tricoter, refaire* (⇒ **Rempiéter**) *le pied.* — Loc. fam. *Marcher à pieds de bas,* « *en pieds de chaussettes* » (J. Dutourd, *Taxis de la Marne,* XV), sans chaussures.

41 (...) elle en apporte cinq cents *(pièces d'or)* dans un pied de bas.
LOTI, Mon frère Yves, LXX.

♦ **8.** Emplacement des pieds. *Le pied et la tête d'un lit** (cit. 7). — Contr : *chevet.*

B. Chez l'animal. ♦ **1.** En parlant des animaux, *pied* ne se dit guère que de quelques oiseaux et des mammifères, surtout domestiques, en partic. des équidés. ⇒ **Patte, -pède, -pode.** — REM. Dans tous ces cas, *patte* est plus courant (sauf dans des expressions et usages déterminés). — *Qui a deux* (⇒ **Bipède**), *quatre pieds* (⇒ **Quadrupède, tétrapode**). *Pieds de devant, de derrière* (d'un quadrupède). → Gerboise, cit.; homme, cit. 13. *Monstre sans pied.* ⇒ **Acéphalopode, apode.** *Qui a de longs pieds* (⇒ **Macropode**), *des pieds palmés* (⇒ **Palmipède**). *Qui marche sur la plante du pied.* ⇒ **Plantigrade.** *Qui a un seul doigt au pied.* ⇒ **Solipède.** *Pied muni d'un éperon, d'un ergot, de griffes, d'un sabot.* ⇒ **Ongulé...** *Pieds fourchés* (vx), *fourchus* (cit. 1 et 2). — *Pieds d'un faucon* (cit. 3), *d'un gerfaut* (cit. 1), *d'un héron.* « *Un jour, sur ses longs pieds...* » (→ Côtoyer, cit. 1, La Fontaine). « *Des geais* (cit. 4) *à deux pieds* » (La Fontaine).

Loc. fig. *Faire le pied de grue** (cit. 4). ⇒ **Attendre.**

Tomber, retomber sur ses pieds, comme un chat. *Marcher à quatre pieds.* ⇒ **Patte.**

Les pieds des anthropoïdes. ⇒ **Main** (cit. 111). *Pieds d'une biche* (→ Brûler, cit. 14). *Chiens aux pieds agiles* (cit. 3). *Tumeur du pied, chez le chien.* ⇒ **Butture.** *Pied de chèvre.* ⇒ **Capripède, chèvre-pied.** *Maladie du pied du mouton.* ⇒ **Piétin.** *Huile* de pied de bœuf, de mouton.*

Les pieds des chevaux (→ Fouiller, cit. 5), *des coursiers* (→ Fouler, cit. 4 et 6). *Pied de l'étrier** (cit. 2 et *supra*), *du montoir. Balzane* du pied d'un cheval. Fourbure* du pied du cheval. Position vicieuse des pieds du cheval.* ⇒ **Cagneux, panard.** *Défectuosité des pieds du cheval* (pied bot, cerclé, comble, maigre, plat...). — *Entraver les pieds d'un cheval.* ⇒ **Entrave.** *Coup* (cit. 17) *de pied de cheval.* ⇒ **Ruade, ruer.** *Cheval qui frappe la terre des pieds de devant.* ⇒ **Piaffer.** — Loc. *Le coup de pied de l'âne**. — *Mule* (1. Mule, cit. 1) *au pied sûr.* — *Cheval qui galope sur le pied droit* (quand le pied antérieur droit se pose en avant de l'antérieur gauche, le postérieur droit en avant du postérieur gauche). — Loc. *Galoper sur le bon pied :* lever le pied droit le premier, dans le galop. — *Cheval qui change de pied,* qui passe du galop à droite au galop à gauche, ou inversement, sans temps d'arrêt. — Fig. *Faire feu des quatre pieds.* ⇒ **Fer** (*infra* cit. 16). — (Vx). *Il a été déferré des quatre pieds :* il a été désarçonné.

Spécialt. Le sabot (du cheval, de l'âne...). *Parer*, nettoyer le pied d'un cheval.* ⇒ **Curepied.** — Loc. *Ce cheval a fait pied neuf,* « après qu'il a été dessolé, il lui est venu une nouvelle corne » (Académie).

(En parlant des insectes). ⇒ **Mille-pieds** (vx). — Fig. *Pieds de mouche.* ⇒ **Patte.**

Par ext. *Le pied d'un escargot* (⇒ **Gastéropode**), *d'un céphalopode*, d'un mollusque...*

♦ **2.** Bas de la patte (du veau, du mouton, du porc), préparé en boucherie pour la consommation. *Pieds de mouton farcis. Pieds* (de porc) *panés.*

Vx. Patte, cuisse comestible (d'un oiseau). — Loc. fig. (vx). *Tirer* (cit. 34), *rapporter pied ou aile de qqn,* en tirer un avantage.

♦ **3.** Cuis. *Petits pieds :* grives, cailles, ortolans.

♦ **4.** Loc. *Pied d'alouette.* ⇒ **Dauphinelle.** *Pied de lion.* ⇒ **Edelweiss.** *Pied-de-cheval*. Pied de corbin* (renoncule), *de griffon* (ellébore), *de loup* (⇒ **Lycopode**). ⇒ **Pied-de-biche, pied-de-chèvre.**

C. Par métonymie. (Vén.). Trace de pas (d'un animal). *Repérer les pieds et les brisées d'un cerf.*

★ **II.** ♦ **1.** Partie par laquelle un objet repose sur le sol, touche* le sol. ⇒ **Bas, base.** *Le pied des montagnes** (cit. 7), *des monts* (→ Front, cit. 25, Vigny), *d'une colline*. Pied d'une colonne, d'un mât.* — *Caler, tenir le pied d'une échelle*. Le pied d'un escalier*. Le pied d'un mur, d'un édifice.* — Loc. fig. *Mettre qqn au pied du mur**, le contraindre à une décision. ⇒ **Mur** (cit. 14, et *supra*). *Une pièce de plain*-pied.* — **AU PIED DE... :** au bas. *Au pied d'une falaise* (→ Blottir, cit. 6). — *Au pied du trône* (→ Avec, cit. 16), *de l'échafaud* (cit. 3 et 4). — *À pied d'œuvre :* auprès du bâtiment que l'on construit, sur le lieu des travaux (au fig. ⇒ **Œuvre**).

Géom. *Pied d'une perpendiculaire :* point d'intersection de celle-ci avec la surface ou la ligne sur laquelle elle est abaissée. ⇒ **Podaire.**

Couture. *Pied d'une dentelle, d'une frange,* etc., côté par lequel elle est cousue (par oppos. au *bord*). *Le pied d'un col.*

♦ **2.** [a] Base (d'un végétal). *Le pied d'un arbre* (cit. 26, 37 et 38). ⇒ **Collet** (cf. Nœud vital). *Arbre franc* (2. Franc, cit. 14) *de pied.* — *Tige, pied d'un champignon* (cit. 1). ⇒ **Pédicule, stipe.** — *Pied d'une feuille de tabac.*

Loc. **SUR PIED.** *Fruits* vendus sur pied,* avant la récolte. *Légumes qui sèchent sur pied.* — Fig. *Sécher sur pied :* se consumer de chagrin*, d'ennui...

[b] Par métonymie. Chaque individu, chaque plant (en parlant de certains végétaux cultivés). *Pied de vigne.* ⇒ **Cep** (→ Croupir, cit. 5). *Pied de salade*. Pied coupé.* ⇒ **Souche.** — *Pied cornier** (→ Borne, cit. 2).

♦ **3.** [a] Techn. **... DU PIED :** ... une bonne assise, une bonne largeur de base (employé avec des verbes tels que *avoir, donner,* etc.). *Un mur qui a du pied. Donner du pied à une échelle en l'inclinant, en l'écartant.*

[b] Mar. *Bateau qui a du pied dans l'eau,* qui a un tirant d'eau important. *Un voilier qui a du pied dans l'eau présente souvent une certaine raideur à la toile et, si la quille est longue, une excellente stabilité de route.*

♦ **4.** Partie (d'un objet) servant de support. *Casser le pied d'un verre.* ⇒ **Épater.** — *Les pieds d'un meuble. Siège, ustensile, dispositif à trois pieds.* ⇒ **Trépied, tripode.** *Croisillons reliant les pieds d'un meuble.* ⇒ **Piètement.** *Pied de table** (→ Gaine, cit. 13). ⇒ **Pied-de-table.** *Desserte haute sur pieds* (→ Meuble, cit. 6). *Pieds de lit* (cit. 5 et 6). — *Pied pliant, télescopique, d'un appareil de photo.*

Le sac, en outre, contenait un support articulé semblable à un pied d'appareil photographique. Louise le saisit, puis en allongea les trois branches extensibles, qu'elle posa sur le sol non loin du chevalet, en réglant avec sollicitude la hauteur et la stabilité de l'ensemble. 41.
Raymond ROUSSEL, Impressions d'Afrique, p. 197-198.

À PIED : qui a un pied. *Verre* à pied.*

Loc. techn. (cin.). *Pied-chariot :* support de caméra comportant un chariot.

Techn. Pièce ou partie fixant une valve à la chambre à air d'un pneu. *Pieds métalliques, en caoutchouc. Pied universel.*

Élément de raccordement entre deux pièces d'horlogerie.

Loc. fig. *Nez en pied de marmite* (cit. 4).

♦ **5.** Extrémité (d'un cigare) destinée à être allumée. *Pied d'un londrès.*

♦ **6.** *Pieds de distillation :* produits recueillis en fin de distillation (huile, savon). → Produits de queue*. — Absolument :

(Dans le raffinage des huiles alimentaires) Les impuretés ou « pieds » sont toujours traitées ultérieurement pour récupérer l'huile qu'elles contiennent. 41.
L.-V. VASSEUR, J.-L. BIMBENET et M. HILLAIRET, les Industries de l'alimentation, p. 30.

★ **III.** ♦ **1.** (1080). Unité de mesure de longueur (usitée en France avant l'introduction du système métrique, et encore de nos jours dans certains pays). *Le pied de roi (environ 0,324 m) était divisé en douze pouces. Six pieds.* ⇒ **Toise.** *De trois pouces à trois pieds* (→ Navaja, cit.). *Cinq pieds et quelques pouces* (→ Appas, cit. 19). *Balustrade* (cit. 1) *de cinquante pieds de hauteur. Montagne de dix mille pieds de hauteur* (cit. 2). *Pied carré, pied cube.*

Mesure de longueur anglo-saxonne (304,8 mm) utilisée en France par les aviateurs. *Pied anglais. Les aviateurs comptent l'altitude en pieds.*

(Après 1760). Au Canada. Mesure valant 12 pouces*, soit, 30,48 cm (abrév. : *pi, pd*).

42 Madame Piédeleu, sa femme, lui avait donné neuf enfants, dont huit garçons, et, si tous les huit n'avaient pas six pieds de haut, il ne s'en fallait guère. Il est vrai que c'était la taille du bonhomme, et la mère avait ses cinq pieds cinq pouces ; c'était la plus belle femme du pays. A. DE MUSSET, Nouvelles, « Margot », II.

43 L'altimètre était difficile à lire (...) Quinze cents pieds. Quinze cents pieds faisaient combien de mètres ? (...) Diviser par trois. Jules ROY, la Vallée heureuse, I.

43.1 Ned Land avait environ quarante ans. C'était un homme de grande taille — plus de six pieds anglais, — vigoureusement bâti, l'air grave, peu communicatif (...) J. VERNE, Vingt mille lieues sous les mers, p. 29.

(En parlant d'une longueur indéterminée). *Quelques pieds de terre* (→ Nourrice, cit. 4). *Avoir six pieds de terre sur la tête :* être mort* et enterré. — Loc. fig. *Souhaiter d'être à cent pieds sous terre :* avoir envie de se cacher (par confusion*, honte*). — *Un pied carré de terre* (→ Cher, cit. 24), *de forêt* (→ Parasite, cit. 9).

Loc. fig. *Tirer la langue d'un pied de long. Faire une mine, un nez de trois pieds de long.* — Loc. cour. *Pied de nez.* ⇒ **Nez** (*infra* cit. 27). — *Avoir un pied de fard, de rouge, sur la figure,* une couche épaisse.

44 Voyez la rougeur du coupable, en a-t-il un pied sur les joues ? BEAUMARCHAIS, le Mariage de Figaro, II, 4.

45 Ils faisaient la cour (...) à des professionnelles que la modestie de leur costume eût fait prendre pour des femmes honnêtes, sans le pied de rouge qu'en guise d'insigne elles avaient sur les joues, comme un reflet permanent d'une lanterne de mauvais lieu. A. HERMANT, Souvenirs du vicomte de Courpière, VI.

Loc. (vx). *Laissez-lui prendre un pied, il en prendra quatre,* se dit de celui qui abuse de la bienveillance, de l'indulgence qu'on a pour lui.

46 Ce qu'on donne aux méchants, toujours on le regrette (...)
(...) Laissez-leur prendre un pied chez vous,
Ils en auront bientôt pris quatre. LA FONTAINE, Fables, II, 7.

♦ **2.** Fig. et vieilli, en loc. Mesure.

Mesurer qqch. au pied de..., sur la base de..., par rapport à...

47 Est-ce au pied du savoir qu'on mesure les hommes ? BOILEAU, Satires, VIII.

Mod. **AU PETIT PIED :** en petit, en raccourci* (généralt avec une nuance iron.). *Un Fouquier-Tinville au petit pied.*

48 C'était d'abord la famille dont la noblesse, inconnue à cinquante lieues plus loin, passe, dans le département, pour incontestable et de la plus haute antiquité. Cette espèce de *famille royale* au petit pied effleure par ses alliances, sans que personne s'en doute, les Navarreins, les Grandlieu (...) BALZAC, la Femme abandonnée, Pl. t. II, p. 206.

♦ **3.** [a] Argot anc. Part de butin. *Prendre son pied,* sa part, dans le partage après un vol. — *Il y a du pied,* du butin (pris ou à prendre).

48.1 D'abord, fit observer Filochard, on voit tout d'suite que c'est un gonce au pognon, bonne affaire, les poteaux ! Du moment qu'il a du mastic dans les calots et qu'il prend Croquignol pour la fille à William Binett, y a du pied ! A. FORTON, les Aventures des Pieds-Nickelés, *in* l'Épatant, 1910, p. 132.

(1881). Loc. fig. *En avoir son pied :* en avoir sa part*, en avoir assez.

[b] (1899, en argot ; du précéd., par le passage du langage des casseurs à celui des prostituées ; répandu v. 1968). Mod. et fam. Plaisir sexuel, dans l'expr. *prendre son pied.* ⇒ **Jouir.**

48.2 Qu'est-ce que vous faisiez tous les deux ?
— Chacun prenait son pied. R. QUENEAU, le Dimanche de la vie, p. 196.

Par ext. *Prendre son pied :* avoir du plaisir, être heureux (dans quelque domaine que ce soit).

[c] (V. 1968). *Le pied :* le plaisir. *Les vacances en moto, c'est le pied. Quel pied, ce film ! C'est pas le pied, aujourd'hui,* ça ne va pas bien. — « (Des musiciens) *qui se retrouvent* pour le pied, *le dimanche après-midi...* » (*l'Express,* 31 mars 1979, p. 41). « *Ce soir, pied classique : l'œuvre d'orgue de Bach...* » (*Actuel,* déc. 1974, p. 54). — (Renforcé). *C'est le grand pied, le superpied, le pied d'acier (bleu),* etc. — ⇒ **Panard.**

48.3 Ce fut une histoire difficile qui dura très longtemps et que l'on mena à bonne fin. Faire la police, pour moi, je l'ai déjà dit, c'était une vocation, le pied, le bonheur. Martin ROLLAND, la Rouquine, p. 211.

Iron. *Eh bien, ça va être le pied ! Quel pied !* (en parlant d'une chose désagréable).

REM. Ces expressions sont souvent comprises à tort comme venant du sens I. de *pied,* avec une valeur érotique (d'où le syn. *panard*).

48.4 Ainsi y aurait-il pour expliquer l'origine de la fameuse expression « prendre son pied », au moins deux écoles. La première serait freudienne et verrait là, le rappel du plaisir tiré par le nourrisson à prendre son pied pour en sucer le gros orteil. L'autre école, l'historique, fait remonter l'expression au temps des corsaires, affirmant que la tradition était alors, après un abordage réussi, d'étaler le butin sur le pont et d'inviter chaque pirate à prendre sa part, en dessinant un carré avec ses pieds. Jacques MERLINO, les Jargonautes, p. 64.

48.5 Quel pied ! s'écria-t-elle comiquement. Dire que dans cinq jours je vais devoir soigner tous les tarés du 13e, vacciner des bébés horribles, tripoter des trucs flasques, berk ! René FALLET, Y a t'il un docteur dans la salle ?, p. 215.

♦ **4.** Loc. fig. **AU PIED DE LA LETTRE.** ⇒ **Lettre** (cit. 17 et 19).

SUR (le, un) PIED (de) : à raison de..., à proportion de... « *J'ai payé cette étoffe sur le pied d'un louis l'aune* » (Académie, 1694). *Sur ce pied, sur ce pied-là, sur le pied où sont les choses :* puisque les choses sont ainsi (→ Excellence, cit. 7). *Sur un pied d'égalité* (→ Exécuter, cit. 20). *Traiter qqn sur le pied...* (→ Licence, cit. 10). *Être reçu sur le pied de...,* comme... *Être sur un bon, un mauvais pied,* dans une bonne, une mauvaise situation (dans la société). *Considérer, mettre* sur le même pied.* ⇒ **Côté** (à), **plan** (sur le même plan).

(...) je vous trouve digne de l'estime de tout le monde, et c'est aussi sur ce pied-là que je suis votre ami sincère (...) 49
LA BRUYÈRE, Correspondance, XX, 16 déc. 1691.

Il faut que notre liaison cesse, ou que je sois admis sur un nouveau pied, et que Mlle Agathe fasse de moi quelque chose de mieux que ce qu'elle en a fait jusqu'à présent. DIDEROT, Jacques le fataliste, Pl., p. 701. 50

(...) il mettait son savoir-vivre à ne pas gêner ses jeunes gens, les saluant même s'il les rencontrait dans l'escalier avec une amabilité, qui, étant donné la défense du colonel (le frère d'un mercier) d'avoir des chambres en ville, était comme une raillerie à son endroit et un scepticisme à l'endroit de la discipline, un pied d'égalité avec eux, qui les transportait. PROUST, Jean Santeuil, Pl., p. 560. 50.1

Spécialt. Avec des ressources, un train de vie, une situation de... *Vivre sur le pied de deux millions par an. Vivre, être sur un grand pied,* dans le luxe*, en dépensant* beaucoup.

(...) le père Cardot avait dépensé quarante-cinq mille francs afin de mettre sur un certain pied sa Florentine (...) BALZAC, Un début dans la vie, Pl. t. I, p. 722. 51

Armée sur le pied de guerre, de paix*...*

Aussi, depuis deux jours, madame Moreau se mettait-elle sur le pied de guerre et faisait-elle le pied de grue. BALZAC, Un début dans la vie, Pl., t. I, p. 678. 52

REM. Dans la plupart de ces expressions, *pied* est plutôt compris dans le sens I. ou II., avec la valeur figurée de « base », que dans le sens étymologique de « mesure ».

♦ **5.** Instrument servant à mesurer. *Pied à coulisse :* instrument pour mesurer les épaisseurs*.

Un gamin de douze ans, sale et dépenaillé, le suivait, portant la chaîne sous un bras, le pied et les jalons sur une épaule, et balançant, de la main restée libre, l'équerre, dans un vieil étui de carton crevé. ZOLA, la Terre, I, III. 53

★ **IV.** (1580). Versification. Groupement de syllabes d'une valeur déterminée formant dans le vers une unité rythmique (dans l'antiquité, chaque pied pouvait se rythmer par un battement de pied sur une syllabe accentuée : *demi-pied fort*). ⇒ **Anapeste, choriambe, dactyle, iambe, spondée, tribraque, trochée...** *Pied pair, impair. Groupe de deux pieds dans la poésie grecque.* ⇒ **Mètre** (I.).

Par ext., en parlant de certaines langues vivantes :

Emportés par l'habitude, nous pouvons, s'il nous plaît, considérer les pentamètres iambiques des tragédies de Gœthe comme des vers décasyllabiques ; mais nous risquons alors d'être déconcertés lorsque dans ses *Élégies* par exemple, les pieds de trois syllabes, anapestes ou dactyles, alternent avec les iambes et les spondées. GIDE, Attendu que..., p. 156 (→ aussi Intonation, cit. 5). 54

Abusivt. Syllabe (dans un vers français). *L'alexandrin est un vers de douze pieds* (exemple jugé abusif par l'Académie).

CONTR. Chevet, cime, faîte, sommet, tête.

DÉR. Peton, piètement, piétin.

COMP. Arrache-pied (d'), avant-pied, cale-pieds, casse-pieds (comp. de *casser*), chauffe-pieds (comp. de *chauffer*), chausse-pieds, chèvre-pied, cloche-pied (de 2. *clocher*), contre-pied, cou-de-pied, couvre-pied (comp. de *couvrir*). — Cure-pied (de *curer*), empiéter, hausse-pied, marchepied, mille-pied, plain-pied (V. Plain), sous-pied, trépied, va-nu-pieds. — Pied-à-terre, pied-bot, pied-d'alouette, pied-de-biche, pied-de-cheval, pied-de-chèvre, pied-de-lion, pied-de-loup, pied-de-poule, pied-de-roi, pied-de-veau, pied-d'oiseau, pied-droit, pied-fort, pied-noir, pied-plat. — V. aussi les comp. du grec *pous, podos* (suff. **-pode, podomètre**), du lat. *pes, pedis* (suff. **-pède,** préf. **péd(i)-**, ainsi que **pédale, pédicelle, pédicule, pédoncule.** — V. aussi **Pédigrée, pétanque, piédestal, piédouche, piètre.**

PIED-À-TERRE [pjetatɛʀ] n. m. invar. — 1732 ; « sonnerie de trompette », 1636 ; de *pied, à,* et *terre.*

♦ Logement que l'on n'occupe qu'en passant, occasionnellement. *Habiter en province et avoir un pied-à-terre à Paris. Appartement, garçonnière*, petite maison servant de pied-à-terre.* ⇒ (fam.) **Baise-en-ville.** *Des pied-à-terre.*

Tu comprends, ce qu'il me faudrait, c'est un coin tranquille (...) Un rien, une garçonnière, un pied-à-terre (...) COLETTE, la Fin de Chéri, p. 149.

PIED-BOT [pjebo] n. m. et adj. ⇒ **Bot.**

PIED-D'ALOUETTE [pjedalwɛt] n. m. — 1550 ; de *pied, d(e),* et *alouette.*

♦ Bot. Nom usuel de la dauphinelle. ⇒ **Delphinium.** *Un bouquet de pieds-d'alouette.*

PIED-DE-BICHE [pjedbiʃ] n. m. — 1720 ; « serrure », XVIe ; de *pied, de,* et *biche.*

♦ **1.** [a] (1720). Pied de meuble à double inflexion, fréquent dans le style Louis XV (terminé à l'origine par un sabot de cerf, de biche).

Madame de La Chanterie avait près d'elle une vieille table à pieds-de-biche, sur laquelle étaient ses pelotons de laine dans un panier d'osier. BALZAC, Mme de La Chanterie, Pl., t. VII, p. 245.

[b] (1837). Poignée de sonnette, de heurtoir, figurant un pied de biche.

♦ **2.** Par anal. (de forme). [a] (1798). Techn. Levier à tête fendue.

[b] (1798). Instrument de dentiste, pour l'extraction des racines.

[c] Instrument du sellier, du bourrelier*, pour tracer des filets sur le cuir.

[d] Pinceau de porcelainier.

[e] (1903). Spécialt. *Pied-de-biche d'une machine à coudre :* pièce qui maintient l'étoffe et entre les branches de laquelle passe l'aiguille.

♦ **3.** (xxe). Mar. Pièce du guindeau servant à arrêter la chaîne d'ancre. ⇒ **Linguet.**

PIED-DE-CHEVAL [pjedʃəval] n. m. — 1824 ; « tussilage », 1690 ; de *pied, de,* et *cheval.*

♦ Grande huître commune (gryphée). *Une douzaine de pieds-de-cheval.*

PIED-DE-CHÈVRE [pjedʃɛvʀ] n. m. — 1691 ; « pince », 1368 ; de *pied, de,* et *chèvre.*

♦ Techn. [a] Pièce de bois, semelle soutenant les montants de l'appareil de levage appelé *chèvre.*

[b] Levier à tête fendue. ⇒ **Pied-de-biche.** *Des pieds-de-chèvre.*

PIED-DE-COQ [pjedkɔk] n. m. — xxe ; nom d'un champignon, 1816 ; de *pied, de,* et *coq.*

♦ Se dit d'un tissu d'armure croisée formant un damier empiétant, à figures plus grandes que le pied-de-poule. *Tissu, veste pied-de-coq.* — N. m. *« Veste en pied-de-coq... » (l'Express,* 24 oct. 1977, p. 49). *Des pieds-de-coq.*

PIED-DE-CUVE [pjedkyv] n. m. — 1923, Larousse ; de *pied, de,* et *cuve.*

♦ Techn. (vitic.). Moût de raisins parfois additionné de levures, destiné à favoriser le début de la fermentation dans une cuve. *Des pieds-de-cuve.*

PIED-DE-LION [pjedəljɔ̃] n. m. ⇒ **Edelweiss.** *Des pieds-de-lion.*

PIED-DE-LOUP [pjedlu] n. m. — 1611 ; de *pied, de,* et *loup.*

♦ Lycopode* (plante). *Des pieds-de-loup.*

PIED DE NEZ [pjedne] n. m. ⇒ **Nez** (*infra* cit. 27).

PIED-DE-POULE [pjedpul] adj. et n. — Déb. xxe ; « lamier blanc », 1765 ; de *pied, de,* et *poule.*

♦ Se dit d'un tissu d'armure croisée formant une sorte de damier empiétant qui évoque la trace de pattes d'oiseau. *Veston pied-de-poule, en tweed pied-de-poule.* — N. m. *Un pied-de-poule gris. Des pieds-de-poule.* ⇒ **Pied-de-coq.**

Avec la barbe grise et la patte qui traîne
Un veston pied-de-poule et des yeux chassieux (...)
ARAGON, le Roman inachevé, p. 160.

PIED-DE-ROI [pjedəʀwa] n. m. — 1894 ; « mesure de 12 pouces », xve-1878 ; de *pied, de,* et *roi.*

♦ (Au Canada). Règle pliante graduée en pieds*, en pouces* et en lignes*, mesurant habituellement deux pieds*. Cf. Mètre pliant. *Des pieds-de-roi.*

PIED-DE-TABLE [pjedtabl] n. m. — xviiie ; de *pied, de,* et *table.*

♦ Techn. (hist. du mobilier). Table à dessus de marbre appuyée en console sous un trumeau par un seul support. *Des pieds-de-table sculptés.*

PIED-DE-VEAU [pjedvo] n. m. — xve, *Grand herbier ;* de *pied, de,* et *veau.*

♦ Arum* tacheté *(Arum maculatum).* — REM. On dit aussi *gouët.*

PIED-D'OISEAU [pjedwazo] n. m. — 1615 ; de *pied, d(e),* et *oiseau.*

♦ Plante fourragère *(Légumineuses, Papilionacées),* scientifiquement appelée *ornithope. Des pieds-d'oiseau.*

PIED-DROIT [pjedʀwa] n. m. — 1408 ; de *pied,* et *droit.*

♦ **1.** (1615). Archit. Montant vertical sur lequel retombent les voussures d'une arcade, d'une voûte. *L'arc* et les pieds-droits d'une voûte. Colonne*, pilier*, mur, massif de maçonnerie* (⇒ **Pile**) *formant pied-droit. Pieds-droits d'un portail.*

♦ **2.** Jambage de porte ou de fenêtre.

Var. anc. : *piédroit.*

PIÉDESTAL, AUX [pjedɛstal, o] n. m. — 1547 ; *pedestal,* 1520-1537 ; *piedestrat,* 1528 ; *pied d'estrail,* xve ; ital. *piedestallo,* comp. de *piede* « pied », et *stallo* « support », proprt « demeure », même mot que *étal.*

♦ **1.** Support assez élevé sur lequel se dresse une colonne, une statue ou un élément décoratif (vase, candélabre, etc.). *Base*, dé*, corniche* d'un piédestal à plan carré. Piédestal à base étroite.* ⇒ **Gaine.** *Petit piédestal.* ⇒ **Piédouche, socle.** *Piédestal cylindrique, à pans coupés. Piédestal continu portant plusieurs colonnes* (soubassement ou stylobate).

Comme on donne un piédestal à une statue, il faut en donner un à un édifice, et surtout aux temples, qui doivent, pour ainsi dire, être placés sur un autel. 1
Joseph JOUBERT, Pensées, XX, XXII.

Il y avait des troncs d'arbre barbouillés de cinabre, qui ressemblaient à des colonnes sanglantes. Au milieu, douze piédestaux de cuivre portaient chacun une grosse boule de verre, et des lueurs rougeâtres emplissaient confusément ces globes creux (...) 2
FLAUBERT, Salammbô, I.

♦ **2.** (1762). Littér. ou dans des expr. fig. Ce qui élève*, ce qui présente à l'admiration des hommes. *Mettre qqn sur un piédestal,* lui vouer une grande admiration (→ aussi Madone, cit. 3). *Tomber de son piédestal :* perdre son prestige, son autorité ; tomber dans l'oubli.

Il *(Voltaire)* en veut à tous les piédestaux (...) Il aura beau faire, beau dégrader ; je vois une dizaine d'hommes chez la nation qui, sans s'élever sur la pointe du pied, le passeront toujours de la tête. Cet homme n'est que le second dans tous les genres. 3
DIDEROT, Lettre à Mlle Volland, 12 août 1762.

Beaucoup de gens, séduits par le magnifique piédestal que le Théâtre fait à une femme, la supposent menant la joie d'un perpétuel carnaval. 4
BALZAC, Une fille d'Ève, Pl., t. II, p. 106.

Tout ce que nous venons de dire ici n'est pas pour écorner le piédestal de Molière ; nous ne sommes pas assez fou pour aller secouer ce colosse de bronze avec nos petits bras (...) 5
Th. GAUTIER, Mlle de Maupin, Préface.

Vous faites du passé votre piédestal sombre (...) 6
HUGO, la Légende des siècles, XX, II.

DÉR. **Piédestaliser.**

PIÉDESTALISER [pjedɛstalize] v. tr. — 1890 ; de *piédestal.*

♦ Plais. et rare. Mettre (qqn) sur un piédestal. *Mais cessez donc de la piédestaliser, c'est une femme comme les autres.*

PIED-FORT [pjefɔʀ] n. m. — 1690 ; « arc-boutant », 1671 ; de *pied,* et *fort.*

♦ Techn. Pièce de monnaie très épaisse frappée pour servir de modèle. *Des pieds-forts.*

Var. graphique : *piéfort,* n. m.

PIEDMONT [pjemɔ̃] n. m. ⇒ **Piémont.**

PIED-NOIR [pjenwaʀ] n. m. — 1901 ; de *pied,* et *noir.*

♦ **1.** (1901). Vx. Chauffeur sur un bateau à charbon (travaillant pieds nus dans la soute à charbon).

(...) il est aussi l'homme le plus intelligent de tout le personnel-machine, en y comprenant (faut-il l'avouer ?) les officiers mécaniciens à brevet. 1
Il s'intéresse, questionne, goupille. Il a fini (lui, le plus humble parmi les plus humbles *pieds noirs)* par se rendre la *grosse bécane (la machine du bateau)* familière ; et non seulement la grosse bécane, mais encore l'abondante cavalerie des *petits chevaux* annexes.
J.-R. BLOCH, Cacaouettes et Bananes, p. 130-131.

♦ **2.** (1917 ; les chauffeurs étant le plus souvent des Algériens sur les bateaux français faisant le service en Méditerranée). Vx. Arabe d'Algérie.

♦ **3.** (V. 1955). Mod. Français vivant en Algérie (et considérant l'Algérie française comme sa patrie) ; puis Français originaire d'Algérie. *Les pieds-noirs rapatriés.* — Au fém. *Une pied-noir* (rare : *une pied-noire ;* cf. Volkoff, *le Retournement,* p. 341).

Un beau roman d'Éric Ollivier, *Les Enracinés,* m'aide à entrer dans le drame des *pieds noirs.* 2
F. MAURIAC, le Nouveau Bloc-notes 1958-1960, p. 348.

C'est la vengeance des humiliés. Une chaude complicité lie le pied-noir moyen au militaire moyen. 3
Pierre NORA, les Français d'Algérie, p. 59.

Adjectif :

Chacun s'extasie, même les amis *pieds-noirs,* qui ont pourtant l'air méfiant. 4
F.-A. BURGUET, les Meurtrières, p. 115.

On lui a imposé cinq élèves pieds-noirs dans sa classe, déjà surchargée. 5
F.-A. BURGUET, les Meurtrières, p. 198.

PIÉDOUCHE [pjeduʃ] n. m. — 1676 ; ital. *pieduccio,* var. *peduccio,* dimin. de *piede* « pied ».

♦ Techn. (arts décoratifs). Petit piédestal, base à plan circulaire ou carré, servant de support à un buste, un vase, une colonnette, etc. *Piédouche d'un balustre**.

Aux angles, sur des piédouches, des vases de bronze contenaient des touffes de fleurs qui alourdissaient l'atmosphère.
FLAUBERT, l'Éducation sentimentale, II, VI.

PIED-PLAT [pjepla] n. m. — 1615, *in* D. D. L., comme adj. fém. *(pieds-plates)*; « aplatissement de la plante du pied », v. 1560; de *pied*, et *plat*, à cause des roturiers qui portaient des chaussures sans hauts talons.

♦ Vieilli. Personne grossière, inculte ou servile. *Des pieds-plats.* ⇒ **Cuistre** (→ Grassement, cit. 2).

1 Mais je hais les pieds-plats, je hais la convoitise.
A. DE MUSSET, Premières poésies, « La coupe et les lèvres », Dédicace.

On écrit aussi *pied plat.*

2 Maraud, faquin, butor de pied plat ridicule! — Ah?... Et moi, Cyrano-Savinien-Hercule De Bergerac.
Edmond ROSTAND, Cyrano de Bergerac, I, 4.

PIÉDROIT [pjedʀwa] n. m. ⇒ **Pied-droit.**

PIÉFORT [pjefɔʀ] n. m. ⇒ **Pied-fort.**

PIÈGE [pjɛʒ] n. m. — V. 1155, *piege*; encore *piége in* Littré; du lat. *pedica*, proprt « (liens) pour les pieds ».

♦ **1.** Dispositif destiné à prendre, morts ou vifs, les animaux terrestres ou les oiseaux *(piège à mort; piège de capture)*, ou à les attirer à proximité du chasseur afin qu'il puisse facilement les abattre *(piège d'attraction)*. ⇒ **Appeau, arbalète, assommoir, attrape, attrapoire, chatière, chausse-trape, collet, dardière, engin, gluau, hausse-pied, lacet, lacs, mésangette, miroir** (à alouettes), **panneau, ratière, reginglette, souricière, taupière, trappe, traquenard, traquet, trébuchet.** *Chasse* au moyen de pièges.* ⇒ **Piégeage, pipée.** *Mettre l'appât* dans un piège. Oiseau qu'on attache près d'un piège pour qu'il en attire d'autres.* ⇒ **Appeau,** 1. **moquette.** *Dresser, tendre un piège* (→ Cerf, cit. 4). *Tendre des pièges aux oiseaux.* ⇒ **Oiseler.** *Lieu où l'on tend des pièges.* ⇒ **Tenderie, tendue.** *Attraper* (cit. 3), *prendre au piège.* ⇒ **Piéger** (→ Débattre, cit. 8). *Piège à loups, à rats. Mâchoires* (cit. 8), *ressort d'un piège. Armer un piège. Piège qui se referme sur un animal.*

1 Alors elle *(Margot la pie)* se vit prisonnière, comprit le piège, l'amorce, et s'arc-boutant violemment sur ses pattes, tirant de tous ses muscles, allongeant la tête et le bec dans le prolongement du cou, elle réussit à se dégager des deux cercles de métal qui la maintenaient.
L. PERGAUD, De Goupil à Margot, p. 165.

2 (...) les enfants (...) nous mènent à une curieuse construction circulaire, de branches dans l'entrelacs desquelles sont insinuées de lourdes pierres (...) c'est un piège à panthères. Dans l'intérieur, un cuissot de chèvre, en train de pourrir, dégage une attirante puanteur. Un déclic doit se produire si l'animal touche à la proie proposée, et derrière lui s'abattra aussitôt une sorte de couperet de bois pour fermer le pertuis à ras du sol qui donne accès à l'intérieur du piège.
GIDE, Journal, 11 févr. 1938.

Par anal. *Piège à bulles :* dispositif destiné à éliminer les bulles gazeuses d'un liquide; réservoir où les bulles peuvent monter en surface et crever. *Piège à bulles d'un cœur-poumon artificiel.*

♦ **2.** Artifice, moyen* détourné qu'on emploie pour faire dire ou faire faire à une personne ce qu'on veut, pour la mettre dans une situation périlleuse ou désavantageuse; danger caché où l'on risque de tomber par ignorance ou par imprudence. ⇒ **Artifice, chausse-trappe, embûche, feinte, leurre, machine** (I.), **ruse, traquenard.** *Qui a le caractère d'un piège.* ⇒ **Insidieux, trompeur.** *Semer des pièges sous les pas de qqn. Dresser* (cit. 10), *tendre un piège à qqn pour le tromper** (→ Interlocuteur, cit. 1). *Attirer qqn dans un piège, le tenir*, le prendre au piège. Donner* (cit. 63), *donner tête baissée, tomber dans un piège; se laisser prendre à un piège, au piège de qqn.* ⇒ **Filet** (II.), **godan** (vx), **guêpier, hameçon** (mordre à l'hameçon), **lacet** (3., fig.), **lacs** (vx), **nasse, panneau** (2., fig.), **rets** (métaphore littér.). — *N'y va pas, c'est un piège! Se laisser prendre à son propre piège.* ⇒ **Enferrer** (s'). *Éviter un piège. Se tirer d'un piège. Assassin qui attire sa victime dans un piège.* ⇒ **Guet-apens.** *Piège tendu par la police à un malfaiteur.* ⇒ **Souricière.** *Piège de guerre.* ⇒ **Embuscade.** *Piège grossier* (⇒ **Attrape-nigaud**), *subtil, tentateur.* — *Piège du démon.* ⇒ **Scandale, tentation** (→ Feinte, cit. 7). — *Les pièges de la vie.* ⇒ **Écueil.**

La plus subtile de toutes les finesses est de savoir bien feindre de tomber dans les pièges que l'on nous tend, et on n'est jamais si aisément trompé que quand on songe à tromper les autres.
LA ROCHEFOUCAULD, Maximes, 117.

Les mets délicieux sont des plaisirs empoisonnés : ce sont des pièges que la volupté tend aux hommes pour les faire périr plus sûrement.
A.-R. LESAGE, Gil Blas, II, II.

(...) elle se crut sous l'empire de ce démon dont les terribles pièges lui étaient prédits par la tonnante parole des prédicateurs.
BALZAC, la Maison du Chat-qui-pelote, t. I, p. 34.

Cette lettre, peu royale, était un piège tendu. Si le Tiers acceptait, le Roi, juge des conférences, pouvait étouffer la question par un arrêt du Conseil (...)
MICHELET, Hist. de la Révolution franç., I, II.

La femme est un piège adroitement construit : on y est pris dès qu'on l'a flairé.
FRANCE, l'Île des pingouins, p. 17.

Difficulté cachée, insidieuse. *Les pièges et les énigmes de l'algèbre* (→ Obstacle, cit. 6), *d'une version latine.* ⇒ **Complication.**

Fam. *Piège à cons.* ⇒ **Attrape-nigaud.** *« Élections, piège à cons »* (slogan en mai 1968).

Santarelli dévoila qu'il était quelqu'un, un grossium quoi. Le décor minable, eh bien, c'est simplement un piège à con, fabriqué pour égarer les curieux. 8
Pierre GOMBERT, le Prix d'un taxi, p. 112.

DÉR. Piéger.

PIÉGEAGE [pjeʒaʒ] n. m. — 1894; de *piéger.*

♦ **1.** Chasse effectuée au moyen de pièges. *Le piégeage des renards.*

♦ **2.** Milit. Opération qui consiste à protéger une mine.

♦ **3.** Fait de piéger (qqn).

PIÉGÉE [pjeʒe] n. f. — Atesté xxe; de *piéger.*

♦ Régional. Chasse au moyen de pièges. ⇒ **Piégeage.**

Dès lors, chaque fois qu'il voyait Olivier, il ajoutait quelque trait : courses aux champignons, battues de sangliers, piégées d'oiseaux, pêches d'écrevisses avec des balances (...)
R. SABATIER, les Allumettes suédoises, p. 100.

PIÉGER [pjeʒe] v. tr. — Conjug. *céder* et *bouger.* — V. 1220; repris 1875; de *piège.*

♦ **1.** Chasser, prendre au moyen de pièges. *Piéger des loups.* — Absolt. *Le braconnier préférait piéger plutôt que de chasser avec un fusil.*

♦ **2.** (xxe). Milit. *Piéger une mine,* la munir d'un dispositif spécial destiné à la faire exploser au moment où on tentera de la relever, de la rendre inoffensive. — Au p. p. *Engin, obus piégé, utilisé comme bombe par des terroristes.* — *Lettre piégée, colis, objet piégé,* contenant un explosif.

Phys. *Particules piégées,* qui restent confinées dans un champ magnétique (par ex., la magnétosphère).

♦ **3.** (V. 1960). Fig. Prendre qqn au piège, le mettre dans une situation sans issue. *« Brecht cherche à piéger le public bourgeois »* (*le Monde,* 19 sept. 1964, *in* P. Gilbert). — REM. Surtout au passif : *être piégé(e)*; ou dans des tours factitifs pronominaux : *se faire, se laisser piéger.*

Toutes les solutions que j'imagine sont intérieures au système amoureux : retraite, voyage, suicide, c'est toujours l'amoureux qui se cloître, s'en va ou meurt; s'il se voit cloîtré, parti ou mort, ce qu'il voit, c'est toujours un amoureux : je me commande à moi-même d'être toujours amoureux et de ne plus l'être. Cette sorte d'identité du problème et de sa solution définit précisément le *piège :* je suis piégé parce qu'il est hors de ma portée de changer de système : je suis « fait » deux fois : à l'intérieur de mon propre système et parce que je ne peux pas lui en substituer un autre.
R. BARTHES, Fragments d'un discours amoureux, p. 170.

DÉR. Piégeage, piégée, piégeur.

PIÉGEUR, EUSE [pjeʒœʀ, øz] n. — 1908, → cit.; de *piéger.*

♦ Personne qui piège. — N. m. Professionnel qui chasse les animaux, surtout les animaux nuisibles, au moyen de pièges. ⇒ **Trappeur.**

Le galant Maurin n'avait pas seulement la réputation d'être le premier chasseur et piégeur du pays (...) mais encore il passait pour le plus beau coureur de filles.
J. AICARD, Maurin des Maures, I, 4, *in* D. D. L., II, 13.

PIE-GRIÈCHE [pigʀijɛʃ] n. f. — 1553, *pie griesche;* de 1. *pie;* pour P. Guiraud, *griesche* ne représente pas l'anc. forme de *grecque,* mais un gallo-roman **grevica,* de **grevis,* pour *gravis* « dur, pénible », et signifie « pénible, difficile à supporter ».

♦ **1.** Oiseau *(Passereaux, Dentirostres, Laniidés)* des bois et des haies, plus petit que le merle. — Au plur. *Des pies-grièches* (→ Émerillon, cit.).

Parfois, les autours et les pies-grièches dévalaient doucement d'un pli des nuages et plongeaient pour étriller les moineaux.
J. GIONO, Jean le Bleu, VI.

♦ **2.** (1656). Par métaphore. Femme acariâtre et querelleuse (→ Harengère, cit. 4). *Ce sont des pies-grièches, des harpies.*

PIE-MÈRE [pimɛʀ] n. f. — 1314; *pieue mere,* XIIIe; lat. médiéval *pia mater* « pieuse mère », cette membrane enveloppant le cerveau comme une mère son enfant. → Dure-mère.

♦ Anat. La plus profonde des méninges*, membrane qui enveloppe immédiatement l'axe encéphalo-médullaire (cerveau* et moelle épinière). *Pie-mère crânienne; pie-mère rachidienne.* — REM. On a dit aussi *méninge piale, membrane nourricière, méninge molle, méninge vasculaire.*

PIÉMONT ou **PIEDMONT** [pjemɔ̃] n. m. — 1927, *glacier du pied des monts;* d'abord en angl. *piedmont-glacier* (1893); de *pied,* et *mont.*

Géographie.

♦ **1.** *Glacier de piémont* ou *de piedmont,* formé par la réunion de plusieurs glaciers débouchant dans une plaine, où ils présentent une surface presque horizontale. — La forme anglaise *piedmont* est employée par les géographes.

♦ **2.** Glacis alluvial incliné assez uniformément et situé au pied d'un ensemble montagneux. *Piémont alluvial. Glacis, plaine alluviale de piémont* ou *de piedmont,* ou, ellipt., *piémont.*

PIÉMONTAIS, AISE [pjemɔ̃tɛ, ɛz] adj. et n. — 1565, *piedmontois, in* D. D. L.; de *Piémont,* nom de pays.

♦ Du Piémont, région d'Italie située au *pied* des *monts* alpins. *Population piémontaise.* — N. *Un Piémontais, une Piémontaise. Les Piémontais.*

N. m. *Le piémontais :* dialecte italien parlé au Piémont.

PIÉRIDE [pjeʀid] n. f. — 1839; d'après *Piérides,* nom donné parfois aux Muses.

♦ Papillon blanc ou jaunâtre dont les chenilles dévorent les feuilles des crucifères. *Piéride du chou, du navet, de la rave.*

Les Piérides, ou *Piéridés :* famille des Lépidoptères dont la *piéride du chou* est le type.

PIERRAILLE [pjɛʀɑj] n. f. — XIVe; de *pierre.*

♦ Amas de pierres de petite taille (→ Genévrier, cit. 2); éclats de pierre. *La pierraille d'un chemin* (→ Flairer, cit. 3).

Rien n'anime aujourd'hui la pente dénudée du coteau que le va-et-vient des petits ânes qui montent et descendent à la source en faisant rouler sous leurs sabots la pierraille. Jérôme et Jean THARAUD, Rabat, IX.

Étendue de pierres. ⇒ **Caillasse.**

REM. On trouve le dér. *pierrailleux, euse* [pjɛʀajø, øz] adj., chez J. Aicard (*in* D. D. L.).

PIERRE [pjɛʀ] n. f. — 1080; *peddre,* 980; du lat. *petra.*

A. ♦ **1.** *(La pierre).* Matière minérale solide, plus ou moins dure, non pulvérulente, non combustible, non métallique, qui se rencontre à l'intérieur ou à la surface de l'écorce terrestre en masses compactes plus ou moins homogènes. ⇒ **Roche;** et aussi **-lithe, -lithique, lith(o)-.** *Qui a l'aspect de la pierre.* ⇒ **Lithoïde.** *Transformation d'une substance en pierre.* ⇒ **Lapidification, pétrification.** *Partie d'un fossile transformée en pierre.* ⇒ **Zoolithe.** *Marmorisation* de la pierre. Bloc, quartier de pierre.* ⇒ **Roche.** *Blocs de pierre qui protègent une jetée.* ⇒ **Enrochement.** *Épanneler* un bloc de pierre. Éclat* (→ Hamada, cit.), *morceau de pierre. Morceau de pierre dans la chaux.* ⇒ **Pigeon.** *Concasser de la pierre.* ⇒ **Casse-pierre, concassage, concasseur** (→ Ballast, cit. 1). *La pierre concassée entre dans la composition du béton*, du macadam*.* — *Sculpter* la pierre.* — *La dureté de la pierre. Dur comme la pierre. « Leurs cœurs deviennent plus durs que la pierre et que le bronze »* (cit. 7, Bourdaloue). — (1690). Loc. *Il gèle*, il fait froid à pierre fendre* (cit. 2).

Spécialt. Cette matière utilisée ou susceptible d'être utilisée dans la construction*, la maçonnerie* (→ aussi ci-dessous, 5.). *Pierre à bâtir*. Extraction de la pierre d'une carrière. La brique et la pierre* (→ Mélanger, cit. 1). *L'architecture élégante et raffinée fait de la pierre une dentelle* (cit. 5).

(V. 1298). **PIERRE DE TAILLE :** pierre susceptible d'être taillée. *De la pierre de taille. Une maison de pierre de taille* (→ Atelier, cit. 1). *Un cabanon* (cit. 2), *un mur tout en pierre de taille* (→ Opposite, cit.). → aussi ci-dessous 5. : *une pierre de taille.*

Fam. et par jeu de mots (→ ci-dessous, B., 8.). *Avoir la maladie de la pierre :* avoir la manie de bâtir.

Maladie de la pierre : dégradation que subit la pierre des édifices quand elle est attaquée par les agents atmosphériques ou par certaines substances corrosives contenues dans l'air des villes.

Par ext. *Pierre artificielle, factice.* ⇒ **Aggloméré.**

DE PIERRE, EN PIERRE. *« Adorez-vous des dieux ou de pierre ou de bois? »* (cit. 41, Corneille). *Hache* (→ Façonner, cit. 7), *bille, boulet de pierre* (→ Fusil, cit. 1). — Loc. *Flèche de pierre :* belemnite fossile. — *Banc* (→ Adosser, cit. 3), *arche* (2. Arche, cit. 8), *autel* (cit. 1), *clocher, flèche, jetée* (cit. 1), *linteau* (cit. 1) *de pierre. Châssis de pierre. Banc de pierre dans l'embrasure d'une cheminée.* ⇒ **Banquette.** *Carreau*, pavé* de pierre.* — Allus. littér. *Le Festin* de pierre* (statue de pierre du commandeur, dans la légende de Don Juan). — *Maison bâtie en pierre. Bassin* (⇒ **Auge**), *cheminée* (→ Foyer, cit. 2), *gable* (cit.), *obélisque* (cit. 3) *en pierre.*

1 Pourtant la mairie dominait tout, une mairie de pierre, cubique et rigide, dont on était fier, bâtie dans le style des lois et des décrets.
Ch.-L. PHILIPPE, Père Perdrix, I, I.

Par métaphore. *Sa langue était devenue de pierre* (→ Paralysie, cit. 2). — *De pierre* (en fonction d'épithète). *Visage de pierre.* ⇒ **Immobile.** — Fig. *Âme, cœur de pierre,* dur, impitoyable, insensible. ⇒ **Bronze, fer, granit** (→ Avoir le cœur dur comme un caillou*). — (Attribut). *Être, rester de pierre,* insensible (ou impassible). Syn. *De glace, de roc...* (→ ci-dessous, 3., des métaphores analogues avec *une, des pierres).*

Mon sein n'enferme pas un cœur qui soit de pierre. MOLIÈRE, Tartuffe, III, 3. 2

C'était bien la minute musicienne, l'exaltante minute où nul héroïsme comme nul crime n'est impossible. Comme dans la musique sublime ou l'extrême désir, ses traits s'étaient faits de pierre, crispés, presque cruels. 3
MONTHERLANT, la Relève du matin, p. 121.

— Il faut me soutenir, voyons, et lui faire comprendre qu'il doit être ému. 3.1
Gaston s'est remis à regarder les œuvres d'art.
— Gaston!
— Madame la duchesse?
— Êtes-vous de pierre?
— De pierre?
— Oui, avez-vous le cœur plus dur que le roc?
J. ANOUILH, le Voyageur sans bagage, p. 13.

(XIXe). *Âge de la pierre* (→ Distinguer, cit. 16), *âge de pierre :* période de la préhistoire caractérisée par la fabrication et l'utilisation d'outils de pierre (avant l'apparition des outils et des armes de métal). *Âge de la pierre taillée* (⇒ **Paléolithique**), *polie* (⇒ **Néolithique**).

♦ **2.** *(La pierre, une pierre).* Cour. (Dans le langage scientifique, on emploie plutôt dans ce sens le mot *roche**). Variété particulière de cette matière. *La pierre appelée gabbro* (cit. 1). *Science qui a pour objet l'étude des pierres.* ⇒ **Lithologie, pétrographie.** *Une pierre est formée par l'association de divers minéraux. Propriétés, caractères, coloration d'une pierre. Pierre dure, tendre. Pierre gélive*.* ⇒ **Gélivure.**

Pierre (suivi d'un adj.). *Pierre calcaire. Pierre meulière. Pierre ollaire*.* ⇒ **Serpentine.** *Pierre spéculaire.* — *Pierre de... Pierre d'aigle* (variété de sesquioxyde de fer), *de Florence* (sorte de marbre), *de gallinace* (sorte d'obsidienne), *de Labrador* (labradorite), *de lard* (stéatite), *de liais* (cit.), *de tonnerre* (marcassite)... — *Pierre de lune.* ⇒ **Adulaire.** — *Pierre à... Pierre à chaux, à ciment, à craie. Pierre à plâtre.* ⇒ **Gypse.**

Pierres employées dans la construction. ⇒ **Ardoise, cliquart, coquillart, granit, grès, lambourde, liais, marbre, meulière, porphyre, travertin, tuf, tuffeau...**

♦ **3.** *(Une, des pierres).* Bloc isolé, d'une grosseur et d'un poids tels qu'il adhère au sol, qu'il constitue un roc. ⇒ **Roc, roche, rocher.** *Rivière qui creuse une pierre à la base.* ⇒ **Caver.**

Géogr. et géol. *Pierre branlante :* gros bloc rocheux isolé qui repose sur le sol par une très petite surface.

(1080). Cour. Fragment de cette matière qu'on peut déplacer, soulever, jeter... ⇒ **Caillou, galet.** *Petites pierres volcaniques.* ⇒ **Lapilli.** *Amas* (⇒ **Gravier, pierraille**), *masse, tas de pierres* (→ Géhenne, cit. 6). *Tumulus de pierres.* ⇒ **Cairn.** *Enlever les pierres d'un champ.* ⇒ **Épierrer.** — *Pierre imprégnée de sel, pour le bétail.* ⇒ **Assalier** (pierre d'), **salègre.** — Loc. (V. 1560). *Pierre d'aigle :* pierre creuse contenant une autre pierre plus petite, qu'on portait autrefois comme amulette. — Allus. bibl. *« Ordonne à cette pierre de se changer en pain »* (cit. 11).

Son nom même en indique la nature; il se nomme en latin Saxiacus, de Saxo *(pierre)*; c'est en effet un pays hérissé de grandes et larges pierres, qui pourraient être une sorte de produit, si ce Village était à portée de quelque grande Ville : mais il est isolé, et ses carrières, si faciles à fouiller, ne font en se délitant, qu'augmenter chaque année l'aridité du sol. 3.2
RESTIF DE LA BRETONNE, la Vie de mon père, p. 135.

(...) à mesure que l'on s'éloigne de Madrid, les pierres dont la campagne est constellée deviennent plus grosses et montrent l'ambition d'être des rochers; ces pierres, d'un gris bleuâtre (...) font l'effet de verrues sur le dos rugueux d'un crocodile centenaire; elles découpent mille déchiquetures bizarres sur la silhouette des collines, qui ressemblent à des décombres d'édifices gigantesques. 4
Th. GAUTIER, Voyage en Espagne, p. 90.

Il est vrai que la pierre elle-même se montre parfois agitée. C'est dans ses derniers états, alors que galets, graviers, sable, poussière, elle n'est plus capable de jouer son rôle de contenant ou de support des choses animées. Désemparée du bloc fondamental elle roule, elle vole, elle réclame une place à la surface, et toute vie alors recule loin des mornes étendues où tour à tour la disperse et la rassemble la frénésie du désespoir. 4.1
Francis PONGE, le Parti pris des choses, p. 97.

Pierres disposées sur le sol, servant à revêtir une cour, un chemin. ⇒ **Caillasse, empierrement, rudération** (→ Carreau, cit. 1; frissonner, cit. 10). *Casseur de pierres.*

Loc. fig. (XIXe). *Être malheureux** (cit. 13) *comme les pierres,* très malheureux.

Les pierres considérées comme des obstacles. Chemin plein de pierres. ⇒ **Pierreux.** *Buter contre une pierre. Heurter une pierre* (→ Obscur, cit. 11). *Chasse-pierres* d'une locomotive. Danger : chute de pierres* (sur une route). — Fig. *Trouver des pierres dans son chemin** (*supra* cit. 53). — Loc. *Pierre d'achoppement** (cit. 3 et 4), *de scandale*.*

S'asseoir (cit. 26) *sur une pierre.* — Loc. fig. (Vx). *N'avoir pas une pierre où reposer sa tête :* être très pauvre; être sans gîte.

Et étant venu en un certain lieu, comme il voulait s'y reposer après le coucher du soleil, il *(Jacob)* prit une des pierres qui étaient là, et la mit sous sa tête, et s'endormit dans ce même lieu. 5
BIBLE (SACY), Genèse, XXVIII, 11.

Les pierres utilisées comme projectiles, lancées à la main (⇒ **Palet**), *avec une fronde* (2. Fronde, cit. 1), *un lance-pierres. Machines qui servaient à lancer des pierres.* ⇒ **Bombarde, catapulte, pierrier...** *Jeter des pierres* (→ Amuser, cit. 19; gamin, cit. 2).

Lancer (1. Lancer, cit. 2) *des pierres. À un jet** (cit. 1) *de pierre. Faire des ricochets avec une pierre.* — Loc. (1580). *Faire d'une pierre deux coups* (cit. 30). — *Poursuivre qqn* (→ Coup, cit. 5), *briser des fenêtres* (→ Lapidation, cit.) *à coups de pierres. Une grêle de pierres* (→ Effaroucher, cit. 1). — *Tuer qqn à coups de pierres.* ⇒ **Lapider.** — Allus. bibl. « *Que celui d'entre vous qui est sans péché lui jette la première pierre* » (→ Adultère, cit. 3), paroles adressées par Jésus à ceux qui s'apprêtaient à lapider la femme adultère, conformément à la loi de Moïse (fig., → Envie, cit. 33). — (1668). *Jeter la pierre à qqn.* ⇒ **Accuser, attaquer, blâmer, lapider** (fig.). — *Jeter des pierres dans le jardin** (cit. 7) *des autres. C'est une pierre dans son jardin.*

6 (...) je la venge, en disant aux autres les vérités qu'ils méritent, et en leur montrant qu'ils ne valent pas mieux que celle à qui ils jettent la pierre.
G. SAND, la Petite Fadette, XVIII.

Le poids des pierres. Lourd comme une pierre. Tomber comme une pierre. La mouette (cit. 3) *piquait dans l'eau comme une pierre. Pierres qui empêchent le vent de soulever une toiture* (→ Goudronner, cit. 3). — *Attacher une pierre au cou d'un animal qu'on veut noyer.* — Fig. *S'attacher* (→ Entrave, cit. 4), *se mettre la pierre au cou.*

7 Sans doute je suis imprudent, sans doute je me suis attaché une grosse pierre au cou, sans doute encore j'ai encouru une grave responsabilité morale (...)
NERVAL, Voyage en Orient, Druses et Maronites, II, I.

L'immobilité, l'inertie des pierres. — Fig. *Être comme une pierre* (→ Discours, cit. 6), *comme une pierre jetée :* demeurer muet, immobile, impassible, sans réaction.

Muet comme les pierres : obstinément muet.

Vx. *Les pierres même crieront, parleront,* se dit d'une action odieuse qui révoltera la conscience des hommes.

Marquer un jour d'une pierre blanche, noire. ⇒ **Marquer** (cit. 12 et *supra*).

Loc. *Geler à pierre fendre :* geler très fort. — Fig. et vx (sentiment, émotion, expression). *À fendre les pierres :* propre à émouvoir les cœurs les plus durs.

8 J'allai ensuite voir Mlle de la Trousse, dont la douleur fend les pierres (...)
Mme DE SÉVIGNÉ, 292, 1er juil. 1672.

(Même sens). Vx. *C'est à faire pleurer les pierres* (→ Être, cit. 94). — Prov. *Pierre qui roule n'amasse pas mousse.* ⇒ **Mousse** (1. Mousse, cit. 4).

Vx. *Pierre météorique, pierre de l'air, du ciel, de foudre, de tonnerre.* ⇒ **Aérolithe, bolide, météorite.**

♦ **4.** (V. 1380). Fragment d'une variété de cette matière servant à un usage particulier. *Pierre à aiguiser**. ⇒ **Affiloir, queux.** *Aiguiser* (cit. 3 et 4) *un couteau sur une pierre.* — *Pierre percée servant de lest pour un filet de pêche.* ⇒ **Câblière, cliquette.** *Pierre d'évier*, pierre à laver.* — *Pierre à feu.*

(1606). **PIERRE DE FUSIL,** ou (plus cour.) **À FUSIL :** pierre dont on tire une étincelle en la frappant avec un fusil* (cit. 1). ⇒ **Silex.** — (xxe). *Goût de pierre à fusil,* se dit du goût propre à certains vins très secs, dont le bouquet rappelle l'odeur du silex qu'on vient de frapper. — *Pierre lithographique* (→ Grain, cit. 23; large, cit. 12), *remplacée parfois par le papier-pierre.* ⇒ **Papier; autographie, lithochromie, lithographie*, papyrographie, photolithographie, typolithographie.** — *Pierre à polir.* ⇒ **Périgueux.**

PIERRE PONCE (→ Cold-cream, cit.; créneau, cit.) : morceau de feldspath d'origine volcanique, léger et poreux, dont on se sert pour polir. ⇒ **Abrasif.** *Polir à la pierre ponce.* ⇒ **Poncer.**

(1562). **PIERRE DE TOUCHE :** fragment de jaspe utilisé pour éprouver, essayer* l'or et l'argent. ⇒ **Touchau.** — (Av. 1613). Fig. Ce qui sert à reconnaître la valeur d'une personne, ou d'une chose. ⇒ **Critérium, crucial** (expérience cruciale), **épreuve** (→ Espèce, cit. 32; impromptu, cit. 2).

9 Sire, tout ainsi que par la pierre de touche on éprouve l'or s'il est bon ou mauvais (...)
RONSARD, Œuvres en prose, Préface.

10 Un étroit tapis rouge relevait la blancheur des marches de l'escalier en liais poli à la pierre ponce.
BALZAC, César Birotteau, Pl., t. V, p. 452.

11 La description est la pierre de touche du talent. C'est elle qui distingue les bons et les mauvais écrivains.
Antoine ALBALAT, l'Art d'écrire..., p. 226.

♦ **5.** Bloc employé dans la construction*, en maçonnerie*. ⇒ **Moellon** (→ Goujat, cit. 4). *Lieu d'où l'on extrait des pierres.* ⇒ 1. **Carrière.** *Carrière de pierres* (→ 2. Mine, cit. 3). *Disposition des pierres dans la carrière.* ⇒ **Banc, lit, souchet.** *Délit* d'une pierre. Croûte terreuse qui recouvre les pierres avant la taille.* ⇒ 1. **Bousin.** *Décaper, ébousiner une pierre. Appareillage, taille des pierres.* ⇒ 2. **Coupe, dérobement, piquage, sciage,** *Appareiller, tailler les pierres.* ⇒ **Bretteler, bûcher, chanfreiner, couper, dégauchir, délarder, déliter, équarrir, rustiquer.** *Ouvrier qui travaille à la taille des pierres.* ⇒ **Appareilleur.** *Tailleur* de pierres. Percer une pierre avec un trépan. Outils utilisés dans la taille des pierres.* ⇒ **Biveau, boucharde,** 4. **laie, massette, sciotte, têtu.** *Couteau à pierre. Instrument qui sert au levage des pierres.* ⇒ **Louve.** *Chariot pour transporter des pierres.* ⇒ **Binard.** *Défaut dans une pierre.* ⇒ **Fil** (II., 4.), **moye.** *Pierre moyée.* — *Une pierre de taille* (→ Hisser, cit. 3) : une pierre qui a été taillée pour entrer dans une construction. ⇒ **Boutisse, parpaing.** *Face d'un mur revêtue de pierres de taille.* ⇒ **Parement, revêtement.** — *Arête, angle saillant* (⇒ 2. **Carne**), *chanfrein, lit, parement d'une pierre. Évidement dans une pierre.* ⇒ **Refouillement.** *Pierre taillée spécialement pour occuper une place déterminée dans une construction.* ⇒ **Claveau, clef** (de voûte), **corbeau, écoinçon, sommier, voussoir.** — *Pose de la pierre* (→ Maçon, cit. 2). *Déliter*, poser une pierre. Pierre qui peut se poser à la main.* ⇒ **Jectisse.** *Enlier*, liaisonner* les pierres. Disposition des pierres, rangée de pierres dans la construction.* ⇒ **Appareil, assise, chaîne, recoupement...** *Bordure de pierre. Pierre noyée dans la masse de la maçonnerie.* ⇒ **Libage.** — *Construction à pierres perdues.* ⇒ **Perdre** (*infra* cit. 66). — *Les pierres d'un mur**(→ Bestiole, cit. 1), *d'une muraille* (→ 1. Cassis, cit. 1), *d'une voûte* (→ Détacher, cit. 14), *d'un pilier, d'un pied-droit, d'une maison* (→ Partie, cit. 11), *d'un pont, etc. Saillie d'une pierre sur un mur.* ⇒ **Balèvre, bossage,** 2. **harpe.** *Pierres qui servent à l'arasement d'un mur.* ⇒ **Arase.** *Pierre creusée pour faire écouler l'eau.* ⇒ **Caniveau, souillard.** *Concrétion qui se forme à la surface des pierres.* ⇒ **Patine.**

L'architecture commença comme toute écriture. Elle fut d'abord alphabet. On plantait une pierre debout, et c'était une lettre... Plus tard on fit des mots : on superposa la pierre à la pierre, on accoupla ces syllabes de granit (...) 12
HUGO, Notre-Dame de Paris, V, 2.

Les plus beaux palais de Berlin sont bâtis en briques : on trouverait à peine une pierre de taille dans les arcs de triomphe. La capitale de la Prusse ressemble à la Prusse elle-même (...) 13
Mme DE STAËL, De l'Allemagne, I, XVII.

Pendant le travail de la construction, il ne quittait guère le chantier. Je crois bien qu'il en connaissait toutes les pierres. Il veillait à la précision de leur taille; il étudiait minutieusement tous ces moyens que l'on a imaginés pour éviter que les arêtes ne s'entament, et que la netteté des joints ne s'altère. Il ordonnait de pratiquer des ciselures, de réserver des bourrelets, de ménager des biseaux dans le marbre des parements. 14
VALÉRY, Eupalinos, p. 23.

Lier des pierres avec du ciment. ⇒ **Cimenter.** *Couler* des pierres.* ⇒ **Sceller.** — (xiie). *Pierres sèches. Gourbi* (cit. 2), *mur, muraille en pierres sèches* (→ Ouverture, cit. 11), en pierres de forme irrégulière et qui ne sont pas liées par du ciment, du mortier, etc. *Conduit en pierres sèches.* ⇒ **Pierrée.**

Les pierres, les vieilles pierres : l'architecture, les constructions en pierre. *Vieux quartier plein de passé humain incrusté* (cit. 6) *dans les pierres. L'étude, le goût, le respect des vieilles pierres* (⇒ **Archéologie**).

Chaque face, chaque pierre du vénérable monument est une page non seulement de l'histoire du pays, mais encore de l'histoire de la science et de l'art. 15
HUGO, Notre-Dame de Paris, III, I.

Je vois de ma fenêtre les Tuileries et le Louvre, le Pont-Neuf, les tours de Notre-Dame, les tourelles du Palais de Justice et la flèche de la Sainte-Chapelle. Toutes ces pierres parlent : elles me content la prodigieuse histoire des Français. 16
FRANCE, le Crime de S. Bonnard, Œ., t. II, p. 311.

Pierre à pierre. Château, édifice démoli pierre à pierre (→ Hors, cit. 41). — *Pierre sur pierre. Ne pas laisser pierre sur pierre.* ⇒ **Anéantir** (→ Détruire* de fond en comble). — Fig. *Construire pierre à pierre sa fortune.* ⇒ **Progressivement.**

Mais Jésus leur dit : Vous voyez tous ces bâtiments *(le temple)*. Je vous le dis en vérité, ils seront tellement détruits, qu'il n'y demeurera pas pierre sur pierre. 17
BIBLE (SACY), Évangile selon saint Matthieu, XXIV, 2.

Il lui semblait voir crouler cet abri que, depuis trois ans, il s'était construit de ses mains, pierre à pierre, dans la peine, dans l'orgueil, dans la solitude. 18
MARTIN DU GARD, les Thibault, t. IV, p. 51.

Une civilisation qui n'a plus le courage de mettre pierre sur pierre, de construire et de reconstruire sans relâche est une civilisation qui avoue sa déchéance. 19
G. DUHAMEL, Chronique des saisons amères, III, IV.

(1869). *Première pierre d'un édifice,* qui porte des inscriptions commémoratives et qui est posée solennellement. — Fig. *Il a posé la première pierre :* il a été le fondateur, l'initiateur.

La gloire éternelle, dans tous les ordres de grandeur, est d'avoir posé la première pierre. 20
RENAN, Vie de Jésus, Œ., t. IV, p. 364.

La première pierre fut scellée par la reine avec une mignonne truelle d'or. 21
ALAIN, Propos, 8 juil. 1906, Lion premier.

*Pierre angulaire** (cit. 1 et 2, fig.), *d'angle* (→ Dictionnaire, cit. 10, fig.). — Fig. *Pierre fondamentale :* principe essentiel, élément le plus important d'un ensemble. — *Pierre d'attente** (cit. 16 et 17, fig.).

Loc. fig. *Apporter* (cit. 19) *sa pierre à l'édifice** (→ Confiner, cit. 9; édification, cit. 1; fronton, cit. 5). — « *Une seule pierre arrachée de cet édifice, l'ensemble croule fatalement* » (→ Église, cit. 8, Renan). — Allus. bibl. « *Tu es Pierre, et sur cette pierre je bâtirai mon Église* » (cit. 1; → Enfer, cit. 5).

♦ **6.** Bloc de pierre, façonné ou non, qui constitue un monument, possède une signification religieuse ou symbolique, etc. ⇒ **Mégalithe, monolithe.** *La Pierre Noire, insérée dans la Kaaba à La Mecque et vénérée par les musulmans. Pierres sacrées, idoles de pierre.* ⇒ **Bétyle.** — *Pierres druidiques* (→ Grève, cit. 2). *Pierre des fées.* — *Pierre levée.* ⇒ **Cromlech, dolmen, menhir, peulven.**

C'est donc à une religion qu'il faut attribuer toutes ces pierres levées que l'on rencontre en France et en Angleterre. 21.1
STENDHAL, Mémoires d'un touriste, I, p. 16.

À quelques milles de Salisbury, dans les plaines de ce nom se trouvent des pierres immenses (analogues à celles de Carnac et de la même origine) formant deux ou trois cercles concentriques; au centre sont d'autres pierres aussi immenses qui paraissaient constituer un autel. 22
SAINTE-BEUVE, Correspondance, 52, 12 sept. 1828.

(...) ces monuments informes qu'on appelle druidiques (...) sont de grosses pierres basses, dressées et souvent un peu arrondies par le haut; ou bien, une table de pierre portant sur trois ou quatre pierres droites. Qu'on veuille y voir des autels, 23

des tombeaux, ou de simples souvenirs de quelque événement, ces monuments ne sont rien moins qu'imposants, quoi qu'on ait dit.
MICHELET, Hist. de France, III.

Pierre dressée pour commémorer un événement. ⇒ **Stèle.** *Inscription* gravée sur une pierre.* ⇒ **Lapidaire.** *Ouvrier qui grave une inscription sur la pierre.* ⇒ **Lapicide.** — *Pierre tombale* (→ Cimetière, cit. 8), *pierre funéraire* (cit. 2); *sépulcrale, tumulaire.* ⇒ **Dalle, sépulture.** *La pierre d'un tombeau* (→ Graver, cit. 2; grille, cit. 9; monument, cit. 3). — Absolt et littér. *La pierre :* la tombe. *« Quoi! mortes! quoi déjà, sous la pierre couchées! »* (→ Fleur, cit. 17, Hugo; 3. mort, cit. 7).

24 Le morne oubli prend dans l'ombre,
Par degrés, l'épaisseur sombre
De la pierre du tombeau. HUGO, Chansons des rues et des bois, I, VI, XXI.

25 Les pierres tombales, en Turquie, sont des espèces de bornes, coiffées de turbans ou de fleurs, qui de loin prennent vaguement l'aspect humain, qui ont l'air d'avoir une tête et des épaules (...) LOTI, les Désenchantées, II, V.

*Pierre d'autel** (cit. 24). — *Pierre milliaire*.* ⇒ **Borne.**

B. ♦ **1. PIERRE PRÉCIEUSE,** ou **PIERRE** (→ Améthyste, cit.).

[a] (Au sens large). Minéral auquel sa rareté, son éclat, sa dureté confèrent une grande valeur; fragment de ce minéral tel qu'il se rencontre à l'état naturel ou tel qu'on l'utilise en bijouterie*, en joaillerie*, après un travail approprié. ⇒ **Gemme, pierreries, caillou** (fam.). — *Principales pierres précieuses.* ⇒ **Aigue-marine, alabandine, alexandrite, amazonite, améthyste, béryl, calcédoine, chrysobéryl, chrysolithe, chrysoprase, corindon, diamant, émeraude, escarboucle, girasol, grenat,** 1. **hépatite, hyacinthe** (ou, vx, jacinthe), 2. **jargon, lapis-lazuli** (ou lazulite), **opale, outremer** (naturel), **péridot, quartz, rubis, sanguine, saphir, spinelle, topaze, tourmaline, turquoise, zircon...** — *Pierre d'azur* (⇒ **Lapis-lazuli**), *de crapaud* (⇒ **Crapaudine**). — *Roche qui contient des pierres précieuses.* ⇒ **Gemmifère.** *L'alumine* entre dans la composition de nombreuses pierres précieuses. Cristal qui ressemble à une pierre précieuse.* ⇒ **Prime.** *Pierres précieuses incolores. Pierres de couleur. Pierre de couleur pâle.* ⇒ **Délavé.** *Chatoiement, eau** (III.), *éclat, feu d'une pierre précieuse. Défaut dans une pierre précieuse.* ⇒ **Crapaud** (3.), **glace** (1., 3.), **givrure,** 2. **jardinage, loupe.** *Pierre brute. Taille d'une pierre précieuse. Plan de clivage d'une pierre précieuse. Égrisé, émeri qui sert à la taille des pierres précieuses.* ⇒ **Égrisage, égriser.** *Tailler une pierre à facettes.* ⇒ **Facetter.** *Différentes formes données aux pierres précieuses* (cabochon, rose, taille en étoile...) *Atelier où l'on taille les pierres précieuses.* ⇒ **Taillerie.** *Ouvrier qui taille les pierres précieuses* (⇒ **Lapidaire**), *qui les monte.* ⇒ **Metteur** (en œuvre). *Les pierres précieuses, utilisées en bijouterie, en joaillerie. Sertir, dessertir une pierre. Enchâsser une pierre dans le chaton* d'une bague. Pierre en bague. Monture* d'une pierre précieuse.* ⇒ **Œuvre** (*supra* cit. 4). *Garniture de pierres précieuses.* ⇒ **Parure.** *Orné de pierres précieuses.* ⇒ **Gemmé.** *Ferrets ornés de pierres précieuses. Tiare ruisselante d'or et de pierres précieuses* (→ 1. Faste, cit. 6). — *La symbolique des pierres précieuses.*

26 Le choix des pierres l'arrêta; le diamant est devenu singulièrement commun depuis que tous les commerçants en portent au petit doigt; les émeraudes et les rubis de l'Orient sont moins avilis, lancent de rutilantes flammes, mais ils rappellent par trop ces yeux verts et rouges de certains omnibus qui arborent des fanaux de ces deux couleurs, le long des tempes; quant aux topazes, brûlées ou crues, ce sont des pierres à bon marché, chères à la petite bourgeoisie qui veut serrer des écrins dans une armoire à glace (...) HUYSMANS, À rebours, p. 57.

27 (...) la symbolique des pierreries est très confuse. Les motifs qui ont décidé le choix de certaines pierres pour leur faire spécifier par la couleur de leur eau, par leur éclat, une vertu précise, sont amenés de si loin, sont si faiblement prouvés que l'on pourrait substituer une gemme à une autre, sans modifier pour cela la signification de l'allégorie qu'elles énoncent. HUYSMANS, la Cathédrale, p. 145.

27.1 Ce fut un éblouissement. Toutes les pierres précieuses étincelaient, toutes les couleurs flamboyaient, l'azur des saphirs, le feu des rubis, le vert des émeraudes, le soleil des topazes. M. LEBLANC, l'Aiguille creuse, p. 233-234.

[b] (Au sens strict; fin XIe, *piere preciose*). *Pierre précieuse :* variétés rouge (rubis) et bleue (saphir) du corindon, émeraude, diamant (les autres gemmes étant appelées *pierres semi-précieuses* ou *semi-pierres*).

27.2 Les quatre suivants étaient faits d'une foule de pierres précieuses, délicatement soudées; l'un se composait uniquement de diamants, l'autre de rubis, le troisième de saphirs et le dernier d'émeraudes éclatantes.
Raymond ROUSSEL, Impressions d'Afrique, p. 62.

♦ **2.** *Pierre fine :* pierre précieuse véritable (opposé à *pierre fausse,* → ci-dessous, 4.).

♦ **3.** Diamant. ⇒ **Brillant.** *Les pierres d'une bague.*

♦ **4.** Par anal. (et par oppos. à *pierre fine, vraie*). *Pierre artificielle, factice, fausse, manufacturée; pierre d'imitation.* ⇒ **Aventurine, doublet, happelourde** (→ Happer, comp.), **strass.**

♦ **5.** *Pierre dure; pierre fine; pierre rare :* minéral de valeur moindre que les pierres précieuses et dont on fait des camées, des vases, des objets d'art. ⇒ **Agate, cornaline, jade, jaspe, malachite, onyx, sardoine...** *Veine* d'une pierre dure.* — *Pierre gravée.* ⇒ **Abraxas, camaïeu, camée, intaille.** *Art de graver les pierres dures.* ⇒ **Glyptique.**

♦ **6.** Techn. Matière de synthèse d'une grande dureté (souvent, rubis synthétique) utilisée en mécanique de précision pour diminuer et uniformiser les forces de frottement, et augmenter la longévité des pièces mobiles en contact. *Chape en pierre d'une balance de laboratoire.*

♦ **7.** [a] (V. 1265). Pierre d'aimant. ⇒ **Aimant.**

[b] (XIVe). Qualifié. Substance d'origine artificielle dont l'aspect, la texture, la densité, etc., évoquent la pierre. *Pierre bleue,* faite d'outremer et servant à passer le linge au bleu. — *Pierre de Bologne* (barytine). — *Pierre à briquet.* ⇒ **Ferro-** (ferrocérium). — *Pierre divine :* mélange de sulfate de cuivre, d'alun, de camphre, qu'on utilisait en pharmacie. — *Pierre à détacher, pierre de lait :* substance à base d'argile servant à détacher les vêtements. — *Pierre de fiel,* de couleur jaune-brun, utilisée jadis par les peintres. — *Pierre infernale*...* — *Pierre d'aigri.* ⇒ **Perle** (d'aigri).

[c] *Carton-pierre.* ⇒ **Carton.**

[d] Alchim. *Pierre philosophale*.*

♦ **8.** [a] (XIIe). Vx (on dit aujourd'hui *calcul*). Concrétion qui se forme parfois dans certains organes de l'homme ou des animaux (rein, vessie, vésicule biliaire). ⇒ **Béozard,** 2. **calcul, concrétion, gravier** (4.), **hippolithe.** *Pierre biliaire, rénale, vésicale. La maladie de la pierre* ou, absolt, *la pierre :* maladie caractérisée par la présence d'un ou de plusieurs calculs dans la vessie. ⇒ **Gravelle, lithiase.** *Le jade** (cit. 1) *passait pour guérir la pierre. Opérer, tailler* (vx) *qqn de la pierre.* ⇒ **Lithotomie, lithotriteur, lithotritie, taille.**

[b] Concrétion dure qui se forme parfois dans certains fruits. *Cette poire est pleine de pierres.* ⇒ **Graveleux, lapilleux, pierreux.**

♦ **9.** Techn. Défaut du verre dû à la corrosion des parois et formant une petite masse opaque (les défauts linéaires sont appelés *fils,* ceux qui forment une surface, *voiles*).

DÉR. Empierrer (et dér.), **épierrer** (et dér.). — **Perré, perrière, perron.** — **Pierraille, pierrée, pierreries, pierreuse, pierreux, pierrier, pierriste, pierrure.** — (Du même rad. lat.) V. **Pétré, pétreux, pétrifier** (et dér.), **pétro-, pétrole** (et dér.); **salpêtre** (et dér.).
COMP. Casse-pierre, chasse-pierres, lance-pierres.

PIERRÉE [pjeʀe; pjɛʀe] n. f. — 1694; *perree* « mesure de capacité pour le grain », 1297; « dalle », 1431; de *pierre.*
Technique.

♦ **1.** Conduit de pierres sèches qui sert à l'écoulement des eaux. — REM. On dit aussi *pierré, perré* (n. m.).

♦ **2.** (1869). Construction de pierres irrégulières, de cailloux, qu'on lie avec du mortier et qu'on pose lit par lit.

PIERRERIES [pjɛʀʀi] n. f. pl. — 1380; *perrerie,* v. 1265; de *pierre.*

♦ Pierres* précieuses travaillées, employées comme ornement. ⇒ **Gemme, joyau.** *Ces pierreries ont un bel œil*. Bijoux et pierreries* (→ Évaluer, cit. 2). *Étoffes chamarrées* (cit. 2) *d'or et de pierreries* (→ Pantoufle, cit. 1). *Dague enrichie de pierreries* (→ Magnifique, cit. 2).

(...) on parlait de ses diamants. Toutes les femmes bientôt les connurent, sur les descriptions qui couraient, sans que personne pût citer une source exacte : des bagues, des boucles d'oreilles, des bracelets, une rivière large de deux doigts, un diadème de reine surmonté d'un brillant central gros comme le pouce. Dans le recul de ces contrées lointaines, elle prenait le rayonnement mystérieux d'une idole chargée de pierreries. ZOLA, Nana, XIV.

Par métaphore. *L'oiseau* (cit. 9) *bleu dont les pierreries scintillent.*

PIERRETTE [pjɛʀɛt] n. f. — 1830; dimin. fém. de *Pierre,* prénom. → Pierrot.

♦ **1.** Rare. Femelle du moineau. ⇒ **Pierrot.**

♦ **2.** (1842). Fillette, femme habillée en pierrot. *Un costume de pierrette.*

PIERREUSE [pjɛʀøz] n. f. — 1808; des *pierres* des chantiers de construction.

♦ Vx. Prostituée racolant près des chantiers de construction, dans la rue... *La pierreuse des boulevards.*

Ils parlaient des pierreuses, les filles à deux sous, sur les pierres de taille à deux cents pas de la porte de notre chétive maison. 1
STENDHAL, Vie de Henry Brulard, 37.

On ne s'imagine pas combien il y a de femmes, qui, chez elles, sont grossières de langage, ordurières de gestes, et dégoûtantes à force de vulgarité (...) de vraies pierreuses! (...) O. MIRBEAU, le Journal d'une femme de chambre, p. 369. 2

Femme d'affranchi, elle se coiffait et se vêtait en pierreuse, depuis ses cheveux, blond pâle, coiffés en casque, jusqu'à ses hautes bottines de conquérante. 3
P. MAC ORLAN, Quai des brumes, XI.

PIERREUX, EUSE [pjɛʀø, øz] adj. et n. — 1530; *piereus,* v. 1225; *pierous,* 1190; de *pierre.*

♦ **1.** Couvert de pierres. ⇒ **Pétré.** *Sol pierreux.* ⇒ **Rocailleux.** *Chemin* (cit. 43), *lit* (cit. 2) *de ruisseau pierreux. Hauteurs* (→ Bas-fond, cit. 1); *terres* (→ Centuple, cit. 3); *montagnes* (→ Indigo, cit. 2) *pierreuses.*

♦ **2.** (1530). Plein de pierres (B., 8., b). *Fruit pierreux.* ⇒ **Graveleux.**

En continuant un peu, vers certaine région plus pierreuse et plus balayée par le vent, on serait arrivé à ce hameau de Pors-Evens où les arbres, couverts de mousse grise, croissent tout petits entre les pierres et se couchent dans le sens des rafales d'ouest. LOTI, Pêcheur d'Islande, III, XII.

♦ **3.** (V. 1606). Qui est de la nature de la pierre; qui ressemble à de la pierre. *Transformation d'un corps en substance pierreuse.* ⇒ **Pétrification.** — Anat. *Apophyse pierreuse, portion pierreuse de l'os temporal.* ⇒ **Rocher.**

♦ **4.** Méd. anc. Relatif à la maladie de la pierre (B., 8., a). *Colique pierreuse.*

PIERRIER [pjɛʀje] n.m. — XVIe; *perere,* XIIe; *peirier,* XIIIe; de *pierre.*

♦ **1.** Archéol. Machine de guerre du moyen âge qui servait à lancer des projectiles de pierre. ⇒ **Pierrière.**

♦ **2.** Hist. [a] Bouche à feu primitive destinée à être chargée avec des pierres (boulet de pierre unique ou cailloux utilisés comme mitraille).

[b] Mar. anc. (Abusivt). « Petit canon en bronze et d'une livre de balle pour calibre (...) ordinairement monté sur un chandelier surmonté d'une sorte de fourchette en fer, qu'on introduit dans les montants de la dunette, des gaillards, des hunes ou des embarcations » (Bonnefoux et Paris, *Dictionnaire de marine à voiles,* 1848).

REM. D'après ces auteurs, la dénomination *perrier* est la seule correcte pour l'arme ainsi définie (qui tire donc un boulet de fer d'une livre), le terme *pierrier* devant être réservé à un mortier léger de siège, tirant des pierres à courte distance. Il semble bien toutefois que l'usage, en tout cas celui des non-spécialistes, a confondu les deux termes de manière à peu près constante (→ ci-dessous, cit. 1).

1 Le navire était mouillé, avec son ancre à pic, à un mille environ de la côte, et aucun canot ne pouvait en approcher d'aucun côté sans être aperçu et sans s'exposer immédiatement au feu de nos pierriers.
BAUDELAIRE, Trad. E. POE, les Aventures d'A. Gordon Pym, XX.

♦ **3.** (1869). Techn. Puits empli de pierres, qui reçoit les eaux surabondantes de la surface du sol.

♦ **4.** (Fin XIIe). Régional. Endroit où le sol est recouvert de pierres. *Il y a un pierrier dans ce champ.* — (Surtout Suisse, Savoie...). Terrain (et, en partic., terrain en pente) couvert de pierres, d'éboulis rendant la marche difficile.

2 Et au delà encore, tout à coup, l'herbe cesse, et commencent les pierriers, sur quoi se dressent les dernières crêtes. C.-F. RAMUZ, Jean-Luc persécuté, p. 310.

3 (...) il croyait entendre le tintement des pierriers qui s'écroulent sous les pas.
Corinna BILLE, le Sabot de Vénus, p. 215.

PIERRIÈRE [pjɛʀjɛʀ] n.f. — D. i.; de *pierre,* ou fém. de *pierrier.*

♦ Archéol. Engin de guerre (machine ou bouche à feu) lançant des boulets de pierre.

PIERRISTE [pjɛʀist; pjeʀist] n. — Attesté XXe; de *pierre* (B., 6.).

♦ Techn. Ouvrier, ouvrière qui façonne les pierres (rubis), en horlogerie.

PIERROT [pjɛʀo] n.m. — 1678; en 1691, surnom des gardes françaises, à cause de leur uniforme blanc; dimin. de *Pierre,* prénom (→ Pierrette) désignant un personnage de l'ancienne comédie italienne et de la pantomime, caractérisé par un visage enfariné, un pantalon blanc, une large souquenille blanche.

♦ **1.** *Costume de Pierrot* (v. ci-dessus). *Le « Gilles » de Watteau porte le costume de Pierrot.* — Homme travesti en Pierrot. ⇒ **Masque** (I., 3.). *Les pierrots du carnaval. Femme travestie en pierrot.* ⇒ **Pierrette** (2.).

1 (...) d'autres passèrent en courant, poussant des cris, poursuivis par un grand pierrot blafard, aux manches trop longues, coiffé d'un bonnet noir et riant d'une bouche édentée. ALAIN-FOURNIER, le Grand Meaulnes, I, XIV.

2 Le plus jeune de tous, un plâtrier dont la figure et les cheveux étaient encore poudrés de blanc, dressa vers lui sa face de pierrot (...)
MARTIN DU GARD, les Thibault, t. VII, p. 280.

♦ **2.** (1834). Vx. Homme niais. — Vieilli. Individu quelconque, bonhomme.

2.1 (...) je lui donnai l'ordre d'aller chercher un repas complet chez le marchand de vin le plus voisin.
Le Pierrot me regarda avec stupéfaction. GORON, l'Amour à Paris, t. I, p. 19.

♦ **3.** (1865). Argot milit. Vx. Soldat qui vient d'être incorporé (⇒ **Bleu**) ou qui, n'étant plus un « bleu », n'est pas encore un « ancien ».

3 Quant aux pierrots, aux pauvres *bleus* fraîchement débarqués du patelin natal, qu'il se faisait un plaisir d'ahurir sous une grêle ininterrompue de corvées et de punitions (...) COURTELINE, le Train de 8 h 47, I, II.

♦ **4.** (1867). Pop. et vx. Verre de vin blanc. *Étouffer, asphyxier un pierrot :* boire un verre de vin blanc.

♦ **5.** (1782). Vx. Corsage de femme (à la fin du XVIIIe siècle).

♦ **6.** (1694, avec une majuscule; → ci-dessous, cit. 4, La Fontaine; *gai comme Pierot,* XVIe). Fam. Moineau* franc. ⇒ **Piaf.** *Femelle du pierrot.* ⇒ **Pierrette** (1.).

Quand un moineau du voisinage 4
S'en vint les visiter, et se fit compagnon
Du pétulant Pierrot et du sage Raton. LA FONTAINE, Fables, XII, II.

(...) j'ai ouvert ma fenêtre, il vient d'arriver un tas de pierrots dans le jardin. Des 5
oiseaux, pas des masques. HUGO, les Misérables, V, VII, I.

PIERRURE [pjɛʀyʀ; pjeʀyʀ] n. f. — 1671; *pierreure,* 1561; de *pierre.*

♦ Vén. (Surtout au plur.). Aspérités pierreuses qui entourent les racines du bois chez le cerf, le chevreuil, le daim. ⇒ 3. **Fraise.** *Les pierrures d'un cerf.*

PIETÀ [pjeta] n. f. invar. — XVIIe, italianisme; plus souvent *Notre Dame de pitié,* ou *pitié,* cf. Furetière; répandu mil. XIXe; ital. *pietà* « pitié ».

♦ Statue ou tableau représentant la Vierge assise et tenant sur ses genoux le corps du Christ détaché de la croix. ⇒ **Mater dolorosa.** *La Pietà de Michel-Ange,* à Saint-Pierre de Rome. *La Pietà d'Avignon,* au Louvre, etc. *Des pietà.*

Allez voir à Saint-Louis au Marais cette *pietà,* où la majestueuse reine des douleurs tient sur ses genoux le corps de son enfant mort, les deux bras étendus horizontalement dans un accès de désespoir (...)
BAUDELAIRE, Curiosités esthétiques, Salon de 1846, Delacroix.

PIÉTAILLE [pjetɑj] n. f. — V. 1131; du lat. pop. *peditalia,* de *pedes, peditis* « fantassin ».

♦ **1.** Vx. *La piétaille :* l'infanterie, les fantassins (c'est-à-dire ceux qui n'étaient pas « chevaliers », nobles).

♦ **2.** (V. 1250). Par ext. Péj. Les gens d'humble condition, les petits, les subalternes. — Avec un retour au sens premier constituant un effet stylistique :

Vous nous voyez marcher, nous sommes la piétaille.
Nous n'avançons jamais que d'un pas à la fois.
Mais vingt siècles de peuple et vingt siècles de rois (...)
(...) Ont appris ce que c'est que d'être familiers,
Et comme on peut marcher, les pieds dans ses souliers,
Vers un dernier carré le soir d'une bataille.
Ch. PÉGUY, Poésies, Tapisserie de Notre-Dame, « Présentation de la Beauce... »

Par plais. Les piétons (opposés aux automobilistes). *On construit des autoroutes, des garages, des parcs de stationnement, mais on se soucie de la piétaille comme de colin-tampon.*

PIÉTÉ [pjete] n. f. — V. 1138; *pietet,* v. 1050; mal distingué de « pitié » en anc. franç.; lat. *pietas.*

♦ **1.** Vx. Pitié (encore dans l'expr. : *mont-de-piété*).

Ce grand prince, voyant le souci qui la grève, 1
Touché de piété, la prend et la relève (...) Mathurin RÉGNIER, Épîtres, I.

♦ **2.** (1552). Mod. Fervent attachement au service de Dieu, aux devoirs et aux pratiques de la religion. ⇒ **Ascétisme, dévotion, religion** (→ Agenouillement, cit. 3; âme, cit. 16; élever, cit. 26; 1. geste, cit. 10). *La piété de qqn; sa piété est fervente. Piété exemplaire, édifiante, solide, éclairée* (→ Inculquer, cit. 7). *Piété sincère, véritable; fausse piété* (→ Maniéré, cit. 3). *Piété fervente.* ⇒ **Ferveur.** *Apparences de piété.* ⇒ **Pharisaïsme** (→ Couvrir, cit. 23). *Piété allant jusqu'à la superstition** (→ Détruire, cit. 26), *l'idolâtrie* (→ Baisser, cit. 26), *la bigoterie. Abus de la piété* (→ Hypocrisie, cit. 11). *Pratiques extérieures, exercices de la piété* (→ Divertissement, cit. 2).

DE PIÉTÉ. *Exercices de piété. Termes de piété.* ⇒ **Pieux** (→ Imposteur, cit. 4). *Livres, images, articles de piété* (→ Hagiographie, cit. 2). ⇒ **Bondieuserie** (péj.).

Exciter (cit. 37), *ranimer la piété.* ⇒ **Édification, édifier** (→ Dentelle, cit. 5; excitation, cit. 1). *Offenser la piété de qqn* (→ Impie, cit. 3). *La piété des fidèles, du juste* (→ Hérétique, cit. 2; humilité, cit. 13).

Avec de la *religion,* on est pénétré du sentiment de ses devoirs envers Dieu : tels 2
peuvent être les philosophes et les gens du monde. La *piété* nous fait aimer et adorer Dieu; on n'est pas *pieux* sans l'habitude de prier avec ferveur et de fréquenter les temples. La *dévotion* nous dévoue à Dieu, nous fait donner à lui exclusivement, tout entiers. LAFAYE, Dict. des synonymes, Religion...

Ce qui n'en est pas un *(défaut)* c'est le caractère général de sa piété *(de Fénelon),* 3
de celle qu'il ressent et de celle qu'il inspire. Il y veut de la joie, de la légèreté, de la douceur; il en bannit la tristesse et l'âpreté : « La piété, disait-il, n'a rien de faible, ni de triste, ni de gêné : elle élargit le cœur; elle est simple et aimable; elle se fait tout à tous pour les gagner tous. »
SAINTE-BEUVE, Causeries du lundi, 1er avr. 1850.

Une piété ardente était la flamme de la maison. Le père, grand lecteur des Écri- 4
tures; la mère, humble et maladive, toujours prête à l'oraison : tous les deux, d'une foi que ne trouble aucun soupçon de doute.
André SUARÈS, Trois hommes, « Dostoïevski », I.

♦ **3.** (Déb. XVIIe). Attachement fait de tendresse et de respect. ⇒ **Affection, amour, culte, dévotion.** *Piété filiale** (cit.), *fraternelle* (→ Objet, cit. 7), *conjugale* (→ Passionné, cit. 11). *Piété pour les morts, envers les morts. Penser avec piété au relèvement de sa patrie* (→ Paperasserie, cit. 2). *Être pris d'une grande piété pour sa ville* (→ Lien, cit. 9). *Tendresse attentive qui se colore* (cit. 6) *de piété.*

5 Je ne veux pas mourir sans avoir écrit quelques lignes au pied de votre monument, ô Jean Racine, en témoignage de mon amour et de ma piété.
FRANCE, le Petit Pierre, XXXIV.

6 Il *(Péguy)* avait connu à Orléans, dans sa jeunesse (...) un peuple ouvrier-paysan, hier encore rustique, qui apportait dans ses métiers les plus vieilles vertus terriennes, un honneur incroyable du travail, la piété de l'ouvrage bien fait (...)
Jérôme et Jean THARAUD, Notre cher Péguy, p. 19.

CONTR. Impiété. — Bigoterie, cagoterie.
DÉR. V. **Piétiste.**
COMP. Mont-de-piété.
HOM. Piéter.

PIÈTEMENT [pjɛtmɑ̃] n. m. — 1890; «piédestal, socle», XVIe, *in* Wartburg; de *pied.*

Technique.

♦ **1.** Ensemble des pieds et traverses d'un meuble. *Armoire de bureau à piètement métallique.*

Le fauteuil du temps de Louis XIV relevait d'un type uniforme. Son piètement en balustre, maintenu par un croisillon d'entrejambes, supportait un siège de hauteur moyenne, encadré d'un haut dossier carré (...)
Guillaume JANNEAU, le Mobilier français, p. 65.

♦ **2.** Courte tuyauterie de raccord.

PIÉTER [pjete] v. — Conjug. *céder.* — XIIe-XIIIe, *Roman de Renart,* «marcher»; du bas lat. *peditare* «aller à pied».

♦ **1.** V. intr. (1690, Furetière, seul sens indiqué). Tenir le pied à l'endroit marqué, qu'on ne doit pas dépasser, au jeu de boules, de quilles...

(XVIIIe, Buffon). Chasse. Marcher ou courir, au lieu de voler (en parlant du gibier à plumes). → Perdrix, cit. 2.

0.1 Les perdrix, dispersées dans le jour, ont l'habitude de se réunir à cette corne du bois où elles passent la nuit. Les unes arrivent en piétant le long des haies. Un vol silencieux et droit rapproche les autres.
J. RENARD, Bucoliques, Pl., t. II, p. 207.

♦ **2.** V. tr. Vx. Exciter à, faire résister de pied ferme. *« On avait piété cet homme contre ses meilleurs amis »* (Littré).

► **SE PIÉTER** v. pron. (1780).

[a] Littér. Se planter, se raidir sur ses pieds.

1 (...) les piliers et les colonnes semblaient se piéter puissamment pour soutenir le poids des immenses pierres appuyées sur les cubes de leurs chapiteaux (...)
Th. GAUTIER, le Roman de la momie, IV.

2 Le cheval préparait ses efforts en frémissant (...) Il s'était piété dur de ses sabots de derrière et, tendu vers le bosquet d'érables, il fatiguait la main de Matelot en secouant la tête. J. GIONO, le Chant du monde, I, VI.

[b] (XIXe). Fig. Prendre une attitude (psychologique, morale) de ferme résistance. ⇒ **Durcir** (se), **raidir** (se).

3 Il s'enfermait alors dans sa chambre, pour ne pas affliger ses enfants, et se piétait contre la douleur dans une solitude sévère.
G. DUHAMEL, Chronique des Pasquier, IX, X.

DÉR. Piéteur, piétiner.
HOM. Piété.

PIÉTEUR [pjetœʀ] n. m. — XXe; de *piéter* (1.).

♦ Chasse. Oiseau qui marche, court (au lieu de voler). *« Le râle rouge est un piéteur endiablé »* (*la Chasse,* no 229, p. 31). — Adj. *Oiseau piéteur.*

PIÉTIN [pjetɛ̃] n. m. — 1770; «bâton ferré qui se termine par une sorte de fourche», 1570; de *pied.*

♦ **1.** Vétér. Maladie du pied du mouton, caractérisée par une inflammation suppurative des tissus sous-cornés entraînant la destruction progressive de l'ongle.

♦ **2.** (1868). Agric. Maladie cryptogamique des céréales (en particulier du froment) caractérisée par le dessèchement prématuré de la base de la tige qui finit par se coucher sur le sol. — On écrit aussi en ce sens *piétain.*

PIÉTINANT, ANTE [pjetinɑ̃, ɑ̃t] adj. — 1892; de *piétiner.*

♦ Qui piétine. *Foule piétinante.* — Fig. Qui n'avance pas, reste sur place. *Enquête piétinante.*

Il s'y est résolu après quelques jours de cette réflexion piétinante qui lui était propre, et qui est propre aux gens de son caractère.
J. DUTOURD, les Horreurs de l'amour, p. 301.

PIÉTINEMENT [pjetinmɑ̃] n. m. — 1770; de *piétiner.*

♦ **1.** Action de piétiner (surtout en parlant d'une multitude). *Un piétinement de troupeau* (→ Foule, cit. 6).

(...) je souffrais du malaise causé par le piétinement auquel nous oblige une foule 1
(...) BALZAC, Le Lys dans la vallée, Pl., t. VIII, p. 785.

(1862). Bruit fait en piétinant. *Piétinement des sabots* (→ Déraper, cit. 2; geler, cit. 14). *Piétinement d'une armée en marche* (→ Bruit, cit. 9), *d'une foule* (→ Marcher, cit. 2).

Ils montaient, graves, menaçants, imperturbables; dans les intervalles de la mous- 2
queterie et de l'artillerie, on entendait ce piétinement colossal.
HUGO, les Misérables, II, I, IX.

Hannibal écoutait, pensif et triomphant, 3
Le piétinement sourd des légions en marche.
J.-M. DE HEREDIA, les Trophées, « La Trebbia ».

♦ **2.** Fig. Absence de progrès notable. *Une période de piétinement.* ⇒ **Immobilité, retard, stagnation.** *Le piétinement de l'économie.* ⇒ **Marasme.**

PIÉTINER [pjetine] v. — 1621; *pietonner, pieteler,* en anc. franç.; de *piéter.*

★ **I.** V. intr. ♦ **1.** S'agiter sur place en frappant vivement du pied contre le sol. *Enfant qui piétine de colère.* ⇒ **Trépigner.** *Piétiner pour se réchauffer. Piétiner d'impatience après une longue attente.* ⇒ **Piaffer.**

Mais il aperçut au bout d'une clairière une autre voiture arrêtée et quatre mes- 1
sieurs qui piétinaient pour s'échauffer les pieds (...)
MAUPASSANT, Bel-Ami, I, VII.

(1857). Remuer les pieds sans avancer ou en avançant péniblement; marquer le pas. ⇒ **Immobile.** *Piétiner dans la boue.* ⇒ **Patauger** (→ Hagard, cit. 2). *Foule, cortège qui piétine, piétine sur place* (→ Fameux, cit. 5; gloire, cit. 31).

Aller et venir. *Piétiner dans la maison* (→ Fureter, cit. 5; ignorant, cit. 2).

Il devenait indécent, vraiment, à célébrer ainsi une journée qu'il avait en partie 2
occupée à piétiner derrière un corbillard.
COURTELINE, Messieurs les ronds-de-cuir, VIe tableau, II.

Par métaphore. Sports. Arriver désuni sur un obstacle, dans une course de haies.

À la première haie, Viel et lui qui arrivaient sur le mauvais pas, piétinèrent tous 2.1
deux. Jean PRÉVOST, Plaisirs des sports, p. 192.

♦ **2.** (1884). Par métaphore ou fig. Avancer bien peu ou pas du tout, faire peu ou point de progrès. *Piétiner dans de vieilles ornières* (→ Muet, cit. 3). *L'affaire piétine, en est toujours au même point.*

Voilà ce que j'ai fait, moi; et pour en arriver à quoi, je vous le demande? à pié- 3
tiner sur place, dans l'attente du poste de sous-chef qui m'est promis depuis deux ans! COURTELINE, Messieurs les ronds-de-cuir, IIe tableau, II.

L'armée d'Italie piétinait depuis quatre ans, dans une incohérente inaction sur la 4
corniche méditerranéenne.
Louis MADELIN, Hist. du Consulat et de l'Empire, Ascension de Bonaparte, IV.

Edmond a l'impression de piétiner, de perdre son temps, de ne pas avancer. 5
A. MAUROIS, le Cercle de famille, II, X.

Nous piétinons, nous trébuchons, mais nous avançons quand même, la science 6
avance, presque malgré elle. G. DUHAMEL, Chronique des Pasquier, VI, XI.

♦ **3.** (En parlant d'un grand nombre de personnes, d'animaux). Frapper le sol du pied, à coups multipliés et répétés, en marchant ou en courant. *Troupeau de moutons piétinant avec un bruit d'averse* (→ Engouffrer, cit. 6).

★ **II.** V. tr. (Av. 1784). ♦ **1.** Frapper avec les pieds de façon répétée, fouler* aux pieds. *Piétiner le sol, la terre* (→ Dévaster, cit. 4). *Taureau qui piétine avec rage une cape de torero* (→ Intempestif, cit. 2). *Être piétiné par une foule prise de panique. Piétiner les plates-bandes*, l'herbe.* ⇒ **Froisser.**

Les plus grands au milieu, les plus petits aux ailes, ils *(les Aïssaoua)* forment 7
comme un croissant de lune, et se tenant eux aussi par la main, piétinent le sol en cadence, projettent imperceptiblement leurs corps en avant et en arrière, puis sautent brusquement en l'air, en poussant un cri rauque, une sorte de han! qui se traduit par Allah. Jérôme et Jean THARAUD, Rabat, VIII.

Les hôtes de *l'Yseult* piétinèrent les plates-bandes et cassèrent par divertissement 8
les basses branches des arbres fleuris. Claude FARRÈRE, la Bataille, XVII.

♦ **2.** Par métaphore et fig. Ne pas respecter, malmener. ⇒ **Fouler** (aux pieds, fig.). *Piétiner un cadavre :* s'acharner sur qqn après sa mort, insulter sa mémoire. — Transgresser avec mépris, violer (des principes, des règles, etc.). *Piétiner les préjugés, les convenances. Illusions, rêves piétinés.*

Les roses jonchaient la terre. De marcher sur ces pétales encore frais, il me sem- 9
blait piétiner des rêves. LOTI, les Désenchantées, IV, XXIV.

(...) pour faire tout simplement une bonne affaire, en piétinant leurs convictions 10
religieuses (...) J. ROMAINS, les Hommes de bonne volonté, t. V, VI, p. 55.

► **PIÉTINÉ, ÉE** p. p. adj. *Plates-bandes piétinées.* — N. *« La piaillerie des piétinés! »* (Céline, *Guignol's band,* p. 16).

CONTR. Avancer, courir, évoluer, progresser. — Respecter.
DÉR. Piétinant, piétinement, piétineur.

PIÉTINEUR [pjetinœʀ] n. — xxe; signalé comme dialectal *in* Wartburg; de *piétiner.*

♦ Personne qui piétine (qqch.).

(...) la coronille et le pied-de-chat écrasés levaient déjà la tête (...) après l'exode du troupeau de buffles, des piétineurs légers à la terre, lourds aux fleurs de l'herbe. A. ARNOUX, Suite variée, p. 42.

PIÉTISME [pjetism] n. m. — 1743; de *piétiste.*

♦ Hist. des relig. Doctrine, mouvement piétiste.

PIÉTISTE [pjetist] n. — 1699; all. *Pietist,* du lat. *pietas* «piété».

♦ Hist. des relig. Membre d'une secte luthérienne (d'abord réunie en «collèges de piété») fondée par le pasteur Spener (1635-1705), dont l'ouvrage *Pia desideria* insistait sur la nécessité de la piété personnelle et du sentiment religieux plus que sur la stricte orthodoxie doctrinale.

1 La secte des piétistes, en voulant imiter les premiers chrétiens, se donne aujourd'hui des baisers de paix en sortant de l'assemblée, et en s'appelant *mon frère, ma sœur;* c'est ce que m'avoua, il y a vingt ans, une piétiste fort jolie et fort humaine. L'ancienne coutume était de baiser sur la bouche; les piétistes l'ont soigneusement conservée. VOLTAIRE, Dict. philosophique, Baiser.

2 L'orgueil du piétiste est horrible : parce qu'il est mort, il ne veut pas qu'on vive. Il y a du piétiste en tout théologien : et, en tout piétiste, un ennemi secret ou déclaré de la vie. André SUARÈS, Valeurs, p. 246.

Adj. *Le protestantisme piétiste.*

3 La ville piétiste, cette Bâle rigoriste et active (...) J.-R. BLOCH, Deux hommes se rencontrent, p. 82.

DÉR. **Piétisme.**

PIÉTON, ONNE [pjetɔ̃, ɔn] n. et adj. — V. 1320; de *peditare* «marcher».

REM. Le fém. *piétonne* (1869) n'est pas employé comme subst. dans la langue courante (→ toutefois ci-dessous, cit. 1.1).

♦ **1.** Vx. ⇒ **Fantassin** (→ Gendarmerie, cit. 2). *Les piétons.* ⇒ **Piétaille.**

♦ **2.** (1538). Personne qui circule à pied. *Réglementation de la circulation des piétons* (Code de la route, art. 217). *Piétons marchant dans les rues* (→ Affluer, cit. 4; éclabousser, cit. 3). — *Le Piéton de Paris,* œuvre de Léon-Paul Fargue.

1 Deux ruisseaux de piétons longent peureusement les trottoirs. G. DUHAMEL, le Voyage de P. Périot, I.

1.1 (...) des piétons ou des piétonnes fatigués ou impatients faisaient de l'auto-stop (...) R. QUENEAU, Zazie dans le métro, Folio, p. 108.

♦ **3.** (1788). Vx. Facteur* rural.

1.2 Dans les campagnes encore, l'homme chargé de porter les lettres d'une commune à l'autre a conservé le nom de *piéton.* Ch. PAUL DE KOCK, la Grande Ville, t. I, p. 93 (1842).

♦ **4.** (1869; «banal», 1599). *Piéton, piétonne,* dans les expressions *sentier piéton, porte piétonne* (par oppos. à *porte cochère*), *entrée piétonne :* à l'usage exclusif des piétons.

2 (...) une cour d'honneur fermée d'un portail à trois portes, une fort large et deux basses; la porte cochère, très grande, au milieu; à droite, la porte chevalière, moindre; à gauche la porte piétonne, petite. HUGO, l'Homme qui rit, II, V, III.

3 (...) Rodrigue sonna au portail d'une villa. Un homme en robe de chambre grenat et chaussons fourrés, apparut sur le perron. Il ajusta des lunettes pour, par-dessus la porte cochère, identifier les visiteurs. Puis il descendit rapidement et entrouvrit la porte piétonne. Roger VAILLAND, Bon pied, bon œil, p. 22.

Rue piétonne. Zone piétonne. «*La zone piétonne s'achève, mais la mutation du quartier Beaubourg n'est pas terminée*» (*le Monde,* 17 févr. 1977, p. 13). *Voie piétonne.* — REM. On peut préférer cet adj., plus ancien et plus bref, au néologisme *piétonnier*.*

DÉR. **Piétonnier.**

PIÉTONNIER, IÈRE [pjetɔnje, jɛʀ] adj. — V. 1965, P. Gilbert (1950, selon *Lexis*); de *piéton.*

♦ Réservé à l'usage des piétons. *Des rues piétonnières* (ou *piétonnes;* ⇒ **Piéton,** 4.). *Promenade piétonnière. La circulation piétonnière. Zone piétonnière,* interdite à la circulation des voitures.

1 (...) je franchis la porte piétonnière qui donne dans la cour d'honneur de la prison. Roger BORNICHE, le Ricain, p. 298.

2 Un sentier piétonnier nous amène, silencieux, derrière une bergerie. Roger BORNICHE, le Ricain, p. 357.

PIÈTRE [pjɛtʀ] adj. — 1559; n. m., «individu vil», xve; *piestre* «qui vagabonde», déb. xive; *peestre* «qui est à plaindre», v. 1220; du lat. *pedestris* «qui va à pied», devenu péj., par oppos. au «cavalier».

REM. L'épithète se place normalement avant le nom.

♦ **1.** Littér. Très médiocre (2. et 3.). ⇒ **Chétif, dérisoire, médiocre, mesquin, minable, miteux, triste...** *C'est un piètre avantage, une piètre consolation. Restaurant de piètre apparence* (cit. 3). *Avoir une piètre santé. Un piètre amour* (→ Intérêt, cit. 32).

1 Ce petit homme maigre *(Marneffe)...* de piètre allure et de plus piètre maintien, réalisait le type que chacun se dessine d'un homme traduit aux assises pour attentat aux mœurs. BALZAC, la Cousine Bette, Pl., t. VI, p. 182.

(...) il valait mieux, à tout prendre, qu'une rencontre où il ferait piètre figure se 2
passât sans témoins, plutôt qu'en présence de la cuisinière (...) MONTHERLANT, les Célibataires, I, IV.

♦ **2.** (1599). Personnes. Dépourvu de valeur, sans capacités. *Un piètre personnage. Un piètre écrivain.* ⇒ **Valeur** (sans). *Piètres amants* (→ Misère, cit. 17).

En tout cas l'auteur, même piètre exécutant, sait comment ses vers doivent être 3
lus; et surtout comment *ils ne doivent pas* être lus. GIDE, Journal, 21 févr. 1934.

«Je suis un piètre convive», avoua Antoine : «le soir, je ne prends que du lait». 4
MARTIN DU GARD, les Thibault, t. VIII, p. 249.

DÉR. **Piètrement.**

PIÈTREMENT [pjɛtʀəmɑ̃] adv. — 1566; *peestrement* «méchamment», v. 1220; de *piètre.*

♦ Rare. De piètre façon. ⇒ **Médiocrement.** *Ils sont piètrement logés.*

PIETTE [pjɛt] n. f. — 1555; dimin. de 1. *pie*,* du lat. *pica.*

♦ Régional. Petit harle, dont le mâle adulte est noir et blanc. «*Les sarcelles, les harles, piettes et autres petits palmipèdes*» (Au bord de l'eau, n° 366, p. 109).

1. PIEU [pjø] n. m. — 1287, forme picarde du plur. *peus,* de l'anc. franç. *pel,* du lat. *palus.*

♦ **1.** Pièce de bois droite et rigide, dont l'un des bouts est pointu et destiné à être fiché en terre. ⇒ **Bâton, échalas, épieu, pal, palis, pilot, piquet, poteau, rame.** *Brebis attachée à un pieu* (→ Brouter, cit. 2). *Clôture* (cit. 1) *faite de pieux.* ⇒ **Claie, clayonnage, palissade.** *Ouvrages* (cit. 7) *construits à l'aide de pieux.* ⇒ **Estacade, fraise, palanque, palée, palifier, pilotis** (→ Barbelé, cit. 1; étayer, cit. 1). *Fabrication, battage des pieux.* ⇒ **Mouton** (6.).

Techn. *Pieu de fondation :* longue pièce de métal, de béton armé (de bois, autrefois), etc., que l'on enfonce ou que l'on coule dans un sol meuble où l'on veut bâtir.

♦ **2.** (1844). Loc. compar. *Droit, raide comme un pieu :* très raide (→ Galvanisme, cit.).

HOM. 2. **Pieu, pieux.**

2. PIEU [pjø] n. m. — Fin xviiie; *piau,* 1628; *peau,* 1596; forme picarde de *peau*.*

♦ Fam. Lit*. *Aller, se mettre au pieu.*

«Oui, dit Jean, et toi mon vieux, tu ne sors pas?» Il était heureux de lui dire mon 1
vieux, d'être l'un d'eux. «Non, je ne sortirai pas ce soir, je descendrai un moment à la cantine, et puis après on se mettra au pieu.» PROUST, Jean Santeuil, Pl., p. 569.

Elle lui dit : «Où allez-vous, maintenant?» — Pardi, au pieu! Il n'y a pas grand 2
temps pour dormir... ARAGON, les Cloches de Bâle, III, V.

DÉR. **Pieuter** (se).

HOM. 1. **Pieu, pieux.**

PIEUSEMENT [pjøzmɑ̃] adv. — Fin xvie; *piament,* x^e; de *pieux.*

♦ **1.** D'une manière pieuse*, avec piété. ⇒ **Dévotieusement.** *Vivre pieusement.* ⇒ **Dévotement.** *Maisons pieusement groupées autour de l'église* (→ Mensonger, cit. 2). *Fêtes pieusement célébrées* (→ Jalonner, cit. 6).

♦ **2.** (De *pieux,* 2.). *Nouer, serrer pieusement des lettres, des objets* (→ Démoder, cit.; frottement, cit. 6). «*À l'austère devoir*» (cit. 13, Arvers) *pieusement fidèle*». «*Ceux qui pieusement sont morts pour la patrie...*» (→ Gloire, cit. 20, Hugo). *Cuisinière officiant* (1. Officier, cit. 3) *pieusement devant la table.*

Mais enfin ce sont des actions que vous devez pardonner à mon âge (...) des libertés 1
où l'on s'abandonne sans y penser de mal (...) — Oui : vous le dites, et ce sont de ces choses qui ont besoin qu'on les croie pieusement. MOLIÈRE, George Dandin, III, 6.

Les choses pieusement conservées nous gardent leur reconnaissance et sont prêtes 2
à nous remettre leur âme dès que nous la rafraîchissons. Elles sont pareilles à ces roses des sables qui s'épanouissent indéfiniment, dès qu'un peu d'eau leur rappelle l'azur des citernes perdues. Francis JAMMES, le Roman du lièvre, «Des choses.»

PIEUTER (SE) [pjøte] v. pron. — 1888; de 2. *pieu.*

♦ Fam. Se coucher, se mettre au lit. *Il se pieute dès qu'il fait nuit.* V. intr. *Il pieute dans son lit.*

PIEUVRE [pjœvʀ] n. f. — 1866, Hugo, qui a popularisé en français ce mot du parler des îles anglo-normandes; du lat. *polypus,* par les interm. *puelve, pueuve, pieuve,* comme pour *yeux.*

♦ **1.** Poulpe* commun, surtout lorsqu'il est de grande taille. *Bras, tentacules, ventouses de la pieuvre.*

Une forme grisâtre oscille dans l'eau, c'est gros comme le bras, et long d'une demi-aune environ; c'est un chiffon; cette forme ressemble à un parapluie fermé qui n'aurait pas de manche. Cette loque avance vers vous peu à peu. Soudain, elle s'ouvre, huit rayons s'écartent brusquement autour d'une face qui a deux yeux; ces rayons vivent (...) c'est une sorte de roue; déployée, elle a quatre ou cinq pieds de diamètre (...) Ce monstre est celui que les marins appellent poulpe, que la science appelle céphalopode (...) Dans les îles de la Manche on le nomme la pieuvre.
HUGO, les Travailleurs de la mer, II, IV, II.

♦ **2.** (1867, «femme entretenue, courtisane», *in* D. D. L.). Fig. *C'est une vraie pieuvre,* une personne (particult, une femme) insatiable*, qui ruine par ses exigences et ne lâche jamais sa proie.

Par métaphore. Pouvoir, entreprise qui absorbe ou détruit tous ses concurrents.

PIEUX, PIEUSE [pjø, pjøz] adj. — XIVe; réfect. de l'anc. franç. *piu, pieu,* du lat. *pius.* → 2. Pie.

♦ **1.** Qui est animé ou inspiré par des sentiments de piété. ⇒ **Piété** (2.). *Homme pieux.* ⇒ **Dévot;** péj. **bigot, cagot; édifiant, religieux** (→ Athée, cit. 4; figure, cit. 27; marguillier, cit. 1; observance, cit. 7). *Femmes pieuses* (→ Consoler, cit. 11; 2. falot, cit. 4). *Pieuses gens, personnes pieuses* (→ Édifier, cit. 13; hérétique, cit. 2; hypocrisie, cit. 12). *Âmes pieuses.* ⇒ **Croyant** (→ Légalisme, cit.). *Pieuses familles* (→ Indifférent, cit. 37). *Pensées pieuses, pieux desseins, pieux conseils...* (→ Foi, cit. 37; mentalement, cit. 1). *Attitude pieuse* (→ Agenouillement, cit. 3). *Lecture* (cit. 3) *pieuse.*

1 Vous l'avez vue fort pieuse; maintenant, sa vie n'est qu'une prière continuelle.
STENDHAL, Romans et Nouvelles, «Coffre et Revenant».

2 Sobre de pratiques *(religieuses)* extérieures, elle était profondément pieuse.
FRANCE, le Petit Pierre, I.

3 Elles étaient pieuses toutes trois, la tante avec désolation, la petite avec tendresse, la grande avec frénésie. G. DUHAMEL, Chronique des Pasquier, II, V.

Qui a trait à la piété. *Livres pieux* (→ 2. Manuel, cit. 1). *Pieuses images* (→ Bêtise, cit. 16). *La peinture pieuse* (→ Fermer, cit. 39; égrillard, cit. 5). — *Un pieux mensonge** (cit. 2). *«Le beau mensonge et la pieuse ruse»* (→ Immortalité, cit. 7, Valéry). — (1671). Spécialt. *Legs* pieux.* — *Croyance pieuse,* que la piété recommande, mais qui n'est pas article de foi. Par ext. et iron. Opinion peu éclairée, adoptée les yeux fermés.

♦ **2.** (1642). Plein d'une respectueuse dévotion (⇒ **Piété,** 3.). *Fils pieux. Affection, amour pieux.* ⇒ **Respectueux.** *Soins pieux. Pieux souvenir. Respect instinctif et pieux qu'a tout Français pour les classiques* (→ Incongru, cit. 3). — Qui invite à la piété. *Un pieux silence.*

4 (...) ce n'était que (...) dans la vieillesse du grand homme, que quelque admirateur empressé de son génie (...) s'avisait de penser à sa biographie; ou encore cet historien était quelque parent pieux et dévoué, mais trop jeune pour avoir bien connu la jeunesse de son auteur, comme (...) Louis Racine pour son père.
SAINTE-BEUVE, Portraits littéraires, P. Corneille, 1828.

CONTR. Blasphématoire, impie, païen. — Irrespectueux, irrévérencieux, irrévérent.
DÉR. Pieusement.

PIÈZE [pjɛz] n.f. — 1920; dér. sav. du grec *piezein* «presser».

♦ Phys. Unité de pression* du système M.T.S. (abrév. *pz*), correspondant à une force de 1 sthène par mètre carré. *Multiples et sous-multiples usuels de la pièze.* ⇒ **Centipièze** (1/100), **hectopièze** (100), **myriapièze** (10000); 3. **bar; barye.**

PIÉZO- Premier élément de composés savants, du grec *piezein* «presser».

PIÉZOCRISTALLISATION [pjezokʀistalizasjɔ̃] n.f. — XXe; de *piézo-,* et *cristallisation.*

♦ Didact. Cristallisation des éléments de roches sous l'action de la pression.

PIÉZOÉLECTRICITÉ [pjezoelɛktʀisite] n.f. — 1890, P. Larousse, *Deuxième Suppl.; de piézo-,* et *électricité.*

♦ Phys. Ensemble des phénomènes électriques produits par des pressions ou des déformations exercées sur certains corps; propriété qu'ont les corps où se développent ces phénomènes. *La piézoélectricité du quartz.* — Partie de la physique traitant de ces phénomènes. — On écrit aussi *piézo-électricité.*

PIÉZOÉLECTRIQUE [pjezoelɛktʀik] adj. — 1890; de *piézo-,* et *électrique.*

♦ Propre à la piézoélectricité, doué de piézoélectricité. *Effet piézoélectrique. Effet piézoélectrique inverse :* apparition de nouvelles contraintes; déformation du cristal qui se produit quand on apporte des charges contraires de même valeur sur ses faces opposées. ⇒ **Ultrason.** *Cristal, quartz piézoélectrique,* capable de transformer l'énergie mécanique en énergie électrique par piézoélectricité. *«Les cristaux piézoélectriques de Weber»* (*la Recherche,* nov. 1975, p. 917).

Qui utilise la piézoélectricité, qui fonctionne par effet piézoélectrique. *Lecteur piézoélectrique d'un pick-up. Microphone piézoélectrique.* — On écrit aussi *piézo-électrique.*

PIÉZOGRAPHE [pjezɔgʀaf] n. m. — 1948; de *piézo-,* et *-graphe.*

♦ Didact. (phys.). Appareil destiné à mesurer de très faibles pressions à l'aide du quartz piézoélectrique.

DÉR. Piézographie.

PIÉZOGRAPHIE [pjezɔgʀafi] n. f. — Mil. XXe; de *piézographe.*

♦ Didact. (sc.). Enregistrement graphique des pressions au moyen du piézographe. — Méd. *Piézographie artérielle :* enregistrement de la pression artérielle et de ses variations.

DÉR. Piézographique.

PIÉZOGRAPHIQUE [pjezɔgʀafik] adj. — Mil. XXe; de *piézographie.*

♦ Didact. De la piézographie. *La courbe piézographique de pulsation sur la carotide reflète l'état du système artériel.*

PIÉZOMÈTRE [pjezɔmɛtʀ] n. m. — 1842; de *piézo-,* et *-mètre.*

♦ Didact. (phys.). Instrument servant à mesurer la compressibilité des liquides, dont le premier modèle fut imaginé par Œrsted.

PIÉZOMÉTRIE [pjezɔmetʀi] n. f. — XXe, semble postérieur à *piézométrique; de piézo-,* et *-métrie.*

♦ Didact. (phys.). Mesure des pressions élevées. — Partie de la physique qui a pour objet la compressibilité des liquides.

PIÉZOMÉTRIQUE [pjezɔmetʀik] adj. — 1910, *Larousse mensuel; de piézo-,* et *-métrique.* → Piézomètre.

♦ Didact. (phys.). Relatif à la compressibilité des liquides. — (V. 1930). *Surface piézométrique :* surface supérieure d'une nappe phréatique.

1. PIF [pif] interj. — 1718, *pif-paf;* onomatopée.

♦ Onomatopée, presque toujours redoublée ou suivie de *paf**, exprimant le bruit sec de qqch. qui éclate (détonation, explosion, etc.). *Pif! paf! une belle paire de gifles!*

— Quelqu'un m'ajuste : Paf! et je riposte... — Pif!
Edmond ROSTAND, Cyrano de Bergerac, II, 9.

HOM. 2. **Pif,** formes du v. **pifer.**

2. PIF [pif] n. m. — 1821; rad. onomat. *piff-.* → Piffre, piffrer, empiffrer, qu'on ne peut, selon Wartburg, rattacher à *pifre,* ital. *piffero* (→ Pifferaro).

♦ **1.** Fam. et vieilli. Gros et vilain nez*. — Par ext. Toute sorte de nez. *Quel pif!*

Vous savez que, pour ces animaux, il suffirait, pour qu'ils se jetassent sur elle, que Mme Verdurin eût une écorchure sur son nez. Sur ce que dans ma jeunesse on eût appelé son pif! PROUST, le Temps retrouvé, Pl., t. III, p. 799. 1

♦ **2.** Fig. (fam.). Flair. *Quel pif vous avez! Il a du pif,* du nez*.

J'ai pas de grosses qualités, mais pour le pif, je ne suis pas mal partagé; ça m'a bien souvent servi. Albert SIMONIN, Touchez pas au grisbi, p. 14. 2

Loc. *Au pif :* au pifomètre*, approximativement et à l'estime.

DÉR. Pifer ou **piffer.**
HOM. 1. **Pif,** formes du v. **pifer.**

PIFER ou **PIFFER** [pife] v. tr. — 1846; de 2. *pif.*

♦ Fam. (toujours en emploi négatif). Sentir*, supporter. ⇒ **Blairer.** *Ne pas pouvoir piffer qqn, qqch. Je ne peux pas le piffer, ce type-là!* ⇒ **Souffrir, supporter.**

Que dit Hitler de la France? Qu'il ne peut pas la piffer. Qu'il ne désire qu'une chose, lui flanquer la pile, ah? J. DUTOURD, Au bon beurre, p. 82. 1

Pron. (réciproque) :

Si ce dénouement était inévitable, du moins l'aurions-nous prévu, et nous décrivions la catastrophe avec une complaisance affectée. 2
— On se cassera en deux.
— On se haïra tout à coup.
— On ne pourra plus se piffer.
— On aura mal au cœur rien qu'à se voir.
Geneviève DORMANN, la Fanfaronne, p. 98.

PIFFERARO [pifeʀaʀo] n. m. — Av. 1848; mot ital., de *piffero* «fifre».

♦ Vx. Musicien italien qui joue du fifre* (ou de la cornemuse, de la flûte).

PIFFRE [pifʀ] n. — 1612; *piffre* «homme dont les testicules sont restés dans le ventre», 1458; *pifle,* adj., «hérétique», 1250; rad. pop. *piff-.*
Vieux.

♦ **1.** Personne très grosse; glouton, gourmand. — REM. Le fém. *piffresse* est donné par Académie, 1694.

♦ **2.** (1690). Techn. Gros marteau utilisé par les batteurs d'or.

DÉR. Piffrer (se).

PIFFRER (SE) [pifʀe] v. pron. — 1680; de *piffre.*
Familier.

♦ **1.** ⇒ **Empiffrer** (s').

♦ **2.** Altér. de *se piffer.* ⇒ **Pifer.**

PIFOMÈTRE [pifɔmɛtʀ] n. m. — 1928; de 2. *pif* «nez», et suff. de nom d'instrument de mesure.

♦ *Au pifomètre* (loc. adv.) : à vue de nez, à l'estime. *Tu l'as mesuré? Non mais au pifomètre, ça fait la moitié.* Syn. : *au pif.* — *Le pifomètre :* le flair, qui permet d'estimer sans calcul.

1 Ma curiosité est vaste autant que vive, mais un peu velléitaire (...). J'en suis donc réduit à prendre parti en toutes choses d'après le pifomètre ou de vagues tropismes. Jacques PERRET, Bâtons dans les roues, p. 180.

2 (...) pour abroger cette espèce de calendrier au pifomètre et le remplacer par quelque chose de rationnel. Jacques PERRET, Bâtons dans les roues, p. 208.

PIGACHE [pigaʃ] adj. — V. 1354, *faire la pigache; pigace,* n. f., «soulier pointu, à la poulaine», mil. XIIe; de 1. *pie,* et *agace.*

♦ Techn. (chasse). *Sanglier pigache,* et, n. m. (1778), *un pigache :* sanglier qui a une pince plus longue que l'autre, et recourbée (comme un soulier pointu). — N. B. Le mot a d'abord désigné (1655) le pied du sanglier.

1. PIGE [piʒ] n. f. — Dès le déb. du XIXe, dial.; étym. contestée; du lat. *pi(n)sare* «fouler» (Wartburg), ou de **pedicare,* de *pes, pedis* «pied». → 2. Piger.

♦ **1.** Techn. Longueur conventionnelle prise pour étalon; mesure. *Mesurer la hauteur d'une porte avec une pige de bois.*

♦ **2.** (1866, argot de métier). Typogr. Quantité de travail qu'un ouvrier doit exécuter dans un temps donné, et qui sert de base à sa paye. *Faire sa pige :* avoir fait son travail dans le délai imparti.
(1903). Somme payée à un journaliste qui est rétribué à la ligne, et, par ext., à l'article. *« Leurs salaires* (des journalistes), *leurs primes et piges »* (*Technique du journalisme,* p. 24). *Journaliste, rédacteur payé à la pige.* ⇒ **Pigiste.** — Par ext. Travail ainsi rémunéré. *J'ai une pige à finir.*

Dans les localités d'une certaine importance, ces correspondants sont des journalistes détachés en permanence. Ailleurs, ce sont des personnes pour qui cette activité n'est qu'accessoire — secrétaires de mairie, instituteurs, etc. — et qui sont généralement rémunérées à la pige suivant un tarif à l'article ou même à la ligne publiée. Philippe GAILLARD, Technique du journalisme, p. 78.

♦ **3.** (Mil. XXe). Sports. Épreuve spéciale de sélection en aviron.

DÉR. 1. **Piger, pigiste.**
HOM. 2. **Pige,** 3. **pige,** formes du v. **piger.**

2. PIGE [piʒ] n. f. — 1808, Bloch; subst. verb. de 2. *piger.*

♦ Fam. *Faire la pige à qqn,* faire mieux que lui, être plus fort que lui, le dépasser, le surpasser.

— Patron, j'ai vu bien des loqueteux ici, mais comme celui-là pas deux. Pour le haillon et la crasse, il leur faisait la pige à tous (...) Paul BOURGET, Tragiques remous, La meilleure part.

HOM. 1. **Pige,** 3. **pige,** formes du v. **piger.**

3. PIGE [piʒ] n. f. — 1836, argot; de 1. *piger* au sens de «mesurer». → 1. Pige.

♦ Fam. (d'abord argot). Après un n. de nombre. Année. *Il a cinquante-deux piges.* ⇒ **Balai, berge.**

1 Vous êtes d'ici? demanda sa voisine qui celait avec grâce une cinquantaine de piges sous une brillante cosmétique. R. QUENEAU, Loin de Rueil, p. 130.

2 (...) tu devrais être retiré depuis dix piges au moins, avec tout le pognon que tu as pris (...) Albert SIMONIN, Touchez pas au grisbi, p. 31.

3 À quarante-cinq piges, bon pied, bon œil! ARAGON, les Beaux Quartiers, II, IX.

4 Le film de ma femme est interrompu, et le jeune premier de quarante-deux piges qui doit être son partenaire dans un autre film dont je dois faire la mise en scène, traîne depuis quelques jours autour d'elle à Washington (...) R. GARY, Chien blanc, p. 105.

HOM. 1. **Pige,** 2. **pige,** formes du v. **piger.**

PIGEON [piʒɔ̃] n. m. — 1530; *pijon,* XIIIe; *pijon* «petit d'un oiseau», 1170; du bas lat. *pipionem,* accusatif de *pipio* «pigeonneau».

★ **I.** ♦ **1.** Oiseau (famille des *Columbidés,* genre *Columba*) au bec grêle, aux ailes courtes, aux pattes à quatre doigts, au plumage de couleurs variables suivant les espèces. ⇒ **Colombe** (littér.). → Bleu, cit. 5; boulin, cit. 1; bruit, cit. 13; étouffer, cit. 59; goître, cit. 2. *Trois espèces de pigeons sont représentées en France : le pigeon sauvage ou pigeon de roche ou pigeon biset* (Columbia livia ⇒ **Biset**), *le pigeon colombin* (Columbia œnas ⇒ **Colombin**), *le pigeon ramier* ou *palombe* (Columbia palumbus ⇒ **Ramier**). — (Autres columbidés). *Pigeon vert, pigeon perroquet, pigeon couronné.* ⇒ **Goura.** *La tourterelle est un oiseau voisin du pigeon, mais plus petit et de mœurs plus terrestres.* — *Races de pigeons obtenues par croisement et sélection : pigeons de consommation* (⇒ **Biset**); *pigeons d'agrément, de fantaisie* (⇒ **Boulant, caronculé, coquillé, cravaté, culbutant, pattu...**); *pigeons voyageurs,* appartenant à des espèces chez lesquelles la faculté d'orientation est particulièrement développée, et utilisés pour porter des messages entre deux lieux éloignés. *Pigeon de fond, pigeon de vitesse. Élevage des pigeons voyageurs.* ⇒ **Colombophilie;** et aussi **péristérophile.** *Pigeon bagué.*
Spécialt. Le mâle adulte. *Femelle* (⇒ **Pigeonne**), *petit* (⇒ **Pigeonneau**) *du pigeon.* — REM. Le masc. plur. désigne à la fois mâles et femelles. *Couple, paire de pigeons. Apparier des pigeons.* — *Pigeons dans le colombier* (cit. 2), *le pigeonnier. Donner du grain* (1. Grain, cit. 7), *du pain aux pigeons* (→ Empresser, cit. 8; jeter, cit. 11; midinette, cit.). *Un lâcher* (cit. 2) *de pigeons. Reflets irisés* (cit. 1) *de la gorge des pigeons* (→ Métier, cit. 27). *Roucoulement* du pigeon* (→ Appui, cit. 16; houler, cit. 3). *Fiente de pigeon.* ⇒ **Colombin.** — *Les pigeons sont nombreux dans certaines grandes villes; il arrive qu'on cherche à les éliminer.* ⇒ **Dépigeonnage.** — Cuis. *Pigeons rôtis, aux petits pois, au chou, en compote, farcis, à la crapaudine** (cit. 2)... — Littér. *Les Deux Pigeons,* fable de La Fontaine (IX, 2; → Assez, cit. 40).

Au théâtre, à Rome, les maîtres de famille avaient des pigeons dans leur sein, auxquels ils attachaient des lettres quand ils voulaient mander quelque chose à leurs gens au logis; et étaient dressés à en rapporter réponse. 1
MONTAIGNE, Essais, II, XXII.

Tout ce que nous ont dit les anciens au sujet des mœurs et des habitudes des pigeons doit donc se rapporter aux pigeons de volière plutôt qu'à ceux de nos colombiers (...) Tous ont de certaines qualités qui leur sont communes (...) la fidélité réciproque et l'amour sans partage du mâle et de la femelle (...) les caresses tendres, les mouvements doux, les baisers timides (...) quels modèles pour l'homme, s'il pouvait ou savait les imiter! 2
BUFFON, Hist. nat. des animaux, Le pigeon.

Sur la Place publique, un Homme bien assis donnait du grain ou du pain aux pigeons. Tout un peuple bleuâtre et mouvant à ses pieds, sur ses pieds, sur ses mains, sur ses épaules, le couvrait, l'éventait, le picotait, le becquetait jusque dans la barbe. VALÉRY, Autres rhumbs, p. 207. 3

(...) un des enfants qui jetait des graines aux pigeons dut courir, les effrayer, car ils s'envolèrent brusquement, comme une nuée de plumes, l'air au-dessus de la place tout entier pointillé pendant quelques instants par un palpitant et neigeux rideau parcouru de remous, de courants multiples (certains des pigeons se reposant déjà tandis que d'autres prenaient à peine leur essor)... 3.1
Claude SIMON, le Palace, p. 18.

(...) ce sont des pigeons sauvages, ou pigeons de roche, répondit Harbert. Je les reconnais à la double bande noire de leur aile, à leur croupion blanc, à leur plumage bleu cendré. Or, si le pigeon de roche est bon à manger, ses œufs doivent être excellents, et, pour peu que ceux-ci en aient laissé dans leurs nids (...) 3.2
J. VERNE, l'Île mystérieuse, t. I, p. 48.

(Par compar.). *Couleur gorge-de-pigeon.* ⇒ **Gorge-de-pigeon.**
Danse. *Ailes* de pigeon.*

Et il fit avec sa main craquante le geste en aile de pigeon qui disait «Au revoir, au revoir!» J. GIONO, Jean le Bleu, IV. 4

(1839). *Pigeon vole!,* jeu d'enfants, dans lequel un joueur lance rapidement le mot *vole* en le faisant précéder d'un nom d'objet susceptible ou non de voler, les autres joueurs ne devant, sous peine de gages, lever le doigt que si la chose en question peut en effet voler. *Jouer à pigeon vole.*

(...) ces tristes noms *(Incarville, Marcouville..., Maineville)...* au-dessus desquels le mot ville s'échappait comme vole dans pigeon-vole (...) 5
PROUST, À la recherche du temps perdu, t. IV, p. 78.

(1876, J. Verne, semble traduit du russe; → Père, cit. 27). Terme d'affection. *Mon pigeon, mon petit pigeon, mes pigeons* (→ Guider, cit. 2).
(Autres oiseaux). *Pigeon vert, pigeon de Guinée, en Afrique.*
Pigeon d'argile : disque d'argile cuite ou séchée (et, par ext., d'une matière friable quelconque) destiné à servir de cible dans le tir* à la fosse. ⇒ **Ball-trap.** *Tir au pigeon d'argile* (et, par abrév., *tir au pigeon*), par oppos. au *tir au pigeon vivant* (presque entièrement abandonné aujourd'hui sous la pression des sociétés de protection des animaux).
Cœur-de-pigeon, variété de cerise.
Œuf de pigeon : loupe (2.).

♦ **2.** (1490, par une métaphore analogue à celle que révèle l'étymologie de *dupe**). Homme qu'on attire dans une affaire pour le dépouiller, le tromper. ⇒ **Dupe, gogo; pigeonner.** *Être le pigeon dans l'affaire. Un bon pigeon à plumer* (Académie). *Ne me prenez pas pour un pigeon.* ⇒ **Sot.**

6 (...) quelles cartes! on ne distingue plus les couleurs; ces messieurs, en se trichant entre eux, s'exercent à escroquer les *pigeons* qui leur tomberont sous la main.
Ch. PAUL DE KOCK, la Grande Ville, t. I, p. 178.

♦ **3.** (1869). *Pigeon de mer, pigeon du Cap,* nom donné au pétrel damier.

★ **II.** Techn. ♦ **1.** (1694). Poignée de plâtre pétri, qui n'est ni jetée ni étalée à force. — (1841). Morceau de pierre enrobé de chaux.

♦ **2.** (1842). Petit morceau de bois que l'on place dans l'onglet d'un cadre.

♦ **3.** (1769). Chacune des demi-mailles par lesquelles on commence un filet de pêche.

DÉR. Pigeonnant, pigeonne, pigeonneau, pigeonner, pigeonnier.
COMP. Dépigeonnage.

PIGEONNAGE [piʒɔnaʒ] n. m. — 1869, Littré; de *pigeonner* (I., 2).
Technique.

♦ **1.** Opération par laquelle on pose le plâtre (à la truelle ou à la main) par pigeons (II., 1.), sans le jeter ni l'étaler à force — Par métonymie. Plâtre ainsi utilisé.

♦ **2.** « Cloison légère en plâtre pur, gâché serré et appliqué à la main et à la taloche au fur et à mesure de sa prise » (J. Costes, *Manuel du plâtrier,* p. 194).

PIGEONNANT, ANTE [piʒɔnɑ̃, ɑ̃t] adj. — V. 1950; de *pigeon,* par métaphore (allus. à la gorge du pigeon).

♦ Se dit d'une poitrine haute et ronde, et du soutien-gorge qui donne cet aspect aux seins.

PIGEONNE [piʒɔn] n. f. — Mil. XVIe; de *pigeon.*

♦ Rare. Femelle du pigeon. — REM. Le plus souvent, on emploie *pigeon* ou *pigeon femelle.*

Charlotte est bien fade; c'est le piètre personnage d'une mise en scène forte, tourmentée, flamboyante, montée par le sujet Werther (...) on dirait une grosse pigeonne, immobile, tassée dans ses plumes, autour de laquelle tourne un mâle un peu fou.
R. BARTHES, Fragments d'un discours amoureux, p. 39.

PIGEONNEAU [piʒɔno] n. m. — 1534; de *pigeon.*

♦ **1.** Jeune pigeon. *Élevage des pigeonneaux de consommation. Pigeonneau aux petits pois.*

(...) le maître d'hôtel, avant de découper les pigeonneaux, lui présentait (...) le légumier d'argent (...)
MARTIN DU GARD, les Thibault, t. VI, p. 20.

♦ **2.** Fig. Dupe. ⇒ **Pigeon** (I., 2.).

♦ **3.** (1869). Méd. (par compar. avec les pattes de l'oiseau). Ulcération cutanée douloureuse des doigts (notamment chez les chromeurs et les teinturiers en peau). Syn. : *rossignol des tanneurs.*

PIGEONNER [piʒɔne] v. — 1553; de *pigeon.*

★ **I.** V. tr. ♦ **1.** Fam. Traiter (qqn) en pigeon* (I., 2.), plumer*, rouler. ⇒ **Duper, tromper.** *Ils m'ont pigeonné en beauté!* ⇒ **Posséder.** — (Souvent en tour factitif). *Se faire pigeonner.*

♦ **2.** (1680). Techn. Élever en employant le plâtre par pigeons (un mur mince, un coffre de cheminée, etc.). ⇒ **Pigeon** (II., 1.).

★ **II.** V. intr. (Fin XIXe). Fam., vx. Tenir des propos tendres. ⇒ **Roucouler.**

DÉR. (De I., 2.) **Pigeonnage.**

PIGEONNIER [piʒɔnje] n. m. — 1549; de *pigeon.*

♦ **1.** Petit bâtiment où l'on élève des pigeons domestiques. ⇒ **Colombier** (→ Froufroutant, cit.). *Pigeonnier du sommet d'une tour. Boulins* d'un pigeonnier.* — Spécialt (féod.). Ce bâtiment, construit en bois, auquel avaient seulement droit certains propriétaires terriens roturiers (par oppos. au *colombier,* en maçonnerie, privilège de la noblesse).

♦ **2.** (Fin XVIIe). Fig., fam. Maison haute et étroite; logement situé très haut. *Il habite dans un pigeonnier.*

Spécialt. Balcon surélevé (dans une salle de spectacle). ⇒ **Paradis.**

On s'amène dans la boîte. C'est plein! (...) on nous montre une table au pigeonnier et le vieux s'accoude à la balustrade pour zyeuter les poules (...)
Roger VERCEL, Capitaine Conan, VI, p. 98.

1. PIGER [piʒe] v. tr. — 1869; « contester entre soi l'avantage du jeu », 1808; de 1. *pige.*
Technique.

♦ **1.** Mesurer avec une pige (1. Pige, 1.).

♦ **2.** Payer (un travail) à la pige (1. Pige, 2.). « *Des lignes qui lui étaient pigées à bas prix* » (Carco, *in* G. L. L. F.).

HOM. 2. **Piger.**

2. PIGER [piʒe] v. tr. — Conjug. *bouger.* — 1807; probablt de **pedicare,* de **pedicus,* rac. *pes, pedis* « pied ». → Piège, de *pedica.*
Argot anc., familier.

♦ **1.** Vx. Prendre; attraper. *J'la pige :* je l'emporte, je gagne. — (1846, argot). Spécialt. Prendre sur le fait, attraper. *Piger un voleur.*

— D'où ça vous vient-il? demanda la fille à son père, en coulant la pièce dans sa poche (...) — Vous ne voulez donc pas nous dire où vous pigez tant de monnaie? ... demanda Tonsard (...) BALZAC, les Paysans, Pl., t. VIII, p. 58. 1

♦ **2.** (1890). ⇒ **Attraper.** *Piger un bon rhume.*

(1835). Saisir (par la perception); regarder, voir. *Pige un peu la petite femme là-bas.*

Puis, d'un geste violent, arrachant les boutons de son corsage, elle fit jaillir hors d'une ceinture légère, qui la protégeait, sans avoir besoin de la soutenir, une gorge impeccable. 1.1
Elle ajouta railleuse, en vraie faubourienne :
— Pige un peu, la princesse!
GORON, l'Amour à Paris, t. II, p. 661.

♦ **3.** Mod. Saisir (par l'intelligence). ⇒ **Comprendre,** (fam.) 2. **entraver.** *Je n'y pige rien. Je pige pas. J'y pige rien.* ⇒ Fam. **Baiser, biter.** *Il y pige que dalle. Tu as pigé?* (→ Main, cit. 48).

Moi aussi, naturellement, je suis orgueilleux; mais je ne le dis pas, je ne le laisse pas voir, sauf à vous, qui êtes un vieil ami et qui pigez le fin du fin. 2
G. DUHAMEL, l'Archange de l'aventure, V.

♦ **4.** V. intr. (1882). Vx. Rivaliser (avec qqn).

DÉR. 2. **Pige.**
HOM. 1. **Piger.**

PIGISTE [piʒist] n. m. — XXe; de 1. *pige.*

♦ Compositeur, journaliste payé à la pige (à la ligne).

(...) je n'ai pas déshonoré sa boîte ni son journal, ce qui compte ce sont mes piges, et pas les bitures que j'ai prises : je suis la Sarrazine avec tout ce que cela comporte de soûlographies et de condamnations, mais je suis également madame Sarrazing *(sic)* la talentueuse pigiste. A. SARRAZIN, la Traversière, p. 268. 1

Et c'est là encore que j'ai vécu un amour heureux avec une sympathisante du réseau de soutien, lycéenne et pigiste dans un hebdomadaire local. 2
Conrad DETREZ, l'Herbe à brûler, p. 163.

PIGMENT [pigmɑ̃] n. m. — Repris en 1813; « épice, baume », 1130; du lat. *pigmentum* « couleur (pour peindre) ». → Piment.

♦ **1.** Protide entrant dans la composition chimique de la peau, à laquelle il donne sa coloration particulière. *La mélanine* est un des plus importants pigments de la peau.*

La *couleur (de la peau)* est une de ses qualités physiques importantes (...) Elle est influencée par trois éléments : 1° Un facteur *pigment,* caractère différentiel le plus saillant des diverses races humaines (...) 2° Un facteur *vasculaire* (...) 3° Un facteur sanguin (...) quand le sérum sanguin véhicule des colorants (pigments biliaires de la jaunisse, pigments caroténiens qui communiquent à la peau une teinte orange, pigments médicamenteux (...) Paul BLUM, la Peau, p. 9. 1

Substance chimique qui donne leur coloration aux tissus et aux liquides organiques. ⇒ **Pigmentation.** *Pigments du sang, pigments respiratoires* (⇒ **Hématine, hémoglobine**), *des cheveux* (⇒ **Albinisme**), *de l'iris* (→ Gène, cit. 2), *biliaires* (⇒ **Bilirubine, biliverdine**), *urinaires* (⇒ **Urobiline**).

♦ **2.** Bot. Substance colorante (des plantes). *Pigment principal des végétaux supérieurs.* ⇒ **Chlorophylle** *(pigment vert). Pigments accompagnant la chrorophylle.* ⇒ **Carotène, xantophylle.** *Pigments des fleurs* (⇒ **Authocyanine**). *Pigments des algues : vert* (⇒ **Chlorophylle**), *bleu* (⇒ **Phycocyanine**), *rouge* (⇒ **Phycoérythrine**), *brun* (⇒ **Phycophéine**). *Pigments des bactéries et champignons...*

♦ **3.** (1898, in *Année sc. et industr.* 1899, p. 77). Techn. Substance colorée (d'origine minérale, organique ou métallique), généralement insoluble, qui colore la surface sur laquelle on l'applique, sans pénétrer dans les fibres ou les tissus, au contraire des teintures*. *Utilisation des pigments dans la préparation des peintures et des enduits.* ⇒ **Couleur.**

Des perles colorées de toutes les façons. 2
Et colorées comment? Là devint homogène
Le pigment qu'on mélange à du polystyrène. R. QUENEAU, le Chant du styrène.

DÉR. Pigmenter. — (Du même rad.) **Pigmentaire, pigmentation, pigmenté.**
COMP. Pigmentophore.

PIGMENTAIRE [pigmɑ̃tɛʀ] adj. — 1842; « d'aromates », déb. XVIe; lat. *pigmentarius.*

Didact. Relatif à un pigment, aux pigments.

♦ **1.** *Cellules pigmentaires,* contenant un noyau pigmenté (par ex., dans la dernière couche du corps muqueux de Malpighi, un pigment noir ou mélanine). *Maladies pigmentaires.* ⇒ **Mélanémie, mélanisme, mélanose, vitiligo.** *Tumeurs pigmentaires.* ⇒ **Mélanique.**

(...) le teint de l'ensemble du visage était demeuré. C'était toujours la même combinaison pigmentaire de chamois, de capucine, de vermillon, de bistre et d'or (...)
Léon BLOY, le Désespéré, p. 155.

♦ **2.** Du pigment (des plantes).

♦ **3.** (1904, in *Rev. gén. des sc.*). Des pigments (3.).

PIGMENTATION [pigmɑ̃tasjɔ̃] n. f. — 1868; du bas lat. *pigmentatus.*

♦ **1.** Biol. Formation et accumulation normale ou pathologique (⇒ **Nævus**), du pigment (1.) en certains points de l'organisme (→ Mamelon, cit.). — Cour. Coloration de la peau par la mélanine.

(...) si l'on compare un colonial au teint basané avec un de ses parents qui, demeuré en Europe, a gardé un teint clair, on est assuré que la différence de leur pigmentation cutanée tient à une action inégale des rayons solaires.
Jean ROSTAND, l'Homme, III.

♦ **2.** (xxe). Techn. Coloration par des pigments. *Pigmentation d'une peinture.*

PIGMENTÉ, ÉE [pigmɑ̃te] adj. — 1877; du p. p. de *pigmenter.*

♦ Didact. et cour. Coloré par un pigment, par des pigments, et, spécialt, par la mélanine. *Peau foncée, fortement pigmentée.*

COMP. Apigmenté.

PIGMENTER [pigmɑ̃te] v. tr. — xxe; de *pigment.*

♦ Colorer par un pigment, par des pigments (→ Face, cit. 14). *Le soleil pigmente la peau.*

DÉR. Pigmenté.

PIGMENTOGÈNE [pigmɑ̃tɔʒɛn] adj. — 1907; comp. hybride du lat. *pigmentum* (→ Pigment), et suff. d'orig. grecque *-gène.*

♦ Didact. Qui crée ou qui développe les pigments, qui facilite la pigmentation. *Rayons pigmentogènes.*

PIGMENTOPHORE [pigmɑ̃tofɔʀ] adj. — xxe; comp. du lat. *pigmentum* (→ Pigment), et *-phore.*

♦ Méd. Se dit d'une cellule qui contient un pigment (sans nécessairement l'élaborer). ⇒ **Mélanocyte.**

PIGNADE [piɲad] ou **PIGNADA** [piɲada] n. f. — 1869, Littré; 1679, *pinada,* forme gasconne de *pinède; de pin.*

♦ Régional. Pinède.

(...) cette pénétrante odeur de torches qu'épandent les pignadas consumées (...)
F. MAURIAC, Thérèse Desqueyroux, XIII.

PIGNATELLE [piɲatɛl] n. f. — xxe; de l'ital. *pinatella,* proprt «petit pot»; anc. franç. *p(e)ignate* «marmite», même rad. que *pigne.*

♦ Régional. Petit beignet soufflé au fromage.

PIGNE [piɲ] n. f. — xve; du provençal *pinha,* du lat. *(nux) pinea* «(pomme) de pin», de *pinus* «pin».

♦ **1.** Régional. [a] Pomme de pin (notamment du pin pignon).

1 Dans la cuisine, un grand feu de pignes brûlait, qui réconforta un peu ces pauvres cœurs glacés par la nuit. Pierre BENOIT, Mlle de la Ferté, p. 32.

2 Ça sent bougrement le brûlé; on entend craquer et éclater des pignes. Ça brûlerait par là devant alors? J. GIONO, Colline, Pl., t. I, p. 197.

[b] (1869). Petite graine de la pomme de pin, employée dans la confection de certaines pâtisseries ou de certains plats (on dit aussi en ce sens *pignon*). ⇒ 3. **Pignon** (1.).

♦ **2.** (1716, par l'esp. *piña,* de même rad.). Métall. Masse d'argent qui reste après distillation du mercure amalgamé avec le minerai.

PIGNER [piɲe] v. — xiiie, «crier, geindre»; orig. onomat., croisé avec *pignier* «se battre» (mil. xiiie); anc. var. de *peigner.*
Régional.

♦ **1.** V. intr. Crier, s'agiter de façon désagréable, sans raison. *Un enfant qui pigne.*

1 — Qu'as-tu à pigner, Mère Ubu?
— Tu es trop féroce, Père Ubu. A. JARRY, Ubu roi, Pl., p. 371.

♦ **2.** V. tr. Crier contre (qqn); attaquer en paroles et bousculer.

(...) une fois qu't'es dans c'poulailler et c'clapier, t'es bousculé et pigné par tout un chacun et tu gênes tout un chacun. H. BARBUSSE, le Feu, t. I, I, XI, p. 58. 2

DÉR. V. 2. Pignocher.

PIGNET [piɲɛ] n. m. — 1552; mot franco-provençal, du provençal *pinhe,* lat. *pineus,* adj., de *pinus* «pin».

♦ Régional. Épicéa.

PIGNOCHAGE [piɲɔʃaʒ] n. m. — 1875, *in* D. D. L.; de 1. *pignocher.*

♦ Fam., vieilli. Facture d'un peintre qui pignoche; action de pignocher.

1. PIGNOCHER [piɲɔʃe] v. intr. — 1630; de *pigner, peigner* «griffer; saisir du bout des doigts».
Familier, vieilli.

♦ **1.** Manger sans appétit, du bout des dents, en ne prenant que de petits morceaux. *Enfant qui ne fait que pignocher.* — Trans. *Les pensionnaires pignochaient leurs lentilles.*

Madame pignoche dans les plats avec des gestes maussades et des moues dédaigneuses (...) O. MIRBEAU, le Journal d'une femme de chambre, p. 31. 1

♦ **2.** (1857; argot des peintres). Peindre à petits coups de pinceaux, en employant une facture minutieuse et soignée. — Trans. *Pignocher un tableau.* ⇒ **Lécher.**

Il parle de Henri Matisse allant montrer à Rodin ses dessins et repartant furieux de l'atelier du maître, parce que celui-ci lui aurait dit: «Pignochez; pignochez. Quand vous aurez encore pignoché cela quinze jours, vous viendrez me le remontrer.» GIDE, Journal, 18 mars 1906. 2

♦ **3.** Discuter, critiquer de manière vétilleuse. ⇒ **Pinailler.**

Lairdin était plus délicat, plus tatillon que moi. Il pignochait sur le gabarit, l'âge. Il les voulait très minces *(les filles)* avec une grosse poitrine. Jean HOUGRON, la Gueule pleine de dents, p. 70. 3

DÉR. Pignochage, pignocheur.

2. PIGNOCHER (SE) [piɲɔʃe] v. pron. — 1878; de *pignier.* → Pigner.

♦ Fam., vx. Se battre.

PIGNOCHEUR, EUSE [piɲɔʃœʀ, øz] n. — 1640; de 1. *pignocher.*
Familier, vieilli.

♦ **1.** Personne qui pignoche en mangeant.

♦ **2.** (1868). Peintre qui travaille à petits coups de pinceaux.

♦ **3.** Personne qui critique de manière mesquine. ⇒ **Pinailleur.** — Adjectif:

C'était un grand grimacier, bien de sa race, très pignocheuse, jamais satisfaite.
Jean HOUGRON, la Gueule pleine de dents, p. 149.

PIGNOLAT [piɲɔla] n. m. — 1312; de l'anc. provençal *pinhol* «amande de la pomme de pin».

♦ Techn. (confis.). Dragée ou nougat contenant des amandes de pomme de pin.

PIGNOLE [piɲɔl] n. f. — Av. 1947, cit.; orig. incert., à rapprocher de *pine.*

♦ Fam. Masturbation masculine (surtout dans: *se taper une pignole;* syn.: *se pignoler*). — Var.: *pignolle.*

Qu'est-ce que je me suis tapé comme pignolles en pensant à toi! Dans ton hamac, tu te rends compte! Jean GENET, Miracle de la rose, Folio, p. 391.

1. PIGNON [piɲɔ̃] n. m. — 1211; *pinnon* «sommet (d'une montagne)», v. 1190; d'un lat. pop. **pinnio, -onis,* du lat. class. *pinna* «merlon, créneau».

♦ **1.** Couronnement triangulaire d'un mur ou d'un pan de mur, dont le sommet porte le bout du faîtage (cit. 1) d'un comble. ⇒ **Fronton, galbe** (→ Échelon, cit. 1; massif, cit. 10). *Pignons décorés des maisons anciennes* (→ Entablement, cit. 2). *Pignon percé d'une porte cintrée* (cit.), *ogive* (cit. 3). *Maison à pignon* (→ Canal, cit. 7; iriser, cit. 1). *Mur de pignon* ou *mur pignon,* autrefois sur la façade, aujourd'hui reporté sur les côtés. — *Pignon à redans,* dont les deux pentes s'élèvent par degrés (opposé à *pignon droit*).

C'est toujours la plus belle place du monde que cette place où ont roulé les deux têtes des comtes de Horn et d'Egmont, d'autant plus belle aujourd'hui qu'elle a conservé ses pignons ouvragés, découpés, festonnés d'astragales, ses bas-reliefs, ses bossages vermiculés (...) NERVAL, Lorely, «Fêtes de Hollande», I. 1

(...) un mur du quinzième siècle surmonté d'un pignon aigu à briques contrariées (...) HUGO, les Misérables, II, I, I. 2

3 Le mur pignon porte des anneaux auxquels on attache les chevaux que l'on ferre et donne sur une ruelle aboutissant à des jardins.
Ch.-L. PHILIPPE, Père Perdrix, I, I.

Loc. **AVOIR PIGNON SUR RUE.** [a] (1640). Anciennt. Être propriétaire d'une maison de ville dont la façade à pignon donnait sur la rue. — (1584). Avoir des immeubles importants, être un gros propriétaire.

[b] (XIXe). Mod. Être installé dans un magasin avantageusement connu et bien situé (en parlant d'un commerçant). — Par ext. Avoir une situation, une fortune assise; être favorablement connu dans son milieu professionnel.

4 (...) un Bourgeois, honorable homme, Maître Mathieu Granger, ayant pignon sur rue (...) CYRANO DE BERGERAC, le Pédant joué, V, 2.

5 Certains auteurs, parlant de leurs ouvrages, disent : Mon livre, mon commentaire, mon histoire, etc. — Ils sentent leurs bourgeois qui ont pignon sur rue, et toujours un « chez moi » à la bouche. Ils feraient mieux de dire : Notre livre, notre commentaire, notre histoire, etc. PASCAL, Pensées, I, 43.

(Avec un autre n. que *rue*) :

6 Tous les gros conseillers habitaient sur le coteau, jaloux de leur soleil, de leur « vue », fiers du prestige qu'ils en tiraient. Avoir pignon sur le coteau, c'était, dans cette petite ville, comme un brevet de distinction et de bon goût.
M. GENEVOIX, Forêt voisine, XV.

♦ **2.** (1681). Blason. Meuble ayant l'aspect d'un pignon à redans. ⇒ **Pignonné.**

DÉR. Pignonné.
HOM. 2. **Pignon,** 3. **pignon.**

2. PIGNON [piɲɔ̃] n. m. — V. 1560; *paignon*, XIIIe; de *peigne*, du lat. *pecten*. → Peigne.

♦ **1.** Roue dentée, la plus petite des deux roues d'un engrenage* (⇒ **Tympan**); par ext., l'une quelconque des deux roues dentées. *Pignons faisant partie des diverses pièces d'une bicyclette*, d'une automobile*, d'un mécanisme d'horlogerie*...* ⇒ **Machine, mécanisme** (→ Engin, cit. 3; grogner, cit. 4). — *Pignon de renvoi*, transmettant le mouvement à une partie relativement éloignée du mécanisme.

1 (...) un malheureux type tellement adapté à la catastrophe que la vie normale l'ennuiera, n'aura plus de prise sur lui comme un pignon aux dents émoussées.
J. ROMAINS, les Hommes de bonne volonté, t. XVI, XXIII, p. 209.

2 La chaîne de la bicyclette se mit à produire un bruit désagréable — comme un frottement latéral contre la dentelure du pignon. Il avait déjà senti quelque chose d'anormal en changeant de vitesse après avoir gravi la côte (...)
A. ROBBE-GRILLET, le Voyeur, p. 99.

♦ **2.** Techn. (serrur.). Cylindre cannelé réglant le pène de certaines serrures.

HOM. 1. **Pignon,** 2. **pignon.**

3. PIGNON [piɲɔ̃] n. m. — XVe; « cône de pin », XIVe; anc. provençal *pinhon*, de *pinha*. → Pigne.

Régional (mais connu dans l'ensemble de la France).

♦ **1.** Graine de la pomme de pin. ⇒ **Pigne** (1., b).

♦ **2.** (1839). *Pin pignon*, ou, ellipt, *pignon* : espèce de pin à graine comestible. ⇒ **Parasol** (pin).

L'exploration continua donc, et fut utilement marquée par la découverte qu'Harbert fit d'un arbre dont les fruits étaient comestibles. C'était le pin pignon, qui produit une amande excellente, très estimée dans les régions tempérées de l'Amérique et de l'Europe. J. VERNE, l'Île mystérieuse, t. I, p. 113.

HOM. 1. **Pignon,** 2. **pignon.**

PIGNONNÉ, ÉE [piɲɔne] adj. — 1690, Furetière; de 1. *pignon*.

♦ Blason. Dont le contour angulaire, montant et descendant, est en forme de marches d'escalier. ⇒ 1. **Pignon** (2.).

PIGNORATIF, IVE [piɲɔʀatif, iv] adj. — 1567; du lat. *pignorare* « engager », de *pignus, pignoris* « gage ».

♦ Dr. Qui a trait au contrat de gage*. — (1690). *Contrat pignoratif* : « prêt fait sous la forme d'une vente à réméré* » (Capitant). *Le contrat pignoratif était surtout utilisé autrefois pour tourner la prohibition du prêt à intérêt.* ⇒ **Usure; usuraire.** *Endossement* pignoratif.*

PIGNOUF [piɲuf] n. m. et adj. — 1858; p.-ê. du dial. *pign(i)er* (→ Pigner) ou d'une série en *pign-* exprimant la bouffissure; comme *bouif* et *gnaf*, *pignaf* a désigné l'apprenti cordonnier, dont les surnoms sont liés à ce sémantisme (Guiraud).

♦ **1.** Fam., vx. ⇒ **Avare.**

♦ **2.** Fam. Individu mal élevé, dépourvu de toute finesse, de toute délicatesse. ⇒ **Rustre.**

1 (...) la persistance que Lévy met à demander des illustrations me f... dans une fureur *impossible à décrire*. Ah! qu'on me le montre, le coco qui fera le portrait d'Hannibal (...)! Ce n'était guère la peine d'employer tant d'art à laisser tout dans le vague, pour qu'un pignouf vienne démolir mon rêve par sa précision inepte.
FLAUBERT, Correspondance, 721, 10 juin 1862.

(...) c'est l'incroyable malheur des temps qui l'oblige à servir un pignouf comme moi. J. ROMAINS, les Hommes de bonne volonté t. XIX, IV, p. 49. 2

Maintenant que le haut du pavé appartient aux gniafs, aux pignoufs, à des canuts de Lyon devenus millionnaires (...) les choses n'ont plus besoin d'être fines, d'être délicates (...) Ed. et J. DE GONCOURT, Journal, t. II, p. 177. 3

(Terme d'injure). *Va donc, sale pignouf!*

♦ **3.** Adj. *Il, elle est un peu pignouf.*

DÉR. Pignouferie.

PIGNOUFERIE [piɲufʀi] n. f. — 1865, Flaubert; de *pignouf*.

♦ Fam. Indélicatesse, grossièreté du pignouf.

Je viens de lire le Proudhon sur l'art : On a désormais le maximum de la pignouferie socialiste.
FLAUBERT, Correspondance, lettre à Ed. et J. de Goncourt, 12 août 1865.

PIL- ⇒ Pilo-.

PILAF [pilaf] n. m. — 1834; *pilaw*, 1831; mot turc, du persan *pilaou*.

♦ Cuis. Riz* au gras, servi fortement épicé, avec des morceaux de mouton, de volaille, de poisson, ou des coquillages. *Pilaf aux moules et aux tomates, au gibier fricassé.* — Par appos. *Riz pilaf.*
Var. anc. : *pilau* [pilo] n. m. (1654); *pilao* (fin XVIIIe, Casanova).

(...) il rapportait quelquefois des poulets (...) nous les faisions (...) bouillir avec du riz pour en faire un pilau. CHATEAUBRIAND, Itinéraire..., I, p. 122.

PILAGE [pilaʒ] n. m. — 1755; de 1. *piler*.

♦ **1.** Action de piler. *Le pilage du mil.*

♦ **2.** Techn. Opération par laquelle on réduit le savon en une pâte compacte et homogène.

PILAIRE [pilɛʀ] adj. — 1835; dér. sav. du lat. *pilus* « poil ».

♦ Didact. Relatif aux cheveux et aux poils. ⇒ **Pileux.** *Acné pilaire. Atrophie pilaire.*

PILASTRE [pilastʀ] n. m. — 1545; « pilier », XIIIe; de l'ital. *pilastro*, rad. *pila*. → 1. Pile.

♦ **1.** Archit. Cour. Pilier* engagé; colonne* plate engagée dans un mur ou un support et formant une légère saillie. ⇒ 1. **Ante.** *Murs garnis de pilastres de marbre* (→ 1. Mosaïque, cit. 1; nervure, cit. 2). *Pilastre dorique, corinthien, ionique. Colonne, pilier flanqué de pilastres. Boiseries à pilastres cannelés d'ordre ionique* (→ 2. Entre, cit. 1). *Arcade à pilastres. Cannelures* verticales, chapiteau* d'un pilastre. Pilastre à dosseret*, en gaine. Pilastre cornier, angulaire. Pilastre diminué,* plus étroit vers le haut. *Pilastre lié,* joint à un autre support (pilastre, colonne) par la base ou par le haut (chapiteau). — Ornement de boiseries, de mobilier, figurant un pilastre architectural. *Pilastres peints en trompe-l'œil.*

De pilastres massifs les cloisons revêtues. LA FONTAINE, Philémon et Baucis. 1

L'intérieur de l'église est triste et nu. D'énormes pilastres gris de souris, d'un grain à gros grains micacés comme du sel de cuisine, montent jusqu'aux voûtes peintes à fresque (...) Th. GAUTIER, Voyage en Espagne, p. 93. 2

♦ **2.** (1694). Techn. Montant à jour, placé de distance en distance dans les travées d'une grille*, d'un balcon.

La cour en pente finit à la berge par un petit mur où, de distance en distance, s'élèvent des pilastres réunis par des grilles, plus pour l'ornement que pour la défense, car les barreaux sont en bois peint. 3
BALZAC, le Curé de village, Pl., t. VIII, p. 577.

Premier barreau, généralement ouvragé, d'une rampe* d'escalier.

♦ **3.** (1752). Techn. Montant* (d'un lambris).

COMP. Entre-pilastre.

PILCHARD [pilʃaʀ] n. m. — 1803; attestation isolée, 1707, *in* Höfler; mot angl. d'orig. obscure; l'irlandais *pilseir* vient de l'anglais.

♦ Sardine de la Manche.

On pêche encore, dans certains creux, des plies et des pilchards (...)
HUGO, l'Homme qui rit, III, I.

1. PILE [pil] n. f. — 1424; *pille*, XIIIe; du lat. *pila* « colonne ».

★ **I.** ♦ **1.** Pilier* de maçonnerie soutenant les arches (2. Arche, cit. 11, par métaphore) d'un pont. *Pile à arrière-bec anguleux, arrondi. Pile de granit* (→ Inébranlable, cit. 7). — (1875). *Pile culée* : pile extrême, de plus grande largeur que les autres. — (1869). *Pile percée,* comportant une ouverture pour le passage de l'eau.

(...) la Seine coulait (...) noirâtre, des lourdes piles du pont Marie aux arches légères du nouveau pont Louis-Philippe. ZOLA, l'Œuvre, p. 7. 1

♦ **2.** Amas* d'objets, de choses entassées les unes sur les autres. ⇒ **Amoncellement, entassement, monceau, tas.** *Une pile de dossiers* (→ 2. Caler, cit. 2), *de livres, de morceaux* (cit. 13) *de musique. Barricade faite de piles de pavés* (→ Enchevêtrer, cit. 2). *Pile de torchons, de serviettes. Pile de bois, de fagots.*

2 (...) elle commença à ouvrir les armoires, à vérifier les piles de linge, le nombre des mouchoirs et des chaussettes. MAUPASSANT, Pierre et Jean, VIII.

3 Les cartes postales que j'avais choisies s'accumulaient en pile devant moi. Émile HENRIOT, le Diable à l'hôtel, X.

♦ **3.** (XXe; par spécialisation du sens 2.). Bas d'une ligne de pêche. — On dit aussi *empile,* dans ce sens.

♦ **4.** *Pile d'attente :* avions en attente, à des altitudes différentes, au-dessus d'un aérodrome. Syn. : *manège, file* (d'attente).

♦ **5.** Inform. Structure où l'information n'est accessible que par une des extrémités de la liste. *Informations en pile.*

★ **II.** (1811; ital. *pila,* Volta; la *pile* de Volta, inventée en 1799, étant faite de disques de métal empilés). Dispositif transformant de l'énergie chimique (réaction chimique) en énergie électrique. ⇒ **Générateur.** *Une pile est essentiellement formée de deux électrodes** (anode, cathode) *de nature différente, plongeant dans un électrolyte*. Force électromotrice**(abrév. : *f.é.m.) d'une pile* (mesurée en volts). *Polarisation** (et dépolarisation) *d'une pile. — Pile de Volta, voltaïque* ou (vx) *galvanique.* ⇒ **Électrogalvanique** (vx). *Pile Leclanché* (anode en charbon entouré de bioxyde de manganèse — dépolarisant —, cathode en zinc; électrolyte : solution de chlorure d'ammonium). *Pile sèche :* petite pile Leclanché à électrolyte pâteux.

4 Il s'agissait, dans l'espèce, d'obtenir une pile à courant constant. On sait que les éléments des piles modernes se composent généralement de charbon de cornue, de zinc et de cuivre. J. VERNE, l'Île mystérieuse, t. II, p. 559.

Cour. Pile sèche. *Pile de lampe* (cit. 21) *de poche. Poste de radio portatif, à piles.*

Par ext. Générateur sans mouvement mécanique n'utilisant pas d'électrolyte. *Piles photo-électriques. Pile à combustible :* générateur dans lequel l'énergie chimique d'une combustion est transformée directement en énergie électrique, par une réaction identique, mais de sens inverse à celle qui a lieu dans l'électrolyse. *Piles primaires; piles secondaires* (à régénération).

Pile atomique. ⇒ **Réacteur** (nucléaire). — *Pile piscine*. « Concevoir un réacteur (...) comme une grosse pile-piscine, et non comme une petite centrale nucléaire »* (*Sciences et Avenir,* mai 1978, p. 18).

DÉR. (Du même rad.) **Pilastre, pilori, pilot** (V. Pilier).
COMP. Empiler.
HOM. 2., 3., 4., 5. **Pile,** formes des v. 1., 2. **piler.**

2. PILE [pil] n. f. — Mil. XIIIe; *pille,* v. 1155; désigne aussi en anc. franç. le coin inférieur du marteau qui frappe la monnaie; orig. incert.

♦ **1.** Côté* d'une pièce de monnaie opposé à la face* et portant l'écusson et le chiffre. ⇒ **Envers.**

Loc. **PILE OU FACE :** jeu de hasard consistant à jeter une pièce de monnaie en l'air et à parier sur quel côté elle tombera. — Vx. *Croix* ou pile* (même sens). — Fig. *Jouer qqch. à pile ou face** (cit. 26) et (vx) *à croix** (cit. 18) *ou pile :* s'en remettre au hasard pour prendre une décision, faire un choix.

1 Tastard joue tout à pile ou face. S'agit-il de choisir, de prendre une décision? Vite, il tire une pièce de son gousset. G. DUHAMEL, Salavin, IV, Journal, 4 févr.

2 À dix heures moins trois il décida de jouer son départ à pile ou face (...) il prit la pièce de quarante sous, pile je pars; il la lança en l'air, pile, je pars! pile, je pars. Elle retomba pile. Eh bien, je pars! dit-il (...) SARTRE, le Sursis, p. 225.

♦ **2.** Fig. Adv. (1866; probablt par allus. à la pièce de monnaie qui tombe *pile,* c'est-à-dire sur l'envers et sans vibrer; Cf. dial. *Rester pile,* en parlant d'une bille qui s'immobilise). — Vx. *Tomber pile,* sur le dos. — (1906). Mod. *S'arrêter pile :* s'arrêter net, brusquement. *Freiner pile.* ⇒ 2. **Piler.** — *Voilà qui tombe pile. Ça tombe pile,* à point nommé, au moment opportun. ⇒ **Propos** (à).

3 Il fit un geste d'excuse, se méprenant, car elle allait le lui dire, son vrai nom, et ce geste l'arrêta pile. ARAGON, les Beaux Quartiers, II, XXXI.

Fam. (après la désignation d'un temps horaire). *À trois heures pile,* exactement. ⇒ **Précis.**

4 Une escouade de chats sortit de la maison, et trottina vers eux; cela se fit en ordre dispersé, l'un d'eux s'étant arrêté pile au beau milieu du mouvement, pour se lécher une patte. MONTHERLANT, le Démon du bien, p. 194.

5 Mais ramené pile pour le train d'onze heures trente (...) R. QUENEAU, le Dimanche de la vie, p. 96.

♦ **3.** (1690). Blason. Pièce honorable de l'écu*, en forme de coin dont la pointe est tournée vers le bas.

CONTR. Face.
DÉR. 2. **Piler.**
HOM. 1., 3., 4., 5. **Pile,** formes des v. 1., 2. **piler.**

3. PILE [pil] n. f. — 1723; « mortier à piler », XIIIe; du lat. *pila,* rad. *pilare* « mortier à piler ».

♦ **1.** Techn. Bac où est traitée la pâte à papier pendant le raffinage. *Pile raffineuse*.*

♦ **2.** (1732). Techn. Réservoir destiné au stockage des huiles.

HOM. 1., 2., 4., 5. **Pile,** formes des v. 1., 2. **piler.**

4. PILE [pil] n. f. — 1821; *mettre à la pile* « maltraiter », fin XIVe; de 1. *piler.*

♦ Fam. Volée* de coups. ⇒ fam. **Frottée, raclée, rossée, trempe.** *Administrer* (cit. 3), *flanquer une pile.* ⇒ **Battre.**

(...) Bouilhet, cette semaine, a (...) foutu ce qui s'appelle une pile à un porteur d'eau. FLAUBERT, Correspondance, 399, 12 juin 1853. 1

Par ext. Défaite* écrasante. *Troupes qui essuient, reçoivent une pile.*

C'est par chauvinisme que les Français croient la guerre perdue. Ils s'imaginent toujours qu'ils sont seuls au monde et quand leur invincible armée reçoit une pile, ils se persuadent que tout est foutu. SARTRE, la Mort dans l'âme, p. 217. 2

HOM. 1., 2., 3., 5. **Pile,** formes des v. 1. 2., **piler.**

5. PILE [pil] n. m. — 1580; du lat. *pilum.*

♦ Vx. Javelot. — En archéol., on emploie plutôt la forme lat. *pilum.*

HOM. 1., 2., 3., 4. **Pile,** formes des v. 1., 2. **piler.**

PILÉE [pile] n. f. — 1723, Savary; de 1. *piler.*

Technique (anciennement).

♦ **1.** Quantité d'étoffe foulée en une fois.

♦ **2.** Quantité de matière que peut contenir une pile (3. Pile), une cuve de papetier.

HOM. 1., 2. **Piler.**

1. PILER [pile] v. tr. — 1165; du bas lat. *pilare.*

♦ **1.** Réduire en très petits fragments, en poudre (⇒ **Pulvériser**), en pâte..., par des coups répétés. ⇒ **Broyer, écraser, triturer.** *Appareils à piler.* ⇒ **Pilon; moulin.** *Piler des herbes* (→ Botanique, cit. 3), *du henné* (→ Colorant, cit.), *des drogues... dans un mortier** (cit. 1). *Pierre pilée menu* (cit. 8). *Ciment préparé avec de l'eau et du sable pilé.* ⇒ **Corroyer.** *Piler le mil.* — Absolt (en franç. d'Afrique). *Piler :* piler le mil. ⇒ **Pileuse.**

(...) il inventa de piler dans un mortier de la cervelle et du cervelet de mouton, en mouillant avec de l'eau distillée, puis de décanter et de filtrer la liqueur ainsi obtenue. ZOLA, le Dr Pascal, II. 1

♦ **2.** (1845). Fig., fam. *Cavalier qui pile (du poivre),* que le trot du cheval fait sauter sur sa selle. ⇒ **Tape-cul.**

♦ **3.** Fouler aux pieds; endommager en piétinant lourdement.

♦ **4.** (1821). Fig., fam. Flanquer une pile (4. Pile) à (qqn). ⇒ **Battre** (au propre et au fig.). *Se faire piler au jeu,* battre à plate couture.

Tu crois que je ne t'ai pas vu tout à l'heure piler à coups de talon celui-là qui est quasi comme mort dans la chambre à côté? R. ROLLAND, Jean-Christophe, La révolte, III, p. 621. 2

♦ **5.** Argot, fam. *La piler :* avoir soif. Cf. La sauter (avoir faim).

Il ferme son œil valide pour se concentrer. Puis il clape de la menteuse. 3
— Bon Dieu, soupire-t-il, si au moins ces vaches me filaient un coup de rouge, je la pile!
— Tu sais, le rouquinos c'est pas bien porté dans un hosto.
SAN-ANTONIO, Des gueules d'enterrement, p. 207.

DÉR. Pilage, 4. **pile, pilée, pileur.**
HOM. Pilée, 2. **piler.**

2. PILER [pile] v. intr. — Mil. XXe; de 2. *pile,* dans *s'arrêter pile, freiner pile.*

♦ Fam. Freiner brutalement. *La voiture pila au feu rouge.*

Le sifflement me glaça le sang dans les veines. Maurice pila net. Joseph JOFFO, Un sac de billes, p. 64.

HOM. Pilée, 1. **piler.**

PILET [pilɛ] n. m. — 1752; du lat. *pilare,* même rad. que 1. *piler, pilon,* par allus. à la longue queue de cet oiseau.

♦ Variété de canard* sauvage.

Au-dessus des herbes aquatiques, à la surface des eaux stagnantes, voltigeait un monde d'oiseaux (...) Canards sauvages, pilets, sarcelles, bécassines y vivaient par bandes, et ces volatiles peu craintifs se laissaient facilement approcher. J. VERNE, l'Île mystérieuse, t. I, p. 279.

PILEUR, EUSE [pilœʀ, øz] n. — 1313; de 1. *piler.*

♦ *Pileur, pileuse de... :* personne qui pile, qui réduit (telle matière) en menus fragments, en poudre, en farine, etc. *Les pileuses de mil, spectacle familier des régions sahéliennes.*

Ganar la poule voyait bien les pileuses de grain, mais les pilons faisaient trop de bruit dans les mortiers. Birago DIOP, Contes et Lavanes, p. 99.

Spécialt (techn.) Ouvrier, ouvrière qui pile (les épices, le tan, etc.).

PILEUX, EUSE [pilø, øz] adj. — 1835; « garni de poils », xve; du lat. *pilosus,* de *pilus* « poil ».

♦ Anat. Cour. (dans quelques expr.). Qui a rapport aux poils, qui est composé de poils, qui en est couvert. ⇒ **Pilaire.** *Follicules pileux. Le système* pileux, caractère sexuel secondaire d'ordre morphologique* (→ Eunuque, cit. 4).

On dit parfois que l'Homme diffère du Singe par la rareté du système pileux : en réalité, son apparence glabre vient simplement de ce que son poil est plus court, plus mince et moins pigmenté. L'Homme est même plus poilu que le Chimpanzé (...) Jean ROSTAND, l'Homme, I.

DÉR. (Du même rad.) **Piloselle, pilosisme, pilosité.**

PILIER [pilje] n. m. — V. 1155; *piler,* XIe; du lat. pop. **pilare,* dér. de *pila.* → 1. Pile.

♦ **1.** Ouvrage de maçonnerie, souvent à section carrée, formant un support vertical isolé dans un édifice, une construction. *Pilier carré, rond* (⇒ **Colonne**). *Pilier cantonné de colonnes, formé d'un faisceau de colonnes* (cit. 2). *Chapiteau* (cit. 3), *imposte* d'un pilier. Pilier formant pied-droit*. Pilier de soutien.* ⇒ **Abloc.** *Pilier engagé.* ⇒ **Pilastre.** *Pilier-butant*.* — *Piliers qui soutiennent, supportent une voûte* (→ Bas-côté, cit. 1), *consolident un mur, servent de contrefort*... Portiques dont les architraves* (cit. 3) *reposent sur des piliers. Élancement* (cit. 1) *des piliers d'une chapelle gothique. Piliers qui s'élancent d'un jet* (→ Futaie, cit. 4). *Piliers massifs* (cit. 1). *Arcades à piliers trapus* (→ Gueule, cit. 25). *Salle obscure* (cit. 2) *aux lourds piliers romans.*

Par anal. Poteau* de bois, pylône métallique servant de support. *Pilier en béton, en charpente métallique.* ⇒ **Pylône** (→ Métro, cit. 8). *Les piliers d'un pont.* ⇒ 1. **Pile** — (1889, *Année sc. et industr.*). *Les quatre piliers de la Tour Eiffel.*

1 Un pilier manque, et le plafond,
Ne trouvant plus rien qui l'étaie,
Tombe sur le festin, brise plats et flacons, LA FONTAINE, Fables, I, 14.

2 (...) quatre-vingt huit piliers, gros comme des tours et composés chacun de seize colonnes fuselées et reliées entre elles, soutiennet la masse énorme de l'édifice (...) Th. GAUTIER, Voyage en Espagne, p. 109.

3 Lorsque la jeune fille pénétra sous la nef, l'ombre avait envahi le chœur et c'était à peine si l'on pouvait voir les piliers corinthiens alternant avec les ogives. J. GREEN, Léviathan, I, IX.

Par compar. et par métaphore. *Les Sept Piliers de la sagesse* (titre franç. d'une œuvre de Th. E. Lawrence). — Allus. littér. :

3.1 La Nature est un temple où de vivants piliers
Laissent parfois sortir de confuses paroles
BAUDELAIRE, les Fleurs du mal, IV, « Correspondances ».

Alpin. Éperon rocheux vertical.

♦ **2.** Techn. [a] (1694). Mines. *Piliers de carrière, de mine :* masses de pierre, de minerai laissées de place en place pour soutenir le ciel de la carrière ou de la couche pendant l'extraction. *Abattre des piliers de houille.* ⇒ **Dépiler.**

[b] Archit. *Piliers de pierres de taille engagés dans un mur de briques.* ⇒ **Chaîne.**

[c] Horlog. Pièce servant de support ou d'entretoise à deux autres pièces (platines, platine et pont, etc.).

♦ **3.** (1869). Anat. *Piliers du voile du palais :* les « quatre replis muqueux qui divergent de la base de la luette à la manière des arceaux d'une voûte » (Veillon-Lovasy). *Les piliers antérieurs et postérieurs délimitent deux petites fosses où logent les amygdales*. — Pilier interne, externe du canal inguinal. Piliers du diaphragme. Piliers postérieurs du trigone cérébral.*

♦ **4.** (1656). Par métaphore, fam. Jambe* massive, épaisse. *Tenir ferme sur ses piliers.*

♦ **5.** Fig. (XVe). Ce qui constitue l'essentiel*, ce qui assure la continuité, la stabilité de quelque chose. ⇒ **Étai, soutien.** *La famille, pilier de la société. Commerce* (cit. 8) *qui devient un pilier intangible de la patrie.*

♦ **6.** (Personnes; fin XIVe). Défenseur, soutien (cf. la même métaphore avec *poteau*). *Homme influent qui est un pilier de la religion, de son parti.*

4 (...) le sénateur Perchot, un des piliers du radicalisme, m'affirme que de nouveaux accords avec la Russie (...) ARAGON, les Beaux Quartiers, I, XXIV.

Péj. (1558). Personne qui fréquente* assidûment quelque lieu. ⇒ **Habitué.** *Pilier de bar, de cabaret, de café, d'estaminet...* (→ Lansquenet, cit. 3). *Pilier d'antichambre* (cit. 5).

♦ **7.** Sport (rugby). Chacun des deux avants de première ligne qui encadrent et soutiennent le talonneur*. *Il joue pilier dans l'équipe de Tarbes.*

5 Mêlée. À l'avant-garde des deux équipes, se gonflent les encolures et se heurtent les têtes bien faites, en forme de carènes; les piliers s'enracinent par leurs crampons et ahanent, et deux lignes d'arcs-boutants renforcent cette brusque architecture. La troisième ligne pourtant se ploie en arcs plus souples, et chacun tient un œil dehors. Jean PRÉVOST, Plaisirs des sports, p. 127.

PILIFÈRE [pilifɛʀ] adj. — 1834; du lat. *pilus* « poil », et suff. *-fère.*

♦ Sc. nat. (bot.). Qui porte des poils. — Zool. (Déb. XXe). *Pore pilifère,* qui donne naissance à des poils.

PILIFORME [pilifɔʀm] adj. — 1660; du lat. *pilus* « poil », et *-forme.*

♦ Didact. Qui a la forme, l'aspect de poils.

Le mâle de la Grenouille poilue d'Afrique (...) porte sur les côtés du corps et des cuisses des villosités piliformes se développant surtout durant la période de reproduction. Jean GUIBÉ, les Batraciens, p. 35.

PILI-PILI [pilipili] n. m. — D. i.; mot d'une langue africaine.

♦ Franç. d'Afrique. Piment rouge au goût très fort *(Capsicum annuum, Capsicum frutescens);* sauce, condiment préparé avec ce piment. ⇒ **Piment.**

PILLAGE [pijaʒ] n. m. — 1352; « butin », 1300; de *piller.*

♦ **1.** Action de piller; dégâts* commis en pillant ⇒ **Pillerie** (vx). — Dr. « Dégât de denrées ou marchandises, effets, propriétés mobilières, commis en réunion ou bande et à force ouverte » (art. 440 du Code pénal). ⇒ **Vol; déprédation...** *Pillage d'une maison, d'un magasin, d'une église,... d'une ville.* ⇒ **Sac** (mise à sac). *Pillage d'un pays par les armées ennemies. Pillage et partage du butin* (→ Guerre, cit. 27). *Le pillage, acte de brigandage*. Crime de pillage* (→ Apologie, cit. 5). *Massacre et pillage dans une commune* (→ Complot, cit. 5). *Mettre, livrer une ville au pillage. Scènes de pillage.* — Habitude de piller. *Vivre de pillage* (⇒ **Maraudage, rapine, razzia**).

Tantôt m'éblouissant de tes riches trésors, 1
Que j'ai craint de livrer aux flammes, au pillage. RACINE, Athalie, V, 6.

Rome étant une ville sans commerce, et presque sans arts, le pillage était le seul 2
moyen que les particuliers eussent pour s'enrichir. On avait donc mis de la discipline dans la manière de piller (...) Le butin était mis en commun, et on le distribuait aux soldats (...) MONTESQUIEU, Grandeur et décadence des Romains, I.

Bonaparte écrit au Directoire que : « Jaffa fut livré au pillage et à toutes les hor- 3
reurs de la guerre qui jamais ne lui a paru si hideuse. » CHATEAUBRIAND, Mémoires d'outre-tombe, t. III, p. 107.

(...) point de solde et point de vivres, une guerre très cruelle, nulle loi, l'infini du 4
hasard, le pillage, la bonne aventure. MICHELET, Extraits historiques, Hist. de France, p. 217.

En Allemagne, pendant une certaine période, résumée par Schiller dans son drame 5
fameux des *Brigands,* le vol et le pillage s'érigeaient en protestation contre la propriété et le travail (...) HUGO, les Misérables, IV, VII, III.

♦ **2.** (De *piller* I., 4.). Par ext. ⇒ **Concussion.** *Pillage des peuples par des levées d'impôts arbitraires* (→ Exiger, cit. 22). *Une maison où tout est au pillage,* où l'on gaspille, où l'on vole. ⇒ **Détournement, exaction, volerie.** *Mettre au pillage les finances publiques.*

Spécialt. *Pillage d'une ruche,* son invasion par des abeilles étrangères qui s'emparent du miel.

♦ **3.** (1660). Fig. Fait de s'approprier ce que d'autres ont écrit. *Le pillage d'une œuvre littéraire.* ⇒ **Plagiat.**

PILLARD, ARDE [pijaʀ, aʀd] n. et adj. — 1360; de *piller.*

♦ **1.** N. Personne qui pille. ⇒ **Brigand, écumeur, maraudeur, pandour** (cit. 1), **pirate, routier** (vx), **voleur.** *Pillards qui infestent une région. Une bande de pillards.* (Cf. « *Les bandes du vieux pillard* », phrase-clé de R. Roussel). *Nomade et pillard* (→ Nomadisme, cit. 1).

Confédération aussi contre cette bande de pillards qui couraient la France, gens 1
sans travail, affamés, mendiants devenus voleurs, qui la nuit coupaient les blés, même en vert, tuaient l'espérance. MICHELET, Hist. de la Révolution franç., III, X.

♦ **2.** Fig. (Vieilli). Plagiaire.

Rameau prétendait ne voir en moi qu'un petit pillard sans talent et sans goût. 2
ROUSSEAU, les Confessions, VII.

♦ **3.** Adj. Qui pille, a l'habitude de piller. *Soldat pillard.* — Par anal. (XVIe). « *Les pillardes avettes* » (cit. 1, Boileau). *Abeilles pillardes,* qui se livrent au pillage d'une ruche. *Moineaux* (cit. 2) *pillards.*

Il maniait rêveusement ces petites épaves, brillantes et sans valeur comme la pier- 3
raille colorée qu'on trouve dans les nids des oiseaux pillards. COLETTE, la Chatte, p. 19.

(De *piller,* II.). Chasse. (Déb. XXe). *Chien pillard :* chien hargneux ou qui force l'arrêt.

PILLER [pije] v. tr. — Déb. XIVe; *pillier,* v. 1280; de l'anc. franç. *p(e)ille* « chiffon », lat. *pilleum* « bonnet », puis « morceau de feutre, chiffon ».

★ **I.** ♦ **1.** Dépouiller avec violence, en s'emparant de ce que l'on trouve à son gré, en commettant des dégâts. ⇒ **Pillage.** *Piller un lieu, une maison, un pays...* ⇒ **Butiner** (vx), **dévaster, ravager, sac** (mettre à sac), **saccager, voler.** *Les Normands* (cit. 2) *pillè-*

rent les plus fières cités. Empêcher ses soldats de piller une ville (→ Grâce, cit. 40). — Au p. p. *Des magasins pillés au cours d'une émeute. Village pillé et incendié.* — Absolt. *Soldats qui rôdent pour piller* (→ Logement, cit. 8). ⇒ **Butiner, marauder.**

Tu es venu; nous sommes-nous jetés sur ta personne? avons-nous pillé ton vaisseau? (...) t'avons-nous associé dans nos champs au travail de nos animaux?
DIDEROT, Suppl. au voyage de Bougainville, II.

Par anal. *Oiseaux qui pillent un verger.*

Les singes ont depuis des siècles envahi Agra, vivant à l'état libre sur les toits (...) pillant les jardins ou les marchés d'alentour.
LOTI, l'Inde (sans les Anglais), VI, III.

Par exagér. (Passif et p. p.). *Sa boutique a été pillée,* vidée à la suite d'achats massifs.

(...) les épiceries pillées, les basse-cours dévastées, le pain moisi qu'on se disputait (...) R. DORGELÈS, les Croix de bois, I.

Par ext. :

La boutique en désordre, les chambres désertes, l'alcôve de son père vide, tout présentait à ses regards la nudité de la misère. Il ne restait pas une chaise; tous les tiroirs avaient été fouillés, le comptoir brisé, la caisse emportée; rien n'avait échappé aux recherches avides des créanciers et de la justice, qui, après avoir pillé la maison, étaient partis, laissant les portes ouvertes, comme pour témoigner aux passants que leur besogne était accomplie.
A. DE MUSSET, Nouvelles, « Croisilles », III.

♦ **2.** Vx. Dévaliser.

5 (...) être pillé ou massacré dans d'épaisses forêts (...)
LA BRUYÈRE, Les Caractères, X, 24.

♦ **3.** Prendre, emporter ouvertement, par la violence (le bien d'autrui). ⇒ **Dérober, voler** (→ Faire main* basse sur...). Au p. p. *Des monts d'or pillés à la guerre* (→ Harpie, cit. 2). *Tissus pillés dans un magasin* (→ Méli-mélo, cit.). — Par anal. *Frelons* (cit. 1) *qui vont piller le miel de l'abeille.*

♦ **4.** (1538) Par ext. Dépouiller par des vols, des concussions, des détournements. *Piller le trésor public* (→ Infamant, cit. 2). — Au p. p. *Provinces de l'Ancien Régime pillées par les fermiers généraux.* ⇒ **Dévorer.** — *Serviteurs qui pillent la maison* (→ Appétit, cit. 15; exaction, cit. 5; 1. manger, cit. 11).

(...) ma dépense va tous les ans fort au-delà de mes revenus. Et pourquoi? C'est qu'on me vole, c'est qu'on me pille. A.-R. LESAGE, Gil Blas, VII, XV.

(...) la caisse abyssine est constamment vide. Les revenus des Gallas, de la douane, des postes, du marché, et les autres recettes sont pillés par quiconque se met à les toucher. RIMBAUD, Correspondance, CXXX, août 1887.

♦ **5.** (1672). Fig. Puiser dans une œuvre, en donnant pour sien ce qu'on y prend. ⇒ **Plagier.** *C'est un imitateur, un plagiaire : il a pillé l'œuvre de Balzac.* Par ext. *Il a pillé cet historien sans aucun scrupule.* — Emprunter. *Piller une phrase dans un livre, un auteur. Il a pillé les idées de son livre un peu partout* (→ Faire un livre à coups de ciseaux*). *Ces vers sont pillés de Racine, pillés dans Racine* (Académie). *Tous les endroits* (cit. 19) *qu'il a pillés.*

Il pille dans ces livres et ces manuscrits; et quoiqu'il ne fasse qu'arranger et lier ses larcins, il a plus de vanité qu'un véritable auteur.
A.-R. LESAGE, le Diable boiteux, VI.

En achevant ce prononcé, qu'elle avait pillé dans quelque ouvrage du temps, publié à l'occasion d'une querelle toute pareille (...)
DIDEROT, Jacques le fataliste, Pl., p. 645.

0 Ignorant comme une carpe, il n'en avait pas moins écrit les articles Sucre et Eau-de-vie dans un Dictionnaire d'agriculture, deux œuvres pillées en détail dans tous les articles des journaux et dans tous les anciens ouvrages où il était question de ces deux produits. BALZAC, Illusions perdues, Pl., t. IV, p. 532.

★ **II.** ♦ **1.** (1288). Vx. (En parlant d'un chien). Assaillir, se jeter sur. — Mod. (Chasse). Se lancer sur le gibier au lieu de rester en arrêt.

1 Et puis, quand le chasseur croit que son chien la pille *(la perdrix)*,
Elle lui dit adieu, prend sa volée, et rit
De l'homme (...) LA FONTAINE, Fables, IX, 20.

♦ **2.** (1694). Fig., vx. Malmener, tourmenter, dire du mal de (qqn).

2 Mais si l'un d'eux est faible, on ne dit mot,
On le méprise, on le raille, on le pille (...)
Ch. PERRAULT, Contes, « Le petit Poucet », Moralité.

DÉR. Pillage, pillard, pillerie, pilleur, pilloter.

PILLERIE [pijʀi] n. f. — XIIIe; de *piller.*

♦ Vx. Action de piller. ⇒ **Pillage; brigandage, extorsion, volerie.** *Le butin de ses pilleries.*

PILLEUR, EUSE [pijœʀ, øz] n. — 1345; de *piller.*

♦ Personne qui pille (qqch.). *Campeurs pilleurs de bois vert* (→ Iconoclaste, cit. 4). — Fig., vx. Plagiaire. *Pilleur de bons mots.* ⇒ **Pillard.**

Pour une mère, quelle épreuve que d'avoir mis au monde ce pilleur d'épaves, qui interprète les histoires, ressuscite les morts qu'il n'a pas connus, fait un seul vivant de plusieurs cadavres (...)
F. MAURIAC, Souffrances et Bonheur du chrétien, p. 145.

PILLOTER [pijɔte] v. tr. — XVIe; de *piller.*

♦ Vx. Piller çà et là, butiner (→ Emprunter, cit. 6).

PILOCARPE [pilɔkaʀp] n. m. — 1804; du lat. bot. *pilocarpus,* grec *pilos* « feutre », et *karpos* « fruit ».

♦ Bot. Jaborandi* *(Rutacées).*

DÉR. Pilocarpine.

PILOCARPINE [pilɔkaʀpin] n. f. — 1875; de *pilocarpe.*

♦ Chim. Principe actif extrait des feuilles de jaborandi, alcaloïde utilisé en médecine pour provoquer la contraction de la pupille, et aussi comme sialagogue et sudorifique.

Il constata que de faibles doses de pilocarpine provoquaient chez l'ancien légionnaire un ralentissement du cœur plus accentué que chez la moyenne des hommes de son âge et de son poids.
J. ROMAINS, les Hommes de bonne volonté, t. XII, XVIII, p. 180.

PILOMOTEUR [pilɔmɔtœʀ] adj. m. — XXe; du lat. *pilum* « poil », et *moteur.*

♦ Physiol. *Réflexe pilomoteur,* qui provoque la contraction des fibres musculaires situées autour des poils cutanés (cour. : *chair de poule*).

PILON [pilɔ̃] n. m. — XIIe; de *piler.*

♦ **1.** Instrument servant à piler dans un mortier; petite masse dure de forme cylindrique, arrondie sur une face et emmanchée par l'autre. ⇒ **Broyeur.** *Pilon* (⇒ **Bistortier**) *et mortier de pharmacien. Pilon de ménage, en bois, pour piler les aliments, les faire passer dans une passoire...*

C'était là qu'il se livrait à des préparations spéciales, dont il ne parlait à personne. 1
Presque tout de suite, on entendit le bruit régulier et lent d'un pilon dans un mortier. ZOLA, le Dr Pascal, I.

Par anal. *Pilon de cendrier,* pour éteindre en les écrasant les bouts de cigarettes.

♦ **2.** (1690). Instrument utilisé pour écraser, comprimer, enfoncer en frappant. ⇒ **Dame, hie.** *Pilon à bitumer les chaussées. Pilon à broyer le chanvre, le papier* (cit. 4). *Pilon à bourrer.* ⇒ **Bourroir.**
(1723). *Mettre un livre au pilon,* en détruire l'édition (en mettant les exemplaires dans une cuve où le pilon broie la pâte à papier). *Mise au pilon.*

♦ **3.** (1847). Par anal. de forme. Extrémité d'une jambe de bois; la jambe de bois elle-même (→ Jambe, cit. 26).

— La peau commence à bien recouvrir les bourgeons. Encore quelques semaines, 2
et puis, un pilon! Tu fileras comme un lapin (...) — Pour le dimanche, tu pourras mettre une jambe artificielle. On passe dessus une chaussure; le pantalon cache tout. G. DUHAMEL, Récits des temps de guerre, I, VIII.

♦ **4.** (1797, *in* D. D. L.) Partie inférieure de la cuisse d'une volaille cuite.

Il s'interrompit, en faveur du poulet qu'on venait de servir. — Vous aimez le pilon? 3
C'est un morceau excellent, à condition que la bête ne soit pas maigre, ni trop poussée. J. ROMAINS, les Hommes de bonne volonté, t. VIII, IX, p. 104.

♦ **5.** (1881). Pop., vx. Cuisse, jambe.

Dès que le train fut en marche, Croquignol proposa : « Histoire de se dégeler les 4
pilons si qu'on ferait une petite balade dans l'couloir? »
L. FORTON, les Aventures des Pieds-Nickelés, *in* l'Épatant, 1910, p. 136.

DÉR. Pilonner.
COMP. Marteau-pilon.

PILONNAGE [pilɔnaʒ] n. m. — 1803; de *pilonner.*

♦ **1.** Action de pilonner, résultat de cette action.

♦ **2.** (V. 1914). Bombardement intensif. *Pilonnage d'une région par l'artillerie, par des avions.*

C'était un pilonnage régulier, inexorable, où les obus se suivaient sans répit, broyant mètre par mètre la terre ravagée. R. DORGELÈS, les Croix de bois, XV.

♦ **3.** (V. 1965). Fig. Le fait d'agir sur l'opinion en répétant sans cesse des assertions, des arguments. ⇒ **Matraquage.** *Le pilonnage de la publicité, de la propagande.*

PILONNEMENT [pilɔnmɑ̃] n. m. — Déb. XXe; de *pilonner.*

♦ Action de frapper à coups répétés. ⇒ **Martèlement.** — Action de bombarder d'une façon intensive.

PILONNER [pilɔne] v. tr. — 1700; de *pilon.*

♦ **1.** Écraser, frapper avec un pilon. *Pilonner des légumes. Pilonner la terre remuée pour la tasser.* Par métaphore. *Fracas* (cit. 5) *qui pilonne le cerveau.*

♦ **2.** (1916). Écraser sous les obus, les bombes. ⇒ **Marteler.**

1 Par-dessus leurs têtes une batterie lourde anglaise se mit à pilonner la ligne allemande (...) A. MAUROIS, les Silences du colonel Bramble, II.

2 Pendant qu'elle pilonnait les lisières nord de ces deux bois, pour y détruire toutes les organisations et en écraser les défenseurs sous les décombres de leurs abris, elle arrosait d'un tir aussi dense les lisières sud (...) J. ROMAINS, les Hommes de bonne volonté, t. XVI, I, p. 16.

♦ **3.** Agir sur (l'opinion) par le pilonnage (3.).

DÉR. Pilonnage, pilonnement.

PILORI [pilɔʀi] n. m. — 1165, *pellori;* du lat. médiéval *pilorium;* probablt dér. de *pila* «pilier».

♦ **1.** Hist. Poteau, ou pilier à plate-forme portant une roue, où l'on attachait avec un carcan celui qui était condamné à l'exposition publique. *Mettre au pilori. Il fut exposé deux heures au pilori. Pilori et gibet de la place de Grève* (cit. 8). Par ext. La peine ainsi infligée. *Le pilori, peine infamante supprimée en 1789.*

1 Tantôt elle craignait de n'être pas aimée, tantôt l'affreuse idée du crime la torturait comme si le lendemain elle eut dû être exposée au pilori sur la place publique de Verrières, avec un écriteau expliquant son adultère à la populace. STENDHAL, le Rouge et le Noir, I, XI.

2 (...) Les piloris infâmes
Ont besoin d'être ornés parfois d'un empereur. HUGO, les Châtiments, III, XVI.

♦ **2.** (1845). Loc. fig. *Mettre, clouer* (cit. 6) *qqn au pilori,* le signaler à l'indignation, au mépris publics.

DÉR. Pilorier.

PILORIER [pilɔʀje] v. tr. — 1349; de *pilori.*

♦ Vx. Mettre au pilori.

PILO-SÉBACÉ, ÉE [pilosebase] adj. — 1878; du lat. *pilum* «poil», et *sébacé.*

♦ Anat. Relatif au poil et à sa glande sébacée. *L'appareil pilo-sébacé. Follicule pilo-sébacé.*

PILOSELLE [pilozɛl] n. f. — 1300; dér. du lat. *pilosus* «poilu».

♦ Bot. Épervière* (plante). *Piloselle à fleurs bleues :* myosotis annuel.

PILOSISME [pilozism] n. m. — 1855, Nysten; dér. sav. de *pilosus* «poilu».

♦ **1.** Bot. Développement anormal des poils sur la tige, la feuille d'une plante.

♦ **2.** Méd. Développement exagéré et localisé des poils, ou apparition de poils en un endroit où il n'en existe pas normalement. ⇒ **Hirsutisme.**

PILOSITÉ [pilozite] n. f. — 1842; dér. sav. du lat. *pilosus* «poilu».

♦ **1.** Anat. Présence de poils sur un tissu organique, une région du corps. *Pilosité thoracique. Pilosité normale, excessive.*

♦ **2.** Cour. Ensemble des poils (sur une région du corps).

(...) regardant pensivement le visage de Pradonet qu'elle voyait reflété dans la glace avec une joue gonflée, tendue pour mieux sabrer le poil. Puis le visage débarrassé de sa mousse de savon et de sa pilosité s'éclaira progressivement jusqu'à devenir une mine réjouie. R. QUENEAU, Pierrot mon ami, éd. L. de Poche, p. 28.

1. PILOT [pilo] n. m. — XIVe; de *1. pile.*
Technique.

♦ **1.** Gros pieu* pointu et ferré à une extrémité, cerclé à l'autre, que l'on enfonce à coups de mouton*, et qui sert à former un pilotis. ⇒ **Pilotis.** *Utilisation de pilots dans des fondations. Pont de pilots,* construit sur ces pieux.

♦ **2.** Tas de sel en forme de cône.

DÉR. 1. **Piloter, pilotis.**

2. PILOT [pilo] n. m. — XIIIe, *pillot;* de l'anc. franç. *p(e)ille* «chiffon», du lat. *pilleum.* → Piller.

♦ Techn. *(Le pilot, du pilot).* Chiffons utilisés dans la fabrication du papier.

1. PILOTAGE [pilɔtaʒ] n. m. — 1491; de *1. piloter.*

♦ Techn. Action de piloter (1. Piloter); construction, ouvrage de pilotis. *Pilotage au mouton pneumatique. Enfoncement progressif du pilotage des édifices vénitiens.*

2. PILOTAGE [pilɔtaʒ] n. m. — 1483; de *2. piloter.*

♦ **1.** (1611). Vx. Action, art de diriger un navire. *La navigation consiste en deux parties : le pilotage... et la manœuvre* (1. Manœuvre, cit. 1, Fontenelle).

♦ **2.** Mod. Action, art du pilote (dans un port, un canal). ⇒ **Lamanage.** *Le pilotage des navires est obligatoire dans les ports.* ⇒ **Pilote.** *Pilotage dans le canal de Suez. École de pilotage. Droits* (3. Droit, cit. 30) *de pilotage :* sommes dues aux pilotes par les capitaines de navire en rémunération de leurs services.

♦ **3.** (1918). Action, art de diriger un aéronef (avion, hélicoptère, engin). ⇒ **Conduite, direction.** *Pilotage d'un avion de tourisme, d'un avion de chasse... Poste de pilotage* (→ Hisser, cit. 9). *Pilotage à l'estime.* ⇒ **Navigation.** *Pilotage sans visibilité* (P. S. V.), *aux instruments. Pilotage automatique,* où le pilote n'intervient qu'au décollage et à l'atterrissage. ⇒ **Téléguidage.**

(...) le tir anti-aérien éclate de tous côtés contre l'avion invisible; (...) sauf au poste de pilotage, l'obscurité du multiplace est complète. MALRAUX, l'Espoir, II, I, II.

♦ **4.** (V. 1965). Fig. Action de diriger une entreprise, une société, de gouverner un pays. *Pilotage à vue :* direction en fonction des circonstances, sans suivre des principes définis préalablement.

PILOTE [pilɔt] n. m. — 1529, *pillote,* var. *pilot, pillot;* de l'ital. *piloto, pedoto,* d'un grec byzantin *opêdotês,* de *pêdon* «gouvernail»; P. Guiraud suggère une dérivation de *pila* «pilier», d'où «jetée» par un verbe roman **pilottare.*

★ **I.** ♦ **1.** Vx. Personne qui dirige un navire. ⇒ **Nautonier, nocher.** *Pilote qui gouverne* (cit. 1) *son navire. Vaisseau qui obéit à la main du pilote* (→ Hippogriffe, cit. 2). — REM. De nos jours le capitaine* a l'initiative de la conduite du navire et ses ordres sont exécutés par le timonier*. — *Pilote hauturier, pilote côtier, pilote lamaneur* (→ ci-dessous, 2.).

♦ **2.** «Marin autorisé, dans une zone déterminée, à assister les capitaines dans la manœuvre et la conduite des navires à l'intérieur des ports ou dans les parages difficiles» (Gruss). ⇒ **Lamaneur** (→ 1. Patron, cit. 5). *Pilote de mer, de rivière, de port. Débarquer le pilote avant de prendre le large* (→ Larguer, cit. 2). — *Bateau-pilote :* barque, bateau sur lequel le pilote de port va au-devant du navire qu'il doit piloter. — Par métaphore. *Le seul pilote capable de trouver la passe* (1. Passe, cit. 9) *entre les récifs.*
Pilote-major : *chef des pilotes d'un port de commerce.* — *Chef des pilotes de la Marine nationale.*
Dispositif (→ *infra,* sens en aviation). *Pilote automatique.*

Je débranche le pilote automatique et rentre la girouette pendant que Françoise barre de la cabine, capot fermé, assise sur la chaise du poste de pilotage, face à l'arrière (face aux lampes). Bernard MOITESSIER, Cap Horn à la voile, p. 185.

♦ **3.** (1911). Aviateur*, aviatrice qui conduit un avion (→ Aviation, cit. 2). *Pilote de l'aviation civile.* — (1928). *Pilote de ligne,* chargé de la conduite d'un avion sur une ligne commerciale. *Premier, second pilote* (⇒ **Copilote**) *d'un avion de transport. Les pilotes d'une compagnie. Pilote militaire. Pilote de guerre* (titre d'un roman de Saint-Exupéry). *Pilote qui abat des avions ennemis* (→ Et, cit. 14). *Pilote de chasse,* spécialiste du pilotage des appareils de chasse. *Pilote d'essai :* spécialiste de l'essai en vol des nouveaux appareils. *Pilote et ingénieur mécanicien* (→ Dispositif, cit. 3). *Formation des pilotes dans les aéroclubs. Brevet de pilote. Le pilote et ses passagers* (→ Oxygène, cit. 5). — Par ext. Celui qui conduit un planeur, un hélicoptère, un dirigeable, une fusée, etc.

Le pilote ne bougea pas. On mettait son moteur en marche. Le pilote allait sentir dans ses épaules, appuyées à l'avion, cet avion vivre. SAINT-EXUPÉRY, Vol de nuit, XXII.

L'avion revint, prit son terrain un peu court; le pilote tira sur le manche; l'appareil bondit comme une pierre ricoche, et retomba de tout son poids, brisé. MALRAUX, l'Espoir, I, II, III.

Pilote-suicide. ⇒ **Kamikaze.**

Pilote automatique, dispositif assurant le pilotage sans intervention de l'équipage. ⇒ **Autopilote.**

Par anal. *Le pilote d'un char, d'une voiture de course,* le conducteur. — Par ext. Organe comportant les circuits de commande, dans un système automatique.

♦ **4.** (1676). Par ext. Personne qui en guide une autre. *Il vous servira de pilote pour visiter la capitale.* ⇒ **Guide.**
Personne qui dirige une entreprise, une société, un État, etc. *« Pays désemparé* (cit. 4)... *sans boussole, sans mâts, sans ancre, sans pilote »* (Hugo).

♦ **5.** (1671). *Pilote,* ou (plus cour.), *poisson pilote :* poisson acanthoptérygien *(Sériolidés),* scientifiquement appelé *naucratès,* qui passait pour conduire les navires, les requins et qui se tient auprès des corps flottants pour s'abriter de la lumière du jour. — *Poisson pilote :* le *rémora.*

★ **II.** (D'après *bateau-pilote*). Deuxième élément de noms composés, signifiant «qui ouvre, montre la voie», «qui peut servir d'exemple»,

« qui utilise de nouvelles méthodes et constitue un champ d'expérimentation ». *Locomotive-pilote*, qui parcourt la voie pour s'assurer qu'elle est libre après une interruption de trafic. *Onde-pilote* : onde radioélectrique émise pour servir de fréquence de référence. *Usine-pilote*, destinée à l'essai de fabrications, de méthodes nouvelles. *Classe-pilote*, dans laquelle sont expérimentées de nouvelles méthodes d'enseignement. *Industrie-pilote. Ferme-pilote. Chantier-pilote.* — En fonction d'adj. *Jouer un rôle pilote. Organisateur, réalisateur pilote. « Des maisons de retraite pilotes »* (*in* Gilbert).

DÉR. 2. **Piloter, pilotin.**
COMP. Copilote.

1. PILOTER [pilɔte] v. tr. — 1321 ; de 1. *pilot.*

♦ Techn. Garnir de pilots (1. Pilot), d'un pilotis. *Piloter un terrain.*

DÉR. 1. **Pilotage.**

2. PILOTER [pilɔte] v. tr. — 1484 ; de *pilote.*

♦ **1.** Conduire, diriger (un navire). ⇒ **Gouverner** (cit. 38). Spécialt. Conduire un navire dans les parages difficiles. *Piloter un navire à l'entrée d'un port.*

♦ **2.** Conduire (un avion, un dirigeable, un hélicoptère,...). *Piloter un bombardier.* Absolt. *Savoir piloter* (→ 2. Manche, cit. 3).

1 Il n'a pas piloté un avion lourd depuis son procès, ni un avion de chasse depuis son départ de l'armée italienne. MALRAUX, l'Espoir, I, II, III.

Agir sur les circuits de commande, en parlant d'un système automatique, d'un dispositif d'asservissement.

Par ext. Conduire (une voiture de compétition, et, par ext., toute automobile). ⇒ **Conduire** (→ Manquer, cit. 60 ; mastodonte, cit. 2). Au p. p. *La voiture nº 10 pilotée par le coureur X a été victorieuse aux 24 heures du Mans.*

♦ **3.** (1834). Fig. Servir de guide à (qqn). ⇒ **Guider.** *Piloter un étranger, un provincial dans la capitale.*

2 — À propos, camarade, ma femme va être forcée d'aller passer un jour à Paris, pour des affaires. Vous serez bien gentil de la piloter, si elle a besoin de quelqu'un. ZOLA, la Bête humaine, IV.

3 — J'ai jadis piloté à Londres, répondit le major, un chef arabe qui m'honorait de son amitié (...) A. MAUROIS, les Silences du colonel Bramble, III.

DÉR. 2. **Pilotage.**

PILOTIN [pilɔtɛ̃] n. m. — 1771 ; « poisson-pilote », 1769 ; de *pilote.* Marine.

♦ **1.** Vx. Jeune timonier.

♦ **2.** Mod. (1875). Élève officier non diplômé dans la marine marchande.

PILOTIS [pilɔti] n. m. — 1499 ; picard *pilotich*, 1365 ; de 1. *pilot.*

♦ **1.** Ensemble de pieux enfoncés en terre pour soutenir une construction sur l'eau ou pour consolider les fondations en terrain meuble. *Habitations, cités lacustres* (cit. 1 et 2) *bâties sur pilotis.* (⇒ **Palafitte**). *Petit café sur pilotis* (→ Avancer, cit. 50).

♦ **2.** (Au plur.). Chacun des pieux d'un tel ensemble. ⇒ 1. **Pilot** *Enfoncer des pilotis avec un mouton, une sonnette. Traversine qui relie les pilotis. Maison, hutte* (cit. 3) *construite sur des pilotis* (→ Hypothèque, cit. 4). *Les pilotis de fondations sont remplacés de nos jours par des pieux* de béton armé.*

1 Les maisons, construites au milieu des eaux stagnantes et sur les souches des grands arbres élagués, s'élèvent en l'air sur des pilotis afin d'éviter les inondations ; d'énormes trottoirs de planches les unissent les unes aux autres (...) J.-A. DE GOBINEAU, Nouvelles asiatiques, p. 22.

2 Amsterdam (...) est tout entière bâtie sur des pilotis, qui parfois ont 30 pieds de long. TAINE, Philosophie de l'art, t. I, p. 247.

2.1 Le peu d'étendue de l'île avait forcé quelques-unes de ces constructions à se jucher sur des pilotis, engagés pêle-mêle dans les rudes courants du Rhône. Ces gros madriers, noircis par les temps, usés par les eaux, ressemblaient aux pattes d'un crabe immense et produisaient un effet fantastique. J. VERNE, Maître Zacharius, p. 112-113.

3 (...) un petit cabanon de bois à l'extrémité de la plage. La maison était adossée à des rochers et les pilotis qui la soutenaient sur le devant baignaient déjà dans l'eau. CAMUS, l'Étranger, I, VI.

Par métaphore. *Les préjugés sont les pilotis de la civilisation* (cit. 8).

PILOU [pilu] n. m. — 1894, in *Année sc. et industr.* 1895, p. 360 ; anc. franç. et dial. *peloux* « poilu », du lat. *pilosus.*

♦ Tissu de coton pelucheux. *Peignoir de pilou.*

(...) vêtue seulement de son corsage de serge fanée et du jupon de pilou gris qui laissait voir ses chevilles monstrueuses de vieille femme. J. GREEN, Léviathan, I, VIII.

DÉR. Piloutier.

PILOUTIER [pilutje] n. m. — 1909, *in* D. D. L. ; de *pilou.*

♦ Rare. Fabricant de pilou.

PILPOUL [pilpul] n. m. — V. 1900 ; mot hébreu.

♦ Relig. Discussion d'école sur un problème religieux difficile en matière de doctrine hébraïque. — Fig., péj. Discussion sur des vétilles, ratiocination pédante d'ergoteur. *« Pour une page d'essai éclairante et neuve, on voit aujourd'hui pulluler le pédantisme sémiologique, le charabia herméneutique (...), le pilpoul barbouillé de structuralisme, et autres horreurs »* (Claude Roy, *le Nouvel Obs.*, 1er avr. 1983, p. 27).

PILSEN [pilsɛn] n. f. — XXe ; n. all. de la ville de *Plzeň*, en Tchécoslovaquie, célèbre pour ses brasseries.

♦ Type de bière blonde de qualité supérieure.

PILULAIRE [pilylɛʀ] n. m. et adj. — 1803 ; de *pilule.*

♦ **1.** Adj. Pharm. Propre aux pilules. *Masse pilulaire* : pâte homogène préparée pour être divisée en pilules. — Relatif à la pilule anticonceptionnelle. *« La loi "pilulaire" du 28 décembre 1967 »* (*le Nouvel Obs.* 2 déc. 1968, *in* Gilbert).

♦ **2.** N. m. (1868) : Vétér. Instrument servant à administrer des pilules aux animaux.

PILULE [pilyl] n. f. — V. 1560 ; *pillule*, 1314 ; du lat. médical *pilula*, dimin. de *pila* au sens de « boule ».

♦ **1.** [a] Médicament façonné en petite boule, associé ou non à un excipient, et destiné à être avalé. ⇒ **Globule.** *Poudre de lycopode, de gomme, de mucilage adragant... utilisée dans la préparation des pilules. Dorer* les pilules. Petite pilule.* ⇒ **Grain, granule** (cit.). *Grosse pilule.* ⇒ **Bol.** *Pilules balsamiques. Pilules d'héroïne. Boîte de pilules ; boîte à pilules* ⇒ **Pilulier,** 2. *Prendre, avaler* (cit. 6) *une pilule avec une gorgée d'eau.*

C'était un marchand de pilules perfectionnées qui apaisent la soif. On en avale une par semaine et l'on n'éprouve plus le besoin de boire. SAINT-EXUPÉRY, le Petit Prince, XXIII. 1

Jean-Louis s'est levé, est allé chercher un verre d'eau et deux pilules magiques : une verte ronde et une blanche allongée. Geneviève DORMANN, le Bateau du courrier, p. 41. 1.1

[b] (1957 ; *pilule pour les femmes*, 1934 à propos de l'Angleterre ; *in* D. D. L.). Spécialt. *Pilule contraceptive** (ou *anticonceptionnelle*) et, cour., *la pilule* : médicament composé de l'association de produits hormonaux de synthèse (plus rarement d'un seul), administré sous forme de comprimés pendant tout ou partie du cycle menstruel, et dont le rôle essentiel est d'inhiber l'ovulation. *La pilule « classique » est composée de l'association d'œstrogènes et de progestatifs. Dosage d'une pilule. Pilule monophasique*, dont le dosage en œstro-progestatifs est identique pour chaque comprimé ; *pilule biphasique*, composée de deux séries de comprimés dosés différemment. *Pilule faiblement dosée, dite « minidosée ».* ⇒ **Minipilule.** *Pilule à base de progestatifs* (sans œstrogènes), aussi appelée *micropilule. Contre-indications à la pilule. Indications thérapeutiques de la pilule. Prendre la pilule.*

Chacun des comprimés réunis dans le conditionnement habituel du médicament. *Plaquette de pilules.*

Méthode anticonceptionnelle *(contraception orale)* utilisant ce produit. *Être pour, contre la pilule. La pilule et le contrôle des naissances. — Recherches sur la pilule pour hommes.*

(Fameuse invention, la pilule qu'on avale le matin en se lavant les dents.) S. DE BEAUVOIR, les Belles Images, p. 34. 1.2

(...) qu'est-ce que pilule, diaphragme ou stérilet changeront au comportement des filles ? Quelque chose d'essentiel : elles seront obligées de « faire face », de laisser émerger au niveau de la conscience ce qu'elles auraient parfois préféré laisser dans l'ombre, de s'avouer ce qu'elles veulent. F. GIROUD, *in* l'Express, 17-23 juil. 1967. 1.3

♦ **2.** Loc. *Avaler la pilule* : supporter un déplaisir, un affront sans protester. ⇒ **Médecine** (→ Avaler, cit. 31). *Elle ne sait comment s'y prendre pour lui faire avaler la pilule. — Dorer la pilule à qqn.* ⇒ **Dorer.**

(...) les Allemands, conservant l'aspect extérieur, le titre, l'ordonnance des articles et jusqu'aux caractères typographiques des journaux français d'avant-guerre, les employaient à diffuser des idées entièrement opposées à celles que nous avions l'habitude d'y trouver : ils comptaient que nous ne nous apercevrions pas de la différence des pilules, puisque la dorure ne changeait pas. SARTRE, Situations II, p. 302. 2

Fig. Chose désagréable qu'il faut supporter. *Quelle pilule !* (Cf. fam. C'est dur à avaler).

La fâcheuse pilule ! MOLIÈRE, l'École des femmes, I, 4. 3

♦ **3.** (Par calembour ; de *pile*). Fam. *Prendre une pilule* : subir un échec. *Il a pris la pilule*, une bonne pile (2. Pile).

DÉR. Pilulaire, pilulier.
COMP. Micropilule, minipilule.

PILULIER [pilylje] n. m. — 1694; de *pilule.*
Pharmacie.

♦ **1.** Instrument servant à faire les pilules.

♦ **2.** (1812). Récipient en céramique utilisé pour conserver les pilules.

PILUM [pilɔm] n. m. — 1763; *pile,* 1580; mot latin.

♦ Archéol. (Antiq. rom.). Arme de jet des Romains, lourd javelot à hampe de bois (→ Légion, cit. 2).

PIMBÊCHE [pɛ̃bɛʃ] n. f. — 1545; orig. incertaine.

♦ **1.** Vx. « Femme impertinente qui fait la capable » (Académie, 1re édition).

♦ **2.** Mod. Jeune fille, femme aux manières affectées*, prétentieuse et hautaine. ⇒ **Chichiteuse, chipie, mijaurée, pécore** (→ Gifler, cit. 5). *Quelle pimbêche! Une petite pimbêche.* — Adj. *Elle est un peu pimbêche.*

PIMBINA ou **PEMBINA** [pɛ̃bina] n. m. — Av. 1760; de l'algonquin (cree) *nipimina* « graines ou fruits amers ».

♦ Régional (Canada). Fruit de l'obier ou viorne. *« Elle réclame (...) du pimbina et de la gelée d'atoca »* (A. Hébert). *« C'était surtout des "pembinas" aux larges feuilles »* (Genevoix).

PIMENT [pimɑ̃] n. m. — 1664; « baume, aromate, épice » en anc. franç.; du lat. *pigmentum* au sens de « drogue, suc ». → Pigment.

A. ♦ **1.** Plante dicotylédone *(Solanacées),* scientifiquement appelée *capsicum,* herbacée, vivace ou annuelle, originaire des régions chaudes, cultivée pour ses fruits qui servent de condiment. *Le piment est communément appelé poivre* de Guinée* (ou d'Espagne), *poivre long, poivron*.* ⇒ **Chile.**

1 (...) des piments, dont les gousses couleur de sang sont plus éclatantes que le corail.
BERNARDIN DE SAINT-PIERRE, Paul et Virginie, p. 48.

En franç. d'Afrique. *Piment des oiseaux.*

♦ **2.** (1664). Plus cour. Le fruit rouge ou jaune, de cette plante. *Piments doux en salade. Piments confits au vinaigre. Piment en poudre incorporé dans du beurre,* dit *beurre de piment.* ⇒ **Aromate, assaisonnement, paprika.** *Piment qui brûle la bouche* (→ Myrrhe, cit. 2). *Ratatouille* aux piments. Sauce aux piments* ⇒ **Pili-pili** (Afrique).

2 (...) un vin de sable trop chaleureux, couleur d'ambre, convient à la salade — tomates, piments, oignons, noyés d'huile (...)
COLETTE, la Naissance du jour, p. 12.

Condiment, sauce au piment.

♦ **3.** *Faux piment* (Solanum pseudo-capsicum) : variété de morelle, appelée aussi *amome* des jardiniers, petit cerisier* d'hiver, cerisette.*

Par métaphore :

3 (...) quand pendant quelques mois nous y avons trempé nos lèvres, nous ne voulons plus boire que cette eau si pure et si fraîche, et nous trouvons que les autres littératures sont des piments, des ragoûts ou des poisons.
TAINE, Philosophie de l'art, t. II, p. 161.

♦ **4** (Autres plantes). *Piment de la Jamaïque.* ⇒ **Myrte** (myrte piment). *Piment des abeilles :* mélisse. *Piment d'eau :* polygonum.

B. (1839). Fig. (de A., 2.). Se dit de ce qui relève, donne du piquant. ⇒ **Assaisonnement, saveur, sel.** *Assaisonner* (cit. 12) *l'aventure d'un piment d'exotisme.* ⇒ **Pimenter,** 2.

4 (...) je trouve tout fade, même le piment des épigrammes.
BALZAC, Splendeurs et Misères des courtisanes, Pl., t. V, p. 663.

5 On raconte qu'elle a du piment, qu'elle a du chien, qu'elle a du poivre dans les jambes, est-ce que je sais? COLETTE, l'Envers du music-hall, La caissière.

6 Pour trouver du piment à des émotions aussi troubles, il faudrait à une femme des perversions de sensibilité (...)
J. ROMAINS, les Hommes de bonne volonté, t. V, II, p. 16.

DÉR. Pimentade, pimenter.

PIMENTADE [pimɑ̃tad] n. f. — 1741; de *piment.*

♦ Vx. Sauce aux piments.

PIMENTER [pimɑ̃te] v. tr. — 1845; au p. p., 1826; de *piment.*

♦ **1.** Assaisonner avec des piments. *Pimenter une sauce.* Au p. p. (plus cour.). *Un ragoût fortement pimenté* (⇒ **Épicer**). *Une cuisine très pimentée.*

♦ **2.** (1875). Par métaphore, fig. Rendre piquant. ⇒ **Assaisonner, relever** (→ Ironie, cit. 5). *Une pointe de canaillerie* (cit. 3) *pimentait l'amusement.*

Tout homme, après trois amours mondaines, ne désire presque jamais plus Proserpine que si la saveur de celle-ci se pimente de la jalousie courroucée du sombre Pluton! VILLIERS DE L'ISLE-ADAM, Axël, II, 9.

Spécialt. (Pris absolt, au p. p.). Relevé de saillies ou d'allusions d'un caractère licencieux*. *Un récit, un conte pimenté.* ⇒ **Épicé, salé.**

PIMPANT, ANTE [pɛ̃pɑ̃, ɑ̃t] adj. — V. 1500; selon Wartburg, d'un rad. *pimp-,* déjà v. 1200 dans l'anc. provençal *pimpar* « parer »; moy. franç. *pimper* « se parer », d'où *pimpant,* p. prés. adj.

♦ Dont la toilette a un air de fraîcheur et d'élégance plaisant et gracieux. *Elle sortait toute pimpante.* ⇒ **Élégant, fringant.** — (En parlant de la toilette). *Toilette, mise pimpante.* ⇒ **Joli, gracieux.** *Une robe d'été toute pimpante.*

Il vit passer une dame jolie, 1
Leste, pimpante, et d'un page suivie (...) LA FONTAINE, Contes, I, III.

L'eau me donne alors les grâces piquantes de l'aurore; je me peigne, me parfume les cheveux; et, après cette toilette minutieuse, je me glisse comme une couleuvre, afin qu'à son réveil le maître me trouve pimpante comme une matinée de printemps. BALZAC, Mémoires de deux jeunes mariées, Pl., t. I, p. 306. 2

Par ext. Coquet, élégant. *Une pimpante petite ville. Un pimpant cabriolet.*

(...) une petite niche bien pimpante pour le chien. 3
CÉLINE, Voyage au bout de la nuit, p. 361.

Figuré :

(...) ce style si neuf, si jeune, si pimpant, d'une harmonie charmante, d'une fraîcheur de ton incomparable (...) 4
Th. GAUTIER, Portraits contemporains, Jules Janin.

PIMPERNEAU [pɛ̃pɛʀno] n. m. — XIIIe; *pimpernaux,* orig. incert., p.-ê. du rad. *pimp-,* de *pimpant.*

♦ Vx. ou régional. Anguille. — Var. : *pimpeneau,* n. m. (1296).

PIMPESOUÉE [pɛ̃p(ə)swe] n. f. — XVIIe; adj., « doux », mil. XVe; du rad. *pimp-* (→ Pimpant), et anc. franç. *souef* « doux », lat. *suavis.*

♦ Vx. Femme aux manières affectées, prétentieuses et ridicules, qui joue à la précieuse. ⇒ **Mijaurée.**

Elle, Monsieur! Voilà une belle mijaurée, une pimpesouée bien bâtie, pour vous donner tant d'amour! Je ne lui vois rien que de très médiocre (...)
MOLIÈRE, le Bourgeois gentilhomme, III, 9.

PIMPLE [pɛ̃pl] n. m. — 1839; p.-ê. du rad. *pimp-* (→ Pimpant), qui a donné de nombreux mots dial. de plantes et d'animaux.

♦ Insecte hyménoptère destructeur de chenilles (famille des *Ichneumonidés*).

PIMPRENELLE [pɛ̃pʀənɛl] n. f. — XVe; *pimpenelle,* 1314; *piprenelle,* XIIe; du lat. médiéval *pipinella,* attesté v. 700, p.-ê. dér. de *piper,* « poivre », en raison de son goût aromatique.

♦ Bot. Plante dicotylédone (*Rosacées*; n. sc. : *poterium*), herbacée, vivace, dont les jeunes feuilles servent parfois à l'assaisonnement des salades, et sont également employées en infusion comme diurétiques. ⇒ **Sanguisorbe.**

PIN [pɛ̃] n. m. — 1080; du lat. *pinus.*

♦ Plante phanérogame gymnosperme, de l'ordre des *Conifèrales** (famille des *Abiétacées*), arbre à feuilles persistantes (aiguilles*) disposées en spirales et en faisceaux, dont les organes reproducteurs sont communément appelés *pommes* de pin.* — (1680). *Pin sylvestre.* ⇒ **Pinasse** (syn. : *pin sauvage, pin rouge, pin de Russie*). *Pin pignon** ou *pin parasol** (cit. 6 et 7). *Le pin était l'arbre de Cybèle. La pyramide* (→ Monumental, cit. 2) *du pin. Aiguilles, branches de pin* (→ Appendre, cit. 3; cime, cit. 2; frôlement, cit. 4). *Forêt de pins.* ⇒ **Pignade, pinède, pineraie, pinière** (→ Gros, cit. 39; hérisser, cit. 31; massif, cit. 11). *Le vent dans les pins* (→ Houle, cit. 5; lamenter, cit. 11; lézard, cit. 4). *Pins incendiés* (→ Flammèche, cit. 2; brande, cit. 2). — (1835). *Pin maritime.* ⇒ **Pinastre.** — *Pin d'Alep, de Jérusalem* (Méditerranée). *Pin de Lord, pin weymouth* (Amérique du Nord). *Pin cembio* ⇒ **Arolle.**

(...) le pin d'Italie à écorce rouge avec son majestueux parasol (...) 1
BALZAC, les Paysans, Pl., t. VIII, p. 17.

Ces pins brûlés vivants dont les corps calcinés n'entendront plus les cigales, ni les vagues, ni l'aile sifflante des palombes (...) On dit : « C'est la cigarette d'un promeneur, (...) le feu ne prend pas tout seul. » Non, il ne prend pas tout seul, mais quelquefois la foudre frappe un grand pin, l'allume comme une torche et la flamme rampe, saute, dévore ses frères innombrables. 2
F. MAURIAC, Journal, III, p. 19.

(Déb. XIIIe). *Pomme de pin,* organe reproducteur du pin. ⇒ **Pigne, pignolat, pignon.** *Extraction de la résine** (⇒ **Poix**) *des pins.* ⇒ **Galipot, gemmage, gemmer, surlé.** *Térébenthine extraite de la résine de pin* (⇒ **Brai, colophane**). *Bois de pin utilisé pour la charpente, la menuiserie, la mâture des navires, les poteaux..* *Le pin*

des marais (pinus palestris) *fournit le pitchpin*. L'ambre* est la résine d'un pin fossile* (le succinifer).
Bois du pin. *Une armoire en pin.*

DÉR. 2. **Pinasse, pineraie, pinière.**
HOM. Pain, peint.

PINACE [pinas] n. f. ⇒ **Pinasse.**

PINACLE [pinakl] n. m. — 1260, en parlant du Temple de Jérusalem; XIVe, au sens général; du lat. ecclés. *pinnaculum,* de *pinna.* → 1. Pignon.

♦ **1.** Faîte (d'un édifice; spécialt, du Temple de Jérusalem). — (1865). Dans l'architecture gothique, « Petite pyramide ajourée ornée de fleurons servant de couronnement à un contrefort » (Réau). ⇒ **Amortissement.** *Architecture qui festonne les églises de pinacles, de trèfles...* (→ Dentelle, cit. 5).
(XIXe). Ornement analogue sur des pièces de menuiserie, d'orfèvrerie, au moyen âge.

♦ **2.** (XVIIe). Fig. (dans des expressions : *au pinacle, sur le pinacle...*). Situation élevée, haute position, haut degré d'honneurs, de faveurs... ⇒ **Faîte, sommet.** *Être sur le pinacle, au pinacle. Monter au pinacle. Mettre qqn sur le pinacle,* l'élever au-dessus de tous les autres. — Par ext. *Porter, élever qqn au pinacle,* le porter aux nues* par des louanges enthousiastes. ⇒ **Louer.**

1 Oh! il se croit sur le pinacle, il a de l'orgueil, le jeune homme, autant que deux comtes nouveaux. BALZAC, la Cousine Bette, Pl., t. VI, p. 171.

2 (...) chacun est à l'aise, suivant la chance, au pinacle ou dans les bas-fonds. J. CHARDONNE, Éva, p. 153.

CONTR. Base, fondement.

PINACOLOGIE [pinakɔlɔʒi] n. f. — XXe; de *pinaco-,* du grec *pinax, pinakos* « tableau » (→ Pinacothèque), et *-logie.*

♦ Techn. Étude scientifique des tableaux anciens utilisant diverses méthodes d'investigations mécaniques et optiques.

PINACOTHÈQUE [pinakɔtɛk] n. f. — 1839; « salle qui contient une collection de tableaux », 1606; du lat. *pinacotheca,* grec *pinacothêkê,* par l'all. pour le sens moderne.

♦ Se dit de certains musées de peinture en Italie et en Allemagne. ⇒ **Collection, galerie, musée.** *La pinacothèque de Munich,* fondée par Louis Ier de Bavière.

La Pinacothèque *(de Munich),* c'est-à-dire le musée de peinture, est située à peu de distance de la Glyptothèque (...) les salles sont grandes et ne sont ornées que de peintures de maîtres anciens. NERVAL, Voyage en Orient, Introd., v.

PINAILLAGE [pinajaʒ] n. m. — Mil. XXe (v. 1960); de *pinailler.*
Familier.

♦ **1.** Rare. Le fait de pinailler (1.).

♦ **2.** Ergotage sur des détails infimes.

PINAILLER [pinaje] v. intr. — Mil. XXe; probablt dér. du v. *piner,* et suff. *-ailler;* infl. de *pinocher,* d'où *pignocher.* → Pignocher.
Familier.

♦ **1.** Rare. « Coïter de façon velléitaire et désordonnée » (Cellard et Rey, *Dict. du français non conventionnel*).

♦ **2.** Cour. Ergoter sur des vétilles; se perdre dans des détails infimes, dans les subtilités. *Tu as beau pinailler, tu as tort.*

DÉR. Pinaillage, pinailleur.

PINAILLEUR, EUSE [pinajœʀ, øz] n. — Av. 1945; de *pinailler.*
Familier.

♦ **1.** Rare. Homme qui a une activité sexuelle intense et multiple.

♦ **2.** Personne qui a l'habitude de pinailler (2.), d'ergoter sur des détails. — Adj. *Un garçon pinailleur.* ⇒ **Vétilleux.**

PINANGA [pinɑ̃ga] n. m. — 1903, Larousse; du malais *pinang.*

♦ Bot. Grand palmier d'Asie et d'Océanie.

PINARD [pinaʀ] n. m. — 1616, popularisé depuis la fin du XIXe par le langage militaire; p.-ê. var. pop, péj. de *pineau, pinot* (→ Pineau) ou, selon Guiraud, d'un dial. *pine* « siffler ».

♦ Fam. Vin ordinaire. ⇒ **Picrate, rouge** (gros). *Des litrons de pinard.*

J'ai comme toi pour me réconforter 1
Le quart de pinard
Qui met tant de différence entre nous et les Boches.
APOLLINAIRE, Calligrammes, p. 150.

Vin. *Un bon petit pinard.*

Il s'était laissé tomber sur une chaise, à la terrasse d'un bistrot, il avait demandé du pinard, on lui avait servi du vin blanc dans un tout petit verre (...) SARTRE, le Sursis, p. 125. 2

DÉR. Pinardier.

PINARDIER [pinaʀdje] n. m. — 1953; de *pinard.*
Familier

♦ **1.** Marchand de vin en gros.

♦ **2.** Navire-citerne destiné au transport du vin. — Par appos. *Bateau pinardier.*

1. PINASSE, ou (vx) **PINACE** [pinas] n. f. — 1596, *pinasse; pinace,* mil. XVe; var. *espinace,* 1461, *espynasse,* 1321; de l'esp. *pinaza* « bateau en bois de pin », de *pino.* Cf. lat. *pinus,* qui a également le sens de bateau.
Marine.

♦ **1.** Anciennt. Petit vaisseau long et léger, propre à la course.

♦ **2.** (Fin XVIIIe). Mod. Embarcation à fond plat, utilisée notamment pour la pêche sur le littoral de la Gironde. ⇒ **Barque.**

(...) Un moteur halète doucement comme les pinasses d'Arcachon, sur le bassin noyé de lumière (...) Claude MAURIAC, le Dîner en ville, p. 140. 1

Je te chéris cependant que dérive la lourde pinasse de la mort. René CHAR, les Matinaux, p. 89. 2

2. PINASSE [pinas] n. m. — 1549; de *pin.*

♦ Régional (Vosges). Pin* sylvestre.

PINASTRE [pinastʀ] n. m. — 1562; du lat. *pinaster.*

♦ Régional. Pin maritime.

PINÇADE [pɛ̃sad] n. f. — XVIe; de *pincer* .

♦ Vx. Action de pincer qqn. ⇒ **Pinçage.**

PINÇAGE [pɛ̃saʒ] n. m. — 1845; de *pincer.*

♦ **1.** (Déb. XXe). Rare. Action de pincer qqn. ⇒ **Pinçade.**

♦ **2.** Arbor., vitic. Pincement* (des rameaux, des bourgeons).

♦ **3.** (XXe). Techn. Action de bloquer un système mécanique avec un dispositif à pinces.

PINÇARD, ARDE [pɛ̃saʀ, aʀd] adj. et n. — 1772; de *pince.*

♦ Hippol. *Cheval pinçard,* ou *pinçard,* se dit d'un cheval qui s'appuie sur la pince (I., 3. a) en marchant. *Mule pinçarde.* Par ext. *Pied pinçard, sabot pinçard.* ⇒ **Rampin.**

PINCE [pɛ̃s] n. f. — Fin XIVe; *pinche,* v. 1354; de *pincer.*

★ **I.** ♦ **1.** (1488). Outil servant à pincer, à serrer, à saisir, généralement composé de deux leviers articulés. ⇒ **Tenaille.** *Branches, mâchoires, coulant d'une pince. Saisir, arracher avec une pince* (→ Épinceteur, cit.; marteau, cit. 1). *Pinces d'horloger* (⇒ **Brucelles**), *de bijoutier, d'émailleur* (⇒ **Bercelle**), *de forgeron* (⇒ **Forge**), *de mégissier, de dentiste* (⇒ **Davier**) ... *Pinces de chirurgien; pince à ressort, pince à dissection; pince articulée, pince hémostatique*, pince à forcipressure... Pince autostatique* (cit.). ⇒ **Forceps** (→ Fil, cit. 14; instrument, cit. 3). *Pinces à souder* (→ Électricité, cit. 6). — (XXe). *Pince coupante,* dont les extrémités permettent de sectionner un fil métallique. *Pince universelle,* servant à couper, cisailler, serrer. *Pince crocodile :* pince à mâchoires dentées et à ressort, utilisée pour assurer une bonne liaison électrique entre une borne et un fil conducteur. *Pince de fondeur,* pour prendre les creusets contenant le métal en fusion et les transporter jusqu'aux moules. — (Déb. XXe). *Pince thermo-électrique,* servant à mesurer la température d'objets de petites dimensions. — *Pince à dessin,* à larges becs, pour fixer une feuille de papier sur une planche à dessin. — *Pince à épiler.* ⇒ **Épiloir.** *Pinces à cheveux*.* ⇒ **Barrette, épingle.** *Pince à linge.* ⇒ **Épingle.** — (Déb. XXe). Ustensile de table utilisé pour saisir certains aliments. *Pince à escargots. Pince à sucre.* — *Pinces de cycliste,* pour tenir les bas de pantalon. — *Pince à charbon.* ⇒ **Pincette.** — *Pince de poinçonneur de métro.* ⇒ **Emporte-pièce, poinçonneuse.** — REM. Ces divers outils sont désignés par le mot *pince,* tantôt au singulier, tantôt au pluriel, sans que l'usage soit bien fixé. Le pluriel semble cependant plus fréquent lorsqu'il s'agit d'un outil de grandes dimensions.

1 (...) ses sourcils, dont il arrachait avec des pinces les poils rebelles, semblaient une ligne tracée à l'encre de Chine (...) Th. GAUTIER, le Capitaine Fracasse, II.

2 L'année précédente, elle imagina de dormir, une pince à linge sur le nez, pour obtenir le profil grec. COCTEAU, les Enfants terribles, p. 78.

2.1 (...) un cycliste qui ne s'était pas débarrassé des pinces de homard qui serraient le bas de son pantalon (...) R. QUENEAU, Pierrot mon ami, éd. L. de Poche, p. 134.

♦ **2.** Techn. Levier* permettant de soulever, de déplacer. *Pince de carrier, de paveur,* permettant de lever et de faire mouvoir les pierres. *Pince à arracher les clous.* ⇒ **Pied-de-biche.** — *Pince de cambrioleur, pince monseigneur** (→ Engin, cit. 2).

Vx. *La pince :* la technique du cambrioleur, la « cambriole ».

3 Touchant le jargon, je le laisse à corriger et exposer aux successeurs de Villon en l'art de la pince et du croc. Clément MAROT, Préfaces diverses, Poésies de Villon, Œ. compl., t. II, p. 421.

♦ **3.** [a] Extrémité antérieure du pied des mammifères ongulés. *Pinces du cerf* (→ Glisser, cit. 8). — Spécialt. (1762). Partie antérieure du sabot du cheval; partie du fer* qui y correspond.

[b] (1680). Dents incisives des herbivores (particult du cheval).

[c] Plus cour. (1660). Partie antérieure des grosses pattes de certains crustacés, qui leur permet de prendre, de pincer. *Pinces d'un homard, d'une langouste, d'un crabe, d'une écrevisse...*

4 Elle avait déjà replongé son bras, elle ramenait, d'une case, pleine d'un grouillement confus, une écrevisse, qui lui avait pris le petit doigt entre ses pinces. ZOLA, le Ventre de Paris, t. I, III, p. 182.

♦ **4.** (1857). Fam. *La pince :* la main. *Serrer la pince à qqn.* ⇒ **Cuiller.** (1889). *Les pinces :* les jambes. *Aller à pinces,* à pied.

5 — Qu'est-ce qu'ils croyaient? Qu'ils iraient à pinces jusqu'à Paname? Il y a des gars qui ne doutent de rien. SARTRE, la Mort dans l'âme, p. 88.

5.1 — Eh bien bonjour, dit Jacques en lui serrant la pince. R. QUENEAU, Loin de Rueil, Folio, p. 178.

(V. 1920). Au plur. Menottes.

(1867, en parlant d'un homme; une attestation de 1790 *in* D. D. L. concernant une femme *chaude de la pince,* éclaire sur la valeur métaphorique du mot). Pop. *Chaud de la pince,* se dit d'un homme porté sur les plaisirs sexuels.

5.2 — Ça ne m'étonne pas, dit Mouilleminche, il n'y avait pas plus coureur que lui.
— Qu'est-ce que vous insinuez? demanda Léonie.
— Vous n'allez pas me dire que c'était pas un chaud-de-la-pince? s'exclama Mouilleminche. R. QUENEAU, Pierrot mon ami, éd. L. de Poche, p. 35.

★ **II.** (1498). ♦ **1.** Action de pincer, résultat de cette action; aptitude à pincer (vieilli). *Cet instrument n'a pas de pince* (Académie). *Un gaillard qui a la pince forte, rude* (→ Poigne). — Vx. (1521). Fait d'être volé (choses), arrêté (personnes).

6 Mais de l'argent que vous m'aviez donné,
Je ne fus point de le perdre étonné :
Car votre argent, très débonnaire Prince,
Sans point de faute est sujet à la pince. Clément MAROT, Épîtres, XXVII.

Mod. (XXe). *Pince du genou,* action (du cavalier) de serrer le cheval avec les jambes (l'expression s'emploie aussi au sens I de *pince,* par métaphore).

♦ **2.** (1660; résultat de l'action de pincer). Techn. (cout.). Pli qu'on fait à l'étoffe, pour en diminuer l'ampleur, et qui se termine en pointe. *Faire des pinces à une veste de tailleur.*

7 Nous avons expédié le Patron d'un Paletot par vous demandé, Madame; le modèle tenu bien ample (...) La forme nouvelle est : droit fil devant, sans pince et cintré derrière, mais surtout! pas ajusté (...) MALLARMÉ, la Dernière Mode, Œ. compl., p. 826.

DÉR. **Pinçard, pincette.**

PINCEAU [pɛ̃so] n. m. — XVe; *peincel,* v. 1268; *pincel,* v. 1160; d'un lat. pop. **penicellus,* lat. class. *penicillus,* dimin. de *penis* « queue ».

A. ♦ **1.** Instrument composé d'un faisceau de poils (de blaireau, de martre, de putois...), ou de fibres végétales ou artificielles, serrés au moyen d'une virole à l'extrémité d'un manche, dont on se sert pour appliquer et étendre des couleurs, du vernis, de la colle, etc. (→ Dessin, cit. 2; orfèvre, cit.). ⇒ **Blaireau, brosse, pied-de-biche, queue-de-morue.** *Hampe et soies du pinceau. Laver, nettoyer un pinceau* (⇒ **Ante, pincelier**). *Pinceaux du peintre* (→ Broyer, cit. 4; empâter, cit. 1; enluminer, cit. 1; main, cit. 15). *Tremper son pinceau dans les couleurs, l'encre* (cit. 4) *de Chine...* (→ Coloris, cit. 1). *Manier le pinceau* (→ Coutume, cit. 1). *Coups de pinceau* (→ Intégrité, cit. 1). ⇒ **Touche.** *Donner le dernier coup de pinceau à un tableau,* l'achever.

1 (...) l'étrange vieillard touchait à toutes les parties du tableau : ici deux coups de pinceau, là un seul, mais toujours si à propos qu'on aurait dit une nouvelle peinture (...) Le vieillard allait disant : « (...) venez, mes petites touches, faites-moi roussir ce ton glacial (...) — Vois-tu, petit, il n'y a que le dernier coup de pinceau qui compte (...) Personne ne nous sait gré de ce qui est dessous. Sache bien cela! ». BALZAC, le Chef-d'œuvre inconnu, Pl., t. IX, p. 398.

(1690). Brosse du graveur, du doreur.

♦ **2.** (1665). *Le pinceau :* la peinture. *Une merveilleuse production du pinceau* (→ Émaner, cit. 1). *Le travail du pinceau et celui du ciseau :* la peinture et la sculpture (→ Heureusement, cit. 3; 2. idéal, cit. 5). — *Le pinceau d'un artiste,* son art, sa technique. *Pinceau hardi, vigoureux, délicat* (cit. 13). *Mollesse* (cit. 3) *de pinceau. Le pinceau d'Apelle* (→ Désespoir, cit. 9). *Quelques traits du pinceau de Michel-Ange* (→ 1. Ombre, cit. 1). « *L'inimitable pinceau de la nature* » (→ Fondre, cit. 8, Buffon).

Degas fit une troisième visite à l'atelier d'Ingres (...) Ingres montrait ses œuvres à un monsieur (Degas disait : à un idiot), qui passant d'un Homère à un Bain Turc, s'écrie : « Ah! Celui-ci, Monsieur, c'est la grâce et la volupté (...) et quelque chose de plus (...) » Ingres répond : « Monsieur, j'ai plusieurs pinceaux. » VALÉRY, Degas, Danse, Dessin, p. 57. 2

♦ **3.** (1669). Art ou manière de décrire, de peindre, chez un écrivain. ⇒ **Peinture.** *Quelle vigueur de pinceau!* (→ Énergie, cit. 5). *Coups de pinceau* (→ Ébauche, cit. 6; 1. ferme, cit. 8; manière, cit. 14). *Complaisances, lapsus* (cit. 2) *de pinceau* (→ Indulgence, cit. 8).

Si d'un coup de pinceau je vous avais bâti 3
Quelque ville aux *toits bleus,* quelque *blanche* mosquée (...)
Quelque description de minarets flanquée (...)
M'auriez-vous répondu : « Vous en avez menti? »
A. DE MUSSET, Premières poésies, « Namouna », XXIV.

B. (Par compar. ou anal.). ♦ **1.** Touffe (de poils). *Oreilles du lynx* (cit. 1) *surmontées d'un pinceau de poils noirs. Cils* (cit. 1) *rayonnant comme des pinceaux. En forme de pinceau, en pinceau.* ⇒ **Pénicillé.**

(...) ses lèvres rentraient sous ses gencives, et elle avait tout autour de la bouche des pinceaux de poils blancs qui lui donnaient la mine embabouinée d'un chat. HUGO, Notre-Dame de Paris, II, VII, VII. 4

♦ **2.** (1691). Faisceau lumineux constitué par les rayons émis par une source ponctuelle et passant par une ouverture étroite. *Un pinceau de lumière.*

♦ **3.** (XXe). Techn. Dans une gare de triage, groupe de voies issues d'une branche commune.

♦ **4.** Pop. (Dér. plaisant de *pince* I., 4.). Jambe, pied. *Tricoter des pinceaux. S'embrouiller les pinceaux.* — Vx. (1800). *Coup de pinceau :* coup de pied.

DÉR. **Pinceauter.** — V. **Pincelier.**

PINCEAUTAGE [pɛ̃sotaʒ] n. m. — 1838; de *pinceauter.*

♦ Techn. Opération qui consiste à pinceauter.

PINCEAUTER [pɛ̃sote] v. — 1806; de *pinceau.*

♦ Techn. Faire des retouches au pinceau (pour réparer les défauts d'une étoffe imprimée, d'un papier peint).

DÉR. **Pinceautage, pinceauteur.**

PINCEAUTEUR, EUSE [pɛ̃sotœʀ, øz] n. — 1829, au fém.; de *pinceauter.*

♦ Techn. Ouvrier chargé de faire des retouches au pinceau. « *Employé comme pinceauteur en atelier* » (É. Souvestre, *Au bord du lac,* 1852).

PINCE-CUL [pɛ̃sky] n. m. — 1867; de *pincer,* et *cul.*

♦ Fam., vx. Maison de tolérance. ⇒ **Bordel.**

C'est pas vrai que dans Bar-le-Duc nous avons fichu une noce à tout casser? — certainement, à tout casser! — même que nous y avons rencontré un civil qui nous a emmenés au pince-cul (...) COURTELINE, le Train de 8 h 47, Épilogue.

PINCÉE [pɛ̃se] n. f. — 1642; de *pincer.*

♦ **1.** Quantité que l'on peut prendre (d'une poudre, de grains...) en les pinçant entre les doigts. ⇒ **Contenu, quantité.** *Une pincée de sel, de poivre* (→ Dérober, cit. 31). *Mettre deux ou trois pincées de thé dans la théière. Une pincée de tabac.* ⇒ **Prise.**

Il (...) tira sa tabatière, l'ouvrit, m'offrit du tabac; et, sur mon refus, il en saisit une forte pincée. BALZAC, Autre étude de femme, Pl., t. III, p. 247. 1

Il demeura un moment pensif, prenant machinalement des pincées de poudre de bois dans la sébile à sécher l'encre qui était sur la table (...) HUGO, les Misérables, I, VI, II. 2

♦ **2.** (1883). Fam. Somme d'argent (idée de la liasse, qu'on peut pincer entre deux doigts). *Dans ce coup, il a ramassé une bonne, une sacrée pincée.*

PINCE-FESSE ou PINCE-FESSES [pɛ̃sfɛs] n. m. invar. — 1948; de *pincer,* et *fesse.*

♦ Fam. Bal, surprise-partie, réception où les invités se tiennent mal. — Avec une nuance de péjoration ironique, par plaisanterie. Toute réception. *Vous viendrez à notre petit pince-fesse, vendredi soir?*

PINCE-JUPE [pɛ̃ʒyp] n. m. — Mil XXe; de *pincer,* et *jupe.*

♦ Rare. Dispositif analogue à un cintre, et qui permet de ranger une jupe après l'avoir serrée entre deux branches articulées.

Il insiste sur l'abondance des placards où pendouillent cintres et pince-jupes dégarnis par Selma. H. BAZIN, Un feu dévore un autre feu, p. 191.

PINCELIER [pɛ̃səlje] n. m. — 1621 ; de *pincel,* anc. forme de *pinceau.* → Pinceau.

♦ Techn. Petit récipient à deux godets dont l'un contient l'huile pour mêler les couleurs, et l'autre l'essence pour nettoyer les pinceaux.

PINCE-MAILLE [pɛ̃smɑj] n. m. — 1482 ; de *pincer,* et *maille.*

♦ Vx. Personne d'une avarice extrême. ⇒ **Avare** (→ Amasser, cit. 1).

PINCEMENT [pɛ̃smɑ̃] n. m. — 1554, au sens 2 ; de *pincer.*

♦ **1.** (1596). Action de pincer ; son résultat. *Pincement de la peau. Massage par pincement.*

Rare. Action de pincer. ⇒ **Pinçage, pinçade.** — Spécialt, mus. Action de pincer (les cordes d'un instrument). *Le pincement des cordes dans un clavecin* (cit. 2).

Arbor. (1690). Opération qui consiste à couper l'extrémité d'un jeune rameau, afin de faire refluer la sève dans les parties que l'on veut développer. — REM. On dit aussi *pinçage.* ⇒ **Taille.** *Pratiquer le pincement sur la vigne, les arbres fruitiers.*

♦ **2.** Vx. Critique, raillerie piquante qui fait mal. ⇒ **Pincer** (I., 4.).

1 Et moi chétif, je vis ! et je traîne ma vie
Entre mille douleurs, dont la bourrelle envie
Me tourmente à grand tort de pincements cuisants,
RONSARD, Pièces retranchées, Le bocage (1554), « Épitaphe H. Salel ».

♦ **3.** Mod. *Pincement au cœur :* sensation de douleur et d'angoisse, comme si le cœur était brusquement pincé. Cf. Serrement (de cœur). *Ce pincement au cœur, ce frisson* (cit. 12) *à la vue de certaines petites choses navrantes.*

2 Quant à Patrice Périot, il éprouvait une sorte de pincement au cœur. Oh ! un pincement essentiellement moral et qui intéressait non le muscle gorgé de sang, mais cette partie de l'être que les savants mécanicistes, eux-mêmes, sont bien obligés d'appeler le cœur, comme tout le monde. G. DUHAMEL, le Voyage de P. Périot, VIII.

♦ **4.** (XXe). Techn. (autom.). Convergence des roues avant non motrices d'un train avant classique.

♦ **5.** Sc. *Effet de pincement :* effet résultant de l'interaction d'un courant intense traversant un plasma avec son champ magnétique.

PINCE-MI, PINCE-MOI [pɛ̃smipɛ̃smwa] n. m. — D. i. ; de *pincer,* et altér. de *moi.*

♦ Fam. (enfantin ; nom d'une comptine). Jeu où l'on se pince en amenant le joueur naïf à dire « pince moi » (Pince-mi et Pince-moi sont dans un bateau ; Pince-mi tombe dans l'eau ; Qu'est-ce qui reste ?).

(...) je donne le change en trimbalant des paperasses d'un air grave et compassé, sans oublier de faire du pince-mi et pince-moi à Martine chaque fois que je la croise dans un couloir... SAN-ANTONIO, le Secret de Polichinelle, p. 101.

PINCE-MONSEIGNEUR [pɛ̃smɔ̃sɛɲœʀ] n. f. ⇒ **Monseigneur** (2.).

PINCE-NEZ [pɛ̃sne] n. m. invar. — 1856 ; de *pincer,* et *nez.*

♦ Vieilli. Lorgnon*, binocle* (→ Lunette, cit. 3), qu'un ressort pince sur le nez.

Un grand gaillard aux cheveux taillés en brosse était assis au bar, les yeux fixes derrière un pince-nez (...) SARTRE, la Mort dans l'âme, p. 31.

PINCE-NOTES [pɛ̃snɔt] n. m. invar. — Déb. XXe ; de *pincer,* et *notes.*

♦ Pince métallique à ressort qui sert à maintenir des papiers en liasse.

PINCER [pɛ̃se] v. tr. — Conjug. *placer.* — V. 1160, « saisir qqn moralement » ; orig. incert., p.-ê. d'un rad. expressif *pints-.*

★ **I.** ♦ **1.** (V. 1175). Serrer (spécialt une partie de la peau, du corps) entre les extrémités des doigts, entre les branches d'une pince ou de tout autre objet faisant fonction de pince. *Pincer le bras, la joue, l'oreille... de qqn* (→ Niche, cit. 2). *Pincer qqn, le pincer jusqu'au sang* (→ Douter, cit. 14 ; hargne, cit. 3 ; par, cit. 10). *Pincer le revers de son veston, un lambeau* (cit. 3) *de drap... entre le pouce et l'index* (→ Œillade, cit. 2). — (XIIIe). En parlant d'un animal. *Crabe qui pince la chair vive* (→ Fermer, cit. 11). — (Choses). *La porte en se refermant lui a pincé un doigt. Se pincer les doigts dans une porte.*

1 Chemin faisant, Suzanne se laissait tomber la tête sur mon épaule, me prenait le menton, me tirait les oreilles, me pinçait les côtés. DIDEROT, Jacques le fataliste, Pl., p. 678.

Les hommes aimaient à la pincer, parce qu'ils pouvaient la pincer partout sans jamais rencontrer un os. ZOLA, l'Assommoir, VII, t. I., p. 282. 2

(...) il choisissait un poil de sa barbe, le pinçait entre deux ongles, l'arrachait brusquement, au prix d'une douleur ravigotante. J. ROMAINS, les Hommes de bonne volonté, t. II, XII, p. 122. 3

(1680). *Pincer les cordes d'un instrument,* les faire vibrer avec les doigts, avec un plectre (→ Nerf, cit. 9). *Pincer les cordes d'un violon.* ⇒ **Pizzicato.** — (1812). PINCER DE... (le compl. désigne l'instrument dont on pince les cordes). *Pincer du banjo, de la guitare,* en jouer habituellement en amateur, en dilettante. — (Par ext.). Produire (un son) en pinçant les cordes. *Pincer quelques accords* (cit. 21) *sur sa lyre.* — Par métaphore. (Littér.) :

Bien que les instruments fussent gais et que les attitudes fussent celles de la joie, les airs étaient tristes, les notes lentes et rares allaient profondément pincer les fibres endormies du cœur. LAMARTINE, Graziella, II, VI. 4

♦ **2.** T. de jeu (XVIe). *« Je te pince sans rire », « pince sans rire » :* jeu où l'on barbouille le visage d'une personne en le pinçant avec les doigts noircis d'encre ou de charbon, tout en gardant son sérieux sous peine de prendre la place du barbouillé. Fig. (vx). *Pincer sans rire :* plaisanter ou railler qqn en gardant son sérieux, sans avoir l'air d'y toucher. ⇒ **Pince-sans-rire.**

♦ **3.** (1580). Sujet n. de chose. Affecter désagréablement, en produisant une sensation vive et pénible. *Le vent, le froid nous pinçait au visage.* Absolt. *Un froid qui pince* (→ Mordre, piquer). — (1835, H. Monnier). Impers. (Fam.). *Ça pince dur, ce matin !* — REM. On trouve aussi le p. prés. *pinçant* employé adjectivement :

On entendit une porte claquer. Toto affrontait le froid encore pinçant bien qu'on fût aux premiers jours d'avril, pour aller chercher le sucre du colonel. A. LANOUX, le Commandant Watrin, p. 258. 5

♦ **4.** (V. 1460). Fig., vx. Attaquer qqn par des railleries, des critiques. ⇒ **Piquer.**

Je vous dis très sincèrement (...) que je vous pardonne cordialement de m'avoir pincé, que je suis fâché de vous avoir donné quelques coups d'épingles (...) VOLTAIRE, Correspondance, À Trublet, 27 avr. 1761. 6

♦ **5.** (XVIIIe). Serrer fortement de manière à rapprocher, à rendre plus étroit, plus mince. *Pincer les lèvres* (cit. 12) *pour ne pas rire. Pincer la bouche, le bec,* par affectation, pruderie, dépit, etc. *Se pincer le nez pour avaler* (cit. 3.) *une purge.* — Au p. p. → cit. 7 et 9 à 14.

Nana étudia le portrait un instant. Il représentait une femme très brune, au visage allongé, les lèvres pincées dans un sourire discret. On aurait dit tout à fait une dame du monde, avec plus de retenue. ZOLA, Nana, VIII. 7

Le petit vieux eut un clignement de l'œil derrière ses lunettes et pinça les lèvres avec circonspection (...) MARTIN DU GARD, les Thibault, t. IV, p. 170. 8

(...) ses narines étaient pincées comme s'il allait mourir (...) SARTRE, l'Âge de raison, II. 9

C'était un petit homme bourru et chagrin, qui ne manquait pas d'esprit, mais qui était pincé dans la conversation, ricaneur, et assez mauvais plaisant (...) VOLTAIRE, Romans, Cosi-sancta. 10

Toutes deux, elles avaient la dignité pincée, aigre-douce des personnes que chacun est enchanté de plaindre (...) BALZAC, Illusions perdues, Pl., t. IV, p. 536. 11

Il ne rit jamais, ce Rousseau, il est pincé, pleurard ; il fait des phrases qui n'ont pas l'air de venir de son cœur (...) Pisse-froid, oui c'est bien ça ! J. VALLÈS, le Bachelier, VI. 12

Elles *(les jeunes filles)* avaient des chuchotements, des regards qui en disaient long, des sourires pincés, et le rire, l'épouvantable rire, léger qui accueille toutes les grandes et nobles idées qu'ont les jeunes collégiens trop enthousiastes. Valery LARBAUD, Fermina Marquez, XIII. 13

Peut-être, s'il avait été seul avec elle, aurait-il réussi à la retrouver, mais Éliza était entre eux, hostile, pincée, formidable (...) A. MAUROIS, Ariel..., XVII. 14

(Sujet n. de chose). Serrer, en parlant d'un vêtement.

Une redingote de voyage à demi-boutonnée lui pinçait la taille (...) BALZAC, Eugénie Grandet, Pl., t. III, p. 509. 15

♦ **6.** (1850). Techn. (cout.). *Pincer une étoffe, un vêtement,* y faire des pinces*. — (1701). Reliure. *Pincer les nerfs* d'un volume,* les serrer en les faisant saillir. — P. p. adj. *Nerfs pincés,* très fins.

♦ **7.** (1691). Mar., vieilli. *Pincer le vent :* gouverner au près serré ; serrer le vent de trop près.

♦ **8.** Arracher ou couper en pinçant (1.). Vx dans ce sens général (cf. Voiture et Buffon, *in* Littré). — Mod. (1690). Arbor. Arracher ou couper en pinçant (un bourgeon, un rameau). ⇒ **Pincement.**

♦ **9.** Cuis. (XXe). *Pincer une tarte, un pâté, une tourte,* etc., en presser le bord entre deux doigts quand la pâte est encore molle de manière à y imprimer des cannelures, des stries régulières.

★ **II.** ♦ **1.** Fig., vx. Prendre une pincée, une petite quantité de (qqch.).

♦ **2.** Fig. EN PINCER. **a** Vx. « Y prendre part, en goûter » (Littré). *Je suis sûr qu'il en a pincé* (Littré).

b Mod. *En pincer pour qqn :* être amoureux* de lui (parce qu'on prend sa part de l'amour). ⇒ **Aimer.**

Mais c'est pour Lilith que j'en pince : 16
Autres chansons, autres oiseaux. P.-J. TOULET, Contrerimes, « Chansons », XI.

♦ **3.** (1840). Fam., vx. *Pincer une danse :* l'exécuter, la danser.

Croquignol proposa à ses deux vieux copains de s'associer avec lui, ce qui fut conclu séance tenante. Les trois amis trinquèrent à la prospérité de la nouvelle asso- 16.1

ciation et, de joie, en pincèrent un rigodon des plus réussis. La bande des Pieds Nickelés s'était fondée.
L. FORTON, les Aventures des Pieds-Nickelés, *in* l'Épatant, 1908, p. 7.

★ **III.** ♦ **1.** (Fin XIVe). Compl. n. de personne. Arrêter, appréhender, prendre. *La police a découvert sa cachette et l'a pincé.* ⇒ **Arquepincer** (argot), **cueillir.** *C'était bête de se faire* (cit. 277) *pincer, j'ai pris le large.*

17 *Ça* se dit ainsi dans *notre partie. Pincer* un homme, *serrer* un homme, c'est l'arrêter.
BALZAC, les Comédiens sans le savoir, Pl., t. VII, p. 20.

18 — Ah ! la canaille, ce que je le ferais pincer par les gendarmes, si je ne craignais d'être emballée avec lui !
ZOLA, la Terre, V, V.

19 De nos jours, objet d'un mandat d'arrêt international, signalé par le télégraphe, le sieur Casanova, dit de Seingalt, se ferait pincer à l'arrêt du train, dans la première gare, par deux citoyens moustachus, déguisés en simples bourgeois, qui lui passeraient les menottes.
Émile HENRIOT, la Rose de Bratislava, V.

(1798). Prendre en faute, prendre sur le fait. ⇒ **Surprendre.** *Se faire pincer, en flagrant délit d'adultère* (→ Jubilant, cit. 2 ; écoper, cit. 1). *Militaire que les gendarmes* (cit. 5) *ont pincé en vadrouille.*

20 Oh ! les quelques lièvres de la Borderie, il en rêvait, il risquait la prison, pour en bouler un de temps à autre, d'un coup de feu. Fouan, lorsqu'il le voyait prendre son fusil, ne l'accompagnait pas : c'était trop bête, il finirait sûrement par être pincé.
ZOLA, la Terre, IV, III.

21 Il faudra que je reste aux écoutes dans l'antichambre pendant toute une matinée, ça n'est que comme ça que je la pincerai.
SARTRE, l'Âge de raison, VII.

Vx. *Se faire, se laisser pincer :* « être puni de quelque imprudence qu'on a faite » (Académie).

22 (...) Desroches, un peu sot de s'être *laissé pincer par* son confrère (telle fut son expression) (...)
BALZAC, Illusions perdues, Pl., t. IV, p. 924.

♦ **2.** (1900). Fam. *Pincer un rhume, une grippe, etc.*, l'attraper.

22.1 Marthe a pincé un coup de soleil sur son petit nez de bull.
COLETTE, les Vrilles de la vigne, 1908, p. 195.

▶ **PINCÉ, ÉE** p. p. adj.

♦ **1.** (Correspondant aux sens I. de l'actif). [a] *Doigts pincés par une porte.* — Mus. *Instruments à cordes pincées :* instruments dans lesquels les cordes sont mises en vibration sans percussion ni frottement, en étant écartées de leur position de repos par le doigt (guitare, harpe ; sitar, etc.), par un plectre ou un onglet (banjo, mandoline ; cithare ; koto, etc.) ou par un mécanisme exerçant une action comparable (clavecin*, cit. 2 ; 2. épinette), par oppos. aux instruments dits *à cordes frottées** et *à cordes frappées**.

[b] Spécialt (sens I., 5.). Serré (en parlant des lèvres), fermé (bouche, nez). → ci-dessus cit. 7, 9. *Les petits becs pincés et autres puériles afféteries* (cit. 2). *Un nez pincé des narines* (→ Impertinent, cit. 11). *Narines pincées d'un malade.*

Air (2. Air, cit. 6) *pincé de la bouche,* légèrement contraint, dédaigneux, précieux, mécontent. *L'air pincé de ce freluquet* (cit. 2). *Une pimbêche aux airs pincés. Des manières pincées. Sourire pincé* (→ ci-dessus cit. 13). — En parlant de la personne. → ci-dessus cit. 10, 12, 14. *Un personnage raide et pincé.* ⇒ **Sec.** Une *« dignité pincée ».* → ci dessus cit. 11.

[c] (Sens I., 6.). *Taille pincée.*

♦ **2.** (Sens III.). [a] *Être pincé. Il a voulu spéculer en Bourse, il a été pincé.*

23 Prévoyons le pire, dit-il. Je serais pincé, quand le premier symptôme peut-il apparaître ?
MONTHERLANT, les Lépreuses, II, XIV.

[b] Spécialt (par le mal d'amour). *Je crois bien qu'il est pincé,* qu'il est amoureux (⇒ **Mordu**).

24 (...) il commençait à se sentir possédé, à sentir en lui cette présence constante de l'absente qui est le premier signe de l'amour... Et il se disait : « Je crois bien que je suis pincé ».
MAUPASSANT, Mont-Oriol, II, IV.

[c] Au fém. *Être pincée,* enceinte.

25 Maintenant que la Rose est pincée, faudra bien que le vieux Bivaque lâche sa vigne.
G. CHEVALLIER, Clochemerle, p. 88.

26 Dieu merci, aucune des filles qui avaient dit oui à Jean pour aller s'effondrer sur sa veste, dans l'herbe noire et parfois mouillée, ne s'est trouvée pincée.
Michèle PERREIN, le Buveur de Garonne, p. 250.

DÉR. Pinçade, pinçage, pince, pincée, pincement, pinceur, pinchart, pinçon, pinçoter, pinçure.

COMP. Pince-cul, pince-fesse, pince-jupes, pince-maille, pince-mi, pince-moi, pince-monseigneur, pince-nez, pince-notes, pince-sans-rire. — Arquepincer.

PINCE-SANS-RIRE [pɛ̃ssɑ̃ʀiʀ] adj. et n. invar. — 1774 ; du jeu *je te pince sans rire.* → Pincer.

♦ Personne qui pratique l'humour ou l'ironie à froid*. *Les pointes où excellait ce pince-sans-rire supérieur* (→ Fleur, cit. 13). — Adj. *Un air, un ton pince-sans-rire.* ⇒ **Moqueur.**

1 (...) je rencontrais (...) un de ces livres *pince-sans-rire (les Martyrs ridicules, de Léon Cladel),* dont le comique se fait d'autant mieux comprendre qu'il est toujours accompagné de l'emphase inséparable des passions.
BAUDELAIRE, l'Art romantique, Martyrs ridicules.

2 (...) le directeur d'une troupe (...) à la suite d'une contestation avec Francks, l'illustre *pince-sans-rire* Francks, se trouvait soudainement abandonné, au moment d'une représentation, par son premier clown (...)
Ed. de GONCOURT, les Frères Zemganno, XXX.

PINCETTE n. f. ou **PINCETTES** [pɛ̃sɛt] n. f. pl. — 1321 ; de *pince.*

♦ **1.** Anciennt. Petite pince à épiler (→ Arracher, cit. 51). — Mod. *Pincettes d'horloger.*

♦ **2.** (1560). Plur. Instrument de métal à deux branches égales, servant à attiser le feu, à déplacer bûches et tisons sans se brûler. *La pelle et la pincette* (→ Envoler, cit. 2), *et les pincettes* (→ Foyer, cit. 3). *Croissant* retenant la pelle et les pincettes.*

(...) le feu semblait un être pur et fort que l'on tenait en respect, comme une bête cernée au fond de sa tanière, avec des chenets, des pincettes et des tisonniers, instruments ridicules.
J. GREEN, Léviathan, II, IX.

(1835). Loc. *Il n'est pas à prendre, à toucher avec des pincettes :* il est très sale, répugnant, et, fig., méprisable, ignoble (→ 4. Coco, cit. 1). — (1880). Se dit aussi de qqn qui souffre ou qui est de mauvaise humeur et qu'il vaut mieux ne pas approcher.

(...) c'est un maniaque, un braque, un pointu (...) je le reconnais (...) un être susceptible, désagréable, insociable (...) à ne pas prendre avec des pincettes (...)
E. LABICHE, Un monsieur qui prend la mouche, 4.

Ses sales maladies reparaissaient et le faisaient tellement souffrir, qu'il n'était plus bon à prendre avec des pincettes.
ZOLA, Nana, VIII.

♦ **3.** (1867). Fig., fam. (vx). Jambe. ⇒ **Pinceau.** *Tricoter des pincettes :* courir à toutes jambes.

PINCEUR, EUSE [pɛ̃sœʀ, øz] adj. et n. — 1660 ; de *pincer.*

♦ **1.** Rare. Qui pince, qui a l'habitude de pincer. *Un vieux polisson pinceur et peloteur.*

♦ **2.** (1842). N. m. Techn., vx. Ouvrier qui soulève les pierres avec une pince.

♦ **3.** Techn. [a] Outil servant au pinçage des arbres.

[b] Dispositif assurant le maintien de la matière ou de la pièce à travailler, sur une machine-outil.

PINCHARD, ARDE [pɛ̃ʃaʀ, aʀd] adj. — 1870, *in* Littré, *Suppl.* ; var. dial. du normand *pêchard,* proprt de la couleur de la fleur du pêcher, de *pêche.*

♦ Régional. Qui est gris de fer, en parlant d'un cheval, de sa robe. ⇒ **Aubère.** *Un pinchard.*

HOM. Pinchart.

PINCHART [pɛ̃ʃaʀ] n. m. — XXe ; var. de *pinçard,* de *pincer.*

♦ Rare. Pliant à trois pieds. — On écrit parfois *pinchard.*

Écoutez-moi (...) D'abord asseyons-nous. (Lécuyer tendit un pinchard puis s'assit sur sa petite table ...).
Roger BÉSUS, la Vie au sérieux, p. 138.

HOM. Pinchard.

PINÇON [pɛ̃sɔ̃] n. m. — 1640 ; au sens de « l'onglée », XVe ; de *pincer.*

♦ **1.** Marque qui reste sur la peau à l'endroit où on a été pincé. ⇒ **Meurtrissure.** *Se faire un pinçon en bricolant.*

Ce matin, j'ai aidé la bonne à faire à fond la salle à manger, avec déplacement de meubles à grand renfort de muscles, deux ongles cassés et un pinçon au petit doigt.
J. ROMAINS, les Hommes de bonne volonté, t. IX, XXIX, p. 252.

♦ **2.** Fig. Petite douleur provoquée par une peur, une angoisse brève. *Avoir un pinçon au cœur.*

HOM. Pinson.

PINÇOTEMENT [pɛ̃sɔtmɑ̃] n. m. — D. i. ; de *pinçoter.*

♦ Action de pinçoter.

Mandagou, du coup, renforçait, multipliait son vieux tic en pinçotement fébrile du menton pris entre les ongles longs, crasses : des joyaux !
P. GRAINVILLE, les Flamboyants, p. 141.

PINÇOTER [pɛ̃sɔte] v. tr. — Déb. XVIIe ; *pinsotter,* 1569 ; dimin. de *pincer.*

♦ Pincer légèrement.

(...) les faux pestiférés (...) commencèrent à échanger des plaisanteries à voix basse, et à pinçoter les plus jeunes pestiférées.
M. PAGNOL, le Temps des amours, p. 250.

Il pinçotait le bout de son nez puissant, busqué, charnu.
William DE BAZELAIRE, l'Or de la Bérézina, p. 168.

DÉR. Pinçotement.

PINÇURE [pɛ̃syʀ] n. f. — 1530 ; de *pincer.*

♦ **1.** Vx. Action de pincer. — (XVIIIe). Pli qui se fait à une étoffe quand on la foule.

♦ **2.** Rare. (Fin XIXe). Sensation, douleur de qqn qui est pincé. ⇒ **Pincement, serrement.**

PINDA [pinda] n. m. — V. 1903, Larousse ; mot hindi.

♦ Didact. Offrande de sacrifice funéraire (boule de riz), dans l'hindouisme.

PINDARIQUE [pɛ̃daʀik] adj. — 1550 ; du grec *pindarikos,* de *Pindare,* poète grec.

♦ Hist. littér. Qui est dans la manière du lyrisme de Pindare, caractérisé par des thèmes moraux et légendaires, un style imagé et savant et par une forme poétique particulière *(l'ode pindarique).* Vx, péj. ⇒ **Ampoulé.**

DÉR. (Du même rad.) **Pindariser, pindarisme.**

PINDARISER [pɛ̃daʀize] v. intr. — Déb. XVIe ; du rad. de *pindarique.* Vieux, littéraire.

♦ **1.** Anciennt. Imiter le style pindarique.

♦ **2.** Vx, iron. Parler, écrire d'une manière ampoulée ; faire de la poésie lyrique avec affectation et recherche (→ Docte, cit. 3 ; lyrisme, cit. 1).

PINDARISME [pɛ̃daʀism] n. m. — 1578 ; du rad. de *pindarique.*

♦ Didact., littér. Style pindarique ; lyrisme obscur et ampoulé.

PINE [pin] n. f. — V. 1265 ; orig. incert., soit de *pin,* proprt « pomme de pin », soit de *pinne* « épingle », soit enfin du dial. *pine* « flûtiau, sifflet » (P. Guiraud).

♦ Fam. (vulg.). Membre viril. ⇒ **Sexe, verge** (→ Bitte, queue).

1 *(Gargantua)* desja commençoit exercer sa braguette (...) L'une des gouvernantes la nommoit sa petite dille, l'aultre ma pine (...) ma petite andouille vermeille (...)

RABELAIS, Gargantua, XI.

2 (...) le collégien branlant en silence sa pine amoureuse ne se sentira donc plus le nez piqué par cette âcre odeur *(des latrines)* qui ajoute à son plaisir. Elle le force à se hâter, et faillissant à vomir de dégoût, il éjacule avec ivresse.

FLAUBERT, Lettre à Louis Bouilhet, 4 sept. 1850, *in* Correspondance, t. I, Pl., p. 681.

PINÉAL, ALE [pineal] adj. — 1503 ; dér. sav. du lat. *pinea* « pomme de pin ».

♦ Anat. (vx). *Glande pinéale, corps pinéal,* ou (mod.) *épiphyse :* glande (généralement considérée comme endocrine) située au-dessous du bourrelet du corps calleux*, entre les tubercules quadrijumeaux antérieurs. ⇒ **Conoïde.** *Syndrome pinéal :* troubles dus aux tumeurs de l'épiphyse. — Mod. Zool. (Chez les reptiles). *La glande pinéale se trouve au-dessus du diencéphale.*

Allus. hist. *Descartes faisait de la glande pinéale* « le siège de l'imagination et du sens commun » (Traité de l'homme), « le siège principal de l'âme » (Passions de l'âme, 31-34).

PINEAU [pino] n. m. — Déb. XVe ; de *pin,* d'après la forme de la grappe. → Pinot.

♦ **1.** Cépage rouge *(pineau d'Aunis)* ou blanc *(pineau de la Loire).* REM. La graphie *pinot* entraîne une confusion avec *pinot.* → Pinot.

♦ **2.** (1829). Vin de liqueur charentais, préparé avec du cognac et du moût de raisin frais. *Boire du pineau, du pineau des Charentes.*

PINÈDE [pinɛd] n. f. — 1842 ; provençal *pinedo,* lat. pop. **pineta,* lat. class. *pinetum,* de *pinus* « pin ».

♦ Bois, plantation de pins (→ Gemmage, cit. ; genêt, cit. 1). — REM. Cette forme provençale est plus courante que les formes *pineraie, pinière, pignade.*

PINÈNE [pinɛn] n. m. — 1903, *Rev. gén. des sc.,* no 4, p. 222 ; cf. *Acide pinique,* 1842 ; du lat. *pinus* « pin », et suff. *-ène.*

♦ Chim. Carbure terpénique de formule $C_{10}H_{16}$, liquide incolore, à odeur résineuse, de densité 0,86, bouillant à 155°. *Le pinène est insoluble dans l'eau, mais se dissout bien dans l'alcool et dans l'éther.* Syn. : *térébenthène.*

La matière première de ce camphre synthétique est un carbure d'hydrogène, le *pinène* ($C_{10}H_{16}$) qui constitue la presque totalité de l'essence de térébenthine ; par une suite d'ingénieuses réactions, on arrive à le transformer en camphre ($C_{10}H_{16}O$).

F. MEYER et L.-J. OLMER, le Papier et les Dérivés de la cellulose, p. 99.

PINER [pine] v. tr. — 1855, Flaubert, *Correspondance,* 10 févr. ; de *pine.*

♦ Fam., vulg. Posséder charnellement (une femme).

1 Colombina, que l'on pina
Do mi, tapote (...)

VERLAINE, Fêtes galantes.

2 J'te fais l'avantage de t'considérer comme quelqu'un de la famille parce que tu t'fais piner par mon fils et qu'j'ai confiance en lui.

Jeanne CORDELIER, la Passagère, p. 74.

Intransitif. Faire l'acte charnel.

3 Je grossis, je deviens bedaine et commun à faire vomir. Je vais rentrer dans la classe de ceux avec qui la putain est embêtée de piner.

FLAUBERT, Lettre à Louis Bouilhet, 10 févr. 1855, *in* Correspondance, t. II, Pl., p. 750.

PINERAIE [pinʀɛ] n. f. — 1873 ; de *pin.*

♦ Rare. Bois, plantation de pins. ⇒ **Pinède.**

(...) des pineraies surgissaient çà et là avec la senteur des résines (...)

M. GENEVOIX, Raboliot, I, IV.

PINGOUIN [pɛ̃gwɛ̃] n. m. — 1698 ; *penguyn,* 1598 ; *pinguin,* 1602 ; angl. *pinguin* (XVIe) ; d'orig. obscure.

♦ **1.** Oiseau palmipède alciforme *(Alcidés*),* scientifiquement appelé *alca,* à plumage blanc et noir, piscivore, habitant les régions arctiques. *Le grand pingouin* (Alca impennis) *est une espèce éteinte. Le petit pingouin* (Alca torda), *de la taille d'un pigeon, vole aussi bien qu'il plonge et nage.* — Par ext. *Pingouin* se dit de tous les *Alcidés.* ⇒ **Guillemot, macareux, mergule.** *Les pingouins et les manchots* (cit. 5). — Allus. littér. *L'Île des pingouins,* œuvre d'A. France. — Abusivt. *Pingouin* s'est longtemps dit, et se dit encore dans la langue courante, en parlant des *manchots*.*

On a donné indistinctement le nom de *pingouin* ou *pinguin* à toutes les espèces de ces deux familles *(pingouins* et *manchots),* et c'est ce qui les a fait confondre *(... Aux différences constatées par Edwards...)* nous (...) ajoutons une autre encore plus essentielle, c'est que dans les espèces de ces oiseaux du Nord le bec est aplati, sillonné de cannelures par les côtés et relevé en lame verticale, au lieu que dans celles du Sud il est cylindrique, effilé et pointu. Ainsi tous les pingouins des voyageurs au Sud sont des manchots (...)

BUFFON, Hist. nat. des animaux, Pingouins et manchots.

♦ **2.** (Probablt v. 1940, selon Cellard et Rey). Fam. Personnage, bonhomme. ⇒ **Indien.** — (Avec un poss.). Compagnon, ami.

DÉR. **Pingouinière.**

PINGOUINIÈRE [pɛ̃gwinjɛʀ] n. f. — 1876 ; de *pingouin.*

♦ Zool. Lieu où les pingouins se rassemblent pour nicher.

PING-PONG [piŋpɔ̃g] n. m. — 1901, en franç. comme en angl. ; nom déposé, onomat. en angl., jeu inventé v. 1880 par James Gibb ; cf. *Dict. des anglicismes,* Rey-Debove et Gagnon.

♦ Jeu de tennis de table, qui se joue sur une table de dimensions déterminées, partagée par un filet bas, avec des raquettes pleines et des balles de celluloïd. ⇒ **Tennis** (de table). *Joueur de ping-pong.* ⇒ **Pongiste.**

(...) il faudrait savoir, une fois pour toutes, à quoi nous jouons. Moi, je joue au ping-pong. — Ah, les carrés te gênent ? (ils jouent sur une table divisée en carrés) (...) tu veux jouer (...) sans carrés ni côtés (...) Eh bien, qu'à cela ne tienne, essayons (... ils jouent...) — Tu vois, tu l'as quand même ratée. — Je regrette, je ne l'ai pas ratée, c'est le filet qui l'a arrêtée. — Ah ! le filet aussi te gêne ?

A. ADAMOV, le Ping-pong, 12.

Par ext. Matériel de ping-pong. *Acheter un ping-pong. Installer un ping-pong dans l'arrière-salle d'un café.*

PINGRE [pɛ̃gʀ] n. m. et adj. — XVIIIe, Vadé, selon P. Larousse ; mot pop. d'orig. obscure, déjà employé comme n. propre en 1406, p.-ê. var. de *épingle,* le « vendeur d'épingles » étant assimilé à la mesquinerie (voir Guiraud).

♦ Avare (avec une idée de mesquinerie). *C'est un vieux pingre.* ⇒ **Chiche, ladre, radin.**

1 — Il te faudrait beaucoup plus d'une nuit pour gagner cinq cents dollars. — Surtout si j'ai affaire à des pingres comme toi.

SARTRE, la P... respectueuse, I, 2.

Adj. *Il, elle est très pingre.*

2 Et s'il était vrai que Madame Colombe, l'écrivain était millionnaire, pourquoi privait-elle Madame Bourroux, la femme, de viande, disant « que cela coûtait trop cher (...) » ?
— Ah !! pingre comme elle est, elle ne me laissera rien dans son testament (...)

Marie-Claire BLAIS, Une liaison parisienne, p. 62.

CONTR. **Généreux, large, prodigue.**
DÉR. **Pingrerie.**

PINGRERIE [pɛ̃gʀəʀi] n. f. — 1873, Verlaine, *Lettre à Rimbaud ;* de *pingre.*

♦ Avarice. *La pingrerie de qqn. — (Une, des pingreries).* Trait d'avarice mesquine. *Une pingrerie révoltante* (→ Envers, cit. 7). ⇒ **Ladrerie, lésine, radinerie.**

CONTR. Générosité, largesse, prodigalité.

PINIÈRE [pinjɛʀ] n. f. — 1569, *pinnière ;* de *pin.*

♦ Rare. Pinède*.

PINIFÈRE [pinifɛʀ] adj. — 1842 ; lat. *pinifer,* de *pinus* « pin », et *-fère.*

♦ Didact. Producteur de pins ; où poussent les pins. *Région pinifère.*

PINK [pɛ̃k] n. f. ⇒ **Pinque.**

PINNE MARINE [pinmaʀin] n. f. — 1611 ; lat. *pinna,* aussi *pina,* grec *pinna.*

♦ Mollusque lamellibranche *(Anisomyaires),* à coquille triangulaire, communément appelé *jambonneau,* et dont le byssus soyeux peut être tissé. — REM. L'emploi de *pinne,* sans adj., est rendu difficile par l'existence de l'homonyme *pine.*

PINNIPÈDES [pinipɛd] n. m. pl. — 1829 ; du lat. *pinna* « nageoire », et *pes, pedis* « pied ».

♦ Zool. Ordre de mammifères placentaires adaptés à la vie aquatique, à corps pisciforme couvert d'une fourrure. ⇒ 1. **Morse, otarie, phoque.** — Au sing. *Un pinnipède.*

PINNOTHÈRE [pinɔtɛʀ] n. m. — 1611 ; du lat. *pinoteres,* grec *pinnotêrês* « qui garde la *pinne marine* ».

♦ Zool. Petit crabe commensal de certains mollusques (moules) et ascidies.

Un pinnothère, c'est un petit crabe qui vit en parasite à l'intérieur des moules.
René FALLET, Y a-t-il un docteur dans la salle ?, p. 164.

1. PINNULE [pinyl] n. f. — 1528 ; du lat. *pinnula,* dimin. de *pinna, penna* « aile ».

♦ Didact., techn. Chacune des plaques dressées perpendiculairement aux extrémités d'une alidade et percée de trous (ou de fentes) servant aux visées topographiques. *Prendre un alignement* en visant par les pinnules.*

Le patron passait à chaque instant du compas de route au compas de variation, visant par les deux pinnules aux objets de la côte, afin de reconnaître l'aire de vent à laquelle ils répondaient. HUGO, l'Homme qui rit, I, II, III.

2. PINNULE [pinyl] n. f. — 1555, « petite nageoire » ; du lat. *pinnula* « aileron ».

♦ **1.** Zool. (Chez les poissons). Petite nageoire.

Les Thons et les Maquereaux possèdent, en arrière de deux dorsales normales — la première épineuse et la seconde molle — une série de pinnules qui relient la dorsale molle à la caudale et portent ainsi le nombre des dorsales à dix ou douze.
R. et M.-L. BAUCHOT, les Poissons, p. 18.

(1903). Appendice des bras (de certains échinodermes).

♦ **2.** (1869). Bot. Division d'une fronde de fougère.

PINOCYTOSE [pinositoz] n. f. — 1931 ; du rad. du grec *pinein* « boire », *cyt-,* et *-ose,* d'après *phagocytose.*

♦ Physiol. « Mécanisme par lequel les cellules englobent les très petites gouttelettes de liquide provenant du milieu extracellulaire » (Manuila).

Godina (1955) a distingué deux types d'expansions terminales des fibres nerveuses en croissance. (...).
La croissance en longueur des fibres est favorisée par des phénomènes de pinocytose. Des gouttelettes liquides peuvent pénétrer à l'intérieur de la fibre, notamment lorsqu'elle se dispose en membrane à son extrémité.
Jean VERNE et Simone HÉBERT, la Culture de tissus, p. 55.

Mode d'ingestion des molécules par les cellules vivantes par isolement au sein d'une vacuole et action enzymatique.

PINOT [pino] n. m. — Fin XIVe ; de *pin.* → Pineau.

♦ [a] *Pinot noir, pinot gris :* cépages (distincts du pineau*). *Pinot noir :* cépage rouge qui sert notamment à la production des bourgognes rouges et des champagnes (vinifié en blanc). *Pinot gris :* cépage d'Alsace.

[b] *Pinot noir :* vin alsacien rosé (« noir » = d'une robe moins claire que les autres alsaces, tous blancs) fait avec du raisin pinot gris.

PIN-PON [pɛ̃pɔ̃] interj. — XXe ; onomat., avec infl. de *pompier.*

♦ Onomatopée exprimant le bruit des avertisseurs à deux tons des voitures de pompiers (souvent répété). *Pin-pon, pin-pon !* — Par plaisant. (dans une situation où l'on veut signifier l'inconscience, le délire, la folie dangereuse de celui qui parle ou dont on parle. Cf. les plaisanteries analogues : « au secours », « au fou, lâchez les chiens », etc.). *Il était parti en randonnée dans la montagne en short et en sandalettes. Pin-pon !*

PINQUE [pɛ̃k] n. f. — 1688 ; *pinquet,* 1634 ; *pincre,* 1664 ; néerl. *pink* « grand bateau de pêche ».

♦ Mar. anc. Voilier à trois mâts et à antennes, à poupe élevée et à varangues plates, en usage dans la Méditerranée jusqu'au XIXe siècle.

PINSCHER [pinʃɛʀ] n. m. — 1932 ; mot allemand.

♦ Race de chiens parents des dobermanns. *Pinscher moyen, nain.*

PINSON [pɛ̃sɔ̃] n. m. — XIIIe ; *pinçun,* v. 1190 ; bas lat. **pincio, onis,* probablt mot gaulois d'orig. onomatopéique.

♦ Oiseau passériforme *(Passereaux, Fringillidés),* scientifiquement appelé *Fringilla,* à plumage bleu verdâtre mêlé de noir et de roux, à bec conique. *Le pinson est granivore et insectivore ; c'est un excellent chanteur.* ⇒ **Ramager** (→ Cage, cit. 3). *Pinson des Ardennes, de montagne ; pinson des neiges.*

Monsieur Pinson fut décrit d'abord ; son bec ardoisé, sa huppe bleue, sa poitrine d'un rose saumoné, et les marques blanches de ses ailes ; sa démarche aussi, un peu gauche et balancée, car le pinson ne sautille pas. En revanche il vole en tourbillon, fait des crochets et des bonds dans l'air, plonge, remonte, joue, et de nouveau promène gravement sur la route son costume de cérémonie.
ALAIN, Propos, 23 juin 1921, Le pinson.

Loc. *Être gai, joyeux comme un pinson.* — (Par allus. à la gaieté supposée du pinson). *Mimi Pinson :* héroïne d'un conte de Musset (1845), type de la jeune ouvrière gaie et travailleuse.

DÉR. Pinsonnière.
HOM. Pinçon.

PINSONNIÈRE [pɛ̃sɔnjɛʀ] n. f. — 1768 ; de *pinson.*

♦ Régional. Mésange* charbonnière.

PINTA [pɛ̃ta] n. f. — XXe ; mot esp., de *pintar* « peindre ». Cf. *Mal del pinto,* désignant une affection voisine.

♦ Méd. Maladie infectieuse bénigne, endémique en Amérique tropicale, provoquée par un tréponème très proche de celui qui est responsable de la syphilis, caractérisée par des taches cutanées squameuses de diverses couleurs (blanches, beiges, rouges, violacées).

PINTADE [pɛ̃tad] n. f. — 1643 ; *pintarde,* 1637 ; du port. *pintada* « tachetée », de *pintar* « peindre ».

♦ **1.** Oiseau gallinacé *(Phasianidés)* scientifiquement appelé *Numida,* de la taille de la poule, au plumage sombre semé de taches claires. *La pintade, originaire d'Afrique, est élevée comme volaille dans de nombreux pays. Petit de la pintade.* ⇒ **Pintadeau.**

(...) ces grosses pintades bleues, empêtrées dans leur plumage comme pour une noce et si maladroites quand elles sautaient en toussant d'une branche à l'autre (...)
CÉLINE, Voyage au bout de la nuit, p. 164.

♦ **2.** Vx. Coquillage tacheté (⇒ **Pintadine**).

DÉR. Pintadeau, pintadine, pintadon.

PINTADEAU [pɛ̃tado] n. m. — 1771 ; de *pintade.*

♦ Petit de la pintade. *Une pintade et ses pintadeaux.* — Jeune pintade. (Var. mérid. *pintadon*). — (En cuisine). *Pintadeau rôti.*

PINTADINE [pɛ̃tadin] n. f. — 1842 ; *pintade,* 1776 ; de *pintade,* au sens de « coquillage tacheté ».

♦ Huître perlière. ⇒ **Méléagrine.**

PINTADON [pɛ̃tadɔ̃] n. m. — 1881 ; de *pintade.*

♦ Régional (Midi de la France). Pintadeau.

PINTE [pɛ̃t] n. f. — V. 1260 ; du lat. pop. *pincta* « (mesure) peinte », c.-à-d. « marquée » ; lat. class. *picta,* de *pingere.* → Peindre.

♦ **1.** Hist. Ancienne mesure de capacité pour les liquides. *La pinte de Paris valait un peu moins du litre* (0,93 l). *Demi-pinte.* ⇒ **Chopine, quarte** (= 2 pintes), **setier.**

♦ **2.** Par ext. Récipient contenant une pinte. *Une pinte d'étain.* — Le liquide contenu. *Boire une pinte de vin, de bière.*

(...) il voulait bien demander pardon, à condition qu'il embrasserait la fille, que l'on irait boire une pinte de vin au prochain cabaret et qu'on se quitterait bons amis. G. SAND, la Mare au diable, XIV.

2 Et des pintes qui tout à coup rayonnent,
Sur le comptoir, en pyramides de couronnes (...)
VERHAEREN, les Villes tentaculaires, « Les usines ».

Loc. fig. *Se payer une pinte de bon sang :* bien s'amuser, se réjouir. *S'en payer une pinte.*

3 Dans le genre rigolo, je trouve qu'on fait beaucoup mieux. Parle-moi d'un canard qui se prend au sérieux, celui-là ou un autre. Moi, je le déclare nettement, je m'en paie une pinte. A. SERGENT, Je suivis ce mauvais garçon, p. 70.

♦ **3.** Mesure de capacité anglo-saxonne, utilisée au Canada (après 1760), valant 2 chopines* ou un quart de gallon*, soit 1,136 litre (abrév. : *pte*). *Une pinte de lait.* — REM. Cette mesure disparaît progressivement au Canada depuis l'adoption du système métrique.

♦ **4.** (XVIIe). Régional (Suisse). Café, bistrot.

4 Deux pintes, l'Auberge communale et le Café de l'Ours mariaient leur toiture aux constructions environnantes. A.-L. CHAPPUIS, le Troupeau errant, 1972, p. 12.

DÉR. Pinter.
HOM. Peinte (fém. de *peint.* V. **Peindre**).

PINTER [pɛ̃te] v. — V. 1270; de *pinte.*

♦ Fam. V. intr. Boire beaucoup. ⇒ **Picoler.** *C'est un homme qui ne fait que pinter* (Académie, 1936). *Il pinte sec.* — V. tr. *Pinter du gros rouge.* — V. pron. *Se pinter :* se saouler.

▶ **PINTÉ, ÉE.** p. p. adj. *Il est pinté. Il est revenu complètement pinté.* ⇒ **Ivre, saoul ; pété.**

PIN-UP [pinœp] n. f. — 1944; *pin up girl,* 1945; mot anglo-amér. *pinup,* de *to pin up* « afficher, épingler (au mur) ».

Anglicisme.

♦ **1.** Photo de jolie fille peu vêtue épinglée au mur. — REM. On écrit aussi *pin up,* sans trait d'union. Le plur. est *pin ups* ou (invar.) *pin up.*

1 Ne confondons pas les pin up avec les nus de la Grèce et de l'Inde, dont les sensualités si différentes reliaient l'homme au cosmos. MALRAUX, les Voix du silence, p. 523.

♦ **2.** Jeune femme dont le physique correspond aux critères promus par la publicité, le cinéma de son époque.

2 La chanteuse-danseuse qui paraît sur la scène est le premier personnage non caricatural de dessin animé qui soit réussi. C'est une pin-up girl à peine stylisée, qui danse et qui chante comme une actrice en chair et en os. Tex Avery l'a si amoureusement animée qu'elle a un réel pouvoir de séduction. J. DONIOL-VALCROZE, *in* Revue du cinéma, 1er févr. 1947, (*in* D. D. L., II, 7).

Vieilli. Jolie fille. — Adj. *Elle est très pin-up.*

PIN-UP BOY [pinœpbɔj] n. m. — 1946; sur le modèle de *pin-up girl.* → Pin up.

♦ Anglic. Rare. Jeune homme dont le physique correspond aux critères promus par la publicité, le cinéma de son époque.

PINYIN [pinjin] adj. et n. m. — V. 1970; mot chinois « épellation ».

♦ Ling. Système alphabétique (ou alphabet phonétique) chinois établi vers 1955, généralisé par le gouvernement chinois en 1978 dans la transcription des textes à l'usage de l'Occident. *Dans la transcription pinyin, « Mao Tsē-tung » devient « Mao Zedong ».*

Dès la constitution de la République populaire de Chine, en 1949, une nouvelle transcription fut mise en chantier. En 1955, il fut décidé qu'on utiliserait les lettres latines de préférence aux cyrilliques ou à tout autre système du type *kana,* afin de faciliter la transcription des noms étrangers et les échanges internationaux. En 1956, un projet d'alphabet fut diffusé dans tout le pays, pour discussion et critique. Après quelques remaniements, il fut adopté en février 1958. C'est l'Alphabet phonétique chinois (A. P. C.), qu'on désigne plus généralement par le terme *pinyin* « épellation ». Viviane ALLETON, l'Écriture chinoise, p. 122.

PIOCHAGE [pjɔʃaʒ] n. m. — 1752; de *piocher.*

♦ **1.** Action de piocher. ⇒ **Piochement.**

♦ **2.** Fig. Travail intellectuel acharné. ⇒ 2. **Pioche** (1.).

1. PIOCHE [pjɔʃ] n. f. — 1596; *pioiche,* 1363; de *pic* prononcé [pi], avec le suff. pop. *-oche.*

♦ Outil de terrassier ou de cultivateur, composé d'un fer emmanché, à une pointe d'un côté et un tranchant de l'autre, ou à une pointe et deux pointes. ⇒ 2. **Bigot, houe, pic, piochon.** *Creuser à la pioche.* ⇒ **Piocher.** *Démolir un mur à la pioche. La pioche des archéologues* (cit. 1). *Coup de pioche* (→ Bagnard, cit. 1 ; malchance, cit. 3).

1 (...) il n'est pas de retraite, de maisonnette si délicieuse et si ignorée, que la pioche ne vienne abattre. BAUDELAIRE, la Fanfarlo.

Mélanie se trouvait dans le potager. Une pioche à la main, elle creusait une rigole. 2
Ses mouvements étaient calmes, puissants. H. BOSCO, le Jardin d'Hyacinthe, p. 201.

Par métaphore. *Tête de pioche :* personne entêtée, qui a la tête dure. ⇒ **Têtu.** — *Sourd comme une pioche :* complètement sourd.

DÉR. Piocher.

2. PIOCHE [pjɔʃ] n. f. — 1871 ; déverbal de *piocher.*

♦ **1.** Vx. Action de piocher (I., 2.), travail intellectuel assidu.

(...) je vais avoir du mal à me mettre à la pioche. FLAUBERT, Correspondance, 1183, 11 juin 1871.

♦ **2.** (1861). Action de piocher (II., 2.), de fouiller dans un tas (au jeu).
Tas de dominos où l'on pioche.

PIOCHEMENT [pjɔʃmɑ̃] n. m. — 1869; de *piocher.*

♦ Action de piocher. ⇒ **Piochage.** — Spécialt, techn. Action d'enlever une partie d'une pierre.

PIOCHER [pjɔʃe] v. — 1360; de 1. *pioche.*

★ **I.** V. tr. ♦ **1.** Creuser avec une pioche, un pic. *Piocher et bêcher* (→ Déporté, cit. 2), *et pelleter la terre* (→ Égaliser, cit. 3 ; journalier, cit. 3). ⇒ **Labourer ; fouir.**

Je vois de ma fenêtre au centre de ma vue un homme qui pioche son champ. Il avance pas à pas dans sa tâche, courbé, planté par ses deux jambes en terre — chemise blanche et pantalon bleu — il pioche, et puis met les mains dans la terre. VALÉRY, Mélange, p. 20. 1

♦ **2.** (1788). Fam., vieilli. Travailler* intellectuellement avec ardeur et assiduité. ⇒ **Bûcher** (fam.), **étudier.** *Piocher son programme* (→ Examen, cit. 17), *sa géométrie* (cit. 6). — Absolt. *Piocher pour un concours* (→ Enfoncer, cit. 17).

(...) deux cent cinquante francs de pension ; ce n'est pas le diable : avec cela, il faut piocher, quand on a femme et enfants. BALZAC, Souvenirs d'un paria, *in* Œ. diverses, t. I, p. 223. 2

J'ai bien eu avec Louis Crozet six à huit cents séances de travail *improbus,* de cinq à six heures chacune. Ce travail, sérieux et les sourcils froncés, nous l'appelions *piocher* d'un mot en usage à l'École polytechnique. STENDHAL, Vie de Henry Brulard, 30. 3

♦ **3.** Vx. pop. Battre qqn. — Pron. (1834). *Se piocher :* se battre (Balzac, *le Père Goriot, in* D. D. L.).

★ **II.** V. intr. (1867). ♦ **1.** Fouiller (dans un tas, en ensemble). *Piocher dans le tas.* Absolt. *Piochez, servez-vous.*

Il restait là, piochant dans le tas, pêchant de-ci de-là un fascicule qu'il envoyait sur la cheminée. MARTIN DU GARD, les Thibault, t. VIII, p. 230. 4

♦ **2.** Jeu. (Aux dominos) Prendre un domino au hasard, dans le tas de ceux qui restent sur la table, jusqu'à ce qu'on trouve celui qui convient. (Dans d'autres jeux). Prendre dans la cave.

DÉR. Piochage, 2. **pioche, piochement, piocheur, piochon.**

PIOCHEUR, EUSE [pjɔʃœʀ, øz] n. — 1534 ; de *piocher.*

♦ **1.** Personne qui manie la pioche ; terrassier.

♦ **2.** N. f. (1860, Villermé, in *Revue des Deux Mondes*). Agric. Scarificateur.

La charrue est-elle trop faible pour ameublir le sol à une profondeur convenable, on peut utiliser les piocheuses ou défonceuses. Ces nouveaux engins sont de fortes roues armées sur leurs jantes de dents recourbées (...) qui, sous le mouvement de rotation de l'appareil, produisent un profond déchirement. L. VILLERMÉ, les Machines agricoles, *in* Revue des Deux-Mondes, 1er juil. 1860, p. 229. 0.1

♦ **3.** Fam., vieilli. Travailleur intellectuel, étudiant qui pioche (I., 2.). — Adj. *Élève piocheur.* ⇒ **Bûcheur.**

Un auteur dramatique, comme peu de personnes le savent, se compose : d'abord d'un *homme à idées,* chargé de trouver les sujets et de construire la charpente ou *scénario* du vaudeville ; puis d'un *piocheur,* chargé de rédiger la pièce ; enfin d'un *homme-mémoire,* chargé de mettre en musique les couplets (...) BALZAC, les Employés, Pl., t. VI, p. 928. 1

Là, il travaillait du petit jour au crépuscule, car c'était un piocheur inlassable (...) Ed. et J. DE GONCOURT, Journal, t. I, p. 74. 2

PIOCHON [pjɔʃɔ̃] n. m. — Fin XVe ; *pieuchon,* 1410 ; de *piocher.*

Technique.

♦ **1.** Petite pioche dont le fer comporte une lame tranchante et un marteau ; outil de charpentier servant à tailler les mortaises. ⇒ **Besaiguë.**

♦ **2.** Petite pioche de jardinier à fer mince, large d'un côté et pointu de l'autre. ⇒ **Serfouette.**

Un grand nombre d'outils agricoles tout neufs : une bêche à deux dents, une autre à quatre dents, une sape, un pic, une fourche à pierres, une cognée, une hachette, une masse, deux râteaux, une petite « loube », des piochons, deux pelles, une faux et son manche, deux faucilles. M. PAGNOL, Jean de Florette, p. 140.

PIOLÉ, ÉE [pjɔle] adj. — V. 1240; *pielé*, fin XIIIe; de 1. *pie*.

♦ Vx ou régional. Mi-parti d'une couleur et d'une autre.

PIOLET [pjɔlɛ] n. m. — 1868; mot du Val d'Aoste, du piémontais *piola* «petite hache».

♦ Bâton d'alpiniste en métal (naguère, en bois), muni à l'une de ses extrémités d'une pique et à l'autre d'un fer à pointe et panne horizontale en forme de truelle. ⇒ **Alpenstock.** *Piolet-canne* (pentes faciles). *Piolet-ramasse* (pentes moyennes). *Piolet-ancre* (montées très difficiles). *Piolet-appui* (descente).

1 Le *piolet*, l'alpenstock, un sac sur le dos, un paquet de cordes en sautoir (...) complétaient le harnachement de ce parfait alpiniste.
Alphonse DAUDET, Tartarin sur les Alpes, I.

2 Ni corde, ni piolet. Aucune pratique de la montagne. Aucun espoir de s'en tirer.
GIDE, Journal, 31 mars 1931.

1. PION [pjɔ̃] n. m. — 1470; *poon, peon*, XIIe; du bas lat. *pedo, pedonis* «qui a de grands pieds», puis «qui va à pied». → Péon.

★ **I.** ♦ **1.** Vx. Fantassin (→ Piéton, pionnier). Nom qu'on donnait dans l'Inde aux domestiques à pied (⇒ **Péon**). — Péj. Pauvre hère, individu sans ressources, sans appui.

♦ **2.** Mod. (1833). Surveillant, maître d'internat, dans un lycée, un collège, une institution. ⇒ **Étude** (maître d'étude), **pionne, surveillant.**

0.1 Cet élève (...) avait fait passer des billets pour le savoir; le pion, l'ayant découvert, lui dit des sottises selon son ordinaire.
BAUDELAIRE, Lettre à son frère, 25 mars 1833, *in* D. D. L., II, 7.

0.2 Le lendemain, à l'heure où tous les autres jouaient dans la cour, Jean dans la classe faisait tout seul du mot à mot. Le pion même n'était pas resté, disant : «À dix heures je viendrai chercher vos deux cents vers.»
PROUST, Jean Santeuil, Pl., p. 254.

1 Arriva ensuite une lettre provenant d'un lycée des environs de Paris. On demandait des surveillants pour la rentrée : logé, nourri, blanchi, et deux cents francs par mois (trois ou quatre fois moins qu'un valet de chambre, pour les hommes à qui on confie la jeunesse française). M. de Coantré, qui eût accepté avec joie d'être aide-emballeur, frémit de honte en pensant qu'il pourrait être *pion*.
MONTHERLANT, les Célibataires, II, VI.

Péj. Homme de lettres, intellectuel, autoritaire et pédant.

2 Beauclerc n'est ni poète, ni romancier, ni même critique. Il n'est pas davantage historien ou philosophe, et n'a jamais fait un livre ou quoi que ce fût qui y ressemblât. Il est le Pion, sans épithète, le Pion du siècle, le moniteur et le répétiteur de la conquérante médiocrité.
Léon BLOY, le Désespéré, p. 209.

Adj. *Il a l'air pion. Son ancien titre de surveillant général* (1. Général, cit. 23) *lui avait paru trop pion.*

3 (...) ce colonel un peu pion, qui (...) n'évoque absolument pas le hussard chargeant au galop?
J. ROMAINS, les Hommes de bonne volonté, t. III, XV, p. 201.

★ **II.** (Déb. XIIIe). Aux échecs*, chacun des huit éléments autres que les pièces* ou figures (roi, reine, cavaliers, fous, tours). *Les pions blancs.* — Chacune des pièces au jeu de dames* ainsi qu'à divers autres jeux. *Position des pions sur un échiquier* (cit. 1). *Avancer un pion. Pion qui va à dame* (1. Dame, cit. 20). *Damer* un pion. Pion du jeu de go.* ⇒ **Pierre.** — Fig. *Damer** (cit. 1) *le pion à qqn.*

Par métaphore. (→ Jeu, cit. 44). *N'être qu'un pion sur l'échiquier :* être manœuvré, ne jouer dans une affaire qu'un rôle secondaire et tout passif.

4 Gilieth remettait ainsi, chaque soir, avant de s'endormir, de l'ordre dans son passé. C'était un peu comme une partie d'échecs : il poussait un pion, déplaçait un cavalier, une dame, un événement.
P. MAC ORLAN, la Bandera, V.

DÉR. et **COMP. Pionnage, pionne, pionner, pionnicat, pionnier. — Morpion.**

2. PION [pjɔ̃] n. m. — 1957; de *pi* (π), et *ion*.

♦ Phys. Méson π (pi) ionisé. ⇒ **Méson.** *«Le pion a été découvert en 1947 dans des émulsions nucléaires soumises au bombardement des rayonnements cosmiques»* (*la Recherche*, mars 1980, p. 253).

PIONCER [pjɔ̃se] v. intr. — Conjug. *placer*. — 1827; p.-ê. nasalisation de *piausser*, d'un dial. *piau*. → 2. Pieu «lit».

♦ Fam. Dormir (→ Lumignon, cit. 1).

En argot on ne dort pas, on *pionce*. Remarquez avec quelle énergie ce verbe exprime le sommeil particulier à la bête traquée, fatiguée, défiante, appelée Voleur, et qui, dès qu'elle est en sûreté, tombe et roule dans les abîmes d'un sommeil profond et nécessaire sous les puissantes ailes du Soupçon planant toujours sur elle.
BALZAC, Splendeurs et Misères des courtisanes, Pl., t. V, p. 1044.

PIONE [pjɔn] n. f. — Mil. XIVe, *pyone*, Froissart; *peone*, fin XIIe; du lat. *pæonia*. → Pivoine.
Vieux ou régional.

♦ **1.** Pivoine.

♦ **2.** (1793). Régional (Alsace). Bouvreuil. (On dit aussi *pion*, n. m.).

♦ **3.** (1875). Perroquet multicolore d'Amérique tropicale.

HOM. Pionne.

PIONNAGE [pjɔnaʒ] n. m. — 1879; de 1. *pion*.

♦ Vx. Travail de pion* (1. Pion, I., 2.). ⇒ **Pionnicat.**

Chanlaire est un ancien pion du Puy, qui possède à Nantes un oncle avec lequel il était brouillé pendant le pionnage.
J. VALLÈS, l'Enfant, 1879, *in* D. D. L., II, 7.

PIONNE [pjɔn] n. f. — 1878; fém. de 1. *pion*.

♦ Argot scol. Surveillante dans un établissement d'enseignement.

HOM. Pione.

PIONNER [pjɔne] v. intr. — 1798; de 1. *pion*.

♦ **1.** Jeu. Perdre autant de pièces que l'on en gagne (pièces de même valeur).

♦ **2.** (1876, *in* D. D. L.). Argot scol. (vx). Exercer la fonction de pion.

PIONNICAT [pjɔnika] n. m. — 1938; forme plaisante, p.-ê. d'après *externat, internat* (*in* G. L. L. F.); de 1. *pion*.

♦ Fam. Travail, métier de pion. ⇒ **Pionnage** (vx). — REM. On écrit aussi *pionicat*.

À *l'Opportun (nom d'un journal)*, personne jamais n'avait réfléchi au sort de Villenave. Il appartenait au mécanisme, voilà tout. S'il entravait tant soit peu ce mécanisme, on le changerait, ce serait fini. Il pouvait disparaître, tomber à la cloche ou au pionicat, l'*Opportun* continuerait, avec ou sans Villenave, sa bonne existence d'intestin.
André CAYATTE, les Marchands d'ombre, 1938, p. 237.

PIONNIER, IÈRE [pjɔnje, jɛʀ] n. m. — 1382, *pionnier; peünier*, fin XIe; de 1. *pion* ou du v. *pionner* «piocher», doublet de *piocher* (Guiraud), dans ce cas *peünier, peonier* «fantassin» et *pionnier* «piocheur» seraient distincts.

★ **I.** PIONNIER, n. m. ♦ **1.** Vx. Fantassin. ⇒ **Infanterie** (→ Piéton, pion).

♦ **2.** (1382). Milit. Soldat qui est employé aux travaux de terrassement. ⇒ **Sapeur.** *Le général, qui marchait devant avec cinq mille hommes et des pionniers* (→ Égarer, cit. 2).
Soldat du génie ou d'une unité auxiliaire du génie.

★ **II.** PIONNIER, IÈRE, n. (1828, d'après angl. *pioneer*, d'orig. franç.). Cour. ♦ **1.** (Surtout au masc.). Colon* qui s'installe sur des terres inhabitées pour les défricher. ⇒ **Défricheur.** — REM. *Pionnier* s'est dit d'abord en parlant des défricheurs d'Amérique du Nord au XIXe siècle. → Squatter. — Littér. *Les Pionniers*, roman de F. Cooper.

Katherine Beauchamp (le nom de Mansfield, dont elle a signé ses livres, était celui de sa mère) est née en Nouvelle-Zélande, à Vittoria, d'une vieille famille de pionniers, installée dans l'île depuis le début du siècle dernier. 1
Émile HENRIOT, Portraits de femmes, p. 457.

Elle aurait accepté n'importe quelle aventure pour changer d'horizon. Pionnière en Nouvelle-Zélande, touriste bivouaquant au pôle Nord, maîtresse blanche d'un Africain non raciste, doux et intéressant, femme prêtée aux invités de passage par un mari esquimau hospitalier, n'importe quoi. 1.1
Christine ARNOTHY, Toutes les chances plus une, p. 89.

♦ **2.** Fig. Homme qui est le premier à se lancer dans une entreprise, qui fraye le chemin, prépare les voies. ⇒ **Bâtisseur** (fig.), **créateur, promoteur.**

Adj. PIONNIER, IÈRE : qui ouvre la voie. *Une «opération* (chirurgicale) *pionnière»* (A. Peyrefitte, *in* P. Gilbert).

♦ **3.** Enfant appartenant à une organisation éducative, dans certains pays socialistes. *Palais des pionniers. De jeunes pionnières soviétiques.*

(...) ce même camp modèle d'Artek, paradis pour enfants modèles (...) — ce qui fait que je lui préfère de beaucoup d'autres camps de pionniers, plus modestes (...) 2
GIDE, Retour de l'U. R. S. S., III, p. 56.

1. PIOT [pjo] n. m. — 1534; anc. franç. *pier* «boire», d'abord «siffler», par le dér. *piotter*; plus ou moins croisé avec *pot* (à boire).

♦ Vx ou régional. Vin. — Loc. (vx). *Humer le piot :* boire (du vin).

2. PIOT [pjo] n. m. — XIIIe; dimin. de *pie*.

♦ Rare. Petit de la pie. ⇒ **Piat.**

PIOTTER [pjɔte] v. intr. — 1611, *pioter;* du rad. onomatopéique *pi-;* → Piauler.

♦ Régional. Crier, en parlant de petits oiseaux. ⇒ **Piailler, piauler.**

PIOUPIOU [pjupju] n. m. — 1838; «cri des poussins», 1611; onomat. enfantine désignant les poussins, appliquée par plaisanterie aux jeunes soldats.

♦ Fam., vieilli. Soldat de la ligne; jeune fantassin. *Des pioupious.* ⇒ **Tourlourou.**

1 En bas, les bons Pioupious qui faisaient la sieste
Près des tambours dorés et des rouges canons.
RIMBAUD, Poésies, « Éclatante victoire de Sarrebrück ».

2 Il a fait vivant, ce rôle de la grande Adèle, par un tas d'attitudes de fille à soldat, par un monde de détails caractéristiques, que donne la fréquentation des pioupious. Ed. et J. DE GONCOURT, Journal, t. VII, p. 227.

3 (...) tous les modèles de tenue que les tailleurs des bureaux de l'intendance imaginaient au ministère à Paris pour moderniser l'aspect extérieur du pioupiou français (...) B. CENDRARS, la Main Coupée, *in* Œ. compl., t. X, p. 100.

PIPA [pipa] n. m. — 1734; d'une langue indienne de la Guyane hollandaise.

♦ Batracien anoure, gros crapaud d'Amérique tropicale.

1. PIPE [pip] n. f. — XIIIe; «chalumeau», v. 1220; de 1. *piper.*

★ **I.** ♦ **1.** Vx. Musette, pipeau. — Liturgie anc. Chalumeau dont le célébrant se servait pour boire le vin consacré. — REM. Le sens ancien de «chalumeau», d'où par ext. «tuyau», se retrouve de nos jours dans certaines expressions (Cf. *infra*, I., 2.; II., 3.).

♦ **2.** Mod. (XXe; angl. *pipe*). Techn. *Pipe d'alimentation, d'aération :* tube ou tuyau d'adduction d'un combustible, de l'air. ⇒ **Pipe-line.**

♦ **3.** Ancienne mesure de capacité utilisée pour les liquides et valant un muid et demi. — Régional. Grande futaille de capacité variable suivant les régions. *Une pipe d'eau-de-vie.*

★ **II.** ♦ **1.** (1620). Cour. Tuyau terminé par un petit fourneau* (cit. 10) qu'on bourre de tabac (ou d'une autre substance fumable). (→ Opium, cit. 4; haschisch, cit. 1). ⇒ **Bouffarde** (cit. 1), **brûle-gueule** (cit. 1). *Pipe des Indiens d'Amérique du Nord.* ⇒ **Calumet.** *Pipe orientale, turque.* ⇒ **Chibouque, houka, narguilé.** *Pipe Jacob,* dont le fourneau d'argile blanche représente la tête d'un personnage. *Talon* d'une pipe. Filtre disposé à l'intérieur du tuyau d'une pipe et destiné à arrêter la nicotine. Pipe d'écume* (cit. 5), en «écume* de mer». *Pipe en terre* (→ Fourneau, cit. 9; monture, cit. 4), *en porcelaine, en bois, en racine de bruyère... Terre de pipe.* ⇒ **Terre.** *Tuyau de pipe d'ambre, de corne, d'ébonite. Bourrer* (cit. 1), *débourrer, vider une pipe. Nettoyer sa pipe avec un cure-pipe*. — Culot*, culottage d'une pipe.* ⇒ **Culotter** (2. Culotter, cit. 1). — *Fumer sa pipe* (→ Bastidon, cit.). *Tirer sur sa pipe. Avoir la pipe au bec* (cit. 6), *à la bouche, aux dents. Les pipes belges étaient renommées au* XIXe *siècle.* — Allus. *« Ceci n'est pas une pipe »,* titre d'une peinture de R. Magritte représentant de manière très réaliste une pipe. — Par ext. *Fumer la pipe. Préférer la pipe à la cigarette.*

.1 Il faut mentionner ici que Pencroff, désireux de savoir si cette argile, ainsi préparée, justifiait son nom de «terre de pipe», se fabriqua quelques pipes assez grossières, qu'il trouva charmantes, mais auxquelles le tabac manquait, hélas! Et, il faut le dire, c'était une grosse privation pour Pencroff.
J. VERNE, l'Île mystérieuse, p. 170.

.2 L'un, étendu dans la position de ceux qui font venir auprès d'eux leurs animaux favoris, ayant commodément logé au coin de sa bouche sa pipe bien-aimée, fumeuse et flamme et fumée pour les autres, pour lui si douce, se fait caresser par elle d'une haleine suffisamment attiédie son gosier saturé de viandes et de boissons. En l'aspirant il soulève doucement sa poitrine qui retombe et fait vibrer, en passant lentement d'une position à l'autre, les cordes les plus douces du bien-être.
PROUST, Jean Santeuil, Pl., p. 287.

D'abord, la passion des pipes. Il en possédait une collection estimée. Il en portait toujours plusieurs dans ses poches, et des plus belles et des plus chères. «Véritable bruyère du Cap! Véritable écume de Crimée!» Il caressait longtemps chacun de ces objets et le replaçait, avec une sollicitude de nourrice, dans un étui en peau de Suède plus veloutée qu'une joue d'enfant. Il maniait à tout propos un élégant petit nécessaire où se trouvaient tous les instruments qu'il faut pour bourrer, débourrer, ramoner, écurer les pipes. G. DUHAMEL, Salavin, III, III.

(1808). Loc. fig. (vx). *Fumer sans pipe :* être en colère.

Fam. Contenu du fourneau d'une pipe; quantité qu'on fume en une seule fois. ⇒ 2. **Pipée.** *Allumer* (→ Gesticulation, cit. 2), *griller* (1. Griller, cit. 6) *une pipe. Fumer cinq ou six pipes* (→ Hacher, cit. 2).

Pipes en terre qui servent de cibles dans un tir forain. Casser des pipes. ⇒ **Casse-pipes.**

Loc. *Tête de pipe* (allus. aux figures, souvent comiques, des fourneaux de pipe «Jacob»). Vx. Personne laide et grotesque. — Individu borné. — Mod. *Par tête de pipe :* par personne.

Lambert hausse les épaules et jette rageusement un paquet sur la couverture de Schneider. Moûlu compte les cigarettes : «Quatre-vingts. Ça fait onze par tête de pipe et il en reste trois à tirer au sort. On les distribue?»
SARTRE, la Mort dans l'âme, p. 229.

(Au sens de «gueule»). Loc. *Se fendre la pipe :* rire aux éclats.

Papa et moi on se regarda. On ne savait plus. On avait oublié, et comment savoir maintenant. On avait l'air fin, tout le monde se fendait la pipe. 2.1
Christiane ROCHEFORT, les Petits Enfants du siècle, p. 166.

Fam., vieilli. Juron (euphémisme). *Nom* (cit. 25) *d'une pipe.*

♦ **2.** (1900). Fam. Cigarette. *Passe-moi une pipe* (⇒ **Clope, sèche**).

Mieux vaut passer à la ronde son paquet de pipes, même si ça le vide aux trois quarts de son contenu. Et surtout, vaut mieux montrer son cul que son paquet de pipes. A. SARRAZIN, la Cavale, p. 49. 2.2

♦ **3.** Loc. fam. (1856; p.-ê. du sens de «trachée» (Dauzat), du sens de «tuyau»; Cf. *supra*, I., 1. REM). *Casser sa pipe :* mourir*.

♦ **4.** Loc. vulg. *Faire, tailler une pipe à un homme,* pratiquer sur lui la fellation. ⇒ **Pompier.**

Le souteneur de madame s'appelait Pompée! Sans vouloir me foutre de Germaine, je trouve que faire des pipes pour entretenir un gars qui s'appelle Pompée, c'est un peu de la provocation. Martin ROLLAND, la Rouquine, p. 193. 3

(...) le pantalon tombé sur ses chaussons, il se faisait sucer par Ginette, la cliente du petit jour, qu'il régalait de bière pour une pipe. 4
Jeanne CORDELIER, la Passagère, p. 154.

DÉR. et **COMP. Pipeau,** 2. **pipée, pipette, pipier. — Casse-pipes, cure-pipe.**

2. PIPE [pip] n.m. — 1958; abrév. de *pipeline.*

♦ Techn. Pipeline.

PIPEAU [pipo] n.m. — 1537; XVIe, pour désigner l'un des tuyaux d'une musette (1. Musette, cit. Ronsard); de 1. *pipe.* → Fifre.

♦ **1.** Flûte champêtre. ⇒ **Chalumeau,** 1. **musette.**

(Syn. anc. : *sifflet* de chevrier). Pipeau fait d'un roseau. Le pipeau, instrument des bergers*. — Le pipeau, symbole de la poésie pastorale* (→ Gothique, cit. 1, Boileau).

Au moins un rustique pipeau 1
A-t-il chassé l'ennui de ton rocher sauvage?
Tiens, veux-tu cette flûte? Elle fut mon ouvrage.
Prends. Sur ce buis fertile en agréables sons
Tu pourras des oiseaux imiter les chansons. André CHÉNIER, Bucoliques, V.

Par métaphore :

(...) écoutant, à travers le murmure vivant et chuchoté qu'exhale une forêt, le pipeau mouillé, clair et grelottant d'un merle (...) 2
COLETTE, la Vagabonde, p. 128.

♦ **2.** Appeau. *Attirer les oiseaux avec un pipeau.* ⇒ 1. **Pipée.**

Hubert, quand il fut bien caché, commença d'appeler le canard. Il employait à cet effet deux pipeaux : l'un d'appel, l'autre de réponse. Le voilier lointain entendait; il entendait cette réponse : le canard est si bête qu'il la croyait de lui; de sorte qu'il arrivait vite (...) Hubert imitait parfaitement. 2.1
GIDE, Paludes, *in* Œ. roman., Pl. p. 135.

(Au plur. → 1. Pipée, piper). Petites branches, brins de paille qu'on enduit de glu et qui servent à prendre les oiseaux. ⇒ **Gluau.** *Chasse aux pipeaux.* — Fig. vieilli. ⇒ **Artifice.** *Se laisser prendre aux pipeaux de quelqu'un.*

Elle s'affolait, comme un oiseau pris aux pipeaux. 3
MARTIN DU GARD, les Thibault, t. III, p. 61.

HOM. Pipo.

1. PIPÉE [pipe] n.f. — 1280; de 1. *piper.*

♦ **1.** Chasse dans laquelle on prend les oiseaux au piège (gluaux, pipeaux, etc.) après les avoir attirés en imitant le cri de la chouette et d'autres oiseaux. ⇒ **Frouée.** *Prendre les oiseaux à la pipée.* ⇒ **Piper.** *Chasse à la pipée. Faire une pipée :* préparer tout ce qui est nécessaire pour prendre les oiseaux à la pipée. — Lieu où l'on a disposé les gluaux ou les pièges pour la chasse à la pipée.

Il était, cet oncle Jérôme, le plus fameux chasseur à la pipée que j'aie connu.
F. MISTRAL, Mes origines, Mémoires et récits, p. 118.

♦ **2.** Fig., vx. ⇒ **Piège, tromperie.**

HOM. 2. **Pipée,** 1. **piper,** 2. **piper.**

2. PIPÉE [pipe] n.f. — 1909, → Opium, cit. 4 Farrère; de 1. *pipe.*

♦ Rare. (On dit *pipe*). Quantité d'opium, de tabac, etc. qu'on peut mettre dans le fourneau d'une pipe. ⇒ 1. **Pipe** (II., 1.).

— Donne-moi donc une pipée de tabac, quémandait un vieux.
— Du tabac! Malheureux, ne sais-tu pas, que pour un homme atteint de la nouvelle maladie, le mot tabac se prononce mort?
M. CONSTANTIN-WEYER, Source de joie, VI.

HOM. 1. **Pipée,** 1. **piper,** 2. **piper.**

PIPELET, ETTE [piplɛ, ɛt] n. — 1870; de *Pipelet,* nom d'un concierge dans *les Mystères de Paris,* d'E. Sue, sur le rad. *pip-.*

♦ **1.** Pop., par plais. Concierge* (→ Moyenne, cit. 3). *Une pipelette.* — Loc. *Bavarde comme une pipelette.*

En dépit de la classique pancarte accrochée à la pomme de la rampe, la concierge ne se trouvait pas « dans l'escalier ». Elle était dans la rue, la pipelette et elle arrachait des pavés qu'elle passait à ses locataires.
Francis CARCO, Ombres vivantes, p. 221.

♦ **2.** (xxe). Personne bavarde, qui fait des commérages (surtout au féminin).

PIPELINE [piplin] n. m. — 1884, n. f. in *Année sc. et industr.*; angl. *pipe-line,* formé des mots *pipe* « tuyau », et *line* « ligne », tous deux d'orig. franç. → Pipe, ligne.

♦ Anglic. Tuyau, d'assez grand diamètre, pour le transport à grande distance de certains fluides, spécialement des carburants liquides (hydrocarbures; ⇒ **Oléoduc**), du gaz naturel (⇒ **Gazoduc**), de l'air comprimé, etc., ainsi que de certaines substances pulvérisées telles que la poudre de charbon. ⇒ **Canal, canalisation, tube, tuyau.** *Stations de pompage installées en certains points d'un pipeline. Transport du pétrole* par pipeline. Des pipelines.* Par abrév. ⇒ **Pipe.**

(...) ils poseront bientôt un pipe-line du Cotentin à la Lorraine (...)
Ch. DE GAULLE, Mémoires de guerre, t. III, p. 2.

DÉR. Pipelinier.

PIPELINIER [piplinje] n. m. — 1973; de pipe-line.

♦ Techn. Transporteur par pipeline ou agent du transporteur.

1. PIPER [pipe] v. — V. 1180; « crier », en parlant de la souris, XIIe; lat. pop. *pippare,* class. *pipare* « glousser ».

★ **I.** V. intr. ♦ **1.** Vx. Glousser, piauler.

♦ **2.** Chasse. Imiter le cri de la chouette ou d'autres oiseaux (⇒ **Frouer**); se servir d'un pipeau* pour attirer les oiseaux. — Chasser à la pipée*.

♦ **3.** (Le sujet désignant un poisson). Monter à la surface de l'eau, prendre plus d'oxygène.

♦ **4.** Fam. et cour. *Ne pas piper,* ou (trans.) *ne piper mot :* garder le silence*, ne pas souffler mot (→ 2. Frais, cit. 14).

1 Le curé tiquait bien un peu sur ces plaisanteries, mais comme il touchait plus que sa part, il ne pipait pas (...).
CÉLINE, Voyage au bout de la nuit, p. 354.

1.1 Le chœur chanta les louanges de Nenette et les plus gaffeurs y adjoignirent même celles de meussieu Chignole, mais la famille Brû ne pipa pas ou pipa peu.
R. QUENEAU, le Dimanche de la vie, p. 138.

♦ **5.** Vx. *Piper à... :* exceller, réussir dans... « *En matière de fourbe, il est maître, il y pipe* » (Corneille, *le Menteur,* III, 3).

★ **II.** V. tr. ♦ **1.** Attirer les oiseaux en imitant leur cri; les chasser, les prendre à la pipée.

2 (...) les petits charbonniers trouvèrent leur cabane de ramée, d'où ils pipaient les grives, couchée sur le gazon (...)
Aloysius BERTRAND, Gaspard de la nuit, La pluie.

Pop. et vx. Arrêter, capturer. *Se faire piper.* ⇒ **Prendre.**
Fig. (Vieilli ou littér.). ⇒ **Attraper** (cit. 8), **leurrer, tromper.** *Piper quelqu'un à...* ⇒ **Séduire** (→ Fleur, cit. 36). — Spécialt et vx. *Piper quelqu'un au jeu* (→ Molière, *Monsieur de Pourceaugnac,* I, 2).

3 Et ainsi, le présent ne nous satisfaisant jamais, l'expérience nous pipe, et de malheur en malheur, nous mène jusqu'à la mort, qui en est un comble éternel.
PASCAL, Pensées, VII, 425.

Vx. Acquérir, prendre par un moyen artificieux, malhonnête. *Piper des écus.*

4 Je devais payer la sotte admiration que j'avais pipée lors de l'apparition du *Génie du christianisme;* force m'était de rendre ce que j'avais volé.
CHATEAUBRIAND, Mémoires d'outre-tombe, t. III, p. 8.

♦ **2.** Mod. *Piper des dés, des cartes,* les truquer*. — Au p. p. *Dé* pipé.* — Fig. *Les dés sont pipés :* il faut se méfier, on veut nous tendre un piège.

▶ **SE PIPER** v. pron.
Se tromper soi-même.

5 Et nous voyons que l'âme en ses passions se pipe plutôt elle-même (...)
MONTAIGNE, Essais, I, IV.

DÉR. Pipe, 1. pipée, piperie, pipeur. — (Du même rad. lat. : V. Fifre).

2. PIPER [pipe] v. intr. — 1856; de 1. *pipe.*

♦ Fam. et vx. Fumer la pipe.

PIPÉRACÉES [pipeʀase] n. f. pl. — 1816; du lat. *piper* « poivre ».

♦ Bot. Famille de plantes phanérogames angiospermes, dicotylédones apétales, herbes annuelles ou vivaces ou arbrisseaux à tige simple ou rameuse. ⇒ **Cubèbe, matico, poivrier.** *Les pipéracées croissent dans les régions tropicales; leur fruit est une baie peu charnue.* — Au sing. *Une pipéracée.*

Ce groupe *(des Poivriers),* dont j'avais proposé la formation, soit dans la première édition de cet ouvrage, soit dans la Théorie Élémentaire, vient d'être décrit comme une famille distincte, sous le nom de Piperacées, par Mrs de Humboldt, Bonpland et Kunth.
A. P. DE CANDOLLE, Essai sur les propriétés médicales des plantes, 1816, *in* D. D. L., II, 12.

PIPERADE [pipəʀad] ou **PIPÉRADE** [pipeʀad] n. f. — 1926, mais anc. régionalement; mot dial., aussi *piperada,* de *piper* « poivron », en béarnais, lat. *piper* « poivre ».

♦ Plat de cuisine basque, œufs battus assaisonnés de tomates et de poivrons.

PIPÉRAZINE [pipeʀazin] n. f. — 1903, *Rev. gén. des sc.* n° 9, p. 507 du lat. *piper* « poivre », et rad. de *azo(te).*

♦ Chim. Hexa-hydro-pyrazine de formule $C_4H_{10}N_2$, formant des cristaux solubles. *Urate de pipérazine :* sel de l'acide urique. *Hydrate de pipérazine :* vermifuge.

La pipérazine, employée dans les accès goutteux, devint un vermifuge (...)
A. GALLI et R. LELUC, les Thérapeutiques modernes, p. 11.

PIPER-CUB [pipœʀkœb] n. m. — V. 1945; mots anglo-amér., du nom de la *Piper Aircraft Corporation,* et *cub* « petit d'un animal ».

♦ Nom d'un petit avion d'observation. *Des piper-cubs.*

PIPERIE [pipʀi] n. f. — V. 1460; de 1. *piper.*

♦ **1.** Vx. Tricherie, au jeu.

♦ **2.** Mod. (littér.). ⇒ **Appeau** (fig.), **fourberie, tromperie** (→ Heure, cit. 67, Montaigne; finassier, cit. Renan).

Certes, j'ai eu souvent dépit de voir des juges attirer par fraude et fausses espérances de faveur ou pardon le criminel à découvrir son fait, et y employer la piperie et l'impudence. 1
MONTAIGNE, Essais, III, I.

(Il) se persuadait qu'une amoureuse cède aux plus grossières piperies. 2
F. MAURIAC, le Mal, XI.

PIPERIN [pipʀɛ̃], **PIPÉRIN** [pipeʀɛ̃] n. m. ou **PIPÉRINE** [pipeʀin] n. f. — 1827; du lat. *piper* « poivre ».

♦ Chim. Alcaloïde ($C_{17}H_{19}NO_3$) qui est contenu dans le poivre noir. *La pipérine possède des propriétés antipyrétiques.*

PIPÉRONAL [pipeʀɔnal] n. m. — 1874; mot all., contraction de *aldéhyde pipéronylique,* du rad. de *pipérine.*

♦ Chim. Aldéhyde-ester ($C_8H_6O_3$) dérivé de l'aldéhyde protocatéchique et formé par l'oxydation de l'acide pipérique ($C_{12}H_{10}O_4$). ⇒ **Héliotropine.**

PIPETAGE [piptaʒ] n. m. — 1973, *le Monde* (in *la Clé des mots*); de *pipetter.*

♦ Techn. Emplissage d'une pipette. *Pipetage direct,* par aspiration buccale.

PIPETTE [pipɛt] n. f. — 1688; « petit tuyau », XIIIe; de 1. *pipe.*

♦ **1.** Rare. Petite pipe. *Bourrer, fumer une pipette* (→ Colorer, cit. 13; 1. kif, cit. 1).

Son chapeau de castor, rabattu devant ses yeux, le séparait du paysage; il fumait une pipette de genièvre et abandonnait ses pensées à leur mouvement naturel.
GIDE, les Caves du Vatican, V, I.

♦ **2.** (1836). Cour. Petit tube dont on se sert pour prélever une petite quantité d'un liquide sans le répandre et sans l'agiter. *La pipette, instrument de laboratoire. Compter des gouttes avec une pipette.* ⇒ **Compte-gouttes.** *Pipette de cave.* ⇒ **Tâte-vin.** *Pipette graduée. Pipette filtre,* garnie de papier à filtres.

(...) les deux aides anonymes de Bourrel maintenant difficilement un dogue furieux, vers la gueule duquel Pasteur se penchait, pour aspirer, dans sa pipette, quelques gouttes de la bave virulente (...)
Henri MONDOR, Pasteur, X.

Tube utilisé pour décanter un liquide. — Instrument de laboratoire qui sert à laver les filtres (syn. : *pissette*).

DÉR. Pipetter.

PIPETTER [pipete] v. tr. — Mil. XXe; de *pipette.*

♦ Techn. Prélever (quelques gouttes de liquide) au moyen d'une pipette. « *On élimine les globules rouges (...), on* « *pipette* » *le liquide qui surnage, fait de plasma et de plaquettes* » (*Science et Vie,* n° 594, p. 119).

DÉR. Pipetage.

PIPEUR, EUSE [pipœʀ, øz] ou (rare) **PIPERESSE** [pipʀɛs] n. et adj. — XVe; de 1. *piper.*

♦ **1.** Vx. Tricheur, et par ext. Trompeur. ⇒ **Filou, fourbe** (→ Batteur, cit. 3, Rabelais; demeurant, cit. 2, Marot). — (Choses). *« Que la foi des amants est un gage pipeur! »* (Corneille, *Place royale,* II, 2).

♦ **2.** Rare. Chasseur à la pipée*.

1. PIPI [pipi] n. m. — 1692, *faire pipi;* sorte d'onomat., redoublement de la première syllabe de *pisser*.*

Fam. Dans le lang. enfantin, ou par euphém. (le verbe *pisser* étant souvent considéré comme choquant, et *uriner* étant didactique).

♦ **1.** FAIRE PIPI : uriner. ⇒ **Pisser, uriner** (→ Bravade, cit. 3; faire, cit. 14). *Faire pipi au lit. Faire un petit pipi.*

1 Seules, après déjeuner, les bonnes du quartier menaient les enfants et les chiens de leurs maîtres faire pipi dans le jardin et quelquefois même sur sa porte.
Valery LARBAUD, Barnabooth, I, I.

2 Excuse-moi, dit-il : j'ai envie de pisser. Ce n'est pas honteux, sans doute. C'est quand même humiliant pour un homme qui souffre. Une seconde, s'il te plaît (...) J'aurais pu dire uriner, parce que c'est plus scientifique, ou même faire pipi, comme les gens bien élevés. Bah! Nous sommes des animaux. Je suis un animal désespéré.
G. DUHAMEL, Chronique des Pasquier, V, XX.

2.1 (...) ah, l'exaspérante habitude qu'ont les vieillards de se faire reluire avec leur jeunesse, leurs plus petites insignifiances, pipis de travers, coqueluche en nourrice, leurs langes souillés (...)
CÉLINE, Rigodon, p. 203.

Par exagér. et fam. *C'était drôle, à en faire pipi dans sa culotte!*

3 (...) on riait, et on ne pouvait pas éclater, moi, je vous dis que c'en était à faire pipi.
ARAGON, les Beaux Quartiers, I, XX.

Action d'uriner. *De longs pipis.* — (Anglic. plaisant d'après *living-room,* etc.). *Pipi-room :* toilettes (notamment, d'un lieu public).

♦ **2.** (Enfantin). Urine. *Il y a du pipi sur le mur. Pipi-caca. Ça sent le pipi.*

4 « Tu n'aimes même pas tes enfants! » Si, justement, je n'aimais qu'eux, mais à ma façon. Pas dans les pipi-cacas ni les mièvreries.
Geneviève DORMANN, le Chemin des Dames, p. 127.

Fig. *Du pipi de chat :* mauvaise boisson, fade ou insuffisamment alcoolisée.

5 Ils pouvaient s'aligner, les gens d'Argenteuil! Leur picolo? Du pipi de chat à côté de notre petit vin gris à nous!
Roger IKOR, les Fils d'Avrom, Prologue, p. 28.

♦ **3.** Loc. (Par plais.). *Dame pipi* ou *madame pipi :* personne préposée à la garde et à l'entretien des toilettes dans un lieu public. *Une dame pipi.*

6 Elle me faisait entendre le raclement des seaux des garçons qui nettoyaient le parquet, le babil de la dame des cabinets, le cliquetis de ses aiguilles.
Mme pipi tricote une layette. Elle donne à une copine la recette du cassoulet (...)
P. GUTH, le Naïf locataire, p. 66.

7 « Il nous faudrait un endroit tranquille d'où téléphoner. »
On s'est mis à chercher. C'était pas facile. Presque partout dans les troquets un peu importants, l'appareil se trouvait sous la garde d'une dame-pipi qui demandait les numéros.
Albert SIMONIN, Touchez pas au grisbi, p. 220.

COMP. Touche-pipi.

2. PIPI [pipi] n. m. ⇒ **Pipit.**

PIPIER, IÈRE [pipje, jɛʀ] n. et adj. — 1703; de 1. *pipe.*

Technique.

♦ **1.** N. Artisan, ouvrier, ouvrière, qui fabrique des pipes. *Maître pipier.*

♦ **2.** Adj. Qui est relatif, qui appartient à la fabrication des pipes. *L'industrie pipière.*

PIPISTRELLE [pipistʀɛl] n. f. — 1812; ital. *pipistrello,* déformation d'un anc. *vipistrello;* cf. lat. *vespertilio.*

♦ Chauve-souris* *(Chiroptères)* à oreilles pointues, commune en France et dans l'ancien monde.

PIPIT [pipi] n. m. — 1788; onomat. d'après le cri de cet oiseau.

♦ Oiseau *(Passereaux, Motacillidés)* scientifiquement appelé *anthus. Pipit richard; pipit champêtre* ou *rousseline; pipit des prés.* ⇒ **Farlouse.** — REM. On a écrit aussi *pipi* et *pitpit* [pipi]; la prononc. est inchangée.

PIPO [pipo] n. m. — 1860; orig. inconnue; cf. *Pipo* pour *Hippolyte,* en Suisse.

Argot scolaire.

♦ **1.** (Vx). L'École polytechnique (cf. L'X, carva). *Faire pipo.*

(...) j'entendis parler pour la première fois de Polytechnique, où son fils était entré une vingtaine d'années auparavant. Polytechnique, il disait *Pipo :* le sommet, la couronne, l'Olympe des nouvelles promotions populaires.
Raymond ABELLIO, Ma dernière mémoire, t. I, p. 125.

♦ **2.** (1875). Polytechnicien; candidat à Polytechnique.

HOM. Pipeau.

PIPPERMINT [pipɛʀmint] n. m. — 1891; n. déposé, var. de *peppermint,* de l'angl. *pepper* « poivre », et *mint* « menthe ».

♦ Liqueur à base de menthe poivrée (nom déposé). ⇒ **Peppermint.**

(...) Camélia sert les menthes vertes, en reniflant d'un air dégoûté; ce n'est pas que la menthe verte lui répugne, mais c'est un tic. Le consommateur, avec calme, lui fait remarquer qu'elle lui a servi un picon; elle n'en revient pas; elle se souvient parfaitement avoir pris la bouteille de pippermint; alors ça! Elle retourne changer les consommations.
R. QUENEAU, le Chiendent, p. 248.

PIQUAGE [pikaʒ] n. m. — 1803, « action de repiquer les meules »; de *piquer.*

♦ **1.** Techn. Opération consistant à piquer, à percer.

a Constr. Opération consistant à piquer* (la pierre, le béton, etc.).

b Cout. Action de piquer à la machine. *Piquage à la machine. Le piquage d'une jupe.*

c Action de tracer un dessin en perçant le papier de petits trous successifs, qui permettent éventuellement de le détacher du reste de la feuille. *Exercices de piquage des classes maternelles.*

♦ **2.** Sports. Action de piquer la perche dans le butoir.

(Gym.). Rapide extension des jambes.

♦ **3.** Techn. Raccordement d'une canalisation (tuyauterie ou ligne électrique) sur une autre plus importante. *« Chaque raccordement d'appareil ou chaque piquage devra pouvoir être isolé par circuit séparé »* (*Comment choisir votre caravane,* p. 21). — Cette canalisation elle-même, raccordée à l'autre.

♦ **4.** Action de piquer*, de voler. Spécialt. *Piquage des fûts :* vol de petites quantités de liquides en perçant des trous dans un tonneau entreposé. — *Piquage d'once :* vol de petites quantités de soie, imputées comme déchets.

HOM. Picage.

PIQUANT, ANTE [pikɑ̃, ɑ̃t] adj. et n. — V. 1393 (au goût); de *piquer.*

★ **I.** Adj. ♦ **1.** (1546). Qui présente une ou plusieurs pointes acérées capables de piquer, percer, blesser. *Les feuilles du houx, du chardon, sont piquantes* (→ ci-dessous, II.). *Objets coupants et piquants.* ⇒ **Perforant.** *Cailloux piquants.* ⇒ **Pointu** (→ Immersion, cit. 2).

♦ **2.** Qui donne une sensation de piqûre.

a (Au toucher). *Une barbe piquante* (→ Hérisser, cit. 8). *Lainage rèche et piquant. Un froid piquant* (→ Cabine, cit. 2; entretenir, cit. 1). ⇒ **Aigre.** *Air* (1. Air, cit. 7), *vent vif et piquant.*

Un froid sec, piquant, tonique. G. DUHAMEL, Salavin, I, XX. 1

b (Au goût). *Saveur piquante de certaines épices, du piment, du poivre, de la moutarde.* ⇒ **Aigre, cuisant.** *Moutarde piquante,* extra-forte. *Sauce piquante,* cuite, à la moutarde, au vinaigre et aux cornichons, que l'on sert pour accompagner de la viande. *Côtes de porc à la sauce piquante. Vin piquant.* ⇒ **Piqué.** — (1934). Fam. *Eau piquante.* ⇒ **Gazeux.**

Cette eau-ci lui parut d'une saveur point trop désagréable, un peu piquante (...) 2
J. ROMAINS, les Hommes de bonne volonté, t. V, X, p. 81.

c (À l'odorat). *Odeur piquante de l'ammoniac.* ⇒ **Âcre.**

♦ **3.** Qui blesse vivement, pique au vif. *Mot piquant, paroles piquantes.* ⇒ **Aigre, aigu, amer, caustique, malicieux, mordant, satirique, vexant.** *Trait piquant.* ⇒ **Nasarde** (vx), **pique.** *Ton piquant.* ⇒ **Acide.** *Rendre piquant.* ⇒ **Aiguiser** (fig.). *Il a été piquant.* ⇒ **Acerbe.**

De mots piquants partout Dorante vous outrage. 3
MOLIÈRE, les Femmes savantes, II, 3.

(...) le comte avait été, comme les mouches par un jour de grande chaleur, plus piquant, plus acerbe, plus changeant qu'à l'ordinaire. 4
BALZAC, le Lys dans la vallée, Pl., t. VIII, p. 853.

Elle gardait contre lui une pensée moins piquante, plus sourde et plus dure. 5
FRANCE, le Lys rouge, VI.

♦ **4.** Littér. Qui stimule vivement et agréablement l'intérêt, l'attention. *Un assemblage piquant de couleurs, d'objets.* ⇒ **Beau, charmant, joli, inattendu, intéressant.** *Une beauté piquante. Charmes* (2. Charme, cit. 20) *piquants, grâce* (cit. 69) *piquante. Femme piquante* (→ Enchanteur, cit. 5; négliger, cit. 18). ⇒ **Excitant.** *Une petite brune* (cit. 3) *piquante. L'espiègle et piquante Nina* (→ Fiasco, cit. 1). ⇒ **Mutin.**

6 C'était une brune extrêmement piquante, mais dont le bon naturel peint sur son joli visage rendait la vivacité touchante. ROUSSEAU, les Confessions, II.

7 (...) pour lui une femme jeune et jolie était toujours l'égale d'une autre femme jeune et jolie ; seulement la dernière connue lui semblait la plus piquante.
STENDHAL, la Chartreuse de Parme, I, VII.

7.1 Vers la fin du siècle, la mode change absolument. Le charme de la femme n'est plus dans les grâces piquantes, mais dans les grâces touchantes.
Ed. et J. DE GONCOURT, la Femme au XVIIIe siècle, p. 47.

Remarques intéressantes et piquantes. ⇒ **Fin** (→ Habile, cit. 13). *Allusions* (cit. 2) *délicates et piquantes. Maxime* (cit. 9) *piquante et ingénieuse. Des anecdotes piquantes.* ⇒ **Amusant, bon, pittoresque** (→ Indécent, cit. 3). *Il est piquant de,* surprenant, intéressant (→ Entourage, cit.).

N. m. (1835 ; en peinture, 1762). *Le piquant :* caractère piquant. *Femme, beauté qui a du piquant. Le piquant de l'aventure.* ⇒ **Curieux, plaisant.** *Le piquant de la préparation* (→ Mets, cit. 3). ⇒ **Agrément.** *Donner du piquant.* ⇒ **Assaisonnement, condiment, sel** (fig.) ; **assaisonner, relever.**

8 — Ce que je trouve en toi, ma beauté (...)
— Mais dites donc.
— (...) Je ne sais : moins d'uniformité peut-être, plus de piquant dans les manières, un je ne sais quoi qui fait le charme : quelquefois un refus : que sais-je ?
BEAUMARCHAIS, le Mariage de Figaro, V, 7.

9 Il tombait une pluie fine et froide, qui ajoutait au piquant de la situation (...)
G. SAND, la Mare au diable, Appendice, II.

★ **II.** N. m. *(Un, des piquants).* ♦ **1.** (Déb. XVe ; « projectile », v. 1372). Chacune des parties ou excroissances dures et acérées que présentent certains végétaux et certains animaux inférieurs. *Les piquants d'une feuille de houx. La fleur et la feuille du chardon présentent des piquants. Piquants des châtaignes, des raquettes de nopal* (cit. 2). *Piquants sur une branche, une tige.* ⇒ **Aiguillon, épine.** *Arbres aux branches armées de piquants. Piquants des oursins, du porc-épic.*

10 La terre où cuisait le hérisson était devenue une poterie, l'Hercule la cassait d'un coup de cognée, et l'animal, dont la peau se détachait avec les piquants, était partagé entre la table. Ed. DE GONCOURT, les Frères Zemganno, I.

♦ **2.** (Déb. XXe). Pointe piquante, acérée, aiguë.

11 Après la grille s'étend un large, un profond saut-de-loup (...) dont les parapets sont hérissés d'arabesques en fer qui présentent leurs innombrables piquants aux malfaiteurs. BALZAC, Une ténébreuse affaire, Pl., t. VII, p. 451.

CONTR. Contondant ; fade. — Fadeur.

1. PIQUE [pik] n. — 1376 ; néerl. *pike.*

★ **I.** N. f. ♦ **1.** Arme formée d'une hampe garnie d'un fer plat et pointu. ⇒ **Dard, hallebarde, lance.** *La pique, arme d'hast* et de choc*, est plus courte que la lance. Bandes armées* (cit. 17) *de piques ; la pique sur l'épaule* (→ Démantibuler, cit. 1). *Piques des légionnaires* (cit. 1) *romains.* ⇒ **Joug.** *Piques des révolutionnaires de 1789. Promener la tête d'une victime au bout d'une pique. Piques serrées des massacreurs* (cit.). *Coups de piques* (→ Garantir, cit. 22). — *Demi-pique,* à manche court, portée par les officiers d'infanterie au XVIIe siècle. ⇒ **Esponton.** — Taurom. *Pique du picador*. Taureau qui reçoit, prend la pique.* — Alpin. Extrémité inférieure du piolet.

1 Ce sont ces deux mêmes têtes, étalées d'abord dans Versailles, qui ont été portées sur des piques, devant le carrosse du roi (...) RIVAROL, Politique, I.

2 Et les petits enfants, du haut des toits jetés,
Étaient reçus en bas sur les pointes des piques.
HUGO, la Légende des siècles, LIV, VII.

Par ext. Coup de pique. *Une belle pique.*

3 Le taureau, avec joie, prenait une pique, et il aimait cela. Le mal que lui faisait la pique était dévoré dans le plaisir qu'il avait à faire du mal au cheval.
MONTHERLANT, les Bestiaires, VIII.

Loc. fig. (Vx). *À cent piques :* à une longueur de cent piques, au propre et au fig. ⇒ **Lieue** (à cent lieues).

4 (...) les vierges dessinées par les peintres seront à cent piques au-dessous de moi (...) BALZAC, Mémoires de deux jeunes mariées, Pl., t. I, p. 145.

Vx. *Passer par les piques :* avoir la petite vérole. — (XVIIe). Être enceinte.

♦ **2.** Épingle en plastique qui tient les rouleaux de mise en plis.

★ **II.** N. m. (1552). Aux cartes, une des couleurs*, représentée par un fer de pique noir stylisé. *Dix de pique, roi de pique, as de pique.* ⇒ **Spadrille.** *Jouer pique. Atout pique. Du pique. La Dame de Pique,* œuvre de Pouchkine. — *Un pique,* une carte de cette couleur.

5 — Écoute, je vais jouer pique pour toi. — Bon. — Tu prendras de ton manillon et tu renverras petit pique. COURTELINE, Boubouroche, I, 1.

Au bridge, Nombre déterminé de levées à cette couleur. *Quatre piques contrés.*

Fig. *As* de pique.* Loc. adv. *Faire (qqch.) à l'as de pique,* n'importe comment, mal. *Être fagoté comme l'as de pique,* mal habillé.

DÉR. Piquier.
HOM. 1. **pic,** 2. **pic,** 3. **pic,** 4. **pic,** 2. **pique,** 3. **pique.**

2. PIQUE [pik] n. f. — XVe ; de *piquer.*

♦ **1.** Vx. Brouille légère due à l'amour-propre blessé. ⇒ **Aigreur, brouillerie, dépit, mésintelligence.** *Pique d'amour*-propre* (→ Fantaisie, cit. 27). *Notre pique avec son père* (→ Éponge, cit. 8).

Comme il y avait depuis longtemps une pique entre les gens de la Bessonnière et la mère Fadet, les bessons ne parlaient pas beaucoup à la petite Fadette (...)
G. SAND, la Petite Fadette, VIII.

♦ **2.** Mod. Parole méchante, allusion blessante qui pique au vif. ⇒ **Méchanceté.** *Envoyer, lancer des piques. Il n'a cessé pendant leur entretien de lui envoyer des piques.*

♦ **3.** Régional. *La pique du jour.* ⇒ **Pointe.**

HOM. 1. **pic,** 2. **pic,** 3. **pic,** 4. **pic,** 1. **pique,** 3. **pique.**

3. PIQUE [pik] n. f. — 1596, *pic ;* moy. néerl. *piche.*

♦ Vx ou régional. (Picardie). Petite faux à manche court. ⇒ **Faucille.**

HOM. 1. **Pic,** 2. **pic,** 3. **pic,** 4. **pic,** 1. **pique,** 2. **pique.**

PIQUÉ, ÉE [pike] p. p. adj. et n. ⇒ Piquer.

PIQUE-ASSIETTE [pikasjɛt] n. m. et f. invar. — 1807 ; de *piquer,* et *assiette.*

♦ Péj. Personne qui se fait habituellement inviter pour manger sans bourse délier. ⇒ **Écornifleur, écumeur** (de table), **parasite.** *Un, une pique-assiette* (→ Invité, cit. 4).

(...) remarque bien que ce n'est pas un pique-assiette ordinaire et classique, qui se croit obligé de rire si la maîtresse du logis dit un bon mot ; il serait plutôt disposé, s'il osait, à tout blâmer et tout contrecarrer.
A. DE MUSSET, Contes, « Secret de Javotte », I.

PIQUE-BŒUF [pikbœf] n. m. — 1775 ; « piqueur de bœufs », XVIe ; de *piquer,* et *bœuf.*

♦ **1.** Vx. Charretier qui aiguillonne les bœufs.

♦ **2.** Oiseau (spécialt, petit échassier gris) qui se perche sur les bœufs pour y chercher les parasites. *Des pique-bœufs* [pikbø]. — Garde-bœuf (oiseau à plumage blanc).

Quantité d'oiseaux, dont des compagnies de ce très bel échassier blanc, qu'on appelle « pique-bœuf » (...) GIDE, Voyage au Congo, *in* Souvenirs, Pl., p. 808.

Les pique-bœufs, en escadron, s'éloignent vers l'ombre grisâtre de la forêt, imprimant des V blancs sur le bleu du ciel.
Timité BASSORI, les Bannis du village, 1974, *in* I. F. A.

PIQUE-BOIS [pikbwa] n. m. invar. — 1818 ; de *piquer,* et *bois.*

♦ Zool. Oiseau de la famille des piverts.

PIQUE-CRAYONS [pikkʀɛjɔ̃] n. m. invar. — V. 1972 ; de *piquer,* et *crayon.*

♦ Accessoire de bureau servant de support aux crayons.

PIQUE-FEU [pikfø] n. m. invar. — 1877 ; de *piquer,* et *feu.*

♦ Instrument pour attiser le foyer. ⇒ 1. **Fourgon, ringard, tisonnier.** *Des pique-feu.*

Il se mit à racler avec le pique-feu la grille du poêle.
H. BOSCO, Un rameau de la nuit, p. 51.

PIQUE-MOUCHE [pikmuʃ] n. f. — 1778 ; de *piquer,* et *mouche.*

♦ Vx. Mésange. *Des pique-mouches.*

PIQUE-NIQUE [piknik] n. m. — 1740 ; *repas à pique-nique,* 1694 ; de *piquer,* et *nique* au sens anc. de « petite chose sans valeur ».

♦ **1.** Vx. *Repas à pique-nique,* où chacun apporte quelque chose à manger, où chacun paie son écot. *Un pique-nique,* le repas lui-même.

♦ **2.** (XXe ; repris à l'angl. *picnic,* lui-même empr. du franç., pour désigner un repas fait en commun dans la campagne). Mod. Repas pris en commun dans la campagne, en forêt... ⇒ **Déjeuner** (sur l'herbe). *Faire, organiser un pique-nique. Les pique-niques des beaux dimanches, d'été.*

Bah ! tu t'amuseras avec des amis. Il y a bien dans ton voisinage quelques amis avec qui on peut organiser un pique-nique.
— J'aime mieux une invitation en due forme qu'un pique-nique.
— Tu préfères le pique-assiette au pique-nique. Max JACOB, le Cornet à dés, p. 81.

Var. graphique : *picnique* (Queneau, *le Chiendent,* p. 98).

DÉR. Pique-niquer.
HOM. Pycnique.

PIQUE-NIQUER [piknike] v. intr. — 1874; de *pique-nique.*

♦ Faire un pique-nique (cf. Manger sur l'herbe). *Pique-niquer au bord d'une rivière. Automobilistes qui s'arrêtent pour pique-niquer.*
Par ext. Faire un repas rapide de plats vite préparés (cf. Manger sur le pouce).
Var. graphique : *picniquer.*

Le Bois, naturellement, est envahi. Des gens ont picniqué et le papier gras s'étale. On dort çà et là, des couples se chatouillent et des femmes rient très fort.
R. QUENEAU, le Chiendent, p. 55.

DÉR. Pique-niqueur.

PIQUE-NIQUEUR, EUSE [piknikœʀ, øz] n. — 1874; de *pique-niquer.*

♦ Personne qui prend part à un pique-nique. *Des pique-niqueurs installés au bord de la route.*

Un vieil autocar jaune arrivait bondé de pique-niqueurs qui descendirent en hurlant et chantant. Michel DÉON, les Poneys sauvages, p. 484.

PIQUE-NOTES [piknɔt] n. m. invar. — 1870; de *piquer,* et *note.*

♦ Accessoire de bureau, tige métallique droite ou recourbée, adaptée à un socle ou support, et qui sert à enfiler des feuilles volantes, des notes, des factures.

PIQUEPOUILLE [pikpuj] n. m. ⇒ **Picpouille.**

PIQUER [pike] v. — 1130; lat. pop. *pikkare,* du lat. class. *picus* «pivert», «pic», d'orig. préromane et expressive. → aussi Poindre.

★ **I. A.** V. tr. ♦ **1.** Entamer légèrement ou percer avec une pointe (ou en parlant d'une pointe). *Piquer qqch. avec une épingle, une aiguille, un objet pointu... Piquer la perche dans le butoir* (au saut à la perche). ⇒ **Piquage.** *Bec d'oiseau qui pique un mollusque* (→ Filamenteux, cit. 1). *Piquer sa viande avec sa fourchette. Saucisse qu'on pique à la fourchette* (→ Frite, cit. 2). — (Avec une arme acérée). Vx. *Les archers piquaient leurs victimes* (→ Massacreur, cit.). *Piquer qqn au vif, jusqu'au sang* (→ ci-dessous, I., A., 7.). — *Piquer le flanc des bœufs pour les faire avancer.* ⇒ **Aiguillonner** (→ Gaule, cit. 2). *Piquer* (son cheval) *des éperons* (cit. 4). ⇒ **Éperonner.** *Il piqua son cheval* (cit. 22). — Absolt. *Un objet qui pique.* ⇒ **Piquant.**

1 Pierre, qui mangeait des flageolets et les piquait un à un avec une pointe de sa fourchette, comme s'il les eût embrochés (...) MAUPASSANT, Pierre et Jean, IV.

2 Alors il piqua son cheval et s'élança derrière le loup.
MAUPASSANT, Clair de lune, «Le loup».

3 Debout sur son chariot, un bouvier nu, armé d'un aiguillon, pique ses deux bœufs bossus (...) F. DE CROISSET, la Féerie cinghalaise, p. 40.

Loc. Vx. *Piquer l'assiette* (⇒ **Pique-assiette**). *Piquer la table :* manger.

Techn. *Piquer un dessin,* le tracer* en perçant de petits trous. *Piquer avec une roulette.* — *Piquer un moellon, une pierre,* y pratiquer de petits trous superficiels pour faciliter l'accrochage du plâtre, du mortier, etc. (on dit aussi : *pointer*).

(Le sujet désigne un insecte, ou un animal comparable). Percer en enfonçant un aiguillon, un chélicère, un dard (pour se défendre) ou un suçoir, un stylet (pour sucer le sang). *Se faire piquer par une guêpe, une araignée, un moustique, une puce, un scorpion... «La fourmi le pique au talon»* (→ Apprêter, cit. 19). *Mouche qui pique les chevaux* (→ Animer, cit. 19), *l'échine du lion* (→ Naseau, cit. 1). — Absolt. *Un insecte inoffensif, qui ne pique pas.* — Fig. *Quelle mouche* (cit. 9) *le pique?* ⇒ **Mouche.** *Être piqué de la tarentule.* ⇒ **Tarentule;** ci-dessous **piqué,** A., 2.

Elle a été piquée au doigt par un scorpion (...) L'on a aussitôt cautérisé la plaie et tué l'animal (...) F. DE CROISSET, la Féerie cinghalaise, p. 95.

Eh bien! ces cousins, dont tu te plains, sont une nuée de petits chirurgiens ailés qui viennent avec leurs petites lancettes te piquer et te tirer du sang goutte à goutte. DIDEROT, Jacques le fataliste, Pl., p. 721.

Par ext. (Serpents). Mordre, enfoncer ses crochets (dents) dans la chair de. ⇒ **Mordre.** *«Un serpent piqua Jean Fréron»* (→ Crever, cit. 19, Voltaire). — Par métaphore (→ Médisant, cit. 3).

Percer la peau de (qqn) avec une lancette, une aiguille. ⇒ **Piqûre, ponction; acupuncture.** *On piquait les malades pour pratiquer des saignées. Piquer qqn au bras, à l'épaule, à la fesse pour injecter un médicament, un vaccin.* ⇒ **Vacciner.** (Au passif). *Il a été piqué contre la variole.* — *Faire piquer un animal domestique* (malade, blessé, etc.), lui faire faire une piqûre entraînant une mort rapide.

(Le compl. désigne la partie piquée) :

Il tire le flacon de sa poche, l'agite, ajuste l'aiguille à la seringue (...) «J'ai saigné le bras gauche», se dit Antoine, «piquons le droit».
Il pince un pli de chair et lève la seringue (...) L'aiguille s'enfonce d'un coup sec. Une plainte échappe au dormeur; l'épaule a frémi. Dans le silence, la voix d'Antoine : «— Bouge pas (...) C'est pour te soulager, Père...» (...) Antoine retire l'aiguille d'un geste prompt, essuie la place gonflée où suinte une perle rose, puis il reboutonne la chemise et relève la couverture.
MARTIN DU GARD, les Thibault, t. IV, p. 184.

Argot. *Piquer qqn,* lui donner un coup de couteau.

Loc. (En emploi absolu). *Piquer des deux*:* piquer son cheval, les flancs de son cheval, avec les deux éperons (→ ci-dessous C.).

♦ **2.** Cuis. Garnir d'un ingrédient, par des trous pratiqués en piquant. *Piquer de la viande. Piquer d'ail un rôti.* — Au p. p. *Rôti piqué d'ail.* Adj. Lardé. *Faisan piqué menu* (→ Pâté, cit. 2). *Veau piqué.*

♦ **3.** Fixer en traversant d'une épingle, d'une aiguille, etc. *Piquer des papillons* (cit. 1) *avec des épingles. Piquer un papier au mur avec une punaise.* — Cout. Attacher, assembler à l'aiguille en faisant passer un fil. *Piquer un tissu d'espace en espace.* ⇒ **Capitonner.** — Vx. Assembler deux étoffes par un point de piqûre* exécuté à la main. *Piquer une étoffe des deux côtés.* ⇒ **Contrepointer.**

♦ **4.** (Par anal. d'aspect; le sujet désigne un animal, un insecte). Parsemer de petits trous. ⇒ **Trouer.** *Les vers piquent le bois.* ⇒ **Attaquer, ronger.** — Au p. p. *Meuble ancien piqué des vers.* ⇒ **Vermoulu.**
(1837). Fig. et fam. *N'être pas piqué des vers, des hannetons** (cit. 5) : être excellent, très réussi.

Si vous aviez mis le pied au faubourg où j'ai souvent passé les nuits, vous auriez vu un petit casse-noisette de mon invention qui n'est pas piqué des vers. 7
BALZAC, César Birotteau, Pl., t. V, p. 507.

(Sujet n. de chose). Semer de points, de petites taches. *L'humidité pique les miroirs* (→ ci-dessous Se piquer), *le papier.* — P. p. *Des mains* (cit. 5) *piquées de taches de rousseur. Tissus piqués de flocons* (cit. 2) *rouges.* ⇒ **Moucheter, piqueter, tacheter.** *Pénombre piquée de petites lumières.* ⇒ **Parsemé.** (Poét. à la forme active). *Étoiles* (cit. 3) *piquant le bleu pâle du zénith.* — (Avec un sing.). Rare. Marquer d'un point, trouer (fig.). *La campagne était piquée d'un feu rouge* (→ Étoiler, cit. 2).

Son visage fin, très pâle, un peu piqué de rousseur, était penché et tourné vers nous (...) ALAIN-FOURNIER, le Grand Meaulnes, II, III. 8

Au loin dans la plaine, du côté d'Amiens, des points lumineux piquèrent de leur éclat bref le ciel que poudrait l'or des étoiles. 9
A. MAUROIS, les Discours du Dr O'Grady, XI.

Techn. *Piquer un dessin,* rehausser les blancs de petites touches de gouache.

Jeu. *Piquer une carte,* la marquer pour la reconnaître pendant le jeu et pouvoir tricher.

♦ **5.** (Par anal. de mouvement). Frapper vivement. *Le mulet* (1. Mulet, cit. 1) *pique le sable de coups de sabot.* — Mus. *Piquer une note.* ⇒ **Détacher** (→ Couper* les sons, et ci-dessous, *Note piquée*). Billard. *Piquer la bille,* la toucher perpendiculairement avec la queue. — Techn. *Piquer la rouille :* marteler une pièce métallique pour en faire tomber la rouille. — *Piquer une cloche,* la frapper avec son battant. — Mar. *Piquer la cloche,* la faire sonner sans qu'elle n'oscille, en actionnant seulement le battant. *Piquer l'heure :* frapper un coup par demi-heure écoulée depuis le début du quart*. *Piquer deux coups.* (Le sujet désigne ce qui marque l'heure) :

La cloche du vaisseau-amiral piqua deux coups doubles, — dix heures, selon la convention universelle des marins. — Et, sur tous les bâtiments, d'un bout à l'autre de la ligne, des cloches pareilles tintèrent et se répondirent. 10
Claude FARRÈRE, la Bataille, XXV.

♦ **6.** Par métaphore, fig. (Sujet n. de chose). **a** Donner la sensation d'entamer avec une pointe, des pointes. *Un lainage, un vêtement qui pique la peau.* ⇒ **Démanger, gratter.** *La pluie les pique de ses aiguilles* (→ Fantassin, cit. 2). *Le froid* (2. Froid, cit. 4) *pique les yeux, la peau.* ⇒ **Pincer.** *La fumée pique les yeux, le nez.* ⇒ **Picoter.** *Saumure qui pique qqn à la gorge* (→ Hareng, cit. 2). *L'eau oxygénée, la farine de moutarde piquent la peau.* ⇒ **Cuire; brûler.** — Spécialt. (En parlant des boissons gazeuses). *La limonade* (cit. 2) *pique la gorge.* — (Animaux, végétaux urticants). *Les orties l'ont piqué.* — Au passif. *Être piqué par des orties, par une méduse.*

(Le compl. est un pron.). Donner une sensation de piqûre à (qqn). *Sa gorge le pique. Ses yeux le piquèrent comme s'il allait pleurer* (→ Étrangler, cit. 15). — (Avec un compl. direct désignant la partie piquée et un pron. compl. ind.). → cit. 11.

Il ne baissa le front qu'un moment pour une ortie qui lui piquait les jambes, et qui lui fit la sensation d'une bête. HUGO, l'Homme qui rit, I, I, VI. 11

... la fumée qui piqua les yeux encore pendant longtemps... 12
CÉLINE, Voyage au bout de la nuit, p. 22.

b Absolt. *Une barbe qui pique,* dure, rêche. *Un garçon qui commence à piquer* (quand on l'embrasse). → Homme, cit. 56. — *La brise, le vent piquait* (→ Grésil, cit. 3).
Vin qui pique, un peu aigre. ⇒ **Piquette.**

Fam. *De l'eau qui pique,* gazeuse, pétillante.

Déjà fini? Remettez de l'éther, que ça pique au moins, que ça pique! 13
G. DUHAMEL, Récits des temps de guerre, I, Hist. Carré et Lerondeau.

♦ **7.** (XVe). Vieilli ou littér. (Compl. n. de personne; sujet abstrait). Blesser, irriter vivement. ⇒ **Agacer, aigrir, atteindre, égratigner, fâcher, froisser, irriter, offenser, vexer** (cf. Piqûre d'épingle; lancer des piques). *Cette remarque l'a piqué au vif, jusqu'au sang; l'a piqué.* — Passif et p. p. (→ les cit. 14 et 15). *De bien d'autres traits il s'est senti piqué* (→ Jamais, cit. 26).

Je fus piqué de la froideur avec laquelle il m'en parlait (...) 14
MOLIÈRE, les Fourberies de Scapin, I, 2.

15 La petite fille joue la dignité; elle dit avec une indifférence affectée à travers laquelle on voit aisément qu'elle est piquée : On ne voit plus ce monsieur; c'est qu'apparemment il ne veut plus qu'on le voie; à la bonne heure, c'est son affaire (...) DIDEROT, Jacques le fataliste, Pl., p. 702.

16 (...) Perrault s'appliqua de plus en plus à développer ses doctrines avec esprit et un mélange de légèreté et de bon sens qui ne laissait pas de séduire les indifférents et de piquer les adversaires. SAINTE-BEUVE, Causeries du lundi, 29 déc. 1851.

Mod., cour. **PIQUER AU VIF** : blesser l'amour-propre de. *Le blâme* (cit. 4) *piquant au vif les cœurs généreux.*

17 Si je l'avais rencontrée dans le monde pour lequel j'étais fait, et que j'aurais dû voir, cette impassibilité m'aurait très certainement piqué au vif (...) BARBEY D'AUREVILLY, les Diaboliques, « Rideau cramoisi ».

Vx. *Piquer qqn d'honneur*.*

♦ **8.** (XVIe). Exciter, faire une vive impression* sur... ⇒ **Piquant** (I.). *Piquer la curiosité de qqn.* ⇒ **Chatouiller, éveiller, exciter** (→ Paroxysme, cit. 2). *Cette lettre piqua ma curiosité.* ⇒ **Intriguer.** — (Vx). Impressionner agréablement (qqn). *Des accents qui le piquent ou l'amusent* (→ Effet, cit. 33; assortir, cit. 14).).

18 Les contemporains de Périclès et de Platon n'ont pas besoin d'effets violents et imprévus qui piquent leur attention émoussée ou troublent leur sensibilité inquiète. TAINE, Philosophie de l'art, t. II, p. 165.

Absolument :

18.1 La grande victoire n'est plus de plaire ni de séduire : il faut avant tout piquer par la mine, par une légère irrégularité de lignes, par la fraîcheur, l'enjouement, l'étourderie, par tout ce qui sauve de l'administration ou du respect. Ed. et J. DE GONCOURT, la Femme au XVIIIe s., t. II, p. 44.

B. V. tr. (XIVe, E. Deschamps, en emploi absolu : *« Chacun qui peut prend, happe et pique, pour avoir grand état et mise »*). Fig.

♦ **1.** Fam. [a] Voler. ⇒ **Barboter, chiper, dérober, faire, faucher ...** *On m'a piqué mon stylo. Il s'est fait piquer son portefeuille.* ⇒ **Pickpocket; tirer.** *Piquer des alliances* (→ Macchabée, cit. 2). — Absolt. *Il pique* : il vole, il vole habituellement.

18.2 GASPARD, *furieux.* Et moi, ils m'ont pris mes timbres, deux carnets tout neufs! ...
MANU. C'est tout? ... Ils ont rien fauché d'autre? ...
(*Monseigneur, Gaspard, Géo et Roland qui passent leurs affaires en revue hochent la tête.*)
ROLAND. Dans les provisions, y manque rien.
MONSEIGNEUR. Ici non plus.
GÉO. Ben moi, j'ai de la veine... Je crois qu'on m'a rien piqué.
J. BECKER et J. GIOVANNI, le Trou (scénario), *in* l'Avant-Scène, no 13, p. 32.

(Au p. p.). *Il a essayé de revendre des fringues piquées.*

[b] Par ext. Prendre, emprunter. *Tu m'as encore piqué mon crayon.*

♦ **2.** (Compl. n. de personne). Arrêter, se saisir de. ⇒ **Cueillir, épingler, pincer, prendre, sauter** (argot). *Les flics l'ont piqué à la descente du train.*

♦ **3.** Argot [a] Argot scol. ⇒ **Attraper.** *Piquer un zéro. Se faire piquer à pomper pendant une compo.*

[b] Attraper (une maladie).

C. V. intr. et tr. — 1528; de *piquer* (son cheval) *des deux* (éperons).

♦ **1.** V. intr. Vx. S'élancer sur son cheval. *Piquer au grand galop.* — Par ext. S'élancer rapidement en ligne droite. *Oiseau qui pique vers le ciel.*

19 Il rebrousse hâtivement chemin et pique à travers le taillis pour rejoindre la grand'route. MARTIN DU GARD, les Thibault, t. VIII, p. 121.

Cour. Tomber, s'enfoncer brusquement. *Mouette* (cit. 3) *qui pique dans l'eau et remonte en tournoyant.* — (1914). *Avion qui pique,* qui descend brusquement presque à la verticale. ⇒ **Piqué** (n. m.). *Piquer du nez* : tomber, le nez en avant. *Il piqua du nez et s'abattit sur le perron* (→ 1. Partir, cit. 26). *L'avion pique du nez. Navire qui pique de l'avant* (→ aussi ci-dessous, II., *piquer une tête*).

20 (...) nos deux ivrognes piquèrent tête baissée dans la porte, l'enfoncèrent, et s'abattirent au milieu des choses avec une volée d'imprécations.
BAUDELAIRE, Trad. E. POE, Nouvelles histoires extraordinaires, « Le roi Peste ».

♦ **2.** V. tr. *Piquer un galop.* ⇒ **Faire.** — Fig. et fam. *Piquer un cent mètres* : se mettre à courir très vite (sur une distance assez courte). (1840). Faire brusquement (le compl. désigne un mouvement).

21 Le Vieux, soudain, plongea la tête comme on pique un plongeon, rétrécit ses épaules d'un mouvement frileux et s'assit (...). Ch.-L. PHILIPPE, Père Perdrix, II, V.

REM. Dans *piquer un plongeon,* la valeur concrète de l'intransitif (« tomber ») est sentie, comme dans piquer une tête (ci-dessous, cit. 26).

(1886). Fam. *Piquer un somme, un roupillon* : faire un somme, dormir un moment. *Piquer une colère* : avoir soudain un accès de colère. *Piquer une crise de nerfs. Piquer un fard, un soleil* : rougir* d'émotion.

22 Volpatte manifeste l'intention de « piquer un roupillon » et il s'installe par terre, adossé à une paroi, les semelles butées contre l'autre paroi. H. BARBUSSE, le Feu, II, XIX.

23 Vers le soir Marc pique une rage de dents (...) La douleur devient si forte que nous nous décidons à faire une piqûre. GIDE, Retour du Tchad, VIII.

★ **II.** ♦ **1.** Enfoncer* (qqch.) par la pointe. *Piquer des épingles sur une pelote. Piquer sa fourchette dans sa viande* (→ Entrecôte, cit. 2). *Il a piqué la médaille* (cit. 6) *militaire sur sa chemise. Piquer une fleur dans ses cheveux. Piquer des banderilles sur le cou du taureau.* ⇒ **Planter.**

Songez bien à ceci : celui qui relève l'épingle et la pique proprement au revers de son habit sauve un peu de travail humain (...). 24
ALAIN, Propos, 11 mars 1914, Une épingle.

Sans hâte, Mme Vonlauth piqua son aiguille dans son ouvrage, et se leva. 25
MARTIN DU GARD, les Thibault, t. VII, p. 14.

♦ **2.** (1842). Faire tomber, faire aller plus bas (inusité sauf dans la loc.). Loc. *Piquer une tête* : tomber, se jeter la tête la première, partir la tête en avant. *Piquer une tête contre la porte* (→ Embardée, cit. 1). *Piquer une tête dans l'eau* : plonger.

(...) on y pourrait bien courir la poste même en charrette à bœufs et s'en aller piquer une bonne tête dans la rivière qui est en bas et qui n'avertit personne. 26
G. SAND, François le Champi, XV.

▶ **SE PIQUER** v. pron. (1580).

♦ **1.** (Réfl.). Recevoir une piqûre. *Se piquer avec une aiguille, avec un chardon. Se piquer en cousant.* — Prov. *Qui s'y frotte s'y pique,* se dit en parlant d'une personne ou d'une chose qu'on ne peut affronter sans danger pour soi-même. — Spécialt. Se faire une piqûre. *Il se pique lui-même et se passe d'infirmière. Se piquer à la morphine* (cit. 3). — Absolt. *Se piquer* : s'injecter un stupéfiant. *Une morphinomane* (cit. 1) *lui conseilla de se piquer.* ⇒ **Shooter** (anglic.); **piquouser** (se).

Tous ses gestes revenaient à celui de se piquer (car il prenait de l'héroïne en solution). 26.1
DRIEU LA ROCHELLE, le Feu follet, p. 45.

♦ **2.** (Passif). Se couvrir de petites taches. *Un miroir qui se pique. Les livres exposés à l'humidité se piquent. Quatre punaises piquées de rouille* (→ Fixer, cit. 2). *Confitures qui se piquent,* se couvrent de taches de moisissure. *Vin qui se pique,* qui s'altère et s'aigrit.

♦ **3.** Fig., littér. Se froisser, se vexer. ⇒ **Fâcher** (se), **formaliser** (se), **froisser** (se), **offenser** (s'), **vexer** (se). *Il s'est piqué de mon refus. « C'est un homme qui se pique du moindre mot qu'on lui dit »* (Académie). — Vx. *Se piquer contre quelqu'un.*

(...) les véritables précieuses auraient tort de se piquer lorsqu'on joue les ridicules qui les imitent mal. 27
MOLIÈRE, les Précieuses ridicules, Préface.

♦ **4.** Vx. *Se piquer à...* : prendre à cœur, prendre au sérieux. (Vx au sens général). *Nous nous piquons à nos opinions* (→ Discuter, cit. 8). — Spécialt. *Se piquer au jeu.* ⇒ **Jeu** (*infra* cit. 39); **opiniâtrer** (s'). *On se pique au jeu et cela devient une marotte* (cit. 5).

♦ **5.** *Se piquer de...* [a] Vx. Se vanter auprès des autres de la possession d'un bien, d'une qualité (→ Interrompre, cit. 7).

(...) se piquer d'avoir un ancien château à tourelles, à créneaux et à mâchicoulis (...) 28
LA BRUYÈRE, les Caractères, VIII, 19.

[b] Mod. Prétendre avoir (telle qualité, tel avantage) que l'on met son point d'honneur à posséder. ⇒ **Glorifier** (se), **vanter** (se). → Avoir la prétention* de, faire profession* de ... *Se piquer d'élégance* (→ Laconique, cit. 1), *de bel esprit, de ponctualité. — Se piquer d'honneur*. Se piquer de littérature,* de connaissances littéraires. — (Suivi d'un inf.). Se faire fort* de... *Se piquer d'être habile* (→ Flatteur, cit. 5). *Peuple qui se pique d'être le plus subtil* (→ Aujourd'hui, cit. 15). *Les familles qui se piquent le plus d'être honorablement établies* (→ Abondance, cit. 3). *Il se pique à présent d'écrire des livres!*

Faisant tel bruit et tel fracas 29
Que moi, qui, grâce aux dieux, de courage me pique,
En ai pris la fuite de peur (...)
LA FONTAINE, Fables, VI, 5.

Le vrai honnête homme est celui qui ne se pique de rien. 30
LA ROCHEFOUCAULD, Maximes, 203

Quant à son caractère, je le crois vif et emporté, mais vertueux et ferme; il se pique de philosophie, et de ces principes dont nous avons autrefois parlé. 31
ROUSSEAU, Julie ou la Nouvelle Héloïse, I, XLV.

(...) félicitons-nous de ce que la noble langue de notre patrie soit parlée ou tout au moins bégayée, en quelque endroit qu'on se trouve, par quiconque se pique d'être bien élevé, instruit et intelligent. Th. GAUTIER, Voyage en Russie, I, III. 32

(...) même il lui arrivait d'ouvrir un livre, car elle se piquait de littérature. 33
ZOLA, Nana, X.

(...) je me pique de délicatesse en matière de foi. 34
FRANCE, la Rôtisserie de la reine Pédauque, VI, Œ, t. VIII, p. 61.

▶ **PIQUÉ, ÉE** p. p. adj.

Emplois spéciaux; d'autres emplois sont mentionnés ci-dessus ou virtuels; cf. ci-dessus I., A., 1., *avoir une main piquée* (par une abeille), *malade piqué,* vacciné; 2., *du veau piqué*; 4., *pas piqué des vers,* cf. ci-dessous 4.; 7., *une personne piquée,* vexée; *piquée au vif*; 8., *curiosité piquée*; I., B., 1., *objets piqués,* volés; I., C., *galop piqué*; II., 1., *fleurs piquées.* — Par compar. (de fruit piqué) :

Tais-toi..., ça me dégoûte... Et puis, ne parle plus de ce type... C'est un dégueulasse..., un fou... 34.
Oh! non, il n'est pas fou... Il est « piqué »... comme un fruit... gâté... Et il le sait... Alors, il abîme les autres, ça le console...
J. PRÉVERT, le Jour se lève (scénario), *in* l'Avant Scène, no 53, p. 33.

A. ♦ **1.** Tracé avec de petits trous. *Dessin piqué.* — Taillé en laissant de petits trous. *Moellon piqué.*

♦ **2.** (1899). Fam. (Personnes; de la piqûre d'insecte). ⇒ **Cinglé, fou, timbré.** *Il est un peu piqué.*

Y a aussi d'quoi vous rendre piqué pour le restant d'ses jours! I's étaient six frères, tu sais. Y en a eu quatre de clam'cés : deux en Alsace, un en Champagne, un en Argonne. 34.
H. BARBUSSE, le Feu, t. II, p. 23.

35 Vous entendez ce que dit Janine? Je me demande si cette enfant n'est pas un peu piquée! Savez-vous ce qu'elle voudrait pour Noël?
COLETTE, Belles saisons, p. 106.

N. *C'est un vrai piqué, une vieille piquée.*

35.1 Tu t'es fait des illusions, voilà tout, et ta tante qui est une vieille piquée s'en est fait plus que tout autre. Moi, je suis là pour faire un coup et je vais le faire.
J. ANOUILH, le Bal des voleurs, 1938, p. 186.

♦ **3.** Cousu par un point de piqûre; souvent, cousu à la machine. — Spécialt. Se dit d'un assemblage de deux tissus (entre lesquels on place parfois un molleton) maintenus par des piqûres formant des dessins réguliers. *Couvre-pied en soie piquée.*

N. m. *Du piqué,* tissu façonné de coton, de soie, de rayonne, de nylon... dont le tissage forme des côtes, ou d'autres dessins géométriques. *Piqué de coton. Une robe bleue garnie d'un col de piqué blanc.*

36 Un habit de pékin bleu de France, à très larges basques, à revers étroits, liserés d'or, laissait voir par devant un gilet de piqué anglais.
NERVAL, le Marquis de Fayolle, Prologue, IV.

37 (...) ces grands et excellents couvre-pieds en indienne ouatée et piquée que les Juifs vendent assez bon marché à Palma.
G. SAND, Un hiver à Majorque, III, III.

38 Une vieille femme montra sa coiffe de piqué derrière une fenêtre, puis se retira vivement.
H. BOSCO, le Jardin d'Hyacinthe, p. 47.

♦ **4.** (Du sens I., A., 4.). Marqué par de petites taches sombres, en parlant du papier, des miroirs. *Livre ancien piqué. Faire refaire une glace piquée. — Diamant piqué,* qui a de petites inclusions.

♦ **5.** Altéré par un mycoderme*, en parlant de boissons. *Un vin piqué.* ⇒ **Acide.**

♦ **6.** (Du sens I., A., 5.). Mus. *Note piquée,* qui se joue en frappant la touche et en la lâchant aussitôt, par oppos. à *note tenue**. ⇒ **Détaché.** *La note piquée est indiquée par un point qui la surmonte.* — Par ext. *Un passage piqué, joué piqué.* ⇒ **Staccato** (contr. : *legato*).

N. m. *Un piqué léger.*

B. N. m. ♦ **1.** Mouvement par lequel un avion se laisse tomber presque à la verticale et se redresse brusquement à l'approche du sol. *Un piqué à la verticale.* — **EN PIQUÉ.** *Une descente en piqué. Bombardement en piqué.*

39 — Orage! crie le pilote, montrant le mouvement de la main. C'est la manœuvre qu'on emploie pour se libérer du vent d'ouragan, quand les commandes ne répondent plus : piquer de tout le poids de l'avion. Magnin proteste (...) le phare *(de D. C. A.)* suivra le piqué. Il montre, de la main aussi, la glissade sur l'aile, suivie d'un virage.
MALRAUX, l'Espoir, II, I, I, II.

Mouvement par lequel on pique la bille, au billard. *« Elle réalise un « massé » par ci, un « piqué » par là... »* (*F Magazine,* févr. 1981, p. 36).

♦ **2.** Danse. « Suite de pas caractérisée par des alternances d'équilibre sur demi-pointes et d'élévations de jambes accompagnant la station d'un pied à plat » (M. Bourgat). *Exécuter un piqué.*

♦ **3.** Netteté extrême des moindres détails, dans une photographie.

40 (...) la reproduction des fréquences élevées a donné aux enregistrements une plus grande précision qu'on peut comparer au « piqué » ou à la finesse d'une photographie.
P. GILOTAUX, l'Industrie du disque, p. 72.

DÉR. Picoter. — Piquage, piquant, 2. **pique,** 1. **piquet,** 1. **piqueter** (2.), 1. **piquette, piqueur, piquoir, piqûre.**

COMP. Dépiquer, pique-assiette, pique-bœuf, pique-bois, pique-crayons, pique-feu, pique-mouche, pique-nique, pique-notes, repiquer.

1. PIQUET [pikɛ] n. m. — xvᵉ; *pichet,* 1380; de *piquer.*

♦ **1.** Petit pieu destiné à être fiché* (cit. 2) en terre. ⇒ 3. **Palot, pieu.** *Planter, enfoncer un piquet avec un maillet. — Piquet servant de jalon, de repère.* ⇒ **Bâton** (d'alignement), **taquet.** *Prendre un alignement avec des piquets.* ⇒ **Piqueter.** *Piquet servant à suspendre* (→ Fraîchir, cit. 2) *ou à retenir qqch. Piquet de tente,* servant à assujettir et à tendre les parois. *Piquets de départ et d'arrivée, au jeu de croquet.*

Des tentes rouges, rayées de noir, soutenues pittoresquement par une multitude de bâtons, et retenues à terre par une confusion d'amarres et de piquets.
E. FROMENTIN, Un été dans le Sahara, p. 56.

Painchard et Duprat retroussaient déjà leurs manches, empoignaient les piquets, les maillets (...)
M. GENEVOIX, Compagnons de l'Aubépin.

Piquet servant à attacher un animal. Pâturage au piquet. Chevaux (cit. 9), *mulets* (→ Dos, cit. 24) *au piquet.*

Loc. *Être droit*, raide, planté comme un piquet.* ⇒ **Immobile** (→ Clouer, cit. 3). *Ne reste pas planté là comme un piquet.*

(...) maintenu dans des habits neufs que le tailleur avait fait attendre et qu'il essayait, roide comme un piquet (...)
BALZAC, César Birotteau, Pl., t. V, p. 433.

.1 Harry Blount, droit comme un piquet, se tenait, chapeau bas, à quelque distance. La désinvolture de son compagnon avait pour effet d'ajouter encore à sa raideur habituelle.
J. VERNE, Michel Strogoff, p. 160.

♦ **2.** Vx. Groupe de cavaliers désignés pour monter à cheval au premier signal (les chevaux étant tenus au piquet, prêts à être détachés). *Être de piquet* (Saint-Simon, *in* Littré). *Piquet de dragons* (Chateaubriand). — Par ext. Détachement, petite troupe de soldats qui doivent se tenir prêts. *Piquet de fantassins, de lansquenets* (cit. 2). — Mod. *Piquet d'incendie :* groupe de soldats désignés pour le service de protection contre les incendies, et qui ne doivent pas quitter la caserne.

(...) les Espagnols entendirent, au milieu du plus profond silence, le pas de plusieurs personnes, le son mesuré de la marche d'un piquet de soldats et le léger retentissement de leurs fusils. 4
BALZAC, El verdugo, Pl., t. IX, p. 874.

À la caserne, pendant leur temps d'active, quand l'adjudant les nommait de piquet d'incendie (...) 5
R. DORGELÈS, les Croix de bois, VI.

Piquet de grève (cit. 15) : grévistes veillant sur place à l'exécution des mots d'ordre de grève. *Gréviste qui relaie un camarade au piquet de grève.*

♦ **3.** (1715, « punition militaire »). Punition infligée aux jeunes enfants à l'école et qui consiste à les faire tenir debout et immobiles, généralement face au mur. *Une heure de piquet. — Au piquet. Mettre un enfant au piquet.* ⇒ **Coin** (au coin).

Je ne vous cacherai pas qu'il m'est arrivé de passer ici quelques heures, le nez au mur et les bras croisés. Cette cure de silence et d'immobilité en station verticale, n'est sans doute plus à la mode, car toutes les bonnes choses se perdent. Le *Piquet* de jadis avait pourtant ses vertus. Se taire, quelle leçon! (...) 6
VALÉRY, Variété IV, p. 195.

— Sucot, tu me recopieras trois fois la leçon sur les assolements et tu feras une heure de piquet. 7
H. BOSCO, l'Âne Culotte, p. 39.

♦ **4.** (Par anal. de forme). Réunion de fleurs, de feuilles artificielles sur une même tige droite. *« Un piquet de fleurs artificielles »* (J. Romains, *les Hommes de bonne volonté,* t. IV, p. 191).

DÉR. 1. **Piqueter** (1.).
HOM. 2. **Piquet.**

2. PIQUET [pikɛ] n. m. — 1662; orig. incert., p.-ê. du rad. de *piquer.* → 4. Pic.

♦ Jeu de cartes qui se joue à deux, à trois *(piquet normand)* ou à quatre, et dans lequel le joueur doit réunir le plus de cartes de même couleur, ainsi que certaines figures ou séries (quatorze; tierces, quatrièmes, quintes, seizièmes...). *Termes du piquet.* ⇒ **Capot,** 4. **pic** (I.), **repic** (→ 2. Écart, cit.).

Schinner voulut apprendre le piquet. Ignorant et novice, il fit naturellement école sur école; et, comme le vieillard, il perdit presque toutes les parties.
BALZAC, la Bourse, Pl., t. I, p. 347.

Un piquet : une partie de piquet. *Faire un piquet* (→ Fiche, cit. 2).

HOM. 1. **Piquet.**

PIQUETAGE [piktaʒ] n. m. — 1869; de 1. *piqueter.*

♦ Techn. Disposition de points de repère (jalons, piquets) pour marquer un alignement. ⇒ **Piquetis; balisage, jalonnement.**

1. PIQUETER [pikte] v. tr. — Conjug. *jeter.* — xvıᵉ; « faucher » avec une faux appelée « piquet »; de 1. *piquet.*

♦ **1.** Établir, tracer à l'aide de piquets, de bâtons d'alignement. ⇒ **Marquer.** *Piqueter un alignement. Piqueter une allée.* ⇒ **Baliser, jalonner.**

♦ **2.** (1780; de *piquer*). Parsemer de points, de piqûres (pour tracer une ligne sur une pièce de bois à travailler, etc.). ⇒ **Moucheter.**

▶ **PIQUETÉ, ÉE** p. p. adj.

♦ **1.** Marqué au moyen de piquets. *Allée piquetée.*

♦ **2.** (1770). Parsemé de points, de petites taches. ⇒ **Piqué, tacheté.** *Ciel piqueté d'étoiles,* constellé.

La mère Buque roula la table sur la terrasse, et ils dînèrent devant le Paris de l'Est, le plus piqueté de feux. 1
COLETTE, la Chatte, p. 150.

(...) le ciel est piqueté d'avions. SARTRE, la Mort dans l'âme, p. 31. 2

DÉR. Piquetage, piquetis.
HOM. 2. **Piqueter.**

2. PIQUETER [pikte] v. intr. — 1628; de 1. *piquette.*

♦ Vx. Boire (du vin). ⇒ **Picter, pictonner.**

HOM. 1. **Piqueter.**

PIQUETIS [pikti] n. m. — xxᵉ; de 1. *piqueter.*

♦ Rare. Ligne (figurée) piquée de points.

(...) sur les cartes d'état-major les forêts sont figurées au moyen d'un semis de petits ronds, de lunules entourées de points comme si elles avaient été récemment coupées, les rejets repartant en taillis pointillistes autour des troncs sciés au pied (...) les troncs et le piquetis se faisant plus denses se resserrant le long des lisières comme une impénétrable et mystérieuse barrière (...)
Claude SIMON, la Route des Flandres, 1960, p. 264.

PIQUETON [piktɔ̃] n. m. — 1841; de 1. *piquette.*

♦ Argot. anc. Vin (cf. Nerval, Zola, *in* G. L. L. F.). *Un coup de piqueton.*

DÉR. **Piquetonner.**

PIQUETONNER [piktɔne] v. intr. — 1903; de *piqueton.*

♦ ⇒ **Pictonner.**

1. PIQUETTE [pikɛt] n. f. — 1583; de *piquer.*

♦ **1.** Boisson obtenue par addition d'eau au marc de raisin (ou de certains fruits), sans fermentation. ⇒ **Boite, buvande.** — Par ext. *Piquette de cidre.*

1 Paisiello me semble de la piquette assez agréable et que l'on peut même rechercher et boire avec plaisir dans les moments où l'on trouve le vin trop fort.
STENDHAL, Vie de Henry Brulard, 38.

2 Mais il buvait de bon cœur la piquette dans un cabaret de campagne (...)
A. DE MUSSET, Nouvelles, « Deux maîtresses », I.

♦ **2.** (1660). Vin acide et léger, de qualité médiocre. ⇒ **Criquet** (vx). → Lacédémonien, cit. 3.

3 Qu'est-ce que je dirai donc, moi, de cette cochonnerie de piquette que Delhomme me donne pour du vin? Il éleva le verre, le regarda à la chandelle. — Hein? qu'a-t-il bien pu foutre là-dedans? Ce n'est pas même de la rinçure de tonneau (...)
ZOLA, la Terre, III, II.

Fig. (En parlant de ce qui est négligeable, de mauvaise qualité. → Gnognotte, petite bière*) :

4 Le poète illustrait pieusement à ce moment-là un fantastique trait de bravoure que je m'étais attribué. Je ne sais plus très bien ce qui se passait, mais ça n'était pas de la piquette. CÉLINE, Voyage au bout de la nuit, p. 95.

DÉR. 2. **Piqueter, piqueton.**

2. PIQUETTE [pikɛt] n. f. — 1894; problt du dial. *pique* « correction », de l'expr. *passer les piques* (XVIe), punition consistant à passer entre deux rangs de soldats qui frappaient le coupable du bois de leurs piques.

♦ Fam. Raclée, défaite écrasante. ⇒ **Pile.** *Prendre, ramasser une piquette.*

Tu te souviens peut-être de Klems, qui devint chef chez les salopards? C'était un sergent (...) Un déserteur allemand (...) C'est lui qui vous a fait prendre la piquette (...) P. MAC ORLAN, la Bandera, VI.

HOM. 1. **Piquette.**

1. PIQUEUR, EUSE [pikœʀ, øz] n. — 1559; de *piquer.*

♦ **1.** N. m. (De *piquer,* « éperonner, aiguillonner »). Vx. Écuyer, employé de manège. — Mod. Employé chargé de la direction et de la surveillance des écuries d'un centre d'élevage.

(1572). Vén. Valet de chiens qui suit la bête, à cheval. *Les piqueurs et la meute d'une chasse** (→ aussi Courre, cit. 4; filet, cit. 7; 3. fort, cit. 71; fox-hound, cit.). ⇒ **Piqueux.**

1 (...) les piqueurs et les gentilshommes chasseurs, en cercle autour de la curée, sonnaient du cor à plein souffle.
MAUPASSANT, les Contes de la Bécasse, « Un coq chanta ».

♦ **2.** N. m. (Mar.). Matelot qui, à bord d'un chalutier, éventre et vide les morues au moyen d'un couteau.

♦ **3.** N. m. *Piqueur de vin :* dégustateur de vins qui estime la qualité et le cru.

♦ **4.** (1842). Techn. Ouvrier, ouvrière qui pique à la machine (les tissus, les cuirs), ou qui perce les cartes pour métiers, ou qui agrafe les cartonnages, etc. *Une bonne piqueuse. Piqueur de cuir. Piqueuse en lingerie.*

2 *Derrière lui, s'est ouverte la porte voisine de sa chambre : la tête d'un vieil artisan — M. Gerbois — apparaît. C'est un piqueur de souliers travaillant en chambre. Il porte son costume de travail : un tablier de cuir.*
J. PRÉVERT, Le jour se lève (scénario), *in* l'Avant-Scène, no 53, p. 11.

3 « Poupées Yolande » demande piqueuses, confectionneuses sur robes poupées (...) ,
J.-M. G. LE CLÉZIO, le Déluge, p. 82.

♦ **5.** (De *piquer* « marquer, pointer les ouvriers », vx, XVe). Techn. Agent technique sous les ordres immédiats du conducteur de travaux publics. — Ch. de fer. Agent de la S. N. C. F. chargé de la surveillance et du contrôle des travaux de terrassement et des ouvrages d'art.

♦ **6.** Par appos. *Marteau-piqueur.* ⇒ **Marteau** (*supra* cit. 2), **perforatrice.** — Adj. Zool. *Insectes piqueurs,* qui piquent pour se défendre (abeille, guêpe, etc.) ⇒ **Aculéates.**

HOM. (Du masc.) 2. **Piqueur.**

2. PIQUEUR [pikœʀ] n. m. — 1360; de *piquer* « creuser à coups de pique », inus., XIIIe; de 2. *pic.*

♦ Mineur travaillant au pic. — Ouvrier utilisant un marteau pneumatique. *Piqueur de chaudières,* chargé de détacher au marteau les incrustations des chaudières.

HOM. 1. **Piqueur.**

PIQUEUX [pikø] n. m. — 1763; var. dial. de *piqueur.*

♦ Chasse. Piqueur.

L'automne dernier, vers huit heures du soir, deux jeunes gens revenant de la chasse suivaient à cheval la route de Noisy, à quelque distance de Luzarches. Derrière eux marchait un piqueux menant les chiens.
A. DE MUSSET, Contes, « Secret de Javotte », I.

PIQUIER [pikje] n. m. — XIIIe; de 1. *pique.*

♦ Anciennt. Soldat armé d'une pique.

PIQUOIR [pikwaʀ] n. m. — 1842; *piquois(e),* 1765; de *piquer.* Technique.

♦ **1.** Bx-arts. Aiguille emmanchée servant à piquer un dessin, un poncif.

♦ **2.** Pêche. Fer emmanché avec lequel on pique les gros poissons amenés à bord pour les mettre en cale. — On dit aussi *piquois* [pikwa].

PIQUOUSE [pikuz] n. f. ⇒ **Picouse.**

PIQUOUSER [pikuze] v. ⇒ **Picouser.**

PIQÛRAGE [pikyʀaʒ] n. m. — Mil. XXe; de *piqûre.*

♦ Techn. (Tissage). Opération qui consiste à réparer les défauts d'un tissu (rentrayage, stoppage). ⇒ **Piqûreuse.**

PIQÛRE [pikyʀ] n. f. — XVIe; *piqueüre,* v. 1380; de piquer.

♦ **1.** Petite blessure* faite par ce qui pique. *Une piqûre d'épine* (cit. 10) *de rose. Se faire une piqûre d'épingle* (→ Pâmer, cit. 2). *Hémorragie* (cit. 3) *consécutive à une piqûre. Piqûre anatomique** (→ Inoculer, cit. 2).

Jouant un jour avec les flèches d'Hercule, dont la pointe était imprégnée du poison de l'hydre de Lerne, il *(Chiron)* se fit une mauvaise piqûre au pied, et la douleur en peu de temps lui devint si intolérable qu'il pria Jupiter d'arrêter son mal en le dégageant de l'immortalité (...) Émile HENRIOT, Mythologie légère, p. 149.

Loc. fig. *Une piqûre d'épingle :* une petite pique*.
Piqûre d'insecte. Piqûre de moustique (cit. 1), *de taon* (→ Impatience, cit. 3), *d'abeille,... de scorpion... Piqûre venimeuse. Chairs qui enflent après une piqûre. Ôter le dard d'une piqûre.*

Il existe de féroces insectes désintéressés qui piquent sachant qu'ils mourront de la piqûre. HUGO, l'Homme qui rit, II, V, II.

(...) il ne faut pas souhaiter que ces méchantes mouches se posent sur les lèvres de mon Jacquot, car leur piqûre est cruelle. Un jour que je mordais dans une pêche, je fus piquée à la langue par une abeille et je souffris les tourments de l'enfer.
FRANCE, la Rôtisserie de la reine Pédauque, II, Œ., t. VIII, p. 17.

Il y a autour des abeilles une légende de menace et de périls. Il y a le souvenir énervé de ces piqûres qui provoquent une douleur si spéciale qu'on ne sait trop à quoi la comparer, une aridité fulgurante, dirait-on, une sorte de flamme du désert qui se répand dans le membre blessé (...) MAETERLINCK, la Vie des abeilles, I, VI.

(Abusivt). *Piqûre de serpent.* ⇒ **Morsure.**

♦ **2.** (1859). Introduction d'une aiguille creuse dans une partie du corps pour en retirer un liquide organique (ponction*, prise de sang...) ou pour y injecter un liquide médicamenteux (injection*). *Piqûre faite avec une seringue munie d'une aiguille. Piqûre sous-cutanée, hypodermique* (→ Imposition, cit. 1), *intramusculaire, intraveineuse. Piqûre d'huile camphrée* (→ Hasarder, cit. 9), *de morphine* (→ Invincible, cit. 10; oxygène, cit. 3)... *Piqûre mortelle* (→ Catégoriquement, cit.). *Piqûre de vaccination** (→ Anaphylaxie, cit. 1). *Faire des piqûres à un malade* (→ Laborantine, cit. 2). ⇒ **Piquer.** *Entretenir par des piqûres son cœur défaillant* (→ Fusiller, cit. 1). *Piqûre thérapeutique.* ⇒ **Acupuncture.**

« — Souffre-t-il en ce moment? » demanda-t-il, sans élever la voix. — Pas beaucoup. Je venais de lui faire sa piqûre. MARTIN DU GARD, les Thibault, t. IV, p. 126.

Spécialt. Piqûre des toxicomanes. ⇒ **Piquouse.**

♦ **3.** Sensation ou douleur produite par quelque chose d'urticant*. *Piqûre d'ortie.* ⇒ **Urtication.**

Il le faisait alors couler très lentement dans sa bouche *(le champagne)* pour sentir la petite piqûre sucrée du gaz évaporé sur sa langue.
MAUPASSANT, Pierre et Jean, III.

♦ **4.** (1690). Petit trou. *Piqûre de ver.* ⇒ **Vermoulure.** *Piqûres de chaussures :* décoration de perforations formant dessin. *Souliers à piqûres.* — Petite tache. *Piqûres d'une glace. Piqûres de rouille :* oxydation. — Spécialt. Tache roussâtre sur une gravure, un livre, due à l'humidité. ⇒ **Rousseur.**

Pourquoi ces quatre jours? pour rien! ou pour tout, ce qui revient au même : pour un bouton de veste en détresse, une piqûre de rouille à l'éperon, une tache graisseuse à la blouse (...) COURTELINE, le Train de 8 h 47. I. II.

8 C'étaient de jolis souliers à piqûres. Piqûres à fond crème sur des cuirs noir et brun, coupés de cuir blanc. ARAGON, le Paysan de Paris, p. 87.

♦ **5.** Fig. Blessure d'amour-propre. *Les piqûres de la satire* (→ Article, cit. 13). ⇒ **Pique.**

9 Un préjugé haineux s'est élevé contre elle, et, de jour en jour, il grandit. Des piqûres d'amour-propre, des mécomptes d'ambition, des sentiments d'envie l'ont préparé. L'idée abstraite d'égalité en a fourni le noyau sec et dur.
TAINE, les Origines de la France contemporaine, III, t. I, p. 243.

♦ **6.** (1586; de *piquer* «assembler à l'aiguille»). *Piqûre* ou *point de piqûre :* point avant combiné avec un point arrière (de façon que le fil forme une ligne continue à l'endroit comme à l'envers). *La piqûre sert à assembler* (⇒ **Couture**) *ou à orner. Piqûre à la machine. Piqûre à petits, à larges points, piqûre régulière. Défaire les piqûres d'un vêtement pour le découdre.* ⇒ **Dépiquer.** *Piqûres d'un sac, d'une chaussure... Piqûre-apprêt.*

10 C'était un chapeau mou, rabattu, de couleur vert foncé, avec deux rangs de piqûres sur le bord, et le nœud du ruban à l'arrière (...)
J. ROMAINS, les Hommes de bonne volonté, t. II, VI, p. 69.

Techn. Préparation des trous pour le brochage, en reliure. — Assemblage d'un cahier par des fils; cahier assemblé.

DÉR. Piquouse, piqûrage, piqûreuse.

PIQÛREUSE [pikyʀøz] n. f. — Mil. XXe; de *piqûre.*

♦ Techn. (Tissage). Ouvrière chargée de corriger à la main les défauts que présente un tissu, de reconstituer par un stoppage à l'aiguille son armure et son aspect. On dit aussi *rentrayeuse*.*

(...) d'autres ouvrières, appelées piqûreuses ou rentrayeuses, reconstituent par un stoppage à l'aiguille le tissu tel qu'il doit être dans son armure et dans son aspect.
Charles MARTIN, la Laine, p. 75.

PIRANDELLIEN, IENNE [piʀɑ̃deljɛ̃, jɛn] adj. — 1924, G. Marcel *in* D. D. L.; de *Pirandello.*

♦ Didact. Qui évoque la manière, les thèmes de Pirandello (humour, problèmes d'identité du sujet, etc.).

(...) voilà que le personnage principal *(de mon roman)* à peine esquissé disparaît. Comme je ne puis évidemment continuer sans lui, je viens vous demander de me le retrouver.
MORCOL *(rêveusement)*
Voilà qui est bien pirandellien.
HUBERT
Pirandellien?
MORCOL
Un adjectif dérivé de Pirandello.
R. QUENEAU, le Vol d'Icare, p. 14.

REM. On trouve aussi *pirandellesque* (N. R. F., 1937, *in* D. D. L.).

PIRANDELLISME [piʀɑ̃delism] n. m. — 1937; de *Pirandello.*

♦ Littér. Vision du monde, manière, style, de l'écrivain italien Pirandello.

Jouée «humain» à la perfection par les Comédiens-français, la pièce *(Chacun sa vérité)* vieillit bien : le pirandellisme s'est évaporé, la mécanique théâtrale reste intacte. Bulletin, *in* N. R. F., n° 283, avr. 1937 (*in* D. D. L., II, 18).

PIRANHA [piʀana] n. m. — 1795, mot tupi (langue indienne), par le port. du Brésil (1649, en anglais).

♦ Petit poisson carnassier des eaux douces d'Amérique tropicale, réputé pour son extrême voracité. *Bœuf dévoré par les piranhas.* — REM. La forme *piraya* [piʀaja] est archaïque.

PIRATAGE [piʀataʒ] n. m. — V. 1979; de *pirater.*

♦ Action, fait de pirater* (II., 1.). *«Si les films de cinéma sortaient en cassettes en même temps qu'en salles, le piratage n'aurait plus de raison d'être»* (*l'Express,* 10 nov. 1979). *Le piratage des disques,* leur reproduction illicite.

PIRATE [piʀat] n. m. et adj. — 1213; lat. *pirata,* du grec *peiratês.*

♦ **1.** Ancient (encore dans certaines régions du monde, Asie notamment). Aventurier, bandit qui court les mers pour piller les navires. ⇒ **Écumeur** (cit. 2), **forban** (→ Infester, cit. 2); aussi **corsaire** (cit. 2). *Marins qui se font pirates, qui équipent* (cit. 2) *un bateau pour faire une croisière de pirates. Pirates des côtes d'Amérique.* ⇒ **Boucanier, flibustier.** *Drakkars* des pirates normands au moyen âge. Pirates qui hissent le pavillon à tête de mort* (→ Emblème, cit. 2).

Errant de mers en mers, et moins roi que pirate, RACINE, Mithridate, II, 4.

1 Bob Harvey s'était emparé, sur les parages de l'île Norfolk, de ce brick, qui était chargé d'armes, de munitions, d'ustensiles et outils de toutes sortes, destinés à l'une des Sandwich. Toute sa bande avait passé à bord, et, pirates après avoir été convicts, ces misérables écumaient le Pacifique, détruisant les navires, massacrant les équipages, plus féroces que les Malais eux-mêmes!
J. VERNE, l'Île mystérieuse, p. 616.

Il *(Pompée)* venait de purger les mers des pirates qui les infestaient depuis la Syrie jusqu'aux colonnes d'Hercule (...) 2
BOSSUET, Disc. sur l'Hist. universelle, I, IX.

Par métonymie. Le navire monté par ces pillards*. *Pirate battant pavillon noir.* — Appos. *Bateau pirate.*

(1969). **PIRATE DE L'AIR :** individu armé qui oblige par la menace l'équipage d'un avion à modifier sa destination.

♦ **2.** Fig. Individu sans scrupules, qui s'enrichit aux dépens d'autrui. ⇒ **Bandit, escroc, filou, requin** (fig.) **voleur.** *Les pirates de la finance. C'est un pirate de grande envergure.*

♦ **3.** (V. 1965). Adj., ou second élément de substantifs composés. Clandestin, illicite. *Émetteur, émission pirate. Station pirate, radio pirate. Édition pirate. «L'arrivée de pétroliers pirates susceptibles de décharger des quantités substantielles de pétrole en contravention avec l'embargo...»* (*le Monde,* 9 avr. 1966, *in* Gilbert). — REM. Certains de ces syntagmes s'écrivent aussi avec le trait d'union.

DÉR. Pirater, piraterie.

PIRATER [piʀate] v. — Fin XVIe; de *pirate.*

★ **I.** V. intr. Se livrer au brigandage sur mer, à la piraterie*.

★ **II.** V. tr. ♦ **1.** (XVIIe). Voler en commettant des plagiats. — Spécialt. Reproduire (un ouvrage de l'esprit, une production artistique) et le, la vendre sans payer de droits. *Pirater un concert.* — Au p. p. *Édition piratée.*

♦ **2.** (Mil. XXe). *Pirater (qqn),* voler sa production.

♦ **3.** Voler (qqch.).

Tu as tout piraté dans leur petit marché aux puces.
René FALLET, Y a-t-il un docteur dans la salle?, p. 185.

Fig. *«Un ange filou me piratait mes pensées»* (Sartre, *in* G. L. L. F.).

▶ **PIRATÉ, ÉE** p. p. adj. *Disque piraté.* — Détenu ou contrôlé par un pirate* de l'air. *Avion piraté.* ⇒ **Détourné.** *«Air France a demandé à l'un de ses premiers commandants de bord «piratés» de mettre au point des consignes à appliquer en cas de détournement»* (*l'Express,* 24 oct. 1977, p. 123).

DÉR. Piratage.

PIRATERIE [piʀatʀi] n. f. — 1505; de *pirate.*

♦ **1.** Acte de pirate; «perpétration ou tentative de perpétration, en mer, par l'équipage ou les passagers d'un navire, d'attentats contre d'autres bâtiments, leur équipage, leurs passagers ou leur cargaison, sans distinction de nationalité» (Capitant). *Répression de la piraterie* (loi du 10 avril 1825). — (1680). Brigandage* du pirate. *Exercer* (cit. 39) *la piraterie.* ⇒ **Flibuste, flibusterie.**

(...) le brick continua sa route vers le sud-ouest, — les mutins ayant en vue quelque expédition de piraterie; il s'agissait (...) de surprendre et d'arrêter un navire qui devait faire route des îles du cap Vert à Porto-Rico. 1
BAUDELAIRE, Trad. E. POE, les Aventures d'A. Gordon Pym, IV.

(1969). **PIRATERIE AÉRIENNE :** détournements* d'avions par des pirates* de l'air.

♦ **2.** Fait de pirater (II.). — *(Une, des pirateries).* Escroquerie, exaction, manœuvre frauduleuse.

Personne ne savait de quel pays venait la famille de Lanty, ni de quel commerce, de quelle spoliation, de quelle piraterie ou de quel héritage provenait une fortune estimée à plusieurs millions. BALZAC, la Sarrasine, Pl., t. VI, p. 80. 2

PIRE [piʀ] adj. — XIIe; du lat. *pejor,* comparatif de *malus* «mauvais».

★ **I.** (Comparatif synthétique pouvant remplacer *plus mauvais,* quand cet adjectif n'est pas employé au sens de «défectueux»). Plus mauvais, plus nuisible, plus pénible.

Ainsi, *pire,* c'est *plus mauvais;* mais ces termes ne sont pas synonymes au point qu'on puisse toujours les choisir indifféremment. Si l'on dit, à son gré : «Votre excuse est *pire* (ou *plus mauvaise*) que votre faute», on ne peut pas dire : «Il a *les yeux pires* que son frère», il faut dire *plus mauvais* (Nyrop). Observation très juste mais incomplète; ajoutons ceci : l'obligation d'employer *plus mauvais* (et non *pire*) tient au fait que, dans l'expression (du degré positif) «avoir de *mauvais* yeux», *mauvais* est pris au sens propre (imparfait, de nature défectueuse); le seul comparatif juste est donc ici : *plus mauvais.* 1
G. et R. LE BIDOIS, Syntaxe du franç. moderne, § 1207.

(Personnes). De qualité inférieure (dans l'ordre moral). *«Les femmes sont meilleures ou pires que les hommes»* (La Bruyère). — Plus méchant, plus nuisible (→ Égaré, cit. 26). *Elle est pire qu'un diable.* — Absolt. *L'aîné ne vaut pas grand-chose, mais le cadet est pire.*

(Choses). Plus dangereux, plus nuisible, plus pernicieux. *Il y a de mauvais exemples* (cit. 9, Montesquieu) *qui sont pires que les crimes. Le remède est pire que le mal* (→ Fâcheux, cit. 6; discréditer, cit. 3).

Comment un ruisseau vil est pire qu'un torrent. 2
HUGO, l'Année terrible, août 1870, III.

Plus grave, plus douloureux, plus pénible : «(...) *il n'est pire misère Qu'un souvenir heureux* (cit. 53, Musset) *dans les jours de douleur».* (Littér., après le nom). *Partout ailleurs, il traînerait une détresse pire* (→ Destinée, cit. 4, Martin du Gard) — *«Souvent la peur d'un mal* (3. Mal) *nous conduit dans un pire»* (Boileau). *Tomber d'un mal dans un pire* (cf. De Charybde en Scylla). *J'en ai eu, j'en ai vu de pires* (→ 1. Capon, cit. 2).

3 Crois-moi, vous avez rendu la condition de l'homme pire que celle de l'animal.
DIDEROT, Suppl. au voyage de Bougainville, III.

REM. 1. Dans la langue parlée, *plus mauvais* est d'un emploi beaucoup plus courant que *pire* qui se rencontre surtout dans des expressions toutes faites, des adages : *Il n'est pire eau que l'eau qui dort** (→ Comme, cit. 23). *Il n'est pire sourd* que celui qui ne veut pas entendre.*
2. *Pire* peut être renforcé par *bien* (mais non par *beaucoup*), ou par un tour exprimant une multiplication : *cent fois pire* (→ Autocratie, cit. 1; image, cit. 55), mais jamais par *plus. Plus pire, moins pire* sont d'usage régional ou populaire et fautif.

3.1 ... Ça n'va pas mieux ... ça n'va pas plus pire...
Henri MONNIER, Scènes populaires, t. I, p. 316.

3. L'emploi de *pire* avec un neutre ou un indéfini est contesté par quelques puristes, qui exigent ou préfèrent dans ce cas l'emploi de l'adverbe *pis.* → 2. Pis. Cependant on trouve chez de nombreux écrivains : *rien de pire que...* (→ Anarchie, cit. 2, Bossuet; détachement, cit. 6, Mauriac; ignorer, cit. 45, La Bruyère). *Rien n'est pire qu'une marâtre* (cit. 2, Gautier). *Quelque chose de pire* (→ Arriver, cit. 61, La Fontaine; gouvernement, cit. 28, Taine). *Ce qui est pire* (→ Mauvais, cit. 17, R. Rolland).

4 Un homme nul est quelque chose d'effroyable; mais il y a quelque chose de pire, c'est un homme annulé.
BALZAC, Mémoires de deux jeunes mariées, Pl. t. I, p. 260.

5 Ce n'est pas un titre d'être jeune. — Vous n'êtes pas vieux! — C'est pire : ça vient. Et ce n'est pas beau, pour un pitre, de vieillir. J. ANOUILH, Ornifle, I.

4. *Pire* ne peut jamais être employé comme adverbe : le tour *aller de mal en pire,* est incorrect, et *tant pire* constitue un barbarisme (qui se rencontre dans la langue populaire).

★ **II.** (Superlatif). LE PIRE, LA PIRE, LES PIRES.

♦ **1.** Adj. Le plus mauvais. *Les pires gredins* (→ Éclore, cit. 10). *Les pires passions* (→ Asile, cit. 23). *Toutes les ardeurs, les plus hautes et les pires* (→ Brûler, cit. 43). *La calomnie* (cit. 2) *est la pire espèce de mensonge. Un voyou de la pire espèce. S'embourber* (cit. 4) *dans la pire sottise. Les pires blasphèmes* (cit. 5). *«La langue* (cit. 4) *est la pire chose qui soit au monde* (La Fontaine). *«Mais elle était du monde où les plus belles choses Ont le pire destin»* (cit. 13, Malherbe). — *Le pire des malheurs* (→ Faible, cit. 23). *La pire des duperies* (cit. 3), *de toutes les jalousies* (cit. 22). *Le pire de tous les despotismes* (cit. 5), *de tous les gouvernements* (→ Aristocratie, cit. 2). *Le pire que...* (cit. 8, Mauriac). — *Une tentation aussi violente que les pires* (→ 1. Pensée, cit. 39). — REM. *Pire,* superlatif, peut être introduit par un possessif : *nos pires erreurs* (→ Couvrir, cit. 30), ou un démonstratif : *ce pire ennemi de notre pays.*

6 Vous êtes pires que les pires d'entre eux.
R. ROLLAND, Jean-Christophe, Nouv. journée.

7 Le travail est la meilleure et la pire des choses : la meilleure, s'il est libre; la pire, s'il est serf. ALAIN, Propos, 28 août 1922, Heureux agriculteurs.

8 Le sort qui m'attendait, le pire que j'eusse imaginé, m'était inconnu.
F. MAURIAC, la Pharisienne, IX.

9 Il commettait alors les pires imprudences pour aller se faire gâter par les sœurs de l'infirmerie, et il n'attrapait jamais rien. F. MAURIAC, les Anges noirs, XIX.

♦ **2.** N. (Au sing., sens neutre). LE PIRE DE... : ce qu'il y a de plus mauvais en... — REM. L'emploi de *pis,* recommandé en ce cas par certains grammairiens, est de moins en moins usuel. → 2. Pis. *Le pire de l'affaire, de l'histoire, c'est que... Le pire de tout* (→ Opportunisme, cit. 2).

10 Des gens d'esprit comme lui — Talleyrand — ne mettent jamais le pire de leur pensée ou de leur vie dans des papiers écrits.
SAINTE-BEUVE, Correspondance, t. II, p. 364.

11 C'est le pire des conditions basses qu'elles nous font voir les êtres sous l'aspect de l'utilité et que nous ne cherchons plus que leur valeur d'usage.
F. MAURIAC, Génitrix, III.

Absolt. Les choses les plus mauvaises, les plus dangereuses. *Le meilleur et le pire* (→ Écarteler, cit. 8). *Époux unis pour le meilleur* et pour le pire. «Il n'est point de degré du médiocre au pire»* (→ Écrire, cit. 58, Boileau). — *Le pire, c'est que...* (→ Inappétence, cit. 2). *Le pire est de...* (→ Main, cit. 45). — *Craindre, envisager* (cit. 15) *le pire* (→ Détente, cit. 4). *Les pessimistes* (cit. 2) *ont la crainte constante du pire. S'attendre* (→ Chômer, cit. 4), *consentir au pire* (→ Fuite, cit. 7). — *La politique du pire,* celle qui consiste à escompter, à rechercher le pire pour en tirer parti.

12 Leur faveur est glissante, on s'y trompe; et le pire,
C'est qu'il en coûte cher (...) LA FONTAINE, Fables, X, 9.

13 J'étais très soucieux car ma panne commençait de m'apparaître comme très grave, et l'eau à boire qui s'épuisait me faisait craindre le pire.
SAINT-EXUPÉRY, le Petit Prince, VII.

14 De quoi me sert ce peu de science? Vais-je imaginer le meilleur, alors que je connais le pire? G. DUHAMEL, les Plaisirs et les Jeux, V, I.

15 (...) on est forcé de s'avouer : «le pire n'est pas arrivé» (...) Le pire, qui s'apprêtait à rouler sur nous en faisant tout craquer (...) le pire est tombé en panne (...)
Mais a-t-il fait demi-tour ensuite? Est-il définitivement reparti? Est-ce parce qu'on a pris le mauvais pli de la crainte qu'on croit entendre au loin (...) le brinquebalement, le ferraillement du pire (...)
J. ROMAINS, les Hommes de bonne volonté, t. XIX, I, p. 7.

C'est toi tu vas tu viens et je suis ton empire 16
Pour le meilleur et pour le pire
Et jamais tu ne fus si lointaine à mon gré ARAGON, les Yeux d'Elsa, p. 63.

Le pire était qu'à rêver sans cesse, il oubliât la moitié du temps de boire et de manger (...) M. AYMÉ, les Contes du chat perché, p. 35. 17

CONTR. Meilleur, mieux.
COMP. Empirer.

PIRÉES [piʀe] n. f. pl. — Fin XIXe. dér. sav. du lat. *pirum* «poire» dans un autre sens (ancienne famille botanique, syn. : *pomacées).*

♦ Bot. Ensemble des arbres fruitiers dont le fruit est un piridion* (opposé à ceux dont le fruit est une drupe*, ou *prunées*). — Au sing. *Une pirée.*

PIRIDION [piʀidjɔ̃] n. m. — Mil. XXe; dér. sav. du lat. *pirum* «poire».

♦ Bot. Fruit indéhiscent charnu à pépin, que l'on ne peut considérer comme une baie du fait de l'existence d'un péricarpe cartilagineux, équivalent du noyau d'une drupe.

Les pommes et les poires sont donc intermédiaires entre les baies et les drupes; on leur donne le nom de piridions.
On rencontre les piridions dans la tribu des Pirées de la famille des Rosacées. Avec les pommes et les poires, citons les coings, les nèfles, les sorbes, les senelles, fruits respectifs des Cognassiers *(Cydonia vulgaris),* Néfliers *(Mespilus germanica),* Sorbiers *(Sorbus domestica),* Aubépines *(Crataegus).*
F. MOREAU, Botanique, *in* Encycl. Pl., p. 936.

PIRIFORME [piʀifɔʀm] adj. — 1698; du lat. *pirus* «poire», et suff. *-forme.*

♦ Qui a la forme, l'aspect d'une poire*. *Crâne, tête piriforme* (→ Feutrer, cit. 6; nez, cit. 6). *Ventre piriforme et proéminent* (→ Fluctuer, cit.). *Seins grêles* (2. Grêle, cit. 1) *et piriformes.*

(...) le capitaine bourgeois fit de grands efforts pour remettre en place son habit, qui s'était autant retroussé par derrière que par devant, poussé par l'action d'un ventre piriforme. BALZAC, la Cousine Bette, Pl., t. VI, p. 136.

PIROGUE [piʀɔg] n. f. — 1638; esp. *piragua,* mot caraïbe.

♦ Embarcation légère, étroite et plate (⇒ **Canoë**), mue à la pagaie ou à la voile, utilisée en Afrique et en Océanie. *Pirogue faite d'un tronc d'arbre creusé, d'écorces, de peaux cousues. Pagayer* sur une pirogue.*

Une espèce de pirogue d'une excessive légèreté, fabriquée à Marseille d'après un modèle malais, permit de naviguer dans les récifs jusqu'à l'endroit où ils cessaient d'être praticables. BALZAC, la Duchesse de Langeais, Pl., t. V, p. 250.

Comme un essaim d'oiseaux les pirogues agiles
Trempant leur aile aiguë aux écumes d'argent.
LECONTE DE LISLE, Poèmes tragiques, «Illusion suprême».

Vers le soir, remonté en pirogue jusqu'à X, où nous attendent les autos (...) La pirogue circule sur une plaque d'ébène à travers les nymphéas blancs, puis s'enfonce sous les branches (...) GIDE, Voyage au Congo, *in* Souvenirs, Pl., p. 705.

DÉR. Piroguier.

PIROGUIER [piʀɔgje] n. m. — 1859; de *pirogue.*

♦ Celui qui conduit une pirogue. — REM. Le fém. est virtuel.

Le lendemain, la pirogue a glissé longtemps sur le Mekong, entre Laos et Thaïlande (...)
Sur l'un de ces îlots, au milieu du fleuve, des soldats ont arrêté le bateau. Le piroguier a expliqué qu'il nous emmenait à Pakhou.
Geneviève DORMANN, le Bateau du courrier, p. 117.

PIROJKI [piʀɔjki] n. m. pl. — Mil. XXe; mot russe pluriel, sing. *pirojok,* dimin. de *pirogui,* attesté en français dès 1839 (var. *pirog,* 1857, *in* D. D. L.).

♦ Cuis. Petits pâtés chauds, farcis de viande, de poisson, de légumes, etc. servis en hors-d'œuvre ou en entrée.

(...) les noctambules légers d'argent, venaient là manger du caviar, des pirojki à bon marché et boire de la voldka à un prix modeste.
J. KESSEL, Tous n'étaient pas des anges, p. 525.

REM. On trouve aussi la graphie *piroijki* [piʀɔjʒki].

PIROLE [piʀɔl] n. f. — 1567; lat. *pirola,* de *pirus* «poirier»,

♦ Petite plante herbacée (famille proche de celle des *Éricacées*), à feuilles vertes ressemblant à celles du poirier, et qui pousse dans les lieux humides.

HOM. Pirolle.

PIROLLE [piʀɔl] n. f. — 1869, *piroll,* Littré; orig. inconnue.

♦ Passereau de Malaisie et des Indes, au plumage vert et jaune mêlé de rouge, à la tête ornée d'une huppe.

HOM. Pirole.

PIROPLASMOSE [piʀoplasmoz] n. f. — 1903, in *Rev. gén. des sc.* nº 2, p. 108; de *piro-* (du lat. *pirum* «poire»), et *plasmose.*

♦ Méd. Infection produite par un parasite des globules rouges et transmise par les piqûres de tique.

PIROUETTANT, ANTE [piʀwɛtɑ̃, ɑ̃t] adj. — xxᵉ; de *pirouetter.*

♦ Qui pirouette.

(...) comme Max *(Jacob)* c'était *(le Chevalier de Przybyszewski)* un être instable, bavard, affable, pirouettant, qui dissimulait son immense orgueil de race et sa vanité (...) sous beaucoup de politesses et une bienveillance amusée de grand seigneur. B. CENDRARS, la Main coupée, *in* Œ. compl., t. X, p. 185.

PIROUETTE [piʀwɛt] n. f. — 1530; *pirouelle,* 1364; *pirouet,* 1450; orig. douteuse; p.-ê. d'un rad. *pir-* «cheville» (cf. ital. *pizolo),* d'orig. grecque, «je transperce», et de *rouelle* «petite roue», devenu *rouette,* d'après *girouette.*

♦ **1.** Vx. Toupie* d'enfant. ⇒ **Toton.** — Bijouterie. Joyau en forme de petit moulin à vent.

♦ **2.** (1611). Mod. Tour ou demi-tour qu'on fait de tout le corps, sans changer de place, en pivotant sur la pointe ou le talon d'un seul pied. ⇒ **Cabriole, galipette.** *Faire une pirouette* (→ 2. Mal, cit. 26). *Pirouettes d'un clown.*

1 Il fit une pirouette et disparut sans attendre ma réponse (...)
BALZAC, la Peau de Chagrin, Pl., t. IX, p. 100.

Danse. Figure de danse, tour ou suite de tours qu'un danseur exécute sur la pointe des pieds. *Pirouette classique* (→ 1. Fougue, cit. 3). *Pirouettes et jetés* (cit. 1) *battus. Pirouette fouettée :* fouetté. ⇒ **Fouetter.**

2 (...) ce misérable freluquet, tout en brodant tantôt un fandango, tantôt une pirouette, n'était nullement *réglé* dans sa danse, et ne possédait pas la plus vague notion de ce qu'on appelle aller en mesure.
BAUDELAIRE, Trad. E. POE, Nouvelles histoires extraordinaires, «le Diable dans le beffroi».

Équit. Volte* qu'un cheval exécute sur place en pivotant sur l'un de ses pieds postérieurs.

Loc. fam. *Répondre par des pirouettes :* éluder une question sérieuse par des plaisanteries, s'y dérober en payant de mots. ⇒ **Dérobade, échappatoire.** — *Payer ses créanciers en pirouettes, avec des pirouettes* (→ En monnaie de singe*).

♦ **3.** Fig. Brusque changement d'opinion. ⇒ **Revirement, volte-face.** *Les pirouettes d'un politicien.*

DÉR. Pirouetter.

PIROUETTEMENT [piʀwɛtmɑ̃] n. m. — 1585; de *pirouetter.*

♦ Action de pirouetter. *Un pirouettement rapide. — Un, des pirouettements. Un pirouettement sur soi-même.*

PIROUETTER [piʀwete] v. intr. — 1546; «faire tourner une toupie dite *pirouette*», 1530; de *pirouette.*

♦ **1.** (Sujet n. de personne). Faire une ou plusieurs pirouettes (→ Cabrioler, cit. 1; mercure, cit. 2). *Pirouetter sur ses talons.* ⇒ **Pivoter** (→ Flandrin, cit.).

1 (...) il part comme un trait, vole au fond du théâtre, et revient en pirouettant, avec une rapidité que l'œil peut suivre à peine.
BEAUMARCHAIS, le Barbier de Séville, Lettre sur la critique.

2 (...) Von Underduk (...) s'oublia, lui et sa dignité, au point de pirouetter trois fois sur son talon, dans la quintessence de l'étonnement et de l'admiration.
BAUDELAIRE, Trad. E. POE, Histoires extraordinaires, «Aventure... Hans Pfaall».

♦ **2.** (Sujet n. de chose). Tourner sur soi-même, être animé d'un mouvement qui rappelle la pirouette. *Des tourbillons de feuilles mortes pirouettaient dans le vent d'automne.*

♦ **3.** Fig., littér. Changer brusquement d'opinion, de parti (cf. Tourner casaque).

DÉR. Pirouettant, pirouettement.

1. PIS [pi] n. m. — 1564; *p(e)iz* «poitrine», 980 — le mot a signifié «poitrine, estomac» pendant tout le moyen âge; du lat. *pectus.*

♦ Mamelle* d'une femelle en lactation, et, spécialt, d'une bête laitière. *Pis de la vache, de la chèvre, de la brebis... Le lait s'écoule du pis par les trayons*. Porcelets suspendus aux pis de leur mère.* ⇒ **Tétine.**

(...) il examinait de près la vache (...) Il se baissa, s'assura de la longueur des pis et de l'élasticité des trayons, placés carrément et bien percés. 1
ZOLA, la Terre, II, VI.

À heure fixe, elle *(la vache)* offre son pis plein et carré. Elle ne retient pas le lait (...) généreusement, par ses quatre trayons élastiques, à peine pressés, elle vide sa fontaine. J. RENARD, Histoires naturelles, «La vache». 2

Quand ils ont occupé la frontière, les villages venaient d'être évacués par la population, mais le bétail était toujours là (...) Les vaches meuglaient dans l'étable avec des pis gros de plusieurs jours. R. DORGELÈS, la Drôle de guerre, V. 3

HOM. Pi, pie, 2. pis.

2. PIS [pi] adv. (et adj.). — xiiᵉ; *peis,* fin xᵉ; du lat. *pejus,* comparatif neutre de *malus* «mauvais». — REM. *Pis* tend à disparaître de la langue usuelle au profit de *pire.* → Pire (REM.).

★ **I.** (Comparatif synthétique pouvant en certains cas remplacer *plus mal* ou *plus mauvais).*

Il y a des cas où l'emploi de *plus mal* s'impose; ainsi quand *mal* modifie un participe passé : «Je ne pense pas qu'il y ait gentilhomme en France *plus mal servi* que moi». MOL., *Préc.* 11. On voit, pour le dire en passant, que *pis* ne recouvre pas exactement tous les emplois de *mieux;* car on dirait fort bien : un gentilhomme *mieux servi* (...) 1
G. et R. LE BIDOIS, Syntaxe du franç. moderne, § 1207.

On ne dirait pas *pis* avec n'importe quel verbe qui s'accommode de *mieux.* On dit : *parler plus mal, se conduire plus mal, agir plus mal, aller plus mal* (...) 2
J. HANSE, Dict. des difficultés grammaticales, Pis.

♦ **1.** Vx ou littér. Plus mal. *«Ils sont pis que jamais ensemble»* (Académie). *«Il se portait mieux; mais aujourd'hui il est pis que jamais»* (Littré).

Spécialt. (En corrélation avec *que* comparatif suivi d'un adjectif). *Elle est pis que laide, elle est affreuse* (→ aussi Jeune, cit. 15).

(En corrélation avec un autre adverbe). *Tant pis.* ⇒ **Tant.** *Ni mieux ni pis.* ⇒ **Mieux.** — Loc. adv. *De pis en pis* (vieilli); *de mal en pis.* ⇒ 2. **Mal** (de plus en plus mal); et aussi **empirer.**

♦ **2.** (Employé adjectivement, en fonction d'attribut ou d'épithète, mais toujours en rapport avec un indéfini ou un neutre). Littér. *Rien de pis que... Quoi de pis? Ce qu'il y a de pis...* (→ Grassement, cit. 2). *Ce qui est pis encore* (→ Géomètre, cit. 1). *Qui pis est... :* ce qui est plus grave (→ Discréditer, cit. 3; expliquer, cit. 28). *Leur morgue* (cit. 1) *les rend ennuyeux et, qui pis est, ridicules.*

Et que peut-on de pis que d'ordonner aux gens 3
De sortir de chez eux? MOLIÈRE, Tartuffe, V, 4.

Croyez-vous qu'il me soit bien agréable d'être grondée tous les jours par Maman, elle qui auparavant ne me disait jamais rien (...) À présent, c'est pis que si j'étais au couvent. LACLOS, les Liaisons dangereuses, LXXXII. 4

(...) nous doutons qu'elle plaise, ou, qui pis est, qu'elle soit très utile. 5
BALZAC, le Feuilleton, III, *in* Œ. diverses, t. I, p. 367.

♦ **3.** (Nominal; sans article ni adjectif déterminatif). Une chose pire. *Il y a pis. Faire pis* (→ Grossièreté, cit. 4), *pis qu'à l'ordinaire.* — Loc. *Dire* pis que pendre de qqn,* répandre sur lui les pires médisances ou calomnies. *Faire pis que pendre.* ⇒ **Pendre.**

(...) on ne pouvait nous faire pis qu'elles ont fait? 6
MOLIÈRE, les Précieuses ridicules, I.

Je vous défie (...) de faire pis que vous ne faites (...) 7
F. DANCOURT, les Bourgeoises de qualité, I, 5.

C'est qu'en effet il y a là pis que les écueils, pis que la tempête. La nature est atroce, l'homme est atroce, et ils semblent s'entendre. Dès que la mer leur jette un pauvre vaisseau, ils courent à la côte, hommes, femmes et enfants; ils tombent sur cette curée. MICHELET, Hist. de France, t. III. 8

(...) la concierge disait d'elle pis que pendre. 9
ZOLA, l'Assommoir, V, t. I, p. 198.

Tu as fait pis que ces hommes. 10
R. ROLLAND, Jean-Christophe, Nouv. journée.

(Précédé d'une préposition). *Vous me rassurez, je m'attendais à pis. Crainte du pis. Il a changé*, mais en pis.*

(Suivi d'un terme ou d'une phrase qui précise ou retouche ce qu'on vient de dire) :

Je suis sans un liard, sans espérance, sans pain, sans pension, sans femme, sans enfants, sans asile, sans honneur, sans courage, sans ami, et pis que cela! sous le coup de lettres de change (...) BALZAC, la Cousine Bette, Pl., t. VI, p. 432. 11

Bien pis, et par un autre effet de la même faute, elle s'est condamnée aux transes perpétuelles. TAINE, les Origines de la France contemporaine, III, t. I, p. 207. 12

Pour manger, il lui faut devenir homme-sandwich; pis : automate. 13
Henri POURRAT, Vent de Mars, p. 146.

REM. Dans son emploi adjectif et nominal, *pis* peut-être renforcé : [a] par *bien* (mais jamais par *beaucoup*) : *c'est bien pis* (→ Grelotter, cit. 1; indécent, cit. 6; malentendu, cit. 1), *il a fait bien pis;* [a] par une expression adverbiale numérique (mais jamais par *plus*). *Voilà qui est cent fois pis.*

★ **II.** (Superlatif). ♦ **1.** Littér. **LE PIS** : la pire chose, ce qu'il y a de plus mauvais. *Le pis est que...* (→ Carreau, cit. 6; grossir, cit. 12). *Le pis qui puisse arriver* (cit. 54; → Exercice, cit. 24).

Mais ce n'est pas là le pis; c'est qu'il n'y a dans le tout aucun principe de l'art. 14
DIDEROT, Salon de 1769, Greuze.

Le pis, pour les jeunes filles, c'est de pleurer sans savoir pourquoi. 15
MICHELET, la Femme, I, IX.

Prendre, mettre les choses au pis, les envisager sous l'aspect le plus fâcheux, en supposant qu'elles vont prendre la tournure la plus défavorable (→ Effaroucher, cit. 8).

16 En mettant les choses au pis il descendrait pour le dîner.
F. MAURIAC, Génitrix, v.

♦ **2.** Loc. adv. (XIVe). **AU PIS ALLER** [opizale] : en supposant que les choses aillent le plus mal possible, en prenant l'hypothèse la plus défavorable. ⇒ **Pis-aller.** *Au pis aller, nous pouvons compter sur un gain de X francs.* — Par ext. ⇒ **Rigueur** (à la). *Au pis aller, il pourrait remettre son voyage.*

17 Vous rencontrerez bien quelque morceau d'obus là-bas; mais, au pis-aller, si vous mourrez de peur, ce sera encore une belle mort.
ALAIN, Propos, 14 sept. 1921, Piquons l'honneur.

N. ⇒ **Pis-aller**

CONTR. Meilleur, mieux.
COMP. Pis-aller.
HOM. Pi, pie, 1. **Pis.**

PIS-ALLER [pizale] n. m. invar. — 1643; de 2. *pis,* et *aller.*

♦ Personne à laquelle on a recours faute de mieux. *Être le pis-aller de qqn.* — Ce qu'on accepte ou qu'on propose à défaut d'autre chose; solution, moyen de fortune* (→ Brioche, cit. 1). — REM. On écrit aussi *pis aller* (sans trait d'union).

1 (...) sans le pis aller des confidences écrites substituées à nos chères causeries, j'étoufferais. BALZAC, Mémoires de deux jeunes mariées, Pl., t. I, p. 130.

2 Comme elles ont méprisé cette petite lueur d'amour que je portais en moi, toutes deux! L'une en se laissant si aisément éloigner de moi; l'autre en s'offrant si légèrement à moi, comme une remplaçante, comme un pis-aller.
Valery LARBAUD, A. O. Barnabooth, «Journal», II.

3 Sans doute il considérait la maison close comme un pis-aller. Mais elle ne heurtait pas gravement en lui l'idée de l'acte sexuel.
J. ROMAINS, les Hommes de bonne volonté, t. V, VIII, p. 68.

4 Quelques emplois n'avaient pu être remplis que par des pis-aller : le criminologue était un dentiste qui avait introduit à la police judiciaire le moulage des mâchoires au lieu des empreintes digitales comme système d'identification; et le monarchiste vivait pour collectionner des spécimens de vaisselle de toutes les familles royales de l'univers (...) Claude LÉVI-STRAUSS, Tristes tropiques, p. 83.

PISAN, ANE [pizɑ̃, an] adj. et n. — 1875; de *Pise,* ville d'Italie.

♦ Qui se rapporte à Pise, à ses habitants. — N. Habitant de Pise.

PISCI- Élément de composition de termes savants, du lat. *piscis* «poisson». ⇒ **Piscicole, pisciculture, pisciforme, piscivore.**

PISCICOLE [pisikɔl] adj. — 1876; «petite sangsue», n. f., 1828; de *pisci-,* et *-cole.*

♦ Didact. Qui appartient à la pisciculture. *Établissement piscicole.*

PISCICULTEUR, TRICE [pisikyltœʀ, tʀis] n. — 1857; de *pisciculture.*

♦ Didact. Personne qui s'occupe de pisciculture*, dont la profession est d'élever des poissons. ⇒ **Aquiculteur.**

PISCICULTURE [pisikyltyʀ] n. f. — 1850; de *pisci-,* et *culture.*

♦ Didact. Ensemble des procédés et des techniques de production et d'élevage* du poisson. ⇒ **Aquiculture** (cit.). *La pisciculture concerne la fécondation artificielle des poissons, l'incubation des œufs, l'alevinage*, les soins donnés aux poissons adultes, le repeuplement des eaux, etc. Pisciculture en étangs*, en bassins.*
Entreprise de pisciculture. *«Nouveaux dégâts dans une pisciculture à Bordeaux»* (*le Monde,* 28 oct. 1964).

DÉR. Pisciculteur.

PISCIFORME [pisifɔʀm] adj. — 1776; de *pisci-,* et *-forme.*

♦ Didact. Qui a la forme d'un poisson. ⇒ **Ichtyoïde.** *Les cétacés, les pinnipèdes et les siréniens sont des mammifères pisciformes.*

PISCINE [pisin] n. f. — 1190, «réservoir, bassin», au moyen âge; lat. *piscina* «vivier», de *piscis* «poisson».

♦ **1.** Didact. (Hist. relig.). Bassin pour des rites purificatoires. *La piscine probatique de Jérusalem où Jésus guérit un paralytique* (cf. Évangile selon St Jean, v).

1 Bethsaïda, la piscine des cinq galeries, était un point d'ennui. Il semblait que ce fût un sinistre lavoir (...) et les mendiants s'agitant sur les marches intérieures (...) L'eau était toujours noire, et nul infirme n'y tombait même en songe.
RIMBAUD, Illuminations, XLIV.

Fig. (Par allus. à la guérison miraculeuse). *La piscine où l'enfant est lavé de la tache originelle :* les fonts baptismaux. *«La piscine du repentir»* (Chateaubriand, *in* Littré).
Les piscines de Lourdes, où s'opèrent les guérisons (→ Miraculé, cit.). — Bassin où se plongent les fidèles pour se purifier (→ Mystique, cit. 2), dans certaines religions.

Le portique franchi, je revois d'abord les saintes piscines où, comme chaque matin, 2
les brahmes, à demi plongés dans l'eau, font leurs ablutions et leurs prières.
LOTI, l'Inde (sans les Anglais), III, VII.

♦ **2.** Liturgie cathol. Petite cuve destinée à recevoir l'eau des ablutions, les cendres des objets bénits... *Piscine des fonts baptismaux, destinée à l'écoulement des eaux.* ⇒ **Baptême.** *Piscine sacrée,* dans la sacristie ou l'église même.

♦ **3.** (1859, *in* D. D. L.; 1751, en parlant des grandes piscines romaines). Grand bassin où on se baigne en commun. *Bains* de piscine.* ⇒ **Baignoire.**

Le soleil, sans doute, il savait qu'il était en haut des cieux. Mais ne pouvait-il pas 2.1
aussi descendre là sur la terre? Était-ce plus étonnant que ce pilotis des bains ouvrant sur la mer glaciale, que la piscine profonde pleine d'eau vivante dans la maison de douches de son père, piscine mystérieuse et carrée au milieu d'un appartement chauffé, dans une rue tout ce qu'il y a de plus éloignée de la Seine.
PROUST, Jean Santeuil, Pl., p. 307.

(1864; «création d'une piscine de natation à Paris», *Année sc. et industr.* 1865, p. 377). Cour. Grand bassin de natation, et, par ext., ensemble des installations qui l'entourent. *Piscine publique, privée. Cabines, plongeoirs d'une piscine. Piscine en plein air. Piscine couverte. Piscine olympique,* de dimensions définies par les règlements des épreuves olympiques. *Aller à la piscine. Nager en piscine. Faire deux longueurs de piscine,* de bassin.

(Il) se dirigea vers la piscine. Debout sur un gradin (...) Simone Giri répondait d'un 3
signe à un groupe de jeunes filles. Le soleil étincelait sur l'eau transparente.
J. CHARDONNE, les Destinées sentimentales, p. 395.

(...) il arrive qu'ils *(les cheveux)* soient restés mouillés, comme une forêt après la 4
pluie, parce qu'elle a été à la piscine tout à l'heure.
MONTHERLANT, Pitié pour les femmes, p. 33.

♦ **4.** Techn. **a** Agric. Bassin, large rigole où l'on fait passer les chevaux pour leur nettoyer les pieds, dans une écurie*.

b Pisciculture. Bassin où l'on fait éclore des œufs de poissons.

♦ **5.** Phys. nucl. Modérateur liquide dans lequel la matière fissile est immergée. *Réacteur à piscine. «Les exploitants ont à veiller à la conservation des éléments combustiles irradiés conservés en piscine en attente de retraitement...»* (*Sciences et Avenir,* «Le risque nucléaire», numéro spécial, p. 28). *Pile-piscine,* ou, ellipt, *piscine :* réacteur nucléaire (dit aussi *réacteur à piscine*) comportant un modérateur liquide (eau ou eau lourde), dans lequel est plongée la matière fissile, le liquide servant à la fois de modérateur, de réfrigérant, et de protection. *«Concevoir un réacteur (...) comme une grosse pile-piscine, et non comme une petite centrale nucléaire»* (*Sciences et Avenir,* mai 1978, p. 18).

PISCIVORE [pisivɔʀ] adj. — 1772; de *pisci-,* et *-vore.*

♦ Didact. Qui se nourrit ordinairement de poissons. ⇒ **Ichtyophage.** — N. *Un piscivore* (animal).

PISÉ [pize] n. m. — 1562; var. *pizai,* régional, 1789; de *piser.*

♦ Techn. Maçonnerie faite de terre argileuse, délayée avec des cailloux, de la paille, etc. et comprimée («pisée»). *Le pisé est une sorte de mortier d'argile. Mur de pisé. Bâtir en pisé. Moule à pisé.* ⇒ **Banche, banchée.** *Gourbi* (cit. 2) *en pisé.*

(...) quelques pierres de granit grossièrement taillées, superposées les unes aux 1
autres, formaient les quatre angles de cette chaumière, et maintenaient le mauvais pisé, les planches et les cailloux dont étaient bâties les murailles.
BALZAC, les Chouans, Pl., t. VII, p. 956.

De temps à autre nous traversions des villages terreux, bâtis en pisé, la plupart 2
en ruines. Th. GAUTIER, Voyage en Espagne, p. 38.

PISER [pize] v. tr. — 1800; «broyer», 1555, mot lyonnais; du lat. *pisare, pinsare* «broyer».

♦ Techn. Battre, comprimer (la terre) pour en faire du pisé. — Par ext. Construire en pisé.

DÉR. Pisé, piseur, pisoir.

PISEUR [pizœʀ] n. m. — 1803; de *piser.*

♦ Techn. Maçon qui construit en pisé.
La var. *piseyeur* [pizɛjœʀ] est attestée (P. Larousse, 1875).

PISI-, PISO- Élément de composition de termes scientifiques, du lat. *pisum* «pois». ⇒ **Pisiforme, pisolithe.**

PISIFORME [pizifɔʀm] adj. — 1765; de *pisi-,* et *-forme.*

♦ En forme de pois. — Anat. *Os pisiforme,* ou, n. m., *le pisiforme :* os de la rangée supérieure du carpe, du côté cubital du poignet.

PISOIR [pizwaʀ] n. m. — 1803; *pison* «pilon», xve; de *piser.*

♦ Techn. Masse en bois utilisée par le piseur.

PISOLITHE [pizɔlit] n. f. — 1765; de *piso-*, et *-lithe.*

♦ Géol. Corps analogue aux oolithes, mais de plus grande dimension et de forme irrégulière. — On écrit parfois *pisolite.*

DÉR. Pisolithique.

PISOLITHIQUE [pizɔlitik] adj. — 1812; de *pisolithe.*

♦ Géol. Formé de pisolithes*. *Calcaires, bauxites pisolithiques, à structure pisolithique.* — REM. On écrit parfois *pisolitique.*

PISSALA [pisala] n. m. — 1938; provençal (Nice) *pisalat* «poisson salé», du lat. *piscis* «poisson», et *sal* «sel».

♦ Régional (Nice). Anchois salé. *Le pissala entre dans la composition de la pissaladière*.*

PISSALADIÈRE [pisaladjɛʀ] n. f. — Répandu mil. xxe; provençal (Nice) *pissaladiero,* de *pissala.*

♦ Mets provençal, fait de pâte à pain sur laquelle on place des oignons blondis et des anchois (⇒ **Pissala**). *A la différence de la pizza, la pissaladière ne comporte pas de tomates.* ⇒ **Pizza.**

1 Les dieux moins compréhensifs que les marchands d'ail et de pissaladière du marché de la Buffa (...) R. GARY, la Promesse de l'aube, p. 237.

2 Il la suivait dans la cuisine où, depuis la mort de la mère, régnait une tante de Théo, une énorme femme à l'odeur forte, championne de la soupe de poisson, de la tomate provençale et de la pissaladière.
Michel DÉON, le Jeune Homme vert, p. 77.

PISSANT, ANTE [pisɑ̃, ɑ̃t] adj. — xxe; de *pisser.*

♦ Pop. Très amusant, très comique. ⇒ **Marrant.**

PISSAT [pisa] n. m. — xiiie; de *pisser.*

♦ Urine (de certains animaux). *Pissat d'âne, de cheval.*

(...) cette Douloire, accroupie dans le pissat de ses fumiers, près de sa maigre terre, terne et croûteuse (...) J. GIONO, Un de Baumugnes, Pl., t. I, p. 243.

PISSE [pis] n. f. — 1611; de *pisser.*

♦ Vulg. Urine. ⇒ 1. **Pipi.**

— Tu trouves pas que ça sent la pisse les malades?
CÉLINE, Voyage au bout de la nuit, p. 279.

Par ext. *Pisse de chat, pisse d'âne :* boisson de goût désagréable (en particulier : bière éventée et tiède).

PISSE-COPIE [piskɔpi] n. — D. i.; de *pisser,* et *copie.*

♦ Fam. Personne qui «pisse de la copie»; rédacteur, journaliste payé à la tâche.

Il avait travaillé comme pisse-copie dans un journal alsacien.
Sébastien JAPRISOT, la Dame dans l'auto..., p. 79.

PISSÉE [pise] n. f. — 1609, Oudin, *in* D. D. L.; de *pisser.*
Familier.

♦ **1.** Quantité d'urine émise en une miction.

♦ **2.** Chute de liquide; averse. *« Une pissée d'eau »* (A. de Chateaubriant, *in* G. L. L. F.).

PISSE-FROID [pisfʀwa] n. m. invar. — 1609; de *pisser,* et *froid.*
Familier.

♦ **1.** Vx. Homme faible.

♦ **2.** Mod. Homme froid et morose, ennuyeux. *« Les pisse-froid de la censure »* (*l'Express,* 24 nov. 1979). ⇒ **Pisse-vinaigre.**

(...) j'ai, un jour, appelé Robespierre un pion et Jean-Jacques un «pisse-froid». «Pisse-froid» a failli me brouiller avec toute la bande (...) Que voulais-je dire par là? Quand on lance des mots pareils, il faut les expliquer (...) Que signifiait «pisse-froid»?
Eh! mon Dieu, je ne suis pas médecin, mais j'ai entendu toujours appeler pisse-froid (...) les gens qui n'étaient pas francs du collier — qui avaient l'air sournois, en dessous! (...) J. VALLÈS, le Bachelier, VI (→ Pincer, cit. 12).

REM. On écrit aussi *pisse froid.*

Tu étais un curé, Robespierre, voilà la vérité, un sale petit curé d'Arras tout étriqué, un sale petit pisse froid. J. ANOUILH, Pauvre Bitos, p. 37.

PISSEMENT [pismɑ̃] n. m. — 1565; de *pisser.*

♦ Méd. (Rare). Action de pisser. — *Pissement de sang :* hématurie*.

PISSENLIT [pisɑ̃li] n. m. —1536; de *pisser, en,* et *lit,* en raison des vertus diurétiques de la plante.

♦ Plante dicotylédone *(Composées),* herbacée, vivace, à feuilles longues et dentées, à fleurs jaunes, à fruits surmontés d'une aigrette. ⇒ **Dent-de-lion.** *Salade de pissenlit. Racine de pissenlit torréfiée.* ⇒ **Chicorée** (fausse).

Tout près de Paris, à vos pieds, promeneurs, cette rosace délicate, c'est le jeune pissenlit, et cette perle à son centre, c'est sa future fleur. 1
COLETTE, Belles saisons, p. 9.

Loc. fam. *Manger les pissenlits par la racine :* être mort et enterré.

(...) être mort, cela s'appelle *manger des pissenlits* par la racine (...) 2
HUGO, les Misérables, III, I, II.

PISSER [pise] v. — 1180; v. de formation expressive, devenu vulgaire seulement au xixe (il n'est considéré que comme «très familier» par Bescherelle en 1846), *uriner* ne se disant «guère que des malades», au xviie (cf. Académie, 1694); du lat. pop. *pissiare.*
Familier.

♦ **1.** V. intr. Évacuer l'urine. ⇒ **Uriner; pipi** (faire pipi, cit. 2). → Méfait, cit. *Avoir envie de pisser.* Loc. *Cela lui a pris comme une envie de pisser,* subitement. *Enfant qui pisse au lit. Chiens qui lèvent la jambe* (cit. 28) *et pissent.*

Ils *(les petits chiens)* ont pissé partout. RACINE, les Plaideurs, III, 3. 1

Bientôt après qu'on eut commencé, voilà Monsieur de Metz à s'impatienter (...) à frétiller, et finalement à dire qu'il crevait d'envie de pisser (...) Je lui proposai de pisser devant lui sur les oreilles des conseillers qui se trouvaient au-dessous de lui (...). SAINT-SIMON, Mémoires, IV, VIII. 2

Et il m'a fallu deux ou trois fois aller pisser séance tenante, effet nerveux que j'attribue plus particulièrement à la musique. 2.1
FLAUBERT, Correspondance, 1850, *in* Pl., t. I, p. 572.

L'amour est comme un besoin de pisser. Qu'on l'épanche dans un vase d'or ou dans un pot d'argile, il faut que ça sorte. Le hasard seul nous procure les récipients. FLAUBERT, Correspondance, 4 sept. 1850, *in* Pl., t. I, p. 680. 2.2

Le premier jour qu'il entra chez Vedel, dans le petit jardin derrière la maison, où nous prenions notre récréation après les repas, il se campa tout au milieu, le torse glorieusement rejeté en arrière, et sous nos yeux à tous, en hauteur, il pissa. Nous étions consternés par son cynisme. GIDE, Si le grain ne meurt, I, III, p. 91. 3

Par ext. *C'est à pisser de rire*. Rire à en pisser dans sa culotte.* ⇒ **Pissant.** *Pisser de peur :* avoir très peur.

Loc. *Pisser sur ...,* (pour témoigner son mépris). ⇒ **Compisser.**

Des vagues café au lait battaient le Grand Bé, c'était beau; mais le tombeau de Chateaubriand nous sembla si ridiculement pompeux dans sa fausse simplicité que pour marquer son mépris, Sartre pissa dessus. 3.1
S. DE BEAUVOIR, la Force de l'âge, p. 114.

Loc. fig. Vulg. (même sens). *Pisser au cul de qqn. Je lui pisse à la raie.*

Je ne veux plus que ma maison sente mauvais. On verra si je suis le maître chez moi. Je pisse au cul à monsieur Johnny et à tous vos oiseaux rares. 3.2
M. AYMÉ, Travelingue, p. 127.

Loc. (Vx). *Pisser au bénitier :* braver* le qu'en dira-t-on par une action publique et scandaleuse. *Pisser contre le vent :* agir en s'exposant délibérément à des inconvénients qui ne peuvent manquer de survenir par contrecoup (cf. «Quand on crache en l'air, ça finit par vous retomber sur le nez».) — Proverbe :

À la fin, l'inconduite de Louis Gian fut en horreur au Ciel, comme elle l'était à ses anciens camarades. Celui qui pisse contre le vent se mouille la chemise (...). 4
APOLLINAIRE, l'Hérésiarque..., p. 83.

Loc. *S'écouter pisser :* être ridiculement imbu de soi, infatué. *Mener les poules pisser :* faire sottement un travail inutile, ridicule. — *Il pleut comme vache qui pisse,* à verse. — *C'est comme si on pissait dans un violon,* se dit d'une action, d'une démarche, d'un ordre... absolument inutile*, inefficace. — *Laisser pisser le mérinos* (⇒ **Mérinos,** cit. 2), ou, plus cour., *laisser pisser.*

♦ **2.** V. tr. (xiiie). Évacuer avec l'urine. *Pisser du sang. « Un calcul pissé avec grande douleur »* (Littré). — Fig. (Sujet n. de chose). Laisser s'écouler (un liquide). *Son nez pisse le sang.* — (xviie). Par ext. *Tonneau, récipient qui pisse l'eau.* Absolt. *Ce réservoir pisse de tous les côtés.*

Et, lui cassant le nez d'une vilaine touche, 5
Lui fit pisser le sang du nez et de la bouche (...)
RONSARD, Second livre des hymnes, «Pollux et Castor».

Armand se croyait en général plutôt faible. Mais il flanqua une si belle raclée à Cotin, que malgré son propre nez en sang qui lui pissait sur la chemise, il se releva dans un état d'exaltation. ARAGON, les Beaux Quartiers, II, XXI. 6

Fig. *Pisser de la copie :* rédiger abondamment et médiocrement.

(...) l'insurrection des cuistres, ivres de l'antique, comme les bonshommes de 1793, et qui graissés d'onguent contre les rhumatismes, les pieds au chaud, pissent du Plutarque jour et nuit. 7
BERNANOS, les Grands Cimetières sous la lune, p. 352.

Loc. pop. (1867). *Pisser des lames de rasoir :* endurer (des choses pénibles). — *Pisser sa côtelette* (vx, 1631, *in* D. D. L., *pisser des os*) : accoucher.

♦ **3.** Couler abondamment, en parlant d'un liquide. ⇒ **Couler.**

(...) elle *(Gervaise)* suait tellement, que, de son visage inondé, pissaient de grosses gouttes. ZOLA, L'Assommoir, XI, t. II, p. 186. 8

Impers. Pleuvoir fort. *Ça pisse dur.*

9 Cette année-là, il avait fait mauvais. Surtout sur la Côte d'Azur (...) la Côte d'Azur, je m'en tamponnerais s'il y faisait chaud ou s'il y faisait froid. D'ailleurs il ne s'agit pas de température. Seulement, ça pissait comme on saigne du nez.
ARAGON, Blanche..., I, I, p. 13.

Loc. fig. *Ça pisse pas loin :* ce n'est pas très fort, de grande qualité, etc.

DÉR. Pissant, pissat, pisse, pissée, pissement, pissette, pisseur, pisseux, pissoir, pissoter, pissotière, pissouiller.

COMP. Chaude-pisse, pisse-copie, pisse-froid, pissenlit, pisse-vinaigre.

PISSETTE [pisɛt] n. f. — 1838; de *pisser.*

♦ **1.** Appareil de laboratoire produisant un petit jet liquide.

♦ **2.** Argot. (Pompiers). Lance à incendie. — Autom. Lave-glace.

♦ **3.** Fam. Point d'eau, source.

Nous naviguions vers l'île de San Pedro, dans l'espoir de camper, à la nuit, près d'une pissette d'eau douce connue de mes hommes.
F. FOURNIER-AUBRY, Don Fernando, p. 368-369.

PISSEUR, EUSE [pisœʀ, øz] n. — 1464; de *pisser.*
Vulgaire.

♦ **1.** Vx. Personne qui pisse.

1 — Monsieur Gorgibus, y aurait-il moyen de voir de l'urine de l'égrotante? — Ouida; Sabine, vite allez quérir de l'urine de ma fille... — J'ai bien eu de la peine à la faire pisser. — Que cela? voilà bien de quoi! Faites-la pisser copieusement, copieusement... — Voilà tout ce qu'on peut avoir : elle ne peut pas pisser davantage. — Quoi? Monsieur Gorgibus, votre fille ne pisse que des gouttes? voilà une pauvre pisseuse que votre fille; je vois bien qu'il faudra que je lui ordonne une potion pissative. MOLIÈRE, le Médecin volant, 4.

2 Dérangé périodiquement par les pisseuses en file indienne, Valentin essayait de tuer le temps pour échapper à la rigueur d'un spectacle qui ne l'amusait pas.
R. QUENEAU, le Dimanche de la vie, p. 283.

Fig., péj. *Pisseur de copies :* mauvais auteur, journaliste qui écrit beaucoup. ⇒ **Pisse-copie.**

♦ **2.** N. f. (XVIe). Péj. et sexiste. **PISSEUSE :** fillette, jeune fille. — Var. régionale : *pissouze* [pisuz].

3 L'école des filles est un peu plus bas. C'est là que je dois commencer à étudier, mélangé aux *pissouzes.* Je me promets de tâcher d'en sortir le plus tôt possible.
P. J. HÉLIAS, le Cheval d'orgueil, p. 194.

♦ **3.** N. m. (1963, Larousse). Techn. Rampe de pulvérisation d'eau sous pression (dans une machine à papier). ⇒ **Rinceur.**

PISSEUX, EUSE [pisø, øz] adj. — XVIe; de *pisser.*

♦ **1.** Fam. Imprégné d'urine. *Lange, drap pisseux.* ⇒ **Sale.**
Qui semble souillé d'urine, qui a une odeur* d'urine. *Escalier pisseux* (→ Fond, cit. 18).

1 (...) maisons toutes pareilles, étroites, à un étage, où roule une marmaille loqueteuse et sèche un linge pisseux et pauvre (...)
ARAGON, les Beaux Quartiers, I, I.

2 Aux murs pisseux, rien que le ruissellement des eaux produites par la condensation de toutes les haleines. G. DUHAMEL, Salavin, I, XIII.

♦ **2.** D'une couleur passée, jaunie... (→ Gouache, cit. 1; incarnadin, cit. 1). *Des tentures pisseuses, miteuses...* Par ext. *Couleur pisseuse.*

3 Cinq ou six chaises recouvertes de velours qui avait pu jadis être incarnadin, mais que les années et l'usage rendaient d'un roux pisseux, laissaient échapper leur bourre par les déchirures de l'étoffe (...) Th. GAUTIER, le Capitaine Fracasse, I.

♦ **3.** Pluvieux (avec une idée de tristesse, de grisaille).

4 (...) je suis allé m'enfermer dans un hôtel breton. Je m'ennuyais, j'ai lu beaucoup et quand je n'ai plus rien eu à lire, je me suis mis à écrire, comme on fait des mots croisés, pour meubler ce juillet pisseux.
Geneviève DORMANN, le Chemin des Dames, p. 136.

CONTR. Propre. — Frais.
HOM. (fém.) Pisseur.

PISSE-VINAIGRE [pisvinɛgʀ] n. m. invar. — 1628; de *pisser,* et *vinaigre.*

♦ **1.** Vx. Avare, ladre.

♦ **2.** Mod. Esprit chagrin, triste, morose. ⇒ **Pisse-froid.**

PISSOIR [piswaʀ] n. m. — 1550; *pot pissoir* «pot de chambre», 1498; de *pisser.*

♦ Fam. ou régional (Nord). Urinoir. ⇒ **Pissotière.**

PISSOTER [pisɔte] v. intr. — V. 1560, Paré; de *pisser.*

♦ **1.** Rare. Uriner peu à la fois et fréquemment.

♦ **2.** Fig. Couler peu. *Robinet, eau qui pissote.* ⇒ **Pissouiller.**

PISSOTIÈRE [pisɔtjɛʀ] n. f. — 1611; «vessie», 1534; de *pisser,* p.-ê. avec infl. de *pissotière* «trou dans la muraille d'un navire pour laisser s'écouler l'eau de surface».

♦ Fam. Urinoir public pour hommes. ⇒ **Pissoir** (régional), **tasse** (argot), **vespasienne.** *Pissotière fréquentée par des homosexuels.*

Or, voici l'article qui devait nous faire asseoir sur les bancs de la police correctionnelle, absolument comme des messieurs arrêtés dans une pissotière. 1
Ed. et J. DE GONCOURT, Journal, t. I, p. 31.

(Les fautes de français du maître d'hôtel) «les édicules Rambuteau» s'appelaient des pistières. Sans doute dans son enfance n'avait-il pas entendu l'o, et cela lui était resté. Il prononçait donc ce mot incorrectement mais perpétuellement. Françoise, gênée d'abord, finit par le dire aussi, pour se plaindre qu'il n'y eût pas de ce genre de choses pour les femmes comme pour les hommes. Mais son humilité et son admiration pour le maître d'hôtel faisaient qu'elle ne disait jamais pissotières, mais — avec une légère concession à la coutume — pissetières. 2
PROUST, le Temps retrouvé, Pl., t. III, p. 749.

— Je veux faire construire un urinoir, Tafardel. — Un urinoir? s'écria l'instituteur tout saisi, tant la chose aussitôt lui parut d'importance. Le maire se méprit sur le sens de l'exclamation : — Enfin, dit-il, une pissotière! 3
G. CHEVALLIER, Clochemerle, p. 16.

(Par allus. aux graffiti obscènes). *Une littérature de pissotière.*

PISSOUILLER [pisuje] v. intr. impers. — Mil. XXe; de *pisser,* et suff. diminutif *-ouiller* (sur le modèle de *crachouiller,* etc.).

♦ Fam. Pleuvoir. *Ça pissouille depuis ce matin.* — Laisser échapper de l'eau, fuir. *Le réservoir pissouille.*

PISTACHE [pistaʃ] n. f. — 1546; de l'ital. *pistaccio, pistace,* XIIIe, aussi *pistaque* XVIe; lat. *pistacium,* grec *pistakion.*

♦ **1.** Fruit du pistachier, drupe de la taille d'une olive. — Cour. Graine de ce fruit, amande verdâtre qu'on utilise en cuisine et en confiserie *(noix de pistache). Dragée, loukoum à la pistache. Huile* comestible extraite de certaines pistaches.*
Parfum utilisé en confiserie. *Glace à la pistache.*

♦ **2.** *Pistache de terre, fausse pistache.* ⇒ **Arachide.**

(On nous offre) ... des fausses pistaches grillées — disons, plus simplement, des cacahuètes. 1
GIDE, le Retour du Tchad, VII.

Régional (Antilles). Arachide, cacahuète.

Messieurs, j'ai fait trois découvertes dans ce pays. C'est dans l'ordre : le rhum. Les cacahuètes. Ma femme. 1.1
— Alors, pour continuer la confidence, un des élèves murmurait *à grosse voix :* On dit pistache ici, monsieur, pas cacahuète.
Édouard GLISSANT, Malemort, p. 156.

♦ **3.** Adj. invar. (*Vert pistache,* 1817, *in* D. D. L.; *pistache,* XIXe). *Couleur pistache, vert pistache.*

Des meubles maladroits (...) l'ornaient, sous de tendres plafonds pistache relevés de stuc blanc. 2
Paul MORAND, l'Europe galante, Lorenzaccio.

♦ **4.** (1879; de la boisson préparée à partir du *lentisque pistache*). Fig., fam. État d'ivresse; soûlerie. *Prendre une pistache.* ⇒ **Cuite.**

PISTACHIER [pistaʃje] n. m. — 1651; *pistacier,* 1557; de *pistache.*

♦ Plante dicotylédone *(Térébinthacées* ou *Anacardiacées),* arbre résineux des régions chaudes, au feuillage luisant, à petites fleurs en grappes et dont le fruit contient un noyau dur. ⇒ **Pistache.** *Vrai pistachier. Pistachier lentisque.* ⇒ **Lentisque, térébinthe.**

Le pistachier *(betoum),* térébinte ou lentisque de la grande espèce, est un arbre providentiel dans ces pays sans ombre. Il est branchu, touffu, ses rameaux s'étendent au lieu de s'élever et forment un véritable parasol, quelquefois de cinquante ou soixante pieds de diamètre.
E. FROMENTIN, Un été dans le Sahara, p. 51.

PISTAGE [pistaʒ] n. m. — 1900; de 1. *pister.*

♦ Action de pister. *Le pistage d'un lièvre. Le pistage d'un malfaiteur.* ⇒ **Poursuite, filature.**

PISTARD, ARDE [pistaʀ, aʀd] n. — 1913; de *piste.*
Sport.

♦ **1.** Cycliste spécialiste des épreuves sur piste. *Routiers et pistards.* REM. Rare au féminin.

Elle ne faisait sûrement pas assez de bicyclette pour avoir droit à la mention *cyclisme,* comme un coureur. «Voyons, mademoiselle, vous n'êtes pas une pistarde, ni une routière.»
P. GUTH, le Mariage du naïf, X, p. 95.

♦ **2.** Ski. Skieur qui pratique le ski de piste (opposé à *fondeur*).

PISTATION [pistasjɔ̃] n. f. — Fin XIXe; de 2. *pister.*

♦ Pharm. Action de pister* (2. Pister).

PISTE [pist] n. f. — 1562; anc. ital. *pista,* de *pestare* «piler, broyer», du bas lat. *pistare,* lat. class. *pinsare.* → Piser.

♦ **1.** Trace* que laisse un animal sur le sol où il a marché*. ⇒ Fou-

lée. *Chien qui suit la piste d'un lièvre, d'un renard* (→ Limier, cit. 2). *Piste d'un cerf.* ⇒ **Voie.** *Relever, suivre, perdre une piste.* — Trace (d'un homme). *Suivre qqn à la piste, dans la neige, le sable...* — Par ext. *Piste tracée par une voiture, un convoi.*

1 (...) des pistes tracées par les troupes et les convois nocturnes dans ces champs de stérilité et qui sont striées d'ornières luisant comme des rails d'acier dans la clarté pauvre (...) H. BARBUSSE, le Feu, I, II.

2 (...) il se mit à aboyer comme un chien qui rencontre. À l'entendre, on suivait le gibier à la piste. On voyait le chien quêter, puis tenir l'arrêt. P. MAC ORLAN, la Bandera, IV.

Par métaphore. (→ Gibier, cit. 8; limier, cit. 6).

3 Dieu est ce chasseur qui relève les pistes et qui guette sa proie à l'orée du taillis. F. MAURIAC, Souffrances et Bonheur du chrétien, p. 38.

♦ **2.** Fig. Chemin qui conduit à qqn ou à qqch.; ce qui guide dans une recherche. *Suivre un voleur à la piste, être sur sa piste,* le suivre là où il a passé, et, fig., disposer de quelque indice permettant de le retrouver. ⇒ **Rechercher.** *Perdre la piste de. Se jeter, se lancer, se mettre sur une piste, sur toutes les pistes* (→ Franchir, cit. 11; instinct, cit. 21). *Mettre qqn sur la piste,* l'aider dans sa recherche. *Il a réussi à faire perdre sa piste.* ⇒ **Dépister.** *Pistes difficiles, brouillées* (cit. 32). *La bonne piste. Fausse piste.*

4 (...) une des deux pistes qu'il avait tant cherchées, celle pour laquelle dernièrement encore il avait fait tant d'efforts et qu'il croyait à jamais perdue, venait d'elle-même s'offrir à lui. HUGO, les Misérables, V, IX, IV.

5 (...) André, s'embrouillant au milieu de tous ces voiles noirs qui débarquaient ensemble, prit d'abord une fausse piste, suivit trois dames qu'il ne fallait pas (...) LOTI, les Désenchantées, V, XXXIV.

6 J'envie les savants, enfermés dans un laboratoire, sur la piste d'une invention. J. CHARDONNE, l'Amour du prochain, p. 31.

6.1 Ça alors, c'est drôle. Écoutez-moi ça : « Suis sur la bonne piste. Prière envoyer mille francs supplémentaires. Poste restante, Saint Mouézy-sur-Eon », signé « Petit-Pouce ». R. QUENEAU, Pierrot mon ami, éd. L. de Poche, p. 171.

Vx. *Suivre la piste de qqn,* l'imiter*. *Perdre « la piste de l'Évangile »* (Bossuet) : ne pas se conformer aux préceptes de l'Évangile.

♦ **3.** (XVIe). Manège. Lignes tracées par les pieds du cheval sur le terrain. — Par ext. Partie du manège où marchent les chevaux.

♦ **4.** (V. 1850). Terrain que les chevaux doivent parcourir dans une course, un concours, et qui est tracée et aménagée à cet effet. *Piste d'un hippodrome* (cit. 3). *Piste gazonnée, sablée...*

Ovale ou anneau de cendrée, de bois, de ciment, de revêtement synthétique où se disputent des courses. *Piste de vélodrome** (→ Course, cit. 8). *Épreuves sur piste* (vitesse, demi-fond, poursuite). Par ext. Sport cycliste sur piste. *La route et la piste.* — *Motocyclistes* (cit. 1) *qui font un tour de piste avant de commencer la course.* — Spécialt. Athlétisme. *Pistes de course d'un stade. Piste couverte de cendrée*. Les couloirs parallèles d'une piste de course. Revêtement de pistes* ⇒ **Rubror,** 2. **tartan.** *Piste d'élan pour le saut.*

7 Pourquoi la piste, aujourd'hui, a-t-elle pour moi l'attirance d'un abîme? Si elle était de cendre, je prendrais un peu de sa cendre et la laisserais couler entre mes doigts. MONTHERLANT, les Olympiques, p. 65.

7.1 À ce moment, Ritola seul visible concentra sur lui toute la lumière du stade. Dans la piste détrempée qui le salissait sans l'enlaidir, il filait et piaffait. Jean PRÉVOST, Plaisirs des sports, p. 185.

♦ **5.** Emplacement souvent circulaire disposé pour certaines activités (spectacles, sports...). *Piste d'un cirque* (→ Milieu, cit. 2). *Attendre dans les coulisses avant d'entrer en piste. Piste de danse. Piste de patinage* (→ Bleuir, cit. 2).

8 Le dancing était presque désert. Lola, debout au milieu de la piste, allait chanter. SARTRE, l'Âge de raison, XI.

Loc. fig. *Entrer en piste* (cf. Entrer en scène, en lice) : commencer à agir (devant témoins). *Tous en piste.*
Tour de piste : tour effectué sur une piste par un coureur. Fig. Galop d'essai.

8.1 Georges Bidault fait son tour de piste. F. MAURIAC, le Nouveau Bloc-notes 1958-1960, p. 49.

8.2 (...) la crise est là, comme une grosse citrouille pas mûre. L'univers doit attendre qu'elle ait mûri. D'où les tours de piste pour rien (...) F. MAURIAC, le Nouveau Bloc-notes 1958-1960, p. 50.

♦ **6.** (1874). Chemin ou route non revêtue (notamment dans un pays peu développé). *Tracer une piste. Piste de brousse, piste saharienne. Piste impraticable pour les voitures* (→ Établir, cit. 2). *Piste carrossable.*

9 Dans presque tout le Maroc, je peux dire dans tout le Maroc, tant sont encore peu nombreux les tronçons de vraies routes, nous en sommes réduits toujours aux pistes, aux fameuses pistes, dont il ne faut pas trop médire, car enfin elles nous permettent, vaille que vaille, de circuler (...) L.-H. LYAUTEY, Paroles d'action, p. 110.

Loc. (Franç. d'Afrique). *Faire la piste :* circuler sur les pistes.

♦ **7.** Chemin ou route destiné(e) à certains types de passages. *Piste pour cavaliers* (ou *piste cavalière*) → Clairière, cit. 1. — *Piste cyclable :* réservée aux cyclistes. — *Piste de ski :* parcours tracé sur la neige. *Piste de slalom, de descente. Ski de piste; ski hors-piste* (⇒ **Hors-piste**). *Damer la piste.* — (Dans une station-service). Lieu où se rangent les automobiles pour être ravitaillées en essence. — Ch. de fer. *Piste de roulement :* chemin de roulement des trains sur pneus.

Partie d'un terrain d'aviation (cit. 2) aménagée pour que les avions y roulent. *Piste d'envol, d'atterrissage. Pistes balisées. Avion en piste, prêt à prendre l'air.* — *Pistes parallèles,* pour l'atterrissage et le décollage sur les gros aéroports.

Des sous-officiers boivent leur café et causent (...) Ils parlent de la piste qui est trop boueuse. 10
SAINT-EXUPÉRY, l'Aviateur, *in* Un sens à la vie (*in* D. D. L., II, 16).

♦ **8.** Techn. Ligne circulaire d'un support magnétique (disque, bande, tambour) sur laquelle sont enregistrées des informations. *Une cartouche huit pistes.* — *Piste sonore :* piste synchronisée avec un film de cinéma. *Appareil qui enregistre sur deux pistes en stéréophonie. Les pistes d'une cassette, d'une cartouche. Disposition des pistes; déplacement de la tête de lecture d'une piste à l'autre. Cartouche huit pistes.*

♦ **9.** Plateau à rebord (pour les jeux de dés). *Donne-nous la piste, qu'on fasse un petit quatre-cent-vingt-et-un.*

Le père Bosquet et Gastounet faisaient courir les dés sur le comptoir. La femme leur tendait toujours le cornet de cuir et la piste, mais ils laissaient de côté ces instruments inutiles. R. SABATIER, Alain et le Nègre, p. 173-174. 11

DÉR. **Pistard,** 1. **pister.**
COMP. **Dépister.**

1. PISTER [piste] v. tr. — 1859; de *piste.*

♦ **1.** (Chasse). Suivre à la piste. *Chien qui piste un lièvre.*

♦ **2.** Fam. Suivre à la trace (qqn); filer*. ⇒ **Épier.** *Attention, on nous piste! La police le piste depuis plusieurs jours.*

Et si on restait à Marseille, bien cachés? proposa-t-il. — On serait pistés avant deux jours, riposta Jacques. MARTIN DU GARD, les Thibault, t. I, p. 115.

♦ **3.** (1875). Argot. Vx. Racoler des clients (pour un hôtel, une maison de jeux, de tolérance).

DÉR. **Pistage, pisteur.**
HOM. 2. **Pister.**

2. PISTER [piste] v. tr. — XIIIe; lat. *pistare* « piler ».

♦ Pharm. Écraser dans un mortier (des substances différentes) pour obtenir un mélange homogène. *Instrument pour pister.* ⇒ **Piston.**

DÉR. **Pistation.**
HOM. 1. **Pister.**

PISTEUR, EUSE [pistœʀ, øz] n. — 1867; de 1. *pister.*

Personne qui piste.

♦ **1.** (Chasse). Chasseur qui relève les traces du gibier. *« Fut-elle* (Calamity Jane) *pisteuse? Conductrice de diligence? Tenancière de saloon? »* (*F Magazine,* déc. 1979, p. 74).

À quatorze ans, il avait commencé à chasser de nuit, il se construisait des miradors et partait sans un seul pisteur, pieds nus, en cachette de la mère. Il n'y avait rien au monde qu'il aimait tant qu'entendre le tigre noir à l'embouchure du roc. M. DURAS, Un barrage contre le Pacifique, p. 144.

♦ **2.** Fam. Personne qui en suit une autre à la trace.

N. m. Vx. Homme qui suit les femmes. ⇒ (mod.) **Dragueur.**

♦ **3.** N. m. Vx. Homme qui racole les clients (d'une maison de jeux, de tolérance, etc.). — Mod. Employé qui racole les clients pour un hôtel (dans un aéroport, une gare, etc.).

♦ **4.** (V. 1969). Sports. Personne chargée d'entretenir et de surveiller les pistes de ski.

♦ **5.** N. m. Techn. Appareil servant à fixer les pistes de microfilms.

PISTIL [pistil] n. m. — 1690; *pistille,* 1685; lat. *pistillus* « pilon ».

♦ Bot. Organe femelle des plantes phanérogames, appelé aussi *gynécée* (et, parfois, *dard,* en horticulture). ⇒ **Fleur** (→ 2. Étamine, cit. 1; fécondant, cit. 2). *Éléments, parties du pistil.* ⇒ **Carpelle; ovaire, stigmate, style.** *L'ovule** (graine) *est contenu dans l'ovaire, partie du pistil qui se développe pour former le fruit. Fleur à un, deux..., six, sept, huit pistils* (hexa-, hepta-, octogyne). *Pistil et étamines des fleurs hermaphrodites.*

Oh! la terre, — murmurai-je à la nuit, — est un calice embaumé dont le pistil et les étamines sont la lune et les étoiles! Aloysius BERTRAND, Gaspard de la nuit, Chambre gothique.

DÉR. **Pistillaire.**

PISTILLAIRE [pisti(l)lɛʀ] adj. — 1842; de *pistil.*

♦ Bot. Du pistil. *Cordon pistillaire,* formé par les vaisseaux qui vont du stigmate à l'ovaire de la plante.

PISTOLADE [pistɔlad] n. f. — 1559; de *pistole,* 1. «pistolet». → Fusillade.

♦ Vx. Décharge, coup de pistolet.

Var. : *pistoletade* [pistɔltad] (fin XVIe; de *pistolet*).

PISTOLAGE [pistɔlaʒ] n. m. — XXe; dér. irrégulier de *pistolet (à peinture...).*
Technique.

♦ **1.** Opération par laquelle on projette des fragments ou des fibres de matières plastiques directement sur un moule (d'après J.-C. Desjeux et J. Duflos, *les Plastiques renforcés,* p. 47).

♦ **2.** (V. 1960). Application de peinture au moyen d'un pistolet, d'un pistolet-pulvérisateur.

PISTOLE [pistɔl] n. f. — Fin XVIe; emploi transféré de *pistole* «arquebuse à rouet» (1544) sans doute à cause du «rouet cannelé» qu'évoque la pièce (P. Guiraud); all. *Pistole,* tchèque *pichtal* «arme à feu», ou ital. *pistola,* p.-ê. du lat. *pistare* «broyer».

♦ **1.** Anciennt. Monnaie d'or battue en Espagne, en Italie, ayant même poids que le louis, et valant (au XVIIe siècle) onze livres. Par ext. Monnaie de compte valant dix livres. — REM. Quand on voulait désigner la pièce d'or étrangère, on disait *pistole d'or* (→ Cotiser, cit. 1; courtage, cit.; denier, cit. 6; gratification, cit. 1; gratifier, cit. 1; mohatra, cit.; parier, cit. 2). — *Ducats* (cit.) *et pistoles. Double pistole d'Espagne.* ⇒ **Quadruple.**

1 (...) je lui promets dix pistoles d'or par an (...)
BEAUMARCHAIS, le Barbier de Séville, I, 4.

Loc. *Être tout cousu* (cit. 6) *de pistoles,* très riche.

♦ **2.** Vx. Régime de faveur (chambre à part, etc.) dans une prison (il s'obtenait à l'origine moyennant une pistole par mois); quartier de la prison où l'on en bénéficiait. *Cellule de la pistole. Régime de la pistole. Coucher dans le dortoir* (cit. 1) *de la prison, en attendant une place à la pistole.*

2 Carlos Herrera devant être mis au secret, il fut inutile de lui demander s'il réclamait les bénéfices de la pistole, c'est-à-dire le droit d'habiter une de ces chambres où l'on jouit du seul confort permis par la Justice.
BALZAC, Splendeurs et Misères des courtisanes, Pl. t. V, p. 932.

DÉR. 1. **Pistolet.**

PISTOLERO [pistɔleʀo] n. m. — Mil. XXe; mot esp. «homme qui se sert d'un pistolet; tueur au pistolet».

♦ Combattant, franc-tireur (dans une lutte politique ⇒ **Guérillero**) ou homme de main. *«Les responsables de la lutte anti-O.A.S. n'étaient pas regardants sur le casier judiciaire des "pistoleros" qu'ils embauchaient»* (*l'Express,* 7 mai 1973, p. 91).

(...) le bon vieux temps, la Méditerranée, les fusillades avec les pistoleros S. F. I. O. et les ex-gestapistes embusqués dans la D. G. E. R., pas mal de morts et pas mal de vivants.
J.-P. MANCHETTE, Nada, p. 55.

1. PISTOLET [pistɔlɛ] n.m. — 1546; «pièce d'or», v. 1540, par plais. (comme pour *pistole*). → Pistole (étym.).

♦ **1.** Arme* à feu courte et portative. *Pistolets anciens, à crosse courbe. Pommeau d'un pistolet. Pistolet se chargeant par la bouche, par la culasse. Baguette* de pistolet. Pistolet d'arçon* (cit. 1) : arme de cavalerie, relativement grande, qui se plaçait à l'arçon de la selle. *Les fontes* (2. Fonte, cit.) *des pistolets. Avoir un pistolet à la ceinture* (→ Diable, cit. 40). *Pistolet à un, deux coups, à répétition.* ⇒ **Revolver.** — *Brûler une amorce* (cit. 5) *dans un pistolet. Tirer, lâcher* (cit. 6) *des coups de pistolet* (→ Cavalcade, cit. 2; commencement, cit. 4; équilibre, cit. 4). *Se brûler la cervelle avec un pistolet.*

1 Il entra chez l'armurier du pays, qui l'accabla de compliments sur sa récente fortune (...) Julien eut beaucoup de peine à lui faire comprendre qu'il voulait une paire de pistolets. L'armurier sur sa demande chargea les pistolets.
STENDHAL, le Rouge et le Noir, II, XXXV.

2 Ils portaient le casque sans crins et la cuirasse de fer battu, avec les pistolets d'arçon dans les fontes et le long sabre-épée. HUGO, les Misérables, II, I, IX.

Allus. hist. *«Anvers, ce pistolet que Napoléon voulait tenir toujours chargé sur le cœur de l'Angleterre»* (Hugo, *Lettre à Adèle Hugo,* 1er sept. 1837).

Pistolets automatiques, à chargeurs. ⇒ **Browning, parabellum...** — REM. On désigne parfois à tort ce type d'armes par *revolver**, dans le langage courant. On emploie aussi la désignation du calibre *(un six trente-cinq, un sept soixante-quinze).* ⇒ aussi (fam.) **Feu, flingue, pétard;** (argot) **calibre, seringue.** (Dans l'armée, on emploie l'abréviation *P.A.*). — *Canon, bloc de culasse, ressort* (ensemble mobile); *chien, gâchette, système de percussion* (mécanismes); *carcasse d'un pistolet. Balle, cartouche de pistolet. Tir, tirer au pistolet.*

3 Lange serrait cet instrument mal connu, un petit pistolet automatique noir et court; en étendant l'index, il touchait exactement l'orifice du canon. Un outil séduisant, maniable, angoissant comme tous les objets lisses qui dissimulent un mécanisme explosif, remarquablement associé à la faiblesse et à la peur.
P. NIZAN, le Cheval de Troie, II, IX.

Pistolets servant à signaler qqch. Pistolet d'alarme (⇒ **Lance-fusée**). — (Sports). *Pistolet du starter**.
Jouet d'enfant imitant un pistolet automatique. *Pistolet à capsules. Pistolet à bouchon, à flèches, à eau. Pistolet à air comprimé.*

♦ **2.** (1833). Fig. Individu bizarre. *C'est un drôle de pistolet.*

Quant aux rédacteurs, c'est de singuliers pistolets, de petits jeunes gens dont je 4
n'aurais pas voulu pour des soldats du train (...)
BALZAC, Illusions perdues, Pl., t. IV, p. 669.

♦ **3.** (1927). Par anal. de fonctionnement. Pulvérisateur à main (⇒ **Pistolage**). *Peinture*, métallisation* au pistolet.* — *Se sécher les cheveux au pistolet,* avec un sèche-cheveux en forme de pistolet.

♦ **4.** (1838; probablt de *pistole,* et sans rapport avec le sens 1.). Régional. Petit pain fin, de forme variable selon les régions.
Petit pain rond, en Belgique.

(...) boire dans la *maison des Brasseurs* une première chope authentique de faro, 5
accompagnée d'un de ces *pistolets* pacifiques qui s'ouvrent en deux tartines garnies de beurre. NERVAL, Lorely, Fêtes de Hollande, I.

Une petite cour pavée où me furent apportés le café au lait et le petit pain nommé 6
pistolet, traditonnels à Bruxelles. VERLAINE, Mes prisons, «L'amigo».

♦ **5.** Dessin. Mince planchette servant de modèle pour tracer diverses courbes.

♦ **6.** Fam. Urinal.

♦ **7.** Mar. Bossoir courbe servant à hisser ou à amener les embarcations. *Pistolet d'embarcation.* — Anciennt. *Pistolet d'amure :* arcboutant sur lequel s'amure la misaine*. ⇒ 2. **Minot.**

DÉR. Pistoleur.
COMP. Pistolet-mitrailleur, pistolet-pulvérisateur.
HOM. 2. **Pistolet.**

2. PISTOLET [pistɔlɛ] n.m. — 1565, var. *pistolier, pistoyer;* de la ville ital. de *Pistoia.*

♦ Anciennt. Court poignard. Par ext. Trépan, fleuret.

HOM. 1. **Pistolet.**

PISTOLET-MITRAILLEUR [pistɔlɛmitʀajœʀ] n.m. — 1938; de 1. *pistolet,* et *mitrailleur.*

♦ Arme automatique individuelle pour le combat rapproché des fantassins et parachutistes. ⇒ **Mitraillette.** *Des pistolets-mitrailleurs.* Abrév. : *P.-M.* [peɛm].

PISTOLET-PULVÉRISATEUR [pistɔlɛpylveʀizatœʀ] n.m. — V. 1965; de 1. *pistolet,* et *pulvérisateur.*

♦ Appareil servant au pistolage*, à la pulvérisation de peinture. *Des pistolets-pulvérisateurs.*

PISTOLEUR [pistɔlœʀ] n.m. — V. 1960; de 1. *pistolet.*

♦ Techn. Ouvrier spécialisé dans le pistolage*; peintre au pistolet* (1. Pistolet, 3.). — REM. on dit aussi *pistoletteur :*

(...) j'ai toujours un instant de surprise quand je le vois arriver dans la bousculade de la cantine en tenue de pistoletteur. Tenue spectaculaire, il est vrai : une combinaison verte bouffante, des bottes en caoutchouc, des taches de couleur partout, jusque sur le visage. Les camarades de la peinture ressemblent à des scaphandriers, avec leur air d'émerger d'on ne sait quel bain putride, encore tout imprégnés d'odeurs chimiques qui vous prennent à la gorge.
Robert LINHART, l'Établi, p. 74.

1. PISTON [pistɔ̃] n. m. — 1648; «pilon», 1534; ital. *pistone,* lat. *pistare, pestare* «fouler, écraser». → Piste.

★ **I.** ♦ **1.** (XVIIe, Pascal). Techn., cour. Organe mobile, généralement cylindrique, agissant par pression ou percussion. Pièce cylindrique qui se meut dans un tube (corps de pompe, cylindre de machine, de moteur) [⇒ **Cylindre**], où elle reçoit et transmet une pression exercée par un fluide. *Piston de pompe* (→ Fluidité, cit. 1; gazeux, cit. 1). *Piston d'une seringue hypodermique. Course* du piston.* — *Piston d'une machine à vapeur. Le mouvement rectiligne alternatif du piston est transformé en mouvement circulaire.* ⇒ **Balancier, bielle.** *Crosse* de piston. Distribution de la vapeur sur les faces du piston.* — Spécialt. *Pistons d'un moteur à explosion.* ⇒ **Automobile.** *Moteurs à pistons et moteurs à turbines, à réaction... Tête, corps, tige, garniture du piston. Segments* assurant l'étanchéité du piston. Grippage d'un piston.*

Il faut d'abord faire bouillir la seringue, car (...) nous avons négligé de la laver; 1
à présent le piston de cristal adhère. GIDE, le Retour du Tchad, VIII.

(1829). Anciennt. Chien de fusil en forme de marteau, agissant comme percuteur. *Fusil à piston.*

(1868). Vx. Bouton, poussoir à ressort. *Lampe Carcel à piston.*

(1845). Pièce mobile réglant le passage de l'air (et par conséquent la hauteur du son), dans certains instruments à vent (cuivres). *Cornet* (cit. 1) *à pistons. Cor, trombone à pistons. Les pistons d'une trompette.* — Par métonymie. Cornet à pistons. *Jouer du piston.* Par ext. *Il est premier piston dans l'orphéon.*

2 (...) il avait la poitrine faible, et il faisait de la musique à l'Orphéon. Toujours souffler dans un piston, ça use. — Ah! termina le deuxième, quand on est malade, il ne faut pas souffler dans un piston. CAMUS, la Peste, p. 36.

♦ **2.** (1874; de l'insigne du calot, symbolisant la machine, et repris par une chanson : «c'est le piston... qui fait marcher la machine»). Argot scol. Élève préparant l'École centrale; élève de l'École centrale.

2.1 Heureusement les multiples soucis de la rentrée l'absorbèrent : ses parents l'envoyèrent au lycée Saint-Louis suivre les cours préparatoires à l'École centrale. Il portait un beau calot à liséré rouge avec un insigne et chantait :
C'est le piston qui fait marcher les machines
C'est le piston qui fait marcher les wagons (...)
Cette dignité nouvelle de «piston» comblait Lucien de fierté; et puis sa classe ne ressemblait pas aux autres : elle avait des traditions et un cérémonial; c'était une force. Par exemple, il était d'usage qu'une voix demandât, un quart d'heure avant la fin du cours de français : «Qu'est-ce qu'un cyrard?» et tout le monde répondait en sourdine : «C'est un con!» Sur quoi la voix reprenait : «Qu'est-ce qu'un agro?» et on répondait un peu plus fort : «C'est un con!» Alors M. Béthune qui était presque aveugle et portait des lunettes noires, disait avec lassitude : «Je vous en prie, messieurs!» Il y avait quelques instants de silence absolu et les élèves se regardaient avec des sourires d'intelligence, puis quelqu'un criait : «Qu'est-ce qu'un piston?» et ils rugissaient tous ensemble : «C'est un type énorme!»
SARTRE, le Mur, L'enfance d'un chef, p. 161.

Par ext. L'École centrale. *Préparer, faire piston.*

♦ **3.** (Par anal. du sens 1). *Piston d'eau, piston hydraulique,* formé par l'eau dans une colonne de chute.
Effet piston, produit par un train dans un tunnel.

★ **II.** (1857; → Pistonner). Fig., fam. Appui, protection, recommandation qui décide d'une nomination, d'un avancement. Loc. (Vieilli). *Un coup de piston.* ⇒ **Pistonner.**

2.2 Tout dépend de l'examinateur. L'un voulait qu'on dise que Philinte était un homme du monde flatteur et fourbe, l'autre qu'on ne pouvait pas refuser son admiration à Alceste, mais qu'il était par trop acariâtre et que, comme ami, il fallait lui préférer Philinte. Comment voulez-vous que les malheureuses élèves s'y reconnaissent, quand les professeurs ne sont pas d'accord entre eux? Et encore ce n'est rien, chaque année ça devient plus difficile. Gisèle ne pourrait s'en tirer qu'avec un bon coup de piston.
PROUST, À l'ombre des jeunes filles en fleurs, Folio, p. 555.

3 Un jour (...) peut-être seulement par quelque hasard (en tout cas, pas par piston : on ne connaît pas de capitaine d'équipe qui le soit par piston), il se trouva capitaine. MONTHERLANT, les Olympiques, p. 47.

HOM. 2. **Piston.**

2. PISTON [pistɔ̃] n. m. — 1888; par aphérèse de *capiston**, déformation. de *capitaine.*

♦ Argot milit. (vx). Capitaine.

... là, figure-toi, que j'ai rencontré notre capitaine... Il était appuyé à un arbre, bien amoché le piston!... CÉLINE, Voyage au bout de la nuit, p. 45.

HOM. 1. **Piston.**

PISTONNER [pistɔne] v. tr. — 1857; par métaphore de 1. *piston* «pousser» (comme le piston pousse la bielle).

♦ Appuyer*, protéger (un candidat à une place, à un emploi, un concours...). → Partie, cit. 22. *Il pistonne les amis de son fils. Se faire pistonner.*

1 Mon Dieu! moi, je veux bien... Je te pistonnerai. Elle est sèche comme un échalas, cette petite. Mais puisque ça fait votre affaire à tous ...
ZOLA, Nana, X.

▶ PISTONNÉ, ÉE p. p. adj.

1.1 (...) on vient de m'affirmer qu'il est en instance pour la Légion d'honneur!
La personne qui me renseignait a même ajouté :
— Soyez persuadé qu'il l'aura : il est fort pistonné!
GORON, l'Amour à Paris, t. II, p. 645.

2 (...) j'ai reçu trois ou quatre lettres au sujet de ce garçon. Il est très pistonné.
G. DUHAMEL, Chronique des Pasquier, VIII, IV.

3 C'est bien à un candidat qu'il ressemble *(M. Gaillard),* à un candidat pistonné qui a dit à l'examinateur : «Interrogez-moi sur la situation économique, c'est là-dessus que je suis le plus calé.»
F. MAURIAC, le Nouveau Bloc-notes 1958-1960, p. 31.

N. *Un pistonné, une pistonnée.*

DÉR. 1. **Piston** (II.).

PISTOU [pistu] n. m. — Atteste xxᵉ; mot provençal (Marseille, Nice), de *pestar, pistar* «broyer, piler»; lat. *pestare.* → Piste, 1. piston.

♦ Régional. *Soupe de pistou, au pistou,* au basilic broyé. — *Un pistou,* plat de légumes bouillis.

(...) Adèle avec sa cuisine, le pistou, le lapin au romarin, le secret d'une sauce ou d'une mayonnaise. André ROUSSIN, la Boîte à couleurs, p. 39.

PITAINE [pitɛn] n. m. — 1863, Esnault; aphérèse de *capitaine.*

♦ Fam. (argot milit.). Capitaine. ⇒ **Capiston,** 2. **piston.**

1 Et l'pitaine fait un rapport au commandant. Mais v'là que l'commandant, furieux, i' s'aboule, en s'couant le rapport dans sa patte. H. BARBUSSE, le Feu, t. II, II, XX.

2 Un adjudant dans la gendarmerie, ça vaut un pitaine dans la biffe *(l'infanterie).*
André CAYATTE, les Marchands d'ombre, p. 324.

PITANCE [pitɑ̃s] n. f. — 1240; «pitié», 1120; var. de *pitié.*

♦ **1.** Vx. Ration* de nourriture servie à chaque repas, dans une communauté, un couvent. *La pitance des moines.* ⇒ **Pitancerie, pitancier.**

Tout chef qu'il était, Rancé ne s'accorda aucune des préférences de ses devanciers, il se contentait de la pitance commune (...) 1
CHATEAUBRIAND, Vie de Rancé, p. 139.

♦ **2.** (XVIIᵉ). Mod. (Littér. ou plais.). Ce que l'on mange*. ⇒ **Nourriture, subsistance** (→ Expédier, cit. 3; moment, cit. 29). *La pitance quotidienne du soldat.* ⇒ **Rata.** *Se contenter d'une maigre pitance.* ⇒ **Pâtée** (figuré).

Certain chien qui portait la pitance au logis 2
S'était fait un collier du dîné de son maître. LA FONTAINE, Fables, VIII, 7.

Les cantinières qui nous apportaient la pitance restaient avec nous pour écouter notre Arabe. CHATEAUBRIAND, Mémoires d'outre-tombe, t. II, p. 51. 3

(En parlant des animaux). *Chien qui jappe* (cit. 1) *pour réclamer sa pitance. Laisser les bêtes chercher leur pitance dans les pacages* (→ Élevage, cit. 1).

DÉR. Pitancerie, pitancier.

PITANCERIE [pitɑ̃sʀi] n. f. — XIVᵉ; de *pitance.*

♦ Vx. Fonction de pitancier; lieu où se distribue la pitance (1.). ⇒ **Réfectoire.**

PITANCIER [pitɑ̃sje] n. m. — 1287; de *pitance.*

♦ Vx. Celui qui distribue la nourriture (⇒ **Pitance,** 1.) dans une communauté, un couvent.

PITAUD, AUDE [pito, od] n. — 1566, *pitaut; petaul,* mil. XIVᵉ; du rad. de *piété (piteux),* et suff. *-aud;* → Lourdaud.

♦ Vx (langue class.) ou régional (vieilli). Personne lourde; paysan grossier. ⇒ **Lourdaud, rustaud.**

PITCH [pitʃ] n. m. — 1934; mot angl. *to pitch* «ficher, enfoncer».

♦ Golf. Balle qui reste à l'endroit où elle est tombée sur le green.

DÉR. Pitcher.

PITCHER [pitʃe] v. intr. — 1934; de *pitch.*

♦ Golf. Frapper la balle de façon qu'elle reste à l'endroit où elle tombe. — Trans. *Pitcher son coup.*

PITCHOUN [pitʃun] n. et adj. — Déb. xxᵉ; mot provençal «petit».

Régional (Midi de la France).

♦ **1.** N. Personne de petite taille; gamin, gamine. *Envoyer son pitchoun à l'école.*

♦ **2.** Adj. *Elle est un peu pitchoun pour son âge.*

DÉR. Pitchounet.

PITCHOUNET, ETTE [pitʃunɛ, ɛt] n. et adj. — 1892; de *pitchoun.*

♦ Régional (Midi de la France). Petit, petite.

La jolie pitchounette ignore encor les pleurs.
D'ardeur et de gaité le soleil la sature.
le Journal amusant, 26 mars 1892, *in* D. D. L., II, 17.

PITCHPIN [pitʃpɛ̃] n. m. — 1875; mot anglo-amér. de *pitch* «substance résineuse», et *pine* «pin».

♦ Bois de certains conifères résineux originaires d'Amérique *(pin de Boston),* utilisé en menuiserie d'ameublement. *Armoire, lit en pitchpin.*

1. PITE [pit] n. f. – 1477; *picte,* 1462; lat. médiéval *picta,* d'un rad. *pitt-* «pointe, bout pointu». → Piton.

♦ Anciennt. Petite monnaie de cuivre valant un quart de denier* (déjà hors d'usage au XVIIe siècle).

HOM. 2. Pite.

2. PITE [pit] n. f. — 1599; esp. *pita,* mot péruvien.

♦ Agave d'Amérique. — Matière textile tirée des fibres de cette plante.

HOM. 1. Pite.

PITEUSEMENT [pitøzmɑ̃] adv. – 1265; *pitusement, XIIe; de piteux.*

♦ **1.** Vx (langue ancienne et class.). Avec compassion. — D'une manière qui excite la pitié. *Mourir piteusement.*

♦ **2.** Mod. Lamentablement, miteusement. *Il se plaignait piteusement. Il a piteusement échoué.*

Marie joignait les mains, les pressait l'une contre l'autre piteusement.
J. ROMAINS, les Hommes de bonne volonté, t. III, XV, P. 200.

PITEUX, EUSE [pitø, øz] adj. — XIIIe; *pitus,* 1120, *piteux,* 1175, et aussi *pitous,* XIIe, « qui éprouve de la pitié », encore au XVIe; bas lat. *pietosus,* de *pietas.* → Pitié.

♦ **1.** Vx (langue ancienne). Miséricordieux.

♦ **2.** Vx ou archaïsme. Qui suscite la pitié, la compassion. ⇒ **Pitoyable; malheureux; marmiteux** (vx). → Arrogance, cit. 9. — N. « *Les avares font toujours les piteux et les pauvres* » (Furetière, 1690). — (Choses). « *Ce spectacle piteux* » (La Fontaine, *Fables,* VIII, 27, à propos des cadavres de trois animaux et du chasseur). — Mod. *Dans un piteux état.*

1 (...) une piteuse dame qui gémissait dans les fers d'un jaloux (...)
CHATEAUBRIAND, le Génie du christianisme, IV, V, IV.

Vieilli. Rechigné, triste et désagréable. *L'État* (cit. 134)... *c'est un monsieur piteux et malgracieux. – Faire piteuse mine.*

♦ **3.** (XVIIe). Mod. (En parlant des choses; plus rarement des personnes). Qui excite une pitié mêlée de mépris, par son caractère misérable, ridicule, dérisoire. *Apparence, mine piteuse, aspect piteux.* ⇒ **Miteux.** — Spécialt. Qui prête à rire, par son air penaud et gauche*. ⇒ **Confus.** *Il était tout piteux. — Ton piteux* (→ Bon, cit. 124). *Faire piteuse mine, piteuse figure.*

2 – Vous y avez touché (...) Vous avez remis autre chose dedans?
Pendant que l'homme gardait une mine piteuse et contrite. Quinette posa le paquet sur la chaise qu'il venait d'occuper, dénoua les ficelles.
J. ROMAINS, les Hommes de bonne volonté, t. I, XXI, p. 254.

♦ **4.** Qui est ridiculement insuffisant ou raté; en mauvais état. *Des vêtements piteux. Récolte, bénéfices, résultats piteux.* ⇒ **Chétif, minable.** *Maison délabrée, en piteux état.*

CONTR. Heureux; satisfait; triomphant.
DÉR. Piteusement.

PITHÉC-, PITHÉCO-, -PITHÈQUE Éléments du grec *pithêkos* « singe ». Ex. : *anthropopithèque, cercopithèque, galéopithèque, pithécoïde, pithécomorphe, pithécomorphisme, semnopithèque.*

PITHÉCANTHROPE [pitekɑ̃tʀɔp] n. m. — 1895; lat. sc. *pithecanthropus (erectus);* du grec *pithêkos* « singe » (→ -pithèque), et *anthropos* « homme ». → Anthropopithèque.

♦ Didact. Mammifère primate fossile *(Hominiens),* possédant des traits proches des grands singes anthropoïdes actuels et de l'*homo sapiens* (n. sc. : *homo erectus erectus*). ⇒ **Homme** (cit. 6).

1 Plus proches de l'Homme, sensiblement, sont le Pithécanthrope et le Sinanthrope. Du premier, on a retrouvé, dans le gisement de Trinil, à Java, une calotte crânienne, quelques dents et quelques fémurs. La contenance de son crâne était de 8 à 900 centimètres cubes, donc nettement intermédiaire entre celle du grand singe (600 cent. cubes) et celle de l'Homme (1400). Méritait-il déjà le nom d'Homme? Cela dépend des opinions; mais il méritait sans doute celui d'Hominidé; il devait se tenir debout et savait peut-être allumer le feu.
Jean ROSTAND, l'Homme, VIII.

2 L'événement capital de cette période est la découverte à Java par le Hollandais Fubois, en 1891, du Pithécanthrope, avatar définitif de l'Anthropopithèque de G. de Mortillet. À vrai dire le nouveau venu se limitait une fois de plus à une calotte crânienne, quelques dents et un fémur, mais il apportait une démonstration impeccable : son front fuyait plus que celui de l'homme de Néanderthal, ses arcades orbitaires formaient une véritable visière et la chaîne unissant le chimpanzé à l'homme s'enrichissait d'un maillon supplémentaire.
A. LEROI-GOURHAN, le Geste et la Parole, t. I, p. 23.

DÉR. Pithécanthropien.

PITHÉCANTHROPIEN, IENNE [pitekɑ̃tʀɔpjɛ̃, jɛn] adj. et n. — Mil. XXe; de *pithécanthrope.*

♦ Didact. Du pithécanthrope. — Spécimen fossile, individu identifié comme faisant partie de la famille des Pithécantropes.

PITHÉCOÏDE [pitekɔid] adj. — 1877; de *pithéc-,* et *-oïde.*

♦ Didact. Qui se rapproche des caractères du singe. ⇒ **Pithécomorphe.**

PITHÉCOMORPHE [pitekɔmɔʀf] adj. et n. — XXe; de *pithéco-,* et *morphe.*

♦ Didact. Qui a la forme, la structure anatomique du singe. ⇒ **Pithécoïde.** — N. *Un pithécomorphe.*

Leur architecture crânienne *(celle des Paléanthropiens)* offre le plus grand intérêt puisqu'en elle s'inscrivent les dernières étapes de l'acquisition du cerveau d'*Homo sapiens.* Il est, bien entendu, qu'il faut faire appel à un ancêtre bipède hypothétique, situé en deçà de la bifurcation qui isole les pithécomorphes et les primates à deux pieds. Les caractères humains sont en effet irréductibles à ceux des singes puisque toute l'évolution, des poissons au gorille, montre que la posture est un caractère fondamental : les singes, tous les singes, sont caractérisés par une station mixte, quadrupède et assise, et l'adaptation de leur pied à ces conditions de vie.
A. LEROI-GOURHAN, le Geste et la Parole, t. I, p. 107.

PITHÉCOMORPHISME [pitekɔmɔʀfism] n. m. — XXe; de *pithéco-,* et *-morphisme.*

♦ Didact. Caractères du pithécomorphe*.

Le pithécomorphisme est donc avant tout caractérisé par un affranchissement postural lié à la quadrumanie locomotrice, les autres caractères, pour importants qu'ils soient, sont corollaires.
A. LEROI-GOURHAN, le Geste et la Parole, t. I, p. 82.

PITHIATIQUE [pitjatik] adj. et n. — 1901; de *pithiatisme.*

♦ Didact. (Psychiatrie). *Trouble pithiatique :* trouble non organique qui peut être guéri ou reproduit par la suggestion (employé parfois comme syn. de *hystérique*). — N. (1959). Personne affectée par ce trouble.

PITHIATISME [pitjatism] n. m. — 1901, Babinski; du rad. grec *pith-* (de *peithein* « persuader »), et *iatos* « guérissable ».

♦ Didact. (Psychiatrie). Ensemble des désordres à caractère pithiatique*, considérés comme symptômes hystériques. (⇒ **Hystérie**).

BABINSKI (...) a restreint et réduit considérablement le domaine de l'hystérie (...) il a affirmé l'absence de toute lésion anatomique et localisée (...) Tout dans l'hystérie était réversible, produit par la suggestion et pouvait disparaître par la persuasion. Et c'est pour souligner ce fait primordial qu'il créa le mot *pithiatisme* (...)
A. POROT, Manuel alphabétique de psychiatrie, 1952, art. *Hystérie.*

DÉR. Pithiatique.

PITHIVIERS [pitivje] n. m. — Fin. XIXe; n. d'une ville du Loiret.
Cuisine.

♦ **1.** Petit pâté d'alouette.

♦ **2.** Gâteau* fourré aux amandes pilées.

PITIÉ [pitje] n. f. — 1080, *Chanson de Roland; pitet,* 1050; lat. *pietas, -atis* « pitié ». → Piété.

♦ **1.** **a** *(La pitié).* Sentiment altruiste qui porte à éprouver une émotion pénible au spectacle des souffrances d'autrui et à souhaiter qu'elles soient soulagées. ⇒ **Apitoiement, attendrissement, commisération, compassion** (cit. 4, La Bruyère), **compréhension, miséricorde, sympathie** (au sens étym.). → Entrailles, cit. 15; indulgence, cit. 6. *Éprouver, avoir de la pitié pour qqn. Sa pitié pour les opprimés.* — Tendance à éprouver ce sentiment. ⇒ **Bonté, charité, cœur, humanité, mansuétude, sensibilité.** *Être plein de pitié. — La pitié considérée comme une vertu, un noble sentiment* (→ Éminence, cit. 3; ironie, cit. 11), *une faiblesse* (cit. 39), *un fléau humain* (→ Assombrir, cit. 3). *La pitié rend honteux celui qui en est l'objet* (Nietzsche). — *Pitié et clémence* (cit. 4), *et générosité* (cit. 5). *Pitié excessive, qui dégénère* (cit. 10) *en faiblesse. — La tragédie mène à la pitié par la terreur* (→ Entendre, cit. 47). « *C'est là qu'est la pitié, la souffrance et l'amour* » (→ Cœur, cit. 155, Musset).

(...) j'ai une merveilleuse lâcheté vers la miséricorde et la mansuétude. Tant y a 1
qu'à mon avis je serais pour me rendre plus naturellement à la compasion, qu'à l'estimation *(estime)*; si est la pitié, passion vicieuse aux Stoïques : ils veulent qu'on secoure les affligés, mais non pas qu'on fléchisse et compatisse avec eux.
MONTAIGNE, Essais, I, I.

La pitié d'un malheur où nous voyons tomber nos semblables nous porte à la 2
crainte d'un pareil pour nous; cette crainte, au désir de l'éviter (...)
CORNEILLE, Disc. de la tragédie...

Je suis peu sensible à la pitié, et voudrais ne l'y être point du tout. Cependant, il 3
n'est rien que je ne fisse pour le soulagement d'une personne affligée (...)
LA ROCHEFOUCAULD, Portrait par lui-même.

La pitié est souvent un sentiment de nos propres maux dans les maux d'autrui; 4
c'est une habile prévoyance des malheurs où nous pouvons tomber; nous donnons du secours aux autres, pour les engager à nous en donner en de semblables occasions, et ces services que nous leur rendons sont, à proprement parler, des biens que nous nous faisons à nous-mêmes par avance.
LA ROCHEFOUCAULD, Maximes, 264.

La pitié est moins tendre que l'amour. 5
VAUVENARGUES, Réflexions et Maximes, 487.

6 (...) la pitié, disposition convenable à des êtres aussi faibles et sujets à autant de maux que nous le sommes; vertu d'autant plus universelle et d'autant plus utile à l'homme, qu'elle précède en lui l'usage de toute réflexion, et si naturelle, que les bêtes mêmes en donnent quelquefois des signes sensibles.
ROUSSEAU, De l'inégalité parmi les hommes, I.

7 La pitié n'est qu'un secret repli sur nous-mêmes, à la vue des maux d'autrui dont nous pouvons être également les victimes.
CHAMFORT, Maximes, « Sur l'art dramatique », XXXVI.

8 Le sentiment que l'homme supporte le plus difficilement est la pitié, surtout quand il la mérite. BALZAC, la Peau de chagrin, Pl., t. IX, p. 239.

9 La sainte pitié, qui fait la beauté des âmes, périrait en même temps que périrait la souffrance. FRANCE, M. Bergeret à Paris, XVII, Œ., t. XII, p. 446.

10 (...) l'égoïsme est souvent la clef de la pitié. Qui souffre pour soi a chances de s'éveiller à la souffrance des autres.
R. ROLLAND, l'Âme enchantée, t. III, p. 105.

11 (...) c'est très mal décrire la pitié si l'on dit que celui qui l'éprouve pense à lui-même et se voit à la place de l'autre. Cette réflexion, quand elle vient, ne vient qu'après la pitié (...) l'homme se demande compte à lui-même de ce mouvement du cœur qui lui vient comme une maladie.
ALAIN, Propos, 20 févr. 1923, De l'imagination.

Une pitié ardente et agissante (cit. 5), *douce et paisible* (→ Altérer, cit. 4), *délicate* (→ Immolation, cit. 2)... — *Quêter la pitié ou l'indulgence des autres. La pitié publique* (→ Famélique, cit. 1). *Un mendiant* (cit. 2) *qui sollicite la pitié de la multitude.* — *Inspirer* (cit. 10), *exciter la pitié. Digne* (cit. 2) *de pitié.* ⇒ **Lamentable, piteux, pitoyable.** — *Toucher qqn de pitié.* ⇒ **Apitoyer, attendrir, fendre** (le cœur). → Faire monter, venir les larmes* aux yeux, faire mal* au cœur. *Des êtres... laids* (cit. 8) *à décourager la pitié.*

12 (...) la pitié, inerte, passive chez les hommes, plus résignés aux maux d'autrui, est chez les femmes un sentiment très actif, très violent, qui devient parfois héroïque et les pousse impérieusement aux actes les plus hardis.
MICHELET, Hist. de la Révolution franç., II, VIII.

13 Et la pitié si tendre, qu'il avait déjà éprouvée à voir les rides et les cheveux blancs de sa mère, déborda comme un flot de son cœur très jeune; il répondit à son appel par tout ce qu'on peut donner d'étreintes et d'embrassements désolés.
LOTI, Ramuntcho, II, VII.

FAIRE (cit. 92) **PITIÉ** : inspirer, être propre à inspirer ce sentiment → Désespérer, cit. 15; lanière, cit. 1 (fig.). *Des malheureux qui font plus peur que pitié* (→ Humain, cit. 2). — Prov. *Il vaut mieux faire envie* que pitié.*

14 Madame, il fait pitié. Jamais cœur, que je pense,
Par un plus vif remords n'expia son offense (...) MOLIÈRE, Dom Garcie, IV, 1.

15 Les oiseaux en cage me font tout autant de pitié que les peuples en esclavage.
FLAUBERT, Correspondance, 114, 8 août 1846.

Avoir, éprouver, ressentir de la pitié envers, pour qqn (⇒ **Plaindre**), *envers ses souffrances.* ⇒ **Compatir** (à), **déplorer.** *« Ayez de la pitié, si le ciel n'en a pas »* (→ Enfer, cit. 9, Hugo). — **AVOIR PITIÉ DE...** (→ Consoler, cit. 2; merci, cit. 1, Villon; optimisme, cit. 4). *Avoir grand** (cit. 76) *pitié. « J'ai pitié de moi-même »* (→ Envie, cit. 14). *« Nont-ils point de pitié de leurs vieux domestiques? »* (→ Bourrique, cit. 1, La Fontaine). *Ayez pitié d'un pauvre aveugle!* Ellipt. *Pitié pour les malheureux* (→ Heureux, cit. 51). Littér. *Pitié pour les femmes,* roman de Montherlant.

16 Pauvres gens, je les plains, car on a pour les fous
Plus de pitié que de courroux. LA FONTAINE, Fables, VII, 12.

17 On doit avoir pitié des uns et des autres; mais on doit avoir pour les uns une pitié qui naît de tendresse, et, pour les autres, une pitié qui naît de mépris.
PASCAL, Pensées, II, 194 bis.

17.1 Mais puisque tu ne veux pas profiter des secours que je t'offre, arrange-toi comme il te plaira; tu me dois, demain de l'argent, ou la prison. — Madame ayez pitié... — Oui, oui, pitié; on meurt de faim avec la pitié.
SADE, Justine..., t. I, p. 24-25.

18 Les gens ont pitié des autres dans la mesure où ils auraient pitié d'eux-mêmes.
GIRAUDOUX, La guerre de Troie n'aura pas lieu, II, 8.

Témoigner de la pitié. Regard de pitié.* — (1835). *Prendre qqn en pitié,* éprouver et témoigner de la pitié à son égard (→ Bassesse, cit. 20; effroyable, cit. 4; offenser, cit. 10).

Relig. *Ayez pitié de nous,* formule de réponse dans certaines litanies (lat. *Miserere nobis*). *« Ô Satan, prends pitié de ma longue misère! »* (Baudelaire, *Litanies de Satan*).

PAR PITIÉ. *Faire l'aumône à un pauvre par pitié; agir par pitié.* Loc. *Par pitié, laissez-moi tranquille,* je vous en prie (→ Paix, cit. 37).

19 Ce que tu fais pour moi, tu le fais par pitié.
On n'a pas d'amitié, on a de la pitié pour un pauvre.
GIDE, le Roi Candaule, II, 1.

N'éprouver aucune pitié (→ Désordre, cit. 26). *Insensible à la pitié* (→ Dur, cit. 24). *Sans pitié.* ⇒ **Cruel, impitoyable, implacable, inexorable** (→ Durcir, cit. 2). *Les hommes sont sans pitié* (→ Aujourd'hui, cit. 28). *Ils seront punis sans pitié, sans aucune pitié.* ⇒ **Impitoyablement, irrémissiblement.** *Sans trêve ni pitié* (→ Harceler, cit. 7). Allus. littér. *« Mais un fripon d'enfant (cet âge est sans pitié)... »* (→ 2. Fronde, cit. 1, La Fontaine; et aussi hou, cit.).

Par ext. (En parlant du sentiment d'humanité qui porte à épargner un vaincu). *Implorer la pitié du vainqueur.* — Ellipt. *Pitié!* ⇒ **Grâce, merci.**

b *(Une, des pitiés). Une pitié lui vint au cœur,* un sentiment de pitié (→ Dérisoire, cit. 2). Au plur. (rare). *« Des pitiés me viennent »* (Hugo, *in* Littré).

♦ **2.** (Dans les loc. *c'est une pitié, c'est pitié*). Ce qui est pitoyable, inspire de la pitié. *C'est une pitié,* ou, plus souvent, *c'est pitié. Si chétive* (cit. 2), *que c'était pitié. C'était pitié de...* (→ Aller, cit. 111; grelotter, cit. 5; 2. longe, cit. 2). *C'est une pitié que d'être...* (→ Calmer, cit. 6). — Allus. hist. *La pitié qui était au royaume de France,* mot de Jeanne d'Arc à son procès. — Littér. *La grande pitié des Églises de France,* œuvre de M. Barrès.

C'était pitié de voir tomber les morts. LA FONTAINE, Fables, VII, 6. 20

DE PITIÉ. *Christ de Pitié,* représenté avec les plaies de la Passion, dans une attitude de résignation. — *Madone, Notre-Dame de Pitié.* ⇒ **Pietà** (→ Passionner, cit. 12).

♦ **3.** Sentiment, dédaigneux et méprisant, de commisération pour les insuffisances, les défauts... d'autrui. ⇒ **Dédain, mépris.** *Un sourire de pitié. Il regarde en pitié tout ce que chacun dit* (→ Haut, cit. 66, Molière). *Provincial qui inspire de la pitié aux lycéens* (cit.). *Cela fait pitié...* ⇒ **Piteux, pitoyable** (→ Mollesse, cit. 3). — Par ext. *Quelle pitié!* quelle chose pitoyable, dérisoire! ⇒ **Misère** (→ Grandeur, cit. 21).

CONTR. Cruauté. — Inhumanité.
DÉR. et **COMP. Pitoyable. — Apitoyer.** — V. aussi **Pitance, piteux.**

PITON [pitɔ̃] n. m. — 1382; d'un rad. roman *pitt-* « pointe », à rapprocher de *pikk(are).*

♦ **1.** Clou, vis dont la tête forme un anneau ou un crochet. *Planter, fixer un piton au mur. Cadenas passant dans deux pitons.*

Spécialt. *Pitons d'alpiniste,* enfoncés à coups de marteau dans les fissures des rochers, la glace pour servir de points d'appui. ⇒ **Broche.** *Piton à expansion.* ⇒ **Gollot.** *Piton d'assurance, de progression,* pour s'assurer, avancer.

♦ **2.** (1640). Géogr., cour. Relief isolé, assez haut et de forme aiguë. ⇒ **Éminence, montagne** (cit. 7); 3. **pic.** (→ 1. Erg, cit. 2; essaim, cit. 11; fusiller, cit. 4; 3. morne, cit.). *Piton volcanique. Alpinistes qui escaladent un piton.*

Dans cet océan de verdure (...) on y voyait surgir, comme autant d'écueils, les pitons formés par d'anciens volcans qui portaient leurs laves pétrifiées en couronnes de noire écume. J. KESSEL, le Lion, p. 168.

Géogr. Pointe formée par des coraux, dans un lagon. — Masse volcanique en cheminée (on dit aussi *obélisque*).

♦ **3.** Fam. Gros nez; nez.

DÉR. Pitonner.

PITONNAGE [pitɔnaʒ] n. m. — Mil. XXe; de *pitonner.*

♦ Alpin. Action de pitonner, d'enfoncer des pitons dans le rocher; ensemble des pitons ainsi enfoncés.

(...) l'alpiniste retrouve, sous terre, tous ses droits, mais la varappe et le pitonnage sont bien plus difficiles sur des parois engluées d'argile et dans de la roche calcaire que sur un bon granit sec. Félix TROMBE, la Spéléologie, p. 50.

PITONNER [pitɔne] v. intr. — Mil. XXe; de *piton.*

♦ Alpin. Enfoncer des pitons dans le rocher. *On ne peut pas franchir ce surplomb sans pitonner.*

DÉR. Pitonnage.

PITOYABLE [pitwajabl] adj. — Fin XVe; *piteable,* v. 1120; de *pitié.*

♦ **1.** Littér. ou style soutenu. Qui est enclin à la pitié, accessible à la pitié. ⇒ **Généreux, humain.** → Aimer, cit. 4. — Par ext. *Un regard pitoyable,* de pitié (→ Larme, cit. 23).

(...) La Caverne et sa fille, très pitoyables de leur naturel, s'affligèrent par complaisance ou par contagion et je crois même qu'elles en pleurèrent. 1
SCARRON, le Roman comique, I, XII.

Elle *(Fanny)* n'était pas mauvaise fille, plus pitoyable que les hommes, n'ayant point encore le cœur et la peau durcis par la rude existence au grand air. 2
ZOLA, la Terre, I, II.

Enfin M. de Charlus était pitoyable, l'idée d'un vaincu lui faisait mal, il était toujours pour le faible, il ne lisait pas les chroniques judiciaires pour ne pas avoir à souffrir dans sa chair des angoisses du condamné et de l'impossibilité d'assassiner le juge, le bourreau, et la foule ravie de voir que « justice est faite ». 2.1
PROUST, le Temps retrouvé, Pl., t. III, p. 775.

J'étais pâle et malheureux de m'être vu fou, moi qui crains tant de le devenir. 3
Laquedem, pitoyable, me consola (...) APOLLINAIRE, l'Hérésiarque..., p. 20.

♦ **2.** (1538; *piteauble,* XIIIe). Cour. Digne de pitié. ⇒ **Piteux** (2.); **déplorable, malheureux, misérable, pauvre.** → Allégorie, cit. 2; écumant, cit. 3; foudroyer, cit. 16. *Une pitoyable cohorte* (→ 1. Exode, cit. 3). *Condition, situation pitoyable, spectacle pitoyable.* ⇒ **Douloureux, funeste, malheureux, navrant, triste** (→ Aveulir, cit. 1; empirer, cit. 6). *Blessés en pitoyable état* (cit. 9).

Est-il possible qu'on laisse comme cela un pauvre malade tout seul (...) Voilà qui est pitoyable! 4
MOLIÈRE, le Malade imaginaire, I, 1.

♦ **3.** Iron. Qui inspire, mérite une pitié méprisante, de la dérision. ⇒ **Piteux** (3.); **lamentable** (par exagér.), **mauvais, médiocre, méprisable, minable,** 2. **moche.** *Auteur pitoyable, qui écrit d'une manière* *pitoyable, a un style pitoyable. Livres pitoyables* (→ Occulte, cit. 7). *Raisonnements pitoyables.*

5 Quels pitoyables vers! quel style languissant! BOILEAU, Épîtres, X.

CONTR. Cruel, impitoyable, inhumain, mauvais, piteux (vx). — **Enviable, heureux. — Bon, excellent...**
DÉR. Pitoyablement.
COMP. Impitoyable.

PITOYABLEMENT [pitwajabləmɑ̃] adv. — 1559; *piteablement,* XIIIe; de *pitoyable.*

♦ **1.** Littér. D'une manière pitoyable* (2.). ⇒ **Piteusement, misérablement, douloureusement.** *Il se lamentait pitoyablement.*

♦ **2.** Cour. Médiocrement. *Il a échoué pitoyablement.* ⇒ **Lamentablement, piteusement.**

PITPIT [pipi] n. m. ⇒ **Pipit.**

PITRE [pitʀ] n. m. — 1790; *bon pitre* «brave homme, simple et innocent», 1661; mot franc-comtois, var. dial. de *piètre.*

♦ **1.** Bouffon qui fait la parade (devant un théâtre forain, un cirque*), qui est chargé d'attirer le public, par ses facéties. ⇒ **Clown, comique** (n. m.), **paillasse, pasquin** (vx), **saltimbanque** (→ Jouer, cit. 63).

(...) c'est *mon dogue, ma dague et ma digue,* locution de l'argot du Temple qui signifie, *mon chien, mon couteau et ma femme,* fort usitée parmi les pitres et les queues-rouges du grand siècle (...) HUGO, les Misérables, IV, VI, II.

Loc. *Faire* (cit. 162) *le pitre* (cf. fam. Faire le zigoto, le zouave).

♦ **2.** Personne qui fait rire, volontairement (en «faisant le pitre») ou non. *Quel pitre! qu'il est drôle!* — Fig. et péj. *«Cet auteur, cet orateur est un véritable pitre»* (Académie).

DÉR. Pitrerie.

PITRERIE [pitʀəʀi] n. f. — 1876; de *pitre.*

♦ **1.** Plaisanterie, facétie de pitre. ⇒ **Clownerie.**

♦ **2.** Acte destiné à faire rire. *Écolier qui fait des pitreries pour amuser ses camarades.*

Quand il buvait chez Prosper, en compagnie de légionnaires maigres et musclés, la présence de «la fille de la douceur» l'empêchait de réussir, comme autrefois, ses pitreries les plus divertissantes. P. MAC ORLAN, la Bandera, XV.

PITTORESQUE [pitɔʀɛsk] adj. et n. m. — 1708; ital. *pittoresco,* de *pittore* «peintre».

★ **I.** Adj. ♦ **1.** Vx. Qui est relatif, qui appartient à la peinture*. ⇒ **Pictural.** *La composition pittoresque.*

♦ **2.** (Au XIXe). Dans le titre de certaines publications illustrées. ⇒ **Illustré.** *Le Magasin pittoresque.*

♦ **3.** Mod. Qui est digne d'être peint, de fournir un sujet à un peintre, à un graveur, etc. — Par ext. (Cour.). Qui attire l'attention, qui charme ou qui amuse par un aspect original, qui a un caractère* bien marqué. *Des scènes pittoresques, propres à être décrites au pinceau* (→ Enlumineur, cit.). *Vieilles rues pittoresques. Site pittoresque.* ⇒ **Accidenté.** *Personne d'une laideur pittoresque* (→ 2. Original, cit. 8). *Noms de rues pittoresques* (→ Ancien, cit. 2).

1 Dans les vieilles villes *(de Hollande),* la maison a souvent sur la rue son pignon festonné d'arcades, de branchages, de bosselures, terminé par un oiseau, une pomme, un buste; elle n'est point, comme dans nos villes, une suite de sa voisine, un compartiment abstrait de la grande caserne, mais une chose à part, douée d'un caractère propre et personnel, à la fois intéressante et pittoresque.
TAINE, Philosophie de l'art, t. I, p. 258.

2 Quel quartier pittoresque!
Il a dit «pittoresque»! Ah! le cher garçon! Comme il sait toucher juste! C'est pourtant vrai que la rue du Pot-de-fer est pittoresque. Mais une ombre persiste au cœur de Salavin : il sait que l'on juge pittoresques des pays que l'on ne voudrait habiter à aucun prix. G. DUHAMEL, Salavin, III, IX.

♦ **4.** Qui attire l'attention par un caractère peu banal. ⇒ **Bizarre.** *Sa vie est pleine de péripéties pittoresques. Un personnage pittoresque.* ⇒ **Original.**

3 Clemenceau? un personnage pittoresque, impulsif, cherchant l'effet.
J. ROMAINS, les Hommes de bonne volonté, t. I, XV, p. 158.

♦ **5.** Littér. (Mots, style). Qui dépeint bien les objets et les êtres, qui exprime les choses d'une manière concrète, imagée; qui a de la couleur, du mouvement, du piquant*. *Mot* (→ Gnôle, cit. 2), *expression* (→ Imagination, cit. 5), *locution* (cit. 1), *idiotisme* (→ Moqueusement, cit.), *style pittoresque* (→ Métaphorique, cit.). — (Au sujet d'une œuvre littéraire ou d'un récit, d'une œuvre dans son ensemble). *Détails pittoresques propres à exciter l'intérêt* (cit. 25). *Le drame* (cit. 5) *peut être tout à la fois philosophique et pittoresque.*

4 Sa langue, vigoureuse et pittoresque, a presque le charme du latin. Elle jette des lueurs sublimes. BAUDELAIRE, l'Art romantique, XXII, II.

Par ext. (En parlant d'un morceau de musique). *Une page pittoresque de Debussy* (→ Cake-walk, cit. 1).

★ **II.** N. m. Caractère pittoresque, expressif (→ Incolore, cit. 2). *Le pittoresque d'un mot* (→ Expressif, cit. 3), *d'une expression* (→ Fruste, cit. 2), *de l'argot* (1. Argot, cit. 3). *Les romantiques ont introduit le pittoresque au théâtre.* ⇒ **Couleur** (locale), **insolite.**

À Courcelles était la dernière production de ce cabaretier poète (...) Aussi bien ne le cédait-elle à ses aînées en saveur ni en pittoresque, écrite avec la même fougue, la même crapulerie voulue, non exempte d'art (...) 5
COURTELINE, Messieurs les ronds-de-cuir, 6e tableau, III.

(Hanotaux) expose la bataille de Charleroi, la bataille de la Marne, toute la guerre, avec beaucoup de pittoresque et même sur certains points, avec une grande précision de détails (...) R. POINCARÉ, Au service de la France, t. VIII, p. 213. 6

Les couvents italiens transformés en hôtels à voyageurs deviennent bientôt semblables à toutes les auberges de luxe, avec un peu plus de pittoresque (...) 7
A. HERMANT, les Épaves, II, 2.

CONTR. Banal, fade, incolore, insipide, plat.
DÉR. Pittoresquement.

PITTORESQUEMENT [pitɔʀɛskəmɑ̃] adv. — 1732; de *pittoresque.*

♦ D'une manière pittoresque (3. et 4.), originale (→ Fameux, cit. 5). *Être vêtu pittoresquement.*

Près de la Cascade, je côtoie un campement sous bois, une agglomération de masures, de cabanes, de huttes, fabriquées pittoresquement de fragments de planches, de morceaux de zinc, de terre battue, avec leurs portes de branches tournant sur des gonds de lianes, et avec leurs fenêtres faites d'un morceau de vitre trouvé par aventure. Ed. et J. DE GONCOURT, Journal, t. IV, p. 107. 1

Le reporter et son aide devinrent donc, en peu de temps, d'habiles opérateurs, et ils obtinrent d'assez belles épreuves de paysages, tels que l'ensemble de l'île, pris du plateau de Grande-Vue, avec le mont Franklin à l'horizon, l'embouchure de la Mercy, si pittoresquement encadrée dans ses hautes roches, la clairière et le corral adossé aux premières croupes de la montagne, tout le développement si curieux du cap Griffe, de la pointe de l'Épave, etc. 2
J. VERNE, l'Île mystérieuse, t. II, p. 566.

PITTOSPORUM [pitɔspɔʀɔm] n. m. — 1808, *pittospore;* lat. bot. *pittosporum, du grec pitta* «poix», et *spora.* →Spore.

♦ Bot. Arbuste des régions tropicales, à feuilles odorantes.

PITUITAIRE [pitɥitɛʀ] adj. – V. 1560; de *pituite.*

♦ **1.** Méd. Vx. Relatif à la pituite (1.).

♦ **2.** Anat. *La membrane, la muqueuse pituitaire,* ou, n. f., *la pituitaire :* la muqueuse qui tapisse les fosses nasales (⇒ **Nez, odorat**) ainsi que les cavités annexes. — Vx. *Corps* ou *glande pituitaire.* ⇒ **Hypophyse.**

(...) description du syndrome infundibulaire qui a été signalé dans diverses observations de tumeur de la pituitaire et encore récemment dans un cas de tumeur de l'épiphyse (...)
B. CENDRARS, Moravagine, *in* Œ. compl., t. IV, p. 255.

PITUITE [pitɥit] n. f. – 1541; lat. *pituita.*

♦ **1.** Anc., méd. L'une des quatre humeurs* cardinales du corps. ⇒ **Flegme.** — Spécialt. Sécrétion du nez et des bronches. ⇒ **Crachat, flegme, glaire, mucosité.** *La pituite sécrétée par la membrane pituitaire*. Écoulement, sécrétion de pituite par les bronches* (⇒ **Bronchorrhée**), *par la membrane pituitaire.*

♦ **2.** Mod. (Méd.). Liquide glaireux que certains malades, en particulier les alcooliques, rejettent le matin à jeun par expectoration ou par vomissement. — (1845). Vomissement habituel de ce liquide. *Être sujet à la pituite, être atteint de pituite.* ⇒ **Pituiteux.**

DÉR. Pituitaire. — (Du même rad.) **Pituiteux.**

PITUITEUX, EUSE [pitɥitø, øz] adj. — 1538; du lat. *pituitosus.* Médecine ancienne.

♦ **1.** Qui est de la nature de la pituite, qui a le caractère de la pituite (2.). *Expectoration pituiteuse.* — Vx. *Tempérament pituiteux.* ⇒ **Pituite.**

♦ **2.** Qui est sujet à la pituite, qui a le tempérament pituiteux. — N. *Un pituiteux, une pituiteuse.*

(...) dites-leur donc, — et cela l'expérience l'atteste, – que tout homme, né sous le signe de Saturne, est mélancolique et pituiteux, taciturne et solitaire, pauvre et vain (...) HUYSMANS, Là-bas, XXII. 1

Littér., rare. Propre à un homme atteint de pituite.

Et il grogne, s'emporte, menace, la voix pituitaire, les bronches encore graillonnantes du champagne mal cuvé de la veille. 2
O. MIRBEAU, le Journal d'une femme de chambre, p. 366.

PITUITRINE [pitɥitʀin] n. f. — Mil. XXe; de *(glande) pituitaire* (hypophyse).

♦ Méd. Extrait du lobe postérieur de l'hypophyse contenant trois hormones (ocytocine, vasopressine, antidiurétine).

PITYRIASIS [pitiʀjazis] n. m. – Fin XVIIIe, *pityriase ;* grec *pituriasis,* de *pituron* « son (de blé) », d'après l'apparence des taches de la peau.

♦ Méd. Maladie de peau (⇒ **Dermatose**) caractérisée par une fine desquamation. ⇒ **Dartre.**

PIÙ [pju] adv. — 1846 ; mot italien.

♦ Mus. (Devant une indication de mouvement). Plus. *Più lento.*

1. PIVE [piv] n. m. — 1866 ; abrév. de *pivois* « vin », 1562, p.-ê. du rad. *pier* « boire ». → Piot.

♦ Vx ou régional. Vin.

C'est comm' les curés : Des Jean-fesse,
Un tas d'clients qui foutent rien
Que d'licher du pive à la messe ;
Ça vaut pas les quat'fers du chien.
A. BRUANT, Dans la rue, p. 194.

HOM. 2. **Pive.**

2. PIVE [piv] n. f. — Déb. XVIIIe ; « cône de sapin », 1611 ; du lat. *pipa* « flûte, fifre ».

♦ Régional (Doubs, Haute-Savoie, Suisse). Cône (des résineux), pigne. *Pives de pin* (⇒ **Pomme**), *de sapin.*

Il grimpait, retardé par les pives rondes qui roulaient sous ses semelles.
Corinna BILLE, le Sabot de Vénus, p. 45.

Loc. fig. *Envoyer qqn aux pives,* l'envoyer promener (→ Envoyer sur les roses*). — *Va aux pives !* (cf. Va au diable, va te faire voir, etc.).

HOM. 1. **Pive.**

PIVERT [pivɛʀ] n. m. — 1488 ; *pyvard,* 1379 ; de 1. *pic,* et *vert.*

♦ Oiseau grimpeur *(Picidés)* à plumage jaune et vert. ⇒ 1. **Pic.** – REM. On rencontre parfois l'orthographe *picvert.* — *Le pivert est aussi appelé* avocat du meunier, becquebois, charpentier, oiseau de la pluie, perce-bois, picot, etc.

(...) nous pouvons relever les yeux, suivre dans la futaie le vol festonné du pivert. Il tombe, les ailes repliées : il est vert tout entier, comme une feuille entre cent mille feuilles. Ses ailes battent, le soulèvent sur une passerelle aérienne : alors il se bariole de soufre, sa tête levée se chaperonne d'écarlate. Et de nouveau glissant les ailes au corps, de nouveau remontant déployé, tour à tour il s'éteint et s'éclaire, à chaque métamorphose poussant son triple cri : les trois coups d'un théâtre de fées.
M. GENEVOIX, Forêt voisine, XI.

PIVOINE [pivwan] n. f. et m. — V. 1398, *in* D. D. L. ; *peone,* 1180 ; lat. *pæonia,* grec *paiônia.*

♦ **1.** N. f. Plante dicotylédone *(Renonculacées),* scientifiquement appelée *pæonia,* d'origine exotique, vivace, dont les fleurs, de couleurs variées, ont l'apparence de roses de très grande taille. — La fleur de cette plante. *Mettre des pivoines dans un vase. Pivoine rouge.*

Avides de s'unir au glorieux été,
La pivoine touffue et l'anémone rose
Se pâment de désir et semblent rejeter
Le lâche vêtement des corolles décloses.
Csse DE NOAILLES, Poésies, « Cœur innombrable », Bittô.

Loc. (1880). *Être rouge comme une pivoine :* avoir le visage très rouge (→ Gaucherie, cit. 1).

♦ **2.** N. m. (1562 ; par anal. de couleur). Régional. Bouvreuil*.

PIVOT [pivo] n. m. — 1170 ; orig. obscure, on suppose un mot issu de la forme prélatine **puga* « pointe » restituée par l'anc. provençal, l'esp. *pua, puga* ou (Guiraud) un dérivateur du lat. *pupa,* roman **puppa* « petite fille ».

★ **I.** ♦ **1.** Extrémité amincie (ou pièce rapportée à l'extrémité) d'un arbre tournant vertical. ⇒ **Axe, crapaudine, palier** (→ Bloc, cit. 8 ; échalier, cit. 2). *Pivot qui repose sur une crapaudine*. Pivot d'une grille, d'une porte cochère.* ⇒ **Tourillon.** *Pivot de compas, sur lequel tourne la chape* de l'aiguille aimantée. Pivot d'une paire de ciseaux. Fauteuil de bureau monté sur pivot.*

1 Tout ému, je pousse la porte,
Qui cède et geint sur ses pivots (...)
Th. GAUTIER, Émaux et Camées, « Château du souvenir ».

♦ **2.** Fig. Axe, ce autour de quoi quelque chose se meut. *« Les religions ont toujours roulé sur deux pivots : observance* (cit. 1) *et croyance »* (Voltaire). — *« Liberté* (cit. 28) *de conscience et liberté de commerce, voilà les deux pivots de l'opulence d'un État »* (Voltaire). ⇒ **Base, soutien.** *L'entrepreneur* (cit. 9) *est le pivot de tout le mécanisme économique.* ⇒ **Centre, cheville** (ouvrière).

2 D'abord, il n'est que deux pivots sur qui roule tout dans le monde : la morale et la politique. BEAUMARCHAIS, la Mère coupable, IV, 4.

3 Paris est la ville pivot sur laquelle, à un jour donné, l'histoire a tourné.
HUGO, Paris, III, I.

♦ **3.** Support naturel. [a] Bot. Racine principale qui apparaît la première et s'enfonce verticalement dans le sol. *Le pivot et les radicelles. Racine à pivot volumineux.* ⇒ **Pivotant.** — Sylv. *Pivot d'un arbre. Abattre un arbre en pivot,* l'abattre avec la partie supérieure de cette racine. ⇒ **Pivoter** (II., 2.), **souche.**

[b] Chir. dent. Support d'une dent artificielle, enfoncé dans la racine. *Dent à pivot.*

[c] Véner. Chacun des deux os proéminents situés sur l'os frontal du chevreuil, du cerf, du daim et qui portent le bois de ces animaux.

♦ **4.** Milit. Point autour duquel une troupe exécute un mouvement de conversion. — Dans l'évolution en ordre serré, chacun des hommes placés à l'extrémité d'une file, du côté où se fait le changement de direction.

♦ **5.** (1938). Sport. (Basket-ball). Action de jeu qui consiste à tenir un pied fixe et à déplacer l'autre pied, pour protéger la balle, passer ou tirer. — *Joueur-pivot* ou *pivot :* joueur placé à proximité du panier et qui constitue l'axe principal du jeu pour son équipe.

★ **II.** (Déverbal de *pivoter*). Sports. Action de pivoter. *Pivot haut, bas* (déplacements en poutre, en gymnastique). — Figure libre en patin. *Pivot en avant, en arrière.* ⇒ **Pivotement.**

DÉR. **Pivoter, pivoterie.**

PIVOTANT, ANTE [pivɔtɑ̃, ɑ̃t] adj. — 1550 ; de *pivoter.*

♦ **1.** Qui pivote. *Fauteuil pivotant.* — Milit. *Aile pivotante, mouvement pivotant d'une armée.*

♦ **2.** Bot. *Racine* pivotante :* racine dont le pivot* est gros et long (par oppos. à *racine fasciculée*). *La partie comestible de la carotte est une racine pivotante.* — Par ext. *Arbre pivotant :* arbre à racine pivotante.

PIVOTÉ [pivɔte] n. m. — XXe ; de *pivoter.*

♦ Mouvement de chorégraphie où l'on pivote sur soi-même.

Oh ! Mademoiselle, vos pivotés ! (...) Quelles splendeurs ! Voulez-vous les refaire, Mademoiselle, toute seule, pour vos camarades, vos pivotés ?
P. GUTH, Jeanne la Mince à Paris, p. 82.

PIVOTEMENT [pivɔtmɑ̃] n. m. — 1923 ; de *pivoter.*

♦ Mouvement d'une chose ou d'une personne qui pivote.

Ski. Rotation des skis maintenus parallèles sans contact avec la neige.

PIVOTER [pivɔte] v. — 1823 ; « se trémousser », 1508 ; de *pivot.*

★ **I.** V. intr. ♦ **1.** Tourner autour d'un pivot. *Faire pivoter un fauteuil tournant.* — Tourner sur place, exécuter un mouvement de rotation. *Faire pivoter un avion sur la gauche* (→ Palonnier, cit. 3).

(Il) fit pivoter sa main, paume dessus, paume dessous, pour laisser entendre que le salaire était variable. G. DUHAMEL, Salavin, VI, XV. 1

(...) sur une phrase quelconque, il fit pivoter son fauteuil et regarda dans les yeux Joris (...) ARAGON, les Beaux Quartiers, II, XVI. 2

(Personnes). *Pivoter sur ses talons.* ⇒ **Pirouetter, tourner.** — (Milit.). Tourner d'un quart de tour à droite ou à gauche.

Lucas qui tenait sa permission pliée dans sa poche, fit un salut réglementaire et pivota sur ses talons. P. MAC ORLAN, la Bandera, XV. 3

Il fit pivoter Gespar vivement sur lui-même, puis il lui prit les poignets et j'entendis le déclic des menottes : il venait de le détacher. 4
Paul VIALAR, la Haute Mort, p. 132.

♦ **2.** Milit. Opérer un mouvement de conversion.

Davout devait se concentrer à Osterode ; il devenait ainsi « l'extrémité de la droite » 5
et, sur ce solide 4e Corps, l'armée « pivoterait » pour venir attaquer le flanc droit du Russe aventuré (...)
Louis MADELIN, Hist. du Consulat et de l'Empire, Vers l'Empire Occident, XXII.

♦ **3.** (Arbres, plantes). Enfoncer ses racines verticalement dans le sol (⇒ **Pivot**).

(En Auvergne) Le noyer pivote sur le basalte, et le blé germe sur la pierre ponce. 6
MICHELET, Hist. de France, III.

★ **II.** V. tr. ♦ **1.** Vx. Disposer sur un pivot.

♦ **2.** (1869). Techn. Abattre un arbre en pivot (I., 3.). *Pivoter un chêne.*

DÉR. **Pivot** (II.), **pivotant, pivoté, pivotement.**

PIVOTERIE [pivɔtʀi] n. f. — 1974, in *la Clé des mots ;* de *pivot.*

♦ Techn. Ensemble des pivots (supports de pièces tournantes) d'une machine.

PIXEL [piksɛl] n. m. — 1980; mot anglo-amér., de *pix* pour *pics*, abrév. de *picture* «image», et de *el* pour *element*.

♦ Techn. (inform.). La plus petite surface homogène constitutive d'une image enregistrée (par un système informatique) et pouvant être transmise. Syn. : *point image. Le pixel définit la maille d'échantillonnage de l'image.* (Les photons) *s'accumulent dans les puits de potentiel créés par les électrodes. Chaque électrode définit un «point image (ou pixel)»* (*la Recherche*, avr. 1980, p. 411). *Les calculateurs actuels ne permettent pas de dépasser un million de pixels* (*ibid.*, p. 408).

PIZZA [pidza] n. f. — 1888, *in* D. D. L.; mot italien.

♦ Préparation culinaire italienne (Naples) faite de pâte à pain garnie de tomates, anchois, olives, etc. *Pizza napolitaine. Des pizzas.*

Matteo Brigante (...) a débauché Pizzaccio, le mitron de la *pizzeria*, et l'a pris à son service... Pizzaccio est le sobriquet de l'ancien mitron; cela pourrait se traduire par «pizza à la manque» (...) Roger VAILLAND, la Loi, p. 43.

REM. Abusivt., se dit parfois pour *pizzeria* (à cause de l'enseigne). *Aller à la pizza.*

PIZZAIOLO [pidzajɔlo] n. m. — 1982, Petites annonces, *France-Soir*, 30 mars; mot ital., de *pizza.*

♦ Cuisinier spécialiste de la pizza.

PIZZERIA [pidzeʀja] n. f. — Mil. XXe; ital. *pizzeria*, de *pizza.*

♦ Restaurant ou échoppe qui sert des pizzas. ⇒ **Pizza** (cit.). *Des pizzerias.*

1 Brogan m'emmena dîner dans un restaurant italien, et tout en mangeant une pizza, je me demandais pourquoi je me sentais si confortable, près de lui (...) Quand en sortant de la pizzeria il a pris mon bras (...)
S. DE BEAUVOIR, les Mandarins, 1954, p. 306 (La scène se passe aux États-Unis).

2 (...) j'ai aperçu tout à l'heure des petits restaurants pas chers, des pizzerias où on aurait pu s'en sortir au plus juste prix avec une quatre-saisons pour deux.
Roger BORNICHE, le Play-boy, p. 359.

PIZZICATO [pidzikato] adv. — 1767; mot ital., «pincé».

♦ Mus. En pinçant les cordes, sans jouer avec l'archet (abrév. : *pizz.*). *Exécuter un passage pizzicato.* — N. Cette manière de jouer. *Jouer en pizzicato.* Passage qui se joue ainsi. *Des pizzicati* ou *des pizzicatos.*

La pièce à effet réservée pour la fin est un trio de *chamécen*, long et monotone, que les guéchas exécutent en *pizzicato* rapide, sur les cordes les plus hautes, pincées très court. LOTI, Mme Chrysanthème, LI.

p. j. Abréviation de *pièce(s) jointe(s).*

P. J. [peʒi] n. f. — XXe; abrév. de *police judiciaire.*

♦ Fam. Police judiciaire. *Un inspecteur de la P. J. Officier de police judiciaire* (abrév. : *O. P. J.*).

pl [peɛl] Symbole du poiseuille*.

PLACAGE [plakaʒ] n. m. — 1676; «plâtrage de torchis», 1317; de *plaquer;* var. orth. *plaquage* dans certains emplois techniques.

★ **I.** ♦ **1.** Art, manière de plaquer*. *Le placage d'une dalle sur un mur. Couteau à placage.* Spécialt. Application sur une matière d'une plaque, d'une couche de matière plus précieuse. *Le placage, procédé utilisé en ébénisterie* (→ Juxtaposer, cit. 1), *en marqueterie, en menuiserie* (⇒ **Contre-placage, contre-plaqué**). *Table de placage. Bois de placage. — Placage d'une feuille d'or, d'argent sur un objet de cuivre.*

♦ **2.** Par métonymie. Ce qui est plaqué. Spécialt. Plaque* de matière plus précieuse. *Placage de marbre sur un mur de brique.* ⇒ **Revêtement.** *Placage de bois précieux, d'acajou, d'okoumé. Placage de meuble en loupe* (2. Loupe, cit. 3) *de noyer. Le placage est endommagé.*

Spécialt. Feuille de bois mince (en principe, moins de 1 mm d'épaisseur), obtenue par tranchage ou déroulage. *Placage mince, vendu en rouleau.*

♦ **3.** Par métaphore. Morceau d'une œuvre littéraire, musicale, architecturale... (→ Hors-d'œuvre, cit. 3), qui semble ajouté après coup, qui ne fait pas corps avec le reste de l'ouvrage.

♦ **4.** (1903). Techn. Application d'un mordant sur une étoffe.

♦ **5.** Hortic. Application de gazon en plaques sur un terrain.

♦ **6.** Eaux et forêts. Découpe pratiquée dans l'écorce d'un arbre pour appliquer une empreinte sur le bois formé.

Arbor. Greffe qui consiste à insérer une plaque d'écorce munie d'un œil dans une entaille pratiquée sur le sujet.

♦ **7.** Géol. Résidu mince d'une couverture.

★ **II.** Rugby. ⇒ **Plaquage.**

PLAÇAGE [plasaʒ] n. m. — 1829; *plassage* «droit de place», 1315; de *placer.*

♦ **1.** Distribution de places (spécialt, par l'administration dans les foires, marchés).

♦ **2.** Droit de place.

PLACAGISTE [plakaʒist] n. — Mil. XXe (*in* Larousse 1963); de *placage.*

♦ Fabricant, marchand de bois de placage.

PLACARD [plakaʀ] n. m. — 1444; *plackart* «enduit pour revêtir les murs», 1410 (→ Placage); de *plaquer.*

★ **I. A.** ♦ **1.** Écrit*, manuscrit ou imprimé, qu'on affiche sur un mur, un panneau, etc., pour donner un avis au public. ⇒ **Affiche, écriteau, pancarte** (→ Auditoire, cit. 1). *Afficher un placard.* ⇒ **Placarder.** *Placard qu'on lit au coin des rues* (→ Garantie, cit. 7). — Hist. *L'affaire des placards* (18 octobre 1534).

Le 18 octobre (1534) on trouvait affichés en divers lieux publics, à Paris et dans 1
plusieurs autres villes, des «placards» imprimés sous ce titre : *Articles véritables sur les horribles abus de la messe papale.* Le roi lui-même, qui était alors au château d'Amboise, trouva ce violent factum appliqué à la porte de sa chambre.
LAVISSE et RAMBAUD, Hist. générale du IVe s. à nos jours.

De grands placards couvrent les murs de Tunis. On y fait savoir à la population 2
que (...) l'Afrique du Nord doit accueillir avec reconnaissance les troupes de l'axe (...) GIDE, Journal, 26 nov. 1942.

Panneau sur lequel on affiche des placards.

Tous ces gens en retraite qui n'avaient plus qu'à vivre; disparus! Les placards au- 2.1
dessus des tables, qu'on réservait alors pour annoncer la fête de chaque habitué, étaient recouverts d'affiches invitant la Bavière à réclamer une marine de guerre et des colonies (...) GIRAUDOUX, Siegfried et le Limousin, p. 90.

♦ **2.** Vx. Écrit injurieux ou séditieux qu'on affichait dans les rues ou qu'on faisait circuler dans le public. ⇒ **Pasquinade** (→ Noircir, cit. 11).

♦ **3.** (Mil. XXe). Annonce publicitaire d'une certaine étendue, dans un journal, un périodique. *Insérer un placard dans un journal pour lancer un nouveau produit.*

La publicité a contribué à cette normalisation des colonnes, parce que les annon- 2.2
ceurs ont l'habitude de faire confectionner en série les placards qu'ils font publier dans de nombreux journaux.
Philippe GAILLARD, Technique du journalisme, p. 98.

♦ **4.** (1828). Imprim. Épreuve* tirée seulement sur le recto de la feuille, sans pagination, avec de grandes marges (pour les corrections). *Corriger les placards. — Épreuves en placards.*

(...) il traçait une espèce de scénario en quelques pages, qu'il envoyait à l'impri- 3
merie d'où elles revenaient en placards, c'est-à-dire en colonnes isolées au milieu de larges feuilles. Th. GAUTIER, Portraits contemporains, «Balzac».

Ce sont d'abord des placards, encore humides, et à la fois recroquevillés et bour- 3.1
souflés, se répandant sur toute ma table, au sortir de l'enveloppe : de grands morceaux de papier noircis d'un vilain imprimé, et n'ayant encore rien d'un volume.
Ed. et J. DE GONCOURT, Journal, t. V, p. 128.

Diplomatique. *En placard*, se dit d'une pièce dont le parchemin ou le papier se présente dans toute son étendue, sans être plié.

B. ♦ **1.** Fam. Plaque, couche épaisse d'une matière quelconque. *«Un placard de couleur. Un placard de pommade»* (Académie). — Méd. *Placard d'eczéma. Lésion cutanée en placards.*

♦ **2.** Mar. Pièce de toile de renfort cousue à l'endroit où une voile est usée.

♦ **3.** Mar. Sorte de poulie plate.

♦ **4.** (1572). Techn. Revêtement, couverture de pièces de bois qui garnissent et ornent le panneau d'une porte. *Porte à placard double*, répété sur chacune des faces.

★ **II.** (1792; du sens I, B, 4, ci-dessus). ♦ **1.** Cour. Enfoncement ou recoin de mur, de cloison, fermé par une porte et constituant une armoire fixe. Par ext. Assemblage de menuiserie fixé à un mur et destiné au même usage. ⇒ **Armoire.** *Porte* (→ Entassement, cit. 2), *rayons d'un placard. Fouiller dans les placards* (→ Bombance, cit. 2). *Placard servant de bibliothèque. Placard à balais. Placard-penderie. Placard de cuisine* (cit. 4). ⇒ aussi **Buffet.**

De part et d'autre de la cheminée étaient deux placards à grillages, remplis de cartons reliés comme des livres, et toutes les reliures, imitant le veau ancien, étaient pareilles. A. HERMANT, l'Aube ardente, VI.

Loc. fig. *Mettre au placard* : écarter, étouffer, se débarrasser provisoirement de (qqch.). *«Mettre partout l'U. D. F. au placard pour dépolitiser et personnaliser au maximum l'élection»* (*l'Express*, 11 avr. 1981).

♦ **2.** Argot. Prison. — Cachot.

5 Si vous en voulez encore, allez acheter *Paris-Match*, moi, j'ai plus rien à bonnir! Je préfère que vous me colliez au placard, j'y suis t'été déjà... Je préfère la frite des rats à la vôtre! SAN-ANTONIO, Des gueules d'enterrement, p. 7.

♦ **3.** (1926). Fam. Cage thoracique, ventre (⇒ **Buffet**).

DÉR. 2. **Placarde, placarder.** V. 1. **Placarde.**

PLACARDAGE [plakaʀdaʒ] n. m. — xxe (*in* Larousse 1963); de *placarder.*

♦ Fait de placarder (qqch.). *Le placardage d'une affiche.*

1. PLACARDE [plakaʀd] n. f. — xviiie; d'une fausse suffixation, d'après *placard.*

Argot, vieux.

♦ **1.** Place publique.

♦ **2.** Situation, emploi.

HOM. 2. **Placarde.**

2. PLACARDE [plakaʀd] n. f. — 1953; «abri» 1928; de *placard* «armoire», et fig. «prison».

♦ Argot. Cachette.

(...) je ne veux pas essayer de réquisitionner les lieux à mon profit : on va bien trouver une autre placarde, va. Tu sais bien que pour rouler l'Administration, je suis un peu là. A. SARRAZIN, la Cavale, p. 125.

PLACARDER [plakaʀde] v. tr. — 1611; «publier dans une libelle», 1586; de *placard.*

A. ♦ **1.** Afficher (→ Ouaille, cit.). *Placarder un avis, une affiche sur un mur.*

(...) une affiche hardie, simple et forte, fut placardée à la porte même de l'Assemblée (...) MICHELET, Hist. de la Révolution franç., V, VII.

♦ **2.** Vx. Diffamer, railler par des écrits, des placards* injurieux. *Placarder ses ennemis.*

♦ **3.** Typogr. Imprimer (un texte) en placard.

♦ **4.** Couvrir d'affiches, de placards. *Placarder un panneau. « Ce mur est tout placardé »* (Académie).

B. Fam. Appliquer (qqch.) en couche épaisse. ⇒ **Plaquer.** *Placarder de la pommade.*

C. (1850). Argot. Placer, donner une situation à (qqn). — Pron. *Se placarder :* se placer.

DÉR. Placardage, placardeur, placardier.

PLACARDEUR [plakaʀdœʀ] n. m. — 1791, *Lettres du Père Duchesne;* de *placarder.*

♦ Rare. Celui qui placarde (des avis, des affiches). ⇒ **Colleur** (d'affiches). — REM. Le fém. est virtuel.

PLACARDIER [plakaʀdje] n. m. — 1929; de *placarder.*

♦ Argot. Vx. Celui qui placarde* (C.). ⇒ **Démarcheur, placier.** — REM. Le fém. est virtuel.

PLACE [plas] n. f. — 1080, *Chanson de Roland;* du lat. pop. *plattea,* class. *platea.*

★ **I.** *(Une, des places).* Espace plus ou moins étendu, où s'exercent certaines activités ou qui sert à un usage déterminé.

♦ **1.** (Attestation isolée, xiie; 1370). Lieu public, espace découvert, généralement entouré de constructions dans une ville, une agglomération (→ Cour, cit. 5). ⇒ **Esplanade, parvis, rond-point.** *Petite place.* ⇒ **Placette.** *Place d'une ville grecque* (⇒ **Agora**), *romaine* (⇒ **Forum**). *Place ornée d'une fontaine, d'une statue, plantée d'arbres. Se promener sur la place. Place d'armes*. Place marchande*. Halle située sur la place du marché. La grande place* (→ Halle, cit. 6). *La grand'place* (→ Musique, cit. 29). *La place de la Concorde* (→ Coucou, cit. 5). *La place de Grève** (cit. 7; → Guillotine, cit. 1). *Être brûlé, pendu en place publique.* — Littér. *La Place Royale,* comédie de Corneille.

1 Une place méridionale avec des platanes tout autour, qu'on ne taillait pas, et qui formaient de l'ombrage jusqu'à toucher les maisons. Au centre de la fontaine, qui date, paraît-il, des Romains. ARAGON, les Beaux Quartiers, I, VI.

2 Un peu plus tard, je me rends à l'Étoile. La place est remplie d'une foule qui, après mon arrivée, devient énorme en quelques instants. Ch. DE GAULLE, Mémoires de guerre, t. III, p. 177.

PLACE PUBLIQUE (même sens). → Domestique, cit. 1.

Fig., littér. (Symbolisant le peuple, la foule, le plus grand nombre, etc.). *Les agitations de la place publique* (→ Haut, cit. 67). *Descendre* (cit. 10) *sur la place publique.*

Je crois qu'il n'y a pas à espérer de faire adorer l'art en place publique et que c'est s'exposer à des avanies. SAINTE-BEUVE, Correspondance, 110, févr. 1830. 3

♦ **2.** (1417). PLACE FORTE (cit. 13) : ville fortifiée par une enceinte ou par un ensemble d'ouvrages, de forts. — **PLACE DE GUERRE** (même sens). — REM. Du point de vue juridique, les forts isolés sont considérés comme des *places de guerre.* ⇒ **Forteresse.** *Place forte qui protège un pays contre les invasions. Voie tracée selon l'enceinte, l'ancienne enceinte d'une place forte.* ⇒ **Boulevard.** *Camp retranché entouré de places fortes. Caponnière, contre-porte, esplanade... d'une place forte.* ⇒ **Fortification.** *Défendre l'entrée* d'une place forte. Bloquer, investir* (⇒ **Blocus, siège**), *prendre, démanteler une place forte, une place de guerre. Reddition d'une place forte.* ⇒ **Capitulation.**

La monarchie ne se détruit pas elle-même comme l'État despotique; mais un État d'une grandeur médiocre pourrait être d'abord envahi. Elle a donc des places fortes qui défendent ses frontières et des armées pour défendre ses places fortes. Le plus petit terrain s'y dispute avec art, avec courage, avec opiniâtreté. MONTESQUIEU, l'Esprit des lois, IX, V. 4

Vieilli ou milit. PLACE (même sens). *La place de Verdun* (→ Module, cit. 2). *Batterie de place. Fortifier* (cit. 15) *une place.* — Milit. *Service de place. Commandant d'armes d'une place. Commandant de place. Le général X commandant la place de... Le gouverneur de la place de Paris.*

Par métonymie. Locaux où sont installés les services du commandant d'une place. *Aller faire viser sa permission à la place.*

Le premier soin de Cepi fut, comme on s'en doute, de nous mener à la «place». À mesure que nous approchions des bâtiments militaires, notre sergent recouvrait son allégresse. J. DUTOURD, les Taxis de la Marne, II, I. 5

Loc. fig. *Avoir, se ménager* (cit. 25) *des intelligences* dans la place,* chez l'adversaire, le concurrent, etc. *Être maître de la place :* agir en maître, faire ce qu'on veut (comme dans une place forte conquise).

Quelques jours après, je sortais du journal où mon manuscrit avait été lu, même applaudi. J'avais vu à la façon dont les domestiques et les petits m'avaient salué quand j'étais sorti, que j'avais pied dans la place. J. VALLÈS, le Bachelier, XXV. 6

Je suis seul à lui tenir tête (...) En l'absence de ses parents, Victor *se sait maître de la place.* GIDE, Journal, 23 janv. 1943. 7

Vx (langue class.). *Rendre la place :* cesser toute résistance (à des assauts amoureux).

Hist. *Places de sûreté,* données aux protestants par l'édit de Nantes.

(...) pour garantir leurs nouveaux droits, les protestants restaient à titre provisoire les maîtres dans certaines places dites *de sûreté,* dont le roi payait les garnisons et nommait les chefs avec l'agrément des églises. Les principales étaient La Rochelle, Saumur, Montauban. LAVISSE et RAMBAUD, Hist. générale du IVe s. à nos jours, t. V, p. 283. 8

♦ **3.** (xviie). **PLACE D'ARMES** : fortification.

[a] Partie élargie du chemin couvert (d'une fortification bastionnée). *Place d'armes saillante.*

[b] Tranchée, ouvrage où l'on peut rassembler les troupes avant une attaque. *Place d'armes souterraine* (→ Parallèle, cit. 4).

[c] (Dans une ville). ⇒ **Arme.**

♦ **4.** (1606, «place du change»). Comm., fin. Ville où se font des opérations de banque, de commerce (⇒ aussi **Bourse**); ensemble des banquiers, des commerçants qui exercent leur activité dans une ville. *Place bancable,* où la Banque de France possède un établissement. *Un effet transmis de la place de Paris à la place d'Angoulême* (→ Impayé, cit.). *Avoir un représentant habile sur la place de Paris* (→ Intéresser, cit. 4). Absolt. *Avoir du crédit sur la place,* dans la ville où l'on exerce son activité.

Maintenant le diamant perd tous les jours, le Brésil nous en accable depuis la paix, et jette sur les places des diamants moins blancs que ceux de l'Inde. BALZAC, Gobseck, Pl., t. II, p. 648. 9

C'était le modeleur le plus réputé sur la place de Paris : il réussissait les ressemblances à la perfection et nul ne savait mieux que lui reproduire avec son matériau les particularités des physionomies. R. QUENEAU, Pierrot mon ami, éd. L. de Poche, p. 54. 9.1

Faire la place : aller chez les divers commerçants d'une ville pour leur proposer des marchandises (→ Librairie, cit. 3).

♦ **5.** (1835). Vx. *Place de voitures :* dans une ville, lieu où stationnent les voitures à l'usage du public. ⇒ **Station.** — Loc. *Voiture* de place.*

♦ **6.** Régional (Nord et Belgique). Pièce d'un appartement. *Un logement de quatre places.*

★ **II.** (xve; attestation isolée, xiiie). Partie d'un espace ou d'un lieu. ⇒ **Emplacement, endroit, lieu.** *Gouttes* (1. Goutte, cit. 8) *d'eau qui tombent à la même place. « Ne laissez nulle place Où la main ne passe et repasse »* (→ Creuser, cit. 1, La Fontaine).

Loc. *Faire place nette.* ⇒ **Net** (cit. 9).

De place en place (→ Chaque, cit. 6; 2. coupe, cit. 1; grillage, cit. 4), *par places* (→ Îlot, cit. 3). ⇒ **Ici** (ici et là), **loin** (de loin en loin). — REM. Le mot, dans ce sens très général et en emploi libre, est archaïque ou du moins marqué par rapport à *endroit, lieu,* etc. Il est normal avec des valeurs spécifiques et surtout dans certaines constructions (voir ci-dessous).

♦ **1.** (En général après une préposition de lieu). Endroit où l'on se trouve. *Rester, demeurer à la même place.* ⇒ **Stationner.** *Changer de place.* — Vieilli. *Céder, quitter la place.* ⇒ **Décamper, déguerpir, déloger, retirer** (se).

10 De grâce, monsieur, dit la comtesse à l'avoué, trouvez bon que je quitte la place. Je ne suis pas venue ici pour entendre de semblables horreurs.
BALZAC, le Colonel Chabert, Pl., t. II, p. 1132.

EN PLACE. *Rester en place* (→ Branle, cit. 6). *Ne pas demeurer**, *ne pas rester, ne pas tenir en place* : être toujours en mouvement; bouger sans cesse. ⇒ **Bouger** (→ Piétiner d'impatience*, être toujours en mouvement*; et aussi ambiant, cit. 3; fièvre, cit. 4; par, cit. 8).

SUR PLACE. *Rester sur place.* ⇒ **Immobile.** *Marquer* (cit. 24) *le pas, piétiner* sur place. Être cloué de surprise sur place* (→ Impassible, cit. 4). *Se faire tuer sur place* (→ Avancer, cit. 32). *Être mobilisé* (cit. 4) *sur place.* — *Fonctionnaire qui a de l'avancement sur place,* sans changer de résidence.

11 La fonte ainsi fabriquée sur place reviendra bientôt plus cher que la fonte d'importation.
G. DUHAMEL, Manuel du protestataire, IV.

Loc. FAIRE DU SUR PLACE : faire sans avancer les gestes du déplacement, et, en particulier, marquer le pas (piétons); rester en équilibre sur une bicyclette sans avancer, ou en n'avançant que très lentement, d'une manière presque insensible (cyclistes).

Par ext. Ne pas avancer (véhicules, bateaux, etc.). *Voiture qui fait du sur place dans une rue encombrée.* — REM. On écrit aussi parfois *faire du sur-place* ou *du surplace.*

11.1 Dans cette nuit de poix, on avait l'impression de faire du surplace, mais les feux vous prouvaient le contraire. On gagnait ses milles, brasse par brasse (...)
Roger VERCEL, Remorques, p. 31.

Fig. Ne pas progresser.

11.2 (...) de Gaulle dans une auto, pris entre les chicanes qui s'appellent armée, F. L. N., O. N. U., salaires, fait du «sur-place».
F. MAURIAC, le Nouveau Bloc-notes 1958-1960, p. 364.

Vx. SUR, DESSUS LA PLACE. *Demeurer** (cit. 15), *rester, tomber mort sur la place. Étendre qqn sur la place* (→ Grâce, cit. 41). «... *elle a dessus la place, Las, las! ses beautés laissé choir!*». ⇒ **Terre** (par terre). → Durer, cit. 6, Ronsard.

♦ **2.** Vx. Endroit, lieu où s'est produit, où peut, où doit se produire un fait, un événement. *La place où la Vierge enfanta le Rédempteur* (→ 1. Marbre, cit. 6).

Mod. *Sur place.* ⇒ **Lieu** (sur les lieux). *Faire une enquête* (cit. 7) *sur place. Envoyer* (cit. 4) *qqn sur place.*

12 Il paraît que les bananes ont meilleur goût quand on vient de les cueillir : les ouvrages de l'esprit, pareillement, doivent se consommer sur place.
SARTRE, Situations II, p. 123.

♦ **3.** (Cour. en emploi libre). Portion d'espace, endroit, position* qu'une personne occupe, qu'elle peut ou doit occuper dans un lieu ou dans un groupe.

[a] *(Une, des places; la place de qqn). Serrez-vous un peu pour me faire une petite place près de vous. La place d'un élève dans une salle de classe. Les places des convives, à table.* ⇒ **Bout** (le bas, le haut bout). — Loc. *Bien tenir sa place à table* : avoir bon appétit, faire honneur au repas. — *La place d'honneur,* à droite de la maîtresse de maison. — *Le protocole règle la question des places dans les cortèges, les dîners officiels.* ⇒ **Préséance.** *Aller* (cit. 43), *s'asseoir à sa place. Gagner* (cit. 61), *reprendre sa place* (→ Judas, cit. 1). *Abandonner, quitter sa place.* ⇒ **Déplacer** (se). *Obliger qqn à quitter sa place.* ⇒ **Déranger.** *Vous êtes priés de regagner vos places : l'entracte est terminé.*

13 Elle attendit la salutation forcée de sa rivale, et, sans regarder le marquis, se laissa conduire à une place d'honneur par le comte qui la fit asseoir près de madame du Gua (...)
BALZAC, les Chouans, Pl., t. VII, p. 992.

14 (...) il se souvenait des interminables disputes, des jalousies féroces pour conquérir une place, en haut de la salle, près du poêle et loin du pion (...)
HUYSMANS, En ménage, III.

Place d'un commerçant sur un marché public (⇒ **Placier**). *Serre-file* qui s'assure que chaque soldat est à sa place dans un défilé. La place d'un joueur sur le terrain.*

15 (...) il tutoyait Rambert pour le persuader qu'il n'y avait pas de plus belle place dans une équipe que celle de demi-centre. «Tu comprends, disait-il, le demi-centre, c'est celui qui distribue le jeu. Et distribuer le jeu, c'est ça le football.»
CAMUS, la Peste, p. 165.

Abstrait :

15.1 Non seulement tout le monde sent que nous occupons une place dans le Temps, mais cette place, le plus simple la mesure approximativement comme il mesurerait celle que nous occupons dans l'espace, puisque des gens sans perspicacité spéciale, voyant deux hommes qu'ils ne connaissent pas, tous deux à moustaches noires ou tout rasés, disent que ce sont deux hommes l'un d'une vingtaine, l'autre d'une quarantaine d'années.
PROUST, le Temps retrouvé, Pl., t. III, p. 1046.

Loc. *À vos places! : en place!* allez, retournez chacun à la place que vous devez occuper. — *En place pour...* (→ Nage, cit. 1). — Fig. et fam. *En place pour le quadrille.* ⇒ **Quadrille.**

[b] (Collectif; *la place*). Espace à occuper ou occupé. *Laissez-moi de la place, un peu de place. Tenir, occuper beaucoup de place. Il prend toute la place.* — (Sans article). *Prendre place* : se placer. ⇒ **Asseoir** (s'), **installer** (s'); → Grue, cit. 7. *Faire place à qqn,* se ranger, s'écarter pour lui permettre de passer. ⇒ **Passer** (laisser passer), **ranger** (se). → Insolent, cit. 9; on, cit. 12. — *Faire faire place à qqn* (→ Huissier, cit. 4).

Absolt. (Vieilli). *Place, place!* ⇒ **Écarter** (écartez-vous), **retirer** (se). «*Place au factotum de la ville, place!...*» (air de Figaro du *Barbier de Séville,* de Rossini).

[c] 1530. *(Une, des places).* Siège* ou partie d'un siège qu'occupe ou que peut occuper une personne (dans une salle de spectacle, un véhicule, etc.). *Place vide* (→ Bâtir, cit. 33), *libre* (→ Comme, cit. 57), *occupée. Ne pas trouver de place (au spectacle).* → Lanterner, cit. 2. *Louer, retenir, réserver sa place. Céder, laisser, offrir sa place dans le métro à une personne âgée. Places réservées aux mutilés. Places réservées aux personnalités officielles dans une tribune*. Avoir une bonne place au théâtre. Avoir une place numérotée. Place de parterre, à l'orchestre.* ⇒ **Fauteuil, loge.** *Conduire les spectateurs à leurs places.* ⇒ **Placer; ouvreuse, placeur.**

(...) le bataillon sacré des dévotes qui ont des prie-Dieu de luxe, des places 16
réservées près de l'autel, ainsi qu'au théâtre près de la rampe, dans la maison de tous.
HUYSMANS, la Cathédrale, XI, p. 224.

Places dans un train, un compartiment. Numéro des places dans un wagon (⇒ **Garde-place**). *Prendre une option sur une place d'avion.* — *Service à la place* (avions, trains). «*Le service à la place, par plateau, suivant une technique devenue classique en aviation*» (*la Vie du Rail,* 25 janv. 1976, p. 4). — *Place-kilomètre* : unité de service, dans certains transports.

Les wagons au travers desquels Lafcadio passait étaient vides; de-ci de-là divers 17
objets, sur les banquettes, indiquaient et réservaient les places des dîneurs : châles, oreillers, livres, journaux.
GIDE, les Caves du Vatican, V, V.

Je la conduisis à la gare, lui fis donner une bonne place dans le train de Paris et 18
la quittai, dans le tumulte, avec — mais pourquoi la quittai-je? — une déchirante douleur.
G. DUHAMEL, le Temps de la recherche, XVII.

Voiture à deux places, à quatre places. Places avant, arrière. — Loc. *La place du mort** (cit. 14.1). — Ellipt. *Une quatre places. Avion à une place* (⇒ **Monoplace**), *à deux places* (⇒ **Biplace**), *à plusieurs places* (⇒ **Multiplace**).

Place assise, où l'on peut s'asseoir (→ Cirque, cit. 2), où l'on est effectivement assis (→ Butor, cit. 3). — *Place debout. Ce modèle d'autobus comprend quarante places assises et douze places debout.*

[d] Droit d'occuper une place, prix qu'on paye pour pouvoir occuper une place dans une salle de spectacle, un véhicule, etc. *Offrir des places à qqn pour la première d'une pièce.*

Le frère aîné de l'un d'eux est lieutenant sur un vaisseau marchand; dans quel- 19
que temps il doit repartir pour un voyage au long cours. Il me prendra; j'aiderai à bord pour payer ma place.
J. VALLÈS, le Bachelier, XIII.

Loc. *Payer place entière,* le prix entier de la place. *Payer demi-place, quart de place.*

♦ **4.** [a] *(De la place).* Espace libre où l'on peut mettre quelque chose. ⇒ **Espace.** *Faire, gagner de la place en se débarrassant des objets inutiles... Économie, gain de place. La place manque* (→ Enterrement, cit. 3), *est rare* (→ Garage, cit. 2). — Loc. *Trouver place* : pouvoir être placé, mis (quelque part). ⇒ **Tenir.** — *Occuper beaucoup de place.*

Mais notre article est déjà bien long, et pourtant, pour le finir, il nous faudrait 20
encore bien de la place.
Th. GAUTIER, Voyage en Russie, XX.

[b] *(Une, des places).* Portion d'espace que quelque chose occupe. *Une place vide* (→ Déracinement, cit. 1), *libre* (→ Ménage, cit. 4). — *Il y a juste la place d'une table, d'un banc et de trois chaises* (→ Diverticule, cit. 2).

(...) j'aimerais à délimiter, dans la maison, des places, des espaces que je m'effor- 21
cerais de garder vagues et que je nommerais les espaces sacrés. C'est un vœu de haute fantaisie et c'est dire irréalisable. La vie cherche toujours à reculer les murailles. Sur toute place gagnée, elle pose, pour se délivrer, des fardeaux et des trésors (...) Et l'homme, finalement, reste toujours perplexe, cherchant du regard autour de lui quelque place vacante où poser enfin ce qu'il porte dans ses mains.
G. DUHAMEL, le Temps de la recherche, XV.

Une place de parking. Chercher, trouver une place pour sa voiture. ⇒ **Stationnement.** — Loc. *Les places sont chères* : il y a peu de places pour le stationnement des voitures. Fig. La concurrence est âpre, difficile.

Fam. *La place de* (et inf.). *Il y a la place de mettre une table.* «*Ma monture n'avait que bien juste la place de poser son sabot*» (→ Détroit, cit. 3). *Avoir de la place pour* (et inf.). *Un amas* (cit. 5) *de paperasses qui laissait à peine assez de place pour écrire.*

♦ **5.** *(Une, des places; la place de...).* Endroit, position (qu'une chose occupe, peut ou doit occuper) dans un lieu, un ensemble. ⇒ **Emplacement, position** (→ Désordre, cit. 4). *Chaque chose à sa place, une place pour chaque chose. Enlever un objet de la place qu'il occupait.* ⇒ **Ôter.** *Changer la place des meubles.* ⇒ **Changer, déplacer, remuer.** *Objet qui change de place* (→ Mouvement, cit. 2). *Mettre* (⇒ **Placer**), *remettre un objet à sa place* (⇒ **Replacer**; → Lame, cit. 2). *Mettre un objet à la place d'honneur,* le mettre en un endroit où il est particulièrement en vue, en valeur (→ Paternel, cit. 4).

Mais vous auriez plaisir à voir dans la moindre rue d'Amsterdam la plus humble 22
boutique, ses tonneaux bruns, son comptoir immaculé, ses escabeaux essuyés, chaque chose à sa place, l'étroit espace si bien utilisé, le savant et commode arrangement de tous les ustensiles.
TAINE, Philosophie de l'art, t. I, p. 259.

La place des mots dans la phrase. ⇒ **Disposition, ordre** (→ Idéographie, cit. 2). *La place de l'adjectif, de l'adverbe, du pronom, du sujet** (→ Inversion). *Changer la place des lettres dans un mot.* ⇒ **Permuter.** *Mettre un chapitre à sa véritable place dans un livre* (→ aussi Éditeur, cit. 1).

(*La place,* abstrait). Loc. EN PLACE. *S'assurer* (cit. 57) *si tout est en ordre, en place. Laisser* (→ Impératif, cit. 7), *mettre* (⇒ **Ranger**), *remettre en* (1. En, cit. 6) *place. Rester en place* (→ Dolomitique, cit. 1; fracture, cit. 3). — *Mise en place.* ⇒ **Agencement, arrangement, installation.** — (Dans un restaurant). *Faire la mise en place :* mettre le couvert. *Mise en place d'une pierre* (→ Maçon, cit. 2), *d'un meuble, d'une statue.* — Bx-arts. Opération qui consiste à tracer les grandes lignes, à répartir les masses, les volumes d'une composition picturale ou architecturale.

★ **III.** Abstrait. (Surtout : *une, des places; la place de...*).

♦ **1.** (1538). Fait d'être admis dans un groupe, un ensemble, d'être classé dans une catégorie; condition, situation matérielle, sociale ou morale dans laquelle on se trouve. ⇒ **Situation.** *Cet homme d'État aura, prendra, trouvera place dans l'histoire* (→ Être digne de mention*). *Avoir sa place au soleil*. Prendre place dans la société* (→ Hiérarchie, cit. 12). *Avoir une place dans le cœur, dans l'estime de qqn* (→ Domination, cit. 7, Baudelaire). *Faire une place à qqn.* ⇒ **Placer** (II., 1.).

23 Je l'ai longtemps méconnu *(Voltaire)*. Ce n'est que trente ans plus tard, pendant la grande guerre, que j'ai fait au démon du libre rire sa place dans mon Panthéon.
R. ROLLAND, le Voyage intérieur, p. 36.

24 Mais, je voudrais que tu aies ta place parmi ceux qui peuvent saisir des pommes, manger des figues, courir, nager, faire des gosses, vivre.
J. GIONO, Jean le Bleu, IX.

25 Alors, tu ne sais pas ton bonheur. Une vie de bagnard t'est évitée. Tu as ta place au ciel retenue d'avance et tu auras droit à la considération des hommes, en prime.
J. ANOUILH, Ornifle, III.

Place à...! Place aux jeunes! — Tenir sa place, sa place dans le monde : figurer honorablement, bien tenir son rang.

*Une place enviable, désagréable, intenable. Il ne donnerait pas sa place pour un empire** (fam. : *pour un boulet de canon*). *Je ne voudrais pas être à sa place.* ⇒ **Peau** (dans sa peau). *Il ne changerait pas sa place pour la mienne. — Se mettre à la place de qqn,* imaginer, supposer* qu'on est soi-même dans la situation où il est (→ Entasser, cit. 8; exactement, cit. 2; faim, cit. 12; nettement, cit. 2). *Enfin, mettez-vous à ma place! Je voudrais bien vous voir à ma place!* (→ fam. Vous y voir*). — *À la place de...* (accompagné d'un conditionnel). *À votre place je me* (cit. 22) *le tiendrais pour dit* (→ Si j'étais vous). *Qu'auriez-vous fait à ma place?*

26 Les gens du peuple ont un mot très profond lorsqu'ils s'encouragent à la sympathie : « Mettons-nous à sa place », disent-ils. On ne se met aisément qu'à la place de ses égaux. À un certain degré d'infériorité, réelle ou imaginaire, cette substitution n'est plus possible.
BERNANOS, les Grands Cimetières sous la lune, p. 295.

27 (...) il lui apparaissait tel qu'il était réellement, celui qui ne s'est jamais mis, fût-ce une fois dans sa vie, à la place d'autrui; qui ignore cet effort pour sortir de soi-même, pour voir ce que l'adversaire voit.
F. MAURIAC, Thérèse Desqueyroux, IX.

(Sujet nom de chose ou neutre + verbe + *place,* sans déterminant). *Avoir* (→ Infatuer, cit. 5), *prendre* (→ Internationalisme, cit. 2), *trouver place* (→ 1. Calme, cit. 12). ⇒ **Lieu** (avoir lieu). *Il y a place pour toutes les affections* (cit. 12) *dans le cœur... Donner, faire place, faire sa place à...* (→ Inégalitaire, cit.). *Laisser place à...* ⇒ **Permettre** (→ Adhésion, cit. 2).

28 Il s'attarde, un centième de seconde, près du poteau-frontière de la chair et de l'esprit, là où les impressions nouvelles entrent et se font place, comme elles peuvent, parmi la multitude des souvenirs (...)
Valery LARBAUD, Amants, heureux amants, p. 155.

(En négation). *Il n'y a pas, point de place pour...* (→ Mesurer, cit. 27).

29 (...) la pauvreté, l'avenir lentement fermé, le silence des soirs autour de la table, il n'y a pas de place pour la passion dans un tel univers.
CAMUS, la Peste, p. 97.

♦ **2.** Position*, rang* (dans une hiérarchie). *Avoir, tenir, occuper la place d'honneur, la première place.* ⇒ **Premier** (être le premier). *Ils avaient dans l'État la place éminente* (cit. 4). *Mettre qqn à sa vraie place, à la place qu'il mérite. Faire à qqn une place à part* (→ Ouvrir, cit. 22).

30 Dans notre civilisation, si les lois donnent la première place à l'homme, l'honneur donne le premier rang à la femme. Tout l'équilibre des sociétés chrétiennes est là.
HUGO, Littérature et Philosophie mêlées, Idées au hasard, II.

31 (...) si la place de chaque individu dans la société était proportionnée au service idéal qu'il rend, c'est Descartes, c'est Newton, c'est Galilée, c'est Huyghens qui auraient dû être princes ou millionnaires en leur temps.
RENAN, Dialogues philosophiques, IIe dialogue, Œ. compl., t. I, p. 596.

(1680). Rang* (d'un élève) à une composition, (d'un candidat) à un concours. ⇒ **Classement.** *Avoir une bonne place en histoire, en version latine. Être reçu à un concours dans les premières places.*

Rang (d'un sportif, d'une équipe) dans une course, une compétition. — Classement (du cheval qui arrive parmi les placés*). *Jouer (à) la place.* — Par ext. Somme que rapporte le cheval placé. *Toucher une belle place.*

(*Place* d'un inanimé). [a] *(Une, des places; la place de...). Nation qui reprend sa place dans le monde. Pour la densité* (cit. 3), *l'or cède la première place au platine. — Ces questions d'intérêt* (cit. 13) *qui tiennent une si grande place dans la vie.* ⇒ **Temps** (prendre une grande part du temps). *Réserver dans l'enseignement une place importante aux études littéraires* (→ Humanisme, cit. 7). *Place de choix.*

[b] *(De la place). Ce genre de souci tient de la place, peu de place dans sa vie* (→ Incrédule, cit. 9).

Pour protéger son secret, Albert évoquait une amitié qui tenait, à vrai dire, dans sa vie presque autant de place que son amour propre (...) 32
GIDE, Si le grain ne meurt, I, IX, p. 231.

Pas plus que les Français ne doutent, désormais *(en 1944),* du salut de leur pays, les alliés ne contestent qu'on doive, un jour, lui rendre sa place. 33
Ch. DE GAULLE, Mémoires de guerre, t. II, p. 187.

Que reprochait l'humanisme de la Renaissance au moyen âge? De ne pas donner dans la nature une place assez importante à l'homme, et dans l'homme une place suffisante à la raison et à l'intelligence. 34
DANIEL-ROPS, Ce qui meurt..., p. 53.

♦ **3.** *(La place de qqn; sa place).* Lieu convenable ou adapté (à qqn, à une fonction). *Être à sa place :* mériter son emploi, sa charge, être fait pour la fonction qu'on occupe; être adapté à son milieu, aux circonstances dans lesquelles on se trouve. ⇒ **Convenir.** *L'honnête* (cit. 19) *homme est à sa place partout. Se tenir, rester à sa place :* se conduire comme l'exige sa condition, son état. ⇒ **Modestie.** — Loc. *Remettre qqn à sa place,* le rappeler à l'ordre, aux convenances. ⇒ **Reprendre, réprimander** (→ Hardi, cit. 3; outrecuidance, cit. 2).

Tout homme a sa place assignée dans le meilleur ordre des choses; il s'agit de trouver cette place et de ne pas pervertir cet ordre. 35
ROUSSEAU, Julie ou la Nouvelle Héloïse, V, III.

Il s'apercevait souvent des amertumes et des violences de son frère, qu'il attribuait à la jalousie. Il se promettait bien de le remettre à sa place, et de lui donner une leçon un jour ou l'autre, car la vie de famille devenait fort pénible à la suite de ces scènes continuelles. 36
MAUPASSANT, Pierre et Jean, VI.

Quand il *(Byron)* disait que les femmes n'ont aucun droit à manger à table avec les hommes, que leur place est au sérail ou au gynécée, sous bonne garde, la fille de Mary Woolstonecraft frémissait. 37
A. MAUROIS, Ariel..., II, V.

(...) ça ne se fait pas tout seul, la gloire, la réputation ... il y a comme une faim inassouvie, un besoin d'adulation ... on ne lui donne jamais assez ... elle surveille, elle mesure, elle doit remettre les gens à leur place au moindre manquement (...) 37.1
N. SARRAUTE, le Planétarium, p. 113.

(Choses). *Être à sa place* (→ Bouleverser, cit. 5). *« D'un mot* (cit. 5) *mis en sa place* (Malherbe) *enseigna le pouvoir »* (Boileau). *En bonne** (cit. 23) *place. — « Les belles choses le sont moins hors de leur place »* (→ Bienséance, cit. 7, La Bruyère).

♦ **4.** *(La place de qqn; sa place).* Loc. (en parlant du remplacement d'une personne par une autre). *Mettre qqn à la place de...* (→ Changer, cit. 27). *S'installer, se mettre à la place, prendre la place, de qqn.* ⇒ **Chasser, remplacer, succéder, supplanter** (→ Ami, cit. 26; dévastation, cit. 1). — *Occuper, tenir la place de qqn.* ⇒ **Remplacer, substituer** (se). *Tenir la place du président, du roi.* ⇒ **Vice** (vice-président, vice-roi, etc.). — *Laisser la place, faire place à qqn* (→ Entrant, cit. 1; marchant, cit. 3). *Qui va à la chasse* perd sa place.*

Les gardiens et les gardés eurent à troquer leurs places respectives avec cette différence importante toutefois, que les fous avaient été libres, mais que les gardiens furent immédiatement séquestrés dans des cabanons et traités, je suis fâché de l'avouer, d'une manière très cavalière. 38
BAUDELAIRE, Trad., E. POE, Histoires grotesques et sérieuses, « Système Dr Goudron (...) ».

Dr. *Au lieu* et place de... En son lieu et place, en ses lieu et place* (→ Administrateur, cit. 1; mandat, cit. 1; nombre, cit. 19). ⇒ **Subroger.** — *À la place de...* (→ Liberté, cit. 2), ou, vx, *en la place de...* (→ Barboter, cit. 10). ⇒ **Lieu** (au lieu de).

(Choses). *Prendre la place de...* (→ Changeant, cit. 2; dévotion, cit. 4). — **À LA PLACE DE...** *Mettre à la place de... Du faux à la place du vrai.* ⇒ **Postiche.** *Employer un mot à la place d'un autre.* ⇒ **Pour.** *« Je voyais une mosquée à la place d'une usine ».* ⇒ **Lieu** (au lieu de). → Hallucination, cit. 9.

L'Empereur est pareil à l'aigle, sa compagne. 39
À la place du cœur il n'a qu'un écusson.
HUGO, Hernani, IV, 4.

Loc. **FAIRE PLACE À :** être remplacé par... (→ Animadversion, cit.).

Tout orage a son temps toute haine s'éteint 40
Le ciel toujours redevient pur.
Toute nuit fait place au matin.
ARAGON, le Roman inachevé, p. 85.

(Absolt). *À la place* (→ Frustrer, cit. 7). *« Mettez une pierre à la place, Elle vous vaudra tout autant »* (cit. 30, La Fontaine).

♦ **5.** (1611). Vx. Situation sociale importante. ⇒ **Charge, dignité, emploi, fonction, poste, situation.** *La place de conseiller à la Cour de cassation* (→ Exclure, cit. 6), *de vice-président du conseil des finances* (→ 1. Griller, cit. 12), *de ministre* (cit. 6).

Les grandes places (→ Fortune, cit. 8; impulsion, cit. 4). *Les places importantes* (→ Honneur, cit. 115), *élevées* (→ Indépendance, cit. 12), ou, absolt, *les places. « Noblesse, fortune, un rang, des places, tout cela rend si fier! »* (→ Comte, cit. 2, Beaumarchais).

Quoique ruiné par des confiscations, ce fidèle Vendéen refusa constamment les places lucratives que lui offrit l'empereur Napoléon. 41
BALZAC, le Bal de Sceaux, Pl., t. I, p. 72.

(...) il tirera de « sa place » de tels profits qu'il est difficile d'admettre qu'il ne 41.1

l'a sollicitée et gardée que pour «sacrifier sa tranquillité» à *l'avenir de la France* (...)
Louis MADELIN, Talleyrand, I, VII.

Mod. Emploi (souvent, emploi modeste). *Une place de chroniqueur dans un journal* (→ Aplomb, cit. 7), *d'employé de mairie. Place vacante.* ⇒ **Vacance** (→ Envier, cit. 7; lancier, cit.; mécontent, cit. 9). *Chercher, postuler* une place. Courir les places, coureur de places. Procurer une place à qqn.* ⇒ **Placer** (II.). *Bureau de placement qui procure des places aux personnes sans emploi. «On pense à moi pour une place...»* (→ Calculateur, cit. 1, Beaumarchais). *Obtenir* (cit. 2 et 6) *une place. Conserver, garder une place, sa place. Tenir à sa place* (→ Nom, cit. 10). *Ce domestique a fait de nombreuses places.* ⇒ **Maison.** *Abandonner, quitter sa place.* ⇒ **Démettre** (se). *Perdre sa place* (→ Gifle, cit. 7; mot, cit. 27). *Faire quitter sa place à qqn.* ⇒ **Dégommer** (fam.), **démettre, déplacer, ôter** (vx), **vider** (pop.). *Prendre la place de qqn.* ⇒ **Remplacer** (→ Fomenter, cit. 3). Cf. fam. Ôte-toi de là que je m'y mette! (cit. 59). *Place de confiance*. Place médiocre* (→ 1. Bien, cit. 111). *Place lucrative, bonne place.* ⇒ fam. **Assiette** (au beurre), **filon, planque.**

42 Je dois vous avertir que je serai obligé de me priver de vos services dans 15 jours. Cherchez une place d'ici-là, une place plus en rapport avec vos goûts, votre âge.
J. VALLÈS, le Bachelier, XIX.

43 Aujourd'hui, 14 septembre, à trois heures de l'après-midi, par un temps doux, gris et pluvieux, je suis entrée dans ma nouvelle place. C'est la douzième en deux ans.
O. MIRBEAU, le Journal d'une femme de chambre, p. 11.

EN PLACE. *Être en place* : jouir d'un emploi, d'une charge qui confère à son titulaire de l'autorité, de la considération. — *Un homme en place* (→ 2. Flétrir, cit. 6; fortune, cit. 35; ne, cit. 2). *Les gens en place* (→ Impuissant, cit. 16; 2. mémoire, cit. 6). — *Rester en place.*

44 (...) pourvu que je ne parle en mes écrits ni de l'autorité, ni du culte, ni de la politique, ni de la morale, ni des gens en place, ni des corps en crédit, ni de l'Opéra, ni des autres spectacles, ni de personne qui tienne à quelque chose, je puis tout imprimer librement, sous l'inspection de deux ou trois censeurs.
BEAUMARCHAIS, le Mariage de Figaro, V, 3.

COMP. et **DÉR. Demi-place, déplacer, emplacement, garde-place, monoplace, multiplace,** 1. **placer, placette, placier.**

PLACEBO [plasebo] n. m. — 1954, *in* Höfler; mot anglais (1811, «nom donné à toute médecine faite pour plaire au patient et non pour le guérir»); mot lat. «je plairai», qui a été employé en français dans plusieurs sens : «flatterie» (XIIIe), «intrigant» (1540), «prière pour les morts» (XIVe), «repos» (1610), etc. (*in* Wartburg).

♦ Pharm. Substance neutre qu'on substitue à une substance thérapeutique, pour étudier les effets psychologiques qui accompagnent la médication. *L'effet placebo.*

1 Il convient de distinguer le placebo du simple remède de charlatan; il ne se présente pas comme une drogue miraculeuse encore inusitée; il prend l'aspect, la couleur et même la saveur d'un autre médicament. Les comprimés ont exactement la même forme, et les ampoules la même contenance, que celles d'un médicament connu; le conditionnement est identique. On pourra donc facilement, sans faire naître la suspicion dans l'esprit du malade, comparer l'action du médicament réel (morphine par exemple) et celle du placebo, soit en alternant les deux, soit en constituant deux lots de patients.
A. LE GALL et R. BRUN, les Malades et les Médicaments, p. 48.

2 À l'heure où j'écris ces lignes, le dernier médecin que j'ai consulté se perd dans un passé si lointain que son souvenir s'est complètement effacé de mon esprit. En fait je vis sur une douzaine de médicaments que j'ai trouvés seul, parmi lesquels il en est certainement qui n'agissent qu'en placebos, et dont j'use parcimonieusement et en toute satisfaction.
M. TOURNIER, le Vent Paraclet, p. 15.

Fig. *«Prodiguer l'apaisement des placebos intellectuels»* (*l'Express*, 16 oct. 1967).

PLACEMENT [plasmɑ̃] n. m. — 1578; de *placer.*

♦ **1.** Rare ou régional (Belgique). Action de placer; résultat de cette action. *Le placement des convives autour d'une table* (Académie). *Le placement des objets dans une maison.* ⇒ **Installation, rangement.** — Techn. *Placement des avions sur les aires de trafic d'un aérodrome.*

♦ **2.** Action de vendre, d'écouler une marchandise. *Denrée d'un placement difficile.* ⇒ **Défaite** (vx), **vente.**

♦ **3.** (1788). Action, fait de placer de l'argent. ⇒ **Investissement, mise** (de fonds). — Argent ainsi placé, capital* ainsi investi. *Revenus d'un placement* (→ Grossir, cit. 8). *Placement à revenus fixes, variables. Faire un bon placement, un placement avantageux. Placement inconsidéré* (cit. 2), *solide, sûr, tranquille* (→ Client, cit. 7). *Placement de père** (*supra* cit. 13) *de famille,* bon et sûr.

1 Le vieux monsieur La Bertellière appelait un placement une prodigalité, trouvant de plus gros intérêts dans l'aspect de l'or que dans les bénéfices de l'usure.
BALZAC, Eugénie Grandet, Pl., t. III, p. 484.

Fig. (→ Banquier, cit. 5; 1. échanger, cit. 5).

2 Tout peut, un jour, arriver, même ceci qu'un acte conforme à l'honneur et à l'honnêteté apparaisse en fin de compte, comme un bon placement politique.
Ch. DE GAULLE, Mémoires de guerre, t. III, p. 73.

♦ **4.** (1814). Compl. n. de personne. **a** Action de procurer un emploi, une place à qqn (→ Fond, cit. 13); ensemble des organisations qui ont pour objet de faciliter l'embauchage des employés et des ouvriers. *Agence, bureau** (*supra* cit. 5) *de placement. École professionnelle qui assure le placement des élèves.*

En rapport à la fois avec les ouvriers en quête d'ouvrage et les patrons en quête d'ouvriers, il avait organisé chez lui une sorte d'agence gratuite de placement. 3
GIDE, Si le grain ne meurt..., I, IX, p. 231.

b Méd. *Placement d'enfants dans un établissement sanitaire* (⇒ **Hospitalisation**) *ou social. — Placement d'un malade mental dans un service psychiatrique (sous le contrôle de la loi du 30 juin 1838).* ⇒ **Internement.** *Placement d'office,* ordonné par l'autorité publique (préfet); *placement volontaire,* demandé par une personne de l'entourage du malade.

CONTR. Déplacement, dérangement.

PLACENTA [plasɛ̃ta] n. m. — 1654; *placente* «gâteau, galette», 1540; lat. *placenta.*

Didactique.

♦ **1.** Physiol. Masse charnue et spongieuse richement vascularisée, qui adhère à l'utérus par un grand nombre de prolongements et communique avec le fœtus* (cit. 1) par le cordon ombilical. *Lobe du placenta.* ⇒ **Cotylédon.** *Chez les mammifères placentaires, le placenta représente l'annexe fœtale par laquelle se font les échanges entre le corps du fœtus et le sang maternel. Expulsion du placenta au cours de l'accouchement.* ⇒ **Arrière-faix** (cit. 2), **délivrance, délivre.**

♦ **2.** Bot. Partie d'un carpelle* où sont insérés les ovules. ⇒ **Placentation.** *La graine est attachée au placenta par le funicule*.*

DÉR. Placentaire, placentation.
COMP. Placentographie.

PLACENTAIRE [plasɛ̃tɛʀ] adj. et n. — 1817, en bot.; de *placenta.*

♦ **1.** Physiol. Qui est relatif, qui appartient au placenta*. *Membranes, vaisseaux placentaires.*

♦ **2.** N. m. pl. (1907). Zool. Mammifères dont le fœtus est enveloppé dans un placenta* (1.), c'est-à-dire mammifères autres que les marsupiaux et les monotrèmes. ⇒ **Mammifère.** *La sous-classe des placentaires, appelés aussi* euthériens, monodelphes. — Au sing. *Un placentaire.*

DÉR. Placentairien.

PLACENTAIRIEN, IENNE [plasɛ̃tɛʀjɛ̃, jɛn] adj. — 1875; *placentarien, in* Littré (1869); de *placentaire.*

♦ Bot. Du placenta (2.).

PLACENTATION [plasɛ̃tɑsjɔ̃] n. f. — 1817, en bot.; de *placenta.*

Didactique.

♦ **1.** Physiol. Formation du placenta.

♦ **2.** Bot. Manière dont les graines sont disposées sur le carpelle. ⇒ **Placenta** (2.). *Placentation axile, centrale, pariétale.*

PLACENTOGRAPHIE [plasɛ̃tɔgʀafi] n. f. — Mil. XXe; de *placenta,* et *(radio)graphie.*

♦ Méd. Radiographie du placenta (après injection de substance opaque).

1. PLACER [plase] v. tr. — Prend un *ç* devant *a* et *o* : *il plaçait, plaçons.* — 1564; de *place.*

★ **I.** (Concret) ♦ **1.** Mettre (qqn) à une place, en un lieu (→ Attacher, cit. 94); conduire (qqn) à la place qu'il doit occuper. ⇒ **Caser** (fam.), **colloquer** (péj.), **installer, nicher** (fam.). *Il plaça son fils sur le devant du bât.* ⇒ **Asseoir** (→ Bride, cit. 1). *Placer qqn à table. Personne qui place les spectateurs dans une salle de cinéma, un théâtre.* ⇒ **Ouvreuse, placeur.** *Placer un soldat en faction* (cit. 5), *en sentinelle.* ⇒ **Aposter, poster** (→ Fois, cit. 21).

(...) il avait suffi de placer des sentinelles aux quatre portes d'entrée pour rendre l'évasion difficile. 1
CAMUS, la Peste, p. 259.

Disposer (qqn) d'une certaine manière (→ 2. Pair, cit. 1). *Placer des soldats sur trois rangs.* — Manège. *Placer un homme à cheval,* le faire mettre à cheval dans la position correcte.

♦ **2.** Mettre (qqch.) à une place, en un lieu; disposer d'une certaine façon. ⇒ **Bouter** (régional), **déposer, disposer, mettre** (cit. 1), **poser;** fam. **ficher, flanquer, foutre** (→ Coupure, cit. 6; couteau, cit. 11; exposant, cit. 2; magasin, cit. 1). *Placer une marchandise sur un camion* (⇒ **Charger**), *ses vêtements dans une armoire* (⇒ **Loger**), *une voiture sous une remise* (⇒ **Remiser**). *Placer son bureau à l'entresol* (⇒ **Établir;** → Magasin, cit. 1). *Placer un tableau bien en vue* (⇒ **Exposer;** → Cimaise, cit. 1), *à contre-jour. Placer une* *chose contre une autre* (⇒ **Adosser, appliquer, coller**), *au-dessus d'une autre* (⇒ **Coiffer, couvrir**). *Placer plus bas* (⇒ **Baisser**), *plus haut* (⇒ **Élever, monter**), *verticalement* (⇒ **Camper, dresser, ériger, planter**). *Placer plus près* (⇒ **Approcher, rapprocher**), *plus loin* (⇒ **Éloigner, séparer**), *de distance en distance* (⇒ **Échelonner**), *autour de qqch.* (⇒ **Entourer**), *à plat* (⇒ **Coucher, étendre**), *entre deux choses* (⇒ **Interposer**), *ensemble* (⇒ **Joindre**), *en face* (⇒ **Opposer**), *à côté* (⇒ **Flanquer**), *en changeant l'ordre* (⇒ **Transposer**). *Placer les choses bien en ordre.* ⇒ **Agencer, ajuster, arranger, classer, disposer, ordonner, ranger, serrer.** *Placer sans soin.* ⇒ **Fourrer** (fam.).

2 (...) ils sont allés (...) feindre cette sotte image, triste, querelleuse (...) et la placer sur un rocher, à l'écart, emmy *(parmi)* des ronces, fantôme à étonner les gens.
MONTAIGNE, Essais, I, XXVI.

3 Déjà elle avait déplacé les meubles du salon, brisant la symétrie qui existait dans la disposition des fauteuils, les plaçant contre les murs au lieu de les laisser en rond au milieu du tapis, de façon à dégager un peu le centre de la pièce et à la faire paraître plus grande. J. GREEN, Adrienne Mesurat, II, II.

(Sans complément de lieu ou de manière). ⇒ **Place** (mettre en place). *Placer ses bagages* (→ Dunette, cit. 1). *Général qui place sa droite, son corps de réserve* (→ Armée, cit. 6).

Par métaphore. *Placer un nom* (cit. 2) *sur un visage.*

Fig. *Placer sa voix.* ⇒ **Voix.**

(Jeux et sports). *Placer la balle,* la lancer de manière qu'elle touche un point déterminé (→ Même, cit. 2, Pascal). — Escr. *Bien placer son coup.* — Boxe. *Placer un direct, son gauche.*

★ **II.** (Abstrait). ♦ **1.** Mettre (qqn) dans une situation déterminée, assigner à (qqn) un rang* dans une hiérarchie, faire entrer dans un groupe, classer dans une catégorie. ⇒ **Place** (III.). *Placer qqn à un poste.* ⇒ **Constituer, mettre** (*supra* cit. 23). *Placer qqn sur le trône,* ou, vx, *au trône* (→ Brigue, cit. 5). *Le personnel du navire est placé sous l'autorité du capitaine* (→ 2. Marin, cit. 8). *Placer un enfant dans un collège. Placer un romancier dans la catégorie des écrivains mondains* (cit. 7). *Placer qqn trop haut* (cit. 122).

4 (...) un vieux monsieur de Plassans leur demanda Claude, l'aîné des petits, pour le placer là-bas au collège (...) ZOLA, l'Assommoir, IV, t. I, p. 121.

5 Son ascendant sur les hommes était immense car ils savaient que Gilieth était fort (...) Son sang-froid répondait du salut de toute l'équipe placée sous ses ordres.
P. MAC ORLAN, la Bandera, XIII.

(1676, *in* D. D. L.). Spécialt. *Placer une personne,* lui procurer une place, un emploi. ⇒ **Placement** (4.), **placeur.** *Placer un domestique chez qqn. Placer qqn auprès de soi comme adjoint.* ⇒ **Attacher.**

Effectuer le placement* (d'un malade mental) dans un établissement psychiatrique. « *Un certificat du médecin constatant l'état mental de la personne à placer* » (Loi du 30 juin 1838, art. 8).

Spécialt, vx. Installer qqn dans une place importante. — P. p. adj. *Un homme placé* (cf. La Bruyère, *les Caractères,* VIII, 51).

♦ **2.** [a] Mettre (qqch.) dans telle situation. *Placer un village sous l'invocation* (cit. 2) *d'un saint. Il place très haut l'idée qu'il se fait de l'intelligence* (→ Idéologie, cit. 10).

[b] Faire consister en... ⇒ **Mettre** (*supra* cit. 37). *Placer l'absolu en Dieu* (cit. 30), *le bonheur dans la sagesse. Placer ses espérances* (cit. 37) *en qqn.* ⇒ **Fonder.** *Il a mal placé ses affections, son amitié, sa confiance.* ⇒ **Accorder.**

6 (...) fonder la société sur un *devoir,* c'est l'élever sur une fiction; la placer dans un *intérêt,* c'est l'établir dans une réalité.
CHATEAUBRIAND, Mémoires d'outre-tombe, t. IV, p. 116.

7 Je place le tact au premier rang des qualités humaines.
G. DUHAMEL, Cri des profondeurs, III.

♦ **3.** Mettre à une place déterminée, dans une série, un ensemble ordonné; faire se passer en un lieu (récit). ⇒ **Localiser, situer** (→ Endroit, cit. 10, Molière; falsification, cit. 4). *Les lieux où Rousseau avait placé la Nouvelle Héloïse* (→ Littéraire, cit. 2). — Par ext. Situer un événement en un point du temps. *Il faut en placer le commencement vers la fin de la 76ᵉ olympiade* (→ Approchant, cit. 12).

Situer (un événement) dans un ensemble, une suite. *Placer une scène à un certain moment d'un récit* (→ Agencement, cit. 3). *Placer la conclusion avant les prémisses* (→ 1. Logique, cit. 7).

♦ **4.** Introduire dans un récit, une conversation. *Placer une anecdote, une histoire* (→ Héros, cit. 37). *Placer un mot dans la conversation. Il n'a pas pu placer un seul mot* (ou, fam., *en placer une*) : il n'a pu rien dire, on l'a empêché de parler. — *Placer son mot** (*supra* cit. 25).

8 Ainsi plus tard, en écrivant, elle *(Mᵐᵉ de Genlis)* ne perdra aucune occasion de placer un précepte, une recette, soit de morale, soit de médecine.
SAINTE-BEUVE, Causeries du lundi, 14 oct. 1850.

9 Cette fois, il s'irrita de ne pouvoir placer un mot, et de la façon, quoique flatteuse, dont Anne lui coupait la parole.
R. RADIGUET, le Bal du comte d'Orgel, p. 63.

♦ **5.** S'occuper de vendre (le sujet désigne souvent une personne qui vend pour le compte d'autrui). *Démarcheur* qui place des valeurs financières.* ⇒ aussi **Placeur.** *Placer des marchandises, des billets de loterie* (cit. 3).

10 Son utilité sociale semble incontestable à voir les bonnets armés de fleurs qu'elle porte, les tours tapés sur ses tempes, et les robes qu'elle choisit. Où les marchands placeraient-ils ces produits s'il n'existait pas des madame Latournelle?
BALZAC, Modeste Mignon, Pl., t. I, p. 359.

♦ **6.** Employer (un capital constitué par de l'argent liquide) afin d'en tirer un revenu ou d'en conserver la valeur. ⇒ **Investir.** *Placer son argent* (cit. 50) *en reports, en fonds d'État. Placer son avoir dans une huilerie* (→ Appréciable, cit.), *sa fortune dans un immeuble.* ⇒ **Mettre** (*supra* cit. 42). → Entrepreneur, cit. 6. *Placer ses économies à la caisse d'épargne.* — (Passif). *Tout son argent est placé.*

Le ménage, malgré la charge des deux enfants, plaçait des vingt francs et des trente francs chaque mois à la Caisse d'épargne. 11
ZOLA, l'Assommoir, IV, t. I, p. 137.

La vieille servante Séraphine avait, sur les conseils de son maître, placé tout son petit avoir en viager. G. DUHAMEL, Salavin, Journal, 25 déc. 12

▶ **SE PLACER** v. pron.

♦ **1.** (Concret; personnes). Se mettre à une place, en un lieu spécifique. ⇒ **Mettre** (se), **ranger** (se). → Espada, cit.; hôtel, cit. 15. *Se placer de telle ou telle manière.* ⇒ **Attitude, position.** *La loge* (cit. 9) *où se plaça le roi.* ⇒ **Asseoir** (s'). — (Choses). Être placé. ⇒ **Appliquer** (s'). → Forme, cit. 82. *Ce fauteuil se place devant la cheminée.*

Les autres convives se placèrent à leur goût, parce que ça finissait toujours par des jalousies et des disputes, lorsqu'on indiquait les couverts. 13
ZOLA, l'Assommoir, III, t. I, p. 104.

Le moment du souper est venu et les rassemble tous dans la cuisine. Frère Martin et frère Hubert se sont placés modestement au bas bout de la table. Léopold a mis à sa droite sœur Thérèse, à sa gauche la sœur Euphrasie (...) 14
M. BARRÈS, la Colline inspirée, V.

♦ **2.** (Abstrait). Se mettre, se situer (dans un état, une situation). *Se placer sous la protection de qqn. Se placer dans la situation la plus favorable à ses intérêts* (→ Fraude, cit. 2). — (Par métaphore. du sens 1). *Se placer sur un bon, un mauvais terrain*. Se placer à un certain point de vue* (→ Palinodie, cit. 2). — (Choses). Être placé. *Le véritable orgueil d'une femme ne devrait-il pas se placer dans l'énergie* (cit. 6) *du sentiment qu'elle inspire?* — Se situer (dans le temps). → Magasin, cit. 7.

D'ailleurs, dans les guerres civiles, il se forme souvent de grands hommes, parce que dans la confusion ceux qui ont du mérite se font jour, chacun se place et se met à son rang; au lieu que dans les autres temps on est placé, et on l'est souvent tout de travers. MONTESQUIEU, Grandeur et Décadence des Romains, XI. 15

La cité antique se plaçait sous la protection divine, mais ne croyait nullement qu'elle fût elle-même divine et nécessairement éternelle. 16
Julien BENDA, la Trahison des clercs, p. 140.

Comm. *Cette marchandise se place facilement.* ⇒ **Écouler** (s').

♦ **3.** (Personnes). Prendre une place, un emploi, en parlant d'apprentis, de domestiques. *Bonne* (→ Former, cit. 26) *qui se place.* ⇒ **Condition** (se mettre en condition), **entrer** (au service de qqn). *Se placer comme chauffeur, jardinier.*

Les services d'un enfant comme vous sont peu utiles dans une maison, me répondit *Dubourg;* vous n'êtes ni d'âge ni de tournure à vous placer comme vous le demandez. SADE, Justine..., t. I, p. 21. 16.1

▶ **PLACÉ, ÉE** p. p. adj.

♦ **1.** Situé. *Manière d'être placé.* ⇒ **Assiette, position, situation.** *Être placé devant* (⇒ **Précéder**), *derrière* (⇒ **Suivre**), *au-dessus* (⇒ **Surmonter**), *tout près* (⇒ **Voisiner**). *Château fort placé en haut d'une colline.* ⇒ **Campé, juché.** — (En parlant d'une partie du corps, d'un organe). *L'iris, placé en avant du cristallin* (→ Chambre, cit. 15).

Avoir les épaules bien placées. Seins haut (cit. 95) *placés.*

(...) la gorge est bien placée et d'une bonne forme, la ligne serpentine est assez ondoyante, les épaules sont grasses et d'un beau caractère. 17
Th. GAUTIER, Mˡˡᵉ de Maupin, IX.

♦ **2.** Qui est dans telle ou telle situation. *Chacun dès sa naissance se trouvait placé dans le rang qu'occupaient ses parents* (→ Caste, cit. 3; exercer, cit. 33; frange, cit. 7). *Un lord placé dans la plus haute* (cit. 42) *situation.* — **HAUT PLACÉ.** *Personnage haut placé.* N. *L'élite de la bourgeoisie a rejoint les plus haut placés* (→ Échelle, cit. 13). — (Choses). → Échelle, cit. 12.

Bien, mal placé : qui est, qui n'est pas à sa place*. « *C'est un homme qui serait bien placé partout* » (Académie). — *Être bien placé pour... :* être en situation de..., en bonne position* pour... (→ Approximatif, cit. 5). — (Choses). ⇒ **Convenable** (→ Enchâsser, cit. 6).

Avoir le cœur bien placé : avoir des sentiments nobles, honnêtes. *Avoir l'amour-propre mal placé,* hors de propos.

Avec ça tu sais bien que tu avais l'amour-propre mal placé 18
Tu ne serais pas revenu sur une phrase prononcée (...)
ARAGON, le Roman inachevé, p. 94.

♦ **3.** (1854). *Cheval placé,* qui se classe dans les deux premiers, s'il y a de quatre à sept partants, et dans les trois premiers, s'il y a plus de sept partants. *Jouer un cheval gagnant et placé.* — Par métaphore. *Jouer* (cit. 39), *miser* (cit. 3) *placé.* — N. m. Somme que rapporte un cheval placé. *Toucher un placé.*

Et par fiche de consolation, Jacques, qui avait touché un placé dans la première, 19

l'avait emmené *(Edmond)* à la Cascade, où, tout à l'heure à Longchamp, le jeune Gilson-Quesnel lui avait dit qu'il serait, après les courses, avec ses amis.
ARAGON, les Beaux Quartiers, II, XVII.

CONTR. **Déplacer, déranger.**
DÉR. **Placement, placeur, plaçure.**
COMP. **Replacer.**

2. PLACER [plasɛʀ] n. m. — 1849; mot anglo-amér., esp. *placer* «banc de sable», de *placel*, de *plaza* «place», empr. par l'angl. en 1842, de l'hispano-américain.

♦ Gisement d'or, et, par ext., de métaux précieux, de minerais lourds, de pierres précieuses. *Les placers de Californie, d'Australie. Les placers indochinois* (→ Hyacinthe, cit. 3).

1 Cinquante kilomètres avant d'arriver, un «placer» sur la route. Délirante activité d'un peuple grattant le sol (...) Par places, des puits profonds de 8 à 10 mètres. La fièvre ne s'est déclarée que depuis quatre ou cinq jours. Le peuple afflue (...) la teneur en or est trop faible et le *placer* est abandonné aux indigènes.
GIDE, Journal, 9 févr. 1938.

Par ext. Exploitation des mines (d'or).

2 J'ai été ouvrier; j'ai soigné les caoutchoucs, et j'ai été mineur sur les placers... De la boue jusqu'au ventre et l'ombre puante de la Forêt qui donne la fièvre dix jours par mois (...) ainsi écrira, en 1919, Jean Galmot (...)
B. CENDRARS, Rhum, p. 51.

3 Des femmes, il y en a des femmes qui travaillent sur les placers, de rudes gaillardes, qui n'ont pas froid aux yeux et qui triment et qui crèvent à la peine tout comme les hommes. B. CENDRARS, l'Or, Œ. compl., t. II, p. 204.

PLACET [plasɛ] n. m. — 1479; lettre de *placet* «assignation à comparaître», 1365; mot lat. signifiant «il plaît, il est jugé bon».

♦ **1.** Vx. Écrit* (adressé à un roi, à un ministre) pour demander justice, se faire accorder une grâce, une faveur... ⇒ **Demande, pétition, requête** (→ Apostiller, cit. 1). *Placet au roi, à la reine* (→ Écrivain, cit. 1). *Présenter* (→ Maître, cit. 63), *adresser un placet à un ministre* (→ Parent, cit. 8). *«Premier placet présenté au roi, sur la comédie du Tartuffe»* (Molière). — Par ext. *«Nous fatiguons* (cit. 8) *le Ciel à force de placets»* (La Fontaine).

Parlez! les *placets* de ce genre ne sont pas *déplacés*, dit le ministre en riant.
BALZAC, les Employés, Pl., t. VI, p. 1025.

♦ **2.** (1549). Mod., dr. «Copie sur papier libre de l'acte introductif d'instance contenant les noms des partis en cause et des avoués constitués, qui est remise au greffier pour l'enrôlement de la cause et qui demeure sous les yeux du tribunal au cours des débats» (Capitant). *Référé sur placet.* (On dit aussi *réquisition d'audience.*)

PLACETTE [plasɛt] n. f. — 1356, repris XXᵉ; de *place.*

♦ Petite place (I.). → Culotte, cit. 1.

1 Il sait que Gaubert s'est avancé jusqu'à la placette de l'église (...)
J. GIONO, Regain, I, II.

2 (...) les deux voix calmes (celle de l'Américain et celle du chauve) alternant, se répondant dans le silence nocturne de la placette (...)
Claude SIMON, le Palace, p. 127.

PLACEUR, EUSE [plasœʀ, øz] n. — 1765; de 1. *placer.*

♦ **1.** Techn. **a** Ouvrier qui met en place, qui pose (une pièce, un objet déterminé). *Placeur de portes, de poulies* (dans une mine).

b Agent chargé du placement des avions sur les aires de trafic d'un aérodrome.

♦ **2.** Cour. Personne qui, dans une salle de spectacle, conduit chaque spectateur à sa place ou qui, dans une cérémonie, une réception, indique à chacun la place qu'il doit occuper. ⇒ 1. **Placer** (I., 1.), **placier.** — REM. Au fém., on emploie plutôt *ouvreuse**.

♦ **3.** Personne qui tient un bureau de placement, qui procure des places aux personnes sans emploi, notamment aux gens de maison.

1 (...) je montre par des chiffres que mon mois tombait avant-hier. Je puis invoquer des témoignages précis. M. Firmin, le placeur, déposera qu'on avait fait prix pour quinze francs.
J. VALLÈS, le Bachelier, XVIII.

2 Mon enfant, me dit-elle, Mᵐᵉ Paulhat-Durand (c'était la placeuse) m'a fait de vous le meilleur éloge (...)
O. MIRBEAU, le Journal d'une femme de chambre, p. 138.

♦ **4.** Rare. Personne qui place (1. Placer, II., 5.) des marchandises, des billets de loterie. ⇒ **Courtier, placier, représentant.** — Adj. *Commis placeur.*

3 Elle fit aussi la gérance d'immeubles, fut placeuse en publicité et se chargea de mille autres besognes dont je ne me souviens plus aujourd'hui.
R. GARY, la Promesse de l'aube, p. 129.

PLACIDE [plasid] adj. — 1495; lat. *placidus*, de *placere* «plaire», avec infl. de *pax* «paix».

♦ (Personnes). Qui est doux et calme (2. Calme, cit. 2). ⇒ **Paisible.** *Il restait placide, sous les injures.* ⇒ **Flegmatique, imperturbable.** — (Choses). *Un caractère placide. Un sourire attendri et placide* (→ Couver, cit. 2). *Front placide* (→ Fureteur, cit. 4). ⇒ **Serein.** *Placide candeur* (→ Irréalité, cit. 2).

De toutes les femmes que j'ai connues, elle, la toujours placide Ligeia, à l'extérieur si calme, était la proie la plus déchirée par les tumultueux vautours de la cruelle passion.
BAUDELAIRE, Trad. E. POE, Histoires extraordinaires, «Ligeia».

CONTR. **Anxieux, colère** (adj.), **emporté, fougueux, nerveux.**
DÉR. **Placidement.**

PLACIDEMENT [plasidmɑ̃] adv. — 1611; de *placide.*

♦ Littér. D'une manière placide.

Leur tenue ressemblait à la tenue des hommes d'écurie *chic* d'un Rothschild, avec quelque chose de correct, d'*anglaisé*, de sérieux, de placidement grave dans la contenance et de tout personnel aux clowns sous l'habit civil.
Ed. DE GONCOURT, les Frères Zemganno, XLVIII.

PLACIDITÉ [plasidite] n. f. — 1444, repris déb. XIXᵉ; lat. *placiditas*, de *placidus.* → Placide.

♦ Caractère placide. ⇒ **Calme, douceur, flegme, sérénité, tranquillité** (→ Dégoutter, cit. 7, Chateaubriand). *Sa placidité naturelle calmait les plus excités. Répondre avec placidité à une accusation. Retrouver sa placidité après un moment d'excitation.* Par ext. *La placidité de son expression.*

Charles tisonnait avec placidité, les deux pieds sur les chenets. 1
FLAUBERT, Mᵐᵉ Bovary, III, VII.

(...) la placidité de la croyance absolue, la paix de l'âme conservée dans le cloître (...) TAINE, Philosophie de l'art, t. II, p. 21. 2

CONTR. **Angoisse, colère, courroux, émoi, emportement, énervement, excitation, fougue, fureur, frénésie, nervosité.**

PLACIER, IÈRE [plasje, jɛʀ] n. — 1690; de *place.*

♦ **1.** Comm. Personne qui prend à ferme les places d'un marché public pour les sous-louer aux marchands.

♦ **2.** (1845). Agent qui fait la place, vend (qqch.) pour une maison de commerce. ⇒ **Courtier, placeur** (4.), **représentant, voyageur** (de commerce). *Placier en librairie.*

Mais il n'avait su être qu'un petit employé, un modeste débrouillard, livreur clandestin ou placier en quatrième main.
M. AYMÉ, le Vin de Paris, «Traversée de Paris», p. 46.

♦ **3.** Rare. ⇒ **Placeur** (2.).

PLACO- Élément de composition de termes scientifiques ou techniques, du grec *plax, plakos* «plaque». Ex. : *placode, placoderme, placodonte, placoïde, placoplâtre.*

PLACODE [plakɔd] n. f. — XXᵉ; de *placo-*, et du grec *eidos* «forme».

♦ Embryol. Chacun des épaississements de l'ectoderme dont dériveront les organes des sens et les ganglions nerveux. *Placode auditive, olfactive, optique.*

PLACODERME [plakɔdɛʀm] n. m. — Av. 1890; de *placo-*, et *derme.*

♦ Zool. Poisson cuirassé fossile. *Les placodermes appartiennent au paléozoïque.*

PLACODONTE [plakɔdɔ̃t] n. m. — 1933; de *plac(o)-*, et *-odonte.*

♦ Zool. Reptile fossile à grandes dents aplaties, à crâne déprimé (trias et lias).

PLACOÏDE [plakɔid] adj. — 1877; de *plac(o)-*, et *-oïde.*

♦ Zool. *Écailles placoïdes* : denticules des poissons sélaciens (requins, raies). *Les écailles placoïdes de la raie sont appelées boucles.*

PLACOPLÂTRE [plakoplɑtʀ] n. m. — 1968; de *placo-*, et *plâtre.*

♦ Techn. Plâtre coulé entre deux feuilles de carton. *«(...) revêtement intérieur en placoplâtre, les cloisons (ossature bois avec double paroi placoplâtre)»* (*la Maison individuelle*, févr.-mars 1975).

PLAÇURE [plasyʀ] n. f. — XXᵉ; de 1. *placer*, et *-ure.*

♦ Techn. Opération de reliure qui consiste à placer ensemble les cahiers pliés, les gardes et les hors-textes.

PLAFOND [plafɔ̃] n. m. — 1546, *platfons*; de *plat*, et *fond*, proprt «fond plat».

★ **I.** ♦ **1.** Surface horizontale qui limite intérieurement une salle dans sa partie supérieure. *Les plafonds ont remplacé les voûtes**. *Plafond formant la partie inférieure d'un plancher**. *Plafond bas* (→ Exhaler, cit. 7; nid, cit. 6), *haut, surélevé* (→ Hall, cit. 2). *Chambre haute, basse de plafond* (→ Meublé, cit. 8). *Faux plafond :* cloison au-dessous du vrai plafond servant à diminuer la hauteur apparente de la pièce. *Plafond marouflé* (⇒ **Marouflage**). *Plafond flottant,* indépendant de l'ossature du plancher. *Plafond ancien, rustique, traversé de solives apparentes* (→ Cuisine, cit. 2), *à poutres apparentes, aux poutres noires et blanches* (→ 2. Baie, cit. 2). ⇒ **Solive, travée.** *Lattis* d'un plafond. Plafond de chêne sculpté* (→ Grappe, cit. 6). ⇒ **Lambris** (vx). *Plafond à compartiments* (cit. 4). ⇒ **Caisson; soffite.** *Plafond de plâtre, orné de moulures* (→ Essorer, cit. 1), *d'ovales* (cit. 2 et 3), *de rosaces. Cul de lampe d'un plafond. Plafond peint et doré d'un palais* (1. Palais, cit. 1). *Lustres qui descendent du plafond.* ⇒ **Suspension, tire-fond** (→ Illumination, cit. 7). *Appareil d'éclairage fixé au plafond.* ⇒ **Plafonnier.** *Ventilateur* (→ Balancer, cit. 6), *panka..., pavillon de lit accroché au plafond. — Badigeonner un plafond. Toiles d'araignée au plafond* (→ Mouton, cit. 22). *Nettoyer un plafond avec une tête-de-loup. — Les yeux au plafond,* en regardant le plafond (→ Discourir, cit. 5). — REM. Dans la langue classique, *plafond* ne s'employait que pour les plafonds de plâtre, les plafonds à solives gardant le nom de *plancher.* → Plancher.

1 Ces plafonds trop bas, et si ouvragés, en caissons, en rosaces, en pendentifs, sont faits de bois rares, qui ont gardé leur couleur foncée, avec seulement çà et là quelques peinturlures. LOTI, l'Inde (sans les Anglais), III, XII.

2 (...) l'autre merveille de ces chambres charmantes, le plafond aussi minutieusement peint qu'une miniature persane, et dont les arabesques et les fleurs stylisées semblent refléter comme dans un miroir, mais avec des couleurs plus vives, l'éclat des tapis et des zelliges (...) Jérôme et Jean THARAUD, Rabat, X.

3 Chez le marchand de tableaux (...) le plafond renvoyait sur les peintures une lumière favorable. F. MAURIAC, la Robe prétexte, XXVII.

Arts. Peinture de plafond, et, spécialt, peinture en trompe-l'œil. *Le plafond de Chagall, au palais Garnier (Opéra de Paris). Les plafonds de Tiepolo, du Tintoret.*

Fig. et fam. Tête. ⇒ **Plafonnard,** 1. **plafonnier** (2.). *Avoir une araignée* dans le plafond.* — Loc. *Être bas du plafond :* être sot, inintelligent. *Bas de plafond* (même sens).

♦ **2.** [a] Paroi supérieure. *Plafond de toile d'un cirque* (→ Haut, cit. 92). *Plafond d'un wagon, d'une automobile.*

[b] Paroi rocheuse supérieure (d'une excavation naturelle ou artificielle), lorsqu'elle est horizontale. *Plafond d'une galerie, d'une carrière* (⇒ **Ciel**), *d'une caverne* (cit. 3; → Anfractuosité, cit. 3).

[c] Météor. Couche de nuages la plus basse, limite supérieure de visibilité lorsqu'on est au sol (→ Naviguer, cit. 5).

4 Vers la mi-novembre, le plafond baissa, le mistral arracha les feuilles des platanes. Claude COURCHAY, La vie finira bien par commencer, p. 28.

♦ **3.** (1916). Limite supérieure d'altitude à laquelle peut voler un avion.

♦ **4.** (1926, *in* D. D. L.). Abstrait. Maximum* qu'on ne peut dépasser (opposé à *plancher*). — Écon. Limite d'émission des billets d'une banque*. *Plafond de réescompte auprès de la Banque de France. Plafond de crédit. Crever le plafond :* dépasser la limite, le maximum fixé ou prévu.

5 Mais jamais le tirage (*du Figaro*) ne fut si fort (le plafond des 500 000 fut largement crevé durant cette semaine). F. MAURIAC, Bloc-notes 1952-1957, p. 36.

Plafond de (la) Sécurité sociale : limite de l'assiette des cotisations de Sécurité sociale. ⇒ **Plafonné.**

(1922). Par appos. (Jeu). *Bridge-plafond,* ou, ellipt, *plafond :* variété du jeu de bridge (opposé à *bridge-contrat*).

(1966). Fin. *Prix plafond :* prix maximum autorisé (opposé à *prix plancher*). ⇒ **Plafonner** (II., 4.); **plafonnement.** Par plaisanterie :

6 (...) au fur et à mesure que les bœufs prioritaires, veaux témoins et vaches plafonds (...) se répandent parmi les pacages (...) Jacques PERRET, Bâtons dans les roues, p. 220.

REM. Depuis les années 1960, *-plafond* entre dans un grand nombre de subst. composés comme second élément (au plur. avec ou sans *s*). *Cours(-)plafond* (d'une monnaie), 1966; *salaire(-)plafond* (1968); *vitesse(-)plafond* (1969); *âge(-)plafond* (1970), etc. (Usage analogue pour *plancher*).

★ **II.** (Par un retour à l'étym.). Techn. Fond plat, surface plane et horizontale. — Archit. Dessous d'un membre d'architecture, en platebande. *Plafond de corniche, de larmier.* ⇒ **Soffite.** — Géogr. *Plafond d'une vallée, d'un fleuve.* — Hydraul. *Plafond d'un canal, d'un bassin.*

DÉR. Plafonnard, plafonner, plafonnier.

PLAFONNAGE [plafɔnaʒ] n. m. — 1835; de *plafonner.*

♦ Techn. Action de plafonner (I.). *Le plafonnage d'une chambre.* — Résultat de cette opération.

Ces trappes furent, d'ailleurs, extrêmement simples : des fosses creusées dans le sol, au-dessus un plafonnage de branches et d'herbes, qui en dissimulait l'orifice, au fond quelque appât dont l'odeur pouvait attirer les animaux, et ce fut tout. J. VERNE, l'Île mystérieuse, t. I, p. 282.

PLAFONNANT, ANTE [plafɔnɑ̃, ɑ̃t] adj. — P. prés. de *plafonner.*
Qui plafonne (II.).

♦ **1.** Qui constitue un plafond. — Qui orne un plafond. *Figures plafonnantes.*

1 Chaque étrange aspect de la plante avait la même durée; peu à peu les tableaux suivants défilèrent sur l'écran plafonnant. Raymond ROUSSEL, Impressions d'Afrique, p. 176.

♦ **2.** Fig. et littér. (Rare). Qui est au-dessus (comme un plafond).

2 (...) le dissolvant effroi du créancier et la diaphragmatique trépidation des coliques de l'échéance, sans tout le cauchemar des plafonnantes terreurs de l'expédient éternel! Léon BLOY, le Désespéré, p. 16.

PLAFONNARD [plafɔnaʀ] n. m. — 1947; de *plafond.*

♦ Argot. Crâne. Syn. : *plafonnier.*

PLAFONNÉ, ÉE [plafɔne] p. p. adj. ⇒ **Plafonner.**

PLAFONNEMENT [plafɔnmɑ̃] n. m. — 1922; bx-arts, 1874; de *plafonner.*

♦ Action de plafonner (II., 4.). *Le plafonnement des bénéfices.*

PLAFONNER [plafɔne] v. — 1690; de *plafond.*

★ **I.** V. tr. ♦ **1.** Garnir (une pièce...) d'un plafond (notamment, d'un plafond en plâtre). *Faire plafonner un grenier.* — Constituer le plafond de. *Les matériaux qui plafonnent une pièce.* — P. p. adj. Garni, muni d'un plafond. *Pièce, galerie* (cit. 3) *plafonnée.*

Aucune des deux pièces n'est plafonnée; les solives sont en bois de noyer et les interstices remplis d'un torchis blanc fait avec de la bourre. 1
BALZAC, la Grenadière, Pl., t. II, p. 184.

Par métaphore :

(...) de vastes nuages, plutôt de l'équinoxe que du solstice, plafonnaient le ciel (...) 2
HUGO, Quatre-vingt-treize, I, II, II.

♦ **2.** Peint. (vx). Exécuter en trompe-l'œil pour orner un plafond. *Plafonner une figure.*

♦ **3.** Limiter par un plafond (I., 4.). — P. p. *Salaire plafonné :* salaire soumis au plafond de la Sécurité sociale, ou des divers organismes dont le plafond des cotisations est déterminé par décret.

★ **II.** V. intr. (1755). ♦ **1.** Peint. (vx). Être peint en trompe-l'œil sur un plafond.

♦ **2.** Constituer un plafond, une paroi supérieure horizontale.

Restaient deux difficultés : premièrement, la possibilité d'éclairer cette excavation creusée dans un bloc plein; deuxièmement, la nécessité d'en rendre l'accès plus facile. Pour l'éclairage, il ne fallait point songer à l'établir par le haut, puisqu'une énorme épaisseur de granit plafonnait au-dessus d'elle; mais peut-être pourrait-on percer la paroi antérieure, qui faisait face à la mer. 3
J. VERNE, l'Île mystérieuse, p. 240.

♦ **3.** (1920). Atteindre son altitude maximum, en parlant d'un avion. ⇒ **Culminer.**

♦ **4.** (1951, *in* D. D. L.). Fig. Atteindre un plafond (I., 4.). *Production industrielle qui plafonne. Salaires qui plafonnent à X francs, à tel échelon.*

(Personnes; 1960, *in* P. Gilbert). Atteindre son maximum; ne plus progresser.

▶ **PLAFONNÉ, ÉE** p. p. adj. ⇒ ci-dessus I., 1. et 3.

DÉR. Plafonnage, plafonnant, plafonnement, plafonneur.

PLAFONNEUR [plafɔnœʀ] n. m. — 1800; de *plafonner.*

♦ Plâtrier qui exécute les plafonds. *Bouchement exécuté par le plafonneur.* — REM. Le fém. *plafonneuse* est virtuel.

1. PLAFONNIER [plafɔnje] n. m. — 1911, *Larousse mensuel;* « ce qui protège le plafond de la fumée », 1907; de *plafond.*

♦ **1.** Appareil d'éclairage fixé au plafond sans être suspendu (à la différence du *lustre,* de la *suspension*). *Plafonnier d'un vestibule.* — Lampe d'éclairage intérieur au plafond d'une automobile.

Dans la 504 arrêtée devant l'église, Carlo avait allumé son plafonnier pour consulter ses cartes. 1
J.-P. MANCHETTE, Trois hommes à abattre, p. 138.

♦ **2.** Argot. Crâne. ⇒ **Plafonnard.**

D'un formidable coup de crosse sur le plafonnier, je l'étale pour le compte. S'il 2

n'a pas la coquille fracturée avec une aussi forte dose, c'est que sa mère l'a gavé de calcium pendant toute son enfance.
SAN-ANTONIO, Au suivant de ces messieurs, p. 202.

2. PLAFONNIER, IÈRE [plafɔnje, jɛʀ] adj. — 1950, Duhamel; de *plafond.*

♦ Rare. Fixé au plafond.

Elle alluma la lampe plafonnière (...)
G. DUHAMEL, le Voyage de P. Périot, XIII, p. 238.

PLAGAL, ALE [plagal] adj. — 1620; lat. ecclés. *plaga,* rac. *plagios* «oblique».

♦ Mus. Se dit d'un mode du plain-chant où la quinte est à l'aigu et la quarte au grave (opposé à *mode authentique* ou *authente*). *Mode plagal.* Par ext. *Cadence plagale.*

PLAGE [plaʒ] n. f. — 1290; var. *plaie;* lat. *plaga* «région, contrée» (mot poétique), p.-ê. par le lat. médiéval *plagia.*

★ **I.** Vx ou poét. Étendue de terre. — Par ext. *Plage de mer,* étendue de mer.

Poét. (Encore au XIXe). Contrée. *Ces plages désertes, ces tristes contrées...* (→ Agreste, cit. 3).

1 Nous franchîmes la première chaîne des montagnes qui bordent la rive orientale du Nil, et perdant de vue les humides campagnes, nous entrâmes dans une plaine aride (...) Figurez-vous, seigneurs, des plages sablonneuses, labourées par les pluies de l'hiver, brûlées par les feux de l'été (...) Nous marchâmes tout un jour dans cette plaine. CHATEAUBRIAND, les Martyrs, t. II, p. 17.

★ **II.** (1456; *plaje,* 1298; ital. *plaggia* «pente douce», du grec *plagios* «oblique»; → Plagiaire).

♦ **1.** Vx. (Mar.). Rivage en pente douce dont les navires peuvent difficilement approcher. — REM. *L'Encyclopédie* (1765) donne ce mot comme terme de «géographie moderne» (Cf. aussi Buffon, *Preuves de la théorie de la terre,* XII).

♦ **2.** (Répandu déb. XIXe). Mod. Endroit plat et bas d'un rivage* où les vagues déferlent, et qui est constitué de débris minéraux plus ou moins fins (limon, sable, galets). ⇒ **Grève; marine** (vx). → Côte, cit. 12. *Plages d'une côte plate. Plage au pied d'une falaise. Plage de sable* (→ Adosser, cit. 2), *de galets. Dunes* d'une plage. Plage à marée** (cit. 3) *haute, basse.* «*Comme le flot des mers ondulant vers les plages*» (→ Bois, cit. 11). *Plage écumante* (→ Bondir, cit. 12). *Algues, coquillages apportés par la mer sur la plage.* — Spécialt. Cet endroit, réservé à la baignade, aux loisirs. *Plage d'une station balnéaire.* ⇒ **Bain** (bains de mer). *Plage privée, publique. Promenade le long de la plage.* ⇒ **Bord** (de mer). *Aller à la plage, passer le mois d'août à la plage* (→ Envisager, cit. 18). *Jeux sur la plage. S'exposer* (cit. 30) *au soleil, se bronzer sur la plage* (→ Attraper, cit. 17; hâle, cit. 6). *Exploitant d'une plage.* ⇒ **Plagiste.** — *De plage. Tente, parasol* (cit. 4), *sac, robe, ensemble, pantalon de plage.* «*Sous les pavés la plage*» (slogan de Mai 1968).

2 Sur la plage sonore où la mer de Sorrente
Déroule ses flots bleus au pied de l'oranger.
LAMARTINE, Harmonies poétiques et religieuses, IV, XLV.

3 (...) on parvint au port de Trouville, et comme c'était le moment du bain, Pierre se rendit sur la plage. De loin, elle avait l'air d'un long jardin plein de fleurs éclatantes. Sur la grande dune de sable jaune, depuis la jetée jusqu'aux Roches Noires, les ombrelles de toutes les couleurs, les chapeaux de toutes les formes, les toilettes de toutes les nuances, par groupes devant les cabines, par lignes le long du flot ou dispersées çà et là, ressemblaient vraiment à des bouquets énormes dans une prairie démesurée. MAUPASSANT, Pierre et Jean, V.

4 (...) nous sommes allés à quelques kilomètres d'Alger, sur une plage resserrée entre des rochers et bordée de roseaux du côté de la terre. Le soleil de quatre heures n'était pas trop chaud, mais l'eau était tiède, avec de petites vagues longues et paresseuses. CAMUS, l'Étranger, I, IV.

4.1 Géraldine quittait le monde des plages privées, des piscines, des aquariums, des clubs nautiques (...) Jean CAYROL, Histoire de la mer, p. 37-38.

Rive sableuse d'un lac, d'une rivière, où l'on peut se baigner. *Les plages de la Seine, de la Loire, du lac de Garde...*

5 La Garonne a réintégré son lit, mais le maquis reste inondé entre le fleuve et les cultures; je ne puis regagner la plage où je me baignais si voluptueusement l'an passé. J'en aperçois de loin l'arène scintillante. GIDE, Journal, août 1910.

Par appos. Ville, quartier où se trouve une plage; ville où une plage est fréquentée par des baigneurs. *Casino d'une plage à la mode* (→ Interposer, cit. 9). *Berck-plage. Albert-plage.*

6 Balbec-le-vieux, Balbec-en-terre, où je me trouvais, n'était ni une plage ni un port (...) cette mer, que (...) j'avais imaginée venant mourir au pied du vitrail, était à plus de cinq lieues de distance, à Balbec-plage (...)
PROUST, À la recherche du temps perdu, t. IV, p. 74.

♦ **3.** Plate-forme. **a** Mar. Pont uni horizontal à l'avant ou à l'arrière de certains navires (navires de guerre en particulier) (→ 1. Glacis, cit. 1; lame, cit. 10). — Techn. (Milit.). Plate-forme derrière la tourelle d'un char d'assaut.

b Cour. *Plage arrière d'une automobile :* partie plane et horizontale située entre les sièges et la vitre arrière du véhicule. *Les cartes sont sur la plage arrière.*

7 Le guide doit se trouver sur ce que les constructeurs nomment la plage arrière entre le dossier des sièges et la vitre, espace tendu de simili-cuir noir d'où jaillissent air chaud et musique.
F. NOURRISSIER (1968), *in* GILBERT, Dict. des mots contemporains.

c Techn. *Plage d'entrée* (d'un système de stockage).

♦ **4.** Sc. *Plage d'équilibre :* surface représentant les positions d'équilibre dans les cas de frottement. — Opt. *Plage lumineuse :* surface éclairée de brillance égale (⇒ **Photométrie**). — Biol. *Plage liquidienne* (décelée à l'échographie).

♦ **5.** Chacun des espaces gravés d'un disque phonographique, séparés par un intervalle correspondant à l'audition à un temps de silence.

♦ **6.** Espace de temps. (1958). Spécialt. Laps de temps, durée limitée en radiodiffusion. «*Diffuser des plages musicales d'un quart d'heure*» (*le Monde,* 6 mars 1970). — Espace de temps (dans un horaire).

L'horaire variable (...) en dehors d'une période durant laquelle ils *(les travailleurs)* devront être tous présents au travail, appelée plage fixe, les travailleurs auront la possibilité de choisir quotidiennement leurs heures d'arrivée et de départ à l'intérieur de «plages mobiles» situées en début et fin de journée et parfois au milieu. 8
Marcel POCHARD, l'Emploi et ses problèmes, p. 114.

(Qualifié). *Des plages de calme, d'inconfort, etc.* (*in* P. Gilbert). — REM. Cet emploi, fréquent dans la langue journalistique, n'a pas pénétré dans l'usage courant spontané.

♦ **7.** (1963). Fig. Écart entre deux mesures, entre deux possibilités, etc. *Plage des prix, des choix. Plage d'utilisation d'un moteur* (entre les régimes extrêmes de bon fonctionnement).

DÉR. Plagiste.

PLAGIAIRE [plaʒjɛʀ] n. — 1555, *poëtes plagiaires; plagiere,* 1584; 1603, au sens du lat. *plagiarius,* proprt «celui qui ébauche et recèle les esclaves d'autrui», du grec *plagios* «oblique, fourbe». → Plage.

♦ Personne qui utilise les ouvrages d'autrui en les démarquant et en s'en appropriant le mérite. ⇒ **Contrefacteur, copiste, pillard, pilleur, pirate** (fig. → aussi Forban* littéraire). *C'est un vulgaire plagiaire qui se pare des plumes du paon, des dépouilles* (cit. 6) *d'autrui. L'auteur et le plagiaire* (→ Demander, cit. 50; 2. original, cit. 6). *Impudent* (cit. 2) *plagiaire. Je hais comme la mort l'état de plagiaire* (→ Imiter, cit. 19, Musset). *Une plagiaire. Le pasticheur*, l'imitateur* ne sont pas des plagiaires. C'est un compilateur*, mais non un plagiaire : il cite ses sources.* — Adj. *Écrivain plagiaire* (→ Digérer, cit. 8).

Il y a là-bas *(en Amérique)* comme ici, mais plus encore qu'ici, des littérateurs qui ne savent pas l'orthographe (...) des compilateurs à foison, des ressasseurs, des plagiaires de plagiats et des critiques de critiques.
BAUDELAIRE, Notes nouvelles sur E. Poe, I, *in* E. POE, Œ., Pl.

CONTR. Créateur.
DÉR. (Du même rad.) **Plagiat.**

PLAGIAT [plaʒja] n. m. — 1735, Voltaire; du rad. de *plagiaire*,* aussi au sens du lat. *plagiarius;* cf. *larrecin plagiant* «vol d'enfant», 1537, et → ci-dessous cit. Voltaire.

♦ Action du plagiaire, emprunt littéraire caché. ⇒ **Calque, copie, larcin, pillage.** *Ce chapitre est un plagiat. Accuser un auteur de plagiat. Pastiche** (cit. 3), *imitation* et plagiat.*

Le plagiat, c'est-à-dire la vente d'un enfant volé serait aussi peu poursuivi qu'il est rare dans l'Europe chrétienne. À l'égard du plagiat des auteurs, il est si commun qu'on ne peut le poursuivre. 0.1
VOLTAIRE, Politique et Législation, Prix de la justice et de l'humanité.

(...) on lui avait intenté des plagiats imaginaires; on rapprochait des passages de son livre avec des passages d'auteurs anciens ou modernes (...) 1
Th. GAUTIER, Préface de Mlle de Maupin, éd. MATORÉ, p. 44.

Le plagiat est la base de toutes les littératures, excepté de la première, qui d'ailleurs est inconnue. GIRAUDOUX, Siegfried et le Limousin, I, 6. 2

Il ne faut pas confondre la contrefaçon, qui est un délit, avec le *plagiat,* qui expose simplement son auteur à une réprobation morale (...) Elle *(la jurisprudence)* a estimé qu'il n'y avait pas contrefaçon (...) dans le fait d'emprunter à un ouvrage considérable un certain nombre de passages, composés de lignes éparses et disséminées à leur tour dans un ouvrage non moins important, avec des similitudes de passages s'expliquant d'ailleurs par la nature spéciale des ouvrages. 3
Charles AUSSY, Mémento du droit d'auteur, p. 76.

Fig. Imitation non avouée (de qqch., de qqn). *Un plagiat artistique, moral. Toute son action constitue un plagiat.*

CONTR. Création.
DÉR. Plagier.

PLAGIER [plaʒje] v. tr. — 1801, Mercier; de *plagiat.*

♦ **1.** Copier (un auteur) en s'attribuant indûment des passages de son œuvre (⇒ **Plagiaire**). *Plagier un romancier, un poète.* ⇒ **Imiter, piller.** — Par ext. *Plagier une œuvre.* ⇒ **Calquer, démarquer.** → Braconner, fourrager, picorer (vx); cf. faire un livre à coups de ciseaux. Absolt (→ Bégayer, cit. 5).

Je reçus la *Chicago Tribune* que je lisais sans curiosité, car M. Mac Cormick ne s'avisait jamais de démarquer André Gide; la *Correspondancia de España,* où

l'éditeur non plus ne s'ingéniait guère à glisser des phrases de Marcel Proust; et la *Westminster Gazette*, où Wells plagiait si rarement Francis Viélé-Griffin (...)
GIRAUDOUX, Siegfried et le Limousin, p. 15.

♦ **2.** Fig. et littér. Imiter (→ Mystique, cit. 10).

▶ **PLAGIÉ, ÉE** p. p. adj. *Chapitre, livre plagié.* ⇒ **Plagiat.** *L'auteur plagié a fait un procès.*

CONTR. Créer.

PLAGIO- Élément de mots didactiques, du grec *plagios* «oblique». Ex. : *plagiocéphale, plagioclase, plagiostome, plagiothrope.*

PLAGIOCÉPHALE [plaʒjosefal] adj. et n. — 1903; de *plagiocéphalie.*

♦ Méd. Affecté de plagiocéphalie. — N. *Un, une plagiocéphale.*

PLAGIOCÉPHALIE [plaʒjosefali] n. f. — 1877, Littré, *Suppl.*; de *plagio-*, et *céphalie.*

♦ Méd. Malformation, dissymétrie du crâne.

Pour ce qui est de la *plagiocéphalie* (dissymétrie crânienne) dont il disait qu'elle était «vraiment un des caractères les plus éclatants chez les criminels», on savait déjà et l'on sait encore mieux depuis les travaux de Liebreich notamment, qu'elle est quasi générale.
Pierre GROPIN, l'Anthropologie criminelle, p. 31.

DÉR. Plagiocéphale.

PLAGIOCLASE [plaʒjoklaz] n. m. — 1899; de *plagio-*, et *clasis* «cassure».

♦ Minér. Feldspath contenant du calcium et du sodium, mais pas de potassium.

DÉR. Plagioclasique.

PLAGIOCLASIQUE [plaʒjoklazik] adj. — xxe; de *plagioclase.*

♦ Minér. Des plagioclases. *Basaltes plagioclasiques.*

PLAGIOSTOME [plaʒjostɔm] n. m. — V. 1820, Lamarck; lat. sc. *plagiostoma*; de *plagio-*, et *-stome*, grec *stoma.*

♦ Zool. Poisson sélacien.

PLAGIOTROPE [plaʒjɔtʀɔp] adj. — 1897; de *plagio-*, et *-trope.*

♦ Bot. Qui tend naturellement à prendre une direction oblique très proche de l'horizontale. *Rameau plagiotrope. Les branches de conifères sont plagiotropes.*

PLAGIOTROPIE [plaʒjɔtʀɔpi] n. f. — V. 1900 (*in* Larousse 1903); de *plagio-*, et *-tropie.*

♦ Sc. (Bot.). Direction quasi horizontale que prend en croissant une plante, un organe végétal (s'oppose à *orthotropie*).

PLAGISTE [plaʒist] n. — 1964; de *plage* II., 2.

♦ Exploitant d'une plage payante. — Concessionnaire ou employé qui, sur une plage, loue des cabines de bain, des parasols, vend des rafraîchissements, etc.

Tokor fit grosse sensation en s'engouffrant dans le territoire protégé des riches vacanciers, grands amateurs d'exotisme (...) surgirent deux plagistes musclés appelés Copro et Scroto. Tokor les connaissait, les haïssait.
P. GRAINVILLE, les Flamboyants, p. 101.

1. PLAID [plɛ] n. m. — 842, «convention, accord»; lat. *placitum*, p. p. de *placere* «plaire», p.-ê. par *placare* «apaiser, réconcilier» et son dér. *placidare* (v^e^), selon P. Guiraud.

Vieux.

♦ **1.** Assemblée judiciaire, audience.

♦ **2.** Querelle, discussion. — Procès. ⇒ **Plaider.**

Payez; car vous avez signé
Promesse de payer au premier plaid gagné (...)
FLORIAN, Fables, v, 3.

DÉR. Plaider, plaidoyer.
HOM. Plaie; formes du v. **plaire.**

2. PLAID [plɛd] n. m. — 1667; *plaidin*, 1664; angl. *plaid*, de l'écossais *plaide*, mot gaélique, «couverture».

♦ **1.** Vêtement des montagnards écossais (→ Inséparable, cit. 7), couverture de laine à carreaux drapée pour servir de manteau (⇒ **Tartan**).

1 (...) les Écossais aux genous nus et aux plaids quadrillés (...)
HUGO, les Misérables, II, I, V.

♦ **2.** (1827). Vx. Manteau de voyage d'homme ou de femme, à carreaux ou uni.

(...) promeneuses à voile vert, à robe à carreaux, et à plaid écossais. 2
BARBEY D'AUREVILLY, les Diaboliques, «Dessous de cartes».

(*Ils*) prirent l'habitude de me laisser aller me promener sans eux du côté de Méséglise, enveloppé dans un grand plaid qui me protégeait contre la pluie (...) 3
PROUST, À la recherche du temps perdu, t. I, p. 208.

♦ **3.** (1869). Mod. Couverture de voyage en lainage écossais aux couleurs vives. *S'envelopper les jambes dans un plaid.*

Bergotte ne sortait plus de chez lui, et quand il se levait une heure dans sa chambre, c'était tout enveloppé de châles, de plaids, de tout ce dont on se couvre au moment de s'exposer à un grand froid ou de monter en chemin de fer. Il s'en excusait auprès des rares amis (...) et montrant ses tartans, ses couvertures, il disait gaîment : «Que voulez-vous, mon cher, Anaxagore l'a dit, la vie est un voyage». 4
PROUST, la Prisonnière, Pl., t. III, p. 184.

PLAIDABLE [plɛdabl] adj. — 1294; de *plaider.*

♦ Qui peut être plaidé. *Sa cause n'est pas plaidable. Ce dossier est à la rigueur plaidable.*

PLAIDANT, ANTE [plɛdɑ̃, ɑ̃t] adj. — 1278; de *plaider.*

♦ Dr. Qui plaide. *Les parties plaidantes* (⇒ **Litigant,** vx). *Avocat plaidant* (opposé à *consultant*, conseil*).

PLAIDER [plede] v. — 1080, *Chanson de Roland*; de 1. *plaid.*

★ **I.** V. intr. ♦ **1.** Soutenir ou contester oralement qqch. en justice. *Personne qui plaide.* ⇒ **Partie, plaidant, plaideur; litigant** (vx). *Plaider contre quelqu'un* (→ Gros, cit. 35; ichtyophage, cit. 1). ⇒ **Intenter; procès.** *Mieux vaut transiger* que plaider. Il peut être défendu aux prodigues de plaider* (→ Assistance, cit. 5). *Interdiction de plaider* (→ Laisser, cit. 31; et aussi épice, cit. 1). *«Mais vivre sans plaider est-ce contentement?»* (cit. 6, Racine).

— (...) Mais vous, comme je voi(s), 1
Vous plaidez (...)
— Monsieur, tous mes procès allaient être finis;
Il ne m'en restait plus que quatre ou cinq petits :
L'un contre mon mari, l'autre contre mon père,
Et contre mes enfants.
RACINE, les Plaideurs, I, 7.

Depuis qu'il est des lois, l'homme, pour ses péchés, 2
Se condamne à plaider la moitié de sa vie.
LA FONTAINE, Fables, XII, 24.

En apprenant quel heureux hasard a fait passer ici la partie adverse du baron d'Étange vous avez prévu tout ce qui devait arriver de cette rencontre (...) Après avoir vu Julie, après l'avoir entendue, après avoir conversé avec elle, il a eu honte de plaider contre son père. 3
ROUSSEAU, Julie ou la Nouvelle Héloïse, V, VI.

♦ **2.** Défendre une cause* devant les juges. *Droit de plaider et consulter des avocats* (→ Consultation, cit. 1). *Avocat qui plaide pour son client, contre la partie adverse.* ⇒ **Plaidoirie.** *Difficulté de bien plaider* (→ 1. Avocat, cit. 5). *Plaider éloquemment.*

En Autriche et dans le reste de l'Allemagne, on plaide toujours par écrit, et jamais à haute voix. 4
Mme DE STAËL, De l'Allemagne, I, VI.

Robespierre, qui croyait que l'avocat est un magistrat, mit les convenances, les sentiments, la reconnaissance, sous les pieds de la justice, et sans hésitation plaida contre son protecteur. 5
MICHELET, Hist. de la Révolution franç., IV, V.

Fig. **PLAIDER POUR, EN FAVEUR DE :** défendre par des arguments justificatifs ou par des excuses. *L'homme doit plaider pour la femme* (→ Casuistique, cit. 1). *Il a plaidé en sa faveur auprès de ses parents. Plaider pour sa conscience* (→ Excuser, cit. 18). — *Parlementaire qui plaide pour son programme* (→ Chair, cit. 11).

Tout révolté (...) plaide donc pour la vie, s'engage à lutter contre la servitude (...) 6
CAMUS, l'Homme révolté, p. 350.

(En parlant d'une qualité, d'une action qui joue en faveur d'un coupable). *Ses mérites passés, sa sincérité plaident pour lui, plaident en sa faveur.*

★ **II.** V. tr. ♦ **1.** Vx. Attaquer en justice. *Plaider qqn* (cf. Racine, *les Plaideurs*, I, 5).

♦ **2.** Mod. Défendre (une cause) en justice (dr., ou, avec le mot *cause* pour compl., cour.). *Avocat qui plaide la cause d'un accusé. Plaider sa propre cause. Plaider une affaire de mœurs, des référés* (→ Fort, cit. 10). *Avocat qui choisit les causes qu'il plaide* (→ Malaisé, cit. 6). *Énumération des causes à plaider ou appel* des causes. Cause mal plaidée.* — Pron. (Sens passif). Être plaidé. *Affaire qui se plaide demain.*

Fig. *Plaider la cause de qqn :* parler pour lui, en sa faveur. *Plaider la cause d'un ami. Plaider sa propre cause auprès d'un accusateur.* — Par ext. *Plaider la cause* (cit. 50) *de la raison, du célibat.*

(...) on y apprend à plaider avec art la cause du mensonge, à ébranler à force de philosophie tous les principes de la vertu (...) 7
ROUSSEAU, Julie ou la Nouvelle Héloïse, II, XIV.

Madame de Verdelin était amie du philosophe Hume, pour lors de passage à Paris. Elle plaida la cause de Rousseau; Hume s'offrit à le recueillir dans son pays. 8
Émile HENRIOT, Portraits de femmes, p. 194.

♦ **3.** Soutenir, faire valoir dans une plaidoirie. *Avocat qui plaide l'irresponsabilité de son client, la légitime défense. Plaider l'innocence.* — Ellipt. *Plaider non coupable. Plaider coupable*.* — Par ext.

En parlant de l'accusé lui-même. *Accusé, plaidez-vous coupable ou non coupable?* — Fig. (→ Fossoyeur, cit. 4).

9 Il s'est trouvé des écoles, comme celle de Carnéade, pour plaider le pour et le contre (...) TAINE, Philosophie de l'art, t. II, p. 103.

Loc. fig. *Plaider le faux* pour savoir le vrai.*

DÉR. Plaidable, plaidant, plaiderie, plaideur.

PLAIDERIE [plɛdʀi] n. f. — XIIe; de *plaider.*

♦ Vx (langue class.). Procès. — Péj. Chicane.

PLAIDEUR, EUSE [plɛdœʀ, øz] n. — 1538; *plaideor* «avocat», 1210; de *plaider.*

♦ **1.** Personne qui plaide en justice. ⇒ **Contestant, plaidant; partie.** *Plaideurs d'un procès.* ⇒ **Défenseur, demandeur.** *Plaideur et son avocat; le juge et les plaideurs. Mettre les plaideurs d'accord* (cit. 12). *Un plaideur dont l'affaire allait mal* (→ Graisser, cit. 6). *« L'huître et les plaideurs »*, fable de La Fontaine (→ Faire, cit. 74).

1 Savez-vous que mon procès m'inquiète un peu (...) Cependant je me rassure, en songeant que le Procureur est adroit, l'Avocat éloquent et la Plaideuse jolie. LACLOS, les Liaisons dangereuses, CXXXIV.

2 Un juge siège comme arbitre dans un procès au civil. Il ne veut pas savoir si l'un des plaideurs est riche et l'autre pauvre. ALAIN, Propos, 16 juil. 1912, Police et justice.

♦ **2.** (1230, *pledeor; plaideuse,* 1680). Vx. Personne qui a la manie de plaider, qui est toujours en procès (vx). ⇒ **Chicaneur.** *Ce vieux plaideur inflexible* (cit. 4). *Les Plaideurs,* comédie de Racine.

PLAIDOIRIE [plɛdwaʀi] n. f. — V. 1360; *pledoierie,* XIIIe; aussi *plaiderie,* encore dans Molière, *le Misanthrope;* de l'anc. v. *plaidoyer.* → Plaidoyer.

♦ **1.** Dr. Action de plaider, exposition orale des faits d'un procès et des prétentions du plaideur, faite par lui-même ou plus généralement par son avocat*. ⇒ **Défense, plaidoyer.** *Plaidoiries des avocats* (→ Épice, cit. 1). *Les plaidoiries seront publiques sauf dans les cas d'huis* (cit. 7) *clos. Une belle plaidoirie.* — Par ext. Le texte de la plaidoirie. *Recueil de plaidoiries d'avocats célèbres.*

1 Après un réquisitoire modéré du général Demange et une éloquente plaidoirie du bâtonnier Henri-Robert, le général Fournier fut acquitté. Maurice GARÇON, la Justice contemporaine, p. 501.

Fig. Défense orale ou écrite rappelant celle de la plaidoirie en justice.

2 Juan Moratin essaya de se disculper. Il ânonna, d'une voix déférente et pleurnicharde, le récit de ses aventures (...) L'officier de police l'écoutait (...) Quand Juan Moratin eut terminé sa plaidoirie, il se contenta de lui tendre un morceau de papier. C'était le reçu des trois mois d'appointements qu'on lui versait à titre d'indemnité. P. MAC ORLAN, la Bandera, XIX.

♦ **2.** (1639). Rare. Art de plaider, profession d'avocat. *« Cet avocat est meilleur pour la consultation que pour la plaidoirie »* (Académie). *Quitter la plaidoirie* (⇒ **Barreau**).

CONTR. Accusation, réquisitoire.

PLAIDOYER [plɛdwaje] n. m. — V. 1360; *plédoié,* 1283; nom verbal de l'anc. v. *plaidoyer* «plaider»; de 1. *plaid.*

♦ **1.** Discours prononcé à l'audience pour défendre le droit d'une partie. ⇒ **Plaidoirie.** — REM. *Plaidoyer* est moins technique que *plaidoirie;* il désigne d'une manière plus affective le contenu de la défense d'une cause grave. *Avocat* (1. Avocat, cit. 5) *qui prononce, fait un plaidoyer passionné.*

1 Je déchire et je jette au vent le plaidoyer que j'avais préparé en faveur de l'accusé; on a supprimé les débats, il ne m'est pas permis de parler pour lui (...) A. DE VIGNY, Cinq-Mars, V.

2 Nous ne goûtons plus guère ces plaidoiries manifestement conçues sur le modèle de Cicéron, — ce que nous appellerions des plaidoyers à grandes manches —; mais, si l'on mettait de côté les morceaux éloquents qui paraissent surannés, on ne comprendrait pas l'émotion qui saisit l'assistance et jusqu'aux juges (...) Louis MADELIN, Hist. du Consulat et de l'Empire, Avèn. Empire, IX.

♦ **2.** (Fin XVIe). Défense passionnée (d'une ou plusieurs personnes, d'une idée), dans une affaire publique de quelque gravité. *Les plaidoyers des Girondins à l'Assemblée. Les historiens font du passé un plaidoyer ou un acte d'accusation* (→ Passion, cit. 29). *Livre qui est un plaidoyer pour les misérables* (cit. 12). — Par ext. ⇒ **Apologie, défense, éloge, justification.** *Un plaidoyer en faveur du mariage. Plaidoyer pro* domo. Plaidoyer contre la peine de mort.*

3 (...) il se maintint de même indépendant à l'égard de la Gironde. On lit encore avec admiration son plaidoyer pour Paris contre le préjugé des provinces, qui fut celui des Girondins. MICHELET, Hist. de la Révolution franç., V, IV.

CONTR. Accusation, réquisitoire.

PLAIE [plɛ] n. f. — 1080, *Chanson de Roland;* du lat. *plaga* «blessure, plaie».

♦ **1.** Ouverture dans les chairs, les tissus, due à une cause externe (traumatisme, intervention chirurgicale) et présentant une solution de continuité des téguments, parfois une perte de substance (⇒ **Blessure, lésion**). → Chirurgie, cit. 1. *Plaie profonde* (→ Estomac, cit. 11), *large, béante, perforante** (cit.). *Plaie superficielle. Nature d'une plaie.* ⇒ **Brûlure, coupure, déchirure, écorchure, entaille, morsure, taillade.** *Plaie en séton*. Les bords* (⇒ **Lèvre**) *d'une plaie. Plaie béante, saignante, sanglante, qui saigne à gros bouillons; plaie contuse, enflammée, ichoreuse, infectée, pénétrante, suppurante, sanieuse, septique, ulcéreuse..., qui suppure, s'envenime, se gangrène, s'infecte. Abcès, chairs mortes, cerne, croûte, escarre, fongus, gangrène, granulation, pus, suppuration d'une plaie* (⇒ aussi **Ulcère**). *Une vilaine plaie, une plaie hideuse* (→ Mendiant, cit. 2). *Plaie douloureuse, plaie indolente* (cit. 1). *Plaie à la face, au genou* (→ Couronner, cit. 15). *Les cinq plaies du Christ. Moribond couvert de plaies* (→ Fumier, cit. 3). *Tout le corps n'est qu'une vaste plaie* (→ Gangrène, cit. 1). *Animal qui lèche sa plaie.* — (Soins). *Sonder* une plaie.* ⇒ **Insinuation** (→ Noble, cit. 14). *Laver, nettoyer, désinfecter une plaie.* ⇒ **Absterger, bassiner** (cit. 1), **déterger, détersion, lavage, mondifier.** *Antiseptique sur une plaie. Aviver une plaie.* ⇒ **Avivement.** *Affronter* les bords d'une plaie, traitement des plaies.* ⇒ **Agglutinatif, agglutination, agglutiner, cautère, cautériser, conglutiner, escarrifier, pansement.** *Bander une plaie.* ⇒ **Charpie** (cit. 1), **compresse, pansement, panser.** *Plaie qui se cicatrise, se ferme.* ⇒ **Cicatrisation** (cit. 1), **cicatriser** (cit. 1). → Indice, cit. 12. *Fermer, coudre une plaie.* ⇒ **Couture, suture, suturer.**

Ils courent. Tout son corps n'est bientôt qu'une plaie. RACINE, Phèdre, V, 6. 1

(...) le peintre avait dénoué l'écharpe qui retenait le bras de son hôte, et s'occupait à en défaire l'appareil afin de panser la blessure. Ginevra frissonna en voyant la longue et large plaie faite par la lame d'un sabre sur l'avant-bras du jeune homme (...) BALZAC, la Vendetta, Pl., t. I, p. 882. 2

Sous le menton, la blessure bâillait, affreuse, une entaille profonde qui avait coupé le cou, une plaie labourée, comme si le couteau s'était retourné en fouillant. ZOLA, la Bête humaine, II. 3

Héquet avait débridé la plaie, relevé les os fracturés (...) MARTIN DU GARD, les Thibault, t. V, p. 255. 4

L'heure du pansement est propice. L'homme est nu, sur une table. On le voit tout entier, et tout entières aussi et béantes, ces grandes plaies, objet de tant d'inquiétude et d'espoir. G. DUHAMEL, Récits des Temps de guerre, Hist. Carré et Lerondeau. 5

Loc. fig. (1598). *Ne demander, ne rêver que plaies et bosses** : chercher toutes les occasions de se battre, d'affronter des dangers physiques. *Souhaiter plaies et bosses* (cit. 3) *à tout le monde.*

♦ **2.** (Fin XVIe). Vx ou littér. Plaie cicatrisée. ⇒ **Cicatrice.** *Deux plaies profondes rayaient cette face* (cit. 7) *lamentable.* ⇒ **Balafre.**

♦ **3.** (1570). Littér. Déchirure apparente (des tissus végétaux). *Plaie d'un végétal. Plaies des pins à résine* (→ Gemmage, cit.), *de l'arbre à caoutchouc* (→ Latex, cit.), les entailles que l'on fait aux troncs. — (En parlant d'une substance non vivante). *Les plaies béantes de la corvette* (→ Baiser, cit. 15), les trous, les déchirures. *« Les plaies à vif de la pelouse »* (M. Clavel, in *le Nouvel Obs.*).

De pauvres clos ourlés de haies 6
Écartèlent leur sol couvert de plaies (...)
VERHAEREN, les Villes tentaculaires, «Les plaines».

♦ **4.** (V. 1175). Par métaphore, fig. Blessure, déchirement. *Les plaies de l'âme, du cœur.* ⇒ **Affliction, blessure** (cit. 8), **douleur, meurtrissure, peine.** *Plaie morale* (→ Guérir, cit. 23). *Une plaie profonde* (→ Épigramme, cit. 6), *douloureuse* (→ Cicatriser, cit. 4), *à vif* (→ Détresse, cit. 7). *La plaie avivée* (cit. 10) *de la jalousie. Ce souvenir faisait saigner sa plaie* (→ Aigrir, cit. 10). *Rouvrir une plaie. Panser les plaies de qqn,* soulager sa souffrance (→ Attiser, cit. 7; martyrologe, cit. 1). *Cicatriser* (cit. 2) *les plaies dans la solitude.* — Loc. *Porter le fer** (cit. 12) *dans la plaie. Retourner, remuer le couteau*, le poignard, le fer dans la plaie* (→ aussi Fautif, cit. 3). *Mettre le doigt sur la plaie :* trouver la cause* du mal.

— Si vous voulez exploiter, dit Sibilet en retournant le poignard dans la plaie, vous serez dans les mains des ouvriers qui vous demanderont le *prix bourgeois,* au lieu du *prix marchand,* et qui vous *couleront du plomb,* c'est-à-dire qui vous mettront, comme ce brave Mariotte, dans la situation de vendre à perte. BALZAC, les Paysans, Pl., t. VIII, p. 121. 7

(...) le moment était venu de me parler raison et de débrider largement une plaie qui languissait sans résultat (...) E. FROMENTIN, Dominique, IX. 8

Les plaies d'un pays désolé (cit. 9) *par quinze ans de guerre.* — *Sonder les plaies de la société* (→ Dénier, cit. 6). *Un écrivain touche à bien des plaies en se faisant l'annaliste* (cit.) *de son temps.*

Elle n'a point oublié la guerre allemande et la défaite, mais elle a réparé ses plaies, elle s'est hardiment relevée. G. DUHAMEL, le Temps de la recherche, IX. 9

Loc. prov. (1812). *Plaie d'argent* n'est pas mortelle.*

♦ **5.** (XIIe). Vx. Fléau. — Loc. (1690). *Les sept plaies d'Égypte.*

Mod. Chose très pénible, qui a des conséquences très graves. *Le luxe est une plaie* (→ Cancer, cit. 3). *Le caboulot* (cit. 1), *plaie des foyers populaires.* — Fam. *Cette chaleur, c'est une vraie plaie.*

Cette malheureuse guerre d'Espagne a été une véritable plaie, la cause première des malheurs de la France. CHATEAUBRIAND, Mémoires d'outre-tombe, t. III, p. 155. 10

Fam. Personne insupportable. *Quelle plaie, ce type! C'est une vraie plaie!*

11 C'était *(Flick)* la plaie du Quartier, la terreur de la caserne dont on n'osait plus pousser une porte ni tourner un angle de mur sans craindre de se trouver nez à nez avec lui (...) COURTELINE, le Train de 8 h 47, I, II.

HOM. 1. **Plaid,** 2. **plaid ;** formes du v. **plaire.**

PLAIGNANT, ANTE [plɛɲɑ̃, ɑ̃t] adj. et n. — V. 1160 ; p. prés. adj. de *plaindre.*

♦ **1.** Dr., cour. Qui dépose une plainte en justice. *La partie plaignante, dans un procès.* — N. *Le plaignant, la plaignante :* la personne qui dépose une plainte. *Les plaignants et leur avocat.*

♦ **2.** (Fin XVIIe). Cour. N. Personne qui se plaint, réclame justice. (En droit, on dit *demandeur*).

C'est folie, en politique, de croire que les torts ne sont que d'un seul côté, et c'est sagesse de penser que le plaignant est lui-même coupable des mauvais procédés dont il se plaint. André SIEGFRIED, La Fontaine..., p. 37.

PLAIGNARD, ARDE [plɛɲaʀ, aʀd] adj. — 1862, Sainte-Beuve, *in* P. Larousse ; « plaintif », 1558 ; de *se plaindre* (→ Plaignant), et *-ard.*

♦ Péj., rare. Qui se plaint constamment ; qui indique la plainte. ⇒ **Geignard.** *Un ton plaignard.*

DÉR. Plaignardement.

PLAIGNARDEMENT [plɛɲaʀdəmɑ̃] adv. — 1879 ; de *plaignard.*

♦ Péj., rare. En se plaignant, en geignant.

Et Nello tout en traitant, tout le long de la journée, Gianni de « frère impossible » et en le taquinant, moitié gaiement, moitié plaignardement de son sterno-pubien et de son dorso-acromien, continuait à s'efforcer d'arriver au saut du tour.
Ed. DE GONCOURT, les Frères Zemganno, 1879, p. 272.

1. PLAIN, PLAINE [plɛ̃, plɛn] adj. et n. m. — V. 1130 ; loc. *a plain* « sans obstacle », v. 1112 ; devenu rare au XVIIe et au XVIIIe, *plain* a disparu à cause de son homonymie avec *plein.* → Plan ; du lat. *planus.*

♦ **1.** Vx. Plat, uni, égal. — REM. Dans des syntagmes comme *de plain fouet, plaine campagne,* l'adjectif s'est confondu avec *plein*.*

1 (...) il vaut mieux être dans une ville qu'en plaine campagne.
Mme DE SÉVIGNÉ, 953, 14 févr. 1685.

2 C'étaient des roches, des grottes, des cascades artificielles, dans des lieux plains et sablonneux (...) ROUSSEAU, Julie ou la Nouvelle Héloïse, IV, XI.

♦ **2.** N. m. Vx. *Le plain de l'eau :* la haute mer (Desroches, Dict. 1697, *in* Littré, contesté par Dauzat). ⇒ **Plein,** n. m. — Mod. (Mar.). Niveau le plus haut de la marée. *Aller au plain :* s'échouer à marée haute.

♦ **3.** Loc. (1654 ; *à plain pied,* 1611). **DE PLAIN-PIED :** au même niveau. *Pièces de plain-pied, ouvertes de plain-pied sur une terrasse. Aller de plain-pied d'une pièce à l'autre,* sans monter ni descendre.

3 Le sol de la maison se creusait de trois marches, du côté de la place, et une descente dans ce trou sombre lui semblait mal commode. Ensuite, il s'avisa que, du côté de sa route, à gauche, une autre porte s'ouvrait dans la cour, de plain-pied.
ZOLA, la Terre, II, II.

4 Les grandes portes vitrées de la salle à manger de ce hall en forme de couloir, qui servait pour les thés, étaient ouvertes de plain-pied avec les pelouses dorées par le soleil (...) PROUST, À la recherche du temps perdu, t. X, p. 194.

5 Les dalles de la terrasse, de plain-pied avec la chambre où je couche, restaient tièdes de la chaleur du jour. GIDE, Journal, 26 août 1934.

N. m. (1718). Vx. **UN PLAIN-PIED :** suite de pièces de plain-pied. ⇒ **Étage.**

Fig. *De plain-pied :* sans avoir de difficulté d'accès. *Être de plain-pied avec qqn,* être sur le même plan, sur un pied d'égalité, en relations aisées et naturelles avec lui. *Il cherche à être de plain-pied avec son auditoire.*

Il faut tout cela pour trouver à vingt ans les portes ouvertes, pour entrer de plain-pied dans tous les salons (...)
TAINE, les Origines de la France contemporaine, t. I, III, p. 226.

(...) selon sa coutume il passa de plain-pied, avec une parfaite aisance, de ses mysticités aux préoccupations les plus plates.
M. BARRÈS, la Colline inspirée, III.

Là où Sainte-Beuve est de plain-pied avec son modèle, on dirait qu'il s'y égale. Il n'est inférieur qu'aux plus puissantes et plus hautes natures.
André SUARÈS, Valeurs, p. 281.

Quoi que vous pensiez, les paysans nous aiment, ils se sentent de plain-pied avec nous (...) F. MAURIAC, le Sagouin, p. 48.

♦ **4.** Régional (en Belgique). *Tapis plain,* uni et couvrant toute la surface d'une pièce. ⇒ **Moquette.**

CONTR. Accidenté, inégal.
DÉR. Plaine.
COMP. V. **Aplanir.** — **Plain-chant.**
HOM. 2. **Plain, plein ;** formes du v. **plaindre.** — (Du fém.) **Plaine.**

2. PLAIN [plɛ̃] n. m. — 1585 ; contraction de *pelain* (XIIe-XIIIe) ; de *peler.*

♦ Techn. Cuve contenant un lait de chaux, dans lequel on fait tremper les peaux à dépiler*. ⇒ **Plamer ; plamage, plamée.**

REM. On écrit aussi *pelain* ou *pelin.*

HOM. 1. **Plain, plein ;** formes du v. **plaindre.**

PLAINAGE [plɛnaʒ] n. m. ⇒ **Planage.**

PLAIN-CHANT [plɛ̃ʃɑ̃] n. m. — 1636 ; de 1. *plain* « uni », et *chant.*

♦ Mus. Musique vocale rituelle, monodique, de la liturgie catholique romaine (→ Paraphrase, cit. 1). *Le plain-chant date des premiers temps de l'Église ; son répertoire* (hymnes, psaumes, répons ; → aussi Réclame, verset) *fut codifié à l'époque de saint Ambroise* (chant ambrosien, IVe siècle) *puis de saint Grégoire le Grand* (chant romain appelé au IXe siècle grégorien*). *Renaissance du plain-chant au XXe siècle. Modes* « authentes » (authentiques) *et modes plagaux du plain-chant grégorien. Notation du plain-chant en neumes*, en notation carrée* (→ Losange, cit. 1). *Introduction des tropes et séquences dans le plain-chant.* — *Contrepoint ajouté au plain-chant, au XIIe siècle.* ⇒ **Déchant.**

(...) le plain-chant nocturne, voix du moyen âge, attriste le monastère isolé 1
de Sainte-Croix (...) CHATEAUBRIAND, Mémoires d'outre-tombe, t. VI, p. 117.

(...) du plain-chant, c'est-à-dire une mélodie recouvrant un nombre de degrés res- 2
treints de l'échelle musicale, où l'unité de temps est indivisible (à l'inverse de nos unités modernes qu'on peut décomposer en noires, croches, double-croches), ce qui donne une grande impression de calme et d'égalité. Pareille musique n'était pas accompagnée d'instruments (...)
S. CORBIN, *in* Encycl. Pl., Hist. de la musique, t. I, p. 648.

PLAINDRE [plɛ̃dʀ] v. — 1050 ; du lat. *plangere.* — REM. *Plaindre* s'est employé comme intr., au sens de « se plaindre » (1.) du XIIe au XVIIe. Cf. Malherbe, Corneille, *in* Hatzfeld.

★ **I.** V. tr. ♦ **1.** Considérer (qqn) avec un sentiment de pitié, de compassion, lui témoigner de la compassion. ⇒ **Apitoyer (s'), compatir, pitié** (prendre en). → Dorloter, cit. 2 ; 1. geindre, cit. 7 ; malheureux, cit. 17 ; martyriser, cit. 2 ; misère, cit. 13. *Plaindre qqn en déplorant* ses malheurs. Plaindre qqn sans l'excuser* (→ 1. Morne, cit. 1), *sans le consoler* (cit. 5). *Je ne le plains pas :* il a bien mérité ce qui lui arrive. *Il ne mérite pas d'être plaint.* — *L'art* (cit. 5) *de se faire plaindre. Il aime à être plaint.*

Les morts, je ne les plains guère, et les envierais plutôt ; mais je plains bien fort 1
les mourants. MONTAIGNE, Essais, II, XI.

— Plains-tu les femmes en mal d'enfant ? — Beaucoup. — Tu plains donc quel- 2
quefois un autre que toi ? — Je plains ceux ou celles qui se tordent les bras, qui s'arrachent les cheveux, qui poussent des cris, parce que je sais par expérience qu'on ne fait pas cela sans souffrir (...)
DIDEROT, Jacques le fataliste, Pl., p. 518.

Nous le contemplâmes longtemps et personne ne dit un mot de commisération. 3
Peut-être parce que le plaindre eût été se prendre soi-même en pitié pour avoir couru le même danger. A. DE VIGNY, Servitude et Grandeur militaires, II, XIII.

Âme curieuse qui souffres 4
Et vas cherchant ton paradis,
Plains-moi !... sinon, je te maudis ! BAUDELAIRE, les Nouvelles Fleurs du mal, I.

Cette loi sainte, il faut s'y conformer, 5
Et la voici, toute âme y peut atteindre :
Ne rien haïr, mon enfant, tout aimer,
Ou tout plaindre ! HUGO, les Contemplations, I, I.

Je sais que vous avez bien autre chose à faire 6
Que de nous plaindre tous,
Et qu'un enfant qui meurt, désespoir de sa mère,
Ne vous fait rien, à vous. HUGO, les Contemplations, IV, XV.

Plaindre qqn de... (suivi d'un substantif ou d'un infinitif), lui témoigner de la pitié au sujet de...

(...) je vous conjure de me plaindre un peu des méchants moments que je vais pas- 7
ser. MOLIÈRE, George Dandin, III, 5.

Je te plains de tomber dans ses mains redoutables (...) 8
RACINE, Athalie, II, 5.

(Av. 1678). *Être à plaindre :* mériter d'être plaint. ⇒ **Malheureux, pauvre** (→ Cavalier, cit. 8 ; et, cit. 35 ; honteux, cit. 18 ; malheur, cit. 17 ; 1. or, cit. 28). *Il est bien à plaindre ; plus à plaindre qu'à blâmer* (cit. 9). *Mon Dieu, que je suis à plaindre* (→ Maladroit, cit. 5). — Iron. *Tu es bien à plaindre, vraiment !*

Il n'est pas dans le cœur humain de se mettre à la place des gens qui sont plus 9
heureux que nous, mais seulement de ceux qui sont plus à plaindre.
ROUSSEAU, Émile, IV.

Absolt. « *Il y aura toujours à aimer sur la terre, par conséquent* (cit. 4), *à plaindre, ... à souffrir* ».

Vieilli. (Compl. n. de chose). Témoigner sa pitié, sa compassion pour... *Plaindre le malheur* (cit. 24 et 36), *les maux* (→ Exempt, cit. 6), *le sort de qqn* (→ Exposer, cit. 28). « *J'admire ton courage et je plains ta jeunesse* » (cit. 11, Corneille).

Cher ami, si mon père un jour désabusé 10
Plaint le malheur d'un fils faussement accusé (...) RACINE, Phèdre, V, 6.

Il y a souvent plus d'orgueil que de bonté à plaindre les malheurs de nos enne- 11
mis (...) LA ROCHEFOUCAULD, Maximes, 463.

Pour plaindre le mal d'autrui, sans doute il faut le connaître, mais il ne faut pas 12
le sentir. Quand on a souffert, ou qu'on craint de souffrir, on plaint ceux qui souffrent ; mais tandis qu'on souffre, on ne plaint que soi.
ROUSSEAU, Émile, IV.

♦ **2.** (V. 1050). Vx. Déplorer (un événement, une chose pénible ou odieuse). *« Je révoque des lois dont j'ai plaint la rigueur »* (Racine, *Phèdre*, II, 2). — Décrier. *« (La vieillesse...) Toujours plaint le présent et vante le passé »* (Boileau, *l'Art poétique*, III).

(1080). Regretter (ce qui a été perdu, ce qui a disparu). *« Je plains le temps de ma jeunesse... »* (Villon, *Testament*, XXII).

♦ **3.** (1654). Employer, donner, dépenser à regret, avec parcimonie. *Plaindre l'argent qu'on dépense.* — (1690). Mod., régional (à la forme négative). *Elle ne plaint pas le beurre dans sa cuisine. Il ne plaint pas la dépense* (→ Regarder à...). — Fig., vx. *Plaindre son temps, sa peine...* Loc. Mod. *Il ne plaint pas sa peine* : il travaille sans se ménager.

13 Car je me ferai sans façon, moi, tous les compliments qu'il vous plaira, ce n'est pas la peine de me les plaindre, ils ne sont pas rares, et l'on en donne à qui en veut.
MARIVAUX, les Serments indiscrets, I, 6.

14 (...) ce qu'on a ailleurs caché et nié, tout cela se voit ici *(aux palais des papes d'Avignon)*; on n'y a pas plaint la dépense, ni le soin, ni l'art.
MICHELET, Hist. de la Révolution franç., VI, III.

15 (...) une bonne femme, vous pouvez dire, qui ne plaignait pas les perdreaux, ni les faisans, ni rien (...) ce n'était pas la viande qui manquait (Françoise employait le verbe plaindre dans le même sens que fait La Bruyère).
PROUST, À la recherche du temps perdu, t. VI, p. 30.

★ **II.** V. pron. (1080). **SE PLAINDRE.** ♦ **1.** Exprimer sa propre peine ou sa souffrance par des manifestations extérieures (pleurs, gémissements, paroles...). ⇒ **Crier,** 1. **geindre** (cit. 8), **gémir, lamenter** (se), **pleurer** (→ Endurer, cit. 8; exercice, cit. 16; frissonner, cit. 1; 3. mal, cit. 16). *Souffrir sans se plaindre. Il se plaint pour un rien, il passe son temps à se plaindre.* ⇒ **Plaignard**; et aussi **plaintif.**

16 Je crois que Jésus ne s'est jamais plaint que cette seule fois; mais alors il se plaint comme s'il n'eût plus pu contenir sa douleur excessive : Mon âme est triste jusqu'à la mort.
PASCAL, Pensées, VII, 553.

17 Il ne se plaignait jamais quoiqu'il eût de perpétuels sujets de plaintes. Les maladies prenaient volontiers pour séjour sa chétive personne (...)
FRANCE, le Petit Pierre, XXII.

18 (...) rien ne se forme qu'un gémissement. Elle se plaint, son trop d'amour s'échappe en plaintes, comme le trop de souffrance sur les lits d'hôpitaux.
MONTHERLANT, le Songe, II, XVI.

Se plaindre de douleurs, de maux de tête... (→ Humeur, cit. 2; impotent, cit. 4). — REM. Ces expressions peuvent aussi être employées au sens 2.

♦ **2.** (V. 1180). Exprimer son désagrément, son mécontentement* (au sujet de qqn ou de qqch.). ⇒ **Grommeler, maugréer, murmurer** (cit. 1), **protester...** — *Se plaindre de qqn,* lui reprocher son attitude. ⇒ **Grief** (faire), **vouloir** (en vouloir à). → Adoucir, cit. 7; arrogant, cit. 7; noter, cit. 9. *« Quand j'ai à me plaindre de qqn, je me venge »* (→ Manière, cit. 15) ⇒ aussi **Attaquer.** — *Se plaindre de qqch.* (→ Attarder, cit. 4; exposer, cit. 9; fardeau, cit. 17; orgueil, cit. 9). *Se plaindre de la nature* (→ Douer, cit. 1; insensé, cit. 5). *Personne ne se plaint de son jugement* (cit. 12). *Se plaindre de son sort, de sa vie, de sa situation... De quoi se plaignent-ils?* (→ Nécessairement, cit. 1). — (V. 1112). Absolt. (cit. 19, 20, ci-dessous). *Il se plaint sans cesse.* ⇒ **Criailler, râler, rouspéter** (fam.). Cf. Jeter, pousser les hauts cris; crier famine, misère... *Il est malvenu* à se plaindre, il n'a pas à se plaindre. Comment vont les affaires? Je ne me plains pas* (→ aussi Lourd, cit. 23). *Vous n'aurez aucun lieu* (cit. 41) *de vous plaindre.* — (1690). *Se plaindre à qqn,* protester, récriminer auprès de lui, au sujet d'une personne ou d'une chose (→ On, cit. 15). *J'irai me plaindre de vous au chef de service. Se plaindre à qui de droit.* ⇒ **Réclamer.**

19 Rentre en toi-même, Octave, et cesse de te plaindre.
CORNEILLE, Cinna, IV, 2.

20 Déesse, disait-il *(le paon),* ce n'est pas sans raison
Que je me plains, que je murmure :
Le chant dont vous m'avez fait don
Déplaît à toute la nature (...)
LA FONTAINE, Fables, II, 17.

21 De quoi vous plaignez-vous, Madame? On vous révère.
RACINE, Britannicus, I, 2.

22 Après une grande sécheresse (...) comme il ne peut se plaindre de la pluie, il s'en prend au ciel de ce qu'elle n'a pas commencé plus tôt.
LA BRUYÈRE, les Caractères de Théophraste, De l'esprit chagrin.

(Mil. XIIIe). Dr. *Déposer une plainte.*

Se plaindre de, suivi de l'infinitif (→ Enlever, cit. 24).

23 Voit-on celui qui se sauve du naufrage se plaindre de n'avoir pas eu le choix des moyens?
LACLOS, les Liaisons dangereuses, CXXVI.

24 C'est vrai, je me suis beaucoup plainte
De l'amer bonheur de mes jours (...)
(...) Je me suis plainte et désolée
De n'avoir aimé qu'en pleurant.
Csse DE NOAILLES, Éblouissements, C'est vrai, ...

(1261). *Se plaindre que,* suivi du subjonctif (→ 1. Boire, cit. 44; fortuitement, cit. 2). *Il se plaint qu'on l'ait calomnié* (Académie). — REM. La construction de *se plaindre que...* avec l'indicatif, courante dans la langue classique, souligne la réalité de la plainte. *« La mouche... se plaint qu'elle agit* (cit. 3) *seule... »* (→ aussi Gouvernante, cit. 4). — Prov. *Se plaindre que la mariée* est trop belle.*

25 Racine écrit : « Quelques-uns ont pris l'intérêt de Narcisse, et *se sont plaints que j'en eusse fait* un très méchant homme » (Britann., 1re préf.); ce subjonctif nous paraît bien rendre ce que l'écrivain voit d'irréel, de non justifié, dans le reproche en question (...) Quand le verbe de sentiment *(se plaindre)* ... a la valeur d'un verbe déclarant, c'est l'indicatif qui convient. Ainsi, Thésée déclare : « Parlez. Phèdre se plaint que je suis outragé » (RAC., Phèdre, III, 5); comme ici il rapporte les paroles de Phèdre (Vous êtes offensé, III, 4) l'indicatif est très juste.
G. et R. LE BIDOIS, la Syntaxe du franç. moderne, § 1298.

Mes maîtres se plaignaient que j'oubliais tout mon latin (...). 26
STENDHAL, Vie de Henry Brulard, 9.

Élodie se plaignit que la gorge lui grattait (...) 27
FRANCE, Les dieux ont soif, XVI.

Il arrive parfois à vingt ans et plus tard que l'on se plaigne que les âmes sont incommunicables. 28
M. BARRÈS, le Mystère en pleine lumière, p. 29.

Les femmes, de tout temps, se sont plaintes qu'il fut difficile de faire comprendre aux hommes les douleurs de l'accouchement. 29
J. PAULHAN, Petite préface..., p. 91.

(Av. 1662). *Se plaindre de ce que...,* construit généralement avec l'indicatif, mais, parfois, avec le subjonctif. *« Au lieu de me plaindre de ce que la rose a des épines* (cit. 11)... » (→ aussi 2. Général, cit. 3).

Ce matin, la femme de ménage se plaint doucement de ce qu'elle ait à nettoyer cette ordure (...) 30
GIDE, Journal, 19 mars 1943.

♦ **3.** (1654). Vx. *Se plaindre qqch.,* s'en priver* (par avarice). → ci-dessus I., 3.

▶ **PLAINT, PLAINTE** p. p. adj. Rare. *Des victimes plaintes.*

CONTR. Envier. — Contenter (se), **féliciter** (se), **satisfaire** (se).
DÉR. Plainte.
HOM. (Du p. p., etc.) 1. **Plain,** 2. **plain, plein.**

PLAINE [plɛn] n. f. — V. 1155; *pleine,* 1080; du lat. pop. **planea*; lat. class. *plana,* plur. neutre de *planus.* → Plain, plan.

♦ **1.** Étendue de pays plat ou faiblement ondulé, généralement assez vaste, et moins élevée que les pays environnants (→ Bariolé, cit. 2; dérouler, cit. 8; irrigation, cit. 1). *Plaine unie, plate* (→ Colline, cit. 2), *bosselée* (cit. 1), *onduleuse* (→ Blé, cit. 6; coteau, cit. 1). *Plaine horizontale, en pente. Plaine basse; haute plaine* « qui, à la différence des plateaux*, ne domine pas les environs » (Baulig, *Géomorphologie,* § 30). *Plaine côtière. Plaine entourée de montagnes formant dépression*.* ⇒ **Bassin.** *Plaine alluviale; plaine d'érosion.* ⇒ aussi **Pénéplaine.** *Plaine fluvio-glaciaire.* — *Plaine caillouteuse* (cit. 1), *désertique* (→ Hamada, cit.). *Les plaines brûlées de l'Andalousie* (→ Oasis, cit. 1). *Plaine steppique.* ⇒ **Steppe; pampa.** *Plaine découverte* (⇒ **Campagne**). *Plaine boisée, couverte de forêts. Plaine cultivée.* ⇒ **Champ.** *Plaines vertes et fraîches* (→ Panorama, cit. 6), *plaines fertiles. Plaine détrempée* (→ Atterrissement, cit. 4), *inondée* (→ Langue, cit. 48). — *Le vent des plaines* (→ Hargneux, cit. 8). *Aux quatre vents de la plaine* (→ Galopade, cit. 1). — *Plaines glacées du Grand Nord.* ⇒ **Toundra.** *« Après la plaine blanche une autre plaine blanche »* (→ Neiger, cit.). — *La plaine du Pô.*

La carriole disparut, tandis que tous deux continuèrent de marcher en plaine, n'ayant plus en face, à droite et à gauche, que le déroulement sans fin des cultures.
ZOLA, la Terre, I, I.

C'est la plaine, la plaine
Immensément, à perdre haleine.
(...) C'est la plaine, la plaine blême,
Interminablement, toujours la même.
VERHAEREN, les Villes tentaculaires, « Les plaines ».

La plaine pacifique aux horizons d'épis.
Albert SAMAIN, le Chariot d'or, Symphonie héroïque, « Le fleuve ».

Les plaines les plus parfaites et les seules vraiment stables sont celles qu'on rencontre dans le cours inférieur des fleuves et qui sont en rapport avec le niveau de base. Toutes les autres formes d'accumulation sont sujettes à la destruction par l'érosion. Les plaines de montagne sont particulièrement menacées (...) Les plaines de piedmont peuvent être elles-mêmes entaillées (...)
E. DE MARTONNE, Traité de géographie physique, t. II, p. 565.

Allus. littér. *« Waterloo! Waterloo! Waterloo! morne plaine! »* (→ Bataillon, cit. 5, Hugo). *« Midi* (cit. 1), *roi des étés, épandu sur la plaine »* (Leconte de Lisle). — *« Les elfes joyeux dansent sur la plaine »* (→ Couronner, cit. 18).

Collectif. **LA PLAINE** (opposé à *la montagne*) : partie de pays relativement peu accidentée et de faible altitude. *Plaine et montagne* (→ Côte, cit. 12).

Géogr. *Plaine abyssale* : partie plate du fond des océans. *Plateau continental, talus et plaines abyssales.*

♦ **2.** (XVIIe). Par métaphore (poét., vx). *La plaine immense de la mer* (→ Ciel, cit. 19). *Les vertes plaines* (→ Antenne, cit. 1), *la plaine liquide* (→ Dos, cit. 25) : la mer. — *Lacs qui brillent* (cit. 3) *comme des plaines d'acier.* — Fig. *« La vie, cette plaine immense... »* (→ Gymnase, cit. 5).

♦ **3.** (1792). Hist. Le centre de l'assemblée conventionnelle, où siégeaient les modérés (Girondins), par oppos. à *la Montagne* (on disait aussi *le Marais*).

♦ **4.** (1671). Blason. Moitié de la champagne*, sixième inférieur de l'écu.

♦ **5.** (1721). Techn. (Chiromancie). Milieu de la paume de la main.

CONTR. Mont, montagne; butte, colline...
COMP. Pénéplaine.
HOM. Pleine, plaine (fém. de plain).

PLAINER [plene] v. tr. ⇒ 1. **Planer.**

PLAIN-PIED [plɛ̃pje] ⇒ 1. **Plain.**

PLAINTE [plɛ̃t] n. f. — XIIe; *plonte*, fin XIe; de *plaindre*.

♦ **1.** Expression vocale de la douleur*, de la peine (par des paroles ou des cris, des gémissements...). ⇒ **Cri** (de douleur), **geignement, gémissement, hurlement, lamentation, pleur, soupir** (→ Gémir, cit. 4; monotone, cit. 2). *Exhaler des plaintes. Plaintes lamentables* (cit. 3), *déchirantes* (→ Lamentation, cit. 4). *Plaintes amères* (→ Là, cit. 37). *Plaintes affectées, hypocrites, injustifiées.* ⇒ **Girie, jérémiade.** — *Se laisser aller à des plaintes. Molles* (cit. 16) *plaintes, plaintes de femme* (→ Eunuque, cit. 5). *Souffrir sans une plainte.* — *« La douleur fut toujours moins forte que la plainte »* (→ 1. Faste, cit. 2). — Par ext. *« La plainte éternelle... qui fait le fond des lamentations* (cit. 2) *humaines ».*

1 (...) quelques plaintes mêlées de beaucoup de sanglots.
MOLIÈRE, les Fourberies de Scapin, I, 2.

2 Ce n'est pas au médecin à écouter les plaintes quand la plaie demande le fer.
RACINE, Livres annotés, Sophocle, Notes s. Ajax.

3 Il y a une autre hypocrisie, qui n'est pas si innocente, parce qu'elle impose à tout le monde : c'est l'affliction de certaines personnes qui aspirent à la gloire d'une belle et immortelle douleur. Après que le temps, qui consume tout, a fait cesser celle qu'elles avaient en effet, elles ne laissent pas d'opiniâtrer leurs pleurs, leurs plaintes et leurs soupirs (...) LA ROCHEFOUCAULD, Maximes, 233.

4 Comme le premier état de l'homme est la misère et la faiblesse, ses premières voix sont la plainte et les pleurs. ROUSSEAU, Émile, I.

4.1 (...) aurais-je pu me croire capable d'attendrir un homme, qui trouvait déjà dans ma propre douleur un véhicule de plus à ses horribles passions. Le croirez-vous, Madame, s'enflammant aux accens aigus de mes plaintes, les savourant avec inhumanité, l'indigne se disposait lui-même à ses criminelles tentatives.
SADE, Justine..., t. I, p. 26.

5 C'est à toi qu'il convient d'ouïr les grandes plaintes
Que l'humanité triste exhale sourdement.
A. DE VIGNY, Poèmes philosophiques, « Maison du Berger », III.

6 La plainte continuait. D'inarticulée et confuse qu'elle était, elle était devenue claire et presque vibrante... Un gémissement humain flottant dans l'invisible (...)
HUGO, l'Homme qui rit, I, III, II.

7 C'était un cri effrayant, un long soupir hurlé, pareil à la plainte de mort d'une bête qu'on égorge. ZOLA, la Terre, III, IV.

Spécialt. Vieilli. *Plainte amoureuse.* ⇒ **Complainte** (vx). *Des bergers amoureux qui viennent faire leurs plaintes* (→ Bémol, cit. 3). — *Plaintes d'un poète*, à propos de peine amoureuse (→ Épigramme, cit. 2) ou de regrets (après la mort de qqn...). *Plainte élégiaque* (→ aussi Gémissement, cit. 8; iambe, cit. 3).

(Mil. XVIe). Chant, cri ou son qui évoque la plainte ou que l'on compare à une plainte, à un gémissement. *La plainte des oiseaux* (→ Gazouillis, cit. 2). *La plainte du vent* (→ Bruit, cit. 20), *d'une source* (→ Incessant, cit. 3; et aussi éternel, cit. 31). Spécialt. (Mus.). *La longue plainte du premier violon* (→ Couleur, cit. 30).

8 (...) la plainte des muezzins commençait de bouger sur la ville, pareille au monotone désir qui de sa poitrine s'exhalait dans le ciel vide (...)
M. BARRÈS, Un jardin sur l'Oronte, p. 119.

9 Fidèle à ses habitudes, le sommier lâcha d'abord une plainte stridente, puis un des ressorts fit entendre une véritable détonation, prolongée par le sanglot vibrant de tous les ressorts voisins. G. DUHAMEL, Salavin, II.

♦ **2.** (1538). Expression du mécontentement que l'on éprouve à l'égard de qqch. ou de qqn. ⇒ **Blâme, clameur, doléance** (cit. 1), **grief, murmure, réclamation, reproche, revendication.** *Justes plaintes* (→ Fulminer, cit. 8). *Plaintes frivoles* (cit. 4), *injustifiées.* ⇒ **Criaillerie, récrimination.** *Adresser une plainte collective* (→ Généralité, cit. 7). — *Sujet de plainte* (→ Calomniateur, cit. 4; enfant, cit. 12). *Avoir des sujets de plainte. — On n'a pas écouté, on a étouffé ses plaintes* (Académie).

0 Avant de porter à vos oreilles de justes plaintes et des revendications trop bien fondées, laissez-moi (...)
FRANCE, l'Anneau d'améthyste, XXVI, Œ., t. XII, p. 269.

♦ **3.** (V. 1100). Dr., cour. Dénonciation en justice d'une infraction par la personne qui affirme en être la victime. *Plainte en faux* (→ Homme, cit. 114). Vx. *Rendre plainte* (→ Civil, cit. 8; intention, cit. 15), *former* (cit. 17) *sa plainte.* — *Faire sa plainte au commissaire* (cit. 1), *au juge d'instruction, au procureur de la République* (→ aussi Insulaire, cit. 2). — Mod., cour. *Porter* plainte. Déposer une plainte contre qqn.* ⇒ **Accuser, dénoncer; plaignant.** — *Plainte assortie de constitution de partie civile.* ⇒ aussi **Procès.** *Retirer sa plainte.*

1 Ce qui rendait grave la situation de Morin, c'est que l'oncle avait porté plainte. Le ministère public consentait à laisser tomber l'affaire si cette plainte était retirée. MAUPASSANT, les Contes de la Bécasse, « Ce cochon de Morin », II.

HOM. Plinthe; p. p. fém. du v. **plaindre.**

PLAINTIF, IVE [plɛ̃tif, iv] adj. — XIIIe; *plantif*, v. 1170; de *plaindre*.

♦ **1.** Vx. Qui exprime une plainte. *« Hurlements plaintifs »* (Ducis). — Mod. Qui a l'accent, la sonorité douce d'une plainte. ⇒ **Gémissant.** *Cris** (cit. 5), *gémissements* (cit. 2) *plaintifs. Paroles plaintives. Ton plaintif, voix plaintive.* ⇒ **Pleurard.**

Rompant le silence auguste, une tourterelle éleva sa voix plaintive. 1
FRANCE, Thaïs, p. 289.

Les coudes sur la table, Salavin écoutait le bavardage plaintif de Lhuilier. 2
G. DUHAMEL, Salavin, III, XXX.

Fig. Qui évoque une plainte. *Note* (cit. 8 et 9) *plaintive* (→ Échapper, cit. 42). *Son plaintif.*

Spécialt. *Poésie profonde et plaintive* (→ Œuvre, cit. 25). *Musique plaintive et niaise.* ⇒ **Geignard.**

Jamais, avez-vous dit, tandis qu'autour de nous 3
Résonnait de Schubert la plaintive musique
A. DE MUSSET, Poésies nouvelles, « Jamais ».

♦ **2.** (V. 1265). Rare. Qui exhale une plainte, des plaintes. *Plaintif et piteux* (→ Arrogance, cit. 9). — Par métaphore. *« La plaintive élégie* (cit. 1) *en longs habits de deuil ».*

(1606). Spécialt, vx. Qui se plaint à tout propos (cf. Bossuet, Saint-Simon, Voltaire, *in* Littré).

♦ **3.** Fig., littér. (Choses). *Vagues plaintives* (→ Épandre, cit. 3; gémir, cit. 19). *Source plaintive. Plaintives mandolines* (cit. 3).

(...) ces girouettes encore plaintives contre le ciel de la vieille rue (...) 4
L.-P. FARGUE, Poèmes, « La porte ».

DÉR. Plaintivement.

PLAINTIVEMENT [plɛtivmɑ̃] adv. — 1588; de *plaintif*.

♦ Littér. D'une manière plaintive; avec un ton plaintif. *Réciter, lire plaintivement* (→ Mortification, cit. 6).

— Je voudrais boire un peu de vin — elle réclama plaintivement, comme déjà lésée. M. DURAS, Moderato cantabile, p. 72.

PLAIRE [plɛʀ] v. intr. — *Je plais, il plaît, nous plaisons, ils plaisent; je plaisais; je plus; je plairai; je plairais; plais; que je plaise; que je plusse; plaisant; plu.* — 1080, *Chanson de Roland*; à l'inf., *plaire* a remplacé l'anc. inf. *plaisir*, devenu subst., qui représentait le lat. *placere*; réfect. due à l'anal. avec *faire*, ou à l'attraction du futur *je plairai*.

★ **I.** V. tr. ind. Être une source de plaisir* pour, être au goût* de...

♦ **1.** (Sujet n. de personne). **PLAIRE À** (qqn). ⇒ **Agréer, attirer, captiver, charmer, fasciner, séduire; contenter, satisfaire.** *Il désirait plaire à qui lui plaisait* (→ Exquis, cit. 14). *Faire froide mine* (1. Mine, cit. 22) *aux gens à qui on n'a pas envie de plaire. Auteur s'efforçant de plaire à son public* (→ 1. Agréer, cit. 4; faire, cit. 19; hypocrite, cit. 20). *Plaire à un prince, à un maître, aux gens puissants...* ⇒ **Gagner** (la faveur*, les bonnes grâces*, la sympathie...); et aussi **favori** (cit. 8); → Bouffon, cit. 6; diligent, cit. 2; fortune, cit. 35; intrigant, cit. 3). *Chercher à plaire à un supérieur, à un personnage important.* ⇒ **Cajoler, complaire, cultiver, flatter; cour** (faire sa). *« Enfin, Éliacin, vous avez su me plaire »* (→ Ordinaire, cit. 5, Racine). *Cette affectation* (cit. 1) *que quelques-uns ont de plaire à tout le monde. Cet individu ne me plaît pas du tout.* ⇒ **Revenir.** — *Plaire à Dieu* (→ Foi, cit. 27; marier, cit. 9).

Un homme à qui personne ne plaît est bien plus malheureux que celui qui ne plaît à personne. LA ROCHEFOUCAULD, Maximes, 561. 1

J'ai beaucoup trop cherché à plaire aux autres; beaucoup péché par modestie. 2
GIDE, Journal, 12 juin 1944.

Spécialt. Éveiller l'amour, le désir. ⇒ **Cœur** (trouver le chemin du); cf. fam. Taper dans l'œil, tourner la tête. *Femme qui plaît à un homme* (→ Aise, cit. 26; art, cit. 10; caprice, cit. 3; envie, cit. 17; goût, cit. 32), *qui ne lui plaît pas* (→ Genre, cit. 50). *« Que tu me plais dans cette robe... ! »* (→ Gorge, cit. 9, Gautier). *Homme qui plaît, qui voudrait plaire à une femme* (→ Cacher, cit. 49; étude, cit. 36; 1. mal, cit. 5). *« Il m'a plu sans peut-être aspirer* (cit. 6) *à me plaire »* (Racine). *Elle lui plaît follement.* ⇒ **Coiffer** (vx). *Il ferait tout pour lui plaire* (→ Pour ses beaux yeux*).

Mais, quoique enfin vous soyez bien plus belle, 3
Vous ne me plaisez pas tant qu'elle.
BUSSY-RABUTIN, Maximes d'amour, II, *in* Hist. amoureuse...

(...) il s'ensuit que la femme est faite spécialement pour plaire à l'homme. Si l'homme doit lui plaire à son tour, c'est d'une nécessité moins directe : son mérite est dans sa puissance; il plaît par cela seul qu'il est fort. 4
ROUSSEAU, Émile, V.

(...) si je vous déplais, c'est que quelqu'un m'empêche de vous plaire. 5
A. DE MUSSET, Un caprice, 8.

Je crois que l'un des sexes cherchera toujours à plaire à l'autre et que de ce désir élémentaire naîtra éternellement le besoin de vaincre des rivaux. Dans ce but, les rossignols, les cigales, les cantatrices et les hommes d'État se serviront de leur gosier; les paons, les nègres et les soldats de parures brillantes; les rats, les cerfs, les tortues et les rois du spectacle de leurs combats. 6
A. MAUROIS, les Silences du colonel Bramble, XVII.

Absolt. *Plaire aux autres, aux gens à qui on a affaire. Il plaît.* ⇒ **Aimable, avenant, charmant, gentil, prévenant** (→ Déplaire, cit. 9). *L'art de plaire* (→ Assujettir, cit. 3; insinuation, cit. 1). *Esprit coquet* (cit. 1), *sémillant qui veut plaire. Chercher à plaire* (→ Écouter, cit. 16; enchantement, cit. 7; entretien, cit. 8). *« En ces sortes de feintes il faut instruire et plaire »* (→ Fable, cit. 12, La Fontaine). *Empressés à s'insinuer* (cit. 15) *et à plaire. « Le plaisir de plaire est légitime »* (cit. 11, Joubert).

7 Tous les sentiments ont chacun un ton de voix, des gestes et des mines qui leur sont propres, et ce rapport, bon ou mauvais, agréable ou désagréable, est ce qui fait que les personnes plaisent ou déplaisent.
LA ROCHEFOUCAULD, Maximes, 255 (→ aussi Déplaire, cit. 9).

8 L'art de plaire est l'art de tromper.
VAUVENARGUES, Réflexions et maximes, 329.

9 On est encore bien éloigné de plaire lorsqu'on n'a que de l'esprit.
VAUVENARGUES, Réflexions et maximes, 521.

10 Quand on veut plaire dans le monde, il faut se résoudre à se laisser apprendre beaucoup de choses qu'on sait par des gens qui les ignorent.
CHAMFORT, Maximes, Sur la noblesse, III.

11 Et encore cette joie universelle, cet art de plaire à tous, ne devaient pas être fondés sur l'art de flatter les goûts et les faiblesses de tous, je ne me doutais pas de tout ce côté de l'art de plaire qui m'eût probablement révolté ; l'amabilité que je voulais était la joie pure de Shakespeare dans ses comédies, l'amabilité qui règne à la cour du duc exilé dans la forêt des Ardennes.
STENDHAL, Vie de Henry Brulard, 39.

12 On nous a assuré que, quand il *(Chateaubriand)* voulait plaire, il avait pour cela, et jusqu'à la fin, des séductions, des grâces, une jeunesse d'imagination, une fleur de langage, un sourire qui étaient irrésistibles.
SAINTE-BEUVE, Causeries du lundi, 27 mai 1850.

13 Ne jamais parler de soi aux autres et leur parler toujours d'eux-mêmes, c'est tout l'art de plaire. Chacun le sait et tout le monde l'oublie.
Ed. et J. DE GONCOURT, Journal, p. 244.

Spécialt. (En amour). Être aimé (→ Affaire, cit. 80 ; aimer, cit. 12 et 68 ; équilibre, cit. 8). *Désir de plaire.* ⇒ **Coquetterie** (cit. 5) ; **galanterie** (cit. 6 ; et → Galamment, cit. 3). *Les plus déshérités* (cit. 6) *plaisent quelquefois. Le don de plaire* (→ Largement, cit. 3).

14 (...) l'or donne aux plus laids certain charme pour plaire (...)
MOLIÈRE, Sganarelle, 1.

15 Il faut de l'adresse pour aimer. L'on épuise tous les jours les manières de plaire ; cependant il faut plaire, et l'on plaît.
PASCAL, Disc. sur les passions de l'amour.

16 Il n'y a point de jolie femme qui n'ait un peu trop envie de plaire ; de là naissent ces petites minauderies plus ou moins adroites par lesquelles elle vous dit : Regardez-moi. MARIVAUX, la Vie de Marianne, IV.

16.1 (...) j'avais eu le malheur, non pas de plaire, le mot ne serait pas convenable, mais d'exciter plus vivement qu'une autre, les infâmes désirs de ce sodomite ; il me désirait maintenant presque toutes les nuits (...) SADE, Justine..., t. I, p. 212.

17 (...) il aimait à la railler sur sa coquetterie, car il confondait ce détestable défaut avec le désir de plaire (...) BALZAC, Une ténébreuse affaire, Pl., t. VII, p. 551.

♦ **2.** (Sujet n. de chose). Être agréable* à... ⇒ **Convenir.** *Qui plaît à tous.* ⇒ **Plaisant, agréable, charmant.** *Les choses qui peuvent leur plaire* (→ Aveugle, cit. 38). *Cette situation lui plaît, il s'en trouve* bien. Une région qui me plaisait beaucoup* (→ Douceur, cit. 5). *« Plus que le marbre dur me plaît l'ardoise* (cit. 1) *fine... »* (Du Bellay). *Votre lettre n'a pas eu le don de me plaire* (→ Intimider, cit. 2). *Les qualités qui me plaisent* (→ Attacher, cit. 58 ; diversité, cit. 2 ; franchise, cit. 9). ⇒ **Parler** (au cœur, à l'âme...). *Le but de la poésie dramatique* (cit. 1) *est de plaire aux spectateurs. Ce spectacle m'a beaucoup plu.* ⇒ **Enchanter, ravir, réjouir.** *Des beautés qui plaisent à toutes les nations* (→ Goût, cit. 18). *Ça me plaît assez, bien. « Comme tu me plairais, ô nuit ! sans ces étoiles... »* (→ Lumière, cit. 10, Baudelaire). *« Le mets* (cit. 1) *qui plaît à l'un à l'autre est déplaisant »* (Ronsard). *Les choses qui plaisent à l'œil, aux sens, à notre palais...* ⇒ **Chatouiller** (→ Ordre, cit. 8 ; 2. palais, cit. 2). *Ce projet me plaît.* ⇒ **Sourire.**

18 Je m'en vais vous en dire une chanson si belle
Qu'elle vous ravira : mon chant plaît à chacun. LA FONTAINE, Fables, IX, 18.

19 « La musique est faite pour plaire aux ignorants comme aux savants », écrivait à Voltaire la Marquise du Deffand. Édouard HERRIOT, la Vie de Beethoven, p. 15.

20 Ce lieu me plaît, dominé de flambeaux,
Composé d'or, de pierre et d'arbres sombres (...)
VALÉRY, Poésies, Charmes, « Cimetière marin ».

Cela vous plaît ? ⇒ **Aller, botter** (fam.). *Ça ne me plaît guère.* ⇒ **Exciter.** *Ce qui me plaît en lui, c'est...* (→ Authenticité, cit. 9). *« Rien ne plaît à mon cœur »* (→ Flatter, cit. 6, Chénier). *Il ne travaille que quand ça lui plaît* (⇒ **Chanter**). *Il ne fait que ce qui lui plaît* (→ aussi Humeur, cit. 18 ; paresseux, cit. 2). *Ça vous plairait de sortir ce soir ?* ⇒ **Dire.** — Loc. *Cela vous plaît à dire** (mais je n'en crois rien).

21 (...) Pierre Louys commençait de déclarer que ce qui lui plaisait surtout, c'était cette vulgarité même (...) GIDE, Si le grain ne meurt, II, II, p. 359.

Absolt. *« Ce qui plaît aujourd'hui déplaît en peu de jours »* (→ Arrêter, cit. 16). *Cette couleur plaît beaucoup. Des images qui plaisent par la nouveauté* (→ Aurore, cit. 20). *« L'iniquité* (cit. 5) *ne plaît qu'autant qu'on en profite »* (Rousseau). *La pièce a plu.* ⇒ **Réussir.** *Des mets qui plaisent* (⇒ **Délectable, ragoûtant, régal**).

22 Je voudrais bien savoir si la grande règle de toutes les règles n'est pas de plaire, et si une pièce de théâtre qui a attrapé son but n'a pas suivi un bon chemin (...) Car enfin, si les pièces qui sont selon les règles ne plaisent pas et que celles qui plaisent ne soient pas selon les règles, il faudrait de nécessité que les règles eussent été mal faites. MOLIÈRE, Critique de l'École des femmes, 6.

23 Je les conjure d'avoir assez bonne opinion d'eux-mêmes pour ne pas croire qu'une pièce qui les touche et qui leur donne du plaisir puisse être absolument contre les règles. La principale règle est de plaire et de toucher. Toutes les autres ne sont faites que pour parvenir à cette première. RACINE, Bérénice, Préface.

♦ **3.** (Impers. ; suivi de *de* et l'inf.). *« Il me plaît d'être battue »* (cit. 87, Molière). ⇒ **Aimer, vouloir.** *Il lui a plu de se sauver...* ⇒ **Bon** (sembler, juger, trouver) ; → Folie, cit. 13. *Il ne me plairait guère de rencontrer...* (→ Gras, cit. 12). *Tout ce qu'il lui plaira de m'ordonner* (cit. 9), ou, vx, *ce qui lui plaira m'ordonner. Il ne me plaît pas que vous fassiez cette démarche.*

Certes, il lui aurait plu de tromper sa faim sur ce corps qu'il avait cru sans souillures (...) mais il saurait vaincre sa faim. S'il lui plaisait de ne pas faire obstacle (...) à cette folle, n'était-il pas libre ? F. MAURIAC, le Fleuve de feu, II. 24

Je ne suis pas de ces tempéraments qui d'abord s'insurgent ; au contraire il m'a toujours plu d'obéir, de me plier aux règles, de céder (...) 25
GIDE, Si le grain ne meurt, I, VII, p. 198.

(Sans inf. compl.). *Tant qu'il vous plaira* (→ Affaire, cit. 84). *Quand il me plaît, quand il vous plaira...* (→ Appartenir, cit. 20 ; foule, cit. 22). *Comme il lui plaît. « Comme il vous plaira »* (traduction française du titre d'une comédie de Shakespeare). ⇒ **Vouloir** (→ 1. Efficace, cit. 9 ; gêner, cit. 33 ; juste, cit. 15). — *Les courtisans sont ce qu'il plaît au Prince* (→ Caméléon, cit. 1). *Faites ce qu'il vous plaira* (→ Demeurer, cit. 26). *L'homme libre* (cit. 26) *fait ce qu'il lui plaît.* — REM. Comme le dit Littré, après Trévoux, Laveaux..., *ce qui vous plaît* signifie « ce qui vous donne du plaisir », et *ce qu'il vous plaît,* « ce que vous voudrez » ; la seconde expression suppose une ellipse (ce qu'il vous plaît *de faire, que nous fassions,* etc.). Mais la distinction n'est pas toujours respectée (→ Assurer, cit. 49, Martin du Gard ; éloquence, cit. 4, La Bruyère).

(...) vous ferez après ce qu'il vous plaira. 26
MOLIÈRE, le Bourgeois gentilhomme, V, 6.

— Que me conseillez-vous de faire ? — Ce qui vous plaira. 27
MOLIÈRE, le Mariage forcé, 5.

(...) il ne dit jamais rien qu'à l'instant qu'il lui plaît (...) 28
GIDE, Incidences, p. 175.

Loc. **S'IL VOUS PLAÎT :** formule de politesse, dans une demande, un conseil (abrév. : *s.v.p.*). ⇒ **Prier** (je vous prie). *Donnez, s'il vous plaît, qqch. pour boire* (1. Boire, cit. 19, Molière). *Comment dites-vous cela, s'il vous plaît ?* (→ Calendes, cit. 1). « Paris-Midi », *s'il vous plaît* (→ Kiosque, cit. 5).

Il arrive que *s'il vous plaît* lexicalisé, s'emploie avec un verbe à la 2e personne du singulier :

S'il vous plaît... dessine-moi un mouton ! 28.1
SAINT-EXUPÉRY, le Petit Prince, p. 11.

Régional (Belgique). *S'il vous plaît* (pour offrir qqch.) : voici. — (Après un remerciement). Je vous en prie. — *Merci.* — *S'il vous plaît* (équivaut à *bienvenue,* au Canada).

Pour souligner un ordre, donner un avertissement. *« C'est à vous, s'il vous plaît, que ce discours* (cit. 2) *s'adresse »* (Molière). *Qui donc les fera, s'il vous plaît ?* (→ On, cit. 13). *Et plus vite que ça, s'il te plaît.*

— Je ne veux point me marier, mon père, s'il vous plaît. 29
— Et moi, ma petite fille ma mie, je veux que vous vous mariiez, s'il vous plaît.
MOLIÈRE, l'Avare, I, 4.

Pour donner de l'importance à ce qu'on vient de dire, attirer l'attention sur un point. *Elle était en voiture, et une chic voiture, s'il vous plaît. Quarante hectares de vigne, s'il vous plaît* (→ Net, cit. 16). — REM. Dans cet emploi, *s'il te plaît* semble moins normal.

(...) munie d'un brevet d'héroïsme, signé par l'un de nos grands généraux, s'il vous plaît. CÉLINE, Voyage au bout de la nuit, p. 77. 30

(1690). *Plaît-il ?,* formule parfois employée pour faire répéter ce qu'on a mal entendu ou compris (ou qu'on feint d'avoir mal entendu). ⇒ **Comment, pardon** (cf. Vous dîtes ?).

— Nicole ! — Plaît-il ? — Écoutez. 31
MOLIÈRE, le Bourgeois gentilhomme, III, 2.

— C'est la carte de la pénétration médicale. Chaque point rouge indique l'emplacement d'un malade régulier. Il y a un mois vous auriez vu ici une énorme tache grise : la tache de Chabrières. — Plaît-il ? — Oui, du nom du hameau qui en formait le centre. J. ROMAINS, Knock, III, 6. 32

(Au subj.). **PLAISE..., PLUT...** (placés en tête de phrase). *Plaise, plût à Dieu, aux dieux, au ciel que... :* j'espère, je souhaite (nous espérons, nous souhaitons) que... (→ Cause, cit. 13 ; instinct, cit. 31 ; jambe, cit. 21). — *À Dieu ne plaise que...,* se dit pour marquer qu'on repousse telle ou telle supposition ou éventualité qu'on ne veut pas envisager. — REM. Ces expressions sont d'un usage soutenu, cultivé. — Vieilli. *S'il échoue, ce qu'à Dieu ne plaise, on ne pourra lui en vouloir.* — (Dr.). *Plaise...,* formule employée devant les tribunaux pour la rédaction des conclusions. *Plaise à la Cour déclarer...*

— Vous l'avez accepté ? — Moi, point, à Dieu ne plaise ! 33
MOLIÈRE, les Femmes savantes, II, 9.

À Dieu ne plaise que je vous déplaise, monsieur le baron. 34
A. DE MUSSET, On ne badine pas avec l'amour, I, 5.

Ce cri lui échappa : — Plût à Dieu que ma petite Gisèle trouvât celui qui la sauverait (...) F. MAURIAC, le Fleuve de feu, II. 35

Plaise aux mornes bûcheurs (...) de noyer la verve matinale dans les soupières de chicorée. J. ROMAINS, les Hommes de bonne volonté, t. IV, XVIII, p. 196. 36

★ **II. SE PLAIRE** v. pron.

♦ **1.** (1538). Réfl. Plaire à soi-même, être agréable à soi-même, être content de soi.

(...) c'est un mauvais moyen de plaire aux autres, ou de les persuader, que de chercher si fort à se plaire à soi-même (...) LA ROCHEFOUCAULD, Maximes, 139. 3

♦ **2.** (Récipr.). *Se plaire l'un à l'autre* (→ Empressé, cit. 3 ; fusion, cit. 5). *« Les hommes, nés* (cit. 10) *pour vivre ensemble, sont nés* *aussi pour se plaire*». Spécialt. *Ils se plaisent* (en parlant de deux personnes qui éprouvent de l'attirance l'une pour l'autre, qui s'aiment).

♦ **3.** (1560). SE PLAIRE À : prendre plaisir à... ⇒ **Aimer, appliquer** (s'), **expliquer** (s'), **intéresser** (s'). *Les vieilles gens* (1. Gens, cit. 20) *se plaisent aux cachotteries.* ⇒ **Amuser** (s'). *Se plaire aux longues promenades* (→ Lui, cit. 23), *aux mathématiques* (cit. 3)... Vx. *Se plaire en facéties* (cit. 1). — (Avec l'inf.). *Se plaire à faire, à dire, à penser...* (→ Cultiver, cit. 9; égarer, cit. 13; engager, cit. 50; entreprise, cit. 4; facilement, cit. 2...). Vx. *Se plaire de faire...* (→ 1. Neuf, cit. 2).

38 Relevez, relevez les superbes portiques
Du temple où notre Dieu se plaît d'être adoré. RACINE, Esther, III, 9.

39 Il se plaisait quelquefois à n'être servi que par un seul domestique, à s'oublier ainsi lui-même par l'absence de sa suite, et à vivre pendant plusieurs jours comme un homme pauvre ou comme un citoyen exilé (...)
A. DE VIGNY, Cinq-Mars, XIX.

40 Un homme d'action se plaît rarement aux œuvres d'art violentes.
R. ROLLAND, Musiciens d'aujourd'hui, Wagner.

♦ **4.** (1680). Avec un compl. prép. Trouver du plaisir, de l'agrément, aimer à être dans (un lieu, une compagnie, un milieu...). ⇒ **Bien** (se trouver). *Se plaire dans une maison, chez soi, à la campagne...* (→ Jusque, cit. 21; maison, cit. 14; outil, cit. 3). *Se plaire avec certaines personnes* (→ Lapin, cit. 6), *avec soi-même* (→ Méditation, cit. 1). *Se plaire dans les formalités et les cérémonies* (→ Forme, cit. 66), *dans le vague et l'indéterminé* (cit. 3), *dans l'idéal* (→ 1. Parler, cit. 70). ⇒ **Complaire** (se), **délecter** (se), **donner** (intransitif).

41 Pour qu'on se plaise quelque part, il faut qu'on y vive depuis longtemps. Ce n'est pas en un jour qu'on échauffe son nid et qu'on s'y trouve bien.
FLAUBERT, Correspondance, 77, avr. 1843.

(1690). En parlant d'animaux, de plantes, avec un compl. de lieu. Se trouver le plus fréquemment, prospérer (dans tel type de lieu, telles conditions climatiques, etc.). *Les truites se plaisent dans l'eau vive* (Académie). *Plante qui se plaît dans les lieux humides.*

42 (...) il *(le tétras)* se plaît dans les pays froids, tandis que les coqs prospèrent beaucoup mieux dans les pays tempérés (...)
BUFFON, Hist. nat. des animaux, Le tétras.

REM. Le p. p. *plu* reste en principe invariable (cf. cependant quelques exceptions *in* Grevisse, § 796).

43 Insectes invisibles, que la main du Créateur s'est plue *(sic)* à faire naître dans l'abîme de l'infiniment petit (...) VOLTAIRE, Micromégas, VI.

44 Elle s'était tant plu dans la solitude du musée du roi René.
M. BARRÈS, le Jardin de Bérénice, p. 54.

CONTR. Déplaire. — Blaser, dégoûter, désobliger, ennuyer, fâcher, mécontenter, offusquer.
DÉR. Plaisant.
COMP. Complaire, déplaire.
HOM. Formes du v. **pleuvoir** *(plut).*

PLAISAMMENT [plɛzamɑ̃] adv. — 1221, *plaisament,* sens 2; *plaisamment,* XIIe; de *plaisant.*

♦ **1.** (1559). Littér. D'une manière agréable. *Causer plaisamment et agréablement* (→ Bonnement, cit. 1). *Appartement plaisamment meublé.*

♦ **2.** Cour. D'une manière comique. *Ire* (cit. 1) *plaisamment simulée.* ⇒ **Drôlement.** *Il disait plaisamment que...,* en plaisantant.

♦ **3.** (1675). Vieilli. Ridiculement. *Être plaisamment accoutré, équipé.* Vx. *C'est plaisamment répondre! :* c'est une drôle de réponse.

CONTR. Sérieusement, gravement.

PLAISANCE [plɛzɑ̃s] n. f. — V. 1265; de *plaisant.*

♦ **1.** Vx ou archaïque et poét. Plaisir, agrément; caractère plaisant.

1 En regardant vers le pays de France,
Un jour m'advint, à Douvres, sur la mer,
Qu'il me souvint de la douce plaisance
Que je souloie *(que j'avais coutume)* au dit pays trouver.
Ch. D'ORLÉANS, Ballades, XXIV.

2 Sans cesse il était occupé de faire prévaloir son opinion ou sa plaisance sur la vôtre (...) GIDE, Si le grain ne meurt, II, II, p. 358.

REM. Cet archaïsme est fréquent chez Gide (cf. *Ainsi soit-il,* p. 1181, Pl.; → Arrondir, cit. 5).

♦ **2.** Loc. adj. (V. 1460). DE PLAISANCE : qui ne sert qu'au plaisir, à l'agrément (par oppos. à ce qui est destiné à des fins utilitaires). *Maison* (cit. 7), *habitation* (cit. 9) *de plaisance.* ⇒ **Résidence** (secondaire). *Les quartiers de plaisance à l'ouest de la ville.* — (Plus cour.). *Embarcation, navire* (cit. 3) *de plaisance. Navigation de plaisance,* pratiquée pour l'agrément (voiliers, canots automobiles, canoës, etc.).

3 C'était une exploitation considérable, tenant de la ferme et de la maison de plaisance (...) Th. GAUTIER, le Roman de la momie, V.

Pêche de plaisance : pêche en bateau, exercée par des pêcheurs non professionnels.

♦ **3.** *La plaisance :* la navigation de plaisance. ⇒ aussi **Voile, yachting.**

Comme pour la plupart des autres sports, la course demeure aussi un argument de prestige pour la plaisance. l'Express, 24-30 juil. 1967. 4

DÉR. Plaisancier.

PLAISANCIER [plɛzɑ̃sje] n. m. — Mil. XXe; de *(navigation, pêche...de) plaisance.*

♦ Personne qui pratique la navigation de plaisance*. *Les pêcheurs et les plaisanciers.*

Tout bateau est un appel au voyage, et tôt ou tard le plaisancier veut dépasser des horizons trop familiers. Jean GIORDAN, le Yachting, p. 110. 1

Ils flanèrent rue de Siam pour finalement se retrouver sur le quai qui borde la petite cale réservée aux plaisanciers. Pierre GOMBERT, le Prix d'un taxi, p. 67. 2

PLAISANT, ANTE [plɛzɑ̃, ɑ̃t] adj. et n. — V. 1175; p. prés. adj. de *plaire.*

♦ **1.** Qui plaît, qui procure du plaisir. ⇒ **Agréable, attrayant, gracieux** (vx). — REM. Le mot, en ce sens, a vieilli; cependant, plus expressif que *agréable* (lié à *plaire, plaisir*), il retrouve un usage, notamment dans le style soutenu. — *Objets plaisants* (→ Attache, cit. 11). *Livres plaisants* (→ Fréquentation, cit. 9). *Douce* et plaisante harmonie* (cit. 6). *Maison plaisante.* ⇒ **Aimable, gai** (→ Heureux, cit. 52). *Plaisants passe-temps* (cit. 1). *Ces maroquins* (cit. 2, France) *sont plaisants à l'œil. Une femme plaisante.* ⇒ **Gentil** (→ Désarmer, cit. 5, Suarès). *De petites pensées plaisantes* (→ Enfouir, cit. 5, Sartre). *Décor, mobilier, séjour, site plaisant. Ce n'est guère plaisant.* ⇒ **Engageant, excitant.**

Parlons de chose plus plaisante : 1
Cette matière à tous ne plaît,
Ennuyeuse est et déplaisante. VILLON, le Testament, XXXIV.

(...) il voulait que la circonstance fût agréable, fournît la matière d'un plaisant souvenir. J. ROMAINS, les Hommes de bonne volonté, t. IV, XXI, p. 226. 2

♦ **2.** (1538). Vieilli ou littér. Qui plaît en amusant, en faisant rire. ⇒ **Amusant, comique, divertissant, drôle, falot** (vx). *Il n'y a pas de comédie plus plaisante* (→ Factum, cit. 3). *Tours plaisants et badins* (cit. 6). *Facéties* (cit. 2) *et allusions plaisantes. Croquis plaisants, pleins de fantaisie* (cit. 36). *Historiettes* (cit. 1) *plaisantes qui font rire.* ⇒ **Drolatique.** *Aventure plaisante* (→ Bout, cit. 6). *Mot plaisant.* ⇒ **Bon.** *Dire d'une manière plaisante.* ⇒ **Plaisamment.** *Vers, traits plaisants* (→ Carquois, cit. 3; épigramme, cit. 3; ha, cit. 7; image, cit. 45). — «*Il veut être folâtre, évaporé* (cit. 11), *plaisant*» (Boileau). ⇒ **Facétieux, folâtre, goguenard.**

(...) je tiens cette comédie une des plus plaisantes que l'auteur ait produites. 3
MOLIÈRE, Critique de l'École des femmes, 3.

Quelque sujet qu'on traite, ou plaisant, ou sublime, 4
Que toujours le bon sens s'accorde avec la rime (...)
BOILEAU, l'Art poétique, I.

♦ **3.** (1611). Iron. (Comme épithète placée avant le nom ou comme attribut). Vieilli ou littér. Drôle*, ridicule*, qui fait rire à ses dépens. ⇒ **Bizarre, curieux, joli, risible.** «*Plaisante justice* (cit. 7) *qu'une rivière borne!*» (Pascal). *Vous m'avez donné là une plaisante éducation* (cit. 5). «*Vous êtes de plaisantes gens avec vos règles*» (→ Étourdir, cit. 11, Molière). *C'était un plaisant animal qu'un bourgeois français vers 1794* (→ Naissance, cit. 10). *Je le trouve bien plaisant d'aller jouer d'honnêtes gens comme les médecins* (cit. 2). *Se peut-il rien de plus plaisant...?* (→ Eau, cit. 16.2). — Mod. *C'est assez plaisant! Il est plutôt plaisant de prétendre...*

Je vous trouve plaisant d'user d'un tel empire, 5
Et de me dire au nez ce que vous m'osez dire.
MOLIÈRE, le Misanthrope, IV, 3.

Il est plaisant qu'on fait une loi de la pudeur aux femmes, qui n'estiment dans les hommes que l'effronterie. VAUVENARGUES, Maximes et réflexions, 364. 6

Voilà un plaisant animal que votre Brama, pour le comparer à Apis, dit l'Égyptien; qu'a donc fait votre Brama de si beau? VOLTAIRE, Zadig, XII. 7

♦ **4.** N. m. (1580). Littér. *Le plaisant :* ce qui plaît, ce qui amuse. ⇒ **Agréable.** «*Passer du grave au doux* (cit. 39), *du plaisant au sévère*» (Boileau). *Le plaisant et l'enjoué, le tendre* (→ Amalgame, cit. 1; 1. grave, cit. 16). — Cour. *Le plaisant de la chose, de l'affaire, c'est que... :* le côté plaisant... ⇒ **Curieux, joli, piquant.**

Prince, j'aurais voulu vous choisir un sujet 8
Où je pusse mêler le plaisant à l'utile (...) LA FONTAINE, Fables, XII, 1.

♦ **5.** N. m. (1549). Vx. Celui qui cherche à divertir, à faire rire. ⇒ **Bouffon, farceur, loustic** (cit. 1 et 2). *Le plaisant et le railleur* (→ Garant, cit. 5). *Faire le plaisant* (→ Fanfaron, cit. 5). ⇒ **Rire** (avoir le mot pour). «*Et laissons le burlesque aux plaisants du Pont-Neuf*» (→ Badinage, cit. 2, Boileau). — (1680). Vx. MÉCHANT PLAISANT, mod. MAUVAIS PLAISANT : personne qui fait des plaisanteries de mauvais goût. (→ Entamer, cit. 9; homme, cit. 74; insecte, cit. 6; mitre, cit. 2). ⇒ **Fumiste, impertinent, plaisantin, turlupin.** — REM. *Plaisant, mauvais plaisant* n'ont pas de forme féminine et s'emploieraient aussi en parlant de femmes. *Mme X n'est qu'un mauvais plaisant.*

(...) c'est un mauvais plaisant satirique, moqueur, ne cherchant qu'à embarrasser les gens. Il est capable, uniquement pour s'amuser, de nous couvrir de ridicule aux yeux des libéraux. STENDHAL, le Rouge et le Noir, I, XVIII. 9

10 Le frère aîné, don Juan de Lora, dit à son cousin Gazonal qu'il était la victime d'un plaisant de Paris. BALZAC, les Comédiens sans le savoir, Pl., t. VII, p. 12.

CONTR. Assommant, assujettissant, antipathique, déplaisant, désagréable, fastidieux, funèbre, ingrat, malfaisant, pénible. — Grave, sérieux, sévère.

DÉR. Plaisance, plaisamment, plaisanter, plaisanterie, plaisantin.

PLAISANTER [plɛzɑ̃te] v. — 1531 ; de *plaisant.*

★ **I.** V. intr. ♦ **1.** Faire ou (plus souvent) dire des choses plaisantes*, pour faire rire ou amuser. ⇒ **Amuser** (s'), **badiner, blaguer, bouffonner, folâtrer, gouailler** (cit. 3) ; **plaisanterie.** *Aimer à plaisanter, plaisanter volontiers.* ⇒ **Bon** (*supra* cit. 119 : en dire de bonnes). *N'être pas d'humeur à plaisanter* (→ Graveleusement, cit. 3). *Plaisanter lourdement. Manière basse de plaisanter* (→ Passer, cit. 39). *Trouver matière à plaisanter* (→ Légèreté, cit. 6). *Plaisanter avec qqn* (→ Jamais, cit. 33). *Malade qui plaisante sur son mal* (→ Glacer, cit. 19). *Plaisanter sur qqn, de qqn* (→ Fâcher, cit. 7), *de qqch.* — Par ext. *La nature plaisante parfois* (→ 2. Falot, cit. 4).

1 Si l'on me dit que je veux faire de la Pologne un peuple de capucins, je réponds d'abord que ce n'est là qu'un argument à la française, et que plaisanter n'est pas raisonner. ROUSSEAU, le Gouvernement de Pologne, XI.

2 Je crois que tu te fais un jeu de moi, Landry. Il y a des choses dont il ne faut pourtant point plaisanter. G. SAND, la Petite Fadette, XXIV.

3 Ainsi, les deux filles qui logent chez vous, Adèle et Virginie, vous les connaissez, eh bien ! il plaisante avec elles, et ça ne va pas plus loin, j'en suis sûre. ZOLA, l'Assommoir, I, t. I, p. 21.

4 Il est allé vers les journalistes, a serré des mains. Ils ont plaisanté, ri et avaient l'air tout à fait à leur aise (...) CAMUS, l'Étranger, II, III.

♦ **2.** (1690). Dire ou faire qqch. par jeu, sans penser être pris au sérieux. ⇒ **Charrier** (fam.), **galéjer, gausser** (se), **mentir.** *Vous plaisantez, j'espère ? :* vous ne parlez pas sérieusement ? *Il prit pour plaisanter un couteau.* ⇒ **Rire** (pour). → Fatalité, cit. 17.

5 (...) il aurait pu s'adresser à son député. Mais moi je ne pouvais pas le lui dire. Au contraire, je devais le remercier de l'honneur qu'il me faisait... — Tu plaisantes. — Pas du tout. Ce garçon est à l'âge où l'on y croit encore. Il m'admire. J. ROMAINS, les Hommes de bonne volonté, t. I, XIV, p. 148.

C'est un homme qui ne plaisante pas, qui prend tout au sérieux. *Un homme avec lequel on ne peut se permettre de plaisanter,* sévère ou susceptible. *Il ne plaisante pas là-dessus :* c'est un point sur lequel il est intransigeant, intraitable. *On ne plaisante pas avec ces choses-là :* ce sont des choses qu'il ne faut pas prendre à la légère. ⇒ **Jouer** (→ Commissaire, cit. 4).

6 Comment peux-tu, ma chère enfant, plaisanter avec ces choses sacrées ? Tu as donc perdu toute vergogne ? ZOLA, le Dr Pascal, VIII.

★ **II.** V. tr. (1718). Compl. n. de personne. Railler* légèrement, sans méchanceté. ⇒ **Amuser** (s'), **blaguer, chiner, moquer** (se), **taquiner.** *Plaisanter qqn* (→ Butor, cit. 1 ; fond, cit. 59). *Se laisser plaisanter par qqn,* lui servir de plastron * (→ Avanie, cit. 2). *Plaisanter qqn sur qqch.* (→ Extrait, cit. 4 ; filet, cit. 13 ; niaiserie, cit. 1). *Il m'en plaisantait souvent.*

7 (...) il est de bonne compagnie, dès que quelqu'un nous parle avec chaleur de l'une d'elles *(les jolies femmes),* de faire semblant de croire qu'il en est amoureux, de l'en plaisanter, et de lui promettre de seconder ses desseins. PROUST, À la recherche du temps perdu, t. III, p. 63.

PLAISANTERIE [plɛzɑ̃tʀi] n. f. — 1538 ; *plesanterie,* attestation isolée, 1279 ; de *plaisant.*

♦ **1.** Propos destinés à faire rire, à s'amuser. ⇒ **Blague, boutade, bourde, calembredaine, facétie, galéjade, goguenardise** (cit. 4), **mot** (bon). *Plaisanterie fine, piquante, légère.* ⇒ **Badinage, badinerie.** *Plaisanterie et sel* attique* (cit. 7). → Atticisme, cit. 3. *Plaisanterie lourde et hasardée* (cit. 23), *lourdement assenée* (cit. 3 ; et → Balourd, cit. 2). *Bonne, mauvaise, froide plaisanterie, plaisanterie excellente, détestable...* (→ Dormitif, cit. 2 ; enjouement, cit. 3 ; minauder, cit. 3). *Plaisanterie de bon, de mauvais goût, d'un goût douteux...* Vieilli. *Plaisanterie de mauvaise grâce* (cit. 90). *Plaisanterie gauloise, rabelaisienne*...* ⇒ **Gauloiserie.** *Plaisanteries indécentes, crues, scatologiques*, de caserne, de corps de garde*...* (→ Dévergondé, cit. 3 ; équivoque, cit. 16 ; malpropre, cit. 4). ⇒ **Gaillardise, gaudriole, joyeuseté.** *Des plaisanteries de garçon de bain, graveleuses, grivoises. « Plaisanterie truculente et poivrée »* (→ Liant, cit. 6). *Plaisanterie faubourienne, de province...* (→ 1. Échanger, cit. 10 ; 1. lieu, cit. 53). *Plaisanteries usagées, éculées, toujours les mêmes* (→ Gloutonnerie, cit. 2 ; 1. parler, cit. 40). *Faire, lâcher, lancer des plaisanteries* (→ Garçon, cit. 23 ; gâter, cit. 40). *Dire en manière* (cit. 37) *de plaisanterie. Plaisanterie drôle, qui fait rire, qui a du succès* (→ 1. Boire, cit. 32 ; narquois, cit. 3). *Plaisanterie de vantard.* ⇒ **Hâblerie.** — Collectif. *Manier* (cit. 17) *la plaisanterie, avoir l'art de la plaisanterie.* ⇒ **Enjouement** (cit. 8), **gaieté, humour** (cit. 1 et 8 ; et → Humeur, cit. 60), **malice.**

1 Il faut, pour imiter Voltaire, une insouciance moqueuse et philosophique qui rende indifférent à tout, excepté à la manière piquante d'exprimer cette insouciance. Jamais un Allemand ne peut arriver à cette brillante liberté de plaisanterie : la vérité l'attache trop (...) Mme DE STAËL, De l'Allemagne, II, IV.

2 Je ne sais rien de plus dissolvant que la plaisanterie maniée par une Anglaise, elle y met le sérieux éloquent, l'air de pompeuse conviction sous lequel les Anglais couvrent les hautes niaiseries de leur vie à préjugés. BALZAC, le Lys dans la vallée, Pl., t. VIII, p. 980.

(...) aux pages les plus chaleureuses succédaient des plaisanteries fines, aiguës et, sous une apparence paradoxale, d'une justesse et d'une vigueur extrêmes (...) 3
Th. GAUTIER, Portraits contemporains, « A. Karr ».

Il faut dire qu'avec une humilité souriante, il croyait trop facilement que tout ce qu'il ne comprenait pas était une plaisanterie, de sorte que, quelqu'un lui expliquant une affaire grave d'une manière inintelligible pour lui, il croyait immédiatement à un trait d'esprit, et, trop courtois pour paraître ne pas l'apprécier, il répondait par un sourire exaspérant pour l'interlocuteur (...) 3.1
PROUST, Jean Santeuil, Pl., p. 716.

Quinette pâlit, sourit, se donna l'air de l'homme qui comprend, avec une seconde de retard, une plaisanterie spirituelle. 4
J. ROMAINS, les Hommes de bonne volonté, t. II, XVIII, p. 208.

Action destinée à faire rire. ⇒ **Bouffonnerie, clownerie, pitrerie, turlupinade** (vx). *Une plaisanterie de gamin* (→ 1. Peu, cit. 47).

♦ **2.** Propos ou acte plaisant visant à railler, à se moquer. *Plaisanteries à l'adresse de qqn.* ⇒ **Gausse, gouaillerie, lazzi, moquerie, quolibet, raillerie, satire, taquinerie, vanne** (fam.) ; **plaisanter** (II.). → Cribler, cit. 6 ; garant, cit. 5 ; maronner, cit. 2. *Être l'objet* (cit. 26) *des plaisanteries, en butte aux plaisanteries.* ⇒ **Plastron, souffre-douleur, tête** (de Turc). *Ridiculiser qqn par des plaisanteries. Plaisanteries outrageantes* (cit. 2). *Pousser trop loin la plaisanterie. Cela passe la plaisanterie,* se dit d'une raillerie excessive, blessante. *Entendre*, prendre* bien la plaisanterie. Il n'entend, ne comprend pas la plaisanterie :* il est susceptible (dans un autre sens, cf. ci-dessous, 3.). — *Tourner tout en plaisanterie.* ⇒ **Railler.**

Idris et *le Nouvel Amadis* sont des contes de fées dans lesquels la vertu des femmes est à chaque page l'objet de ces éternelles plaisanteries qui ont cessé d'être immorales à force d'être ennuyeuses. 5
Mme DE STAËL, De l'Allemagne, II, XII.

(...) ils sortirent ainsi tous les trois, au milieu des plaisanteries et des huées de la salle (...) ZOLA, l'Assommoir, XI, t. II, p. 199. 6

Être victime d'une plaisanterie. ⇒ **Attrape, avril** (poisson d'), **blague, charge, farce.** *Plaisanterie qui tourne mal. Plaisanterie cruelle, macabre. Plaisanterie sans méchanceté, inoffensive* (→ Berner, cit. 3). *Les plaisanteries, les brimades que les anciens d'une école font aux nouveaux.* ⇒ **Bizutage.** *Imaginer une plaisanterie.* ⇒ **Bateau** (monter un), **canular, mystification.** *Plaisanteries du 1er avril. Des plaisanteries de potache.*

♦ **3.** (1538). Action de plaisanter (I., 2.) ; chose dite ou faite en plaisantant. *Dire une chose par plaisanterie, par manière de plaisanterie,* sans parler sérieusement (→ 1. Nazi, cit.). *Répondre par une plaisanterie.* ⇒ **Pirouette** (fig.). *Ça a l'air d'une plaisanterie :* ça n'a pas l'air d'une chose sérieuse (→ Opérette, cit. 3). ⇒ **Amusoire, comédie.** — (1663). *Tourner les choses les plus importantes* (cit. 5) *en plaisanterie. Il voulut prendre la chose* (cit. 26) *en plaisanterie.* — *Plaisanterie à part :* pour parler cette fois sérieusement (→ Blague* à part). — *Il n'entend pas plaisanterie là-dessus :* il ne plaisante* pas sur ce sujet.

Un jour, entrant un peu brusquement à l'hôtel Talleyrand, il *(Savary)* trouva le prince en conférence avec Pradt. Ils parurent troublés, pensant, un instant, qu'il venait les arrêter ; mais il tourna en plaisanterie l'embarras visible des deux hommes : « Je vous y prends à conspirer ! » s'écria-t-il en riant. Ils entrèrent dans la plaisanterie et se mirent à rire aussi. Louis MADELIN, Talleyrand, III, XXVI. 7

Didact. (Ethnol.) ou franç. d'Afrique. *Relations de plaisanterie,* ou *parenté* (alliance) *à plaisanterie :* lien qui autorise des personnes appartenant à des ethnies mythiquement parentes à plaisanter entre elles.

Bien que moins répandue que le pacte de sang, encore qu'elle lui soit liée parfois, la parenté à plaisanterie qu'on appelle encore « parenté à libre parler », « privilège de familiarité », « alliance à plaisanterie », joue, dans la région que nous étudions, et tout particulièrement chez les Bantu, un rôle non négligeable. Il y a là une coutume qui permet ou ordonne dans certaines circonstances et à certains individus de s'invectiver, soit qu'ils se raillent, soit qu'ils s'injurient, en termes particulièrement libres, voire grossiers et obscènes, sans que les partenaires puissent s'offusquer ou en tirer quelque ressentiment. 7.1
L.-V. THOMAS, *in* Encycl. Pl., Ethnologie régionale, t. I, p. 794.

♦ **4.** Chose peu sérieuse, visiblement fausse, au point d'être ridicule, dérisoire. ⇒ **Bêtise** (→ Diplômé, cit. 3). *Cette nouvelle est une plaisanterie.* ⇒ **Blague, bobard.** *Ça, l'enfer* (cit. 15), *quelle plaisanterie ! Le mal et la douleur dans un monde sans foi ne sont plus que des plaisanteries odieuses* (→ 2. Farce, cit. 8).

Voir renaître sur la grande route les traditions chevaleresques ? La bonne plaisanterie. C'est sur la grande route que l'on apprend à juger les hommes, très souvent à les mépriser, toujours à les craindre. 8
G. DUHAMEL, Scènes de la vie future, VI.

♦ **5.** (1903). Chose très facile. ⇒ **Bagatelle.** *Ce sera pour lui une plaisanterie de battre ce record* (cf. Jeu d'enfant).

PLAISANTIN [plɛzɑ̃tɛ̃] n. et adj. m. — 1530, adj., « gai » ; de *plaisant.*

♦ **1.** (Mil. XVIe). Vx. Personnage de farce, baladin, bouffon (cit. 2).

♦ **2.** (1838). Mod. Personne qui fait des plaisanteries d'un goût douteux. ⇒ **Blagueur, farceur.** *C'est un plaisantin, mais il n'est pas méchant.* — Adj. *Un ton plaisantin et même égrillard* (cit. 4). ⇒ **Badin, facétieux.**

♦ **3.** (1838). Personne qui ne prend rien au sérieux, sur qui on ne peut compter. ⇒ **Fumiste.** *Vous êtes un petit plaisantin !*

PLAISIR [plɛziʀ] n. m. — 1080, *Chanson de Roland;* anc. inf. du v. *plaire;* du lat. *placere.*

★ **I.** Vx (sauf dans des expr.). Ce qu'il plaît à qqn de faire, d'ordonner; ce qu'il juge bon, ce qu'il veut. *Si c'est votre plaisir.* Vx ou hist. **BON PLAISIR.** *Si c'est votre bon plaisir, puisque tel est votre bon plaisir. Avec, sous votre bon plaisir :* avec votre consentement*. (Av. 1628). *Car tel est notre (bon) plaisir,* formule des anciens édits, qui marquait la volonté du roi. *Le régime du bon plaisir,* de la monarchie absolue, et, par ext., le règne de l'arbitraire.

1 Ainsi, les deux premières libertés, la liberté de la presse et la liberté électorale, étaient radicalement extirpées : elles l'étaient, non par un acte inique et cependant légal, émané d'une puissance législative corrompue, mais par des *ordonnances,* comme au temps du bon plaisir.
CHATEAUBRIAND, Mémoires d'outre-tombe, t. V, p. 183.

2 Il y avait le droit coutumier, il y avait le droit écrit, et par-dessus tout il y avait le bon plaisir, la raison du plus fort. Aucune garantie, aucun recours, la toute-puissance de l'épée.
ZOLA, la Terre, I, V.

3 (...) ceux qui veulent être libres, et ne point suivre de lois que leur bon plaisir, l'ont toujours pu faire (...)
André SUARÈS, Trois hommes, « Ibsen », VI.

Loc. adv. (Vx). *À son plaisir :* comme il lui plaît et autant qu'il lui plaît (→ À son gré*, à sa guise*; et aussi gouvernail, cit. 5; humain, cit. 9). — (V. 1190). Mod. **À PLAISIR :** comme il plaît, autant qu'on veut, en se réglant sur le bon plaisir et le caprice (modifiant un verbe, un p. p. ou un adj.). Vx : modifiant un nom (→ ci-dessous cit. 4). *Un conte* (cit. 8, La Fontaine) *à plaisir inventé, fait à plaisir,* de pure imagination. ⇒ **Fiction.** *Des passages que vous fabriquez* (cit. 11) *à plaisir. Les désordres ont été exagérés, grossis* (cit. 11) *à plaisir. Des variations subtiles à plaisir* (→ 1. Montre, cit. 3). *Pouvoir à plaisir assener* (cit. 1) *des coups. Croître* (cit. 3) *à plaisir.*

4 Ce sont des portraits à plaisir, où l'on ne cherche point de ressemblance (...)
MOLIÈRE, Critique de l'École des femmes, 6.

5 Et c'est un vieux mensonge à plaisir inventé,
Que de croire au bonheur hors de la volupté!
A. DE MUSSET, Poésies nouvelles, « Idylle ».

(1636). *À plaisir :* en obéissant à un caprice, sans justification raisonnable, comme si on y prenait plaisir. ⇒ **Raison** (sans), **rien** (pour). *Exciter à plaisir la haine d'une femme aimable* (→ Gaucherie, cit. 3). *Bouleverser à plaisir tous les sentiments naturels* (→ Magie, cit. 8). *S'accabler, s'inquiéter, se tourmenter à plaisir* (→ Gourmander, cit. 6). *Comme à plaisir* (→ Bouton, cit. 6).

6 Messieurs, ne gagnez point de rhumes à plaisir (...)
MOLIÈRE, l'Étourdi, III, 9.

7 — Vous confondez à plaisir cause et effet. GIDE, Corydon, IIIe dialogue, III.

★ **II.** (1456). Mod., cour. État affectif fondamental (affect), un des deux pôles de la vie affective; sensation ou émotion agréable, liée à la satisfaction d'une tendance, d'un besoin, à l'exercice harmonieux des activités vitales.

♦ **1. LE PLAISIR.** *Le plaisir et la douleur* (→ Accompagner, cit. 12; affectif, cit. 1; cœur, cit. 14; indiscernable, cit. 3). *Peine ou plaisir* (→ Cœur, cit. 14). *États affectifs empreints de plaisir.* ⇒ **Bien-être, contentement, délectation, euphorie, plaisance** (vx), **satisfaction.** *Le plaisir et le bonheur, et la joie.* ⇒ **Bonheur, joie** (cit. 5; et *supra* cit. 4). — *Formes, variétés du plaisir* (→ ci-dessous, cit. 21, Ribot). *Le plaisir sensible* (→ Esprit, cit. 54), *physique* (→ Inconstance, cit. 8); *le plaisir des sens* (→ Galanterie, cit. 6); *le plaisir des yeux; le plaisir esthétique, intellectuel, moral* (→ ci-dessous, 3.). — *Théories psychologiques du plaisir et de la douleur :* théories monistes, optimiste (*la douleur n'est que la négation du plaisir :* Aristote) ou pessimiste (*le plaisir est la négation d'un besoin, d'une douleur :* Platon [*le Philèbe*], Épicure, Schopenhauer); théories dualistes *(le plaisir et la douleur ramenés à des sensations).*

La psychologie moderne considère le plaisir comme lié à la satisfaction d'un besoin, d'une tendance (⇒ **Tendance; désir**) *et non pas au mécanisme externe des sens* (comme la douleur). *Plaisir et instinct. Plaisir physique et sensation** (→ Immatériel, cit. 2, Pascal). *Plaisir et activité, et motricité... et conscience* (cit. 2) *de notre existence. Attrait, recherche du plaisir* (→ Mensonge, cit. 12). *Plaisir et désir* (→ Inséparable, cit. 2). — Psychan. *Recherche du plaisir.* ⇒ **Libido.** *Principe de plaisir et principe de réalité.* — (Morale). *Dieu a fait du plaisir l'instrument de notre conservation* (→ 2. Palais, cit. 2). *L'homme est né* (cit. 9) *pour le plaisir. La morale du plaisir.* ⇒ **Épicurisme, hédonisme** (cit. 1). → Hédoniste, cit. 1; libertin, cit. 6. *Le plaisir détourne du devoir* (cit. 6), *égare* (cit. 6) *l'âme.*

8 (...) considérant avec soin en quoi consiste la volupté ou le plaisir, et généralement toutes les sortes de contentements qu'on peut avoir, je remarque, en premier lieu, qu'il n'y en a aucun qui ne soit entièrement en l'âme, bien que plusieurs dépendent du corps (...) Puis je remarque qu'il n'y a rien qui puisse donner du contentement à l'âme, sinon l'opinion qu'elle a de posséder quelque bien (...)
DESCARTES, Lettre à Christine de Suède, 20 nov. 1647.

9 La fête, au reste, ne fut pas ruineuse. Pour trente sous qu'il m'en coûta tout au plus, il y eut pour plus de cent écus de contentement; tant il est vrai que le plaisir ne se mesure pas sur la dépense, et que la joie est plus amie des liards que des louis.
ROUSSEAU, Rêveries..., IXe promenade.

10 Le plaisir est l'objet, le devoir et le but
De tous les êtres raisonnables (...)
VOLTAIRE, Épîtres, XIV.

11 En présence de plusieurs plaisirs conçus par l'intelligence, notre corps s'oriente vers l'un d'eux spontanément, comme par une action réflexe (...) L'attrait du plaisir n'est point autre chose que ce mouvement commencé, et l'acuité même du plaisir, pendant qu'on le goûte, n'est que l'inertie de l'organisme qui s'y noie, refusant toute autre sensation.
H. BERGSON, Essai sur les données immédiates de la conscience, p. 28.

(...) l'erreur est de croire que l'action court au plaisir; car le plaisir accompagne 12
l'action.
ALAIN, Propos, 5 févr. 1913, L'égoïste.

(...) il n'y a pas de stimulant d'action plus efficace ni de guide plus précis et plus 13
docilement obéi que le plaisir.
M. PRADINES, Traité de psychologie générale, t. I, p. 172.

Le plaisir et la douleur, avec les anticipations que la mémoire en permet et les 14
émotions qui en résultent, dominent toute l'activité de l'animal.
M. PRADINES, Traité de psychologie générale, t. I, p. 183.

Éprouver, avoir du plaisir. Expression, manifestation du plaisir (rire, sourire...). — **DE PLAISIR** (causal). *Rougir* (→ 1. Canon, cit. 1), *frémir* (cit. 14), *haleter* (cit. 4) *de plaisir. Grognements de plaisir* (→ Ongle, cit. 7). — *Défaillir, mourir de plaisir.*

Voir le dernier Romain à son dernier soupir, 15
Moi seule en être cause, et mourir de plaisir!
CORNEILLE, Horace, IV, 5.

Causer, donner, procurer du plaisir. ⇒ **Charmer, chatouiller, égayer, flatter, plaire, ravir, réjouir** (→ Instrument, cit. 11). *Occasions de plaisir* (→ Empoigner, cit. 5). *Ne faire aucun plaisir* (→ Approbation, cit. 10), *pas tant de plaisir* (→ Boutique, cit. 4). *Faire un grand plaisir* (→ Écrire, cit. 27).

(Sans article). *Faire plaisir, grand plaisir.* ⇒ ci-dessous, IV. (→ Coup, cit. 69; hargne, cit. 3; houblon, cit.; indifférent, cit. 19). *Cela me fait grand plaisir. Personne, objet qui fait plaisir à voir, dont la vue fait plaisir* (→ Gras, cit. 15; pastèque, cit.).

Je vous souhaite bien du plaisir, ou, ellipt, *bien du plaisir!,* formule de politesse, qui s'emploie aujourd'hui ironiquement en s'adressant à qqn qui peut s'attendre à passer de mauvais moments.

— Adieu, monsieur, bien du plaisir. — Et vous, *idem,* madame, répondit le vieux 16
dragon en regardant un jeune homme alors à la mode nommé Rastignac qui passait pour être l'amant de madame de Nucingen.
BALZAC, Melmoth réconcilié, Pl., t. IX, p. 274.

Assaisonner, augmenter... le plaisir. Gâcher, gâter le plaisir* (→ Exaspérer, cit. 4). *« ...fi du plaisir que la crainte peut corrompre »* (→ Adieu, cit. 3).

Le plaisir de qqn, le plaisir qu'il éprouve. *L'homme goûte mieux son plaisir quand il est rare* (→ Épicurien, cit. 1). *Faire durer son plaisir* (→ Nuage, cit. 7). *Cela nous gâte* (cit. 23) *notre plaisir. Chacun prend son plaisir où il le trouve.* ⇒ **Pied** (fam.). — *Plaisir des dieux, plaisir rare, raffiné.*

♦ **2.** (1658). Spécialt. **LE PLAISIR :** le plaisir des sens, de la chair (dans l'acte sexuel). ⇒ **Volupté** (→ Absent, cit. 2; accoupler, cit. 8; apaiser, cit. 27; conjugal, cit. 2; génération, cit. 8; gorger, cit. 11; légitime, cit. 10; nonchalant, cit. 4). *Nos appétits de plaisir* (→ Fumet, cit. 6). *Le plaisir atteint à l'orgasme* (cit.). *Cette chair* (cit. 26) *à plaisir, cette chose de plaisir* (→ Majesté, cit. 23). *Ces dépravations* (cit. 3) *du plaisir. Donner, recevoir du plaisir* (→ Gosse, cit. 8; jalousie, cit. 28; 1. physique, cit. 6). *Prendre du plaisir, son plaisir* (→ Partenaire, cit. 6). *Avoir du plaisir* (→ S'envoyer* en l'air, prendre son pied*, jouir). — *Plaisir solitaire* :* masturbation (→ aussi ci-dessous, cit. 35.2 et 35.3, au pluriel).

Or, il n'est aucune sorte de sensation qui soit plus vive que celle de la douleur; 16.1
ses impressions sont sûres, elles ne trompent point comme celles du plaisir, perpétuellement jouées par les femmes et presque jamais ressenties par elles (...)
SADE, Justine..., t. I, p. 196.

Françoise rouvrit les yeux, sans une parole, sans un mouvement, hébétée. Quoi? 17
c'était déjà fini, elle n'avait pas eu de plaisir! Il ne lui en restait qu'une souffrance. Et l'idée de l'autre lui revint, dans le regret inconscient de son désir trompé.
ZOLA, la Terre, III, IV.

« Dis-moi ce que tu sens? dis-le moi » (...) « As-tu du plaisir? Je veux que tu aies 18
du plaisir ». Sa voix s'irritait, elle exigeait des comptes : « Tu n'en as pas? Ça ne fait rien : la nuit est longue. »
S. DE BEAUVOIR, les Mandarins, II, II.

♦ **3.** *(Un plaisir, les plaisirs).* Émotion, sentiment agréable (état de conscience défini, correspondant à des circonstances particulières). *Un plaisir ou une souffrance* (→ Guetter, cit. 8). *Plaisir mêlé d'amertume* (cit. 8), *de douleur* (→ Gratter, cit. 22). *Plaisir faible, insignifiant, fort, intense, inconcevable* (cit. 4). *« Nos plaisirs les plus doux... »* (→ Aller, cit. 57, Corneille). *Plaisirs innocents* (→ Évoquer, cit. 9), *licites* (cit. 1 et 2), *permis...; plaisirs défendus. Plaisirs décevants, trompeurs; dangereux. Plaisirs morbides, hors nature* (dans les perversions). *Les plaisirs des sens** (→ Chair, cit. 47); *de l'esprit* (→ Attrister, cit. 4). *Un vif plaisir d'intelligence* (→ Analogie, cit. 11). *Les plaisirs que donne le beau* (cit. 94). ⇒ **Beauté** (→ aussi Musique, cit. 2). — *Choses qui nous donnent, nous procurent, nous promettent un plaisir, des plaisirs.* ⇒ **Charmer, plaire, réjouir** (→ Invention, cit. 6; 1. livre, cit. 31). — *Avoir, éprouver, goûter, ressentir, sentir un plaisir, des plaisirs* (→ Assaisonnement, cit. 7; compte, cit. 1; étendue, cit. 17; misérable, cit. 4). *Jouir d'un plaisir* (→ Communicatif, cit. 2; gratis, cit. 4). ⇒ aussi **Savourer.** *Il n'a jamais eu un tel plaisir* (→ Il n'a jamais été à pareille fête*). — *Procurer un plaisir, un petit plaisir à un enfant* (→ Ingénier, cit. 3).

Quel plaisir a-t-il eu depuis qu'il est au monde? 19
En est-il un plus pauvre en la machine ronde?
LA FONTAINE, Fables, I, 16.

La véritable sagesse consistait infiniment plus à doubler la somme de ses plaisirs, 19.1
qu'à multiplier celle de ses peines (...)
SADE, Justine..., t. I, p. 9.

20 (...) il n'y a point de plaisir qui ne perde à être connu.
MARIVAUX, le Paysan parvenu, IV, p. 191.

21 Quoique l'opinion commune établisse une séparation entre les plaisirs sensoriels et les plaisirs spirituels, cette distinction est purement pratique. Le plaisir, comme état affectif, reste toujours identique à lui-même; ses nombreuses variétés ne sont déterminées que par l'état intellectuel qui le suscite : sensation, image, concept... Toutes les formes du plaisir s'accompagnent des modifications organiques précédemment énumérées. A l'origine, il ne peut être que physique, c'est-à-dire lié à une sensation (plaisir d'un contact doux et chaud, apaisement de la faim et de la soif,...). Puis (...) apparaît le plaisir attaché à des pures représentations. C'est, comme pour la douleur, le grand groupe, celui des joies diverses et multiples qui consolent l'humanité de ses misères : elles se scindent aussi en plaisirs égoïstes et plaisirs sympathiques.
Th. RIBOT, Psychologie des sentiments, Le plaisir.

21.1 (...) car il est indispensable à la pureté de notre plaisir qu'on ne nous le compte pas pour un plaisir. PROUST, Jean Santeuil, Pl., p. 510.

22 Certes, nous disons que la libération de la douleur est un plaisir; mais qui mettrait, s'il s'agit vraiment de jouissance (...) ces «plaisirs» négatifs, pauvres (...) nés du contraste (...) en comparaison avec les plus humbles de ces plaisirs positifs, riches de substances (...) qui correspondent à l'exercice des activités appropriatives.
M. PRADINES, Traité de psychologie générale, t. I, p. 303.

♦ **4.** *Le plaisir de... :* le plaisir causé par (une chose, un objet ou une espèce d'objets). *«Plaisir d'amour* (cit. 27) *ne dure qu'un moment». «Tout le plaisir de l'amour est dans le changement* (cit. 4)». *Le plaisir de la table.* ⇒ **Appétit, gourmandise** (→ Associer, cit. 24). *Plaisir de la chasse* (→ Battue, cit. 2). *«Tout le plaisir des jours est en leur matinée* (cit. 1)». *Le Plaisir du texte,* ouvrage de R. Barthes. — (En parlant d'une action). *Plaisir de la critique* (cit. 18), *des disputes* (cit. 4). *Le plaisir du devoir accompli.* — *Le plaisir d'avoir* (1. Avoir, cit. 7), *d'exister* (cit. 16), *de commander* (→ Cachemire, cit. 2), *d'étonner* (cit. 13), *de plaire* (→ Légitime, cit. 11). *Plaisir de souffrir* (masochisme).

23 Les premières fois je fus charmé de le voir, je lui donnais de très bon cœur, et je continuai quelque temps de le faire avec le même plaisir, y joignant même le plus souvent celui d'exciter et d'écouter son petit babil que je trouvais agréable. Ce plaisir, devenu par degrés habitude, se trouva (...) transformé dans une espèce de devoir dont je sentis bientôt la gêne (...) ROUSSEAU, Rêveries..., VIe promenade.

24 M. de Talleyrand me disait un jour : «Qui n'a pas vécu dans les années voisines de 1789 ne sait pas ce que c'est que le plaisir de vivre.»
F. GUIZOT, Mémoires pour servir à l'hist. de mon temps, t. I, p. 6.

♦ **5.** Loc. *Avoir du plaisir, beaucoup de plaisir à...,* suivi de l'inf. ⇒ **Aise** (être bien aise); **charmé, ravi.** (→ Aimer, cit. 37; 1. avoir, cit. 28). *Avoir plaisir à...* (→ Grume, cit. 6). *Il y a du plaisir, bien du plaisir, il y a plaisir à...* (→ 1. Bien, cit. 101; intolérant, cit. 4). — Loc. prov. *Où il y a de la gêne*, il n'y a pas de plaisir.* — *Prendre plaisir à une chose* (→ Étude, cit. 14; exposer, cit. 29), *à faire qqch.* (→ Dictionnaire, cit. 1; divan, cit. 1; exciter, cit. 18; extrême, cit. 26; malfaisant, cit. 1). *«Si Peau-d'Âne* (cit. 17) *m'était conté, j'y prendrais un plaisir extrême»* (La Fontaine). — Vx. *Prendre plaisir de faire...* (→ Battre, cit. 51). — Mod. *Sentir, éprouver, trouver du plaisir à faire...* (→ Désintéresser, cit. 1; diamant, cit. 8; mêlée, cit. 5; noir, cit. 27). *Avoir le plaisir d'apprendre* (cit. 56), *d'être...* (→ Guère, cit. 14). — (XVe). Au sens affaibli d'agrément. *J'espère que nous aurons bientôt le plaisir de vous voir.* ⇒ **Avantage** (→ Hôtelier, cit. 3). *M. et Mme X ont le plaisir de vous faire part de...*

25 (...) j'aurais un plaisir extrême à lui jouer quelque tour.
MOLIÈRE, l'Amour médecin, I, 4.

26 Si nous n'avions point de défauts, nous ne prendrions pas tant de plaisir à en remarquer dans les autres. LA ROCHEFOUCAULD, Maximes, 31.

27 Prenez garde à la tristesse. C'est un vice. On prend plaisir à être chagrin et, quand le chagrin est passé, comme on y a usé des forces précieuses, on en reste abruti.
FLAUBERT, Correspondance, 1746, 15 août 1878.

28 Elles trouvaient, à parler de ses débordements, un plaisir furtif et jaloux
A. MAUROIS, le Cercle de famille, I, VI.

C'est, ce sera un plaisir de... (→ Car, cit. 4; moqueusement, cit.), *que de...* (→ Enivrer, cit. 4). *Quel plaisir! Quel plaisir de...* (→ Nuancer, cit. 5). *Son plaisir, son plus grand plaisir est de...* (→ Accompagner, cit. 5). — *Se faire un plaisir de troubler la paix des ménages* (cit. 11), *de déplaire* (→ Méprisant, cit. 2) : faire en sorte qu'on trouve un plaisir personnel à troubler..., à déplaire...; troubler, déplaire à plaisir (I.). ⇒ **Complaire** (se), **plaire** (se). *Se faire, prendre un malin* (cit. 5) *plaisir à...* — (1767, *in* D. D. L.). *Au plaisir de vous revoir,* formule aimable d'adieu (considérée comme peu distinguée). Ellipt. Pop. *Au plaisir!*

29 (...) Je me suis fait un plaisir nécessaire
De la voir chaque jour, de l'aimer, de lui plaire. RACINE, Bérénice, II, 2.

30 (...) le Carrefour, propriété de famille aux environs de Pont-l'Évêque, dont il ne bougeait plus, où il se ferait un plaisir de me recevoir et de mettre à ma disposition ses papiers, sa bibliothèque et son érudition (...) GIDE, Isabelle, I.

POUR LE PLAISIR, POUR SON PLAISIR, PAR PLAISIR : sans autre raison que le plaisir qu'on y trouve. *Elle y va par plaisir. Pour le profit et pour le plaisir* (→ Hobereau, cit. 2). *Faire qqch. pour son plaisir* (→ Gauche, cit. 10; homme, cit. 154; long, cit. 21). *Des cierges brûlés pour le plaisir* (→ Gâterie, cit. 4). *On ne fait pas des fautes pour le plaisir d'en faire* (→ Incorrection, cit. 3). *Pour le seul plaisir* (→ Humour, cit. 8), *rien que pour le plaisir* (→ Briller, cit. 12; et aussi aise, cit. 12; bretauder, cit.; dévisager, cit. 8).

31 À peine me pouvais-je persuader, avant que je l'eusse vu, qu'il se fût trouvé des âmes si monstrueuses, qui, pour le seul plaisir du meurtre, le voulussent commettre (...) aiguiser leur esprit à inventer des tourments inusités et des morts nouvelles, sans inimitié, sans profit, et pour cette seule fin de jouir du plaisant spectacle des gestes et mouvements pitoyables, des gémissements et voix lamentables d'un homme mourant en angoisse. MONTAIGNE, Essais, II, XI.

(...) ne faisant plus la médecine que pour son plaisir personnel, qui d'ailleurs, était grand (...) 32
BARBEY D'AUREVILLY, les Diaboliques, «Bonheur dans le crime».

AVEC... PLAISIR : en trouvant du plaisir. *Faire une chose avec plaisir* (→ Empressement, cit. 2; immortel, cit. 20; insouciant, cit. 3; pâte, cit. 13). *Avec beaucoup de plaisir* (→ Almanach, cit. 1), *avec un plaisir toujours nouveau* (→ Abeille, cit. 14). *Accepter, accorder, donner avec plaisir,* de bon cœur*, bien volontiers* (→ Importunité, cit. 3; introduire, cit. 16). *Avec plaisir,* formule aimable pour acquiescer à une demande. *Pouvez-vous nous accompagner? — Avec plaisir, avec grand plaisir. Accueillir avec plaisir.* ⇒ **Bienvenu.** *Parler de soi avec plaisir.* ⇒ **Complaisance.** *On ne vit pas cette liaison avec plaisir,* d'un bon œil (→ Passer, cit. 80). — **SANS PLAISIR** (→ Fourmi, cit. 8; 2. mine, cit. 10; moutonnerie, cit. 2). *Sans grand plaisir* (→ Entraînement, cit. 8).

★ **III.** Par ext. *(Un, des plaisirs).* Surtout au pluriel. ♦ **1.** (V. 1360). Ce qui peut donner à l'homme une émotion ou une sensation agréable, objet ou action qui en est la source ou l'occasion. ⇒ **Agrément, amusement, délice** (II.), **distraction, divertissement, félicité, jeu, jouissance, récréation, régal, réjouissance,** et, par métaphore, **fleur, rose.** *«Chaque âge* (cit. 21) *a ses plaisirs, son esprit et ses mœurs»* (Boileau). *Aimer* (cit. 47) *tous les plaisirs. Tous les plaisirs sont fades s'il ne s'y mêle un peu d'amour* (→ Agréable, cit. 15). *La recherche de tous les plaisirs* (→ Épicurisme, cit. 3). *Essayer* (cit. 20 et 21) *de tous les plaisirs. Courir après les plaisirs. Je hais tous vos plaisirs* (→ Flatter, cit. 6). *Les plaisirs de la vie* (→ Heureux, cit. 36; jovialité, cit. 1), *les plaisirs terrestres* (→ Pari, cit. 7). *«Et ces plaisirs légers qui font aimer la vie»* (→ Ne, cit. 10, Musset). *«Vos jours toujours sereins coulent dans les plaisirs»* (→ Inépuisable, cit. 1, Racine). *Être sevré de plaisirs* (→ 1. Marasme, cit. 2). *Payer pour ses plaisirs* (→ Fonds, cit. 1). *Le tourbillon* des plaisirs. Les plaisirs bruyants* (→ Étourdir, cit. 15 et 18). *Les plaisirs de la campagne* (cit. 13), *de la table* (→ Augurer, cit. 2), *de la société* (→ Femmelette, cit. 2). *Les plaisirs amoureux.* ⇒ **Ébat** (1.), **jeu** (→ ci-dessous, absolt). *Les plaisirs du régiment.* ⇒ **Gaieté** (iron.). *Il leur faut des plaisirs nombreux et variés* (→ Exigeant, cit. 1). *Nos affaires, nos occupations, et nos plaisirs* (→ Heureux, cit. 49). — (1669). Anciennt. **MENUS PLAISIRS.** *Les Menus Plaisirs :* les divertissements royaux (fêtes, spectacles, cérémonies de la cour), réglés par une administration particulière qui était dirigée par l'*Intendant* ou *Trésorier des Menus (Plaisirs).* Ellipt. Les Menus* (cit. 5). — Mod. Amusements, distractions diverses. *Réserver une part de son budget pour ses menus plaisirs.*

Lorsque les plaisirs nous ont épuisés, nous croyons avoir épuisé les plaisirs (...) 33
VAUVENARGUES, Réflexions et maximes, 195.

Les plaisirs de la société, surtout en province, consistent à se dire du mal les uns des autres (...) BALZAC, le Député d'Arcis, Pl., t. VII, p. 714. 34

(Au sing.). ⇒ **Distraction, divertissement.** *Le théâtre fut longtemps un plaisir ignoré* (→ Abhorrer, cit. 1). *Inventer un nouveau plaisir* (→ Jouissance, cit. 3). *La conversation était le suprême plaisir* (→ Improvisateur, cit. 1). *Le ski nautique est un plaisir coûteux.*

(Ces enfants) que l'on voit se transformer bien vite en sportsmen de métier, vaniteux, cupides, que la moindre défaveur aigrit et dévoie, qui cessent d'aimer leur plaisir dès qu'il devient un gagne-pain. 35
G. DUHAMEL, Scènes de la vie future, XII.

Je ne sais d'ailleurs pas quelle conjuration de cagots et de vieilles filles a pu réussir, en deux siècles, à discréditer le mot plaisir. C'est un des mots les plus doux et les plus nobles de la langue. Je ne suis pas croyant mais, si je l'étais, je crois que je communierais avec plaisir. Le mal et le bien, aux origines, cela a dû être ce qui faisait plaisir ou non — tout bonnement. Toute la morale de ces cafards repose précisément sur ce petit mot fragile et léger qu'ils abhorrent. Pourquoi l'amour ne serait-il pas d'abord ce qui fait plaisir au cœur? On a bien le temps de souffrir par la suite. J. ANOUILH, la Répétition, II. 35.1

♦ **2.** (1678). *Les plaisirs sensuels :* les sensations, les émotions agréables qui ont pour source les sens, le corps (opposé à *plaisirs spirituels, intellectuels*). *Les bourbiers* (cit. 2) *des plaisirs. Efféminé* (cit. 3) *et noyé dans les plaisirs. S'amollir dans les plaisirs. Étrangers de passage auxquels on offre des plaisirs à tout prix* (→ Honneur, cit. 111). *Se livrer* (cit. 29) *aux plaisirs. S'abstenir des plaisirs.* ⇒ **Austérité, chasteté, continence.** *Mener une vie de plaisirs* (→ Se faire du bon sang*). ⇒ **Fête, noce.** — *Les plaisirs solitaires :* la masturbation (→ ci-dessus, sens II, 2, au singulier).

Peu importe que mes besoins sexuels, à l'époque, aient subi, quant à leur intensité relative, le même «retard» que l'ensemble de mes autres besoins corporels, la même naturelle contention. À l'âge où les plaisirs solitaires leur sont un substitut normal, je n'ai pas non plus attaché de honte à ces plaisirs. 35.2
Raymond ABELLIO, Ma dernière mémoire, t. I, p. 173.

Cet enfant était hypocrite et solitaire. Parfois le premier, il n'hésitait pas à conquérir la dernière place, si ses angoisses l'y obligeaient (...) 35.3
En dehors des plaisirs solitaires qui absorbaient une partie considérable de ses loisirs, il n'aimait pas grand-chose, ne collectionnait rien et lisait peu.
R. QUENEAU, le Chiendent, p. 28.

(Sing. collectif). *Une cour toute remplie par le plaisir et l'intrigue* (→ Exercer, cit. 33). *Penchant au plaisir.* ⇒ **Concupiscence, lasciveté, luxure, sensualité.** *Se précipiter dans le plaisir* (→ Frondeur, cit. 4). *Venise, patrie du plaisir* (→ Matin, cit. 12). — Poét. *«Sous le fouet du Plaisir, ce bourreau sans merci...»* (→ Mortel, cit. 5, Baudelaire). *Boire à la coupe* du plaisir.*

36 Allons! vive l'amour que l'ivresse accompagne!
Que tes baisers brûlants sentent le vin d'Espagne!
Que l'esprit du vertige et des bruyants repas
A l'ange du plaisir nous porte dans ses bras!
A. DE MUSSET, Poésies nouvelles, « Rolla », III.

... DE PLAISIR. *Homme de plaisir,* qui se livre aux plaisirs. — *Lieux de plaisir* (→ Étudiant, cit. 3; flâne, cit. 1). Spécialt. Lieu de débauche (→ Baleinier, cit.). *Un rendez-vous de plaisir* (→ Abonder, cit. 4). *Partie** (cit. 27) *de plaisir* (→ Frasque, cit. 3; maître, cit. 15; 1. pair, cit. 9).

(1872). Vx. *Train de plaisir :* train affrêté pour une excursion; train allant vers une station, un lieu de vacances.

37 J'aime le jeu, les visites, les assemblées, les cadeaux et les promenades, en un mot, toutes les choses de plaisir (...) MOLIÈRE, le Mariage forcé, 2.

38 (...) Jean-Paul redoutait les « parties » avec Lulu et son amie et quelques compagnons de plaisir dans les lieux de plaisir, cabarets artistiques, restaurants de nuit où l'on compose de la joie avec du champagne (...)
F. MAURIAC, l'Enfant chargé de chaînes, XXIV.

★ **IV.** Loc. **FAIRE PLAISIR (à qqn) :** se rendre agréable (à qqn), spécialt, en rendant service. ⇒ **Bienfait, faveur, grâce, office** (bon), **service.** *Je ne demande* (cit. 21) *pas mieux que de vous faire plaisir. Il, elle ne cherche qu'à faire plaisir.* ⇒ **Obliger** (→ Attention, cit. 45). *Ne pas manquer une occasion de faire plaisir* (→ Attacher, cit. 82). *Il m'a fait un grand plaisir, un plaisir que je n'oublierai jamais* (Académie). *Vous me ferez plaisir de... :* vous m'obligerez en... (→ Aller, cit. 84). *Faites-moi le plaisir de n'en pas parler.* ⇒ **Amitié.** *Voulez-vous me faire le plaisir de dîner avec moi?* ⇒ **Invitation, politesse.** (Au restaurant). *Qu'est-ce qui vous ferait plaisir? :* que désirez-vous? — Iron. *Faites-moi le plaisir de vous taire, de prendre la porte!*

39 Tais-toi donc! murmura-t-il. Hein? fais-moi le plaisir de te taire!
ZOLA, Nana, IX.

40 — Vous êtes dans les écritures, dans les bureaux. Ah! mais c'est très bien aussi. — Vous dites ça pour me faire plaisir. Vous n'en pensez pas un mot.
G. DUHAMEL, Salavin, III, VI.

★ **V.** (1829). Anciennt. Oublie* (cit.). *Voilà le plaisir!,* cri des marchands d'oublies.

41 (...) de petits Italiens, portant de grandes boîtes de fer peintes en rouge où les numéros — perdants et gagnants — étaient marqués, et jouant d'une crécelle, proposaient : « Amusez-vous, mesdames, v'là le plaisir. »
PROUST, À la recherche du temps perdu, t. XI, p. 147.

CONTR. Affliction, chagrin, déplaisir, douleur, fâcherie, géhenne, peine, tristesse. — Corvée, désagrément, ennui.

PLAISSE [plɛs] n. f. — Mot dial. ancien *plaissa,* en anc. provençal, fin XIIe; *plesse,* XIVe, en Normandie; lat. pop. **plaxus.* → Plessis.

♦ Régional. Haie.

(...) quelques plaisses encore défeuillées enlevaient leurs teintes chaudes, ocres vermeils, rousseurs ardentes, sur le bleu soutenu d'une pineraie qui fermait l'horizon.
M. GENEVOIX, Raboliot, p. 211.

PLAMAGE [plamaʒ] n. m. — 1797; *pellamage,* XVIe; de *plamer.*

♦ Techn. Opération de peausserie consistant à soumettre le poil à l'action du plain (⇒ 2. **Plain, plamée**).

REM. On trouve aussi les variantes *pelanage* et *plainage.*

PLAMÉE [plame] n.f. — 1752; de *plamer.* → 2. Plain, plamer.

♦ Techn. Blanc de chaux dont les tanneurs se servent pour préparer, traiter les peaux, enlever le poil des cuirs.

PLAMER [plame] v.tr. — 1723; *pellamer,* XVIe; de l'anc. franç. *pelain* (→ 2. Plain).

♦ Techn. Soumettre une peau à l'action du plain (⇒ 2. **Plain, plamée**).

REM. On trouve parfois *plainer* [plene], *pelaner* [p(ə)lane] ou *planer* [plane].

DÉR. Plamage, plamée.

1. PLAN, PLANE [plɑ̃, plan] adj. — 1520; lat. *planus* (→ 1. Plain).

♦ **1.** Sans aspérité ni inégalité d'aucune sorte et qui ne présente de courbure en aucun de ses points. ⇒ **Égal,** 1. **plain** (vx), **plat, uni;** 2. **plan.** *Rendre plane une feuille de métal, une pièce de bois* (⇒ **Aplanir, planer**), *une couche de terreau.* ⇒ **Égaliser, niveler.** *Espace plan en haut d'un escalier.* ⇒ **Palier.** — Phys. *Miroir plan* (opposé à *miroir sphérique*). *Dioptre plan.* — *Représentation des objets sur une surface plane.* ⇒ **Descriptif** (géométrie descriptive); **perspective.** — Math. *Courbe* plane. Angle plan,* formé par deux droites d'un même plan.

1 Les anciens ont fort bien remarqué qu'entre les problèmes de géométrie, les uns sont plans, les autres solides (...) c'est-à-dire que les uns peuvent être construits en ne traçant que des lignes droites et des cercles (...)
DESCARTES, Géométrie, II, De la nature des lignes courbes.

(...) on définit (...) la surface plane, celle à laquelle une ligne droite se peut appliquer en tout sens. 2
D'ALEMBERT, Éléments de philosophie, XV, Œ. compl., t. I, p. 270.

Le corps est enserré, rigide (...) dans la gaine (...) d'une robe sous laquelle aucun des indices de la femme ne paraît. Elle est droite, asexuée, plane (...) 3
HUYSMANS, la Cathédrale, p. 183.

♦ **2.** *Géométrie plane* (opposé à *dans l'espace*), qui étudie les figures planes.

Par métaphore :

Et sans doute tous ces plans différents suivant lesquels le Temps, depuis que je venais de le ressaisir dans cette fête, disposait ma vie, en me faisant songer que, dans un livre qui voudrait en raconter une, il faudrait user, par opposition à la psychologie plane dont on use d'ordinaire, d'une sorte de psychologie dans l'espace, ajoutaient une beauté nouvelle à ces résurrections que ma mémoire opérait. 4
PROUST, le Temps retrouvé, Pl., t. III, p. 1031.

♦ **3.** (1869). Vx. Mus. *Musique plane :* plain-chant.

CONTR. Anfractueux, courbe, gauche, ondulé.
COMP. et **DÉR. Aplanir. — Plan-concave, plan-convexe. — Planéité. — Planeter, planimétrie, planisphère, planorbe.**
HOM. (Du masc.) 2. **Plan,** 3. **plan, plant.** — (Du fém.) **Plane.**

2. PLAN [plɑ̃] n. m. — 1553; subst. de 1. *plan;* on trouve *plain,* n. m. « plaine, terrain plat » (1138).

♦ **1.** Surface plane* (dans quelques emplois). *Marcher sur un plan incliné. Toit en plan incliné. Mesurer l'inclinaison d'un plan au clinomètre*.* — Mécan. *Plan incliné* (cit. 9) : machine simple servant d'appareil de levage* et de démonstration. — Phys. *Plan d'épreuve*.* — *Plan d'eau :* surface d'eau abritée, calme, susceptible d'être utilisée pour la navigation. *Aménager, créer un plan d'eau. Les plans d'eau de la région parisienne.* → aussi Caverne, cit. 3. — Aviat. *Plan de sustentation d'un avion.* ⇒ **Aile**(s), **voiture; biplan, monoplan.**

À l'avant, dans cette blancheur brouillée qui l'environne, il distingue une silhouette, des épaules, un casque, découpés en ombres chinoises, sous les vastes plans noirs des ailes : le pilote! 1
MARTIN DU GARD, les Thibault, t. VIII, p. 148.

Loc. *Plan de travail :* élément de mobilier de cuisine formant table. — *Plan de cuisson :* plaque supportant des résistances électriques ou des brûleurs à gaz, encastrée dans un élément de cuisine. *Constructions situées sur le même plan.* ⇒ **Niveau, plain*-pied** (de).

(1875). Régional. Rez-de-chaussée. *Il habite le plan.* — (1963). Place. *Le plan Saint-Simplicien à Poitiers.*

♦ **2.** (1680). Sc., cour. Surface contenant entièrement toute droite* joignant deux de ses points. *Plan engendré par l'ensemble des droites passant par un point fixe et sécantes à une droite donnée. Ligne formant l'intersection de deux plans, de deux demi-plans* (dièdre*). ⇒ **Droite; arête.** *Plans coupants* (vx), *sécants. Plans parallèles*; perpendiculaires*. Droite parallèle, droite perpendiculaire à un plan. Plan bissecteur* (d'un dièdre). *Symétrie par rapport à un plan. Plan de symétrie.* — *Intersection d'un plan et d'une sphère, et d'un cône* (coniques : cercle, ellipse, parabole, hyperbole). *Plan radical de deux sphères. Plan polaire d'un point par rapport à une sphère. Plan directeur* d'un conoïde. Plan osculateur* (d'une courbe) *en un point de cette courbe. Plan méridien*,* passant par l'axe de révolution d'une surface de révolution. *Plan tangent* en un point à une surface :* l'ensemble des tangentes à cette surface, formant un plan. — *Plans formant les faces d'un polyèdre.*

(...) on doit supposer (...) dans les éléments de géométrie les idées abstraites de surface plane et de ligne droite, sans faire de vains efforts pour réduire ces idées à quelque notion plus simple. N'imitons pas un géomètre moderne, qui, par la seule idée d'un fil tendu, croit pouvoir démontrer les propriétés de la ligne droite indépendamment du plan (...) 2
D'ALEMBERT, Éléments de philosophie, XV, Œ. compl., t. I, p. 270.

Projections d'un point sur un plan. Dans la géométrie descriptive, la position d'un point est déterminée par sa projection orthogonale sur un plan de référence horizontal et sur un plan perpendiculaire au premier (plan vertical, frontal, de front). Plan de profil. Éloignement par rapport au plan de projection horizontal. ⇒ **Hauteur, niveau.** — *Représentation des objets sur un plan,* en respectant l'apparence sensible. ⇒ **Perspective.**

Techn., sc. Astron. *Plan de l'équateur* (cit. 2) *et plan de l'écliptique,* qui passe par l'équateur, l'écliptique. *Plan galactique. Plan orbital.* — Balist. *Plan de tir* (plan vertical passant par la ligne de tir). — Phys. *Plan d'incidence, de réfraction. Plan de polarisation* (→ Déviation, cit. 2). *Plan focal.* — Sc. nat. *Plan de clivage** (→ au fig. Fissurer, cit.). *Plans réticulaires* (d'un cristal). *Plan de fracture* (cit. 3; → Dislocation, cit. 1), *de faille* (2. Faille, cit.), *de stratification.* — Anat. *Plan sous-temporal, plan du trou occipital.* — Mar. *Plan latitudinal*.* — Arts. ⇒ **Méplat.** *Les divers plans d'une figure, d'un portrait.*

♦ **3.** (1678). Cour. Chacune des surfaces planes perpendiculaires à la direction du regard (généralement verticale), représentant les profondeurs, les éloignements dans une scène réelle ou figurée en perspective* (dessin, peinture, photo). *Premiers plans* (situés près de l'observateur). → Changer, cit. 69; gradin, cit. 4. *Au premier plan :* à peu de distance*. *Seconds plans, plans éloignés* (⇒ **Lointain**), *arrière-plans* (cit. 1). *Distancer* (cit. 2) *les plans. Dégradation des plans.*

3 On voit, à droite, une fabrique; proche de cette fabrique, sur un plan plus avancé sur le devant, les débris d'un pilotis, un peu plus vers (...) le fond, une nacelle (...)
DIDEROT, Salon de 1767, Vernet.

4 Peu à peu, cependant, le soleil qui descend derrière les palmiers n'éclaire plus que le fond de la place. Le premier plan rentre alors dans une ombre douteuse, où l'on ne voit plus distinctement aucune couleur (...)
E. FROMENTIN, Un été dans le Sahara, p. 152.

4.1 (...) les centaines de taches claires et frémissantes s'entrecroisant en dents de peigne sur des plans différents de gauche à droite — les plus près — et de droite à gauche — les plus éloignés (...) Claude SIMON, le Palace, p. 19.

(1874). Théâtre. *Plans verticaux matérialisés par le rideau, les décors, la toile de fond...*

Par métaphore, fig. **PREMIER, SECOND... PLAN.** *Cette question est au premier plan de l'actualité* (Académie). Cf. Sur le devant de la scène.

5 L'histoire, c'est la nuit. En histoire, il n'y a pas de second plan. La décroissance et l'obscurité s'emparent immédiatement de tout ce qui n'est plus sur le devant du théâtre. HUGO, l'Homme qui rit, II, VIII, III.

Mettre (qqch.) au premier plan, lui accorder une importance primordiale, essentielle. Mettre au second plan. ⇒ **Reléguer.** — *Mettre sur le même plan*, sur la même ligne*, au même niveau*. ⇒ **Côté** (à). — *De premier, de second plan.* ⇒ **Importance** (→ Jouer, cit. 39; mutuel, cit. 4). *Un écrivain de premier plan.* ⇒ **Ordre.**

6 J'ai la mémoire engourdie et, pour devenir un homme de premier plan, il faut d'abord posséder une mémoire puissante. G. DUHAMEL, la Pierre d'Horeb, VII.

Fig. Façon d'envisager les choses.

6.1 L'homme, jouant perpétuellement entre les deux plans de l'expérience et de l'imagination, voudrait approfondir la vie idéale des gens qu'il connaît et connaître les êtres dont il a eu à imaginer la vie. PROUST, *in* G. L. L. F.

Loc. *Sur le plan de...* (suivi d'un subst.), *sur le plan* (suivi d'un adj. abstrait) : au point de vue (de)... *Sur le plan matériel, spirituel; logique, moral* (→ Famille, cit. 33); *politique, social...*

7 — Et quel est le but de la vie, selon toi? — De faire son salut, sur le plan spirituel si l'on croit à une vie future; sur le plan sentimental, si l'on tient à une vie terrestre. A. MAUROIS, Terre promise, XXXVI.

♦ **4.** (1918). Spécialt, cour. (Dans des expressions). Image (photogr.) ou succession d'images (cin.), définie par l'éloignement de l'objectif et de la scène à photographier, et par le contenu de cette image (dimension des objets...). *Gros plan; plan lointain. Photo d'un objet en gros plan. Gros plan de visage, dans un film.* — Techn. *Plan rapproché, plan serré* (personnages cadrés à la hauteur des épaules); *plan américain* (personnages coupés à mi-corps); *plan moyen* (personnages en pied); *plan général, d'ensemble. Tourner une scène en plan fixe*, sans déplacer l'objectif. — *Plan d'archives :* images provenant de documents d'archives.

8 (...) lorsque l'appareil et le champ étaient fixes, tourner deux personnages à mi-corps eût contraint à tourner ainsi tout le film; jusqu'au temps où on découvrit plans et découpage. C'est donc de la division en plans, c'est-à-dire de l'indépendance du cinéaste à l'égard de la scène de théâtre, que le cinéma naquit en tant qu'art. MALRAUX, les Voix du silence, p. 122.

Loc. fig. *En gros, en premier plan. Gros plan sur...* (dans un journal, une émission...).

9 Télévision : Albert Camus en gros plan (...) Pourquoi ce « gros plan » me hérissait-il? F. MAURIAC, le Nouveau Bloc-notes 1958-1960, p. 201.

Techn. *Plan-paquet :* gros plan sur un produit ou sa marque dans une séquence publicitaire.

Par ext. Prise* de vue effectuée sans interruption; les images (⇒ **Photogramme**) qui en résultent (et ce qui en reste après les coupures techniques). — REM. Un plan tourné avec une caméra immobile est aussi un « plan » au sens précédent. — *Longueur d'un plan. Montage en plans alternés. Les plans d'une séquence. Plan court, long. Plan-séquence :* plan très long, constituant à lui seul une séquence.

COMP. Biplan, monoplan...
HOM. 1. **Plan,** 3. **plan, plant.**

3. PLAN [plɑ̃] n. m. — XIVe, « pépinière »; var. de *plant;* sens étendu au XVIe, « assiette d'un édifice », avec infl. de 1. *plain*, 1. *plan*, puis « dessin directeur ».

A. ♦ **1.** (1558). Représentation (d'une construction ou d'un ensemble de constructions, d'un terrain, d'un jardin, etc.) en projection horizontale. *Plan d'architecte, plan d'un bâtiment* (cit. 5). ⇒ **Architecture; dessin, iconographie.** *Échelle d'un plan. Plan géométral*.*

Forme particulière d'un édifice (visible sur le plan). *Plan d'un monument, d'une église* (→ Grec, cit. 8). *Plan central, basilical. Abbaye de plan cistercien.*

1 Alors il visitait avec des façons hautaines, mesurait la hauteur des plafonds, dessinait sur son calepin le plan du logis, les communications, la disposition des issues (...) MAUPASSANT, Pierre et Jean, III.

Plan de masse, ou, sous la forme critiquée, *plan-masse :* document graphique donnant la position des bâtiments et des volumes construits sur un site.

Plan de situation, servant à localiser un édifice, un terrain, dans son environnement.

Géol. *Lever*, dresser, tirer, tracer un plan.* ⇒ **Levé;** et aussi **arpentage** (cit.), **planimétrie.** *Plan nivelé, coté.* ⇒ **Nivellement.** *Lever un plan à la planchette, au graphomètre* (cit. 1), *au tachéomètre.* — Spécialt. *Plan parcellaire du cadastre*.* ⇒ **Parcelle.**

Milit. *Plan directeur :* carte très détaillée utilisée notamment par l'artillerie. *Plan de feu*, portant l'emplacement des armes lourdes et automatiques et les zones battues.

Cour. Carte* à grande échelle d'une ville, d'un réseau de communications... *Plan de Paris, du métro...* (→ Exploration, cit. 5; explorer, cit. 4; itinéraire, cit. 2). *Acheter un plan.*

(...) sur le panneau à gauche de la fenêtre (au-dessus de la petite table supportant la machine à écrire, disposée en diagonale dans l'angle de la pièce) un plan de la ville avec ses pâtés de maisons figurés en jaune, ses rues tracées en quadrillage régulier. Claude SIMON, le Palace, p. 12. 1.1

♦ **2.** (1558). Dessin à une certaine échelle, généralement en projection orthogonale* (d'un édifice, d'un appareil, d'une machine) avant sa construction, sa réalisation. ⇒ **Diagramme, épure, schéma;** et aussi **coupe, élévation.** *Le plan et l'élévation** (d'un édifice, etc.). *Dessiner les plans d'une machine, d'un dispositif. Plans et maquettes d'un prototype d'avion. — Plan perspectif. Plan cavalier.* — Par ext. *Plan en relief.*

Plan d'une fresque, d'une tapisserie : projet à l'échelle. ⇒ **Carton, dessin, esquisse...**

♦ **3.** (Déb. XVIIe). Projet élaboré, comportant une suite ordonnée d'opérations (⇒ **Moyen**), destinée à atteindre un but. ⇒ **Calcul, combinaison, dessein, entreprise, idée**(s), **projet.** *Élaboration d'un plan. Arrêter, combiner** (cit. 6), *concerter** (→ Heure, cit. 8), *concevoir* (→ Manquer, cit. 30), *dresser, forger* (cit. 8), *former* (→ Conjuration, cit. 2) *un plan.* ⇒ **Batterie** (fig.). *Avoir son plan. Coordonner* ses plans. Exécuter** (cit. 7 et 9) *un plan, les détails d'un plan* (→ Exécution, cit. 10 et 12). *Déranger* les plans de qqn. — Plan raisonnable, réalisable. Les plans les plus vastes* (→ Énergie, cit. 9). *Plan irréalisable.* ⇒ **Utopie.** — Loc. *Tirer des plans sur la comète*. — Plan d'un complot, d'une conjuration* (cit. 2), *d'une conspiration, d'un coup d'État. — Faire des plans d'avenir. Esquisser le plan de son existence* (→ Lendemain, cit. 8) : se fixer une ligne de conduite*. — *Plan d'ensemble.*

On se trompait en réalité sur l'audace des vainqueurs. On leur attribuait une préméditation, un plan, un calcul, qui leur étaient étrangers. 2
MICHELET, Hist. de la Révolution franç., V, IX.

D'ailleurs, à quoi bon m'encombrer d'un plan? Mieux valait me fier à l'inspiration. 3
F. MAURIAC, le Nœud de vipères, II, XVI.

Je te jure que celui qui nous apporterait un plan, même risqué, mais un vrai plan d'action, qui nous dirait, comme dans un naufrage ou un incendie : *Faites ça!* (...) 4
J. ROMAINS, les Hommes de bonne volonté, t. IV, X, p. 100.

Tantôt, il prenait alors en mains un crayon et un papier, et était censé provoquer et noter des idées touchant l'amélioration de sa situation matérielle : il appelait cela *tirer des plans.* MONTHERLANT, les Célibataires, II, VI. 5

Spécialt. (Au propre et au fig.). *Plans de bataille*, de campagne* (→ Habileté, cit. 13). *Plan stratégique* (→ Harmonie, cit. 37). ⇒ **Stratégie, tactique.**

Plan de vol : document établi par le pilote avant le vol et où figurent divers renseignements sur celui-ci (durée, itinéraire, etc.). → aussi le sens 5.

♦ **4.** (1669). *Plan d'une œuvre* (cit. 20), *d'un ouvrage :* disposition*, organisation de ses parties, soit considérée après coup (abrégé, résumé...), soit élaborée avant la composition. ⇒ **Cadre, carcasse, charpente, économie, ordre** (des matières), **squelette; canevas, crayon** (fig.), **dessin, ébauche.** *Plan d'une comédie* (→ Dialogue, cit. 4), *d'une tragédie, d'un roman* (→ Maquette, cit. 2), *d'un ouvrage didactique, d'un exposé, d'une conférence, d'une dissertation... Plan de devoir donné comme modèle.* ⇒ **Corrigé.** *Ébauche* (cit. 5), *esquisse et plan. Esquisser* (cit. 1) *un plan.*

Il se rencontra néanmoins une occasion (...) en laquelle on l'obligea *(Pascal)...* d'en dire quelque chose de vive voix. Il le fit donc en présence (...) de plusieurs personnes (...) Il leur développa en peu de mots le plan de tout son ouvrage : il leur représenta ce qui en devait faire le sujet et la matière; il leur en rapporta en abrégé les raisons et les principes, et il leur expliqua l'ordre et la suite des choses qu'il voulait traiter. 6
ÉT. PÉRIER, Préface de Port-Royal aux Pensées de Pascal (1669).

Pourquoi les ouvrages de la nature sont-ils si parfaits? c'est que chaque ouvrage est un tout, et qu'elle travaille sur un plan éternel dont elle ne s'écarte jamais. 7
BUFFON, Disc. Acad. franç.

On ne peut travailler à un ouvrage qu'après en avoir fait le plan, et un plan ne peut être bien fait qu'après que toutes les parties de l'ouvrage sont achevées. Car ce n'est que lorsqu'on connaît ses matériaux qu'on peut voir comment il faut les arranger. B. CONSTANT, Journal intime, 23 juil. 1804. 8

L'immensité d'un plan qui embrasse à la fois l'histoire et la critique de la Société, l'analyse de ses maux et la discussion de ses principes, m'autorise, je crois, à donner à mon ouvrage le titre sous lequel il paraît aujourd'hui : *La Comédie humaine.* 9
BALZAC, Avant-propos, Pl., t. I, p. 16.

Je n'ai pas dit un mot de ce que j'aurais dit 10
Si j'avais fait un plan une heure avant d'écrire (...)
A. DE MUSSET, Premières poésies, « Namouna », II, XIII.

Il ne l'est pas moins que le plan le plus ambitieux de la littérature, celui de La Comédie humaine, a été conçu après que Balzac eut écrit la première moitié de son œuvre. Comme en peinture, l'œuvre et le modèle n'appartiennent pas au même univers. MALRAUX, l'Homme précaire et la Littérature, p. 140. 10.1

♦ **5.** (1875; spécialisation du sens 3). « Ensemble des dispositions arrêtées en vue de l'exécution d'un projet » (Bettelheim). ⇒ **Planification.** *Les plans économiques se différencient des programmes par l'existence d'objectifs précis et de mesures propres à les atteindre. Plan économique, financier; plan de trois, cinq ans* (⇒ **Quinquennal**). *Additif au Ve plan. Plan d'aide aux pays sous-développés. — Plan d'aménagement, d'embellissement... d'une ville.* — (1966). *Plan d'urbanisme. — Plan de stabilisation* (monétaire), plan relatif au maintien du pouvoir d'achat de la monnaie. *Plan de redressement, d'austérité, de relance. Les grandes options d'un plan. Plan d'occupation des sols* (P.O.S.). *Plan de travail, dans une entreprise.* ⇒ **Organisation** (du travail), **planning.** — *Plan comptable.* (1966). *Plan calcul :* ensemble des dispositions administratives et économiques prises par le gouvernement français pour élaborer une industrie nationale de l'informatique.

Le Plan : service habilité à préparer les grands plans économiques d'équipement. *Service du Plan. Le sixième Plan. Commissaire général au Plan.*

Psychol. *Plan d'échantillonnage* (sélection et estimation méthodique des échantillons). — Sc. *Plan d'expérience :* programme scientifique de récolte des données et d'analyse statistique, dans une expérimentation.

Publicité. *Plan des supports :* programme de publicité selon les supports (traduit l'angl. *media planning*, Journ. off. 1973).

Plan ORSEC (abrév. de *Organisation des secours*) : plan déclenché par le préfet en cas de catastrophe. — *Plan d'épargne :* système d'épargne dans lequel le souscripteur s'engage à verser régulièrement certaines sommes. *Plan d'épargne logement. — Plan d'options sur titres,* dans lequel une entreprise offre à ses salariés des options d'achats sur ses actions (traduit l'angl. *stock option plan*, in *Journ. off.* 1973).

10.2 Et si l'on vous demande : Quel est le père du plan Marshall? N'hésitez pas à répondre qu'il s'appelle Staline (...) A. SAUVY, Croissance zéro?, p. 67.

♦ **6.** Argot des bagnards. Plan d'évasion. — Par métonymie. Étui contenant les instruments (limes, argent) nécessaires à une évasion.

10.3 Je l'ai eu le plan. C'est un tube d'aluminium, merveilleusement poli, qui s'ouvre en le dévissant juste au milieu (...) je l'embrasse avant de me le mettre dans l'anus.
Henri CHARRIÈRE, Papillon, p. 19.

♦ **7.** Lang. des jeunes. Projet de sortie, de distraction. « *T'inquiètes pas de la galère* pour samedi soir, j'ai un plan* » (P. de Nussac, *le Français de moins de 20 ans*, in *Signature*, no 133, 1981). *On cherche un plan pour ce soir.*

B. Fam. EN PLAN (1821; *laissier en un plain*, XIVe, avec infl. de *plant, plan*) : sur place, sans s'en occuper. *Laisser qqn en plan.* ⇒ **Abandonner, planter** (là). *Tous les projets sont restés en plan.* ⇒ **Suspens** (en).

11 Pour venir, j'ai laissé en plan des examens que je faisais passer.
J. ROMAINS, les Hommes de bonne volonté, t. VIII, XXV, p. 263.

HOM. 1. **Plan,** 2. **plan, plant.**

PLANAGE [planaʒ] n. m. — 1847; de 1. *planer.*

♦ Techn. Opération qui consiste à planer (1. Planer), à aplanir. — (1932). Action de rendre plane une tôle déformée. — Spécialt. Arts. Opération qui consiste à rendre planes et lisses les planches de cuivre ou de zinc destinées à la gravure. — Lieu (atelier, etc.) où se pratique cette opération. *Aller chercher des planches neuves au planage.*

COMP. Sous-planage.

PLANAIRE [planɛʀ] n. f. — 1803; lat. mod. *planarius*, de *planus.* → 1. Plan.

♦ Ver plat *(Turbellariés)* qui vit en eau douce.

PLANANT, ANTE [planɑ̃, ɑ̃t] adj. — V. 1970; de 2. *planer.*

♦ Fam. Qui fait planer (2. Planer, 4.). « *La (...) mariejeanne, le mysticisme oriental, le Jésus superpied, les extases planantes...* » (A. Rey, *Tel Quel*, été 1976). *Musique planante* (*Actuel*, déc. 1974, p. 52).

PLANCHE [plɑ̃ʃ] n. f. — V. 1190; *plance*, v. 1155; bas lat. *planca*, fém. substantivé de *plancus* « aux pieds plats », du grec *phalanx.*

♦ **1.** Pièce de bois* plane, plus longue que large et généralement peu épaisse. ⇒ **Ais, chanlatte, latte, planchette, palplanche.** *Scier des planches dans un tronc d'arbre* (⇒ **Refendre**). *Planche de chêne, de sapin* (⇒ **Sapine**), *de merrain... Planche couverte d'écorce* (⇒ **Dosse**), *non équarie. Aplanir, raboter une planche. Planche très épaisse, mince* (⇒ **Feuillet**). *Planches et madriers*. — Utilisation des planches.* ⇒ **Charpente, ébénisterie, menuiserie.** *Planches utilisées pour la couverture, le cloisonnage.* ⇒ **Bardeau, volige.** *Planche à tonneau.* ⇒ **Douve.** — *Assemblage, taille des planches.* ⇒ **Alaise, languette, onglet...** *Planches assemblées, clouées; ajointées, jointives*. Ouvrage en planches.* ⇒ **Boisage, planchéiage.** *Caisse, cloison, panneau; barrière, palissade* (cit. 1) *en planches. Construction, maisonnette, échoppe... en planches.* ⇒ **Baraque** (cit. 1), **cabane, chalet.** *Sol en planches.* ⇒ **Plancher.** *Estrade, plate-forme en planches. Chemin de planches, sur une plage de sable. Planche en équilibre, servant de balançoire.* ⇒ **Balançoire, branloire** (vx). *Planche élastique, servant de tremplin* (→ Bondir, cit. 4). *Planche d'un plongeoir. Planche jetée sur un ruisseau, en guise de passerelle.* — Allus. littér. « *Le plus grand philosophe, sur une planche plus large qu'il ne faut...* » (→ Imagination, cit. 1, Pascal). — *Coucher, dormir sur une planche* (→ Macération, cit. 2; et aussi lit, cit. 2). — *Planches sur des tréteaux, servant de bancs, de tables* (→ Festin, cit. 3). *Planches servant de support, d'étagère* (⇒ **Tablette**), *de rallonge. Planches d'une armoire, d'un placard* (⇒ **Rayon**). — *Planches recouvrant la membrure d'un navire.* ⇒ **Bordage.** *Radeau, barque, ponton... en planches. Planches mobiles servant de banc, de dossier, dans une embarcation.* — Loc. (Mar.). *Planche de roulis,* placée au bord d'une couchette. Spécialt, absolt. Planche servant à monter à bord, au chargement et au déchargement des marchandises. *Retirer la planche.* — Loc. *Jours de planche.* ⇒ **Jour.**

(...) une chaise de paille, une table de bois (...) une planche de sapin qui soutenait quelques livres (...) DIDEROT, Regrets sur ma vieille robe de chambre. 1

Ludovic fit passer plus de vingt fossés à Fabrice. Il y avait des planches fort longues et fort élastiques qui servaient de ponts sur les plus larges de ces fossés; Ludovic retirait ces planches après avoir passé. 2
STENDHAL, la Chartreuse de Parme, I, XI.

(...) j'arrachai trois planches du parquet de la chambre, et je déposai le tout entre les voliges. Puis je replaçai les feuilles si habilement (...) qu'aucun œil humain (...) n'aurait pu y découvrir quelque chose de louche. 3
BAUDELAIRE, Trad. E. POE, Nouvelles histoires extraordinaires, « le Cœur révélateur ».

Des planches, en guise de table, ont été posées sur des tréteaux (...) 4
ALAIN-FOURNIER, le Grand Meaulnes, I, XIII.

Planche à dessin : panneau de bois parfaitement plan sur lequel on fixe une feuille de papier à dessin (spécialt en dessin industriel et d'architecture). — *Planche à laver,* sur laquelle on foule, on brosse le linge. — *Planche à repasser recouverte de molleton.* — Par ext. Cette planche, montée sur un support (syn. : *table à repasser*). — *Planche à pain,* sur laquelle on pose le pain pour le couper (loc. fig. *Avoir du pain,* et, par anal., *du travail sur la planche*) ou sur laquelle on range le pain; fig. *Avoir son pain (cuit) sur la planche.* ⇒ **Pain.** — *Planche à découper. Planche à pâtisserie. Planche à bouteilles,* servant à l'égouttage des bouteilles.

Gervaise (...) commençait à décrasser son linge. Elle venait d'étaler une chemise sur la planche étroite de la batterie, mangée et blanchie par l'usure de l'eau (...) 5
ZOLA, l'Assommoir, I, t. I, p. 18.

Certainement le gouvernement réserve cette nouvelle; il est bon d'avoir un peu de joie sur la planche. GIDE, Journal, 15 août 1914. 6

(1901). Athlétisme (saut en longueur). *Planche d'appel :* solive placée à l'extrémité de la piste d'élan et à partir de laquelle se mesure le saut.

Fam. Ski. « *Le skieur... cire la semelle de ses bois ou, plus familièrement, de ses planches...* » (Lacroix, in *Classe de Français*, oct. 1953, p. 130). — REM. Le mot a été utilisé pour désigner les *skis*, avant l'emprunt de ce mot :

(...) nous ne vîmes rien qui mérite d'être écrit, une paire de ces longues planches de bois de sapin avec lesquelles les Lapons courent d'une si extraordinaire vitesse. 6.1
J.-F. REGNARD, Voyage en Laponie, p. 87.

Planche de surf :* planche de forme spéciale, utilisée pour se tenir en équilibre sur des eaux déferlantes. (→ ci-dessous le sens 5).

(1870). Argot des écoles. Vx. Tableau noir. *Travailler à la planche.* — (1929). Mod. Interrogation au tableau. *Faire une bonne planche.* ⇒ **Plancher** (verbe).

Je ne passai ma seconde planche que le surlendemain. Dans l'intervalle, muni d'un plan de Paris, je partis au hasard par les rues, toujours à pied, m'enivrant d'images. Enfin passif et délié, recru d'une saine fatigue, je passai, avant ce second examen que je pensais être le dernier, une nuit de profond sommeil. 6.2
R. ABELLIO, Ma dernière mémoire, t. I, p. 195.

Loc. *Être cloué entre quatre planches,* mort et enfermé dans le cercueil.

Elle-même *(Françoise)*, peut-être, n'aurait pu dire pourquoi elle faisait ainsi la morte, avant d'être clouée entre quatre planches. ZOLA, la Terre, V, IV. 7

Loc. fam. *Être maigre*, plate comme une planche :* être maigre, plate (se dit d'une femme). — Fig. *C'est une planche, une vraie planche à pain.*

Malgré tant de désavantages, malgré sa prestance de planche, elle tenait de son éducation et de sa race un air de grandeur (...) 8
BALZAC, Splendeurs et Misères des courtisanes, Pl., t. V, p. 735.

(1808). *Faire la planche :* s'étendre dans l'eau sur le dos pour flotter.

Au large, nous avons fait la planche et sur mon visage tourné vers le ciel le soleil écartait les derniers voiles d'eau, qui me coulaient dans la bouche. 9
CAMUS, l'Étranger, I, VI.

Loc. fig. *Planche de salut, de sauvetage* (→ Obstiné, cit. 1) : suprême appui, et, par ext., ultime ressource*, dernier moyen qui permet d'échapper à une catastrophe. — Absolt, vx. *Une planche dans le naufrage.*

Les ressources suprêmes sortent des résolutions extrêmes. S'embarquer dans la mort, c'est parfois le moyen d'échapper au naufrage; et le couvercle du cercueil devient une planche de salut. HUGO, les Misérables, V, I, VII. 10

(1594). Fam. *Une planche pourrie :* une personne sur laquelle on ne peut compter, qui ne peut fournir d'appui solide.

♦ **2.** (XVIIIe). **Les planches :** le plancher de la scène, au théâtre. ⇒ **Scène, théâtre; tréteaux.** Par ext. Le métier de comédien, de chanteur, de danseur... *Monter sur les planches,* en scène (→ Fourmi, cit. 8; ingénu, cit. 5). — *Il a l'habitude des planches, c'est un enfant de la balle**. — Loc. *Brûler** (cit. 15) *les planches, brûleur* (cit. 2) *de planches.*

11 L'opinion du monde, trop justifiée, hélas! par les mœurs du théâtre, est que toute actrice se double d'une courtisane. Quand une femme a mis le pied sur les planches, elle appartient au public; les regards avides détaillent ses charmes, scrutent ses beautés, et l'imagination s'en empare comme d'une maîtresse.
Th. Gautier, le Capitaine Fracasse, x.

12 J'ai eu dans mon enfance et ma jeunesse un amour effréné des planches. J'aurais été peut-être un grand acteur, si le ciel m'avait fait naître plus pauvre.
Flaubert, Correspondance, 114, 8 août 1846.

♦ **3.** (1585). **Planche d'imprimerie** ou **planche :** pièce de bois plate et mince, et, par ext., plaque, feuille de métal poli, destinée à la gravure et à la reproduction par une impression (→ Imprimerie, cit. 1). *Les caractères mobiles ont remplacé les planches d'imprimerie. Planche de bois; de cuivre, d'acier... Graver**, *buriner, retoucher... une planche.* ⇒ **Graveur, gravure.** *Planche en photogravure**. *Planche usée par des tirages répétés.* — Par ext. (Abusivt). Composition d'imprimerie (→ Forme, cit. 83). *Cliché** *d'une planche d'imprimerie.*

13 Non seulement l'eau-forte est faite pour glorifier l'individualité de l'artiste, mais il est même impossible à l'artiste de ne pas inscrire sur la planche son individualité la plus intime.
Baudelaire, Curiosités esthétiques, xiii.

Spécialt. *Planche à billets,* servant au tirage des billets de banque. *Faire fonctionner la planche à billets :* émettre du papier-monnaie (généralement, en trop grande quantité).

13.1 Papa n'est pas faux-monnayeur pour disposer d'une planche à billets.
Hervé Bazin, Cri de la chouette, p. 169.

(V. 1560). Par métonymie. Estampe tirée sur une planche gravée. ⇒ **Gravure; estampe.** *« Cet œuvre* (de Gavarni), *éparpillé* (cit. 22) *en livres, en albums, en séries et en planches détachées ». Atlas de deux mille planches* (→ Efflorescence, cit. 3). *Planches en hors-texte.* — Feuille ornée d'une gravure. *Les planches en couleurs d'un livre.*
Page dessinée (dans la « bande dessinée »). *Les planches d'un album de B. D.*

♦ **4.** Techn. Lingot de laiton. — Bloc d'ardoise brut.

(1765). Pièce d'une serrure qui empêche le fonctionnement d'une clé non adaptée.

(1872). Cuis. Grand et long morceau de lard.

(1932). Aviat. *Planche de bord :* panneau où se trouvent les instruments de bord. ⇒ **Tableau.**

(Mil. XXe). Support du mécanisme d'un appareil d'horlogerie.

♦ **5.** Emplois spéciaux du sens 1. (1976). Sports, cour. **Planche à roulettes** ou **planche :** petite planche montée sur roulettes. — Sport. Jeu consistant à se déplacer, monté sur cette planche. ⇒ **Skateboard** (anglic.). *Faire de la planche.* ⇒ **Planchiste.** *Il préfère la planche au patin** *(à roulettes). Figures de planche. Piste pour la planche à roulette. Équipement* (casque, gants, genouillères) *pour la planche.*
REM. Le dér. *planche-à-roulettiste* (*Marie-France,* oct. 1978, p. 22, etc.) n'a pas vécu.

(1975). **Planche à voile** ou **planche :** engin de forme voisine de celle de la planche (1.) de surf, muni d'une petite quille ou d'une dérive, et d'une voile, tenue à la main par l'intermédiaire d'un wishbone*. Sport consistant à se déplacer sur cet engin. *Personne qui pratique la planche à voile.* ⇒ **Planchiste, véliplanchiste.** *Régate de planches. La planche à voile a détrôné le dériveur. Combinaison de planche à voile.*

♦ **6.** (1293). Espace de terre cultivée, plus long que large, dans un jardin. *Les planches d'un carreau* (cit. 6), *d'un carré. Planches d'un potager* (→ Jardinier, cit. 1). ⇒ aussi Couche.

14 (...) et elles l'approchaient des planches *(la lanterne),* elles distinguaient confusément, dans le cercle étroit de lumière, les haricots et les pois rasés au pied, les salades tranchées, hachées (...).
Zola, la Terre, II, II.

(1869). *Labour par planches,* par bandes larges et planes.

DÉR. Plancher (n. et v.), **planchette.** — (De 5.) **Planchiste.**

PLANCHÉIAGE [plɑ̃ʃejaʒ] n. m. — 1846; de *planchéier.*

♦ Techn. Pose d'un plancher, d'une garniture de planches; cette garniture. ⇒ **Parquet.** Par ext. *Le planchéiage d'une glace.*

Je présume que vous avez examiné les glaces entre la glace et le planchéiage (...)
Baudelaire, Trad. E. Poe, Histoires extraordinaires, « La lettre volée ».

PLANCHÉIER [plɑ̃ʃeje] v. tr. — 1335, *planchoier;* de *planché* « plancher »; de *planche.*

♦ Garnir (le sol, et, par ext., les parois intérieures d'une construction), d'un assemblage de planches (⇒ 1. **Plancher**). *« Au lieu de faire parqueter sa chambre, il s'est contenté de la faire planchéier »* (Académie). — Au p. p. :

On nous conduisit dans une chambre haute toute planchéiée intérieurement, et qui ressemblait à une caisse de sapin vue en dedans.
Th. Gautier, Voyage en Russie, p. 291.

DÉR. Planchéiage, planchéieur.

PLANCHÉIEUR [plɑ̃ʃejœʀ] n. m. — 1827; *planchéeur,* « employé d'un port », 1672; de *planchéier.*

♦ Techn. Ouvrier qui effectue le planchéiage. — REM. Le fém. est virtuel.

1. PLANCHER [plɑ̃ʃe] n. m. — V. 1160, sens 2, a; *planchier,* mil. XIIe; de *planche.*

♦ **1.** Ouvrage qui, dans une construction, constitue une plate-forme horizontale au rez-de-chaussée, ou une séparation entre deux étages. *Plancher rustique formé de planches clouées sur des solives**. *Plancher de charpente formé de grosses poutres, parfois réunies par des pièces secondaires* (⇒ **Chevêtre, doubleau, entretoise, linçoir**) *entre lesquelles se place un remplissage* (⇒ **Entrevous, hourdage, hourdis**) *formant l'aire** *du plancher, et sur lesquelles se fixent les lambourdes** *supportant un assemblage de planches. Partie supérieure en planches* (⇒ **Frise, latte, parquet,** et ci-dessous, 2.), *en carrelage... d'un plancher. Le dessous d'un plancher est formé d'un lattis** (ou *couchis*) *recouvert d'un enduit.* ⇒ **Plafond.** *Plancher métallique,* à solives et entretoises métalliques. *Plancher à coffrage; en béton armé; mixte* (béton et métal). *Plancher-support* (ou *plancher-terrasse*) : élément d'une toiture en terrasse couvrant le gros œuvre et supportant les ouvrages d'étanchéité. *Parois, cloisons et planchers d'une maison, d'un bâtiment* (→ Mur, cit. 9). *Plancher qui s'affaisse, se bombe, s'effondre.*

♦ **2.** Spécialt. (L'une des faces visibles de l'ouvrage qui sépare deux étages).

a (1495). Vx. Partie inférieure du plancher, appelée de nos jours plafond* (→ 1. Bas, cit. 94). *Pendre au plancher* (→ Me, cit. 11). *Sauter au plancher* (→ Arrière, cit. 8). *Sous les solives d'un plancher* (→ Languir, cit. 4).

b Mod. Partie supérieure d'un plancher (1.), sol de la pièce lorsqu'il est constitué d'un assemblage de bois assez rudimentaire, assez simple (à la différence du *parquet**). *Lattes, frises, lames* (cit. 2) *d'un plancher. Plancher de chêne* (→ Infléchir, cit. 6), *de sapin* (→ Intérieur, cit. 10). *Salles parquetées* (cit. 1) *de planchers de cèdre. Salir, crotter* (cit. 1) *le plancher. Échauder* (1. Echauder, cit. 1), *gratter, nettoyer un plancher. Propreté des planchers* (→ Éblouir, cit. 6; harnais, cit. 14). *Natte* (cit. 1), *linoléum, moquette qui couvre un plancher. Décarreler une pièce pour y poser un plancher.* ⇒ **Planchéier.** — *Plancher d'une grange, d'un fenil* (→ Madrier, cit. 1). *Plancher à claire-voie au-dessus du cintre, dans un théâtre.* ⇒ **Gril.**

(...) un linoléum qui recouvrait le plancher de chêne fait de douves de futailles (...) 1
J. Chardonne, les Destinées sentimentales, p. 432.

Par anal. Construction, charpente destinée à supporter un plancher. ⇒ **Échafaud, estrade, plate-forme.** *Boulins** *supportant le plancher d'un échafaudage.* ⇒ aussi **Pont** (d'un bateau), **tablier** (de pont).

Par ext. Sol, paroi inférieure (d'un véhicule). *Plancher d'un ascenseur, d'un wagon.* — (1956). Fam. *Mettre le pied au plancher :* appuyer à fond sur la pédale d'accélérateur d'une automobile.

La tour tremblait, la margelle sur laquelle il se tenait trépidait comme le plancher d'un train (...) 2
Huysmans, Là-bas, III.

Loc. fam. (1843). *Débarrasser le plancher :* sortir (→ Houp, cit.).

Eh bien! quoi? je sais tout : ce complot pour que je t'épouse et que je débarrasse le plancher (...) 3
F. Mauriac, les Anges noirs, XIV.

— Allons, dit le patron d'une voix sévère, faites ce qu'il vous dit (...) et puis débarrassez-moi le plancher : je me lève à quatre heures, moi. 4
Sartre, le Sursis, p. 141.

(1552, cit.; *plancher aux vaches,* 1529, *in* D.D.L.). Fig., fam. (D'abord, dans le lang. des marins). *Le plancher des vaches :* la terre.

Ô que trois et quatre fois heureux sont ceux qui plantent choux! (...) Car ils ont toujours un pied en terre, et l'autre n'en est pas loin (...) Ha! pour manoir déifique et seigneurial, il n'est que le plancher des vaches. 5
Rabelais, le Quart Livre, XVIII.

M. Madinier songea à faire une galanterie aux dames; il leur offrit de monter dans la colonne *(Vendôme)* pour voir Paris (...) ça ne manquait pas d'intérêt pour les personnes qui n'avaient jamais quitté le plancher aux vaches. 6
Zola, l'Assommoir, III, t. I, p. 100.

♦ **3.** (1812). Sc. Paroi inférieure. — Anat. *Plancher buccal* (⇒ **Bouche**) : les parties molles situées entre le maxillaire inférieur et l'os hyoïde, qui ferment la partie inférieure de la cavité buccale. *Plancher orbitaire; plancher pelvien* (périnée)...

Géogr. *Plancher d'une caverne, d'une grotte.* — Sol dur sur lequel repose une dune.

♦ **4.** (1963). Fig. (D'après l'emploi de plafond). Minimum, taux inférieur fixé par la loi. *Ne pas descendre en dessous d'un certain plancher.* — (Appos. ou premier élément de noms composés). *Prix plan-*

cher. « En tant que rémunération-plancher *le S.M.I.G. est surtout tombé en relative désuétude »* (J.-P. Courthéoux, *la Politique des revenus,* p. 73).

CONTR. Plafond.

2. PLANCHER [plɑ̃ʃe] v. intr. — 1905; de *planche* «tableau».

♦ Argot scol. Subir une interrogation, faire un travail, une démonstration au tableau ou par écrit. *Il l'a laissé plancher pendant une demi-heure.*

Je vais passer ma licence de philo (...) Hier encore, je redoutais de me trouver ici en attendant l'heure de *plancher, d'entrer en cage* (...)
Paul MORAND, l'Europe galante, N. Petresco.

Cour. (Fam.). Faire un exposé. *Elle devra plancher devant une commission d'experts.*

REM. Un homonyme *plancher* «faire de la planche à voile» est attesté (*l'Express,* 17 avr. 1978, p. 188).

PLANCHETTE [plɑ̃ʃɛt] n. f. — XIIIe, *planchete; de planche.*

♦ **1.** Petite planche (surtout servant de support). → Fil, cit. 28; ligne, cit. 25. *Poser des livres sur une planchette.* ⇒ **Tablette.**

(...) les murs disparaissaient sous des rayonnages. Sur des planchettes s'allongeait la file des reliures (...) Paul BOURGET, Un divorce, III.

♦ **2.** (1752). Techn. Petite plate-forme montée sur un pied, munie d'une alidade ou d'une lunette, qui sert à lever des plans (⇒ **Géodésie**). *Lever un plan au graphomètre* (cit. 1), *à la planchette.*

♦ **3.** (1932). Techn. Défaut dans un tissu de velours dû à la rupture d'un fil.

PLANCHISTE [plɑ̃ʃist] n. — V. 1980; de *planche (à voile, à roulettes).*

♦ **1.** Personne qui pratique la planche à voile. ⇒ didact. **Véliplanchiste.** *« Les surfistes français (...) lui lancent un défi. "Ce sont des planchistes du dimanche", répond-(il) »* (*l'Express,* 20 sept. 1980, p. 145).

♦ **2.** Personne qui pratique la planche à roulettes.

PLANCHON [plɑ̃ʃɔ̃] n. m. — 1963; «tronc d'arbre», XIIe; var. de *plançon.*

♦ Techn. Petite betterave utilisée pour produire des graines.

PLANÇON [plɑ̃sɔ̃] n. m. — V. 1120; du lat. pop. *plantio, -onis;* dér. de *planta* «plant».

♦ **1.** Agric. Jeune plant. — (V. 1175). Branche utilisée comme bouture. «Cette appellation s'applique surtout aux boutures d'osier ou de saule» *(Omnium agricole).* — REM. Dans ce sens on dit aussi *plantard* [plɑ̃taʀ] (*plantars,* 1573).

♦ **2.** (1771). Techn. Tronc d'arbre refendu utilisé en charpente. ⇒ **Madrier.**

♦ **3.** Hist. Arme formée d'un long fût de bois portant une tête renflée munie d'un fer aigu.

PLAN-CONCAVE [plɑ̃kɔ̃kav] adj. — 1765; de 1. *plan,* et *concave.*

♦ Opt. Qui présente une face plane et une face concave. *Lentilles plan-concaves.*

PLAN-CONVEXE [plɑ̃kɔ̃vɛks] adj. — 1691; de 1. *plan,* et *convexe.*

♦ Opt. Qui présente une face plane et une face convexe. *Lentilles plan-convexes.*

PLANCTON [plɑ̃ktɔ̃] n. m. — 1893, *plankton,* in *Année sc. et industr.* 1894, p. 526; sans doute antérieur. Cf. Planctonique; all. *Plankton* (1887), grec *plagkton,* neutre de *plagktos* «errant».

♦ Ensemble des organismes (en général de très petite taille) qui vivent en suspension dans l'eau de mer (par oppos. au *benthos,* organismes fixés au fond, et aux animaux qui se meuvent librement). *Plancton végétal* (⇒ **Phytoplancton :** algues, etc.), *animal* (⇒ **Zooplancton :** protozoaires, cnidaires, crustacés, souvent à l'état de larves). *Les animalcules, les microorganismes formant le plancton. Plancton océanique, néritique ou littoral.* — Par ext. *Plancton des eaux douces. Propriétés nutritives et antibiotiques du plancton.*

La vague atlantique était d'un bleu trouble, toute laiteuse de plancton, alourdie par les milliards de larves que le courant emporte vers le nord et qui, bientôt mortes de froid, vont nourrir les poissons sur le grand banc de Terre-Neuve.
G. DUHAMEL, Scènes de la vie future, I.

DÉR. Planctonique.
COMP. Planctonologie. V. **Planctophage.**

PLANCTONIQUE [plɑ̃ktɔnik] adj. — 1892, *in* D.D.L.; *planktonique,* 1903, *Rev. gén. des sc.;* var. *planctique,* 1907; de *plancton.*

♦ Zool. Du plancton; qui flotte, est emporté par les courants. *Poissons à nourriture planctonique.* ⇒ **Planctophage.** *La vie planctonique.*

Mais il est encore des êtres planctoniques qui passent à travers les mailles des filets les plus fins et qui nécessitent d'autres modes de récolte, centrifugation, sédimentation, filtration spéciale (...) Paul BOUGIS, le Plancton, p. 7. 1

Pour tous, la nourriture est essentiellement planctonique : les poissons de faible taille comme les Sprats, les Anchois, les Sardines, les Harengs, récoltent les éléments microscopiques du plancton grâce à leurs filtres branchiaux.
R. et M.-L. BAUCHOT, les Poissons, p. 114. 2

PLANCTONOLOGIE [plɑ̃ktɔnɔlɔʒi] n. f. — Av. 1970; de *plancton**, et *-logie.*

♦ Sc. Étude scientifique du plancton marin.

DÉR. Planctonologique, planctonologiste.

PLANCTONOLOGIQUE [plɑ̃ktɔnɔlɔʒik] adj. — Av. 1970; de *planctonologie.*

♦ Sc. De la planctonologie. *Congrès planctonologique.*

PLANCTONOLOGISTE [plɑ̃ktɔnɔlɔʒist] n. — Av. 1970; de *planctonologie.*

♦ Personne qui s'occupe de planctonologie.

PLANCTOPHAGE [plɑ̃ktɔfaʒ] adj. — 1954, cit. *infra;* de *plancto(n),* et *-phage.*

♦ Biol. Qui se nourrit de plancton.

Au début de sa vie, le jeune Sandre est essentiellement planctophage (...)
Paul VIVIER, la Pisciculture, p. 93.

1. PLANE [plan] n. m. — V. 1174; forme régionale de *platane,* lat. *platanus.*

♦ Régional. Érable platane.

On y voit au milieu un plane dont le feuillage épais fait une ombre fort agréable (...)
A.-R. LESAGE, *in* BRUNOT, Hist. de la langue franç., t. VI, p. 1287.

HOM. 2. **Plane,** 3. **plane,** fém. de 1. **plan.**

2. PLANE [plan] n. f. — XIVe; *plaine,* fin XIe; réfect., d'après le v. *planer,* de l'anc. franç. *plaine,* bas lat. *plana.*
Technique.

♦ **1.** Outil formé d'une lame tranchante et de deux poignées, appelé aussi *couteau* à deux manches,* qui sert à aplanir, à dégrossir une surface de bois. ⇒ **Alumelle.** *Plane droite, cintrée. Plane de charron, de tonnelier* (→ Écorcer, cit. 1). — *Plane de plombier* (pour rogner les bavures du plomb).

♦ **2.** Ciseau* de sculpteur. — Ciseau de tourneur servant à lisser. — Face aiguisée d'une lame de ciseau.

HOM. 1. **Plane,** 3. **plane,** fém. de 1. **plan.**

3. PLANE [plan] n. f. — Déb. XVIIe; de 2. *plane.*

♦ Techn. Ensemble des morceaux de parchemin qui séparent les peaux mises à tremper dans le plain* (2. Plain).

HOM. 1. **Plane,** 2. **plane.**

1. PLANÉ [plane] n. m. — 1903; de 1. *planer.*

♦ Techn. Pellicule d'or laminé servant à fabriquer les bijoux en double.

2. PLANÉ, ÉE [plane] adj. et n. m. — XIIe; → Planer.

♦ **1.** Loc. mod. (1869). **VOL PLANÉ :** vol d'un oiseau qui plane. — (1907). Vol d'un avion dont les moteurs sont arrêtés (⇒ **Planement**).

Fig., fam. *Faire un vol plané,* une chute. *Il a raté une marche et il a fait un vol plané jusqu'au palier.*

♦ **2.** N. m. (1903). **PLANÉ :** vol plané (d'un avion ; d'un oiseau). — Fig. Chute.

— Je ne peux pas bouger, me fit-il. Je dois avoir la jambe cassée.
— Cela ne m'étonne pas, lui répondis-je en regardant en l'air pour mesurer la hauteur d'où il était tombé. Tu as fait un beau plané. Il ne fallait pas y aller, mon vieux. B. CENDRARS, la Main coupée, *in* Œ. compl., t. X, p. 33.

PLANÉITÉ [planeite] n. f. — 1794, *in* D. D. L. ; de 1. *plan.*

♦ Didact. Caractère de ce qui est plan. *Planéité du champ d'un objectif anastigmat.*

(...) la symétrie légèrement déviée d'un biface évolué est mécaniquement justifiée mais détermine une estimation esthétique des formes. La sphéricité, la symétrie, la planéité, les surfaces courbes sont à la fois rationnelles quant à la fonction et séduisantes au delà de la fonction.
A. LEROI-GOURHAN, le Geste et la Parole, t. II, p. 134.

PLANELLE [planɛl] n. f. — 1540 (Lausanne) ; du lat. *planus,* et suff. dimin. *-elle.*

♦ Régional (Suisse). Carreau.

Le carreau d'étage était de planelles rouges, puis venait un escalier de bois sonore.
Charles-François LANDRY, Garcia, p. 125.

PLANEMENT [planmɑ̃] n. m. — 1866 ; de *planer.* Littéraire.

♦ **1.** Fait de voler en planant (le terme courant est *vol plané*).

(...) nous étions comme soulevés par une espèce de vol, et notre allure était comme un planement d'oiseau. LOTI, Mon frère Yves, p. 219.

♦ **2.** Fig. Littér. et rare. Fait de planer, pour une menace. *« Le planement d'une menace assombrit le ciel de sa joie »* (Genevoix).

1. PLANER [plane] v. tr. — V. 1160 ; bas lat. *planare,* de *planus.* → 1. Plan, plain.

♦ Techn. Rendre plan, aplanir*, unir, en enlevant les aspérités, en réduisant les irrégularités. ⇒ **Dresser, polir.** *Planer une douve, une planche avec la plane** (2. Plane). *Planer l'ivoire avec une alumelle*. Planer une plaque de cuivre, de zinc pour la gravure. Planer un moule. Planer un récipient de métal au marteau* (chaudronnerie). *Machine à planer les tôles.*

DÉR. Planage, plané, 1. planeur.

2. PLANER [plane] v. intr. — V. 1200 ; dér. sav. du lat. *planus.*

♦ **1.** Se soutenir en l'air sans remuer (ou sans paraître remuer) les ailes, en parlant des oiseaux. ⇒ **Voler** (→ Émouchet, cit. 1 ; exhaler, cit. 12 ; lustrer, cit. 4).

1 Un milan, qui dans l'air planait, faisant la ronde,
Voit d'en haut le pauvret se débattant sur l'onde.
LA FONTAINE, Fables, IV, 11.

2 Le prêtre la regardait de l'œil d'un milan qui a longtemps plané en rond du plus haut du ciel autour d'une pauvre alouette tapie dans les blés (...)
HUGO, Notre-Dame de Paris, II, VIII, IV.

3 Des buses, ou peut-être des faucons, volaient, puis planaient, suspendus par les vents et des battements d'aile impalpables (...) et se laissaient tomber plus lourdement que des pierres sur des passereaux, des lièvres, des mulots.
P. NIZAN, le Cheval de Troie, I, I.

(En parlant d'un avion). Voler, le moteur coupé ou à puissance réduite, comme un planeur*. — Glisser dans l'air, voler, en parlant d'un planeur.

(En parlant d'un bateau à voile). Partir en survitesse sur la vague, sous l'effet d'un fort vent.

3.1 (...) nous amenons la grand-voile malgré le bas ris car, pendant un grain crépitant de grêlons « gros comme ça », *Joshua* s'est presque amusé à planer malgré ses 13 ou 14 tonnes sans que la mer y soit pour quelque chose, et je crains une avarie de gréement. Bernard MOITESSIER, Cap Horn à la voile, p. 239.

Par métaphore. (Courses de haies). Passer à l'horizontale sur l'obstacle. *Il faut bondir et non planer sur l'obstacle.*

Par métaphore, fig. *« L'esprit qui plane »* (→ Boîter, cit. 4, Hugo). *Planer au-dessus des choses,* les dominer en esprit (→ Envergure, cit. 4).

4 (...) mon âme erre et plane dans l'univers, sur les ailes de l'imagination, dans des extases qui passent toute autre jouissance. ROUSSEAU, Rêveries..., VIIe promenade.

♦ **2.** (1798). Vieilli ou littér. Considérer de haut, dominer du regard. *Planer des yeux...* (→ Humer, cit. 4). *L'œil plane sur la ville entière* (→ Forêt, cit. 5).

5 (...) une longue et haute terrasse plantée de tilleuls, d'où la vue planait sur le pays.
BALZAC, le Curé de village, Pl., t. VIII, p. 607.

♦ **3.** (1782). Dominer par la pensée (→ ci-dessus, 1., par métaphore). *Planer dans les sphères célestes* (cit. 3) *de la philosophie. Celui « qui plane sur la vie »* (→ Langage, cit. 32). — *Planer au-dessus des querelles, des dissensions :* les dominer. ⇒ **Survoler.** — Absolt. *« C'est un esprit dédaigneux, qui ne s'occupe pas des détails : il plane »* (Académie).

Son intelligence *(de Robespierre)*... planant sur sa situation et démêlant sans nul 6
doute ce qu'il y avait de vrai et de faux dans les fureurs qui le poursuivaient.
MICHELET, Hist. de la Révolution franç., XXI, X.

Quand il se méprisait, il avait l'impression de se détacher de soi, de planer comme 7
un juge abstrait au-dessus d'un grouillement impur (...)
SARTRE, l'Âge de raison, VII.

Penser dans le domaine de l'imaginaire, des spéculations abstraites. ⇒ **Rêver.**

Quand on opère sur les choses réelles, on n'est pas tenté de planer dans le 8
monde imaginaire ; par cela seul qu'on est à l'ouvrage sur la terre solide, on répugne aux promenades aériennes dans l'espace vide.
TAINE, les Origines de la France contemporaine, II, t. II, p. 120.

L'exaltation est leur domaine ; ils *(les garçons de vingt ans)* ne se fatiguent pas 9
de planer ; vivre, pour eux, c'est transposer la vie.
F. MAURIAC, le Jeune Homme, p. 55.

♦ **4.** Fam. Perdre tout contact avec la réalité, avec autrui, sous l'effet de préoccupations intellectuelles ou d'une distraction (cf. Être dans les nuages, dans les vapes ; être à côté de ses pompes). *Il plane complètement, on ne peut jamais compter sur lui.*
Fam. Être dans un état de bien-être et d'indifférence au réel, après absorption de drogue (opposé à *flipper*). ⇒ **Planant.** — Par ext. Éprouver un vif plaisir.

Un jeune type dans le public a crié : « Il ne faut pas planifier, il faut planer. » (...) 9.1
Tu sais dans quel sens il employait « planer » ? — Oui, le mot appartient au langage des drogués, pour désigner l'état de béatitude où les plonge la drogue.
Jean-Louis CURTIS, l'Horizon dérobé, p. 331.

♦ **5.** (Choses). Flotter en l'air. *Une vapeur épaisse* (cit. 14) *planait.*

♦ **6.** (Fin XVIIIe « menacer, comme l'oiseau sa proie »). Fig. Constituer une présence menaçante. *Laisser planer un mystère* (→ Éluder, cit. 5). *Faire planer une accusation sur...* ⇒ **Suspendre** (→ Immiscer, cit. 1). *Le danger qui plane.*

(...) tous demeuraient silencieux et recueillis, comme si la douleur et le deuil qui 10
planaient sur cette maison les eussent déjà saisis.
BALZAC, le Médecin de campagne, Pl., t. VIII, p. 384.

Entamer de façon floue. *Le vague qui plane sur l'objet de ses études* (→ Latitude, cit. 1).

DÉR. 2. **Planeur.**
COMP. Aéroplane.

PLANÉTAIRE [planetɛʀ] adj. et n. m. — 1553 ; de *planète.*

A. ♦ **1.** Relatif aux planètes. *Système planétaire. Orbite, mouvement planétaire* (→ Conspirer, cit. 6). *Révolution planétaire,* dont la durée est d'une année planétaire. — *Astronomie planétaire* (faisant partie de l'astronomie du système solaire). ⇒ **Planétologie.** — *Physique planétaire.* — *Exploration planétaire,* d'une ou de plusieurs planètes. — *Système planétaire :* ensemble de planètes gravitant ou pouvant graviter autour d'une étoile.

♦ **2.** (1869). Sc., techn. *Électrons planétaires,* qui entourent le noyau de l'atome. — *Mouvement planétaire dans un mécanisme.*

♦ **3.** N. m. (Fin XIXe). **UN PLANÉTAIRE :** engrenage conique solidaire de l'arbre des roues, dans un différentiel d'automobile. *Les satellites transmettent le mouvement d'un planétaire à l'autre.*

♦ **4.** N. m. (1740). Hist. sc. Machine qui imite, reproduit la disposition et le mouvement du système solaire.

B. (1906 ; dans le style journalistique). Relatif à toute la planète Terre, mondial. *Expansion planétaire de l'impérialisme* (cit. 1).

Dans ces hôtels, l'union des États s'accomplit autour de la table chargée de tous 1
leurs fruits, de toutes leurs venaisons, de tous leurs biens planétaires.
Paul ADAM, Vues d'Amérique, p. 88.

Peut-être la première civilisation planétaire concevra-t-elle la première histoire du 2
genre humain. MALRAUX, la Métamorphose des dieux, p. 31.

La politique planétaire américaine actuelle, repris-je, est un anticommunisme (...) 3
MALRAUX, Antimémoires, Folio, p. 201.

N. m. *Le planétaire.*

(...) *la sensibilité planétaire* (qu'est-ce qu'une sensibilité planétaire ? J'ignore s'il 4
y a du planétaire dans la sensibilité de M. Alain Bosquet. Mais je vois bien qu'on pourrait trouver de cela dans Shakespeare et dans Pascal)...
F. MAURIAC, le Nouveau Bloc-notes 1958-1960, p. 276.

DÉR. Planétairement, planétarisation.

PLANÉTAIREMENT [planetɛʀmɑ̃] adv. — V. 1965 ; de *planétaire,* B.

♦ À l'échelle de la planète, en ce qui concerne la Terre entière. ⇒ **Mondialement, universellement.**

Avec la presse, les voyages, la télévision, bientôt la mondovision, on vit planétairement. L'erreur est de prendre la planète pour l'univers.
S. DE BEAUVOIR, les Belles Images, p. 33.

PLANÉTARISATION [planetaʀizɑsjɔ̃] n. f. — 1961, de *planète,* et *planétaire.*

♦ Rare. Extension d'un phénomène (économique, social, politique) à l'échelle mondiale. ⇒ **Mondialisation, universalisation.** *« Planétarisation de l'art »* (UNESCO, 1973).

Les remaniements politiques et la «planétarisation» actuels posent à cet égard de sérieux problèmes. La diversification des ethnies et la formation de comportements opératoires communs à des unités plus ou moins larges répond pour l'individu à un équilibre psychique qui a toujours caractérisé les populations humaines.
A. LEROI-GOURHAN, le Geste et la Parole, t. II, p. 30.

REM. On rencontre la var. *planétisation* [planetizasjɔ̃] n.f. (1969).

PLANÉTARISÉ, ÉE [planetaʀize] adj. — 1964; de *planétaire.*

♦ Didact. Qui s'étend à la Terre entière.

Dans l'état présent, malgré les efforts sociaux et la décolonisation, le groupe déjà planétarisé n'a pas une forme différente de celle qu'offraient les petites sociétés mésopotamiennes d'il y a 4 000 ans (...)
A. LEROI-GOURHAN, le Geste et la Parole, t. I, p. 259.

PLANÉTARIUM [planetaʀjɔm] n.m. — 1932; *planétaire,* 1740; de *planète.*

♦ Représentation de la voûte céleste, des astres... sur une voûte. *Le planétarium du Palais de la Découverte, à Paris. Le Planétarium,* roman de N. Sarraute.

PLANÈTE [planɛt] n. f. — 1119; du bas lat. *planeta,* grec *planêtês* «errant».

♦ **1.** Anciennt. Astre errant, «étoile» mobile, errante (opposé aux étoiles fixes). ⇒ **Étoile.** *Les sept planètes :* le Soleil, la Lune, Mercure, Vénus, Mars, Jupiter, Saturne. — REM. Après l'adoption du système copernicien, le Soleil ne fut plus considéré comme une planète. — Par ext. *Planètes du second ordre :* les satellites des planètes (→ Inégalité, cit. 12, d'Alembert).

(XVIe). Mod. Astrol. *Les planètes, considérées par l'astrologie* comme ayant une influence sur la destinée humaine* (le Soleil et la Lune sont appelés luminaires). ⇒ **Horoscope.** *Planètes bénéfiques, maléfiques** (cit. 1). → Cataclysme, cit. 2. *Place d'une planète dans le ciel.* ⇒ **Maison, zodiaque.** *Signe où une planète a le plus d'influence* (trône); *signe opposé, où elle a le moins d'influence* (chute, déjection ou exil). *Planète régnante à une heure donnée* (seigneur de l'heure). *Aspects d'une planète.* ⇒ **Aspect; conjonction, opposition; configuration.** *Planète directe, rétrograde, stationnaire. — Être né sous une heureuse planète* (→ Houlette, cit. 1).

1 Et je me sens par ma planète
À la malice peu porté.
MOLIÈRE, Amphitryon, III, 2.

2 En résumé, on balance l'influence propre d'une *planète* par celle du *signe* où elle se trouve; la valeur des *aspects* qu'elle présente avec les autres planètes entre en jeu; la *maison* qu'elle habite lui confère son importance et précise les domaines où son action se fait sentir.
Paul COUDERC, l'Astrologie, p. 31.

Allus. littér. *« Le grand Dieu fit les planètes... »* (→ Net, cit. 6, Rabelais).

♦ **2.** (1686). Mod. Astron. et cour. Corps céleste décrivant autour du soleil une orbite elliptique peu allongée dans un plan voisin de l'écliptique (→ Circuler, cit. 1; force, cit. 62; gravitation, cit.; graviter, cit. 1; orbite, cit. 3). *Planètes et comètes**. — REM. Quand on parle des *planètes* on désigne généralement les neuf principales planètes, à l'exclusion des petites planètes et des astéroïdes. — *La planète Mars, la planète Vénus. — Orbite, trajectoire d'une planète.* ⇒ 2. **Orbe, orbite; orbital** (mouvement); **apogée, apside, périgée.** *Temps de révolution* d'une planète.* ⇒ **Période; synodique.** *Éléments, époque* (cit. 2) *d'une planète. Situation relative de deux planètes* (⇒ **Configuration**), *d'une planète et du Soleil* (⇒ **Syzygie; aphélie, périhélie**). *Rotation d'une planète sur elle-même. — Mouvement apparent d'une planète* (⇒ **Digression, station**). *Occultation* d'une planète* (⇒ **Emersion, immersion**). *Les planètes empruntent leur lumière au soleil. Proportion de lumière reçue diffusée par une planète* (albedo). *Phase des planètes inférieures. Étude, astronomie des planètes.* ⇒ **Planétaire.** *Observation d'une planète. Étude scientifique d'une planète.* ⇒ **Planétologie.** *Photos d'une planète prises, transmises par une sonde spatiale. Carte, topographie d'une planète. Observations faites à la surface d'une planète, mesures effectuées auprès d'une planète* (par une sonde spatiale). *Bandes sombres, taches... observées sur une planète. Forme, aplatissements d'une planète. Masse, densité; atmosphère, température d'une planète. Satellites des planètes.* ⇒ **Satellite;** et aussi **anneau** (de Saturne). — *Principales planètes : planètes inférieures,* situées entre le Soleil et la Terre (Mercure, Vénus); *Terre; planètes supérieures,* au delà de la Terre, par rapport au Soleil (Mars, Jupiter, Saturne, Uranus, Neptune et Pluton). *Petites planètes, planètes télescopiques :* ensemble de planètes de faible dimension, observables entre Mars et Jupiter (⇒ aussi **Astéroïde, planétoïde**) (ex. : Vesta, Junon, Cérès, Pallas...). *Ensemble des planètes* (système planétaire), *des comètes, météores... et du Soleil :* système solaire. *Espace entre les planètes.* ⇒ **Interplanétaire.**

3 Les planètes se divisent naturellement en deux groupes; quatre petites : Mercure, Vénus, la Terre et Mars (...); quatre grandes : Jupiter, Saturne, Uranus et Neptune, en écartant pour l'instant Pluton.
Les premières sont voisines du Soleil, de maigre volume puisque la Terre est la plus grande, mais leur densité est forte; elles ont peu ou point de satellites (...) Les autres planètes sont lointaines, gigantesques mais peu denses, comme le Soleil lui-même, et leurs satellites sont nombreux. Ces faits ont sans doute une signification cosmogonique.
Paul COUDERC, Dans le champ solaire, p. 64-65.

La planète Terre. Notre planète (→ Cataclysme, cit. 1; géographie, cit. 4). *La planète :* la Terre. *Sur la planète.*

4 Tout ce qui m'est extérieur m'est étranger désormais. Je n'ai plus, en ce monde, ni prochain, ni semblables, ni frères. Je suis sur la terre comme dans une planète étrangère, où je serais tombé de celle que j'habitais.
ROUSSEAU, Rêveries..., 1re promenade.

5 Solidement lié à sa terre, il pourra, sans danger de dépaysement, voyager par toute la planète.
A. MAUROIS, Études littéraires, Sur Claudel, I.

Par anal. Corps célestes que l'on suppose devoir graviter autour de certaines étoiles.

♦ **3.** (De *planer*). Argot de la drogue. Phase d'euphorie, de sensations agréables après la prise d'un stupéfiant; lieu fictif où l'on «plane».

6 Le flash n'est pas satisfaction dans l'évanouissement mais ouvre sur autre chose : les jeunes l'appellent la «planète», en un nom qui marque bien son caractère d'ailleurs (par rapport à la réalité) et lointain, puisque c'est son univers personnel que chacun y rencontre.
Claude OLIVENSTEIN, Il n'y a pas de drogués heureux, p. 168.

DÉR. Planétaire, planétarisation, planétarium, planétoïde.
COMP. Planétologie.
HOM. Planette.

PLANÉTER [planete] v. tr. — Conjug. *céder* — 1765; de 1. *plan.*

♦ Techn. Amincir (la corne), dans la fabrication des peignes.

PLANÉTISATION [planetizasjɔ̃] n. f. ⇒ **Planétarisation.**

PLANÉTOÏDE [planetɔid] n. m. — 1877; de *planète,* et *-oïde.*

♦ Astron. Petite planète. ⇒ **Astéroïde.** — Satellite* artificiel.

PLANÉTOLOGIE [planetɔlɔʒi] n. f. — 1974, *la Recherche,* in *la Clé des mots;* de *planète,* et *-logie.*

♦ Didact. Étude scientifique des planètes (⇒ **Astronomie, astrophysique**). *La planétologie martienne. « La planétologie n'est plus un domaine réservé aux astronomes, mais passionne les minéralogistes, les géologues, les météorologues, les géophysiciens et même les biologistes »* (*la Recherche,* janv. 1975, p. 55).

PLANÉTOLOGUE [planetɔlɔg] n. — 1979; de *planète,* et *-logue.*

♦ Didact. Spécialiste de l'étude des planètes. *« Le volcanisme de Io* (satellite de Jupiter) *n'a pas fini de faire rêver les planétologues »* (*la Recherche,* nov. 1979, p. 1123).

PLANETTE [planɛt] n. f. — Fin XIVe, *planete* «doloire»; de 2. *plane,* et *-ette.*

♦ Techn. Petite plane utilisée pour faire des éclisses, en vannerie.

HOM. Planète.

1. PLANEUR, EUSE [planœʀ, øz] n. — 1680; de 1. *planer.* Technique.

♦ **1.** N. m. PLANEUR : ouvrier qui plane, dresse les métaux (on dit aussi *dresseur*). *Planeur calibreur. Planeur en coutellerie; en orfèvrerie* (sur or, sur argent ...). *Planeur sur cuivre, sur tôle* (tôlier). — REM. Dans ce sens le fém. est virtuel.

♦ **2.** N. f. (1904). PLANEUSE : machine à planer.

2. PLANEUR [planœʀ] n. m. — 1866, «oiseau qui plane»; adj., 1863 *(ailes planeuses);* de 2. *planer.*

♦ Cour. (1875; répandu v. 1920). Appareil semblable à l'avion* mais ne comportant pas de moteur, et destiné à planer*. *Lancement d'un planeur au treuil, au sandow, par remorquage. Planeur d'entraînement, de performance. Trains de planeurs transportant des troupes aéroportées. — Technique du pilotage des planeurs :* le vol à voile.

PLANÈZE [planɛz] n. f. — 1839; mot dial., du rad. lat. *planus.*

♦ Géogr. ou régional. Plateau de basalte volcanique limité par des vallées convergentes.

Entre les vallées rayonnantes, les coulées forment des plateaux qui offrent en plan un dessin triangulaire, un des sommets du triangle étant dirigé vers le centre de l'édifice. On appelle *planèzes* ces plateaux de laves anciennes et on parle de «stade des planèzes» pour exprimer ce degré de dissection.
M. DERRUAU, *in* Encycl. Pl., Géographie générale, p. 360.

PLANI- Élément, du lat. *planus* «plan».

PLANIÈDRE [planjɛdʀ] adj. — 1799; de *plani-*, et *-èdre*, du grec *hedra*.

♦ Didact. Qui a des faces planes (cristal).

PLANIFIABLE [planifjabl] adj. — 1966; de *planifier*.

♦ Qui peut être planifié. *Production planifiable.*

PLANIFIANT, ANTE [planifjɑ̃, ɑ̃t] adj. — 1966, cit.; de *planifier*.

♦ Qui planifie, impose un ordre. ⇒ **Planificateur.**

Un paysage donné (...) était un curieux désert glacial. (...) un désert planifiant (...) clos, c'est-à-dire possédant un système absolu et personnel (...)
J.-M. G. LE CLÉZIO, le Déluge, p. 9.

PLANIFICATEUR, TRICE [planifikatœʀ, tʀis] n. et adj. — V. 1943; de *planifier*.

♦ Personne qui organise selon un plan (3. Plan). — Spécialiste de la planification. ⇒ **Planiste.**

En général on s'aperçoit au bout de cinq ans ou même d'un an que les planificateurs et autres prophètes s'étaient complètement trompés.
S. DE BEAUVOIR, les Belles Images, p. 208.

Adj. *Mesures planificatrices. Système économique planificateur. Organismes planificateurs.*

PLANIFICATION [planifikasjɔ̃] n. f. — 1938, *in* D. D. L., à propos de l'Union soviétique; de *planifier*.

♦ Écon. Organisation selon un plan. *La planification consiste à déterminer des objectifs précis et à mettre en œuvre les moyens propres à les atteindre dans les délais prévus* (par une organisation administrative, technique, etc.). *Planification en régime capitaliste* (⇒ **Dirigisme**), *en régime socialiste. Rôle de l'État dans la planification* (⇒ **Étatisme**). — *Planification du travail, de la production, dans une entreprise.*

Alors que des nations se sont contentées (...) de *plans programmes* ou de *plans partiels*, d'autres, mises (...) dans l'obligation de recourir à un dirigisme plus concret, ont orienté leurs recherches vers une formule de planification assez souple et conservant un caractère démocratique.
Jean ROMEUF, l'Économie planifiée, p. 85.

Planification des naissances. ⇒ **Planning** (familial).

PLANIFIER [planifje] v. tr. — Répandu v. 1949; de *plan*, sur le modèle des verbes en *-fier*.

♦ Organiser suivant un plan. *Planifier l'économie d'une région, d'un pays; la recherche scientifique.* — Au p. p. *Économie planifiée et économie de marché.*

Par ext. *Planifier un traitement médical.*

Certains auteurs ont préconisé une investigation plus approfondie de la maladie, de la personnalité et de la biographie du consultant, de manière à acquérir le plus tôt possible une vue d'ensemble du cas et à planifier le traitement, avec le but de le raccourcir en utilisant la théorie des névroses (Alexander).
Daniel LAGACHE, la Psychanalyse, p. 86.

DÉR. **Planificateur, planification.**

PLANIGRAMME [planigʀam] n. m. — 1976, *Journ. off.*; de *plan* (*plani-*), et *-gramme*, d'après *organigramme*, etc.

♦ Techn. Schéma, représentation matérielle d'un programme planifié (mot proposé pour remplacer l'anglicisme *planning*).

PLANIGRAPHE [planigʀaf] n. m. — 1977; de *plani-*, et *-graphe*.

♦ Techn. Appareil servant à reproduire des dessins à l'échelle.

PLANIMÈTRE [planimɛtʀ] n. m. — 1812; de *plani-*, et *-mètre*.

♦ Techn. Instrument servant à mesurer les aires planes (en suivant les contours de la surface considérée).

PLANIMÉTRIE [planimetʀi] n. f. — 1520; de *plani-*, et *-métrie*.

♦ Sc., techn. Partie de la géométrie appliquée qui concerne la mesure des aires planes. ⇒ **Planimètre.** — Détermination des projections orthogonales des points matériels sur une surface de référence (pratiquement, un plan; théoriquement, un ellipsoïde); mesure des distances de ces projections. *La planimétrie et le nivellement* (altimétrie) *permettent d'établir la représentation complète du terrain* (levé d'un plan). ⇒ **Géodésie, topographie.**

DÉR. **Planimétrique.**

PLANIMÉTRIQUE [planimetʀik] adj. — 1842; de *planimétrie*.

♦ Sc., techn. Relatif à la planimétrie.

Lorsqu'un géomètre lève une construction, ou la forme de la surface du terrain, il prend toujours la direction de l'horizontale comme surface de référence, donnant pour chaque point, d'une part, sa cote ou son altitude, et d'autre part, sa position planimétrique, c'est-à-dire sa projection sur un plan horizontal.
J. GOGUEL et J. SEGONS, *in* Encycl. Pl., la Terre, p. 73.

PLANIROSTRE [planiʀɔstʀ] adj. — 1809, Lamarck; de *plani-*, et *-rostre*.

♦ Zool. Vx. Se dit des oiseaux dont le bec est aplati.

PLANISME [planism] n. m. — 1939, *in* D. D. L.; de *plan*.

♦ Écon. Théorie des partisans de la planification.

De son côté, le planisme cherchait à «dépasser» le marxisme et affirmait la possibilité de créer entre la dictature communiste et le capitalisme libéral devenu anarchique («le renard libre dans le poulailler libre») un système planifié, dirigé, qui fût capable de maîtriser, par l'intelligence humaine, les crises cycliques de plus en plus graves de l'économie.
Raymond ABELLIO, Ma dernière mémoire, t. II, p. 55.

Planisme familial (recomm. off. pour *planning familial*).

PLANISPHÈRE [planisfɛʀ] n. m. — 1555, n. f.; n. m., 1680; de *plani-*, et *sphère*.

♦ Didact., cour. Carte* où l'ensemble du globe* terrestre est représenté en projection plane. *Planisphère en projection de Mercator* (rectangulaire). *Planisphère et mappemonde*. Le géorama*, grand planisphère en relief.*

S'agit-il de représenter la Terre entière sur un planisphère (...) il faut renoncer à trouver une solution même approximativement satisfaisante (...) Si l'on partage la Terre en deux hémisphères, on peut trouver déjà des systèmes de projection un peu plus satisfaisants (...)
E. DE MARTONNE, Traité de géographie physique, t. I, p. 70.

Astron. *Planisphère céleste.*

PLANISTE [planist] n. — 1947, *in* D. D. L.; de *plan*.

♦ Écon. Adepte, tenant de la planification, du planisme*.

En présentant le «bien commun» et le «plan» comme des réalités supra-humaines proprement incantatoires, les personnalistes et les planistes obéissaient en fait à une seule et même superstition et dressaient devant l'homme ce que la tradition au sens strict nomme des idoles.
Raymond ABELLIO, Ma dernière mémoire, t. II, p. 58.

PLANITUDE [planityd] n. f. — 1789, *in* D. D. L.; du lat. *planitudo* «surface plane».

♦ Littér. Caractère de ce qui est plan. ⇒ **Platitude.**

(...) cette extraordinaire planitude des reins sitôt au-dessus du sacrum (...) 1
GIDE, Journal, 30 déc. 1895.

Par métaphore :

(...) ces planitudes parlementaires ne font que représenter d'énormes planitudes 2
populaires (...) Ch. PÉGUY, la République..., p. 103.

PLANNING [planiŋ] n. m. — 1940, *in* Höfler; attestation isolée en 1927; angl., de *to plan* «prévoir».

Anglicisme.

♦ **1.** Plan de travail détaillé, programme chiffré concernant soit les «opérations que comporte un ouvrage déterminé, soit *(les)* opérations qui se succéderont à un point donné» (J. Chevalier, *Organisation*, t. II, p. 97). ⇒ **Organisation.** *Planning industriel. Tableau de planning.* ⇒ **Calendrier.** — Par ext. Programme détaillé et chiffré portant sur un élément quelconque de l'activité d'une entreprise (approvisionnement, main-d'œuvre, marché...). *Présenter, accepter un planning. Bureau du planning.* — Fam. *Faire son planning pour les vacances.*

La tempête qui grondait entre ses pariétaux mit deux bonnes heures à s'apaiser. Redevenu lucide, il entreprit la construction d'un planning soigné des embêtements qu'il lui serait possible de susciter à destination du Major (...)
Boris VIAN, Vercoquin, p. 130.

(1958). *Planning familial* : contrôle volontaire des naissances par le couple. ⇒ **Contrôle** (des naissances), **orthogénie, planisme** (familial : recomm. off.); **contraception.** *Législation sur les plannings familiaux, vers 1930 aux États-Unis. Mouvement français pour le planning familial.*

♦ **2.** Représentation matérielle d'un planning (1.), d'un programme. ⇒ **Planigramme** (recomm. off.).

PLANOGRAPHIE [planɔgʀafi] n. f. — Mil. XXe; de *plan (plano-)*, et *-graphie*.

♦ Techn. Procédé d'impression dans lequel la forme imprimante ne présente ni relief ni creux (offset, xérographie, par exemple).

PLANOIR [planwaʀ] n. m. — 1765; de 1. *planer*.

♦ Techn. Ciseau à bout aplati.

PLANOMANIE [planɔmani] n. f. — 1968; du grec *planos* «errant», et *-manie*.

♦ Didact. Besoin pathologique de quitter son domicile.

PLANORBE [planɔʀb] n. f. — 1776; *plan-orbis*, 1765; du lat. *planus*, et *orbis* «boule».

♦ Zool. Mollusque gastéropode pulmoné, à coquille en spirale, qui vit dans les étangs, les marais.

1. PLAN-PLAN [plɑ̃plɑ̃] adv. — 1560, en Dauphiné, redoublement de l'anc. provençal *plan* (XIIIe-XIVe), du lat. *planus*. → Piane-piane.

♦ Régional, fam. Tout doucement, tranquillement, sans se presser. *Il est arrivé tout plan-plan* (cf. la var. provençale *tout plan pinet*, Giono, *Regain*, p. 1).

2. PLAN PLAN [plɑ̃plɑ̃] n. m. — 1835, onomatopée.

♦ Vx. Onomatopée exprimant le bruit d'un tambour, d'une grosse caisse. ⇒ **Ran tan plan.** *« Le plan plan de la caisse... »* (Gautier, *les Grotesques*, 1835, *in* D. D. L.).

PLANQUE [plɑ̃k] n. f. — 1829; de *planquer*.

♦ **1.** Fam. (d'abord argot). Lieu où l'on cache qqch. ou qqn. ⇒ **Cachette.** *Truand en fuite qui cherche une planque. — Être en planque :* se cacher pour échapper à des poursuites, des recherches.

1 Vivant en cavale, traînant des avis de recherche, déménageant de planque en planque, nous nous détendions au babillage des amoureux, nous y trouvions une berlue.
A. SARRAZIN, la Cavale, p. 248.

Argot anc. *Faire la planque :* se cacher pour observer. ⇒ **Planquer** (se).

2 Le souteneur qui fait la planque pour voir si sa femme travaille bien, et sourit avec assez de grâce aux clients, devient d'une jalousie féroce dès que sa marmite fait semblant de vouloir se donner à un autre souteneur (...)
GORON, l'Amour à Paris, t. I, p. 67.

♦ **2.** (1918). Fig. Place abritée, peu exposée; place où le travail est facile. ⇒ **Combine, filon, planqué.** *Il a trouvé une planque. C'est la bonne planque!*

3 (...) Mathieu est scribouillard dans un vague état-major; il est aussi tranquille qu'à l'arrière; peut-être même plus que nous ne le sommes en ce moment. Ils appellent ça une «planque» dans leur argot. Je m'en félicite pour lui, d'ailleurs.
SARTRE, la Mort dans l'âme, p. 158.

PLANQUER [plɑ̃ke] v. — 1790, «jeter»; var. de *planter*, d'après *plaquer*.

★ **I.** V. tr. (1821). Fam. Cacher, mettre à l'abri. *Il a planqué le fric. Planquer qqn.*

0.1 Je savais qu'elle planquait un soldat allemand, depuis l'insurrection de Paris, dans son petit logement de trois pièces (...) Jean GENET, Pompes funèbres, p. 12.

0.2 Si!... Tu l'as tué! Et tu as planqué le revolver et les bijoux, ceux du cambriolage de l'avenue Mozart (...)
J.-P. MELVILLE, le Doulos (scénario), *in* l'Avant-Scène, no 24.

★ **II.** V. intr. Argot. Se cacher pour épier, surveiller.

0.3 Nous «planquons», Hidoine et moi, parce qu'il nous faut bien surveiller nos copains de la Criminelle. Roger BORNICHE, Flic story, p. 89.

▶ **SE PLANQUER** v. pron.

♦ **1.** (1843). Se cacher (pour échapper à des recherches, des poursuites, et, par ext., pour quelque raison que ce soit). (→ Gaffe, cit. 8; mariol, cit. 1, Hugo).

0.4 La jeune personne s'est planquée derrière le chariot (...)
R. QUENEAU, Loin de Rueil, p. 41.

0.5 — Si quelqu'un qui se planque t'avait demandé de n'en parler à personne, comment agirais-tu?
— Je me moque qu'il se cache. C'est de m'avoir juré qu'il n'était pas ici — quand il s'y trouve — qui me répugne. Francis CARCO, les Belles Manières, p. 87.

♦ **2.** (1883). Se mettre à l'abri du danger dans une place peu exposée. ⇒ **Embusquer** (s').

1 Il ne connaissait à Paris que sa marraine de guerre, — une dame qui le méprisait depuis l'imprudence qu'il commit de lui raconter qu'à sa première attaque il s'était «planqué» dans un trou d'obus. F. MAURIAC, le Fleuve de feu, III.

(...) je ferais mieux de me «planquer» comme tant d'autres sans plus attendre. 2
GIDE, Journal, 20 avr. 1943.

▶ **PLANQUÉ, ÉE** p. p. adj. Argot fam. *Du fric planqué. Truand planqué* (syn. : *en planque*). — Cour. Embusqué.

N. Personne qui se planque, s'embusque.

(...) la nuit dernière, il avait honteusement tremblé à songer qu'il pouvait mourir à l'arrière, au milieu des planqués qu'il méprise (...) 3
MONTHERLANT, le Songe, II, XIII.

DÉR. Planque.

PLANSICHTER [plɑ̃siʃtɛʀ] n. m. — 1903; all. *Plan* «plan», et *Sichter* «blutoir».

♦ Techn. Blutoir* mécanique, formé de plusieurs tamis animés de mouvements oscillatoires et circulaires. ⇒ **Moulin.**

PLANT [plɑ̃] n. m. — XIVe; de *planter*.

♦ **1.** Vx. Action de planter, manière d'être planté (⇒ 3. Plan).

♦ **2.** (1690). Mod. Ensemble de végétaux de même espèce plantés dans un même terrain; le terrain ainsi planté. ⇒ **Complant, pépinière, plantation.** *Un plant d'arbres* (→ Bois, cit. 7), *de rosiers, de choux...*

♦ **3.** (1551). Plus cour. Végétal au début de sa croissance, destiné à être repiqué ou qui vient de l'être. *Plant issu de graine* (⇒ **Semis**), *de bouture* (⇒ **Plançon**). *Les plants d'une pépinière*. Arracher des plants pour éclaircir un semis.* ⇒ **Démarier.** *Plant de vigne* (⇒ **Cépage**), *de pétunia...* ⇒ **Pied.** *Repiquer* un jeune plant. Garnir une terre de plants d'agrumes* (→ Orangerie, cit. 3). *Plant qui reprend bien.*

Il allait avec lui dans les bois voisins déraciner de jeunes plants de citronniers, d'orangers, de tamarins (...) il plantait ces arbres déjà grands autour de cette enceinte. BERNARDIN DE SAINT-PIERRE, Paul et Virginie, p. 42. 1

(...) ils cherchèrent dans leurs livres une nomenclature de plants à acheter (...) ils s'adressèrent à un pépiniériste de Falaise, lequel s'empressa de leur fournir trois cents tiges dont il ne trouvait pas le placement. 2
FLAUBERT, Bouvard et Pécuchet, II.

(Nom collectif). *Horticulteur qui fait du plant. Acheter du plant. — Du plant de bonne qualité.*

Peu à peu, il avait arrondi son avoir. Surtout après le phylloxéra. Parce que les vignobles avaient été ruinés, et qu'il fallait repiquer avec du plant américain. 3
ARAGON, les Beaux Quartiers, I, XV.

HOM. 1. **Plan,** 2. **plan,** 3. **plan.**

PLANTAGE [plɑ̃taʒ] n. m. — 1427; de *planter*.

♦ **1.** Vx. Action de planter (un végétal). ⇒ **Plantation.**

♦ **2.** (1845). Mar., anc. Charpente munie de manivelles pour tordre les cordages, dans une corderie.

♦ **3.** Techn. Opération consistant à mettre en place certaines pièces d'horlogerie sur platines et ponts.

PLANTAGINACÉES [plɑ̃taʒinase] n. f. pl. — 1932; *plantaginées*, mil. XVIIIe; du lat. *plantago*. → Plantain.

♦ Bot. Famille de plantes phanérogames angiospermes, classe des dicotylédones gamopétales comprenant des herbes vivaces qui croissent dans les régions tempérées de l'hémisphère nord. — Au sing. *Une plantaginacée.*

1. PLANTAIN [plɑ̃tɛ̃] n. m. — XIIIe; du lat. *plantago*.

♦ Plante *(Plantaginacées)* herbacée, généralement vivace, aux nombreuses variétés : corne* de cerf *(P. coronopus);* herbe* à cinq côtes *(P. lanceolata)* ou grand plaintain, variété la plus commune; herbe* aux puces *(P. psyllium)...; plantain d'eau.* ⇒ **Alisma, fluteau.** *Les fruits du plantain sont utilisés pour la nourriture des oiseaux captifs.*

Mais derrière lui allait Augustin, et je voyais frétiller la longue tige de plantain qu'il mordillait au coin de la bouche (...) Jacques PERRET, Bande à part, p. 237.

2. PLANTAIN [plɑ̃tɛ̃] adj. ⇒ **Banane** (banane plantain).

PLANTAIRE [plɑ̃tɛʀ] adj. — V. 1560; du lat. *plantaris*, de *planta*, «plante des pieds».

♦ Qui appartient à la plante du pied. *Artères, veines, nerfs plantaires. Arcade plantaire :* courbure de l'artère plantaire. *Douleurs plantaires. Voûte plantaire. Verrue* plantaire. —* N. m. Nom de plusieurs muscles plantaires, parmi lesquels *le plantaire grêle.*

PLANTARD [plɑ̃taʀ] n. m. ⇒ **Plançon.**

PLANTATION [plɑ̃tasjɔ̃] n. f. — XIVe; *planteson*, 1190; rare av. XVIe; lat. *plantatio*, de *plantare*. → Planter.

★ **I.** ♦ **1.** Action, manière de planter. *La plantation d'un végétal. « La plantation de son jardin »* (Académie). *Plantation à la bêche, au plantoir* (⇒ **Repiquage**). *Procéder à la plantation d'herbes ou d'arbustes, en vue d'augmenter la résistance à l'érosion d'un sol.* — Au plur. *La saison des plantations, faire des plantations dans un jardin. Plantation d'arbres, d'une forêt.* ⇒ **Peuplement.** *Tranchée, trou de plantation.* — (Manière). *Plantation en ligne, en carré, en quinconce.*

1 Les trous étant creusés, ils coupèrent l'extrémité de toutes les racines, bonnes ou mauvaises, et les enfouirent dans un compost. Six mois après les plants étaient morts. Nouvelles commandes au pépiniériste, et plantations nouvelles dans des trous encore plus profonds. FLAUBERT, Bouvard et Pécuchet, II.

♦ **2.** Théâtre. *Plantation de décors :* installation des décors sur une scène.

♦ **3.** Techn. *Plantation de cheveux :* manière dont les cheveux sont plantés, répartis sur le crâne. Ligne qui délimite la chevelure. *Une belle plantation de cheveux. Plantation de cheveux trop basse sur le front.*

★ **II.** Plus cour. Ce qui est planté. ♦ **1.** (1789). Ensemble de végétaux plantés (généralt au pluriel). *Couvrir un domaine de plantations.* ⇒ **Cultiver, complanter, planter.** *Les diverses plantations d'un jardin. L'orage a saccagé les plantations.* ⇒ **Culture.**

♦ **2.** Terrain, champ planté. ⇒ **Champ, exploitation** (agricole), **plant.** *Plantation de légumes* (⇒ **Potager**), *d'arbres fruitiers* (⇒ **Verger**). *Plantations de plantes, d'arbres d'une espèce particulière.* ⇒ **Amandaie, bananeraie, boulaie, buissaie, caféière, cannaie, câprière, cerisaie, charmille, charmoie, châtaigneraie, chênaie, cotonnerie, coudraie, figuerie, fraisière, frênaie, hêtraie, mûreraie, noiseraie, olivaie** ou **oliveraie, olivette, orangerie** (cit. 4), **ormaie, oseraie, palmeraie, peupleraie, pignade, pinède, platanaie, poivrière, pommeraie, prunelaie, roseraie, safranière, sapinière, saulaie, tremblaie, vanillerie, vigne, vignoble...**

2 Je restai un moment à regarder cette plantation merveilleuse, où tous les arbres du monde se trouvaient réunis, donnant chacun dans leur saison leurs fleurs et leurs fruits dépaysés.
Alphonse DAUDET, Lettres de mon moulin, « Les sauterelles ».

♦ **3.** (1664; répandu XVIIIe; mot angl. de l'île de la Barbade; aussi « établissement dans une colonie », 1627). Exploitation agricole de produits tropicaux (⇒ **Planteur**). *Plantation où l'on cultive le café, le coton, la canne à sucre* (→ Canal, cit. 2), *le tabac, l'hévéa* (→ Culture, cit. 8)... *Les plantations de Caroline, de Géorgie aux États-Unis. Les esclaves qui travaillaient dans les plantations. Régime économique et social des plantations.* ⇒ **Plantocratie.**

3 Les cultures *(au Harar)* y sont peu étendues, la population y étant assez claire (...) Il y a cependant des plantations de café, les Itous fournissent la plus grande partie de quelques milliers de tonnes de café qui se vendent actuellement au Harar.
RIMBAUD, Correspondance, CXXX, août 1887.

3.1 La locomotive, dirigée par le bras d'un mécanicien anglais et chauffée de houille anglaise, lançait sa fumée sur les plantations de cotonniers, de caféiers, de muscadiers, de girofliers, de poivriers rouges.
J. VERNE, le Tour du monde en 80 jours, p. 74.

4 Sombart voulait doter l'Indo-Chine de ces vastes plantations, dont Alfred avait donné l'exemple à Sumatra. À la place de la chétive propriété d'un colon routinier (...) surgirent en Cochinchine les domaines de quinze mille hectares (...)
J. CHARDONNE, l'Amour du prochain, p. 103.

CONTR. Arrachement.
COMP. V. aussi **Transplantation.**

1. PLANTE [plɑ̃t] n. f. — V. 1190; lat. *planta* « dessous du pied », homonyme, de *planta* « plant, bouture ».

♦ Face inférieure du pied, qui pose sur le sol quand on est debout, et, spécialement, la partie comprise entre le talon et la base des orteils. *La plante s'endurcit* (cit. 1) *à force de marcher.* — Plus cour. (à cause de 2. *plante*). **PLANTE DU PIED.** *La plante du pied, des pieds* (→ Hâter, cit. 7). *Frisson* (cit. 11) *qui parcourt le corps de la pointe des cheveux à la plante des pieds. Chatouiller la plante des pieds de qqn. Se blesser la plante des pieds. Relatif à la plante des pieds.* ⇒ **Plantaire.**

1 J'ai usé mes plantes pendant trois heures sur la route (...) Fallait au moins m'envoyer un sapin par un commissionnaire. Ah! non, vous savez, blague dans le coin, je la trouve raide. ZOLA, l'Assommoir, t. I, III, p. 105.

2 Elle avait des sandales de feutre : la plante de ses pieds claquait doucement.
J. GIONO, Jean le Bleu, II.

(1846). Face inférieure du pied des plantigrades*.
CONTR. Dos (du pied).

2. PLANTE [plɑ̃t] n. f. — 1542; au XIIIe, « vigne » (déverbal de *planter*); lat. médiéval *planta* « plante », en lat. class. « plant, rejeton, bouture », selon Meillet (d'autres font de *plantare* un dér. de *planta*); de *plantare* (→ Planter) qui a pris le sens du lat. *herba* dans les langues romanes.

♦ **1.** Bot. et cour. Végétal (lorsqu'il est multicellulaire). ⇒ **Végétal** (n. m.). *Les plantes :* le règne végétal. *La vie se manifeste chez les animaux et les plantes* (→ Activité, cit. 1). *Les animaux et les plantes. Animaux* (coraux, éponges...) *rappelant une plante.* ⇒ **Zoophyte.** *Étude des plantes.* ⇒ **Botanique, végétal** (adj.). *Plantes d'un lieu, d'un pays.* ⇒ **Flore, formation, végétation.** *Écologie des plantes. Les plantes dans la nature.* ⇒ **Verdure.** *Parties d'une plante.* ⇒ **Feuille, fleur, fruit, graine, racine, tige; bourgeon, bouton, caïeu, collet, cotylédon, crampon, cuticule, drageon, épine, lenticelle, œilleton, parenchyme, plaste, poil, rhizome, spore, stolon, stomate, thalle, tubercule, vaisseau, vrille...** *Substances de la plante.* ⇒ **Chlorophylle, cire, cutine, lignine, pigment, sève, subérine, suc...** *Plantes chlorophylliennes ou plantes vertes, plantes sans chlorophylle; plantes à vaisseaux conducteurs* (⇒ **Vasculaire**), *sans vaisseaux* (⇒ **Cellulaire**); *plantes à fleurs* (⇒ **Phanérogames**), *ligneuses* (⇒ **Arbre***) *ou herbacées* (⇒ **Herbe**), *plantes sans fleurs...* (⇒ **Cryptogames**), *à fruits* (⇒ **Angiospermes**), *sans fruits* (⇒ **Gymnospermes**)... *Plante acaule, acotylédone, baccifère, bulbeuse, caulescente, cérifère, conifère, dicotylédone, épineuse, florifère, glabre, graminée, gymnocarpe, laineuse, lanugineuse, microcéphale, monocotylédone, mucilagineuse, polyandre, radicante, rhizocarpée, thallophyte...* (→ les suff. -carpe, -caule, -flore, -phyte...). *Physiologie des plantes : nutrition, respiration* (→ Asphyxie, cit. 2), *transpiration; fonction chlorophyllienne, sécrétions des plantes. Les plantes ont besoin* (cit. 49) *d'eau, de soleil, de sels minéraux et de dioxyde de carbone. Mouvements* (cit. 13) *des plantes.* ⇒ **Tactisme, tropisme** (→ Géotropisme, cit.; héliotropisme, cit.). *Plante mimeuse*. Génération* des plantes; reproduction asexuée* (⇒ **Multiplication** [végétative]), *sexuée, chez les plantes.* ⇒ **Graine, spore; dicline, dioïque, hermaphrodite** (cit. 8), **isogame, monocarpien, monoïque, polygame.** *Bouture, marcotte d'une plante. Fécondation* (cit. 2) *des plantes. Plante stérile.* ⇒ **Hybride** (cit. 1). *Forme, port, ramification d'une plante. Plante arborescente, gazonnante, grimpante* (cit. 2 et 3 ⇒ aussi **Liane**), *herbacée, naine, rampante.*
Utilisation des plantes. Plantes alimentaires, potagères (⇒ **Légume**); *aromatiques* (⇒ **Aromate**); *condimentaires* (⇒ **Épice**); *fourragères* (⇒ **Fourrage**); *à grains* (⇒ **Céréale**); *industrielles* (⇒ **Arbre**); *à latex* (Hevea, landolphia, taraxacum, palaquium, mimusops); *médicinales* (→ Aromate, cit. 3; guérison, cit. 3); *oléagineuses* (arachide, cocotier, colza, lin, maïs, olivier, ricin, sésame, tournesol); *à parfum* (⇒ **Parfum**); *sucrière* (betterave, canne); *textiles, à fibres* (chanvre, corchorus : jute, coton, hibiscus, kapokier : eriodendron, lin, palmiers, ortie, ramie, sisal, stipa); *tinctoriales* (curcuma, garance, indigotier, orcanette, pastel : isiatis, réséda); *à vernis* (ceroxylon, rhus). *On peut utiliser des parties différentes des plantes médicinales* (tiges, écorce, bourgeons, feuilles, fleurs, fruits), *lorsqu'elles ont des propriétés différentes* (⇒ **Remède**).

Absinthe	feuille et fleur	Grenadier	racine (écorce)
Aconit	fleur et racine	Guimauve	racine, feuille, fleur
Acore	rhizome		
Airelle	baie	Hamamelis	feuille, écorce
Aloès	suc des feuilles	Houblon	racine, fleur
Angélique	racine	Hysope	fleur
Anis vert	fruit	Ipéca	racine
Armoise	feuille, racine	Iris	rhizome
Arnica	fleur	Jusquiame	feuille, racine
Bardane	racine	Kola	graine
Belladone	feuille, racine	Marrube	feuille, fleur
Boldo	feuille	Maté	feuille
Bourdaine	écorce	Mélisse	entière
Bourrache	fleur, feuille	Menthe	feuille
Café	graine	Morelle	feuille
Camomille	fleur	Moutarde	graine
Camphrier	huile	Nerprun	fruit
Cannelle	écorce	Noyer	feuille, fruit
Carvi	fruit	Oranger	feuille, fleur
Cerisier	fruit	Pavot	fruit
Chardon	fleur	Quinquina	écorce
Châtaignier	feuille	Raifort	racine
Chélidoine	suc	Réglisse	rhizome
Chicorée	racine	Rhubarbe	racine, tige
Chiendent	rhizome	Romarin	fleur
Coca	feuille	Rose	pétale
Colchique	graine	Safran	stigmate
Coquelicot	pétale	Salsepareille	racine
Coriandre	fruit	Sauge	feuille
Cumin	fruit	Séné	fruit
Digitale	feuille	Spirée	racine
Eucalyptus	feuille	Sureau	écorce, fleur, fruit
Euphorbe	feuille, racine		
Fraisier	rhizome	Tilleul	fleur, aubier
Genêt	fleur	Valériane	racine
Gentiane	racine	Verveine	feuille

Loc. *Plante carnivore.* — Hortic. *Plante molle :* plante herbacée de serre (opposé à *ligneuse*). — *Durée, époque des plantes; plante annuelle, bisannuelle, remontante, vivace; brumale, diurne, hiémale, nivéale, noctiflore. Plante vénéneuse, urticante, brûlante. Habitat d'une plante. Plante qui végète en terre, sur la pierre* (lichens, etc.), *sur d'autres plantes.* ⇒ **Épiphyte, parasite.** *Plante amnicole, aquatile, aquatique* (cit. 2), *lapicide, rivulaire, rudérale, rupestre, saprophyte, saxatile; indigène, exotique* (cit. 2 et 3); *alpicole, antarctique, arctique, orbicole, tropicale... Plante sauvage, cultivée* ⇒ **Culture** (→ Cultiver, cit. 5). *Introduction, acclimatation* (cit. 1), *naturalisation d'une plante* (→ Acclimater, cit. 1). — Loc. *Jardin des plantes.* — *Classification des plantes.* ⇒ **Botanique.** *Histoire* (cit. 37) *naturelle des plantes. Collection de plantes.* ⇒ **Herbier, herborisation** (cit. 1), **herborisateur** (cit. 2), **herboriser.** *Plante qui sort de terre* (⇒ **Plantule**), *lève, grandit, croît, pousse, vient bien.* ⇒ **Croître, pousser.** *Croissance de la plante* (⇒ **Bourgeonnement, croissance, floraison, fructification, germination, hiémation, pousse, venue...; embryon, germe**). *Plante qui dépérit.* ⇒ **Étioler** (s'), **faner** (se); **marcescence.** *Plante jaunie, rabougrie. Maladies des plantes* (→ 1. Mosaïque, cit. 6). *Galles d'une plante. Mettre des plantes dans un jardin, un champ.* ⇒ **Planter; plantation.** *Plante en pleine terre, en caisse, en pot* (⇒ **Empoter**), *sous verre.* ⇒ **Cloche, serre.** *Déraciner, repiquer,... arroser, chausser, butter, enchausser, ramer, tailler... une plante.* — *Dessiccation, distillation des plantes. Utilisations des plantes* (⇒ ci-dessus).

Plus cour. Végétal complexe (à racine, tige et feuilles) de petite taille (opposé à *arbre; mousse...*). — REM. Les syntagmes usuels signalés ci-dessus relèvent de ce sens. — *Plantes ornementales,* cultivées pour la beauté de leurs fleurs, de leurs feuilles, de leurs fruits. ⇒ **Fleur.** *Plantes d'appartement.* — (1883). *Plantes vertes :* plantes décoratives sans fleurs, à feuilles toujours vertes qui peuvent croître dans une maison (→ Balancer, cit. 6; cache-pot, cit.; glace, cit. 27; hall, cit. 3). — (1837). *Plantes grasses** (cit. 37). ⇒ **Cactées** (→ Hérisser, cit. 35). — *Les arbres et les plantes* (→ Carboniser, cit. 2; enchantement, cit. 1; équiper, cit. 3; parure, cit. 5). *Grimper en s'accrochant aux branches et aux plantes* (→ Horizontalement, cit. 1). *Les plantes et les mousses* (→ Dépêtrer, cit. 2). *Herbe* (cit. 13) *faite de mille plantes. Il n'y avait plus d'arbustes ni de plantes, mais de l'herbe* (→ Mêlée, cit. 7).

1 (...) lorsque M. Trembley (...) observa pour la première fois le polype de la lentille d'eau, combien employa-t-il de temps pour reconnaître si ce polype était un animal ou une plante (...) et comme on veut absolument que tout être vivant soit un animal ou une plante, on croirait n'avoir pas bien connu un être organisé, si on ne le rapportait pas à l'un ou l'autre de ces noms généraux, tandis qu'il doit y avoir, et qu'en effet il y a une grande quantité d'êtres organisés qui ne sont ni l'un ni l'autre. BUFFON, Hist. nat. des animaux, VIII.

2 Je n'ai ni dépense à faire, ni peine à prendre pour errer nonchalamment d'herbe en herbe, de plante en plante, pour les examiner, pour comparer leurs divers caractères, pour marquer leurs rapports et leurs différences, enfin pour observer l'organisation végétale de manière à suivre la marche et le jeu de ces machines vivantes (...) ROUSSEAU, Rêveries..., VIIe promenade.

3 Il *(Gœthe)* dit de la plante *« qu'elle joint à une fixité originelle, générique et spécifique, une souplesse et une heureuse mobilité qui lui permet de se plier en se modifiant à toutes les conditions variées que présente la surface du globe ».* Il essaye de comprendre toutes les espèces végétales dans une notion commune (...) VALÉRY, Variété IV, p. 112.

4 *(La graine)* s'étire, et pousse d'abord timidement vers le soleil une ravissante petite brindille inoffensive. S'il s'agit d'une brindille de radis ou de rosier, on peut la laisser pousser comme elle veut. Mais s'il s'agit d'une mauvaise plante, il faut arracher la plante aussitôt, dès qu'on a su la reconnaître. SAINT-EXUPÉRY, le Petit Prince, V.

5 J'ai beaucoup botanisé dans ma jeunesse; j'aime les plantes; les plus humbles me sont chères, et sur ce dur terrain, c'étaient bien les plus humbles qui poussaient : un chardon étoilé, tout rabougri, quelques sauges verbénacées, de l'herbe-aux-chats, un plant d'hysope, des garrigues. Mais la brise par moments passait sur la colline, m'apportant l'odeur de l'aspic et de la menthe sauvage. H. BOSCO, Un rameau de la nuit, p. 147.

Spécialt. *Plante,* désignant des plantes médicinales (→ Aromate, cit. 3; guérison, cit. 3). *La connaissance des plantes; des plantes ornementales* (→ Géranium, cit. 3; interstice, cit.). *Aimer avoir des plantes chez soi. Acheter une plante au marché aux fleurs.* ⇒ aussi **Fleur.**

Vx. (Suivi du nom de l'espèce). ⇒ **Individu, pied, plant.** *Une plante d'acanthe* (cit. 1).

♦ **2.** (XVIIe; 1685, Bossuet). Par métaphore. Chose vivante, être qui se développe (comparé à une plante). *C'était* (cette jeune fille) *une belle plante saine qui se développerait* (cit. 20) *n'importe où. Petite plante saine et fraîche qui est venue s'échouer* (cit. 9) *dans la ville. Triste plante humaine, d'espèce malingre* (cit.). *Une plante de serre :* une personne délicate, que l'on entoure de beaucoup de soins. *Une belle plante :* un individu vigoureux. *« Tant est vivace la plante militaire française ! »* (→ Maquis, cit. 3, de Gaulle).

6 (...) Samuel était une plante de serre chaude, impossible à transplanter là-bas, sous mon toit paisible. LOTI, Aziyadé, IV, IV.

7 Or c'est bien une énergie vivante que la fantaisie comique, plante singulière qui a poussé vigoureusement sur les parties rocailleuses du sol social, en attendant que la culture lui permît de rivaliser avec les produits les plus raffinés de l'art. H. BERGSON, le Rire, I.

PLANTÉ [plɑ̃te] n. m. — XXe; de *planter.*

♦ Ski. Action de planter un bâton pour effectuer un mouvement. *« Le skieur peut s'aider en plantant le bâton aval au moment du déclenchement* (d'un stem-christiana), *ce planté servant en quelque sorte de pivot au déclenchement »* (J. Franco, *le Ski,* p. 34).

PLANTER [plɑ̃te] v. tr. — 1140; du lat. *plantare* « enfoncer avec la plante (du pied) », et spécialt « enfoncer un végétal *(planta)* dans le sol ». → Plante.

♦ **1.** Mettre, fixer (un plant) en terre. *Planter des arbres.* ⇒ **Plantage, plantation** (→ Industrieux, cit. 3). *Planter des pins en ligne, en carré, en échiquier, en quinconce. « Plantez un saule au cimetière »* (cit. 5, Musset). *Planter des salades.* ⇒ **Repiquer.** Fig. *Planter ses choux.* ⇒ **Chou** (cit. 3). → Plancher, cit. 5, Rabelais; et aussi imiter, cit. 20. — Absolt. *Outil à planter.* ⇒ **Plantoir.** *Planter au cordeau* (cit. 1). *« Mais planter à cet âge ! »* (cit. 44, La Fontaine).

(1570). Mettre en terre un à un (des graines, bulbes, tubercules...). ⇒ **Semer.** *Planter des haricots, des pommes de terre, des capucines...*

J'avais semé là des melons de Malte mais voilà que, pour y planter vos misérables fèves, vous m'avez détruit mes melons déjà tout levés (...) ROUSSEAU, Émile, II. 1

♦ **2.** Garnir de végétaux qu'on plante par plants ou semences. *Planter un lieu d'arbres.* ⇒ **Boiser, peupler, reboiser.** *Planter un pays en vignes* (→ Friche, cit. 2), *des terrains en gazon* (cit. 5) *anglais.* ⇒ **Ensemencer.**

Vous aviez apporté ici des oiseaux, l'ouragan les a tués. Vous aviez planté ce jardin, il est détruit. BERNARDIN DE SAINT-PIERRE, Paul et Virginie, p. 64. 2

♦ **3.** (1432). Enfoncer, faire entrer en terre, et, par ext., en tout autre endroit. ⇒ **Enfoncer, ficher, implanter** (rare). *Planter un pieu, un piquet, des jalons* (au fig. ⇒ **Jalon**). *Planter de petits bouts de bois* (→ Crapaudine, cit. 1). *Planter des clous* (cit. 4) *dans un mur, une planche. Planter droit, de travers. Creuser un trou et planter une cheville* (→ Hisser, cit. 8). — Littér. *Planter ses griffes dans la chair* (fig. → Griffe, cit. 10). *Matador* (cit.) *qui plante l'épée. Il lui planta son fer dans le côté* (→ Lance, cit. 5). — *Planter un peigne dans son chignon* (→ Orner, cit. 5). *Téléphoniste qui plante ses fiches* (cit. 1) *dans son standard.* — Loc. fig. (Fam., vx). *Planter des cornes, en planter à quelqu'un,* lui en faire porter, le tromper.

Je sais les tours rusés et les subtiles trames 3
Dont pour nous en planter savent user les femmes (...)
MOLIÈRE, l'École des femmes, I, 1.

(De féroces oiseaux...) 4
Chacun plantant, comme un outil, son bec impur
Dans tous les coins saignants de cette pourriture.
BAUDELAIRE, les Fleurs du mal, CXVI.

Il plantait en terre le lourd trident, s'appuyait sur le manche luisant, poli par le travail et la sueur (...) M. CONSTANTIN-WEYER, Source de joie, IV. 5

Au p. p. *Flèche* (cit. 5) *plantée dans le dos.*

Au p. p., avec un adverbe. (En parlant des cheveux, des poils, des dents). **BIEN, MAL PLANTÉ.** ⇒ **Plantation** (de cheveux). *Cheveux plantés bas sur le front* (→ Brosse, cit. 3; broussailleux, cit. 2). *Des dents bien plantées.*

La barbe amincie vers l'oreille dessine les os maxillaires; il est impossible de voir une barbe mieux plantée (...) E. FROMENTIN, Un été dans le Sahara, p. 160. 6

(...) une bouche épaisse toujours ouverte sur des dents mal plantées (...) F. MAURIAC, les Anges noirs, Prologue. 7

♦ **4.** Mettre, placer debout, droit. ⇒ **Dresser.** *Planter un drapeau, une enseigne* (⇒ **Arborer,** cit. 1), *des étendards sur les tours d'un bâtiment* (→ Honneur, cit. 109). *Planter une échelle.* ⇒ **Poser.** *Planter un obélisque* (cit. 1) *sur une place. Calvaires plantés aux carrefours* (cit. 3). *Planter sa tente* (→ aussi Pavillon, cit. 1). *Planter des décors.* ⇒ **Plantation.** *Peintre qui plante son chevalet devant le motif* (cit. 9). *Planter son chapeau sur sa tête.* — Par anal. *Planter quelqu'un* (vx). ⇒ **Aposter; planton.**

Bien que dans les côtés *(du théâtre, de la scène)* il pût être à son aise, 8
Au milieu du devant il a planté sa chaise (...) MOLIÈRE, les Fâcheux, I, 1.

Nous plantions au hasard nos tentes, dont nous étions sans cesse obligés de battre la toile afin d'en élargir les fils et d'empêcher l'eau de la traverser. 9
CHATEAUBRIAND, Mémoires d'outre-tombe, t. II, p. 41.

Le peuple entra dans les Tuileries (...) par le guichet du Pont-Royal. Un drapeau tricolore fut planté sur le pavillon de l'Horloge (...) 10
CHATEAUBRIAND, Mémoires d'outre-tombe, t. V, p. 206.

Deux femmes en cheveux ont planté leurs chaises au milieu de la chaussée et renversent la tête vers l'azur poudreux (...) 11
COLETTE, l'Envers du music-hall, Matinée.

Ce soir-là c'était la neige. Elle tombait depuis la veille et naturellement plantait un autre décor. COCTEAU, les Enfants terribles, p. 7. 12

Fig. *Planter un personnage.* ⇒ **Camper.** *Romancier, dramaturge qui sait planter ses personnages.* — P. p. *Héros bien planté.*

♦ **5.** Techn. *Planter un bâtiment,* en fixer le tracé à l'aide de piquets. Appliquer directement et brusquement. *Planter un baiser sur la joue. Il plante son regard dans le regard troublé de l'enfant* (→ Contact, cit. 7). *Il planta sur eux ses yeux luisants* (→ Bouche, cit. 4).

(...) au moment où elle rentrait dans sa loge, il lui planta un rude baiser sur la nuque (...) ZOLA, Nana, V. 13

♦ **6. PLANTER... LÀ :** abandonner brusquement, impulsivement (une personne, une chose) en un endroit (→ Laisser en plan*). ⇒ **Quitter.** *Il l'a planté là et s'est enfui en courant.* — Fig. ⇒ **Camper, plaquer** (→ Lâcher d'un cran*, laisser tomber*). *Elle l'a planté là, net* (cit. 27). *Je perdis courage et plantai là tout.*

14 J'eus la constance d'aller toujours mon train, suant, il est vrai, à grosses gouttes, mais retenu par la honte, n'osant m'enfuir et tout planter là.
ROUSSEAU, les Confessions, IV.

15 Elle me l'a dit, elle est décidée à tout planter là, à sortir de ce paradis pour aller vivre dans votre mansarde. BALZAC, Illusions perdues, Pl., t. IV, p. 745.

16 Bien sûr que c'est un cochon! déclare Françoise d'un air convaincu. On ne fait pas à une cousine la cochonnerie de la planter là, le ventre gros.
ZOLA, la Terre, I, I.

17 Mais il ne faut pas non plus nous traiter comme des gens de rien, prendre votre plaisir, et nous planter là, pour faire rire de nous.
BERNANOS, Sous le soleil de Satan, Prologue, II.

17.1 (...) liberté (...) ce maître mot (...) Je le murmurais au lit, dans l'oreille endormie de mes compagnes et il m'aidait à les planter là. CAMUS, la Chute, p. 153.

▶ **SE PLANTER** v. pron.

♦ **1.** (Sens passif). *Arbuste qui se plante en automne, en pleine terre. — Flèche qui vient se planter dans une cible.*

♦ **2.** (1512). Réfl. Se tenir debout et immobile (par rapport à qqch.). ⇒ **Arrêter** (s'), **poster** (se). *Elle se planta devant le lit* (→ Fraîcheur, cit. 12). *Venir se planter devant quelqu'un, devant les pas de quelqu'un* (→ Bœuf, cit. 11), *en face de quelqu'un, derrière quelqu'un.*

18 Donc, ce jour-là, Roquin avait monté les étages de Miraud, s'était planté devant les panneaux de chêne, les avait contemplés en silence cinq bonnes minutes.
J. ROMAINS, les Hommes de bonne volonté, t. I, XXIV, p. 289.

19 Les trois filles s'étaient plantées à l'écart et regardaient les bouviers en train de dételer les taureaux. J. GIONO, le Chant du monde, II, III.

♦ **3.** (V. 1970). Réfl. Fam. [a] (Concret). Véhicules. Sortir de la route (cf. Aller dans le décor). *La voiture s'est plantée à la sortie du virage.* — Par ext. *Un bateau s'est planté sur les cailloux.* — (Personnes). *Il a bien failli se planter. Il s'est planté en bécane et il est resté trois mois à l'hôpital.*

19.1 Plongée dans la nuit, la piste apparaît comme un trou d'ombre menaçant. On va se planter, murmure le commandant. Pas avec votre assistant, dit Rocco (...) Il est du coin. Roger BORNICHE, le Ricain, p. 203.

[b] (Abstrait). Personnes. Se tromper, faire une grosse erreur; échouer. *Elle s'est plantée dans ses prévisions. Tu t'es planté à la troisième question. « Il faut reconnaître, il n'a jamais douté de lui, même quand on lui disait : "Tu vas te planter" »* (*Actuel*, févr. 1980, p. 180).

19.2 Tantôt ils faisaient de bonnes affaires, tantôt ils se plantaient.
Jeanne CORDELIER, la Passagère, p. 44.

▶ **PLANTÉ, ÉE** p. p. adj. (1665, «fiché en terre»).

♦ **1.** *Sapins plantés en cercle* (cit. 7). *Arbre planté à l'abri, en plein vent. — Lieu planté d'arbres. Avenue plantée d'arbres écimés* (cit. 1). *Parc planté de tilleuls* (→ Municipalité, cit. 2). *Terrain planté et terrain bâti.* — (Au sens 3). → cit. 6, 7 et *supra.* — (Au sens 4). Voir ci-dessus.

♦ **2.** (Personnes; fin XVIIe). *Bien planté,* droit et ferme sur ses jambes, bien bâti, vigoureux. *Un garçon bien planté* (→ Faraud, cit. 3). *Le corps droit et bien planté* (→ Avaler, cit. 36). *Bien planté sur ses jambes, ses pieds.* ⇒ **Campé.**

20 (...) beau à merveille et planté sur ses pieds comme un jeune chêne.
G. SAND, François le Champi, XVIII.

♦ **3.** *Planté (quelque part).* ⇒ **Debout, immobile.** *Se tenir planté sans bouger* (→ Assiette, cit. 1). *Rester planté* (cf. fam. Prendre racine), *planté comme un piquet* (→ Debout, cit. 3), *une borne* (cit. 8), *un terme. Ne restez pas planté là à me regarder. Être planté devant une vitre* (→ Loqueteux, cit. 3), *une papeterie* (cit. 2).

21 Vous le voyez planté, et qui a pris racine au milieu de ses tulipes.
LA BRUYÈRE, les Caractères, XIII, 2.

22 Dans une compagnie, il m'est cruel de ne rien faire, parce que j'y suis forcé. Il faut que je reste là cloué sur une chaise ou debout, planté comme un piquet, sans remuer ni pied ni patte, n'osant courir, ni sauter, ni chanter, ni crier, ni gesticuler quand j'en ai envie. ROUSSEAU, les Confessions, XII.

23 Dehors, la famille demeura un moment plantée au milieu de la rue.
ZOLA, la Terre, I, II.

♦ **4.** N. m. ⇒ **Planté.**

CONTR. Arracher, déraciner. — Coucher.
DÉR. Plant, plantage, planteur, planteuse, plantoir, planton; planquer.
COMP. Complanter, déplanter, replanter, transplanter.

PLANTEUR, EUSE [plɑ̃tœʀ, øz] n. — 1427; *plantierres* «celui qui fonde qqch.», v. 1280; de *planter.*

★ **I.** Rare. Personne qui plante. — Techn. *Planteur de pommes de terre :* agriculteur qui pratique la culture des pommes de terre. — Abusivt : *planteur de betteraves.* ⇒ **Betteravier.**

★ **II.** (1723; angl. *planter;* attestation isolée, 1667; néerlandais, *planter;* → Plantation). Cour. Agriculteur, arboriculteur qui possède et exploite une plantation (II., 3.) dans les pays tropicaux. *Les premiers planteurs étaient tous des colons. Riche planteur. Les grands planteurs des Antilles, du Brésil. Les grands planteurs possédaient de nombreux esclaves.*

Mon idée est d'aller vivre de la vie patriarcale au milieu d'un grand domaine, cent mille arpents, par exemple, aux États-Unis, dans le sud. Je veux m'y faire planteur, avoir des esclaves, gagner quelques bons petits millions à vendre mes bœufs, mon tabac, mes bois (...) BALZAC, le Père Goriot, Pl., t. II, p. 937. 1

Potter était un planteur de l'ancien type, un de ces coriaces pionniers du caoutchouc venus d'Australie ou d'Écosse après un stage à Ceylan (...) 2
Henri FAUCONNIER, Malaisie, p. 39.

★ **III.** (Du sens II.). Boisson composée de rhum additionné de jus de fruit (orange, citron) et de sirop de sucre (⇒ **Punch**).

PLANTEUSE [plɑ̃tøz] n. f. — 1903; de *planter.*

♦ Techn. Machine agricole servant à planter les pommes de terre. *Planteuse repiqueuse.*

PLANTIER [plɑ̃tje] n. m. — 1526; mot de l'anc. provençal (XIIIe); de *plant.*

♦ Vitic. (Régional, Sud-Ouest de la France). Nouveau plant de vigne. *Le greffage sur place « permet d'obtenir (...) une plus grande vigueur des plantiers »* (L. Levadoux, *la Vigne et sa culture,* p. 63).

PLANTIGRADE [plɑ̃tigʀad] adj. et n. — 1795, *les plantigrades;* adj., 1812; de 1. *plante,* et *-grade.*

♦ Qui marche sur la plante* des pieds (opposé à *digitigrade*). *L'ours est un animal plantigrade.* — N. m. pl. Ancienne division des mammifères carnassiers plantigrades (→ Appui, cit. 3). *Les plantigrades.* — Au sing. *Un plantigrade :* un ours, etc.

CONTR. Digitigrade.

PLANTOCRATIE [plɑ̃tɔkʀasi] n. f. — Mil. XXe; de *planteur,* et *-cratie.*

♦ Pouvoir économique et social des planteurs.

L'évolution politique accélérée de la Martinique et de la Guadeloupe date de 1944. Elles ont fait confiance à la «France de la Libération» pour lutter contre la puissance politico-économique de la «plantocratie sucrière».
Frantz FANON, Pour une révolution africaine, p. 92.

PLANTOIR [plɑ̃twaʀ] n. m. — 1640; de *planter.*

♦ Outil agricole, sorte de piquet parfois muni d'une pointe métallique servant à pratiquer des trous dans la terre pour y mettre des plants, parfois des graines. *Enfoncer le plantoir. Plantoir de jardinier. Semis au plantoir* (⇒ aussi **Déplantoir**).

PLANTON [plɑ̃tɔ̃] n. m. — 1790, le soldat en question restant planté en un lieu; «jeune plant», 1584; de *planter.*

★ **I.** ♦ **1.** [a] Soldat de service auprès d'un officier supérieur, pour porter ses ordres; sentinelle fixe, sans armes. *Le planton du colonel. Planton qui porte une dépêche* (cit. 5) *chiffrée, un ordre* (→ Gradé, cit. 1). Mar. *Planton de coupée :* matelot à la disposition des visiteurs sur un bâtiment de guerre.

— Mon colonel, le planton est parti réveiller l'officier de semaine (...)
J. ROMAINS, le Copains, V.

Par ext. Sentinelle fixe en armes. *« Une caserne de la* Guardia Civil *gardée par un planton en armes »* (*Actuel,* févr. 1980, p. 74).

[b] Franç. d'Afrique. Employé subalterne dans une administration, une entreprise. *Le planton ouvre et ferme les bureaux, les surveille, distribue le courrier...*

♦ **2.** (1834). Service du planton (dans des expressions). *Être de planton. Mettre un soldat de planton* (→ Faire, cit. 168).

(1834). Fam. **DE PLANTON :** dans la situation d'une personne qui attend debout. *Rester de planton une heure pour voir quelqu'un. — Faire le planton* (métaphore de 1.). ⇒ **Poireauter; poireau** (faire le).

★ **II.** (V. 1770; 1584 «jeune plant mis en terre et destiné à être greffé»). Régional (Savoie, Suisse). Hortic. Jeune plant (de légume, de fleur) destiné à être repiqué.

PLANTULE [plɑ̃tyl] n. f. — 1700; bas lat. *plantula* «petite plante». Botanique.

♦ **1.** Jeune plante phanérogame, du début de la germination* (⇒ **Embryon**) jusqu'au moment où elle peut vivre par ses propres moyens. *Plantule qui se nourrit de l'albumen de la graine.* ⇒ **Cotylédon.**

♦ **2.** (V. 1770). Embryon contenu dans une graine, formé de la radicule, de la tigelle et de la gemmule.

PLANTUREUSEMENT [plɑ̃tyʀøzmɑ̃] adv. — V. 1360; *planteureusement*, XIIIe; de *plantureux*.

♦ Vx. D'une manière plantureuse. ⇒ **Abondamment, beaucoup, copieusement.** *Boire, manger plantureusement,* en abondance.

PLANTUREUX, EUSE [plɑ̃tyʀø, øz] adj. — 1165, *planteüros*, sens 2; altér. de l'anc. franç. *plenteïveus*, sous l'infl. de *heureux (planteïreux)*; de l'anc. franç. *plenté* (écrit *planté* sous l'infl. de *plante*), du lat. *plenitas, -atis* «abondance», de *plenus* «plein».

♦ **1.** (XIIe). Très abondant. — Vx. *Saignées fréquentes et plantureuses* (→ 2. Basilique, cit.). — Mod. *Repas plantureux et bien arrosé.* ⇒ **Abondant, copieux, corsé.** — Par ext. (Littér.). *Vie plantureuse* (→ Lippée, cit. 2).

1 (...) d'immenses platanes, dont les troncs disparaissaient sous les enlacements touffus et plantureux de rosiers gigantesques couverts de fleurs fraîches et multipliées.
J.-A. DE GOBINEAU, Nouvelles asiatiques, p. 144.

(XXe). *Une beauté* (cit. 33) *plantureuse.* ⇒ **Dodu, gras.** *Une poitrine plantureuse, généreuse**. *Des appas plantureux,* débordants (⇒ **Déborder**). — *Une femme plantureuse.*

2 Elle n'était pas monstrueuse, mais vaste, et chargée d'un plantureux développement de toutes les parties de son corps. COLETTE, la Fin de Chéri, p. 79.

♦ **2.** Qui est fertile, produit des fruits abondants. ⇒ **Fécond, fertile, riche.** *Région, terre plantureuse. Année plantureuse,* où la récolte est abondante.

3 Il exploitait cent arpents de vignes, qui, dans les années plantureuses, lui donnaient sept à huit cents poinçons de vin.
BALZAC, Eugénie Grandet, Pl., t. III, p. 484.

(1844). Fig. et littér. *Siècle fécond* (cit. 10), *plantureux... Écrivain plantureux et hyperbolique* (cit. 4), plein, riche (avec excès).

CONTR. Frugal, 1. **maigre. — Aride.**
DÉR. Plantureusement.

PLANULA [planyla] ou **PLANULE** [planyl] n. f. — 1874, *planula*, trad. de Haeckel; lat. *planula*, dimin. de *planus* «plat».

♦ Zool. Larve aplatie de certaines méduses. *La planule peut se fixer et donne naissance à une hydraire d'où bourgeonnent de petites méduses. Planula ciliée.*

1. PLANURE [planyʀ] n. f. — 1553; du lat. *planus;* → Plan.

♦ Régional. Pays, champ plat. ⇒ **Plaine.** — (1803; mot wallon). Techn. Partie la plus horizontale, dans les couches plissées en zigzag des terrains houilliers. — On écrit aussi *planeure, plateure.*

HOM. 2. **Planure.**

2. PLANURE [planyʀ] n. f. — 1680; dér. de 1. *planer.*

♦ Techn. Copeaux qui tombent d'une pièce de bois ou de métal planée. ⇒ 1. **Planer.**

HOM. 1. **Planure.**

PLAPIER [plapje] n. m. — 1972, in *la Clé des mots;* de *pla(stic),* et *(pa)pier.*

♦ Techn. Papier obtenu à partir de plastiques.

1. PLAQUAGE [plakaʒ] n. m. — 1869; de *plaquer.*

♦ **1.** Fam. Action de plaquer, de laisser tomber brusquement qqn ou qqch. ⇒ **Abandon, largage.**

♦ **2.** (1896, *in* Petiot). Rugby. Action de plaquer (un adversaire). *Un plaquage très dur.*

Mais le plus gros avant des bleus ramasse la balle et fonce tête basse. Des tentatives de plaquage le cinglent et le meurtrissent, mais il ne va tomber aveugle et forcené que vingt mètres plus loin. Jean PRÉVOST, Plaisirs des sports, p. 129.

HOM. Placage.

2. PLAQUAGE [plakaʒ] n. m. — Var. graphique de *placage**.

PLAQUE [plak] n. f. — 1562; «monnaie», XVe; de *plaquer.*

♦ **1.** Feuille d'une matière rigide, formant une surface plate (ou légèrement incurvée), assez large et peu épaisse. ⇒ **Lame, table.** *Petite plaque.* ⇒ **Plaquette, tablette.** *Plaque mince.* ⇒ **Feuille.** *Plaque d'ardoise, d'ivoire, de marbre* (→ Grille, cit. 9), *de métal, d'os, de verre* (⇒ **Carreau**). *Plaque d'acier* (→ Oxhydrique, cit. 2), *d'airain* (→ Garnir, cit. 3), *de fer* (→ Note, cit. 8), *de fonte, d'or* (1. Or, cit. 10). *Fondre des ferrailles* (cit. 1) *en plaques. Travailler le métal en plaques. Cintrer, courber; emboutir, estamper une plaque métallique. Plaque décorative estampée à froid* (en orfèvrerie, tabletterie, reliure...). — Techn. *Décor à la plaque sur certaines reliures romantiques. — Plaques de métal précieux utilisées en bijouterie* (⇒ **Bijou; plaqué**). — *Plaques servant de revêtement, de protection, de fermeture, d'éléments de construction* (charpentes métalliques, béton). — *Plaque d'assemblage. Plaque de garde. Plaque d'argenterie servant d'applique**. *Plaques de carène d'un bateau. — Plaques formant les montures* (patte) *de brosses, les boîtiers de montres...* (⇒ aussi **Cuvette, platine**). *Plaque de couche** *d'un fusil. — Plaques maintenant un membre fracturé.* ⇒ **Éclisse.** — *Plaque fermant la bouche d'un four.* ⇒ **Bouchoir.** *Plaque ou grille arrêtant les déchets, les ordures.* ⇒ **Crapaudine, pommelle.** — *Plaque de four* (→ Émaner, cit. 2), *de fourneau* (→ Bouillotte, cit. 1). — *Plaques de métal sur des volets* (→ Café, cit. 7). Spécialt. *Plaques de cuirasse. Plaques de blindage, formant abri** (⇒ **Blinder**).

Au loin les étangs dans la plaine sombre ressemblaient à des plaques d'étain posées à plat sur le sol. HUGO, Quatre-vingt-treize, I, III, II. 1

Les murs de la pièce éclairée au gaz étaient recouverts de plaques de faïence blanches et bleues, à hauteur d'homme. ZOLA, le Ventre de Paris, t. I, p. 126. 1.1

Ballotté, bousculé comme s'il était sur la plaque trépidante d'un passage à soufflets entre deux wagons, assourdi par un roulement de tonnerre qui lui tambourine le tympan malgré les oreillettes de son casque (...) 2
MARTIN DU GARD, les Thibault, t. VIII, p. 147.

Loc. *Plaque de cheminée, de foyer,* ou (techn.), *plaque foyère,* en fonte, placée au fond d'une cheminée. ⇒ **Contrecœur** (→ Coquemar, cit. 1).

Émile Barrel, lui, faisait collection de plaques de foyer (...) Il avait fait construire un hangar étroit, juste large assez pour qu'on puisse entasser une plaque de grand foyer sur les plaques précédentes, qui formaient une longue file de fonte noire (...) 3
ARAGON, les Beaux Quartiers, I, V.

Plaque de protection, de propreté : rectangle (de métal, matière plastique, etc.) posé autour d'une poignée de porte pour éviter de salir la peinture.

(...) la poignée, l'affreuse poignée en nickel, l'horrible plaque de propreté en métal blanc (...) N. SARRAUTE, le Planétarium, p. 12. 3.1

Plaque de métal poli servant de réflecteur.

(...) quelques objets appendus : un tableau religieux, un miroir de Venise, une «plaque», c'est-à-dire un bras de lumière monté sur une glace argentée qui formait réflecteur. Guillaume JANNEAU, le Mobilier français, p. 42. 3.2

Cour. *Plaque chauffante,* d'une cuisinière électrique. *Plaque de cuisson.* ⇒ **Plan.**

Milit. *Plaque de base :* support de l'arrière d'une bouche à feu (mortier, etc.).

Cour. *Plaque d'égout :* plaque de fonte mobile obstruant l'entrée d'un égout.

Régional (Suisse). *Plaque à gâteau,* ou, ellipt, *plaque :* moule à tarte.

(1857). Techn. (ch. de fer). **PLAQUE TOURNANTE :** plate-forme tournante, servant à faire passer d'un sens à un autre, d'une voie à une autre, le matériel roulant. — Fig. et cour. *Plaque tournante :* carrefour, centre d'échanges. *Cette ville est la plaque tournante du tourisme dans la région. Une plaque tournante du trafic des stupéfiants. Cette institution est la plaque tournante des scientifiques débutants.* — (Personnes). Intermédiaire. *«Chefs d'entreprises, votre secrétaire est la plaque tournante de vos communications»* (*le Monde,* 24 avr. 1970).

(...) elle distinguait seulement, sur l'horizon lumineux de Paris, l'angle élargi de la gare (...) elle entendait, dans ce vaste espace clair, des sifflets de locomotives, les secousses rythmées des plaques tournantes, toute une activité colossale et cachée. 4
ZOLA, l'Assommoir, XII, t. II, p. 236.

Nourrie par le Périgord, par la Beauce, par l'Alsace, par les pêcheries de l'Atlantique, la capitale n'était pas, comme la Rome antique, une cité parasitaire; elle réglait les échanges et la vie de la Nation, elle élaborait les produits bruts, elle était la plaque tournante de la France. SARTRE, Situations III, p. 26. 5

Plaque servant de cible, à certains jeux, au tir.

Loc. fig., fam. (D'abord argot milit. *«J'ai mis à côté de la plaque»* aurait déclaré le Général de Gaulle après son discours du 24 mai 1968, qui n'avait pas produit l'effet escompté). *Mettre à côté de la plaque :* manquer son but. — *Être à côté de la plaque,* à côté de la question.

Michel, tu es toujours à côté de la plaque, décidément. Quand je t'avais envoyé Monique, tu t'en étais fait une montagne de l'attaquer, et bien à tort. Et hier soir tu as cru, alors que vous ne vous étiez pas vus depuis des mois et que, tout compte fait, vous ne vous étiez vus qu'une fois, tu as cru que c'était dans le sac. 5.1
Cécil SAINT-LAURENT, la Mutante, p. 209.

(1842). *Plaque sensible photographique,* et, absolt, *plaque :* support (verre mince, film, métal, etc.) recouvert d'une émulsion sensible; spécialt, ce support, lorsqu'il est rigide (opposé à *film*). *Plaque au gélatino-bromure* (cit.). *Plaque impressionnée, voilée, renforcée, affaiblie, développée* (⇒ **Cliché**). *Mettre une plaque dans le châssis d'un appareil. Plaque autochrome, panchromatique. Appareil à plaques.*

Elle éleva vers la lumière la plaque radiographique d'un blessé (...) 6
J. CHARDONNE, les Destinées sentimentales, p. 355.

Électr. *Plaques d'un accumulateur :* les électrodes. *Plaques d'un condensateur* (armatures*). — *Plaque* (anode) *d'un tube électronique. Caractéristique, efficacité de plaque. Courant (de) plaque,* formé par le recueil des électrons sur cette électrode. *Résistance, saturation, tension de plaque. Plaque de signal.*

6.1 Pour transformer le mica en rétine, on argente une de ses faces : ce côté constitue alors la *plaque de signal.* P. GRIVET et P. HERRENG, la Télévision, p. 65.

(1903). Jeu. Grand jeton rectangulaire. *Jetons* (cit. 3) *et plaques* (→ Main, cit. 74).

♦ **2.** (1690). Plaque (de métal, de marbre, etc.) portant ou devant porter une inscription. *Plaque tombale :* dalle funéraire gravée. *Apposer* (cit. 1), *inaugurer* (cit. 3) *une plaque commémorative. Stèle ou plaque* (→ Monument, cit. 4).

Plaque portant des indications. ⇒ **Écriteau, panonceau.** *Plaques de poteaux* indicateurs* (cit. 6). *Plaque indicatrice. Plaques commerciales sur une porte* (→ Orner, cit. 16). *Plaque blasonnée.* ⇒ **Écusson.** — *Plaque de contrôle, d'identité* (→ Montrer, cit. 5), *de police. Plaque d'un collier* (cit. 11) *de chien. Plaque de bicyclette. Plaque d'immatriculation, plaque minéralogique d'une automobile,* portant son numéro. — *Plaque de garde-chasse, de garde-champêtre, de porteur...* (⇒ **Médaille**).

7 Nous en étions à ces belles plaques bleues que l'on trouve à l'entrée et à la sortie des bourgs, encastrées dans les murs des maisons, dans le mur du dernier jardin. Ces plaques ne sont certainement pas des plaques d'identité, car on n'a jamais pu les trouver d'accord ni avec les poteaux indicateurs ni avec les bornes kilométriques (...) Ch. PÉGUY, Note conjointe, Sur Descartes, p. 315.

8 (...) la ville ayant décidé de donner à une rue le nom des deux frères, la nouvelle plaque en fut inaugurée et bénite (...)
BERNANOS, les Grands Cimetières sous la lune, p. 109.

9 Ayant posé ma plaque à ma porte, j'attendis. Les gens du quartier sont venus la regarder ma plaque, soupçonneux. Ils ont même été demander au commissariat de police si j'étais bien un vrai médecin.
CÉLINE, Voyage au bout de la nuit, p. 218.

9.1 Parju venait de s'apercevoir que sa plaque de garde champêtre avait été arrachée dans la lutte. A. ALLAIS, l'Affaire Blaireau, p. 21.

9.2 Arrivé à un croisement, le soldat hésite, cherche du regard les plaques qui devraient indiquer le nom de cette voie transversale. Mais c'est en vain : les plaques d'émail bleu sont absentes, ou placées trop haut, et la nuit est trop noire.
A. ROBBE-GRILLET, Dans le labyrinthe, p. 31.

(1798). *Plaque servant d'insignes* aux dignitaires de certains ordres.* ⇒ **Décoration; crachat** (fam.). *Plaque de grand officier de la Légion d'honneur. Plaques honorifiques* (→ Chamarré, cit. 3; 2. insigne, cit. 1).

♦ **3.** Objet, élément plat et mince. ⇒ **Lame, lamelle.** *Les plaques de cire d'une ruche. Plaque cornée sur le corps d'un animal.* ⇒ **Écaille.** — *Plaque de gazon :* carré de gazon détaché destiné à être appliquée ailleurs. — *Une plaque de chocolat.* ⇒ **Tablette.**

♦ **4.** Fig. Zone ou emplacement formant comme une plaque, une surface plate (→ Plage, tache...). *Plaques d'ombre et de lumière. Plaque rouge sur le visage* (→ Larmoyant, cit. 1). *Plaque de lichen* (cit.).

10 En ces rues étroites qu'il faut escalader, le soleil, tombant par surprises, par files ou par grandes plaques à chaque cassure des voies entrecroisées, jette sur les murs des dessins inattendus, d'une clarté aveuglante et vernie.
MAUPASSANT, la Vie errante, D'Alger à Tunis, I.

11 Par plaques vertes, l'herbe nouvelle s'étend sur les pentes mouillées, parsemée de fleurs (...) J. CHARDONNE, les Destinées sentimentales, p. 221.

♦ **5.** (1897, *l'Année biol.* 1899, p. 92). Biol. (vx). Plaque équatoriale, formée par les chromosomes immobilisés à l'« équateur » de la cellule, au cours de la mitose (→ Fuseau, cit. 4). — Embryol. *Plaque neurale :* épaississement de l'ectoblaste qui se développe pour donner la corde dorsale. — Anat. *Plaque neuro-musculaire :* lieu de jonction entre les fibres musculaires et les terminaisons nerveuses.

12 (...) sur la future zone médico-dorsale de l'embryon, se différencie une bande aplatie, qui n'est autre que la *plaque neurale;* ses bords latéraux se relèveront ensuite et elle se transformera (...) en un tube qui constitue le système nerveux central (...)
Maurice CAULLERY, l'Embryologie, p. 59.

(1875). Pathol. Lésion à surface bien délimitée. *Plaques muqueuses :* lésions de la muqueuse génitale ou buccale, caractéristiques de la syphilis. — Loc. *Sclérose* en plaques.* — *Plaque croûteuse d'une plaie.* ⇒ **Croûte.** *Plaques de pustules* (→ Écailleux, cit.), *de lèpre* (→ Marbrer, cit. 1).
Plaque dentaire. ⇒ **Film** (dentaire); aussi **tartre.**

Géol. Fraction de l'écorce formant un bloc rigide. *Zone d'activité sismique intense entre les plaques. Lent déplacement de plaques. Tectonique des plaques. Les plaques eurasienne, américaine, indienne, etc.*

Techn. (sports : ski, alpinisme). *Plaque à vent :* épaisseur de neige instable apportée par le vent sur une neige plus ancienne.

PLAQUÉ, ÉE [plake] p. p. adj. ⇒ **Plaquer.**

PLAQUEMINE [plakmin] n. f. — 1874; *piakimine,* 1734; *piakimina,* 1682; algonquin *piakimin.*

♦ Rare. Fruit du plaqueminier. ⇒ 1. **Kaki.**

DÉR. Plaqueminier.

PLAQUEMINIER [plakminje] n. m. — 1720; de *plaquemine.*

♦ Arbre de la famille des *ébénacées**, fournissant le bois d'ébène* (*plaqueminier de l'Inde ;* ⇒ **Ébénier**) ou des fruits comestibles appelés *plaquemines* (*plaqueminier du Japon;* ⇒ 1. **Kaki**).

PLAQUER [plake] v. tr. — XIIIe, *plaquier* « appliquer qqch. sur »; moy. néerl. *placken* « rapiécer ».

★ **I.** ♦ **1.** Appliquer (une feuille, une plaque mince). *Plaquer une feuille de métal, une couche d'or, d'argent sur du bois.* — Au p. p. *Flambeau d'argent plaqué* (→ Chambranle, cit. 2). *Meubles* (cit. 3) *de bois plaqué.* — *Cuir plaqué* (sur un cuir plus grossier : harnais, etc.).

(1676). Spécialt. Faire un placage* de bois d'ébénisterie sur (du bois ordinaire, de l'aggloméré). *Plaquer un panneau avec de l'acajou* (⇒ **Coller; contreplaquer**). — Au p. p. *Aggloméré plaqué de chêne, plaqué chêne clair.*

Par anal. *Plaquer du gazon sur un terrain préparé.*

Fig. (Au p. p.). Placé en évidence, surajouté de matière à recouvrir autre chose. *Louanges maussadement* (cit. 1) *plaquées.* Absolt. *Une bienveillance plaquée,* factice, fausse ou superficielle.

L'*Henri III,* drame de Dumas, a eu grand succès, comme tu as su ; mais cela, quoique amusant, ne tranche pas la question dramatique; c'est en prose assez lâche, et non du temps; la partie historique est plaquée et superficielle (...) 1
SAINTE-BEUVE, Correspondance, 67, 23 avr. 1829.

« Quel homme autoritaire », se disait-il, « et violent! Comme sa courtoisie plaquée disparaîtrait vite! » J. ROMAINS, les Hommes de bonne volonté, t. X, XXII, p. 237. 2

♦ **2.** (1505). Mettre (qqch.) à plat. *Plaquer ses cheveux sur les tempes, se plaquer les cheveux.* ⇒ **Aplatir** (s'). — Au p. p. *Cheveux plaqués en bandeaux.* ⇒ **Plat.** *Béret plaqué sur la nuque* (→ aussi Coiffe, cit. 4).

Avec ses grosses mains rouges il plaque stupidement contre tes délicates tempes d'ivoire tes souples cheveux blonds dont il fait une perruque à la Louis XIV (...) 3
Th. GAUTIER, les Grotesques, VIII, p. 267.

(1530). Appliquer* avec force et à plat. *Plaquer du plâtre, du mortier sur un mur.* — Pron. *Eau, vague qui se plaque...* (→ Bondir, cit. 13). — *Plaquer sa main sur le dos, entre les omoplates* (cit. 2), *sur la bouche de qqn.* — Fig. *Plaquer une gifle sur la joue.*

Le vent, créé par la vitesse, lui plaquait au visage le battement d'une sèche serviette chaude (...) COLETTE, la Fin de Chéri, p. 38. 4

(...) il demeura là, les bras et les jambes écartés, les paumes plaquées à la pierre (...) semblable à un de ces grands oiseaux de nuit qu'un mur trop pâle fascine (...) et qui s'y collent (...) J. GREEN, Léviathan, I, XI. 5

Intrans. Être plaqué, se plaquer.

Il faisait terriblement chaud. Des gouttes de sueur perlaient sur la face verdie de Lorilleux; tandis que madame Lorilleux se décidait à retirer sa camisole, les bras nus, la chemise plaquant sur les seins tombés. ZOLA, l'Assommoir, t. I, II, p. 69. 6

(1869). Mus. *Plaquer un accord,* en jouer simultanément les notes. — Au p. p. *Accords plaqués* (→ Désolation, cit. 7) *et accords arpégés.* — N. m. *Un plaqué.*

(...) Adèle (...) continuait à jouer du piano : une valse espagnole, d'un entrain endiablé, et qu'elle enlevait d'une façon brillante, avec, dans les basses, d'énergiques plaqués rendant les coups de tambour de basque. 7
COURTELINE, Boubouroche, « Nouvelles », IV.

Billard. *Plaquer la bille.* ⇒ **Coller.**

♦ **3.** *Plaquer (qqn) contre, sur qqch.,* l'y appuyer avec force. *Se plaquer au sol, à plat ventre. Se plaquer contre un mur.*

Pour conserver son équilibre, elle plaquait son corps contre le buste de Paterson. 8
MARTIN DU GARD, les Thibault, t. VII, p. 60.

(1900, *in* Petiot). Sports. Faire tomber et maintenir le dos au sol dans un combat. *Il cherche à plaquer ses adversaires.* — Rugby. Faire tomber (le porteur du ballon) en le saisissant par les jambes (⇒ **Plaquage**).

♦ **4.** (Av. 1564). Fam. Abandonner brusquement (qqn; qqch.). ⇒ **Balancer, larguer, rompre** (avec), **planter; choir, tomber** (laisser choir, laisser tomber). → Laisser en plan*. *Elle a plaqué son amant, son mari. Il a plaqué son travail. Plaquer qqn* (→ Mistoufle, cit. 2). *Il a tout plaqué pour elle.* ⇒ **Lâcher.**

Tu sais que Chalgrin m'a plaqué, oui, congédié, comme un simple domestique. 9
G. DUHAMEL, Chronique des Pasquier, VI, XIII.

Il avait plaqué Marcelle mais levé une petite Argentine de dix-huit ans qui allait au lycée — pas grue du tout. F. MAURIAC, le Fleuve de feu, I. 10

Au participe passé :

De toute façon je suis une femme plaquée; une vieille femme plaquée pour une jeune fille. S. DE BEAUVOIR, les Belles Images, p. 165. 10.1

Absolt. Abandonner.

Nombre de spectateurs sortaient livre ou journal; quelques-uns, bruyamment, plaquèrent. Il s'en fallut de peu qu'on ne chahutât. 11
GIDE, Journal, 13 févr. 1908.

(...) épouser, plaquer, traîner des années ce boulet à son pied : il pouvait faire ce qu'il voulait (...) SARTRE, l'Âge de raison, XV. 12

★ **II.** Couvrir, recouvrir (qqch.) d'une feuille, d'une couche plate (de métal, etc.). *Plaquer des bijoux d'or, d'argent.* — Au p. p. *Bijoux plaqués. Statue de bois plaquée d'or* (→ 1. Arche, cit. 4).

— Spécialt (bois). *Plaquer une boîte d'acajou.* — P. p. *Étagère plaquée en sapin.*
Par anal. *Face* (cit. 5) *plaquée de cheveux jaunes.*
Fig. *Malices plaquées de bienveillance* (→ Damner, cit. 7).

▶ **PLAQUÉ, ÉE**

★ **I.** P. p. adj. (voir à l'article).

★ **II.** N. m. ♦ **1.** (1798). Métal, alliage en plaque, en lame, recouvert d'une feuille de métal précieux soudé ou laminé à chaud. ⇒ **Doublé.** *Plaqué or* (⇒ **Dorure**), *plaqué argent* (⇒ **Argentine**). *Plaqué simple* (d'un seul côté), *double. Monnaie en plaqué.* ⇒ **Fourré.** — Absolt. *C'est du plaqué* (or). *Couverts en plaqué* (argent).

13 Quatre candélabres à dix bougies éclairaient le couvert, un surtout en plaqué, avec des gerbes de fleurs à droite et à gauche. ZOLA, Nana, IV.

♦ **2.** (1949). Matériau constitué de bois ordinaire, recouvert d'une feuille de bois d'ébénisterie. *Une armoire en plaqué. Du plaqué acajou.*

DÉR. Placage, placard, plaque, plaquette, plaqueur, plaqueuse, plaquis.
COMP. Contre-plaquer; contre-plaqué.

PLAQUETTAIRE [plaketɛʀ] adj. — xxe; de *plaquette.*

♦ Méd. Relatif aux plaquettes (3.) du sang. *Prélèvement plaquettaire.* Syn. : *thrombocytaire.*

PLAQUETTE [plakɛt] n. f. — 1521; de *plaque.*

♦ **1.** Petite plaque. *Plaquette de marbre. — Plaquette de bois formant la mentonnière d'un violon* (→ Mentonnière, cit. 3). — *Plaquette de beurre. Une plaquette de 250 g* (ne se dit qu'en français de France).
(1743). Spécialt (techn.). Ancienne monnaie de billon, dans divers pays. — (1888). Cour. Petit bas-relief semblable à une médaille, mais de forme rectangulaire, octogonale. *Sculpteur de plaquettes.* ⇒ **Plaquettiste.** *Plaquette commémorative. — Plaquette incendiaire* (Céline, *Rigodon*, p. 118). — Pharm. et cour. *Plaquette de pilules anticonceptionnelles.*

♦ **2.** (1835). Petit livre très mince. *Une plaquette de vers à tirage limité. Plaquette brochée, reliée.*

♦ **3.** (1882, *in* Manuila). Méd. Cellule sanguine sans noyau qui joue un rôle dans la coagulation. Syn. : *thrombocyte*, ou (vieilli), *globulin, hémastoblaste. Numération des plaquettes.*

♦ **4.** Garniture de frein à disques. *Changer les plaquettes. Plaquettes de frein.*

DÉR. Plaquettaire, plaquettiste.

PLAQUETTISTE [plaketist] n. — Déb. xxe (*in* Larousse 1907); de *plaquette.*

♦ Techn. Graveur, sculpteur de plaquettes*.

PLAQUEUR, EUSE [plakœʀ, øz] n. — 1803; *plakeur* «maçon, plâtrier», 1239; de *plaquer.*

♦ **1.** Techn. (bijouterie, orfèvrerie). *Plaqueur sur métaux*, qui lamine à chaud les feuilles de métal pour obtenir le plaqué. — *Plaqueur en ébénisterie, en sellerie.*

♦ **2.** (1906, *in* Petiot). Sports. Joueur de rugby spécialiste du plaquage*. — REM. Ici, comme au sens 1, le fém. est virtuel.

♦ **3.** (1964). Fam. Personne qui abandonne une autre personne, une activité. ⇒ **Lâcheur** (plus cour.). *Quelle plaqueuse, cette fille!*

PLAQUEUSE [plakøz] n. f. — 1963; de *plaquer.*

♦ Techn. Machine servant à plaquer du bois, des peaux. *Plaqueuse de chants* (pour coller les bandes de chant ou *chants*).

PLAQUIS [plaki] n. m. — 1964; de *plaquer.*
Technique.

♦ **1.** Incrustation d'une pierre de valeur (ou de marbre) dans une surface, en décoration. — (1963). Couche de plâtre sur un pan de bois garni de pointes saillantes.

♦ **2.** (1869). Arbor. Entaille servant de marque, sur un arbre de réserve.

-PLASIE Suffixe de mots savants, tiré du grec *plasis* «action de façonner, modeler», et qui exprime une altération physiologique (des cellules, des tissus) de caractère anarchique. Ex. : *anaplasie, leucoplasie, néoplasie** (tumeur). ⇒ **Plaste, -plastie.**

PLASMA [plasma] n. m. — 1846; *plasme*, 1752; du grec *plasma* «chose façonnée, modelée...», de *plassein.* → Plastique.

♦ **1.** Vx. (1752, *plasme*). *Plasma* ou *plasme* : variété verte de calcédoine*, utilisée autrefois comme ornement.

♦ **2.** (1845, Nysten; créé en all. en 1836, Schultz). *Plasma sanguin* : partie liquide du sang* contenant des substances minérales, des composés azotés (urée, etc.), des glucides, des lipides. ⇒ **Sang; sérum** (→ Globule, cit. 4; organisme, cit. 1). *Les substances du plasma se retrouvent dans la lymphe.* — Par anal. «Partie liquide qui entre dans la composition de certains tissus» (Garnier). *Plasma musculaire.*
(1888). Vx. *Plasma germinatif** (cit. 2) : le germen (→ Générateur, cit. 2; héréditaire, cit. 3; hérédité, cit. 10, Bergson).

♦ **3.** (V. 1925; angl. *plasma*, 1923, Langmuir et Tonks, «gaz ionisé électriquement neutre, dans un tube à décharge»; sens étendu mil. xxe). Gaz porté à haute température, riche en ions et en électrons libres. ⇒ **Magnétohydrodynamique.** *La matière des étoiles est à l'état de plasma. Molécules, ions et électrons d'un plasma. Plasmas de l'ionosphère* (couche F), *de la couronne solaire, des espaces interstellaires, de l'intérieur des étoiles, des nébuleuses... Des physiciens ont pu dire «que 99 % de l'univers était consitué par de la matière à l'état de plasma»* (J.-L. Delcroix, in *Nucleus*). *Réactions thermonucléaires obtenues par bombardement d'un plasma par un faisceau d'ions. Plasma chaud*, dans lequel le haut degré d'agitation thermique des particules peut atteindre l'énergie nécessaire aux réactions de fusion.

On a dit souvent qu'ils *(les plasmas)* constituent un quatrième état de la matière; cet état participe de l'état gazeux à beaucoup de points de vue mais (...) les plasmas ressemblent à des fluides de plus forte densité; on ne peut toutefois les comparer à des liquides; les plasmas constituent, en tout cas, un état de la matière, à première vue l'un des plus simples, puisque la loi de forces entre particules est connue exactement. J.-L. DELCROIX, *in* Nucleus. 1

Par métaphore. ⇒ **Magma.**

Je travaille et j'avance à la force de la moelle, c'est le cas de le dire, peinant des journées pour quatre pages utiles, comprimant l'intention jusqu'au plasma essentiel, et voyant néanmoins le manuscrit enfler (...) J.-R. BLOCH, Deux hommes se rencontrent, p. 204. 2

DÉR. et COMP. Plasmagène, plasmaphérèse, plasmatique, plasmatron, -plasme, plasmo-, plasmicien, plasmide, plasmifier, plasmine, plasmique, plasmonyte, plasmodial, plasmoïde, plasmolyse.

PLASMAGÈNE [plasmaʒɛn] n. et adj. — 1963; de *plasma-*, et *-gène.*
Technique.

♦ **1.** N. m. Biol. Particule cytoplasmique déterminant certains caractères héréditaires. — Syn. : *plasmon.*

♦ **2.** Adj. Phys. Qui engendre un plasma* (3.). *Fluide plasmagène.*

PLASMAPHÉRÈSE [plasmafeʀɛz] n. f. — Mil. xxe (*in* Larousse 1968); de *plasma*, et grec *aphairesis.* → Aphérèse.

♦ Biol., méd. Séparation du sang en ses différents constituants, en vue de leur utilisation thérapeutique.

PLASMATEUR [plasmatœʀ] n. m. — V. 1450; lat. *plasmator*, de *plasma* «forme». → Plasma.

♦ Archaïsme. Créateur (l'ancien français connaît aussi le verbe *plasmer* «créer», et le substantif *plasmation* «création»).

Si toutes les lignes tracées sur ces innombrables feuilles de papier et de parchemin vous entraient en bon ordre dans la cervelle (...) vous sauriez tout, vous pourriez tout, vous seriez le maître de la nature, le plasmateur des choses; vous tiendriez le monde entre les deux doigts de votre main (...) FRANCE, la Rôtisserie de la reine Pédauque, Œ., t. VIII, p. 73.

PLASMATHÉRAPIE [plasmateʀapi] ou **PLASMOTHÉRAPIE** [plasmoteʀapi] n. f. — Mil. xxe (*in* Larousse 1963); de *plasma*, et *thérapie.*

♦ Didact. Utilisation du plasma sanguin à des fins thérapeutiques.

PLASMATIQUE [plasmatik] adj. — 1858, Nysten; de *plasma.*

♦ Physiol. Relatif au plasma sanguin. *Protéines plasmatiques. Coagulation plasmatique* : coagulation anormale du sang en deux éléments. *Peau* plasmatique. Prélèvement plasmatique.*

PLASMATRON [plasmatʀɔ̃] n. m. — Mil. xxe (*in* Larousse 1963); de *plasma*, 3., et suff. de *électron.*

♦ Phys., techn. Tube à gaz à décharge contrôlée.

-PLASME, PLASMO- Éléments, du grec *plasma* «chose façonnée» (ex. : *cataplasme*) ou de *plasma* (2.). ⇒ **Ectoplasme, métaplasme, néoplasme; cytoplasme, protoplasme, viroplasme.**

PLASMICIEN, IENNE [plasmisjɛ̃, jɛn] n. — 1973 ; de *plasma*.

♦ Didact. Spécialiste de l'étude des plasmas (3.). *Le plasma magnétosphérique « est dense, au sens que les plasmiciens donnent à ce terme... »* (*la Recherche*, nov. 1973, p. 958).

PLASMIDE [plasmid] n. m. — Mil. xxᵉ ; de *plasma*.

♦ Biol. Élément génétique du cytoplasme (qui ne se trouve pas dans les chromosomes) identifié dans les bactéries. *« Les bactéries peuvent se "passer" la copie du plasmide de l'une à l'autre (...) Ces plasmides assurent une propagation très rapide des caractères qu'ils portent »* (*Sciences et Avenir*, août 1979, p. 76).

PLASMIFIER [plasmifje] v. tr. — 1968, *in* Larousse ; de *plasma*, 3.

♦ Phys. Transformer (un gaz) en plasma.

PLASMINE [plasmin] n. f. — 1878, P. Larousse, *Premier suppl.* ; de *plasma*, 2.

♦ Physiol. Enzyme qui a la propriété de lyser le fibrinogène* du plasma sanguin. *Plasminogène ou plasmine inactive.*

PLASMIQUE [plasmik] adj. — 1903, *Rev. gén. des sc.*, nº 18, p. 868 ; de *plasma*, 3. ou de l'angl. *plasmic* (attesté depuis 1875 au sens 1 de *plasma*).

♦ **1.** (Angl. *plasmic*). Biol. Cytoplasmique.

♦ **2.** (Mil. xxᵉ). Phys. Relatif aux plasmas.

PLASMO- Élément, de *plasma**. ⇒ **-plasme.**

PLASMOCYTAIRE [plasmɔsitɛʀ] adj. — xxᵉ ; de *plasmocyte*.

♦ Biol. Des plasmocytes. *Cellules plasmocytaires. Sécrétion plasmocytaire.*

PLASMOCYTE [plasmɔsit] n. m. — 1897 ; de *plasmo-*, et *cyte*.

♦ Biol. Cellule conjonctive pathologique, basophile, à noyau excentrique.

DÉR. Plasmocytaire, plasmocytose.

PLASMOCYTOSE [plasmɔsitoz] n. f. — xxᵉ, *in* Larousse, 1963 ; de *plasmocyte*.

♦ Biol. Apparition de plasmocytes dans le sang.

PLASMODE [plasmɔd] n. m. — 1874 ; mot all. 1863 ; de *plasm(o)-*, et grec *eidos* ; → -oïde, « aspect ».

♦ Biol. Cellule à plusieurs noyaux formée par la division du noyau, sans division du cytoplasme. *Certains organismes unicellulaires se présentent sous forme de plasmodes.*

Si l'on traite de la même façon *(par macération ou par dilacération)* le tissu de nos muscles striés, on ne sépare plus des cellules, mais des fragments d'une structure très différente de celle des cellules, et qui sont les myofibrilles.
Leur étude plus précise montre que ce sont des parties détachées d'une fibre musculaire, ensemble polynucléé (...) Il ne semble plus s'agir de cellules, aussi donnet-on à ces ensembles les noms de *plasmodes*, de *syncytiums*, ou encore de *cénocytes*. Ils ne sont pas rares, depuis les Protistes jusqu'aux être supérieurs (...) Ces faits ont été opposés à la théorie cellulaire.

R. HOVASSE, *in* Encycl. Pl., Biologie, p. 19.

PLASMODIAL, ALE, AUX [plasmɔdjal, o] adj. — 1903, *Rev. gén. des sc.*, nº 11, p. 617 ; de *plasma*, avec infl. de *plasmode*.

♦ Biol. Relatif au plasma sanguin.

PLASMODIE [plasmɔdi] n. f. — 1884, « formation de plasmodes » ; de *plasmodium*. → Plasmode.

♦ **1.** Biol. Amas de spores des champignons myxomycètes.

♦ **2.** Parasite du genre plasmodium. ⇒ **Hématozoaire.**

PLASMODIUM [plasmɔdjɔm] n. m. — 1905, *plasmodiôme*, *Rev. gén. des sc.*, nº 3, p. 134 ; 1922, Larousse ; lat. mod., 1885. → Plasmode.

♦ Didact. Protozoaire sporozoaire, parasite propagé par la piqûre d'insectes. ⇒ **Hématozoaire.**

(...) un nombre important de Protozoaires sont parasites, pullulent dans les organismes qu'ils infestent et constituent ainsi de redoutables agents pathogènes, déterminant des maladies graves et épidémiques. C'est le cas de l'Amibe dysentérique, et de beaucoup de formes de la classe des Sporozoaires, parmi lesquels le genre *Plasmodium* ; celui-ci est le terrible agent du *paludisme*, ou *malaria*, qui a transformé, au cours de l'histoire, des régions peuplées en véritables déserts et qui a été l'un des plus sérieux obstacles, au siècle dernier, au peuplement du continent africain par les Européens.

Maurice CAULLERY, les Étapes de la biologie, p. 76-77.

PLASMOÏDE [plasmɔid] n. m. — 1980, *in Sciences et Avenir*, de *plasma*, 3., et *-oïde*.

♦ Astron. Sphère de métal électrifiée prise dans un champ magnétique (modèle hypothétique) qui serait éjecté d'un astre et accéléré à une vitesse proche de celle de la lumière. *« Le plasmoïde, après son éjection, suivra les lignes du champ magnétique »* (*Sciences et Avenir*, oct. 1980, p. 22).

PLASMOLYSE [plasmɔliz] n. f. — 1897, in *l'Année biol.* (1899), p. 27 ; de *plasmo-*, et *-lyse*.

♦ Physiol. Réaction par laquelle une cellule se contracte et perd son eau par osmose, lorsqu'elle est plongée dans une solution de concentration moléculaire plus élevée.

De Vries débuta dans la vie scientifique par d'importants travaux sur la turgescence et la plasmolyse des cellules végétales.

Jean ROSTAND, Esquisse d'une histoire de la biologie, p. 207.

REM. On trouve les dér. *plasmolysant, ante* [plasmɔlizɑ̃, ɑ̃t] adj. et *plasmolysé, ée* [plasmɔlize] adj. (1903, *Rev. gén. des sc.*, nº 6, p. 336).

PLASMON [plasmɔ̃] n. m. Syn. de *plasmagène*.

PLASMOPARA [plasmopaʀa] n. m. — D. i. ; de *plasmo-*, et *para(site)*.

♦ Bot. Nom scientifique du mildiou*, champignon parasite de la vigne.

PLASTE [plast] n. m. — 1948 ; du grec *plassein*.

♦ **1.** Bot. Particule différenciée du cytoplasme des cellules végétales (centriole, mitochondries). Syn. : *leucite*. *Plastes sur lesquels se forment de l'amidon* (amyloplastes), *de l'huile* (oléoplastes), *des protéines* (protéoplastes). *Les chloroplastes, agents de la fonction chlorophyllienne.*

♦ **2.** Chim. Matière plastique*.

PLASTIC [plastik] n. m. — 1945 ; mot angl. (v. 1940), de *plastic explosive*. → Plastique.

♦ Masse d'explosif ayant la consistance du mastic, plastique à température ordinaire. *Les plastics sont constitués par un explosif* (penthrite...) *mélangé à du caoutchouc de synthèse et à un plastifiant. Attentat au plastic.* ⇒ **Plasticage.** *Une charge de 3 kilos de plastic.*

DÉR. Plastiquer.
HOM. Plastique.

PLASTICAGE ou **PLASTIQUAGE** [plastikaʒ] n. m. — V. 1960 ; de *plastiquer*.

♦ Attentat au plastic. *Le plasticage d'un véhicule, d'une boutique. Il a échappé à un plasticage qui a détruit une partie de son appartement.*

(...) eux s'exaltaient aux récits des complots, des plasticages.

G.-E. CLANCIER, l'Éternité plus un jour, p. 691.

PLASTICIEN, IENNE [plastisjɛ̃, jɛn] n. et adj. — 1860, Goncourt ; répandu mil. xxᵉ ; de *plastique*.

★ **I.** N. ♦ **1.** Didact. Artiste spécialisé dans les recherches concernant la plastique, notamment dans les arts appliqués, l'esthétique industrielle. *Les plasticiens et les coloristes. Une grande plasticienne.*

Voyez Michel-Ange ou Raphaël : ils sont architectes, poètes, etc., parce que le 1
plasticien rend sa forme d'une façon concrète.

Ed. et J. DE GONCOURT, Journal, *in* D. D. L., II, 3.

Il n'est pas jusqu'aux découvertes que font, chacun dans sa partie, poètes, musi- 2
ciens et plasticiens qui ne s'affrontent en une irritante contradiction.

A. LHOTE, Peinture d'abord, *in* D. D. L., II, 3.

♦ **2.** Chir. Chirurgien spécialiste de la chirurgie réparatrice (plastique).

♦ **3.** Techn. Technicien spécialiste des matières plastiques. — Ouvrier façonnant ces matières.

★ **II.** Adj. Littér. Qui concerne, s'adonne aux arts plastiques. *Un peintre plasticien.*

Il y a deux sortes d'amants : les amants plasticiens et les amants musicaux. 3

Julien BENDA, Dialogue d'Éleuthère, *in* D. D. L., II, 7.

PLASTICIMÈTRE [plastisimɛtʀ] n. m. — 1973, in *la Clé des mots ;* de *plastic(ité),* et *-mètre.*

♦ Techn. Appareil servant à mesurer la plasticité d'une substance.

PLASTICITÉ [plastisite] n. f. — 1785 ; de *plastique.*

♦ **1.** Qualité de ce qui est plastique (II., 1.). *Plasticité de la cire, de la glaise, de l'argile... Roche dépourvue de plasticité* (→ Loess, cit. 2).

♦ **2.** (1935). Fig. Souplesse ; caractère de ce qui peut se déformer pour s'adapter. *La plasticité du caractère de l'enfant.*

1 Et c'est pourquoi, impuissante comme la mer à prévoir ses agitations, cette nation *(la Chine)* qui ne se sauve de la destruction que par sa plasticité, montre partout, — comme la nature, — un caractère antique et provisoire, délabré, hasardeux, lacunaire. CLAUDEL, Connaissance de l'Est, « Halte sur le canal ».

2 L'Empire suppose (...) une certitude : la certitude de l'infinie plasticité de l'homme (...) Les techniques de propagande servent à mesurer cette plasticité et tentent de faire coïncider réflexion et réflexe conditionné. CAMUS, l'Homme révolté, p. 292.

Psychol. *Plasticité de l'humeur :* instabilité affective et émotionnelle.

♦ **3.** Physiol. Propriété des tissus de se reformer après avoir été lésés.

COMP. Plasticimètre. — Superplasticité.

PLASTIE [plasti] n. f. — 1963 ; du grec *plassein* « façonner, modeler ». → -plastie.

♦ Chir. Réfection d'un organe par chirurgie réparatrice (⇒ **Greffe**) ou esthétique. *Plastie du foie, des doigts, de l'intestin, de l'estomac, des muscles, de l'œsophage, du nez, etc.* (cholédoplastie, digitoplastie, entéroplastie, gastroplastie, myoplastie, œsophagoplastie, rhinoplastie, etc.).

-PLASTIE, -PLASTE Éléments de mots savants, tirés du grec *plassein* « façonner, modeler, former » (⇒ **Céroplastie, galvanoplastie**), et qui pour la plupart désignent des opérations chirurgicales (greffes*, etc.). ⇒ **Anaplastie, autoplastie, hétéroplastie, ostéoplastie, rhinoplastie, uranoplastie.** — REM. Le suff. *-plaste* se rencontre aussi en chimie, en parlant de matières plastiques *(aminoplastes, phénoplastes ; carboplastes* [carbones, hydrogène], *carboxyplastes* [COH], *carbozoplastes* [CNH], etc.) ; en botanique (⇒ **Plaste**).

PLASTIFIANT [plastifjɑ̃] adj. et n. m. — 1931, Larousse du XXe s. ; de *plastifier.*

♦ Chim., techn. Se dit d'un composé (polyester) capable de rendre souple une matière plastique. « (Des) *substances plastifiantes qui donnent à certains plastiques utilisés pour fabriquer des bouteilles une plus grande souplesse* » *(le Point,* 9 oct. 1972, p. 54). *Émulsion de résine dans un plastifiant.* ⇒ **Plastisol.**

PLASTIFICATION [plastifikɑsjɔ̃] n. f. — 1932 ; de *plastifier.* Technique.

♦ **1.** Fait de rendre plastique une substance, par des procédés mécaniques ou chimiques. ⇒ **Plastifiant.**

♦ **2.** Revêtement d'un objet à l'aide d'une matière plastique.

PLASTIFIER [plastifje] v. tr. — V. 1930 ; de *plastique.*

♦ **1.** Techn. Traiter avec un plastifiant.

♦ **2.** Cour. Recouvrir de matière plastique.

Par métaphore :

1 Le monde entier peut être plastifié, et la vie elle-même, puisque, paraît-il, on commence à fabriquer des aortes en plastique. R. BARTHES, Mythologies, p. 173.

▶ **PLASTIFIÉ, ÉE** p. p. adj. (Plus cour.). *Fils plastifiés. Photo, carte, papiers plastifiés.*

2 (...) les arbres sont bien droits, les masures toujours étincelantes de tôle ondulée et de parquets plastifiés. J.-M. G. LE CLÉZIO, le Déluge, p. 25.

DÉR. Plastifiant, plastification.

PLASTIGEL [plastiʒɛl] n. m. — V. 1968 ; de *(matière) plastique,* et *gel.*

♦ Chim., techn. Matière formée par la dispersion d'un solide dans un plastifiant gélifié.

PLASTIQUAGE [plastikaʒ] n. m. ⇒ **Plasticage.**

PLASTIQUE [plastik] adj. et n. — 1553 ; lat. *plasticus,* adj., et *plastica,* n. f., du gr. *plastikos* « relatif au modelage », *plastikê,* de *plassein* « façonner ». → Plasma-, -plasme.

★ **I.** ♦ **1.** Didact. Qui a le pouvoir de former, de donner la forme.

Sous ce travail puissant, transformée par cette énergie plastique, la plus laide chenille pourra devenir le plus idéal papillon. 1
RENAN, l'Avenir de la science, X, Œ. compl., t. III, p. 886.

Chir. *Opération plastique,* destinée à restaurer tissus ou organes sans leur faire subir de mutilation. ⇒ **Esthétique** (chirurgie) ; **-plaste, plasticien** (I., 2.).

♦ **2.** (1765). Didact. Relatif à l'art de donner une forme à diverses substances solides. *Arts plastiques.* ⇒ **Modelage, sculpture.** *Le génie plastique des Grecs.*

N. f. (1788). LA PLASTIQUE : la sculpture. *La plastique antique.* ⇒ **Statuaire.**

♦ **3.** Par ext. Relatif aux arts dont le but est l'élaboration de formes visibles. *Arts plastiques* (sculpture, architecture, dessin, peinture ; arts décoratifs, chorégraphie). → Expression, cit. 22 ; gravure, cit. 3. *Éléments plastiques et picturaux* (cit.), *en peinture. Qualité, beauté plastique d'une œuvre, d'une mise en scène. Expression plastique* (→ Dimension, cit. 3). *Valeur plastique et fonction de l'ogive* (cit. 1). — Fig. *Poésie plastique,* décrivant les formes (cf. A. Chénier, les Parnassiens).

N. f. (1765 ; lat. *plastica,* n. f.). « *Les règles de la plastique* » (→ Grammaire, cit. 12). ⇒ **Plasticien** (I., 1.).

La sculpture et la peinture ne peuvent que fixer dans l'espace un moment de la vie ; on voit les grands maîtres de la plastique chercher à franchir, en s'y brisant, parfois, les limites dont leurs arts sont enserrés. 2
Éd. HERRIOT, la Vie de Beethoven, p. 17.

La peinture peut, sans scrupule, partager avec la sculpture et l'architecture la dénomination d'art plastique, tant qu'elle s'attache à leur problème essentiel : la construction des formes. René HUYGHE, Dialogue avec le visible, p. 192. 3

La recherche plastique est l'élaboration des moyens dont dispose le peintre, lorsque, cessant de les employer afin de représenter un modèle, il s'attache, d'une manière désintéressée, à dégager uniquement la beauté dont ils sont susceptibles. Mais alors que jadis ligne et forme y tenaient le premier rang, la couleur y occupe maintenant une place accrue. Le terme « plastique » a été entraîné à la même extension, un peu paradoxale, puisqu'il ne concernait, à suivre son étymologie, que la sculpture. René HUYGHE, Dialogue avec le visible, p. 75-76. 4

♦ **4.** Qui a une belle forme, qui plaît à l'œil par sa forme. *De beaux gestes plastiques* (→ Manœuvrer, cit. 1).

N. f. (1870, *in* D. D. L.). Beauté des formes du corps. *La plastique d'une femme* (→ Maillot, cit. 9). *Elle a une plastique exceptionnelle.*

★ **II.** (1842). ♦ **1.** Qui est susceptible de se déformer sous l'action d'une force extérieure et de conserver sa nouvelle forme lorsque la force a cessé d'agir. ⇒ **Flexible, malléable, mou.** *L'argile, la cire, la glaise, le mastic sont plastiques. Mélange explosif plastique.* ⇒ **Plastic** (on écrit parfois : *du plastique,* n. m.). *Le caoutchouc est élastique* mais non plastique.*

♦ **2.** (Abstrait). Malléable, influençable. ⇒ **Plasticité,** 2. (→ Assimilable, cit. 3). *Le comportement le plus plastique* (→ Habitude, cit. 42).

♦ **3.** (1913 ; répandu v. 1945). MATIÈRE PLASTIQUE : matière constituée de macromolécules obtenues par polymérisation* ou polycondensation* et qui a pu être moulée. ⇒ **Plastoc** (fam.). — *Chimie des matières plastiques.* ⇒ **Plastifiant, plastifier, plastigel, plastisol, plastochimie.** *Recouvert de plastique.* ⇒ **Plastifié.** *Le plus souvent les matières plastiques ne sont plastiques qu'à un certain stade de leur fabrication ; leur plasticité est alors obtenue par la pression, la température, l'action d'un solvant... Matières plastiques : résines naturelles* (huiles naturelles, galalithe*), *cellulose et dérivés* (cellulose régénérée ou cellophane ; nitrate [Celluloïd*], acétate [Rhodoïd] de cellulose) ; *résines de condensation* (phénol-formol : Bakélite* ; polyamides : Nylon*), *résines de polymérisation* (polychlorure de vinyle, polyesters) ; *silicones.* ⇒ **Téflon ; thermodurcissable, thermoplastique.** — *Vaisselle, carrosserie en matière plastique. Boîte, bouteille en matière plastique.*

Ô temps, suspends ton bol, ô matière plastique 5
D'où viens-tu ? Qui es-tu ? et qu'est-ce qui explique
Tes rares qualités ? De quoi donc es-tu fait ?
D'où donc es-tu parti ? Remontons de l'objet
À ses aïeux lointains ! Qu'à l'envers se déroule
Son histoire exemplaire. En premier lieu, le moule.
Incluant la matrice, être mystérieux.
Il engendre le bol ou bien tout ce qu'on veut.
Mais le moule est lui-même inclus dans une presse
Qui injecte la pâte et conforme la pièce,
Ce qui présente donc le très grand avantage
D'avoir l'objet fini sans autre façonnage. R. QUENEAU, le Chant du styrène.

(...) les portes géantes en plexiglas des Galeries Modernes, les vitrines aux mannequins hermaphrodites proposant leur camelote en matière plastique, les soieries en matière plastique, la porcelaine en matière plastique, l'argenterie en matière plastique, avec leur indéfectible sourire lui aussi en matière plastique de même 6

que leurs cheveux, leur charme et leur sex-appeal à l'usage il faut croire de cœurs, de sexes et de cerveaux en matière plastique (...)
Claude SIMON, le Vent, p. 104.

7 Les matières plastiques aux couleurs de feu et de sang ont obligé les pupilles à s'ouvrir, et maintenant, à la place des yeux, il y a deux trous noirs dans le genre de ceux que fait l'atropine. J.-M. G. LE CLÉZIO, les Géants, p. 117.

N. m. UN PLASTIQUE : une matière plastique. *L'utilisation massive du plastique, des plastiques. Chimie des plastiques. Les plastiques ne sont pas biodégradables. — Plastique armé, renforcé* (par ex. par des fibres de verre), de manière à acquérir certaines propriétés d'un métal. — *Plastique dur* (non « plastique », au sens II., 1.); *plastique mou, souple.* — Cour. EN PLASTIQUE. *Sac, bouteille en plastique. Meuble, chaise en plastique. Bateau en plastique.*

8 (...) en quelque état qu'il se conduise, le plastique garde une apparence floconneuse, quelque chose de trouble, de crémeux et de figé, une impuissance à atteindre jamais au lisse triomphant de la Nature.
R. BARTHES, Mythologies, p. 172.

Feuille de plastique. *Recouvrir un étalage avec un plastique.*

Par ext. Adj. invar. (Cour). En matière plastique. « *Ces yaourts aromatisés en emballage plastique* » (L.-V. Vasseur, J.-J. Bimbenet et M. Hillairet, *les Industries de l'alimentation*, p. 27). *Sac plastique.*

CONTR. (Du II., 1.) **Rigide.**

DÉR. Plasticien, plasticité, plastifier, plastiquement, plastoc.

COMP. Céroplastique, thermoplastique. — Plastigel, plastisol, plastochimie, plastotypie, plasturgie.

HOM. Plastic, formes du v. **plastiquer.**

PLASTIQUEMENT [plastikmɑ̃] adv. — 1846; de *plastique.*

♦ Littér. Quant à la plastique, aux formes, à leur beauté. *Une œuvre plastiquement réussie.*

Dès le troisième *(acte)*, il n'y en avait plus que pour Sarah (...) Plastiquement, elle était merveilleuse. GIDE, Journal, 9 févr. 1902.

PLASTIQUER [plastike] v. tr. — 1961, *le Figaro*; de *plastic.*

♦ Faire un attentat au plastic contre (un lieu). *Plastiquer la recette des impôts, un émetteur de télévision. Une librairie a été plastiquée cette nuit.* — (Compl. n. de personne). Fam. *On a essayé de le plastiquer,* de plastiquer son domicile.

(...) le service 7 fournit les plans des lieux à plastiquer, avec toutes les indications techniques pour le bon déroulement de l'opération.
Philippe BERNERT, S. D. E. C. E. Service 7, p. 269-270.

DÉR. Plastiquage ou **plasticage, plastiqueur.**

PLASTIQUEUR, EUSE [plastikœʀ, øz] n. — 1961, *le Figaro*; de *plastiquer.*

♦ Personne qui commet un attentat au plastic. *Les plastiqueurs ont été arrêtés.*

PLASTISOL [plastisɔl] n. m. — 1961, cit. infra; de *plastique,* et *sol.*

♦ Techn. (chim.). Émulsion de résine dans un plastifiant* liquide.

Toutefois, la mise au point du *plastisol* qui est une dispersion de particules de résine vinylique dans un plastifiant, leur ouvre de nouveaux débouchés *(aux dérivés de la cellulose).* J.-F. THÉRY, les Carburants nouveaux, p. 60.

PLASTOC [plastɔk] n. m. — 1980; de *plastique,* avec infl. plais. de *toc.*

♦ Fam. Matière plastique. « *Je vous ai bien eu avec mon flingue en plastoc* » (*Actuel,* févr. 1980, p. 106). — Péj. *Ce n'est pas solide, c'est du plastoc!* ⇒ 2. **Toc.**

PLASTOCHIMIE [plastoʃimi] n. f. — Mil. xxe (*in* Larousse, 1963); de *plastique,* et *chimie.*

♦ Techn., didact. Technique, étude chimique des matières plastiques.

PLASTOTYPIE [plastotipi] n. f. — Mil. xxe (*in* Larousse, 1963); de *plastique,* et *-typie.*

♦ Techn. Confection des clichés typographiques en plastique (ou en caoutchouc) par prise d'empreinte sur une composition ou sur un cliché photogravé.

PLASTRON [plastʀɔ̃] n. m. — 1492; ital. *piastrone* « haubert », même rac. que *piastre**.

★ **I.** (Choses). ♦ **1.** Pièce d'armure* protégeant la poitrine. *Plastron et dossière d'une cuirasse.*

(1670). Pièce de cuir rembourrée que les escrimeurs portent sur la poitrine pour se protéger.

1 (...) deux messieurs apparaissaient, cuirassés du plastron matelassé des prévôts. Ils avaient le fleuret au poing (...)
COURTELINE, Messieurs les ronds-de-cuir, 5e tableau, III.

(1847). Pièce de protection que portent sur la poitrine certains artisans, certains ouvriers. *Plastron de foreur, de cordonnier* (tablier de cuir)...

♦ **2.** (1752). Zool. Partie ventrale du bouclier tégumentaire (⇒ **Carapace**) des tortues.

Le reptile, sentant le danger, s'était retiré entre sa carapace et son plastron. On ne voyait plus ni sa tête, ni ses pattes, et il était immobile comme un roc. 1.1
J. VERNE, l'Île mystérieuse, t. I, p. 308.

♦ **3.** (Fin xixe). Partie de certains vêtements qui recouvre la poitrine. *Plastron de chemise :* devant* de chemise. *Plastron empesé, détachable. Plastron* (de chemise) *d'habit* (→ Finir, cit. 34). *Plastron et manchettes.* — Pièce du vêtement féminin rappelant le devant d'un chemisier et destinée à être portée sous un vêtement décolleté.

(...) elle avait fourré une laine sous le plastron, elle poussait lentement le fer, laissant à l'amidon le temps de ressortir et de sécher. 2
ZOLA, l'Assommoir, V, t. I, p. 187.

(...) il se trouva forcé d'infléchir encore plus son parcours vers la gauche dans l'espoir de contourner le maître d'hôtel en le prenant de vitesse, et alors : sur sa droite le plastron en V, immaculé et étincelant, rigide comme une armure entre les deux revers de soie noire, géométrique et, paradoxalement, dessiné avec précision (...) 3
Claude SIMON, le Palace, p. 57.

(1770). Partie du plumage d'un oiseau qui rappelle un plastron d'habit.

★ **II.** (Personnes). ♦ **1.** (1718). Vx. Personne en butte aux attaques, aux railleries. *Être le plastron des railleries, des moqueries, des plaisanteries...* (cf. Saint-Simon, Régnard, *in* Littré). *Servir de plastron. Prendre pour plastron :* se jouer, se moquer* de... *Le plastron de qqn* (→ Faveur, cit. 5).

Je te le répète, cette malheureuse est là pour servir de plastron à tous les caprices qui peuvent passer dans la tête de ce libertin; soufflets, fustigations, mauvais propos, jouissances, il faut qu'elle endure tout. SADE, Justine..., t. I, p. 169. 4

♦ **2.** (xxe). Milit. Petit groupe d'hommes qui représentent l'ennemi, dans une manœuvre.

CONTR. Dossard.

DÉR. Plastronner.

PLASTRONNANT, ANTE [plastʀɔnɑ̃, ɑ̃t] adj. — Déb. xxe; de *plastronner.*

♦ Littér. (Personnes). Qui plastronne, prend des poses avantageuses. — (Attitudes, comportements). Qui marque la prétention affichée d'une personne qui plastronne.

Elle n'était pas aussi dangereuse que les airs plastronnants de tels de nos compagnons auraient pu le faire croire à notre retour.
M. AYMÉ, le Vin de Paris, « L'indifférent », p. 18.

PLASTRONNER [plastʀɔne] v. — 1611; de *plastron.*

★ **I.** V. tr. ♦ **1.** Protéger par un plastron. — Au p. p. :

Enfin des Tartares, chaussés de bottes agrémentées de soutaches multicolores, et la poitrine plastronnée de broderies. J. VERNE, Michel Strogoff, p. 94-95. 0.1

♦ **2.** Fig. Protéger.

Ce qui existe en France n'est point une monarchie, c'est une république, à la vérité du plus mauvais aloi. Cette république est plastronnée d'une royauté qui reçoit les coups et les empêche de porter sur le gouvernement même. 1
CHATEAUBRIAND, Mémoires d'outre-tombe, t. V, p. 323.

Pronominal :

(...) on se placarde de sourires, on se plastronne de simagrées affectueuses, on se badigeonne au lait de chaux d'une sépulcrale sensibilité. 1.1
Léon BLOY, le Désespéré, p. 20.

★ **II.** V. intr. (1869). Bomber le torse, prendre des poses avantageuses. — Fig. ⇒ **Crâner, parader, poser.** *Plastronner pour la galerie* (cit. 10).

Mon père, qui parlait toujours de vivre un siècle et qui, lancé sur ce chapitre, plastronnait, bombait le torse et lustrait sa moustache, mon père n'était pas de bonne santé. 2
G. DUHAMEL, Inventaire de l'abîme, VI.

Tout à l'heure, devant vos amis, j'étais bien obligé de plastronner. Mais la vérité est que ça va mal. 3
MARTIN DU GARD, les Thibault, t. VI, p. 211.

DÉR. Plastronnant, plastronneur.

PLASTRONNEUR, EUSE [plastʀɔnœʀ, øz] n. — 1903; de *plastronner.*

♦ Personne qui plastronne. ⇒ **Crâneur, poseur.**

Il voulait ébahir ce plastronneur, mais l'autre ne se démonta pas.
R. DORGELÈS, À bas l'argent !, p. 191.

PLASTURGIE [plastyʀʒi] n. f. — V. 1980; de *plast(ique),* et *(métall)urgie.*

♦ Techn. Industrie de transformation des matières plastiques.

DÉR. Plasturgiste.

PLASTURGISTE [plastyʀʒist] n. — V. 1980; de *plasturgie,* d'après *métallurgiste.*

♦ Techn. Professionnel de la transformation industrielle (des matières plastiques). « *1 dessinateur-peintre... 1 plasturgiste...* » (Annonce, *France-Soir*, 30 mars 1982, p. 9).

PLAT, PLATE [pla, plat] adj. et n. m. — 1080; lat. pop. **plattus*, grec *platus* « large, étendu ».

★ **I.** Adj. **A.** ♦ **1.** Qui présente une surface plane (qu'elle soit horizontale, verticale ou oblique). ⇒ 1. **Plan.** *Les anciens croyaient que la terre était plate. Représenter dans un tableau plat toutes les diverses faces* (cit. 34) *d'un corps solide. — Surface plate.* ⇒ **Plage,** 2. **plan.**

Loc. *Lutte à main plate* (→ Palestre, cit.) : lutte avec la main étendue (et non avec le poing); lutte sans coups.

Spécialt. **a** (Par oppos. à *incliné, oblique, vertical*). Qui présente une surface plane et horizontale (ou presque horizontale). *Fond plat d'une vallée.* ⇒ **Plafond.** *Maison à toit plat* (→ Golfe, cit. 5).

Géom. *Angle plat :* angle dont les deux côtés sont dans le prolongement l'un de l'autre (angle de 180°).

b (Par oppos. à *accidenté, montagneux, ondulé, ridé...*). Dont la surface, horizontale, est dépourvue d'ondulations, de rides, d'accidents de relief. ⇒ **Égal** (*supra* cit. 31), **plain** (vx), **uni.** *Terrain plat* (→ 1. Flamme, cit. 8; fuyant, cit. 10). ⇒ aussi **Esplanade.** *Course en terrain plat* (par oppos. à *course d'obstacles*). → ci-dessous, II., A., 1. *Course de plat. Contrée plate* (→ Houleux, cit. 1).— *Un pays plat* (par oppos. à *pays accidenté, montagneux*). ⇒ **Plaine, plateau** (→ Désert, cit. 4; fade, cit. 11).

Le plat pays. Vx. La campagne, les villages, par opposition aux villes et particulièrement aux villes fortes. ⇒ **Ras** (rase campagne). — Mod. Pays plat. « *Ce plat pays qui est le mien* » (J. Brel).

1 (...) cette multitude et cette richesse des pâturages appellent les grands troupeaux tranquilles, agenouillés dans les herbes ou mangeant à pleine bouche, qui parsèment de taches jaunâtres, blanches, noires, l'interminable surface plate et verte.
TAINE, Philosophie de l'art, t. I, p. 35.

Mer plate, sans vagues, sans houle (→ Bleuir, cit. 2; filet, cit. 6). ⇒ **Beau** (supra cit. 35; mer belle). — *Calme* (1. Calme, cit. 5) *plat.* — Fig. *C'est le calme plat dans les affaires.* ⇒ **Stagnation.**

c Dont la courbure, le modelé, le relief* sont peu accentués; qui n'est pas bouffant, gonflé, saillant. *Assiette plate* (opposé à *assiette creuse*). *Fond plat d'un bateau. Embarcation à fond plat.* ⇒ **Plate.** *Bateau** (cit. 3) *plat. Wagon plat* (à plate-forme). *Broderie plate,* dont le seul relief est constitué par l'épaisseur du fil employé. — Cout. *Pli plat.* ⇒ **Pli.** — Fig. *Battre qqn à plate couture.* ⇒ **Couture.** — *Robe plate* (→ Glissant, cit. 8). — *Chapeau à bords plats,* non roulés, non relevés. *Casquette plate, à fond plat.*

2 — Il m'a laissé son hideux chapeau plat (...) mais il m'a pris le mien, qui lui suffit.
GIDE, les Caves du Vatican, V, II.

3 (...) tous ces gens-là, ils ressemblent à des agents cyclistes, avec leurs casquettes plates! COLETTE, l'Envers du music-hall, Enfant de Bastienne, II.

d Fig. (Peint.). *Teinte plate,* étalée de manière uniforme, sans effet de dégradé ou de fondu. ⇒ **Aplat.**

(En parlant d'une peinture). Qui est dépourvu de perspective, qui rend mal le relief.

4 Il est entendu aussi que M. Ingres est un grand dessinateur maladroit qui ignore la perspective aérienne, et que sa peinture est plate comme une mosaïque chinoise (...) BAUDELAIRE, Curiosités esthétiques, II.

♦ **2.** (En parlant du corps; d'une partie du corps). Qui ne forme pas de saillie. *Visage plat* (→ Adipeux, cit.). *Tête plate* (→ Nez, cit. 13). *Nez plat.* ⇒ **Aplati, camard, camus, écaché.** — *Cheveux plats,* qui ne sont ni bouclés, ni frisés, ni disposés en masse bouffante, mais lisses et plaqués. « *Ô Corse à cheveux plats...* » (→ Beau, cit. 56). *Bandeaux plats* (→ Ingénu, cit. 6). — *Pied plat.* ⇒ **Pied** (*supra* cit. 5). — *Dos* (cit. 2), *ventre plat.* — Spécialt (en parlant d'une femme). *Poitrine plate* (→ fam. Des œufs* sur le plat; et aussi glisser, cit. 35; 1. maigre, cit. 7). *Femme plate comme une galette, une limande** (cit. 2), *une planche* (⇒ **Planche,** fig.), *une punaise.*

5 Son corps plat, sans gorge ni fesses, raboté comme une planche par le travail, craquait, près de se rompre, à chaque nouvelle gerbe ramassée et liée.
ZOLA, la Terre, III, IV.

♦ **3.** De peu d'épaisseur. ⇒ **Aplati, mince.** *Rendre un objet plat.* ⇒ **Aplatir.** *Pierre plate* (→ Miniature, cit. 6). *Pièce plate de bois* (⇒ **Planche**), *de métal...* ⇒ **Lame, plaque, ruban.** *Produits plats en sidérurgie* (→ ci-dessous, II., A., 5.). — Techn. *Lime plate à main :* lime de section plate (on dit aussi *une plate-à-main*). — *Montre* (2. Montre, cit. 2) *plate. Gâteau plat.* ⇒ **Galette.** *Saucisse plate* (→ Fourchette, cit. 3). — *Os* (→ Diploé, cit. 2), *muscle plat* (→ Figure, cit. 14). — *Poisson** *plat.*

Nœud plat, réunissant des bouts de filin et faisant peu de saillie. *Nœud plat gansé,* le nœud de chaussure. *Faire un nœud de vache en essayant de faire un nœud plat.*

Portefeuille plat, sans contenu, vide ou presque (→ Fouiller, cit. 28). — Spécialt. ⇒ **Vide.** *Avoir la bourse** *plate.*

Loc. *Talons plats,* larges et peu élevés. — (Vx). *Souliers plats.* « *Cotillon simple et souliers plats* » (→ Agile, cit. 1, La Fontaine). — Fig. *Pied** (cit. 10 et 11) *plat.*

♦ **4.** Dont le creux, la profondeur est faible par rapport à la surface. *Assiette plate. Fabrication des objets plats en céramique.* ⇒ **Platerie.** — Orfèvr. *Vaisselle** *plate.* — Hydraul. *Bassin plat.* — Géogr. *Mers plates et mers profondes.*

♦ **5.** Loc. adv. **À plat ventre :** en ayant le ventre appliqué contre le sol, un lit, etc. (→ Croix, cit. 19). *Se coucher* (cit. 22), *tomber à plat ventre,* sur le ventre. — Fig. *Se mettre à plat ventre devant qqn :* se montrer très humble, servile (cf. S'aplatir, ramper devant qqn).

Elle avait ramassé ses vêtements à la hâte, et s'était glissée sous le lit, où elle était étendue à plat ventre, plus morte que vive. 6
DIDEROT, Jacques le fataliste, Pl., p. 670.

(...) ils se mirent, pour ainsi dire, à plat ventre, rampèrent devant l'Assemblée. Robespierre rédigea pour eux une adresse, étonnante d'humilité, qu'ils adoptèrent, envoyèrent. MICHELET, Hist. de la Révolution franç., V, IX. 7

Quelques-uns *(des soldats)* rampaient à plat ventre jusqu'au haut de la courbe du pont en ayant soin que leurs shakos ne passassent point. 8
HUGO, les Misérables, V, I, I.

N. m. (Fam.). *Faire un plat-ventre,* une chute à plat ventre. *Plongeur qui fait un plat-ventre,* qui entre dans l'eau le corps trop horizontal. — Syn. : *un plat* (→ ci-dessous II., A., 2., b).

Loc. adv. (Rare). *À plat dos :* sur le dos.

Dès huit heures, je descends à la plage, et j'y reste jusqu'au soir, ne décollant de mon rectangle d'éponge que pour aller faire trempette : je nageouille, pas très loin, et je reviens me jeter sous le soleil, à plat dos ou à plat ventre. 8.1
A. SARRAZIN, l'Astragale, p. 200.

♦ **6.** Fig. *Rimes plates,* où deux vers à rime masculine alternent avec deux vers à rime féminine (→ Miniaturiste, cit.). — Syn. : *rimes accouplées, suivies.*

♦ **7.** Loc. **a** Loc. adv. et adj. **Tout plat.** Vx. De manière à être étendu de toute sa longueur, de toute sa surface sur le sol. *Ils tombent tout plats comme porcs* (→ Apprêter, cit. 12, Rabelais; et aussi étendre, cit. 12, La Fontaine). — Fig. et vx. Sans détour, bien franchement (→ ci-dessous, *Tout à plat ;* et cf. La Fontaine, *Fables,* XII, 1).

b Loc. adv. **À plat.** Vx. Par terre, sur le sol même. *Tomber à plat,* de tout son long. — Mod., fig. *Pièce de théâtre qui tombe à plat,* qui est un échec complet.

Ce qu'il y a de plus prodigieux peut-être dans Corneille, ce qui en fait non pas seulement le plus grand *(poète)* tragique, mais un cas unique, c'est peut-être cette pureté unique du génie, cette incapacité totale de talent qui le faisait retomber parfaitement à plat quand le génie n'était pas là. 9
Ch. PÉGUY, Victor-Marie, comte Hugo, p. 124.

Par métaphore. *Batterie d'accumulateurs à plat,* déchargée.

Fig. et fam. (Avec infl. mod. de *pneu à plat*). Personnes. *Être à plat,* déprimé, épuisé. ⇒ **Crevé.** *Sa maladie l'a mis à plat.*

Si mon âme à plat éprouve le besoin d'une petite excitation poétique, c'est chez Henri Heine que je la trouve (...) Ed. et J. DE GONCOURT, Journal, t. V, p. 164. 9.1

Fig. et vx. *Tout à plat :* brutalement, sans aucun ménagement (→ ci-dessus, *Tout plat*).

(...) on m'éconduit *tout à plat.* 10
P.-L. COURIER, Lettres écrites de France et d'Italie, XCII, Pl., p. 778.

Mod. **À plat :** horizontalement (→ Lignite, cit.); sur la surface plate, sur le côté le plus large. *Poser à plat.* ⇒ **Plaquer.** *Pied posé bien à plat sur le sol* (→ Figure, cit. 10). — Agric. *Labour à plat,* qui s'exécute en versant du même côté la terre de toutes les raies.

Entre les labours et les prairies artificielles, le sentier s'en allait à plat, sans un buisson, aboutissant à la ferme (...) ZOLA, la Terre, I, I. 11

Le danseur, couché à plat dans l'herbe, ne bougeait plus — pantin cassé. 12
F. MAURIAC, le Fleuve de feu, II.

Pneu à plat, dégonflé. — Par ext. (Personnes). Fam. *Être à plat :* avoir un pneu à plat (à bicyclette, à moto, en voiture).

C'est à vous, la bécane? 12.1
— Oui. Mais je suis à plat. Et puis je suis perdue.
R. QUENEAU, Pierrot mon ami, éd. L. de Poche, p. 150.

B. ♦ **1.** (1588). Sans caractère saillant ni qualité frappante. ⇒ **Banal** (cit. 2), **médiocre.** *Style plat.* ⇒ **Décoloré, fade, froid, pauvre.** *Dire les choses d'une manière plate.* ⇒ **Platement.** *Livre plat et fade* (→ Licencieux, cit. 3). *Une image bien plate.* ⇒ **Platitude.** *Sa conversation* (cit. 12) *était plate comme un trottoir de rue* (→ aussi Feuille, cit. 6). — *Préoccupations plates.* ⇒ **Mesquin** (→ Aisance, cit. 6). *Vie plate* (→ Frigide, cit. 3). *Physionomie plate,* sans caractère, sans expression.

(...) plus de ces morceaux d'une éloquence sublime; plus de ces productions marquées au coin de l'ivresse et du génie; tout est raisonné, compassé, académique et plat. DIDEROT, Jacques le fataliste, Pl., p. 689. 13

Que m'importent les hommes et leurs plates simagrées? 14
STENDHAL, le Rouge et le Noir, I, XIX.

Les autres existences, si plates qu'elles fussent, avaient du moins la chance d'un événement. FLAUBERT, Mme Bovary, I, IX. 15

N. m. (Vieilli). « *Le plat et le bouffon* » (Boileau, *Art poétique,* I).

♦ **2.** Littér. ou vieilli. (Devant le nom). Personnes. Sans personnalité, sans valeur. ⇒ **Médiocre, nul, quelconque** (→ Bégueule, cit. 3;

1. gens, cit. 16). *Un plat personnage* (→ aussi Ménagement, cit. 4). *Un plat coquin.* ⇒ **Bas, vil.**

16 (...) à quoi bon fixer, même dans un cahier qui doit être brûlé, le souvenir d'un plat coquin? FRANCE, le Crime de S. Bonnard, VI, Œ., t. II, p. 469.

Mod. (Après le nom). [a] Terne et ennuyeux (sens voisin du sens ci-dessus). *C'est un homme, un causeur, un auteur assez plat.* ⇒ **Humble, obséquieux, rampant** (→ Bassesse, cit. 19). *Il est toujours très plat devant ses supérieurs.*

[b] Par ext. *De plates excuses :* des excuses sans réserves, exprimées avec une humilité empreinte de platitude.

17 On y annonçait *(dans deux journaux...)* qu'à la suite de fièvres paludéennes (...) le célèbre écrivain (...) venait d'être frappé d'aliénation mentale (...) Aux deux journaux quand il se présenta, on lui fit de plates excuses; la nouvelle leur avait été envoyée par câble, d'Ajaccio même. Une rectification paraîtrait dès le lendemain, et, pour peu qu'il le désirât, l'enquête serait facile à faire (...)
Alphonse DAUDET, Rose et Ninette, VIII.

Loc. comparative :

18 — Toi, Louis! il t'arrivera malheur, parce que tu es faux. À te voir, on te prendrait pour un ange. La vérité? tu es plat comme une punaise à genoux.
APOLLINAIRE, l'Hérésiarque..., p. 81.

Fam. Aplati (figuré).

19 Et l'on a marché. Le Français, écrasé, plat comme une punaise, se redresse. Nous étions trente mille va-nu-pieds, contre quatre-vingt mille fendants d'Allemands (...)
BALZAC, le Médecin de campagne, Pl., t. VIII, p. 454.

C. ♦ 1. (1640, en parlant d'une boisson). Dépourvu de force, de saveur*. ⇒ **Fade.** *Vin plat. Eau-de-vie plate. — Goût plat* (→ Doucereux, cit. 1).

♦ 2. Loc. (V. 1960). *Eau plate,* non gazeuse. *« Du scotch, s'il vous plaît. Eau gazeuse, ou eau plate »* (Simenon, *in* P. Gilbert).

★ II. N. m. (Fin XIe). **A.** Partie plate (d'une chose). — Spécialt (mar.). *Le plat d'un aviron.* ⇒ **Pelle.** — *Face plate d'une lame* (par oppos. à *tranchant* et à *dos*). *Le plat d'une épée* (→ Couple, cit. 3; épaule, cit. 18; escrime, cit. 4), *d'une hachette* (cit.), *d'un sabre.*

♦ 1. (V. 1290). Terrain plat. *Sa voiture ne marche bien que sur le plat.* — Spécialt. *Course de plat :* course au galop, sur terrain horizontal et non parsemé d'obstacles (→ *Course en terrain plat,* ci-dessus, I., A., 1.). *Hippodrome* (cit. 4) *aménagé pour le plat. Ce cheval court bien en plat.*

♦ 2. [a] *(Le plat de la main, de la langue). Le plat de la main* (→ Crapaud, cit. 3; flatter, cit. 3) : la surface constituée par la paume de la main et par les doigts non repliés et tenus serrés les uns contre les autres (contr. : *dos*).

(Fin XVIe). Vx. *Donner, jouer, faire merveille du plat de la langue :* bavarder, prodiguer de belles paroles (→ Avoir une bonne platine*).

(1883). Mod. et fam. *Faire du plat (à qqn) :* flatter, et, spécialt, chercher à séduire. ⇒ **Courtiser, flatter, flatterie.** — Spécialt. *Faire du plat à une femme.* ⇒ **Galanterie** (*supra* cit. 12).

20 *Faire du plat* figure dans Larousse, sans exégèse. On peut estimer qu'à l'origine il signifie *courtiser, flatter...* Comporte-t-il l'idée de *se montrer plat* avec la personne que l'on courtise? Non, car dans les anciens auteurs, en veine de familiarité, on disait *le plat de la langue* pour *les beaux discours.* L'expression est dans d'Aubigné, Gui Patin et Saint-Simon. On trouve même dans la *« Chronique des ducs de Bourgogne » jouer du plat,* dans le sens de *parler doux.*
A. THÉRIVE, Querelles de langage, t. II, p. 107.

20.1 Vous avez fini de lui faire du plat à mon tonton? Vous savez qu'il est marié.
R. QUENEAU, Zazie dans le métro, Folio, p. 101.

[b] UN PLAT : un plongeon à plat-ventre, un plat-ventre (→ ci-dessus, I., A., 5., *supra* cit. 8.1).

♦ 3. (1869). **PLAT DE CÔTES** [pladkot] : région du bœuf qui comprend une partie des côtes ainsi que les muscles voisins. — REM. On écrit aussi *plates côtes* [platkot], à cause de l'assourdissement fréquent du [d] en [t] devant la consonne sourde [k] dans *plat de côte.*

♦ 4. (1881). Reliure. (Se dit surtout au pluriel; par oppos. au «dos» et aux «tranches»). Chacun des deux côtés mobiles de la reliure d'un livre. *Plat supérieur; plat inférieur. Plats décorés à petits fers.* — Par ext. Chacun des deux feuillets de la couverture d'un livre broché. *Les deux plats de la couverture ont été conservés.*

21 (...) un assez gros volume allemand, relié en peau de truie, avec des clous de cuivre aux plats et d'épaisses nervures sur le dos.
FRANCE, le Crime de S. Bonnard, II, Œ., t. II, p. 352.

♦ 5. (1963). Techn. Produit sidérurgique de faible épaisseur.

B. ♦ 1. (V. 1119). Ustensile, récipient à fond plat. — Vx. *Plat d'une balance.* ⇒ **Plateau.** — (1762). Mod. *Plat à barbe :* bassin ovale, échancré, que les barbiers tenaient sous le menton de leurs clients pendant qu'ils leur savonnaient le visage. ⇒ **Bassin.** *Plat à barbe servant autrefois d'enseigne aux coiffeurs.*

22 (...) un coup de fusil, venu on ne sait d'où et qui traversait l'obscurité au hasard, siffla tout près de lui, et la balle perça au-dessus de sa tête un plat à barbe de cuivre suspendu à la boutique d'un coiffeur. HUGO, les Misérables, IV, XIII, I.

Fam. Casque plat (notamment celui de l'armée britannique).

22.1 Les Allemands avaient placé en tête de colonne (...) une demi-douzaine d'Anglais (...) le plat à barbe sur le crâne. Roger IKOR, À travers nos déserts, p. 438.

♦ 2. (1903). Plateau. *Plat servant à faire la quête à l'église. — Domestique qui présente une lettre sur un plat.* — Fig. *Apporter qqch. à qqn sur un plat, sur un plat d'argent,* lui donner tout ce qu'il désire, immédiatement et sans qu'il ait à se déranger (→ Sur un plateau*).

— Les gens n'ont pas envie de faire la guerre pour l'Alsace-Lorraine? — Non. Ils conservent un vague regret sentimental. Ils seraient enchantés si les circonstances leur apportaient l'Alsace-Lorraine sur un plat. C'est tout. 23
J. ROMAINS, les Hommes de bonne volonté, t. X, XIX, p. 204.

♦ 3. (1328). Pièce de vaisselle plus grande que l'assiette, à fond plat, à rebords plus ou moins élevés, dans laquelle on sert les mets à table ou qu'on utilise parfois pour faire cuire les aliments. ⇒ **Vaisselle;** et aussi **cuisine** (ustensile de cuisine). *Différentes sortes de plats.* ⇒ **Compotier, légumier, œufrier, ravier, turbotière...** *Plat à tarte, plat à poisson,* destinés au service. — *Plat à œuf,* destiné à leur cuisson (→ ci-dessous, *Œuf au plat*). *Parties d'un plat.* ⇒ **Marli** (cit.), **ombilic, ourlet, suage...** *Accessoires d'un plat.* ⇒ **Chappe, garde-nappe, porte-assiette, porte-plat;** et aussi **chauffe-plat, couvre-plat, dessous-de-plat, dessus-de-plat.** *Plat à couvercle. Plat creux* (→ Dessert, cit. 3), *long, rond... Plat de faïence* (cit. 1), *de porcelaine, d'argent, d'or, en vermeil* (→ Dressoir, cit.; lingot, cit.), *en terre réfractaire, en pyrex. Plat allant au four. Verser dans un plat le contenu de la casserole, de la poêle* (→ Lard, cit. 2). *Manger à même* (cit. 32) *le plat. Essuyer, torcher le fond des plats* (→ Engraisser, cit. 8). *« Faire les plats nets »* (cit. 6, Rabelais; jeu de mot avec *planète*). *Nettoyer* les plats.* — Loc. fam. *Il n'est pas gras à (de) lécher les plats :* son embonpoint est dû à la bonne chère. — *Apporter un plat, les plats sur la table. Remporter les plats.* ⇒ **Desservir** (→ Hausser, cit. 1).

(...) les plats de bronze, de bois odorant précieusement sculpté, de terre ou de porcelaine émaillée de couleurs vives, contenaient des quartiers de bœuf, des cuisses d'antilope, des oies troussées, des silures du Nil (...) 24
Th. GAUTIER, le Roman de la momie, IV.

Loc. *Œufs au plat, sur le plat,* qu'on fait cuire sur un plat sans les brouiller. → Œufs (au) miroir*. *Vous les voulez sur le plat ou brouillés, ces œufs?* — Fig. et fam. *Des œufs sur le plat :* des seins ronds et menus.

Par métonymie. (Mar.). *Plat de matelots :* groupe de matelots que le rôle désigne pour prendre leurs repas ensemble.

Loc. fig. (1808). *Mettre les pieds** (cit. 16) *dans le plat. — Mettre les petits plats dans les grands :* offrir un repas somptueux à qqn; se mettre en frais en son honneur.

Il est certain que Carlotta s'était donné du mal pour faire maîtresse de maison. 25
Elle avait mis les petits plats dans les grands, disait-elle. À vrai dire, ça l'avait amusée, d'abord, de jouer à la dînette. Mais elle n'était pas très sûre de son cordon bleu, et elle avait tout fait venir de chez Potel et Chabot.
ARAGON, les Beaux Quartiers, III, IV.

♦ 4. (Du sens 3.). Contenu d'un plat (⇒ **Platée**); ensemble constitué par un plat et son contenu. *Esaü vendit son droit d'aînesse* (cit. 1) *pour un plat de lentilles. Renverser un plat de purée sur la nappe. Apporter les plats* (→ Gymnastique, cit. 11). *Faire monter les plats de la cuisine au moyen d'un monte-plats*.*

Il faut nous excuser si tout n'est pas parfait. Les plats viennent du restaurant voi- 26
sin. Mais nous tâcherons de les conserver bien chauds.
J. CHARDONNE, les Destinées sentimentales, p. 262.

Loc. fig. *Plat d'épinards :* mauvaise peinture où le vert domine.

♦ 5. (1530; du sens 4). Mets servi au cours d'un repas. ⇒ **Mets** (→ Bouillon, cit. 12). *Les innombrables plats qui composent l'ordinaire d'un grand seigneur marocain* (→ Empiffrer, cit. 2). *Plat d'entrée, d'entremets. Chaque service* comprenait trois plats. Plat de viande* (→ Intime, cit. 14; 1. maigre, cit. 10), *de légumes* (→ Frugal, cit. 5), *de poisson... Confectionner un plat. Restaurant qui se spécialise dans la confection de certains plats.* ⇒ **Spécialité.** *La cuisine*, art de préparer les plats. Recette d'un plat. Plat cuisiné,* qu'on achète tout préparé. — *Plat garni,* comportant viande ou poisson et légumes. ⇒ **Garniture.** — Vx. *Plat couvert :* plat qui, n'étant pas indiqué au menu, constituait la surprise gastronomique d'un repas (cf. Balzac, *le Cousin Pons,* t. VI, p. 571). — *Plat du jour :* dans un restaurant, plat qui varie selon les jours de la semaine. *Donnez-moi le menu avec le plat du jour. — Plat de résistance :* plat qui constitue l'élément principal d'un repas. ⇒ **Pièce** (*supra* cit. 6). — Absolt. *Un, des plats. Je ne prendrai qu'une entrée et un plat. Manger de tous les plats. Faire honneur* à un plat. Un bon* (→ Élément, cit. 2), *un excellent plat.* ⇒ **Morceau** (→ Gâteau, cit. 2). *De bons petits plats* (→ Friand, cit. 1; gobichonner, cit.). *Plat assaisonné à la marjolaine* (cit.) *et au romarin; plat sucré* (→ Pamplemousse, cit.). — *Plats régionaux.* ⇒ **Recette.** *Un vieux plat provençal* (→ Huile, cit. 2).

Laissez-moi carpe devenir : 27
Je serai par vous repêchée.
Quelque gros partisan m'achètera bien cher;
Au lieu qu'il vous en faut chercher
Peut-être encor cent de ma taille
Pour faire un plat. Quel plat? croyez-moi, rien qui vaille.
LA FONTAINE, Fables, V, 3.

Le second service avait pour plat du milieu une sérénissime oie pleine de marrons, 28
une salade de mâches, ornée de ronds de betterave rouge (...).
BALZAC, les Petits Bourgeois, Pl., t. VII, p. 151.

Par métaphore :

29 — Il prend soin d'y servir *(à sa table)* des mets fort délicats.
— Oui ; mais je voudrais bien qu'il ne s'y servît pas :
C'est un fort méchant plat que sa sotte personne,
Et qui gâte, à mon goût, tous les repas qu'il donne.
MOLIÈRE, le Misanthrope, II, 4.

30 Pour cette grande faim qu'à mes yeux on expose,
Un plat seul de huit vers me semble peu de chose.
MOLIÈRE, les Femmes savantes, III, 2.

Prov. *La vengeance est un plat qui se mange froid.*

(1605). Loc. fig. Vx. *Donner à qqn un plat de son métier,* lui donner un exemple de son savoir-faire ; spécialt, le tromper. — Mod. *Servir à qqn un plat de sa façon** (cit. 2).

♦ **6.** (1628, «médire de qqn» ; du sens 5.). Fam. *Faire tout un plat de qqch., avec qqch.* (→ Noix, cit. 7), en faire toute une affaire*. *Il lui en a fait tout un plat.* — *En faire un plat* (même sens). *Tu ne vas pas nous en faire un plat !*

CONTR. (Du I.) **Abrupt, accidenté, anfractueux, hérissé, montagneux. — Bombé, bouffant, cambré, gonflé, rebondi, rond. — Aquilin. — Frisé. — Épais. — Creux. — Profond. — Étincelant, formidable** (fam.), **hardi, piquant, pittoresque, vif. — Arrogant, hautain.**

DÉR. et **COMP.** (De l'adj.) **Aplat, à plat** ou **à-plat. — Aplatir, méplat, plafond, plat-bord, plat-cul,** 1. **plate, plateau, plate-bande, plate-cuve, plate-forme, plate-longe, platement, platerie, platier, platière, platin,** 1. **platine, platitude, plat-joint** (à), **replat.** (Du n.) **Accroche-plat, chauffe-plat** ou **chauffe-plats, couvre-plat, dessous-de-plat, dessus-de-plat, monte-plats, porte-plat. —** 1. **Platée.**

PLATANAIE [platanɛ] n. f. — 1775 ; de *platane.*

♦ Rare. Plantation de platanes.

PLATANE [platan] n. m. — 1535 ; lat. *platanus,* gr. *platanos.*

♦ Arbre élevé au feuillage épais *(Platanacées),* à écorce lisse se détachant par plaques irrégulières. *Le platane est utilisé comme arbre d'ornement et pour ombrager les avenues, les places* (cit. 2), *les routes. Plantation de platanes.* ⇒ **Platanaie.** *Habitation ombragée* (cit. 1) *de platanes. Un cours planté de platanes* (→ Feuillage, cit. 2). *Avenue de platanes* (→ Marbrer, cit. 3).

Ces platanes (...) ont des airs de baobab, avec leurs troncs bossués, tordus, formant des creux où l'on peut s'abriter comme dans des grottes.
LOTI, Suprêmes visions d'Orient, III.

Par ext. *Érable platane.* ⇒ **Plane.** — *Faux platane* ou *érable sycomore.*

Fam. *Rentrer dans un platane :* heurter un platane (ou un arbre quel qu'il soit, en voiture).

DÉR. Platanaie.

PLAT-BORD [plabɔʀ] n. m. — 1573 ; de *plat,* et *bord.*

Marine.

« Dans un bâtiment en bois, ensemble des planches horizontales qui recouvrent les têtes des allonges de sommet. Dans un navire en acier, ceinture en bois entourant les ponts et limitant le bordage en bois » (Gruss). ⇒ **Bordage** (→ Crocher, cit. 1). *Des plats-bords.*

Un banc à Tarrière, un second banc au milieu, pour maintenir l'écartement, un troisième banc à l'avant, un plat-bord pour soutenir les tolets de deux avirons, une godille pour gouverner, complétaient cette embarcation, longue de douze pieds, et qui ne pesait pas deux cents livres. J. VERNE, l'Île mystérieuse, t. I, p. 311.

PLAT-CUL [plaky] n. m. — Fin XIXe ; de *plat,* et *cul.*

Familier.

♦ **1.** Plongeon manqué dans lequel on se reçoit sur le dos.

♦ **2.** À PLAT-CUL : à plat, le fond mis à plat.

1 (...) ces margelles de puits, monuments de granit posés à plat-cul en guise de pots de fleurs sur un gazon peigné. P.-J. HÉLIAS, le Cheval d'orgueil, p. 523.

♦ **3.** (Probablt d'après *faux cul*). Personne lâche, sans mérite.

2 (...) je me suis même traité de lâche, de plat-cul sans honneur.
Jean HOUGRON, la Gueule pleine de dents, p. 304.

PLAT DE CÔTES [pladkot] n. m. ⇒ **Plat** (II., A., 3.).

1. PLATE [plat] n. f. — 1170 ; de *plat.*

♦ **1.** Archéol. Plaque de métal appliquée sur le haubert ; chacune des plaques qui constituent une armure rigide. — *Armure de plates :* « armure d'écailles d'acier, cousues ou rivées à l'intérieur d'une cotte d'étoffe ou de cuir appelée brigandine... » (Réau).

♦ **2.** (1694). Mar. Embarcation* à fond plat. — Spécialt. Anc. Embarcation aux extrémités carrées servant aux travaux de calfatage et de nettoyage de la coque d'un navire. — Petite barque de pêche à deux mâts, naguère en usage dans la baie de Seine.

HOM. Plate (fém. de *plat*), 2. **plate.**

2. PLATE [plat] n. f. — 1611 ; cf. anc. provençal *plata* « argent ».

♦ Blason. (Rare). Besant* d'argent. ⇒ **Tourteau.**

HOM. Plate (fém. de *plat*), 1. **plate.**

PLATE À MAIN [platamɛ̃] n. f. ⇒ **Plat** (I., A., 3.).

PLATEAU [plato] n. m. — XIIIe ; *platel,* v. 1175 ; « écuelle de bois ; plateau d'une balance », XVIIIe ; de *plat.*

♦ **1.** Support plat servant à poser et à transporter (des objets), à recevoir ou à présenter des aliments, des boissons, du courrier... *Plateau avec bords, sans bords ; avec, sans poignées. Plateau rond, rectangulaire... Plateau de bois, de métal, de cuivre* (→ Pastille, cit. 1), *d'argent, de nacre* (→ Lampe, cit. 22)... *Plateau de garçon de café, de serveur. Servir des rafraîchissements, des boissons, le déjeuner* sur un plateau* (→ Épouvanter, cit. 13 ; lampe, cit. 23). *Plateau à liqueurs.* ⇒ **Cabaret.** *Plateau à fromages.* — Par métonymie. *Un plateau de fromages :* un assortiment présenté sur un plateau. *Les plateaux d'une table roulante. Domestique qui apporte une lettre sur un plateau.* — Par métaphore. *Sur un plateau.* ⇒ **Plat** (II., B., 2.). — *Plateaux où le chirurgien, le dentiste pose ses instruments* (→ Flamber, cit. 9). — *Plateau d'une vendeuse de fleurs.* ⇒ **Éventaire.** *Plateau de la quête.* ⇒ **Bassin, bassinet** (cit. 2). *Brosse et plateau d'un ramasse-miettes**.

Durtal posa près de la cheminée une bouillotte, distribua sur un ancien plateau de laque, des tasses, la théière, le sucrier, des gâteaux, des bonbons, des petits verres en bordure, afin de les avoir prêts sous la main, aussitôt qu'il estimerait que le moment était venu de les servir. HUYSMANS, Là-bas, X. 1

(1966). *Plateau-repas* [platoʀ(ə)pa] : plateau à alvéoles contenant les éléments d'un repas.

Spécialt. *Plateaux d'une balance.* ⇒ **Plat** (II., B., 1. ; vx) ; → Melchior, cit. — Par métaphore. *Dans le plateau, dans les plateaux de la balance :* dans la balance* (→ Équilibre, cit. 14 ; exploiteur, cit. 1).

Techn. Plate-forme servant de support (→ Caronade, cit. 1). *Pied en plateau d'un bougeoir*. Plateau où l'on place une préparation, pour l'examiner au microscope.* ⇒ 1. **Platine.**

Wagon plat. ⇒ **Plate-forme.**

Plateau de chargement : plancher mobile pour rassembler des marchandises.

Menuis. Pièce de bois plate et épaisse. *Un plateau de chêne.* — *Plateaux d'emballage**, entre lesquels on place l'objet à emballer, et qui remplacent une caisse. ⇒ aussi **Palette.**

Organe ou élément plat (de dispositifs, de machines). *Plateau électrique** : disque de verre d'une machine électrostatique. — *Plateaux d'une machine-outil.* — *Compteur à plateau.*

Imprim. *Plateau mobile où se place la forme** (cit. 82, Balzac). — Élément plat (notamment dans certains mécanismes : freins, embrayages, etc.). — Autom. *Plateau d'embrayage :* pièce servant d'appui au disque d'embrayage. — *Plateau de pédalier :* roue dentée qui entraîne la chaîne (d'une bicyclette). *Plateau cannelé.*

*Plateau d'un tourne-disques, d'un phonographe** : plateau tournant où l'on pose les disques. ⇒ 1. **Platine.**

(...) modifiant complètement la forme du phonographe américain, il a transformé le mouvement curviligne en un mouvement rectiligne (...) son appareil se compose d'un plateau horizontal sur lequel peuvent se placer une série de chariots (...) 1.1
L. FIGUIER, l'Année scientifique et industrielle 1881, p. 126 (1880).

Il prit alors son phonographe, le remonta, choisit un disque, le mit sur le plateau de l'appareil (...) P. MAC ORLAN, Quai des brumes, IX. 2

Ethnol. Morceau de bois plat sur lequel est fixée et étirée la lèvre inférieure des femmes (dans certaines ethnies d'Afrique). — Vx. *Négresse à plateau.*

(1905, Willy, *in* D. D. L.). Mode (vx). Chapeau de femme plat.

♦ **2.** a Bot. Partie inférieure renflée de la tige axiale d'un bulbe (cit. 1). — Biol. Bordure de certaines cellules épithéliales.

b Au plur. Chasse. Fumées* plates des bêtes fauves.

♦ **3.** (1694). Étendue de pays assez plate* et dominant les environs. *Bord, escarpement, talus, gradins d'un plateau. Plateau et haute plaine*, plateau et terrasse*. Plateau calcaire karstique.* ⇒ **Causse** (→ Aven, cit. 1 ; gouffre, cit. 8). *Plateau de latérite* (cit.), *de lave. Plateau désertique* (→ Désert, cit. 9). *Hauts* plateaux* (→ Herbivore, cit.). — *Plateau éventé* (→ Obstacle, cit. 2). *« Waterloo, ce plateau funèbre et solitaire »* (→ Passer, cit. 59, Hugo).

Sur le plateau, on n'y va pas souvent et jamais volontiers. C'est une étendue toute plate à perte de vue. C'est de l'herbe, et de l'herbe, et de l'herbe, sans un arbre. C'est plat. J. GIONO, Regain, II. 3

Spécialt. *Plateau sous-marin.* ⇒ **Haut-fond.** *Plateau continental :* partie relativement plate et surélevée des fonds marins (par oppos. à *fosse*).

♦ **4.** (1907). Plate-forme où est présenté un spectacle, une exhibition, etc. *Plateau d'un dancing.* — Théâtre. Les planches, la scène du théâtre*. ⇒ **Scène** (→ Orchestique, cit.). *Le plateau et les coulisses.*

4 Cela signifie que deux escaliers s'élevaient du plateau pour gagner les régions supérieures du théâtre, régions d'ailleurs inaccessibles au regard des spectateurs.
G. DUHAMEL, Chronique des Pasquier, IX, VI.

5 Une fois sur le plateau, et en présence du public, le comédien doit se souvenir qu'il n'a pas seulement à démontrer un personnage, mais à être ce personnage, ou manifester qu'il l'est.
L. JOUVET, l'Art du comédien, *in* Encycl. franç. (DE MONZIE), 17-64-12.

Spécialt. *Plateau d'un studio de cinéma*, de télévision,* où sont plantés les décors, où jouent les comédiens ; où parlent les journalistes, etc. — Par ext. Ensemble des installations, du personnel nécessaire à la prise de vue en studio. *Frais de plateau.* — (À la télévision). Émission se passant sur un plateau de studio. *Les plateaux et les reportages d'un journal télévisé.* — Par métonymie. *Un beau plateau :* un ensemble de comédiens, vedettes, etc.

Athlétisme. Terrain d'entraînement ; aire d'où se lancent le disque, le poids, le marteau.

♦ **5.** Fig. Partie horizontale (d'une courbe). *Pentes et plateaux d'un graphique* (cit. 3). — Méd. *Fièvre en plateau,* dont la température élevée se maintient pendant toute la durée de la maladie.

PLATEAU-REPAS [platoʀ(ə)pa] n. m. ⇒ **Plateau** (1.).

PLATE-BANDE [platbɑ̃d] n. f. — XIIIe ; de *plat,* et *bande.*

♦ **1.** [a] Archit. Moulure plate, unie et peu saillante (on dit aussi *bande*). ⇒ **Bandeau, bandelette.** — Linteau ou architrave formant une bande horizontale sans ornements. *Plate-bande de baie. Claveaux, sommiers, clef d'une plate-bande. — Plate-bande de compartiment :* face plane entre deux moulures.

[b] Anciennt. Bande de fer attachant les tourillons d'un canon.

♦ **2.** (1680). Bande de terre cultivée, dans un jardin. *Plate-bande bordant un massif, un parterre. Plates-bandes parallèles* (→ Gril, cit. 3). *Fleurs qui s'alignent en plates-bandes* (→ [par métaphore] Classer, cit. 4). *Plate-bande adossée.* ⇒ **Ados.**

1 Des fleurs de toute sorte, des variétés de pastèques, des lupins, des oignons, garnissaient les plates-bandes (...)
Th. GAUTIER, le Roman de la momie, V.

Loc. fig. *Marcher sur les plates-bandes de qqn ; piétiner ses plates-bandes :* empiéter* sur son domaine (on rencontre d'autres constructions).

2 Il eut le nez cassé. Il en prit de l'aigreur et commença de piétiner les plates-bandes, criant : — N'ayez pas l'air de vous ficher de moi, ou, tonnerre, ça va tourner mal.
COURTELINE, le Train de 8 h 47, III, III.

3 Si je vous retrouve dans mes plates-bandes, j'irai vous dire un mot dans votre étable et je vous attraperai par la peau du cul, comme déjà l'année dernière. Mais cette fois, ce sera plus cher.
M. AYMÉ, Travelingue, p. 146.

♦ **3.** Techn. Rabot d'ébéniste pour tracer des moulures.

♦ **4.** Techn. (serrur.). Pièce plate reliant deux pièces jointives.

PLATE-CUVE [platkyv] n. f. — Mil. XXe (*in* Larousse, 1963) ; de *plat,* et *cuve.*

♦ Techn. Béton coulé au fond d'un puits. *Des plates-cuves.*

1. PLATÉE [plate] n. f. — 1798 ; de *plat.*

♦ Contenu d'un plat (généralement en parlant d'aliments simples et rustiques). *Une platée de purée. Une platée de fraises.*

Les bourgeois nous aiment, eux, comme ils aiment la cuisine, il leur faut de nouvelles platées tous les jours.
BALZAC, les Paysans, Pl., t. VIII, p. 172.

Fam. Grosse quantité. ⇒ **Plâtrée.** *Une platée de crème.* — Fig. *Le prof nous a donné une platée de devoirs.*

HOM. 2. Platée.

2. PLATÉE [plate] n. f. — 1694 ; lat. *platea,* grec *plateia.*

♦ Techn. Massif de fondation d'un édifice. — Maçonnerie recouvrant les fondations.

HOM. 1. Platée.

PLATE-FORME [platfɔʀm] n. f. — XVe ; de *plat,* et *forme.*

★ **I.** ♦ **1.** Surface plane, horizontale, plus ou moins surélevée. *Éléments en plate-forme, plates-formes d'une construction.* ⇒ **Balcon, belvédère, étage, palier, terrasse.** *Plate-forme en planches.* ⇒ **Échafaud, estrade, plancher.** *Plate-forme entourée d'une balustrade* (cit. 1). *Plate-forme d'une tour* (→ Architrave, cit. 3). *Toit en plate-forme. — Plate-forme d'un terre-plein*. Plate-forme en montagne.* ⇒ **Épaule, replat.**

Milit. Ouvrage plat supportant du matériel ou des hommes. *Plate-forme de tir.* ⇒ **Banquette, barbette.** *Plate-forme d'artillerie,* supportant une pièce *(plate-forme de siège, plate-forme volante).*

(...) et tous ces jeunes gentilshommes, l'épée dans la main droite, le pistolet dans 1
la gauche (...) débordèrent enfin sur la plate-forme du bastion (...)
A. DE VIGNY, Cinq-Mars, IX.

Mar. *Plate-forme de la hune*. Plate-forme entre les haubans.* ⇒ **Porte-haubans.**

♦ **2.** Spécialt. [a] Partie ouverte d'un véhicule public où les voyageurs se tiennent debout. *Plate-forme d'un tramway, d'un autobus*.*

L'un *(un autobus)* vint, c'était un dix ou bien peut-être un S 2
La plate-forme, hochet adjoint au véhicule,
Trimbalait une foule en son sein minuscule.
R. QUENEAU, Exercices de style, p. 101.

[b] (1787, *in* D. D. L.). Wagon plat, ouvert. ⇒ **Plateau.**

Un convoi se formait en gare à Verberie 3
Les plates-formes se chargeaient d'artillerie
ARAGON, le Roman inachevé, p. 58.

Plate-forme de forage, servant à exploiter les gisements pétrolifères sous-marins. *Plate-forme de production ; de raffinage.* — Astronaut. Ensemble mécanique orienté. *Plate-forme stabilisée, gyroscopique.*

♦ **3.** Surface horizontale servant de base*. *Plate-forme de maçonnerie.* ⇒ 2. **Platée.** *Terrassement en plate-forme.*

Ch. de fer. Partie de la voie préparée pour recevoir le ballast et les rails. *La plate-forme n'est établie que lorsque l'infrastructure* de la voie est achevée. — Plate-forme d'une route.*

Par anal. Espace nivelé.

(...) le derrick (...) avait dressé sa tour de croiseur de bataille, les bulldozers avaient 4
établi la plate-forme, creusé la mare du bourbier (...)
J. PEYRÉ, le Puits et la Maison, *in* Classe de franç., 1958, p. 25.

Par métaphore :

La société actuelle, qu'elle ait ou non ses tares, c'est tout de même, pour nous, 5
pour notre génération d'adultes, une réalité. C'est une plate-forme toute faite, et relativement solide, que les générations précédentes ont construite, qu'elles nous ont laissée, — la plate-forme sur laquelle nous avons, à notre tour, trouvé notre équilibre (...)
MARTIN DU GARD, les Thibault, t. VII, p. 172.

♦ **4.** Géogr. *Plate-forme continentale.* ⇒ **Plateau.** *Plate-forme d'abrasion, d'érosion, littorale. Plate-forme structurale,* constituée par la surface « d'une couche dure débarrassée du terrain tendre sus-jacent » (Baulig).

♦ **5.** (V. 1970, *in* Gilbert). Grand aéroport.

★ **II.** (1855, repris v. 1967 ; angl. *platform,* 1884, emprunté au franç., XVIIe). Fig. **PLATE-FORME** ou **PLATEFORME :** ensemble d'idées, de positions, de principes sur lesquels on s'appuie pour présenter une politique commune. ⇒ **Base.** *La plateforme électorale* d'un parti. Plateforme revendicative.*

(...) chacun aurait le droit de défendre (...) ses propres convictions (...) C'est là, 6
en tout cas, la position étroite sur laquelle nous pouvons, pour commencer, espérer de nous réunir. Toute plate-forme plus vaste ne nous offrirait, pour le moment, qu'un champ de discorde supplémentaire.
CAMUS, Actuelles III, p. 178.

PLATELAGE [platlaʒ] n. m. — 1846 ; de *platel,* var. anc. de *plateau.*

♦ Techn. Plancher en charpente. *Platelage formant le tablier d'un pont en bois.* — Mar. Tôles soutenant des blindages. — Par anal. *« Un platelage en tôle nervurée recouvre l'ensemble du chassis... »* (*la Vie du rail,* 25 janv. 1976, p. 4).

PLATE-LONGE [platlɔ̃ʒ] n. f. — 1690 ; de *plat,* et *longe.*

♦ Techn. Longe* servant à maintenir les chevaux que l'on ferre, etc. *Plate-longe de maréchal-ferrant.* — Pièce du harnais des chevaux attelés, qui les empêche de ruer (on dit aussi *barre de ruade*). — Longue courroie avec laquelle l'écuyer à pied fait travailler un cheval. — *Des plates-longes.*

PLATEMENT [platmɑ̃] adv. — XVe ; de *plat.*

♦ **1.** Vx. Directement, sans détour. *« Il lui a dit cela tout platement »* (Académie).

♦ **2.** Vx. Mesquinement, lâchement.

M. de La Mole n'a pas seulement envoyé une misérable croix à son agent à Besan- 1
çon, et va le laisser platement destituer.
STENDHAL, le Rouge et le Noir, I, XXIX.

♦ **3.** Mod. D'une manière plate (I., B., 1.), banalement, pauvrement. *Livre platement atroce* (→ Engourdir, cit. 17). *Flagorner* (cit. 3) *platement. Platement comique* (cit. 10). Mesquinement, lâchement (→ ci-dessus, cit. 1, Stendhal).

(...) ils écrivent platement et sans plaisir, et finalement sans faire attention aux 2
mots, ce qui finit par ruiner l'orthographe et la syntaxe.
ALAIN, Propos, 15 mai 1912, « Magie de Darwin ».

PLATER [platœʀ] n. m. — 1875, *in* P. Larousse; mot angl., de *plate* «plat», du français.

♦ Anglic. Turf. Cheval de courses de plat.

PLATERESQUE [platʀɛsk] adj. — 1877; esp. *plateresco* (→ ci-dessous, cit. Gautier), dér. de *plata* «argent».

♦ Arts. Style d'architecture et de décoration de la Renaissance espagnole caractérisé par des ornements baroques évoquant l'orfèvrerie (comme le manuélin* portugais).

(...) un prodigieux portail (...) bâti dans ce style que les Espagnols appellent *plateresco,* qui est pour ainsi dire le rococo de la Renaissance (...)
Th. GAUTIER, Souvenirs de théâtre..., Dessins de V. Hugo.

PLATERIE [platʀi] n. f. — 1802; de *plat.*

♦ Techn. Ensemble des pièces plates, en céramique*. *La platerie et les pièces creuses* («le creux»).

PLATES-CÔTES [platkot] n. f. pl. ⇒ **Plat** (II., A., 3.).

PLATHELMINTHES [platɛlmɛ̃t] n. m. plur. — 1888; du grec *platus* «large», et *helmins* «ver». → Helminthe.

♦ Zool. Vers* plats dont le corps, segmenté ou non, ne présente pas de cavité générale (embranchement). *Les plathelminthes sont hermaphrodites; la plupart sont parasites.* ⇒ **Helminthes.** *Classes de plathelminthes :* planaires (ou turbellariés), trématodes (douves*, etc.), cestodes (bothériocéphale, ténia*). — Au sing. *Un ver plathelminthe; un plathelminthe.*

PLATIER [platje] n. m. — xxe; «terrain plat», 1470; de *plat.* Géographie.

♦ **1.** Haut-fond plat, affleurant à basse mer, qui constitue la partie supérieure d'un récif corallien. *Formé de corail mort et de débris divers, le platier s'étend entre le large, dont il est séparé par une crête, et le lagon.*

Sur la partie interne du platier, les vagues édifient un cordon littoral de sable corallien. Le sable de la plage, dont la consolidation est rapide sous climat tropical, est parfois cimenté en grès. Ainsi le platier porte des îles basses où dans le Pacifique poussent des cocotiers et parfois la mangrove sur le rivage interne qui descend en pente douce vers le *lagon.*
François TAILLEFER, *in* Encycl. Pl., Géographie générale, p. 812.

♦ **2.** Estran* rocheux. — On dit aussi *plate-forme d'abrasion.*

PLATIÈRE [platjɛʀ] n. f. — 1782; de *plat.* Régional.

♦ **1.** Ruisseau qui traverse une chaussée.

♦ **2.** (1836; → Platier «terrain plat», 1470). Terrain, champ plat au bas d'une colline. *« Un marais de joncs picards, où les chaisiers ont coupé de grosses touffes de joncs, créant une platière aimée des bécassines »* (*la Chasse,* no 229, p. 20).

PLATIN [platɛ̃] n. m. — 1611; «pays plat», fin xve; de *plat.*

♦ **1.** Vx. ou régional. Partie d'une plage qui se découvre à marée basse. ⇒ **Estran.**

♦ **2.** Banc de sable plat.

PLATINAGE [platinaʒ] n. m. — 1838; de *platiner.*

♦ Techn. Opération par laquelle on recouvre une surface d'une mince couche de platine. *Le platinage d'un alliage.* — Cette couche. ⇒ **Platinure.**

1. PLATINE [platin] n. f. — 1220, «plat, soucoupe»; de *plat.*

★ **I.** ♦ **1.** Techn. Pièce, support plat.
Spécialt. [a] Vx. Plaque de cheminée.

[b] (xviie). Pièce soutenant les éléments d'un mouvement d'horlogerie. *La platine d'une montre*, d'une pendule.*

[c] Pièce des anciennes armes à feu portatives sur laquelle l'amorce était mise à feu. *Platine à percussion, à rouet, à silex* (⇒ **Fusil**)...

[d] Imprim. Partie de la presse à bras qui s'abaisse sur le tympan.

[e] Plateau d'une machine pneumatique.

[f] Pièce plate où sont montés les éléments d'un poste de radio, de télévision...

[g] Plaque métallique protégeant le mécanisme d'une serrure et qui est percée pour laisser passage à la clef.

[h] Pièce de la machine à coudre qui laisse passer l'aiguille.

[i] Mince plaque ou lame (généralement en métal) utilisée comme support dans divers appareils scientifiques. *Platine de microscope,* où l'on place l'objet, la préparation à examiner. ⇒ **Porte-objet.**

♦ **2.** (V. 1969). Cour. *Platine d'un tourne-disque; platine tourne-disque* (plur. : *des platines tourne-disque*) : partie d'un tourne-disque comportant le plateau porteur du disque, son mécanisme d'entraînement et ses commandes. *Cette chaîne est composée d'une platine tourne-disque, d'un « tuner », d'un amplificateur et de deux enceintes* (ou *baffles*). — Syn. : *table de lecture.*

♦ **3.** Anciennt. Plaque ronde, un peu convexe, montée sur pieds (formant table) et sur laquelle on repassait le linge*.

★ **II.** Vieilli. ♦ **1.** (1808; du *plat** de la langue; cf. Faire du plat). *Avoir une bonne, une fameuse platine.* ⇒ **Langue; bavard.**

Aussitôt, répétant lentement une par une les syllabes qu'Urbain lui soufflait à haute voix, le cheval prononça distinctement «E...qua...teur...». La langue de l'animal, au lieu d'être carrée comme celle de ses pareils, affectait la forme pointue d'une platine humaine. 1
Raymond ROUSSEL, Impressions d'Afrique, p. 95-96.

♦ **2.** Par ext. *Le bagout* (cit. 1) *et la platine.* ⇒ **Bagou, baratin.**

(...) il *(Gaudissart)* semblait d'autant moins dangereux, qu'il avait gardé la *platine* de son ancien métier, pour employer son expression, en la doublant de l'argot des coulisses. 2
BALZAC, le Cousin Pons, Pl., t. VI, p. 690.

HOM. 2. **Platine,** formes du v. **platiner.**

2. PLATINE [platin] n. m. et adj. invar. — 1752, d'abord fém.; esp. *platina* (aujourd'hui *platino*), de *plata* «argent».

♦ **1.** Chim. et cour. Élément (no at. 78; symb. *Pt*; p. at. 195,23), métal précieux, blanc grisâtre, de densité 21,37, fusible à 1 773 °C. *Le platine est très ductile et malléable; on ne peut l'utiliser qu'en alliages : platine iridié* (Iridium), *rhodié* (Rhodium); *il est pratiquement inoxydable, insoluble dans la plupart des réactifs; il peut se souder au verre* (propriété utilisée dans les ampoules à rayons X, etc.). *Éponge*, mousse* de platine. Le platine est utilisé pour les contacts électriques, pour la mesure des hautes températures, l'appareillage scientifique et industriel (capsules, cornues, creusets, électrodes en platine), comme catalyseur (fils, toiles, éponge, mousse... de platine). — Le platine, métal précieux utilisé en bijouterie** (sertissage des diamants), *en joaillerie. Anneau, bague, médaille, montre en platine.* ⇒ **Platinage, platiner** (et dérivés ci-dessous). — *Sels de platine utilisés en photographie* (⇒ **Platinotypie**), *en radioscopie* (platinocyanure de baryum)...

Loc. *Mine de platine :* alliage naturel de platine et des métaux voisins (⇒ **Iridium, osmium, palladium, rhodium, ruthénium**), qui constituait autrefois le seul minerai exploité de platine et de ces métaux (on l'extrait surtout aujourd'hui de certains minerais de nickel).

♦ **2.** Adj. invar. De la couleur du platine. *Blond platine.* ⇒ **Platiné.** *Les stars blond platine des années 50.*

DÉR. Platiner, platineux, platinides, platinique, platiniser, platinite, platinose, platinure.
COMP. Platinifère, platinoïde, platinotypie.
HOM. 1. **Platine,** formes du v. **platiner.**

PLATINÉ, ÉE [platine] adj. — 1900; de *platiner.*

♦ **1.** Garni, recouvert de platine, d'un alliage de platine.
Loc. VIS PLATINÉES : pièces de contact du rupteur d'allumage, dans un moteur d'automobile (autrefois vis réglables à *tête platinée;* aujourd'hui petits disques de tungstène).

♦ **2.** De couleur platine. *Blond platiné.* — (Cheveux). Teint en cette couleur. *Cheveux platinés* (⇒ 2. **Platine,** 2.). — Par métonymie. *Une blonde, une star platinée.*

(...) une femme encore jeune, platinée, pompeusement fardée, grande et forte.
R. QUENEAU, Pierrot mon ami, éd. L. de Poche, p. 24.

PLATINER [platine] v. tr. — 1846; de 2. *platine.*

♦ **1.** Techn. Recouvrir (un métal; du verre) d'une mince couche de platine ou parfois d'un alliage imitant ce métal. *Platiner du cuivre.* ⇒ **Blanchir.**

♦ **2.** Donner la couleur blanche et éclatante du platine à (qqch.).

DÉR. Platinage, platiné, platineur.
HOM. Platiné.

PLATINEUR [platinœʀ] n. m. — 1903; de *platiner.*

♦ Ouvrier qui effectue le platinage*. — REM. Le fém. est virtuel.

PLATINEUX [platinø] adj. m. — V. 1900 (*in* Larousse, 1903); de 2. *platine.*

♦ Chim. Se dit des composés du platine bivalent.

PLATINIDES [platinid] n. m. pl. — 1869; de 2. *platine,* et *-ide.*

♦ Minér. Minéraux renfermant du platine* (2. Platine). — Au sing. *Un platinide.*

PLATINIFÈRE [platinifɛʀ] adj. — 1823; de 2. *platine,* et *-fère.*

♦ Minér. Qui contient du platine* (2. Platine). *Gisements, minerais platinifères.*

PLATINIQUE [platinik] adj. — 1828; de 2. *platine.*

♦ Chim. Se dit de dérivés du platine. *Sel, composé platinique. Acide platinique* de formule brute H_2 Pt $(OH)_6$; *acide hexachloroplatinique* ou *platichlorhydrique* de formule brute H_2 Pt Cl_6 $(H_2O)_6$.

PLATINISER [platinize] v. tr. — 1870-1871, *in Année sc. et industr.* 1872, p. 426; de 2. *platine.*

♦ Techn. (Vx). Platiner.

PLATINITE [platinit] n. m. — 1920; de 2. *platine.*

♦ Techn. Alliage de fer et de nickel ayant même coefficient de dilatation que le platine et pouvant se souder au verre.

PLATINOÏDE [platinɔid] n. m. — 1885, in *Année sc. et industr.* 1886, p. 172; angl. *platinoïd,* Martin; de 2. *platine,* et suff. *-oïde.*

♦ Techn. Alliage de cuivre, zinc, nickel (⇒ **Maillechort**) comprenant de plus 1 ou 2% de tungstène, et qui est utilisé en électricité (fabrication des boîtes de résistance).

PLATINOSE [platinoz] n. f. — D. i.; de 2. *platine,* et suff. 2. *-ose.*

♦ Méd. Ensemble de manifestations pathologiques consécutives à la manipulation prolongée du platine (lésions cutanées, troubles respiratoires).

PLATINOTYPIE [platinotipi] n. f. — 1890; de 2. *platine,* et *-typie.*

♦ Techn. Procédé de photographie utilisant les sels de platine (chlorure platineux).

PLATINURE [platinyʀ] n. f. — D. i.; de 2. *platine.*

♦ Techn. Opération consistant à platiner, à recouvrir d'une mince couche de platine; cette couche.

PLATITUDE [platityd] n. f. — 1694; de *plat.*

♦ **1.** *(La platitude de qqch.).* Caractère de ce qui est plat* (I., B.), de ce qui manque d'élévation, d'originalité, d'intérêt... ⇒ **Médiocrité.** *Platitude du style, d'un livre, d'un tableau, d'une musique... Vers désespérants de mièvrerie* (cit. 2) *et de platitude.* — Par ext. *La platitude d'un poète* (→ Fantaisiste, cit. 4). — Par anal. *« Le monde (...) est voué sans appel* (cit. 23) *à la platitude, à la médiocrité »* (→ aussi 2. Idéal, cit. 8).

1 (...) une certaine solennité plate ou (...) une certaine platitude solennelle qui nous était jadis donnée par une majestueuse et pénétrante simplicité.
BAUDELAIRE, l'Art romantique, XXII, II.

(Une, des platitudes). Ce qui est plat (dans un ouvrage, une conversation); chose plate. ⇒ **Banalité, fadaise** (→ Cinématographe, cit. 2). *Débiter des platitudes.*

1.1 Crois-moi, laisse-là la justice de Dieu, ses châtiments ou ses récompenses à venir, toutes ces platitudes-là ne sont bonnes qu'à nous faire mourir de faim.
SADE, Justine..., t. I, p. 36.

2 Ce salon était donc une espèce de salon de province, mais éclairé par les reflets du continuel incendie parisien; sa médiocrité, ses platitudes suivaient le torrent du siècle.
BALZAC, les Petits Bourgeois, Pl., t. VII, p. 99.

3 Elle était aussi dégoûtée de lui qu'il était fatigué d'elle, Emma retrouvait dans l'adultère toutes les platitudes du mariage.
FLAUBERT, Mme Bovary, III, VI.

♦ **2.** Vieilli. *(La platitude de qqn).* Caractère de celui qui est sans élévation morale, sans aucune noblesse, et, spécialt, de celui qui s'abaisse avec servilité. ⇒ **Aplatissement, avilissement, bassesse, obséquiosité** (→ Arrivisme, cit. 1; chien, cit. 37).

3.1 Les Rajahs ont formé des milliers d'Indiens serviteurs depuis des milliers d'années à être plats comme des lâches. Et cette platitude qu'on ne pourrait concevoir sans l'avoir vue est plus effrayante, plus pénible à considérer que toutes les misères et la famine et le choléra endémique.
Henri MICHAUX, Un barbare en Asie, p. 38.

(Une, des platitudes). Acte plat; acte qui témoigne de servilité. ⇒ **Bassesse, courbette.**

4 (...) au lieu de chevalier, je serais officier de la Légion d'honneur, mais j'aurais passé trois ou quatre heures par jour à ces platitudes d'ambition qu'on décore du nom de politique, j'aurais fait beaucoup de demi-bassesses (...).
STENDHAL, Vie de Henry Brulard, 43.

Si vous croyez que je vais revenir et vous faire des platitudes, vous vous trompez. Je suis fière. Je vous attends à présent. 5
HUGO, les Misérables, V, VII, I.

♦ **3.** (XIXe). Qui a un goût plat, qui manque de saveur, de bouquet (en parlant du vin*).

♦ **4.** (Hugo, par métaphore : *« La platitude peut braver l'écrasement », les Années funestes,* XLI). État de ce qui est plat* (I., A.), plan. — REM. Cet emploi peu courant semble se justifier par l'absence de substantif correspondant à *plat* (on trouve *plateur,* chez Mme de Sévigné).

D'abord la platitude même du sol, qui, si elle rebute le petit bourgeois désireux de situer dans un décor évocateur un chalet suisse environné de rocailles, favorise la construction rapide de bâtiments industriels, les séries d'ateliers semblables, desservis par des passages et des cours; diminue les difficultés de charroi, le nombre des chevaux dans les attelages. 6
J. ROMAINS, les Hommes de bonne volonté, t. IX, I, p. 7.

♦ **5.** Arts décoratifs. Tabatière, boîte plate que l'on pouvait mettre dans le gousset (XVIIIe siècle). — Syn. : *turgotine.*

Le ministère de Turgot répand, dans le monde des femmes qui prennent du tabac, les tabatières *à la Turgot* qu'on appelle platitudes. 7
Ed. et J. DE GONCOURT, la Femme au XVIIIe s., t. II, p. 60.

CONTR. Couleur, esprit, fraîcheur, hardiesse; saveur. — Arrogance, dignité, fierté, noblesse...

PLAT-JOINT (À) [aplaʒwɛ̃] loc. adv. — Mil. XXe; de *plat,* et *joint.*

♦ Techn. Joint sans assemblage (d'un ensemble de pièces de bois). *Plancher à plat-joint.*

PLATODES [platɔd] n. m. pl. — Mil. XXe; comp. sav. du gr. *platus* « large », et *eidos* « forme » (→ -oïde).

♦ Zool. Plathelminthes. — Au sing. *Un platode.*

PLATONICIEN, IENNE [platɔnisjɛ̃, jɛn] adj. — 1370; de *Platon.*

♦ Didact. Qui s'inspire de la philosophie de Platon ou des caractères saillants de sa doctrine (platonisme). *Philosophes platoniciens.* — N. m. *Les platoniciens. Le Démiurge des platoniciens.*

Relatif au platonisme. *Philosophie, doctrine platonicienne. Idéalisme, mysticisme* (cit. 1) *platonicien.* ⇒ **Platonique.** *Dialectique platonicienne. Dialogues platoniciens.*

COMP. Néo-platonicien.

PLATONIQUE [platɔnik] adj. — XIVe; de *Platon.*

♦ **1.** Didact. et vx. Relatif à la philosophie de Platon. ⇒ **Platonicien.** *Notions hermétiques* (1. Hermétique, cit. 3) *et platoniques. L'éternelle rengaine platonique d'un exil* (cit. 15) *terrestre.*

♦ **2.** (XVIIIe; par allus. à la doctrine platonicienne de l'amour exposée dans *le Banquet,* popularisée en Occident aux XVe et XVIe siècles). Mod. et cour. Qui a un caractère purement idéal, spiritualisé, sans rien de matériel, de charnel. *Amour*, sentiment, tendresse platonique,* chaste. ⇒ **Éthéré, pur** (→ Métaphysique, cit. 3). *Relations platoniques.* — Par ext. *Des amoureux,* (vx) *des amants platoniques* (→ Idylle, cit. 2).

La tendresse de ces parfaits amants, bien que vive, est toute platonique et se contente de quelque baiser sur la main ou sur le front. 1
Th. GAUTIER, le Capitaine Fracasse, XIII.

Quelle folie, me disais-je, d'aimer ainsi d'un amour platonique une femme qui ne vous aime plus. Ceci est la faute de mes lectures; j'ai pris au sérieux les inventions des poètes, et je me suis fait une Laure ou une Béatrix d'une personne ordinaire de notre siècle (...) 2
NERVAL, Aurélia, I, I.

Les relations avec une femme qu'on aime (et cela peut s'étendre à l'amour pour un jeune homme) peuvent rester platoniques pour une autre raison que la vertu de la femme ou que la nature peu sensuelle de l'amour qu'elle inspire. 3
PROUST, À la recherche du temps perdu, t. XIV, p. 150.

♦ **3.** Qui a un caractère idéal, théorique; qui reste sans effet concret, matériel. *Protestations*, revendications, vœux platoniques.* ⇒ **Formel.**

(...) j'ai eu l'impression que leur lutte contre le militarisme restait assez platonique (...) 4
MARTIN DU GARD, les Thibault, t. V, p. 75.

CONTR. Charnel, matériel.
DÉR. Platoniquement.

PLATONIQUEMENT [platɔnikmɑ̃] adv. — 1831; « selon la philosophie de Platon », XVIe; de *platonique.*

♦ D'une manière platonique (2.). *Aimer platoniquement* (→ Incruster, cit. 8, Balzac).

(...) vous réservez votre encens le plus mystique à des créatures bizarres (...) et vous vous pâmez platoniquement devant des sultanes de bas lieu (...) 1
BAUDELAIRE, la Fanfarlo.

Elle avait déjà aimé une fois (...) vertueusement, platoniquement, utopiquement, 2

de cet amour qui exerce le cœur plus qu'il ne le remplit ; qui en prépare les forces pour un autre amour qui doit toujours bientôt le suivre (...)
BARBEY D'AUREVILLY, les Diaboliques, « Le plus bel amour... ».

CONTR. Charnellement, matériellement.

PLATONISANT, ANTE [platɔnizɑ̃, ɑ̃t] adj. — 1960, *in* D. D. L. ; de *Platon,* et suff. *-isant.*

♦ Didact. Qui présente des caractères proches de la philosophie platonicienne*.

PLATONISME [platɔnism] n. m. — 1672 ; de *Platon.*

♦ **1.** Didact. Philosophie de Platon et de ses disciples. *Le platonisme est un idéalisme* (⇒ **Idée**), *un essentialisme.* — Par ext. *Le platonisme de Plotin* (⇒ **Néoplatonisme**), *d'un philosophe moderne* (⇒ **Platonisant**). *Philosophie idéaliste empreinte de platonisme.*

1 Pour les abstractions, j'aime le platonisme.
MOLIÈRE, les Femmes savantes, III, 2.

2 Il ne faudrait pas croire, toutefois, à un platonisme de M. Giraudoux. Ses formes ne sont pas au ciel intelligible, mais parmi nous (...)
SARTRE, Situations I, p. 85.

♦ **2.** Rare. Caractère de l'amour platonique, chaste, idéal... (→ Homosexualité, cit. 2).

3 Le platonisme a ses charmes. Il donne du prix à de petites choses, à des fleurs échangées, à des vers murmurés. Il fait trouver des plaisirs infinis dans un serrement de mains, dans un soupir, dans l'effleurement d'une robe étalée un peu plus qu'il ne faudrait.
A. MAUROIS, Vie de Byron, II, XIX.

PLÂTRAGE [platʀaʒ] n. m. — 1718 ; de *plâtrer.*

♦ **1.** Action de plâtrer. *Le plâtrage d'un mur, d'un plafond.*

♦ **2.** Ouvrage de plâtre. *Refaire le plâtrage d'une pièce. Vieux plâtrage qui se détache, tombe.* ⇒ **Plâtras.**

♦ **3.** Agric. (Vx). Amendement* des prairies artificielles (trèfle, luzerne...) au moyen de plâtre. — Emploi de plâtre comme matière inerte pour faciliter l'épandage des engrais*. — *Plâtrage des moûts, du vin,* pour activer la fermentation.

♦ **4.** Méd. Traitement de l'acidité par une matière basique. *Plâtrage gastrique.*

PLÂTRAS [platʀɑ] n. m. — 1371 ; de *plâtre.*

♦ **1.** (En général au plur.). Débris de plâtrage ; morceau d'un ouvrage en plâtre détaché. ⇒ **Débris, gravats.** *De gros plâtras se détachaient ; tombaient du mur, du plafond. Les plâtras d'un chantier de démolition.*

1 (...) un pavé se détache rarement d'un mur sans entraîner dans sa culbute une certaine quantité de plâtras (...)
COURTELINE, Messieurs les ronds-de-cuir, 6e tableau, II.

♦ **2.** (1371). Mauvais matériaux de construction (plâtre, maçonnerie). → Craie, cit. 2. *Maison raccommodée de bouts de planches et de plâtras* (→ Moellon, cit. 1).

2 Le plâtras qui avait dû boucher ce vide était absent, et en montant sur la commode on pouvait voir par cette ouverture dans le galetas des Jondrette.
HUGO, les Misérables, III, VIII, V.

♦ **3.** Fig. et vx. Chose informe, volumineuse et lourde. *Ce livre est un plâtras informe* (cf. Molière, *Bouts rimés : « Vous m'assommez l'esprit avec un gros plâtras »*).

♦ **4.** *Avoir un plâtras sur l'estomac,* l'estomac chargé.

PLÂTRE [platʀ] n. m. — 1160, *plastre ;* de *emplastre* (→ Emplâtre), à cause de l'aspect du plâtre gâché.

♦ **1.** Gypse*. *Carrière de plâtre. Plâtres disposés par lits horizontaux* (→ Calcaire, cit. 1). *Terrain ocre* (cit. 3) *veiné de plâtre.* — *Utilisation du plâtre* (plâtre cru) *pour l'amendement* des prairies* (trèfle, luzerne, sainfoin). ⇒ **Plâtrer.**

♦ **2.** Semi-hydrate du sulfate de calcium ($CaSO_4 . \frac{1}{2} H_2O$) réduit en poudre. *Le plâtre est obtenu en chauffant du gypse* (« plâtre » au sens 1., ou *pierre à plâtre*) *dans un four à plâtre et en le broyant, en le pulvérisant.* ⇒ **Battre.** *Trémie* à plâtre. Tamiser le plâtre.* ⇒ **Gravats.** *Plâtre au panier (plâtre à maçonner, à bâtir, à enduits). Plâtre au sas (plâtre à mouler). Fleur de plâtre, plâtre très fin. Plâtres spéciaux. Plâtre de Paris. — Sac de plâtre. — Délayer le plâtre dans une auge.* ⇒ **Gâcher, gâchis.** *Gâcheur* (cit. 1) *de plâtre.* ⇒ **Plâtrier.** *Poignée de plâtre.* ⇒ **Pigeon.** *Le plâtre gâché avec beaucoup d'eau est dit noyé. Cohésion du plâtre. Le plâtre prend, durcit par formation de cristaux de gypse. — Plâtre utilisé en construction*, en maçonnerie. Le plâtre et le mortier* sont des liants. Effets mobiliers scellés* en plâtre ou à chaux et à ciment* (→ Demeure, cit. 15). *Enduit au plâtre* (simple ou au crépi). ⇒ **Crépi ; gobeter, gobetis.** *Maçonnerie de plâtre.* ⇒ **Plâtrage ;** et aussi **colombage, entrevous, hourdage, hourdis, lambris, plafond.** *Cheminée de plâtre. Réparation, raccord de plâtre.* ⇒ **Replâtrer, ruiler.** *Revêtement de plâtre. Cloison en lattes* (cit. 1) *enduites de plâtre. Plâtre consolidé par des rappointis*. Plâtre qui s'effrite* (→ Enduit, cit. 1), *tombe.* ⇒ **Plâtras.** *Gâteau* (→ Faîtière, cit.), *massif, bloc de plâtre.*

(...) il y avait dans l'appartement un assez grand cabinet dont les murs n'étaient point tapissés, il fallait qu'avec un couteau j'allasse raper une certaine quantité de plâtre de ces murs, que je passais ensuite dans un tamis fin ; ce qui résultait de cette opération devenait la poudre de toilette dont j'ornais chaque matin et la perruque de Monsieur et le chignon de Madame. 0.1
SADE, Justine..., t. I, p. 30.

J'étais à genoux dans un angle, ma truelle à la main, j'étendais le plâtre sur les murs blancs. 1
J. GIONO, Jean le Bleu, III.

Carreaux de plâtre : plaques de plâtre, le plus souvent alvéolées, servant de matériau pour des constructions légères (cloisons, notamment).

Plâtre à mouler, ou, absolt, *plâtre. Mouler* (cit. 11) *en plâtre.* ⇒ **Moulage.** *Masque* (1. Masque, cit. 27), *médaille en plâtre* (→ 1. Moule, cit. 1 ; mouler, cit. 2). *Buste en plâtre. — Plâtre gâché avec une solution de gélatine* (⇒ **Stuc**), *armé de filasse* (⇒ **Staff**).

Sur le moule il versait du plâtre liquide fait à l'instant, et sur-le-champ du plâtre moins fin et plus fort, de façon à donner quatre lignes d'épaisseur à la médaille en plâtre. 2
STENDHAL, Vie de Henry Brulard, 20.

(...) nul peuple d'ailleurs n'a poussé plus loin que les Arabes l'art de mouler, de durcir et de ciseler le plâtre, qui acquiert entre leurs mains la dureté du stuc sans en avoir le luisant désagréable. 3
Th. GAUTIER, Voyage en Espagne, p. 168.

Ce travailleur vif et obstiné *(Giacometti)* n'aime pas la résistance de la pierre qui ralentirait ses mouvements. Il s'est choisi une matière sans poids, la plus ductile, la plus périssable, la plus spirituelle : le plâtre. 4
SARTRE, Situations III, p. 294.

(Déb. XXe). *Plâtre utilisé dans le traitement des fractures*. — Loc. Dans le plâtre. Mettre une jambe, un bras cassé dans le plâtre.* ⇒ **Plâtrer.**

Techn. *Plâtre-ciment* (carbonate de calcium contenant de l'argile et de l'oxyde de fer).

♦ **3.** *Les plâtres :* les revêtements et les ouvrages de plâtre (corniches, scellements...), dans une construction. *Refaire les plâtres. Essuyer les plâtres.* ⇒ **Essuyer** (cit. 6.1, 6.2).

(Mil. XIXe). Objet moulé en plâtre (→ Efflorescence, cit. 3). *Un plâtre antique. Les plâtres d'une frise :* les ornements moulés en plâtre. — *Salle décorée de plâtres,* de statues, de moulages...

Ces deux jolis plâtres que je tenais de l'amitié de Falconet, et qu'il avait réparés lui-même... 5
DIDEROT, Regrets sur ma vieille robe de chambre.

Chir. Appareil de contention, formé de pièces de tarlatane imprégnées de plâtre.

♦ **4.** (XVIIe, Boileau). Fig., fam. et vieilli. Blanc de fard ; fard (→ Où, cit. 4). *Avoir deux doigts de plâtre sur le visage.* — REM. Cet emploi est beaucoup plus plaisant et péjoratif qu'il ne l'était au XVIIe siècle. (⇒ **Plâtrer**). → ci-dessus, cit. 0.1, Sade.

♦ **5.** Vx. Personne, chose factice, sans valeur. *« Un roi de plâtre »* (Saint-Simon).

♦ **6.** Fam. *Ce camembert n'est pas fait ; c'est du plâtre !*

♦ **7.** (1836). Argot. Argent. — Profit. *Faire un petit plâtre.*

DÉR. Plâtras, plâtrer, plâtrerie, 2. **plâtreur, plâtreux, plâtrier, plâtrière.** — V. aussi **Plâtrée.**
COMP. Déplâtrer, replâtrer.

PLÂTRÉE [platʀe] n. f. — Fin XIXe ; de *plâtre,* avec infl. de 1. *platée.*

♦ Fam. Portion abondante (de nourriture). *Une plâtrée de nouilles.* ⇒ 1. **Platée.**

PLÂTRER [platʀe] v. tr. — 1538 ; *plastrir,* v. 1160 ; de *plâtre.*

♦ **1.** Couvrir, enduire* (une surface) de plâtre ; sceller avec du plâtre. *Plâtrer un mur, une cloison, un plafond.* — Absolt. *Maçon* qui plâtre.*

La muraille tournée vers la route était plâtrée d'un crépi à la chaux qui en dissimulait les gerçures et les dégradations, et donnait à la maison un certain air de propreté. 1
Th. GAUTIER, le Capitaine Fracasse, III.

♦ **2.** Agric. Amender* (une prairie) en y répandant du plâtre. ⇒ **Plâtrage.** — (1860). *Plâtrer du vin, des moûts pour en activer la fermentation.*

♦ **3.** (V. 1900). Mettre (un membre fracturé) dans le plâtre.

♦ **4.** (XVIIe). Fig. et fam. *Plâtrer son visage, se plâtrer :* se farder (→ ci-dessous, cit. 2, Bossuet), et, spécialt, se farder exagérément et mal.

(...) elle se plâtre, elle se farde, elle se déguise, elle se donne de fausses couleurs (...) 2
BOSSUET, IIIe Sermon pour le dimanche de la Passion, II.

▶ **PLÂTRÉ, ÉE** p. p. adj. (XVe).

♦ **1.** *Cloison plâtrée. — Moûts plâtrés.* — (Plus cour.). *Jambe plâtrée.* — Par ext. (Personnes). *Plâtrée du genou à la hanche* (→ Fracturer, cit. 2).

♦ **2.** (Au sens 4.). *Des joues plâtrées de fard* (cit. 3). — (Personnes). *Des filles plâtrées et grasses* (cit. 24) *de fard.* — REM. Le mot n'est devenu péjoratif qu'au cours du XIXe siècle.

3 En même temps, de fort belles dames, délicatement plâtrées de blanc et de carmin (...) commençaient à sortir de la salle de spectacle, ayant grand soin de marcher de profil pour ne pas gâter leurs paniers. Tout ce monde brillant parlait à voix basse (...) A. DE MUSSET, Contes, « La mouche », III.

♦ **3.** (1645, Corneille). Fig. et vx. Couvrir, dissimuler sous une apparence fallacieuse. *Rien que de factice* (cit. 4) *et de plâtré.* ⇒ **Feint, simulé.** — Spécialt. *Paix plâtrée :* paix (traité de paix) qui n'est pas sincère et recouvre des intentions secrètes (cf. Paix fourrée).

DÉR. Plâtrage.

PLÂTRERIE [platʀəʀi] n. f. — 1331 ; de *plâtre.*

♦ **1.** Vx. Ouvrage en plâtre.

♦ **2.** Mod. Entreprise, usine où l'on fabrique le plâtre. — Syn. : *plâtrière* (3.).

Pantin multipliait les plâtreries, à cause des carrières de gypse de Romainville. J. ROMAINS, les Hommes de bonne volonté, t. IX, I, p. 9.

♦ **3.** Travail du plâtrier. ⇒ **Bâtiment, maçonnerie.** *Être dans la plâtrerie.*

1. PLÂTREUR, EUSE [platʀœʀ, øz] n. — 1661 ; var. *plâtreux,* 1654 ; de *plâtrier* (fig.).

♦ Vx (langue class. : au XVIIe, Guez de Balzac, Chapelain). Personne qui ment, qui « plâtre » la vérité, cherche à tromper.

HOM. 2. **Plâtreur.**

2. PLÂTREUR [platʀœʀ] n. m. — 1883, cit. ; de *plâtre.*

♦ Régional. ⇒ **Plâtrier.** — REM. Le mot est donné comme anglo-normand par Hugo :

À Saint-Pierre-Port, on n'est pas horloger, on est montrier (...) on n'est pas maçon, on est plâtreur (...) HUGO, l'Archipel de la Manche, VIII.

HOM. 1. **Plâtreur.**

PLÂTREUX, EUSE [platʀø, øz] adj. — 1564 ; de *plâtre.*

♦ **1.** Vx. Qui contient du gypse (plâtre cru). *Carrières plâtreuses* (Buffon, *in* Littré). *Terrain, sol plâtreux.*

♦ **2.** Mod. Couvert de plâtre. *Murs plâtreux. Fresque* (cit. 6) *plâtreuse ; vieilles demeures plâtreuses* (→ Écrêter, cit. 2), d'une blancheur de plâtre. *Tons plâtreux* (dans un tableau). — Fig. « *Mitrons plâtreux* » (→ Gâcher, cit. 2).

♦ **3.** Qui a la consistance du plâtre ; insuffisamment fait. *Un fromage, un camembert plâtreux* (cf. C'est du plâtre). — Fig. « *De plâtreuses sottises* » (Baudelaire). ⇒ **Épais.**

PLÂTRIER, IÈRE [platʀije, jɛʀ] n. — 1260 ; de *plâtre.*

♦ **1.** Vieilli. Ouvrier qui prépare le plâtre *(plâtrier de fabrication).* ⇒ 2. **Plâtreur.** Personne qui fait le commerce des plâtres.

♦ **2.** Mod. Ouvrier qui utilise le plâtre gâché pour le revêtement et divers ouvrages de plâtre. ⇒ **Maçon.** *Plâtrier peintre.*

HOM. (Du fém.) **Plâtrière.**

PLÂTRIÈRE [platʀijɛʀ] n. f. — 1282 ; de *plâtre.*

♦ **1.** Carrière de gypse, de plâtre.

♦ **2.** Four à plâtre.

♦ **3.** Plâtrerie*.

HOM. Plâtrière (fém. de *plâtrier*).

PLATT-DEUTSCH [platdœtʃ] n. m. — XXe ; « plat-allemand », 1846 ; mot allemand.

♦ Ling. Ensemble de parlers germaniques (dont l'alsacien) issus du bas allemand.

PLATY- Élément de composition de termes didactiques, notamment de zoologie, du grec *platus* « large ».

PLATYBASIQUE [platibazik] adj. — XXe ; de *platy-, base,* et *-ique.*

♦ Anat. Se dit d'un crâne dont la déformation est due à l'enfoncement des condyles de l'occipital. *Crâne platybasique d'un enfant, d'un vieillard* (dû à l'altération de la consistance des os). — On parle aussi de *platybasie,* n. f.

PLATYCÉPHALE [platisefal] adj. et n. — 1869, Littré ; grec *platukephalos,* de *platus* (→ Platy-), et *kephalê* (→ -céphale).

♦ Anat. Qui a un crâne aplati, à voûte surbaissée.

PLATYCÉPHALIE [platisefali] n. f. — 1923 ; de *platy-,* et *céphalie,* d'après *platycéphale.*

♦ Anat. Aplatissement du crâne chez les platycéphales. *Lombroso « considère que ce crâne* (de Charlotte Corday) *est anormal, en raison de sa* platycéphalie, *de ses caractères* viriloïdes... » (Pierre Grapin, *l'Anthropologie criminelle,* p. 26).

PLATYCERCIDÉS [platisɛʀside] n. m. plur. — XIXe ; de *platycerque.*

♦ Zool. Famille d'oiseaux grimpeurs comprenant les perruches, les aras. ⇒ **Platycerque.** — Au sing. *Un platycercidé.*

PLATYCERQUE [platisɛʀk] n. m. — 1839 ; de *platy-,* et *-cerque,* grec *kerkos* « queue ».

♦ Zool. Oiseau grimpeur *(Platycercidés*),* perruche* à longue et large queue.

DÉR. Platycercidés.

PLATYPE [platip] n. m. — Fin XIXe ; de *platy-,* et *(ty)pe.*

♦ Zool. Insecte coléoptère à tête large et plate.

PLATYRRHINIENS [platiʀinjɛ̃] n. m. plur. — 1827 ; de *platy-,* grec *rhis, rhinos* « nez », et suff. *-ien(s).*

♦ Zool. Groupe de singes *(Simiens)* d'Amérique, à narines écartées, ouvertes sur le côté, à 36 dents et à queue préhensile. — Au sing. *Un platyrrhinien.* — REM. On écrit parfois *platyrhiniens.*

PLAUSIBILITÉ [plozibilite] n. f. — 1725 ; trad. de Baltazar Gracian, *in* D. D. L., au sens 1. de *plausible,* 1684 ; de *plausible.*

♦ Didact. Caractère de ce qui est plausible. *Plausibilité d'une nouvelle.* — Techn. (inform.). Caractère de ce qui est admis sans risque d'erreur. *Contrôle de plausibilité.*

PLAUSIBLE [plozibl] adj. — 1552 ; lat. *plausibilis* « digne d'être applaudi », de *plaudere* « applaudir ».

♦ **1.** Vx. Qui mérite d'être applaudi ; qui est digne d'approbation.

J'agis donc en honnête homme, je me retire. D'ailleurs, je désire être entièrement 1
sacrifié (...) — Si tels sont vos motifs, monsieur, dit le futur pair de France, quelque singuliers qu'ils soient, ils sont plausibles (...) BALZAC, le Cousin Pons, Pl., t. VI, p. 602.

♦ **2.** Mod. Qui semble devoir être admis, mérite d'être pris en considération. ⇒ **Admissible, vraisemblable.** *Caractère plausible d'un événement.* ⇒ **Apparence, vraisemblance.** *Cause, raison très plausible.* ⇒ **Probable** (→ Emparer, cit. 11 ; 1. logique, cit. 10). *Hypothèse* (cit. 11) *plausible. Excuse, explication, réponse plausible* (→ Accréditer, cit. 2). *Son explication est à peine plausible, n'est pas plausible.*

(...) il en coûte aux esprits faibles d'abandonner leurs préventions, lors même qu'el- 2
les ne sont pas soutenues par des apparences plausibles. É. DE SENANCOUR, De l'amour..., p. 231.

Ce motif n'était pas le véritable, quoiqu'il pût sembler plausible. 3
Th. GAUTIER, le Capitaine Fracasse, III.

CONTR. Invraisemblable.
DÉR. Plausibilité, plausiblement.

PLAUSIBLEMENT [plozibləmɑ̃] adv. — 1558, au sens 1. de *plausible ;* de *plausible.*

♦ Didact. D'une manière plausible.

PLAY [plɛ] interj. — 1891 ; mot angl., « jouez ».

♦ Anglic. Interjection employée pour annoncer qu'un coup va être joué (cricket, tennis).

HOM. 1. **Plaid, plaie,** formes du v. **plaire, plet.**

PLAY-BACK [plɛbak] n. m. — 1934, cit. ; mot angl., de *to play* « jouer », et *back* « en arrière ; à nouveau ».

♦ Anglic. Réenregistrement (permettant à un seul interprète de jouer plusieurs parties). *Faire un play-back.* — Appos. *Bande playback. Chanter sur la bande play-back,* sur la bande de réenregistrement.
Interprétation mimée de manière à correspondre à un enregistre-

ment antérieur. *Comédien qui interprète en play-back un opéra enregistré par un chanteur. Chanter en play-back.*

Certaines scènes d'atmosphère devraient être composées et enregistrées à l'avance et tournées ensuite sur la musique, renvoyée par le procédé du « play-back ».
J. IBERT, *in* Revue musicale, déc. 1933 (*in* D. D. L., II, 12).

PLAY-BOY [plɛbɔj] n. m. — 1949, *playboy, in* Höfler; mot anglo-amér., « jeune viveur », de *to play* « jouer », et *boy* « garçon ».

♦ Anglic. Jeune homme élégant et riche qui mène une vie de plaisirs. *Des play-boys. Les avions d'affaire, « gadgets pour play-boys milliardaires ! »* (*le Nouvel Obs.*, 15 févr. 1978, p. 50).

(...) elle te prend plus ou moins ironiquement pour un séducteur, une manière de play-boy. Cécil SAINT-LAURENT, la Mutante, p. 144.

PLAY-GIRL [plɛgœʀl] n. f. — 1964 ; mot anglo-amér., de *girl* « fille », d'après *play-boy.*

♦ Anglic. Jeune femme riche et élégante menant une vie de plaisirs. *Des play-girls.* — Moins cour. que *play-boy.*

PLAYON [plɛjɔ̃] n. m. — 1414, « pièce de la charrue » ; *ploion* « osier, branche flexible », 1120 ; var. *plion, ployon ;* de *plier.*

♦ Agric. Armature légère que l'on adapte au manche de la faux *(faux armée)* pour la coupe des céréales. — Var. graphique : *pleyon.*

PLAZA [pladza, plaza, ou, à l'espagnole, platsa] n. f. — 1926, Montherlant ; mot esp. « place », lat. *platea.* → Place.

♦ *Plaza* ou *plaza de toros* (à l'esp. : [platsadetoʀos]) : arène où ont lieu des corridas*. *Les plazas de Madrid.*

PLEASE [pliz] adv. (mot-phrase). — Mot angl., « s'il vous plaît », de *to please* « faire plaisir, agréer ».

♦ Anglic. fam. (Plais.). S'il vous plaît.

Un renseignement supplémentaire, please. Mon témoin a perdu sa place et j'aimerais vérifier s'il cherche de l'embauche. Où perche le bureau de placement ?
Léo MALLET, la Nuit de Saint-Germain-des-Prés, p. 86.

PLÉBAN [plebɑ̃] ou **PLÉBAIN** [plebɛ̃] n. m. — 1347, « curé » ; lat. médiév. *plebanus,* même orig. que *plèbe.*

♦ Relig. cathol. Chef d'un clergé paroissial vivant en commun et suivant une même règle.

PLÈBE [plɛb] n. f. — 1255 ; lat. *plebs.*

♦ **1.** Hist. rom. Second ordre du peuple romain, dépourvu des privilèges du patriciat*. ⇒ **Plébéien** (→ Classe, cit. 4). *Défenseur de la plèbe, tribun* de la plèbe* (→ Dictateur, cit. 3).

1 L'origine et la formation de la plèbe sont encore matière à discussion. Les plébéiens sont-ils des descendants de populations vaincues, des *dediti,* ou bien des affranchis, des étrangers, des hommes extérieurs aux lois et à la religion, ou bien encore des paysans tombés dans une demi-servitude vis-à-vis des grands propriétaires ? Raymond BLOCH, *in* Encycl. Pl., Hist. universelle, t. I, Les origines de Rome, p. 876.

♦ **2.** (Fin XVIIIe, Brunot, dans la langue polit.). Péj. et vx. Le peuple (II., 2. ; ⇒ **Populace**), le bas peuple (⇒ **Racaille**), le commun des hommes (⇒ **Foule**).

2 L'officier qui commandait l'artillerie royale fit observer à la masse populaire qu'elle s'exposait inutilement, et que n'ayant pas de canons elle serait foudroyée sans aucune chance de succès. La plèbe s'obstina : l'artillerie fit feu.
CHATEAUBRIAND, Mémoires d'outre-tombe, t. V, p. 196.

CONTR. Patriciat.

PLÉBÉIANISME [plebejanism] n. m. — 1795, *in* Brunot ; du rad. de *plébéien.*

♦ Didact. ou littér. Caractère des plébéiens (1. ou 2.).

PLÉBÉIEN, IENNE [plebejɛ̃, jɛn] n. et adj. — 1355 ; du lat. *plebeius ;* rad. *plebs* « plèbe ».

♦ **1.** Hist. rom. Romain, Romaine de la plèbe*. *Lutte entre les patriciens* (cit. 1) *et les plébéiens* (→ Classe, cit. 3). *Plébéien client* d'un patricien. Chevaliers* (cit. 1) *choisis parmi les riches plébéiens. Une plébéienne.*

1 (...) les plébéiens, qui avaient obtenu des tribuns pour se défendre, s'en servirent pour attaquer ; ils enlevèrent peu à peu toutes les prérogatives des patriciens (...)
MONTESQUIEU, Grandeur et décadence des Romains, VIII.

2 Les plébéiens sont des hommes libres, des citoyens romains. Ils constituent, avec le patriciat, le *populus romanus.* Mais ce sont des gens sans aïeux et leurs infériorités sont multiples. Ils ne peuvent contracter mariage avec des membres du patriciat. Ils sont exclus des sacerdoces et des honneurs publics. Enfin ils sont souvent dans la dépendance économique des patriciens, maîtres de la fortune foncière ; ils leur empruntent, s'endettent et risquent alors l'esclavage (...)
R. BLOCH, *in* Encycl. Pl., Hist. universelle, t. I, les Origines de Rome, p. 875.

Adj. *Famille plébéienne.*

(Le peuple) chercha donc à abaisser le consulat, à avoir des magistrats plébéiens (...) MONTESQUIEU, Grandeur et décadence des Romains, VIII. 3

♦ **2.** Mod. et littér. Homme, femme du peuple. *Diderot est un plébéien* (→ Parvenu, cit. 16).

Un homme bien né, qui tient son rang comme moi, est haï de tous les plébéiens. 4
STENDHAL, le Rouge et le Noir, I, XXI.

(...) il gardait à leur égard une méfiance, un ressentiment, une agressivité de « plébéien en transfert de classe ». 5
A. MAUROIS, Études littéraires, t. I, Charles Péguy, II.

Adj. Du peuple (quant à l'origine, à l'aspect, aux mœurs, aux manières). *Chef d'État d'origine plébéienne. Un nom plébéien* (→ Inélégant, cit. 2 ; notable, cit. 4). *Des goûts plébéiens.* ⇒ **Populaire.** *Plus plébéienne que son père.* ⇒ 1. **Peuple** (II.). *Pas assez plébéien pour la comprendre* (→ Indigne, cit. 10). — REM. *Plébéien* (n. ou adj.) n'a pas le sens injurieux de *plèbe,* mais il est littéraire et désuet.

C'était une opinion répandue parmi les gens de condition inférieure, que la nouvelle famille régnante sortait de la classe plébéienne ; et cette opinion, qui se conserva plusieurs siècles, ne fut point nuisible à sa cause. 6
MICHELET, Hist. de France, II, III.

(...) il conservait une tendance plébéienne à rectifier les erreurs d'autrui. 7
J. ROMAINS, les Hommes de bonne volonté, t. III, VII, p. 112.

CONTR. Patricien. — Aristocrate, aristocratique.
DÉR. Plébéiennement. — V. Plébéianisme.

PLÉBÉIENNEMENT [plebejɛnmɑ̃] adv. — 1872, Vallès, *in* D. D. L. ; de *plébéien.*

♦ Rare. De manière plébéienne, populaire.

PLÉBISCITAIRE [plebisitɛʀ] adj. — 1870 ; de *plébiscite.*
Politique.

♦ **1.** Qui a rapport au plébiscite. *Consulter les électeurs par voie plébiscitaire. Vote plébiscitaire.*

♦ **2.** Qui provient d'un plébiscite. *Pouvoir plébiscitaire. Une république « parlementaire ou plébiscitaire »* (Maurras).

PLÉBISCITE [plebisit] n. m. — 1355 ; lat. *plebiscitum* « décision du peuple », de *plebs.* → Plèbe.

♦ **1.** Hist. rom. Décision, loi votée par l'assemblée de la plèbe.

Dans les disputes, les plébéiens gagnèrent ce point que seuls, sans les patriciens et sans le sénat, ils pourraient faire des lois qu'on appela plébiscites ; et les comices où on les fit s'appelèrent comices par tribus. 1
MONTESQUIEU, l'Esprit des lois, XI, XVI.

♦ **2.** Hist. mod. Vieilli. Vote direct du corps électoral par *oui* ou par *non,* sur une question, un texte qu'on lui soumet (la notion inclut celle de *référendum**). *Faire un plébiscite. Recourir au plébiscite* (→ Appel* au peuple, consultation* populaire). *Le plébiscite de l'an III. Élection par plébiscite.*

(1776). Mod. (Polit. et cour.). Vote direct du corps électoral par *oui* ou par *non* sur la confiance qu'il accorde à celui qui a pris le pouvoir. *Le plébiscite du 21 décembre 1851 ratifia le coup d'État* (du 2 décembre) *de Louis-Napoléon Bonaparte. Référendum qui équivaut à un plébiscite. Plébiscite et pouvoir personnel.*

Le plébiscite. — Pour ratifier son coup d'État, le Président avait convoqué *(3 déc.)* les citoyens et les soldats à voter par *oui* ou *non* sur cette question : « le peuple français veut le maintien de l'autorité de Louis-Napoléon Bonaparte et lui délègue les pouvoirs nécessaires pour établir une Constitution sur les bases proposées dans sa proclamation du 2 décembre. » 2
LAVISSE et RAMBAUD, Hist. générale du IVe s. à nos jours, t. XI, p. 34.

♦ **3.** Dr. internat. public. « Vote d'une population sur la question de son statut international » (Capitant). *La Savoie et Nice furent annexés à la France par plébiscite.*

Fig. et littér. :

L'existence d'une nation est (...) un plébiscite de tous les jours, comme l'existence de l'individu est une affirmation perpétuelle de vie. 3
RENAN, Qu'est-ce qu'une nation ?, Œ. compl., t. I, III, p. 904.

DÉR. Plébiscitaire, plébisciter.

PLÉBISCITER [plebisite] v. tr. — 1894, Sachs-Villatte ; de *plébiscite.*

♦ **1.** Polit. et cour. Voter (qqch.), désigner (qqn) par plébiscite. *Les Français plébiscitèrent Louis-Napoléon Bonaparte. Chef d'État qui se fait plébisciter.*

♦ **2.** Par ext. Élire (qqn) ou approuver (qqch.) à une majorité écrasante (→ Partiel, cit. 2). *Plébisciter une mode.*

PLECT-, PLECTO- Premier élément de mots savants, du grec *plektos,* de *plekein* « tresser, entrelacer ».

PLECTOGNATHES [plɛktɔgnat] n. m. pl. — 1818; du gr. *plektos* «soudé», et *gnathos* «mâchoire».

♦ Zool. Ordre de poissons téléostéens caractérisés par des mâchoires soudées au crâne, des plaques osseuses sur le corps et l'absence de nageoires abdominales. *Le coffre*, la môle** (3. Môle) *sont des plectognathes.* — Au sing. *Un plectognathe.*

PLECTRE [plɛktʀ] n. m. — xivᵉ; lat. *plectrum,* gr. *plektron,* du v. *plêssein* «frapper».
Musique.

♦ **1.** Antiq. Petite baguette de bois, d'ivoire, parfois recourbée à son extrémité, servant à gratter, à pincer les cordes de la lyre, de la cithare.

♦ **2.** Mod. ⇒ **Médiator.** *Le plectre d'une mandoline, d'un banjo.*

-PLÉGIE Élément, du grec *plêssein* «frapper», entrant dans la composition de mots savants. — Ex. : *hémiplégie, paraplégie.*

PLÉIADE [plejad] n. f. — 1230, *Pliades,* astron., au plur.; gr. *pleias, -ados,* nom mythologique des filles d'Atlas, appelées aussi *Atlantides* (Atlandide, 2.), *sœurs atlantiques* (III.).

♦ **1.** Astron. (Avec la majuscule). Chacune des six étoiles (les Anciens en comptaient sept) qui forment un groupe dans la constellation du Taureau. *Le lever, le coucher des Pléiades.* — Myth. *Les Pléiades, nom des sept filles d'Atlas et de Pléione, qui furent métamorphosées en étoiles.*

1 D'autres étoiles se montrent, les brillantes Pléiades, serrées comme un essaim d'abeilles (...) ALAIN, Propos, 6 oct. 1909, Les marmottes.

(Collectif). *La Pléiade :* le groupe des Pléiades.

♦ **2.** (1556). Hist. littér. Nom donné à sept poètes anciens d'Alexandrie qui vivaient à la même époque (IIIᵉ siècle av. J.-C.).
Groupe de sept grands poètes français de la Renaissance : Ronsard, Du Bellay, Baïf, Belleau, Jodelle, Dorat, Pontus de Tyard. ⇒ **Brigade** (vx).

2 Il me souvient d'avoir autrefois accomparé *(comparé)* sept poètes de mon temps à la splendeur des sept étoiles de la Pléiade, comme autrefois on avait fait des sept excellents poètes grecs qui fleurissaient presque d'un même temps.
RONSARD, Œuvres en prose, Épître au lecteur, 1564.

3 L'effort poétique de la France était grand et divers, mais aberrant; les hommes de la Pléiade l'ont relié à la tradition des civilisations méditerranéennes. Ils l'ont ramené dans l'obédience d'une discipline magnifique.
G. DUHAMEL, Refuges de la lecture, VIII.

♦ **3.** (1867). Groupe de personnes (généralement remarquables). ⇒ **Aréopage.** *Une pléiade de compositeurs* (→ Grouper, cit. 4). *Toute une pléiade de jeunes hommes* (→ Exclusif, cit. 8).

4 Cette noble pléiade historique qui, de 1820 à 1830, jette un si grand éclat, MM. de Barante, Guizot, Mignet, Thiers, Augustin Thierry, envisagea l'histoire par des points de vue spéciaux et divers. MICHELET, Hist. de France, Préface de 1869.

Par ext. (Littér.). Groupe important. *« L'horrible visite d'une pléiade de chenilles grises »* (Loti, *in* G. L. L. F.).

PLEIGE ou, rare **PLÈGE** [plɛʒ] n. m. — 1080, *plege, Chanson de Roland; pleige,* fin xvᵉ; bas lat. *plebium* «caution», d'un v. francique **plegan* «répondre de (qqn)».

♦ Vx. (Mot déjà archaïque au xviiᵉ siècle, mais employé jusqu'au xixᵉ siècle, par ex. par Chateaubriand). Personne qui se porte garant pour une autre personne. ⇒ **Caution, garant.** *« Se rendre pleige »* (Pascal, *Provinciales*) : se porter garant. — *En pleige de qqn,* en tant que caution (et, par ext., comme otage).

(Les pythagoriciens) poussaient si loin la charité, que l'un d'eux condamné au supplice par Denis le tyran trouva un pleige qui prit sa place dans la prison.
DIDEROT, Opinion des anciens philosophes, *in* LITTRÉ.

Garantie.

DÉR. Pleiger.

PLEIGER [pleʒe] v. tr. — Conjug. *bouger.* — Fin xiiᵉ, *plegier;* de *pleige.*
Vx. (Déjà archaïque au xviiᵉ siècle).

♦ **1.** Répondre de (qqn), servir de garant à.

♦ **2.** Assurer, garantir (qqch.).

Et j'estime si peu ces nouvelles amours
Que je te pleige encor sur retour dans deux jours.
CORNEILLE, la Place royale, II, 5.

PLEIN, PLEINE [plɛ̃, plɛn] adj. — 1080, *Chanson de Roland;* lat. *plenus.*

★ **I.** (Sens fort). **A.** Qui contient* toute la quantité qu'il peut contenir; dont le contenu occupe toute la place. ♦ **1.** (Choses). *Un verre plein* (→ Pari, cit. 1), *une boîte pleine.* ⇒ **Rempli.** *Fût, réservoir plein* (→ Dénaturer, cit. 2; épancher, cit. 12). *Bourse pleine. Coupe* (→ Immortel, cit. 16), *verre plein jusqu'aux bords*, à ras bords* (⇒ **Ras**), *par-dessus bords* (⇒ **Comble, débordant**). *Valise trop pleine* (→ Dessus, cit. 7), *pleine à craquer. Rendre plein.* ⇒ **Emplir, remplir.** *Maintenir un tonneau plein* (⇒ **Rembouger**), *un réservoir plein* (→ ci-dessous, V., A., 3., *Faire le plein*). — Loc. fam. *N'en jetez plus, la cour est pleine! :* en voilà assez sur ce sujet, cela suffit.

(...) il m'oblige à venir tous les jours (...) remplir cette outre de sable au bord de la mer (...) si l'outre n'est pas bien pleine, il me fait fouetter. 1
HUGO, le Rhin, XXI, VI.

(...) l'armoire des ouvrages réservés, qui devenait pleine à en crever. 2
FRANCE, le Crime de S. Bonnard, VI, Œ., t. II, p. 504.

Une source qui, pendant les mois de chaleur, coulait faiblement, permettait de tenir la citerne toujours pleine. P. MAC ORLAN, la Bandera, X. 3

(Parties du corps humain, considérées comme des contenants). *Avoir les mains pleines. Aux innocents* les mains pleines. Avoir le nez plein,* bouché. *Parler la bouche pleine. Avoir le ventre, l'estomac plein, la panse pleine* (→ Lors, cit. 1). ⇒ **Rassasié, repu.**

On ne voit à la cour que des gens qui ont le ventre plein de quinquina. 4
RACINE, Lettres, 74, 17 août 1687.

Bien faire et bien manger, ce sont là deux joies. L'estomac plein ressemble à une conscience satisfaite. HUGO, les Travailleurs de la mer, II, I, VII. 5

(Personnes). *Convive plein comme une barrique* (cit. 2), et, abusivt, *comme une bourrique, un âne. Être plein de vin.* — (1640). Absolt. Fam. *Il est plein.* ⇒ **Ivre, soûl;** fam. **beurré, bourré** (2.), **pété.**

Les quatre verres devant les dîneurs restaient à moitié pleins maintenant, ce qui indique généralement que les convives le sont tout à fait. 6
MAUPASSANT, les Sœurs Rondoli, « Le verrou ».

Pleine, se dit d'une femelle animale en gestation*. ⇒ **Gros.** *Juments pleines* (→ Gras, cit. 40). — (Dans les haras). *Juments présumées pleines* (abrév. : *J. P. P.*). — *Hareng plein,* qui porte ses œufs.

♦ **2.** [a] **PLEIN DE... :** qui contient (qqch.) jusqu'à en être rempli. — Loc. fam. (1867). *Un gros plein de soupe :* un homme gros, vulgaire.

[b] (Avant le nom; ce dernier étant suivi d'un compl. en *de*). Rempli de... *Un plein panier de légumes. De pleins quarts de café brûlant* (→ Goulûment, cit. 2). *Une pleine valise de livres* (→ Dossier, cit. 4). — Par métonymie. *Une pleine écuellée de soupe* (→ 2. Louche, cit. 1). — REM. Suivi d'un nom exprimant le contenu (*écuellée,* pour *écuelle*), *plein* se rapproche du sens de «complet» (→ ci-dessous, 3.).

♦ **3.** **À PLEIN...** (suivi d'un n.). *À pleine main* :* avec la main pleine (→ Ordure, cit. 1). — Fig. *Donner* (cit. 6) *à pleines mains.* — *Saisir à pleins bras,* en serrant dans toute l'étendue des bras (→ Couvrir, cit. 9). — Fig. *Respirer à pleine poitrine* (→ 1. Air, cit. 7), *aspirer* (cit. 18) *à pleins poumons. Souffler à pleins naseaux* (cit. 3). *Sentir une chose à pleines narines,* en dilatant les narines (→ Moisissure, cit. 4). *Chose qui sent, qui pue à plein nez,* très fort. *À pleine bouche* (→ 1. Fruit, cit. 20). — Par ext. *Elle l'embrassa goulûment* (cit. 3) *à pleines lèvres, à pleine bouche.* — *Crier, chanter à plein gosier* (cit. 9), très fort. *Être gras* à pleine peau. Sang qui coule à pleines veines* (→ Carnation, cit. 2). — *Boire* (1. Boire, cit. 26) *à pleine coupe, à plein verre, à pleins bords*.* — Fig. *Le bonheur à pleins bords* (→ Demi-mesure, cit. 2). — *À pleines voiles. Ramasser à pleine pelle,* et, par métonymie, *à pleine poignée.*

(...) il prenait son arrosoir et le balançait sur les plantes (...) Puis, cédant à une ivresse, il arrachait la pomme de l'arrosoir et versait à plein goulot, copieusement. 7
FLAUBERT, Bouvard et Pécuchet, II.

Très pressant désir de crier, à pleine gorge, trois ou quatre fois de suite, ce mot qui, chez nous, exprime le courroux, le désespoir, la rébellion, le dessein de mourir plutôt que de se rendre. G. DUHAMEL, Scènes de la vie future, XIV. 8

(...) déjà, elle s'abattait contre sa poitrine. Et la tenant à pleins bras, serrant contre lui une tête dont il ne voyait que les cheveux familiers, il laissa couler ses larmes (...) CAMUS, la Peste, p. 317. 9

♦ **4.** Qui contient autant de personnes qu'il est possible. *Les cafés étaient pleins* (→ Giorno, cit. 3). ⇒ **Bondé.** *Le théâtre est plein, il n'y a plus de place. Ce café est toujours plein* (→ Ne pas désemplir*). *L'ascenseur est toujours plein* (→ Montée, cit. 4). *Autobus, tramways pleins aux heures* (cit. 50) *de pointe.* ⇒ **Complet.** — Loc. *Plein comme un œuf :* absolument rempli.

Je ne manque nulle part, je ne laisse pas de vide. Les métros sont bondés, les restaurants combles, les têtes bourrées à craquer de petits soucis. J'ai glissé hors du monde et il est resté plein. Comme un œuf. 10
SARTRE, Morts sans sépulture, I, I.

(...) le prêche de Paneloux eut lieu dans une église qui n'était pleine qu'aux trois quarts. CAMUS, la Peste, p. 242. 11

♦ **5.** (Temporel). *Une journée pleine,* bien occupée, bien remplie, bien employée*. *Une vie, une existence pleine, bien, très pleine.*

Telle était leur vie, vie uniforme, mais pleine, où le travail et les distractions heureusement mêlés ne laissaient aucune place à l'ennui. 12
BALZAC, la Grenadière, Pl., t. II, p. 194.

(...) certes cette journée de l'évêque était bien pleine jusqu'aux bords de bonnes pensées, de bonnes paroles et de bonnes actions. 13
HUGO, les Misérables, I, I, XIII.

♦ **6.** (Abstrait). Qui éprouve entièrement (un sentiment), qui est rempli (de connaissances, d'idées). *Avoir l'âme trop pleine :* avoir du chagrin, avoir besoin de s'épancher* (cit. 24). — Prov. *Quand le vase est trop plein il faut qu'il déborde :* une passion, une colère trop violente ne peut être contenue longtemps. — Allus. littér. « *Mieux vaut une tête* bien faite que bien pleine* » (Montaigne).

PLEIN DE... *Le cœur plein des félicités de la nuit* (→ Chair, cit. 56). *(L'amour) dont vos grands cœurs sont pleins* (→ Inassouvi, cit. 1). *Âme pleine d'une foi naïve* (cit. 7). *Avoir le cœur plein.* ⇒ **Gros.** — (Personnes). Entièrement occupé par... ⇒ **Pénétré** (de). *Être plein de son sujet. Nous étions pleins des vertus militaires* (→ Gonfler, cit. 20).

14 L'un des malheurs du prince est d'être souvent trop plein de son secret, par le péril qu'il y a à le répandre (...) LA BRUYÈRE, les Caractères, X, 14.

Plein de... (et n. de personne ou pronom). *Être plein de qqn,* en être exclusivement occupé, se complaire à y penser.

a Vx. « *Plein de Machiavel, entêté de Boccace* » (→ Midi, cit. 12, La Fontaine).

b (Affectif). *Mon cœur est plein de vous* (→ 2. Droit, cit. 7; emparer, cit. 13). *Le cœur plein de son image* (→ Auprès, cit. 12). *Être plein de la beauté, des mérites de qqn.*

15 Je sais que le sénat, tout plein de votre nom,
D'une commune voix confirmera ce don.
RACINE, Bérénice, III, 1.

(1680). *Plein de soi :* occupé et content de soi-même. ⇒ **Égoïste, infatué, orgueilleux.** *Il est plein de lui* (→ Imaginer, cit. 13). *Si enivré de son œuvre et si plein de lui-même* (→ Écouter, cit. 12). *Être plein de son importance, de ses mérites.* ⇒ **Bouffi, enflé, enivré, imbu.**

16 (...) ce petit marquis *(de Grignan)* a toujours été occupé de sa compagnie, et jamais plein de lui : voilà ce qui s'appelle le point de la perfection.
Mme DE SÉVIGNÉ, 1099, 6 déc. 1688.

(En parlant des émotions, des idées, des œuvres entièrement provoquées par qqn ou consacrées à qqn). *Nos actions sont pleines de Dieu* (→ Bon, cit. 105).

17 Mes souffrances, souffrances pleines de vous, puniront un cœur blessé qui saignera toujours dans la solitude (...)
BALZAC, le Médecin de campagne, Pl., t. VIII, p. 500.

B. ♦ **1.** Dont la matière occupe tout le volume, toute la place (par oppos. à *creux,* à *évidé*). *Une sphère pleine.* ⇒ **Massif.** — Techn. *Bois plein,* serré, compact. *Mur plein et nu* (→ 1. Frise, cit. 1). *Une porte pleine* (→ 1. Garde, cit. 83). — *Clôture pleine,* sans jours, sans intervalles*. Contr. : *claire-voie* (à).* — *Disques* (cit. 1) *de bois plein. Roues pleines des anciennes charrettes. Roue pleine et roue à rayons. Pneu plein et pneu gonflable.*

♦ **2.** (Formes humaines). Arrondi et donnant une impression de plénitude. ⇒ **Dodu, gras, gros, plantureux, potelé, rebondi, replet, rond.** *Des joues pleines* (→ Linge, cit. 2; pâleur, cit. 1). *Visage plein, face pleine* (→ Coin, cit. 10; franchise, cit. 15). *Front* (cit. 3) *large et plein. Taille pleine* (→ Fourreau, cit. 8). *Mule* (1. Mule, cit. 1) *à la croupe pleine et large.* — Par ext. *Des rondeurs pleines.* ⇒ **Ample** (→ Morveux, cit. 4). *Formes* (cit. 26) *pleines. Lignes pleines et douces* (→ Comprimer, cit. 11).

18 La bouche est arquée avec des lèvres pleines et presque toujours serrées.
CAMUS, la Peste, p. 40.

♦ **3.** *Un son* plein,* riche en harmoniques. ⇒ **Nourri, soutenu.** *Note pleine* (→ Filer, cit. 7). *Voix pleine.* ⇒ **Étoffé, fort** (→ aussi Hongre, cit. 1). — Contr. : *caverneux.*

19 Elle se mit à rire du bon rire plein de sa jeunesse (...)
BALZAC, le Lys dans la vallée, Pl., t. VIII, p. 862.

♦ **4.** Dense. *Discours* (cit. 20) *bref et plein. Un style plein, riche,* sans ornement inutile. — *Un bonheur parfait et plein* (→ Heureux, cit. 36), *tranquille et plein* (→ Limpide, cit. 6).

C. ♦ **1.** (Avant le nom, en épithète, sauf en blason). Qui est entier, complet, à son maximum. *La pleine lune.* ⇒ **Lune** (cit. 1; → ci-dessous, V., 1., *le plein*). *La mer est pleine :* la marée est haute. *Le plein cintre** (cit. 3; → Gothique, cit. 10). *Arc en plein cintre. Reliure pleine peau,* entièrement en peau. — Blason. *Armes pleines,* entières, par oppos. à *brisées. Plein gaz ; à pleins gaz*.*

(Temporel). *Un jour plein :* un jour entier, une durée de vingt-quatre heures. ⇒ **Franc.** *Trois secondes pleines.* ⇒ **Bon** (→ Abîme, cit. 22). *Travailler à plein temps.*

Le plein emploi.* ⇒ **Plein emploi.**

Plein régime d'un moteur, régime maximum. *Tourner à plein régime. En pleine vitesse.* — REM. Ces emplois induisent diverses métaphores où *plein* a d'autres valeurs *(à pleins tubes, plein gaz, plein pot).*

20 (...) les Douglas, pleins gaz, filèrent obliquement (...) Les trois autres Junkers n'auraient peut-être pas le temps d'être en ligne pour le combat. Il mit donc, lui aussi, pleine vitesse.
MALRAUX, l'Espoir, I, I, III, II.

♦ **2.** Fam. (Terme de jeu, transcription de l'angl. *full* « qui possède tous les as »). *Plein aux as :* très riche. ⇒ **Bourré** (3.).

21 — On dit que Norbert est plein aux as, qu'il a hérité il n'y a pas très longtemps (...)
P. MAC ORLAN, Quai des Brumes, VII.

♦ **3.** (En général avant le nom). Qui a la totalité de ses caractères, sa plus grande force, sa plus grande intensité. ⇒ **Absolu, complet, plénier, total.** *Pleine victoire.* (→ Bord, cit. 18), *plein succès. Donner pleine satisfaction* (→ Dépiter, cit. 1). ⇒ **Tout.** *Pleine conscience* (cit. 8), *pleine possession de son génie* (→ Démarche, cit. 5), *de ses moyens. Pleine et parfaite bonne foi* (→ Inexactitude, cit. 5). *Désapprobation pleine et silencieuse* (→ Mésestimer, cit. 3). *Un plein consentement* (cit. 2). — Loc. *Plein gré*. De leur plein gré* (→ Guise, cit. 8). — *Donner une pleine assurance. Pleins pouvoirs*.* ⇒ **Plénipotentiaire.** — *De plein droit** (→ Aéronef, cit. 2; appartenir, cit. 19; condamnation, cit. 2). — REM. Selon Wartburg, *plein droit* n'est autre que *plain droit,* c'est-à-dire droit direct pour lequel on ne passe pas par le juge. — *Pleine juridiction* (→ Indépendance, cit. 15). *Pleine capacité* (cit. 10). *Agir en pleine liberté* (→ Influencer, cit. 2). *Être en pleine forme, en plein équilibre intellectuel* (→ Diminuer, cit. 19; paralyser, cit. 2). *Dans un plein repos* (→ Noirceur, cit. 6). — Loc. *En pleine forme*.*

Il *(Sobieski)* a gagné une bataille, si pleine et si entière, qu'il est demeuré quinze mille Turcs sur la place. Mme DE SÉVIGNÉ, 360, 22 déc. 1673. 22

Il met le souverain bien dans la sûre et pleine jouissance de sentiments modérés.
A. MAUROIS, Études littéraires, t. II, Georges Duhamel, II. 23

(Après le nom). *Sens plein d'un mot,* le sens le plus complet, le plus fort. *Au sens plein, dans le sens plein du mot* (→ Éternité, cit. 8; matériel, cit. 8; partie, cit. 19).

♦ **4.** Loc. adv. (XIIe). À PLEIN. ⇒ **Pleinement, totalement.** *Argument qui porte à plein* (→ Non, cit. 42). *On voit les principes à plein* (→ Esprit, cit. 125). *On voit à plein le traître* (→ 1. Masque, cit. 12). — REM. *En plein,* dans ce sens, est vieilli, à cause de l'autre valeur de l'expression. *J'use en plein de mon franc-parler* (cit. 1).

Aborder Mirabeau en plein serait une rude tâche, et il n'est pas de ceux qui se laissent prendre de biais et qu'on effleure. 24
SAINTE-BEUVE, Causeries du lundi, 7-8 avr. 1851.

(...) elle aperçut à plein l'assassinat qu'elle commettait. 25
J.-A. DE GOBINEAU, les Pléiades, III, VII.

EN PLEIN, EN PLEINE (suivi d'un n.) : au milieu, au cœur de (en parlant d'un espace). *Tailler en plein drap*. Peindre en pleine pâte*.* (— Avec *air). En plein air*.* ⇒ **Dehors.** *Exposition en plein air* (→ Bitume, cit. 2). *Vivre en plein air* (→ Médicamenter, cit. 1). — (Dans le même sens). *Atelier* (cit. 3), *marché en plein vent* (→ Étal, cit. 1). — Arbor. *Arbre en plein vent* (ou *de plein vent*). *Grenadiers* (cit. 1) *en pleine terre.* — *En pleine mer :* au large (→ Abordage, cit. 3; aventurer, cit. 4). *En pleine rue :* dans la rue (avec une valeur intensive). → Loustic, cit. 4; mousquetaire, cit. *En pleine assemblée :* au milieu de l'assemblée ou dans le temps même de l'assemblée. *En plein cœur de la ville* (→ Parlote, cit. 2). *En pleine nature* (→ Idyllique, cit. 1). *En plein Sahara* (→ Désert, cit. 8). *En plein soleil* (→ Gelée, cit. 15), *en plein jour* (I., 4.), *en pleine lumière** (et fig. → Évident, cit. 5; œuvre, cit. 24). *Frapper qqn en pleine poitrine, en plein visage* (→ aussi Lapider, cit. 3). — Par ext. Exactement (dans, sur...). *Une balle en plein cœur. Visez en plein milieu.* ⇒ **Beau.** *Chambre en plein nord.*

En pleine mer la tempête trop forte 26
Pousse ma barque au rocher étranger (...)
RONSARD, Pièces retranchées, Élégies, mascarades..., Élégie (1565).

Il s'est en plein sénat démis de sa puissance. CORNEILLE, Sertorius, V, 2. 27

(...) la grandeur qu'on est accoutumé de lui voir lorsqu'elle *(la lune)* flotte en plein ciel. ALAIN, Propos, 18 juil. 1921, La lune à son lever. 28

Il se leva brusquement, courut à Chasseriau et le frappa en pleine poitrine (...) 29
SARTRE, la Mort dans l'âme, p. 192.

(...) se faisait raser, là, sur place, en pleine rue (...) assis partout sauf où on s'y attend, sur les chemins, devant les bancs (...) dans l'herbe, en plein soleil (...) 30
Henri MICHAUX, Un barbare en Asie, p. 15.

(Temporel). *En plein hiver* (→ Calciner, cit. 3; oiseau, cit. 11). *En plein jour* (I., 1.). → Cavalerie, cit. 3; 2. lieu, cit. 17. *Se réveiller en pleine nuit. En pleine saison.*

(...) comme un ballet de feux follets, la danse des lampes de poche aux mains des travailleuses qui se lèvent en pleine nuit. COLETTE, Belles saisons, p. 74. 31

Fig. (En parlant d'un état ou d'une action qui a une certaine durée). *En pleine croissance* (→ Impunément, cit. 8), *en pleine convalescence* (→ Baliverne, cit. 2). *En pleine course* (→ Freiner, cit. 2), *en pleine vitesse* (→ Glisser, cit. 17). *En plein boum*. En plein élan. Oiseau abattu en plein vol* (→ Foudroyer, cit. 5). *En pleine action, en pleine activité, en plein travail. Terres en plein rapport. Entreprise en plein essor. Arriver en plein drame. En plein ridicule* (→ Imbécillité, cit. 4). *Mourir en pleine jeunesse.*

Qui commence par le rêve et la folie, sait très bien où il va : à la folie et au rêve. Mais le raisonnement nous jette en pleine aventure. 32
J. PAULHAN, Entretien sur des faits divers, p. 86.

Fam. EN PLEIN SUR, EN PLEIN DANS... : juste, exactement. *La bombe est tombée en plein sur la gare. Rayon qui tombe en plein sur...* ⇒ **Directement.** *Il a visé en plein dans le mille, en plein dedans.* — Fam. *En plein dans la gueule.*

(...) ce qu'on cherchait à ne pas voir serait alors en plein devant soi et on ne pourrait plus voir qu'elle : sa propre mort. 33
CÉLINE, Voyage au bout de la nuit, p. 37.

Le feu sort de cinq ou six trous qui sont dans le bas du four. Je me mets en plein devant pour enfourner une trentaine de bobines de cuivre (...) 34
S. WEIL, la Condition ouvrière, *in* Classe de franç., 1953-1954, p. 65.

♦ **5.** Par ext. (Tiré des expressions *en plein...*). *La pleine mer :* le large, par oppos. à la mer près du rivage. ⇒ **Large.** « *Pleine mer* », « *Plein ciel* », poèmes de Hugo (*Légende des siècles,* LVIII). *Le plein air :*

l'extérieur. *Jeux d'intérieur et jeux de plein air. Peinture de plein air et peinture d'atelier.* ⇒ **Pleinairiste.** — *Le plein jour* (→ Fantôme, cit. 6). *La pleine terre*. Lauriers de pleine terre* (→ Gerbe, cit. 5) *et lauriers en caisse. La pleine saison. La pleine nuit. — Plein soleil,* film de René Clément.

35 L'homme de foi joue au soleil, dans la pleine nuit.
André SUARÈS, Trois hommes, « Ibsen », V.

★ **II.** (Sens faible). **PLEIN DE :** qui contient, et, par ext., qui a beaucoup* de... ; où il y a beaucoup de... *Être plein de...* ⇒ **Abonder, regorger ; quantité** (avoir en quantité). *Une galette pleine de beurre* (→ Fondre, cit. 16). *Une boutique pleine de mouches. Pré plein de fleurs* (→ Arène, cit. 3). *Chemin* (cit. 22) *plein de fondrières. Des yeux pleins de larmes* (→ Lacrymal, cit. 1). *Peau pleine de taches.* ⇒ **Couvrir** (p. p. adj. : *couvert*). *Les mains pleines d'encre. — Bois plein de voleurs* (→ Brigandage, cit. 1). *Rome était pleine d'astrologues* (cit. 4). *Rues pleines de monde. Les mauvais caractères* (cit. 49) *dont le monde est plein.* — Par ext. *La mer pleine de bruit* (→ Apaiser, cit. 15). *Casino* (cit.) *plein de tumulte. Armoire* (cit. 5) *pleine d'une âcre odeur.*

36 Le monde est plein de gens qui ne sont pas plus sages.
LA FONTAINE, Fables, I, 3.

37 (...) la Californie est un pays plein d'or, de perles et de diamants. Il n'y a qu'à se baisser (...) Il y a de l'or partout, Madame, on le ramasse à la pelle (...)
B. CENDRARS, l'Or, p. 169.

38 La nuit était pleine de clarté. La ville était pleine de silence.
Pierre LOUŸS, Aphrodite, V, V.

39 — Monsieur Anglade ! Oh ! Quelle folie ! C'est plein d'Allemands (...) Vous voulez donc qu'ils vous arrêtent ? Francis CARCO, les Belles Manières, p. 78.

40 (...) un univers ravissant plein de rire et d'étrangeté.
GIDE, Si le grain ne meurt, II, I, p. 314.

(Abstrait). *Une dictée pleine de fautes. Conversation pleine de bêtises* (→ Non-sens, cit. 1). *Mot plein de promesses* (→ Liberté, cit. 25), *de sens* (→ Dru, cit. 5). *Œuvre pleine d'esprit* (→ 2. Dit, cit.), *de nerf* (cit. 3). *Pages pleines de sensibilité* (→ Intérêt, cit. 30). *Chant plein de tristesse.* ⇒ **Imprégné.** *Vie pleine d'espérance* (→ 1. Duel, cit. 4). *Le monde est plein de contradictions* (cit. 8).

41 Le petit regarda les deux pastilles brunes avec une méfiance pleine de répulsion.
SARTRE, la Mort dans l'âme, p. 122.

(Personnes). *Être plein de santé, de vie.* ⇒ **Débordant.** *Mourir plein de jours,* âgé (style biblique). *Être plein de bonne volonté* (→ Fait, cit. 40), *de bon sens* (→ Gouverner, cit. 48), *d'adresse* (→ Auteur, cit. 33). *Être plein d'animation* (→ Héroïque, cit. 26), *de reconnaissance.* ⇒ **Pénétré, pétri.** *Plein d'ardeur* (→ Abandonner, cit. 4), *de courage* (→ Ardent, cit. 19), *d'assurance* (→ Papier, cit. 18), *de morgue* (→ Gourmer, cit. 2). *Plein d'amertume* (cit. 11). *Jeune homme plein de goût* (→ Modèle, cit. 8), *plein d'idées. « Je vous salue, Marie, pleine de grâce... »,* premiers mots de l'Ave Maria, prière à la Vierge Marie. *Être plein d'égards* (cit. 11), *d'attentions, de soins* (→ Gentil, cit. 10) *pour qqn.* — Par ext. *Yeux, regards pleins de feu* (→ Âpre, cit. 11), *d'effroi* (cit. 4), *de douceur* (→ Attitude, cit. 4). *Geste plein de pudeur* (→ Attirer, cit. 29), *plein de menace* (→ Lourd* de...).

42 Voici des gens bien pleins de cérémonie. MOLIÈRE, le Médecin malgré lui, I, 5.

43 Qui te rend si hardi de troubler mon breuvage ?
Dit cet animal plein de rage. LA FONTAINE, Fables, I, 10.

44 Ange plein de gaieté, connaissez-vous l'angoisse,
La honte, les remords, les sanglots, les ennuis.
BAUDELAIRE, les Fleurs du mal, « Spleen et idéal », XLIV.

45 (...) votre Roi qui est un peu timide mais plein d'esprit (...)
PROUST, À la recherche du temps perdu, t. VII, p. 88.

Fam. de nos jours. **TOUT PLEIN DE...** *Un enfant tout plein d'idées* (→ Boiterie, cit. 5). *Écrit tout plein de poison* (→ Pamphlet, cit. 1). *Expression toute pleine de candeur* (→ ci-dessous, *supra* cit. 52).

★ **III.** (Confondu avec *plain*). Vx ou en loc. Plat. ⇒ **Plain.** — Blason. *Écu plein,* dont l'émail est uni. — *Terre-plein.* — Loc. *De plein fouet*,* le fouet étant horizontal. *Tir de plein fouet :* tir horizontal, direct. — Fig. ⇒ **Fouet.** — REM. Jusqu'au XVIIe siècle, *plein,* de *plenus,* était souvent écrit *plain,* ce qui, ajouté à l'homophonie et au voisinage des sens figurés, provoqua des confusions.

★ **IV.** (Invar.). Adv. et prép. ♦ **1.** (En fonction de prép.). **PLEIN,** suivi d'un n. (aux sens I., 1. et II. de l'adj.). *Des champignons plein un panier :* un plein panier de champignons. *J'avais des armes plein ma chambre* (→ Labourer, cit. 8). *On en a plein un petit verre* (→ Godet, cit. 5). *Avoir de l'argent plein les poches*.* — Fam. *S'en mettre plein la lampe** (cit. 18). — Loc. *En avoir plein la bouche** (de qqn, qqch.) : en parler fréquemment et avec enthousiasme. — Fam. *En avoir plein les bottes** : être fatigué d'avoir marché ; fig. : être excédé. *En avoir plein les bras** (même sens). *En avoir plein le dos** (cit. 9), *plein le cul** (fam.) : en avoir son content, assez, par-dessus la tête. ⇒ **Ras** (ras le bol). — Fam. *En mettre plein la vue** (→ Épate, cit. 2). — Fam. Partout sur. *Elle a renversé son café, elle en a mis plein sa robe.*

46 (...) les fleurs abondaient : il y en avait plein des brouettes (...)
Th. GAUTIER, Voyage en Russie, II.

47 Ce mépris le soulageait. Il s'en mettait plein la gorge.
FRANCE, le Lys rouge, XXI.

Le rouquin tout à coup se démena. Il avait du poil plein les joues, les mains. Les idées avaient l'air d'y coller, de s'y empêtrer. 48
ARAGON, les Beaux Quartiers, II, XXVI.

Après ça, rien que du feu et puis du bruit avec... On en a eu tellement plein les yeux, les oreilles, le nez, la bouche, tout de suite, du bruit, que je croyais bien que c'était fini, que j'étais devenu du feu et du bruit moi-même. 49
CÉLINE, Voyage au bout de la nuit, p. 22.

♦ **2.** (Adv.). Mar. (Vieilli). *Porter plein :* gouverner de façon que les voiles restent gonflées. *Gouverner près et plein.*

Cour. *Sonner plein,* avec un son plein (en parlant des objets qu'on frappe). Opposé à *sonner creux.* — REM. Cet emploi est aujourd'hui limité à quelques expressions ; il n'en allait pas de même dans la langue classique :

(...) approchant la bouteille de son verre, et versant plein, je lui dis : « Buvons d'abord ; et vous saurez ensuite à quelle terrible condition j'attache votre pardon. » 50
DIDEROT, Jacques le fataliste, Pl., p. 710.

Fam. **TOUT PLEIN** (avec un verbe). ⇒ **Beaucoup.** *Je l'aime déjà tout plein* (→ Assortir, cit. 2). — (Avec un adj.). ⇒ **Très.** *Il est gentil, mignon tout plein. C'est tout plein mignon.* — REM. Cet emploi fam. est hypocoristique et pratiquement limité à des adjectifs de ce type.

C'est un bon garçon que j'aime tout plein. 50.1
Henri MONNIER, Scènes populaires, t. I, p. 208.

Je vous dis qu'il est tout plein gentil. 51
J. ROMAINS, les Hommes de bonne volonté, t. I, XXV, p. 296.

— Ça t'intéresse ; 51.1
— Oui, je suis curieuse tout plein.
— Eh bien, je vais me marier. R. QUENEAU, le Dimanche de la vie, p. 44.

Mais c'est mignon tout plein chez vous, mes enfants. 51.2
Ce porte-serviettes, quelle merveille (...) N. SARRAUTE, le Planétarium, p. 105.

Fam. **PLEIN DE... ou TOUT PLEIN DE...** (après un verbe autre que *être* et les v. d'état, par ex. *avoir*). ⇒ **Beaucoup.** *Avoir plein d'argent. Il m'en a donné plein. Il y en a plein, en pagaye* (cit. 4). *Il y avait plein de monde dans la rue. Tout plein d'argent.* — REM. *Tout plein de...,* normal dans la langue classique, est devenu très familier ou enfantin.

Nous vîmes hier au bal, entre autres nouveautés, 52
Tout plein d'honnêtes gens caresser les beautés. CORNEILLE, la Veuve, I, 3.

Il y a eu autrefois tout plein de possédés (...) 53
VOLTAIRE, Dict. philosophique, Possédés.

Or, ces pertes de la Nature qu'il ne tient qu'à nous d'imiter, n'ont-elles pas lieu dans tout plein de cas ? SADE, Justine..., t. I, p. 46. 53.1

★ **V.** N. m. **A.** ♦ **1.** État de ce qui est plein. *Le plein de la lune,* la phase où elle apparaît éclairée tout entière. *La lune* (cit. 7) *vers le moment de son plein.*

Nul mieux sous les rais de la nuit, 54
Quand la Lune en son plein reluit (...) RONSARD, Odes, V, IX.

(...) la lune était en son plein, mais beaucoup plus pâle qu'à l'ordinaire (...) 55
CYRANO DE BERGERAC, Œuvres diverses, Lettres div., « Pour les sorciers ».

(...) elle regarde par la fenêtre les grands pins immobiles et la lune, presque à son plein, briller dans le ciel pur. A. MAUROIS, Lélia, I, V. 56

(Déb. XVIIe ; repris au XIXe, → cit. 57). *Le plein de l'eau, de la mer :* la marée* haute. ⇒ **Gros** (de l'eau). → aussi ci-dessous, cit. 65, Hugo.

REM. *Le plein de l'eau* n'est peut-être que *le plain de l'eau* (→ Plain), la mer étale. Mais outre que la mer est *plaine* (étale) également à marée basse, le sens de *plein* convient bien aux rades, aux bassins des ports qui s'emplissent à marée haute (→ ci-dessus, III., REM.).

(...) avec un escalier extérieur et intérieur qui conduit sur le galet du rivage et dont la mer — dans ses grands *pleins* — gravit et bat les marches comme celles des escaliers de Venise. 57
BARBEY D'AUREVILLY, Une vieille maîtresse, II, III, 1849.

Loc. **BATTRE SON PLEIN,** se dit de la mer étale à marée haute, qui bat le rivage.

Quand Marigny, en répétant ce nom, regardait dans son âme, il était sûr que son amour n'avait pas baissé ; qu'il *y battait son plein* comme cette mer qu'il voyait à ses pieds battre le sien sur la grève sonore (...) 58
BARBEY D'AUREVILLY, Une vieille maîtresse, II, VIII.

À cinquante pieds d'élévation, Pécuchet voulut descendre *(de la falaise).* La mer battant son plein, il se remit à grimper. FLAUBERT, Bouvard et Pécuchet, III. 59

Par métaphore et fig. ⇒ **Battre** (B., 11., cit. 44, 44.1 ; fig., cit. 58, 59 ; 60 à 64). *La fête bat son plein. Le positivisme bat son plein* (→ Occulte, cit. 4). — REM. Certains ont avancé que *son* était substantif et *plein* adjectif, par métaphore de la *cloche,* du *tambour qui bat son plein,* c'est-à-dire « qui résonne d'un son fort » ; mais il n'y a aucune preuve à l'appui de cette hypothèse peu satisfaisante pour le sens et la forme. On dira donc, au pluriel, *les fêtes battent leur plein,* et non *les fêtes battent son plein.*

(...) seins éblouissants battant leur plein majestueux au bord découvert des corsages, et sous les camées de l'épaule nue (...) 60
BARBEY D'AUREVILLY, les Diaboliques, « Le plus bel amour ».

(...) la féerie de leur capitale bat son plein, en ces jours où l'on attend le retour du roi (...) LOTI, l'Inde (sans les Anglais), V, II. 61

Les grands travaux annuels que la terre impose aux paysans battaient leur plein. 62
Marcel PRÉVOST, la Mort des ormeaux, VII.

(...) du temps de l'Ermitage et des débuts de la Nouvelle Revue Française surtout, les causeries battaient leur plein (...) GIDE, Ainsi soit-il..., p. 107. 63

La tempête battait son plein. Toute l'étendue du plateau subissait l'effort obstiné des rafales. On entendait souffrir et se plaindre, sous la maison, les bois tourmentés par le vent et toutes les tuiles d'une immense charpente (...) 64
H. BOSCO, le Jardin d'Hyacinthe, p. 167.

♦ **2.** Fig. LE PLEIN : la plénitude, la totalité, le maximum. *Donner son plein :* donner toute sa mesure (→ Bonheur, cit. 34).

65 Le bonheur, comme la mer, arrive à faire son plein. Ce qui est inquiétant pour les parfaitement heureux, c'est que la mer redescend.
HUGO, l'Homme qui rit, II, III, IX.

66 C'était le plein de la bousculade et du vacarme, à ne plus s'entendre (...)
ZOLA, la Terre, II, VI.

67 Dostoïevski a le désespoir de ne jamais atteindre ce plein de la passion qu'il poursuit (...) L'unique passion est, en somme, la passion de la plénitude.
André SUARÈS, Trois hommes, « Dostoïevski », V.

68 Ainsi exigeons-nous de l'illusion, dans le moment même où elle donne son plein, qu'elle nous comble mieux encore.
J. PAULHAN, Entretien sur des faits divers, p. 66.

♦ **3.** Loc. (1876). **FAIRE LE PLEIN DE... :** emplir un réservoir de (un liquide), jusqu'à ce qu'il soit plein. *Faire le plein d'eau, de mazout, d'essence... Pompiste qui fait le plein* (d'une voiture). *Locomotive qui fait le plein.*

69 (...) à bord de l'*Iphigénie*, on faisait le plein des soutes à vin (...)
LOTI, Pêcheur d'Islande, IV, VII.

Fig. Atteindre le maximum, totaliser. *« Faire le plein des voix de gauche »* (*l'Express*, 16 janv. 1967). — Littéraire :

70 Elle assemblait ses forces et faisait le plein dans son cœur.
M. BARRÈS, Un jardin sur l'Oronte, p. 36.

71 À mon âge et depuis longtemps, j'ai fait mon plein de poésie.
GIDE, Ainsi soit-il..., p. 85.

LE PLEIN : le chargement complet (d'un navire). — Cour. Réservoir d'essence plein; remplissage (du réservoir d'un véhicule); quantité d'essence nécessaire pour remplir le réservoir. *Le plein coûte plus cher. Le plein, s'il vous plaît. Vous m'avez donné le plein, mon plein?*

♦ **4.** Fin. « Somme maxima que la société d'assurance peut, aux termes de ses statuts, assurer sur un seul risque, sans réassurance » (Capitant).

B. *(Un, des pleins).* ♦ **1.** Chose pleine, endroit plein (d'une chose). *Les pleins et les vides.* — Archit. Partie massive, non évidée d'une construction. *Les pleins et les vides d'une église romane, gothique.*

72 Des vides et des pleins se présentaient toujours où il n'en fallait pas, et impossible d'obtenir sur l'espalier un rectangle parfait, avec six branches à droite et six à gauche (...)
FLAUBERT, Bouvard et Pécuchet, II.

♦ **2.** Philos. anc. *Le plein :* la matière. *Le vide et le plein* (→ Dense, cit. 3).

♦ **3.** Trait épais obtenu en appuyant la plume, dans l'écriture calligraphiée. *Plein(s) et délié(s) d'une lettre, d'un chiffre. Les pleins dodus et les maigres déliés* (→ Furibond, cit. 4).

CONTR. Dépeuplé, désert, inoccupé, libre, vide. — Ajouré, creux, évidé. — Incomplet, partiel. — Dénué (de), exempt, sans. — Insuffisamment, médiocrement, partiellement, peu — Vide (n. m.), **vidange.**
DÉR. Pleinement. — (Du même rad.) **Plantureux. — Plénier, plénitude.**
COMP. Pleinairiste. — Plein-cintre, plein emploi, plein-jeu, plein temps, plein-vent. — Trop-plein.
HOM. Plain, formes du v. **plaindre.**

PLEINAIRISTE [plɛnɛʀist] adj. et n. — 1896, *in* D. D. L.; de *plein* (*supra* cit. 35), et *air.*

♦ Fam. et vx. *Peintre pleinairiste,* de plein air. — N. *Un pleinairiste.*

PLEIN-CINTRE [plɛ̃sɛ̃tʀ] n. m. — D. i.; de *plein,* et *cintre.*

♦ Archit. Voûte ou arc en plein cintre.

Au-dessus de la porte, gravées dans la pierre du plein-cintre, deux initiales — A. B. — celles des premiers occupants de cette maison.
Edmonde CHARLES-ROUX, l'Irrégulière, p. 23.

PLEINEMENT [plɛnmɑ̃] adv. — 1190; de *plein.*

♦ D'une manière pleine (I., C.), complète. ⇒ **Entièrement, tout** (à fait); **plein** (à plein, en plein), **totalement.** *User pleinement de qqch.* (→ Attester, cit. 10). *Jouir* (cit. 6) *pleinement d'un bien. Apprécier pleinement* (→ Finement, cit. 2; orateur, cit. 4). *Être pleinement content* (→ 1. Bien, cit. 64), *satisfait, heureux... Être pleinement instruit de...* (→ Malversation, cit. 2). ⇒ **Amplement, 1. bien.** *Pleinement responsable. Pleinement consciente* (→ Incliner, cit. 13). ⇒ **Parfaitement.** *Pleinement efficace* (→ Habiter, cit. 15). *Exister pleinement* (→ Atome, cit. 8; extase, cit. 2). *Se réaliser pleinement* (→ Harmonieux, cit. 7). *Être pleinement soi-même* (→ Déterminisme, cit. 4).

1 (...) il *(le cardinal de Bouillon)* a été si pleinement heureux toute sa vie (...)
Mme DE SÉVIGNÉ, 975, 12 août 1685.

2 J'ai cru que, pour être pleinement sincère, il fallait éviter les formes conventionnelles et pompeuses qui donnent une impression fausse de la réalité.
Ch. SEIGNOBOS, Hist. sincère de la nation franç., Introduction.

3 (...) cette force invincible de l'espèce qui, malgré tant d'échecs, car nul n'est pleinement homme, reproduit toujours l'humanité intacte (...)
ALAIN, Propos, 20 août 1924, La pensée féminine.

CONTR. Insuffisamment, partiellement.

PLEIN EMPLOI [plɛnɑ̃plwa] n. m. — 1949; de *plein,* et *emploi;* d'après l'angl. *full employment.*

♦ Écon. Emploi de la totalité des travailleurs. *Politique de plein emploi. Lutter pour le plein emploi.*

CONTR. Chômage, sous-emploi.

PLEIN-JEU [plɛ̃ʒø] n. m. — 1680; de *plein,* et *jeu (d'orgue).*

♦ Mus. **a** Jeu de mutation composée, à reprises (à l'orgue). — Syn. : *fourniture.*

b Mélange de jeux.

PLEIN TEMPS (À) [aplɛ̃tɑ̃] adj., adv. et n. m. — 1960; de *plein,* et *temps;* d'après l'angl. *full time.*

♦ **1.** Adj. Qui est engagé pour faire une journée légale de travail (opposé à *mi-temps, temps partiel*). *Secrétaire à plein temps.* — N. m. *Un plein temps :* un emploi à plein temps, un poste exigeant une personne travaillant à plein temps.

(1963). *Médecin, chirurgien à plein temps,* qui ne travaille qu'à l'hôpital. ⇒ **Hospitalier.**

♦ **2.** Adv. (1964). *Travailler à plein temps. Il a été engagé à plein temps.*

PLEIN-VENT [plɛ̃vɑ̃] n. m. — 1872; *arbre en plein-vent,* 1690; de *plein,* et *vent.*

♦ Arbor. Arbre en plein vent, qui n'est pas abrité.

PLÉIO-, PLÉISTO- Éléments de mots didactiques, du grec *pleiôn* « plus nombreux », ou *pleistos* « le plus nombreux; beaucoup ». — Ex. : *pléiotropie, pléistocène.*

PLÉIOTROPIE [plejɔtʀɔpi] n. f. — XXe; de *pléio-,* et *-tropie.*

♦ Biol. Particularité que possède un gène (dit *pléiotrope,* adj.) de produire plusieurs anomalies.

PLÉISTOCÈNE [plεistɔsɛn] adj. — 1839, trad. Lyell, *in* D. D. L.; en angl., déb. XIXe; de *pléisto-,* et *-cène.*

♦ Géol. Se dit du début de l'ère quaternaire, période correspondant au paléolithique*. — N. m. *Le pléistocène :* cette période. *Le magdalénien, le solutréen, l'aurignacien, le moustérien, l'acheuléen, le chelléen... font partie du pléistocène. Le pléistocène, époque glaciaire.*

PLÉNIER, IÈRE [plenje, jɛʀ] adj. — 1080, *Chanson de Roland;* bas lat. *plenarius,* de *plenus* « plein ».

♦ **1.** Vx (ou archaïsme littér.). Plein (I., C.). ⇒ **Complet, entier, total.**

♦ **2.** Mod. (Dans des expressions). *Cour plénière :* assemblée solennelle à laquelle le roi conviait tous les grands (→ Durant, cit. 4). *Assemblée plénière, réunion plénière,* où siègent tous les membres d'un corps.

Théol. *Indulgence plénière :* rémission pleine et entière de toutes les peines attachées aux péchés (→ Oraison, cit. 1).

DÉR. Plénièrement.

PLÉNIÈREMENT [plenjɛʀmɑ̃] adv. — XIIe; de *plénier.*

♦ Rare. (Théol.). D'une façon plénière.

PLÉNIPOTENTIAIRE [plenipɔtɑ̃sjɛʀ] n. m. — 1620; du lat. *plenus, potentia,* et suff. *-aire,* pour servir d'adj. à *plein pouvoir.*

♦ Agent diplomatique qui a pleins pouvoirs* pour l'accomplissement d'une mission particulière. ⇒ **Ambassadeur, envoyé.** *Les plénipotentiaires de l'Empereur* (→ Chambrer, cit. 2). *Plénipotentiaires qui négocient avec l'ennemi* (→ Négociateur, cit.), *dictent* (cit. 14) *les clauses d'un traité.*

Va paisiblement conférer avec tes Acteurs; je te déclare Plénipotentiaire de ce Traité comique. 1
CYRANO DE BERGERAC, le Pédant joué, V, 5.

Mon père était, si l'on excepte Wilson, le seul plénipotentiaire de Versailles qui eût recréé l'Europe avec générosité, et le seul, sans exception, avec compétence. 2
GIRAUDOUX, Bella, I.

Adj. *Ministre* plénipotentiaire,* titre immédiatement inférieur à celui d'ambassadeur, dans le corps diplomatique. *Secrétaire* *d'ambassade nommé ministre* (cit. 9) *plénipotentiaire* (→ Archive, cit. 4).

3 Après avoir accompli plusieurs missions avec talent, Vandenesse avait été récemment attaché à l'un de nos ministres plénipotentiaires envoyés au congrès de Laybach (...) BALZAC, la Femme de trente ans, Pl., t. II, p. 754.

PLÉNITUDE [plenityd] n. f. — 1300; lat. *plenitudo,* de *plenus* «plein»; a remplacé *plente* (XIe-XIVe), de *plenitas,* même racine.
État de ce qui est plein*.

♦ **1.** **a** Méd. État d'un organe plein. *Plénitude de l'estomac, de l'utérus.*

b (Non technique). *La plénitude de cet instant* (→ Griser, cit. 10).

♦ **2.** Littér. Ampleur, épanouissement. *La plénitude des chairs. Contours qui acquièrent de la plénitude* (→ Galbe, cit. 5). — Par anal. (Rare). *Plénitude d'un son.*

1 *(Sa voix)* révélait à présent, par la plénitude presque chaude de ses intonations, qu'il avait peine à contenir des sentiments qui ne demandaient qu'à lui sortir de la poitrine.
BARBEY D'AUREVILLY, les Diaboliques, «Bonheur dans le crime».

2 Et sa taille (...) en se formant, en prenant la plénitude de ses beaux contours (...) s'était amincie vers le bas dans de longs corsets de demoiselle.
LOTI, Pêcheur d'Islande, I, III.

♦ **3.** (Abstrait). ⇒ **Plein** (II.). Abondance, profusion. *Plénitude de vie* (→ Avant-goût, cit. 2; expansif, cit. 5). *Plénitude de bonheur céleste* (→ Mysticité, cit.).

3 Que Dieu (...) répande sur vous, avec plénitude, sa miséricorde (...)
RACINE, Appendice aux traductions, Lettre de l'Église de Smyrne.

4 Et c'était dans ces groupes embrasés d'âmes une plénitude de recueillement, une réplétion de silence inouï (...) HUYSMANS, En route, I, VI.

♦ **4.** Mod. (Littér.). ⇒ **Plein** (I., C.). État de ce qui est complet. *La plénitude des temps :* l'accomplissement du temps marqué pour la venue du Messie. *«Notre-Seigneur vint au monde dans la plénitude des temps»* (Académie).

Fig. État de ce qui est dans toute son étendue, dans toute sa force. — REM. *Plénitude* a un sens très fort et sert à caractériser le plus haut degré d'un état. *La plénitude de l'être* (→ Indépendance, cit. 8). *Homme dans sa plénitude.* ⇒ **Force** (de l'âge), **maturité.** *La forme* (cit. 33) *est à sa plénitude. Dans la plénitude de son talent* (→ Détourner, cit. 11).

5 Car toute la plénitude de la divinité habite en lui *(Jésus)* substantiellement.
BIBLE (SACY), Épître de saint Paul aux Colossiens, II, 9.

6 (...) voir mourir un être jeune, dans toute la plénitude de sa beauté et de son intelligence, c'est quelque chose qui révolte; on éprouve le sentiment d'une atroce injustice. FLAUBERT, Correspondance, 107, 5 avr. 1846.

La plénitude d'un droit, des droits (→ Franc-maçonnerie, cit. 1). *La plénitude du pouvoir exécutif* (→ Monarchique, cit. 2). ⇒ **Intégrité, totalité.** *Ils jouissaient dans leur plénitude de tous les pouvoirs* (→ Dictateur, cit. 2). *Roi dans la plénitude de sa souveraineté* (→ Gracieux, cit. 6). — *Sentiment exaltant de plénitude.*

7 (...) ce qui nous exalte, c'est le sentiment de la plénitude. Toute chose a en elle une possibilité de plénitude. GIDE, Journal, août 1893.

8 Mon âge n'est plus celui des demi-mesures et des demi-attachements, il me faut le bonheur à pleins bords (...) Je suis affamée de plénitude, et c'est d'une plénitude passionnée que j'ai besoin. MONTHERLANT, les Jeunes Filles, p. 156.

État physique et psychique résultant de l'entière satisfaction des besoins, des aspirations. *La plénitude laisse l'esprit* (cit. 44) *inerte.*

CONTR. **Désert,** (n. m.), **vide.**

PLENUM [plenɔm] n. m. — V. 1933; mot lat., «le plein»; employé en angl. au sens de «assemblée plénière» dès le XVIIIe.

♦ Polit. Réunion plénière d'une assemblée, d'un organisme (notamment le Comité central du parti communiste, dans les pays socialistes). *«Désigné comme rapporteur au plenum tenu à Budapest sur les questions internationales»* (*le Monde,* 26 mars 1966).

PLÉO- Premier élément de composition de termes scientifiques, du grec *pleos* «abondant, en excès».

PLÉOMORPHISME [pleomɔʀfism] n. m. — 1903; de *pléo-,* et *-morphisme.*

♦ Biol. Aptitude d'un organisme (en particulier d'un micro-organisme) à prendre des formes très diverses, soit au cours de son développement normal, soit sous l'effet de facteurs extérieurs.

PLÉONASME [pleɔnasm] n. m. — 1610; «mot augmenté d'une lettre ou d'une syllabe», 1571; gr. *pleonasmos.*
Didact. (gramm., rhétorique).

♦ **1.** Terme ou expression qui ajoute une répétition (volontaire ou involontaire) à ce qui vient d'être énoncé. ⇒ **Battologie, périssologie, redondance, répétition** (de mots), **tautologie.** *Pléonasmes involontaires* (souvent considérés comme fautes; ex. : *prévoir à l'avance; le jour d'aujourd'hui* [cit. 10, REM.], *la panacée universelle*). *«Et les moindres défauts de ce grossier génie Sont ou le pléonasme ou la cacophonie»* (cit., Molière). *Pléonasme inexcusable* (cit. 3). *Mot qui fait pléonasme avec un autre* (→ Dont, cit. 17). — *Le pléonasme, procédé grammatical.* ⇒ **Pléonastique.** — *Le pléonasme, figure* de rhétorique, procédé de style* (ex. : *«Je l'ai vu, dis-je, vu, de mes propres yeux vu, Ce qu'on appelle vu...»* Molière, *Tartuffe,* V, 3).

Monsieur, je suis heureux de l'occasion que me présente le hasard... 1
— il est si troublé, qu'il fait un pléonasme, dit Félicien à Lousteau.
BALZAC, Illusions perdues, Pl., t. IV, p. 698.

— Nous pourrions peut-être... Ce pléonasme insidieux, que j'ai surpris sur tant de 2
lèvres, annonçait le déchaînement des images et des hypothèses.
G. DUHAMEL, Chronique des Pasquier, I, VIII.

Le pléonasme est le contraire de l'ellipse; comme son nom l'indique (...) c'est une 3
superfluité de mots. S'il ne s'agissait là que d'une surabondance arbitraire et stérile, la grammaire n'aurait à connaître du pléonasme que pour le proscrire. Mais il a aussi son usage légitime. Il peut être une compensation nécessaire à l'usure sémantique, à l'affaiblissement de tel ou tel élément du langage; il peut être, d'autre part, un utile renforcement de l'expression, à cette fin de mettre dans un plus grand relief tel ou tel élément de la pensée.
G. et R. LE BIDOIS, Syntaxe du franç. moderne, § 11.

Je pense encore aux pléonasmes familiers et naïfs : *puis ensuite, car en effet, des-* 4
cendre en bas, suivre derrière (...) aux pléonasmes négligents des écrivains : *Une antique vétuste forêt* (Roger Vailland, La Loi). *Il n'aurait pas cru possible qu'un garçon comme lui pouvait aimer une femme comme donna Lucrezia* (ibid.).
René GEORGIN, Jeux de mots, p. 31.

Par ext. Se dit en parlant d'une expression qui n'est pas proprement un pléonasme, mais que l'on feint de considérer comme tel (→ Fantaisiste, cit. 4).

(...) on nous prendrait pour une maisonnée de fous ou de poètes (ce qui est pres- 5
que un pléonasme). TH. GAUTIER, Mlle de Maupin, XI.

Dire que Liszt l'a joué, et qu'il l'a joué d'une façon grandiose, fine, poétique et 6
toujours fidèle cependant, c'est commettre un véritable pléonasme (...)
BERLIOZ, Beethoven, p. 164.

♦ **2.** Par anal. Littér. Chose qui fait double emploi avec une autre.

Quand même cette lettre ferait de fréquents pléonasmes avec vos pensées, laissez- 7
moi donc vous confier ma politique de femme.
BALZAC, le Lys dans la vallée, Pl., t. VIII, p. 887.

DÉR. (Du même rad.) **Pléonastique.**

PLÉONASTIQUE [pleɔnastik] adj. — 1842; de *pléonasme.*

♦ Didact. (gramm., rhét.). Qui est relatif au pléonasme, qui forme un pléonasme. — REM. *Pléonastique* s'emploie surtout en parlant d'un pléonasme qui constitue un procédé grammatical. — *Tour pléonastique. Emploi pléonastique des pronoms* en, y. — Ex. : *«Oui, de ta suite, ô roi! de ta suite! — J'en suis!»* (Hugo, *Hernani,* I, 4). *«Où tu vas, j'y serai toujours»* (Musset, *Nuit de décembre*).

DÉR. **Pléonastiquement.**

PLÉONASTIQUEMENT [pleɔnastikmɑ̃] adv. — 1932; de *pléonastique.*

♦ Rare. D'une manière pléonastique.

PLÉSI-, PLÉSIO-, Élément de mots didactiques, du grec *plêsios* «voisin».

PLÉSIANTHROPE [plezjɑ̃tʀɔp] n. m. — 1963; lat. sav. *plesianthropus,* Broom, av. 1951. → Plési-, -anthrope.

♦ Paléont. Type gracile d'Australopithèque* *(Australopithecus africanus)* du Pléistocène inférieur, représenté en Afrique australe et orientale (opposé à *Paranthrope**). *Le Plésianthrope était de petite taille (environ 1,15 m) et omnivore.*

PLÉSIOSAURE [plezjozɔʀ] n. m. — 1869; lat. mod. *plesiosaurus,* 1824. → Plésio-, -saure.

♦ **1.** Paléont. Grand reptile saurien fossile de l'ère secondaire. *«Le terme général de plésiosaure recouvre deux lignées qui présentent des adaptations bien distinctes»* (*la Recherche,* oct. 1981, p. 1141).

♦ **2.** Fig. Ce fossile, pris comme symbole d'une réalité périmée. ⇒ **Fossile; dinosaure.**

La fin de l'ère coloniale, la naissance de l'Europe unie postulent un type d'armée auprès de laquelle la nôtre fera un jour figure de plésiosaure (...)
F. MAURIAC, le Nouveau Bloc-notes 1958-1960, p. 192.

DÉR. **Plésiosaurique.**

PLÉSIOSAURIQUE [plezjozɔʀik] adj. — XXe; de *plésiosaure.*

♦ Littér. Paléontologique, préhistorique.

(...) une sorte de plésiosaurique réalité reconstituée de bric et de broc à partir de deux vertèbres, un frontal, un demi-maxillaire et trois métacarpiens pêchés dans la grise vase du temps et assemblés au petit bonheur des goûts et prédilections de chacun (...) Claude SIMON, le Vent, p. 107.

PLESSIMÈTRE [plesimɛtʀ] n. m. — 1846, Pierry; du gr. *plêssein* «frapper», et *-mètre.*

♦ Hist. méd. Instrument dont on se servait pour pratiquer la percussion* médiate. ⇒ **Auscultation.** *Le plessimètre était constitué par une petite plaque qu'on appliquait sur la région à explorer et sur laquelle on frappait avec un petit marteau ou avec le doigt.*

PLESSIS [plesi] n. m. — XIIe, *plesseis;* de l'anc. franç. *plesce, plesse,* du lat. *plexus* «plié».

♦ Régional (et dans des toponymes). Haie de tiges entrelacées; terrain enclos de cette haie. ⇒ **Enclos.**

PLET [plɛ] n. m. — 1846; var. de 1. *pli.*

♦ Mar. Chacun des tours d'un cordage lové. ⇒ **Pli.**

HOM. 1. **Plaid, plaie,** formes du v. **plaire, play.**

PLÉTHO- Élément de mots didactiques, du grec *plêthos* «grande quantité».

PLÉTHODONTIDÉS [pletɔdɔ̃tide] n. m. pl. — V. 1904, *pléthodonthinés;* de *plétho-, -odonte,* et *-idés.*

♦ Didact. (zool.). Famille d'urodèles caractérisés par la disparition des poumons et une respiration exclusivement cutanée, et par des rangées de dents palatines (d'où leur nom). — Au sing. *Un pléthodontidé.*

PLÉTHORE [pletɔʀ] n. f. — 1538; *plectorie,* v. 1363; grec *plêthôrê* «plénitude».

♦ **1.** Méd. anc. Surabondance des humeurs, et, spécialt, du sang. *On expliquait les congestions* par la pléthore.*

1 (...) pléthore obturante, et (...) cacochymie luxuriante par tout le corps (...)
MOLIÈRE, Monsieur de Pourceaugnac, I, 8.

Méd. mod. Surabondance, excès de sang (surtout de globules rouges). Opposé à *oligohémie.*

2 La santé, les petits vertiges qu'il éprouve depuis quelque temps, ce mot qu'a prononcé le médecin l'autre jour : «Pléthore... Attention à la pléthore! ...» maintenant qu'est-ce que ça peut lui faire! Pléthore aussi, cette acclamation. Pléthore, toute générosité et toute espérance.
J. ROMAINS, les Hommes de bonne volonté, t. IV, XXIII, p. 253.

♦ **2.** (1791). Mod. Abondance excessive. ⇒ **Excès, surabondance.** *La pléthore d'un produit sur le marché engendre la mévente. Il y a pléthore de candidats.*

CONTR. Anémie. — Faute, manque, pénurie.
DÉR. Pléthorique.

PLÉTHORIQUE [pletɔʀik] adj. — 1611; *plectorique,* 1314; de *pléthore.*

♦ **1.** Méd. anc. Qui est caractérisé par la pléthore* (1.). *Tempérament pléthorique.*

♦ **2.** Abondant, excessif, surchargé. *Rues encombrées par une circulation pléthorique. Les classes pléthoriques,* où il y a trop d'élèves.

Quand la faim devient amoureuse, elle sait faire du rassasiement comme une forme surexcitée et pléthorique de l'appétit.
J. ROMAINS, les Hommes de bonne volonté, t. IV, VI, p. 45.

CONTR. Exsangue. — Rare.

PLEUR [plœʀ] n. m. — XIIIe; *plors,* 1160; déverbal de 1. *pleurer.*

♦ **1.** Au plur. (Vieilli ou littér.). Larmes* versées en pleurant; le fait de pleurer; cris, plaintes qui accompagnent l'épanchement des larmes dans l'expression d'une vive douleur. ⇒ **Cri, gémissement, lamentation, plainte.** — REM. On a donné parfois à *pleur* le genre féminin d'après *douleur, fleur,* etc. et par attraction du genre de *larme* (cf. Dauzat, *Études de linguistique franç.*, p. 42; Brunot, H. L. F., t. VI., 2., p. 1572). *Laisser couler des pleurs* (→ Balancer, cit. 8; commande, cit. 6); *répandre, verser des pleurs.* ⇒ **Pleurer** (→ Arriver, cit. 26; chair, cit. 53; cher, cit. 22; cri, cit. 1). *Faire couler des pleurs :* faire pleurer (→ Arrêter, cit. 10). *Arracher* (cit. 23) *des pleurs (à qqn). Baigné* (cit. 12 et 13) *de pleurs. Des yeux noyés* (→ Éveiller, cit. 19), *humides* (cit. 11) *de pleurs.* ⇒ **Embué.** *Inonder son visage de pleurs* (→ Étage, cit. 4). *Je mouillai* (cit. 1) *de pleurs la main de mon amie. Pleurs convulsifs.* ⇒ **Sanglot.** *Être suffoqué par les pleurs. Apaiser, essuyer* (cit. 5), *sécher ses pleurs. Essuyer les pleurs de qqn,* le consoler. *Retenir ses pleurs. Les premiers pleurs des enfants* (→ Ordre, cit. 47). — (En parlant d'un animal). *«Les pleurs de la biche aux abois»* (cit. 2, Vigny). — Par ext. *Les pleurs de la joie, de la douleur, de l'admiration* (→ Émotion, cit. 12). — *Pleurs d'attendrissement, de joie. «Joie, joie, joie, pleurs de joie»* (cit. 13.1, Pascal). — Allus. bibl. *«Il y aura des pleurs et des grincements de dents»* (cit. 10).

Le comique, ennemi des soupirs et des pleurs. BOILEAU, l'Art poétique, III. 1

Le triste Agamemnon, qui n'ose l'avouer, 2
Pour détourner ses yeux des meurtres qu'il présage,
Ou pour cacher ses pleurs, s'est voilé le visage. RACINE, Iphigénie, V, 5.

Comme le premier état de l'homme est la misère et la faiblesse, ses premières voix sont la plainte et les pleurs. ROUSSEAU, Émile, I. 3

Les pleurs qu'il retenait coulèrent un moment (...) 4
A. DE VIGNY, le Livre moderne, «La prison».

Le moment où le petit enfant prend conscience du pouvoir de ses pleurs n'est pas différent de celui où il en fait un moyen de pression et de gouvernement. 5
VALÉRY, Autres rhumbs, p. 184.

EN PLEURS. *Être en pleurs* (→ Apporter, cit. 21), *tout en pleurs.* ⇒ **Éploré** (→ Mélodramatique, cit.; miséricorde, cit. 6). — *Fondre** (cit. 11) *en pleurs. Avoir les yeux en pleurs* (→ Creux, cit. 19).

Au sing. Vx. (Dans la langue poét.). → Égoutter, cit. 3, P.-J. Toulet. — (Dans le style très soutenu). *«Ce pleur éternel»* (Bossuet, *Oraison funèbre de Anne de Gonzague*). — Mod. (Avec une intention iron.). *Répandre, verser un pleur.*

À déjeuner, on a parlé de la guerre et la mère Sturel a versé un pleur en pensant à son cher fils (...) SARTRE, la Mort dans l'âme, p. 58. 6

♦ **2.** Par anal. Écoulement de sève* qui apparaît au printemps sur certaines plantes, la vigne notamment, et qui résulte soit de la taille, soit d'une blessure accidentelle (→ Larme, 3.).

Par métaphore (vieilli et poét.). *Les pleurs de l'aube* (1. Aube, cit. 1), *de l'aurore.* ⇒ **Rosée** (→ Baigner, cit. 14).

Toi qui sèches les pleurs des moindres graminées (...) 7
Edmond ROSTAND, Chantecler, I, 2.

DÉR. Pleureux.
HOM. Pleure, formes du v. 1. **pleurer.**

PLEURACANTHE [plœʀakɑ̃t] ou **PLEURACANTHUS** [plœʀakɑ̃tys] n. m. — Déb. XXe; a désigné au XIXe un insecte et un trilobite; de *pleur(o)-,* et *-acanthe.* → Cœlacanthe.

♦ Didact. Poisson fossile (carbonifère, permien) présentant à la fois des caractères propres aux sélaciens (dentition de requin) et aux crossoptérygiens (bouche terminale).

PLEURAGE [plœʀaʒ] n. m. — Mil. XXe; de 1. *pleurer.*

♦ Techn. (électroacoustique). Variation de hauteur du son produite par une vitesse non uniforme de défilement du support (vitesse de rotation d'un tourne-disque, de déroulement d'un ruban magnétique). — Variation de vitesse du support entraînant ce défaut. *Ce tourne-disque a un pleurage inférieur à 0,2 %.*

PLEURAL, ALE, AUX [plœʀal, o] adj. — 1845; dér. sav. du grec *pleura.* → Plèvre.

♦ Anat. Qui fait partie de la plèvre; qui concerne la plèvre*. *Calotte pleurale ou dôme pleural. — Adhérences pleurales. — Épanchement pleural.*

PLEURANT, ANTE [plœʀɑ̃, ɑ̃t] adj. et n. m. — 1538; p. prés. adjectivé de 1. *pleurer.*

♦ **1.** Vx. ou littér. Qui pleure, qui est en pleurs. *«Que la veuve d'Hector pleurante à vos genoux (...)»* (Racine, *Andromaque,* III, 4).

Pour quelques jours ou quelques semaines, il cessait d'être une pauvre chose souffrante et pleurante. Valery LARBAUD, Fermina Marquez, XVI. 1

♦ **2.** N. m. Mod. (Arts). Statue ou statuette qui représente un personnage en costume de deuil en train de pleurer, faisant partie d'un tombeau monumental. *Le motif des pleurants était particulièrement fréquent dans la sculpture bourguignonne au XVe siècle. Les pleurants du tombeau de Philippe Pot.*

(...) les pleurants de Philippe Pot combinent une sorte d'architecture humaine plus forte et plus dure que les colonnettes et les arceaux des tombeaux des ducs *(par Sluter).* Henri FOCILLON, Art d'Occident, p. 295. 2

PLEURARD, ARDE [plœʀaʀ, aʀd] adj. et n. — 1552; de 1. *pleurer,* et suff. péj. *-ard.*

♦ **1.** Fam. Qui pleure à tout propos, niaisement. *Gamin pleurard.* ⇒ **Braillard, chialeur, pleurnicheur.** — N. *Un pleurard, une pleurarde.* — Allus. littér. *«Mais je hais les pleurards, les rêveurs à nacelle...»* (→ Engeance, cit. 3, Musset).

Mais dès ce moment-là je me dis : «Il n'est pas possible que ce soit là le vrai secret de la vie». Tout mon être se révoltait contre ces moines pleurards. 1
ALAIN, Propos, 10 oct. 1909, Bonne humeur.

♦ **2.** Par ext. *Air, ton pleurard.* ⇒ **Plaintif, pleureur.**

2 C'était ce hargneux Giraudat, qui prit un ton pleurard (...)
ALAIN-FOURNIER, le Grand Meaulnes, I, VII.

CONTR. Gai, heureux, joyeux.

PLEURE [plœʀ] n. f. — D. i.; de 1. *pleurer.*

♦ Didact. ou régional. Source intermittente dont le débit varie suivant les saisons et les intempéries. *La fontaine Maria, en forêt de Fontainebleau, est une pleure.*

HOM. Pleur, formes du v. 1. **pleurer.**

PLEURECTOMIE [plœʀɛktɔmi] n. f. — 1890, *in* P. Larousse, *Deuxième Suppl.*; de *pleur(o)-*, et *-ectomie.*

♦ Chir. Excision d'une partie de la plèvre épaissie à la suite d'une inflammation.

PLEURE-MISÈRE [plœʀmizɛʀ] n. invar. — 1798; de 1. *pleurer*, et *misère.*

♦ Vx. Avare*, personne qui se plaint sans cesse d'être dans le besoin. *Une pleure-misère. Des pleure-misère.*

1. PLEURER [plœʀe] v. intr. et tr. — 980, *plorer*; du lat. *plorare* «crier, se lamenter, pleurer».

★ **I.** V. intr. **A.** (Concret). ♦ **1.** Répandre des larmes sous l'effet d'une émotion, notamment lorsque cet écoulement de larmes s'accompagne de cris, de plaintes, de sanglots... et qu'il est la manifestation d'une émotion pénible, d'une souffrance physique ou morale. ⇒ **Brailler** (I., fam.), **braire** (fam.), **chialer** (fam.), **chigner** (vx), **plaindre** (se), **pleurnicher, sangloter** (→ littér. Laisser couler*, répandre*, verser* des larmes, des pleurs). *Se mettre à pleurer* (→ Fondre en larmes). *Avoir envie de pleurer. Être triste, avoir le cœur gros au point de pleurer. Se retenir de pleurer.* ⇒ **Étouffer** (ses larmes); → Émoi, cit. 2. *Se surprendre à pleurer. Pleurer légèrement, être sur le point de pleurer* (→ Avoir les yeux embués; être au bord des larmes). *Pleurer sans contrainte* (cit. 6), *à chaudes larmes* (cit. 7). → littér. Être baigné, inondé... de pleurs; verser des torrents de larmes; baigner, mouiller, tremper... son mouchoir. *Pleurer comme un enfant* (→ Élancer, cit. 3; flageoler, cit. 1). — Fam. *Pleurer comme une madeleine*, comme une vache, comme un veau... :* pleurer beaucoup. *Il pleure facilement, souvent.* ⇒ **Pleurard** (fam.), **pleureur** (→ Avoir le don des larmes*). *Pleurer soulage quelquefois. Tarir ses larmes à force de pleurer. Sécher ses larmes après avoir pleuré.*

1 Et, ce disant *(Gargantua)* pleurait comme une vache; mais tout soudain riait comme un veau (...)
RABELAIS, Pantagruel, III.

2 (...) je me compassionne fort tendrement des afflictions d'autrui, et pleurerais aisément par compagnie, si, pour occasion que ce soit, je savais pleurer.
MONTAIGNE, Essais, II, XI.

3 Je cherche le silence et la nuit pour pleurer. CORNEILLE, le Cid, III, 4.

4 Vous êtes empereur, Seigneur, et vous pleurez! RACINE, Bérénice, IV, 5.

5 (...) il *(l'enfant)* ne commence à rire qu'au bout de quarante jours; c'est aussi le temps auquel il commence à pleurer, car auparavant les cris et les gémissements ne sont point accompagnés de larmes.
BUFFON, Hist. nat. de l'homme, De l'enfance.

6 Il y a cependant des femmes qui ne savent point tirer parti de leur douleur et pleurent de façon à se rendre le nez rouge et à se décomposer la figure comme les mascarons qu'on voit aux fontaines : c'est un grand écueil.
Th. GAUTIER, Mlle de Maupin, I.

7 Et il pleurait. — Pleurez, reprit le pharmacien, donnez cours à la nature, cela vous soulagera! FLAUBERT, Mme Bovary, III, IX.

8 Elle pleurait sans bruit, comme pleurent les femmes dans les grands chagrins poignants. C'était, dans tout son corps, une sorte d'ondulation qui finissait par un petit sanglot, caché, étouffé sous ses doigts. MAUPASSANT, l'Inutile Beauté, I.

Œuvre dramatique, comédie (→ Larmoyant, cit. 4), *film, roman qui fait pleurer.* ⇒ **Tirer** (des larmes, des pleurs). *Pleurer au théâtre* (→ 2. Lieu, cit. 42). *«Vive le mélodrame* (cit. 1) *où Margot a pleuré!»* (Musset).

9 Pour me tirer des pleurs, il faut que vous pleuriez. BOILEAU, l'Art poétique, III.

10 Une femme était à une représentation de *Mérope*, et ne pleurait point; on en était surpris. «Je pleurerais bien, dit-elle, mais je dois souper en ville.»
CHAMFORT, Caractères et anecdotes, «Pleurer et souper».

11 Jacques Forestier pleurait vite. Le cinématographe, la mauvaise musique, un feuilleton, lui tiraient des larmes. Il ne confondait pas ces fausses preuves du cœur avec les larmes profondes. Celles-là paraissent couler sans motif.
COCTEAU, le Grand Écart, I.

(Compl. de cause en *de*). *Pleurer d'attendrissement, de dépit* (→ 2. Errer, cit. 2); *pleurer de joie* (→ Extasier, cit. 1), *de tendresse* (→ Forger, cit. 9). *Pleurer de rage* (→ Galopin, cit. 2)... *Faire pleurer qqn d'admiration* (→ Époque, cit. 5).

Allus. littér. *«Ma conviction est sortie du cœur* (cit. 163), *j'ai pleuré et j'ai cru»* (Chateaubriand). *«Gémir, pleurer, prier est également lâche»* (→ Énergiquement, cit. Vigny).

(En emploi impersonnel). Poét. *«Il pleure dans mon cœur* (cit. 40) *Comme il pleut sur la ville»* (Verlaine).

Spécialt. Se dit d'un jeune enfant (cit. 3) quand il exprime ses sensations désagréables ou ses besoins par des cris, accompagnés ou non de larmes. ⇒ **Brailler** (fam.), **crier.** *Bébé qui pleure parce qu'il a froid, pour réclamer son biberon...*

Par ext. (En parlant d'un animal). *«Les cerfs pleurent quand ils sont aux abois»* (Académie). — Allus. littér. *«Pleurez, doux alcyons!»* (cit. 1., Chénier).

(En parlant des yeux). *«Pleurez, pleurez, mes yeux, et fondez -vous en eau!»* (→ Fondre, cit. 25, Corneille). *«Les mois, les jours, les flots* (cit. 3) *des mers, les yeux qui pleurent...»* (Hugo).

(En parlant de la voix). *Voix qui pleure*, qui a un ton de désolation, de tristesse (→ Courlis, cit. 1; essaim, cit. 7).

♦ **2.** Loc. fig. *C'est Jean qui pleure et Jean qui rit*, se dit d'un homme qui passe facilement de la tristesse à la gaieté. — *Ne pleurer que d'un œil* : feindre la tristesse. *«Il pleure d'un œil et rit de l'autre»* (La Bruyère, VIII, 62). — *N'avoir plus que les yeux** (I., 6.) *pour pleurer* : avoir tout perdu. — *Ne pas avoir assez de ses yeux pour pleurer* : éprouver un chagrin cruel, inexprimable.

Patiente un peu, chienne, et tu verras si je sais punir. Tu n'auras pas assez de tes yeux pour pleurer. SARTRE, les Mouches, II, 3. 12

Prov. *Tel qui rit vendredi, dimanche* (cit. 6) *pleurera* : les circonstances changent vite.

À PLEURER, À FAIRE PLEURER : au point de pleurer, de faire pleurer. *Être fatigué, las* (1. Las, cit. 2) *à pleurer. Une chanson triste à faire pleurer*, ou, fam., *à pleurer.* ⇒ **Lugubre.** *C'est bête, c'est triste à pleurer. Ce livre, ce film est à pleurer*, il est lamentable. — Fig. *C'est* (1. Être, cit. 94) *à faire pleurer les pierres* : c'est une chose très triste, révoltante. → Les pierres* (*supra* cit. 8) crieront.

(...) quelle misère et quelle pitié! Les pierres auraient pleuré. 13
ZOLA, l'Assommoir, XII, t. II, 224.

— Pour que ça change, il faudrait un tremblement de terre. C'est à pleurer. 14
G. DUHAMEL, la Pierre d'Horeb, XII.

♦ **3.** Par métaphore. Littér. *«Les sombres adagios* (cit. 2) *pleurent au milieu des symphonies»* (→ Frisson, cit. 37, Verlaine).

Une sirène pleurait à travers les brumes du port. 15
F. MAURIAC, l'Enfant chargé de chaînes, p. 124.

Poét. (Par allusion à l'attitude penchée d'une personne qui pleure). → Épars, cit. 6, Hugo.

Lorsque la jeune fille, à la source voisine, 16
A sous les nénuphars lavé ses bras poudreux,
Elle reste au soleil, les mains sur la poitrine,
À regarder longtemps pleurer ses beaux cheveux.
A. DE MUSSET, Premières poésies, «La coupe et les lèvres», Dédicace.

Là, des saules pensifs qui pleurent sur la rive, 17
Et, comme une baigneuse indolente et naïve,
Laissent tremper dans l'eau le bout de leurs cheveux.
HUGO, les Feuilles d'automne, XXXIV, I.

♦ **4.** Avoir des larmes qui coulent (pour une raison physiologique, sans exprimer la douleur). *La fumée, l'oignon* font pleurer.* — (Le sujet désigne l'œil, les yeux). *Son œil droit pleure sans cesse.* ⇒ **Larmoyer.** — (Avec un pron. compl. ind.). *Les yeux lui piquent et lui pleurent.*

♦ **5.** Par anal. Se dit d'un arbre, d'une plante, spécialt de la vigne, quand la sève s'écoule (⇒ **Suinter**), après la taille ou par l'effet d'une blessure accidentelle. ⇒ **Larme** (3.), **pleur** (2.). *La vigne pleure au printemps.*

♦ **6.** Loc. pop. *Faire pleurer le gosse, faire pleurer Popaul* : uriner (en parlant d'un homme). ⇒ fam. **Pisser.**

Rien ne m'horripile plus que de pénétrer dans un troquet avec l'intention de (...) faire pleurer le gosse et d'y trouver (...) les ouatères condamnés. 17.1
SAN-ANTONIO, Des gueules d'enterrement, p. 190-191.

B. (Abstrait). ♦ **1.** Littér. Être dans un état d'affliction, accompagné ou non de manifestations extérieures de tristesse (larmes, plaintes...). *Consoler ceux qui pleurent.* ⇒ **Affligé** (→ Guérir, cit. 19).

Bienheureux ceux qui pleurent, parce qu'ils seront consolés. 18
BIBLE (SACY), Évangile selon saint Matthieu, V, 5.

Souffre, ô cœur gros de haine, affamé de justice. 19
Toi, vertu, pleure si je meurs. André CHÉNIER, Iambes, VIII.

Pleurer sur qqn, qqch., être dans la tristesse, s'affliger, se lamenter à propos d'une personne (→ Dévoyer, cit. 2), d'une chose. *Je pleurais sur la misère qui se révélait à moi* (→ Attendrissement, cit. 8; considérer, cit. 10). *Pleurer sur son propre malheur.* ⇒ **Apitoyer** (s'), **gémir** (cit. 7), **lamenter** (se).

Mais Jésus se tournant vers elles, leur dit : Filles de Jérusalem, ne pleurez point sur moi, mais pleurez sur vous-mêmes et sur vos enfants (...) 20
BIBLE (SACY), Évangile selon saint Luc, XXIII, 28.

En pleurant sur les malheureux, on ne supprime pas leur misère. 21
GIDE, Œdipe, II.

Il est doux de pleurer un peu sur soi. Mais comment aurions-nous pu trouver de la pitié pour nous-mêmes quand nous étions entourés par le mépris des autres. 22
SARTRE, Situations III, p. 34.

Plus cour. *Pleurer de qqn* (vx; → Larmoyer, cit. 2, Racine), *de qqch.* (mod.). *«Je me presse de rire de tout, de peur d'être obligé* (cit. 14) *d'en pleurer»* (Beaumarchais). *«Il vaut mieux en rire qu'en pleurer»* (→ Gaieté, cit. 13, Musset). — Vieilli ou littér. *Pleurer de...* (suivi d'un inf.). → Burlesquement, cit.; gai, cit. 1; hurlement, cit. 3. — Loc. mod. *Pleurer de rire**, à force de rire. *C'est à pleurer de rire.*

♦ **2.** Cour. Présenter une doléance, une demande d'une manière humble, plaintive et pressante. *Aller pleurer auprès de qqn pour obtenir qqch.* ⇒ **Implorer.** — Fam. *Aller pleurer dans le gilet de qqn.* — Régional (parfois considéré comme fautif). *Pleurer après* (cit. 89) *qqch.*, demander instamment, réclamer à cor et à cri.

23 Laissons-leur faire leur augmentation de capital, puisqu'ils pleurent après (...)
J. ROMAINS, les Hommes de bonne volonté, t. XII, XXI, p. 218.

★ **II.** V. tr. ♦ **1.** Littér. ou style soutenu. Regretter en pleurant (le compl. direct désignant la personne ou la chose qu'on regrette, au sujet de laquelle on se lamente ou on s'afflige). *Pleurer un mort. Pleurer des parents aimés* (→ Commun, cit. 20), *sa femme* (→ Effrayer, cit. 12), *son époux* (→ Gâter, cit. 10). *« Il faut pleurer les hommes à leur naissance* (cit. 1) *et non à leur mort »* (Montesquieu).

24 Souffrez que loin des Grecs, et même loin de vous,
J'aille cacher mon fils, et pleurer mon époux. RACINE, Andromaque, I, 4.

Pleurer la mort de ses proches (→ Désolation, cit. 1), *la perte* (cit. 1) *d'une personne chère.* ⇒ **Déplorer.** *Pleurer un affront* (cit. 11), *un malheur* (→ Exemple, cit. 27). *Pleurer ses péchés.* ⇒ **Repentir** (se). — Littér. Regretter (→ Antique, cit. 8; aurore, cit. 23; enfuir (s'), cit. 7; heure, cit. 19). *Pleurer sa jeunesse enfuie.* — *La fille de Jephté, qui pleure soixante jours les enfants qu'elle n'aura point.* → Oblation, cit. 2; et, dans le même sens, l'expr. bibl. *pleurer sa virginité* (Juges, XI, 37-38).

25 La plupart des femmes ne pleurent pas tant la mort de leurs amants pour les avoir aimés, que pour paraître plus dignes d'être aimées.
LA ROCHEFOUCAULD, Maximes, 362.

26 — (...) quel malheur pleurez-vous? — Hélas! je pleure tout ce que dans la vie je pouvais perdre de plus cher et de plus précieux : je pleure la mort de mon père.
MOLIÈRE, le Malade imaginaire, III, 14.

27 Jérusalem, objet de ma douleur,
Quelle main en un jour t'a ravi tous tes charmes?
Qui changera mes yeux en deux sources de larmes
Pour pleurer ton malheur? RACINE, Athalie, III, 7.

28 Don Diego, sur la table abondamment servie,
Songe, accoudé, muet, le front contre le poing,
Pleurant sa flétrissure et l'honneur de sa vie.
LECONTE DE LISLE, Poèmes barbares, « La tête du comte ».

Fam. *Pleurer misère :* se plaindre, crier* misère.

29 Dans la journée, le boucher vaquait à ses occupations tout en pleurant misère devant les chalands. — Je n'arriverai jamais à joindre les deux bouts, gémissait-il.
P. MAC ORLAN, Quai des brumes, VII.

♦ **2.** (XIIIe, *ne plorer pas les despens*). Fam. ou régional (utilisé surtout à la forme négative). Accorder, dépenser, employer avec parcimonie, à regret. ⇒ fam. **Plaindre.** *Tu n'as pas pleuré le beurre sur ta tartine. Il ne pleure pas sa peine.* — Loc. prov. *Pleurer le pain qu'on mange,* se dit d'une personne avare* qui lésine sur la nourriture, sur les dépenses les plus nécessaires.

♦ **3.** (Avec un complément d'objet « interne »). ⇒ **Répandre, verser** (→ 1. Mal, cit. 3). — Fig. *Pleurer des larmes* de sang* (→ Mésalliance, cit. 2).

30 Vous avez pleuré des larmes de joie et des larmes de désespoir (...)
A. DE MUSSET, On ne badine pas avec l'amour, II, 5.

31 Leurs yeux rougis et vitreux semblaient pleurer du sang (...)
BALZAC, le Curé de village, Pl., t. VIII, p. 613.

Par métaphore :

32 Et que j'aime ô saison que j'aime tes rumeurs
Les fruits tombant sans qu'on les cueille
Le vent et la forêt qui pleurent
Toutes les larmes en automne feuille à feuille APOLLINAIRE, Alcools, p. 157.

33 La nuit pleure ses larmes grises entre les sapins (...)
Léon-Paul FARGUE, Poèmes, p. 73.

Loc. *Pleurer toutes les larmes* (cit. 17.1) *de son corps.*

Par anal. (→ ci-dessus, I., A., 5.). *La tige des figuiers* (cit. 2) *pleure du lait.*

34 (...) un verger en province pleurant ses gommes d'or (...)
SAINT-JOHN PERSE, Œuvres poétiques, « Vents », IV, 5.

▶ **SE PLEURER** v. pron.

(Réfl.). Rare. Pleurer sur soi-même.

35 Les poètes ont dit qu'avant sa dernière heure
En sons harmonieux le doux cygne se pleure (...)
LAMARTINE, Premières méditations, « Mort de Socrate ».

CONTR. Rire.

DÉR. et **COMP. Pleur, pleurage, pleurant, pleurard, pleure,** 2. **pleurer, pleureur, pleurnicher, pleuroter. — Pleure-misère.** — (Du même rad.). V. **Déplorer, implorer.**

HOM. 2. **Pleurer.**

2. PLEURER [plœʀe] n. m. — XVIIe; de 1. *pleurer.*

♦ **1.** Vx. Fait de pleurer (cf. La Fontaine, *Psyché,* 1).

♦ **2.** Méd. *Pleurer spasmodique,* observé dans les états lacunaires du cerveau.

HOM. 1. **Pleurer.**

PLEURÉSIE [plœʀezi] n. f. — XIIIe, *pleurisie;* lat. médiéval *pleuresis,* du grec *pleuritis.* → Pleurite, plèvre.

♦ Méd. et cour. Maladie qui consiste en une inflammation aiguë ou chronique de la plèvre*, accompagnée ou non d'épanchement (→ Bon, cit. 30; esquinancie, cit. 1). *La pleurésie était confondue autrefois avec la pneumonie.* ⇒ **Péripneumonie.** *Pleurésie purulente, traitée au moyen de ponctions*. Pleurésie sèche.* ⇒ **Pleurite.** *Attraper, contracter* (→ Chemin de fer, cit. 7), *gagner une pleurésie* (→ Génépi, cit. 1). *L'amplexion*, méthode pour le diagnostic de la pleurésie.*

PLEURÉTIQUE [plœʀetik] adj. — 1240; empr. au lat. médiéval *pleureticus,* du rad. de *pleura.* → Plèvre.

Médecine.

♦ **1.** Qui est relatif à la pleurésie. *Point (de côté) pleurétique :* douleur vive déclenchée par la respiration à l'endroit d'une pleurésie. — *Souffle pleurétique,* qui révèle, à l'auscultation, un épanchement pleural.

♦ **2.** Qui souffre de pleurésie. *Enfant pleurétique.* — N. *Un, une pleurétique. Soigner des pleurétiques.*

PLEUREUR, EUSE [plœʀœʀ, øz] n. et adj. — 1475, *ploureur; plurus,* adj., fin XIe; de 1. *pleurer.*

♦ **1.** Vx. Personne qui pleure facilement.

J'eus donc toujours les yeux pleins de larmes, car je suis une pleureuse (...) 1
Mme DE SÉVIGNÉ, 1294, août 1690.

Adj. *Enfant pleureur.* — Par ext. *Air, ton pleureur.* ⇒ **Pleurard** (→ Flux, cit. 1).

L'éloquent, le bon, le sensible, le pleureur Lally, qui n'écrivit qu'avec des larmes, 2
et vécut le mouchoir à la main (...)
MICHELET, Hist. de la Révolution franç., IV, II.

♦ **2.** (1771). *Arbre pleureur,* dont les branches s'inclinent et pendent vers la terre. *Frêne pleureur.* — Cour. *Saule* pleureur* (→ Parc, cit. 9).

DÉR. 1. **Pleureuse,** 2. **pleureuse.**

HOM. (Du fém.) 1. **Pleureuse,** 2. **pleureuse, pleureuse** (fém. de *pleureux*).

1. PLEUREUSE [plœʀøz] n. f. — 1575; *ploreresse,* XIIIe; de *pleureur.*

♦ **1.** Femme payée pour pleurer et se lamenter aux veillées funèbres, aux funérailles*. *Chant funèbre des pleureuses romaines* (⇒ **Nénie**), *corses* (⇒ **Vocero**).

♦ **2.** N. f. pl. (1718). Vx. ou hist. Grandes manchettes* blanches qu'on mettait autrefois au début d'un deuil. — (XIXe). Par ext. Manchettes analogues, pour les dames. — Adj. *Porter des manches pleureuses.*

HOM. Pleureuse (fém. de *pleureur*), 2. **pleureuse, pleureuse** (fém. de *pleureux*).

2. PLEUREUSE [plœʀøz] n. f. — 1845; de *pleureur* (2.), par analogie.

♦ Vx. Plume d'autruche, ornementale, dont les barbes s'incurvent et pendent (comme les branches d'un arbre pleureur).

HOM. Pleureuse (fém. de *pleureur*), 1. **pleureuse, pleureuse** (fém. de *pleureux*).

PLEUREUX, EUSE [plœʀø, øz] adj. — XIe, *plurus* (→ Pleureur); de *pleur.*

♦ Vx. Qui montre qu'on a pleuré, qu'on est sur le point de pleurer. *Air, ton pleureux.* ⇒ **Pleurard** (mod.). — (En parlant d'une personne). *Un solliciteur pleureux.* — N. *« Ce grand pleureux »* (Boileau, *les Héros de romans*).

HOM. (Du fém.) **Pleureuse** (fém. de *pleureur*), 1. **pleureuse,** 2. **pleureuse.**

PLEURITE [plœʀit] n. f. et m. — 1823; lat. médical *pleuritis.* → Pleurésie.

♦ **1.** N. f. Méd. Pleurésie localisée et sans épanchement. ⇒ **Pleurésie** (sèche).

♦ **2.** N. m. Zool. Partie latérale membraneuse (d'un insecte).

PLEURNICHAGE [plœʀniʃaʒ] n. m. — 1804, *in* D. D. L.; de *pleurnicher.*

♦ Syn. de *pleurnichement*.*

PLEURNICHANT, ANTE [plœʀniʃɑ̃, ɑ̃t] adj. — V. datation au verbe ; de *pleurnicher.*

♦ Rare. Qui pleurniche.

Et tu réponds d'une voix méprisante que tu le sais mais que tu n'es pas une pleurnichante esclave comme ma putain de femme.
Louis PAUWELS, l'Amour monstre, p. 186.

PLEURNICHARD, ARDE [plœʀniʃaʀ, aʀd] adj. et n. — 1899 ; de *pleurnicher,* et suff. péj. *-ard.*

♦ Qui pleurniche. ⇒ **Pleurnicheur.** *Une gamine pleurnicharde.* — N. *Un petit pleurnichard.*

Par ext. *Air, ton pleurnichard.*

Le soir, son père et lui se promenèrent ensemble, avec le chien pleurnichard et bête.
Michel DEL CASTILLO, Tanguy, p. 241.

PLEURNICHEMENT [plœʀniʃmɑ̃] n. m. ou **PLEURNICHERIE** [plœʀniʃʀi] n. f. — 1789, dans le langage poissard, *in* D. D. L., *pleurnichement ; pleurnicherie,* 1845 ; de *pleurnicher.*

♦ Fam. Action, fait de pleurnicher. ⇒ **Larmoiement** (→ Chien, cit. 37 ; fatiguer, cit. 12). *Le pleurnichement, la pleurnicherie de qqn.* — Plus cour. *Une, des pleurnicheries.*

1 (...) tu me reviendras le lendemain tout meurtri de tes caresses anguleuses et soûl de ses larmes (...) de ses pleurnicheries qui doivent faire de ses faveurs des averses !
BALZAC, la Cousine Bette, Pl., t. VI, p. 411.

2 Ne nous abandonnons pas à des pleurnichements féminins, dit le bretteur. Montrons un mâle et stoïque courage (...)
Th. GAUTIER, le Capitaine Fracasse, XII.

Syn. : *pleurnichage,* n. m.

PLEURNICHER [plœʀniʃe] v. intr. — 1739 ; de *pleurer ;* l'élément *-nicher* correspond à des formes régionales signifiant « morve » (Guiraud).

♦ Pleurer sans raison, d'une manière affectée. *Ce gosse est toujours en train de pleurnicher.* ⇒ **Chigner** (fam.), **geindre** (→ Avoir toujours la larme* à l'œil), **pleuroter.** — Parler sur un ton larmoyant.

DÉR. Pleurnichage, pleurnichant, pleurnichard, pleurnichement ou **pleurnicherie, pleurnicheur.**

PLEURNICHERIE [plœʀniʃʀi] n. f. ⇒ **Pleurnichement.**

PLEURNICHEUR, EUSE [plœʀniʃœʀ, øz] n. et adj. — 1774 ; de *pleurnicher.*

♦ Personne qui pleurniche à tout propos, qui a l'habitude de geindre, de grogner. ⇒ **Larmoyeur** (cit. 2), **pleurnichard.** — Adj. *Gamin pleurnicheur.* ⇒ **Criard, grognon.** — Par ext. *Air, ton pleurnicheur.* ⇒ **Geignard, larmoyant, pleurard.**

Asseyez-vous, mademoiselle, on en a assez de vos chansons. *(Victorine pleure).* Je vais envoyer les pleurnicheuses tout à l'heure à la porte.
Henri MONNIER, Scènes populaires, t. I, p. 175.

PLEURO- Premier élément de mots savants, du grec *pleuron* « côté ». ⇒ **Pleurésie, plèvre.**

PLEUROBRANCHE [plœʀobʀɑ̃ʃ] n. m. — 1818, *in* D. D. L. ; de *pleuro-,* et *branches* « branchies ».

♦ Zool. Mollusque gastéropode opisthobranche. *Les pleurobranches comprennent plusieurs espèces marines.*

PLEUROCENTÈSE [plœʀosɛ̃tɛz] n. f. — Mil. xxe ; de *pleuro-,* et grec *kentêsis* « ponction ».

♦ Méd. Ponction de la plèvre, en général pour évacuer le liquide qui s'y est accumulé.

PLEURODYNIE [plœʀodini] n. f. — 1810 ; de *pleuro-,* et *-dynie,* du grec *odunê* « douleur ».

♦ Méd. Point de côté. *La pleurodynie correspond généralement à une affection rhumatismale des muscles du thorax.* ⇒ **Rhumatisme.**

PLEURONECTES [plœʀɔnɛkt] ou **PLEURONECTIDÉS** [plœʀɔnɛktide] n. m. pl. — 1798, *pleuronectes ; pleuronectidés,* 1847 ; de *pleuro-,* et grec *nêktos* « nageant ».

♦ Zool. Famille de poissons téléostéens, au corps aplati dans le sens latéral et dont les deux yeux se trouvent du même côté du corps, appelés couramment *poissons plats.* ⇒ **Flet, flétan, limande, plie, sole, turbot.** — Au sing. *Un pleuronecte.*

PLEUROPNEUMONIE [plœʀopnømɔni] n. f. — xvie ; de *pleuro-,* et *pneumonie.*

♦ Méd. Inflammation simultanée de la plèvre (pleurésie) et des poumons (pneumonie).

PLEUROTE [plœʀɔt] n. m. — 1873, *in* P. Larousse ; *pleurope,* 1816 ; de *pleur(o)-,* et grec *ous, otos* « oreille ».

♦ Bot. Champignon basidiomycète hyménomycète *(Agaricinées),* à pied inséré sur le côté, qui vit ordinairement sur le bois. *Pleurote du chêne, de l'orme* (appelé *oreille d'orme*), *du panicaut. Le pleurote est comestible. Omelette aux pleurotes.*

HOM. Formes du v. **pleuroter.**

PLEUROTER [plœʀɔte] v. intr. — 1868, Barbey, *in* D. D. L. ; de 1. *pleurer,* et suff. *-oter.*

♦ Fam. et vx. Pleurnicher ; pleurer doucement, à petit bruit.

PLEUROTOMIE [plœʀɔtomi] n. f. — 1876 ; de *pleuro-,* et suff. *-tomie.*

♦ Méd. Ouverture chirurgicale de la plèvre, pour évacuer une collection liquide ou pour examen à l'endoscope.

PLEUROTRÈMES [plœʀɔtʀɛm] n. m. pl. — Mil. xxe ; de *pleuro-,* et *-trème.*

♦ Zool. Poissons sélaciens à fentes branchiales latérales (à la différence des raies, qui sont dites *hypotrèmes*). ⇒ **Requin.** — Au sing. *Un pleurotrème.*

PLEURS [plœʀ] n. m. pl. ⇒ **Pleur.**

PLEUTRE [pløtʀ] n. m. et adj. — 1750 ; p.-ê. empr. au flamand *pleute* « chiffon » ; employé au fig. comme terme d'injure.

♦ Littér. ou style soutenu. Homme sans courage, sans dignité. ⇒ **Lâche, poltron** (→ Pétochard, cit. 2). *C'est un pleutre, un capon. Fuir comme un pleutre.*

Toutes choses égales d'ailleurs, l'œuvre qui (...) représente un héros vaut mieux 1
que celle qui représente un pleutre (...) TAINE, Philosophie de l'art, t. II, p. 289.

Adj. *Il est très pleutre.* ⇒ **Peureux.** — (Choses). *Son attitude est assez pleutre.*

Les journaux m'exaspèrent, dont l'optimisme pleutre et suranné semble toujours 2
croire que le triomphe consiste à ne pas consentir à s'apercevoir des coups que l'on reçoit.
GIDE, Journal, 29 oct. 1916.

CONTR. Courageux.

DÉR. Pleutrerie.

PLEUTRERIE [pløtʀəʀi] n. f. — 1879, Vallès ; de *pleutre.*

♦ Littér. Caractère de pleutre. ⇒ **Lâcheté.** « *Profiter de la pleutrerie des gouvernants et des gouvernés* » (J. Vallès, *le Cri du peuple,* 10 févr. 1879, *in* D. D. L.).

Benoîte, plus sensible à la poésie de la vérité, qu'à la vérité de la poésie, ne m'a pas pardonné ma pleutrerie et a feint de se désintéresser de mon instruction.
Benoîte et Flora GROULT, Journal à quatre mains, p. 151.

Une pleutrerie : une lâcheté.

PLEUVASSER [pløvase] v. impers. — Attesté xxe ; forme dial. de *pleuv(oir),* et suff. péj. *-asser.*

♦ Pleuvoir légèrement, par petites averses. ⇒ **Bruiner, pleuviner, pleuvoter.**

PLEUVINER [pløvine] v. intr. — 1874 ; *plovíner,* xiie ; de *pleuv(oir).*

♦ Bruiner*, faire du crachin. ⇒ **Crachiner ; pleuvasser, pleuvocher, pleuvoter.**

Une nuit qu'il pleuvinait, nous faisions cercle au robinet d'un tonneau (...) un mor- 1
ceau de serpillière, tendu du bout des brancards à deux poteaux, nous servait de toit.
CHATEAUBRIAND, Mémoires d'outre-tombe, t. II, p. 50.

Var. : *pluviner.*

Il pluvine, il neigeotte, 2
L'hiver vide sa hotte.
VERLAINE, Bonheur, XXIII.

PLEUVIOTER [pløvjɔte] v. impers. ⇒ **Pleuvoter.**

PLEUVOCHER [pløvɔʃe] v. intr. — Attesté mil. xxe ; var. dial. de *pleuvoter.*

♦ Régional. Bruiner. ⇒ **Pleuviner.**

Comble de malchance, le temps était gris et mou, il pleuvochait, une pellicule de boue grisâtre collait au trottoir (...)
Roger IKOR, les Fils d'Avrom, Les eaux mêlées, 1955, p. 500.

PLEUVOIR [pløvwaʀ] v. impers., tr. ind.. et intr. ; — *Il pleut ; il pleuvait ; il plut ; il pleuvra ; qu'il pleuve ; qu'il plût ; pleuvant ; plu.* — 1160, *pluveir ;* du bas lat. *plovere,* lat. class. *pluere.*

★ **I.** V. impers. ♦ **1.** (Emploi absolu). Se produire (en parlant du phénomène météorologique appelé *pluie*) ; tomber, (en parlant de l'eau de pluie). ⇒ **Flotter** (I., 4., fam.) ; **pluie.** *Pleuvoir légèrement, à peine.* ⇒ **Bruiner, pleuvasser, pleuviner, pleuvocher, pleuvoter.** *Il pleut* (→ 1. Froid, cit. 1 ; hiver, cit. 4 ; imperméable, cit. 3). *Il pleut beaucoup* (→ Garer, cit. 6). — Prov. « *Quand il pleut à la Saint-Médard, il pleut quarante jours plus tard* ». *Il pleuvait à verse, à flots, à seaux*, à torrents*,* très fort (→ Effeuiller, cit. 1 ; lavage, cit. 1). — Littér. *Pleuvoir par torrents* (→ Dru, cit. 2). — Fam. *Pleuvoir comme vache qui pisse.* — Pop. *Ça pleut :* il pleut. *Ça va pleuvoir.* — *Il sort par tous les temps, qu'il pleuve, qu'il vente...* (→ Ouvrier, cit. 1). — « *Il pleure dans mon cœur* (cit. 40) *comme il pleut sur la ville* » (Verlaine). *Il pleut dans cette pièce, dans cette voiture* (→ Patache, cit. 3).

1 Il pleut, il pleut, bergère,
Presse tes blancs moutons. FABRE D'ÉGLANTINE, l'Orage.

2 Il avait plu toute la nuit ; la terre était défoncée par l'averse ; l'eau s'était çà et là amassée dans les creux de la plaine comme dans des cuvettes ; sur de certains points les équipages du train en avaient jusqu'à l'essieu (...)
HUGO, les Misérables, II, I, V.

3 À Solférino, ça chauffait dur, et il pleuvait cependant, oh ! il pleuvait (...) Je n'avais pas un fil de sec, l'eau m'entrait dans le dos et coulait dans mes souliers (...) Ça, on peut le dire sans mensonge, nous avons été mouillés !
ZOLA, la Terre, I, V.

4 Françoise revenait : C'est Mme Amédée (ma grand-mère) qui a dit qu'elle allait faire un tour. Ça pleut pourtant fort.
PROUST, À la recherche du temps perdu, t. I, p. 141.

♦ **2.** Descendre, venir du ciel, (en parlant des précipitations). ⇒ **Tomber** (*supra* cit. 7). *Il pleut de grosses gouttes.*

5 Oh ! murmura Nénesse, retourné sur la porte, je ne sais pas ce qu'il va pleuvoir (...) Le ciel est d'une drôle de couleur. — Oui, dit Jean, j'ai vu grandir un vilain nuage. ZOLA, la Terre, II, II.

Fig. *Il pleut des cordes, des hallebardes** (cit. 4). « *Il plut du sang* » (La Fontaine, *Fables,* VII, 8). *Il pleut des bombes* (→ ci-dessous, II.). « *Ce sont des étoiles* (cit. 21) *qu'il pleut* » (Aragon). — Loc. fam. *Comme s'il en pleuvait.* ⇒ **Beaucoup.**

6 (...) ces messieurs jouaient (...) au noble jeu de piquet, abattant (...) des quintes comme s'il en pleuvait (...)
COURTELINE, Messieurs les ronds-de-cuir, 5e tableau, III.

7 Il allait encore pleuvoir (...) Il pourrait bien pleuvoir toutes les larmes du ciel, pleuvoir tout un déluge, cela n'effacerait rien. Non, un siècle de pluie ne laverait pas ça. R. DORGELÈS, les Croix de bois, XV.

Spécialt. *Il plut dans son escarcelle* (cit. 1).
« *Il pleut ici de mauvais livres* » (Voltaire, *in* Littré), il en paraît beaucoup. — Iron. *Il pleut des vérités premières.*

8 Mes Fâcheux à la fin se sont-il écartés ?
Je pense qu'il en pleut ici de tous côtés. MOLIÈRE, les Fâcheux, II, 1.

★ **II.** V. pers. (intr.). — Littér. S'abattre, tomber (du ciel, d'en haut), en parlant de ce que l'on compare à l'eau de pluie, aux gouttes... *Des gouttes de sang pleuvent* (→ 1. Fumer, cit. 12). *Le sang pleut goutte à goutte* (1. Goutte, cit. 36). ⇒ **Couler** (→ Larme, cit. 25). *Le grain* (cit. 5) *pleuvait en grêle ; le sable pleuvait finement* (→ Grésillement, cit. 2). — Fig. *La mousseline* (cit. 4) *pleut abondamment devant les fenêtres.*

9 Tous les bras étaient tendus vers eux, les cœurs s'élançaient. De toutes les fenêtres les bénédictions, les fleurs pleuvaient, et les larmes (...)
MICHELET, Hist. de la Révolution franç., II, I.

10 (...) les branches brisées plurent autour de lui. MONTHERLANT, le Songe, I, X.

Plus cour. (Le sujet désigne un projectile, un coup). *Les bombes, les boulets, les obus pleuvaient* (→ Héroïque, cit. 27). *Faire pleuvoir les coups* (→ Approcher, cit. 22).

11 (...) cent autres passages où la raillerie pleut, drue comme mitraille (...)
BAUDELAIRE, Notes nouvelles sur E. Poe, II, *in* E. POE, Œ. en prose, Pl., p. 1063.

Affluer*, arriver en abondance. *Les volumes pleuvent* (→ Farcir, cit. 8). *Les biens, les dignités, les honneurs... pleuvent sur lui* (Académie).

12 Que de biens, que d'honneurs sur toi s'en vont pleuvoir. BOILEAU, Satires, VIII.

13 (...) ici, pleuvent des départements les nouvelles vraies ou fausses, les accusations justes ou non. MICHELET, Hist. de la Révolution franç., IV, V.

13.1 Les rapports pleuvaient. Ils étaient maintenant adressés par les innombrables organismes privés. P. GASCAR, les Bêtes, p. 121.

★ **III.** Littér. Faire pleuvoir, faire tomber la pluie (cf. La Fontaine, *Fables,* VI, 4 ; Bossuet, *Sermon sur la nécessité de la vie, in* Littré). *Le ciel* (cit. 38) *pleut lourdement* (→ Nue, cit. 3). *Le ciel pleuvait...* (Mauriac, *Génitrix,* XII).

14 Derrière moi un gros nuage pleuvait sur le Rhin (...) HUGO, le Rhin, XXX.

Trans. (Rare). Verser, répandre comme une pluie.

Hélas, quelquefois vous *(Jupiter)* pleuvez 15
Toutes les eaux que vous avez. SCARRON, Virgile travesti, V,
in DAMOURETTE et PICHON, Essai de grammaire, § 1489.

DÉR. Pleuvasser, pleuviner, pleuvocher, pleuvoter.

PLEUVOTER [pløvɔte] v. impers. — Attesté XXe ; dér. dial. de *pleuv(oir),* et suff. fréquentatif *-oter.*

♦ Pleuvoir légèrement. ⇒ **Pleuvasser, pleuviner.** — REM. *Pleuvoter* semble le verbe le plus courant de la série des dér. de *pleuvoir.* On trouve une variante *pleuvioter* [pløvjɔte].

La nuit était tombée, il pleuviotait. R. DORGELÈS, À bas l'argent ! p. 309.

PLÈVRE [plɛvʀ] n. f. — 1552 ; empr. au grec *pleura* « côté » (→ Pleuro-) avec la prononc. byzantine [plevʀa].

♦ Anat. Chacune des deux membranes séreuses qui enveloppent les poumons. *La plèvre comporte un feuillet pariétal, qui tapisse les parois internes de la cage thoracique, et un feuillet viscéral* (ou *pulmonaire*) *appliqué sur la surface du poumon. La plèvre pariétale comprend la plèvre cervicale* (sommet du poumon), *costale, diaphragmatique... Relatif à la plèvre.* ⇒ **Pleural, pleuro-.** *Inflammation de la plèvre.* ⇒ **Empyème, pleurésie, pleuropneumonie.** *Insufflation d'air dans les plèvres.* ⇒ **Pneumothorax.**

Les plèvres (...) sont des membranes séreuses, des sacs sans ouverture (...) destinées à faciliter le glissement des poumons sur les parois de la loge qui les renferme. Il existe deux plèvres, l'une pour le poumon gauche, l'autre pour le poumon droit (...) Chacune des deux plèvres comprend deux feuillets (...) Entre ces deux feuillets se trouve une cavité (...) simplement *virtuelle* à l'état normal : elle n'existe *réellement* que lorsqu'elle est le siège d'un épanchement liquide ou gazeux.
L. TESTUT, Traité d'anatomie, t. III, p. 985.

PLEXIGLAS [plɛksiglas] n. m. — 1944 (en all., 1928) ; nom de marque déposé par la firme Röhm und Haas.

♦ Verre de sécurité, matière plastique transparente (polymétacrylate). ⇒ **Altuglas.**

Le Plexiglas est à base de résine méthacrylique. D'une remarquable transparence, 1
supérieure même à celle du verre, il se travaille facilement et peut notamment être scié et percé ; il est très léger, deux fois moins dense que le verre (d = 1,18) ; il résiste bien aux agents atmosphériques et à certains agents chimiques tels que l'oxygène, l'ozone et le chlore. On peut le courber ou le galber (...) Le Plexiglas est très utilisé dans l'industrie automobile et l'industrie aéronautique pour les pare-brise et les glaces de portières et de cabines. Jean VÈNE, les Plastiques, p. 95.

(...) les portes géantes en plexiglas des Galeries Modernes, les vitrines aux manne- 2
quins hermaphrodites proposant leur camelote en matière plastique, les soieries en matière plastique (...) Claude SIMON, le Vent, p. 104.

PLEXULAIRE [plɛksylɛʀ] adj. — Mil. XXe ; dér. sav. de *plexus,* d'après des adj. en *-ulaire.*

♦ Didact. D'un plexus.

PLEXUS [plɛksys] n. m. — 1541 ; lat. *plexus,* mot de basse époque, « enlacement » ; dér. de *plectere* « tresser ».

♦ Anat. Entrelacement, réseau de nerfs ou de vaisseaux, constitué par de nombreuses anastomoses. *Plexus nerveux* (⇒ **Nerf**) : *plexus des branches antérieures des nerfs rachidiens ; plexus cervical* (quatre premiers nerfs cervicaux), *brachial* (quatre derniers nerfs cervicaux et premier nerf dorsal), *lombaire* (quatre premiers nerfs lombaires), *sacré* (cinquième nerf lombaire et quatre premiers nerfs sacrés), *coccygien* (deux derniers nerfs sacrés et nerf coccygien) ; *plexus et ganglions du sympathique (plexus pharyngien, thyroïdien, cardiaque, pulmonaire).* — Cour. *Plexus solaire,* au creux de l'estomac (ganglions* semi-lunaires, aorticaux-rénaux, mésentériques supérieurs, nerfs splanchniques, pneumogastriques). *Donner un coup à qqn au plexus solaire* (qui a pour effet de paralyser les centres nerveux). — *Plexus veineux :* réseau vasculaire constitué par de nombreuses veines anastomosées. *Névralgie du plexus brachial.*

Les *anastomoses composées* ou *plexiformes* sont celles dans lesquelles le ou les rameaux (...) forment un plexus plus ou moins compliqué. Les plexus nerveux sont très répandus dans l'organisme : on les observe à la fois sur les troncs *(plexus brachial, plexus cervical, plexus lombaire,* etc.) ; sur les branches et sur les rameaux. Mais c'est surtout au niveau des viscères que les plexus nerveux atteignent leur plus haut degré de fréquence et de complexité.
L. TESTUT, Traité d'anatomie, t. III, p. 49.

DÉR. Plexulaire.

PLEYEL [plɛjɛl] n. m. — V. 1900, *in* D. D. L. ; de la firme portant ce nom.

♦ Piano fabriqué par la firme Pleyel. « *Un Pleyel, quelques pupitres...* » (A. Daudet, *Numa Roumestan,* p. 131).

PLEYON [plɛjɔ̃] n. m. ⇒ **Playon.**

1. PLI [pli] n. m. — 1265; *ploi*, 1190; de *plier*.

A. ♦ **1.** Partie d'une matière souple (papier, étoffe...) rabattue sur elle-même et formant ainsi une double épaisseur. ⇒ **Double, rempli, repli** (→ Assiette, cit. 16). *Plis d'une feuille de papier, d'une étoffe** ⇒ **Fronce, pince...** *Pli cousu à l'extrémité d'une pièce d'étoffe* (pour raccourcir, renforcer). ⇒ **Ourlet, rabat, relevé, rempli, retroussis, troussis.** *Petits plis serrés.* ⇒ **Froncis** (→ Fronce, cit.). *Jaquette* (→ Froncer, cit. 12), *jupe, robe à plis.* ⇒ **Bouillon, godage, godet.** *Enlever, supprimer les plis.* ⇒ **Défroncer, déplisser.** — *Plis d'un dépliant, d'une carte,* chaque volet*. *Plis d'un éventail, d'un soufflet d'accordéon...* ⇒ **Accordéon** (en).

Cout. Cour. — (1909). *Pli couché,* que fait un tissu replié une fois sur lui-même. *Petits plis, plis serrés* (⇒ **Nervure**); *larges plis, plis espacés. Corsage, jupe à plis.* ⇒ **Plissé.** — (1827). *Pli creux,* constitué de deux plis couchés affrontés de chaque côté d'une pliure formant entre eux un creux (considéré dans l'autre sens, il forme un *pli plat*). — (1826). *Pli rentré. Pli rond,* semblable au pli plat mais formant une convexité vers l'extérieur. *Plis tubulés, empesés d'un jabot, d'une fraise...* (⇒ **Godron, tuyau**). *Plis longs et rigides* (→ Camail, cit. 2). *Collerette à mille plis* (→ Devantier, cit. 1). — *Marquer des plis, en repassant* (→ Chemise, cit. 3). ⇒ **Plisser.**

1 Les jupes *(seront)* entièrement plissées, et leurs plis faits toujours du même côté (...) MALLARMÉ, Proses diverses, Dernière mode, 26 déc. 1874.

Mar. Chaque anneau d'un cordage plié, enroulé. ⇒ **Plet.**

♦ **2.** (Ondulation). **a** Ondulation, sinuosité que fait une étoffe, un tissu flottant ou trop large. *Plis d'une draperie, de rideaux* (→ Clair, cit. 6). *Plis d'une tenture mal appliquée, d'un tapis... Plis d'un manteau* (→ Draper, cit. 13), *d'une cape* (→ Envelopper, cit. 3), *d'une soutane* (→ Fluet, cit. 2)... «*La chemise* (cit. 2) *aux plis nonchalants*». — «*Les plis orageux* (cit. 2) *des drapeaux*». — Arts. *Les plis d'un drapé* (→ Draper, cit. 2; 1. draperie, cit. 1). — Cout. *Plis d'une jupe, d'une robe,* produits par des plis (1.), des fronces, des godets (cit.)..., ou par la coupe même du vêtement (→ Effilé, cit. 1; miroiter, cit. 1).

2 Qu'un superbe habit de cour
Traîne à plis bruyants et longs
Sur tes talons (...)
BAUDELAIRE, les Fleurs du mal, «Tableaux parisiens», LXXXVIII.

3 Durtal (...) défit les plis en tuyaux d'orgue des tapis, tira ses rideaux (...)
HUYSMANS, Là-bas, X.

Par métaphore :

4 Mignonne, allons voir si la rose (...)
(...) A point perdu cette vêprée,
Les plis de sa robe pourprée (...) RONSARD, Odes, I, XVII.

b Mouvement de terrain qui forme une ondulation, un bourrelet. ⇒ **Accident, ondulation, plissement, sinuosité; dôme, éminence; cuvette, dépression.** *Pli de terrain* (→ Humaniser, cit. 9; îlot, cit. 2). — Littér. *Un pli du vallon* (→ Hameau, cit. 2). *Le moindre pli de terre...* (→ Orchidée, cit.).

5 Des villages faisaient des îlots de pierre, un clocher au loin émergeait d'un pli de terrain, sans qu'on vît l'église, dans les molles ondulations de cette terre du blé.
ZOLA, la Terre, I, I.

Géol., géogr. Chaque élément d'un plissement, formé de deux flancs (ou jambages, retombées) et d'une charnière (sommet, crête; ou fond). *Pli convexe* (⇒ **Anticlinal**), *concave* (⇒ **Synclinal**). *Axe d'un pli. Plis serrés à plans axiaux parallèles : plis isoclinaux. Pli en éventail. Pli-faille. Plis divisés, ramifiés, disposés en échelons, plis divergents, convergents. Faisceaux, systèmes, ensembles de plis.* ⇒ **Plissement.**

6 Des plis qui possèdent partout la même épaisseur des flancs sont dits des *plis normaux.* Lorsque le plan axial de l'un de ces plis est vertical et que les deux flancs (...) forment le même angle avec l'horizon, on a affaire à un *pli droit.* Lorsque le plan axial est incliné (...) le pli est *déjeté.* Lorsque l'un des flancs est légèrement renversé, on dit que le pli est *déversé.* Lorsque les deux flancs sont voisins de l'horizontale, le pli reçoit le nom de *pli couché.*
Émile HAUG, Traité de géologie, t. I, p. 195.

c (D'une valeur non attestée, «ondulation des cheveux»). **MISE EN PLIS :** opération qui consiste à donner aux cheveux mouillés, à l'aide d'un dispositif (⇒ **Bigoudi**), la forme ondulée qu'ils garderont une fois secs. *Se faire faire une mise en plis. Mise en plis et permanente*. Shampoing mise en plis.*

♦ **3.** (Marque). **a** Marque qui reste à une matière souple qui a été pliée*. ⇒ **Arête, pliure.** *Repasser le pli d'un ourlet, d'un pantalon. Plis d'un drap. Linge dans son pli, dans ses plis :* linge neuf, qui n'a pas été lavé. *Remettre une étoffe, une chemise dans ses plis.* — *Carte élimée aux plis* (→ 2. Papelard, cit.). *Plis d'une feuille de papier cornée.* ⇒ **Corne, oreille.**

FAUX PLI, ou **PLI :** endroit froissé ou mal ajusté; pliure qui ne devrait pas exister. *Faux pli d'un col de chemise, d'un pantalon mal repassé. Robe qui fait de faux, de mauvais plis.* ⇒ **Goder** (→ Capote, cit. 1).

Loc. fam. *Cela ne fait, ne fera pas un pli :* c'est une affaire faite, une chose facile, qui réussira.

Quant à l'exil de la marquise Raversi, il ne fit pas un pli; le prince avait un plaisir particulier à exiler les gens. STENDHAL, la Chartreuse de Parme, II, XIV. 7

Ça ne fit quand même pas un pli. Trois mois plus tard, ils étaient mariés (...) 7.1
R. QUENEAU, le Dimanche de la vie, p. 68.

Le pli d'une feuille de rose : un ennui, un inconvénient insignifiant (→ Insignifiance, cit. 2), par allusion au sybarite qu'un pétale de rose plié troublait dans son sommeil.

b **LE PLI :** la forme que prend naturellement une chose souple. *Le pli d'un vêtement,* la manière dont il tombe, en formant toujours les mêmes plis. *Le pli des cheveux.*

Loc. métaphorique. *Prendre un pli, son pli :* acquérir une habitude, une manière de se comporter qui ne changera plus (→ Biais, cit. 2; enfance, cit. 1). *Prendre un bon, un mauvais pli. Prendre le pli de feindre* (cit. 11). — Fig. *Pli contracté* (1. Contracter, cit. 7), *qui persiste.* ⇒ **Habitude** (→ Milieu, cit. 29).

Quand Rabourdin s'aperçut des fautes que l'amour lui avait fait commettre, le pli était pris; il se tut et souffrit. BALZAC, les Employés, Pl., t. VI, p. 870. 8

Elle avait pris ce pli dans son âge enfantin 9
De venir dans ma chambre un peu chaque matin.
HUGO, les Contemplations, IV, V.

♦ **4.** Papier replié formant enveloppe*; manière dont un papier est plié. *Gros papier, pli grossier* (→ Missive, cit. 2). *Message, lettre envoyés sous pli cacheté.* — Par ext. Le message, la lettre. *J'ai bien reçu votre pli.*

(...) Pierre eut la chance d'être nommé en quelques jours. Le pli qui l'en prévenait lui fut remis par la bonne Joséphine, un matin, comme il finissait sa toilette. 10
MAUPASSANT, Pierre et Jean, IX.

♦ **5.** Partie (de la peau) qui forme une sorte de repli, de bourrelet ou qui porte une marque semblable à un pli (3.); cette marque. — *Plis de la peau* (→ Momifier, cit. 2), *plis cutanés* (→ Collier, cit. 6). — *Plis sous le menton* (→ Couperose, cit.), *plis du cou.* ⇒ **Fanon,** cit. 2. — Anat. *Plis de locomotion, plis articulaires. Pli du jarret*, du bras* (⇒ **Saignée**), *du poignet* (→ Fossette, cit. 2). — *Pli de l'aine*. Pli fessier.* — *Plis musculaires, de froncement; plis séniles, d'amaigrissement.* ⇒ **Fronce, ride.** — *Figure creusée de plis* (→ Noueux, cit. 3). *Plis sinueux du front* (→ Guignon, cit. 2). *Plis et rides du visage* (→ Larme, cit. 10; effigie, cit. 2, Valéry). *Le pli, les plis de la bouche* (cit. 3), des coins de la bouche (→ Cruauté, cit. 5). *Pli entre les sourcils* (→ Disparaître, cit. 15).

La Duègne s'était assoupie, et sous son menton penché regorgeaient en bourdins trois plis de chair flasque. Th. GAUTIER, le Capitaine Fracasse, III. 11

Rose n'avait pas de rides, mais des plis; et les plaisants prétendaient que, pour ne pas se couper, elle se mettait de la poudre aux articulations, ainsi qu'on en jette aux enfants. BALZAC, la Vieille Fille, Pl., t. IV, p. 255. 12

Anat. Repli formé par certains organes. *Plis ascendants, temporaux :* circonvolutions cérébrales. *Plis duodénaux, plis du gros intestin.*

♦ **6.** Régional (Belgique). Raie* formée par les cheveux coiffés.

B. (D'un sens spécial et vx de *plier*). Cartes. ⇒ **Levée.** *Faire tous les plis.*

Ils jouèrent en silence. Au bout d'un moment, le typo fit un pli. — Atout! dit-il d'un air de triomphe. SARTRE, le Sursis, p. 324. 13

C. Fig., vieilli. Compartiment intime, repli. *Les plis du cœur* (→ Froisser, cit. 21). ⇒ **Secret.** «*La vie dans les plis*» (H. Michaux).

Le démon habitait ce dernier pli de mon cœur (...) 14
BALZAC, le Curé de village, Pl., t. VIII, p. 750.

DÉR. Plisser.
COMP. Repli.
HOM. 2. **Pli, plie,** formes du v. **plier.**

2. PLI [pli] n. m. — 1950; angl. *ply* «couche».

♦ Techn. Couche très mince de bois dont l'assemblage et le collage avec plusieurs autres (⇒ **Contre-placage**) constituent le contre-plaqué. ⇒ **Feuillet.**

HOM. 1. **Pli, plie,** formes du v. **plier.**

PLIABLE [plijabl] adj. — 1559; de *plier*.

♦ **1.** Qui peut être plié aisément. ⇒ **Flexible, souple.** *Un carton pliable.*

♦ **2.** Fig. ⇒ **Docile, malléable.** «*Caractère pliable*» (Littré).

Ces derniers ordres d'idées me paraissaient peu tangibles et pliables à tout sens.
RENAN, Souvenirs d'enfance..., V, Œ. compl., t. II, p. 869.

PLIAGE [plijaʒ] n. m. — 1611; de *plier*.

Action, manière de plier; manière dont une chose est pliée. *Le pliage et le rangement du linge. Le pliage des parachutes. Pliage des tissus à la baguette, à la machine. Pliage d'une tente* (opposé à *dressage*).

♦ **1.** Imprim. Opération par laquelle on plie la feuille pour obtenir le format voulu. *Pliage à la machine. Le pliage est une des opérations du brochage**.

♦ **2.** Techn. **a** Métall. Opération de façonnage des métaux en tôle.

b Industr. textile. Torsion et repliement des écheveaux de soie, avant l'emballage.

CONTR. Dépliage, déploiement.

PLIANT, ANTE [plijɑ̃, ɑ̃t] adj. et n.m. — 1220; *chaise pliante,* 1507; de *plier.*

♦ **1.** Vx. Qui plie facilement. *« La branche pliante »* (Delille, *in* Littré). ⇒ **Flexible.** — Fig. *Caractère pliant, esprit pliant* (Bossuet). ⇒ **Accommodant, complaisant** (cit. 2), **docile, souple.**

♦ **2.** Mod. Articulé de manière à pouvoir se plier, se replier (en parlant d'un objet fabriqué). *Reliure pliante, à dos brisé** (que l'on peut ouvrir en grand, le dos n'étant pas collé). *Mètre pliant, règle pliante. Table pliante; lit pliant* (lit de camp; canapé-lit...). *Cartons, cartonnages pliants. Sièges pliants* (chaise longue, transatlantique). *Fauteuil pliant, chaise pliante* (→ Kiosque, cit. 4). *Vélo pliant.*

1 Ils prirent place sur des chaises pliantes de jardin, devant des tables de tôle verte.
CAMUS, la Peste, p. 158.

♦ **3.** N. m. (1665). Siège portatif de toile ou de cuir sans dossier ni bras, à pieds articulés en X (→ Ganache, cit. 6).

2 Pour s'asseoir auprès de la jeune dame, il lui fallut prendre un pliant.
BALZAC, Sarrasine, Pl., t. VI, p. 86.

CONTR. Cassant, rigide.

PLIE [pli] n.f. — 1530; *plaïs,* XIIe; du bas lat. *platessa.*

♦ Zool. Poisson plat *(Pleuronectidés)* à la chair estimée. ⇒ **Carrelet.** *La plie est un poisson comestible. La plie franche est appelée aussi* carrelet*.

On pêche encore, dans de certains creux, des plies et des pilchards (...)
HUGO, l'Homme qui rit, I, III, 1.

HOM. 1. **Pli,** 2. **pli,** formes du v. **plier.**

PLIÉ [plije] n. m. — 1835; substantivation du p. p. de *plier.*

♦ **1.** Danse. Mouvement qui consiste à plier les genoux.

1 — Je suis à croquer! se dit-elle en repassant ses attitudes dans la glace, absolument comme une danseuse fait ses *pliés.*
BALZAC, la Cousine Bette, Pl., t. VI, p. 329.

♦ **2.** Vx. *Un plié de... :* un mouvement par lequel on plie (un membre).

2 (...) que Scapin fasse un plié de jarret pour se rendre la jambe souple.
Th. GAUTIER, le Capitaine Fracasse, IX.

PLIE-LIGNE [plilinj] n. m. — XXe; de *plier,* et *ligne.*

♦ Techn. (pêche). Petit dispositif sur lequel on replie la ligne de pêche. ⇒ **Plioir.**

Il lui prend la canne des mains, le moins brusquement possible, et lui montre comment on plante l'hameçon dans le liège du plie-ligne.
Joseph JOFFO, Tendre été, p. 48.

PLIEMENT [plimɑ̃] n. m. — 1538; de *plier.*

♦ Rare. Action de plier (⇒ **Pliage**), de se plier ou de plier (intrans.).

PLIER [plije] v. — 1080, *pleier,* trans., *Chanson de Roland; plier,* intrans. (1530) et trans. (1550); var. de *ployer**, du lat. *plicare.*

★ **I.** V. tr. ♦ **1.** Rabattre (une chose souple) sur elle-même, mettre en double une ou plusieurs fois (⇒ **Replier**), avec un certain ordre (→ Diagonale, cit. 1). *Plier une étoffe* (→ Froissement, cit. 2), *du linge** (→ Essuyer, cit. 1). *Plier sa serviette. — Plier un journal* (→ Embrasser, cit. 13), *un dépliant. Plier une pièce d'étoffe en accordéon* (⇒ **Plisser**), *en l'enroulant* (⇒ **Enrouler, rouler**). *Plier le papier à l'imprimerie.* ⇒ **Pliage.** *Plier le coin d'une feuille.* ⇒ **Corner.** *Plier une lettre.* ⇒ **Fermer** (→ Morceau, cit. 5; 1. frais, cit. 27). — (Au p. p.). *Carte* (cit. 23) *pliée. Chose pliée en deux, en trois...* (→ Galurin, cit.; machiniste, cit. 2).

1 Vu d'en haut, ce chemin ressemble à un ruban plié et replié (...)
CHATEAUBRIAND, Mémoires d'outre-tombe, t. V, p. 389.

2 (...) avec une excitation de fiancée, elle plia dans sa mallette le linge enrubanné, les bas fins, les gants de Suède, la matinée de crêpe de Chine.
J. CHARDONNE, les Destinées sentimentales, p. 359.

3 Elle entendait son père (...) plier et déplier les grandes feuilles épaisses du *Temps* (...)
J. GREEN, Adrienne Mesurat, I, IV.

Techn. *Plier des soies,* les mettre en écheveau. — Spécialt. Replier et tordre les écheveaux. ⇒ **Pliage.**

Plier la tente (après l'avoir démontée). → Grâce, cit. 96.

4 Dès que son champ s'épuise, il va plus loin *(le cultivateur américain).* Apprend-il qu'à trois cents lieues, on a découvert des plaines plus fertiles, il plie sa tente, il s'y installe.
ZOLA, la Terre, V, IV.

Empaqueter, envelopper. — Régional (dans les écoles). *Plier ses affaires, ses livres,* les ranger. — Loc. *Plier bagage :* faire ses bagages, s'apprêter à partir*, à décamper, à fuir... ⇒ **Abandonner.**

Il sait qu'il n'a qu'à marcher droit, ou qu'à plier bagage. 5
J. ROMAINS, les Hommes de bonne volonté, t. III, XVI, p. 218.

Loc. *Plier (la) boutique.* ⇒ **Fermer.**

♦ **2.** Courber, abaisser, tordre... (une chose flexible). ⇒ **Courber, fausser, fléchir, infléchir, ployer, recourber.** *Plier une tige en arc* (⇒ **Arquer**), *en coude* (⇒ **Couder**)...

Et d'un mouvement souverain le frêle jeune homme de vingt ans plia comme un 6
roseau le crocheteur trapu et robuste et l'agenouilla dans la boue.
HUGO, les Misérables, IV, XII, VIII.

(Le compl. désigne le corps, une partie du corps). *Plier le cou, la nuque.* ⇒ **Incliner.** *Plier son corps en deux.* ⇒ **Courber.** — *Plier l'échine*, les épaules.* Au fig. S'abaisser, se soumettre. *Il n'avait jamais plié la tête* (→ Marquis, cit. 1). — Au p. p. *Être plié en deux par l'âge, la maladie.* ⇒ **Cassé, courbé** (→ Effondrer, cit. 6; laboureur, cit. 1). — Fig. *Être plié en deux* (par le rire).

(...) on a ri tous les deux, pliés en deux, mais alors vraiment ce qu'on appelle 6.1
rire (...)
É. AJAR (R. GARY), l'Angoisse du roi Salomon, p. 192.

♦ **3.** Rabattre l'une sur l'autre les parties de (un ensemble articulé); fermer ou refermer (cet ensemble). *Plier les volets d'un triptyque, d'un paravent. Plier un paravent. Plier une chaise longue, une table pliante**...

(Le compl. désigne un membre, une articulation du corps). *Plier le bras, la jambe. Plier le genou, les genoux* (cit. 14). Au fig. ⇒ **Supplier.** — *Oiseau qui plie ses ailes.* ⇒ **Replier.** *Ailes pliées* (→ Faucon, cit. 1). *Patte pliée sous le ventre* (→ Héron, cit. 2). ⇒ **Replié.**

♦ **4.** Fig. Faire céder (qqn); soumettre à une influence, un pouvoir qui modifie, transforme. ⇒ **Assouplir, façonner.** *Plier qqn à une discipline* (⇒ **Discipliner, enchaîner**), *à une habitude, à un exercice* (⇒ **Accoutumer, exercer**). *Plier sous sa loi.* ⇒ **Assujettir, opprimer; dompter.** *Plier les peuples à sa volonté. — Plier les choses à son idée* (→ Obstiner, cit. 2). *Les Parisiennes savent plier la mode* (1. Mode, cit. 7) *à leur avantage. — Plier son orgueil à...* (→ Parlementer, cit. 1). *« Plier la machine »* (cit. 28).

Le corps encore souple, on le doit (...) plier à toutes façons et coutumes. 7
MONTAIGNE, Essais, I, XXVI.

J'en appelle à toutes les institutions politiques, civiles et religieuses : examinez-les 8
profondément; et je me trompe fort, ou vous y verrez l'espèce humaine pliée de siècle en siècle au joug qu'une poignée de fripons se promettait de lui imposer.
DIDEROT, Suppl. au voyage de Bougainville, IV.

Un vil séducteur peut plier ses projets aux circonstances, et calculer avec les évé- 9
nements (...)
LACLOS, les Liaisons dangereuses, LXIV.

C'est le propre d'un écrivain-né, de plier à soi la langue; mais nul ne le fit avec une 10
hardiesse aussi désinvolte, ni pour un résultat plus heureux *(que Saint-Simon).*
GIDE, Journal, 11 août 1943.

Plier qqn à faire qqch., l'y pousser, l'y porter.

★ **II.** V. intr. ♦ **1.** Se courber, fléchir (en parlant d'une chose souple). ⇒ **Céder, fléchir.** *Le roseau plie* (→ Arbre, cit. 7, La Fontaine). *Branche* (cit. 4) *qui plie* (→ 2. Étai, cit. 2). *La glace plie sous eux* (→ Débâcle, cit. 1).

Les vents me sont moins qu'à vous redoutables 11
Je plie, et ne romps pas.
LA FONTAINE, Fables, I, 22.

Son corps plia comme un roseau, ses lèvres entrouvertes tombèrent sur les mien- 12
nes, et l'univers fut oublié.
A. DE MUSSET, la Confession d'un enfant du siècle, III, X.

(Sujet n. de personne). *Plier sous le faix*, la charge, le poids :* être très chargé et courbé sous la charge. ⇒ **Affaisser** (s'), **faiblir** (→ 2. Caler, cit. 2; éreinté, cit. 6). — Par métaphore. *Plier sous le poids des ans, des soucis,* en être accablé*.

(...) il plie sous le poids de son bonheur (...) 13
LA BRUYÈRE, les Caractères, VIII, 50.

On l'a regardé comme un homme incapable de céder à l'ennemi, de plier sous le 14
nombre ou sous les obstacles (...)
LA BRUYÈRE, les Caractères, II, 32.

Ses jarrets (cit. 1) *plièrent. Ses jambes pliaient sous lui.*

♦ **2.** Fig. Céder, faiblir (→ Assouplir, cit. 6). *Rien ne le fit plier.* ⇒ **Mollir** (→ Inébranlable, cit. 7). *Plier devant la force* (cit. 27). — *Plier aux caprices* (cit. 6) *de la foule* (→ ci-dessous *Se plier,* 2.).

(...) et que le temps, qui brise 15
Empire et Rois et qui tout fait plier (...)
RONSARD, Pièces retranchées, « Élégies, mascarades et bergeries ».

Pour nous, nous ne plierons pas; nous tiendrons ferme comme Ajax contre les 16
dieux (...)
RENAN, Questions contemporaines, Œ. compl., t. I, p. 216.

Le génie d'un peuple a beau plier sous une influence étrangère, il se redresse (...) 17
TAINE, Philosophie de l'art, t. II, p. 37.

Elle retrouvait là, poussé à l'extrême, ce goût de plier qu'elle avait mis à présent 18
dans toute sa vie. Dominer en pliant. Plier pour conserver sa tranquillité, plier aussi parce que « elles sont trop sottes, je ne m'opposerai à rien de ce qu'elles veulent ».
MONTHERLANT, le Songe, I, VI.

▶ **SE PLIER** v. pron.

♦ **1.** (Sens I, 1). *Feuilleton* (cit. 3) *qui se plie en livre. Triptyque qui se plie.* ⇒ **Fermer** (se). *Gibus* (cit.) *qui se plie.*

(Sens I., 2.). *Cette branche, cette tige peut se plier facilement,* elle est souple*. — *Cou* (cit. 4) *qui se plie.* ⇒ **Ployer.**

(Sens I., 3.). *Siège qui se plie.* ⇒ **Pliant.**

♦ **2.** Fig. Céder devant une pression, une influence. ⇒ **Accommoder** (s'), **céder, conformer** (se), **prêter** (se), **soumettre** (se). *Se plier aux ordres, aux volontés de qqn.* ⇒ **Obéir.** *Se plier à une discipline* (→ Abdiquer, cit. 5; facilité, cit. 9), *à une règle* (⇒ **Assujettir**), *aux conventions* (cit. 10), *à des habitudes* (⇒ **Habituer**), *aux circonstances*.* — *Se plier à* (et inf.). *Se plier à faire qqch. de vil* (⇒ **Abaisser**), *de déplaisant.* ⇒ **Résigner** (se). — (Sans compl. en *à*). *Aptitude à se plier.* ⇒ **Élasticité, souplesse; complaisance...** *Il est tout d'une pièce, il ne saurait se plier.*

19 Augustine s'efforça en vain d'abdiquer sa raison, de se plier aux caprices, aux fantaisies de son mari, et de se vouer à l'égoïsme de sa vanité (...)
BALZAC, la Maison du Chat-qui-pelote, Pl., t. I, p. 55.

20 (...) Jésus se plia aux idées qui avaient cours de son temps, bien qu'elles ne fussent pas précisément les siennes.
RENAN, Vie de Jésus, XV, Œ. compl., t. IV, p. 233.

Un esprit qui se plie à ce qu'il veut... (→ Adroit, cit. 4). *Esprit qui se plie et s'enrichit.* ⇒ **Former** (se).

(Choses). *J'ai posé les principes et j'ai vu les cas particuliers s'y plier.* ⇒ **Adapter** (s'), **soumettre** (se). → 1. Général, cit. 7.

▶ **PLIÉ, ÉE** p. p. adj. Voir ci-dessus, I.

CONTR. **Allonger, déployer, détirer, développer, dresser, étaler, étendre, ouvrir. — Désobéir.**

DÉR. **Playon, pli, pliable, pliage, pliant, plié** (n. m.), **pliement, plieur, plioir, pliure.**
COMP. **Plie-ligne.**

PLIEUR, EUSE [plijœʀ, øz] n. — XVIe; de *plier.*

♦ **1.** Ouvrier, ouvrière qui plie (I., 1.) une matière souple. *Plieur à la main, à la machine* (pliage des tissus). *Plieur, plieuse de parachutes. Plieur de papier, plieuse en lingerie.*

♦ **2.** N. f. (1894). *Plieuse.* Machine à plier (le papier...).

PLINIEN, IENNE [plinjɛ̃, jɛn] adj. — Attesté XIXe; de *Pline.* Didactique.

♦ **1.** De Pline (surtout, de Pline l'Ancien).

♦ **2.** (1889, in *Année sc. et industr.* 1890, p. 246). *Éruption plinienne :* éruption de type vulcanien et d'une très grande violence (comme celle du Vésuve, en l'an 79, où Pline trouva la mort).

PLINTHE [plɛ̃t] n. f. — 1544; *plinte,* av. 1537; lat. *plinthus,* du grec *plinthos* «brique».

♦ **1.** Archit. Membre d'architecture plat et rectangulaire; moulure plate qui se place sous une colonne*, une statue ou au-dessus d'un chapiteau.

1 Au-dessus du cintre régnait un long bas-relief (...) Ce bas-relief était surmonté d'une plinthe saillante, sur laquelle s'élevaient plusieurs de ces végétations dues au hasard (...)
BALZAC, Eugénie Grandet, Pl., t. III, p. 492.

♦ **2.** [a] Bande, saillie plate (⇒ **Plate-bande**) au bas d'un mur. *Saillie d'une plinthe.*

[b] (XVIIe). Cour. Bande plate de menuiserie au bas d'une cloison, d'un lambris. ⇒ **Antébois** (ou **antibois**). *Des plinthes aux corniches* (cit. 4).

2 Afin de ne pas laisser voir mes pieds, j'essayai de grimper sur la plinthe de la boiserie, le dos appuyé contre le mur, en me cramponnant à l'espagnolette.
BALZAC, la Peau de chagrin, Pl., t. IX, p. 133.

3 (...) la salle à manger avec sa haute plinthe en chêne relevé d'or (...)
FLAUBERT, l'Éducation sentimentale, II, II.

HOM. **Plainte.**

PLIOCÈNE [plijɔsɛn] adj. et n. m. — 1834, *Bulletin de la Société géologique de France, in* D. D. L.; angl. *pliocene* (1833, Lyell); du grec *pleion* «plus», et *kainos* «récent».

♦ Géol. Se dit de l'étage supérieur (partie la plus récente) du tertiaire, qui succède au miocène* (avec lequel il forme le «néogène»). *Terrain; époque pliocène.* — Par ext. *La faune pliocène.* — N. m. *Le pliocène. Les grands mammifères se répandirent au pliocène. L'Astien, le Plaisancien, étages du Pliocène. Miocène et Pliocène forment le Néogène.*

PLIOIR [plijwaʀ] n. m. — 1660; *pleyoir,* 1630; de *plier.*

♦ **1.** Instrument servant à plier. — Spécialt. Petite lame servant à plier une feuille de papier suivant une ligne droite et à la couper. ⇒ **Couteau** (à papier), **coupe-papier.**

♦ **2.** Techn. [a] Petite planchette échancrée à ses extrémités, sur laquelle on plie, on enroule une ligne de pêche*. ⇒ **Plie-ligne.**

[b] Lame de bois sur laquelle on plie les étoffes.

[c] Outil de relieur, arrondi à un bout et pointu de l'autre. *Plioir en bois, en os.*

PLIQUE [plik] n. f. — 1679; empr. au lat. médical *plica,* dér. de *plicare* «plier, enchevêtrer».

♦ Méd. Enchevêtrement des cheveux, des poils... formant un feutrage avec des parasites, des poussières agglutinés par la graisse. ⇒ **Trichome.** *La plique polonaise.*

Plique polonaise. — Si on coupe les cheveux, ils saignent.
FLAUBERT, Dict. des idées reçues.

PLISSAGE [plisaʒ] n. m. — 1836; de *plisser.*

♦ **1.** Action de plisser (I., 1.), de marquer les plis d'un plissé au repassage. *Plissage d'une jupe.* — Techn. Opération d'apprêt par laquelle on plisse une étoffe. *Plissage de la gaze, du crêpe.*

♦ **2.** Imprim. Formation de petits plis le long d'une feuille, pendant l'impression. ⇒ **Plisser** (I., 2.).

PLISSÉ, ÉE [plise] adj. et n. m. ⇒ **Plisser** (p. p.).

PLISSEMENT [plismɑ̃] n. m. — 1636; de *plisser.*

♦ **1.** Action de plisser (I., 5.) la peau. ⇒ **Contraction, froissement, froncement** (cit. 2). *Plissement du front* (→ Harasser, cit. 5). *Plissement d'yeux.*

♦ **2.** (1903, *Rev. gén. des sc.,* no 6, p. 343). Géol., géogr.Déformation, ploiement des couches géologiques par pression latérale (mouvements latéraux de l'écorce terrestre), produisant un ensemble de plis*; cet ensemble. ⇒ **Dislocation** (cit. 1); **montagne, relief.** *Plissement harmonique* (masse homogène dans le sens vertical), *dysharmonique. Plissement superficiel* (n'affectant qu'une couche de couverture). *Plissement libre; entravé, encadré* (par des massifs rigides). *Montagnes formées par plissement. Plissement et gauchissement* (→ Cassure, cit. 2). *Plissement huronien, calédonien, hercynien, alpin... Le plissement andin.*

PLISSER [plise] v. — 1538; dér. de 1. *pli,* au pluriel.

★ **I.** V. tr. Couvrir de nombreux plis. ♦ **1.** Modifier (une surface souple) en y faisant une suite, un arrangement de plis (1. Pli, A., 1.). *Plisser du papier en accordéon,* en le pliant* plusieurs fois, d'un côté puis de l'autre. — Cout. Faire (en cousant...) ou reformer (en repassant...) les plis d'une étoffe, d'un vêtement (→ ci-dessous Plissé). *Plisser une jupe, une chemise* (cit. 3). ⇒ 2. **Fraiser, froncer, rucher...** — Pron. «*Cette étoffe se plisse bien*» (Académie).

♦ **2.** Déformer par de nombreux faux plis. *Plisser ses vêtements en dormant tout habillé.* ⇒ **Froisser; chiffonner.** — Pron. Former des faux plis.

Le tissu de soie mal appliqué, comme toujours, sur le carton de la forme, se plissait en quelques endroits, et semblait être attaqué de la lèpre, en dépit de la main qui le pansait tous les matins. 1
BALZAC, le Cousin Pons, Pl., t. VI, p. 526.

♦ **3.** Former par des plis. *Franges et fronces que les méduses* (cit. 1) *plissent et déplissent.* — *Brise qui plisse la surface de l'eau* (→ Implacablement, cit. 2, poét.). — Pronominal :

L'étang brillait au soleil et se plissait sous le battement des rames. 2
J. CHARDONNE, les Destinées sentimentales, p. 329.

♦ **4.** Former des ondulations. *Les forces qui plissent l'écorce terrestre.* ⇒ 1. **Pli** (A., 2., b), **plissement** (2.). *Structure plissée.*

♦ **5.** Spécialt. Contracter les muscles de... en formant un ou plusieurs plis. *Plisser la peau de son front, son front, les tempes* (→ Brider, cit. 6). *Contraction qui plisse la figure* (→ Garder, cit. 54). *Sa bouche se plissait* (→ Moue, cit. 3). — *Plisser les yeux :* fermer à demi les yeux en en plissant le tour (→ Étudier, cit. 27; et aussi dodiner, cit. 1).

(...) désireuse de se montrer gentille mais contrariée d'être asservie, elle avait plissé le front (...) 3
PROUST, À la recherche du temps perdu, t. X, p. 330.

Pron. *Rides qui se plissent,* qui s'accusent lorsque la peau se plisse (→ Parcheminer, cit. 1).

Il s'aisit, lourd d'un monde de réflexions qui s'enchevêtraient. Son front se plissait. Puis il se tourna vers moi d'un air embarrassé comme s'il avait un service à me demander. 4
H. BARBUSSE, le Feu, t. I, XII.

Quand Mathieu riait, ses yeux se plissaient, il ressemblait à un enfant chinois. 5
SARTRE, le Sursis, p. 26.

★ **II.** V. intr. Rare. ♦ **1.** Faire des plis; prendre un pli. *Ces rideaux plissent bien.*

♦ **2.** Faire des faux plis. — *Se plisser* est plus courant.

▶ **PLISSÉ, ÉE** p. p. adj. (1539).

♦ **1.** Où l'on a fait des plis; à plis. *Jupon bien plissé* (→ Corsage, cit. 2). *Jabot plissé* (→ Four, cit. 5); *guimpe* (cit. 2), *jupe, robe plissée* (→ Marraine, cit. 1)... ⇒ **Froncé.**

♦ **2.** Qui forme des plis, des ondulations. *Peau plissée. Front plissé.* — Géol. *Relief plissé, chaîne plissée.* ⇒ **Plissement** (2.). — Littér. *Fleurs plissées* (→ Nymphéa, cit. 2). — *Pommettes plissées* (→ Enfouir, cit. 6). ⇒ **Ridé.**

♦ **3.** N. m. Ensemble, aspect des plis de ce qu'on a plissé. *Le plissé d'une jupe. Un rabat de plissé* (→ Fantaisie, cit. 11). *Jupe à plissés. Plissé plat* (formé de plis plats), *rond. Plissé accordéon. Plissé soleil,* dont les plis vont s'élargissant. *Plissé lampion,* comparable aux plis d'une lanterne vénitienne.

CONTR. Déplisser, lisser.

DÉR. Plissage, plissement, plisseur, plisson, plissure.

PLISSEUR, EUSE [plisœʀ, øz] n. — 1625; de *plisser,* fém. atteste en 1840 au sens 1. (*in* D. D. L.).

♦ **1.** Ouvrier, ouvrière qui effectue le plissage. *Plisseur d'étoffes* (calandreur).

♦ **2.** N. f. (1903). *Plisseuse.* Machine à plisser les étoffes.

PLISSON [plisɔ̃] n. m. — 1689; de *plisser.*

♦ Régional. Entremets sucré constitué par du lait et de la crème chauffés plusieurs fois à feu doux, refroidis, et dont la couche superficielle s'est solidifiée et *plissée;* cette couche.

HOM. Formes du v. **plisser.**

PLISSURE [plisyʀ] n. f. — 1600, «ride»; de *plisser.*

♦ Rare. Ensemble, arrangement de plis. ⇒ **Plissé.** — Par métaphore. (→ Glissement, cit. 1).

PLIURE [plijyʀ] n. f. — xvie; *plieure* «jointure», 1314; dér. de *plier.*

♦ **1.** Action de plier les feuilles de papier (en imprimerie, brochage, reliure...). ⇒ **Pliage.**

♦ **2.** Endroit où se forme un pli, où une partie se replie sur elle-même. *Les pliures d'un pneu.* — Marque d'une chose pliée. ⇒ 1. **Pli,** A., 3. *La pliure d'un ourlet. À la pliure du bras, du genou.* ⇒ **Creux.**

(Il) aperçoit au verso, tout près de l'angle que fait la pliure, une trace d'encre... L'employé qui a plié la feuille avait de l'encre aux doigts.
J. ROMAINS, les Hommes de bonne volonté, t. V, XIII, p. 95.

1. PLOC [plɔk] n. m. — 1335; néerl. *plok.*

♦ **1.** Techn. Poils de chèvre, de vache, etc., utilisés comme matière textile. *Couverture de ploc.* — Poils, laine de rebut. — Spécialt. Déchets de laine qui proviennent de la fabrication du drap. ⇒ **Bourre.** — REM. On écrit parfois *ploque* (n. f.).

♦ **2.** (1621). Mar. anc. Composition faite de laine, de poils d'animaux et de goudron, qu'on appliquait sur la coque d'un navire entre le bordage et le doublage. ⇒ **Étoupe.** *Calfater avec du ploc.* ⇒ **Ploquer.**

HOM. 2. **Ploc,** formes du v. **ploquer.**

2. PLOC [plɔk] Onomatopée employée pour évoquer un bruit de chute, de heurt dans l'eau, un clapotis. ⇒ **Floc.** — N. m. *Faire un ploc dans l'eau.* ⇒ **Plof, plouf.**

Avec un bruit de ploc assez macabre le Tokor s'affale et la reine s'affaisse sur ses genoux.
P. GRAINVILLE, les Flamboyants, p. 282.

HOM. 1. **Ploc,** formes du v. **ploquer.**

PLOF [plɔf] Onomatopée évoquant le bruit d'une chute dans l'eau. ⇒ **Plaf, ploc, plouf.** — N. m. *Un plof sonore.*

De temps en temps, un moineau attardé au festin de l'avoine, en regagnant son gîte, faisait choir d'une branche un paquet de neige; on entendait : plof! et le jardin retombait dans le silence.
Maurice BEDEL, Jérôme 60° latitude Nord, XIII, p. 151.

PLOIEMENT [plwamɑ̃] n. m. — xve, *ployement;* de *ployer.*

♦ **1.** Action de ployer*, de plier qqch.; le résultat de cette action; fait de se ployer, d'être ployé. ⇒ **Pliage, pliement, repliement.** *Le ploiement des jambes* (→ Flexibilité, cit. 1.1). *Ploiement de couches géologiques* (→ 2. Faille, cit.).

♦ **2.** Milit. (Vieilli). Évolution d'une troupe qui passe de l'ordre de bataille à l'ordre de route.

CONTR. Déploiement.

PLOMB [plɔ̃] n. m. — xve; *plum,* v. 1120; du lat. *plumbum.*

A. *(Du plomb).* ♦ **1.** Élément (symb. *Pb;* n^o at. 82; poids at. entre 206 et 208; dens. 11,3), métal mou, facilement fusible (327,4 °C), peu tenace, se laissant bien travailler et laminer, d'un blanc d'argent quand il vient d'être coupé, mais se recouvrant à l'air libre d'une pellicule d'oxyde grisâtre. *Plombs 206, 207 et 208, isotopes du plomb provenant de la désintégration radioactive de certains éléments* (uranium 235 et 238, thorium 232). — *Plomb natif :* minerai de plomb. *Gisement de plomb.* ⇒ **Plombifère.** *Plomb argentifère. Principaux minerais (non radioactifs) de plomb* (anglésite, cérusite, galène*). *Calcination, coupellation du plomb. Principaux dérivés du plomb : protoxyde de plomb* (PbO) *ou oxyde normal* (dont il existe deux variétés, la litharge* et le massicot*); *bioxyde de plomb* (PbO_2); *oxyde salin* (Pb_3O_4) *ou minium*; plombates* (formés par dissolution du bioxyde de plomb, dans les bases); *plombites* (formés par dissolution de l'oxyde normal de plomb dans les lessives alcalines); *sels plombiques** (sels normaux de plomb correspondant au protoxyde : chlorure, sulfate de plomb, etc.). — *Sels de plomb utilisés dans l'industrie, spécialement pour la fabrication de peintures :* blanc d'argent *(carbonate de plomb pur),* de Venise (*carbonate de plomb* et sulfate de baryum), de Hambourg, de Hollande..., céruse* *(hydro-carbonate basique de plomb),* jaune de Cologne *(chromate de plomb,* sulfate de baryum et sulfate de calcium), minium*, etc. — *Plomb tétraméthyle* (P. T. M.), utilisé pour améliorer l'indice d'octane d'un carburant.

Dérivés du plomb utilisés en pharmacie. ⇒ **Saturne** (extrait, sel de saturne), **uve.** *Intoxication par les composés du plomb* (coliques de plomb, saturnisme*). → ci-dessous *Plomb des vidangeurs.*

Lingot de plomb. ⇒ **Saumon.** *Alliages à base de plomb.* ⇒ **Potin, vaisselle** (métal à vaisselle). *Le plomb et ses alliages servent à de nombreux usages dans l'industrie et dans la vie courante. Chambres de plomb pour la fabrication de l'acide sulfurique. Le plomb, qui absorbe énergiquement les rayons X, α, β et γ, sert à faire des écrans protecteurs contre ces rayons. Caractères d'imprimerie faits d'un alliage de plomb, d'antimoine et d'étain* (→ ci-dessous, *supra* cit. 5.1).

(Utilisé pour sa densité). *Fil à plomb* (→ ci-dessous, B., 2.). *Grains de plomb d'un contrepoids. Gourdin garni de plomb.* ⇒ **Plombé.** *Masse d'armes en plomb.* ⇒ **Plombée, plommée.** *Cercueil* (cit. 1) *de plomb.* — Loc. fig. (Vx). *« Le paroissien en plomb »* (La Fontaine, *Fables,* VII, 11), enfermé dans son cercueil de plomb. — *Couler, fondre le plomb. Table à couler le plomb.* ⇒ **Éponge.** *Battre le plomb à froid avec une forge*. Chéneau, conduit, gouttière, tuyau* de plomb.* ⇒ **Plomberie,** 1. **plombier.** *Alliage de plomb et d'étain employé pour la soudure.* ⇒ **Liaison, soudure.** *Matage* d'une soudure en plomb. Scellement en plomb. Créneaux scellés de plomb* (→ Archer, cit. 3). *Vitres à mailles* (1. Maille, cit. 6) *de plomb.* ⇒ **Plombure.** *Carreaux à résilles de plomb* (→ Obscur, cit. 2). → ci-dessous, B., 6.

Les soleils couchants, qui colorent si richement la salle à manger ou le salon, sont 1
tamisés par de belles étoffes ou par ces hautes fenêtres ouvragées que le plomb divise en nombreux compartiments.
BAUDELAIRE, le Spleen de Paris, XVIII.

Statues de plomb qui ornaient les jardins.

SOLDATS DE PLOMB : figurines de plomb représentant des soldats. — REM. L'expression *soldats de plomb* continue d'être employée pour désigner ces figurines, bien que, de nos jours, elles soient le plus souvent faites d'une matière autre que le plomb (alliage d'aluminium, matière plastique...). *Le petit joue avec ses soldats de plomb.*

Le plomb fondu. On jetait du plomb fondu sur les assiégeants des châteaux forts (→ aussi Forteresse, cit. 1). *Supplice du plomb fondu* (→ Huile, cit. 11).

Deux jets de plomb fondu tombaient du haut de l'édifice au plus épais de la cohue. 2
Cette mer d'hommes venait de s'affaisser sous le métal bouillant qui avait fait, aux deux points où il tombait, deux trous noirs et fumants dans la foule, comme ferait de l'eau chaude dans la neige (...) Autour de ces deux jets principaux, il y avait des gouttes de cette pluie horrible qui s'éparpillaient sur les assaillants et entraient dans les crânes comme des vrilles de flamme.
HUGO, Notre-Dame de Paris, X, IV.

Le plomb servant à la fabrication des projectiles d'armes à feu (fusils, pistolets...). *Balle* (1. Balle, cit. 7) *de plomb. Noyau de plomb d'une balle, recouvert de cuivre, d'acier, etc.*

Vx ou littér. *Envoyer du plomb à qqn.* ⇒ **Balle.** *« Déjà d'un plomb mortel plus d'un brave est atteint »* (Boileau). — REM. Dans ce type d'emploi, le sens originel est premier, à la différence du sens collectif *(du plomb)* provenant de la valeur lexicalisée *(un plomb);* → ci-dessous, B., 4.

(...) comme le misérable, immobilisé, effaré, n'osait plus ni avancer, ni reculer 3
d'une semelle, il le mit en joue. — Je t'envoie du plomb, si tu ne te dépêches pas (...)
ZOLA, la Terre, IV, III.

Le plomb, métal (cit. 3) *vil, que les alchimistes essayaient de changer en argent, en or.* ⇒ **Saturne.**

À la même époque, Helvétius qui combat le dogme des spagiriques reçoit égale- 4
ment d'un autre inconnu une poudre de projection avec laquelle il convertit un lingot de plomb en or.
HUYSMANS, Là-bas, VI.

Allus. littér. *« Comment en un plomb vil l'or pur s'est-il changé? »* (cit. 70, Racine), se dit parfois à propos d'un changement en mal, d'une dégradation.

♦ **2.** Loc. compar. *Tomber comme une masse de plomb. Nageur qui coule à pic comme un morceau de plomb.* — Fam. *Nager comme un chien de plomb.* — *Son bras pesait comme du plomb* (→ Hémiplégie, cit.). *Ses mains étaient lourdes comme du plomb* (→ 1. Lever, cit. 8). — Figuré :

5 Privée du lustre rayonnant de ses yeux, toute cette littérature, ailée et dorée naguère, devenait maussade, saturnienne et lourde comme le plomb.
BAUDELAIRE, Trad. E. POE, Histoires extraordinaires, « Ligeia ».

♦ **3.** (Autres substances; alliages, métaux). *Plomb blanc* (vx) : étain; cérusite. *Plomb brûlé* : massicot. *Plomb de mer* : plombagine utilisée pour vernir les plombs de chasse. — *Plomb cendré,* nom que les alchimistes donnaient au bismuth métallique. *Plomb sulfuré* : galène.

MINE* DE PLOMB. ⇒ **Graphite, plombagine.**

(1812). Alliage au plomb utilisé en typographie. *Le plomb des linotypes* (cit.). — Ensemble des caractères* d'imprimerie. *Lire sur le plomb,* sur la composition même (et non sur épreuves). *Le plomb d'un livre.* ⇒ **Composition.** *Détruire, garder le plomb.*

5.1 Une brochure de Sartre saisie chez Julliard! Le plomb a été détruit.
F. MAURIAC, le Nouveau Bloc-notes 1958-1960, p. 34.

Par ext. La typographie traditionnelle (linotypie, etc.), par oppos. aux procédés de photocomposition. *Abandonner le plomb pour la photocomposition.*

♦ **4.** Par métonymie. *Plomb des vidangeurs :* intoxication aiguë causée par le mélange gazeux qui se dégage des fosses d'aisances. — Ces gaz (hydrogène sulfuré, vapeurs ammoniacales).

B. (*Un, des plombs;* collectif : *du plomb*). Objet en plomb (ou en alliage à base de plomb). ♦ **1.** N. m. pl. (1322). **LES PLOMBS** (vx, le plomb étant généralement remplacé de nos jours par le zinc), ensemble des plaques et des pièces de plomb qui entrent dans la couverture et les autres parties d'un édifice. ⇒ **Toit.**

6 *(Il)* n'a pas encore payé les plombs d'une maison qui est achevée (...)
LA BRUYÈRE, les Caractères, XII, 80.

(XVIIIe, Rousseau). Hist. *Les plombs de Venise :* les prisons situées au dernier étage du palais de Saint-Marc sous une toiture de lames de plomb. *Casanova réussit à s'échapper des plombs.*

7 N'étant pas assez riche pour meubler cette cage digne des *plombs* de Venise, la pauvre femme n'avait jamais pu la louer.
BALZAC, la Peau de chagrin, Pl., t. IX, p. 91.

♦ **2.** (1530, *plomb de sonde;* «fil à plomb», XIIIe). *(Un, des plombs).* Masse de plomb attachée à l'extrémité d'une corde de manière à constituer une sonde*. — Syn. : *plomb de sonde.*

8 Chaque matin on sondait avec un plomb la hauteur des eaux, de peur que la *Marie* ne se fût trop rapprochée de l'île d'Islande.
LOTI, Pêcheur d'Islande, III, X.

Fil* à plomb. *« Voir avec un plomb si une muraille est droite, si elle est bien verticale »* (Académie).

♦ **3.** Loc. adv. **À PLOMB** (*aplon,* fin XIIe). ⇒ **Aplomb** (d'aplomb). [a] À la verticale. *Mettre à plomb un mur, une pièce de charpente,* la disposer verticalement. *« Cette muraille est à plomb. Tracer une ligne à plomb sur une muraille, sur un édifice »* (Académie).

[b] ⇒ **Perpendiculairement** (vx), **verticalement** (→ Agile, cit. 4). *Tomber à plomb* (cf. À pic; à bloc).

9 (...) le vieux sol du Midi ne conserve presque plus d'arbres, et le soleil tombe à plomb sur la terre dépouillée par les hommes.
Mme DE STAËL, De l'Allemagne, I, I.

[c] Vx. À propos. *Remarque qui tombe à plomb. — Tomber à plomb sur qqn,* juste sur lui.

10 L'observation sur les villageois tombe à plomb sur les employés *identifiés* avec la nature au milieu de laquelle ils vivent.
BALZAC, les Employés, Pl., t. VI, p. 954.

♦ **4.** [a] (Av. 1606, Desportes). *(Un, des plombs).* Chacun des grains sphériques, faits de plomb durci par l'addition d'arsenic, qui servent à garnir une cartouche de chasse*. *Des plombs de chasse* (→ Couscous, cit.). *Des plombs crépitèrent sur l'eau* (→ Coup, cit. 29). *Regroupement des plombs favorisé par le choke-bore*. Utiliser des plombs de gros calibre.* ⇒ **Plombiste.** *Recevoir des plombs, un plomb dans la fesse.* — Loc. fig. *Avoir du plomb dans l'aile.* ⇒ **Aile** (cit. 19.1 et 20).

[b] Collectif. *(Du plomb, le plomb).* L'ensemble des grains qui constituent la charge d'une cartouche, d'un fusil. ⇒ **Charge** (→ Oiseau, cit. 9). *Cartouche à plomb. Mesurer la charge de plomb d'une cartouche avec une chargette*.* — Spécialt. *Du gros plomb.* ⇒ **Chevrotine.** *Menu, petit plomb.* ⇒ **Cendre, cendrée,** 1. **dragée, grenaille, menuise.**

[c] Petite masse de plomb servant à lester qqch. — Spécialt (pêche). Chacun des grains, des morceaux de plomb qui lestent un bas de ligne, un filet. — Collectif. L'ensemble de ce lest. ⇒ **Plombée.** *Rajouter du plomb.*

11 Naturellement je pêchais sans flotteur et sans plomb, plein de mépris pour ces aide-niais, qui ne servent que d'épouvantails.
GIDE, Si le grain ne meurt, I, III, p. 75.

[d] (1718, *un plomb* «plomb fixé aux manches»). Chacune des petites rondelles de plomb qu'on fixe au bas d'un vêtement pour le faire tomber droit. *Mettre des plombs à un corsage, à une jupe, à une robe.*

♦ **5.** (1683; «sceau pontifical», XVIe). (*Un, des plombs;* surtout au plur.). Petit disque de plomb portant une marque, évidé pour le passage des deux extrémités d'une cordelette, d'un fil de métal..., qui sert à sceller* un colis, à garantir la fermeture d'une porte, etc. ⇒ **Sceau, scellé.** *Utilisation des plombs dans les douanes*. Vérifier les plombs. Plomb d'un compteur d'électricité. Mettre un plomb à la porte d'un wagon.* ⇒ **Plomber.**

♦ **6.** Baguette de plomb qui maintient les verres d'un vitrail.

On y distinguait *(sur le vitrail)* un manteau d'écarlate et les deux ailes d'un ange. 12
Tout le reste se perdait sous les plombs qui tenaient en équilibre les nombreuses cassures du verre.
FLAUBERT, Bouvard et Pécuchet, IV.

♦ **7.** (1855, au sing.). Anciennt ou vx (ce genre d'installation étant devenu rare). **LES PLOMBS** : cuvette de plomb (ou d'un autre métal) placée à chaque étage d'un immeuble et qui sert à l'évacuation des eaux sales.

J'ai fait toutes les maisons meublées de la rue Dauphine, chassé de chacune par 13
l'odeur des plombs ou le bruit des querelles.
J. VALLÈS, le Bachelier, IV.

(...) un escalier suffocant où plombs et latrines répandaient leurs épouvantables 14
exhalaisons (...)
Léon BLOY, la Femme pauvre, I, II.

Fig. et argot. *Plomb* : bouche. *« Ferme ton plomb! »* (Darrien, *in* D. D. L.).

♦ **8.** (1890, *in* P. Larousse, *Deuxième Suppl*). Fusible. *Encore un plomb de sauté* (→ 2. Panne, cit. 5). *Remplacer les plombs.* — Par ext. *Les plombs* : ensemble du dispositif qui contient les fusibles. ⇒ **Coupe-circuit.**

(...) je suis remontée dans ma chambre et je me suis fait du thé sur mon réchaud 15
électrique. Je le cache parce qu'il fait sauter les plombs une fois sur trois.
SARTRE, la Mort dans l'âme, p. 58.

C. Loc. fig. ♦ **1. DE PLOMB, EN PLOMB,** exprime l'idée de poids (sens propre), de lourdeur, d'accablement (sens figuré). *Avoir, se sentir des jambes de plomb, en plomb,* lourdes. *Il se sent le « casque de plomb » sur la tête* (→ Crâne, cit. 3). — *Sommeil* de plomb.* — Fam. (En parlant d'un homme). *Cul-de-plomb.* ⇒ **Cul** (cit. 12). — *Chaleur, ciel* (cit. 34), *soleil de plomb* (→ Dévorant, cit. 5; 1. exode, cit. 3). — Pâtiss. *Galette de plomb :* galette campagnarde non feuilletée. — (1827). Vx. *Gâteau de plomb.* ⇒ **Plum-pudding,** REM. — Fig. *« Une ligue de toutes les sottises étend sur le monde un couvercle* (cit. 2) *de plomb »* (Renan).

(...) l'humanité oublia le poids de plomb qui l'attache à la terre, et les tristesses 16
de la vie d'ici-bas.
RENAN, Vie de Jésus, XI, Œ. compl., t. IV, p. 205.

Parfois, dans la chaleur, un calme de plomb endormait les épis, une odeur de 17
fécondité fumait et s'exhalait de la terre.
ZOLA, la Terre, III, IV.

♦ **2.** (XIXe, Hugo). **DE PLOMB** : de couleur gris foncé, sombre. ⇒ **Plombé** (2.). *Un ciel, des nuages de plomb.*

♦ **3.** Loc. fig. **DU PLOMB DANS LA TÊTE :** de la réflexion, de l'équilibre. *N'avoir pas de plomb dans la tête :* être léger, étourdi. *Mettre du plomb dans la tête de qqn,* le rendre moins léger (→ Lester, cit. 3).

D'ailleurs, six ans de service militaire lui mettront du plomb dans la tête (...) 18
BALZAC, Un début dans la vie, Pl., t. I, p. 738.

(...) ce garçon peut aller. Il lui manque un peu de plomb dans la cervelle. 19
J. ROMAINS, les Hommes de bonne volonté, t. V, XXVII, p. 282.

♦ **4.** Loc. adv. **À PLOMB** (→ ci-dessus, cit. 9, 10 et *supra*).

♦ **5. UN PLOMB** : une sensation de lourdeur (notamment dans le corps, l'estomac). → Faim, cit. 5. *Ce repas m'a laissé un plomb dans l'estomac.*

DÉR. Plomber, plomberie, 1. **plombier,** 2. **plombier, plombique, plombiste, plombure.** — V. aussi **Plonger, plumée.**
COMP. Aplomb, plombifère, surplomber.

PLOMBAGE [plɔ̃baʒ] n. m. — 1427, *plonmage;* de *plomber.*

♦ **1.** Opération qui consiste à garnir de plomb. *« Le plombage d'un faîte »* (Académie).

♦ **2.** Action de sceller avec un sceau de plomb. *Plombage d'un colis, d'un wagon.* — Opération agricole qui consiste à tasser, à plomber* (I., 6.) la terre.

♦ **3.** «Remplissage d'une cavité pathologique qui ne peut se combler spontanément (dent, os) ou d'une cavité artificielle dont les parois doivent être maintenues écartées (...) avec une substance solide, inaltérable» (Garnier et Delamare). ⇒ **Obturation.** *Instruments de dentiste servant au plombage des dents.* ⇒ **Fouloir, plomboir.**

Amalgame* qui bouche le trou d'une dent. *Mon plombage est parti.*

PLOMBAGINACÉES [plɔ̃baʒinase] ou **PLOMBAGINÉES** [plɔ̃baʒine] n. f. pl. — 1903, *plombaginacées; plombaginées,* 1812; de *plombagine.*

♦ Bot. Famille de plantes phanérogames angiospermes, classe des dicotylédones gamopétales, comprenant des herbes qui croissent principalement sur les bords de la mer et notamment sur le littoral méditerranéen, telles que le *plumbago* (ou dentelaire*), le *statice*...* — Au sing. *Une plombaginacée, une plombaginée.* — REM. Le *plumbago* doit son nom à la substance que contient sa racine et qui «laisse sur le papier une trace ressemblant à celle de la mine de plomb» (F. Moreau, in *Encycl. Pl.*, Botanique, p. 1120).

PLOMBAGINE [plɔ̃baʒin] n. f. — 1559; *plombage*, 1556; lat. *plumbago, plumbaginis*, de *plumbum*.

♦ Techn. Vx. Variété de carbone naturel, appelée de nos jours *graphite**. ⇒ aussi 2. **Mine** (mine de plomb). *Utilisations de la plombagine :* (mines de crayons, fabrication de creusets, de balais pour moteurs électriques, de pâtes pour l'entretien des poêles et fourneaux en fonte).

Qu'elle est grise comme la mine
De mes lettres dont le contour
s'éveille sous la plombagine
qui trace en gris, pour Valentine,
sur le papier mes vers d'amour. Germain NOUVEAU, Valentines, «La robe».

DÉR. Plombaginacées ou **plombaginées.**

PLOMBE [plɔ̃b] n. f. — 1811; de l'argot *plomber* «sonner», 1800; employé en anc. franç. et dans certains dialectes pour désigner divers objets en plomb et notamment un poids d'horloge.

♦ Argot. Heure*.

1 Le mot minuit est rendu par cette périphrase : *douze plombes crossent !*
BALZAC, Splendeurs et misères des courtisanes, 1838, Pl., t. V, p. 1045.

2 Depuis onze plombes, et deux du mat' *(matin)* viennent de sonner du clocher de Notre-Dame de Lorette (...) Albert SIMONIN, Hotu soit qui mal y pense, p. 55.

HOM. Formes du v. **plomber.**

PLOMBÉ, ÉE [plɔ̃be] adj. ⇒ **Plomber.**

PLOMBÉE [plɔ̃be] n. f. — 1445, «massue de plomb»; de *plommée** (1155), refait sur *plomber.*

♦ **1.** Archéol. Arme de choc employée au moyen âge, sorte de massue garnie de plomb. ⇒ aussi **Fléau** (d'armes). — Dard* lesté de plomb. ⇒ **Plommée.**

♦ **2.** Pêche. Ensemble des plombs qui lestent un bas de ligne, un filet.

HOM. Plomber.

PLOMBER [plɔ̃be] v. tr. — 1490; *plomer*, 1105; de *plomb.*

★ **I.** ♦ **1.** Garnir de plomb. *Plomber une canne, un bas de ligne, une robe. Plomber les arêtiers d'un toit.*

0.1 — Vous ne comprenez pas? plomber tout le boulevart *(sic)*...
— C'eût été trop coûteux!
— Mais non, des feuilles de plomb fines... Comme celles qui enveloppent le chocolat... C'eût été très joli et très brillant.
Ch. PAUL DE KOCK, la Grande Ville, t. I, p. 335.

Garnir de lest (un filet ou une ligne de pêche).

♦ **2.** Donner à (qqch.) une teinte livide (cit. 6) qui rappelle celle du plomb (→ Lividité, cit.).

1 C'est la ville que le jour plombe et que la nuit éclaire.
VERHAEREN, les Campagnes hallucinées, «Le départ».

V. pron. *Se plomber :* devenir livide (→ Macchabée, cit. 1).

2 Ses yeux pleuraient, ses dents claquaient comme au gibet
Les genoux d'un squelette, et sa peau se plombait (...)
HUGO, la Légende des siècles, LIV, XV.

♦ **3.** Techn. Vernir avec de la mine de plomb. *Plomber une poterie.*

♦ **4.** Sceller* avec un sceau de plomb. *Plomber un colis, un wagon. Faire plomber des marchandises à la douane.* ⇒ **Ferrer.**

♦ **5.** Constr. Vérifier avec un fil à plomb si un ouvrage est vertical; le disposer verticalement. *Plomber un mur.* — Mar. *Plomber un couple sur la quille.*

♦ **6.** Agric. Tasser la couche superficielle de (un terrain) pour la rendre plus ferme. *Plomber la terre avec un rouleau plombeur, avec une batte.*

♦ **7.** Traiter (une dent) par plombage. ⇒ **Obturer.** *Se faire plomber une dent.*

★ **II.** Argot, puis fam. (Compl. n. de personne). ♦ **1.** Blesser ou tuer avec une arme à feu. → Envoyer du plomb* (cit. 3) à qqn.

3 Un matin, en voilà un qui saute. Au vol, que je l'ai eu (...) Il est tombé de notre côté (...) «Tu l'as plombé, il ne mordra plus» que me dit le pourvoyeur.
Roger VERCEL, Capitaine Conan, I, p. 30.

4 Ses gonzes, en plein jour, y avait pas de danger qu'ils osent me plomber.
Albert SIMONIN, Touchez pas au grisbi, p. 81.

♦ **2.** (1858; de *plomb* «syphilis», 1836, à cause des plaques cutanées comparées à l'oxyde de plomb). — Fam. Contaminer par une maladie vénérienne. ⇒ **Syphiliser.**

5 — Elles sont toutes vérolées par ici.
— Elle a l'air saine, remarqua le premier soldat. Et elle est bien jeune.
— Ça alors, ça ne veut rien dire. En Belgique, j'ai été plombé par une garce de quinze ans... R. GARY, Éducation européenne, p. 183.

▶ **PLOMBÉ, ÉE** p. p. adj. (XIVe; *plomée*, XIIIe).

♦ **1.** Garni de plomb. *Canne, massue, matraque plombée. Filet* (cit. 6) *de pêche, lasso plombé* (→ Frapper, cit. 15). *Jupe, robe plombée.*

(...) sa jupe, plombée par le bord, colle exactement sur ses hanches (...) 5.1
Th. GAUTIER, Souvenirs de théâtre..., Beautés de l'Opéra, IV.

Chaque parole de cet homme tombait sur la tête de Jacques comme un coup de canne plombée (...) Alphonse DAUDET, le Petit Chose, II, XIII. 5.2

Fig. Lourd comme du plomb.

Ce fut Marion qui le réveilla (...) La tête plombée, les paupières collantes, il se débattait encore sous les dernières mailles d'un rêve (...) 5.3
H. TROYAT, la Tête sur les épaules, p. 101.

♦ **2.** Dont la couleur, tirant sur un gris bleuâtre ou noirâtre, rappelle celle du plomb. ⇒ **Livide** (cit. 1). *Teint plombé* (→ Envie, cit. 2; hâve, cit. 1; hectique, cit.). *Faciès* (cit. 2), *visage plombé* (→ 1. Farder, cit. 9; figer, cit. 7).

Cette couleur plombée peut s'appliquer, je suppose, à l'eau du Nil, à de l'eau d'un bleu épais, sombre, et dont une excessive lumière clarifie la teinte. Alors il peut y avoir en dessus comme un glacis de plomb, c'est vrai. 5.4
FLAUBERT, Correspondance, 382, 14 avr. 1853.

De grosses larmes, jaillissant sous les paupières enflammées, se mirent à couler sur son visage plombé (...) CAMUS, la Peste, p. 234. 5.5

L'averse se termine brutalement. Le client se détache du bar et montre le ciel bleu sombre, cerné par régions entières d'un gris plombé, et qui touche aux toits, tellement il est bas. M. DURAS, Dix heures et demie du soir en été, p. 12. 6

Vin plombé, se dit d'un vin blanc dont la transparence, la couleur s'est ternie.

♦ **3.** Techn. Verni au plomb. *«Pots bien vernis et plombés»* (→ Fiole, cit. 1, Ronsard).

♦ **4.** Scellé par un plomb. *Colis, wagon plombé.*

♦ **5.** *Dent plombée*, obturée par un amalgame. ⇒ **Plombage.**

C'était une molaire déjà plombée; aucune guérison n'était possible; la clef seule des dentistes pouvait remédier au mal. HUYSMANS, À rebours, IV. 7

DÉR. Plombage, plombée, plombeur, plomboir, plommée.
HOM. Plombée.

PLOMBERIE [plɔ̃bʀi] n. f. — 1401; *plommerie* «objet en plomb», 1304; de *plomb.*

♦ **1.** Industrie de la fabrication des objets en plomb (→ Métallurgique, cit. 2).

♦ **2.** Travail du plombier*, pose des parties métalliques d'un édifice (couverture en plomb, en zinc..., gouttières, tuyaux de descente...), installation ou réparation du réseau et des appareils de distribution d'eau ou de gaz dans un bâtiment, de la tuyauterie d'évacuation des eaux usées, de l'équipement sanitaire, etc. (ces ouvrages autrefois étant toujours exécutés en plomb). *La plomberie, métier du bâtiment*. Entrepreneur* de plomberie.*

♦ **3.** Ces installations, ces canalisations. *La plomberie de cette maison est en mauvais état.*

♦ **4.** Atelier où l'on travaille le plomb.

PLOMBEUR [plɔ̃bœʀ] n. m. — 1721; «ouvrier qui travaille le plomb», 1458; de *plomber.*

♦ **1.** Personne qui appose un sceau de plomb sur des marchandises, qui les plombe* (I., 4.). — Dans ce sens, le fém. *plombeuse* est virtuel.

♦ **2.** Agric. Rouleau lourd qui sert à plomber* (I., 6.) la terre. *Passer le plombeur sur un champ labouré.* — Appos. (1860). *Rouleau plombeur.*

1. PLOMBIER [plɔ̃bje] n. m. — 1508; *plunmier*, 1266; de *plomb.*

♦ **1.** Ouvrier, entrepreneur qui exécute des ouvrages en plomb.

♦ **2.** (XIXe). Personne (ouvrier, entrepreneur) qui effectue des travaux de plomberie* (→ Bâtir, cit. 12). *Le plombier doit venir pour réparer le robinet. Plombier-couvreur. Plombier-chauffagiste.* — (1841). *Plombier-zingueur.* — *Outils du plombier.* ⇒ **Batte, grattoir, griffe, maillet, matoir...** *Lampe de plombier.* ⇒ **Éolipile.** *Soudure* des plombiers.* — Appos. *Ouvrier plombier.*

REM. Le fém. *plombière* est d'un emploi exceptionnel, en partie à cause de l'homonyme *plombières.* On dira plutôt : *elle est plombier.* Cf. cependant *«conductrices de bennes, plombières, peintres...» (F Magazine*, avr. 1980, p. 66).

♦ **3.** (1973, *in* Gilbert; répandu avec l'affaire du Watergate, aux États-Unis, dans laquelle les poseurs de dispositifs d'écoute se présentaient comme ouvriers plombiers). Agent secret spécialiste des dispositifs d'écoute. *«Des "plombiers" avaient branché sur les écoutes de la* *police les locaux où se tenaient des réunions politiques intéressantes»* (*le Monde,* 6 déc. 1973, *in* Gilbert).

HOM. 2. **Plombier.**

2. PLOMBIER, IÈRE [plɔ̃bje, jɛʀ] adj. — 1562; de *plomb.*

♦ Vx. Qui est de la nature du plomb; qui contient du plomb. *Roches plombières.*

HOM. 1. **Plombier.** — (Du fém.) **Plombières.**

PLOMBIÈRES [plɔ̃bjɛʀ] n. f. — 1818; du nom de la ville.

♦ Glace garnie de fruits confits. ⇒ **Cassate.**

À la fin du souper on servit des glaces, dites *plombières.* Tout le monde sait que ces sortes de glaces contiennent de petits fruits confits très délicats placés à la surface de la glace qui se sert dans un petit verre sans y affecter la forme pyramidale. BALZAC, Splendeurs et Misères des courtisanes, Pl., t. V, p. 894.

On rencontre la forme *plombière* (sans *s*).

HOM. **Plombière** (fém. de *plombier*).

PLOMBIFÈRE [plɔ̃bifɛʀ] adj. — 1842; de *plomb,* et *-fère.*

♦ Didact. Qui renferme du plomb ou des composés du plomb. *Gisement, minerai plombifère. Substances, vapeurs plombifères.* — Spécialt. Se dit d'un émail translucide qui contient du plomb. *Couverte plombifère.*

PLOMBIQUE [plɔ̃bik] adj. — 1846; de *plomb.*

♦ Chim. Se dit d'un anhydride PbO_2. *Acides plombiques,* correspondant à cet anhydride.

PLOMBISTE [plɔ̃bist] n. m. — XXe; de *plomb (de chasse).*

♦ Argot des chasseurs. *Petit, gros plombiste :* celui qui utilise des plombs de petit, de gros calibre. *Parmi les chasseurs «on trouve enfin les petits plombistes et les gros plombistes»* (*la Chasse,* nº 229, p. 24).

PLOMBO- Premier élément de mots scientifiques et techniques, var. de *plumbo-.*

PLOMBOIR [plɔ̃bwaʀ] n. m. — 1812; de *plomber.*

♦ Techn. Instrument de dentiste qui sert au plombage* des dents. ⇒ **Fouloir.**

PLOMBURE [plɔ̃byʀ] n. f. — 1903; *plommeure,* 1409; *plombeure* «ouvrage en plomb»; de *plomb.*

♦ Techn. Armature de plomb d'un vitrail; ensemble des plombs.

PLOMMÉE [plɔme] n. f. — 1155, *plomée;* anc. forme du p. p. de *plomber.* → Plombée.

Archéologie.

♦ **1.** Hist. Arme médiévale, maillet de plomb, à la tête généralement garnie de pointes de fer. ⇒ **Maillet,** 2. **masse.** — *Plommée à chaîne :* fléau* d'armes.

♦ **2.** Ancienne épée* à lame courte et très lourde.

PLONGE [plɔ̃ʒ] n. f. — Fin XIXe; *plunge* «plongée», v. 1200; de *plonger.*

♦ **1.** Travail des plongeurs, dans un restaurant, etc. *Faire la plonge.* ⇒ **Vaisselle.**

♦ **2.** Cuve. — Par ext. Local où on lave les ustensiles de cuisine et la vaisselle.

Parti à Londres pour apprendre l'anglais du Roi, il se retrouva à la plonge avec des Espagnols. Claude COURCHAY, La vie finira bien par commencer, p. 8.

♦ **3.** Rare (déverbal de *plonger*). Fait de plonger. ⇒ **Plongée.** «*La plonge est assurée par la manœuvre d'un gouvernail horizontal* (... sur un sous-marin)», *Année sc. et industr.* 1844, p. 120 (1893).

PLONGEANT, ANTE [plɔ̃ʒɑ̃, ɑ̃t] adj. — 1798; de *plonger.*

♦ **1.** Rare. Qui plonge (II., 1.). — Blason. *D'azur au cygne plongeant* (la tête enfoncée).

♦ **2.** (Dans quelques expressions). ⇒ **Plonger,** (II., 4. et 5.).Qui est dirigé vers le bas. *Vue plongeante. Feu, tir plongeant,* dirigé d'un lieu élevé et faisant un angle assez ouvert avec le plan de l'objectif.

Décolleté plongeant, très échancré entre les seins.

PLONGÉE [plɔ̃ʒe] n. f. — 1493, *à grandes plongées,* (en parlant des vagues); de *plonger.*

★ **I.** Action de plonger (II., 1.); séjour sous l'eau de celui qui plonge. *Une plongée de deux minutes. La plongée d'un pêcheur d'éponges, d'un homme grenouille, d'un chasseur sous-marin.*

(...) non seulement il *(Thésée)* remonta à la surface en tenant la bague à son doigt, mais il portait aussi sur le front la couronne même d'Amphitrite que celle-ci, au cours de sa plongée, lui avait donnée pour l'aider à prouver son dire. Émile HENRIOT, Mythologie légère, p. 120.

Spécialt. Manœuvre par laquelle un submersible* s'enfonce sous l'eau; navigation sous-marine. *Plongée à grande profondeur.*

EN PLONGÉE. *Sous-marin en plongée* (opposé à *en surface*).

(1928, Saint-Exupéry). Rare. Fait de plonger, de descendre rapidement, (en parlant d'un avion). ⇒ **Piqué.**

Par métaphore, fig. *Plongée dans le rêve, le sommeil...*

(1952, O. Uren). Cin. Vue plongeante. Prise de vue effectuée de haut en bas. *Plongée et contre-plongée*.*

★ **II.** Chose qui plonge, s'enfonce. ♦ **1.** Fortif. Talus supérieur d'un parapet.

♦ **2.** Hydrogr. Brusque abaissement du fond de la mer, dans le relief sous-marin.

PLONGEMENT [plɔ̃ʒmɑ̃] n. m. — 1606; *plingement,* XIVe; de *plonger.*

Rare.

♦ **1.** Action de plonger (I.) une chose dans un liquide.

♦ **2.** Techn. Angle que fait une couche de terrain avec l'horizontale. ⇒ **Pendage.**

PLONGEOIR [plɔ̃ʒwaʀ] n. m. — XXe; «châssis à aiguille», dans une machine à broder, 1867; de *plonger.*

♦ Dispositif, tremplin surélevé permettant de plonger dans l'eau d'une piscine, d'une baignade. *Installer, aménager un plongeoir. Il a sauté du deuxième plongeoir. Planche du plongeoir.*

1. PLONGEON [plɔ̃ʒɔ̃] n. m. — XIIe; du bas lat. *plumbio* (ve), à l'accusatif, dér. de *plumbum,* l'oiseau disparaissant sous l'eau comme une masse de plomb.

♦ Oiseau *(Colymbidés* ou *Plongeons),* de la taille du canard, palmipède, nichant près de la mer; oiseau migrateur des régions septentrionales. *Plongeons noirs* (→ Cabriole, cit. 1).

En quel lieu sont les marchandises
Que certains gouffres nous ont prises.
Le plongeon sous les eaux s'en allait les chercher. LA FONTAINE, Fables, XII, 7.

HOM. 2. **Plongeon,** formes du v. **plonger.**

2. PLONGEON [plɔ̃ʒɔ̃] n. m. — 1573, *à plongeons* «en plongeant»; «plongeur», 1466; de *plonger.*

♦ **1.** Action de plonger (II.) dans l'eau, de s'immerger. ⇒ **Chute, immersion** (→ Exister, cit. 25). *Faire, piquer un plongeon* (cf. fam. Piquer une tête). *Plongeon de départ d'une course de natation.* — *Plongeon acrobatique,* où l'on effectue divers mouvements avant de toucher l'eau. *Plongeon du tremplin. Plongeon de haut vol; plongeon en avant, en arrière* (sauts périlleux avant et arrière, groupés, simples et composés, coups de pied à la lune, sauts de l'ange, tire-bouchons...).

Le Vieux, soudain, plongea la tête comme on pique un plongeon, rétrécit ses épaules d'un mouvement frileux (...) Ch.-L. PHILIPPE, Père Perdrix, II, V. 1

Discipline sportive qui consiste à effectuer des plongeons selon des règles. *Il est meilleur en plongeon qu'en natation.*

♦ **2.** Loc. (XVIIe). *Faire le plongeon :* plonger. — REM. Bloch et Dauzat, après Littré, expliquent le passage de 1. *plongeon* à 2. *plongeon par cette expression;* mais *plongeon,* au sens d'«action de plonger», est en réalité antérieur à *faire le plongeon,* qui n'a probablement jamais voulu dire «imiter l'oiseau nommé plongeon». — Vx. Baisser brusquement la tête, et, fig., s'esquiver, disparaître, ou céder, se désavouer (cf. Saint-Simon, Regnard, Voltaire, *in* Littré). — Fam. *Faire le plongeon :* faire faillite, subir un échec financier.

Par métaphore. Chute brusque, disparition.

(...) j'ai envie de jeter à l'eau ma carrière, mon avenir, ma jeunesse, ma vie, j'ai envie de faire un plongeon dans la misère avec une femme au cou, c'est mon idée (...) HUGO, les Misérables, IV, VIII, VII. 2

Rien d'absurde comme ces prétendues lois que certains ratiocinateurs ont cherché à établir; lois selon lesquelles chaque auteur devrait faire, presque sitôt après sa mort, un plongeon dans un oubli momentané. GIDE, Ainsi soit-il, p. 143. 3

♦ **3.** Mouvement du corps, saut analogue à celui d'un plongeur. — Spécialt. Brusque salut, révérence. — Sport. (football). Détente, saut (horizontal ou plongeant) du gardien de but pour saisir ou détourner le ballon.

HOM. 1. **Plongeon,** formes du v. **plonger.**

PLONGER [plɔ̃ʒe] v. — Conjug. *bouger.* — 1120; du lat. pop *plumbicare,* dér. de *plumbum* «plomb (de sonde, de filet de pêche)».

★ **I.** V. tr. ♦ **1.** Faire entrer (qqch., qqn) dans un liquide, entièrement (⇒ **Immerger, noyer**) ou en partie. ⇒ **Baigner, enfoncer, introduire, tremper.** *Plonger les doigts dans l'eau* (→ Couper, cit. 9). *Plonger une cruche, un seau dans l'eau pour les remplir.* — *Plonger qqn dans la mer, un enfant dans une baignoire.* ⇒ **Baigner; bain.** — *Plonger une mouillette* (cit. 2), *une tartine dans son café. Plonger une cuillère dans la soupe* (→ Gamelle, cit. 1), *une écumoire dans la friture* (cit. 4).

1 Et ton corps se penche et s'allonge
Comme un fin vaisseau
Qui roule bord sur bord et plonge
Ses vergues dans l'eau.
BAUDELAIRE, les Fleurs du mal, «Spleen et idéal.», XXVIII.

2 Il plonge ces âmes brûlantes dans la tranquillité du cloître comme un fer rouge dans l'eau froide. M. BARRÈS, la Colline inspirée, II.

3 Dans sa chambre, il se mit en bras de chemise, versa de l'eau et plongea sa tête dans la cuvette, un brin de toilette n'était pas de trop.
ARAGON, les Beaux Quartiers, II, XXXIV.

Pron. *Se plonger dans l'eau, dans la mer* (→ Nager, cit. 1), *dans un fleuve* (→ Éclipse, cit. 1). *Se plonger jusqu'au col* (→ 1. Éponge, cit. 2). — Absolt et vieilli. *Se plonger :* entrer dans l'eau. ⇒ **Baigner** (se). — REM. *Se plonger* a un sens plus faible que *plonger* (II.), qui suppose une descente sous l'eau ou une chute dans l'eau. — Par métaphore. *Se plonger dans le sang* (cf. Racine, *in* Littré).

Au p. p. *Avoir les mains plongées dans l'eau.*

4 Une légère fraîcheur s'était déjà manifestée au bout de mes doigts; bientôt elle se transforma en un froid très vif, comme si j'avais les deux mains plongées dans un seau d'eau glacée.
BAUDELAIRE, les Paradis artificiels, «Poème du haschisch», III.

♦ **2.** Littér. Enfoncer (une arme, une chose pointue). *Plonger un couteau* (cit. 9), *un poignard, une épée, le fer dans le cœur, dans le sein de qqn.* ⇒ **Enfoncer.** *Je lui plongeai mon sabre jusqu'à la garde* (1. Garde, cit. 85).

5 — Vieillard, reprit Poussin tiré de sa méditation par la voix de Gillette, vois cette épée, je la plongerai dans ton cœur au premier mot de plainte que prononcera cette jeune fille (...) BALZAC, le Chef-d'œuvre inconnu, Pl., t. IX, p. 410.

Par anal. *Plante qui plonge ses racines dans le sol.* — Par métaphore :

6 Autrefois, je plongeais librement mes racines dans l'humus de ma terre natale.
G. DUHAMEL, Inventaire de l'abîme, II.

♦ **3.** Mettre, enfoncer (le corps, une partie du corps, un objet) dans un emplacement, une chose creuse, molle... ⇒ **Enfouir.** *Plonger ses mains* (cit. 11) *dans un manchon, un doigt dans une boîte* (→ Mouche, cit. 13). *Plonger la tête dans la carlingue* (→ Gyroscope, cit. 1). *Plonger une cuillère* (cit. 1) *dans le plat, dans la marmite.* — *Plonger sa main dans ses cheveux* (→ Gratter, cit. 6).

7 Dans sa folie, elle se mit à genoux devant son divan, s'y plongea le visage pour ne rien voir (...) BALZAC, la Femme de trente ans, Pl., t. II, p. 713.

Plonger qqch. dans l'obscurité. — Au p. p. *L'hémisphère plongé dans l'ombre* (→ Équinoxe, cit.).

8 (...) le train traversait la grande banlieue encore plongée dans les ténèbres (...)
MARTIN DU GARD, les Thibault, t. IV, p. 144.

Plonger qqn dans un cachot, une prison, dans les fers*.* ⇒ **Jeter, précipiter.** *Plonger un prisonnier dans un lieu obscur, des oubliettes, un cul de basse-fosse* (cit. 2)...

♦ **4.** Spécialt. *Plonger ses yeux, son regard, ses regards dans... :* regarder* au fond de (→ Buste, cit. 1; eau, cit. 19).

9 Du Tillet prit alors sa femme par le bras, la ramena devant lui sous le feu des bougies (...) et il plongea son regard clair dans les yeux de sa femme.
BALZAC, Une fille d'Ève, Pl., t. II, p. 76.

♦ **5.** Fig. (Sujet n. de personne ou de chose). Mettre (qqn) dans une situation, un état, d'une manière brusque et complète. ⇒ **Précipiter.** *Sa faillite l'a plongé dans la misère,* a été la cause de sa ruine. — *Plonger qqn dans un abîme* (cit. 22 et 30) *d'irrésolution, de tristesse* (⇒ **Abîmer**), *dans l'égarement* (→ Entretenir, cit. 10). *Plonger dans l'embarras, l'étonnement, la perplexité... Le somnifère le plongea dans un profond sommeil.* — *Plonger qqn dans l'étude, le travail, dans les livres* (→ Immersion, cit. 4).

10 Dans quel trouble nouveau cette fuite me plonge! RACINE, Iphigénie, II, 7.

11 L'ivresse vous plonge en des rêves dont les fantasmagories sont aussi curieuses que peuvent l'être celles de l'extase.
BALZAC, la Peau de chagrin, Pl., t. IX, p. 151.

12 Cette importunité les mit en colère contre Dumouchel; puis la fatigue les plongea dans un découragement plus lourd. FLAUBERT, Bouvard et Pécuchet, X.

Pron. *Se plonger dans l'abrutissement* (→ Oriental, cit. 2), *dans la colère* (⇒ **Entrer**), *dans un sentiment...* ⇒ **Abîmer** (s'), **absorber** (s'), **enfouir** (s'), **livrer** (se), **perdre** (se). *Se plonger dans l'étude* (→ Habitude, cit. 15), *dans l'art* (→ Griser, cit. 13). *Écolier qui se plonge dans ses leçons.* ⇒ **Apprendre.** — Par ext. *Se plonger dans la lecture. Se plonger dans une œuvre, un auteur,* l'étudier, le travailler en y mettant toute son attention.

De tous ces vains plaisirs où leur âme se plonge (...) RACINE, Athalie, II, 9. 13

Mais la nature est là qui t'invite et qui t'aime; 14
Plonge-toi dans son sein qu'elle t'ouvre toujours (...)
LAMARTINE, Premières méditations, «Le vallon».

(...) Albert et moi nous nous plongions dans les trios, les quatuors et les symphonies de Mozart, de Beethoven et de Schumann (...) 15
GIDE, Si le grain ne meurt, I, VI, p. 164.

(Au p. p.). Abîmé dans, absorbé par. *Plongé dans le sommeil, dans la tristesse, dans d'amères réflexions* (→ Fantastique, cit. 8). ⇒ **Enfoncé, enseveli, perdu.** *Plongé dans sa douleur.* ⇒ **Noyé, submergé.** *Personnages plongés dans la passion* (cit. 18). *Plongé jusqu'au cou** (cit. 10) *dans la philosophie.*

(...) on le voyait *(Napoléon)* à demi renversé sur un sofa, plongé dans une méditation profonde; puis il en sort tout à coup comme en sursaut (...) 16
CHATEAUBRIAND, Mémoires d'outre-tombe, t. III, p. 189.

M. Jeufroy approuvait par des monosyllabes (...) Puis, il y avait des silences, où chacun semblait plongé dans la recherche d'un problème. 17
FLAUBERT, Bouvard et Pécuchet, IX.

★ **II.** V. intr. (XIIIe). ♦ **1.** S'enfoncer tout entier dans l'eau, disparaître sous l'eau. ⇒ **Plongeur.** *Pêcheur de perles, scaphandrier, homme grenouille qui plonge. Plonger en apnée*. Il plongea profondément.* ⇒ **Descendre** (→ Fond, cit. 8). *Plonger pour aller au fond, pêcher des perles, des éponges... Appareil pour plonger.* ⇒ **Cloche** (à plongeur), **scaphandre...** *Combinaison pour plonger* (ou *de plongée*). — Par anal. *Oiseaux qui plongent.* ⇒ 1. **Plongeon, plongeur.**

S'immerger pour naviguer en plongée (en parlant d'un sous-marin).

Mar. (Le sujet désigne un navire). Tanguer avec violence en s'enfonçant dans le creux des lames.

♦ **2.** Se jeter dans l'eau la tête et les bras en avant; faire un plongeon. ⇒ **Piquer** (une tête). *Aimer à nager et à plonger* (→ Handicap, cit. 2). *Plonger du bord de la piscine, du plongeoir*, d'un tremplin*. Plonger en faisant un saut périlleux...*

♦ **3.** S'enfoncer ou se jeter (dans..., sur...). *« Comme un vautour qui plonge sur sa proie »* (Lamartine). — (1926, Saint-Exupéry). *Avion qui plonge.* ⇒ **Piquer.**

Un remous fit plonger l'avion, qui trembla plus fort. Fabien se sentit menacé par d'invisibles éboulements. SAINT-EXUPÉRY, Vol de nuit, XII. 18

(1927). Sports. Se jeter, sauter en avant ou de côté, pour saisir le ballon, au football. ⇒ 2. **Plongeon.** *Le gardien de but plonge* (→ Marquer, cit. 21).

Fig. S'enfoncer. *Plonger dans la foule* (→ Immerger, cit.), *dans les rues* (→ Oripeau, cit. 3).

Par métaphore. S'enfoncer, tomber, disparaître. *Plonger au fond du gouffre* (→ Inconnu, cit. 32). *« Et plonge tout entière au gouffre de l'Ennui »* (→ Emmitoufler, cit. 2).

Argot. Être condamné à une peine de prison. *« Si tu te fais reprendre, tu plonges? »* (*Libération,* 13 mars 1978).

♦ **4.** Fig. S'enfoncer profondément. *Plonger dans ses pensées* (→ Cœur, cit. 60). *Plonger dans le sommeil.* ⇒ **Dormir.** *Plonger dans des calculs compliqués, dans une question abstraite.* ⇒ **Approfondir.**

Au reste Rancé, tout vieux et tout malade qu'il était, ne déclinait jamais le combat, mais aussitôt qu'il avait repoussé un coup, il plongeait dans la pénitence (...) 19
CHATEAUBRIAND, Vie de Rancé, p. 245.

À l'ordinaire, l'après-midi, je plonge dans un sommeil profond. Je dors, ce qui s'appelle dormir. GIDE, Ainsi soit-il, p. 131. 20

♦ **5.** (En parlant du regard). S'enfoncer au loin, vers le bas. *« Dans l'abîme sans fond mon regard a plongé »* (→ Atome, cit. 12). *Laisser plonger les regards sur...* (→ Impudique, cit. 3). ⇒ **Regarder, voir.** — Fam. Voir aisément (d'un lieu plus élevé). *De cette fenêtre, on plonge chez les voisins. Point de vue d'où le regard plonge.* ⇒ **Plongeant.**

(...) nous pouvions voir les environs, les passants, et, quoiqu'au quatrième étage, plonger dans la rue tout en mangeant. ROUSSEAU, les Confessions, VIII. 21

Mes yeux plongeaient plus loin que le monde réel (...) 22
HUGO, les Orientales, XXXVII.

Par une échappée de la cour, entre l'étable et un hangar, l'œil plongeait sur Rognes entier. ZOLA, la Terre, II, II. 23

Canon qui plonge. ⇒ **Plongeant** (tir).

♦ **6.** (Sujet n. de chose). *Plonger dans :* disparaître sous...; être enfoncé dans...

On ne voyait pas son front qui disparaissait sous son chapeau, on ne voyait pas ses yeux qui se perdaient sous ses sourcils, on ne voyait pas son menton qui plongeait dans sa cravate, on ne voyait pas ses mains qui rentraient dans ses manches, on ne voyait pas sa canne qu'il portait sous sa redingote. 24
HUGO, les Misérables, I, V, V.

DÉR. Plonge, plongeant, plongée, plongement, plongeoir, 2. **plongeon, plongeur.**

PLONGEUR, EUSE [plɔ̃ʒœʀ, øz] n. — 1606; *plongeour,* 1300; de *plonger.*

♦ **1.** Personne qui plonge (II., 1.), qui descend sous l'eau (avant de refaire surface). → Brasse, cit. 2. *Plongeur qui reste sous l'eau plus d'une minute. Plongeur qui cherche un objet tombé dans l'eau, qui pêche des perles* (⇒ **Pêcheur**), *qui sonde* (→ Explorer, cit. 7, par métaphore). *Cloche* à plongeur.* — Spécialt. Personne qui plonge et peut séjourner sous l'eau (avant de refaire surface) grâce à un dispositif. ⇒ **Homme-grenouille, scaphandrier.** *Gilet gonflable pour plongeur. Plongeur qui fait de la pêche sous-marine. Plongeur-démineur.*

1 J'ai été jeté au gouffre. Dans quel but? pour que j'en visse le fond. Je suis un plongeur, et je rapporte la perle, la vérité. HUGO, l'Homme qui rit, II, VIII, VII.

(1861). Personne qui plonge, se jette dans l'eau la tête la première, effectue un plongeon (2. Plongeon) sportif. *C'est une excellente plongeuse.*

♦ **2.** N. m. Zool. Oiseau aquatique qui plonge bien. — Spécialt. Plongeon* (1. Plongeon).

2 (...) sur l'îlot du Salut, de nombreux oiseaux se promenaient gravement. C'étaient des plongeurs, de l'espèce des manchots, très reconnaissables à leur cri désagréable, qui rappelle le braiement de l'âne. J. VERNE, l'Île mystérieuse, t. I, p. 181.

♦ **3.** [a] Techn. Ouvrier, ouvrière qui plonge les pièces cuites (biscuits) dans la bouillie d'émail (on dit aussi *trempeur*). — Ouvrier papetier qui plonge les formes dans la cuve (on dit aussi *puiseur*).

[b] (1867). Cour. Ouvrier, domestique, aide-cuisinier chargé de laver la vaisselle (dans un restaurant, une communauté...). ⇒ **Plonge.**

3 (...) exercer d'autres métiers, celui de lingère à la Maison des Trois Anges (...) celui de plongeuse à l'Hôtel du Belvédère (...) Edmonde CHARLES-ROUX, l'Irrégulière, p. 52.

♦ **4.** N. m. (1859, in *Année sc. et industr.* 1860, p. 31). Techn. **PLONGEUR :** piston à simple effet. *« Le plongeur, généralement en caoutchouc plein, est descendu dans la cavité, assurant (...) l'évacuation de l'air »* (J.-C. Desjeux et J. Duflos, *les Plastiques renforcés*, p. 73). — Dispositif compensateur des différences des pièces à usiner, quant aux points d'appui.

PLOQUER [plɔke] v. tr. — 1736; de *ploc*.
Technique.

♦ **1.** Mar. anc. Garnir de ploc (→ 1. Ploc, 2.); calfeutrer* avec du ploc. *Ploquer le bordage d'une barque.*

♦ **2.** (1812). Mêler (des laines de couleurs variées).

▶ **PLOQUÉ, ÉE** p. p. adj. (1869, Littré).

♦ **1.** Vx. (Personnes). Dont les vêtements sont couverts de duvets de ploc.

♦ **2.** Techn. *Laine ploquée.* [a] Mise en bourre avant filature.

[b] De couleurs mêlées. ⇒ **Chiné.**

PLOT [plo] n. m. — 1290, selon Bloch, «billot», encore usité dans certaines régions; techn. (tissage), 1765; du lat. *plautus* «plat», avec infl. d'un élément germanique *blok*.
Électricité.

♦ **1.** (1890). Pièce métallique permettant d'établir un contact, une connexion électrique. *Les plots d'un commutateur sont généralement des pastilles de laiton, fixées sur une platine isolante. Placer la lamelle de prise de contact sur un plot.* ⇒ aussi **Prise** (de courant). — Anciennt. *Plots d'une voie de tramway.*

1 On prenait d'ordinaire un tramway électrique, ferrailleur et balourd, qui tirait l'énergie nécessaire à sa progression de bornes métalliques ou plots, enclavées dans le pavage de la chaussée, entre les rails. C'était un système très primitif et fertile en surprises. Le véhicule, saisi de brusques lubies, s'immobilisait souvent, avec son énorme cargaison humaine, parce qu'il se trouvait arrêté entre deux plots. G. DUHAMEL, Inventaire de l'abîme, XV.

Les plots d'un billard électrique. ⇒ **Bumper** (anglicisme).

2 Il se rabattit sur un appareil à billes, mit vingt sous dans le monnayeur. Bientôt il y eut cercle autour de lui, et cercle admiratif. C'était merveille de voir les petites boules réussir les itinéraires maximum, s'engager dans les couloirs les mieux défendus par les plus astucieux obstacles, tomber dans les cuvettes, éclairer les bornes, tapoter les plots. R. QUENEAU, Pierrot mon ami, éd. L. de Poche, p. 51.

♦ **2.** *Plot lumineux :* source d'éclairage de forme circulaire (cylindrique, le plus souvent).

PLOTINIEN, IENNE [plɔtinjɛ̃, jɛn] adj. — XXe; de *Plotin*, philosophe grec alexandrin du IIIe siècle.

♦ Didact. De Plotin, de sa philosophie néoplatonicienne.

PLOTINISER [plɔtinize] v. intr. — XXe; de *Plotin*.

♦ Didact. Philosopher selon le plotinisme.

Elle platonisait à bloc. Jacques ne plotinisait pas moins mais comme il jugeait insensées c'est-à-dire dépourvues de sagesse les idées courantes sur la morale (...) R. QUENEAU, Loin de Rueil, p. 171.

PLOTINISME [plɔtinism] n. m. — XXe; de *Plotin*.

♦ Didact. Philosophie plotinienne. ⇒ **Néoplatonisme.**

PLOUC ou **PLOUK** [pluk] adj. et n. — 1936; en Bretagne, 1880, apocope des noms de communes bretonnes commençant par *Plou*, *Ploug*, selon Esnault.

♦ Fam., péj. Paysan, mal dégrossi. ⇒ **Pedzouille, péquenaud.**

(...) Thérèse souffre de moi, l'été, sur les plages. Là ressort plus qu'ailleurs mon côté *plouk*, voire *nanard*. Pierre DANINOS, Un certain Monsieur Blot, p. 200. 1

Si je te disais qu'il faut se battre pour le faire laver le samedi... Il pue, il parle mal son gros patois de plouk. Qu'est-ce que j'ai fait au Bon Dieu pour tomber sur un homme pareil! A. SARRAZIN, la Cavale, p. 225. 2

Lou, mon ami, vous êtes en train de devenir un affreux manuel, un o-vo-ro-rier, *(un ouvrier)*, un plouk, mais ça ne fait rien : vous aurez quand même votre nom sur la couverture de mon bouquin, j'ai eu trop de mal à vous épouser (...) A. SARRAZIN, la Traversière, p. 234. 3

Me mouiller pour des ploucs semblables! CÉLINE, Guignol's band, p. 77. 4

REM. La var. *ploum* [plum] (vx) suggérerait une autre coupe dans certains noms (Ploumanach), ou une autre étymologie.

Tu parles d'imbéciles et d'ploums, gronde Marthereau. H. BARBUSSE, le Feu, t. I, I, IX. 5

On trouve le fém. (sans doute stylistique) *ploukesse : « Les hôtels étaient bourrés de plouks et de ploukesses »* (Geneviève Dormann, *Je t'apporterai des orages*, p. 115).

PLOUF [pluf] interj. — 1816, Joseph de Maistre.

♦ Onomatopée évoquant le bruit d'une chute dans l'eau. ⇒ **Ploc, plof.**

N. m. (1908). *Un plouf :* un bruit de chute dans l'eau.

(...) une forme noire fit un bond dans le ruisseau avec un gros «plouf» puis sauta sur la berge. M. DRUON, la Chute des corps, I, IV, p. 37. 1

(...) j'attends le plouf profond de la pierre au tréfonds de moi-même (...) ARAGON, Blanche..., III, IV, p. 502. 2

Dans l'air printanier et vert regardant la route qui contournait l'étang et longeait ensuite les arbres de temps en temps un poisson sautait avec un plouf (...) Claude SIMON, la Route des Flandres, p. 139. 3

Fig., fam. Chute brusque. ⇒ **Dégringolade.**

Tu m'aurais proposé cela voici deux mois, c'eût été facile, dit-il en se redressant. Mais les cailloux *(diamants)* viennent de faire un sérieux plouf, j'y suis pour très cher (...) M. DRUON, les Grandes Familles, IV, VII, p. 207. 4

PLOUK, PLOUM, PLOUQUE adj. et n. ⇒ **Plouc.**

PLOUTAGE [plutaʒ] n. m. ⇒ **Ploutrage.**

PLOUTO- Premier élément de mots didactiques, du grec *ploutos* «richesse».

PLOUTOCRATE [plutɔkʀat] n. m. — 1865, Proudhon; de *plouto-*, et *-crate*.

♦ Didact. Personne très riche qui exerce par son argent une influence politique.

PLOUTOCRATIE [plutɔkʀasi] n. f. — 1842, Michelet; P. Leroux, 1843; de *plouto-*, et *-cratie*.

♦ Didact. Gouvernement par les plus fortunés (timocratie). État d'une société où l'influence politique des riches, la puissance de l'argent sont prépondérantes. *La monstrueuse ploutocratie d'un pays* (→ Grandiose, cit. 3).

J'appelle ploutocratie un état de société où la richesse est le nerf principal des choses, où l'on ne peut rien faire sans être riche, où l'objet principal de l'ambition est de devenir riche, où la capacité et la moralité s'évaluent généralement (...) par la fortune, de telle sorte, par exemple, que le meilleur critérium pour prendre l'élite de la nation soit le cens. RENAN, l'Avenir de la science, Œ. compl., t. III, p. 1060.

(Une, des ploutocraties). Pays, régime ploutocratique.

DÉR. Ploutocratique.

PLOUTOCRATIQUE [plutɔkʀatik] adj. — 1874; de *ploutocratie*.

♦ Didact. Relatif à la ploutocratie.

Votre ravaudage démocratique et ploutocratique ne durera pas plus que les robes de velours élimées des anciens maires. J. VALLÈS, le Dernier Lord Maire, p. 366.

PLOUTRAGE [plutʀaʒ] ou **PLOUTAGE** [plutaʒ] n. m. — 1874, *in* P. Larousse, *ploutage; ploutrer*, 1839, Boiste; orig. obscure.

♦ Techn. Opération qui consiste à comprimer les mottes, à tasser la terre au moyen d'un cadre, d'une barre (de bois...) appelée ploutre*.

PLOUTRE [plutʀ] n. f. — 1839; orig. obscure.

♦ Techn. Appareil utilisé pour tasser la terre. ⇒ **Ploutrage.**

PLOYABLE [plwajabl] adj. — Fin XIIᵉ, *ploiable; de ployer.*

♦ Vx. Qui peut être ployé.

Il faudrait avoir une règle; la raison s'offre, mais elle est ployable à tous sens, et ainsi il n'y en a point. PASCAL, Pensées, IV, 274.

CONTR. et **COMP. Imployable.**

PLOYAGE [plwajaʒ] n. m. — 1772; *de ployer.*

♦ Rare. Action de ployer. ⇒ **Ploiement.**

CONTR. Déploiement.

PLOYANT, ANTE [plwajɑ̃, ɑ̃t] adj. — Mil. XIVᵉ, Froissart; *pleiant,* v. 1160; *de pleier, ploier.* → Ployer.

♦ Vx. Qui ploie. *Branche ployante.* — (Abstrait). *« Son âme ployante »* (Corneille).

PLOYER [plwaje] v. — Conjug. *noyer.* — XIIIᵉ, *ploier,* var. de *pleier* (Xᵉ), *plier;* du lat. *plicare.*

REM. *Ployer,* doublet de *plier,* est d'un emploi littéraire, au sens de « courber, fléchir » et aux sens métaphoriques et figurés. Courant au début du XVIIᵉ, il était considéré comme vieux à la fin du siècle (cf. Richelet, Académie, 1694). Remis en honneur au XIXᵉ siècle, il est resté archaïque ou littéraire, surtout comme transitif.

★ **I.** V. tr. ♦ **1.** Vx. ⇒ **Plier** (I., 1.). — *« Ces nues* (cit. 2), *ployant et déployant leurs voiles »* (Chateaubriand). — Pron. *Se ployer.*

1 (...) le ciel se ployait en deux comme un livre! HUYSMANS, En route, I, I.

♦ **2.** Littér. Déformer, tordre en abaissant, en faisant fléchir. ⇒ **Plier** (I., 2.); **courber, fléchir.** *Ployer une branche d'arbre, une tige de fer.*

2 Il vient une heure pourtant où la rafale brise comme une paille cette vergue de soixante pieds de long, où le vent ploie comme un jonc ce mât de quatre cents pieds de haut (...) HUGO, les Misérables, II, II, III.

Ployer la tête, les épaules... ⇒ **Courber** (→ Flageolant, cit. 2; opprobre, cit. 6). — Loc. *Ployer le genou, les genoux* (cit. 11, Malherbe) : plier un genou ou fléchir les deux, étant debout. ⇒ **Fléchir.** — Au fig. Céder, s'humilier, se soumettre... ⇒ **Servilité.**

3 J'ai, sans ployer le dos, porté la lourde charge
Des jours et des travaux que les Dieux m'ont commis (...)
LECONTE DE LISLE, Poèmes tragiques, « Érinnyes », V.

♦ **3.** Fig. et littér. (Le sujet peut désigner une chose). Faire céder; faire fléchir. ⇒ **Plier.** *« Les choses qui ploient la machine* (cit. 29) *vers le respect »* (Pascal). *Ployer l'homme sous les nécessités* (→ Exigence, cit. 5).

4 Mes prophètes sont très savants, et j'ai trois Dieux
Très puissants, pour garder mon royaume et ma ville
Et ployer sous le joug mon peuple injurieux.
LECONTE DE LISLE, Poèmes barbares, « Vigne de Naboth », I.

★ **II.** V. intr. Littér. ♦ **1.** Se courber, s'abaisser, se déformer sous une force, une pression. ⇒ **Céder, fléchir.** *L'oiseau qui sent ployer la branche...* (→ Frêle, cit. 1). *Poutre surchargée, plancher qui ploie.* ⇒ **Infléchir** (s'). *Faire ployer :* courber (cit. 3), tordre...; affaisser* (→ Épaule, cit. 20). — *Ployer sous le faix, sous la charge. Ses jambes* (cit. 12) *ployèrent sous lui.* ⇒ **Faiblir.**

5 (...) il s'élança de sa natte sur le divan, et, passant un de ses bras derrière elle, il fit ployer jusqu'à lui sa taille souple et mince. Th. GAUTIER, Fortunio, XVI.

6 Leur front penche, leur pied fléchit, leur genou ploie (...)
HUGO, la Légende des siècles, LVII, « Petit Paul ».

7 La prière est une force majeure. Ils ne se courbaient pas, ils ployaient. Il y avait de l'involontaire dans leur contrition. HUGO, l'Homme qui rit, I, II, XVIII.

♦ **2.** Fig. Céder à une influence, à une force, à une contrainte. ⇒ **Fléchir** (cit. 20). *Ployer sous le joug.*

8 Les États périraient, si on ne faisait ployer souvent les lois à la nécessité (...) PASCAL, Pensées, IX, 614.

9 Un homme qui s'obstine à ne laisser ployer ni sa raison, ni sa probité, ou du moins sa délicatesse sous le poids d'aucune des conventions absurdes ou malhonnêtes de la société; qui ne fléchit jamais dans les occasions où il a intérêt de fléchir, finit infailliblement par rester sans appui, n'ayant d'autre ami qu'un être abstrait qu'on appelle la vertu, qui vous laisse mourir de faim.
CHAMFORT, Maximes, « Sur la dignité du caractère », XXVII.

▶ **PLOYÉ, ÉE** p. p. adj. (*ploié,* XIIᵉ; *pleiet,* 1080, *Chanson de Roland*). *Branche, tige ployée.* — *Tête ployée sous le faix. Nuque ployée* (→ Courir, cit. 33). *Genou* (cit. 12) *ployé.* — *Être ployé,* courbé (→ Javelle, cit. 2).

10 Il était ployé et mélancolique, la taille courbée du vieillard, c'est le tassement de la vie. HUGO, l'Homme qui rit, I, I, I.

Fig. et littér. Humble et soumis.

CONTR. Déployer, étendre. — Résister.

DÉR. Ploiement, ployable, ployage. — V. Ployant.

PLUCHER [plyʃe] v. ⇒ **Pelucher.**

PLUCHES [plyʃ] n. f. pl. — 1908; dial., « épluchures, rognures » (→ Peluche, éplucher); du lat. *pilucare.*

♦ Argot milit., fam. Épluchage des légumes (surtout dans une collectivité). *Corvée de pluches. Aux pluches* (parfois au sing. : *à la pluche!*).

(...) Roland a réussi à se mettre le Chef dans la poche, il va partout, aux poubelles, aux pluches, le vrai larbin, mais enfin, ça le promène.
A. SARRAZIN, la Cavale, p. 287.

PLUCHEUX, EUSE [plyʃø, øz] adj. ⇒ **Pelucheux.**

PLUIE [plɥi] n. f. — 1080, *Chanson de Roland;* lat. pop. **ploia,* réfect. du lat. class. *pluvia,* d'après *plovere.* → Pleuvoir.

♦ **1.** Eau* qui tombe en gouttes des couches atmosphériques, des nuages, sur la terre. ⇒ **Eau** (du ciel), **flotte** (fam.). → Averse, cit. 4; hallebarde, cit. 4. — LA PLUIE. *La pluie est la principale précipitation**, *en climat tempéré.* ⇒ **Grêle, neige.** *La pluie tombe, tombe à seaux, à torrents, par torrents* (→ Maternel, cit. 4), *à verse...* ⇒ **Pleuvoir.** *Il tombe de la pluie. Nuée qui se résout en pluie* (→ Iris, cit. 3). — *Gouttes de pluie.* ⇒ 1. **Goutte** (cit. 4 et 13). *Pluie qui tombe goutte à goutte* (cit. 35). *Brouillard* (cit. 5) *fait d'embruns* et de pluie. Les flots de la pluie* (→ Émouvoir, cit. 16). *Un mur* (cit. 19), *un rideau de pluie.* — *Le vent couchait* (1. Coucher, cit. 5) *la pluie.* — *La pluie arrosait* (cit. 5) *la foule. La pluie cingle** (2. Cingler, cit. 4 et 5), *fouette** (cit. 10), *transperce.* — *Recevoir la pluie,* en être mouillé* (cf. fam. Se faire asperger, doucher, saucer...). *La pluie qui dégouline* (cit.) *dans le cou. Dégouttant* (cit. 7) *de pluie.* — *Bruit, bruissement* (cit. 5), *grignotement* (→ Calèche, cit. 2) *de la pluie.* — *S'abriter* (cit. 3), *se protéger de la pluie* (→ Blottir, cit. 6). *Abri* (auvent, marquise; bâche...) *contre la pluie.* ⇒ aussi **Parapluie.** *Refuge contre* (cit. 24) *la pluie.* — Loc. prov. *Se mettre à l'eau par peur de la pluie, pour se garer* (cit. 6) *de la pluie.* ⇒ **Gribouille.** *« La pluie nous a bués et lavés... »* (→ Noircir, cit. 2, Villon). — *La pluie trempe, délave la terre; terre détrempée* (1. Détremper, cit. 1) *par la pluie. Ciel lavé de pluie* (→ Heurter, cit. 37). *Pluie bienfaisante* (→ Éden, cit. 3). *L'odeur, la fraîcheur de la pluie* (→ Feuillage, cit. 2). — (Qualifié; → ci-dessous, cit. 3). *Pluie fine,* formée de fines goutelettes. ⇒ **Bruine** (cit. 1), **crachin.** *Il tombe une pluie fine. Grosse pluie,* formée de grosses gouttes. *Pluie serrée. Pluie d'abat* (cit.). *Pluie diluvienne, épouvantable.* ⇒ **Cataracte** (1. Cataracte, cit. 3). — *Pluie tiède, froide, glacée. Pluie battante** (→ Enfouir, cit. 7). *Pluie cinglante, pénétrante.* — REM. Les syntagmes du type *une petite pluie* peuvent aussi être employés au sens 3.

Ô bruit doux de la pluie 1
Par terre et sur les toits!
Pour un cœur qui s'ennuie,
Ô le chant de la pluie!
VERLAINE, Romances sans paroles, « Ariettes oubliées », III.

La pluie augmentait, et ses rayons dardaient si fort, qu'ils rebondissaient du sol, 2
comme de petites fusées blanches. FLAUBERT, Bouvard et Pécuchet, IX.

(...) il pleuvait, il tombait une de ces pluies menues qui mouillent l'esprit autant 3
que les habits, non pas une de ces bonnes pluies d'averse, s'abattant en cascade et jetant sous les portes cochères les passants essoufflés, mais une de ces pluies si fines qu'on ne sent point les gouttes, une de ces pluies humides qui déposent incessamment sur vous d'imperceptibles gouttelettes et couvrent bientôt les habits d'une mousse d'eau glacée et pénétrante. MAUPASSANT, Toine, « L'armoire ».

Au moment où j'écris, la pluie tombe; les tuiles sonnent; mille petites rigoles bavardent; l'air est lavé et comme filtré; les nuées ressemblent à des haillons magnifiques. Il faut apprendre à saisir ces beautés-là. 4
ALAIN, Propos, 8 sept. 1910, L'art d'être heureux.

Rare ou techn. (météor., géogr.). L'eau de pluie, une fois tombée. *Une flaque de pluie. Ornières pleines de pluie* (→ Gorger, cit. 9). *Il secoua la pluie qui alourdissait son chapeau* (→ Gesticulation, cit. 2). — *Les pluies de la veille n'étaient pas encore écoulées* (cit. 3) *et formaient un torrent.*

♦ **2.** LA PLUIE, phénomène météorologique (⇒ **Météore**); état particulier de l'atmosphère où ce phénomène se produit (mauvais temps*); fait de pleuvoir. *La pluie, phénomène par lequel les fines gouttelettes des nuages augmentent suffisamment de volume* (par condensation) *ou se rapprochent assez du sol pour former une précipitation*. Effets de la pluie sur le relief* (érosion, ruissellement). — *Par le froid et par la pluie* (→ Faction, cit. 7). *« Le temps a laissé son manteau De vent, de froidure* (1. Froidure, cit. 2) *et de pluie ». Annoncer la pluie* (→ Astrologue, cit. 3; hirondelle, cit. 2). *Signe de pluie. Prières pour la pluie* (→ Météorologiste, cit. 1). *Le temps est à la pluie. Aimer la pluie autant que le soleil.* — *Jour de pluie.* ⇒ **Pluvieux.**

(...) les limaces se promènent dans les sentiers. Signe de pluie, mes enfants. 5
HUGO, les Misérables, I, III, III.

Un petit coup au carreau, comme si quelque chose l'avait heurté, suivi d'une ample 6
chute légère comme de grains de sable qu'on eût laissé tomber d'une fenêtre au-dessus, puis la chute s'étendant, se réglant, adoptant un rythme, devenant fluide, sonore, musicale, innombrable, universelle : c'était la pluie.
PROUST, À la recherche du temps perdu, t. I, p. 141.

7 De tous les phénomènes météorologiques, celui dont les variations locales ont le plus grand retentissement à la surface du globe paraît bien être la pluie. De la quantité et du régime des précipitations dépendent la décomposition plus ou moins rapide des roches, la formation des sols, le ruissellement, l'érosion et l'alluvionnement, aussi bien que les formes diverses de la végétation...
E. DE MARTONNE, Traité de géographie physique, t. I, p. 177.

Loc. *L'eau, les eaux de pluie; l'eau de la pluie* (→ Gouttière, cit. 2). *Torrent gonflé par les eaux de pluie.* ⇒ **Avalaison.** *Enfoncement, baissière* retenant l'eau de pluie. Réservoir, puisard à eau de pluie.* ⇒ **Bétoire, citerne, citerneau, impluvium.**

Loc. métaphorique. *Ennuyeux* (cit. 11) *comme la pluie :* très ennuyeux. — (Mis en parallèle avec *beau* temps*). *Faire* (cit. 94) *la pluie et le beau temps :* être très influent, très puissant, décider de tout en maître. — *Parler de la pluie et du beau temps :* dire des banalités. — *Après la pluie, le beau temps :* après la tristesse, les ennuis..., vient la joie, le bonheur...

8 Après dix-huit mois de travaux souterrains, cet ambitieux était donc arrivé, dans la ville la plus immobile de France et la plus réfractaire à l'étranger, à la remuer profondément, à y faire, selon une expression vulgaire, la pluie et le beau temps, à y exercer une influence positive sans être sorti de chez lui.
BALZAC, Albert Savarus, Pl., t. I, p. 823.

9 On parla pluie et beau temps, à la grande surprise du vieux Minoret (...)
BALZAC, Ursule Mirouët, Pl., t. III, p. 322.

♦ **3.** *(Une, des pluies).* Souvent qualifié, au sing. Chute d'eau sous forme de pluie. ⇒ **Abat, averse, déluge, lavasse** (vx), **ondée, saucée** (fam.); **giboulée, grain.** *Une pluie courte, brève* (→ Diluvien, cit. 2); *des pluies continuelles* (→ Bivouac, cit. 1), *intermittentes. Quelques pluies avaient rafraîchi les prés* (→ 1. Feuillé, cit. 1). *Il survient une pluie* (→ Essuyer, cit. 17). *C'est une pluie d'orage, cela ne durera pas.* ⇒ **Orage.** *Une petite pluie est tombée. Il est tombé une grosse pluie de quelques minutes. Pluie qui dure deux jours.* — *Le temps, la saison des pluies* (→ Assécher, cit. 2). *Le brusque* (cit. 4) *retour des pluies.*

10 Voici la pluie. Elle a commencé ce soir à trois heures par quelques gouttes larges et rares.
E. FROMENTIN, Une année dans le Sahel, p. 101.

10.1 (...) elle faisait un dur métier l'hiver, les jours de gelée; les temps de pluie étaient plus pénibles encore. Florent la vit certains matins, par de terribles averses, par des pluies qui tombaient depuis la veille, lentes et froides.
ZOLA, le Ventre de Paris, t. I, p. 200.

11 Avec les lourdes pluies d'orage, alternent les merveilleux beaux temps qui donnent à l'air des limpidités absolues.
LOTI, Ramuntcho, I, XXIII.

Prov. *Petite pluie abat* grand vent.*

Géogr. *Régime des pluies.* ⇒ **Pluvial, pluviomètre, pluviosité.** *Pluies cyclonales* (par mouvement ascendant et refroidissement par détente), *pluies de convection* (par réchauffement diurne déterminant un mouvement ascendant), *pluies de relief. Pluies de mousson*.* — (Dans les pays tropicaux). *Saison des pluies.* ⇒ **Hivernage.** *Époque des petites pluies :* petite saison des pluies (lorsqu'il y en a deux).

Franç. d'Afrique. Loc. *Pluie des mangues :* grosse pluie, de courte durée, qui survient peu avant la fin de la saison sèche.

Loc. fig. *Tombé de la dernière pluie :* tout récent. ⇒ **Averse.** — (Personnes). *N'être pas tombé de la dernière pluie :* être expérimenté, averti.

11.1 C'était, à l'en croire, d'incomparables crapules, dont le seul souci avait été d'apprendre où il dissimulait, lui, Delahausse, son magot. Mais il n'était pas tombé de la dernière pluie. Il possédait plusieurs cachettes et n'avait indiqué que les petites.
J. DUTOURD, Au bon beurre, p. 225.

♦ **4.** Liquide qui tombe en gouttes. *Arroseur* (cit. 1) *qui répand une pluie.* — **EN PLUIE.** *Liquide qui retombe en pluie* (→ Éclat, cit. 3).

12 Il frappait à deux bras (...) Le sang s'éparpillait en pluie dans les feuillages, et des masses rouges se tordaient au pied des arbres en hurlant.
FLAUBERT, Salammbô, VII.

♦ **5.** Fig. **PLUIE DE...** [a] (Concret). Ce qui tombe du ciel, d'en haut, comme une pluie. ⇒ **Arrosement, chute.** *Une pluie de cendres, de lapilli... Pluie de suie* (→ Cheminée, cit. 5). *Pluie de fruits* (→ Gauler, cit.; mirabelle, cit.). *S'enfuir sous une pluie de pierres, de projectiles. Pluie d'étincelles, de rayons, pluie d'or* (→ Effiler, cit. 1; gerbe, cit. 7). *Pluie d'étoiles* (→ Étinceler, cit. 3). *Pluie éblouissante* (cit. 2) *de lumière.* — Terme d'artificier. *Pluie de feu.* — Allus. myth. *La pluie d'or*.*

[b] (Abstrait). Ce qui est dispensé en grande quantité, à profusion. ⇒ **Abondance, débordement, déluge.** *Une pluie de baisers* (→ Incohérent, cit. 4); *de coups. Une pluie de cadeaux. Une pluie de petites phrases* (→ Aiguiser, cit. 13), *d'épigrammes* (→ Larder, cit. 2). — (En parlant d'argent, de richesses). *Une pluie d'or, de millions...*

13 (...) je ne pourrais être pour vous la brillante fée qui vous verse une pluie de faveurs.
BALZAC, le Lys dans la vallée, Pl., t. VIII, p. 962.

14 Cependant, sous la pluie des pensums, l'ordre peu à peu se rétablit dans la classe (...)
FLAUBERT, Mme Bovary, I, I.

15 Il s'était cru riche avec les cinq cent mille francs extorqués à sa femme, et maintenant il se jugeait pauvre, affreusement pauvre, en comparant sa piètre fortune à la pluie de millions tombée autour de lui, sans qu'il eût su en rien ramasser.
MAUPASSANT, Bel-Ami, II, VII.

PLUM [plum] n. m. — XXe; abrév. de *plum-cake**.

♦ Baba* au rhum et aux raisins de forme rectangulaire (dessert de restaurant).

PLUMAGE [plymaʒ] n. m. — 1265; de 1. *plume,* et suff. collectif *-age.* → Feuillage.

♦ **1.** Ensemble des plumes recouvrant le corps (d'un oiseau*), souvent considéré quant à sa couleur, sa disposition, son apparence. ⇒ 1. **Plume; livrée** (cit. 11), **manteau, pennage.** *Le plumage blanc, argenté* (cit. 2) *du cygne* (cit. 3). *Le plumage noir du corbeau, noir et blanc de la pie. Le plumage du faisan* (1. Faisan, cit. 1), *des geais* (cit. 3), *du gerfaut* (cit. 1), *du gypaète* (cit. 1), *de la macreuse* (cit.), *du paon* (cit. 1)... *Oiseaux* (cit. 1) *de tous plumages. Plumage terne, chatoyant, coloré, éclatant, duveté, soyeux... Mouchetures* (⇒ **Miroir**), *ocelles, taches* (⇒ **Aiglure**) *d'un plumage. Changer de plumage.* ⇒ **Mue, muer.** — *« Un paon muait, un geai prit son plumage »* (La Fontaine).

Sans mentir, si votre ramage 1
Se rapporte à votre plumage,
Vous êtes le phénix des hôtes de ces bois.
LA FONTAINE, Fables, I, 2.

Qui fait l'oiseau? C'est le plumage. 2
Je suis souris : vivent les rats!
LA FONTAINE, Fables, II, 5.

Par métaphore. (En parlant de l'apparence extérieure d'une personne). *« Ménippe est l'oiseau paré de divers plumages qui ne sont pas à lui... »* (→ Écho, cit. 13, La Bruyère). — Figuré :

(...) il ne devait son plumage de baron qu'à la nécessité dans laquelle Napoléon 3 s'était trouvé de lui donner un titre en l'envoyant dans une cour étrangère.
BALZAC, la Vendetta, Pl., t. I, p. 889.

(...) ils ont des habits-sacs, des gilets de palefrenier, des chemises de grosse toile, 4 des pantalons de gros drap, des bottes de gros cuir, et le ramage ressemble au plumage (...)
HUGO, les Misérables, III, V, VI.

Spécialt. Ensemble de plumes décoratives. — Fig. et littér. *« Cette mendicité* (cit. 3) *éternelle, camouflée des grands plumages de la coquetterie »* (Montherlant).

(La dame) entra dans la boutique (...) et sortit après avoir choisi des marabouts. 5 Des marabouts pour ses cheveux noirs! Brune, elle avait approché le plumage de sa tête pour en avoir l'effet.
BALZAC, Ferragus, Pl., t. V, p. 23.

Par anal. (En parlant de ce qui rappelle les plumes). ⇒ 1. **Plume** (III., 1.). *L'opulent plumage des acacias* (cit. 1), leur feuillage. *Le miroir* (cit. 6) *d'eau portait un plumage de vapeurs.*

♦ **2.** (1611). Rare. Action de plumer* (un oiseau). ⇒ **Plumaison, plumée.**

PLUMAIL [plymaj] n. m. — V. 1440; de 1. *plume.*
Vieux.

♦ **1.** Petit balai de plumes. ⇒ **Plumeau.**

♦ **2.** Plumet (→ Aigrette, cit. 2, La Fontaine).

PLUMAISON [plymɛzɔ̃] n. f. — 1847; de 1. *plumer.*

♦ Rare. Action de plumer (un oiseau). ⇒ **Plumage** (2.).

— C'est, m'a-t-on dit, demanda Josépha, une femme du monde qui t'a mis dans cet état-là? Les farceuses s'entendent mieux que nous à la plumaison du dinde! *(sic).*
BALZAC, la Cousine Bette, Pl., t. VI, p. 432.

1. PLUMARD [plymaʀ] n. m. — 1636; *plumart* «plumail, plumet», 1480; de 1. *plume.*

♦ Vx. Petit balai de plumes. ⇒ **Plumail** (vx), plumeau.

HOM. 2. **Plumard.**

2. PLUMARD [plymaʀ] n. m. — 1881, de 1. *plume* (2., c), «matelas de plumes, les plumes».

♦ Fam. Lit. ⇒ 2. **Plume.** *Un grand plumard.* — **AU PLUMARD.** *Se mettre, aller au plumard,* au lit. → Dans les plumes*.

Croquebol, cavalier de 1re classe (...) s'était allongé sur son lit et y sommeillait à plat ventre (...) Croquebol se tut. Calmé net, il dégringola de son «plumard»
COURTELINE, le Train de 8 h 47, I, VI, 1888.

Var. graphique : *plumart.*

DÉR. Plumarder (se). — V. 2. **Plumer** (se).
HOM. 1. **Plumard.**

PLUMARDER (SE) [plymaʀde] v. pron. — 1888; de 2. *plumard.*

♦ Fam. Se mettre au lit, se coucher. ⇒ 2. **Plumer** (se).

PLUMASSEAU [plymaso] n. m. — 1314, *plumacel; plumasseau,* XVIIIe; de *plumas* «plumail».
Technique.

♦ **1.** Tampon de charpie.

♦ **2.** (1762). Petit plumeau.

♦ **3.** Mus. Pointe de plume qui fait vibrer les cordes d'un clavecin.

PLUMASSERIE [plymasʀi] n. f. — 1617; «ornement de plumes», 1505; de *plumassier.*

♦ Techn. Métier, commerce du plumassier.

PLUMASSIER, IÈRE [plymasje, jɛʀ] n. et adj. — 1480; de *plumas,* anc. dér. de 1. *plume.* → Plumasseau.
Technique.

♦ **1.** Ouvrier, ouvrière qui fabrique, prépare les ornements, les garnitures... de plumes. — Commerçant qui vend ces objets de plumes.

♦ **2.** Adj. *Industrie plumassière.*

DÉR. Plumasserie.

PLUMBO- Premier élément de mots savants (chim., techn.), indiquant la présence de plomb (var. : *plombo-*). — Ex. : *plumbocalcite,* n.f.; *plumboferrite,* n.f. (*in* Larousse, 1932).

PLUM-CAKE [plumkɛk] ou vx [plɔmbkɛk] n. m. — 1848, *in* Höfler; *plumb cake,* 1824; mot angl., de *plum* «raisin sec» (d'abord «prune»), parfois écrit *plumb,* et *cake**.

♦ Vieilli. ⇒ **Cake** (→ Attaquer, cit. 46). — Plur. *Des plum-cakes.* — (1824). Vx et plais. (D'après la graphie anglaise *plumb cake*). *Le plum cake s'est appelé en français* gâteau de plomb.

DÉR. V. **Plum.**

1. PLUME [plym] n.f. — 1175; du lat. *pluma* «duvet», qui a éliminé *penna.*

★ **I.** ♦ **1.** Chacun des appendices tégumentaires (⇒ **Phanère**) qui recouvrent la peau des oiseaux* (cit. 1 et 2). *Une plume se compose d'un axe* (creux à la base, ⇒ **Rachis, tuyau,** et plein au niveau des barbes) *et de barbes** (1. Barbe) *latérales, accrochées entre elles par les barbules** (et formant la *lame* ou *vexillum*). *Les plumes sont des téguments, des formations épidermiques.* ⇒ **Kératine.** *Zone d'insertion des plumes.* ⇒ **Ptéryle.** *Bulbe* d'une plume. Ensemble des plumes.* ⇒ **Pennage, plumage.** *Grandes plumes* (⇒ **Penne**) *des ailes* (⇒ **Rémige; cerceau**) *et de la queue* (⇒ **Rectrice**). *Plumes du dos.* ⇒ **Tectrice.** *Petites plumes du duvet**. ⇒ **Plumule.** — *Aigrette, huppe, panache de plumes. Oiseau pattu*, portant une touffe de plumes aux pattes. — Plumes blanches, noires, tachetées* (⇒ **Ocelle**)*; chatoyantes, flamboyantes* (cit. 5). *Les plumes de l'autruche, du coq* (1. Coq, cit. 11), *du faisan* (1. Faisan, cit. 1), *du milan* (cit.), *du paon* — L'oiseau lisse ses plumes* (→ Effraie, cit. 2), *les hérisse* (cit. 3). *Bruit, froissement de plumes* (→ Froufroutant, cit.; grue, cit. 1). — *Oiseau qui perd ses plumes, se recouvre de plumes.* ⇒ **Déplumer** (se), **remplumer** (se); **muer** (cit. 4). *Arracher les plumes d'un oiseau.* ⇒ 1. **Plumer; plumage, plumaison,** 2. **plumée.** — *En forme de plume.* ⇒ **Penniforme;** et aussi **penné.**

1 Tout contribue à cette facilité de mouvement dans l'oiseau, d'abord les plumes, dont la substance est très légère, la surface très grande, et dont les tuyaux sont creux; ensuite l'arrangement de ces mêmes plumes, la forme des ailes (...)
BUFFON, Hist. nat. des oiseaux, Disc. sur la nature des oiseaux.

Myth. *Le serpent* à plumes.*

(Collectif). *La plume.* ⇒ **Plumage.** *Oiseau à la plume hérissée* (→ Magnétiser, cit. 2). — Prov. *La belle plume fait le bel oiseau.* — Loc. **À PLUME.** *Gibier* à poil et gibier à plume.* — Collectif (Chasse). Les oiseaux. *Chien dressé au poil et à la plume.*

Loc. compar. et métaphorique. *Léger* comme une plume, comme la plume. Légèreté* (cit. 1) *d'une plume. Ne pas peser plus qu'une plume.* — Fig. *Se sentir léger comme une plume,* allègre, dispos. — *Soulever qqn, qqch. comme une plume,* très facilement.

2 Elle *(Mme Cibot)* prit le vieux garçon dans ses bras, l'enleva comme une plume, et le porta jusque sur son lit. BALZAC, le Cousin Pons, Pl., t. VI, p. 656.

3 Souvent femme varie
Bien fol est qui s'y fie!
Une femme souvent
N'est qu'une plume au vent! HUGO, Le roi s'amuse, IV, 2.

Loc. (Vx). *Arracher, tirer une plume de l'aile** (à qqn). *Tirer des plumes à qqn.* ⇒ 1. **Plumer** (cf. Dancourt, Lesage, *in* Littré).

Loc. *Se parer des plumes du paon** (cit. 4 et *supra*).

Fig. (Par anal. avec *poil*). La peau (au sens fig.). *Craindre pour ses plumes,* pour sa peau (*infra* cit. 16). *Avoir chaud aux plumes :* avoir très peur pour sa vie. — Loc. fam. *Voler dans les plumes (à qqn),* se jeter sur lui, l'attaquer, l'empoigner. — Fam. *(Y) laisser* (cit. 50) *des plumes :* essuyer une perte.

Ils semblaient pas deviner le péril; mais c'étaient pas des manchots bien sûr, et au premier geste suspect, ils allaient me voler dans les plumes, me passer les bracelets à la rigolade. Albert SIMONIN, Touchez pas au grisbi, p. 212. 3.1

Loc. fig. (idée de légèreté). Appos. **POIDS PLUME :** boxeur d'une catégorie de légers. ⇒ **Poids.**

Loc. fam. *Perdre ses plumes,* ses cheveux. ⇒ **Déplumer** (se).

N. B. Voir aussi les sens III.

♦ **2.** Plume façonnée, préparée pour servir à divers usages. **a** (Ornemental). *Ornements, parures de plumes.* ⇒ **Plumassier, plumasserie.** *Bouquet*, faisceau, touffe de plumes.* ⇒ **Aigrette, panache, plumet** (→ Efflorescence, cit. 4). *Plumes et ramages éclatants* (→ Façon, cit. 8)... *Plume naturelle, teinte. Plume lisse, frisée. Plumes d'autruche*, de marabout**... ⇒ aussi **Pleureuse.** *Plumes d'un chapeau, d'un shako, d'un casoar*. Chapeau à plumes* (→ Oripeau, cit. 2; ornement, cit. 4). *Feutre à plumes* (→ Ombrer, cit. 2). *Dais* (cit. 2) *coiffé de plumes. Boa* (cit. 2), *palatine* (cit. 2) *de plumes. Éventail** (cit. 3) *en plumes. Costume de plumes* (dans certaines revues de music hall). *«Mon truc en plumes».*

Ce qui dans Parme avait valu une réputation à Gonzo, c'était un magnifique chapeau à trois cornes, garni d'une plume noire un peu délabrée (...) mais il fallait voir la façon dont il portait cette plume soit sur la tête, soit à la main; là étaient le talent et l'importance. STENDHAL, la Chartreuse de Parme, II, XXVIII. 4

Une plume, que ses barbes rares faisaient ressembler à une arête de poisson, s'adaptait au chapeau, avec l'intention visible d'y figurer un panache (...)
Th. GAUTIER, le Capitaine Fracasse, I. 5

On se souvient qu'à cette époque les femmes portaient des plumes penchées sur leurs chapeaux, qu'elles appelaient des plumes en *saule pleureur.* 6
BARBEY D'AUREVILLY, les Diaboliques, «Vengeance d'une femme».

Ornements de plumes des Indiens d'Amérique (→ Calumet, cit. 3; oncle, cit. 1). *Les plumes d'un chef indien.*

b (Utilisations techniques). *Plumes stabilisatrices de flèches.* ⇒ **Empenner** (cit. 1); **empennage, empenne; emplumer.** — *Becs de plumes du clavecin* (cit. 2). ⇒ **Plumasseau.**

c (Utilisations domestiques). *Petit balai de plumes.* ⇒ **Plumail** (vx), 1. **plumard, plumeau; houssoir.**

Spécialt. *Lit, matelas de plumes.* ⇒ 1. **Couette** (vieilli). *Coussin*, couvre-pied, édredon*, oreiller*, traversin de plumes,* et, collectivt, *de plume* (→ Alcôve, cit. 2). *Se mettre, s'ensevelir dans la plume* (→ Édredon, cit. 1).

Fam. *Les plumes :* le lit. *Se mettre dans les plumes,* dans son lit. ⇒ 2. **Plumard,** 2. **plume.**

★ **II.** (1487). Instrument pour écrire. ♦ **1.** Anciennt. Grande plume de certains oiseaux (corbeau, cygne, oie), dont le tuyau taillé en pointe servait à écrire. *Plume d'oie* (cit. 3; → aussi Dinde, cit. 3; éloge, cit. 4). *Papier, plumes et encre* (→ Écrire, cit. 25). *Tailler sa plume. Tremper sa plume dans l'encrier.*

M. de Coulanges est à Paris; j'en ai reçu une grande lettre très gaillarde; il veut aussi vous écrire; ses plumes me paraissent bien taillées, il ne demande qu'à les exercer. Mme DE SÉVIGNÉ, 472, 27 nov. 1675. 7

Sans poser ni tailler sa plume, 8
Il aurait pu faire un volume. A. DE MUSSET, Poésies nouvelles, «Simone».

Plumes hollandées, dégraissées à la cendre chaude.

♦ **2.** (Déb. XVIIIe). Petite lame de métal, terminée en pointe et ajustée à un manche spécial *(porte-plumes),* qui, trempée* dans l'encre, sert à écrire. *Plume de fer* (cit. 9, Flaubert), *d'acier, utilisée sur un porte-plumes*. Plume à bec de corbeau. Plume lance. Plume sergent-major. Plume comptable. Plume de ronde. Plumes rangées dans un plumier*. Plume qui crache* (cit. 6); *plume qui accroche, gratte* (cit. 2).

Une bonne plume est pour moitié dans le plaisir que je prends à écrire. 9
GIDE, Ainsi soit-il..., p. 139.

Puis, sans mot dire, il trempa sa plume dans une de ces petites bouteilles d'encre qui valaient deux sous au début du siècle et, soigneusement, il apposa sa signature au bas de la page. G. DUHAMEL, le Voyage de P. Périot, I. 10

(...) une grosse écriture écrasée à la plume de ronde (...) 11
ARAGON, les Beaux Quartiers, I, XXI.

REM. La plupart des utilisations de la plume séparable de son porte-plumes ayant disparu du fait de la diffusion d'autres instruments (pointes-billes, feutres...), seuls les emplois ci-dessous sont actuels.

Plume de dessinateur (plume d'oie, métallique, roseau*, etc., selon les époques et les techniques). *Dessin* à la plume* (→ Gagner, cit. 19; gouache, cit. 2). *Dessiner avec une plume faussée* (→ Forme, cit. 34).

Les jeux de la plume (→ Griffonnage, cit. 1). *Trait* de plume* (→ Majuscule, cit. 1). ⇒ aussi **Rature.**

Didact. *Plume inscriptrice,* d'un appareil pour enregistrement graphique (électrocardiographe, électroencéphalographe).

Par anal. *Plume métallique à vaccin.* ⇒ **Vaccinostyle.**

♦ **3.** (Déb. XVIIe; valeur abstraite; souvent dans des syntagmes). Instrument qui sert à écrire; fait, manière d'écrire...; expression écrite. ⇒ **Écrire** (→ Creuser, cit. 9). — *Prendre*, tenir* la plume :* se mettre à écrire; écrire (→ Correspondre, cit. 7; enregistrer, cit. 4; griffonner, cit. 9). — *Tenir la plume pour qqn,* lui servir de secrétaire. — *Avoir la plume à la main*. Lire la plume à la main,* en prenant des notes (→ Dépouillement, cit. 3; dépouiller, cit. 11). *« Je ne peux penser le style que la plume à la main »,* en écrivant (→ Patauger, cit. 2, Flaubert). — *Mettre la main à la plume :* prendre la plume. — *La plume lui tombe des mains :* il ne peut continuer à écrire, par lassitude ou impossibilité de s'exprimer (→ Former, cit. 18).

12 (...) j'écris tant qu'il plaît à ma plume, c'est elle qui gouverne tout (...)
Mme DE SÉVIGNÉ, 631, 30 juil. 1677.

13 Moi, la plume à la main, je gourmande les vices (...) BOILEAU, Discours au roi.

14 Après deux ans de silence et de patience, malgré mes résolutions, je reprends la plume. Lecteur, suspendez votre jugement sur les raisons qui m'y forcent. Vous n'en pouvez juger qu'après m'avoir lu. ROUSSEAU, les Confessions, VII.

15 (...) voilà donc trente ans (...) que je tiens secrètement la plume en composant mes livres publics, au milieu de toutes les révolutions et de toutes les vicissitudes de mon existence. CHATEAUBRIAND, Mémoires d'outre-tombe, t. VI, p. 313.

Avoir un mot sur le bout de la plume; mot qui reste au bout de la plume* (cf. Sur le bout de la langue, pour l'expression orale). — *Mots, idées, phrases qui viennent, se pressent sous la plume, au bout de la plume* (→ Influence, cit. 12). *Erreur, lapsus échappé à la plume.* ⇒ **Lapsus** (calami). — *Trait de plume.* ⇒ **Trait.** *Supprimer qqch. d'un trait de plume.* — Vx. *À trait* (→ 2. Brouillon, cit. 1), *à course de plume* (→ Jeter, cit. 24). — Mod. *Au courant** (2. Courant, cit. 17) *de la plume. Laisser courir sa plume* (→ Garrulité, cit. 1). *La plume du poète a l'air de courir et de se jouer* (→ Esquisse, cit. 1).

16 Je n'ai pas besoin de faire des phrases. J'écris pour tirer au clair certaines circonstances. Se méfier de la littérature. Il faut écrire au courant de la plume; sans chercher les mots. SARTRE, la Nausée, p. 77.

Loc. (Vx). *Tremper sa plume dans le fiel*, dans le poison... :* écrire avec haine, amertume... contre qqn.

17 Et l'on déshonore sa plume,
En la trempant dans du poison. FLORIAN, Fables, V, 19.

Mod. *Guerre* (cit. 48) *de plume.* ⇒ **Polémique.** *Vivre de sa plume :* faire métier d'écrire (→ Commande, cit. 4). *Louer* (→ Engager, cit. 28), *vendre sa plume :* écrire sur commande, moyennant rétribution. *Une plume vénale*.*

18 Apprenez, monsieur, que j'ai travaillé de la plume à Madrid (...)
BEAUMARCHAIS, le Barbier de Séville, III, 5.

19 (...) vivre de sa plume est un travail auquel se refuseraient les forçats, ils préféreraient la mort. Vivre de sa plume, n'est-ce pas créer? créer aujourd'hui, demain, toujours... ou avoir l'air de créer; or, le semblant coûte aussi cher que le réel! Outre son feuilleton dans un journal quotidien qui ressemblait au rocher de Sisyphe et qui tombait tous les lundis sur la barbe de sa plume, Étienne travaillait à trois ou quatre journaux littéraires.
BALZAC, la Muse du département, Pl., t. IV, p. 151.

Vx. *Homme de plume :* homme de lettres. ⇒ **Auteur, écrivain;** (péj.) **plumitif.**

Loc. *La plume est serve mais la parole est libre* (principe de droit).

♦ **4.** Littér. La manière d'écrire d'un auteur (abondance, style...). *La parole de Rivarol nuisait à sa plume* (→ Écouter, cit. 22). *La plume de Chateaubriand* (→ Furieux, cit. 2). *Plume abondante* (cit. 9), *agile* (cit. 7), *déliée* (cit. 6), *élégante* (→ Face, cit. 33), *indiscrète* (cit. 15), *mordante* (cit. 1)... *Plume fertile* (cit. 6), *libérale* (cit. 3). *Avoir la plume facile... « Mon indifférence eût glacé* (cit. 16) *ma plume »* (Rousseau).

20 La plume, en effet, est le premier, on l'a dit, le plus sûr des maîtres pour façonner la parole. SAINTE BEUVE, Causeries du lundi, 5 nov. 1849.

20.1 Certes la « plume » de George Sand, pour prendre une expression de Brichot qui aimait tant à dire qu'un livre était écrit « d'une plume alerte », ne me semblait pas du tout, comme elle avait paru si longtemps à ma mère, avant qu'elle modelât lentement ses goûts sur les miens, une plume magique.
PROUST, le Temps retrouvé, Pl., t. III, p. 884.

21 (...) souvent, j'écris d'avance le texte *(de mes discours)* et le prononce ensuite sans le lire (...) car, si ma mémoire me sert bien, je n'ai pas la plume facile.
Ch. DE GAULLE, Mémoires de guerre, t. III, p. 127.

Vx. La manière d'écrire, l'écriture. *Ce calligraphe a une belle plume.*

Vieilli. Le métier d'écrivain. *La plume et le pinceau :* la littérature et la peinture (→ 1. Parler, cit. 58). *Quitter l'épée pour la plume* (→ Hardiesse, cit. 16). — *Les vains honneurs de la plume* (→ Ennuyer, cit. 25). — *Le Masque et la Plume* (titre d'une émission critique de radio).

Vx. ⇒ **Écrivain.** *Une belle plume.*

22 Il importerait fort que M. de Rémusat pût choisir aussi; c'est une plume très distinguée et très rare, à laquelle tous sujets ne peuvent convenir.
SAINTE-BEUVE, Correspondance, 509, 23 déc. 1835.

♦ **5.** Argot (de la *plume* à écrire, et jeu de mots sur « voler »). Pince-monseigneur (Genet, *in* Cellard et Rey).

★ **III.** (Par anal. du sens I.). ♦ **1.** Littér. ou poét. *Plumes de fumée* (→ Chaume, cit. 6), *de nuage* (→ Horizon, cit. 7). — *Plumes neigeuses et frisées* (cit. 15) *des chrysanthèmes.*

♦ **2.** Zool. Pièce chitineuse formant la coquille interne des calmars (axe médian nu et lames latérales symétriques).

DÉR. Plumage, plumail, 1. **plumard,** 2. **plumard, plumeau,** 1. **plumée,** 1. **plumer, plumet, plumette, plumeux, plumier, plumule.** — V. **plumitif,** 2. **plumer** (se).
COMP. Porte-plume.
HOM. 2. **Plume,** formes des v. 1. **plumer,** 2. **plumer** (se).

2. PLUME [plym] n. m. — 1878, *plum,* Esnault; abrév. de *plumard* ou emploi sing. de *les plumes.*

♦ Plumard, lit. *Se mettre au plume, dans le plume.*

(...) et moi et ma femme, tous les deux dans le plume, bien au chaud, avec une petite lampe à côté. C'est ça la vie, tiens, un cochon de temps dehors, et toi et ta petite femme bien au chaud dans le plume, en train d'écouter la pluie, le vent, toute la clique. Robert MERLE, Week-end à Zuydcoote, p. 24.

HOM. 1. **Plume,** formes des v. 1. **plumer,** 2. **plumer** (se).

PLUMEAU [plymo] n. m. — 1640; de 1. *plume.*

♦ **1.** Ustensile de ménage formé d'un manche court auquel sont fixées des plumes, et qui sert à épousseter*. ⇒ **Houssoir; balai** (on disait aussi *plumail, plumard*). *Donner un coup de plumeau.* — Par ext. *Plumeau chasse-mouches* (→ Éventer, cit. 2).

Fig. Ce qui sert à nettoyer légèrement.

Les courtisans et ceux qui vivaient des abus monstrueux qui écrasaient la France sont sans cesse à dire qu'on pouvait réformer les abus sans détruire comme on a détruit. Ils auraient bien voulu qu'on nettoyât l'étable d'Augias avec un plumeau.
CHAMFORT, Maximes, « Sur la noblesse », XXI.

♦ **2.** Touffe de plumes, de poils. ⇒ **Plumet.** *Le plumeau blanc de sa queue* (d'un épagneul). → Frétiller, cit. 4.

♦ **3.** Vx. Édredon de plumes.

♦ **4.** Techn. Mouche artificielle pour la pêche, munie d'une touffe de poils.

1. PLUMÉE [plyme] n. f. — 1623; de 1. *plume.*

♦ Vx. *Plumée d'encre :* ce qu'une plume à écrire peut tenir d'encre.

Aujourd'hui j'écris de mon lit, d'où je vois le lac... Tous les stylos sont cassés dans la villa... Je transforme plumée d'encre après plumée d'encre au-dessus de mon drap... Pas de tache encore (...)
GIRAUDOUX, Siegfried et le Limousin, p. 19.

HOM. 2. **Plumée,** 3. **plumée,** 1. **plumer,** 2. **plumer.**

2. PLUMÉE [plyme] n. f. — 1845; de 1. *plumer.*

♦ Action de plumer (un oiseau); ce qu'un oiseau plumé fournit de plumes.

HOM. 1. **Plumée,** 3. **plumée,** 1. **plumer,** 2. **plumer.**

3. PLUMÉE [plyme] n. f. — 1694; de *plum,* dans *a plum,* forme anc. de *à plomb.* → Aplomb, plomb; var. *plomée,* 1803.

Technique.

♦ **1.** Aplanissement partiel d'une face (de pièce de charpente), destiné à guider le façonnage.

♦ **2.** (V. 1900). Creusement d'une entaille autour d'une pierre de taille, servant de guide pour dresser celle-ci.

HOM. 1. **Plumée,** 2. **plumée,** 1. **plumer,** 2. **plumer.**

1. PLUMER [plyme] v. tr. — 1150, « arracher la barbe, les poils de (qqn) »; sens propre, 1180; de 1. *plume.*

REM. Le lat. *plumare* signifie « emplumer ».

★ **I.** V. tr. ♦ **1.** (1180). Dépouiller (un oiseau) de ses plumes en les arrachant*; spécialt, quand il est tué, pour le faire cuire. *Plumer un poulet* (→ Encas, cit. 2). — Au p. p. *Poulet plumé. Volaille plumée. Pousser des cris d'orfraie* (cit. 1) *plumée vive.* — *Oiseau qui en plume un autre à coups de bec.* ⇒ **Déplumer.** — *« Alouette... je te plumerai »* (chanson populaire).

Le pivert, qui prit mal cette plaisanterie, 1
Vient à bons coups de bec plumer le persifleur (...) FLORIAN, Fables, II, 22.

Des poulets morts et plumés s'alignaient dans des caisses (...) 2
ZOLA, la Terre, II, VI.

Le cuisinier plume les oies 3
Ah! tombe neige
Tombe et que n'ai-je
Ma bien aimée entre mes bras APOLLINAIRE, Alcools, p. 65.

♦ **2.** (XIIIe). Par métaphore ou fig. Dépouiller, voler (qqn), généralement en trompant, en dupant. ⇒ **Dépouiller** (→ 1. Manger, cit. 11). *Il s'est fait, il s'est laissé plumer comme un oison, comme un pigeon* (⇒ **Pigeon,** fig., **pigeonner**). *Il a été plumé par des escrocs.*

La cantatrice célèbre, devenue âpre à la curée, veut être riche, très riche (...) Elle 4
s'est essayée sur le sieur Hulot, qu'elle a plumé net, oh! plumé, ce qui s'appelle rasé! BALZAC, la Cousine Bette, Pl., t. VI, p. 145.

Ses résignations, à lui, me font bouillir : pas moyen de l'amener à se défendre; il 5
s'est laissé plumer comme un oison, disant merci à tous ceux qui voulaient bien prendre (...) GIDE, les Caves du Vatican, I, 7e tableau.

— Oui, ma cocotte, on s'est bien aimé, rue Lambert; et depuis (...) tu m'as bien 6
plumé aussi (...) Ce n'est pas un reproche : plume à plume. Et la dernière arrachée, après vingt-cinq ans, que voulais-tu faire de ton vieux poulet, dis, ma belle?
F. MAURIAC, les Anges noirs, XIV.

♦ **3.** Régional. Dépouiller (de ses feuilles, de son écorce, de sa peau...), éplucher (des légumes, des fruits). *« Plumer un bâton, un rameau..., un fruit »* (Littré).

7 (...) mon fourneau n'est seulement pas éclairé, et j'ai encore à plumer mes asperges. — Comment, Françoise, encore des asperges!
PROUST, À la recherche du temps perdu, t. I, p. 85.

★ **II.** V. intr. Friser l'eau en ramenant l'aviron en arrière.

DÉR. Plumaison, 2. plumée, plumeur.
HOM. 1. **Plumée,** 2. **plumée,** 3. **plumée,** 2. **plumer.**

2. PLUMER (SE) [plyme] v. pron. — 1883; dérivation régressive de 2. *plumard,* ou dér. de *plumes* (d'un lit; → 1. Plume, I., 2., c).

♦ Fam. Se coucher. — Syn. : *aller au plume* (2. Plume). ⇒ **Plumarder** (se).

— Eh bien, dit Charlot, je me tire. — Tu vas te plumer? — On en cause. — Tu veux que je t'accompagne? — C'est pas la peine, dit Charlot en bâillant.
SARTRE, la Mort dans l'âme, p. 147.

HOM. 1. **Plumée,** 2. **plumée,** 3. **plumée,** 1. **plumer.**

PLUMET [plymɛ] n. m. — 1618; a remplacé d'autres dér. de 1. *plume : plumas, plumache, plumail;* de 1. *plume.*

♦ **1.** (1640). Grande plume ou bouquet, touffe de plumes garnissant une coiffure*, et, spécialt, une coiffure militaire. ⇒ **Aigrette, casoar, panache...** *Plumet au cimier d'un casque.*

1 Voilà le régiment
De mes hallebardiers qui va superbement.
Leurs plumets font venir les filles aux fenêtres (...)
HUGO, la Légende des siècles, XXXI.

Fam., vieilli. *Avoir son plumet :* être un peu ivre*.

♦ **2.** (1618; première attestation). Par métonymie, vx. Cavalier, militaire. — Péj. « Celui qui fait le fanfaron » (Furetière); « qui tient plus du galant que du véritable homme d'épée » (Richelet).

1.1 Généralement cette femme peureuse du scandale redoutait les hommes notés de galanterie, les façons affichantes, « les plumets », les manières vives et étourdies.
Ed. et J. DE GONCOURT, la Femme au XVIIIe s., t. II, p. 182.

♦ **3.** Par ext. Bouquet de plumes servant d'ornement. *Mule enjolivée de plumets, de pompons, de houppes* (cit. 2).

♦ **4.** Par anal. *Palmes* (1. Palme, cit. 1) *groupées en plumets.*

2 (...) un soleil visible, mais décoloré, avait laissé traîner sur les feuilles, sur les buis des allées, sur les vitres des serres de longs plumets transparents, couleur de sable et de pollen.
Edmond JALOUX, les Visiteurs, XX.

DÉR. Plumetis.

PLUMETÉ, ÉE [plymte] adj. — 1364; de *plumette.*

♦ **1.** Anciennt. Qui imite la plume (en parlant d'un ornement).

♦ **2.** Blason. Parsemé de mouchetures rappelant des barbes de plumes.

PLUMETIS [plymti] n. m. — 1495, « broderie à la main »; de *plumet.*

♦ **1.** Techn. (broderie). Point de broderie en relief (après bourrage), « ainsi nommée parce que les points droits et serrés rappellent par leur disposition l'aspect des barbes d'une plume » (Réau). *Broderie au plumetis. Plumetis de coton, de soie.*

(...) de ces robes, brodées au plumetis, travaillées d'entre-deux en valenciennes, qui étaient le cauchemar des femmes de chambre.
Edmonde CHARLES-ROUX, l'Irrégulière, p. 218.

♦ **2.** L'étoffe (de coton) brodée au plumetis. *Acheter du plumetis au mètre.*

PLUMETTE [plymɛt] n. f. — V. 1354, *plumete;* dimin. de 1. *plume.*

♦ Rare. Petite plume.

DÉR. Plumeté.

PLUMEUR, EUSE [plymœʀ, øz] n. — 1609; de 1. *plumer.*

♦ Vieilli. Personne qui plumait des volailles, au marché. *Une plumeuse de poulets.*

PLUMEUX, EUSE [plymø, øz] adj. — XVIIIe; « couvert de plumes », v. 1190; de 1. *plume.*

♦ Qui ressemble à une plume, à des plumes, aux barbes de plume. *Feuillage plumeux* (→ Horizon, cit. 14). — Zool. *Antennes plumeuses.*

Elle *(la plante)* a pour s'élever des panaches mobiles,
Une aigrette plumeuse ou des ailes agiles.
Louis CASTEL, les Plantes, II (1797).

PLUMIER [plymje] n. m. — 1872; de 1. *plume.*

♦ Boîte oblongue (cit. 2) dans laquelle on met (ou on mettait) plumes, porte-plumes, crayons, gommes... *Plumier d'écolier.*

PLUMITIF [plymitif] n. m. — Attestation isolée au XVIe, repris au XVIIIe; au sens de « registre », 1690, auparavant *plumetis;* dér. de 1. *plume* (à écrire) ou de l'anc. v. *plumeter* « écrire au brouillon ».

★ **I.** (1583, var. *plumetis, plumetif,* par croisement avec *primitif* au sens d'« original »). Dr. Registre sur lequel le greffier d'audience mentionne les principaux faits de l'audience. *« La rédaction de la minute émane du greffier; elle est faite à l'aide de notes que le greffier a dû prendre sur le plumitif. Le* plumitif *est une sorte de procès-verbal où le greffier qui tient l'audience note, séance tenante, le compte rendu de l'audience »* (*Petit dict. de Droit,* éd. Dalloz, Art. *Jugement,* § 9).

★ **II.** (1765; d'après 1. *plume*). Cour et péj. ♦ **1.** Greffier, commis aux écritures. — Par ext. Bureaucrate. ⇒ **Gratte-papier.**

♦ **2.** Mauvais auteur, mauvais écrivain.

Oui je saurais passer, moi aussi, pour « poète », — si j'étais dans l'âge où cette plume au chapeau procure des bonnes fortunes. Vraiment, je sais bon nombre de plumitifs qui, — si ce métier ne rapportait ni argent ni femmes — cesseraient, sur-le-champ, d'exploiter, par leurs singeries, l'imbécillité des particuliers (...)
VILLIERS DE L'ISLE-ADAM, Tribulat Bonhomet, p. 145.

PLUM-PUDDING [plumpudiŋ] n. m. — 1745; mot angl. (1711), de *plum* « raisin sec », et *pudding.*

♦ Pudding*. *Des plum-puddings.*

PLUMULE [plymyl] n. f. — 1764, Ch. Bonnet, « gemmule »; de 1. *plume.*

♦ **1.** Bot. Partie de l'embryon végétal qui constitue le rudiment des parties aériennes de la plante. ⇒ **Gemmule.** *La plumule du grain d'orge.*

♦ **2.** (1845). Didact. Petite plume du duvet. — Par anal. (Littéraire) :

(...) des plumules de l'arbre-à-perruque, des pétales de clématites pleuvaient sur elle sans qu'elle tressaillît au fond du rêve (...)
COLETTE, la Chatte, p. 65.

PLUPART (LA) [laplypaʀ] n. f. et pron. indéf. — XVe; *la pluspart,* 1395; de *plus,* et 1. *part.*

À cette époque *(XVe siècle)* parut (...) un composé qui, par sa constitution morphologique, était la réduction d'une locution comparative, *la plus (grand) part,* et par son sens suggérait l'idée d'une quantité indifféremment mesurable ou nombrable (...) « Il tint conseil *la plus part* du jour, et *partie* de la nuyct » COMM., II, 9; on voit là (...) la franche valeur comparative du composé *la plus part* (...) 1
G. et R. LE BIDOIS, Syntaxe du franç. moderne, § 466.

♦ **1. LA PLUPART DE...** (suivi d'un singulier ou d'un pluriel). — REM. Les verbes, participes, adjectifs, pronoms régis par cette loc. s'accordent régulièrement avec le complément (singulier ou plus souvent pluriel), et non pas avec *plupart.*

Vx. ou en loc. *La plupart de...* (suivi d'un singulier) : la plus grande part*, la plus grande partie* de... — Vx. *La plupart du monde pense que... « La plupart de l'armée se débanda »* (Académie, 1694). *« Tout se passe* (cit. 139) *comme si la plupart de ce qui est n'existait pas »* (Valéry). — (En parlant du temps). Vx. *« La plupart de la nuit »* (Saint-Simon). — Loc. Mod. **LA PLUPART DU TEMPS :** le plus souvent*, presque toujours. ⇒ **Ordinairement** (→ Initiation, cit. 3; maîtrise, cit. 4).

(...) la plupart du monde ne se soucie pas de l'intention ni de la diligence des auteurs. 2
RACINE, les Plaideurs, Au lecteur.

En fait, j'étais rarement à ma place. Je passais la plupart de mon temps chez les *(étudiants)* Russes. 3
G. DUHAMEL, la Pierre d'Horeb, XII.

Cour. **LA PLUPART DE...** (suivi d'un pluriel) : le plus grand nombre de... ⇒ **Généralité, majorité.** *La plupart des hommes, des enfants* (cit. 5) *sont...* (→ Amitié, cit. 11; dissemblable, cit. 4; médaille, cit. 9). *La plupart de ceux qui...* (→ 2. Affecter, cit. 3). *La plupart d'eux* (vx), *d'entre eux, d'entre nous* (→ Faire, cit. 9; 1. garde, cit. 31; paix, cit. 36). — *Dans la plupart des cas. Chez la plupart des peuples* (→ Expression, cit. 41). — REM. L'accord, dans l'usage ancien, se faisait aussi avec *la plupart* et non avec son complément au pluriel (→ Écriteau, cit. 1, Amyot); cet emploi est un archaïsme littér. : *« La plupart des vivants n'attend rien... »* (→ Immolation, cit. 4, Suarès). Cf. Tristan Derème, Alain, André Billy, cités par Grevisse, *le Bon Usage,* § 806, Rem. 2.

La plupart des livres d'à présent ont l'air d'avoir été faits en un jour avec des livres lus la veille. 4
CHAMFORT, Maximes, « Sur la science », L.

Bonaparte avait conservé la plupart et la plus mauvaise part des amis avec lesquels il s'était lié dans le Midi (...) 5
CHATEAUBRIAND, Mémoires d'outre-tombe, t. III, p. 81.

Et la plupart de nous meurt sans l'avoir trouvé. 6
A. DE MUSSET, Premières poésies, « À quoi rêvent les jeunes filles », I, 4.

(...) la plupart des paysans s'y rendaient en skis. 7
A. MAUROIS, le Cercle de famille, II, VII.

Loc. adv. *Pour la plupart,* et, ellipt, *la plupart :* quant à la majorité, au plus grand nombre (de ce dont on parle). *Les convives étaient, pour la plupart, des marchands* (→ Apparence, cit. 10). *Les hommes la plupart sont étrangement* (cit. 4) *faits ! Des hommes qui, la plupart, luttent...* (→ Cénacle, cit. 2). *Les plus rebelles sont, la plupart...* (→ Flatter, cit. 59). *Des hommes nouveaux* (cit. 13), *la plupart très jeunes.* — *Chez la plupart, dans la plupart...*

8 — Les médecins ne savent donc rien (...)? — (...) Ils savent la plupart de fort belles humanités (...)
MOLIÈRE, le Malade imaginaire, III, 3.

9 (...) les montagnes, où l'on voit des pointes ou des pics (...) contiennent pour la plupart des marbres et des pierres dures remplies de productions marines.
BUFFON, Preuves sur la théorie de la Terre, IX.

10 Portant plumes et diamants
La plupart faux, mais très brillants.
FLORIAN, Fables, I, 1.

11 Ils n'étaient, pour la plupart, ni très studieux ni très doués. Leur passion philosophique les éloignait de l'anatomie.
G. DUHAMEL, la Pierre d'Horeb, XII.

♦ **2.** Pron. indéf. LA PLUPART : beaucoup, le plus grand nombre... (généralt suivi du pluriel). → Attaquer, cit. 40 ; dépraver, cit. 1 ; 1. fougue, cit. 7. *La plupart s'en vont* (littér.), *s'en va. La plupart pensent que... La jalousie de la plupart et le mépris de quelques-uns* (→ Ostentation, cit. 5). *Le nécessaire manquait à la plupart* (→ Gaspiller, cit. 2).

12 La plupart *(des soldats)* reviennent de Charleroi ou des environs.
GIDE, Journal, 12 sept. 1914.

13 La plupart, cependant, se sentent écœurés.
R. DORGELÈS, Saint-Magloire, XII, p. 362.

CONTR. Aucun, nul. — Peu...

PLURAL, ALE, AUX [plyʀal, o] adj. — 1874 ; lat. *pluralis.*

♦ Didact. Qui contient plusieurs unités, plusieurs éléments. *Vote plural :* système de vote où certains votants ont plusieurs voix. — Log. *Jugement plural,* qui s'applique à une multiplicité de sujets.

PLURALISATION [plyʀalizɑsjɔ̃] n. f. — 1845 ; de *pluraliser.*

♦ Didact. Action de pluraliser ; fait de se pluraliser.

PLURALISER [plyʀalize] v. tr. — XVIe, *pluralizer ;* du lat. *pluralis.*
Didactique.

♦ **1.** Mettre au pluriel.

♦ **2.** Rendre pluriel. « *Ce qui pluralise l'idée, souvent très égoïste, que nous avons de la culture...* » (*le Nouvel Obs.,* 16 janv. 1978, p. 66). — Pron. *Se pluraliser :* se diviser.

(...) par son développement même, chaque pensée, qui a au début refusé ce qui n'est pas elle et s'est conduite comme espèce, après s'être affirmée selon le monisme inconditionnel des principes, se pluralise et s'élargit selon un principe de pluralité ; on pourrait dire que chaque pensée tend à se réticuler et à adhérer à nouveau au monde après s'en être écartée.
Gilbert SIMONDON, Du mode d'existence des objets techniques, p. 181.

DÉR. Pluralisation.

PLURALISME [plyʀalism] n. m. — 1909 ; du lat. *pluralis.*

♦ **1.** Didact. Philosophie, doctrine suivant laquelle les êtres sont multiples, individuels et ne dépendent pas (en tant que modes ou phénomènes) d'une réalité absolue. *Pluralisme religieux.* → Dieu, cit. 16.

♦ **2.** Système politique qui reconnaît la diversité des opinions et de leurs organismes représentatifs. *Le pluralisme syndical. Le pluralisme des partis* (opposé au système du parti unique). ⇒ **Pluripartisme.** *Pluralisme des tendances, pluralisme démocratique* (dans un parti).

CONTR. Dualisme, monisme.
DÉR. Pluraliste.

PLURALISTE [plyʀalist] adj. — 1909 ; de *pluralisme.*

♦ **1.** Didact. Relatif au pluralisme (1.).

♦ **2.** Relatif au pluralisme (2.) ; partisan du pluralisme. « *On le voudrait* (ce parti unique) *plus ouvert, davantage pluraliste...* » (*l'Express,* 3 juil. 1972, p. 81).

PLURALITÉ [plyʀalite] n. f. — 1328, « pluriel » ; lat. *pluralitas,* de *pluralis.*

♦ **1.** Didact. Fait d'exister en grand nombre. ⇒ **Multiplicité** (cit. 4) ; **diversité.** — État de ce qui n'est pas unique. *La pluralité des philosophies qui coexistent dans la même tête* (→ Civilisation, cit. 14). « *La pluralité des femmes* » *:* la polygamie (Bossuet, *4e avert., 2*). — *Entretiens sur la pluralité des mondes,* œuvre de Fontenelle, où il soutient l'hypothèse de la pluralité des mondes habités. — *Pluralité des bénéfices ecclésiastiques.*

0.1. Les pluralités de sens (le littéral, le propre et le figuré, l'analogique, le symbolique, l'occulte, le métaphysique, le mythique ou mystique (...) se perçoivent sans arrêt.
Henri LEFEBVRE, la Vie quotidienne dans le monde moderne, p. 13-14.

Gramm. *La pluralité est marquée par le pluriel*. Unité et pluralité.*

♦ **2.** (1559). Vx. Le plus grand nombre. ⇒ **Majorité.**

La pluralité est la meilleure voie, parce qu'elle est visible, et qu'elle a la force pour se faire obéir ; cependant, c'est l'avis des moins habiles. 1
PASCAL, Pensées, XIV, 878.

La pluralité des voix, des suffrages (→ Avis, cit. 26 ; patricien, cit. 2). — REM. Dans ce sens, *majorité* et *pluralité* étaient en concurrence, mais *majorité** l'a emporté sous la Révolution de 1789 (cf. Brunot, *Hist. de la langue franç.,* t. IX, pp. 780-781).

(...) la pluralité des voix n'est pas une preuve qui vaille rien pour les vérités un peu malaisées à découvrir, à cause qu'il est bien plus vraisemblable qu'un homme seul les ait rencontrées que tout un peuple (...) 2
DESCARTES, Discours de la méthode, II.

Tout *(se)* décide à la pluralité des voix, dans les Assemblées qui se tiennent sur la place publique, les dimanches et fêtes, au sortir de la messe, et qui sont indiquées par le son de la grosse cloche. 3
RESTIF DE LA BRETONNE, la Vie de mon père, p. 215.

CONTR. Singularité, unicité, unité. — Minorité.

PLURI- Premier élément de mots savants, tiré du latin *plures* « plusieurs ». ⇒ **Multi-,** et **poly-.**
REM. *Pluri-* peut se combiner avec des adjectifs (⇒ **Pluriannuel, pluricellulaire, pluridisciplinaire,** etc.) ou avec des substantifs (⇒ **Pluridisciplinarité, plurilinguisme,...**). Outre les comp. traités ci-dessous, on trouve de nombreuses formations occasionnelles : *pluridimensionnel, pluriethnique, pluriracial ; pluriactivité, pluripropriété...,* in P. Gilbert.

PLURIANNUEL, ELLE [plyʀianɥɛl] adj. — 1932 ; de *pluri-,* et *annuel.*

♦ **1.** Bot. Qui vit plusieurs années avant de fleurir (bisannuel, trisannuel). *Plantes pluriannuelles.*

♦ **2.** (1960). Qui s'étend, dure sur plusieurs années. *Contrat, plan pluriannuel.*

PLURIATOMIQUE [plyʀiatɔmik] adj. — D. i. (XXe) ; de *pluri-,* et *-atomique.*

♦ Sc. Qui est formé de plusieurs atomes. *Corps pluriatomique.* ⇒ **Polyatomique.**

PLURICELLULAIRE [plyʀiselylɛʀ] adj. et n. m. — 1890, *la Science illustrée,* t. I, p. 291 ; de *pluri-,* et *cellulaire.*

♦ Qui comporte plusieurs cellules. *Organisme, animal, plante pluricellulaire.* ⇒ **Multicellulaire.** « *La biologie de la différenciation des organismes pluricellulaires (qui reste l'un des problèmes majeurs irrésolus de la biologie)* » (*la Recherche,* avr. 1981, p. 484). — N. m. *Les pluricellulaires.*

CONTR. Unicellulaire.

PLURIDISCIPLINAIRE [plyʀidisiplinɛʀ] adj. — 1966 ; de *pluri-,* et *disciplinaire.*

♦ Didact. Qui concerne plusieurs disciplines ou domaines de recherche. ⇒ **Multidisciplinaire ;** et aussi **interdisciplinaire.** « *Des techniques pluridisciplinaires...* » (*Science et Vie,* n° 593, p. 50). *Équipe pluridisciplinaire. Enseignement pluridisciplinaire.*

DÉR. Pluridisciplinarité.

PLURIDISCIPLINARITÉ [plyʀidisiplinaʀite] n. f. — 1969 ; de *pluridisciplinaire.*

♦ Didact. Caractère interdisciplinaire (d'un enseignement, d'une recherche, d'une équipe). « *L'Université doit être placée sous le signe de la pluridisciplinarité...* » (*le Monde,* 26 févr. 1969). ⇒ **Interdisciplinarité.**

PLURIEL, ELLE, ELS [plyʀjɛl] adj. et n. m. — 1440, comme nom ; adj. en 1607 ; réfect., d'après le lat. *pluralis,* de l'anc. franç. *plurier* (XVIe-XVIIe), *plurier* étant lui-même une altér. d'après *singulier, de plurel* (1190). Cf. Vaugelas, Rem. p. 468 (éd. Streicher) ; du lat. *pluralis,* dér. de *plus, pluris.* → Plus.
Grammaire.

♦ **1.** Adj. « Qui sert à indiquer qu'il s'agit de plusieurs personnes ou de plusieurs choses » (Académie). ⇒ **Pluralité.** *Le nombre* singulier et le nombre pluriel. Substantif pluriel. La première personne plurielle de l'indicatif présent de Avoir est* Nous avons. *Masculin, féminin pluriel.*

♦ **2.** N. m. Gramm., cour. LE PLURIEL... : catégorie grammaticale

(⇒ **Nombre,** cit. 30) et marque formelle qui y correspond, comprenant les mots (noms, pronoms) qui désignent une collection d'objets, lorsqu'ils peuvent être envisagés un à un (à la différence des noms collectifs) et les mots qui s'accordent avec eux (adjectifs, articles, verbes) ou avec certains collectifs. — Par ext. Catégorie comprenant tous les mots affectés de la marque morphologique du pluriel : *pluriel emphatique, poétique* (les airs, les eaux...). *Pluriel de majesté*, de modestie.* ⇒ **Nous** (II., 1., A. et B.). *Emplois stylistiques du singulier pour le pluriel, du pluriel pour le singulier...* → aussi les noms sans singulier (funérailles, mœurs...). — *Certains noms et pronoms collectifs peuvent entraîner le pluriel* (→ On, cit. 48 et *infra ;* nombre, cit. 12).

1 Nous avons en français un singulier et un pluriel : mais la distinction de l'unité et de la pluralité, qui constitue pour nous le nombre, n'est pas le seul aspect de cette catégorie. Il y a des langues qui possédaient ou possèdent encore un duel (...) il y a dans la catégorie du nombre d'autres distinctions que nous n'exprimons pas (...) Ainsi celle de l'aspect collectif et de l'aspect singulatif (...) Toutes les discussions auxquelles se livrent certaines grammaires sur la façon d'orthographier « gelée de groseille » ou « gelée de groseilles » (...) se ramènent (...) à une confusion du pluriel et du collectif (...) J. VENDRYES, le Langage, p. 114.

2 (...) nous distinguerons un pluriel dit augmentatif (Cf. *le ciel, les cieux ; l'air, les airs*), que l'on retrouve dans la langue littéraire de toutes les époques (...) dans la langue populaire : *coûter des prix fous, dépenser des argents fous.*
Puis un pluriel additionnel qui, au lieu de conserver à l'objet son identité à travers ses diverses manifestations, lui prête pour chacune d'elles une personnalité particulière : *Les tapisseries étaient un peu mangées par les soleils et les années* (Paul Vialar).
Un pluriel différentiel. Chateaubriand ayant écrit au début d'Atala : *la vase les cimente,* corrige : *les vases (...)*
Nous aurons enfin un pluriel d'obscurcissement cher aux poètes.
(...) Dans son étude sur Flaubert, Thibaudet l'a heureusement défini : « Ce pluriel est incorporé à la rêverie, qui multiplie et vaporise tout ; il annule les lignes nettes que prendraient les objets individuels. »
M. CRESSOT, le Style et ses techniques, p. 69.

Mot au pluriel. Un excès de pluriels. — Par métaphore.

3 Un pair en parlant de lui-même dit « nos » *(nous).* Un pair est un pluriel.
HUGO, l'Homme qui rit, II, II, XI.

REM. *Formes du pluriel en français.*

1. NOMS (et adjectifs). La marque normale du pluriel est l'*s,* qui ne se prononce pas. Les noms en *s, x, z,* sont invariables. Les noms en *-al* font *-aux* (sauf : avals, bals, cals, carnavals, chacals, festivals, narvals, nopals, pals, récitals, régals). Les noms en *-au, -eau, -eu* prennent un *x* (sauf : landaus, sarraus ; bleus, émeus, pneus...). Les noms en *-ail* font *-ails* (sauf : aspiraux, baux, coraux, émaux, fermaux, soupiraux, travaux, ventaux, vitraux). Les noms en *-ou,* prennent un *s* (sauf : bijoux, cailloux, choux, genoux, hiboux, joujoux, poux). N. B. Les règles sont les mêmes pour les adjectifs, avec des exceptions (telles que : bleus, fatals, glacials, navals,...).

2. NOMS PROPRES. Ils ne prennent la marque du pluriel que lorsqu'il s'agit des familles royales, princières (les Bourbons), quand ils désignent des types (des Harpagons), des provinces portant le même nom (les Flandres), et parfois, des œuvres d'art (des Corot, des Corots).

3. NOMS COMPOSÉS. Se reporter à chacun d'eux.

4. NOMS ÉTRANGERS. Ceux qui sont francisés suivent la règle (des pianos), les autres non. N. B. Il y a de nombreuses hésitations, des pluriels doubles (lieds, lieder...).

5. NOMS À DOUBLE PLURIEL. → Aïeul, ail, ciel, œil, travail...

♦ **3.** Adj. (1966). Littér. ou didact. Dont le contenu est formé d'éléments multiples non perçus immédiatement. *Lecture plurielle. Un texte pluriel. Écriture, musique plurielle.*

CONTR. Singulier.

PLURIER [plyʀje] n. m. — 1232 ; de *plurel,* lat. *pluralis.* → Pluriel.

♦ Gramm. Vx. ⇒ **Pluriel.**

PLURIFLORE [plyʀiflɔʀ] adj. — 1846, Bescherelle ; de *pluri-,* et *-flore.*

♦ Bot. Se dit d'une inflorescence à plusieurs fleurs.

PLURIFONCTIONNALITÉ [plyʀifɔ̃ksjɔnalite] n. f. — 1969 ; de *pluri-,* et *fonctionnalité.*

♦ Didact. Caractère de ce qui est plurifonctionnel.

Cette surpression *(de l'huile du carter par rapport à la pression de l'eau à l'extérieur)* est elle-même plurifonctionnelle ; elle réalise un graissage sous pression permanent des paliers en même temps qu'elle s'oppose à la rentrée de l'eau par défaut d'étanchéité des paliers. Or, il convient de noter que c'est grâce à la plurifonctionnalité que cette concrétisation et cette adaptation relationnelle sont devenues possibles.
Gilbert SIMONDON, Du mode d'existence des objets techniques, p. 54.

PLURIFONCTIONNEL, ELLE [plyʀifɔ̃ksjɔnɛl] adj. — 1969, cit. ; de *pluri-,* et *fonctionnel.*

♦ Didact. Qui possède plusieurs fonctions.

L'eau devient plurifonctionnelle : elle apporte l'énergie actionnant la turbine et la génératrice, et elle évacue la chaleur produite dans la génératrice ; l'huile est aussi remarquablement plurifonctionnelle : elle lubrifie la génératrice, isole l'enroulement, et conduit la chaleur de l'enroulement au carter, où elle est évacuée par l'eau. Gilbert SIMONDON, Du mode d'existence des objets techniques, 1969, p. 54. → Plurifonctionnalité, cit.

C'est un lieu plurifonctionnel qui comporte essentiellement une grande salle aménageable pour divers usages, parmi lesquels la liturgie. 2
Michel DE SAINT-PIERRE, la Passion de l'abbé Delance, p. 26.

PLURILATÉRAL, ALE, AUX [plyʀilateʀal, o] adj. — 1932 ; de *pluri-,* et *latéral.*

♦ Dr. Qui engage plusieurs parties. ⇒ **Bilatéral,** etc. *Accords, traités plurilatéraux.*

PLURILINGUE [plyʀilɛ̃g] adj. et n. — D. i. (xxe) ; de *pluri-,* et *-lingue.* → Bilingue.

♦ Didact. (Personnes). Qui utilise plusieurs langues. *De nombreux Africains sont plurilingues. Les unilingues et les plurilingues.* — (D'une communauté). Où plusieurs langues sont utilisées.
REM. Selon les cas, la notion inclut ou non celle de *bilingue.*

PLURILINGUISME [plyʀilɛ̃gɥism] n. m. — D. i. (xxe) ; de *plurilingue,* d'après *bilinguisme.*

♦ Didact. Situation d'une personne, d'une communauté plurilingue.

PLURINATIONAL, ALE, AUX [plyʀinasjɔnal, o] adj. — 1959, *le Monde ;* de *pluri-,* et *national.*

♦ Polit. Qui concerne plusieurs nations ou pays. ⇒ **Multinational.** — N. f. *« La planification des grandes entreprises internationales, appelées plurinationales... »* (*le Monde,* 25 juil. 1965). — REM. On dit plutôt *multinationale,* dans ce cas.

PLURINUCLÉÉ, ÉE [plyʀinyklee] adj. — 1898, in *Année biol.* xx, p. 803 ; de *pluri-,* et *nucléé.*

♦ Biol. Qui possède plusieurs noyaux. *Cellule plurinucléée.* ⇒ **Énergide.**

PLURIPARTISME [plyʀipaʀtism] n. m. — 1962 ; de *pluri-,* et *parti.*

♦ Polit. Coexistence de plusieurs partis ou mouvements dans un système politique. *Deux doctrines opposées : celle du parti unique et celle du pluripartisme.* ⇒ **Pluralisme.**

PLURIPOLAIRE [plyʀipɔlɛʀ] adj. — 1897, en biol., in *Année biol. ;* de *pluri-,* et *polaire.*

♦ Didact. Qui a plusieurs pôles. *Cellule nerveuse pluripolaire.*

PLURIVALENCE [plyʀivalɑ̃s] n. f. — 1877, in *Année sc. et industr.* 1878, p. 164, *« la polyatomicité ou la plurivalence de l'atome » ;* de *pluri-,* et *valence.*

♦ Didact. Caractère de ce qui est plurivalent.

PLURIVALENT, ENTE [plyʀivalɑ̃, ɑ̃t] adj. — 1907 ; mais antérieur. → Plurivalence ; de *pluri-,* et *-valent,* d'après *polyvalent.* Didactique.

♦ **1.** Chim. Qui a plusieurs valences (⇒ **Bivalent, trivalent...**). — REM. On emploie plus souvent le composé hybride *polyvalent.*

♦ **2.** Philos. Qui peut prendre plusieurs formes, produire indifféremment plusieurs effets.

♦ **3.** Log. *Logique plurivalente,* qui admet plus de deux valeurs de vérité (vrai, faux et neutre, probable, etc.). — Opposé à *bivalent.*

PLURIVOCITÉ [plyʀivɔsite] n. f. — Après 1960 ; de *plurivoque,* d'après *univocité.*

♦ Didact. Caractère de ce qui est plurivoque.

CONTR. Univocité.

PLURIVOQUE [plyʀivɔk] adj. — 1950 ; d'après *univoque.*

♦ Didact. (Log., math. et ling.). Qui a plusieurs valeurs, plusieurs sens. *Relation plurivoque. Mot à contenu plurivoque.* ⇒ **Polysémique.**

CONTR. Univoque.
DÉR. Plurivocité.

PLUS [plys ; ply] — REM. On prononce généralement [ply] avec liaison du *s* prononcé [z] ; cependant on dit [plys] notamment en mathématiques, et cette prononciation tend à se généraliser pour éviter la confusion avec le *plus* négatif toujours prononcé [ply], et construit sans *ne* dans le discours relâché. Ex. : *J'en veux plus,* qui peut signifier [ʒɑ̃vøplys] «j'en veux encore» ou [ʒɑ̃vøply] «c'est assez», selon que *plus* est prononcé [plys] ou [ply]. adv. — 980; lat. *plus* «une plus grande quantité» et «en plus grande quantité».

Mot servant de comparatif à *beaucoup* et entrant dans la formation des comparatifs de supériorité de l'adjectif et de l'adverbe (à l'exception des comparatifs synthétiques comme *meilleur*) ainsi que, associé à l'article ou à des déterminatifs, sous la forme *le plus, du plus,* dans la formation du superlatif relatif de supériorité.

★ **I.** (Comparatif). **A.** (Adverbial).

♦ **1.** Absolt. (Le second terme de la comparaison étant sous-entendu). **PLUS** ([ply] devant consonne et en finale, [plyz] devant voyelle) modifiant un verbe, un adjectif, un adverbe. *« Tu me haïssais* (cit. 6) *plus, je ne t'aimais pas moins »* (Racine). ⇒ **Davantage.** *Les mœurs tiennent plus à l'esprit général, les lois tiennent plus à une institution* (cit. 8) *particulière. — Plus grand, plus court, plus heureux, plus beau...* (→ Apprendre, cit. 30; appui, cit. 2; démon, cit. 3; fleuron, cit. 2). *« Je n'ai fait cette lettre* (cit. 20) *plus longue que parce que je n'ai pas eu le loisir de la faire plus courte »* (Pascal). *« Le nez* (cit. 11) *de Cléopâtre, s'il eût été plus court... »* (Pascal). Loc. *À plus forte raison. — Plus tard, plus tôt. Plus souvent, plus loin, plus facilement...* (→ Cacher, cit. 50; démon, cit. 5; élargir, cit. 6). *Plus souvent.* ⇒ **Souvent.** *Y voir plus clair. De plus près* (→ Négatif, cit. 12). *La phrase citée plus haut* (→ Fouiller, cit. 26). *S'expliquer plus intelligiblement* (cit. 1). *N'allons pas plus avant* (cit. 44). — REM. Pour *plus* associé aux adjectifs *bon, mauvais, petit* et aux adverbes *bien, mal.* → Meilleur (cit. 1), pire; moindre, mieux, pis.

1 Il coûte moins à certains hommes de s'enrichir de mille vertus, que de se corriger d'une seul défaut (...) On ne leur demande point qu'ils soient plus éclairés et plus incorruptibles, qu'ils soient plus amis de l'ordre et de la discipline, plus fidèles à leurs devoirs, plus zélés pour le bien public, plus graves : on veut seulement qu'ils ne soient point amoureux. LA BRUYÈRE, les Caractères, XI, 98.

2 Nous pénétrâmes par une porte basse dans ce monceau de décombres habités par une famille de paysans; il est impossible d'imaginer quelque chose de plus noir, de plus enfumé, de plus caverneux et de plus sale.
Th. GAUTIER, Voyage en Espagne, p. 120.

3 — M'accuser, — justes dieux! —
De n'aimer plus (...) quand (...) j'aime plus!
Edmond ROSTAND, Cyrano de Bergerac, III, 6.

EN PLUS... (suivi d'un adjectif). *C'est le même, en plus foncé.*

4 (...) une couleur brune (...) qui s'apparentait en un peu plus clair à celle des solives du plafond. J. ROMAINS, les Hommes de bonne volonté, t. XXI, X, p. 182.

5 Cette pièce (...) ressemble, en plus luxueux et en plus triste, à ma chambre de Bouville. SARTRE, la Nausée, p. 173.

Spécialt. (Devant un adjectif relié par *de* à un infinitif ou une proposition infinitive à valeur causale, l'infinitif amené par *de* exprimant «la cause qui fait que l'adjectif, attribut ou épithète, se trouve porté à un degré supérieur» (Le Bidois, *Syntaxe du franç. moderne,* § 1845). *Une autorité plus fragile d'avoir été tant de fois attaquée.*

♦ **2. PLUS... QUE** (avec un nom, un nominal ou un adverbe). *Rien ne m'a plus frappé que l'aptitude* (cit. 9) *des vivants à... Plus royaliste que le roi. Plus apte* (cit. 4) *au travail... Rien n'est plus lâche que de...* (→ Dieu, cit. 47). *Plus belle que le jour* (cit. 9). *Je ne me sens jamais vivre plus intensément* (cit. 1) *que quand... Aimer qqch. plus que tout, plus que tout au monde. Ce qui lui importe plus que tout* (→ Faiblesse, cit. 41). ⇒ **Principalement, surtout, sur** (toute chose). *Plus que jamais** (→ Exhaler, cit. 21; édit, cit. 1; 1. froid, cit. 4). *Plus que de coutume* (→ Faiblesse, cit. 3). *Plus que de raison** (→ Forcer, cit. 32). *Plus souvent qu'à son tour*.* — REM. Pour les verbes et substantifs marquant qu'une chose est *plus forte, plus intense qu'une autre.* ⇒ **Dépasser, dominer, surpasser.**

6 Un autre, plus égal que Marot et plus poète que Voiture (...)
LA BRUYÈRE, Disc. de réception à l'Académie franç., 15 juin 1693.

(En corrélation avec une proposition comparative). *Plus loin que ne l'ont fait les anciens* (→ Dieu, cit. 16). *Qu'ils veuillent être estimés* (cit. 16) *plus qu'ils ne méritent. « L'exemple touche plus que ne fait la menace »* (Corneille). (→ Faire, cit. 210, 216 et 221). *Plus qu'il ne faudrait.* ⇒ **Trop.** — REM. Sur l'emploi de *ne* dans la proposition comparative. → Ne, et Mieux, les mêmes remarques s'appliquant à *plus.*

7 — Il n'y a pas d'honnêtes femmes, alors? — Si! plus qu'on ne le croit, mais pas tant qu'on le dit. DUMAS fils, l'Ami des femmes, I, V.

8 Il excitait son imagination plus qu'il n'était entraîné par son amour.
STENDHAL, le Rouge et le Noir, II, XIII.

9 C'était une âme plus encore que ce n'était une vierge.
HUGO, les Misérables, I, I, I.

10 (...) je comprenais fort bien le sens de cette scrupuleuse investigation. Elle me plaisait et me contentait plus que je n'eusse pu le dire.
G. DUHAMEL, la Pesée des âmes, IX.

(Dans un sens voisin de *plutôt*). Reliant deux mots ou expressions de même nature. *Voix plus cajoleuse* (cit. 2) *que caressante. Plus mère qu'épouse* (cit. 8). *Plus marâtre* (cit. 3) *que mère. Plus familière* (cit. 9) *que liante. « La fumée de la gloriole m'ayant plus étourdi que flatté »* (cit. 9, Rousseau). *Plus bête que méchant. Plus indifférent* (cit. 16) *qu'incrédule. Il paraissait plus végéter que vivre* (→ Instar, cit. 2). *Liberté* (cit. 1), *un de ces mots qui chantent plus qu'ils ne parlent.* — Loc. *Plus mort que vif. Être plus à plaindre qu'à blâmer* (cit. 9).

Je vous sers beaucoup plus que je ne vous abuse. 11
MOLIÈRE, l'École des maris, III, 9.

D'autres, par exemple Victor Hugo, voient intérieurement, avec une netteté parfaite et un relief étonnant, les couleurs et les formes (...) Mais ils sont peintres plus que poètes (...) 12
TAINE, Essais de critique et d'histoire, Michelet, II.

(Associé directement à *que,* dans l'expression adverbiale *plus que,* qui peut elle-même modifier un adjectif, un participe ou un adverbe). *Plus que* «indique que la qualité dont il s'agit est dépassée» (Littré). *Il est plus qu'élégant* (⇒ **Mieux**), *plus qu'hypocrite* (⇒ **Pire**). *Vous vous êtes plus qu'acquittée envers lui* (→ Lier, cit. 32). *Plus que graves* (cit. 5), *ennuyeux. Résultat plus qu'honorable* (cit. 16). *« C'est plus qu'un crime, c'est une faute ». Vie large* (cit. 15), *plus que large. Magnificence* (cit. 7) *plus que royale. Pâleur plus que marmoréenne* (cit. 2). *C'est plus que bien, c'est parfait.* — (Devant un n.). Rare. *Plus que roi.*

Item, et à mon plus que père, 13
Maître Guillaume de Villon,
Qui m'a été plus doux que mère (...) VILLON, le Testament, LXXXVII.

Dès que j'en vis briller la splendeur plus qu'humaine. 14
MOLIÈRE, Tartuffe, III, 3.

(...) un ancien avoué ruiné nommé Delbecq, homme plus qu'habile, qui connaissait admirablement les ressources de la chicane (...) 15
BALZAC, le Colonel Chabert, Pl., t. II, p. 1122.

Aussi cet homme plus que mal habillé, c'est-à-dire médiocrement habillé, qui ne savait ni saluer ni entrer dans un salon, donnait à toutes ses manières quelque chose de saisissant et de doux que n'auraient pas eu les manières d'un prince. 15.1
PROUST, Jean Santeuil, Pl., p. 269.

PLUS, modifié par un adverbe ou un numéral. *Beaucoup plus, bien plus, autrement* (cit. 18) *plus, infiniment plus...* (→ Astreignant, cit.; figurer, cit. 5; libertin, cit. 1; lynx, cit. 1). *Encore plus, plus encore.* ⇒ **Encore** (cit. 16 et 17). *Tellement plus. Un peu plus* (→ Autoriser, cit. 12; bouleverser, cit. 4; enfoncer, cit. 13). — (Modifié par un multiplicatif, une fraction). *Deux, trois fois* plus grand. Il l'aime cent fois plus que...* (→ Faire, cit. 215). *Productions de près d'un tiers plus considérables* (→ Impulsion, cit. 5). — (Modifié par un numéral marquant une différence). *Une heure, deux ans plus tôt, plus tard* (→ Dénouer, cit. 15; fluor, cit. 2). *De sept ans plus âgé* (→ Maigrichon, cit. 3). *Industrie* (cit. 14) *plus jeune qu'une autre de plus d'un siècle. Il est de quelques centimètres plus grand que moi.*

(...) les mots déforment tout? Ils sont tellement plus immobiles et plus solides que les sentiments (...) A. MAUROIS, le Cercle de famille, III, V. 16

Je voudrais être plus vieux d'un an (...) 17
G. DUHAMEL, Salavin, Journal, 7 janv.

♦ **3.** (Précédé d'une négation : [ply]). **PAS PLUS QUE...** et (vieilli) **NON PLUS QUE...** (→ Livresque, cit. 2; magnétisme, cit. 2; manière, cit. 15). *Pas plus haut qu'une botte* (cit. 3). *Ce proverbe n'est pas plus vrai que tout autre proverbe* (→ Dieu, cit. 56). *Et point sotte non plus que ses parents* (→ Fagotage, cit. 2, France). — (En liaison avec une proposition comparative). *« L'on n'est pas plus maître* (cit. 47) *de toujours aimer qu'on ne l'a été de ne pas aimer »* (La Bruyère). *Ne... non plus que... ne...* (→ Lugubre, cit. 3). *« On n'en parle non plus que s'il n'eût jamais existé »* (Académie). *Pas plus qu'on ne doit faire cela, on ne doit faire ceci.* ⇒ **Même** (de même que... de même). *Pas plus que le chrétien ne doit chercher..., de même devons-nous...* (→ Antinomie, cit. 2, Gide). — *Ne... pas plus tôt.. que.* ⇒ **Tôt.**

Il ne dort non plus que votre père. 18
RACINE, les Plaideurs, II, 3.

Je compris (...) que le conseil le plus retors, non plus que la volonté la plus tenace n'y pourrait rien. GIDE, la Porte étroite, VII. 19

(...) je ne l'aimais plus, j'étais, non plus l'être qui l'aimait, mais un être différent qui ne l'aimait pas, j'avais cessé de l'aimer quand j'étais devenu un autre. 19.1
PROUST, le Temps retrouvé, Pl., t. III, p. 1038.

Projets, ruses, complots n'avaient d'autre objectif que les jours qui suivraient ma mort toute proche. Pas plus que ma famille, je ne nourrissais à ce sujet le moindre doute. F. MAURIAC, le Nœud de vipères, II, XVII. 20

(Ellipt). *Non plus,* c'est-à-dire pas plus que telle autre personne ou chose dont il est question. ⇒ **Non** (*supra* cit. 37; et cit. 37 à 40).

♦ **4.** (Précédé de *ne*). **NE... PLUS...** : désormais ne... pas... — REM. Ce tour remarquable, que le français n'a pas tiré du latin *plus* (le latin emploie en ce sens *jam... non*), confère à *plus* un sens négatif, marquant «la cessation de quelque action ou quelque état, ou l'absence de quelque chose qu'on avait auparavant» (Littré). «Le temps à venir étant assimilé à une quantité qui "s'ajoute" à un moment donné de la durée, on voit comment la valeur temporelle est sortie naturellement de la valeur proprement quantitative» (G. et R. Le Bidois, *Syntaxe du franç. moderne,* § 1781). — *« Je ne suis* (cit. 88) *point pour Albe, et ne suis plus pour Rome »* (Corneille). *N'espérons* (cit. 31) *plus, mon âme, aux promesses du monde... Il n'osait plus... je ne peux plus... on ne comprend plus...* (→ Appuyer, cit. 16; après, cit. 8; archaïsme, cit. 1; aristocratique, cit. 2). *Je ne vous en veux plus.* ⇒ **Cesser** (de). → Fatalité, cit. 5. *N'avoir plus un sou, ne plus dire un mot* (→ Border, cit. 4; bouche, cit. 22). *Il n'y a plus d'enfants** (cit. 10). *Depuis qu'elle n'est* (cit. 10 et 11) *plus.* ⇒ **Disparaître, mourir.** *On n'en finirait* (cit. 26) *plus.* — Loc. *À n'en plus finir** (→ Loyer, cit. 3). *Je n'en peux* plus.* — Loc. *Plus n'est besoin...* — (Accompagné d'un autre adverbe). *On n'y voit presque plus. Méde-*

cin qui n'exerce (cit. 38) *plus guère* (→ Libertin, cit. 5). *Elle ne marchait* (cit. 40) *plus du tout.* — (Avec *aucun, personne, jamais, rien...*). *Ne plus... aucun**(cit. 26). *Ne... jamais plus.* ⇒ **Jamais** (*infra* cit. 25). *Il n'y a plus personne**. *Je ne sens plus rien* (→ Fond, cit. 28). *Plus rien ne l'atteindrait* (→ Fond, cit. 11). *On n'en trouve plus nulle part. Je ne veux plus jamais le revoir.* — **SANS PLUS.** *Sans plus se soucier de rien* (→ Force, cit. 13; main, cit. 18). — **NON PLUS** (employé comme *non pas,* pour opposer un terme à un autre). *Compter non plus par syllabes, mais par pieds* (→ Intonation, cit. 5; et aussi fixer, cit. 6). — REM. Il ne faut pas confondre cet emploi de *non plus* avec l'emploi signalé plus haut en fin de 3.

21 Albe vous a nommé, je ne vous connais plus.
— Je vous connais encore, et c'est ce qui me tue (...)
CORNEILLE, Horace, II, 3.

22 Il n'aime plus cette personne qu'il aimait il y a dix ans. Je crois bien : elle n'est plus la même, ni lui non plus; il était jeune et elle aussi; elle est tout autre. Il l'aimerait peut-être encore, telle qu'elle était alors. PASCAL, Pensées, II, 123.

23 On a bien de la peine à rompre quand on ne s'aime plus.
LA ROCHEFOUCAULD, Maximes, 351.

24 En amour, il n'y a guère d'autre raison de ne s'aimer plus que de s'être trop aimés.
LA BRUYÈRE, les Caractères, IV, 30.

25 Je n'aime plus. Ces paroles enferment un mystère tout aussi profond que celui contenu dans le mot j'aime. BALZAC, Une double famille, Pl., t. I, p. 984.

26 Tout ce qui était n'est plus; tout ce qui sera n'est pas encore.
A. DE MUSSET, la Confession d'un enfant du siècle, I, II.

27 Je verrai cet instant jusqu'à ce que je meure,
L'instant, pleurs superflus!
Où je criai : L'enfant que j'avais tout à l'heure,
Quoi donc! je ne l'ai plus! HUGO, les Contemplations, IV, XV.

28 (...) il n'y avait plus d'éclairé sur la place que la lucarne de Binet.
FLAUBERT, Mme Bovary, III, XI.

29 (...) et, quand la première pièce de cinq francs fut bue, il en tira une seconde, se la vissa de nouveau dans l'œil, cria que lorsqu'il n'y en avait plus, il y en avait encore. ZOLA, la Terre, III, III.

30 (...) je baissai la tête pour ne plus la voir.
FRANCE, le Livre de mon ami, Livre de Pierre, II, III.

31 (...) accordez-moi la force de lui apprendre à ne m'aimer plus (...)
GIDE, la Porte étroite, Journal d'Alissa.

32 *(Le château)* dont il ne restera bientôt plus que des ruines (...) Rien plus n'en défendait l'entrée : le fossé à demi comblé, la haie crevée, ni la grille descellée (...)
GIDE, Isabelle, Avant-propos.

Ellipt. **PLUS DE** (sous-entendu : *il n'y a...*). «*Plus d'amour* (cit. 26), *partant plus de joie*» (La Fontaine). «*Paris était mort* (2. mort, cit. 18), *plus d'autos, plus de passants*». *Plus de circulation, plus de commerce...* (→ Paralysie, cit. 4). — Spécialt (Avec une valeur d'impératif ou d'optatif). *Plus de guerres, plus de sang!* (→ 1. Fumer, cit. 24). *Plus de ces entraînements irréfléchis!* (cit. 2). *Plus un jour à perdre!* (→ Loisir, cit. 8). *Jamais plus! Sans plus de... Jusqu'à plus soif**. — (Devant un adjectif épithète, avec ellipse de la relative). *Ces deux costauds plus très jeunes* (→ Nautonier, cit. 1).

33 Je mis un bonnet rouge au vieux dictionnaire.
Plus de mot sénateur! plus de mot roturier! HUGO, les Contemplations, I, VII.

34 (...) j'arrêtai d'abord la question finale, la question suprême à laquelle le *Jamais plus* devait, en dernier lieu, servir de réponse, — cette question à laquelle le *Jamais plus* fait la réplique la plus désespérée, la plus pleine de douleur et d'horreur qui se puisse concevoir.
BAUDELAIRE, Trad. E. POE, Histoires grotesques..., Genèse d'un poème : «Le corbeau».

35 Je me regardai longuement, sans plus de honte aucune, avec joie.
GIDE, l'Immoraliste, I, VI.

36 Avec la peste, plus question d'enquêtes secrètes, de dossiers, de fiches (...) À proprement parler, il n'y avait plus de police (...) CAMUS, la Peste, p. 213.

(Combiné avec *ne... que* restrictif). **NE... PLUS... QUE** : désormais... seulement (→ Excentricité, cit. 6; livide, cit. 2; mariage, cit. 20). *Il me semblait que ma vie ne me tenait plus qu'au bout des lèvres* (→ 1. Mort, cit. 22, Montaigne). «*Je n'ai plus que les os*» (cit. 3). *Il n'adora plus qu'elle seule* (→ Follement, cit. 1). Loc. *Il n'y a plus qu'à tirer l'échelle**. *Il n'y a plus une minute à perdre* (cit. 35). *Il ne nous fallait* (cit. 12) *plus que cela. Il ne me manquait* plus que de...* (→ Fortune, cit. 26). *Il ne manquerait* (cit. 18) *plus que...* — (Ellipt.). *Plus qu'un, et ce sera fini.*

♦ **5.** (En corrélation avec *plus* ou *moins* pour marquer une augmentation en rapport direct ou inverse). *Plus... plus...* (→ Arène, cit. 11; attaque, cit. 1). Prov. *Plus on est de fous* (1. fou, cit. 23), *plus on rit.* Iron. *Plus ça change* (cit. 66), *plus c'est la même chose.* — *Plus..., moins* (→ Aimer, cit. 41; chaos, cit. 3). *Moins..., plus...* (→ Apte, cit. 7; civiliser, cit. 5; exiger, cit. 12). *Plus... et plus..., moins...* (→ Examiner, cit. 13). — *Plus..., et plus...* (→ Enfoncer, cit. 38). *Moins..., et plus...* ⇒ **Moins** (cit. 11, et *supra*). — *Mieux* (cit. 9)... *plus...*

37 (...) las! plus vous m'êtes fière,
Plus vous me décevez, plus vous me semblez belle;
Plus vous m'êtes volage, inconstante, et rebelle,
Et plus je vous estime, et plus vous m'êtes chère.
RONSARD, Pièces retranchées, Amours, «Sonnet», III.

38 Plus l'offenseur est cher, et plus grande est l'offense.
CORNEILLE, le Cid, I, 6.

39 Plus longtemps vous le ferez durer *(ce rôle)*, un acte, deux actes, plus il sera naturel et conforme à son original; mais plus aussi il sera froid et insipide.
LA BRUYÈRE, les Caractères, I, 52.

(...) plus voluptueusement se présentait à nous chaque instant, plus insensiblement coulait l'heure. GIDE, l'Immoraliste, II, I. 40

Le grand-oncle s'est mis en colère et, plus il grondait, plus il postillonnait, plus, de mon côté, je m'entêtais à crier (...) G. DUHAMEL, Salavin, V, III. 41

Plus profonde est la mer et plus blanche est la voile 42
Et plus le mal amer plus merveilleux le bien.
ARAGON, le Roman inachevé, p. 63.

REM. 1. L'emploi d'un impératif, dans un deuxième terme, est archaïque («*Moins vous l'aimez, et plus tâchez de lui complaire*», Racine, *Mithridate,* IV, 2).

2. L'addition de *le,* dans ce tour, est populaire («*Le plus longtemps le major touchait nos trois francs soixante... le plus longtemps nous lui étions un profit*», P. Vialar, *Risques et périls,* p. 165).

(L'ordre des propositions étant inversé). *D'autant plus... que... plus; d'autant plus... que...* ⇒ **Autant** (cit. 53 à 56). *D'autant plus... que... moins...* (→ 2. Franc, cit. 12). *D'autant moins** (cit. 13)... *que... plus...* (→ Impression, cit. 20). — Ellipt. (La coordonnée étant sous-entendue et clairement impliquée par ce qui précède). *D'autant plus.* ⇒ **Autant** (cit. 57 à 59; → Liberté, cit. 8; niaiserie, cit. 1); et **raison** (à plus forte). — REM. Dans ce genre de propositions, les ligatures *plus... plus...,* et *d'autant plus... que...* ont souvent une valeur causale autant que comparative : c'est *dans la mesure où* et *parce que* telle chose est *plus* ceci, qu'elle est *plus* cela.

Les superstitions étaient d'après enceintes 43
Terribles d'autant plus qu'elles étaient plus saintes (...)
HUGO, la Légende des siècles, LVIII, I.

(...) toute musique est bonne, d'autant plus qu'elle est plus substantielle. 44
R. ROLLAND, Jean-Christophe, L'aube, III.

♦ **6.** Loc. **PLUS OU MOINS** [plyzumwɛ̃] : à des degrés différents et dans une mesure variable selon les cas. *Plus ou moins grand* (→ Archétype, cit. 7), *plus ou moins abondant...* (→ Atmosphère, cit. 10; évolution, cit. 12; falaise, cit. 2; important, cit. 14). *Dans une plus ou moins large mesure* (→ Incidence, cit. 5). «*Selon que notre idée est plus ou moins obscure...*» (cit. 8, Boileau). *Comédie qui tient plus ou moins de la bouffonnerie* (cit. 1). — *Réussir plus ou moins bien,* bien ou médiocrement, avec des résultats incertains. — (Marquant une approximation). À peu près*, environ. «*Cela vous coûtera vingt francs, plus ou moins*» (Littré, Académie). — Fam. (Marquant une incertitude, non quant au degré, mais quant à la chose elle-même). *Il est plus ou moins intelligent. Vous êtes content? — Hum! plus ou moins.* ⇒ **Vouloir** (si on veut).

(...) tout est en un flux perpétuel (...) Tout animal est plus ou moins homme; tout minéral est plus ou moins plante; toute plante est plus ou moins animal. Il n'y a rien de précis en nature (...) DIDEROT, le Rêve de d'Alembert. 45

Des jardins plus ou moins potagers proliféraient à la diable (...) 45.1
René FALLET, le Triporteur, p. 184.

NI PLUS NI MOINS [niplynimwɛ̃], marque que la chose est exactement telle qu'on l'exprime. *C'est du vol, ni plus ni moins. C'était, ni plus ni moins, l'officier* (2. Officier, cit. 3) *de police.* (Avec *que* suivi d'un terme de comparaison). «*L'admission d'un fait sans cause... n'est ni plus ni moins que la négation de la science*» (→ Fait, cit. 36, Cl. Bernard). — (Avec *que* et une proposition comparative). ⇒ **Comme, même** (de même que). → Légalité, cit. 2. — Vx. *Ne plus ne moins que...* (→ Organe, cit. 7, Descartes). *Qui plus, qui moins.*

Nous *(les concierges)* sommes des gens de confiance, nous faisons les recettes, nous veillons au grain; mais nous sommes traités ni plus ni moins que des chiens, et voilà! BALZAC, le Cousin Pons, Pl., t. VI, p. 563. 46

(V. 1250). **DE PLUS EN PLUS** [dəplyzɑ̃ply], marque une augmentation ou une progression continue, par degrés*. ⇒ **Toujours** (toujours plus, toujours davantage). *De plus en plus rare* (→ Bouffée, cit. 4), *rétréci* (→ Finir, cit. 22), *hésitant* (→ Flotter, cit. 19). *Se vider de plus en plus.* ⇒ **Graduellement, progressivement** (→ Formalisme, cit. 2). «*J'avais découvert de plus en plus mon ignorance*» (cit. 19, Descartes). *De plus en plus vite* (→ Machine, cit. 33). *Parler* (1. parler, cit. 46) *de plus en plus bas.*

ON NE PEUT PAS PLUS (rare); **ON NE PEUT PLUS** : au plus haut point (devant un adj. ou un adv.). ⇒ **Extrêmement.**

Il *(Julien)* prit un costume de voyage on ne peut pas plus simple. 47
STENDHAL, le Rouge et le Noir, II, XXV.

(...) je suis on ne peut plus heureux de vous rencontrer (...) 48
DUMAS fils, le Fils naturel, III, 10.

(...) la coopérative fonctionne depuis cinq ans avec des résultats on ne peut plus satisfaisants. F. MALLET-JORIS, le Jeu du souterrain, p. 15. 48.1

B. (Nominal). [ply] devant consonne, [plyz] devant voyelle, [plys] en finale. Une chose plus grande ou plus importante, une quantité supérieure. ⇒ **Davantage.**

♦ **1.** Absolt. (Sans compl.). *Demander* (cit. 40) *plus. Faire plus* (→ Infidélité, cit. 9; offense, cit. 2). *Gagner plus que qqn* (→ Fileur, cit. 2). «*... Font plus que force* (cit. 1) *ni que rage*» (La Fontaine). *Les poètes voient dans les choses plus que les choses* (→ 1. Idéal, cit. 2). *Exiger* (cit. 6) *des hommes plus qu'ils ne peuvent faire.* — (En fonction d'attribut). «*Pour être plus qu'un roi, tu te crois quelque chose*» (cit. 47, Corneille).

Adieu : pour ce coup, ceci doit vous suffire, 49
Et je vous ai plus dit que je ne voulais dire.
MOLIÈRE, les Femmes savantes, I, 4.

L'être qui venait à mon secours (...) c'était celui qui (...) dans un moment où je 50

n'avais plus rien de moi, était entré, et qui m'avait rendu à moi-même, car il était moi et plus que moi (...) et me l'apportait.
PROUST, À la Recherche du temps perdu, t. IX, p. 200.

Il n'y en a pas plus que ça, qu'on ne pensait. Ellipt. Fam. *Il y en a beaucoup? Pas plus que ça :* moyennement. Pop., vx. *Plus que ça de... :* tant de..., que de... *« Plus que ça d'or! »* (Balzac, *in* D. D. L.).

♦ **2. PLUS DE** (suivi d'un complément de comparaison). — REM. Cette construction est une survivance de l'ancien français, où le complément du comparatif était introduit par *de* (*« Meillors vassals de vos unkes ne vi », Chanson de Roland,* vers 1857). — *Plus de la moitié. Plus de six ans* (→ Arabesque, cit. 3). *Il était plus de minuit, plus de midi* ⇒ **Passé** (cit. 7). *Depuis plus d'une année* (→ Firme, cit.). *Enfants de plus de dix ans.* ⇒ **Dessus** (au-dessus). Ellipt. (Fam.). *Les plus de dix-huit ans. Plus de vingt lieues, de huit mètres...* (→ 1. Foire, cit. 2; long, cit. 39). *Plus de vingt, de cent fois* (→ 1. Loi, cit. 27). — (Ellipt). *Cent mille francs et plus* (→ Empocher, cit. 3; meute, cit. 1; pamphlet, cit. 1). ⇒ **Delà** (au delà).

REM. On emploie parfois, dans ce sens, le tour *plus que* (de même que *moins que* à la place de *moins de*). *« Cela est plus d'à demi fait, plus qu'à demi fait »* (Académie). ⇒ **Moins** (III, 1, REM. 2). *Plus d'une fois.* ⇒ **Plusieurs** (→ Arbitre, cit. 2; arriver, cit. 75). *Pour plus d'une raison* (→ 3. Fronde, cit. 3). *Ces obstacles* (cit. 6) *décourageraient plus d'un.* — *Plus d'un...,* en fonction du sujet (régissant généralement, quoique pluriel*, le verbe au singulier). ⇒ **Beaucoup, bien.** → Foule, cit. 15; jaunir, cit. 5).

51 Comme l'ont observé MM. Michaut et Schricke, quand le singulier et le pluriel du verbe « se distinguent nettement à l'audition, c'est assurément le singulier qu'un français choisit instinctivement : *Plus d'un de ses compagnons se sauva* » (Gram. franç., 761, b). Toutefois, si quelque détail supplémentaire de la phrase était de nature à faire ressortir la nuance de multiplicité, c'est le pluriel qui serait de mise : *« Plus d'un de ses compagnons se sauvèrent par des moyens divers » ;* ici, la pluralité marquée par le complément circonstanciel influe sur le nombre du verbe. Dans deux autres cas encore, le pluriel du verbe est d'obligation : 1° si la locution indéfinie est répétée : *« Plus d'un fils* désolé, *plus d'une jeune fille* en deuil *viendront...* » (Littré), le caractère plural du tour amène ici le pluriel; — 2° si l'action est réciproque : « À Paris on voit *plus d'un fripon qui se dupent l'un l'autre* » MARMONTEL, Incas, XLV.
G. et R. LE BIDOIS, Syntaxe du franç. moderne, § 1042.

52 Plus d'une parmi elles sont sorties du monastère comme j'en sors aujourd'hui (...)
A. DE MUSSET, On ne badine pas avec l'amour, II, 5.

53 Plus d'un, en apercevant ces coquettes résidences (...) enviait d'en être le propriétaire (...)
FLAUBERT, l'Éducation sentimentale, I, I.

54 Oui, Candaule. Il y a sur tes terres plus d'un pauvre
Qui se couche plus d'un soir sans souper. GIDE, le Roi Candaule, II, 1.

♦ **3. PLUS DE** (suivi d'un complément partitif). *« À mesure qu'on a plus d'esprit, on trouve qu'il y a plus d'hommes originaux »* (→ Différence, cit. 13, Pascal). *Cela fera plus d'effet* (cit. 26). *Un peu plus de* (→ Légèreté, cit. 13); *d'autant plus de...* (→ Apparenter, cit. 2). *Jamais plus d'assassins... n'attaqueront* (cit. 12). *Un agneau n'a pas plus de candeur* (cit. 4). — *Plus de façade* (cit. 10) *que de fonds, d'indifférence que de colère* (→ Inattention, cit. 3). *Plus de fous que de sages* (→ Folie, cit. 17). *Les faibles* (cit. 19) *font plus de mal que les méchants. Beaucoup plus de gens* (1. Gens, cit. 6) *qu'on ne croit.*

55 Elle *(la reine Anne d'Autriche)* avait plus d'aigreur que de hauteur, plus de hauteur que de grandeur, plus de manières que de fond, plus d'inapplication à l'argent que de libéralité, plus de libéralité que d'intérêt, plus d'intérêt que de désintéressement, plus d'attachement que de passion, plus de dureté que de fierté, plus de mémoire des injures que des bienfaits, plus d'intention de piété que de piété, plus d'opiniâtreté que de fermeté et plus d'incapacité que de tout ce que dessus.
RETZ, Mémoires, II, Œuvres, p. 152.

56 J'ai plus de souvenirs que si j'avais mille ans.
BAUDELAIRE, les Fleurs du mal, « Spleen et idéal », LXXVI.

57 Aucun être n'était sorti de la vie avec plus de discrétion que Sarah.
GIRAUDOUX, Églantine, III.

♦ **4.** (Précédé de *de*). **... DE PLUS,** marque un excédent*, un supplément*, un dépassement* par rapport à l'autre terme de comparaison. *Il avait vingt ans de plus que moi* (→ Malgré, cit. 14). — (Ellipt). *Une fois de plus.* ⇒ **Encore, nouveau** (→ Âge, cit. 51; broder, cit. 7; 1. éponge, cit. 6). *Rien de plus.* ⇒ **Autre** (→ Exister, cit. 3; 2. fier, cit. 10; 1. geste, cit. 17). *Souhaiter qqch. de plus* (→ Félicité, cit. 3; fourberie, cit. 4). *Que vous faut-il de plus? Raison* de plus. Une minute de plus, et...* (→ Haler, cit. 1). *Une seconde de plus, il l'éventrait* (cit. 4). — REM. Dans ce sens, *de plus* était au XVIIe s. très souvent remplacé par *plus* (→ ci-dessous, cit.).

58 (...) ils ont *(mes canons)* un grand quartier plus que tous ceux qu'on fait.
MOLIÈRE, les Précieuses ridicules, 9.

59 (...) cela m'a arrêtée un jour plus que je ne pensais (...)
Mme DE SÉVIGNÉ, 933, 18 sept. 1684.

60 Chaque homme de plus qui sait lire est un lecteur de plus pour Molière.
SAINTE-BEUVE, Portraits littéraires, Molière, janv. 1835.

61 Elle ne disait que le nécessaire, rien de plus, rien de moins.
A. HERMANT, l'Aube ardente, VIII.

62 (...) son instinct lui disait qu'une œuvre d'art de moins ne ferait pas un heureux de plus. R. ROLLAND, Jean-Christophe, Le buisson ardent, I, p. 1259.

63 Alissa a deux ans de plus, Juliette un an de moins que moi (...)
GIDE, la Porte étroite, I.

64 Où trois lignes suffisent, je n'en mettrai pas une de plus.
GIDE, Journal, 14 févr. 1932.

♦ **5.** Loc. **DE PLUS,** marque qu'on ajoute qqch. à ce qu'on vient de dire. ⇒ **Ailleurs** (d'), **outre** (en), **puis** (et); → Armer, cit. 19; palpable, cit. 5. — **IL Y A PLUS, QUI PLUS EST, BIEN PLUS...,** marquent que l'on renchérit sur ce qu'on vient de dire, que l'on n'a pas encore dit le plus important. ⇒ **Même** (et). — **EN PLUS,** marque que la chose s'ajoute à la précédente, vient en complément*. ⇒ **Avec, aussi, également** (→ Par-dessus le marché*). *Avec en plus qqch. de fêlé* (→ Frêle, cit. 12). *Avec l'odeur en plus* (→ Fadasse, cit. 2). *Différence en plus.* ⇒ **Excès.** — **SANS PLUS :** sans rien de plus, sans qu'il soit besoin d'ajouter quoi que ce soit. — *Tant et plus.* ⇒ **Tant.**

(...) on m'outrage, et bien plus, on expose la vie de Fabrice (...) 65
STENDHAL, la Chartreuse de Parme, XVI.

Que devait-il faire? Saluer et passer, sans plus? 66
M. BARRÈS, la Colline inspirée, XI.

(...) on peut bien désigner dans son œuvre *(de Hugo)* quantité de faiblesses et de taches (...) Ce ne sont (...) que les taches d'un soleil. Bien plus : cette œuvre et cette gloire ont pu soutenir sans périr l'épreuve la plus sévère (...) 67
VALÉRY, Variété, Pl., t. I, p. 586.

(...) les heures les plus insignifiantes n'ont ni plus ni moins de durée que les autres (...) Qui plus est, l'on sait aujourd'hui que la matière cérébrale reste, par elles, impressionnée comme par les autres (...) GIDE, Ainsi soit-il, p. 137. 68

Il la trouvait gentille mais sans plus, il n'en avait nulle envie. 68.1
R. QUENEAU, Loin de Rueil, p. 105.

EN PLUS DE... loc. prép. ⇒ **Outre, sus** (en sus de). — REM. Cette locution, que ne signalent ni Littré ni l'Académie, semble dater de la fin du XIXe s. — *Se livrer à des travaux personnels en plus de son métier. En plus des Français, il y avait là de nombreux étrangers.* ⇒ **Indépendamment.**

En plus de Paul, mon père, et de mon oncle Charles, Tancrède Gide avait eu plusieurs enfants qu'il avait tous perdus en bas âge (...) 69
GIDE, Si le grain ne meurt, I, II, p. 41.

C. (Nom). **LE PLUS.** *Qui peut le plus peut le moins :* quand on peut faire plus, on peut à plus forte raison faire moins. *Ne différer* (cit. 9) *que du plus ou du moins :* présenter non pas une différence de nature, mais seulement de degré. *Le plus ou moins... :* la quantité, ou le degré variable... *Le plus ou moins d'ecclésiastiques* (→ Foisonner, cit. 1). — REM. Cet emploi de *plus* substantivé ne doit pas être confondu avec la forme superlative *le plus.*

La tragédie, sans doute, est quelque chose de beau (...) mais la comédie a ses charmes, et je tiens que l'une n'est pas moins difficile à faire que l'autre. — Assurément, Madame; et quand, pour la difficulté, vous mettriez un *plus* du côté de la comédie, peut-être que vous ne vous abuseriez pas. 70
MOLIÈRE, la Critique de l'École des femmes, 6.

Les hommes composent ensemble une même famille : il n'y a que le plus ou le moins dans le degré de parenté. LA BRUYÈRE, les Caractères, IX, 47. 71

Qui a le plus a, dit-on, le moins; cela est faux. Le roi d'Espagne, tout puissant qu'il est, ne peut rien à Lucques. Les bornes de nos talents sont encore plus inébranlables que celles des empires (...) 72
VAUVENARGUES, Réflexions et maximes, 274.

D. (Conjonction. Se prononce toujours [plys]). Avec l'addition* de..., en ajoutant... ⇒ **Et.** *Deux plus trois font, égalent cinq* (2 + 3 = 5). — À quoi s'ajoute... *Deux cents francs de fixe* (cit. 11), *plus deux sous la ligne. Douze tribus, plus une, celle des lévites* (cit. 2). *Obtenir la moitié des voix plus une* (→ Majoritaire, cit.). *Adjugé mille francs, plus les frais.* — Spécialt. (Dans un inventaire, un compte). *Plus un fourneau* (cit. 7) *de brique...*

La forme mathématique de l'addition, c'est plus (+). Elle se répand dans le langage : *20 francs par jour,* plus *les pourboires, c'est beaucoup.* Mais la vieille forme de la langue, c'est la conjonction *et* (...) 73
F. BRUNOT, la Pensée et la Langue, p. 126.

Les compagnons d'Ulysse (...) découvrirent plusieurs sources (...) tous les fruits, plus une baie acidulée (...) et toutes les espèces de gibier, plus le lubard jaune rayé de noir (...) tous vos vœux exaucés, plus celui qu'un dieu seul peut former pour vous. GIRAUDOUX, Elpénor, Le Cyclope. 74

E. (Signe algébrique [plys]). S'emploie pour désigner une quantité positive*, ou certaines grandeurs au-dessus du point zéro. *Plus cinq* (+5). *Le signe plus* (+) : le signe de l'addition et des nombres positifs.

★ **II.** (Superlatif. [ply] devant consonne, [plyz] devant voyelle, [ply; plys] en finale). **LE, LA, LES PLUS.** ⇒ **Le** (1. le).

♦ **1.** Adverbial. (Devant un verbe, un adjectif, un adverbe). *Ce qui me frappe le plus, ce qui m'intéresse le plus* (→ Faconde, cit. 1). *Les quatre femmes* (cit. 7) *dont il m'importait le plus d'être aimé.* — *« C'est souvent lorsqu'elle est le* (1. le, cit. 40) *plus désagréable à entendre qu'une vérité est le plus utile à dire »* (Gide). *La plus grande partie.* ⇒ **Majeur.** *Le plus grand nombre.* ⇒ **Majorité.** *Les femmes les plus brillantes* (→ Afficher, cit. 5). *Le plus fort* (cit. 22), *le plus dur... est fait. Le plus clair de son temps... Au plus haut point, au plus haut degré.* ⇒ **Supérieur, supérieurement,** et préf. **Hyper-, super-, sur-, ultra-.** *Le plus important.* ⇒ **Principal.** *Le droit* (3. droit, cit. 48), *la raison du plus fort*... Le plus âne des trois.* — (Le possessif remplaçant *le*). *Réduit à sa plus simple expression* (cit. 18). *Un de ses plus forts* (cit. 9) *écoliers. Nos plus grands plaisirs* (→ 1. livre, cit. 31). — (Avec un démonstratif). Vieilli. *Dans cet endroit le plus reculé...* (La Bruyère, *les Caractères,* I, 248). — *Ce qu'on me reproche le plus âprement* (cit. 4). *Le plus tôt est le mieux* (→ Gourme, cit. 4). *Le plus souvent. Le rayon qui passe le plus près* (→ Infléchir, cit. 3). — *Au plus tôt*, au plus tard*. Au plus mal*. Au plus vite*.*

75 La duchesse était, sans compliment, une des dix plus jolies femmes de Paris, avouées, reconnues. Vous savez qu'il y a dans le monde amoureux autant de *plus jolies femmes de Paris*, que de *plus beaux livres de l'époque* dans la littérature.
BALZAC, le Cabinet des antiques, Pl., t. IV, p. 385.

76 Dans les pays religieux, la cathédrale est l'endroit le plus orné, le plus riche, le plus doré, le plus fleuri; c'est là que l'ombre est la plus fraîche et la paix la plus profonde (...)
Th. GAUTIER, Voyage en Espagne, p. 113.

77 Un jour, à Bagatelle, un vieux jardinier nous avait dit, à Odile et à moi : « Les plus belles roses se fanent le plus vite (...) »
A. MAUROIS, Climats, I, XXI.

REM. Au XVIIe s., on emploie souvent *plus* dans le sens superlatif *le plus* (→ ci-dessous, cit. Corneille et Molière). Cet emploi s'observe encore aujourd'hui dans le tour superlatif signalé au paragraphe suivant.

78 Ce n'est pas en effet ce qui plus m'embarrasse.
CORNEILLE, Sertorius, IV, 2.

79 Le remède plus prompt où j'ai su recourir.
MOLIÈRE, le Dépit amoureux, III, 1.

CE QUE... DE PLUS... *Ce qu'il y a de plus sensuel parmi les appétences* (cit. 1) *de l'homme. Ce que j'ai de plus précieux au monde* (→ Fouiller, cit. 24). *Ce qu'elle a de plus habile* (cit. 21). — Fam. *C'est tout ce qu'il y a de plus comique!*

80 Adieu, rocher, caillou, pierre de taille, et tout ce qu'il y a de plus dur au monde.
MOLIÈRE, George Dandin, II, 1.

81 C'était tout ce qu'il y a de plus drôle, ce richissime richard (...) venant en équipage réclamer ses douze francs!
Alphonse DAUDET, l'Immortel, III.

82 (...) la situation (...) est très grave pour nous (...) — Tout ce qu'il y a de plus grave.
J. ROMAINS, les Hommes de bonne volonté, t. I, XIV, p. 153.

(Suivi d'une proposition de comparaison). *Il les flétrit* (1. flétrir, cit. 12) *le plus qu'il peut* (→ Foule, cit. 17). *Le plus qu'il est possible.*

Absolt. *Le plus possible* (→ Frottement, cit. 8). *Le plus loin* (cit. 32) *possible.* — (Devant un adjectif, en relation avec une proposition relative au subjonctif). *Le plus beau site que nous ayons vu* (→ Lointain, cit. 12). *Ce livre* (1. livre, cit. 11), *le plus beau qui soit parti de la main d'un homme* (→ aussi Langage, cit. 15).

83 (...) Ulysse, le plus sage des rois de la Grèce qui ont renversé la superbe ville de Troie (...)
FÉNELON, Télémaque, IV.

84 Ô la plus chère tombe et la plus ignorée
Où dorme un souvenir!
A. DE MUSSET, Poésies nouvelles, « Souvenir ».

85 (...) l'un des hommes les plus malheureux que j'aie jamais connus.
F. MAURIAC, le Nœud de vipères, I, III.

86 *Nous vous offrons les plus belles fleurs que nous ayons trouvées* signifie : *que nous ayons été capables de trouver.* La généralisation amène à considérer tout ce qui peut être. Cette nuance potentielle n'existe pas, si on dit : *que nous avons trouvées.*
F. BRUNOT, la Pensée et la Langue, p. 743.

86.1 Mais c'est comme si son vêtement ou l'appareil de sa richesse lui faisait mal à la peau, et le plus nu et le plus abandonné qu'il sera, mieux ça vaudra.
Henri MICHAUX, Un barbare en Asie, p. 80.

DES PLUS... : parmi les plus... *« Je viens d'en essuyer un des plus fatigants »* (cit. 2, Molière). *Il n'est pas des plus fins de ce monde* (→ Affaire, cit. 67). *Un mets des plus fortifiants* (cit. 1). *Les nouvelles sont des plus intéressantes* (→ 1. Loch, cit. 1). *« Un renard, jeune encor, quoique des plus madrés »* (cit. 1, La Fontaine).

REM. 1. Certains auteurs, isolant dans ce cas l'expression *des plus,* en font une locution adverbiale superlative au sens de « au plus haut point », l'adjectif restant alors au singulier s'il y a lieu. *Un homme des plus loyal* (Brunot, *la Pensée et la Langue*). *Ce spectacle est des plus immoral* (Le Bidois, *Syntaxe du franç. moderne*).

2. Si l'adjectif se rapporte à un pronom neutre, il reste généralement au singulier.

87 En effet, ils furent tout à coup environnés d'une fumée, qui, bien que des plus opaques, ne dérobait rien aux yeux de l'écolier.
A.-R. LESAGE, le Diable boiteux, XVI.

88 Je sais qu'il est des yeux, des plus mélancoliques,
Qui ne recèlent point de secrets précieux (...)
BAUDELAIRE, les Fleurs du mal, « Tableaux parisiens », XCVIII.

89 Il lui était des plus pénible de recevoir leurs adieux.
A. DE CHATEAUBRIANT, M. des Lourdines, p. 132, *in* GREVISSE.

90 La situation était des plus embarrassantes (...)
G. DUHAMEL, Chronique des Pasquier, VI, XVIII.

♦ **2.** (Nominal). **LE PLUS DE :** la plus grande quantité. *Le mot qui contient le plus de souvenirs antiques* (→ Gars, cit. 2). *Donner le plus d'air, de jour...* (→ Elzévir, cit.; jeter, cit. 27). *Le plus de mal* (→ Maladroit, cit. 8). *Les gens qui ont rendu le plus de services* (→ Lettré, cit. 3). *On* (cit. 1) *tire des anciens le plus que l'on peut. — Le plus offrant. Vente au plus offrant.* ⇒ **Enchère.**

91 (...) au milieu des gens de plus de talent, dans les salons les plus fermés (...)
PROUST, les Plaisirs et les Jours, p. 126.

92 Un des plus sérieux hommes que j'aie connus, et du plus de suite dans les pensées, ne paraissait ordinairement que la légèreté même : une seconde nature le revêtait de balivernes.
VALÉRY, Variété I, p. 74.

Vx. **PLUS,** employé au lieu de *le plus* (→ Après, cit. 64; communauté, cit. 6).

Loc. **AU PLUS, TOUT AU PLUS :** à supposer que la chose en question soit à la limite supérieure de son être ou de ses possibilités. ⇒ **Maximum** (au). — REM. L'inversion du sujet est fréquente après tout au plus. *Ce qu'est tout au plus le peuple dans l'aristocratie* (cit. 1). *« Je ne saurais fournir Au plus qu'une demi-bouchée »* (→ Carpillon, cit., La Fontaine). *Je ne leur ai pas causé* (cit. 5) *de si grands tourments, tout au plus des ennuis. Au plus, ai-je à redouter la morsure* (cit. 2) *des cobras.* — Vx (dans le même sens). *Pour le plus.*

C'est un homme qui (...) n'a tout au plus que six mois dans le ventre. 93
MOLIÈRE, le Mariage forcé, 7.

La plus forte amitié n'est au plus que tiédeur. RACINE, la Thébaïde, II, I, variante. 94

Voilà seulement huit jours, tout au plus, que je commence à être tranquille et à savourer avec simplicité les spectacles que je vois. 95
FLAUBERT, Correspondance, 421, 26 août 1853.

Au plus si..., tout au plus si...

Tout au plus te retrouvé-je le soir, dans la petite chambre de la rue Gambetta (...) 96
GIDE, la Porte étroite, V.

Tout au plus exprime proprement un degré maximum : — Ils étaient trente, *tout au plus* ». Mais, placée en tête de la phrase, cette locution prend une valeur restrictive qui porte sur tout l'ensemble de la phrase : « *Tout au plus,* accepta-t-il d'écouter » GIDE, *Immoraliste,* 137; c'est cette valeur « modale » qui justifie l'inversion en pareils tours, et qui explique en même temps qu'on puisse introduire la proposition qui suit au moyen de *si* (...) 97
(...) *Tout au plus si* un des lévriers remua la tête, *et si* l'enfant daigna tourner (...) DAUDET, *C. du lundi* (cité par Soltmann,...). Dans *(cet exemple)* la suppression de *si* entraînerait normalement l'inverson du sujet (...)
G. et R. LE BIDOIS, Syntaxe du franç. moderne, § 1703 et 1670.

♦ **3.** N. m. *Un plus :* un élément positif supplémentaire. *Cela vous donnera un plus sur le plan professionnel* (appartient notamment à l'usage publicitaire).

CONTR. Moins*; dessous (au). V. aussi **Diminuer, diminution.**
COMP. Plus-que-parfait, plus-value. — Surplus.

PLUSIEURS [plyzjœʀ] adj. et nominal indéf. plur. — 1325; *plusurs,* 1080; lat. pop. **plusiores,* altération, d'après *plus,* de *pluriores,* réfection attestée à basse époque du lat. class. *plures* « plus nombreux ».

Indéfini exprimant une pluralité* indéterminée, un nombre au moins supérieur à un, souvent un nombre supérieur à deux, mais peu élevé (→ Nombre, cit. 30). ⇒ aussi les préf. **Multi-, pluri-, poly-.**

♦ **1.** Adj. Un certain nombre*. ⇒ **Quelque** (quelques), **un** (plus d'un). *Un ou plusieurs citoyens* (→ Arbitraire, cit. 9; atavisme, cit. 3; calomnieux, cit.; fonction, cit. 16; milice, cit. 3). *Deux ou plusieurs mots* (→ Abrégement, cit.; association, cit. 11; bataille, cit. 1; liste, cit. 4). *Plusieurs livres, plusieurs provinces, plusieurs faits, plusieurs personnes...* (→ Accumuler, cit. 5; album, cit. 2; article, cit. 5; assemblée, cit. 1). *Œuvre sculpturale à plusieurs personnages* (groupe). *Fait de plusieurs éléments.* ⇒ **Complexe, composé.** *Plusieurs fois* (→ Demander, cit. 30; démonter, cit. 5). *Se produire plusieurs fois :* se répéter. *À plusieurs reprises.* ⇒ **Maint** (→ Flatter, cit. 3). *En plusieurs endroits* (→ Avarier, cit. 1). ⇒ **Différent, divers.** *Pendant plusieurs jours. Avoir plusieurs cordes** (cit. 6) *à son arc. « Il y a plusieurs demeures dans la maison* (cit. 23) *de mon Père ».*

♦ **2.** Nominal. **a** (Précisé par un compl. partitif). *Plusieurs des fautes, des personnes qui...* (→ Acariâtre, cit. 2; durement, cit. 2). *Plusieurs de nos pièces modernes* (→ Barbare, cit. 17), *de mes livres* (→ Main, cit. 81). *Plusieurs d'entre eux* (→ Articuler, cit. 7), *de ceux-ci* (→ Molécule, cit. 3). — (Avec *en* partitif). *Nous en avons plusieurs* (→ Bout, cit. 15; figure, cit. 5; mariage, cit. 8). — (Avec *dont*). *J'ai acheté des livres, dont plusieurs reliés.*

Et j'ai quatorze enfants, dont plusieurs sont de moi! 1
COURTELINE, la Conversion d'Alceste, 4.

b (Désignant les choses dont on parle, le sens étant clair sans qu'on répète le substantif). *Une prose qui suffit à tous les emplois et triomphe dans plusieurs* (→ Déplacer, cit. 10). *Non pas sur un point, mais sur plusieurs* (→ Diathèse, cit.). *Plusieurs même...* (→ Falloir, cit. 4). *Y a-t-il un principe, deux ou plusieurs?* (→ Monde, cit. 10).

Pardon, Monsieur, vous ne connaîtriez pas quelqu'un ? 1.1
L'autre : — Si, plusieurs.
GIDE, le Prométhée mal enchaîné, *in* Romans, Pl., p. 306.

c (Indéterminé). Plusieurs personnes. ⇒ **Aucun** (d'aucuns), **certains, quelque** (quelques-uns). *Plusieurs pensent, supposeront que... Plusieurs chercheront...* (→ Afficher, cit. 1; ardeur, cit. 47). *Plusieurs qu'on avait crus clairvoyants...* (→ Obscurcir, cit. 6). *Plusieurs n'en sauraient soutenir la pensée.* ⇒ **Beaucoup** (→ Imagination, cit. 11). *Un chef-d'œuvre d'esprit* (cit. 50) *qui soit l'ouvrage de plusieurs.* ⇒ **Collectif.** *Ils s'y sont mis à plusieurs.*

(...) il préfère (...) sa propre satisfaction à l'utilité de plusieurs (...) 2
LA BRUYÈRE, les Caractères, Préface.

Sans chercher à savoir et sans considérer 3
Si quelqu'un a plié qu'on aurait cru plus ferme,
Et si plusieurs s'en vont qui devraient demeurer. HUGO, les Châtiments, VII, XVI.

(...) d'autres dormaient dans des coins; plusieurs mangeaient. 4
FLAUBERT, l'Éducation sentimentale, I, 1.

CONTR. Un.

PLUS-QUE-PARFAIT [plyskəpaʀfɛ] n. m. — 1550; *temps passé plus que parfait,* 1521; empr. du lat. gramm. *plus quam perfectum.*

Gramm. Un des temps* du passé* (cit. 18) à l'indicatif et au subjonctif. *Le plus-que-parfait, temps composé, est formé d'un auxiliaire à l'imparfait* (de l'indicatif ou du subjonctif) *et d'un participe passé.*

♦ **1.** (Indicatif). Temps corrélatif de l'imparfait (comme le passé antérieur par rapport au passé simple) exprimant généralement une action entièrement accomplie et antérieure à une autre action passée exprimée à l'imparfait (parfois aussi au passé simple ou au passé composé). *Le plus-que-parfait exprime le plus souvent une antériorité sujette à se répéter et indéterminée* (quand il *avait dîné*, il allait faire un tour), *au lieu que le passé antérieur exprime des faits isolés* (quand il *eut dîné*, il alla faire un tour). *Le plus-que-parfait, en relation avec l'imparfait, le passé simple et le passé composé, marque un fait accompli et antérieur à un autre fait passé* (le printemps *était venu*, l'herbe poussait — je sonnai à sa porte, *il était sorti* — la police a perquisitionné, il *avait* tout *fait* disparaître). — *Plus-que-parfait employé dans les subordonnées de condition en corrélation avec le conditionnel présent ou passé dans la principale* (si j'*avais pu*, je vous aurais aidé), *dans les exclamations de regret ou de souhait irréalisé* (Ah ! si j'*avais su !*). — *Plus-que-parfait du style indirect correspondant au passé composé dans le style direct* (il a prétendu qu'il ne m'*avait pas vu*) *ou du style indirect libre* («il parla de sa vie nomade... il *avait échappé* à la conscription... il *avait vu* l'invasion» (E. Henriot, *in* Le Bidois). — *Plus-que-parfait à valeur de conditionnel passé, en corrélation avec une subordonnée de condition ou un terme équivalant à une hypothèse* («Sans toi, j'*avais* tout *perdu*, un moment de plus, ils *étaient partis* (Hugo, *les Misérables*), présentant ainsi l'hypothèse «comme une réalité qui était imminente, mais ne s'est pas accomplie» (Dauzat). *Plus-que-parfait d'atténuation de politesse* (Pardon, monsieur, j'*étais venu* vous demander...). — *Plus-que-parfait surcomposé* (employé surtout dans la langue parlée), *marquant l'achèvement complet de l'action* («les pêcheurs *avaient eu* vite *épuisé* toute la surprise de l'aventure», Vercel, *la Clandestine*, p. 43) *et, de ce fait, employé souvent avec les verbes exprimant l'achèvement* (si j'*avais eu fini* avant lui, j'aurais pu...). — (Dans une subordonnée temporelle). «Quand il *avait eu rassemblé* les plus effrontés..., il leur avait dit...» (Stendhal).

♦ **2.** (Subjonctif). Temps employé soit pour exprimer en subordonnée l'antériorité par rapport à une autre passée (dans les phrases où le subjonctif est exigé), soit pour remplacer le conditionnel passé, soit à la place du plus-que-parfait de l'indicatif dans une subordonnée de condition. — REM. Comme l'imparfait du subjonctif, il n'est guère employé que dans la langue littéraire.

[a] *Plus-que-parfait exprimant une action passée qui serait, avec une valeur différente, à l'indicatif plus-que-parfait* (j'ignorais qu'il vous en *eût parlé*) *ou au passé antérieur* (je ne le laissai pas partir avant qu'il *eût avoué...*, correspondant à : je le laissai partir seulement quand il eut avoué...). — *Plus-que-parfait exprimant une action future qui, à l'indicatif, serait au futur antérieur* (je souhaiterais qu'il se *fût décidé* avant votre départ, correspondant à : se sera-t-il décidé avant votre départ ?) *ou une action future qui serait au conditionnel passé* (j'attendais qu'il *eût accepté*, correspondant à : j'attendais le moment où il aurait accepté).

[b] *Le plus-que-parfait du subjonctif en fonction de conditionnel passé* (C'*eût été* bien préférable. — «Rodrigue, qui l'*eût cru ?* — Chimène, qui l'*eût dit ?*» Corneille, *le Cid*, III, 4.).

[c] *Plus-que-parfait du subjonctif au lieu du plus-que-parfait de l'indicatif après* si (s'il avait réussi, ou : s'il eût réussi, il *eût été* heureux). — REM. On peut rattacher à cet emploi le tour hypothétique avec inversion («Le corps *eût-il été* plus sec, l'accident n'aurait pas eu lieu» Gide, *les Faux-Monnayeurs*, III, VII). «Y *eût-il songé* qu'il aurait sans doute attribué son zèle à la gravité du cas,...» Flaubert, *Mme Bovary*, I, II). — (Avec la principale à l'imparfait au lieu du conditionnel : «Pierre Louys m'*eût-il encouragé* dans ce sens, j'étais perdu» (Gide, *Si le grain ne meurt*, VIII).

PLUS-VALUE [plyvaly] n. f. — D. i. ; de *plus*, et l'anc. franç. *value* (1180), p. p. substantivé au fém. de *valoir*.

♦ **1.** Écon. Augmentation de la valeur d'une chose (bien ou revenu), qui n'a subi aucune transformation matérielle. *Des plus-values. La plus-value des terrains*, acquise par les terrains (→ Infailliblement, cit. 4). *Impenses* (cit.) *dont la restitution est due jusqu'à concurrence de la plus-value existante...* ⇒ **Amélioration.** — Fin. Excédent de recettes par rapport aux prévisions budgétaires. *Plus-values dans le produit de tel ou tel impôt.* — Augmentation de prix accordée pour certains travaux en raison de difficultés imprévues ou circonstances diverses.

♦ **2.** Différence entre la valeur des biens produits et le prix des salaires payés aux travailleurs, dont bénéficient les capitalistes. *Théorie de la plus-value, chez Marx. Plus-value absolue*, obtenue par l'allongement de la durée du travail, l'augmentation du rendement. *Plus-value relative*, obtenue par la mécanisation (→ Romeuf, *Dict. écon.*, p. 889). *Taux de plus-value.*

CONTR. Diminution, moins-value.

PLUTÉUS [plyteys] n. m. — 1890, *in* P. Larousse, *Deuxième Suppl.*, art. «Échinodermes» ; lat sc., 1877, Huxley ; mot lat. «abri, petit mur».

♦ Zool. Larve flottante d'oursin, à symétrie bilatérale.

PLUTON [plytɔ̃] n. m. — Mil. XXe. → Plutonique.

♦ Géol. Masse de magma* profond consolidé en roche plutonique. *Pluton granitique.*

PLUTONIEN, IENNE [plytɔnjɛ̃, jɛn] adj. — 1816 ; du nom de *Pluton*, dieu des Enfers.

Didactique.

♦ **1.** Relatif à Pluton.

♦ **2.** Géol. Vx. ⇒ **Plutonique** (→ Granitoïde, cit. 2).

(...) à la vue de ces roches convulsionnées qui s'entassaient sur la gauche, un géologue n'eût pas hésité à leur donner une origine volcanique, car elles étaient incontestablement le produit d'un travail plutonien.

J. VERNE, l'Île mystérieuse, t. I, p. 35.

♦ **3.** N. Partisan du plutonisme (s'oppose à *neptunien*).

PLUTONIGÈNE [plytɔniʒɛn] adj. — V. 1960 ; de *plutonium*, et *-gène*.

♦ Phys. Qui produit du plutonium. *Réacteur plutonigène.*

PLUTONIQUE [plytɔnik] adj. — 1550 ; de *Pluton*.

Didactique.

♦ **1.** Vx. De Pluton. ⇒ **Plutonien.**

♦ **2.** (1836). Géol. Mod. Se dit des roches formées à de grandes profondeurs, dans le magma*. *Roches plutoniques, volcaniques et sédimentaires. Les feldspaths forment près de la moitié des roches plutoniques.*

La comparaison avec les phénomènes qui se produisent à la surface de la Terre ne suffit pas pour expliquer la genèse d'autres types de roches. Il faudra avoir recours à des explications plus complexes, supposer des modifications effectuées dans les entrailles de la Terre, faire intervenir la profondeur. On peut appeler de telles roches les roches plutoniques, en les dédiant à Pluton, ce qui permet de les distinguer des roches sédimentaires dédiées à Neptune, et des roches volcaniques dédiées à Vulcain. P. LAFFITTE, *in* Encycl. Pl., la Terre, p. 705.

PLUTONISME [plytɔnism] n. m. — 1842 ; de *Pluton*, et *-isme*. → *Plutonien.*

♦ **1.** Géol. Théorie du XVIIIe siècle (Hutton, 1788) qui explique principalement la formation de la croûte terrestre par l'action du «feu intérieur» et s'oppose au neptunisme* de Werner.

♦ **2.** Mod. Formation de roches plutoniques. *Plutonisme et volcanisme.*

PLUTONIUM [plytɔnjɔm] n. m. — 1940, date de sa découverte ; au sens de «baryum», 1842 ; dér. sav. du nom de la planète *Pluton*.

♦ Chim. Élément transuranien, de numéro atomique 94, de symbole Pu. *Fabrication de l'isotope fissile 239 du plutonium dans les réacteurs nucléaires à partir de l'uranium 238. Bombes* (atomiques) *au plutonium.*

COMP. Plutonigène.

PLUTÔT [plyto] adv. — XVIIe ; *plustost*, XIIIe ; comp. de *plus*, et de *tôt*.

★ **I.** Vx. Plus tôt. ⇒ **Tôt.** *On n'est pas plutôt monté en voiture que l'on méprise les gens à pied* (→ Inégalité, cit. 5). «*... il fallait, et plutôt que plus tard, Attacher un grelot au cou de Rodilard*» (La Fontaine, II., 2.). — REM. Selon Thérive, il y aurait eu suppression de *plutôt* au sens II, 2 dans l'expression *plutôt* (et de nos jours *plus tôt*) *que plus tard.*

Entre Sénèque et vous disputez-vous la gloire 1
À qui m'effacera plutôt de sa mémoire ? RACINE, Britannicus, I, 2.

(...) elle n'était pas plutôt partie, que je la rappelais de tous mes vœux. 2
CHATEAUBRIAND, Mémoires d'outre-tombe, t. I, p. 124.

REM. Dans l'usage moderne, cet emploi est dû à une confusion avec *plus tôt**.

Édouard n'eut pas plutôt proféré ces paroles qu'il en sentit l'inconvenance (...) 3
GIDE, les Faux-monnayeurs, II, III.

Pas plutôt que j'ai dîné, je m'endors sur ma page sportive et j'ai beau me faire 3.1
des reproches et me dire que le destin de la France est entre mes mains, c'est plus fort que moi. M. AYMÉ, Travelingue, p. 256.

★ **II.** Par ext. (proprt : *avant, plus,* dans un ordre de préférence). De préférence.

♦ **1.** (Appliqué à une action). *Les grandes misères* (cit. 4) *frappent plutôt les faibles. Faisons mieux* (cit. 34), *fermons plutôt les yeux. Plaignons plutôt ces gens* (→ Accuser, cit. 4). — *Plutôt... que. Plutôt deux robes qu'une* (→ Fourrer, cit. 2). *Elle appelle* (cit. 13) *les prêtres plutôt que les médecins. Tout plutôt que l'abdication* (cit. 1) *de la raison. Plutôt la mort que le déshonneur! Pencher d'un côté plutôt que d'un autre* (→ Opinion, cit. 14). *Pourquoi celle-là plutôt qu'une autre* (cit. 42)? *Ce qui suscite cette image plutôt que telle autre* (→ Association, cit. 16).

4 Dis-lui par quels exploits leurs noms ont éclaté,
Plutôt ce qu'ils ont fait que ce qu'ils ont été; RACINE, Andromaque, IV, 1.

5 — Plutôt la mort mille fois que son amitié! j'ai tout son être, et jusqu'à son nom même, en haine (...) A. DE VIGNY, Cinq-Mars, XI.

6 — Oui, plutôt en enfer sans elle qu'au ciel avec elle!
F. MAURIAC, la Pharisienne, VI.

Loc. fam. *Plutôt deux, trois... fois qu'une :* à plusieurs reprises; avec plaisir, enthousiasme. *Aller au cinéma avec toi! Plutôt deux fois qu'une!*

6.1 Hélène revoyait prudemment ses articles et plutôt six fois qu'une (...)
A. ROBIDA, le Vingtième Siècle, p. 228 (1900).

Littér. **PLUTÔT QUE...** (Introduisant une proposition avec un verbe au subjonctif). — REM. Lorsque le verbe de la principale est suivi de *que,* comme *aimer mieux que..., préférer que...,* la subordonnée introduite par *plutôt que* commence par *que* (ex. : *je préfère qu'il accepte plutôt que qu'il refuse,* inus.). On a alors recours à l'haplologie (contraction des deux *que*) : *je préfère qu'il accepte plutôt qu'il refuse,* mais ce tour est peu satisfaisant, et il vaut mieux donner une équivalence : *je préfère qu'il accepte plutôt que de le voir refuser, plutôt que s'il refusait.*

7 Mais que plutôt le ciel à tes yeux me foudroie,
Qu'à des pensers si bas je puisse consentir. CORNEILLE, Polyeucte, III, 5.

8 (...) mais je me veux voir pendre
Plutôt que si ma main de sa nuque approchait.
A. DE MUSSET, Premières poésies, « Marrons du feu », 5.

9 J'aime mieux tous les malheurs, plutôt que vous souffriez par ma faute (...)
R. ROLLAND, Jean-Christophe, Nouv. journée, I, p. 1458.

(En valeur optative, avec le subjonctif). *«Ah! Plutôt qu'il ignorât tout!»* (Bourget, *Détours du cœur,* p. 77).

(Avec un verbe à l'inf.). *« Plutôt souffrir que mourir, c'est la devise* (cit. 3) *des hommes». Plutôt mourir!* (cit. 36). *« Mourir plutôt que lui faire un faux bond»* (cit. 9). — REM. Aujourd'hui on fait généralement suivre *plutôt que* de la préposition *de : il se ferait plutôt hacher* (cit. 8) *que de céder. Plutôt que d'être mal loué, je préfère ne l'être point* (→ Flatter, cit. 41).

10 Ils combattront plutôt et l'une et l'autre armée,
Et mourront par les mains qui leur font d'autres lois,
Que pas un d'eux renonce aux honneurs d'un tel choix.
CORNEILLE, Horace, III, 2.

11 (...) il faut perdre fortune, et renoncer au jour,
Plutôt que de brûler des feux d'un autre amour;
MOLIÈRE, les Femmes savantes, IV, 2.

12 Ceux-là, plutôt que de me mépriser, ils feraient mieux de se regarder en face avec sang-froid. G. DUHAMEL, Salavin, I, II.

♦ **2. PLUTÔT... QUE...** (Introduisant des adj. ou des v. Appliqué à une appellation, une appréciation plus juste, plus adéquate). D'une manière plus exacte; de telle manière qu'il faut choisir entre deux désignations. *Plutôt laide que jolie* (→ Ingrat, cit. 12). *Plutôt mal que bien* (→ Passable, cit. 1). *Plutôt moins* (cit. 31) *que trop. Elle est à fuir* (cit. 31) *plutôt qu'à rechercher. Elle a plutôt l'air d'une forteresse que d'un temple* (→ Meurtrière, cit. 5). ⇒ **Plus.** *Des passions plutôt assoupies* (cit. 21) *qu'éteintes. Vieilli plutôt que vieux* (→ Dévaster, cit. 5). — *Pas méchant, plutôt grincheux* (cit. 1), ou *grincheux, plutôt.*

PLUTÔT QUE... (Introduisant une proposition avec un v. à l'ind.). — REM. Dans ce cas *plutôt que...* est suivi du *ne** dit explétif. *Il foudroie les villes plutôt qu'il ne les assiège* (cit. 1). *Elle donne plutôt qu'elle ne reçoit* (→ Généreux, cit. 16). *Elle suggère plutôt qu'elle n'affirme* (→ Insinuation, cit. 2).

13 Je donnai un dîner le jour de la Saint-Louis en l'honneur de Louis XVIII, et j'allai voir Hartwell en mémoire de l'exil de ce roi; je remplissais un devoir plutôt que je ne jouissais d'un plaisir.
CHATEAUBRIAND, Mémoires d'outre-tombe, t. IV, p. 198.

OU PLUTÔT : pour mieux dire, pour être plus précis. *Les esprits animaux* (cit. 1) *sont comme un vent subtil ou plutôt comme une flamme. À leurs juges ou plutôt à leurs bourreaux* (→ Livrer, cit. 20). *L'avocat ou plutôt le champion* (→ Cause, cit. 51). *Couvert ou plutôt à demi couvert de genièvres* (→ Bois, cit. 4). *Je consens, ou plutôt j'aspire* (cit. 5) *à...*

MAIS PLUTÔT, MAIS BIEN PLUTÔT (généralement après une négation). *Aucunement populaire, mais plutôt académique* (cit. 2). *Il ne dormait pas mais plutôt sommeillait. Ce n'est pas lui, mais bien plutôt elle qui en porte la responsabilité* (→ aussi Détacher, cit. 29; métamorphose, cit. 4).

— Sire, répond l'agneau, que Votre Majesté 14
Ne se mette pas en colère;
Mais plutôt qu'elle considère
Que je me vas désaltérant
Dans le courant
Plus de vingt pas au-dessous d'elle. LA FONTAINE, Fables, I, 10.

♦ **3.** Fin XIXe. Employé comme «intensif» (Nyrop) sans qu'il y ait comparaison explicite. Passablement, pas mal. *Ed. de Goncourt était plutôt méditatif* (→ Étincelant, cit. 8). *La vie est plutôt monotone* (cit. 6). *Le vent était plutôt à l'optimisme* (cit. 5). *Il augurait* (cit. 9) *plutôt mal de l'aventure. Maigrichonne* (cit. 5), *plutôt mal bâtie. C'est plutôt réussi, plutôt bien.*

La femme de chambre pénètre dans la pièce. C'est une fille brune et sèche, plutôt jolie. J. ROMAINS, les Hommes de bonne volonté, t. I, XI, p. 118. 15

♦ **4.** (Par euphém.). Fam. Très (→ fam. Drôlement). *Il est plutôt barbant, celui-là!* (Cf. fam. Il est bien barbant). *Elle est plutôt moche, sa femme! C'est plutôt inattendu, comme nouvelle! « Ça la fout* (1. foutre, cit. 6) *mal. — Oui, plutôt ».*

1. PLUVIAL, ALE, AUX [plyvjal, o] adj. et n. m. — 1530; lat. *pluvialis.*

♦ Qui a rapport à la pluie. *Eau pluviale :* eau de pluie (→ Fonds, cit. 1; infiltration, cit. 1). *Les eaux pluviales* (→ Égout, cit. 1; fontaine, cit. 2; gouttière, cit. 4). *Ruissellement, écoulement pluvial.*

(...) le puisard d'un camp romain, ou le réservoir pluvial de quelque couvent byzantin disparu (...) HUGO, le Rhin, XXVIII.

Époques pluviales du quaternaire (on dit aussi *pluviaire* dans ce sens). *Régime pluvial* (d'un fleuve), dépendant des pluies (et non de la fonte des neiges, etc.). *Forêt pluviale :* grande forêt des régions humides.

N. m. (Mil. XXe). Didact. Période pluviale (ou pluviaire). *Les pluviaux du quaternaire.*

2. PLUVIAL [plyvjal] n. m. — V. 1170, liturgie; lat. *pluvialis,* de *pluvia* «pluie».

♦ Archéol., liturgie. Manteau ecclésiastique à capuchon. — Chape.

PLUVIAN [plyvjɑ̃] n. m. — 1781; du lat. *pluvia,* d'après *pluvier.*

♦ Oiseau charadriiforme *(Échassiers, Glaréolidés),* scientifiquement appelé *pluvialis,* vivant en Afrique, très farouche, appelé «ami du crocodile» parce qu'il va chercher sa nourriture jusque dans sa gueule. *Le pluvian est appelé aussi pluvier* d'Égypte.*

PLUVIER [plyvje] n. m. — XVIe; *plovier,* 1165; refait sur *pluvia* «pluie»; d'un lat. pop. **plovarius,* de *plovere* «pleuvoir», parce que cet oiseau arrive à la saison des pluies.

♦ Oiseau charadriiforme *(Échassiers, Charadriidés),* scientifiquement appelé *charadrius,* vivant au bord de l'eau et hivernant dans les régions chaudes; sa chair est comestible. *Cri du pluvier :* huir, turluter. *Variétés de pluviers : grand pluvier,* ou grand gravelet, grand rebaudet. ⇒ **Œdicnème.** *Pluvier doré. Pluvier guignard ou pluvier des Alpes. Pluvier gris.*

Ces fourrés du Jourdain sont habités par des tribus volatiles de toutes les espèces : des cigognes, des pluviers, des poules d'eau, des canards sauvages, des martins-pêcheurs, des gangas et des vanneaux.
Louis BERTRAND, le Livre de la Méditerranée, p. 195.

Par ext. Oiseau de la même espèce *(Charadriidés). Pluvier d'Égypte, pluvier trochile.* ⇒ **Pluvian.**

PLUVIEUX, EUSE [plyvjø, øz] adj. — 1213; *pluius,* 1112; du lat. *pluviosus,* de *pluvia* «pluie».

♦ **1.** Caractérisé par la pluie. ⇒ **Brouillardeux, bruineux.** *Temps, climat pluvieux* (→ Fête, cit. 13). *Saison pluvieuse* (→ Inclémence, cit. 2). *L'automne* (cit. 9) *était pluvieux et triste. Été pluvieux* (→ Diluer, cit. 3). *Les pluvieux soirs d'octobre* (→ Abriter, cit. 5). *Les jours* (cit. 50) *pluvieux de novembre* (→ Mouiller, cit. 5).

Soleil masqué d'une face blêmie, 1
Qui par trois jours as retenu m'amie
Seule au logis par un temps pluvieux (...)
RONSARD, Premier livre des amours, XCIX.

Ainsi, durant les jours pluvieux de novembre, 2
Me voilà donc contraint de rester dans ma chambre (...)
BAUDELAIRE, les Poèmes attribués à Baudelaire, III, « Mes bottes ».

Par ext. *Ciel blafard et pluvieux* (→ Gaze, cit. 6). *Vent pluvieux* (→ aussi Mousson, cit. 2).

♦ **2.** Par ext. (Emploi critique). Où il pleut beaucoup. *Pays pluvieux. Région pluvieuse. «Au milieu de régions très pluvieuses, apparaissent des îlots de sécheresse»* (E. de Martonne, *Géographie universelle,* France physique, p. 290).

(...) tantôt, dans nos jeux innocents, nous poursuivions l'hirondelle dans la prairie, 3 l'arc-en-ciel sur les collines pluvieuses; quelquefois aussi nous murmurions des vers que nous inspirait le spectacle de la nature. CHATEAUBRIAND, René.

CONTR. Sec.

DÉR. **Pluviosité.**

PLUVINER [plyvine] v. impers. ⇒ **Pleuviner.**

PLUVIO- Élément, du latin *pluvia* «pluie» servant à former des termes de météorologie, de climatologie, etc.

PLUVIOGRAMME [plyvjɔgʀam] n. m. — 1963, in *la Clé des mots*; de *pluvio-*, et *gramme*.

♦ Didact. Enregistrement au pluviomètre enregistreur des variations des chutes de pluie (pluies cumulées) en un point.

PLUVIOMÈTRE [plyvjɔmɛtʀ] n. m. — 1788; de *pluvio*, et *-mètre*.

♦ Didact. Instrument qui sert à mesurer la quantité de pluie tombée dans un lieu en un temps donné. *Pluviomètre enregistreur*, qui trace une courbe sur une feuille graduée (on a dit *pluviographe*).

DÉR. **Pluviométrie, pluviométrique.**

PLUVIOMÉTRIE [plyvjɔmetʀi] n. f. — 1853; de *pluviomètre*.

♦ Didact. Mesure de la quantité de pluie tombée; étude de la répartition des pluies à la surface du globe.

PLUVIOMÉTRIQUE [plyvjɔmetʀik] adj. — 1861; de *pluviomètre*.

♦ Didact. Relatif à la mesure des pluies. *Coefficient pluviométrique. Tranche pluviométrique* : hauteur de la colonne d'eau recueillie dans un pluviomètre.

PLUVIO-NIVAL, ALE, AUX [plyvjɔnival, o] adj. — Mil. xxᵉ; de *pluvio-*, et *nival*. → Nivo-pluvial.

♦ Didact. (Météor.). Se dit d'un régime de précipitations dans lequel les pluies l'emportent sur les neiges (opposé à *nivo-glaciaire*).

PLUVIÔSE [plyvjoz] n. m. — 1793; lat. *pluviosus* «pluvieux».

♦ Hist. (Employé sans art. comme les noms de mois). Cinquième mois du calendrier républicain (du 20 ou 21 janvier au 18 ou 19 février).

1 Les trois mois d'hiver prennent leur étymologie (...) le second des pluies qui tombent généralement avec plus d'abondance de janvier en février, ce mois se nomme *Pluviôse*. JAURÈS, Hist. socialiste..., t. VIII, p. 256.

2 Pluviôse, irrité contre la ville entière,
De son urne à grands flots verse un froid ténébreux
Aux pâles habitants du voisin cimetière.
BAUDELAIRE, les Fleurs du mal, «Spleen et Idéal», LXXV.

PLUVIOSITÉ [plyvjozite] n. f. — 1909, E. de Martonne *in* D.D.L.; de *pluvieux*.

♦ **1.** Caractère pluvieux.

♦ **2.** Didact. Régime pluvial, coefficient pluviométrique.

La carte de janvier caractérisant l'hiver montre une pluviosité particulièrement sensible à l'influence océanique en même temps qu'au relief. Bretagne et Normandie sont très arrosées, de même que la côte gasconne. E. DE MARTONNE, Géographie universelle, France physique, t. VI, p. 294.

Pm [peɛm] Symbole chimique du prométhium.

1. P. M. [piɛm] Abréviation de la locution latine *post meridiem* «après-midi», par oppos. à *A. M.*, *ante meridiem* (employé dans les pays où les heures sont comptées jusqu'à 12 et non jusqu'à 24). *À neuf heures P. M.* (ou *p. m.*).

Parti à 3 heures p. m. de Marseille; débarqué ce matin dès avant 6 heures à Bastia (...) GIDE, Journal, 21 août 1930.

2. P. M. [peɛm] n. — Abréviation.
Militaire.

♦ **1.** N. m. Pistolet-mitrailleur. *Tir au P. M.*

♦ **2.** N. f. Préparation militaire. *Il n'a pas fini sa P. M.*

P. M. E. [peɛmø] n. f. — Mil. xxᵉ; abréviation.

♦ Petites et moyennes entreprises (comportant selon l'I. N. S. E. E. de 0 à 49 employés). *Une P. M. E. Les P. M. E. Les dirigeants syndicaux des P. M. E.*

P. M. U. [peɛmy] parfois [pmy] n. m.

♦ Abrév. de *Pari* Mutuel Urbain.* ⇒ **Pari** (*supra* cit. 6).

Très bas, à gauche de l'entrée, un mot brillait également immobile : P. M. U. 1
J.-M. G. LE CLÉZIO, le Déluge, p. 42.

Lieu où l'on prend les paris du P. M. U.

David songe maintenant à une petite succursale bancaire. — Et un P. M. U.? Pour- 2
quoi pas un P. M. U.? Tu me choisirais pour tenir le guichet. René MASSON, Drugstore, p. 22.

P. N. B. [peɛnbe] n. m. — Sigle.

♦ Abrév. de *produit national brut. «Ce mystérieux instrument de mesure de la croissance qu'on appelle P. N. B.»* (A. Sauvy).

(...) l'Afrique du Sud réalise, à elle seule, un produit national brut de 30 milliards de dollars. Trente-neuf pays d'Afrique, par contre, ont un P. N. B. inférieur à 3 milliards, vingt-sept pays un P. N. B. qui est de moins d'1 milliard de dollars. Jean ZIEGLER, Main basse sur l'Afrique, p. 20.

PNEU [pnø] n. m. — 1891, pour les bicyclettes; abrév. de *pneumatique**.

★ **I.** ♦ **1.** Bandage en creux formé d'une carcasse de fils de coton, d'acier..., enduite de caoutchouc, dans laquelle est introduite une chambre à air. *Le pneu peut être séparé de la chambre à air au contraire du boyau* des vélos de course. Adapter un pneu à la jante d'une roue. Pneus d'une automobile, d'une bicyclette* (→ Goudronné, cit. 2), *d'une micheline* (→ Autorail, cit. 1), *d'un train d'atterrissage... Train de pneus. Pneus avant, pneus arrière. Pneu à talon, à tringle* (pour s'adapter à la jante). *Flanc, épaulement et bande* (⇒ **Chape**) *d'un pneu. Barrette*, crampon* d'un pneu. Dessin, sculptures d'un pneu. Valve de pneu. Gonfler un pneu* (la chambre du pneu). *Pression des pneus. Pneu lisse.* ⇒ **Savonnette** (fam.). *Pneu ballon* : pneu de bicyclette très gros et confortable. *Adhérence des pneus. Pneu antidérapant. Pneu à clous*, pour la glace. *Pneu à glace.* — *Pneu radial*, dont la carcasse est formée par des câbles d'acier en arceaux. *Pneu sans chambre. Pneu dégonflé, crevé.* ⇒ **Plat** (→ Crevaison, cit.). *Pneu qui éclate. Réparer, rechaper un pneu.* — REM. Avant l'invention des *pneus*, le mot *bandage* servait à désigner les garnitures pleines des roues; mais ce mot est sorti du langage courant et on appelle abusivement *pneus pleins* les bandages qui ne se gonflent pas. *Bicyclette, tricycle à pneus pleins.*

Si je crève un pneu et que M. Lytton ne soit pas dans la voiture, je m'arrête au 1
bord de la route et j'attends. Une dame, voyons! Le premier gentleman qui passera (...) G. DUHAMEL, Scènes de la vie future, VI.

Métro sur pneus.

♦ **2.** Fam. Bourrelet de graisse sur le corps.

Le pneu, version moderne de la bedaine, version dépoétisée des poignées d'amour, 1.1
ces quelques kilos superflus qui se fixent autour de la taille (...)
Dis-donc, mon grand, ça va pour toi. La dernière fois que je t'ai vu, c'était un Dunlop SP Sport. Aujourd'hui c'est le pneu tracteur!
Ah! ne m'en parle pas, c'est mon drame. Que veux tu, avec tous ces cocktails, j'engraisse mon pneu au whisky. Jacques MERLINO, les Jargonautes..., p. 52.

★ **II.** (1923). ⇒ **Pneumatique** (II., 4.) *supra* cit. 4. *Écrire, envoyer un pneu* (→ Moment, cit. 22).

Les transactions qui constituent le prétexte de cette entrevue (...) ne légitimaient 2
pas cet appel pressant par pneu (...) ARAGON, les Beaux Quartiers, II, XVI.

PNEUMA [pnøma] n. m. — 1828; bas lat. *pneuma*, mot grec «souffle».

♦ Philos. Principe considéré par les Stoïciens comme un cinquième élément. — Souffle, en tant que principe.

PNEUMALLERGÈNE [pnømalɛʀʒɛn] n. m. — Mil. xxᵉ (*in* Larousse 1963); de *pneum-*, et *allergène*.

♦ Biol. Allergène qui pénètre par les voies respiratoires (pollens, poussières).

PNEUMARTHROGRAPHIE [pnømaʀtʀɔgʀafi] n. f. — 1972; de *pneum-*, *arthro-*, et *(radio)graphie*.

♦ Méd. Radiographie (d'une articulation) après injection de gaz dans la cavité articulaire.

PNEUMAT-, PNEUMATO- Premiers éléments (du grec *pneuma, pneumatos* «souffle») de quelques mots savants de formation grecque ou française. ⇒ **Pneumatique, pneumatochimique, pneumatologie, pneumatose, pneumatothérapie...**

PNEUMATICITÉ [pnømatisite] n. f. — 1842; dér. sav. de *pneumatique*.

♦ Didact. (Zool.). État des os (pneumatiques) des oiseaux.

PNEUMATIQUE [pnømatik] adj. et n. — 1520, «subtil»; 1547, sens phys.; lat., *pneumaticus*, grec *pneumatikos*, de *pneuma* «souffle».

★ **I.** Vx. (Dans la langue des gnostiques). Qui correspond au plus haut degré de perfection spirituelle. — N. f. (vx). *La pneumatique*, «science des choses spirituelles» (Lalande). ⇒ **Pneumatologie.**

★ **II.** ♦ **1.** Phys. Relatif à l'air, et, par ext., aux autres gaz. *Machine* (cit. 9) *pneumatique* (1676, Denis Papin, *in* P. Larousse) : machine à double corps de pompe, munie de deux pistons, qui sert à faire le vide dans une cloche, utilisée dans les démonstrations de laboratoire. ⇒ aussi **Trompe** (à vide). — *Vide pneumatique.*

1 (...) rien ne ressemblait moins à la lutte d'un moineau contre un aigle, c'était plutôt l'étouffement d'un oiseau par le vide sous la cloche d'une machine pneumatique (...) P. NIZAN le Cheval de Troie, II, VIII.

2 (...) le moindre petit acte à accomplir faisait le vide dans son cerveau, comme une machine pneumatique (...) MONTHERLANT, les Lépreuses, I, I.

Anciennt. *Chimie pneumatique*, et, n. f., *la pneumatique*, science des propriétés physiques de l'air, des gaz (→ Condensation, cit. 1).

Zool. Qui contient de l'air et peut servir à la respiration. *Os pneumatiques des oiseaux.* ⇒ **Pneumaticité.**

♦ **2.** Techn. Qui utilise la propriété de l'air d'être compressible, qui fonctionne à l'air comprimé* (utilisé pour aspirer ou presser). *Pistolet pneumatique. Briquet pneumatique*, où la chaleur produite par la compression de l'air dans un piston allume une mèche d'amadou. — *Vis pneumatique. — Haut-parleur pneumatique.*

Cour. *Marteau pneumatique. — Canot pneumatique.* ⇒ **Canot** (cit. 3).

♦ **3.** N. m. (1890, pour les bicyclettes; angl. *pneumatic tyres* «bandes pneumatiques», de *pneumatic*, mot de même orig. que le franç. *pneumatique*). Vieilli. Bandage «pneumatique», gonflé d'air, autour d'une roue de bicyclette. — (1895, cit.). Bandage analogue, autour d'une roue de voiture. — (1926, *in* D.D.L.). *Pneumatique ballon.* — REM. Dans tous les emplois, on dit aujourd'hui *pneu**.

2.1 (...) à Paris, aux Champs-Élysées, on comptait, fin décembre, une centaine de voitures de maître roulant sur ces pneumatiques.
L. FIGUIER, l'Année scientifique et industrielle, 1896, p. 287 (1895).

2.2 Aujourd'hui notre enthousiasme salue cette invraisemblance : le pneumatique pour chemins de fer! l'Illustration, 25 juil. 1931, p. 459.

3 (...) la réparation d'un pneumatique sous une pluie torrentielle (...)
J. ROMAINS, les Hommes de bonne volonté, t. III, XII, p. 164.

3.1 Le roulement était moelleux et parfait, grâce à d'épais pneumatiques garnissant les roues silencieuses, dont les fins rayons métalliques semblaient nickelés à neuf.
Raymond ROUSSEL, Impressions d'Afrique, p. 53.

Par métonymie. Vx. Engin monté sur pneumatiques.

3.2 La course (...) a mis en relief les avantages du pneumatique Michelin : Le coureur Meyer, arrivé premier, montait un de ces pneumatiques.
L. FIGUIER, l'Année scientifique et industrielle, 1894, p. 154 (1893).

♦ **4.** Vieilli. *Tube pneumatique*, où circule de l'air comprimé (qui propulse une boîte cylindrique pouvant recevoir des documents). — Par ext. (1861, in *Année sc. et industr.*, 1862, p. 79). Vx. Qui utilise de tels tubes. *Poste pneumatique*, fonctionnant par canalisations souterraines de tubes pneumatiques, de bureau à bureau.

3.3 M. Ponto trouva une lettre venue de l'hôtel des postes par le tube pneumatique.
A. ROBIDA, le Vingtième Siècle, p. 329 (1900).

N. m. (1907). Missive qui est roulée dans le tube pneumatique. *Envoyer un pneumatique.* ⇒ fam. **Bleu** (II., B., 7.). — REM. On emploie *pneumatique* ou l'abrév. *pneu.* → Pneu (II.).

4 Mais dans l'adresse de ce pneumatique — qui, hier encore n'était rien, n'était qu'un petit bleu que j'avais écrit, et qui, depuis qu'un télégraphiste l'avait remis au concierge de Gilberte (...) était devenu cette chose sans prix (...) j'eus peine à reconnaître les lignes vaines et solitaires de mon écriture sous les cercles imprimés qu'y avait apposés la poste (...)
PROUST, À la recherche du temps perdu, t. II, p. 249.

5 Vous aurez ma réponse dès lundi matin, au besoin par pneumatique.
J. ROMAINS, les Hommes de bonne volonté, t. II, VI, p. 67.

DÉR. (De l'adj.) **Pneumaticité, pneumatiquement.**

PNEUMATIQUEMENT [pnømatikmɑ̃] adv. — D.i. (xxᵉ); de *pneumatique* II., 1.

♦ Rare. Par l'effet de l'air; par l'effet d'une pompe à vide.

(...) ce reflux de tous les hommes à la frontière qui avait fait pneumatiquement le vide dans Paris aux premiers temps de la mobilisation.
PROUST, le Temps retrouvé, Pl., t. III, p. 800.

PNEUMATO- ⇒ **Pneumat-.**

PNEUMATOCÈLE [pnømatɔsɛl] n. m. — V. 1560, Paré; grec *pneumatokêlê*, de *pneuma* (→ Pneumo-), et *kêlê* «tumeur» (→ -cèle).

Médecine.

♦ **1.** Épanchement gazeux.

♦ **2.** Mod. (Spécialt). Cavité qui se forme à l'intérieur du crâne à la suite de certaines fractures ouvertes, et qui contient de l'air.

PNEUMATOCHIMIQUE [pnømatoʃimik] adj. — D.i.; de *pneumato-*, et *chimique*.

♦ Sc. (Vx). Relatif aux appareils servant à manipuler et à doser les gaz.

PNEUMATOLOGIE [pnømatɔlɔʒi] n. f. — 1751; de *pneumato-*, et *-logie*.

♦ **1.** Hist. philos. Science des choses de l'esprit, psychologie. ⇒ **Pneumatique** (I.). «*Nous avons donc eu dans un ordre renversé, d'abord l'*ontologie, *ensuite la* science de l'esprit *ou* pneumatologie, *ou ce qu'on appelle communément métaphysique particulière*» (D'Alembert, *Explication du système des connaissances humaines*).

♦ **2.** Vieilli. Science des esprits. ⇒ **Spiritisme.**

PNEUMATOLYSE [pnømatɔliz] n. f. — xxᵉ, *in* Larousse 1932; angl. *pneumatolysis*, Phillips, 1896; de *pneumato-*, et *-lyse*.

♦ Géol. Intervention de gaz et de vapeurs d'origine interne dans le remaniement et la cristallisation des roches endogènes.

DÉR. **Pneumatolytique.**

PNEUMATOLYTIQUE [pnømatolitik] adj. — 1927; de *pneumatolyse*.

♦ Géol. Formé par pneumatolyse. *Gîte pneumatolytique.*

PNEUMATOPHORE [pnømatɔfɔʀ] n. m. — 1846; de *pneumato-*, et *-phore*.

Didactique.

♦ **1.** Bot. Excroissance des racines de quelques arbres qui croissent dans l'eau (palétuvier, etc.), permettant la respiration des racines.

♦ **2.** Zool. Appareil flotteur des siphonophores.

PNEUMATOSE [pnømatoz] n. f. — XVIIIᵉ; de *pneumat-*, et *-ose.*

♦ Méd. (Vx). État morbide dû à la présence de gaz dans les tissus, dans certains organes qui n'en contiennent pas à l'état normal. ⇒ **Aérogastrie, ballonnement, flatulence, météorisme.**

PNEUMATOTHÉRAPIE [pnømatoteʀapi] n. f. — 1916; de *pneumato-*, et *-thérapie*.

♦ Didact., rare. Cure d'air (Garnier).

PNEUMECTOMIE [pnømɛktɔmi] ou **PNEUMONECTOMIE** [pnømɔnɛktɔmi] n. f. — 1890, *pneumectomie; pneumonectomie*, 1932; de *pneum(o)-*, et *-ectomie*.

♦ Chir. Excision d'un poumon, d'une partie de poumon pratiquée surtout dans les affections cancéreuses.

PNEUMO [pnømo] n. m. ⇒ **Pneumothorax.**

PNEUMO- Premier élément (du grec *pneumôn* «poumon») de mots savants de formation grecque ou française. — REM. Certains mots sont formés avec *pneumo-* pris abusivement au sens de *pneumato-**.

PNEUMO-CHOC [pnømoʃɔk] n. m. — Mil. xxᵉ; de *pneumo-*, et *choc*.

♦ Méd. Traitement de choc (de certaines maladies) au moyen de la pneumothérapie.

Depuis l'introduction en psychiatrie de la radiographie du cerveau grâce à l'injection d'air dans les cavités cérébrales par voie lombaire (encéphalographie gazeuse) ou ventriculaires (ventriculographie) on a constaté un fait inattendu. Chez certains malades mentaux, par exemple chez les mélancoliques, cette insufflation entraîne une amélioration spectaculaire (...) Le «regonflage» du cerveau s'accompagne alors de toute une série de manifestations neuro-végétatives et humorales qui permettent d'assimiler cette pneumothérapie cérébrale à une véritable méthode de choc : le pneumo-choc (*Méthodes biologiques en clinique psychiatrique*, Masson, 1950). Le syndrome humoral du pneumo-choc s'apparente au syndrome humoral de l'électro-choc.
Jean DELAY, Introd. à la médecine psychosomatique, Notes et observations, p. 63.

PNEUMOCOCCIE [pnømokɔksi] n. f. — Déb. xxᵉ; *pneumococcique*, 1903, *Rev. gén. des sc.*, nº 2, p. 100; de *pneumocoque*.

♦ Méd. Affection due à un pneumocoque. *La méningite, la péritonite sont des pneumococcies.*

PNEUMOCONIOSE [pnømokɔnjoz] n. f. — 1874; de *pneumo-*, du grec *konis* «poussière», et *-ose.*

♦ Méd. Maladie pulmonaire, le plus souvent professionnelle, causée par l'inhalation prolongée de poussières (minérales, métalliques, ou végétales). ⇒ **Asbestose, bitumose, byssinose, sidérose, silicose.** (On écrit aussi *pneumokoniose*).

PNEUMOCOQUE [pnømɔkɔk] n. m. — 1888; de *pneumo-*, et *-coque.*

♦ Biol. Bactérie (diplocoque*) responsable d'infections, notamment d'infections pulmonaires (surtout pneumonie). ⇒ **Pneumococcie.** *Une méningite à pneumocoque.*

PNEUMOGASTRIQUE [pnømogastʀik] adj. et n. m. — 1820; de *pneumo-*, et *gastrique.*

♦ Anat. *Nerfs pneumogastriques :* les deux nerfs crâniens sensitivo-moteurs (dixième paire), provenant du bulbe, qui appartiennent essentiellement au système parasympathique et innervent les viscères contenus dans le cou, le thorax et la partie supérieure de l'abdomen (particulièrement les poumons et l'estomac). — N. m. *Le pneumogastrique est aussi appelé nerf vague* (⇒ **Vagotonie**).

Le nerf pneumogastrique (...) est un nerf mixte, moteur et sensitif. Mais c'est aussi un des rameaux les plus importants du parasympathique crânien (...) D'ailleurs, rappelons ici que le nerf pneumogastrique innerve le tube digestif sous-diaphragmatique, l'estomac, le foie, le cœur, l'appareil respiratoire : son territoire de distribution est donc le plus considérable de tout l'organisme.
L. TESTUT, Traité d'anatomie, t. III, p. 162.

PNEUMOGRAPHE [pnømɔgʀaf] n. m. — 1875, in *Année sc. et industr.* 1876, p. 361; de *pneumo-*, et *-graphe.*

♦ Didact. (Méd.). «Instrument destiné à enregistrer l'expansion circonférentielle du thorax pendant les mouvements respiratoires» (Garnier).

PNEUMOGRAPHIE [pnømɔgʀafi] n. f. — 1803; de *pneumo-*, et *-graphie.*
Médecine.

♦ **1.** Vx. Description du poumon.

♦ **2.** Rare. Enregistrement des mouvements thoraciques au cours de la respiration.

♦ **3.** Mod. Radiographie d'un organe après injection d'air destinée à rendre visibles ses contours, ses cavités. *Pneumographie cérébrale.* ⇒ **Encéphalographie** (gazeuse), **ventriculographie.**

DÉR. Pneumographique.

PNEUMOGRAPHIQUE [pnømɔgʀafik] adj. — 1904, in *Rev. gén. des sc.*, n° 4, p. 210; de *pneumographie.*

♦ Didact. De la pneumographie. *Courbes, tracés pneumographiques.*

PNEUMOLOGIE [pnømɔlɔʒi] n. f. — 1803, «traité sur le poumon»; de *pneumo-*, et *-logie.*

♦ Méd. Étude du poumon et de ses maladies; médecine des poumons. *Service de pneumologie d'un hôpital.* ⇒ aussi **Phtisiologie, pneumophtisiologie.**

PNEUMOLOGUE [pnømɔlɔg] n. — Av. 1959; de *pneumo-*, et *-logue.*

♦ Méd. Médecin spécialiste des poumons (⇒ aussi **Phtisiologue**). *Un, une pneumologue des hôpitaux.*

PNEUMONIE [pnømɔni] n. f. — 1707, Helvétius; selon Dauzat rare avant fin XVIIIe; grec *pneumonia;* on a d'abord dit *péripneumonie** en 1549.

♦ Méd., cour. Inflammation aiguë du poumon, maladie infectieuse due au pneumocoque*. ⇒ **Fluxion** (de poitrine). *Râle crépitant chez les malades atteints de pneumonie. Grippe* (cit. 9) *qui tourne à la pneumonie. Faire* (cit. 122) *une pneumonie double. Pneumonie chez certains animaux domestiques.*

DÉR. V. **Pneumonique.**
COMP. Broncho-pneumonie, pleuropneumonie.

PNEUMONIQUE [pnømɔnik] adj. et n. — 1694; du grec *pneumonikos*, de *pneumonia.* → Pneumonie.
Médecine.

♦ **1.** Vx. Se disait des remèdes propres aux maladies des poumons.

♦ **2.** (1812). Mod. Relatif à la pneumonie. *Crachat pneumonique.* — Qui est atteint d'une pneumonie. — N. Personne atteinte de pneumonie (1812). *Un, une pneumonique.*

PNEUMOPATHIE [pnømopati] n. f. — XXe (*in* Larousse 1932); de *pneumo-*, et *-pathie.*

♦ Méd. Maladie du poumon. *Pneumopathie par inhalation de poussières.* ⇒ **Pneumoconiose.** *Pneumopathie aiguë.* ⇒ **Pneumonie, broncho-pneumonie.**

PNEUMOPÉRITOINE [pnømopeʀitwan] n. m. — 1927, Garnier-Delamare; de *pneumo-* pour *pneumato-*, et *péritoine.*

♦ **1.** Pathol. Épanchement gazeux, présence de gaz, d'air dans la cavité péritonéale.

♦ **2.** Méd. Introduction de gaz dans la cavité péritonéale, pour l'examen radiologique des viscères ou à des fins thérapeutiques.

PNEUMOPHTISIOLOGIE [pnømoftizjɔlɔʒi] n. f. — XXe, (*in* Larousse, 1932); de *pneumologie*, et *phtisiologie.*

♦ Méd. Médecine de la tuberculose pulmonaire.

DÉR. Pneumophtisiologue.

PNEUMOPHTISIOLOGUE [pnømoftizjɔlɔg] n. — 1967, *in* P. Gilbert, de *pneumo-*, et *phtisiologue.*

♦ Méd. Pneumologue spécialiste de la tuberculose.

PNEUMOTHÉRAPIE [pnømoteʀapi] n. f. — 1867; de *pneumo-*, et *-thérapie.*

♦ Méd. Méthode de traitement de l'emphysème, qui consiste à «faire inspirer le malade dans l'air comprimé et à le faire expirer dans l'air raréfié» (Garnier). — Psychiatrie. *Pneumothérapie cérébrale* (1946, Delay) : emploi thérapeutique de l'insufflation d'air (ou d'oxygène) dans les ventricules du cerveau. *Traitement de certaines psychoses par pneumothérapie cérébrale.* ⇒ **Pneumochoc.** *La pneumothérapie est peu employée.*

PNEUMOTHORAX [pnømotɔʀaks] n. m. — 1803; de *pneumo-* pour *pneumato-*, et *thorax.*

♦ **1.** Pathol. Épanchement de gaz dans la cavité pleurale, généralement par perforation de la plèvre en communication avec le poumon.

♦ **2.** (*Pneumothorax artificiel*, 1888, Potain, d'après *Année sc. et industr.*, 1911, p. 195). Cour. sous la forme abrégée *pneumo.* Insufflation* d'air, d'azote dans la cavité pleurale, destinée à provoquer mécaniquement la cicatrisation des cavernes. *Le pneumothorax fait partie des thérapeutiques de la tuberculose*.* — Abrév. *On lui a fait un pneumo. Des pneumos.*

Po [peo] Symbole chimique du polonium*. — Symbole de la poise*.

POCHADE [pɔʃad] n. f. — 1828; de *pocher.*

♦ **1.** Croquis en couleur exécuté en quelques coups de pinceau. ⇒ **Pocher** (I., 3.). *À la différence de l'esquisse*, destinée à servir de guide pour l'exécution d'une peinture achevée, la pochade constitue par elle-même un tableau.*

À la descente du train il remise sa valise n'importe où, empoigne sa boîte de peinture et disparaît. Il revient le soir, à l'heure du dîner, rapportant une pochade lumineuse (...)
COLETTE, Belles saisons, p. 150.

♦ **2.** Œuvre écrite rapidement, souvent sur un ton burlesque.

POCHAGE [pɔʃaʒ] n. m. — Mil. XXe; de *pocher.*

♦ **1.** (De *pocher*, I., 2.). Cuisson dans un liquide très chaud. ⇒ **Pocher** (2.).

Le *pochage* est une cuisson sans ébullition, mais en restant au plus près de la 1
température d'ébullition. Le poisson est cuit de cette façon dans un court-bouillon tiède au départ, salé et éventuellement vinaigré; le vinaigre est remplacé par du vin blanc, si l'on désire réutiliser le bouillon dans un potage.
François LÉRY, Technique de la cuisine, p. 62.

♦ **2.** (De *pocher*, I., 3.). Exécution au pochoir.

Et ce mur (...) Quelle réussite (...) On dirait une peau (...) Il a la douceur d'une 2
peau de chamois (...) Il faut toujours exiger ce pochage extrêmement fin, les grains minuscules font comme un duvet (...)
N. SARRAUTE, le Planétarium, p. 7.

POCHARD, ARDE [pɔʃaʀ, aʀd] n. et adj. — 1732; de 1. *poche;* Cf. l'expression fam. : *sac à vin.*

♦ Fam. Personne en état d'ébriété; personne qui s'adonne de manière habituelle à la boisson (généralement pour insister sur sa tenue débraillée, son côté répugnant ou pitoyable). ⇒ **Ivrogne, poivrot.** *Un pochard* (→ Ivre, cit. 4). *Une pocharde* (→ Cramponner, cit. 5).

1 Il est poivre, murmura-t-elle d'un air de dégoût mêlé d'épouvante. L'administration devrait au moins ne pas envoyer des pochards. On paye assez cher. Alors, le croquemort se montra goguenard et insolent.
ZOLA, l'Assommoir, IX, t. II, p. 95.

Adjectivement :

2 (...) le vieux faible d'un père pochard auquel les hauts faits d'un fils non moins ivrogne arrachent des pleurs d'attendrissement.
COURTELINE, le Train de 8 h 47, III, I.

DÉR. Pocharder (se), pochardise.

POCHARDER (SE) [pɔʃaʀde] v. pron. — 1850; de *pochard*.

♦ Fam., vieilli. S'enivrer*.

1 Et l'homme étant sorti, elle annonça avec un rire excité : — Je veux me pocharder ce soir, nous allons faire une noce, une vraie noce. MAUPASSANT, Bel-Ami, I, V.

2 (...) Lucie, qui était schlasse, se pochardait en reluquant, attendrie, la bouteille de chartreuse verte dont le niveau baissait à vue d'œil.
B. CENDRARS, la Main coupée, *in* Œ. compl., t. X, p. 118.

POCHARDISE [pɔʃaʀdiz] n. f. — 1874; de *pochard*.

♦ Fam., vx. Ivresse, ivrognerie.

1. POCHE [pɔʃ] n. f. — XIVe; *puche* «petit sac», XIIe; du francique **pokka*, p.-ê. par des formes gallo-romanes en *popp-* (P. Guiraud).

A. ♦ **1.** Vx. Sac* (en général). — Loc. *Acheter, vendre chat en poche.* ⇒ **Chat** (cit. 12, et *supra*). — Mod. Grand sac de toile pour le blé, l'avoine. ⇒ **Emballage.** *Poche en papier, en matière plastique.* ⇒ aussi **Pochette.**

♦ **2.** Chaque partie, compartiment (d'une sacoche, d'un portefeuille, etc.). *Poche intérieure d'un sac à main, d'un sac de voyage, d'une valise.* — Repli, objet en forme de sac; sacoche (⇒ aussi **Bourse**). *La poche de derrière d'une besace* (→ Besacier, cit. 4). *La poche d'un semoir* (→ Main, cit. 19).

1 Leurs chevaux paissaient à peu de distance. Colomba les examina un instant avec une lunette d'approche, qu'elle tira d'une des grandes poches de cuir que tous les Corses portent en voyage.
MÉRIMÉE, Colomba, IX.

♦ **3.** Chasse. Filet utilisé pour capturer les lapins au moment où ils sortent de leurs terriers, délogés par le furet. ⇒ **Bourse.** — Pêche. Partie d'un filet traînant où les poissons viennent s'accumuler. *La poche d'un chalut.*

♦ **4.** (Poches naturelles). [a] Petite cavité (de l'organisme), naturelle ou pathologique, en forme de sac. ⇒ **Cavité.** *L'urine est recueillie à la sortie du rein par de petites poches musculo-membraneuses* (⇒ **Bassinet**); → 2. calice, cit. 4; et aussi estomac, cit. 1. — Anat. *Poche mammaire, pharyngienne. Poches branchiales, valvulaires...*

(1630). Cavité axiale ou latérale de l'œsophage (de certains oiseaux). ⇒ **Jabot.** *Poche membraneuse du pélican.*

(XIVe). Méd. Cavité qui se forme dans un abcès, une plaie, une tumeur... *Vider la poche d'un abcès du pus qu'elle contient.*

Bot. Poche sécrétrice des végétaux producteurs d'essences. *Les poches de l'écorce d'orange.*

(1833). Obstétrique. *Poche des eaux :* saillie formée dans le vagin par les membranes du fœtus, distendues au moment de l'accouchement*. *Rupture de la poche des eaux, entraînant l'écoulement du liquide amniotique* (⇒ **Amnios**).

[b] (1776). Repli abdominal des femelles des marsupiaux où leurs petits achèvent leur développement embryonnaire. *Poche ventrale des marsupiaux* ou *poche marsupiale.*

[c] Affaissement de la peau, boursouflure qui se forme au-dessous des yeux (→ Fanon, cit. 4; gonfler, cit. 15). ⇒ **Valise, valoche.**

2 (...) il y avait des poches sous ses yeux de faïence et des rides autour de sa bouche (...)
SARTRE, l'Âge de raison, p. 37.

B. Cour. ♦ **1.** (1573). Partie d'un vêtement formant contenant, et où on peut mettre les objets qu'on porte sur soi. ⇒ (fam.) **Fouille, profonde.** *Petite poche.* ⇒ **Pochette.** *Une poche peut être constituée soit par une sorte de petit sac placé sur le côté non apparent de l'étoffe et qui s'ouvre sur une fente de l'étoffe* (poche coupée), *soit par une pièce rapportée, cousue sur la face apparente de l'étoffe* (poche appliquée ou plaquée). *Poche avec patte boutonnée. Les poches d'une douillette* (cit. 2), *d'un tablier* (→ Émietter, cit. 2), *d'un veston* (→ Enfoncer, cit. 3), *d'une gabardine* (cit. 2). *Petite poche de gilet.* ⇒ **Gousset.** *Poche d'un pantalon, d'une culotte. Poche-revolver d'un pantalon,* ou, fam., *poche fessière* (2. Fessier, cit. 1), placée derrière, sous la ceinture. — *Poche intérieure d'un veston* (→ Convocation, cit. 4), *d'un pardessus* (→ Exploration, cit. 5). — *Mettre* (cit. 6) *qqch. dans ses poches.* ⇒ aussi **Empocher.** *Avoir* (→ Bilboquet, cit. 1), *garder qqch. dans sa poche, en poche. Avoir de l'argent en poche.* ⇒ **Pocher, pocheter** (vx). Par plais. *Garder une lettre poche restante,* oublier de la poster. *Tirer qqch. de sa poche* (→ Acteur, cit. 7; calepin, cit. 2; crayon, cit. 3; exhibition, cit. 1). *Sortir qqch. de sa poche* (→ Graisseux, cit. 1; gribouillis, cit. 1). *Remettre qqch. dans sa poche.* ⇒ **Rempocher.** *Chercher, fouiller** (cit. 12, 27 et 28) *dans sa poche, dans la poche de qqn. Retourner* (→ Fricasser, cit. 2), *vider ses poches.* — Fam. *Faire les poches à qqn,* lui prendre ce qu'il a dans les poches, ou en faire l'inventaire. — *Poche crevée* (cit. 41), *percée. Poche gonflée* (→ Fafiot, cit.). *Avoir les poches pleines de....* (→ Jeton, cit. 3). *Avoir les poches bourrées, garnies d'or* (→ Banque, cit. 4; convoitise, cit. 7). → aussi ci-dessous : *plein les poches.*

Cosette avait une petite poche de côté à son tablier; elle prit la pièce sans dire un mot, et la mit dans cette poche. HUGO, les Misérables, II, III, III. 3

Quant aux poches, normalement, avec mon pardessus, j'en ai vingt-trois, pas une de moins. Et toutes ont un usage précis. La poche est un réservoir non spécialisé, c'est un réservoir délivré de la servitude du sphincter. On ne peut pas mettre n'importe quoi dans nos réservoirs naturels : l'estomac, la vessie, l'ampoule rectale; et ils sont terriblement soumis à nos émotions. La poche est admirablement libérée des émotions. Une preuve manifeste de l'infériorité des femmes, c'est l'absence de poches dans leur accoutrement. 4
G. DUHAMEL, Chronique des Pasquier, VI, VIII.

Ensuite je leur donne à chacun un petit coup de «rye» du flacon que je trimballe dans ma poche-revolver et je les asseois tous deux sur le lit comme deux petits garçons bien sages. 4.1
M. DUHAMEL, trad. P. CHEYNEY, la Môme vert-de-gris, *in* l'Arbalète, nº 9, 1944 (*in* D. D. L., II, 12, art. *Rye*).

Par métaphore. *Il a toujours ses poches pleines d'arguments* (cit. 15) *irrésistibles.*

(1869). *« Rien dans les mains, rien dans les poches » :* formule dont se servent les escamoteurs, les prestidigitateurs et qui est employée dans le langage courant pour indiquer qu'on ne dissimule rien, qu'on joue franc-jeu.

Garder les mains dans ses poches, dans les poches (→ 1. Lever, cit. 8; et aussi 1. écarter, cit. 27; fourrer, cit. 5). *Il enfonça les poings dans les poches de sa veste* (→ Furieux, cit. 13). — Loc. *Avoir les mains dans les poches :* rester sans rien faire ou faire qqch. sans effort; vivre dans l'oisiveté* (var. régionale : *les mains aux poches*).

(...) monsieur le philosophe se promenait de long en large sur le pont, les mains dans les poches, la tête au vent. Alphonse DAUDET, le Petit Chose, I, IV. 5

Par ext. La fente, l'ouverture d'une poche. *Ceinture qui passe juste au-dessus de la poche.*

Le contenu d'une poche. *Une pleine poche de bonbons.* ⇒ **Pochée, pochetée** (vieux).

♦ **2.** Loc. [a] **...DE POCHE.** Se dit d'un objet de dimensions* restreintes qui peut facilement tenir dans la poche, ou d'un objet qui est spécialement destiné à être porté dans la poche. *Carnet, chronomètre, couteau, miroir de poche* (→ Narcisse, cit. 1; 1. parler, cit. 32). *Montre, mouchoir*, peigne, pistolet de poche. Lampe de poche :* petite lampe électrique à pile. — (1606). Vx. *Violon de poche* (→ Droguet, cit.), ou, ellipt, *poche.* ⇒ **Pochette** (4.). — Par ext. (En parlant d'un objet plus petit que ceux de la même catégorie). *Cuirassé de poche :* «qualificatif donné aux "navires de bataille" allemands construits à partir de 1929 suivant les limitations du Traité de Versailles, et qui condensaient dans un déplacement de 10 000 tonnes la puissance et les moyens d'un navire beaucoup plus grand» (Gruss). *Sous-marin de poche. — Théâtre de poche. Calculateur de poche.* — Fig. *Un royaume de poche.*

L'Empereur avait adopté la solution qui favorisait le plus les intérêts romains : le partage de l'État hérodien en fiefs plus petits, en principautés de poche. 6
DANIEL-ROPS, Jésus en son temps, III, p. 151.

Spécialt. De très petit format, en parlant d'un livre. *Bible* (cit. 9), *dictionnaire de poche. — Livre de poche :* livre de petit format, broché, à grand tirage et bon marché. — Fam. *Un poche,* n. m. : un livre de poche. *Il lit un poche. Librairie de poches* (⇒ **Bibliopoche**).

Philippe (...) guigne un gros bouquin. Il met son menton de travers pour lire : le *Gustave Flaubert* de René Dumesnil. Un poche à còté *(il s'agit de l'Éducation sentimentale).* Ah oui, bien sûr. ARAGON, Blanche..., II, I, p. 181. 6.1

Le *poche* même, malgré la révolution qu'il a introduite dans la production et la distribution, n'échappe pas à cette incertitude : il a ses succès et ses pannes, selon les titres, avec la même présentation, les mêmes prix, le même réseau de vente. La culture «de masse» n'est pas aussi massive qu'on croit. 6.2
J.-F. REVEL, *in* l'Express, 17-23 juil. 1967.

(1875; *de la poche,* 1798). **ARGENT DE POCHE :** somme destinée aux dépenses courantes autres que les dépenses de nourriture, de logement, d'entretien (→ Dépense, cit. 5; gérer, cit. 4; munir, cit. 4).

(...) il arrivait tout de suite à un louis, qui, joint à une dizaine de francs d'argent de poche, de cet argent qui coule sans qu'on sache comment, formait un total de trente francs. MAUPASSANT, Bel-ami, I, V. 7

[b] **EN POCHE, DANS SA POCHE.** *Avec juste quinze sous en poche* (→ Miséreux, cit. 2). — Fig., fam. *Avoir qqch. en poche :* posséder d'une manière assurée, définitive; être sûr de l'obtenir. *Avoir sa nomination en poche. — Avoir une affaire en poche, tenir une affaire dans sa poche.* ⇒ **Affaire** (*infra* cit. 75).

Toute cette jeunesse a le baccalauréat en poche, et court après quelque licence en droit (...) ALAIN, Propos, 11 mars 1908, École des politiques. 8

[c] Loc. fam. *Avoir de l'argent plein les poches, avoir ses pleines*

poches d'argent, avoir les poches pleines. ⇒ **Riche.** — Fam. *Avoir les poches vides :* être sans argent. *Vider les poches de qqn :* le dépouiller, le ruiner. — Vx. *Emplir* (cit. 2) *sa poche* (1838), *ses poches* (1870) → aussi Après, cit. 75. — Mod. *Se remplir les poches* (→ Gueuleton, cit. 2) : s'enrichir (généralement en parlant d'un individu qui s'enrichit par des procédés malhonnêtes). — *Il avait mis dans sa poche la moitié de la subvention.* ⇒ **Approprier** (s'approprier), **empocher** (→ Ouverture, cit. 1). — Fam. *Mettre la main à la poche :* donner de l'argent, payer.

9 Tout le monde la plaignait ; je n'entendais autour d'elle que, « la pauvre femme ! » mais personne ne mettait la main dans la poche.
DIDEROT, Jacques le fataliste, Pl., p. 569.

10 Exécuteur testamentaire de la succession, l'État abuse étrangement de son mandat lorsqu'il la met dans sa poche pour combler le déficit de ses propres caisses, pour la risquer dans de mauvaises spéculations, pour l'engloutir dans sa propre banqueroute (...)
TAINE, les Origines de la France contemporaine, III, t. I, p. 262.

Payer (cit. 34) *de sa poche,* avec l'argent qu'on possède en propre (→ De ses propres deniers). — Fam. *En être de sa poche :* faire les frais d'une dépense, essuyer une perte. *C'est une mauvaise affaire, il en a été de sa poche.*

11 (...) Fanny accourut derrière son dos dire qu'ils préféraient y être de leur poche, plutôt que d'avoir des procès.
ZOLA, la Terre, IV, VI.

Loc. fam. *Connaître* (qqch., qqn), *comme sa poche, comme le fond de sa poche :* connaître à fond, en détail, dans ses moindres recoins. *Il connaît ce quartier comme sa poche. Je connais ce type, ses manigances comme ma poche.* — Fam. *N'avoir pas sa langue dans sa poche :* parler* avec facilité, abondance. ⇒ **Bavard, éloquent.** *Mettre sa langue dans sa poche :* rester muet*, garder le silence*. — *N'avoir pas les yeux dans sa poche :* regarder de tous ses yeux, bien voir ce que l'on veut voir. — Fam. *On le (la) mettrait dans sa poche,* se dit d'une personne très petite*. — Fig. *Mettre qqn dans sa poche :* lui être très supérieur* (par la force physique, la ruse, l'habileté, etc.). ⇒ aussi **Manche** (1. manche, *supra* cit. 12).

12 Le fossoyeur met les morts dans la fosse, et moi je mets le fossoyeur dans ma poche.
HUGO, les Misérables, II, VIII, IV.

12.1 Mais c'est égal, je pars en guerre et je tuerai tout le monde. Gare à qui ne marchera pas droit ! Ji lon mets dans ma poche avec torsion du nez et des dents et extraction de la langue.
A. JARRY, Ubu roi, III, 12.

13 Jeune fille, dans mon métier, on n'a pas les yeux dans sa poche. Je reconnais la bonne pierre sous les genévriers et le bon bois comme un maître-pivert : Tout de même les hommes et les femmes.
CLAUDEL, l'Annonce faite à Marie, Prologue.

14 Ne me parlez pas ; vous ne me parleriez que de vous, et qu'ai-je à en apprendre ? Je vous connais comme ma poche !
MONTHERLANT, les Lépreuses, t. I, VII.

Allus. *Avoir (qqn) dans sa poche,* à sa disposition, à sa solde (→ Avoir une affaire dans sa poche).

15 On dit couramment : X (...) a tant de députés dans sa poche (...)
F. MAURIAC, Bloc-notes 1952-1957, p. 190.

Mettre sa fierté dans la, sa poche, la cacher, y renoncer.

16 (...) elle avait encore la ressource, en mettant encore une fois fierté et pudeur dans sa poche, de retourner essayer de le voir, à présent sans passer les bornes de l'indécence (...)
Claude SIMON, le Vent, p. 222.

C'est dans la poche : c'est une affaire faite, c'est facile. — REM. L'expression semble venir du sport (1936, *in* Petiot) et constituer un calque de l'anglais *in the bag.* → L'affaire est dans le sac*, et, fam. (faux anglicisme), *in the pocket* [inzəpɔkɛt].

17 C'est dans la poche ! Et le mouchoir par-dessus ! Allez Racing ! On les a !
R. FALLET, le Triporteur, p. 375.

C. (Emplois spéciaux). ♦ **1.** (1694). Faux pli disgracieux et très apparent d'un vêtement mal coupé ou déformé. *Ce veston fait une poche dans le dos. Ce pantalon fait des poches aux genoux.*

♦ **2.** Géol. Amas (d'une substance) logé dans une cavité à l'intérieur d'une roche, dans l'épaisseur d'une couche géologique ; cette cavité elle-même. *Poche d'eau, de gaz naturel, de pétrole, de minerai, de calcaire... Poche d'eau sous-glaciaire.*

♦ **3.** Milit. Région complètement encerclée dans le territoire occupé par l'ennemi ou formant un saillant très prononcé par rapport à la ligne du front. *Poche de résistance. Réduction d'une poche.*

18 Le lendemain et les jours qui suivirent, c'est le cœur battant que je me jetai sur le journal ; les lignes furent tout de suite enfoncées ; on parla de « poche » qu'on allait vivement colmater (...)
S. DE BEAUVOIR, la Force de l'âge, p. 449.

♦ **4.** (V. 1967). Abstrait. Secteur, domaine limité de l'économie ou de la politique . *Des poches de chômage.*

DÉR. Pochard, pochée, pocher, pochet, pochetée, pocheter, pochette.
COMP. Bibliopoche, empocher, vide-poches.

2. POCHE [pɔʃ] n. f. — xvᵉ, dialectes franco-provençaux ; *poje,* fin xiᵉ ; du bas lat. *popia* « cuiller en bois ».

Régional (Suisse, Savoie, Champagne).

♦ **1.** Cuiller à pot, louche. *Poche à écrémer.*

Elle a pris dans le four le plat qu'elle y avait mis chauffer ; elle empoigne la poche plate percée de trous qui brillait comme de l'argent, étant fraîchement étamée.
C.-F. RAMUZ, Adam et Ève, p. 11.

Poche de fromager : louche utilisée pour prélever le caillé et le verser dans des moules.

♦ **2.** (1765). Techn. Ustensile ou récipient utilisé pour puiser des liquides. *Poche de fondeur :* récipient en tôle, réfractaire, pour le transport des métaux en fusion.

DÉR. 1. **Pochon.**

POCHÉ, ÉE [pɔʃe] adj. — 1223, *œuf pochié ; de pocher.* → Pocher.

♦ **1.** *Œil poché :* ecchymose et enflure des chairs autour de l'œil, après un coup (→ Œil au beurre* noir).

(...) spectatrices du combat, les unes les yeux pochés, les autres le nez sanglant (...)
SCARRON, le Roman comique, II, VII.

Yeux pochés, se dit d'une personne qui a des poches* sous les yeux.

♦ **2.** Qu'on a cuit en pochant. *Des œufs pochés.*

HOM. Pochée, pocher.

POCHÉE [pɔʃe] n. f. — 1611 ; *pouchiée,* 1379 ; *pochée* « contenu d'un sac », xvᵉ ; de 1. *poche.*

♦ Vx ou régional. Contenu d'une poche (de vêtement, d'un sac). ⇒ 1. **Poche** (une pleine poche), **pochetée.** *Une pochée de bonbons.*

HOM. Poché, pocher.

POCHE-ŒIL [pɔʃœj] n. m. invar. — 1867, Delvau ; de *pocher,* et *œil.*

♦ Fam., vx. Coup sur l'œil ; ecchymose à l'œil (J. Romains, *in* G. L. L. F.). ⇒ 2. **Pochon** (2.). *Des poche-œils.*

POCHER [pɔʃe] v. — xiiᵉ, *in* Littré, *pochier* (un œil) « le crever, l'arracher » ; de 1. *poche.*

★ **I.** V. tr. ♦ **1.** *Pocher un œil à qqn :* meurtrir par un coup violent et faire enfler la chair des parties molles qui entourent le globe oculaire. *Il lui a poché l'œil d'un coup de poing.* ⇒ 2. **Pochon.**

(...) le malandrin décrépit se jeta sur moi, me pocha les deux yeux, me cassa quatre dents, et, avec la même branche d'arbre, me battit dru comme plâtre. 1
BAUDELAIRE, le Spleen de Paris, XLIX.

♦ **2.** (V. 1398). Cuis. *Pocher des œufs,* les faire cuire sans leur coquille en les plongeant dans de l'eau, de l'huile bouillante, du bouillon, etc., de sorte que le jaune reste enveloppé dans le blanc coagulé. ⇒ **Poché** (cour.). — Par ext. Plonger dans un liquide très chaud. *Pocher des croquettes. Pocher un poisson dans un court-bouillon.*

♦ **3.** (1587, « représenter qqn par un dessin »). Peint. (Vx). Exécuter rapidement, à la manière d'une pochade*. ⇒ **Esquisser.**

♦ **4.** (1788). Vx. Conserver longtemps dans un sac, dans sa poche. ⇒ **Pocheter.** *Pocher des marrons.*

★ **II.** V. intr. (1835). Se dit d'un tissu, d'un vêtement qui se déforme, fait des poches (⇒ 1. **Poche,** C., 1.). *Pantalon qui poche aux genoux.*

Allons, les prodiges de l'outillage n'empêcheraient jamais que ça *gode,* que ça *poche,* ne me dites pas le contraire ! 2
Edmonde CHARLES-ROUX, l'Irrégulière, p. 263.

DÉR. Pochade, pochage, pocheuse, pochis, pochoir, 2. pochon.
COMP. Poche-œil.

POCHET [pɔʃɛ] n. m. — 1869 ; *pouchet* « petit sac », fin xivᵉ ; de 1. *poche.*

♦ **1.** Techn. (hortic.). Petit trou creusé à la main dans lequel on sème des graines de même nature. *Semer en pochets.*

♦ **2.** (1875). Vx. Petit sac de toile que les voituriers utilisaient pour transporter l'avoine destinée à leurs chevaux.

POCHETÉ, ÉE [pɔʃte] adj. ⇒ **Pocheter.**

POCHETÉE [pɔʃte] n. f. — 1888, sens fig. ; usité depuis longtemps dans de nombreux dialectes pour désigner le contenu d'un sac ; de 1. *poche.*

♦ **1.** Vx. Contenu d'un sac. ⇒ 1. **Poche** (une pleine poche de...), **pochée.**

♦ **2.** Fig., pop. *En avoir une bonne pochetée :* être très bête (→ En avoir, en tenir une couche*, cit 5.2 et 5.3). — Mod., pop. Imbécile, maladroit. *Va donc, pochetée !*

Parmi les passagers, ils distinguèrent un individu à la mise cossue et dont la physionomie reflétait une de ces expressions candides et naïves qui font généralement traiter de poires ou de pochetées ceux qui en sont propriétaires (...) 1
L. FORTON, les Aventures des Pieds-Nickelés, *in* l'Épatant, 1909, p. 70.

2 Il le lui tendit *(le journal)* mais Gros-Louis le repoussa de la main. — Je ne sais pas lire. — Ah! pochetée, dit le petit gars avec pitié. Ben, regarde la photo!
SARTRE, le Sursis, p. 345.

HOM. Pocheter.

POCHETER [pɔʃte] v. tr. — V. 1600; de 1. *poche.*

♦ Vx. Garder dans sa poche pendant un certain temps. ⇒ **Pocher** (I., 4.). *« Pocheter des olives, des truffes »* (Académie). — Au p. p. *« Des pommes d'api pochetées »* (Académie).

HOM. Pochetée.

POCHETTE [pɔʃɛt] n. f. — xvᵉ; *puchette* «bourse», v. 1180; de 1. *poche.*

♦ **1.** Petite enveloppe, sachet d'étoffe ou, plus souvent, de papier, de matière plastique. ⇒ **Emballage.** *Une pochette de photographies, de cartes postales. Pochette d'allumettes. Pochette à serviette de table. Pochette de disque.* — *Pochette-surprise,* qu'on achète ou qu'on gagne à une tombola sans en connaître le contenu et qui renferme de menus objets. *Des pochettes-surprises.* Loc. fam. *Il a gagné (trouvé) son permis de conduire dans une pochette-surprise :* il ne sait pas conduire.

♦ **2.** (1845). Pêche. Filet* de petites dimensions. — Chasse. Filet utilisé pour capturer des oiseaux marcheurs (perdrix, faisan).

♦ **3.** (1596). Vx. Petite poche* (1. Poche, B., 1.) d'un vêtement. — Petite poche d'un veston située en haut et à gauche. — (1923). Par métonymie. Petit mouchoir fin qu'on met dans cette poche et dont on laisse dépasser une partie. *Il portait une veste grise égayée d'une pochette rouge.*

♦ **4.** (1700). Vx. Petit violon* dont les maîtres à danser se servaient quand ils allaient donner leurs leçons à domicile. ⇒ 1. **Poche.**

— Ah! Catherine, lui dis-je, comment pouvez-vous danser si près de l'endroit où se donne la torture! Elle interrompit un pas qu'elle était en train de faire, et me regarda d'un air craintif. M. Laflotte garda imperturbablement sa pochette appuyée contre sa poitrine, et l'archet en l'air, prêt à marcher.
BALZAC, Souvenirs d'un paria, IV, *in* Œ. diverses, t. I, p. 294.

♦ **5.** (1877). Boîte de compas de forme plate. — Trousse d'écolier, plate, où l'on met les crayons, le porte-plume, la règle, etc.

♦ **6.** Bot. Maladie parasitaire cryptogamique du prunier due au *taphrina pruni,* qui rend les fruits impropres à la consommation.

POCHEUSE [pɔʃøz] n. f. — 1874; de *pocher.*

♦ Cuis. Ustensile de cuisine qui sert à préparer les œufs pochés. ⇒ **Pocher** (I., 2.).

POCHIS [pɔʃi] n. m. — 1806; de *pocher.*

♦ Techn. Traits (d'une gravure) qui s'emmêlent et se confondent.

POCHOIR [pɔʃwaʀ] n. m. — 1874; de *pocher.*

♦ **1.** Techn. Plaque de carton ou de métal découpée, qu'on applique sur une surface et sur laquelle on passe une brosse ou un pinceau enduit d'encre ou de peinture pour peindre des inscriptions, des ornements, etc. ⇒ 2. **Patron** (2.), **peinture.** *Utiliser le, un pochoir.* — Plus cour. **AU POCHOIR.** *Marquer une caisse d'emballage au pochoir. Décor, dessin au pochoir.*

♦ **2.** Dessin traité, coloré au pochoir.

Chaque personnage m'apparaissait comme une image d'Épinal, un pochoir en deux ou trois couleurs (...)
F. MALLET-JORIS, le Jeu du souterrain, p. 157.

REM. Le dérivé *pochoiriste* [pɔʃwaʀist] n., est attesté (Malraux, *les Voix du Silence,* p. 604).

1. POCHON [pɔʃɔ̃] n. m. — 1877; *pochonne,* n. f., 1371; de 2. *poche.*

♦ **1.** Régional. Grande cuiller à pot. ⇒ **Louche,** 2. **poche.**

♦ **2.** (Déb. xxᵉ). Techn. Récipient dans lequel on recueille les premières gouttes de l'alcool au début de la distillation. — Instrument en forme de grande louche utilisé pour bitumer les routes.

HOM. 2. **Pochon.**

2. POCHON [pɔʃɔ̃] n. m. — Fin xviᵉ; «espèce de piège», xiiiᵉ; de *pocher* et, pour le sens 1, de *poche.*

♦ **1.** Régional. Sac, sachet.

Dans les rues *(de Bakou),* les passants mangent des mandarines comme ailleurs on croque des pommes. Ils les achètent par pleins pochons.
J.-R. BLOCH, Moscou-Paris, p. 17.

♦ **2.** (1862). Vx. Coup, meurtrissure sur l'œil. ⇒ **Poche-œil.** *Recevoir un pochon sur l'œil.*

Elle avait la paupière noire d'un coup de poing que la Thénardier lui avait donné, ce qui faisait dire de temps en temps à la Thénardier :
— Est-elle laide avec son pochon sur l'œil!
HUGO, les Misérables, II, III, III.

HOM. 1. **Pochon.**

POCHOUSE [pɔʃuz] n. f. — xxᵉ; mot dial. (signalé à Dijon par Wartburg); du rad. lat. *popia* «cuiller, louche» (→ 1. Pochon, «louche, casserole»), ou de *pottus* «pot» (Cf. picard *pochon*).

♦ Régional. Matelote de poissons de rivière au vin blanc. — Var. : *pauchouse.*

POCKET [pɔkɛt] n. — 1830, Balzac, au sens 1, *in* Rey-Debove et Gagnon; mot angl. «poche». Anglicisme.

♦ **1.** Vx. Pocket-book.

♦ **2.** (Mil. xxᵉ). Fam. Poche (dans quelques expressions). — Loc. *In the pocket.* ⇒ **Poche.**

J'aurai de la cordelette tressée avec du fil à filets, je la planque dans la pocket en descendant.
A. SARRAZIN, la Cavale, p. 97.

POCKET-BOOK [pɔkɛtbuk] n. m. — 1825, Balzac, *in* Rey-Debove et Gagnon; mot angl. (1617) de *pocket* «poche», et *book* «livre».

♦ Anglic. Vx. Livre de format réduit; carnet. — Mod. Livre de poche*. *Des pocket-books.*

POCO [pɔko] adv. — 1845; mot ital. signifiant «peu».

♦ Mus. Adverbe qui marque une atténuation de la nuance indiquée par un autre adverbe. *Poco allegro :* un peu rapide. *Poco forte :* un peu fort. *Poco piano :* un peu doux. — *Poco a poco :* peu à peu. *Ce morceau doit être joué accelerando poco a poco,* en accélérant peu à peu. — *A poco.* ⇒ **A poco.**

POCULER [pɔkyle] v. intr. — 1847, Balzac, *in* D. D. L.; dér. sav. du lat. *poculum* «coupe, verre à boire».

♦ Littér., vx. Prendre part à une partie de plaisir.

1. PODAGRE [pɔdagʀ] n. f. — 1215; *poacre,* 1125; lat. *podagra,* mot grec. → Chiragre.

♦ Vx. Goutte qui attaque les pieds. ⇒ 2. **Goutte.**

2. PODAGRE [pɔdagʀ] adj. et n. — V. 1380; *potagre,* 1350; lat. *podager,* du grec *podagros.*

♦ **1.** Vx. Qui est atteint de la goutte* aux pieds. ⇒ **Impotent.** — Par ext. Vx ou littér. Qui est atteint de la goutte, quelle que soit la partie du corps attaquée.

(...) M. de Gauffecourt, âgé de plus de soixante ans, podagre, impotent, usé de plaisirs et de jouissances (...)
ROUSSEAU, les Confessions, VIII.

N. *Un, une podagre* (→ Oreiller, cit. 1).

♦ **2.** Fig., vx. Impotent, paralysé.

PODAIRE [pɔdɛʀ] n. f. — 1875; dér. sav. d'après le grec *pous, podos* «pied».

♦ Math. Courbe, lieu des pieds des perpendiculaires menées d'un point fixe sur les tangentes à une courbe donnée. *La podaire d'une conique par rapport à un de ses foyers est un cercle ou une droite.*

-PODE Élément (tiré du grec *pous, podos* «pied») qui sert à former des mots savants tels que : *antipode, chénopode, lycopode, polypode, tripode (-odie),* et notamment des mots relatifs à la classification des animaux* considérés du point de vue des pieds ou des pattes*, ainsi que des mots désignant certains appendices (nageoires, etc.) comparés à des pieds ou à des pattes : *acéphalopode, amphipodes, apode, arthropodes, brachiopodes, branchiopodes, céphalopodes, copépodes, décapodes, gastéropodes, hétéropodes, hexapode, isopode, macropode, myriapode, pélécypodes, phyllopodes, pseudopode, ptéropodes, rhizopodes, tétrapodes, uropode.* ⇒ aussi **-pède, pédi-; podo-.**

PODESTARIAT [pɔdɛstaʀja] n. m. — 1878; dér. sav. de *podestat.*

♦ Hist. Charge de podestat. — Durée des fonctions de podestat.

PODESTAT [pɔdɛsta] n. m. — 1571; *potestat,* 1240; ital. *podestà* «puissance», du lat. *potestas, potestatem;* cf. anc. provençal *podestat, poestat,* emprunté directement du latin.

♦ Hist. Titre qu'on donnait parfois au moyen âge au premier magistrat de certaines villes de l'Italie et du Midi de la France.

Dans la moindre ville de France ou d'Italie, soumise au pire podestat (...) il y a toujours eu plus de liberté véritable que dans ces pays du Nord, où est né, dit-on, le premier homme libre. André SUARÈS, Trois hommes, « Ibsen », III.

(xxe). Hist. En Italie, sous le régime fasciste, Chef non élu de l'administration communale.

DÉR. Podestariat.

PODIUM [pɔdjɔm] n. m. — 1765; mot lat. issu du grec.

♦ **1.** Dans un amphithéâtre, un cirque antique, gros mur qui entourait l'arène (cit. 7) et dont le sommet, formant plate-forme, supportait les places d'honneur.

1 Celle-ci *(la cavea du Colisée)* commençait à 4 mètres au-dessus de l'arène, par la plate-forme du *podium* que protégeait une balustrade de bronze et sur laquelle étaient posés les sièges en marbre des *privilégiés* (...) J. CARCOPINO, la Vie quotidienne à Rome..., II, III, v.

Archit. anc. Petit soubassement* à l'intérieur d'un édifice, sur lequel on pouvait placer certains objets (vases, statues, etc.).

♦ **2.** (V. 1910). Mod. Plate-forme, estrade à deux degrés (au centre, la place du premier, surélevée, encadrée par celle du deuxième et du troisième) sur laquelle on fait monter les vainqueurs après une épreuve sportive. *Monter sur le podium :* être vainqueur, devenir champion.

Par ext. Estrade.

2 Il y avait cinq femmes sur une espèce de podium décoré de petits drapeaux, d'ampoules versicolores et de plantes vertes (...) B. CENDRARS, Bourlinguer, p. 233.

3 Il y avait une trentaine de rangs de chaises devant le podium, et je sentis que tous les auditeurs venaient de se lever. MALRAUX, Antimémoires, Folio, p. 168.

PODO- Premier élément de mots savants, du grec *pous, podos* « pied ». ⇒ aussi **-pode.**

PODODERMATITE [pɔdodɛʀmatit] n. f. — xxe; de *podo-*, et *dermatite.*

♦ Vétér. *Pododermatite végétante :* affection du pied des équidés, aboutissant à la destruction partielle ou complète du plancher du sabot.

PODOLOGIE [pɔdɔlɔʒi] n. f. — 1836; de *pous, podos* « pied » (→ Podo-), et *-logie.*

♦ Méd. Étude du pied et de ses affections.

DÉR. Podologique, podologue.

PODOLOGIQUE [pɔdɔlɔʒik] adj. — 1842; de *pous, podos* (→ Podo-) et *-logique.*

♦ Méd. Relatif à la podologie. *Observations podologiques.*

PODOLOGUE [pɔdɔlɔg] n. — xxe; de *pous, podos* (→ Podo-), et *-logue.* → Podologie.

♦ Méd. Spécialiste du pied.

PODOMANCIE [pɔdɔmɑ̃si] n. f. — 1946, Cendrars, cit.; de *podo-*, d'après *chiromancie.*

♦ Didact., rare. Divination d'après les pattes (d'un animal).

(Saviez-vous) que si l'empreinte de cette semelle des hérissons a les contours d'un pied humain, la peau de cette semelle est ridée, fripée et que l'on pourrait en interpréter les lignes comme en chiromancie, qui est l'art de deviner par l'inspection de la main, de deviner et de prédire l'avenir. Je l'aurais fait et cela n'eût pas été nouveau car la chiromancie, ou mieux, la podomancie appliquée aux pattes de certains animaux a été pratiquée au moyen âge (...) B. CENDRARS, la Main coupée, Œ. compl., t. X, p. 219.

PODOMÈTRE [pɔdɔmɛtʀ] n. m. — 1690; comp. sav. d'après le grec *pous, podos* « pied » (→ Podo-), et *-mètre.*

♦ **1.** Techn. Appareil de mesure qui sert à compter les pas et ainsi à évaluer la distance qu'on parcourt à pied, la vitesse de la marche. ⇒ **Compte-pas, odomètre.**

Nous ne comptions pas les jours. Si j'arrive à dix ans c'est grâce à notre podomètre. Parcours final divisé par parcours journalier moyen. Tant de jours. Diviser. S. BECKETT, Têtes-mortes, p. 45.

♦ **2.** (1869). Techn. Instrument utilisé pour prendre la mesure du pied d'un animal pour la ferrure.

DÉR. Podométrique.

PODOMÉTRIQUE [pɔdɔmetʀik] adj. — 1845; de *podomètre.*

♦ Relatif au podomètre (1.). — (1869). *Ferrure podométrique,* exécutée à l'aide d'un podomètre (2.).

PODOSCAPHE [pɔdɔskaf] n. m. — 1875; de *podo-*, et *-scaphe.*

♦ Vx. Canot de plaisance qui se manœuvre avec une pagaie.

Des flottes de yoles, de skifs, de périssoirs, de podoscaphes (...) filaient sur l'onde immobile. MAUPASSANT, la Femme de Paul, I, 1881.

PODZOL [pɔdzɔl] n. m. — 1932; mot russe « cendreux ».

♦ Géogr. Sol acide, très délavé, des climats humides et froids. *Le podzol, riche en fer, se trouve dans les zones forestières à conifères.*

Les sols septentrionaux, du golfe de Gascogne à la forêt sibérienne, ont des caractères communs. Ils sont plus ou moins des *podzols,* sols acides appauvris par le lessivage, souvent marécageux. J. DEFOS DU RAU, *in* Encycl. Pl., Géographie générale, p. 1149.

DÉR. Podzolique, podzoliser.

PODZOLIQUE [pɔdzɔlik] adj. — xxe; de *podzol.*

♦ Géogr. Relatif au podzol. *Dégradation podzolique.*

PODZOLISATION [pɔdzɔlizasjɔ̃] n. f. — Mil. xxe; de *podzoliser.*

♦ Géogr. Transformation (d'un sol) en podzol.

Si les Solentchak et Solonetz *(sols salés [mots russes])* sont, en outre, podzolisés, on les nommes *Soloths.* Certes, ces sols sont particulièrement fréquents en Asie moyenne et centrale. Mais on en a signalé (...) jusqu'au Sahara où ils sont (...) encore hérités, car lessivage et podzolisation ne se conçoivent qu'aux limites des régions arides. J. DRESCH, *in* Encycl. Pl., Géographie générale, p. 737.

PODZOLISER [pɔdzɔlize] v. tr. — Mil. xxe; de *podzol.*

♦ Géogr. Transformer (un sol) en podzol (par des phénomènes d'acidification et de lessivage). — Au p. p. *Sol podzolisé* (→ Podzolisation, cit.).

DÉR. Podzolisation.

PŒCILANDRIE [pesilɑ̃dʀi] n. f. — V. 1900 (*in* Larousse 1907); *pœcil-*, du grec *poikilos* « varié », et *-andrie,* du grec *anêr, andros* « mâle ».

♦ Biol. Polymorphisme sexuel mâle (insectes, crustacés).

PŒCILE [pesil] n. m. — 1765; grec *poikilê* « peint de couleurs variées », en parlant d'un portique *(stoa).*

♦ Archéol. Portique* grec orné de peintures. Spécialt. *Le pœcile de l'Agora, à Athènes.* — REM. On trouve aussi la graphie *pécile* (1875).

PŒCILOTHERME [pesilɔtɛʀm] adj. ⇒ **Poïkilotherme.**

POÊLAGE [pwalaʒ] n. m. — xxe (1938, Montagné); de *poêler.*

♦ Cuis. Mode de cuisson à l'étouffée.

1. POÊLE [pwal] n. m. — XVIe; *palis* « étoffe », 980; *paile,* v. 1138; *poile,* v. 1210; dér. du lat. *pallium.* → Pallium.

♦ **1.** (Fin XIIe, *paile*). Drap recouvrant le cercueil, pendant les funérailles*. ⇒ **Drap** (funéraire, mortuaire). Vx. *Porter le poêle. Les quatre glands* (cit. 3), *les quatre cordons du poêle* (qui pendent aux quatre coins). — Mod. *Tenir les cordons du poêle.*

Quatre personnages en toge rouge tenaient gravement les cordons du poêle (...) Émile HENRIOT, le Diable à l'hôtel, VII. 1

♦ **2.** (V. 1250, *poile*). Anciennt. Voile tenu au-dessus de la tête des mariés, dans la liturgie catholique.

(...) après avoir échangé leurs anneaux, après avoir été à genoux coude à coude sous le poêle de moire blanche dans la fumée de l'encensoir (...) HUGO, les Misérables, V, VI, II. 2

♦ **3.** (1476, *poille*). Anciennt. Dais sous lequel le prêtre portait le saint sacrement dans une procession. — Dais présenté à un grand personnage lors de son entrée dans une ville.

2. POÊLE [pwal] n. m. — 1545; *poille* « chambre », 1351; Littré, Hatzfeld donnent encore l'orthographe *poile;* dér. du lat. *pe(n)silis*

« suspendu », dér. de *pendere,* dans l'expression *pensiles balneæ* « étuves suspendues ».

♦ **1.** (1624; 1455, *poile*). Vx. Chambre chauffée. — REM. Ce sens, en usage au XVIIe s., est encore connu par allus. à Descartes : *« Enfermé* (cit. 21) *seul dans un poêle... ». « Descartes : à poêle ! à poêle ! »* (R. Queneau).

1 Si Descartes est devenu Descartes c'est qu'il a passé tout un hiver déterminant pour le monde, à rêver seul et en silence dans cette chambre chauffée qu'on appelait le poêle. G. DUHAMEL, Manuel du protestataire, II, I.

♦ **2.** (1545). Mod. Appareil de chauffage* clos, contenant un foyer où brûle un combustible, et qui dégage de la chaleur par rayonnement des parois et convection de l'air. ⇒ **Fourneau** (par ext.), **salamandre** (→ Geler, cit. 18; grille, cit. 7; lourd, cit. 26). *Poêle allemand ancien, en faïence décorée. Poêle flamand, monté sur des pieds assez hauts et comportant un four. Poêle en fonte, rond* (→ Huit, cit. 4). *Poêle à charbon, à charbon de bois* (→ 1. Feu, cit. 24), *à bois, mixte... Poêle à combustion vive* (à travers la masse), *lente* (combustion en couche mince). — *Parties d'un poêle :* couvercle, tampon de chargement, foyer à parois réfractaires, porte de foyer, grille, cendrier, admission d'air (aspirail), buse à laquelle s'adapte le tuyau (fixé par une bague, un collier...). *Tuyau de poêle.* ⇒ **Tuyau.** — *Registre de tirage d'un poêle. — Poêle qui tire bien, qui ronfle* (→ Moblot, cit.). *Ronflement, brondissement* d'un poêle. Poêle qui fume* (1. Fumer, cit. 9). — *La chaleur fade du poêle* (→ 1. Élève, cit. 4). *Un coin douillet* (cit. 1) *près du poêle. — Remplir un poêle* (de charbon, etc.). *Fourgonner* (cit. 1) *dans le poêle, fourgonner* (cit. 2) *le poêle.* ⇒ **Fourgon.** — Par ext. *Poêle à mazout, à pétrole,* muni d'un réservoir. — Vx. *Terre à poêle :* argile réfractaire utilisée autrefois pour la construction des poêles.

2 Les gueules de cuivre des calorifères soufflent sans interruption (...) leurs trombes brûlantes et de grands poêles aux proportions monumentales, en belle faïence blanche ou peinte, montant jusqu'au plafond, répandent leur chaleur soutenue là où les calorifères ne peuvent déboucher. Th. GAUTIER, Voyage en Russie, X.

3 (...) l'espèce de poêle gigantesque orné de son tuyau qui a remplacé la sombre forteresse *(la Bastille)* (...) à peu près comme la bourgeoisie remplace la féodalité. Il est tout simple qu'un poêle soit le symbole d'une époque dont une marmite contient la puissance. HUGO, les Misérables, IV VI, II.

4 Dans un cercle d'ombre le poêle donne son ronflement par sa petite porte ouverte comme une bouche rouge. J. RENARD, Journal, 16 janv. 1889.

5 Pierre travaillait dans sa chambre. Le poêle faisait ron-ron comme un bon vieux chat fidèle et qui semble dire : Reste là, mon maître, puisque j'y suis. Ch.-L. PHILIPPE, Bubu de Montparnasse, II, VIII.

6 Il n'y a pas de gros poêle carré, en faïence, près de la porte du fond, tout au bout du comptoir, avec son tuyau coudé à angle droit qui rejoindrait le mur au-dessus des étagères à bouteilles. A. ROBBE-GRILLET, Dans le labyrinthe, p. 108.

Par ext. Appareil de chauffage (en général). *Poêle parabolique* (2. Parabolique, cit. 2). *Poêle à accumulation.* ⇒ **Radiateur.** — Cet emploi est abusif.

DÉR. 1. **Poêlerie,** 1. **poêlier.**

3. POÊLE [pwal] n. f. — 1636; *paele* « chaudron », 1170; du lat. *patella* (→ Patelle), qui a donné l'esp. *padilla* (→ Paella).

♦ **1.** (Fin XIIe, *paelle*). Ustensile de cuisine en métal, de forme ronde et plate, à bords bas et muni d'une longue queue (⇒ aussi **Poêlon**). *Poêle à frire.* ⇒ **Frire.** *Poêle à crêpes. Veau fricassé dans une poêle, dans la poêle* (→ Dévorer, cit. 5). *Frire du poisson, des pommes de terre à la poêle. Passer, faire revenir des légumes à la poêle.* ⇒ **Poêler.** *Contenu d'une poêle.* ⇒ **Poêlée** (→ Lard, cit. 2). — *Poêle à marrons,* à fond percé de trous (→ 1. Marron, cit. 2).

1 Celui qui parle politique chez nous, on lui noircit le nez avec le cul de la poêle. CLAUDEL, l'Annonce faite à Marie, III, 1.

2 La femme de l'auberge avait installé sur les chenets la poêle, qui était un instrument gigantesque, d'un beau fer noir mat, celui des forges d'autrefois. J. ROMAINS, les Hommes de bonne volonté, t. X, XXIX, p. 287.

(XVIe). Loc. fig. *Tenir la queue de la poêle :* avoir la direction d'une affaire.

3 Il est beau d'être un grand écrivain, de tenir les hommes dans la poêle à frire de sa phrase et de les y faire sauter comme des marrons. FLAUBERT, Correspondance, 292, nov. 1851.

♦ **2.** (1676). Techn. Récipient servant à faire fondre la cire, certains métaux... — Dans les salines, Bassine en tôle de grande surface et de faible profondeur, dans laquelle on évapore l'eau salée pour obtenir la cristallisation du sel. — REM. Aux XVIIe et XVIIIe siècles, *poêle* désignait aussi des ustensiles de cuisine profonds (casseroles, bassines... *poêle à confiture*).

♦ **3.** (1732). Spécialt. (Par anal. de forme). Partie d'un étang formant cuvette, et où vont les poissons lorsqu'on vide l'étang. ⇒ **Pêcherie.**

DÉR. Poêlée, poêler, 2. **poêlerie,** 2. **poêlier, poêlon.**
HOM. 1. **Poêle,** 2. **poêle, poil.**

POÊLÉE [pwale] n. f. — 1800; *paelée,* 1260; *poaslée,* XVe; de 3. *poêle.*

♦ Contenu d'une poêle. *Une poêlée de friture, de pommes de terre.*

) une jeune bonne battait une omelette, en surveillant une poêlée d'alouettes ...ées au beurre (...) ZOLA, la Terre, I, III.

POÊLER [pwale] v. tr. — 1874, au p. p. ; de 3. *poêle.*

♦ **1.** Rare. Cuire ; passer à la poêle. — Au p. p. *Œufs poêlés.*

♦ **2.** Cuire dans une casserole fermée, avec un corps gras comme agent de cuisson. *Poêler une pièce de viande.*

DÉR. Poêlage.

POÊLER (SE) [pwale] v. pron. — Var. graphique aberrante (ou jeu de mots). ⇒ **Poiler** (se) (Céline, *Guignol's band,* p. 88, 100 ; Cendrars, *la Main coupée*).

1. POÊLERIE [pwalʀi] n. f. — 1842, Mozin ; de 2. *poêle.*

Technique.

♦ **1.** Ensemble des ouvrages de tôle, de fer blanc, employés au chauffage.

♦ **2.** Industrie, commerce de poêlier (1. Poêlier).

2. POÊLERIE [pwalʀi] n. f. — 1845 ; moy. franç. *peellerie,* mil. XIVe, *poellerie* « chaudronnerie », XVe ; de 3. *poêle.*

♦ Vx. Fabrication, commerce des poêles et ustensiles de cuisine.

1. POÊLIER, IÈRE [pwalje, jɛʀ] n. — 1800 ; *paelier* « chaudronnier », 1412 ; de 2. *poêle.*

♦ Personne qui fabrique ou vend, installe des poêles et appareils de chauffage. *Poêlier fumiste.*

2. POÊLIER, IÈRE [pwalje, jɛʀ] n. — Mil. XVIe ; *paelier,* 1412 ; de 3. *poêle.*

♦ Vx. Chaudronnier. — (1834). Personne qui fabrique ou qui vend des poêles et des ustensiles de cuisine.

POÊLON [pwalɔ̃] n. m. — 1845 ; « petite poêle profonde », 1694 ; *paalon,* 1329 ; de 3. *poêle.*

♦ **1.** Ustensile de cuisine de métal ou de terre, sorte de casserole à manche creux dans laquelle on fait mijoter (→ 2. Graillonner, cit. ; gratin, cit. 1). *Poêlon de cuivre* (→ Gitan, cit. 1).

Elle *(Gervaise)* faisait, ce soir-là, un ragoût de mouton avec des hauts de côtelettes. Tout marcha encore bien, pendant qu'elle pelurait ses pommes de terre. Les hauts de côtelettes revenaient dans un poêlon (...) ZOLA, l'Assommoir, IV, t. I, p. 125.

♦ **2.** (XXe). Techn. Récipient utilisé en savonnerie. ⇒ **Casse.**

DÉR. Poêlonnée.

POÊLONNÉE [pwalɔne] n. f. — 1680 ; de *poêlon.*

♦ Rare. Contenu d'un poêlon.

POÈME [pɔɛm] n. m. — 1213, à propos de poésie latine, écrit *poëme* jusqu'au XIXe (encore chez Littré) ; lat. *poema,* grec *poiêma.*

♦ **1.** (V. 1370). Ouvrage de poésie* (I.) en vers. ⇒ **Pièce** (de vers), **poésie.** *Faire, composer un poème* (→ Cithare, cit. ; écrire, cit. 41 ; indéfini, cit. 12). *Les poèmes d'un écrivain* (→ Demeurer, cit. 20 ; développer, cit. 9 ; envoyer, cit. 24). *Sens, interprétation* (cit. 4) *d'un poème. — Poème épique* (cit. 2) *ou héroïque** (→ Initiatique, cit. 1). — (1637). Vx. *Poème dramatique* (cit. 1 et 2) : pièce de théâtre en vers. *Poème tragique ou comique* (⇒ **Comédie, dialogue, stichomythie ; tragédie ; théâtre ; trilogie**). — Mod. *Poème lyrique. Poème didactique* (→ Mesure, cit. 36), *descriptif* (→ Fantaisie, cit. 14), *satirique* (→ Échange, cit. 10), *héroï-comique* (→ Héroïque, cit. 6), *burlesque* (→ Macaronique, cit. 1). *Poème élégiaque, bucolique, champêtre* ou *pastoral, dithyrambique, érotique, géorgique, généthliaque. Les poèmes homériques. Poèmes cycliques* (⇒ **Cycle**), *orphiques, pindariques, anacréontiques, saphiques. Types ou titres traditionnels de poèmes.* ⇒ **Acrostiche, à-propos, bergerie** (et **bucolique, églogue, idylle, pastorale**), **bouquet, bouts-rimés, cantate, cantique, centon, chanson, chant, complainte, dizain, douzain, élégie, épigramme, épître, épopée, fable, héroïde, huitain, hymne, impromptu, madrigal, ode** (antistrophe, strophe, épode), **odelette, opéra, romance, rondeau, satire, sonnet, stance...** *Poèmes du moyen âge et de la Renaissance.* ⇒ **Ballade, blason, cantilène, chanson, chant** (royal), **fabliau, geste, lai, palinodie, pastourelle, rotruenge, sirvente, tenson, toile** (chanson de), **triolet, villanelle, virelai...** *Poèmes à forme fixe,* dont le principal type moderne est le sonnet. — *Poèmes de l'antiquité.* ⇒ **Dithyrambe, épithalame, iambe, nome, palinodie, priapée, satyre, sille, thrène...** (ainsi que ceux dont le type s'est conservé chez les modernes). *Poèmes empruntés à la tradition hébraïque* (⇒ **Psaume**), *italienne* (⇒ **Canzone, macaronée**), *allemande* (⇒ **Lied**), *japonaise* (⇒ **Haï-ku**). *Poème composé de strophes, de stances, distiques, tercets, qua-*

trains, sizains, septains, huitains, dizains... Envoi d'un poème. Recueil, livre de poèmes.* ⇒ **Anthologie, chansonnier, florilège, rhapsodie, romancero, silves, spicilège.** *Auteur de poèmes.* ⇒ **Poète.** — *Poème mis en musique.* — Vx. Livret en vers d'un opéra. — (Dans des titres) : *Poèmes antiques, barbares, tragiques* (Leconte de Lisle); *Poèmes antiques et modernes* (Vigny); *Poèmes saturniens* (Verlaine).

1 Les poètes sont ainsi. Leur plus beau poème est celui qu'ils n'ont pas écrit; ils emportent plus de poèmes dans la bière qu'ils n'en laissent dans leur bibliothèque.

Th. GAUTIER, Mlle de Maupin, VI.

2 En vérité, un poème est une sorte de machine à produire l'état poétique au moyen des mots. L'effet de cette machine est incertain, car rien n'est sûr, en matière d'action sur les esprits (...) veuillez observer que la durée de composition d'un poème même très court pouvant absorber des années, l'action du poème sur un lecteur s'accomplira en quelques minutes. En quelques minutes, ce lecteur recevra le choc de trouvailles, de rapprochements, de lueurs d'expression accumulés pendant des mois de recherche, d'attente, de patience et d'impatience.

VALÉRY, Variété, *in* Œ., Pl., t. I, p. 1337.

2.1 Les poèmes à forme fixe obéissent à des règles strictes portant soit sur la longueur des vers employés, soit sur l'ordre, l'alternance ou la répétition de rimes, de mots ou même de vers entiers.
Les plus connus sont le triolet, le virelai, le rondel, la villanelle, etc. Ils sont à peu près tous tombés hors d'usage — de l'usage poétique, à l'exception du sonnet, le seul qui soit encore utilisé de nos jours.

R. QUENEAU, Bâtons, chiffres et lettres, p. 327.

Loc. fam. (plais.). *Poème-poème* : pièce de poésie pure.

♦ **2.** (1861). **POÈME EN PROSE :** poème ne revêtant pas la forme versifiée. — REM. On a désigné autrefois sous ce terme des romans ou récits en prose poétique, comme le *Télémaque* de Fénelon (Voltaire, *le Siècle de Louis XIV*, XXXII) ou *les Martyrs* de Chateaubriand. *Poème en prose, aveu d'impuissance** (cit. 4, Voltaire). *Poèmes en prose*, œuvre de Baudelaire. — *Poème automatique*, écrit par les procédés de l'écriture automatique (→ Automatique, cit. 11, Breton).

3 Un poème, *poiêma*, est donc ce qui est fait et qui par conséquent n'est plus à faire, c'est-à-dire une composition dont l'expression soit si absolue, si parfaite et si définitive qu'on n'y puisse faire aucun changement(...) Ceci tranche une question bien souvent controversée : Peut-il y avoir des poèmes en prose? Non, il ne peut pas y en avoir, malgré le *Télémaque* de Fénelon, les admirables *Poèmes en prose* de Baudelaire et le *Gaspard de la Nuit* d'A. Bertrand; car il est impossible d'imaginer une prose, si parfaite soit-elle, à laquelle on ne puisse avec un effort surhumain rien ajouter ou rien retrancher.

Th. DE BANVILLE, Petit traité de poésie franç., Introduction.

(1860). Mus. *Poème symphonique**.

♦ **3.** (1842). Œuvre d'art, et, en général, création humaine, dans la mesure où elle paraît pénétrée de poésie* (I., 4.); → Noter, cit. 1, Diderot, en parlant des romans de Richardson. *Les œuvres de Delacroix sont de grands poèmes* (→ Insolence, cit. 9, Baudelaire). — *Le poème des étalages* (cit. 2, Balzac). *Sa vie est un poème* (→ Marqueterie, cit. 3).

4 Va, espère, et que ta vie soit un poème aussi beau que ceux qu'a rêvés ton intelligence. Un jour tu le reliras avec les saintes joies de l'orgueil.

G. SAND, Lettres à Musset, VIII, 15 juin 1834.

Réalité naturelle empreinte de poésie* (II., 1.). « *... le poème De la mer...* » → Baigner, cit. 26, Rimbaud.

Loc. fam. *C'est tout un poème*, se dit d'une personne ou d'une réalité humaine qui paraît sortir de l'ordinaire, qui semble extraordinaire ou bizarre, un peu ridicule.

5 Derville prit son lorgnon, regarda le pauvre, laissa échapper un mouvement de surprise et dit : — Ce vieux-là, mon cher, est tout un poème, ou comme disent les romantiques, un drame. BALZAC, le Colonel Chabert, Pl., t. II, p. 1145.

POÉSIE [pɔezi] n. f. — 1514; «art de la fiction littéraire...», 1350; lat. *poesis*, du grec *poiêsis* «création», spécialt appliquée à la création par le langage.

★ **I.** ♦ **1.** Art du langage (cit. 1), traditionnellement associé à la versification*, visant à exprimer ou à suggérer au moyen de combinaisons verbales où le rythme, l'harmonie et l'image sont essentiels (⇒ **Lettres; littérature**). *«La poésie est un compromis entre les deux effets de l'expression»* (cit. 20, Valéry). *«Victor Hugo a su exprimer* (cit. 28) *par la poésie le mystère de la vie»* (Baudelaire). *But de la poésie* (→ Hérésie, cit. 8; et aussi Moral, cit. 4, Baudelaire). *Le domaine* (cit. 5, Baudelaire) *de la poésie est illimité* (→ 1. Idéal, cit. 2, Hugo). *La mélodie* (cit. 9), *la musique* des mots, des paroles dans la poésie. La poésie et l'émotion* (cit. 18), *le sentiment. La poésie et l'inspiration* et l'enthousiasme* (cit. 6). *«Poésie, harpe* (1. Harpe, cit. 6) *intérieure»* (et → Lyre, cit. 2, Lamartine). *La lyre*, symbole de la poésie. Poésie et imagination* (cit. 5; et → Inventer, cit. 6). *Poésie et Vérité* : œuvre de Goethe. *Rêve* et poésie. La poésie et l'éloquence* (→ Assortir, cit. 3; 2. oratoire, cit. 2). *La diction* (cit. 3), *mère de la poésie. Harmonie* (cit. 24) *oratoire et harmonie de poésie. Poésie et prose* (→ Dictionnaire, cit. 4; harmonie, cit. 25; langage, cit. 14; métrique, cit. 1). *Procédés de langage utilisés en poésie.* ⇒ **Figure, image, rhétorique; allégorie, symbole, symbolisme...; allitération, assonance.** *Le vers, la rime en poésie.* ⇒ **Mètre, métrique, pied, prosodie, rime, vers, versification.** *Le rythme en poésie.* ⇒ **Cadence, nombre, rythme; enjambement, hiatus, rejet...** — *La poésie parmi les genres littéraires* (→ Drame, cit. 1; essai, cit. 23). *La poésie et les autres arts* (→ Forme, cit. 57; imitation, cit. 11; maître, cit. 92). *Aimer, cultiver, goûter* (cit. 13) *la poésie* (→ Amoureux, cit. 11; commerce, cit. 15). *Écrire, faire de la poésie rimée.* ⇒ **Rimer.** *La poésie en tant que métier d'un écrivain* (→ Accident, cit. 9; fixe, cit. 10). *Concours de poésie* (→ Lauréat, cit. 2). *La poésie et l'éloquence sont parfois rattachées aux beaux-arts.* ⇒ **Art.** *Mauvaise* (cit. 5) *poésie, médiocrité* (cit. 5) *en poésie.* ⇒ **Rimaillerie.** *Dire, réciter, scander* de la poésie.*

Vous savez qu'on comprend sous le nom de poésie deux choses très différentes qui, cependant, se lient en un certain point. Poésie, c'est le premier sens du mot, c'est un art particulier fondé sur le langage. Poésie porte aussi un sens plus général, plus répandu, difficile à définir, parce qu'il est plus vague; il désigne un certain état, état qui est à la fois réceptif et productif (...) 1

VALÉRY, Variété, *in* Œ., Pl., t. I, p. 1387.

Ce bonhomme *(Malherbe)* comparait la prose au marcher ordinaire, et la poésie à la danse (...) 2

Th. DE RACAN, Lettre à Chapelain, *in* Lettres choisies du XVIIe s., p. 23.

(...) la poésie doit être le miroir terrestre de la Divinité, et réfléchir, par les couleurs, les sons et les rythmes, toutes les beautés de l'univers. 3

Mme DE STAËL, De l'Allemagne, II, XIII.

Comment faire comprendre à une masse ignorante qu'il y a une poésie indépendante d'une idée, et qui ne gît que dans les mots, dans une musique verbale, dans une succession de consonnes et de voyelles; puis, qu'il y a aussi une poésie d'idées, qui peut se passer de ce qui constitue la poésie des mots. 4

BALZAC, Des artistes, III, *in* Œ. diverses, t. I, p. 358.

La poésie n'est pas la tempête, pas plus que le cyclone. C'est un fleuve majestueux et fertile. LAUTRÉAMONT, Poésies, Préface à un livre futur, I. 5

Observez (...) les effets de la poésie en vous-mêmes. Vous trouverez qu'à chaque vers, la signification qui se produit en vous, loin de détruire la forme musicale qui vous a été communiquée, redemande cette forme. Le pendule vivant qui est descendu du *son* vers le *sens* tend à remonter vers son point de départ sensible (...) Ainsi, entre la forme et le fond (...) se manifeste (...) une égalité d'importance, de valeur et de pouvoir (...) qui s'oppose à la loi de la prose — laquelle décrète l'inégalité des deux constituants du langage. 6

VALÉRY, Variété, *in* Œ., Pl., t. I, p. 1332.

Une bonne définition de la poésie? Je n'en vois plus d'autre valable, que celle-ci : la poésie consiste à passer à la ligne avant la fin d'une phrase. 7

GIDE, Attendu que..., p. 167.

Personne n'a mieux dit *(que Mallarmé)* que la poésie est une tentative incantatoire pour suggérer l'être dans et par la disparition vibratoire du mot : en renchérissant sur son impuissance verbale, en rendant les mots fous, le poète nous fait soupçonner par delà ce tohu-bohu qui s'annule de lui-même d'énormes densités silencieuses; puisque nous ne pouvons pas nous taire, il faut faire du silence avec le langage. De Mallarmé aux Surréalistes, le but profond de la poésie française me paraît avoir été cette autodestruction du langage. 8

SARTRE, Situations III, p. 247.

«La poésie, dira Fargue, ce sont des mots qui se brûlent». Mais il lui suffit qu'ils grésillent; le surréaliste veut qu'ils tombent en cendres. Et Bataille définira la poésie «un holocauste des mots». SARTRE, Situations I, p. 209. 9

*Distinction traditionnelle des genres** (cit. 14) *de poésie.* ⇒ **Poème.** *Poésie lyrique* (cit. 1 à 4. ⇒ **Lyrisme**), *mélique, épique* (cit. 1), *dramatique* (cit. 1), *didactique, gnomique, satirique, fugitive* (→ Monopoliser, cit. 2), *légère* (cit. 30), *descriptive, pastorale... Poésie sacrée, profane. Poésie élevée, haute poésie* (1798), ou *grande poésie*, dont les thèmes sont considérés comme liés à un domaine élevé de la pensée. *Poésie burlesque, macaronique, familière.*

L'esprit de société est cependant très favorable à la poésie de la grâce et de la gaieté, dont l'Arioste, La Fontaine, Voltaire, sont les plus brillants modèles. La poésie dramatique est admirable dans nos premiers écrivains; la poésie descriptive, et surtout la poésie didactique, ont été portées chez les Français à un très haut degré de perfection; mais il ne paraît pas qu'ils soient appelés jusqu'à présent à se distinguer dans la poésie lyrique ou épique (...) 10

Mme DE STAËL, De l'Allemagne, II, X.

(1857, Baudelaire). *La poésie pure* : la poésie qui ne serait que poésie, purifiée de tout élément étranger (narratif, discursif, etc.). *La Poésie pure*, ouvrage de l'abbé Brémond.

(...) toute âme éprise de poésie pure me comprendra quand je dirai que parmi notre race antipoétique, Victor Hugo serait moins admiré s'il était parfait, et qu'il n'a pu se faire pardonner tout son génie lyrique qu'en introduisant de force et brutalement dans sa poésie ce qu'Edgar Poe considérait comme l'hérésie moderne capitale, — *l'enseignement*. 11

BAUDELAIRE, Notes nouvelles sur E. Poe, IV.

♦ **2.** (1549). Qualifié. Manière propre à un poète, une école, un pays, une époque... de pratiquer cet art; l'ensemble des œuvres où se reconnaît cette manière. ⇒ **Chant.** *La poésie profonde et plaintive de Poe* (→ Œuvre, cit. 25). *Poésie savante, populaire* (→ Folklorique, cit. 1). — *Poésie antique; alexandrine, anacréontique... Poésie classique* (cit. 2) *et poésie romantique* (→ Latin, cit. 6). *Poésie médiévale, courtoise, des rhétoriqueurs*... Poésie baroque, postclassique, parnassienne, symboliste, dadaïste, surréaliste... La poésie grecque, française, anglaise, allemande... Ronsard a voulu enhardir notre poésie* (→ Dénouer, cit. 7; épode, cit.). *Poésie ancienne et moderne* (→ Famille, cit. 11; illustration, cit. 9).

La poésie de Baudelaire, c'est la poésie de Sainte-Beuve plus la poésie. Je veux dire la matière de cette poésie plus le rayon et le génie de la poésie pure, aliment de lumière, réservé aux dieux, et auquel Sainte-Beuve n'a pas goûté. 12

A. THIBAUDET, Hist. de la littérature franç..., p. 321-322.

♦ **3.** (Déb. XVe). Poème. — REM. Le mot *poème* est plus général, s'appliquant à des œuvres plus ou moins longues, tandis que *poésie*, en ce sens, ne se dit que d'œuvres de faible étendue; *poésie* est plus courant dans l'usage familier, par ex. scolaire *(réciter une poésie; tu as appris ta poésie?)*. — *Les poésies d'un écrivain* (→ Exquisement, cit. 1; humer, cit. 10). *Premières poésies. Poésies nouvelles* (Musset). *Les poésies ossianiques* (cit. 1). *La plus belle poésie ne gagne* (cit. 23) *rien à être mise en musique. Les vieilles poésies françai-*

ses (→ Floral, cit.). *Choix* de poésies.* ⇒ **Anthologie.** *Vers, strophes d'une poésie.*

♦ **4.** (XVIIe). Propriétés et qualités essentielles à cet art, indépendantes d'une forme particulière, qui peuvent se manifester dans toute œuvre littéraire, et, par ext., dans toute œuvre d'art. ⇒ **Poétique.** *La poésie de l'Écriture* (→ Aspect, cit. 16), *des Dialogues* (cit. 6) *de Platon, de certaines pages de Pascal, de Chateaubriand...* — Par plais. *Savourer la poésie du Code de Procédure* (→ Inoculer, cit. 5, Flaubert). — *Tableau, andante plein de poésie. Quelle poésie dans cette admirable décoration!* (→ Illusion, cit. 6). *Se nourrir* (cit. 38) *de poésie écrite et peinte.*

13 Voilà les scènes qu'il faut savoir imaginer, quand on se mêle d'être un paysagiste (...) Il s'agit bien de montrer ici un homme qui passe; là, un pâtre qui conduit ses bestiaux, ailleurs, un voyageur qui se repose (...) Qu'est-ce que cela signifie? Quelle sensation cela peut-il exciter en moi? Quel esprit, quelle poésie y a-t-il là-dedans? DIDEROT, Salon de 1767, Loutherbourg.

14 L'esprit du lecteur *(de Michelet)* se trouble; il voit les faits se changer en idées et les idées en faits; tout se fond et se confond à ses yeux en une poésie vague qui berce son imagination par le chant des phrases harmonieuses (...)
TAINE, Essais de critique et d'histoire, Michelet, I.

♦ **5.** En Belgique, Une des classes de la deuxième année du «secondaire supérieur», succédant à la *syntaxe* et précédant la *rhétorique* (équivalant à la première classique).

★ **II.** ♦ **1.** (1765). Propriété attribuée à certaines choses ou certains êtres, en certaines occasions, d'éveiller l'état poétique*. ⇒ **Beauté, charme, émotion.** *La poésie des couleurs* (cit. 2). *La poésie d'un coucher de soleil, des ruines... Là règne la misère* (cit. 11) *sans poésie* (→ Masure, cit. 2). *Trouver en un lieu de l'harmonie, de la poésie* (→ Apporter, cit. 14). *La poésie des ports, des départs.* «*Il y a dans la science une sombre et inquiétante poésie*» (→ Idée, cit. 16). *La poésie de l'ordre* (cit. 27). «*L'honneur* (cit. 33) *c'est la poésie du devoir*» (Vigny). *Une auréole de poésie.*

15 (...) Ces mêmes gens qui disent «poésie des lacs» etc., détestent fort toute cette poésie, toute espèce de nature, toute espèce de lac, si ce n'est leur pot de chambre qu'ils prennent pour un océan. FLAUBERT, Correspondance, 401, 20 juin 1853.

16 Je sais qu'il y a de la poésie dans ce gratte-ciel. Tout le monde admire l'arrivée à New York. VALÉRY, Variété, *in* Œ., Pl., t. I, p. 1386.

♦ **2.** (1810). Dans quelques constructions. Aptitude d'une personne à éprouver l'état poétique*, à enrichir sa vie d'émotions poétiques (→ Flétrir, cit. 13; fondre, cit. 6). *Des âmes sans poésie.* ⇒ **Prosaïque.** *Il manque vraiment de poésie!*

17 Le don de révéler par la parole ce qu'on ressent au fond du cœur est très rare; il y a pourtant de la poésie dans tous les êtres capables d'affections vives et profondes; l'expression manque à ceux qui ne sont pas exercés à la trouver.
Mme DE STAËL, De l'Allemagne, II, X.

18 Si être poète, c'est avoir l'habitude d'un certain mécanisme de langage, ils seraient excusables. Mais, si l'on entend par poésie cette faculté qu'a l'âme d'être touchée d'une certaine façon, de rendre un son d'une nature particulière et indéfinissable en face des beautés des choses, celui qui n'est pas poète n'est pas homme, et renoncer à ce titre, c'est abdiquer volontairement la dignité de sa nature.
RENAN, l'Avenir de la science, Œ., compl., t. III, p. 739.

CONTR. Prose. — Prosaïsme. — Antipoésie.
COMP. Antipoésie.

POESTÉ [pɔɛste] n. f. — Fin XIe; *podestad,* v. 980; lat. *potestas* «puissance» à l'accusatif.

♦ Vx ou hist. Étendue du pouvoir (d'un seigneur féodal). ⇒ **Mouvance.** — *Homme de poesté* (qui subit le pouvoir) : roturier.

POÉTASTRE [pɔetastʀ] n. m. — 1550, Ronsard; de *poète,* et suff. péj. *-astre (-âtre).*

♦ Vx. Mauvais poète (encore chez Verlaine).

POÈTE [pɔɛt] n. m. et adj. — XIIe; lat. *pœta,* du grec *poiêtês* «créateur».

♦ **1.** [a] N. Écrivain qui pratique la poésie* (I., 1.), auteur (cit. 23) de poèmes. ⇒ **Auteur, écrivain** (→ péj. Faiseur [de vers], métromane (vx), poétereau, rimailleur, rimeur, versificateur). *Les poètes étaient appelés traditionnellement «fils, enfants, favoris d'Apollon, amants, nourrissons des Muses, nourrissons du Parnasse».* *Poètes chanteurs de l'antiquité, du moyen âge,...* ⇒ **Aède, rhapsode; barde, jongleur, ménestrel, troubadour, trouvère; minnesinger, scalde.** *Poète provençal.* ⇒ **Félibre.** *Attribut traditionnel du poète.* ⇒ **Laurier, luth** (cit. 6), **lyre.** *Les poètes.* ⇒ **Parnasse.** *La muse* du poète.* — *Don, inspiration* (cit. 5), *sensibilité, verve... du poète* (→ Analogie, cit. 9; archet, cit. 3; décrire, cit. 2; effusion, cit. 7; intérieur, cit. 5; inventer, cit. 6; moral, cit. 4; 1. muse, cit. 12). *Les chants, les soupirs du poète... Art, métier du poète* (→ Expression, cit. 20; facile, cit. 12; nommer, cit. 13). ⇒ **Poétiser, rimer.** *Fonction* (cit. 4), *mission* (cit. 9) *du poète.* «*Le poète est semblable au prince des nuées*» (cit. 2). *Poète de l'amour, des actions héroïques.* ⇒ **Chantre** (→ Peinture, cit. 5). *Poète épique, bucolique, pastoral; dramatique* (cit. 7 et 8), *lyrique* (cit. 3 et 5), *élégiaque, comique, tragique* (→ Œuvre, cit. 18)... *Poètes classiques, romantiques, lakistes, parnassiens, symbolistes..., grecs, latins, français..., anciens, modernes... Poète de cour. Le Poète courtisan,* poème de Du Bellay. *Poète officiel. Poètes lauréats*. Les Poètes maudits,* œuvre de Verlaine. *Poète maudit,* non reconnu par la société, incompris. — (1732). En parlant d'une femme. *Mme de Noailles était donc un grand poète* (→ Front, cit. 18). ⇒ **Poétesse.**

(...) sache, Lecteur, que celui sera véritablement le poète que je cherche en notre langue, qui me fera indigner, apaiser, éjouir, douloir *(souffrir),* aimer, haïr, admirer, étonner, bref, qui tiendra la bride de mes affections, me tournant çà et là à son plaisir. DU BELLAY, Défense et Illustration de la langue franc., II, XI. 1

La clarté est bonne pour convaincre; elle ne vaut rien pour émouvoir. La clarté, de quelque manière qu'on l'entende, nuit à l'enthousiasme. Poètes, parlez sans cesse d'éternité, d'infini, d'immensité, des temps, de l'espace, de la divinité, des tombeaux, des mânes, des enfers, d'un ciel obscur, des mers profondes, des forêts obscures, du tonnerre, des éclairs qui déchirent la nue. Soyez ténébreux. 2
DIDEROT, Salon de 1767, Vernet.

Un poète est un monde enfermé dans un homme. 3
HUGO, la Légende des siècles, XLVII.

Autrefois (...) on estimait le meilleur poète celui qui avait composé l'œuvre la plus parfaite, le plus beau poème, le plus clair (...) Aujourd'hui on veut autre chose. Le plus grand poète pour nous est celui qui (...) a donné le plus à imaginer et à rêver à son lecteur, qui l'a le plus excité à poétiser lui-même. Le plus grand poète n'est pas celui qui a le mieux fait : c'est celui qui suggère le plus, celui dont on ne sait pas bien d'abord tout ce qu'il a voulu dire et exprimer (...) 4
SAINTE-BEUVE, Port-Royal, Appendice au livre VI, Sur Racine.

Je plains les poètes que guide le seul instinct; je les crois incomplets. Dans la vie spirituelle des premiers *(les grands poètes),* une crise se fait infailliblement, où ils veulent raisonner leur art, découvrir les lois obscures en vertu desquelles ils ont produit, et tirer de cette étude une série de préceptes dont le but divin est l'infaillibilité dans la production poétique (...) je considère le poète comme le meilleur de tous les critiques. BAUDELAIRE, l'Art romantique, XXI, II. 5

Le devoir, le travail, la fonction du poète sont de mettre en évidence et en action ces puissances de mouvement et d'enchantement, ces excitants de la vie affective et de la sensibilité intellectuelle, qui sont confondus dans le langage usuel avec les signes et les moyens de communication de la vie ordinaire et superficielle. Le poète se consacre et se consume donc à définir et à construire un langage dans le langage (...) VALÉRY, Variété, Situation de Baudelaire, Œ., Pl., t. I. p. 611. 6

Autrefois, le poète se prenait pour un prophète, c'était honorable; par la suite, il devint paria et maudit, ça pouvait encore aller. Mais aujourd'hui, il est tombé au rang des spécialistes et ce n'est pas sans un certain malaise qu'il mentionne, sur les registres d'hôtel, le métier d'«homme de lettres», à la suite de son nom. 7
SARTRE, Situations II, p. 10.

Par la pensée analogique et symbolique, par l'illumination lointaine de l'image médiatrice, et par le jeu de ses correspondances (...) par la grâce enfin d'un langage où se transmet le mouvement même de l'Être, le poète s'investit d'une surréalité qui ne peut être celle de la science. 8
SAINT-JOHN PERSE, Disc. pour le prix Nobel, déc. 1960.

Loc. fam. (plais.). *Poète-poète :* auteur de poésie pure (Gide, *Attendu que...*).

[b] Adj. (1732). *On naît poète, on devient orateur.* «*Si son astre* (cit. 18) *en naissant ne l'a formé poète...*» (Boileau). «*C'est peu d'être poète, il faut être amoureux*» (→ Élégie, cit. 1, Boileau). «*L'art* (cit. 51) *ne fait que des vers, le cœur seul est poète*» (Chénier). *Ils sont peintres* (cit. 6) *plus que poètes.* «*Je veux être poète et je travaille à me rendre "voyant"*» (Rimbaud). ⇒ **Voyant.** — (En parlant d'une femme). «*La femme* (cit. 87) *sera poète, elle aussi*» (Rimbaud).

J'ai des rêves de guerre en mon âme inquiète; 9
J'aurais été soldat, si je n'étais poète. HUGO, Odes et Ballades, V, IX, I.

♦ **2.** Personne dont l'œuvre est pénétrée de poésie (I., 4.). *Lassalle, entraîneur* (cit. 2) *d'hommes, poète et tribun. Wagner est à la fois poète et critique* (→ Admirablement, cit. 2). *Le génie* (cit. 37) *de Buffon participe du poète. Ce qui fait de Bossuet un poète* (→ Hardiesse, cit. 22).

M. Michelet est un poète, un poète de la grande espèce (...) Cette imagination si impressionnable est touchée par les faits généraux aussi bien que par les faits particuliers, et sympathise avec la vie des siècles comme avec la vie des individus (...) TAINE, Essais de critique et d'histoire, Michelet, I. 10

♦ **3.** Homme doué de poésie* (II., 2.). *L'homme d'action est avant tout un poète* (→ Favori, cit. 5). ⇒ **Rêveur.** *Plus vous serez poète, moins vous serez géomètre* (cit. 1).

En nous tous, pour peu que nous soyons poètes, et si nous ne le sommes pourtant pas décidément, il existe ou il a existé une certaine fleur de sentiments, de désirs, une certaine rêverie première, qui bientôt s'en va dans les travaux prosaïques, et qui expire dans l'occupation de la vie. Il se trouve, en un mot, dans les trois quarts des hommes, comme un poète qui meurt jeune, tandis que l'homme survit. 11
SAINTE-BEUVE, Portraits littéraires, Millevoye, 1er juin 1837. — (Cf. la célèbre réponse de MUSSET, *Poés. nouv.,* À Sainte-Beuve).

♦ **4.** Loc. *Œillet de poète.* ⇒ **Œillet.**

CONTR. Prosateur. — Antipoète.
DÉR. Poétastre, poétereau, poétesse.
COMP. Antipoète.

POÉTEREAU [pɔetʀo] n. m. — 1660; *poéterau,* déb. XVIIe; de *poète.*

♦ Vieilli. Mauvais poète, poète de peu d'importance (→ Négligence, cit. 11). ⇒ **Poétastre** (vieux).

POÉTESSE [pɔetɛs] n. f. — Déb. XVIe; *poétisse,* XVe; de *poète.*

♦ Femme poète. *Sapho est une poétesse illustre* (Académie).

Ces lettres de Proust à Mme de Noailles discréditent le jugement (...) de Proust bien plus qu'elles ne servent à la gloire de la poétesse. GIDE, Journal, 28 juil. 1931.

REM. *Poétesse* tend à devenir péjoratif. On dira plutôt : *Emily Dickinson est un grand poète* (1.).

POÉTICO- Élément d'adjectifs composés, tiré de *poétique*. Ex. : *poético-burlesque* (à la fois poétique et burlesque, plaisant); *poético-comique, -musical, -mystique, -politique, -réaliste, -satirique, -scientifique*, etc.

1 C'est tout à fait le genre d'envolées poético-burlesques dont tu raffoles.
J. DUTOURD, les Horreurs de l'amour, p. 263.

2 Je te signale, en passant, que je ne suis pas dupe de tes envolées lyriques. J'ai lu aussi les philosophes. Ils ont une supériorité sur toi, qui est la rigueur. J'en connais deux ou trois qui, s'ils entendaient tes élucubrations poético-mystiques, te jetteraient dans les jambes quelque petit principe de causalité dont tu aurais beaucoup de peine à te dépêtrer. J. DUTOURD, les Horreurs de l'amour, p. 252.

1. POÉTIQUE [pɔetik] adj. — 1402; «propre aux fonctions des poètes», 1375; lat. *poeticus* ; du grec *poiêtikos*, rac. *poïesis*. → Poésie.

♦ **1.** Relatif ou propre à la poésie* (I., 1.). *Style, langue, tour, mot, expression poétique* (→ Genre, cit. 14; nô, cit.). *La cadence poétique* (→ Harmonie, cit. 23). *Inspiration poétique* (→ Léger, cit. 30). ⇒ **Veine, verve.** *Une fantaisie* (cit. 14), *un jeu* (cit. 18) *poétique. L'imagination poétique* (→ Arlequin, cit. 5). *Réalité poétique de l'image* (cit. 46). *Matière, domaine poétique* (→ Fond, cit. 58; 3. mal, cit. 45). *Génie, talent poétique* (→ Draper, cit. 10; esquisser, cit. 3). — (1521). *Licence** (cit. 8 et 9) *poétique*. — (1548). *Art* poétique*. ⇒ 2. **Poétique.**

1 Je réglai la forme et le mouvement de chaque consonne, et, avec des rythmes instinctifs, je me flattai d'inventer un verbe poétique accessible, un jour ou l'autre, à tous les sens. RIMBAUD, Une saison en enfer, «Délires», II.

2 (...) le poète s'est retiré d'un seul coup du langage-instrument; il a choisi une fois pour toutes l'attitude poétique qui considère les mots comme des choses et non comme des signes. SARTRE, Situations II, p. 64.

Prose poétique.

3 Quel est celui de nous qui n'a pas, dans ses jours d'ambition, rêvé le miracle d'une prose poétique, musicale sans rythme et sans rime, assez souple et assez heurtée pour s'adapter aux mouvements lyriques de l'âme, aux ondulations de la rêverie, aux soubresauts de la conscience?
BAUDELAIRE, le Spleen de Paris, «À Arsène Houssaye».

♦ **2.** (1588). Empreint de poésie* (I., 4.). ⇒ **Lyrique.** *Le génie poétique d'un orateur, d'un artiste* (→ Expression, cit. 44). *Contes, romans, harangues* (cit. 5) *poétiques* (→ Jonglerie, cit. 3; libertinage, cit. 9). *«J'aime l'allure poétique, à sauts et à gambades»* (→ Démoniaque, cit. 1, Montaigne). *Exagération, flou* (cit. 6) *poétique* (→ Durer, cit. 4). *Élément poétique qui entre dans les fugues* (cit. 2) *de Bach. Conversation poétique et colorée* (→ Incrédulité, cit. 8). *La plainte poétique d'une fée* (→ Musical, cit. 3). *Musique facilement poétique* (→ Ondulation, cit. 6).

♦ **3.** Qui présente un caractère de poésie* (II.), qui émeut par la beauté, le charme, la délicatesse. *État* ou *émotion poétique* : état affectif particulier, lié à la révélation confuse de certaines «correspondances» :

4 (...) l'état ou émotion poétique me semble consister dans (...) une tendance à percevoir un *monde*, un système complet de rapports, dans lequel les êtres, les choses, les événements et les actes, s'ils ressemblent, *chacun à chacun*, à ceux qui peuplent et composent le monde sensible, le monde immédiat duquel ils sont empruntés, sont, d'autre part, dans une relation indéfinissable, mais merveilleusement juste, avec les modes et les lois de notre sensibilité générale. Alors, ces objets et ces êtres connus changent en quelque sorte de valeur (...) Ils se trouvent (...) *musicalisés*, devenus commensurables, résonnants l'un par l'autre. L'univers poétique ainsi défini présente de grandes analogies avec l'univers du rêve (...) C'est à peu près de même que l'état poétique s'installe, se développe et se désagrège en nous. C'est-à-dire qu'il est parfaitement *irrégulier, inconstant, involontaire, fragile*, et que nous le perdons comme nous l'obtenons, *par accident*.
VALÉRY, Variété, *in* Œ., Pl., t. I, p. 1363.

Connaissance (cit. 2) *mystique ou poétique. L'univers poétique. Existence* (cit. 19) *poétique. Vision poétique de la vie* (→ Naturaliste, cit. 7). *Nature, sensibilité poétique. Une atmosphère* (cit. 16) *légendaire et poétique.* ⇒ **Beau, idéal.** *Homme gai ou rêveur, poétique à l'excès* (→ Bout, cit. 45). *Le Français n'est pas poétique* (→ Entendre, cit. 75). *La poétique bergère sainte Geneviève* (→ 1. Germain, cit. 6). ⇒ **Touchant.**

5 Nous disons d'un paysage qu'il est poétique : nous le disons d'une circonstance de la vie; nous le disons parfois d'une personne.
VALÉRY, Variété, *in* Œ., Pl., t. I, p. 1362.

♦ **4.** (Après 1960). Didact. *Fonction poétique* : dans la théorie linguistique de R. Jakobson, Fonction du langage caractérisée par le fait que l'accent est mis sur le message* en tant que tel et sur les signes dont il est constitué (et non, par ex., sur l'information véhiculée).

CONTR. **Prosaïque. — Antipoétique.**
DÉR. **Poétiquement.**
COMP. **Antipoétique, apoétique.**

2. POÉTIQUE [pɔetik] n. f. — 1637, selon Wartburg; de 1. *poétique*, sur le modèle du lat. *pœtica*, grec *poiêtikê (tekhnê)*, proprt «art de la création (en langage)».

♦ **1.** Didact. Traité de poésie* (I., 1.), exposé ou recueil de règles, conventions, préceptes relatifs à la composition des divers genres de poèmes et à la construction des vers (→ Formule, cit. 11). *La poétique d'Horace, de Scaliger, de Boileau...*, leurs arts poétiques. *L'Académie en 1634 projetait de composer une rhétorique et une poétique* (→ Épurer, cit. 10).

Rien n'est plus aisé que de parler d'un ton de maître des choses qu'on ne peut exécuter : il y a cent poétiques contre un poème. 1
VOLTAIRE, Essai sur la poésie épique, I.

Mettons le marteau dans les théories, les poétiques et les systèmes. Jetons bas ce vieux plâtrage qui masque la façade de l'art! Il n'y a ni règles ni modèles; ou plutôt il n'y a d'autres règles que les lois générales de la nature, qui planent sur l'art tout entier, et les lois spéciales qui (...) résultent des conditions propres à chaque sujet (...) ces règles-là ne s'écrivent pas dans les poétiques. 2
HUGO, Cromwell, Préface.

Théorie générale de la poésie et du destin de la poésie. *La poétique de Hegel. La poétique de Mallarmé, de Valéry, du surréalisme.*

Mod. Théorie de la création littéraire. *La* Poétique *d'Aristote. Poétique de la prose*, ouvrage de T. Todorov. *Questions de poétique*, ouvrage de R. Jakobson. *Rhétorique* et poétique. Poétique structurale.*

(...) le mot «Poétique» n'éveille guère plus que l'idée de prescriptions gênantes et surannées. J'ai donc cru pouvoir le reprendre dans un sens qui regarde à l'étymologie, sans oser cependant le prononcer *Poïétique* (...) Mais c'est enfin la notion toute simple de *faire* que je voulais exprimer. Le faire, le *poïein*, dont je veux m'occuper, est celui qui s'achève en quelque œuvre et que je viendrai à restreindre bientôt à ce genre d'œuvres qu'on est convenu d'appeler *œuvres de l'esprit*. VALÉRY, Variété, *in* Œ., Pl., t. I, p. 1342. 3

Sous les noms de *poétique* et de *rhétorique*, la théorie des «genres» et, plus généralement encore, la théorie du discours remontent (...) à la plus haute antiquité, et, d'Aristote à La Harpe, se sont maintenues dans la pensée littéraire de l'Occident jusqu'à l'avènement du romantisme (...) 3.1
(Aujourd'hui, la critique doit) bien admettre la nécessité (...) d'une discipline assumant *(les)* formes d'étude non liées à la singularité de telle ou telle œuvre, et qui ne peut être qu'une théorie générale des formes littéraires — disons une *poétique*.
G. GENETTE, Figures III, Critique et Poétique, p. 10.

♦ **2.** (1767). Vieilli. *La poétique des beaux-arts* : l'esthétique*, la théorie des arts.

Mais étudiez Vernet. Apprenez de lui à dessiner, à peindre, à rendre vos figures intéressantes; et puisque vous vous êtes voué à la peinture des ruines, sachez que ce genre a sa poétique. DIDEROT, Salon de 1767, Hubert Robert. 4

(Chateaubriand). *La poétique du christianisme* (seconde et troisième parties du *Génie du christianisme*), définie comme «les rapports de cette religion avec la poésie, la littérature et les arts».

POÉTIQUEMENT [pɔetikmɑ̃] adv. — V. 1450; de 1. *poétique*.

♦ **1.** D'une manière poétique (→ 1. Mère, cit. 9; personnifier, cit. 3).

L'impossibilité de réduire à la prose son ouvrage *(du poète)*, celle de le *dire*, ou de le *comprendre en tant que prose* sont des conditions impérieuses d'existence, hors desquelles cet ouvrage n'a *poétiquement* aucun sens. 1
VALÉRY, Variété, in Œ., Pl., t. I, p. 1294.

♦ **2.** Au point de vue de la poésie. *«Si les divinités du paganisme ont poétiquement la supériorité sur les divinités chrétiennes»* (titre d'un chap. du *Génie du christianisme*, II, 4, 4).

Le chant monte et la petite place, au soir, 2
Agite poétiquement sur le pur reposoir
Les arbres municipaux frais comme des arrosoirs.
Francis JAMMES, la Naissance du poète, «Les processions des campagnes».

♦ **3.** Didact. En poésie. *Ce mot ne s'emploierait que poétiquement.*

POÉTISABLE [pɔetizabl] adj. — 1890, Maupassant; de poétiser.

♦ Rare. Qui peut être poétisé, rendu poétique.

POÉTISATION [pɔetizɑsjɔ̃] n. f. — 1852; de *poétiser*.

♦ Littér. Action de poétiser (qqch.); résultat de cette action. *La poétisation de la plus humble réalité dans l'œuvre de certains peintres.*

POÉTISER [pɔetize] v. — 1372; de *poète*.

♦ **1.** V. intr. Vx. Pratiquer la poésie* (I., 1.), être poète* (cit., Sainte-Beuve; et → Occitanien, cit. 2). ⇒ **Rimer, versifier.**

Adieu, mon cher Pavie, travaillez, pensez, poétisez, quand la verve vous presse. Soyez toujours bon, pieux, enthousiaste des belles choses et indulgent pour votre ami. SAINTE-BEUVE, Correspondance, 143, 17 sept. 1830. 1

(XIXe). Vx, littér. Se laisser aller à des rêveries poétiques. ⇒ **Rêvasser.**

♦ **2.** V. tr. (1803, Domergue; 1611, «mettre en vers»). Rendre poétique* (1. Poétique 3.), embellir ou idéaliser en imprégnant de poésie* (II.). — Au p. p. *Une existence poétisée par l'amour.* ⇒ **Élever.** *Des souvenirs poétisés.*

Alors, cet homme poétise, élève, agrandit la foi qu'il professe; et, fausse ou vraie, il la colore de toute la magie de son talent, de toute la puissance de son nom. 2
BALZAC, le Feuilleton, XXIX, *in* Œ. diverses, t. I, p. 410.

Les femmes, se disait-il, doivent nous apparaître dans un rêve ou dans une auréole de luxe qui poétise leur vulgarité. MAUPASSANT, Pierre et Jean, III. 3

DÉR. **Poétisation.**
CONTR. et **COMP.** **Dépoétiser.**

1. POGNE [pɔɲ] n. f. — Déb. XIXe; var. régionale de *poigne**.

♦ Pop. ou fam. Main. *Serrer la pogne à un copain.*

1 Une bonne femme est en train de se laver les pognes. Elle a enlevé sa bagouze. Elle l'a posée sur le coin du lavabo. P. GUTH, le Naïf locataire, p. 66.

Loc. *Être à la pogne (de qqn),* lui être soumis, lui obéir. *Avoir à sa pogne :* disposer (de qqn), l'avoir à sa dévotion.

2 Comme dans les mauvais rêves, il se pressait pas. J'étais à sa pogne. Il devait choisir l'endroit où me refiler son tesson en poire. J'en distinguais les éclats aigus, scintillants, plus très loin (...) Albert SIMONIN, Touchez pas au grisbi, p. 49.

REM. Ce mot s'est employé régionalement au sens de « poignée » (argot. : *une pogne de grappin,* 1879 : une poignée de main).

3 Ce soir, au retour de la promenade, nous avons trouvé de la *clairette* de Die, on a soupé avec une *pogne* d'herbe de Sassenage.

STENDHAL, Mémoires d'un touriste, t. II, p. 146.

2. POGNE [pɔɲ] n. f. — 1938, Montagné; probablt même orig. que 1. *pogne* « poignée, poing ».

♦ Régional. Brioche en couronne.

POGNON [pɔɲɔ̃] n. m. — 1840, var. dial. *poignon;* du verbe *poigner* « empoigner » (comme *jeton* sur *jeter*), selon Wartburg.

♦ Fam. Argent. ⇒ **Fric** (pop.), **pèze** (argot), **picaillons** (pop.).

1 Il n'y a qu'une liberté (...) rien qu'une : C'est de voir clair d'abord, et puis ensuite d'avoir du pognon plein les poches, le reste c'est du mou ! (...)

CÉLINE, Voyage au bout de la nuit, p. 353.

2 Je me demande pourquoi qu'il y a des gens qui dépensent tant d'argent pour voyager, alors que c'est si facile de se faire trimballer à l'œil, dit Ribouldingue, faut être rien pochetée pour abouler son pognon à la compagnie.

L. FORTON, les Aventures des Pieds-Nickelés, *in* l'Épatant, 1908, p. 43.

REM. Un homonyme régional (n. f., « petite fille ») est attesté chez Balzac en 1822 *(Correspondance).*

POGO [pɔgo] n. m. — 1978; orig. inconnue, par l'anglais.

♦ Danse exotique agrémentée de sauts. « *Entre dans la danse (le pogo, de préférence) qui le veut* » (*le Monde,* 2 févr. 1978).

Aux concerts *(des Sex Pistols),* les teenagers inventent une nouvelle danse, le Pogo. Il s'agit de sauter le plus haut possible et d'essayer de faire trébucher son voisin. Les Punk ne manquent pas de souffle.

S. PIETRI et A. QUINLIN, Punk seventeen rock, p. 71.

POGROM ou **POGROME** [pɔgʀɔm; pogʀɔm] n. m. — 1907, cit.; mot russe *po* (entièrement) *-gromit'* (détruire).

♦ Émeute*, soulèvement violent, souvent meurtrier, organisé contre une communauté juive.

1 (...) des perquisitions... des rafles... des meurtres... les rues pleines de soldats, pleines de bandes de pillards. Des cosaques fouaillant les foules avec leur nagaïka (...) On annonçait parfois le « pogrome ».

O. MIRBEAU, la 628-E8, Anvers, Pogromes, 1907, p. 165.

2 Ils *(les débris des armées blanches)* attaquent les communistes et les Juifs. — Les Juifs (...) — Oui, par tradition d'abord. Il n'y a jamais eu de mouvements des Blancs sans accompagnement de pogroms. Puis par représailles. Ils en veulent aux Juifs (...) J. ROMAINS, les Hommes de bonne volonté, t. XX, XVI, p. 177.

DÉR. Pogromiste.

POGROMISTE [pɔgʀɔmist] n. m. — Mil. XXe; de *pogrom.*

♦ Instigateur de pogroms.

1 Un malaise vague, immotivé, c'est tout ce qu'il éprouvait de neuf; et même sa haine pour les pogromistes, les Russes réactionnaires et barbares, il s'en trouvait frustré, à présent qu'il était hors de péril.

Roger IKOR, les Fils d'Avrom, La greffe de printemps, p. 82.

Adj. Qui organise, fomente un pogrom.

2 Ah ! nos vaillants soldats du tsar ! Ah ! nos colosses pogromistes ! Je les ai vus partir, moi, vous savez (...)

Roger IKOR, les Fils d'Avrom, La greffe de printemps, p. 313.

REM. On trouve aussi la var. *pogromeur* (sur lequel, dans l'ex. suivant est formé l'adj. participial *pogromé* « qui a subi un pogrom »).

3 Oui, mais ma mère était juive (...) Par-dessus le marché, mes ancêtres tartares paternels étaient des pogromeurs, et mes ancêtres juifs maternels étaient des pogromés. J'ai un problème. R. GARY, Chien blanc, p. 163.

POICRE [pwakʀ] n. m. ⇒ **Pouacre.**

POICRÉ, ÉE [pwakʀe] adj. — 1881, Huysmans; de *pouacre.*

♦ Littér., vx. Sale, poisseux, en parlant des cheveux.

POIDS [pwɑ; pwa] la liaison du *s,* surtout au singulier, ne se fait plus dans la langue courante; on ne dit plus un *poids énorme* [pwazenɔʀm] (Littré). n. m. — V. 1150, *peis; pois,* v. 1175; du lat. *pensum* « ce qui est pesé ». → Pensum, p. p. substantivé de *pendere* « peser ». → aussi Pendre, 1. penser, pension, peser...; *poids* en 1564, par fausse étym. du lat. *pondus.* → Pondéral.

★ **I.** *(Le poids, le poids de...).* Force due à l'application de la pesanteur sur les corps matériels; mesure de cette force pour un corps matériel donné.

♦ **1.** Sc. Force exercée par un corps matériel, proportionnelle à sa masse et à l'intensité de la pesanteur au point où se trouve le corps. ⇒ **Masse** (cit. 33 et 34); **pesanteur.** — REM. Dans la langue cour., *poids* est syn. de *masse;* cet emploi est abusif en science. — *Représentation vectorielle du poids : point d'application* (au centre de gravité du corps); *direction,* obtenue par la composition des attractions newtoniennes et de la force centrifuge due à la rotation de la terre; *intensité :* produit de la masse par l'accélération de la pesanteur. *Le poids d'un même objet diminue légèrement du pôle à l'équateur. — Déterminer le poids d'un corps* (en un point) *au moyen d'un instrument de mesure.* ⇒ **Balance, bascule, peson...; pesage, pesée, peser; barymétrie; baragnosie, baresthésie.** *Corps qui a tel poids, un poids de...* (⇒ **Peser; pondérable** et **impondérable**), *un poids faible* (⇒ **Léger**), *important* (⇒ **Lourd, pesant**). — *Poids des liquides, des fluides, des gaz. Poids de l'air, de l'atmosphère.* ⇒ **Pression;** et aussi **baromètre** (cit. 2.; → Équilibre, cit. 1, Pascal). *Perte de poids d'un corps plongé dans un fluide* (mesurée au baroscope, au pycnomètre). *Le poids d'alcool pur entrant dans un mélange sert à déterminer son degré de concentration.* ⇒ **Titre; degré.** ⇒ aussi **Équilibre, mouvement; mécanique.** — (Fin XVIIIe). *Unités de poids :* gramme (et comp. déci-, centi-, milligramme; déca-, hecto-, kilo-, myriagramme), dyne (système C. G. S.); sthène, tonne (système M. T. S.); newton (système M. K. S. A.). — REM. On distingue en science l'*unité de poids (gramme-poids),* et celle *de masse (gramme-masse). Les unités de poids sont des unités pratiques de force.*

Chaque point matériel dans le même lieu de la terre tend à se mouvoir avec la même vitesse par l'action de la pesanteur; la somme de ces tendances est ce qui constitue le poids d'un corps; ainsi les poids sont proportionnels aux masses (...) 1

LAPLACE, Exposition du système du monde, III, 3, *in* LITTRÉ.

(1845). Sc. *Poids spécifique, poids volumique* :* poids de l'unité de volume d'un corps homogène. ⇒ **Densité.** — *Poids atomique;* (1888) *poids moléculaire.* — REM. Il faut distinguer le *poids atomique* ou masse atomique d'une substance (le plus petit poids de substance qui se trouve dans son poids moléculaire et dans celui de ses composés), du *poids atomique physique,* souvent abrégé en poids atomique (masse relative d'un atome, l'unité étant le 1/12e de celle du carbone 12). — *Poids formulaire :* poids (d'un composé) égal à la somme des poids atomiques, sans se préoccuper de l'état moléculaire.

♦ **2.** Cour. Le poids (d'une chose, d'un objet) considéré quant à ses effets : la pression, la poussée ou la traction exercée (proportionnelle à sa masse et souvent confondue avec elle). ⇒ **Lourdeur, pesanteur.** *Accroître* (⇒ **Aggraver; alourdir, appesantir**), *diminuer* (⇒ **Alléger**) *le poids de qqch., d'une charge,* sa masse (en retranchant, en ajoutant de la matière). *Poids d'une charge*, d'un fardeau** (→ Havresac, cit. 1). *Sentir le poids d'un objet dans sa main.* ⇒ **Soupeser** (→ 2. Caler, cit. 5). « *Essoufflés* (cit. 2) *par le poids de nos rames que nous portions sur nos épaules* ». ⇒ **Porter, soutenir.** *Le poids des fruits* (cit. 10) *courbe les branches. Le poids de la tête creuse le traversin* (→ Endroit, cit. 8). *Construction, sol... qui soutient, peut porter le poids de plusieurs hommes* (→ Enfoncer, cit. 18). *Chose qui tombe, entraînée par son propre poids. Colonne supportant le poids d'une muraille.* ⇒ **Poussée** (→ 1. Palais, cit. 4). *Locomotive qui heurte un obstacle du poids énorme de ses wagons...* (→ Choc, cit. 3).

Elle marchait penchée en avant, la tête baissée, comme une vieille; le poids du seau tendait et roidissait ses bras maigres (...) HUGO, les Misérables, II, III, V. 2

Le poids de son énorme chevelure presque bleue tire en arrière sa tête délicate (...) 3

BAUDELAIRE, le Spleen de Paris, XXV.

(...) l'effort qu'il fit pour enfiler son pardessus lui rappela son coup de reins de troupier, pour relever le poids du sac avant de reprendre la marche (...) 4

MARTIN DU GARD, les Thibault, t. III, p. 126.

Loc. (1679). *Peser de tout son poids sur... Tomber, s'agenouiller* (cit. 6) *de tout son poids,* en pesant le plus possible ou sans se retenir.

(1792). SOUS LE (UN) POIDS. *Être courbé*, fléchir*, plier*, ployer sous le poids d'une charge, d'un sac...* (→ 2. Caler, cit. 2; cou, cit. 8; mouton, cit. 2). *Cendre, sable, sol qui s'éboule* (cit. 3) *sous le poids de l'homme.* Par ext. :

La phalange s'ébranla lourdement en poussant toutes ses sarisses; sous ce poids énorme la ligne des Mercenaires, trop mince, bientôt plia par le milieu. 5

FLAUBERT, Salammbô, VIII.

Par ext. Sensation de poids. *Alléger le poids d'un sac par un coup d'épaule* (→ Fantassin, cit. 1).

(1761). Fig. *Avoir un poids sur l'estomac.* ⇒ **Oppression, pesanteur.**

Les yeux me brûlent à force d'avoir pleuré; et j'ai un poids sur l'estomac qui m'empêche de respirer. LACLOS, les Liaisons dangereuses, LXI. 6

♦ **3.** Mesure du poids (ou plus exactement, de la masse). ⇒ **Peser.** Comm. *Denrée qui se vend au poids ou à la pièce.* — (1680). *Faire bon poids :* fournir une quantité de marchandise légèrement supérieure à ce qu'aurait déterminé une pesée exacte (pour un prix donné). *Et deux kilos, bon poids ! — Frauder, voler sur le poids des denrées* (→ Exploiter, cit. 10). — (Fin XVIIe). *Faire le poids :*

ajouter ce qu'il faut pour équilibrer la balance ou atteindre le poids demandé. — *Vendre au poids de l'or,* très cher (pour une valeur égale au même poids d'or). ⇒ **Cher** (→ Barbon, cit. 2).

7 (...) il a vingt mille francs de rentes, ses toiles sont payées au poids de l'or (...)
BALZAC, les Comédiens sans le savoir, Pl., t. VII, p. 11.

8 (...) un petit boutiquier de Bordeaux qui avait volé sur le poids des bonbons pendant toute sa vie pour envoyer son unique rejeton au lycée (...)
ARAGON, les Beaux Quartiers, I, VI.

Loc. (1723 : *poids brut, net*). *Poids brut, poids total,* emballage et déchets compris (⇒ **Ort,** adv.) se dit par oppos. à *poids net :* poids de la marchandise seule. *Réductions sur poids compensant les pertes de poids* (⇒ **Discale, tare...**). — (1869). *Poids vif :* poids brut du bétail sur pied (par oppos. à *poids net*).
Poids utile, que peut transporter un véhicule (charge utile).

(1875). *Poids mort :* poids d'une machine, d'un appareil, etc., qui se traduit par une diminution du rendement.
Le poids de qqn, de son corps (→ Mon, cit. 5). *Surveiller son poids.* ⇒ **Ligne.** *Poids d'un jockey, d'un boxeur* (→ ci-dessous). — Absolt. *Prendre, perdre du poids :* grossir, maigrir.

9 Il est important, pour un pays comme pour un individu, de connaître son propre poids. S'il y avait des bascules politiques automatiques pour les États, on pourrait y inscrire : « Qui bien se pèse bien se comporte ». Dans le monde, au bout d'un certain temps, chacun s'établit à son niveau.
André SIEGFRIED, La Fontaine..., p. 77.

Catégorie d'athlètes (haltérophiles...), et, spécialt, de boxeurs professionnels d'un poids déterminé. *Poids mouche* (moins de 50 kg 802) et, au-dessus de ce poids : (1927) *poids coq* ou (1908) *poids bantam* (jusqu'à 53 kg 524), *poids plume* (jusqu'à 57 kg 152), *poids légers* (jusqu'à 61 kg 235), *mi-moyens* (jusqu'à 66 kg 678), *poids moyens* (jusqu'à 72 kg 574), *mi-lourds* (jusqu'à 79 kg 378), *lourds* (au-dessus). — REM. Les catégories de boxeurs amateurs sont déterminées par des limites légèrement différentes. — Par métonymie. *Un poids plume :* un boxeur de cette catégorie. — Fig. *Un poids lourd ; un poids plume :* un homme gros et grand ; mince et léger.

10 Tête rentrée, il travaillait avec régularité (...) il portait ces coups durs, appuyés, très lents, des poids lourds (...) Paul MORAND, Champions du monde, p. 109.

Absolt. *Faire, dépasser le poids,* le poids imposé pour concourir dans sa catégorie. Loc. fig. *Il ne fait pas le poids :* il n'est pas de taille, il n'a pas les capacités requises (dans un rôle, contre un adversaire).

11 (...) j'apprends, par une phrase de son voisin, que le poids plume est garçon épicier. Trois heures moins dix. Paupau n'est pas là. Perrier ne fait pas le poids (...) Il manque une éponge pour le coin d'en face.
MONTHERLANT, les Olympiques, p. 197.

11.1 André Breton, surtout, fait ses délices. Il *(le Révérend Père Duployé)* ne nous cache pas « qu'il donnerait un quarteron de *Thérèse Desqueyroux* et du *Mystère Frontenac* pour une page d'*Arcane 17* ». Voyez si je fais peu le poids !
F. MAURIAC, le Nouveau Bloc-notes 1958-1960, p. 212.

★ **II.** *(Un poids, des poids).* ♦ **1.** Corps* matériel pesant (⇒ **Bloc, masse, morceau**). *Porter, supporter un poids.* ⇒ **Charge, chargement, faix, fardeau, surcharge.** *Soulever, soutenir d'énormes poids* (→ Orgueil, cit. 27). *Poids très lourd* (→ Endêver, cit. 2). *Un poids de tant de kilos...* (→ aussi Force, cit. 59). *Force nécessaire pour soulever un poids déterminé* (cit. 21). *Mettre un poids sur un véhicule.* ⇒ **Charger.** *Décharger* d'un poids.* ⇒ **Délester.** — *Équilibre de deux poids* (→ Levier, cit. 3). *Poids qui en contrebalance* un autre.* ⇒ **Contrepoids** (→ Contrepeser, cit. 1). → aussi ci-dessous, II., 3., par ext. — *Des poids ou des flotteurs* (cit. 2, par métaphore).

(1875). Turf. Poids (en kilos ou fractions de kilos) dont on leste un cheval déterminé pour une course déterminée. *Cheval qui rend* du poids à ses adversaires.* ⇒ **Décharge, surcharge.**

11.2 (...) tous les chevaux qui se présentent au départ peuvent lutter à armes égales. Pour y parvenir, dans les courses au galop et au trot monté, on use du système des poids (...) Les écarts de poids pour âge sont calculés d'après un tableau établi par la Société d'Encouragement. Quant aux appréciations des handicapeurs, elles reposent sur cette règle empirique que sur une distance moyenne de 2 000 m une surcharge de 1 kg fait perdre une longueur à l'arrivée. Mais il y a encore d'autres règles. C'est ainsi que les hongres, juments et pouliches portent 1,500 kg de moins que les chevaux ou poulains entiers. P. ARNOULT, les Courses de chevaux, p. 94.

♦ **2.** Ce qui n'agit que par son poids. *Un poids inerte* (cit. 1).

(1875, P. Larousse). **POIDS MORT** (→ ci-desssus, I., 3. : le poids mort d'une machine). *Se laisser traîner comme un poids mort.*

(1911, Gide). Fig. *Poids mort :* personne ou chose qui n'est qu'un fardeau, un frein, dans un fonctionnement. *Cette administration est un poids mort.*

11.3 Vissarion est un poids mort dans notre association !
H. TROYAT, les Héritiers de l'avenir, III, p. 120.

♦ **3.** (XIIe, *peis*). Masse servant de terme de comparaison (⇒ **Étalon, mesure ; métrologie**). *Poids dans l'Antiquité et au moyen âge...* (⇒ **As, drachme, grain,** 2. **livre, marc,** 4. **mine,** 1. **once, scrupule, sicle, statère, talent...**). *Poids du système métrique.* ⇒ **Gramme** (et comp.), **tonne.** — Poids légal. Loc. *Être de poids,* conforme au poids légal (⇒ aussi **Ajuster**). — *Poids et titre d'une pièce.* ⇒ **Monnaie** (cit. 3) ; 2. **fin** (II., 1.), **titre** (→ Fongible, cit.). *Monnaie de poids.* ⇒ **Trébuchant.** — *Poids d'un diamant.* ⇒ **Carat.**

(1370). Objet matériel de masse déterminée servant à la mesure des poids. *Poids en fonte* (en tronc de pyramide) ; *poids en laiton* (cylindres surmontés d'un bouton) ; *poids en platine* (lames minces). *Étalonner*, vérifier un poids. Jeter* (cit. 21) *des poids dans une balance. Peser avec de faux poids* (→ Langage, cit. 19, par métaphore). — Anciennt. *Poids de marc, royal, de troy...* (divers étalons de poids).

(1765). **POIDS ET MESURES** (cit. 18). Administration chargée du contrôle et de la vérification des poids, des étalons et des instruments de mesure utilisés dans le commerce ; bureau de cette administration. *Régler les poids et mesures. Vérificateur des poids et mesures.* Loc. fig. *Faire tout avec poids et mesure** (*supra* cit. 19). *Avoir deux poids et deux mesures* (→ Approuver, cit. 13). *Changer de mesure* (cit. 19) *et de poids.*

♦ **4.** (XIVe-XVe, *peis* « balance »). Vx. (1690). *Le poids du roi :* le bureau de contrôle des poids et mesures. — (1706). *Poids public :* bascule communale établie près d'un marché, d'une foire.

♦ **5.** [a] Masse de métal d'un poids déterminé. *Athlète qui soulève des poids* (→ Exhibition, cit. 3), *fait des poids.*

Enfin les jeux commencèrent, et les hommes de la vallée et les hommes de la montagne montrèrent, en soulevant d'énormes poids, en luttant les uns contre les autres, une agilité et une force de corps très remarquables. 12
Mme DE STAËL, De l'Allemagne, I, XX.

(...) au café, tout se ranima ; alors on entama des chansons (...) on portait des poids (...) on essayait à soulever les charrettes sur ses épaules (...) 13
FLAUBERT, Mme Bovary, I, IV.

[b] (1901, *in* Petiot). **POIDS ET HALTÈRES :** sport qui consiste à soulever l'haltère ou la barre à disque. ⇒ **Arraché, épaulé, jeté.**

[c] (1893, *l'Écho des Sports, in* G. Petiot). Sphère de métal que l'athlète doit lancer d'une seule main, après un court élan, de l'intérieur d'un cercle. *Lancer, lancement du poids.* ⇒ 2. **Lancer.** *Le lancer du poids. Il est meilleur au marteau qu'au poids.*

♦ **6.** Masse de métal ou d'une autre matière, faisant fonctionner par son poids un mécanisme. *Les poids d'un tournebroche*. Poids d'une horloge*, d'une pendule* (→ Mouvant, cit. 4). ⇒ **Horlogerie.**

♦ **7.** (1897 ; répandu XXe). **POIDS LOURD :** véhicule automobile de fort tonnage, destiné au transport des marchandises (⇒ **Camion**) ou des personnes (autobus, autocar). *Permis de conduire poids lourds.* — REM. Dans le langage courant, il ne se dit que des camions. *Conducteur de poids lourds* (routier, camionneur). ⇒ **Cul** (gros cul, fam.).

★ **III.** *(Le poids ; un poids).* Par métaphore ou figuré.

♦ **1.** (1580). Ce qui est considéré comme une charge, comme un fardeau plus ou moins pénible. ⇒ 2. **Boulet, charge, faix** (fig.), **fardeau, pesanteur ; accablement** (cit. 2), **embarras, souci...** *Accabler, assommer sous le poids de... Plier, succomber sous le poids de ses fautes* (→ Loyer, cit. 9). *Le poids des péchés* (→ Accumuler, cit. 8), *du remords*. Cela m'ôte un poids de la conscience. Faire sentir son poids.* ⇒ **Peser ; pesée.** *Le poids des chagrins et des ennuis* (→ Brumeux, cit. 1). *Le poids des années* (cit. 12), *de l'âge. Le poids de la vie* (→ Épaule, cit. 22), *du passé* (→ Forger, cit. 3). *Le poids de la misère* (→ Glacer, cit. 13), *du malheur, du mal* (→ Bon, cit. 42)... *Le poids de la fatalité* (→ Mystique, cit. 6). — *Le poids du travail, des affaires.* ⇒ **Fatigue.** — Spécialt. *Le poids d'une charge financière, de l'impôt* (→ Maltôtier, cit.). — Par ext. *Un poids* (→ Nom, cit. 7). *Gémir sous le poids des titres* (→ Dénombrement, cit. 2). *Être allégé* (cit. 2) *d'un poids.*

Muette, et succombant sous le poids des alarmes. RACINE, Athalie, V, 1. 14

(...) les célèbres doctrines de Barrès, d'un si excellent effet pratique aujourd'hui, et pour lui-même et pour la France, pèseront d'un poids mort bien fatigant sur son œuvre, bientôt. GIDE, Nouveaux prétextes, p. 124. 15

♦ **2.** (1370). Force, influence qu'une chose exerce ou peut exercer (par comparaison avec une poussée, une pression). ⇒ **Importance** (cit. 17), **influence ; peser.** *Poids d'un argument*, d'une raison, ...* (→ Indifférence, cit. 13). *Peser d'un grand poids* (→ Christianisme, cit. 9). *Donner du poids* (→ Image, cit. 42), *plus de poids à...* (→ Exemple, cit. 31). *Motifs sans poids, qui ne valent* rien.* ⇒ **Considération, valeur** (→ Humeur, cit. 16). *Donner du poids à une démarche* (→ Introduction, cit. 2), *à une grève.* — *Jeter dans la balance le poids de son autorité, de son prestige.* — *Homme de poids.* ⇒ **Autorité.**

Ce poète fugitif *(André de Murville)* est si fertile que nous ne pouvons qu'indiquer ses talents et son nom (...) Le Recueil de ses œuvres sera un jour d'un grand poids dans la littérature légère. RIVAROL, Littérature, III, André de Murville. 16

— Ah ! à la bonne heure, voilà des hommes d'un vrai mérite, reprit Louis ; à cela il n'y a rien à dire, on ne peut que gagner. Ce sont des réputations faites, des hommes de poids. A. DE VIGNY, Cinq-Mars, XIX. 17

♦ **3.** Math. Coefficient pondérateur*. *Affecter un poids à une variable.* ⇒ **Pondération.**

CONTR. Futilité, légèreté.
COMP. Surpoids.
HOM. Pois, poix.

POIGNANT, ANTE [pwaɲɑ̃, ɑ̃t] encore [pɔɲɑ̃, ɑ̃t] au XIXe, *in* Littré, adj. — V. 1138 ; « piquant », 1119 ; « au galop », proprt « en piquant (le cheval) », 1080 ; anc. p. prés. de *poindre* « piquer ».

♦ **1.** Vx. Qui point, pique (cf. Buffon, *in* Littré). *Des armes poignantes.* — (1588). Fig. Vieux :

1 À cet instant du solstice, la lumière du plein midi est, pour ainsi dire, poignante.
HUGO, les Misérables, V, I, XVI.

♦ **2.** (Fin XIIIe). Mod. Qui cause une impression très vive, très aiguë (souvent pénible*). ⇒ **Navrant.** *Douleur* poignante* (→ Cessation, cit. 2; injuste, cit. 4). *Poignante émotion* (→ Offrir, cit. 20). — REM. L'antéposition est littéraire. — *Amour passionné* (cit. 11) *et poignant. La tentation la plus poignante* (→ Frôler, cit. 9). *Visage empreint d'une haine poignante* (→ Hideux, cit. 6).

2 Elle était douce comme les bêtes gracieuses et agiles aux yeux profonds, et troublait comme, au matin, le souvenir poignant et vague de nos rêves.
PROUST, les Plaisirs et les Jours, p. 62.

3 (...) comme le captif qui, comptant les derniers jours et sachant que bientôt ses chaînes vont tomber, regarde soudain avec une émotion poignante les murs de sa cellule (...)
G. DUHAMEL, Salavin, V, II.

Une scène poignante, très émouvante, à la fois prenante et dramatique*. ⇒ **Bouleversant, pathétique.** *Lecture poignante et exaltante* (cit. 1). *Poignants contrastes* (cit. 8). *Les réalités poignantes de la vie* (→ Fil, cit. 36). ⇒ **Tragique.** *Des adieux poignants, déchirants.* — *C'est poignant :* cela perce, serre le cœur.

4 Il y a quelque chose de plus poignant à voir brûler qu'un palais, c'est une chaumière. Une chaumière en feu est lamentable. La dévastation s'abattant sur la misère, le vautour s'acharnant sur le ver de terre, il y a là on ne sait quel contresens qui serre le cœur.
HUGO, Quatre-vingt-treize, I, IV, VII.

POIGNARD [pwaɲaʀ]; vx [pɔɲaʀ] encore au XIXe, *in* Littré, n. m. — 1538; *pouagnart,* 1512; réfection de l'anc. franç. *poignal* (v. 1160), *poingnal* (1410); empr. lat. *pugnalis,* dér. de *pugnus* «poing».

♦ **1.** Arme blanche à lame courte et assez large (à la différence de la dague*, du stylet*), pointue du bout. ⇒ **Couteau, criss, kandjar; surin** (argot). *Le poignard, arme de poing, d'estoc... Lame*, manche d'un poignard* (→ aussi Étui, cit. 3). — (1869). *Couteau-poignard.* — *Poignard baïonnette :* poignard pouvant servir de baïonnette (comme le sabre-baïonnette ou coupe*-chou...). *Un éperon* (cit. 2) *aigu comme un poignard.* — *Un poignard à la main* (→ Animer, cit. 9). *Poignard passé à la ceinture* (cit. 1). *Ceintures hérissées de poignards* (→ Majesté, cit. 18). *Poignard d'une panoplie* (cit. 3). — *Poignard dans sa gaine* (⇒ **Dégainer, engainer**); *poignard nu* (1. Nu, cit. 11). *Tirer son poignard* (→ Fulminer, cit. 7). — *Coup* (cit. 3) *de poignard* (→ Perdre, cit. 76). *Frapper, blesser, tuer avec un poignard* (→ Jeter, cit. 13). — Littér. *Plonger, planter un poignard dans le cœur, le sein.* ⇒ **Fer** (poét.). *Poignard qui perce le cœur, le sein* (poét.; → Écouter, cit. 29). *Se percer le sein d'un poignard* (→ 2. En, cit. 4). — *Quand la nation se trouve sous le poignard des traîtres* (→ 1. Canon, cit. 2).

1 Veut-on voir au contraire combien une pensée fausse est froide et puérile? Je ne saurais rapporter un exemple qui le fasse mieux sentir que deux vers du poète Théophile *(de Viau),* dans sa tragédie intitulée *Pyrame et Thisbé,* lorsque cette malheureuse amante ayant ramassé le poignard encore tout sanglant dont Pyrame s'était tué, elle querelle ainsi ce poignard :
Ah! voici le poignard qui du sang de son maître
S'est souillé lâchement. Il en rougit, le traître!
BOILEAU, l'Art poétique, Préface de 1701.

2 Et, sans respect pour une robe neuve dont la pauvre femme venait de se parer, il écarta violemment le voile qui couvrait sa poitrine et lui posa son poignard sur le cœur.
A. DE MUSSET, Nouvelles, «le Fils du Titien», III.

3 Les trois vieilles mettent dans sa ceinture plusieurs poignards dont les manches d'argent sont incrustés de corail, et les lames damasquinées d'or (...)
LOTI, Aziyadé, I, X.

Loc. (1690). *Mettre le poignard* (le couteau) *sous* (sur) *la gorge* de qqn.* — *Enfoncer, retourner le poignard* (le couteau) *dans la blessure*, dans la plaie** (cit. 7). — *Enfoncer, plonger un poignard dans le cœur :* causer une douleur, une peine très vive. — (1671). *Coup de poignard :* tout ce qui provoque une peine brutale. (1839) *Coup de poignard dans le cœur* (→ Moqueur, cit. 4), *dans le dos.* ⇒ **Poignarder.** — *Coup de poignard* (méd.) : douleur soudaine et forte (notamment dans le lumbago).

4 (...) il me tient, le scélérat, le poignard sur la gorge.
MOLIÈRE, l'Avare, II, 1.

5 Ces sortes de plaisanteries, quand surtout elles portaient sur les maladies de ses enfants, retournaient le poignard dans le cœur de madame de Rênal.
STENDHAL, le Rouge et le Noir, I, VII.

6 «Je suis peut-être un égoïste. Mais lui? Est-ce assez de dire lâche, de dire vil, de dire (...)» Il cherchait des invectives. Autant de poignards dont il était lui-même transpercé.
G. DUHAMEL, Salavin, III, XXIX.

♦ **2.** (1847). Techn. Pièce (à l'origine pièce triangulaire, en pointe), mise à un vêtement pour l'agrandir, l'élargir.

7 (...) monsieur Pons est millionnaire ou fou! — Ça m'en a l'air, répliqua Cibot en laissant tomber une manche d'habit où il faisait ce que, dans l'argot des tailleurs, on appelle *un poignard.*
BALZAC, le Cousin Pons, Pl., t. VI, p. 565.

♦ **3.** (1732; anal. de forme). Brochet de petite taille.

DÉR. Poignardant, poignarder, poignardeur.

POIGNARDANT, ANTE [pwaɲaʀdɑ̃, ɑ̃t] adj. — 1856; de *poignarder.*

♦ Rare. Qui poignarde (fig.), torture, tourmente à l'extrême.

(...) le joli causeur à la malice amusante que ce Banville (...) et l'art unique qu'il a, avec son ironie flûtée et poignardante, d'exposer les dessous infâmes ou ironiques des choses des coulisses (...)
Ed. et J. DE GONCOURT, Journal, t. I, 1856, p. 117.

POIGNARDER [pwaɲaʀde] v. tr. — 1556; de *poignard.*

♦ **1.** Frapper, blesser ou tuer (⇒ **Assassiner, égorger...**) avec un poignard, avec un couteau. *Poignarder qqn. Le tueur a poignardé sa victime.* ⇒ **Suriner** (argot, vx). — Au p. p. *César, Henri IV, sont morts poignardés.* — Par anal. *Colombe poignardée* (→ Gorge, cit. 5).

Quand je lis les cruautés d'un tyran féroce, les subtiles noirceurs d'un fourbe de prêtre, je partirais volontiers pour aller poignarder ces misérables, dussé-je cent fois y périr. 1
ROUSSEAU, les Confessions, I.

(Mahomet II) ayant senti qu'il était devenu amoureux fou d'une de ses femmes, la poignarda afin, dit naïvement son biographe vénitien, de retrouver sa liberté d'esprit. 2
PROUST, À la recherche du temps perdu, t. II, p. 184.

Pron. *Se poignarder* (fin XVIe) : se suicider au moyen d'un poignard.

♦ **2.** (1673). Fig. Causer une peine, une douleur très vive (→ Insensé, cit. 3). *Pendant que la misère nous poignarde* (→ Opposer, cit. 4). *La jalousie le poignardait* (Saint-Simon, *in* Littré). *Poignarder qqn dans le dos,* l'abattre, le frapper (fig.), lui nuire traîtreusement.

♦ **3.** (1856). Techn. Mettre un poignard (2.) à (un vêtement).

DÉR. Poignardant, poignardeur.

POIGNARDEUR, EUSE [pwaɲaʀdœʀ, øz] n. — 1672; de *poignarder.*

♦ Rare. Personne qui poignarde, a poignardé (qqn).

POIGNE [pwaɲ]; pop. ou vx [pɔɲ] → Pogne, n. f. — 1774, «vivre par sa poigne», «se nourrir par ses propres efforts», var. *puingne* (1373) «manche», *pougne...* aux XIVe-XVe; forme fém. de *poing*.*

♦ **1.** (1807). La force du poing, de la main, pour empoigner, tenir, serrer, prendre... (et non pour frapper). *Avoir de la poigne, une poigne de fer. Montrer sa poigne* (→ Ouragan, cit. 2).

— Comment! répondit Violette, vous n'avez pas reconnu ce gros Michu? c'est lui qui s'est jeté sur moi! j'ai bien senti sa *pogne.* 1
BALZAC, Une ténébreuse affaire, Pl., t. VII, p. 569.

Ce n'est pas que la chirurgie lui fît peur; il vous saignait les gens largement comme des chevaux, et il avait pour l'extraction des dents une *poigne d'enfer.* 2
FLAUBERT, Mme Bovary, I, IX.

(...) mais ses mains défaillaient, elle se sentait trop douce, il fallait la poigne d'un homme. 3
ZOLA, la Bête humaine, IX.

(1884). La main*, le poing (→ Gaillard, cit. 16). *Maintenir d'une poigne tranquille* (→ Chien, cit. 4). *Un énorme gourdin* (cit. 1) *qu'il faisait tourner dans sa poigne solide de campagnard.*

(...) il lui prit la main, une petite main frêle d'enfant, la serra dans sa poigne de fer, d'une pression continue d'étau, jusqu'à la broyer. C'était sa volonté qu'il lui entrait ainsi dans la chair, avec la douleur. 4
ZOLA, la Bête humaine, I.

Au même instant, à gauche, à droite, d'autres fantômes surgirent de l'obscurité. Salavin sentit, sur ses bras, se refermer des poignes redoutables. On l'entraînait. 5
G. DUHAMEL, Salavin, V, XVII.

♦ **2.** (1867). Énergie, fermeté (pour punir, réprimer, se faire obéir... → Licence, cit. 11). *Avoir de la poigne* (→ Moyenne, cit. 4). ⇒ **Main** (une main de fer). *La poigne d'un chef, d'un maître...* — **À POIGNE :** très autoritaire. ⇒ **Musclé.** *Un homme, un gouvernement à poigne* (→ 2. Coudre, cit. 5; 1. mater, cit. 3).

La rigueur de cette répression n'a jamais été égalée (...) loin de nuire à la République, cette sévérité la consolida. Elle apparut comme un régime à poigne, un régime d'autorité (...) 6
J. BAINVILLE, Hist. de France, XXI, p. 516.

POIGNÉE [pwaɲe] anciennt [pɔɲe] n. f. — V. 1180; *puinnie,* v. 1170; *poigniee,* v. 1175; de *puing* «poing».

♦ **1.** Quantité (d'une chose) que peut contenir une main fermée, un poing; contenu de la main fermée, et, par ext., faible contenu. *Une poignée de clous* (cit. 2), *de blé* (→ Couffin, cit. 1), *de grains* (→ Enlever, cit. 34). *Jeter une poignée de sel dans le fricot* (cit. 2). *Une poignée de persil* (→ Hacher, cit. 3). *Poignée d'épis* (glane), *de plâtre gâché* (pigeon)... *Jeter* (cit. 12) *des poignées de dragées. Poignées de pièces de monnaie* (→ Exhibition, cit. 1; messager, cit. 1). *Arracher une poignée de cheveux à quelqu'un.*

Les serments, les larmes, les désespoirs, tout cela coule comme une poignée de sable dans la main. 1
FLAUBERT, Correspondance, 278, 9 févr. 1851.

(...) il y a deux choses qui embarrassent le petit garçon : combien faut-il de riz à peu près, chaque jour, ou deux fois par jour, pour écarter, pour tenir en respect la faim véritable? Une poignée? Mais qu'est-ce qu'une poignée? Pour empêcher un petit garçon de trop souffrir de la faim, est-ce une poignée de petit garçon qu'il faut, ou une poignée de grande personne? Et puis combien y a-t-il de poignées dans une livre? 2
J. ROMAINS, les Hommes de bonne volonté, t. VI, IX, p. 74.

(V. 1190, *a puignies*). *À poignées, par poignées :* à pleines mains*, et, fig., en abondance. *Jeter l'or à poignées.* — (Fin XIIIe). Fig. Avec prodigalité.

(...) il jette l'or à poignées comme un semeur le grain. 3
Th. GAUTIER, le Capitaine Fracasse, XVI.

4 Madame, vous pouvez recueillir le grain des calomnies semées par monsieur Paul Vence et me le jeter à poignées. FRANCE, le Lys rouge, XVII.

♦ **2.** (V. 1180). Petit nombre* (de personnes). *Une poignée de drôles* (→ Dominer, cit. 10), *de factieux* (→ Énergumène, cit. 4). ⇒ **Quarteron.** *Une poignée d'hommes raisonnables* (→ Endiguer, cit. 2), *d'intellectuels* (cit. 10). *Une poignée de gens* (→ Nature, cit. 42). — Absolt. *Une poignée* (→ Élite, cit. 3). *Nous n'étions qu'une poignée* (Contr. : *foule*).

5 Le maréchal, qui n'avait qu'une poignée d'hommes, conçut un plan pour l'exécution duquel il lui aurait fallu trente mille soldats. CHATEAUBRIAND, Mémoires d'outre-tombe, t. V, p. 194.

♦ **3.** (*Puignie*, XIIIe; *poignée*, XVIe). Partie d'un objet (arme, instrument, outil, ustensile) ou élément adaptable à un objet, et spécialement disposé pour être saisi, tenu avec la main serrée. — REM. À la différence du *manche*, la *poignée* est spécialement adaptée à la main; elle peut être de diverses formes : droite (comme le *manche*), coudée, en anneau*, en anse*, ronde ou ovoïde (*bouton**). — *Poignée d'épée** (→ Espada, cit.; muleta, cit. 1), *de sabre*, munie d'une garde, d'un pommeau*. *Poignée droite de dague, de fleuret* (en parlant d'un couteau, d'un poignard, on dit *manche*). *Poignée d'un pistolet, d'une mitraillette... Poignées de mitrailleuse. — Manche à poignée* (d'une pelle...; d'un parapluie). — *Canne à poignée argentée et orfévrée* (→ Paletot, cit.). *Poignée de bois d'une manivelle. Poignée d'une anse de seau. Poignée de couvercle, de tiroir... Poignée d'une valise, d'une malle, d'un sac. — Poignée* (en boucle, en étrier) *d'une sonnette, d'un signal d'alarme.* ⇒ aussi **Pied-de-biche.** — Spécialt. *Poignée de porte**. ⇒ **Bec** (de cane), **béquille.** *Ferrure à poignée tournante.* ⇒ **Crémone, espagnolette.** *Tourner la poignée* (→ 1. geste, cit. 16). *Poignée de portière* (d'automobile). — *Poignée de frein, de guidon* (de bicyclette). *Poignée mobile, articulée, servant à commander un mécanisme.* ⇒ **Manette.** *Poignées d'outils.* ⇒ **Manicle.**

6 À côté d'une jolie plaque de serrure gothique il y a sur cette porte une poignée de fer à trèfles, posée de biais. HUGO, les Misérables, II, I, II.

7 (...) sa paume se colla sur la poignée de la grille, appuya doucement (...) Elle se mordit les lèvres et tira la poignée à elle; quelque chose résistait. Alors elle saisit la poignée à pleine main et tira violemment (...) J. GREEN, Adrienne Mesurat, I, VII.

7.1 *(Les portes)* étroites et hautes, avec leur poignée de porcelaine blanche, brillante, qui se détache sur la peinture mate et sombre, masse arrondie en forme d'œuf (...) A. ROBBE-GRILLET, Dans le labyrinthe, p. 102.

(1765). Pièce de protection pour saisir un objet chaud (par le manche, l'anse, le bord, la poignée...). *Poignée en feutre, en rotin... Poignée pour fer à repasser.*

Techn. *Poignée d'acier utilisée pour tenir la lime.* ⇒ **Arbalète.** — *Poignée de graveur sur pierre :* manche auquel la pierre est fixée. — (1875). Traverse du battant d'un métier à tisser à main, qui maintient le peigne verticalement. — (XXe). Ciseau à froid utilisé par les tailleurs de pierre.

♦ **4. POIGNÉE DE MAIN** (1845) : action de serrer avec la main, geste par lequel on saisit la main de qqn pour la serrer*. ⇒ **Shake-hand.** *Saluer, dire bonjour, au revoir à qqn en lui donnant une poignée de main. Vigoureuse, brutale poignée de main. Poignée de main molle, chaleureuse, cordiale... Échanger* (cit. 8) *une rapide poignée de main* (→ aussi Échange, cit. 12). *Flagorneur* (cit. 2) *qui distribue les poignées de main.*

8 Il lui prit la main et la serra, avec la raideur qu'on met dans ce geste quand on veut montrer que c'est une poignée de mains *(sic)* pleine d'intentions, qui n'a rien de commun avec les poignées de mains banales. MONTHERLANT, les Célibataires, II, VI.

9 « Si vous voulez, mettez votre main sur mon avant-bras, sur la manche. Pas sur la peau ». Ils se tinrent ainsi dans le geste de la « poignée de main » des Romains de l'antiquité, qui était une « poignée d'avant-bras ». MONTHERLANT, les Lépreuses, II, XXI.

POIGNER [pwaɲe] v. tr. ⇒ **Poindre,** remarque.

POIGNET [pwaɲɛ] (vx [pɔɲɛ] encore au XIXe, *in* Littré, Hatzfeld) n. m. — 1315; *pugnet* « mesure de grain (poignée) », 1209; de *puing* « poing ».

♦ **1.** (1530; 1488, *puignet*). Partie du membre supérieur qui réunit l'avant-bras à la main, et qui correspond à l'articulation radio-carpienne (⇒ **Carpe, radius**). *Surfaces articulaires* (glènes antibrachiale et radiale; carpe), *capsule, faisceaux et ligaments; synoviale du poignet* (aussi **Semi-lunaire**). *Les poignets et les chevilles.* ⇒ **Attache** (cit. 10). *Se démettre le poignet, luxation du poignet. Inflammation de la synoviale du poignet* (⇒ 2. **Aï, synovite**). *Tâter le pouls* au poignet. — Poignets ronds* (→ Bras, cit. 2) *et potelés* (→ Emprisonner, cit. 5). *Tenir, saisir* (→ Impatient, cit. 12), *serrer, pétrir* (→ Étreinte, cit. 2) *les poignets, le poignet de qqn. Corde nouée* (cit. 11) *autour du poignet. Poignets douloureux, meurtris* (cit. 3), *gonflés* (cit. 14). *Brûlure au poignet* (→ Manchette, cit. 4). — *Avoir le poignet souple* (→ 1. Fleuret, cit.). *Souplesse de poignet d'un pianiste* (→ Étude, cit. 47). — *Avoir du poignet, de la souplesse et de la force dans le poignet* (→ Jeu, cit. 69). — *Le coup de poignet de la repasseuse* (→ Ménagère, cit. 10), *du pêcheur* (→ 2. pêcher, cit. 9)... *Maintenir un écheveau tendu entre ses poignets* (→ Dévidage, cit. 1). *Poignets ornés d'anneaux, de diamants* (→ Étinceler, cit. 12). *Porter une gourmette* (cit. 2) *au poignet.* ⇒ aussi **Bracelet.**

De temps en temps (...) l'un d'eux, arc-bouté sur les poignets, se soulevait, glissait à terre et passait dans la salle à manger (...) 1
ALAIN-FOURNIER, le Grand Meaulnes, I, XIV.

Loc. *À la force du poignet, des poignets :* en se hissant à la force des bras (en prenant appui sur les mains, l'articulation du poignet fournissant un grand travail; → Équilibriste, cit. 2). — Fig. Par ses seuls moyens, et en faisant de grands efforts. *Fortune acquise à la force du poignet.* — Loc. fam. (appos.). *La veuve* poignet.*

(1835). Rare, littér. Poigne*. *Un poignet de fer* (→ Malléable, cit.).

Tu n'as pas le poignet assez fort pour gouverner un ménage. 2
BALZAC, le Contrat de mariage, Pl., t. III, p. 85.

Vous avez empoigné les crins de la Déesse 3
Avec un tel poignet, qu'on vous eût pris, à voir
Et cet air de maîtrise et ce beau nonchaloir,
Pour un jeune ruffian terrassant sa maîtresse.
BAUDELAIRE, Poèmes ajoutés à l'édition posthume, 1868, I.

♦ **2.** (1315). Ce qui couvre le poignet. Partie d'un vêtement qui recouvre le poignet; extrémité de la manche. ⇒ **Manchette.** *Poignets d'une blouse, d'une robe, d'un chemisier. Poignets de chemise : poignets simples, droits* (bande d'étoffe transversale); *poignets mousquetaire**.

Elle choisit (...) une blouse plissée, empesée au col et aux poignets (...) 4
J. GREEN, Adrienne Mesurat, I, XIII.

Poignet de force : bracelet de cuir qui protège le poignet des travailleurs de force, des lutteurs... Cf. Bracelet de force.

POÏKILODERMIE [pɔikilɔdɛʀmi] n. f. — Mil. XXe; de *poïkilos* « variable », et *-dermie.*

♦ Méd. Forme d'atrophie cutanée associée à des taches pigmentées et à des dilatations en réseaux des capillaires de la peau.

POÏKILOTHERME [pɔikilɔtɛʀm] ou **PŒCILOTHERME** [pesilɔtɛʀm] adj. — 1905, *poïkilotherme; pœcilotherme,* XXe; du grec *poikilos* « variable », et *-therme.*

♦ Didact. Se dit des animaux dont le sang a une température variable (reptiles, poissons, etc.). Syn. cour. : *à sang froid.* — REM. On emploie de plus en plus *ectotherme* en ce sens.

Il est bien connu que, si les conditions thermiques du milieu où ils vivent viennent à changer, la température de certains animaux varie elle-même dans le même sens que la température de ce milieu. De tels êtres sont qualifiés d'animaux à température variable ou *poïkilothermes* (de deux mots grecs « poikilos » varié et « thermê » chaleur).
Ajoutons qu'on nomme, assez souvent, les animaux poïkilothermes : animaux à sang froid, et les êtres homéothermes : êtres à sang chaud. Rien n'est plus inexact, bien que répété sans contrôle par beaucoup de personnes. D'abord, parce que les expressions chaud et froid sont toutes relatives et n'ont pas de signification scientifique précise; ensuite, parce que certains animaux, comme la grenouille ou la carpe, par exemple, qui font partie des êtres dits à sang froid, vivent parfaitement dans l'eau à près de 40° dont ils prennent la température et devraient, dès lors, être qualifiés d'animaux à sang chaud. Roger SIMONET, le Froid, p. 33-34.

DÉR. Poïkilothermie.

POÏKILOTHERMIE [pɔikilɔtɛʀmi] n. f. — XXe; de *poïkilotherme.*

♦ Didact. État des animaux poïkilothermes.

POIL [pwal] n. m. — V. 1175; *peil,* 1080, *Chanson de Roland;* du lat. *pilus.*

♦ **1.** Chacun des filets très fins qui naissent du tégument* de certains animaux (⇒ **Villosité**), et, spécialt, de la peau* des mammifères. *Les dents* (cit. 1), *les ongles et les poils sont des phanères, des productions épidermiques. La kératine*, matière des poils. Tige* (partie visible), *racine du poil* (⇒ **Bulbe**) *logée dans une cavité* (⇒ **Follicule** [pileux]) *au fond de laquelle se trouve la papille pileuse, organe producteur du poil. Glande sébacée*, muscle redresseur du poil.* — Zool. *Poils qui couvrent le corps des animaux.* ⇒ **Pelage.** *Un pelage fourni, à plusieurs sortes de poils* (⇒ **Bourre, duvet,** 2. **jarre**) *est une fourrure.* ⇒ **Fourrure** (cit. 7). *Poils des ovidés* (⇒ **Laine**), *du porc* (⇒ **Soie**), *de la tête et de la queue du cheval* (⇒ **Crin**). *Touffe* de poils, pinceau de poils noirs* (→ Lynx, cit. 1); *bande de poils blancs.* ⇒ **Liste.** *Longs poils raides du dessus de la tête et du cou* (grands mammifères). ⇒ **Crinière.** *Animal qui perd ses poils. Chat galeux* (cit. 2) *presque sans poils. Poils tactiles*. Insecte couvert de poils* (⇒ **Villeux**). — *Ôter les poils des peaux.* ⇒ **Débourrer, débourrage; dépiler, dépilage.** — *Utilisation des poils d'animaux prélevés de la peau comme fibre textile* (⇒ **Laine,** 1. **ploc**); *pour être tissés avec un textile; dans la fabrication des feutres* (⇒ **Feutre**). *Haire* (cit. 1) *de poils de cheval. — Poils servant à fabriquer certains objets* (⇒ **Brosse, pinceau; blaireau**). *Pinceau en poils de lapin.*

(...) ensuite les traditionnels cachemires (...) enfin toutes les trames grossières tissées en poils naturels (...) 1
MALLARMÉ, Proses diverses, « La dernière mode », 1er nov. 1874.

♦ **2.** (1080). **Le poil** (collectif) : l'ensemble des poils, le pelage. *Le poil du mouton* (⇒ **Toison**), *du cheval* (⇒ **Robe**). *Poil ras, court, long. Chat* (⇒ **Angora**), *chèvre à long poil* (⇒ **Mohair**). *Poil lisse, frisé, crêpé* (→ Jaguar, cit. 1), *laineux* (→ 1. lama, cit.), *hérissé* (cit. 1). *Poil soyeux et fin* (→ Épagneul, cit.), *luisant* (→ 1. mule, cit. 1), *lustré* (→ Gazelle, cit.), *velouté* (→ Gâterie, cit. 2)... *Un beau poil. Couleur du poil; poil blanc, noir, gris* (→ Emmêler, cit. 3), *fauve, louvet, pie...* ⇒ aussi **Cheval** (pour les noms donnés au poil de cet animal). *Le sens du poil,* celui dans lequel il est couché. — Loc. *À contre*-poil, à rebrousse*-poil.* — *Chute naturelle* (⇒ 1. **Mue** [cit. 1], **muer**), *pathologique du poil* (⇒ **Pelade, pelé**). *Couper le poil.* ⇒ **Tondre.** *Brosser, peigner le poil d'un animal domestique. Faire le poil à un cheval,* arranger, couper ses crins. — *Chatte qui a mauvais poil* (→ Malade, cit. 12), indice d'une mauvaise santé.

2 (...) on lui faisait *(à un cheval)* le poil de l'oreille (...)
Mme de Sévigné, 858, 2 oct. 1680.

3 Le poil de mon ventre *(dit la chatte)*, tout autour, ressemble à un champ de seigle versé sous la pluie. Colette, la Paix chez les bêtes, « Nonoche ».

Gibier à poil et gibier à plume (→ ci-dessous, loc. figurée).

(1611). Équit. *Monter un cheval à poil* (vx), sans selle, à nu. ⇒ 2. **cru.** — rem. Cette expression est d'un emploi limité, dans la langue mod., à cause de la loc. fam. hom. (ci-dessous, cit. 22, 22.1).

4 Renommée *(À la)*. Jacquot, sellier, rue du Bac, no 28. — La Renommée est montée, à poil, sur un cheval de foire. Certes, si tous les cavaliers montaient à cheval sans bride et sans guides, à quoi servirais-tu, Jacquot?
Balzac, Dict. des enseignes, *in* Œ. diverses, t. I., p. 179.

5 Un garçon d'écurie vint *à poil* et au grand galop me trouver (...)
Barbey d'Aurevilly, les Diaboliques, « Bonheur dans le crime ».

(V. 1190). Peau d'animal garnie de ses poils utilisée dans l'habillement, etc. (surtout dans *de, en, à poil*). — rem. On dit *poil* lorsque la peau ne mérite pas le nom de *fourrure**. — *Habillement* (cit. 8), *bonnet en poil de lapin. Gourde en poil de chèvre. Sac de poil* (→ Fourbi, cit. 1), *bonnet*, chapeau à poil,* garni de poil (→ Parement, cit. 1).

6 (...) ils *(les Arabes)* y plantent leurs tentes, qui sont faites de poil de chèvre, et ils y demeurent avec leurs femmes et leurs enfants (...)
Buffon, Hist. nat. de l'homme, Variété espèce humaine.

Par anal. Étoffe tissée avec des poils (autres que les poils de mouton). *Manteau en poil de chameau. Poil de castor.* ⇒ **Castorine.**

7 Les épouses des Nomades balançaient sur leurs talons des robes en poil de dromadaire, carrées et de couleur fauve (...) Flaubert, Salammbô, iv.

♦ **3.** Cour. Cette production chez l'homme, spécialt, lorsqu'elle n'est ni un cheveu* ni un cil*, ni un sourcil*. *Répartition et développement des poils chez l'homme et la femme. Qui a beaucoup de poils.* ⇒ **Poilu.** *Poils de la face* (⇒ **Barbe, moustache**), *des aisselles, de la poitrine* (→ Nombril, cit. 3), *du pubis.* Vulg. *Poils du cul. Touffe, épi de poils. La paume des mains et la plante des pieds sont dépourvues de poils. Érection des poils.* ⇒ **Horripilation, horripiler.** *Poils bruns, roux, blonds, blancs... Poil lisse, ondé, frisé, crépu... Poils aux coins des lèvres* (→ Oxygéner, cit.). *Oreille* (cit. 27) *pleine de poils blancs. Pas un poil ne dépassait la ligne de son collier* (cit. 8) *blond. Sans un poil de barbe au menton* (→ 2. Botte, cit. 3). *Menton qui se couvre de poils.* ⇒ **Fleurir.** *Chaque poil de mon corps avait sa goutte de sueur* (→ Eau, cit. 18). — Fam. *Ne pas avoir un poil de sec,* transpirer abondamment (de chaleur, de peur...). — *Maladie des poils.* ⇒ **Mentagre.** *Développement anormal des poils chez la femme.* ⇒ **Virilisme** (pilaire). *Parasite des poils.* ⇒ **Morpion** (cit. 1), **pou...** *Chute des poils.* ⇒ **Alopécie** (cit.); **dépiler.** *Ôter les poils.* ⇒ **Épiler, raser; dépilatoire.** *Absence totale de poils.* ⇒ **Atrichie.**

8 Il avait les membres touffus :
Le poil est un signe de force,
Et ce signe a beaucoup d'amorce
Parmi les femmes du métier.
Mathurin Régnier, Poésies diverses, « Disc. d'une vieille M... ».

9 (...) ses bras, couverts de poils aussi bien que sa poitrine, dont une partie se voyait par l'ouverture de sa chemise grossière, annonçaient une force extraordinaire.
Balzac, le Médecin de campagne, Pl., t. VIII, p. 391.

10 Et, lorsque Nana levait les bras, on apercevait, aux feux de la rampe, les poils d'or des aisselles. Zola, Nana, i.

11 (...) un grand visage que la vieillesse virilisait à faire peur. Elle n'était que poils dans les oreilles, buissons dans le nez et sur la lèvre, phalanges velues (...)
Colette, Chéri, p. 68.

(1080). **Le poil, du poil** : l'ensemble des poils. ⇒ **Pilosité.** *Brun de poil et de cuir* (cit. 3). *Une fillette dorée de peau et de poil* (→ Cerise, cit. 4). *Se teindre et raser le poil* (→ Malpropre, cit. 1). *Le poil des sourcils* (→ Circonflexe, cit. 3). — (Mil. xvie). *Un poil follet** (cit. 3) *lui couvrait le menton* (⇒ **Duveté, velouté**). *Se rôtir le poil* (→ Foyer, cit. 6). *Avoir du poil sur tout le corps* (⇒ **Poilu, velu**), *du poil au menton.* — *« Poil de Carotte ».* ⇒ **Carotte.**

12 Il est hérissé de poil sous les aisselles et par tout le corps (...)
La Bruyère, les Caractères de Théophraste, « D'un vilain homme ».

13 Il *(Tavernier)* ajoute que les Turcs, hommes et femmes, ne portent de poil en aucune partie du corps, excepté les cheveux et la barbe; qu'ils se servent de rusma pour l'ôter (...) qu'en entrant dans le bain on applique cette pommade, qu'on la laisse sur la peau à peu près autant de temps qu'il en faut pour cuire un œuf; dès que l'on commence à suer dans ce bain chaud le poil tombe de lui-même en le lavant (...) et la peau demeure lisse et polie sans aucun vestige de poil.
Buffon, Hist. nat. de l'homme, Variété espèce humaine.

(1655). Vieilli. Barbe*. *J'ai le poil très dur* (→ 1. Barbe, cit. 18). — Vx. *Faire le poil à qqn.* ⇒ **Rasage, raser.**

(...) comme on lui faisait le poil, il s'en alla, la barbe à demi faite (...) 14
Racine, Traductions, Vie de Diogène le cynique.

Vx ou littér. ⇒ **Chevelure, cheveu.** *Beau* (cit. 20) *poil, belle tête. Le poil gris, raide comme crin* (→ Friser, cit. 8). *L'œil farouche, le poil hérissé* (cit. 33). ⇒ **Hirsute.**

♦ **4.** Loc. fig. (1842). Fam. *Avoir du poil aux yeux* (1875), trivial, *avoir du poil au cul :* être courageux, viril. — (1808). Fam. *Avoir du poil* (vieilli), *un poil dans la main :* être très paresseux. *Il a un poil dans la main qui lui sert de canne, il a un sacré poil dans la main.*

Gervaise s'amusa à suivre trois ouvriers (...) qui se retournaient tous les dix pas; 15
ils finirent par descendre la rue, ils vinrent droit à l'Assommoir du père Colombe. — Ah bien! murmura-t-elle, en voilà trois qui ont un fameux poil dans la main!
Zola, l'Assommoir, t. I, ii, p. 47.

Par allus. au *velours à trois poils,* de bonne qualité. Cf. ci-dessous, 6. (1659). Vieilli. *Un brave** (cit. 6, et *supra* cit. 4) *à trois poils.* — (1896). Fam. *Tomber sur le poil* (à, de qqn) : se jeter brutalement sur qqn pour l'attaquer*, ou l'arrêter, ou simplement l'aborder d'une manière importune. *Il m'est tombé sur le poil comme je sortais de chez moi.*

(1834). Vx. *Faire le poil à qqn,* le dépouiller de son argent, le rouler, ou encore le surpasser.

Jamais personne n'a fait le poil à Gaudissart, à l'Illustre Gaudissart. Oui, jamais 16
personne ne m'a enfoncé, et l'on ne m'enfoncera jamais, dans quelque partie que ce soit (...) Balzac, l'Illustre Gaudissart, Pl., t. IV, p. 21.

C'était, au reste, un fait hors de discussion, qu'il était connaisseur en temps mieux 17
que l'Observatoire en personne et que là-dessus il n'était âme qui vive capable de lui faire le poil. Courteline, le Train de 8 h 47, ii, i.

(1837). Vx. *Refaire le poil à qqn, le duper.*

Ah! le chien, il s'y connaît, dit madame Madou. On ne peut pas lui refaire le poil. 18
Balzac, César Birotteau, Pl., t. V, p. 401.

Fam. *Faire changer le poil* (vx), *faire dresser le poil à qqn,* le corriger par des coups, des réprimandes. — *Ça a changé de poil! :* cela a pris meilleure apparence.

(1693). *Reprendre du poil de la bête** (cit. 22) : « chercher son remède dans la chose même qui a causé le mal » (Académie, 1694). Mod. Se ressaisir, reprendre de l'énergie, du courage. ⇒ **Bête.**

Fort amusé de trouver, dans le Ve livre de *Pantagruel,* chap. XLVI, l'expression 19
anglaise : « reprendra-t-il du poil de ce chien qui le mordit » — qui, chez nous, devint : « reprendre du poil de la bête », et prit bientôt un sens tout différent.
Gide, Journal, 15 oct. 1942.

(1611). Vx. *Être au poil et à la plume :* savoir tout faire (comme les chiens dressés au poil et à la plume, c'est-à-dire à chasser tout gibier).

(1665). *De tout poil* (allus. aux bêtes de tout pelage) : de toute espèce, en parlant des gens. *Ils reçoivent des gens de tout poil.* (On écrit parfois *tous poils*).

(...) il imaginait par avance les embrassades généreuses des pacifistes et des socia- 20
listes de tous poils (...) Martin du Gard, les Thibault, t. V, p. 142.

Il évoquait les ratés de tout poil qu'il avait pu connaître. 21
J. Romains, les Hommes de bonne volonté, t. IX, xiii, p. 108.

(xixe). Fam. **À poil** : tout nu (expression qui vient de *monter un cheval à poil,* → ci-dessus, cit. 4). *Se mettre à poil et se jeter dans l'eau. Être à poil. Femme à poil.*

Le blond s'est mis à poil; il est dur et velu, avec de gros muscles en boule. 22
Sartre, la Mort dans l'âme, p. 228.

À poil! s'emploie comme invective pour huer qqn (Cf. Vestiaire!, tout nu!).

Des huées terribles l'accueillirent (...) 22.1
— À bas Pommard!
— À poil!
René Fallet, le Triporteur, p. 357.

À un poil près : à très peu de chose près.

(1926). *Il s'en est fallu d'un poil,* de très peu. ⇒ **Cheveu.**

Par ext. *Un poil plus grand, plus petit :* un petit peu... *Pas un poil :* pas du tout.

Je suis pas superstitieux un poil. Céline, Guignol's band, p. 85. 22.2

(1907). Fam. **Au poil** (avec une valeur adverbiale) : tout juste, exactement. *Il est arrivé au poil. Ça marche au poil. C'est au poil. Ça a bien marché? Au poil!* — (1907). *Au petit poil, au quart de poil.*

Je l'ai eu, mon train de sept heures quinze, quand même, mais au poil. 23
Céline, Voyage au bout de la nuit, p. 372.

On vérifiait au poil sa mitrailleuse. 24
J. Romains, les Hommes de bonne volonté, t. XVI, xxvii, p. 258.

Tu sais, y *(sic)* sait de quoi y parle. Il a déjà réussi trois évasions au petit poil. 24.1
J. Becker et J. Giovanni, le Trou, *in* l'Avant-Scène, no 13, p. 16.

(Dans un sens plus large, avec une valeur d'adjectif). Fam. *Être au poil,* très bien, très satisfaisant. *Son nouvel appartement est au poil.* — (Parfois avec une nuance d'ironie amusée). *Elle est au poil, cette fille-là!* (cf. fam. : Elle est marrante). — Exclam. *Au poil! :* parfait!

Pas question de changer de politique étrangère. Celle qu'on a choisie est au poil. 25
M. Aymé, la Tête des autres, iv, 5.

— C'est au poil! murmura l'un des jumeaux, qui se nommait Louis-César. — Au 26
petit poil! répéta *mezza voce* Osmond, l'autre jumeau.
Michel de Saint-Pierre, les Aristocrates, i.

(1833, E. Corbière, *in* D.D.L.). Fam. **De bon (mauvais) poil :** de bonne, de mauvaise humeur* (p.-ê. par allus. à la bête qui a mauvais poil. → ci-dessus, *supra* cit. 2).

27 Monsieur Pascal, ne mêlez pas Dietrich à cette histoire. Il n'est déjà pas de bon poil. Pas plus tard qu'avant hier, il m'a démoli le piano.
Francis CARCO, les Belles Manières, II, VIII.

28 Mathieu avait la tête lourde et douloureuse comme s'il avait bu. — Tu as l'air de mauvais poil, dit Pinette. — Je suis de mauvais poil, dit Mathieu.
SARTRE, la Mort dans l'âme, p. 98.

(1849, Mérimée, *in* D. D. L.). Fam., vx. *Donner un poil à qqn :* le réprimander vigoureusement. ⇒ **Savon.**

♦ **5.** (1600). Chacun des filaments très fins qui apparaissent sur les organes (de certaines plantes). *Les poils sont des prolongements unicellulaires ou pluricellulaires de l'épiderme. Plante qui présente des poils* (⇒ **Pubescent; cilié, hispide, velu; bourre, duvet, laine**), *qui est couverte de poils* (⇒ **Pilosisme**). *Touffe de poils.* ⇒ **Aigrette.** *Poils du fond d'artichaut.* ⇒ **Foin.** *Poils excréteurs, urticants. Poils de graines utilisés comme fibres végétales.* ⇒ **Coton** (cit. 3), **kapock.** — (Déb. xxe). *Poils absorbants :* poils qui couvrent une partie de la racine* et puisent dans le sol la nourriture de la plante.

(1890, *in* D. D. L.) **POIL À GRATTER :** bourre piquante des fruits du rosier (⇒ **Gratte-cul**) que l'on vend chez les marchands de farces et attrapes. *Mettre du poil à gratter dans le lit de qqn.*

29 Je ne les reconnus pas aussitôt pour des punaises et crus d'abord qu'un mauvais farceur avait couvert mes draps de poil à gratter.
GIDE, Si le grain ne meurt, II, I, p. 297.

♦ **6.** Petit filament délié à la surface (de qqch.). ⇒ **Fibre.** Spécialt. Partie velue (d'un tissu, d'un vêtement) provenant de poils animaux, végétaux ou d'autres fibres. *Feutre* (cit. 1) *à grands poils* (→ Invraisemblable, cit. 3). *Les poils d'un tapis. Lisser le poil d'un tissu* (→ Draper, cit. 1). — *Enlever le poil des draps.* ⇒ **Tontisse, tonture.**

30 D'émoi Ginette laisse tomber du gâteau sur la carpette (...) Et elle gratte la crème avec sa cuiller, en rebroussant les poils du tapis.
R. QUENEAU, Loin de Rueil, p. 118.

Techn. Fil (de soie, de coton). *Velours à 6 poils. Velours à trois poils,* tissé à trois fils de soie. ⇒ aussi **Floche.** — Absolt. Soie grège filée à plusieurs brins. — (1869). *Chaîne à poil,* ou *poil :* chaîne supplémentaire pour former des effets apparents. *Poil traînant* (effets façonnés).

Première torsion donnée au fil grège.

(1663). *Poil de chèvre :* étoffe où se mêlent la laine (pour la trame) et le coton (pour la chaîne).

♦ **7.** Techn. Se dit de différentes qualités d'ardoises*. *Poil noir, poil roux.*

♦ **8.** (1875). Techn. Défaut d'un gemme qui montre en transparence une trace filiforme.

DÉR. Poiler (se), poileux, poilu. — (Du même rad.) V. **Pelage, pilaire, pileux.**
COMP. Contre-poil, passepoil, rebrousse-poil (à).

POILANT, ANTE [pwalɑ̃, ɑ̃t] adj. — 1901; de *se poiler.*

♦ Fam. Très drôle. ⇒ **Bidonnant.**

C'était poilant, surtout, fait-il tout content de lui. Maintenant, j'en rigole (...)
R. DORGELÈS, le Cabaret de la belle femme, p. 71.

POILER (SE) [pwale] v. pron. — 1893; p.-ê. de *ebœler* (régional) «éventrer», d'après *poil.*

♦ Fam. Rire aux éclats. ⇒ **Bidonner (se), marrer (se).**

(...) ça prouve rien si y a des bruits c'est les bêtes ou alors des mecs qui vont jouer c'est pas fermé un soir on irait avec une torche on se poilerait.
Tony DUVERT, Paysage de fantaisie, p. 23.

DÉR. Poilant.
HOM. Poêler (se).

POILEUX, EUSE [pwalø, øz] adj. — 1458, *poilleux;* réfection de *pelous* (mil. XIIIe), d'après *poil.*

♦ Vx. ⇒ **Poilu.**

1. POILU, UE [pwaly] adj. — 1530; *pelu,* v. 1155; de *poil.*

♦ **1.** Qui a des poils (1. et 2.). *Le corps humain est poilu sauf à la paume des mains et à la plante des pieds. L'homme est plus poilu que le chimpanzé* (→ Pileux, cit.). *Menton poilu des hommes* (⇒ **Barbe, barbu**). *Des griffons poilus comme des ours* (→ Meute, cit. 2). ⇒ aussi **Villeux.**

♦ **2.** Plus cour. Qui a des poils très apparents, en parlant des parties du corps où ils sont d'ordinaire peu visibles. ⇒ **Velu.** *Jambes, mains poilues; bras poilus. Un homme à torse poilu. Lèvre* (cit. 2) *grisonnante et poilue.* — Par ext. (Personnes). Qui a des poils apparents sur presque tout le corps. *Les hommes poilus ont une réputation de virilité, de courage. Femme trop poilue. Poilu comme un singe.*

(1833, Balzac). Fig. Vx. Hardi, courageux. ⇒ 2. **Poilu.**

Le général Éblé, sous les ordres duquel étaient les pontonniers, n'en a pu trouver que quarante-deux assez poilus, comme dit Gondrin, pour entreprendre cet ouvrage. BALZAC, le Médecin de campagne, Pl., t. VIII, p. 387.

♦ **3.** (1845). Rare. (Végétaux). Qui présente des poils (5.).

♦ **4.** (1842; *pelu,* fin XVIe). Qui présente de longs poils (6.), en parlant d'un vêtement, d'une étoffe. *Un bonnet poilu.*

CONTR. Glabre, lisse.

2. POILU [pwaly] n. m. — 1899; «gars», 1897; de *poil.* → 1. Poilu, 2.

♦ **1.** Pop., vx. Homme brave (les *poils* étant le signe de la virilité).

♦ **2.** (1910). Vx. Soldat. — Spécialt. Soldat combattant (de la guerre de 1914-1918) dans le langage des civils. *Les poilus de la Grande Guerre. Marraine* (cit. 3) *d'un poilu. G. Esnault a étudié l'argot des poilus.*

Il se peut qu'une circonstance exceptionnelle rende du relief à une image usée. 1
Tel est le cas de *poilu,* ancien mot de grognard cité par Balzac, et qui désignait, d'après un symbole de virilité, le gaillard, l'homme d'attaque. L'expression s'était rapidement affaiblie en langage de caserne, au point que «poilu», à la veille de la guerre, y signifiait simplement homme, spécialement soldat (...) En 1914, ce terme militaire a reflué dans le langage des civils, qui lui ont donné un lustre nouveau en l'employant au sens de soldat combattant (...)
A. DAUZAT, les Argots, p. 155.

L'épopée est tellement belle que tu trouverais comme moi que les mots ne font plus rien. Rodin ou Maillol pourraient faire un chef-d'œuvre avec une matière affreuse qu'on ne reconnaîtrait pas. Au contact d'une telle grandeur, «poilu» est devenu pour moi quelque chose dont je ne sens même pas plus s'il a pu contenir d'abord une allusion ou une plaisanterie que quand nous lisons «chouans» par exemple. Mais je sens «poilu» déjà prêt pour de grands poètes, comme les mots déluge, ou Christ, ou Barbares qui étaient déjà pétris de grandeur avant que s'en fussent servis Hugo, Vigny ou les autres. 2
PROUST, le Temps retrouvé, Pl., t. III, p. 753.

J'avais, dès l'automne, laissé repousser ma barbe, non certes pour rivaliser avec ceux qu'on appelait dans les journaux, «les poilus» (...) mais dans le dessein ingénu de me protéger du froid, de prendre une tenue d'hiver. 3
G. DUHAMEL, la Pesée des âmes, VI.

On dirait bientôt : les soldats de 38 — comme on disait : les soldats de l'an II, les poilus de 14. Ils creuseraient leurs trous comme les autres, ni mieux ni plus mal, et puis ils se coucheraient dedans, parce que c'était leur lot. 4
SARTRE, le Sursis, p. 327.

POINÇON [pwɛ̃sɔ̃] n. m. — 1530; *poinchon,* v. 1220; *poençon,* 1309; *poinson,* v. 1380; du lat. *punctio, -onis,* à l'accusatif, proprt «piqûre».

★ **I.** ♦ **1.** Instrument métallique terminé en pointe qui sert à percer, ou à entamer les matières dures. ⇒ **Pointeau.** *Poinçon de cordonnier, de sellier* (⇒ **Alène**), *de voilier* (⇒ **Marprime**). — (1875). *Poinçon de brodeuse* (parfois en os) *pour percer les motifs* (→ Frivolité, cit. 9). — *Poinçon de forge* (⇒ **Mandrin**), *de menuisier* (⇒ **Ciseau**). — (1875). *Poinçon de sculpteur.* — (1869). *Poinçon du tailleur de pierre.* — Antiq. *Poinçon pour écrire.* ⇒ **Style.** — *Graver* un nom avec un poinçon* (→ Entailler, cit.). — Mar. *Poinçon pour écarter les torons.* ⇒ **Épissoir.** — *Poinçon d'une machine-outil.* ⇒ **Poinçonneuse.**

♦ **2.** (1569). Outil d'acier trempé, sorte de tige terminée par une face gravée pour marquer certains objets (de métal, de bois, de cuir...) soumis à un contrôle.

♦ **3.** (1554). Par ext. La marque gravée par cet outil. ⇒ **Estampille.** *Poinçon certifiant l'origine d'une marchandise, poinçon de marque :* poinçon des vérificateurs des poids et mesures. *Déposer une marque en frappant une feuille d'un poinçon* (⇒ **Insculpter**).

Spécialt. Marque apposée aux pièces d'orfèvrerie pour contrôler le titre* de l'or, l'argent..., pour attester le paiement de l'impôt (⇒ **Garantie**), ou comme signature du maître. *Les poinçons des vieux ciseleurs* (cit. 2). *Poinçon de maître* (1690). *Poinçon d'État (poinçon de titre et de garantie). Poinçon d'un bijou contrôlé. Poinçon à tête de Minerve, au coq. Frapper, marquer d'un poinçon. Apposer un poinçon.*

Créés pour signer les pièces, certifier le bon aloi du métal et attester du paiement des droits, les poinçons permettent, dans les cas les plus favorables, de déterminer de façon précise l'auteur, l'époque approximative et le lieu de fabrication des objets qui en sont revêtus. 1
Luc LANEL, l'Orfèvrerie, p. 46.

♦ **4.** (Mil. XVIe). Original (d'une médaille, d'une monnaie) qui sert à fabriquer le moule (⇒ **Coin, matrice**). *Graveur qui travaille au poinçon d'une nouvelle monnaie. Contrefaçon de poinçon.*

(1547). Original (d'un caractère d'imprimerie) avec lequel on frappe les matrices destinées à en fondre d'autres.

★ **II.** (V. 1300). Techn. (charpent.). Pièce verticale d'un comble, ferme reliant l'entrait au faîtage et contre laquelle s'appuient les arbalétriers. — Point de rencontre du faîtage et des arêtiers. — Sommet d'un comble conique.

★ **III.** (1398; 1268, *ponchon;* selon Wartburg, de *tonneau à poinçon,* c'est-à-dire portant la marque d'un contrôle). Régional. ♦ **1.** Tonneau pour le vin ou d'autres boissons.

2 Il exploitait cent arpents de vignes, qui, dans les années plantureuses, lui donnaient sept à huit cents poinçons de vin.
BALZAC, Eugénie Grandet, Pl., t. III, p. 484.

♦ **2.** Ancienne mesure de contenance, de capacité variable selon les époques et les lieux. *Un poinçon de vin.*

DÉR. Poinçonner.

POINÇONNAGE [pwɛ̃sɔnaʒ] ou **POINÇONNEMENT** [pwɛ̃sɔnmɑ̃] n. m. — 1809 (*poinchenage* «action d'orner de dessins avec un poinçon», 1402); — 1842 «action d'exciter», (1596); de *poinçonner.*

♦ **1.** Action de poinçonner, de marquer d'un poinçon. *Le poinçonnage d'une marchandise. Le poinçonnage de l'argent.*

♦ **2.** Techn. Opération par laquelle on perfore un dessin de broderie sur carton; par laquelle on forme une suite de petits trous dans les papiers à détacher (timbres, mandats, etc.). — Opération d'usinage, découpage de tôles à la poinçonneuse.

♦ **3.** Action de poinçonner (un billet).

♦ **4.** Techn. Aplatissement (d'un revêtement de sol textile) sous l'effet d'une charge.

POINÇONNER [pwɛ̃sɔne] v. tr. — Mil. XVIe; «dessiner au poinçon», 1380; *ponchonner,* 1324; de *poinçon.*

♦ **1.** (1834). Marquer d'un poinçon une marchandise (⇒ **Estampiller**), un poids (⇒ **Étalonner**), une pièce d'orfèvrerie.

♦ **2.** Découper (une tôle) en perçant avec une poinçonneuse*.

♦ **3.** (XXe). Cour. Perforer* avec une pince (un billet, une carte de chemin de fer, de métro) pour indiquer qu'il a été utilisé, ou contrôlé. *Employé du métro qui poinçonne les billets* (cit. 14) *au portillon.* — Au p. p. *Billet poinçonné.*

1 C'était un vieux, qui poinçonnait les billets. — «Le ... le train de Paris?» bégaya Antoine.
MARTIN DU GARD, les Thibault, t. III, p. 105.

2 Il avait poinçonné des tickets de métro quarante ans de sa vie, il y en a qui prennent le métro mais lui, c'est le métro qui l'a pris.
É. AJAR (R. GARY), l'Angoisse du roi Salomon, p. 153.

DÉR. Poinçonnage ou poinçonnement, poinçonneur, poinçonneuse.

POINÇONNEUR, EUSE [pwɛ̃sɔnœʀ, øz] n. — 1919; de *poinçonner.*

♦ **1.** Employé, employée qui poinçonne les billets de chemin de fer, de métro, à l'accès des quais.

♦ **2.** Techn. Ouvrier qui travaille sur une poinçonneuse. *Poinçonneur de tôles.*

POINÇONNEUSE [pwɛ̃sɔnøz] n. f. — 1878; de *poinçonner.*

♦ **1.** Machine-outil pour perforer ou pour découper, munie d'un poinçon ou d'un emporte-pièce de la forme du profil à réaliser.

♦ **2.** (XXe). Pince utilisée pour poinçonner les titres de transport. — Machine qui permet à l'usager de poinçonner son titre de transport ⇒ **Composteur.**

POINDRE [pwɛ̃dʀ] v. — Conjug. *joindre.* — «piquer», XIe; du lat. *pungere.* — REM. Ce verbe ne s'emploie guère qu'à l'infinitif, aux troisièmes personnes du présent et de l'imparfait et au participe présent. On rencontre de nombreux barbarismes chez de bons auteurs : Il «poindait» (Balzac, *Illusions perdues,* Pl., t. IV, p. 504).

1 (...) je me demande (...) si tous les lecteurs sentent bien derrière cette forme *(poignait)* le sens vrai de *poindre,* qui est «piquer». Je crois bien que plus d'un rapproche confusément ce mot rare de la série *poing, poigne, poignée,* et qu'il conçoit plutôt une idée voisine de celle d'*étreindre.*
Ch. MULLER, *in* Classe de franç., mai-juin 1956, p. 175.

Un verbe parasite *poigner* se rencontre, dont les formes remplissent les lacunes de *poindre,* défectif (cf. Chateaubriand, Daudet, Huysmans, *in* G. L. L. F.).

★ **I.** V. tr. ♦ **1.** Vx. Piquer. — Loc. prov. *Oignez vilain, il vous poindra; poignez vilain, il vous oindra.* ⇒ **Oindre** (cit. 4).

♦ **2.** (XIIe). Fig., littér. Piquer, blesser (fig.), faire souffrir. — REM. *Poindre,* transitif, n'est pas sorti de l'usage; ses emplois figurés sont florissants dans la langue littéraire depuis le XIXe siècle. *Une douleur le point. Les choses qui nous poignent.* ⇒ **Poignant.** *Le besoin d'apprendre ne cessait de me poindre* (→ Chaque, cit. 5).

2 Ainsi toutes les personnes dévouées à la famille Mignon furent en proie aux mêmes inquiétudes qui les poignaient la veille (...)
BALZAC, Modeste Mignon, Pl., t. I, p. 454.

3 Une grande tristesse le poignait, à cette idée qu'elle *(la terre)* ne le connaissait plus, qu'il n'avait rien gardé d'elle, ni un sou ni une bouchée de pain, qu'il lui fallait mourir, pourrir en elle (...)
ZOLA, la Terre, V, II.

Mme de Fontanin reçut ce nouveau coup, et pâlit. Ce qui la poignait le plus, c'était de sentir combien l'offense était consciente, volontaire. 4
MARTIN DU GARD, les Thibault, t. VIII, p. 59.

Les scrupules qui pouvaient la poindre se présentaient donc rarement au nom de Dieu. 5
J. ROMAINS, les Hommes de bonne volonté, t. V, II, p. 14.

Le cœur se met à battre (...) une angoisse légère vous point au creux de la poitrine, pareille, un peu, à celle de l'attente amoureuse. M. GENEVOIX, Raboliot, I, III. 6

L'amour s'empara de Martin au premier coup d'œil, l'enveloppa, l'étreignit, le poignit et le pénétra cœur et chair. 6.1.
M. AYMÉ, le Vin de Paris, «Le faux policier», p. 161.

★ **II.** V. intr. ♦ **1.** (V. 1240; 1080, «courir à l'attaque», proprt «éperonner [le cheval]»). Apparaître sous forme de pointe. ⇒ **Pointer.** *Vous verrez poindre les jacinthes* (cit.). ⇒ **Sortir.**

Au printemps, la campagne presque nue n'est encore couverte de rien, les bois n'offrent point d'ombre, la verdure ne fait que de poindre, et le cœur est touché à son aspect. 7
ROUSSEAU, Émile, II.

(...) l'abbé Gabriel, comme tous les voyageurs qui ont passé par là, vit poindre avec un certain plaisir les toits du bourg. 8
BALZAC, le Curé de village, Pl., t. VIII, p. 604.

Une première fleur, d'un rose de tuile, point avant les feuilles au sommet du marronnier, devant ma fenêtre. 9
COLETTE, l'Étoile Vesper, p. 211.

♦ **2.** (1559). Commencer à paraître, en parlant d'une chose très petite, ou très éloignée. ⇒ **Apparaître, naître.** *Laissons l'aurore* (cit. 13) *poindre et luire. Regarder les étoiles poindre dans le ciel* (→ Illuminer, cit. 6).

Tout à coup, sur son livide voile 10
Il vit poindre et grandir comme une noire étoile;
HUGO, la Légende des siècles, X, «Le parricide».

(...) quand ils passeront devant l'embuscade, l'aube commencera à poindre, instant favorable, car il ne faut à nos hommes ni trop de lumière, ni trop d'ombre. 11
Th. GAUTIER, le Capitaine Fracasse, IV.

Puis, tout en surveillant les petits lointains terrestres où la barque doit poindre, il lève les yeux de temps à autre vers ce qui se passe au-dessus, dans l'infini. 12
LOTI, Ramuntcho, I, XIII.

(1677). Par métaphore ou fig. *Une idée qui commence à poindre à l'horizon de son intellect* (cit. 3). *Sentiment qui commence à poindre,* à se montrer, à se faire jour, à naître. *On voit poindre un avenir meilleur.*

Quand ils virent poindre ce beau jour de la liberté, à la veille de la Révolution, ils osèrent à peine espérer. MICHELET, Hist. de la Révolution franç., III, VIII. 13

On voit poindre, en effet, un âge où l'homme n'attachera plus beaucoup d'intérêt à son passé. RENAN, Souvenirs d'enfance..., IV, Œ. compl., t. II, p. 852. 14

CONTR. (De II) Disparaître.
COMP. Pourpoint.
HOM. (De certaines formes) Poigne, poignet.

POING [pwɛ̃] n. m. — V. 1175; *puing,* v. 1050; *poign,* 1080; du lat. *pugnus.*

♦ **1.** Main* fermée. *Avoir de gros poings* (→ Malchance, cit. 1). *Un trou où l'on pourrait mettre le poing* (→ Fusiller, cit. 2). *Un buste de Voltaire gros comme le poing,* petit (→ Pèlerinage, cit. 3). *Pas plus gros que le poing,* petit. *Serrer* le poing :* serrer les doigts pliés contre la paume (→ Grincer, cit. 3; jeter, cit. 46; oublier, cit. 17). — Fig. *Il faut serrer les poings,* rassembler son énergie (→ Larmoyeur, cit. 2). — *Crisper les poings* (→ Jointure, cit. 2; nul, cit. 13).

M. Charles, tremblant, serra les poings, dans un élan d'indignation exaspérée. 1
ZOLA, la Terre, III, VI.

Il faut déjà une science profonde pour comprendre que les passions, et leurs preuves si vives, dépendent des mouvements du corps, et que, pour dénouer la colère, il suffit de dénouer les poings. 2
ALAIN, Propos, 31 janv. 1914, Signe de la Croix.

Prendre dans le poing. ⇒ **Empoigner, poigne.** *Ce qu'on tient dans le poing.* ⇒ **Poignée.**

AU POING : dans la main fermée. *Le sceptre* (→ Frontispice, cit. 2), *le sabre* (→ Guerrier, cit. 2) *au poing,* à la main. *Revolver au poing,* dans la main serrée.

Ventre à terre, brides lâchées, sabre aux dents, pistolets au poing, telle fut l'attaque. 3
HUGO, les Misérables, II, I, X.

Il eut beau, avec son valet, par crainte de cambriolage, et revolver au poing, explorer toute la maison (...) le compagnon dont il avait cru la présence certaine avait disparu. 4
PROUST, Sodome et Gomorrhe, Pl., t. II, p. 1082.

Poings fermés (pléonasme cour.). → Cavalier, cit. 5; méridional, cit. 4. — Loc. (1834). *Dormir à poings fermés,* très profondément.

Avoir pieds et poings liés. ⇒ **Lier** (*supra* cit. 27). Fig. *Se livrer pieds et poings liés à la merci* (cit. 6) *d'une jeune folle.*

Enfoncer ses poings dans ses poches (→ Furieux, cit. 13; et aussi crever, cit. 41, Rimbaud). — *Les poings sur les hanches,* dans une attitude de bravade, de provocation (→ Malotru, cit. 2). *Le poing sur la hanche* (cit. 9). Vx (même sens). *Les poings aux côtes* (→ Matrone, cit. 4). — Fauconn. *Porter l'oiseau sur le poing* (→ Hobereau, cit. 1). *Présenter le poing et le leurre* (cit. 1). *Oiseau de poing* (1570) : oiseau de proie qui vient au commandement se poser sur la main fermée du fauconnier. — (1874). Mar. *Nœud à plein poing :* nœud grossier utilisé pour faire une boucle dans un filin, etc.

COUP DE POING : coup donné avec la main serrée, nue ou gantée (→ Champion, cit. 1; chandelle, cit. 4). ⇒ **Attignole** (vx). *Donner,* *assener* (cit. 1) *un coup de poing. Coup de poing à assommer un bœuf* (→ Lourd, cit. 20). *Renverser* (→ Horion, cit. 1), *assommer d'un coup de poing* (→ Méchant, cit. 19). *Se battre à coups de poing* (→ Décupler, cit. 3). *Jouer des poings. Lutte à coups de poing.* ⇒ **Pugilat; boxe; bourrer.** — Loc. *Faire le coup de poing :* se battre avec les poings dans une rixe, une échauffourée, boxer. → aussi ci-dessous 3. — (Avec la même valeur). *Savoir se servir de ses poings. Mettre, envoyer son poing dans la figure de qqn. Frapper qqn des poings et des pieds* (→ Moi, cit. 5). *Frapper un mur, une porte avec les poings* (→ 1. Griller, cit. 9). *Taper du poing sur la table, en signe de mécontentement.*

5 Il est enivrant de menacer; il est moins agréable de frapper; et surtout du poing, car le poing aussi reçoit le coup; mais, surtout par la riposte de l'adversaire, on prend connaissance du mal que l'on veut faire.
ALAIN, Propos, 9 juil. 1921, Cruels et frivoles spectateurs.

6 Le blessé tapait des poings sur la vitre à demi-brisée, s'acharnait, s'effondra enfin.
MALRAUX, l'Espoir, II, II, VI.

7 Quand un communiste parle dans une assemblée internationale, il met le poing sur la table.
MALRAUX, l'Espoir, II, II, X.

Montrer le poing, le tendre vers qqn en signe de menace. ⇒ **Menace** (→ Bouc, cit. 3; 1. foudre, cit. 4; haut, cit. 132; œil, cit. 52). *Brandir les poings* (→ Peau, cit. 17). *Lever le poing* (→ Bracelet, cit. 1). Spécialt. *Salut à poing levé :* signe de fraternité dans le combat politique (partis d'extrême-gauche).

8 (...) elle croit même devoir leur faire des menaces et leur montrer le poing (...)
LOTI, Mme Chrysanthème, XXIX.

9 Avec le même mouvement que celui des fusils qui se lèvent, il lève le poing pour le salut du front populaire (...) Hernandez regarde cette main dont les doigts seront avant une minute crispés dans la terre.
MALRAUX, l'Espoir, I, II, X.

9.1 Autour de lui les délégations levaient le poing en opposition au salut fasciste de la main ouverte.
Pierre HAMP, la Peine des hommes (Moteurs), p. 39.

(1769). *Se ronger les poings :* enrager, être en proie à l'agacement ou au désespoir. — *Se mordre les poings* (même sens). → Gémir, cit. 3.

10 (...) M. de La Hourmerie, lassé de se ronger les poings dans le silence du cabinet et de se faire en vain des cheveux blancs devant les ruines de son service (...)
COURTELINE, Messieurs les ronds-de-cuir, 5e tableau, I.

♦ **2.** (V. 1050, *puing*). Vx. Main. *On coupait les poings de certains condamnés* (→ aussi Intolérant, cit. 4).

♦ **3. COUP DE POING.** *Coup de poing américain :* arme contondante faite d'une pièce de métal qui s'ajuste sur le poing avec lequel on frappe. Par ext. Arme pour assommer. ⇒ **Casse-tête.**

11 Devant ses pieds, il aperçut une arme qu'un manifestant venait de perdre ou de jeter : il y avait ainsi entre les silex de la place de petits objets épars (...) un couteau, des matraques à ressort et à boule de plomb, un coup de poing nickelé.
P. NIZAN, le Cheval de Troie, II, IX.

DÉR. Poignard, poignet (cf. aussi Pugilat, pugiliste).
HOM. Point. Formes du v. **poindre.**
COMP. Coup-de-poing.

POINSETTIA [pwɛ̃sɛtja] n. m. — Mil. XIXe, *poinsettie,* Duchartre; 1836 en lat. mod.; de J. R. *Poinsett,* botaniste américain.

♦ Bot. Plante ornementale d'intérieur d'origine mexicaine *(Euphorbiacées)* dont les fleurs sont entourées par un grand bouquet de bractées écarlates.

1. POINT [pwɛ̃] n. m. — XIIe, aux sens de «endroit, moment, état, situation», et aussi de «point du jour»; du lat. *punctum* «piqûre», et au fig. «espace, moment...», de *pungere.* → Poindre.

★ **I. A.** (XIIe, Chrestien de Troyes). Portion de l'espace ou du temps déterminée avec précision et considérée abstraitement pour localiser un phénomène.

♦ **1.** Cour. Endroit, lieu (→ Localisation, cit. 1). *Point précis* (→ Lointain, cit. 13). *En divers, en plusieurs points* (⇒ **Côté**). *Marquer* (cit. 15), *désigner, montrer un point...* (→ Index, cit. 4). *Viser un point* (→ 1. Geste, cit. 6). **POINT DE REPÈRE.** ⇒ **repère.** *De tous les points de l'horizon :* de tous côtés. *Le point le plus haut, le plus bas. Au plus haut point du ciel* (→ Lune, cit. 4). *Point où des ondes* (cit. 1) *s'entrecroisent. Objets qui se dirigent vers un point commun* (⇒ **Concourir, converger**), *viennent d'un même point* (⇒ **Diverger**). *Point d'origine* (⇒ **Source**), *d'aboutissement. Se placer, se mettre en un point. Aller d'un point à un autre* (⇒ **Chemin**). *Point de départ** (cour.) *et point d'arrivée*. Revenir au point d'où l'on est parti* (→ Indifférence, cit. 28). **POINT D'ATTACHE.** *Point d'attache d'un bateau.* — Fig. *C'est son point d'attache,* l'endroit où il demeure, où il revient. — *Point d'ancrage** (et fig.). — *Point de ralliement, de réunion. — L'insurrection éclata en divers points du territoire. Point stratégique.* — **POINT D'APPUI** (P. A.), se dit d'un emplacement organisé pour la défense. — *Les points les plus menacés d'un front. — Point terminus d'une ligne de chemin de fer. Points d'arrêt d'un autobus.* ⇒ **Arrêt; station.** — *Point d'émergence* (cit. 1) *d'une source.* — **POINT D'EAU** (cit. 15) : endroit où l'on trouve de l'eau, source, puits... (dans une région sèche). — *Point de partage :* point de la ligne de partage* des eaux. — **POINT CULMINANT** (cit. 4) : crête, sommet (→ Écoulement, cit. 2; effréné, cit. 1; ouverture, cit. 10). *Point le plus haut atteint par la marée,* niveau, hauteur (→ Battre son plein*). *Le point le plus bas :* le fond*.

(...) il relevait la tête et fixait son regard sur un point quelconque de la muraille, comme s'il y avait précisément là quelque chose qu'il voulait éclaircir ou interroger. 1
HUGO, les Misérables, I, VII, III.

En dehors des rues à arcades et des appartements, il semblait qu'il n'était pas un point de la ville qui ne fût placé dans la réverbération la plus aveuglante. 2
CAMUS, la Peste, p. 127.

Anat. *Point d'attache* (cit. 8), *d'insertion. Point de jonction.* ⇒ **Commissure.** *Point costal, jugulaire. Points singuliers du crâne,* servant de repères en craniométrie. *Point aveugle :* endroit de la rétine où le nerf optique pénètre dans l'œil. — Physiol. *Points de froid* (2. froid, cit. 14). *Point névralgique* (cit.). — Mar. *Point vélique :* centre de voilure (⇒ **Voile**). *Point d'une voile* (où se réunissent deux ralingues contiguës à cette voile). *Point d'armure, d'écoute. Points supérieurs.* ⇒ **Empointure.** — Phonét. *Points d'articulation*.*

Une terreur folle la saisit et l'empêcha de faire un geste; il lui sembla que de tous les points de son corps le sang refluait vers son cœur. 3
J. GREEN, Léviathan, II, VIII.

Techn. (télév.). *Point d'analyse, point explorateur,* et, absolt, *point :* surface élémentaire dans l'analyse de l'image. *« On désigne souvent ces carrés fictifs* (divisant l'écran) *sous le nom de points d'image »* (P. Grivet et P. Herreng, *la Télévision,* p. 22).

POINT CHAUD (milit., trad. de l'angl.) : endroit stratégique où ont lieu des combats sévères. ⇒ **Chaud** (*infra* cit. 8). Par ext. Lieu propice à l'éclatement ou à l'aggravation d'un conflit (social, politique). — Lieu où il se passe qqch., centre d'intérêt. *Les points chauds de l'actualité.*

(...) les prévisions pessimistes sur l'avenir des pays pauvres, à croissance démographique rapide et, par contrecoup sur celui de l'humanité, n'ont jamais été formulées de façon bien précise. Le plus souvent, des mots à sensation comme *catastrophe* ou *apocalypse* sont lancés pour servir, en quelque sorte, de soulagement (...) Il y a, nous l'avons déjà signalé, des points chauds, des zones particulièrement menacées. 3.1
A. SAUVY, Croissance zéro?, p. 151.

Par métaphore, fig. dans des locutions où il garde son sens spatial, et où l'expression entière a souvent la valeur temporelle (I., C.) ou abstraite (sens II). *Point de départ** (cit. 6, 7 et *supra*). → aussi 1. partir, cit. 21; 1. pas, cit. 22. *Point d'arrêt* (cit. 2; → aussi Arrêter, cit. 63). *Point de repère** (→ Jalonner, cit. 5). *Point de rencontre. — Point sensible.* ⇒ **Corde, endroit.** *Point faible, vulnérable.* ⇒ **Faiblesse** (→ Défaut* de la cuirasse, talon d'Achille...). *Chercher le point faible de qqn.*

L'inquiétude est logée dans le corps; elle s'empare du cerveau comme une migraine, elle pèse sur le cœur, serre la poitrine, tâte nos organes, cherchant le point faible, la maladie où elle pourra s'incarner. 4
J. CHARDONNE, l'Amour du prochain, p. 146.

Loc. *Point de non-retour*.*

♦ **2.** Didact. Portion de l'espace dont toutes les dimensions linéaires sont nulles.

Astron., cosmographie. *Points déterminés de la sphère céleste. Déclinaison et ascension droite d'un point. Point gamma*; point vernal. Point équinoxial*. Point culminant d'un astre.* ⇒ **Culminer.** *Points solsticiaux. Points verticaux.* ⇒ **Nadir, zénith.** — *Points de l'écliptique, de l'équateur céleste..., du méridien céleste. — Points de l'horizon** (cit. 9). Cour. **POINTS CARDINAUX*** (→ Évidement, cit. 2; hangar, cit. 2). *Points collatéraux*.* — Astron. *Points caractéristiques d'une orbite.* ⇒ **Apogée, apside, nœud, périgée...; aphélie, périhélie.** *Point radiant des étoiles filantes.* ⇒ **Radiant.**

Astrol. *Le point de la nativité,* où se trouve l'astre ascendant* au moment de la naissance.

Géogr. *Points du globe, de la surface terrestre,* déterminés par leurs coordonnées. ⇒ **Latitude, longitude** (cit. 2). *Points d'un parallèle, d'un méridien..., de l'équateur* (⇒ aussi **Pôle**). *Horizon, verticale, méridienne... d'un point. Calcul, relèvement* de la position d'un point.*

Géod. *Point astronomique fondamental,* «où sont déterminés... par observations sur le système de référence stellaire, la latitude, la longitude et un azimuth (...) de départ» (in *la Terre,* Encycl. Pléiade, p. 80). *Le point astronomique fondamental sert à l'établissement d'un réseau géodésique. Points géodésiques formant un canevas. Points topographiques.*

Opt. *Point principal. Point nodal.*

Absolt, mar. *Le point :* la position* d'un navire en mer (⇒ **Navigation**). *Calculer, faire le point.* ⇒ aussi **Hauteur** *(prendre hauteur). Point estimé* (d'après la route, la vitesse, la dérive). *Point observé* (obtenu par l'observation des astres. ⇒ **Sextant**). *Porter le point sur la carte. Point en vue de terre, en haute mer. Point par T. S. F.* — Aviat. *Donner, recevoir le point par radio.*

Les nouvelles du bord sont des plus intéressantes (...) Le ciel est clair à midi; on a pris hauteur : on est à telle latitude. On a fait le point : il y a tant de lieues gagnées en bonne route. La déclinaison de l'aiguille est de tant de degrés : on s'est élevé au nord. 5
CHATEAUBRIAND, Mémoires d'outre-tombe, t. I, p. 258.

(Fin XVIIIe, Casanova). Fig. **FAIRE LE POINT :** préciser la situation où l'on se trouve, l'état d'une question, en analysant ses éléments.

Édouard fit le point et prit ses repères. Enfin, incliné comme une barque à pleines voiles, il s'élança dans l'espace vide. 6
G. DUHAMEL, Salavin, III, I.

Pour la première fois, je fais le point. Il est bon (...) de se replier quelquefois sur 7

soi-même et, capitaine armé du sextant, de préciser sa position, parmi les courants, les vents, les idées et les voix de ce monde.
Hervé BAZIN, Vipère au poing, XX.

Spécialt. (Journal.). *Le point sur (la crise de l'énergie, le chômage)*, l'analyse de la situation. — *Faire le point, un point rapide sur la question.* ⇒ aussi **État, tour** (d'une question).

Spécialt. **POINT GÉOMÉTRIQUE, POINT MATHÉMATIQUE, POINT :** concept théorique fondamental de la géométrie, qu'on peut définir par référence à d'autres concepts, tels que l'intersection de deux lignes ; la limite d'un volume dont toutes les dimensions linéaires diminuent indéfiniment. → 2. Instant, cit. 5 ; multiplicité, cit. 2. — REM. *Le point géométrique, mathématique* désignant la plus petite portion concevable d'espace *(point indivisible)* se rattache sémantiquement au sens IV (→ ci-dessous, cit. 8, Pascal, et 10, Poincaré). *Les points sont généralement représentés par des lettres (le point A, le point M'). Quantités qui déterminent la position d'un point* (en géométrie analytique). ⇒ **Coordonnée ; abscisse, ordonnée, cote.** — REM. Ces coordonnées sont trois, dans l'espace cartésien, quatre (coordonnées homogènes) pour inclure les *points à l'infini*, dans l'espace projectif. — *Point qui décrit une ligne. Réunir des points par un trait, une courbe...* (⇒ **Ligne ; interpoler.** → Géométrique, cit. 2). *Points limites* (extrémités) *d'un segment.* ⇒ aussi **Sommet.** *Point d'intersection*. Point de contact, de tangence* entre deux courbes. Tangente en un point, menée par un point à un cercle... Courbe décrite autour d'un point ; rotation, circumduction autour d'un point.* ⇒ **Centre.** *Points extérieurs, intérieurs à une figure. Distance d'un point à une droite, à un plan. Points d'une ligne, d'une surface* (→ Équidistant, cit. 1). *Lieu* géométrique d'un point. Points d'une droite formant une division harmonique.* ⇒ **Division.** *Points homothétiques, homologues.* ⇒ **Homothétie.** — *Points conjugués harmoniques par rapport à une courbe (ou une surface) du 2ᵉ degré* (couple de droites, cercle, conique — ou couple de plans, quadrique) : tout couple de points formant une division harmonique* avec les deux points d'intersection, réels ou imaginaires, de la droite qui les joint et de la courbe (ou de la surface). ⇒ **Polaire.** *Rapport anharmonique de quatre points.* ⇒ **Birapport.** *Points symétriques par rapport à une droite, à un plan.* ⇒ **Symétrie.** *Point double* (centre de similitude) *d'une transformation :* point qui est son propre transformé. *Polaire d'un point par rapport à deux droites. Puissance d'un point par rapport à un cercle. — Points singuliers d'une courbe plane. Points multiples* (la sécante en ce point coupe une courbe algébrique en plusieurs points confondus) ; *point d'arrêt* (où s'arrête une branche de la courbe) ; *point de rebroussement* (où s'arrêtent deux branches de courbe ayant la même tangente). *Point d'inflexion* (où la concavité de la courbe change de sens)... — *Projection* d'un point sur un plan. Cote d'un point. — Point de fuite* d'une perspective** (cit. 2). Archit. *Point d'aspect,* d'où un édifice doit être considéré (→ ci-dessous *point de vue*).

8 Ainsi les tableaux vus de trop loin — et de trop près ; et il n'y a qu'un point indivisible qui soit le véritable lieu ; les autres sont trop près, trop loin, trop haut ou trop bas.
PASCAL, Pensées, VI, 381.

9 (...) un point géométrique est une supposition, une abstraction de l'esprit, une chimère.
VOLTAIRE, Philosophie, Lettre de Memmius à Cicéron, III, 1771.

10 Qu'est-ce qu'un point ? Comment saurons-nous si deux points de l'espace sont identiques ou différents ? Ou (...) quand je dis : l'objet A occupait à l'instant α le point qu'occupe l'objet B à l'instant β, qu'est-ce que cela veut dire (...) Il ne s'agit pas de comparer les positions des objets A et B dans l'espace absolu (...) il s'agit de comparer les positions de ces deux objets par rapport à des axes invariablement liés à mon corps, en supposant toujours ce corps ramené à la même attitude.
Henri POINCARÉ, la Valeur de la science, I, IV, § 2.

11 Considérons (...) le mouvement dans l'espace. Je puis, tout le long de ce mouvement, me représenter des arrêts possibles (... *mais)* jamais le mobile n'est réellement en aucun des points ; tout au plus peut-on dire qu'il y passe (...) Les points ne sont pas *dans* le mouvement, comme des parties, ni même *sous* le mouvement, comme des lieux du mobile. Ils sont simplement projetés par nous au-dessous du mouvement, comme autant de lieux où serait, s'il s'arrêtait, un mobile qui par hypothèse ne s'arrête pas. Ce ne sont donc pas, à proprement parler, des positions, mais des suppositions, des vues ou des points de vue de l'esprit.
H. BERGSON, la Pensée et le Mouvant, p. 203.

12 Nous avons donné le nom de point dans cette géométrie *(projective)* à un ensemble de quatre nombres (...) non simultanément nuls, définis à un coefficient de proportionnalité près. Cette considération permet une généralisation immédiate : appelons point un ensemble de (n + 1) nombres non simultanément nuls (...) L'ensemble de ces points constitue l'espace projectif à n dimensions.
A. DELACHET, la Géométrie contemporaine, p. 54.

Math. (théorie des ensembles). *Point d'un espace* (ou *ensemble*) : chaque élément de cet ensemble.

Balist. *Points d'une trajectoire. Point d'impact** (cit. 1). *Point d'éclatement d'un projectile. Point d'arrivée, de chute* (→ Évaluer, cit. 4 ; fusée, cit. 11). Fig., fam. **POINT DE CHUTE :** endroit où l'on arrive, où l'on aboutit (généralement à l'improviste). *Est-ce que vous avez un point de chute à New York ? — Point de visée*, de mire*...* Fig. *Point de mire.* ⇒ 1. **Mire** (cit. 1 à 4) ; **but, cible.**

Mécan. *Point d'application de forces.* ⇒ **Centre.** *Point d'appui d'un levier** (cit. 3), *d'un système en équilibre* (→ Écroulement, cit. 1). ⇒ **Appui,** *supra* cit. 8. — Fig. *Point d'appui** (cit. 8 à 12). ⇒ **Aide, soutien, support.** — Archit. *Points d'appui, dans une charpente*, une construction :* les endroits où porte un élément (⇒ **Portée**) et où les poussées se transmettent. — *Point fixe* (→ Fléchir, cit. 1 ; gravité, cit. 13). *Solide « gêné », ayant un point fixe.*

13 Archimède, pour tirer le globe terrestre de sa place (...) ne demandait rien qu'un point qui fût fixe et assuré.
DESCARTES, Méditations, II.

Mécan. **POINT MATÉRIEL :** point géométrique possédant une masse finie ; corps matériel considéré comme ponctuel (→ Pendule, cit. 2). *Équilibre* d'un point matériel, d'un point mobile* (⇒ **Mobile,** n. m., **mouvement**). *Équilibre d'un point mobile sur une surface sans frottement. Statique du point. Point gêné :* point assujetti à rester sur une ligne, une surface...

(1862, Beau de Rochas, *in* D. D. L.). **POINT MORT :** position des éléments d'une machine où les forces de liaison font équilibre aux forces appliquées et où la machine s'arrêterait sans l'intervention de son énergie cinétique. *Points morts haut et bas d'un piston.* — Techn., cour. Position du levier de changement de vitesse, de l'embrayage, où l'effort du moteur n'est plus transmis aux organes de propulsion. *Les diverses vitesses et le point mort.* Loc. fig. *L'affaire est au point mort :* elle n'évolue plus.

(...) le jeu des pieds sur les pédales se fait sauvage, pour freiner, pour débrayer, pour relancer le moteur à plein régime au passage du point mort, pour repartir. 14
G. ARNAUD, le Salaire de la peur, *in* Classe de franç., 1954, p. 119.

Phys. *Localisation d'un corpuscule en un point* (→ Impression, cit. 9). ⇒ **Position.** *Points caractéristiques d'une onde.* ⇒ **Nœud ; nodal** (point), **ventre.** — Opt. *Point d'émergence* d'un rayon lumineux. Point d'origine d'une radiation.* ⇒ **Source.** *Point-source, point-image. Point d'incidence ; de réfraction, de réflexion.* — Absolt, vx. ⇒ **Foyer.**

Spécialt (dans des expr. avec : **METTRE, MISE... AU POINT**). Disposition relative des éléments d'un système optique, telle que l'image se forme à l'endroit convenable. *Mettre, remettre au point. Mettre au point, mise au point* (d'un instrument d'optique). *Mettre une lunette, un microscope, un appareil de photo au point. Metteur* au point.* — Vx. *Mettre une lunette à son point.*

Un instrument d'optique est un dispositif formé par la juxtaposition de divers corps réfringents qui a pour but de donner de la source ponctuelle une image que l'on désire également ponctuelle. En d'autres termes, on désire que les rayons lumineux recueillis par l'appareil viennent, après l'avoir traversé, converger aussi exactement que possible vers un point image. 15
L. DE BROGLIE, Physique et Microphysique, p. 100.

Il s'attaquait rarement aux idées. Non qu'il y fût insensible, mais parce que son œil était mis au point pour d'autres objets. 16
G. DUHAMEL, Biographie de mes fantômes, IX.

METTRE AU POINT : régler un mécanisme (→ ci-dessous le sens II, 1, « état »). *Mettre un moteur au point. Mise au point délicate.* — Fig. *Ce projet demande une mise au point,* des remaniements, des retouches. — Spécialt. *Mettre qqch. au point pour qqn, avec qqn :* lui donner tous éclaircissements, toutes explications afin que ne subsiste aucune équivoque, aucun malentendu. *Mise au point* (→ Oscillation, cit. 4). — Spécialt. Note, souvent officielle, destinée à corriger une mauvaise interprétation, à démentir un bruit, etc.

Marguerite me répond, avec une calme assurance : — Je n'ai pas dit boulebard, j'ai dit boulevard. Faut-il en rester là de cette vaine discussion ? Non certes ! Le souci de la vérité m'oblige à mettre les choses au point. 17
G. DUHAMEL, Salavin, Journal, 1ᵉʳ juin.

Je m'occupe à revoir et mettre au point le brouillon de mes *Mémoires,* de manière à garder un texte complet (...) 18
GIDE, Et nunc manet in te, p. 89.

Être au point, en état de fonctionner.

B. POINT DE VUE [pwɛ̃dvy] n. m. (1651).

♦ **1.** Endroit où l'on doit se placer pour voir un objet, une scène, le mieux possible (place de l'observateur). *Dessinateur qui choisit un point de vue pour mettre en perspective une scène. Point de vue particulier* (cit. 12). — (1778). Endroit d'où l'on jouit d'une vue étendue, pittoresque. *Un beau point de vue* (→ Horizon, cit. 13 ; lointain, cit. 11 ; montueux, cit. 1).

♦ **2.** (1670 ; abstrait). Manière particulière dont une question, une affaire peut être considérée. ⇒ **Aspect, côté, face, optique, perspective** (→ Exclusif, cit. 5 ; intransigeance, cit. 3). *Adopter* (→ 1. Métaphysique, cit. 2), *choisir, chercher un point de vue. Multiplier les points de vue* (→ Perception, cit. 8). *Se placer à un point de vue* (→ Palinodie, cit. 2). *Envisager qqch. d'un certain point de vue* (→ Maladie, cit. 1). *La sagesse* (cit. 8) *est un point de vue sur les choses. — Le point de vue de Sirius* (→ 1. Manche, cit. 15), *de Dieu.*

(...) pour être juste, c'est-à-dire pour avoir sa raison d'être, la critique doit être partiale, passionnée, politique, c'est-à-dire faite à un point de vue exclusif, mais au point de vue qui ouvre le plus d'horizons. 19
BAUDELAIRE, Curiosités esthétiques, III, I.

(...) toutes les bizarreries de sa technique s'expliquent parce qu'il *(Mauriac)* prend le point de vue de Dieu sur ses personnages (...) 20
SARTRE, Situations I, p. 45.

♦ **3.** Opinion* particulière résultant de la façon dont on envisage les choses. *C'est un point de vue* (→ Considérer, cit. 18). *Je partage votre point de vue :* je suis d'accord avec vous. ⇒ aussi **Sens** (abonder dans le sens de ...).

J'admets (...) qu'on prenne *point de vue* (...) au figuré (...) Mais ce qui donne à rire, c'est qu'on l'accole à toute sorte de verbes d'action ; il y a alors deux images qui se chevauchent et se contrarient. Que signifient des expressions comme : soutenir des points de vue, changer le point de vue de quelqu'un, aligner des points de vue (...) émettre un point de vue (...) rapprocher, confronter des points de vue, partager un point de vue, échanger des points de vue (...) défendre son point de vue (...) faire prévaloir, triompher son point de vue (...) toutes expressions relevées dans la presse et la langue du Parlement (...) 21
René GEORGIN, Pour un meilleur français, p. 67.

22 (...) les milieux militaires continuèrent à maintenir leur point de vue.
CAMUS, la Peste, p. 188.

Du (d'un) point de vue, de ce point de vue... Du point de vue de... (→ Conception, cit. 4). *Du point de vue...*, suivi d'un adj. (→ Fréquenter, cit. 19; inexistant, cit. 2).

23 De ce point de vue, la conception ornementale est aux arts particuliers ce que la mathématique est aux autres sciences. VALÉRY, Variété, Pl., t. I, p. 1185.

24 Je ne pensais jamais à ces sortes de problèmes et lorsque je les abordai enfin, ce fut du point de vue de la politique. F. MAURIAC, le Nœud de vipères, I, II.

Au point de vue..., suivi d'un adj. (→ Écolier, cit. 10; grâce, cit. 26; souveraineté, cit. 3). — *Chacun envisage la question à son point de vue personnel* (Académie, *Vue*).

REM. 1. Le tour *au point de vue de* est condamné par certains puristes, mais employé par de nombreux auteurs (cf. Hugo, Fromentin, France, Duhamel, Valéry, *in* Grevisse, § 916, n° 13); il n'y a aucune raison de le proscrire.

2. Les tours *au point de vue, du point de vue,* suivis d'un substantif sans *de* (*au point de vue* science; *au point de vue* confort, santé...), fréquents dans la langue parlée et journalistique, sont condamnés par les puristes (→ Épatant, cit. 2). On en rencontre parfois dans la langue littéraire (cf. les ex. cités par Grevisse et par Georgin).

25 Le fort, le grand, le lumineux, sont, à un certain point de vue, des choses blessantes. Être dépassé n'est jamais agréable; se sentir inférieur, c'est être offensé.
HUGO, Shakespeare, II, III, VI.

26 À deux points de vue cependant, la Sicile devrait attirer les voyageurs, car ses beautés naturelles et ses beautés artistiques sont aussi particulières que remarquables. MAUPASSANT, la Vie errante, « La Sicile ».

27 Malgré les oppositions, presque tout le monde dit et écrit aujourd'hui *au point de vue de* : Au point de vue de *la théorie* (Lamennais, Esq. d'une philos., IV, 31); — *Sans doute ils avaient raison,* au point de vue de *l'autorité sacerdotale* (Proudhon, Rév. soc., 47). F. BRUNOT, la Pensée et la Langue, p. 224.

28 (...) *au point de vue* a l'inconvénient de la lourdeur et d'un rien de pédantisme. Sans le proscrire comme faisaient jadis mes professeurs, je conseillerai de n'en pas abuser comme nous avons tendance à le faire aujourd'hui.
A. HERMANT, *in* le Temps, 30 avr. 1936
(*in* BOTTEQUIN, le Français contemporain, p. 251).

29 Au point de vue social, la situation est également peu claire.
Ch. BRUNEAU, Petite histoire de la langue franç., t. I, p. 122.

Vieilli. *Dans un point de vue, sous un point de vue...* — REM. On trouve encore cet emploi chez Baudelaire, Barrès (*in* Grevisse).

30 Il est difficile de se mettre dans un point de vue d'où l'on puisse juger ses semblables avec équité. ROUSSEAU, Émile, IV.

31 La hardiesse de l'entreprise était inouïe. Sous le point de vue politique, on pourrait regarder cette entreprise comme le crime irrémissible et la faute capitale de Napoléon. CHATEAUBRIAND, Mémoires d'outre-tombe, t. III, p. 340.

32 (...) nous tombions de mal en pis; car, examinée sous ce point de vue, la question se rétrécissait singulièrement.
A. DE MUSSET, Lettres de Dupuis et Cotonet, I, 8 sept. 1836.

♦ **4.** Vx. Endroit où une chose, un objet doit être placé pour être bien vu; ensemble d'objets, spectacle sur lequel la vue s'arrête.

33 Dieu est un grand paysagiste, dit Canalis en contemplant ce point de vue unique parmi ceux qui rendent les bords de la Seine si justement célèbres.
BALZAC, Modeste Mignon, Pl., t. I, p. 562.

34 Le voyageur ne manque jamais en passant de jeter un regard complaisant sur ces points de vue fugitifs, empreints d'une apparence de calme et de paix qui lui fait regretter de ne pouvoir planter sa tente sur ce rivage tranquille.
NERVAL, Notes de voyage, Lettres des Flandres, II.

Figuré :

35 Elle *(l'âme)* n'a qu'un point de vue, qui est le ciel : hors de là rien ne l'inquiète.
BOURDALOUE, Pensées, Du salut, Désir du salut.

36 Je me plais à rapporter, à offrir simplement toutes ces pages, en les rassemblant au vrai point de vue (...) SAINTE-BEUVE, Chateaubriand..., t. I, p. 226.

Dans un point de vue.

37 Ce n'est pas à moi (...) à savoir précisément dans quel point de vue on doit présenter les objets au public (...)
VOLTAIRE, Correspondance, 2435, 14 mars 1764.

C. (1190). ♦ **1.** Partie précise et définie (d'une durée). ⇒ 2. **Instant, moment.**

Par métaphore du sens spatial. *Point du temps* (→ Ombilic, cit.), *de la durée... Point de départ.* ⇒ **Commencement, début** (→ Œuf, cit. 18).

38 Petites joies, petits sourires et grandes larmes, tout cela occupe le même point dans l'espace et le temps. MAETERLINCK, le Trésor des humbles, XII.

39 Ainsi l'Annonciation est une heure unique dans l'histoire mystique et dans l'histoire spirituelle. C'est une heure culminante. C'est un moment unique et comme un point de moment, un moment ponctuel. C'est toute la fin d'un monde et tout le commencement de l'autre (...) Et dans un de ces longs beaux jours de juin où il n'y a plus de nuit, où il n'y a plus de ténèbres, où le jour donne la main au jour, c'est le dernier point du soir et c'est ensemble le premier point de l'aube.
Ch. PÉGUY, Note conjointe, Sur Descartes, p. 225.

♦ **2.** Loc. fig. **À POINT, À POINT NOMMÉ*** (cit. 20) : au moment voulu, opportun, convenable. ⇒ **Opportunément, propos** (à). *Venir, arriver à point* (⇒ **Ponctuel**). — Prov. *Tout vient à point (à) qui sait attendre*. « Rien ne sert de courir** (*infra,* cit. 23), *il faut partir à point ».*

40 Il se trouva fort à point que la tante de madame de Lescure (...) avait envoyé de Rome une dispense nécessaire. MICHELET, Hist. de la Révolution franç., V, XI.

41 Il l'avait détruit *(le maléfice)* à l'aide de quelques qualités très mêlées de défauts, mais venant à point et frappant à propos.
SAINTE-BEUVE, Causeries du lundi, 6 oct. 1851.

SUR LE POINT DE... : au moment* de, un instant avant de..., et le futur proche (→ Demande, cit. 2; dissuasion, cit. 1; pâle, cit. 5). *Être sur le point de...* ⇒ **Faillir, manquer,** 1. **penser** (cit. 52); **prêt** (à); **bord** (être au bord de). → Falloir, cit. 1; lourd, cit. 28. *Le gouvernement est sur le point de prendre telle décision.* ⇒ **Veille** (à la veille).

★ **II.** (XIIe). Par métaphore, fig. Degré d'une qualité; état, à un moment donné, d'une chose qui change.

♦ **1. À POINT, AU POINT** : dans tel état, telle situation. *Se trouver au même point que... «Au point où je me vois»* (→ Autre, cit. 59). *Au point où nous en sommes...*

(...) de successives petites fatigues cérébrales le mirent au point de ne pouvoir plus même corriger seul ses copies (...) F. MAURIAC, Génitrix, III. 42

À POINT (loc. adv.) : dans l'état convenable, requis. *Viande cuite* (cit. 15) *à point* (→ Fumet, cit. 1; œil, cit. 54; pâté, cit. 3). Par métaphore. → Maladroit, cit. 7. — Ellipt. *Un steack saignant, à point,* cuit à point, juste assez (entre *saignant* et [*bien*] *cuit*). — Par ext. *Une machine* (cit. 33) *chauffée à point. Une femme vraiment à point* (→ Chair, cit. 16).

(...) tirez de la broche cet oison, il est à point! 43
Th. GAUTIER, le Capitaine Fracasse, XI.

(...) une sérieuse soupe à l'oignon, gratinée à point. COLETTE, Belles saisons, p. 72. 44

EN POINT. Vx. *Bien en point; en bon point* (⇒ **Embonpoint**). — Mod. *Mal en point :* en mauvais état*, malade...

Voilà mon loup par terre
Mal en point, sanglant et gâté. LA FONTAINE, Fables, XII, 17. 45

(...) Dubourg put être relevé assez vite, et transporté vivant à l'hôpital (...) Il était, certes, mal en point : le tigre lui avait brisé un bras, une épaule, plusieurs côtes (...) 46
Claude FARRÈRE, Une jeune fille voyagea..., IV, VIII.

REM. Au XVIe s., le comp. *apoint,* n. m., signifiait « situation favorable ». → Appoint.

Spécialt, vx. *Au point de qqn :* de la façon qui lui est agréable, à son gré, à sa fantaisie. *Mettre qqn à son point* (Mme de Sévigné), *le faire venir à son point :* l'engager à faire ce qu'on veut. *Venir au point de qqn.*

Montaigne dirait : *« Je veux avoir mes coudées franches, et être courtois et affable à mon point (...) »* LA BRUYÈRE, les Caractères, V, 30. 47

♦ **2.** Degré particulier (d'une échelle, dans le domaine qualitatif). ⇒ **Degré, intensité.** *Le plus haut point, le point culminant** (cit. 5). ⇒ **Apogée, comble, faîte, période, sommet, summum** (→ Écrasement, cit. 4). *Être à son point culminant.* ⇒ **Culminer** (cf. Battre son plein). *Le point de perfection* (→ Nouveauté, cit. 6). *Au plus haut point.* ⇒ **Éminemment, extrêmement** (→ Exaltation, cit. 5). *Au dernier* point* (→ Abrégé, cit. 2; oser, cit. 16), *au suprême point* (→ Intellectuel, cit. 8); *à son point extrême* (→ Buter, cit. 5). *Le dernier, l'extrême point du malheur, de la misère.* ⇒ **Fond.** *« Le désordre a dépassé* (cit. 12) *le point de contrôle possible »* (→ aussi Libre, cit. 9). *Atteindre un point limite.* ⇒ **Limite.**

(...) une méthode, par laquelle il me semble que j'ai moyen d'augmenter par degrés ma connaissance, et de l'élever peu à peu au plus haut point auquel la médiocrité de mon esprit et la courte durée de ma vie lui pourront permettre d'atteindre. 48
DESCARTES, Discours de la méthode, I.

(...) car le propre de la divinité, c'est l'entêtement. Si l'homme savait pousser l'obstination à son point extrême, lui aussi serait déjà dieu. Voyez les savants, et les secrets divins qu'ils arrachent de l'air ou du métal, simplement parce qu'ils se butent. GIRAUDOUX, Amphitryon 38, III, 1. 49

Il y a dans ce ton indéfinissable de vert d'eau de mer, quelque chose de si juste, un point de perfection au bord de l'excès tel que la nature seule (...) 50
J. CHARDONNE, les Destinées sentimentales, p. 438.

Loc. avec À. *À ce point de...* (suivi d'un subst.). *À ce point de haine* (→ Paix, cit. 18). — (Avec un adj.). Aussi, tellement. *Se sentir à ce point dépourvu de tout moyen d'action que...* (→ Achopper, cit. 4). — *À tel point.* ⇒ **Combien, comme;** → Aigrir, cit. 6; hésiter, cit. 7; insuccès, cit. 2. *Jusqu'à quel point* (→ Dépérissement, cit. 4; faiseur, cit. 19; incompréhensible, cit. 4; intervertir, cit. 1). — *À quel point :* tellement, autant (→ Affliger, cit. 1). *À quelque point qu'on aime...* (→ 1. Peu, cit. 78). — *À un certain* (cit. 11) *point, jusqu'* (cit. 4) *à un certain point :* jusqu'à un certain degré, dans une certaine mesure. ⇒ **Aucunement, relativement** (→ Croissance, cit. 4; intraitable, cit. 1; passion cit. 12).

Au point de..., introduisant une subordonnée inf. de conséquence (→ Absence, cit. 10; 1. loi, cit. 38; motif, cit. 3). ⇒ **Jusque.** *Jusqu'au point de...* (→ Aristocratique, cit. 4).

À ce point, au point que..., introduisant une subordonnée de conséquence (à l'ind.) : si bien que, tellement que..., à telle enseigne que... (→ Attiser, cit. 4; gagner, cit. 55; notion, cit. 4). *C'est au point qu'il a fallu...* (→ Malade, cit. 16). *À un tel point que...* (→ Lunette, cit. 1; parvenir, cit. 12). *À tel point que...* (→ Idéaliser, cit. 6; incroyable, cit. 2). *À ce point que...* (→ Fin, cit. 11; insatiable, cit. 7). *Jusqu'au point que..* (→ Jusque, cit. 60).

(...) les larmes le gagnaient à un tel point, qu'il ne pouvait plus prononcer d'une manière intelligible. STENDHAL, la Chartreuse de Parme, XXVIII. 51

Ils sont à ce point installés dans la guerre qu'ils ne sauraient plus comment en sortir. J. ROMAINS, les Hommes de bonne volonté, t. XV, VIII, p. 95. 52

REM. On rencontre parfois le subjonctif, après *au point que...,* pour marquer l'intention, la finalité, *«Il faut illusionner* (cit. 2) *le lecteur à tel point qu'il puisse croire que...* » (Balzac), ou encore en phrase interrogative, négative.

53 L'escalier était sombre, mais non à ce point qu'il me fût impossible d'apercevoir les traits de mon ami. G. DUHAMEL, Chronique des Pasquier, II, II.

♦ **3.** (XIXe). Phys., chim. (Qualifié par un adj. ou un compl. en *de*). Degré d'intensité d'une variable définissant les conditions auxquelles un phénomène se produit. *Point de condensation**, *de congélation**, *de fusion**, *de liquéfaction... Point critique** (1. Critique, cit. 4). *Point lambda. Point d'inflammation spontanée, point éclair. Point triple :* condition où les trois états (solide, liquide, gazeux) d'un corps coexistent en équilibre. *Point quadruple. Point eutectique**. *Point de saturation. Point de concentration* d'une solution. Point de rosée**. — *Point isoélectrique,* où l'équilibre des charges électriques, positive et négative, est atteint.

Fin. *Point d'or.* ⇒ **Gold-point.**

★ **III.** Action de poindre*; état de ce qui point, pique... ⇒ **Pointe** (IV.).

♦ **1.** (1185). **LE POINT DU JOUR*** : le moment où le jour point*. ⇒ 1. **Aube** (cit. 1), **naissance** (du jour); **pointe** (III., 2.). → Blanchir, cit. 2; douteux, cit. 5; épanouir, cit. 6; net, cit. 23. *Au point du jour* (→ Au chant* du coq).

54 Elle est morte au point du jour. C'est ordinairement au point du jour qu'on meurt. HUGO, les Misérables, II, VIII, I.

♦ **2.** Vx. (XIIIe). Piqûre. — Mod. Douleur* vive, aiguë, poignante. **POINT DE CÔTÉ***. ⇒ **Pleurodynie.** — REM. De nos jours, *point* est compris plutôt comme « douleur localisée en un point » (I.) que comme « douleur poignante ». *Point douloureux dans le dos* (→ Fatiguer, cit. 3), *au poumon* (→ Lésion, cit. 5).

55 Depuis ce matin, points de côté, mobiles, successifs, très pénibles. MARTIN DU GARD, les Thibault, t. IX, p. 234.

55.1 Je courais entre les autobus, je bondissais aux carrefours, je bousculais le monde. Un point de côté m'a fait ralentir. Je me suis arrêté quelques instants devant une vitrine pour reprendre mon souffle (...) Geneviève DORMANN, le Chemin des dames, p. 43.

Anat. Petit orifice. *Points lacrymaux* (→ Larme, cit. 1). *Point appendiculaire**, *auriculaire**.

Acupuncture. Endroit de la peau où doit se faire la piqûre. *Les points sont disposés en lignes dites « méridiens ».*

Trou fait à une courroie, une ceinture. *Raccourcir une courroie d'un point* (Académie).

♦ **3.** (1352 « manière de broder »). Chaque longueur de fil disposée et assujettie d'une certaine manière (entre deux piqûres d'aiguille, entre deux mailles de tricot...), disposition répétée de façon à former un ouvrage (de couture, broderie, tapisserie, etc.). — REM. Les principaux *points (de devant, arrière...)* sont mentionnés à *broderie**, à *couture**. ⇒ aussi Point-arrière. *Point d'arrêt.* ⇒ **Arrêt.** *Bâtir* à grands points, retenir par quelques points.* ⇒ 2. **Empointer, faufiler.** *Piqûre* à petits, à grands points. Points à l'aiguille*, au crochet*... Points d'une couture, d'un tricot* (⇒ 1. **Maille**), *d'une tapisserie...*

56 En parlant, ainsi, madame de La Chanterie tirait toujours ses points avec une régularité désespérante (...) BALZAC, Mme de La Chanterie, Pl., t. VII, p. 258.

57 Elle avait pris son ouvrage et comptait sur de grosses aiguilles les points de son tricot. J. CHARDONNE, les Destinées sentimentales, p.330.

57.1 (...) modestement penchée, comptant tout bas un nouveau point, deux mailles à l'endroit, maintenant trois à l'envers et puis maintenant un rang tout à l'endroit (...) N. SARRAUTE, Tropismes, p. 87.

Faire un point à un vêtement, une suite de points pour le réparer. *Point rentré,* utilisé en tapisserie.

57.2 De façon générale, les tissus du règne de Louis XIV exploitent surtout le motif floral plus grand que nature. Pour la première fois joue le relief, obtenu à l'aide de jeux d'ombres et de lumières : fleurs et fruits isolés ou réunis en bouquets se modèlent d'abord par taches juxtaposées, puis on use du point rentré, qui adoucit la sécheresse du contour de ces taches, en faisant s'interpénétrer sur les bords des fils diversement colorés. Michèle BEAULIEU, les Tissus d'art, p. 84.

Manière d'exécuter une suite de points pour faire un ouvrage particulier. ⇒ **Broderie, couture, dentelle, tapisserie, tricot...** *Point de chaînette*, d'épine*, de feston*, d'ourlet*... Dentelle au point,* à l'aiguille. *Tapisserie au petit point* (→ Fumeur, cit. 2), *au gros point. Point noué* (des tapis). — Par métonymie (en parlant de l'ouvrage lui-même : dentelle, broderie, passementerie, tapisserie...). *Point de Hongrie :* « broderie de soie sur étamine, à bâtons rompus » (Réau); → Appliquer, cit. 31. *Point de Venise :* dentelle à l'aiguille (→ Linge, cit. 2). *Point d'Espagne :* passementerie d'or et d'argent. *Point de Gênes, d'Angleterre. Point d'Alençon* (dentelles).

58 Madame, montrez-nous quelques collets d'ouvrage.
Voilà du point d'esprit, de Gênes, et d'Espagne.
CORNEILLE, la Galerie du Palais, I, 6.

59 Mon Dieu! que de ce point l'ouvrage est merveilleux! MOLIÈRE, Tartuffe, III, 3.

60 À la porte, une lourde portière, en tapisserie au petit point à fond jaune et à feuillages extravagants, étouffait tout bruit du dehors. BALZAC, l'Initié, Pl., t. VII, p. 378.

61 Des guirlandes vertes pendaient sur l'autel, orné d'un falbala en point d'Angleterre. FLAUBERT, Trois contes, « Un cœur simple ».

Oh! je voudrais bien voir les guipures dont vous me parlez, c'est si joli le point de Venise, s'écriait-elle; d'ailleurs j'aimerais tant aller à Venise! 61.1
PROUST, À l'ombre des jeunes filles en fleurs, Folio, p. 566.

Absolt, vx. Dentelle de fil. *Le grand collet de point* (Voltaire).

Par anal. *Parquet en point de Hongrie, à points de Hongrie,* à bâtons rompus.

Chir. *Point de suture**.

★ **IV.** Marque ou signe (souvent cercle plein) de très petite dimension; objet visible extrêmement petit. *Faire un point ; marquer d'un point* (⇒ **Pointer**), *de points* (⇒ **Picoter, piqueter, pointiller**). *Le point visible et le point géométrique* (→ ci-dessus, I., 2.).

(...) nous faisons des derniers *(principes)* qui paraissent à la raison comme on fait dans les choses matérielles, où nous appelons un point indivisible celui au delà duquel nos sens n'aperçoivent plus rien, quoique divisible infiniment et par sa nature. 62
PASCAL, Pensées, II, 72.

(...) nous devons nous demander s'il est possible de se représenter un point de l'espace. Ceux qui répondent oui ne réfléchissent pas qu'ils se représentent en réalité un point blanc fait avec la craie sur un tableau noir ou un point noir fait avec une plume sur un papier blanc, et qu'ils ne peuvent se représenter qu'un objet ou mieux les impressions que cet objet ferait sur leurs sens. 63
Henri POINCARÉ, la Valeur de la science, p. 77.

A. ♦ **1.** Objet visible isolé dont les contours sont trop petits pour être perceptibles; petite tache ou trace (généralement ronde). *Un point minuscule, imperceptible* (→ 1. Frais, cit. 36). *N'apparaître que comme un point à l'horizon, dans le lointain* (→ aussi Infini, cit. 31). *Surface mouchetée*, semée de points.* ⇒ **Piquer, ponctuer.** *Point brillant* (→ Incendie, cit. 6), *lumineux* (cit. 3). *L'avion, la fusée n'était plus qu'un point dans le ciel. Point en ignition.* (→ Oxygène, cit. 2). *Avoir des points d'or devant les yeux* (→ Mouche, cit. 14). — « *Nous combinons des points colorés. L'aveugle ne combine que des points palpables* » (cit. 1). — Spécialt. **POINT NOIR.** *Point noir sur la peau* (acné ponctuée, comédon, grain de beauté...). — *Votre dent a un point de carie.*

Une de mes remarques fut que madame l'abbesse avait une quantité de points noirs au bout du nez, je trouvais cela horrible. 64
STENDHAL, Vie de Henry Brulard, 18.

La robe d'or, perdue un instant dans les ténèbres de ce trou noir, après avoir dépassé l'unique réverbère qui les tatouait d'un point lumineux, reluisit au loin (...) 65
BARBEY D'AUREVILLY, les Diaboliques, « Vengeance d'une femme ».

Et sur elle courbé, l'ardent Imperator 66
Vit dans ses larges yeux étoilés de points d'or
Toute une mer immense où fuyaient des galères.
J.-M. DE HÉRÉDIA, les Trophées, « Antoine et Cléopâtre ».

(...) cette joue jaune (et le point de beauté parmi un duvet noir) (...) 67
F. MAURIAC, le Sagouin, p. 9.

(...) on eût dit qu'ils voulaient transpercer ces prunelles noires où la lumière jetait deux points jaunes (...) J. GREEN, Léviathan, I, III. 68

Point noir : nuage noir qui paraît comme un point à l'horizon. — Fig. ⇒ **Menace** (→ aussi le sens V, 2).

Techn. *Point brillant :* zone où l'intensité des ondes réfléchies permet de déceler un objet. — *Point identifié* (position d'un avion).

♦ **2.** (XIIIe). L'un des signes d'un dé à jouer, répartis (de un à six) par faces. *Amener deux, cinq points.*

Unité des valeurs attribuées à chaque carte, dans un jeu. *Le valet, le roi vaut tant de points. Points d'honneur,* au bridge.

Aux jeux, en sport. Chaque unité attribuée à un joueur, au cours d'une partie, et dont le décompte (⇒ **Marque**) permet de désigner le vainqueur. *Obtenir plus, moins de points que son adversaire. Prendre des points* (→ Défalquer, cit.). *Gagner, mener aux points,* à la marque. *Partie en tant de points.* — Loc. *Compter les points, aux cartes, au billard, au tennis.* Fig. Assister à une lutte, à un combat et décider, juger qui est vainqueur (→ Marquer, cit. 19). — *Annoncer les points* (en parlant de l'arbitre... → Pelote, cit. 3). — *Marquer* les points,* les noter après chaque coup. — *Marquer un point, des points,* se dit du joueur qui prend l'avantage*. Fig. *Marquer un point.* ⇒ **Marquer.** — *Point gagnant,* qui décide de la partie.

Deux parties de billard étaient en train. Les garçons criaient les points; les joueurs couraient autour des billards encombrés de spectateurs. 69
STENDHAL, le Rouge et le Noir, I, XXIV.

(...) le bridge aux enchères, alors une nouveauté, et qu'on jouait au franc le point, ce qui grimpe. ARAGON, les Cloches de Bâle, I, VI. 70

(...) l'ailier gauche de Pommard, Nollis, avait débordé la défense de Médoc et s'approchait à toutes jambes du but adverse. À moins d'un miracle, le point était acquis. René FALLET, le Triporteur, p. 369. 70.1

RENDRE DES POINTS *à son adversaire :* lui concéder un avantage* avant la partie, supporter un handicap*. — Fig. *Je lui rendrais des points sur cette question :* je me considère comme plus fort que lui (→ Madré, cit. 3).

M. le préfet W... était d'une jolie force au billard; mais M. le président P... lui rendait des points. FRANCE, l'Orme du mail, Œ., t. XI, p. 208. 71

(...) je leur rendrai des points là-dessus; et, pour peu que vous m'y poussiez, je saurai me montrer plus intransigeant qu'eux. GIDE, Corydon, 1er dialogue, III. 72

(Boxe). **AUX POINTS.** *Battre son adversaire aux points, victoire aux points, vainqueur aux points,* après arbitrage et décompte des points attribués à chaque adversaire (quand il n'y a ni K.O. ni abandon).

Prov. *Pour un point, Martin perdît son âne**. — REM. Ce proverbe viendrait selon P. Larousse d'un jeu de mots sur *âne* et l'abbaye d'Asello (ou, selon d'autres auteurs, celle de Sonane). *Point* serait alors non le *point* marqué au jeu, mais le signe de ponctuation (une faute de ponctuation ayant privé l'abbé de son abbaye).

♦ **3.** Chaque unité d'une note attribuée à un élève. ⇒ **Note.** *Obtenir tant de points* (→ Niveau, cit. 8), *le maximum de points, la moitié* (moyenne) *des points. Échouer à un examen à un point. Il a perdu des points à l'oral. Enlever un point par faute, dans une dictée.*

Bon point, mauvais point : marque (favorable ou défavorable) donnée à un écolier*. — Par ext. Image ou petit carton correspondant à un « bon point ».

73 Son plus cher trésor, c'était les bons points du catéchisme, bleus et roses, imprimés d'or. ARAGON, les Beaux Quartiers, I, IX.

♦ **4.** Chaque unité, chaque division (d'une échelle de grandeurs ou d'un indice*). *La règle dont le cordonnier, le chapelier se servaient pour prendre leurs mesures était divisée en points.* Vx. *Se chausser à tant de points.* ⇒ **Pointure.**

(1737, Fournier). Typogr. Unité de dimension des caractères d'imprimerie. ⇒ **Caractère** (cit. 6), **corps, imprimerie.** *Le cicéro valait onze points, dans le système de Fournier; il en vaut douze, depuis Firmin-Didot, qui rattacha le point à la ligne* (1/6ᵉ de ligne, soit 0,375 mm).

La dimension des tableaux, des toiles est calculée en points.

Fin. *Les fonds d'État tombèrent de trois points* (→ Pessimisme, cit. 3). *Indice qui gagne deux points.*

♦ **5.** Techn. (joaill.). Centième du carat.

B. ♦ **1.** (XVIᵉ). Signe ponctuel ou comportant un point, dans une écriture, une notation... — Signe (.) servant à marquer la séparation des phrases. ⇒ **Ponctuation.** *Les points et les virgules* (→ Méticuleux, cit. 1). *Point, tiret. Point, à la ligne.* Par métaphore. *Mettre le point final* à qqch. Un point, c'est tout. — Point à la ligne :* en voilà assez sur ce sujet, parlons d'autre chose. *Un point c'est tout :* voilà tout.

74 Gagne de l'argent avec ça, je veux dire avec ton talent. Et ce sera tout à fait bien. Un point, c'est tout. G. DUHAMEL, Chronique des Pasquier, II, XIII.

75 (...) le point s'emploie là où il y a dans la parole une grande pause terminant une phrase. J. DAMOURETTE, Traité moderne de ponctuation, p. 44.

76 Je m'arrête : il y a un point à ma promenade comme à une phrase que l'on a finie. CLAUDEL, Connaissance de l'Est, « Le point ».

77 Shade dictait (...) « Ce matin, virgule, j'ai vu les bombes encadrant un hôpital où se trouvaient plus de mille blessés, point. » MALRAUX, l'Espoir, II, II, X.

77.1 — Il *(Ho Chi Minh)* est le Viêt-nam, un point, c'est tout, je crois.
— Un point, et ce n'est pas tout. Il y aurait beaucoup à dire, du national-communisme, cher Méry. MALRAUX, Antimémoires, Folio, p. 452.

77.2 Ils ne sont pas sortis de la cuisse de Jupiter, ces gens-là! Au fond, c'est rien que de pauvres pédezouilles. Point, à la ligne!
Roger IKOR, les Fils d'Avrom, Les eaux mêlées, p. 525.

Signe identique au signe de ponctuation, placé après une initiale, une abréviation. — REM. On met un point après les abréviations, mais non après les symboles physiques et chimiques (ex. : P.T.T., mais : Pb, 3 km).

Loc. *Points suspensifs* (vx). Mod. **POINTS DE SUSPENSION,** indiquant que l'expression de la pensée reste incomplète, qu'une énumération n'est pas exhaustive, qu'une phrase n'est pas terminée... (→ Couper, cit. 14). *Mot grossier, dont on n'écrit que l'initiale suivie de trois points. Les points de suspension* (en typogr., trois points [...]) *équivalent parfois à* etc.

DEUX POINTS. *Les deux points* (:) s'emploient pour annoncer un discours, une citation, une explication... *Deux points, ouvrez les guillements.* ⇒ aussi **Comma.**

POINT-VIRGULE, *point et virgule* (;), marquant une pause intermédiaire entre la virgule* et le point. *Des points-virgules.*

Points conducteurs : ligne de points destinée à faire correspondre des signes situés au bout de la ligne. — *Suite de points.* ⇒ **Pointillé.** — *Les trois points,* symbole de la franc-maçonnerie (∴). *Les frères trois points :* les francs-maçons.

78 Dans ses correspondances, il s'exprime comme un sous-officier (...) et il écrit en toutes lettres les mots qu'il est séant de remplacer par des points.
A. HERMANT, Souvenirs du vicomte de Courpière, I.

Par ext. Signe comportant un point. — Vx. *Point d'admiration* (→ Obélisque, cit. 3), *admiratif.* Vieilli. *Point exclamatif. Point d'interjection* (→ 1. Fausset, cit. 5). Mod. **POINT D'EXCLAMATION** (!). → 1. Original, cit. 1. — Vx. *Point interrogant, interrogatif.* Mod. **POINT D'INTERROGATION** (cit. 4 et 5), exprimant l'interrogation directe (?). — Fig., par métaphore. Interrogation, question. *Qui sera élu? C'est le point d'interrogation.*

En grec. *Point en haut :* signe correspondant au point-virgule.

Petit signe qui surmonte les lettres *i* et *j* minuscules. ⇒ **I** (cit. 2), **J.** Loc. *Mettre les points sur les* i* (cit. 3). — *Points* (ï) *que l'on place sur certaines lettres.* ⇒ **Tréma.**

Points-voyelles : signes diacritiques représentant les voyelles, dans certaines écritures sémitiques.

Mus. Signe placé après une note ou un silence, pour en augmenter la valeur temporelle de la moitié (⇒ **Pointé**). — *Points de reprise :* deux points (:) signalant un da capo. — *Point d'orgue.* ⇒ **Orgue.** — *Point d'arrêt :* signe semblable au point d'orgue, placé au-dessus d'un silence, et marquant une interruption de durée indéterminée. — *Les notes détachées, piquées* sont surmontées d'un point.*

Hist. mus. Signe de l'ancienne notation musicale (correspondant à une note). *Superposer point contre point.* ⇒ **Contrepoint** (cit. 1).

Télécommunication. *Points et traits du morse.*

Math. *Points marquant les fluxions** (cit. 5).

♦ **2.** Blason. Chacun des petits carrés, des petites divisions de l'échiqueté, du componé. — Position dans l'écu. ⇒ **Blason.**

♦ **3.** Techn. (inform.). **POINT ADRESSE :** repère sur une fiche magnétique, signalant le début d'un enregistrement.

★ **V.** (XIVᵉ). Fig. Un des éléments d'un ensemble, mis en valeur ou en évidence.

♦ **1.** Chaque partie (d'un discours, d'un raisonnement). ⇒ **Lieu.** *Les différents points d'une dissertation, d'un exposé* (⇒ **Chef**), *d'un ouvrage théorique* (⇒ **Partie**), *d'une loi* (⇒ **Article, disposition**)... *Divisions* en points. Les points d'un accord* (→ Exiger, cit. 9), *d'un traité.*

(...) il arrive enfin, le malheureux, à la plus grande séparation, sans détachement, premier point; à la plus grande affaire sans loisir, second point; à la plus grande misère sans assistance, troisième point. 79
BOSSUET, Sermons, Sur l'impénitence finale (1662).

(...) mais comment puis-je parler sur les chemins à une femme qui ne m'a pas été présentée et qui allait commencer un sermon en trois points? 80
BALZAC, le Lys dans la vallée, Pl., t. VIII, p. 979.

Les *points* d'un discours ont du bon; besoin de savoir *où on en est.* 81
GIDE, Journal, 13 févr. 1908.

♦ **2.** Question, matière* particulière. ⇒ **Sujet.** *Un point d'histoire, de théologie* (→ Magistral, cit. 1). *Point formel de foi.* ⇒ **Article.** *Point important*; capital*, essentiel, primordial.* ⇒ **Clef, cœur** (cœur du sujet), **essentiel** (n. m.), **nœud.** *Point fondamental* (→ Mesure, cit. 1). *Les points les plus, les moins intéressants*(→ Élucidation, cit.). *Ce sont des points secondaires, des à-côtés. Point délicat, difficile* (→ Neutralité, cit. 1), *obscur* (→ Exercer, cit. 45). — *Traiter un point* (→ Incidemment, cit. 1). *Engager* (cit. 21) *la discussion sur un point. Point litigieux*. Concéder* un point.* ⇒ **Concession.** *Point de désaccord* (→ Divergence, cit. 2). *C'est un point acquis* (→ Liaison, cit. 2). — *Il y a un point noir dans cette affaire,* une question dangereuse, obscure, une source de difficultés. *Un point noir pour la circulation automobile. Il n'y a qu'un point noir,* qu'un ennui. — *Les points de la foi* (→ Détermination, cit. 1). — Par anal. (en parlant d'actions, d'événements). Chose particulière. *Voilà un grand point de gagné :* le plus important*, le principal* est fait, est résolu... *Le grand point est de tenir, de résister... Il n'avait oublié qu'un point* (→ Lanterne, cit. 11). — *C'est un point commun entre eux,* un caractère commun. *C'est le point qui le touche le plus* (→ Sa corde* sensible). — Loc. *Point d'honneur.* ⇒ **Honneur** (cit. 13 à 15).

Voilà le point principal de ma lettre; 82
Vous savez tout; il n'y faut plus rien mettre. Clément MAROT, Épîtres, XXVII.

« Rien de trop » est un point 83
Dont on parle sans cesse, et qu'on n'observe point. LA FONTAINE, Fables, IX, 11.

Si j'avais eu plus de timidité ou d'esprit de doute en face des principes que j'avais établis, bien des points de science et d'application seraient demeurés obscurs et soumis à des discussions sans fin. PASTEUR, cité par Henri MONDOR, Pasteur, IX. 84

Il n'y a pas ce moment d'effroi qui saisit toujours les gens du monde quand on les assoit sur des chaises en face d'une scène d'amateurs. 84.1
LA COMTESSE
Un seul point noir. Ils parlent tous de Marivaux. La plupart ne l'ont jamais lu.
J. ANOUILH, la Répétition, p. 15.

Absolt. *Le point :* la question principale, le nœud de l'affaire. *Le point est de... C'est là le point. Se faire un point de... :* attacher de l'importance à... *Venir au point,* à l'essentiel.

Votre santé, votre repos, vos affaires, ce sont les trois points de mon esprit (...) 85
Mᵐᵉ DE SÉVIGNÉ, 145, 15 mars 1671.

(...) les Jansénistes vous diront bien que tous les Justes ont toujours le pouvoir d'accomplir les commandements : ce n'est pas de quoi nous disputons; mais ils ne vous diront pas que ce pouvoir soit *prochain*; c'est là le point. 86
PASCAL, les Provinciales, I.

Mais le point de la question et de la difficulté est de savoir sur quoi les nations polies se réunissent, et sur quoi elles diffèrent. 87
VOLTAIRE, Essai sur la poésie épique, I.

Dr. **POINT DE DROIT :** « partie des qualités d'un jugement où sont énoncées les raisons invoquées par chacune des parties... ainsi que le résumé des questions soumises au jugement du tribunal » (Capitant). — **POINT DE FAIT :** « où sont énoncés les noms et domiciles des parties et les faits de la cause » (Capitant). — *Point de fait :* point concret (et non pas formel).

Les choses de fait ne se prouvent que par les sens (...) Toutes les puissances du monde ne peuvent par autorité persuader un point de fait, non plus que le changer; car il n'y a rien qui puisse faire que ce qui est ne soit pas. 88
PASCAL, les Provinciales, XVIII.

(Loc. avec **SUR, EN, DE**). *Sur un point* (→ 1. Droit, cit. 30), *sur ce point* (→ Devise, cit. 2; jugement, cit. 17; père, cit. 15). *Sur ce point, je ne partage* (cit. 10) *pas votre opinion. Sur ce point particulier*, précis...* ⇒ **Particularité.** *Sur cent points* (→ Chicaner, cit. 1)... — *En ce point* (→ Nursery, cit. 1 ; œuf, cit. 3). *En un seul point* (→ Glaneur, cit. 3). *En tous points* (→ Fondouk, cit. 2 ; offusquer, cit. 6). *En tout point.* — *De tous points* (→ Lapin, cit. 4). *De tout point* (→ Filer, cit. 10).

89 L'inimitié des deux peuples cesse en deux points, sur la question des mots et sur celle du vêtement. BALZAC, Albert Savarus, Pl., t. I, p. 755.

90 (...) un de ces jeunes Anglais irréprochables de tout point (...)
Th. GAUTIER, le Roman de la momie, Prologue.

De point en point : à la lettre. *Conter* (cit. 1), *exécuter des ordres... de point en point.* ⇒ **Entièrement, exactement** (→ Galant, cit. 3). *Il m'a répété de point en point...* ⇒ **Textuellement.** — *Point par point* (→ Minutie, cit. 3).

91 Il faut que l'Historien, de point en point, du commencement jusqu'à la fin, déduise son œuvre (...)
RONSARD, les Quatre Premiers Livres de la Franciade, Au lecteur, *in* Œ en prose, Pl., t. II, p. 1012.

92 (...) ce que tu m'as dicté,
Je veux de point en point qu'il soit exécuté. RACINE, Esther, II, 5.

DÉR. 1. **Pointer, pointiller.** — V. aussi **Pointure.**
COMP. 1. **Appointer, bi-point, contrepoint, embonpoint,** 2. **empointer, mal-en-point** (ci-dessus, II., 1.), **rond-point, tiers-point, tire-point.** — **Arrière-point** ou **point-arrière.**
HOM. Poing, 2. **point.** Formes du v. **poindre.**

2. POINT

2. POINT [pwɛ̃] auxiliaire de la négation*, traditionnellement considéré comme adverbe. — Fin XIe ; *no... point,* v. 1050 ; spécialisation du subst. (→ 1. point) au sens de « petite parcelle d'étendue ou de temps », dans le tour *point de...* suivi d'un subst. : « une parcelle de, très peu de... » ; puis senti comme auxiliaire de *ne...*, et équivalant à *pas**.

★ **I. POINT** : deuxième élément de la négation, employé normalement en corrélation avec *ne.* ⇒ **Ne** ; 2. **pas** (→ Non, cit. 1).

♦ **1.** *« Je ne vous connais pas. Moi non plus, je ne vous connais point »* (→ Loustic, cit. 4). *Ne lisant point les journaux...* (→ Mésestimer, cit. 3). — *Ce qui est histoire et ce qui ne l'est point* (→ Cause, cit. 53). — *Ce n'est point que j'approuve* (cit. 19).

1 Va, je ne te hais point. CORNEILLE (→ Devoir, cit. 14).

2 Ne forçons point notre talent (...) LA FONTAINE (→ Forcer, cit. 25).

3 Le cœur a ses raisons que la raison ne connaît point. PASCAL (→ Cœur, cit. 143).

4 Ils montrèrent, du reste, que je ne les gênais guère ; c'est-à-dire qu'ils ne se gênèrent point. GIDE, Si le grain ne meurt, I, IX, p. 243.

REM. 1. **POINT** de nos jours est beaucoup moins usité que **PAS.** Il y a entre ces deux mots une nuance sémantique (→ 2. pas) et surtout une différence d'usage. *Point* est plus courant dans la langue classique ; de nos jours il est archaïque, littéraire, ou régional, rural.

5 Je ne vous réponds pas des volontés d'un père ;
Mais je ne serai point à d'autre qu'à Valère. MOLIÈRE, Tartuffe, II, 5.

6 *Pas* énonce simplement la négative, *point* l'exprime avec beaucoup plus de force. Le premier souvent ne nie la chose qu'en partie ou avec modification ; le second la nie toujours absolument, totalement et sans réserve.
GIRAULT-DUVIVIER, Grammaire des grammaires, t. II, p. 876.

2. Place de **POINT** dans la négation. ⇒ 2. **Pas.** Spécialt (avec l'inf.). *Pour ne point défaillir* (→ Livrer, cit. 25). *Se proposer de faire telle chose... puis ne point la faire* (cit. 66). *Leur parler, ne leur parler point...* (→ Auprès, cit. 11). — (Avec l'impér.). *Ne forçons* (cit. 25) *point notre talent. Homicide* (1. Homicide, cit. 3) *point ne seras.*

7 Il ne comprenait pas quelle fureur (...) poussait ces individus à ne vouloir point s'arrêter. FLAUBERT, Mme Bovary, III, I.

8 *Point n'est besoin* de voir le lieu ; elle connaît assez bien l'aspect redoutable des grands bois (...)
Louis HÉMON, Maria Chapdelaine, X, *in* G. et R. LE BIDOIS, § 983.

9 (...) faites-moi l'amitié de n'aller point l'explorer. G. DUHAMEL, Salavin, I, IV.

NE... POINT, suivi d'un subst. *Il n'a point d'argent ; il n'a point d'argent pour...* ⇒ 2. **Pas.** *Si nous n'avions point de défauts* (cit. 26). *« Amour n'a point de lois »* (→ 1. Mille, cit. 1). — *« Si ce n'est toi, c'est donc ton frère* (cit. 15). *Je n'en ai point ».*

10 On croit que les rêveurs ne font point de mal, on se trompe : ils en font beaucoup.
FRANCE, le Lys rouge, III.

♦ **2. NE... POINT,** suivi ou précédé d'un adverbe. *Point encore* (→ Aujourd'hui, cit. 6). *Je vous conjure de ne me point flatter* (cit. 30) *du tout* (→ aussi Entrer, cit. 53 ; gorge, cit. 6 ; méprisant, cit. 1 ; milieu, cit. 23). *Ne... point aussi :* non plus. *Presque point* (→ Attente, cit. 32).

♦ **3. POINT,** employé avec un indéfini*, tel que *aucun, nul personne...* ⇒ 2. **Pas.** → aussi Sans* point de faute.

11 (...) on ne doit point songer à garder aucunes mesures (...)
MOLIÈRE, Dom Juan, III, 4.

♦ **4.** (XVIe). **NE POINT... QUE** : ne point... sinon, si ce n'est que... (avec ellipse de *ne*). Vx. *Point d'argent qu'à la pointe de l'épée* (Mme de Sévigné), pas, non pas... si ce n'est... — REM. De nos jours, *ne point que...* a le même sens que *ne pas* que.* → 2. Pas. *Je n'ai point qu'un ami.*

12 Vous n'avez point ici d'ennemi que vous-même (...) CORNEILLE, Polyeucte, IV, 3.

♦ **5.** (En corrélation avec une autre négation). *Ne point... ni.* ⇒ **Ni** (*supra* cit. 7). *Ne sois pas... ni* (cit. 28) *point...*

Et, mais non point. ⇒ **Non** (cit. 32, et *supra*). — *Non point... mais, mais bien* (→ Attribuer, cit. 4 ; désintéressé, cit. 8 ; incitation, cit. 4 ; négatif, cit. 7). *Des gestes* (1. Geste, cit. 6) *non point doux, mais... Ce qui est matière à miracle et non point objet de raison* (→ Lumière, cit. 1).

(...) tu tombes amoureux d'un fantôme. — Non, point d'un fantôme, Alissa. — D'une figure imaginaire. GIDE, la Porte étroite, VI. 13

★ **II.** (Fin XIIe). **POINT,** employé seul (sans *ne,* et sans verbe exprimé, sauf dans les usages vx et régionaux).

♦ **1.** (Dans des réponses, exclamations, phrases elliptiques...). *Point du tout*.* ⇒ **Nullement** (→ Humaniser, cit. 6). — Vx. *Du tout point. Mais point.* — REM. Dans ces emplois *point,* à la différence de *pas* peut s'employer tout seul. *« Mais de cervelle* (cit. 4), *point ». Venez-vous ? Point.* → Non.

Vous lui parlez d'un ton tout à fait obligeant ? — Moi ? point 14
MOLIÈRE, les Femmes savantes, II, 6.

Je réitère à mains jointes ma demande en rémission de ma gloire : point ; toute cette jeunesse refuse de me lâcher. 15
CHATEAUBRIAND, Mémoires d'outre-tombe, t. V, p. 221.

À chaque pause que faisait ce digne homme, le joli couple respirait en se disant par un signe : — Enfin, il va donc s'en aller ! Mais point. 16
BALZAC, la Femme de trente ans, Pl., t. II, p. 782.

(...) ils croyaient qu'il suffirait d'un mot pour tempérer son ardeur combative (...) — Point. Christophe n'écoutait rien (...) 17
R. ROLLAND, Jean-Christophe, La révolte, I, p. 442.

L'amour peut être aveugle ; l'amitié point ; elle se doit de ne point l'être (...) 18
GIDE, Journal, 22 juil. 1928.

(Déb. XVIIe). **POINT DE...** *Point d'affaires* (cit. 84). *Point d'ambages* (cit. 1). *Point de raison* (→ Falloir, cit. 42). *Point de cesse* (cit. 2). *Point de jeux, point d'amis* (→ Labeur, cit. 2). *Point de monarque, point de noblesse* (→ Monarchie, cit. 1). *Point de doute* (→ Orient, cit. 8). *Peu ou point de...* (→ Halte, cit. 6). *Point de quoi manger sur ces roches* (→ Approche, cit. 18). *Point d'écrivain qui...* (→ Maître, cit. 40). — Prov. *Point d'argent, point de suisse* (Racine, *les Plaideurs,* I, 1).

Point de réponse, mot (...) LA FONTAINE, Fables, VIII, 17. 19

(...) l'hiver revint. Jours courts, moins de travail. L'hiver, point de chaleur, point de lumière, point de midi, le soir touche au matin (...) 20
HUGO, les Misérables, I, IV, X.

Point d'auberges, point de cabarets, point de routes. 21
MAUPASSANT, Boule de suif, « Le bonheur ».

Peu ou point de piano ; instrument désaccordé (...) GIDE, Journal, 2 janv. 1928. 22

♦ **2.** (XVIIe). (Devant un adjectif, un participe...). *Belle fille et point sotte* (→ Fagotage, cit. 2). *Point hypocrites* (cit. 20). *Point jaloux* (→ Pâte, cit. 14). *Faciles à vivre, point défiants* (→ Mouton, cit. 13). *Il la connaissait pour point commode* (1. Commode, cit. 9).

Julien était silencieux et point trop troublé (...) 23
STENDHAL, le Rouge et le Noir, II, XX.

(...) j'étais sorti, point faraud, point fat, point avec l'intention d'humilier les autres, mais avec la pointe d'orgueil qui est permise à un jeune homme bien élevé, qui étrenne une jolie toilette. J. VALLÈS, le Bachelier, V. 24

Elle *(la cuisine)* était claire, elle ouvrait sur la cour par une fenêtre point trop petite. G. DUHAMEL, Chronique des Pasquier, II, VI. 25

♦ **3.** Vx. Dans une phrase interrogative, dubitative... *« Mignonne, allons voir si la rose... A point perdu, cette vêprée,... »* (→ Déclore, cit.).

(...) Vous ennuyez-vous point 26
De coucher toujours seul ? LA FONTAINE, Fables, VIII, 11.

♦ **4.** Régional, rural. *C'est point un endroit pour toi...* (→ Milicien, cit.). *Elle est point bête !*

HOM. Poing, 1. **point.** Formes du v. **poindre.**

POINTAGE

POINTAGE [pwɛ̃taʒ] n. m. — 1628 ; de 1. *pointer.*
Action de pointer (1. pointer).

★ **I.** ♦ **1.** (1643). Mar. Action de porter sur une carte des relèvements notés par un point ; son résultat. *Pointage de la carte.* ⇒ 1. **Pointer** (I., 3.).

♦ **2.** (1875). Opération qui consiste à faire une marque, un point sur une liste, en vue d'un contrôle, d'une vérification... ⇒ 1. **Pointer** (I., 1.). *Pointage des articles en comptabilité. Scrutin, vote* qui donne lieu à un pointage.*

Il passa la seconde et le début de la troisième *(séance)* à faire un pointage des notions que l'on pouvait considérer comme acquises à la date où l'on était (...) 1
J. ROMAINS, les Hommes de bonne volonté, t. XII, XVII, p. 171.

Spécialt. Enregistrement de l'heure d'entrée et de sortie du personnel d'un bureau, d'un atelier, etc. *Pointage du personnel à l'entrée d'une usine.*

L'heure de la rentrée approchait et de petits groupes de grévistes surveillaient les portes. Les portes s'ouvraient : sous un auvent les cadrans du pointage s'alignaient. 2
P. NIZAN, le Cheval de Troie, VI.

Zootechn. Notation de la valeur (d'un animal).

♦ **3.** (XXe). Techn. Opération qui prépare le perçage d'un trou. *Pointage avec un foret, un pointeau.* — *Test de pointage* (test d'habileté manuelle).

★ **II.** Le fait de pointer (1. Pointer, II., 2.), de diriger (une arme à feu). *Chevalet de pointage* (pour l'instruction des jeunes recrues). — *Pointage d'une mitrailleuse, d'un canon, d'un mortier. Pointage direct, indirect.* ⇒ **Tir.** *Pointage en direction, en hauteur* (⇒ **Hausse**). *Curseur* d'une hausse de pointage. Appareils de pointage d'un canon.* ⇒ **Canon.** *Pointage par télécommande ou télépointage.* — Manière dont une arme est pointée. *Pointage défectueux.*

(1893). Par ext. *Pointage d'une lunette, d'un télescope.* — Action de diriger une antenne (d'un radar) vers une direction donnée.

★ **III.** Techn. Disposition des bouteilles de champagne, après la prise de mousse, la tête en bas.

POINTAL, AUX [pwɛ̃tal, o] n. m. — 1676; une première fois au XIIIe au sens de «pointe de lance»; de *pointe.*

♦ Techn. Pièce de charpente posée verticalement pour servir d'étai*. — Au plur. *Des pointaux.*

HOM. (Du plur.) **Pointeau.**

POINT-ARRIÈRE [pwɛ̃aʀjɛʀ] n. m. — 1776; de 1. *point* (III., 3.), et *arrière.*

♦ Techn. (cout.). Point d'aiguille qui est piqué en arrière, après un point de devant. *Une couture à points-arrière très rapprochés.* — REM. On dit aussi *arrière-point.*

POINT DE VUE [pwɛ̃dvy] ⇒ 1. **Point** (I., B.).

POINTE [pwɛ̃t] n. f. — 1150; du bas lat. *puncta,* p. p. substantivé de *pungere* «poindre».

★ **I.** Extrémité amincie (d'un objet, d'une chose).

♦ **1.** Extrémité allongée (d'un outil, d'un objet qui va en s'amincissant), qui se termine par un angle très aigu, de manière qu'on puisse s'en servir pour piquer*, pour percer, pour tracer finement... *Enfoncer qqch. par la pointe.* ⇒ **Piquer.** *Pointe d'une aiguille* (→ Corbeille, cit. 3; 1. maille, cit. 2), *d'un compas* (→ Ombilic, cit.), *d'un clou, d'un crayon, d'une épine, d'une épingle, d'une plume à écrire. Compas à pointes sèches :* compas dont les deux branches, dépourvues de crayon, de plume, se terminent par une extrémité très fine et qui sert surtout à reporter les longueurs. *Aiguiser la pointe d'un outil.* ⇒ 2. **Appointer, appointir,** 1. **empointer,** 2. **pointer** (I., 2.), **rapointir.** *Émousser une pointe.* ⇒ **Épointer.** *Pointe émoussée.* ⇒ 4. **Mousse.** *River* la pointe d'un clou, d'un rivet.* — Loc. fig. *Disputer sur la pointe d'une aiguille, sur des pointes d'aiguille, d'épingle.* ⇒ **Aiguille.** — Par métaphore. *Sentir comme des pointes d'aiguille dans les yeux* (cit. 8).

1 Bientôt Shade put commencer à dicter. Pendant que se succédaient ses notes de la matinée, les obus se rapprochaient, les pointes des crayons sautant tous ensemble sur les blocs de sténos à chaque explosion.
MALRAUX, l'Espoir, II, II, X.

*La pointe d'un couteau** (cit. 5), *d'un coupe-papier* (→ Indisposer, cit. 3), *d'un poignard. Pointe d'une épée* (→ Espada, cit.; 1. garde, cit. 84), *d'un glaive* (cit. 1). — (Dans la langue de l'escrime*). ⇒ **Estoc.** *Couper la pointe. Frapper* (⇒ 2. **pointer,** I., 1.), *parer de la pointe. Donner un coup de pointe.* ⇒ **Botte.** — (1636). Fig. *À la pointe des armes* (vieilli), (1669) *de l'épée** (→ Lippée, cit. 1). *À la pointe des baïonnettes :* par la force.

2 Commandez que son bras, nourri dans les alarmes,
Répare cette injure à la pointe des armes (...)
CORNEILLE, le Cid, II, 6.

3 Cet État (...) ils n'ont plus maintenant qu'à le défendre à la pointe de leurs baïonnettes, le jour où le premier uhlan paraîtra sur la frontière!
MARTIN DU GARD, les Thibault, t. VII, p. 147.

Par métaphore :

4 (...) l'écrivain *(Fontanes)* toujours pur et noble, mais dissipé, souvent aux expédients, vivant à la pointe de la plume, sans position fixe (...)
SAINTE-BEUVE, Chateaubriand..., t. II, p. 92.

♦ **2.** (Mil. XVe). Extrémité aiguë (d'un objet), même si elle ne sert pas à piquer, à percer (⇒ aussi **Aiguille, bec, flèche...**). *Pointe d'un paratonnerre.* — Électr. *Pouvoir des pointes :* propriété que possèdent les extrémités aiguës des objets de présenter une densité électrique particulièrement élevée. — Par ext. Extrémité (d'une chose qui va en s'amincissant et se termine par un angle plus ou moins aigu ou même par un bout arrondi, mais plus mince que le corps de l'objet). ⇒ **Bout, extrémité; apex, apico-.** *La bigorne* (1. Bigorne, cit.), *outil à deux pointes. Barbe à deux pointes* (→ Marseillais, cit. 1). *Les pointes d'un col* (cit. 8), *d'un fichu* (→ Frileusement, cit. 1). *La pointe d'un soulier, d'un sabot. La pointe d'une ogive. La pointe des moustaches* (cit. 1). *Depuis la pointe des cheveux jusqu'à la plante des pieds* (→ Frisson, II, cit. 11). — *Pointe du nez* (→ Kalmouk, cit.), *du menton* (→ Frapper, cit. 4). *Pointes des seins.* — Anat. *Pointe du cœur :* partie inférieure, conique du cœur. (On dit aussi *sommet*).

5 Un frisson me courut tout le long du corps, et les pointes de mes seins se dressèrent.
Th. GAUTIER, Mlle de Maupin, XII.

Malgré son menton, qui était devenu «en pointe de sabot» (comme elle avait coutume de dire), son profil n'était pas trop gâté par les années (...) 6
LOTI, Pêcheur d'Islande, I, III.

Loc. *La pointe des fesses :* l'extrémité, le bout des fesses, dans les expressions : *s'asseoir, se tenir sur la pointe des fesses,* sur le rebord d'un siège.

J'eus à peine hasardé cette solution que j'en sentis le danger. Comment cette masse 6.1
de chair pourrait-elle jamais hisser jusque sur la table la pointe d'une de ses fesses?
P. GUTH, le Naïf locataire, p. 27.

♦ **3.** Extrémité, sommet (d'un végétal : branche → Bourgeon, cit. 1; cèdre, cit. 3; d'un arbre ⇒ **Cime, sommité;** → Illumination, cit. 8; d'une herbe → 2. loupe, cit. 4...). *Pointe d'asperge**.
Partie la plus élevée (d'un rocher → Élever, cit. 8; d'une montagne ⇒ **Pic, sommet**; d'un clocher ⇒ **Flèche**; d'une pyramide, etc.).

Est-ce qu'un jour il ne s'avisa pas de la faire monter avec lui au clocheton de la 7
maîtrise, là-haut, à la pointe du palais (...)
Alphonse DAUDET, Lettres de mon moulin, «La mule du pape».

♦ **4.** Bande de terre, partie d'un territoire qui s'avance dans la mer. ⇒ **Cap** (contr. : 1. baie). *La pointe la plus méridionale* (cit. 1) *de l'Afrique. La pointe de Saint-Mathieu* (→ Monstrueux, cit. 2).

Entre la pointe du Galon d'Or et l'île, émergeait la crête claire d'un banc de 8
sable (...) J. CHARDONNE, les Destinées sentimentales, p. 388.

Par ext. *La pointe d'une île dans un fleuve* (→ Froncer, cit. 7).

♦ **5.** (Fin XVIe). *Pointe d'un bastion,* sa partie saillante, la plus avancée.
La pointe de l'aile droite, de l'aile gauche d'une armée, son extrémité. — Sports. *Avant** (IV., 4.) *de pointe.* — Fig. *Être à la pointe du combat, du progrès.* ⇒ **Avant-garde.** *À la fine pointe de la recherche.* — DE POINTE. *Industries, recherches techniques de pointe.*

♦ **6.** (1581). Blason. La partie inférieure de l'écu. *En pointe,* se dit d'une figure placée dans cette partie. — *Écu enté* en pointe.* — Figure constituée par un triangle isocèle allongé selon l'axe de symétrie de l'écu et dont l'angle aigu est placé en chef.

♦ **7.** (1669). **LA POINTE DES PIEDS** (→ Bostonner, cit.), **DU PIED** (→ Hausser, cit. 4; marelle, cit.) : l'extrémité du pied. ⇒ aussi **Orteil.** *Se dresser* (cit. 27), *se hausser, se hisser* (cit. 11) *sur la pointe des pieds. Marcher sur la pointe des pieds, pour ne pas faire de bruit.*

Derrière ce groupe, un jeune enfant qui s'élève sur la pointe des pieds pour voir 9
ce qui se passe. DIDEROT, Salon de 1761, Greuze.

(...) elle ne vexe jamais personne (...) C'est de danser ainsi sur la pointe des pieds 9.1
devant les gens qui les rend sensibles, méfiants (...) il faut les prendre simplement, ils vous en savent gré (...)
N. SARRAUTE, le Planétarium, p. 27.

(1900). Absolt. *Faire des pointes :* faire des pas en se tenant sur la pointe du pied, les phalanges des orteils bien tendues verticalement. — *Faire des demi-pointes,* avec le talon soulevé et les phalanges à plat sur le sol. — *Chaussons à pointes,* ellipt, *pointes,* à bout dur, pour faire des pointes. *Des demi-pointes :* des chaussons pour faire des demi-pointes.

Dans les pointes, son orteil pique le sol comme un fer de flèche, et là-dessus elle 10
tourne, elle se renverse, elle fait des temps penchés, des revirements subits (...)
Th. GAUTIER, Voyage en Russie, XX.

Les temps sur la pointe (que les deux pieds ou un seul pied lèvent sur la pointe) 11
ou simplement *«les pointes»* sont caractéristiques aujourd'hui de la danse classique : le pied «piqué», dressé complètement, verticalement, sur les orteils, qui portent tout le poids du corps (temps qui convient à la danseuse, plus qu'au danseur). Mais ces temps n'ont pas beaucoup plus de cent ans d'âge; c'est une conquête du ballet romantique (...) Dans la *demi-pointe,* la partie postérieure du pied sans doute est soulevée, mais les phalanges sont à plat.
M. BRILLANT, *in* Encycl. franç., (DE MONZIE), t. XVI, p. 46, 1 et 2.

♦ **8.** (1690). **EN POINTE.** *Aiguiser, tailler en pointe. Dresser en pointe.* ⇒ 2. **Pointer** (I., 3.). *Clocher terminé en pointe.* ⇒ **Aigu, pointu.** (→ Dais, cit. 1). *Barbe en pointe* (→ Gaillard, cit. 15).

Avec ma barbe en pointe et mes cheveux en brosse. 12
VERLAINE, Jadis et Naguère, «Dizain mil huit cent trente».

Mar. *Avirons armés en pointe,* disposés de telle sorte qu'il n'y ait qu'un seul rameur sur chaque banc, placé près du bord opposé à celui où se trouve le tolet de l'aviron (par oppos. à *en couple*). *Ramer en pointe.* — *Bateau de pointe,* équipé d'avirons ainsi armés.

★ **II.** (V. 1200). Objet possédant une extrémité amincie et aiguë, une pointe (I.).

♦ **1.** Objet en forme d'aiguille ou de lame; pièce aiguë adaptable à un manche, à une tige... ⇒ **Picot** (vx). *Aiguillon* muni d'une pointe de fer, d'une flèche. La pointe d'une pique* (⇒ **Fer**). *Casque* à pointe. Pointes de fer d'une grille* (→ Escalader, cit. 2). *Mur parsemé de pointes de fer.* ⇒ **Chardon** (→ Griffu, cit. 3). *Cilice* (cit. 2), *haire* (cit. 2) *à pointes de fer. Garni de pointes.* ⇒ **Barbelé.** *Brosse à pointes de fer.* ⇒ **Carde.** *Pointe d'une boucle.* ⇒ **Ardillon.** *Pointe sur laquelle on fiche un bout de bougie.* ⇒ **Binet, brûle-tout.** *Pointe qui sert à fixer une feuille sur le tympan d'une presse.* ⇒ **Pointure.** *Pointe de fer qui retient le plâtre sur une cloison de bois.* ⇒ **Rappointis.** — *Pointes d'une plante.* ⇒ **Cuspide, épine, mucron.** — *Pointes du hérisson* (→ Arrondir, cit. 2), *de l'oursin* (cit.). ⇒ **Piquant.** *Écailles* (→ Cactus, cit. 1), *coquilles* (cit. 4) *hérissées de pointes.*

Loc. techn. **POINTE DE DIAMANT.** *Bossage à pointes de diamant.* ⇒ **Diamant.** — *Pavé en pointes de diamant* (→ Marcher, cit. 12). — Ébénisterie. *Armoire à pointes de diamant.*

Spécialt. Crampon d'acier, pointu, des chaussures de coureur.

12.1 Trente mètres avant le poteau, mes pointes ont arraché la cendre : l'effort est encore sensible ici, quand de ma poitrine et de mes jambes il a déjà presque disparu.
Jean PRÉVOST, Plaisirs des sports, p. 111.

(1923, Montherlant, *in* D. D. L.). Par métonymie. Ces chaussures.

12.2 Avila, passe-moi tes pointes.
— Tu cours? (...)
Il s'étonne. Il ne sait pas que j'ai eu mon temps et mes victoires (...)
Il ôte ses souliers à pointes de fer, belles, forgées à la main, et me les tend.
MONTHERLANT, les Olympiques, p. 65.

Clou. Spécialt. Clou de tapissier. Syn. : *semence.*

♦ **2.** (XVIe). Outil servant à gratter, à percer, à piquer, à tracer, etc. (⇒ **Poinçon, pointeau**). *Pointe à sertir* (utilisée en bijouterie), *de sculpteur* (pour ébaucher l'ouvrage), *à calquer* (⇒ **Calquoir**), etc.

Spécialt. Outil de graveur qui sert à tracer les traits sur le vernis dans la gravure à l'eau-forte (⇒ 2. **échoppe**). — (1765). **POINTE SÈCHE,** ou, simplement, **POINTE :** outil qui sert à graver les traits fins sur le cuivre nu (⇒ **Burin, ciseau**). *Gravure à la pointe sèche.* — Par ext. Ce procédé de gravure. *Pointe sèche servant à ajouter des valeurs fines à une eau-forte.* — Manière particulière de se servir de la pointe à graver. *« Pointe délicate, légère, etc. »* (Académie).

13 Ici *(dans l'eau-forte),* l'outil essentiel est la pointe à graver, aiguille d'acier plus ou moins forte, plus ou moins pointue, solidement emmanchée, que le graveur conduit des doigts comme la plume ou le crayon et, par conséquent, avec beaucoup plus d'aisance que le burin. Déjà nous avons vu la pointe intervenir pour des travaux délicats où elle égratignait directement le cuivre *(pointe sèche).*
Jean LARAN, les Estampes, p. 42.

Par métonymie. *Pointe sèche :* estampe, gravure obtenue au moyen de cet outil (on écrit également *pointe-sèche*). *Livre illustré de pointes sèches.*

13.1 Quai Saint-Michel qu'habitèrent tant d'artistes, je reconnus à son ancien et profond vestibule, la maison où j'allais voir mon ami Jean Launois du temps qu'il gravait les pointes-sèches d'une édition de *Au Coin des rues.*
Francis CARCO, Ombres vivantes, p. 222.

Pointe d'argent, qui sert à dessiner. *Dessin à la pointe d'argent.*

Pointe Bic. ⇒ **Bic.**

(1549). *Pointe de diamant,* ou, simplement, *diamant,* qui sert à couper le verre. ⇒ **Diamant** (*supra* cit. 9).

♦ **3.** Chir. **POINTE DE FEU.** [a] (1812). Vx. Instrument pointu utilisé pour cautériser. ⇒ **Cautère.**

[b] Mod. (Au plur.). Petites brûlures faites avec un cautère; traitement qui utilise ces cautérisations. *On lui a fait des pointes de feu.*

♦ **4.** Vx. *Pointe de Paris;* mod., **POINTE :** clou*, muni ou non d'une tête, dont la tige, généralement cylindrique, a une grosseur constante jusqu'à son extrémité aiguë (→ Lame, cit. 2). *Fabrique de pointes.* ⇒ **Pointerie.**

14 Le bonhomme enfonçait des pointes. Le marteau donnait d'abord un petit coup préparatoire; puis un coup franc et fort, puis un coup léger, pareil au point final.
G. DUHAMEL, Salavin, V, XV.

♦ **5.** *Pointe naïve.* ⇒ **Naïf.**

♦ **6.** (1530). Pièce d'étoffe en forme de triangle. — Cout. Pièce d'étoffe triangulaire qui sert à donner de l'ampleur à un vêtement (⇒ **Poignard**). — Petite écharpe triangulaire. ⇒ **Châle, fichu.** — (1812). Linge en forme de triangle dont on enveloppe les enfants en bas âge. ⇒ **Couche.**

Mar. Chacun des « morceaux de toile de forme triangulaire que l'on emploie pour élargir le fond d'une voile, une voile carrée par exemple, dont le fond doit être plus large que la tête » (Gruss).

♦ **7.** (1688). Mar. Chacune des trente-deux divisions du compas (indiquée par une pointe dessinée sur le cadran). ⇒ aussi **Rhumb.**

★ **III.** Action d'aller, de pousser en avant; fait de poindre, d'apparaître.

♦ **1.** (1155). Vx. Charge, attaque. — Mod. (Après les v. *faire, pousser,* etc.). Opération qui consiste à avancer en territoire ennemi, loin de sa base d'opération ou du gros de l'armée. *Détachement de blindés qui fait, qui pousse une pointe en direction d'une ville.*

Loc. fig. Vieilli. *Pousser, suivre, poursuivre sa pointe :* continuer une entreprise, poursuivre une attaque avec énergie (→ Ferrailler, cit. 2). *« Quand on a bien commencé, il faut suivre, pousser sa pointe »* (Académie, 1694). — Spécialt. Se livrer à un manège de galanterie :

15 Joseph Bridau fit un signe à Mistigris, comme pour dire : — Allons, pousse ta pointe! Elle n'est pas déjà si mal, cette femme. A ce coup d'œil, Léon de Lora se glissa sur le canapé, près d'Estelle, et lui prit une main qu'elle se laissa prendre.
BALZAC, Un début dans la vie, Pl., t. I, p. 681.

16 J'étais fort convaincu et lui ai parlé très chaleureusement dans ce sens. Jean, comme toujours, m'a d'abord laissé pousser jusqu'au bout ma pointe (...)
GIDE, Journal, 11 févr. 1912.

Mod. *Faire, pousser une pointe jusqu'à... :* prolonger son chemin jusqu'à... (cf. Faire une course jusqu'à...).

Tous les jeunes gens, et même les messieurs âgés qui aimaient bavarder avec une jeune femme, de temps en temps, poussaient une pointe jusqu'à chez elle (...) 17
ARAGON, les Beaux Quartiers, I, VI.

Fauconn. Se dit d'un oiseau qui s'élève ou descend brusquement et rapidement. *« L'oiseau fit la pointe et fondit tout d'un coup sur la perdrix »* (Académie). ⇒ 2. **Pointer** (II., 1.). — T. de manège. *Faire une pointe,* se dit d'un cheval qui fait brusquement un détour hors de la voie.

Mar. Inclinaison d'un sous-marin par rapport à l'horizontale. *Pointe positive* (inclinaison sur l'avant), *négative. Pointe négative de cinq degrés.*

♦ **2.** (1496). Littér. *La pointe du jour.* ⇒ 1. **Point** (III., 1.). *Dès la pointe* (→ Aider, cit. 2; araignée, cit. 1), *à la pointe du jour* (→ 2. coucher, cit. 1). *La pointe de l'aube.*

Jacqueline avait filé à travers la maison muette, éclairée à peine par la pointe de l'aube. 18
ZOLA, la Terre, II, I.

★ **IV.** (V. 1240). Fig. Le fait de poindre, de piquer. ⇒ **Point** (III.).

♦ **1.** Par métaphore. *Des yeux où perce une pointe de feu* (→ Éteindre, cit. 29). *Elle fixait sur lui la pointe ardente de ses prunelles* (→ Flèche, cit. 3).

♦ **2.** Fig. Ce qui, dans une chose, est piquant, mordant. *La pointe de la douleur* (→ Blaser, cit. 4), *de l'affection et du désir* (→ 1. émousser, cit. 2).

Voltaire mérite donc un reproche grave; ce beau génie écrivit l'histoire des hommes pour lancer un long sarcasme contre l'humanité. Peut être n'eût-il point eu ce tort s'il se fût borné à la France. Le sentiment national eût émoussé la pointe amère de son esprit. 19
HUGO, Littérature et Philosophie mêlées, Journal des idées, 1819, Histoire.

En rouvrant mes yeux pleins de flammes 20
J'ai vu l'horreur de mon taudis,
Et senti, rentrant dans mon âme,
La pointe des soucis maudits (...)
BAUDELAIRE, les Fleurs du mal, « Tableaux parisiens », CII.

Ainsi les sentiments les plus naturellement âpres ont perdu leurs pointes et leurs épines; de leurs restes ornés et polis, on a fait des jouets de salon que des mains blanches lancent, se renvoient et laissent tomber comme un joli volant. 21
TAINE, les Origines de la France contemporaine, t. I, I, p. 208.

♦ **3.** (1580, Montaigne). Vieilli. Trait d'esprit, jeu de mots, expression piquante, qui donne un tour vif à la conversation, au style. ⇒ **Trait** (II., 4.). → Épurer, cit. 6; gaillard, cit. 11; gaillardise, cit. 1. *Les Précieuses abusaient des pointes* (cf. Concetti).

La Pointe n'est pas d'accord avec la raison (...) S'il faut que pour la Pointe l'on fasse d'une belle chose une laide, cette étrange et prompte métamorphose se peut faire sans scrupule, et toujours on a bien fait, pourvu qu'on ait bien dit; on ne pèse pas les choses; pourvu qu'elles brillent, il n'importe (...) 22
CYRANO DE BERGERAC, Entretiens pointus, Préface.

Un héros sur la scène eut soin de s'en parer, 23
Et sans pointe un amant n'osa plus soupirer :
On vit tous les bergers, dans leurs plaintes nouvelles,
Fidèles à la pointe encore plus qu'à leurs belles (...) BOILEAU, l'Art poétique, II.

Spécialt. Trait mordant qui termine une épigramme* (cit. 2).

♦ **4.** Allusion ironique, parole blessante*. ⇒ **Moquerie, pointillerie** (vx), **raillerie.** *Lancer, décocher des pointes à qqn.* ⇒ 2. **Pointiller** (vx). *Les pointes d'un pince-sans-rire* (→ Fleur, cit. 13).

Déjà il avait le parler fort libre et fort caustique, et décochait à sa marâtre des pointes piquantes qui envenimaient encore la haine qui existait entre eux (...) 24
Th. GAUTIER, les Grotesques, X.

Elle *(l'Académie)* accueillit toujours les hommes les plus distingués de l'opposition du moment, et les discours de ses séances solennelles ne furent pas sans pointes, allusions et remontrances à l'adresse des gouvernants. 25
VALÉRY, Regards sur le monde actuel, p. 296.

★ **V.** (Mil. XIVe, abstrait). ♦ **1.** (1570). Petite quantité* d'un condiment à saveur piquante qui relève le goût d'un plat. ⇒ **Soupçon** (fig.). *Une pointe de moutarde.* — Par métaphore. *Gaieté gauloise relevée d'une pointe d'ail à la provençale* (→ Grain, cit. 27).

Vaugirard n'est pas éminemment un quartier d'artistes. Mais il suffit qu'on en rencontre un parfois dans la rue. C'est la pointe d'ail qui relève la saveur d'un quartier. 26
J. ROMAINS, les Hommes de bonne volonté, t. V, XXI, p. 166.

Par ext. *Un parmesan* (cit.) *ajoutait sa pointe d'odeur aromatique.*

Les Butard, deuxième gauche, en consommant trois fois par semaine depuis quinze ans, l'odeur du chou imprègne toute la maison avec des pointes redoutables les lundi, mercredi, vendredi. 26.1
Pierre DANINOS, Un certain Monsieur Blot, p. 46.

♦ **2.** (Mil. XIVe). Fig. *Une pointe d'ironie, de jalousie, de malice, de moquerie.* ⇒ **Dose** (une petite dose), **grain, once** (→ Commissure, cit. 1). *Une considération mêlée d'une pointe de défiance* (→ 1. Frayer, cit. 14). *Il parle avec une pointe d'accent méridional.*

Et Bénin ajouta, avec une pointe d'accent brésilien : — C'est plus dur qu'on ne pense. 27
J. ROMAINS, les Copains, III.

Les trois premières *(lettres)* étaient mélancoliques, mais sans excès. Une pointe d'enjouement y affleurait à l'occasion. 28
MONTHERLANT, le Démon du bien, p. 168.

Vieilli. *Une petite pointe de vin* [→ Jeun (à), cit. 4]. — Vx. *Avoir une pointe de vin, être en pointe de vin, en pointe :* être légèrement échauffé par le vin. ⇒ **Ivresse** (→ Avoir le vin gai*).

★ **VI.** Fig. ♦ **1.** Moment où une activité, un phénomène atteint un haut degré, un maximum d'intensité. *Coureur cycliste qui pousse une pointe de vitesse.* ⇒ **Finish, sprint.** — **DE POINTE :** maximum. *Vitesse de pointe d'une automobile.* → aussi ci-dessus I., 5. : *techniques de pointe. — Pointe de la courbe, d'un graphique.* ⇒ **Maximum.** — Techn. *Pointe thermique :* échauffement local intense.

♦ **2.** (1911, *heure de pointe,* in *Année sc. et industr.* 1912, p. 206). Période de consommation maxima de gaz, d'électricité, etc. ; période où le nombre des voyageurs utilisant un moyen de transport en commun, le nombre des véhicules en circulation dans les rues ou sur les routes est le plus élevé. *Heures* (cit. 50) *de pointe.*

DÉR. Pointal, 1. pointeau, 2. pointer, pointerie, pointu.
COMP. 2. Appointer, appointir, contre-pointe, 1. empointer, empointure, épointer.

POINTÉ, ÉE [pwɛ̃te] adj. et n. m. ⇒ 1. **Pointer.**

1. POINTEAU [pwɛ̃to] n. m. — 1765 ; *poincteau* en moy. franç. « construction de pieux édifiée en rivière » ; de *pointe.*

Technique.

♦ **1.** Outil servant à tracer, à percer, à marquer l'emplacement d'un trou à percer, etc. ⇒ **Poinçon.** *Pointeau d'horloger. Pointeau à contremarque des couteliers.*

♦ **2.** (XXe). Tige à extrémité conique, pouvant s'enfoncer plus ou moins dans un orifice, et servant à régler le débit d'un fluide. *Pointeau d'un carburateur, d'un injecteur, d'un robinet. Robinet à pointeau.*

2. POINTEAU [pwɛ̃to] n. m. — 1888 ; de 1. *pointer.*

♦ Techn. Employé chargé d'enregistrer les temps de travail du personnel dans une usine. ⇒ 1. **Pointeur** (1.). *Pointeau-payeur,* chargé aussi de la paye.

Les neuf cents hommes (...) voulaient être payés (...) Les pointeaux ajustaient leurs additions pendant que les ouvriers s'agaçaient dans l'attente (...)
Pierre HAMP, la Peine des hommes (Moteurs), p. 282.

POINTEMENT [pwɛ̃tmɑ̃] n. m. — 1803 ; de 1. *pointer.*

Didactique.

♦ **1.** Minér. Réunion de trois pointes *(pointement ternaire)* ou plus, à la place de la face dominante d'un cristal.

♦ **2.** (1864). *Pointement volcanique :* ensemble de roches volcaniques au milieu de roches de nature différente.

1. POINTER [pwɛ̃te] v. tr. — XIIIe ; « faire des piqûres », v. 1180 ; de 1. *point.*

★ **I.** Marquer*, noter d'un point ; faire un point, des points sur quelque chose.

♦ **1.** Marquer d'un point, d'un signe (chaque mot, chaque nom d'une liste) pour faire un contrôle*, une vérification* ; s'assurer matériellement et minutieusement de l'exactitude de (une liste, un calcul, etc.), en vérifiant chaque élément. ⇒ **Pointage** (2.). *Pointer les noms des absents en faisant l'appel. Pointer une liste. Pointer un scrutin.*

1 Son secrétaire (...) lui présentait une liste de noms, qu'il examinait et pointait au crayon rouge.
MARTIN DU GARD, les Thibault, t. VI, p. 239.

Spécialt. Contrôler les entrées et les sorties des employés, des ouvriers, d'un bureau, d'une usine..., pour s'assurer de leur présence et de leur exactitude, calculer leur temps de travail, etc. *Se faire pointer à l'entrée de l'usine. Employé qui pointe le personnel.* ⇒ 2. **Pointeau,** 1. **pointeur** (1.). — *Machine à pointer.* ⇒ **Pointeuse.**

2 Maillecottin fait pointer son arrivée par le nouvel appareil que le patron a mis à l'essai depuis peu (...) Chaque samedi, en même temps que la paye, on vous remet une petite carte jaune qui porte six cases. Chaque matin de la semaine suivante, en arrivant, vous présentez la case voulue de votre carte à l'appareil, qui est une espèce de timbreur automatique, réglé par un mouvement d'horlogerie. L'appareil vous marque à l'encre grasse l'heure et la minute de votre arrivée, plus un nombre qui indique le jour.
J. ROMAINS, les Hommes de bonne volonté, t. IX, III, p. 19.

♦ **2.** (1812 ; 1691, au p. p.). Mus. Augmenter de moitié la durée de (une note) par un point* (1. point, IV., B., I.). *Pointer une noire.* — Absolt. Détacher nettement la note.

♦ **3.** (1643). Mar. *Pointer la carte :* matérialiser par un point marqué sur la carte la position du navire obtenue par l'estime ou par le calcul. ⇒ **Pointage** (I., 1.).

♦ **4.** (1694). Techn. Rapporter sur un panneau, au moyen du compas et de la fausse équerre (les cotes qu'on a préalablement relevées sur une épure).

♦ **5.** (1812). Imprim. *Pointer les feuilles :* disposer les feuilles déjà imprimées d'un côté de telle manière que les pointures* (1. pointure, 2.) entrent exactement dans les trous faits lors du tirage de la première face.

♦ **6.** (1611). Cout. Faire quelques points d'aiguille à (une étoffe) afin de maintenir les plis en place (→ 2. empointer). — Mar. Joindre par un simple point d'arrêt deux laizes d'une voile qu'on répare.

♦ **7.** (Déb. XXe). Techn. Marquer l'emplacement de (un trou) au moyen d'un pointeau. ⇒ 1. **Pointeau** (1.). — Absolt. *Machine à pointer.* ⇒ **Aléseuse, perceuse.**

★ **II.** Diriger vers un point déterminé.

♦ **1.** Diriger. *Pointant son index* (cit. 2) *vers...* — REM. Dans ce sens, le mot tend à se confondre avec *pointer** (2. pointer, I., 3.) « avancer, dresser qqch. en pointe ».

♦ **2.** (1611). Spécialt. Mettre (une arme à feu) dans la position nécessaire pour que le projectile atteigne un objectif donné (au moyen d'un dispositif approprié). ⇒ **Braquer** (cit. 1), 2. **contre-pointer, pointage** (II.), **viser.** *Pointer un canon*.* — Absolt. (→ Écouvillon, cit. 2).

Tous ces ordres donnés, le vieux ministre, toujours assis sur l'affût (...) dans l'attitude de l'homme qui ajuste et pointe une pièce, continua en silence et en repos à regarder le combat du roi (...)
A. DE VIGNY, Cinq-Mars, X.

Puis le chef de pièce, pesant sur la culasse pour élever le tir, se mit à pointer le canon avec la gravité d'un astronome qui braque une lunette.
HUGO, les Misérables, V, I, VII.

Diriger correctement (un instrument d'optique, surtout s'il est monté sur un dispositif spécial). *Pointer un télescope.*

J'établis cette direction au moyen d'une boussole de poche ; puis, pointant, aussi juste que possible par approximation, ma longue-vue à un angle de quarante et un degrés d'élévation, je la fis mouvoir avec précaution de haut en bas et de bas en haut (...)
BAUDELAIRE, Trad. E. POE, Histoires extraordinaires, « Scarabée d'or ».

Absolt (au jeu de boules). Viser le cochonnet avec la boule.

▶ **SE POINTER** v. pron.

♦ **1.** (1715). Littér. (→ II, 1.). Se diriger vers...

Il avait si bien acquis la pénible habitude de l'attention, que, quand on lui proposait quelque chose de difficile, on voyait dans l'instant son esprit se pointer vers l'objet et le pénétrer.
B. DE FONTENELLE, Malebranche, *in* LITTRÉ.

♦ **2.** (→ I., 1.). *Ouvrier qui se pointe à l'entrée de l'usine.*

Fam. Apparaître, arriver... *Il s'est pointé à trois heures.*

Qu'est-ce qu'ils ont dû penser ? Tu te pointes avec un accidenté de la route et tu prends la fuite. Dis-moi ce qu'ils vont penser !
J.-P. MANCHETTE, Trois hommes à abattre, p. 26.

▶ **POINTÉ, ÉE** p. p. et adj.

Mus. *Note pointée* (→ ci-dessus, I., 2.). *Croche pointée* (→ Habanera, cit. 2). — *Zéro pointé,* se dit, dans un examen, de la note *zéro* quand elle est éliminatoire. *Écriture pointée :* écriture formée de points en relief à l'usage des aveugles (système Braille).

N. m. (1893, in *Année sc. et industr.,* 1894, p. 27). Tracé fait de points ; action de pointer (sur une carte, etc.).

DÉR. Pointage, 2. pointeau, 1. pointeur.
COMP. 2. Contrepointer.

2. POINTER [pwɛ̃te] v. — Mil. XVe ; *pointer avant* « pousser en avant », v. 1360 ; de *pointe.*

★ **I.** V. tr. ♦ **1.** Vx. Frapper de la pointe (I, 1.) d'une arme. *Pointer son adversaire au cours d'un duel.* — Bouch. *Pointer un bœuf,* le tuer en l'égorgeant. — Absolt. *Pointer avec l'épée. « Pointant du coutelas »* (cit., Flaubert). — *« En avant, pointez ! »,* ancien commandement militaire. — (Suivi d'un nom désignant l'arme). Piquer. *« Il lui pointa sa lance sous les fanons »* (cit. 1, Flaubert).

♦ **2.** (1611). Techn. Aiguiser, façonner en pointe. ⇒ 2. **Pointeur.** *Pointer des aiguilles, des épingles.* ⇒ 2. **Appointer.**

♦ **3.** (Déb. XVIIe). Avancer, diriger, dresser en pointe. *Cheval qui pointe les oreilles. Chien qui pointe son museau* (→ Étirer, cit. 4). — REM. Dans ce sens, le mot tend à se confondre avec *pointer* (1. pointer, II, 1.) « diriger vers ».

★ **II.** V. intr. ♦ **1.** (1658). Techn. Pousser une pointe* (III, 1). *Les bécassines pointent en s'élevant à perte de vue* (→ Filer, cit. 22).— (1835). En parlant d'un cheval. Se cabrer en lançant en avant les membres antérieurs.

(...) le soleil, vif et chaud, faisait chanter les alouettes et semblait les attirer plus près du ciel, tant elles pointaient en ligne droite et volaient haut.
E. FROMENTIN, Dominique, V.

♦ **2.** (1798 ; par substitution au verbe *poindre*). Cour. Commencer d'apparaître, de se manifester (→ Keepsake, cit. 3).

Une perle claire, parfois pointait aux cils de Thérèse (...)
G. DUHAMEL, Chronique des Pasquier, II, XVII.

Spécialt. En parlant d'une plante, d'un bourgeon (cit. 2) qui commence à pousser*. ⇒ **Jaillir.** — En parlant du jour qui se lève, de l'aube. ⇒ **Paraître, poindre.**

♦ **3.** (XIXe). S'élever en formant une pointe* (I, 3.). *Minarets qui semblent pointer vers les étoiles* (→ 2. Air, cit. 27). *Cyprès* (cit. 1) *pointant vers le ciel.* — Faire saillie, avancer en pointe (→ Patte, cit. 17). *Les oreilles* (cit. 39) *du cheval pointaient en avant.*

3 (...) et sous sa robe ses os pointaient comme à un poulet vidé.
Ch.-L. PHILIPPE, Père Perdrix, II, IV.

★ **III.** V. tr. (XVIIIe, La Poupelinière, *in* Cellard et Rey). Vulg. Pénétrer sexuellement qqn. *Il se fait pointer :* il est homosexuel passif.

▶ **POINTÉ, ÉE** p. p. et adj. (1690). Blason. *Écu pointé,* portant des pointes de deux émaux différents et alternés. — (1581). *Rose pointée :* rose héraldique dont les pointes (épines) sont d'un autre émail que les pétales.

DÉR. 2. **pointeur,** 3. **pointeur.**

3. POINTER [pwɛ̃tœʀ] ou POINTEUR [pwɛ̃tœʀ] (forme francisée) n. m. — 1852; *spanish pointer,* 1834; mot angl., 1717 dans ce sens.

♦ Race de chien d'arrêt d'origine anglaise.

HOM. 1. **pointeur,** 2. **pointeur,** 3. **pointeur.**

POINTERIE [pwɛ̃tʀi] n. f. — 1874; de *pointe.*

♦ Techn. Atelier, usine où l'on fabrique des pointes (II., 4.).

POINTEROLLE [pwɛ̃tʀɔl] n. f. — 1768; de *pointe.*

♦ Hist., techn. Petit pic à main, formé d'une pointe en acier et d'un manche, sur lequel on frappe avec une massette pour entailler la roche (mines exploitées à la main).

Les coups de pics doivent être d'autant plus nombreux au même endroit que la roche est plus dure; aussi dans certaines roches très dures la précision des frappes successives doit être telle que même les meilleurs ouvriers ne peuvent y prétendre; on passe alors au travail à la pointerolle; l'outil reste au contact avec la roche, et entre deux coups successifs il est replacé à loisir : les coups sont donnés à l'aide d'une massette, et la méthode exige deux hommes travaillant en équipe.
Michel CAZIN, les Mines, p. 48-49.

POINTE SÈCHE [pwɛ̃tsɛʃ] n. f. ⇒ Pointe.

1. POINTEUR, EUSE [pwɛ̃tœʀ, øz] n. — 1499, *poincteur;* de 1. *pointer.*

♦ **1.** Personne qui fait une opération de pointage. ⇒ 1. **Pointer** (I., 1.). *Pointeur de transit. Pointeur-jaugeur. — Pointeur qui enregistre les temps de travail du personnel.* ⇒ 2. **Pointeau.** — (1886). Sports. Personne qui enregistre les résultats obtenus par les différents concurrents d'une épreuve sportive.

N. f. *Pointeuse :* machine à pointer les employés d'une usine, d'un bureau.

♦ **2.** (Fin XVIe). Milit. Celui qui procède au pointage (⇒ 1. **Pointer** II., 2.) d'une bouche à feu. ⇒ **Artilleur** (→ Niveau, cit. 1). — Par appos. *Canonnier, sous-officier pointeur.*

Le pointeur, assis entre les deux pièces, et l'œil à sa lunette, appuyait sur la crosse du pistolet de tir.
Claude FARRÈRE, la Bataille, XXVII.

♦ **3.** (1906, *in* Petiot; «celui qui excelle au jeu de boules», 1892, *in* D. D. L.). Jeu de boules. Joueur plus spécialement chargé de pointer (par oppos. au *tireur*).

HOM. 3. **Pointer,** 2. **pointeur,** 3. **pointeur.**

2. POINTEUR, EUSE [pwɛ̃tœʀ, øz] n. — 1842; de 2. *pointer.*

♦ Techn. Ouvrier, ouvrière qui façonne un objet en pointe (⇒ 2. **Pointer** [I., 2]), qui confectionne les pointes de certains objets *(pointeuse en faux-cols),* etc.

HOM. 3. **Pointer,** 1. **pointeur,** 3. **pointeur.**

3. POINTEUR [pwɛ̃tœʀ] n. m. — Mil. XXe; de 2. *pointer.*

♦ Argot. Celui qui pénètre sexuellement; spécialt (homosexuel) actif. *« La hiérarchie minutieuse et immuable qui s'est établie entre les "pointeurs" (attentats aux mœurs), les escrocs et les "braqueurs" »* (*le Point,* 28 août 1978, p. 60).

HOM. 3. **Pointer,** 1. **pointeur,** 2. **pointeur.**

POINTICELLE [pwɛ̃tisɛl] n. f. — 1765; de *pointe.*

♦ Techn. Petite broche que le tisserand place dans la navette et qui sert à supporter la canette pour les trames dites « à dérouler ».

Invisiblement actionné par les courroies de transmission, dont la portion supérieure se perdait dans les profondeurs du coffre, le panneau garni de navettes glissa horizontalement dans l'axe du courant. Malgré ce déplacement, les fils innombrables fixés à l'angle de la chaîne gardèrent une rigidité parfaite, grâce à un système de tension rétrograde dont toutes les navettes étaient pourvues; abandonnée à elle-même, chaque *pointicelle,* ou broche supportant la canette, tournait dans le sens inverse au dévidage, par l'effet d'un ressort opposant une très faible résistance à l'extraction de la soie.
Raymond ROUSSEL, Impressions d'Afrique, p. 127.

POINTIL [pwɛ̃til] n. m. ⇒ Pontil.

1. POINTILLAGE [pwɛ̃tijaʒ] n. m. — 1694; de 1. *pointiller.*

♦ **1.** Opération qui consiste à pointiller (1. Pointiller). — Le résultat de cette opération.

(1798). Arts. Ensemble de petits points exécutés dans les ouvrages de miniature. ⇒ **Pointillé.**

♦ **2.** (1877). Méd. « Mode de massage qui consiste à percuter une partie du corps avec un ou plusieurs doigts » (Garnier).

2. POINTILLAGE [pwɛ̃tijaʒ] n. m. — Av. 1664; de 2. *pointiller.* Vieux.

♦ **1.** Littér. Discussion, contestation futile. ⇒ **Pointillerie.** *Avoir la manie du pointillage.*

♦ **2.** Sentiments pointilleux.

♦ **3.** *Pointillage* ou *pointillement :* série de pointilles*.

POINTILLE [pwɛ̃tij] n. f. — 1571; ital. *puntiglio,* de *punto* «point», au figuré.

♦ Vx. Contestation* excessive à propos d'une chose insignifiante. *« L'affaire ne roule que sur une pointille »* (Académie). ⇒ **Minutie.**

DÉR. 2. **Pointiller.** — (Du même rad.) **Pointilleux.**

POINTILLÉ [pwɛ̃tije] n. m. — 1765; p. p. de 1. *pointiller* pris substantivement.

♦ **1.** Arts. Procédé qui consiste à dessiner, à graver au moyen de points. ⇒ 1. **Pointiller.** *Dessin, gravure au pointillé.* — (1812). Gravure obtenue par ce procédé.

Par métaphore. (En parlant du style. → Impressionniste, cit. 2).

♦ **2.** (1813). Groupe de petits points nombreux et rapprochés couvrant une certaine surface. ⇒ **Pointillage.** *Dans les dessins d'armoiries, l'or est figuré par un pointillé. — Pointillé utilisé en orfèvrerie pour garnir une surface.*

♦ **3.** (XXe). Cour. Trait discontinu formé d'une succession de points, de petits signes (petites croix, petits traits, etc.). *Pointillé utilisé dans un plan, une épure pour indiquer les lignes cachées par d'autres vues. Frontière, limite de département indiquée sur une carte par un pointillé.* — Trait formé de petites perforations qui permet de détacher régulièrement une partie d'une feuille de papier, de carton. *Machine à faire les pointillés.* ⇒ **Poinçonneuse.** *Pointillé d'une feuille de timbres* (→ Dessus, cit. 4). *Détachez suivant le pointillé.*

(...) elle avait mis des fleuves partout (...) elle s'était bien gardée d'écrire aucun 1
nom sur la carte : ça faisait savant et prétentieux ; pas de frontière non plus : elle avait horreur des pointillés.
SARTRE, le Sursis, p. 284.

(...) ces exercices de vocabulaire pour classes enfantines consistant à remplacer 2
dans une phrase les pointillés par le mot approprié (...)
Claude SIMON, le Vent, p. 146.

1. POINTILLEMENT [pwɛ̃tijmɑ̃] n. m. — 1855, Baudelaire; de 1. *pointiller.*

♦ Littér., rare. Série de petits points. *« Le pointillement des étoiles »* (Baudelaire).

2. POINTILLEMENT [pwɛ̃tijmɑ̃] n. m. ⇒ 2. Pointillage (3.).

1. POINTILLER [pwɛ̃tije] v. — 1680; *pontiller,* 1608; *pointillé* comme adj. en 1414, t. de gravure; de *point.*

★ **I.** V. tr. ♦ **1.** Techn. Marquer, tracer au moyen d'une juxtaposition de points. *Pointiller une ligne.*

♦ **2.** Arts. Parsemer de points d'une couleur différente de celle du fond (→ 1. Or, cit. 6). ⇒ **Piquer, piqueter, tacheter.**

★ **II.** V. intr. (1676). Arts. Dessiner, graver, peindre en utilisant des points au lieu de lignes continues, de hachures, de touches larges. ⇒ **Pointillage, pointillé.** — Par métaphore :

(...) c'étaient les petits merciers de l'histoire, des camelots, de notulateurs qui poin- 1
tillaient sans donner un ensemble, comme font maintenant les peintres qui punaisent les tons, comme les décadents qui cuisinent des hachis de mots!
HUYSMANS, Là-bas, II.

▶ **POINTILLÉ, ÉE** p. p. adj.

Formé d'une juxtaposition de points. *Ligne pointillée. Trait poin-*

tillé. — Parsemé de points, de petites taches. « *Un plumage blanc pointillé de noir* » (Académie).

2 Soudain apparaît une plaine triste sans arbres, d'un vert d'amande un peu jaunie, pointillée de cahutes noires (...)
J. CHARDONNE, les Destinées sentimentales, p. 372.

⇒ aussi **Pointillé,** n. m.

DÉR. 1. **Pointillage, pointillé,** 1. **pointillement, pointilleur, pointillisme, pointilliste.** **COMP. Entrepointillé.**

2. POINTILLER [pwɛ̃tije] v. — V. 1570; de *pointille.*

★ **I.** V. tr. ♦ **1.** (V. 1570). Vx, littér. Analyser de façon détaillée.

♦ **2.** (1641). Vx. Contrarier (qqn) pour des riens; piquer par de petites railleries, par des pointes* (IV., 4.). — Pron. *Se pointiller :* se contrarier mutuellement.

★ **II.** V. intr. (1575). Vx. Élever une contestation sur un sujet insignifiant, mesquin, sur des pointilles*. ⇒ **Chicaner, contester** (→ Genre, cit. 7, Corneille). *Qui aime à pointiller.* ⇒ **Pointilleux.**

(...) je n'approuve point qu'on s'entretienne de ces bagatelles, ni qu'on aille pointiller sur le moindre défaut qu'on trouve en une personne (...)
FURETIÈRE, le Roman bourgeois, I, p. 35.

DÉR. 2. **Pointillage, pointillerie.**

POINTILLERIE [pwɛ̃tijʀi] n. f. — 1694; de 2. *pointiller.*

♦ **1.** Vx ou littér. Chicane, contestation futile ou mesquine. ⇒ 2. **Pointillage.**

♦ **2.** Parole blessante, petite vexation. ⇒ **Pointe** (IV., 4.), **pointille.**

Le sujet de la profonde inimitié qui régnait entre les Reybert et les Moreau provenait d'une blessure faite par Madame de Reybert à Madame Moreau, par suite d'une première pointillerie que s'était permise la femme du régisseur à l'arrivée des Reybert (...)
BALZAC, Un début dans la vie, Pl., t. I, p. 678.

POINTILLEUR [pwɛ̃tijœʀ] n. m. — Mil. XXe; de 1. *pointiller.*

♦ Techn. Appareil pour tracer des pointillés.

POINTILLEUSEMENT [pwɛ̃tijøzmɑ̃] adv. — 1608; de *pointilleux.*

♦ D'une manière pointilleuse.

POINTILLEUX, EUSE [pwɛ̃tijø, øz] adj. — 1587; ital. *puntiglioso.* → Pointille.

♦ **1.** Vieilli. Qui aime à pointiller, qui a la manie d'ergoter. ⇒ **Ergoteur, minutieux.**

1 Et bientôt vous verrez mille auteurs pointilleux (...)
Interdire chez vous l'entrée aux hyperboles.
BOILEAU, Épîtres, X.

♦ **2.** Mod. Qui est exigeant, susceptible dans ses rapports avec autrui. ⇒ **Chatouilleux, irascible, susceptible.** *Il est très pointilleux sur le protocole.* ⇒ **Formaliste** (cit. 2). *Un censeur, un critique pointilleux.*

2 (...) l'une d'elles, pointilleuse en diable (...) niait, protestait, objectait, dépréciait, lançait des flèches à tout ce qu'on disait, péremptoirement, et d'un ton très sec.
H. BOSCO, Un rameau de la nuit, p. 207.

Par ext. *Air* (→ Morgue, cit. 3), *caractère pointilleux.* ⇒ **Pointu** (I., 2.). *Soin pointilleux.* ⇒ **Maniaque.** *Raisonnement pointilleux.* ⇒ **Argutie.**

DÉR. Pointilleusement.

POINTILLISME [pwɛ̃tijism] n. m. — 1867; de 1. *pointiller.*

♦ Procédé qui consiste à peindre par petites touches, par points de ton pur juxtaposés sur la toile (⇒ 1. **Pointiller**). *Le pointillisme, aboutissement du divisionnisme*, est caractéristique du néo-impressionnisme.*

DÉR. (Du même rad.) **Pointilliste.**

POINTILLISTE [pwɛ̃tijist] n. et adj. — 1867; de 1. *pointiller.*

♦ **1.** Se dit des peintres néo-impressionnistes*, dont la technique était fondée sur l'emploi du pointillisme. — Adj. *Procédé, technique pointilliste.*

♦ **2.** Fig. Qui rappelle (dans le dessin) la manière des peintres pointillistes.

(...) sur les cartes d'état-major les forêts sont figurées au moyen d'un semis de petits ronds, de lunules entourées de points comme si elles avaient été récemment coupées, les rejets repartant en taillis pointillistes autour des troncs sciés au pied (...)
Claude SIMON, la Route des Flandres, p. 264.

POINT MORT [pwɛ̃mɔʀ] n. m. ⇒ 1. **Point.**

POINTU, UE [pwɛ̃ty] adj. et n. m. — 1377; de *pointe.*

★ **I.** Adj. ♦ **1.** Qui présente une ou plusieurs pointes, qui se termine par une extrémité allongée, amincie ou formant un angle plus ou moins aigu. ⇒ **Aigu** (cit. 1); **acéré, piquant; acuti-; angulaire;** et aussi (hist. nat.) **acuminé, subulé.** *Rendre pointu.* ⇒ **Affiner, affûter,** 2. **appointer, appointir,** 1. **empointer,** 2. **pointer** (I., 2.), **rapointir.** *Ardillon* (cit. 1), *clocher* (→ Joint, cit. 1), *clou, couteau, talon pointu* (→ Mule, cit. 2). *Fer pointu d'une lance. Bout pointu d'un aiguillon, d'un pieu. Toit pointu d'une tour* (→ Château, cit. 1). *Embarcation pointue par les deux bouts* (→ Balancelle, cit. 1). — (En parlant d'une partie du corps). *Nez* (→ Aquilin, cit. 1), *museau* (cit. 1) *pointu.* — Allus. littér. « *La dame au nez pointu* » : la belette (→ Occupant, cit. 1, La Fontaine). *Menton pointu.* — *Chapeau pointu* (→ Enjoliver, cit. 2). *Capuchon* (cit. 2) *pointu.*

Ce rire strident, aigu, découvrant des dents magnifiques mais courtes et pointues, débusquant une lèvre railleuse, le vexa. 1
HUYSMANS, Là-bas, VIII.

Fam., vx. *Bouillon pointu.* ⇒ **Bouillon.**

Par ext. Hérissé de traits aigus. *Une écriture* (cit. 12) *pointue.*

♦ **2.** (1658). Vieilli. Excessivement pointilleux, susceptible. *Air, caractère, esprit pointu.* ⇒ **Minutieux.**

Ne prenez pas cet air pointu 2
En parlant d'amour ancillaire.
P.-J. TOULET, Contrerimes, Chansons, XII.

♦ **3.** (1723). Fig., vx. Se dit d'un style encombré de pointes*, d'allusions.

♦ **4.** (1680). Par métaphore. Qui pique, qui pénètre comme une pointe, comme une aiguille. *Un air glacé et pointu* (→ Froideur, cit. 1, Mme de Sévigné). *Un petit vent pointu. Un vin pointu.*

(...) l'odeur pointue de la poudre et du soufre (...) 3
CÉLINE, Voyage au bout de la nuit, p. 22.

Un regard pointu, inquisiteur, aigu.

(...) Jean, à travers les joues énormes et grêlées de Mme Delven, à travers le regard pointu dont elle regardait tout le monde, nourrissant Bergotte près d'elle en lui passant les morceaux d'une mandarine qu'elle épluchait comme si elle nourrissait sa vengeance contre la société qui l'avait méprisée et à qui la préférait ce grand homme (...) 3.1
PROUST, Jean Santeuil, Pl., p. 788.

♦ **5.** (1845). Péj. (En parlant d'un son, d'une voix). Qui a un timbre aigu, désagréable. *Voix pointue. Il parle sur un ton pointu.* ⇒ **Élevé.**

J'ai pour professeur un petit homme à lunettes cerclées d'argent, au nez et à la voix pointus, avec un brin de moustache (...) 4
J. VALLÈS, l'Enfant, XVIII.

♦ **6.** (XXe). *Accent pointu,* se dit dans le Midi d'un accent autre que celui du Midi, spécialement de l'accent parisien. — Adv. *Parler pointu.*

À peine sortie de chez sa mère, quelque part dans le Midi, elle avait bien assez de peine à dissimuler son accent en parlant pointu (...) 5
ARAGON, les Cloches de Bâle, I, VI.

♦ **7.** Qui est subtil, difficile, et d'une exactitude minutieuse. *Un raisonnement pointu.*

♦ **8.** Fam. Dont les réactions sont rapides, vives (moteur, voiture); qui réagit avec précision.

★ **II.** N. m. ♦ **1.** (Déb. XXe). *Un pointu :* petite barque, pointue à l'avant et à l'arrière (à la différence des canots à arrière carré de la marine nationale), utilisée surtout sur les côtes de Provence.

(...) le *Pointu* du Midi ne marche bien à la voile qu'au large et au vent arrière car il naviguait autrefois de nuit en se servant de la brise de terre et tous les autres trajets se faisaient à l'aviron en s'aidant des découpures de la côte. 6
J. GIORDAN, le Yachting, p. 62.

♦ **2.** (1723). Vx. Morceau d'étoffe en triangle pour la fabrication des chapeaux.

CONTR. Arrondi. — Camard, camus.

1. POINTURE [pwɛ̃tyʀ] n. f. — V. 1193; « piqûre (d'animal) », fin XIe; du lat. *punctura.*

♦ **1.** Vx, fig. Piqûre, morsure. *Les pointures de la douleur* (→ 1. Livre, cit. 26, Montaigne).

♦ **2.** (1762). Techn. (imprim.). Petite pointe*, petite tige en saillie sur le tympan d'une presse à bras ou sur le cylindre d'une machine à imprimer, qui sert à fixer les feuilles et qui permet ainsi de faire un repérage exact. ⇒ 1. **Pointer** (I., 5.). — (1803). Trou de la feuille où entre cette pointe.

♦ **3.** (1824; sens probablt dérivé de celui de forme, pièce sur laquelle on « pique » l'empeigne [P. Guiraud], 1765). Cour. Nombre qui indique la dimension des chaussures, des coiffures, des gants, des vêtements (⇒ aussi **Taille**). *Quelle est votre pointure de gants ?* ⇒ **Ganter.** *Quelle pointure chaussez-vous? La pointure 42,* ou ellipt., *du 42.*

2. POINTURE [pwɛ̃tyʀ] n. f. — 1951, *in* Petiot; de 1. *pointer.*

♦ Sport (basket). *Avoir, trouver la pointure,* l'adresse et la précision dans le tir au panier.

POINT-VIRGULE [pwɛ̃viʀgyl] n. m., **POINT-VOYELLE** [pwɛ̃vwajɛl] n. m. ⇒ **Point.**

POIRE [pwaʀ] n. f. — V. 1175; du lat. pop. *pira,* n. f.; plur. du lat. class. *pirum.*

♦ **1.** Fruit (piridion*, pour les botanistes) du poirier, indéhiscent, charnu, à pépins*, de forme oblongue, amincie vers la queue, et, généralement, jaune à maturité. *Variétés de poires consommées crues (poires à couteau), cuites (poires à cuire); poires à cidre. — Poire cassante, croquante, rêche* (→ 1. Goûter, cit. 18)... *Poire graveleuse, pierreuse. Poire fondante. Poire sucrée, musquée... Poire mûre, blette; poire tapée. Poire âpre, non comestible; poires d'étranguillon*, poires à cochon. Poire d'été, d'automne, d'hiver. — Variétés de poires.* ⇒ **Ambrette** [poire d'], **bergamote, besi, beurré, bigarade** (2.), **blanquette, bon-chrétien, catillac, crassane, cuisse-madame, doyenné, duchesse, hâtiveau,** 3. **liard, louise-bonne, madeleine, marquise, mignonne, mouille-bouche, muscadelle, passe-crassane, rousselet, saint-germain, toute-bonne...** *Poire Williams. Compote de poires. Poires au vin. Confiture de poires. Tarte aux poires. — Cidre de poires.* ⇒ **Halbi, poiré.** *Alcool* (blanc) *de poires. Marc* de poires.* — Loc. *Entre la poire et le fromage** (*supra* cit. 7).

1 Au dessert figuraient des poires d'une maturité, d'une grosseur, d'un fondant et d'un choix à honorer une table royale.
Th. GAUTIER, Portraits contemporains, Balzac, VI.

2 Les pommes, les poires s'empilaient (...) les variétés des poires, la blanquette, l'angleterre, les beurrés, les messirejean, les duchesses trapues, allongées, avec des cous de cygne ou des épaules apoplectiques, les ventres jaunes et verts, relevés d'une pointe de carmin. ZOLA, le Ventre de Paris, t. II, v, p. 99.

3 Demandez au maître d'hôtel s'il a du Bon Chrétien (...) — Vous voyez bien que nous sommes au fruit, c'est une poire (...) Hé bien, puisque vous ne devez pas savoir commander plus que le reste, demandez tout simplement une poire qu'on recueille justement près d'ici, la « Louise-Bonne d'Avranches ». — La...? — Attendez, puisque vous êtes si gauche je vais moi-même en demander d'autres (...) Maître d'hôtel, avez-vous de la Doyenné des Comices? — Non, Monsieur, je n'en ai pas. — Avez-vous du Triomphe de Jodoigne? — Non, Monsieur. — De la Virginie-Dallet? de la Passe-Colmar? Non? eh bien, puisque vous n'avez rien nous allons partir. La « Duchesse d'Angoulême » n'est pas encore mûre (...)
PROUST, Sodome et Gomorrhe, Pl., t. II, p. 1010.

Alcool de poire. *Une bouteille de poire Williams.*

(1671) Loc. fig. (vx). *Ne pas promettre poires molles :* menacer d'un traitement rigoureux (→ Dureté, cit. 8). — (XVIIIᵉ). Vieilli. *La poire est mûre, n'est pas encore mûre... :* l'occasion est favorable, ou au contraire inopportune, prématurée. ⇒ aussi **Mûr.** — (1640). Mod. *Garder* (conserver, se réserver...) une poire pour la soif.* ⇒ **Économiser, épargner, ménager** (pour les besoins à venir). Par ext. Se réserver un moyen d'action, une possibilité, en cas de besoin. ⇒ **Précaution.**

4 Admirez la circonspection de cet homme! Il ne se hâte pas, il laisse mûrir la poire avant que de secouer la branche : trop d'ardeur pouvait faire échouer son projet.
DIDEROT, le Neveu de Rameau, Pl., p. 477.

5 (...) mais, quand il se trouvait au bout de ses efforts, il avait une question qu'il se réservait comme une poire pour la soif, et il jugea nécessaire de la lâcher (...)
BALZAC, Illusions perdues, Pl., t. IV, p. 530.

6 Je ne voudrais quitter l'Italie que pour aller jouer en France un rôle à peu près semblable à celui que je joue ici, disait-il à Miot (s'il faut en croire celui-ci), et le moment n'est pas encore venu : *la poire n'est pas mûre.*
Louis MADELIN, Hist. du Consulat et de l'Empire, Ascension de Bonaparte, XI.

Couper la poire en deux : transiger, faire un compromis, renoncer à une partie de ses prétentions.

6.1 (...) lorsque je me suis levé pour partir, elle a paru devenir encore plus petite, dans son coin de sofa. Alors j'ai coupé la poire en deux et avant de la quitter je lui ai demandé : Est-ce que vous voulez sortir avec moi un soir, mademoiselle Cora?
É. AJAR (R. GARY), l'Angoisse du roi Salomon, p. 79.

(1764). Vx. *Poire de terre :* le topinambour (→ Pomme* de terre). *Poire d'avocat :* le fruit de l'avocatier.

En forme de poire, en poire. ⇒ **Piriforme.** *Semis en poire.*

♦ **2.** Objet de forme analogue. — *Poire d'angoisse.* ⇒ **Angoisse** (cit. 15).

7 Dieu merci et Jacques Thibaut
Qui tant d'eau froide m'a fait boire,
Manger d'angoisse mainte poire. VILLON, Testament, LXXIII.

8 La poire d'angoisse était un bâillon perfectionné : il avait la forme d'une poire, se fourrait dans la bouche, et à l'aide d'un ressort se dilatait de façon à distendre les mâchoires dans leur plus grande largeur. DUMAS, Vingt ans après, XXI, note.

(1723). Contrepoids de la balance romaine. — *Poire en caoutchouc, à injections*, à lavement...* — (1660). *Poire à poudre :* petite gourde oblongue où l'on mettait la poudre (pour une arme à feu). ⇒ 2. **Flasque, fourniment** (vx). — (1883). *Poire électrique* ou *poire :* commutateur de forme oblongue et renflée, muni d'un bouton.

9 (...) on avait ordre de ne jamais entrer dans ma chambre avant que j'eusse sonné, ce qui, à cause de la façon incommode dont avait été posée la poire électrique au-dessus de mon lit, demandait si longtemps que souvent, las de chercher à l'atteindre (...) je restais quelques instants presque rendormi.
PROUST, la Prisonnière, Pl., t. III, p. 11.

Un jour (...) j'administrai avec une poire en caoutchouc un simulacre de lavement à ma cousine Jeanne (...) 10
S. DE BEAUVOIR, Mémoires d'une jeune fille rangée, p. 58.

(1829). Perle oblongue, plus grosse en bas. *Perle en poire* ou *poire. — Taille en poire* (des pierres, des diamants ⇒ **Briolette**). *Pierre en poire;* ellipt *poire.*

Est-ce que vous apercevez ses boucles d'oreilles? Je crois qu'elle a ses grandes poires, n'est-ce pas? Ça fait pitié, des brillants, à des filles comme ça. 10.1
ZOLA, le Ventre de Paris, t. I, p. 215-216.

(XXᵉ). Partie renflée (d'un balustre).

Les pieds antérieurs *(des fauteuils)* s'épaissiront, dessinant la figure du double balustre à « poires » opposées (...) 10.2
Guillaume JANNEAU, le Mobilier français, p. 105.

(XXᵉ). Bouch. Morceau de la tende-de-tranche (de bœuf). *Un bifteck dans la poire.*

♦ **3.** (1872). Fig., fam. (La caricature de la tête de Louis-Philippe transformée en poire [Dauzat, *les Argots,* p. 138] n'est pas indispensable à évoquer, la métaphore du fruit étant banale). Face, figure. *Dans la poire, en pleine poire.* ⇒ **Gueule.** — *Se sucer la poire :* s'embrasser*. — (Vieilli). *Faire sa poire :* « avoir l'air fier et important » (1877, Littré, *Suppl.*); être de mauvaise humeur, revêche (→ Faire la gueule*, et aussi faire le fier*).

Lui, avait assez de Diane; elle faisait trop sa poire. Alors, Diane jurait de le surveiller et de se venger. ZOLA, Nana, I. 11

Ceux qui exploitent les timorés et les gogos, qui sont souvent en même temps des gagas, ont un doigté délicat : ils savent choisir leurs têtes, j'allais dire leurs *poires (...)* suivant la pittoresque expression populaire. 11.1
GORON, l'Amour à Paris, t. II, p. 1192.

Il a pris un obus en pleine poire (...) CÉLINE, Voyage au bout de la nuit, p. 102. 12

♦ **4.** (Fin XIXᵉ). Fig., fam. Personne qui se laisse duper, tromper facilement. ⇒ **Naïf** (→ Esquiver, cit. 9). *Quelle poire, ce type!* ⇒ **Imbécile, sot** (→ Daim, cit. 3). *C'est une bonne poire.* — Adj. *Ce qu'il est poire!*

Je me souviens du scandale que fit en ce temps-là Jean de Tinan, l'auteur de « Penses-tu réussir? » lors d'une des réunions de notre comité directeur du *Centaure,* lorsqu'il vint nous déclarer que nous étions des « poires », qu'il entendait que cela cessât et que désormais il ne livrerait sa copie, son travail, que contre de l'argent. 13
GIDE, Attendu que..., p. 138.

Pochetée! Tiens, tu me ressembles, tu es aussi poire que moi. 14
SARTRE, la P... respectueuse, II, 2.

DÉR. Poiré, poirer, poiret, poirier.

POIRÉ [pwaʀe] n. m. — 1529; *peré,* 1220; de *poire.*

♦ **1.** Boisson fermentée faite avec du jus de poire (⇒ **Cidre**; et aussi **halbi**). *Un verre de poiré.*

Le dîner commença vers deux heures de l'après-midi, pour finir à onze heures du soir. On y but du poiré, on y débita des calembours.
FLAUBERT, Bouvard et Pécuchet, IX.

♦ **2.** Régional. Tourte aux poires et à la crème.

HOM. Poirée, poirer.

POIREAU [pwaʀo] n. m. — V. 1530; *poiriaux,* v. 1268; altér. de *porel,* fin XIᵉ; *poriau,* 1273; *poreau, porreau,* 1487 (encore *in* Littré, en 1869) par attraction de *poire;* dér. du lat. *porrum.*

♦ **1.** Plante monocotylédone *(Liliacées),* variété d'ail* *(allium porrum)* bisannuelle, à bulbe peu développé, cultivée pour son pied (→ Légume, cit. 3). *Poireau gros court. Poireau long. Botte de poireaux. Blanc de poireau* (le pied). *Vert de poireau. Odeur des poireaux* (→ Insidieux, cit. 4). *Planter, faire pousser des poireaux. Plant de poireaux, dans un potager. Poireaux d'un pot-au-feu. Soupe aux poireaux. Le poireau est appelé l'asperge du pauvre.*

(...) comme l'on servait un plat de légumes et que Durtal choisissait un poireau, des Hermies dit, en riant : — Prends garde, Porta, un thaumaturge de la fin du seizième siècle nous apprend que ce légume, longtemps considéré tel qu'un emblème de la virilité, perturbe la quiétude des plus chastes! 1
HUYSMANS, Là-bas, XX.

(...) les poireaux sont les asperges du pauvre. FRANCE, Crainquebille, II. 2

REM. La forme *porreau,* qui se rencontre couramment jusqu'au XVIIᵉ s., est aujourd'hui dialectale et populaire. *« Adieu chicorée et porreaux »* (La Fontaine, *Fables,* IV., 4.).

♦ **2.** (XXᵉ). Fam. *Décoration du poireau :* le mérite agricole. *Avoir le poireau.*

♦ **3.** (1530; *porreau,* 1487). Fam., vieilli. Verrue. — Vétér. *Poireaux du cheval, du chien.*

On lui voit aux mains des poireaux (...) 3
LA BRUYÈRE, les Caractères de Théophraste, D'un vilain homme.

♦ **4.** (1877; selon Guiraud, la métaphore sur « planté » serait seconde; comme *cor au pied, point de côté* désignant, en argot anc., des surveillants, c'est *poireau* « verrue » qui désignait plaisamment le surveillant. → Porion.) Loc. Fam. *Rester planté comme un poireau, faire le poireau :* attendre. ⇒ **Poireauter.** — *Une heure de poireau,* d'attente. — Par ext. *Un poireau :* une personne qui attend, et, spécialt, un agent de police qui est de planton.

(...) il reprit son va-et-vient (...) battant son quart, observé derrière les marchan- 4 dises des montres par de jeunes femmes qui se chuchotaient à l'oreille, dans un éclat de rire : encore un poireau ! HUYSMANS, En ménage, IX.

♦ **5.** (1862, *in* Cellard et Rey). Pénis.

5 (...) ça fait un moment que, à mon insu, ma main m'astique le poireau, de plus en plus frénétique, me retenir davantage, impossible. CAVANNA, les Ritals, p. 198.

DÉR. Poireauter.

POIREAUTAGE [pwaʀotaʒ] n. m. — Mil. XXe ; de *poireauter.*

♦ Fam. Fait de poireauter, d'attendre longuement. *« La salle d'attente est pleine (...) Après une heure de poireautage, les gens changent de couleur. »* (*Libération,* 16 nov. 1981, p. 29).

POIREAUTER [pwaʀote] v. intr. — 1880 ; de *poireau* (4.).

♦ Fam. Attendre. *J'ai passé deux heures à poireauter.* — Var. : *poiroter.*

1 Pour qu'il *(le chauffeur)* ne poirote pas quatre heures de suite devant la porte, avec d'autres, à bavarder, à se renseigner sur les gens qui me reçoivent. J. ROMAINS, les Hommes de bonne volonté, t. X, IV, p. 47.

2 Sans parler de Jusserand que le marquis a commencé par faire poireauter dix minutes. G. DUHAMEL, Chronique des Pasquier, V, III.

3 Ah ! ce qu'il a pu me faire poireauter jusqu'à des quatre heures du matin devant des bistrots (...) Et au petit jour, quand tu étais gelé, ça sortait de là congestionné, reniflant le vin à trois mètres (...) J. ANOUILH, le Voyageur sans bagage, p. 36.

DÉR. Poireautage.

POIRÉE [pwaʀe] n. f. — 1549 ; altér. de l'anc. franç. *porrée,* 1256 ; de *por* « poireau » (cf. en anc. franç. *poree* « potage », 1193).

♦ Plante potagère, variété de bette (⇒ 1. **Bette** [ou blette]) dont on consomme les côtes (⇒ 2. **Carde**).

HOM. Poiré, poirer.

POIRER [pwaʀe] v. tr. — 1916 ; de *poire,* littéralt « cueillir comme une poire ».

♦ Argot (vx). Faire prisonnier ; arrêter. *Les policiers l'ont poiré chez lui. Se faire poirer.*

HOM. Poiré, poirée.

POIRET [pwaʀɛ] n. m. — D. i. ; de *poire.*

♦ Confiserie faite de pâte, de jus de pomme et de poire.

POIRIER [pwaʀje] n. m. — 1530 ; *poirrier,* 1409 ; *perier,* v. 1170 ; de *poire.*

♦ **1.** Plante dicotylédone *(Rosacées),* arbre de taille moyenne, cultivé pour ses fruits (⇒ **Poire**). *Planter des poiriers. Poirier commun, poirier sauger* (produisant des poires à cidre), *poirier de Chine. Jeune poirier à fruits aigres.* ⇒ **Aigrin.** *Poirier sauvage, cultivé... Poirier franc de pied, greffé sur franc, sur cognassier... Poiriers qui rompent de fruits* (→ Donner, cit. 46). *Tigre* du poirier* (insecte).

1 Le printemps venu, Pécuchet se mit à la taille des poiriers. Il n'abattit pas les flèches, respecta les lambourdes, et, s'obstinant à vouloir coucher d'équerre les duchesses qui devaient former les cordons unilatéraux, il les cassait ou les arrachait invariablement. FLAUBERT, Bouvard et Pécuchet, II.

Bois de poirier, rougeâtre, susceptible d'un beau poli, utilisé en ébénisterie. — Par ext. Ce bois. *Meubles en poirier.*

♦ **2.** Fig. *Faire le poirier* (ou *l'arbre fourchu*) : se tenir en équilibre la tête au sol. *Figure du poirier,* en yoga.

2 Saut périlleux, double saut périlleux, triple saut périlleux, le grand écart, le poirier, la roue, la cabriole, le cochon pendu, la brouette. Marie CARDINAL, les Mots pour le dire, p. 189.

POIROTER [pwaʀɔte] ⇒ **Poireauter.**

POIS [pwa ; pwɑ] n. m. — V. 1155 ; du lat. *pisum.*

♦ **1.** Plante dicotylédone *(Légumineuses, Papilionacées)* scientifiquement appelée *pisum,* vivace ou annuelle, et dont certaines variétés potagères sont cultivées pour leurs graines (cf. le sens 2.). *Pois cultivé* (pisum sativum), *pois des champs, pois gris, pois fourrager* ou *pisaille* (pisum arvense). *Les pois sont des herbes à feuilles pennées, à fleurs solitaires ou en grappes, à gousses*. Pois grimpants* (à rames), *nains. Pois à grains ronds, à grains ridés. Ramer des pois. Pois précoces, hâtiveaux*.*

Par ext. *Pois chabot, pois cornu, pois jarosse* (gesse chiche). — (1791). **POIS DE SENTEUR*** (cultivé pour ses fleurs). ⇒ **Gesse.**

♦ **2.** (V. 1155). Le fruit (gousse, cosse) des plantes appelées pois (1.) ; chacune des graines rondes, farineuses, enfermées dans cette gousse. — *Pois verts* (→ Assiette, cit. 20), *pois à écosser* (XVIe, O. de Serres). **PETITS POIS** : pois verts. *Petits pois frais, de conserve* (dits *moyens, fins, très fins...,* selon leur taille). *Le premier plat de petits pois.* ⇒ **Primeur** (→ Financier, cit. 7). *Veau aux petits pois. Petits pois d'une jardinière.*

Je m'arrêtais à voir sur la table, où la fille de cuisine venait de les écosser, les petits pois alignés et nombrés comme des billes vertes dans un jeu (...) 1
PROUST, Du côté de chez Swann, Pl., t. I, p. 121.

Cf. un passage analogue in *Jean Santeuil,* p. 337 (Pl.).

(...) des petits pois, qui étaient naturellement de conserve, mais qui avaient bon goût (...) J. ROMAINS, les Hommes de bonne volonté, t. V, X, p. 78. 2

Pois cassés : pois secs divisés en deux, qui se mangent en purée*. — *Pois goulus*, pois gourmands, pois mange-tout*.* — *Pois de première qualité.* Fig. *La fleur* des pois.*

Écosser des pois : enlever les graines de leurs cosses. — *Pois véreux,* attaqués par les charançons (⇒ **Cosson**).

(1718). Loc. fig. *Donner, rendre un pois pour une fève*. Se trouver « à propos comme lard en pois »* (Rabelais, III, 41). — Vx. *Manger des pois chauds* : être très embarrassé pour s'expliquer. — Vx. (1593, *in* D. D. L.) *Aller comme pois en pot* : filer à toute allure.

(1893). Régional. *Pois long* : haricot.

Par compar. *De la taille, de la grosseur d'un pois. Gros comme un pois.*

♦ **3.** (*Pois cice,* 1542). **POIS CHICHE.** [a] Plante dicotylédone *(Légumineuses)* du genre *Cicer,* à fleurs blanches, à feuilles souvent terminées par un filet, une vrille, et dont les gousses contiennent deux graines (cf. le sens b).

[b] Par ext. *Pois chiche* : la graine jaunâtre, plus grosse que les pois verts, du Cicer (→ ci-dessus, a). — Fig. Verrue.

(...) son nez grenu, et dessus ce pois chiche qu'il agace de l'ongle en parlant. 3
M. GENEVOIX, Forêt voisine, XI.

♦ **4.** (1837 *in* D. D. L.). Par anal. Petit cercle, pastille (sur une étoffe). *Robe, jupe, cravate à pois. Caraco* (cit. 1) *à pois blancs.*

(...) mon père apparut dans sa somptueuse robe de chambre à pois. 4
F. SAGAN, Bonjour tristesse, I, III.

♦ **5.** (1652). Vx. **POIS ANGLAIS.** ⇒ **Haricot.**

♦ **6.** En franç. d'Afrique. **POIS DE TERRE** : plante légumineuse à graine souterraine, qui se cultive souvent en assolement avec le mil. — Graine de cette plante, qui se consomme bouillie ou grillée (d'après I. F. A.).

POISCAILLE [pwaskɑj] n. f. — 1935, Esnault ; de *poisson,* et suff. pop. *-caille* ; cf. l'anc. franç. *pescaille (peschaille)* « poisson séché », XIIIe.

♦ Pop. Poisson. *Manger des poiscailles, de la poiscaille.*

Tu me files le bourdon pour que je ne bouffe pas, tu veux que je te parle des saloperies de la société jusques à refuser d'avaler la moindre bricole de poiscaille apprêtée par la même société. A. SARRAZIN, la Cavale, p. 145.

Var. : *poiscail,* n. m.

POISE [pwaz] n. f. — XXe ; du nom du physicien *Poiseuille* (1799-1869).

♦ Sc. Unité de viscosité dynamique dans le système C. G. S.. (symb. P). *Poise cinématique.* ⇒ **Stokes.**

POISEUILLE [pwazœj] n. m. — Mil. XXe ; du nom du physicien *Poiseuille.* → Poise.

♦ Phys. Unité de viscosité dynamique dans le système international (abrév. : Pl). *La poise* vaut 10^{-1} poiseuilles.*

Les Hydrauliciens l'expriment *(le coefficient de proportionnalité ou coefficient de viscosité)* en « poises » c'est-à-dire en dynes × secondes par centimètre carré, ou en « poiseuilles », c'est-à-dire en « newtons » × secondes par mètre carré. J. LARRAS, l'Hydraulique, p. 38.

POISON [pwazɔ̃] n. m. — XVIIe, n. m. ; v. 1130, n. f. ; du lat. *potionem,* accusatif de *potio* (→ Potion) « breuvage magique, médicinal », le mot avait au moyen âge le sens de « potion, breuvage médicinal ».

♦ **1.** Substance capable de troubler gravement ou d'interrompre les fonctions vitales d'un organisme ; spécialt, substance liquide ou solide, minérale ou organique, préparée, administrée pour donner la mort. — *Poison mêlé aux aliments, à un breuvage.* ⇒ **Bouillon** (d'onze heures). *Arme blanche* (flèche, dague...) *trempée dans un poison* (antiar*, curare*...). *Boulette de poison* (donnée à un animal). ⇒ **Gobbe.** *Apprêter* (cit. 3), *préparer un poison. Poison mortel, violent. Un funeste* (cit. 2) *poison. Poison lent, subtil ; foudroyant. Poison administré à doses massives ; progressivement.* ⇒ **Empoisonnement, empoisonner.** *Fiole de poison* (→ Dénaturer, cit. 4). *Boire* du poison. Une gorgée* (cit. 2) *de poison. Tuer qqn, l'assassiner par le poison...* (→ Assassinat, cit. 1 ; mourir, cit. 39 ; perdre, cit. 4). *« Le poison est tout prêt... »* (→ Officieux, cit. 2, Racine). *Les poisons de Locuste, des Borgia, de la Toffana* (⇒ **Aqua-toffana**). — (1651). Par ext. Littér. ou vx. Crime d'empoisonnement ; empoisonnement, crime par le poison. *Le fer ou le poison* (→ Assurance, cit. 4; libre, cit. 9). *L'Affaire des Poisons* (1670-1680) : cf. Michelet, *Histoire de France,* t. XV, ch. XVI.

1 J'ai pris, j'ai fait couler dans mes brûlantes veines
Un poison que Médée apporta dans Athènes. RACINE, Phèdre, V, 7.

2 Ce même empereur Conrad IV avait été accusé d'avoir empoisonné son frère Henri : vous verrez que dans tous les temps les soupçons de poison sont plus communs que le poison même. VOLTAIRE, Essai sur les mœurs, LXI.

2.1 (...) alors je fis voir le paquet de poison; il était difficile de fournir une meilleure preuve; la Marquise voulut en faire des essais; nous en fîmes avaler une légère dose à un chien que nous enfermâmes, et qui mourut au bout de deux heures dans des convulsions épouvantables (...) SADE, Justine..., t. I, p. 92.

3 Ah! jette loin de toi ce philtre! — Ma raison
S'égare. Arrête! Hélas! mon don Juan, ce poison
Est vivant! ce poison dans le cœur fait éclore
Une hydre à mille dents qui ronge et qui dévore! HUGO, Hernani, V, 6.

4 Le médecin l'examina, secoua la tête, et donna des ordres. Les symptômes n'étaient pas douteux; la pauvre fille avait pris du poison; mais quel poison? Le médecin l'ignorait, et cherchait en vain à le deviner.
A. DE MUSSET, Nouvelles, « Frédéric et Bernerette », VIII.

5 Lorsque nous voyons un homme un peu faible de constitution, mais d'apparence saine et d'habitudes paisibles, boire avidement d'une liqueur nouvelle, puis tout d'un coup, tomber à terre, l'écume à la bouche, délirer et se débattre dans les convulsions, nous devinons aisément que dans le breuvage agréable il y avait une substance dangereuse; mais nous avons besoin d'une analyse délicate pour isoler et décomposer le poison.
TAINE, les Origines de la France contemporaine, t. I, I, p. 266.

Par ext. Substance dangereuse pour l'organisme ou une de ses parties. ⇒ **Toxique, vireux.** *Étude des poisons.* ⇒ **Toxicologie.** *Poisons minéraux :* arsenic, arséniate (de plomb, de sodium), acide arsénieux (et aussi mort-aux-rats), sels de cuivre, acide cyanhydrique et cyanure de potassium, mercure, phosphore, sels de plomb, acide sulfurique... *Poisons organiques* (alcaloïdes : brucine, nicotine, strychnine; barbituriques). *Poisons végétaux :* belladone, ciguë, curare, noix vomique, opium, upas. ⇒ **Vénéneux** (plantes vénéneuses : champignons, colchique, digitale, euphorbe, strychnos...). *Plante qui distille* (cit. 1) *un poison. Le mancenillier, « arbre de poison ». Le venin* de certains reptiles est un poison violent. Poisons microbiens.* ⇒ **Toxine** (→ Fièvre, cit. 5); et aussi **microbe, virus.** — *Effets des poisons.* ⇒ **Intoxication; virulence.** *Sensibilité, réaction* (de l'organisme) *à un poison. Immunité* à l'égard des poisons* (→ aussi **Mithridatisation).** *Poisons hématiques,* agissant sur les globules rouges ou l'hémoglobine; *poisons leucocytaires,* agissant sur les leucocytes; *poisons plasmatiques* (correspondant aux « impuretés » du sang, aux « humeurs peccantes » de l'ancienne médecine). — *Poison hypnotique* (→ Excitant, cit. 9), *stupéfiant...* ⇒ **Narcotique.** *La morphine est un poison. Accoutumance à un poison* (dans les toxicomanies*). *L'empire* (cit. 9) *du poison* (le haschisch). *L'opium, ce « séduisant poison »* (→ Hallucination, cit. 4). — *Poisons qui entrent dans la composition* (cit. 1) *de remèdes. Remèdes contre les poisons.* ⇒ **Alexitère, antidote, contrepoison; alexipharmaque.** — *Réglementation de la vente des poisons* (substances vénéneuses, toxiques, signalées par une étiquette rouge orangé et le mot *poison*).

6 Oui, messieurs (...) il est empoisonné; il n'y a qu'à tâter sa peau, pour voir que les exhalaisons d'un poison froid se sont insinuées par les pores; et je maintiens que ce poison est pire qu'un mélange de ciguë, d'ellébore noire, d'opium, de solanum, et de jusquiame. VOLTAIRE, Facéties, Relation maladie jésuite Bertier.

7 Impossible de vivre sans poison. L'homme est un animal qui ne peut pas ne pas s'empoisonner. Même les sauvages, tu m'entends bien. Les Chinois, c'est l'opium; les Arabes, le haschisch; les autres, en Amérique, la coca, la kola, toutes sortes de saloperies. Nous, les blancs, c'est l'alcool et le tabac. Et voilà! ceux qui ne prennent rien, c'est qu'ils s'enivrent de leur salive, comme disait Vallès, c'est qu'ils se saoulent de leur propre venin (...)
G. DUHAMEL, Chronique des Pasquier, VI, XIII.

(V. 1695). Aliment (cit. 1), boisson nuisible (quoique non toxique à dose normale). Spécialt. (En parlant de l'alcool). *Les poisons du tripot* (→ 1. Émousser, cit. 7).

8 Qu'on aime ou qu'on déteste le poison qu'on boit, rien n'en change l'effet; ceux qui se tuent avec de l'eau-de-vie aiment l'eau-de-vie (...)
FLAUBERT, Correspondance, 187, 17 févr. 1847.

(1665). Vieilli. Nourriture très mauvaise. — Puanteur (→ Empoisonner).

(XXe). Chim. *Poison d'un catalyseur :* substance qui, parfois à l'état de traces, abaisse considérablement l'action d'un catalyseur. *L'arsenic, poison du platine* (employé comme catalyseur dans la synthèse industrielle de l'anhydride sulfurique).

Phys. *Poison de fission :* élément chimique engendré dans un réacteur nucléaire, qui a pour propriété de gêner le fonctionnement du réacteur par suite d'une absorption excessive de neutrons.

♦ **2.** (V. 1130, n. f.). Fig., littér. Ce qui est pernicieux*, dangereux, nuisible (sur le plan moral, intellectuel, affectif...). *Poison qui corrompt** (cit. 8) *les sens et la raison* (→ Anodin, cit. 7; attentif, cit. 15; 1. chagrin, cit. 6). *La haine* (cit. 8) *est un poison plus cher que celui des Borgia. Le poison du doute* (cit. 23), *du mépris* (→ Indifférence, cit. 1). *Les poisons de l'Envie* (cit. 8 et 9). *Un subtil poison d'incertitude* (cit. 14). *Le poison mortel de l'ennui* (→ Château, cit. 3). *La vérité est un poison pour certains esprits* (→ Diluer, cit. 4). — *Écrit plein de poison* (→ Pamphlet, cit. 1). *Le poison de la calomnie.* ⇒ **Venin.** *Le poison flatteur des louanges* (cit. 6). — *Le Poison,* poème de Baudelaire (→ Découler, cit. 2).

9 Quelle fatalité a changé en poison les remèdes que je t'offrais? Pourquoi, moi qui aurais donné tout mon sang pour te donner une nuit de repos et de calme, suis-je devenue pour toi un tourment, un fléau, un spectre?
G. SAND, Lettres à Musset, III, 15 avr. 1834.

REM. La langue classique désignait souvent par *poison* les effets de l'amour; il se prenait alors « en bonne part » (Richelet, 1680).

Et qui l'aurait pensé (...) 10
(...) Que l'on pût sitôt vaincre un poison si charmant?
RACINE, Andromaque, II, 5 (*var.*).

Tarissez, s'il se peut, la source du poison qui me nourrit et me tue : je ne veux 11
que guérir ou mourir; j'implore vos rigueurs comme un amant implorerait vos bontés. ROUSSEAU, Julie, I, I.

♦ **3.** (Déb. XXe; 1789, Restif, n. f.). Fam. *Un poison, une poison :* personne (en général femme) acariâtre, méchante, insupportable. *C'est un vrai poison, une vraie poison.* ⇒ **Détestable.** *Cet enfant, ce garçon est un poison, un petit poison* (⇒ aussi **Empoisonner; empoisonnant)**

— Viens ici, ma petite poison chérie! supplia Peloux. — Veux-tu venir ici, vice 12
incarné! gronde Bastienne. Pas de réponse.
COLETTE, l'Envers du music-hall, L'enfant de Bastienne.

Corvée, chose très ennuyeuse. *Quel poison de retourner là-bas!*

COMP. Contre-poison, empoisonner (et dér.).

POISSANT, ANTE [pwasɑ̃, ɑ̃t] adj. — 1873; fig. « collant » (d'une personne), 1753; de *poisser.*

♦ **1.** Fam. Poisseux.

Cela était épais, sirupeux, poissant comme j'imagine qu'est le jus filandreux des 1
mandragores (...) B. CENDRARS, Bourlinguer, p. 312.

Le monde redevint clair, tout à coup, nu, dur et luisant de toutes ses forces, plein 2
d'objets carrés, de lignes droites et tranchantes, de couleurs poissantes comme des nappes de confiture. J.-M. G. LE CLÉZIO, la Fièvre, p. 173.

♦ **2.** (XXe; de *poisse*). Fig., fam. Qui donne la poisse.

POISSARD, ARDE [pwasaʀ, aʀd] n. et adj. — 1531, « voleur »; dér. de *poix,* les voleurs ayant comme de la poix aux doigts; *poissarde* « femme de la halle », 1640 (le sens de « marchande de poisson » est dû à une confusion étymologique entre *poisson* et *poix* et à la réputation de grossièreté des harengères*).

♦ **1. POISSARDE** n. f. Vx, péj. (Surtout depuis le XIXe). Femme de la halle. (1835). Par ext. Femme du bas peuple aux manières hardies, au langage grossier.

(...) cette belle poissarde, avec son gros embonpoint, qui a la tête renversée en 1
arrière, dont la couleur blême, le linge de tête étalé en désordre, l'expression mêlée de peine et de plaisir, montrent un paroxysme plus doux à éprouver qu'honnête à peindre? DIDEROT, Salon de 1765, Greuze.

On désigne toujours par le nom de *poissardes* les femmes qui sont allées de Paris 2
à Versailles. C'est un malheur pour celles qui débitent les poissons.
RIVAROL, Mémoires, p. 263, note,
in BRUNOT, Hist. de la langue franç., t. X, p. 262.

(...) chacun de leurs chevaux portait deux ou trois poissardes, sales bacchantes 3
ivres et débraillées. CHATEAUBRIAND, Mémoires d'outre-tombe, t. I, p. 220.

Spécialt. (Par attraction de *poisson*). Marchande de poisson, aux halles (→ ci-dessus, cit. 2, Rivarol).

(...) un groupe de poissardes et d'écaillères qui se disputaient et jetaient de grands 4
cris (...) A. DE VIGNY, Cinq-Mars, XXV.

♦ **2.** Adj. (1743). Hist. littér. (le mot s'est surtout employé pour désigner le style réaliste et populaire de Vadé, Lécluse..., au XVIIIe). Qui emploie ou imite le langage « du plus bas peuple » (Littré). *Genre, style poissard. Un argot* (cit. 9) *poissard.* ⇒ **Grossier, populacier.** *Les Bouquets poissards,* œuvre de Vadé.

N. m. (1748). Le genre poissard.

J'ai parlé (...) du poissard au XVIIIe siècle. C'était une forme affectée à 5
un grand nombre de « genres » : lettres, chansons, vaudevilles, parades, etc. Dancourt, Dufrény, Vadé, Lécluse et d'autres avaient employé cette forme conventionnelle (...) Quand survint la Révolution, le poissard était depuis longtemps établi et consacré. Il était impossible qu'un langage qui avait servi aux controverses dès le temps des *Mazarinades* (...) ne fût pas utilisé dans la bataille révolutionnaire. C'était un style, comme par ailleurs le style marotique.
BRUNOT, Hist. de la langue franç., t. X, p. 259.

Spécialt. Relatif au langage des « poissardes » des Halles.

Élevé dans les ordures des Halles, il épelait le catéchisme poissard, se mettait un 6
poing sur la hanche (...) Alors les « salopes », les « catins » (...) les « combien qu'on te la paye, ta peau? » passaient dans le filet de cristal de sa voix d'enfant de chœur. Et il voulait grasseyer, il encanaillait son enfance exquise (...) Les poissonnières riaient aux larmes. ZOLA, le Ventre de Paris, III, t. I, p. 190.

1. POISSE [pwas] n. f. — 1897; le « milieu », 1878; « police de sûreté », 1896 (→ Poisser); « fagot enduit de poix utilisé dans la défense des places de guerre », 1723; de *poisser.*

♦ **1.** Littér. État d'une substance visqueuse. ⇒ **Viscosité.** — Cette substance.

♦ **2.** (Fin XIXe). Fam., vieilli. Gêne, misère; indigence. « *Maintenant..., c'est la grande poisse, la grande mouise* » (cit. 1, Duhamel). ⇒ **Dèche.**

♦ **3.** (1908). Mod., fam. Malchance durable. ⇒ **Ennui,** 2. **guigne, gui-**

gnon. *Quelle poisse! Encore une panne, c'est la poisse! Porter la poisse :* porter malheur.

HOM. 2. **Poisse,** 3. **poisse.**

2. POISSE [pwas] n. m. — 1800; de *poisser* (3.) «voler».

♦ Argot. Voleur; gouape.

(Il) inclinait cette couronne sur l'oreille de la boniche où elle resta jusqu'au soir, selon l'inclinaison audacieuse que donnaient parfois les miliciens et les matelots à leurs bérets, les poisses à leur bâche *(casquette)* et les Frisés au calot noir.
Jean GENET, Pompes funèbres, p. 106.

HOM. 1. **Poisse,** 3. **poisse.**

3. POISSE [pwas] n. m. — 1905, Esnault; abrév. de l'argot *poisson* «souteneur», pour *maquereau,* même sens, p.-ê. infl. de 2. *poisse.*

♦ Argot. Souteneur.

HOM. 1. **Poisse,** 2. **poisse.**

POISSER [pwase] v. tr. — 1538; de *poix.*

♦ **1.** Enduire de poix ou d'une matière analogue (⇒ **Gluer, engluer**). *Poisser du fil.* — (1636). Vieilli. Mêler de poix, de résine.

♦ **2.** (1690). Cour. Couvrir, salir avec une matière gluante. *Tables de café poissées par les glorias* (cit.). *Une pluie fine et collante qui poisse le pavé* (→ Appui, cit. 17). *Avoir les doigts poissés de sucre. Se poisser les mains, les doigts avec des bonbons, des confitures.*

1 Comme il s'était un peu trop penché sur la rampe, une mèche de ses cheveux, une grosse mèche tout poissée de gomina se détacha de la masse et vint lui tomber sur le nez.
G. DUHAMEL, Chronique des Pasquier, X, III.

(1765). Absolt. (En parlant d'une matière gluante, poisseuse). *Les bonbons fondants, les caramels mous poissent.*

♦ **3.** (1800). Fig., pop. (vx). Voler. — (1872). Mod. Arrêter, attraper, prendre. *Se faire poisser.*

2 (...) c'est pas la peine de vous faire venir si loin pour vous mener dans des endroits où on risque encore de se faire poisser.
J. ROMAINS, les Hommes de bonne volonté, t. II, XX, p. 226.

3 Figure-toi, murmura la commère, un type m'a prise en filature quand je suis sortie hier au soir de chez ma vendeuse; aussi je m'ai amenée en douce par l'autre trottoir. On me poisserait, j'aurais des embêtements.
Francis CARCO, Brumes, p. 70.

♦ **4.** (1865). Pop., vx. S'enivrer.

▶ **POISSÉ, ÉE** p. p. adj. *Fil poissé.* ⇒ **Ligneul.** — *Vin poissé,* mêlé de poix, de résine. ⇒ **Résiné** (→ Nectar, cit. 1).

Poisseux. *Doigts poissés* (→ ci-dessus, cit. 1 et *supra*).

Arrêté, pris.

DÉR. Poissant, 1. **poisse,** 2. **poisse, poisseur, poissure.**

POISSEUR [pwasœʀ] n. m. — XXe; «voleur», 1878; de *poisser.*

♦ Techn. Petit récipient destiné à recevoir la poix liquide, utilisé par le bourrelier.

POISSEUX, EUSE [pwasø, øz] adj. — 1575; de *poix.*

♦ **1.** Qui est gluant, collant (comme de la poix). ⇒ **Collant, gluant, gras, visqueux.** (→ Écœurement, cit.). *Des papiers de bonbons poisseux.* — Sali par une matière poisseuse. ⇒ **Poissé.** *Mains poisseuses.*

♦ **2.** (1897). Qui inspire le dégoût (comme le ferait le contact d'un objet gluant). *Une odeur poisseuse.*

1 Les réveils de midi sont lourds et poisseux comme la vie de la veille avec l'amour, l'alcool et le sommeil.
Ch.-L. PHILIPPE, Bubu de Montparnasse, I, IV.

2 Delaage, l'Ubiquité faite homme et la Banalité faite poignée de main, un garçon pâteux, poisseux, gluant, et qui semblait un glaire bienveillant (...)
Ed. et J. DE GONCOURT, Journal, t. I, p. 30.

POISSON [pwasɔ̃] n. m. — V. 1138; *pescion, peisson,* v. 980; de *peis, pois* «poisson», du lat. *piscis.*

♦ **1.** [a] Vx. Animal aquatique à corps fusiforme, à membres non apparents. — REM. De nos jours encore, certains mammifères *(Cétacés, Pinnipèdes)* sont parfois appelés abusivement *poissons.* Au XVIIe s., on appelait *poissons royaux,* les dauphins, les saumons... et *poissons à lard,* les cétacés et les thons (cf. en anc. franç. *porpais* [1036] «marsouin», littéralt «porc poisson», et *graspeis* [1138] «baleine», littéralt «gras poisson»).

1 Les castors, les loutres, les crocodiles, sont moitié chair, et moitié *poisson,* ils vivent dans l'eau et sur terre. On appelle *poissons cétacés,* les gros *poissons,* comme les baleines et les tiburons; des *poissons testacés et ostracés* (...) comme les tortues et les huîtres.
FURETIÈRE, Dict. (1690), art. *Poisson.*

2 Il sort tous les ans, des mers du Nord, une multitude innombrable de poissons qui enrichissent tous les pêcheurs de l'Europe; tels sont les morues, les anchois, les esturgeons, les dorches, les maquereaux, les sardines, les harengs, les chiens de mer, les belugas, les phoques, les marsouins, les chevaux marins, les souffleurs, les licornes de mer, les poissons à scie, etc.
BERNARDIN DE SAINT-PIERRE, Études de la nature, VI.

(Un Phénicien) étudiait la marche et les allures; espérant et désespérant d'imiter la perfection des poissons les plus rapides. Ceux qui nagent facilement en surface, et se jouent dans l'écume entre deux plongées, l'intéressaient entre tous. Il parlait (...) des thons et des marsouins (...) 3
VALÉRY, Eupalinos, p. 111.

Le poisson est le symbole du contenant redoublé, du contenant contenu. Il est l'animal gigogne par excellence. On n'a pas assez remarqué combien le poisson était un animal qui se pense à toutes les échelles depuis le minuscule vairon jusqu'à l'énorme «poisson» baleine. Géométriquement parlant la classe des poissons est celle qui se prête le mieux aux infinies manipulations d'emboîtement des similitudes. Le poisson est la confirmation naturelle du schème de l'avaleur avalé. Bachelard s'arrête devant la méditation émerveillée de l'enfant qui pour la première fois assiste à l'avalage du petit poisson par le gros (...) 3.1
Gilbert DURAND, les Structures anthropologiques de l'imaginaire, p. 242-243.

[b] Mod. Animal vertébré inférieur, d'habitat aquatique, non muni de membres (comme les Tétrapodes) mais de nageoires*.

Les poissons, vertébrés à nageoires, dont le squelette est cartilagineux ou ossifié (en tout ou en partie); *dont les téguments forment en général des écailles* (⇒ **Écaille, écailleux, squamifère**). *Étude des poissons.* ⇒ **Ichtyologie.** *Les poissons ont des formes variées :* allongée, oblongue et fusiforme* (⇒ **Ichtyoïde, pisciforme**), plate *(poissons plats),* serpentiforme (anguilles, etc.), globuleuse... *Poissons à longues nageoires* (⇒ **Macropode**), *à ailerons*. Poissons sans nageoire dorsale* (⇒ **Aptéronote**), *poissons abdominaux*. Tête, museau; barbes, barbillons** (cit. 1) *de certains poissons* (→ aussi Moustache, cit. 3; palpe, cit.). *Anatomie interne des poissons :* squelette (⇒ **Cartilage, os; arête**), appareil digestif (⇒ **Brouailles**) et vessie natatoire*; appareil respiratoire (⇒ **Branchie, opercule, ouïe**). *Les poissons sont des animaux à température variable* (dits «à sang froid»). *Reproduction des poissons* ⇒ **Frai** (cit. 1 et 2), 1. **frayer** (cit. 11), **frayère; laitance, laité; œuf, œuvé, ovipare** (→ Approche, cit. 12). *Développement des poissons* (⇒ **Alevin**). *Larves* de certains poissons. Dimorphisme sexuel de certains poissons. — Poissons parasites, commensaux. — Poissons d'eau douce, de rivière. Poissons des eaux souterraines* (⇒ **Amblyopsis**). *Poissons marins, de mer* (littoraux, pélagiques, des grands fonds. ⇒ **Abyssal**). *Poissons migrateurs* (ex. : anguilles, saumons... ⇒ **Anadrome**). ⇒ aussi **Remonte.** (→ *Ascenseur* (I.) *à poissons*). — *Empreintes de poissons fossiles.* ⇒ **Ichtyolithe.** — *Poissons qui nagent, apparaissent à la surface...* (→ Écaille, cit. 4; folâtrer, cit. 3; fleur, cit. 40)... *Banc** (cit. 8 et 9) *de poissons.* — Prov. *«Petit poisson deviendra grand»* (→ Attendre, cit. 87, La Fontaine) : cette personne, cette chose se développera.

(...) cette côte qui paraît aride, est au contraire très opulente en toutes sortes de poissons. On y trouve, en des quantités inépuisables, des turbots, des plies, des raies déployées comme des éventails, des soles dont la chair tassée est ondée comme la mer elle-même, le *lançon* qu'on pêche dans le sable, le rouget, aux nageoires pâlement vermillonnées (...) 4
BARBEY D'AUREVILLY, Une vieille maîtresse, II, III.

REM. Les *Poissons,* considérés traditionnellement comme une classe de l'embranchement des vertébrés (au même titre que *Batraciens* ou *Mammifères*), correspondent plutôt, comme les *Tétrapodes,* à un ensemble de classes.

Classification des Poissons. — A. Agnathes (vertébrés sans mâchoires). ⇒ **Cyclostome.** — B. *Poissons à mâchoires* ou Gnathostomes. — 1) *Poissons cartilagineux* (Chondrichthyens). ⇒ **Sélaciens** (squales; raies); et aussi Chimères (ou Holocéphales). — 2) *Poissons osseux* (Ostéichthyens) : Ganoïdes et Téléostéens. ⇒ **Acanthoptérygiens, anacanthiniens** (Ex. : Gadidés, pleuronectes...), **lophobranches, physostomes** (apodes, ex. : Anguillidés, Murénidés; et à nageoires abdominales, ex. : Clupéidés, Cyprinidés, Salmonidés, Scombridés), **plectognathes.** ⇒ aussi **Malacoptérygiens.**

REM. 1. Les auteurs modernes classent à part les poissons dont les sacs olfactifs s'ouvrent dans la cavité buccale par des choanes : Choanichthyens; Dipneustes à double respiration; Crossoptérygiens (fossiles, sauf le Cœlacanthe récemment découvert).

2. Certains systématiciens comptent les Prochordés parmi les poissons (→ Amphyoxus).

NOMS DE POISSONS :

Able	Carassin	Flétan
Ablette	Carpe	Gade
Aiglefin	Carrelet	Gardon
Aiguillat	Chabot	Girelle
Alose	Chevesne	Gobie
Amie	Chimère	Gonnelle
Ammodyte	Chondrostome	Goujon
Anchois	Coffre	Gourami
Ange (III) de mer	Colin	Gremille
Anguille	Congre	Griset
Bar	Corégone	Grondin
Barbeau	Cotte	Gymnote
Barbillon	Cyprin	Haddock
Barbue	Daurade	Hareng
Baudroie	Éperlan	Harenguet
Bécard	Épinoche	Hippocampe
Blennie	Épinochette	Labre
Brème	Espadon	Lamproie
Brochet	Esturgeon	Lavaret
Cabillaud	Exocet	Limande
Cabot	Féra	Loche
Capelan	Flet	Loricaire

Lotte	Pastenague	Sole
Loup	Pégase	Sphyrène
Lubin	Pélamide	Sprat
Lune	Pèlerin	Squatine
Macroure	Perche (1. Perche)	Sterlet
Maigre	Picarel	Surmulet
Maillet	Pilote	Syngnathe
Maquereau	Piranha	Tacaud
Melanocetus	Plie	Tanche
Mendole	Polyptère	Tarpon
Merlan	Raie	Tétrodon
Merluche	Rascasse	Thon
Merlus	Rémora	Torpille
Mérou	Requin	Touille
Meunier	Rouget	Tourd
Milan	Roussette	Tranchoir
Morue	Sandre	Trigle
Muge	Sar	Truite
Mulet	Sardine	Turbot
Mulle	Saumon	Turbotin
Murène	Scalaire	Uranoscope
Omble	Scare	Vairon
Ombre	Scie	Vandoise
Ombrine	Sciène	Vive
Orphie	Scorpène	Zancle
Pagel	Serran	Zée
Pagre	Silure	

N.B. Cette liste comprend des noms vulgaires désignant parfois plusieurs espèces différentes ou constituant plusieurs appellations pour une même espèce.

(Dans les noms d'espèces ou de groupes particuliers). *Poisson chat* ou *poisson-chat : l'Ammeiurus nebulosus,* poisson physostome *(Siluridés),* à longs barbillons. ⇒ **Silure.** (En Afrique). L'hydrocyon, poisson à dents pointues, aussi appelé *poisson-chien.* — *Poisson argentin.* ⇒ 1. **Argentin** (3.). — (1762). *Poisson coffre* (⇒ **Coffre**), *poisson globe, poisson porc-épic,* (1776) *poisson lune* (⇒ 3. **Môle**) : noms communs de divers Plectognathes*. — (1888). *Poissons électriques :* le gymnote, la torpille... *Poisson lapin* (Hemiconatius guttifer). *Poisson perroquet, poisson-perroquet.* ⇒ **Scare.** — *Poisson pilote.* ⇒ **Pilote**; et aussi **rémora.** — (1842). *Poisson scie.* ⇒ **Scie.** — *Poissons scorpions :* les Scorpénidés (scorpène ou rascasse, etc.). — (1873). *Poisson-épée.* ⇒ **Espadon.** — *Poisson ruban.* — *Poisson télescope :* le carassin. — *Poissons trompettes,* se dit de certains lophobranches. — (1690). *Poisson volant* ou *poisson-volant,* se dit de l'exocet* (hirondelle de mer) et de certains autres poissons à grandes nageoires, capables de bondir hors de l'eau. — *Poissons combattants :* poissons élevés en Extrême-Orient pour leurs mœurs agressives et qui se combattent jusqu'à la mort.

5 (...) et les mêmes bandes de poissons volants s'enlevant comme des fous avec leurs longues ailes humides et brillant au soleil comme des oiseaux d'acier bleui.
LOTI, Mon frère Yves, XII.

6 (...) un poisson-chat lisse et noir dressant, de chaque côté de sa tête moustachue, deux petits glaives translucides. M. GENEVOIX, Raboliot, I, I.

6.1 (...) le large disque d'argent de la lune de mer vulgairement appelée poisson lune s'avance doucement à travers le tourbillon des petites étoiles.
Jean CAYROL, Histoire de la mer, p. 56.

6.2 (...) des duels de poissons-combattants, dans les bocaux dont l'eau rougissait tandis qu'un petit poisson devenait multicolore en montant mourir à la surface (...)
MALRAUX, Antimémoires, p. 401.

(1701; *blancs poissons,* XIIIe). *Poissons blancs,* se dit de certains cyprinidés.

(1768). **POISSON ROUGE** : le carassin ou cyprin doré. — *Poisson d'argent :* variété argentée de cyprin.

POISSON LAIT : poisson asiatique *(chanos chanos)* d'élevage. *« L'élevage du poisson-lait est une évolution naturelle de la pisciculture lagunaire » (la Recherche,* janv. 1980, p. 41).

(1784). **POISSONS PLATS** : poissons à corps aplati et dont les deux yeux sont situés sur la face supérieure. ⇒ **Pleuronectes** (ex. : limande, plie, sole...).

7 Les poissons plats, qui nagent fort mal, comme les turbots, les carrelets, les plies, les limandes, les soles, etc., qui sont à peu près taillés comme des planches, parce qu'ils étaient destinés à vivre sédentairement au-dessus des fonds de la mer, sont de la couleur des sables où ils cherchent leur vie, étant piquetés comme eux de gris, de jaune et de noir, de rouge et de brun.
BERNARDIN DE SAINT-PIERRE, Études de la nature, p. 163.

Poissons de sable. ⇒ **Ammodytidés.**

Élevage des poissons. ⇒ **Pisciculture; piscicole, pisciculteur; vivier...** *Peupler de poissons, de petits poissons.* ⇒ **Empoissonner** (et **rempoissonner, repeupler**); **alevin, aleviner, nourrain.** — *Prendre, chercher à prendre des poissons.* ⇒ 2. **Pêche,** 2. **pêcher** (cit. 1 et 6); → Ligne, cit. 25; nasse, cit. 1; pêcheur, cit. 3 et 4. *Enceinte servant à prendre des poissons.* ⇒ **Bordigue.** *Eaux, rivières, lacs... riches en poissons.* ⇒ **Poissonneux.** *Petits poissons.* ⇒ **Fretin; menuaille, menuise, poissonnaille...** *Menus poissons servant d'appât.* ⇒ **Blanchaille.** *Poisson qui moucheronne*, qui mord*. Taille d'un poisson.* ⇒ 1. **Bat** (2.). — *Poissons pêchés à la nasse, au filet, à la ligne... Quantités de poissons pêchés.* ⇒ **Pêche.** *Poissons frais.* ⇒ **Marée** (cit. 11). *Vente des poissons à la criée.* — *Poissons d'ornement,* dans un bassin, un aquarium* (→ Eau, cit. 3).

8 Les poissons blancs de Hollande et d'Angleterre encombraient aussi le marché. On déballait les carpes du Rhin, mordorées (...) les grands brochets, allongeant leurs becs féroces (...) les tanches, sombres et magnifiques (...) Au milieu de ces dorures sévères, les mannes de goujons et de perches, les lots de truites, les tas d'ablettes communes, de poissons plats (...) prenaient des blancheurs vives, des échines bleuâtres d'acier peu à peu amollies dans la douceur transparente des ventres (...) Doucement, dans les viviers, on versait des sacs de jeunes carpes (...) Des paniers de petites anguilles se vidaient d'un bloc (...)
ZOLA, le Ventre de Paris, III, t. I, p. 152.

Préparer; écailler, ouvrir, vider... un poisson. Faire frire (cit. 3 et 4) *un poisson. Friture de poissons* (→ Même, cit. 11). *Soupe aux poissons, de poissons.*

(...) la marmite oscillait. Le Provençal la surveillait. — Soupe aux poissons, dit-il. — Pour les poissons, répondit le docteur. HUGO, l'Homme qui rit, I, II, V. 9

Être pour les poissons (→ cit. ci-dessus), se dit de ce qui risque de tomber à la mer. *Donner à manger aux poissons* (se dit aussi de qqn qui vomit par-dessus bord).

(Fin XIIe). **DU, LE POISSON.** Collectivt. *Pêcher, prendre du poisson* (→ Engin, cit. 8). *Amorcer* (cit. 1) *l'eau pour faire venir le poisson. Mesurer le poisson* (→ Chaussure, cit. 1). *Arrivée du poisson aux halles* (⇒ **Marée; chasse-marée;** pop. **poiscaille,** n. f.). *Paniers à poisson.* ⇒ **Bourriche, cloyère.** *Marchand de poisson.* ⇒ **Mareyeur, poissarde, poissonnier; poissonnerie.**

(...) le panier où le poisson capturé par les trois hommes palpitait vaguement encore, avec un bruit doux d'écailles gluantes et de nageoires soulevées, d'efforts impuissants et mous, et de bâillements dans l'air mortel. 10
MAUPASSANT, Pierre et Jean, I.

Techn. *Poisson de chalut* (pris au chalut par les gros bateaux), *poisson de petit bateau.*

Industrie de la conserve du poisson. ⇒ **Conserverie.** *Étripage*, cuisson* (⇒ **Friterie**)... *du poisson. Poisson salé* (⇒ **Anchoité**), *séché* (⇒ **Stockfish**), *fumé. Poisson en boîte, à l'huile.* — *Cuir* de poisson* (⇒ **Galuchat**). *Colle* de poisson* (⇒ **Ichtyocolle**). *Le garum* (cit. 1) *était tiré du poisson.* — *Préparer le poisson* (→ Assaisonnement, cit. 3). *Faire cuire, frire... du poisson* (⇒ **Friture**). *Poisson au court-bouillon, au bleu. Soupe au poisson.* ⇒ **Chaudrée.** *Plats de poisson.* ⇒ **Matelote; bouillabaisse, bourride.** *Tranche* (⇒ **Darne**), *escalope, filet de poisson. La turbotière*, la poissonnière, ustensiles pour cuire le poisson.* — *Préférer le poisson à la viande. Manger du poisson. Couvert; fourchette, couteau* (⇒ **Truelle**) *à poisson. Ne manger que du poisson* (⇒ **Ichtyophage** [cit. 1], **piscivore**). *Aimer le poisson* (→ Jeûne, cit. 1). *Restaurant de poisson,* où l'on mange des poissons, des fruits de mer, etc. — *Pâté, terrine de poisson. Poisson cru à la japonaise* (⇒ **Sashimi,** et aussi **sushi**). — *Le poisson, aliment maigre*.*

Littér. *Poisson soluble,* texte de A. Breton.

♦ **2.** Loc. fig. (1680). *Être heureux comme un poisson dans l'eau, être comme un poisson dans l'eau :* se trouver dans son élément (→ Dégoutter, cit. 7; histoire, cit. 31). — (1688). *Il avalerait*, boirait la mer et les poissons.* — (1611). *Les gros poissons mangent les petits :* les puissants oppriment les faibles. — (1640). *Être muet** (cit. 8) *comme un poisson.* (→ Être muet comme une carpe.) *« Tout parle* (cit. 2) *en mon ouvrage, et même les poissons* (La Fontaine). — (XXe). *Engueuler* qqn comme du poisson pourri,* l'invectiver (probablt par allus. aux injures des harengères, des poissardes).

Voilà une lettre infinie (...) Tous mes autres commerces languissent, par la raison que les gros poissons mangent les petits. Mme DE SÉVIGNÉ, 413, 3 juil. 1675. 11

(...) un hardi garçon vêtu à l'anglaise d'une jolie veste à col rabattu, vivant pendant les vacances comme un poisson dans l'eau, dans cette terre où sa mère régnait en souveraine absolue. BALZAC, Un début dans la vie, Pl., t. I, p. 679. 12

(Mao-Tse-Toung déclare :) La relation du soldat avec sa compagnie est aussi importante que celle de l'armée avec la population. C'est ce que j'ai appelé le poisson dans l'eau. MALRAUX, Antimémoires, Folio, p. 538. 12.1

Mais que cela ne vous empêche pas, si vos relations avec votre patron vous le permettent, de l'engueuler comme du poisson pourri, et de lui dire qu'on lui revaudra ça. J. ROMAINS, les Hommes de bonne volonté, t. X, XXX, p. 298. 13

(1833). **QUEUE DE POISSON.** *Finir en queue de poisson* (trad. du *Desinit in piscem* d'Horace, par allus. aux sirènes dont la tête est belle mais dont le corps se termine « en poisson »), se dit d'une chose dont la fin décevante dément les heureux débuts, et, en partic., d'une chose qui tourne court, qui n'aboutit pas à une conclusion satisfaisante.

Quelques rues *(de Paris),* ainsi que la rue Montmartre, ont une belle tête et finissent en queue de poisson. BALZAC, Ferragus, Pl., t. V, p. 17. 14

Ces jeunes gens sont les hommes de la Paix. Nous avons été ceux d'une bataille perdue, d'une guerre qui finit en queue de poisson. SARTRE, Situations III, p. 66. 15

(1938; en parlant d'un cycliste, 1926). *Automobiliste qui fait une queue de poisson en doublant un véhicule,* qui se rabat brusquement devant lui, au risque de l'accrocher.

(1694). *La sauce fait passer (manger) le poisson :* certaines circonstances font supporter une chose désagréable ou fâcheuse. *La sauce vaut mieux que le poisson* (→ aussi Peine, cit. 10).

N'être ni chair ni poisson.* ⇒ **Douteux, indécis** (→ Épître, cit. 2).

♦ **3.** Ce qui représente, imite un poisson. (1869). Icon. Symbole du Christ dans l'art chrétien primitif (le mot grec *ikhthus* « poisson » correspondant aux initiales de *Iêsous Khristos* [Jésus-Christ], *Theou Uios* [fils de Dieu], *Sôtêr* [Sauveur]). ⇒ **Ichthys.**

Poissons en chocolat, en pain d'épice. — *Poisson artificiel servant d'appât.* ⇒ **Devon.**

(1671). Astron. *Les Poissons :* constellation de l'hémisphère boréal. Astrol. Douzième signe du zodiaque (correspondant à la période du 19 février au 20 mars). Ellipt. *Il est poissons :* il est né sous le signe des Poissons. — (1691). *Poisson austral, poisson volant :* constellations de l'hémisphère austral.

♦ **4.** Par anal. *Des poissons de fer qui labourent la mer* (→ Large, cit. 22).
Poisson d'argent, se dit d'un insecte. ⇒ **Lépisme.**

♦ **5.** Techn. (ostréiculture). Partie comestible de l'huître.

♦ **6.** Loc. POISSON D'AVRIL* (cit. 6 et 7). — Absolt. *Faire un poisson à quelqu'un.*

16 Je pense tout à coup que les sacrifiés doivent ressusciter en bloc, le premier jour du mois prochain, c'est-à-dire le 1er avril. Ce pourrait être l'occasion d'un joli poisson. M. AYMÉ, le Passe-muraille, p. 79.

♦ **7.** (1827; de *maquereau;* cf. *poisson d'avril* dans ce sens, 1466). Argot, vx. Proxénète. ⇒ 3. **Poisse.**

♦ **8.** (1971, *in* Petiot). Sports. Prise dorsale, à la barre fixe.

DÉR. 3. **Poisse, poissonnaille, poissonnerie, poissonneux, poissonnier, poissonnière.**

POISSON-CHAT [pwasɔ̃ʃa], POISSON-COFFRE [pwasɔ̃kɔfʀ], etc. n. m. ⇒ **Poisson.**

POISSONNAILLE [pwasɔnɑj] n. f. — Fin XVe; «ensemble de poissons pêchés», 1466; de *poisson.*

♦ Menu poisson. ⇒ **Fretin; poiscaille.**

(...) j'avais gagné le bord de l'étang, où le spectacle occupait une foule dense, dans l'odeur de l'eau, du limon, de la poissonnaille. Émile HENRIOT, la Rose de Bratislava, IX.

POISSONNERIE [pwasɔnʀi] n. f. — 1285; de *poisson.*

♦ **1.** Marché, halle au poisson (d'une ville, d'un port). *« La poissonnerie de Lyon »* (Furetière, 1690).

♦ **2.** Commerce du poisson et des produits animaux de la mer et des rivières.

♦ **3.** *Une poissonnerie :* magasin de vente du poisson, des crustacés, coquillages, fruits de mer... *Les poissonneries d'un marché, du pavillon de la marée, aux halles...*

Son enfant grandissait librement au milieu de la poissonnerie. Dès l'âge de trois ans, il restait assis sur un bout de chiffon, en plein de la marée. Il dormait fraternellement à côté des grands thons, il s'éveillait parmi les maquereaux et les merlans. Le garnement sentait la caque à faire croire qu'il sortait du ventre de quelque gros poisson. ZOLA, le Ventre de Paris, III, t. I, p. 188.

POISSONNEUX, EUSE [pwasɔnø, øz] adj. — 1550; de *poisson.*

♦ Qui contient de nombreux poissons (en parlant d'un cours d'eau, d'un lac, de la mer...). *Étang, lac poissonneux. Rivière poissonneuse. Coin poissonneux connu des pêcheurs. Côtes, baies poissonneuses d'une mer.*

POISSONNIER, IÈRE [pwasɔnje, jɛʀ] n. — Fin XIIe; de *poisson.*

♦ **1.** Personne qui fait le commerce de détail des poissons, coquillages, crustacés, fruits de mer. ⇒ **Marchand;** et aussi **écailler.** *Les mareyeurs expédient la marée aux poissonniers. Les poissonniers d'un marché, des halles. Métier de poissonnier.*

En se penchant un peu, la charcutière, de son comptoir, apercevait dans le pavillon, en face, la poissonnière, au milieu de ses saumons et de ses turbots. ZOLA, le Ventre de Paris, t. I, p. 114.

Adj. (Mil. XVIe; «poissonneux», XIVe). Rare. Relatif aux poissons. *Nager « de la manière la plus poissonnière »,* comme un poisson (→ Pâlir, cit. 5, Flaubert).

♦ **2.** N. m. (1842). Mar. anc. Chasse-marée qui achète le poisson aux bateaux de pêche.

♦ **3.** (XXe). Cuis. Cuisinier, cuisinière qui s'occupe de la préparation des poissons (dans une brigade de cuisine).

POISSONNIÈRE [pwasɔnjɛʀ] n. f. — 1600; de *poisson.*

♦ Ustensile de cuisine, de forme allongée, servant à faire cuire le poisson au four ou au court-bouillon.

POISSON-SCIE [pwasɔ̃si] n. m. ⇒ **Poisson.**

POISSURE [pwasyʀ] n. f. — 1611; de *poisser.*

♦ **1.** Vx. Opération consistant à enduire un objet de poix.

♦ **2.** (1881). Rare. État de ce qui est poisseux.

POITEVIN, INE [pwatvɛ̃, in] n. et adj. — XIIe; de *Poitou,* province de France.

♦ Du Poitou, de Poitiers. *Les Poitevins* (→ 1. Part, cit. 14). — *Le marais poitevin. Chevaux de race poitevine. L'art roman poitevin.* — *Langage poitevin* (→ Noël, cit. 6); n. m. *le poitevin :* ancien dialecte de langue d'oc.

POITRAIL [pwatʀaj] n. m. — XIIIe; *peitral* «partie du harnais», v. 1130; *peitrail,* fin XIe; du lat. *pectorale* qui a donné *poitrel, poitral,* puis *poitrail* par changement de suffixe.

♦ **1.** Anciennt. Partie du harnais, du bât couvrant la poitrine du cheval. ⇒ **Bricole, poitrinière.** *Barde de poitrail* (→ Armure, cit. 4).

♦ **2.** (1678). Mod. Devant du corps du cheval et de quelques animaux domestiques, entre l'encolure et les membres antérieurs (⇒ **Ars**). *Poitrail large et musculeux des chevaux* (cit. 5) *boulonnais. Poitrail d'âne, de vache* (→ Épuisement, cit. 3), *d'éléphant* (→ Garnir, cit. 3). *«... ces titans à face humaine et à poitrail équestre »* (→ Épopée, cit. 3, Hugo).

(...) ils *(les éléphants)* arrachèrent les pieux du camp avec leurs trompes, le traversèrent d'un bout à l'autre en renversant les tentes sous leurs poitrails (...) 1
FLAUBERT, Salammbô, VI.

♦ **3.** (Fin XIXe). Par plais. Poitrine large et plantureuse (d'une personne).

(...) les jeunes femmes, que la mode de 1912 bombait déjà du dos et du ventre, 2
raillaient le poitrail avantageux de Léa (...) COLETTE, Chéri, p. 10.

♦ **4.** (XVIe; *poitral,* 1508). Techn. Grosse poutre de bois, de métal, servant de linteau* à une grande baie.

COMP. Dépoitraillé.

POITRINAIRE [pwatʀinɛʀ] adj. — 1743; de *poitrine.*

♦ Vieilli. (Euphémisme pour *tuberculeux*). Atteint de tuberculose pulmonaire. *Jeunes filles poitrinaires* (→ Étioler, cit. 1).

Cet avoir sera grevé d'une petite rente faite à Lisbeth, mais elle ne vivra pas long- 1
temps, elle est poitrinaire, je le sais. BALZAC, la Cousine Bette, Pl., t. VI, p. 251.

Par extension :

C'est à lui *(Lamartine)* que nous devons tous les embêtements bleuâtres du lyrisme 2
poitrinaire (...) FLAUBERT, Correspondance, 380, 6 avr. 1853.

N. *Un, une poitrinaire.* ⇒ **Phtisique, tuberculeux.**

On sentait dans cette chambre la fièvre, la tisane, l'éther, le goudron, cette odeur 3
innommable et lourde des appartements où respire un poitrinaire.
MAUPASSANT, Bel-Ami, I, VIII.

POITRINE [pwatʀin] n. f. — 1130; *peitrine* «cuirasse, harnais du poitrail d'un cheval», XIe; lat. pop. **pectorina,* adj. f. subst. de *pectoris,* génitif de *pectus.* → 1. Pis.

♦ **1.** (XIIe; jugé «bas» au XVIIe, où les emplois sont surtout d'anatomie et de médecine). Partie du corps humain qui s'étend des épaules à l'abdomen dont elle est séparée par le diaphragme, et qui contient le cœur et les poumons. ⇒ **Thorax; buste, torse;** fam. **buffet.** *Poitrine de femme.* ⇒ **Corsage** (vx). *Poitrine large où les poumons sont à l'aise* (→ Haleine, cit. 16). ⇒ **Carrure.** *Maigre poitrine* (→ Mauviette, cit. 2). *Tour de poitrine :* mesure de la poitrine à l'endroit le plus large. *Mesure de la poitrine.* ⇒ **Stéthomètre.** — (Sports). *Gagner d'une poitrine,* se dit d'un coureur qui l'emporte de très peu (l'épaisseur de la poitrine) sur le fil d'arrivée. — Loc. *Respirer à pleine poitrine* (→ Air, cit. 7) : inspirer fortement en emplissant les poumons. ⇒ **Poumon.** — *Il gonflait d'air sa poitrine* (→ Évader, cit. 17). *Un soupir gonfla sa poitrine* (→ Exhaler, cit. 24). *Son cœur battait dans sa poitrine* (→ Arrêter, cit. 59). *« Et mon cœur orageux dans ma poitrine gronde »* (cit. 13, Hugo). *Inquiétude qui serre la poitrine* (→ Incarner, cit. 11). *Crier de toute sa poitrine* (→ Fouailler, cit. 3). *Un cri jaillit* (cit. 8) *de sa poitrine. L'appel s'étranglait* (cit. 13) *au fond de sa poitrine.* — (1838). *Voix de poitrine,* se dit d'un registre de voix à son plein (opposé à *voix de tête*) → Haute-contre, cit. 2.

Un sombre murmure d'horreur sortit du fond de toutes les poitrines, excepté de 1
celle de Gothard. BALZAC, Une ténébreuse affaire, Pl., t. VII, p. 519.

Je le vois encore *(Gautier)*... dans toute l'ampleur et l'opulence de la virilité; aspi- 2
rant la vie à pleins poumons, à pleine poitrine; ayant sa mise à lui, et, sur cette large poitrine dilatée, étalant pour gilet je ne sais quelle étoffe couleur de pourpre (...) SAINTE-BEUVE, Nouveaux lundis, 16 nov. 1863.

Ces femmes ont même la beauté physique moderne, l'air de rêverie, mais la gorge 3
abondante, avec une poitrine un peu étroite, le bassin ample, et des bras et des jambes charmants. BAUDELAIRE, Curiosités esthétiques, V, III.

(...) il gonflait sa poitrine pour dissimuler son estomac trop saillant (...) 4
MAUPASSANT, Bel-Ami, I, I.

Vx. Voix. *Chanteur qui a de la poitrine.*

(...) c'est moins une véritable éloquence que la ferme poitrine du missionnaire qui 5
nous ébranle (...) LA BRUYÈRE, les Caractères, XV, 26.

Douleur dans la poitrine. « La bise (1. Bise, cit. 3) *me fait mal à votre poitrine »* (Mme de Sévigné). *Médecin qui percute*, ausculte la poitrine d'un malade.* ⇒ **Stéthoscope.** — Vx. *Maladie de poitrine,* se disait de toute affection des organes respiratoires de la poitrine (poumons, bronches), et, spécialt, de la tuberculose (⇒ **Poitrinaire, tuberculeux**). — Mod. *Avoir la poitrine faible* (cit. 5), *en mauvais* *état* (→ Cessant, cit. 1). ⇒ **Poumon.** *Avoir la poitrine grasse, gênée. Fluxion de poitrine.* ⇒ **Fluxion** (cit. 2 et 3), **pneumonie.** *Angine de poitrine.* ⇒ **Angine.** — REM. Ces expressions qui ne sont plus employées dans la langue médicale s'entendent encore dans le langage courant.

6 Et qu'est devenue votre fille, qui était si blonde et gaie? lui ai-je dit; elle s'est sans doute mariée? — Mon Dieu oui, et depuis elle est morte de la poitrine (...)
NERVAL, Promenades et Souvenirs, VIII.

7 Forestier, qui paraissait n'avoir pas entendu, demanda : — Cela ne vous ferait-il rien qu'on fermât la fenêtre? J'ai la poitrine un peu prise depuis quelques jours.
MAUPASSANT, Bel-Ami, I, V.

(1813, *in* D. D. L.). Loc. *S'en aller de la poitrine,* d'une maladie de poitrine. ⇒ **Caisse** (partir de la).

8 Les propriétaires des Bordelais, y voulaient installer leur dernier fils «qui s'en allait de la poitrine».
F. MAURIAC, Thérèse Desqueyroux, III.

Fam. *Casse-poitrine,* s'est dit pour eau-de-vie très forte (→ Casse-pattes).

♦ **2.** (XVIIe, mot «bas»; rare av. le XIXe). Partie antérieure du thorax correspondant au sternum, à la partie antérieure des côtes et aux mamelles. ⇒ **Pis** (étym.; vx), **sein** (le sein). *La poitrine, les côtés et le dos*. Large poitrine* (⇒ fam. **Poitrail**). *Poitrine étroite, creuse. Bomber* la poitrine,* les pectoraux. *Les poils de la poitrine d'un homme. Poitrine velue* (→ Nombril, cit. 3). *Poitrine garçonnière* (cit. 1) *d'une femme,* aux seins peu marqués. *Poitrine nue, découverte, sans armure* (→ Bouclier, cit. 4). *Vêtement qui laisse voir la poitrine* (⇒ **Décolleter,** p. p.), *fermé sur la poitrine* (fermé devant). *Jabot*, plastron*, pectoral*, voile* (→ Poignard, cit. 2) *qui couvre la poitrine. Châle épinglé* (cit. 1), *croisé sur la poitrine. Les broches* (cit. 5) *scintillaient aux poitrines. — Poche de poitrine,* placée sur la poitrine. — *Poitrine qui se soulève, halète* (→ Halètement, cit. 3). *Poitrine haletante, bondissante, palpitante* (→ Confondre, cit. 15). — *Tenir qqn contre sa poitrine* (→ Étouffer, cit. 4; pâmer, cit. 8). *Étreindre, serrer, presser* (→ Embrasser, cit. 3), *bercer contre sa poitrine* (→ Malade, cit. 12). ⇒ **Cœur.** *Joue* (cit. 1) *contre joue, poitrine contre poitrine. Poser la main sur, contre la poitrine de qqn pour sentir les battements du cœur* (→ Mon, cit. 7; noyer, cit. 16). *Croiser les bras, les mains sur la poitrine* (→ Humblement, cit. 6). *Tête qui retombe sur la poitrine* (→ 2. Mort, cit. 5). — *Frapper à la poitrine* (→ Libérer, cit. 1). *Offrir sa poitrine, aux baïonnettes* (→ Intrépide, cit. 4). *Se frapper* (cit. 52) *la poitrine,* pour faire son mea culpa*, battre sa coulpe (→ Gémir, cit. 3; marri, cit. 2). *Sentiment pénible, remords... sur la poitrine de qqn.* ⇒ **Oppresser, oppression.** Fig. *Avoir un poids sur la poitrine,* un sentiment d'oppression, de gêne. *Ôter un poids de dessus* (cit. 3) *la poitrine :* ôter un souci, un remords.

9 (...) Lucien reçut un coup à la poitrine, à cet organe encore mal défini où se réfugie notre sensibilité, où depuis qu'il existe des sentiments, les hommes portent la main, dans les joies comme dans les douleurs excessives.
BALZAC, Illusions perdues, Pl., t. IV, p. 606.

10 (...) je sentais sa gorge, demi-nue et révoltée, bondir contre ma poitrine (...)
Th. GAUTIER, Mlle de Maupin, XII.

11 Et ma mère soupira. Je vis, je vois encore, se soulever et s'abaisser sa poitrine dans son corsage de taffetas noir (...)
FRANCE, le Petit Pierre, XXXIV.

12 Il ouvrit son vêtement de nuit sur une poitrine mate et dure, bombée en bouclier (...)
COLETTE, Chéri, p. 6.

Rare. Partie correspondante d'un vêtement. *Manteau écussonné* (cit. 2) *sur la poitrine.*

Vx. ⇒ **Estomac.** *Le creux de la poitrine.*

13 (...) un pantalon à bandes noires (...) lui montait jusqu'aux hanches (...) une espèce de veste ou de brassière très étroite (...) dessinait avec grâce les contours vifs et hardis de sa gorge ronde et brune (...) Ce qui donnait un caractère piquant et singulier à ce costume de la Javanaise, c'est qu'il y avait une assez grande distance entre le corset et la ceinture du pantalon, en sorte que l'on voyait à nu sa poitrine (...) ses flancs (...) ses reins (...) et le haut de son ventre (...)
Th. GAUTIER, Fortunio, XXIV.

Région antérieure du corps (de certains animaux) entre le cou et le ventre. *Poitrine de cheval.* ⇒ **Poitrail.** *Poitrine du sanglier.* ⇒ **Bourbelier.** *Lévriers* (cit. 2) *larges de poitrine* (→ aussi Meute, cit. 2). *Tête, gorge, cou et poitrine d'un oiseau* (→ Foncé, cit. 7). *Hirondelle* (cit. 3) *à poitrine rougeâtre.*

(1412). Techn. (bouch.). Partie inférieure des parois thoraciques du bœuf, du veau, du mouton, du porc correspondant à peu près au devant des sept premières côtes. *La poitrine de bœuf sert à faire le pot-au-feu.* — REM. Ce sens fit tomber en discrédit le sens général au XVIIe siècle.

♦ **3.** (1835). Seins de femme. ⇒ **Sein** (seins); **gorge.** — REM. Cet emploi de *poitrine,* qui appartient de nos jours à tous les styles, n'est guère courant avant la deuxième moitié du XIXe s.; Gautier lui préfère généralement *gorge;* le dictionnaire de Boiste (1839) le donne comme populaire; il est absent dans Littré. Aux XVIIe et XVIIIe s. on disait aussi *sein* (au sing.). *«Cette fille a le sein plat»* (Furetière). *«Elle n'a point de sein»* (Encyclopédie). — *Une poitrine opulente, abondante* (→ Gainer, cit. 2), *forte* (→ Charnel, cit. 7), *généreuse, proéminente* (⇒ fam. **Avant-scène**). *Belle poitrine.* ⇒ **Buste; décolleté.** *Poitrine ronde et pleine* (→ Exubérante, cit. 2), *agressive* (cit. 10), *insolente* (cit. 11), *provocante. Énorme poitrine ballante.* ⇒ péj. **Mamelle**(s). *Poitrine plate d'une enfant* (→ Glisser, cit. 35), *d'une femme* (→ 1. Maigre, cit. 7). *Poitrine haute, basse, tombante; ferme, molle. Vêtement pour soutenir la poitrine.* ⇒ **Soutien-gorge.**

(...) ses hanches sont peu développées, sa poitrine ne va pas au-delà des rondeurs de l'hermaphrodite antique (...) 14
Th. GAUTIER, Portraits contemporains, «Mlle Fanny Elssler».

Fernande soufflait dans une robe écossaise dont le corsage, lacé à toute force par ses compagnes, soulevait sa croulante poitrine en un double dôme toujours agité (...) 15
MAUPASSANT, la Maison Tellier, II.

(...) la taille, puisqu'il faut employer ce mot affreux, doit être un passage lent, insensible et doux entre les deux gloires de la femme, sa poitrine et son ventre. 16
FRANCE, Histoire comique, I.

Je m'étais mis à genoux devant elle. Elle vit mon regard s'arrêter sur sa poitrine, avec convoitise et admiration, tant sa courbure, les mouvements qui la soulevaient étaient beaux. 17
J. ROMAINS, le Dieu des corps, VI.

(Avec un partitif). **DE LA POITRINE :** des seins bien développés. *Avoir de la poitrine. Fillette qui n'a pas encore de poitrine. Elle a beaucoup de poitrine* (→ fam. Il y a du monde au balcon*).

Elle avait l'air d'une frêle poupée blonde, trop petite, mais fine, avec la taille mince, des hanches et de la poitrine (...) 18
MAUPASSANT, Bel-Ami, II, III.

(...) ce qu'il y a de mauvais dans votre affaire, c'est que cette fille n'avait pas de poitrine. Une femme sans poitrine, c'est un lit sans oreillers. 19
FRANCE, la Rôtisserie de la reine Pédauque, t. VIII, XVII, p. 162.

DÉR. Poitrinaire, poitriner, poitrinière.

POITRINER [pwatʀine] v. intr. — Mil. XIXe, Balzac; de *poitrine.*

♦ **1.** Vx. Parler avec une voix de poitrine; fig. parler avec prudence, ne pas tout dire.

♦ **2.** Bomber la poitrine, le torse.

(...) nous nous tenions fort droits et, selon l'expression de mon père, «nous poitrinions» volontiers. 1
G. DUHAMEL, le Jardin des bêtes sauvages, p. 136.

Olivier le quitta en «poitrinant» comme son oncle Victor. 2
R. SABATIER, les Noisettes sauvages, p. 264.

POITRINIÈRE [pwatʀinjɛʀ] n. f. — 1829; «cuirasse», 1413; de *poitrine.*

Technique.

♦ **1.** Pièce de harnais, courroie qui passe sur le poitrail du cheval.

♦ **2.** Pièce protégeant la poitrine de certains artisans.

♦ **3.** Pièce du métier* à tisser, barre transversale sur laquelle passe le tissu.

POIVRADE [pwavʀad] n. f. — 1505; de *poivre.*

★ **I.** ♦ **1.** *À la poivrade :* avec du sel et du poivre. *Des artichauts à la poivrade;* en appos. *des artichauts poivrade* (artichauts nouveaux mangés crus).

(...) demandez souvent des radis, des artichauts à la poivrade, des asperges, du céleri, des cardons.
A. BRILLAT-SAVARIN, Physiologie du goût, t. II, p. 51.

♦ **2.** Sauce vinaigrette au poivre.

★ **II.** (De *poivre,* II. ou de *poivrer* [*se*]). Pop., vx. Alcoolisme, ivrognerie. — Beuverie.

POIVRE [pwavʀ] n. m. — V. 1175; *peivre,* XIIe; du lat. *piper.*

★ **I.** ♦ **1.** Épice (cit. 5) faite des fruits du poivrier séchés (⇒ **Grain,** cit. 14). *Du poivre, un grain de poivre. Poivre en grains; poivre concassé* (⇒ **Mignonnette**). *Poivre moulu, en poudre. Poivre gris,* dont les grains sont munis de leur enveloppe extérieure. *Poivre blanc,* à grains décortiqués, plus aromatique et moins piquant. *Poivre vert. Poivre de Ceylan. Boîte à poivre, au poivre* (→ Épice, cit. 2). *Moulin à poivre. Mettre le poivre* (⇒ **Poivrier**) *et le sel sur la table. Une pincée de poivre* (→ Aviser, cit. 36). *Le poivre est utilisé pour relever les plats, comme assaisonnement, condiment, aromate. Farce* (1. Farce, cit.) *hachée avec du poivre, du sel et des fines herbes. Sauce forte au poivre qui incendie* (cit. 2) *le palais. Steack au poivre,* couvert de poivre concassé ou accompagné d'une sauce au poivre en grains. — *Odeur piquante du poivre.*

(...) une odeur qui est comme un goût de miel et de poivre (...) 1
Valery LARBAUD, A. O. Barnabooth, Journal, III.

Par métaphore. (→ Ironie, cit. 5).

♦ **2.** (1867). Loc. fig. **POIVRE ET SEL :** bruns mêlés de blancs (en parlant de poils). ⇒ **Gris, grisonnant.** *Cheveux* (cit. 14), *favoris poivre et sel* (→ Coin, cit. 1).

♦ **3.** (Qualifié). Se dit de plantes utilisées comme épices. *Poivre de Guinée, poivre de Cayenne, poivre long.* ⇒ **Piment;** et aussi **amome.** — *Poivre malaguette* ou *maniguette.* ⇒ **Maniguette.** *Poivre à queue :* cubèbe. *Petit poivre, poivre sauvage, poivre des moines. Poivre des murailles :* le sedum acre. — *Arbre au poivre :* autre nom de l'*agnus castus**.

♦ **4.** Loc. fig. *Piler du poivre :* sauter sur la selle (en parlant d'un cavalier). ⇒ **Tape-cul.** — Fig. S'agiter, tressauter sur un siège.

★ **II.** (1836). Argot. ♦ **1.** Vx. Eau-de-vie (⇒ **Poivrot**). — Adj. Mod. *Être poivre :* être ivre (→ Pochard, cit. 1).

2 (...) j'étais à la fois jeune mariée (à manipuler avec douceur), et une détenue poivre qu'il fallait persuader d'aller dormir. A. SARRAZIN, la Cavale, p. 255.

♦ **2.** (1608). Pop., vx. Maladie vénérienne. ⇒ **Poivrer** (I., 3.).

DÉR. Poivrade, poivrer, poivrette, poivrier, poivrière, poivron, poivrot (V. aussi **Pipe-rin**).

POIVRER [pwavʀe] v. tr. — 1549; *pevrer,* XIIIe; de *poivre.*

★ **I.** ♦ **1.** Assaisonner de poivre. *Saler et poivrer une sauce vinaigrette.*

Par métaphore, littér. *Les injures qui lui poivrent la bouche.*

♦ **2.** Fam., vx. Faire payer (qqn) trop cher. *On l'a poivré dans ce restaurant.* ⇒ **Fusiller.**

♦ **3.** Fam. Donner une maladie vénérienne à (qqn). ⇒ **Plomber, véroler.**

1 (...) cet essai qui, l'an précédent, avec En Barka, avait si piteusement échoué; qui cette fois réussit mieux, de sorte qu'à mon écœurement s'ajouta bientôt la crainte de m'être fait poivrer (...) GIDE, Si le grain ne meurt, II, II, p. 259.

2 Faudrait tout de même pas que tu le poivres, juste pour le premier coup. C'est alors qu'il mettrait les voiles! — Sans blague! Je suis guérie.
J. ROMAINS, les Hommes de bonne volonté, t. XI, XXIV, p. 235.

♦ **4.** Fig. Rendre licencieux, grossier. *Poivrer une plaisanterie, un texte.*

★ **II.** Fam. (1895, *in* Esnault; de *poivre,* II., 1.). Enivrer.

▶ **POIVRÉ, ÉE** p. p. adj.

♦ **1.** Assaisonné de poivre. *Un mets très poivré qui brûle la langue. Poulets salés et poivrés* (→ Hachette, cit.). *Échalotes* (cit.) *poivrées.* — (1791). *L'odeur poivrée des œillets* (cit. 1).

♦ **2.** (1761). Fig. Fortement licencieux. ⇒ **Salé; mordant.** *Plaisanterie poivrée* (→ Liant, cit. 6). *Des vers poivrés.*

3 Or, au milieu de ce débordement de forfanterie de toute espèce, il y en eut une qui parut (...) est-ce *plus piquante* qu'il faut dire? Non, *plus piquante* ne serait pas un mot assez fort, mais plus poivrée, plus épicée, plus digne du palais de feu de ces frénétiques qui, en fait d'histoires, eussent avalé du vitriol.
BARBEY D'AUREVILLY, les Diaboliques, « Dîner d'athées », p. 313.

▶ **SE POIVRER.** v. pron.

S'enivrer, se soûler. ⇒ **Cuiter** (se), **poivroter** (se).

4 L'invulnérabilité au sirop, ça faisait partie de sa réputation. Ce coup-ci, elle avait dû se poivrer en Suisse. En plus du pastaga, elle fleurait un chouaye *(un peu)* le vieux marc, y avait pas à s'y tromper.
Albert SIMONIN, Touchez pas au grisbi, p. 124.

CONTR. (De *poivré*) **Fade.**

POIVRETTE [pwavʀɛt] n. f. — D. i.; de *poivre.*

♦ Régional. Nigelle*.

POIVRIER [pwavʀije] n. m. — 1562; *pevrier,* v. 1206; de *poivre.*

★ **I.** ♦ **1.** Plante dicotylédone *(Pipéracées)* scientifiquement appelée *piper,* arbrisseau grimpant à fleurs en chatons et à petites baies rouges (→ Grain, cit. 14), qui pousse dans les régions tropicales. *Poivrier noir* (p. nigrum), dont les baies sont consommées comme épice (⇒ **Poivre**); *poivrier chavica,* qui donne du poivre de qualité inférieure; *poivrier cubèbe* (⇒ **Cubèbe**); *poivrier bétel* (⇒ **Bétel**); *poivrier de Polynésie* (p. methysticum). ⇒ **Kawa.**

1 Là, les buissons de poivriers remplaçaient les haies épineuses des campagnes européennes (...) J. VERNE, le Tour du monde en 80 jours, p. 136.

2 Alors, je descendrais un grand escalier couvert de feuilles mortes, et je passerais entre des haies de poivriers et de mimosas. J.-M. G. LE CLÉZIO, la Fièvre, p. 88.

(En parlant d'autres espèces). *Faux poivrier.* ⇒ **Agnus castus.**

♦ **2.** (1642). [a] Rare. Boîte à poivre.

[b] Petit ustensile de table, souvent muni d'un bouchon perforé, dans lequel on met le poivre moulu. *Le poivrier et la salière.* ⇒ **Poivrière.**

♦ **3.** Personne qui fait la culture du poivrier, le commerce du poivre.

3 (...) elle leur expliquait aussi comment les expropriations, dont beaucoup avaient été victimes au profit des poivriers chinois, étaient elles aussi explicables par l'ignominie des agents de Kam.
M. DURAS, Un barrage contre le Pacifique, p. 56.

★ **II.** Vx. ⇒ **Poivrot.**

POIVRIÈRE [pwavʀijɛʀ] n. f. — 1718; de *poivre.*

★ **I.** ♦ **1.** Anciennt. Boîte à poivre, à épices. — Mod. Boîte à poivre cylindrique à couvercle conique percé d'un trou au sommet (⇒ aussi **Poivrier** I., 2.). *La salière et la poivrière, ustensiles de table.*

♦ **2.** (1842). Plantation de poivriers.

Les habitants de la plaine n'avaient jamais défriché au-delà de cette ligne, c'était inutile : les terrains propices aux poivrières se trouvaient beaucoup plus haut dans la montagne et ils n'avaient pas tellement besoin de prairies pour les quelques chèvres qu'ils possédaient. M. DURAS, Un barrage contre le Pacifique, p. 157. 0.1

★ **II.** (1842; par anal. de forme avec I., 1.). Fortif. Guérite de maçonnerie à toit conique placée en encorbellement à l'angle d'un bastion. *Les poivrières d'un château, d'une forteresse. En poivrière :* de forme conique, ou surmonté d'un toit conique. *Tourelles en poivrière des demeures féodales* (cit. 1; → Manoir, cit. 1).

(...) une sorte de guérite cylindrique, une vraie poivrière, coiffée d'un toit aigu, s'éleva (...) bientôt à l'endroit désigné. Les quatre châssis qui formaient les ailes avaient été solidement implantés dans l'arbre de couche. 0.2
J. VERNE, l'Île mystérieuse, p. 533-534.

(...) le château m'apparut brusquement dans sa masse noire, avec ses tours en poivrière. FRANCE, le Crime de S. Bonnard, II, I, Œ., t. II, p. 345. 1

Il avait deux grosses tours, huit tours plus petites, des poivrières. Il avait des mâchicoulis et un chemin de ronde. 2
J. ROMAINS, les Hommes de bonne volonté, t. X, XXI, p. 226.

POIVRON [pwavʀɔ̃] n. m. — 1785; de *poivre.*

♦ **1.** Fruit du piment. ⇒ **Piment.**

Cour. Fruit du piment doux. *Poivron vert, poivron rouge. Salade de tomates et de poivrons* (→ Ingurgiter, cit. 1). *Les poivrons se mangent crus ou cuits.* — REM. On distingue dans le commerce le *piment* rouge de petite taille, de forme effilée, de saveur très piquante, employé comme condiment, du *poivron* (piment doux) beaucoup plus gros et charnu, de forme tronconique, rouge ou vert, de saveur douce, que l'on sert comme légume.

♦ **2.** Plant de piment doux. *Faire pousser des poivrons.*

POIVROT, OTE [pwavʀo, ɔt] n. — 1867; de *poivre,* II., 1., « eau-de-vie ».

♦ Fam. Ivrogne. ⇒ **Pochard.** (On trouve aussi *poivrier,* vx). *Une vieille poivrote.*

(...) l'innocent poivrot qui vient de boire sa paie de la semaine, et murmure : « Mort aux vaches! » en passant près du sergent de ville, histoire de prouver qu'il est un homme libre. BERNANOS, les Grands Cimetières sous la lune, p. 43.

DÉR. Poivroter (se).

POIVROTER (SE) [pwavʀɔte] v. pron. — V. 1870; de *poivrot.*

♦ Fam., vx. Boire, s'enivrer. ⇒ **Poivrer** (se).

POIX [pwa; pwɑ] n. f. — V. 1560; *peiz,* 1080, *Chanson de Roland;* lat. *picem,* accus. de *pix.*

♦ Matière visqueuse à base de résine ou de goudron* de bois. *Poix de Bourgogne, poix des Vosges,* obtenue par dessiccation du suc résineux de l'épicéa. *Poix blanche,* obtenue en émulsionnant du galipot dans l'eau, avec de la térébenthine. *Poix-résine* ou *résine jaune :* résidu de la distillation de la térébenthine émulsionnée dans l'eau (→ Huile, cit. 11), utilisée dans l'encollage des papiers. ⇒ **Colle.** — Spécialt. (Plus cour.). *Poix noire,* ou simplement *poix :* résine impure obtenue par distillation des menus bois résineux. *Cordonnier qui enduit son fil de poix.* ⇒ **Empoisser, ligneul.** — Techn. *Poix de houille :* produit analogue provenant de la distillation des goudrons. *Poix navale :* mélange de poix noire de goudron et de colophane, utilisée pour calfater* les navires. — *Utilisation de la poix comme enduit imperméable* (→ Exposer, cit. 17; mastic, cit. 2). *La poix bouillante était autrefois versée sur l'ennemi* (→ Balancer, cit. 7) *par les mâchicoulis des forteresses* (cit. 1).

L'assiégé, hélas, fait arme de tout. Le feu grégeois n'a pas déshonoré Archimède; la poix bouillante n'a pas déshonoré Bayard. HUGO, les Misérables, V, I, XXII. 1

Sa chambre était aussi noire que de la poix, tant les ténèbres étaient épaisses (...) BAUDELAIRE, Trad. E. POE, Nouvelles histoires extraordinaires, Cœur révélateur. 2

Les mouches de sable sont venues elles aussi, attirées par l'odeur du varech qui brûle et par l'odeur de la poix chaude, et irritées par les volutes de fumée. Naman ne fait pas attention à elles. Il regarde seulement le feu. De temps à autre, il se lève, il trempe un bâton dans la marmite de poix pour voir si elle est assez chaude, puis il tourne le liquide épais, en clignant des yeux à cause de la fumée qui tourbillonne. J.-M. G. LE CLÉZIO, Désert, p. 135. 3

DÉR. Poissard, poisser, poisseux.
HOM. Poids, pois, pouah.

POKER [pɔkɛʀ] n. m. — 1855; mot *angl. des États-Unis poker,* d'orig. obscure. Selon P. Guiraud, du franç. *poque,* n. de jeu, d'où le v. *poquer,* de *poche.*

Anglicisme.

★ **I.** ♦ **1.** Jeu de cartes dans lequel chaque joueur, disposant de cinq cartes, peut gagner s'il possède la combinaison de cartes la plus forte ou s'il parvient à le faire croire à ses adversaires par l'importance de sa mise ou de sa relance (⇒ **Bluff, bluffer,** cit. 1). *Jouer* (cit. 31) *au poker. Aimer le poker. Combinaison de cartes au poker :* paire, deux paires, brelan, séquence ou quinte, full (paire et brelan), couleur (cinq cartes de la même couleur), carré ou poker, flush (quinte dans une couleur). *Passer parole**, *enchérir, surenchérir au poker. Table de poker* (→ Empiler, cit. 3).

1 (...) la salle à manger devient tripot. Les séances de poker et de baccarat durent de deux à six heures du soir. GIDE, Journal, 15 janv. 1943.

2 (...) à la table de chouette ou de poker rien ne lui échappait, il devenait liseur de pensée, et voyait sa fortune écrite dans les yeux de ses partenaires (...) Les imprudents qui essayaient de le *bluffer* apprenaient à leurs dépens que ce n'était pas une chose à faire (...) A. HERMANT, les Épaves, VI.

♦ **2.** (1884, *in* Höfler). À ce jeu, Carré, ou quatre cartes de même valeur. *Poker de dames, poker d'as.* ⇒ aussi **Full.**

♦ **3.** Loc. fig. *Partie de poker,* se dit d'une partie très serrée qui se joue entre diplomates, hommes d'affaires, etc. où chacun cherche à cacher son jeu, à intimider son adversaire. *Coup de poker :* tentative audacieuse où entre une part de bluff.

★ **II. POKER D'AS** [pɔkɛʀdɑs] (1924, corruption de l'angl. *poker dice,* plur. de *die* «dé à jouer»). Jeu de dés rappelant le jeu de poker. *Le poker d'as se joue avec cinq dés dont les faces représentent des cartes.* — REM. On emploie parfois en français la forme correcte anglaise *poker dice,* au lieu de *poker d'as* (seule courante).

3 (...) il y avait un «Cintra» qui ressemblait un peu à celui de Marseille; j'y jouais au poker-dice avec Olga, j'y causais avec Sartre, en buvant des cafés ou des jus d'orange. S. DE BEAUVOIR, la Force de l'âge, p. 241.

DÉR. Pokériste.

POKÉRISTE [pɔkeʀist] n. — 1895; de *poker.*

♦ Vx. Joueur, joueuse de poker.

POLABE [pɔlab] n. m. — XXe (*in* Larousse 1932); nom d'une tribu slave, de *po* «le long de», et *Lobe* «Elbe» : ceux du bord de l'Elbe).

♦ Ling. Ancienne langue du groupe slave occidental qui était parlée dans le bassin inférieur de l'Elbe.

POLACK ou **POLAK** [pɔlak] adj. et n.; var. graphique angl. de *Polaque** «Polonais».

♦ Fam., péj. Polonais.

1 Or, cet animal de Recknowitz vous chantait ça avec des petites mines extasiées ou hypocritement pudiques, avec des pincements de lèvres précieux, avec des inflexions roucoulantes, et des tortillements de vierge effarouchée, et le dégueulasse accent polak illuminait les plus obscurs sous-entendus. Roger IKOR, les Fils d'Avrom, Les eaux mêlées, p. 428.

2 Tenez, la dernière fois, la petite voisine du dessous, la Polak, a accouché prématurément. SAN-ANTONIO, J'ai essayé : on peut!, p. 22.

POLACRE [pɔlakʀ] n. f. — 1600; orig. inconnue; l'ital. *polacra* et l'esp. *polacra* semblent postérieurs.

Marine ancienne.

♦ **1.** Navire de commerce, voilier de la Méditerranée (→ Mahonne, cit.), à trois mâts et beaupré, à voiles carrées.

♦ **2.** Voile latine gréée à l'avant.

POLAIRE [pɔlɛʀ] adj. — 1555; bas lat. *polaris.* → Pôle.

★ **I.** Des pôles géographiques. ♦ **1.** Relatif aux pôles célestes, terrestres; situé près d'un pôle. *L'étoile polaire,* et, n. f., *la Polaire :* l'étoile visible la plus voisine de la direction du pôle nord (α de la Petite Ourse). ⇒ aussi **Tramontane.**

1 Lorsque Cassiopée et la Grande Ourse se trouvent placées sur un même plan par rapport à l'horizon, la hauteur de l'étoile Polaire indique presque exactement notre latitude. Bernard MOITESSIER, Cap Horn à la voile, p. 21.

Régions, zones polaires, situées près du pôle (arctique ou antarctique). *Cercle polaire :* petit cercle de la sphère terrestre (parallèle) à distance angulaire des pôles égale à l'obliquité de l'écliptique (23° 27′). *Au-delà du cercle polaire.*

♦ **2.** Propre aux régions polaires froides et désertes. *Mer polaire* (→ Glaçon, cit.). *Climat polaire. Les glaces polaires. Nuit polaire* (→ Éternel, cit. 35). *Aurore** (II.) *polaire.* — Météor. *Front* (cit. 36) *polaire* (→ Dépression, cit. 2). — *Faune, flore polaire. Lièvre polaire* (→ Mimétisme, cit. 1). — Par ext. *Expédition polaire,* au pôle.

2 (...) le magasinier des baraquements polaires, en chaussons de castor, gardien des lampes d'hivernage et lecteur de gazettes au soleil de minuit. SAINT-JOHN PERSE, Vents, III, 4, *in* Œ. poétique, t. I.

Par ext. *Un froid polaire,* intense, très vif. ⇒ **Glacial.**

Par anal. *Un paysage polaire,* qui évoque les régions polaires, le grand froid.

Fig. *Un sourire, un comportement, un accueil polaire,* très froid. *Une «voix polaire»* (G. Duhamel, *les Maîtres,* p. 200).

3 Il y a, dans les chiffres, une aridité polaire, une sécheresse inhumaine. G. DUHAMEL, le Notaire du Havre, p. 230.

4 Simonin attacha sur lui son demi-regard polaire. J. DUTOURD, Au bon beurre, p. 215.

★ **II.** ♦ **1.** (1874). Math. Relatif à un pôle*, à une représentation par rayons vecteurs et par angles. *Coordonnées polaires. Vecteur polaire* (opposé à *axial*).

Adj. et n. f. *Polaire, droite* (ou *plan*) *polaire d'un point par rapport à une conique* (ou *une quadrique*) : droite (ou plan), lieu des points conjugués du point par rapport à cette conique (ou quadrique).

♦ **2.** (1868). Relatif aux pôles magnétiques, électriques. *Liaison polaire. Solvant polaire.* — *Molécule polaire :* molécule qui possède un moment électrique.

♦ **3.** Anat., méd. Qui se rapporte au pôle d'une cellule, d'une structure anatomique, d'un organe. *Artères polaires du rein.* — (1875). *Globule polaire* (ou *polocyte*) : cellule haploïde, de très petite taille, qui apparaît au cours de l'ovogenèse. *Premier, deuxième globule polaire :* globule issu de la méiose de l'ovocyte de premier, de second ordre. — *Cataracte polaire.*

DÉR. Polarité. — V. **Polariser.**

COMP. Autopolaire, bipolaire, dipolaire, homopolaire, 2. **monopolaire, multipolaire, semi-polaire, transpolaire, unipolaire.**

POLAQUE [pɔlak] n. m. — 1512, *in* D. D. L. : «de *Polachie,* comme Valaque de Valachie» (Littré).

♦ **1.** Hist. Cavalier* polonais, mercenaire des armées françaises.

♦ **2.** Fam., péj. Polonais (var. : *polack** ou *polac*).

1. POLAR [pɔlaʀ] adj. et n. — 1952, Esnault; apocope de *polarisé.*

♦ Argot scol. «Polarisé», complètement absorbé par le travail scolaire ou universitaire. *Il prépare l'internat, il est complètement polar.* — N. (rare au fém.). *Encore un polar complètement à la masse!*

HOM. 2. **Polar.**

2. POLAR [pɔlaʀ] n. m. — 1970; de *(roman) policier,* et suff. argotique.

♦ Argot. Roman policier. *Il n'écrit plus que des polars. Un amateur de polar. Acheter des polars d'occasion.*

Donc, dis-toi que ce polar innocent représente en fait un événement plutôt inouï sur les bords. La première fois, sur ton globe à la mords-moi le pôle, qu'un individu t'annonce qu'il est Martien. SAN-ANTONIO, J'ai essayé : on peut!, p. 10. 1

(...) vous préféreriez peut-être que je vous parle de Mannix! Mannix, c'est bath, non? il y a tout ce qu'il faut là-dedans; bagnoles américaines, Colt Cobra (...) ils ont même glissé une Marie-Banania (...) Y a bon, monsieur Mannix. Désolée de briser votre violon, ô lecteurs de polars, mais les bootleggers, c'est fini. La mode à présent, c'est la drogue. Martin ROLLAND, la Rouquine, p. 30. 2

HOM. 1. **Polar.**

POLARI- Premier élément, du grec *polein* «tourner», entrant dans la composition de termes didactiques. ⇒ **Polarimètre, polarimétrie, polariscope.**

POLARIMÈTRE [pɔlaʀimɛtʀ] n. m. — 1852, Biot; de *polari-,* et *-mètre.*

♦ Phys. Instrument destiné à observer et à mesurer l'action d'un corps actif sur un rayon polarisé (ou la rotation du plan de polarisation). *Polarimètre formé de deux cristaux biréfringents, de deux nicols, de «polaroïds».* ⇒ **Polariseur; analyseur.**

COMP. Photopolarimètre.

POLARIMÉTRIE [pɔlaʀimetʀi] n. f. — XXe (*in* Larousse 1953); de *polari-,* et *-métrie.*

♦ Phys. Mesure de la rotation du plan de polarisation* lors de la traversée de substances.

DÉR. Polarimétrique.

POLARIMÉTRIQUE [pɔlaʀimetʀik] adj. — 1903, ex. ci-dessous; de *polarimétrie.*

♦ Phys. Relatif à la polarimétrie, au polarimètre. *Propriété polarimétrique de la glace. «On peut appliquer des méthodes polarimétriques...»* (*Rev. gén. des sc.,* 15 avr. 1903, p. 348).

POLARISABILITÉ [pɔlaʀizabilite] n. f. — XXe (*in* Robert 1962); de *polarisable.*

♦ Phys. Moment dipolaire (⇒ **Dipôle**) produit par un champ électrique agissant sur une molécule (ou un système). ⇒ **Polarisation.** *Polarisabilité électronique,* provenant du déplacement des électrons relativement au noyau. *Polarisabilité ionique* (dans les cristaux), *moléculaire.*

POLARISABLE [pɔlaʀizabl] adj. — XXe (*in* Robert 1962); de *polariser.*

♦ Phys. Qui peut être polarisé. *Lumière polarisable. — Électrodes, piles polarisables.*

CONTR. Impolarisable.
DÉR. Polarisabilité.

POLARISANT, ANTE [pɔlaʀizɑ̃, ɑ̃t] adj. — 1803; de *polariser.*

♦ Phys. (opt.) Qui polarise la lumière. *Lunettes polarisantes. Microscope polarisant.*

CONTR. Dépolarisant.

POLARISATEUR [pɔlaʀizatœʀ] ou **POLARISEUR** [pɔlaʀizœʀ] adj. et n. m. — 1858, *polarisateur; polariseur,* 1867; de *polariser.*

♦ Phys. Qui polarise (la lumière). *Prisme polarisateur, polariseur.* N. m. Spécialt. *Polariseur :* miroir, cristal biréfringent capable de polariser la lumière. — Premier cristal d'un polarimètre*. — Feuille transparente capable de polariser la lumière. *Le polaroïd* (1.), *nom d'un polariseur très répandu.*

POLARISATION [pɔlaʀizɑsjɔ̃] n. f. — 1810; de *polariser.*

♦ **1.** Phys. Action de polariser (une onde); résultat de cette action; Phénomène qui se traduit par l'introduction d'une dissymétrie par rapport à la direction de propagation des radiations. (Dans la lumière naturelle, la vibration se comporte comme s'il existait autour du rayon lumineux une symétrie de révolution, qui disparaît dans la polarisation). — *Après polarisation, la lumière est constituée par des vibrations rectilignes, cohérentes* (à différence de phase constante) *et de directions fixes, que l'on peut représenter par deux composantes perpendiculaires. Polarisation linéaire,* où l'amplitude d'une composante s'annule. *Polarisation elliptique* (amplitudes différentes des deux composantes; différence de phase quelconque entre elles). *Polarisation circulaire,* où la différence de phase est égale à $\pi/2$. — *Polarisation partielle,* où la lumière provient de vibrations elliptiques dont les composantes sont deux vibrations rectilignes à différence de phases quelconque («incohérentes») et d'amplitudes inégales. *Polarisation complète,* où l'une des composantes disparaît.
La polarisation se manifeste par des propriétés variables du rayon lumineux suivant certains azimuts (la lumière polarisée présentant, pour une rotation de 360°, deux maxima et deux minima d'intensité). *Les radiations ayant subi une polarisation rectiligne complète peuvent être éteintes par un analyseur, sous un azimut déterminé.*
Polarisation de la lumière par réflexion, par réfraction* (simple, ou double : prismes de Nicol (⇒ **Nicol**), de Foucault (⇒ **Polarisateur, polariseur**). *Angle de polarisation :* incidence brewstérienne d'un rayon lumineux, pour laquelle la polarisation rectiligne est totale. *Polarisation rectiligne de la lumière ayant traversé un milieu contenant de petites particules* (quand on l'observe perpendiculairement à la direction incidente). *Polarisation de la lumière émise par fluorescence. Mesure de la polarisation.* ⇒ **Polarimètre, polariscope.** *Déviation* (cit. 2) *du plan de polarisation par des cristaux* (dextrogyres, lévogyres). — *Polarisation rotatoire :* rotation du plan de polarisation. *Polarisation rotatoire magnétique* (effet Faraday).

1 Il était (...) intéressant de savoir si ces rayons invisibles ou presque invisibles, situés hors des extrémités du spectre possèdent cependant quelques autres propriétés de la lumière; par exemple, si la réflexion sur des glaces polies peut leur imprimer cette modification particulière que Malus a désignée sous le nom de polarisation.
BERTHOLLET, CHAPTAL et BIOT, Annales de chimie, t. 85, 1813, p. 325 : Rapport sur un Mémoire de M. Bérard.

♦ **2.** Électr. Séparation des charges électriques positive et négative, dans un corps, sous l'influence d'un champ électrique. Différence de potentiel qui en résulte. *Charge, énergie de polarisation. Polarisation induite, magnétique.*
Moment dipolaire (⇒ **Dipôle**) par unité de volume, d'un milieu diélectrique, représenté par un vecteur.
Dans l'électrolyse, Formation, dans le voisinage des électrodes, de produits qui modifient l'intensité du courant (généralement en le diminuant). *Les accumulateurs sont des voltamètres où l'électrolyse produit une forte polarisation. Polarisation d'une pile, déterminant une force contre-électromotrice tendant à annihiler sa force électromotrice.*

♦ **3.** Physiol. Mécanisme par lequel sont créés deux pôles fonctionnellement différents dans une structure vivante. *Polarisation d'une cellule nerveuse.*

♦ **4.** Fig. Action de concentrer en un point (des forces, des influences). ⇒ **Polariser.**

2 Si, plus tard, j'ai aimé l'Hermon et les flancs dorés de l'Anti-Liban, c'est par suite de l'espèce de polarisation qui est la loi de l'amour et qui nous fait rechercher nos contraires.
RENAN, Souvenirs d'enfance..., IV, Œ. compl., t. II, 1883, p. 835.

COMP. Dépolarisation, repolarisation.

POLARISCOPE [pɔlaʀiskɔp] n. m. — Av. 1845; Bescherelle, mot créé par Arago; de *polari-,* et *-scope.*

♦ Phys. Appareil d'optique permettant de distinguer les rayons lumineux polarisés. *Polariscope de Savart* (à tourmaline), *d'Arago...*

POLARISER [pɔlaʀize] v. tr. — 1810; du grec *polein* «tourner», d'après *polaire,* les premières expériences sur la lumière polarisée ayant été faites par la rotation d'un cristal biréfringent.

♦ **1.** Phys. Soumettre au phénomène de la polarisation. — Opt. *Polariser un rayon lumineux.* — Pron. (1835). *Lumière qui se polarise.* — Électr. *Polariser les électrodes d'un voltamètre, une pile.*

♦ **2.** Fig. (Sous l'influence de *pôle, polarité*). Attirer (comme les pôles d'un aimant); réunir en un point (comme les méridiens convergent vers le pôle)... — Pron. (1949). *Désirs, émotions qui se polarisent.*

Pour idéaliser mon sujet, je dois en concentrer tous les rayons dans un cercle unique, je dois les polariser (...) 1
BAUDELAIRE, les Paradis artificiels, «Poème du haschisch», IV.

Devant elle, ce dos trapu, vivant, qu'elle évitait de regarder — présence indiscutable, qui polarisait toutes les forces de son être (...) 2
MARTIN DU GARD, les Thibault, t. V, p. 236.

▶ **POLARISÉ, ÉE** p. p. adj.

♦ **1.** *Lumière polarisée. — Électrodes polarisées.*
Voltamètre polarisé, dont les électrodes sont polarisées (et qui se comporte comme une pile).

♦ **2.** Fig. Fixé (sur qqch., un objectif). *Des intérêts polarisés* (sur qqch.). *«Toute l'attention est polarisée sur les métallurgistes»* (*le Monde,* 6 nov. 1969, *in* Gilbert). — (Personnes). *Il est polarisé sur son examen.* — Argot scol. (Vieilli; on dit plutôt *polar*). *Ce type est complètement polarisé,* absorbé par son travail et, par ext., détraqué.

DÉR. Polarisable, polarisant, polarisateur, polarisation.
COMP. Dépolariser.

POLARISEUR [pɔlaʀizœʀ] n. m. ⇒ **Polarisateur.**

POLARITÉ [pɔlaʀite] n. f. — 1765; de *polaire.*

Sciences.

♦ **1.** Vx. «Propriété qu'a l'aimant ou une aiguille aimantée de se diriger vers les pôles du monde» (*Encyclopédie,* 1765).

♦ **2.** Mod. Math., phys. État d'un système dont deux points quelconques présentent des caractéristiques différentes (opposées ou distinctes). — Électr. *Polarité d'une cellule électrique.* — Géom. *Un segment de droite présente une polarité, si l'on peut distinguer ses extrémités.*
Chim. *Polarité d'un solvant, d'une molécule.*

♦ **3.** Biol. Particularité d'une cellule, d'une structure vivante, de posséder deux pôles qui diffèrent du point de vue de leurs potentialités ou de leurs fonctions. *Polarité des cellules nerveuses, de l'œuf, de l'embryon.*

Le pôle animal *(de l'œuf)* est le lieu de formation de l'ectoderme, l'antipôle celui de l'endoderme et des formations qui s'y rattachent. La polarité de l'œuf, décelée par le point d'émission des globules polaires, apparaît donc comme une propriété générale, qui domine tout le développement et qui est le signe d'une hétérogénéité initiale.
Maurice CAULLERY, l'Embryologie, p. 46.

POLAROGRAPHE [pɔlaʀɔgʀaf] n. m. — Mil. XXe; de *polar(isation),* et *-graphe.*

♦ Sc. Dispositif qui établit et enregistre la courbe de polarisation d'une électrolyse (formé d'un récipient dont le fond recouvert de mercure sert d'anode, la cathode étant formée par une goutte de mercure, un potentiomètre et un dispositif d'enregistrement).

POLAROGRAPHIE [pɔlaʀɔgʀafi] n. f. — Mil. XXe; de *polar(isation),* et *-graphie.*

♦ Sc. Établissement de la courbe de polarisation, dans une électrolyse (→ Électro-analyse).

DÉR. Polarographique.

POLAROGRAPHIQUE [pɔlaʀɔgʀafik] adj. — Mil. XXe; de *polarographie.*

♦ Sc. De la polarographie. *Courbe polarographique. Vague* ou *onde polarographique :* tracé de la courbe de polarisation.

POLAROÏD [pɔlaʀɔid] adj. et n. m. — 1953, *in* Höfler; nom déposé en anglo-américain (1948), de *to polarize*, du franç. *polariser*, et suff. *-oïd* → -oïde.

Anglicisme.

♦ **1.** Sc., techn. Feuille transparente capable de polariser la lumière. *Le polaroïd est formé de résine synthétique incluant des cristaux à axes parallèles.*

♦ **2.** (1966). Techn. et cour. (photogr). Se dit d'un appareil photographique de la firme Polaroïd, utilisant le polaroïd (1.) et permettant d'obtenir une épreuve positive très rapidement, dans l'appareil même. *Faire une photo au polaroïd.*

1 Un polaroïd allait tirer sa langue chaude imprimée d'images.
Christine ARNOTHY, Toutes les chances plus une, p. 194.

Photo prise au polaroïd.

2 Au fromage, il avait sorti des polaroïds pour montrer ses deux enfants à José.
Geneviève DORMANN, Je t'apporterai des orages, p. 154.

POLASTRE [pɔlastʀ] n. m. — 1875, P. Larousse; mot régional, p.-ê. de 2. *poêle.*

♦ Régional. (Techn.). Réchaud servant à chauffer l'intérieur des tuyaux à souder, en plomberie.

POLATOUCHE [pɔlatuʃ] n. m. — 1761, Buffon; russe *polatouka.*

♦ Mammifère rongeur possédant une membrane tendue entre les pattes, qui lui permet de planer. ⇒ **Écureuil** (écureuil volant). *Polatouche de Sibérie, de Malaisie.*

POLDER [pɔldɛʀ] n. m. — 1823; *polre* en flamand, XIIIe; *poldre*, 1805; mot néerlandais.

♦ Géogr. Marais littoral endigué et asséché* (d'abord en parlant des Pays-Bas). *Drainage* d'un polder. Polders du Zuyderzée, de la baie du Mont-Saint-Michel...*

En bas les huttes tutélaires, qui contiennent la rivière comme un polder flamand, étendent sous vos pieds et avec tristesse leur chaume pourri (...)
NERVAL, Notes de voyage, Lettres d'Allemagne, II.

DÉR. Poldériser.

POLDÉRISATION [pɔldeʀizasjɔ̃] n. f. — Mil. XXe; de *poldériser.*

♦ Transformation en polder. *La poldérisation du sud de la baie* (du Mont-Saint-Michel) [*l'Express*, 2 févr. 1980, p. 74].

POLDÉRISER [pɔldeʀize] v. tr. — Mil. XXe; de *polder.*

♦ Transformer en polder. *« Il ne se passe guère de mois sans qu'une vasière soit poldérisée, un estuaire aménagé, un marais côtier comblé »* (*Sciences et Avenir*, sept. 1979, p. 43).

DÉR. Poldérisation.

-POLE, -POLITE Éléments, du grec *polis* « ville ». ⇒ **Acropole, métropole** (et dér.), **nécropole, pentapole.** → aussi Cosmopolite.

PÔLE [pol] n. m. — V. 1220; lat. *polus*, grec *polos*, de *polein* « tourner ». → aussi Polaire et polari-.

★ **I.** ♦ **1.** Sc. (astron.). Chacun des deux points de la sphère céleste formant les extrémités de l'axe autour duquel elle semble tourner. *Ligne des pôles.* ⇒ **Axe** (du monde). *Direction des pôles.* ⇒ **Nord, sud.** Loc. vieillie. *Sous les pôles :* dans les régions polaires; *sous le pôle :* dans la région du pôle Nord. — (XVIe). Poét. Le ciel. *« À la face du firmament et du pôle chargé d'étoiles »* (→ Épithalame, cit. 2, Chateaubriand).

1 Le ciel paraît tourner sur deux points fixes, nommés par cette raison pôles du monde (...) LAPLACE, Exposition du système du monde, I, *in* LITTRÉ.

Mouvement des pôles célestes sur la sphère céleste (⇒ **Précession; nutation**), correspondant aux variations de l'axe de rotation de la terre. — *Arc** (II., A., 1.) *d'élévation du pôle.*

2 Pour la commodité du langage, on appelle pôle moyen un pôle fictif animé de la précession seule : c'est donc le pôle moyen qui décrit un petit cercle à 23°27' du pôle de l'écliptique. Quant au pôle vrai, la nutation lui fait décrire, en 18, 60 ans, une ellipse (...)
A. DANJON, *in* Encycl. Pl., la Terre, Le mouvement de la Terre, p. 49.

Pôle terrestre. → ci-dessous 2.

♦ **2.** (Fin XVe, *pôle arctique*). Cour. Chacun des deux points de la surface terrestre formant les extrémités de l'axe de rotation de la terre. *Pôle arctique, boréal, septentrional* (plus cour. : *Pôle Nord*). *Pôle antarctique, austral* (plus cour. : *Pôle Sud*). *Les pôles terrestres correspondent* (par définition) *aux pôles célestes. Ligne des pôles* (→ Équateur, cit. 1). *Opposition des pôles. Cercle passant par les deux pôles.* ⇒ **Méridien.** *Mouvements continus des pôles* (précession et nutation; → ci-dessus, cit. 2), *et mouvements irréguliers des « pôles instantanés » :*

À ce moment, la Croix du Sud se présentait à l'observateur dans une position renversée, l'étoile alpha marquant sa base, qui est plus rapprochée du pôle austral. Cette constellation n'est pas située aussi près du pôle antarctique que l'étoile polaire l'est du pôle arctique. L'étoile alpha en est à 27° environ(...) 2.1
J. VERNE, l'Île mystérieuse, t. I, p. 175.

(...) c'est seulement en 1888 que KÜSTNER parvint à démontrer la *variabilité des latitudes géographiques* et la mobilité des pôles terrestres (...) Aujourd'hui (...) nous pouvons tracer la courbe, appelée *polhodie*, décrite par le pôle terrestre nord depuis 1890. Elle se compose de spires irrégulières (...) dont le point central approximatif a été choisi (...) comme origine (...) Depuis 1890, jamais la distance du pôle instantané à cette origine arbitraire n'a atteint 0",5 ou 16 m. 3
A. DANJON, *in* Encycl. Pl., la Terre, Le mouvement de la Terre, p. 50.

Par ext. Région géographique située près d'un pôle. ⇒ **Cercle** (polaire), **circumpolaire, glacial** (zone glaciale); **nord** (grand Nord). *Aplatissement* (cit.) *de la terre aux pôles* (→ Gravitation, cit.). *Exploration* (cit. 1) *vers le pôle antarctique. La conquête des pôles. Un Samoyède descendu du pôle* (→ 1. Moufle, cit. 1). *La flore, la faune du pôle* (→ Instinct, cit. 14). — *D'un pôle à l'autre* (→ Empereur, cit. 5).

(...) installons-nous au pôle. Là, le soleil ne frise qu'obliquement la terre, et les lentes alternatives de la lumière et de la nuit suppriment la variété et augmentent la monotonie, cette moitié du néant. Là, nous pourrons prendre de longs bains de ténèbres, cependant que, pour nous divertir, les aurores boréales nous enverront de temps en temps leurs gerbes roses (...) 4
BAUDELAIRE, le Spleen de Paris, XLVIII.

Par anal. *Pôles du froid.* ⇒ **Froid** (*infra* cit. 13).

♦ **3.** (XVIIe). Fig., poét., vx. Ce qui dirige, guide comme l'étoile polaire (→ Malherbe, Molière, Saint-Simon, *in* Littré). *Tendre vers un pôle* (→ Astre, cit. 16).

Se dit de deux points principaux et opposés*. *« La vie des mortels a deux pôles, la faim et l'amour »* (→ Disputer, cit. 3, France). *Relier deux pôles* (→ Individualisme, cit. 6). *Pôle contraire* (→ Irrationnel, cit. 2). *Osciller* (cit. 6), *aller d'un pôle à l'autre.*

Est-ce que l'homme a, comme le globe, deux pôles? Sommes-nous, sur notre axe inflexible, la sphère tournante, astre de loin, boue de près, où alternent le jour et la nuit? 5
HUGO, l'Homme qui rit, II, VII, IV.

Dans notre musique contemporaine, *Pelléas et Mélisande* est à l'un des pôles de notre art, *Carmen*, à l'autre pôle. R. ROLLAND, Musiciens d'aujourd'hui, p. 206. 6

(...) les deux moitiés de Paris dont chacune s'oriente vers son pôle propre : le pôle de la richesse qui depuis un siècle remonte lentement de la Madeleine vers l'Étoile; le pôle de la pauvreté, dont les pâles effluves, les aurores vertes et glacées oscillaient alors de la rue Rébeval à la rue Julien-Lacroix. 7
J. ROMAINS, les Hommes de bonne volonté, t. I, XVIII, p. 207.

★ **II. A.** (Emplois scientifiques, extensifs). ♦ **1.** (1647, Descartes, *Principes*, III., 65., « pôles des tourbillons »). Géom. Extrémité de l'axe d'un solide de révolution. — *Pôles d'un cercle sur une sphère :* les extrémités du diamètre de la sphère perpendiculaire au plan du cercle. — Par ext. *Pôle d'une droite* (ou *d'un plan*) *par rapport à une courbe* (ou *une surface*) *du 2e degré :* point dont la polaire (ou le plan polaire) s'identifie à la droite (ou au plan). — Point fixe jouant un rôle particulier dans une transformation. *Pôle d'inversion.* — *Coordonnées d'un point par rapport à un, à deux pôles* (⇒ **Polaire; bipolaire**).

Math. Singularité non essentielle d'une fonction analytique, *zéro* de la fonction inverse.

♦ **2.** (1647, Descartes, *Principes*, IV., 149-150). Phys. Chacun des « deux points de l'aimant qui correspondent aux pôles du monde, dont l'un regarde le nord et l'autre le sud » (*Encyclopédie*, 1765). *Pôles de l'aiguille aimantée* (boussole) : *pôle Nord, pôle Sud* correspondant respectivement aux pôles positif et négatif. ⇒ aussi **Axe** (magnétique). *Pôles d'un aimant.* ⇒ **Aimant, magnétisme.** — REM. Pour les physiciens modernes, la notion de *pôle magnétique* n'est qu'un procédé commode pour décrire certains phénomènes magnétiques (magnétostatiques). *Le champ d'un aimant part d'un « pôle » pour aboutir à l'autre.*

Géogr. *Pôles magnétiques, pôles d'inclinaison* (magnétique) : régions du globe où l'inclinaison* magnétique est maximum (90°). ⇒ **Magnétisme** (cit. 1; → Inclinaison, cit. 1).

(...) le globe est un gros aimant polarisé dans l'immensité, avec deux axes, un axe de rotation et un axe d'effluves, s'entrecoupant au centre de la terre (...) les pôles magnétiques tournent autour des pôles géographiques (...) 8
HUGO, l'Homme qui rit, I, II, I.

En allant de l'équateur vers les régions polaires, l'inclinaison augmente en valeur absolue; les isoclines des régions polaires (...) se resserrent autour d'un point assez mal défini (...) qui est dit pôle magnétique ou pôle d'inclinaison. Au Nord, le pôle magnétique est situé au Canada... *(les pôles)* sont des points plutôt synthétiques, de définition régionale et non locale (...) 9
E. THELLIER, *in* Encycl. Pl., la Terre, Magnétisme terrestre, p. 560.

♦ **3.** (Du précédent). Électr. Chacune des deux extrémités d'un circuit électrique (⇒ **Électrode**), chargée l'une d'électricité positive (*pôle positif, pôle +* ⇒ **anode**), l'autre d'électricité négative (*pôle négatif, pôle −* ⇒ **Cathode**). ⇒ **Courant, électricité; borne** (I., 5.). *Pôles d'un générateur d'électricité (pile...). Qui comporte deux* (⇒ **Bipolaire**), *plusieurs pôles* (⇒ **Multipolaire**, préf. **multi-**). → aussi Unipolaire (à plot central). — Techn. *Pôles de commutation d'une dynamo :* bobines magnétisantes destinées à améliorer la commutation (substitution d'une portion de circuit à un autre).

♦ **4.** (1904, in *Rev. gén. des sc.*). Anat., embryol. Partie la plus saillante, aux deux côtés opposés d'une structure anatomique. *Pôles antérieur et postérieur du cristallin. Pôles (animal* et *végétatif) de l'œuf,* dont proviennent respectivement l'embryon et le vitellus. ⇒ **Polarité** (cit.); **polaire** (globule). — (1897). Biol. *Pôles du fuseau constitué lors de la division cellulaire.*

B. Fig. Centre d'attraction, d'intérêt. *« Un pôle économique de dimensions européennes » (le Monde,* 30 sept. 1969). *Pôle de croissance, d'influence. Pôle économique.*

10 Pousser le Conseil économique à se regrouper autour de deux pôles, constitués l'un par les centrales ouvrières, l'autre par le patronat (...) Le « pôle intermédiaire » que formaient, sous la IVe République, les cadres, les associations familiales, les dirigeants d'entreprise nationales, réapparaîtra-t-il (...)
G. MATHIEU, *in* le Monde, 19 janv. 1964.

Loc. *Constituer un pôle d'attraction pour qqn :* attirer; être ce qui attire.

COMP. Dipôle, monopôle, quadripôle.

POLÉMARCHIE [pɔlemaʀʃi] n. f. — 1869; de *polémarque.*

♦ Didact. Fonction de polémarque*.

POLÉMARQUE [pɔlemaʀk] n. m. — 1738; grec *polemarkhos,* de *polemos* « guerre », et *arkhein* « commander ». → -archie, -arque.

♦ Antiq. grecque. Nom donné, dans la Grèce antique, à certains officiers, à des magistrats chargés de l'administration de la guerre. — Spécialt. *L'archonte polémarque* ou *le polémarque :* à Athènes, Le troisième des neuf archontes* (→ Aréopage, cit. 4). *Primitivement, le polémarque exerçait le commandement de l'armée; il eut ensuite pour fonction de juger les étrangers et les affranchis.*

DÉR. Polémarchie.

POLÉMIQUE [pɔlemik] adj. et n. f. — 1584; *chanson polémique* « chanson guerrière », 1578; grec *polemikos* « relatif à la guerre », de *polemos* « combat, guerre ».

♦ **1.** Adj. Qui est relatif, qui appartient à la polémique (ci-dessous, 2.); qui suppose une attitude critique à l'égard d'une théorie (→ Observation, cit. 12); dont la vivacité, l'agressivité rappelle le style, la manière de la polémique. *Critique, écrit, langage* (→ Pacte, cit. 4), *style polémique. Écrivain polémique.* ⇒ **Polémiste.** — *Attitude polémique.*

1 (...) je crois qu'on peut juger par quelques écrits polémiques faits de temps à autre pour ma défense (...)
ROUSSEAU, les Confessions, IV.

1.1 Multiplier par 5 les réserves de minerai actuellement connues, pour donner la partie belle aux adversaires, est plus polémique que scientifique.
A. SAUVY, Croissance zéro? p. 181.

Didact. *Discours polémique :* type de discours, lié à une rhétorique, où le modèle de communication dominant est l'opposition à des discours existants (souvent opposé à *discours didactique, scientifique*).

♦ **2.** N. f. Débat par écrit, vif ou agressif (politique, religion, philosophie, littérature, etc.). ⇒ **Apologétique** (cit. 2), **controverse, débat, discussion, dispute, querelle** (→ Docteur, cit. 2; monologue, cit. 3). *Engager, entretenir une polémique avec qqn.* — Par ext. Écrit (→ Larme, cit. 3) ou ensemble d'écrits (→ Locution, cit. 3) qu'on publie à l'occasion d'un tel débat.

2 Une grande polémique s'engage à ce sujet dans la presse, deux duels philosophiques, sur la thèse de la royauté (...)
MICHELET, Hist. de la Révolution franç., V, VI.

3 Qui sait si des confrères n'écriraient pas contre lui? Une polémique s'ensuivrait, il faudrait répondre dans les journaux.
FLAUBERT, Mme Bovary, II, XI.

La polémique : ensemble de ces débats; genre rhétorique auquel ils appartiennent; discours polémiques. *Exceller* (cit. 4) *dans la polémique.*

4 Écoutez, Monsieur, je suppose que, là comme ailleurs, la polémique, c'est beaucoup d'affirmations injurieuses appuyées sur deux ou trois faits précis. Vous me fournirez les deux ou trois faits précis.
J. ROMAINS, Donogoo, Prologue, p. 47.

DÉR. Polémiquer, polémiste.

POLÉMIQUER [pɔlemike] v. intr. — Fin XIXe (1894, Sachs-Villatte); *polémiser,* 1845; de *polémique.*

♦ Faire de la polémique. *Polémiquer contre qqn, avec qqn sur, au sujet de quelque chose.*

Je me dis : oui, j'ai fait des articles, des interventions en Commision, j'ai polémiqué (...)
J. ROMAINS, les Hommes de bonne volonté, t. X, XVII, p. 193.

POLÉMISTE [pɔlemist] n. — 1845; de *polémique.*

♦ Personne qui pratique, aime la polémique. ⇒ **Argumentateur, pamphlétaire** (→ 2. Critique, cit. 31); **brûlot** (2.). — Au fém. *Cette journaliste est une redoutable polémiste.*

1 Où l'influence de Voltaire a été immense, évidente et continue, c'est sur le pamphlet et le journalisme, sur toutes les formes de la polémique. Il a été le maître de l'ironie agressive et du ridicule meurtrier (...) il a été un grand artiste dans des écrits où la note d'art, à l'ordinaire, était absente et c'est de lui que procèdent les polémistes du XIXe siècle qui ont relevé l'actualité par l'invention artistique.
Gustave LANSON, Voltaire, 1906.

(...) un polémiste est amusant jusqu'à la vingtième année, tolérable jusqu'à la tren- 2
tième, assommant vers la cinquantaine, et obscène au-delà. Les démangeaisons polémistes chez le vieillard me paraissent une des formes de l'érotisme.
BERNANOS, les Grands Cimetières sous la lune, p. 25.

Adj. Rare. *Activité polémiste.* ⇒ **Polémique** (1.).

POLÉMOGRAPHE [pɔlemɔgʀaf] n. — 1878, P. Larousse, *Premier Suppl.*; du grec *polemos* « guerre », et *-graphe.*

♦ Didact., vx. Personne qui écrit sur la guerre, les batailles. ⇒ **Polémologue.**

POLÉMOLOGIE [pɔlemɔlɔʒi] n. f. — 1946, *in* D. D. L.; mot créé par G. Bouthoul; du grec *polemos* « guerre », et *-logie.*

♦ Didact. Étude scientifique de la guerre, considérée comme un phénomène d'ordre sociologique. *Les guerres (Éléments de Polémologie),* ouvrage de G. Bouthoul.

(...) Je suis venu à la sociologie de la politique par la polémologie. Car les conflits armés sont toujours précédés et accompagnés de motivations et de raisonnements justificatifs de nature politique. Les guerres sont les moments cruciaux de la vie des sociétés, leurs instants les plus aigus et les plus décisifs.
Gaston BOUTHOUL, Sociologie de la politique, Avant-propos, p. 6.

DÉR. Polémologique, polémologue.

POLÉMOLOGIQUE [pɔlemɔlɔʒik] adj. — 1965; de *polémologie.*

♦ Didact. Relatif à la polémologie. *Activités polémologiques. Fonctions polémologiques de l'État.*

(...) malgré deux conflits mondiaux et des essais d'organisation internationale, tels que la S. D. N. et l'O. N. U., les nations n'ont jamais autant dépensé en armements, ni levé autant de soldats, ni accumulé autant d'explosifs infernaux. Proportionnellement, par rapport aux trois autres secteurs de la population active, le « secteur quaternaire », celui des activités polémologiques, n'a jamais été plus important.
Gaston BOUTHOUL, Sociologie de la politique, p. 121.

POLÉMOLOGUE [pɔlemɔlɔg] n. — V. 1970; de *polémologie.*

♦ Didact. Spécialiste en polémologie*. *« Monsieur Gaston Bouthoul, "polémologue" distingué, vient de publier (...) une "Lettre ouverte aux Pacifistes" » (le Nouvel Obs.,* 30 oct. 1972).

POLÉMONIACÉES [pɔlemɔnjase] n. f. pl. — 1842; *polémonacées,* 1803; du lat. bot. *polémonium* → Polémonie, et *-acées.*

♦ Bot. Famille de plantes phanérogames angiospermes, classe des dicotylédones gamopétales, originaires d'Amérique pour la plupart. ⇒ **Cobea, phlox, polémonie.** — Au sing. *Une polémoniacée.*

POLÉMONIE [pɔlemɔni] ou **POLÉMOINE** [pɔlemwan] n. f. — 1903, *polémonie; polémoine,* 1572; lat. bot. *polemonium,* class. *polemonia,* du grec *polemônion.*

♦ Bot. Plante dicotylédone *(Polémoniacées),* dont une variété *(polemonium cæruleum)* est cultivée dans les jardins comme plante ornementale sous le nom de *valériane* grecque.*

DÉR. Polémoniacées.

POLENTA [pɔlɛnta; pɔlɑ̃ta] n. f. — 1557; var. *polente,* déb. XVIe, repris déb. XIXe à l'ital., du lat. *polenta* « farine d'orge ».

♦ En Italie, Galette préparée avec de la bouillie de farine de maïs. *En Roumanie, le plat analogue à la polenta se nomme* mamaliga. — En Corse, Mets fait avec de la farine de châtaignes.

Mais j'aime mieux la polenta
Qu'on mange aux bords de la Brenta
Sous une treille.
A. DE MUSSET, Poésies nouvelles, « À mon Frère, revenant d'Italie ».

POLHODIE [pɔlɔdi] n. f. — 1852, Poinsot; du grec *polos* « pôle », et *hodos* « chemin ».

♦ Math. Courbe parcourue par le point de contact d'un ellipsoïde d'inertie (d'un corps solide tournant autour d'un point fixe) avec le plan fixe parallèle au plan du maximum des aires (sur lequel roule l'ellipsoïde).

1. POLI, IE [pɔli] adj. — 1580, « cultivé »; « élégant », fin XIIe; de *polir,* fig., avec l'infl. du lat. class. *politus.*

♦ **1.** Vx. (Personnes). Cultivé et mondain, délicat et raffiné dans ses manières, son langage, sa façon de vivre, de sentir. ⇒ **Distingué** (→ Car, cit. 8, La Bruyère). *Esprit poli* (→ Badaud, cit. 3, Corneille).

(Choses). Vx. Qui est délicat, raffiné, qui porte la marque du bon goût (⇒ **Politesse,** 1.), du bon ton*. ⇒ **Élégant.** — *Style poli. Œuvre polie.*

(XVIIe). Vx. Civilisé, raffiné (opposé à *barbare* [cit. 10], *inculte, sauvage*). *Nation, société polie* (→ Perfectionner, cit. 4). *« Cette Grèce polie, la mère des philosophes et des orateurs »* (→ Ignorant, cit. 8, Bossuet).

♦ **2.** (XVIIe). Mod. Dont le comportement, l'attitude, la tenue, le langage sont conformes aux règles de la politesse* (2.). ⇒ **Affable, aimable, civil** (cit. 14), **complaisant, courtois, diplomate** (fig.)., **galant, gracieux, honnête** (vieilli). *Enfant poli.* ⇒ **Élevé** (bien élevé). *Poli jusqu'à l'obséquiosité.* ⇒ **Obséquieux; cérémonieux, révérencieux** (→ Courber, cit. 26; distant, cit. 5). *Être poli à l'égard de qqn* (→ Nouveau, cit. 4). *Il a été tout juste poli avec moi* (→ Correct). *Dites donc, soyez poli !* Fam. *Sois poli, si t'es pas joli !*

1 Les Anglais sont occupés : ils n'ont pas le temps d'être polis.
MONTESQUIEU, Pensées diverses, « Les Anglais et les Français ».

2 (...) toujours admirable de tact et de spirituelle dignité, convive exquis, gourmand par politesse, bavard à l'occasion par condescendance et charité, si parfaitement poli que les simples curés de son doyenné, pris au piège, le tinrent toujours pour le plus indulgent des hommes, d'un rapport agréable et sûr, d'une perspicacité sans tranchant, tolérant par goût, même sceptique, et peut-être un peu suspect.
BERNANOS, Sous le soleil de Satan, I, I.

Loc. *Trop poli pour être honnête :* dont les manières trop affables font supposer des intentions malhonnêtes.

2.1 Le comportement du soldat donnait lieu à des généralisations infinies : « Ils n'aiment pas les chats, ils ne fument pas, ils donnent de bons pourboires, ils sont célibataires, ils sont trop polis avec les femmes pour être honnêtes (...) »
Jacques LAURENT, les Bêtises, p. 63.

Vieilli. (Jeu de mots sur 2. Poli → Polir). *Poli comme un caillou, une glace :* très poli, ou, par antiphrase, pas poli.

(1636). MAL POLI. ⇒ **Impoli, malpoli.**

Façons (cit. 44), *manières* (cit. 41 et 44) *polies. Répondre par une inclination* (cit. 23) *polie.* ⇒ **Respectueux.** *Langage poli. Répondre d'une manière polie.* ⇒ **Poliment.** *Un simple* oui (cit. 1) *ou un* non *sont peu polis. Ton poli.* ⇒ **Amène.** *Voix polie* (→ Interposer, cit. 3). *Lettre polie* (→ Minuter, cit. 2). *Formule, phrase polie.* ⇒ **Politesse** (formule de politesse). → Hasard, cit. 10. — *Refus poli* (→ Débet, cit.). *Indifférence* (cit. 12) *polie,* qui s'accompagne des formes de la politesse.

3 Le marquis de la Mole reçut l'abbé Pirard sans aucune de ces petites façons de grand seigneur, si polies, mais si impertinentes pour qui les comprend.
STENDHAL, le Rouge et le Noir, I, XXX.

Il est poli de... et l'inf. ⇒ **Beau, bienséant** (→ Dénigreur, cit. 2). — *Il est poli que...* et subj. *Il est plus poli que vous lui écriviez.*

CONTR. Agreste, barbare, rude, rustique, sauvage. — Abrupt, arrogant, brutal, discourtois, gêne (sans gêne), **grossier, impertinent, impoli, incivil, inconvenant, incorrect, insolent, malappris, malgracieux, malhonnête, malotru, malséant, rustre.**

DÉR. Poliment.

COMP. Impoli.

2. POLI, IE [pɔli] p. p. adj. ⇒ Polir.

3. POLI [pɔli] n. m. — 1612; p. p. de *polir* pris substantivement.

♦ Aspect d'une chose parfaitement lisse et luisante. ⇒ **Polissure** (vx). *Enlever* (⇒ **Dépolir**), *donner le poli à une surface.* ⇒ **Polir** (1.). *Poli d'un objet d'or ou d'argent.* ⇒ **Brunissure.** *Le poli d'une casserole* (cit. 1). ⇒ **Clarté, éclat, lustre.** *Poli miroir,* celui que peut prendre une surface métallique. *Ses bras* (cit. 1) *gracieux avaient le poli de l'ambre. L'ébène* (cit. 1), *bois qui peut prendre un magnifique poli.* ⇒ **Polissable.**

Selon l'expression d'un grand poète, le Temps a passé son pouce intelligent sur les arêtes du marbre, sur les contours trops rigides, et donné à cette sculpture déjà si souple et si moelleuse le suprême poli et le dernier achèvement.
Th. GAUTIER, Voyage en Espagne, p. 104.

Géol. *Poli glaciaire* (des roches, galets, etc.) : surface lisse (d'un mineral) obtenue par le frottement des glaciers.

CONTR. Aspérité, matité, rugosité.

POLIADE [pɔljad] adj. — 1771; grec *polias, -ados,* de *polis* « cité, ville ».

♦ Antiq. grecque. Épithète d'Athéna, considérée comme protectrice de la cité. *Athéna Poliade d'Athènes, de Trézène.* — *Divinité poliade :* divinité grecque protectrice d'une cité déterminée (→ Archonte, cit.).

POLIANITE [pɔljanit] n. f. — 1874; du grec *polios* « blanchâtre, gris ».

♦ Minér. Bioxyde de manganèse cristallisé.

POLIANTHES [pɔljɑ̃tɛs] n. f. — 1875, *polianthe* « tubéreuse », *in* P. Larousse; mot grec sc., de *polios* « gris », et *anthos* « fleur ».

♦ Bot. Plante ornementale *(Tubéreuses)* qui pousse au Mexique.

1. POLICE [pɔlis] n. f. — 1250, *pollice; policie,* 1361; *police,* 1606; lat. *politia,* grec *politeia,* de *polis* « cité ».

♦ **1.** Vx. Manière dont une société est organisée en État; organisation politique et administrative. ⇒ **Gouvernement** (cit. 37), **politique.** *« Un barbare... indépendant* (cit. 2) *de toute police... »* (Fénelon). — Hist. du dr. *La police du seigneur, au moyen âge* (garde des églises, entretien des voies de communication, police [au sens 2.] du commerce). *Justice, police et finances,* attribution des intendants* (cit. 2), *police* désignant l'administration, la police au sens moderne et la politique économique.

Chacun a débité ses maximes frivoles (...) 1
Corrigé la police, et réformé l'État (...)
BOILEAU, Satires, III.

(...) elle était intimement persuadée que tout cela n'était qu'une maxime de police 2
sociale, dont toute personne sensée pouvait faire l'interprétation, l'application, l'exception, selon l'esprit de la chose (...)
ROUSSEAU, Confessions, VI.

L'administration, telle que nous l'entendons aujourd'hui, était exprimée dans notre 3
ancien droit par le mot *police ;* et, comme la police était inhérente à la justice, les premiers administrateurs ont été des juges (...) ils contrôlaient l'activité des groupes autonomes, dont le faisceau constituait l'État et dont chacun faisait lui-même sa police (...)
OLIVIER-MARTIN, Précis d'hist. du droit franç., § 921.

Organisation. *« Cette police de la plupart de nos collèges... »* (→ Jeunesse, cit. 27, Montaigne).

♦ **2.** (Déb. XVIIe, spécialt « maintien de l'ordre dans les villes » [*polis*]). Mod. Dr. (Cour. dans quelques expr.). Organisation rationnelle de l'ordre public, dans un groupe social. ⇒ **Ordre** (I., 5.); → Initiative, cit. 5. *Gouvernement* et police. Les pouvoirs de police appartiennent à la force* publique. Police administrative et police judiciaire* (→ ci-dessous, 3.). ⇒ aussi **Administration** (2.), **justice.** *La gendarmerie** (cit. 3) *assure la police administrative et contribue à la police judiciaire. Pouvoirs de police du préfet. Exercer, faire la police.* — *Police générale, municipale, rurale* (→ ci-dessous, 3.). *Police des cultes** (*supra,* cit. 5), *des réunions, des spectacles, des jeux*; de la presse* (régime de la presse). *Police de l'hygiène publique, police sanitaire. Police du roulage, de la circulation* (code de la route). *Numéro* (cit. 3), *plaque de police d'un véhicule. Police maritime, sanitaire maritime* (→ Arraisonnement, quarantaine). *Police des ports, des aérodromes...* — *Sous l'Ancien Régime, la police générale était exercée par un prévôt* (XIe s.) *assisté de « commissaires »* (XIVe s.), *et de lieutenants* (civil, criminel) *et par les troupes du guet*. La maréchaussée, troupes de police...* (⇒ **Gendarmerie**). *L'archer*, l'exempt*, anciens officiers de police. La charge de lieutenant** (cit. 3) *de police fut créée par Louis XIV.* — *Ministère* (cit. 10) *de la Police générale* (1796). *Préfecture de police* (1800). — REM. Pour les institutions modernes, → ci-dessous le sens 3.

La *police* consiste à assurer le repos du public et des particuliers, à purger la 4
ville de ce qui peut causer des désordres, à procurer l'abondance et à faire vivre chacun selon sa condition.
Édit royal de 1669, *in* P. LAROUSSE, art. *Police.*

Il n'est point de gouvernement qui puisse maintenir le droit des citoyens sans une 5
police sévère; mais la différence d'un régime libre à un régime tyrannique, est que dans le premier, la police est exercée sur la minorité, opposée au bien général, et sur les abus ou négligences de l'autorité, au lieu que dans le second, la police de l'État s'exerce contre les malheureux, livrés à l'injustice et à l'impunité du pouvoir.
SAINT-JUST, Rapport sur la police générale, 15 avr. 1794.

Loi; ordonnance, règlement de police. Contrevenir* aux règlements de police.* — *Forces de police des Nations Unies. Opération* (cit. 8) *de police et opérations militaires.*

Les lois de police et de sûreté obligent tous ceux qui habitent le territoire. 6
Code civil, art. 3.

Plus cour. (En parlant de la police judiciaire). ⇒ aussi **Juridiction, justice.** *Peines de police* (⇒ **Amende,** cit. 2), *de simple police* (→ Appareil, cit. 13). *Contraventions* de police. Peines de simple police,* correspondant aux contraventions. *Peines de police correctionnelle,* correspondant aux délits (II.). — *Tribunal* de simple police, de police.* — (Vx). *Juge de police :* juge* de paix. — (1791). *Police correctionnelle*. Juge de police correctionnelle* (→ Banqueroute, cit. 2). — Par ext. La juridiction, le tribunal. *Passer en simple police. Être condamné par la police correctionnelle* (→ Fraude, cit. 3).

(...) je n'ai pas l'envie (...) d'être pris en flagrant délit par Chanteleouve, de ris- 7
quer la police correctionnelle ou le revolver.
HUYSMANS, Là-bas, XI.

Spécialt. *Police militaire. Garde* municipale, républicaine, chargée de la police militaire de Paris.* — *Police d'une armée en campagne, d'une caserne,* exercée par des forces de gendarmerie (⇒ **Prévôté**) ou des éléments de l'armée (police [au sens 3.] militaire). *Garde de police. Salle de police :* local où l'on fait subir de courtes détentions aux soldats, pour les fautes légères contre la discipline. — *Bonnet* de police.* ⇒ 2. **Calot** (→ 1. Espalier, cit. 5).

♦ **3.** (1684, La Fontaine). Cour. Ensemble d'organes et d'institutions (organisation administrative; force publique; personnel de l'une et de l'autre) chargés soit d'assurer le maintien de l'ordre public et d'empêcher que les infractions soient commises *(police administrative),* soit de rechercher, de constater et de permettre de réprimer les infractions commises *(police judiciaire).*

La police judiciaire recherche les crimes, les délits et les contraventions, en ras- 8
semble les preuves et en livre les auteurs aux tribunaux chargés de les punir.
Code d'instruction criminelle, art. 8.

9 La distinction de la police administrative et de la police judiciaire se combine avec une certaine pénétration des personnels (...) une partie du personnel de la police administrative participe à la police judiciaire.

Louis ROLLAND, Précis de droit administratif, § 462.

(1795). *Police administrative : générale ou d'État ; nationale, départementale* (préfet, *direction départementale de la police ; circonscriptions de police*). — (1791). *Police municipale, rurale. Police municipale « étatisée »*, placée sous l'autorité de la police d'État (préfet de police). — (1795). *Police judiciaire (d'État* ou *municipale)*, contrôlée par le Procureur général (⇒ **P. J.**). *Police mobile*, service dépendant de la Sûreté, et réparti en brigades territoriales. *Police secrète* (fam. *la secrète*). ⇒ aussi **Espionnage ; contre-espionnage, contrepolice.** *Polices parallèles* (⇒ aussi **Barbouze**). *La police des polices :* services d'inspection et de surveillance de la police. — *Police mondaine*, police des mœurs** : brigades spécialisées de la P. J. — *Méthodes de recherche et d'investigation de la police* (judiciaire). *Police scientifique :* étude des empreintes et traces, identité* judiciaire (⇒ **Anthropométrie, bertillonnage**), étude des faux, des langages secrets (⇒ **Chiffre**), des armes et de leurs effets... ⇒ **Criminalistique.** *Laboratoire de la police. — Personnel de la police* (⇒ **Policier**). — Loc. *Commissaire** (cit. 2) *de police. Inspecteur** (cit. 1) *de police. Secrétaires de police. Agents de police* (municipale). — *Agents de la police judiciaire :* gendarmes*, inspecteurs et agents de police proprement dits (⇒ **Agent,** II., **gardien** [de la paix], **sergent** [de ville] ; fam. 2. **bourre, cogne, flic, poulet, vache**). *Chef de police* (→ Perte, cit. 11), *brigadier de police. — Officiers de police judiciaire.* ⇒ 2. **Officier** (cit. 4 et *supra*). — *Gens de police* (→ Espion, cit. 5). *Le monde de la police* (→ Fureter, cit. 6). *Être de la police, dans la police.* — REM. Dans les expressions *agents, officiers... de police*, le mot peut s'entendre au sens 2. (qui fait la police) ou 3. (qui appartient à la police). — *Police anglaise* (⇒ **Policeman**), *canadienne* (*police montée*, formée de cavaliers)... — *Police militaire. Police de l'air. Police de la route. — Polices politiques des pays totalitaires* (→ Gestapo, guépéou...). — Loc. *Police secours :* organisation de police chargée de porter secours dans les cas d'urgence.

10 Il faut que ce qu'on appelle *la police* soit une chose bien terrible, disait plaisamment madame de..., puisque les Anglais aiment mieux les voleurs et les assassins, et que les Turcs aiment mieux la peste.

CHAMFORT, Caractères et Anecdotes, « La police et la peste ».

11 (...) un monsieur que j'ai vu dans les troubles de l'année dernière aux environs de la Chambre des Députés, et qui m'a fait l'effet d'être un homme de la police déguisé en honnête bourgeois vivant de ses rentes.

BALZAC, le Père Goriot, Pl., t. II, p. 961.

12 (...) force est bien de signaler l'importance de la *police politique* ou plus exactement de l'organisme que la Constitution de 1924 appelait la « Direction politique unifiée d'État » ([...] par abréviation G. P. U. ou Guépéou [...]) Elle est essentiellement chargée de lutter contre toute opposition au régime (...)

Maurice DUVERGER, les Régimes politiques, p. 109.

12.1 Ils n'osent écrire qu'une police qui torture, si blâmable qu'elle soit, c'est une police qui fait son métier, une police sur laquelle on peut compter.

F. MAURIAC, Bloc-notes 1952-1957, p. 73.

Absolt, par métonymie. Les policiers, spécialt, les policiers en uniforme, dans un affrontement avec des manifestants.

12.2 Des escouades d'agents travaillaient à dégager la sortie, mais sans brutalité. La police avec nous, scandaient les jeunes gens à brassard.

M. AYMÉ, Travelingue, p. 226.

Organisation de la Police (en France) : ministère de l'Intérieur, dont dépendent la direction générale de la Sûreté nationale (comprenant divers services et directions, tels que les Renseignements généraux, la *Police judiciaire*, la Sécurité publique, la Surveillance du territoire (D. S. T.) et la *préfecture de Police* (services administratifs et services actifs : directions de la *Police municipale*, de la *Police judiciaire*, des renseignements, des services techniques, de la *Police économique...*) *Les brigades mobiles de police judiciaire (police mobile), les compagnies républicaines de sécurité* (⇒ **C. R. S.**) *font partie des services extérieurs de la Sûreté.*

Organisation internationale de police criminelle. ⇒ **Interpol.**

Préfecture, commissariat (de quartier, de la voie publique, à Paris) *de police. Dépôt de la Préfecture de police. — Poste de police* (⇒ fam. **Bloc, clou, violon**). — *Car, fourgon, voiture de police.* ⇒ **Panier** (à salade) ; → Bourrer, cit. 4.

Cour. La police judiciaire, dans ses activités de recherche et de répression de la délinquance. ⇒ (fam., argotique) **Poulaille, rousse** (n. f.) ; **maison** (la maison bourreman, je t'arquepince, parapluie, poulaga...) ; et aussi **policier.** *Enquêtes* (cit. 4), *recherches, sondages de la police* (→ Hypothèse, cit. 7). *Procès-verbal*, rapport* de police* (⇒ **Verbaliser**). *La police est sur sa piste*. Être pris en filature* par la police, avoir la police à ses trousses. Être recherché par plusieurs polices, par toutes les polices. — Contrôle de police :* contrôle d'identité (papiers, passeports...) effectué par la police. *Descente* (*supra* cit. 7) *de police.* ⇒ aussi **Filet** (coup de), **rafle, souricière.** *Arrestation* par la police.* ⇒ **Prise.** *Perquisition*, visite domiciliaire effectuée par la police. — Avertir la police* (→ Jambe, cit. 17). *Dénoncer* qqn à la police. Personnes payées pour renseigner la police.* ⇒ **Indicateur** (cit. 2), **mouchard, mouton.** — *Craindre* (cit. 7) *la police* (→ La peur du gendarme). *Se dérober* (cit. 14) *à la police ; tromper la vigilance de la police* (→ Évader, cit. 3). *Échapper* (cit. 20) *à la police d'une ville, d'un pays. Se faire arrêter, enlever par la police* (→ Heure, cit. 96).

(En parlant de la force publique, chargée de faire respecter l'ordre : police proprement dite, gendarmerie, compagnie de sécurité...) *Intervention de la police* (→ Agitation, cit. 20 ; évacuer, cit. 5). *Cordon de police. Forces de police* (→ Appareil* [I., 2., C.] policier).

Par ext. *Police privée :* organisation privée spécialisée dans les enquêtes, les recherches criminelles, les renseignements confidentiels. *Agence de police privée. Policier, limier d'une police privée.* ⇒ **Détective, privé** (n. m.). — Spécialt. Entreprise de surveillance, de gardiennage ou de protection utilisant les mêmes techniques que la police. ⇒ **Milice ; vigile.**

♦ **4.** (Par ext. du sens 2.). *Police intérieure d'une assemblée, d'une réunion, d'un groupe, d'un lycée...* ⇒ **Discipline** (→ aussi Music-hall, cit.). — *Faire sa propre police* (→ Galeux, cit. 6).

Visiblement, quand plusieurs centaines de personnes délibèrent ensemble, il leur faut au préalable une sorte de police intérieure, un code d'usages consacrés ou de précédents écrits, pour préparer, diviser, limiter, accorder et conduire leurs propres actes. 13

TAINE, les Origines de la France contemporaine, t. I, III, p. 172.

DÉR. Policer, policier.

COMP. Contre-police.

2. POLICE [pɔlis] n. f. — 1371, « certificat » ; « contrat », XVIe ; ital. *polizza*, grec byz. *apodeixis*, en grec anc. « preuve ». → Apodictique.

♦ **1.** (1673). Dr. Écrit rédigé pour prouver la conclusion et les conditions d'un contrat d'assurances. ⇒ **Assurance, contrat.** *La police d'assurance sert de preuve, de certificat. Acte additionnel à une police.* ⇒ **Avenant.** *Souscrire à une police (d'assurance)*, cour. *à une assurance.*

Mar. (vx). *Police de chargement.* ⇒ **Connaissement.**

♦ **2.** Typogr. Assortiment des lettres et signes composant une fonte de caractères d'imprimerie.

POLICEMAN [pɔlisman] n. m. — 1839 ; mot angl. (1829) ; de *police*, et *man* « homme ».

♦ Agent de police, en Grande-Bretagne et dans les pays d'administration britannique. (→ Indemniser, cit. 3). *Des policemen* [pɔlismɛn] (→ Jaillir, cit. 11). — Fém. (rare). *Policewoman* [pɔliswuman], pl. *policewomen* [pɔliswimɛn ; cour. mais fautif pɔliswumɛn].

Un simple mot du mari ou commissaire de police, et les policewomen viennent chercher l'épouse coupable (...) A. ROBIDA, le Vingtième Siècle, p. 333.

POLICER [pɔlise] v. tr. — Conjug. *placer.* — 1641 ; de *police.*

♦ **1.** Vx. Gouverner, régir par une police (1.). *« Policer sagement les peuples dans la paix »* (Fénelon, *Télémaque*).

♦ **2.** (Fin XVIIIe). Vieilli ou littér. Civiliser, affiner ou corriger les mœurs par des institutions, par la culture... ⇒ **Civiliser.** — *Pierre le Grand « poliçait ses peuples, et il était sauvage »* (Voltaire, *Charles XII*, I., *in* Littré) — Pron. *Pays, empire, société, peuple qui se police*, se civilise.

Si ces pauvres sauvages sont aussi malheureux qu'on le prétend, par quelle inconcevable dépravation de jugement refusent-ils constamment de se policer à notre imitation ou d'apprendre à vivre heureux parmi nous (...) 1

ROUSSEAU, De l'inégalité parmi les hommes, p. 72, notes *p.*

Les maîtres, au lieu de nous policer, nous ont rendus barbares, parce qu'ils le sont eux-mêmes. BABEUF, cité par JAURÈS, Hist. socialiste..., t. I, p. 305. 2

▶ **POLICÉ, ÉE** p. p. adj. ⇒ **Civilisé, éduqué, raffiné** (→ Habitant, cit. 12 ; homme, cit. 140). *Il n'est pas assez policé pour agir en diplomate*. — Peuples instruits et policés* (→ Hâtif, cit. 1). *Société policée* (→ Inassimilable, cit. 3). *Nation policée* (→ Monnaie, cit. 2).

(...) cette sorte de hâte, que montrent les gens les mieux élevés, aussitôt qu'il y a à manger et à boire, et qui révèle brutalement la persistance de l'animal humain, dans les sociétés les plus policées, en apparence. 3

Edmond JALOUX, le Jeune Homme au masque, I.

Par ext. *Mœurs policées.*

CONTR. (du p. p.) **Agreste, barbare, brut, primitif, sauvage.**

POLICHINELLE [pɔliʃinɛl] n. m. — 1649, *polichinel ;* napolitain *Polecenella*, personnage des farces napolitaines, ital. class. *Pulcinella.*

★ **I.** ♦ **1.** Personnage de la commedia dell' arte et des marionnettes* (à fil). ⇒ **Fantoche.** *Le polichinelle des marionnettes est coiffé d'un bicorne ; il est bossu par devant et par derrière.* — (1835). *Voix de polichinelle*, chevrotante et nasillarde.

(...) le *pulcinella* de Naples (...) diffère essentiellement du polichinelle français dont la face rubiconde, le nez bourbonien, le chapeau retroussé, rappelleraient plutôt le type d'Henri IV (...) 1

Th. GAUTIER, Souvenirs de théâtre..., « Les marionnettes ».

Polichinelle et clown, j'ai su, qu'on s'en souvienne, 2
Joindre à l'humour anglais la verve italienne !

Th. DE BANVILLE, Odes funambulesques, « Folies-Nouvelles », IV.

(1808). Loc. *Secret de polichinelle :* faux secret, bien vite connu de tous.

2.1 C'est le secret de polichinelle, Messieurs! Seuls les enfants n'y comprennent rien. Seuls les hypocrites font semblant de ne pas comprendre.
IONESCO, Rhinocéros, II, 1.

♦ **2.** Par anal. Jouet, pantin en forme de polichinelle.

3 (...) remplissez vos poches de petites inventions à un sol, — tel que le polichinelle plat, mû par un seul fil (...) BAUDELAIRE, le Spleen de Paris, XIX.

(1867). Loc. fam. et vulg. *Avoir un polichinelle dans le tiroir :* être enceinte. *Claquer le polichinelle :* faire une fausse couche.

♦ **3.** Fig., vieilli. Personnage ridicule, laid ou difforme*. ⇒ **Guignol.** *Un vieux polichinelle* (→ Mener, cit. 12).

4 Ah ça, dis donc, bougre d'infirme, si tu voulais bien me faire l'honneur de m'écouter quand je te parle! Qui est-ce qui m'a bâti un polichinelle pareil!
COURTELINE, le Train de 8 h 47, I, V.

Faire le polichinelle : s'agiter, faire le clown*, le guignol* (fig.), le pitre. — Vx. *Mener une vie de polichinelle,* une vie déréglée.

5 Après tout, elle *(Gervaise)* se trouvait trop bête de refuser un plaisir, lorsque son mari, depuis trois jours, menait une vie de polichinelle.
ZOLA, l'Assommoir, t. II, VII, p. 46.

♦ **4.** Personne inconsistante dont les opinions changent sans cesse (→ Fantoche, girouette, marionnette). *Traiter les ministres de polichinelles* (→ Excentricité, cit. 3).

6 (...) je vous jure que, le jour où ce Rochefontaine sera nommé, je foutrai ma démission, moi! Est-ce qu'on me prend pour un polichinelle, à dire blanc et à dire noir!
ZOLA, la Terre, IV, V.

★ **II.** (1820). Argot. Vx. Eau-de-vie.

7 (...) deux sous, prix du polichinelle que vient d'avaler un chaland en sabots.
BALZAC, Dict. des enseignes, *in* Œ. diverses, t. I, p. 160.

POLICIER, IÈRE [pɔlisje, jɛʀ] adj. et n. — 1611; de *police.*

★ **I.** Adj. ♦ **1.** (1611). Vx. Relatif à la police (1. Police, 1.). ⇒ **Politique.**

♦ **2.** Mod. Relatif à la police (1. Police, 2.); concernant la police ou appartenant à la police (1. Police, 3.). *Surveillance policière* (→ Exception, cit. 9). *Mesures policières. Campagne, enquête, expédition policière. Provocation policière. Méthodes policières. Chien policier,* utilisé par la police (pour les recherches). — *Régime policier,* où la police a une grande importance (et notamment la police politique, dans une dictature, un pays totalitaire).

1 L'affaire de la rue des Lyonnais, comme il apparut assez vite, n'était qu'un épisode au cours d'une ample campagne policière. G. DUHAMEL, Salavin, V, XXII.

♦ **3.** Se dit des formes de littérature, de spectacle qui concernent des activités criminelles plus ou moins mystérieuses, et leur découverte (par la police ou par tout autre moyen). *Scénario, film policier.* ⇒ **Noir.** *Pièce policière. Intrigue policière. Une série policière à la télévision.*

Loc. cour. (On a d'abord dit : *roman judiciaire*). **ROMAN POLICIER** : récit impliquant des activités délictueuses et leur répression. ⇒ **Polar;** et ci-dessous (n. m.). — Genre littéraire (ou paralittéraire) incluant le roman policier à intrigue et à mystère et le récit violent dit *roman noir.*

2 Le roman policier, en France, n'a jamais été pris au sérieux. Claudel le tenait pour un «genre stercoraire» (...) On n'a pas tort de le considérer comme un genre hybride et un peu monstrueux. En vérité, on ne sait même pas quel nom lui donner! Pierre Véry propose de l'appeler «récit de mystère». D'autres pensent qu'il faut lui conserver son nom anglais : *Detective Novel.* Comment désigner avec précision quelque chose qui ressemble à un exercice de raisonnement (Poe), à un roman populaire (Gaboriau), à un récit de cape et d'épée (Gaston Leroux), à un drame romantique (Maurice Leblanc), à une subtile partie d'échecs (Van Dine), qui est un peu tout cela et un peu plus que cela?
Th. NARCEJAC, *in* Encycl., Pl., Hist. des littératures, t. III, Le roman policier, p. 1644.

3 Le roman policier est un récit où le raisonnement crée l'effroi qu'il est chargé d'apaiser. Th. NARCEJAC, *in* Encycl. Pl., Hist. des littératures, t. III, p. 1660.

3.1 (...) cette solitude, ce silence seraient plutôt apaisants après ces scènes, ces cris, et un bon roman policier qu'elle lirait pelotonnée au fond de son lit, plus distrayant que ces mornes remarques échangées par habitude (...)
N. SARRAUTE, le Planétarium, p. 248.

Un policier (n. m.), un roman policier. (Syn. fam. : *polar.*) *Elle ne lit que des policiers et de la science-fiction.*

3.2 Il n'y a pas de policiers? demande-t-il (...)
Il doit y avoir quelques Simenon en bas.
Simenon n'est pas du policier, c'est de la psychologie, profère-t-il avec dédain.
C. ROCHEFORT, le Repos du guerrier, I, II, p. 47.

3.3. Je détestais qu'on appelât les romans policiers des *policiers.* Cette abréviation témoignait d'une veulerie de langage. P. GUTH, le Mariage du naïf, X, p. 94.

★ **II.** N. m. (1735). Personne qui appartient à un service de police. ⇒ **Argousin, argus, sbire** (vx); **détective, limier; espion, indicateur;** 2. **bourre** (fam.), **bourrique, cogne, flic, perdreau, poulet, roussin, vache.** *Policier d'une police secrète, parallèle.* ⇒ **Barbouze.** — REM. *Policier* se dit surtout des gens de police sans uniforme (commissaires, inspecteurs de la police judiciaire, de la sûreté...), les expressions agent* de police, gardien* de la paix, etc. étant plus courantes pour les policiers en uniforme (en France). — *Épier qqn avec l'adresse d'un vieux policier* (→ Chevalier, cit. 6). *Policier qui prend un suspect en filature* (cit. 4), *passe les menottes* (cit. 2) *à un coupable.*

4 Le buveurs des grands cafés se sentirent protégés : ils aimaient les protections, ils pensaient aux policiers, aux gendarmes comme à de bons serviteurs, à de vieux domestiques de famille; ils aimaient bien les gardes : les gardes, disait-on, sont des soldats. Il est plus honorable d'être défendus par des soldats que par des mouchards : on peut avouer qu'on aime les gardes, on avoue moins légèrement qu'on aime les policiers (...) P. NIZAN, le Cheval de Troie, II, VII.

N'en déplaise aux auteurs de romans, le policier est avant tout un professionnel. 4.1
C'est un *fonctionnaire.* G. SIMENON, les Mémoires de Maigret, p. 171.

Par ext. Personne qui se comporte comme un policier. ⇒ **Flic** (familier).

Le révolutionnaire est en même temps révolté ou alors il n'est plus révolutionnaire, 5
mais policier et fonctionnaire (...) CAMUS, l'Homme révolté, p. 306.

Par ext. Détective privé (→ Gangster, cit. 2). *Policier amateur.*

POLICLINIQUE [pɔliklinik] n. f. — 1855; du grec *polis* «ville», et *clinique.*

♦ **1.** Vx. Enseignement médical que l'on donne en conduisant les élèves en ville auprès de malades non hospitalisés. ⇒ **Clinique.**

♦ **2.** Mod. Établissement, parfois annexé à un hôpital, où l'on donne des soins à des malades qui ne sont pas hospitalisés, et où se tiennent également des cours d'enseignement médical ayant trait aux malades qui viennent en consultation. — REM. Le mot est souvent confondu avec *polyclinique.*

HOM. Polyclinique.

POLIGNAC [pɔliɲak] n. m. — 1874; «mauvais cheval», 1835, H. Monnier; de *Polignac,* nom d'un ministre de Charles X.

Anciennement.

♦ **1.** Jeu de cartes*, dans lequel chaque joueur doit chercher à se débarrasser des valets qu'il a en main, et, particulièrement, du valet de pique ou *polignac.*

♦ **2.** Le valet de pique, à ce jeu (qui correspond à la plus mauvaise carte).

POLIMENT [pɔlimɑ̃] adv. — 1544; *poliement,* v. 1390; de 1. *poli.*

♦ **1.** Vx. Avec élégance (⇒ 1. **Poli,** 1.; **politesse,** 1.).

♦ **2.** D'une manière polie, avec courtoisie. ⇒ **Civilement, courtoisement.** *Traiter* (→ 1. Gens, cit. 17), *saluer qqn poliment* (→ Marquer, cit. 38). *Refuser poliment.* ⇒ **Éconduire.**

Puis, assis contre la vitrine, toujours en paletot, rasé et peigné, il causait poliment, 1
avec les manières d'un homme qui aurait reçu de l'instruction.
ZOLA, l'Assommoir, VIII, t. II, p. 4.

Lucas salua poliment et, sans familiarité, demanda au scribe si le capitaine Ximé- 2
nès se trouvait dans les bureaux du lieutenant-colonel d'état-major.
P. MAC ORLAN, la Bandera, IX.

CONTR. Impoliment.

POLIO [pɔljo] n. — XXe; abrév. de *poliomyélite.*

♦ **1.** N. f. Poliomyélite. *Attraper, avoir la polio.*

Ce qu'il m'aurait fallu, dans le fond, c'est une infirmité (...) Une jambe ratatinée par la polio, ou bien un pied bot, ou une bosse sur le dos. Quelque chose qui fait mal, qu'on voit de loin. J.-M.G. LE CLÉZIO, le Déluge, p. 261.

♦ **2.** N. Poliomyélitique. *Un, une polio. Les petits polios.*

POLIOENCÉPHALITE [pɔljoɑ̃sefalit] n. f. — 1896; de *polios* «gris» (→ Poliomyélite), et *encéphalite.*

♦ Méd. Atteinte inflammatoire de la substance grise de l'encéphale, due à des virus. *Polioencéphalite inférieure; supérieure.*

POLIOMYÉLITE [pɔljɔmjelit] n. f. — 1892; grec *polios* «gris», et *muelos* «mœlle».

♦ Méd. Inflammation ou atteinte dégénérative de la substance grise de la moelle* épinière. ⇒ **Myélite.** — *Poliomyélite postérieure* (inflammation des cornes postérieures). ⇒ aussi **Zona.** *Poliomyélite antérieure aiguë de l'enfance* ou *maladie de Heine-Medin,* qui atteint surtout les jeunes enfants et se présente sous deux formes, l'une sporadique *(paralysie spinale infantile)* et l'autre épidémique.

Spécialt. (Cour.). Maladie infectieuse et contagieuse d'origine virale qui atteint les cornes antérieures de la moelle épinière et se manifeste essentiellement par des paralysies progressives pouvant atteindre les centres respiratoires du bulbe. *Poliomyélite aiguë de l'adulte. Poliomyélite chronique. La poliomyélite, maladie due à des virus, s'accompagne ordinairement de paralysie plus ou moins étendue; elle entraîne parfois la mort. Vaccin contre la poliomyélite.* ⇒ **Antipoliomyélitique.** *Être atteint de la poliomyélite,* ou, fam., *de la polio. Séquelles d'une poliomyélite.*

REM. Pour désigner la *poliomyélite,* la langue médicale évite l'expression *paralysie infantile,* qui fut longtemps employée dans le langage courant.

Les hommes et les femmes, ils pouvaient échapper à tous les massacres et à toutes les guerres, ils pouvaient sortir indemnes des poliomyélites et des accidents de chemin de fer, mais ils n'échapperaient pas à leurs enfants.
J.-M.G. LE CLÉZIO, la Fièvre, p. 223.

DÉR. Poliomyélitique.
COMP. Antipoliomyélitique. — Poliovirus.

POLIOMYÉLITIQUE [poljomjelitik] adj. et n. — xxe; de *poliomyélite.*

♦ **1.** Relatif à la poliomyélite.

♦ **2.** Qui est atteint de poliomyélite. — N. *Un, une poliomyélitique.* ⇒ **Polio** (2.).

Il vit des groupes de fillettes allant ou revenant de l'école (...) des gens qui traînaient. Des boiteux, des poliomyélitiques, des unijambistes.
J.-M. G. LE CLÉZIO, le Déluge, p. 124.

POLIORCÉTIQUE [poljɔʀsetik] adj. et n. f. — 1846; grec *poliorkêtikos.*

♦ Didact. (antiq.). Qui appartient, qui est relatif à la technique du siège des villes. — N. f. *La poliorcétique :* la technique du siège des villes.

1 Titus conduisit l'opération *(le siège de Jérusalem)* avec un savoir consommé; jamais les Romains n'avaient montré une poliorcétique aussi savante.
RENAN, l'Antéchrist, XIX, Œ. compl., t. IV, p. 1426.

2 Ah! Tu souffres mon humaniste! Ça foire ton coup d'État (...) Quel mal pouvaient infliger à mes cohortes chéries, endurcies tes soldats péquenots! tes jardiniers bucoliques! tes maraîchers! tes paysagistes plus versés dans la question du fumier chimique ou biologique que dans l'art de la poliorcétique! Ah! Laka tu ne sais même pas ce que c'est que la poliorcétique (...)
P. GRAINVILLE, les Flamboyants, p. 295.

POLIOVIRUS [poljoviʀys] n. m. — xxe; de *polio (myélite),* et *virus.*

♦ Méd., biol. Virus de la poliomyélite (dont on connaît trois types). *Poliovirus atténué,* dépourvu de pouvoir pathogène, employé couramment pour la vaccination contre la poliomyélite.

POLIR [poliʀ] v. tr. — V. 1180; du lat. *polire.*

♦ **1.** Rendre lisse, uni, luisant par le polissage*, par un frottement plus ou moins prolongé. ⇒ **Adoucir, aléser, aplanir, brunir, débrutir, doucir, égaliser, égriser, gratteler, gréser, limer,** 1. **planer,** 2. **poli** (donner le poli), **poncer, raboter, ragréer** (→ aussi Glacer, lisser, lustrer). *Ouvrier qui polit les glaces,* etc. ⇒ **Polisseur.** *Substances utilisées pour polir les surfaces :* bort, égrisé, émeri, papier-émeri* et papier de verre*, pierre à polir (périgueux), pierre* ponce, tripoli... ⇒ **Abrasif.** *Machines, outils qui servent à polir.* ⇒ **Brunissoir, lime, lissoir, lustroir, meule, polissoir.** — *Polir les casseroles.* ⇒ **Astiquer, fourbir, frotter.** *Polir ses ongles* (→ Mirer, cit. 1). *Se polir les ongles.*

1 Chacun se mettait à la petite poulie, au petit objet, dont la toilette lui était particulièrement confiée, et le polissait avec sollicitude, se reculant de temps en temps d'un air entendu pour voir si ça reluisait, si ça faisait bien.
LOTI, Mon frère Yves, XCII.

2 En polissant le bois avec patience, le vieux bois travaillé par les hommes, elle tendait le buste en avant et portait, sur la cire odorante, ses mains laborieuses. La cire douce pénétrait dans cette matière polie sous la pression des mains et la chaleur utile de la laine. H. BOSCO, le Jardin d'Hyacinthe, p. 192.

Fam. et vulg. (Faux pron.). *Se polir le chinois, la colonne :* se masturber (en parlant d'un homme).

♦ **2.** (XVIe). Fig., vx. Rendre poli. ⇒ 1. **Poli** (1.). *Polir l'esprit* (⇒ **Cultiver, orner**), *le goût* (⇒ **Affiner, épurer**), *une langue... Polir une nation.* ⇒ **Civiliser.** *Polir la rudesse des mœurs* (→ Apprivoiser, cit. 4).

Vieilli ou littér. Rendre plus doux, moins farouche; initier aux usages du monde; accoutumer aux concessions qu'exige la vie en société. ⇒ **Apprivoiser, assouplir** (cit. 2), **civiliser** (fam.), **dérouiller** (fam.). *« Ce terrible frottement de la vie parisienne qui polit les caractères »* (→ Aplanir, cit. 3, Fromentin).

3 (...) elle fut bonne pour lui, bonne avec grandeur, elle se l'attacha en s'attachant à lui, en polissant elle-même ce caractère à demi-sauvage, sans lui enlever sa verdeur ni sa simplicité.
BALZAC, Une ténébreuse affaire, Pl., t. VII, p. 485.

♦ **3.** (XVIIe; → ci-dessous Poli, p. p. adj., 2.). Composer (un ouvrage), rédiger avec un grand souci du détail; mettre la dernière main à (un texte) en vue de le parfaire. ⇒ **Fignoler** (fam.), **finir, parachever, parfaire, peaufiner, perfectionner** (cit. 3). *Polir une dissertation* (→ Étoffer, cit. 2), *une épigramme* (⇒ **Aiguiser**), *un factum* (cit. 1). ⇒ **Fourbir** (fig.). *Polir son style.* ⇒ **Châtier, ciseler, corriger, fignoler** (fam.), **lécher** (fam.), **limer.**

4 Vingt fois sur le métier remettez votre ouvrage :
Polissez-le sans cesse et le repolissez (...)
BOILEAU (→ Cesse, cit. 5).

5 Son unique plaisir était de limer, polir ses discours assez purs, mais parfaitement incolores; il se défit par le travail de sa facilité vulgaire, et parvint peu à peu à écrire difficilement. MICHELET, Hist. de la Révolution franç., IV, V.

Il avait médité sa phrase, il l'avait arrondie, polie, rythmée (...) 6
FLAUBERT, Mme Bovary, III, II.

▶ **SE POLIR** v. pron. (passif).

♦ **1.** Devenir lisse. *Un corps qui se polit par le frottement.*

♦ **2.** Fig. S'adoucir; s'affiner.

Cette passion, qui n'était que dans le ton, tenait au feu de la jeunesse; cette première rudesse, que l'abbesse voudrait enlever, se polira vite dans le monde et à la cour. SAINTE-BEUVE, Causeries du lundi, 3 juin 1850. 7

Il faisait observer sans cesse à ses disciples que les plus âpres lois se polissaient merveilleusement par l'usage, et que la clémence du temps est plus sûre que celle des hommes. FRANCE, les Opinions de J. Coignard, Œ., t. VIII, p. 326. 8

▶ **POLI, IE** p. p. adj.

♦ **1.** Lisse, brillant. *Parties polies d'une pièce d'orfèvrerie.* ⇒ **Bruni.** *Armure polie.* ⇒ **Clair, éclatant** (→ Fourbir, cit. 1). *Surface polie comme un miroir* (→ Parfait, cit. 3). *Caillou, galet poli.* ⇒ **Lisse** (→ Montrer, cit. 8). *Pierre précieuse polie.* ⇒ **Cabochon.** — *Âge de la pierre polie.* ⇒ **Néolithique.** *Ébène* (→ Déployer, cit. 5), *jaspe* (→ Étoile, cit. 30), *marbre poli.* — *Corps* (→ Cuivre, cit. 2; harem, cit. 2), *front* (→ Ovale, cit. 4), *crâne poli* (→ Perruque, cit. 2). *Gorge* (cit. 10), *chair polie* (→ Marmoréen, cit. 1). *Épaules polies* (→ Emperler, cit. 1). — (En parlant d'un animal dont le poil est luisant → Attaquer, cit. 13).

En grêles notes d'or, sur les graviers polis, 9
Les eaux vives, filtrant et pleuvant goutte à goutte.
LECONTE DE LISLE, Poèmes tragiques, « Dans le ciel clair ».

Il n'y avait aucun souffle d'air; c'était un de ces jours secs et calmes d'automne, où la mer polie semble froide et dure comme de l'acier. 10
MAUPASSANT, Pierre et Jean, IX.

(...) ce bras, dur et poli et doré comme une belle chose d'ivoire césarien. 11
MONTHERLANT, le Songe, I, XIII.

♦ **2.** Par métaphore (en parlant d'un écrit, du style...). ⇒ **Fini** (→ Composer, cit. 28). *« Quand un ouvrage sent la lime, c'est qu'il n'est pas assez poli »* (→ Huile, cit. 29, Joubert). *Style poli.* ⇒ **Châtié, soigné** (→ Fard, cit. 10).

(En parlant d'une personne). *« J'ai pris de la patine* (cit. 4); *je suis poli aux angles »* (Duhamel).

CONTR. Dépolir, ternir. — (Du p. p.) **Âpre, rugueux.** — **Mat.**
DÉR. 1. **Poli,** 3. **poli, polissable, polissage, polisseur, polissoir, polissoire, polissure.** — (Du même rad.) V. **Polisson.**
COMP. Dépolir, repolir.
HOM. (Du p. p.) 1. **Poli,** 3. **poli.**

POLISH [poliʃ] n. m. — 1931; mot angl., « action de polir; cirage », de *to polish* « polir ».

♦ Anglic. Produit que l'on applique en dernier (sur une peinture, notamment la peinture d'une automobile) pour donner un aspect brillant et lisse.

L'après-midi, nous nous occuperons de la carosserie. Le matin, avant de commencer, nous aurons fait un bon lavage. L'après-midi, tout sera bien sec. Il y a un certain nombre de raccords à faire à la peinture. Avec mon mélange qui est déjà tout préparé, et le pistolet, ce ne sera pas très long. Ensuite un bon coup de polish, et une simonization par là-dessus. J'étendrai le produit, et tu frotteras. Tu verras, c'est amusant.
J. ROMAINS, les Hommes de bonne volonté, t. XXVII, p. 193.

POLISSABLE [polisabl] adj. — XVe-XVIe; de *polir.*

♦ Qui est susceptible d'être poli(e), de recevoir le poli. *Métal, matière polissable. Surface polissable.* — Fig., littér. *Son esprit n'est pas polissable.*

POLISSAGE [polisaʒ] n. m. — 1749; de *polir.*

♦ **1.** Techn. Opération qui consiste à polir* un objet, une substance, à lui donner le poli. *Polissage à la meule* (⇒ aussi **Éclaircissage, grésage**), *à la lime*. Polissage des métaux en métallurgie** (superfinition). *Le polissage, opération d'ajustage*. Polissage mécanique. Polissage électrique ou électrolytique. Polissage de l'acier. Polissage des lames en coutellerie. Polissage de l'argent, de l'or en bijouterie et en orfèvrerie.* ⇒ **Brunissage.** *Polissage du verre en glacerie. Polissage du marbre. Polissage du bois.* ⇒ **Ponçage.** — *Polissage des étoffes, des ficelles, du papier* (→ 1. Lissage, lustrage).

Le *polissage* est une opération que l'on fait subir à certains corps solides pour en *dresser,* c'est-à-dire en aplanir la surface, lui donner de *l'uni* et de *l'éclat.* Les corps que l'on veut polir doivent réaliser certaines conditions : ils doivent être assez durs, avoir un grain fin, et pouvoir être entamés par les outils dont on dispose. Il en est, comme le diamant, qui ne peuvent être polis qu'avec leur propre poussière. J.-F. BOIS, *in* POIRÉ, Nouveau dict. des sciences, art. *Polissage.* 1

(...) le frottement ignifuge peut être rapproché du polissage qui s'oppose à la brutalité de la taille directe de la pierre ou du bois. Ce polissage est surtout utilisé à la confection des parures et nous laisse entrevoir un développement esthétique des rêveries relatives au frottement. Il est à remarquer que ce polissoir-perceuse, à corde ou à toupie, utilisé pour le percement des perles par les Japonais et de nombreuses peuplades du Pacifique est très semblable au briquet à archet. 2
Gilbert DURAND, les Structures anthropologiques de l'imaginaire, p. 382-383.

(Cour.). *Polissage des cuivres* (cit. 5) *au tripoli, de la vaisselle* (⇒ **Polissure**). *Polissage des ongles.*

(1873, cit.). Géol. *Polissage glaciaire.* ⇒ 3. **Poli** (glaciaire).

3 La formation des glaciers, leur marche, la création du *névé* et des dépôts des *moraines*, les phénomènes du *striage* et du *polissage* des roches par les anciens glaciers (...) L. FIGUIER, l'Année scientifique et industrielle 1874, p. 561 (1873).

♦ **2.** Par métaphore ou fig. Le fait de polir (2. et 3.). *Le polissage des esprits ; d'une œuvre.*

4 L'erreur, la plus grave, à mon avis, est littéraire — elle est dans le dédain que ce beau génie *(Lamartine)*, si pur dans ses moments de bonheur et d'inspiration, manifesta de tout temps pour l'humble talent, pour le polissage de ses dons, pour la sévérité envers soi-même. Émile HENRIOT, les Romantiques, p. 108.

POLISSEUR, EUSE [polisœʀ, øz] n. — 1389 ; de *polir.*

Technique.

♦ **1.** Ouvrier, ouvrière qui polit une substance, un objet. *Polisseur en bijouterie* (brunisseur-polisseur), *en coutellerie, glacerie, horlogerie... Polisseur en pierres fines et camées. Polisseur sur acier, sur métaux.*

1 Comment oublier ici ces admirables manœuvres (...) qui ressemblent à ces infatigables polisseurs dont la lime lèche les porphyres les plus durs ! BALZAC, l'Illustre Gaudissart, Pl., t. IV, p. 13.

♦ **2.** N. f. (1963). **POLISSEUSE** : machine à polir le marbre, la pierre. ⇒ **Polissoir.**

♦ **3.** (1631, Saint-Amand, *in* D.D.L.). Fig., vx (langue class.). Personne qui polit les mœurs, qui rend poli, plus poli.

2 La petite femme *(la fille de Louvois)* est à cet hôtel de La Rochefoucauld, toute gaillarde et toute drue ; si elle ne se polit avec tant de polisseurs et de polisseuses, il faudra conclure que l'éducation est une fable de La Fontaine. Mme DE SÉVIGNÉ, Correspondance, 1er déc. 1679.

POLISSOIR [poliswaʀ] n. m. — V. 1536 ; de *polir.*

♦ Techn. Outil ou machine qui sert à polir. *Polissoir à deux meules. Polissoir-perceuse à corde* (→ Polissage, cit. 2). *Polissoir de bijoutier, de coutelier* (⇒ **Polissoire**), *de sellier. — Polissoir à ongles.*

Elle courait à la chambre, s'asseyait et empoignait le polissoir. Ils la trouvaient assise, un filet à cheveux sur la tête, la langue un peu tirée, en train de polir ses ongles. COCTEAU, les Enfants terribles, p. 96.

Archéol. Se dit des fragments de roche qui, à l'âge de pierre, servaient à polir les instruments de silex.

HOM. Polissoire.

POLISSOIRE [poliswaʀ] n. f. — 1611 ; *polissouere* « brosse de jonc pour polir » ; de *polir.*

Technique.

♦ **1.** Meule de bois qui sert à polir les couteaux. ⇒ **Polissoir.** — Variété de brosse à chaussures.

♦ **2.** Atelier où s'effectue le polissage des épingles.

HOM. Polissoir.

POLISSON, ONNE [polisɔ̃, ɔn] n. et adj. — 1616, « gueux vagabond » (qui revend les vêtements qu'il a mendiés) ; de l'anc. argot *polir* « vendre ». → mod. (argot) *laver, nettoyer,* au sens de « écouler après avoir volé ».

★ **I.** N. ♦ **1.** Vieilli. Enfant (surtout garçon) mal tenu, mal élevé, qui traîne dans les rues. ⇒ **Galapiat, galopin, gamin** (→ Passe-temps, cit. 2). *Vagabonder dans les rues comme un polisson.* ⇒ **Polissonner.**

Les polissons de la ville étaient devenus mes plus chers amis : j'en remplissais la cour et les escaliers de la maison. Je leur ressemblais en tout ; je parlais leur langage ; j'avais leur façon et leur allure ; j'étais vêtu comme eux, déboutonné et débraillé comme eux ; mes chemises tombaient en loques (...) je traînais de méchants souliers éculés (...) J'avais le visage barbouillé, égratigné, meurtri, les mains noires. CHATEAUBRIAND, Mémoires d'outre-tombe, t. I, p. 49.

♦ **2.** (1762). Mod. Enfant espiègle*, désobéissant. *Cet écolier est un polisson. Vilaine polissonne ! —* (Employé parfois comme terme d'amitié en parlant à un enfant espiègle). *Petit polisson, va ! —* Adj. *Elle est polissonne, cette mioche !*

♦ **3.** N. m. Vieilli. Homme qui dit ou fait des plaisanteries qui ne sont plus de son âge, qui se conduit comme un enfant espiègle. — N. m. et adj. Vx. (Homme) sans mérite, méprisable (→ Cravache, cit. 1). ⇒ **Drôle.**

♦ **4.** Vieilli. Personne portée à la licence dans ses manières, ses propos (⇒ **Débauché**).

Adj. (1685). Mod. (Choses). Quelque peu grivois, licencieux. ⇒ **Canaille, égrillard, libertin, licencieux, paillard.** *Allusion, chanson polissonne. Conte polisson* (→ Histoire, cit. 41). *Certaines peintures du XVIIIe siècle sont polissonnes sans être toutefois obscènes. — Des yeux, des regards polissons.* ⇒ **Fripon.** *Des mains polissonnes.*

★ **II.** N. m. (1823, *in* Larchey). Vx. Linge empesé porté par les femmes sous les jupes, pour donner de l'ampleur (⇒ **Tournure**).

DÉR. Polissonner, polissonnerie.

POLISSONNER [polisɔne] v. intr. — 1718 ; de *polisson.*

♦ **1.** Vx. Badiner, plaisanter de manière bouffonne, espiègle ou puérile.

♦ **2.** Vieilli. Se livrer à des actes, tenir des propos plus ou moins licencieux.

Cette table, assez nombreuse, était très gaie sans être bruyante, et l'on y polissonnait beaucoup sans grossièreté. Le vieux commandeur, avec tous ses contes gras, quant à la substance, ne perdait jamais sa politesse de la vieille cour (...) ROUSSEAU, les Confessions, VII.

♦ **3.** Mod. Être polisson (en parlant d'un enfant). → Charpie, cit. 2.

POLISSONNERIE [polisɔnʀi] n. f. — 1695 ; de *polisson.*

♦ **1.** Cour. *(Une, des polissonneries).* Action d'un enfant espiègle, turbulent (→ Diable, cit. 37).

La polissonnerie d'un enfant, son naturel polisson, espiègle.

♦ **2.** Vx. *(La polissonnerie).* Manière de vivre de polisson, de jeune dévoyé. *Basse polissonnerie.* ⇒ **Canaillerie.**

Les goûts les plus vils, la plus basse polissonnerie, succédèrent à mes aimables amusements, sans m'en laisser même la moindre idée. 1
ROUSSEAU, les Confessions, I.

♦ **3.** Vx. *(Une, des polissonneries).* Badinage, plaisanterie bouffonne, espiègle ou puérile (cf. Rousseau, *les Confessions,* III, p. 168). Spécialt. Se dit d'actes ou de propos plus ou moins licencieux, de chansons (→ Mesure, cit. 32), de peintures polissonnes*.

(...) les polissonneries de Baudouin et des Biard du XVIIIe siècle, où une porte entrebâillée permet à deux yeux écarquillés de surveiller le jeu d'une seringue entre les appas exagérés d'une marquise. 2
BAUDELAIRE, Curiosités esthétiques, IX, VI.

Alors ce fut une pluie de polissonneries à double sens qui faisaient un peu rougir la mariée, toute frémissante d'attente. 3
MAUPASSANT, Contes de la Bécasse, « Farce normande ».

♦ **4.** *(La polissonnerie).* Caractère quelque peu licencieux.

Elles étaient un mélange de candeur, de polissonnerie poétique, et d'ironie parisienne. Elles disaient des choses énormes sans s'en douter ; et de choses toutes simples elles se faisaient des mondes. 4
R. ROLLAND, Jean-Christophe, « Les amies », p. 1105.

POLISSURE [polisyʀ] n. f. — 1520 ; de *polir.*

Vieux, littéraire.

♦ **1.** Éclat, aspect dur et lisse d'une chose polie. ⇒ 2. **Poli** (→ Artistement, cit. 1).

Matho effleurait les dalles incrustées d'or, de nacre et de verre ; et malgré la polissure du sol, il lui semblait que ses pieds enfonçaient comme s'il eût marché dans des sables. FLAUBERT, Salammbô, V.

♦ **2.** Action de polir, d'astiquer (qqch). ⇒ **Fourbissage, polissage.** *Polissure de la vaisselle.*

POLISTE [polist] n. f. ou m. — 1839 ; grec *polistês* « bâtisseur de ville ».

♦ Zool. Insecte hyménoptère *(Vespidés)*, guêpe* qui vit dans un nid de plein air formé d'un seul rayon de cellules fixé à une branche ou sous une pierre.

POLITESSE [politɛs] n. f. — 1659 ; « propreté », 1578 ; ital. *politezza,* de *polito.* → 1. Poli.

♦ **1.** (XVIIe). Vx (langue class.). Délicatesse, élégance, raffinement, bon goût. ⇒ 1. **Poli.** *« La politesse de l'esprit consiste à penser des choses honnêtes et délicates »* (La Rochefoucauld, *Maximes,* 99). *« Il a de la politesse dans sa table, dans ses habits, dans ses ameublements, dans son équipage »* (Académie, 1694). — *La politesse du style, du langage.*

Vx. Civilisation, culture, raffinement d'une nation, d'une société « polie ». *Carthage fut célèbre par sa politesse et par ses écoles* (→ Métropole, cit. 2).

♦ **2.** (XVIIe). Mod. Ensemble des règles, des usages qui régissent le comportement, le langage à adopter dans une civilisation et un groupe social donnés (⇒ **Bienséance**) ; le fait de connaître et d'observer ces usages ; la manière particulière dont une personne les applique. ⇒ **Affabilité, amabilité, aménité, civilité** (cit. 4), **complaisance, courtoisie, déférence, galanterie, honnêteté** (cit. 16, vieilli), **tact, urbanité** (→ Apparence, cit. 20, La Bruyère). *Le code de la politesse britannique.* ⇒ **Cérémonial, code** (cit. 6). *La politesse chinoise, orientale, française. —* Absolt (la politesse pratiquée dans le groupe auquel appartient le locuteur). *Acte, devoir de politesse. La politesse exige que...* ⇒ **Décence, ton** (bon ton). *Faire une visite* de politesse à qqn* (⇒ **Saluer, visiter**). *Le baisemain, la poignée de main, gestes* *de politesse. Avoir de la politesse* (→ Lécher, cit. 9), *manquer de politesse.* ⇒ **Éducation, manière** (*infra* cit. 44), **savoir-vivre, usage.** *Observer la politesse. « Être sans monde** (*supra* cit. 50) *et sans politesse ».* ⇒ **Impoli.** *Manquer à la politesse due à qqn.* ⇒ **Égard** (les égards), **respect.** *S'initier à la politesse* (cf. Acquérir des manières). — *Une extrême politesse* (→ Distant, cit. 5; espion, cit. 6). *Politesse exacte* (⇒ **Correction;** → Patricien, cit. 5), *stricte. Politesse exquise* (cit. 8), *maniérée* (→ Façon, cit. 47), *raffinée* (→ Diplomate, cit. 2). *Politesse compassée* (cit. 3), *distante* (→ Bref, cit. 6), *froide, glacée* (cit. 24), *impersonnelle* (cit. 4). *Une politesse insultante* (cit. 2), *méprisante... Politesse obséquieuse* (cit. 2). ⇒ **Obséquiosité, servilité.** — (1842). Vx. *Politesse de marchand,* intéressée. — *La politesse du cœur :* l'affabilité, la courtoisie qui est inspirée par un sentiment sincère, et non par le simple désir de se conformer aux usages mondains.

1 (...) dans le commerce du monde (...) la politesse des hommes est plus officieuse, et celle des femmes plus caressante. Cette différence n'est point d'institution, elle est naturelle. L'homme paraît chercher davantage à vous servir, la femme à vous agréer.
ROUSSEAU, Émile, V.

2 — *Politesse dans l'inférieur,* signe de son état; *dans le supérieur,* signe de son éducation : aussi, malgré la Révolution, celui-ci continue pour n'avoir pas l'air d'avoir perdu son éducation, tandis que l'homme du peuple cesse d'être poli pour prouver qu'il a changé d'état. Il brave, il insulte, parce qu'il obéissait autrefois, parce qu'il flattait : c'est à ce signe qu'il reconnaît l'égalité.
RIVAROL, Politique, IV, « Généralité ».

3 La politesse, cher enfant, consiste à paraître s'oublier pour les autres; chez beaucoup de gens, elle est une grimace sociale qui se dément aussitôt que l'intérêt trop froissé montre le bout de l'oreille, un grand devient alors ignoble. Mais (...) la vraie politesse implique une pensée chrétienne; elle est comme la fleur de la charité, et consiste à s'oublier réellement.
BALZAC, le Lys dans la vallée, Pl., t. VIII, p. 889.

4 (...) dans une société égalitaire la politesse disparaîtrait, non, comme on croit, par le défaut de l'éducation, mais parce que chez les uns disparaîtrait la déférence due au prestige qui doit être imaginaire pour être efficace, et surtout chez les autres l'amabilité qu'on prodigue et qu'on affine quand on sent qu'elle a pour celui qui la reçoit un prix infini, lequel dans un monde fondé sur l'égalité tomberait subitement à rien, comme tout ce qui n'avait qu'une valeur fiduciaire.
PROUST, le Côté de Guermantes, Pl., t. II, p. 455.

5 (...) la politesse n'exprime plus un état de l'âme, une conception de la vie. Elle tend à devenir un ensemble de rites, dont le sens originel échappe, la succession, dans un certain ordre, de grimaces, hochements de tête, gloussements variés, sourires standard — réservés à une catégorie de citoyens dressés à la même gymnastique.
BERNANOS, les Grands Cimetières sous la lune, p. 44.

6 Les vieilles civilisations se reconnaissent à l'excellence de leur cuisine et au raffinement de leur politesse.
G. DUHAMEL, Chronique des saisons amères, II, IX.

Formules de politesse, employées dans la conversation, dans une lettre. ⇒ **Formule.** *Principales formules écrites et orales de politesse :* veuillez agréer* (mes salutations* distinguées, l'expression de mes sentiments dévoués, respectueux, l'assurance de ma considération* distinguée...); c'est trop aimable à vous de... auriez-vous la bonté*, l'obligeance de...; cher* Monsieur, chère Madame; dites-lui bien des choses* de ma part; je vous charge de mes compliments* pour Monsieur X; je suis confus* de ce que vous faites pour moi; daignez* accepter, agréer...; je vous demande* la liberté de...; vous devez* (*infra* cit. 31) faire erreur; votre dévoué*, bien dévoué...; mille excuses*, veuillez m'excuser*; faites-moi la grâce* de...; me ferez-vous l'honneur* de..., j'ai l'honneur* de...; merci*; pardon*; donnez-vous la peine* de...; voulez-vous me permettre* de..., je me permettrai* de...; avec votre permission*; si je n'avais peur* de vous déranger; s'il vous plaît; voulez-vous me faire le plaisir* de...; je prends* la liberté de...; je vous présente* (mes hommages*, mes respects*...); je vous en prie*; je suis à votre service* pour..., pour vous servir*; je suis votre serviteur*, votre servante (vx); bien sincères* (condoléances, félicitations...); rappelez-moi à son bon souvenir*; je suis tout* à vous; amicalement, cordialement, sincèrement vôtre*; veuillez, je vous prie de vouloir bien, de bien vouloir..., (→ Vouloir).

Gramm. *Pluriel de politesse* (emploi de *vous* au lieu de *tu*). *Conditionnel, futur, imparfait de politesse* (ex. : je *voudrais...;* je vous *demanderai* de m'attendre cinq minutes; je *venais* vous demander de...).

Dire, faire qqch. par politesse. ⇒ **Complaisance, convenance** (→ Euphémisme, cit. 2; peloter, cit. 2).

7 (...) mes consolations étaient molles. J'avais l'air de ne la détromper que par politesse.
R. RADIGUET, le Diable au corps, p. 78.

Loc. *Brûler** *la politesse, fausser* (cit. 3) *politesse à qqn* (→ Fausser* compagnie).

Allus. hist. *« L'exactitude** *est la politesse des rois ».*

Par métaphore. *« La clarté* (cit. 13) *est la politesse de l'homme de lettres »* (Renard).

8 La vertu n'est peut-être que la politesse de l'âme.
BALZAC, Physiologie du mariage, Pl., t. X, p. 631.

♦ **3.** (1737). *Une, des politesses.* Action, parole exigée par la politesse, qu'on fait ou qu'on dit pour se conformer aux usages. ⇒ **Gracieuseté, honnêteté** (vx). *Les politesses de préséance* (→ Interpeller, cit. 1). *Échange de politesses. Faire des politesses. Se confondre* (cit. 14) *en politesses.* ⇒ **Cérémonie, salamalec** (fam.), **salutation** (fam.). *Devoir, faire une politesse à qqn.* — Loc. *Rendre une, la politesse à qqn,* fig. rendre la pareille.

C'est une politesse du pays, il faut roter après les repas. Je m'en acquitte mal. 9
FLAUBERT, Correspondance, 252, 13 mars 1850.

Et il jeta aux charretiers un salut cordial, qui n'était pas dans ses habitudes. Mais 10
les charretiers grognèrent à peine, détournèrent un regard maussade, et firent des hu-hau et des claquements de fouet, comme si l'urgence de leur besogne leur interdisait de vaines politesses.
J. ROMAINS, les Hommes de bonne volonté, t. V, XXVII, p. 290.

CONTR. Barbarie, rudesse, rusticité, sauvagerie. — Arrogance, brutalité, grossièreté, impertinence, impolitesse, incivilité, inconvenance, incorrection, insolence, malhonnêteté.

COMP. Impolitesse.

POLITICAILLER

POLITICAILLER [pɔlitikaje] v. intr. — 1904; de *politique,* n. f., et suff. péj. *-ailler.*

Familier, péjoratif.

♦ **1.** Faire de la basse politique.

♦ **2.** Parler de politique de manière oiseuse.

POLITICAILLERIE

POLITICAILLERIE [pɔlitikajʀi] n. f. — 1907; *politiquaillerie,* 1877; de *politique,* n. f., et suff. péj. *-aillerie.*

♦ Fam. Basse politique (→ Politicard). — REM. On trouve la var. *politicaille :*

(...) en discutant métaphysique ou politicaille.
Catherine PAYSAN, l'Empire du taureau, p. 116.

POLITICAILLEUR, EUSE

POLITICAILLEUR, EUSE [pɔlitikajœʀ, øz] n. — V. 1850, Baudelaire, *politiquailleur;* du rad. de *politique, politicien,* et suff. péj. *-ailleur.*

♦ Péj. ⇒ **Politicard.**

(...) je me suis battue, pendant huit ans, contre les ouvriers noirs et les mulâtres, contre leur paresse, leurs ruses de gosses pour arriver à en faire le moins possible, battue contre les politicailleurs du cru, contre ceux qui font fortune sur le dos des pauvres gens qu'ils trompent et qu'ils essaient de nous lancer à la gorge.
Roger VERCEL, l'Île des revenants, p. 146.

POLITICAILLON, ONNE

POLITICAILLON, ONNE [pɔlitikajɔ̃, ɔn] n. — Mil. xxe; du rad. de *politicien, politique,* et suff. péj. *-aillon.*

♦ Péj. Petit politicien.

POLITICARD, ARDE

POLITICARD, ARDE [pɔlitikaʀ, aʀd] n. et adj. — 1881, au masc., *politiquard;* du rad. de *politicien, politique,* et suff. péj. *-ard.*

♦ Politicien de bas étage. Syn. : *politicailleur, politicaillon.*

Sur le flanc de ces régiments, je revoyais, ceints d'écharpes en arc-en-ciel, les anciens avocassiers ou politiquards.
J. VALLÈS, le Réveil, 5 déc. 1881, *in* D. D. L., II, 2.

Adj. *Le langage politicard.*

POLITICIEN, IENNE

POLITICIEN, IENNE [pɔlitisjɛ̃, jɛn] n. et adj. — 1779, Beaumarchais, *« grand politicien ou politiqueur »* (*Œuvres,* V, 30); repris 1865 à propos de politiciens américains; angl. *politician* (xvie), de *politics,* du franç. *politique.*

♦ **1.** N. Personne qui exerce une action, une influence politique au gouvernement ou dans l'opposition. ⇒ **État** (homme d'État), 1. **politique** n. m. *Lamartine, poète et politicien.*

Il *(Gandhi)* est religieux par nature, politicien par nécessité. À mesure que la poussée des événements et la disparition des autres chefs de la nation l'obligent à assumer la charge de gouverner le navire dans la tempête, le caractère politique et pratique de son action s'affirme. 1
R. ROLLAND, Mahatma Gandhi, p. 33 (→ Pensée, cit. 22).

Haverkamp découvre soudain que l'homme le plus riche du monde, pour modifier une ville comme Paris, aurait moins de force qu'un fonctionnaire ou qu'un politicien (...) Il affectait d'attribuer peu de prix à toute activité d'obédience politique, à ce qui relève des soi-disant « autorités », à ce qui se nomme Administration ou État. 2
J. ROMAINS, les Hommes de bonne volonté, t. XVIII, p. 138.

(...) elle excelle à noter le caractère des gens au milieu desquels évoluait son magnifique époux *(Chateaubriand),* et à débrouiller en politicienne accomplie le dessous compliqué des affaires où son ambition le mêla, tant sous le règne de Bonaparte qu'après le retour des Bourbons (...) 3
Émile HENRIOT, Portraits de femmes, p. 278.

Péj. Personne qui fait profession de la politique et en utilise tous les moyens. ⇒ **Politicard** (et syn.). *Politicien qui trouve des arguments* (cit. 7) *patriotiques pour justifier une thèse. Vos chefs sont des politiciens* (→ Opposition, cit. 8). *Écrivassiers et politiciens qui se gargarisent* (cit. 5) *d'un mot. Politicien démagogue, machiavélique, opportuniste... Politicien véreux.*

Chacun, aux États-Unis, a sa fortune à faire et peu de temps à donner aux inutiles distractions. Au coin du *bloc* de la rue Montgomery, je rencontrais, à certaines heures du jour, la foule compacte des *politiciens,* gens qui s'occupent des élections. Les votes se renouvellent à chaque instant dans ce pays où le peuple nomme tous les fonctionnaires, même les juges. 3.1
L. SIMONIN, Voyage en Californie, 1859, *in* le Tour du Monde, 1862, t. V, p. 7.

(...) tous les politiciens retors qui se partagent le pouvoir en Europe (...) 4
MARTIN du GARD, les Thibault, t. VII, p. 154.

Il ne faut pas du moins que cette table ronde soit utilisée à l'intérieur d'un nou- 5

veau plan des marchandages impuissants, destinés à maintenir au pouvoir des hommes qui ont apparemment choisi le métier de politicien pour n'avoir pas de politique.
CAMUS, Actuelles, III, p. 138.

REM. Le mot n'était pas courant ni même très admis v. 1900, où l'on trouve la variante *politicier : «on dit maintenant politicier comme on dit épicier»* (A. Robida, *le Vingtième Siècle*, p. 149).

♦ **2.** Adj. Digne d'un politicien; de la politique au sens strict, technique du terme (souvent péj.).

6 Nous n'avons que faire d'une politique politicienne, faite de demi-mesures et d'arrangements, de petites charités et de subventions éparpillées. La Kabylie réclame le contraire d'une politique politicienne, c'est-à-dire une politique clairvoyante et généreuse.
CAMUS, Actuelles III, p. 77.

DÉR. (Du même rad.) **Politicard.**

POLITICO- Élément, du grec *politikos* «politique», adj., formant des adjectifs composés. Ex. : *politico-administratif, ive* (1966, *le Monde*); *politico-commercial, ale, aux* (1776, Beaumarchais); *politico-culturel, elle* (1966, *le Monde*); *politico-diplomatique* (1968, *le Nouvel Obs.*); *politico-dramatique* (1890, *in* D. D. L.); *politico-économique* (1966); *politico-familial* (*le Nouvel Obs.*, 2 mars 1981, p. 68); *politico-financier, ière* (1966); *politico-historique* (1809); *politico-idéologique; politico-littéraire* (1964, *le Monde*); *politico-militaire* (1965, *le Monde*); *politico-moral, ale, aux* (1970, *le Nouvel Obs.*); *politico-philosophique* (1885); *politico-policier, ière; politico-religieux, euse* (1796); *politico-social, ale, aux* (1842). On rencontre des formations plus occasionnelles : *«(...) la grande tradition politico-idéaliste américaine»* (*le Nouvel Obs.*, 22 mai 1978, p. 28).

POLITICOLOGIE [pɔlitikɔlɔʒi] n. f., **POLITICOLOGUE** [pɔlitikɔlɔg] n. ⇒ **Politologie, politologue.**

1. POLITIQUE [pɔlitik] adj. et n. m. — 1361; lat. *politicus*, adj. (peu usité), du grec *politikos* «de la cité» *(polis)*.

★ **I.** Adj. Relatif à la cité*, à la chose publique, au gouvernement de l'État. ♦ **1.** Vx. Relatif à la société organisée. ⇒ **Civil, civique, social** (opposé à *naturel**). *Société politique* (→ Dieu, cit. 11, Rousseau). ⇒ **Public** (opposé à *privé*). *Économie domestique et économie* (cit. 5) *générale ou politique. Arithmétique politique*, se disait au XVIIIe siècle des statistiques démographiques, économiques...

1 Le goût de la société, le plaisir et l'intérêt de la conversation ne sont point ce qui forme les esprits en Angleterre : les affaires, le parlement, l'administration remplissent toutes les têtes, et les intérêts politiques sont le principal objet des méditations.
Mme de STAËL, De l'Allemagne, II, II.

2 L'homme antique, comme le définit Aristote, apparaît ainsi qu'un être ou un «animal civique». On diminue grandement la portée de la définition en traduisant *zoon politikon* par «animal social». L'animal aussi est social, mais l'homme, seul, est politique.
M. PRÉLOT, la Science politique, p. 6.

Mod. *Économie politique.* ⇒ **Économie** (cit. 12 à 17 et *supra*).

♦ **2.** Mod. Relatif à l'organisation et à l'exercice du pouvoir temporel dans une société organisée, au gouvernement* d'un État et aux problèmes qui s'y rattachent. ⇒ **État, gouvernement** (II., 1.), **pouvoir.** — (En parlant du pouvoir). *Pouvoir politique :* pouvoir de gouverner (cit. 37). *Dans la monarchie* (cit. 1) *le roi est la source de tout pouvoir politique.* ⇒ **Souveraineté.** *Organisation politique et sociale des sociétés primitives* (⇒ **Clan, tribu...**), *médiévales* (⇒ **Féodalisme, féodalité,** cit. 2). *Centralisation politique. Distinction des gouvernés et des gouvernants** (cit. 11) *dans les régimes politiques. Rapports entre la structure économique, sociale, et le régime politique* (→ Capitalisme*, socialisme*..., libéralisme*...). *Principaux types de régimes politiques.* ⇒ **Aristocratie, autocratie, démagogie** (ochlocratie), **démocratie, dictature, monarchie, oligarchie, ploutocratie, république**; et aussi **anarchie.** *Système politique* (→ Obséder, cit. 5) *des Césars* (césarisme), *des Bonaparte* (bonapartisme), *de Mussolini* (fascisme, mussolinisme), *de Hitler* (hitlérisme, national-socialisme, nazisme), *de Lénine* (léninisme), *Staline* (stalinisme), *de Gaulle* (gaullisme), *Mao Tsê-tung* (maoïsme), *Fidel Castro* (castrisme)... — *Institutions politiques d'une civilisation* (→ Assise, cit. 5), *d'un État.* ⇒ **Constitution, institution.** *Changer* (cit. 26) *d'institutions politiques par la révolution, la révision de la constitution. Lois civiles et lois politiques* (→ Livrer, cit. 33). *Le droit politique* (vx). ⇒ **Constitutionnel** (→ Gouvernement, cit. 20). *Réformes politiques et réformes sociales* (→ Compression, cit. 2).

3 Le principe de la vie politique est dans l'autorité souveraine. La puissance législative est le cœur de l'État, la puissance exécutive en est le cerveau (...)
ROUSSEAU, Du contrat social, III, XI.

4 Il *(Robespierre)* fut violemment lancé vers le pouvoir politique, qui n'était alors rien d'autre que celui du glaive. MICHELET, Hist. de la Révolution franç., XIX, V.

5 L'injustice (...) résulte d'un pouvoir d'une personne sur une personne; pouvoir de contraindre ou pouvoir d'empêcher. Or ce pouvoir est politique par définition, dès qu'il n'est plus la violence individuelle pure et simple.
ALAIN, Propos, 19 oct. 1912, Révolution économique.

6 L'État moderne est encore caractérisé par la concentration du pouvoir politique entre les mains de l'État et de ses fonctionnaires. L'État a le monopole du pouvoir et, seuls, peuvent en exercer des parcelles les agents désignés et contrôlés par lui et dans la limite des *compétences* qui leur sont tracées par la loi (...)
A. DE LAUBADÈRE, *in* Encycl. politique de la France et du monde, t. I, p. 39.

(En parlant de l'exercice de la souveraineté par le peuple). *Droits civils et droits politiques des personnes.* ⇒ 3. **Droit** (cit. 22 et 49). *Conquête des droits politiques* (→ Désabusement, cit. 1). *Jouir de ses droits politiques.* ⇒ **Électeur** (cit. 2). *La liberté politique.* ⇒ **Liberté;** → Libéralisme, cit. 2; 1. masse, cit. 24; nivellement, cit. 1. *Égalité* (cit. 11) *politique.* ⇒ aussi **Égalitaire, égalitarisme.** *Inégalités* (cit. 7) *politiques résultant de la différence des fortunes. Consultation politique.* ⇒ **Élection, plébiscite, référendum.**

(En parlant des personnes qui détiennent ou tentent de détenir le pouvoir, de jouer un rôle dans le gouvernement). *Le Grand-prêtre de la cité antique était aussi chef politique* (→ Autorité, cit. 16) *et spirituel. Les puissances politiques, les autorités* (cit. 29) *temporelles. Le corps** (cit. 38) *politique* (→ Exécutif, cit. 1; fédératif, cit. 1) ⇒ **État.** *Les assemblées** (cit. 13) *politiques. Les milieux politiques.* — *Homme politique* (→ ci-dessous, II., 1. : *un politique*). ⇒ **Politicien; état** (homme d'État), **député, ministre** (→ Entrer, cit. 32; esprit, cit. 98; 2. frais, cit. 6; ligne, cit. 18; palinodie, cit. 2; patronage, cit. 1). *Femme politique* (rare). *Golda Meir, Indira Gandhi, Margaret Thatcher, femmes politiques de premier plan.* — Par ext. *La vie politique de Chateaubriand* (→ Lier, cit. 8). *La carrière politique* (→ Aspirer, cit. 10).

Claude Vignon était devenu, comme tant d'autres, un homme politique, nouveau mot pris pour désigner un ambitieux à la première étape de son chemin. *L'homme politique* de 1840 est en quelque sorte *l'abbé* du dix-huitième siècle. Aucun salon ne serait complet, sans son homme politique. 7
BALZAC, la Cousine Bette, Pl., t. VI, p. 330.

Mais oui, je suis optimiste. Si je n'étais pas optimiste, je ne serais pas un homme politique. Un homme politique, c'est un homme qui est persuadé qu'il va réussir où d'autres ont échoué, un homme qui se croit digne de la tâche qu'il entreprend, qui croit au succès de ses idées (...) 8
COLETTE, Belles saisons, p. 179.

♦ **3.** [a] Relatif à la conception, à la théorie du gouvernement, du pouvoir; qui s'applique à la politique, à ses problèmes. *La pensée politique de Rousseau, de Constant... Philosophie politique. Histoire des idées politiques. Idéologie* politique* (→ Humanitarisme, cit. 2). — Vx. *Droit politique.* ⇒ 3. **Droit** (cit. 65, Rousseau). *Conception politique éloignée de la nature* (→ Démocratie, cit. 8). — *Grandes doctrines* politiques.* ⇒ **Absolutisme, anarchisme, collectivisme, communisme, étatisme, fascisme** (par ext.), **individualisme, libéralisme, marxisme, monarchisme, royalisme, socialisme, totalitarisme; droit** (doctrines du droit divin, naturel...). — *Culture politique. Essai, étude politique.*

[b] Relatif à la connaissance objective, scientifique, des faits politiques (aux sens 1. (vx), 2. et 4.). ⇒ **Politologie, politologue.** *Sciences politiques. L'École des Sciences politiques de Paris* («Sciences-po») *a fait place à l'Institut d'études politiques. Académie des sciences morales* et politiques.*

Elles *(ces études)* ont ce caractère commun d'être des essais, au sens le plus véritable de ce terme. On n'y trouvera que le dessein de préciser quelques idées qu'il faudrait bien nommer *politiques*, si ce beau mot de politique, très séduisant et excitant pour l'esprit, n'éveillait de grands scrupules et de grandes répugnances dans l'esprit de l'auteur. Il n'a voulu que se rendre un peu plus nettes les notions (...) qui servent à tout le monde à penser aux groupes humains, à leurs relations réciproques et à leurs gênes mutuelles. 9
VALÉRY, Regards sur le monde actuel, p. 11.

♦ **4.** Relatif aux rapports du gouvernement et de son opposition, à la lutte autour du pouvoir. *Action politique. Affaires politiques. La vie politique française. Nouvelles politiques.* — Par ext. *La journée, la semaine politique.* — *Situation politique dans une province. Conséquences, portée politique d'une entrevue. Luttes* politiques entre classes. Adversaires politiques. Troubles politiques, sociaux, économiques; perturbations, convulsions, crise politique.* ⇒ **Crise** (cit. 13). *La bataille politique* (→ Déserter, cit. 13; finance, cit. 2). *Intrigue** (cit. 8), *conspiration, complot, coup de force politique.* ⇒ **Coup** (d'État), **insurrection** (cit. 6), **putsch, révolte.** *Bouleversement politique.* ⇒ **Révolution.** *Chaos social et politique* (→ Autorité, cit. 18). *Terreur politique.* ⇒ **Terreur, terrorisme.** *Le jeu* politique et parlementaire. Manœuvres politiques de noyautage, d'obstruction. Corruption, cuisine, marchandages, tripotages politiques. Mœurs politiques implacables* (cit. 10). *La langue, le jargon politique. Exploitation politique du racisme, de l'antisémitisme, de la xénophobie. Campagne politique pour l'adoption, l'abolition* (⇒ **Abolitionnisme**) *d'une loi, d'une institution. Revendications politiques et professionnelles des syndicats. Grève* politique. Rendre politique.* ⇒ **Politiser.**

Les faits politiques en particulier, c'est-à-dire ceux qui concernent l'organisation et la vie de la Cité, de l'État, les rapports du pouvoir avec les personnes privées, sont en grande partie commandés (...) par les doctrines politiques. 10
J.-J. CHEVALIER, *in* Encycl. politique de la France et du monde, t. I, p. 81.

Dr. pénal. *Délits, crimes politiques* (→ Appréhender, cit. 9). *Attentat politique. Procès politiques.* Par ext. *Détenu, prisonnier politique* (opposé à *de droit commun*) et, n. *un politique :* prisonnier politique. *Les politiques et les droits communs.*

Des trains de déportés partaient, massivement, vers l'Allemagne; ils étaient remplis de «politiques» et de Juifs que la police raflait à travers toute la France (...) 10.1
S. DE BEAUVOIR, la Force de l'âge, p. 540.

Les forces politiques. Parti politique. ⇒ **Parti*; leader, militant;**

bipartisme. *Association* (cit. 8), *cercle, club, comité, coterie, faction politique. Formation, groupe, groupement, organisation politique; coalition politique.* ⇒ **Cartel, front; amalgame** (3.). *Groupes, commissions politiques parlementaires* (→ Déperdition, cit. 2). *Uniforme de formation politique.* ⇒ **Chemise** (noire, brune...). *Rôle politique de l'armée* (⇒ **Caporalisme, militarisme; antimilitarisme**), *de l'Église* (⇒ **Laïcité**), *du clergé* (⇒ **Cléricalisme; anticléricalisme; obscurantisme**), *des syndicats ouvriers* (⇒ **Syndicalisme, travaillisme**), *des groupes de pression* (⇒ **Lobby**), *des techniciens et organisateurs* (⇒ **Propagande**). *Facteurs politiques et économiques* (→ 3. Droit, cit. 57).

11 L'opinion publique (...) est souvent une force politique, et cette force n'est prévue par aucune constitution.
A. SAUVY, l'Opinion publique, p. 6.

12 Un texte ne suffit pas à conférer son autorité à un chef d'État, à donner à une assemblée sa puissance (...) La dynamique politique consiste en de continuels échanges de puissances au sein du pouvoir. Le pouvoir doit garder et renouveler sa puissance. Il lui faut, en conséquence, accueillir toute puissance arrivant à la maturité politique, étant entendu qu'il y a des forces qui ne parviennent jamais à ce point et que d'autres, qui accèdent au pouvoir, ne peuvent s'y maintenir.
M. PRÉLOT, la Science politique, VII, II, Dialectique de puissance et du pouvoir, p. 99.

(En parlant des opinions sur le pouvoir actuel et les affaires publiques* qui en dépendent). *Opinions* (cit. 11; → Immoler, cit. 19), *convictions, passions* (cit. 29) *politiques* (→ Homogénéité, cit. 3). *Idées politiques très exaltées* (cit. 27). *Chercher sans parti pris politique l'intérêt du pays* (→ Français, cit. 10). *Tendances, couleurs* (⇒ **Couleur; blanc, rouge...**), *attitudes, positions politiques.* ⇒ **Anarchisme** (-iste), **attentisme, autonomisme** (-iste), **communisme** (-iste), **conservateur, conservatisme, centrisme** (-iste), **droite, extrême, extrémisme, extrémiste, gauche, gauchisme** (-iste), **gouvernemental, gouvernementalisme, jacobin, jacobinisme, léninisme, marxisme, milieu** (juste milieu), **modérantisme, opportunisme, opposition,** (*supra* cit. 7), **oppositionnel, progressisme, progressiste, radical, radicalisme, réaction, réactionnaire, réformisme, réformiste, révolutionnaire, situationnisme, socialime, trotskisme.** — Hist. *Opinions, doctrines politiques des carbonaristes* (⇒ **Carbonarisme**), *des chartistes* (⇒ **Chartisme**), *des légitimistes* (⇒ **Légitimisme**), *des Orléanistes* (⇒ **Orléanisme**), *des Bolcheviks* (⇒ **Bolchevisme**)... *Divergences, sympathies politiques. Action politique. Activisme, militantisme politique. Agitation et propagande politique.* ⇒ **Agit-prop.** — *Neutralité* (cit. 2) *en matière politique et religieuse. Formation, prise de conscience, maturité politique. Pensée politique. Discussions politiques* (→ Glisser, cit. 39). *Réunion, débat politique contradictoire* (⇒ aussi **Meeting**). *Libertés politiques* (→ Opiniâtrement, cit. 3). *Congrès politique, ligne* politique d'un parti* (⇒ **Autocritique**). — *Journal, gazette* (cit. 2) *politique ou d'opinion. Chronique politique d'un journal.* — Par ext. *Écrivain, journaliste politique* (→ Machiavélique, cit. 2). — *Testament politique.*

13 Le peuple et les parlementaires disent *la République, la liberté, la révolution;* mais ce n'est ni la même République, ni la même liberté, ni la même révolution. Telle est évidemment la forme la plus grave du mensonge politique (...) La presse politique, si entrée de toutes parts dans la politique parlementaire, a contribué pour beaucoup à l'établissement de cet universel faux entendu (...) Tous les journaux politiques, sans aucune exception, tous les journaux de tous les partis politiques, de *la Petite République* à *l'Autorité,* parlent ce langage politique parlementaire, et presque tous les lecteurs entendent ce langage en français.
Ch. PÉGUY, la République..., p. 82-83.

14 (...) notre temps a introduit dans la théorisation des passions politiques deux nouveautés qui ne laissent pas de singulièrement les aviver. La première, c'est qu'aujourd'hui chacune prétend que son mouvement est conforme au «sens de l'évolution»; au «développement profond de l'histoire» (...) la seconde nouveauté : la prétention qu'ont aujourd'hui toutes les idéologies politiques d'être fondées sur la science, d'être le résultat de la «stricte observation des faits».
Julien BENDA, la Trahison des clercs, p. 116-117.

Par ext. (Personnes). *Les amis politiques de X :* les personnes qui ont même opinion politique que lui; les membres de son parti ou ses alliés (emploi critiqué).

♦ **5.** (1636). Vx ou littér. (En parlant des aptitudes, des qualités nécessaires à l'action politique, qu'il s'agisse de l'exercice du pouvoir ou de l'activité politique au sens large). *Art* (→ Équilibre, cit. 22), *prudence politique* (→ Aveugler, cit. 13). *Réalisme politique* (→ Lier, cit. 11). *Habileté, sagesse politique.*

15 Rien de plus opposé au génie politique, lequel au contraire, cherche à tirer le meilleur parti des situations les plus compromises, et ne jette jamais, comme on dit, le manche après la cognée.
SAINTE-BEUVE, Causeries du lundi, 30 sept. 1850.

16 Avoir le sens politique, qu'est-ce que c'est, Mithoerg? (...) C'est savoir consentir à employer, dans la lutte sociale, des procédés qui, dans la vie privée, répugneraient à chacun de nous comme autant de malhonnêtetés, — ou de crimes (...) N'est-ce pas?
MARTIN DU GARD, les Thibault, t. V, p. 103.

Par ext. Qui témoigne de ces qualités en parlant d'un acte de nature politique ou concernant la direction d'affaires privées. ⇒ **Habile.** *Une démarche politique. Ce n'est pas très politique.*

17 (...) je (...) le rabattrai sur vos gages. — Châtiment politique.
MOLIÈRE, l'Avare, III, 1.

18 Il jugeait (...) politique de manifester son admiration pour l'antiquité grecque dans une ville où les Grecs modernes tiennent encore le haut du pavé (...)
A. HERMANT, les Épaves, II, II.

(Personnes). Qui a les qualités nécessaires à l'action politique (→ ci-dessous, II., 1. : *un politique*). *Des hommes actifs, ardents, politiques* (→ Organiser, cit. 4). *Fin et politique* (→ Gouvernement, cit. 11). *Animal politique.* ⇒ 1. **Animal** (I., B., 3., et cit. 14.2). — Fig., vx. Adroit et fin, qui sait arriver à son but et s'accommoder au temps (Académie, 1694).

(les hypocrites) sont trop politiques pour cela (...) 19
MOLIÈRE, Tartuffe, Préface.

♦ **6.** (XVIIe, *in* Furetière, 1690). Relatif à un État, aux États et à leurs rapports. ⇒ **État.** *Unité politique* (→ Limitrophe, cit. 2). *Le Canada est une unité politique* (→ Canadien, cit. 1). *Autonomie économique et politique* (→ Langue, cit. 31). ⇒ **Souveraineté.** *Communauté politique.* ⇒ **Nation.** *Dépendance, indépendance, personnalité politique. Relations politiques mondiales, locales...* ⇒ **Autonomie, autonomisme, fédéralisme** (cit. 1), **intégrationnisme, irrédentisme, isolationnisme, mondialisme, nationalisme, particularisme, régionalisation, régionalisme, scissionnisme, sécessionnisme, séparatisme, unitarisme.** *Centralisation politique* (→ État, cit. 108). *Apogée politique de l'Islam* (cit. 3). *Frontières politiques et frontières naturelles. Changer* (cit. 24) *la face politique de l'Europe. Histoire politique de l'Orient* (→ Fabuleux, cit. 5). *Géographie* (cit. 1) *politique,* partie de la géographie humaine. *Cartes de l'Europe politique,* représentant les États d'Europe, leurs frontières, leurs capitales. *Équilibre* (cit. 20) *politique. Le pangermanisme, le panafricanisme, le panarabisme, le panislamisme, systèmes politiques* (⇒ **Pan-**). — *La guerre politique implique la guerre des cultures* (cit. 19). *Migrations, déplacements politiques dans les guerres mondiales* (→ 1. Exode, cit. 4).

(...) l'univers politique a bien changé; et la froide raison qui, dans le passé, pouvait spéculer sur les bénéfices d'une sanglante entreprise, doit admettre aujourd'hui qu'elle ne peut que s'égarer dans ses prévisions. 20
VALÉRY, Variété, Pl., t. I, p. 1126.

Toutes les relations internationales sont donc politiques par nature, parce que même lorsqu'il s'agit de rapports privés, elles se rattachent au phénomène de l'existence d'États. 21
M. PRÉLOT, la Science politique, p. 116.

★ **II.** N. m. (1568). **A.** *Un politique* (personnes). ♦ **1.** Littér. Homme de gouvernement, homme politique en vue. ⇒ **État** (homme d'État). *Le guerrier et le politique* (→ Déterminer, cit. 11). *Chateaubriand, poète, moraliste, publiciste et politique* (→ Compendium, cit. 1). *Cromwell, habile politique* (→ Entreprendre, cit. 3). *«Le vrai politique est celui qui joue bien et qui gagne à la longue...»* (Voltaire; → Filer, cit. 11). *Un fin politique. Les politiques médiocres parlent et ne gouvernent* (cit. 40) *pas.* ⇒ **Politicien.** *Les grands politiques* (→ Changeant, cit. 3). *Bévues* (cit. 1), *formules sonores et creuses des politiques* (→ Bout, cit. 39). *Les politiques représentent leurs actions* (cit. 14) *comme les effets de grands desseins.*

Les politiques font sur l'amour de la liberté les mêmes sophismes que les philosophes ont fait sur l'état de nature (...) 22
ROUSSEAU, De l'inégalité parmi les hommes, II.

Les forts veulent faire la force, la créer d'eux-mêmes. Les politiques vont la chercher où elle est. 23
MICHELET, Hist. de la Révolution franç., IV, V.

Juste (...) était, à vingt-cinq ans, un profond politique, un homme d'une aptitude merveilleuse à saisir les rapports lointains entre les faits présents et les faits à venir. 24
BALZAC, Z. Marcas, Pl., t. VII, p. 741.

Dans ce domaine, pourtant, il y avait, entre les «politiques» et moi, des différences d'état d'esprit. Ce n'est point que ces parlementaires d'hier ou de demain fissent des réserves sur les buts concrets que je leur avais montrés. Mais ils les saluaient de loin et, au fond, ne s'y attachaient guère. 25
Ch. DE GAULLE, Mémoires de guerre, t. III, p. 56.

REM. Cet emploi est redevenu fréquent v. 1965, surtout dans l'usage journalistique; le fém. est inusité.

♦ **2.** (Mil. XXe). Personne qui tend à faire prévaloir l'action politique sur une autre forme de lutte (militaire, professionnelle, etc.).

(...) pendant un court moment, du côté F. L. N., les «politiques» ont paru avoir le pas sur les militaires (...) 25.1
F. MAURIAC, le Nouveau Bloc-notes 1958-1960, p. 18.

♦ **3.** Fig. Personne qui sait gouverner autrui, l'amener à penser, agir dans son intérêt.

Il était trop franc et trop mauvais politique pour déguiser ce qu'il pensait. 26
R. ROLLAND, Jean-Christophe, La révolte, II, p. 487.

REM. Le fém., *une politique,* est virtuel et normal.

B. Didact. *Le politique,* n. m. Ce qui est politique (aux sens I., 2., 4.). *Le politique et le social.*

(...) les passions politiques atteignent aujourd'hui à un point de perfection que l'histoire n'avait pas connu. L'âge actuel est proprement l'âge du politique. 27
Julien BENDA, la Trahison des clercs, p. 117 (1927).

(...) un État toujours plus fort, étendant sans cesse ses attributions, versant du *politique* dans l'*économique* au mépris de la séparation, considérée longtemps comme tutélaire, des deux domaines. 28
J.-J. CHEVALLIER, *in* Encycl. politique de la France et du monde, t. I, p. 98.

(...) le Politique est du *textuel* pur : une forme exorbitante, exaspérée, du Texte, une forme inouïe qui, par ses débordements et ses masques, dépasse peut-être notre entendement actuel du Texte. Et Sade ayant produit le plus pur des textes, je crois comprendre que le Politique me plaît comme texte *sadien* et me déplaît comme texte *sadique.* 29
R. BARTHES, Roland Barthes, p. 150.

DÉR. Politiquement, politisme. — V. aussi **Politiser, politologie.**
COMP. Antipolitique, apolitique.

2. POLITIQUE [pɔlitik] n. f. — 1265, Br. Latini, rare av. XVIIe; même étym. que le précéd.; var. *policie, politie,* encore dans Rousseau.

♦ **1.** Art et pratique du gouvernement des sociétés humaines (État, nation). ⇒ **Police** (1., vx).

REM. Dès les premiers emplois, la *politique* est entendue à la fois comme une technique, un art, une théorie et comme une pratique («la plus noble et haute science et le plus noble office qui soit en terre». Br. Latini). Aux XVIIe et XVIIIe s., la *politique* fait partie de la morale (cf. Furetière, Trévoux). Dans les emplois modernes, au contraire, l'accent est mis sur la pratique et on oppose souvent *morale* et *politique*.

La politique, manière de gouverner (cit. 32) *l'humanité. La politique est par essence le domaine* (cit. 6) *des choses concrètes. L'art de la politique. « La politique, art de tromper les hommes »* (d'Alembert; → Guerre, cit. 19), *art « d'empêcher les gens de se mêler* (cit. 27) *de ce qui les regarde »* (Valéry). *Les dessous de la politique. Impuissance* (cit. 7) *de la politique en matière sociale. La politique et l'intrigue* (cit. 7). *« En politique, il faut toute la liberté qui est conciliable avec l'ordre »* (cit. 26, Necker). *Rôle de l'opinion publique en politique* (→ Doctrine, cit. 5). *Politique et morale* (→ Distinct, cit. 1), *et religion. Idéologie, mystique et politique. Rapports de l'économie* et de la politique. Ouvrages de politique* (→ Autoriser, cit. 22). — Par ext. (vx). Traité de politique. *La Politique,* d'Aristote.

1 (...) quand ils *(Platon et Aristote)* se sont divertis à faire leurs *Lois* et leur *Politique*, ils l'ont fait en se jouant (...) S'ils ont écrit de politique, c'était comme pour régler un hôpital de fous; et s'ils ont fait semblant d'en parler comme d'une grande chose, c'est qu'ils savaient que les fous à qui ils parlaient pensaient être rois et empereurs. PASCAL, Pensées, V, 331.

2 Dieu (...) par qui les rois règnent, n'oublie rien pour leur apprendre à bien régner. Les ministres des principes, et ceux qui ont part sous leur autorité au gouvernement des États et à l'administration de la justice, trouveront dans sa parole des leçons (...) Ceux qui croient que la piété est un affaiblissement de la politique, seront confondus (...)
BOSSUET, Politique tirée de l'Écriture sainte, À Mgr le Dauphin.

3 (...) de telles tempêtes (...) font voir sous quel malheureux gouvernement on vivait alors *(sous Richard II, en Angleterre)*. On était encore loin du véritable but de la politique, qui consiste à enchaîner au bien commun tous les ordres de l'État.
VOLTAIRE, Essai sur les mœurs, LXXVIII.

4 J'avais vu que tout tenait radicalement à la politique, et que, de quelque façon qu'on s'y prît, aucun peuple ne serait jamais que ce que la nature de son gouvernement le ferait être (...) ROUSSEAU, les Confessions, IX.

5 Mais feindre d'ignorer ce qu'on sait, de savoir tout ce qu'on ignore; d'entendre ce qu'on ne comprend pas, de ne pas ouïr ce qu'on entend; surtout de pouvoir au-delà de ses forces; avoir souvent pour grand secret de cacher qu'il n'y en a point; s'enfermer pour tailler des plumes, et paraître profond quand on n'est, comme on dit, que vide et creux; jouer bien ou mal un personnage, répandre des espions et pensionner des traîtres; amollir des cachets, intercepter des lettres, et tâcher d'ennoblir la pauvreté des moyens par l'importance des objets : voilà toute la politique (...) BEAUMARCHAIS, le Mariage de Figaro, III, 5.

6 Quant à la politique? (...) — Ah! c'est l'art de créer des faits, de dominer, en se jouant, les événements et les hommes; l'intérêt est son but, l'intrigue son moyen : toujours sobre de vérités, ses vastes et riches conceptions sont un prisme qui éblouit. BEAUMARCHAIS, la Mère coupable, IV, 4.

7 La politique n'est pas la morale. La science et l'art de la conduite de l'État n'est pas la science et l'art de la conduite de l'homme. Où l'homme général peut être satisfait, l'État particulier peut être déconfit.
Ch. MAURRAS, Mes idées politiques, p. 125.

8 La politique, est-ce une science mathématique, abstraite, absolue? Non, c'est «la conciliation des intérêts», c'est «le calcul des combinaisons», et il *(Napoléon)* conclut : *« La haute politique n'est que le bon sens appliqué aux grandes choses ».*
Louis MADELIN, Hist. du Consulat et de l'Empire, De Brumaire à Marengo, VI.

9 La politique consiste dans la volonté de conquête et de conservation du pouvoir; elle exige, par conséquent, une action de contrainte ou d'illusion sur les esprits, qui sont la matière de tout pouvoir (...) L'esprit politique finit toujours par être contraint de falsifier. Il introduit dans la circulation, dans le commerce, de la fausse monnaie intellectuelle; il introduit des notions historiques falsifiées; il construit des raisonnements spécieux; en somme, il se permet tout ce qu'il faut pour conserver son autorité, qu'on appelle, je ne sais pourquoi, *morale*.
VALÉRY, Regards sur le monde actuel, p. 246.

9.1 Qu'est-ce que la politique? On répond : l'art de gouverner, et c'est faux. C'est avant tout le jeu du pouvoir, ou plutôt de la puissance La politique n'est pas une question de technique mais de tempérament, on y cherche moins à gouverner un pays ou un peuple qu'à y déployer son propre destin. Elle est même le moyen primaire le plus commun offert à l'homme pour explorer une verticalité qui le hante et, l'élevant au-dessus des «masses», lui faire croire qu'il s'élève en outre au-dessus de soi. Raymond ABELLIO, les Militants, p. 42.

Spécialt. Rare. *Les sciences politiques :* l'étude, la connaissance des phénomènes concernant l'État, le pouvoir, le gouvernement. ⇒ **Politologie.** *Système de politique positive,* d'Auguste Comte (Sociologie*, étude des religions et sciences politiques).

10 Il faut étudier la société par les hommes, et les hommes par la société : ceux qui voudront traiter séparément la politique et la morale n'entendront jamais rien à aucune des deux. ROUSSEAU, Émile, IV.

11 «La politique» concerne aussi bien les hommes et les faits que la connaissance que l'on a de ceux-ci (...) Pour le commun, la politique est essentiellement la vie politique, la lutte autour du pouvoir; c'est le phénomène en lui-même. Pour la langue savante, la politique est la connaissance du phénomène.
M. PRÉLOT, la Science politique, p. 10.

♦ **2.** (XVIIe). Sorte de gouvernement, manière de gouverner un État, de diriger les affaires nationales et les relations internationales d'un État. *Toute politique suppose une idée de l'homme* (→ Grossier, cit. 3). *Une politique vertueuse et rare* (→ Base, cit. 13). *Politique en harmonie* (cit. 38) *avec le monde moderne. Inaugurer une politique nouvelle* (→ Immoler, cit. 5). *Prêter son nom* (cit. 10) *à une politique qu'on réprouve. Politique conservatrice, libérale, de droite, de gauche* (→ Gauche, cit. 18). *Politique de paix, de concorde* (→ Longévité, cit. 4), *de coexistence pacifique.* ⇒ **Pacifisme.** *Politique de neutralité, de non-alignement, de non-intervention** (⇒ **Neutralisme**). *Politique d'intervention* (⇒ **Interventionnisme**), *d'agression* (→ Bloc, cit. 10), *de guerre. Politique de revanche.* ⇒ **Revanchisme.** *Politique des agrandissements de territoire* (→ Achever, cit. 13), *des frontières naturelles; politique expansionniste* (⇒ **Expansionnisme**), *colonialiste* (⇒ **Colonialisme**), *impérialiste* (⇒ **Impérialisme**). *Politique d'isolement.* ⇒ **Isolationnisme.** *Politique fondée sur la primauté de la nation* (⇒ **Nationalisme**). *Politique atlantique*.* ⇒ **Atlantisme.** *Politique de grandeur. Politique d'austérité. Politique d'abandon.* ⇒ **Défaitisme.** *Politique du pire,* qui tend à aggraver une situation pour tirer parti d'une crise. — *Politique suivie; incohérente* (→ Lièvre, cit. 6); *opportuniste* (⇒ **Opportunisme**, cit. 1), *machiavélienne* (⇒ **Machiavélisme**). *Politique à long, à court terme. Politique modérée; extrémiste, jusqu'au-boutiste...* — Allus. hist. *Faites-nous de bonne politique...* (→ Finance, *infra* cit. 3). — **LA POLITIQUE DE (qqn).** *Politique d'un monarque, d'un président, d'un ministre. La politique suivie par le roi* (→ Hérisser, cit. 16). *Politique de Richelieu* (→ Paix, cit. 24). *Sa politique est bonne, dangereuse, inacceptable.* — *Politique gouvernementale, des gouvernements* (→ Opposer, cit. 7). *Défenseurs et opposants d'une politique* (⇒ **Anti-, pro-; -isme** et **-iste**). *« Tout parti* (cit. 32) *vit de sa mystique et meurt de sa politique »* (Péguy). *Politique française* (→ Hâter, cit. 16), *anglaise* (→ Mainmise, cit. 1). *Politique européenne,* des États d'Europe.

(...) le peuple ne les suivra jamais plus *(le roi et le gouvernement)* dans une politique de bellicisme! MARTIN DU GARD, les Thibault, t. VI, p. 38. 12

(...) il convient de reviser un mot qui a fait fortune, en raison de son simplisme, 13
selon quoi toutes les doctrines sont belles dans leur mystique et laides dans leur politique. J'accorde que la doctrine démocratique, hautement morale dans sa mystique, l'est le plus souvent fort peu dans sa politique; mais je tiens que la doctrine de l'ordre, qui ne l'est pas dans sa politique, ne l'est pas davantage dans sa mystique. Julien BENDA, la Trahison des clercs, p. 16.

Marx a seulement compris qu'une religion sans transcendance s'appelait proprement politique. CAMUS, l'Homme révolté, p. 243. 14

Domaine d'une politique. — *Politique intérieure* (→ Fulminer, cit. 2; guerre, cit. 32), *extérieure ou étrangère* (⇒ **Diplomatie; pacte, traité**). — REM. Ces syntagmes peuvent aussi correspondre au sens 3. *Politique coloniale. Politique sociale,* concernant les problèmes sociaux qui sont du ressort du gouvernement. *Politique économique* (→ Économiste, cit. 4), *financière* (→ Front, cit. 34), *fiscale, douanière* (→ 2. Douanier, cit.), *commerciale, agricole, religieuse... Politique nataliste*. Politique de l'environnement,* visant à la protection et à l'amélioration de l'environnement (⇒ **Écologie**). *Politique axée sur l'économie :* économisme. *Politique monétariste.*

Quelqu'un écrivait récemment : «qu'il fallait une Politique de l'Esprit, comme il 15
fallait une Politique de l'or, du blé ou du pétrole» et que la nation, qui la première concevrait cette Politique et lui donnerait l'attention, les soins et l'ampleur qu'elle mérite, s'assurerait une gloire et une influence singulière dans le monde. VALÉRY, Regards sur le monde actuel, p. 324.

Les députés français, appelés à se prononcer sur une politique algérienne, ont mis 16
cinq séances à ne pas se prononcer sur trois ordres du jour. CAMUS, Actuelles III, p. 133.

♦ **3.** (1652). Ensemble des affaires publiques concernant le pouvoir et son opposition. *Rubrique de politique intérieure, de politique étrangère d'un journal. Les choses de la politique* (→ 3. Affecter, cit. 1; meilleur, cit. 16). *La politique influe* (cit. 8) *sur le cours de la Bourse. S'occuper, se mêler de politique, en prenant parti, en exprimant ses opinions, ou par une action militante* (→ Écarquiller, cit. 5). *Faire de la politique* (→ Non, cit. 10). — *La politique nous guette et nous presse de toutes parts* (→ Incolore, cit. 4). *Se chamailler sur la politique* (→ Fouetter, cit. 15). *Discussion sur la politique* (→ 1. Parler, cit. 40). *Parler, causer* (→ 2. Causer, cit. 5 et 8) *politique* (→ Franc-parler, cit. 3; 1. goutte, cit. 51). ⇒ **Politicailler** (cf. Discussions de café du commerce). *Politique politicienne*.*

La tolérance est aussi nécessaire en politique qu'en religion (...) La politesse, la 17
circonspection, l'indulgence, affermissent l'union entre les amis et dans les familles; elles feront le même effet dans un petit État, qui est une grande famille. VOLTAIRE, Politique et Législation, «Idées républicaines», LI.

Vous avez beau ne pas vous occuper de politique, la politique s'occupe de vous 18
tout de même. Phrase attribuée à MONTALEMBERT, *in* GUERLAC, p. 227.

(...) comme la discussion tournait au vilain, Coupeau dut intervenir. — Ah bien! 19
vous êtes encore innocents de vous attraper pour la politique (...) En voilà une blague, la politique! ZOLA, l'Assommoir, III, t. I, p. 109.

Par métonymie. (Journalisme). Service de politique (intérieure et extérieure).

La politique intérieure est un service qui comprend des secrétaires de rédaction, 19.1
des rédacteurs parlementaires, des journalistes accrédités auprès des différents services publics, des commentateurs. Elle traite non seulement les informations politiques proprement dites, mais aussi — sauf s'il existe des services distincts — les informations économiques et sociales. Philippe GAILLARD, Technique du journalisme, p. 19.

Par ext. La carrière politique; les politiciens. *Se destiner* (cit. 9) *à la politique. Il ne ferait jamais rien de bon dans la politique* (→ 1. Lancer, cit. 39). *Les surenchères de la politique et de la presse* (→ Hyperbole, cit. 2).

♦ **4.** (XVIIe). Manière concertée de conduire une affaire. ⇒ **Économie** (I.,1.), **gouvernement** (I.,1.), **ménage** (I.,1.; vx). *Une bonne, une mauvaise politique.* ⇒ **Tactique.** *Politique d'un patron, d'un directeur commercial... Dans cette affaire, sa politique a été prudente. Politique de l'autruche*. Politique du moindre effort; des menus *soins* (→ Chausson, cit. 3). — Absolt. *C'est une politique ; ce n'est pas une politique,* une bonne politique.

20 Dire également du bien de tout le monde est une petite et mauvaise politique.
VAUVENARGUES, Réflexions et maximes, 573.

21 (...) je me sens d'une incapacité mirobolante en fait de politique domestique (...)
BALZAC, la Rabouilleuse, Pl., t. III, p. 1006.

Littér. Calcul intéressé. ⇒ **Calcul.** *Par caprice* (cit. 1) *ou par politique. Plus par conscience que par politique* (→ Intimement, cit. 1).*Clémence* (cit. 1) *qui n'est qu'une politique.* ⇒ **Adresse.** *Mensonge et politique* (→ Désordre, cit. 10). *La damnable politique de l'hypocrite* (cit. 3). *Monde de la ruse, de la politique et des perfidies* (cit. 2).

22 (...) elle passait pour sotte aux yeux de *leurs* dames, parce que sans nulle politique à l'égard de son mari, elle laissait échapper les plus belles occasions de se faire acheter de beaux chapeaux de Paris ou de Besançon.
STENDHAL, le Rouge et le Noir, I, III.

COMP. Politique-fiction.

POLITIQUE-FICTION [pɔlitikfiksjɔ̃] n. f. — 1965, *in* Höfler ; de 2. *politique,* et *fiction,* sur le modèle de *science*-fiction,* de l'angl. *fiction.*

♦ Genre de récit imaginaire mettant en scène des problèmes politiques, souvent dans une situation future. *Ouvrage de politique-fiction.* « *Un livre-défi, un mélange torrentiel* (...) *de politique-fiction, de jeux littéraires...* » (*le Point,* 11 janv. 1982, p. 79).

POLITIQUEMENT [pɔlitikmɑ̃] adv. — XVe ; de 1. *politique.*

♦ **1.** En ce qui concerne le pouvoir politique, la souveraineté politique. *Classe politiquement dirigeante* (→ Payer, cit. 16). *Nations politiquement définies* (→ Frontière, cit. 3). *Pays unifié politiquement* (→ Français, cit. 12).

♦ **2.** D'un point de vue politique, en ce qui concerne la politique. — Selon les règles de la politique ; en termes politiques.

1 Sous ce calme, des milliers d'hommes commençaient à penser autrement leur vie de tous les jours, à penser, comme des communistes, politiquement.
P. NIZAN, le Cheval de Troie, I, IV.

2 *(Il m'était)* impossible de comprendre ces vers comme M. Mauriac. Parce que M. Mauriac, lui, les comprend *politiquement.* À la lueur de la conception qu'il se fait de ce que je pense, moi, politiquement.
ARAGON, Notes, *in* l'Homme communiste, t. II, p. 329.

♦ **3.** Vieilli ou littér. Habilement. *Agir politiquement en avançant la date des élections.* « *Il agit politiquement en toutes choses* » (Académie).

POLITIQUER [pɔlitike] v. intr. — 1689, Mme de Sévigné ; de 2. *politique.*

♦ Vx, fam. Parler politique. ⇒ **Politicailler.**

Les uns se mirent à causer ; d'autres à aller et venir, à mettre le nez à la porte, à regarder le ciel et à rentrer en jurant et frappant du pied ; plusieurs à politiquer et à boire ; beaucoup à jouer ; le reste à fumer, à dormir et à ne rien faire.
DIDEROT, Jacques le fataliste, Pl., p. 582.

POLITISATION [pɔlitizasjɔ̃] n. f. — 1929, A. Koyré, *in* D. D. L. ; de *politiser.*

♦ Action de politiser ; son résultat. *La politisation des syndicats ouvriers, des grèves. Politisation de l'armée, de la police.* — Par ext. *La politisation des passions. La politisation des conflits sociaux.*

CONTR. Dépolitisation.

POLITISER [pɔlitize] v. tr. — 1948 ; « gouverner un État », 1370 ; de 1. *politique.*

♦ **1.** Donner un caractère, un rôle, une portée politique à (qqch.). *Politiser des élections syndicales, des revendications professionnelles. Éviter de politiser le débat.* — P. p. adj. *Littérature engagée et politisée.*

1 (...) *politische Wissenschaft* peut comporter, en allemand, une certaine nuance péjorative qui n'a pas son équivalent français et signifier alors « la science politisée », c'est-à-dire la science utilisée à des fins politiques.
M. PRÉLOT, la Science politique, p. 13.

2 Dans ce temps de stagnation que fut chez nous le début des années 30, la région drômoise, médiocrement équipée, faiblement politisée, figurait plus que d'autres une petite réserve d'ordre ancien, un îlot de calme où se prolongeait une assez émouvante *douceur de vivre.* Raymond ABELLIO, les Militants, p. 189.

♦ **2.** (Compl. nom de personne, de groupe). Rendre (qqn) apte à la vie, à l'action politique. — (1960). Pronominal :

3 Alors l'armée en Algérie se « politisera » de plus en plus, ce qui signifie que le fascisme ne sera plus seulement à nos portes.
F. MAURIAC, le Nouveau Bloc-notes 1958-1960, p. 76.

Au participe passé :

Colette Audry à qui des amis fortement politisés reprochaient de se gaspiller avec nous leur répondit gaiement : « Je prépare l'homme de demain ». 4
S. DE BEAUVOIR, la Force de l'âge, p. 370.

▶ **POLITISÉ, ÉE** p. p. adj. Voir à l'article.

CONTR. Dépolitiser. — (De *politisé*) **Apolitique.**
DÉR. Politisation.

POLITISME [pɔlitism] n. m. — 1968, cit. ; de 1. *politique,* et *-isme.*

♦ Didact. Priorité donnée aux faits politiques dans un système global.

La pensée marxiste s'est scindée en interprétations et versions qui l'ont dissociée (*économisme,* d'une part, c'est-à-dire priorité de l'organisation, de la planification, de la rationalité industrielles — *politisme,* d'autre part, c'est-à-dire priorité de l'activisme, des institutions, des idéologies — les deux sous couvert d'un *philosophisme* de l'histoire ou de la nature matérielle).
Henri LEFEBVRE, la Vie quotidienne dans le monde moderne, p. 357 (1968).

POLITOLOGIE [pɔlitɔlɔʒi] ou POLITICOLOGIE [pɔlitikɔlɔʒi] n. f. — V. 1954 (mot all., 1952), *politologie ; politicologie,* v. 1950 (mot all. 1934) ; du grec *polis, -itis,* et *-logie.*

♦ Science politique.

C'est pourquoi, présumant de l'usage et voulant contribuer à le créer *(le terme),* nous parlerons ici de *politologie* chaque fois (...) que nous viserons la connaissance systématique et ordonnée des phénomènes touchant l'État. 1
M. PRÉLOT, la Science politique, p. 14.

La décision d'éliminer l'utopie, c'est-à-dire tout projet d'avenir en rupture avec le présent et le passé, conduit inévitablement au conservatisme. Soit sous la forme de la prétendue « science politique » ou de la « politologie », avec leurs postulats cachés qui les condamnent, sous prétexte de science, à une apologétique masquée de l'ordre établi, soit sous la forme d'un « socialisme scientifique » mal compris (...) Car dire qu'une politique est « scientifique » c'est postuler que l'avenir peut se déduire de quelque manière de l'ordre présent (...) 2
Roger GARAUDY, Parole d'homme,p. 187.

DÉR. (Du même rad.) **Politologue** ou **politicologue.**

POLITOLOGUE [pɔlitɔlɔg] ou POLITICOLOGUE [pɔlitikɔlɔg] n. — Av. 1962 (Robert), *politologue ; politicologue,* 1813, Joubert, *in* D. D. L. ; de *politologie* et *politicologie.*

♦ Spécialiste de la politologie*. *Les politologues qui enseignent à l'Institut d'Études politiques.* — (En fonction d'adj.). « *Moins politologue qu'il n'y paraît, le présentateur* (de télévision) *est* (...) *le porte-parole d'une sagesse souvent trop proverbiale* » (*le Monde,* 11 oct. 1976).

POLJÉ ou POLJE (invar.) [pɔlje] n. m. — XXe ; mot slave « plaine ».

♦ Géogr. Dépression plus ou moins vaste, entourée de rebords rocheux, à fond plat et alluvial, fréquente surtout dans les terrains de type karstique (⇒ **Cavité**). *Les poljés du Karst yougoslave. Fond d'un poljé inondé de manière intermittente ou permanente. Des poljés ; des polje.*

POLKA [pɔlka] n. f. — 1842 ; mot polonais.

♦ **1.** Danse, d'origine polonaise ou tchèque, à l'allure vive et très rythmée. — Air sur lequel on exécute cette danse. *Un air de polka. Jouer une polka. Des polkas* (→ Java, cit. 4 ; orgue, cit. 4). — *Polka piquée,* jouée en notes piquées et dansée d'une façon sautillante.

(...) une polka emportait des couples, dans un balancement qui mettait un sillage au milieu des hommes restés debout. ZOLA, Nana, XII. 1

Rien ne fut omis dans la formation que ma mère entendait me donner pour faire de moi un homme du monde. Elle me prodigua elle-même des leçons de polka et de valse, les seules danses qu'elle connaissait. 2
Après le départ des clientes, le salon était gaiement éclairé, le tapis roulé, un gramophone placé sur la table et ma mère s'asseyait dans un des fauteuils Louis XVI récemment acquis. Je m'approchais d'elle, je m'inclinais, je la prenais par la main et une-deux-trois ! une-deux-trois ! nous nous élancions sur le parquet, sous le regard désapprobateur d'Aniela. R. GARY, la Promesse de l'aube, p. 68.

♦ **2.** (1881). Appos. *Pain polka* : pain marqué de bandes qui se recoupent en formant des carrés ou des losanges. *Des pains* (cit. 1) *polkas.*

♦ **3.** (Déb. XXe ; *in* Larousse, 1907). Techn. **a** Petite brouette pour les transports de terre, dans les champignonnières.

b (V. 1900). Instrument pour la taille des pierres tendres, à taillants orthogonaux.

DÉR. (Du sens 1.) **Polker, polkiste.**

POLKER [pɔlke] v. intr. — 1842, *in* Larchey ; de *polka.*

♦ Danser la polka.

(Les cambrioleurs « électrisés ») dansaient, sautaient (...) avec des déhanchements bizarres, inusités dans la simple polka (...)
— Allons ! (...) voici le courant électrique interrompu (...)
Les deux voleurs ne polkaient plus, le sol avait cessé de leur lancer les effluves électriques. A. ROBIDA, le Vingtième Siècle, 1890, p. 37.

POLKISTE [pɔlkist] n. — 1844, Gautier ; de *polka.*

♦ Vx. Danseur de polka.

POLLAKIURIE [pɔlakiyʀi] n. f. — 1890, P. Larousse, *Deuxième Suppl. ;* grec *pollakis* « souvent », et *ourein* « uriner ».

♦ Méd. Trouble urinaire qui consiste en une fréquence anormalement élevée des mictions, ne s'accompagnant pas nécessairement d'une augmentation du volume total des urines (⇒ **Polyurie**).

POLLEN [pɔlɛn] n. m. — 1766 ; lat. bot. *pollen,* lat. class. *pollen, inis* « farine, poussière fine ».

♦ Bot., cour. Substance qui se présente sous la forme d'une poussière très fine constituée de grains microscopiques et qui est produite dans l'anthère*, partie terminale de l'étamine* (→ 2. Étamine, cit. 1). ⇒ **Fleur.** *Relatif au pollen.* ⇒ **Pollinique.** *Le grain de pollen, agent mâle de la fécondation* chez les plantes phanérogames. Amas* (⇒ **Pollinie**), *poussière* (→ 2. Chaton, cit. 2), *grain de pollen* (→ Parure, cit. 2). *Transport du pollen par les insectes, le vent.* ⇒ **Pollinisation.** *Étude des pollens.* ⇒ **Palynologie, pollénographie.** *La poussière de pollen provoque certaines maladies allergiques* (rhume des foins, asthme pollinique). *Le pollen, nourriture des abeilles** (cit. 5 ; → aussi Nectar, cit. 2).

1 Oh ! la blancheur des lys éclairés par les cierges, leurs feuilles blanches et leur pollen jaune en poussière d'or ! LOTI, Ramuntcho, I, XVIII.

2 J'ai observé que les ouvrières que je voyais recueillir le pollen durant un jour ou deux, n'en rapportaient point le lendemain et sortaient à la recherche exclusive du nectar, et réciproquement. MAETERLINCK, la Vie des abeilles, III, X.

Par métaphore :

3 Regard d'une infinie brièveté, mais qui fut le grain de pollen minuscule, tout chargé des forces inconnues, d'où naquit mon plus grand amour. A. MAUROIS, Climats, I, IV.

DÉR. Pollinie, pollinique, pollinisation, polliniser.
COMP. Pollénographie, pollinose.

POLLÉNOGRAPHIE [pɔlenɔgʀafi] n. f. — 1968 ; de *pollen-,* et *-graphie.*

♦ Didact. Syn. de *palynologie.*

POLLEX [pɔlɛks] n. m. — 1932 ; mot lat. « pouce ».

♦ Zool. Article de la patte des oiseaux, homologue du pouce chez l'homme.

DÉR. Pollicial.

POLLICIAL, ALE, AUX [pɔlisjal, o] adj. — 1932 ; de *pollex.*

♦ Zool. Du pollex.

POLLICITANT, ANTE [pɔlisitɑ̃, ɑ̃t] n. — 1932 ; de *pollicitation.*

♦ Dr. Personne qui fait une pollicitation*.

POLLICITATION [pɔlisitasjɔ̃] n. f. — 1731 ; « promesse », 1480 ; lat. jurid. *pollicitatio ;* de *polliceri* « offrir, promettre ».

♦ Dr. Offre exprimée, mais non encore acceptée. ⇒ **Offre, promesse.**

La conclusion du contrat peut se faire en un seul trait de temps, ce qui est le cas ordinaire pour les contrats conclus entre présents ou par téléphone. Les deux manifestations de volonté peuvent aussi être exprimées successivement, l'une des parties faisant une *offre* ou *pollicitation,* que l'autre *accepte* postérieurement : il en est ainsi principalement dans les contrats par correspondance.
JULLIOT DE LA MORANDIÈRE, Précis de droit civil, t. II, p. 31.

DÉR. Pollicitant.

POLLINIE [pɔlini] n. f. — 1836 ; de *pollen.*

♦ Bot. Masse compacte formée par les grains de pollen agglomérés entre eux, qui se rencontre chez certaines asclépiadacées et orchidacées.

POLLINIFÈRE [pɔlinifɛʀ] adj. — 1845 ; lat. *pollen, inis,* et *-fère.*

♦ Bot. Qui porte, contient du pollen. *Anthères pollinifères des plantes à graines.*

POLLINIQUE [pɔlinik] adj. — 1832 ; de *pollen.*

♦ Bot. Relatif au pollen. *Chambre* ou *sac pollinique :* chacune des parties de l'anthère où se forme le grain de pollen. *Tube pollinique :* prolongement qu'émet le grain de pollen tombé sur le stigmate et par lequel il descend jusqu'à l'ovule. — Méd. *Asthme pollinique,* causé par le pollen.

POLLINISATEUR, TRICE [pɔlinizatœʀ, tʀis] adj. et n. m. — XXe ; de *polliniser* ou de *pollinisation.*

Didactique.

♦ **1.** Adj. Qui assure la pollinisation. *Agent pollinisateur.* « *Les hyménoptères pollinisateurs, et surtout les bourdons (...) dont l'influence est capitale sur le rendement en graines de la luzerne et du trèfle* » (*Sciences et Avenir,* 1974). « *L'efficacité pollinisatrice des oiseaux est surprenante : un même animal consacrant quelques secondes à chaque visite florale peut féconder plusieurs milliers de fleurs par jour* » (*Sciences et Avenir,* août 1980).

L'intervention des animaux est nécessaire pour la production des graines chez les espèces dont le pollen ne peut parvenir sur le stigmate par l'action de la pesanteur, du vent ou de la plante elle-même (...) 1
Cette action pollinisatrice (DARWIN, 1872) a fait l'objet de travaux nombreux où l'imagination dans l'interprétation des faits, ou même dans les observations, a pris parfois une part. Cependant, on a mis en évidence l'action, pour une espèce végétale déterminée, d'une espèce animale également déterminée.
Encycl. franç. (DE MONZIE), l'Évolution du monde vivant, t. V, 5'38-13.

♦ **2.** N. m. Insecte qui assure la pollinisation des fleurs entomophiles.

(...) la plupart du temps, le prélèvement de nourriture a lieu sans dommage pour la fleur. Ainsi les Lépidoptères, groupe très important de pollinisateurs, prélèvent le nectar à l'aide de leur longue trompe, après s'être posés délicatement sur la corolle (...) Christian SOUCHON, les Insectes et les Plantes, p. 75. 2

POLLINISATION [pɔlinizasjɔ̃] n. f. — 1875 ; *pollination,* 1812 ; de *pollen* et *-isation.*

♦ Didact. (Sc. nat.). Processus par lequel le pollen est transporté des anthères jusqu'aux stigmates ; période pendant laquelle s'accomplit ce processus. *La pollinisation est indispensable à la fécondation** (⇒ **Fleur, fruit**). *Pollinisation directe* (quand le grain de pollen féconde un ovule appartenant à la même fleur), *indirecte* ou *croisée* (quand le pollen féconde un ovule appartenant à une fleur différente, d'une même plante ou d'une autre plante). *Pollinisation par le vent* (⇒ **Anémophilie**), *par les insectes* (⇒ **Entomophilie**).

DÉR. Pollinisateur.

POLLINISER [pɔlinize] v. tr. — Déb. XXe ; au p.p. 1904, *Rev. gén. des sc.,* n° 18, p. 862 ; de *pollen* (*pollinisation* semble antérieur).

♦ Didact. ou littér. Répandre du pollen dans (un lieu), sur (qqch.). « *Les grandes fleurs si ornementales des hibiscus sont pollinisées, de jour, par les oiseaux. Mais leur cousin, le grand baobab d'Afrique, offre ses fleurs ouvertes aux chauves-souris* » (*Sciences et Avenir,* août 1980). — Au participe passé :

(les) chambres de Combray, saupoudrées d'une atmosphère grenue, pollinisée (...)
PROUST, Du côté de chez Swann, Pl., t. I, p. 383.

POLLINOSE [pɔlinoz] n. f. — XXe ; de *pollen,* et 2. *-ose.*

♦ Méd. Ensemble des manifestations allergiques causées par l'inhalation du pollen, dont la forme la plus courante est le rhume des foins.

POLLUANT, ANTE [pɔlɥɑ̃, ɑ̃t] adj. et n. m. — 1970 ; 1880, Huysmans au sens 1. de *polluer ;* de *polluer.*

♦ **1.** Adj. Qui pollue (II.). *Produits polluants.* ⇒ **Pollueur.** *Usines, voitures polluantes. Radiations polluantes.*

Construire une usine non polluante et mieux placée devient un investissement, construire une autoroute ou un aéroport peut ne plus l'être. 1
A. SAUVY, Croissance zéro ?, p. 269.

Notez bien, dit le curé, je ne suis pas contre le progrès, mais enfin une raffinerie, chacun sait que c'est polluant et les marins pêcheurs sont contre (...) 2
Pierre GOMBERT, le Prix d'un taxi, p. 63.

Fig., fam. « *Qui encombre. Un homme, une femme, une idée, peuvent être polluants* » (J. Merlino, *les Jargonautes,* p. 203).

♦ **2.** N. m. Agent (physique, chimique ou biologique) provoquant une dégradation dans un milieu donné. *Polluants atmosphériques.*

En quelques années, le tonnage de polluants au kilomètre carré a baissé de 85 % (...) A. SAUVY, Croissance zéro ?, p. 236. 3

CONTR. Dépolluant.

POLLUER [pɔlɥe] v. tr. — 1290 ; lat. *polluere* « souiller ».

★ **I.** ♦ **1.** Vx ou littér. Salir, souiller ; fig. profaner. *Polluer une église, un temple.*

(...) quelques-uns de ces forçats libérés que la justice a retrouvés depuis la victoire dans les rangs des vainqueurs. Ces galériens n'ont pu polluer le triomphe national républicain ; ils n'ont été nuisibles qu'à la royauté de Louis-Philippe. 1
CHATEAUBRIAND, Mémoires d'outre-tombe, t. V, p. 198.

L'égout charrie une fange velue 2
Vers la rivière qu'il pollue (...)
VERHAEREN, les Villes tentaculaires, « La plaine ».

Je tombais (...) des sommets de la mélancolie dans les bas-lieux de la réjouissance. 3

Allais-je plus longtemps polluer mon noble tourment au milieu de cette bamboche? G. DUHAMEL, la Pierre d'Horeb, XIV.

♦ **2.** (XVIe; surtout pron.; compl. nom de personne). Masturber.

3.1 Max *(Maxime)* s'est fait polluer l'autre jour dans des quartiers déserts sous des décombres et a beaucoup joui. Assez de lubricités.
FLAUBERT, Correspondance, t. I, Pl., p. 573.

★ **II.** (1958; angl. *to pollute* [XIVe], de même origine que le franç. *polluer*). Salir en rendant malsain, dangereux. *Gaz qui polluent l'atmosphère des villes.* ⇒ **Infecter, infester.** — Par ext. (Absolt). Dégrader l'environnement, de quelque manière que ce soit. *«Un nouveau slogan "Qui pollue paie". Cette parafiscalité a été créée pour les riverains des aérodromes d'Orly et de Roissy»* (*Science et Vie*, «Environnement», no H.S., 1974).

3.2 (...) lorsque Zénon d'Élée et ses disciples traçaient des figures sur le sable de leurs pieds nus, ils ne polluaient, ni ne consommaient.
A. SAUVY, Croissance zéro?, p. 240.

▶ **POLLUÉ, ÉE** p. p. adj. (→ Égout, cit. 6, au fig.). *Rivière polluée par les déchets industriels* (⇒ **Pollution**). — *Air pollué. Atmosphère polluée. Sols pollués.* — REM. On a employé aussi autrefois la forme *pollu*, *ue* comme participe ou adjectif (cf. Corneille, *Hymnes*, 6).
Fig. (au sens 1 du verbe) :

4 Elle *(Byzance)* avait beau être schismatique et très perfide, polluée d'ignominies (...)
Léon BLOY, Choix de textes, p. 148.

N. m. *Les pollueurs et les pollués.*

CONTR. Décontaminer, dépolluer, épurer.
DÉR. Polluant, pollueur. — (Du même rad.) **Pollution.**

POLLUEUR, EUSE [pɔlɥœʀ, øz] adj. et n. — 1969, *in* P. Gilbert; de *polluer*.

♦ Qui pollue (II.). ⇒ **Polluant.** — N. Personne, groupe, industrie... qui pollue. *Les pollueurs doivent être les payeurs.*

1 Le succès important remporté dans les usines de pâte à papier, grandes pollueuses, mérite d'être souligné (...)
A. SAUVY, Croissance zéro?, p. 237.

2 Chez vous, en France, on dira : «Mais oui, faites des centrales, sans ça nous irons vers la paralysie. Mais dès que vous aurez choisi l'endroit, vous deviendrez "l'infâme pourrisseur, le *pollueur* dégueulasse qui surchauffe l'eau vivante des rivières et offre à ses électeurs (...) des poissons crevés"».
Christine ARNOTHY, Toutes les chances plus une, p. 38.

POLLUTION [pɔlysjɔ̃] n. f. — V. 1170; lat. ecclés. *pollutio.*

★ **I.** ♦ **1.** Vx ou littér. (au propre ou au fig.). Action de polluer (I., 1.), fait d'être pollué. ⇒ **Souillure.** *Pollution d'une église.* ⇒ **Profanation.**

♦ **2.** Masturbation ou éjaculation. — Méd. *Pollutions nocturnes :* éjaculation survenant hors de l'activité érotique volontaire, pendant le sommeil (notamment en cas de continence prolongée).

1 Il serait contre toutes les loix de l'équité et de la profonde sagesse, que nous lui reconnaissons dans tout, de permettre ce qui l'offenserait; secondement, ces pertes sont cent et cent millions de fois par jour exécutées par elle-même *(la nature)*; les pollutions nocturnes, l'inutilité de la semence dans le temps des grossesses de la femme, ne sont-elles pas des pertes autorisées par ses loix.
SADE, Justine..., t. I, p. 47.

2 Le gosse (...) parfaitement abruti, s'en allait vivre des pollutions nombreuses dans son dodo enfantin.
R. QUENEAU, le Chiendent, p. 10.

★ **II.** (V. 1960; angl. *pollution*, lui-même empr. au franç., comme *to pollute*. → Polluer, II.). Mod., cour. Dégradation (d'un milieu) par l'introduction d'agents (polluants*). *Pollution des eaux d'une rivière. Pollution atmosphérique. Pollution thermique.* ⇒ **Caléfaction.** *Pollution atomique, nucléaire* (par les installations productrices d'énergie nucléaire). *Pollution nucléaire des eaux, des sols. Lutte contre la pollution.* ⇒ **Antipollution, dépollution; dépolluer.** *Étude de l'environnement* et des facteurs de pollution. Science des pollutions.* ⇒ **Molysmologie;** et aussi **écologie.** — Par ext. Dégradation des conditions de vie (bruit, etc.). ⇒ **Agression, nuisance.**

3 Cette distinction essentielle nous conduit à abandonner le terme pollution, employé abusivement («pollution atmosphérique») pour celui, plus approprié et plus général, de dégradation.
A. SAUVY, Croissance zéro?, p. 191.

CONTR. Dépollution, épuration.
COMP. Anti(-)pollution.

POLO [polo] n. m. — 1872; mot angl., du balti (langue du Cachemire) *polo* «balle» (ce sport fut introduit en Angleterre par les officiers de l'armée des Indes).

♦ **1.** Sport dans lequel des cavaliers, divisés en deux équipes, essaient de pousser une boule de bois dans le camp adverse, en la frappant avec un maillet* à long manche. *Le polo, sport équestre* (⇒ **Équitation**). *Le polo présente certaines analogies avec le football*. Réunion de polo.*

1 (...) il s'étonne, comme moi, qu'on ne vous ait pas vu aux réunions de polo, cette année, en Angleterre.
Valery LARBAUD, A.-O Barnabooth, Journal, 10 mai.

♦ **2.** (1897, *in* Höfler; «coiffure des joueurs de polo»). Vx. Coiffure féminine sans bords qui ressemble à la coiffure des joueurs de polo. ⇒ **Toque.**

(...) une fille aux yeux brillants, rieurs, aux grosses joues mates, sous un «polo» noir, enfoncé sur sa tête, qui poussait une bicyclette (...) 2
PROUST, À l'ombre des jeunes filles en fleurs, Pl., t. I, p. 793.

♦ **3.** (1913, Colette; trad. de l'angl. *polo shirt*). Chemise de sport en tricot, à col ouvert. — Appos. *Chemise polo.*

(...) si la tenue réglementaire pour le pesage de Deauville avait été la chemise polo et le blue jean, ces jeunes gens auraient mis chapeaux et cravates. 3
Pierre DANINOS, Un certain Monsieur Blot, p. 118.

J'ai revêtu mon costume de flanelle, et comme le col de mon unique chemise blanche était usé jusqu'à la trame, j'ai enfilé un «polo» blanc cassé qui s'harmonisait bien avec ma cravate de l'International Bar Fly, bleue et rouge. J'ai eu beaucoup de mal à nouer celle-ci parce que le col du «polo» était trop mou, mais je voulais avoir l'air soigné. 4
Patrick MODIANO, Villa Triste, p. 133.

DÉR. Poloïste.
COMP. Water-polo.

POLOCHE [pɔlɔʃ] n. f. — V. 1920; de *polochon*, à cause de «bataille de polochons».

♦ Pop., vx. Désordre; divagation. — Par ext. Partie de débauche.

POLOCHON [pɔlɔʃɔ̃] n. m. — 1849; orig. incert., on allègue un néerl. *poluwe.*

Familier.

♦ **1.** Traversin*. *Bataille (à coups) de polochons dans une chambrée, un dortoir.*

Tu ne caches rien sous le polochon, au moins? Pas de bougie? Pas de bouquin?
MARTIN DU GARD, les Thibault, t. II, p. 99.

♦ **2.** Sac cylindrique souple. *«Polochon en toile bicolore»* (Publicité, in *l'Express*, 26 mars 1973).

DÉR. Poloche.

POLOÏSTE [pɔlɔist] n. — 1949, *in* Larousse; *poliste*, 1899; de *polo.*

♦ Rare. Personne qui joue au polo.

POLONAIS, AISE [pɔlɔnɛ, ɛz] adj. et n. — XVIIIe; *poulenoys*, 1442, *in* D. D. L.: *pouloignois*, 1570, *pollonois*, 1653; de *Pologne.*

♦ **1.** Qui se rapporte à la Pologne, à ses habitants. *La nation polonaise* (→ Ordre, cit. 36). *L'histoire, l'économie polonaise. La cracovienne, la mazurka, la polka, danses polonaises.* — Hist. *Cavalier polonais au service de la France sous l'Ancien Régime.* ⇒ **Polaque.** *Noble polonais.* ⇒ **Magnat.** *Le staroste*, seigneur polonais titulaire d'une starostie*. — Le zloty*, monnaie polonaise.*
N. *Un Polonais, une Polonaise :* personne qui a la citoyenneté polonaise. *Les Polonais.*

— On dit ce pays fort beau. 0.1
— Ah! messieurs! Si beau qu'il soit il ne vaut pas la Pologne. S'il n'y avait pas de Pologne, il n'y aurait pas de Polonais!
A. JARRY, Ubu roi, V, 4.

Loc. (sans doute à cause des mœurs des cavaliers polonais mercenaires). Fam. *Boire comme un Polonais :* boire à l'excès, s'enivrer (→ Noce, cit. 6). — (1877). *Être ivre, soûl comme un Polonais,* au dernier point.

C'est le père Bijard qui flanque une roulée à sa femme, répondit la repasseuse. Il était sous la porte, gris comme un Polonais, à la guetter revenir du lavoir (...) 1
ZOLA, l'Assommoir, t. I, VI, p. 246.

N. m. Ling. *Le polonais :* langue du groupe slave* occidental. *Apprendre le polonais. Parler polonais.*

♦ **2.** Loc. **À LA POLONAISE.** *Lit à la polonaise,* en bois sculpté et peint, ou en métal peint, à quatre colonnes. — Cuis. *À la polonaise :* servi avec une garniture faite d'un hachis de jaune d'œuf et de persil parsemé de mie de pain frite au beurre. *Asperges, choux-fleurs à la polonaise.*

♦ **3.** N. m. (1876, Zola, *l'Assommoir*). Vx. Petit fer à repasser arrondi aux deux extrémités.

POLONAISE [pɔlɔnɛz] n. f. — Fin XVIIIe; de *polonais.*

♦ **1.** (1774, *in* D. D. L.). Danse marchée, de caractère noble et fier, qui était la danse nationale des Polonais.

Aussi, lorsque le signal de la «polonaise» retentit, quand les invités de tout rang prirent part à cette promenade cadencée, qui, dans les solennités de ce genre, a toute l'importance d'une danse nationale (...) 1
J. VERNE, Michel Strogoff, 1876, p. 2.

En Russie, les bals de la cour s'ouvrent par ce qu'on appelle une polonaise; ce n'est pas une danse, mais une sorte de défilé, de procession, de *marche aux flambeaux,* qui a beaucoup de caractère. 2
Th. GAUTIER, Voyage en Russie, XI.

Plus cour. Musique sur laquelle on exécutait cette danse et dont le rythme caractéristique a inspiré plusieurs musiciens. *Les polonaises de Chopin. La Fantaisie-Polonaise,* opus 61.

♦ **2.** (Mil. XIXe). Vx. Redingote* à brandebourgs. — Robe de femme en usage au XVIIIe siècle (cf. Goncourt, *la Femme au XVIIIe siècle,* t. II, p. 67).

♦ **3.** Gâteau meringué, dont l'intérieur, fait de pâte briochée imbibée de kirsch, contient des fruits confits.

POLONIUM [pɔlɔnjɔm] n. m. — 1898; du rad. de *Pologne,* pays d'origine de Marie Curie, qui, avec Pierre Curie, découvrit cet élément.

♦ Élément radioactif (symb. *Po;* p. at. 210; n° at. 84). *Dans la série du radium, le polonium est identique au radium F de période de 140 jours; par expulsion d'un hélion, il donne le radium G, qui est le plomb stable.*

Les réactions nucléaires que nous avons envisagées pour l'émission des électrons positifs du bore et de l'aluminium, ont reçu une confirmation dans nos dernières expériences (...)
On irradie une feuille d'aluminium sur une forte source de polonium pendant quelques minutes; quand on retire la feuille elle présente une activité qui décroît de moitié en 3 min. 15 secondes et le rayonnement émis, que l'on peut observer avec un compteur ou l'appareil Wilson, est constitué de positrons.
F. JOLIOT et I. JOLIOT-CURIE, *in* Rev. gén. des sc., 1934, t. 45, p. 234.

POLTRON, ONNE [pɔltʀɔ̃, ɔn] adj. et n. — 1534; ital. *poltrone* «poulain», d'où figuré «qui s'effraie facilement», de *poltro,* lat. tardif **pulliter,* de *pullus.* → Poulet.

♦ **1.** Qui manque de courage physique, qui s'effraie d'un danger même imaginaire ou insignifiant. ⇒ **Capon, couard, lâche, peureux, pusillanime;** fam. **foireux, froussard, péteux, pétochard, trouillard.** *Il est poltron comme un lapin, comme un lièvre* (→ Il a un cœur* de poulet (vx); c'est une poule* mouillée). *C'est un enfant un peu poltron; il a toujours peur**. — (En parlant d'un animal). → Besoin, cit. 10. — N. *Un poltron.* ⇒ **Pleutre** (→ Concevable, cit. 2). *Il s'est sauvé comme un poltron qu'il est. Faire le poltron.* ⇒ **Caner** (fam.). *C'est une grosse poltronne. Les poltrons* (→ Crânerie, cit. 2; héros, cit. 14; impossible, cit. 16).

1 Il n'y a guère de poltrons qui connaissent toujours toute leur peur.
LA ROCHEFOUCAULD, Maximes, 370.

2 Je joue les Bradamante et ne suis pas poltronne. Je rassurerai la timide Isabelle, dit la Sérafina en riant (...) Th. GAUTIER, le Capitaine Fracasse, II.

3 Les courageux s'armèrent, les poltrons se cachèrent.
HUGO, les Misérables, IV, X, V.

♦ **2.** Fauconn. *Oiseau poltron :* oiseau auquel on a coupé les ongles des doigts postérieurs. — Oiseau difficile à dresser.

CONTR. **Audacieux, brave, crâne, vaillant, valeureux.**
DÉR. **Poltronnerie.**
COMP. **Apoltronnir.**

POLTRONNERIE [pɔltʀɔnʀi] n. f. — 1574; *poltronie,* 1566; de *poltron.*

♦ **1.** *(La poltronnerie).* Caractère du poltron. ⇒ **Couardise, lâcheté** (→ Manquer, cit. 41). *«La parfaite valeur et la poltronnerie complète sont deux extrémités où l'on arrive rarement»* (→ Courage, cit. 6, La Rochefoucauld).

(...) dans une nation guerrière, où la force, le courage et la prouesse sont en honneur, les crimes véritablement odieux sont ceux qui naissent de la fourberie, de la finesse et de la ruse, c'est-à-dire de la poltronnerie.
MONTESQUIEU, l'Esprit des lois, XXVIII, XVII.

♦ **2.** Vieilli. *(Une, des poltronneries).* Acte de lâcheté. *Il a commis une poltronnerie impardonnable.*

CONTR. **Audace, bravoure, crânerie, vaillance, valeur.**

POLY- Préfixe, du grec *polus* «nombreux; abondant» (⇒ **Multi-, pluri-**) entrant dans la composition de nombreux termes didactiques. Voir à l'ordre alphabétique.

REM. 1. Ce préfixe, en chimie, indique en particulier qu'il s'agit d'un *polymère*,* d'un corps *polymérisé.* Ex. : *polycarbonate.*
2. Les composés hybrides (poly + racine non grecque) sont très fréquents. → ci-dessous *Polycolore, polycourant. Des «graphiques polycornus»* (Fourastié, in *Science et Vie,* n° 590), p. 64). *Des «substances polyfonctionnelles»* (J. Vène, *les Plastiques,* p. 26).

POLYACIDE [pɔliasid] adj. et n. m. — 1869, Littré; de *poly-,* et *acide.*

♦ Chim. Corps présentant plusieurs fois la fonction acide, c'est-à-dire dont la molécule est susceptible, en solution aqueuse, de libérer plusieurs ions hydrogènes (*diacides :* acide sulfurique; *triacides :* acide phosphorique). ⇒ **Alkyd.**

POLYACRYLATE [pɔliakʀilat] n. m. — Mil. XXe; de *polyacryl(ique),* et *-ate.*

♦ Chim. Polymère d'un ester de l'acide acrylique (ou d'un de ses dérivés).

POLYACRYLIQUE [pɔliakʀilik] adj. — Mil. XXe; de *poly-,* et *acrylique.*

♦ Chim. Se dit des corps obtenus par polymérisation de corps de la série acrylique. *Résines polyacryliques.*

DÉR. **Polyacrylate.**

POLYADDITION [pɔliadisjɔ̃] n.f. — Mil. XXe; de *poly-,* et *addition.*

♦ Chim. Polymérisation qui commence par une molécule n'appartenant pas au monomère polymérisé.

POLYADELPHE [pɔliadɛlf] adj. — 1869; de *poly-,* et *adelphe.*

♦ Bot. *Plante polyadelphe,* qui présente le caractère de polyadelphie.

POLYADELPHIE [pɔliadɛlfi] n. f. — 1787; de *poly-,* et *adelphie* (→ -adelphe).

♦ Bot. Caractère d'une plante dont les étamines sont réunies en faisceaux.

POLYAKÈNE [pɔliakɛn] adj. et n. m. — Déb. XXe; de *poly-,* et *akène.*

♦ Bot. Composé de plusieurs akènes. — N. m. Fruit formé de plusieurs akènes.

POLYALCOOL [pɔlialkɔl] ou **POLYOL** [pɔliɔl] n. m. — 1903 (*Rev. gén. des sc.,* 15 août 1903, p. 831), *polyalcool; polyol,* mil. XXe; de *poly-,* et *(alco)ol.*

♦ Chim. Corps possédant plusieurs fonctions alcool. ⇒ **Alkyd.**

POLYAMIDE [pɔliamid] n. m. — Mil. XXe; de *poly-,* et *amide.*

♦ Chim. Corps résultant de la réaction d'un polyacide sur une polyamine. *De nombreuses matières plastiques (utilisées comme articles ménagers, équipement chirurgical, fibres textiles), sont des polyamides* (ex. : le «nylon», le «rilsan»).

Les mains étrangères sont entrées dans ma gorge, dans mes yeux et mes oreilles. Les peaux étrangères ont adhéré à ma peau comme du polyamide qui brûle.
J.-M. G. LE CLÉZIO, les Géants, p. 30.

POLYAMINE [pɔliamin] n. f. — 1962; de *poly-,* et *amine.*

♦ Chim. Substance organique possédant plusieurs fois la fonction amine.

POLYANDRE [pɔljɑ̃dʀ; pɔliɑ̃dʀ] adj. — 1842; de *poly-,* et *-andre.* Didactique.

♦ **1.** Qui a plusieurs maris (⇒ **Polygame**). *Femme polyandre.* — Par ext. *Femelle polyandre* (→ 2. Mante, cit. 1).

♦ **2.** Bot. Qui a plusieurs étamines. *Plante polyandre.*

CONTR. (Du 1.) **Monogame.**

POLYANDRIE [pɔljɑ̃dʀi; pɔliɑ̃dʀi] n. f. — 1765, *Encyclopédie;* de *poly-,* et *-andrie.*
Didactique.

♦ **1.** Le fait, pour une femme d'avoir plusieurs maris (⇒ **Bigamie, polygamie**). *Polyandrie adelphique*.*

Les sociétés commencent par la polygamie et finissent par la polyandrie. 1
Ed. et J. DE GONCOURT, Journal, t. I, p. 186.

Quant à la polyandrie, elle s'établit dans des pays misérables comme le Thibet, où plusieurs hommes doivent unir leurs forces pour nourrir une femme et sa progéniture. A. MAUROIS, les Silences du colonel Bramble, XII. 2

♦ **2.** (1787). Bot. Caractère d'une plante polyandre (chez Linné, classe de plantes à nombreuses étamines).

CONTR. (De 1.) **Monogamie.**
DÉR. **Polyandrique.**

POLYANDRIQUE [pɔljɑ̃dʀik; pɔliɑ̃dʀik] adj. — 1803, de *polyandrie.*

♦ Didact. De la polyandrie.

POLYARTHRITE [pɔliaʀtʀit] n. f. — 1868; de *poly-,* et *arthrite.*

♦ Méd. Inflammation simultanée de plusieurs articulations.

POLYARTICULAIRE [pɔliaʀtikylɛʀ] adj. — 1869; de *poly-,* et *articulaire.*

♦ Méd. Qui affecte plusieurs articulations. *Rhumatisme polyarticulaire.*

POLYATOMIQUE [pɔliatɔmik] adj. — 1878; de *poly-*, et *atomique.*

♦ Didact. Formé de plusieurs atomes. *Molécule polyatomique.* « *Pour les gaz polyatomiques, il faut la modifier* (la formule de van der Waals) ». (*Rev. gén. des sc.*, 30 janv. 1903, p. 98). « *La théorie des alcools polyatomiques...* » (*Année sc. et industr.*, 1885, p. 542).

POLYBASIQUE [pɔlibɑzik] adj. — 1865, in *Rev. des cours sc.*, t. II, p. 322; de *poly-*, et *basique.*

♦ Chim. (Rare). *Acide polybasique.* ⇒ **Polyacide.**

POLYBIE [pɔlibi] n. — 1875; de *poly-*, et *-bie* du grec *bios* « vie ».
Zoologie.

♦ **1.** N. m. Crustacé décapode, aussi appelé *crabe à sardines*, courant sur les côtes de l'Atlantique. *Le polybie est très vorace.*

♦ **2.** N. f. Variété de guêpe sociale dont le nid est protégé par une enveloppe.

POLYBUTADIÈNE [pɔlibytadjɛn] n. m. — Mil. xxe; de *poly-*, et *butadiène.*

♦ Techn. Polymère du butadiène utilisé dans la chimie du pétrole, des caoutchoucs synthétiques. « (Une) *pellicule à l'aspect caoutchouteux faite de polybutadiène chargée de particules de carbone* » (*Sciences et Avenir*, nov. 1974).

POLYBUTYLÈNE [pɔlibytilɛn] n. m. — Mil. xxe; de *poly-*, et *butylène.*

♦ Techn. Polymère du butylène, utilisé comme plastifiant, pour constituer des revêtements adhésifs, etc.

POLYCAMÉRATIQUE [pɔlikameʀatik] adj. — 1767; de *poly-*, lat. *camera* « voûte, pièce, chambre », et suff. *-(at)ique.*

♦ Techn., anc. Qui fait fonctionner plusieurs cadrans. *Horloge polycamératique.*

POLYCARIE [pɔlikaʀi] n. f. — Mil. xxe; de *poly-*, et *carie.*

♦ Didact. Carie affectant simultanément plusieurs dents.

POLYCENTRIQUE [pɔlisɑ̃tʀik] adj. — 1897, biol.; de *poly-*, *centre*, et *-ique.*
Didactique.

♦ **1.** Archit. Qui a plusieurs centres (en parlant du plan d'une construction).

♦ **2.** (1941). Qui a plusieurs centres de direction.

Il devient possible d'imaginer pour nos êtres le terme naturel et irréversible de leur agrégation : non pas simplement une Humanité polycentrique, s'arrêtant au stade de la « colonie ».
TEILHARD DE CHARDIN, l'Activation de l'énergie, *in* D.D.L., II, 6.

(V. 1965). Polit. *Parti polycentrique.* ⇒ **Polycentrisme.**

POLYCENTRISME [pɔlisɑ̃tʀism] n. m. — 1960; de *poly-*, *centre*, et *-isme.*

♦ Polit. Doctrine qui tend à donner à un parti au pouvoir (notamment un parti unique) plusieurs centres de direction. « *Les nouveaux principes du "polycentrisme" s'affirment de plus en plus dans le monde communiste* » (*le Nouvel Obs.*, 30 avr. 1968).

POLYCÉPHALE [pɔlisefal] adj. — 1869; n. m., nom d'un ver, 1808; grec *polukephalos.* → -céphale.
Didactique.

♦ **1.** (Concret). Qui a plusieurs têtes. *Monstre polycéphale.* — Bot. *Plante polycéphale*, dotée d'un grand nombre de capitules.

♦ **2.** (Abstrait). *Gouvernement polycéphale.*

POLYCHÈTES [pɔlikɛt] n. m. ou f. pl. — 1842; de *poly-*, et grec *khaitê* « soie ». → Oligochètes.

♦ Zool. Classe d'annélides chétopodes, comprenant des vers marins errants ou sédentaires (vivant dans un tube qu'ils sécrètent). — Au sing. *Un* (ou *une*) *polychète.*

POLYCHLORÉ, ÉE [pɔliklɔʀe] adj. — Mil. xxe (*in* Larousse 1963); de *poly-*, et *chloré.*

♦ Chim. Qui contient plusieurs atomes de chlore.

POLYCHLORURE [pɔliklɔʀyʀ] n. m. — D.i. (xxe); de *poly-* et *chlorure.*

♦ *Polychlorure de vinyle.* ⇒ **Polyvinyle.**

POLYCHOLIE [pɔlikɔli] n. f. — 1869; de *poly-*, et grec *kholê* « bile ».

♦ Méd. Sécrétion biliaire trop importante.

POLYCHRESTE [pɔlikʀɛst] adj. et n. — 1680, n. m., Mme de Sévigné; bas lat. *polychrestos* (→ Poly-), de *chrestos* « bon, utile ».

♦ Didact. (Pharm., méd.). Qui a des effets multiples, des usages différents. *Remède polychreste.* — N. m. Vx. Sel purgatif.
N. f. (1875). En homéopathie, Médicament polyvalent.

POLYCHROÏQUE [pɔlikʀɔik] adj. — 1878; de *polychroïsme.*

♦ Opt. Qui se rapporte au polychroïsme*.

POLYCHROÏSME [pɔlikʀɔism] n. m. — 1842; de *poly-*, et grec *khroa* « teinte ».

♦ Didact. (Phys.). Phénomène dû à la polarisation* des radiations, qui permet d'observer sur une substance des colorations variées selon l'angle sous lequel on la regarde, l'absorption des radiations étant différente suivant leur incidence. ⇒ **Couleur.**

DÉR. Polychroïque.

POLYCHROME [pɔlikʀom] adj. — 1788; grec *polukhrômos.* → -chrome.

♦ Qui est de plusieurs couleurs, décoré de plusieurs couleurs. *Colonne, statue; architecture polychrome. Frontispice* (cit. 3) *polychrome.* — *Décoration polychrome.* (On dit aussi *polychromé**).

(...) les polychromes ruissellements des vins du Rhin et le rubis mousseux du champagne s'enchâssent dans les étroites et hautes coupes de pierre de Bohême (...) 1
LAUTRÉAMONT, les Chants de Maldoror, VI.

Nous nous étonnons aujourd'hui de l'architecture polychrome des Grecs, et notre « bon goût » s'en offusque. C'est parce que depuis longtemps nos temples et nos monuments publics ne répondent plus qu'à des besoins abstraits qu'ils sont blancs. Nous ne comprenons plus que le temple grec, né du sol, ne fût pas distant de la terre, et que les dieux, pour l'habiter, prissent les couleurs de la vie. 2
GIDE, Nouveaux prétextes, p. 35.

Les statues grecques étaient polychromes, mais Platon nous enseigne que, de son temps, leurs prunelles étaient peintes en rouge. 3
MALRAUX, les Voix du silence, p. 45.

CONTR. Monochrome.
DÉR. Polychromé, polychromie.

POLYCHROMÉ, ÉE [pɔlikʀɔme] adj. — Fin xixe; de *polychrome.*

♦ ⇒ **Polychrome.**

J'ai douté de ma mémoire quand je suis entrée dans la grande salle au plafond de bois polychromé en forme de carène renversée (...)
S. DE BEAUVOIR, Tout compte fait, p. 261.

POLYCHROMIE [pɔlikʀɔmi] n. f. — 1842; de *polychrome.*

♦ **1.** État de ce qui a diverses couleurs (⇒ **Bichromie**).

♦ **2.** Décoration par les couleurs (→ Fatras, cit. 1). — Spécialt. Application de la couleur à la statuaire, à l'architecture.

CONTR. Monochromie.

POLYCLINIQUE [pɔliklinik] n. f. — 1864; de *poly-*, et *clinique.*

♦ Établissement hospitalier comprenant plusieurs services spécialisés pour le traitement de maladies diverses. (Souvent confondu avec *policlinique.*)

HOM. Policlinique.

POLYCOLORE [pɔlikɔlɔʀ] adj. — xxe; de *poly-* (→ Polychrome), et lat. *-colore* (→ Multi-, versicolore).

♦ Rare. Multicolore (⇒ **Polychrome, polychromé**).

(...) une fragile tasse de porcelaine habillée d'une housse polycolore de brins de joncs tressés (...)
B. CENDRARS, Bourlinguer, p. 177.

POLYCONDENSAT [pɔlikɔ̃dɑ̃sa] n. m. — Mil. xxᵉ; de *polycondensation.*

♦ Chim., techn. Produit résultant d'une polycondensation.

POLYCONDENSATION [pɔlikɔ̃dɑ̃sasjɔ̃] n. f. — Av. 1948 (cit.); de *poly-*, et *condensation.*

♦ Chim. Se dit de réactions, de combinaisons classiques en chimie organique (estérification, amidification...) entre des molécules identiques ou différentes, avec élimination des résidus de la réaction (eau, ammoniac, formol, hydracide...). *Des réactions de polycondensation sont à la base de la préparation de nombreuses matières plastiques. Résine obtenue par une polycondensation suivie d'une polymérisation.*

On dit qu'il y a *polycondensation* lorsque le produit obtenu résulte de la réaction généralisée des molécules de départ, mais cette fois avec élimination d'un tiers corps, dont la molécule est presque toujours très simple; le corps éliminé est le plus souvent de l'eau, mais ce peut être aussi un acide, un sel, un alcool, une amine, etc.; les éléments constitutifs de ce corps sont empruntés à l'une et à l'autre des deux molécules qui se trouvent ainsi soudées.

Jean VÈNE, les Plastiques, 1948, p. 23.

DÉR. Polycondensat.

POLYCOPIE [pɔlikɔpi] n. f. — 1890; de *poly-*, et *copie.*

♦ Cour. Procédé de reproduction graphique par report (décalque) sur une pâte, un mastic* à la gélatine (formant cliché*), encrage et tirage. *Bulletin* (cit. 3) *tiré à la polycopie.* — Par ext. Reproduction par un procédé similaire (⇒ **Stencil**). *Appareil pour la polycopie.* ⇒ **Duplicateur.** (Recomm. off. : *multicopie.*)

POLYCOPIÉ, ÉE [pɔlikɔpje] adj. et n. m. — 1920; → Polycopier.

♦ Cour. Reproduit en polycopie. *Cours polycopiés. Circulaire polycopiée* (→ En-tête, cit.).

Assis à l'autre bout de la table et du côté opposé, un jeune homme lisait avec une attention extrême le menu polycopié en deux couleurs, à la pâte.

G. DUHAMEL, Salavin, III, v, 1920.

N. m. *Un polycopié :* texte, et, spécialt, cours universitaire polycopié.

POLYCOPIER [pɔlikɔpje] v. tr. — 1923; de *poly-*, et *copier.*

♦ Reproduire en polycopie. *Polycopier une lettre, un document. — Pâte, encre à polycopier.*

DÉR. Polycopieuse.

POLYCOPIEUSE [pɔlikɔpjøz] n. f. — xxᵉ; de *polycopier.*

♦ Machine à polycopier.

POLYCORIE [pɔlikɔʀi] n. f. — 1878; de *poly-*, et grec *korê* «pupille».

♦ Méd. Anomalie de l'iris qui présente deux ou plusieurs orifices pupillaires. *La polychorie ne provoque pas nécessairement des troubles de la vision.*

POLYCOURANT [pɔlikuʀɑ̃] adj. invar. et n. — Mil. xxᵉ; de *poly-*, et *courant [électrique].*

♦ Techn. Qui fonctionne avec plusieurs types de courants. *«Grâce aux locomotives «polycourant», le passage d'un type de courant à un autre s'effectue en pleine voie pendant la marche»* (in *le Monde,* 5 déc. 1967). ⇒ **Bicourant, tricourant, quadricourant.**

POLYCULTURE [pɔlikyltyʀ] n. f. — 1908; de *poly-*, et *culture.*

♦ Agric. Culture simultanée de différents produits sur un même domaine, dans une même région. *Pratiquer la polyculture pour se garder des risques de la spécialisation.*

CONTR. Monoculture.

POLYCYCLIQUE [pɔlisiklik] adj. — 1875; de *poly-*, et *cyclique.*

♦ **1.** Vx. Qui s'enroule plusieurs fois sur lui-même.

♦ **2.** (1906). Électr. Qui touche plusieurs phénomènes périodiques de fréquence différente. *Système polycyclique.*

♦ **3.** Géol. Façonné par plusieurs cycles d'érosion successifs (en parlant d'un terrain).

♦ **4.** Zool. *Espèces polycycliques :* espèces parthénogénétiques ou à générations alternantes, dont les œufs peuvent être fécondés plusieurs fois par an.

POLYCYTOGÉNIE [pɔlisitɔʒeni] n. f. — 1978; de *poly-*, *cyto-*, et *-génie.*

♦ Biol. Reproduction par plusieurs cellules. (On dit aussi *reproduction végétative.*) *«Pour comprendre tout ce dont est capable la polycytogénie, pensons seulement à la «jacinthe d'eau» qui règne dans les eaux douces plus ou moins stagnantes des pays tropicaux. Elle envahit tous les étangs, oblitère les canaux, interdit le passage des barques; on a beau la faucher, après quelques mois elle réoccupe toute la surface qui lui est offerte. Or c'est par multiplication végétative qu'elle prolifère si victorieusement»* (*Sciences et Avenir,* mars 1978).

POLYDACTYLE [pɔlidaktil] adj. et n. — 1809, Lamarck (nom d'une espèce); de *poly-*, et grec *daktulos* «doigt».

♦ Pathol. Qui présente une polydactylie.

POLYDACTYLIE [pɔlidaktili] n. f. — 1820; de *poly-*, et *-dactylie,*du grec *daktulos* «doigt».

♦ Pathol. Malformation caractérisée par la présence de doigts ou d'orteils surnuméraires.

POLYDIPSIE [pɔlidipsi] n. f. — 1803, Boiste; de *poly-*, et grec *dipsa* «soif».

♦ Méd. Soif excessive (opposé à *oligodipsie*). *La polydipsie s'observe dans certains diabètes, dans la potomanie*...*

Dès son entrée, on note une augmentation de la quantité des urines dont le taux varie entre 2 litres et 2,5 litres. L'analyse n'y révèle aucun élément anormal. Cette polyurie s'accompagne, nous l'avons vu, de polydipsie mais non de polyphagie, et il n'y a aucune trace de glycosurie.

B. CENDRARS, Moravagine, Œ. compl., t. IV, p. 256.

POLYDYSPLASIE [pɔlidisplazi] n. f. — xxᵉ; de *poly-*, et *dysplasie.*

♦ Didact. (Biol., méd.). Malformations multiples dues à des troubles du développement (de tissus ou d'organes).

POLYDYSTROPHIE [pɔlidistʀɔfi] n. f. — xxᵉ (*in* Larousse 1953); de *poly-*, et *dystrophie.*

♦ Didact. (Biol., méd.). Troubles de la nutrition touchant plusieurs organes. *Polydystrophie de Hürler* (1919) : affection congénitale caractérisée par des troubles dans le développement du squelette, et due à des lésions épiphysaires multiples.

POLYÈDRE [pɔljɛdʀ; pɔliɛdʀ] n. m. — 1690; grec *poluedros.* → -èdre.

♦ **1.** N. m. Géom. Solide limité de toutes parts par des polygones plans (⇒ **Face, facette.** → Édifice, cit. 1). *Polyèdre convexe*. Polyèdre régulier, irrégulier. Polyèdres réguliers convexes :* tétraèdre, hexaèdre (cube), octaèdre, dodécaèdre icosaèdre. *Polyèdre* (concave) *à faces étoilées.*

Allus. littér. *Les Polyèdres,* titre initial probable de *Ubu cocu,* de Jarry (cf. Michel Arrivé, in A. Jarry, *Œ. compl.,* Pl.).

Ô mais c'est que, voyez-vous bien, je n'ai point sujet d'être mécontent de mes polyèdres; ils font des petits toutes les six semaines, c'est pire que des lapins. Et il est bien vrai de dire que les Polyèdres réguliers sont les plus fidèles et les plus attachés à leur maître, sauf que l'Icosaèdre s'est révolté ce matin et que j'ai été forcé, voyez-vous bien, de lui flanquer une gifle sur chacune de ses faces.

A. JARRY, Ubu cocu, II, Œ. compl., Pl., t. I, p. 496.

♦ **2.** Adj. *Angle polyèdre* (concave, convexe). *Corps polyèdre.*

DÉR. Polyédrique.

POLYÉDRIQUE [pɔljedʀik; pɔliedʀik] adj. — 1836; de *polyèdre.*

♦ Géom. Relatif à un polyèdre, qui constitue un polyèdre, en fait partie. *Espace polyédrique* (→ Insecte, cit. 4).

Sur la salle où s'assemblaient les lords s'arrondissait avec des plans polyédriques une haute voûte à caissons dorés.

HUGO, l'Homme qui rit, II, VIII, III, 1869.

POLYEMBRYONIE [pɔliɑ̃bʀijɔni] n. f. — V. 1870, Duchartre; de *poly-*, *embryon* et *-ie.*

♦ Biol. Formation de plusieurs embryons à partir d'un zygote (zool.), ou dans un seul ovule, à partir de plusieurs zygotes (bot.). *La polyembryonie de certains hyménoptères parasites.*

POLYESTER [pɔliɛstɛʀ] n. m. — 1962; de *poly-*, et *ester.*

♦ Chim. Ester à poids moléculaire élevé, résultant de l'enchaînement de nombreuses molécules d'esters. *Des polyesters sont les constituants de certaines matières plastiques* (verres de sécurité, isolants, vernis...). ⇒ **Dacron, tergal.** — Appos. *Résine polyester.*

Les résines polyester sont les résines les plus couramment utilisées dans l'industrie des plastiques renforcés. Le terme « polyester » est extrêmement général et définit une combinaison macromoléculaire d'un polyalcool avec un polyacide. Les résines polyester résultent de la combinaison d'un ou plusieurs polyacides, dont l'un est nécessairement non saturé, avec un polyglycol en solution dans un liquide également non saturé.

J.-C. DESJEUX et J. DUFLOS, les Plastiques renforcés, 1964, p. 15.

COMP. Polyestérification.

POLYESTÉRIFICATION [pɔliɛsteʀifikɑsjɔ̃] n. f. — Mil. xxe; de *polyester,* et *estérification.*

♦ Chim. Action d'un polyacide sur un alcool non saturé ou un glycol (donnant un polyester).

POLYÉTHYLÈNE [pɔlietilɛn] ou **POLYTHÈNE** [pɔlitɛn] n. m. — Mil. xxe; de *poly-,* et *éthylène.*

♦ Matière plastique obtenue par polymérisation de l'éthylène, solide translucide, thermoplastique. *Propriétés isolantes du polythène,* utilisées notamment dans les câbles électriques.

POLYFONCTIONNEL, ELLE [pɔlifɔ̃ksjɔnɛl] adj. — 1971, in *le Figaro;* de *poly-,* et *fonctionnel.*

♦ Didact. Qui a plusieurs fonctions. — Spécialt. Chim. Qui a plusieurs fonctions chimiques. *Composé polyfonctionnel.*

POLYGALA [pɔligala] ou **POLYGALE** [pɔligal] n. m. — 1562, *polygala; polygale,* 1669; lat. mod. *polygala,* de *poly-,* et grec *gala* « lait », « parce que, dit-on, les vaches qui en mangent ont plus de lait » (Littré).

♦ Bot. Plante dicotylédone dialypétale *(Polygalacées; polygalées),* herbacée, vivace, dont une variété *(P. vulgaris)* est appelée *laitier, herbe au lait.*

POLYGAME [pɔligam] n. et adj. — 1580; grec *polugamos.* → -game.

♦ **1.** N. Homme uni à plusieurs femmes, femme unie à plusieurs hommes (⇒ **Polyandre**) à la fois, en vertu de liens légitimes reconnus par la loi ou la coutume (⇒ **Mariage**). *Un, une polygame.* Adj. *Être, n'être pas polygame* (→ Parjure, cit. 4). *Musulman, mormon polygame. Tibétaine polygame.* ⇒ **Polyandre.**

1 (...) le mahométan polygame peuple son paradis de femmes (...)

MAUPASSANT, Clair de lune, Lég. Mont-St-Michel.

2 (...) le nombre des épouses varie simplement comme le mode d'alimentation de l'espèce. Les lapins, les Turcs, les moutons, les artistes, et d'un façon générale tous les herbivores sont polygames (...)

A. MAUROIS, les Silences du colonel Bramble, XII.

♦ **2.** Bot. Se dit des plantes qui portent des fleurs hermaphrodites et unisexuées. (On dit aussi *monoïque.*)

CONTR. (Du 1.) Monogame.

POLYGAMIE [pɔligami] n. f. — 1558; lat. *polygamia,* mot grec. → -game, -gamie.

♦ **1.** Situation d'une personne polygame* (⇒ aussi **Androgamie, bigamie, polyandrie**); organisation sociale reconnaissant les unions légitimes multiples et simultanées, en général, d'un homme avec plusieurs femmes (⇒ **Mariage; famille**). *Patriarcat et polygamie.* — REM. Dans la langue classique, on désignait aussi par *polygamie* (*polygamie indirecte,* cf. Bossuet, *in* Littré) les unions légitimes successives (→ Divorce, remariage); → encore cit. Bonald, ci-dessous (et aussi Monogamie, cit. Bourget). — *Les mormons, les musulmans, pratiquent encore la polygamie. En France, la polygamie est punie par le Code pénal* (art. 340).

1 Quoique dans les pays où la polygamie est une fois établie le grand nombre des femmes dépende beaucoup des richesses du mari, cependant on ne peut pas dire que ce soient les richesses qui fassent établir dans un État la polygamie : la pauvreté peut faire le même effet (...)

MONTESQUIEU, l'Esprit des lois, XVI, III.

2 *La polygamie,* ou plusieurs mariages successifs, est non une famille, mais plusieurs familles (...) Nous traiterons des effets de la polygamie en parlant du divorce, qui est une polygamie actuelle ou éventuelle, puisqu'elle permet à l'homme d'avoir une ou plusieurs femmes du vivant des premières.

DE BONALD, Démonstration philosophique..., *in* BOUGLÉ et RAFFAULT, Éléments de sociologie, p. 82.

3 Au début de son règne Talou VII avait épousé une jeune Ponukéléienne idéalement belle, nommée Rul.
Très amoureux, l'empereur refusait de choisir d'autres compagnes, malgré les usages du pays, où la polygamie était en honneur.

Raymond ROUSSEL, Impressions d'Afrique, p. 244.

♦ **2.** (Fin XVIIIe). Bot. Caractère d'une plante polygame. — Vx. Chez Linné, Classe des plantes polygames.

CONTR. Monogamie.
DÉR. Polygamique.

POLYGAMIQUE [pɔligamik] adj. — 1836; de *polygamie.*

♦ Relatif à la polygamie.

(...) la religion, brutalement vomie au Nakem dans sa réalité, se révéla le murmure habilement confus du culte de la dignité humaine : pédagogie liée à la mystification; mode, action et non point mystique, politique enfin. Marabouts et notables s'y enrichirent, contractèrent de fastueuses alliances polygamiques avec les familles d'alors, coalisant leurs intérêts et se ruant en pèlerinage à La Mecque.

Yambo OUOLOGUEM, le Devoir de violence, p. 30.

POLYGÉNÉSIE [pɔliʒenezi] n. f. — xxe; *polygénétique,* 1904, in *Rev. gén. des sc.,* n° 4, p. 209; de *poly-,* et *-génésie.*

♦ Didact. Développement de plusieurs éléments là où le développement normal en produit un seul. *« La polygénésie folliculaire donne des dents supplémentaires »* (P.-L. Rousseau, *les Dents,* p. 57, 1951).

POLYGÉNIE [pɔliʒeni] n. f. — Mil. xxe; « polygénisme », 1878; de *poly-,* et *-génie.*

♦ Biol. Caractère héréditaire qui dépend d'un groupement de gènes.

POLYGÉNISME [pɔliʒenism] n. m. — 1865, *Rev. des cours sc.,* t. II, p. 539; de *poly-, -génie* et suff. *-isme.*

♦ Didact. Doctrine suivant laquelle une transformation, une évolution se produit en allant d'une multiplicité et d'une diversité primitive à une diversité moindre; caractère d'une telle évolution. *Polygénisme s'est d'abord dit de l'apparition simultanée de l'homme* (cit. 8) *en plusieurs points du globe* (plusieurs couples sans ascendant commun, ⇒ **Préadamite;** on dit aussi *polygénie*), *puis de l'apparition de la vie,* etc.

CONTR. Monogénisme.

POLYGÉNISTE [pɔliʒenist] n. et adj. — 1861, *in* D. D. L.; de *poly-, génie* et suff. *-iste.*

♦ Didact. Partisan du polygénisme, spécialt, en anthropologie.

CONTR. Monogéniste.

POLYGLOBULIE [pɔliglɔbyli] n. f. — 1904, *Rev. gén. des sc.,* n° 16, p. 793; de *poly-, globule,* et *-ie.*

♦ Méd. Augmentation anormale du nombre des globules rouges du sang, tantôt gardant leurs dimensions normales, tantôt accroissant leurs diamètres. *Polyglobulie d'altitude* (qui se manifeste en haute montagne).

Il est une modification cytologique d'une évidente signification adaptative : la polyglobulie à court terme, qui résulte d'une hémoconcentration, mais, surtout, d'une injection dans le courant circulatoire, des hématies accumulées dans les sinus veineux de la rate à la faveur d'une contraction énergique des fibres musculaires lisses de la capsule et des trabécules de cet organe (...)

Jacques GUILLERME, la Vie en haute altitude, p. 85.

POLYGLOTTE [pɔliglɔt] adj. et n. — 1639, n.; grec *poluglôttos,* → poly-; de *glôtta* « langue ».

♦ **1.** (1690). Didact. Écrit, rédigé en plusieurs langues. *Dictionnaire polyglotte.* — N. f. (Vx). *La Polyglotte :* bible polyglotte.

♦ **2.** Cour. Qui parle plusieurs langues. *Guide, interprète, traducteur polyglotte* (→ aussi Bilingue, trilingue...). — N. *Un, une polyglotte. Langue maternelle* (cit. 7) *d'un polyglotte.*

(...) une tourmente de son existence hasardeuse le jetait en Orient, où le polyglotte et le parleur de toutes les langues et de tous les dialectes en quelques jours, devenait *drogman* des excursionnistes en Palestine (...) 1

Ed. de GONCOURT, les Frères Zemganno, II.

À ce moment, une troupe d'étrangers sortit de l'hôtel ; le baron se précipita et leur parla dans leur langage. Il m'appela ensuite : — Vous le voyez, je suis polyglotte. 2

APOLLINAIRE, l'Hérésiarque..., p. 212.

On me répondit : « (...) il sait bien son français, mais il ne sait que le français, et à talents égaux un écrivain polyglotte aura toujours un immense avantage sur un écrivain unilingue », cela peut se discuter (...) 3

Valery LARBAUD, Sous l'invocation de saint Jérôme, p. 159.

La sentinelle française et l'allemande causaient quelquefois entre elles. Rouletabille parlait maintenant couramment l'allemand, qu'il avait appris depuis son mariage, Ivana étant à peu près polyglotte. 4

G. LEROUX, Rouletabille chez Krupp, p. 87.

DÉR. Polyglottisme.

POLYGLOTTISME [pɔliglɔtism] n. m. — 1897, *in* D.D.L.; de *polyglotte,* et *-isme.*

♦ Didact. Fait d'être polyglotte.

(...) c'était comme avec mes confrères, les linguistes : parce qu'avec eux aussi j'étais un peu suspect à cause de mon polyglottisme[1]. Un polyglotte pour eux, ce n'est pas catholique : linguiste ou sémanticien, le chic réside à ne connaître que sa langue maternelle.

1. Polyglottisme (...) ce mot n'a pas l'honneur et, pendant que j'y suis, je devrais plutôt écrire *polyglottage* (péj.). ARAGON, Blanche..., I, III, p. 54.

POLYGLYCOL [pɔliglikɔl] n. m. — Mil. xxe; de *poly-*, et *glycol.*

♦ Chim., techn. Corps dérivé de l'oxyde d'éthylène et d'un glycol, utilisé comme plastifiant, lubrifiant, etc.

Les résines polyester résultent de la combinaison d'un ou plusieurs polyacides, dont l'un est nécessairement non saturé, avec un polyglycol en solution dans un liquide également non saturé.
J.-C. DESJEUX et J. DUFLOS, les Plastiques renforcés, p. 15.

POLYGONACÉES [pɔligɔnase] n. f. pl. — 1847; grec *polugonaton,* de *gonu* «genou», par allus. aux nodosités, et suff. *-acées.*

♦ Bot. Classe de plantes phanérogames angiospermes *(Dicotylédones apétales)* comprenant des herbes annuelles ou vivaces, des arbrisseaux à racines et branches noueuses, à feuilles souvent engainantes... (⇒ **Bistorte, oseille, parelle,** 2. **patience, persicaire, renouée** *(polygonum),* **rhubarbe, rumex, sarrasin** (blé noir), **vrillée...**). — On dit aussi *polygonales, polygonées.* — Au sing. *Une polygonacée.*

POLYGONAL, ALE, AUX [pɔligɔnal, o] adj.— 1560; de *polygone.*

♦ **1.** Géom. Qui a plusieurs angles et plusieurs côtés (segments de droite), en parlant d'une figure plane. *Contour, tracé polygonal. Ligne polygonale. Champ, terrain polygonal, de forme polygonale.* — Par ext. Dont la base est un polygone. *Pyramide polygonale.*

♦ **2.** Formé de polygones. Géol. *Sol polygonal.* ⇒ **Réticulé.**

POLYGONALES [pɔligɔnal] n. f. pl. ⇒ **Polygonacées.**

POLYGONATION [pɔligɔnɑsjɔ̃] n. f. — Mil. xxe, (*in* Larousse 1953); de *polygone.* → Triangulation.

♦ Techn. Méthode topographique par une suite de mesures angulaires. ⇒ **Cheminement.**

POLYGONE [pɔligɔn] adj. et n. m. — 1567; lat. *polygonus,* grec *polugônos.* → -gone.

♦ **1.** Adj. (Vx). Qui a plusieurs angles (et plusieurs côtés). ⇒ **Polygonal.**

(...) la splendide pagode (...) ornée de deux tours polygones.
J. VERNE, le Tour du monde en 80 jours, p. 64.

♦ **2.** N. m. Mod. Figure fermée, limitée par des segments de droite. *Côtés, sommets, diagonales d'un polygone. Polygone convexe, concave,* situé ou non tout entier du même côté de la droite dont fait partie un de ses côtés. *Polygone régulier,* à côtés et angles égaux. *Polygone à trois, quatre..., douze... côtés* (⇒ **Triangle, quadrilatère, pentagone, hexagone, heptagone, octogone, ennéagone, décagone, hendécagone, dodécagone...**). ⇒ aussi **Côté** (cit. 14). *Centre, rayon, apothème d'un polygone régulier.*

Mécan. *Polygone de forces,* formé de vecteurs représentant les forces d'un système en équilibre. — *Polygone de sustentation**.

♦ **3.** (1640). Polygone formant le tracé d'une place de guerre, d'une fortification. *Polygone extérieur, joignant les pointes des bastions; polygone intérieur, joignant leur centre.* — Par ext. *Polygone de tir :* champ de tir pour l'artillerie (d'une forme quelconque).

Je me réveille et j'entends des coups de feu; c'étaient des soldats qui faisaient du tir réduit dans le polygone, non loin de là.
ALAIN, Propos, 7 nov. 1908, La tempête.

DÉR. Polygonal, polygonation.

POLYGONÉES [pɔligɔne] n. f. pl. ⇒ **Polygonacées.**

POLYGRAPHE [pɔligʀaf] n. — 1536, au masc.; grec *polugraphos.* → -graphe.

♦ **1.** Didact. Personne qui écrit sur des matières variées (en général des sujets didactiques), sans être spécialiste de ces matières. *Diderot se fit polygraphe pour rédiger son Encyclopédie. Balzac, polygraphe par nécessité...* (→ Imprimer, cit. 31). *Une polygraphe scientifique.*

C'est drôle que je n'arrive pas à me vexer de choses comme ça. «Petit nom» ou «roman tellement frais», ou même «polygraphe», comme dans *l'Express* d'il y a un mois (...) F. MALLET-JORIS, le Jeu du souterrain, p. 22.

♦ **2.** (1972). Techn. Appareil qui enregistre plusieurs variations de fonctions physiologiques. *On enregistre « l'activité cérébrale par le biais de l'électro-encéphalogramme, les mouvement oculaires (...) et l'activité musculaire par l'électro-myogramme. Les divers enregistrements sont pratiqués sur un même polygraphe»* (*la Recherche,* févr. 1974, p. 121).

DÉR. Polygraphie.

POLYGRAPHIE [pɔligʀafi] n. f. — 1561, «ouvrage»; de *polygraphe.*
Didactique.

♦ **1.** État de polygraphe. — Section des auteurs classés comme polygraphes, dans une bibliothèque, une bibliographie.

♦ **2.** Pluralité de textes; écriture sur des objets multiples.

L'œuvre comme polygraphie
J'imagine une critique antistructurale; elle ne rechercherait pas l'ordre, mais le désordre de l'œuvre; il lui suffirait pour cela de considérer toute œuvre comme une *encyclopédie :* chaque texte ne peut-il se définir par le nombre des objets disparates (de savoir, de sensualité) qu'il met en scène à l'aide de simples figures de contiguïté (métonymies et asyndètes)? Comme encyclopédie, l'œuvre exténue une liste d'objets hétéroclites, et cette liste est l'antistructure de l'œuvre, son obscure et folle polygraphie.
R. BARTHES, Roland Barthes, p. 151.

DÉR. Polygraphique.

POLYGRAPHIQUE [pɔligʀafik] adj. — 1561; de *polygraphie.*

♦ **1.** Vx. Relatif à la polygraphie.

♦ **2.** (1963). Mod. Relatif aux industries du livre, dans leur ensemble.

♦ **3.** (1974, *la Recherche*). Enregistré au polygraphe.

POLYGYNIE [pɔliʒini] n. f. — xviiie, t. de bot., du lat. sc. *polygynia,* Linné, par oppos. à *polyandrie;* de *poly-,* et grec *gunê* «épouse».

♦ **1.** Ethnol. Polygamie institutionnelle.

♦ **2.** Zool. Caractères des sociétés d'insectes comprenant plusieurs femelles fécondes (reines).

POLYHYBRIDE [pɔliibʀid] n. m. — 1904, *Rev. gén. des sc.,* no 6, p. 307; de *poly-,* et *hybride.*

♦ Biol. Hybride provenant du croisement de deux individus qui présentent plusieurs caractères différents.

POLYISOPRÈNE [pɔliizɔpʀɛn] n. m. — Mil. xxe (*in* Larousse 1968); de *poly-,* et *isoprène.*

♦ Techn. Caoutchouc synthétique formé par polymérisation de l'isoprène. ⇒ **Polyprène.** — REM. On écrit aussi *poly-isoprène.*

POLYKYSTIQUE [pɔlikistik] adj. — 1875; de *poly-,* et *kystique.*

♦ Didact. (Méd.). Qui comporte plusieurs kystes. *Maladie polykystique du rein, du foie, des poumons, etc., à caractère congénital.*

POLYLÉCITHE [pɔlilesit] ou **POLYLÉCITHIQUE** [pɔlilesitik] adj. ⇒ **Télocithe.**

POLYLOBE [pɔlilɔb] adj. — 1875, n.; de *poly-,* et *lobe.*

♦ Didact. Se dit d'un arc à plusieurs lobes*. *Fenêtre polylobe,* à arc polylobe. On dit aussi *polylobé.*

POLYLOBÉ, ÉE [pɔlilɔbe] adj. — xxe; de *poly-,* et *lobé.*

♦ Didact. Polylobe.

On peut (...) classer ces velours en trois catégories (...) Les tiges disposées en ordonnance symétrique et portant à leur extrémité des fleurs de chardon ou des grenades inscrites dans des compartiments polylobés, constituent la seconde classe.
Michèle BEAULIEU, les Tissus d'art, p. 71.

POLYMÈLE [pɔlimɛl] adj. — 1869; de *poly-,* et grec *melos* «membre».

♦ Pathol. Qui souffre de polymélie*.

POLYMÉLIE [pɔlimeli] n. f. — 1875; de *poly-,* et grec *melos* «membre».

♦ Pathol. Malformation caractérisée par la présence de membres surnuméraires.

POLYMÉNORRHÉE [pɔlimenɔʀe] n. f. — xxe; de *poly-,* et *ménorrhée.*

♦ Méd. Vieilli. Règles anormalement abondantes ou rapprochées (opposé à *oligoménorrhée*).

POLYMÈRE [pɔlimɛʀ] adj. et n. m. — 1869, Littré; 1842, nom d'un insecte; all. *polymer* (Berzelius, 1833), grec *polymerês*. → *Poly-*, et *-mère* (*mêros* «partie»).

♦ Chim. Se dit d'une molécule dont la masse moléculaire est multiple de celle d'une autre, dite «monomère»; ainsi que des composés constitués par de telles molécules (⇒ aussi **Isomère**). — N. m. *Un polymère. Le benzène* ($C_6 H_6$) *et le styrène* (C_8H_8) *sont des polymères de l'acétylène* ($C_2 H_2$). *Hauts polymères :* molécules de poids moléculaire élevé (des centaines de mille) possédant approximativement la même composition centésimale que la molécule à partir de laquelle ils sont formés (monomère), et qui avait un faible poids moléculaire (moins de cent).

DÉR. Polymérie, polymériser.

POLYMÉRIE [pɔlimeʀi] n. f.— 1872, Wurtz, syn. de *isomérie ;* autre sens (bot.), 1818; de *polymère.*

♦ **1.** Chim. Cas particulier d'isomérie où l'un des composés *(polymère)* a une masse moléculaire multiple de l'autre *(monomère).*

♦ **2.** Biol. Hérédité où chaque caractère est déterminé par l'action de plusieurs gènes.

POLYMÉRISABLE [pɔlimeʀizabl] adj. — xxe; de *polymériser.*

♦ Chim. Qui peut être polymérisé. — *Résine polymérisable en bouche,* qui se polymérise assez rapidement à la température du corps. ⇒ **Auto-polymérisant.**

Le dernier né des résines acryliques est *la résine polymérisable en bouche* à la température ordinaire, c'est-à-dire que les résines que l'on employait jusqu'à présent devaient se cuire à une température de 100° pendant une demi-heure environ : actuellement on est arrivé à polymériser des résines à une température de 35° et en dix minutes environ (...) P.-L. ROUSSEAU, les Dents, 1951, p. 123.

CONTR. et **COMP. Dépolymérisable.**

POLYMÉRISANT, ANTE [pɔlimeʀizɑ̃, ɑ̃t] adj. — xxe; p. prés. de *polymériser.*

♦ Sc., techn. Qui se polymérise, qui peut se polymériser. *Résine polymérisante.* ⇒ **Auto-polymérisant** — Qui peut polymériser (un autre corps), déclencher une polymérisation.

COMP. Auto-polymérisant.

POLYMÉRISAT [pɔlimeʀiza] n. m. — Mil. xxe; de *polymériser.*

♦ Chim. Corps obtenu par polymérisation*.

POLYMÉRISATION [pɔlimeʀizɑsjɔ̃] n. f. — 1878, P. Larousse, *Suppl.;* de *polymériser.*

♦ Chim. Union de plusieurs molécules d'un composé pour former une grosse molécule (de masse moléculaire multiple de celle de la première). Production d'un nouveau composé par la réunion des molécules d'un premier composé *(monomère). Résines de polymérisation.* ⇒ **Macromolécule, plastique.**

Polymérisation : ce mot, chacun le sait,
Désigne l'obtention d'un complexe élevé
De poids moléculaire. R. QUENEAU, le Chant du styrène.

DÉR. Copolymérisation.

POLYMÉRISER [pɔlimeʀize] v. tr. — 1904, v. pron., *Rev. gén. des sc.,* n° 11, p. 541, mais antérieur (angl. *to polymerize,* 1865; → aussi Polymérisation); de *polymère.*

♦ Chim. Transformer en polymère*.

Pron. *Composé qui se polymérise sous l'action de la chaleur.*

▶ **POLYMÉRISÉ, ÉE** p. p. adj.

Une molécule formée par l'association de 3 atomes d'hydrogène, sorte d'hydrogène polymérisé triatomique (...) qui serait à l'hydrogène ce que l'ozone est à l'oxygène. A. BOUTARIC, la Vie des atomes, p. 118.

DÉR. Polymérisable, polymérisant, polymérisat, polymérisation.

POLYMÉTALLIQUE [pɔlimetalik] adj. — Mil. xxe; de *poly-,* et *métallique.*

♦ Minér., techn. Qui contient plusieurs métaux, en parlant d'un minerai, d'une roche.

Dans les fonds du Pacifique, de l'Atlantique et de l'océan Indien ont été découverts des nodules polymétalliques, à des profondeurs variables. Ces concrétions contiennent divers métaux, la teneur pouvant aller à 50%. A. SAUVY, Croissance zéro?, p. 182.

POLYMÉTHACRYLATE [pɔlimetakʀilat] n. m. — Mil. xxe; de *poly-* et *méthacrylate.*

♦ Chim. *Polyméthacrylate de méthyle :* matière thermoplastique obtenue par polymérisation du méthacrylate de méthyle (ou méthylméthacrylate). — Syn. : *polyméthylméthacrylate.*

POLYMÉTHYLÈNE [pɔlimetilɛn] n. m. — Mil. xxe; de *poly-,* et *méthylène.*

♦ Chim. Hydrocarbure polymère du radical méthylène.

POLYMODAL, ALE, AUX [pɔlimɔdal, o] adj. — Mil. xxe; de *poly-,* et *modal.*

♦ Mus. Caractérisé par l'emploi de modes différents dans la même œuvre (*polymodalité,* n. f.).

POLYMORPHE [pɔlimɔʀf] adj. — 1824, n. f.; de *poly-,* et *-morphe.* Didactique, littéraire.

♦ **1.** Qui est sujet à changer de forme*; qui peut se présenter sous des formes, des apparences différentes. — Psychan. *L'enfant, selon Freud est un pervers polymorphe.* — Biol. Qui présente un polymorphisme*.

N. Rare. Organisme, individu polymorphe.

Il est difficile de décider si le mot monstre est ici suffisant. Cela ressemble à quelque effroyable polymorphe sous-marin qu'une tempête surprenante aurait lancé sur le rivage (...) Léon BLOY, le Désespéré, p. 28.

♦ **2.** Chim. Se dit d'un corps qui peut, suivant les conditions de pression et de température, se présenter sous plusieurs formes cristallines ou variétés allotropiques. *Le carbone* (dimorphe : diamant, graphite), *l'eau solide* (glace) *sont polymorphes.*

DÉR. Polymorphisme.

POLYMORPHISME [pɔlimɔʀfism] n. m. — 1842; de *polymorphe.*

♦ **1.** Didact. ou littér. Caractère, propriété de ce qui est polymorphe. — Biol. État d'un organisme capable de revêtir des formes différentes sans changer de nature *(polymorphisme des virus, des polypes, des animaux à métamorphoses),* caractère d'une espèce présentant des individus différenciés (abeilles, termites...). ⇒ aussi **Dimorphisme** (sexuel). — Méd. Diversité de manifestations (d'une même maladie). *Polymorphisme morbide.*

♦ **2.** Chim. Caractère d'une substance polymorphe.

POLYMULTIPLIÉ, ÉE [pɔlimyltiplije] adj. — 1901; de *poly-,* et *multiplié.*

♦ Techn. Vx. Qui possède plusieurs rapports de multiplication (d'une bicyclette). — N. f. *Une polymultipliée.*

Jusque dans les promenades à bicyclette le contraste se poursuivait, avec la machine normale de Geneviève et la polymultipliée d'Eva. Ainsi leurs âmes. GIRAUDOUX, Siegfried et le Limousin, p. 227.

POLYNÉSIEN, ENNE [pɔlinezjɛ̃, ɛn] adj. et n. — 1840; de *Polynésie.*

♦ Qui se rapporte à la Polynésie (ensemble d'archipels océaniens), à ses habitants. *Langues polynésiennes, malayo-polynésiennes** (ex. : *maori*). *L'ava*, liqueur polynésienne.* — N. *Un Polynésien, une Polynésienne :* personne qui habite la Polynésie, ou qui y est née.

POLYNÉVRITE [pɔlinevʀit] n. f. — 1889; de *poly-,* et *névrite.*

♦ Méd. Névrite périphérique infectieuse ou toxique, qui atteint plusieurs nerfs. *Polynévrite alcoolique.*

(...) le régime profitait davantage s'il renfermait du lactose ordinaire, de préférence au lactose purifié. Ce dernier, à l'état très pur, déterminait en effet des accidents nerveux caractéristiques, — semblables à ceux de la polynévrite aviaire décrits par Eijkman —, une dénutrition, une baisse de la température corporelle et la mort vers le 30-35e jour. S. GALLOT, les Vitamines, p. 35.

POLYNIE [pɔlini] n. f. — 1940; du russe *polynias.*

♦ Océanographie. Chenal navigable dans le pack*, sur la bordure de la banquise.

Par ext. Étendue d'eau libre en permanence.

Au cours de l'hiver polaire la jeune glace s'épaissit et subit des modifications dues aux propriétés physiques particulières de la glace marine. *(S'il)* se produit un réchauffement de la température de l'air, la couche de glace se contracte donnant naissance à des chenaux d'eau libre que les Russes dans l'Arctique appellent des *polynies.* La banquise est devenue lâche (...) V. ROMANOVSKY et A. CAILLEUX, la Glace et les Glaciers, p. 33.

POLYNÔME [pɔlinom] n. m. — 1691; de *poly-,* et *-nôme.*

♦ Expression algébrique constituée par une somme algébrique de monômes* (séparés par les signes + et −). ⇒ **Binôme, trinôme.** *Termes d'un polynôme. Polynôme homogène* (dans lequel la somme des exposants est la même pour chaque terme), *ordonné* (⇒ **Ordonner**).

Polynôme entier, rationnel, dont chaque terme est entier, rationnel. *Degré d'un polynôme en x,* degré de la plus haute puissance de x.

POLYNUCLÉAIRE [pɔlinykleɛʀ] adj. et n. m. — 1899, Metchnikoff, in *Année biol.*; de *poly-,* et *nucléaire.*

♦ Biol. Se dit d'une cellule possédant plusieurs noyaux*. *Leucocytes* polynucléaires.* — N. m. *Un polynucléaire :* globule blanc à noyau segmenté ou irrégulier, paraissant multiple. *Selon les affinités de leurs granulations protoplasmiques aux colorants les polynucléaires sont dits* neutrophiles, éosinophiles, basophiles.

CONTR. Mononucléaire.

POLYNUCLÉÉ, ÉE [pɔlinyklee] adj. — 1904, *Rev. gén. des sc.,* nº 1, p. 7; de *poly-,* et *nucléé.*

♦ Biol. Qui contient plusieurs noyaux. *Cellule polynucléée.* ⇒ **Polynucléaire.** *Spores polynucléées.*

POLYNUCLÉOSE [pɔlinykleoz] n. f. — 1903; de *poly(nucléaire),* et *nucléose.*

♦ Méd. Variété de leucocytose, caractérisée par l'augmentation des seuls polynucléaires*.

POLYNUCLÉOTIDE [pɔlinykleɔtid] n. m. — xxᵉ; de *poly-,* et *nucléotide.*

♦ Chim., biol. Substance formée par l'union de plusieurs nucléotides. *Les acides nucléiques sont des polynucléotides.*

Il a été prouvé d'ailleurs que la condensation de mononucléotides activée par des catalyseurs non enzymatiques, est effectivement dirigée par leur appariement spontané avec un polynucléotide préexistant.
Jacques MONOD, le Hasard et la Nécessité, p. 142.

POLYOL [pɔljɔl] n. m. ⇒ **Polyalcool.**

POLYONYCHIE [pɔljɔniki; pɔliɔniki] n. f. — 1869, Littré; de *poly-,* et grec *onukhos* «ongle».

♦ Anat. Anomalie constituée par la présence de plusieurs ongles à un doigt.

POLYOPIE [pɔljɔpi; pɔliɔpi] n. f. — 1869, Littré; de *poly-,* et grec *opos* «vue».

♦ Méd. Vision de plusieurs images pour un objet unique. (On dit aussi *polyopsie*).

POLYOPSIE [pɔljɔpsi; pɔliɔpsi] n. f. ⇒ **Polyopie.**

POLYORCHIDIE [pɔliɔʀkidi] n. f. — 1932, *in* Larousse; de *poly-,* et grec *orkhis* «testicule».

♦ Anat. Anomalie constituée par la présence de plus de deux testicules chez un mâle.

POLYOSIDE [pɔliozid] n. m. — 1963; de *poly-,* et *oside.*

♦ Biochim. Polysaccharide*.

POLYOSTÉOCHONDRITE [pɔliɔsteokɔ̃dʀit] n. f. — 1963; de *poly-,* et *ostéochondrite.*

♦ Méd. Variété de displasie spondylo-épiphysaire qui touche particulièrement les articulations des membres et se manifeste lors de la croissance, surtout chez les garçons. *La polyostéochondrite est une maladie héréditaire dominante.*

POLYPAGE [pɔlipaʒ] n. m. — 1869; de *poly-,* et grec *pageis* «uni».

♦ Pathol. Monstre double à une seule tête, dont les deux corps sont soudés sur un axe parallèle.

POLYPE [pɔlip] n. m. — 1265, *polipe; lat. polypus,* du grec *polupous,* de *pous* «pied».

♦ **1.** Vx. Poulpe (→ par métaphore Étouffer, cit. 14, Gautier).

♦ **2.** (1550). Zool. Une des formes sous lesquelles se présentent certains cnidaires*, caractérisée par un tube fixé à l'une des extrémités de l'animal, l'autre portant une bouche entourée de tentacules et constituant l'orifice de la poche digestive. L'animal présentant cette forme. *Générations de polypes et générations de méduses*, dans de nombreuses espèces. Les coralliaires* ne se présentent que sous la forme polype :* hexacoralliaires (⇒ **Actinie, madrépore**); octocoralliaires (⇒ **Alcyon, corail, vérétille**). ⇒ aussi **Polypier.** *Les hydroméduses se présentent sous la forme polype* (⇒ **Hydraire, hydre**) *ou sous la forme méduse. Colonie de polypes.*

(...) ces enfants trop jeunes étaient encore à ce degré élémentaire de formation où la personnalité n'a pas mis son sceau sur chaque visage. Comme ces organismes primitifs où l'individu n'existe guère par lui-même, est plutôt constitué par le polypier que par chacun des polypes qui le composent, elles restaient pressées les unes contre les autres *(... un fou rire)* les agitait toutes à la fois, effaçant, confondant ces visages indécis et grimaçants dans la gelée d'une seule grappe scintillatrice et tremblante.
PROUST, À l'ombre des jeunes filles en fleurs, Folio, p. 478.

♦ **3.** (V. 1370). Méd., cour. Tumeur, excroissance fibreuse ou muqueuse, implantée par un pédicule. *Polype de l'œsophage. Polype naso-pharyngien.*

DÉR. Polypeux, polypier, polypose.

POLYPEPTIDE [pɔlipɛptid] n. m. — 1903, *Rev. gén. des sc.,* nº 10, p. 583; terme créé par Emil Fischer; de *poly-, pepti(que), et -ide.*

♦ Biochim. Substance constituée par la combinaison de plusieurs acides aminés (en nombre supérieur à quatre). *Polypeptides naturels, synthétiques.* (⇒ **Albumose**). *Polypeptides résultant de la digestion des protéines.*

DÉR. Polypeptidique.

POLYPEPTIDIQUE [pɔlipɛptidik] adj. — xxᵉ; de *polypeptide.*

♦ Biol., chim. Des polypeptides.

L'hypophyse (...) sécrète de nombreuses hormones surtout par son lobe antérieur. Ce sont des substances azotées complexes, à poids moléculaire très élevé, de nature protidique ou polypeptidique. Pierre REY, les Hormones, 1941, p. 17.

POLYPÉTALE [pɔlipetal] adj. — 1732; de *poly-,* et *pétale.*

♦ Bot. Qui a plusieurs pétales libres. *Corolle, fleur polypétale* (⇒ **Dialypétale**).

POLYPEUX, EUSE [pɔlipø, øz] adj. — 1552; de *polype.*

♦ Pathol. Qui constitue un polype (3.), qui est caractérisé par la présence de polypes. *Colite polypeuse.*

POLYPHAGE [pɔlifaʒ] adj. et n. — 1578, H. Estienne; grec *poluphagos;* → Poly-, et -phage.

♦ **1.** Didact. Qui mange beaucoup.

♦ **2.** Zool. Qui se nourrit indistinctement de substances animales ou végétales. *Puceron polyphage.*

(...) un petit puceron polyphage, l'ancêtre du phylloxéra, modifiait son cycle de vie et choisissait la vigne comme plante-hôte (...)
Louis LEVADOUX, la Vigne et sa culture, p. 21.

N. m. plur. (1875). **LES POLYPHAGES :** sous-ordre d'insectes coléoptères, dont la larve ne possède qu'un seul ongle aux tarses. — Au sing. Un polyphage.

POLYPHAGIE [pɔlifaʒi] n. f. — 1752; grec *poluphagia.* → Polyphage.

♦ Pathol. Faim insatiable; besoin excessif de manger, observé chez certains malades et dans certaines races (opposé à *oligophagie*). ⇒ **Boulimie** (→ Polydipsie, cit.).

POLYPHASÉ, ÉE [pɔlifaze] adj. — 1891, *«les courants alternatifs à phases multiples, ou courants polyphasés», Année sc. et industr.* 1892, p. 116; de *poly-* et *phase.*

♦ Techn. (Électr.). Qui a plusieurs phases (courant électrique). *Courants polyphasés,* se dit de courants alternatifs simultanément produits, régulièrement déphasés les uns par rapport aux autres. *Les courants polyphasés les plus employés sont diphasés* (deux courants) *et triphasés* (trois). — Par ext. Alimenté en courants polyphasés. *Alternateur polyphasé.*

POLYPHASIQUE [pɔlifazik] adj. — xxᵉ; de *poly-, phase,* et *-ique.* → Polyphasé.

♦ Didact. Qui présente des phases distinctes.

Le passage de l'enfance à l'adolescence s'accompagne du passage du sommeil polyphasique au sommeil monophasique.
A. GALLI et R. LELUC, les Thérapeutiques modernes, 1961, p. 48.

POLYPHONE [pɔlifɔn] adj. — 1829, en parlant d'un écho; ling., 1868; de *poly-,* et *-phone.*

♦ Didact. Se dit d'un signe graphique capable de représenter différents sons. *Caractère, signe polyphone,* ayant plusieurs prononciations*.

POLYPHONIE [pɔlifɔni] n. f. — 1869, Littré; grec *poluphonia.* → -phone, -phonie.

♦ **1.** Ling. Vx. Caractère d'un signe polyphone.

♦ **2.** (1875). Mus. Combinaison de plusieurs voix*, de plusieurs parties, dans une composition musicale, chaque partie étant traitée de manière indépendante (écriture horizontale), mais formant avec les autres un tout. ⇒ **Contrepoint.** *La polyphonie engendre des ensembles sonores qui sont à l'origine de l'harmonie*.* — Spécialt. Chant à plusieurs voix. *Les polyphonies du XVIe siècle.*

CONTR. Homophonie, unisson.
DÉR. Polyphonique.

POLYPHONIQUE [pɔlifɔnik] adj. — 1876; de *polyphonie.*

♦ Mus. Qui constitue une polyphonie; qui est à plusieurs voix. *Pièce polyphonique vocale* (→ 2. Canon, cit. 6). *Musique polyphonique.*

POLYPHYODONTE [pɔlifjɔdɔ̃t] adj. — XXe; du grec *poluphuês* «qui pousse plusieurs fois», et *-odonte.*

♦ Didact. Qui a plusieurs dentitions au cours de son développement. *Animal polyphyodonte,* et, n. m., *un polyphyodonte.*

CONTR. Monophyodonte.

POLYPIER [pɔlipje] n. m. — 1752; de *polype.*

♦ Zool. Squelette calcaire de certains cnidaires *(Coralliaires)* vivant en colonies de polypes; groupe d'animaux présentant une telle formation calcaire. ⇒ **Astrée, corail, gorgone, millépore.** *Polypier sertulaire.* ⇒ 1. **Amathie** (1.). *Polypier perforé des madrépores*, vermiculé des méandrines*, tubulé des tubipores*. Enchevêtrement* (cit. 1) *d'un polypier. Les récifs de coraux, les atolls sont formés par des accumulations de polypiers. Le polypier du corail est utilisé en joaillerie.*
Par métaphore. *Un polypier d'images* (cit. 49).

Au fond de ces minces coupures faites à propos aux pâtés et aux îles de maisons, l'on jouit d'une ombre et d'une fraîcheur délicieuses, l'on circule à couvert dans les ramifications et les porosités de ce polypier humain que l'on appelle une ville (...)
Th. GAUTIER, Voyage en Espagne, p. 102.

POLYPLOÏDE [pɔliplɔid] adj. et n. — XXe, *in* Larousse 1931; d'après *diploïde, haploïde.* → -oïde.

♦ Biol. Se dit du noyau d'une cellule qui a un nombre de chromosomes supérieur à ceux de la cellule normale (diploïde), d'une ou plusieurs fois la moitié de ses chromosomes. — N. m. *Un polyploïde.* ⇒ **Diploïde, haploïde.**

Dans de nombreuses espèces, surtout appartenant au règne végétal, on a signalé l'existence d'individus qui portent, non pas deux stocks de chromosomes, comme les individus normaux, mais trois, quatre, cinq, six, et même davantage. Ces individus à stocks multiples sont appelés *polyploïdes,* et plus spécialement, triploïdes quand ils portent trois stocks, tétraploïdes quand ils en portent quatre, pentaploïdes quand ils en portent cinq, etc.
Dans un individu triploïde, chaque sorte de chromosome figure en trois exemplaires, formant pour ainsi dire «brelan»; dans un individu tétraploïde, chaque sorte de chromosome figure en quatre exemplaires, formant «carré», etc.
Les individus polyploïdes ont pour origine quelque anomalie survenue au cours de la formation des cellules sexuelles, ou bien tout au début du développement de l'œuf.
Jean ROSTAND, Idées nouvelles de la génétique, p. 43.

DÉR. Polyploïdie, polyploïdiser.

POLYPLOÏDIE [pɔliplɔidi] n. f. — Mil. XXe; de *polyploïde.*

♦ Biol. État d'un noyau polyploïde*.

POLYPLOÏDISATION [pɔliplɔidizasjɔ̃] n. f. — 1941, J. Rostand; de *polyploïdiser.*

♦ Biol. Action de rendre polyploïde; son résultat (→ Polyploïdiser, cit.).

POLYPLOÏDISER [pɔliplɔidize] v. tr. — 1941; de *polyploïde.*

♦ Biol. Rendre polyploïde*.

(...) on connaît (...) un bon nombre de procédés qui permettent de «polyploïdiser» les plantes.
En chauffant des inflorescences de Maïs, RANDOLPH a obtenu des graines tétraploïdes; des résultats analogues ont été obtenus par DORSEY sur la Luzerne, (...) par COOPER sur l'Orge.
Citons encore, parmi les procédés de polyploïdisation, le froid, le traumatisme, la centrifugation, les rayons X, la déshydratation, etc. Mais la méthode de choix pour déterminer la polyploïdie chez les plantes est (...) le traitement par la colchicine.
Jean ROSTAND, Idées nouvelles de la génétique, p. 52.

DÉR. Polyploïdisation.

POLYPNÉE [pɔlipne] n. f. — 1903, cit.; de *poly-,* et grec *pnein* «respirer».

♦ Méd. Respiration anormalement rapide et superficielle. *« Les premiers des accidents (...) se produisent jusques et y compris les polypnées »* (*Rev. gén. des sc.,* 15 juil. 1903, p. 693).

DÉR. Polypnéique.

POLYPNÉIQUE [pɔlipneik] adj. — 1903, cit.; de *polypnée.*

♦ Méd. De la polypnée. *«Sa respiration devient polypnéique (250 respirations par minute)»,* in *Rev. gén. des sc.,* 15 juil. 1903, p. 693.

POLYPODE [pɔlipɔd] n. m. — XIIIe, *polipode;* lat. *polypodium,* grec *polupodion.* → -pode.

♦ **1.** Bot. Plante cryptogame *(Fougères; Polypodiacées),* à rhizome rampant, à feuilles lobées et à spores nus, croissant en milieu humide. *Polypode vulgaire, du chêne.*

(Cette plante) se renouvelant continuellement par un bout (...) est éternellement jeune; on peut dire que, sauf accident, elle est immortelle; pratiquement, un pied de polypode peut atteindre un âge avancé.
F. MOREAU, *in* Encycl. Pl., Botanique, p. 700.

♦ **2.** Pathol. Caractérisé par la polypodie*. *Monstre polypode.*

POLYPODIE [pɔlipɔdi] n. f. — 1869; de *poly-,* et grec *pous, podos* «pied».

♦ Pathol. Monstruosité caractérisée par la présence de pieds surnuméraires.

POLYPORE [pɔlipɔʀ] n. m. — 1790; de *poly-,* et *pore.*

♦ Bot. Champignon basidiomycète hyménomycète *(Polyporées*)* charnu, parfois sans pied et dont la plupart des espèces sont lignicoles. *Les polypores se développent sur divers arbres* (frêne, chêne, saule, peuplier); *ils sont saprophytes* (on les classe couramment parmi les champignons «parasites»). *Polypore amadouvier.* ⇒ **Amadouvier.** *Polypore officinal* (agaric blanc), *écailleux* (agaric tigré). — REM. Le mot agaric désigne normalement des *agaricinées,* mais aussi, dans le langage courant, des *polypores.*

Et bientôt, sur leur bois pourrissant, les polypores allongeaient leurs langues noires.
M. GENEVOIX, Forêt voisine, V.

DÉR. Polyporées.

POLYPORÉES [pɔlipɔʀe] n. f. plur. — 1846; de *polypore.*

♦ Bot. Famille de champignons dont l'hyménium forme des tubes (ou pores). ⇒ **Bolet, fistuline, polypore.** — Au sing. *Une polyporée.*

POLYPOSE [pɔlipoz] n. f. — Mil. XXe; de *polype,* et 2. *-ose.*

♦ Pathol. Développement de polypes* multiples. *Polypose intestinale. Polypose nasale.*

POLYPRÈNE [pɔlipʀɛn] n.m. — Mil. XXe (*in* Larousse 1963); de *poly-,* et *(iso)prène.*

♦ Chim., techn. Hydrocarbure macromoléculaire qui constitue le caoutchouc.

POLYPROPYLÈNE [pɔlipʀɔpilɛn] n. m. — Mil. XXe; de *poly-,* et *propylène.*

♦ Chim. Corps obtenu par polymérisation du propylène.

POLYPSYCHISME [pɔlipsiʃism] n. m. — 1871, Durand de Gros; de *poly-,* et *psychisme.*

♦ Philos. Doctrine selon laquelle les êtres pourvus d'un système nerveux auraient plusieurs centres psychiques, chaque centre nerveux possédant les propriétés essentielles du cerveau.

POLYPTÈRE [pɔliptɛʀ] n. m. — 1802; adj., 1808, Geoffroy Saint-Hilaire; grec *polupteros.* → *Poly-* et *-ptère.*

♦ Zool. Poisson ganoïde *(Ostéoganoïdes)* des fleuves d'Afrique, allongé, cylindrique à longue nageoire dorsale profondément découpée (d'où son nom).

POLYPTOTE [pɔliptɔt] n. f. — 1827, Fontanier; bas lat., du grec *poluptôton,* de *poluptôtos* «a plusieurs *(poly-)* cas». → Ptose.

♦ Rhét. Figure où l'on emploie dans la même phrase plusieurs constructions d'un même mot.

POLYPTYQUE [pɔliptik] n. m. — 1721, adj.; lat. *polyptychon*, mot grec de *ptux, ptukhos* «pli».

♦ **1.** Antiq. Tablette à écrire à plusieurs feuillets.

♦ **2.** Hist. Registre public (cens) à l'époque gallo-romaine. — (À partir de l'époque franque). Description et inventaire de grands domaines, églises, monastères... ⇒ **Pouillé.**

Le terme de Polyptyque et le nom d'Irminon se présentent pour la première fois à la plupart des lecteurs, car ils appartiennent l'un et l'autre à l'érudition. Un polyptyque, mot d'où est dérivé le mot vulgaire de pouillé, était un registre contenant la description des possessions territoriales avec leur division, leur population et leurs revenus. É. LITTRÉ, Études sur les barbares, p. 196.

♦ **3.** Mod. (Arts). Tableau d'autel, peinture à plusieurs volets (⇒ aussi **Diptyque, triptyque**). *Polyptyque à une, deux paires de volets, à compartiments...*

POLYRADICULONÉVRITE [pɔliʀadikylɔnevʀit] n. f. — Mil. xxe; de *poly-, radicule*, et *névrite*.

♦ Méd. Inflammation de racines nerveuses.

POLYRYTHMIE [pɔliʀitmi] n. f. — Mil. xxe (*in* Larousse 1963); de *poly-*, et *rythmie*.

♦ Mus. Emploi de deux structures rythmiques ou plus dans une composition musicale.

L'artiste travaillant sur l'écrit (sur la chose écrite) ne renonce pas à employer sciemment la polysémie, la polyrythmie, la polyvalence, la polyphonie. Nous avons trois termes : l'écriture, le langage, la parole, et puis la totalité musicale qui les rassemble organiquement et les surdétermine. Henri LEFEBVRE, la Vie quotidienne dans le monde moderne, p. 15.

POLYSACCHARIDE [pɔlisakaʀid] n. m. — 1884; de *poly-*, et *saccharide*. → Sacchar-.

♦ Biochim. Glucide naturel dont les molécules proviennent de la condensation de molécules de sucres simples (oses). Syn. : *polyoside* (ex. : *amidon, cellulose*).

POLYSARCIE [pɔlisaʀsi] n. f. — 1795; du grec *polusarkhia*, de *sarx, sarkhos* «chair».

♦ Didact. (Méd.). Vx. Développement excessif des muscles, de la graisse dans tout le corps (⇒ **Adiposité, obésité**).

POLYSCOPE [pɔliskɔp] n. m. — 1869; de *poly-*, et *scope*.

♦ Techn., anciennt. Verre à facettes pouvant donner plusieurs images d'un même objet. *« Le polyscope de M. Trouvé se compose d'une sonde œsophagienne ordinaire, au bout de laquelle est renfermé un fil de platine, qui doit rougir sous l'influence de l'électricité. Avec cet appareil, M. Trouvé permet à l'œil de pénétrer dans les viscères internes, particulièrement dans l'estomac »* Année sc. et industr. 1881, p. 127 (1880).

POLYSÉMIE [pɔlisemi] n. f. — Fin xixe, Bréal; de *poly-*, et grec *semaînen*. → Sémantique; *polysémantisme*, n. m. (Gilliéron, 1922).

♦ En linguistique diachronique, Caractère d'un signe conçu comme unique d'après l'étymologie* et qui s'emploie avec plusieurs sens à une même époque (par ex. *mine* [de crayon] et *mine* [d'or], tous deux issus du gallo-romain **mina*, relèvent de la polysémie, alors que *mine* [d'or] et *mine* [du visage], ce dernier étant issu du breton *min*, relèvent de l'homonymie).
En linguistique synchronique, Caractère d'un signe qui, à fonction constante (verbe, nom, etc.) possède plusieurs signifiés à noyau commun. *La polysémie ne peut se définir que par rapport à l'homonymie* et vice versa* (ainsi, pour *mine* [de crayon] et *mine* [d'or], il y a homonymie et non polysémie).

CONTR. Monosémie.
DÉR. Polysémique.

POLYSÉMIQUE [pɔlisemik] adj. — 1932; de *polysémie*.

♦ Ling. Qui présente plusieurs sens (en parlant d'un signe); relatif à la polysémie (dans ses deux acceptions). ⇒ **Ambigu** (I., 1.).

CONTR. Monosémique.

POLYSÉRITE [pɔliseʀit] n. f. — Mil. xxe (*in* Larousse, 1963); de *poly-, séreuse*, et *-ite*.

♦ Méd. Inflammation concomitante de plusieurs membranes séreuses (péritoine, plèvre, synoviales articulaires).

POLYSIALIE [pɔlisjali] n. f. — 1869; de *poly-*, et grec *sialon* «salive».

♦ Méd. ⇒ **Ptyalisme.**

POLYSOC [pɔlisɔk] adj. et n. m. — 1845; de *poly-*, et *soc*.

♦ Techn. Charrue formée de plusieurs corps (soc, coutre...) montés sur un même bâti. *Charrue polysoc* ou *charrue multiple*. — N. m. *Un polysoc.*

POLYSOMIE [pɔlizɔmi] n. f. — xxe; autre sens, 1846; de *poly-, (chromo)some*, et *-ie*.

♦ Biol. Addition de chromosomes supplémentaires au stock diploïde.

DÉR. Polysomique.

POLYSOMIQUE [pɔlizɔmik] adj. — xxe; autre sens, 1846; de *polysomie*.

♦ Biol. Caractérisé par la polysomie*. *Mutant polysomique.*

POLYSPERMIE [pɔlispɛʀmi] n. f. — 1869, Littré, «surabondance des graines»; sens mod., mil. xxe; de *poly-*, et *spermie*.

♦ Embryol. Présence de plus d'un spermatozoïde dans l'ovule. — REM. Terme critiqué, à remplacer par *polyzoospermie*.

CONTR. Monospermie.

POLYSTYLE [pɔlistil] adj. — 1819; du grec *polustulos*. → -style.

♦ Archit. Qui a de nombreuses colonnes. *Temple, salle polystyle.* ⇒ aussi **Hypostyle.**

POLYSTYRÈNE [pɔlistiʀɛn] n. m. — 1936, *in* D. D. L. (de même que *polystyrol*); de *poly-*, et *styrène*.

♦ Chim. Matière plastique obtenue par polymérisation du styrène. *Panneau en polystyrène expansé. Ballon en polystyrène. Isolation en polystyrène.* — On dit aussi *polystyrol, polystyrolème*.

A peine était-il né, notre polystyrène.
Polymère produit du plus simple styrène.
R. QUENEAU, le Chant du styrène (→ Polymérisation).

POLYSUBSTITUÉ, ÉE [pɔlisypstitɥe] adj. — Mil. xxe (*in* Larousse, 1963); de *poly-*, et *substitué*; mot mal formé.

♦ Chim. Obtenu par substitution d'atomes (de radicaux) à plusieurs atomes (radicaux) de la molécule.

POLYSULFURE [pɔlisylfyʀ] n. m. — 1842; de *poly-*, et *sulfure*.

♦ Chim. Composé contenant plus de soufre qu'un sulfure normal. *Les polysulfures d'hydrogène* (bi- et trisulfure) *sont des acides faibles, analogues à l'eau oxygénée, et auxquels correspondent des polysulfures alcalins ou alcalino-terreux.*

POLYSYLLABE [pɔlisi(l)lab] adj. — Mil. xve; grec *polusullabos*, même sens. → Syllabe.

♦ Didact. Qui est composé de plusieurs syllabes. *Mot polysyllabe* (ou *polysyllabique*). — N. m. *Un polysyllabe.*

CONTR. Monosyllabe.
DÉR. Polysyllabique, polysyllabisme.

POLYSYLLABIQUE [pɔlisi(l)labik] adj. — 1550; de *polysyllabe*.

♦ Didact. Polysyllabe*.

POLYSYLLABISME [pɔlisi(l)labism] n. m. — 1845; de *polysyllabe*.

♦ Ling. Fait d'être composé de plusieurs syllabes (en parlant des mots); caractère d'une langue dont les mots sont polysyllabiques.

POLYSYLLOGISME [pɔlisi(l)lɔʒism] n. m. — 1932; de *poly-*, et *syllogisme*.

♦ Log. Série de syllogismes dont chacun sert de prémisse au suivant (la conclusion d'un premier syllogisme servant de majeure au suivant).

POLYSYLLOGISTIQUE [pɔlisi(l)lɔʒistik] adj. — 1842; de *poly-*, et *syllogistique*.

♦ Log. Composé de plusieurs syllogismes enchaînés, chaque conclusion servant de majeure au syllogisme suivant.

POLYSYNDÈTE [polisɛ̃dɛt] n. f. — 1869; *polysyndeton*, n. m., 1765, *Encyclopédie; grec polusundeton, de sundetos* «lié».

♦ Rhét. Figure* qui consiste à répéter une conjonction avant chaque terme d'une série (mots d'une énumération, membres de phrases coordonnés).

POLYSYNODIE [polisinɔdi] n. f. — 1718; de *poly-*, et *synode*.

♦ Hist. (sous la Régence). Gouvernement dans lequel chaque ministre est remplacé par un conseil.

POLYSYNTHÉTIQUE [polisɛ̃tetik] adj. — 1829; de *poly-*, et *synthétique*.

♦ Ling. Se dit des langues agglutinantes (on dit aussi *agglomérantes, incorporantes*), où les éléments exprimant les concepts et leurs rapports sont assemblés «si étroitement (...) qu'il devient presque impossible de distinguer le mot de la phrase» (Marouzeau). ⇒ **Holophrastique.**

DÉR. Polysynthétisme.

POLYSYNTHÉTISME [polisɛ̃tetism] n. m. — 1892, in *l'Année sc. et industr.* 1893, p. 551; de *polysynthétique*.

♦ Ling. Caractère d'une langue polysynthétique.

POLYTAXIQUE [politaksik] adj. — 1903; *Rev. gén. des sc.*, 30 juin 1903, p. 680; *polytaxie*, id.; de *poly-*, et *-taxique* (grec *taxis* «disposition»).

♦ Didact. Se dit d'un caractère biologique (dit *polytaxie*) observé chez de nombreux groupes d'individus mais de manière discontinue par rapport à l'ensemble.

POLYTECHNICIEN, IENNE [politɛknisjɛ̃, jɛn] n. et adj. — 1840; de *polytechnique*.

★ **I.** N. Élève, ancien élève de l'École polytechnique. ⇒ **Pipo, X.** *Elle est polytechnicienne.*

1 Le Polytechnicien m'attire et me repousse (...) Ceux que j'ai un peu connus, j'ai toujours surpris dans leur pensée quelque chose de réglé et de discipliné, mais violent; fanatisme et ascétisme mêlés.
ALAIN, Propos, 12 juil. 1914, Polytechniciens.

★ **II.** Adj. De l'École polytechnique. ⇒ **Polytechnique** (2.).

2 À l'image et ressemblance du lieu, l'enseignement polytechnicien comprimait dans un horaire strict tout un gonflement hétérogène de connaissances. Fidèle à l'esprit de l'Encyclopédie dont elle était la fille aînée, l'École voulait couvrir tout le savoir scientifique, mais ce n'était que pour essayer de retenir un temps qui la fuyait et la laissait, comme tous les vieillards, rebelle aux nouveautés.
Raymond ABELLIO, Ma dernière mémoire, t. II, p. 16.

POLYTECHNIQUE [politɛknik] adj. et n. f. — 1795; de *poly-*, et *technique*.

♦ **1.** Didact. Qui embrasse plusieurs techniques, plusieurs sciences.

0.1 Les institutions telles que les Grandes Écoles sortent de l'esprit encyclopédique; l'encyclopédisme est par définition polytechnique, sous son versant industriel, comme il est physiocratique par son aspect agricole.
Gilbert SIMONDON, Du mode d'existence des objets techniques, p. 97.

N. f. Ensemble de techniques.

0.2 (...) si une technique unique ne suffit pas à donner un contenu culturel, une polytechnique ne suffit pas non plus; elle n'engendre que tendance à la technocratie ou refus des techniques prises en bloc.
Gilbert SIMONDON, Du mode d'existence des objets techniques, p. 147.

♦ **2.** Mod. *École polytechnique*, ou, n. f., *Polytechnique* (argot : *l'X, Pipo*, et, pour les élèves, *Carva*), nom donné en 1795 à l'école créée en 1794 pour former les ingénieurs des divers services de l'État (mines, ponts et chaussées...) et les officiers de certaines armes (artillerie, génie...; → Pépinière, cit. 2, Balzac). *Préparation à Polytechnique.* ⇒ 2. **Taupe.** *Élève, ancien élève de Polytechnique. Promotions* («rouge» et «jaune») *de Polytechnique; Polytechnique et Normale* (→ Élite, cit. 3). *Sortir de Polytechnique.* ⇒ 6. **Botte,** 2. **bottier.**

1 Je n'ose confier qu'à vous le secret de sa nullité, abritée par le renom de l'École Polytechnique.
BALZAC, le Curé de village, Pl., t. VIII, p. 695.

DÉR. Polytechnicien.

POLYTERPÈNE [politɛʀpɛn] n. m. — XXe; de *poly-*, et *terpène*.

♦ Chim. Carbure terpénique de formule $(C_5H_8)_n$ pour lequel l'exposant *n* est supérieur à 3. *Les baumes, résines et caoutchoucs naturels sont des polyterpènes.*

L'équilibre d'un tel système est très instable, aussi les latex à caoutchouc s'altèrent-ils à la sortie des laticifères; dès que l'eau s'évapore au soleil ou s'ils sont traités par certains produits dits coagulants, ils donnent une masse plus ou moins élastique de polyterpènes. C'est à ce produit qu'on donne le nom de caoutchouc (...)
A. CHEVALIER et J. LE BRAS, le Caoutchouc, 1945, p. 10.

DÉR. Polyterpénique.

POLYTERPÉNIQUE [politɛʀpenik] adj. — Mil. XXe; de *polyterpène*.

♦ Chim. Qui se rapporte au polyterpène ou à ses dérivés.

POLYTHÉISME [politeism] n. m. — XVIe, Bodin; du grec *polutheos, de theos* «dieu». → Poly-, -théisme.

♦ Doctrine religieuse ou philosophique qui admet l'existence de plusieurs dieux. ⇒ **Religion; dieu** (cit. 11 et 16). *Les dieux, les divinités d'un polythéisme.* ⇒ **Panthéon.** *Le polythéisme égyptien, grec. Polythéisme fétichiste, idolâtre...* (⇒ **Fétichisme, idolâtrie**), *sabéiste* (⇒ **Sabéisme**). *Le polythéisme, qualifié de paganisme* par les chrétiens. Polythéisme et mythologie*. Certains polythéismes recouvrent un panthéisme diffus.*

Au fond du polythéisme est le sentiment de la nature vivante, immortelle, créatrice (...) 1
TAINE, Philosophie de l'art, t. II, p. 203.

Par extension :

Le christianisme, à force de saints, est un polythéisme. 2
HUGO, Post-scriptum de ma vie, Promontorium somnii, III.

CONTR. Monothéisme.
DÉR. Polythéiste.

POLYTHÉISTE [politeist] adj. et n. — 1762; de *polythéisme*.

♦ Qui croit en plusieurs dieux; relatif au polythéisme. *Religion polythéiste* (→ Idolâtre, cit. 3).

On risque autant à croire trop qu'à croire trop peu. Il n'y a ni plus ni moins de danger à être polythéiste qu'athée : or le scepticisme peut seul garantir (...) de ces deux excès opposés.
DIDEROT, Pensées philosophiques, XXXIII.

CONTR. Monothéiste.

POLYTHÉLIE [politeli] n. f. — 1890, *in* P. Larousse, *Deuxième Suppl.*; de *poly-*, et grec *thêlê* «mamelon».

♦ Anat. Anomalie constituée par la présence de plusieurs mamelons sur une seule mamelle.

POLYTHÈNE [politɛn] n. m. — 1953; de *poly-*, et *(éthyl)ène*.

♦ Chim. Produit de polymérisation de l'éthylène. ⇒ **Polyéthylène.**

POLYTHÈQUE [politɛk] n. f. — 1974; de *poly-*, et *(biblio)thèque*.

♦ Didact. Collection contenant différents types de documents audiovisuels. — REM. Le mot est sémantiquement mal formé.

POLYTHERME [politɛʀm] adj. — 1971; de *poly-*, et *-therme*.

♦ Techn. Se dit d'un navire pouvant transporter des marchandises réfrigérées ou congelées à des températures différentes.

POLYTONAL, ALE, ALS [politonal] adj. — 1924; de *poly-*, et *tonal*.

♦ Mus. Qui admet ou comporte l'existence simultanée de plusieurs tons. ⇒ **Tonal.** *Des accords polytonals.* ⇒ **Polytonalité.**

POLYTONALITÉ [politonalite] n. f. — Av. 1922, cit.; de *poly-*, et *tonalité*.

♦ Mus. Écriture musicale de type polytonal*.

L'écriture musicale de Francis Poulenc est assez particulière (...) Enfin elle use de ce qu'on a appelé la polytonalité. C'est un vocable employé maintenant trop fréquemment un peu au hasard, pour qu'il ne soit pas nécessaire d'en préciser le sens. T. KLINGSOR, les Marges, n° 95, 15 mai 1922, p. 65, *in* D. D. L., II, 15.

Fig. *Une «polytonalité spirituelle»* (G. Marcel, *in* D. D. L.).

POLYTOPISME [politɔpism] n. m. — 1902; de *poly-*, et grec *topos* «lieu».

♦ Biol. Particularité d'une espèce animale ou végétale d'avoir plusieurs lieux d'origine.

POLYTOXICOMANE [politɔksikɔman] adj. et n. — 1973; de *poly-*, et *toxicomane*.

♦ Didact. Qui s'adonne à plusieurs drogues. — N. *Un, une polytoxicomane.* — REM. Le mot est mal formé (préf. grec et rad. latin).

DÉR. Polytoxicomanie.

POLYTOXICOMANIE [pɔlitɔksikɔmani] n. f. — 1977; de *polytoxicomane.*

♦ Didact. Toxicomanie* engendrée par la prise de drogues multiples. « *La cocaïnomanie s'accentue (...) et la polytoxicomanie prend de l'ampleur* » (*le Monde,* 9 févr. 1977, p. 1).

POLYTRAUMATISÉ, ÉE [pɔlitʀomatize] adj. et n. — V. 1950; de *poly-,* et *traumatisé.*

♦ Méd. Qui a subi plusieurs lésions graves au cours d'un même accident. *Blessé polytraumatisé.* — N. *60 % des polytraumatisés décèdent dans l'heure qui suit l'accident.* « *À Paris, sur 100 cliniques et hôpitaux recevant les urgences, 3 hôpitaux seulement sont capables de soigner efficacement les grands polytraumatisés* » (*l'Express,* 17-23 juil. 1967). — REM. Le mot est mal formé (préf. grec et rad. latin).

POLYTRIC [pɔlitʀik] n. m. — 1611; *politric,* xve; lat. bot. *polytrichum,* du grec *trix, trikhos* « cheveu ».

♦ Bot. Plante cryptogame cellulaire *(Bryophytes; Bryacées)* mousse* à tige dressée des sous-bois humides.

POLYTYPIE [pɔlitipi] n. f. — XIXe, a remplacé *polytypage* (le brevet du *polytype* est de 1786, Hoffmann; le verbe *polytyper* est attesté en 1786, *in* D. D. L.). → -type, -typie.

♦ Typogr. Vx. Procédé de reproduction typographique au moyen de clichés* (appelés *polytypes*); action d'obtenir un cliché (clichage). ⇒ **Imprimerie.**

POLYTYPIQUE [pɔlitipik] adj. — XXe; *polytype,* 1842; de *poly-,* et *typique.*

♦ Biol. Se dit d'une espèce qui présente plusieurs types différents. *Espèces, variétés polytypiques.*

DÉR. Polytypisme.

POLYTYPISME [pɔlitipism] n. m. — 1974; de *polytypique,* et *-isme.*

♦ Didact. Caractère de ce qui se présente sous plusieurs types.

POLYURÉTHANE ou **POLYURÉTHANNE** [pɔljyʀetan; pɔliyʀetan] n. m. — 1960; de *poly-,* et *uréthane.*

♦ Techn. Résine (matière plastique) obtenue par condensation de polyesters (ou de polyéthers) avec des isocyanates. *Les polyuréthanes sont employés, combinés avec un durcisseur, comme colles de haute adhérence.*

REM. Pour éviter une confusion avec les hydrocarbures saturés, repérés dans la nomenclature chimique par le suffixe *-ane,* une norme officielle recommande l'orthographe *polyuréthanne.* Hors des publications techniques spécialisées, la graphie *polyuréthane* demeure toutefois la plus courante.

POLYURIE [pɔliyʀi] n. f. — 1823; de *poly-,* et grec *ouron* « urine ». → -urie.

♦ Méd. Sécrétion excessive d'urine. ⇒ **Diurèse; pollakiurie** (opposé à *oligurie*). → Polydipsie, cit.

CONTR. Anurie.
DÉR. Polyurique.

POLYURIQUE [pɔliyʀik] adj. — 1810; de *polyurie.*

♦ Méd. Qui se rapporte à la polyurie* (opposé à *oligurique*).

POLYVACCIN [pɔlivaksɛ̃] n. m. — Mil. XXe; de *poly-,* et *vaccin.*

♦ Vaccin utilisable contre différentes maladies. Syn. : *vaccin polyvalent* (1.).

POLYVALENCE [pɔlivalɑ̃s] n. f. — 1951; de *polyvalent,* d'après *valence.*

♦ Didact. Caractère de ce qui est polyvalent. « *La polyvalence des savoirs* » (*le Monde,* 27 avril 1966).

POLYVALENT, ENTE [pɔlivalɑ̃, ɑ̃t] adj. et n. m. — Fin XIXe; de *poly-,* et lat. *valens.*

♦ **1.** Méd. Se dit d'un sérum ou d'un vaccin qui protège contre plusieurs micro-organismes pathogènes. ⇒ **Polyvaccin.** *Des sérums antivenimeux polyvalents* » (*Rev. gén. des sc.,* 30 mai 1904, p. 518).

♦ **2.** Chim. Corps simple ou radical possédant plusieurs valences (phénomènes de la *polyvalence*).

♦ **3.** [a] (Choses). Qui a des fonctions multiples, plusieurs usages, plusieurs fins. *Machine polyvalente. Local polyvalent* (salle de réunion, de spectacle, etc.). *Avion polyvalent* (chasseur-bombardier, intercepteur...). *Bateau polyvalent. Équipement, matériel polyvalent,* peu spécialisé.

[b] (Personnes). Qui a plusieurs fonctions, plusieurs activités différentes.

(...) tout est possible à un dieu. L'ubiquité dès lors est croyable, et ce ne serait pas la peine d'avoir imaginé Mercure que de ne pas le croire polyvalent dans son service de relations. Émile HENRIOT, Mythologie légère, p. 65.

Spécialt. *Inspecteur polyvalent des contributions,* chargé de vérifier les comptes des entreprises. — N. m. *Les polyvalents.* — *Professeur polyvalent,* qui enseigne différentes disciplines.

♦ **4.** (1965, au Québec). *École (secondaire) polyvalente :* école dispensant une formation générale commune et offrant un éventail de cours assez complet pour permettre aux élèves de se composer un programme individuel d'après leurs options. — N. f. *Une polyvalente.*

CONTR. Monovalent, univalent.
DÉR. Polyvalence.

POLYVALVULAIRE [pɔlivalvylɛʀ] adj. — Mil. XXe; de *poly-,* et *valvulaire.*

♦ Méd. Qui concerne plusieurs valvules. *Affection polyvalvulaire.* — Par extension :

Mettre plusieurs valves artificielles en place (...) est généralement très mal supporté (...) Aussi faudra-t-il évaluer (...) si un geste chirurgical doit être fait (...) Décisions délicates sur des malades polyvalvulaires en mauvaise condition (...) Cl. D'ALLAINES, la Chirurgie du cœur, 1967, p. 117.

POLYVINYLE [pɔlivinil] n. m. — Mil. XXe (*in* Larousse, 1953); de *poly-,* et *vinyle.*

♦ Chim. *Chlorure de polyvinyle :* matière utilisée dans la fabrication de tubes, flaconnages, joints, etc.

POLYVINYLIQUE [pɔlivinilik] adj. — 1948; de *poly-,* et *vinyle.*

♦ Chim. Se dit des polymères de composés vinyliques. *Le polyéthylène*, le chlorure de polyvinyle*, le polystyrène* sont des composés polyvinyliques.*

POLYVISER [pɔlivize] v. tr. — V. 1927, A. Gance; de *poly-,* et 1. *viser.*

♦ Cin. Tourner un film en polyvision. *Polyviser un film. Scène polyvisée.*

POLYVISION [pɔlivizjɔ̃] n. f. — V. 1927, A. Gance; de *poly-,* et *vision.*

♦ Cin. Vision multiple, obtenue par projection simultanée sur plusieurs écrans, de scènes simultanées ou non d'un même film. *Le triple écran (écran central et écrans latéraux) de la polyvision. Plan tourné en polyvision.*

En fait, la polyvision ne diffère du cinéma normal que par cette particularité de pouvoir montrer à la fois ce que le cinéma normal montre l'un après l'autre. Souvenons-nous dans *Napoléon (d'Abel Gance)* du départ de l'armée d'Italie pour les plaines du Pô. Sur l'écran du centre : un bataillon en marche; sur les écrans latéraux : Bonaparte galopant le long d'un chemin creux. L'effet était saisissant. Après quelques minutes nous avions la sensation d'avoir couvert des milliers de kilomètres de cette prodigieuse campagne d'Italie.
J.-L. GODARD, Jean-Luc Godard, *in* Coll. des Cahiers du cinéma, p. 58.

POLYVITAMINIQUE [pɔlivitaminik] adj. — Mil. XXe; de *poly-,* et *vitamine.*

♦ Sc. Qui renferme plusieurs sortes de vitamines.

Elle *(l'huître)* constitue une médication polyvitaminique des enfants, des adultes et des vieillards. Louis LAMBERT, les Coquillages comestibles, 1950, p. 45.

POLYZOAIRES [pɔlizɔɛʀ] n. m. pl. — 1892, *Dict. des dict.; polyzoaire,* adj., « qui ressemble à la fois à des animaux de classes différentes », Bescherelle, 1846; formation en *-zoaires** d'après le lat. sc. *polyzoa,* 1830, Thompson, du grec *polu-* « plusieurs, nombreux » (→ Poly-), et *zôa,* plur. de *zôon* « animal ».

♦ Zool. Bryozoaires*.

POLYZOÏCITÉ [polizɔisite] n. f. — 1855, Littré-Robin; de *polyzoïque.*

♦ Zool. Fait d'être polyzoïque. ⇒ aussi **Polyzoïsme.**

POLYZOÏQUE [polizɔik] adj. — 1855, Littré-Robin; du rad. de polyzoaires*, et *-ique,* ou angl. *polyzoic.*
Zoologie.

♦ **1.** Qui vit en colonie avec d'autres animaux de même espèce; formé d'individus groupés en colonie. *Les bryozoaires, certains cnidaires sont polyzoïques.*

♦ **2.** Qui comporte des segments semblables se détachant pour la reproduction. *Le ténia est polyzoïque.*

DÉR. Polyzoïcité, polyzoïsme.

POLYZOÏSME [polizɔism] n. m. — 1893, cit.; du rad. de *polyzoïque*,* et *-isme.*
Didactique (histoire des sciences).

♦ **1.** Vx. Fait (pour un organisme vivant) d'être constitué par l'association synergique d'individualités inférieures. ⇒ **Polyzoïcité.**

Dans son livre sur *les Origines animales de l'homme,* l'auteur *(M. Durand de Gros)* rapporte des exemples nouveaux pour établir que le polyzoïsme des Articulés et des Vertébrés inférieurs se retrouve chez les animaux supérieurs et chez l'homme.
L. FIGUIER, l'Année scientifique et industrielle, 1893, p. 485 (1892).

♦ **2.** (1897). Théorie qui soutient la thèse du polyzoïsme (1.) comme principe d'organisation des êtres vivants supérieurs.

POMAISON [pɔmɛzɔ̃] n. f. — 1907; de *pommer.*

♦ Agric. Moment où certains légumes commencent à pommer*.

POMATE [pɔmat] n. f. — 1978; mot-valise, de *pomme* dans *pomme de terre,* et finale de *tomate.*

♦ Génétique, agronomie. Hybride de pomme de terre et de tomate. *Plant de pomate.* « *La "pomate" n'avait jamais été obtenue par hybridation sexuée artificielle; pourtant la tomate* (Lycopersicum esculentum) *et la pomme de terre* (Solanum tuberosum) *sont deux espèces assez voisines bien que de genres différents, de la famille des solanacées...* » (*la Recherche,* nov. 1978, p. 1028). — REM. Il est difficile de faire un pronostic sur l'avenir du mot.

POMÉLO [pɔmelo] n. m. — Déb. XXe; amér. *pomelo,* de *pomum melo* « pomme melon ».

♦ **1.** Arbre de la famille des *citrus (Citrus paradisi),* dont les fruits viennent en grappes (grape-fruit). *Les pomélos et les pamplemoussiers* (→ Agrume, cit. 2).

♦ **2.** Fruit de cet arbre (⇒ **Grape-fruit,** cit. 1), appelé couramment (et abusivement) *pamplemousse.*

POMÉRANIEN, ENNE [pɔmeʀanjɛ̃, ɛn] adj. et n. — 1846, Bescherelle; de *Poméranie.*

♦ Adj. De Poméranie; relatif à la Poméranie.

1 Débarqués en troupeau du convoi qui les avait abandonnés à l'aube sur la lande poméranienne, les captifs étaient, plus qu'ils ne le supposaient, des déracinés (...) Les fibres sociales qui nouent les êtres étaient presque toutes coupées.
Armand LANOUX, le Commandant Watrin, p. 259.

N. Habitant de la Poméranie; personne originaire de cette région. — N. m. pl. (Hist). Peuple slave établi en Poméranie (Ve-VIIe après J.-C.). *La croisade de Boleslas Bouche-Torse contre les Poméraniens.*

2 Entre l'Allemagne et la Pologne, voici enfin les nombreuses tribus wendes, Wagriens à la racine du Jutland, Obotrites du Macklembourg, Liutizes de la Havel moyenne; en arrière de ceux-ci les Poméraniens; entre l'Elbe et la Saale les Sorbes. L'occupation du sol par tous ces peuples était très distendue, la division politique extrême; un seul élément d'unité : le culte païen dans quelques sanctuaires communs.
R. FOLZ, le Monde germanique, *in* Encycl. Pl., Hist. universelle, t. II, p. 601.

POMI- ⇒ **Pomo-.**

POMICULTEUR [pɔmikyltœʀ] n. m. — 1868; de *pomi-,* et *-culteur.*

♦ Didact. Celui qui cultive les arbres à fruits à pépins. ⇒ **Pomoculture.**

POMMADE [pɔmad] n. f. — 1598; ital. *pomata* « onguent aux pommes », de *pomo* « fruit ».

♦ **1.** Vx. (Parfumerie et pharm. anc.). Composition molle et grasse (originairement à la pulpe de pomme), parfumée, utilisée pour les soins de la peau et des cheveux. ⇒ **Onguent.** *Pommade à base d'axonge*, de cire. Pommade pour adoucir la peau.* ⇒ **Crème; cold-cream, pâte.** *Pommade cosmétique*. Pommade rouge, blanche. Pommade rosat pour les lèvres. Pommades qui font des teints fleuris* (→ Blanc, cit. 36). *Pommade pour lustrer les cheveux, la barbe...* ⇒ **Cosmétique** (2.). → Glissant, cit. 7. *Se mettre de la pommade.* ⇒ **Pommader.** *Acheter de la pommade chez le parfumeur.*

— Que font-elles? — De la pommade pour les lèvres. — C'est trop pommadé. 1
MOLIÈRE, les Précieuses ridicules, 3.

(...) une toilette dressée où ne manque rien de ce ce qui est nécessaire à une femme (...) peignes, éponges, flacons d'essence, opiats, boîtes à mouches, pommades pour les lèvres, pâtes d'amande (...) 2
Th. GAUTIER, le Capitaine Fracasse, VIII.

La pommade dont il avait enduit ses cheveux répandait une écœurante odeur de violette et de suint. 3
J. GREEN, Léviathan, I, x.

Loc. fig. *Passer de la pommade à qqn,* le flatter grossièrement. ⇒ **Flagorner** (→ Art, cit. 22). *Assez de pommade!* ⇒ **Flatterie.**

♦ **2.** Mod. Médicament à usage externe, formé d'un ou de plusieurs corps gras et d'une substance active, et destiné à être étalé sur la peau. *Graisse* servant d'excipient à une pommade.* ⇒ **Lanoline, vaseline.** *Pommade mercurielle ou onguent gris. Pommade au blanc de plomb* (⇒ **Uve,** vx), *aux bourgeons de peupliers* (⇒ **Populéum**). *Pot, tube de pommade. Pommade en bâton. Mettre, appliquer une pommade. Frottez-vous de pommade* (→ Frotter, cit. 31).

Le lendemain la vieille lui apporte à déjeuner, visite son dos, le frotte elle-même d'une autre pommade (...) 4
VOLTAIRE, Candide, VII.

DÉR. Pommader, pommadier, pommadin.

POMMADER [pɔmade] v. tr. — XVIe; de *pommade.*

♦ **1.** Enduire de pommade. *Pommader ses cheveux.* — Pron. *Se pommader.*

P. p. adj. *Cheveux pommadés* (→ Croissant, cit. 3; hirsute, cit.), cosmétiqués, gominés. *Tout parfumé et pommadé.*

(...) jeunes messieurs serrés dans leurs habits, les bottes brillantes, les cheveux pommadés et la lèvre insolente. 1
BAUDELAIRE, Trad. E. POE, Nouvelles histoires extraordinaires, « L'homme des foules ».

♦ **2.** Fig., fam. (De *passer de la pommade*). Flatter.

Ce qui te rend mal à l'aise avec eux, Alex, c'est que tu es trop bien élevé, trop sérieux aussi à propos de choses qui n'en valent peut-être pas la peine (...) — Il me pommadait, gentil à son habitude. 2
Jean HOUGRON, la Gueule pleine de dents, p. 302.

POMMADIER [pɔmadje] n. m. — 1878; de *pommade* (1.).

♦ **1.** Fam., vx. Coiffeur.

♦ **2.** (1903). Anciennt. Mortier de pharmacie servant à préparer les pommades.

POMMADIN [pɔmadɛ̃] n. m. — 1859, « garçon coiffeur »; Huysmans, au sens fam., 1872; de *pommade;* le mot a eu en argot le sens de « ivrogne », de *se pommader* « s'enivrer », 1888.

♦ Fam., vieilli. (Péj.). Jeune élégant (→ Muscadin).

Lucette accueillait chez elle son jeune pommadin à poil blond et, à minuit, ils sombraient dans le néant.
M. AYMÉ, le Passe-muraille, p. 89.

POMMAGE [pɔmaʒ] n. m. — 1582; de 1. *pomme.*

♦ Régional (Normandie). Variété locale de pommiers.

POMMARD [pɔmaʀ] n. m. — 1776, *pomard;* de *Pommard,* village de la Côte-d'Or.

♦ Vin de Bourgogne rouge très estimé.

1. POMME [pɔm] n. f. — 1273; *pume,* 1080, *Chanson de Roland; pome,* v. 1155; lat. *poma,* plur. neutre de *pomum* « fruit », pris comme n. f. et spécialisé, en Gaule, au sens de « pomme » (à la place de *malum*).

★ **I.** ♦ **1.** Fruit du pommier*, de forme le plus souvent ronde, à pulpe ferme et juteuse de saveur agréable. *La pomme est un piridion* à cinq loges cartilagineuses contenant les pépins*. Acide de la pomme.* ⇒ **Malique.** *Pomme rouge, verte, jaune, grise. Les belles pommes rouges* (→ Astiquer, cit. 2). *Pomme douce, acerbe. Pomme sauvage. Pommes à couteau,* bonnes à être consommées crues. ⇒ **Api** (pomme d'api), **calville, canada, capendu, châtaignier, fenouillette** (ou *pomme d'anis**), **golden, 1. rambour, reinette.** *Pommes à cuire. Pommes à cidre.* ⇒ **Muscadet.** — *Pomme véreuse, pourrie. Senteur de pomme bien mûre* (→ Léger, cit. 12). *Pommes qui se conservent l'hiver, mûrissent dans un fruitier, une dépense* (cit. 16). *Croquer une pomme* (→ Fromage, cit. 7); *mordre* (cit. 13) *dans une pomme. Trognon de pomme. Couper une pomme en quartiers. Éplucher, ôter le cœur d'une pomme.* ⇒ **Vide-pomme.**

1 Une autre chante la chanson de son état : « Pommes de reinette et pommes d'api ! — Calville, calville, calville rouge ! — Calville rouge et calville gris ! »
NERVAL, Nuits d'octobre, XIV.

2 Les pommes, les poires s'empilaient (...) elles étaient de peaux différentes, les pommes d'api au berceau, les rambourg *(sic)* avachies, les calville en robe blanche, les canada sanguines, les châtaignier couperosées, les reinettes blondes, piquées de rousseur (...) ZOLA, le Ventre de Paris, V, t. II, p. 99.

3 Jean descend dans la cave où les pommes sont rangées sur des planches éclairées par le soupirail et il choisit la plus rouge et la plus grosse.
J. CHARDONNE, les Destinées sentimentales, p. 255.

Jus de pommes naturel ; fermenté. ⇒ **Cidre, halbi.** *Eau-de-vie de pommes.* ⇒ **Calvados.** *Marc de pommes. Sirop de pommes. Sucre* de pommes. — Pommes cuites. Envoyer des pommes cuites à qqn* (vx), pour manifester son mécontentement (⇒ **Tomate ;** → aussi Mitrailler, cit. 2). — *Pommes au four. Compote, marmelade, gelée de pommes. Pomme givrée. Pâtisserie aux pommes.* ⇒ **Charlotte, chausson.** *Tarte* aux pommes, beignets* (cit.) *de pommes. Canard, boudin à la compote de pommes.*

4 N'allez pas nous jeter surtout de pommes cuites
Pour mettre nos rideaux et nos quinquets à bas.
A. DE MUSSET, Premières poésies, « Marrons du feu », Prologue.

La pomme de Newton, qui, en tombant de l'arbre, aurait fait découvrir les lois de l'attraction universelle (→ Corps, cit. 3). — REM. Cette anecdote a été transmise par la mère de Newton à Voltaire, qui ne mentionne pas la pomme mais « des fruits » (*Lettres philosophiques ou Lettres anglaises,* 15, « Système de Newton », III, 3). — Allus. littér. *La pomme de Guillaume Tell.*

5 Eh bien, Tell, puisque tu perces une pomme sur l'arbre à cent pas, exerce ton talent devant moi ; prends ton arbalète (...) et prépare-toi à tirer une pomme sur la tête de ton fils ; mais je te le conseille, vise bien ; car si tu n'atteins pas ou la pomme ou ton fils, tu périras. Mme DE STAËL, De l'Allemagne, II, XX.

La pomme : le fruit défendu du paradis* terrestre, dont l'Ancien Testament n'indique pas l'espèce, mais dont la tradition a fait une pomme. ⇒ **Fruit** (défendu). → Mordre, cit. 11. *Allégorie* (cit. 2) *de la pomme qui tenta Ève, perdit Adam et Ève* (→ Dinde, cit. 1).

6 Un diable de philosophe m'avait tellement embrouillé la cervelle de premiers parents, de pomme, de serpent, de paradis terrestre et de chérubins, que j'étais sur le point de ne rien croire.
SAINT-ÉVREMOND, Conversation du maréchal d'Hocquincourt avec le père Canaye, 1665, p. 138-139.

Myth. *La pomme attribuée par le berger Pâris à la plus belle des trois déesses.* — Loc. fig. Vx. *« Elle mérite la pomme »* (Académie) : c'est la plus belle. — *Donner, décerner la pomme :* donner la prééminence, distinguer.

7 Il n'est pas malaisé de voir (...)
Que si des trois Beautés la fameuse querelle
S'était démêlée avec elle
Elle aurait eu la pomme d'or. Ch. PERRAULT, Contes, « Peau d'Âne. »

8 Ces deux déesses *(Junon et Minerve)* prétendirent un jour obliger le vieux Jupiter à dire quelle était vraiment la plus belle des trois *(elles et Vénus)* et de décerner une pomme à celle qu'il aurait choisie. C'est la Discorde qui avait jeté cette pomme explosive sur l'Olympe, en s'écriant : « À la plus belle ! ».
Émile HENRIOT, Mythologie légère, p. 33.

Loc. Mod. *Une pomme de discorde** (cit. 6).

Loc. compar. et métaphorique. *Rond comme une pomme.* ⇒ **Pommé.** — Fam. *Seins en pommes. Joue rouge comme une pomme d'api* (cit. 2). *Grand, haut* (cit. 5) *comme trois pommes* (→ Bichon, cit. 2). *Visage ridé comme une pomme. Visage de pomme cuite* (→ Effiler, cit. 7) *d'une vieille femme* (→ Linéament, cit. 2).

9 Tenez, un joli enfant bien portant qui a des joues comme une pomme, qui babille, qui jacasse, qui jabote, qui rit, qu'on sent frais sous le baiser, savez-vous ce que cela devient quand c'est abandonné ? HUGO, les Misérables, V, I, IV.

10 (...) des enfants rouges comme des pommes d'hiver, montés sur patins et sur luges (...). COLETTE, Belles saisons, p. 51.

10.1 Il était déjà comme ça quand il était haut comme une pomme, quand il n'était pas plus grand que ça (...) J'ai tout essayé, croyez-moi.
N. SARRAUTE, le Planétarium, p. 143.

Vert pomme : d'un vert vif.

Loc. fig. et fam. (1827). *Aux pommes :* très bien, très beau* (p.-ê. par allus. à la *tarte aux pommes ;* → aussi Pommer, p. p. adj.).

10.2 Vous me demandez d'expliquer ma situation : en deux mots la voici : Employé temporaire au Ministère de l'Instruction publique, le voisin (ami) de d'Artois, le copain de Coppée — peut-être bientôt son subordonné. Ce serait alors très chouette aux pommes !
Mon beau-frère, ma sœur surtout enchantés !
Germain NOUVEAU, Lettre à Paul Verlaine, janv. 1878, Pl., p. 851.

11 — Hé ! hé ! dit Pinette, hé ! hé ! J'aurais pu tomber plus mal. Tu verrais ses roberts *(ses seins)* : aux pommes. SARTRE, la Mort dans l'âme, p. 90.

(1889, Chautard). *Tomber dans les pommes* ⇒ **Évanouir** (s'). — REM. Selon Dauzat *(Études linguistiques franç.), pommes* serait une corruption de *pâmes,* vieux mot signifiant « pâmoison » ; mais ce mot ne semble pas avoir survécu au XVe, et l'expression n'est attestée à aucune époque ; il est plus vraisemblable que la loc. *être dans les pommes cuites* (G. Sand, *in* Rey et Chantreau) est à l'origine de l'expression moderne. Var. : *partir dans les pommes* (Soubiran, *les Hommes en blanc,* I, p. 110).

12 « Arrêtez ! » Il se retourne brusquement : le typo est tombé dans les pommes. Marbot le dépose doucement dans la paille, il dit avec un léger reproche : « C'est trop dur pour lui ». SARTRE, la Mort dans l'âme, p. 251.

13 — Le docteur Baumal (...) c'est lui qu'on appelait rue de la Pompe pour s'occuper des gars qui étaient tombés dans les pommes ; il les ranimait, et on recommençait à leur tortiller les doigts de pied. S. DE BEAUVOIR, les Mandarins, p. 150.

♦ **2.** (1640). Fig. POMME D'ADAM (probablt par allus. au « fruit défendu » ; ci-dessus, *infra* cit. 5, et ci-dessous, cit. 14) : saillie plus ou moins apparente à la partie antérieure du cou des hommes, formée par le cartilage thyroïde du larynx (peu saillant chez la femme). → Nœud* de la gorge. *Pomme d'Adam saillante* (→ Cordon, cit. 7). *Mouvements de la pomme d'Adam* (→ Fonctionner, cit. 2).

(...) ce cartilage en saillie que les bonnes femmes expliquent par un quartier de la pomme fatale resté au gosier d'Adam (...) 14
Th. GAUTIER, le Capitaine Fracasse, XI.

(...) un grand cou de poule tout déformé par une formidable pomme d'Adam qui montait et descendait dans son cou comme une bête vivante avalée et qui aurait ramoné son gosier. J. GIONO, Jean le Bleu, V. 15

♦ **3.** (Par ext. ou repris du sens latin). Nom vulgaire de fruits ronds. — Myth. *Les pommes d'or du jardin* des Hespérides* (→ Cédrat, cit.). — (1597). Vx. *Pomme d'Adam :* gros citron.

Vx. *Pomme dorée :* tomate.

(1549). **POMME D'AMOUR.** ⇒ **Tomate** (cf. ital. *pomodoro*). — (1845). *Pomme d'amour,* se dit aussi du fruit de la morelle* faux piment et de la plante elle-même.

Bouvard planta une pivoine au milieu du gazon et des pommes d'amour qui devaient retomber comme des lustres, sous l'arceau de la tonnelle. 16
FLAUBERT, Bouvard et Pécuchet, II.

(XXe). *Pomme d'amour :* pomme enrobée de caramel et fixée au bout d'un bâton de sucette.

(Fin XVIIe). *Pomme d'acajou :* fruit de l'anacardier. — *Pomme cannelle.* ⇒ **Anone.** *Pomme du diable.* ⇒ **Datura.** *Pomme de merveille.* ⇒ **Momordique.** *Pomme de Cythère.* ⇒ **Spondias.** *Pomme de terre.* ⇒ **Pomme de terre.** *Pomme épineuse :* stramoine.

(Déb. XIIIe). Cour. POMME DE PIN : organe reproducteur du pin (⇒ **Cône, pigne, strobile***), formé d'écailles ligneuses qui protègent les graines nues et s'écartent pour les laisser tomber lorsqu'elles sont mûres. — REM. On dit abusivement de la pomme de pin qu'elle est le fruit du pin. — *Des pommes de pin** (→ Écorce, cit. 3 ; genêt, cit. 2). *Graines de la pomme de pin.* ⇒ 3. **Pignon.**

(...) une pomme écailleuse tombe à terre, rebondit sur l'épaisseur des aiguilles, roule un instant, s'immobilise (...) M. GENEVOIX, Forêt voisine, VI. 17

♦ **4.** (Réfection d'après *pomme de terre* pour éviter l'ambiguïté avec 2. *pomme*). *Pomme en l'air, pomme fruit :* pomme (I., 1.).

On lui servit des anchois beurre, du boudin de campagne pomme en l'air pomme en bas (...) Les anchois sont des harengs pluvieux, le boudin et ses pommes se montrent inconsistants (...) R. QUENEAU, les Fleurs bleues, p. 31. 18

★ **II.** Par anal. **A.** ♦ **1.** (1890, *in* Esnault). Fam. Tête, figure. *Se sucer la pomme.* ⇒ **Embrasser** (s'). — Par ext. *Sa, ma pomme :* lui (elle), moi. *C'est pour qui ? Pour ma pomme. « Ma pomme, c'est moi »,* chanson de Maurice Chevalier (1936).

Des Cigales achète des sucettes : trois dont une pour sa pomme. 19
R. QUENEAU, Loin de Rueil, p. 44.

Je ne suis tout de même pas là pour payer les pots cassés, non ? Qui est-ce qui trinquerait là-dedans ? Ma pomme. Très peu. 20
P. DANINOS, Un certain Monsieur Blot, p. 135.

♦ **2.** (1895, comme adj., *in* Esnault). Argot, puis fam. Personne naïve, crédule. ⇒ **Cave, poire.** *C'est une vraie pomme !* — Adj. *Être pomme :* être naïf.

Je commençais à désespérer, j'étais bien pomme. Je me suis souvenu d'un coup que la meilleure façon de trouver Victor, le taulier du Moderna, c'était encore de l'amarrer, sur le coup de midi, au tabac où il venait, réglo (...) 21
Albert SIMONIN, Touchez pas au grisbi, p. 81.

Renforcé. (Influence probable de *bonne poire*). *Et moi, bonne pomme, qui te croyais !* — (Jeu de mots avec 2. *pomme*). *Pomme à l'eau* (surtout en appellatif).

Spécialt (à certains jeux : bridge, etc.). Joueur qui a mal joué.

B. (Choses). ♦ **1.** (Fin XIVe). Cœur de chou, de laitue... dont les feuilles très serrées forment une masse arrondie. ⇒ **Pommer.**

♦ **2.** (1403 ; *pume,* XIIIe, désignant des boules de verre, de métal, tenues dans la main). Objet ou partie d'un objet ayant la forme d'une boule. ⇒ **Boule, pommette.** *Pomme à chauffer les mains* (vx) : boule métallique contenant des braises ou de l'eau chaude. — (1560 ; *pomme d'ambre,* 1319). Vx. *Pomme de senteur :* récipient où l'on conservait du parfum. — (1680). Mod. *Pomme d'arrosoir,* partie arrondie percée de petits trous, qui s'ajuste au bec et permet de verser l'eau en pluie (→ Plein, cit. 7). — *Pomme de canne* (1. Canne, cit. 1). ⇒ **Pommeau.** *Jonc* (cit. 4) *à pomme d'or.*

(XIXe ; *in* Littré). Mar. Boule ou cône à l'extrémité d'un mât. *De la quille à la pomme des mâts :* dans tout le navire.

(...) après deux saisons d'école, notre bateau est paré de la quille à la pomme des mâts, comme on dit. Bernard MOITESSIER, Cap Horn à la voile, p. 57. 22

(1736). *Pomme de racage**.

(1694). Boule décorative de bois, de métal. *Pommes de chenets*. Pommes de lit. — Pomme d'escalier.*

En dépit de la classique pancarte accrochée à la pomme de la rampe, la concierge ne se trouvait pas *dans l'escalier.* Francis CARCO, Nostalgie de Paris, p. 221. 23

DÉR. **Pommage, pommeler** (se), **pommelle, pommer, pommette, pommier.** — V. **Pommade, pommeau.**
COMP. Pomme de terre. — **Vide-pomme.**
HOM. 2. **Pomme,** formes du v. **pommer.**

2. POMME [pɔm] n. f. — xxe; ellipse de *pomme de terre.*

♦ Pomme de terre (terme de restaurant et de gastronomie). *Un bifteck* (cit. 6) *aux pommes, un steak pommes frites.* ⇒ **Frite.** *Pommes soufflées* (→ Cresson, cit.). *Pommes vapeur. Pommes à l'eau. Pommes mousseline* (purée). *Pommes boulangère** (1. Boulanger). *Pommes dauphine* (soufflées). *Pommes à l'huile,* cuites à l'eau, puis servies tièdes ou froides avec une vinaigrette. *Pommes allumettes, paille :* frites très fines. *Pommes pont-neuf** (II.).

HOM. 1. **Pomme,** formes du v. **pommer.**

POMMÉ, ÉE [pɔme] adj. ⇒ Pommer.

POMMEAU [pɔmo] n. m. — xiiie; *pomel,* fin xie; de l'anc. franç. *pom,* forme masculine de *pomme* (→ 1. Pomme, II., B., 2.).

♦ **1.** Tête arrondie de la poignée* (d'un sabre, d'une épée...). *Pommeau d'épée ciselé. Pommeau de hallebarde* (cit. 1), *de glaive* (→ Péridot, cit.). *Mettre la main au pommeau.*

1 À peine le gentilhomme eut-il dit ces paroles à voix basse, que la main du vieux seigneur coula sur le pommeau de son épée.
BALZAC, Maître Cornélius, Pl., t. IX, p. 902.

Boule à l'extrémité (d'une canne, d'un parapluie, d'une cravache...), servant à saisir, à tenir. ⇒ 1. **Pomme** (II., B., 2.). *Une canne à pommeau d'argent.*

2 Dans le pli du coude on pouvait voir le pommeau de plomb de son énorme canne, laquelle disparaissait derrière lui. HUGO, les Misérables, I, VIII, III.

3 Elle se tint devant moi, sa cravache à pommeau d'écaille entre les dents, les joues livides (...) E. FROMENTIN, Dominique, XVII.

4 (...) il portait avec ostentation une canne dont le pommeau, travaillé au tour, avait pour ombre la silhouette de l'empereur.
FRANCE, le Crime de S. Bonnard, IV, Œ., t. II, p. 386.

Extrémité renflée des pistolets anciens. ⇒ **Pommette.**

♦ **2.** Partie arrondie, arcade antérieure de l'arçon (d'une selle).

5 Puis des rocs, leur repaire, ils regagnent les crêtes,
Outre le lourd butin, emportant au pommeau
De la selle saignante un chapelet de têtes.
LECONTE DE LISLE, Poèmes tragiques, « Le lévrier de Magnus », II.

POMME DE TERRE [pɔmdətɛʀ] n. f. — 1716, « fruit de terre », trad. de *malum terrae;* « topinambour », 1655; de 1. *pomme,* et *terre.* — Le mot n'a été enregistré par l'Académie qu'en 1835.

♦ **1.** Tubercule comestible d'une solanacée d'origine exotique (→ ci-dessous, 2.), dont l'usage a été répandu en France au XVIIIe siècle. ⇒ **Patate** (fam.), 2. **pomme** — REM. La *pomme de terre* s'est appelée *cartoufle* (O. de Serres), *topinambour, truffe blanche, truffe rouge* (*Encyclopédie,* 1765); *patate, parmentière* (du nom de son introducteur *Parmentier*). — *La pomme de terre, peu appréciée au XVIIIe siècle, est devenue un aliment de base. Pommes de terre potagères, fourragères. Pommes de terre jaunes, rouges, violettes...* ⇒ **Hollande, vitelotte.** *La marjolaine, la quarantaine, la princesse, variétés de pommes de terre. Chair, pulpe, peau de pomme de terre. Éplucher des pommes de terre. Yeux de pomme de terre; pomme de terre qui germe* (cit. 3). *Brunissure* de la pomme de terre. La pomme de terre est un aliment féculent*.* ⇒ **Fécule.** *Sac de pommes de terre. — Faire cuire des pommes de terre sous la cendre, dans un corps gras... Pommes de terre à l'eau, à l'anglaise*, en robe* des champs* (ou *de chambre*), *bouillies* (→ Mettre, cit. 18); *au four; dorées, sautées, frites.* ⇒ **Frite** (→ Friture, cit. 4). *Pommes de terre à l'huile; farcies. Purée* (→ Filandreux, cit. 1), *gratin de pommes de terre. Soupe, galette aux pommes de terre* (→ Fondant, cit. 1; fondre, cit. 16). *Pâté aux pommes de terre,* fait d'une pâte à pain recouverte de pommes de terre en lamelles, passé au four, puis arrosé de crème fraîche. *Pain de pommes de terre,* fait de farine et de pulpe de pomme de terre. *Écuellée* (cit.) *de pommes de terre. — Distillation des pommes de terre.* ⇒ **Eau-de-vie, drèche** (→ Industrieux, cit. 2). *Alcool de pommes de terre.*

1 POMME DE TERRE (...) Cette racine, de quelque manière qu'on l'apprête, est fade et farineuse. Elle ne saurait être comptée parmi les aliments agréables; mais elle fournit un aliment abondant et assez salutaire aux hommes, qui ne demandent qu'à se sustenter. Encycl. (DIDEROT), 1765, art. *Pomme de terre.*

2 Son acceptation de la destinée humaine était telle, qu'il mangeait, on vient de le voir, des pommes de terre, immondice dont on nourrissait alors les pourceaux et les forçats. HUGO, l'Homme qui rit, I, I, I.

3 Il se nourrissait quand il le pouvait de pommes de terre frites et de cervelas cuits dans la graisse bouillante. P. MAC ORLAN, Quai des brumes, I.

Ellipt. ⇒ 2. **Pomme.**

Loc. fam. *Nez en pomme de terre :* nez rond et boursouflé. *C'est un sac de pommes de terre,* une femme grosse et mal faite.

♦ **2.** Plante dicotylédone *(Solanacées),* morelle* tubéreuse *(solanum tuberosa),* herbacée, d'origine exotique (Amérique tropicale), cultivée pour ses tubercules. *La pomme de terre, plante potagère. Champ de pommes de terre. Un plant de pommes de terre :* les tubercules d'où naissent les plantes. *Pied, fanes* de pommes de terre. Maladie* (⇒ **Friselée**), *parasite de la pomme de terre.* ⇒ **Doryphore;** et aussi **péronosporées; mildiou.** *Butter* des pieds de pommes de terre. Arrachage des pommes de terre.*

La pomme de terre est une plante rustique, qui s'accommode de climats et de terrains très divers (...) on en voit des cultures sous toutes les latitudes, dans les régions tempérées et tropicales, cependant que vers le Nord elle s'avance aussi loin que les céréales les plus résistantes au froid. 4
Jean FEYTAUD, la Pomme de terre, p. 32.

♦ **3.** (*In* Larousse, 1963). Fig., rare. *Pomme de terre de l'air :* igname.

POMMELÉ, ÉE [pɔmle] adj. ⇒ Pommeler (se).

POMMELER (SE) [pɔmle] v. pron. — Conjug. *appeler.* — xiiie, au p. p.; v. intr., xvie; de 1. *pomme,* et *-eler.*

♦ **1.** Se couvrir de petits nuages ronds (en parlant du ciel). ⇒ **Moutonner.**
Se couvrir de taches rondes grises et blanches (en parlant de la robe du cheval).

♦ **2.** Prendre l'aspect de petits nuages ronds (→ Floraison, cit. 2). *Flocons de fumée qui se forment, se dédoublent, se pommellent* (→ Exploser, cit. 1).

(...) un carré où se pommelaient quelques choux aux feuilles veinées et vert-de-grisées (...) 1
Th. GAUTIER, le Capitaine Fracasse, I.

▶ **POMMELÉ, ÉE** p. p. adj. (V. 1160).

♦ **1.** Couvert de petits nuages ronds. ⇒ **Moutonné.** *Ciel pommelé* (→ Geai, cit. 3). — Prov. *Ciel* pommelé et femme fardée ne sont pas de longue durée.*
Par ext. (En parlant des nuages). Petits et ronds.

Le soleil couché n'emportait pas la lumière du ciel presque blanc, à petites nues pommelées d'un rose sombre. COLETTE, la Chatte, p. 123. 2

♦ **2.** *Gris pommelé* (ou *gris-pommelé*), se dit du cheval lorsque sa robe est couverte de taches rondes grises et blanches. *Cheval* (cit. 33) *gris pommelé. Des chevaux gris-pommelé* (→ Gris, cit. 26). — D'une couleur* grise tachée de blanc. — Par plais. *Un jeune vieillard gris pommelé* (→ Fureter, cit. 2).

(...) quelques groupes de nuées gris pommelé fuyaient dans un ciel bleu (...) 3
HUGO, Notre-Dame de Paris, II, IX, II.

POMMELLE [pɔmɛl] n. f. — 1560; de 1. *pomme*

♦ Techn. Plaque métallique, percée de trous, qu'on met à l'ouverture d'un tuyau pour empêcher que les détritus ne l'obstruent. ⇒ **Crapaudine, crépine.**

POMMER [pɔme] v. intr. — 1545; au p. p., 1393; de 1. *pomme.*

♦ Agric. Se dit de certaines plantes dont les feuilles poussent serrées en forme de boule. ⇒ 1. **Pomme** (II., B., 1.). *Choux qui commencent à pommer.*

▶ **POMMÉ, ÉE** p. p. adj.

♦ **1.** Dont les feuilles sont serrées en forme de boule. *Chou* pommé.* ⇒ **Cabus.** *Laitue pommée.*

♦ **2.** Fig., fam. (Par compar. avec le chou, la laitue, qui ont pommé et sont bien développés, bons à manger). Achevé (péj.). « *Une sottise pommée* » (Académie). *C'est pommé !*

(...) il eût fallu renoncer à mon voyage. C'eût été trop sot. Je fais parfois des bêtises, mais pas de si pommées.
FLAUBERT, Correspondance, 259, 4 juin 1850.

POMMERAIE [pɔmʀɛ] n. f. — Fin xive; *pomeroie,* xiiie; de *pommier.*

♦ Plantation de pommiers.

POMMETÉ, ÉE [pɔmte] adj. — xve; de *pommette.*

♦ Blason. Orné de pommettes. *Croix* pommetée,* dont les branches sont terminées par une boule. — On écrit aussi *pommetté, ée.*

POMMETTE [pɔmɛt] n. f. — 1138, *pomete* « petite pomme »; dimin. de 1. *pomme.*

★ **I.** ♦ **1.** (Fin xive). Didact. Ornement en forme de petite pomme (⇒ 1. **Pomme,** II., B., 2.). — Blason. *Croix à pommettes.* ⇒ **Pommeté.**

♦ **2.** (1765). Anciennt. Partie arrondie de la crosse d'un pistolet. ⇒ 1. **Pomme** (II., B., 2.).

♦ **3.** (1869). Techn. Petit ouvrage de serrurerie, servant d'amortissement.

★ **II.** (xve, anat., «os de la joue», vx; absent des dict. du xviie : Académie, Richelet, Furetière; «partie de la joue», 1765, *Encyclopédie,* mais peu usité av. le xixe). Cour. Partie plus ou moins saillante et colorée de la joue, au-dessous de l'angle extérieur de l'œil, correspondant à l'os malaire. ⇒ **Joue** (→ 1. Barbe, cit. 14; enfouir, cit. 6). *L'os de la pommette.* ⇒ **Malaire, zygomatique.** *Les pommettes hautes et saillantes des Esquimaux. Joues creuses aux pommettes saillantes* (→ aussi Incurver, cit. 3). *Avoir les pommettes roses, rouges* (→ Avoir des couleurs). *Pommettes couperosées* (→ aussi Boursouflure, cit. 1; couperose, cit.). *Le sang lui revint aux pommettes* (→ Halètement, cit. 2). *Avoir le feu aux pommettes. Pommettes incendiées* (cit. 4) *de fièvre.*

1 POMMETTE *(os de la), en Anatomie,* épithète des os situés sous cette partie du visage, qui ordinairement est assez rouge et ressemble à une *pomme.*
Encycl. (DIDEROT), 1765, art. *Pommette.*

2 (...) le rouge *(artificiel),* qui enflamme la pommette, augmente encore la clarté de la prunelle et ajoute à un beau visage féminin la passion mystérieuse de la prêtresse. BAUDELAIRE, Curiosités esthétiques, XVI, XI.

3 J'aurais donné je ne sais quoi, quand j'étais jeune, pour avoir plus tard les joues rentrées et les pommettes saillantes que j'admirais dans le portrait de Delacroix.
GIDE, Journal, 7 janv. 1943.

4 M. Birnenschatz sentit le rouge de la confusion lui monter aux pommettes.
SARTRE, le Sursis, p. 79.

DÉR. Pommeté.

POMMIER [pɔmje] n. m. — xiiie; *pumier,* 1080, *Chanson de Roland; pomier,* xiie; de 1. *pomme.*

♦ **1.** Arbre de taille moyenne *(Rosacées; n. sc. malus)* dont le fruit est la pomme. ⇒ **Pomme** (→ Cotonneux, cit. 1). *Pommier commun* (malus communis); *pommier à cidre* (malus acerba). *Pommier sauvage. Le rambour*, variété de pommier cultivé. Pommier à fruits aigres.* ⇒ **Aigrin.** *Greffer un pommier. Jeune pommier non greffé.* ⇒ **Surin.** *Pommier porte-greffe.* ⇒ **Doucin, paradis.** *Pommier de verger, en haute tige. Pommier nain. Les pommiers en fleurs. Cueillette des pommes à manger et gaulage des pommiers à cidre* (→ Gauler, cit. 2). — *Pommier du Japon, de Chine,* variété exotique cultivée pour ses fleurs roses et dont les fruits ne sont pas comestibles.

1 Plus loin que Louvres est un chemin bordé de pommiers dont j'ai vu bien des fois les fleurs éclater dans la nuit comme des étoiles de la terre (...)
NERVAL, les Filles du feu, «Sylvie», III.

1.1 Mais rien ne valait, quand on longeait le verger de Cotte, la vue à travers les barreaux, pendant cinquante mètres, de ses pommiers en espalier montrant l'un à côté de l'autre, à distances égales, comme dans une ornementation d'un charme incomparable, ses larges fleurs blanches ouvertes et de temps en temps ses petits bouquets roses de boutons rougissants, tandis que, sans cesser un seul instant, les feuilles poursuivaient en dessous l'accompagnement de leur dessin inimitable et sur lequel aucun arbre fruitier ne réussit à nous donner le change.
PROUST, Jean Santeuil, Pl., p. 278.

2 (...) à perte de vue, ils *(les pommiers)* étaient en pleine floraison, d'un luxe inouï, les pieds dans la boue et en toilette de bal, ne prenant pas de précautions pour ne pas gâter le plus merveilleux satin rose qu'on eût jamais vu et que faisait briller le soleil; l'horizon lointain de la mer fournissait aux pommiers comme un arrière-plan d'estampe japonaise (...)
PROUST, À la recherche du temps perdu, t. IX, p. 232 (→ Éblouissement, cit. 7).

♦ **2.** Bois* de cet arbre, utilisé en ébénisterie et comme bois de chauffage.

♦ **3.** Par anal. et par appos. (Sylv.). Se dit d'arbres qui, au lieu de s'élever, prennent le port, la forme arrondie du pommier. *Chêne pommier.*

♦ **4.** (Autres arbres). *Pommier de... Pommier de Cythère :* spondias. *Pommier d'amour :* morelle faux piment, amome des jardins.

DÉR. Pommeraie.

POMO-, POMI- Élément, du lat. *pomum* «fruit». ⇒ **Pomiculteur, pomoculture, pomologie.**

POMOCULTURE [pɔmokyltyʀ] n. f. — 1949; de *pomo-,* et *culture.*

♦ Didact. Culture des arbres donnant des fruits à pépins. ⇒ **Pomiculteur; arboriculture.**

POMŒRIUM ou **POMERIUM** [pɔmeʀjɔm] n. m. — 1765; mot lat., de *post* «après», et *murus* «mur».

♦ Antiq. rom. Espace libre ménagé autour des villes latines, sur lequel il était interdit de bâtir.

POMOLOGIE [pɔmɔlɔʒi] n. f. — 1828; de *pomo-,* et *-logie.*

♦ Didact. Partie de l'arboriculture, science des fruits comestibles. — Par métonymie. Ouvrage, traité relatif à cette science.

DÉR. Pomologique, pomologue ou **pomologiste.**

POMOLOGIQUE [pɔmɔlɔʒik] adj. — 1842; de *pomologie.*

♦ Didact. Relatif à la pomologie*.

(Le pamplemoussier et le pomélo) sont deux espèces botaniquement peu distinctes et souvent confondues. Leurs fruits diffèrent cependant du point de vue pomologique, et M.J. Brichet a pu dire que «le pomélo est au pamplemousse ce que le "chat" est à "Rodilard" de la fable».
P. ROBERT, les Agrumes dans le monde, p. 25.

POMOLOGUE [pɔmɔlɔg] ou **POMOLOGISTE** [pɔmɔlɔgist] n. — 1828, *pomologue; pomologiste,* 1875; de *pomologie.*

♦ Didact. Personne qui s'occupe de pomologie*.

POMPADOUR [pɔ̃paduʀ] adj. invar. et n. m. — xviiie, «étoffe»; du nom de Mme de *Pompadour.*

★ **I.** Adj. ♦ **1.** Vieilli. Se dit du style rococo du règne de Louis XV, des objets de ce style. *Satin, taffetas pompadour.*

♦ **2.** (1833). Fig., vx. (À la mode sous la Restauration). Suranné, vieillot, d'une élégance désuète.

Mon très cher, lui dit-il, c'est plus que faux toupet, c'est empire, c'est perruque, 1
c'est rococo, c'est pompadour; il faut être momie ou fossile (...) pour trouver du plaisir à de pareilles billevesées.
Th. GAUTIER, les Jeunes-France, Daniel Jovard.

★ **II.** N. m. Vx. (Encore chez Proust). *Le Pompadour :* le style, le genre rococo, Louis XV.

«Tenez, monsieur, me dit-il, je viens de trouver (...) cet éventail! (...)» Et il me 2
tire cette petite boîte en bois de Sainte-Lucie sculpté. «Voyez! c'est de ce Pompadour qui ressemble au gothique fleuri».
BALZAC, le Cousin Pons, Pl., t. VI, p. 554.

POMPAGE [pɔ̃paʒ] n. m. — 1920; «action de boire en quantité», 1867; de *pomper.*

♦ **1.** Action de pomper; aspiration d'un liquide ou d'un gaz. *Stations de pompage d'un pipeline.* — Techn. Action d'obtenir, volontairement ou non, un phénomène entretenu.

♦ **2.** Phys. *Pompage optique :* passage des électrons d'un atome, d'une molécule, d'un ion, au niveau supérieur (effet laser*), au moyen d'une source d'énergie extérieure (appelée métaphoriquement *pompe*).

Un rayon de lumière polarisé (...) pour cueillir et hisser les électrons d'un niveau dédoublé par un champ magnétique (...) Ainsi le niveau 3 se peuple-t-il aux dépens des niveaux 1 et 2. On a, par ce «pompage optique», réussi une «inversion des populations électroniques», le niveau supérieur devenant le plus peuplé.
A. KASTLER, *in* Science et Vie, n° 592, p. 148.

POMPANT, ANTE [pɔ̃pɑ̃, ɑ̃t] adj. — D. i.; de *pomper.*

♦ Fam. Exténuant, très fatigant.

1. POMPE [pɔ̃p] n. f. — xiiie, «gloire, luxe, éclat» en moy. franç. et jusqu'au xviie; lat. *pompa,* du grec *pompê.*

★ **I.** ♦ **1.** Vieilli ou littér. Déploiement extérieur de faste, dans un cérémonial, un cortège, une fête. ⇒ **Appareil** (cit. 4), **cérémonie; apparat, éclat, grandeur, luxe, magnificence, splendeur** (→ Majesté, cit. 6). *La pompe d'un festin* (→ Foi, cit. 6). *La pompe d'un défilé, d'un triomphe*...* ⇒ **Pompeux, solennel, somptueux.** — REM. Au xviie siècle, *pompe* désigne aussi le cortège lui-même. — *Pompe d'un mariage* (cit. 20), *de noces* (→ Ode, cit. 3). *Célébrer* qqch. avec pompe.* ⇒ **Célébration.** *Déployer toute la pompe possible* (→ Estafette, cit. 2). — *Vivre dans la pompe* (→ Esprit, cit. 52). *Marcher sans pompe* (→ Incognito, cit. 3).

Et qui présentera ma fille à son époux? 1
Quelle autre ordonnera cette pompe sacrée? RACINE, Iphigénie, III, 1.

Ces hauts portiques demandent un clergé nombreux, la pompe des solennités, les 2
chants, les tableaux, les ornements, les voiles de soie, les draperies, les dentelles, l'argent, l'or, les lampes, les fleurs et l'encens des autels.
CHATEAUBRIAND, Mémoires d'outre-tombe, t. VI, p. 20.

Nos invitations étant faites, nous donnerons ce soir notre thé quand même. Un thé 3
d'adieu, alors, pour lequel nous déploierons le plus de pompe possible.
LOTI, Mme Chrysanthème, LI.

(xviie). Loc. mod. *En grande pompe :* solennellement (→ ci-dessous, cit. 4, Pascal); (iron.) pompeusement.

Oh! qu'il *(Jésus-Christ)* est venu en grande pompe et en une prodigieuse magni- 4
ficence, aux yeux du cœur et qui voient la sagesse!
PASCAL, Pensées, XII, 793.

Au plur. Littér. *Le mépris des pompes et des parades* (→ Décorum, cit. 3). ⇒ **Faste.**

5 Ce qui a fait la force du catholicisme, ce qui l'a si profondément enraciné dans les mœurs, c'est précisément l'éclat avec lequel il apparaît dans les circonstances graves de la vie pour les environner de pompes si naïvement touchantes, si grandes lorsque le prêtre se met à la hauteur de sa mission et qu'il sait accorder son office avec la sublimité de la morale chrétienne.
BALZAC, le Médecin de campagne, Pl., t. VIII, p. 379.

6 (...) il décrit les pompes et solennités touchantes dont la ville de Pontarlier fut le théâtre en cette occasion, et le repas donné aux notables du lieu par M. de Saint-Mauris (...) SAINTE-BEUVE, Causeries du lundi, 7 avr. 1851.

Pompe funéraire, funèbre (cit. 2); *la pompe des enterrements.* — Loc. Mod. (1834). **POMPES FUNÈBRES*** (cit. 1, 5 et 8). ⇒ **Funéraire; funérailles.** *Ordonnateur** (cit. 2) *des pompes funèbres.*

7 La pompe des enterrements regarde plus la vanité des vivants que l'honneur des morts. LA ROCHEFOUCAULD, Maximes, 612.

Fig. Vx. *La saison étalait* (cit. 7) *toutes ses pompes.*

8 (...) les pompes du soleil couchant dans les prairies (...)
BALZAC, le Curé de village, Pl., t. VIII, p. 737.

♦ **2.** (XVIIe). Éclat, faste, noblesse du style. ⇒ **Affectation, emphase; pompeux.** *Je m'ébahis* (cit. 1) *à la pompe du style* (→ aussi Latin, cit. 2).

(En parlant des arts). *Une pompe niaise* (cit. 8). *« Des palais ouvragés dont la féerique* (cit. 2) *pompe... »*

♦ **3.** Relig. (Au plur.). Les vanités*, les prestiges du monde. *Renoncer à Satan, à ses pompes et à ses œuvres.*

9 (...) malheur à celui qui (...) dans son audace sacrilège s'en remet aux pompes de l'impiété, aux lumières du siècle, à la nuit profane!
ARAGON, les Beaux Quartiers, I, IX.

★ **II.** (1867; *grande pompe* «retouche des habits, des redingotes»; *petite pompe* «retouche des gilets, des pantalons», selon Wartburg). Techn. Travail de retouche, chez un tailleur. ⇒ 3. **Pompier.**

REM. Dans tous ses emplois non techniques, le mot est vieilli, littéraire ou ironique (sauf dans le syntagme *pompe funèbres*) du fait de la fréquence de l'homonyme 2. *pompe.*

DÉR. 2. **Pompier,** 3. **pompier.** — V. **Pompeux.**
HOM. 2. **Pompe,** 3. **pompe,** formes du v. **pomper.**

2. POMPE [pɔ̃p] n. f.

— 1517, en mar.; néerl. *pompe* (XVe) ou angl. *pump* (1444), mots apparentés dans toutes les langues germaniques, p.-ê. du rad. expressif *p-p* (→ Papa, poupée, poupon) exprimant notamment la succion, sous la var. nasalisée *pomp-.* → Pompon.

★ **I.** ♦ **1.** Didact. Appareil destiné à déplacer les fluides (liquides et gaz). — REM. Cette acception, qui comprend les aspirateurs, ventilateurs, compresseurs, souffleries, machines pneumatiques (gaz), les appareils élévateurs*, pulsomètres, siphons (liquides), ne se rencontre guère qu'en théorie et dans des expressions telles que : *pompe à sangle, à godets* (appareil élévateur), *pompe d'un orgue* (cit. 2) : soufflerie...

♦ **2.** Appareil destiné à déplacer, et le plus souvent à élever (cit. 2) un fluide en l'aspirant ou en le refoulant, au moyen d'un mécanisme. ⇒ **Armature, garniture...** *Mécanisme, tuyaux, réservoir* (⇒ **Bâche**) *d'une pompe.* — *Pompes à piston*.* ⇒ **Seringue.** *Corps de pompe :* cylindre principal. ⇒ aussi 1. **Canon.** *Piston tige, clapets, soupapes, tuyaux d'aspiration et de refoulement* (⇒ aussi **Boyau**) *d'une pompe. Pompe aspirante* ; foulante; mixte (aspirante* et *foulante*). *Les pompes aspirantes à piston, comme les siphons*, utilisent la pression de l'air. Pompe à simple, à double effet.* — *Clysoir à pompe.* ⇒ **Clysopompe.** — *Pompes sans piston,* oscillantes, rotatives... *Pompes centrifuges. Pompe à bras; à moteur.* ⇒ **Moto-, motopompe.** — Vx. *Pompe à feu, pompe à vapeur* (mue par une machine à vapeur). — *Pompe électrique.* — *Amorçage, désamorçage d'une pompe.* ⇒ **Amorcer, désamorcer;** 1. **amorceur.** *Débit d'une pompe.*

1 (...) il y a autant de différentes mesures de la hauteur où l'eau s'élève dans les pompes, qu'il y a de différents lieux et de différents temps où on l'éprouve (...) ainsi si on demande à quelle hauteur les pompes aspirantes élèvent l'eau en général, on ne saurait répondre précisément à cette question, ni même à celle-ci : à quelle hauteur les pompes élèvent l'eau à Paris, si l'on ne détermine aussi le tempérament de l'air (...) PASCAL, Traité de la pesanteur..., VII.

Pompes à eau. ⇒ **Hydraulique** (machine). *Pompe ménagère, à levier, à volant. Aller chercher de l'eau à la pompe. Jets de pompe* (→ Bras, cit. 47). — Par plais. *Château-la-pompe :* l'eau (cit. 11). — *Pompes utilisées pour l'agriculture.* ⇒ **Agricole.** *Pompe d'arrosage* (⇒ **Arroser**), *d'irrigation* (⇒ **Irrigateur**). *Pompe d'arrosage fixe* (borne). *Fabricant de pompes.* ⇒ **Fontainier.** — (1722). *Pompe à incendie.* ⇒ 1. **Feu, incendie; pompier.** *Lance*, tuyau adapté à la pompe. Véhicules de pompiers munis de pompes à incendie.* ⇒ **Autopompe, fourgon-pompe;** et aussi **bateau-pompe.** — Vx. *Garde pompes :* pompier* (1. Pompier, 2.). — Mar. *Pompes pour vider l'eau des cales d'un voilier.* ⇒ **Archipompe.** *Dynamos qui actionnent les pompes d'un bateau* (→ Mécanicien, cit. 3). — *Pompes à exhaure* des mines.* — *Pompes industrielles* (industries pétrolières; transport des produits fluides...). — *Pompe d'alimentation. Pompe auxiliaire, pompe de gavage, de suralimentation.*

2 (...) il fut désagréablement réveillé dès l'aube (...) par le grincement de la pompe qu'une main rageuse faisait marcher, pour procéder ensuite au lavage à grande eau de la cour et de l'escalier.
R. ROLLAND, Jean-Christophe, L'adolescent, I, p. 234.

La mobilisation viendra noyer votre essai de grève générale, comme les lances d'une pompe ultra-perfectionnée noieraient un feu de broussailles (...) 3
J. ROMAINS, les Hommes de bonne volonté, t. IV, X, p. 105.

(...) le refroidissement par eau est semi-concret : s'il était réalisé entièrement par thermo-siphon, il serait presque aussi concret que le refroidissement direct par air; mais l'emploi d'une pompe à eau, recevant de l'énergie du moteur par l'intermédiaire d'une courroie de transmission, augmente le caractère d'abstraction de ce type de refroidissement (...) 3.1
Gilbert SIMONDON, Du mode d'existence des objets techniques, p. 25.

*Pompe à essence** (cit. 24), pour amener l'essence d'une cuve-réservoir aux réservoirs des véhicules qui l'utilisent. — Par ext. Ensemble du distributeur* d'essence (→ Garage, cit. 5). ⇒ **Pompiste.** *Les pompes d'une station-service, d'un garage.* ⇒ **Poste** (d'essence), **station-service.** *Arrête-toi ici, il y a une pompe.*

Cet appareil, pièce d'une machine, d'un moteur*. *Pompes d'extraction et de circulation d'un condenseur.* — Spécialt. *Pompes à huile, à eau d'un moteur à explosion* (d'automobile*, d'avion...). *La pompe à essence du carburateur. Pompe d'injection des moteurs à huile lourde.*

(...) il avait critiqué le montage d'une pompe à huile du type B.6, la confondant avec une pompe à huile du type B.4, et les mécaniciens sournois l'avaient laissé flétrir pendant vingt minutes «une ignorance que rien n'excuse», sa propre ignorance. SAINT-EXUPÉRY, Vol de nuit, V. 4

Pompes de vidange.* — Fam., vulg. *Pompe à merde.*

Cet appareil, déplaçant un gaz. *Corps de pompe d'une machine pneumatique*. Pompe de compression* (dans la pratique, on parle plutôt de *compresseur**). — Spécialt. Cet appareil refoulant l'air pour gonfler*. *Pompe de bicyclette. Raccord de pompe. Donner un coup de pompe aux pneus, à un ballon dégonflé...* — REM. On n'appelle *pompe* que l'appareil à cylindre et à piston (→ aussi Gonfleur).

Phys. *Pompe destinée à évacuer les gaz qui se trouvent dans un récipient, à y faire le vide. Pompe préparatoire,* pour abaisser la pression. *Pompes à vide élevé : pompes moléculaires; pompes à diffusion* (d'huile). *Pompe à mercure.*

(V. 1970; 1974, *in* P. Gilbert). Par anal. *Pompe thermique, pompe à chaleur, pompe de chaleur, pompe thermodynamique :* dispositif formé d'un ou de plusieurs échangeurs*, capable d'emprunter de l'énergie thermique à un milieu extérieur et de la transporter au moyen d'un fluide (air, eau) vers l'enceinte à chauffer.

♦ **3.** (1893; par anal. avec le mouvement du piston). Techn. *Serrure à pompe,* où un ressort doit être poussé par la clé avant que celle-ci n'agisse sur le pène.

Vx. Coulisse (d'un instrument à vent).

♦ **4.** (Mil. XXe; de *pomper*). Fam. Mouvement qui consiste à relever le corps (étendu à terre, bras repliés sur les avant-bras) en tendant et raidissant les bras. ⇒ **Traction.** *Faire des pompes* (exercice de musculation, souvent imposé dans l'armée comme punition).

♦ **5.** Loc. fam. (Métaphore du sens 1.). *La pompe à finances :* ce qui sert à prélever («pomper») l'argent, notamment l'argent du contribuable.

★ **II.** Fig. ♦ **1.** (1848, *pompe aspirante* «botte percée»). Fam. Chaussure, soulier. *Des vieilles pompes. Une belle paire de pompes.*

— Vise la belle paire de pompes! beugla Sulphart, agitant deux bottes jaunes. 5
R. DORGELÈS, les Croix de bois, XI.

Les gens impolis, avec moi, c'est vite fait. (*En baissant un peu la voix.*) Un grand coup de pompe dans le cul. 5.1
J. PRÉVERT, le Jour se lève (scénario), *in* l'Avant-Scène, no 53, p. 21.

(1978, G. Saint-Bris, *in* Rey et Chantreau). Loc. *Marcher, être à côté de ses pompes :* être dans un état anormal, d'inadaptation complète, de rêve.

♦ **2.** (1922; *avoir la pompe,* 1909). Fam. *Avoir le coup de pompe, un coup de pompe :* se sentir brusquement épuisé. ⇒ **Pomper** (cf. Coup de barre, de buis, de maillet).

♦ **3.** (1920). Fam. *À toute pompe :* à toute vitesse.

C'est épatant vous savez la moto (...) On filait à toute pompe à travers le crépuscule sur la nationale 308 B. R. QUENEAU, Loin de Rueil, p. 215. 6

♦ **4.** (V. 1950, jeu de mots sur *deuxième vitesse*). Argot milit. *Soldat de deuxième pompe,* et, ellipt., *un deuxième pompe :* un simple soldat, un deuxième classe.

DÉR. Pomper, 1. **pompier, pompiste.** — V. **Pomperie.**
COMP. Archipompe, autopompe, bateau-pompe, motopompe.
HOM. 1. **Pompe,** 3. **pompe,** formes du v. **pomper.**

3. POMPE [pɔ̃p] n. f. — XVIe; « nœud de ruban, houpette », XVe; du même rad. expressif *pomp-* que *pompon.*

♦ Régional. Pâtisserie provençale.

HOM. 1. **Pompe,** 2. **pompe,** formes du v. **pomper.**

POMPÉ, ÉE [pɔ̃pe] adj. ⇒ **Pomper.**

1. POMPÉIEN, ENNE [pɔ̃pejɛ̃, ɛn] adj. et n. — 1846; de *Pompéi.*

♦ Antiq. Relatif au style décoratif et pictural alexandrin représenté par les fresques de Pompéi (et de sa région). → Catacombe, cit. 3. — Relatif à Pompéi. — N. Habitant de Pompéi.

2. POMPÉIEN, IENNE [pɔ̃pejɛ̃, jɛn] adj. — 1869, Littré; de *Pompée.*

♦ Hist. rom. Relatif à Pompée. *Le parti pompéien.* — N. *Les Pompéiens.*

POMPE-LA-SUEUR [pɔ̃plasyœʀ] n. — D. i.; de *pomper,* et *sueur,* sur le modèle de *pue-la-sueur.*

♦ Pop. Patron d'entreprise qui exploite les travailleurs.

POMPER [pɔ̃pe] v. tr. — 1558, absolt; de 2. *pompe.*

♦ **1.** (1674). Déplacer, élever (un fluide) à l'aide d'une pompe, en l'attirant. ⇒ **Aspirer** (→ Générateur, cit. 5). *Pomper l'air avec une machine pneumatique, pour faire le vide** (cf. Malebranche, *in* Littré). *Pomper de l'eau,* en tirer à la pompe. ⇒ aussi **Puiser.** *Pomper l'eau d'une cale* (⇒ 1. **Super**), *d'une cave.* ⇒ **Assécher.** — Techn. (mar.). Mettre à sec en pompant. ⇒ **Affranchir** (II., 2.).

1 Le chasse-marée était chargé de térébenthine, il a fait eau, et en faisant jouer les pompes il a pompé avec l'eau tout son chargement.
HUGO, les Travailleurs de la mer, I, V, IX.

Fam., vulg. « *Pompons la merde* » (chanson).

Loc. fam. (V. 1960; plus ancien régionalement, Midi de la France; déjà utilisé au XVIIIe avec une valeur très voisine; → ci-dessous, cit. 1.1). *Pomper l'air à qqn,* s'imposer, prendre toute la place à ses dépens.

1.1 Je ne peus *(sic)* pas m'accoutumer aux grands airs du maréchal; je trouvois qu'il pompoit l'air de partout où il étoit, et qu'il en faisoit une machine pneumatique.
SAINT-SIMON, Mémoires, Pl., t. II, p. 150 (1702).

1.2 Tous ces navetons (de *nave*) qui bousculent les autres, leur pompent l'air sans faire autre chose que travailler et se multiplier.
SAN-ANTONIO, J'ai essayé : on peut!, p. 93.

Absolt ou intrans. Manœuvrer une pompe. *Pomper pour tirer de l'eau, assécher la cale d'un navire.*

Par anal. Faire un mouvement (alternatif, rotatif) comme pour pomper. — Spécialt. (Argot de la pêche). Tourner vivement le moulinet. « *Un petit coup de poignet pour bien faire rentrer l'hameçon (...) Commencez à* pomper » (*Toute la pêche,* no 57, p. 50).

(Franç. d'Afrique). Gonfler (un pneu, etc.) avec une pompe. — Fam. Posséder sexuellement (une femme).

♦ **2.** Aspirer (un liquide) par une opération naturelle. ⇒ **Absorber, aspirer.** *Mouches qui pompent le sang* (→ Faire, cit. 217). *Les papillons viennent pomper le miel* (cit. 3)... — Boire en suçant*, en aspirant (→ Laper, cit. 4). — Par ext. *Narines* (cit. 6) *qui pompent de l'air...*

2 *(L'âne)* au milieu de ces cris, finissait de pomper le liquide avec tranquillité. Peut-être bien qu'il sirotait ainsi depuis un quart d'heure, car le petit baquet contenait aisément une vingtaine de litres.
ZOLA, la Terre, IV, IV.

3 (...) la cigale, sans interrompre sa chanson, donne un coup de tarière à l'écorce de l'arbrisseau et pompe la sève sucrée.
M. CONSTANTIN-WEYER, Source de joie, III.

(Fin XVIIIe). Fam. Boire (du vin, de l'alcool). *Il a pompé deux litres de rouge.* — Absolt. *Qu'est-ce qu'il pompe!* ⇒ **Pompette.**

4 (...) on lui donne un bon *guéridon,* on lui fait *pomper* quelques bouteilles du plus chenu Bordeaux (...)
HÉBERT, Père Duchesne, no 182, p. 6, *in* BRUNOT, Hist. de la langue franç., t. X, p. 180.

♦ **3.** (1765). Absorber* un liquide (par imbibition, évaporation...). *Le soleil pompait les flaques* (cit. 3). *Pomper la sauce avec de la mie* (1. Mie, cit. 4). « *Ce linge a pompé l'humidité* » (Académie).

♦ **4.** (Déb. XVIIIe). Par métaphore ou fig. Absorber, attirer à soi, soutirer (qqch. de qqn), comme on pompe un liquide. — Vx. *Pomper qqn,* lui tirer des secrets, des informations (cf. Saint-Simon, *in* Littré).

5 La presse, cette machine géante, qui pompe sans relâche toute la sève intellectuelle de la société (...)
HUGO, Notre-Dame de Paris, I, V, II.

6 Il la vidait, Solange, comme un plat qu'on sauce, comme un lac embourbé qu'on récure complètement. Il la pompait et la dégorgeait dans son roman.
MONTHERLANT, le Démon du bien, p. 276.

♦ **5.** Fam. Copier. *Élève qui pompe son devoir.* — Absolt. *Pomper sur son voisin.*

♦ **6.** (XXe). Fam. Épuiser. ⇒ **Claquer.** *Cet effort l'a pompé.*

► **POMPÉ, ÉE** p. p. adj.

(1913). Fig., pop. Très fatigué, épuisé (→ 2. Pompe, II., 2.).

Antoine bâilla à en avaler la silhouette menaçante d'une meule posée au milieu d'un champ. « Je suis pompé, j'ai des visions, je ferais mieux de roupiller » (...) 7
René FALLET, le Triporteur, p. 85.

DÉR. Pompage, pompeur. — V. **Pomperie.**
COMP. Pompe-la-sueur.

POMPERIE [pɔ̃pʀi] n. f. — Mil. XXe; autres sens : « action de pomper » (1601), « métier de pompier » (1836); de 2. *pompe* ou de *pomper.*

♦ Techn. Station de pompage; batterie de pompes (raffinerie, dépôt d'hydrocarbures).

POMPETTE [pɔ̃pɛt] adj. — 1808; de *pompette* « pompon, ornement », XVe, cf. l'expression plaisante *nez... à pompette* (Rabelais, II, 1), → Pompon, avec l'infl. du v. *pomper* « boire ».

♦ Fam. Un peu ivre*, éméché. *Il, elle était pompette.*

Le zingueur se retint à l'établi pour ne pas tomber. C'était la première fois qu'il prenait une pareille cuite. Jusque-là, il était rentré pompette, rien de plus. Mais, cette fois (...) 1
ZOLA, l'Assommoir, V, t. I, p. 178.

Brusquement, Tokor lança un grand cri qui rétablit un silence estomaqué. On avait oublié le feu d'artifice! Tous les convives battirent le rappel, et se ruèrent pompettes vers les salons. 2
P. GRAINVILLE, les Flamboyants, p. 139.

POMPEUR, EUSE [pɔ̃pœʀ, øz] adj. et n. — Déb. XXe, *in* G. L. L. F.; de *pomper.*

♦ **1.** Adj. (Rare). Qui pompe.

♦ **2.** N. m. (Mil. XXe). Techn. Ouvrier chargé de la vidange des puisards, du pompage de l'huile brute.

POMPEUSEMENT [pɔ̃pøzmɑ̃] adv. — V. 1340; de *pompeux.*

♦ **1.** Vx. D'une manière pompeuse. — Vx ou littér. Avec pompe.

Ma mère Jézabel devant moi s'est montrée,
Comme au jour de sa mort pompeusement parée.
RACINE, Athalie, II, 5.

♦ **2.** (1686). Mod. Avec emphase. *Déclamer pompeusement. La clinique municipale qu'on appelait pompeusement l'Hôpital* (cit. 6). → aussi Huppé, cit. 2.

POMPEUX, EUSE [pɔ̃pø, øz] adj. — 1350; lat. *pomposus,* de *pompa.* → 1. Pompe.

Qui a de la pompe (1. Pompe).

♦ **1.** Vx. Magnifique, somptueux. ⇒ **Imposant, magnifique, majestueux.** *Cérémonie, fête pompeuse* (→ Convenir, cit. 17). *Pompeux cortège, pompeux équipage* (→ Exiger, cit. 9); *pompeuse cavalcade.* « *Calchas, dit-on, prépare un pompeux sacrifice* » (→ Auparavant, cit. 4). ⇒ **Solennel.** — *Édifice, trône pompeux* (→ Baldaquin, cit. 1; grandiose, cit. 1).

Les peuples latins ont un goût très vif pour le dehors et le décor des choses, pour la pompeuse représentation qui flatte les sens et la vanité (...) 1
TAINE, Philosophie de l'art, t. I, p. 240.

Dans ses premiers rêves mystiques de petite fille, — inspirés surtout par les rites pompeux du culte, par la voix des orgues, les bouquets blancs, les mille flammes des cierges (...) 2
LOTI, Ramuntcho, I, XIX.

Iron. (avec infl. du sens 3.) :

Si ce dieu Mars descend de ses pompeux nuages et daigne remettre une déclaration à mes frères journalistes (...) 2.1
F. MAURIAC, le Nouveau Bloc-notes 1958-1960, p. 389.

Vx. Plein de hauteur, de fierté, de gloire... « *Cette Majesté si pompeuse et si fière...* » (→ Hautain, cit. 4, Malherbe). — Glorieux, triomphant. « *Une pompeuse gloire* » (Corneille, *Horace*). *Titre pompeux.* — Iron. « *Et de Monsieur de l'Isle en prit le nom pompeux* » (→ Fossé, cit. 1).

Sous le pompeux éclat d'une austère grimace (...) 3
MOLIÈRE, Tartuffe, V, 1.

♦ **2.** (XVIe, Amyot). Vieilli. Qui est exprimé avec pompe, solennité. ⇒ **Magnifique, sublime.** *Style pompeux :* style noble, soutenu. *Vers pompeux* (→ Dramatique, cit. 10). *Les phrases sévères d'un récitatif pompeux* (→ Fioriture, cit. 2). *Pompeux éloge.* — Par ext. « *Soyez riche et pompeux dans vos descriptions* » (cit. 5, Boileau).

L'espoir ... Ce ne sont point de ces grands vers pompeux, 4
Mais de petits vers doux, tendres et langoureux.
MOLIÈRE, le Misanthrope, I, 2.

Tout cela méritait un éloge pompeux (...) 5
LA FONTAINE, Fables, XII, 23.

Mod. (Péj.). Emphatique, exagéré. ⇒ **Affecté, ampoulé, emphatique, grandiloquent, guindé.** — REM. Le sens péjoratif de *pompeux* n'apparaît dans les dictionnaires qu'au XIXe siècle, mais dès le XVIIe le mot a souvent une valeur ironique (chez Molière, La Bruyère) ou est associé à des substantifs dépréciatifs : *pompeux galimatias* (cit. 2); *pompeux barbarisme* (cit. 1). — *Discours, style pompeux.* ⇒ **Phraséologie.** *Déclaration vaine et pompeuse.* ⇒ **Fastueux** (vx), **sentencieux.**

Haranguer (cit. 3) *en termes pompeux. Traduction prétentieuse et pompeuse.*

♦ **3.** Cour. Qui affecte une solennité plus ou moins ridicule. *Un homme gras, pompeux, patelin* (1. Patelin, cit. 4). — *Employer un ton pompeux.* ⇒ **Déclamatoire, sentencieux, solennel.**

6 Ce ton pompeux faisait mal à Thérèse. Elle aurait voulu le supplier de s'exprimer plus simplement. F. MAURIAC, Thérèse Desqueyroux, IX.

CONTR. Simple.
DÉR. Pompeusement.

1. POMPIER [pɔ̃pje] n. m. — 1517; de 2. *pompe.*

♦ **1.** Vx. Fabricant, réparateur ou marchand de pompes à eau. ⇒ **Fontainier.**

♦ **2.** (1750; on disait *garde-pompes*). Mod. Homme appartenant au corps des sapeurs-pompiers, chargé des secours dans les incendies, ainsi que dans les accidents où le sauvetage est périlleux ou difficile. ⇒ **Sapeur-pompier.** *Corps de pompiers; escouade de pompiers. Casque, uniforme de pompier. Trompes des voitures de pompiers.* ⇒ **Pin-pon** (→ Note, cit. 9). *Extincteurs, lances* d'incendie, pompes*, motopompes utilisés par les pompiers. Échelle* de pompiers.* — *Pompier de village* (→ Marquer, cit. 24). *Le pompier de service,* dans une salle de spectacle. — *Pompiers de la marine* ou *marins-pompiers.*

1 Bientôt les escouades de pompiers, roulant et poussant leurs appareils, accoururent de tous côtés, et leurs trompettes, envoyant des cris lugubres, réveillaient en sursaut les citadins de ce quartier populeux.
VILLIERS DE L'ISLE-ADAM, Contes cruels, « Désir d'être un homme ».

2 Les pompiers d'une petite commune étant des « volontaires », ils s'occupent tout le jour d'autre chose que de pompes. C'est le laitier, le pâtissier, le serrurier, qui, leur travail fini, viendront éteindre l'incendie, s'il ne s'est pas éteint de lui-même.
R. RADIGUET, le Diable au corps, p. 18.

Loc. *Fumer comme un pompier* (⇒ **Sapeur**) : fumer beaucoup. — Loc. prov. *C'est le bal* (ou *comme au bal*) *des pompiers, ce sont toujours les mêmes qui dansent :* les privilèges sont toujours pour les mêmes.

«Au feu les pompiers!», exclamation plaisante issue d'une chanson enfantine. — *Les Pompiers de Nanterre* (chanson).

♦ **3.** (Mil. XXe). Ouvrier qui assure le fonctionnement des pompes d'évacuation *(pompier à l'exhaure, pompier de sondage),* des pompes à vide...

♦ **4.** (1928). Vulg. Fellation. ⇒ **Pipe.** *Faire, se faire faire un pompier.*

3 (...) tiens pour les dix francs la sœurette fais-moi un pompier un beau nœud comme ça t'en baves hein (...) Tony DUVERT, Paysage de fantaisie, p. 86.

COMP. Marin-pompier, sapeur-pompier.
HOM. 2. Pompier, 3. pompier.

2. POMPIER, IÈRE [pɔ̃pje, jɛʀ] adj. et n. — 1885, *in* D. D. L.; de 1. *pompe;* p.-ê. avec infl. de 1. *pompier* « par allusion aux casques dont ils *(les peintres néo-classiques)* coiffaient les guerriers grecs et romains » (Réau).

♦ **1.** Arts. Emphatique et prétentieux, en parlant du style. *Tableau pompier. Ce sujet est pompier. — Peintre pompier.*

N. m. *Un pompier :* un peintre ayant traité de manière conventionnelle, réaliste et minutieuse, des sujets artificiels et emphatiques (notamment au XIXe siècle). *Les pompiers reviennent à la mode.*

1 *(Degas)* étant un jour au café avec des *pompiers* qu'il connaissait plus ou moins, car il avait des relations dans tous les camps (...)
VALÉRY, Degas, Danse, Dessin, p. 109.

Le pompier : le style pompier.

♦ **2.** Démodé, prétentieux et ridicule. ⇒ **Ringard** (fam.). *Une déclaration pompière* (rare au fém.). *Genre, style pompier* (en littérature, etc.). *Enlève cette conclusion, ça fait un peu pompier.*

2 (...) je sais qu'il est connu, mais je n'ai pas lu deux lignes de lui. Vous croyez que c'est bien? J'ai l'impression que ça doit faire terriblement pompier.
A. MAUROIS, les Roses de septembre, I, V.

DÉR. Pompiérisme.
HOM. 1. Pompier, 3. pompier.

3. POMPIER, IÈRE [pɔ̃pje, jɛʀ] n. — 1856; de 1. *pompe.*

♦ Techn. Personne chargée des retouches, chez un tailleur.

POMPIÉRISME [pɔ̃pjeʀism] n. m. — 1888; de 2. *pompier.*

♦ Didact. Manière des écrivains, des artistes pompiers. — Par ext. Emphase ridicule.

Pierre Kast fait la connaissance de Jean Grémillon dont il devient l'assistant. Avec lui, il tourne un documentaire sur le pompiérisme pictural de la Belle Époque, *Les Charmes de l'existence.*
J.-L. GODARD, Jean-Luc Godard, *in* Coll. des cahiers du cinéma, p. 204.

POMPILE [pɔ̃pil] n. m. — 1832; nom de poisson, 1562; lat. *pompilus,* grec *pompilos* « poisson proche du thon ».

♦ Zool. Insecte hyménoptère (*Pompilidés* [pɔ̃pilide]), porteur d'aiguillon (aculé), et qui fait son nid dans le bois pourri, dans le sol.

POMPISTE [pɔ̃pist] n. — 1933; de 2. *pompe.*

♦ **1.** Cour. Personne qui est préposée à la distribution de l'essence. ⇒ **Pompe** (à essence). *Garage* qui emploie plusieurs pompistes. Il, elle est pompiste. Il fait le pompiste pour payer ses études.*

Personne qui gère une station-service. Syn. : *distributeur.*

C'était une station-service comme les autres, ce qu'il y a de plus banal, avec une casemate où vivaient le pompiste et sa femme, un garage avec une fosse, un porche où il y avait écrit en lettres rouges : 1
GRAISSAGE VIDANGE PNEUS
ATELIERS RÉPARATIONS
une sorte de magasin avec une porte vitrée sur laquelle il y avait écrit en lettres blanches
BUREAU CAISSE ACCESSOIRES
PIÈCES DÉTACHÉES
puis une sorte de hangar où il y avait trois vieilles voitures en panne. Près des voitures, une porte fermée par un cadenas, sur laquelle il y avait écrit en petites lettres noires
TOILETTES
et c'était à peu près tout. J.-M. G. LE CLÉZIO, les Géants, p. 215-216.

♦ **2.** (Mil. XXe, *in* Larousse 1953). Techn. (dans l'industrie pétrolière, sur un pétrolier). Ouvrier qui assure l'entretien, le fonctionnement des pompes *(pompiste mécanicien).* — *Pompiste jaugeur (pétroliers, wagons-citernes).*

♦ **3.** Techn. (comm.). Constructeur de pompes.

♦ **4.** Chir. Aide du chirurgien qui surveille le fonctionnement d'une pompe (la pompe artérielle d'un cœur-poumon artificiel, par exemple), pendant une opération. ⇒ **Instrumentiste.**

(...) quelques jours après la première opération avec circulation croisée, de Wall commença à travailler aux côtés de Lillehei, à titre de « pompiste », au cours des opérations à cœur ouvert. Cl. D'ALLAINES, la Chirurgie du cœur, p. 82. 2

Les « pompistes », ou techniciens en circulation extra-corporelle, sont des infirmiers ou des médecins ayant suivi une formation spécialisée qui leur permet d'assurer la surveillance des appareils de circulation extra-corporelle, outillage indispensable à de nombreuses interventions de chirurgie cardio-vasculaire. 3
le Monde, 18 sept. 1981, p. 25.

POMPON [pɔ̃pɔ̃] n. m. — 1556; moy. franç. *pompe,* v. 1480; d'un rad. expressif *pomp-,* ou du rad. lat. *puppa* « sein ». → Poupée, poupon.

♦ **1.** Petite boule, touffe de laine, de soie, servant d'ornement. ⇒ **Houppe.** *Pompons du costume* féminin* (→ Fil, cit. 2; ganse, cit. 1). *Galon* orné de pompons. Chapeau* enjolivé* (cit. 2) *de pompons de soie. Bonnet à pompon. Pompon d'un shako* (⇒ **Aigrette,** par ext.; **cocarde**), *d'un colback...* — *Bonnet à pompon rouge des marins* (→ Matelot, cit. 2; et aussi habillement, cit. 7). — *Pompons des harnachements. Mules* (1. Mule, cit. 1) *couvertes de pompons* (→ Harnacher, cit. 2; houppe, cit. 2). — *Pompons décoratifs, dans l'ameublement. Frange à pompons. Pompons de laine* (→ Diligence, cit. 9).

Tu vois, ma bonne amie, que je te tiens parole, et que les bonnets et les pompons ne prennent pas tout mon temps (...) LACLOS, les Liaisons dangereuses, I. 1

(...) le tambour-major en tête et, derrière lui, les clairons et leurs instruments, ornés de pompons rouges (...) P. MAC ORLAN, la Bandera, VI. 2

Par anal. *Rose pompon :* petite variété de rose, à fleur sphérique. *Guirlande* (cit. 6) *de roses pompon.*

♦ **2.** (1826; par allus. au *pompon* qui distinguait les compagnies d'élite, selon Wartburg). *Avoir le pompon,* l'emporter, être le premier (souvent iron.). *À moi (toi, lui,* etc.) *le pompon,* la première place.

Je voulais savoir quel était de nous deux le plus ignoble personnage! mais à toi le pompon (...) FLAUBERT, Correspondance, 617, fin sept. 1859. 3

Je pourrais écrire un article sur la susceptibilité des peuples. Les fils de Romulus auraient sûrement le pompon. R. ROLLAND, Deux hommes se rencontrent, p. 179. 3.1

♦ **3.** (1888; par allus. au nez rouge; → Pompette). Vieilli. *Avoir son pompon :* être un peu ivre.

Bientôt, elle posséda Madelon, aux liqueurs, son petit pompon ... Madelon éméchée ne se tenait plus très bien. CÉLINE, Voyage au bout de la nuit, p. 364. 4

Adj. *Il était un peu pompon.* ⇒ **Pompette.**

♦ **4.** (Avec infl. de 2. *pompier*). Personnage vieux et ridicule.

Seulement quelle sera la vie de ma fille entre ces deux vieux pompons? *(Il est question de deux vieilles dames).* 5
Denyse VAUTRIN, le Tourbillon des jours, t. I, p. 148.

DÉR. Pomponner. — V. Pompette.

POMPONNE [pɔ̃pɔn] n. f. — D. i.; du nom de *Pomponne,* l'hôtel de Pomponne étant devenu manufacture royale au privilège de l'orfèvre Jacques Daumy, en 1785.

♦ Techn. Orfèvrerie en cuivre doublé.

Elles se contentaient d'un voile ou d'une dentelle tenue sur leurs cheveux par de longues aiguilles en pomponne à boules dorées et ajourées.
André ROUSSIN, la Boîte à couleurs, p. 25.

POMPONNER [pɔ̃pɔne] v. tr. — 1757, p. p.; de *pompon.*

♦ **1.** Rare. Orner, parer d'un pompon, de pompons. *Pomponner un bonnet.*

♦ **2.** Cour. Parer* avec soin et coquetterie. ⇒ **Bichonner.** *Pomponner un enfant.*

1 Mon jeune singe est, en cinq mois, devenu la plus jolie créature que jamais une mère ait baignée de ses larmes joyeuses, lavée, brossée, peignée, pomponnée; car Dieu sait avec quelle infatigable ardeur on pomponne, on habille, on brosse, on lave, on change, on baise ces petites fleurs! Donc, mon singe n'est plus un singe, mais un *baby* (...) BALZAC, Mémoires de deux jeunes mariées, Pl., t. I, p. 249.

♦ **3.** Fig. *Pomponner son style,* le parer avec afféterie, affectation.

▶ **SE POMPONNER** v. pron. (1798).
S'habiller, se parer* avec soin, recherche, coquetterie. ⇒ **Toilette;** fam. **astiquer** (s'). *« La petite jeune fille qui s'est bien pomponnée pour son premier bal »* (→ Danseur, cit. 6).

▶ **POMPONNÉ, ÉE** p. p. adj.
(Au sens 1). *« Un soulier pomponné »* (→ Écrouler, cit. 4). — (Au sens 2). *Enfants pomponnés* (→ Fête, cit. 16). *« Elle était parée comme une châsse, pomponnée, attifée »* (cit. 3). ⇒ aussi **Élégant.** — (Choses). *« Une voiture un peu plus pomponnée »* (Giono, *Solitude de la pitié,* Champs).
Par métonymie :

2 À propos d'un livre nouveau, dont elle montre d'un mot « la pauvreté pomponnée », à propos d'une gloire vivante dont elle discerne « les manigances », elle laisse tomber des réflexions sur le bien et le mal moral, sur la morale humaine, sur l'origine et la légitimité des passions.
Ed. et J. DE GONCOURT, la Femme au XVIIIe s., t. II, p. 122.

(Au sens 3). *« Quelques petites phrases pomponnées »* (Mme d'Épinay, 1772, *in* Littré).
Par métaphore. (Littéraire) :

3 La route est là à cent mètres, pomponnée d'arbres et filant droit d'un bosquet à une ferme. J. GIONO, le Grand Troupeau, III, *in* Œ., Pl., t. I, p. 710.

POMPOSO [pɔ̃pozo] adv. — Attesté XIXe; mot ital., « pompeux, solennel ».

♦ Mus. Avec un mouvement solennel (s'ajoute à l'indication de tempo). — Syn. : *maestoso.*

Saint-Bris, Nevers, Cavannes et les seigneurs catholiques sont entrés en scène, un peu précipitamment peut-être. *Allegro pomposo,* a marqué le compositeur sur la partition. L'orchestre et les seigneurs vont bien *allegro,* mais pas *pomposo* du tout, et au morceau d'ensemble, dans cette page magistrale de la conjuration et de la bénédiction des poignards, on ne modère plus l'*allegro* réglementaire. Chanteurs et musiciens s'échappent fougueusement.
J. VERNE, le Docteur Ox, p. 54-55.

PONANT [pɔnɑ̃] n. m. — 1549; *ponent,* 1240; anc. provençal *ponen,* lat. pop. (sol) *ponens* « (soleil) couchant ».
Régional ou littéraire.

♦ **1.** ⇒ **Couchant** (2.), **occident, ouest.** *Le vent de ponant.*

1 Les deux amis sont parvenus tout en haut de la ville, à la lisière de ces terrains brûlés qui s'enfuient vers le ponant. G. DUHAMEL, Salavin, VI, XIX.

2 Dans le bienheureux pays en question, le vent, parfaitement régulier, se chargeait bénévolement d'indiquer l'heure aux habitants. À midi juste il soufflait violemment de l'ouest et s'apaisait progressivement jusqu'à minuit, moment poétique où régnait un calme plat. Bientôt une légère brise venue de l'est s'élevait peu à peu et ne cessait de croître jusqu'au midi suivant, qui marquait son apogée. Une saute brusque se produisait alors, et, de nouveau, la tempête accourait du ponant pour recommencer son évolution de la veille.
Raymond ROUSSEL, Impressions d'Afrique, p. 138.

Vx ou hist. *Le Ponant :* l'océan Atlantique, les côtes occidentales de l'Europe, par oppos. au *Levant* (la Méditerranée, les côtes méditerranéennes). *Marine du Ponant et marine du Levant.*

♦ **2.** Régional (côte méditerranéenne). Vent d'ouest.

3 La terrasse était en retrait, protégée du vent mais non au point d'échapper tout à fait à celui qui s'était levé, le ponant comme Gustin l'apprit avec plaisir, après avoir cru au mistral. Des bourrasques faisaient tourner autour d'eux des bouts de journaux et des feuilles incurvées et desséchées d'eucalyptus (...)
Jacques LAURENT, les Bêtises, p. 34.

CONTR. Est, levant, orient.
DÉR. Ponantais.

PONANTAIS, AISE [pɔnɑ̃tɛ, ɛz] adj. et n. — 1662; de *ponant.*
Vieux.

♦ **1.** N. m. Marin des côtes françaises de l'Atlantique.

♦ **2.** Adj. Qui est originaire du Ponant, de l'Occident. ⇒ **Occidental.** — N. *Les ponantais.*

Dans cette fraternité de bandits, des levantins représentaient l'orient, des ponantais représentaient l'occident. HUGO, l'Homme qui rit, I, II, V.

PONÇAGE [pɔ̃saʒ] n. m. — 1812; de *poncer.*

♦ **1.** Opération qui consiste à poncer* une surface; son résultat; la manière de l'exécuter. ⇒ **Décapage, polissage.** *Ponçage du bois, du cuir, du parchemin, de la pierre, du plâtre. Ponçage d'une surface peinte avant l'application d'un vernis. Ponçage à la pierre ponce, au papier de verre...*

♦ **2.** Spécialt. [a] Polissage à la pierre ponce du marbre, des pierres dures.
[b] Lissage de la face extérieure (du feutre).
[c] Veloutage (du cuir) à la meule.

PONCE [pɔ̃s] n. f. — V. 1244; du bas lat. *pomex, -icis,* lat. class. *pumex.*

♦ **1.** Vx. PONCE ou PIERRE DE PONCE : roche volcanique utilisée pour certains usages techniques. *Polir à la ponce.* ⇒ **Ponçage, poncer.** *Poudre de ponce.*
Mod. Appos. PIERRE PONCE. ⇒ **Pierre** (cit. 10). *Qui est de la nature de la pierre ponce.* ⇒ **Ponceux.**

♦ **2.** (1621). Techn. Sachet d'étoffe peu serrée contenant une poudre colorante *(poudre à poncer),* morceau de feutre imprégné de cette poudre qu'on passe sur un poncif* pour reproduire un dessin.

♦ **3.** (1723). Techn. Encre* grasse faite d'huile et de noir de fumée, utilisée pour marquer l'extrémité des pièces de toile. ⇒ **Poncer.**

DÉR. Poncer, ponceux.

PONCÉ, ÉE [pɔ̃se] adj. ⇒ **Poncer.**

1. PONCEAU [pɔ̃so] n. m. et adj. — 1409; *pouncel,* XIIe; dér. anc. de *paon,* par anal. avec l'éclat du plumage de cet oiseau.

♦ **1.** Régional. Pavot sauvage (nommé communément *coquelicot**).

♦ **2.** Adj. invar. (1669). De la couleur (rouge vif et foncé) d'un coquelicot. *Un dais* (cit. 4) *de velours ponceau. Des robes ponceau.*

Le service est fait par de petits nègres tout nus, à l'exception d'une trousse bouffante de soie ponceau (...) Th. GAUTIER, Fortunio, I.

N. m. Colorant qui sert à teindre en rouge vif. *Le ponceau de xylidine**.

HOM. 2. Ponceau.

2. PONCEAU [pɔ̃so] n. m. — 1549; *puncel,* v. 1112; *poncel* « petit pont-levis », v. 1190; lat. pop. *ponticellus.*

♦ Petit pont* d'une seule travée (⇒ **Arche**), qui sert à franchir un ruisseau, un fossé... *Ponceau de bois, de pierre.*

Tous les ponceaux, trop étroits d'ailleurs, sont au-dessous du niveau des eaux dès qu'arrivent les pluies (...) Seuls, les vieux ponts arabes résistent à tout. 1
MAUPASSANT, la Vie errante, Vers Kairouan.

Les rios étaient nombreux dans cette montagneuse région. Il fallut franchir sur des ponceaux le Muddy, le Green et autres. 1.1
J. VERNE, le Tour du monde en 80 jours, p. 244.

(...) l'une *(des deux portes)* joignait la route de l'Aubette, par un ponceau de planches enjambant le fossé; et l'autre, à l'opposé, donnait sur un pré (...) 2
M. GENEVOIX, Raboliot, II, III.

DÉR. V. 1. Poncelet.
HOM. 1. Ponceau.

1. PONCELET [pɔ̃slɛ] n. m. — XVe; dimin. de *poncel.* → 2. Ponceau (étymologie).

♦ Techn. Très petit pont d'une seule travée.

HOM. 2. Poncelet.

2. PONCELET [pɔ̃slɛ] n. m. — 1889, *la Science illustrée,* t. II, p. 319; de *Poncelet,* nom propre.

♦ Phys. Unité de puissance du système métrique, qui vaut cent kilogrammètres par seconde.

HOM. 1. Poncelet.

PONCER [pɔ̃se] v. tr. — XIVe; fig., « rendre plus pur », v. 1265; de *ponce.*

♦ **1.** Décaper, polir au moyen d'un morceau de pierre* ponce ou de poudre de ponce, d'une substance abrasive analogue (émeri*, grès*, papier-émeri*, papier de verre*...). ⇒ **Décaper, frotter, polir** (→ Laquer, cit. 1). *Poncer du bois, du parchemin.* ⇒ **Ponçage.** — *Escalier poncé* (→ Fleurir, cit. 25). — *Se poncer les mains pour faire disparaître des taches d'encre.*
Par métaphore. (→ 1. Débit, cit. 8).

♦ **2.** (1622). Reproduire un dessin au moyen d'un poncif* (1.). *« Poncer sur un enduit de plâtre le dessin de la fresque qu'on veut peindre »* (Académie). — *Dessin poncé,* ou, n. m., *un poncé,* obtenu par ce moyen de reproduction.

♦ **3.** (1723). Techn. Marquer (une pièce de toile) avec une encre spéciale. ⇒ **Ponce.**

DÉR. Ponçage, ponceur, poncif.

PONCEUR, EUSE [pɔ̃sœʀ, øz] n. — 1842; de *poncer.*

★ **I.** N. m. Ouvrier chargé d'un ponçage. *Ponceur de parquets.*

★ **II.** N. f. (1907). Machine-outil servant à poncer, à la finition des surfaces planes. *Ponceuse lustreuse, ponceuse surfaceuse.*

HOM. (Du fém.) **Ponceuse** (fém. de *ponceux*).

PONCEUX, EUSE [pɔ̃sø, øz] adj. — 1839; de *ponce.*

♦ Minér. Qui est de la nature, qui a la structure de la pierre ponce. *Roche ponceuse. Tuf ponceux.*

HOM. (Du fém.) **Ponceuse** (fém. de *ponceur*).

PONCHO [pɔ̃tʃo; pɔ̃ʃo] n. m. — 1822; pour désigner une étoffe, 1772; mot esp. d'Amérique du Sud.

♦ **1.** Manteau d'homme en usage dans les classes populaires de certains pays d'Amérique du Sud. *Le poncho, manteau du gaucho**. — Au plur. *Des ponchos.*

1 Il portait, pour la route, sur un costume civil fort simple, ce que les bergers du Chili nomment un puncho *(sic)*, c'est-à-dire une longue couverture rectangle, en poil de vigogne, percée d'une fente au centre, pour laisser passer la tête.
G. DUHAMEL, les Compagnons de l'Apocalypse, I.

♦ **2.** Vêtement analogue (de femme ou d'homme).

2 Rien de plus différent en apparence que ces deux femmes; Germaine avec ses bonnes œuvres, son pieux veuvage, ses toilettes demi-deuil (...) et Vivi ses aventures, ses occupations futiles, ses ponchos canari, ses mini-jupes (...)
F. MALLET-JORIS, le Jeu du souterrain, p. 56.

♦ **3.** Tissu servant à faire les ponchos.

PONCIF [pɔ̃sif] n. m. — 1690; *ponsif,* 1551; de *poncer.*

♦ **1.** Techn. Feuille de papier portant un dessin piqué qu'on applique sur une autre feuille de papier, sur une étoffe, sur une surface... et sur laquelle on passe une ponce* de manière à reproduire en pointillé le contour du dessin. — *Reproduire un dessin avec un poncif.* ⇒ **Poncer.** *Utilisation du poncif dans l'art de la fresque, en décoration, en broderie.*

♦ **2.** (1832). Hist. de la peint. Dessin fait de routine, selon un type et des procédés conventionnels.

♦ **3.** Cour. Thème littéraire ou artistique, mode d'expression qui, par l'effet de l'imitation, a perdu toute originalité. ⇒ **Banalité, cliché, lieu** (commun). *Les poncifs romantiques.*

1 Plus tard, Jean eût compris de quel prix pour l'intelligence sont ces exercices qui, en l'obligeant à dévêtir une pensée de toutes les formules convenues, de toutes les élégances apprises, de tout le poncif ambiant à travers lesquels nous les apercevons involontairement, nous forcent à en saisir la réalité même et qui d'autre part, en faisant remonter si haut ses origines, nous font connaître, pour la mieux respecter un jour, l'antique noblesse de notre langue.
PROUST, Jean Santeuil, Pl., p. 238.

2 Pour que nous consentions à les recevoir *(les récits d'explorateurs)*, il faut (...) trier et tamiser les souvenirs et substituer le poncif au vécu.
Cl. LÉVI-STRAUSS, Tristes tropiques, p. 27.

Adj. (1832). Vx. Banal. *Le dénouement de cette comédie est bien poncif.* — REM. *Poncif,* employé adjectivement, ne s'accorde pas en genre et peut s'accorder ou non en nombre. *Des comédies poncif(s).*

3 Il y a des colères *poncif,* des étonnements *poncif,* par exemple l'étonnement exprimé par un bras horizontal avec le pouce écarquillé. Il y a dans la vie et dans la nature des choses et des êtres *poncif,* c'est-à-dire qui sont le résumé des idées vulgaires et banales qu'on se fait de ces choses et de ces êtres; aussi les grands artistes en ont horreur. Tout ce qui est conventionnel et traditionnel relève du chic et du *poncif.* Quand un chanteur met la main sur son cœur, cela veut dire d'ordinaire : je l'aimerai toujours! — Serre-t-il les poings en regardant le souffleur ou les planches, cela signifie : il mourra, le traître! — Voilà le *poncif.*
BAUDELAIRE, Curiosités esthétiques, « Salon de 1846 ».

Par métonymie. Peintre, écrivain auteur de poncifs.

4 Sans compliquer en parlant de David qu'elle connaissait peu, toute jeune elle avait cru M. Ingres le plus ennuyeux des poncifs, puis brusquement le plus savoureux des maîtres de l'Art nouveau, jusqu'à détester Delacroix.
PROUST, le Temps retrouvé, Pl., t. III, p. 1025.

CONTR. Original, personnel.

PONCIRUS [pɔ̃siʀys] n. m. — 1715, *poncire;* « gros citron », 1596; *poncille,* 1564; mot provençal anc. (1397), d'un lat. pop. *pomum syrium* « fruit *(pomum)* de Syrie ».

♦ Bot. Arbrisseau de la famille des *citrus,* cultivé pour servir de porte-greffe au citronnier, pour l'hybridation avec d'autres citrus.

PONCTION [pɔ̃ksjɔ̃] n. f. — Attestation isolée XIIIe, « action de piquer »; *poncion,* 1444; lat. *punctio, onis.*

♦ **1.** Opération chirurgicale qui consiste à introduire un instrument pointu (habituellement une aiguille) dans une cavité normale ou pathologique, à travers les tissus qui la recouvrent, pour en retirer du liquide ou y introduire un médicament. ⇒ **Aspiration, paracentèse;** et aussi **piqûre.** *Instruments servant à faire une ponction* (aiguille, bistouri, seringue, trocart*). *Ponction exploratrice* (faite pour préciser un diagnostic). *Ponction lombaire* ou *rachicentèse,* qui permet de retirer une petite quantité de liquide céphalo-rachidien pour analyse ou injection d'un médicament ou d'un anesthésique. ⇒ **Rachianesthésie.** *Ponction-biopsie :* prélèvement par ponction d'un fragment de tissu, en vue d'un examen au microscope. *Ponction abdominale, cérébrale, pulmonaire, rénale, sous-occipitale, sternale, ventriculaire.*

La ponction lombaire montre un liquide clair, un peu hypertendu (22 au manomètre de H. Claude), et contenant 0,56 d'albumine et de nombreux lymphocytes. Aucune réaction ne s'est produite à la suite de la ponction. 1
B. CENDRARS, Moravagine, Œ. compl., t. IV, p. 256.

Ponction évacuatrice ou *curative. Vider un abcès* par une ponction. Traitement de l'hydropisie*, de la pleurésie** (⇒ **Thoracentèse**) *par les ponctions. Faire une ponction à un hydropique* (cit. 2). ⇒ **Ponctionner.**

Je fais des ponctions dans des ventres pleins d'eau (...) 2
ARAGON, les Beaux Quartiers, I, XVIII.

♦ **2.** (1945). Par métaphore. Prélèvement (d'argent, etc.). *Impôt qui opère une importante ponction sur la fortune des épargnants.*

S'il s'agissait seulement de réduire la circulation fiduciaire, l'impôt de la Libération, puis l'échange sans blocage ont effectué, au moins temporairement, une « ponction monétaire ». 3
R. ARON, *in* les Temps modernes, nº 1, oct. 1945, *in* D. D. L., II, 15.

DÉR. Ponctionner.

PONCTIONNER [pɔ̃ksjɔne] v. tr. — 1837; de *ponction.*

♦ Méd. Traiter, vider par une ponction*. ⇒ **Dégorger.** *Ponctionner un épanchement pleural.*

DÉR. Ponctionneur.

PONCTIONNEUR [pɔ̃ksjɔnœʀ] n. m. — 1857; de *ponctionner.*

♦ Méd. (Vx). Instrument tranchant à lame étroite, pour opérer des ponctions.

PONCTUALITÉ [pɔ̃ktɥalite] n. f. — 1627; de *ponctuel.*

★ **I.** ♦ **1.** Littér. Soin minutieux, attention scrupuleuse dans l'accomplissement des devoirs. ⇒ **Exactitude.** *Faire preuve de ponctualité.* ⇒ **Ponctuel.** *Ponctualité d'un employé, d'un étudiant.* ⇒ **Assiduité.**

♦ **2.** Cour. Qualité de celui qui est toujours à l'heure, qui s'acquitte de ses obligations au moment voulu, sans retard ni négligence. *Une ponctualité d'horloge* (cit. 10). *Ponctualité dans les paiements.* ⇒ **Régularité.**

(...) et le soir il accourait, à l'heure accoutumée, avec une ponctualité d'amoureux. 1
BALZAC, la Bourse, Pl., t. I, p. 348.

N'oubliez pas, lui dit Basilida, que vous dînez chez nous, et votre parrain aussi. Alors, soyez exact. Vous savez qu'il goûte la ponctualité. 2
P.-J. TOULET, la Jeune Fille verte, I.

★ **II.** Didact. Caractère ponctuel (II.).

(...) il faut se résoudre à sacrifier la finesse du faisceau ou la densité du flux d'électrons ou la vitesse des électrons, ce qui revient à sacrifier la ponctualité de la source de rayons X, la quantité d'énergie électromagnétique rayonnée ou la pénétration des rayons X obtenus. 3
Gilbert SIMONDON, Du mode d'existence des objets techniques, p. 38.

CONTR. (Du I.) **Inexactitude, négligence.**

PONCTUATEUR [pɔ̃ktɥatœʀ] n. m. — Déb. XVIIIe; dér. sav. de *ponctuer.*

♦ Hist. des relig. Celui qui avait la charge de relever le nom des chanoines qui n'avaient pas assisté à l'office.

PONCTUATION [pɔ̃ktɥasjɔ̃] n. f. — 1540; *punctuation,* 1521; de *ponctuer.*

♦ **1.** Système de signes servant à indiquer les divisions d'un texte écrit en phrases ou éléments de phrase, à noter certains rapports syntaxiques ou certaines nuances affectives de l'énoncé qui, dans le langage parlé, s'exprimeraient par des particularités du débit (notamment les pauses de l'accentuation ou de l'intonation). *Les règles de la ponctuation. Il a une orthographe correcte, mais il ignore la ponctuation. Faute, négligence* (cit. 12) *de ponctuation.* — (1869). *Signe de ponctuation.* ⇒ **Astérisque, crochet, exclamation** (point d'exclamation), **guillemet, interrogation** (point d'interrogation), **parenthèse,** 1. **point** (deux points, point-virgule, points de suspension), **tiret, virgule.** *Le point* en haut, signe de ponctuation en grec.* — Le fait d'utiliser ces signes; la manière particulière dont on les utilise, dont on les dispose. *Mettre* (⇒ **Ponctuer**), *oublier la ponctuation dans une lettre. La ponctuation de cette phrase est incorrecte.*

1 (...) il y a une ponctuation littéraire à côté de la ponctuation courante comme il y a une langue littéraire à côté du langage écrit courant. La ponctuation d'un écrivain doué d'une forte personnalité sera personnelle et s'écartera plus ou moins des règles fixées par l'usage courant et les grammaires.
Valery LARBAUD, Sous l'invocation de saint Jérôme, p. 243.

2 À partir de *Zone*, tous les poèmes contenus dans le recueil comportent leur ponctuation que, avec beaucoup de soin sur les épreuves (...) Apollinaire a enlevée. Tout particulièrement à la lecture du *Pont Mirabeau* (...) le ton récitatif du poème semble altéré, tant sa physionomie nous a habitués à le concevoir sans ponctuation. C'est là sans doute une preuve (...) que la poésie nouvelle basée sur un débit plus proche de la modulation orale que de la déclamation, doit se passer de la ponctuation signifiée.
Tristan TZARA, Commentaire sur les épreuves d'« Alcools », p. 13.

Arrêt de la voix plus ou moins marqué qui, dans un texte, serait indiqué par un signe de ponctuation. ⇒ **Pause.** *Traitement phonétique d'une consonne finale qui varie selon que le mot est suivi d'une ponctuation forte ou faible.*

Imprim. Chacun des caractères typographiques qui correspond à un signe de ponctuation.

♦ **2.** Mus. Le fait, la manière de ponctuer (un discours musical). ⇒ **Ponctuer** (2.).

♦ **3.** (1869). Bot. Petits points, petites dépressions qu'on observe sur la membrane de certaines cellules végétales, sur la surface de certains vaisseaux.
Ensemble de points, d'éléments ponctuels.

PONCTUÉ, ÉE [pɔ̃ktɥe] adj. ⇒ **Ponctuer.**

PONCTUEL, ELLE [pɔ̃ktɥɛl] adj. — XVIe, rare av. le XVIIe; *punctuel*, v. 1380; lat. médiéval *punctualis*, de *punctum* « point ».

★ **I.** (Correspond à *ponctualité*, I.). ♦ **1.** Qui dénote de la ponctualité; qui est fait à point* (1. Point) nommé, sans retard ni négligence. *Réponse ponctuelle* (→ Dire, cit. 89).

♦ **2.** (Personnes). Qui fait preuve de ponctualité. [a] Vx. *Être ponctuel à...* (suivi d'un nom ou d'un inf.; cf. Mme de Sévigné, 613, 14-15 juin 1677; 1002, 9 nov. 1686). *Être ponctuel pour tout ce qui touche à la parole donnée, au serment.* ⇒ **Religieux** (I., A., 3.). **scrupuleux.** *Employé ponctuel.* ⇒ **Assidu, régulier** (→ Note, cit. 31).

[b] Mod. Qui est toujours à l'heure*, qui fait en temps voulu ce qu'il a à faire.

0.1 Et votre maître, Mr. Phileas Fogg?
— En parfaite santé, et aussi ponctuel que son itinéraire! Pas un jour de retard! Ah! monsieur Fix, vous ne savez pas cela, vous, mais nous avons aussi une jeune dame avec nous.
J. VERNE, le Tour du monde en 80 jours, p. 132.

1 Cependant Sacha, toujours ponctuel dans le service, rangea ce qu'il avait dérangé, referma la porte de la glacière (...)
A. HERMANT, les Épaves, I, II.

2 J'arrive à dix heures moins cinq. Toujours ponctuel. Bien. À dix heures cinq, je me mets à tourner autour de la statue (...)
G. DUHAMEL, Salavin, V, X.

★ **II.** Didact. ♦ **1.** Qui peut être assimilé à un point. ⇒ 1. **Point.** *Source lumineuse ponctuelle* (→ Optique, cit. 3).

Télév., cin. *Projecteur ponctuel*, à lumière dirigée.

♦ **2.** (Mil. XXe). Fig. Qui ne concerne qu'un point, qu'un élément d'un ensemble (opposé à *global*). *Action, intervention, opération ponctuelle.* ⇒ **Localisé.** — *Considérations ponctuelles. Remarques ponctuelles et remarques de méthode sur un texte didactique, un dictionnaire. Consultation ponctuelle d'un manuel.*

♦ **3.** Ling. *Aspect ponctuel* (d'un verbe) : aspect* exprimant une action considérée à un moment précis, au début (⇒ **Introactif**) ou à la fin (⇒ **Parfait, perfectif**).

CONTR. (Du I) **Inexact, négligent.** — (Du II) Continu.
DÉR. Ponctualité, ponctuellement.

PONCTUELLEMENT [pɔ̃ktɥɛlmɑ̃] adv. — 1611; *ponctualement*, 1520; de *ponctuel.*

♦ **1.** D'une manière ponctuelle* (I.), qui dénote de la ponctualité. *Il assiste ponctuellement à tous les cours.* ⇒ **Assidûment.** *Exécuter des ordres, obéir ponctuellement.* ⇒ **Lettre** (à la lettre); → Audience, cit. 15; ensorceler, cit. 1. *Payer ponctuellement.* ⇒ **Recta** (fam.).

1 Je me lève tous les matins à sept heures et demie, ponctuellement, vingt minutes après Marguerite (...)
G. DUHAMEL, Salavin, Journal, 28 janv.

2 Maintenant vous allez vous conformer ponctuellement à mes instructions.
J. ROMAINS, les Hommes de bonne volonté, t. II, V, p. 53.

♦ **2.** (XXe). D'une manière ponctuelle* (II.). ⇒ **Localement** (opposé à *globalement*). *Procéder ponctuellement.*

PONCTUER [pɔ̃ktɥe] v. tr. — 1660; *punctuer* « discerner », 1400; *poncter* « accentuer en lisant », chez Chr. de Pisan; lat. médiéval *punctuare*, de *punctum* « point ».

♦ **1.** Diviser (un texte) au moyen de la ponctuation* (1.). *Ponctuer une lettre* (→ 1. Original, cit. 1). — Absolt. *Cet écolier ne sait pas ponctuer.* — P. p. adj. *Texte mal ponctué.*

Quelles élégantes ondulations de la phrase ponctuée au mépris de la grammaire (...) 1
A. MAUROIS, Études littéraires I, Claudel, II.

Il me semble superflu de démontrer ici l'importance de la ponctuation. Elle rend la pensée plus claire; en découpant la phrase en ses différents éléments qu'elle met en valeur, elle lui donne son sens et son rythme (...) Mal ponctuer, c'est négliger sans profit la présentation de son texte, c'est par là même manquer d'égards envers son lecteur. 2
René GEORGIN, Prose d'aujourd'hui, p. 205.

♦ **2.** Mus. Indiquer les repos, les divisions en périodes ou en phrases musicales dans (un morceau).

PONCTUER (...) C'est, en termes de composition, marquer les repos plus ou moins parfaits, et diviser tellement les phrases qu'on sente par la modulation et par les cadences leurs commencements, leurs chutes, et leurs liaisons plus ou moins grandes, comme on sent tout cela dans le discours à l'aide de la ponctuation. 3
ROUSSEAU, Dict. de musique, art. *Ponctuer* (1767).

♦ **3.** (XIXe). PONCTUER DE : marquer*, souligner (ses mots ou ses phrases) d'un geste, d'un son... (→ Cadence, cit. 8; ha, cit. 7). *Ponctuer ses phrases de soupirs* (→ Pâmer, cit. 6), *de coups de poing sur la table. — Son discours fut ponctué d'applaudissements.*

Et ce seul mot, éloquemment ponctué d'un de ces hochements de tête qui n'ont pas confiance, le confessa malgré lui (...) 4
COURTELINE, Messieurs les ronds-de-cuir, 3e tableau, II.

♦ **4.** (1763, Buffon). Parsemer de points*.

Des myriades d'étoiles d'un or vert ponctuent l'immensité (...) 5
Th. GAUTIER, Voyage en Russie, V.

▶ **PONCTUÉ, ÉE** p. p. adj. (XVIIe).

♦ **1.** (Sens 1. et 2.). Voir ci-dessus.

♦ **2.** (Sens 3.). Constitué d'une succession de points. ⇒ **Pointillé.** *Ligne ponctuée. Trait ponctué.*

♦ **3.** Marqué, parsemé de points. *Les calcédoines* (cit. 1) *sont quelquefois ponctuées de rouge ou d'orange.* — Bot. *Cellule ponctuée. Vaisseau ponctué.* ⇒ **Ponctuation** (3.).

DÉR. Ponctuateur, ponctuation.

PONDAISON [pɔ̃dɛzɔ̃] n. f. — 1842; de *pondre.*

♦ Rare. Saison de la ponte des oiseaux*. ⇒ 1. **Ponte.**

PONDÉRABILITÉ [pɔ̃deʀabilite] n. f. — 1842; de *pondérable.*

♦ Didact. Caractère de ce qui est pondérable*.

CONTR. Impondérabilité.

PONDÉRABLE [pɔ̃deʀabl] adj. — 1798; « accablant », 1452; lat. *ponderabilis*, de *ponderare.* → Pondérer.

♦ Didact. Qui peut être pesé; qui a un poids mesurable.

(...) on ne peut nier qu'entre la peste et lui ne se soit établie une communication pondérable, quoique subtile (...)
A. ARTAUD, le Théâtre et son double, *in* Œ. compl., t. IV, p. 21.

CONTR. Impondérable.
DÉR. Pondérabilité.

PONDÉRAL, ALE, AUX [pɔ̃deʀal, o] adj. — 1842; lat. *ponderalis.*

♦ Didact. Relatif aux poids. *Analyse pondérale.* — (1875). *Titre pondéral* : titre d'une monnaie donné en poids.

PONDÉRATEUR, TRICE [pɔ̃deʀatœʀ, tʀis] adj. — 1845; n. m., « procurateur », 1522; de *pondérer.*

♦ Littér. Qui a un effet modérateur, qui maintient l'équilibre. *Influence pondératrice.* — Sc. *Coefficient pondérateur.*

PONDÉRATION [pɔ̃deʀasjɔ̃] n. f. — 1440, « examen approfondi »; lat. *ponderatio.*

♦ **1.** (1765). Didact. Équilibre entre les masses, les groupes, dans une œuvre plastique, en architecture. ⇒ **Aplomb, balancement** (cit. 5), **harmonie.** — Par anal. *Pondération des masses sonores, à l'orchestre.*

♦ **2.** (1771). Didact. Équilibre des forces sociales et politiques. *Pondération des pouvoirs.* ⇒ **Balance.**

♦ **3.** (1868). Calme* et équilibre (sur le plan psychologique, intellectuel); qualité de celui qui observe en toute occasion une juste mesure. *Faire preuve de pondération et de circonspection.* ⇒ **Égalité** (de caractère*, d'humeur).

Il me demande de lui désigner des écrivains susceptibles de lui donner de bons articles, pouvant se recommander à des neutres par la pondération du raisonnement et l'autorité de la pensée. GIDE, Journal, 17 oct. 1916.

♦ **4.** (V. 1960). Sc. Attribution d'une valeur particulière aux divers éléments d'un indice (chaque indice de production industrielle est pondéré pour obtenir un indice général significatif : l'indice pondéré).

Math. Affectation d'un coefficient à une variable.

CONTR. (Du 3) **Bizarrerie, étourderie.**

PONDÉRÉ, ÉE [pɔ̃deʀe] adj. — 1770; de *pondérer.*

♦ **1.** Cour. (Personnes). Calme, équilibré. *Un esprit* pondéré. Des individus solides, pondérés, cartésiens* (cit. 1)... *Un garçon pondéré* (→ Compter, cit. 34).

♦ **2.** Didact. Équilibré. *Gouvernement pondéré,* où les pouvoirs se font contrepoids. *Monarchie pondérée.*

Je faisais à mon hôte l'éloge de la solidité de cette monarchie anglaise pondérée par le balancement égal de la liberté et du pouvoir. CHATEAUBRIAND, Mémoires d'outre-tombe, t. IV, p. 199.

♦ **3.** Didact. *Indice pondéré.* ⇒ **Pondération.** *Moyenne pondérée. Somme pondérée.*

CONTR. (Du 1.) **Bizarre, bouillant, déraisonnable, étourdi, excité...**

PONDÉRER [pɔ̃deʀe] v. tr. — Conjug. *céder.* — XVIIIe, « examiner sérieusement »; « peser », 1361; lat. *ponderare.*

♦ **1.** Didact. Équilibrer, balancer. — Spécialt. (Arts). *Pondérer les masses, dans une composition; pondérer les masses sonores, dans une orchestration.* ⇒ **Équilibrer.** — Équilibrer (les pouvoirs politiques).

♦ **2.** (V. 1960). Sc. *Pondérer un indice, une variable.* ⇒ **Pondération.**

Ce composant se comporte comme si le taux de défaillance était pondéré par le facteur d'utilisation *u.* Pierre CHAPOUILLE, la Fiabilité, p. 52.

DÉR. Pondéré, pondérateur.

PONDÉREUX, EUSE [pɔ̃deʀø, øz] adj. et n. m. —1350, *ponderos* « pesant »; lat. *ponderosus.*

♦ Sc., techn. Qui pèse beaucoup. *Marchandises pondéreuses.* — N. m. pl. (Mil. XXe). *Les pondéreux.*

PONDEUR, EUSE [pɔ̃dœʀ, øz] n. — 1678; *ponneuse,* 1580; de *pondre.*

♦ **1.** N. f. Femelle d'oiseau qui pond beaucoup. ⇒ **Fécond.** *Cette poule est une pondeuse, une bonne pondeuse.* — Adj. *Poule pondeuse.* « *La société Studler, créée en 1963, exploitait une souche de poules pondeuses, la Warren, d'origine américaine* » (*le Monde,* 3 juil. 1979, p. 32). — (1785). Fig., fam. *Une pondeuse d'enfants :* une femme prolifique.

Curval se remit à dire des horreurs sur les pondeuses d'enfants, et protesta que s'il était le maître il établirait la loi de l'île de Formose, où les femmes enceintes avant trente ans sont pilées dans un mortier avec leur fruit. SADE, les 120 Journées de Sodome, t. II, I, p. 135.

♦ **2.** N. m. et f. Qui pond. — Par appos. *Animal, batracien pondeur.* ⇒ **Ovipare.**

♦ **3.** Fig., fam. *Cet écrivain est un infatigable pondeur.*

PONDOIR [pɔ̃dwaʀ] n. m. — 1806; de *pondre.*

♦ Techn. Panier, appareil disposé pour que les poules viennent y pondre. *Pondoirs et perchoirs d'une basse-cour* (cit. 1).

(...) sa ferme modèle, où les entablements Louis XIII des fenêtres et le ravissant pigeonnier-tourelle (...) n'empêchent pas les trayeuses automatiques et les pondoirs perfectionnés de fournir leur plein rendement. F. MALLET-JORIS, le Jeu du souterrain, p. 16.

PONDRE [pɔ̃dʀ] v. tr. — Conjug. *rendre.* — XIe; lat. *ponere* « poser, déposer ».

♦ **1.** Déposer, faire (ses œufs), en parlant d'une femelle d'ovipare. ⇒ **Œuf.** *Les oiseaux* (cit. 1), *les reptiles, les batraciens, les poissons..., les insectes pondent des œufs,* et, absolt, *pondent* (→ Fécond, cit. 4; frai, cit. 2; génération, cit. 1). *Les tortues de mer viennent à terre* (⇒ **Terrir**) *pour pondre leurs œufs.* — Spécialt. (Oiseaux). *Poule qui pond un œuf.* — Absolt. *La poule glousse, chante en pondant.* ⇒ **Caqueter, claqueter, crételer.** *Époque où les oiseaux pondent.* ⇒ **Pondaison, ponte** (→ Couver, cit. 1). — Au p. p. *Un œuf pondu de la veille, du jour; œuf frais pondu.*

1 Que celui dont la poule, à ce que dit la fable,
Pondait tous les jours un œuf d'or (...) LA FONTAINE, Fables, V, 13.

2 Je ne repensai jamais à cette page, mais à ce moment-là, quand (...) j'eus fini de l'écrire, je me trouvai si heureux (...) que, comme si j'avais été moi-même une poule et si je venais de pondre un œuf, je me mis à chanter à tue-tête. PROUST, Du côté de chez Swann, Pl., t. I, p. 182.

Loc. fig. (par allus. à la femelle du coucou* qui pond ses œufs dans le nid d'autres oiseaux). *Pondre au nid* de qqn :* avoir des relations d'adultère avec qqn.

♦ **2.** (1698). Fig. et fam. Accoucher de, avoir (un enfant).

(...) la femme qui vous a pondu n'a pas perdu son temps. 3
BALZAC, le Médecin de campagne, Pl., t. VIII, p. 367.

Elle pondait un enfant tous les ans. Réglé, recta : une vraie mitrailleuse à gosses! 4
H. BARBUSSE, le Feu, t. I, XII.

♦ **3.** (1845; cf. « *voilà qui est bien pondu :* voilà qui est mal fait », Académie, 1798). Fam. Écrire, produire (une œuvre ou un travail écrit). *Il pond un article tous les jours, un roman par an...* — REM. Cet emploi n'est pas toujours péjoratif (→ ci-dessous, cit. 7).

J'admets que vous soyez un grand poète, serez-vous fécond? Pondrez-vous régulièrement des sonnets? BALZAC, Illusions perdues, Pl., t. IV, p. 772. 5

Ils pondaient, pondaient, pondaient, n'ayant plus rien à dire, se torturant le cerveau pour en faire sortir quelque chose de nouveau, saugrenu, incongru (...) R. ROLLAND, Jean-Christophe, Foire sur la place, I, p. 704. 6

C'est à croire qu'elle a copié cela, s'écria-t-elle (...) Jamais je n'aurais cru Gisèle capable de pondre un devoir pareil. PROUST, À l'ombre des jeunes filles en fleurs, Pl., t. I, p. 912. 7

DÉR. Pondaison, pondeur, pondoir, 1. ponte.

PONETTE [pɔnɛt] n. f. — 1836; de *poney,* et suff. dimin. *-et* au fém.

♦ Fam., littér. Poney femelle. — (1894). Fig., vieilli. Jeune fille, jeune femme au physique plaisant.

Elle mesurait, d'un regard morne, l'agréable ponette — genre cob — que j'étais en ce temps-là. COLETTE, le Pur et l'Impur, p. 103.

PONEY [pɔnɛ] n. m. — 1828; *pooni,* 1801; angl. *pony,* de l'anc. franç. *poulenet* « petit poulain ». Cf. *Oxford Dictionary.*

♦ Cheval* de petite taille (spécialt des races d'Angleterre, d'Écosse, du Pays de Galles...). *Poney des îles Shetland. Poney à longs poils.*

(...) il vint un poney pour Jacques, que son père, excellent cavalier, voulait plier lentement aux fatigues de l'équitation. BALZAC, le Lys dans la vallée, Pl., t. VIII, p. 869. 1

Les garçons en costumes de jockeys, les fillettes en écuyères, amenaient, les uns, de fringants poneys enrubannés, les autres, de très vieux chevaux dociles. ALAIN-FOURNIER, le Grand Meaulnes, I, XV. 2

PONGÉ ou PONGÉE [pɔ̃ʒe] n. m. — 1918; *pongée,* 1883, *Au bonheur des dames,* Zola, *in* Höfler; angl. *pongee;* p.-ê. chinois *punki, pun-gi* « métier à tisser », ou du rad. de l'angl. *sponge* « éponge ».

♦ Tissu léger, sorte de taffetas de soie ou de schappe (déchets de soie). *Robe de pongé* (→ Jade, cit. 4).

Les femmes vêtues de mousseline, de pongés clairs (...) regardaient passer (...) des autos interalliées en patrouille (...) Paul MORAND, Ouvert la nuit, p. 158. 1

La laideur du dehors est masquée par des rideaux, de pongé jaune, qui répandent en toute saison une illusion de soleil. J. ROMAINS, les Hommes de bonne volonté t. I, II, p. 35. 2

PONGIDÉS [pɔ̃ʒide] n. m. pl. — 1963; de *pongo,* et suff. zool. *-idés.*

♦ Zool. Famille de singes de grande taille, à pelage très fourni, arboricoles, à laquelle appartiennent l'orang-outan*, le chimpanzé* et le gorille* (et, pour certains zoologistes, le gibbon et le siamang). ⇒ **Pongo.** — Au sing. *Un pongidé.*

PONGISTE [pɔ̃ʒist] n. — 1935; de *ping-pong.*

♦ Sports. Joueur de ping-pong*, de tennis de table.

PONGITIF, IVE [pɔ̃ʒitif, iv] adj. — V. 1510, « agressif », sens médical, *in* Paré; du lat. *pungere* « piquer ».

♦ Didact. Qui point, qui semble causé par un instrument pointu, une piqûre. *Douleur pongitive.*

PONGO [pɔ̃go] n. m. — Av. 1765; Buffon, 1766, mot introduit en 1625 par le voyageur anglais Battel; mot africain, de l'Angola, sous les formes *pongo, mpongo, mpongi,* attesté en angl. dès 1625, Battel.

♦ **1.** Vx. Grand singe d'Afrique, chimpanzé ou gorille (dans les textes des anciens voyageurs).

♦ **2.** Mod. Grand singe anthropoïde de Bornéo, voisin de l'orang-outan. ⇒ **Pongidés.**

Par ext. Singe de très grande taille.

Un soir dans un tramway en face de moi, un Nègre. C'était un Nègre grand comme un pongo qui essayait de se faire tout petit sur un banc de tramway. Il essayait d'abandonner ses jambes gigantesques (...)
Aimé CÉSAIRE, Cahier d'un retour au pays natal, p. 63.

DÉR. Pongidés.

PONT [pɔ̃] n. m. — 1080, *punt, Chanson de Roland;* du lat. *pontem,* accusatif de *pons.*

★ **I. A.** ♦ **1.** Construction, ouvrage reliant deux points séparés par une dépression (ou par un obstacle qu'il surplombe). *Pont franchissant* une voie d'eau, un canal, un cours d'eau* (fleuve, rivière), *une route, une voie ferrée... Petit pont.* ⇒ **Ponceau.** *Rivière qu'enjambe* (cit. 5) *un pont. Les ponts sur la Moselle* (→ Incident, cit. 6). *Paris demeura longtemps à l'état d'île* (cit. 6), *avec deux ponts... Le, les ponts de...* (suivi du nom du cours d'eau). *Le pont du Gard* (→ Étage, cit. 7). — *Pont entre un navire et un quai.* ⇒ **Appontement, wharf.** — *Pont ancien; romain, gothique.* — *Le Pont d'Avignon* (titre d'une chanson populaire). *Sous les ponts de Paris* (chanson). *Le pont d'Arcole* (→ 2. Déboucher, cit. 1). *Le pont des Soupirs*,* à Venise. *Le mot « pont » entre dans de nombreux noms de lieux français* (Pont-Audemer, Pont-l'Évêque, etc.); → aussi Nom, cit. 29. — *Pont portant une route, une voie ferrée* (⇒ **Chemin de fer**), *une conduite d'eau.* ⇒ **Aqueduc, viaduc.** *Pont en bois, de bois* (→ 1. Gué, cit. 3). *Charpente*, poutres, traversines; couchis*, tablier* (⇒ **Platelage**) *d'un pont de bois. Pont de pierre, de maçonnerie, de béton armé. Pont métallique* (→ 1. Grêle, cit. 1; gronder, cit. 12). *Poutres* (longerons, traverses) *d'un pont métallique. Pont tubulaire*.* — *Ponts en arcs.* ⇒ **Arcade, arche** (→ Foule, cit. 4; froncer, cit. 7). *Pont en cantilever*, en console. Pont à tablier suspendu.* — Loc. (1765). *Pont suspendu. Câbles, sellettes, suspentes, massifs d'ancrage d'un pont suspendu...* — *Pont biais*. Pont courbe* (cit. 2), *en dos d'âne.* — *Parties d'un pont.* ⇒ **Abloc, butée, culée; arrière-bec, avant-bec, brise-glace, éperon,** 1. **pile, radier; poutre; tablier...** *Corps de support d'un pont. Portée des travées* d'un pont. Hauteur, tirant d'air un pont.* — *Chaussée, largeur, hauteur utile d'un pont. Ailes* d'un pont. Pont pour les voitures, les piétons.* ⇒ aussi **Passerelle.** *Garde-corps, garde-fou, parapet d'un pont. Se jeter du haut d'un pont. Franchir, passer, traverser un pont* (→ Dormir, cit. 31; 1. nu, cit. 15; par, cit. 39). *Pont à péage** (cit. 2). — *Construction d'un pont. Jeter* (cit. 8), *lancer un pont sur un fleuve, une vallée. Lancement d'un pont. Fondations d'un pont.* ⇒ **Fondation;** et aussi **batardeau, palée, palplanche, pieu; enrochement,** 3. **fraise.** *Cintres, coffrages d'une voûte de pont.* — *Détruire, faire sauter un pont. Couper un pont* (cf. fig. Couper les ponts).

1 On doit y relever *(dans la vie du duc d'Angoulême)* l'importance qu'eurent les ponts. D'abord, il s'expose inutilement sur le pont de l'Inn; il enlève le pont Saint-Esprit et le pont de Lauriol; à Lyon, les deux ponts lui sont funestes, et sa fortune expire devant le pont de Sèvres. FLAUBERT, Bouvard et Pécuchet, IV.

2 Un bizarre dessin de ponts, ceux-ci droits, ceux-là bombés, d'autres descendant en obliquant en angles sur les premiers (...) Quelques-uns de ces ponts sont encore chargés de masures. D'autres soutiennent des mâts, des signaux, de frêles parapets. RIMBAUD, Illuminations, XIV.

3 (...) et comme en ce temps-là les rues de la ville étaient trop étroites pour la farandole, fifres et tambourins se postaient sur le pont d'Avignon, au vent frais du Rhône, et jour et nuit l'on y dansait, l'on y dansait (...)
Alphonse DAUDET, Lettres de mon moulin, « Mule du Pape ».

3.1 Il suffit de passer le pont,
C'est tout de suite l'aventure! Georges BRASSENS, Il suffit de passer le pont.

Loc. (1779, *in* D. D. L.; du *Pont-Neuf,* à Paris, construit par Henri IV). *Être solide, se porter comme le Pont-Neuf :* être très vigoureux, sans aucune maladie.

3.2 Je vous dis, solide comme le *Pont-Neuf.* Comme le Pont-Neuf, oui, je me portais. Le Pont-Neuf, bon dieu. M. AYMÉ, le Passe-muraille, p. 263.

L'eau qui coule, passe sous les ponts (→ Flot, cit. 4). *« Sous le pont Mirabeau coule la Seine »* (→ Passer, cit. 62, Apollinaire). — *Clochards qui couchent sous les ponts. Coucher sous les ponts :* être sans domicile fixe et sans ressources. — Loc. *Il coulera, il passera de l'eau sous les ponts, avant que telle chose n'arrive.*

4 Dame, c'est que voilà sept ans que nous ne l'avions vu, ce pauvre Joseph et, depuis ce temps-là, il a passé bien de l'eau sous le pont (...)
NERVAL, Contes et Facéties, « La main enchantée », VI.

5 (...) nous n'avons pas ce qu'on appelle une fortune assise. Je suis le fils de mes œuvres; je suis arrivé trop tard, trop tard! Il coulera de l'eau sous le pont avant que je t'ai amassé une dot. FRANCE, Jocaste, Œ., t. II, p. 17.

(Qualifié; dans les syntagmes techn. ou cour.). *Pont fixe. Pont à béquilles*.* — *Pont dormant :* petit pont fixe (sur un fossé...). ⇒ 2. **Ponceau.** — *Ponts mobiles. Pont basculant, levant* (⇒ **Pont-levis**), *roulant.* — (1813). *Pont tournant.* — (1855). *Pont transbordeur*.* — *Pont volant :* pont mobile formé d'un léger tablier soutenu par des chevalets*. ⇒ **Traille.** — *Pont flottant,* dont les corps de support sont des bateaux (cit. 5, *pont de bateaux*), des radeaux (⇒ **Ponton, portière**). *Ponts militaires, établis par le Génie.* ⇒ **Pontonnier.**

5.1 Le paquebot était là fumant, prêt à partir. Passepartout n'avait que quelques pas à faire. Il s'élança sur le pont volant, il franchit la coupée et tomba inanimé à l'avant, au moment où le *Carnatic* larguait ses amarres.
J. VERNE, le Tour du monde en 80 jours, p. 185.

6 Presque toujours, de si grand matin, le pont mobile est au repos. Mais il y a là un risque, qu'il faut jouer comme aux dés. Quand par hasard vous trouvez devant vous le pont soulevé en l'air, les chaînes tendues, vous n'avez plus qu'à vous précipiter vers la droite, très loin (...) jusqu'au pont des Abattoirs (...)
J. ROMAINS, les Hommes de bonne volonté, t. IX, III, p. 20.

(1889, cit.). **PONT-CANAL :** pont sur lequel passe un canal. *Des ponts-canaux.*

L'entrée de ces ponts-canaux est fermée par des portes levantes du même type que celles qui ferment les sas. 6.1
L. FIGUIER, l'Année scientifique et industrielle, 1890, p. 227 (1889).

TÊTE DE PONT : point où une armée prend possession du territoire ennemi, après avoir franchi un pont, et, par ext., après un débarquement (→ Démilitariser, cit.).

Par ext. Ce qui constitue un passage sur l'eau. *Ponts construits par les castors* (→ Art, cit. 23). — Poét. *Pont de fleurs* (→ Feston, cit. 2).

Techn. Petite digue séparant des bassins, dans une saline.

Pont de service : plancher provisoire au-dessus d'une tranchée, d'un ouvrage.

♦ **2.** (XVIIe). **PONTS ET CHAUSSÉES** [pɔ̃zeʃose] : service public chargé principalement de la construction et de l'entretien des voies publiques. *Inspecteur général, ingénieur des Ponts et Chaussées.* — (1804). *École des ponts et chaussées. Le service des Ponts et Chaussées* (on écrit aussi *Ponts-et-Chaussées*) *dépend du ministère des Travaux* publics.*

Le corps des ingénieurs des ponts et chaussées (...) est chargé de diriger la construction et l'entretien des routes nationales, des chemins départementaux et vicinaux, de surveiller la construction et l'entretien des chemins de fer concédés, de diriger les travaux de navigation, d'assurer la police des usines et prises d'eau sur les cours d'eau. Louis ROLLAND, Précis de droit administratif, § 680. 7

Travaux effectués par les Ponts et Chaussées : construction, entretien des voies (routes* nationales, départementales; chemins vicinaux*; ⇒ aussi **Goudronnage, gravelage, macadam, pavage, pavé; accotement, fossé;** et aussi **cantonnier, voyer),** *signalisation* (⇒ **Borne, poteau, signal),** *ouvrages* d'art* (ponts, tranchées, tunnels), *voies navigables* (canaux, rivières...). *Le garde-canal, agent des Ponts et Chaussées. Conducteurs de travaux, agents techniques, piqueurs des Ponts et Chaussées. Chasse-neige utilisés par les Ponts et Chaussées.*

Les Ponts : les Ponts et Chaussées. *Un ingénieur des Ponts,* et, ellipt., *un Pont. « Les ingénieurs des Ponts et Chaussées, les "ponts" dans le langage des anciens de l'école »* (*le Nouvel Obs.,* 8 janv. 1974, p. 28).

♦ **3.** Loc. **a** **PONT AUX ÂNES** [pɔ̃tozɑn] (→ Âne, cit. 14; bachelier, cit. 4) : démonstration du théorème du carré de l'hypoténuse (question élémentaire de géométrie). — Par ext. Banalité, évidence connue de tous. (On écrit aussi *pont-aux-ânes*).

Depuis longtemps, la lettre de change avait été comprise par lui dans toutes ses conséquences immédiates et médiates. Un jeune homme appelait, chez moi, devant lui, la lettre de change : — « Le pont-aux-ânes! — Non, dit-il, c'est le pont-des-soupirs, on n'en revient pas ». 8
BALZAC, Un homme d'affaires, Pl., t. VI, p. 807.

(...) elle était trop fine pour ne pas se douter que la fougue soi-disant irrésistible d'un mari, le soir de ses noces, est du même ordre de convenances que la bague de fiançailles ou les bouquets, et rend hommage moins encore à la femme choisie qu'aux idées reçues. En tout état de cause, ce n'est donc pas à ce pont aux ânes qu'elle m'attendait. J. ROMAINS, le Dieu des corps, V. 9

b **PONT D'OR.** *Faire un pont d'or à qqn,* lui offrir une forte somme, un salaire élevé pour le décider à occuper un poste, à changer de situation... (cf. Retz, Saint-Simon, *in* Littré).

B. Fig. ♦ **1.** (XIIIe). Ce qui sert de lien entre deux choses. *Les gnostiques « constituèrent le pont par lequel une foule de pratiques païennes entrèrent dans l'Église »* (→ Gnosticisme, cit.). *Le pont qui sépare l'imagination de l'action* (→ Idée, cit. 53). ⇒ **Intermédiaire, transition.** — Loc. (Vx). *Faire le pont à qqn,* l'aider à franchir une difficulté. — (1928). *Couper** (*infra* cit. 19) *les ponts.* — (Déb. XXe). *Brûler les ponts derrière soi :* s'interdire tout retour en arrière. (On dit aussi *couper, rompre les ponts*).

(...) ne craignez pas que jamais je recule; j'ai brûlé tous les ponts derrière moi : il faut que je marche en avant, la puissance du Cardinal tombera, ou ce sera ma tête. A. DE VIGNY, Cinq-Mars, XVII. 10

Dans la peinture, il s'établit comme un pont mystérieux entre l'âme des personnages et celle du spectateur. E. DELACROIX, Journal, 8 oct. 1822. 11

(...) il avait accumulé les paroles irréparables, jusqu'au moment où, ayant coupé derrière lui tous les ponts et rendu tout retour impossible, ivre de révolte et de désespoir, il avait disparu (...) MARTIN DU GARD, les Thibault, t. IV, p. 102. 12

♦ **2.** Mus. Passage constituant une transition entre les deux premiers thèmes dans un allegro de sonate.

♦ **3.** Sc., techn. (Élément, organe, dispositif qui relie deux points, comme le fait un pont). Pièce servant à relier des mobiles, en horlogerie.

Spécialt. **a** Par anal. de fonction. — (1690). Anat. *Pont de Varole :* protubérance annulaire entre le bulbe rachidien, le cervelet et les pédoncules cérébraux. — Biol. *Ponts d'union :* filaments de protoplasme unissant les cellules épithéliales. ⇒ **Desmosome.** *Ponts cytoplasmiques* (unissant certains neurones).

Phys. *Pont de Wheatstone :* montage électrique utilisé pour la mesure des résistances.

b Par anal. de forme. Techn. *Pont roulant* : appareil de levage, constitué par un chariot mobile sur un portique. *Le pontier*, conducteur d'un pont roulant.* — Ch. de fer. *Pont roulant,* sur lequel on déplace les locomotives pour les amener à leur garage (devant un dépôt).

13 Tout l'espace, du sol à la toiture du hall, était haché, occupé, sillonné par le mouvement des machines. Des ponts roulants couraient au-dessus des établis. Au sol (...) des chariots électriques se gênaient pour circuler.
G. NAVEL, Travaux, *in* Classe de franç., nov. 1953, p. 61.

Pont de graissage, sur lequel on soulève les automobiles, pour les graisser, dans un garage.

♦ **4.** (1898, *pont arrière*). Ensemble des organes qui transmettent le mouvement moteur aux roues (couple conique, différentiel, arbres de roues). ⇒ **Essieu.** *Pont arrière ; avant* (traction avant). *Pont suspendu, flottant,* et, absolt, *le pont d'un véhicule.*

13.1 Entassés dans les camions de la *Transamazonienne,* accrochés aux ponts des poids-lourds, des centaines de milliers d'hommes (agriculteurs, travailleurs du coton...)...
Jean ZIEGLER, Main basse sur l'Afrique, p. 279.

♦ **5.** (1853). Méd. Portion, languette de peau, de chair saine entre des zones malades.

♦ **6.** (1818, *in* D. D. L.). Pièce d'étoffe pouvant se rabattre. *Le pont d'un pantalon.* — **À PONT.** *Casquette* à pont. Culotte, pantalon* (cit. 3) *à pont.*

13.2 Comme tous les macs et les voyous de cette ville, à cette époque, il était chaussé d'espadrilles. Silencieux, son pas était plus lourd et plus élastique. Souvent il portait un pantalon de matelot, en drap bleu, épais, dont cette partie qu'on nomme le pont n'était jamais boutonnée tout à fait, si bien qu'un triangle retombait devant lui, ou quelquefois c'est une poche au pan retroussé un peu qu'il portait sur le ventre.
Jean GENET, Journal du voleur, p. 143.

C. (Idée de courbure). ♦ **1.** Courbure légère donnée à une carte à jouer pour amener l'adversaire à couper à un endroit déterminé par l'intervalle (le « pont ») ainsi formé. — Loc. fig. *Couper dans le pont* : être victime d'une escroquerie, donner dans un panneau, se laisser tromper, berner. — On emploie aussi *couper** (*supra* cit. 26) *dans... ; y couper.*

♦ **2.** (1877). Sports. Lutte. *Faire le pont, se recevoir en pont.* — (1971). Gymn. Position dorsale et cambrée, le corps en appui sur les mains et les pieds. — (1978). Football. *Petit pont* : action de faire passer le ballon entre les jambes de son adversaire.

D. ♦ **1.** Loc. fig. (1867). *Faire le pont* : chômer entre deux jours fériés (le jour ouvrable chômé constituant un « pont » entre les deux jours fériés). — Par ext. *Samedi compris dans un pont* (où *pont* ne signifie plus « jour intercalaire », mais « ensemble des jours chômés »).

14 Les ponts se multiplient, non sur nos rivières, mais sur les jours ouvrables.
G. DUHAMEL, Manuel du protestataire, III.

♦ **2.** (1948). **PONT AÉRIEN** : liaison aérienne quasi ininterrompue (par-dessus une zone interdite, dangereuse, etc.). *Le pont aérien de Berlin.*

15 Il *(Valéry Giscard d'Estaing)* annonce que, faisant suite à la demande du gouvernement du Zaïre et de gouvernements amis (...) la France a accepté d'organiser un pont aérien. Ce pont, qui fonctionne depuis « quelques heures déjà », doit amener sur le front du Shaba un corps expéditionnaire marocain.
Jean ZIEGLER, Main basse sur l'Afrique, p. 257-258.

♦ **3.** Techn. Liaison ferroviaire entre deux tronçons de route maritime.

★ **II.** (XVIIe). Mar. Ensemble des bordages* (⇒ **Bordé**) recouvrant entièrement une rangée de barrots* (1. Barrot). ⇒ aussi **Bau.** *Pont(s) d'un bateau*, d'un navire** (cit. 9 et 11). *Pont de bois* (plancher), *de métal* (tôles). *Intersection du pont et de la muraille.* ⇒ **Livet.** *Épontilles* soutenant un pont. Passage d'un mât à travers un pont.* ⇒ **Étambrai.** — *Pont principal. Pont inférieur, intermédiaire, supérieur* (⇒ **Tillac,** vx). *Pont ras,* non interrompu par des superstructures occupant toute la largeur du navire. *Pont coupé. Demi-pont,* qui ne couvre que l'avant ou l'arrière. *Pont surélevé. Navire à un* (⇒ **Ponté**), *deux, trois ponts.* — Par abrév. *Un deux-ponts, un trois-ponts.* — *Extrémités* (⇒ **Gaillard**), *milieu* (⇒ **Embelle**) *d'un pont.* ⇒ aussi **Passavant.** *Pont de gaillard* ; pont de dunette** (pont arrière). — *Faux pont* ou *faux-pont* : plancher inférieur de l'entrepont (à l'origine, c'était un plancher mobile). — (1927, *in* D. D. L.). *Pont promenade d'un paquebot* : pont dégagé réservé aux passagers. — *Pont sans dunette ni gaillard.* ⇒ **Spardeck.** — *Constructions au-dessus du pont supérieur.* ⇒ **Superstructure.**

Plus cour. Pont supérieur. *Le pont d'un voilier* (→ Mât, cit. 2), *d'un yacht* (→ Cuivre, cit. 6). *Sur le pont* (→ Demeure, cit. 14). *Tout le monde sur le pont ! Dormir à plat pont* (→ Emboîter, cit. 2). *Service, personnel du pont* (→ 2. Marin, cit. 8). *Cabine de pont* (→ Hublot, cit. 2). *Brique* à pont.* ⇒ **Briquer.** *Fauberder* (cit.) *le pont.*

(1949). *Pont d'envol* : pont supérieur d'un porte-avions, aménagé en piste d'envol et d'atterrissage.

DÉR. **Pontée, 1. ponter, pontet, pontier, pontil.** — V. 2. **Ponceau, pontife, ponton.**
COMP. **Appontement, entrepont.** — **Pont-l'évêque, pont-levis, pont-neuf.**

PONTAGE [pɔ̃taʒ] n. m. — 1269, « péage » ; de 1. *ponter.* Technique.

★ **I.** ♦ **1.** (1611). Vx. Construction d'un pont (I., A.).

♦ **2.** Opération par laquelle on jette un pont provisoire (pont volant, pont de bateaux).

♦ **3.** (Av. 1970 ; in *la Recherche,* nº 3, p. 272). Chir. Union de deux veines (ou artères) distantes l'une de l'autre, par greffage sur un troisième segment, en aval de la lésion. (Recomm. off. pour *by-pass**). *« (...) une nouvelle méthode simple et efficace : le "pontage". Il s'agit de greffer "en pont" un fragment de veine du malade — en général la veine saphène interne — en l'abouchant d'une part à l'aorte, de l'autre à la coronaire atteinte, en aval des lésions qui l'obstruent »* (*le Point,* 9 oct. 1972, p. 92).

♦ **4.** Didact. Réunion d'éléments (molécules, etc.) par un « pont ».

★ **II.** Mar. Construction d'un pont (II.) de navire ; manière dont un navire est ponté.

1. PONTE [pɔ̃t] n. f. — 1570 ; de *pondre.*

♦ **1.** Action (pour une femelle ovipare) de déposer ses œufs. ⇒ **Pondre ; génération** (ovipare). *La ponte des poules, des tortues. Saison de la ponte.* ⇒ **Pondaison.**

Par métonymie. Les œufs pondus en une fois. *Les crevettes, les crabes portent leurs pontes jusqu'à l'éclosion des larves* (→ Œuf, cit. 6). *Ponte de vers* (→ 1. Mort, cit. 21), *d'insectes...*

♦ **2.** (1847). Physiol. *Ponte ovarienne, ovarique, ovulaire* (→ Fécondation, cit. 4). ⇒ **Ovulation.** *Absence de ponte ovulaire.* ⇒ **Anovulation.**

HOM. **2. Ponte, 3. ponte,** formes des v. **1. ponter, 2. ponter.**

2. PONTE [pɔ̃t] n. m. — 1703 ; de 2. *ponter,* ou de *pont,* anc. p. p. de *pondre* « poser » ; du lat. *ponere.*

★ **I.** Chacun des joueurs qui jouent, parient contre le banquier, dans un jeu de hasard (baccara, chemin de fer, roulette...). *Le croupier et les pontes. Être ponte au baccara.* ⇒ 2. **Ponter.**

(...) la Forêt-Noire entoure la *maison de jeu* ; les pontes malheureux peuvent se refaire à deux pas du bâtiment. Vous entrez riche, et vous perdez tout par la rouge et la noire, ou par les trois coquins de zéros (...) 1
NERVAL, Lorely, Du Rhin au Mein, II.

Les grosses parties, ponctuées par le « banco » sonore ou enroué d'un ponte (...) 2
Francis CARCO, les Belles Manières, I, IV.

★ **II.** (1883). Fam. Vx. Gros joueur.

Mod. (De *gros ponte,* par infl. de *pontife,* 4.). Personnage* important. ⇒ **Pontife ; caïd, huile, légume** (grosse légume), **manitou.** *Un ponte, un gros ponte.*

HOM. **1. Ponte, 3. ponte,** formes des v. **1. ponter, 2. ponter.**

3. PONTE [pɔ̃t] n. m. — 1704 ; esp. *punto* « point ».

♦ Anciennt. As de cœur ou de carreau, quand on joue dans ces couleurs, au jeu de l'hombre.

HOM. **1. Ponte, 2. ponte,** formes des v. **1. ponter, 2. ponter.**

PONTÉ, ÉE [pɔ̃te] adj. ⇒ 1. **Ponter.**

PONTÉDÉRIACÉES [pɔ̃tedeʀjase] n. f. pl. — D. i. ; du lat. mod. *pontederia.*

♦ Bot. Famille de plantes angiospermes monocotylédones à albumen amylacé *(Farinales),* dont le type est le *Pontederia. Les pontédériacées sont des plantes exotiques. La plupart des pontédériacées sont aquatiques.* — Au sing. *Une pontédériacée.*

PONTÉE [pɔ̃te] n. f. — 1836 ; de *pont.*

♦ Mar. Ensemble des marchandises arrimées sur le pont (produits dangereux, encombrants). *Pontée d'un cargo. Transporter des grumes en pontée.*

HOM. **1. Ponter, 2. ponter.**

1. PONTER [pɔ̃te] v. tr. — 1510 ; de *pont.*

★ **I.** Rare. ♦ **1.** Franchir par la construction d'un pont. *Ponter un fossé.*

Par métaphore :

On ira de Paris à Pékin comme de Bordeaux à Strasbourg ; l'Océan, ponté de navires, unira ses rivages. 1
MICHELET, Hist. de la Révolution franç., IV, VI.

♦ **2.** Didact. Réunir par un élément matériel (« pont »). *« La fixa-*

cisme *pop music*). — *Chanteur, groupe pop.* « *Une des formations pop les plus brillantes du monde* » (*l'Express*, 6 févr. 1975, p. 22).

1 (...) passage capital, en vérité, que facilite la mise en condition exercée par le climat de la maison elle-même, avec ses murs un peu sales, couverts de « posters », la musique pop qui filtre derrière certaines de ses portes, son personnel jeune, tellement semblable à la plupart des garçons et des filles qui se présentent.
Claude OLIVENSTEIN, Il n'y a pas de drogués heureux, p. 208.

2 (...) un des plus célèbres orchestres pop d'Italie.
Pierre-Jean RÉMY, Orient-Express, p. 152.

Par ext. *Boîte pop. Revues pop.*

(Personnes). Influencé par la musique pop et la mythologie qui l'entoure, ou par le pop'art*. *Il est très pop.*

N. m. ou f. (Abrév. de *pop-music**). *Le pop français, allemand. Les stars du pop. Impact du pop sur les jeunes. Disque de pop. Importance commerciale du pop. Aimer la pop.*

REM. On rencontre aussi les composés (anglais) *pop-star, pop-song. Des pop-stars, des pop-songs.*

♦ **2.** Qui concerne le pop'art. *Peinture, sculpture pop.*

N. m. Abrév. de *pop'art**.

HOM. Pope.

POP'ART [pɔpaʀ] ou (abrév.) **POP** [pɔp] n. m. — V. 1955, mot angl., de *popular art.*

♦ Anglic. Forme de création plastique qui consiste à réunir ou assembler des objets ou débris d'objets quotidiens.

Avec l'*Op* et le *Pop* cette tendance techniciste s'adjoint un esthétisme. Plus précisément, *le regard sur l'objet technique*, regard passif, attentif au seul fonctionnement, intéressé par la seule structure (démontage, remontage), fasciné par ce spectacle sans arrière-plan, tout entier dans sa surface transparente, ce regard devient prototype de l'acte social.
Henri LEFEBVRE, la Vie quotidienne dans le monde moderne, p. 96.

POP-CORN [pɔpkɔʀn] n. m. — Attestation isolée, 1893 (désignant une variété de maïs); répandu en 1951; mot amér., de *popp(ed)* « éclaté », et *corn* « maïs ».

♦ Anglic. Grains de maïs soufflés et sucrés ou salés. *Manger du pop-corn*; (plus cour.) *des pop-corns.*

Au coin de la rue, dans une petite cage en verre, une machine automatique fabriquait du pop-corn. Les grains de maïs éclaté bombardaient la vitre. Étienne aspira un parfum sucré. H. TROYAT, la Tête sur les épaules, p. 159.

POPE [pɔp] n. m. — 1656; *popi*, 1606; grec ecclés. *pappos*, proprt « grand-père » en grec class., et russe *pop.*

♦ Prêtre de l'Église orthodoxe slave. ⇒ **Papas** (dans l'Église grecque).

1 (...) un pope ou moine d'aspect oriental chanta avec un acolyte une de ces belles mélodies du rite grec (...) Th. GAUTIER, Voyage en Russie, II.

2 Quant au pope, c'était un simple prêtre de village, un de ces six cent mille pasteurs populaires que compte l'empire russe. J. VERNE, Michel Strogoff, p. 419.

HOM. Pop.

POPELINE [pɔplin] n. f. — 1735; angl. *poplin*, du franç. *papeline*, 1667; ital. *papalina*, fém. substantivé de l'adj. *papalino* « papal » (l'étoffe étant ainsi nommée parce qu'elle aurait été d'abord fabriquée dans la ville papale d'Avignon), ou de *Popering(h)e*, ville flamande, célèbre au moyen âge pour ses draps.

♦ Tissu à chaîne de soie, armure taffetas*, dont la trame est en laine. — (1869). Par ext. Tissu léger imitant la popeline, à chaîne de laine (*popeline de laine*), de coton (*popeline de coton*)... *Robe, chemise de popeline.*

— Qu'est-ce que c'est, de la popeline? demandait-il à brûle-pourpoint.
— De la popeline? C'est une étoffe soie et laine, sèche, tu sais, qui ne colle pas (...) COLETTE, la Fin de Chéri, p. 172.

POPINE [pɔpin] n. f. — 1531; lat. *popina.*

♦ Vx. Cabaret, café.

POPLITÉ, ÉE [pɔplite] adj. — 1560; lat. *poples, poplitis* « jarret ».

♦ Anat. De la partie postérieure du genou. *Nerfs poplités. Artère, veine poplitée. Creux poplité* : creux correspondant à la partie postérieure du genou. *Muscle poplité*, ou, n. m., *le poplité* : muscle assurant la flexion et la rotation externe de la jambe.

POP MUSIC [pɔpmjuzik] n. f. — Mil. XXe; mot amér., abrév. de *pop(ular) music.*

♦ Anglic. Musique pop*.

POPOTE [pɔpɔt] n. f. — 1857, argot milit.; formation enfantine, redoublement de *pot*, ou mot vosgien, « bouillie », à rattacher aux rad. *pap-* « manger », et *pop-* « téter » (Guiraud).

♦ **1.** Fam. Action de faire la cuisine. *Faire la popote. Chacun fait sa popote.*

Nous étions orphelins et vivions ensemble. Que voulez-vous? nous n'étions coureurs ni l'un ni l'autre. La popote, la famille, un bon chez-soi (...) nous étions heureux, et le bonheur engendre toute vertu. APOLLINAIRE, l'Hérésiarque..., p. 187. 1

♦ **2.** Vieilli. Réunion de plusieurs personnes qui prennent leurs repas en commun et font caisse commune pour les dépenses nécessaires (alimentation, personnel, etc.). *Popote d'officiers, de sous-officiers à la guerre, en manœuvres.* — Loc. (1935). *Faire popote ensemble.* — (1903). *Se mettre en popote.* — Par ext. Mod. Local, restaurant où les membres de la popote prennent leurs repas. ⇒ **Mess** (pour les militaires), **cantine, carré** (mar.). *Aller à la popote.*

Quoi qu'il en soit, ce réveil allègre m'a ragaillardi et, sifflotant à mon tour le motif obsédant (*du Boléro*) de Ravel, je prends d'un pas léger le chemin de la popote. Les officiers se chauffent les mains au poêle en commentant les nouvelles. 2
R. DORGELÈS, la Drôle de guerre, IX.

Nous avions, naturellement, nous les médecins, y compris les deux gentils auxiliaires, formé une popote et nous étions servis par un brave garçon qui s'appelait Laflamme, nom trop beau pour un poète, trop bien fait pour un cuisinier. 3
G. DUHAMEL, la Pesée des âmes, II.

(Franç. d'Afrique). Groupe de personnes associées pour manger, dormir en commun.

♦ **3.** (1877, en parlant d'une situation). Adj. (invar.). Fam. Qui a des préoccupations terre-à-terre de ménage, de cuisine, de vie familiale. ⇒ **Pot-au-feu.** *Elle est terriblement popote.*

Ses relations avec Mme de Marelle avaient même pris une allure conjugale, comme s'il se fût exercé d'avance à l'événement prochain; et sa maîtresse, s'étonnant souvent de la tranquillité réglée de leur union, répétait en riant : — Tu es encore plus popote que mon mari, ça n'était pas la peine de changer. 4
MAUPASSANT, Bel-Ami, II, I.

(Choses). Petit bourgeois.

Que cette préciosité popote puisse passer pour de la poésie, et qu'on avance même à ce sujet le nom de Rimbaud, l'inévitable enfant-poète, cela relève du mythe pur. 5
R. BARTHES, Mythologies, p. 156.

DÉR. Popotier.

POPOTIER [pɔpɔtje] n. m. — 1908; de *popote.A*

♦ Argot milit. Officier qui organise et gère la popote.

À la popote, il chantait au dessert, on lui avait collé le rôle de popotier; et il s'en tirait pas mal. ARAGON, Aurélien, I, p. 23.

POPOTIN [pɔpɔtɛ̃] n. m. — 1917; redoublement de *pot.*

♦ Pop. Fesses, derrière. ⇒ **Pot.** *Elle ondule du popotin* (en marchant). — Loc. fam. *Se manier, se magner le popotin* : se dépêcher. ⇒ **Train.**

(...) eh bien, grouille-toi, fais fiça, magne-toi le pot, le popotin (...) 1
R. QUENEAU, Pierrot mon ami, éd. L. de Poche, p. 67.

On n'tortill' pas son popotin 2
D' la mêm' manière,
Pour un droguiste, un sacristain,
Un fonctionnaire (...) Georges BRASSENS, le Mauvais Sujet repenti.

POPOV [pɔpɔf] n. m. invar. — Mil. XXe; nom russe, aussi commun en Russie que *Dupont* ou *Durand* en France.

♦ Personnage symbolique du (soldat) russe.

Enfin, bref, continuait Fernand, les Popov nous ont rattrapés. C'étaient des tankistes. Pour ça, faut être juste, ils ont été chics, ces Popov-là. Ils m'ont embrassé, ils m'ont donné des cigarettes (...) et puis de la vodka, et puis ils ont botté les fesses à mon patron, le pauvre vieux (...)
Roger IKOR, les Fils d'Avrom, Les eaux mêlées, p. 680.

On trouve aussi la graphie *popoff* [pɔpɔf].

POP'ROCK ou **POP-ROCK** [pɔpʀɔk] n. m. — V. 1967; mot anglais.

♦ Anglic. Musique comportant des caractéristiques du pop* et du rock*. « *Un groupe de pop-rock anglais qui évolue dans l'agréable et mélodieuse tradition des Beatles* » (*l'Express*, 11 août 1979, p. 13).

POPULACE [pɔpylas] n. f. — 1572; masc., 1555; ital. *populaccio*, péj. de *popolo.*

♦ Péj. Bas peuple, basses classes de la population; le peuple (dans un langage dépréciatif et insultant). ⇒ **Masse, 1. peuple, plèbe, populaire** (n. m.), **populo, vulgaire** (n. m.). → Artiste, cit. 13; barbare, cit. 24; déguenillé, cit. 3; démagogue, cit. 1; esprit, cit. 36; laideur, cit. 4. *La populace se soulève. Chercher à calmer* (cit. 3) *la populace. La voix de la populace. Haranguer* (cit. 1) *la populace.* ⇒ **Foule, multitude.** *Vile populace.* ⇒ **Canaille** (cit. 1 et 5), **écume, lie, pègre, racaille, tourbe.** *La populace romaine.* ⇒ **Prolétariat.**

1 La raison n'agit point sur une populace. RACINE, la Thébaïde, II, 3.

2 Quand la populace se mêle de raisonner, tout est perdu.
VOLTAIRE, Correspondance, 2824, 1er avr. 1766.

3 Malheur à ceux qui remuent le fond d'une nation! Il n'est point de siècle de lumière pour la populace; elle n'est ni française, ni anglaise, ni espagnole. La populace est toujours et en tout pays la même : toujours cannibale, toujours anthropophage; et quand elle se venge de ses magistrats, elle punit des crimes qui ne sont pas toujours avérés par des crimes certains. RIVAROL, Politique, I, I.

4 Par derrière se pressait une populace en haillons. Ils vivaient, ceux-là, sans aucun emploi, loin des appartements, dormaient la nuit dans les jardins, dévoraient les restes des cuisines, — moisissure humaine qui végétait à l'ombre du palais.
FLAUBERT, Salammbô, VII.

CONTR. **Élite, gratin** (fam.).
DÉR. **Populacier.**

POPULACIER, IÈRE [pɔpylasje, jɛʀ] adj. — 1571; de *populace.*

♦ Littér. Propre à la populace. ⇒ **Commun, vulgaire.** *Langage populacier.* ⇒ **Poissard.** *Verve, jovialité* (cit. 2) *populacière. Sentiment populacier* (→ Échapper, cit. 22). *Allure, air populacier.* ⇒ **Canaille.**

1 La fureur d'Hérodias dégorgea en un torrent d'injures populacières et sanglantes.
FLAUBERT, Trois contes, « Hérodias », III.

2 (...) jamais sans doute la niaiserie, la malpropreté, la laideur de la bêtise populacière ne s'était révélée d'une manière plus compromettante et plus honteuse.
GIDE, Journal, 25 août 1914.

POPULAGE [pɔpylaʒ] n. m. — 1755; *populago,* 1752; lat. bot. *populago,* tiré au XVIe du lat. class. *populus* « peuplier », sur le modèle de *plantago, tussilago,* etc.

♦ Plante dicotylédone (*Renonculacées*), appelée scientifiquement *colthra,* qui croît dans les endroits marécageux (on l'appelle aussi *souci d'eau*). *La fleur jaune doré du populage ressemble à celle du bouton d'or.*

POPULAIRE [pɔpylɛʀ] adj. et n. — XIIe, *populeir;* du lat. *popularis.* Relatif, propre au peuple*.

♦ **1.** (1319). Qui appartient au peuple, qui émane du peuple. *État* (cit. 101 et 102), *gouvernement* (cit. 37) *populaire.* ⇒ **Démocratique** (→ Accusation, cit. 1; huguenot, cit. 4; monarchique, cit. 2; 1. parler, cit. 24; patricien, cit. 1). *Pouvoir, souveraineté populaire* (→ Milieu, cit. 19; nivellement, cit. 1). *Évêques soumis à l'élection populaire* (→ Métropolitain, cit. 3). *Mouvement* (cit. 40); *émeute, insurrection* (cit. 5), *manifestation, sédition, tumulte... populaire* (→ Attroupement, cit. 2). *Révolution populaire. Front* populaire. Excès, fureurs populaires* (→ Contagion, cit. 2; craindre, cit. 14).

1 Les politiques grecs qui vivaient dans le gouvernement populaire ne reconnaissaient d'autre force qui pût le soutenir que celle de la vertu. Ceux d'aujourd'hui ne nous parlent que de manufactures, de commerce, de finances, de richesses, et de luxe même. MONTESQUIEU, l'Esprit des lois, III, III.

2 La révolution du 6 octobre, nécessaire, naturelle et légitime, s'il en fût jamais, toute spontanée, imprévue, vraiment populaire, appartient surtout aux femmes, comme celle du 14 juillet aux hommes.
MICHELET, Hist. de la Révolution franç., II, IX.

3 L'ancien député, désormais privé du reflet de la souveraineté populaire, ne laisse plus voir qu'un fond décoloré. Comme on comprend qu'ils se représentent tous!
André SIEGFRIED, La Fontaine..., p. 167.

Spécialt. *Démocraties, républiques populaires,* socialistes, marxistes.

3.1 Les Républiques populaires sont des spectres que la démocratie française, cette fois encore, n'a pas pu conjurer. Rien ne peut faire que les songes de Paris ne soient hantés par Budapest et par Prague.
F. MAURIAC, le Nouveau Bloc-notes 1958-1960, p. 61.

Qui constitue le peuple. *Les masses populaires.* ⇒ **Masse** (cit. 21).

♦ **2.** Propre au peuple; usité, répandu parmi le peuple. *Croyances, foi, traditions, opinions, légendes* (cit. 1), *mythes... populaires* (→ Désert, cit. 5; dieu, cit. 16; mère-grand, cit.). *Le bon sens* (→ Fille, cit. 41), *la crédulité* (→ Mensonge, cit. 2), *l'imagination* (→ Imputer, cit. 7), *l'instinct* (→ Égoutier, cit. 1), *le sentiment populaire* (→ Descendre, cit. 23; échapper, cit. 22).

Ling. Qui est créé, employé par le peuple et n'est guère en usage dans la bourgeoisie et parmi les gens cultivés. *La langue populaire* (→ Désignation, cit. 1; faire, cit. 117; fois, cit. 12). *Le français, le latin populaire. Expression, locution populaire* (→ Honneur, cit. 16; noceur, cit. 1). *La richesse des comparaisons, images* (cit. 45) *populaires. Tour populaire, considéré comme incorrect. Étymologie* (cit. 11) *populaire. Formation populaire et formation savante* (→ Doublet, cit.).

4 Mais l'usage populaire (...) a des richesses qu'ignore ou que méprise la langue écrite (...) La langue vivante, celle dans laquelle sent et pense le peuple, suit sa marche et son développement naturels, sans qu'aucun égard ni aucun respect l'arrête ou la contrarie. De là ce lexique — souvent populaire et grossier par certaines idées — qui fleurit sur tout le territoire de l'empire, et va devenir le lexique des langues romanes (...) le latin populaire modifiera ce lexique, abandonnera un certain nombre de mots qu'on ne retrouvera plus que dans la langue littéraire (...)
HATZFELD et DARMESTETER, Traité de la formation de la langue franç., *in* Dict., t. I, p. 9.

À l'usage du peuple (sans émaner nécessairement d'hommes du peuple). *Littérature populaire* (→ Initiatique, cit.). *Roman, conte, drame populaire. Chansons* (cit. 8) *populaires* (→ Assonance, cit. 1). *Art, imagerie, enluminures populaires* (→ Peinture, cit. 12). *Le musée des Arts et Traditions populaires (A. T. P.). Traditions populaires.* ⇒ **Folklore.** *Art populaire et art naïf*. Édition* (cit. 6) *populaire. Théâtre national populaire (T. N. P.).* — (Personnes). Qui s'adresse au peuple et reste à sa portée. *Prédicateur qui n'est pas populaire* (→ Abstrait, cit. 7). *Orateur populaire* (→ Moelleux, cit. 3).

Ainsi fut rompue (*avec la Renaissance*) l'unité artistique et littéraire de la nation française. Elle se sépara en un petit groupe d'initiés auquel s'adressaient les œuvres de l'art *savant* et la masse de la population réduite à l'art appelé d'un nom méprisant *populaire.* Ch. SEIGNOBOS, Hist. sincère de la nation franç., XII. 5

(*Le roman populaire*) n'est à aucun moment, en aucun sens, expression spontanée ou jaillissante d'un génie collectif. Il n'est pas issu du folklore et n'a de « populaire » que sa destination (...) il est d'ailleurs probable que le qualificatif de populaire, qui ne paraît pas avoir été accordé aux *Mystères de Paris* ni à *Rocambole* à leur parution, est simplement le trait de génie d'un éditeur cherchant à titrer sa collection sans oublier que l'épithète était déjà à la mode dans l'édition (...)
J. TORTEL, Le roman populaire, *in* Encycl. Pl., Hist. des littératures, t. III, p. 1587. 6

Vx. « Qui se tient près du peuple, accessible, simple, sociable ». *« Manières affables et populaires »* (Académie, 1935).

La véritable grandeur est libre, douce, familière, populaire; elle se laisse toucher et manier (...) LA BRUYÈRE, les Caractères, II, 42. 7

(Fin XIIe). Qui se recrute dans le peuple, que fréquente le peuple. *Milieux, classes populaires. Origines populaires.* ⇒ **Plébéien.** *Les foyers populaires* (→ Caboulot, cit.). *Réunions populaires* (→ Éloquence, cit. 11). *De l'école essentiellement* (cit. 5) *populaire au lycée bourgeois. Le public est devenu plus populaire.* ⇒ **Démocratiser** (se). *Bals populaires* (→ Gigolette, cit. 1). *Soupes* populaires* (→ Larve, cit. 6).

Ils ont trouvé une nouvelle formule : travailler pour une clientèle franchement populaire, que les autres dédaignaient plus ou moins.
J. ROMAINS, les Hommes de bonne volonté, t. II, VI, p. 57. 8

♦ **3.** (1780; infl. de l'angl. *popular;* → Popularité). Qui acquiert, a acquis la popularité, qui est connu et aimé par le peuple. *Henri IV était un roi populaire* (Académie). *Napoléon est resté populaire* (→ Forgeur, cit.). — *Ses ballades gaéliques* (cit.) *sont populaires en Bretagne. La prise de La Rochelle fut populaire* (→ Murmure, cit. 5). *Mesure populaire.* — (En parlant d'une popularité* locale). *Il est très populaire dans le quartier, parmi ses camarades* (→ 2. Perche, cit. 3).

(...) M. de Lafayette, si fort alors, si populaire, à son apogée, vrai roi de Paris.
MICHELET, Hist. de la Révolution franç., III, VIII. 9

Hoffmann est populaire en France, plus populaire qu'en Allemagne. — Ses contes ont été lus par tout le monde; la portière et la grande dame, l'artiste et l'épicier en ont été contents. Th. GAUTIER, Souvenirs de théâtre..., Contes d'Hoffmann. 10

REM. Tous les emplois de l'adj. présentent les mêmes ambiguïtés que ceux du n. *peuple;* selon les locuteurs, ils transmettent des connotations positives ou négatives, et un fort contenu idéologique.

♦ **4.** N. m. (1373). Vx. *Le populaire :* le peuple (→ Fête, cit. 5; gagner, cit. 30; mutinerie, cit. 1). — Mod. (Souvent péj.). ⇒ **Populo, vulgaire.** *Cette foule* (2. Foule, cit. 7) *de populaire en goguette. Flatter le populaire* (→ Intentionnellement, cit.).

(...) une foule mêlée, où le populaire de l'herbe avec ses papiers gras, ses jeux bruyants, un ballon qui fout le camp tout à coup sous les voitures, faisait mieux ressortir encore le caractère d'oasis (...) de ce lieu (...).
ARAGON, les Beaux Quartiers, II, XVII. 11

Mod. (Rare). Ce qui est populaire, ce qu'aime le peuple, qui lui est destiné.

À vrai dire le populaire n'est pas toujours de bon goût, mais il est toujours la santé, et la seule santé. J.-R. BLOCH, Deux hommes se rencontrent, p. 93. 12

♦ **5.** N. f. pl. (1912). *Les populaires :* les places populaires, les moins chères, dans un théâtre, un stade...; le public de ces places. *L'arbitre a été conspué par les populaires.*

CONTR. (Du 3.) **Impopulaire.**
DÉR. **Populairement, populariser, populo.**
COMP. **Antipopulaire.**

POPULAIREMENT [pɔpylɛʀmɑ̃] adv. — 1508; de *populaire.*

♦ D'une manière populaire, dans le langage populaire. *Parler, s'exprimer populairement.*

Dans le langage populaire, courant (→ 2. Bien, cit. 69). *Le coryza spasmodique, populairement appelé rhume des foins.* ⇒ **Vulgairement.**

POPULARISATION [pɔpylaʀizasjɔ̃] n. f. — 1846, Bescherelle, *Suppl.;* de *populariser.*

♦ Action de populariser. Résultat de cette action.

Aujourd'hui, sous influence d'une popularisation des concepts freudiens, une référence tout aussi automatique *(que les références de jadis)* s'observe en ce qui concerne le vécu infantile. On gâche des années de vie adulte en essayant de rattraper un paradis dont on a été sevré.
C. KOUPERNIK, Un traitement d'exception, *in* la Nef, no 31, p. 161.

POPULARISER [pɔpylaʀize] v. tr. — 1622, v. pron.; de *populaire.*

♦ **1.** Faire connaître, propager, répandre parmi le peuple. *Les nombres négatifs* (cit. 15) *ont été popularisés par le thermomètre. Les mots* enliser, pieuvre *ont été popularisés par Victor Hugo. Personnage popularisé par l'image et le théâtre* (→ 1. Barbeau, cit.).
Pron. *Cette habitude s'est popularisée dans les classes moyennes.*
Vieilli. Mettre à la portée du peuple. *Populariser la science.* ⇒ **Vulgariser.** — Absolt. *Il expliquait, simplifiait, popularisait* (→ Humaniser, cit. 2).

(...) l'Oncle Sam lui-même, popularisé par la caricature, avec sa barbiche blanche, son pantalon à raies, sa veste bleue constellée d'étoiles.
André SIEGFRIED, l'Âme des peuples, VII.

♦ **2.** Rare. Faire acquérir à (qqn) la popularité.

La guerre que, depuis ce temps, se faisaient la Mairie et le Presbytère, popularisa le magistrat, méprisé jusqu'alors. BALZAC, les Paysans, Pl., t. VIII, p. 129.

DÉR. Popularisation.

POPULARITÉ [pɔpylaʀite] n. f. — XVe, « populace »; lat. *popularitas* « recherche de la faveur populaire ».

♦ **1.** Vx. Manières populaires* (*supra* cit. 7), affables, simples, propres à gagner la faveur du peuple.

♦ **2.** (1766; attestation isolée, 1632; infl. de l'angl. *popularity,* 1601, lui-même empr. au franç.). Faveur* populaire, crédit dont dispose l'homme à la fois connu et aimé par le peuple. ⇒ **Célébrité, gloire, notoriété, renommée, réputation.** *Acquérir une grande popularité. Consolider* (cit. 3), *perdre sa popularité. Voltaire, Hugo, Pasteur... ont joui d'une immense popularité. Mériter la popularité* (→ Ébranler, cit. 11). *Couvert par sa popularité contre le soupçon* (→ Essor, cit. 6). *Idolâtre* (cit. 9) *de l'opinion et de la popularité. « La popularité, cette grande menteuse »* (→ Bercer, cit. 9, Hugo). — (Choses). *La popularité du césarisme* (cit. 3), *d'une œuvre littéraire, de certaines mesures... Popularité d'une mode.* ⇒ **Vogue.**

Il (*Robespierre*) avait tellement goûté la popularité et il y était si sensible, il avait tellement mordu à ce dangereux fruit, qu'il ne pouvait plus s'en passer.
MICHELET, Hist. de la Révolution franç., Préface du t. V, éd. 1869 (*in* Pl., t. II, p. 1007).

La popularité ? c'est la gloire en gros sous. HUGO, Ruy Blas, III, 5.

La recherche de la popularité est la marque du souverain ou de l'homme d'État de second ordre. RENAN, Questions contemporaines, Œ. compl., t. I, p. 56.

Il (*Bonaparte*) avait acquis un prestige dont aucun soldat n'avait été revêtu, une popularité qu'aucun tribun aimé du peuple n'avait connue.
Louis MADELIN, Hist. du Consulat et de l'Empire, L'ascension de Bonaparte, XIV.

(1908). Fait d'être très apprécié par son entourage, d'en avoir la faveur. *La popularité dont il jouissait dans son armée* (→ Fort, cit. 38). *Ses manières* (cit. 43) *affables lui avaient acquis dans sa petite ville une popularité de bon aloi.* ⇒ **Sympathie.**

Brandelore, mon voisin d'hôpital, le sergent, jouissait (...) d'une persistante popularité parmi les infirmières (...) CÉLINE, Voyage au bout de la nuit, p. 93.

CONTR. (Du 2.) **Impopularité.**

POPULATION [pɔpylasjɔ̃] n. f. — 1682 (repris de l'angl.); anc. franç. *populacion;* « peuplement », 1335, rare; bas lat. *populatio,* de *populus* « peuple ».

♦ **1.** Vx. Action de peupler, peuplement (→ Égoïsme, cit. 2, Rousseau).

Les concessions et les privilèges avancent fort la population des nouvelles villes.
LE MAISTRE, la Métropolitée, 1682, cité par A. SAUVY, la Démographie, *in* Encycl. Pl., Hist. de la science, p. 1595.

(...) en 1751, Voltaire dit encore la « peuplade ». C'est en 1755, avec le *Traité sur la population* du marquis de Mirabeau, que le mot passe définitivement dans la langue, pour désigner peu à peu non plus l'action de peupler, mais l'ensemble des habitants.
A. SAUVY, la Démographie, *in* Encycl. Pl., Hist. de la science, p. 1597.

♦ **2.** (1750; de l'angl. *population,* 1612, Bacon, lui-même du franç.). Ensemble des individus qui habitent un espace, un lieu (la Terre, une région, un pays, une ville, etc.), considérés du point de vue de la démographie*. *La population du globe.* ⇒ **Homme; géographie** (humaine). *La population de l'Europe* (→ Européen, cit. 1), *de l'Amérique du Sud* (→ Métis, cit. 2)... ⇒ **Habitant.** *La population d'un pays, de la France* (→ Dépeuplement, cit. 2; ethnique, cit. 2), *de chaque État des États-Unis* (→ Fédération, cit. 3), *de l'île de Sainte-Hélène* (→ Mêler, cit. 42). *Population d'une agglomération, d'une ville* (→ Grâce, cit. 40; grec, cit. 4; hétéroclite, cit. 2).

(...) dans l'Espagne (...) on peut compter quarante personnes par chaque mille carré, et (...) dans la Russie on n'en peut compter que cinq (...) Il est dit dans la *Dîme,* faussement attribuée au maréchal de Vauban, qu'en France chaque mille carré contient à peu près deux cents habitants, l'un portant l'autre. Ces évaluations ne sont jamais exactes, mais elles servent à montrer l'énorme différence de la population d'un pays à celle d'un autre.
VOLTAIRE, Hist. de l'Empire de Russie..., I, I.

Évaluation, dénombrement, recensement de la population (d'un lieu donné). ⇒ **Statistique** (→ Habitant, cit. 12). *Population absolue* (nombre d'habitants) *et population relative* (densité). *Région à population dense.* ⇒ **Populeux.** *Mouvement, dynamique de la population* (accroissement, diminution, natalité, mortalité, nuptialité, etc.). *Exodes* (1. Exode, cit. 4), *transferts, migrations de population.* ⇒ **Émigration, immigration.** *Âge moyen* (1. Moyen, cit. 10) *et âge médian d'une population. Limitation de la population.* ⇒ **Malthusianisme** (cit. 1), **sous-peuplement, surpeuplement.** *Théorie de la population optimale* (rythme optimal de croissance ou de variation). *Doctrines favorables à l'accroissement de la population.* ⇒ **Populationnisme.**

Les communistes occidentaux, divisés en fait, hésitent à aborder les questions de population, car un grand nombre d'entre eux sont séduits par les thèses libertaire et socialiste. Selon la doctrine communiste (...) le surpeuplement n'est que la conséquence de la propriété privée. Une limitation des naissances ne serait donc qu'une soumission à ce mal (...) Rejetant la loi des rendements décroissants, ils poussent des critiques vigoureuses contre les théoriciens capitalistes de la population optimale et surtout contre les malthusiens outranciers qui dénoncent l'assistance médicale aux pays sous-développés (...) 4
A. SAUVY, la Démographie, *in* Encycl. Pl., Hist. de la science, p. 1615-1616.

Ensemble des individus d'une catégorie particulière. *Population indigène et population d'origine européenne, dans un pays colonial* (→ Berbère, cit.; colonisation, cit. 2; particularisme, cit. 2). ⇒ aussi **Colonie.** *Population allogène. La population juive* (cit. 6) *dans le monde. Populations d'origine indo-européenne dites italiques* (cit. 3). *La population lyonnaise, marseillaise. La population adulte, mâle...* (→ Guerre, cit. 40), *féminine. Population active, agricole, ouvrière.* ⇒ **Économie.** *La population civile* (par oppos. aux *mobilisés).* → Inhumain, cit. 1. *Les populations urbaines* (→ Marché, cit. 30), *rurales. Population fixe ou sédentaire* (→ Économie, cit. 4). *Population flottante* (→ Fixer, cit. 4).

Là aussi se forma, et dans les vallées de la Meuse et de la Moselle, et dans les forêts des Vosges, une population vague et flottante, qui ne savait pas trop son origine (...) MICHELET, Hist. de France, III. 5

♦ **3.** Les habitants d'un lieu, considérés d'un point de vue non démographique (psychologique, moral, physique, etc.). ⇒ 1. **Peuple.** *Populations laborieuses, opprimées* (→ Étranglement, cit. 5). *Des populations turbulentes* (→ Humeur, cit. 6)... *Une population saine* (→ Latin, cit. 3), *gaillarde* (cit. 8) *et rieuse... Appel à la population. La population flottante* (cit. 6) *d'un immeuble. La population riche et cosmopolite d'un hôtel* (cit. 8). — Fam. *Épater la population, les populations,* les gens.

Cette population, pleine de vertu fière, capable au plus haut point de calorique latent, toujours prête aux prises d'armes, prompte aux explosions, irritée, profonde, minée, semblait n'attendre que la chute d'une flammèche. 6
HUGO, les Misérables, IV, I, V.

Les deux rues étaient misérables, elle en avait vu pendant trente ans les taudis et la population sordides, le ruisseau central charriant des eaux noires. 7
ZOLA, la Terre, II, VII.

♦ **4.** Par anal. (En parlant d'animaux, de végétaux, d'objets...). *Le monde antédiluvien avec sa population de végétaux étranges et de bêtes monstrueuses* (→ Informe, cit. 2). *La population d'une ruche.* ⇒ **Ruchée.**

Une foule innombrable de statues de saints, d'archanges, de rois, de moines, animent toute cette architecture, et cette population de pierres est si nombreuse, si pressée, si fourmillante qu'elle dépasse à coup sûr le chiffre de la population en chair et en os qui la ville. Th. GAUTIER, Voyage en Espagne, p. 21. 8

Ce réseau de caves a bien toujours son immémoriale population de rongeurs, plus pullulante que jamais; de temps en temps, un rat, vieille moustache, risque sa tête à la fenêtre de l'égout et examine les Parisiens. 9
HUGO, les Misérables, V, II, V.

Didact. *Population souche, population fondatrice; population pionnière* (dans des modèles d'évolution génétique).

♦ **5.** (XXe). Sc. Ensemble limité d'« individus », d'éléments de même espèce observés ensemble ou réunis abstraitement, sur lequel on fait des calculs statistiques. — Phys. *Population d'un niveau d'énergie :* ensemble des particules ayant la même énergie dans un ensemble très important de particules identiques.

L'activité d'une population de molécules sera proportionnelle à la fraction d'entre elles qui seront dans l'état R, fraction qui dépend évidemment de la concentration relative des trois ligands, ainsi que de la valeur de l'équilibre intrinsèque entre R et T. Jacques MONOD, le Hasard et la Nécessité, p. 95-96. 10

CONTR. (Du 1.) **Dépopulation.**
DÉR. Populationnisme, populationniste.
COMP. Surpopulation.

POPULATIONNISME [pɔpylasjɔnism] n. m. — Mil. XXe; de *population.*

♦ Didact. Doctrine de ceux qui sont favorables à l'accroissement de la population, considérée comme une source de richesse.

La théorie mercantile prolonge tout naturellement le populationnisme politique (*du XVIe siècle*) et a pour aboutissement Colbert. C'est une position nationaliste, expansionniste, qui vise à accroître à la fois l'activité et le nombre des hommes (...) En Espagne (...) Saavedra Faxerdo, résolument populationniste, dénonce les causes de la dépopulation : guerres, émigrations coloniales, fiscalité excessive, etc.
A. SAUVY, la Démographie, *in* Enclycl. Pl., Hist. de la science, p. 1603.

CONTR. Malthusianisme.

POPULATIONNISTE [pɔpylasjɔnist] adj. — 1959; de *population.*

♦ Didact. Favorable à un accroissement important de la population.

L'Église des premiers temps n'est en effet pas populationniste; mais ses vues purement spirituelles ne s'inspirent d'aucune idée de limitation.
A. SAUVY, Croissance zéro?, p. 17.

CONTR. Malthusianiste.

POPULÉUM [pɔpyleɔm] n. m. — V. 1560; *populeon,* XIVᵉ; lat. médiéval *populeum (unguentum)* «onguent de peuplier»; de *populus* «peuplier».

♦ Pharm. Onguent, pommade calmante à base de bourgeons de peuplier et de plantes narcotiques (pavot, belladone, etc.). *Le populéum s'emploie surtout comme remède contre les hémorroïdes et, en médecine vétérinaire, contre les tumeurs provenant de contusions.*

POPULEUX, EUSE [pɔpylø, øz] adj. — 1553; *populos,* 1500; bas lat. *populosus.*

♦ Très peuplé, où vit une population nombreuse et dense. *Cité* (cit. 5), *villes populeuses* (→ Lui, cit. 23; monopole, cit. 2). *Bourgs, faubourgs populeux* (→ Fouetter, cit. 12; franchise, cit. 3).

1 (...) il sortait, de bon matin, à l'heure où le flot du peuple dévalait des rues populeuses vers le travail lointain, ou le soir, quand il revenait.
R. ROLLAND, Jean-Christophe, Foire sur la place, II, p. 817.

2 C'était dense populeux comme coin, tout Poplar, Lime et Stepney (...)
CÉLINE, Guignol's band, p. 119.

CONTR. Désert.

POPULISME [pɔpylism] n. m. — 1929; du lat. *populus* «peuple». Didactique.

♦ **1.** École littéraire qui cherche, dans les romans, à dépeindre la vie des hommes du peuple.

1 Vers 1928, Léon Lemonnier voulut réagir contre le romanesque aristocratique et mondain (...) avec André Thérive, il fonda l'école populiste et en définit les intentions dans deux manifestes (août 1929, et janvier 1930). Il s'agissait de peindre la vie des petites gens, mais de la peindre avec mesure, avec vérité, sans tomber dans les excès et les idées préconçues du naturalisme. Cette esthétique a été heureusement illustrée par André Thérive (...) Eugène Dabit (...) Léon Lemonnier (...) A l'école populiste, réputée d'esprit bourgeois, Henri Poulaille opposa, un moment, l'école prolétarienne.
CASTEX et SURER, Manuel d'études littéraires franç., XXᵉ s., p. 104.

♦ **2.** Importance donnée aux couches populaires de la société (en art, en politique, etc.). ⇒ **Ouvriérisme, prolétarisme.**

2 Cette théorie du quotidien s'associait peut-être à un populisme, à un ouvriérisme; elle exalta la vie du peuple, celle de la rue, celle des gens qui savent s'amuser, se passionner, risquer, dire ce qu'ils sentent et ce qu'ils font.
Henri LEFEBVRE, la Vie quotidienne dans le monde moderne, p. 75.

POPULISTE [pɔpylist] n. et adj. — 1907, *Larousse mensuel;* du lat. *populus* «peuple».

♦ Partisan du populisme; inspiré par le populisme. *École populiste. Le Prix populiste. — Tendances populistes.*

POPULO [pɔpylo] n. m. — 1867; de *populaire,* d'après *proprio;* un autre *populo,* vx (1490, «petit enfant»; 1690, «marmaille»), vient de *puppa* «poupée».

Familier.

♦ **1.** Peuple, populace. *C'est encore le populo qui trinque.*

1 Les jeunes socialistes (...) purent se rendre compte que les officiers de ce milieu n'étaient nullement des «aristos» dans l'acception hautainement fière et bassement jouisseuse que le «populo», les officiers sortis du rang, les francs-maçons donnaient au surnom d'*aristo.*
PROUST, le Temps retrouvé, Pl., t. III, p. 743.

♦ **2.** (1904). Grand nombre de gens. ⇒ **Foule.** *En fait de plage tranquille, c'est plein de populo!*

2 (...) j'ai vu des flics, des cipaux *(gardes municipaux),* un peu de populo désœuvré (...)
J. ROMAINS, les Hommes de bonne volonté, t. V, XXVIII, p. 292.

REM. Le mot, souvent péj. à la fin du XIXᵉ et au début du XXᵉ siècle, tend à vieillir.

POQUER [pɔke] v. intr. — 1731; *pocquer* «frapper», 1544; flamand *pokken.*

★ **I.** ♦ **1.** Jeter sa boule en l'air de manière qu'elle reste immobile une fois retombée, au jeu de boules. — REM. Au lieu de *poquer,* vieilli, on dit plutôt de nos jours *plomber.*

♦ **2.** (1874). Lancer les billes dans le trou, à certains jeux de billes.

★ **II.** (Même métaphore que *cogner**). Sentir mauvais. ⇒ **Puer.**

Vous puez (...) Et pour que je m'en rende compte, moi, il faut que vous poquiez drôlement!
Pierre ACCOCE, le Polonais, p. 183.

DÉR. — V. Poquet, poquette.

POQUET [pɔkɛ] n. m. — 1849, *in* D. D. L.; de *poquer* ou de *poque,* forme picarde de *poche.* → 1. Poche.

♦ Agric., hortic. Petit trou dans lequel on sème plusieurs graines. *Ligne, rangée de poquets. Le semis en poquet est utilisé surtout pour les grosses graines* (haricot, maïs, etc.).
Groupe de plants dans la partie d'une ligne de betteraves qui n'a pas été travaillée par l'outil.

POQUETTE [pɔkɛt] n. f. — 1869, Littré; de *poque,* n. f. (dial.), ou de *poquer.* → Poquet.

♦ Vx. Jeu d'enfants où l'on doit envoyer des billes (en nombre pair) dans un trou.

PORACÉ, ÉE [pɔʀase] adj. ⇒ **Porracé.**

PORC [pɔʀ] n. m. — 1080; lat. *porcus.*

♦ **1.** Mammifère ongulé omnivore *(Suidés),* animal au corps épais, dont la tête est terminée par un groin, qui est domestiqué et élevé pour sa chair, spécialt le mâle adulte. ⇒ **Cochon, pourceau** (vx). *Relatif au porc.* ⇒ **Porcin.** *Porc femelle.* ⇒ **Coche** (vieilli), **truie.** *Porc mâle.* ⇒ **Verrat.** *Jeune porc.* ⇒ **Cochonnet, goret, porcelet.** *Le porc était autrefois classé parmi les pachydermes. Cri du porc.* ⇒ **Grognement; grogner.** *Élevage du porc. Les porcs font partie du menu bétail. Gardien de porcs.* ⇒ **Porcher.** *Anneler, boucler un porc.* ⇒ **Boucle.** *Étable à porcs.* ⇒ **Porcherie, soue.** *Mangeoire du porc.* ⇒ **Auge** (cit. 1). *Engraisser un porc avec des pommes de terre, du son** (→ Coûter, cit. 4). *Le porc est friand de châtaignes, de glands... Porcs qui se disputent la glandée** (→ Épars, cit. 2). *Pâturage des porcs en forêt.* ⇒ **Paisson, panage.** *Le porc est utilisé dans le Périgord pour la recherche des truffes. Maladies du porc.* ⇒ **Rouget, trichine...** *Examiner un porc pour voir s'il est ladre**. ⇒ **Langueyer.** — *Les poils du porc servent à la fabrication de certaines brosses.* ⇒ **Soie.** — REM. Le mot *porc,* qui appartient à un vocabulaire plus relevé que le mot *cochon,* est le seul terme employé dans la langue didactique ou commerciale.

Je peindrai ici l'image du Porc. C'est une bête solide et tout d'une pièce; sans jointure et sans cou, ça fonce en avant comme un soc. Cahotant sur ses quatre jambons trapus, c'est une trompe en marche qui quête, et toute odeur qu'il sent, y appliquant son corps de pompe, il l'ingurgite. Que s'il a trouvé le trou qu'il faut, il s'y vautre avec énormité (...) Il renifle, il sirote, il déguste, et l'on ne sait s'il boit ou s'il mange; tout rond, avec un petit tressaillement, il s'avance et s'enfonce au gras sein de la boue fraîche (...)
CLAUDEL, Connaissance de l'Est, «Le porc».

A Chicago, dit un apophtegme célèbre, on utilise tout, sauf le cri des porcs.
G. DUHAMEL, Scènes de la vie future, VIII.

Le coin des porcs. Quelques-uns se sont couchés parallèlement et, en opposant tête à queue, regardent chacun de son côté. D'autres, comme les rais d'une voiture, tournent les groins vers la jante idéale.
M. JOUHANDEAU, Chaminadour, II, III.

Par ext. Animal de la famille des suidés (pécari, phacochère). — *Porc sauvage.* ⇒ **Sanglier.**

Régional. *Porc noir.*

Par compar. ⇒ **Cochon** (fig. et fam.). *Il est gras, sale comme un porc. Manger comme un porc.*

♦ **2.** (Fin XIIᵉ). Fig. Homme débauché, glouton, grossier, sale. *Quel porc!* (→ Patte, cit. 10). *C'est un porc, un vrai porc.* — REM. Le mot est plus injurieux et violent que *cochon* (souvent iron. et plais., et plus sexualisé).

♦ **3.** Viande de cet animal (→ 1. Bon, cit. 10). *Le judaïsme et l'islam interdisent la consommation du porc. Porc frais, fumé, salé. Morceau de porc pris dans le paleron**. *Côtelette, rôti de porc. Tranche de foie de porc rôtie.* ⇒ **Hâtereau.** *Langue de porc fumée.* ⇒ **Languier.** *Pied de porc. Pieds de porc panés. — La graisse** *du porc.* ⇒ **Lard;** et aussi **axonge, couenne, flèche, oing, rillons, saindoux.** *Rillettes de porc. Saucisson pur porc.* — REM. Pour la liste des principales préparations à base de viande de porc, → Charcuterie.

Il évitait dans la mesure du possible de manger du porc mais les pauvres émigrés sont obligés de se nourrir avec ce qu'ils trouvent.
SARTRE, le Sursis, p. 73.

♦ **4.** Peau tannée de cet animal. *Sac, valise en porc, en peau* (cit. 21) *de porc.*

♦ **5.** Techn. Scories qui contiennent encore des traces de minerai. — Bassin utilisé pour recevoir, après le lavage, le minerai pulvérisé.

DÉR. Porchaison. — (Du même rad.) V. **Porcelet, porcher, porcin, porque;** et aussi **pourceau.**
COMP. (Du même rad.) **Porc-épic.**
HOM. Pore, 1. **port,** 2. **port.**

PORCELAINE [pɔʀsəlɛn] n. f. — 1523; *pourcelaine,* 1298; ital. *porcellana,* de *porcella* « truie », par compar. du coquillage avec la vulve de la truie.

♦ **1.** Zool. Mollusque gastéropode *(Cypréidés),* coquillage univalve luisant et poli, aux couleurs vives et variées, qui présente une ouverture en forme de fente étroite. *La porcelaine est abondante dans les mers chaudes.* — Vx. Nacre tirée de ce coquillage.

♦ **2.** (1298, par anal. d'aspect avec le coquillage). Cour. Substance translucide et plus ou moins complètement vitrifiée, qu'on utilise en céramique fine. ⇒ **Cailloutage, parian.** *Porcelaine tendre* ou *à pâte tendre. Porcelaine tendre française* ou *porcelaine à fritte** ou *porcelaine artificielle* (presque entièrement abandonnée de nos jours). *Porcelaine tendre anglaise* ou *demi-porcelaine. — Porcelaine dure* ou *à pâte dure,* faite d'un mélange d'argile fine (⇒ **Kaolin**), de feldspath, de quartz... — *Fabrication de la porcelaine.* ⇒ **Céramique, feu** (arts du feu), **poterie.** *Fabricant de porcelaine.* ⇒ **Porcelainier.** *Opérations du travail de la porcelaine : mélange des matières premières, pétrissage de la pâte* (ou *marchage), façonnage* (par tournage ou par moulage), *séchage, cuisson ou cuite* en deux temps* (la première cuisson étant suivie de la mise en couverte). *Four à porcelaine.* ⇒ **Moufle.** *Enduit vitrifiable dont on recouvre la porcelaine.* ⇒ **Couverte, émail, glaçure.** *Pièce d'essai dans la fabrication de la porcelaine.* ⇒ 1. **Montre.** *Porcelaine à décor bleu*. Porcelaine caraque*, craquelée* (⇒ **Truité**), *réticulée*. Porcelaine présentant des dessins par transparence.* ⇒ **Lithophanie.** *Porcelaine de Chine, de Hollande, du Japon, de Limoges, de Saxe, de Sèvres*, etc.* — *Bassin* (cit. 2), *vase* (→ Beau, cit. 119), *jatte* (→ Étagère, cit. 3), *pot* (→ Gras, cit. 37), *potiche, cruche* (→ Napperon, cit.), *vaisselle, pipe en porcelaine, de porcelaine. Service en porcelaine de Limoges. Statuette de porcelaine.* ⇒ **Biscuit, magot.** *Raccommodeur de faïence et de porcelaine. Marchand de porcelaine.* — Fam. *Être comme un éléphant* dans un magasin de porcelaine.*

(...) Barnery, qui percevait d'instinct l'action éparse des machines et des fours, l'unifiait, la concentrait en sa personne, si bien que la porcelaine semblait tout entière sortir de ses mains, quand il composait un nouveau service avec son modeleur (...) L'homme en blouse noire qui, d'une preste caresse circulaire, avec une chiquenaude qui tinte, trie les assiettes sans défaut ; l'homme en blouse blanche, debout devant une motte de pâte tourbillonnant sur un tour, qui élève entre ses mains une pyramide fluide et fait éclore sous la pression des doigts l'ébauche d'une tasse ; la femme qui imprime un décor sur la porcelaine et le moufletier qui le fixe au feu (...) le batteur de pâte, l'useur de grain, l'émailleur, le manœuvre, tous, dans les longs ateliers silencieux, participaient à une grande aventure.
J. CHARDONNE, les Destinées sentimentales, p. 76.

Usages industriels et techniques de la porcelaine. ⇒ **Bougie** (filtrante), **creuset** (cit. 1), **isolateur...**

Par métaphore. *Des dents de porcelaine,* très blanches (→ Incarnat, cit. 3).

Je ne reconnais plus Marguerite. Ce visage blanc, immobile. De la porcelaine.
G. DUHAMEL, Salavin, Journal, 15 juin.

♦ **3.** *(Une, des porcelaines).* Objet fait de cette matière (→ Étinceler, cit. 10 ; exotique, cit. 5). *Casser une porcelaine* (→ Matière, cit. 25).

(...) d'ici à cinq ans, on payera à Paris les porcelaines de Frankenthal, que je collectionne depuis vingt ans, deux fois plus cher que la pâte tendre de Sèvres. — Qu'est-ce que le Frankenthal ? dit Cécile. — C'est le nom de la fabrique de porcelaines de l'Électeur Palatin (...) Le Frankenthal porte un C. et un T. (Charles-Théodore) entrelacés et surmontés d'une couronne de prince. Le vieux Saxe a ses deux épées et le numéro d'ordre en or (...) Sèvres les deux LL, et la porcelaine à la reine, un A qui veut dire Antoinette, surmonté de la couronne royale. Au dix-huitième siècle, tous les souverains de l'Europe ont rivalisé dans la fabrication de la porcelaine. On s'arrachait les ouvriers. Watteau dessinait des services pour la manufacture de Dresde (...) BALZAC, le Cousin Pons, Pl., t. VI, p. 552.

♦ **4.** (1732, *in* D. D. L.). Vx. Petite vérole, variole*.

DÉR. Porcelainerie, porcelaineux, porcelainier, porcelané, porcelanique, porcelanite.

PORCELAINERIE [pɔʀsəlɛnʀi] n. f. — XXe ; de *porcelaine.*

♦ Techn. Fabrique de porcelaines.

J'arrivais à sa maison par une suite de jardins français, à travers un quinconce de statues, signées Coustou, de dieux nommés de noms français, puis par un chemin bordé des quinze logements réservés aux contremaîtres limousins ou parisiens qui travaillaient à la porcelainerie (...)
GIRAUDOUX, Siegfried et le Limousin, p. 100.

PORCELAINEUX, EUSE [pɔʀsəlɛnø, øz] adj. — Attesté XXe ; de *porcelaine.*

♦ Qui contient de la porcelaine ; qui ressemble à de la porcelaine. — Syn. : *porcelainé* (1894).

Qui sert à fabriquer la porcelaine.

Tu vois là plusieurs sortes de céladons, celui-ci, c'est un céladon de *Yue,* fait d'une terre porcelaineuse recouverte d'une glaçure olivâtre.
Daniel ODIER, l'Année du lièvre, p. 98.

PORCELAINIER, IÈRE [pɔʀsəlenje, jɛʀ] n. et adj. — 1836 ; de *porcelaine.*

♦ **1.** Marchand de porcelaine ; industriel, ouvrier qui fabrique de la porcelaine. *Métier de porcelainier. Porcelainier-faïencier. Pinceau de porcelainier.* ⇒ **Pied-de-biche.** — Par appos. *Un ouvrier porcelainier* (→ Génération, cit. 18). — Fém. *une porcelainière.*

♦ **2.** Adj. Qui est relatif à la porcelaine. *L'industrie porcelainière de Limoges.*

PORCELANÉ, ÉE [pɔʀsəlane] adj. — 1894, *porcelainé,* Goncourt ; dér. sav. de *porcelaine.*

♦ Didact., techn. Couvert de porcelaine, qui a l'aspect de la porcelaine.

On y rencontre (*dans la coquille de la moule*) 1° Une couche externe ou cuticulaire porcelanée (...) Louis LAMBERT, les Coquillages comestibles, p. 48.

PORCELANIQUE [pɔʀsəlanik] adj. — 1868 ; dér. sav. de *porcelaine.*

♦ Didact. Qui a l'aspect de la porcelaine. ⇒ **Porcelané.** *Jaspe porcelanique.*

PORCELANITE [pɔʀsəlanit] n. f. — 1763, *porcellanite ;* de *porcelaine.*

♦ Vx. Porcelaine (1.) fossile.

PORCELET [pɔʀsəlɛ] n. m. — 1211 ; dimin. de *porcel,* anc. forme de *pourceau**.

♦ Jeune porc. ⇒ **Cochonnet, goret.** *Sevrage des porcelets. Manger du porcelet rôti,* du cochon de lait.

PORC-ÉPIC [pɔʀkepik] n. m. — 1671 ; *porc espic,* 1508 ; d'après *piquer,* de *porc espi* (XIIIe), anc. provençal *porc espin,* ital. *porcospino* « porc-épine ».

♦ Petit mammifère rongeur (*Hystricidés*), au corps recouvert de longs piquants, qui vit dans les contrées chaudes. *Dans le danger, le porc-épic se hérisse* (cit. 24). *Le porc-épic, symbole de la maison d'Orléans. Manger du porc-épic* (mets apprécié en Afrique). — Au plur. *Des porcs-épics.*

(1768, *in* D. D. L.). Par compar. ou par métaphore. Personne irritable, peu sociable. *Il se hérisse comme un porc-épic. Un véritable porc-épic.*

Schulz eut toutes les peines du monde, quand le chanteur eut épuisé le répertoire de Christophe, à l'empêcher de se faire entendre dans les élucubrations de compositeurs médiocres, au seul nom desquels Christophe se hérissait en boule, comme un porc-épic. R. ROLLAND, Jean-Christophe, La révolte, III, p. 577.

PORCHAISON [pɔʀʃɛzɔ̃] n. f. — 1655 ; « chasse au sanglier », 1389 ; de *porc.*

♦ Vén. Saison pendant laquelle le sanglier est le plus gras et le meilleur à manger. — État du sanglier pendant cette époque. *Un sanglier en porchaison.*

PORCHE [pɔʀʃ] n. m. — XIIe ; du lat. *porticus.* → Portique.

♦ **1.** Avant-corps, construction en saillie qui abrite la porte d'entrée (d'une maison, d'un édifice). ⇒ **Abri.**

En redescendant du beffroi *(de l'hôtel de ville de Cologne),* je me suis arrêté dans 1
la cour devant le charmant porche de la Renaissance. Je l'appelais tout à l'heure *porche triomphant,* j'aurais dû dire *porche triomphal ;* car le second étage de cette exquise composition est formé d'une série de petits arcs de triomphe accostés comme des arcades (...) HUGO, le Rhin, X.

Ces maisons qui avaient déjà plusieurs siècles possédaient encore des porches, des 2
bornes de pierre, des mascarons, des gargouilles sculptées.
P. NIZAN, le Cheval de Troie, I.

Spécialt. *Porche d'une cathédrale, d'une église. À la différence du narthex*, le porche n'est jamais disposé sous la même couverture que la nef. Portail* abrité sous un porche. Statues de porche* (→ Haut-relief, cit. 2). *Porches latéraux de la cathédrale de Chartres. Porche en bois, en forme d'auvent* (cit.). — Par appos. *Église-porche carolingienne. Clocher-porche.*

Nous avons eu à signaler l'importance du porche, né de l'église-porche carolin- 3
gienne, dans beaucoup d'édifices du XIe siècle. Tantôt ils se rattachent (...) au type du clocher de façade. Tantôt ils composent des espèces de portiques, soit ouverts, comme à Saint-Benoît-sur-Loire, et portés par des colonnes, soit bâtis sur de fortes masses murales percées de baies, comme à Ébreuil. Tantôt ils ont les dimensions d'églises annexes, précédant la nef (...) les Bourguignons restèrent fidèles à ce parti. Le narthex de Vézelay, le porche gothique de Cluny (...) montrent leur constance à cet égard.
Henri FOCILLON, l'Art d'Occident, I, II, 2, p. 70.

♦ **2.** Vieilli. Vestibule* (d'un palais, d'un hôtel particulier), hall d'entrée (d'un immeuble).

— J'aime les porches bien chauffés et garnis de riches tapis, répondit Raphaël. 4
Le luxe dès le péristyle est rare en France. Ici, je me sens renaître.
BALZAC, la Peau de chagrin, Pl., t. IX, p. 48.

Mod. Cour. Embrasure d'une porte cochère. *Un porche ouvert à tous les vents. Se dissimuler sous un porche.*

(...) il lui arrivait de l'attendre des heures, sous le porche glacial de l'immeuble (...) 5
COURTELINE, Messieurs les ronds-de-cuir, 2e tableau, III.

PORCHER, ÈRE [pɔʀʃe, ɛʀ] n. — 1530; *porker,* v. 1138; du bas lat. *porcarius.*

♦ Gardien, gardienne de porcs; ouvrier agricole qui s'occupe des porcs. ⇒ **Berger.** *Un petit porcher* (→ Nerf, cit. 10). *Eumée, le porcher d'Ulysse.*

DÉR. Porcherie.

PORCHERIE [pɔʀʃəʀi] n. f. — 1302; *porkerie* «troupeau de porcs», v. 1170; de *porcher.*

♦ **1.** Bâtiment où l'on élève, où l'on engraisse les porcs. ⇒ **Abri, étable, soue, toit** (à porcs); régional **boiton.** *Cour, loges d'une porcherie.*

1 Il ne tua aucun de ses cochons et les gorgeait d'avoine salée. Bientôt la porcherie fut trop étroite. Ils embarrassaient la cour, défonçaient les clôtures, mordaient le monde. FLAUBERT, Bouvard et Pécuchet, II.

2 Sans-Nom était dans la porcherie, au milieu de ses bêtes familières, et prélevait sa part de nourriture sur la leur, s'ingéniant à trouver dans ces épluchures de quoi tromper la faim cruelle qui lui remuait les entrailles (...) Émile HENRIOT, le Pénitent de Psalmodi, IV.

♦ **2.** Par métaphore. Local très sale. *Il habite une vraie porcherie.*

PORCIF [pɔʀsif] n. f. — D. i. (XXe); de *portion,* et *-if.*

♦ Argot. Portion.

PORCIN, INE [pɔʀsɛ̃, in] adj. et n. — 1393; fig., «grossier», XIIIe; rare av. 1792; lat. *porcinus.*

♦ **1.** Qui est relatif au porc (rare, sauf dans *race porcine;* → Bétail, cit. 1; comice, cit. 2). — N. m. Animal de la famille du porc. *Un porcin, les porcins.* ⇒ **Bétail.**

♦ **2.** (1903). Dont l'aspect rappelle celui du porc. *Visage porcin. Il a des yeux porcins.*

Les quatre visages n'avaient qu'un même sourire à offrir, qui était porcin. En somme, ces bons charcutiers ressemblaient tout à fait à leur charcuterie, la meilleure, sans contredit, à deux lieues à la ronde. H. BOSCO, Antonin, p. 240.

PORE [pɔʀ] n. m. — 1530; *porre,* 1314; lat. *porus,* grec *poros* «passage».

♦ **1.** (Le plus souvent au plur.). Chacun des minuscules orifices de la peau où aboutissent les sécrétions des glandes sudoripares. — Cour. Orifice cutané d'une glande sudoripare ou de la glande sébacée d'un poil. *Sécrétion de sébum, de sueur* (⇒ **Transpiration**) *par les pores de la peau* (⇒ aussi **Exsuder**). *L'eau perlait* (cit. 4) *de ses pores. Pores dilatés; bouchés, obstrués* (→ Huiler, cit. 3). ⇒ **Acné.**

1 Une sueur froide sortit soudain de tous les pores de cette femme. BALZAC, la Duchesse de Langeais, Pl., t. V, p. 206.

Fig. *Par tous les pores* : de toute sa personne. *«Il sue l'hypocrisie par tous les pores»* (Académie).

2 (...) le soleil donnait à la création cette caresse, la lumière : on percevait par tous les pores l'harmonie qui se dégage de la douceur colossale des choses (...) HUGO, Quatre-vingt-treize, III, III, VII.

Cytologie. *Pores de la membrane plasmique, de la membrane nucléaire. Pores de la membrane (cellulaire) excitable* (fibre musculaire, neurone). ⇒ **Canal** (membranaire).

♦ **2.** Bot. Chacun des minuscules orifices des parties aériennes des plantes. ⇒ **Stomate.** — *Pore germinatif d'une spore ou d'une graine* (⇒ **Micropyle**) : orifice permettant la germination.

♦ **3.** (1444). Hist. sc. (Au plur.). Interstices, vides entre les molécules des corps. ⇒ **Trou.** *Les pores de l'or, d'un grain de sable* (→ Imperceptible, cit. 10). *On expliquait par les pores certaines propriétés de la matière. Théories des pores et de l'éponge.*

3 PORE (*Physique*) on donne ce nom aux petits intervalles qui se trouvent entre les particules de la matière dont les corps sont composés; intervalles qui sont vides ou remplis d'un fluide invisible. Encycl. (DIDEROT), 1765, art. *Pore.*

Mod. Géol. Interstice (d'une matière poreuse). ⇒ **Porosité.** *Les pores d'une pierre ponce, d'un sédiment. L'eau de pluie s'infiltre dans les pores des roches.*

4 (*Les eaux*) se perdent dans les pores du sol, mais lentement. BALZAC, le Curé de village, Pl., t. VIII, p. 673.

DÉR. Poreux.
COMP. Blastopore, millépore. — V. Madrépore, tubipore.
HOM. Porc, 1. port, 2. port.

POREUX, EUSE [pɔʀø, øz] adj. — V. 1560; *porreux,* 1314; de *pore.*

♦ **1.** Hist. sc. Qui a des pores (3.). *Corps poreux.*

♦ **2.** Mod. Cour. Qui présente une multitude de petits trous (roche, matière minérale, terre cuite, etc.). *Pierre, lave, argile poreuse* (→ Dolomitique, cit.; friable, cit.; lœss, cit. 2). *Un vase en terre est poreux. Poterie poreuse. Sol poreux.* ⇒ **Perméable.** *Os poreux.* — Techn. *Papier poreux,* à trame apparente, mou.

Il est de forts parfums pour qui toute matière
Est poreuse. BAUDELAIRE, les Fleurs du mal, «Spleen et idéal», XLVIII.

(...) sous les pieds, il y avait ce sol poreux qui sonne comme un plafond de cave; plus d'herbe mais des touffes de genévriers, tout arc-boutés. J. GIONO, Regain, I, III.

Son bois est si poreux, si léger qu'il flotterait sur des nuages. GIDE, Voyage au Congo, *in* Souvenirs, Pl., p. 834.

DÉR. Porosité.

PORION [pɔʀjɔ̃] n. m. — 1838; mot picard, fin XVIIIe; métaphore de *porion* «poireau» (1176). → Poireau (4.).

♦ Agent de maîtrise, contremaître dans une mine. ⇒ **Mineur.** — (Dans les mines de charbon). *Porion d'abattage,* qui organise et surveille la taille. *Porion de roulage ou de trait,* qui organise et surveille les transports souterrains. *Porion de sécurité,* qui contrôle les soutènements, la ventilation, etc. *Chef porion. Porion d'aérage. Porion de quartier,* qui dirige les ouvriers d'un quartier en activité de la mine. — (Dans les exploitations de pétrole). *Porion d'huile,* chargé de l'organisation du pompage.

(...) parfois, quand il ne redoutait pas la rencontre d'un porion, il montait sur la dernière berline, ce qu'on lui défendait, de peur qu'il ne s'y endormît. ZOLA, Germinal, II, V.

PORISME [pɔʀism] n. m. — 1660; angl. *porism* (1374); grec *porisma,* Euclide, selon Proclus et Pappus.

♦ Hist. des sc. Ensemble des corollaires d'une proposition.

On ne sait pas exactement ce que contenaient les *Porismes* d'Euclide, ni même ce que le mot signifie. Mais on a lieu de supposer qu'ils traitaient de propositions incomplètement démontrées et dont il s'agissait de rechercher la preuve logique rigoureuse et générale. L. BRUNSCHVICG, *in* LALANDE, Voc. de la philosophie, art. *Porisme.*

PORISTIQUE [pɔʀistik] adj. — 1765, *Encyclopédie,* qui cite Chambers; angl. *poristic* (1704); grec *poristikos.*

♦ Hist. des sc. *Analyse poristique,* ayant pour but «l'invention (...) d'une démonstration pour une solution ou une proposition énoncées» (P. Tannery).

PORNO [pɔʀno] adj. et n. m. — Av. 1893, *in* Esnault; abrév. de *pornographique.*

Argot familier.

♦ **1.** Adj. Pornographique. *Une revue porno. Des films pornos. Du cinéma porno.* ⇒ **Cochon.** *Boutique porno.* ⇒ **Sex-shop.**

(*Des coffres*) pleins (...) des bijoux de fête foraine, ou de vieilles cartes postales pornos. C. ROCHEFORT, le Repos du guerrier, II., III, p. 177.

♦ **2.** N. m. La pornographie, les activités qui en relèvent. — Caractère de ce qui est pornographique. — Spécialt. Le cinéma pornographique. *Une vedette du porno.* — Film pornographique. *Voir un porno.*

Trilogie de la béance, de la jouissance et de la signifiance, le porno n'est une promotion si exacerbée du féminin jouisseur que pour mieux enterrer l'incertitude qui planait sur le «continent noir». J. BAUDRILLARD, De la séduction, p. 35.

PORNOCRATIE [pɔʀnɔkʀasi] n. f. — Av. 1865; de *porno,* et *-cratie.*

♦ Didact. (hist.). Régime dans lequel des courtisanes ont une forte influence sur les hommes au pouvoir. — Spécialt. Période de l'histoire de la papauté (904-964) pendant laquelle les papes (influencés par leurs maîtresses) mirent leurs fils sur le trône pontifical.

PORNOGRAPHE [pɔʀnɔgʀaf] n. et adj. — 1769, Restif; comp. sav., du grec *pornê* «prostituée», et *-graphe.*

♦ **1.** N. m. Vx. Auteur d'un traité, d'une étude sur la prostitution. *Le Pornographe,* œuvre de Restif de La Bretonne.

♦ **2.** (1842). Didact. Auteur spécialiste d'écrits obscènes*. *C'est un, une vulgaire pornographe.* — Adj. Qui produit de la pornographie. *Éditeur pornographe.*

Ce n'était pas — disons le mot — un pornographe? Claude COURCHAY, La vie finira bien par commencer, p. 30.

DÉR. Pornographie, pornographique.

PORNOGRAPHIE [pɔʀnɔgʀafi] n. f. — 1803; de *pornographe.*

♦ **1.** Vx. Traité sur la prostitution.

♦ **2.** (1842). Mod. Représentation (par écrits, dessins, peintures, photos...) de choses obscènes, destinées à être communiquées ou vendues au public. ⇒ **Porno.** *Interdiction, autorisation, réglementation de la pornographie.*

Il y a des productions éhontées qui n'ont rien à voir avec l'art; allons-nous affirmer à cause d'elles que l'art n'a rien à voir avec la pornographie? Inutile d'aller citer Aristophane et les Grecs. Je prétends qu'entre une de ces productions incriminées et la *Chemise enlevée* de Fragonard, par exemple, ce n'est pas le sujet qui diffère, ni la «noblesse», ni «l'idéal», mais le talent. Où celui-ci fait un chef-d'œuvre, tel autre n'eût peint qu'une obscénité.

GIDE, Nouveaux prétextes, p. 88.

Par ext. Obscénité en littérature, dans les spectacles.

PORNOGRAPHIQUE [pɔʀnɔgʀafik] adj. — 1835; de *pornographe.*

♦ Relatif à la pornographie. *Romans, films, spectacles, photos pornographiques.* ⇒ **Cochon.** — Abrév. fam. : *porno**.

(...) exécuter une effroyable charge sur la littérature et la publicité pornographiques (...)

Léon BLOY, le Désespéré, p. 167.

La panique provoquée chez l'homme par le sujet féminin «libéré» n'a d'égale que sa fragilité devant la béance pornographique du sexe féminin «aliéné» de l'objet sexuel féminin.

J. BAUDRILLARD, De la séduction, p. 43.

PORO- Élément de mots didactiques, tiré du grec *poros* «cavité, trou». ⇒ **Pore.**

POROCÉPHALE [pɔʀosefal] n. m. — 1932, *porocephallus;* de *poro-,* et *-céphale.*

♦ Zool. Arachnide parasite des serpents en Afrique et en Orient, dont les larves, avalées accidentellement par l'homme, peuvent provoquer des accidents graves (péritonite, pneumonie, méningite).

POROGÈNE [pɔʀɔʒɛn] adj. — 1975, in *la Clé des mots;* de *poro-,* et *-gène.*

♦ Techn. Qui, ajouté à une substance, à un mélange, permet la formation d'un produit spongieux. *Agent porogène.*

POROMÉTRIE [pɔʀɔmetʀi] n. f. — 1973; de *poro-,* et *-métrie.*

♦ Techn. Mesure du nombre ou de la dimension des pores dans une matière.

POROSITÉ [pɔʀozite] n. f. — 1314; de *poreux.*

♦ Didact. État de ce qui est poreux. *La porosité d'une roche est mesurée par le rapport du volume des pores au volume apparent total. Porosité de la pierre ponce, du sable... Porosité ouverte d'une roche.* ⇒ **Perméabilité.**

La forme des vides dépend essentiellement de la nature des roches. Par exemple les vides peuvent communiquer entre eux. C'est la *porosité ouverte* des roches meubles ou incomplètement cimentées, sables, grès, calcaires poreux, calcaires très diaclasés. Dans les ponces, dans les basaltes, dans certains calcaires coquilliers compacts, etc., les vides sont isolés les uns des autres. L'eau ne peut circuler. On a une *porosité close.*

H. SCHOELLER, Hydrogéologie, *in* Encycl. Pl., la Terre, p. 982.

Par métaphore :

(...) l'univers était en marche, en chute, en espèce de porosité infatigable.

J.-M. G. LE CLÉZIO, la Fièvre, p. 124.

PORPHYRE [pɔʀfiʀ] n. m. — 1546; *porfire,* XIIe; aussi *porfie,* graphie sav., XVIe; ital. *porfiro,* du lat. *porphyrites,* grec *porphuritês (lithos)* «pierre pourpre».

♦ **1.** Variété d'andésite* grise, roche volcanique rouge foncé, compacte, dans laquelle sont noyés de grands cristaux blancs. *Porphyre poli. Colonnes de porphyre* (→ Matière, cit. 8). *Baignoire, vasque* (→ Cinnamome, cit.), *incrustations de porphyre* (→ Grille, cit. 9).

Au tintement de l'eau dans les porphyres roux
Les rosiers de l'Iran mêlent leurs frais murmures.

LECONTE DE LISLE, Poèmes barbares, «La vérandah».

(...) seulement quelques fleurs çà et là, sur les parois immaculées, des fleurs en mosaïque d'agate et de porphyre, mais si fines, si sobres, si rares, que l'effet neigeux de ce palais n'en est pas altéré.

LOTI, l'Inde (sans les Anglais), VI, III.

♦ **2.** (1765). Techn. Molette* en porphyre, servant à broyer les couleurs.

DÉR. Porphyrique, porphyriser, porphyroïde.

PORPHYRIE [pɔʀfiʀi] n. f. — Mil. XXe; de *porphyr(ine),* et *-ie.*

♦ Méd. Maladie héréditaire due à une perturbation du métabolisme des porphyrines*, dont les manifestations principales sont des lésions cutanées traduisant une sensibilisation anormale à la lumière, l'émission d'urines rouges contenant des dérivés de porphyrine et des poussées d'anémie dues à une destruction massive des globules rouges. *Porphyrie chronique, cutanée, aiguë.*

PORPHYRINE [pɔʀfiʀin] n. f. — 1933, Larousse; du grec *porphur(e)os* «pourpre».

♦ Chim., biol. Composé hétérocyclique dérivant d'une molécule comportant huit atomes d'hydrogène externes (quatre molécules de pyrrol [porphine]). *Les sels métalliques des porphyrines constituent la partie non protidique des pigments naturels* (hémoglobine, chlorophylle). *Trouble du métabolisme des porphyrines.* ⇒ **Porphyrie.**

DÉR. Porphyrie.

PORPHYRIQUE [pɔʀfiʀik] adj. — 1842; aussi *porphyritique,* J. Verne, 1874; *porfirique,* fin XVe; de *porphyre.*

♦ Sc. Relatif au porphyre. — *Texture porphyrique :* texture de roches ignées à pâte fine cristallisée ou vitreuse contenant de grands cristaux. *Roche porphyrique.*

PORPHYRISATION [pɔʀfiʀizɑsjɔ̃] n. f. — 1765; de *porphyriser.*

♦ Sc., techn. Action de porphyriser, réduction d'une substance en poudre très fine.

PORPHYRISER [pɔʀfiʀize] v. tr. — 1728; de *porphyre.*

♦ Sc., techn. Réduire en poudre, pulvériser* avec un porphyre (→ Mixtionner, cit.).

DÉR. Porphyrisation.

PORPHYROGÉNÈTE [pɔʀfiʀoʒenɛt] adj. — 1690; grec *porphurogenêtos,* proprt «né dans la pourpre».

♦ Antiq. Se disait des enfants des empereurs d'Orient nés pendant le règne de leur père. *Constantin VII porphyrogénète.*

(...) la succession des empereurs *(en Grèce)* fut si interrompue, que le titre de *porphyrogénète,* c'est-à-dire né dans l'appartement où accouchaient les impératrices, fut un titre distinctif que peu de princes de diverses familles impériales purent porter.

MONTESQUIEU, Grandeur et décadence des Romains, XXI.

PORPHYROÏDE [pɔʀfiʀɔid] adj. — 1803; de *porphyre,* et *-oïde.*

♦ Didact. Qui a l'apparence du porphyre. *Roche porphyroïde.*

PORQUE [pɔʀk] n. f. — 1382; aussi «femme malpropre, cochonne», XVIIe; ital. *porca* «truie», du lat. *porcus* «porc», par allus., d'après Wartburg, à la position couchée, vautrée de la truie.

♦ Mar. Forte pièce courbe de construction, pour lier et renforcer les parties de la carène.

DÉR. Porquer.

PORQUER [pɔʀke] v. tr. — 1836, Académie; de *porque.*

♦ Mar. Construire ou poser les porques de (une carène).

PORRACÉ, ÉE ou **PORACÉ, ÉE** [pɔʀase] adj. — V. 1560; lat. *porraceus,* de *porrum* «poireau».

♦ Méd. Dont la couleur verte rappelle celle du poireau. *Vomissements porracés.*

PORREAU [pɔʀo] n. m. Pop. ⇒ **Poireau.**

PORRECTION [pɔʀɛksjɔ̃] n. f. — 1604; lat. *porrectio,* de *porrigere* «tendre».

♦ Liturgie cathol. «Acte par lequel l'évêque présente un objet pour le faire toucher» (B. Calle, in *Dict. de liturgie romaine*). *Ordres mineurs conférés par la porrection des objets qui en désignent les fonctions.*

PORRIDGE [pɔʀidʒ] n. m. — 1892, écrit par erreur *powidge,* 1842; une première fois, *plum-porridge,* 1698 (Höfler); mot angl., lui-même corruption de *potage.*

♦ Bouillie ou soupe épaisse de flocons d'avoine, mangée notamment par les Anglo-Saxons au petit-déjeuner (→ Breakfast, cit. Gide). *Prendre un porridge au petit déjeuner. Donner du porridge à un enfant* (→ Gavage, cit.).

Ses joues rondes un peu molles, où la couleur se tenait toute aux pommettes, 1
avaient l'air faites du porridge qu'on lui donnait le matin.

ARAGON, les Cloches de Bâle, I, V.

(...) sur une grande affiche, la famille américaine idéale reniflait en riant un plat 2
de porridge (...)

S. DE BEAUVOIR, les Mandarins, p. 303.

PORRIGINEUX, EUSE [pɔʀiʒinø, øz] adj. — 1803; de *porrigo.*

♦ Vx. Qui tient du porrigo.

PORRIGO [pɔRigo] n. m. — 1757; mot lat., «teigne»; de *pro* «en avant», et *regere* «diriger», proprt «ce qui s'étend».

♦ Pathol. Vx. ⇒ **Alopécie.**

DÉR. Porrigineux.

1. PORT [pɔR] n. m. — 1050, Alexis; lat. *portus* «passage, asile, port».

★ **I.** ♦ **1.** Abri naturel ou artificiel aménagé sur une côte pour recevoir et protéger les navires*, et installé de manière qu'ils puissent opérer leur chargement et leur déchargement. *Port de mer, port maritime.* ⇒ **Havre** (vx). *Port naturel dans un estuaire* (cit. 1), *une crique* (cit. 1), *une rade... Port artificiel* (→ Abriter, cit. 1) *sur une côte droite. Le port de Carteret, petit havre* (cit. 2) *creusé par la nature. Le vieux port de Marseille, de Nice. Port de commerce, port de transit, port pétrolier...; port de pêche; port militaire, de guerre* (→ Mutinerie, cit. 2); *port de plaisance. Le port autonome du Havre :* l'établissement public qui administre le port. *Port à marées. Port d'échouage. Parties d'un port.* ⇒ **Avant-port, boucau, chenal, goulet, passe; arrière-port, bassin, cale** (sèche, de radoub), **darse, dock, écluse, guideau, pont** (basculant, roulant, tournant, transbordeur), **sas; brise-lames, digue, jetée, môle; appontement, débarcadère, embarcadère, ponton, quai, wharf.** *Terre-plein* fortifiant un port. Signalisation des ports.* ⇒ **Balise, bouée, boule** (de marée), **fanal, mât** (de signaux), **phare, sémaphore; baliser; balisage.** *Engins de levage* d'un port.* ⇒ **Grue; crône...** *Hangars, entrepôts..., gare* maritime d'un port. Équipement d'un port* (→ Déchargement, cit. 2). ⇒ **Portuaire.** *Curage des ports.* ⇒ **Drague** (cit. 2). — *Navire qui arrive au port, touche le port, prend port* (vx), *entre dans le port.* ⇒ **Arrivage; aborder, mouiller** (→ Briselames, cit.). *«Nous nous vîmes trois mille en arrivant* (cit. 2) *au port»* (Corneille). *Arriver en bateau dans un port.* ⇒ **Débarquer.** *Entrée du port* (→ Démonter, cit. 12). *Barre* qui obstrue l'entrée d'un port. Navigation dans le port.* ⇒ **Lamanage, pilotage, remorquage; bateau-pilote.** *Droit réciproque d'accès à un port.* ⇒ **Intercourse.** *Déhaler* un navire dans un port. Stationner, relâcher* dans un port.* ⇒ **Escale** (cit. 1), **hivernage, relâche** (→ 1. Contrecœur, cit. 2; hiverner, cit. 1). *Vaisseaux dans le port* (→ 2. Berne, cit.; géométrique, cit. 3), *au port; forêt de mâts* (cit. 1) *dans un port. Escadres* (cit. 1) *qui se dégradent dans les ports. Paquebot qui sort du port* (→ Fouetter, cit. 8). ⇒ **Appareiller.** — *Interdiction d'entrer au port, de débarquer* (⇒ **Lazaret, quarantaine**), *de quitter le port* (⇒ **Embargo**). *Flotte consignée* (cit. 4) *dans les ports. Fermeture d'un port.* ⇒ **Bâcler; bâclage, chaîne, estacade.** *Port ouvert* (→ Lui, cit. 49); *ouvrir un port. Débâcler* un port.* — *Blocus, siège d'un port. Port miné* (→ 2. Mine, cit. 10). *Flotte coulée dans un port.* — *Port d'attache* d'un bateau,* le port où il est immatriculé, et dont le nom doit figurer à la poupe.

(1866). Loc. fig. Lieu où une personne revient régulièrement. *Il voyage beaucoup et a un pied-à-terre à Londres, mais son port d'attache est Paris.* — *Port d'armement d'un navire,* où il procède à son armement, effectue ses réparations (→ Fret, cit. 3). — *Port franc,* qui n'est pas soumis au service des douanes. *Port de refuge :* port qui ne peut servir que d'abri. *Port de relâche :* port qui n'est pas prévu dans un itinéraire, et où l'on s'arrête pour l'approvisionnement, les réparations... *Port de transit,* où sont entreposées des marchandises destinées à un autre port. — *Personnel d'un port; directeur de port; officiers, capitaine de port.* ⇒ aussi **Lamaneur, pilote.** *Ouvrier travaillant dans un port.* ⇒ **Déchargeur, délesteur, docker.** *Douane, douaniers d'un port.* ⇒ **Lettre** (de mer). — *La capitainerie du port.* — *Visiter un port* (→ 1. Partir, cit. 17). *Aller se promener, rôder sur le port,* sur les quais (→ 2. Marin, cit. 4). *Homard* (cit. 1) *acheté sur le port.*

1 (...) cherchant à divertir cette tristesse, nous nous sommes allés promener sur le port. Là, entre autres plusieurs choses, nous avons arrêté nos yeux sur une galère turque assez bien équipée. MOLIÈRE, les Fourberies de Scapin, II, 7.

2 La vue du port donne une vigueur nouvelle aux matelots lassés d'une longue navigation. Nous prîmes courage et nous arrivâmes enfin au bout de notre carrière avant le lever du soleil. A.-R. LESAGE, Gil Blas, IV, XI.

3 Comme le flux et le reflux y pénètrent avec force *(à Lorient)*, il a été facile d'en faire un grand port militaire; on y fabrique beaucoup de vaisseaux, et j'ai dû subir la corvée de la visite des chantiers et magasins, comme à Toulon. STENDHAL, Mémoires d'un touriste, t. II, p. 35.

4 En redescendant, je me suis promené dans le port. J'ai causé avec un douanier qui surveillait le déchargement d'un navire. HUGO, France et Belgique, 1837, XV.

5 (...) sous la clarté diffuse des feux électriques du port, une grande ombre noire se dessina entre les deux jetées (...) — Le nom du navire? Et dans le brouillard la voix du pilote debout sur le pont, enrouée aussi, répondit : — *Santa-Lucia.* — Le pays? — Italie. — Le port? — Naples. MAUPASSANT, Pierre et Jean, IV.

6 (...) un homme pour qui Bordeaux ne fut jamais qu'un port fumeux où l'on ne s'attarde guère, une rade pleine de départs pour les îles (...) F. MAURIAC, la Robe prétexte, XXIV.

Berge aménagée d'un cours d'eau à grand trafic où les bateaux peuvent charger et décharger leurs marchandises. *Port fluvial. Le port de Bâle* (→ Canal, cit. 5). — Ancienn. *Le port de Grève,* à Paris. *Le port au foin,* où l'on déchargeait le foin. — Allus. littér. *Les crocheteurs du Port-au-Foin.*

7 Quand on lui demandait *(à Malherbe)* son avis de quelque mot français, il renvoyait ordinairement aux crocheteurs du Port-au-Foin, et disait que c'étaient ses maîtres pour le langage (...) H. DE RACAN, Mémoires pour la vie de Malherbe.

Loc. fig. *Arriver au port,* au but*. — (1627). *Arriver à bon port :* arriver sain et sauf au lieu où l'on devait se rendre. — Vx. Arriver là où l'on voulait en venir. — *Toucher le port* (→ Hasarder, cit. 6). — (1639). *Faire naufrage dans le port, au port.* ⇒ **Naufrage** (cit. 5). — On dit, dans le même sens, (1893) *échouer en vue du port.*

Dea, beaux amis, puisque surgir ne pouvons à bon port, mettons-nous à la rade, je ne sais où. Plongez toutes vos ancres. Soyons hors ce danger, je vous en prie. RABELAIS, le Quart Livre, XX.

Prenait soin d'amener son marchand à bon port. LA FONTAINE, Fables, VII, 14.

(...) lisant et pâmant toujours, il arrive à bon port sans s'interrompre. Mme DE SÉVIGNÉ, 1264, 12 févr. 1690.

♦ **2.** (V. 1155). Par métaphore, fig. Lieu de repos, abri. ⇒ **Havre.** *«L'homme n'a point de port, le temps n'a point de rive, Il coule* (cit. 18) *et nous passons»* (Lamartine). *Chercher un port dans la tempête.* ⇒ **Refuge.** *La mort* (1. Mort, cit. 1 et 14), *port des tourments de cette vie, port commun.*

Après un long orage il faut trouver un port;
Et je n'en vois que deux, le repos, ou la mort. CORNEILLE, Cinna, IV, 3.

(...) il ne pouvait rester dans un monde d'où ses amours s'en étaient allés, et il résolut d'entrer en religion. — En ce temps-là, c'était la ressource de toutes les grandes douleurs : un couvent était le port où venaient aborder les naufragés du monde et ceux qui ne voulaient pas se consoler parce que leurs amours n'étaient plus. Th. GAUTIER, les Grotesques, IV.

Jetons l'œuvre à la mer, la mer des multitudes :
Dieu la prendra du doigt pour la conduire au port.
A. DE VIGNY, Poèmes philosophiques, «La bouteille à la mer», XXVI.

♦ **3.** Ville qui possède un port. *Marseille, port de la Méditerranée. Paris, premier port fluvial. Les ports américains de l'Atlantique* (→ Parquer, cit. 5). *Habiter un port.* — Quartier du port (dans une ville). *Il habite le port.*

♦ **4.** Par anal. *Port artificiel :* ensemble d'éléments préfabriqués amenés par mer sur une côte pour permettre le débarquement des troupes et le déchargement du matériel. *Ports artificiels installés en Normandie lors du débarquement allié en 1944.*

Port aérien : gare de véhicules aériens, d'aéronefs. ⇒ **Aéroport, héliport.**

★ **II.** (1080; anc. provençal). Passage étroit, col, dans les Pyrénées. *Saint-Jean-Pied-de-Port,* ville des Pyrénées-Atlantiques située au pied d'une route de col.

Ici finit la France. Le por *(sic)* de Gavarnie, que vous voyez là-haut, ce passage tempêteux, où, comme ils disent, le fils n'attend pas le père, c'est la porte de l'Espagne. MICHELET, Hist. de France, III.

DÉR. (Du I.) **Portuaire.**

COMP. (Du I.) **Aéroport, arrière-port, avant-port.** — (Du II.) **Passeport.**

HOM. Porc, pore, 2. port.

2. PORT [pɔR] n. m. — V. 1160, «approvisionnement», et sens II.; de *porter.*

★ **I.** (Dans des loc.). Fait de porter, de transporter. *Frais de port d'un colis.* ♦ **1.** (Av. 1559). Prix du transport* (d'une lettre, d'un colis...). *Payer le port d'un paquet. Franc* de port, franco* de port. Port dû* (par le destinataire), *payé* (par l'expéditeur).

(...) la mère Rollet réclama le port d'une vingtaine de lettres (...) FLAUBERT, Mme Bovary, III, XI.

♦ **2.** (1636). **PORT D'ARMES :** fait pour un soldat de porter, de présenter son arme, notamment pour rendre les honneurs (⇒ **Porter, présenter**); la position ainsi prise. *Soldat qui se met au port d'armes.*

(...) après un port d'armes où le cliquetis des capucines se déroulant sonna comme un chaudron de cuivre qui dégringole les escaliers, tous les fusils retombèrent. FLAUBERT, Mme Bovary, II, VIII.

♦ **3.** (V. 1530). Le fait de porter sur soi. *Le port du costume militaire* (→ Mobiliser, cit. 1), *d'une ceinture* (cit. 4) *orthopédique, d'un corset, d'une perruque... Le port de décorations, d'insignes.*

Comment lui faire admettre que le port de l'étoile *(l'étoile jaune, sous l'occupation allemande)* n'était rien, mais que l'obligation de devenir, en l'acceptant, un objet de mépris (...) constituait une infamie pour ceux qui l'avaient instituée (...) Francis CARCO, les Belles Manières, II, VII.

(1788). **PORT D'ARMES :** fait de porter sur soi une arme, des armes. *Le port des armes* (→ Déni, cit. 1). — Dr. pén. *Port d'armes prohibées :* délit qui consiste à porter sur soi ou à avoir à portée de la main des armes interdites par la loi. — Par ext. *Port d'armes contre la France :* crime de trahison qui consiste, pour un Français, à servir dans une armée étrangère combattant contre la France.

(...) cette république d'Italie *(Venise)*, où le port des armes à feu est puni comme un crime capital, et où il n'est pas plus fatal d'en faire un mauvais usage que de les porter. MONTESQUIEU, l'Esprit des lois, XXVI, XXIV.

Est interdit le port d'armes de guerre, d'armes de défense et d'armes blanches. L'interdiction frappe même ceux qui sont habilités à acquérir et détenir des armes. Le port d'armes n'est autorisé qu'au profit des militaires ainsi que de certains fonctionnaires et agents des administrations publiques exposés par leurs fonctions à des risques d'agression et autorisés à s'armer. DALLOZ, Petit dict. de droit, Armes, 12, IV.

Dr. Le fait de porter (un nom, un titre). *Le port d'un nom patronymique* (→ Noblesse, cit. 16).

♦ **4.** (1690). Mus. *Port de voix :* fait de porter sa voix d'une note à une autre. — Mod. « Liaison d'un son à un autre, effectuée insensiblement et sans saut, soit par la voix humaine, soit par certains instruments » (Arma et Tiénot). Cf. ital. *portamento. Chanteuse qui fait des ports de voix.*

♦ **5.** (XIIIe, « ce qui est transporté »). Par ext. Mar. *Port en lourd :* charge totale (cargaison, combustible, équipage, passagers) que peut prendre un navire.

★ **II.** Manière naturelle de se tenir. ♦ **1.** (Personnes). Manière de se tenir, debout, immobile ou dans la marche. ⇒ 2. **Air, allure, contenance, démarche, maintien.** *Avoir un port élégant, maladroit. Vénus, « déesse* (cit. 2) *irrésistible au port victorieux ». Le port majestueux d'une reine* (→ Gracieux, cit. 8). *« La grasse* (cit. 19) *est dans son port pleine de majesté »* (Molière). *Un port de déesse, d'infante* (cit. 3), *de reine. Port noble, royal* (→ Imposant, cit. 6). *Élégant* (cit. 4) *de taille, de port et de geste. Que d'aisance dans le port et dans la démarche* (→ Grâce, cit. 69). *« Il avait votre port, vos yeux, votre langage »* (cit. 22).

Ton noble port, ton maintien assuré (...)
(...) Ton propre habit, qui tout bien se conforme
Au naturel de ta très belle forme. Clément MAROT, Élégies, XV.

Réellement, se dit Julien, cette robe noire fait briller encore mieux la beauté de sa taille. Elle a un port de reine (...) STENDHAL, le Rouge et le Noir, II, IX.

Nous étions sensiblement de la même taille, mais son port décidé la faisait paraître plus grande que moi. Pierre BENOIT, Alberte, IV.

Manière de porter, de tenir (une partie du corps). *Le port de sa tête* (→ Habitude, cit. 13). *Un gracieux port de tête.*

Ton port de cou n'était pas si dur,
Mais flexible, et d'un aigle et d'un cygne.
VERLAINE, Amour, « Lucien Létinois », XVII.

(En parlant d'un animal). *Le port imposant du paon* (cit. 1).

Il n'a vendu cheval ni meilleur ni mieux fait (...)
(...) Point d'épaules non plus qu'un lièvre ; court jointé,
Et qui fait dans son port voir sa vivacité. MOLIÈRE, les Fâcheux, II, 6.

♦ **2.** (1721). Bot. Forme générale naturelle à une plante (rigidité, flexibilité de la tige, direction, disposition des ramifications, etc.). *Le port de l'avoine, du lierre, de l'oranger, du peuplier... Le pin a le port de la pyramide* (→ Monumental, cit. 2). — Par ext. *Le port des feuilles, la disposition des ramures...* (→ Caducité, cit. 2).

HOM. Porc, pore, 1. port.

PORTABILITÉ [pɔʀtabilite] n. f. — 1849, *in* D. D. L. ; de *portable.*

♦ **1.** Dr. Caractère de ce qui est portable* (2.).

♦ **2.** Inform. Capacité pour un programme à être transféré d'un ordinateur à un autre.

PORTABLE [pɔʀtabl] adj. — 1265 ; de *porter.*

♦ **1.** Vx. Facile à porter. — (1939). Mod. Anglic. Portatif. *Machine à écrire portable. Téléviseur, radio portable.*

Bartlett avait profité de ce délai pour écrire deux articles (...) et il les recopiait sur sa Remington « portable ».
J. ROMAINS, les Hommes de bonne volonté, t. XX, XV, p. 156.

N. m. (1949). Appareil qui peut être transporté. *Son nouveau téléviseur est un portable.*

♦ **2.** (XVIe). Dr. (Opposé à *quérable**). *Dette, redevance, rente portable,* qui doit être payée à un lieu fixé par la convention ou au domicile du créancier.

♦ **3.** (V. 1770). En parlant d'un vêtement. Qu'on peut porter*, qu'on peut mettre. ⇒ **Mettable.** *Ce manteau, ce chapeau est encore portable.*

♦ **4.** Inform. (En parlant d'un programme). Qui peut être facilement transféré d'un ordinateur à un autre.

DÉR. Portabilité.

PORTAGE [pɔʀtaʒ] n. m. — V. 1265 ; de *porter.*

♦ **1.** Vx. Action de transporter (par un moyen quelconque). ⇒ **Transport.** — (1907). Spécialt. Mod. Transport de marchandises, d'objets à dos d'homme (→ Élévateur, cit.), d'une personne au moyen d'une litière*, d'un palanquin... ⇒ **Coolie, porteur.**

Crise du portage. Nos porteurs veulent tous repartir ; du moins les soixante recrutés par l'administration. On a apporté pour eux, hier, une grande quantité de bananes, mais très peu de manioc, ce qui cause un grand mécontentement.
GIDE, Voyage au Congo, V.

1 Le Chinois, lui, est arrivé à faire du portage une opération de précision. Ce que le Chinois aime par-dessus tout, c'est l'équilibre savant.
Henri MICHAUX, Un barbare en Asie, p. 147.

(1694). Cour. au Canada. Action de porter une embarcation d'un cours d'eau à l'autre, d'une partie d'un fleuve à un autre. *« Les portages dans l'eau jusqu'à la ceinture »* (P. Villeneuve). *« La sente d'un "portage" »* (Genevoix). — *Faire du portage.* ⇒ **Portager.**

♦ **2.** (1718). Partie d'un fleuve où l'on ne peut plus naviguer (qui oblige à porter les embarcations).

Cette rivière *(le Wabash)* communique, au moyen d'un portage de neuf milles, avec le Miamis *(nom de rivière)* du lac qui se décharge dans l'Érié. 2
CHATEAUBRIAND, Voyage en Amérique, Journal sans date.

REM. Le mot entre dans des noms de lieux, en Amérique du Nord (Canada).

♦ **3.** (1842). Mar. Endroit où une pièce (cordage, vergue...) porte*, frotte sur une autre.

(...) vérification des voiles, pose d'une mosaïque de placards et de renforts en tergal au portage des haubans et sur les points faibles de la chute. 3
Bernard MOITESSIER, Cap Horn à la voile, p. 177.

♦ **4.** Techn. Essai d'un moule afin de le vérifier.

DÉR. Portager.

PORTAGER [pɔʀtaʒe] v. intr. — Attesté XXe ; de *portage.*

♦ (Au Canada). Porter son embarcation là où la navigation est impossible. *« Lorsque nous portagions dans les immenses forêts du Québec, ce n'était pas la saison des amours »* (Genevoix).

PORTAIL, AILS [pɔʀtaj] n. m. — V. 1170 ; *portal* « grand panneau de bois qui sert de porte », v. 1160 ; de 1. *porte.*

♦ Grande porte* (1. Porte), grande entrée, parfois de caractère monumental (→ Bâtiment, cit. 7). *Portail du parc d'un château, d'une cour de ferme. Pylônes* d'un portail. — Portail fait d'une grille de fer. Vantaux d'un portail. Fermer, ouvrir un portail* (→ Diable, cit. 40). — REM. Le pluriel *portaux* se rencontre encore au XVIIe siècle (cf. La Fontaine, *Contes,* « Les Rémois »). On dit aujourd'hui *des portails.*

Elle les avait accompagnés jusqu'au portail en fonte d'art, et d'art moderne, où « sur les pylônes », comme elle-même disait aussi, se lisait en lettres gothiques : Castel Castabala. P.-J. TOULET, la Jeune Fille verte, V. 1

Spécialt. *Portail d'une cathédrale, d'une église,* comprenant la porte proprement dite avec son ébrasement, son appareil architectural ou, au sens large, la partie de la façade monumentale dans laquelle s'ouvre cette porte (par ex., dans une cathédrale gothique, toute la partie inférieure de la façade). *« Il ne faut pas confondre les portails, qui font partie intégrante des façades, avec les porches* qui sont toujours construits hors-d'œuvre »* (Réau). *Accessoires, éléments d'un portail* (archivolte, gable, linteau, pieds-droits, statues, trumeau, tympan, voussures...). *Portail creusé en ogive* (→ Façade, cit. 3). *Portail central accompagné de deux ou de quatre portails latéraux disposés symétriquement. Le portail royal de Chartres* (→ Maître, cit. 84). *Portail des façades nord et sud du transept* (portail nord, portail sud).

Le portail de l'église *(la cathédrale de Bourges),* auquel on arrive par un perron de douze marches, a cent soixante-neuf pieds de largeur. Le bas-relief au-dessus de la porte principale représente le *jugement dernier.* 2
STENDHAL, Mémoires d'un touriste, t. 1, p. 250.

Je suis retourné une seconde fois à l'église (...) Le portail méridional a des chapiteaux étranges et une grosse nervure-archivolte profondément fouillée. Le tympan à angle obtus porte une peinture byzantine du *Crucifiement* encore parfaitement visible et distincte. HUGO, le Rhin, XIII. 3

PORTAL, ALE, AUX [pɔʀtal, o] adj. — Mil. XXe ; de 2. *porte.*

♦ Anat. De la veine porte* (2. Porte). *Hypertension portale.*

PORTANCE [pɔʀtɑ̃s] n. f. — 1940 ; « action de porter », fin XIVe ; de *porter.*

♦ Phys., techn. Force perpendiculaire à la direction de la vitesse qu'a un corps dans un fluide. *Portance des ailes d'un avion, de la quille d'un bateau.*

Capacité d'un sol à supporter une charge.

PORTANT, ANTE [pɔʀtɑ̃, ɑ̃t] adj. et n. — V. 1112 ; p. prés. de *porter.*

★ **I.** Adj. ♦ **1.** Mar. *Vent portant,* qui vient à plus de 90° de l'avant du bateau, et qui le porte dans la bonne direction (opposé à *vent debout**). — Par ext. *Allures* portantes,* dans lesquelles le vent est portant. ⇒ **Largue ; arrière** (vent arrière).

C'était la nuit noire. Le vent était portant. Étant à la barre (...) j'eus une sensation nouvelle (...) B. CENDRARS, Bourlinguer, p. 213. 0.1

N. m. Allure portante. *Être au portant.*

♦ **2.** (1867). Techn. Dont la fonction est de porter, de soutenir. *Chaîne portante d'un appareil de levage. Roues portantes d'une locomotive* (par oppos. à *roues motrices*). *Parties portantes d'un* *édifice. Mur* (cit. 9) *portant. La fonction portante de l'ogive* (cit. 1). *Surface portante d'un avion.*

♦ **3.** (1671). *À bout portant.* ⇒ **Bout** (cit. 13, par métaphore).

♦ **4.** (1761). **BIEN, MAL PORTANT :** qui se porte* bien, mal, qui est en bonne, en mauvaise santé*. *Individu bien portant* (contr. : *malade*). → Asphyxie, cit. 1. *« Les gens bien portants sont des malades qui s'ignorent »* (cit. 12, Romains). *Elle est bien portante. Un corps bien portant.* ⇒ **Sain** (→ Membré, cit.). — N. m. *Les mieux portants* (→ Garde-malade, cit. 2). *Les trop bien portants* (→ 1. Le, cit. 27). — Par ext. ou par métaphore. (En parlant d'un animal, d'un végétal, etc.). → Meurtrir, cit. 5.

1 Bienheureuse la cloche au gosier vigoureux
Qui malgré sa vieillesse, alerte et bien portante,
Jette fidèlement son cri religieux,
Ainsi qu'un vieux soldat qui veille sous la tente!
BAUDELAIRE, les Fleurs du mal, « Spleen et idéal », LXXIV.

2 De l'utilité de la maladie (...) Celui qui a le mieux parlé de la question est précisément celui que l'on cite comme type de l'homme *bien portant :* Gœthe.
GIDE, Journal, 1896, Feuillets, Médit. II.

★ **II.** N. m. ♦ **1.** (1680). Anse d'un coffre, d'une malle, etc. ⇒ **Poignée.** — Vx. Chacune des ferrures dans lesquelles on passait les bâtons d'une chaise à porteurs.

♦ **2.** (1803). Techn. Pièce de fer qu'on place sous l'armature d'un aimant et à laquelle on suspend la charge à soulever.

♦ **3.** (1841). Assemblage, montant qui soutient un élément de décor, un appareil d'éclairage, etc., au théâtre. — Cette partie de décor.

3 Songez maintenant à nos décorations arriérées, à nos portants de coulisses, à nos files de quinquets, à nos *praticables :* rien de tout cela n'existe au théâtre des Nouveautés.
NERVAL, Lorely, Rhin et Flandre, V.

4 Au fond, pour produire le coup de lumière que jetait la forge ardente de Vulcain, un lampiste avait fixé un portant dont il allumait les becs garnis de verres rouges.
ZOLA, Nana, V.

4.1 (...) il retentissait alors de propos que je devinais injurieux, mais qui restaient aussi indistincts que ceux des personnages qui débitent leurs premières paroles derrière le portant avant d'être entrés en scène.
PROUST, À l'ombre des jeunes filles en fleurs, Folio, p. 563.

♦ **4.** *Portants d'une fenêtre, d'une porte.* ⇒ **Montant.**

5 (...) les croisées de la façade ont pour portants des muses arrangées en cariatides.
Th. GAUTIER, Voyage en Russie, I, IV.

♦ **5.** Arc-boutant, monture métallique qui déborde à l'extérieur d'une embarcation (outrigger) et qui sert d'appui aux avirons.

♦ **6.** Présentoir où sont accrochés les vêtements, dans un magasin d'habillement.

COMP. Autoportant.

PORTATIF, IVE [pɔʀtatif, iv] adj. — 1328, sens imprécis; autres valeurs (en parlant des personnes) au XVIᵉ; en parlant d'un livre, 1627; de *porter.*

♦ **1.** Qui ne nécessite pas d'installation fixe et peut, par conséquent, être utilisé n'importe où; qu'on peut facilement transporter avec soi ou porter sur soi. ⇒ **Portable, transportable.** — Vx. *Dictionnaire philosophique portatif de Voltaire.* — REM. De nos jours, *portatif* désigne surtout des modèles spéciaux d'appareils ou d'objets dont les types habituels sont impossibles ou difficiles à transporter. *Poste de radio portatif à transistor. Émetteur-récepteur portatif en usage dans l'armée. Machine à écrire portative.* — *Ancien orgue* portatif.* — N. m. *Un portatif :* sorte de petit orgue, porté en bandoulière, dont on jouait avec une seule main, l'autre actionnant le soufflet.
Liturgie. *Autel* portatif.*
(V. 1960). *Glace portative,* à emporter (servie sur un cornet, etc.).
Fig. *Un panthéon* (cit. 2) *portatif* (P. Morand).

♦ **2.** N. m. (1731). Registre sur lequel les agents des contributions indirectes tiennent un compte, au nom des redevables, des marchandises assujetties aux droits.

1. PORTE [pɔʀt] n. f. — 1080, *Chanson de Roland; porta,* 980; lat. *porta.*

★ **I.** (En parlant d'une ville). ♦ **1.** Ouverture spécialement aménagée dans l'enceinte (d'une ville) pour permettre le passage; ensemble des constructions (tours, etc.) qui encadrent et protègent cette ouverture; panneau mobile, barrière*, etc. qui sert à la fermer. *Thèbes aux cent portes* (→ Dévorant, cit. 5). *La porte Noire* (lat. porta Nigra) *de Trèves. Porte monumentale.* ⇒ **Propylée.** *Guichet* de la porte d'une ville.* — Vx. *À porte(s) fermante(s), ouvrante(s).* ⇒ **Ouvrir.**

1 Dans nos promenades hors de la ville, j'allais toujours en avant sans songer au retour, à moins que d'autres n'y songeassent pour moi. J'y fus pris deux fois; les portes furent fermées avant que je pusse arriver (...) il me fut promis un tel accueil pour la troisième, que je résolus de ne m'y pas exposer. Cette troisième fois si redoutée arriva pourtant. Ma vigilance fut mise en défaut par un maudit capitaine appelé M. Minutoli, qui fermait toujours la porte où il était de garde une demi-heure avant les autres.
ROUSSEAU, les Confessions, I.

Les portes de la ville sont monumentales et surmontées de trophées dans le goût du dix-septième siècle.
NERVAL, les Nuits d'octobre, XXIII.

Par ext. *Porte d'un château* (cit. 1), *d'une forteresse* (cit. 1). ⇒ aussi **Contre-porte, poterne.** *Mâchicoulis* (cit. 2) *au-dessus d'une porte. Herse installée entre le pont-levis et la porte d'un château fort.* ⇒ **Sarrasine.** *Porte de secours* d'une citadelle.*
Ouvrir (fermer) les portes d'une ville, d'une place à l'ennemi : capituler, se rendre (ou, au contraire, résister). ⇒ aussi **Clé.**

♦ **2.** (1665). Monument en forme d'arc de triomphe, situé ou non sur l'emplacement des portes (d'une ville). *La porte Saint-Denis et la porte Saint-Martin, à Paris* (→ Insurrection, cit. 4). *Porte triomphale,* construite pour commémorer une victoire. ⇒ **Arc.**

♦ **3.** (1665). Lieu où se trouvait autrefois une porte de l'enceinte d'une ville; lieu (place, carrefour, etc.) par où l'on pénètre dans une ville. *La porte Champerret, la porte de Saint-Cloud à Paris.*
Par ext. Le quartier de cette porte. *Habiter à la Porte de Saint-Cloud.* (Majuscule à *Porte,* dans ce sens).

♦ **4.** (XIIIᵉ; au plur., dans des loc. avec *à*). Espace situé aux alentours de l'ouverture de l'enceinte. *Aux portes de la ville* (cf. Sous les murs). *L'ennemi arrive, campe aux portes de la ville.* — Allus. hist. *« Hannibal à nos portes ! »* (lat. Hannibal ad portas), cri d'alarme que les Romains poussèrent après le désastre de Cannes, quand la ville de Rome elle-même fut en péril. — Fig. *L'ennemi est à nos portes,* à nos frontières, tout près.

Ah! messieurs, à propos d'une ridicule motion du Palais-Royal, d'une risible insurrection (...) vous avez entendu naguère ces mots forcenés : « Catilina est aux portes de Rome et l'on délibère! » Et certes, il n'y avait autour de nous ni Catilina, ni périls, ni factions (...)
MIRABEAU, Disc. du 26 sept. 1789.

(Sans idée, même métaphorique, d'enceinte fortifiée). *Avoir un château, une propriété aux portes de la ville.* ⇒ **Près.**

★ **II.** (V. 1138; par substitution à *huis,* tombé en désuétude; en parlant d'un lieu muni d'une clôture). ♦ **1.** Ouverture spécialement aménagée dans un mur, une clôture, etc., pour permettre le passage; l'encadrement de cette ouverture; l'ensemble formé par cette ouverture et l'appareil mobile (chaîne, grille ou le plus souvent panneau; → ci-dessous, II., 2.), qui permet à volonté d'interdire ou de laisser libre le passage. ⇒ **Entrée, issue, sortie.** *La porte d'un appartement* (→ Bouée, cit. 2), *d'une salle, d'une maison*, d'un jardin, d'un parc, d'un cimetière* (→ Entamer, cit. 5), *etc. Porte d'un théâtre, d'un cirque.* — Loc. (Vx). *Les bagatelles* de la porte.* — (Emploi abusif en archit.). *La porte nord de Notre-Dame, la porte du croisillon sud d'Amiens.* ⇒ **Portail** (→ Hancher, cit. 3 et 5). — *Porte bâtarde** (cit. 6), *cavalière* ou *chevalière, charretière, cochère** (cit. 1), *piétonne* (cit. 2). *Porte basse. Porte-fenêtre*. Porte de dégagement. Porte de derrière*, de devant. Porte d'entrée* (→ Frimousse, cit. 3), *d'honneur, de secours*, de service* (→ Huissier, cit. 3), *de sortie... Porte interdite au public. Porte réservée* (→ Manutention, cit. 2). *Porte dérobée, secrète. Fausse porte. Porte ogive* (cit. 3), *en ogive* (→ Penta-, cit. 1), *en plein cintre, en anse de panier...* — (Styles). *Une porte atticurge*, romane, gothique, renaissance, Louis XVI...* — *Maçonnerie d'une porte. Faire élargir, hausser* (cit. 1), *ouvrir, percer une porte. Ébraser* une porte. Porte biaise*. Condamner, murer, démurer une porte* (→ Entre-temps, cit. 4). *Éléments architecturaux d'une porte.* ⇒ **Arceau, arrière-voussure, baie, chambranle, claveau, ébrasement, embrasure, encadrement, imposte, jambage, jouée, linteau, pied-droit, pylône, seuil, tableau, tympan.** *Arc de décharge au-dessus d'une porte. Construction qui abrite une porte.* ⇒ **Auvent, marquise, porche.** *Borne placée à l'angle d'une porte.* ⇒ **Bouteroue, chasseroue.** — *L'encadrement de la porte, ouvrage de menuiserie.* ⇒ **Huisserie;** et aussi **battée, battement, chambranle, châssis** (dormant, fixe, à demeure), **dormant, imposte, montant, portant, potelet, sommier, tambour, traverse.** *Bourdonnière* d'une porte. Peinture au-dessus d'une porte* (→ Camaïeu, cit.) ou *dessus de porte* (→ Galant, cit. 7; 1. lunaire, cit. 3). — *Porte qui communique* (cit. 11) *avec une pièce, qui dessert* (1. Desservir, cit. 3) *une pièce. Porte qui donne sur le palier* (→ Fixer, cit. 2) ou *porte palière*. Mur percé d'une porte.* — (Dans un immeuble, un hôtel). *La première, la deuxième porte à droite,* porte d'entrée d'un appartement. *La porte de face. Votre chambre est au troisième étage, deuxième porte à droite de l'ascenseur.* — *Entrer*, passer*, sortir* par la porte, par une porte. Assemblée, foule qui s'écoule* (cit. 5), *s'engouffre par les portes. Franchir* (cit. 7), *passer la porte. Se mettre en travers de la porte* (→ Arc-bouter, cit. 4). *Sous une porte, sous une porte cochère* (→ Friterie, cit.). *Dans l'embrasure* (cit. 6), *dans l'encoignure* (→ Mendigot, cit.) *d'une porte. Paraître* (→ Cantonade, cit.), *mettre le nez* (cit. 30) *à la porte.* — *Reconduire qqn à la porte,* quand il se retire après une visite (→ 1. Lancer, cit. 38). *Accompagner qqn jusqu'à sa porte,* quand il rentre chez lui. *Attendre à la porte, devant la porte de qqn. Sonner* à la porte pour se faire ouvrir* (→ Demander le cordon*). *« C'est un droit qu'à la porte on achète* (cit. 4) *en entrant »* (Boileau). — *Être, prendre le frais devant sa porte, sur sa porte* (→ aussi Grivois, cit. 6), *sur le pas* de sa porte.* ⇒ **Seuil.** — *Paillasson* posé devant une porte. Mettre, placer un homme de faction devant la porte* (→ Déséquiper, cit.). *Garder* une porte.*

Personne chargée de garder une porte. ⇒ **Concierge, huissier** (vx), **portier.**

4 Après avoir monté un long escalier, on parvint à une porte extrêmement petite, mais dont le chambranle gothique était doré avec magnificence.
STENDHAL, le Rouge et le Noir, I, XVIII.

5 (...) de l'autre côté du mur que troue, au fond du potager, une petite porte à secret, on trouve un bois-taillis (...) GIDE, la Porte étroite, I.

Anciennt. *Impôt** (cit. 12) *sur les portes et fenêtres. Payer un pas* de porte.* ⇒ 1. **Pas** (III.).

Loc. (1458). *De porte en porte* (→ Colporteur, cit.) : de maison en maison, d'appartement en appartement.

6 Je suis la fille d'une femme qui, vingt fois désespérée de manquer d'argent pour autrui, courut sous la neige fouettée de vent crier de porte en porte, chez des riches, qu'une enfant (...) venait de naître sans langes (...)
COLETTE, la Naissance du jour, p. 7.

PORTE À PORTE. *Faire du porte à porte* ou *du porte-à-porte,* se dit d'un agent commercial, d'un quêteur, d'un propagandiste politique, etc. qui passe de maison en maison, d'appartement en appartement.

6.1 Et lui qui faisait du porte à porte pour intéresser les braves paysans du Lot à une méthode de lecture globale ! F. MALLET-JORIS, le Jeu du souterrain, p. 99.

(1694). *Ils sont logés, ils habitent porte à porte,* dans des immeubles, des appartements contigus. ⇒ **Voisin.**

7 (...) je viens de voir sortir de chez vous un monsieur avec lequel je suis porte à porte dans la même pension, le père Goriot.
BALZAC, le Père Goriot, Pl., t. II, p. 898.

8 Une cour sombre, toute baroque, encombrée de grandes planches parce qu'il y avait un menuisier en bas, porte à porte. ARAGON, les Beaux Quartiers, I, II.

Je mets trois heures porte à porte pour aller dans ma maison de campagne. — Trafic porte à porte, du domicile au domicile. *Trafic porte à quai,* du domicile au centre de groupage (conteneurs).

À la porte de qqn, devant chez lui, devant sa maison. *Cela s'est passé à ma porte,* tout près* de chez moi. *Il a une station de métro à sa porte.*

Fig. *Parler à qqn, recevoir qqn entre deux portes,* lui parler rapidement, sans le faire entrer.

9 Son Excellence était, ce jour-là, visiblement préoccupée. J'ai été reçu entre deux portes après bien des difficultés.
NERVAL, Voyage en Orient, Notes et variantes, Introd., VI.

Mettre, ou, fam., *ficher, flanquer* (2. Flanquer, cit. 3), *foutre qqn à la porte.* ⇒ **Chasser, congédier, éconduire, jeter** (dehors) ; → fam. **lourder, virer.** *Se faire mettre à la porte. Professeur qui met un élève à la porte de la classe.* ⇒ **Expulser.** *Mettez-le à la porte.* — Ellipt. *À la porte ! —* Spécialt. (En parlant d'un domestique, d'un employé). ⇒ **Renvoyer** (→ Gaillard, cit. 9).

10 (...) j'ai presque fait pendre deux hommes ; j'ai fait mettre à la porte un valet, j'ai fait chasser une servante (...) DIDEROT, Jacques le fataliste, Pl., p. 529.

11 On me mit à la porte, on me renvoya, monsieur, malgré les supplications de mes parents qui, dès ce jour, se séparèrent de moi (...)
APOLLINAIRE, l'Hérésiarque..., p. 192.

12 (...) il rit de plus belle, il rit, il pleurait de rire. Pour le coup, on se fâcha. On cria : « À la porte ! ». Il se leva, et partit, en haussant les épaules, le dos secoué par un accès de fou rire. Cette sortie fit scandale.
R. ROLLAND, Jean-Christophe, La révolte, I, p. 389.

Être, attendre, rester à la porte : ne pas pouvoir, ne pas vouloir entrer* (→ aussi Marchand, cit. 6).

Fig. *Laisser qqch. à la porte :* abandonner qqch., y renoncer en entrant dans un lieu, dans un groupe.

13 Ami, reviens chez moi ; que nous sert de pleurer ?
Haine, vengeance et deuil, laissons tout à la porte.
LA FONTAINE, Fables, X, 11.

(Belgique ; emploi critiqué). *À la porte :* dehors, à l'extérieur. *Quelle température fait-il à la porte ? Manger à la porte,* dans le jardin, sur le balcon.

Gagner (cit. 54) *la porte* (vieilli). *Prendre la porte.* ⇒ **Partir, sortir** (→ Ouste, cit. 2). *Si vous continuez, vous allez prendre la porte. Condamner*, consigner*, défendre* (cit. 25), *garder, interdire, refuser sa porte à qqn.*
Forcer, violer* la porte de qqn.*

(1619, *in* D.D.L.). *Entrer par une porte et sortir par l'autre :* passer rapidement.

*On le chasse par la porte, il revient par la fenêtre** (→ aussi Fermer, cit. 2, La Fontaine). — Allus. bibl. *« Celui qui n'entre pas par la porte dans la bergerie... »* (cit. 1, Bible).

(1876). *Grande, petite porte. Entrer, passer par la grande porte :* accéder directement à un haut poste. *Entrer par la petite porte :* commencer sa carrière par un petit emploi et suivre la filière. *Sortir par la grande (la petite) porte :* quitter son emploi, sa charge, se retirer d'une manière honorable (ou non). — REM. On a dit aussi *par la belle porte, par la bonne porte, par une mauvaise porte. — Entrer par la porte étroite** (cit. 5).

Par métaphore. *Le baccalauréat est la porte par laquelle on accède aux études supérieures.* ⇒ **Accès, introduction, moyen** (de parvenir). — *Se ménager, se réserver une porte de sortie.* ⇒ **Échappatoire, issue** (→ aussi Porte de derrière*).

14 Il *(Chateaubriand)* ne cherchait qu'une porte pour sortir : la mort du duc d'Enghien lui en offrait une, belle et magnifique, une sortie éclatante, comme il les aimait ; il n'y résista pas, et, le lendemain de cette démission, il se trouva, on peut l'affirmer, bien autrement royaliste qu'il ne l'avait jamais été jusque-là.
SAINTE-BEUVE, Causeries du lundi, 30 sept. 1850.

À tout ce qu'on lui expose, il répond : « Oui, c'est une des interprétations (...) » Il ne cherche pas la vérité, mais des portes de sortie. 14.1
F. MAURIAC, Bloc-notes 1952-1957, p. 31.

Spécialt. (Dans un aérodrome). Porte de la salle d'embarquement. *Les passagers pour New York sont priés de se présenter à la porte 40.*

Fig. (Vx ou littér.). *Être aux portes de l'éternité, de la mort, du trépas, du tombeau :* être près de mourir (→ Être à l'agonie*, au seuil* du tombeau).

(1690). Lieu par lequel on accède à un pays, à une région. *Place forte qui est la porte d'une province, d'un pays* (→ aussi Clef, *supra* cit. 7). — *Marseille, porte de l'Orient. Brest, porte océane*.*

Alger est la porte, la porte blanche et charmante de cet étrange continent. 15
MAUPASSANT, Bel-Ami, I, III.

♦ **2.** (V. 1138). Pièce, panneau mobile permettant d'obturer la baie d'une porte. ⇒ **Huis** (vx), argot **lourde ;** et aussi **trappe.** *Poser, monter, démonter une porte. Porte à claire-voie* (cit. 3), *blindée, doublée de tôle* (→ Fermer, cit. 19), *matelassée* (cit. 1), *pleine* (→ 1. Garde, cit. 83). *Porte vitrée* (→ Grille, cit. 7 ; loge, cit. 14). ⇒ aussi **Rideau** (de fer). *Porte à glace. Porte à deux battants. Porte-grille,* dont la partie supérieure est formée d'une grille. *Porte brisée,* divisée horizontalement en deux panneaux, la partie supérieure pouvant se rabattre sur l'autre. *Porte coupée,* dont les vantaux sont coupés à hauteur d'appui. *Petite porte en métal.* ⇒ **Portillon.** *Fausse porte* ou *porte feinte*. Porte arasée* ou *porte sous tenture* ou *porte perdue,* qui se confond avec la cloison. *Double porte* (→ Ouvrir, cit. 26). *Porte tournante, porte tambour, porte à tambour**, formée de quatre panneaux solidaires disposés à angle droit et fixés à un axe central, à la manière d'un tourniquet. ⇒ **Porte-tambour.** — *Porte de bois. Porte en fer forgé. Porte de verre d'un magasin. Les portes de bronze du baptistère de Florence. La porte Sainte de Saint-Pierre du Vatican,* ouverte et fermée solennellement à l'occasion des jubilés. *Porte de clôture d'un couvent. — Parties d'une porte.* ⇒ **Battant, vantail ;** et aussi **battement, châssis** (mobile), **feuillure, panneau, placard.** *Petite ouverture pratiquée dans une porte.* ⇒ **Chatière, guichet, judas, vasistas.** *Accessoire, fermeture*, ferrage, ferrures* (cit.) *d'une porte.* ⇒ **Arc-boutant, bâcle, barre, bec** (cit. 16 : *bec-de-cane*), **bobinette, bouton** (cit. 9), **cadenas, chaîne** (de sûreté), **charnière, clef, clenche, crapaudine, épar, fléau, gond** (cit. 1, 2 et 3), **heurtoir** (cit. 1), **loquet** (cit. 1), **marteau, passe-partout, paumelle, pène, penture, plaque** (de propreté, de protection), **poignée, serrure, tourillon, verrou, verterelle.** *Munir une porte de gonds, gonder une porte. Butoir* qui arrête une porte. Laisser la clé* sur la porte. — Porte battante, à coulisse** ou *coulissante. Porte roulante, pliante, basculante d'un garage. Porte à fermeture automatique, munie d'un ferme-porte, d'un valet*. Porte à ouverture automatique, par un œil* électronique. Porte accordéon,* faite d'une matière souple qui se replie sur elle-même comme les soufflets d'un accordéon. *Porte à sens unique,* qu'on ne peut ouvrir que d'un côté. — *Porte qui s'ouvre* (cit. 30) *sur..., qui s'ouvre à l'intérieur, à l'extérieur d'une pièce. Porte va-et-vient*. Porte qui ferme bien, mal, qui frotte, qui traîne. Porte fermée, ouverte, grande ouverte...* ⇒ **Clore, entrebâiller** (cit. 2), **entrouvrir** (cit. 4), **fermer** (cit. 3), **ouvrir** (cit. 1), **pousser, tirer.** *Fermez la porte !* — Ellipt. *La porte !* (→ Ordre, cit. 48), *votre porte ! Claquer* (1. Claquer, cit. 6.1) *la porte. Fermer une porte à clef*, à double tour*. Débarrer, déverrouiller, verrouiller une porte. Bruit d'une porte* (→ Huiler, cit. 1). *Porte qui grince* (→ 1. Garde, cit. 57), *qui bat. Ouvrir une porte avec un monseigneur* (cit. 3), *une pince-monseigneur. Crocheter* (cit.), *enfoncer* (cit. 15), *forcer une porte. Les cambrioleurs ont endommagé la porte. Crochetage, forcement, rupture des portes.* ⇒ **Effraction** (cit. 1). — *Frapper à la porte.* ⇒ **Cogner, frapper, heurter.** *Gratter** (cit. 19) *à la porte. — La porte est un abri* contre le froid, le vent. Calfeutrer les joints d'une porte au moyen de bourrelets*, calfeutrer une porte. Mettre une portière* derrière une porte. Bise* (cit. 4), *courant d'air, vent qui s'engouffre, gémit, fuse* (cit. 3) *sous une porte. Odeurs qui passent sous les portes* (→ Escalier, cit. 6). *Glisser le courrier* (cit. 8), *une lettre sous la porte* (→ Paillasson, cit. 1).

La porte n'était autre chose qu'un assemblage de planches vermoulues grossièrement reliées par des traverses pareilles à des bûches mal équarries. 16
HUGO, les Misérables, II, IV, I.

Dix-neuf coups annonçaient un grand événement. C'était l'ouverture de la *porte de clôture,* effroyable planche de fer hérissée de verrous qui ne tournait sur ses gonds que devant l'archevêque. HUGO, les Misérables, II, VI, VII. 17

Ô porte du jardin qui grince sur ses gonds 18
Et s'écarte en chassant des graviers autour d'elle (...)
C^sse DE NOAILLES, l'Ombre des jours, « Attendrissement ».

Tu sais, chez nous (...) les portes d'entrée des maisons sont divisées en deux : en bas, ça forme une sorte de barrière jusqu'à mi-corps, et en haut, ça forme comme qui dirait volet. Comme ça, on peut fermer seulement la moitié d'en bas de la porte et être à moitié chez soi. H. BARBUSSE, le Feu, I, XII. 19

(...) une fois engagé dans la porte tournante dont je n'avais pas l'habitude, je crus que je ne pourrais pas arriver à en sortir (Disons en passant, pour les amateurs d'un vocabulaire plus précis, que cette porte tambour, malgré ses apparences pacifiques, s'appelle porte revolver, de l'anglais *revolving door*). 20
PROUST, le Côté de Guermantes, Pl., t. II, p. 401.

21 Voici une porte, par exemple : elle est là, avec ses gonds, son loquet, sa serrure. Elle est verrouillée avec soin, comme si elle protégeait quelque trésor.
SARTRE, Situations I, p. 128.

21.1 Les rois ne touchent pas aux portes.
Ils ne connaissent pas ce bonheur : pousser devant soi avec douceur ou rudesse l'un de ces grands panneaux familiers, se retourner vers lui pour le remettre en place, — tenir dans ses bras une porte.
Francis PONGE, le Parti pris des choses, p. 44.

21.2 (...) il éprouva quelque chose comme de la panique la sensation d'être pris au piège (mais en somme, réfléchit-il plus tard, ni plus ni moins que n'importe quel engagé dans une porte-tambour aux prises, dans le bruit des pales tournantes et de l'air froissé, avec cette sorte de vertige, cette angoisse de la claustration, du tourbillon)...
Claude SIMON, le Palace, p. 55.

Antiq. rom. *Les portes du temple de Janus,* fermées pendant la paix et ouvertes pendant la guerre. — Vx et poét. *Fermer les portes de Janus, du temple de Janus :* mettre fin à la guerre. *Les portes de la guerre.*

22 — La cérémonie n'est pas prête? — Si. Les gonds nagent dans l'huile d'olive. — (...) la guerre aussi est prête... Si tu fermes cette porte, il va peut-être falloir la rouvrir dans une minute. — Une minute de paix, c'est bon à prendre.
GIRAUDOUX, La guerre de Troie n'aura pas lieu, II, 5.

Loc. *Mettre la clé* sous la porte.*

*Trouver porte close** (→ Trouver visage* de bois). *Compter les clous* de la porte. Se casser* le nez* (cit. 38) *contre la porte, à la porte de qqn.*

Aimable, gracieux comme une porte de prison : très désagréable, hargneux, maussade. — *Triste comme une porte de prison.*

23 On dit : « Triste comme la porte
D'une prison. »
Et je crois, le diable m'emporte!
Qu'on a raison.
A. DE MUSSET, Poésies nouvelles, « Le mie prigioni ».

Prov. *Il faut qu'une porte soit ouverte ou fermée :* il faut choisir, il faut prendre une décision (titre d'une comédie de Musset).

À porte close : secrètement, en l'absence de tout témoin (cf. aussi À huis clos).

Écouter aux portes,* derrière les portes. *C'est un écouteur* aux portes.*

Fig. *Enfoncer* une porte ouverte. Un enfonceur de portes ouvertes. Partir en claquant les portes. Faire claquer* la porte.*

Frapper à la bonne, à la mauvaise porte, frapper, heurter à toutes les portes, aller frapper à la porte d'un ami. ⇒ **Frapper** (fig.). *« Sitôt que les passions frapperont* (cit. 50) *à la porte ». — « Octobre, le courrier de l'hiver, heurte* (cit. 23) *à la porte de nos demeures ».*

Fermer la porte au nez de qqn. ⇒ **Nez** (*supra* cit. 38).

Ouvrir (fermer, rouvrir) sa porte à qqn, accepter (refuser, recommencer) de l'admettre chez soi, avec soi, dans son groupe, dans son milieu (→ Ordre, cit. 45). — *Il a tort d'ouvrir sa porte à n'importe qui. « Venez donc, ô riches, dans son Église; la porte enfin vous en est ouverte »* (→ Naturaliser, cit. 4, Bossuet). — *Toutes les portes lui sont ouvertes, tombent devant lui :* il est admis, il a de la considération, du crédit* partout (→ aussi Fort, cit. 44). *Toutes les portes se fermeraient devant lui* (→ Dent, cit. 27). — *Pays qui ferme sa porte aux indésirables, aux immigrés* (→ Immigration, cit. 2). — Écon. polit. (Trad. de l'angl. *open door*). *Régime de la porte ouverte :* régime commercial qui supprime les barrières douanières et permet d'importer librement les produits étrangers.

24 — Ne dois-je point pour toi fermer ma porte à tout le monde?
— Vous devriez au moins la fermer à certaines gens.
MOLIÈRE, le Bourgeois gentilhomme, III, 2.

25 Si je m'étais douté hier de ma bonne fortune, ma porte aurait été ouverte : elle le sera toujours pour vous. Je la ferme aux ennuyeux et à ceux avec qui il n'y a que du temps à perdre.
RIVAROL, Lettres, XXII, juil. 1797.

26 Dans les *Mille et Une nuits,* « Sésame » ouvrait une porte. C'était une légende, mais une légende vraie. Il y a, en toute société, des mots qui ouvrent les portes (...)
A. MAUROIS, Un art de vivre, I, III.

La porte des hauts emplois, des honneurs lui est fermée. C'est la porte ouverte à tous les abus, à toutes les tyrannies (→ Inégalité, cit. 2). *Laisser la porte ouverte à des négociations.*

Journée, opération portes ouvertes : opération d'information du public qui consiste à lui faire visiter des lieux de travail et à lui présenter une entreprise, un organisme, souvent à l'occasion de difficultés internes. *« Le Comité de défense et de liaison de ces centres a suscité (...) une semaine d'information et d'action (pétitions, affiches, journées "portes ouvertes") pour dénoncer cette situation »* (*le Monde,* 1er févr. 1977, p. 15).

(En parlant de la perception, des sens). → Fermer, cit. 30; hostile, cit. 4.

(1690; en parlant d'un véhicule). *Les portes d'un wagon, d'une automobile* (⇒ **Portière**), *d'un avion, etc. Porte donnant sur la voie. Une voiture à deux, à quatre portes,* ou, ellipt., *une deux, une quatre portes. Les portes avant, arrière. Les portes et le hayon.*

(En parlant d'un meuble, d'un appareil...). *Porte d'une armoire* (→ Béer, cit. 2), *d'un placard* (→ Entassement, cit. 2), *d'un four*, d'un poêle, d'une cage d'oiseau. — La porte d'un réfrigérateur. Porte munie d'étagères; porte-étagère. Porte de vidange d'une chaudière. Porte étanche.*

(1690). *Portes d'une écluse*. — Bateau-porte :* caisson flottant qui ferme l'entrée d'une cale sèche, d'un bassin de radoub.

♦ **3.** *La porte, les portes de l'enfer.* ⇒ **Enfer** (cit. 5 et 20). — *Les portes du paradis, la porte des cieux* (→ Martyre, cit. 1; et aussi humiliation, cit. 10), *de la Jérusalem céleste.*

Les bonnes actions sont les gonds invisibles 27
De la porte du ciel.
HUGO, les Contemplations, VI, XXVI.

♦ **4.** (Déb. XVIe). Par métonymie. Vx ou hist. (certains souverains orientaux ayant eu coutume de présider leur conseil, d'accorder des audiences à la porte de leur palais ou de leur tente). *La Porte* (→ Dey, cit. 2), *la Sublime Porte, la Porte ottomane :* la cour, le gouvernement des anciens sultans turcs (⇒ **Divan**); la Turquie elle-même.

C'était un Kurde. Il avait été élevé à Paris, au collège, et avait passé quelque 28
temps à Constantinople, dans les bureaux de la Porte (...)
J.-A. DE GOBINEAU, Nouvelles asiatiques, p. 282.

★ **III.** Par anal. ♦ **1.** (Mil. XVIe; généralement au pluriel et suivi d'un déterminant). Passage étroit qui est situé dans une région montagneuse et qui constitue la principale ou l'unique communication entre deux régions. ⇒ **Défilé, gorge.** *Les portes de Cilicie. Les Portes de fer,* sur le Danube (quatrième cataracte); en Algérie (Bibans).

♦ **2.** (1606). Techn. Anneau dans lequel on fait passer le crochet d'une agrafe*.

♦ **3.** Vétér. *Portes du lait :* orifices par lesquels les veines mammaires antérieures de la vache pénètrent dans l'abdomen.

♦ **4.** (1937, *in* Petiot). Sports. Espace compris entre deux piquets d'un slalom et où le skieur doit passer. *Portes de contrôle :* passage obligatoire. *Porte horizontale* (perpendiculaire à la trajectoire), *verticale. Porte bleue, rouge... Porte de descente, de slalom. Double porte, double porte oblique. Portes alignées* (⇒ **Enfilade**), *décalées, serrées. Portes en chicane, en couloir, en croix. Groupements de portes constituant des figures de slalom : double porte fermée* (salvis), *portes verticales alignées* (chicane*), *deux portes horizontales séparées par une porte verticale* (seelos). *Entrer dans la porte par la droite, par la gauche; par-derrière, par-dessous...*

Une porte est constituée par deux piquets ronds plantés dans la neige, dépassant 29
la neige de 1,80 m; les deux piquets de la même porte sont de même couleur et les portes se succèdent dans l'ordre suivant : bleu, rouge, jaune. À chaque piquet est fixé un fanion de même couleur. Les portes sont numérotées du départ à l'arrivée. La largeur des portes varie de 3,20 m à 4 m et la distance entre les fanions les plus rapprochés de deux portes est voisine au moins de 0,75 m.
Jean FRANCO, le Ski, p. 63.

Lieu de passage obligatoire dans un slalom de canoë-kayak.

♦ **5.** Techn. (électron.). Circuit possédant plusieurs entrées et une seule sortie, et ne fournissant de signal de sortie que si un certain nombre de conditions sont assurées aux entrées.

Porte d'un transistor : électrode de commande, sur certains types de transistors.

Signal permettant, sur un radar, de sélectionner les parties d'une onde.

DÉR. et COMP. Bateau-porte, contre-porte, portail, porte-fenêtre, portereau, porterie, porte-tambour, 1. **portière, portillon.**
HOM. 2. **Porte,** formes du v. **porter.**

2. PORTE [pɔʀt] adj. — 1314, *veine porte* « veine qui joue le rôle de porte, d'orifice »; même mot que le précédent.

♦ Anat. *Éminences portes :* saillies de la face inférieure du foie qui bornent le hile ou sillon transverse.

Veine porte (→ 1. Confluent, cit. 1) : veine formée par la réunion de trois veines volumineuses, la veine splénique, la veine mésentérique supérieure et la veine mésentérique inférieure, qui ramène au foie*, où elle se ramifie, le sang des organes digestifs abdominaux. *La veine porte aboutit au sillon transverse, borné par les éminences portes. De la veine porte.* ⇒ **Portal.** *Système porte, vaisseaux portes :* système de vaisseaux où le sang parvient après avoir déjà traversé un premier réseau de capillaires. *Système porte hépatique, rénal...*

HOM. 1. **Porte,** formes du v. **porter.**

PORTE- REM. En général, on prononce le *e* final de *porte-* [pɔʀtə] suivi d'un monosyllabe, mais ce *e* est muet [pɔʀt] suivi d'un polysyllabe (ex. : *porte-clé* [pɔʀtəkle], *porte-drapeau* [pɔʀtdʀapo])...

Premier élément de mots composés, généralement n. m., tiré du verbe *porter* et désignant des objets (⇒ **Étui, support...**), des personnes dont la fonction est de porter... (⇒ **Porteur**). ⇒ aussi les suff. **-fère, -phore.** — N.B. Outre les principaux composés traités ci-dessous, il existe un grand nombre de formations de ce genre, désignant soit des objets : *porte-bât, porte-bobine* (*chariots porte-bobines,* in *l'Année sc. et industr.* 1870, p. 134), *porte-bûches* (*grille porte-bûches,* in *Mon jardin et ma maison*), *porte-cierges* (→ Diriger, cit. 8), *porte-cire* (Balzac, *Maître Cornélius,* Pl., t. IX, p. 897); *porte-chaussettes* (Mac Orlan, *la Bandera,* p. 103-107); *porte-ensouples* (*chariot porte-ensouples,* in *Usine nouvelle,* 1972), *porte-épaulette* (« officier », J. Vallès, *in* D.D.L.,

2), *porte-fil, porte-jonc* (Flaubert, *Bouvard et Pécuchet,* II), *porte-journaux* (1829 ; → Porte-revues), *porte-panneaux* (in *la Clé des mots*), *porte-phare* (d'automobile ; vx, 1906), *porte-torpilles* (*Année sc. et industr.* 1878, p. 155)... ; soit des personnes : *porte-grattoir* (→ Gâte-papier, cit.), *porte-mitre, porte-sabre* (→ Fouailler, cit. 5, Hugo), *porte-soutane* (n. m. «prêtre»).

1 Ce fut par là que les porte-flambeaux du sire de Saint-Vallier le guidèrent vers la partie du bourg qui avoisinait la Loire (...)
BALZAC, Maître Cornélius, Pl., t. IX, p. 908.

2 On n'a jamais su le nom de l'homme qui avait parlé ainsi ; c'était quelque porte-blouse ignoré, un inconnu (...) HUGO, les Misérables, V, I, III.

3 — Eh non! dit le porte-falot, je suis le nain de Monseigneur le roi (...)
Aloysius BERTRAND, Gaspard de la nuit, Poterne du Louvre.

3.1 Les porte-vestes ne peuvent en savoir autant que les porte-redingotes.
J. VALLÈS, les Blouses, *in* D. D. L., II, 1.

3.2 (...) vous enseignez qu'on est sur la terre pour s'amuser. Eh bien! nous allons nous amuser, nous autres, les crevants de faim et les porte-loques.
Léon BLOY, le Désespéré, p. 254.

3.3 Bientôt la foule commença à se disperser. Les jeunes porte-brassards collaient aux gardiens de la paix en criant la police avec nous, très ensemble et heureux de faire plaisir. M. AYMÉ, Travelingue, p. 226-227.

3.4 Le curé n'avait pas bronché (...) la situation devenait diablement tendue. Ou divinement plutôt, puisqu'y avait un porte-soutane.
R. QUENEAU, le Chiendent, p. 343.

Spécialt. (Méd., chir.). *Porte-bougie, porte-crochet, porte-mèche, porte-plaque, porte-tampon, porte-tige, porte-vis.*

REM. 1. Les composés de *porte-* employés adjectivement ou en apposition sont souvent des créations d'auteurs, des composés «de circonstance» (par ex., chez Ronsard et les poètes de la Pléiade). *Apollon porte-feu* (→ Exposer, cit. 30). *Tiges porte-graines* (de raisin), Colette, *En pays connu.*

3.5 L'autre jour, j'avais fourré un insidieux billet pour elle dans mon porte-visite. Il dormait là du sommeil de l'innocence dans son berceau de moire couleur de rose.
BARBEY D'AUREVILLY, Deuxième Mémorandum, *in* D. D. L., II, 12.

4 Il était de la bonne espèce porte-laine, qui est faite pour qu'on la tonde.
R. ROLLAND, Jean-Christophe, Antoinette, p. 848.

2. Dans les composés de *porte-*, le premier élément reste invariable au pluriel ; le nom complément reste lui aussi invariable, d'après le dictionnaire de l'Académie. Il serait plus normal d'écrire le second élément sans *s* au singulier, sauf lorsqu'il désigne toujours une pluralité *(un porte-avions),* et avec un *s* au pluriel, sauf lorsqu'il ne désigne jamais une pluralité *(des porte-bonheur, des porte-Dieu).* Les composés qui s'écrivent sans tiret prennent la marque du pluriel : *des portemanteaux.* — Les anomalies se rangent en deux groupes : singulier portant la marque «logique» du pluriel *(un porte-avions, un porte-jarretelles)*; pluriel ne portant pas cette marque (mots «invariables» dans les dict.). De nombreux linguistes (notamment le Conseil international de la langue française) souhaiteraient les réduire, ces considérations «logiques», fort intuitives, allant à l'encontre de la règle générale du français ; supprimer le tiret simplifierait d'ailleurs le problème, comme on le voit par l'exemple de *portefeuille,* graphie éminemment «illogique».

PORTÉ, ÉE [pɔʀte] p. p. adj. ⇒ **Porter.**

PORTE-AÉRONEFS [pɔʀtaeʀɔnɛf] n. m. invar. — 1927, *Larousse mensuel ;* de *porte-,* et *aéronef,* d'après *porte-avions.*

♦ Milit. Bâtiment de guerre aménagé pour recevoir des aéronefs : avions (⇒ **Porte-avions**), hélicoptères (⇒ **Porte-hélicoptères**). — On pourrait écrire : *un porte-aéronef, des porte-aéronefs.*

PORTE-À-FAUX [pɔʀtafo] n. m. invar. — 1836 ; de *porte-,* et *faux.*

♦ **1.** Disposition d'une chose (construction, assemblage) hors d'aplomb. *Rectifier un porte-à-faux.* — Loc. EN PORTE-À-FAUX. *Mur en porte à faux* (Académie), *en porte-à-faux. Construction bâtie* (cit. 50) *en porte-à-faux.*

1 (...) des amas de monstrueuses pierres brunes, sortes de blocs erratiques aux flancs polis, aux fantasques silhouettes, qui ont l'air d'avoir été entassées avec une continuelle recherche du bizarre et de l'instable, ceux-ci tout debout, ceux-là tout penchés et en porte-à-faux (...) LOTI, l'Inde (sans les Anglais), V, I.

Fig. Instabilité, équilibre instable. *Ce malaise, ce porte-à-faux...* (→ 2. Farce, cit. 10). — *Se sentir en porte-à-faux.*

2 J'étais en porte-à-faux, je me suis redressé.
La pensée est le droit sévère de la vie. HUGO, les Contemplations, V, III.

3 Il y a dans les crises un instant de porte-à-faux. Quand nous débordons sur le mal plus que nous ne nous appuyons sur le bien, cette quantité de nous-mêmes qui est en suspens sur la faute finit par l'emporter et nous précipite.
HUGO, l'Homme qui rit, II, VII, III.

4 En dépit de l'accord apparemment réalisé, je ne pouvais pas douter que mon pouvoir fût en porte-à-faux. Ch. DE GAULLE, Mémoires de guerre, t. III, p. 277.

♦ **2.** Construction, objet en porte-à-faux. *Des porte-à-faux.*

CONTR. Aplomb, équilibre, stabilité.

PORTE-AFFICHE ou **PORTE-AFFICHES** [pɔʀtafiʃ] n. m. — 1842 ; de *porte-,* et *affiche.*

♦ Rare. Cadre dans lequel on appose des affiches. *Des porte-affiches grillagés.*

PORTE-AIGLE [pɔʀtɛgl] n. m. — V. 1805 ; de *porte-,* et *aigle.*

♦ Hist. Officier de l'Empire, qui portait l'aigle. — Malgré les dictionnaires, on écrira plutôt : *des porte-aigles.*

PORTE-AIGUILLE [pɔʀtegɥij] n. m. — 1741 ; de *porte-,* et *aiguille.*

♦ Chir. Sorte de pince permettant de tenir une aiguille à suture. Pince de tabletier. — *Des porte-aiguilles* (certains font le mot invariable).

HOM. Porte-aiguilles.

PORTE-AIGUILLES [pɔʀtegɥij] n. m. invar. — 1827 ; de *porte-,* et *aiguille.*

♦ Étui, feuillets de tissu où l'on range les aiguilles à coudre. ⇒ **Aiguillier.** *Un porte-aiguilles en étoffe, en cuir.* — On pourrait écrire : *un porte-aiguille, des porte-aiguilles.*

HOM. Porte-aiguille.

PORTE-AIGUILLON [pɔʀtegɥijɔ̃] adj. et n. m. — 1839, Boiste ; de *porte-,* et *aiguillon.*

♦ Zool. ⇒ **Aculé.** *Des porte-aiguillons.*

PORTE-ALÉSOIR [pɔʀtalezwaʀ] n. m. — Mil. xxe ; de *porte-,* et *alésoir.*

♦ Techn. Arbre de machine qui entraîne des alésoirs. *Des porte-alésoirs.*

PORTE-ALLUMETTES [pɔʀtalymɛt] n. m. invar. — 1845 ; de *porte-,* et *allumette.*

♦ Boîte à allumettes, munie d'un frottoir. — On pourrait écrire : *un porte-allumette, des porte-allumettes.*

PORTE-AMARRE [pɔʀtamaʀ] n. m. — 1856, *fusée porte-amarre ;* de *porte-,* et *amarre.*

♦ Mar. Appareil servant à lancer une amarre (à terre ou sur un bâtiment). — Appos. *Canon, fusil porte-amarre. Des porte-amarres* (certains font le mot invar. : *des fusées porte-amarre,* in *l'Année sc. et industr.* 1857, p. 302, 1856). — Syn. : *lance-amarre.*

PORTE-À-PORTE [pɔʀtapɔʀt] n. m. ⇒ 1. **Porte** (*supra* cit. 7).

PORTE-ASSIETTE [pɔʀtasjɛt] n. m. — 1653 ; de *porte-,* et *assiette.*

♦ Rare. Cercle, plateau (de métal, de bois, de vannerie...) que l'on met sous les assiettes et les plats. ⇒ **Porte-plat.** *Des porte-assiettes.*

PORTE-AUTOS [pɔʀtoto] adj. invar. — 1967 ; de *porte-,* et *autos.*

♦ Techn. Qui est aménagé pour le transport des automobiles. *Fourgon, véhicule porte-autos.* — On pourrait écrire au sing. : *porte-auto.*

PORTE-AVIONS [pɔʀtavjɔ̃] n. m. invar. — 1921, *Larousse mensuel ;* aussi en appos., *navire porte-avions,* cf. la var. *porteur d'avions,* 1923, ibid. ; de *porte-,* et *avion.*

♦ Grand bâtiment de guerre dont le pont supérieur constitue une plate-forme d'envol et d'atterrissage (pont d'envol) pour les avions terrestres qu'il transporte. *Porte-avions lourd, léger, d'escorte. Avions basés* (cit. 3) *sur un porte-avions. Atterrir sur un porte-avions.* ⇒ **Appontage ; apponter.** — On pourrait écrire : *un porte-avion, des porte-avions.*

PORTE-BAGAGES [pɔʀtbagaʒ] n. m. invar. — 1892, *le Cyclisme théorique et pratique ;* de *porte-,* et *bagage.*

♦ **1.** Dispositif accessoire d'un véhicule, destiné à recevoir des bagages. *Porte-bagages d'une bicyclette* (→ Mettre, cit. 3), *d'une moto, d'une automobile* (⇒ aussi **Galerie**).

(Marius) songeait à la façon dont il gagnerait la Biole, par l'autocar, ou sur le porte-bagages de la moto de Luège (...)
Francis CARCO, les Belles Manières, II, VIII.

♦ **2.** Filet, galerie métallique où l'on place les bagages dans un wagon de chemin de fer, un véhicule de transports en commun, etc.
On pourrait écrire : *un porte-bagage, des porte-bagages.*

PORTE-BAGUETTE [pɔʀtbagɛt] n. m. — 1680 ; de *porte-*, et *baguette.*
Technique.

♦ **1.** Vx. Rainure du fût (d'une arme à feu) destinée à recevoir la baguette*.

♦ **2.** (1923). Plaque de métal fixée au baudrier d'un tambour, munie de deux cylindres où l'on peut ranger les baguettes.
L'orthographe logique est : *un porte-baguettes.*

PORTE-BAÏONNETTE [pɔʀtbajɔnɛt] n. m. — 1842 ; de *porte-*, et *baïonnette.*

♦ Pièce de cuir fixée au ceinturon et destinée à supporter le fourreau de la baïonnette. *Des porte-baïonnettes.*

PORTE-BALAI [pɔʀtbalɛ] n. m. — xxᵉ ; de *porte-*, et *balai.*

♦ Support pour un balai ou plusieurs. — Spécialt. Support de balai de w.-c. *Des porte-balais.*

(...) une cuvette de w.-c. à rabattant assorti au distributeur de papier et au porte-balai de propylène corail. Hervé BAZIN, Un feu dévore un autre feu, 1978, p. 191.

HOM. Porte-balais.

PORTE-BALAIS [pɔʀtbalɛ] n. m. invar. — 1904, *in* D. D. L. ; de *porte-*, et *balai.*

♦ Techn. Gaine maintenant en position les balais d'une machine électrique.

HOM. Porte-balai.

PORTEBALLE ou **PORTE-BALLE** [pɔʀtəbal] n. m. — 1534, Rabelais (→ Blason, cit. 4) ; de *porte-*, et 2. *balle.*

♦ Vx. Mercier ambulant, colporteur. *Des porteballes, des porte-balles.*

PORTE-BANNIÈRE [pɔʀtbanjɛʀ] n. — V. 1460 ; de *porte-*, et *bannière.*

♦ Personne qui porte la bannière. *Des porte-bannières.*

PORTE-BARGES [pɔʀtəbaʀʒ] n. m. et adj. invar. — 1970 ; de *porte-*, et *barge.*

♦ Techn. Navire aménagé pour le transport des barges. — Syn. : *porte-chalands.* — On pourrait écrire : *un porte-barge, des porte-barges.*

PORTE-BÂT [pɔʀtəba] n. m. — 1875 ; adj., 1571 ; de *porte-*, et *bât.*

♦ Vx. Bête de somme. — Fig. et vx. Personne employée à des travaux pénibles. ⇒ **Esclave** (fig.). *Des porte-bâts.*

PORTE-BÉBÉ [pɔʀtbebe] n. m. — 1969 ; de *porte-, et bébé.*

♦ Ce qui sert à transporter un bébé : couffin que l'on porte à la main ; panier, siège sur un vélo, dans une voiture. *« Un million et demi de Danois utilisent chaque jour leur deux-roues à haut guidon (...) avec porte-bagages, porte-bébé et antivol incorporé »* (*l'Express,* 7 mai 1982, p. 129). *Des porte-bébés.*
Sac où l'enfant est assis, qu'on porte attaché sur le dos ou sur la poitrine en marchant.

Elle, la mère, adore ce drôle de sac parce qu'il lui permet de tenir son petit tout contre elle, presque comme s'il était encore dans son ventre. Lui, le père tout neuf, aime ce porte-bébé parce qu'il le rassure. Confortablement installé, l'enfant ne risque pas d'étouffer entre ses bras. F Magazine, juin 1981, p. 17.

PORTE-BIJOU [pɔʀtbiʒu] n. m. — 1903, *porte-bijoux ;* de *porte-*, et *bijou.*

♦ Petit coffre surmonté d'un réceptacle où l'on peut placer des bijoux. *Des porte-bijoux.*

PORTE-BILLETS [pɔʀtbijɛ] n. m. invar. — 1828 ; de *porte-*, et *billet.*

♦ Petit portefeuille où l'on range uniquement les billets de banque.

Mettons que vous avez gagné cent sous, dit le nain, qui les sortit d'un porte-billets suiffeux.
Narcense s'amusait. R. QUENEAU, le Chiendent, p. 68.

On pourrait écrire : *un porte-billet, des porte-billets.*

PORTE-BOIS [pɔʀtəbwa ; pɔʀtəbwɑ] n. m. invar. — V. 1868, Blanchères ; de *porte-*, et *bois.*

♦ Larve aquatique de phrygane (appât pour la pêche à la ligne), que l'on appelle aussi *porte-bûche* (1898), et *portefaix.*

Souvent aussi, il montait vers le canal du côté du pont de Malvaux, et trempait selon la saison le blé cuit, le porte-bois ou le ver rouge.
M. GENEVOIX, Raboliot, éd. Presses de la cité, p. 143.

PORTE-BONHEUR [pɔʀtbɔnœʀ] n. m. invar. — 1876, « bracelet, semainier » ; de *porte-*, et *bonheur.*

♦ Objet que l'on considère comme porteur de chance. ⇒ **Amulette, fétiche, porte-chance, talisman.** — On dit aussi : *porte-veine,* (fam.). — *Le trèfle à quatre feuilles, le fer à cheval, considérés comme des porte-bonheur.* — Par appos. *Breloque porte-bonheur.* — Par ext. Animal (⇒ **Mascotte**), personne que l'on considère comme un porte-bonheur (→ Marabout, cit. 2). — On pourrait écrire, pour normaliser : *des porte-bonheurs.*

CONTR. Porte-malheur.

PORTE-BOUGEOIR [pɔʀtbuʒwaʀ] n. m. — 1903 ; « chandelier », 1726 ; de *porte-*, et *bougeoir.*

♦ Rare. Vx. Celui qui portait le bougeoir pendant les offices pontificaux. *Des porte-bougeoirs.*

PORTE-BOUQUET [pɔʀtbukɛ] n. m. — 1869 ; « plateau », 1680 ; de *porte-*, et *bouquet.*

♦ Très petit vase à fleurs qu'on accroche. ⇒ **Bouquetier.** *Des porte-bouquets.*

(...) il en loua une nouvelle *(auto),* dont le luxe consistait en un tas de petits porte-bouquets où ils mirent des roses, sans se préoccuper de la saison.
ARAGON, les Cloches de Bâle, I, VI.

PORTE-BOUTEILLES [pɔʀtbutɛj] n. m. invar. — 1873, *porte-bouteille ;* « rond de feutre », 1790 ; de *porte-*, et *bouteille.*

♦ **1.** Casier à rayons superposés dans lequel les bouteilles sont rangées couchées.

♦ **2.** Égouttoir à bouteilles. ⇒ **Hérisson.**

♦ **3.** Panier à compartiments servant à transporter verticalement des bouteilles.
On pourrait écrire : *un porte-bouteille, des porte-bouteilles.*

PORTE-BRANCARD [pɔʀt(ə)bʀɑ̃kaʀ] n. m. — 1907 ; de *porte-*, et *brancard.*

♦ Techn. Harnais, sangle servant à porter, soutenir un brancard. *Des porte-brancards.*

PORTE-BRAS [pɔʀtəbʀɑ] n. m. invar. et adj. invar. — 1875 ; de *porte-*, et *bras.*

♦ **1.** Vx. Courroie, dans un métier à tisser, sur laquelle reposait le bras de l'ouvrier qui passait les fils de la chaîne.

♦ **2.** Mod. Courroie fixée dans une voiture pour qu'on y repose le bras.

♦ **3.** Adj. invar. Techn. (robotique). Qui porte des bras. *L'« axe de la colonne porte-bras »* (*la Recherche,* avr. 1981, p. 466).

PORTE-BRIDE [pɔʀtəbʀid] n. m. — 1903 ; de *porte-*, et *bride.*

♦ Techn. Dispositif permettant de suspendre les brides des chevaux dans une écurie. *Des porte-brides.*

PORTE-BROCHE [pɔʀtəbʀɔʃ] adj. et n. m. — 1723 ; de *porte-*, et *broche.*

♦ Techn. Qui supporte une broche ou un outil analogue. *« La poupée porte-broche* (d'une aléseuse-fraiseuse) *»* (*Ingénieurs et techniciens,* nº 200, p. 3). — N. m. *Un porte-broche :* manche ou support de broche. *Des porte-broches.*

PORTE-BROSSE [pɔʀtəbʀɔs] n. m. — xxᵉ, mot dialectal, *in* Wartburg ; de *porte-*, et *brosse.*

♦ Support où l'on dispose des brosses. *Des porte-brosses.*

(...) derrière la vitre médiane, dans la large cabine capitonnée de drap beige, entre les porte-brosses, les étuis, les flacons, les appuie-main (...)
M. DRUON, Rendez-vous aux enfers, III, VII, p. 195.

PORTE-CANNES [pɔʀtəkan] n. m. invar. — 1890; de *porte-*, et *canne.*

♦ ⇒ **Porte-parapluies.** — On pourrait écrire : *un porte-canne.*

PORTE-CARABINE [pɔʀtkaʀabin] n. m. — 1817; de *porte-*, et *carabine.*

♦ Techn. ⇒ **Porte-mousqueton.** *Des porte-carabines.*

PORTE-CARNIER [pɔʀtkaʀnje] n. m. — 1890; de *porte-*, et *carnier.*

♦ Rare. Celui qui porte le carnier d'un chasseur. *Les rabatteurs firent office de porte-carniers, après la chasse.* ⇒ **Porteur.**

PORTE-CARREAUX [pɔʀtkaʀo; pɔʀtkɑʀo] n. m. invar. — 1673, dans un autre sens; de *porte-*, et *carreaux.*

♦ Hist. du mobilier. Petit support sur lequel on plaçait les coussins (*carreaux,* autrefois).

PORTE-CARTE [pɔʀtəkaʀt] n. m. — 1873, *in* D. D. L.; de *porte-*, et *carte.*

♦ **1.** Petit portefeuille ou support destiné à recevoir des cartes de visite.
Sorte de portefeuille, souvent muni de poches transparentes, où l'on range divers papiers (cartes d'identité, d'abonnement, etc.), des photographies. *Des porte-cartes.* — On écrit aussi : *un porte-cartes.*

Il y a dans mon porte-cartes plusieurs photos de mon amour.
APOLLINAIRE, Calligrammes, p. 156.

♦ **2.** (1914). Étui, sacoche, support pour les cartes géographiques. *Porte-carte d'un officier, d'un automobiliste...* (→ Hisser, cit. 9).

PORTE-CELLULE [pɔʀtselyl] n. m. — V. 1970; de *porte-*, et *cellule.*

♦ Techn. Pièce du bras d'un électrophone où est fixée la cellule de lecture. *Des porte-cellules.*

PORTE-CHALANDS [pɔʀtʃalɑ̃] n. m. invar. — 1969; de *porte-*, et *chaland.*

♦ Techn. ⇒ **Porte-barges.** — On pourrait écrire : *un porte-chaland.*

PORTE-CHANCE [pɔʀtəʃɑ̃s] n. m. invar. — 1867; de *porte-*, et *chance.*

♦ Rare. Amulette, fétiche ou mascotte. ⇒ **Porte-bonheur.** — On pourrait écrire : *des porte-chances.*

PORTE-CHAPE ou **PORTECHAPE** [pɔʀtəʃap] n. m. — 1285, « cuisinier » (portant les plats recouverts d'une chape); de *porte-*, et *chape.*

♦ (1549). Liturgie. ⇒ **Chapier.** *Des porte-chapes* ou *portechapes.*

PORTE-CHAPEAUX [pɔʀtʃapo] n. m. invar. — 1903; *porte-chapeau* « paliure épineux », 1776; de *porte-*, et *chapeau.*

♦ Patère (⇒ **Porte-manteaux**) ou tablette pour accrocher, poser les chapeaux. *Accrocher son chapeau au porte-chapeaux.* — On pourrait écrire : *un porte-chapeau.*

PORTE-CHARBON [pɔʀtʃaʀbɔ̃] n. m. — 1863; de *porte-*, et *charbon.*

♦ Techn. Pièce d'un appareil électrique qui supporte un charbon. *Des porte-charbons.* — Certains écrivent : *un porte-charbons.*

Deux porte-charbons sont fixés chacun à une tige verticale qui se meut dans une gaine (...) La gaine du porte-charbon inférieur repose sur un parallélogramme articulé (...) L. FIGUIER, l'Année scientifique et industrielle 1864, p. 67 (1863).

PORTE-CHÉQUIER [pɔʀtʃekje] n. m. — 1972; de *porte-*, et *chéquier.*

♦ Étui destiné à protéger un chéquier. *Porte-chéquier en cuir. Sortir son porte-chéquier et son portefeuille. Des porte-chéquiers.*

PORTE-CIGARES [pɔʀtsigaʀ] n. m. invar. — 1841; aussi « fume-cigares », 1845; de *porte-*, et *cigare.*

♦ Étui à cigares, à cigarettes. *Les porte-cigares sont des articles de tabletterie.*

(...) il ramassa un porte-cigares tout bordé de soie verte et blasonné à son milieu, comme la portière d'un carrosse. — Il y a même deux cigares dedans, dit-il (...)
FLAUBERT, Mme Bovary, I, VIII.

On pourrait écrire : *un porte-cigare.*

PORTE-CIGARETTES [pɔʀtsigaʀɛt] n. m. invar. — 1887; aussi « fume-cigarette », 1903; de *porte-*, et *cigarette.*

♦ Étui à cigarettes. *Porte-cigarettes en argent, en cuir. Il posa son porte-cigarettes sur la table.* — On pourrait écrire : *un porte-cigarette.*

PORTE-CLÉ [pɔʀtəkle] n. m. — 1835; de *porte-*, et *clé.*

♦ Anneau ou étui garni de mousquetons amovibles pour porter des clés. — Spécialt. Anneau pour clés, orné d'une breloque. « *On a frappé à son effigie (...) un porte-clé* » (*Bateaux,* nº 100, p. 32). *Porte-clé publicitaire. Faire collection de porte-clés,* de breloques ornant des porte-clés (activité appelée *copocléphilie*).

Hubert mangeait en silence. Il devait combiner de tortueux échanges de porte- 1
clés, c'est sa dernière lubie. S. DE BEAUVOIR, les Belles Images, p. 245.

On écrit aussi, en suivant la tradition des dict. : *un porte-clés.*

Il ne sortait pas les objets variés dont le tiroir était plein, mouchoirs sales, chaus- 2
settes sales (...) bracelet-montre sans montre, porte-clés sans clés (...)
J.-M. G. LE CLÉZIO, le Déluge, p. 48.

HOM. Porte-clefs.

PORTE-CLEFS [pɔʀtəkle] n. m. invar. — 1581; de *porte-*, et *clefs.* → Clef.

♦ Vx. Gardien de prison (qui porte les clefs). ⇒ **Geôlier.**

HOM. Porte-clé.

PORTE-COLLET [pɔʀtkɔlɛ] n. m. — 1718; de *porte-*, et *collet.*

♦ Anciennt. Pièce du costume qui servait de support au collet ou au rabat. *Des porte-collets.*

PORTE-CONTENEURS [pɔʀtkɔ̃tnœʀ] n. m. invar. — 1972; de *porte-*, et *conteneur.*

♦ Techn. Navire destiné à transporter des conteneurs. « *Six porte-conteneurs de 60 000 tonnes chacun* » (*Science et Vie,* « Environnement », nº H. S., 1974). *Porte-conteneurs roulier.* — Appos. *Navire, wagon porte-conteneurs.*

REM. 1. On trouve fréquemment la forme *porte-containers,* 1967 (→ Container), condamnée par les puristes.

2. On pourrait écrire : *un porte-conteneur.* «*Leur dernier-né* (des Messageries maritimes) *le porte-conteneur "Korrigan"*» (*l'Express,* 18 juin 1973, p. 85). «*Le wagon porte-conteneur*» (*Sciences et Avenir,* janv. 1981, p. 36).

PORTE-COPIE [pɔʀtkɔpi] n. m. — 1962; de *porte-*, et *copie.*

♦ Support pour un texte à copier, à taper à la machine. *Des porte-copies.*

PORTE-COTON [pɔʀtkɔtɔ̃] n. m. — 1777; de *porte-*, et *coton.*

♦ **1.** Hist. Officier chargé de donner la serviette au roi quand il allait aux toilettes.
(1803). Fig., vx. Personne bassement servile.

♦ **2.** Techn. Tige supportant un morceau de coton que l'on veut introduire dans une cavité naturelle.
On peut écrire : *des porte-cotons,* malgré les dict., qui font le mot invariable.

PORTE-COURONNE [pɔʀtkuʀɔn] n. m. — 1833, *in* D. D. L.; de *porte-*, et *couronne.*

♦ Vx, péj., littér. Souverain, monarque. *Des porte-couronnes.*

PORTE-COUTEAU [pɔʀtkuto] n. m. — 1869; autre sens, 1803; de *porte-*, et *couteau.*

♦ Ustensile de table sur lequel on pose l'extrémité du couteau. *Porte-couteau en verre, en métal* (chevalet), *en matière plastique. Des porte-couteau* (Académie). — Plus normalement : *des porte-couteaux* (→ Ocellure, cit. 3).

Peut-être le pouvoir qu'ont certaines figures de diviniser l'espace, n'est-il proclamé en aucun site avec plus de force qu'à Gizeh, où quelques-unes des plus anciennes se sont attaquées à l'immensité. Il suffit de les regarder à contresens pour qu'elles deviennent illisibles, pour que le sphinx ne soit plus qu'un gigantesque porte-couteau (...) MALRAUX, la Métamorphose des dieux, p. 6.

PORTE-CRAYON [pɔʀtkʀɛjɔ̃] n. m. — 1609; de *porte-*, et *crayon.*

♦ Petit tube de métal dans lequel on enchâsse un crayon, un fusain. *Porte-crayon d'ardoise. Des porte-crayons.*

PORTE-CROISÉE [pɔʀtkʀwaze] n. f. — 1694; de 1. *porte,* et *croisée.*

♦ Rare. Porte-fenêtre. *Des portes-croisées.*

PORTE-CROIX [pɔʀtəkʀwa] n. m. invar. — 1578; de *porte-*, et *croix.*

♦ **1.** Relig. Personne qui porte la croix (devant le pape, un archevêque, dans une procession). ⇒ **Staurophore.**

♦ **2.** (1704). Hist. Chevalier d'un ordre créé par saint Étienne, roi de Hongrie.

PORTE-CROSSE [pɔʀtəkʀɔs] n. m. — 1680; de *porte-*, et *crosse.* Rare.

♦ **1.** Celui qui porte la crosse d'un évêque.

(...) la messe Pontificale était aussi pompeuse que celle de Noël, avec les cérémoniaires (...) avec le porte-crosse, le porte-mitre, le porte-bougeoir, le porte-queue (...) HUYSMANS, l'Oblat, X.

♦ **2.** (1835). Techn. Fourreau supportant la crosse d'une arme à feu (d'un cavalier).
Des porte-crosses.

PORTE-CYLINDRES [pɔʀtsilɛ̃dʀ] n. m. invar. — 1963; de *porte-*, et *cylindre.*

♦ Techn. Pièce fixe d'une machine d'étirage (filature) sur laquelle reposent les cylindres. — On pourrait écrire : *un porte-cylindre.*

PORTE-DAIS [pɔʀtədɛ] n. m. invar. — 1767, Diderot; de *porte-*, et *dais.*

♦ Relig. Personne qui porte un dais, dans une procession.

PORTE-DIEU [pɔʀtədjø] n. m. invar. — 1606; de *porte-*, et *Dieu.*

♦ Vx. Prêtre qui porte le viatique (aux malades). → Habituer, cit. 12, Voltaire.

PORTE-DOCUMENTS [pɔʀtdɔkymɑ̃] n. m. invar. — 1954, *Larousse mensuel* (juil.), p. 496; de *porte-*, et *document.*

♦ Serviette très plate, sans soufflet. ⇒ aussi **Attaché-case.** *Porte-documents à fermeture éclair. Un porte-documents sous le bras.*

(...) il ramassa un porte-documents et s'en alla rapidement, en sifflotant. J.-M. G. LE CLÉZIO, le Déluge, p. 230.

On pourrait écrire : *un porte-document.*

PORTE-DRAPEAU [pɔʀtdʀapo] n. m. — 1578; de *porte-*, et *drapeau.*

♦ **1.** Celui qui porte le drapeau d'un régiment. — Appos. *Officier porte-drapeau.* ⇒ aussi **Enseigne, guidon, porte-étendard.** *Des porte-drapeau* (Académie). — Plus normalement : *des porte-drapeaux* (Daudet, *le Porte-drapeau,* V).

1 Vingt-deux fois elle *(l'enseigne)* tomba! (...) Vingt-deux fois sa hampe encore tiède (...) fut saisie, redressée; et lorsqu'au soleil couché, ce qui restait du régiment (...) battit lentement en retraite, le drapeau n'était plus qu'une guenille aux mains du sergent Hornus, le vingt-troisième porte-drapeau de la journée. Alphonse DAUDET, Contes du lundi, « Le porte-drapeau », I.

♦ **2.** (1875). Fig. Chef reconnu et actif. ⇒ **Leader.** *Le porte-drapeau, les porte-drapeaux d'une insurrection, d'une doctrine.*

2 (...) elle était comme le porte-drapeau de l'insurrection féminine contre les sévérités du harem. LOTI, les Désenchantées, I, III.

PORTÉE [pɔʀte] n. f. — XIIe, «mesure pour les vins»; de *porter.*

★ **I.** ♦ **1.** (Mil. XVe; «enfant», XIIIe). Ensemble des petits qu'une femelle de mammifère (à gestation* multipare) porte et met bas en une fois. ⇒ aussi **Parturition** (→ Malingre, cit. 4). *La portée d'une chatte* (chattée), *d'une chienne* (chiennée), *d'une truie* (cochonnée)... *Une portée de chatons, de chiots...* ⇒ aussi **Nichée** (fig.). *Lapins d'une même portée. Femelle qui fait sa portée, ses petits,* qui met bas.

1 (...) les chattes faisaient leur portée dans des trous de paille inconnus, et reparaissaient avec des queues de cinq ou six petits. ZOLA, la Terre, II, I.

(1613). Durée de la gestation d'un animal.

Loc. *Un enfant éveillé, vif comme une portée de souris.* ⇒ **Potée.**

♦ **2.** (1681). Mar. (Vx). Charge d'un navire. ⇒ **Port.** *Portée en lourd :* capacité* de charge.

Poids maximal que peut peser une balance. *Balance d'une portée de 5 kg.*

(1636). Archit. Charge que supporte un membre d'architecture (poussée). ⇒ **Portant** (II.). — Spécialt. Distance qui sépare les deux points d'appui d'un linteau, d'un arc, d'une voûte..., et qui correspond à une charge, à une poussée. *Portée d'une poutre, dans une charpente*. Portée entre deux supports* (colonnes, piliers..., murs).

Par ext. Partie d'un membre d'architecture qui porte sur un appui, un support. *Portée d'une poutre dans le mur.* — Techn. Épaulement sur lequel s'appuie un écrou de serrage.

(Fin XIVe). Techn. Faisceau de fils, ensemble des torons que l'on emploie dans la fabrication d'un câble. — Tissage. Réunion des fils destinés à former la chaîne, dans l'ourdissage à la main.

N. f. pl. (1373). Vén. Petites branches cassées par le passage d'un cerf, qui permettent de retrouver sa trace.

♦ **3.** (1752). Mus. Les cinq lignes* horizontales, parallèles et équidistantes sur ou entre lesquelles (⇒ **Interligne**) on porte la notation musicale. ⇒ **Notation, note** (cit. 3 et 4). *Portées d'un cahier de musique, d'une partition musicale. Sur une toile ou sur une portée :* en peinture ou en musique (→ Capter, cit. 3). *Intervalle de un, deux degrés*, sur la portée.*

★ **II.** Distance* à laquelle porte une chose. ♦ **1.** (Av. 1549). Distance à laquelle peut être lancé un projectile*, ou à laquelle une arme peut envoyer un projectile; amplitude* du jet. ⇒ **Atteindre, porter.** *Portée d'un javelot. Portée d'un fusil, d'un canon. Artillerie*, canon* à longue portée.* — (Pour définir une distance). *Long* (cit. 14) *d'une portée de carabine. À une, deux, dix portées de fusil* (→ Gueule, cit. 24; passage, cit. 12), *de flèche... À la portée d'un jet de pierre* (→ À un jet* de pierre).

(1636). Distance à laquelle un son* (2. Son) peut se faire entendre. *Portée d'une voix*, d'un cri...*
Portée du regard.

Loc. **À PORTÉE (DE)... :** à la distance convenable pour que la chose en question puisse porter, puisse y atteindre. *À portée de fusil* (→ Guerre, cit. 31). *À portée de voix. À portée d'ouïe*. À portée de sa vue :* visible pour lui (→ Intitulé, cit. 1).

Déjà les Barbares avaient sauté en dehors des palissades. On était à portée de javelot, face à face. FLAUBERT, Salammbô, VI. 2

Il se relève aussitôt et regarde avec angoisse s'il y a quelque personne secourable à portée de la voix ou du regard : on ne peut pas pleurer à peu près, sans aide, sans public. G. DUHAMEL, les Plaisirs et les Jeux, p. 30. 3

À portée de la main (→ Deviner, cit. 7), *de sa main* (→ Couteau, cit. 11; incrédule, cit. 8) : à une distance où on peut prendre, tenir la chose en question, spécialt sans avoir à se mouvoir, à se déranger. ⇒ **Accessible.** — (Dans le même sens). *À la portée de qqn :* à un endroit accessible. *Mettre un verre à la portée d'un malade, à son chevet. Laisser des instruments dangereux à la portée d'un enfant* (→ Estropier, cit. 3). *Je n'ai pas cet objet à ma portée.* ⇒ **Main** (sous la main). — *Être à portée de qqn. Tous ceux qui passaient à sa portée* (→ Emboîter, cit. 5).

Jamais auprès des fous ne te mets à portée. LA FONTAINE, Fables, IX, 8. 4

Quand il fut à portée des personnages dont nous avons parlé, il ôta son chapeau, et toute sa famille en fit autant (...) A. DE VIGNY, Cinq-Mars, II. 5

HORS DE (LA) PORTÉE (DE)... : à une distance qu'on ne peut atteindre. *Être hors de portée de fusil, de voix...* ⇒ **Atteinte.** *Mettez ces allumettes hors de la portée de cet enfant.*

♦ **2.** (Abstrait). **À (LA) PORTÉE, HORS DE (LA) PORTÉE DE...,** se dit de ce qui est, n'est pas accessible, disponible. *Ce bonheur a été mis hors de ma portée* (→ Goûter, cit. 5). *Plaisir qui s'offre* (cit. 16) *à la portée de qqn.* — Spécialt. *Spectacle à la portée de toutes les bourses* (→ Morgue, cit. 6). *Mettre certains amusements à la portée de tous* (→ Machinisme, cit. 1). *Affaires qui sont au-dessus de la portée des particuliers* (→ Exclusif, cit. 1), qui ne sont pas de leur ressort*.

(...) il songe à prendre quelque nourriture et se met en quête d'un cabaret à portée de son escarcelle (...) Alphonse DAUDET, le Petit Chose, I, IV. 6

Absolt. *Une chose à portée,* que l'on peut obtenir, dont on peut disposer aisément. — (Vieilli). *Être à la portée de faire... :* être à même de faire... ⇒ 1. **Pouvoir.**

Après soixante ans de vie sérieuse, on a le droit de sourire, et où trouver une source de rire plus abondante, plus à portée, plus inoffensive qu'en soi-même? RENAN, Souvenirs d'enfance..., Œ. compl., t. II, VI, p. 894. 7

♦ **3.** (1538). Fig. Aptitude, capacité d'une chose à agir*, à produire un effet, à atteindre un résultat. [a] (En parlant de l'esprit, des facultés intellectuelles). ⇒ **Aptitude, étendue, force...** *Domaine et portée de notre intelligence* (→ 1. Passé, cit. 12). *Augmenter la portée de son intelligence* (→ Curiosité, cit. 7). *Esprit d'une vaste portée, sans portée. Ce qui passe* (cit. 111) *la portée d'un esprit.* — (En parlant des personnes). Capacités intellectuelles. *Rien n'était au-dessus de sa portée* (→ Dévorer, cit. 7). — *Question, science à la portée des enfants* (→ Histoire, cit. 23), *à la portée de tous.* ⇒ **Facile.** *Vulgarisateur qui met une question à la portée du grand public. Se mettre à la portée de son auditoire.* ⇒ **Niveau.**

8 Lorsqu'on veut se mettre à la portée des autres hommes, il faut prendre garde d'abord à ne pas sortir de la sienne; car c'est un ridicule insupportable, et qu'ils ne nous pardonnent point; c'est aussi une vanité mal entendue de croire que l'on peut jouer toute sorte de personnages, et d'être toujours travesti.
VAUVENARGUES, Réflexions sur divers sujets, 12.

9 Le tact qu'exige la société, le besoin qu'elle donne de se mettre à la portée des différents esprits (...) Mme DE STAËL, De l'Allemagne, I, XI.

10 J'ai entendu ces jours-ci un jeune homme tout à fait éminent faire une conférence (...) où il a développé justement toutes mes idées sur le monde en les mettant à la portée des plus imbéciles.
A. HERMANT, Souvenirs du vicomte de Courpière, VII.

b (En parlant d'une idée, de la pensée). ⇒ **Force, importance.** *La portée d'un argument, d'une critique* (cit. 17), *d'une doctrine, d'une idée, d'une remarque, d'une théorie... Le nihilisme* (cit. 1) *est sans portée.* ⇒ **Valeur.** *Raisonnement* d'une grande portée. Portée d'un livre, d'un article* (→ Impression, cit. 5). — *La portée d'un mot, d'une locution* (→ Peser, cit. 6).

11 D'ailleurs cette bataille de dieux qui grondait au-dessus de sa tête l'intéressait, bien que la portée des injures échangées lui échappât.
F. MAURIAC, le Sagouin, p. 45.

c (En parlant d'une décision, d'une action, d'un événement...). *Portée et limite des moyens dont nous disposons* (→ Forme, cit. 56). *Acte, mesure d'une portée incalculable, d'une portée limitée*, sans portée pratique.* ⇒ **Effet.** *Événement de portée internationale.* ⇒ **Importance.**

12 (...) maintenant que j'ai le bonheur, en vous voyant, d'avoir entrevu la plus grande image de la Vertu sur la terre, croyez que je sens la portée de ma faute (...)
BALZAC, la Cousine Bette, Pl., t. VI, p. 453.

13 Si nous pouvions nous retourner sur nous-mêmes et dégager la portée historique de nos actes dans le même temps que nous les accomplissons, il nous semble que (...) nous présenterions à nos neveux une appréciation si pertinente et si complète de notre époque qu'ils n'auraient plus qu'à l'entériner.
SARTRE, Situations II, p. 41.

HOM. Porter.

PORTE-ÉCUELLE [pɔʀtekɥɛl] n. m. invar. — 1530, «dessous d'écuelle»; *portescuelle,* 1828; de *porte-,* et *écuelle.*

♦ Nom commun du *lépadogastre,* poisson qui porte une ventouse concave sur la face ventrale. *Des porte-écuelle.* — On pourrait écrire : *des porte-écuelles.*

Les Gobies et les Porte-Écuelle possèdent des ventouses ventrales qui leur permettent de résister aux courants de marée en se collant fortement aux pierres.
R. et M.-L. BAUCHOT, les Poissons, p. 15.

PORTE-EMBRASSE [pɔʀtɑ̃bʀas] n. m. — 1903; de *porte-,* et *embrasse.*

♦ Techn. Support d'une embrasse de rideau. *Des porte-embrasses.*

PORTE-ENSEIGNE [pɔʀtɑ̃sɛɲ] n. m. invar. — 1564; *port'enseigne,* 1529; de *porte-,* et *enseigne.*

♦ Vx. Porte-drapeau.

PORTE-ENTONNOIR [pɔʀtɑ̃tɔnwaʀ] n. m. — Mil. XXe; de *porte-,* et *entonnoir.*

♦ Techn. Support d'un entonnoir quand on l'utilise. *Des porte-entonnoirs.*

PORTE-EN-VILLE [pɔʀtɑ̃vil] n. m. invar. — 1903; de *porte-, en,* et *ville.*

♦ Vx. Panier destiné à transporter de la nourriture dans des assiettes superposées. — On disait aussi : *porte-dîner* (1623).

PORTE-ÉPÉE [pɔʀtepe] n. m. invar. — 1581; autre sens, 1564; de *porte-,* et *épée.*

♦ Anciennt. Morceau de cuir ou d'étoffe fixé au ceinturon pour porter l'épée.

PORTE-ÉPERON [pɔʀtepʀɔ̃] n. m. — 1704; de *porte-,* et *éperon.*

♦ Techn. Courroie fixant l'éperon d'un cavalier. *Des porte-éperons.*

PORTE-ÉPONGE [pɔʀtepɔ̃ʒ] n. m. — 1718; *port'éponge,* 1640; de *porte-,* et *éponge.*

♦ Réceptacle fixé près d'une baignoire pour recevoir les éponges de toilette. *Des porte-éponges.*

PORTE-ÉTENDARD [pɔʀtetɑ̃daʀ] n. m. invar. — 1680; de *porte-,* et *étendard.*

♦ Anciennt. Celui qui porte l'étendard.

(1718). Pièce de cuir attachée à la selle du cavalier pour soutenir la hampe de l'étendard*.

PORTE-ÉTRIERS [pɔʀtetʀije] n. m. invar. — 1611, *portes-trieux;* de *porte-,* et *étrier.*

♦ Techn. Courroie, sangle attachée à l'arrière de la selle pour relever l'étrier quand le cheval n'est pas monté. — On disait aussi : *trousse-étriers.* — On pourrait écrire : *un porte-étrier, des porte-étriers.*

PORTE-ÉTRIVIÈRE [pɔʀtetʀivjɛʀ] n. m. — 1756; de *porte-,* et *étrivière.*

♦ Techn. Chacun des deux anneaux de fer placés aux côtés de la selle, et dans lesquels passent les étrivières. *Des porte-étrivières.*

Pour ajuster les étriers, étant à pied, on compare la longueur de l'étrivière à celle du bras. À cheval, le cavalier écarte la cuisse de la selle, sans déchausser l'étrier puis, avec la main, dégage la boucle de l'étrivière du porte-étrivière et fait glisser l'étrivière hors de l'ardillon (...) Henri AUBLET, l'Équitation, p. 52.

PORTEFAIX [pɔʀtəfɛ] n. m. invar. — 1270, *portefays;* de *porte-,* et *faix.*

♦ Anciennt. Celui qui faisait métier de porter des fardeaux. ⇒ **Coltineur,** 2. **crocheteur, faquin** (vx), 3. **fort** (cit. Nerval), **porteur.** *Charge; bretelle, bricole** (1.), *crochets*, hotte de portefaix. Travailler comme un portefaix,* beaucoup, durement (→ Géhenne, cit. 5). — *Robuste, grossier comme un portefaix. Des épaules de portefaix. Avoir des manières de portefaix,* brutales, vulgaires...

On se trouve là au quartier général de plusieurs centaines de porte-faix, gens qui 1
se font compter à Marseille; on les voit fort occupés à embarquer et à placer sur des charrettes des marchandises de tous les pays (...)
STENDHAL, Mémoires d'un touriste, t. II, p. 263.

— Prends garde, murmura-t-il, c'est fragile. Mais elle haussa les épaules. Il lui 2
croyait donc des mains de portefaix! ZOLA, Nana, XIII.

On écrivait aussi : *porte-faix.*

PORTE-FANION [pɔʀtfanjɔ̃] n. m. — 1903; de *porte-,* et *fanion.*

♦ Gradé qui porte le fanion d'un officier général. *Des porte-fanion* ou (plus normalement) *des porte-fanions.* ⇒ **Fanion.**

PORTE-FENÊTRE [pɔʀtfənɛtʀ] n. f. — 1676; de 1. *porte,* et *fenêtre.*

♦ Fenêtre qui descend jusqu'au niveau du sol et qui s'ouvre de plain-pied sur un balcon, un perron, une terrasse, un jardin, etc., faisant ainsi office de porte* (1. Porte). ⇒ **Porte-croisée.** *Des portes-fenêtres. Battants* (1. Battant, cit. 4) *vitrés d'une porte-fenêtre. Fermer* (cit. 5) *une porte-fenêtre.*

Débarrassé enfin de ses portes-fenêtres et de ses volets, le péristyle attendait, semblait-il, les apprêts de quelque noble fête.
F. MAURIAC, l'Enfant chargé de chaînes, XXIX.

PORTEFEUILLE [pɔʀtəfœj] n. m. — 1544; de *porte-,* et *feuille (de papier).*

♦ **1.** Vx. Carton double pouvant se plier, se fermer et servant à renfermer des papiers. *Portefeuille recouvert de cuir, de soie... Portefeuille servant de sous-main.*

Spécialt. Grand carton à dessin utilisé par les peintres, les dessinateurs (→ Observer, cit. 14), les collectionneurs... *Portefeuille rempli de dessins, d'estampes.*

Mlle Pigeon allait là tous les matins avec son portefeuille sous le bras et son étui 1
de mathématiques dans son manchon.
DIDEROT, Jacques le fataliste, Pl., p. 557.

Par ext. Collection de dessins, d'estampes. — Vx. *Le portefeuille d'un écrivain :* les compositions... qu'un auteur a par devers lui.

♦ **2.** Vx. Cartable, serviette, compartiment (⇒ **Classeur, porte-lettres**) où l'on peut placer, porter des papiers, des livres, des dossiers (⇒ **Porte-documents**). *Portefeuille à secret* (→ Forcer, cit. 1).

Les précieuses lettres de Marie étaient déposées dans un de ces portefeuilles à 2
secret offerts par Huret, ou Fichet, un de ces deux mécaniciens qui se battaient à coup d'annonces et d'affiches dans Paris à qui ferait les serrures les plus impénétrables et les plus discrètes. BALZAC, Une fille d'Ève, Pl., t. II, p. 133.

♦ **3.** (1749). Mod. Titre, fonctions de ministre. ⇒ **Maroquin, ministère** (→ Combinaison, cit. 9; échelon, cit. 2). *Obtenir un portefeuille ministériel, un portefeuille dans le ministère, le portefeuille de l'Intérieur, des Finances.* — Loc. *Ministre sans portefeuille.* ⇒ **Ministre** (*supra* cit. 7).

Il espérait bien réussir en effet à décrocher le portefeuille des Affaires étrangè- 3
res qu'il visait depuis longtemps. MAUPASSANT, Bel-Ami, II, II.

♦ **4.** (XVIIe-XVIIIe, Saint-Simon). Ensemble des effets* de commerce détenus par une personne physique ou morale. ⇒ aussi **Titre, valeur.** *Le portefeuille d'une banque** : «les effets qu'elle a escomptés et (...) ceux que ses clients la chargent de recouvrer» (Capitant).

Gérer son portefeuille, en achetant et en vendant des valeurs en Bourse. *Valeur, titre en portefeuille, d'un portefeuille* (→ Grossir, cit. 3).

4 (...) il n'hésita pas à féliciter mon père de la « composition » de son portefeuille « d'un goût très sûr, très fin ». On aurait dit qu'il attribuait aux relations des valeurs de bourse (...) quelque chose comme un mérite esthétique.
PROUST, À l'ombre des jeunes filles en fleurs, Pl., t. I, p. 454.

Publicité. Ensemble des droits négociables par une agence. « *Des agences spécialisées qui se constituent ainsi un "portefeuille" d'emplacements, cédant ces derniers aux annonceurs avec bénéfice* » (B. de Plas et H. Verdier, *la Publicité,* p. 63).

♦ **5.** (1869; aussi *portefeuille de poche*). Cour. Objet portatif qui se plie et qui est muni de poches, de compartiments où l'on range des billets, des papiers... ⇒ aussi **Porte-billets, porte-carte.** *Portefeuille de cuir* (⇒ **Maroquinerie**), *de matière plastique. Portefeuille bourré, gonflé* (cit. 7) *de billets, de papiers, de cartes, de photographies. Portefeuille plat, vide* (→ Fouiller, cit. 28). *Voler, « faire »* (cit. 31) *un portefeuille. — Avoir un portefeuille bien garni :* être riche. ⇒ **Matelas** (fam.).

5 (...) il nous étale ses papiers. Son portefeuille est plein de recommandations excellentes, lettres des anciens patrons bijoutiers, etc.
GIDE, Journal, 10 janv. 1912.

6 Son portefeuille gonflé, boudiné dans sa poche intérieure, son portefeuille de marchand de cochons, il suffisait de l'ouvrir, d'y prendre cinq billets.
SARTRE, l'Âge de raison, p. 101.

♦ **6.** (1888; *portefeuille* « lit », 1833). Fam. *Faire un lit* en portefeuille :* replier le drap à mi-hauteur (en manière de plaisanterie). *Jupe en portefeuille,* se fermant sur le devant par la superposition des deux extrémités.

DÉR. Portefeuilliste.

PORTEFEUILLISTE [pɔʀtəfœjist] n. — 1963; « fabricant de portefeuilles », 1845; de *portefeuille.*

♦ Techn. Personne qui, dans une banque, s'occupe du portefeuille de valeurs des clients.

PORTE-FILM [pɔʀtəfilm] n. m. — Mil. xxe (*in* Larousse, 1963); de *porte-,* et *film.*

♦ Techn. Châssis dans lequel on peut glisser un plan-film. *Des porte-films.*

PORTE-FILTRE [pɔʀtəfiltʀ] n. m. — xxe; « support d'entonnoir pour le filtrage des liquides », 1874; de *porte-,* et *filtre.*

♦ **1.** Techn. Dispositif servant à supporter un filtre (optique : photo, cinéma, télévision, etc.). *Des porte-filtres.*

À l'avant de la caméra, on fixe différents accessoires : porte-filtres colorés, parasoleils, soufflet protecteur, etc. Lo DUCA, Technique du cinéma, p. 20.

♦ **2.** Cour. *Un porte-filtre à café.*

PORTE-FLACON [pɔʀtflakɔ̃] n. m. — xxe; de *porte-,* et *flacon.*

♦ Dispositif pour supporter un flacon. *Des porte-flacons.*

Les passants, dont les yeux étaient attirés par l'une des plus coûteuses voitures du monde, apercevaient, assis à l'arrière, deux enfants qui (...) entre le capitonnage clair, les appuis-main et les porte-flacons, semblaient un couple de princes-nains.
M. DRUON, la Chute des corps, I, IX, p. 78.

REM. On a dit aussi *porte-fleurs* dans ce sens (1874).

PORTE-FLAMBEAU [pɔʀtflɑ̃bo] n. m. — 1606, *in* D. D. L.; de *porte-,* et *flambeau.*

♦ Anciennt. Personne qui porte un flambeau. *Des porte-flambeaux.*

PORTE-FOLIO [pɔʀtfɔljo] n. m. ⇒ **Portfolio.**

Satirix lui a consacré un numéro et *Trait Tiré* un porte-folio.
Magazine littéraire, déc. 1974, p. 27.

PORTE-FORET [pɔʀtfɔʀɛ] n. m. — 1765; de *porte-,* et *foret.* Technique.

♦ **1.** Pièce qui reçoit le foret dans une perceuse. ⇒ **Mandrin.**

♦ **2.** (1932). Petite perceuse. ⇒ **Chignolle.** *Des porte-forets.*

PORTE-FORT [pɔʀtəfɔʀ] n. m. invar. — 1866; de *se porter fort.*

♦ **1.** Vx. Celui qui se porte fort*, qui se porte garant* pour quelqu'un.

♦ **2.** (1936). Dr. Engagement par lequel une personne promet qu'un tiers accomplira un acte juridique. *Des porte-fort* (*fort* étant adverbe). *Promesse de porte-fort.*

PORTE-FÛT [pɔʀtəfy] n. m. — 1903; de *porte-,* et *fût.*

♦ Techn. Chantier destiné à supporter des tonneaux. *Des porte-fûts.*

PORTE-GLAIVE [pɔʀtəglɛv] n. m. — 1740; de *porte-,* et *glaive.*

♦ **1.** Rare. Celui qui porte un glaive. — Spécialt. *Chevaliers porte-glaive :* ordre militaire de chevaliers fondé en 1204.

Or, saint Michel veille sur la Basse-Normandie, saint Michel, l'ange radieux et victorieux, le porte-glaive, le héros du ciel, le triomphant, le dominateur de Satan.
MAUPASSANT, Clair de lune, « La légende du Mont Saint-Michel ».

♦ **2.** Vieilli. Pièce de cuir attachée au ceinturon et à laquelle était fixé le sabre-poignard des fantassins. *Des porte-glaives.*

♦ **3.** Mod. Xiphophore*, poisson d'ornement.

PORTE-GOBELET [pɔʀtgɔblɛ] n. m. — Attesté mil. xxe; de *porte-,* et *gobelet.*

♦ Dispositif annulaire fixé au mur près d'un lavabo, pour recevoir le gobelet à brosse à dents. *Des porte-gobelets.*

(...) elle considère (...) tous ces coûteux accessoires (...) pont-de-baignoire, appliques, patères, porte-savon, porte-gobelet dont les chromes luisent de tous côtés.
Hervé BAZIN, Madame Ex, 1975, p. 171.

PORTE-GRAINE [pɔʀtəgʀɛn] n. m. — 1805; de *porte-,* et *graine.*

♦ Agric. Plante choisie pour produire de la graine. *Des porte-graines.*

PORTE-GREFFE ou PORTE-GREFFES [pɔʀtəgʀɛf] n. m. — 1877; de *porte-,* et *greffe.*

♦ Arbor. Sujet sur lequel on fixe le greffon. *Le doucin, variété de pommier utilisé comme porte-greffe. Des porte-greffes.*

PORTE-GRILLE [pɔʀtəgʀij] n. f. — Mil. xxe; de *porte,* n. f., et *grille.*

♦ Porte dont la partie supérieure est faite de barreaux.

PORTE-GUIGNE [pɔʀtəgiɲ] ou PORTE-GUIGNON [pɔʀtəgiɲɔ̃] n. m. — 1649, *porte-guignon, in* D. D. L.; de *porte-,* et *guigne, guignon.*

♦ Fam. et vieilli. Ce qui porte malchance. (Opposé à *porte-bonheur*).

PORTE-HACHE [pɔʀtəaʃ] n. m. — 1835, *in* Académie; de *porte-,* et *hache.*

♦ Techn. Étui de hache. *Des porte-haches.*

PORTE-HARNAIS [pɔʀtəaʀnɛ] n. m. invar. — 1903; de *porte-,* et harnais.

♦ Techn. Support destiné à recevoir les harnais.

PORTE-HAUBAN [pɔʀtəobɑ̃] n. m. — 1611; *porte-haubanc,* 1552; de *porte-,* et *hauban.*

♦ Mar., vx. Pièce en saillie sur la muraille d'un bâtiment, destinée à donner aux galhaubans et haubans l'écartement (« épatement ») suffisant. *Les porte-haubans de misaine, d'artimon...* ⇒ **Barre** (de flèche). *Des porte-haubans.* — On écrit aussi : *un porte-haubans.*

Un violent coup d'équinoxe était survenu, qui avait défoncé à bâbord la poulaine et un sabord et endommagé le porte-haubans de misaine. À la suite de ces avaries, l'*Orion* avait regagné Toulon. HUGO, les Misérables, II, II, III.

PORTE-HÉLICOPTÈRES [pɔʀtelikɔptɛʀ] n. m. invar. — Mil. xxe (*in* Larousse 1963); de *porte-,* et *hélicoptère,* d'après *porte-avions.*

♦ Navire de guerre à pont d'envol pour hélicoptères. ⇒ **Porte-aéronef.** — On pourrait écrire : *un porte-hélicoptère, des porte-hélicoptères.*

PORTE-INSTRUMENTS [pɔʀtɛ̃stʀymɑ̃] n. m. invar. — Mil. xxe; de *porte-,* et *instrument.*

♦ Techn. Dispositif supportant un ensemble d'instruments. « *Le porte-instruments est une plate-forme supportant des instruments tels que télescopes, antennes, radars, assemblages d'équipements divers* » (*Sciences et Avenir,* janv. 1981, p. 12).

PORTE-ISOLATEUR [pɔʀtizɔlatœʀ] n. m. — 1875; de *porte-,* et *isolateur.*

♦ Techn. Support d'isolateur pour les fils télégraphiques ou téléphoniques. *Des porte-isolateurs.*

PORTE-JAMBES [pɔʀtəʒɑ̃b] n. m. invar. — 1903; de *porte-*, et *jambe.*

♦ Techn. (méd.). Support pour les pieds, fixé à une table d'examen gynécologique.

PORTE-JARRETELLES [pɔʀtʒaʀtɛl] n. m. invar. — 1935; de *porte-*, et *jarretelle.*

♦ Petit sous-vêtement féminin qui s'ajuste autour des hanches et qui est muni de quatre jarretelles pour attacher les bas.

Je fis ma valise dans laquelle je mis ma paire de bas de soie, mon porte-jarretelles (...) R. QUENEAU, Loin de Rueil, p. 214.

PORTE-JUPE [pɔʀtəʒyp] adj. invar. et n. m. — 1696, Regnard; de *porte-*, et *jupe.*

♦ **1.** Par plais. (Vx). *L'animal* (cit. 12) *porte-jupe :* la femme. — N. f. (1812). *Une porte-jupe. Des porte-jupes.*

Le ton de cette dernière phrase eût peut-être effrayé d'autres femmes : mais quand une de ces porte-jupes s'est mise au-dessus de tout en se laissant diviniser, aucun pouvoir ici-bas n'est orgueilleux comme elle sait être orgueilleuse.
BALZAC, la Duchesse de Langeais, Pl., t. V, p. 195.

♦ **2.** Pince pour suspendre les jupes dans une armoire. *Des porte-jupes.*

PORTE-LAMES [pɔʀtəlam] n. m. invar. — 1765; de *porte-*, et *lame.*

Technique.

♦ **1.** Support fixe de la lame d'une faucheuse, d'une moissonneuse.

♦ **2.** Support de lame (outils à lames interchangeables).

On pourrait écrire : *un porte-lame, des porte-lames.*

PORTE-LANCE [pɔʀtəlɑ̃s] n. m. — 1802, Chateaubriand; de *porte-*, et *lance.*

♦ Littér. Guerrier, soldat armé d'une lance.

Anciennt. Support de lance d'un cavalier (lancier). *Des porte-lances.*

PORTE-LANTERNE [pɔʀtlɑ̃tɛʀn] n. f. — 1636; de *porte-*, et *lanterne.*

♦ Anciennt. Cylindre creux fixé à la caisse d'une voiture, où l'on insérait la lanterne. *Des porte-lanternes.*

PORTE-LETTRES [pɔʀtəlɛtʀ] n. m. invar. — 1636, «messager»; de *porte-*, et *lettre.*

♦ Vx. Étui, carton ou poche (⇒ **Portefeuille**) où l'on range des lettres, des papiers. — On pourrait écrire : *un porte-lettre.*

PORTE-LOF [pɔʀtəlɔf] n. m. — 1869, Littré; de *porte-*, et *lof.*

♦ Mar. anc. Minot* d'amures (ou pistolet d'amures, arc-boutant* de misaine). *Des porte-lof(s).*

PORTE-LIQUEURS [pɔʀtlikœʀ] n. m. invar. — 1837, Balzac; de *porte-*, et *liqueur.*

♦ Rare. Étagère, meuble, plateau sur lequel on pose des bouteilles d'alcool.

PORTELONE [pɔʀtəlɔn] n. m. — 1953; ital. *portelone*, de *porta* «porte».

♦ Mar. Ouverture de grande dimension pratiquée à l'avant ou à l'arrière d'un navire, pour faciliter son chargement.

PORTE-LUMIÈRE [pɔʀtlymjɛʀ] n. m. — 1877; «ce qui répand la lumière», av. 1589.

♦ Littér. Personne qui guide, dirige, montre la voie. *Des porte-lumières.*

PORTE-MALHEUR [pɔʀtmalœʀ] n. m. et adj. invar. — 1604; de *porte-*, et *malheur.*

♦ Rare. Chose ou personne que l'on considère comme portant malheur. — Adj. *Oiseau porte-malheur.* — On pourrait écrire : *des porte-malheurs.*

CONTR. Porte-bonheur.

PORTE-MANCHON [pɔʀtmɑ̃ʃɔ̃] n. m. — 1704; de *porte-*, et *manchon.*

♦ **1.** Vx. Anneau de la ceinture, destiné à suspendre un manchon. *Des porte-manchons.*

♦ **2.** Techn. Support du manchon, dans une lampe à gaz.

PORTEMANTEAU [pɔʀtmɑ̃to] n. m. — 1547, «valise»; de *porte-*, et *manteau.*

♦ **1.** (1558). Vx. Écrit *porte-manteau.* Officier qui portait le manteau d'un grand personnage (cf. Saint-Simon, Voltaire, *in* Littré), ou la traîne du manteau de la reine (Retz, *in* Littré). ⇒ **Porte-queue.**

♦ **2.** Vx. Malle-penderie. — (1690). Spécialt. Partie de l'équipement du cavalier constituée par des effets roulés dans une enveloppe cylindrique; cette enveloppe.

Malgré les précautions prises par le notaire, qui vint au-devant de la carriole il se trouva des témoins, et l'on vit descendre les portemanteaux et les sacoches qui contenaient l'argent. BALZAC, Mme de La Chanterie, Pl., t. VII, p. 315. 1

♦ **3.** Dispositif pour suspendre les manteaux, et, par ext., toute sorte de vêtements de dessus. *Portemanteau formant meuble d'antichambre. Patères, tablettes, glace d'un portemanteau. Accrocher, mettre, suspendre son pardessus, son chapeau au portemanteau.* ⇒ **Porte-chapeau** (→ Fatiguer, cit. 28).

Il (...) donne ses habits à Euryclée, qui les (...) pend à un portemanteau tout près de son lit. RACINE, Livres annotés, Remarques sur l'Odyssée, I. 2

Et il parlait avec persistance de tous les détails de sa maison, de planches posées dans le placard de sa chambre pour serrer le linge, de portemanteaux installés dans le vestibule (...) MAUPASSANT, Pierre et Jean, VI. 3

Dans le vestibule (...) le porte-manteau était chargé de pèlerines et de chapeaux de soleil. F. MAURIAC, les Anges noirs, III, p. 48. 4

(1827). Vx. Cintre*.

(1890). Fam. *Épaules en portemanteau*, très carrées.

♦ **4.** (1833, *in* D. D. L.). Mar. Arc-boutant servant à hisser les embarcations le long du bordage d'un navire. ⇒ **Bossoir, pistolet.** — Dans ce sens, on écrit généralement *porte-manteau.*

PORTEMENT [pɔʀtəmɑ̃] n. m. — 1314, *portement d'armes* «coup de main»; au fig., «manière d'être» (XIIIe), «état de santé» (XIVe et jusqu'en 1663, Loret, *in* Brunot, t. IV, p. 261); de *porter.*

♦ Rare. Action de porter. ⇒ **Portage.**

Un homme de chez nous, de la glèbe féconde 1
A fait jaillir ici d'un seul enlèvement,
Et d'une seule source et d'un seul portement,
Vers votre assomption la flèche unique au monde.
Ch. PÉGUY, la Tapisserie de Notre-Dame, Pl., p. 678.

Portement de croix : scène de la Passion où le Christ est représenté portant sa croix.

Ainsi, ployant de plus en plus sous le fardeau, Jésus s'avança. «Portement de croix» que tant d'artistes ont essayé de représenter par la pierre ou par l'huile, situant tour à tour la scène dans les rues de tous les pays, tous les temps (...) DANIEL-ROPS, Jésus en son temps, XI, p. 542. 2

PORTE-MENU [pɔʀtməny] n. m. — 1874; de *porte-*, et *menu.*

♦ Techn. Cadre muni d'un manche ou d'un support dans lequel on met un menu. *Des porte-menus* (les dict. font le mot invariable).

PORTEMINE [pɔʀtəmin] n. m. — 1893; de *porte-*, et *mine.*

♦ Instrument servant à écrire, à dessiner, tige creuse dans laquelle on place des mines de crayon très fines. *Porte-mine en métal, en argent, en matière plastique. Des portemines.*

Assise devant un guéridon orné d'une nappe au crochet et d'un cache-pot de faïence, une femme faisait des comptes en suçant son portemine. G. DUHAMEL, Salavin, V, XV.

On a écrit : *porte-mine (des porte-mines).*

PORTE-MONNAIE [pɔʀtmɔnɛ] n. m. invar. — 1856; de *porte-*, et *monnaie.*

♦ Petit sac, bourse, souvent à compartiments, où l'on met l'argent de poche (→ Emplette, cit. 2). *Porte-monnaie de cuir, d'étoffe...*

Par ext. *Faire appel au porte-monnaie de qqn,* à sa générosité. *Avoir le porte-monnaie bien garni :* être riche. ⇒ **Bourse, portefeuille.**

Salavin tira son porte-monnaie, en vida, dans sa main, le contenu qu'il compta, recompta (...) G. DUHAMEL, Salavin, V, II. 1

Fig. Argent, finances.

Et, ces jours-ci, m'est tombée par hasard sous les yeux une lettre, dont la signature était celle d'un des vôtres et non des moindres, et où je lisais : «Malgré tout, il y a un point que nous ne devons pas perdre de vue, c'est celui du porte-monnaie». Oui, j'ai lu cela, et j'en ai eu le rouge au front. L.-H. LYAUTEY, Paroles d'action, p. 258. 2

On pourrait écrire : *des porte-monnaies.*

PORTE-MONTRE [pɔʀtəmɔ̃tʀ] n. m. — 1752 ; de *porte-*, et *montre.* Rare.

♦ **1.** Support où l'on peut accrocher une montre. *Des porte-montres.*

♦ **2.** (1803). Comm. Petit meuble où les horlogers exposent les montres.

PORTE-MORS [pɔʀtəmɔʀ] n. m. invar. — 1530 ; «bouche», av. 1525 ; de *porte-*, et *mors.*

♦ Techn. Partie latérale de la bride qui va de la têtière au mors.

PORTE-MOUSQUETON [pɔʀtmuskətɔ̃] n. m. — 1743 ; de *porte-*, et *mousqueton.*

Technique.

♦ **1.** Anciennt. Crochet fixé à la bandoulière d'un cavalier, pour suspendre le mousqueton.

♦ **2.** Mod. Agrafe destinée à suspendre un mousqueton. *Des porte-mousquetons.*

PORTE-MUSIQUE [pɔʀtmyzik] n. m. invar. — 1914 ; de *porte-*, et *musique.*

♦ Serviette à soufflets échancrés permettant un repliage, pour transporter des partitions musicales.

PORTEÑO [pɔʀteɲjo] adj. et n. — Attesté mil. XXe en franç. ; mot espagnol d'Argentine.

♦ De la population, du peuple de Buenos Aires.

PORTENTEUX, EUSE [pɔʀtɑ̃tø, øz] adj. — 1611 ; lat. *portentosus*, cf. moy. franç. *portente* «prodige» (1477).

♦ Littér. Qui tient du prodige, du monstre. *« Ta portenteuse personne »* (Flaubert).

PORTE-OBJECTIF [pɔʀtɔbʒɛktif] n. m. — 1891, in *Année sc. et industr.* 1892, p. 13 ; de *porte-*, et *objectif.*

♦ Techn. Élément sur lequel se fixe un objectif (d'instrument optique, etc.).

PORTE-OBJET [pɔʀtɔbʒɛ] n. m. — 1808 ; de *porte-*, et *objet.*

♦ Sc. Lame sur laquelle on place un objet à examiner au microscope. — Par ext. Platine du microscope. *Des porte-objets.*

PORTE-OUTIL [pɔʀtuti] n. m. — 1763 ; de *porte-*, et *outil.*

♦ Techn. Pièce ou dispositif d'une machine-outil qui soutient l'outil. *Des porte-outils.*

PORTE-PAPIER [pɔʀtpapje] n. m. — 1963 ; de *porte-*, et *papier.*

♦ Dispositif servant de dévidoir au papier hygiénique. *Des porte-papiers.*

PORTE-PARAPLUIES [pɔʀtpaʀaplɥi] n. m. invar. — 1856 ; de *porte-*, et *parapluie.*

♦ Ustensile disposé pour recevoir les parapluies, les cannes. *Porte-parapluies dans une antichambre, un vestibule* (→ Nouvelle, cit. 16). — On pourrait écrire : *un porte-parapluie, des porte-parapluies.*

PORTE-PAROLE [pɔʀtpaʀɔl] n. m. invar. — 1871 ; «messager», 1552 ; de *porte-*, et *parole.*

♦ **1.** Personne qui prend la parole au nom de qqn d'autre, d'une assemblée, d'un groupe... ⇒ **Interprète, représentant, truchement.** — Par ext. *Écrivain considéré comme un porte-parole officiel* (cit. 4). *Gens qui se font « les porte-parole d'une loi psychologique »* (→ 1. Général, cit. 11).

Spécialt. *Porte-parole officiel du ministère des Affaires étrangères, de l'Élysée.* — Au fém. *Une porte-parole. « Je ne suis pas plus la porte-parole des Québécoises que je n'ai été celle du Québec »* (*Interview*, in *F Magazine*, déc. 1979, p. 38).

♦ **2.** Ce qui représente les idées (de qqn). *Ce journal est le porte-parole de la majorité, de l'opposition.* ⇒ **Organe ; interprète** (fig.), **truchement.**

1 Le journal de Merle et d'Almereyda ! devenu, du jour au lendemain, le porte-parole du gouvernement Poincaré ! MARTIN DU GARD, les Thibault, t. VIII, p. 33.

Depuis quatre ans, votre œuvre a été mon porte-parole, à moi qui n'ai pas de talent littéraire, comme votre bonheur était ma revanche, à moi qui ne suis pas heureuse. 2
MONTHERLANT, les Jeunes Filles, p. 15.

PORTE-PLAT [pɔʀtəpla] n. m. — 1575 ; de *porte-*, et *plat.*

♦ Ustensile permettant de porter les plats chauds sans se brûler. *Des porte-plats.*

PORTE-PLUME [pɔʀtəplym] n. m. — 1725 ; de *porte-*, et *plume* (à écrire).

♦ Instrument constitué d'une tige au bout de laquelle on peut fixer une plume à écrire. *Porte-plume en bois, en métal... Encrier* (cit. 1) *et porte-plume. Des porte-plumes.*

Elle demeura donc assise à son bureau et reprit son porte-plume, qui était un bâton d'or cerclé de petits rubis. LOTI, les Désenchantées, I, III.

Vx. *Porte-plume réservoir.* ⇒ **Stylo.**

PORTE-PRESSE [pɔʀtəpʀɛs] n. m. — 1772, Dudin ; de *porte-*, et *presse.*

♦ Techn. Support d'une presse à rogner, en reliure. *Des porte-presses.*

PORTE-QUEUE [pɔʀtəkø] n. m. — 1564 ; de *porte-*, et *queue ; porte-coue*, 1465.

♦ **1.** Caudataire*. *Des porte-queues.*

Elle avait (...) son grand aumônier, son chambellan, sa première dame d'atours (...) L'héritière eût-elle désiré un porte-queue, on lui en aurait trouvé un. C'était une reine (...) BALZAC, Eugénie Grandet, Pl., t. III, p. 629.

♦ **2.** (1776). Zool. Machaon* (papillon).

1. PORTER [pɔʀte] v. tr. — XIe ; «être enceinte», 980 ; lat. *portare.*

★ **I.** V. tr. dir.

A. Supporter le poids de. ♦ **1.** [a] Soutenir, tenir (ce qui pèse). *Porter un objet, une charge. Livres lourds à* (cit. 18) *porter.* — (Avec un compl. de manière). *Porter qqch. sur son dos, dans ses bras, à la main... La mère porte son enfant dans ses bras. Fermière portant un veau entre ses bras* (→ Bœuf, cit. 1). *Porter les blessés sur des civières. Porter un paquet dans ses mains, une valise à la main, une charge** (cit. 2), *un fardeau* sur ses épaules. Porter deux fardeaux au moyen d'une palanche*. Bourrelet*, tortillon* pour porter un fardeau sur sa tête. Palanquin* porté à bras d'hommes ou à dos de chameau. Porter un parapluie* (cit. 3) *sous son bras, un sac en bandoulière*, un fusil à la bretelle*. Porter sur son dos l'attirail* (cit. 2) *nécessaire. — Paniers, cabas* (cit. 1) *pour porter les provisions. Porter un chargement dans une brouette.* ⇒ **Transporter ; transport, véhicule.** *Le cavalier* (cit. 4) *se laisse porter par son cheval. — Porter qqn en croupe. Porter le vainqueur en triomphe*. — Porter un flambeau** (au fig., cit. 9 et 15), *un drapeau**. — Milit. *Portez... arme ! :* commandement d'avoir à soulever son arme dans le mouvement (cit. 12) réglementaire. — Absolt. *Appui* (cit. 13), *soutien qui aide à porter.*

(...) Passa un jeune gars breton qui portait un bissac sur l'épaule (...) 1
LOTI, Mon frère Yves, XLIX.

On a de la peine à s'imaginer, dit Vigny, que Robespierre ait été un enfant porté par sa bonne à qui sa mère ait souri et dont on ait dit : le beau petit garçon ! 2
F. MAURIAC, la Robe prétexte, XV.

Jésus-Christ portant sa croix (cit. 8 ; → Crucifier, cit. 2). Fig. *Chacun porte sa croix* en ce monde.*

Par ext. (l'idée de poids étant absente). → 2. Porter. *Porter un journal sous le bras.* ⇒ **Avoir.** *Je porte toujours mon passeport sur moi.* ⇒ **Prendre.**

(Abstrait). ⇒ **Supporter.** *Porter tout le poids* d'une affaire, le fardeau** (cit. 16) *d'une maison, la responsabilité de ses fautes, la culpabilité* (cit. 1), *la peine de ses péchés* (→ Fils, cit. 10).

Nos pères ont péché, nos pères ne sont plus, 3
Et, nous portons la peine de leurs crimes. RACINE, Esther, I, 5.

[b] (Sujet n. de chose). Soutenir, supporter. *Mes jambes* (cit. 14) *ne me portaient plus. Cette vase ne pourrait porter deux hommes* (→ Enfoncer, cit. 18). — Absolt. *La glace portait comme de la roche :* elle supportait les poids, résistait (→ Glissade, cit. 4). — *Les solives s'abattent faute de l'appui qui les portait* (→ Fléchir, cit. 12). *Navire portant sept matelots* (cit. 1). *Bateau portant bien la toile, portant toute la toile dehors.* — Fig. (vieilli). *L'un portant l'autre** (*infra* cit. 124) : à peu près, en moyenne (une chose venant en compensation d'une autre). → Population, cit. 2.

Loc. (Chasse). *Porter la hotte,* se dit du cerf, du lièvre, lorsqu'il arrondit le dos en fuyant, par épuisement.

[c] (Premier sens attesté : 980). Être enceinte de, contenir un embryon, un fœtus de. *« Ce fils qu'une Amazone* (cit. 2) *a porté dans son flanc »* (Racine). — *Femelle en âge de porter des petits.*

⇒ **Portière.** — Absolt. *Les juments portent onze mois.* ⇒ **Gravide, plein** (→ Monte, cit. 1).

Fig. Avoir en projet, faire le travail préparatoire à la mise à jour d'un projet de. *Nécessité de porter longtemps son sujet.* ⇒ **Gestation** (cit. 4).

4 L'œuvre qu'on portait en soi paraît toujours plus belle que celle qu'on a faite.
Alphonse DAUDET, Contes du lundi, « Dernier livre ».

d (V. 1155). Plantes, sol, terre... ⇒ **Produire.** *L'arbre qui porte les plus beaux fruits.* ⇒ **Fructifère.** *Une branche* (cit. 3) *portait déjà de petites baies. La tige de l'anémone* (cit. 1) *porte une belle fleur. Toutes les terres ne portent pas également des moissons* (→ Aptitude, cit. 5). — Fig. *Porter des fruits.* ⇒ **Fruit** (1. Fruit, cit. 23 et 47). — Loc. *Le plus grand scélérat que la terre ait porté.* ⇒ **Engendrer** (→ Enfer, cit. 6 ; ensevelir, cit. 2).

5 (...) il n'est pas une seule action humaine, fût-ce le baiser de Judas, qui ne porte en elle un germe de rédemption. FRANCE, Thaïs, p. 163.

e Vieilli. *Ce vin porte bien l'eau :* « on ne laisse pas d'en sentir la force quand on y met de l'eau » (Académie). *Porter bien le vin* (Académie). ⇒ **Tenir.**

f (En parlant de l'âge que l'on a ou que l'on paraît avoir. → Âge). *Il porte gaillardement sa cinquantaine.*

6 Esther était une femme emportée, maigre et ravagée par sa propre nature ; à quarante ans elle portait bien plus que son âge.
ARAGON, les Beaux Quartiers, I, VIII.

♦ **2.** V. 1050. **a** (Le compl. désigne un élément naturel du corps). Avoir sur soi. *Le chameau porte deux bosses, le dromadaire* (cit. 1) *une.* ⇒ **Avoir.** *Porter des cornes** (au propre et au fig.). — Par plais. *« Elle portait sur elle, bon an* (cit. 7) *mal an, trente quintaux de chair ».*
Porter la barbe, toute sa barbe. Porter les cheveux longs (→ Cacheter, cit. 1), *courts.* ⇒ **Coiffure.** — (Avec un compl. second). *Porter le bras en écharpe,* (par métaphore) *porter son cœur en écharpe* (cit. 4).

b (Le compl. désigne un vêtement, un ornement...). *Porter un costume, un habit de drap* (cit. 1) *fin, une tunique de lycéen* (→ Entreprendre, cit. 22), *une casaque* (cit. 1), *un chapeau* (cit. 9), *une jupe* (cit. 9), *des jarretières* (→ Faiseur, cit. 4)... — Fig. *Femme autoritaire qui porte la culotte*.* — *Porter le deuil** (au propre et au fig.). — *Porter bien la toilette* (→ Couturier, cit. 1). — *Porter un anneau* (cit. 9), *une bague au doigt, des émeraudes aux oreilles, un collier de perles, une amulette* (cit. 3) *en breloque.* — *Porter des lunettes* (cit. 1), *des besicles* (cit. 2). — *Porter une perruque, porter perruque. Porter une cocarde, un insigne, les insignes* (2. Insigne, cit. 1 et 3) *d'un ordre. Porter les couleurs* d'une dame. Arroser* (cit. 14) *ses galons le premier jour où on les porte.* ⇒ **Arborer.**

c (1573). Blason. Avoir dans ses armes. *Il porte d'azur au lion de sable.*

d Fig. *Porter le bât* (→ Âne, cit. 2), *le joug, les fers :* être asservi, esclave, prisonnier. *Porter les armes** (cit. 7, 9 et 10), *la couronne** ou *le sceptre, la robe, la livrée, la soutane, le froc... :* être soldat, monarque, magistrat, domestique, prêtre, moine... — Loc. fam. *Porter le chapeau*.*

e (Abstrait). *Le nom* que l'on porte* (→ 1. Mémoire, cit. 36). *Porter le nom et les armes* (cit. 41) *de gentilhomme. Plusieurs dispositifs* (cit. 3) *portaient son nom. Les grands titres* que vous portez* (→ Affabilité, cit. 2).

♦ **3.** Fig. Avoir en soi, dans l'esprit, le cœur. *Cet immense besoin d'aimer* (cit. 12) *que porte en elle toute âme tendre. Il portait en lui un trésor infini d'amour* (→ Départir, cit. 4). *Conviction que l'on porte en soi* (→ Disposition, cit. 14). *Les amants heureux portent en eux de quoi embellir les déserts* (→ Cadre, cit. 5).
Porter qqn dans son cœur : lui être attaché. ⇒ **Aimer, chérir.** (Surtout à la forme négative). *Elle ne le porte pas dans son cœur :* elle l'apprécie fort peu ; elle le déteste.

♦ **4.** Être revêtu de (une inscription*, un texte, une empreinte*...). *Livre portant tel titre. Médaillon* (cit. 2) *portant des initiales. Timbre portant une estampille* (cit. 3). *La lettre porte la date de... La convention porte que...* (→ Demeure, cit. 2). ⇒ **Déclarer, dire, stipuler.** *Bon ou approuvé* (cit.) *portant en toutes lettres la somme due. Dispositions portées par tels articles* (→ Huissier, cit. 7). *Arrêt portant renvoi à la cour d'assises* (→ Accusation, cit. 3). — *Porter la marque, les marques* (1. Marque, cit. 7) *d'un coup.*

Fig. *Porter la scélératesse sur son visage* (→ 1. Louche, cit. 6). *Porter sur le front une mâle assurance* (cit. 7). *« Cette ardeur* (cit. 6) *que dans les yeux je porte »* (Corneille).

Fig. ⇒ **Exprimer, manifester, présenter.** *Un travail haché* (cit. 16) *porte la trace des interruptions. Porter tel trait* (→ Connaisseur, cit. 4), *tel caractère* (→ Cacher, cit. 39). *Ce style porte un caractère* (cit. 25) *de servitude.*

B. (XIe, « mettre, amener »).

♦ **1.** Prendre pour emporter, déposer (avec un 2e compl., prépositionnel). *Porter ses bagages à la consigne* (→ Manière, cit. 29), *son blé au moulin* (→ Devant, cit. 19). *Porter un mort au cimetière* (→ Murer, cit. 7), *en terre. Ils la portèrent sur le lit.* ⇒ **Mettre, transporter.** *Porter un objet au clou* (cit. 8).

Faire parvenir (qqch. à qqn). *Il doit lui porter tout ce qu'elle a demandé.* ⇒ **Apporter, rapporter.** *Facteurs*, messagers* qui portent les lettres ; courriers*, plantons, cyclistes qui portent les ordres* (→ Gradé, cit. 1). *L'argent qu'on lui envoie* (cit. 2) *porter. Faire porter sa réponse à qqn.* Fig. *Porter une chose à la connaissance de qqn. La nouvelle que vous me portez.* ⇒ **Annoncer.**

À peine ai-je voulu lui porter la nouvelle 7
Du moment d'entretien que vous souhaitiez d'elle,
Qu'elle m'a répondu (...) MOLIÈRE, le Dépit amoureux, IV, 2.

(...) Jeanne alors, dans son coin noir, 8
M'a dit tout bas, levant ses yeux si beaux à voir,
Pleins de l'autorité des douces créatures :
— Eh bien, moi, je t'irai porter des confitures.
HUGO, l'Art d'être grand-père, VI, VI.

Il comprit brusquement que s'il la laissait partir il ne la reverrait jamais et, l'enlevant, il la porta sur un fauteuil, l'assit de force (...) 9
MAUPASSANT, Pierre et Jean, VII.

Amener, conduire (compl. n. de personne ou de chose). ⇒ **Conduire, diriger, transporter.** *« Un vaisseau la portait aux bords de Camarine »* (→ 1. Flûte, cit. 1). *Bourrasques* (cit. 4) *portées par le vent du large.* ⇒ **Pousser.** *« L'écho* (cit. 4) (...) *que le vent du nord porte de feuille en feuille ».*

Que ne puis-je, porté sur le char de l'Aurore, 10
Vague objet de mes vœux, m'élancer jusqu'à toi !
LAMARTINE, Premières méditations, « L'isolement ».

Il lui sembla bientôt que le vent lui portait le son d'une musique perdue. C'était comme un souvenir plein de charme et de regret. 11
ALAIN-FOURNIER, le Grand Meaulnes, I, XI.

Absolt. Mar. *Le vent porte,* pousse le bateau dans la bonne direction. ⇒ **Portant.** — *Laisser porter :* abattre*.

♦ **2.** (Le compl. désigne une partie du corps, un mouvement, une attitude...). Orienter, diriger (⇒ **Allure, attitude, port, prestance**). *Porter le buste, le corps en avant.* ⇒ **Pencher** (se). *Porter les épaules en arrière* (→ Attitude, cit. 10), *la tête haute, l'oreille basse... Porter haut* la tête. Porter beau*.*
⇒ **Diriger.** Vieilli ou littér. *Ne savoir où porter ses pas* (→ Émigré, cit. 2). ⇒ **Aller.**
Les pavés sur lesquels il avait tant de fois porté ses pas (→ Alléger, cit. 3). ⇒ **Marcher.** — Mod. *Porter la main à son chapeau, à son épée* (cit. 1). — Fig. *Porter les yeux, la vue* (→ Aquilon, cit. 9), *ses regards sur qqn, sur qqch. Porter son attention*, son effort* sur...* ⇒ **Orienter.**

Sur ces dons aujourd'hui daignez porter les yeux, 12
LA FONTAINE, À Mme de Montespan.

Porter la main sur qqn :* le toucher ou le frapper. ⇒ **Lever** (→ 1. Faucheur, cit. 2 ; frémir, cit. 16 ; hardi, cit. 13). — (Le compl. désigne un objet). *Porter une cuillère* (cit. 1) *à sa bouche, la coupe* (cit. 1) *à ses lèvres.* — *Porter le fer*, le fer* (cit. 12) *rouge dans une plaie.*

Par ext. Assener, donner. *Porter une botte* (3. Botte, cit. 1), *un coup à qqn. Porter et rendre des coups* (cit. 45).

Loc. Vx. *Porter la santé de qqn,* boire à sa santé (porter le verre à sa bouche en buvant...). → Hâbleur, cit. 1. — *Porter un toast à qqn, qqch.*

♦ **3.** (XIIe). Fig. *Porter un préjudice* à tout le corps des médecins* (→ Formalité, cit. 1). *C'est lui qui a porté l'accusation* (cit. 6). ⇒ **Présenter.** *Les accusations énormes portées contre lui* (→ Agir, cit. 38). ⇒ **Imputer.** *Porter la parole* au nom d'un groupe, d'un parti.* ⇒ **Porte-parole.** — Loc. (Compl. sans déterminant). *Porter atteinte* (cit. 13) *à qqn, à qqch. Porter atteinte à l'honneur* (→ Diffamation, cit. 3), *à la réputation de qqn.* ⇒ **Attenter** (à), **discréditer, entamer.** *Porter témoignage* de ce que l'on a vu.* ⇒ **Attester** (cit. 1), **témoigner.** *Porter plainte contre qqn. Porter une affaire devant les tribunaux.* ⇒ **Présenter, saisir.**

Milit. *Porter le motif :* notifier à l'autorité supérieure un motif de punition (contre un militaire).

Indigné de cette mauvaise tenue, le capitaine Lemballeur, aussitôt rentré, lui « porta ce motif » : 12.1
« A eu dans les rangs une attitude tumultueuse et gesticulatoire peu conforme au rôle d'un soldat de deuxième classe. » A. ALLAIS, Contes et chroniques, p. 56.

♦ **4.** Mettre (qqch.) par écrit (sur qqch.). ⇒ **Inscrire.** *Peines portées au code pénal* (→ Dissimuler, cit. 10). *Porter une somme sur un registre, de l'argent au débit, au crédit d'un compte.* ⇒ **Créditer, débiter** (→ Contribuer, cit. 5). — *Se faire porter malade** (cit. 5), *pâle. Porter qqn sur son testament.* ⇒ **Coucher.**

♦ **5.** Fig. Amener, faire arriver, installer (quelque part). *Porter la guerre où il faut* (→ Couvrir, cit. 49). *Porter la dévastation* (cit. 2) *et la mort, la terreur* (→ Hardiesse, cit. 4), *le trouble... quelque part. Porter la lutte* (cit. 7) *sur le terrain parlementaire.*

Je te donne à combattre un homme à redouter : 13
Je l'ai vu, tout couvert de sang et de poussière,
Porter partout l'effroi dans une armée entière. CORNEILLE, le Cid, I, 5.

(1659). *Porter* (qqn) *à* (un état élevé). *Porter un homme au pouvoir* (→ Fortifier, cit. 11), *un candidat à la présidence, un prétendant au trône.*

14 (...) Robespierre proposa et fit décréter que nul membre de l'Assemblée *ne pourrait être porté au ministère* (...)
MICHELET, Hist. de la Révolution franç., IV, XI.

(Avec l'idée de changement, d'évolution, d'aboutissement...). *Porter encore plus loin les limites d'un territoire, le prestige d'un nom...* ⇒ **Agrandir, élever, étendre, hausser, relever...** *Porter qqch. à un degré de perfection, à sa perfection.* ⇒ **Pousser** (→ Dévotion, cit. 5; français, cit. 17). *Mon imagination porte toujours le mal au pis* (→ Effaroucher, cit. 8). *Porter un caractère à l'outrance* (→ Amplifier, cit. 2). — *Faire passer* (à tel chiffre). *Porter un article à tel prix, le fermage* (cit.) *à telle somme.* — Élever dans son appréciation, dans ses louanges. ⇒ **Encenser, exalter, louer.** *Porter qqn aux nues* (→ Apologiste, cit. 4), *jusqu'aux cieux* (→ Admirer, cit. 8). *Porter un récit à l'écran, à la scène.* ⇒ **Adapter.**

♦ **6.** (Abstrait; dans des loc., le compl. est sans déterminant). Apporter. *Porter assistance*, secours* à qqn. Porter ombrage*.* ⇒ **Causer.** *Porter chance, bonheur* (cit. 5), *malheur* (cit. 41 et 42) *à... Porter remède* à qqch.* — Prov. *La nuit porte conseil* (cit. 13).
(Avec déterminant). *Tu nous as porté la poisse, porté guigne.*
Porter (un sentiment) *à qqn* : éprouver à son égard. *L'amitié* (cit. 18) *qu'il vous porte.* — Loc. *Porter amitié, intérêt* (cit. 23), *honneur, respect, envie* (cit. 10) *à qqn.*
Porter un jugement sur (qqn, qqch.) : le formuler, l'émettre. *Porter par précipitation un jugement téméraire* (→ Arracher, cit. 36).

♦ **7.** *Porter* (qqn) *à* (qqch.), *à* (faire qqch.) : pousser, inciter, entraîner à. *Ce climat porte à l'apathie* (cit. 8). *Ils sont portés par une secrète attraction* (cit. 11) *à se rechercher.* ⇒ **Attirer, conduire.** *L'amour* (cit. 50) *de soi-même qui porte tout animal à veiller à sa propre conservation.* ⇒ **Déterminer, disposer, encourager, engager, inciter, pousser...** *Tout porte à croire que...* (→ Désorienter, cit. 2). ⇒ **Induire, inviter.** *Porter les citoyens à s'armer les uns contre les autres* (→ Attentat, cit. 10). ⇒ **Exciter, inciter, provoquer.**

15 Nous les portons au mal par tant d'austérité (...)
MOLIÈRE, l'École des maris, III, 5.

▶ **PORTÉ, ÉE** p. p. adj.

♦ **1.** (Sens I, A). *Objets, fardeaux portés ou déposés.*

♦ **2.** (Sens I, B). *Infanterie portée,* transportée sur des véhicules. *Troupes portées.* ⇒ **Aéroporté.**
Fig. *Ombres portées,* qu'un corps projette, « porte » sur une surface. Mis par écrit. *Peines portées au code pénal* (→ Dissimuler, cit. 10). (→ I., B., 5.). *Porté à, jusqu'à... :* amené. *Un prétendant porté au trône. Fanatisme* (cit. 8) *porté jusqu'au sacrifice.*
(Sens I, B, 7). **ÊTRE PORTÉ À... :** être naturellement poussé à... *Porté à qqch., à faire qqch. « L'homme porté par les illusions des sens à se regarder comme le centre de l'univers »* (→ Aspect, cit. 33). *Être porté à la conciliation* (cit. 1). *Il est porté à faire des comparaisons. Nous sommes portés à croire qu'il a raison. Être porté à se torturer* (→ Célibataire, cit. 2).

16 Le baron ajouta que, d'autre part, les femmes sont toujours sympathiques aux sentiments passionnés et portées à en tenir compte plus que de la raison.
A. HERMANT, Souvenirs du vicomte de Courpière, XII.

ÊTRE PORTÉ SUR (qqch.) : avoir un goût marqué, un faible pour. ⇒ **Aimer.** *Être porté sur la boisson. Il n'était nullement porté sur la nourriture* (→ Gastrique, cit. 1). Fam. *Être porté sur la chose :* aimer les plaisirs de l'amour physique, charnel.

16.1 Je parie qu'il est porté sur la chose, lui (...) J'ai vu cela, tout de suite, à son nez mobile, flaireur, sensuel (...)
O. MIRBEAU, le Journal d'une femme de chambre, p. 28.

Voir aussi III. (impersonnel).

★ **II.** V. intr. ♦ **1.** (1636). Peser, en étant posé (sur qqch.). ⇒ **Appuyer, poser, reposer** (sur). *Tout l'édifice porte sur ces colonnes* (Académie). *La selle de ce cheval porte sur le garrot* (Littré).
Fig. *L'accent porte sur...* (→ Assonance, cit. 1).
L'adverbe porte sur la phrase entière.
Porter à faux. ⇒ **Faux** (*infra* cit. 43), **porte-à-faux.** — Fig. *Ce raisonnement porte à faux :* il pèche par la base, s'écarte de la logique, manque son effet.
Loc. *Tirer à bout portant* (le bout de l'arme étant comme posé sur l'objectif). ⇒ **Bout.**

♦ **2.** (1832). ⇒ **Frapper, heurter.** *L'endroit où le choc a porté* (→ Longeron, cit. 2).

17 (...) il tomba, sa tête porta sur un tabouret, il perdit connaissance (...)
BALZAC, la Bourse, Pl., t. I, p. 329.

Loc. fig. *Porter sur les nerfs,* (fam.) *sur le système* :* agacer, irriter, rendre nerveux. ⇒ **Taper.**

17.1 Votre père trouvait que vous preniez trop au sérieux la philosophie, que cela vous portait sur les nerfs.
PROUST, Jean Santeuil, Pl., p. 670.

♦ **3.** (1671). Avoir pour objet, concerner. *La discussion a porté sur ce sujet* (→ Abstrait, cit. 4). *La mission de l'expert* (cit. 8) *portera sur... Différend portant sur les conditions du travail* (→ Arbitrage, cit. 4). *Faire porter son analyse sur une chimère* (→ Ethnographique, cit. 2).

En général, ces appréciations portent beaucoup plus sur la forme que sur le fond. 1
Th. GAUTIER, les Grotesques, VIII, p. 256.

Une des réformes de l'École Alsacienne portait sur l'enseignement du latin, qu'elle ne commençait qu'en sixième. GIDE, Si le grain ne meurt, I, IV, p. 112. 1

♦ **4.** (1587). Avoir une portée (tir). *Un canon qui porte loin.* — Toucher le but. *Le coup a porté juste. Une voix qui porte,* qui s'entend loin. *Sifflet qui ne porte pas. Vue qui porte loin.* ⇒ **Étendre** (s').

— Hein, comme la voix porte bien. Il serait excellent pour plaider, ce salon. 2
MAUPASSANT, Pierre et Jean, VII.

Fig. Avoir de l'effet. *L'argument a porté juste. Mots qui portent* (→ Blessant, cit. 2). *Vos observations ont porté,* on en a tenu compte.

♦ **5.** Produire une impression sur l'organisme. *Ce vin porte à la tête, au cerveau.* ⇒ **Enivrer, étourdir, griser.** — Fig. *La vapeur de cet encens* (cit. 9) *lui a porté à la tête.*

♦ **6.** Mar. Faire route, gouverner dans telle ou telle direction. *Porter au nord, puis tourner à l'est* (cit. 2).

★ **III.** V. impers. (Au passif). *Il est bien (mal) porté de* (et inf.) : il est de bon ton, bien vu de. *Il était bien porté de faire voir au Bois son nouvel équipage.*

▶ **SE PORTER** v. pron. ♦ **1.** (V. 1360). *Se porter (bien, mal) :* être en (bonne, mauvaise) santé. ⇒ **Aller.** *Comment vous portez-vous?* (→ An, cit. 2; dieu, cit. 52). *Je me porte bien, mieux* (→ Douloureux, cit. 1). *Se porter mal* (2. Mal, cit. 6), *pas mal* (→ Fin, cit. 17). *Il se porte à merveille* (→ 1. Frais, cit. 28), *comme un charme, comme le Pont*-Neuf.* — Allus. littér. *« Les gens que vous tuez se portent assez bien »* (Corneille, *le Menteur,* IV, 2).

— Et Madame Jourdain (...), comment se porte-t-elle? — Madame Jourdain se porte comme elle peut (...) — (*Votre fille*) Comment se porte-t-elle? — Elle se porte sur ses deux jambes. MOLIÈRE, le Bourgeois gentilhomme, III, 4 et 5. 2

Loc. fam. *Ne pas s'en porter plus mal :* considérer la situation avec une certaine indifférence.

♦ **2.** Être habituellement, ordinairement soutenu, porté (de telle ou telle façon). *Cette arme se porte sur l'épaule.*
Spécialt (d'un vêtement, d'une parure). *Le haïk* (cit. 1) *se porte à peu près comme le vêtement des statues grecques. Les jupes se porteront plus courtes cette année.* — *Cela se porte encore, cela ne se porte plus :* c'est encore, ce n'est plus à la mode*.

♦ **3.** (V. 1340). Littér. [a] (Personnes). Aller, se diriger (vers). *Se porter en avant*, à la rencontre* de qqn, au-devant de l'ennemi, au secours* d'un ami.* ⇒ **Aller, courir, élancer** (s'), **lancer** (se), **précipiter** (se), **transporter** (se).

Le bateau pencha subitement à tribord, sous le poids de la foule qui se portait toute du même côté (...) Louis BERTRAND, le Livre de la Méditerranée, p. 6. 2

[b] (Choses). Affluer. *Le sang se porte à la tête.*
Fig. *Regards qui se portaient sur nous à la dérobée* (cit. 30). *Se porter vers de nouveaux horizons.* ⇒ **Chercher, graviter.** *Les soupçons se portent sur lui.* ⇒ **Orienter** (s'). *Sur quelque sujet que se portât la conversation* (→ Assaut, cit. 21).

♦ **4.** (1632). Personnes. *Se porter à :* se laisser aller à. *Se porter à une extrémité* (→ Atteler, cit. 6), *aux extrêmes* (cit. 18). *Se porter aux excès* (→ Dérégler, cit. 8), *à des excès* (cit. 18). ⇒ **Livrer** (se).

♦ **5.** (1690). Fig. (Personnes; suivi d'un nom sans déterminant). Se présenter* comme. *Se porter candidat dans une élection, héritier dans une succession. Se porter partie* civile. Se porter fort*, se porter garant** (⇒ **Répondre**).
Se porter à (une fonction).

(...) il a fini par se porter à la députation comme candidat bonapartiste (...) 2
G. DUHAMEL, Salavin, III, IV.

CONTR. Déposer, poser, reposer. — Enlever, remporter, retirer.
DÉR et COMP. Apporter, colporter, comporter, déporter, emporter, exporter, importer, rapporter, remporter, reporter, transporter. — Aéroporté, autoporté, autoporteur, héliporté. — Port. — Portable, portage, portance, portant, portatif, portée, porter-lancer, porteur, portière. — V. **Porte-,** et cf. les suff. -fère et -phore.

2. PORTER [pɔʀtɛʀ] n. m. — 1726; mot angl., de *porter's ale* « bière de portefaix ».

♦ Bière brune d'origine anglaise, très houblonnée, un peu amère. ⇒ **Ale.** *Boire du porter. Une bouteille de porter. Porter et stout*.*

(...) il y a une brasserie anglaise où l'on peut aller contrarier, à l'aide du madère, du porter ou de l'ale, l'action parfois émolliente des eaux du Nil.
NERVAL, Voyage en Orient, Femmes du Caire, I, V.

PORTEREAU [pɔʀtəʀo] n. m. — Mil. XVIe; *porterel* « petite porte », fin XIIIe; de *porte.*

♦ Techn. Palis de bois bornant un cours d'eau. *Portereau servant d'écluse*.*

PORTE-RESPECT [pɔʀtʀɛspɛ] n. m. invar. — 1665, Molière; de *porte-*, et *respect.*

♦ **1.** Vx. Arme de défense (cf. Molière, *l'Étourdi,* III, 9). — Par analogie :

1 Le gros père Colombe, qui allongeait ses bras énormes, les porte-respect de son établissement, versait tranquillement les tournées.
ZOLA, l'Assommoir, X, t. II, p. 148.

♦ **2.** (1743). Rare. Personne dont la présence (la force, l'aspect imposant, grave...) fait respecter ceux qu'elle accompagne. *Dame de compagnie* servant de porte-respect à une jeune fille.* ⇒ **Chaperon.**

2 (...) une amitié (...) — À toute épreuve (...) s'écria joyeusement madame Marneffe, heureuse d'avoir un porte-respect, un confident, une espèce de tante honnête.
BALZAC, la Cousine Bette, Pl., t. VI, p. 228.

PORTE-REVUES [pɔʀtʀəvy] n. m. invar. — Mil. XXe; de *porte-*, et *revue.*

♦ Accessoire de mobilier où l'on peut ranger des revues, journaux, etc. — On pourrait écrire : *un porte-revue, des porte-revues.*

PORTERIE [pɔʀtəʀi] n. f. — V. 1460; de *portier.*

♦ **1.** Relig. Loge du portier, dans une communauté religieuse. ⇒ **Conciergerie.**

♦ **2.** Rare. Loge de concierge à la porte d'une vaste propriété.

(...) notre grande maison était une fois de plus à vendre. Déjà un écriteau se balançait à la grille de la porterie (...) B. CENDRARS, Bourlinguer, p. 135.

PORTER-LANCER [pɔʀtelɑ̃se] n. m. — 1963; de 1. *porter,* et *lancer.*

♦ Techn. Numéro d'acrobates qui lancent et rattrapent, à terre, l'un des leurs. *Des porters-lancers.*

PORTE-SAVON [pɔʀtsavɔ̃] n. m. — 1903; de *porte-*, et *savon.*

♦ Support ou emplacement destiné à recevoir le savon, sur une baignoire, un évier, un lavabo. *Des porte-savons* (parfois invar. : *des porte-savon*). *Porte-savon amovible, à claire-voie.*

PORTE-SERVIETTES [pɔʀtsɛʀvjɛt] n. m. invar. — 1890; de *porte-*, et *serviette.*

♦ Support pour les serviettes de toilette. — On pourrait écrire : *un porte-serviette, des porte-serviettes.*

PORTE-SKIS [pɔʀtəski] n. m. invar. — 1970; de *porte-*, et *ski.*

♦ Dispositif fixé au toit d'une voiture (⇒ **Galerie**) pour permettre le transport des skis. — On pourrait écrire : *un porte-ski, des porte-skis.*

PORTE-TAMBOUR [pɔʀttɑ̃buʀ] n. f. — XXe; de 1. *porte,* n. f., et *tambour.*

♦ Tourniquet de quatre portes vitrées en croix, dans les lieux public, les hôtels. — REM. On dit aussi *tambour,* ou *porte à tambour. Des portes-tambours.*

Il éprouva quelque chose comme de la panique, la sensation d'être pris au piège (mais en somme, réfléchit-il plus tard, ni plus ni moins que n'importe qui engagé dans une porte-tambour aux prises, dans le bruit des pales tournantes et de l'air froissé, avec cette sorte de vertige, cette angoisse de la claustration, du tourbillon).
Claude SIMON, le Palace, p. 55.

PORTE-TAPISSERIE [pɔʀttapisʀi] n. m. — 1718; de *porte-*, et *tapisserie.*

♦ Techn. Châssis de fixation d'une tapisserie (pour former une portière). *Des porte-tapisseries* (ou, invar. : *des porte-tapisserie*).

PORTE-TOLET [pɔʀttɔlɛ] n. m. — 1836; de *porte-*, et *tolet.*

♦ Techn. Support du tolet* sur le plat-bord d'une embarcation. *Des porte-tolets.* — REM. Certains font le mot invariable.

PORTE-TORPILLE [pɔʀttɔʀpij] n. m. — 1903; de *porte-*, et *torpille.*

♦ Techn. Espar au bout duquel est fixée une torpille. *Des porte-torpilles.* — On écrit aussi : *un porte-torpilles.*

PORTE-TRAINS [pɔʀtətʀɛ̃] adj. invar. — 1873; de *porte-*, et *train.*

♦ Vx. Qui peut transporter des trains (navires). — REM. Ce mot abandonné au profit de l'anglicisme *ferry-boat,* constituerait un équivalent français commode.

Nouveau système de transport proposé par M. Dupuy de Lôme pour établir un service régulier de navires porte-trains entre Calais et Douvres.
L. FIGUIER, l'Année scientifique et industrielle 1874, p. 315 (1873).

PORTE-TRAIT [pɔʀtətʀɛ] n. m. — 1680; de *porte-*, et *trait.*

♦ Techn. Courroie qui supporte les traits des chevaux dans un attelage. *Des porte-traits.*

PORTEUR, EUSE [pɔʀtœʀ, øz] n. — V. 1265; XIIIe, « celui qui établit la loi »; *porteour,* 1120; de *porter.*

♦ **1.** Personne qui est chargée de remettre des lettres, des messages, des colis... à leurs destinataires (⇒ **Commissionnaire, courrier, facteur, messager...**). *Remettez la réponse au porteur. Porteur de dépêches, de télégrammes.* ⇒ **Télégraphiste.** *Porteur de journaux.* ⇒ **Livreur.**

En rentrant chez lui, il trouva un mot de Courson, qu'un porteur avait déposé (...) 1
J. ROMAINS, les Hommes de bonne volonté, t. XII, XXI, p. 223.

Personne qui apporte des nouvelles. ⇒ **Messager.** *Porteur de mauvaises* (cit. 12) *nouvelles.* — *Porteur de message* (fig.). → Chaleureux, cit. 2.

(...) je me dis porteur d'une lettre de madame la duchesse de Berry (...). 2
CHATEAUBRIAND, Mémoires d'outre-tombe, t. VI, p. 51.

J'arrivais porteur d'heureuses nouvelles; celle en particulier de la réimpression de 3
mes *Faux-Monnayeurs.* GIDE, Ainsi soit-il, p. 17.

Dr. *Porteur de contraintes :* agent de poursuites chargé de délivrer la contrainte*.

♦ **2.** (*Porteur d'eau,* 1393). Dans des loc. Personne dont le métier est de porter, de transporter (des fardeaux, des charges). *Porteurs de fardeaux.* ⇒ **Coltineur, coolie** (→ Palanquin, cit. 1), **crocheteur** (anciennt), **débardeur, déménageur, docker, fort, laptot, nervi, portefaix.** — REM. Le mot *porteur* ne s'emploie que dans quelques contextes. — *Porteur de journaux.* — *Porteur d'eau,* qui transporte de l'eau potable (dans des seaux, de petits récipients...). → Écume, cit. 9; lasser, cit. 17; 1. outre, cit. 3. — Vx. *Porteur de chaise. Brouette* à porteur.* Loc. mod. (Anciennt). *Chaise* à porteurs* (→ Fleurir, cit. 25). — Techn. *Porteur d'ensouples, de bobines* (→ Filature, cit. 2). *Porteur d'éprouvettes* (dans une aciérie)... — Vieilli. *Porteuse de pain. La Porteuse de pain,* roman de Xavier de Montépin.

Les moines sont implacables. Quand on eut tiré de frère Jean tous les éclaircisse- 4
ments dont on avait besoin, on le fit porteur de charbon dans le laboratoire où l'on distille *l'eau des Carmes.* DIDEROT, Jacques le fataliste, Pl., p. 538.

Des porteurs d'eau venaient s'y approvisionner, et ils le faisaient en plongeant dans 5
la vasque des petits seaux emmanchés d'un long bâton qu'ils renversaient à l'orifice du tonneau avec une vélocité singulière, non sans répandre la moitié du contenu. Th. GAUTIER, Voyage en Russie, Le Volga.

De blanchisseuse, un dimanche, il ne fallait pas penser qu'il en vint. Quant à la 6
porteuse de pain, par une mauvaise chance, elle avait sonné pendant que Françoise n'était pas là, avait laissé ses flûtes dans la corbeille, sur le palier (...)
PROUST, la Prisonnière, Pl., t. III, p. 139.

Absolt. **PORTEUR :** homme d'équipe chargé de porter les bagages (valises, paquets...) des voyageurs, dans une gare, un aéroport, un port... (→ Gêner, cit. 7). — (1875). Homme qui porte les bagages, les équipements. *Les porteurs d'une expédition géographique, d'une caravane...* ⇒ **Coolie; portage** (cit. 1). — (Spécialt). Alpin. Aspirant-guide qui porte les charges et seconde le guide. *Guides, porteurs et sherpas.*

(...) le porteur noir qui remonte le Niger sur mille kilomètres, accablé par le soleil, 7
avec une charge de vingt-cinq kilos en équilibre sur sa tête.
SARTRE, Situations III, p. 271.

Personne qui porte et délivre des colis. *Je vous envoie ce pli par porteur, la poste serait trop lente.*

En fait, ils *(les porteurs cyclistes)* étaient plus exposés que les porteurs à pied et 7.1
se faisaient prendre aussi plus souvent.
M. AYMÉ, le Vin de Paris, « Traversée de Paris », p. 31.

Personne qui porte (effectivement) un fardeau, un objet... *Porteurs de hotte* (→ Benne, cit. 1). *Porteurs de flambeaux, de torches...* ⇒ **Porte-.** *Le porteur du ballon.*

Puis nous nous sommes rangés pour laisser passer le corps. Nous avons suivi les 8
porteurs et nous sommes sortis de l'asile. CAMUS, l'Étranger, I, I.

♦ **3.** N. m. **PORTEUR DE...** : personne qui détient (des papiers, des titres). ⇒ **Détenteur.** *Porteur d'un contrat* (→ Forme, cit. 67), *d'un traité* (→ Nolis, cit.). *Porteur de faux papiers* (cit. 26), *d'un fascicule de mobilisation* (cit. 2). *Elle était porteur* (ou *porteuse*) *d'un passeport périmé.*

(1679). Dr. comm. Personne au profit de laquelle un effet de commerce a été souscrit ou transmis par voie d'endossement. *Porteur d'un titre de créance* (→ Chirographaire, cit.), *d'un chèque, d'une lettre de change* (→ Effet, cit. 41). *Porteur diligent* (qui a fait dresser protêt faute de payement le lendemain de l'échéance). *Porteur négligent.*

Spécialt. Cour. (Sans compl.). Personne qui détient un titre n'indiquant pas le titulaire du droit *(titre au porteur,* par oppos. à *titre nominatif* et titre à ordre). Billet*, chèque* au porteur, payable au porteur* (→ Cours, cit. 20). — *Payer, délivrer la marchandise au porteur.*

♦ **4.** N. PORTEUR, EUSE DE... : personne qui porte sur soi, emporte avec soi (qqch.). *Porteurs de placets, de « rogatons »* (→ Badaud, cit. 1, Rabelais). — *Porteur de lunettes. « Un porteur de huchet »* (cit.).

9 (...) myope tant qu'il pouvait, avec ça porteur d'énormes lunettes fumées.
CÉLINE, Voyage au bout de la nuit, p. 174.

9.1 Les hautes bourgeoises de Munich sortaient des églises, et tout ce que recélait en fourrures la capitale, du renard bleu à la loutre et à la belette, dirigeait leurs porteuses vers les retraites mêmes qu'eussent choisies les animaux vivants, le Jardin Anglais et les bords de l'Isar.
GIRAUDOUX, Siegfried et le Limousin, p. 126.

♦ **5.** N. m. (1680). Vx. Cheval monté par le postillon. *Le porteur et le sous-verge.*

♦ **6.** N. m. (1869). Mar. Allège pour transporter les matières draguées. ⇒ **Marie-salope.**
Porteurs sur rail (wagonnets, etc.). ⇒ aussi **Triporteur.**

♦ **7.** N. Personne ou chose qui apporte, transmet... *Porteur de microbes, de germes :* sujet cliniquement sain dont l'organisme contient des germes pathogènes. *Une porteuse de germes. Le porteur d'une maladie contagieuse, de la peste* (→ Infracteur, cit.). — Appos. *Animal porteur de germes. Nuages porteurs d'humidité* (→ Ballonner, cit. 1).

10 L'épidémie morale continuait de s'étendre ; et il se pouvait que des êtres bornés la communiquassent à des êtres d'élite. Chacun en était porteur, à son insu.
R. ROLLAND, Jean-Christophe, Buisson ardent, I, p. 1264.

♦ **8.** Adj. Qui porte. *Fusée porteuse* (d'un appareil). *Avion gros porteur.* Subst. *Gros porteur :* avion gros porteur. ⇒ (anglicisme) **Liner ; jumbo-jet.**
Techn. *Essieu porteur. Roue porteuse* (opposé à *moteur*).
Électr. *Courant porteur, onde porteuse :* courant (alternatif), onde électromagnétique que l'on module, en radiotélégraphie. ⇒ **Modulation** (→ Parasite, cit. 16).

11 Il n'était plus que cette onde porteuse vibrante suspendue au souffle du musicien.
Claude COURCHAY, La vie finira bien par commencer, p. 223.

♦ **9.** N. m. (de l'adj.). Techn. *Gros porteur,* ou *porteur :* gros camion. ⇒ **Poids-lourd.**

COMP. Sous-porteuse, triporteur.

PORTE-VÉHICULES [pɔʀtveikyl] n. m. invar. — Mil. xxe (*in* Larousse 1975) ; de *porte-,* et *véhicule.*

♦ Techn. Navire de commerce spécialement aménagé pour le transport des véhicules.

PORTE-VEINE [pɔʀtəvɛn] n. m. — 1888 ; de *porte-,* et *veine.*

♦ Rare. Fam. ⇒ **Porte-bonheur.** *Des porte-veines.*

PORTE-VENT [pɔʀtəvɑ̃] n. m. invar. — 1588 ; de *porte-,* et *vent.*

♦ Techn. Tuyau qui amène l'air soufflé jusqu'au sommier d'un orgue, jusqu'à un foyer. — Appos. *Tuyau porte-vent d'une cornemuse.*

PORTE-VERGE [pɔʀtəvɛʀʒ] n. m. — 1680 ; de *porte-,* et *verge.*

♦ Relig. Bedeau* qui porte une baguette, une verge, dans une cérémonie. *Des porte-verges* (on écrit parfois : *des porte-verge*).

PORTE-VOIX [pɔʀtəvwa] n. m. invar. — 1680 ; de *porte-,* et *voix.*

♦ Tube ou cornet à pavillon évasé, destiné à amplifier la voix. ⇒ **Mégaphone.** *Crier, hurler dans un porte-voix* (→ Guide, cit. 3). Mar. *Porte-voix portatif* (appelé *braillard, gueulard*). *Porte-voix adapté à un tuyau acoustique.*

1 À la chasse, il est nécessaire que les chasseurs s'avertissent de loin ; ils ont commencé sans doute par crier en arrondissant leurs mains autour de leur bouche ; puis ils ont fait des porte-voix en écorce et en métal ; et là dedans ils mugissaient en ne gardant de la voix ordinaire que l'aigu et le grave, joints à un rythme. C'est alors que la physique a réglé et comme filtré ces cris-là ; car un tuyau ne renforce pas également tous les sons, mais seulement ceux qu'on appelle harmoniques (...).
ALAIN, Propos, 26 oct. 1907, Cris chantés.

1.1 Élevant alors jusqu'à sa bouche une sorte de porte-voix en métal terne et délicat, Ghîriz se mettait à chanter quelque élégie nouvelle éclose en sa féconde imagination. Par suite d'une résonance étrange, la légère trompe utilisée doublait chaque son à la tierce inférieure.
Raymond ROUSSEL, Impressions d'Afrique, p. 369.

Par ext. *Mettre ses mains en porte-voix,* en cornet autour de sa bouche.

2 La rue de la Chanvrerie n'était guère longue que d'une portée de carabine. Bossuet improvisa avec ses deux mains un porte-voix autour de sa bouche, et cria : — Courfeyrac ! Courfeyrac ! hohée ! HUGO, les Misérables, IV, XII, II.

Fig. *« Le coup d'État avait un porte-voix »* (→ État, cit. 124). *« La discussion publique... porte-voix de la calomnie »* (→ Harpie, cit. 3).

PORTFOLIO [pɔʀtfɔljo] n. m. — V. 1970 ; mot angl., « portefeuille », 1722, empr. ital. *portafogli,* formation analogue à *portefeuille.*

♦ Techn. Enveloppe rigide, portefeuille contenant des images photographiques (originaux ou reproductions) ; ces images. *Un portfolio d'œuvres d'un photographe.* — Présentation analogue d'œuvres photographiques éditées et non reliées.

Avant, pendant ou après l'exposition on peut aussi présenter les photographies dans un coffret spécialement créé pour elles. Cet ensemble harmonieux qui demande tant de travail est un portfolio. C'est le plus manuel des travaux photographiques et celui qui doit faire naître la poésie du bel objet. Le portfolio tient du livre pour la qualité du contact et l'intimité que l'on a avec les photos, et de l'exposition, car chaque image est libre et peut être exposée quand on veut.
Michel MASSI, *in* Photomagazine, nº 49, févr. 1984, p. 83.

PORTIER, IÈRE [pɔʀtje, jɛʀ] n. — 1100, *porter ;* du bas lat. *portarius,* de *porta* « porte ».

♦ **1.** Littér. Personne qui garde une porte. ⇒ **Huissier.** *Cerbère, portier des enfers. Saint Pierre, portier du paradis.*

♦ **2.** Vx. Concierge d'une maison particulière, d'un immeuble d'habitation. ⇒ **Concierge, gardien.** *Voilà votre portier et votre secrétaire* (→ Endormir, cit. 5). *La loge du portier* (→ Heure, cit. 96). *Portières qui se disputent dans la rue* (→ Merle, cit. 2). *Portier d'une grande maison.* ⇒ **Suisse** (vx). — REM. *Portier* est encore compris en ce sens du fait des emplois vivants du 3., mais *portière* n'évoque plus guère que l'objet (1. portière).

(...) il y a le piéton causeur qui se plaint et converse avec la portière, quand elle se pose sur son balai comme un grenadier sur son fusil (...) 1
BALZAC, Ferragus, Pl., t. V, p. 37.

♦ **3.** N. m. (xxe). Mod. Concierge qui surveille les entrées et les sorties à la porte principale d'un établissement public (hôtel, bâtiment administratif...). *Portiers d'hôtel en redingotes grises* (→ Galon, cit 1).

En franchissant le seuil de l'hôtel, je sus trouver du premier coup, pour m'adresser au portier, un ton indifférent qui me délivra du mépris de ce personnage. 2
F. MAURIAC, la Robe prétexte, XXVII.

♦ **4.** N. m. Vx. *Portier de comédie,* qui percevait directement le prix des places à la porte d'une salle de spectacles.

Ma foi, j'étais un franc portier de comédie : 3
On avait beau heurter et m'ôter son chapeau,
On n'entrait point chez nous sans graisser le marteau.
Point d'argent, point de Suisse, et ma porte était close.
RACINE, les Plaideurs, I, 1.

♦ **5.** Personne qui a la garde de la porte du couvent, dans une communauté religieuse. — Appos. *Sœur portière.*

♦ **6.** (1680 ; à l'origine, « gardien des portes de l'église »). N. m. Liturgie rom. Clerc qui a reçu le premier des quatre ordres mineurs. *L'ordre des portiers.*

♦ **7.** (1913 ; trad. de l'esp. *portiero*). Sports. Gardien* de but. ⇒ **Goal.**

♦ **8.** (V. 1975). Techn. Circuit électronique d'un poste de télévision en couleurs (système SECAM) ouvrant les circuits de luminance des composantes colorées.

1. PORTIÈRE [pɔʀtjɛʀ] n. f. — 1587 ; de *porte,* et suff. *-ière.*

♦ **1.** Tenture, rideau* qui ferme l'ouverture d'une porte, ou en couvre le panneau (→ Atténuer, cit. 10). *Portières de velours, de tapisserie* (→ Filtrer, cit. 12 ; point, cit. 60). *Tapis de Perse et portières de Smyrne* (→ Luxueux, cit. 1). *Portière de perles, de lanières,... d'un magasin.*

(...) montant les trois degrés qu'il vit conduire à une portière de soie bariolée à fond rouge, il écarta l'étoffe, entra dans une vaste salle (...)
J.-A. DE GOBINEAU, Nouvelles asiatiques, p. 252.

Les rideaux des fenêtres sont tirés, les portières pendent à plis lourds sur le tapis.
FRANCE, le Livre de mon ami, Livre de Pierre, Préface.

(...) dans la grande chaleur des salons d'alors, fermés de portières, et desquels ce que les romanciers mondains de l'époque trouvaient à dire de plus élégant, c'est qu'ils étaient « douillettement capitonnés ».
PROUST, À la recherche du temps perdu, Pl, t. I, p. 595.

♦ **2.** (1611). Porte (d'une voiture, d'une automobile, d'un train). ⇒ **Porte.** — REM. On emploie aussi souvent *porte* que *portière* en ce sens ; les *portes* à fermeture automatique et à vitres fixes de certains trains ne sont pas nommées portières. — *Vitre, loquet* (cit. 2), *poignée d'une portière. Abaisser, baisser la vitre d'une portière* (→ Four, cit. 8). *Passer* (cit. 119) *la tête à la portière. Défense de se pencher à la portière des trains en marche. Regarder par la portière* (→ Caramel, cit.). *Louis XIV voyageait toutes portières ouvertes* (→ Frileux, cit. 6). *Ouvrir, fermer une portière* (→ 2. Lieu, cit. 32 ; péniblement, cit. 3). *Portières de train qui claquent* (→ Démarrer, cit. 3). *Automobile à deux, quatre portières ; portières avant, arrière.*

(...) cette même fille, apparemment instruite par une odieuse confidence, n'a pas quitté la portière de la voiture, ni cessé de me regarder (...)
LACLOS, les Liaisons dangereuses, CXXXV.

On fermait les portières, on sifflait, nous avons eu bien juste le temps de regagner notre voiture (...) ZOLA, la Bête humaine, III.

Mets-toi au fond de la voiture, ajouta-t-il avec sollicitude. Tu pourras étendre un

peu tes jambes; moi je dormirai au volant. Ils entrèrent dans l'auto; il ferma à clé la portière de droite et poussa le taquet de celle de gauche.
SARTRE, la Mort dans l'âme, p. 163.

2. PORTIÈRE [pɔʀtjɛʀ] adj. et n. f. — 1350; de *porter.*

♦ **1.** Adj. Agric. Qui porte ou est en âge de porter des petits. *Brebis portière. — Lice portière :* chienne de chasse destinée à la reproduction.

♦ **2.** N. f. Vx. Utérus de vache, de brebis.

♦ **3.** N. f. (1869). Techn. Assemblage de plusieurs bateaux formant une des travées d'un pont de bateaux. *Portière de pont.*

PORTILLON [pɔʀtijɔ̃] n. m. — 1556, «petite porte»; de *porte.*

♦ Porte à battant plus ou moins bas, ne bouchant généralement pas toute l'ouverture. *Portillon de bois, de métal, à claire-voie. Portillon d'une grille de jardin, d'un bar, d'un escalier de cave... Portillon de passage à niveau. Portillon d'accès aux quais d'une gare, du métropolitain* (→ Billet, cit. 14). *Portillon automatique* (→ Métro, cit. 9).

1 (...) la vue de la maison solitaire, plantée de biais à l'autre bout de la ligne, l'ayant attiré, il traversa la voie en passant par le portillon, car la barrière était déjà fermée pour la nuit.
ZOLA, la Bête humaine, II.

2 On peut dire beaucoup de mal de cette profession excessivement rudimentaire et cryptique *(poinçonneur de métro),* la déclarer indigne de l'homme et rendre grâce à la science qui nous a donné le portillon automatique.
Jacques PERRET, Bâtons dans les roues, p. 139.

Loc. fam. *Ça se bouscule au portillon :* il y a beaucoup de monde; ou : il parle trop vite et s'embrouille, ne peut s'exprimer.

PORTION [pɔʀsjɔ̃] n. f. — Fin XIIe; v. 1160, *porcion;* du lat. *portio.*

♦ **1.** Part qui revient à quelqu'un. — (1307). Spécialt. Quantité de nourriture, partie d'un mets destinée à une personne, dans un repas*... ⇒ **Ration** (argot : *porcif*). *Mets qui se détaillent* (cit. 1) *en portions à prix fixe. Aller chercher sa portion au comptoir* (→ Bouillon, cit. 12). *Portion de viande d'un détenu* (→ Griveler, cit.). *Une savoureuse portion de veau* (→ Dévorer, cit. 5). *Portion de gâteau.* ⇒ **Tranche.** *Demi-portion pour un enfant.* — REM. Ce mot ne s'emploie guère que dans les communautés et dans certains restaurants simples.

1 (...) avoir tous les pauvres d'une ville assemblés à sa porte, qui y reçoivent leurs portions.
LA BRUYÈRE, les Caractères, XVI, 30.

2 Vers midi, il y eut un peu d'agitation dans l'assemblée. Le petit vieillard du premier rang sortit et rapporta bientôt à l'adjudant une tranche de pain et une «portion», dans une gamelle couverte d'une assiette retournée.
G. DUHAMEL, Salavin, I, XIII.

Fig. et fam. *Une demi-portion :* une personne négligeable (par la taille, l'importance...).

♦ **2.** Part (d'argent, de biens, de terres...) attribuée à quelqu'un. *La dîme* (cit. 2), *portion des revenus des Juifs remise aux lévites. Portion congrue.* ⇒ **Congru.**

Dr. Part d'héritage... ⇒ **Lot, part** (*infra* cit. 9 : part virile). *Partage d'une succession* en plusieurs portions. Il leur laissa* (cit. 59) *tout son bien par portions égales. La portion afférente à un héritier* (⇒ **Portionnaire**). *Sa portion de l'héritage paternel* (→ Envier, cit. 5). *Époux privé de sa portion* (→ Divertir, cit. 3).

3 Ce même Jacob, disposant de cette terre future comme s'il en eût été maître, en donna une portion à Joseph plus qu'aux autres (...)
PASCAL, Pensées, XI, 710.

4 (...) ils consentaient *(les rois de Germanie et de Neustrie)* à lui céder chacun une portion du royaume, l'un jusqu'aux Ardennes, l'autre jusqu'au Rhin; s'il *(Lothaire)* refusait encore, ils diviseraient toute la France en portions égales, et lui laisseraient le choix.
MICHELET, Hist. de France, II, III.

♦ **3.** Partie (d'un tout* homogène ou considéré comme tel) qui n'est pas nombrable (→ Nombre, cit. 30). ⇒ **Morceau, partie, pièce.** — REM. *Portion* ne peut, comme *partie,* désigner un élément de nature particulière, et ne se dit généralement pas d'éléments dispersés. — *Une portion finie de matière* (→ Infini, cit. 9). *Portion d'une matière dans un composé* (⇒ **Dose**). *Une petite portion de ce monde qui est la terre* (→ Attacher, cit. 97). *La portion éclairée de la lune* (cit. 1). ⇒ **Quartier.** *Le souverain concède des portions de son domaine* (→ Bénéfice, cit. 6). *Portion de terrain cultivé.* ⇒ **Parcelle.** *Portion de route.* ⇒ **Tronçon.** *Portion de droite.* ⇒ **Segment.** *La portion du cercle* (cit. 1) *comprise entre les côtés d'un angle* (⇒ **Arc**). *La portion fixe de l'intestin* (2. Intestin, cit.) *grêle. Portion du voile du palais* (2. Palais, cit. 1). *Portion de fil.* ⇒ **Bout** (→ Fin, cit. 9). — *Percevoir des portions et percevoir l'ensemble* (2. Ensemble, cit. 9) *d'un objet* (→ Association, cit. 16). *Les portions publiées d'un ouvrage* (→ Figure, cit. 20). ⇒ **Fragment.** — *Une portion de l'humanité* (→ Imperturbable, cit. 7), *du peuple* (→ Insurrection, cit. 2). ⇒ **Division.** — *Portion de durée* (→ Fondre, cit. 15; maintenant, cit. 1). — *Un être parfait dont notre âme est une portion* (→ Immortel, cit. 6). *Une portion de son individualité* (cit. 5), *de son caractère* (→ Étioler, cit. 5)... ⇒ **Fraction.** *Je devenais une portion de sa vie* (→ Effaroucher, cit. 4).

5 (...) l'histoire n'embrasse qu'une portion de la durée, qu'un point de la surface du globe; tu as embrassé tous les lieux et tous les temps.
DIDEROT, Éloge de Richardson.

6 Elle s'arrêta et, levant la tête, regarda les étoiles. Il y en avait tant que, même en choisissant une petite portion du ciel, elle ne parvenait pas à en dénombrer les astres.
J. GREEN, Adrienne Mesurat, II, V.

DÉR. Portioncule, portionnaire.

PORTIONCULE [pɔʀsjɔ̃kyl] n. f. — 1600; de *portion.*

♦ Littér. et rare. Petite portion. Cf. chez Gide l'emploi plaisant :

(...) moi, je suis accoutumé au réduit *(dit M. Floche)* il me semble que ma pensée s'y concentre. Occupez la grande table sans vergogne (...)
J'emportai dans la grande pièce les quelques papiers qui devaient faire l'objet de mon premier travail. Sans m'écarter de la table (...) je pouvais distinguer M. Floche dans sa portioncule (...)
GIDE, Isabelle, I, *in* Romans, Pl., p. 614-615.

PORTIONNAIRE [pɔʀsjɔnɛʀ] n. — 1829; adj., «qui reçoit une portion», 1442; de *portion.*

♦ Dr. Personne qui a droit à une portion d'héritage.

PORTIQUE [pɔʀtik] n. m. — 1547; lat. *porticus;* doublet sav. de *porche*.*

♦ **1.** Galerie ouverte soutenue par deux rangées de colonnes, ou par un mur et une rangée de colonnes, qui forme l'entrée d'un bâtiment ou qui entoure une place, une cour (⇒ **Galerie, pœcile**). — REM. *Portique* s'emploie surtout pour l'architecture antique. — *Les colonnes, les arcades* d'un portique. Nos porches* ignobles et écrasés* (cit. 16) *que nous appelons des portiques* (Chateaubriand). *Portique d'un temple grec. Le portique et le péristyle* du Parthénon* (→ Dorique, cit. 1). *Portique d'un palais. Portique à double étage en avant du grand escalier d'un château* (→ Hors-d'œuvre, cit. 3). *Portique d'un atrium. Portique du forum* (cit. 2). *Portique d'église.* ⇒ **Narthex; amphiprostyle, prostyle.**

Du temple, orné partout de festons magnifiques, 1
Le peuple saint en foule inondait les portiques (...)
RACINE, Athalie, I, 1.

J'ai longtemps habité sous de vastes portiques 2
Que les soleils marins teignaient de mille feux,
Et que leurs grands piliers, droits et majestueux,
Rendaient pareils, le soir, aux grottes basaltiques.
BAUDELAIRE, les Fleurs du mal, «Spleen et idéal», XII.

Le portique d'Eumène, roi de Pergame (197-159), au pied de l'Acropole d'Athènes, servait de refuge et de «salle des pas perdus» aux spectateurs du théâtre de Dionysos : fermé par un mur sur un des grands côtés, il était ouvert de l'autre et, sur toute sa longueur, divisé en deux galeries par une colonnade. 3
G. CONTENAU et V. CHAPOT, l'Art antique, p. 278.

(L'agora) était entourée de constructions monumentales parmi lesquelles figuraient nécessairement, pour qu'on s'y abritât du soleil ou de la pluie, un ou plusieurs *portiques (stoa).* Les portiques étaient de longues allées couvertes dont la toiture était supportée d'un côté par un mur plein, de l'autre par une ou plusieurs rangées de colonnes surmontées d'une architrave. Ces galeries, qui parfois comportaient un étage, étaient fermées à chaque extrémité. 4
P. DEVAMBEZ, le Style grec, III, p. 47.

(XVIIe). Hist. philos. *La doctrine du Portique,* et, par ext., *le Portique :* la philosophie des stoïciens, ainsi nommée parce que Zénon enseignait sous un portique d'Athènes.

Par ext. Construction légère rappelant un portique. *Portique de treillage d'un jardin.*

♦ **2.** [a] (1819). Poutre horizontale soutenue à ses extrémités par deux poteaux verticaux, et à laquelle on accroche les agrès*. *Portique d'un stade, d'une salle de gymnastique. Portique de balançoire.*

[b] Techn. Appareil de levage*, sorte de pont roulant, se déplaçant au sol sur des rails. — *Grue à portique. Portique automoteur. — Portique à signaux :* support de signaux enjambant les voies ferrées. — *Portique de lavage :* dispositif de lavage automatique pour les automobiles.

[c] (V. 1970, *in* Gilbert). Cadre muni d'un dispositif de détection magnétique utilisé dans les aéroports pour le contrôle des passagers (détection d'armes). *Passer sous le portique détecteur.*

PORTLAND [pɔʀtlɑ̃d] n. m. — 1876; *ciment de Portland,* 1868; *pierre de Portland,* 1725; nom d'une île anglaise.

♦ Techn. Ciment artificiel obtenu par cuisson de calcaire et d'argile dont les produits sont finement pulvérisés. *Le portland, très résistant, entre dans la composition des ciments de fer, des ciments métallurgiques et de hauts fourneaux.* — Appos. *Ciment Portland.*

PORTLANDIEN, IENNE [pɔʀtlɑ̃djɛ̃, jɛn] n. m. et adj. — V. 1904, *Nouveau Larousse illustré;* angl. *portlandian,* 1885; de *Portland,* ville du Dorsetshire.

♦ Géol. Étage terminal du jurassique.

Adj. *Étage portlandien.*

PORTO [pɔʀto] n. m. — 1786, *in* D.D.L.; *vin de Porto,* 1759; de *Porto,* ville du Portugal.

♦ Vin de liqueur portugais très estimé. *Porto rouge, blanc. Porto vieux. D'excellents portos. Un verre de porto* (→ Debout, cit. 5; nourriture, cit. 2). — *Verre à porto :* verre d'une capacité intermédiaire entre celle du verre à vin et celle du verre à liqueur.

1 Il y a des portos dont le goût n'est pas mauvais, mais qui sont en quelque sorte labiles. Le palais ne les retient pas. Ils fuient. Aucun souvenir n'en demeure. Ce n'est pas le cas du porto de Certâ : chaud, ferme, assuré, et véritablement *timbré.*
ARAGON, le Paysan de Paris, p. 95.

Porto flip : cocktail fait de porto et de jaune d'œuf battu.

2 (...) le porto flip est la résultante d'un jaune d'œuf et de porto. Je vais donc réaliser un cognac flip. René FALLET, le Triporteur, p. 237.

PORTOR [pɔʀtɔʀ] n. m. — 1751; *portoro,* 1676; ital. *portoro,* contraction de *porta oro* «porte or».

♦ Techn. Marbre* noir veiné de jaune d'or. *Cheminée en marbre de portor* (Balzac).

PORTRAIRE [pɔʀtʀɛʀ] v. tr. — Conjug. *traire.* — V. 1160, pour *pourtraire;* comp. de *pour,* et *traire,* proprt «tirer en avant», au sens de «dessiner».

♦ **1.** Vx ou littér. Représenter une personne réelle au moyen du dessin, de la peinture. ⇒ **Peindre, portraiturer; portrait** (I.).

1 (...) si jamais elle se fait portraire, nous lui conseillons de confier cette tâche à Lehmann : c'est un peintre fait tout exprès pour le modèle.
Th. GAUTIER, Portraits contemporains, Mlle Falcon.

♦ **2.** Littér. Décrire, dépeindre une personne (⇒ **Portrait,** II.). *Portraire les glorieux* (cit. 8) *de ce monde.*

2 Je dois ajouter qu'ils ne se sont jamais sensiblement écartés de leur propos essentiel qui est de découvrir et de portraire ce qu'ils considèrent comme l'homme éternel et l'homme universel. G. DUHAMEL, Refuges de la lecture, VIII.

DÉR. Portrait.

PORTRAIT [pɔʀtʀɛ] n. m. — 1175, *portret* et *pourtrait;* p. p. de *portraire* pris subst.

★ **I.** ♦ **1.** Représentation d'une personne réelle, et, spécialt, de son visage, par le dessin, la peinture, la gravure; dessin, tableau, gravure... représentant un (ou plusieurs) être(s) humain(s) individualisé(s). *Faire le portrait de quelqu'un. Portrait à l'huile, à la gouache, aux trois crayons.* Vx. *Portrait à la silhouette**. — *Portrait qui représente le visage, le buste d'une personne. Portrait en pied**. *Portrait de face, de profil** (⇒ **Silhouette**), *de trois-quarts. Portrait pédestre, équestre. Portrait grandeur* (cit. 37) *nature, en miniature** (cit. 2 et 3). *Portrait au crayon* (⇒ **Crayon**), *au fusain* (cit. 2), *au pastel* (2. Pastel, cit. 1), *à l'huile...* (⇒ **Peinture,** I., 1.). *Portrait en noir, en couleurs* (→ Éblouissant, cit. 7). *Portrait d'art. Portrait d'après un modèle qui pose**. ⇒ **Modèle, original; séance.** *Portrait fait de mémoire, d'après une photo... Crayonner rapidement un portrait* (croquer). *Portrait d'un peintre par lui-même.* ⇒ **Autoportrait.** *Portrait d'un roi* (⇒ **Effigie**), *d'une famille, d'un groupe. Portraits d'ancêtres, portraits de famille. Portraits de femmes italiennes* (→ Morbidesse, cit. 3). *Livre publié avec le portrait de l'auteur* (→ Édition, cit. 5). *Portrait fidèle, réaliste, ressemblant, chargé, caricatural, idéalisé, flatté. Ce n'est pas un portrait, c'est une caricature**! ⇒ **Portrait-charge.** *Ce portrait est parlant* (cf. Il ne lui manque que la parole). *Ressemblance d'un portrait* (→ Étonnement, cit. 4). *Je suis aussi laid que mon portrait.* ⇒ **Image** (cit. 15). *Le portrait et le modèle* (cit. 7), *et l'original* (→ Flatter, cit. 43). *Elles veulent des portraits qui ne soient point elles* (→ Peindre, cit. 4). *Portraits de Daumier où l'artiste charge et exagère* (cit. 8) *les traits originaux. «Un bon portrait m'apparaît* (cit. 17) *toujours comme une biographie dramatisée»* (Baudelaire). *«Un portrait est un modèle compliqué d'un artiste»* (Baudelaire; → 2. Idéal, cit. 5). *Portraits accrochés dans une salle à manger* (→ Groupe, cit. 14). *Murs garnis de portraits* (→ Parcourir, cit. 7). *Un vieux portrait avec un cadre doré* (→ Nippe, cit. 3). *Portrait dans un médaillon* (cit. 1). — *Portrait collectif, portrait de groupe. Le peintre a placé le portrait du donateur en bas de son Annonciation. Certaines figures de cette fresque sont des portraits. — La scène des portraits,* dans *Hernani. Le Portrait de Dorian Gray,* roman d'O. Wilde. *Le Portrait ovale,* histoire d'E. Poe. — Par ext. *Le portrait,* considéré comme un genre (cit. 16). *Façons de comprendre le portrait* (→ Naturaliste, cit. 6).

1 Si la peinture est une imitation de la Nature, elle l'est doublement à l'égard du Portrait qui ne représente pas seulement un homme en général : mais un tel homme en particulier qui soit distingué de tous les autres (...)
Roger DE PILES, Cours de peinture, p. 260.

2 Très beau portrait. C'est l'air brusque et dur de Wille; c'est sa raide encolure, c'est son œil petit, ardent, effaré; ce sont ses joues couperosées. Comme cela est coiffé! que le dessin est beau! que la touche est fière! quelles vérités et variétés de tons! et le velours, et le jabot, et les manchettes d'une exécution! J'aurais plaisir à voir ce portrait à côté d'un Rubens, d'un Rembrandt ou d'un Van Dyck.
DIDEROT, Salon de 1765, Greuze.

3 Le seul portrait gravé que j'aie vu d'elle *(Mme de Motteville),* et que chacun peut voir au Cabinet des Estampes, nous la montre coiffée à la mode d'Anne d'Autriche, n'étant déjà plus de la première jeunesse, le visage plein, avec un double menton, l'air tranquille et doux.
SAINTE-BEUVE, Causeries du lundi, 1er déc. 1851.

L'admiration traditionnelle qui sacre périodiquement ce portrait *(la Joconde)* «le plus beau tableau du monde» repose sur un malentendu que révèle la consternation des touristes, mais qui ne l'atteint pas. MALRAUX, les Voix du silence, p. 459. 4

Dans le genre qui requerrait le plus de renoncement à soi, celui du portrait, où l'artiste devrait être tendu tout entier pour capter l'essence d'un autre être, sa propre personnalité prendra pourtant une importance concurrente de celle qu'a son modèle (...) Les traits de Mallarmé seront fixés tour à tour par trois grands peintres : Manet, Renoir, Gauguin (...) quelle diversité! Trois êtres différents, quasi inconciliables, surgissent (...) René HUYGHE, Dialogue avec le visible, p. 368. 5

Loc. *Portrait-robot* (V. ce mot).

Vx ou littér. Représentation picturale. *Le portrait de la Hollande* (→ Hollandais, cit.). *Faire des portraits de vagues* (→ 1. Marine, cit. 4).

Rare. Image sculptée d'une personne, sculpture, moulage... *Un portrait en bronze* (→ Mairie, cit. 2).

J'oubliais parmi les bons portraits de moi, le buste de mademoiselle Collot, surtout le dernier, qui appartient à M. Grimm mon ami. 6
DIDEROT, Salon de 1767, Michel Van Loo.

Par métaphore. Vx. Image mentale (d'une personne). *Il garde le portrait de cette femme dans sa mémoire, dans son souvenir.*

♦ **2.** Photographie d'une personne (se dit surtout des photographies où les personnes ont posé, des photos de personnages officiels...). ⇒ **Photo.** *Son portrait est dans le journal* (→ aussi Image, cit. 20). *Portrait du président de la République dans une mairie.* — Loc. Fam. et vieilli. *Se faire tirer** *le portrait.* — REM. On dit aussi dans ce sens *portrait photographique,* pour le distinguer du portrait (1.).

Celle-là, c'était un très grand portrait photographique, rehaussé de couleurs d'aquarelle presque éteintes. COLETTE, la Fin de Chéri, p. 154. 7

C'était une photo carte postale, prise à Ceuta (...) Deux éventails en papier qui représentaient des courses de taureaux encadraient le portrait de Gilieth. 8
P. MAC ORLAN, La Bandera, XIV.

(...) parfois je suis tenté de leur montrer ton portrait pour que ces jeunes mâles 9
Réapprennent en voyant ta photo
Ce que c'est que la beauté APOLLINAIRE, Ombre de mon amour, XXXV.

♦ **3.** Réplique d'une personne dans l'apparence, l'expression d'un autre. ⇒ **Image.** *Cet enfant est le portrait vivant de son père,* ressemble beaucoup à son père (⇒ **Ressemblance**). *C'est tout son portrait* (→ C'est lui tout craché*).

Guillaume avait deux filles. L'aînée, mademoiselle Virginie, était tout le portrait de sa mère. BALZAC, la Maison du Chat-qui-pelote, Pl., t. I, p. 26. 10

Les pensées sont les portraits des choses (→ Parole, cit. 3). ⇒ **Représentation.** *L'écriture* (cit. 9) *est souvent un portrait.*

♦ **4.** Fam. ⇒ **Figure.** Vx. *Crever le portrait* (Littré). — Loc. mod. *Abîmer, s'abîmer, se faire abîmer, se dégrader* (vx); *arranger, endommager le portrait :* défigurer, être défiguré.

★ **II.** Fig. ♦ **1.** Description orale ou écrite (d'une personne). ⇒ **Peinture.** *Portrait physique, portrait moral d'une personne. Faire le portrait, tracer le portrait de quelqu'un* (→ Encre, cit. 7; grimacer, cit. 3). *Quelqu'un lui a fait de vous un portrait désavantageux* (cit. 1). *Voilà en quatre mots le portrait de la reine* (→ Fantasque, cit. 2). *Pour achever le portrait du personnage* (→ Ébauche, cit. 6). *Ce trait achève son portrait* (→ Génie, cit. 23). *Portrait fidèle* (cit. 22); *avantageux* (cit. 8); *légèrement chargé* (→ Matamore, cit. 1). *Les portraits de Bonaparte* (→ Légendaire, cit.). *Portrait d'un personnage imaginaire, typé. Le portrait du vaniteux, du bourgeois, du Français... Portrait d'une collectivité; les prétendus portraits du peuple* (→ Infidèle, cit. 15). *Portraits célèbres de la littérature. Portraits de Saint-Simon, de La Bruyère; de Célimène dans* le Misanthrope *de Molière. — Portraits contemporains; Portraits de femmes; Portraits littéraires,* œuvres de Sainte-Beuve. — Spécialt. *Le portrait,* genre littéraire et jeu d'esprit très en vogue au XVIIe siècle. *Le portrait et la maxime, formes* (cit. 46) *fixes de la prose. — Jeu du portrait :* jeu de société dans lequel un joueur doit deviner le nom d'une personne choisie à son insu en posant des questions auxquelles les autres joueurs répondent par oui ou par non.

— Aux conversations même il trouve à reprendre : 11
Ce sont propos trop bas pour y daigner descendre;
Et les deux bras croisés, du haut de son esprit
Il regarde en pitié tout ce que chacun dit.
— Dieu me damne, voilà son portrait véritable.
— Pour bien peindre les gens vous êtes admirable.
MOLIÈRE, le Misanthrope, II, 4.

— Et pourquoi haïssez-vous les portraits? — C'est qu'ils ressemblent si peu, que, si par hasard on vient à rencontrer les originaux, on ne les reconnaît pas. 12
DIDEROT, Jacques le fataliste, Pl., p. 718.

Nous ne prétendons pas que le portrait que nous faisons ici soit vraisemblable; nous nous bornons à dire qu'il est ressemblant. HUGO, les Misérables, I, I, II. 13

(...) à loisir, avec délices, avec adresse, avec lenteur, il *(La Bruyère)* trace ses portraits, les recommence, les retouche, les caresse, y ajoute trait sur trait jusqu'à ce qu'il les trouve exactement ressemblants. 14
SAINTE-BEUVE, Causeries du lundi, 1er avr. 1850.

(...) je songeais à écrire un «Portrait» de Gérard P.; puis à le lui envoyer. Ce portrait serait peu flatteur. GIDE, Journal, 15 juil. 1905. 15

REM. Dans ce sens, *portrait* est parfois utilisé comme élément de noms composés : *émission-portrait, interview-portrait.* «16 h 30, A2. *Sur les pas de Lanza del Vasto Portrait-entretien en hommage au grand mage disparu en Janvier dernier* » (*le Point*, 29 mars 1981).

♦ **2.** Rare. Description (d'une chose). ⇒ **Peinture, tableau.** *Le portrait de notre époque.*

16 (...) il fit de la capitale un portrait si extravagant et si ampoulé, qu'on n'aurait su, à l'entendre, s'il s'agissait de Paris ou de Pékin.
A. DE MUSSET, Nouvelles, « Margot », III.

DÉR. Portraitiste, portraiture.
COMP. Autoportrait. — Portrait-charge.

PORTRAIT-CHARGE [pɔʀtʀɛʃaʀʒ] n. m. — 1890; de *portrait*, et *charge*, n. f.

♦ Portrait caricatural, qui est une charge. ⇒ **Caricature.**

1 Depuis la chute de l'Empire, l'obligation de l'autorisation préalable pour les portraits-charges a été supprimée.
le Journal amusant, 25 juil. 1890, *in* D. D. L., II, 17.

2 Le portrait-charge individuel a été vraisemblablement inventé par Daumier. Mais on sait que le prototype du portrait-charge est la fameuse poire Louis-Philippe de Philipon. Michel RAGON, le Dessin d'humour, 1960, p. 105, *in* D. D. L., II, 13.

PORTRAITISTE [pɔʀtʀɛtist] n. — 1699, in *le Français moderne;* dér. de *portrait.*

♦ Peintre, dessinateur de portraits (I., 1.). → Exagérer, cit. 8. *Les grands portraitistes flamands. Un excellent portraitiste* (→ Genre, cit. 18).

À différentes époques, divers portraitistes ont obtenu la vogue, les uns par leurs qualités et d'autres par leurs défauts. Le public, qui aime passionnément sa propre image, n'aime pas à demi l'artiste auquel il donne plus volontiers commission de la représenter. BAUDELAIRE, Curiosités esthétiques, IX, VII.

PORTRAIT-ROBOT [pɔʀtʀɛʀɔbo] n. m. — Mil. XXe (cit. 1964); de *portrait*, et *robot*, 3., élément de subst.

♦ **1.** Portrait d'un individu recherché par la police et obtenu en combinant certains types de physionomie sur la base des signalements donnés par des témoins. *Reconnaître un criminel d'après son portrait-robot paru dans les journaux.* « *Les enquêteurs viennent de dresser plusieurs portraits-robots* » (*le Point*, 1er mai 1981). — On dit aussi *photo-robot.*

Par ext. Portrait typique.

Le portrait de l'homme de Néanderthal est classique : crâne bas et large, front fuyant, bourrelets orbitaires énormes dominant de grandes orbites dans une face massive, sans pommettes marquées, aux lèvres très hautes, au menton effacé. Une nuque puissante maintient cet édifice barbare au sommet d'un corps trapu, sur deux pieds larges. Quelques retouches dans le détail du front ou du menton, dans l'aplatissement du crâne, adaptent ce portrait-robot à tous les sujets connus, depuis les plus anciens jusqu'aux plus récents.
A. LEROI-GOURHAN, le Geste et la Parole, t. I, p. 101.

♦ **2.** Ensemble des traits caractérisant une catégorie de personnes ou de choses. « *Il dresse un portrait-robot du secrétaire général du mouvement* (l'U. D. R.) » (*l'Express*, 11 sept. 1972).

PORTRAITURE [pɔʀtʀɛtyʀ] n. f. — 1160; dér. de *portrait.*

♦ Vx. Portrait. — Figuré :

Voilà, lecteur, au naturel, la portraiture de famille, d'intérieur patriarcal et de noblesse et de simplesse, que je tenais à te montrer.
F. MISTRAL, Mes origines, Mémoires et récits, p. 28.

DÉR. Portraiturer.

PORTRAITURER [pɔʀtʀɛtyʀe] v. tr. — 1852; *portraire*, XIIe; *portraicturer*, 1885-1890; de *portraiture**.

♦ **1.** Faire le portrait de. ⇒ **Portraire.**

♦ **2.** Fig. Décrire (qqn). ⇒ **Peindre.**

1 Elle imaginait maintenant les péripéties de la route, portraiturait des compagnons de voyage inventés par elle (...) MAUPASSANT, Bel-Ami, I, III.

2 (...) s'il m'arrive de peindre d'après moi (...) c'est que d'abord j'ai commencé par devenir celui-là même que je voulais portraiturer. GIDE, Journal, 22 juil. 1922.

PORT-SALUT [pɔʀsaly] n. m. invar. — XIXe; du nom déposé, de *Port-du-Salut*, nom de l'abbaye d'Entrammes (Mayenne), où ce fromage fut d'abord fabriqué.

♦ Fromage affiné de lait de vache à pâte ferme (pressée et chauffée), moelleuse et sans yeux, de couleur jaune pâle et de saveur douce. *Des port-salut. Un morceau de port-salut.*

Des port-salut, semblables à des disques antiques, montraient en exergue le nom imprimé des fabricants. ZOLA, le Ventre de Paris, V, t. II, p. 106.

PORTUAIRE [pɔʀtɥɛʀ] adj. — Déb. XXe; dér. sav. de *port*, refait sur le lat. *portus*, avec le suff. *-aire.*

♦ Qui appartient à un port (1. Port, II.). *Installation, équipement portuaire. Le trafic portuaire. La fonction portuaire d'une ville.* « *Un plan fut alors conçu* (pour Port-Barcarès) *comportant une infrastructure routière, portuaire et balnéaire* » (*Elle*, 4 août 1969, p. 5). « *L'avenir national et international du Port Autonome de Paris a trois dimensions : celle du maintien d'activités portuaires dans Paris même, celle du développement des infrastructures portuaires sur l'ensemble du Port, celle de la modernisation des voies navigables qui le relient avec le monde* » (*l'Humanité*, 24 mars 1982, p. 13).

PORTUGAIS, AISE [pɔʀtygɛ, ɛz] adj. et n. — V. 1490, *portingallais* en moy. franç.

♦ **1.** Du Portugal. ⇒ **Lusitanien, luso-.** *Un Portugais, une Portugaise.* Fam. *Les Portugais sont toujours gais*, proverbe plaisant tiré d'un vers d'opérette inventé pour la rime. — *Les grands navigateurs portugais. Chant populaire portugais ou fado. Le porto*, vin portugais.* — Par ext. *L'Amérique portugaise :* le Brésil, ancienne colonie (→ Latinité, cit. 3).

♦ **2.** N. m. *Le portugais*, langue romane parlée au Portugal, au Brésil, en Afrique occidentale (Angola...). — Adj. De la langue portugaise. *La phonétique portugaise. Créole portugais.*

PORTUGAISE [pɔʀtygɛz] n. f. — Fin XVIe; de *portugais.*

♦ **1.** Anciennt. Pièce d'or portugaise.

♦ **2.** (1903, Larousse). Variété d'huître commune *(Gryphées)*, à valve inférieure très concave, qui vit sur la côte Atlantique, du Portugal à la Loire. ⇒ **Huître.**

La culture de la portugaise qui s'est tant développée depuis la guerre exige moins de frais que la marenne. Avec quelques bassins, le plus petit propriétaire, le plus pauvre autrefois, fait une fortune. 1
J. CHARDONNE, les Destinées sentimentales, p. 426.

♦ **3.** Fam. (du 2.). Oreille. *Avoir les portugaises ensablées :* être dur d'oreilles.

Ma chère parente (...) meurtrit le tympan d'un employé de la S. N. C. F., lequel s'introduit le médius dans la portugaise jusqu'à la seconde phalange et agite le tout avant de s'en servir. SAN-ANTONIO, Ne mangez pas la consigne, p. 57. 2

♦ **4.** (1875). Mar. Réunion de deux cordages au moyen d'un quarantenier.

PORTULACACÉES [pɔʀtylakase] n. f. pl. — 1803, *in* D. D. L., *portulacées;* du lat. *portulaca*, et suff. *-ées*, puis *-acées.*

♦ Bot. Famille de plantes angiospermes dicotylédones apétales dont le type est le *Portulaca oleracea* ou *pourpier**. — Au sing. *Une portulacacée.*

PORTULAN [pɔʀtylɑ̃] n. m. — 1578, *portulant;* ital. *portolano*, proprt « pilote », de *porto* « port ».

♦ Anciennt. Carte marine des premiers navigateurs (du XIIIe au XVIe siècle) indiquant, par une légende ou une figure, les ports et les accidents des côtes, souvent joliment ornée. Livre contenant la description des ports et des côtes, avec les indications nécessaires au pilotage.

Je suis comme le vieux marin qui ne connaît plus la terre que par ses feux, les systèmes d'étoiles vertes ou rouges enseignés par la carte et le portulan. 1
CLAUDEL, Cinq grandes odes, p. 43.

Là, sur mon portulan, finissaient les limites du monde habité (...) 2
R. ROLLAND, le Voyage intérieur, p. 160.

PORTUNE [pɔʀtyn] n. m. — 1808; lat. zool. *portunus*, lat. *Portunus* « dieu des ports ».

♦ Zool. Crabe* aplati des mers froides et tempérées, dont une espèce dite *crabe à laine* (⇒ **Étrille**) est commune sur les côtes de la Manche et de l'Atlantique. *Le portune est comestible.*

POSADA [pozada; posada] n. f. — 1666, *in* D.D.L.; mot esp., de *posar* « placer », bas lat. *pausare.* → Poser.

♦ Auberge espagnole.

(...) il la fera ce qu'il voudra, servante dans sa *posada*, par exemple (...) 1
A. DE VIGNY, Cinq-Mars, XIII.

(...) au premier étage d'une petite posada, nous nous faisons servir du pain, un saucisson plat où le poivre surabonde, du fromage de brebis (...) 2
GIDE, Nouveaux prétextes, p. 229.

POSAGE [pozaʒ] n. m. — 1532; de *poser.*

♦ Vx. Action de poser. ⇒ **Pose** (1.).

POSE [poz] n. f. — 1694; subst. verbal de *poser.*

REM. Le *pose* de l'anc. franç. (XIIe) « espace de temps écoulé; suspension d'une action », est une anc. orth. de *pause.*

♦ **1.** Action de poser* (I., 2.), mise en place. *La pose d'un tapis, de* *rideaux, d'une serrure... par un ouvrier* (→ Flipot, cit.). *Équipe de pose. La pose de la pierre se fait par les soins du maçon* (cit. 2). *Cérémonie de la pose de la première pierre*. Pose d'un rail, d'une voie ferrée* (pose *fixe* ou *volante*). *Un train de pose :* un convoi aménagé pour l'installation ou l'entretien des voies ferrées. *Pose d'un coffre à béton.* ⇒ **Coffrage.** *Pose d'un garrot, d'un pansement* (⇒ **Application**), *d'une prothèse.*

(1842). Jeu. *À vous la pose,* le droit de poser le premier domino.

♦ **2.** (1792). Action de poser* (II., 2.); attitude que prend le modèle qui pose. *Pendant tout le temps de la pose* (→ Modèle, cit. 9). *La table de pose* (→ 1. Mannequin, cit. 1). *Garder, tenir la pose. Femmes en maillot* (cit. 4) *exécutant des poses qu'on appelait tableaux vivants.* — Attitude fixée par le peintre, le sculpteur. *La pose étrange de la Nuit* (cit. 13) *de Michel-Ange. Pose académique. Photographe qui prend plusieurs poses d'un enfant.*

1 Il tient habituellement l'une de ses mains dans son gilet ouvert, dans une pose que le portrait de monsieur de Chateaubriand par Girodet a rendue célèbre (...)
BALZAC, Une fille d'Ève, Pl., t. II, p. 87.

2 Le sommeil l'avait surprise comme elle venait de se dévêtir; et elle reposait dans la pose charmante de la grande femme du Titien.
MAUPASSANT, les Sœurs Rondoli, II.

3 Vercingétorix avait une pose simple, mais belle : la main gauche sur la cuisse, la main droite tenant les rênes de son cheval. J. ROMAINS, les Copains, VII.

3.1 *(des)* gestes auxquels cet arrêt arbitraire a enlevé tout naturel, comme ceux d'une compagnie qu'un photographe a voulu prendre en pleine vie, mais que des nécessités techniques ont contraint de garder trop longtemps la pose : « Et maintenant ne bougeons plus! ... » Un bras reste à moitié levé, une bouche entrouverte, une tête penchée à la renverse (...)
A. ROBBE-GRILLET, Dans le labyrinthe, p. 110.

Attitude du corps, manière de se tenir (considérée d'un point de vue esthétique). *Pose abandonnée et légèrement provocante* (→ Croiser, cit. 7), *pleine de grâce* (→ Jambe, cit. 11), *nonchalante* (cit. 4), *fière...* (→ Dépecer, cit. 2). *La pose classique du joueur de golf.* ⇒ **Position** (→ Éphèbe, cit. 4). *Se camper* (cit. 7) *dans une certaine pose, prendre une pose, essayer des poses* (→ Lubricité, cit. 3). *Les poses d'un comédien* (→ Inspiration, cit. 3; même, cit. 6), *d'une danseuse. La pose de la prière* (→ Foi, cit. 46). Péj. *Grandes poses :* poses affectées. *Ce preneur de poses* (→ Faire, cit. 107). ⇒ **Poseur.**

4 (...) il aperçut une jeune femme assise dans cette moderne bergère à dossier très élevé, dont le siège bas lui permettait de donner à sa tête des poses variées pleines de grâce et d'élégance, de l'incliner, de la pencher, de la redresser languissamment, comme si c'était un fardeau pesant (...)
BALZAC, la Femme abandonnée, Pl., t. II, p. 217.

5 Le petit, vexé, restait dressé sur ses ergots, dans une pose de défi.
MARTIN DU GARD, les Thibault, t. IX, p. 84.

5.1 L'enfant tourna la tête (...) vers elle, vite, le temps de s'assurer de son existence, puis reprit sa pose d'objet, face à la partition.
M. DURAS, Moderato cantabile, p. 13.

5.2 (...) c'est toujours un peu ridicule, on le sait bien, les poses qu'ils *(les photographes)* vous font prendre dans ces cas-là, se regardant dans le blanc des yeux, se tenant la main (...) N. SARRAUTE, le Planétarium, p. 59.

La pose de la voix.*

♦ **3.** (1835). Manière affectée de se tenir, de parler, de se comporter qui dénote un caractère prétentieux et l'intention de produire de l'effet; manque de naturel, de simplicité. ⇒ **Affectation, façons, prétention, recherche, snobisme.** *J'ai horreur de cette sorte de pose* (→ Faire, cit. 79). *Ce n'est que pose auprès de l'aisance* (cit. 3) *et de la noblesse simple... Pathos, pose, rhétorique* (→ Littéraire, cit. 7). *Ce n'est pas sincère, c'est de la pose.* — Loc. fam. *Le faire à la pose,* à l'esbroufe.

6 Cet empoté de Delhomme, un rude serin, avec sa pose au bon travail et à la justice! ZOLA, la Terre, IV, IV.

7 Mais, bourrée de lecture, elle reste au contraire parfaitement naturelle, dénuée de la moindre pose, alors qu'il y en a tant, de ces femmes à lectures, qui endossent, plus ou moins inconsciemment, des sentiments qu'elles trouvent qui « font bien ».
MONTHERLANT, les Jeunes Filles, p. 178.

♦ **4.** (1874). Exposition de la surface sensible à l'action des rayons qui doivent l'impressionner, en photographie. *Temps de pose :* durée nécessaire à la formation d'une image correcte. *Pose d'une fraction de seconde. Déterminer le temps de pose à l'aide d'une cellule photo-électrique.* ⇒ **Posemètre.** — Par ext. (opposé à l'instantané*). Temps d'exposition égal ou supérieur à une seconde. *Appareil faisant la pose et l'instantané.*

Photo posée. *Une pose nocturne.*

♦ **5.** Loc. fam. (Vx). *Faire la pose à quelqu'un,* le faire « poser », attendre.

8 Ah! messieurs, où est le temps où je faisais la pose aux ambassadeurs et où personne ne se doutait que j'étais un homme? Mais il faut manger, il faut avoir un toit! (...) GORON, l'Amour à Paris, t. II, p. 727.

CONTR. Dépose. — Simplicité. — Instantané.
COMP. Posemètre.
HOM. Pause.

POSE- Premier élément de composés (généralement n. m.), tiré du verbe *poser.* — Ex. : *pose-sangsues* (1850, Dorvault); *pose-tubes* (1973, *Journ. off.*) : « tracteur équipé d'une flèche latérale servant à mettre en place les éléments d'une canalisation importante... ».

POSÉ, ÉE [poze] p. p. adj. ⇒ **Poser.**

POSE-CUL [pozky] n. m. — XXe; de *pose-,* et *cul.*

♦ Fam. Siège. *Des pose-culs.*

Il n'y a pas une chance sur mille qu'elle aille fourrager sous son pose-cul. 1
René MASSON, Drugstore, p. 245.

Et puis voilà soudain que Monsieur Loyal et sa clique investissent le salon. En 2
prennent possession. Le mettent à sac. Font se vautrer les domestiques sur les pose-culs des patrons. SAN-ANTONIO, T'es beau, tu sais!, p. 117.

POSÉE [poze] n. f. — 1874; « pose », fin XIIIe, « séjour », mil. XIVe; « situation (d'un pays) », mil. XVIe; du p. p. de *poser.*

♦ **1.** Mar. Vx. Lieu disposé pour l'échouage des navires.

♦ **2.** (Mil. XXe). *Pêche à la posée,* dans laquelle l'appât repose sur le fond. — Syn. : *pêche à la ligne posée, pêche à la tombée.*

POSÉMENT [pozemɑ̃] adv. — XVe, Commynes; de *posé.* → Poser.

♦ D'une manière posée, calmement. *Parler, lire posément.* ⇒ **Doucement, lentement.** *Marcher posément sans se presser; marcher posément et avec componction.* ⇒ **Gravement.** *Répondre posément...*

Il cria au vol, à l'assassinat, au guet-apens. Mais, au bout d'un quart d'heure, il 1
devint calme, expliqua tout fort posément (...)
BALZAC, Code des gens honnêtes, I, II, *in* Œ. diverses, t. I, p. 79.

Et « pour être sûr que la besogne était bien faite », j'avais tiré encore quatre bal- 2
les, posément, à coup sûr, d'une façon réfléchie en quelque sorte.
CAMUS, l'Étranger, II, IV.

CONTR. Brusquement, étourdiment, précipitamment.

POSEMÈTRE [pozmɛtʀ] n. m. — 1949; de *pose,* et *-mètre.*

♦ Techn. Appareil servant à mesurer les radiations reçues et à indiquer le temps de pose optimum pour une photographie. *Posemètre optique, à cellule.* ⇒ **Photomètre.** *Posemètre chimique.*

1. POSER [poze] v. tr. et intr. — XIe; Xe, « ensevelir »; du lat. pop. **pausare* « s'arrêter », d'où « reposer », et, à basse époque, « placer »; lat. class. *ponere.*

★ **I.** V. tr. ♦ **1.** (Avec un compl. second, un adv.). Mettre* (une chose en un endroit qui peut naturellement la recevoir et la porter). ⇒ **Placer;** fam. **flanquer, foutre.** *Poser un objet sur une table* (→ Garnir, cit. 14), *sur un meuble* (→ Goudron, cit. 2). *Poser un vase droit, debout.* ⇒ **Camper** (3.), **dresser.** *Poser un enfant au pied d'un arbre.* ⇒ **Asseoir.** *Poser qqch. à terre, par terre, sur le sol, aux pieds de qqn.* ⇒ **Étaler, étendre** (→ Cadre, cit. 3; galetas, cit. 2; laiterie, cit. 1). *Poser un chapeau, une couronne* (cit. 9) *sur la tête.* — *Poser la main, le doigt, le pied sur qqch.* (→ Chaire, cit. 6; crin, cit. 3; genou, cit. 7; 1. geste, cit. 15). ⇒ **Appuyer.** *Oreiller* (cit. 4) *sur lequel on pose la tête. Je posai mes lèvres* (cit. 18) *sur ses yeux.* — Spécialt. (Surtout au p. p.). *Manière dont une chose est posée.* ⇒ **Assiette.** *Poser qqch. en travers* (→ Harde, cit. 5), *à plat... Petite toque cavalièrement posée* (→ Galette, cit. 4; occiput, cit. 2).

(Emma) s'entendait à poser sur des feuilles de vigne les pyramides de reines- 1
Claude (...) FLAUBERT, Mme Bovary, I, VII.

La route aux pavés posés de champ, plus glissante que les chemins de montagne, 2
montait le long des remparts (...) MALRAUX, l'Espoir, III, II.

Gonçalvez atterrit à l'est de la place du Commerce dont les marches atteignent 3
l'eau. Il pose sur la moins glissante son petit pied chaussé d'antilope grise, à haut talon de ténor. Paul MORAND, l'Europe galante, Lorenzaccio, III.

Par ext. Déposer, mettre. *Elle lui posait un baiser sur la nuque* (→ Lobe, cit. 4). *Poser le regard sur qqn* (→ Corrosif, cit. 2). *Poser son sceau, sa marque sur qqch.* ⇒ **Apposer** (→ Dieu, cit. 24). *Le hâle* (cit. 3) *de l'été avait posé son masque sur ces visages.*

L'Islam a posé son empreinte ici sur les choses (...) 4
LOTI, l'Inde (sans les Anglais), V, I.

(...) elle posait çà et là ses regards doux et charmants, d'un bleu qui, au fur et à 5
mesure qu'il commençait à s'user, devenait plus caressant encore (...)
PROUST, Sodome et Gomorrhe, Pl., t. II, p. 720.

Elle posa sur moi son regard éteint que je ne lui connaissais pas (...) 6
F. MAURIAC, la Robe prétexte, XX.

♦ **2.** (Sans compl. second). Mettre en place à l'endroit approprié et comme il faut. ⇒ **Appliquer, installer.** *Poser des rideaux, des tapis, une moquette, un carrelage. Faire poser une sonnette, un cadenas, une serrure...* (→ Meuble, cit. 8). *Pêcheur qui pose des lignes* (cit. 27) *de fond. Poser un décor.* ⇒ **Planter.** *Poser des tableaux.* — Archit. *Poser une pierre, une poutre, une pièce de charpente. Poser la première pierre*, la pierre angulaire*... Poser la base*, les fondements*.* ⇒ **Jeter** (également au fig.). → Despotisme, cit. 6. — *Poser une voie ferrée. Poser des jalons*, des bornes, des limites* (cit. 7). — Méd. et chir. *Poser des ventouses, un garrot* (2. Garrot, cit. 1), *une agrafe.* — Milit. *Poser des mines.*

(...) il était continuellement à lui tâter le pouls, à lui poser des sinapismes, des 7
compresses d'eau froide. FLAUBERT, Mme Bovary, II, XIII.

J'appris assez vite à faire certains pansements et à poser des appareils plâtrés. 8
G. DUHAMEL, Biographie de mes fantômes, V.

8.1 C'est bien la première fois qu'on a des réclamations (...) on pose ces poignées-là partout, personne ne nous a fait de réflexions.
N. SARRAUTE, le Planétarium, p. 15.

(Compl. n. de personne). *Poser des sentinelles, des gardes...* ⇒ **Disposer, placer, poster** (→ Halte, cit. 7; insurgé, cit. 1).

9 Rarement les savants posent des sentinelles, si ce n'est dans les guerres de l'École de droit. P.-L. COURIER, Pamphlets politiques, III.

Spécialt. (Jeu). *Poser un domino, une carte.*

(Arithm.). En parlant du chiffre des unités qu'on inscrit dans une opération. *Huit et six, quatorze, je pose quatre et je retiens un.* ⇒ **Écrire.** *Poser une équation.*

10 (...) qui veut savoir le nombre des hommes que j'ai tués n'a qu'à poser un 9, et tous les grains de sable de la mer ensuite qui serviront de zéros.
CYRANO DE BERGERAC, le Pédant joué, II, 2.

(xviie). Placer en donnant la pose appropriée (→ Montrer, cit. 20, Molière). *Poser le modèle :* « donner au modèle vivant l'attitude qu'il doit garder pendant la séance » (Réau).

(Au p. p.). *Personnages* (cit. 13) *toujours posés et drapés selon les convenances.*

Mus. *Poser sa voix.* Au p. p. *Voix bien, mal posée* (→ ci-dessous, cit.; appui, cit. 6). — *Poser un accord.* ⇒ **Attaquer** (III.), **plaquer.**

11 On appelle une *voix bien posée* celle qui est capable d'émettre dans toute son étendue des sons fermes, sans tremblement, en ménageant convenablement la respiration. Louis RÉAU, Dict. d'art et d'archéologie, art. *Pose de la voix.*

♦ **3.** (xive). (Abstrait). Admettre ou faire admettre a priori. ⇒ **Établir.** *Poser un principe,* en faire le fondement, le point de départ d'un raisonnement, d'une morale. ⇒ **Thèse** (→ Ascétisme, cit. 2; 1. général, cit. 7; irresponsabilité, cit. 2). *Poser des règles, des définitions.* ⇒ **Énoncer.** *Poser qqch. en principe. Poser en principe que...* (→ Ipso facto, cit.). *Dire cela, c'est poser que...* ⇒ **Affirmer** (→ Dieu, cit. 13). *Il pose cette vérité, que...* (→ Pareil, cit. 1). *Poser qqch. en fait. Poser son droit comme incontestable* (→ État, cit. 131). *Poser l'homme comme une affirmation autonome* (→ Individualisme, cit. 4). — Philos. *La conscience pose qqch. comme objet, en tant qu'objet; pose les objets.*

12 Il *(Leibniz)* pose des définitions exactes qui le privent de l'agréable liberté d'abuser des termes dans les occasions. FONTENELLE, Éloge de Leibniz.

Au p. p. *Ceci posé :* ceci étant établi, admis. *Ceci posé, il s'ensuit telles conséquences.*

13 Au commencement était la liberté. Ceci posé, ils se considèrent comme libres, et combattent la société, en tant qu'entrave à ce don du ciel.
ARAGON, les Cloches de Bâle, II, XVI.

14 Je fus sauvé *(dit Claudel)* quand je compris que l'art et la religion ne doivent pas être, en nous, posés en antagonisme. GIDE, Journal, 5 déc. 1905.

Vieilli. ⇒ **Supposer.** *« Posons que cela soit »* (Académie). *Posons le cas* (cit. 4) *que...* — Impers. *Posé que..., étant posé que...*

♦ **4.** (Mil. xiie). Formuler (une question, un problème, une devinette). *Poser une question,* la fixer, la préciser en tels ou tels termes. ⇒ **Énoncer.** *Poser un problème* (→ Génération, cit. 20; incliner, cit. 9). *Poser un problème de telle ou telle façon. Bien poser une question, c'est déjà commencer de la résoudre. La question juive* (cit. 4) *fut posée, à la Constituante, par Mirabeau.* — Au p. p. *Question mal posée. Le problème ainsi posé n'était pas toujours insoluble* (cit.).

15 Cette question ne paraît difficile à résoudre que parce qu'elle est mal posée.
ROUSSEAU, Du contrat social, II, V.

16 Elles *(les pièces de S. Guitry)* ne posent ni ne résolvent aucun problème. elles ne se proposent en rien de nous corriger ou de nous améliorer. Elles ne sont en rien de la grande littérature. Mais c'est justement ce qui fait leur agrément.
Paul LÉAUTAUD, le Théâtre de M. Boissard, XL.

17 Pour un esprit à qui une question apparaît d'avance sous la forme d'une réponse, on peut dire que la question n'est pas posée. GIDE, Journal, 8 déc. 1929.

(Le sujet désigne une chose, un être, qui par soi-même, par son existence ou sa nature, est soumis à un jugement). ⇒ **Évoquer, soulever** (→ Médecine, cit. 1). *Le problème que pose cette aventure* (→ Désolidariser, cit. 2). *Les Mudéjars* (cit.) *posaient un problème à la fois politique et religieux. Cela pose un problème, un grave problème. Le sort de l'inculpé* (cit. 2) *pose une question délicate.*

Cour. Tour non signalé par Littré, et qui semble n'apparaître qu'au xixe s. (1834, Balzac); on disait jusqu'alors « faire une question à quelqu'un », et « se faire une question ». *Poser une question à quelqu'un,* l'interroger, le questionner. ⇒ **Adresser, demander** (4.; vx), **faire** (→ Dire, cit. 111; foule, cit. 18; incrédulité, cit. 9; niveau, cit. 8). *Poser une colle à un élève. — Se poser une question.* ⇒ **Interroger** (s'). → Accréditer, cit. 2; honneur, cit. 12; parce que, cit. 7. *Une de ces interrogations qu'il se posait* (→ Inquiétude, cit. 16). *Se poser certains problèmes* (→ 1. Faux, cit. 31; humanisme, cit. 4; 1. métaphysique, cit. 3).

18 Je fais l'inventaire de vos désirs afin de vous poser la question. Cette question, la voici. Nous avons une faim de loup (...) comment nous y prendrons-nous pour approvisionner la marmite? BALZAC, le Père Goriot, Pl., t. II, p. 934.

19 Il tâchait de se poser une dernière fois, et définitivement, le problème sur lequel il était en quelque sorte tombé d'épuisement. Faut-il se dénoncer? Faut-il se taire?
HUGO, les Misérables, I, VII, III.

20 Hélas! Gwynplaine s'interrogeait. Là où le devoir est net, se poser des questions, c'est déjà la défaite. HUGO, l'Homme qui rit, II, IV, I.

21 Si vous me disiez le nom, je pourrais peut-être vous renseigner sans tant de détours... Mais je vois que vous tenez à me poser votre devinette (...)
J. ROMAINS, les Hommes de bonne volonté, t. V, XIV, p. 102.

Il aimait naturellement à commander et à briller, et avec les ouvriers pas de risque qu'on lui posât des colles sur la géographie ou l'histoire ancienne. 22
ARAGON, les Beaux Quartiers, I, VII.

♦ **5.** *Poser sa candidature :* se déclarer officiellement candidat (→ Hésitant, cit. 7).

♦ **6.** (1841; emploi voisin mil. xiie). Suj. n. de chose; compl. n. de personne. Mettre en crédit, en vue (qqn); donner la considération, la notoriété à (qqn). *Un de ces livres qui posent un écrivain. Son succès l'a définitivement posé.*

(...) on ne joue que des mimodrames au boulevard, où je n'ai presque rien à faire que des bouts de rôle qui ne *posent* pas une femme. 23
BALZAC, la Fausse Maîtresse, Pl., t. II, p. 44.

Il n'y a rien qui pose un critique comme de parler d'un auteur étranger inconnu. Kant est le piédestal de Cousin. BALZAC, Illusions perdues, Pl., t. IV, p. 775. 24

Absolt et fam. *Une maison comme ça, ça pose!*

♦ **7.** (xvie). Mettre bas quelque chose qu'on porte sur soi (armes, vêtement, etc.). ⇒ **Abandonner, déposer, quitter.** *Poser les armes*.* ⇒ **Capituler, paix** (faire la), **rendre** (se). → Capitulation, cit. 2. *Faire poser les armes.* ⇒ **Désarmer.** Vieilli. *Poser l'épée :* quitter l'état militaire. *Poser le masque** (→ Hypocrite, cit. 16).

(...) nous jurons (...) 25
De ne poser le fer entre nos mains remis,
Qu'après l'avoir vengé *(Joas)* de tous ses ennemis. RACINE, Athalie, IV, 3.

Le matelot sortit un pistolet automatique. Gonçalvez se dressa contre lui. — Pose là ton outil. Bien. Sors l'autre aussi. 26
Paul MORAND, l'Europe galante, Lorenzaccio, VII.

Poser culotte : aller à la selle. — *Poser sa chique*.* — Fig. *Poser ses scrupules* (→ Ôter, cit. 6, Balzac).

♦ **8.** Loc. fam. *Poser un lapin à qqn.* ⇒ **Lapin.**

♦ **9.** (Lat. *ponere,* dans *ponere actum*). Accomplir, faire.

[a] Philos. Accomplir (un acte). — REM. Cet emploi, fréquent chez les philosophes chrétiens (G. Marcel, Maritain, Teilhard, *in* Grevisse, *Problèmes de langage,* pp. 18-19), est critiqué.

[b] Régional (Belgique, Canada). *Poser un acte, un geste,* le commettre, l'accomplir.

★ **II.** V. intr. (1260, « reposer, en parlant d'un mort »).

♦ **1.** Être posé, appuyé (sur qqch.). ⇒ **Porter, reposer.** *Poutre qui pose sur une traverse. Poser à faux.* — Fig. *« Notre crainte ne pouvant poser sur rien de certain »* (Massillon, *in* Littré).

Reposer est augmentatif et marque plus particulièrement la solidité. *Poser* se borne à indiquer l'objet qui sert d'appui. 27
LAFAYE, Dict. des synonymes, Poser, Reposer.

Un toit de tuiles géranium pose, à droite, sur un carré de nuit : la forge. 28
GIDE, Journal, août 1910.

♦ **2.** (En parlant d'un modèle représenté par un artiste). Rester immobile dans l'attitude voulue par l'artiste. *Poser de longues heures pour un portrait. Elle n'a posé que pour la tête. Poser pour l'ensemble,* ou, ellipt., *poser l'ensemble,* se dit d'un modèle qui pose nu. *Poser nu. Poser pour un peintre, un photographe.*

(...) poser pour ce portrait, se soumettre si longtemps au regard scrutateur d'un inconnu, était pour elle une corvée épouvantable. 29
STENDHAL, Romans et nouvelles, « Féder », II.

Le lendemain, Beltara fit du lieutenant Dundas un croquis aux trois crayons. Le jeune aide de camp posa assez bien : il exigea seulement qu'on lui permît de s'occuper, c'est-à-dire de pousser des cris de chasse à courre, de faire claquer son fouet favori et de parler avec son chien. 30
A. MAUROIS, les Discours du Dr O'Grady, XVI.

(En parlant des modèles d'un romancier).

(...) il n'est pas un nom de personnage inventé sous lequel il ne puisse mettre soixante noms de personnages vus, dont l'un a posé pour la grimace, l'autre pour le monocle, tel pour la colère, tel pour le mouvement avantageux du bras, etc. 31
PROUST, le Temps retrouvé, Pl., t. III, p. 900.

♦ **3.** (Vieilli). Rester dans l'attente. *Faire poser qqn,* le faire attendre*. Spécialt. (Vx). Se moquer de qqn.

Ces femmes-là *(les Anglaises)* se font une occupation, un plaisir de marchander... Elles nous font poser, quoi!... BALZAC, Gaudissart II, Pl., t. VI, p. 858 (1833). 32

Depuis trois mois, elle le faisait poser, jouant à la femme comme il faut, afin de l'allumer davantage. Eh bien! il poserait encore (...) ZOLA, Nana, VI. 33

♦ **4.** (Académie, 1835). Fig. *Poser pour la galerie,* ou, absolt, *poser :* prendre des attitudes étudiées, une manière de parler affectée, pour faire de l'effet, paraître ce qu'on n'est pas; manquer de simplicité, de naturel. ⇒ **Beau** (faire le), **crâner, draper** (se), **pavaner** (se), **plastronner, rengorger** (se).

Il avait l'air de se conduire exactement comme un de ces êtres insupportables qui posent pour la galerie, et au fond c'était tout le contraire. 34
J. ROMAINS, Lucienne, IX.

POSER À... *Poser au justicier, au grand homme... :* prendre des airs de justicier, de grand homme; prétendre en remplir les fonctions, en tenir le rang.

▶ **SE POSER** v. pron. (Mil. xiie, « s'étendre dans un lit »).

♦ **1.** (Réfl.). [a] (1559). Se placer, s'arrêter doucement (quelque part), spécialt, en descendant, après un vol. *Oiseau, insecte, mouche qui se pose sur...* (→ Écraser, cit. 5; essaim, cit. 2; éteindre, cit. 32; faucon, cit. 3). ⇒ **Percher** (se). — Au p. p. *Oiseau posé,* qui s'est posé.

⇒ **Jucher** (→ Frêle, cit. 1; frémissant, cit. 3). *Avion qui se pose.* ⇒ **Atterrir** (→ Courrier, cit. 6). *Elle se posa sur le marchepied avec une légèreté* (cit. 2) *d'oiseau. Une main qui se pose sur mon épaule* (→ Dire, cit. 61). — Par ext. *Mon regard, mon esprit ne se posaient nulle part* (→ Endolorir, cit. 4). *Ses yeux de myope* (cit. 1) *se posant sur les gens.*

35 Le Parnasse où, le soir, las d'un vol immortel
Se pose, et d'où s'envole, à l'aurore, Pégase.
J.-M. DE HÉRÉDIA, les Trophées, « Sur l'Othrys ».

36 Pourquoi ces notes, volant au-dessus de la symphonie comme un oiseau tranquille, entraînaient-elles l'âme vers le bonheur? La chanson ne plana qu'un instant et, sans s'être achevée, se posa sur les vagues orchestrales.
A. MAUROIS, le Cercle de famille, II, V.

37 C'est long ces journées dans Paris : on ne sait où se poser; il n'y a que les grands magasins (...) F. MAURIAC, le Fleuve de feu, I, p. 58.

b Fig. Se faire, se donner une position avantageuse. *Se bien poser, se poser avantageusement dans le monde* (Académie). *Tous deux luttent à qui se posera le mieux* (→ Favorable, cit. 8).

c Philos. ⇒ **Affirmer** (s'). *Se poser comme, en tant que...* (→ Homme, cit. 1 et 142). *« Le moi se pose en s'opposant »* (→ cit. 40, Bourget). *L'artiste se pose comme un être d'exception* (→ Injure, cit. 5). — Spécialt. *Se poser en...* : prétendre jouer le rôle de... ⇒ **Ériger** (s'). *Se poser en saint Jérôme ou en don Juan* (→ Donner, cit. 79), *en grand seigneur* (→ Payer, cit. 20). (Dans le même sens). *Se poser comme expérimenté.* ⇒ **Attribuer** (s'attribuer une qualité, un titre...).

38 Madame de La Baudraye était sans défense devant des affirmations si précises et devant un homme qui se posait à la fois en médecin, en confesseur et en confident.
BALZAC, la Muse du département, Pl., t. IV, p. 143.

39 À quoi sert de recreuser sa tristesse? Il faut se poser vis-à-vis de soi-même en homme fort; c'est le moyen de le devenir.
FLAUBERT, Correspondance, 1746, 15 août 1878.

40 Quand notre personnalité commence à se former, son premier geste d'âme est une réaction. Contre quoi, sinon contre ceux qui nous entourent? La philosophie classique avait cet axiome (...) le moi se pose en s'opposant.
Paul BOURGET, Au service de l'ordre, XII.

♦ **2.** (Sens passif). Être, devoir être posé.

a *La mantille* (cit. 2) *se pose à l'arrière de la tête.*

b Fig. Exister (question, problème). *La question, le problème s'est posé* (→ Assimilation, cit. 10; financier, cit. 4; instruction, cit. 5). *La question qui se pose, la seule question qui se pose,* qui mérite d'être posée (→ Indéterminisme, cit. 1; matérialisme, cit. 5).

41 (...) le problème se posera dans tous les cas.
J. ROMAINS, les Hommes de bonne volonté, t. V, XII, p. 91.

42 Qu'eussé-je été si je ne l'avais pas connue? Je puis me le demander aujourd'hui; mais, alors, cette question ne se posait pas. GIDE, Et nunc manet in te, p. 17.

♦ **3.** Loc. fam. *Se poser là,* se dit de qqn ou de qqch. qui dépasse la norme dans quelque domaine que ce soit. *Comme abruti, il se pose là.*

▶ **POSÉ, ÉE** p. p. adj. et n.

♦ **1.** *Objet posé sur une table. Moquette mal posée,* etc. V. ci-dessus I. (notamment cit. 11 et *supra;* cit. 13 et 14; 15 et *supra*).

♦ **2.** *Oiseau posé,* etc. V. ci-dessus III.

♦ **3.** Adj. (XVIe). *Un homme posé.* ⇒ **Pondéré, rassis, sage, sérieux** (→ Diable, cit. 11; laconique, cit. 2). *Maintien, air posé.* ⇒ **Calme,** 1. **grave** (cit. 2), **froid.** *Esprit posé, bien posé.* ⇒ **Mûr, réfléchi.** *Parler d'un ton posé.* — *Bien posé,* dont la situation est bonne du point de vue social; bien assis (→ Immeuble, cit. 5). ⇒ **Campé.**

43 Il faut être, je le confesse,
D'un esprit bien posé, bien tranquille, bien doux (...) MOLIÈRE, Amphitryon, II, 1.

44 Il avait maintenant une allure, une tenue, un costume d'homme posé, sûr de lui, et un ventre d'homme qui dîne bien. MAUPASSANT, Bel-Ami, I, I.

45 Ces dames avaient l'air très posé, très comme il faut.
LOTI, Mme Chrysanthème, XLI.

♦ **4.** N. m. **POSÉ** : le fait d'être arrêté, posé (pour un oiseau que l'on chasse). Loc. *Tirer au posé.* — Par métaphore :

46 Un ministère se tire au posé. Les meilleurs fusils ne sauraient l'abattre en plein vol.
F. MAURIAC, Bloc-notes 1952-1957, p. 118.

Didact. Assertion explicite (opposé à *présupposé*).

♦ **5.** N. f. *Pêche à la posée.* ⇒ **Posée.**

CONTR. 2. **Déposer, enlever, lever, ôter.** — (Du p. p. adj.) **Brusque, convulsif, étourdi, évaporé, folâtre, fougueux, frivole, léger.** — (De *se poser*) **Envoler** (s'), **errer.**

DÉR. Posage, pose, posément, poseur. — V. **Positif, position.**

COMP. Antéposer, 2. **déposer, entreposer, juxtaposer, postposer.** — V. **Apposer, composer,** 1. **déposer, disposer, interposer, reposer, superposer, supposer, transposer.**

2. POSER [poze] n. m. — 1868, Littré; verbe substantivé.

♦ Équit. Action du cheval qui pose son pied sur le sol. (On dit aussi *posé*). → Battue. *Un poser des membres antérieurs.*

Un cheval galope sur le pied droit ou sur le pied gauche. Il galope sur le pied droit lorsque le pied antérieur droit vient se poser en avant de l'antérieur gauche et que le postérieur droit vient se poser en avant du postérieur gauche. Il galope sur le pied gauche lorsque les posers se font en sens inverse.
Henri AUBLET, l'Équitation, p. 69.

POSE-TUBES [poztyb] n. m. ⇒ Pose-.

POSEUR, EUSE [pozœʀ, øz] n. — 1641; de *poser.*

♦ **1.** Personne chargée de la pose* (1.) d'un objet. *Poseur de pavés, de rails, de mines... Équipe de pose composée de bardeurs, poseurs et contreposeurs.* ⇒ **Maçon** (cit. 2). *Poseur de parquets* (⇒ **Parqueteur**), *de carrelages, de mosaïques. Miroitier poseur.* Absolt. (Techn.). Maçon chargé de la mise en place des pierres de taille.

♦ **2.** Vx. Personne que l'on fait poser (*supra,* cit. 32), dont on se moque.

Dans le peuple, le blagueur est censé bel esprit, jusqu'à ce qu'il ait reçu quelques volées (...) de coups de poing par un poseur peu endurant (...) 0.1
Ch. PAUL DE KOCK, la Grande Ville, 1842, t. I, p. 280.

♦ **3.** (1842, Mozin). Personne qui prend une attitude affectée pour se faire valoir (II., 2., fig.). ⇒ **Fat, pédant, snob.** *Quel poseur! Les poseurs affectaient de...* (→ Marchand, cit. 6). *On la traitait de poseuse* (→ Noblesse, cit. 6). — Adj. (Fin XIXe). *Il est terriblement poseur.* ⇒ **Affecté, maniéré, minaudier, prétentieux.**

(...) j'appris d'un garçon de cabine qu'on s'accordait à me trouver poseur, voire insolent?... CÉLINE, Voyage au bout de la nuit, p. 107. 1

Ce stupide succès de récitation, et la réputation de poseur qui s'ensuivit déchaînèrent l'hostilité de mes camarades (...) 2
GIDE, Si le grain ne meurt, I, IV, p. 112.

La voix qu'elle avait dans le monde, assez maniérée, non qu'elle fût poseuse, mais au contraire parce qu'elle était timide. 3
MONTHERLANT, Pitié pour les femmes, p. 76.

CONTR. Naturel, simple.

POSIDONIE [pozidɔni] n. f. — 1839; lat. bot. *posidonia,* du grec *poseidônios* « de Poséidon », dieu de la mer.

♦ Bot. Plante aquatique à longues feuilles, à fleurs verdâtres ou jaunâtres, qui pousse sur les fonds marins. *Les feuilles de posidonies rejetées sur le rivage sont appelées* pailles de mer *ou* pelotes de mer.

1. POSITIF, IVE [pozitif, iv] adj. et n. — 1265; « certain, réel », lat. *positivus,* t. de gramm. et de philos. (sens 2).

★ **I.** Didact. ♦ **1.** (1361). Qui a été établi, fondé, posé par institution divine ou humaine (opposé à *naturel,* I., 6). *Droit positif :* ensemble des règles de droit en vigueur dans un pays à un moment donné (opposé à *droit naturel*). ⇒ 3. **Droit** (cit. 55 et 65). *Lois positives* (→ 3. Droit, cit. 51). — REM. De nos jours, ces expressions sont plutôt comprises comme se rattachant au sens suivant → Objectif; → aussi en particulier 3. droit (cit. 55). — *Religions positives et religion naturelle.* — *Théologie positive,* et, n. f., *la positive* (vx) : partie de la théologie qui concerne la connaissance des dogmes d'après l'Écriture sainte, les Pères de l'Église, les conciles. *« La théologie positive est dégagée des disputes de la controverse et des chicanes de la Scholastique »* (Trévoux, 1771).

Les vérités de la raison sont de deux sortes. Les unes sont ce qu'on appelle les vérités éternelles, qui sont absolument nécessaires (...) Il y en a d'autres qu'on peut appeler *positives,* parce qu'elles sont des lois qu'il a plu à Dieu de donner à la nature (...) LEIBNIZ, Théodicée, Disc. préliminaire, § 2, *in* LALANDE. 1

Vous ne voyez dans mon exposé que la religion naturelle : il est bien étrange qu'il en faille une autre (...) Quelle pureté de morale, quel dogme utile à l'homme et honorable à son auteur puis-je tirer d'une doctrine positive, que je ne puisse tirer sans elle du bon usage de mes facultés? Montrez-moi ce qu'on peut ajouter (...) aux devoirs de la loi naturelle (...) 2
ROUSSEAU, Émile, IV, Profession de foi du vicaire savoyard.

♦ **2.** (XVIIIe). Log. et philos. Qui est donné, imposé par l'expérience* et doit être accepté par l'esprit, alors même qu'il n'en connaît pas la raison d'être. — REM. Dans ce sens, *positif,* d'abord compris comme « posé par la volonté d'un législateur (Dieu) » (→ ci-dessus, 1.), a pris un sens purement logique. — *Connaissance positive.* — Fondé sur la connaissance positive. *Sciences* positives. Physique positive* (1749, J. de Carlencas). *Faits naturels positifs, observables.* ⇒ 1. **Objectif** (cit. 10), **réel.** — Par métonymie. *Esprit positif, jugement positif et scientifique.* ⇒ 1. **Droit** (I., 3.). *Culture positive,* qui ne laisse pas de place au surnaturel (→ Démon, cit. 22).

♦ **3.** Spécialt. Dans l'école saint-simonienne et chez A. Comte. ⇒ **Positivisme.** *Esprit positif, méthode positive* (→ Esprit, cit. 47, Comte); *étude positive des phénomènes. État* (cit. 48) *positif ou scientifique :* l'un des trois états (opposé à *théologique** et *métaphysique**). *Sciences positives.*

L'ouvrage, dirigé par d'Alembert et Diderot, n'a que très incomplètement organisé la doctrine positive, mais il a complètement anéanti la doctrine superstitieuse. 3
CL.-H. DE SAINT-SIMON, Projet Encycl., 1810, *in* Textes choisis, p. 74.

(...) dans l'état positif, l'esprit humain reconnaissant l'impossibilité d'obtenir des notions absolues, renonce à chercher l'origine et la destination de l'univers, et à connaître les causes intimes des phénomènes, pour s'attacher uniquement à décou- 4

vrir, par l'usage bien combiné du raisonnement et de l'observation, leurs lois effectives, c'est-à-dire leurs relations invariables de succession et de similitude.
A. COMTE, Cours de philosophie positive, Ire leçon, I.

5 (...) l'étude de la philosophie positive (...) nous fournit le seul vrai moyen rationnel de mettre en évidence les lois logiques de l'esprit humain (...)
A. COMTE, Cours de philosophie positive, Ire leçon, III.

REM. Comte analyse ainsi les valeurs du mot *positif* (I., 2. et II., cour.) sur lesquelles se fonde son propre usage.

5.1 Considéré d'abord dans son acception la plus ancienne et la plus commune, le mot positif désigne le *réel,* par opposition au chimérique : sous ce rapport, il convient pleinement au nouvel esprit philosophique, ainsi caractérisé d'après sa constante consécration aux recherches vraiment accessibles à notre intelligence, à l'exclusion permanente des impénétrables mystères dont s'occupait surtout son enfance. En un second sens, très voisin du précédent, mais pourtant distinct, ce terme fondamental indique le contraste de l'*utile* à l'oiseux : alors il rappelle, en philosophie, la destination nécessaire de toutes nos saines spéculations pour l'amélioration continue de notre vraie condition, individuelle et collective, au lieu de la vaine satisfaction d'une stérile curiosité. Suivant une troisième signification usuelle, cette heureuse expression est fréquemment employée à qualifier l'opposition entre la *certitude* et l'indécision : elle indique ainsi l'aptitude caractéristique d'une telle philosophie à constituer spontanément l'harmonie logique dans l'individu et la communion spirituelle dans l'espèce entière, au lieu de ces doutes indéfinis et de ces débats interminables que devait susciter l'antique régime mental. Une quatrième acception ordinaire, trop souvent confondue avec la précédente, consiste à opposer le *précis* au vague : ce sens rappelle la tendance constante du véritable esprit philosophique à obtenir partout le degré de précision compatible avec la nature des phénomènes (...) Il faut enfin remarquer spécialement une cinquième application, moins usitée que les autres, quoique d'ailleurs pareillement universelle, quand on emploie le mot positif comme le contraire de *négatif.* Sous cet aspect, il indique l'une des plus éminentes propriétés de la vraie philosophie moderne, en la montrant destinée surtout, par sa nature, non à détruire, mais à *organiser.*
A. COMTE, Disc. sur l'esprit positif, p. 64-66.

★ **II.** Cour. (Cette acception qui, selon Wartburg, serait la plus ancienne ne s'est répandue qu'au XVIIe s.). ♦ **1.** Qui a un caractère de certitude, d'évidence; qui peut être posé, tenu pour assuré. ⇒ **Assuré** (p. p.), **certain, constant** (4.), **évident, solide, sûr...** *Fait positif, attesté* (cit. 1). ⇒ **Authentique** (3.). *Renseignement positif,* sur lequel on peut faire fond. ⇒ **Sérieux.**

6 Mais pour l'astrologie, on m'a dit et fait voir des choses si positives, que je ne la puis mettre en doute.
MOLIÈRE, les Amants magnifiques, III, 1.

(Expression orale ou écrite). Précis et explicite. *Il a employé des termes positifs, il a été positif.* ⇒ **Explicite, exprès** (1.).

♦ **2.** Qui a un caractère d'utilité pratique. ⇒ **Utilitaire** (→ Idéologue, cit. 1). *Un homme ordinaire à vertus positives.* ⇒ **Pratique** (→ Moralité, cit. 3). *Avantages positifs.* ⇒ **Concret, effectif.**

7 Les Anglais n'estiment que la politique positive, celle des intérêts; la fidélité aux traités et les scrupules moraux leur semblent puérils.
CHATEAUBRIAND, Mémoires d'outre-tombe, t. III, p. 123.

N. m. Ce qui est utile, profitable. *« Le positif et le sûr »* (Claudel).

♦ **3.** (Personnes). Qui ne tient compte que de la réalité objective, concrète, surtout dans ses aspects pratiques et utilitaires. — *Cerveau positif et rassis* (→ Guide, cit. 10). *Homme positif* (→ Impressionner, cit. 2). *Esprit positif qui s'insurge* (cit. 4) *devant les mystères de la foi* (⇒ **Matérialiste**).

8 Au fond, je suis pour le gouvernement absolu; c'est le seul qui donne ces belles périodes de tranquillité pendant lesquelles nous avons le temps, nous autres gens positifs, d'amasser des fortunes (...)
STENDHAL, Romans et nouvelles, « Féder », IV.

N. m. (Vx). Personne positive.

9 Les Positifs expliquent tout par des chiffres, par des rentes ou par les biens au soleil, un mot de leur lexique.
BALZAC, Mme Firmiani, Pl., t. I, p. 1028.

♦ **4.** N. m. LE POSITIF : ce qui est rationnel, raisonnable (opposé à *surnaturel, imaginaire,* ou simplement à *affectif, sentimental*). *Il lui faut du positif, du solide, du concret...* (→ Enfoncer, cit. 44). — Ce qui est pratique.

10 (...) il faut être encore jeune homme, ou se trouver dans une situation semblable, pour en comprendre les muettes félicités et les bizarreries; toutes choses qui feraient hausser les épaules aux gens assez heureux pour toujours voir le *positif* de la vie.
BALZAC, la Femme abandonnée, Pl., t. II, p. 229.

★ **III.** (Opposé à *négatif*). ♦ **1.** (XVIIe). Qui affirme, pose quelque chose, la donne pour vraie (opposé à *négatif* I.). ⇒ **Affirmatif.** *Réponse positive. Témoignage positif* (→ 1. Masse, cit. 13). — *La négation* (cit. 6) *niée est moins positive que l'affirmation. Proposition positive et interrogative.* — Log. *Proposition positive. Terme positif,* qui pose, affirme une qualité.

Esprit positif, constructif (opposé à *critique, négateur*). — REM. Cet emploi, qui crée une confusion avec I., 2., est à déconseiller.

Gramm. Qui se contente de poser une qualité (sans la comparer). *Emploi positif, terme positif. Adjectif, adverbe positif* (opposé à *comparatif* et *superlatif*). ⇒ **Comparaison** (degrés de comparaison). — N. m. *Le positif et le comparatif.*

♦ **2.** [a] Opposé à *négatif* (II. 2.). Qui a un contenu réel, analysable; qui ne consiste pas seulement en la suppression de qqch., mais qui apporte, construit ou organise (⇒ **Négatif,** cit. 8, Comte). *Idée positive de Dieu et idée négative du néant* (cit. 11, Descartes). *Idée positive et idée négative de la Révolution* (→ Justice, cit. 15). *Justice positive. Action positive, constructive.* — *Qualités positives. Condition positive. Résultat positif.*

Il y a dans la douleur quelque chose de positif et d'actif, qu'on explique mal en disant, avec certains philosophes, qu'elle consiste dans une représentation confuse. 11
H. BERGSON, Matière et Mémoire, p. 55.

(...) toute situation présente au moins un élément positif; il faut le trouver et travailler dessus. 12
MALRAUX, l'Espoir, II, I, I.

Méd. *Réaction positive :* réaction effective, qui se produit. *Cuti* positive. Examen bactériologique positif,* qui révèle la présence effective des bactéries. — Par métonymie. Se dit d'une personne présentant une réaction positive ou des caractères (bacilles, présence d'un élément pathogène) décelables à l'examen.

[b] Cour. (Emploi développé par oppos. à *négatif* II., 1.). Qui, en posant un contenu analysable, y ajoute un élément d'appréciation, un jugement de valeur favorable. ⇒ **Favorable.** *Jugement assez, très positif quant à qqch., au sujet de qqch., de qqn. Un article positif sur les décisions gouvernementales. La critique de ce film a été positive.*

(Personnes). Qui pense, affirme du bien (de qqch., de qqn). *Elle s'est montrée plutôt positive sur cette proposition.*

♦ **3.** Math. et phys. *Grandeur, quantité positive,* qui, dans une représentation géométrique par segments orientés, correspond à un déplacement dans la direction de l'axe. — *Nombres* (cit. 6) *positifs :* ensemble des nombres réels plus grands que zéro. *Nombre entier positif. Le signe* + (plus*), *symbole des nombres positifs. Grandeur, quantité positive* (opposé à *négatif** II., 3.).

♦ **4.** Qui peut être considéré comme doté d'une orientation, de qualités, conformes à une orientation, à des qualités de référence (opposé à *négatif* II., 4.).
Électricité positive : nom donné au XVIIIe siècle à l'électricité vitrée ou vitreuse, par les physiciens qui supposaient que les phénomènes électriques provenaient d'un fluide unique, en excès dans le verre, et en défaut dans les corps résineux. — *L'électricité positive provient du noyau de l'atome* (protons*). *La dissymétrie entre les électricités positive et négative semble plutôt concerner leurs propriétés et notamment « la tendance beaucoup plus grande de l'électricité positive à s'associer à la matière »* (de Broglie), *que leur structure.* — Par ext. *Charge positive. Ion* positif. Pôle positif.* — (1934, Joliot; → Positon, cit. 1). Vieilli. *Électron positif :* positon (→ Noyau, cit. 6).
Pôle (magnétique) *positif.*

Photogr. et cour. *Épreuve positive :* image dont les parties lumineuses et sombres correspondent aux parties éclairées et sombres du sujet (à l'inverse de l'épreuve négative*). *Image positive.* ⇒ **Photographie** (2.); **diapositive, photocopie** (1.), **photogramme** (1.). N. m. (1881, in *Année sc. et industr.* 1882, p. 108). *Un positif. On obtient un positif en exposant un support sensible à la lumière, sous un cliché (négatif), un phototype.*

N. m. et par métaphore. *Le positif et le neutre* (→ Homme, cit. 1).

★ **IV.** N. m. ♦ **1.** (Mil. XVIIIe). Vx ou didact. Ce qui existe réellement.

♦ **2.** Voir ci-dessus II. et III.

CONTR. Naturel. — Intuitif, mystique. — Chimérique, conjectural, douteux, équivoque, erroné, évasif, faux. — Abstrait, formel, idéal. — Négatif, neutre, nul. — Comparatif, superlatif.

DÉR. Positivement, positivisme, positivité, positon.

COMP. Diapositive.

2. POSITIF [pozitif] n. m. — 1680, Richelet; de *orgue positif* « que l'on peut poser, fixer ».

Musique.

♦ **1.** Anciennt. Petit orgue, portatif à l'origine, mais qui, à la différence du « portatif » proprement dit, devait être posé à terre *(positif à pied)* ou sur un support *(positif de table). Buffet, clavier, soufflets d'un positif.*

♦ **2.** Mod. Clavier réduit correspondant à l'ancien positif et constituant le clavier secondaire du grand orgue.

POSITION [pozisjɔ̃] n. f. — 1265; lat. *positio,* dér. de *ponere* « poser ».

★ **I.** ♦ **1.** Manière dont une chose, une personne est posée, placée, située; lieu où elle est placée. ⇒ **Emplacement, lieu** (I.), **place** (II., 4.), **situation.** — REM. À la différence de ces mots, *position* insiste sur la manière dont la chose en question est placée, ou sur la place relative de plusieurs objets (→ Disposition; → aussi Désordre, cit. 4; perception, cit. 7). — *Position horizontale* (cit. 2), *verticale* (⇒ **Horizontale, verticale,** n. f.), *inclinée* (⇒ **Inclinaison**). *Position stable* (⇒ **Équilibre**), *instable, périlleuse. Position haute, basse* (⇒ **Haut, bas**). *Positions relatives.* ⇒ **Dessus, dessous, sur, sous; avant** (en), **arrière** (en); **côté** (à), **loin, près; opposition** (en)... *Position inverse* (⇒ **Renversé**). *Changement de position.* ⇒ **Mouvement.** — *Position d'une personne.* ⇒ **Place** (II., 3.). → Explosion, cit. 2. *Positions des joueurs sur un terrain de football, des pièces sur l'échiquier.* Spécialt. Place occupée par un coureur pendant une course. *Coureur en première, en seconde position à mi-course.*

Spécialt. (Sc., techn.). Astron. *Astronomie* de position* (ou *géométrique, d'observation*). *Angle de position,* que fait avec le cercle horaire* d'un astre le grand cercle passant par cet astre et une autre étoile. *Triangle de position :* triangle sphérique dont les sommets sont le pôle céleste, le zénith et l'astre considéré. — *Branche de l'astrologie fondée sur les positions* (astrologie* judiciaire). — Géod., géogr. *Position d'un objet sur la surface terrestre, déterminée par les coordonnées terrestres.* ⇒ **Point.** *Position d'un navire, d'un avion* (→ Équipage, cit. 4). *Position identifiée* (d'un avion). *Déterminer sa position.* ⇒ **Orienter** (s'). — *Feu de position,* signalant la position d'un navire, d'un avion. Cour. *Feux de position :* feux de stationnement d'une automobile. *Voiture en seconde position,* stationnée parallèlement aux voitures rangées le long du trottoir (→ En double file*). « *Un car stationné en deuxième position ...* » (R. Queneau, *Zazie dans le métro,* Gallimard, p. 154).

Phys. *Position des atomes dans la molécule* (cit. 3). — Spécialt. *Position et mouvement* (des particules, à l'échelle atomique). ⇒ **Incertitude** (cit. 6). — Math. *Importance des notions d'espace*, de position, en géométrie. Position de deux objets dans l'espace* (→ Point, cit. 10 et 11). *Géométrie de position* (de situation). ⇒ **Topologie.**

1 Tout ce qui a immédiatement rapport à la position manque absolument à nos sciences mathématiques; cet art, que Leibniz appelait *analysis situs,* n'est pas encore né, et cependant cet art, qui nous ferait connaître les rapports de position entre les choses, serait aussi utile, et peut-être plus nécessaire aux sciences naturelles, que l'art qui n'a que la grandeur des choses pour objet; car on a plus souvent besoin de connaître la forme que la matière.

BUFFON, Hist. nat. des animaux, XI.

2 Il n'y a dans l'espace que des parties d'espace, et en quelque point de l'espace que l'on considère le mobile, on n'obtiendra qu'une position. Si la conscience perçoit autre chose que des positions, c'est qu'elle se remémore les positions successives et en fait la synthèse.

H. BERGSON, Essai sur les données immédiates de la conscience, p. 83.

3 (...) on ne peut jamais déterminer par une série de mesures nécessairement discontinues que quelques positions instantanées de l'entité physique en progression (...) Bergson paraît avoir pressenti ce point (...) Il aurait pu dire en empruntant le langage des théories quantiques : « Si l'on cherche à localiser le mobile (...) en un point de l'espace, on n'obtiendra qu'une position et l'état de mouvement échappera complètement ».

L. DE BROGLIE, Physique et Microphysique, p. 201.

Techn. *Position de montage d'une pièce, dans un mécanisme,* etc. *Position correcte, rigoureuse* (→ Micrométrique, cit. 2). *Lire la position d'un index.*

Blason. *Les positions* (ou *points*) *dans l'écu.* ⇒ **Blason.**

Ling. *Position des phonèmes dans le mot, des syllabes dans la phrase,* leur place relative. *Évolution des voyelles suivant leur position (forte ou faible).* — Dans la prosodie ancienne. *Voyelle longue par position,* suivie de consonnes doubles, de groupes de consonnes qui l'allongent.

Mus. Place relative des sons qui forment un accord.

Spécialt. Psychan. « Selon M. Klein : modalité des relations d'objets » (Laplanche et Pontalis). *Position paranoïde. Position dépressive.*

♦ **2.** (XVIIe, « orientation d'un bâtiment; « manière dont il est posé ». → 3. Plan). a Emplacement (d'un terrain, d'une construction ou d'un groupe de constructions) considéré quant à la commodité, à l'agrément. ⇒ **Situation.** — Vieilli. *Villa dans une position agréable, dominant* un panorama.* ⇒ **Exposition, orientation.** — *Position d'une citadelle, d'une forteresse, d'une ville.* ⇒ **Assiette** (II., 1.). *La position d'une terre, d'un terrain* (→ Paradis, cit. 10). — *Position géographique d'un pays* (1. Pays, cit. 5), *de la France* (→ Français, cit. 3).

4 Prétendre ce royaume *(la Pologne)* condamné à l'oppression par sa position géographique, c'est trop accorder aux collines et aux rivières : vingt peuples entourés de leur seul courage ont gardé leur indépendance (...)

CHATEAUBRIAND, Mémoires d'outre-tombe, t. III, p. 191.

5 La terre de madame de Beauséant était située près d'une petite ville, dans une des plus jolies positions de la vallée d'Auge.

BALZAC, la Femme abandonnée, Pl., t. II, p. 235.

b (1798). Emplacement (de troupes, d'installations ou de constructions militaires) envisagé quant à ses qualités stratégiques. *Position excellente, formidable* (→ Assaut, cit. 4), *imprenable. Position clef, position stratégique.* ⇒ **Clef** (2.). *S'établir* (cit. 31) *dans une position. Position fortifiée.* ⇒ **Fortification.** *Position qui commande une plaine, un glacis. Lignes*, position de défense*. Se replier sur des positions préparées à l'avance. Couvrir*, protéger ses positions. — Les positions amies, ennemies. Les positions françaises* (→ Observateur, cit. 13). — *Attaquer, prendre une position. Nettoyage* (cit.) *d'une position.* — Loc. *Guerre de positions* (opposé à *de mouvement*). Fig. → ci-dessous, cit. Morand.

6 La position militaire était meilleure : les troupes se trouvaient plus concentrées, et il fallait traverser de grands espaces vides pour arriver jusqu'à elles.

CHATEAUBRIAND, Mémoires d'outre-tombe, t. V, p. 203.

7 Ses amis du bar de la Paix étaient morts, ou tués; les jeunes se haïssaient et faisaient une guerre de positions (...)

Paul MORAND, l'Europe galante, Mme Fredda.

Par métaphore. *La maladie abandonne ses positions* (→ Ligne, cit. 40).

♦ **3.** (XVIIe, en peint. et en chorégr.). Manière dont le corps* se tient, disposition du corps ou d'une partie du corps, généralement immobile et considérée quant à la commodité ou par rapport à un modèle. ⇒ **Attitude, pose, posture, station.** *Changement de position.* ⇒ **Mouvement.** *Position stable.* ⇒ **Aplomb, assiette** (II.), **équilibre.** *Substantifs et verbes désignant des positions du corps.* ⇒ **Accroupir** (s'), **accroupissement, agenouiller** (s'), **agenouillement, asseoir** (s'), **assis, blottir** (se), **couché, coucher** (se), **courber** (se courber; cit. 26), **culbuter, debout, dressé, dresser** (se), **droit, lever** (se), **penché, pencher** (se), **placer** (se), **redresser** (se), **relever** (se), **tenir** (se), **tomber; califourchon** (à), **chien** (en chien de fusil), **croupetons** (à), **genou** (à genoux), **séant** (sur son)... *Positions de deux corps* [→ Côte à côte, tête-bêche, travers (en)...]. *La position assise* (→ 1. Coucher, cit. 24), *couchée.* ⇒ **Décubitus.** *Position fatigante, pénible* (→ Neurasthénique, cit. 1). *Fausse position* (pénible, engourdissante). *La position d'un corps, d'un cadavre* (→ Identité, cit. 14). — *Position des jambes, des pieds; des avant-bras, des mains* (⇒ **Pronation, supination**). — *Position du fœtus au moment de l'accouchement.* ⇒ **Présentation.** — Méd. Attitude prise sous l'effet de la maladie, ou « sur l'indication du médecin ou du chirurgien pour un examen ou une opération » (Garnier).

Spécialt. Position du corps ou d'une partie du corps, telle qu'elle est déterminée par un règlement, des règles. — Milit. *Position réglementaire. Position du soldat en armes, sans armes. Rectifier la position* (→ Étouffer, cit. 13). *Position du tireur debout, couché...* — Sports. *Position du cavalier en selle, du skieur, du patineur de vitesse... La position du cycliste,* déterminée par la hauteur du guidon et de la selle. *Positions de l'escrimeur à l'épée, au sabre* (prime, quarte, etc.). ⇒ **Escrime.** — (Danse*). *Les cinq positions classiques des jambes* (la cinquième est appelée *position d'avancement**) *et les positions intermédiaires. Position préparatoire des bras. Position de départ* (pour un pas). — Mus. *Positions de la main, du bras, des pieds* (orgue), *dans le jeu des instruments.* Spécialt. Façon de poser les mains et de doigter, dans le jeu des instruments à archet.

On me fit apprendre la position du soldat sans armes avec une perfection si grande, que je servis de modèle, depuis, au dessinateur (...) 8

A. DE VIGNY, Servitude et Grandeur militaires, II, VIII.

Le soldat Brû prit la position de l'auditeur attentif assis. 8.1

R. QUENEAU, le Dimanche de la vie, p. 38.

Absolt. **EN POSITION :** dans telle ou telle position. *En position verticale, assise... Se mettre en position défensive.* Absolt. *En position!* — *Insectes en position de combat* (→ Cabrer, cit. 12).

Les positions (des corps dans l'amour physique). *Les 32 positions.*

♦ **4.** (1755). a Ensemble des circonstances* (où quelqu'un se trouve). ⇒ **Condition, état, situation, sort** (→ Bible, cit. 5). *La position de qqn, sa position. Position critique, délicate, difficile, fausse, intenable, menaçante* (cit. 2)... → Inexpérience, cit. 1. *Aggraver* (cit. 5) *sa position. Position extrême; moyenne, intermédiaire* (⇒ **Milieu,** II.)...

La position de Robespierre, d'autre part, qui restait si forte matériellement, n'en était pas moins devenue moralement assez mauvaise. 9

MICHELET, Hist. de la Révolution franç., XIX, V.

Vx, plais. ou régional (Belgique). *Être dans une position intéressante,* se dit, par euphémisme, d'une femme enceinte. ⇒ **Grossesse.**

Loc. *Être en position de...* (suivi de l'inf.) : pouvoir... ⇒ **Cas** (dans le cas de...), **passe** (en passe de...).

b Spécialt. Situation dans le monde, dans la société, quant au rang, aux emplois, à la fortune... ⇒ **Condition** (I., 4.), **état** (II., 2.), **place** (III., 2.), **situation, standing; degré, échelon...** *Position, position sociale de qqn* (→ Habit, cit. 22; lovelace, cit.). *Être dans une position considérable, dominante, supérieure* (→ Tenir le haut du pavé*, être au pinacle*). *Les hautes positions de la société* (→ Briser, cit. 11). *Position en vue*. Position inférieure, médiocre, de second ordre* (⇒ **Arrière-plan**); *basse, infime* (⇒ **Bassesse,** vx). *Sortir de sa position.* ⇒ **Déclasser** (se), **élever** (s'). *Acquérir une position meilleure; améliorer sa position.* ⇒ **Mieux-être** (→ Percer, faire son trou*, prendre son essor*, son vol*...). *Position future.* ⇒ **Avenir** (2.). *Il est maintenant dans une position solide, stable* (→ Bien en selle*). *Être dans une position incertaine* (→ Comme l'oiseau sur la branche*). — *Position de fortune* (→ Genre, cit. 42), *position matérielle* (→ Déserteur, cit. 1). — *Indépendance* (cit. 12) *de caractère et indépendance de position.* Absolt. Haute position sociale; dignité, place éminente. *Les positions et les honneurs* (cit. 116). → Honorer, cit. 5; fortune, cit. 37.

(...) véritable tâche d'ambitieux; rôle triste, entrepris dans le but d'atteindre à ce que nous nommons aujourd'hui une *belle position.* 10

BALZAC, la Femme de trente ans, Pl., t. II, p. 755.

Elle rêvait de hautes positions, elle le voyait déjà grand, beau, spirituel, établi dans les ponts et chaussées ou dans la magistrature. 11

FLAUBERT, Mme Bovary, I, I.

Il n'avait jamais cherché ni faveur ni place, ce qu'on appelle *position,* sous le régime où ses amis étaient tout (...) 12

SAINTE-BEUVE, Causeries du lundi, 13 mai 1850.

Emploi, place rétribuée, généralement considérée comme stable. ⇒ **Situation; emploi, établissement.** *Pourvoir d'une position.* ⇒ **Établir** (II., 1.).

(Lantier) logeait chez un ami (...) le temps de trouver une belle situation (...) — 13

On rencontre dix positions pour une, expliquait-il souvent. Seulement, ce n'est pas la peine d'entrer dans des boîtes où l'on ne restera pas vingt-quatre heures (...)
ZOLA, l'Assommoir, VIII, t. II, p. 5.

Dr. *Les positions de l'officier d'active* (activité, disponibilité, réforme, retraite), *du fonctionnaire public* (activité, congé, détachement, disponibilité, etc.).

♦ **5.** (Abstrait). Ensemble des idées, des points de vue que l'on a et que l'on soutient, dans un débat, une discussion et qui permettent de se situer par rapport à d'autres personnes, sur tel et tel problème; conception, théorie... ⇒ **Attitude** (1.; fig.). *Substituer à la position dualiste une conception unitaire* (→ Émotion, cit. 11). *Position philosophique* (→ Perpétuel, cit. 1). *Prise de position, adopter une position, prendre position.* ⇒ **Parti** (*infra* cit. 12); → Engagement, cit. 11; engager, cit. 47. *Préciser, exposer sa position. Rester sur ses positions :* refuser toute concession*.

14 (...) il avait trop pris position politiquement pour rentrer dans l'administration, avec le ministère qu'on avait. ARAGON, les Beaux Quartiers, I, XVI.

♦ **6.** (1935, Académie). Banque, comptab. Situation d'un compte, telle qu'elle est déterminée par son solde. *Feuilles, livres de position d'une banque* (⇒ **Positionneuse, positionniste**). *Demander sa position. Feuille de position.*

♦ **7.** Douanes. Chaque rubrique d'un tarif douanier.

★ **II.** (1285, «thèse d'un procès»). ♦ **1.** Le fait de poser comme une chose admise, convenue (⇒ **Supposition**) ou à débattre. ⇒ 2. **Poser** (fig.). *La position de la question, d'une thèse. Positions et Propositions,* œuvre de Claudel. — Par ext. *Position d'un problème.*

♦ **2.** Arithm. *Règle, méthode de fausse position,* par laquelle on prend une valeur arbitraire pour l'inconnue et on procède par comparaison des résultats qu'elle donne avec ceux qui satisfont à l'énoncé du problème.

DÉR. Positionnel, positionniste.
COMP. Antéposition, autoposition, juxtaposition, postposition.

POSITIONNEL, ELLE [pozisjɔnɛl] adj. — 1943; de *position.*

♦ **1.** Philos. Se dit de la conscience qui pose un fait.

(...) la conscience est conscience positionnelle *du* monde.
SARTRE, l'Être et le Néant, p. 18.

♦ **2.** Sc. Relatif aux positions. *Un système positionnel.*

POSITIONNEMENT [pozisjɔnmɑ̃] n. m. — 1968; de *positionner,* d'après l'angl. *positioning.*

Anglicisme critiqué.

♦ **1.** Techn. Opération par laquelle on place automatiquement dans une position requise. *Positionnement des tables et fauteuils d'opérations médicales, chirurgicales.*

♦ **2.** Banque. (Ce sens ne doit rien à la langue anglaise). Action de positionner (un compte).

♦ **3.** Publicité. Action de positionner (un produit).

♦ **4.** Techn. Action de déterminer la position (d'un navire, d'un avion, d'un engin, etc.).

♦ **5.** Sc. Fait de se placer dans une position (précise).

Spécificité à part (due au positionnement très précis de la molécule de substrat par rapport aux groupes inducteurs), l'effet catalytique s'explique par des schémas semblables à ceux qui rendent compte de l'action des catalyseurs non biologiques (...) Jacques MONOD, le Hasard et la Nécessité, p. 80.

POSITIONNER [pozisjɔne] v. tr. — V. 1960; de *position* (d'après l'angl. *to position*) 1817, sauf pour le sens 2.

Anglicisme.

♦ **1.** Techn. Mettre (une pièce) dans une position exactement déterminée, en vue d'un travail, d'un assemblage. *« Un chariot d'attelage les positionne* (les wagons) *sur bascules, trémies, culbuteurs »* (*France-Europe,* nº 16, p. 30).

♦ **2.** Banque. Calculer la position (I., 6.) de (un compte en banque). ⇒ **Positionneuse.**

♦ **3.** Publicité. Définir (un produit) quant à son marché, au type de clientèle qu'il intéresse.

♦ **4.** (1975). Techn. Déterminer la position géographique exacte de (un navire, un engin, etc.).

♦ **5.** Sc. *Se positionner :* acquérir une position, une localisation précise.

Fam. (Sujet n. de personne). Se situer, se définir. *Et comment vous positionnez-vous par rapport au régime actuel?*

REM. Dans tous ses emplois (sauf peut-être le 2.), le mot serait avantageusement remplacé par des synonymes tels que *localiser, situer, régler, déterminer,* etc.

DÉR. Positionnement, positionneur, positionneuse.

POSITIONNEUR [pozisjɔnœʀ] n. m. — Mil. XXᵉ; de *positionner.*

♦ Techn. Appareil ou dispositif qui positionne une pièce.

POSITIONNEUSE [pozisjɔnøz] n. f. — Mil. XXᵉ; de *positionner.*

♦ Techn. Machine comptable permettant de mettre à jour un compte individuel, dans une banque.

POSITIONNISTE [pozisjɔnist] n. — Mil. XXᵉ; de *positionner.*

♦ Techn. Employé de banque qui calcule les positions (I., 6.).

POSITIVEMENT [pozitivmɑ̃] adv. — 1441; dér. de *positif.*

D'une manière positive.

♦ **1.** ⇒ 1. **Positif** (II., 1.). D'une manière certaine, sûre. *Je ne le sais pas positivement.*

(...) je vous prie de répondre positivement à trois ou quatre choses que je vais dire. 1
MOLIÈRE, Critique de l'École des femmes, 6.

(XVIᵉ). Précisément, exactement. *Voilà positivement ce qu'il m'a dit* (Académie).

Je ne doute pas qu'ils n'aient une extrême impatience d'apprendre de mes nouvelles; mais j'attendais, pour leur en donner, que je me visse dans un état fixe, et que je pusse leur mander positivement si je demeurerais ou non à la cour. 2
A.-R. LESAGE, Gil Blas, XI, VI.

Ainsi la lettre que je t'écrirai à la fin de la semaine prochaine te dira positivement le jour de notre rendez-vous. 3
FLAUBERT, Correspondance, 386, 26-27 avr. 1853.

(Dans un sens affaibli). Réellement, vraiment (→ Excentricité, cit. 5). *Il nous fut positivement impossible de supporter un pareil spectacle* (→ Haut-le-cœur, cit. 1). *Ça empeste positivement* (→ Capiston, cit.). *Il m'est positivement impossible de vous aider.* ⇒ **Matériellement.**

Nulle réponse à cela. C'était à rendre folle une petite ville de fureur, et, positivement, V... le devint. 4
BARBEY D'AUREVILLY, les Diaboliques, «Bonheur dans le crime», p. 152.

Le marchand remet ça. — Vous ne le regretterez pas, allez, qu'il insiste, c'est inusable, positivement inusable. 5
R. QUENEAU, Zazie dans le métro, Folio, p. 49.

♦ **2.** (XIXᵉ). ⇒ 1. **Positif** (III., 3.). Avec de l'électricité positive. *Particules chargées positivement* (→ Méson, cit.; neutron, cit. 3).

♦ **3.** (Critiqué). D'une matière positive (III., 4.). *Il ne vous juge pas très positivement.*

POSITIVER [pozitive] v. tr. — D.i. (v. 1970?); de *positif.*

♦ Rendre positif (1. Positif III., 2.), améliorer. *« Jacques Séguela, qui présente les maquettes, lance l'idée de* "la force tranquille". *François Mitterrand hoche la tête. Il souhaiterait qu'on ajoute* "pour la France". *Séguela défend sa formule contre toutes les objections soulevées. Il faut, dit-il,* "positiver" *l'image personnelle de Mitterrand, qui reste moins bonne — les sondages concordent sur ce point — que celle de Giscard »* (*le Nouvel Obs.,* 8 juin 1981).

POSITIVISME [pozitivism] n. m. — 1830; dér. de *positif.*

REM. Dans son premier emploi attesté (*De la religion saint-simonienne,* 1830), le mot a le sens étendu de «caractère de rigueur scientifique». Cf. Lalande, *Voc. philos.*

♦ **1.** Philos. Ensemble des doctrines d'Auguste Comte, exposées dans le *Cours de philosophie positive, le Catéchisme positiviste* (1852), *le Système de politique positive* (→ Ordre, cit. 29, Comte), etc. ⇒ 1. **Positif** (I., 2.). *Condorcet, précurseur du positivisme comtien. Littré diffusa le positivisme.*

Par ext. État social correspondant à la philosophie positive.

Je nomme positivisme tout ce qui se fait dans la société pour l'organiser suivant la conception positive du monde; la révolution s'étant chargée de la partie négative de cette tâche, c'est-à-dire d'éliminer les croyances et les institutions qui, après avoir joué un rôle utile dans le passé, sont impropres à être incorporées à l'ordre à venir. 1
É. LITTRÉ, Conservation, Révolution et Positivisme, p. 275.

Par ext. Doctrine qui se réclame de la seule connaissance des faits, de l'expérience scientifique, qui affirme que la pensée ne peut atteindre que des relations et des lois (et non les choses en soi). ⇒ **Agnosticisme, relativisme.** *Le positivisme de Stuart Mill, de Spencer, de Renan. Le Positivisme anglais,* œuvre de Taine.

Spécialt. *Le positivisme logique,* de Russell, Carnap... ⇒ **Logicopositivisme, néo-positivisme; empirisme** (logique).

(...) l'un des aboutissements actuels *(de la philosophie empiriste anglo-saxonne)* est le mouvement appelé indifféremment «empirisme ou positivisme logiques». 2
J. PIAGET, Épistémologie des sciences de l'homme, p. 82.

REM. Certains philosophes (Ravaisson, Le Roy) ont employé le mot *positivisme* dans des sens assez vagues, impliquant seulement la présence d'« affirmations très *positives* » (Le Roy) ou d'un certain réalisme* (cf. Lalande, *Voc. philos.*). *« Les deux douzaines de positivismes »* (→ Dogme, cit. 2).

♦ **2.** Cour. Vieilli. Caractère d'un esprit positif (1. Positif II.), rationaliste, et, le plus souvent, pratique. *Le positivisme des bourgeois de la Restauration.* — Par ext. *« Le positivisme de notre style »* (Balzac, *Illusions perdues*, Pl., t. IV, p. 790).

CONTR. Mysticisme.
DÉR. Positiviste.

POSITIVISTE [pozitivist] adj. et n. — 1834, Fourier ; de *positivisme.*

♦ **1.** Relatif au positivisme. *Le Catéchisme positiviste* (Comte, 1852). *L'ère* (cit. 7) *positiviste.* Partisan du positivisme. *Littré était un positiviste. Les positivistes* (→ Altruisme, cit. 1).

(...) la philosophaille, la clique des blagueurs du progrès, des industrialistes, rationalistes, positivistes.
Charles FOURIER, la Fausse Industrie morcelée, t. I, p. 232.

*Positiviste logique (*ou *néo-, logico-positiviste).*

♦ **2.** (1842). Vx. Égoïste, matérialiste (au sens courant).

POSITIVITÉ [pozitivite] n. f. — 1845 ; de *positif.*

★ **I.** ♦ **1.** Philos. Caractère de ce qui est positif (1. Positif I., 2.), au sens donné à ce mot par Comte.

♦ **2.** (1845). Caractère de ce qui constitue une réalité, une affirmation.

★ **II.** Sc. Caractère d'une grandeur positive (1. Positif III., 3.), de l'électricité positive... (On a dit aussi *positiveté*).
Caractère positif d'une manifestation d'ordre biologique, chimique. *Positivité d'une réaction.*

1 Parmi celles-ci *(réactions à la syphilis)*, une place à part est à réserver à la réaction de Vernes, établie avec une échelle photométrique qui permet d'établir des degrés dans la positivité de la réaction.
J. et H. PAYENNEVILLE, le Péril vénérien, p. 46.

2 (...) la conception qui lui est sous-jacente fait du malheur humain le résultat, peut-être fréquent mais en tout cas non nécessaire, de l'opposition entre deux forces l'une et l'autre entièrement positives : la force de la réalité, reprise à son compte par le moi, et la force de la pulsion, à laquelle est assignée une positivité toute biologique. J. LAPLANCHE, la Défense et l'Interdit, *in* la Nef, n° 31, p. 46.

POSITON [pozitɔ̃] n. m. — 1934, *positon* ; angl. *positron* (1932), de *positive electron* « électron positif », ou de *positif*, et *électron.*

♦ Phys. Particule élémentaire à charge positive, de même masse que l'électron* négatif (*négaton*, vx ; dit aujourd'hui *électron*). *Les positons ou électrons* (cit. 2) *positifs « semblent être instables en ce sens qu'en pénétrant dans la matière et en y rencontrant des électrons négatifs, ils sont susceptibles de disparaître... en annihilant un électron négatif »* (De Broglie).

1 Mlle M. Meitner et K. Phillip, Chadwick, Blackett et Occhialini ont montré (...) que des électrons courbés par le champ magnétique dans le sens d'une charge positive sortaient du plomb lorsqu'on irradie celui-ci par le rayonnement émis par une source de Po + Be.
Ces expériences ne permettaient pas de conclure si l'émission d'électrons positifs était due à l'action des neutrons ou à celle des photons.
Nous avons entrepris de nouvelles expériences à l'appareil Wilson et nous avons montré que le nombre de positrons projeté par la source de glucinium irradié diminue de moitié quand on interpose 2 cm de plomb entre le glucinium irradié et le radiateur de plomb ; nous en avons conclu que ces électrons sont projetés par le rayonnement γ (...) et non par les neutrons.
F. JOLIOT et I. JOLIOT-CURIE, *in* Rev. gén. des sc. 1934, t. 45, p. 232.

2 Quant à l'électron positif ou positon, c'est une particule légère ayant même masse que l'électron avec une charge électrique égale et de signe contraire. Les propriétés de ce nouveau corpuscule élémentaire ont été reconnues conformes (...) à ce qu'avait fait prévoir la théorie de Dirac (...)
L. DE BROGLIE, Physique et Microphysique, p. 26.

REM. La tendance actuelle semble favoriser de nouveau l'emploi de *positron* [pozitʀɔ̃] avec sa forme originelle, *positron* s'alignant sur *électron* avec la disparition de *négaton.* « Les positrons résultant de la désintégration de l'isotope » (*Sciences et Avenir*, févr. 1980, p. 91). *« Les oscillations d'antineutrinos (anti-particule associée à chaque neutrino comme le positron est associé à l'électron) »* (*la Recherche*, mars 1981, p. 358).

Par comparaison :

3 Jacques (...) inventa quelques pas puis bondit par dessus une table avec la fougue d'un positon expulsé d'un noyau de bore. R. QUENEAU, Loin de Rueil, p. 101.

DÉR. Positonium.

POSITONIUM [pozitɔnjɔm] ou POSITRONIUM [pozitʀɔnjɔm] n. m. — Mil. XXe ; de *positon* ou *positron.*

♦ Phys. Combinaison de très courte durée, d'un électron (négatif) et d'un positon. *« Cette combinaison fut appelée charmonium avant même sa découverte — par analogie avec la combinaison électron-antiélectron ou positronium »* (*Sciences et Avenir*, mars 1978, p. 86).

POSOLOGIE [pozɔlɔʒi] n. f. — 1820 ; comp. du grec *poson* « combien », et *-logie.*

♦ Didact. (méd.). Indication de la dose* totale d'un médicament* à administrer à un malade, en une ou plusieurs fois, estimée selon son âge et son poids. *Indications et posologie d'un médicament.* ⇒ **Thérapeutique ; doser.**

DÉR. Posologique.

POSOLOGIQUE [pozɔlɔʒik] adj. — 1835 ; de *posologie.*

♦ Didact. De la posologie. *Table posologique*, donnant les doses maximales de certains médicaments.

POSSÉDABLE [posedabl] adj. — V. 1550, Rabelais ; de *posséder.*

♦ Qui peut être possédé. — *Biens, richesses possédables. — Femme possédable. Choses possédables par l'esprit* (→ Possession, cit. 0.1, Proust).

(...) il manquait à mes deux beautés possédables ce que j'ignorais tant que je ne les aurais pas vues : le caractère individuel.
PROUST, Sodome et Gomorrhe, Pl., t. II, p. 723.

POSSÉDANT, ANTE [posedɑ̃, ɑ̃t] adj. et n. — 1900, cit. 1 ; de *posséder.*

♦ Qui possède des biens, des richesses, des capitaux. *La bourgeoisie possédante.* — N. *Les possédants :* ceux qui possèdent des capitaux (⇒ **Capitaliste**), des richesses, de la fortune ; la classe qu'ils forment. *Le monarque* (cit. 2) *et les autres possédants. Les grands possédants* (→ Marasme, cit. 3).

Les rapports de non-possédant à possédant sont pires souvent, que n'étaient autrefois les rapports d'esclaves à maîtres. 1
Georges DARRIEN, la Belle France, 1900, p. 139, *in* D. D. L., II, 7.

Les Français d'Algérie, dont je vous remercie d'avoir rappelé qu'ils n'étaient pas tous des possédants assoiffés de sang, sont en Algérie depuis plus d'un siècle et ils sont plus d'un million. CAMUS, Actuelles III, p. 126. 2

POSSÉDER [posede] v. tr. — Conjug. *céder.* — XIVe ; v. 1120, *pursedeir ; possider* au XIIIe ; empr. lat. *possidere.*

♦ **1.** Avoir (un bien, une chose à sa disposition), d'une manière effective (et le plus souvent exclusive) et pouvoir s'en réserver la jouissance, l'usage (qu'on en soit ou non propriétaire). ⇒ **Avoir, détenir, disposer** (de), **jouir** (de), **tenir ; disposition, possession** (→ 2. Importer, cit. 13). *Posséder de l'argent*, une fortune*, des richesses*...* ⇒ **Capital** (n. ; cit. 7), **capitaliste** (→ Attacher, cit. 48 ; noble, cit. 25). *Posséder de grands biens.* → Opter, cit. 2. *Il possède de la fortune, des biens* (→ Être à la tête* de...). *Posséder cent écus* (cit. 4) *de rente. Conserver* (cit. 15), *garder ce qu'on possède. Donner, partager* ce qu'on possède, le peu qu'on possède* (→ Nécessiteux, cit. 2). *« L'un ne possédait rien qui n'appartînt* (cit. 2) *à l'autre ». Perdre* tout ce qu'on possède* (→ 2. Importer, cit. 21). *Ne rien posséder* (→ Pauvreté, cit. 10), *posséder assez pour vivre* (cf. Avoir de quoi vivre). — *Posséder des immeubles, une maisonnette* (cit.), *un coin de terre, une terre.* — Par ext. *Le monarque* (cit. 2) *possède tout le pays.* ⇒ **Maître** (être maître de). — Anciennt. (Compl. n. de personne). *Posséder des esclaves, des serfs, des paysans. Posséder des concubines* (→ Patriarche, cit. 3). — *Vouloir posséder ce qu'ont les autres.* ⇒ **Jalousie** (2.), **jaloux** (→ Envieux, cit. 3). *« Qui vit content* (cit. 7, Boileau) *de rien possède toute chose ». Qui n'a rien à désirer* (cit. 3) *perd pour ainsi dire tout ce qu'il possède* (→ Malheureux, cit. 9). *Ce qu'on désire* (cit. 5) *posséder.*

Il n'est pas nécessaire de pouvoir disposer d'une chose (...) pour l'*avoir ;* il suffit qu'elle nous appartienne ; mais pour la *posséder*, il faut qu'elle soit en nos mains, et que nous ayons la liberté actuelle d'en disposer, ou d'en jouir. 1
Abbé GIRARD, *in* GUIZOT, Dict. universel des synonymes, art. *Avoir, posséder.*

Toutes les occupations des hommes sont à avoir du bien ; et ils n'ont ni titre pour le posséder justement, ni force pour le posséder sûrement (...) 2
PASCAL, Pensées, VII, 436 bis.

Un amateur du jardinage, 3
Demi-bourgeois, demi-manant,
Possédait en certain village
Un jardin assez propre, et le clos attenant. LA FONTAINE, Fables, IV, 4.

Ils appellent à leur secours l'ami Gousse. Celui-ci, sans mot dire, vend tout ce qu'il possède, linge, habits, machines, meubles, livres ; fait une somme, jette les deux amoureux dans une chaise de poste, les accompagne à franc étrier jusqu'aux Alpes (...) DIDEROT, Jacques le fataliste, Pl., p. 557. 4

Quand tu trouves un diamant qui n'est à personne, il est à toi. Quand tu trouves une île qui n'est à personne, elle est à toi. Quand tu as une idée le premier, tu la fais breveter : elle est à toi. Et moi je possède les étoiles, puisque jamais personne avant moi n'a songé à les posséder. SAINT-EXUPÉRY, le Petit Prince, XIII. 5

Par plaisanterie :

Un soir, venant de perdre une bataille honnête, 6
Ne possédant plus rien qu'un grand mal à la tête,
Je regardais le ciel (...)
A. DE MUSSET, Poésies nouvelles, « Une bonne fortune » XXIII.

7 (...) je ne possède que des dettes (...)
CHATEAUBRIAND, Mémoires d'outre-tombe, t. V, p. 160.

Absolt. *Désirer* (cit. 15) *avec force, c'est presque posséder. Posséder et donner* (→ Joie, cit. 24). *Faim* (cit. 15) *d'avoir et de posséder.* ⇒ **Convoiter, convoitise.** *Ceux qui possèdent.* ⇒ **Possédant.** → Classe, cit. 5; contrat, cit. 6; 1. loi, cit. 10. *« Posséder est peu de chose, c'est jouir qui rend heureux »* (cit. 37).

8 Un vieillard n'existe que par ce qu'il possède. Dès qu'il n'a plus rien, on le jette au rebut. F. MAURIAC, le Nœud de vipères, I, III.

8.1 La Propriété, c'est la source de bien des malheurs, se met tout à coup à débiter le père Taupe, d'une voix monotone (...) Le secret du bonheur, c'est de ne pas posséder. Pour vivre heureux, vivons cachés, et pauvres, car moins l'on possède, plus on échappe à la fatalité. R. QUENEAU, le Chiendent, p. 283.

Dr. *La personnalité, aptitude à posséder* (→ Patrimoine, cit. 3). *Posséder par propriété, à titre précaire, à juste titre, de bonne foi...* ⇒ **Possession.** *Posséder pour soi; pour autrui* (code civil, art. 2236).

9 On est toujours présumé posséder pour soi, et à titre de propriétaire, s'il n'est prouvé qu'on a commencé à posséder pour un autre. Code civil, art. 2230.

Par ext. (Le compl. désigne un avantage par un mot abstrait). Avoir en propre. *Posséder des charges, des dignités... Posséder le pouvoir* (→ Arbitraire, cit. 6). *Posséder des droits* (3. Droit, cit. 3 et 8).

10 Vous seul ne pourriez pas ce que peut le vulgaire,
Et seriez devenu, pour avoir tout dompté,
Esclave des grandeurs où vous êtes monté!
Possédez-les, Seigneur, sans qu'elles vous possèdent. CORNEILLE, Cinna, II, 1.

11 (...) dans la société féodale, la justice se rendait le plus souvent au nom de la force. Qui possédait la meilleure épée, possédait le droit.
FUSTEL DE COULANGES, Leçons à l'Impératrice, p. 184.

(Sujet n. de chose : collectivité, etc.). *État qui possède une aristocratie* (cit. 7). *Pays qui possède de grandes richesses naturelles* (⇒ **Abonder, renfermer**), *plusieurs gisements de houille* (⇒ **Compter**)..., *un empire colonial...* (⇒ **Possession**).

12 (...) un pays qui possède un territoire, un empire colonial (...)
MARTIN DU GARD, les Thibault, t. VI, p. 126.

♦ **2.** Avoir en propre (une chose abstraite, idée, sentiment, caractère, qualité) dont on peut jouir, profiter. *Posséder, prétendre posséder la vérité** (→ Anéantir, cit. 2; discussion, cit. 6; incompréhensible, cit. 5). *Posséder une certitude. Posséder le secret de qqn, la preuve de qqch.* ⇒ **Détenir.** — Relig. *Posséder la gloire éternelle.* — *Posséder le vrai bonheur* (→ Lambris, cit. 5), *la joie* (→ Créer, cit. 13).

13 (...) il ne suffit pas de posséder une vérité, il faut que la vérité nous possède.
MAETERLINCK, le Trésor des humbles, XII.

14 On ne possède réellement que ce qu'on désire, car il n'est pas pour l'homme de possession totale, absolue. BERNANOS, Journal d'un curé de campagne, p. 143.

(1580, Montaigne). Avoir (une qualité, une vertu, un talent). — REM. Cet emploi, admis par l'Académie (8e éd.), ne se justifie que lorsque *posséder* renchérit sur *avoir* par l'idée d'exclusivité, de permanence ou d'utilité de la qualité envisagée. — *Posséder des facultés* (→ Équilibre, cit. 14), *une supériorité* (→ Géomètre, cit. 2), *des talents* (→ Peindre, cit. 11; imitation, cit. 2). *Posséder une longue expérience* (→ Désagréable, cit. 4), *une mémoire excellente* (→ Lacune, cit. 5). *Posséder une nature d'esprit* (cit. 132), *des manières nobles* (→ Autre, cit. 93), *un air comme il faut* (cit. 36). *Posséder à la fois charme et beauté.* ⇒ **Unir.**

15 (...) il croit, avec quelque mérite qu'il a, posséder tout celui qu'on peut avoir, et qu'il n'aura jamais (...) LA BRUYÈRE, les Caractères, I, 24.

16 Pour avoir du talent, il faut être convaincu qu'on en possède (...)
FLAUBERT, Correspondance, 323, 30 mai 1852.

(En parlant de caractères physiques). *Posséder un corps souple* (→ Avantage, cit. 18), *une encolure de taureau, d'immenses narines* (cit. 6). — REM. Cet emploi constitue soit un figuré plaisant du sens 1 (→ ci-dessus, cit. 6, Musset), soit une redondance fâcheuse par rapport à *avoir.*

17 Waterspiel possédait une voix de clown, une large bedaine et des paupières au bord enflammé, si bien qu'il avait toujours l'air de rire.
G. DUHAMEL, la Pierre d'Horeb, XIV.

18 *(le médecin-chef)* venait d'être nommé à quatre galons. Cet homme possédait en plus les plus beaux yeux du monde (...) il s'en servait beaucoup pour l'émoi de quatre charmantes infirmières (...) CÉLINE, Voyage au bout de la nuit, p. 82.

Sc. (Sujet n. de chose). Avoir en propre et en permanence. *Posséder certains caractères, certaines propriétés* (→ 2. Ensemble, cit. 18; haschisch, cit. 2; oxygène, cit. 2). — Cour. (Emploi critiqué). Avoir*. *Ses oreilles possédaient une sorte de mobilité* (cit. 2)... *L'avion possède une ceinture de hublots* (cit. 4).

♦ **3.** (Mil. XVIIe). Avoir une connaissance de (qqch.). ⇒ **Connaître** (I., 2.). *Posséder un art*, un métier* (cit. 16), *une technique... Posséder un idiome* (cit. 3), *une langue étrangère, une science* (→ Mécanique, cit. 11). *Posséder son* latin, son grec..., son Shakespeare... Posséder à fond les principes d'hygiène* (cit. 2). *Posséder son rôle,* le connaître parfaitement, le jouer avec maîtrise (→ Acteur, cit. 8).

19 Ceux qui possèdent Aristote et Horace voient d'abord (...) que cette comédie pèche contre toutes les règles de l'art.
MOLIÈRE, Critique de l'École des femmes, 6.

20 *(Ils)* embrassent toutes *(les connaissances)* et n'en possèdent aucune (...)
LA BRUYÈRE, les Caractères, XIII, 2.

Pour suffire aux exigences imprévues des auteurs, il faut posséder à fond tous les pays, toutes les époques, tous les styles; il faut connaître la géologie, la flore et l'architecture des cinq parties du monde. 21
Th. GAUTIER, Portraits contemporains, Joseph Thierry.

Mais je doute que l'on trouve beaucoup d'exemples de grands écrivains qui ne possèdent admirablement leur langue, qui ne sachent profiter et jouer de ses ressources, tout en tenant compte de ses règles, fût-ce en les bousculant un peu. 22
GIDE, Attendu que..., p. 51.

♦ **4.** Être en mesure de profiter, de jouir de (un sentiment, chez une autre personne). *Posséder l'amour, l'affection d'une femme. Posséder les faveurs, les bonnes grâces*.* — *Posséder le cœur* (cit. 75) *d'une femme.*

Ne possédez-vous pas son oreille et son cœur? RACINE, Esther, III, 2. 23

Autrefois on rêvait de posséder le cœur de la femme dont on était amoureux; plus tard, sentir qu'on possède le cœur d'une femme peut suffire à vous en rendre amoureux. PROUST, Du côté de chez Swann, Pl., t. I, p. 196. 24

Par ext. (Compl. nom de personne).

[a] (XVIIe, Sévigné). Vx. Avoir avec soi, profiter de la présence et de la compagnie de... — Spécialt. « Jouir de la présence d'une personne dont la vie se prolonge » (Bossuet, *in* Littré). *« J'ai l'inappréciable* (cit. 3) *bonheur de posséder encore ma mère »* (Duhamel). ⇒ **Avoir.**

[b] (XVIIe). *Posséder une femme :* jouir de ses faveurs, en être aimé (dans les rapports sentimentaux aussi bien que physiques). → Amour, cit. 11; assouvissement, cit. 6. *Posséder une femme tout entière* (cit. 18), *corps et âme...* — REM. Cet emploi, de nos jours, comporte souvent l'idée d'appropriation, de domination exercée sur la personne que l'on possède (→ ci-dessous la cit. de Proust qui constitue un jeu de mots avec le sens 1).

J'avais rassemblé mes plus tendres affections dans une personne selon mon cœur, qui me les rendait. Je vivais avec elle sans gêne, et pour ainsi dire à discrétion (...) En la possédant, je sentais qu'elle me manquait encore, et la seule idée que je n'étais pas tout pour elle faisait qu'elle n'était presque rien pour moi. 25
ROUSSEAU, les Confessions, IX.

(...) les femmes de notre faubourg aiment, comme toutes les autres, à se baigner dans l'amour; mais elles veulent posséder sans être possédées. 26
BALZAC, la Duchesse de Langeais, Pl., t. V, p. 200.

(...) quand je commençais à regarder Albertine comme un ange musicien merveilleusement patiné et que je me félicitais de posséder, elle ne tardait pas à me devenir indifférente; je m'ennuyais bientôt auprès d'elle, mais ces instants-là duraient peu : on n'aime que ce en quoi on poursuit quelque chose d'inaccessible, on n'aime que ce qu'on ne possède pas, et bien vite je me remettais à me rendre compte que je ne possédais pas Albertine. 27
PROUST, la Prisonnière, Pl., t. III, p. 384.

Ce que vous appelez, mon cher maître, l'orgueil du mâle est si fort, et le fait d'avoir vraiment possédé une femme, d'avoir eu d'elle et son corps, et son âme, et ses sentiments, et ses sensations, satisfait cet orgueil (...) 28
Paul BOURGET, le Disciple, IV, VI.

(...) les êtres sont incommunicables et se dérobent à toutes les observations : en particulier, la personne aimée nous est complètement étrangère; nous ne la possédons jamais. J. CHARDONNE, Éva..., p. 16. 29

Spécialt. Vx. Épouser (une femme). Cf. Beaumarchais, *le Barbier de Séville,* IV, 1.

[c] (XVIIe). Avoir des rapports sexuels de type viril avec (un ou une partenaire). *Posséder une femme,* accomplir avec elle l'acte sexuel. ⇒ **Connaître** (II., 3.), **pénétrer, prendre** (→ Difficile, cit. 32); (fam.) **baiser, bourrer, enfiler, piner, tringler...** → Envoyer (s'), faire (se), payer (se).

Leur passion bien préparée avait grandi par ce qui tue les passions, par la jouissance. En possédant cette femme, Eugène s'aperçut que jusqu'alors il ne l'avait que désirée, il ne l'aima qu'au lendemain du bonheur : l'amour n'est peut-être que la reconnaissance du plaisir. 30
BALZAC, le Père Goriot, Pl., t. II, p. 1057.

Nous nous persuadons qu'un corps peut être possédé (...) Nous entrons en lui, nous buvons son souffle nous ne le possédons pas (...) Nous ne trouvons jamais ce corps que nous cherchions. F. MAURIAC, le Fleuve de feu, II, p. 123. 31

[d] (XVIIe, fig. du sens 1). Fig. Exercer une domination sur qqn, le tenir à sa merci (→ Domination, cit. 5). Absolt. → Esclave, cit. 6.

(...) les becs de gaz faisaient danser devant ses yeux des nudités, les bras souples, les épaules blanches de Nana; et il sentait qu'elle le possédait, il aurait tout renié, tout vendu, pour l'avoir une heure le soir même. ZOLA, Nana, V. 32

[e] (1910, « se moquer de..., tromper », *in* Chautard; 1914, « forcer à faire quelque chose », *in* Dauzat). Fam. (Du sens sexuel). Avoir le dessus sur (qqn), et, spécialt, en trompant, en dupant... *Il nous a bien possédés!* ⇒ **Avoir** (*supra* cit. 56), **feinter, pigeonner, rouler.** *Se faire posséder.*

♦ **5.** (XVIe, Montaigne). Le sujet désigne un sentiment, une tendance. Dominer moralement (qqn), s'emparer de son esprit, de son âme. ⇒ **Dominer.** *La jalousie* le possède,* le tient, le subjugue. *Quel chagrin* (2. Chagrin, cit. 17) *vous possède? Une certitude inébranlable le possède* (→ Entêtement, cit. 5). Au p. p. *Possédé par l'ambition* (→ Impossible, cit. 20), *de l'envie de...* (→ Parader, cit.). *Cet homme pris et possédé de son savoir* (→ Guet, cit. 5). — *Son talent le possède* (→ Maîtrise, cit. 9).

(...) — Cet amour, Seigneur, qui vous possède. RACINE, Britannicus, III, 1. 33

— Quoi! cette égoïste passion de l'âge mûr s'est emparée de vous, à vingt ans, Henri! L'ambition est la plus triste des espérances. — Et cependant elle me possède à présent tout entier; car je ne vis que par elle, tout mon cœur en est pénétré. A. DE VIGNY, Cinq-Mars, XI. 34

35 J'attendais une révélation. L'incroyable certitude me possédait que cette soirée où j'avais quinze ans me réservait des surprises infinies (...)
F. MAURIAC, la Robe prétexte, X.

(Le sujet désigne une chose concrète). *Ce malheureux « ne possédait pas l'or, mais l'or* (1. Or, cit. 17) *le possédait »* (La Fontaine).

36 L'aîné possédera seul; que dis-je, c'est lui qui est possédé : les usages de sa terre le dominent, ce fier baron; sa terre le gouverne, lui impose ses devoirs; selon la forte expression du moyen âge, il faut *qu'il serve son fief.*
MICHELET, Hist. de France, IV, II.

♦ **6.** Vx. ou littér. Dominer, maîtriser (ses propres états). ⇒ **Contenir, maîtriser.** *Posséder son âme* (→ Calmer, cit. 6, Sévigné). *Posséder sa colère, sa douleur... :* → ci-dessous Se posséder.

37 (...) sa pensée semblait haleter comme une respiration (...) La possession complète de soi-même (...) Sa voix saccadée était pénétrée d'une certitude sauvage, mais il semblait bien plus posséder son exaltation qu'être possédé par elle.
MALRAUX, la Condition humaine, IV, 11 avril, Une heure.

♦ **7.** (XVIIe). S'emparer du corps et de l'esprit de (qqn), en parlant d'une force occulte, surnaturelle (esprit, démon...). *Un démon le possède* (→ ci-dessous Possédé).

38 Un démon m'habitait. Il ne me posséda jamais plus impérieusement qu'à notre retour à Alger (...) GIDE, Et nunc manet in te, Journal intime, 8 févr. 1939.

Relig. (En parlant de la grâce, de l'esprit divin...).

39 (...) c'est un Dieu qui remplit l'âme et le cœur de ceux qu'il possède (...)
PASCAL, Pensées, VIII, 556.

40 Donc, ceux qui étaient possédés quelque temps de la grâce par ce premier effet, cessent de prier, manque de ce premier effet. PASCAL, Pensées, VII, 514.

▶ **SE POSSÉDER** v. pron. (→ ci-dessus 6.). ⇒ **Contenir** (se), **dominer** (se), **maîtriser** (se). *Un homme calme* et froid, qui se possède parfaitement. La modération* (cit. 1) *est l'état d'une âme qui se possède.* — (Plus fréquemment au négatif). *Ne pas se posséder :* perdre son sang-froid, s'emporter. *Il ne se possédait pas* (→ 1. Pensée, cit. 5). *Il ne se possède plus de joie :* il est transporté, il ne se sent pas de joie.

41 Je prie à tout hasard; et quoi qu'il m'advînt, je ne m'en réjouirais ni m'en plaindrais, si je me possédais; mais c'est que je suis inconséquent et violent, que j'oublie mes principes ou les leçons de mon capitaine et que je ris et pleure comme un sot.
DIDEROT, Jacques le fataliste, Pl., p. 640.

42 Encore à cette seconde, elle pouvait rattraper la phrase, lâchée dans un oubli de tout. Il lui aurait suffi de rire, de jouer l'étourdie. Mais elle s'entêta, ne se possédant plus, inconsciente. ZOLA, la Bête humaine, I.

▶ **POSSÉDÉ, ÉE** p. p. adj.

♦ **1.** *Les biens possédés de bonne foi.* — Fig. *Le bonheur pleinement possédé.* — Fam. *Il a été bien possédé* (→ ci-dessus 4., e.).

♦ **2.** (XVe). Spécialt. → ci-dessus 7. Se dit de la personne dont une puissance occulte, surnaturelle..., s'est emparée. *Possédées d'un démon* (→ 2. Griot, cit.), *du démon** (→ Muet, cit. 17), *du diable*, par des esprits malins* (→ Exorciste, cit.1). Par métaphore. *« (...) et comme possédé par le démon* (cit. 11, Chateaubriand) *de mon cœur ». La cathédrale* (cit. 2) *était possédée et remplie de Quasimodo.* — Absolt. *Elles étaient possédées* (→ Ensorceler, cit. 1).

(XVIIe). N. *Un possédé, une possédée.* ⇒ **Démoniaque** (→ Démon, cit. 12). *Les possédées de Loudun. Exorciser* (cit. 4) *un possédé* (→ Horoscope, cit. 3). — *Les Possédés,* roman de Dostoïevski.

43 (...) la chicane s'était emparée du corps de ce petit homme, de la même manière que le Démon se saisit du corps d'un possédé.
FURETIÈRE, le Roman bourgeois, I, p. 13.

44 — (...) Cependant, Jacques, si vous étiez possédé (...) — Quel remède y aurait-il à cela? — Le remède! ce serait, en attendant l'exorcisme (...) ce serait de vous mettre à l'eau bénite pour toute boisson.
DIDEROT, Jacques le fataliste, Pl., p. 726.

44.1 (...) comme la pythie de Delphes est possédée d'Apollon, la Grèce est la possédée d'un romanesque ébloui. MALRAUX, la Métamorphose des dieux, p. 57.

(1709). Loc. *Se démener, jurer comme un possédé.* ⇒ **Furieux, insensé.** — Fig. (→ Furie, cit. 4; obséder, cit. 7).

45 Pourquoi dit-on un amoureux? On devrait dire un possédé. Être possédé du diable, c'est l'exception; être possédé de la femme, c'est la règle. Tout homme subit cette aliénation de soi-même. Quelle sorcière qu'une jolie femme!
HUGO, l'Homme qui rit, II, III, IX.

COMP. Coposséder, déposséder.

POSSESSEUR [pɔsesœʀ] n. m. — 1355; *possessor,* 1284; lat. *possessor,* de *possidere.* → Posséder.

♦ **1.** Personne qui possède (un bien). *Le possesseur d'un bien peut en être propriétaire* ou seulement détenteur*.* ⇒ aussi **Acquéreur.** *C'est elle le possesseur de cette maison; elle en est le possesseur.* — REM. Le féminin *possesseuse* (→ ci-dessous, cit. Gide) est pratiquement inusité. — *Elle était possesseur d'une grande fortune* (A.-V. Thomas). *Le bourgeois* (cit. 9), *possesseur paisible et paresseux de ce qu'il a... Tranquille possesseur de ce qu'il détient* (cit. 1). *Possesseur d'une créance* (→ Évincer, cit. 2), *d'un titre; d'une fortune; de maisons* (→ Opération, cit. 10). *Possesseur d'une terre; d'un fief* (cit. 1 et 2). → Féodal, cit. 2. — Absolt. *Le possesseur, le terrien... et l'homme d'idée* (→ Fait, cit. 16).

1 (...) Jacob mourant, et bénissant ses douze enfants, leur déclare qu'ils seront possesseurs d'une grande terre, et prédit particulièrement à la famille de Juda que les rois qui les gouverneraient un jour seraient de sa race et que tous ses frères seraient ses sujets (...) PASCAL, Pensées, XI, 711.

Cette masse triomphante ne s'apercevra pas qu'elle aura contre elle une autre masse terrible, celle des paysans possesseurs : vingt millions d'arpents de terre vivant, marchant, raisonnant, n'entendant à rien, voulant toujours plus (...) 2
BALZAC, Mémoires de deux jeunes mariées, Pl., t. I, p. 174.

Le client, devenu possesseur, souffrit de ne pas être propriétaire et aspira à le devenir. FUSTEL DE COULANGES, la Cité antique, IV, VI. 3

Dr. *Possesseur de bonne foi* (Code civil, art. 550). *Possesseur à titre précaire* (⇒ **Détenteur**). *Le simple possesseur et le propriétaire** (→ Fruit, cit. 35). ⇒ **Possession; dépositaire, fermier, usufruitier.** *Possesseur incommutable* (cit. 2).

♦ **2.** Personne qui exerce un pouvoir sur qqch., et qui peut en jouir, en user. *Le possesseur d'une place forte.* ⇒ **Maître** (→ Dominer, cit. 9). *Nous pourrions nous rendre « comme maîtres et possesseurs de la nature »* (cit. 59). *Possesseurs d'un secret* (→ Guerre, cit. 41), *de la vérité...* ⇒ **Dépositaire.** — Au fém. (Rare). *La possesseuse.*

(...) je songe que peut-être cette humble herbe que je foule au pied, attend, possesseuse d'un secret, que l'homme formule enfin la question dont elle serait la réponse. GIDE, Journal, Feuillets (1925). 4

♦ **3.** Spécialt et vx (langue class.). Celui qui possède le cœur d'une femme; amant, mari.

Néron n'est pas encore tranquille possesseur 5
De l'ingrate qu'il aime au mépris de ma sœur. RACINE, Britannicus, III, 5.

Je crois qu'il y a bien peu d'hommes qui n'aient été mis dans quelque placard, à l'arrivée du mari ou du possesseur en titre. 6
BARBEY D'AUREVILLY, les Diaboliques, « À un dîner d'athées », p. 353.

POSSESSIF, IVE [pɔsesif, iv] adj. et n. m. — 1380; lat. *possessivus,* dér. de *possidere.* → Posséder.

★ **I.** Gramm. ♦ **1.** Adj. Qui marque une relation d'appartenance, un rapport de dépendance, etc. ⇒ **Mon** (REM. 3). *Adjectifs possessifs* (forme atone, faible). ⇒ **Mon** (ma, mes), **ton** (ta, tes), **son** (sa, ses), **notre** (nos), **votre** (vos), 2. **leur** (1.). *Adjectifs possessifs purs ou pronoms possessifs* (forme tonique, forte). ⇒ **Mien*** (adj. : I.; pronom : II.), **tien, sien, nôtre, vôtre,** 2. **leur** (2.).

L'adjectif possessif est dans beaucoup de langues tiré du génitif du pronom personnel. MEILLET et VENDRYES, Traité de grammaire comparée..., p. 468. 1

♦ **2.** N. m. (1765). *Un possessif. Renforcement du possessif par « propre* ». Possessifs et personnels** (à moi, de moi). Lui *faisant fonction de possessif.* ⇒ **Lui** (*infra* cit. 10; et *infra* cit. 43), **moi** (I., 9.)... *Possessif remplacé par l'article* (→ 1. Le, *supra* cit. 6), *par en* (⇒ **En,** II., 2.). *Possessif employé avec un participe* (à mon insu, à son corps défendant, de mon vivant...). *Le possessif et son antécédent* (cit. 2). *Pléonasme du possessif et de dont* (cit. 17). *Lui** (*supra* cit. 44), *moi**(I., 6.), *renforçant un possessif* (son ami à lui). *Le possessif après chacun** (cit. 15 et *supra*).

(...) si le possessif énonce souvent le fait qu'il y a réellement possession (...) plus souvent (...) ce n'est pas la possession qu'il énonce. Quand on dit : *mes élèves, leurs progrès, vos soucis,* il est certain que le possessif ne marque là qu'une simple *relation de chose à personne,* qu'une dépendance (...) De même lorsqu'on dit (...) en parlant d'une porte, *sa serrure,* on marque simplement ainsi une relation étroite de chose à chose (...) G. et R. LE BIDOIS, Syntaxe du franç. moderne, § 334. 2

★ **II.** Psychol., psychan. Qui s'exerce, agit dans un sens appropriatif. ⇒ **Captatif.** *Sentiment possessif.* ⇒ **Exclusif** (3.). — (Personnes). Qui a des sentiments de possession, d'autorité absolue à l'égard d'autrui (dans le domaine affectif). *Il est trop possessif avec ses amis, avec sa femme.*
Mère possessive (⇒ **Abusif**) : mère qui maintient l'enfant dans des relations infantiles, l'empêche d'évoluer normalement.

Ce qu'il était, c'était — comment dire? — possessif. Il n'y a pas d'autre mot. Ce qu'il avait, c'était l'instinct — oh! très fort — de la propriété, de la chose personnelle. G. DUHAMEL, Chronique des Pasquier, p. 227-228. 3

La paix d'Ingrattière était perdue. Adeline morte, Muguette y régna en maîtresse autoritaire et devint, soudain mûrie, une mère possessive. 4
Thyde MONNIER, Filles du feu, p. 116.

CONTR. Oblatif.

POSSESSION [pɔsesjɔ̃] n. f. — XIIe; lat. *possessio,* dér. de *possidere.* → Posséder.

★ **I.** (1190). Le fait, l'action de posséder, d'être possédé.

♦ **1.** Faculté d'user, de jouir (d'un bien dont on dispose). ⇒ **Posséder** (1.); **appartenance,** 2. **avoir** (3.), détention, propriété; et aussi **disposition, jouissance, usage.** *La possession d'un bien, d'une chose par qqn. « L'usage seulement fit la possession »* (→ Avare, cit. 13). *Les objets dont la possession nous flatte* (→ Maudire, cit. 12; et aussi patrimoine, cit. 1). *Perte ou possession de pièces d'or* (→ Jeu, cit. 36). *Le désir* (cit. 3) *et la possession d'une chose. Possession d'une fortune, d'immeubles, de terres* (⇒ **Domaine**). *Possession exclusive, jalouse. Possession en commun** (⇒ **Collectivité**). — *S'assurer la possession de... :* se procurer.

(...) la seule possession qui soit impossible (les choses n'étant possédables que par l'esprit), la possession matérielle. PROUST, Jean Santeuil, Pl., p. 482. 0.1

Loc. EN (LA, SA...) POSSESSION (Sens actif). *Être en possession de...* ⇒ **Avoir, détenir, posséder; maître** (être maître de...). *Entrer* en possession.* ⇒ **Acquérir, prendre.** *Rentrer en possession.* ⇒ **Recou-**

vrer, récupérer, ressaisir. *Mettre en possession de...* ⇒ **Nantir.** *Avoir en sa possession quantité de biens.* ⇒ **Regorger.** *Garder* en sa possession.* ⇒ **Devers** (par devers soi), **main** (entre ses mains). — (Sens passif). *Être en la possession de qqn.* ⇒ **Appartenir, être** (à).

Dr. « État de fait, qui consiste à détenir une chose d'une façon exclusive et à accomplir sur elle les mêmes actes matériels d'usage et de jouissance que si on en était propriétaire » (Planiol, *Traité élémentaire de droit civil,* t. I, p. 773). ⇒ **Propriété; jouissance** (2.). *Possession et usufruit*. Élément intentionnel de la possession.* ⇒ **Animus.** *Vices de la possession* (discontinuité ; vice de violence, de clandestinité, d'équivoque...). *Présomption de propriété fondée sur la possession. — Possession de bonne foi* (en vertu d'un titre translatif de propriété dont le possesseur ignore les vices). *Protection de la possession immobilière.* ⇒ **Possessoire.** *Possession paisible et utile* (→ Garantie, cit. 1 ; garantir, cit. 3). *Possession véritable et possession à titre précaire* (⇒ **Détention**). *Appropriation** (cit. 3) *et possession. Prise de possession.* ⇒ **Occupation; occupant.** *Transfert de possession* (par suite d'une obligation*, etc.). *Délai de possession fondant la propriété.* ⇒ **Prescription** (acquisitive), **usucapion.** *Objets mobiliers dont le propriétaire a perdu la possession* (→ Épave, cit. 4). — Par ext. *Possession d'un droit, d'une créance. Possession d'État.* ⇒ **État** (II., 3.).

1 La possession est la détention ou la jouissance d'une chose ou d'un droit que nous tenons ou que nous exerçons par nous-mêmes, ou par un autre qui le tient ou qui l'exerce en notre nom. Code civil, art. 2228.

2 En fait de meubles, la possession vaut titre. Néanmoins celui qui a perdu ou auquel il a été volé une chose, peut la revendiquer pendant trois ans (...)
Code civil, art. 2279.

3 Les jurisconsultes romains n'ont d'abord connu et compris la possession que dans son application la plus parfaite : le cas où une personne détient une chose, d'une manière actuelle et exclusive, et peut s'en servir, et au besoin la détruire et la consommer (...) Mais avec le temps on admit, à côté de cette possession des choses corporelles, ou *possessio rei,* un autre genre de possession qui consistait à exercer en fait, sur une chose, un *simple droit de servitude.* Ce fut ce qu'on appela la *possessio juris* ou *quasi-possessio (...)* dans notre droit moderne, la notion de possession est même sortie du domaine des droits réels (...)
M. PLANIOL, Traité élémentaire de droit civil, t. I, p. 773.

Envoi en possession : droit à entrer en possession d'un héritage*, pour les successeurs irréguliers (correspondant à la *saisine** des successeurs légitimes), ou pour les héritiers présomptifs d'un absent. ⇒ **Succession.** *Envoi en possession provisoire, définitif. Envoyer en possession* (→ Homologuer, cit. 2).

Dr. féod. *Possession d'un fief* (→Continuer, cit. 10). ⇒ **Fief** (1.), **tenure; investiture.**

4 Pour le seigneur, la possession valait titre (...)
JAURÈS, Hist. socialiste..., t. III, p. 17.

Par ext. (Surtout dans des expressions verbales). *Possession d'une terre, d'un territoire* (par un peuple, une armée...). → 2. Germain, cit. ; occupation, cit. 6. *Prendre possession d'une position stratégique, d'un territoire...* ⇒ **Conquérir, conquête, emparer** (s'), **occuper.** *Pays qui tombe en la possession d'un conquérant, d'un envahisseur.*

PRENDRE POSSESSION DE... (un lieu) : s'y installer comme chez soi. *Prendre possession d'une chambre. Animaux qui prennent possession de leur habitat* (→ Isard, cit. ; logette, cit. 2). — Figuré :

5 Le silence reprit possession de son empire. Un vrai silence provincial que perçait, de loin venu, le cri d'une locomotive en transes.
G. DUHAMEL, Chronique des Pasquier, III, I.

(XVIe). *Possession d'un titre, d'une fonction... Mettre qqn en possession de sa charge.* ⇒ **Installation, installer, investir.** — Par ext. (Vx). Privilège, droit. *En possession de...* suivi de l'infinitif : en droit ou en mesure de..., capable de... (→ Fonder, cit. 27, La Bruyère).

♦ **2.** (Abstractions). Le fait de posséder (2.) par l'esprit. *La possession des biens véritables* (→ Assurer, cit. 7), *du beau* (→ Aisance, cit. 1), *du « certain », de la vérité* (→ Étonner, cit. 14). *Possession jalouse du bonheur* (→ Famille, cit. 25). — *L'humour* (cit. 5) *est la possession de l'objet par l'esprit. — Prendre possession d'une chose par l'imagination* (→ Magique, cit. 5).

6 La possession de l'autre monde est faite du renoncement à celui-ci.
GIDE, Journal, Feuillets (1928).

♦ **3.** (XVIIe). Absolt. Jouissance d'un bien, d'un plaisir, opposé à *désir,* cit. 7 ; à *espérance,* cit. 5 ; à *envie* (→ Crainte, cit. 4). *La possession flétrit* (cit. 10) *toute chose.*

♦ **4.** (XVIe, Montaigne). Le fait de posséder (4.) l'amour, l'affection, le cœur de qqn (→ Assurer, cit. 82).

7 (...) j'excuse en elle un pareil mouvement ; votre cœur doit lui être précieux, et, il n'est pas étrange que la possession d'un homme comme vous puisse inspirer quelques alarmes. — La possession de mon cœur est une chose qui vous est toute acquise. MOLIÈRE, le Bourgeois gentilhomme, V, 3.

Le fait de posséder* (4., b. ou c.) un partenaire amoureux (traditionnellement, une femme) → Abstraire, cit. 2 ; fureur, cit. 8 ; goût, cit. 39.

8 Celui qui disait : Je possède Laïs sans qu'elle me possède, disait un mot sans esprit. La possession qui n'est pas réciproque n'est rien : c'est tout au plus la possession du sexe, mais non pas de l'individu. ROUSSEAU, Émile, IV.

9 Elle a toujours cru que rien n'attachait tant un homme à une femme que la possession, et quoiqu'elle n'aimât ses amis que d'amitié, c'était d'une amitié si tendre, qu'elle employait tous les moyens qui dépendaient d'elle pour se les attacher plus fortement. ROUSSEAU, les Confessions, V.

Depuis six semaines, Marius, peu à peu, lentement, par degrés, prenait chaque jour possession de Cosette. Possession toute idéale, mais profonde. 10
HUGO, les Misérables, IV, VIII, VI.

Pourtant la possession d'une femme qui a de la beauté, de la jeunesse et de l'esprit, constitue ce que, dans tous les temps et dans tous les pays, on a appelé et appelle avoir une maîtresse, et je ne pense pas qu'il y ait une autre manière. 11
Th. GAUTIER, Mlle de Maupin, III.

Absolt. *Le désir, l'espérance* (cit. 22) *et la possession* (→ aussi Anticiper, cit. 4). *Avant-goût* (cit. 3) *de la possession. Envies, fureur* (cit. 13) *de possession* (→ Exercer, cit. 20). *Le dégoût qui suit ordinairement la possession* (→ Blaser, cit. 6). — *Possession physique* (→ Désir, cit. 19 ; humain, cit. 6).

L'amour sensuel ne peut se passer de la possession, et s'éteint par elle. 12
ROUSSEAU, Julie ou la Nouvelle Héloïse, III, XVIII.

Un amour sans possession se soutient par l'exaspération même des désirs (...) 13
BALZAC, le Lys dans la vallée, Pl., t. VIII, p. 961.

(...) notre amour (...) était surtout physique et sauvage. Seulement la possession, ordinairement si meurtrière, le vivifiait, l'accroissait, au lieu de l'anéantir. Il n'avait pas les langueurs rêveuses ni les contemplations muettes qui prennent les amants rassasiés (...) BARBEY D'AUREVILLY, Une vieille maîtresse, I, VIII. 14

♦ **5.** Domination morale sur qqn (⇒ **Posséder,** 5. ; **domination,** cit. 5).

♦ **6.** État d'une personne qui maîtrise ses facultés, ses sentiments (⇒ **Posséder, 6.** ; et aussi se posséder). *Possession de soi.* ⇒ **Calme, maîtrise.** *Prendre, reprendre possession de soi, de soi-même.*

(...) le verrou tiré, il se crut imprenable ; la chandelle éteinte il se sentit invisible. Alors il prit possession de lui-même ; il posa ses coudes sur la table, appuya la tête sur sa main, et se mit à songer dans les ténèbres. 15
HUGO, les Misérables, I, VII, III.

Ses traits se remirent en place ; les couleurs naturelles lui revinrent, il avait complètement repris possession de lui-même (...) 16
Th. GAUTIER, le Capitaine Fracasse, VIII.

Loc. **EN POSSESSION, DANS LA POSSESSION DE...** *Être en possession de son intelligence, de sa personnalité, de toutes ses facultés,* dans son état normal, ni fou ni gâteux. ⇒ **Jouir** (de). → Fraterniser, cit. 6 ; interprète, cit. 16. *En pleine, dans la pleine possession de son génie* (→ Démarche, cit. 5 ; éthéré, cit. 4). *Être en pleine possession de ses moyens,* dans sa meilleure forme.

♦ **7.** (Académie, 1694 ; utilisé depuis l'affaire des Ursulines de Loudun et le procès de Grandier [1632-1634]). Fait pour un être humain d'être habité, dirigé par un être surnaturel, en général maléfique (correspond à *posséder,* 7.). *Crime de magie, maléfice* (cit. 2), *possession.*

(...) je subis le phénomène que les thaumaturges appelaient la possession. Deux esprits se sont emparés de moi. Y en a-t-il réellement un bon et un mauvais ? 17
G. SAND, Elle et Lui, XII, p. 272.

Mod. Psychiatrie. Forme de délire dans lequel le malade se croit habité et dirigé par une force occulte, par un être surnaturel, et, spécialt, un démon (⇒ **Démonomanie** [vx], **démonopathie**) et qui comporte un sentiment de dédoublement de la personnalité, des hallucinations visuelles et psycho-motrices, des troubles cénesthésiques. *Délire de possession. — Syndromes de pseudo-possession dans la mélancolie. La lycanthropie, délire de possession corporelle par un animal* (⇒ **Zoopathie**).

♦ **8.** (1732, D'Olivet). Gramm. Mode de relation exprimé par les possessifs* (→ aussi Mon, cit. 12) ou les prépositions *de* et *à (le bureau de mon père).* On dit aussi *appartenance.*

La « possession », qu'il s'agisse d'une propriété réelle, ou seulement de quelque rapport d'appartenance, d'appropriation personnelle, peut être marquée par les prépositions *à* et *de.* G. et R. LE BIDOIS, Syntaxe du franç. moderne, § 330. 18

(...) ce qu'on appelle en grammaire la possession n'est pas ce que juridiquement on appellerait ainsi : c'est tout rapport, de quelque nature qu'il soit, que l'on établit spécialement entre la substance dite possédée et l'une des personnes grammaticales (...) 19
DAMOURETTE et PICHON, Essai de grammaire..., t. VI, p. 557, § 2603 (→ aussi Bon, cit. 11).

★ **II.** (1120). *(Une, des possessions).*

♦ **1.** Chose possédée par qqn. ⇒ 2. **Avoir** (1.), 2. **bien** (I., 2.), **chose** (spécialt). *Une possession* (→ Gloire, cit. 7), ou, plus souvent, *des possessions.* — Spécialt. Les terres. ⇒ **Domaine** (→ 1. Bourse, cit. 8).

Les possessions nouvelles de Louis XIV (→ Incorporation, cit. 2).

♦ **2.** Dr. publ. Dépendance coloniale d'un État. ⇒ **Colonie, établissement** (2.), **territoire.**

CONTR. Dépossession, privation.

POSSESSIONNÉ, ÉE [pɔsesjɔne] adj. — XVe, puis 1776 ; de *possession.*

♦ **1.** Vx. Qui a des possessions.

♦ **2.** Hist. *Prince possessionné :* prince d'Empire, vassal de l'Empereur, exerçant des droits régaliens en Alsace.

POSSESSIONNEL, ELLE [pɔsesjɔnɛl] adj. — 1836; de *possession.*

♦ Dr. Qui marque la possession. *Acte possessionnel.*

POSSESSIVITÉ [pɔsesivite] n. f. — 1946; de *possessif.*

♦ Didact. (psychol., psychan.). Fait d'être, de se montrer possessif (II.), possessive. ⇒ **Captativité.** *Caractère de possessivité de certains comportements affectifs.*

1 Ce double courant de possessivité intense, exclusive et jalouse entre la mère et le fils se heurte à la barrière des convenances morales, et comme la mère reste enveloppée d'un nimbe d'idéale pureté, la sexualité se voit disloquée.
E. MOUNIER, la Relation sexuelle, *in* Dr WILLY, la Sexualité, t. I, p. 36.

2 Et là, Véréna avait été aussi impressionnée par l'amour fou que révélaient cette haine et ces mots orduriers. Elle enviait cette possessivité violente qui bravait l'humiliation et le ridicule pour triompher, finalement.
Geneviève DORMANN, Fleur de péché, p. 23.

CONTR. **Oblativité.**

POSSESSOIRE [pɔseswaʀ] adj. — 1399, E. Deschamps; lat. *possessorius,* de *possidere.* → Posséder.

♦ Dr. Relatif à la protection judiciaire de la possession (immobilière). *Actions possessoires :* actions réelles servant au possesseur « à se faire maintenir en possession quand elle est troublée et à recouvrer la possession quand il l'a perdue » (Planiol). ⇒ **Complainte** (1., spécialt), **œuvre** (II., 2.; dénonciation de nouvel œuvre), **réintégrande.** — N. m. *Il est interdit aux parties de cumuler le pétitoire et le possessoire.* ⇒ **Pétitoire.** *Plaider le possessoire, se pourvoir au possessoire* (Académie).

1 Le défenseur au possessoire ne pourra se pourvoir au pétitoire qu'après que l'instance sur le possessoire aura été terminée (...)
Code de procédure civile, art. 27.

2 Les actions possessoires ne seront recevables qu'autant qu'elles auront été formées, dans l'année du trouble, par ceux qui, depuis une année au moins, étaient en possession paisible par eux ou les leurs, à titre non précaire.
Code de procédure civile, art. 23.

POSSIBILITÉ [pɔsibilite] n. f. — 1265; lat. impérial *possibilitas,* de *possibilis.* → Possible.

♦ **1.** Le fait d'être possible* (I., 1. et 3.); caractère de ce qui peut être fait, de ce qui peut exister ou se réaliser, de ce qui, n'étant pas certain, peut cependant être vrai (⇒ aussi **Crédibilité**). *Avoir des doutes sur la possibilité d'une entreprise. La possibilité d'une guerre.* ⇒ **Éventualité.** *Je ne crois pas beaucoup à la possibilité d'un accord.* ⇒ **Chance** (2., au plur.). *Peut-être*, adverbe de possibilité, exprimant la possibilité.*

1 Jusqu'à ce moment, la possibilité de le perdre, ce grand-père, ne s'était jamais présentée à son esprit (...)
LOTI, Matelot, XIII.

2 Cette susceptibilité dont se revêt le sentiment national en devenant populaire est une chose qui rend la possibilité des guerres bien plus grande aujourd'hui qu'autrefois.
Julien BENDA, la Trahison des clercs, p. 106.

3 Entre ce père et ce fils, aucun langage pour communiquer, aucune possibilité d'échanges : deux étrangers! (...)
A. MAUROIS, Études littéraires II., Martin du Gard, III.

Log. Un des modes de la logique modale. ⇒ **Possible,** II., 2.

♦ **2.** *(Une, des possibilités).* Chose possible, qui peut arriver. *Envisager toutes les possibilités.* ⇒ **Cas** (I., 1.). *Il n'y a que deux possibilités* (→ De deux choses* l'une). ⇒ **Alternative.** *Ce n'est pas une certitude, seulement une possibilité.* ⇒ **Croire** (I., 5.).

♦ **3.** Capacité, permission, pouvoir de faire qqch. ⇒ 3. **Droit** (I., *supra* cit. 10), **faculté** (I., 1.), **loisir** (1., vieilli), **moyen.** *Avoir la possibilité de...,* suivi de l'inf. (→ Désignation, cit. 3; 3. forfait, cit.). *Donner à quelqu'un la possibilité de...* (→ Intelligence, cit. 3). *Trouver la possibilité de...* ⇒ **Moyen, occasion.** *Conserver, se réserver la possibilité de...* ⇒ **Réserver** (se réserver de).

4 Pour conserver à B. and Co la possibilité de renaître, il fallait tout subordonner à sa durée, sacrifier les gens, s'ingénier même à en supprimer le plus possible, gardant seulement une poignée d'hommes auprès des derniers fours.
J. CHARDONNE, les Destinées sentimentales, p. 481.

♦ **4.** (Déb. XXe). *Les, des possibilités* (de qqn, de qqch.). Moyens dont on peut disposer; ce qu'on peut attendre, tirer (d'une personne, de soi-même ou d'une chose). ⇒ **Possible** (II., 3.). *Connaître ses possibilités.* ⇒ **Limite.** *Chacun doit payer selon ses possibilités* (cf. Selon ses moyens). *Procurer à chacun les mêmes possibilités* (→ Égalité, cit. 12). *Cela ne nous offre pas beaucoup de possibilités. Activité riche de possibilités* (→ 1. Pensée, cit. 12). *L'état présent de l'homme ne correspond pas à toutes ses possibilités* (→ Dépasser, cit. 20).

5 (...) vivre, être libre, se créer soi-même, ce n'est jamais autre chose qu'élire certaines de ses possibilités plutôt que d'autres.
A. THIBAUDET, Flaubert, p. 70.

6 L'individu, plus il est de fond généreux et plus ses possibilités foisonnent, plus il reste dispos à changer, moins volontiers il laisse son passé décider de son avenir.
GIDE, les Faux-monnayeurs, III, XII.

7 Sur le palier où la peste se maintint en effet à partir du mois d'août, l'accumulation des victimes surpassa de beaucoup les possibilités que pouvait offrir notre petit cimetière.
CAMUS, la Peste, p. 195.

Domaine d'emploi (de qqch.). *Cet instrument a de grandes possibilités.*

CONTR. **Impossibilité. Nécessité.**

POSSIBLE [pɔsibl] adj. et n. m. — 1265; lat. impérial *possibilis.* Dont l'apparition, l'existence, la réalité n'est pas écartée par l'esprit.

★ **I.** Adj. ♦ **1.** (En parlant des activités, des réalités humaines). Qui peut* exister, se produire, qu'on peut faire, qu'il est permis de faire, d'utiliser..., compte tenu des moyens dont on dispose, des circonstances, des lois, des règles... ⇒ **Faisable, permis, réalisable.** *Entreprise, événement, solution possible* (→ Obstination, cit. 4). *C'est une hypothèse parfaitement possible.* ⇒ **Admissible.** *Faire tout ce qui est humainement possible pour...* (→ Litige, cit. 3). *Tout devenait possible* (→ Capacité, cit. 9; insurmontable, cit. 3). *Rendre qqch. possible.* ⇒ **Permettre** (→ Obéir, cit. 15). *Croire une chose possible* (→ Impossible, cit. 15). *La seule voie possible pour....* ⇒ **Praticable** (→ Exécutif, cit. 3). — *C'est possible, très possible.* ⇒ **Facile, faisable.** *Même si c'était matériellement possible* (→ 2. Marche, cit. 27). *Ce n'est pas possible autrement :* il n'y a pas d'autre moyen. — Allus. hist. *« Si c'est possible, c'est fait... »* (⇒ **Impossible,** *supra* cit. 14). — *Venez demain à cinq heures ou même avant, si c'est possible,* ou, ellipt, *si possible.* — Spécialt. *Si c'est possible, s'il est possible, si possible,* employés dans une comparaison. *Je ne fréquente personne; moins encore qu'avant si c'est possible* (→ Niquedouille, cit. 2; et aussi ardent, cit. 34; façon, cit. 27; métier, cit. 16).

Ce n'est pas possible, m'écrivez-vous; cela n'est pas français. 1
NAPOLÉON, Lettre à Lemarois, 9 juil. 1813.

(...) un système de vie, où la règle primordiale serait de ne se dérober à aucune entreprise, dès qu'elle est théoriquement possible, et dès que l'amorce vous en est offerte par le hasard. 2
J. ROMAINS, les Hommes de bonne volonté, t. II, II, p. 12.

(Pour marquer l'étonnement). *Est-ce possible? Ce n'est pas possible? — Pas possible!,* exprimant l'étonnement, parfois avec une nuance d'ironie. — Pop. (Rural). *C'est-il Dieu possible? C'est pas Dieu possible.*

Vous adorez un bœuf! est-il possible? dit l'homme du Gange. Il n'y a rien de si possible, repartit l'autre; il y a cent trente-cinq mille ans que nous en usons ainsi (...) 3
VOLTAIRE, Zadig, XII.

— Avec l'argent d'un patriote que je lui ai fait connaître, ce cochon-là s'est établi marchand de chapelets! — Pas possible! 4
FLAUBERT, l'Éducation sentimentale, III, IV.

(Suivi d'un inf.). *Il est, il devient possible de...* (→ Aspect, cit. 33; beauté, cit. 13). *Il me paraît, il me semble possible de...* (→ Fausser, cit. 3). *Il est possible à qqn de...* ⇒ **Permettre** (il est permis à qqn de...); → 2. Caravane, cit.; fatiguer, cit. 11. — *Il est possible que...,* suivi du subj. (→ Exister, cit. 7), et parfois (vx) de l'indicatif.

(...) il n'est possible d'être bon en ce monde qu'au prix des plus affreuses souffrances. 5
FRANCE, Thaïs, p. 94.

♦ **2.** Qui constitue une limite, un maximum ou un minimum.

a (Avec *tout*). *« Ils ont vu, senti, éprouvé tout ce qu'il est possible de voir, de sentir, d'éprouver et d'entendre »* (→ Ennuyer, cit. 9, Gautier). — REM. Lorsque le verbe *être* n'est pas exprimé, *possible* est toujours accordé avec le substantif. *Tirer tout le parti possible de...* (→ 1. Écoute, cit. 1). *Toutes les extravagances possibles* (→ Bouc, cit. 3; et aussi Facilité, cit. 3; malheur, cit. 6). — (Joint à *imaginable,* avec une simple valeur de renforcement). *Il a fait toutes les sottises possibles et imaginables.*

b (Avec *aussi, autant*). *Il travaille autant qu'il est possible. Autant qu'il est possible à quelqu'un, qu'il nous est possible* (→ Dissection, cit. 3; inanité, cit. 3). *Aussi peu esclave des principes qu'il est possible* (→ Changer, cit. 67).

Oui, je suis heureux autant qu'il est possible à un homme de l'être (...) 6
COURTELINE, Boubouroche, I, 2.

(Le verbe *être* n'étant pas exprimé). *Faire autant que possible prévaloir les bons penchants sur les mauvais* (→ Liberté, cit. 37). — *Un article aussi persuasif que possible* (→ Argumenter, cit. 5). *Aussi lentement* (cit. 4) *que possible. Il a arrangé cela aussi bien que possible.*

— Vous si au courant des choses de l'Angleterre contemporaine, vous avez, je pense, monsieur l'abbé, entendu parler du Sir David Osborne? — Je ne parle que des choses que je connais, autant que possible, dit le premier vicaire. Je sais qui est Sir David Osborne, sans plus. 7
Pierre BENOIT, Mlle de la Ferté, p. 173.

Fam. *Autant que possible,* incitation à faire quelque chose. (Par plais. : *autant que po-po*).

c (Avec certaines locutions conjonctives). *Nous viendrons aussitôt qu'il sera possible.* — (Sans verbe). *Il rembourserait dès que possible* (→ Avance, cit. 21).

d (Avec *le plus, le moins,* avec un adjectif ou un adverbe au superlatif relatif). *Faites-lui le meilleur accueil* (cit. 5) *qu'il vous sera possible.* Vx (avec le subj.). *« Tout va le mieux qu'il soit possible »* (→ Aller, cit. 72, Voltaire).

(Le verbe *être* n'étant pas exprimé et *le plus, le moins possible* modifiant un verbe ou un adverbe). *Un roi doit écrire le moins possible* (→ Loquace, cit. 3). — *Le plus vite, le plus tôt*, le plus souvent,* *le moins mal, le moins souvent possible* (→ Abréger, cit. 4; accepter, cit. 11; apporter, cit. 19; destinée, cit. 9). *Le mieux possible.*

8 L'art de bien faire, n'est pas chimérique, mais il n'est autre que de faire le moins mal possible. É. DE SENANCOUR, De l'amour, p. 144.

9 Vous dites non le moins souvent possible.
J. ROMAINS, M. Le Trouhadec..., I, 3.

(*Le plus, le moins de... possible,* employé avec un nom). *Avec le plus de correction* (cit. 13) *possible.* — (Avec un adjectif au superlatif relatif). *La plus grande quantité possible* (→ Accaparement, cit. 1). *La meilleure place, la meilleure nourriture possible* (→ Convoiter, cit. 4; gastronomie, cit.). — REM. Dans ce cas, bien qu'il soit préférable de laisser *possible* invariable : *«Pour courir le moins de risques possible»* (Stendhal, *la Chartreuse de Parme,* II); *«Il lui adressait les compliments les plus justes possible»* (Flaubert, *l'Éducation sentimentale,* III, III), certains écrivains le font accorder lorsqu'il suit un nom ou un adjectif au pluriel : *Les plus bas salaires possibles* (cf. Grevisse, *Bon usage,* § 493; G. et R. Le Bidois, *Syntaxe du franç. mod.,* § 1021). — L'accord est normal quand *possible* est employé avec un superlatif relatif dont le complément est introduit par *des. «Le meilleur* (cit. 11, Voltaire) *des mondes possibles». La plus voluptueuse des danses possibles* (→ Méduse, cit. 1).

10 Du haut en bas de l'échelle, c'était la même morale du plus de plaisir possible avec le moins d'efforts possible.
R. ROLLAND, Jean-Christophe, Foire sur la place, II, p. 763.

11 (...) son intérêt (...) c'était de nouer avec ces gens (...) le plus de liens possibles (...)
J. ROMAINS, les Hommes de bonne volonté, t. V, VI, p. 57.

12 (...) j'inviterai quelques autres amis. le moins possible. Et les moins gênants possible. J. ROMAINS, les Hommes de bonne volonté, t. VI, VI, p. 50.

♦ **3.** (En parlant de la réalité objective). Qui, n'étant pas encore réel, peut cependant se réaliser; qui, n'étant pas certain, peut cependant être vrai; qui peut être* ou ne pas être (⇒ **Contingent, éventuel**). *Une aggravation possible de la maladie. Le peuple était alarmé* (cit. 2) *d'une fuite possible du Roi. Songer à des maux passés ou possibles.* ⇒ **Futur.**

13 *Hamlet* était sans doute possible avant d'être réalisé, si l'on entend par là qu'il n'y avait pas d'obstacle insurmontable à sa réalisation. Dans ce sens particulier, on appelle possible ce qui n'est pas impossible (...) Mais le possible ainsi entendu n'est à aucun degré du virtuel (...) Pourtant du sens tout négatif du terme «possible» vous passez subrepticement, inconsciemment, au sens positif. Possibilité signifiait tout à l'heure «absence d'empêchement»; vous en faites maintenant une «préexistence sous forme d'idée», ce qui est tout autre chose.
H. BERGSON, la Pensée et le Mouvant, p. 112.

Vx. *Possible est :* peut-être. *«Possible ferez-vous ce qu'on voudra»* (Académie, 1694). — Mod. (dans une réponse). *Irez-vous à la mer cet été! Possible. Oui, possible. C'est très possible, bien possible.* ⇒ **Probable.**

14 Il arrivera possible que mon travail fera naître à d'autres (...) l'envie de porter la chose plus loin. LA FONTAINE, Fables, Préface.

C'est possible, mais..., marque que l'on admet qqch. avec réticence.

Il est possible que..., suivi du subj. : il se peut que. ⇒ **Pouvoir.** *Il est possible qu'il fasse froid cette nuit. Il est possible que Shakespeare ne soit pas l'auteur des pièces qu'on lui attribue.* — Vx (suivi de l'indic.). → Apparence, cit. 16, Molière.

15 Il n'y a nulle certitude, dès qu'il est physiquement ou moralement possible que la chose soit autrement. VOLTAIRE, Dict. philosophique, Certain, certitude.

16 Il s'agit de payer toutes mes dettes avec mon prochain roman. Si l'affaire ne réussit pas, il est possible que je me pende.
André SUARÈS, Trois hommes, «Dostoïevski», I.

Ellipt. (Vx ou fam.). *Possible que... :* peut-être que... (→ Essayer, cit. 14).

17 — Si tu veux me donner ton exemple, Bergère,
Peut-être je le recevrai.
— Si tu veux te résoudre à marcher la première,
Possible que je te suivrai. MOLIÈRE, le Grand Divertissement royal...

18 Possible qu'entre la boutique verte et la boutique bleue, la foi me soit donnée tout à coup... Possible qu'à ce moment les raisons les plus absurdes me paraissent péremptoires. G. DUHAMEL, Salavin, Journal, 21 oct.

♦ **4.** Qui est peut-être ou peut devenir tel. ⇒ **Virtuel.** *Un passant* (cit. 2) *était un ennemi public possible. Un groupement dans lequel il voit un concurrent possible.* ⇒ **Éventuel** (→ aussi Lobby, cit. 1). *Les ministres possibles.*

♦ **5.** (1859). Fam. Qui peut être accepté, admis, reçu. ⇒ **Acceptable, buvable, convenable, supportable.** → l'emploi d'*impossible* (4. et 5.).

19 Ils me toisaient. Je croyais les entendre s'interroger les uns les autres : Le trouves-tu «sortable?...» La mère n'est pas possible (...)
F. MAURIAC, le Nœud de vipères, I, III.

20 Elle s'est laissée fiancer, puis marier, avec un garçon très possible; qu'elle a fini par aimer, je crois.
J. ROMAINS, les Hommes de bonne volonté, t. XI, XVIII, p. 184.

21 L'atmosphère de la maison n'était vraiment pas possible : Armand saisit avec plaisir le prétexte de s'éloigner. ARAGON, les Beaux Quartiers, I, XXIII.

★ **II.** N. m. (XVIe). ♦ **1.** (Dans des loc. figées). Ce qui est possible (au sens I, 1); ce qu'une personne peut. — *Dans la mesure du possible :* autant qu'on le peut (→ Évolution, cit. 10). — *Faire tout son possible pour...* (→ Biscornu, cit. 2) ou, vx, *à...,* suivi de l'inf. (→ Attachement, cit. 4), *pour que...,* suivi du subj. ⇒ aussi **Essayer** (de). — Vx. *Cela n'est plus en mon possible. De tout son possible.* ⇒ **Pouvoir** (substantif).

Je te réitère la promesse de mon engagement : *je ferai tout mon possible* pour que vous vous voyiez, pour que vous vous connaissiez. 22
FLAUBERT, Correspondance, 431, 7 oct. 1853.

Loc. adv. (→ ci-dessus, I., 2.). — (1559). **AU POSSIBLE :** autant qu'il est possible, au plus haut point. ⇒ **Beaucoup, extrêmement** (cf. Gastrique, cit. 1; pantoufle, cit. 2). *Il est gentil au possible* (cf. Tout ce qu'il y a de plus gentil).

De ce chemin mondain, qui est dur et pénible, 23
Épineux, raboteux et fâcheux au possible (...)
RONSARD, le Livre des hymnes, «De la mort».

♦ **2.** Ce qui est réalisable (→ ci-dessus, I., 1.); ce qui est conçu comme non contradictoire avec le réel (→ I., 3.). → Ambitieux, cit. 8; frontière, cit. 8; imagination, cit. 23. — Spécialt. (Philos.). *L'idée du possible et celle du nécessaire** (cit. 23). — Log. *Le possible et le certain, modes de la logique modale.*

Le possible est donc le mirage du présent dans le passé; et comme nous savons que l'avenir finira par être du présent (...) nous nous disons que dans notre présent actuel, qui sera le passé de demain, l'image de demain est déjà contenue (...) Le possible aurait été là de tout temps, fantôme qui attend son heure; il serait donc devenu réalité par l'addition de quelque chose (...) On ne voit pas que c'est tout le contraire, que le possible implique la réalité correspondante avec, en outre, quelque chose qui s'y joint, puisque le possible est l'effet combiné de la réalité une fois apparue et d'un dispositif qui le rejette en arrière. 24
H. BERGSON, la Pensée et le Mouvant, p. 111.

Nous ne saisissons nullement le possible, dans l'usage courant que nous en faisons, comme un aspect de notre ignorance, ni non plus comme une structure non contradictoire appartenant à un monde non réalisé et en marge de ce monde-ci. Le possible nous apparaît comme une propriété des êtres. 25
SARTRE, l'Être et le Néant, p. 141-142.

♦ **3.** (Au plur.). Les choses qu'on peut faire, qui peuvent arriver. *«O possibles qui sont pour nous les impossibles!»* (→ Erreur, cit. 19, Hugo). — Spécialt. *Réaliser tous ses possibles.* ⇒ **Possibilité** (3.).

Un fait a cela de bon, si mauvais qu'il soit, qu'il met fin au jeu des possibles, qu'il n'est plus à venir, et qu'il nous montre un avenir nouveau avec des couleurs nouvelles. ALAIN, Propos, 12 déc. 1910, Maux d'esprit. 26

Quelles vertus devons-nous souhaiter en celui auquel nous confions la direction de nos affaires? Avant tout le *sens des possibles.* Il est vain, en politique, de former de grands et nobles projets si ces projets, le pays et le moment étant ce qu'ils sont, ne peuvent être exécutés. A. MAUROIS, Un art de vivre, IV, 5. 27

(...) ces différences de pression créent précisément ce qu'on appelle au théâtre des situations c'est-à-dire des possibles et des choix. 28
R. BARTHES, Mythologies, p. 90.

CONTR. Impossible, impraticable, infaisable. Effectif. Invraisemblable.

POSSIBLEMENT [pɔsibləmɑ̃] adv. — 1337; de *possible.*

♦ Rare. D'une manière possible; selon la vraisemblance. ⇒ **Peut-être, vraisemblablement.**

Pourtant, que ne sont-ils plus graves, ces jeunes Allemands : ils comprendraient mieux peut-être que les pactes déchirés, ce n'est pas seulement une promenade (...) Que c'est quelque chose d'infiniment plus grave et possiblement de terrible.
G. BAUER, les Billets de Guermantes, mai 1936, p. 58.

POST- Premier élément tiré du latin *post* «après», et qui sert à former des adjectifs et des noms.

♦ **1.** (Au sens de «qui vient après, dans le temps»). Outre les mots traités à l'ordre alphabétique, on peut signaler des composés plus rares ou occasionnels, à valeur temporelle : *post-coïtal, ale, aux,* adj. (*le Nouvel Obs.,* 2 avr. 1973, p. 69); *postcyclique,* adj. (didact., «qui prend place après un cycle». Ex. : C. Hagège, *la Grammaire générative,* p. 90); *postformable,* adj. (techn., «qui peut être mis en forme après fabrication» : *stratifiés postformables,* 1973, in *la Clé des mots*); *post-infectieux, ieuse,* adj. (1895, in *Année sc. et industr.* 1896, p. 201); *postnuptial, ale, aux,* adj. (cit., Barthes), *postpénal, ale, aux,* adj. et n. m. (*l'Express,* 6 nov. 1972, p. 84).

Les jeunes époux nous sont ici présentés dans la phase postnuptiale de leur union, en train d'établir les habitudes de leur bonheur et de s'installer dans l'anonymat d'un petit confort. 1
R. BARTHES, Mythologies, p. 48.

Rare. (Le second élément désigne une date ou constitue le nom d'une période). *Post-renaissance,* adj. (V.-L. Tapié, *le Baroque,* p. 109; etc.).

Je ne crois pas à l'efficacité de l'imprimé dans le monde post-1945. 2
Christiane ROCHEFORT, le Repos du guerrier, II, V, p. 208.

Certains de ces composés sont formés d'après un composé en *pré-* (⇒ **Postface, postlude**). Ex. : adj., *«Un gouverneur postfabriqué»* (A. Mandouze, 1950, *in* D. D. L., II; mis en parallèle avec *des élections préfabriquées*); n. f., *postscience* (d'après *prescience*) :

À la réflexion, quelque chose de très comique dans les *choses vues.* La parole profonde, c'est toujours lui qui l'a dite, la pensée généreuse toujours la sienne; il a la prescience, la postscience, tout. 3
Alphonse DAUDET, Notes sur la vie, 1899, p. 95, *in* D. D. L., II, 7.

Une classe de composés en *post-* est formée sur des dérivés adjectifs *(-ien, -iste)* ou substantifs *(-isme)* de noms propres. Ex. : *post-chomskien, ienne,* adj.; *post-darwinien, ienne,* adj.; *post-freudien, ienne,* adj; *post-hégelien, ienne,* adj.; *post-kantien, ienne,* adj. et n.; *post-marxien, ienne,* adj., etc., et, en politique : *post-stalinien, ienne, post-gaullien, ienne,* etc.

Certains évolutionnistes post-darwiniens ont eu tendance d'ailleurs à propager de 4

la sélection naturelle une idée appauvrie, naïvement féroce, celle de la pure et simple « lutte pour la vie » (...)
Jacques MONOD, le Hasard et la Nécessité, p. 156.

(Avec un nom). *Post-congrès :* manifestation suivant la clôture d'un congrès (*Médias et Langage,* été 1982, p. 30). *Post-gauchisme* (*le Point,* 11 janv. 1982, p. 80).

♦ **2.** (Au sens de « qui vient après dans l'espace, qui est placé derrière »). Ex. : *postabdomen, posthypophyse, posthypophysaire.*
REM. 1. *Post-* s'oppose fréquemment à *pré-,* parfois à *anté-.*
2. On écrira de préférence les composés en un seul mot ; cependant, lorsque le deuxième élément commence par une voyelle ou est un nom propre (*post-renaissance, post-gaullien,* etc.) le trait d'union est fréquent.
CONTR. **Anté-, pré-.**

POSTABDOMEN [pɔstabdɔmɛn] n. m. — 1903 ; « queue de crustacé », 1869, Littré ; de *post-* (2.), et *abdomen.*
Didactique.

♦ **1.** Tubercule filiforme à l'extrémité de l'abdomen (des arachnides).

♦ **2.** Extrémité de l'abdomen (des scorpions) pourvue d'un dard.

POST-ACCÉLÉRATION [pɔstakseleʀasjɔ̃] n. f. — 1965 ; de *post-* (1.), et *accélération.*

♦ Phys., techn. Accélération supplémentaire communiquée aux électrons d'un faisceau cathodique, après leur passage dans le système de déviation.

POSTAGE [pɔstaʒ] n. m. — 1874 ; de 2. *poster.*

♦ **1.** Action de poster (le courrier).

♦ **2.** Expédition du courrier par paquebot. — REM. Cette acception spéciale a sans doute été empruntée à l'anglais.

♦ **3.** Techn. Préparation (du courrier) avant l'expédition.
COMP. **Publipostage.**

POSTAL, ALE, AUX [pɔstal, o] adj. — 1835 ; de 2. *poste.*

♦ Qui concerne la poste, l'administration des postes. *Service postal. Aviation postale.* ⇒ **Aéropostale.** *Infractions au monopole postal. Secteur* postal. Franchise* postale. Taxe postale.* — Loc. cour. *Boîte* postale. Carte* postale* (→ Dépôt, cit. 3 ; depuis, cit. 25 ; devanture, cit. 2). *Chèque* postal* (→ Barrer, cit. 8). *Colis* postal.* — *Tarifs postaux. Convention postale,* entre deux ou plusieurs États, relative aux liaisons postales internationales. *Régime postal* (intérieur, international). *Union postale universelle,* créée à Berne en 1874.

Donnez-moi de vos nouvelles (...) L'affranchissement est de plus de 25 centimes. Aden n'est pas dans l'Union postale.
RIMBAUD, Correspondance, XXXIX, 17 août 1880.

(1972). *Code postal :* système de numérotation affecté à chaque destination, permettant un tri plus rapide du courrier. *Numéro de code postal* (d'une ville, d'un lieu).
COMP. **Aéropostal.**

POSTBIBLIQUE [pɔstbiblik] adj. — 1877, Littré, *Suppl. ; de post-,* et *biblique.*

♦ Didact. Postérieur à la rédaction de la Bible. *Hébreu postbiblique.*

POSTCLASSIQUE [pɔstklasik] adj. — 1874 ; de *post-* (1.), et *classique.*

♦ Qui succède à la période classique (opposé à *préclassique**). *Littérature postclassique.*

POSTCOMBUSTION [pɔstkɔ̃bystjɔ̃] n. f. — 1955 ; de *post-* (1.), et *combustion.* → Précombustion.

♦ **1.** Techn. Dans les turboréacteurs, Combustion de carburant par l'oxygène contenu dans les gaz brûlés, au cours de la combustion normale, et qui augmente le rendement. — Dispositif assurant cette combustion.

♦ **2.** Traitement des gaz d'échappement d'un moteur à explosion destiné à atténuer leur nocivité.

POSTCOMMUNION [pɔstkɔmynjɔ̃] n. f. — 1215 ; de *post-* (1.), et *communion.*

♦ Liturgie cathol. Oraison dite par le prêtre après la prière appelée *communion.*

POSTCONSULAT [pɔstkɔ̃syla] n. m. — 1869, Littré ; de *post-* (1.), et *consulat.*

♦ Hist. rom. Période succédant à l'exercice du consulat par un consul.

POSTCURE ou **POST-CURE** [pɔstkyʀ] n. f. — 1948 ; de *post-* (1.), et *cure.*

♦ Période qui suit une cure (en sanatorium ou en hôpital pour un traitement de désintoxication, etc.) et pendant laquelle le malade ne reprend pas encore ses activités normales et reste sous surveillance médicale. « *Il y a vingt ans, on soignait encore aux Ormes les tuberculeux en postcure : les bacilles se perdaient dans la campagne* » (*le Nouvel Obs.,* 6 avr. 1981, p. 58).

POSTDAMIEN, IENNE [pɔstdamjɛ̃, jɛn] adj. et n. m. — 1899, Berthelot ; 1891, en angl. Ch. D. Walcott ; de *Postdam,* ville des États-Unis.

♦ Didact. (géol.). Se dit de l'étage supérieur du système cambrien caractérisé par les trilobites du genre Olenus. — N. m. *Le postdamien* (on dit aussi *olenidien*). ⇒ **Cambrien.**

POSTDATE [pɔstdat] n. f. — 1740, Trévoux ; *postidate,* 1549 ; de *post-* (1.), et *date.*

♦ Admin. Date portée sur un document et qui est postérieure à la date réelle.
CONTR. **Antidate.**

POSTDATER [pɔstdate] v. tr. — 1752, Trévoux ; *postidater,* 1549 ; de *post-* (1.), et *dater.*

♦ Dater postérieurement à la date réelle. *Postdater une lettre, un acte... Chèque postdaté.*

Darteau avait (...) prêté les deux cent mille francs et Brasselier s'était engagé formellement à réaliser cette fusion. Une semblable convention ne pouvait faire l'objet d'un écrit valable, Darteau avait exigé de son partenaire la signature d'un chèque de ladite somme postdaté d'un an.
René FLORIOT, La vérité tient à un fil, p. 13.

CONTR. **Antidater.**

POSTDENTAL, ALE, AUX [pɔstdɑ̃tal, o] adj. — 1933, Larousse ; de *post-* (2.), et *dental.*

♦ Phonét., vieilli. Se dit d'une consonne dont le point d'articulation est la paroi postérieure des dents d'en haut (ex. : le *th* anglais).

1. POSTE [pɔst] n. f. — XIIe, « position » ; subst. verb. de *pondre* « poser, établir », en anc. franç. ; du lat. *ponere.*

♦ **1.** Mar. Position, place, dans l'expr. *à poste :* en place. « *Un objet est à poste lorsqu'il ne doit pas bouger de l'endroit où on l'a placé* » (Gruss). *Mettre l'ancre à poste,* en la caponnant, en la traversant et en la saisissant fortement pour la mer.

♦ **2.** (1414 ; vx depuis le XVIIIe). Fig. *À la poste de quelqu'un,* à sa convenance, à sa disposition. *À poste :* à souhait, à dessein.

(...) le moyen de trouver sitôt un médecin à ma poste (...)
MOLIÈRE, le Médecin volant, 1.

2. POSTE [pɔst] n. f. — 1480, « courrier, messager du roi », et « relais de chevaux » ; ital. *posta,* p. p. subst. au fém. de *porre* « poser » ; du lat. *ponere.*

♦ **1.** Anciennt. Relais de chevaux, placé sur les routes de distance en distance, afin d'assurer le transport des voyageurs (à cheval ou en voiture) et du courrier. *S'arrêter à chaque poste.* — Loc. **DE POSTE.** *Chevaux de poste* (→ Accomplir, cit. 3). *Chaise de poste. Postillons* d'une chaise de poste* (→ Arriver, cit. 16). *Maître de poste.* — Par ext. Distance d'un relais à l'autre. ⇒ **Étape** (cit. 2). « *Je dois faire aujourd'hui vingt postes sans manquer* » (cit. 47, La Fontaine). — (Dans les loc.). Manière de voyager, en utilisant les chaises de poste. *Aller, voyager, partir en poste* (→ Honnêteté, cit. 15). Vx ou littér. *Courir la poste* (→ Grassement, cit. 2) : aller très rapidement. Fig. ⇒ **Courir.** *En poste :* très rapidement (→ Panier, cit. 9). — « Se dit de la diligence qui fait le courrier, du courrier même et des paquets qui viennent par cette voie » (Furetière). *Lettres arrivées par la poste. Jours de poste,* où passe la poste (→ Languir, cit. 19, Mme de Sévigné).

L'un va en tortue, et l'autre court la poste. MOLIÈRE, l'Amour médecin, II, 5. 1

Quand le duc de Choiseul était content d'un maître de poste par lequel il avait été bien mené, ou dont les enfants étaient jolis, il lui disait : « Combien paye-ton? est-ce poste ou poste et demie, de votre demeure à tel endroit? — Poste, monseigneur. — Eh bien, il y aura désormais poste et demie ». La fortune du maître de poste était faite. 2
CHAMFORT, Caractères et anecdotes, M. de Choiseul et les maîtres de poste.

Dans un village à quelques lieues au delà de Metz, le maître de poste vint lui dire 3

qu'il n'y avait pas de chevaux. Il était dix heures du soir; Julien, fort contrarié, demanda à souper. Il se promena devant la porte et insensiblement, sans qu'il y parût, passa dans la cour des écuries.Il n'y vit pas de chevaux.
STENDHAL, le Rouge et le Noir, II, XXIII.

♦ **2.** (XVIIe, désignant la *poste aux lettres,* organisée par Richelieu). Service d'acheminement et de distribution du courrier. *« La poste est haïssable »* (cit. 7, Mme de Sévigné). *Le bureau de la poste* (→ Envoyer, cit. 9; intervalle, cit. 11). *Service des postes assuré par des malles** (cit. 5 et 6), *puis par chemin de fer. Facteur* (cit. 9, 10 et 11), *employé de la poste* (→ Hasard, cit. 9). *Confier une lettre à la poste, mettre, jeter* (cit. 20) *une lettre à la poste. Passer comme une lettre** (cit. 29) *à la poste.*

4 J'ai appris que la poste de Senlis avait mis dix-sept heures pour vous transmettre une lettre qui, en trois heures, pouvait être rendue à Paris.
NERVAL, les Filles du feu, « Angélique », Ve lettre.

5 Depuis son retour, il s'était interdit d'écrire à Gisèle — ou plutôt de mettre à la poste les lettres qu'il lui adressait. F. MAURIAC, le Fleuve de feu, V, p. 196.

Mod. (depuis la IIIe République). Administration publique, appelée *Postes, Télégraphes et Téléphones* (P. T. T.), puis *Postes et Télécommunications* (P. et T.), puis à nouveau *Postes, Télécommunications et Télédiffusion* (P. T. T.), placée sous l'autorité d'un ministre, et ayant le monopole du service de la correspondance officielle et privée (transport des lettres, cartes, papiers, imprimés, paquets, etc., transmission des correspondances télégraphiques et radio, mise en communication téléphonique des correspondants). *À titre accessoire, le service des Postes est également une entreprise de transport* (valeurs déclarées, colis postaux; voyageurs et messageries dans le cas de la *Poste automobile rurale*) *et se charge d'opérations bancaires* (mouvements de fonds, chèques postaux, recouvrements en cas d'envois contre-remboursement, etc.), *d'opérations pour le compte du Trésor* (paiement des dépenses publiques, de certaines pensions et traitements, de coupons; souscription aux emprunts nationaux, etc.), *d'opérations pour le compte d'Administrations financières* (mandats-contributions, sommations avec frais, etc.) *et pour le compte de la Caisse des dépôts et consignations* (notamment la section de la Caisse nationale d'épargne). ⇒ **Chargement, colis, correspondance, courrier, dépêche, facteur** (cit. 13), **imprimé, lettre** (cit. 28), **mandat, message, messagerie, pneumatique, port, préposé, routage, télégramme, téléphone, timbre, timbrer...** *Levée** (4.), *tri*, expédition, distribution* des lettres par la poste. Bureau* (I., 4.) *de poste* (→ Espérer, cit. 28). *Receveur* des postes. Agent, employé des postes.* ⇒ **Postier.** *Grève des postes, de la poste.* — *Poste aérienne* (→ Avion, cit. 3). *Poste aux armées.* ⇒ **Secteur** (postal), **vaguemestre.** *Cachet de la poste* (→ Enveloppe, cit. 2; oblitérer, cit. 5). *Envoyer, expédier par la poste* (⇒ **Expéditeur**). *Calendrier* des postes,* distribué chaque année par l'administration des postes. *Faire une réclamation à la poste.*

♦ **3. POSTE** ou **BUREAU DE POSTE :** maison, local où fonctionne ce service; bureau de poste. *Aller à la poste. La poste ouvre, ferme à telle heure. Boîte aux lettres d'une poste. Mettre une lettre* (cit. 26) *à la poste. La grande poste :* le bureau central. — (1793). **POSTE RESTANTE :** suscription indiquant que la correspondance est adressée à la poste même où le destinataire (cit. 2) doit venir la chercher; le guichet où il doit se présenter (→ Identité, cit. 15; lettre, cit. 27; numéro, cit. 3).

5.1 Je vous écris mardi de Lausanne, et, le même jour, vous m'écrirez à Lausanne, poste restante. Mme DE STAËL, Correspondance générale, II, p. 524.

6 Demain, j'irai à ma *poste restante* habituelle chercher ta missive probable et y répondrai. RIMBAUD, Correspondance, XVIII, 2 avr. 1872.

DÉR. Postal, poster (2.), postier.

COMP. Malle-poste. Paquebot-poste. Timbre-poste. Train-poste. Wagon-poste.

3. POSTE [pɔst] n. m. — V. 1500; ital. *posto,* masc. correspondant au fém. *posta.* → 2. Poste.

★ **I.** Position, place assignée (à une ou plusieurs personnes).

♦ **1.** Lieu, fortifié ou non, où un soldat, un corps de troupe se trouve placé par ordre supérieur en vue d'une opération militaire. *Un poste, le poste de qqn, son poste. Occuper, garder* (cit. 11), *défendre, quitter, abandonner... son poste* (→ Arme, cit. 13). *Déserter* (cit. 4) *son poste* (par métaphore). *Être à son poste* (→ Avancée, cit. 1). *Poste avancé, dangereux.* ⇒ **Avant-poste; antenne** (4.). *Poste fortifié.* ⇒ **Préside.** *Poste de commandement* (P. C.), où se tient un chef pendant le combat. *Poste d'écoute** (→ Patrouille, cit. 5). *Poste d'observation.* ⇒ **Observatoire.** — Loc. **À SON (...) POSTE.** *Être, rester à son poste,* là où le devoir l'exige, et, par ext., là où l'on est (→ Essuyer, cit. 15; pavillon, cit. 2). *Maître d'hôtel* (cit. 15) *qui regarde si les domestiques sont bien à leur poste.* — Fam. *Être solide* au poste.*

1 La marmite bouillait toujours, et le chat restait immobile à son poste, comme une sentinelle qu'on a oublié de relever. Th. GAUTIER, le Capitaine Fracasse, I.

2 Le poste d'écoute T. S. F. ressemble à un laboratoire : nickels, cuivres et manomètres, réseaux de conducteurs. Les opérateurs de veille, en blouse blanche, silencieux, semblent courbés sur une simple expérience.
SAINT-EXUPÉRY, Vol de nuit, XX.

♦ **2.** (1824, Ségur). Groupe de soldats, corps de troupes placé en ce lieu. *Bataillon s'échelonnant* (cit. 4) *par petits postes le long de la frontière. Installer* (→ 1. Feu, cit. 52), *distribuer des postes* (→ Disposition, cit. 5). *Doubler, relever un poste. Éléments* (cit. 9) *opérant sous la protection d'un poste. Donner étourdiment* (cit. 1) *dans les postes ennemis. Éviter un poste* (→ Franc-tireur, cit. 1). *Chef de poste.* — Spécialt. **POSTE DE POLICE; POSTE DE GARDE :** corps de garde à l'entrée d'une caserne, d'un camp (→ Colonel, cit. 1). — Par anal. Se dit de tout corps de garde. *Poste de gardiens de la paix, de douaniers, de pompiers... Le poste d'un ministère, d'une mairie* (→ Forcer, cit. 3).

POSTE DE POLICE (→ Faufiler, cit. 7), ou, simplement, **POSTE :** corps de garde d'un commissariat de police; local où il est installé. *Conduire un manifestant au poste. Coucher* (1. Coucher, cit. 9) *au poste.*

Quoi de plus simple en effet? Crier au premier poste devant lequel on passe : 3
— Voilà un repris de justice en rupture de ban! appeler les gendarmes et leur dire : — Cet homme est pour vous! ensuite s'en aller, laisser là ce damné, ignorer le reste, et ne plus se mêler de rien. HUGO, les Misérables, V, IV.

♦ **3.** Mar. Emplacement réservé, logement affecté à tel ou tel usage. *Poste d'équipage :* partie d'un bâtiment où est logé l'équipage. *Le poste des seconds-maîtres, des malades, des midships... Poste de combat, de manœuvre, d'observation* (⇒ **Vigie**), *d'appareillage...*

Puis il s'habilla et ouvrit l'écoutille pour aller là-haut prendre son poste de 4
pêche (...) LOTI, Pêcheur d'Islande, III, VIII.

★ **II.** ♦ **1.** (1664, Corneille). Emploi professionnel, correspondant à un degré d'une hiérarchie, auquel on est nommé par décision d'une autorité supérieure; lieu où l'on exerce cet emploi. ⇒ **Charge, fonction** — REM. Le mot s'applique notamment aux fonctionnaires. *Grand poste, poste élevé, important, éminent...* (→ Anoblir, cit. 5; arriver, cit. 29; gouvernant, cit. 10; ligne, cit. 32). *Un poste de choix* (→ Partie, cit. 22). *Poste-clé*. Occuper un poste-clé. Être nommé à un poste* (→ Heureux, cit. 48; paroisse, cit. 1). *Diplomate qui change de poste. Rejoindre, quitter son poste* (→ Fonctionnaire, cit. 4). *Avoir droit à un poste* (→ Injustice, cit. 9). *Titulaire* d'un poste* (→ Initiative, cit. 9). *Poste vacant*.*

(...) les postes éminents rendent les grands hommes encore plus grands, et les petits 5
beaucoup plus petits. LA BRUYÈRE, les Caractères, XI, 95.

Le ministre (...) me fit nommer sur-le-champ garçon apothicaire (...) Le poste 6
n'était pas mauvais parce qu'ayant le district des pansements et des drogues, je vendais souvent aux hommes de bonnes médecines de cheval.
BEAUMARCHAIS, le Barbier de Séville, I, 2.

Chaque fois qu'un des postes importants du ministère venait à être confié à 7
un jurisconsulte de talent ou simplement à un sage, comme il ne fallait auprès de cette lumière qu'un comparse, Basquettot s'imposait. GIRAUDOUX, Bella, IV.

Quelques années plus tard, il trouverait tout chauds, dans le pays de sa famille, 8
un poste de directeur de journal et un siège de député.
J. ROMAINS, les Hommes de bonne volonté, t. III, III, p. 49.

Il ferait mieux de se dépêcher de finir sa thèse et de demander un poste quelque 8.1
part. N. SARRAUTE, le Planétarium, p. 273.

♦ **2.** (1812, Mozin, « durée du service actif du mineur »). Techn. Période de travail pendant laquelle une équipe est en fonction; cette équipe. *Poste de huit heures. Le poste de nuit vient d'arriver.*

L'horaire d'usine distribuait la journée en trois postes. Le mouvement de personnel 8.2
le plus important était à huit heures du matin et six heures du soir, car à l'équipe alternante des tiercés s'ajoutait celle normale qui ne travaillait que de jour : ateliers de dessins et d'études, employés de bureau, ingénieurs et chefs de service dont un seul restait de garde la nuit.
Pierre HAMP, la Peine des hommes (Moteurs), p. 29.

Une presse à injecter *(dans l'industrie de la matière plastique)* fonctionne vingt- 8.3
quatre heures sur vingt-quatre. Trois ouvriers y travaillent à tour de rôle, à raison de trois postes de huit heures par jour. Roger VAILLAND, 325 000 francs, p. 78.

★ **III.** (XIXe). **POSTE DE...** ♦ **1.** Emplacement affecté à un usage particulier. *Poste de secours*.* ⇒ **Ambulance.** *Poste de contrôle* (douane, transports urbains). Mar. *Poste de pêche.*

♦ **2.** Emplacement aménagé pour recevoir un ensemble d'appareils, de dispositifs divers destinés à un usage particulier. *Poste d'aiguillage, de pilotage* (⇒ **Habitacle**)... (→ Hisser, cit. 9). Mar. *Poste de tir*, de commande** (→ fig. Exception, cit. 8). — *Poste d'essence.* ⇒ **Distributeur, pompe.** — *Poste à essence* (cit. 24).

Poste de charge, où l'on fait le plein de carburant, dans un dépôt d'autobus. — *Poste d'eau.* — *Poste d'incendie,* où sont aménagés prises, conduites, tuyaux, etc., en vue d'une action immédiate contre l'incendie.

Les postes blancs d'essence au bord des routes remplaçant les Christs. 9
ARAGON, le Roman inachevé, p. 23.

♦ **3.** Ensemble d'appareils prêts à fonctionner; par ext., appareil. *Poste de téléphone (poste téléphonique,* 1891, *Année sc. et industr.* 1892, p. 97). *Poste de T. S. F., de radio*, émetteur** (cit. 1 et 2), *récepteur** (→ Chuchoter, cit. 4; dépêche, cit. 5; détraquer, cit. 2; émission, cit. 4; équipage, cit. 4; étudier, cit. 26; noter, cit. 3). — Appareil récepteur (de radio, de télévision). ⇒ **Radio, télévision; appareil** (II., 2.). *Poste portatif, à transistors; à modulation de fréquence... Poste autoradio. Poste de télévision à grand écran, en couleur* (ou *poste couleur*), *en noir et blanc. Ouvrir, fermer le poste. S'acheter un nouveau poste.*

À notre dialogue se mêlaient les voix d'Agadir, de Casablanca, de Dakar. Les pos- 10
tes radio de chacune des villes avaient alerté les aérodromes.
SAINT-EXUPÉRY, Terre des hommes, I.

★ **IV.** (xxe). ♦ **1.** (Comptab.). Chacune des opérations inscrites dans un livre de comptabilité.

♦ **2.** (Admin., fin.). Grande division du budget*. *Attribuer une dépense à un poste.*

DÉR. 1. **Poster**
COMP. Avant-poste.

POSTÉ, ÉE [pɔste] adj. — xxe ; de 3. *poste.*

♦ *Travail posté,* organisation de l'horaire par tranches ou *postes** (⇒ 3. **Poste** II., 2.), de façon à assurer la continuité de la production du service. *Les nuisances du travail posté. — Un ouvrier posté, une ouvrière postée. « La retraite à 60 ans pour les ouvriers postés, à la chaîne »* (*l'Express,* 15 nov. 1980, p. 162). — N. *Un posté, une postée,* salarié(e) assurant un travail posté. *« Les postés connaissent avec la productivité les mêmes mésaventures que les pilotes de ligne avec les fuseaux horaires »* (*le Sauvage,* juin 1973, p. 15).

POSTENQUÊTE [pɔstɑ̃kɛt] n. f. — V. 1970 ; de *post-* (1.), et *enquête.*

♦ Publicité. Enquête effectuée après une action publicitaire (film, etc.) pour en contrôler l'effet.

1. POSTER [pɔste] v. tr. — Déb. xvie ; de 3. *poste.*

♦ **1.** Placer (des soldats) à un poste déterminé. ⇒ **Établir** (→ Canarder, cit. 2 ; mâcher, cit. 9 ; patrouille, cit. 2). *Poster des sentinelles.* — Par anal. En parlant de cuirassés (cit. 2), de canons (→ Militarisme, cit. 2)...
Par ext. Mettre qqn à une place convenable qui lui permette telle ou telle action déterminée. — REM. S'emploie en ce sens surtout à la forme pronominale ou au p. p. ⇒ **Posté.**

♦ **2.** (Fin xviie, La Bruyère). *Se poster,* v. pron. Se placer (quelque part) pour une action déterminée. *Se poster à un endroit.* ⇒ **Embusquer** (s'). → Épouvanter, cit. 3 ; générateur, cit. 5.

1 D'ailleurs Gilberte va se poster dans l'embrasure de la fenêtre et nous donner l'alerte dès que quelqu'un paraîtra. GIRAUDOUX, Intermezzo, III, 1.

Au p. p. *Être là posté.* ⇒ **Planter** (→ Égrillard, cit. 3). *Bien posté pour y voir* (→ Guetteur, cit. 1). *Chasseur posté sur le passage probable de la bête.* ⇒ **Affût.**

2 Je me suis posté dans le renfoncement d'une porte d'immeuble.
J. ROMAINS, les Hommes de bonne volonté, t. III, IV, p.74.

COMP. V. **Aposter.**

2. POSTER [pɔste] v. tr. — Fin xixe ; de 2. *poste,* d'après l'angl. *to post,* 1837 dans ce sens ; on disait seulement *mettre à la poste.*

♦ Remettre à la poste, préparer pour être remis à la poste. *Poster une lettre avant telle heure. Poster le courrier pour la France, pour l'étranger...* (Cf. Mettre à la boîte, à la poste).

Il avait posté à la gare les deux lettres, afin qu'elles n'arrivassent que le lendemain matin (...) MONTHERLANT, le Démon du bien, p. 160.

▶ **POSTÉ, ÉE** p. p. adj. *Colis posté trop tard.*

DÉR. Postage.

3. POSTER [pɔstɛʀ] n. m. — 1967 ; attestation isolée, 1896, *in* Höfler ; mot angl. « affiche ».

♦ Anglic. Affiche destinée à la décoration. *« Des posters (...) créés spécialement et signés par de grands peintres contemporains sont déjà en vente »* (*l'Express,* 14 août 1972, p. 68).

1 (...) cette succession de petites maisons un peu crasseuses, de type semi-colonial : on pensait beaucoup plus à une communauté qu'à un ensemble hospitalier. Les murs étaient constellés de posters, le climat, imprégné de musique pop.
Claude OLIVENSTEIN, Il n'y a pas de drogués heureux, p. 299.

2 Maintiendrais-je face au lit le poster que j'avais fixé au-dessus du mur avec des punaises ? Cecil SAINT-LAURENT, la Mutante, p. 112.

DÉR. Postériser.
HOM. Postère.

POSTÈRE [pɔstɛʀ] n. m. — Fin xve ; abrév. de *postérieur.* Familier.

♦ **1.** Vx (langue class.). Plur. *Les postères :* les fesses.

♦ **2.** (1798). Mod. Postérieur (II.), derrière.

1 (...) s'allongeant sur un tapis ad hoc *(elle)* commença les quelques mouvements qui donnent à la femme un ventre plat, des seins menus et arrogants, une taille fine, des cuisses fuselées et un postère bien ferme.
R. QUENEAU, Pierrot mon ami, éd. L. de poche, p. 70.

2 (...) yeutez un petit peu les postères des moindres *Commissars !* (...) postères d'Archevêques ! (...) tutti quanti ! quand tous les fellahs du Nil auront des postères pareils, d'Archevêques, vous pourrez dire que ça ira ! le rêve des peuples, terre entière, postères d'Archevêques ! CÉLINE, D'un château l'autre, p. 136-137.

Je saisis le livre qu'elle avait posé dessus et je lui donne mon postère en guise de remplaçant. SAN-ANTONIO, le Secret de Polichinelle, p. 70. 3

HOM. 3. **Poster.**

POSTÉRIEUR, EURE [pɔsteʀjœʀ] adj. et n. m. — 1480 ; lat. *posterior,* compar. de *posterus* « qui vient après ».

★ **I.** Adj. ♦ **1.** Qui est plus loin, qui est après (autre chose) dans le temps (normalement construit avec *à*). *Une date postérieure à la date indiquée* (⇒ **Postdate**). *Une langue postérieure de trois siècles à l'hébreu de Salomon* (→ Cantique, cit. 1). *Les poètes français postérieurs à Hugues Capet* (→ Ethnique, cit. 2). *Très postérieur. De beaucoup postérieur. Postérieur au temps présent ; nous verrons cela à une date postérieure.* ⇒ **Futur, ultérieur.**

♦ **2.** Didact. Qui est derrière, en arrière dans l'espace. *Partie postérieure et partie antérieure* (→ Chambre, cit. 15). *Tiers postérieur de la voûte du palais* (2. Palais, cit. 1). *Partie postérieure et inférieure du tronc* (→ Dorsal, cit. 1). *Membres postérieurs du cheval. Axe, coupe antéro-postérieure,* d'avant en arrière.
Phonét. Se dit d'une voyelle articulée dans la région du voile du palais (arrière du palais). [ɑ], [ɔ], [o], [u] *en français sont des voyelles postérieures. A postérieur* [ɑ] (opposé à *a antérieur* [a]).

★ **II.** N. m. (1566). Fam. Arrière-train. ⇒ 4. **Baba, croupe, cul, derrière, postère.** *Tomber sur son postérieur.*

CONTR. Antérieur. Antécédent, avant-coureur, contemporain.
DÉR. Postérieurement, postériorité.

POSTÉRIEUREMENT [pɔsteʀjœʀmɑ̃] adv. — 1660 ; de *postérieur.*

♦ À une date postérieure, après. ⇒ **Ultérieurement.** *Acte établi postérieurement à un autre.*

CONTR. Antécédemment, antérieurement, avant, précédemment.

POSTERIORI [pɔsteʀjɔʀi] ⇒ A posteriori.

POSTÉRIORITÉ [pɔsteʀjɔʀite] n. f. — xve ; de *postérieur.*

♦ Didact. Caractère de ce qui est postérieur à qqch. *Idée de postériorité ; locution qui marque la postériorité* (→ Maintenant, cit. 8). *« Le français possède un certain nombre de locutions qui énoncent, de soi, le rapport de postériorité :* après que, dès que, aussitôt que, depuis que, etc. » (Le Bidois, *Syntaxe du franç. mod.,* § 1422). → aussi Une fois que, à présent que, à peine... que.

CONTR. Antériorité.

POSTÉRISATION [pɔsteʀizasjɔ̃] n. f. — 1973 ; de *postériser.*

♦ Anglic. Action de postériser (qqch.) ; son résultat. *« En misant non pas sur la postérité, mais sur la postérisation. En effet, dans tous ces nouveaux journaux, le poster croît et multiplie. Se plie et se déplie »* (*l'Express,* 9 avr. 1973, p. 107).

POSTÉRISER [pɔsteʀize] v. tr. — 1973 ; de 3. *poster,* et *-iser.*

♦ Anglic. Transformer en poster ; représenter sur des posters. — Au p. p. *« Un Jésus cool et un Marx postérisé »* (*l'Express,* 5 mai 1979, p. 38).

DÉR. Postérisation.

POSTÉRITÉ [pɔsteʀite] n. f. — V. 1320, au sens 2 ; lat. *posteritas.*

♦ **1.** (Mil. xive). Littér. Suite de personnes descendant d'une même origine. ⇒ **Descendant, enfant, fils** (3.), **lignée** (cit. 3). *La postérité d'Abraham. Mourir sans postérité. Postérité d'une famille.* ⇒ **Neveu** (vx), **race.** *Caractères* (cit. 17) *acquis par l'individu qui ne sont pas transmissibles à sa postérité.*

La mort seule est héréditaire, et encore il suffisait, comme eux, pour la narguer, de mourir sans postérité. GIRAUDOUX, Bella, II. 1

Par anal. *La postérité d'un cheval de course.*
(Déb. xixe). Fig. et cour. *La postérité d'un écrivain, d'un artiste, d'une œuvre,* ceux qui sont dans leur lignée. *« C'est là que meurt Platon en 347, léguant à l'humanité une œuvre dont la postérité ne s'est pas éteinte »* (*Télérama,* 21 sept. 1977, p. 57).

♦ **2.** (V. 1320). Suite des générations à venir, ou postérieures à une époque donnée. *Travailler pour la postérité.* ⇒ **Avenir, futur** (siècles futurs). *Transmettre qqch. à la postérité* (→ Corde, cit. 2). *Le jugement de la postérité* (→ Autre, cit. 110 ; bête, cit. 36 ; film, cit. 1). *« Ce nom, brillant jouet de la postérité »* (Lamartine ; → Gloire, cit. 17). *Aux yeux de la postérité* (→ Guérilla, cit. 1 ; honorer, cit. 29). *Les annales* (cit. 6) *de la postérité. Œuvre qui passe à la postérité,* qui reste, vit dans la mémoire* des hommes.

⇒ **Immortalité.** *Entrer dans la postérité* (→ Exposer, cit. 6). *« La postérité ressemble à un voyageur pressé qui fait sa malle »* (cit. 2, Sainte-Beuve).

2 Il n'y a en effet que l'approbation de la postérité qui puisse établir le vrai mérite des ouvrages. BOILEAU, Réflexions critiques sur Longin, VII.

3 La postérité, disait M. de B... n'est pas autre chose qu'un public qui succède à un autre : or, vous voyez ce que c'est que le public d'à présent.
CHAMFORT, Maximes, « Sur l'homme et la société », XLVII.

4 La postérité n'est pas aussi équitable dans ses arrêts qu'on le dit ; il y a des passions, des engouements, des erreurs de distance comme il y a des passions, des erreurs de proximité. Quand la postérité admire sans restriction, elle est scandalisée que les contemporains de l'homme admiré n'eussent pas de cet homme l'idée qu'elle en a. CHATEAUBRIAND, Mémoires d'outre-tombe, t. III, p. 285.

5 Il ne faut désirer la popularité que dans la postérité et non dans le temps présent.
A. DE VIGNY, Journal d'un poète, p. 166.

6 Je pris dans ma bibliothèque un certain nombre de livres, tous contemporains, et, procédant à peu près comme la postérité procédera certainement avant la fin du siècle, je demandai compte à chacun de ses titres à la durée, et surtout du droit qu'il avait de se dire utile. Je m'aperçus que bien peu remplissaient la première condition qui fait vivre une œuvre, bien peu étaient nécessaires.
E. FROMENTIN, Dominique, XVI.

7 Enfin, si l'on était poète, artiste, écrivain, philosophe, on visait les générations même lointaines, on songeait à la postérité jusqu'à la prolonger si loin dans la perspective qu'elle en devenait immortalité.
VALÉRY, Regards sur le monde actuel, p. 207.

CONTR. **Ancêtre**(s).

POSTES [pɔst] n. f. pl. — 1694 ; de 1. *poste.*

♦ Archit. Ornements, moulures plates faites de volutes couchées et parallèles qui se succèdent.

HOM. Poste.

POSTFACE [pɔstfas] n. f. — 1736, Voltaire ; de *post-* (2.), d'après *préface**.

♦ Commentaire placé à la fin d'un livre (la *préface**, l'*avant-propos** étant placés au début). ⇒ **Conclusion.**

POSTGLACIAIRE [pɔstglasjɛʀ] adj. — 1873, Littré, *Suppl.* ; de *post-* (1.), et *glaciaire.*

♦ Géol. Qui fait suite à une période glaciaire, et, spécialt, à la dernière glaciation en un lieu.

N. m. Période ayant suivi la dernière glaciation quaternaire (vers ~ 8000).

CONTR. Préglaciaire.

POSTHITE [pɔstit] n. f. — 1823 ; comp. sav. du grec *posthê* « prépuce », et *-ite.*

♦ Méd. Inflammation du prépuce.

POSTHOMÉRIQUE [pɔstɔmeʀik] adj. — Av. 1875, P. Larousse ; de *post-* (1.), et *homérique.*

♦ Didact. Postérieur à la rédaction du corpus homérique. *Le grec, la littérature posthomérique.*

N. Poète grec postérieur à l'époque de rédaction du corpus homérique.

POSTHUME [pɔstym] adj. — 1491, *postume ;* bas lat. *posthumus,* lat. class. *postumus* « dernier », superlatif de *posterus* qui, spécialisé en « dernier (enfant), né après la mort du père », a été rapproché de *humus* « terre », *humare* « enterrer ». → Inhumer.

♦ **1.** Qui est né* après la mort de son père. *Enfant posthume.*

♦ **2.** (1680). Qui a vu le jour après la mort de son auteur. *Œuvres posthumes,* publiées après la mort de l'écrivain, du musicien. *Les* Mémoires d'outre-tombe, *œuvre posthume de Chateaubriand. L'édition posthume des* Essais *de Montaigne.* Fig. *Dispositions posthumes d'un testament** (→ Legs, cit. 5).

Qui a lieu, se produit après la mort de qqn, en parlant de ce qui le concerne. *Célébrité posthume d'un écrivain méconnu. Réquisitoires posthumes* (→ Accusation, cit. 7). *Décoration posthume, à titre posthume,* donnée à un mort. *Susciter des malheurs posthumes* (→ Ennui, cit. 7).

1 Madeleine regardait son mari avec stupeur, sans rien comprendre à cette colère subite. Puis, comme elle était fine, elle devina un peu ce qui se passait en lui, ce travail lent de jalousie posthume grandissant à chaque seconde par tout ce qui rappelait l'autre. MAUPASSANT, Bel-Ami, II, II.

Figuré :

2 Je n'ai plus vécu, depuis que d'une existence quasi posthume, et comme en marge de la vraie vie. GIDE, Et nunc manet in te, Journal intime, janv. 1925.

3 Moi, je crois qu'il y a beau temps que nous sommes morts au moment précis où nous avons cessé d'être utiles. À présent il nous reste un petit morceau de vie posthume, quelques heures à tuer. SARTRE, Morts sans sépulture, I, 1.

CONTR. Anthume.

DÉR. Posthumement ou **posthumément.**

POSTHUMEMENT [pɔstymmɑ̃] ou **POSTHUMÉMENT** [pɔstymemɑ̃] adv. — 1878 ; de *posthume.*

♦ Littér. Après la mort de quelqu'un.

Le Génie enfin reconnu,
— Posthumément, il faut le dire. VERLAINE, Épigrammes, XVI, II.

POSTHYPOPHYSAIRE [pɔstipɔfizɛʀ] adj. — Mil. XXe ; de *posthypophyse.*

♦ Biol. De la posthypophyse*.

(...) les extraits posthypophysaires administrés en injection sous-cutanée (...) ont des effets antidiurétiques nets chez l'animal normal (...)
Pierre REY, les Hormones, p. 72.

POSTHYPOPHYSE [pɔstipɔfiz] n. f. — 1936 ; de *hypophyse.*

♦ Anat. Lobe postérieur de l'hypophyse, de structure nerveuse, qui sécrète deux hormones : l'ocytocine et la vasopressine.

1. POSTICHE [pɔstiʃ] adj. et n. m. — 1690 ; *postice,* 1606 ; ital. *posticcio,* autre forme d'*apposticcio* ou *appoticio,* racine *apponere* « apposer ».

♦ **1.** Fait et ajouté après coup, qui par sa nature ne fait pas corps avec un ensemble. ⇒ **Rapporté.** *Ornements postiches d'un portail sculpté. Vêtements postiches des nus de la Renaissance, ajoutés par souci de bienséance. Épisode postiche d'une œuvre littéraire.*

Sa tête, de grandeur naturelle, avec un visage bien formé, l'air noble, d'assez beaux yeux, semblait une tête postiche qu'on aurait plantée sur un moignon. 1
ROUSSEAU, les Confessions, IV.

Qu'on a mis à une place qui n'est pas la sienne pour faire croire qu'elle l'est. Anciennt. *Grenadier, caporal postiche... :* simple soldat faisant provisoirement office de grenadier, de caporal. N. m. *Un postiche.*

(...) l'opposition constitutionnelle était toujours prête à reporter au dernier moment ses voix visiblement accordées à un candidat postiche, sur du Croisier, s'il gagnait assez de voix royalistes pour obtenir la majorité. 2
BALZAC, le Cabinet des antiques, Pl., t. IV, p. 350.

♦ **2.** Objet que l'on porte pour remplacer artificiellement quelque chose de naturel. ⇒ **Factice, faux.** *Cheveux postiches* (⇒ **Chichi, moumoute, perruque...**). *Chignon, natte postiche. Une barbe qu'on eût dite postiche* (→ Frange, cit. 5). *Cils postiches. Grain de beauté postiche.* ⇒ **Mouche.** — REM. *Postiche* ne se dit pas des appareils de prothèse*. ⇒ **Artificiel.**

Il a déjà ôté son œil et sa moustache postiches, avec sa perruque, qui cachait une tête chauve. A.-R. LESAGE, le Diable boiteux, III. 3

♦ **3.** N. m. (employé parfois au fém. ; Académie, 8e éd., ne donne pas le genre). (1585). Mèche ou touffe de cheveux naturels ou imités qui remplace partiellement la chevelure. ⇒ **Moumoute** (→ Flot, cit. 11).

Il semble qu'il appartienne aux perruquiers d'être à la fois artistes, savants et littérateurs. Un M. Binant, rue Boucherat, no 4, n'a pas craint de faire un substantif d'un adjectif. On lit sur sa devanture : *Postiches en tous genres.* Avis aux académiciens. 4
BALZAC, Dict. des enseignes, 1826, *in* Œ. diverses, t. I, p. 177.

♦ **4.** Fig. Faux, inventé, simulé. *Talents postiches* (→ Persuader, cit. 16).

(Il) aurait imaginé de l'épouser comme dans les comédies, d'une façon postiche, en se servant d'un de ses gens comme prêtre et d'un autre comme témoin. 5
SAINTE-BEUVE, Chateaubriand..., t. II, p. 328.

L'éloquence de l'écrivain doit être celle de l'âme même, de la pensée ; l'élégance postiche m'est à charge ; de même toute poésie rapportée. 6
GIDE, Journal, Feuillets (1921).

CONTR. Naturel, vrai.

DÉR. 2. **Posticheur.**

2. POSTICHE [pɔstiʃ] n. f. — 1798 ; ital. *posteggia* « boniment ».

♦ *Faire la postiche :* rassembler les badauds sur la voie publique pour leur vendre qqch. — De nos jours (t. de métier). *Postiche :* boniment de camelot. *Faire la postiche :* bonimenter, « faire l'article ».

1. POSTICHEUR [pɔstiʃœʀ] n. m. — 1888 ; de *posticher,* 1878, dér. de 2. *postiche,* ital. *posteggiare,* de *posteggia.*

♦ ⇒ 2. **Postiche ; trompeur** (vx).

2. POSTICHEUR [pɔstiʃœʀ] n. m. — XXe (*in* Larousse, 1923) ; de 1. *postiche* (3.).

♦ Rare. Fabricant ou préparateur de postiches. *Le posticheur qui fournit un théâtre.* — REM. On trouve aussi *postichier* dans ce sens [pɔstiʃje].

Après avoir musardé une plombe, je finis par trouver ce que je cherche : un postichier. SAN-ANTONIO, En peignant la girafe, *in* Œ. compl., t. II, p. 33.

POSTIER, IÈRE [pɔstje, jɛʀ] n. — 1841 ; a signifié aussi « cheval de poste » (1869) ; de 2. *poste.*

♦ Employé, employée du service des postes (→ Grève, cit. 12).

Il demanda : C'est la postière, ta petite ? — C'est la demoiselle des postes, oui. — Je croyais que tu ne voulais pas d'histoires de femme ?
SARTRE, la Mort dans l'âme, p. 90.

POSTILLON [pɔstijɔ̃] n. m. — 1540, Marot ; ital. *postiglione,* de *posta* « poste ».

★ **I.** ♦ **1.** Anciennt. Conducteur d'une voiture des postes*, qui montait un des chevaux ou était assis à l'avant de la voiture, et portait un costume et un chapeau distinctifs (⇒ **Cocher**). *Postillon des messageries, de diligence ; postillon d'omnibus* (→ Engelure, cit. 1). *Chapeau à ruban, fouet du postillon* (→ 2. Cingler, cit. 1). *Postillons qui attellent* (cit. 2) *leurs chevaux.* — *Le Postillon de Longjumeau,* célèbre opéra-comique (1836). — Second cocher d'un carrosse qui mène les chevaux de devant. *Le conducteur et le postillon* (→ Frôler, cit. 6 ; gris, cit. 24). *Postillon de carrosse. Le postillon d'un favori* (→ Calculer, cit. 2).

1 Dans la description de notre caravane, nous avons oublié de mentionner un petit postillon monté sur un cheval, qui se tient en tête du convoi et donne l'impulsion à toute la file. Th. GAUTIER, Voyage en Espagne, p. 9.

2 (...) un lévrier sautait devant l'attelage que conduisaient au trot deux petits postillons en culotte blanche. FLAUBERT, Mme Bovary, I, VI.

♦ **2.** Chapeau de femme dont la forme rappelle celui du postillon. — Vx. Ruban attaché derrière un bonnet de femme.

♦ **3.** Pêche. Petit flotteur en forme d'olive qui maintient le fil à fleur d'eau.

★ **II.** (1867 ; par une image sur la « projection en avant » ; cf. les sens anciens, II.). Gouttelette de salive que l'on projette en parlant. *Envoyer des postillons.* ⇒ **Postillonner.**

3 Postillons : intempéries du langage. J. RENARD, Journal, 17 juin 1905.

4 Crachez délicatement dans votre mouchoir avant de commencer l'entretien. Les postillons sont très défavorables aux entretiens intimes.
G. DUHAMEL, Chronique des Pasquier, VIII, III.

★ **III.** Vx. ♦ **1.** (1734). Techn. Carton enfilé sur la ficelle d'un cerf-volant.

♦ **2.** (1835). Premier pion joué par chaque joueur, au jacquet.

♦ **3.** (1849, Esnault ; *in* Hugo). Argot anc. Boulette de pain renfermant un message, envoyée par des détenus.

POSTILLONNADE [pɔstijɔnad] n. f. — XXe ; de *postillonner.*

♦ Littér., rare. Série de postillons. — Fig., par plais. À propos de discours :

(...) le speech du maire, l'homélie de l'évêque, le compliment des enfants des écoles, le laïus du chef de la branche aînée (...) on ne nous en fit pas grâce. Enfin, après trois heures de postillonnades, la foule des petites gens est autorisée à s'aller rafraîchir (...) Hervé BAZIN, Vipère au poing, p. 227.

POSTILLONNANT, ANTE [pɔstijɔnɑ̃, ɑ̃t] adj. — XXe ; de *postillonner.*

♦ (Personnes). Qui postillonne. — Accompagné de postillons. ⇒ **Postillonneur.**

POSTILLONNER [pɔstijɔne] v. intr. — 1867 ; « courir la poste, employer des postillons », 1611 ; de *postillon* (3.).

♦ Envoyer des postillons (II.). *Il bredouillait* (cit. 2), *sifflait et postillonnait en parlant.*

Il s'était redressé de toute sa taille et il me postillonnait dans la figure (...)
MARTIN DU GARD, les Thibault, t. IV, p. 99.

DÉR. Postillonnade, postillonnant, postillonneur.

POSTILLONNEUR, EUSE [pɔstijɔnœʀ, øz] adj. et n. — 1941 ; de *postillonner.*

♦ Adj. Accompagné de postillons. ⇒ **Postillonnant.**

(...) cette éloquence postillonneuse
G. DUHAMEL, Suzanne et les jeunes hommes, 1941, p. 214.

N. Personne qui postillonne. *Un redoutable postillonneur.*

POSTIMPRESSIONNISME ou **POST-IMPRESSIONNISME** [pɔstɛ̃pʀesjɔnism] n. m. — Mil. XXe ; de *post-* (1.), et *impressionnisme.*

♦ Didact. (hist. de la peint.). École de peinture qui succéda à l'impressionnisme, avant le fauvisme (⇒ **Nabi**).

Le *néo-impressionnisme* est un agrandissement *logique* de l'Impressionnisme par Seurat, Signac et Cross, alors que le post-impressionnisme en est la suite (même par réaction) faisant la transition entre lui et les écoles qui allaient suivre (dont le Fauvisme) par Cézanne, Van Gogh, Gaughin, Lautrec.
Maurice GIEURE, la Peinture moderne, p. 19.

POSTIMPRESSIONNISTE ou **POST-IMPRESSIONNISTE** [pɔstɛ̃pʀesjɔnist] adj. et n. — 1930, *post-impressionniste ;* de *post-* et *impressionniste.*

♦ Du post-impressionnisme, et, subst., peintre nabi ou expressionniste de cette période.

POSTINDUSTRIEL, ELLE [pɔstɛ̃dystʀijɛl] adj. — 1967 ; de *post-* (1.), et *industriel.*

♦ Didact. Qui succède à la phase industrielle. *Société, époque post-industrielle.* « *Herman Kahn (...) convaincu que, d'ici à quelques centaines d'années, l'ensemble de l'humanité atteindra à la phase de la société postindustrielle* » (*l'Express,* 6 janv. 1979, p. 57). — On écrit aussi *post-industriel.*

CONTR. Préindustriel.

POSTLUDE [pɔstlyd] n. m. — 1907 ; de *post-* (1), et *(pré)lude.*

♦ Mus. Pièce musicale composée pour conclure une œuvre (ou une cérémonie religieuse), opposé à *prélude. Postlude pour l'office de complies,* de Jehan Alain.

Au XIVe siècle, le motet de type courant fait appel aux instruments. En général, seule la partie supérieure est chantée ; ainsi la forme entre-t-elle dans le cadre de la liturgie. Les prélude, interlude et postlude instrumentaux font une apparition assez brève : le XVe siècle, on le sait, sera celui de la polyphonie vocale a cappella, où le motet de l'école franco-flamande va connaître un prodigieux développement.
A. HODEIR, les Formes de la musique, p. 64.

POST MERIDIEM [pɔstmeʀidjɛm] loc. adj. ⇒ **P.M.**

POST MORTEM [pɔstmɔʀtɛm] Locution latine signifiant « après la mort ». « *Dans l'examen post mortem de 80,7 % des cas...* » (*Rev. gén. des sc.,* 30 sept. 1903, p. 965).

POSTNATAL, ALE, ALS [pɔstnatal] adj. — XXe ; de *post-* (1.), et *natal.*

♦ Didact. Relatif à la période qui suit immédiatement la naissance. *Examen médical postnatal. Mortalité post-natale.* — On écrit souvent *post-natal.*

(...) de cette croissance post-natale du cortex dépend sans aucun doute le développement de la fonction cognitive elle-même.
Jacques MONOD, le Hasard et la Nécessité, p. 172-173.

CONTR. Prénatal.

POSTOPÉRATOIRE [pɔstɔpeʀatwaʀ] adj. — 1892, in *l'Année sc. et industr.* 1893, p. 532 ; de *post-* (1.), et *opératoire.*

♦ Méd. Qui se produit ou qui se fait après une opération. *Transfusion, traitement postopératoire.*

CONTR. Préopératoire.

POSTPOSER [pɔstpoze] v. tr. — 1466, « placer après » ; de *post-* (2.), et *poser.*

♦ **1.** (XXe). Gramm. Placer après un autre mot. — Au p. p. *Sujet postposé* (après le verbe).

♦ **2.** Régional (Belgique). Remettre une chose à plus tard. ⇒ **Ajourner, différer, reporter.**

♦ **3.** Fig. et vx. Placer après, en importance ; subordonner.

CONTR. Antéposer.

POSTPOSITION [pɔstpozisjɔ̃] n. f. — 1784, Court de Gebelin ; « fièvre retardée », 1752 ; de *post-* (2.), et *position.*

♦ **1.** (1839). Gramm. Position d'un mot après un autre, constituant une marque* par rapport à l'ordre le plus fréquent. (⇒ **Inversion**). *Postposition du sujet dans les phrases interrogatives.*

♦ **2.** (D'après *préposition*). Morphème placé après le mot qu'il régit. *En anglais,* « *up* » *dans* « *to get up* » *est une postposition.*

CONTR. Antéposition.

POSTRÉVOLUTIONNAIRE [pɔstʀevɔlysjɔnɛʀ] adj. — 1927, *in* D.D.L. ; de *post-* (1.), et *révolutionnaire.*

♦ Didact. Qui a lieu, se passe après une révolution. — On écrit aussi *post-révolutionnaire.*

CONTR. Prérévolutionnaire.

POSTROMANTIQUE [pɔstʀɔmɑ̃tik] adj. — xxe; de *post-* (1.), et *romantique.*

♦ Didact. Qui succède à la période romantique. *Littérature postromantique* (opposé à *romantique* et *préromantique**).

POSTSCOLAIRE [pɔstskɔlɛʀ] adj. — 1899; de *post-* (1.), et *scolaire.*

♦ Relatif à la période qui suit celle de la scolarité. *Enseignement postscolaire. Études postscolaires par cours du soir.*

CONTR. Préscolaire.

POST-SCRIPTUM [pɔstskʀiptɔm] n. m. invar. — 1701; *postscripte,* v. 1512; loc. lat. signifiant «écrit après».

♦ Complément ajouté au bas d'une lettre, après la signature (abrév. : *P.-S.*). ⇒ **Apostille.** *Mettre un post-scriptum. Remerciement en post-scriptum.*

1 Dans les lettres que je reçois d'elle, ce qui me touche le plus, ce pour quoi je donnerais tout le reste, c'est le post-scriptum. A. BRETON, Nadja, p. 86.

Par compar. et par métaphore. *« Toute existence ressemble à une lettre que modifie le post-scriptum »* (Hugo, *l'Homme qui rit,* II, II, 1). *Post-scriptum de ma vie,* œuvre de Hugo.

2 (...) toute sa conversation *(de Mme de Langeais)* ne fut en quelque sorte que le corps de la lettre, il devait y avoir un post-scriptum où la pensée principale allait être dite. BALZAC, la Duchesse de Langeais, Pl., t. V, p. 167.

POSTSONORISATION [pɔstsɔnɔʀizasjɔ̃] n. f. — Av. 1970; de *post-* (1.), et *sonorisation.*

♦ Techn. Procédé consistant à séparer la réalisation de l'image et celle du son qui sera ajoutée ultérieurement. ⇒ **Play-back** (anglic.), **présonorisation.**

POSTSONORISER [pɔstsɔnɔʀize] v. tr. — 1934, au p. p., *in* D. D. L.; de *post-* (1.), et *sonoriser.*

♦ Techn. Sonoriser après l'enregistrement de l'image. ⇒ aussi **Présonoriser.**

POSTSYNCHRONISATION [pɔstsɛ̃kʀɔnizasjɔ̃] n. f. — 1934; de *post-* (1.), et *synchronisation.*

♦ Cin. Addition du son et de la parole après le tournage du film, notamment dans les films doublés*. ⇒ **Doublage.** — REM. *Postsynchronisation,* qui a d'abord eu le sens actuel de *postsonorisation,* s'est spécialisé pour désigner l'opération technique d'addition du son, et spécialement la substitution d'une bande son à une autre dans le doublage.

POSTSYNCHRONISER [pɔstsɛ̃kʀɔnize] v. tr. — 1934; de *post-* (1.), et *synchroniser.*

♦ Techn. Faire la postsynchronisation. — Au p. p. *Film postsynchronisé.* ⇒ **Doublé** (cour.).

POST-TONIQUE [posttɔnik] adj. — 1933; de *post-* (2.), et *tonique.*

♦ Ling. Placé après la syllabe accentuée. *Syllabe post-tonique.*

CONTR. Prétonique.

POSTULANT, ANTE [pɔstylɑ̃, ɑ̃t] n. — 1945; p. prés. de *postuler.*

♦ **1.** Personne qui demande à entrer en religion. *Postulant, postulante qui devient novice* (cit. 1 et 2).

1 La Mère Angélique entra (...) avec trois de ses Religieuses et quatre postulantes, dans la maison destinée pour cet institut. RACINE, Hist. de Port-Royal, I.

♦ **2.** Personne qui postule une place, un emploi. ⇒ **Candidat, prétendant.** *Il y a plus de postulants que d'emplois.*

2 L'affluence des postulants a forcé la médecine à se diviser en catégories : il y a le médecin qui écrit, le médecin qui professe, le médecin politique et le médecin militant; quatre manières différentes d'être médecin, quatre sections déjà pleines. BALZAC, Z. Marcas, Pl., t. VII, p. 739.

POSTULAT [pɔstyla] n. m. — 1752; v. 1370, nom d'une monnaie; lat. *postulatum* «demande».

♦ **1.** Géom. Principe d'un système déductif qui n'est ni une définition, ni un axiome (cit. 2) et qu'on ne peut prendre pour fondement de la démonstration sans l'assentiment de l'auditeur. *Postulat d'Euclide* (→ Parallèle, cit. 2, et *supra*). — REM. On dit aussi *postulatum.*

Le monde me vient peu à peu à la conscience... *Je me le suis donné* par un point de départ que je lui ai choisi, comme le mathématicien son postulat initial. 1
ARAGON, le Paysan de Paris, p. 153.

Au point de vue formel, une définition, une hypothèse, un postulat jouent le même rôle et sont, au même titre, des *principes* du raisonnement. Ils diffèrent seulement en ce qui concerne leur vérité «matérielle» ou «intrinsèque», c'est-à-dire la nature et le degré de la créance qu'on leur accorde ou qu'on demande pour eux. 2
A. LALANDE, Voc. de la philosophie, art. *Postulat (Rem.).*

Log., sc. Principe indémontrable, non évident par lui-même, mais qui paraît légitime, incontestable. ⇒ **Convention, hypothèse.** *Le postulat du concept général de loi* (→ Fonction, cit. 17). *Admettre, accepter un postulat.* ⇒ **Postuler.**

Depuis que nous connaissons l'existence de grosses molécules protéiques capables d'autocatalyse, nous concevons avec moins d'embarras ce passage du brut au vital qui reste l'un des postulats quasi nécessaires de la biologie. 3
Jean ROSTAND, l'Homme, VIII.

(...) traiter cette formule : «Je pense, donc je suis» comme une proposition dont le sens est indiscutable, et dont il ne reste plus qu'à établir la fonction logique : les uns y voient une sorte de postulat; les autres, la conclusion d'un syllogisme. 4
VALÉRY, Variété, Œ., Pl., t. I, p. 825.

♦ **2.** (Av. 1830). Régional (Suisse). Dr. Vœu qu'un parlementaire transmet à l'exécutif.

(...) les postulats sont souvent des vœux pieux qui finissent leurs jours au fond des tiroirs de l'administration. Tribune le Matin, 14 févr. 1979, p. 5. 5

POSTULATION [pɔstylasjɔ̃] n. f. — 1260; de *postuler.*

♦ **1.** Vx ou littér. Demande, supplication (→ Effusion, cit. 7, Gautier).

Il y a dans tout homme, à toute heure, deux postulations simultanées, l'une vers Dieu, l'autre vers Satan. L'invocation à Dieu, ou spiritualité, est un désir de monter en grade; celle de Satan, ou animalité, est une joie de descendre.
BAUDELAIRE, Journal intime, Mon cœur mis à nu, XIX.

♦ **2.** (1499). Dr. Action de postuler. *La postulation est le monopole des avoués. Postulation illicite.*

POSTULER [pɔstyle] v. intr. et tr. — XIIIe, au sens I; lat. *postulare* «demander».

★ **I.** V. intr. Dr. Représenter en justice; occuper pour une partie devant un tribunal et faire les actes de la procédure. *Les avoués postulent et concluent.* ⇒ **Avoué** (→ Conclusion, cit. 10). *Postuler pour un client.* ⇒ **Occuper** (I., 6.). *Personne agréée* pour postuler devant un tribunal de commerce.* ⇒ **Postulation.**

★ **II.** V. tr. ♦ **1.** (XIVe). Demander* (un emploi, une place). ⇒ **Solliciter; postulant.** *Postuler une place dans l'Académie française* (La Bruyère). *Postuler l'admission dans une maison religieuse* (Académie). — Absolt :

L'Abbaye-au-Bois va à merveille. Madame Lenormant a repris ses soirées du vendredi. M. Ballanche postule à l'Académie; mais Scribe lui sera préféré (...) 1
SAINTE-BEUVE, Correspondance, 427, 18 nov. 1834.

Par ext. *Postuler le martyre* (→ Impie, cit. 4).

♦ **2.** (1897). Log. Poser (une proposition) comme postulat*. *Postuler que sous le changement il y a quelque chose de constant* (→ Fonction, cit. 17).

La chrétienté, pervertie par la superstition, obscurcie par les ténèbres, aurait été *rétablie* dans les pays protestants; *continuée* dans les pays catholiques après le Concile de Trente (...) Mais on ne postule cette continuité que pour inventer une frontière. 2
MALRAUX, l'Homme précaire et la Littérature, p. 35.

POSTURAL, ALE, AUX [pɔstyʀal, o] adj. — 1945, Garnier-Delamare; de *posture.*

♦ Didact. Relatif à l'attitude, à la posture. Physiol. *Sensibilité posturale* ou *sens des attitudes* (statesthésie). Méd. *Drainage postural :* évacuation d'un liquide (des bronches, des sinus, etc.) par les voies naturelles, facilitée par une position déclive permettant l'écoulement du liquide par l'orifice de drainage.

La plasticité posturale offre à l'activité mentale pure sa première étoffe. Elle ouvre aux impressions dont le motif était d'abord externe l'accès des élaborations intimes. Or chez l'enfant les réactions d'attitude et celles d'éveil sensoriel sont loin d'être en retard sur les autres.
Henri WALLON, l'Évolution psychologique de l'enfant, p. 102.

POSTURE [pɔstyʀ] n. f. — 1588; ital. *postura,* de *posto,* p. p. de *porre* «poser», lat. *ponere.*

♦ **1.** Didact. Attitude particulière du corps (⇒ **Attitude, maintien, position**). Cour. Attitude peu naturelle, ou position inattendue, choquante, indécente. *Posture inclinée du suppliant, du quémandeur. Posture provocante de celui qui met les poings sur les hanches. Essayer une posture pour dormir* (→ Ajuster, cit. 18). *Assise dans une posture un peu frileuse* (cit. 8). ⇒ **Contenance.** *Il fut surpris de voir un inconnu* (cit. 26) *en cette posture. Posture comique, immo-*

deste (→ Insulter, cit. 4), *obscène. Chaque face était une grimace, chaque individu une posture* (→ Fournaise, cit. 7).

1 En m'élançant sur le cheval de Mlle de Graffenried je tremblais de joie, et quand il fallut l'embrasser pour me tenir, le cœur me battait si fort qu'elle s'en aperçut; elle me dit que le sien lui battait aussi par la frayeur de tomber; c'était presque, dans ma posture, une invitation de vérifier la chose (...)
ROUSSEAU, les Confessions, IV.

2 *(Il)* s'asseyait à terre, la bride de son cheval passée dans ses bras, et la tête appuyée sur ses deux mains. Quand il était las de cette posture, il se levait et regardait au loin s'il n'apercevait point Jacques.
DIDEROT, Jacques le fataliste, Pl., p. 524.

3 Vulcain, prévenu par Mercure de son infortune, surveilla sa femme de plus près et, l'ayant surprise avec Mars dans une posture sans équivoque, il jeta sur eux un filet qui les emprisonna sur leur lit (...)
Émile HENRIOT, Mythologie légère, p. 77.

♦ **2.** Fig. (Vieilli ou littér.). Situation d'une personne (par rapport à l'opinion). ⇒ **Condition, position, situation** (vieilli ou littér.). — Surtout en loc. : *dans une posture* (vx); *en posture* (mod.). *Ils finiront en posture de calomniateurs* (→ Impudence, cit. 6). *Être en bonne, en mauvaise posture quelque part.*

4 C'est un placet, Monsieur, que je voudrais lire,
Et que, dans la posture où vous met votre emploi,
J'ose vous conjurer de présenter au Roi.
MOLIÈRE, les Fâcheux, III, 2.

5 Femme d'un infirme qui ne pouvait être son mari, amie d'une courtisane; amie de plusieurs grandes dames, mais à la façon d'une demoiselle de compagnie; gouvernante des enfants du roi, mais de ses enfants naturels; épouse du roi, mais son épouse secrète (...) c'est le malheur de cette personne distinguée *(Mme de Maintenon)*, intelligente et très probablement vertueuse, d'avoir passé toute sa vie dans des postures équivoques, fausses, non définies.
Jules LEMAÎTRE, Impressions de théâtre, 3e série, Scarron.

6 Et, pour ne pas éprouver une plus grande gêne devant Verlaine en posture de quémandeur chez Vanier, je m'étais bien gardé de me rappeler à lui (...)
Georges LECOMTE, Ma traversée, p. 193.

Cour. *Être, se trouver... en bonne, en mauvaise posture :* être dans une situation favorable ou défavorable, difficile, périlleuse (cf. fam. Dans la marmelade, la mélasse...). *La chute du gouvernement l'a mis en mauvaise posture.*

7 Un duel met les gens en mauvaise posture (...)
MOLIÈRE, les Fâcheux, I, 6.

♦ **3.** Littér. Attitude d'esprit. *Toute posture guindée* (cit. 13) *est sans beauté.*

8 Jette mon livre; dis-toi bien que ce n'est là *qu'une* des mille postures possibles en face de la vie. Cherche la tienne (...)
GIDE, les Nourritures terrestres, p. 185.

DÉR. Postural.

POT [po] (Le *t* ne se lie que dans des expressions (*un pot à lait* [pɔtalɛ], *le pot aux roses* [pɔtoʀoz]) qui gardent la même prononciation au pluriel; mais on dit : *un pot à moutarde* [poamutaʀd], *des pots à moutarde* [pozɑmutaʀd], ou plus souvent [poamutaʀd].) n. m. — 1155; du lat. vulg. **pottus, potus* (cf. Du Cange), d'origine préceltique, sur un rad. *pot-* exprimant la rondeur. → Potelé.

★ **I.** ♦ **1.** Récipient* de ménage, destiné surtout à contenir liquides et aliments. ⇒ **Vase.** *Pot de fer, de cuivre, d'étain; de faïence, de grès, de porcelaine, de terre** (⇒ **Poterie; ollaire**); *de verre...* (→ Lessive, cit. 1; oblong, cit. 1). *Le Pot de terre et le Pot de fer* (La Fontaine, → cit. 3 ci-dessous). *Pot rond* (⇒ **Boulier,** régional), *cylindrique, évasé. Anse, bec, couvercle* d'un pot. Cul* (cit. 17) *d'un pot de terre.*

1 La jeune fille qui nous donna à boire dans un de ces charmants pots d'argile poreuse qui font l'eau si fraîche (...)
Th. GAUTIER, Voyage en Espagne, p. 148.

POT À..., destiné à contenir telle ou telle chose et fabriqué, disposé pour cet usage. *Pot à beurre* (beurrier), *à câpres* (câprière), *à confitures* (→ Gelée, cit. 6), *à moutarde* (moutardier), etc. (⇒ aussi **Emballage**). — **POT À EAU** [pɔtao] (1256), servant à la toilette (→ Ébrécher, cit. 6; égueuler, cit. 1; manier, cit. 20). *Cuvette et pot à eau.* — **POT À LAIT** [pɔtalɛ] ou [poale] (1636) : bidon de métal dans lequel on transporte le lait; récipient dans lequel on sert le lait sur la table. — **POT AU LAIT** [pɔtolɛ] (1546) : pot qui contient habituellement du lait. *La Laitière** (Perrette) *et le Pot au lait,* fable de La Fontaine (→ Coussinet, cit. 1). — **POT À TABAC** [poataba], où le fumeur garde son tabac (→ Gipsy, cit. 1). *Être gros, court comme un pot à tabac.* — Fig. *Un petit pot-à-tabac :* un petit* gros. *Un de ces pots-à-tabac à face humaine* (→ Gros, cit. 5).

1.1 (...) malgré ses cheveux rouges, son châle de tireuses de cartes et son allure de pot à tabac, Mme Suzy réussit(-elle) à donner l'illusion qu'elle a toujours vingt ans.
F. MALLET-JORIS, le Jeu du souterrain, p. 149.

POT DE..., contenant (telle chose). *Pot de beurre* (→ Galette, cit. 2), *de confiture* (cit. 1), *de marmelade* (cit. 1). *Pot d'eau chaude* (→ Inconfort, cit. 1). *Pot de colle.* — REM. Cependant, on dit souvent *pot de yaourt, pot de fleurs,* même si ces récipients sont vides. — *Pots décoratifs.* ⇒ **Vase; potiche.** — *Pots de pharmacie* (→ Manchette, cit. 2). ⇒ aussi **Potard.** *Pot de pommade* (→ Flamboyer, cit. 5).

2 (...) elle ne manquait pas (...) de recueillir la gelée de volaille dans les pots à confitures (...)
J. CHARDONNE, les Destinées sentimentales, p. 37.

Spécialt. (En parlant des pots contenant une boisson). ⇒ **Chope, verre.** *Pot à bière* (→ 1. Boire, cit. 3). *Pot de bière, de vin* (→ Devant, cit. 2). ⇒ aussi **Pot-de-vin.** — Absolt. *Vider un pot. Humer le pot* (vx). *Noyer son souci dans les pots* (→ Allégresse, cit. 4; et aussi ci-dessous, 4.).

(XVIIe). Vx. *Pot à fleurs* (→ Encadrer, cit. 2). Mod. **POT DE FLEURS** (→ Demoiselle, cit. 6; patio, cit. 1), se dit de récipients en poterie, que l'on remplit de terre et dans lesquels on fait pousser des plantes ornementales. *Plantes, fleurs dans des pots* (→ Gras, cit. 37), *en pots* (⇒ **Dépoter, empoter, rempoter**). *Pots et jardinières de fleurs. Pot recouvert d'un cache-pot*.* — Par anal. *Pot de fleurs :* casque de tranchée (Dauzat, *l'Argot de la guerre*); chapeau rappelant la forme du pot de fleurs.

Agric. *Pot à graines.* ⇒ **Germoir.** — *Pot à moineaux, à oiseaux* (⇒ **Boulin**).

Pot servant de chaufferette. ⇒ **Couvet** (→ Potin, II., étym.).

Allus. littér. *Le Pot de fer et le Pot de terre.*

Le pot de fer proposa 3
Au pot de terre un voyage (...)
Mes gens s'en vont à trois pieds,
Clopin clopant, comme ils peuvent,
L'un contre l'autre jetés,
Au moindre hoquet qu'ils treuvent *(trouvent).*
Le pot de terre en souffre : il n'eut pas fait cent pas
Que par son compagnon il fut mis en éclats,
LA FONTAINE, Fables, V, 2.

(...) que peut une parente pauvre contre toute une famille riche?... Ce serait l'histoire du pot de terre contre le pot de fer. 4
BALZAC, la Cousine Bette, Pl., t. VI, p. 226.

Loc. *Faire le pot à deux anses*.* — *Avoir une voix de pot cassé, fêlé,* une voix cassée, enrouée. — *Payer les pots cassés :* réparer les dommages* qui ont été faits (→ Grabuge, cit.). *Je ne veux pas payer les pots cassés,* faire les frais d'une situation compromise. — *Dans les vieux pots, les bons onguents.* — *Mettre les petits pots dans les grands* (vx) : mettre en ordre avant de déménager; mettre les petits plats* dans les grands. — *Être bête*, sourd* comme un pot.*

Elle était bête comme trente six mille pots et sale à répugner une paroisse (...) 5
ZOLA, Pot-Bouille, t. II, XVIII.

(XIIIe). **POT AUX ROSES** [pɔtoʀoz]. *Découvrir* le pot-aux-roses.* — REM. Dans cette expression figurée, le sens de *pot aux roses* reste obscur. Littré donne l'explication devenue traditionnelle de «pot dans lequel on met les roses, l'essence de rose». On écrit aussi *pot-aux-roses.*

Nous pensons ne pas nous tromper en disant ici que la locution repose sur la métaphore : *découvrir,* «dévoiler, révéler»; puis sur la remétaphorisation : *découvrir le pot,* le pot étant par excellence l'objet muni d'un couvercle; enfin sur l'amplification hyperbolique : *découvrir le pot aux roses,* le pot aux roses apparaissant (...) comme l'instrument d'une préparation particulièrement secrète, sans qu'il soit possible d'en définir la nature exacte (...) 6
Pierre GUIRAUD, les Locutions franç., p. 62.

Au cas où le pot aux roses serait découvert et où je serais accusé de vol (...) 7
F. MAURIAC, le Nœud de vipères, XIV.

Je me serais peut-être racheté, n'est-ce pas? si je lui avais discrètement fait connaître mon rôle de l'an dernier, dans la découverte du «pot-aux-roses». 8
J. ROMAINS, les Hommes de bonne volonté, t. XII, XXIII, p. 251.

POT AU NOIR [pɔtonwaʀ] (au sens propre, attesté seulement en 1869, Littré : «récipient où l'on met le cirage») : situation inextricable et dangereuse (cf. La bouteille à l'encre). *Tomber dans le pot au noir* (cf. Saint-Simon, *in* Littré). — Spécialt. Région de brumes opaques, redoutée des navigateurs, des aviateurs. *Le Pot-au-Noir, le pot-au-noir.*

En relevant l'indication des latitudes, nous vîmes que nous étions arrivés à ce point 8.1
de la mer, oléagineuse vraiment, que les marins appellent Pot-au-Noir, à cause de sa tranquillité.
GIDE, le Voyage d'Urien, *in* Romans, Pl., p. 41.

(...) lorsque Mermoz, pour la première fois, franchit l'Atlantique Sud en hydravion, il aborda, vers la tombée du jour, la région du Pot-au-Noir. Il vit, en face de lui, se resserrer, de minute en minute, les queues de tornades (...) puis la nuit s'établir (...) Et quand, une heure plus tard, il se faufila sous les nuages, il déboucha dans un royaume fantastique. 9
SAINT-EXUPÉRY, Terre des hommes, I.

POT À FEU : vase décoratif surmonté d'une flamme et servant d'ornement en architecture. *Pots à feu décorant une corniche, une balustrade.*

Nous nous trouvions devant une grande maison carrée, au toit plat recouvert de tuiles, posée au milieu des champs, entre quatre socles que surmontaient des pots à feu. 10
Émile HENRIOT, le Diable à l'hôtel, XXVIII.

Fam. **POT DE COLLE :** importun, personne ennuyeuse, «collante». *Quel pot de colle!*

Elle reste. C'est la glu. Le papier tue-mouches. Le scotch en rouleaux (...) Le lézard vert, qu'on lâche que si on lui coupe la tête. (...) 10.1
Elle reste. Qu'est-ce qu'il faut que je fasse pour me dépêtrer de toi? Regardez-moi ce pot de colle que je traîne aux fesses?
Christiane ROCHEFORT, le Repos du guerrier, I, V, p. 103.

♦ **2.** (XIIIe, *en pot* «bouilli»; opposé à *rôti*). Vx. Marmite servant à faire cuire les aliments (et, spécialt. à faire bouillir la viande). → Cuire, cit. 2. *Mettre le pot au feu.* ⇒ **Pot-au-feu.** *Viande cuite au pot.* ⇒ **Potage** (vx). *Pot à oille*.* — Par ext. Aliments préparés dans le «pot»; cuisine, nourriture ordinaire. *Mettre, faire le pot, son pot* (Saint-Simon, *in* Littré). *Pot-pourri.* ⇒ aussi **Pot-bouille.**

Que de brûler ma viande, ou saler trop mon pot. 11
MOLIÈRE, les Femmes savantes, II, 7.

Et, dans ce vain savoir, qu'on va chercher si loin, 12
On ne sait comme va mon pot, dont j'ai besoin.
MOLIÈRE, les Femmes savantes, II, 7.

Loc. mod. *Mettre la poule* au pot. Poule au pot :* poule bouillie.

Croûte au pot. Cuiller à pot.* ⇒ **Louche, pochon.** — Loc. fig. et fam. *En deux coups de cuiller à pot :* en un tour de main.

13 Comme il est bon frère, il vole au secours des petits camarades et les remet d'aplomb, « en trois coups de cuiller à pot ». G. DUHAMEL, Salavin, III, II.

(Vx). Loc. métaphorique et fig. *Être au pot de qqn :* vivre à ses frais. *Faire bouillir le pot de qqn :* le faire vivre, le nourrir (attesté en 1980, *Actuel*, p. 55). *Être à pot et à rôt chez qqn ou avec qqn* (manger, vivre avec lui). *Être à pain et à pot* (même sens). *Faire pot à part :* agir séparément.

14 (...) vous êtes donc son cousin, que vous voilà dès le second jour à pot et à rôt avec lui (...) BALZAC, l'Initié, Pl., t. VII, p. 377.

Loc. mod. *À la fortune* (cit. 19) *du pot.* ⇒ **Fortune.** — *C'est dans les vieux pots qu'on fait les bonnes soupes :* les gens âgés, les vieilles choses ont des qualités précieuses. — *Tourner autour du pot* (pour obtenir un morceau) : chercher quelque avantage d'une manière détournée, insidieuse. — Par ext. Parler avec des circonlocutions*, des détours* (3.) sans oser aborder franchement le sujet (→ Barguigner, cit. 1; façon, cit. 53). *Languir* (cit. 9) *autour du pot.*

Vx. *Sœurs du pot :* sœurs de charité. — Argot d'école. Se dit à l'École normale supérieure du repas, ainsi que de l'économe.

15 (...) tous ces jobards sont entrés en ébullitions contre le Pot — qu'hier encore ils appelaient M. l'Économe. J. ROMAINS, les Hommes de bonne volonté, t. III, III, p. 48.

♦ **3.** (1542). POT DE CHAMBRE : vase* de nuit (→ Nécessité, cit. 11. — On disait aussi *pot à pisser*). — Absolt. *Mettre un enfant sur son pot; aller au pot.*

16 J'avais commencé dès Lyon à ne plus guère entendre le langage du pays, et à n'être plus intelligible moi-même. Ce malheur s'accrut à Valence, et Dieu voulut qu'ayant demandé à une servante un pot de chambre, elle mit un réchaud sous mon lit. Vous pouvez vous imaginer... ce qui peut arriver à un homme endormi qui se sert d'un réchaud dans ses nécessités de nuit. RACINE, Lettre à La Fontaine, 11 nov. 1661.

17 Je préfère, à mon pot de chambre qui me sert, un pot chinois, semé de dragons et de mandarins, qui ne me sert pas du tout (...) Th. GAUTIER, Mlle de Maupin, Préface, p. 32.

(1613). (Vx). *Pot de nuit :* vase de nuit.

♦ **4.** Contenu* d'un pot (⇒ **Potée**). *Boire un pot de bière, manger tout un pot de confiture, de miel...* — Absolt et fam. *Boire, prendre un pot,* un verre.

18 (...) elle mit la main sur une bouteille, dans laquelle sa mère avait délayé un vieux pot de confiture, de façon à fabriquer du sirop de groseille (...) ZOLA, Pot-Bouille, t. I, II.

19 Le bon frère est entré tantôt au *Petit-Bacchus,* où il a bu deux ou trois pots qu'il n'a point payés (...) FRANCE, la Rôtisserie de la reine Pédauque, II, Œ., t. VIII, p. 13.

20 Édouard propose de « prendre un pot », car il fait crédit aux vertus cordiales de l'alcool. Ils trinquent. G. DUHAMEL, Salavin, III, XX.

(1909). *Le pot* (de fin d'année, d'anniversaire...) : réunion autour d'un « pot » pour fêter un événement. ⇒ **Arrosage** (B.). *Venez ce soir, il y a un pot.*

♦ **5.** (XIIe, Chrétien de Troyes). Anciennt. Mesure de capacité pour les liquides, valant deux pintes*.

♦ **6.** (1756, *Encyclopédie*). *Papier au pot :* format de papier (qui porte un pot en filigrane).

♦ **7.** Par anal. Vx. *Pot de tête, pot en tête :* sorte de casque.

Techn. *Pot de pompe* (vx) : cylindre. — *Pot à feu :* sorte de pétard cylindrique.

Fam. *Conduire, accélérer plein pot,* en donnant toute la puissance (d'une automobile, d'une moto, etc.) → À pleins tubes*. — Par ext. *Il fonçait plein pot sur son vélo.*

Trou dans le sol (dans certains jeux de billes, de balle...).

♦ **8.** (1894). POT D'ÉCHAPPEMENT : tuyau muni de chicanes qui, à l'arrière d'une voiture, d'une moto, laisse échapper les gaz brûlés après leur détente en amortissant le bruit. ⇒ **Silencieux.**

20.1 Les machines ne sont pas comme ça. Elles sont brutales et bruyantes, elles ont des pots d'échappement, des orifices partout. J.-M. G. LE CLÉZIO, les Géants, p. 186.

♦ **9.** L'enjeu, dans certains jeux d'argent (poker...). *Ramasser le pot. Mettre une relance au pot. Garder le pot pour le coup suivant, lorsque personne n'a gagné* (faire « rempot »).

★ **II.** ♦ **1.** (1896). Vulg. Anus (cf. Proust, *la Prisonnière,* Pl., t. III, p. 340 : *casser le pot à...*). → le dér. pop. Popotin. *Se manier* (ou *magner*) *le pot :* se dépêcher.

20.2 (...) de ma main gauche, la vigoureuse, je lui tripotais son petit corps, son ventre, son petit pot si nerveux, si dur, frémissant, le petit animal... à rebondir (...) CÉLINE, le Pont de Londres, p. 153.

20.3 (...) grouille-toi, fais fiça, magne-toi le pot, le popotin si tu préfères (...) R. QUENEAU, Pierrot mon ami, Folio, p. 81.

♦ **2.** (1925). Fam. Chance, veine. *Avoir du pot.* ⇒ **Bol.** *Un coup de pot. Manque de pot !,* expression marquant la déconvenue, le dépit (contr. : *Guigne; déveine*). *Pas de pot.*

Dis donc, j'ai eu du pot : du premier coup j'ai trouvé une chambre dans les beaux quartiers. SARTRE, la P... respectueuse, I, 2. 21

DÉR. Potard, potée, poterie, potiche, potier. V. aussi **Potage, potin.**

COMP. Dépoter, dépotoir, empoter, rempoter. Pot-au-feu, pot-aux-roses (v. à l'article), **pot-bouille, pot-de-vin, pot-pourri.** V. **Potache.**

HOM. Peau.

POTABLE [pɔtabl] adj. — 1270; surtout terme d'alchimie, dès 1369, jusqu'au XVIIe; lat. *potabilis,* de *potare* « boire ». → Potion.

♦ **1.** Qui peut être bu sans danger pour la santé et avec un goût agréable (ne se dit guère qu'en parlant de l'eau). ⇒ **Buvable.** *Eau non potable.*

Elle produisit un vin excellent, qui n'avait d'autre défaut que d'être trop tendre, c'est-à-dire potable au bout de six mois, et ne pouvant se garder au-delà de trois ans dans toute sa bonté. RESTIF DE LA BRETONNE, la Vie de mon père, p. 139. 1

Par métaphore (→ 2. Idéal, cit. 12, Hugo).

♦ **2.** (V. 1500). Alchimie. *Or potable.* ⇒ 1. **Or** (*supra* cit. 5).

♦ **3.** (1701, en parlant d'une boisson). Vieilli. Qui, sans être excellent, peut se boire. *Ce vin n'est pas excellent, mais il est potable* (Académie). — (On dit plutôt *buvable,* de nos jours).

♦ **4.** (1834; Stendhal, *Lucien Leuwen;* Flaubert, *Correspondance*). Fam. ⇒ **Acceptable, passable.** *Un temps potable.*

(...) à cause du milieu où tout cela évoluait (...) où l'élégance vous fait inviter mais non épouser, aucun mariage potable ne semblait pouvoir être pour Albertine la conséquence utile de la considération si distinguée dont elle jouissait (...) PROUST, À l'ombre des jeunes filles en fleurs, Pl., t. I, p. 937. 2

À l'Uni-Park, on doit t'en faire des propositions. Enfin, ça t'apprend à connaître les hommes : des flambards dont pas un sur dix peut faire un amoureux potable. R. QUENEAU, Pierrot mon ami, éd. L. de Poche, p. 82. 3

POTACHE [pɔtaʃ] n. m. — V. 1840; de *pot-à-chien* « chapeau de soie porté dans les collèges », puis, par ext., « cancre, élève », étym. controversée, *pot-à-chien* pouvant être un calembour postérieur; probablt de *pot* « table commune d'un collège » dans des loc. comme *être à pain et à pot;* le *potache* « partage le pot » (P. Guiraud).

♦ Fam. Collégien, jeune étudiant. ⇒ **Lycéen.**

Bien que tel sot grimaud t'ait traité *(Rimbaud)* de ribaud 1
Imberbe et de monstre en herbe et de potache ivre.
VERLAINE, Poésies, « Dédicaces », LVI.

À vingt-cinq ans, cet infantilisme d'esprit lui donnait la sottise qu'a un potache de seize ans, qui entre en philo, et découvre l'âme et la pensée humaines à travers les manuels de M. Paulin Malapert. MONTHERLANT, les Célibataires, II, VI. 2

J'en ai ras le bol comme nos potaches d'ailleurs, ras le bol de cette institution : le lycée, la classe, le programme. Yanny HUREAUX, la Prof, p. 237. 3

Par ext. Naïf. *Esprit, comportement de potache.* — Adj. *Il est resté très potache. Esprit potache.*

Aurélien, qui, en tout ça, était resté très potache pour ses trente ans, était capable de tourner ainsi des heures et des heures dans Paris. ARAGON, Aurélien t. I, p. 127-128. 4

POTAGE [pɔtaʒ] n. m. — XIIIe, « bouillie, purée de légumes cuits au pot », aussi « légumes », en moyen franç.; dér. de *pot,* et suff. *-age.*

♦ **1.** (Mil. XIIIe). Aliment à demi liquide, constitué par un bouillon* dans lequel on a fait cuire ou tremper des aliments solides, le plus souvent coupés menu ou passés (→ Bouillon, cit. 7). ⇒ **Soupe.** *Faire, préparer un potage, du potage. Potage au pain* (soupe, panade), *aux pâtes, au tapioca, au vermicelle... Potage aux légumes* (⇒ **Julienne**), *à la viande. Potage garbure** (cit.). *Potage aux écrevisses.* ⇒ 2. **Bisque.** *Potage Parmentier* (aux pommes de terre), *Crécy* (aux carottes). *Potage à la crème, au lait* (→ Olé, cit. 1). *Potage froid* (espagnol). ⇒ **Gaspacho.** — *Potage épais, onctueux, velouté* (⇒ **Velouté,** n. m.); *potage clair, insipide* (⇒ **Lavasse, lavure,** péj.). — *Potage qui cuit, mitonne** (cit. 2). — *Servir le potage dans une soupière, avec une louche*. Assiettée de potage.* — REM. Jusqu'à l'époque moderne, le *potage* comprenait des aliments solides « cuits au pot », en assez grande quantité (ce qui explique le passage au sens 2). → aussi Oille. De nos jours il est presque uniquement liquide et constitue un synonyme de *soupe** (au sens moderne).

On joint au bouillon des légumes ou des racines pour en relever le goût, et du pain ou des pâtes pour le rendre plus nourrissant : c'est ce qu'on appelle un potage (...) On convient généralement qu'on ne mange nulle part d'aussi bon potage qu'en France (...) le potage est la base de la diète nationale française, et l'expérience des siècles a dû le porter à sa perfection. A. BRILLAT-SAVARIN, Physiologie du goût, t. I, p. 95 (→ aussi Léger, cit. 3). 1

Mais son grand régal était un certain potage, du vermicelle cuit à l'eau très épais, où il versait la moitié d'une bouteille d'huile. ZOLA, l'Assommoir, VIII, t. II, p. 19. 2

La soupe japonaise (ce mot soupe est indûment épais, et *potage* sent la pension de famille). R. BARTHES, l'Empire des signes, p. 24. 2.1

Par métaphore :

La femme est en effet le potage de l'homme; 3
Et quand un homme voit d'autres hommes parfois
Qui veulent dans sa soupe aller tremper leurs doigts,
Il en montre aussitôt une colère extrême.
MOLIÈRE, l'École des femmes, II, 3.

Par ext. Préparation destinée à préparer rapidement un potage. *Potage déshydraté. Potage en sachet. Acheter des sachets de potage au poulet.*

Par ext. Le moment du repas où l'on mange le potage (le début du repas). *Dès le potage* (→ Gaillardise, cit. 1).

♦ **2.** Vx. Aliments cuits dans le pot (bouillis). ⇒ **Bouilli** (n. m.), **pot-au-feu, ragoût...** *Mettre un oison en potage* (→ Cuisinier, cit. 1, La Fontaine). *Grands potages; potage de perdrix aux choux* (→ 2. Bisque, cit. 1, Molière).

♦ **3.** (Fin XIIIe, au sens propre, «pitance»). Loc. (mil. XVe). **POUR TOUT POTAGE :** pour toute nourriture. Fig. En tout et pour tout. ⇒ **Seulement, simplement** (→ Faquin, cit. 2). *Ayant pour tout potage une belle idiote* (cit. 7).

4 Vous verrez des femmes dont les maris ont six mille francs d'appointements pour tout potage, et qui dépensent plus de dix mille francs à la toilette.
BALZAC, le Père Goriot, Pl., t. II, p. 936.

POTAGER, ÈRE [pɔtaʒe, ɛʀ] adj. et n. m. — 1562; dér. de *potage* «légumes pour le pot».

★ **I.** Adj. ♦ **1.** Se dit des plantes herbagères dont une partie (caïeux, feuilles [⇒ **Verdure**], graines, tiges, racines, tubercules...) peut être utilisée dans l'alimentation humaine (étymologiquement, qui peuvent «être cuites en pot», servir à faire des *potages*), à l'exclusion des céréales. ⇒ **Légume** (où l'on trouvera les noms des *plantes potagères*). *Herbes, racines potagères. Betteraves potagères* (opposé à *fourragères*).

♦ **2.** (Mil. XVIe). Où l'on cultive des plantes potagères, des légumes pour la consommation (et non pour la vente : ⇒ **Maraîcher**). *Jardin potager et jardin d'agrément.* — Relatif aux légumes. *Culture potagère* (⇒ **Horticulture**).

1 Garde nos petits vergers,
Et nos jardins potagers. RONSARD, Pièces posthumes, «Hymnes», XII.

1.1 (...) au milieu de clairières, il était visible que la terre avait été plantée de plantes potagères à une époque assez reculée probablement.
Aussi, quelle fut la joie d'Harbert quand il reconnut des pommes de terre, des chicorées, de l'oseille, des carottes, des choux, des navets (...)
J. VERNE, l'Île mystérieuse, t. II, p. 495.

★ **II.** N. m. **POTAGER** (1570; *potagier* «cuisinier qui s'occupe des bouillis», en 1373).

♦ **1.** Plantation* de légumes; jardin destiné à la culture des légumes (et de certains fruits) pour la consommation. *Carrés, carreaux* (cit. 6), *planches* (→ Jardinier, cit. 1); *allées, bordures d'un potager. Verger fruitier* (cit. 2) *et potager. Arroser, sarcler, ratisser dans un potager* (→ Manier, cit. 8).

2 (...) la vue du potager la prit tout entière. Elle se précipita, bouscula la femme de chambre dans l'escalier, en bégayant : — C'est plein de choux!... Oh! des choux gros comme ça!... Et des salades, de l'oseille, des oignons, et de tout!
ZOLA, Nana, VI.

♦ **2.** Foyer situé non loin de la cheminée principale où l'on faisait autrefois mijoter les potages sur les braises récupérées.

POTAMIQUE [pɔtamik] adj. — XXe; de *potam(o)-*, et *-ique.*

♦ Didact. Des fleuves, des cours d'eau. *« Dans le milieu potamique* (et) *en mer»* (R. et M.-L. Bauchot, *les Poissons*, p. 104).

POTAMO-, -POTAME Éléments de mots savants utilisés en zoologie et en botanique, tirés du grec *potamos* «fleuve». ⇒ **Hippopotame, myopotame.**

POTAMOBIOLOGIE [pɔtamobjɔlɔʒi] n. f. — Mil. XXe; de *potamo-*, et *biologie.*

♦ Didact. Science qui étudie la faune et la flore des rivières et des fleuves.

POTAMOCHÈRE [pɔtamɔʃɛʀ] n. m. — 1903; de *potamo-*, et grec *khoiros* «petit cochon».

♦ Zool. Mammifère ongulé *(Suidés)*, voisin du sanglier, qui vit dans les marécages, en Afrique.

POTAMOLOGIE [pɔtamɔlɔʒi] n. f. — 1875; de *potamo-*, et *-logie.*

♦ Didact. Hydrologie fluviale.

POTAMOPHILE [pɔtamɔfil] adj. — 1839, Boiste; de *potamo-*, et *-phile.*

♦ Didact. Qui vit dans les eaux douces (→ Habitat, cit. 1). N. m. Spécialt. Insecte coléoptère *(Parnidés).*

POTAMOT [pɔtamo] ou **POTAMOGÉTON** [pɔtamoʒetɔ̃] n. m. — 1793, *potamot; potamogéton*, 1701; de *potamo-*, et grec *geitôn* «voisin».

♦ Bot. Plante monocotylédone (type de la famille des *Potamées; Naïadacées*), herbacée, vivace, aquatique, à feuilles en partie flottantes, en partie submergées (on l'appelle communément *épi d'eau*).

POTAMOTOQUE [pɔtamɔtɔk] adj. et n. m. — 1927, Roule; de *potamo-*, et grec *tokos* «enfantement».

♦ Didact. (zool.). Se dit d'un poisson migrateur qui remonte les fleuves pour la ponte. ⇒ **Anadrome.**

CONTR. Thalassotoque ou **catadrome.**

POTARD [pɔtaʀ] n. m. — 1867, Delvau; dér. de *pot* du pharmacien.

♦ Fam. et vieilli. Pharmacien*; préparateur en pharmacie. — Vx. Étudiant en pharmacie (→ École, cit. 10).

POTASSAGE [pɔtasaʒ] n. m. — XXe; de *potasser.*

♦ Fam. Action de potasser, de travailler (intellectuellement).

Entre les cours, les travaux pratiques, le potassage à domicile (...) Jean avait de moins en moins le temps de penser à ses tourments personnels.
H. TROYAT, Une extrême amitié, p. 28-29.

POTASSE [pɔtas] n. f. — 1690, Furetière; *pottas*, n. m. en 1577 (Liège), vient du néerl. *potasch*; all. *Potasche* «cendre *(Asche)* du pot», qui désignait l'«alcali fixe» par oppos. à l'«alcali volatil».

♦ **1.** *Potasse caustique*, ou, absolt, *potasse :* hydroxyde de potassium (KOH), solide blanc, fondant à 380° C environ, de densité 2,044, déliquescent, soluble dans l'eau (97 g dans 100 g d'eau à 0° C) susceptible de former des hydrates. *On obtient industriellement la potasse par électrolyse d'une solution de chlorure de potassium, puis par évaporation. Potasse à l'alcool :* hydroxyde de potassium traité par l'alcool éthylique pour éliminer les impuretés. *Lessive de potasse* (→ ci-dessous, 2.). *On emploie la potasse comme base; elle sert à la fabrication des sels de potassium, de certains savons*, de détergents*, etc.
Solution aqueuse de potasse (hydroxyde de potassium), *lessive de potasse. La potasse possède d'énergiques propriétés basiques; elle dissout les tissus animaux.*

♦ **2.** Carbonate de potassium impur (souvent en solution). *Les potasses industrielles proviennent de la calcination de cendres* végétales* (de bois, de varech...), *du traitement des eaux de désuintage des laines, du traitement du chlorure de potassium* (sylvinites...) *extrait de minerais* (potasses d'Alsace)... *La potasse est utilisée pour le blanchissage*, dans le chamoisage des peaux, dans la fabrication des lessives pour peintres...*

♦ **3.** Vx. Potassium. *Alun, carbonate de potasse.*

DÉR. Potassé, potasser, potassique.

POTASSÉ, ÉE [pɔtase] adj. — 1834; *potassié* en 1814; de *potasse.*

♦ Chim. Qui contient de la potasse. *Composé potassé.*

POTASSER [pɔtase] v. tr. — Av. 1838, argot de Saint-Cyr; aussi «s'impatienter, bouillir», par allus. à l'effervescence dans certaines réactions chimiques sur des sels de potassium; p.-ê. de *pot* et *-asser.* Cf. *Potasser* «cuisiner», dial. ou altér. de *potache*, par calembour avec *potasse.*

♦ Fam. Travailler, étudier avec acharnement. ⇒ **Chiader, bûcher.** *Potasser ses bouquins* (→ 2. Froid, cit. 8), *son cours, ses leçons.* Par ext. Préparer par un travail assidu. *Potasser un examen.*

Quand je compare mon discours, improvisé, à celui de Rouanet, qui avait potassé son interpellation (...) 1
J. ROMAINS, les Hommes de bonne volonté, t. V, XXIV, p. 217.

L'écrit est pour demain matin (...) Pourvu (...) que je puisse, cette nuit, repasser la «méta», potasser mon Hoffding. 2
Paul MORAND, l'Europe galante, Nicu Petresco, IV.

DÉR. Potasseur.

POTASSEUR, EUSE [pɔtasœʀ, øz] n. — 1838; de *potasser.*

♦ Vieilli. Personne qui potasse, travaille dur. ⇒ **Bûcheur.**

Il était (...) le type le plus étonnant que j'aie rencontré de ce que nous appelions (...) un *potasseur.* Lourd d'esprit, sans facilité aucune, son application prodigieuse triomphait des pires obstacles. Paul BOURGET, Tragiques remous, V. I.

POTASSIQUE [pɔtasik] adj. — 1831; de *potasse.*

♦ Chim. Se dit des composés du potassium*. *Composés, sels potassiques. Engrais* potassiques.*

1 Dans les sociétés africaines, l'utilisation des cendres potassiques en place du sel détermine un registre gustatif particulier.
A. LEROI-GOURHAN, le Geste et la Parole, t. II, p. 110.

2 La consommation mondiale d'engrais potassiques s'accroît rapidement.
A. SAUVY, Croissance zéro?, p. 185.

POTASSIUM [potasjɔm] n. m. — 1808; angl. *potassium*, 1807, Davy; lat. mod. *potassium*, de l'angl. *potass* ou *potash* «potasse», ou du franç. *potasse*.

♦ Métal alcalin (symbole K, numéro at. 19; poids at. 39,096; densité 0,859; température de fusion 63,65 °C), appartenant au groupe I de la classification périodique comme les autres métaux alcalins, ayant la valence 1 et formant un ion positif univalent. *Le potassium possède divers isotopes dont l'un, le potassium 40, se trouve en très faible proportion* (0,0119 %) *dans le potassium naturel; il est radioactif* (période 1,5 milliard d'années) *et joue un rôle essentiel dans le régime thermique de la terre. Le potassium, métal mou, blanc d'argent, très réactif, se recouvre à l'air d'une croûte oxydée et carbonatée. Minéraux contenant du potassium :* sylvine *(chlorure de potassium),* sylvinite *(mélange de chlorures de potassium et de sodium),* carnallite *(chlorure double hydraté de potassium et de magnésium),* schœnite *(sulfate double hydraté de potassium et magnésium),* kaïnite *(chlorosulfate double hydraté de potassium et magnésium). Efflorescences d'azotate de potassium sur certaines roches* (nitre ou salpêtre). *Les océans et les mers contiennent du chlorure de potassium* (0,5 à 0,7 g par litre). *Les sels de potassium constituent un élément essentiel à la vie des plantes* (les cendres de bois ont été longtemps les sources les plus importantes de potasse) : *des végétaux ils passent dans les tissus animaux et peuvent s'accumuler dans certaines parties des organismes* (suint des moutons).

— Vous connaissez la composition de l'eau de mer. Sur mille grammes on trouve quatre-vingt-seize centièmes et demi d'eau, et deux centièmes deux tiers environ de chlorure de sodium; puis, en petite quantité, des chlorures de magnésium et de potassium, du bromure de magnésium, du sulfate de magnésie, du sulfate et du carbonate de chaux. J. VERNE, Vingt mille lieues sous les mers, p. 119.

Principaux dérivés du potassium : alun de potassium : sulfate double hydraté de potassium et d'un métal trivalent (généralement l'aluminium); *bicarbonate* ou *carbonate acide de potassium* ($KHCO_3$), constituant la calcinite naturelle, poudre blanche, déliquescente, entrant dans la fabrication de certains verres; *bichromate de potassium* ($K_3Cr_2O_7$) : sel rouge orangé utilisé industriellement comme oxydant, colorant (→ Noir, cit. 43), dans l'industrie des cuirs, etc.; *bromure de potassium* (KBr) : sel cristallisé, blanc, utilisé surtout dans les émulsions photographiques, ainsi qu'en lithographie et comme sédatif; *carbonate de potassium* (K_3CO_2) : sel blanc déliquescent (⇒ **Potasse**, 3.), sert en verrerie, parfumerie, etc.; *chlorate de potassium* ($KClO_2$) : sel blanc, oxydant servant à la fabrication des allumettes et de certains explosifs (⇒ **Cheddite**); *chlorure de potassium* (KCl; ⇒ **Sylvine, sylvinite**) : sel blanc, soluble dans l'eau, le plus utilisé des sels de potassium (surtout comme engrais*, et aussi pour la préparation des autres dérivés du potassium); *cyanure de potassium* (KCN) : sel blanc cristallisé constituant un poison* violent; *ferricyanure* (anciennt, *prussiate rouge*) *de potassium :* sel rouge utilisé dans la fabrication de pigments bleus, des papiers et dans l'industrie textile; *ferrocyanure* (anciennt, *prussiate jaune*) *de potassium :* sel jaune utilisé dans la fabrication de pigments bleus (ferrocyanure ferrique ou bleu de Prusse), dans la préparation électrolytique de certains métaux, les industries textiles, la gravure; *hydroxyde de potassium* (⇒ **Potasse,** 1.); *nitrate* ou *azotate de potassium* (KNO_3; ⇒ **Nitre** ou **salpêtre**); *oxalate de potassium,* se rencontre sous forme d'oxalate acide (sel d'oseille) dans les feuilles d'oseille ou «oxalis»; *permanganate de potassium* (⇒ **Permanganate**); *picrate de potassium :* sel jaune possédant certaines propriétés explosives; *sulfate de potassium* (K_2SO_4) : sel blanc dont l'usage le plus important est la fabrication de certains engrais; *sulfures de potassium :* sulfure simple (K_2S), sulfure acide (KSH) et polysulfures (utilisés comme insecticides, et dont le mélange était autrefois appelé «foie de soufre»); *tartrate* et *bitartrate de potassium* (⇒ **Tartre**). *L'émétique* ordinaire est du tartroantimoniate de potassium.*

Potassium-argon (radioactif), servant aux datations paléontologiques.

POT-AU-FEU [potofø] n. m. invar. — 1673, Mme de Sévigné, dans des emplois verbaux où l'expression ne constitue pas vraiment un substantif (*avoir, mettre le pot-au-feu :* → Consommé, cit. 1; oille, cit.).

♦ **1.** Mets composé de viande et de légumes que l'on fait bouillir dans le «pot» (I., 2.). ⇒ aussi **Potage** (2.; vx). *Pot-au-feu à l'espagnole.* ⇒ **Olla-podrida** (vx).

Spécialt. Mets composé de viande de bœuf bouillie avec des carottes, des poireaux, des navets (et éventuellement des plantes aromatiques, des oignons, du céleri...). → Échauffer, cit. 3; embaumer, cit. 6. *La marmite* où cuit le pot-au-feu. Le bouillon du pot-au-feu. Pot-au-feu qui cuit, mijote, mitonne. — Manger du pot-au-feu.* ⇒ **Bouilli** (n. m.). *Des pot-au-feu.*

(...) le pot-au-feu gardait son ronflement de chantre endormi le ventre au soleil. 1
ZOLA, l'Assommoir, VII, t. I, p. 255.

Sémiramis, débordée, a mis un pot-au-feu monstre qui servira de base massive à son dîner dominical : «Trente livres de bœuf, ma chère, et les abats de six poules!» 2
COLETTE, l'Envers du music-hall, Gitanette.

Par ext. Le morceau de bœuf* (macreuse, côte, gîte...) qui sert à faire le pot-au-feu.

On appelle pot-au-feu un morceau de bœuf destiné à être traité à l'eau bouillante légèrement salée, pour en extraire les parties solubles. Le bouillon est le liquide qui reste après l'opération consommée. 3
A. BRILLAT-SAVARIN, Physiologie du goût, t. I, p. 95.

♦ **2.** (1840). Fam. et vieilli. Les problèmes du ménage. *Ne s'intéresser qu'au pot-au-feu. — Un pot-au-feu,* et, adj. (mod.), *une personne pot-au-feu,* qui ne se plaît que dans son ménage, casanier, popote. ⇒ **Popote.** *Il est pantouflard et pot-au-feu.*

(...) que deux classes de femmes possibles : les filles ou les femmes bêtes, l'amour ou le pot-au-feu. 4
BAUDELAIRE, l'Art romantique, IV, IX.

Elle a enterré sa vie de bohème dans le pot-au-feu. 4.1
Ed. et J. DE GONCOURT, Journal, t. I, p. 62.

Le marquis de Monnier (...) vivait dans sa maison comme dans un couvent, ayant à ses côtés sa jeune femme qui se résignait paisiblement à cette existence de pot-au-feu. 5
Louis BARTHOU, Mirabeau, IV.

POT-BOUILLE [pobuj] n. f. — 1838, Balzac; de *pot,* et *bouille,* déverbal de *bouillir.*

♦ Vx. Popote, ordinaire du ménage. — Loc. fam. *Faire pot-bouille avec qqn,* se mettre en ménage.

Tu ferais pot-bouille avec une actrice qui te rendrait heureux, voilà ce qui s'appelle une question de cabinet; mais vivre avec une femme mariée? (...) c'est tirer à vue sur le malheur! BALZAC, la Muse du département, Pl., t. IV, p. 166.

Allus. littér. *Pot-Bouille,* titre d'un roman de Zola (1882), symbolisant les mesquineries de la vie bourgeoise.

POT-DE-VIN [podvɛ̃] n. m. — 1501; de *pot,* et *vin.*

♦ **1.** Vx. Pourboire.

♦ **2.** (1586). Somme d'argent, cadeau qui se donne en dehors du prix convenu, dans un marché, ou pour obtenir qqch. Spécialt. (Mod.). Sommes ou cadeaux offerts clandestinement pour obtenir illégalement un avantage. ⇒ **Arrosage, cadeau, commission, don, pourboire; bakchich** (→ Dessous* de table). *Pot-de-vin destiné à corrompre un fonctionnaire, et constituant un gain* illicite. Des pots-de-vin.*

(...) il faut lui rendre cette justice, que s'il accepta des pots-de-vin, s'il eut soin de lui dans les marchés, s'il poussa ses droits jusqu'à l'abus, aux termes du Code il restait honnête homme (...) BALZAC, Un début dans la vie, Pl., t. I, p. 619. 1

Je la connais votre affaire. Elle s'appelle : combines, trucs, pots-de-vin, parts de fondateur (...) 2
COLETTE, la Fin de Chéri, p. 66.

POT-DE-VINIER [podvinje] n. m. — 1845; de *pot-de-vin.*

♦ Vieilli. Personne qui accepte des pots-de-vin. *Des pots-de-viniers.*

1. POTE [pɔt] adj. f. — XIIe, de l'ancien subst. *pote, poue* «patte», d'un rad. supposé *pautta, pauta* (Bloch-Wartburg).

♦ Vx. Grosse et enflée, gourde*, maladroite (en parlant de la main).

Il ne sembla pas voir les gestes nerveux que lui faisait, de sa main pote, le secrétaire du club (...) Henri FAUCONNIER, Malaisie, p. 10.

DÉR. Potelé.

2. POTE [pɔt] n. — 1898, *in* Esnault; abrév. de *poteau,* II.

♦ Fam. Camarade, ami(e). *C'est un bon pote.* ⇒ **Poteau,** II. *Touche pas à mon pote* (slogan et insigne antiracistes, 1985). — Par ext. (simple terme d'amitié). *Bonjour, mon petit pote* (→ Petit père, vieille branche...).

Mario se penchait en avant, il serrait fortement la taille de Gros-Louis et se frottait la tête contre son estomac, il disait : «T'es mon pote, pas vrai Starace, c'est mon petit pote, on s'aime, nous deux». SARTRE, le Sursis, p. 140. 1

Au fém. (1935). *C'est sa pote.* ⇒ **Copine.** — REM. Le féminin *potesse* n'est utilisé que plaisamment et rarement.

Antoine fier d'aimer sur cette banquette de velours la pote d'Ingrid Bergman. 2
René FALLET, le Triporteur, p. 89.

Lola et sa pote, elles jouaient un drôle de jeu, à ce qu'il semblait. Je devais plus les aborder, ces mistonnes, qu'avec grande prudence. Elles me faisaient un contrecarre obscur, que j'aimais pas. 3
Albert SIMONIN, Touchez pas au grisbi, p. 78.

Dès la promenade, je vais me mettre en quête de cette cruciverbiste : ces filles-là, en général, je m'en fais de bonnes potes. A. SARRAZIN, la Cavale, p. 340. 4

POTEAU [poto] n. m. — 1538; *postel* aux XIIe-XIIIe; de l'anc. franç. *post,* du lat. *postis* «jambage, poteau».

★ **I.** ♦ **1.** Pièce de charpente* dressée verticalement pour servir de support. ⇒ 1. **Pieu, pilier.** *Toit supporté par des poteaux* (→ Halle, cit. 6). *Poteau de bois; de béton, de pierre; de métal* (⇒ aussi **Colonne, pylône**)... — *Poteau cornier*; poteau de refend*. Poteaux* *de décharge* (dans un colombage, une cloison...). *Sabot* de métal d'un poteau* (de bois). *Ruinures* des poteaux d'une cloison. Petit poteau.* ⇒ **Potelet** (dér.). *Poteaux d'huisserie* (d'un chambranle). Spécialt. Pièce verticale d'une potence.

♦ **2.** Pièce de bois, de pierre, de métal, haute et assez grosse, dressée verticalement. *Poteau portant un écriteau, une indication, un panneau, une plaque*.* — (Ponts et Chaussées). *Poteau indicateur* (cit. 6), portant le nom du lieu où l'on se trouve, la direction des routes, la distance des lieux où elles conduisent, etc. *Poteau-frontière,* marquant l'emplacement d'une frontière. — (1849). *Poteau du téléphone, poteau télégraphique* (→ Conducteur, cit. 6), portant les fils et leurs isolateurs. — *Poteau servant à attacher une barque* (⇒ **Gondole,** cit. 2), *un animal...* — (1900, *in* Petiot). *Poteaux de but, au rugby. Poteau de basket-ball. Poteaux de filet* (tennis).

1 Son camarade et lui trouvèrent un poteau
ayant au haut cet écriteau (...) LA FONTAINE, Fables, X, 13.

1.1 Cette steppe ne présentait aux regards d'autre saillie que le profil des poteaux télégraphiques disposés sur chaque côté de la route, et dont les fils vibraient sous la brise comme des cordes de harpe. J. VERNE, Michel Strogoff, p. 75.

2 Elle le vit, dans son bel uniforme, avec son casque étincelant, à cheval près d'un poteau-frontière, dressé comme un défenseur devant la patrie menacée (...) MARTIN DU GARD, les Thibault, t. VIII, p. 10.

3 Sur le flanc du remblai se dressaient les poteaux télégraphiques : deux bigues jointes par le haut, et des godets de porcelaine blanche, où les fils de fer noirs du télégraphe, mélancoliquement, venaient prendre un peu de repos. H. BOSCO, Antonin, p. 39.

Turf (dans une course). *Poteau de départ, poteau d'arrivée,* marquant les termes de la distance à courir (→ Course, cit. 7; hippodrome, cit. 3). Absolt. *Se présenter au poteau* (de départ). *Rester au poteau* : refuser de prendre le départ, en parlant d'un cheval. *Coiffer son concurrent sur le poteau* (d'arrivée).

(1906). Fig. *Sur le poteau* : à l'arrivée. — *Doubler qqn au poteau. Poteau servant à attacher un supplicié* (→ Peau*-Rouge, cit. 6, Rimbaud). Fig. *Clouer au poteau de la satire* (→ Pamphlétaire, cit. 1). ⇒ **Pilori.** — Vx. *L'infâme poteau* (Bourdaloue, en parlant de la croix). — *Poteau portant le carcan*, la cangue...* — Spécialt. *Poteau d'exécution,* où l'on attache ceux que l'on va fusiller* (cit. 2). *Mettre, flanquer* (fam.) *au poteau* : condamner à la fusillade. — Par ext. *Au poteau! Les traîtres au poteau!,* à mort!

4 (...) les types comme lui on les foutrait au poteau en cas de guerre (...) ARAGON, les Beaux Quartiers, I, XVIII.

♦ **3.** Par compar. *Palmiers droits et lisses comme des poteaux* (→ Hampe, cit. 4). *Avoir des jambes comme des poteaux,* des jambes grosses et laides (⇒ aussi **Pilier**).

(1842). Fig. *De gros poteaux* : de grosses jambes, sans galbe.

5 Les seins des moindres femmelettes,
Ici, pèsent plusieurs quintaux,
Et leurs membres sont des poteaux
Qui donnent le goût des squelettes.
BAUDELAIRE, Poèmes divers, « Amœnitates Belgicæ », I.

Faire le poteau, l'arbre droit, le poirier (2.).

6 Parfois (...) Guiche faisait le « poteau », figure de gymnastique où l'on se tient sur les mains en dardant des jambes (...) P.-J. TOULET, la Jeune Fille verte, IV.

★ **II.** (1873; déjà 1400, *« ses posteaux, c'est-à-dire les meilleurs de ses amis »,* lettre de rémission citée par Bloch; mais P. Guiraud met en doute l'identité des mots, et voit dans l'emploi mod. un dér. de *pot.* → Potache).
Fam. et vieilli. Ami* fidèle (celui sur lequel on peut s'appuyer). ⇒ **Camarade, copain,** 2. **pote.**

7 Nous allons nous partager ça, hein, mes vieux poteaux? H. BARBUSSE, le Feu, I, VIII.

8 (...) de vrais camarades ceux-là, des solides, des sûrs, des poteaux. M. GENEVOIX, Raboliot, I, III.

9 1910 ... Ça fait tantôt 40 ans que tu fais le taxi! ... *(Un temps.)* Ben, mon poteau, ... avec ta mauvaise vue. H.-G. CLOUZOT et J. FERRY, Quai des Orfèvres (scénario), *in* l'Avant-Scène, n° 29, p. 45.

HOM. Potto.

POTÉE [pote] n. f. — XIIe; dér. de *pot.*

★ **I.** ♦ **1.** Rare. Contenu d'un pot. → Bolée, écuellée. *Verser une potée d'eau* (→ Fricot, cit. 2).

1 Elle ne voulait pas, disait-elle, enlever la crème des potées de lait destinées à faire le beurre. BALZAC, le Médecin de campagne, Pl., t. VIII, p. 323.

Techn. (Mod.). Contenu (d'un malaxeur). Fleurs d'un pot. *« Potées de bégonias »* (Sabatier).

♦ **2.** Fam. et vx. Grande quantité. *Une potée d'enfants* (Académie). — Loc. fam. *Éveillé* (cit. 36) *comme une potée de souris* : très éveillé, très remuant, en parlant d'un enfant (Mme de Sévigné). — REM. Cette expression qui date du XVIe s. (Oudin) a été refaite par des philologues (Boissonade, Legoarant, *in* Littré) en *« comme une portée de souris ».*

2 Être admiré et honoré chez soi, quand on ne peut raisonnablement s'attendre, au dehors, qu'à des potées de malédictions (...) Léon BLOY, le Désespéré, p. 174.

♦ **3.** Plat analogue au pot-au-feu, composé de charcuteries (salé, saucisses) ou de viande de bœuf bouillie, et de légumes (choux, carottes, navets, pommes de terre...). — REM. Le mot s'applique aux plats n'ayant pas d'autre désignation (comme la *choucroute*), par ex. au « plat bernois » (choucroute au bœuf). *Potée champenoise, lorraine.*

(...) ces potées où se mêlent toutes les viandes de la ferme, tous les légumes des jardins et que seuls connaissent les pays agricoles dans leurs heures de sérénité. 3
G. DUHAMEL, Biographie de mes fantômes, IV.

★ **II.** (1676). Techn. POTÉE DE..., se dit de préparations (poudres, mélanges) utilisées dans les industries. — *Potée d'étain* : oxyde d'étain impur, mélangé à de l'oxyde de plomb pulvérulent et qui sert à polir le verre, les métaux, les pierres précieuses, à la préparation des émaux. — *Potée d'émeri.* ⇒ **Émeri.**

Absolt. Mélange à base de terre dont on fait les moules de fonderie. *Moule de potée* : moule des statues destinées à la fonte, fait d'un « mélange de terre, de fiente de cheval et de poils de bœuf » (Réau). — *Potée des potiers* : eau mêlée d'ocre rouge, dont on enduit les poteries pour pouvoir les plomber.

POTELÉ, ÉE [pɔtle] adj. et n. — Déb. XIIIe; dér. de *pote,* adj., probablt du lat. pop. **pauta,* ou (Guiraud) de *pot, potte* « grosse lèvre, grosse joue », du rad. *pott-* « enflé ».

♦ **1.** Qui a des formes rondes et pleines, assez grasses, mais douces et agréables (surtout en parlant d'un enfant, d'une personne jeune). ⇒ **Dodu, grassouillet, gros, rebondi...** *Petit corps* (cit. 24) *potelé. Chair potelée et rebondie. Enfant, poupon* potelé. Fille, femme potelée* (→ Musculature, cit. 1). *Bras, poignets potelés* (→ Forme, cit. 28; 1. manche, cit. 1). *Mains douces* (cit. 3) *et potelées.* — Par ext. *« Un embonpoint* (cit. 7) *potelé et soutenu ».*

POTELÉ. Qui a le cuir uni et doux pour avoir la chair ferme, grasse et rebondie. La beauté d'un bras est d'être rond et *potelé.* FURETIÈRE, Dict., art. *Potelé.* 1

(...) je pris sa main que je serrai dans une des miennes, pendant que de l'autre je parcourais son bras frais et potelé (...) 2
LACLOS, les Liaisons dangereuses, XXV.

Grande, potelée sans être grasse, d'une taille svelte dont la noblesse égalait celle de sa mère, elle méritait ce titre de déesse si prodigué dans les anciens auteurs. 3
BALZAC, la Cousine Bette, Pl., t. VI, p. 159.

N. m. Rare. État d'un corps potelé, de chairs potelées. *L'enveloppement, le potelé des formes* (→ Graisse, cit. 8).

♦ **2.** N. f. Régional. POTELÉE : jusquiame* noire.

1. POTELER [pɔtle] v. tr. — Conjug. *appeler.* — 1841, Balzac; de *potelé.*

♦ Rare. Rendre potelé.

(...) mais on s'est consolée en trouvant le poignet fin, une certaine suavité de linéaments dans ces creux qu'un jour une chair satinée viendra poteler, arrondir et modeler. BALZAC, Mémoires de deux jeunes mariées, Pl., t. I, p. 144.

2. POTELER [pɔtle] v. tr. — Conjug. *appeler.* — Mil. XXe; de *potelle.*

♦ Techn. Placer (un bois de soutènement) dans une potelle.

POTELET [pɔtlɛ] n. m. — 1407, *postielet;* de *poteau* (I.).

♦ Techn. Pièce de charpente*, petit poteau de remplage, placé au-dessus d'un linteau de porte, sous un appui de fenêtre... *Poteaux et potelets d'un colombage.*

POTELLE [pɔtɛl] n. f. — 1875, Larousse; orig. incert.; p.-ê. dimin. de *pot.*

♦ Techn. Petite excavation dans un mur, un sol, etc., pour y loger l'extrémité d'un bois (de soutènement, etc.).

POTENCE [pɔtɑ̃s] n. f. — 1170, « béquille »; « puissance », 1120 du lat. *potentia* « puissance », et, en lat. médiéval, « béquille, appui ».

♦ **1.** (XIVe). Techn. Pièce d'appui, support constitué par un montant vertical (poteau), et par une traverse placée en équerre, souvent soutenue par une pièce oblique. *Potence de bois,* dans une charpente*. *Potence métallique,* soutenant un balcon, un entablement... — Spécialt. Potence métallique fixée à un mur et soutenant une enseigne, une lanterne, un réverbère... *Lanterne* (cit. 2) *en potence.*

Cette enseigne, projetée hors de la façade, par une sorte de potence en serrurerie (...) Th. GAUTIER, le Capitaine Fracasse, III. 1

Un réverbère à potence éclairait d'une lumière frisante les façades très anciennes (...). J. ROMAINS, les Hommes de bonne volonté, t. I, XXI, p. 244. 2

Manège. Potence portant les bagues (dans une course de bagues). — Mar. Épontille supportant le faux-pont à l'endroit qui correspond au pied du mât d'artimon. — *Potence de chalut,* qui soutient les poulies.

Toise à pièce mobile en équerre, utilisée surtout pour déterminer la taille (au garrot) des chevaux.

Horlog. Pièce supportant deux des pivots d'échappement, dans une montre à roue de rencontre.

Blason. Meuble en forme de T (⇒ **Potencé**).

♦ **2.** *En potence :* en équerre, en T ou en Γ. *Table en potence :* longue table réunie à une table perpendiculaire.

♦ **3.** (XVe). Cour. [a] Instrument de supplice formé d'une potence soutenant une corde. ⇒ **Gibet** (→ Bourreau, cit. 1 ; bûcher, cit. 3 ; pendre, cit. 14). *Potence servant à l'estrapade*, à la pendaison*.* ⇒ **Béquille** (vx), **béquillarde.** *Corde* de potence* (→ Cravate de chanvre). *Dresser une potence, la potence.*

3 Et cependant les corbeaux croassaient dans l'air en quittant les cadavres qui venaient de leur fournir le repas du soir, et les chouettes sinistres volaient en rond autour des potences de pierre.

NERVAL, Contes et Facéties, « Souper des pendus ».

4 (...) le souvenir présent de ce terrible code militaire, qui, dans toute imagination de soldat, plante en perspective la potence prévôtale et la certitude d'y monter, s'il frappe un coup de trop.

TAINE, les Origines de la France contemporaine, III, t. I, p. 83.

5 *(Elle)* lança ses immenses bras vers l'un et l'autre horizon, geste suprême et définitif qui la fit ressembler à quelque potence géminée d'une ancienne fourche patibulaire. Léon BLOY, la Femme pauvre, I, IV.

Loc. *Gibier** (cit. 6) *de potence.*

[b] Supplice de l'estrapade ou (plus cour.) de la pendaison. ⇒ **Pendaison.** *Il mérite la potence.* ⇒ **Corde.** *L'exil ou la potence* (→ Jusque, cit. 57).

DÉR. Potencé.

POTENCÉ, ÉE [pɔtɑ̃se] adj. — 1459 ; de *potence.*

♦ Blason. Terminé en forme de potence, dont chaque branche a la forme d'un T. *Croix potencée.*

POTENTAT [pɔtɑ̃ta] n. m. — 1554 ; « souveraineté », 1370 ; du bas lat. *potentatus* « pouvoir souverain » ; dér. de *potens* « puissant ».

♦ **1.** Celui qui a la souveraineté absolue dans un grand État. ⇒ **Monarque, souverain, tyran.** — REM. Le mot est devenu péjoratif et comporte l'idée de pouvoir despotique, tyrannique. — Vx. *Gouverner « en digne potentat »* (→ Indépendance, cit. 14, Corneille). — Hist. *Les potentats de l'ancienne Asie.*

1 L'ambition allume une querelle entre deux Comédiens ; la même ambition allume une guerre entre deux Potentats.

CYRANO DE BERGERAC, le Pédant joué, V, 10.

♦ **2.** (Déb. XXe). Homme qui possède un pouvoir excessif, absolu (du fait de sa situation sociale, de sa richesse) ; personnage important. *C'est un véritable potentat dans son village. « Les patrons qui faisaient encore figure de potentats... »* (→ Balayer, cit. 16).

2 (...) nous accepterons même de nous reporter au dernier siècle, lorsque la législation ouvrière n'existait pas. Nous pensons à l'un quelconque de ces petits potentats de province dont la cupidité, l'inconscience et l'avarice décimaient des générations de femmes et d'enfants, accablés par un travail qui dépassait leurs faibles forces, et auxquels un salaire dérisoire permettait à peine de ne pas mourir de faim. BERNANOS, les Grands Cimetières sous la lune, p. 207.

Vieilli. *Se croire un potentat, trancher du potentat :* faire l'important. — REM. Le fém. *potentate* (Léon Bloy, *le Désespéré,* p. 212) est inusité.

POTENTIALISATION [pɔtɑ̃sjalizasjɔ̃] n. f. — 1903, *Rev. gén. des sc.* ; angl. *potentialization.* → Potentialiser.

♦ Pharm. Augmentation de l'action de deux médicaments pris ensemble (⇒ **Synergie** [médicamenteuse]), plus importante que celle qui serait à prévoir en additionnant simplement les effets de chacun.

POTENTIALISER [pɔtɑ̃sjalize] v. tr. — Mil. XXe ; angl. *potentialize,* de *potential.* → Potentiel.

♦ Pharm. Déterminer la potentialisation de.

La technique d'hibernation artificielle proposée par Laborit a pour but de bloquer l'ensemble des réponses à l'agression, grâce à l'hypothermie provoquée et en particulier à un « cocktail réfrigérant » composé de médicaments qui ont une prégnance particulière sur les centres nerveux, l'un d'eux étant une phénothiazine qui potentialise l'action des barbituriques : la chlorpromazine.

Jean DELAY, Introd. à la médecine psychosomatique, Notes et observations, p. 69 (1961).

POTENTIALITÉ [pɔtɑ̃sjalite] n. f. — 1869, Littré ; dér. sav. du rad. lat. de *potentiel.*

Didactique.

♦ **1.** Caractère de ce qui est potentiel. *Subjonctif exprimant une idée de potentialité.*

♦ **2.** *(Une, des potentialités).* Qualité ou chose potentielle. ⇒ **Possibilité, virtualité.** *Les potentialités héréditaires de la lignée* (→ Germen, cit. 2).

Chaque vieillard est entouré du cortège de ceux qu'il aurait pu être, de toutes ses potentialités avortées. Nous sommes à la fois un fluide qui se solidifie, un trésor qui s'appauvrit, une histoire qui s'écrit, une personnalité qui se crée.

Alexis CARREL, l'Homme, cet inconnu, V, IX.

POTENTIEL, ELLE [pɔtɑ̃sjɛl] adj. et n. m. — XVe-XVIe, écrit *potencial ;* XIVe, *cautère potentiel* « qui agit après coup » ; du lat. scolast. *potentialis,* de *potens* « puissant ».

★ **I.** Adj. ♦ **1.** Anc. méd. *Cautère potentiel,* qui n'agit qu'après un certain temps (par oppos. à *actuel*). *Les caustiques sont des cautères potentiels.*

♦ **2.** (XVe-XVIe). Philos. ou didact. Qui existe en puissance (⇒ **Virtuel**), n'a pas d'effet* actuel. — Contr. : *actuel.*

♦ **3.** Gramm. Vx. *Particule potentielle,* indiquant une condition. ⇒ **Conditionnel.** — Mod. Qui exprime une possibilité.

Le sens de ces adjectifs *(en able, ible, et uble)* est le plus souvent potentiel : *Une maison vendable* ne signifie pas : *qui est vendue,* mais qui peut l'être. D'autre part, *payable* signifie *qui doit être payé,* et non *qui est payé.* 1

F. BRUNOT, la Pensée et la Langue, p. 364.

Mode potentiel, et, n. m., *le potentiel,* mode exprimant ce qui est possible, ce qui peut encore arriver dans certaines circonstances, sous certaines conditions. *Le potentiel et l'irréel* (⇒ aussi **Conditionnel**). *Potentiel du présent ; de l'avenir,* « s'il est chez lui en ce moment, il nous attend ; s'il me payait, je m'en irais » (Le Bidois, *Syntaxe du franç. mod.,* § 1615).

LE MODE POTENTIEL, c'est-à-dire qui exprime l'hypothèse du possible, emprunte (...) tantôt la forme du conditionnel présent, tantôt celle du subjonctif présent *(qu'il vienne encore du soleil, le linge séchera),* ou celle du subjonctif imparfait. 2

G. et R. LE BIDOIS, Syntaxe du franç. moderne, § 831.

♦ **4.** (Av. 1869, Littré ; lat. *vis potentialis,* Bernouilli, Euler, av. 1750). Sc. *Énergie potentielle,* celle d'un corps capable de fournir un travail. *L'énergie potentielle peut se transformer en énergie cinétique* (→ Machine, cit. 7).

Barrière potentielle [a] (Mécan.). Énergie qui empêche une configuration de points matériels, reliés par des forces déterminées, de passer à une autre configuration.

[b] (Électr.). Région contenant un maximum de potentiel empêchant une particule de passer d'un côté à l'autre de cette région.

[c] (Chim.). Énergie cinétique minimum qu'un réactif doit posséder pour qu'une réaction puisse se produire.

(Angl. *potential function,* Green, 1828). Math. *Fonction potentielle :* fonction scalaire satisfaisant à l'équation de Laplace. *La fonction potentielle de Newton se rencontre en facteurs, dans les expressions mathématiques des potentiels de gravitation, électrique et magnétique.* → ci-dessous (II., 2.).

★ **II. POTENTIEL,** n. m.

♦ **1.** Gramm. *Le potentiel :* le mode potentiel (→ ci-dessus, I., 3.).

♦ **2.** Sc. (Vers 1830, Gauss [en all.], Green [en angl.]).

Math. Fonction des coordonnées d'un point dont les dérivés partielles sont, au signe près, les composantes d'un champ. *Le champ est le gradient du potentiel changé de signe.*

Phys. *Potentiel d'un point dans un champ de gravitation :* travail qu'il faudrait appliquer à ce point (de masse égale à l'unité) pour le transporter à l'infini. *Différence de potentiel entre deux points,* correspondant au travail nécessaire au transport d'une masse potentielle égale à l'unité de l'un de ces points à l'autre. *Potentiel d'un champ de forces. La force de la pesanteur* (cit. 2) *dérive d'un potentiel.*

Potentiel électrique, électrostatique (d'un conducteur, ...) : énergie potentielle définie de la même manière que celle d'une masse ponctuelle, les forces de gravitation étant remplacées par des forces électriques (qui facilitent ou gênent le mouvement de cette charge dans l'espace). *Une charge unitaire, partant d'une certaine région pour aller à une autre où il n'existe aucune charge électrique, fournira un certain travail dit potentiel électrique absolu de la région considérée. Le zéro absolu des potentiels se trouvant à une distance infinie, on adopte un zéro arbitraire, fourni par la surface de la terre. L'unité pratique de potentiel est le volt.* ⇒ **Voltage.** *Différence de potentiel entre deux points :* perte d'énergie potentielle en allant de l'un à l'autre, et, spécialt, différence de potentiel entre les bornes, les pôles d'un générateur. ⇒ **Charge, tension** (→ Grandeur, cit. 41). *Chute de potentiel. Potentiel critique :* quantité d'énergie nécessaire pour faire passer un électron d'un niveau inférieur à un niveau supérieur ; sa mesure *(potentiel d'ionisation :* travail nécessaire pour arracher un électron, dans certaines conditions bien définies, à un atome ; *potentiel de résonance :* travail nécessaire pour amener un électron du niveau le plus bas à un autre). *Barrière de potentiel :* effet de répulsion de charges électriques dû aux champs électrostatiques qu'elles créent.

Potentiel magnétique : énergie nécessaire pour amener l'unité de champ magnétique de l'infini au point considéré.

Potentiel nucléaire : énergie potentielle d'une particule, fonction de sa position dans le champ du noyau (ou d'une autre particule). — *Potentiel thermodynamique :* énergie nécessaire pour porter l'unité de masse d'une substance d'un état « initial » (défini comme tel) à l'état considéré ; quand il est nul, le système est en équilibre. *Potentiel de température* (notion de thermodynamique qui équivaut, en fait, à une mesure de la température).

Chim. *Potentiel chimique* (notion fondamentale de la thermodynamique chimique) : dérivée partielle de l'énergie interne d'un système chimique par rapport à sa masse.

Loc. métaphorique et fig. *Différence, chute de potentiel* (→ Image, cit. 47).

3 Comme si elle eût voulu récupérer un potentiel nécessaire d'énergie, laisser s'accumuler en elle une réserve suffisante de force, elle s'accroupit sur elle-même (...)
Louis PERGAUD, De Goupil à Margot, p. 91.

♦ **3.** (XXe). Capacité d'action, de production, de travail. ⇒ **Puissance.** *Potentiel de fabrication* (*in* Académie, 8e éd.). *Potentiel industriel d'un pays* (capacité totale de production). *Potentiel de guerre* (force militaire pouvant être mise en œuvre). *Potentiel humain* (force de travail de la population. ⇒ **Main-d'œuvre**).

4 (...) l'Allemagne a vu détruire, en quelques années, par son propre gouvernement, presque tout son « potentiel » de création et de régénération intellectuelles.
VALÉRY, Regards sur le monde actuel, p. 287.

5 Plus sûrement que par des mers ou des montagnes, les nations sont séparées, aujourd'hui, par des différences de potentiel économique et militaire.
SARTRE, Situations II, p. 268.

DÉR. **Potentiellement.**
COMP. **Équipotentiel.** — V. **Potentiomètre.**

POTENTIELLEMENT [pɔtɑ̃sjɛlmɑ̃] adv. — 1448, *potenciellement*; de *potentiel*.

♦ Didact. D'une manière potentielle, en puissance. ⇒ **Virtuellement.**

CONTR. **Actuellement.**

POTENTILLE [pɔtɑ̃tij] n. f. — 1605; du lat. bot. *potentilla*, dimin. de *potentia*, au sens de « petite vertu », à cause de ses propriétés médicales.

♦ Plante dicotylédone *(Rosacées)*, sous-arbrisseau ou herbe aux nombreuses variétés. *Potentille faux fraisier, ansérine* (⇒ **Argentine**), *tormentille**. *Potentille rampante.* ⇒ **Quintefeuille, patte** (d'oie, patte ou pied de pigeon); → Faux fraisier, fraisier sauvage.

POTENTIOMÈTRE [pɔtɑ̃sjɔmɛtʀ] n. m. — 1883; du rad. de *potentiel*, et *-mètre*.

Électricité.

♦ **1.** Appareil destiné à mesurer la différence de potentiel entre deux points d'un circuit (ou la force électromotrice d'un courant continu).

♦ **2.** Résistance que l'on peut faire varier, à l'aide d'un curseur ou d'un bouton, en vue d'obtenir une tension à un niveau donné. ⇒ **Rhéostat.**

DÉR. **Potentiométrie.**

POTENTIOMÉTRIE [pɔtɑ̃sjɔmetʀi] n. f. — XXe; de *potentiomètre*.

♦ Électr. Mesure des différences de potentiel, des forces électromotrices.

DÉR. **Potentiométrique.**

POTENTIOMÉTRIQUE [pɔtɑ̃sjɔmetʀik] adj. — XXe; de *potentiométrie*.

♦ Électr. Relatif à la potentiométrie ou au potentiomètre.

POTER [pɔte] ou **PUTTER** [pœte] v. tr. — 1906, *putter*; de l'angl. *to putt*, même sens.

♦ Golf. Envoyer la balle dans un trou par des coups roulés (⇒ **Putt**). *S'exercer à poter une balle.*

Le jeu consiste (...) à conduire en un minimum de coups de crosses une balle en caoutchouc durci (...) qu'on doit au passage poter (ou : *putter*) dans un certain nombre de trous de 105 mm de diamètre.
Jean DAUVEN, Technique du sport, Le golf, p. 84.

POTERIE [pɔtʀi] n. f. — 1260; de *pot*.

♦ **1.** (Au sens large). Techn. Fabrication des récipients de ménage (pots, vases; assiettes, plats... ⇒ **Vaisselle**), en pâte* argileuse (⇒ **Argile, barbotine, biscuit, glaise, grès** [grès cérame], **terre**) convenablement traitée et cuite. ⇒ **Céramique, faïencerie.** *Opérations de poterie* : préparation de la pâte; confection des objets au tour (« tournassage »), par moulage (⇒ **Calibre, mère, moule**) ou par coulage; achevage* ou rachevage; éventuellement émaillage ou vernissage, cuisson, décoration.

♦ **2.** Plus cour. *(La poterie).* Fabrication des objets (particulièrement des récipients) en céramique non vitrifiée, faits d'une pâte rougeâtre (argile figuline, ferrugineuse, mêlée à du sable ou de la marne), vernissée (comme la faïence) ou non. ⇒ aussi **Terre** (cuite); → Étinceler, cit. 10; jatte, cit. 1. — (XIVe). *Une, des poteries.* Objet ainsi fabriqué. *Façonner une poterie au tour; cuire des poteries* (⇒ **Biscuiter**). *Poterie à bouchetons*, dans le four. Poterie d'essai.* ⇒ 1. **Montre.** *Poterie brute, glacée, plombée, vernissée; craquelée** (⇒ **Craquelage**; et aussi **truité**). *Retouper* une poterie manquée. Les alcarazas, gargoulettes... sont des poteries poreuses. Poteries antiques* (amphores, vases...), *anciennes, précieuses, rares. Poteries étrusques, grecques. Poteries de Vallauris.* — *Poteries à vitrification partielle* ou *poteries à pâte compacte* (biscuits, grès cérames, porcelaines*); *poteries émaillées mais non vitrifiées* (faïences*, majoliques*, terres cuites vernies; ⇒ **Couverte, émail, glaçure, vernis**), *poteries non émaillées (poteries brutes).*

Cylindres de poterie utilisés pour faire des conduits, des tuyaux. ⇒ **Aludel, boisseau.** *Poteries de cheminées.*

Voûte de poterie, faite de tuiles cylindriques (pots).

♦ **3.** Atelier, fabrique de poteries. *Ouvriers d'une poterie.* ⇒ **Potier.**

Les Indiens construisaient des ponts, des routes, des canaux, des moulins sous la direction des moines ou travaillaient dans les différents ateliers : maréchalerie, serrurerie, bourrelerie, teinturerie, officine de couture, sellerie, charpenterie, poterie, tuilerie.
B. CENDRARS, l'Or, p. 166.

♦ **4.** (1765). Techn. **POTERIE DE...** : ensemble de récipients de ménage en métal faits d'une seule pièce, par moulage, emboutissage; fabrication de tels récipients. *Poterie d'étain, de fer blanc, de cuivre* (dinanderie), *de fonte. Reverchèr* une poterie d'étain.*

POTERNE [pɔtɛʀn] n. f. — V. 1130 *posterne*; altér. de *posterle*, du bas lat. *posterula*, « (porte) de derrière », dér. de *posterus*.

♦ **1.** Porte* dérobée dans la muraille d'enceinte d'un château, de fortifications* (→ Avertir, cit. 20; insinuer, cit. 5). Par anal. Porte piétonne.

Comment fuir? les flammes attroupées bloquent les portes de la citadelle. En cherchant de tous les côtés, on découvre une poterne qui donnait sur la Moskowa. Le vainqueur avec sa garde se dérobe par ce guichet de salut.
CHATEAUBRIAND, Mémoires d'outre-tombe, t. III, p. 217.

♦ **2.** (1845). Galerie voûtée, pour communiquer avec l'extérieur, dans une forteresse. — Par anal. Voûte, passage voûté sous un quai.

POTESTATIF, IVE [pɔtɛstatif, iv] adj. — 1802; XVIe, « capable de »; lat. *potestativus*, de *potestas*, « puissance ».

♦ Dr. Qui dépend de la volonté des parties contractantes. *Condition potestative,* faisant dépendre l'exécution d'une convention, « d'un événement qu'il est au pouvoir de l'une ou de l'autre des parties contractantes de faire arriver ou d'empêcher » (Code civil, art. 1170).

POTEUR [pɔtœʀ] ou **PUTTER** [pœtœʀ] n. m. — 1899, *putter*; angl. *putter*.

Golf.

♦ **1.** Club* utilisé pour poter une balle. → Putt, putting.

(...) le *putter* (poteur) s'emploie sur la pelouse d'arrivée *(putting green)* qui entoure le trou, pour envoyer la balle dans celui-ci.
Jean DAUVEN, Technique du sport, p. 85.

♦ **2.** Joueur qui pote (bien ou mal), qui envoie (bien ou mal) la balle dans le trou *(putting hole). Coup de poteur* ou *coup roulé.*

POTICHE [pɔtiʃ] n. f. — V. 1830, Gautier; « pot à saindoux », 1740; de *pot*.

♦ **1.** Grand vase de porcelaine d'Extrême-Orient, ou imitation d'un tel vase (→ Métier, cit. 12; monnaie-du-pape, cit.). *Potiche à panse renflée et col évasé.*

(...) il me ramena dans son atelier orné (...) de potiches chinoises, de plats japonais (...)
Th. GAUTIER, les Jeunes-France, Feuillets album..., VI.

Devant chaque croisée, il y avait dans des potiches bleues, montées sur des pieds de faux ébène, des palmiers malades.
HUYSMANS, Là-bas, XII.

Fam. Vase décoratif. *Son appartement est plein de potiches.*

♦ **2.** (XXe). Fig. Personne reléguée à une place honorifique sans importance réelle, dans une fonction purement « décorative ».

C'est à son emploi qu'il (*Vercors*) renonce, à son emploi de « potiche », comme il dit et comme il a tort de dire, car c'est donner trop de joie à ses adversaires. Non, il n'a pas été une potiche, mais une conscience.
F. MAURIAC, le Nouveau Bloc-notes 1958-1960, p. 10.

POTIER, IÈRE [pɔtje, jɛʀ] n. — 1120; de *pot*.

♦ **1.** Personne qui fabrique et vend des objets (et spécialt, des récipients, de la vaisselle) en céramique, des poteries. — (Au sens large; → Poterie, 1.). Céramiste, faïencier (→ Majolique, cit. 1; et aussi figuline, cit.), porcelainier.

Aurait-elle été potière? Architecte? Ciseleuse? Chirurgienne? Ou jardinière?
Marie CARDINAL, les Mots pour le dire, p. 322.

♦ **2.** Personne qui fabrique et vend des poteries (au sens étroit; → Poterie, 2.). *Tour, four de potier. Travail du potier* (→ Docile, cit. 10; dur, cit. 21). — Allus. évang. *Le champ du potier* (saint Matthieu, XXVII, 7).

2 Au fond de la cour, s'ouvraient des caveaux dans lesquels on entendait remuer une équipe de potiers. Il s'exhalait de là une poignante odeur de terre et de tombe.
G. DUHAMEL, Salavin, VI, IV.

♦ **3.** (→ Poterie, 3.). *Potier d'étain.*
REM. Le fém. est rare; on dira plutôt *elle est potier; Mlle X est un remarquable potier.*

♦ **4.** (1868). Zool. Insecte hyménoptère qui construit un nid en terre gâchée.

1. POTIN

1. POTIN [pɔtɛ̃] n. m. — XIIIe; de *pot.*

♦ Techn. anc. Alliage de cuivre, d'étain et de plomb, dont on faisait des ustensiles (poterie d'étain, de cuivre...). *Potin jaune, gris.*

2. POTIN

2. POTIN [pɔtɛ̃] n. m. — 1655, mot normand; d'un sens dial. de *potin, potine* «chaufferette en terre cuite», à cause des bavardages des femmes qui *«potinaient»* (se chauffaient); cf. Wartburg, *pottus;* en outre *potte,* du rad. *pott-* signifie «grosses lèvres».

♦ **1.** *(Un, des potins).* Bavardage, propos concernant des personnes, souvent médisants ou scandaleux. ⇒ **Cancan, commérage, ragot** (→ Déluré, cit. 1; foultitude, cit.; 1. mannequin, cit. 10). *Faire des potins sur quelqu'un,* de petites médisances. ⇒ **Potiner.**

1 (...) le *potin* est un signe de race des petites gens et des petits esprits. Il est aussi la consolation des femmes qui ne sont plus aimées ni courtisées.
MAUPASSANT, la Femme de Paul, Correspondance.

2 (...) cette chose universellement décriée, qui ne trouverait nulle part un défenseur : «le potin», lui aussi, soit qu'il ait pour objet nous-mêmes et nous devienne ainsi particulièrement désagréable, soit qu'il nous apprenne sur un tiers quelque chose que nous ignorions, a sa valeur psychologique.
PROUST, Sodome et Gomorrhe, Pl., t. II, p. 1048.

♦ **2.** Bruit, tapage, vacarme. *Faire du potin, un potin du diable. Un potin assourdissant* (→ Juger, cit. 18).

DÉR. Potiner, potinier, potinière.

POTINAGE

POTINAGE [pɔtinaʒ] n. m. — 1877, Littré, *Suppl.*; de *potiner.*

♦ Vieilli. Action de potiner. *Un potinage de commères.* — Ensemble de potins*. ⇒ **Commérage.**

(...) cette vie incidentée du théâtre, cette camaraderie entre hommes et femmes, ce potinage des coulisses (...) Ed. et J. DE GONCOURT, Journal, t. I, p. 285.

POTINER

POTINER [pɔtine] v. intr. — 1867, Delvau; de 2. *potin.*

♦ Vieilli. Faire des potins*. ⇒ **Cancaner, médire** (de qqn). *Ils passent leur temps à potiner. Potiner avec qqn,* ensemble. *Potiner sur, à propos de qqn.*

Entre deux épreuves, tâchez de trouver le temps de *potiner* avec votre ... qui vous embrasse. FLAUBERT, Correspondance, 1828, 19 mars 1879.

DÉR. Potinage.

POTINIER, IÈRE

POTINIER, IÈRE [pɔtinje, jɛʀ] adj. et n. — 1871, Goncourt; de 2. *potin.*

♦ Vieilli. Qui aime les commérages, les potins. ⇒ **Cancanier.** *Cette bonne femme est potinière, est une potinière; elle est la gazette* du quartier.*

DÉR. Potinière.

POTINIÈRE

POTINIÈRE [pɔtinjɛʀ] n. f. — 1890, Maupassant; de *potinier,* adjectif, ou de 2. *potin.*

♦ Vx. «Endroit où l'on potine» (Académie). *Le théâtre de la Potinière,* à Paris.

C'est là un salon original, bien neuf, très vivant et très artiste. On y fait d'excellente musique, on y cause aussi bien que dans les meilleures potinières du dernier siècle. MAUPASSANT, Notre cœur, I, I.

POTION

POTION [posjɔ̃] n. f. — XVIe, au sens médical; «boisson, breuvage», XIIe; lat. *potio.* → Poison.

♦ Médicament liquide, préparation magistrale destinée à être bue. ⇒ **Boisson; apozème, hydrolé, julep, looch.** *Potion anodine* (cit. 3; VX), *astringente*, calmante* (⇒ **Calmant,** n.; → Ordonner, cit. 14), *purgative... Malade qu'on bourre de potions et de cachets* (cit. 7). ⇒ **Drogue, remède.** *Une cuillerée de potion* (→ Infusion, cit. 2).

Il se retournait, comme un malade qui ne peut trouver le calme. De quelle potion avait-il besoin? R. RADIGUET, le Bal du comte d'Orgel, p. 85.

Loc. (V. 1970, *in* P. Gilbert). *Potion magique* (de la potion magique de la bande dessinée *Astérix,* «qui donne une force surhumaine au consommateur») : remède miracle. *«En matière d'indépendance, il n'y a pas de potion magique»* (*le Monde,* 20 mai 1972, *in* P. Gilbert).
Fig. *Quelle potion!* ⇒ **Purge.**

POTIQUET

POTIQUET [pɔtikɛ] n. m. — D. i.; mot flamand, du rad. de *pot.*

♦ Régional (Belgique). Petit pot, récipient.

POTIRON

POTIRON [pɔtiʀɔ̃] n. m. — XVIIe; «gros champignon», v. 1500; p.-ê. de l'arabe *fūtur* «champignon» (par l'intermédiaire des médecins juifs ou arabes); p.-ê. du syriaque *pâtûrta* «morille»; P. Guiraud préfère évoquer l'adj. *pot* «rond, enflé» et un suff. analogue à celui de *laideron.*

♦ **1.** Régional (Ouest). Nom donné à plusieurs champignons comestibles (lépiote, bolet..., suivant les régions).

♦ **2.** (Mil. XVIIe). Cour. Variété de courge* *(Cucurbita maxima)* plus grosse que la citrouille. *Potiron rouge, jaune. Soupe au potiron.* — *Couleur potiron* (jaunâtre). → Lépreux, cit. 4.

POTLATCH

POTLATCH [pɔtlatʃ] n. m. — XXe (1936, trad. R. Lowie, *in* D. D. L.); angl. *potlatch,* 1861; mot nootka, langue indienne d'Amérique du Nord.

♦ Ethnol., sociol. Don ou destruction à caractère sacré ou rituel constituant un défi de faire un don équivalent, pour le donataire. *Le potlatch, forme rudimentaire et religieuse de l'échange, a des survivances* (échanges de cadeaux, de réceptions) *dans les sociétés contemporaines évoluées.*

Le grand mariage (aristocratique ou bourgeois) répond à la fonction ancestrale et exotique de la noce : il est à la fois potlatch entre les deux familles et spectacle de ce potlatch aux yeux de la foule qui entoure la consomption des richesses. 1
R. BARTHES, Mythologies, p. 47.

(...) on va chercher les paquets accumulés derrière un canapé, on fait sauter les ficelles dorées, on dénoue les rubans, on déplie les papiers aux couleurs brillantes, imprimés d'étoiles et de sapins, en se guettant les uns les autres du coin de l'œil, pour savoir qui gagne à ce potlatch. 2
S. DE BEAUVOIR, les Belles Images, p. 204.

Je te donnerai plus que tu ne me donnes, et ainsi je te dominerai (dans les grands potlatchs amérindiens, on en venait ainsi à brûler des villages, à égorger des esclaves). 3
R. BARTHES, Fragments d'un discours amoureux, p. 91.

POTOMANIE

POTOMANIE [pɔtɔmani] n. f. — V. 1920; t. dû à Achard, du grec *potos* «action de boire, boisson», et *-manie.*

♦ Pathol. Besoin permanent, d'origine psychologique, de boire en abondance de l'eau (le plus souvent) ou tout autre liquide. *La potomanie «ne doit pas être confondue avec la dipsomanie qui est un entraînement irrésistible, mais périodique, à boire de préférence des boissons alcoolisées»* (Porot, 1952). ⇒ aussi **Polydipsie.**

POTOMÈTRE

POTOMÈTRE [pɔtɔmɛtʀ] n. m. — Mil. XXe; du grec *potos* «action de boire, boisson», et *-mètre.*

♦ Sc. Appareil servant à mesurer la quantité d'eau qu'absorbe une plante.

POTO-POTO

POTO-POTO [pɔtopɔto] n. m. — 1890, *in* Mauny; mot wolof. Français d'Afrique.

♦ **1.** Boue, sol boueux.

Force de l'homme lourd les pieds dans le poto-poto fécond!
L. S. SENGHOR, Poèmes, p. 100.

♦ **2.** Zone humide, marécageuse.

♦ **3.** Boue séchée, torchis avec lequel on construit des murs. ⇒ **Banco.**
REM. On écrit aussi *potopoto.*

POTOROU

POTOROU [pɔtɔʀu] n. m. — 1827; mot indigène de Nouvelle-Galles du Sud, en Australie.

♦ Zool. Mammifère *(Marsupiaux*)* de petite taille, communément appelé *kangourourat.*

POT-POURRI

POT-POURRI [popuʀi] n. m. — 1564, Rabelais; de *pot,* et *pourri.* → Olla-podrida.

♦ **1.** Vx. Ragoût, comprenant plusieurs sortes de viandes et de légumes mélangés. ⇒ **Macédoine.** *Des pots-pourris.*

Un plat de rôti, composé de deux cailles grasses, qui flanquaient un petit levraut d'un fumet admirable, nous fit quitter le pot-pourri, et acheva de nous rassasier. 1
A.-R. LESAGE, Gil Blas, X, III.

♦ **2.** (1587). Vx. Mélange hétéroclite. — (XVIIe). Spécialt. Littér. Pièce littéraire faite d'éléments disparates (⇒ **Écrit**). *Pot-pourri,* libelle de Voltaire (1764).

Aussi n'y a-t-il guère d'apparence que ce pot-pourri de Peaux d'Ânes et de Contes de ma Mère l'Oie, fasse vivre Scarron autant de siècles que l'Histoire d'Énée a fait durer Virgile. 2
CYRANO DE BERGERAC, Lettres satiriques, Contre Scarron.

♦ **3.** (1803). Cour. Pièce de musique légère faite de thèmes empruntés à diverses sources. *Pot-pourri de chansons de marches militaires.*

3 *(Il)* chantait de sa grosse voix, faisant un pot-pourri de bribes de chorales, de *lieder* sentimentaux, de marches belliqueuses et de chansons à boire.
R. ROLLAND, Jean-Christophe, L'aube, II, p. 50.

♦ **4.** Techn. Mélange de parfums.

4 Ces roses me font penser à des dames de la cour d'Autriche. — Et elles sentent le pot-pourri de nos grands-mères, dis-je. Je me demandais laquelle de mes grands-mères aurait préparé du pot-pourri pour ses armoires.
Célia BERTIN, Une femme heureuse, p. 212.

Par ext. Récipient à couvercle percé de trous, où l'on plaçait les pétales de fleurs tombés.

POTRON-JAQUET [pɔtʀɔ̃ʒakɛ] n. m. — 1640, *poitron-jacquet;* de *poitron* «derrière», lat. *posterio* (→ Postérieur), et *jaquet, jacquet* «petit Jacques», nom de l'écureuil.

♦ Vx. Le petit matin. ⇒ **Potron-minet.** — Var. : *potron-jaquette* [pɔtʀɔ̃ʒakɛt], *patron-jaquet (jaquette)* [patʀɔ̃ʒakɛ, ʒakɛt]. → Potron-minet, cit. 2.

POTRON-MINET [pɔtʀɔ̃minɛ] n. m. — 1835, Académie; de *poitron, poistron* (XIIIe-XIVe) «derrière, cul»; du lat. *posterio* (→ Postérieur), et *minet** «chat», mot à mot «quand le chat montre son derrière» (se lève).

♦ Fam. Le point du jour, le petit matin. ⇒ 1. **Aube.** Syn., vx : *potron-jaquet. Dès (le) potron-minet.*

1 Ainsi, dès le potron-minet, j'étais assis, seul et libre, sur le talus, au bord de l'étang.
G. DUHAMEL, Biographie de mes fantômes, VII.

1.1 (...) les trains étaient déjà tous partis ou arrivés, et les cheminots n'en attendaient plus d'autres avant potron-minet.
R. QUENEAU, Pierrot mon ami, éd. L. de Poche, p. 165-166.

Var. *Patron-minet (-minette)* [patʀɔ̃minɛ, minɛt].

2 Bah! vos pensionnaires avaient bien le diable au corps; ils ont tous décanillé dès le patron-jacquette. — Parle donc bien, Sylvie, reprit madame Vauquer : on dit le patron-minette.
BALZAC, le Père Goriot, Pl., t. II, p. 878.

3 *Patron-Minette,* tel était le nom qu'on donnait dans la circulation souterraine à l'association de ces quatre hommes. Dans la vieille langue populaire fantasque qui va s'effaçant tous les jours, *Patron-Minette* signifie le matin, de même que *Entre chien et loup* signifie le soir.
HUGO, les Misérables, III, VII, IV.

POTTO [poto] n. m. — 1766, *poto* (Buffon), désignant le kinkajou de la Jamaïque; sens actuel, v. 1900; angl. *potto* (1705), d'une langue africaine (twi) de Guinée.

♦ Lémurien d'Afrique, voisin du loris *(Perodicticus potto),* arboricole et nocturne.

HOM. Poteau.

POTTOK [pɔtɔk] n. m. — 1968, Quillet; mot basque (le plur. basque est *pottokak*).

♦ Cheval de petite taille, à tête assez grosse, à queue longue, à robe généralement noire, originaire des Pyrénées occidentales.

POU [pu] n. m. — XVIe; *peoil,* au XIIIe, puis *pouil,* éliminé par *pou* issu des anciennes formes plur. *pous, pouz;* du lat. vulg. *peduculus,* lat. class. *pediculus.*

♦ **1.** Insecte *(Anoploures, Pédiculidés)* qui vit en parasite* sur l'homme. *Pou de la tête (Pediculus capitis),* qui vit dans les cheveux. *Pou du corps (Pediculus vestimenti),* qui se cache dans les plis et les coutures du linge et des vêtements. ⇒ fam. **Toto.** *Pou du pubis (phtirius* ou *Pediculus inguinalis).* ⇒ fam. **Morpion.** — *Œuf de pou.* ⇒ **Lente.** *Maladie provoquée par les poux.* ⇒ **Pédiculose, phtiriasis.** *Le typhus* exanthématique est transmis par les poux. Être couvert, plein de poux.* ⇒ **Pouilleux.** *Être mangé aux poux* (→ Entasser, cit. 12), *dévoré de poux, par les poux.* ⇒ **Vermine** (→ Grouiller, cit. 9). *Chercher, tuer les poux.* ⇒ **Épouiller, pouiller** (→ Ongle, cit. 1). *Les Chercheuses de poux,* poème de Rimbaud.

1 Si la terre était couverte de poux, comme de grains de sable le rivage de la mer, la race humaine serait anéantie, en proie à des douleurs terribles.
LAUTRÉAMONT, les Chants de Maldoror, II.

1.1 Salvador prenait soin de moi, mais la nuit, à la bougie, je recherchais dans les coutures de son pantalon les poux, nos familiers. Les poux nous habitaient. À nos vêtements ils donnaient une animation, une présence qui, disparues, font qu'ils sont morts. Nous aimions savoir — et sentir — pulluler les bêtes translucides qui, sans être apprivoisées, étaient si bien à nous que le pou d'un autre que de nous deux nous dégoûtait.
Jean GENET, Journal du voleur, p. 27.

Loc. (1798). *Être laid comme un pou,* très laid. — *Barbe* à poux.* — (1790, *à la tête, in* D. D. L.). *Chercher des poux dans la tête de quelqu'un, à quelqu'un,* le chicaner* sur un rien, lui chercher une mauvaise querelle.

1.2 Car nous ne sommes occupés qu'à nous découvrir mutuellement des chagrins, des maux de dents ou des cors aux pieds. C'est ce qu'on appelle à La Châtre (...) se chercher des pous *(sic)* dans la tête.
G. SAND, Correspondance, *in* D. D. L., II, 19.

Loc. prov. (vx). *Il saurait trouver des poux sur la tête d'un chauve.*

(...) dans une boutique comme celle-là, madame Cibot, on sait trouver des poux à la tête d'un chauve! 2
BALZAC, le Cousin Pons, Pl., t. VI, p. 710.

On nous cherchait des poux dans la tête parce que le déficit de la piscine municipale Ledru-Rollin était payé par le conseil municipal de Paris, et par le conseil général de la Seine. 3
Jean FERNIOT, Pierrot et Aline, p. 202.

(Par confusion avec *pouil* «jeune coq», du bas lat. *pullius*). *Être fier, orgueilleux comme un pou,* très orgueilleux. — Par ext. (le syntagme *comme un pou,* démotivé, fonctionnant comme un intensif). *Être mauvais comme un pou. Râler comme un pou.*

♦ **2.** (Qualifié par un adj. ou un compl. en *de*). Parasite des animaux, des insectes. *Pou de mouton* (mélophage), *de chien* (tique). — *Pou des écorces* (⇒ **Lécanie**), *de bois* (⇒ **Psoque**). *Pou de San José (Quadraspidiotus perniciosus) :* insecte, originaire d'Amérique, qui attaque les arbres fruitiers. *Pou rouge de l'oranger.*
Bot. *Herbe aux poux.* ⇒ **Pédiculaire, staphisaigre.**

♦ **3.** (1933). Vieilli. *Pou-du-ciel :* nom donné par l'ingénieur H. Mignet à un type de petit avion qu'il avait conçu et mis au point et qui fut en faveur dans les années qui précédèrent la Seconde Guerre mondiale.

♦ **4.** Canada. Véhicule léger tout-terrain utilisé par les forestiers du Québec.

DÉR. et COMP. Épouiller, pouiller, pouillerie, pouilleux.

HOM. Pouh, pouls.

POUACRE [pwakʀ] adj. — 1532; *poacre* «goutteux», au XIIe; au sens de «rogneux» en 1445; adapt. anc. du lat. *podager.* → 2. Podagre.

♦ **1.** Vx et fam. (en parlant d'une personne). Très laid, très sale*. ⇒ **Dégoûtant, vilain.**

♦ **2.** (1750). Vx. et fam. Très avare*. — N. m. *Un vieux pouacre.*

POUACREUX, EUSE [pwakʀø, øz] adj. — D. i.; attesté XXe; cf. *poicré,* 1881, Huysmans; de *pouacre.*

♦ Rare. Ignoble, répugnant. *« Ces chiffons pouacreux (...) ces chaises ébréchées »* (Queneau, *le Chiendent,* p. 136).

POUAH [pwa] interj. — XVIe, *pouac;* onomatopée.

♦ Fam. Interjection qui exprime le dégoût, le mépris (→ Dégoûtation, cit.; lait, cit. 19).

HOM. Poids, poix.

POUBELLE [pubɛl] n. f. — 1890, Larousse; de *Poubelle,* nom du préfet de la Seine qui imposa l'usage de cette boîte à ordures en 1884.

♦ **1.** Récipient destiné aux ordures ménagères (d'une maison, d'un immeuble). *Chaque matin, les poubelles sont tirées sur le trottoir pour être vidées par les éboueurs. Chiffonnier qui fouille* (cit. 30) *dans une poubelle. Poubelle automatique. Poubelle en plastique.*

Il se fait par la ville un bruit de rangement rapide. Coups de balai; poubelles traînées et heurtées (...)
J. ROMAINS, les Hommes de bonne volonté, t. IV, XVIII, p. 193.

♦ **2.** Boîte* à ordures d'un appartement. *Mettre, jeter qqch. à la poubelle.*
Poubelle de table : récipient destiné à recueillir les menus déchets des assiettes, au cours d'un repas.
Fig. et fam. *Jeter à la poubelle :* rejeter avec mépris.

POUCE [pus] n. m. — XIIe, pouz, mesure de longueur; *polz,* déb. XIIe; *pouce,* XIIIe; du lat. *pollicem,* accusatif de *pollex.*

♦ **1.** (XIIIe). **a** Le premier doigt de la main de l'homme, le plus gros et le plus court, opposable aux autres doigts. *Opposabilité* du pouce. Le pouce ne comprend que deux phalanges. Pouce plat* (→ Cannelé, cit. 2), *carré, épais... Ongle* (cit. 8) *du pouce. Enfant qui suce son pouce. Entre le pouce et l'index* (→ 1. Geste, cit. 8). *Peintre qui applique la touche, sculpteur qui modèle la pâte à coups de pouce* (→ Excentrique, cit. 3). *Fourreau qui sert à protéger le pouce.* ⇒ **Poucier.** *Attacher les pouces d'un prisonnier avec des poucettes*.*

C'est une bonne petite main (...) Elle a les ongles taillés ras, le pouce retroussé volontiers en queue de scorpion (...)
COLETTE, la Naissance du jour, p. 62.

Naguère encore, François Durtain suçait son pouce avec beaucoup d'assiduité, beaucoup de science, pour tout dire.
G. DUHAMEL, les Plaisirs et les Jeux, p. 57.

b Loc. Vieilli. *Se mordre les pouces de...* ⇒ **Repentir** (se); → Se mordre les doigts* (*supra* cit. 16).

(1718). Fam. *Y mettre les quatre doigts et le pouce.* ⇒ **Doigt** (*supra* cit. 5).

(1790, *in* D. D. L., mais la var. anc. *coucher les pouces,* 1790, suggère une ellipse de « mettre en bas »). *Mettre les pouces* (p.-ê. par allus. au prisonnier qui met les pouces dans les poucettes) : cesser de résister, de lutter, s'avouer vaincu. ⇒ **Céder.**

2.1 Négocier, c'est pour les deux adversaires avouer qu'ils consentiront à mettre les pouces sur tel ou tel point.
F. MAURIAC, le Nouveau Bloc-notes 1958-1960, p. 347.

(1835). Fam. **SUR LE POUCE.** *Manger un morceau sur le pouce,* sans assiette, en restant debout. — Par ext. *Prendre un léger repas* (→ Coltiner, cit. 2), *déjeuner* (→ Friand, cit. 3), *manger sur le pouce.* ⇒ **Hâte** (à la hâte), **rapidement.**

3 (...) la halte que nous ferons pour déjeuner, en vrais chasseurs et chasseresses, sur le pouce (...)
BALZAC, Modeste Mignon, Pl., t. I, p. 594.

4 Dans ces cas-là, Gambaroux mange sans assiette, sur le pouce, son morceau de pain dans la main gauche, avec la viande ou le fromage par-dessus, son couteau à grande lame pointue dans la main droite.
J. ROMAINS, les Hommes de bonne volonté, t. VIII, XIV, p. 182.

(Fin XIXe). Fam. *Tourner ses pouces,* ou, plus cour., *se tourner les pouces :* rester sans rien faire, vivre dans l'oisiveté*.

5 Se lever tard, tourner ses pouces, se moquer du chaud et du froid, n'avoir pas un souci, ah ! ça les changeait rudement, ils étaient dans le paradis, pour sûr.
ZOLA, la Terre, II, IV.

6 Tu ne me feras pas croire qu'on vous paie uniquement pour que vous vous tourniez les pouces ?
COURTELINE, Messieurs les ronds-de-cuir, 4e tableau, II.

(XXe). **COUP DE POUCE.** *Donner le coup de pouce :* donner la dernière main à un ouvrage, le finir, le parachever. — *Commerçant qui donne le coup de pouce à la balance,* qui heurte légèrement le plateau où se trouve la marchandise pour qu'il l'emporte sur celui des poids. Fam. (souvent avec une idée de mauvaise foi, d'irrégularité). *Donner (le) un coup de pouce à... :* déformer, gauchir légèrement la réalité ; intervenir pour modifier le cours des événements dans le sens qu'on désire, pour faciliter l'apparition de ce qu'on veut voir se produire (→ Magistral, cit. 5). *« Il a fallu qu'il donne un coup de pouce à ce texte pour lui faire dire ce qu'il en a tiré »* (Académie). — *Donner un coup de pouce à qqn,* favoriser son avancement, sa réussite (→ Pistonner).

7 Donc, il faut que je me débrouille sans le secours de personne. C'est impossible. Un petit coup de pouce, presque rien. Pour retrouver l'équilibre, il suffit parfois de toucher le mur, une seconde, avec l'ongle du petit doigt.
G. DUHAMEL, Salavin, Journal, 1er déc.

8 Peu à peu, nous nous destituons nous-mêmes. Un jour viendra où il n'y aura plus qu'un coup de pouce à donner.
ARAGON, les Beaux Quartiers, II, IV.

REM. Un sens argotique de *donner le coup de pouce* « tuer », est attesté chez Hugo :

8.1 Si vous me faites arrêter, mon camarade donnera le coup de pouce à l'Alouette. *(C'est un malfaiteur qui parle).*
HUGO, les Misérables, II, VIII, XX.

[c] *Pouce !,* interjection qu'emploient les enfants (en tenant la main fermée et le pouce levé) pour indiquer, au cours d'une partie, qu'ils se mettent pour un instant en dehors du jeu. *Demander pouce. J'avais pouce, ça ne compte pas. Pouce cassé ! :* le jeu reprend.

8.2 Quand elle disait « pouce », le jeu s'arrêtait aussitôt, car ses amies savaient que ses raisons étaient toujours sérieuses.
M. AYMÉ, Maison basse, p. 93.

Figuré :

9 (...) en dehors de ces fatigues soudaines qui parfois m'accablent et durant lesquelles je voudrais pouvoir crier : « pouce ! » à la vie, je ne sens guère mon âge (...)
GIDE, Journal, 17 janv. 1943.

9.1 (...) il s'imagine qu'il lui suffit de « faire pouce », qu'il peut en un clin d'œil changer les rôles, jouer à autre chose, effacer comme d'un coup d'éponge avec sa voix mouillée ce qu'il a gravé en elle, en moi (...)
N. SARRAUTE, Martereau, p. 48.

♦ **2.** [a] (1690). *Le pouce du pied, le pouce :* le gros orteil*.

10 L'un de ses bas était troué et l'on voyait son pouce qui se recroquevillait devant la flamme comme un tout petit personnage indépendant.
P. MAC ORLAN, Quai des brumes, V.

[b] Zool. Chez les simiens, doigt qui correspond au pouce de l'homme.

Doigt postérieur des oiseaux, quand il est isolé. — Élément mobile de la pince des crustacés.

♦ **3.** Mesure de longueur usitée autrefois en France et encore de nos jours dans certains pays. *Le pouce, qui valait la douzième partie du pied* de roi, était lui-même subdivisé en douze lignes*. Cinq pieds et quelques pouces* (→ Appas, cit. 19). *Cinq pieds dix pouces* (→ Obésité, cit.).

Mod. (Au Canada, après 1760). Douzième partie du pied*, subdivisée en huit lignes*, soit 2,54 cm (abrév. : *po*). *« Il (...) fit voir une éraflure de quatre ou cinq pouces »* (P. Villeneuve).

11 M. Fauvel me faisait remarquer çà et là des morceaux de sculpture qui servaient de bornes, de murs ou de pavés : il me disait combien ces fragments avaient de pieds, de pouces et de lignes (...)
CHATEAUBRIAND, Itinéraire..., I, p. 184.

Loc. *Ne pas perdre un pouce de sa taille :* se tenir très droit (→ Nain, cit. 5). — (Le *pouce* étant considéré comme le symbole d'une quantité*, d'une distance, d'une surface très petite). *Ne pas reculer, bouger, avancer... d'un pouce :* rester absolument immobile (→ Grouiller, cit. 2 ; hypnose, cit. 6). — *Ne pas céder un pouce de son territoire.* ⇒ **Rien.** — *Chaque pouce de terrain est utilisé.*

Il était fort petit, et quand il vint au monde, il n'était guère plus grand que le pouce, ce qui fit qu'on l'appela le Petit Poucet. 12
Charles PERRAULT, Contes, « Le petit Poucet ».

Nous ne céderons ni un pouce de notre territoire, ni une pierre de nos forteresses (...) 13
Jules FAVRE, Circulaire du 6 sept. 1870, *in* GUERLAC.

Chaque pouce de ces petites pièces à l'aspect antiseptique a été utilisé : il y a des armoires dans les murs et des tiroirs sous le lit. 14
SARTRE, Situations III, p. 95.

♦ **4.** (1873 ; p.-ê. d'après des expressions de l'ancienne langue du commerce, telles que : *pouce sur aune* [1606], *pouce et aune* [→ Treize à la douzaine], 1857, H. Monnier, *in* D. D. L.). Fam. *Et le pouce :* encore plus, avec quelque chose en plus. *Ça revient bien à mille francs. — Oui, et le pouce.*

HOM. Pousse ; formes du v. **pousser.**

DÉR. Poucette, poucettes, poucier.

POUCE-PIED ou POUSSE-PIED [puspje] n. m. invar. — 1558 ; altér. de *pousse,* et, d'après *pouce, pied.*

Régional.

♦ **1.** Crustacé appelé scientifiquement *Pollicipes cornucopia.*

♦ **2.** Mar. (mieux : *pousse-pied*). Petit bateau très léger, à fond plat, qu'on fait glisser sur la vase en le poussant avec le pied.

POUCETTE [pusɛt] n. f. — 1718, Trévoux ; de *pousser,* d'après *pouce.*

♦ **1.** Vx. Jeu d'enfants où l'on poussait des épingles croisées.

♦ **2.** (1875, *poussette*). Tricherie par laquelle on pousse subrepticement une mise sur un emplacement gagnant quand le résultat est connu.

♦ **3.** (1903). Tricherie aux cartes, par laquelle la carte est avancée (avec le *pouce*).

POUCETTES [pusɛt] n. f. pl. — 1823 ; de *pouce.*

♦ **1.** Anciennt. Lien, anneau double, chaînette, etc., qui servait à attacher ensemble les pouces d'un prisonnier pour le réduire à l'impuissance. ⇒ **Cabriolet, menotte**(s).

Fig. (→ ci-dessous, cit. Hugo).

— Brigadier, mettez les poucettes à ce petit gars, dit Corentin au gendarme, et emmenez-le dans une chambre à part. 1
BALZAC, Une ténébreuse affaire, Pl., t. VII, p. 519.

Au panier les Bouhours, les Batteux, les Brossettes ! 2
À la pensée humaine ils ont mis les poucettes.
Voyez où l'on en est ; la strophe a des bâillons,
L'ode a les fers aux pieds, le drame est en cellule.
HUGO, les Contemplations, I, VII.

Une escouade de sergents de ville l'épée au poing et d'agents armés de casse-tête et de gourdins se rua à l'appel de Javert. On garrotta les bandits (...) 3
— Les poucettes à tous ! cria Javert.
HUGO, les Misérables, II, VIII, XXI.

♦ **2.** Techn. Ciseau qui sert à travailler l'ardoise*.

HOM. Poussette.

POUCIER [pusje] n. m. — 1530 ; de *pouce.*

♦ **1.** Doigtier* de cuir, de corne, de métal, etc., dont certains ouvriers se servent pour se protéger le pouce.

♦ **2.** Pièce du loquet* d'une porte sur laquelle on appuie avec le pouce pour soulever la clenchette.

POU-DE-SOIE, POULT-DE-SOIE ou POUT-DE-SOIE [pudswa] n. m. — 1585, *pou-de-soie ; poult-de-soie,* 1869 ; *pout-de-soie,* 1389 ; de *pou, poult,* orig. inconnue, et *soie.* Selon P. Guiraud, *poult* pourrait représenter *puls, pultis* « bouillie », par allus. aux grains de l'étoffe (grains d'orge).

♦ Étoffe de soie, sans lustre et unie (→ Jersey, cit. 1) ; vêtement fait de cette étoffe. *Des poux-de-soie, des poults-de-soie* ou *des pouts-de-soie.* — On écrit aussi *pou de soie.*

Le costume même de la bonne dame, son ample robe de pou de soie à fleurs, son grand bonnet et ses cheveux poudrés donnaient à penser à Margot et lui faisaient croire qu'elle se trouvait en face d'un être particulier. 1
A. DE MUSSET, Nouvelles, « Margot », III.

— Ce pou-de-soie ne vous dit rien ? On ne se marie pas tous les jours. 2
M. JOUHANDEAU, Chaminadour, La livrée.

POUDING [pudiŋ] n. m. ⇒ **Pudding.**

POUDINGUE [pudɛ̃g] n. m. — 1753 ; francisation de l'angl. *pudding-stone* « pierre-pudding » (1753). → Pudding.

♦ Géol. Roche constituée par des cailloux roulés, liés entre eux par un ciment naturel. ⇒ **Conglomérat** (→ Hornblende, cit.).

Au-dessus du calcaire de montagne est le grès à meules, *mill stone grit*, qui est séparé du calcaire par un conglomérat de cailloux quartzeux roulés, cimentés entre eux, un poudingue, *pudding stone* comme disent les Anglais.
L. SIMONIN, Une visite aux grandes usines du pays de Galles, p. 321-353, *in* le Tour du monde, 1865, t. I, p. 348.

POUDRAGE [pudʀaʒ] n. m. — 1832; « péage pour l'entretien des routes », 1250; de *poudrer*.

♦ Action de poudrer.
Spécialt (agric.). Traitement chimique par poudrage ou pulvérisation.
Techn. Opération de revêtement par application de résine en poudre.

POUDRE [pudʀ] n. f. — 1080, *puldre*; lat. *pulvis, pulveris* « poussière ».

♦ **1.** Vx (ou fig. du sens 2). Terre desséchée et pulvérisée. ⇒ **Poussière.** *Faire lever la poudre des chemins.* ⇒ **Poudroyer; poudroiement.** *Tomber dans la poudre, sur la poudre* (→ Épater, cit. 5). — Par ext. *La poudre des bouquins* (→ Fureteur, cit. 1). — REM. Dans ce sens, le mot *poudre* a été peu à peu éliminé par *poussière*, à mesure que les sens spéciaux de *poudre* (3. et 4.) se sont développés. On le rencontre encore en poésie au XIXe s. (→ Vigny, Hugo, *in* Brunot, H. L. F., t. XII, p. 195 et 240). Les emplois modernes sont des métaphores du sens 2.

1 Le convoi de camions (...) se rue sur la route. Malédiction! Il soulève à mesure, en passant, l'épais tapis de poudre blanche qui ouate le sol, et nous le jette à la volée sur les épaules.
H. BARBUSSE, le Feu, I, V.

2 (...) et cette farine sur la route, où un poulet à lui tout seul soulève autant de poudre qu'ailleurs un camion de sept tonnes (...)
Paul MORAND, l'Europe galante, Circuit circum-Etna.

(Dans la Bible). *« Vous êtes poudre, et vous retournerez en poudre »* (Sacy, *Genèse*, III, 19). — Les traductions modernes portent *poussière* (Crampon, Segond) ou *glaise* (Bible Jérusalem). → aussi Aujourd'hui, cit. 33.

3 Et nous, les os, devenons cendre et poudre.
VILLON, Poésies diverses, « Épitaphe en forme de ballade ».

Poét. et vx. *Secouer la poudre du passé. Mordre la poudre*, la poussière.

Loc. (1559). *Jeter de la poudre aux yeux :* éclipser, surpasser (vx), comme le coureur qui est en tête et qui soulève de la poussière devant ceux qui le suivent (cf. Malherbe, Scarron, *in* Littré). (1660). Mod. Chercher à éblouir*, à en faire accroire. ⇒ **Esbroufe** (fam.). → Écarquiller, cit. 2. *La Poudre aux yeux*, comédie de Labiche.

4 (...) comme on éblouit d'ordinaire par la dépense, nous jetâmes de la poudre aux yeux de tout le monde par les fêtes galantes que nous commençâmes à donner aux dames.
A.-R. LESAGE, Gil Blas, V, I.

5 Ils gagnent un argent fou, mais ils mènent trop grand train, disait maman. Tout passe dans les écuries, dans la livrée. Ils préfèrent jeter de la poudre aux yeux, plutôt que de mettre de côté (...)
F. MAURIAC, le Nœud de vipères, I, III.

Mettre, réduire qqch. en poudre. ⇒ **Anéantir, détruire, écraser** (→ 3. Mal, cit. 44). *Être en poudre*, détruit, et, par ext. (vx), abîmé, gâté. — Fig. et vx. *Mettre en poudre un raisonnement, un système :* le réfuter complètement, l'anéantir.

6 (...) les corps renfermés dans les tombeaux conservent souvent leur première forme, jusqu'à ce que l'air extérieur vienne les frapper et les réduire en poudre.
B. CONSTANT, Adolphe, VIII.

♦ **2.** (Fin XIIe). Substance solide réduite en très petites particules, en grains*. (En pharmacie, on parle de poudre quand les éléments ont moins de 0,15 mm de diamètre). *Poudre fine, impalpable* (⇒ **Fleur**). *Une pincée* de poudre. Réduire qqch. en poudre.* ⇒ **Briser, broyer, écraser, léviger, moudre, piler, porphyriser, pulvériser, râper, réduire, tamiser, triturer**; et aussi **bocard, mortier** (cit. 1), **moulin, pilon...** *Grener, granuler une poudre. Poudre grenée. Hématite* (cit.), *ocre* (cit. 1) *réduite en poudre. Roche susceptible d'être réduite en poudre.* ⇒ **Friable.** *Bois, tabac qui tombe en poudre.* ⇒ **Brésiller.** — *Poudres alimentaires.* ⇒ **Cacao, farine, fécule, sucre.** *Poudre de tabac* (à priser). — EN POUDRE. *Café, chocolat, sucre en poudre. Tabac en poudre* (→ Inconvenant, cit. 2). *Aliments en poudre* (broyés ou desséchés; ⇒ **Dessiccation**). *Lait en poudre. Œufs en poudre* (on dit aussi : *poudre de lait, d'œufs...*) — *Poudres pour crèmes, entremets. Poudres de viande, de poisson.* — *Poudres de parfumerie*. Poudres de toilette* (poudre au sens 3, talc...). *Poudre dentifrice. Poudre de charbon. Poudre dépilatoire, épilatoire* (⇒ **Rusma**). *Poudre à éternuer, sternutatoire. Poudre purgative.* Loc. *Poudre de charlatan*, de perlimpinpin*, que les charlatans vendaient en la donnant pour une panacée*. Loc. fig. *Prendre la poudre d'escampette.* ⇒ **Escampette** (cit. 2). — *Poudre empoisonnée, toxique. Poudre de cocaïne, d'héroïne.* Absolt. *De la poudre :* de l'héroïne. *« La morphine, la poudre* (l'héroïne) *mais pas la cocaïne »* (*le Nouvel Obs.*, 3 mars 1975, p. 42). — *Poudre antiparasite, insecticide* (cit. 1). ⇒ **Poudreuse.** *Poudre de capucin* (cévadille), *poudre de pyrèthre.* — *Poudre de savon. Poudre d'émeri*, de ponce*, servant d'abrasifs* (pour décaper, polir). — EN POUDRE. *Produits en poudre. Lessive en poudre.* — Anciennt. *Poudre à sécher, à écrire*, servant à sécher l'encre fraîche sur le papier (→ Dessus, cit. 6). — Techn. *Poudre de diamant* (⇒ **Égrisé**), *de bronze* (bronzine). *Poudre à mouler :* matière plastique pulvérisée destinée à être moulée. *Poudre d'os, de pierre.* — *Engrais* (⇒ **Poudrette**), *débris* (⇒ **Poussier**) *en poudre.* — *Poudre d'or :* or natif en grains très fins et pépites.

Je me suis alors permis de répondre que vous étiez (...) trop bon calculateur pour changer votre argent contre de la poudre à Perlimpinpin. 7
BALZAC, la Recherche de l'absolu, Pl., t. IX, p. 525.

Piments, poudres anglaises, safraniques, substances coloniales, poussières exotiques, tout leur eût semblé bon, voire le musc et l'encens. 8
BAUDELAIRE, la Fanfarlo, 1847.

(...) M. de Schoen (....) posait une feuille de papier sur le bureau du ministre, entre la boîte de poudre à sécher et une pile de brochures (...) 9
J. ROMAINS, les Hommes de bonne volonté, t. X, XX, p. 223.

Fig. (En parlant d'un effet de poudroiement*). *La poudre d'or du soleil couchant* (→ Boulevard, cit. 2; et aussi menu, cit. 4). *Une impalpable poudre d'acier* (→ Clarté, cit. 7).

♦ **3.** (XIIIe). Substance pulvérulente (autrefois amidon de froment, de riz, puis de produits minéraux) utilisée sur les cheveux (anciennt) ou sur la peau, comme fard* (→ Convenable, cit. 10; futilité, cit. 5). *Boîte* (⇒ **Poudrier**), *houppe** (cit. 4) *à poudre. Se mettre de la poudre* ⇒ **Poudrer** (se), *un nuage de poudre. Mettre de la poudre sur un fond* de teint. La poudre et le rouge* (→ Paraître, cit. 14). *Poudres colorées* (assorties au teint). *Fard-poudre.*

Il fallait qu'avec un couteau j'allasse râper une certaine quantité de plâtre de ces murs, que je passais ensuite dans un tamis fin; ce qui résultait de cette opération devenait la poudre de toilette dont j'ornais chaque matin et la perruque de Monsieur et le chignon de Madame. 9.1
SADE, Justine..., t. I, p. 30.

Loc. (1845). **POUDRE DE RIZ** [pudʀəʀi] : fécule de riz, puis poudre blanche analogue (→ Maquillage, cit. 1). ⇒ aussi **Poudrerizé.**

J'avais mes onze poudres de riz, celle qui me rendait scintillante, de nacre pilée; celle qui m'assombrissait; celle qui me teignait de rouge; celle, plus chair, que j'eusse mise à Limoges pour le bal du préfet (...) 10
GIRAUDOUX, Suzanne et le Pacifique, p. 81.

C'est l'heure lasse où la poudre de riz s'envole 11
Qui masque la sueur dans les plis de la peau
ARAGON, le Roman inachevé, Paris vingt ans après.

Anciennt. *Poudre à cheveux, à perruque.*

La quantité de poudre consommée pour cet usage *(la coiffure)* était considérable *(au XVIIIe s.)*, d'autant plus que les perruques masculines étaient toujours poudrées (...) La poudre à cheveux et à perruque était faite d'amidon tamisé et parfumé, ce qui explique la boutade de l'encyclopédiste disant : « Avec la farine ainsi employée à Paris chaque jour, on nourrirait facilement dix mille infortunés ». 12
J. PINSET et Y. DESLANDRES, Histoire des soins de beauté, p. 74.

♦ **4.** (V. 1360). Mélange explosif pulvérulent. ⇒ **Explosif.** *Poudre noire :* mélange de salpêtre, de charbon et de soufre, utilisé autrefois dans les armes à feu de guerre et de chasse (⇒ **Nitre, pulvérin** [vx]). *Poudre à canon :* poudre noire pour l'artillerie. *Poudre de chasse*, plus fine (préparée autrefois avec le charbon de certains bois : bourdaine, etc.). *Poudre à tirer :* poudre utilisée par les artificiers (⇒ **Relien; pyrotechnie**; → Humide, cit. 3). *Préparation de la poudre noire* (trituration, incorporation, galetage, grenage* et lissage). *Cribler la poudre* (⇒ **Maye**). — *Poudres chloratées (poudre blanche*, pour la chasse, etc.). *Poudre à la nitroglycérine* (⇒ aussi **Dynamite**), *à la nitrocellulose. Coton-poudre* (⇒ **Coton**). *Poudre sans fumée.* — *Métallurgie des poudres. Fabrique de poudre* (⇒ **Poudrerie**). *Baril, caque* (vx) *à poudre; baril* (cit.), *tonneau de poudre. Quantité de poudre dans un projectile, une arme, une mine*...* ⇒ **Charge; bombe, cartouche, fusée, gargousse; pétard, saucisson.** *Poudre servant d'amorce. Poire à poudre.* — *Faire détoner, exploser de la poudre. Traînée de poudre.* — Dr. admin. *Les poudres :* les explosifs. *Service des poudres et salpêtres* (corps d'ingénieurs militaires). *La fabrication de poudres est un monopole d'État. La détention, la vente des poudres est réglementée.*

(...) la guerre, a obscurci l'air pur et net, par poudre de terre sèche, par salpêtre et poudre artificielle (...) 13
Clément MAROT, Épîtres, V.

Tu sais que depuis l'invention de la poudre il n'y a plus de places imprenables, c'est-à-dire, Usbeck, qu'il n'y a plus d'asile sur la terre contre l'injustice et la violence. 14
MONTESQUIEU, Lettres persanes, CVI.

(...) j'ai mon fusil à percussion centrale, et des cartouches à pleine charge dont la poudre blanche claque raide, autrement sec et gai que la poudre noire des anciens et son gros tonnerre enfumé! 15
M. GENEVOIX, Raboliot, II, III.

Allus. hist. *La conspiration des poudres*, tramée par des catholiques contre le roi et le parlement d'Angleterre en 1603. — *« Mettez votre confiance en Dieu et tenez votre poudre sèche »*, paroles de Cromwell avant la bataille de Dunbar (1650). — Allus. littér. *« Ami, dit l'enfant grec* (cit. 6) ... *Je veux de la poudre et des balles »* (Hugo).

Katesby, le collaborateur de Guy Fawkes dans le complot papiste des poudres, disait : *Voir sauter le parlement les quatre fers en l'air, je ne donnerais pas cela pour un million sterling.* 16
HUGO, l'Homme qui rit, II, I, VII.

Loc. (Av. 1660). *Tirer sa poudre aux moineaux :* se donner du mal en pure perte (cf. Molière, Voltaire, Lesage, *in* Littré). — (1690). *Mettre le feu aux poudres :* déclencher une catastrophe; et aussi enflammer, exciter des sentiments violents, de la haine... (→ aussi Étincelle, cit. 12). — *Se répandre comme une traînée* de poudre.* — (1798). Vx. *Être vif comme la poudre :* très vif.

— Tonnerre de Dieu! n'allons pas fumer sur le tonneau de poudre, citoyens. 1
BALZAC, les Chouans, Pl., t. VIII, p. 783.

La poudre, dans les combats, à la guerre... L'odeur de la poudre (→ Ivresse, cit. 15). *L'air sentait la poudre* (→ Coup, cit. 29; et aussi grenadier, cit. 3). *Le tapage de la poudre* (→ Fantasia, cit. 1).

— Loc. *Faire parler la poudre :* employer les armes à feu ; faire la guerre. — *Cela sent la poudre :* il y a des menaces de conflit.

18 Le zingueur, par rigolade, avait eu la belle idée de descendre voir l'émeute ; il se fichait pas mal de la République, du Bonaparte et de tout le tremblement ; seulement il adorait la poudre, les coups de fusil lui semblaient drôles.
ZOLA, l'Assommoir, IV, t. I, p. 136.

L'invention de la poudre (→ Inventer, cit. 2 ; et aussi inventeur, cit. 1). — Loc. *Il n'a pas inventé la poudre, la poudre à canon :* il n'est pas très intelligent, pas très malin (⇒ **Sot**).

19 Monsieur le comte Ornifle de Saint-Oignon, je ne suis qu'un ferblantier, c'est entendu, je n'ai pas inventé la poudre, mais je vais te dire quelque chose : peut-être pas aussi canaille que toi.
J. ANOUILH, Ornifle, I.

Propergol solide, combustible utilisé pour les fusées. *Poudres autopropulsives. Poudre colloïdale, composite, hétérogène, homogène. Poudre à simple base, à double base.*

20 Rappelons tout d'abord que la dénomination de poudres que l'on donne parfois aux propergols solides ne doit pas faire penser que ces matières ont une structure pulvérulente.
J.-F. THÉRY, les Carburants nouveaux, p. 50.

DÉR. Poudrederizé, poudrer, poudrerie, poudrette, poudreuse, poudreux, poudrier, poudrière, poudrin, poudroyer.

POUDRÉ, ÉE [pudʀe] adj. ⇒ **Poudrer.**

POUDREDERIZÉ, ÉE [pudʀədəʀize] adj. ⇒ **Poudrerizé.**

POUDRÉE [pudʀe] n. f. — V. 1375, « jonchée » ; le mot a pu se conserver dans des dialectes ; de *poudrer.*

♦ Rare. Couche poudreuse.

(...) la mince pellicule de poussière qui les recouvrait (pas une couche : une poudrée, comme dans une de ces anciennes maisons non pas à l'abandon mais où, faute de domesticité, on fait le ménage seulement tous les quinze jours, et pas très à fond ...
Claude SIMON, le Vent, p. 194.

1. POUDRER [pudʀe] v. tr. — 1210, intr. « poudroyer » ; « pulvériser », tr., XIVe, de *poudre.*

♦ **1.** (1398). Couvrir légèrement de poudre. ⇒ **Saupoudrer.** *Poudrer de farine.* ⇒ **Enfariner.**

1 Tout en parlant, d'un geste machinal, elle avait enfoncé ses bras nus dans le blé ; et elle les en retirait, les y replongeait, poudrant sa peau d'une poudre fine et douce.
ZOLA, la Terre, V, III.

Par anal. *Une petite neige* (cit. 4) *fine, poudre les branches.* — Fig. « *Les houppes de lychnis* (cit.) *poudrent de rose les fonds marécageux* ».

2 La route est sans ombre, et tout ce qui l'avoisine est poudré à blanc (...)
E. FROMENTIN, Une Année dans le Sahel, p. 36.

♦ **2.** Couvrir (ses cheveux, sa peau) d'une fine couche de poudre* (3.). *Poudrer sa perruque, faire poudrer ses cheveux* (cit. 27).

Pron. *Se poudrer. Se poudrer avec une houppe, une houppette* (cit. 2).

♦ **3.** V. intr. (1655). Chasse. Faire voler la poussière en fuyant (⇒ **Poudre,** 1.). *Cerf qui poudre.*

▶ **POUDRÉ, ÉE** p. p. adj. *Cheveux poudrés, perruques poudrées du XVIIIe siècle. Poudré à blanc* (cit. 21), *à frimas.* ⇒ **Frimas** (cit. 5, 6 et 7 par métaphore). *Teint, visage poudré.*

(Personnes). Aux cheveux poudrés. *Un cocher poudré* (→ Fringant, cit. 3). — Au visage poudré, à la peau poudrée. *Jeunes filles peintes et poudrées* (→ Mastodonte, cit. 2).

3 Il se passa de tabac, congédia son perruquier et ne mit plus de poudre. Quand le père Goriot parut pour la première fois sans être poudré, son hôtesse laissa échapper une exclamation de surprise en apercevant la couleur de ses cheveux, ils étaient d'un gris sale et verdâtre.
BALZAC, le Père Goriot, Pl., t. II, p. 869.

4 Ça devenait un scandale, cette femme qui se montrait partout, fardée, poudrée, et insolente avec ça.
J. GREEN, Adrienne Mesurat, III, VIII.

CONTR. et COMP. Dépoudrer. — Saupoudrer.
DÉR. Poudrage, poudrée.

2. POUDRER [pudʀe] v. intr. — 1743, Canada ; anc. franç. « dégager de la poussière (en parlant des chemins, etc.) » ; de *poudre,* d'après *neiger, venter.* → Crachiner.

♦ Canada. Être chassée par le vent (souvent en rafales), en parlant de la neige (⇒ 1. **Poudrerie**) → Poudroyer. « *On va avoir une tempête peut-être. Il va neiger, venter, poudrer, ce serait le temps d'aller me perdre* » (J.-J. Richard).

1. POUDRERIE [pudʀəʀi] n. f. — 1695, Canada ; anc. franç. *pouldrerie ;* de *poudre.*

♦ Canada. Neige chassée par le vent (souvent en rafales ; → Blizzard). « *Luttant ferme contre la "poudrerie" qui lui cinglait la figure* » (L. Fréchette). « *La poudrerie (...) une matière déliée, ténue, en proie au délire du tourbillon et de la spirale* » (Savard). « *Je regardais courir la poudrerie sur la croûte de neige* » (Félix Leclerc).

2. POUDRERIE [pudʀəʀi] n. f. — 1732 ; « marchandise en poudre », XVe ; de *poudre.*

♦ Fabrique de poudre (⇒ **Poudrière**).

POUDRERIZÉ, ÉE [pudʀəʀize] adj. — 1902 ; *poudrederizé,* 1887 ; de *poudre* de riz.*

♦ Vx. Couvert de poudre de riz.

Regardant Valentin effleurer de ses lèvres modestes et chastes les joues roses et poudrerizées de Chantal, Jules fredonna « pas sur la bouche »... 1
R. QUENEAU, le Dimanche de la vie, p. 146.

Le funèbre et mélancolique parfum de musc s'exhalant des chevelures et des poitrines poudrerizées, comme le lointain, subtil et prémonitoire parfum d'un siècle désenchanté et agonisant. 2
Claude SIMON, le Palace, p. 163.

POUDRETTE [pudʀɛt] n. f. — 1690 ; « poussière fine », XIIIe ; *puldrete,* v. 1119 ; de *poudre.*

♦ Agric. Engrais provenant du traitement des vidanges ; déchets de caoutchouc broyés en vue de la régénération (→ Fertiliser, cit. 2). *La poudrette renferme de l'azote, de l'acide phosphorique et de la potasse.*

Des usines de poudrettes, de produits chimiques et de parfums y ajouteront plus tard leurs puanteurs respectives, achevant de donner au site son haleine d'égout et de solfatare (...)
J. ROMAINS, les Hommes de bonne volonté, t. IX, I, p. 9.

1. POUDREUSE [pudʀøz] n. f. — 1923, Larousse ; de *poudre* ou de *poudrer.*

♦ **1.** Meuble servant à la toilette féminine. ⇒ **Coiffeuse.** *Une petite poudreuse Louis XV.*

♦ **2.** Sucrier à couvercle perforé, pour le sucre en poudre.

♦ **3.** Agric. Instrument servant à répandre sur les plantes une substance pulvérulente (antiparasite, insecticide, fongicide, etc.). *Trémie, ventilateur, tuyau d'une poudreuse. Poudreuse à dos,* portée à dos d'homme. Par ext. Soufreuse à vigne. ⇒ aussi **Pulvérisateur.**

2. POUDREUSE [pudʀøz] n. f. ⇒ **Poudreux** (2.).

POUDREUX, EUSE [pudʀø, øz] adj. — 1080, *Chanson de Roland ; puldrus* « poussiéreux » ; *poudreux* au XIIIe ; de *poudre.*

♦ **1.** Vx. Couvert de la poussière du sol. ⇒ **Poussière.** *Spectateurs crottés, poudreux* (→ Démantibulé, cit. 1). *Le flanc poudreux des chevaux* (→ Aiguillon, cit. 3).

Vx. ou littér. *Chemin poudreux* (→ Dévorer, cit. 30), *route poudreuse.* — *Statue poudreuse et sale* (→ Gris, cit. 8, Camus).

Sous un grand ciel gris, dans une grande plaine poudreuse, sans chemins, sans gazon, sans un chardon, sans une ortie, je rencontrai plusieurs hommes qui marchaient courbés. 1
BAUDELAIRE, le Spleen de Paris, VI.

Du grand chemin poudreux où le pied brûle et saigne. 2
VERLAINE, Jadis et Naguère, « L'auberge ».

(...) ces diligences poudreuses arrêtées devant les cafés (...) 3
Émile HENRIOT, le Diable à l'hôtel, VI.

(1667). Littér. Couvert de la poussière d'une maison. → Luthier, cit. *Meubles poudreux écornés* (cit. 2). *Armoire* (cit. 5) *poudreuse* (→ Nippe, cit. 3). *Livres, registres poudreux.*

Quelques livres poudreux y gisaient épars sur des planches poudreuses, et des rayons chargés de bouteilles étiquetées faisaient deviner que la pharmacie y occupait plus de place que la science. 4
BALZAC, le Médecin de campagne, Pl., t. VIII, p. 374.

Que de poudreux registres, abattus grands ouverts et fiévreusement triturés (...) 5
COURTELINE, Messieurs les ronds-de-cuir, 6e tableau, I.

♦ **2.** (1924, *in* D. D. L.). Mod. Qui a la consistance d'une poudre (2.). *Neige poudreuse :* neige fraîchement tombée et assez consistante. *Avalanche poudreuse.*

N. f. (1936, *in* D. D. L.). LA POUDREUSE : la neige poudreuse. *S'enfoncer dans la poudreuse.*

Parfois, sous la poudreuse, il tâte la glace vive de ses crampons (...) 6
FRISON-ROCHE, la Grande Crevasse, 1948, p. 116.

POUDRIER [pudʀije] n. m. — XIIIe, « tourbillon de poussière » ; *puldrier* « poussière », v. 1170 ; de *poudre.*

★ **I.** (1561, *pouldrier*). Techn. Ouvrier, ingénieur travaillant dans une fabrique de poudre.

★ **II.** (1570). ♦ **1.** Petite boîte à couvercle perforé où l'on mettait la poudre à sécher l'encre (cf. Regnard, *le Distrait,* IV, 9, *in* Littré).

♦ **2.** (XXe). Mod. Boîte à poudre ; petit récipient plat contenant de la poudre pour maquillage, une houppe, un miroir... *Poudrier en argent.*

Mathieu lui tendit le sac : elle en tira un poudrier où elle mira son visage avec dégoût. SARTRE, l'Âge de raison, p. 219.

♦ **3.** Techn. Flacon de laboratoire, de forme basse et à large col, pour conserver des matières solides en poudre.

POUDRIÈRE [pudʀijɛʀ] n. f. — V. 1550, «fabrique de poudre à canon», rare jusqu'au XIXe; *puldriere* «tourbillon de poussière», v. 1155; de *poudre.*

♦ **1.** Magasin à poudre, à explosifs. *Poudrière adjointe à une poudrerie* (→ Arsenal, cit. 2). *Poudrière qui explose, saute.*

(...) ce fut au cratère même du volcan que nous courûmes. Il fumait encore (...) La petite tour de la poudrière était éventrée et, par ses flancs ouverts, on voyait une lente fumée s'élever en tournant. Toute la poudre de la tourelle était-elle brûlée? (...) C'était la question.
A. DE VIGNY, Servitude et Grandeur militaires, II, XII.

♦ **2.** Fig. Région où la guerre, un mouvement violent, des troubles sont menaçants. *La poudrière des Balkans, du Moyen-Orient.*

POUDRIN [pudʀɛ̃] n. m. — 1665, Breton, *Dict. caraïbe-français;* de *poudre.*

♦ Mar., régional. Embruns marins. — Pluie fine et glacée, à Terre-Neuve.

POUDROIEMENT [pudʀwamɑ̃] n. m. — V. 1860; «action de couvrir de poussière», 1606; de *poudroyer.*

♦ Littér. Effet produit par la poussière soulevée et éclairée ou par la lumière éclairant les grains d'une poudre. *Un poudroiement de lumière* (→ Joncher, cit. 3).

D'un fin poudroiement d'or ses cheveux l'ont nimbé.
Albert SAMAIN, le Chariot d'or, «Le berceau».

POUDROYANT, ANTE [pudʀwajɑ̃, ɑ̃t] adj. — Mil. XIXe, Gautier; de *poudroyer.*

♦ Littér. Qui poudroie.

La lumière, qui tombait dans le lointain poudroyant, sur le dôme doré des Invalides, y rebondissait en rayons. FRANCE, Jocaste, I, Œ., t. II, p. 6.

POUDROYER [pudʀwaje] v. intr. — Conjug. *noyer.* — 1550; *pouldroyer* «couvrir de poussière, saupoudrer», 1377; de *poudre.*
Littéraire.

♦ **1.** Produire de la poussière; s'élever en poussière.

♦ **2.** Avoir une apparence de poudre brillante, sous l'effet d'un éclairage vif.

1 Au fond, le bois verdoie ou roussit, poudroie ou s'assombrit, suivant l'heure et la saison. BAUDELAIRE, Curiosités esthétiques, XVI, XIII.

2 À perte de vue, la route blanche, embrasée, poudroyait entre les jardins d'oliviers et de petits chênes, sous un grand soleil d'argent mat qui remplissait tout le ciel.
Alphonse DAUDET, Lettres de mon moulin, «Deux auberges».

3 Les étoiles d'hiver sont belles lorsqu'elles poudroient dans le ciel couleur d'ardoise et que, dans la profondeur brumeuse et bleue, elles éclairent des lambeaux de nuages. Francis JAMMES, le Roman du lièvre, Notes.

♦ **3.** (Fin XVIIe, Perrault). Faire briller, miroiter les grains de poussière en suspension, en parlant du soleil, de la lumière. *«Le soleil qui poudroie, et l'herbe* (cit. 12) *qui verdoie»* (Perrault).

4 Les derniers rayons du soleil poudroyaient à travers les longues lignes des peupliers plantés le long des rigoles (...)
BALZAC, le Curé de village, Pl., t. VIII, p. 744.

5 Une âpre chaleur de juin exaltait les têtes, le soleil brûlait d'aplomb, poudroyait sur la blanche route, la soulevait en nuages (...)
MICHELET, Hist. de la Révolution franç., V, II.

♦ **4.** (1564; «couvrir de poudre [une plaie]», 1370). Littér. et rare. Couvrir de poussière, de poudre. *«Le givre qui poudroyait les arbres»* (A. France *in* G. L. L. F.).

DÉR. Poudroiement, poudroyant.

POUÊT [pwɛt] interj. — Attesté XXe.

♦ Onomatopée (souvent répétée) évoquant un bruit de trompe, le klaxon d'une voiture. *Pouêt-pouêt. «Dis maman, le gros nounours, il fait «Pouêt» quand on lui appuie sur le ventre?»* (*Charlie-Hebdo,* 8 déc. 1977, p. 19).

1. POUF [puf] interj., adj. et n. m. — 1458, *pouf, pouf;* onomatopée évoquant la chute.

★ **I.** Interj. Exclamation, interjection exprimant un bruit sourd de chute ou d'explosion. *Et pouf! Le voilà qui s'étale par terre.* — Loc. (Langage enfantin). *Faire pouf :* tomber (⇒ aussi **Patapouf**).

★ **II.** Adj. invar. (1676). Techn. *Grès, marbres, pierres pouf,* qui se délitent facilement, qui s'effritent quand on les travaille.

★ **III.** N. m. ♦ **1.** Bonnet de femme (au XVIIIe siècle).

♦ **2.** (1829). Vx. Gros tabouret* bas, généralement cylindrique et recouvert d'un capitonnage épais. — Mod. Siège bas constitué par un gros coussin* posé à même le sol (→ Maître, cit. 10).

Les uns, assis sur des poufs, feuilletaient des albums ouverts sur leurs genoux; 1
d'autres étaient accroupis par terre (...)
ALAIN-FOURNIER, le Grand Meaulnes, I, XIV.

Elle s'était assise sur un pouf blanc, sorte de siège capitonné bas et large (...) 1.1.
É. AJAR (R. GARY), l'Angoisse du roi Salomon, p. 47.

♦ **3.** (1871, *in* D. D. L.). Anciennt. Tournure qui faisait bouffer la jupe ou la robe par derrière.

(...) une toilette extraordinaire : le petit corsage et la tunique de soie bleue 2
collant sur le corps, relevés derrière les reins en un pouf énorme, ce qui dessinait les cuisses d'une façon hardie, par ces temps de jupes ballonnées (...)
ZOLA, Nana, XI.

DÉR. Pouffer, pouf(f)iasse.

2. POUF [puf] n. m. — 1836, *faire un pouf* «ne pas payer une chose achetée à crédit»; loc. pop. en France, *in* D. D. L.; *à pouf* «à crédit», 1790, *le Véritable Père Duchêne, in* D. D. L.; orig. incert., p.-ê. idée de «dégonfler».

Familier ou régional (Belgique).

★ **I.** N. m. Dette. *Payer ses poufs.*

★ **II.** Loc. À POUF. ♦ **1.** À crédit. *Acheter à pouf.*

♦ **2.** Au hasard, au petit bonheur. *Taper à pouf :* deviner.

POUFFANT, ANTE [pufɑ̃, ɑ̃t] adj. — Fin XIXe; de *pouffer.*

♦ **1.** Qui pouffe. *Un rire pouffant.*

♦ **2.** Qui fait rire, pouffer de rire. *Des histoires pouffantes.* (Personnes). *«Elles se "tordaient", trouvaient toujours que les autres étaient "pouffants"»* (F. Mauriac, *in* G. L. L. F.).

♦ **3.** N. m. (Vx). *Le pouffant.*

(...) la soirée se passe à conter de grasses histoires, qui font éclater Flaubert, en ces rires qui ont le pouffant des rires de l'enfance.
Ed. et J. DE GONCOURT, Journal, t. VI, p. 81.

POUFFEMENT [pufmɑ̃] n. m. — XXe; de *pouffer.*

♦ Petit éclat de rire étouffé de celui qui pouffe.

Oh! dit Bussière avec de petits pouffements de rire (...) à cette heure-ci, ça ne me dérange pas du tout.
J. ROMAINS, les Hommes de bonne volonté, t. XXIV, p. 302.

POUFFER [pufe] v. intr. — Fin XVIIe; «souffler (du vent)», 1530; de *pouf.*

♦ **1.** *Pouffer de rire, pouffer :* éclater de rire malgré soi. ⇒ **Esclaffer (s'), rire.** (→ Accueillir, cit. 7; outrer, cit. 2). *Elle s'est mise à pouffer.*

Quand ce comédien de Saint-Eustache lui demanda tout haut si elle n'était pas bien persuadée que son dieu, son créateur, était dans l'eucharistie, elle répondit, *Ah, oui!* d'un ton qui m'eût fait pouffer de rire dans des circonstances moins lugubres. VOLTAIRE, Correspondance, 175, 27 janv. 1733.

Pouffer de qqn, en rire (s'en moquer) en pouffant.

♦ **2.** (Fin XVIIe, Saint-Simon). Vx (langue class.). Se rengorger, se bouffir* d'orgueil.

♦ **3.** Régional (Midi de la France). *Se pouffer :* pouffer (1.). *Se pouffer de rire.*

POUFFIASSE [pufjas] n. f. — 1874; *pouffiace,* 1859, *in* D. D. L.; de *pouf.*

♦ Vulg. Prostituée.

Par ext. (sans péjoration de nature sexuelle). Femme, fille épaisse, vulgaire. *Une grosse pouffiasse.* ⇒ **Grognasse** (→ Femme, cit. 97).

Il avait à son bras une énorme pouffiasse, outrageusement décolletée (...) 1
GIDE, Journal, 3 août 1930.

Si c'était une poule ordinaire, ou une pouffiasse quelconque, j'aurais pu me 2
laisser aller. Mais elle? J. ROMAINS, les Hommes de bonne volonté, t. II, V, p. 50.

REM. On écrit aussi *poufiasse.*

Je l'ai vue comme je vous vois, cette poufiasse enrubannée, mais si, elle 3
est très simple. Comme vous et moi.
Geneviève DORMANN, le Chemin des dames, p. 94.

POUH [pu] interj. — Av. 1850, Balzac; onomatopée.

♦ Interjection exprimant le mépris et le dégoût.

HOM. Pou, pouls.

POUIC [pwik] pron. indéf. — 1895, loc.; «rien», 1827; orig. inconnue.

♦ Loc. fam. QUE POUIC : rien (→ Que dalle*). *Il n'y pige, il n'y entrave que pouic.*

POUILLARD [pujaʀ] n. m. — 1875; de l'anc. franç. *pouil* «coq», bas lat. *pullius;* → Poule.

♦ Fam. ou régional. Jeune perdreau ou jeune faisan (avant la cinquième semaine).

POUILLE [puj] n. f. — xxe; de *pouilleux.*

♦ Pop. Misère.

1 C'était la poisse, la pouille, la misère, la débine.
R. QUENEAU, Loin de Rueil, p. 219.

2 Je me disais qu'il devait traîner la pouille quelque part loin de Paris.
R. QUENEAU, Pierrot mon ami, éd. L. de Poche, p. 35.

HOM. Pouilles.

POUILLÉ [puje] n. m. — 1694; *poullier,* 1624; de l'anc. franç. *pouille, pueille* «rente; registre de comptes», du plur. lat. *polyptycha.* → Polyptyque.

♦ Hist. Sous l'Ancien Régime, Registre des biens et des bénéfices* (cit. 12) ecclésiastiques situés dans une région déterminée de territoire. ⇒ **Polyptyque** (cit.). *Pouillé du diocèse de X.*

HOM. Pouiller.

POUILLER [puje] v. tr. — 1530; *pooillier,* xiiie; de *pouil,* forme anc. de *pou*.*

★ **I.** Vx ou régional. Épouiller.

1 On l'épuçait, on la pouillait et dès qu'elle fut propre, on lui passa du linge propre.
M. JOUHANDEAU, Tite-le-Long, XV.

Pronominalement :

2 (...) une branche le cingla et lui laissa plantées, dans le visage et dans les mains, quelques aiguilles acérées (...) Renaut, occupé à se pouiller de ses épines (...)
J.-R. BLOCH, les Chasses de Renaut.

★ **II.** (1636). Vx et fam. Injurier. ⇒ **Pouilles** (chanter pouilles).

DÉR. Pouilles.
HOM. Pouillé.

POUILLERIE [pujʀi] n. f. — 1606; *poueillerie* «gens pleins de poux», 1375; de *pouil,* forme anc. de *pou.*

♦ Pauvreté* sordide (⇒ **Gueuserie**); saleté répugnante (→ Désordre, cit. 3). Ensemble de personnes d'une misère répugnante. — Lieu, chose qui présente les caractères de la pauvreté et de la saleté.

Souvent, après un grand morceau de ville propre et soignée, s'ouvrait un nouvel ulcère, une sombre cour des miracles, avec des cahutes pourries, des montagnes de détritus, des meutes d'enfants vermineux (...) Ainsi donc, à chaque voyage, avant d'atteindre le lieu de mon travail, de mes soucis, de mes pensées, il me fallait, au gré du tramway brimbaleur, traverser toute cette pouillerie (...)
G. DUHAMEL, Chronique des Pasquier, III, III.

POUILLES [puj] n. f. pl. — 1574; de *pouiller* «injurier».

♦ **1.** Vx. Injures, reproches.

♦ **2.** Mod. et littér. *Chanter pouilles à qqn,* l'accabler d'injures, de reproches. ⇒ **Injurier, quereller, réprimander.**

1 (...) je me fis chanter pouilles par les deux autres : ils m'avaient demandé si j'étais royaliste ou républicain, et j'avais répondu : — Républicain parbleu!
GIDE, Si le grain ne meurt, I, IV, p. 108.

♦ **3.** Loc. fam. (Croisement probable avec *chercher des poux*). *Chercher des pouilles à qqn,* lui chercher querelle, lui chercher des noises.

2 Comment! il avait raison? Est-ce qu'on cherche des pouilles aux morts? C'est propre, toi, tu crois, de chercher des pouilles aux morts?
J. ANOUILH, le Voyageur sans bagages, p. 35.

HOM. Pouille.

POUILLEUX, EUSE [pujø, øz] adj. — V. 1360; *pooilleus,* xiiie; de *pouil,* forme anc. de *pou.*

♦ **1.** Couvert de poux, de vermine; d'une saleté repoussante (→ Crasseux, cit. 1 et 2). *Un vieux mendiant pouilleux.* — N. *Un pouilleux, une pouilleuse.*

(Terme d'injure). *Traiter qqn de pouilleux* (→ Gronder, cit. 17).

Et celui qui forgea le conte de la femme qui (...) ne cessait d'appeler son mari pouilleux, et qui, précipitée dans l'eau, haussait encore, en s'étouffant, les mains, et faisait au-dessus de sa tête signe de tuer des poux, forgea un conte duquel, en vérité, tous les jours on voit l'image expresse en l'opiniâtreté des femmes. 1
MONTAIGNE, Essais, II, XXXII.

♦ **2.** (1587). Qui est dans une extrême misère (surtout comme substantif). *Un pouilleux, une pouilleuse.* ⇒ **Gueux, misérable, pauvre.**

Ce coin de la maison était le coin des pouilleux, où trois ou quatre ménages semblaient s'être donné le mot pour ne pas avoir du pain tous les jours. 2
ZOLA, l'Assommoir, X, t. II, p. 124.

♦ **3.** (xxe; choses). Misérable, sordide. *Quartier pouilleux. Banlieue pouilleuse.* ⇒ **Pouillerie.**

L'odeur de la rue était affreuse. À l'horrible présence de la misère se mêlaient les vapeurs nocturnes des bars enfumés et des dancings pouilleux (...) 3
P. MAC ORLAN, la Bandera, I (1931).

♦ **4.** (1753). Géogr. (Après un nom géographique). *La Champagne pouilleuse,* la moins fertile (par oppos. à *la Champagne humide*). ⇒ **Stérile.**

(...) à cet endroit où les terres moins fertiles lui font donner le nom de Beauce pouilleuse. 4
ZOLA, la Terre, I, I.

♦ **5.** (1676). Techn. *Bois pouilleux,* qui se couvre de taches montrant qu'il commence à se gâter.

POUILLOT [pujo] n. m. — 1770; *poillot* «petit d'un oiseau», v. 1190; de l'anc. franç. *pouil* «coq», bas lat. *pullius.* → Poule.

♦ Oiseau *(Passereaux)* très commun dans les régions tempérées de l'ancien monde. *Pouillot fitis. — Pouillot commun* ou *rossignol bâtard. — Pouillot véloce,* appelé parfois *fauvette rousse.*

Le pouillot vit de mouches et d'autres petits insectes; il a le bec grêle, effilé, d'un brun luisant en dehors, jaune en dedans et sur les bords; son plumage n'a d'autres couleurs que deux teintes faibles de gris verdâtre et de blanc jaunâtre (...)
BUFFON, Hist. nat. des oiseaux, Le pouillot.

POUILLY [puji] n. m. — 1842; n. de communes françaises.

♦ **1.** Vin blanc sec de la Nièvre (Pouilly-sur-Loire). *Pouilly fumé.*

♦ **2.** (1903). *Pouilly* ou *pouilly-fuissé :* vin blanc sec de Saône-et-Loire (communes de Fuissé, Solutré-Pouilly, etc.).

POUJADISME [puʒadism] n. m. — 1956; de Pierre *Poujade,* fondateur de l'Union de défense des commerçants et artisans de France.

♦ Mouvement et parti politique populaire de droite, à la fin de la IVe République, soutenu surtout par les petits commerçants (⇒ **Poujadiste**).

Et c'est précisément ce qui est sinistre dans le poujadisme : qu'il ait d'emblée prétendu à une vérité mythologique, et posé la culture comme une maladie, ce qui est le symptôme spécifique des fascismes.
R. BARTHES, Mythologies, p. 87.

Attitude petite-bourgeoise de refus contre l'évolution socio-économique.

POUJADISTE [puʒadist] n. et adj. — 1956; de Pierre *Poujade,* chef de parti.

♦ Partisan de Poujade, du poujadisme; relatif au poujadisme. *Député poujadiste.*

D'autant plus que 56 est aussi l'année, si mes souvenirs sont exacts, où ont été élus cinquante et quelque députés poujadistes. Cinquante marchands de choux, crémiers, charcutiers, épiciers à l'Assemblée, forts en gueule, expliquant qu'ils allaient foutre le régime par terre (...) 1
J. DUTOURD, les Horreurs de l'amour, p. 472.

La plupart de ces thèmes poujadistes, si paradoxal que cela puisse paraître sont des thèmes romantiques dégradés. 2
R. BARTHES, Mythologies, p. 189.

POULAGA [pulaga] n. m. — 1952, Esnault; de *poulet,* et suff. argotique.

Argot.

♦ **1.** Policier, «poulet*». *Les poulagas.* ⇒ **Poulaille.** *La maison Poulaga :* la police.

Nous rôdions depuis un quart d'heure quand, à un carrefour, on s'est filés dans une voiture de ronde; ça nous a refroidis. Ils devaient monter sur un appel au secours, les poulagas, parce qu'ils n'ont même pas ralenti pour nous. 1
Albert SIMONIN, Touchez pas au grisbi, p. 157.

Tu restes ici et, si les poulagas s'en mêlent, je saurai quoi leur répondre : je n'ai rien à cacher, et toi... toi, je ne te cacherai pas non plus. 2
A. SARRAZIN, l'Astragale, p. 211.

♦ **2.** Fam., par plais. Poulet (volaille). *Comment tu le fais, ton poulaga, à la cocotte ou au four?*

POULAILLE [pulaj] n. f. — 1342; *polaille* «volaille», v. 1268; de *poule.*

♦ **1.** Régional. Ensemble des volailles d'une basse-cour (→ Convertir, cit. 10).

♦ **2.** (1951). Argot, péj. Police (⇒ **Poulaga, poulet**). *Être de la poulaille.*

Dans le parloir voisin, deux détenus s'entretiennent avec un monsieur en civil, un de la poulaille, sans doute (...) A. SARRAZIN, la Cavale, p. 389.

DÉR. Poulailler.

POULAILLER [pulaje] n. m. — 1559; *polailler,* 1261; de *poulaille.*

♦ **1.** Vx ou rural. Celui qui fait le commerce ou l'élevage de la volaille.

♦ **2.** (1389). Petite construction où l'on élève des poules (et parfois d'autres volailles); abri* où se retirent les poules, le coq... ⇒ aussi **Mue, poulier** (vx). *Poulailler d'engraissement, de ponte. Abreuvoirs, mangeoires, pondoirs, perchoirs d'un poulailler* (→ Basse-cour, cit. 1).

♦ **3.** Ensemble des poules qui logent dans un poulailler. ⇒ aussi **Poulaille** (vx), **volaille** (→ Froufroutant, cit.).

1 (...) le commissaire de police qui descendit le même soir chez les Tite-le-Long leur enjoindre de ne pas lâcher leur poulailler sur la voie publique et de ne plus stationner avec un troupeau quel qu'il fût sur une place qui était un lieu d'agrément et non un pacage. M. JOUHANDEAU, Tite-le-Long, XIII.

♦ **4.** (1767). Fam. Habitation misérable ou de petites dimensions.

♦ **5.** (1834). Galerie* supérieure d'un théâtre. ⇒ **Paradis; amphithéâtre.** *Prendre une place au poulailler.*

2 C'est là que viennent, en outre, s'approvisionner les habitués de l'amphithéâtre suprême, vulgairement dit *poulailler.*
NERVAL, la Bohème galante, *in* G. MATORÉ, le Voc. et la Société sous Louis-Philippe.

Les spectateurs du poulailler.

POULAIN [pulɛ̃] n. m. — 1125, *pulain;* bas lat. *pullamen,* de *pullus.* → Poule.

♦ **1.** Petit du cheval, jeune cheval mâle ou femelle (jusqu'à l'âge de vingt-quatre ou trente mois). ⇒ aussi **Pouliche.** *Poulain folâtre* (cit. 3). *Jument* (cit. 1) *poulinière et son poulain. — Poulain entraîné pour la course, pour devenir un crack*.*

1 Elles *(les juments)* restaient paisibles, allongeant la tête et la crinière pendante tandis que leurs poulains se reposaient à leur ombre, ou venaient les téter quelquefois (...) FLAUBERT, Mme Bovary, III, VIII.

2 Dans les fermes des collines les juments ne sont pas grasses et lourdes; comme on attend d'elles moins gros travail que bonne espérance de poulains, on les laisse galoper dans les hauts campas. J. GIONO, Jean le Bleu, VIII.

(1925, *in* D. D. L.). Peau de cet animal. *Une veste en poulain.*

♦ **2.** (1898; par compar. avec le jeune cheval participant à une course). Sportif débutant (considéré par rapport à son entraîneur). — Étudiant, écrivain débutant, candidat se présentant pour la première fois à une élection, etc. (considéré par rapport à son professeur, à son éditeur, à la personnalité politique qui l'appuie...). *Les poulains d'un grand patron des hôpitaux, d'un éditeur, d'un manager* (⇒ **Écurie,** fig.). (En politique). « *... un "poulain" de Jacques Chirac* » (*le Nouvel Obs.,* 15 mai 1982, p. 39).

♦ **3.** (XIIIe). Techn. *Poulain de chargement,* ou, simplement, *poulain :* assemblage en forme d'échelle, formé de madriers réunis par des barres de fer cintrées, qui sert à décharger des tonneaux d'un camion, à les descendre dans une cave, etc.

Mar. *Poulain de charge :* assemblage de madriers, de planches qui protège les flancs d'un navire quand on décharge des barriques, etc.

Traîneau pour le transport de certains fardeaux.

(1694). Mar. Arc-boutant qu'on place sous l'étambot d'un navire en chantier. — Dans ce sens, on écrit aussi *poulin.*

POULAINE [pulɛn] n. f. — 1365, *souliers à la poulaine;* fém. de l'anc. adj. *poulain* «polonais».

♦ **1.** *Souliers à la poulaine :* chaussures à l'extrémité allongée en pointe, généralement relevée, qui furent à la mode aux XIVe et XVe siècles. *Solerets à la poulaine des armures gothiques. Poulaine d'une armure.*

Les naïves (...) effeuillaient une marguerite de leurs doigts pointus, retroussés comme des souliers à la poulaine. FLAUBERT, Mme Bovary, I, VI.

♦ **2.** (1643; *polaine,* 1573). Mar. anc. (Par anal. de forme). Construction triangulaire en saillie, placée sous le beaupré, à l'avant du navire.

♦ **3.** (1573). Mar. Cabinet d'aisance (situé dans la poulaine à bord des anciens navires). — Injure. *Gabier de poulaine :* mauvais matelot, marin d'eau douce; propre à rien.

POULARD [pulaʀ] adj. m. — 1606, *poulart;* de *poularde,* à cause de la grosseur du grain.

♦ Techn. *Blé poulard :* variété de froment, appelé aussi *blé renflé,* qui donne des grains assez gros et porte des épis allongés munis de barbes. *Blé poulard d'Australie.*

POULARDE [pulaʀd] n. f. — 1660; *pollarde,* 1562; de *poule.*

♦ **1.** Jeune poule, de sept à huit mois, qui a subi un engraissement intensif (→ Flair, cit. 2; millade, cit. 1). *Poularde de Bresse, du Mans...*

♦ **2.** Fam. et vieilli. Femme jeune et dodue.

DÉR. Poulard.

POULBOT [pulbo] n. m. — V. 1930; nom du dessinateur qui créa ce type.

♦ Enfant pauvre de Montmartre (type comparable au gavroche*). *Les petits poulbots. — Dessiner des poulbots.*

Il aimait mieux le directeur de l'œuvre des Petits Poulbots avec ses problèmes de douches et de terrain de foot (...) F. MALLET-JORIS, le Jeu du souterrain, p. 39. 1

Son accent rocailleux, roulant les *r,* était-il méditerranéen? Ses intonations parfois traînardes comme celles des poulbots parisiens affirmaient le contraire. 2
Jacqueline MONSIGNY, le Miroir aux pingouins, p. 106.

POULE [pul] n. f. — XIIIe, attestation isolée; lat. *pulla,* fém. de *pullus* «petit d'un animal», 1340; cf. anc. franç. *poul,* n. m., «coq»; a éliminé l'anc. franç. *géline.*

★ **I.** ♦ **1.** Femelle du coq*, oiseau de basse-cour *(Gallinacés),* à ailes courtes et arrondies, à queue courte, à crête dentelée plus réduite que chez le mâle. ⇒ **Géline** (vx), **poularde, poulet, poulette;** fam. **cocotte.** *Poule de Bresse, de Crève-cœur, de Houdan... Poule cochinchinoise. Poules leghorns. Poules de Wyandotte* ou *poules wyandottes. Poule huppée* (→ Coquin, cit. 9), *pattue, pierrée* (→ Marqueter, cit. 2). *Poule qui glousse** (cit. 2). *La poule chante après avoir pondu.* ⇒ aussi **Caqueter, claqueter, crételer.** *Caquet, gloussement de la poule. Poule qui picore** (→ Aiguille, cit. 6). *La poule, oiseau de basse-cour.* ⇒ **Volaille.** *Lieu, abri où l'on élève les poules.* ⇒ **Basse-cour, cage** (à poules), **poulailler, poulier** (vx). *Bâtons sur lesquels s'installent les poules pour dormir* (⇒ **Juchoir, perchoir**). *Poule qui juche, perche, déjuche. Poule qui pond. Nid* de poule* (⇒ aussi **Couvoir**). *Poule qui couve*. Cette poule est une bonne, une mauvaise couveuse. Poule pondeuse* (→ Aviculture, cit.). *Œuf** (cit. 3) *de poule* (→ Canard, cit. 4). *Une poule empressée autour des petits qu'elle conduit.* ⇒ **Poussin** (→ Image, cit. 40). — *Choléra des poules* (→ Entretenir, cit. 2). *Poule atteinte de la pépie.* — Prov. *Les poules pondent par le bec :* les poules ne pondent régulièrement que si on les nourrit bien.

(...) il revint apportant du chènevis dans le creux de ses mains à une poule qui élevait ses douze poussins sous le vieux canon de bronze où nous étions assis (...) La belle poule faisait le bonheur des canonniers; elle recevait de nous tous des miettes de pain et de sucre tant que nous étions en uniforme (...) Le bon adjudant nous parla d'elle en fort bons termes. Elle fournissait des œufs frais à lui et à sa fille avec une générosité sans pareille; et il l'aimait tant, qu'il n'avait pas eu le courage de tuer un seul de ses poulets, de peur de l'affliger. 1
A. DE VIGNY, Servitude et Grandeur militaires, II, II.

Une grosse poule gloussante promenait un bataillon de poussins (...) 2
MAUPASSANT, Clair de lune, «Reine Hortense».

Allus. littér. « *Honteux comme un renard qu'une poule aurait pris* » (→ 1. Bas, cit. 63, La Fontaine).

Poule que l'on mange, spécialement quand elle est vieille (qu'elle n'est plus un poulet*). *La moitié d'une poule rôtie.* ⇒ **Poulet** (→ Croûte, cit. 1, Saint-Simon). *Un bouillon de poule. Poule au riz.* ⇒ **Poularde.** — Allus. hist. « *Je veux qu'il n'y ait si pauvre paysan en mon royaume qu'il n'ait tous les dimanches sa poule au pot* » : phrase attribuée à Henri IV (première mention dans l'*Histoire du roi Henry le Grand,* par Hardouin de Péréfixe, selon Guerlac).

♦ **2.** Loc. (1791). *Quand les poules auront des dents* :* jamais.

— Quand te marieras-tu, toi? 2.1.
— Quand les poules auront des dents.
— Y en a qui en ont. R. QUENEAU, le Dimanche de la vie, p. 48.

*Mener les poules pisser** : faire un travail inepte.

(Par allus. à la fable; cf. La Fontaine, V, 13). *Tuer la poule aux œufs d'or, tuer la poule pour avoir l'œuf :* détruire par avidité ou impatience, la source d'un profit* important.

Un fouillis (cit. 1) *où une poule ne retrouverait pas ses poussins :* un fouillis inextricable. — *Être comme une poule qui a trouvé un couteau :* être très embarrassé, très étonné (→ aussi Long, cit. 6). — (Autres formules). *Être comme une poule qui a couvé des œufs de cane, etc.*

Je lui tendis le portefeuille, et dis : 2.2
— Ils sont faux.
Il ne prit pas le portefeuille, et traduisit. Les deux sous-officiers avaient l'air de poules devant un phono. MALRAUX, Antimémoires, Folio, p. 221.

Prov. « *La poule ne doit pas chanter** (cit. 9) *devant le coq* ». — *Un bon renard ne mange jamais les poules de son voisin :* un homme habile évite de faire du tort aux gens qui habitent le même endroit que lui.

(1636). *Se coucher, se lever comme les poules,* (1813) *avec les poules,* très tôt.

(1648). **Poule mouillée :** personne poltronne*, timorée, délicate à l'excès. Vx. *Cœur de poule* (cf. Molière, *Sganarelle,* XXI). → aussi Un cœur de poulet*.

3 Au Saint-Bernard j'étais pour le physique comme une jeune fille de quatorze ans; j'avais dix-sept ans et trois mois, mais jamais fils gâté de grand seigneur n'a reçu une éducation plus molle (...) j'arrivai donc au Saint-Bernard poule mouillée complète. STENDHAL, Vie de Henry Brulard, 44.

4 (...) ce noble débris des vieilles phalanges napoléoniennes se couchait et se levait avec les poules, comme tous les vieillards qui veulent vivre toute leur vie. BALZAC, le Député d'Arcis, Pl., t. VII, p. 643.

4.1 Il avait la migraine, broyait du noir, était franchement insupportable et faisait de la neurasthénie aiguë. Encore un hystérique. Dieu, que ces grands et solides gaillards sont des poules mouillées! B. CENDRARS, la Main coupée, *in* Œ. compl., t. X, p. 19.

Vx. *Poule laitée*.*

Mère poule : mère affairée, qui « couve » ses enfants. *C'est une vraie maman poule.* — Par anal. *Papa poule. « Des "papas-poules" cramponnés à leurs enfants* (lors du divorce), *on en verra de plus en plus »* (*l'Express,* 13 déc. 1980, p. 139).

Cage à poules.* — *Chair** (cit. 33 et 34) *de poule.* — *Cuir* de poule.* — *Cul-de-poule* (*bouche en cul-de-poule,* etc.). ⇒ **Cul.** — *Lait de poule.* ⇒ **Lait** (*infra* cit. 20).

♦ **3.** (1555). a (Qualifié). Femelle de certains gallinacés (→ Coq, cit. 11). *Poule faisane. Poule d'Inde* (vx). ⇒ **Dinde** (→ Hoazin, cit.).

b *Poule* (suivi d'un déterminant) : mâle ou femelle de diverses espèces d'oiseaux. *Poule des bois, des coudriers :* gélinotte*. — *Poule d'Afrique, de Barbarie, de Guinée, de Numidie, de Pharaon :* pintade. — *Poule d'eau :* oiseau (*Échassiers, Rallidés*), de la taille d'un pigeon, appelé aussi *gallinule*.* ⇒ aussi **Foulque.** *La poule d'eau est chassée comme gibier* d'eau* — *Poule sultane :* oiseau voisin de la *poule d'eau,* appelé aussi *porphyrion.*

5 Les poules d'eau, craintives, bruissaient dans les roseaux. P. MAC ORLAN, la Bandera, XVI.

★ **II.** (1228, *pole*). ♦ **1.** Fam. *Ma poule :* terme d'affection à l'égard d'une femme, d'une jeune fille, d'un enfant. ⇒ **Cocotte, poulet** (3.), **poulette, poupoule.** *Viens, ma poule, ma petite poule.*

♦ **2.** Fam. (Le mot a vieilli et a des connotations vulgaires). Femme, fille de mœurs légères. ⇒ **Fille, prostituée.** *Une poule de luxe.* — Fam. Femme, fille, considérée en tant que maîtresse d'un homme (avec un possessif). *C'est sa poule.* — Fam. Femme, jeune fille. ⇒ **Poulette.** *Une jolie petite poule* (→ Maquereau, cit. 1).

6 Elle lui parut appartenir à cette catégorie des « poules de luxe » qu'il ignorait, parce qu'elle ne répandait pas ce parfum violent de verveine ou de muguet qu'il reniflait chez d'autres, avec délices. Francis CARCO, les Innocents, p. 44.

7 Et voilà, tout d'un coup, cet homme grave, ce protestant qui entretient une poule... Bien sûr, une poule... Veux-tu me dire ce que c'est qu'une femme qui se fait entretenir par un type comme M. Quesnel? ARAGON, les Beaux Quartiers, II, XXIV.

8 C'est bien la première fois que je me soucie de ce qu'une poule pense de moi. Une moitié de grue, une violoniste de bastringue (...) SARTRE, le Sursis, p. 129.

8.1 Je repars dans un mois pour le Pacifique. J'ai une petite poule à Valparaiso (...) R. QUENEAU, le Chiendent, p. 27.

★ **III.** ♦ **1.** (1665; peut-être par allus. au pondoir où plusieurs poules viennent déposer leurs œufs; l'angl. *pool* semble emprunté au franç. ultérieurement; sinon, il pourrait s'agir d'une métaphore sur *pool* « mare »). Au billard, à certains jeux de cartes, aux courses, etc., Mise que chaque joueur dépose au début de la partie; somme constituée par le total des mises et qui revient au gagnant. ⇒ **Enjeu, mise.** *Mettre à la poule. Gagner la poule.* — Partie où le total des mises revient à celui des joueurs qui a triomphé successivement de tous ses partenaires. *Faire une poule au billard* (→ Égayer, cit. 11).

9 — Le vieux père Chardin? Est-ce que ça demeure, ça! (...) Il est ivre dès six heures du matin (...) il est toute la journée dans les estaminets borgnes, il fait les poules... — Comment il fait les poules? (...) c'est un fier coq! — Vous ne comprenez pas, madame; c'est la poule au billard, il en gagne trois ou quatre tous les jours, et il boit... — Des laits de poule! BALZAC, la Cousine Bette, Pl., t. VI, p. 457.

♦ **2.** (1856, repris à l'angl. *pool*). Turf. *Poule d'essai :* épreuve où les jeunes chevaux de trois ans courent pour la première fois de l'année sur une distance de 1 600 m.

(1870). Sports. Compétition où chaque concurrent est successivement opposé à chacun de ses adversaires. *Poule à l'épée, au pistolet.* — Groupe d'équipes, de rugby ou de hand-ball destinées à se rencontrer, dans la première phase du championnat. *Poule A, poule B...*

10 Le *Championnat de France (de rubgy)* se dispute par *poules.* Les différentes équipes sont divisées en plusieurs groupes. L'équipe ou les deux équipes qui à l'intérieur de chaque groupe ont totalisé le plus grand nombre de points sont seules admises à poursuivre leur course dans le championnat. Chaque groupe est désigné par une lettre : *poule A, poule B,* etc. J. PIGNON, Notes sur le lexique du rugby, *in* le Franç. moderne, t. X, n° 3, p. 202.

★ **IV.** (1899; argot ital. *pula*). Argot. *La poule :* la police. ⇒ **Poulet; poulaille.**

Ancien bagnard, truand patenté (...) Pedigree à plusieurs feuillets, mais le jour où 11
il s'est mis à en croquer il est devenu chef de la poule. Voilà comment on fait les bonnes grandes maisons. SAN-ANTONIO, le Secret de Polichinelle, p. 37.

DÉR. Poulaille, poularde, poulet, poulette, poulier, pouliste, poulot, poupoule. — (Du même rad. lat.) V. **Pouillard, pouillot. — Poulain.**

HOM. Pool, pull.

POULET [pulɛ] n. m. — Déb. XIIIe; de *poule.*

★ **I.** ♦ **1.** Petit de la poule (à partir du moment où ses plumes ont commencé à se développer). ⇒ aussi **Poussin.** — Jeune poule (⇒ **Poulette**), jeune coq (⇒ **Coquelet**). — REM. Dans l'usage commercial, on réserve le nom de *poussin** à l'animal âgé de moins de trois mois; de trois à six mois, on l'appelle *poulet mignon, poulet nouveau, poulet portion* ou *poulet quatre-quarts,* de six à huit mois *poulet de grain** (→ Gaver, cit. 3), puis, de huit à dix mois, *poulet.*

Vx. *Poulet d'Inde :* jeune dindon (→ Dindonneau).

♦ **2.** Poule, coq destiné à l'alimentation. (On dit dans la profession : *poulet de chair.*) ⇒ **Chapon, poularde.** — REM. Dans le langage culinaire, s'il s'agit de poules ou de coqs trop vieux pour être rôtis ou ayant subi une préparation spéciale on emploie parfois *poule* ou *coq* (*coq au vin, poule au riz).* — *Élevage des coqs reproducteurs, des poules pondeuses, des poulets* (→ Aviculture, cit.). *Poulet fermier* (élevé dans une ferme). Fam. *Poulet aux hormones* (produit d'élevage forcé, accéléré). *Acheter une paire de poulets au marché. Couper le cou à un poulet* (→ Encas, cit. 2). *Égorger* (→ Immodéré, cit. 3), *plumer, vider, trousser un poulet. Mettre un poulet à la broche.* ⇒ **Embrocher.** *Poulet rôti, farci, sauté, truffé... Poulet froid, fumé. Poulet à la crapaudine*. Poulet Marengo. Poulet basquaise. Fricassée* (cit. 1) *de poulet. Bouillon de poulet. Découper un poulet. Abattis, aile* (cit. 26), *blanc*, cuisse, croupion, foie, gésier... de poulet. Carcasse*, os* (cit. 9) *de poulet.* — *Commander un quart de poulet dans un restaurant.* — *Du poulet :* de la viande de poulet. *Manger du poulet.* — Loc. vulg. *Et mon cul, c'est du poulet?*

(...) un rôtisseur qui débite par jour cinq cents poulets en doit conserver les aba- 1
tis, les cœurs et les foies, qu'il lui suffit d'entasser dans une marmite pour faire d'excellents consommés. NERVAL, Nuits d'octobre, X.

Notre table est mise tout contre la haute cheminée où tourne et cuit, devant la 2
flamme claire, un gros poulet dont le jus coule dans un plat de terre. MAUPASSANT, les Bécasses, *in* M. Parent.

Elle fit un détour pour passer par le marché; il y avait encore quelques paysan- 3
nes assises auprès d'un panier, des poulets somnolents ou pleins d'émois attachés par les pattes (...) J. CHARDONNE, les Destinées sentimentales, p. 107.

(...) des paysans porteurs de paniers, de sacs et de paires de poulets liés par les 3.1
pattes, fourrés aujourd'hui sous les banquettes, se débattant, indignés et douloureux, dans une protestation affolée d'ailes froissées et de cris, puis restant là, palpitants, immobiles, l'œil rond, terrorisé et imbécile, sporadiquement agités de soubresauts, de caquetantes, douloureuses et impuissantes révoltes. Claude SIMON, le Palace, p. 47.

Antiq. rom. *Poulets sacrés,* que les augures romains élevaient afin d'en tirer des présages d'après la manière dont ils mangeaient.

Loc. fam. *Cœur* de poulet.*

♦ **3.** (1622). *Mon poulet, mon petit poulet,* terme d'affection à l'égard d'une femme, d'une jeune fille, d'un enfant. ⇒ **Poule, poulette, poulot.**

★ **II.** (1592; *poullaict,* 1556). Fam. Billet* doux, billet galant.

(...) il porte les poulets, il abouche les jeunes cœurs faits pour s'entendre. 4
Th. GAUTIER, Souvenirs de théâtre..., Beautés de l'Opéra, III.

Par ext. Fam. Lettre.

— Monsieur, dit-il, Philippe m'écrivait des poulets de cette espèce trois ou quatre 5
fois par semaine, j'avais fini par ne plus y faire attention. SARTRE, le Sursis, p. 117.

★ **III.** (1911; de *poule,* IV.). Fam. Policier. — argot La poulague, la maison Poulaga (v. 1950).

Je dois t'avertir que le « barrio chino », le quartier chinois, quoi, est plein d'indi- 6
cateurs et de poulets des deux sexes et de toutes les nationalités (...) P. MAC ORLAN, la Bandera, I.

Jamais je ne donnerai un homme aux poulets. 7
SARTRE, la P... respectueuse, I, 2.

POULETTE [pulɛt] n. f. — V. 1398; *polete,* 1240; de *poule.*

♦ **1.** Jeune poule.

Une poulette jeune et sans expérience, 1
En trottant, cloquetant, grattant,
Se trouva, je ne sais comment,
Fort loin du poulailler, berceau de son enfance. FLORIAN, Fables, II, 17.

♦ **2.** Fam. Jeune fille ou jeune femme. ⇒ **Poule.**

— (...) un vieux de trente-trois ans épouser une jeunesse de dix-huit! Rien que 2
quinze ans de différence! Est-ce que ce n'est pas une dégoûtation?... On t'en donnera, des poulettes, pour ton sale cuir! ZOLA, la Terre, III, VI.

T. d'affection. ⇒ **Poulet** (3.). *Oui ma poulette.*

♦ **3.** (1823). Cuis. *Sauce à la poulette, sauce poulette,* qui contient du beurre, du jaune d'œuf et un peu de vinaigre.

POULIAGE [puljaʒ] n. m. — 1848; de *poulie.*

♦ Techn. Ensemble des poulies (d'un bateau).

Quant au pouliage, sur les conseils de Pencroff et au moyen du tour qu'il avait installé, Cyrus Smith fabriqua les poulies nécessaires.
J. VERNE, l'Île mystérieuse, t. II, p. 466.

POULICHE [puliʃ] n. f. — 1555; mot normanno-picard; du lat. *pullinum,* de *pullus.*

♦ Jument qui n'est pas encore adulte (mais qui n'est plus un poulain) → Étrière, cit. 2; outsider, cit.; parieur, cit.

(...) il a une ancienne pouliche encore fort belle, un peu couronnée seulement, et qu'on aurait, je suis sûr, pour une centaine d'écus (...)
FLAUBERT, Mme Bovary, II, IX.

POULIE [puli] n. f. — V. 1165; *polie,* v. 1130; grec tardif **polidion,* de *polos* «pivot».

♦ **1.** Petite roue, munie ou non d'une gorge, qui porte sur sa jante une corde, un câble, une chaîne ou une courroie et qui sert à soulever des fardeaux, à transmettre le mouvement ou à le changer de direction; l'ensemble formé par cette roue et la chape qui l'enveloppe. *La poulie est une machine simple.* (→ Manutention, cit. 1). *Éléments, parties d'une poulie.* ⇒ **Croc, gorge, goujure, joue, mâchoire, réa, rouet.** *Caisse* ou *chape de poulie :* partie qui enveloppe le réa et porte son axe. *Poulie fixe,* solidaire de son axe. *Poulie folle,* qui tourne librement sur son axe. *Poulie simple,* à un seul réa; *poulie double, triple...,* qui porte deux, trois... réas sur le même axe. *Poulie à émerillon*. Appareils formés d'un assemblage de poulies.* ⇒ **Marionnette, moufle** (1. Moufle, cit. 2), **palan** (cit. 1). *Système de poutres soutenant une poulie.* ⇒ **Bigue, chèvre.** *Soulever un fardeau au moyen d'une poulie.* ⇒ **Guinder.** *Poulie à fourrage* (→ Cligner, cit. 1), *pour hisser les meules* (→ Mas, cit.). — *La poulie, élément du gréement* d'un voilier* (→ aussi Alourdir, cit. 1). *Estrope soutenant une poulie. Poulie à caisse ouverte sur l'un de ses côtés.* ⇒ **Galoche.** — *Bruit* (→ Esprit, cit. 40), *grincement* (cit. 4) *d'une poulie. Poulie qui grince* (cit. 7). — *La poulie, organe de transmission du mouvement, portant une courroie, une corde sans fin.*

Quand je tire sur la corde d'une poulie simple pour faire monter un sac de blé jusqu'au grenier, je ne gagne rien, si ce n'est que mes bras et mon corps travaillent plus commodément à tirer de haut en bas qu'à tirer de bas en haut.
ALAIN, Propos, 31 déc. 1932, Machines simples.

♦ **2.** (1690). Par anal. *Poulie de l'astragale* (ou *astragalienne*) : face supérieure de l'astragale.

DÉR. Poulieur, 2. pouliot.

POULIER [pulje] n. m. — 1382; de *poule.*

♦ **1.** Vx. Poulailler* (2.).

♦ **2.** (1869). Régional. Sur les côtes de Picardie, Banc de galets ou de sable qui se forme à l'entrée des estuaires (cit. 1).

POULIEUR, EUSE [puljœʁ, øz] n. — 1671; de *poulie.*

♦ Techn. Fabricant ou marchand de poulies.

POULIN, INE [pulɛ̃, in] n. — 1671; *polin* «petit d'un âne», 1411 en anc. provençal; lat. *pullinum,* de *pullus.*

♦ Vx. Jeune cheval, jeune jument. ⇒ **Poulain.** *Une jeune pouline* (→ Gras, cit. 40).

HOM. Poulain.

POULINEMENT [pulinmɑ̃] n. m. — 1603; de *pouliner.*

♦ Techn. (agric., vétér.). Fait de mettre bas (pour une jument).

POULINER [puline] v. intr. — 1340; lat. *pullinum,* de *pullus.*

♦ Agric., vétér. (Le sujet désigne une jument). Mettre bas.

DÉR. Poulinement.

POULINIÈRE [pulinjɛʁ] adj. et n. — 1661; du lat. *pullinum,* de *pullus.*

♦ *Jument** (cit. 1) *poulinière,* destinée à la reproduction. — N. f. (1845). *Une poulinière.*

1. POULIOT [puljo] n. m. — 1538; *polliot,* 1437; de l'anc. franç. *poliol, puliol, puliel;* lat. *puleium.*

♦ Variété de menthe *(herbe de Saint-Laurent)* utilisée comme antispasmodique et comme stimulant.

2. POULIOT [puljo] n. m. — 1382, «rouet d'une poulie»; «petite poulie», 1723; de *poulie.*

♦ (1877). Agric. Petit treuil fixé à l'arrière d'une charrette, sur lequel on enroule la corde qui maintient le chargement.

POULISTE [pulist] n. — 1907, *in* Larousse; de *poule* (III., 2.).

♦ Sports. Personne qui participe à des poules (à l'épée, au pistolet).

POULOPER [pulɔpe] v. intr. — 1916; de l'angl. *pull up* «tirez (sur les rames)».

♦ Argot. Faire de nombreuses allées et venues; se dépêcher, s'agiter.

J'étais requis moi pour les courses, réassortir le matériel, pouloper aux quatre coins de la ville après la quincaille, les viroles, les produits chimiques, tout ce qu'ils avaient fracassé, crevé, répandu.
CÉLINE, le Pont de Londres, p. 120.

POULOT, OTTE [pulo, ɔt] n. — 1719; de *poule.*

♦ Fam. Terme d'affection à l'égard d'un enfant. *Mon petit poulot. Ma grosse poulotte.* ⇒ **Poule, poulet.**

DÉR. Poulotter.

POULOTTER [pulɔte] v. tr. — 1879, Huysmans; de *poulot.*

♦ Fam. Choyer. ⇒ **Bichonner, mignoter.** — Au p. p. *Un enfant poulotté par sa mère.*

Non, non, poulotte-le, mon ange, dorlote-le.
HUYSMANS, *in* Pierre LAROUSSE.

POULPE [pulp] n. m. — 1546; *poupe* «polype dans le nez», 1538; du lat. *polypus.* → Pieuvre, polype.

♦ Mollusque *(Céphalopodes, Dibranchiaux, Octopodes),* dépourvu de coquille et de nageoires et muni de longs bras armés sur toute leur longueur de deux rangées de ventouses. ⇒ **Âne** (marin), **pieuvre, polype.** *Bras* (cit. 43) *du poulpe.* ⇒ **Tentacule.** *Hémocyanine* contenue dans le sang des poulpes. — Manger du poulpe. Poulpe séché.*

Mais un poulpe qui interroge les eaux peuplées, choisit, bondit, brandissant ses fouets dans l'épaisseur de l'onde, et qui vertigineusement s'empare de ce qui lui convient, n'est-il pas un vivant cent fois plus vivant que l'immobile éponge?
VALÉRY, Eupalinos, p. 106.

POULPIQUET [pulpikɛ] n. m. — D. i.; étym. obscure, l'élément *piquet* est peut-être à rattacher au rad. lat. signifiant «petit»; l'élément *poul-* peut provenir du breton.

♦ Petit être fantastique, lutin malfaisant (dans les légendes bretonnes). *Korrigans* et poulpiquets.*

Gare aussi aux poulpiquets qui viennent voler les enfants qui n'ont pas eu de signe de croix sur le front avant de s'endormir. Un jour, on a retrouvé le petit de chez Le Tellier à côté de son berceau; c'est que le poulpiquet, dérangé, n'avait pas eu le temps de l'emporter tout à fait. La nuit est très, très mauvaise.
Geneviève DORMANN, le Chemin des dames, p. 202.

POULS [pu] n. m. — 1549; *pulz,* 1155; *pous,* XIIIe; lat. *pulsus (venarum)* proprt «battement (des artères)».

♦ **1.** Battement des artères produit par les vagues successives du sang projeté du cœur*, perceptible au toucher en plusieurs endroits du corps, et, spécialement, sur la face interne du poignet *(pouls radial). Pouls rapide; pouls lent, mou* (cit. 15). *Pouls fort* (→ Pâle, cit. 1), *faible, petit, imperceptible* (cit. 2), *filant* (cit.), *filiforme* (cit.), *aranéen; pouls inégal* (cit. 10), *insensible, irrégulier, déréglé, capricant** (cit. 1), *dicrote, formicant*, intercadent*, intermittent, ondulant, trigéminé... Accélération, élévation* du pouls. Le pouls normal a environ 72 pulsations par minute. Prendre le pouls,* en compter les pulsations par le toucher, par un appareil (⇒ **Sphygmographe**). — Par ext. L'endroit où l'on sent le pouls. *Chercher, toucher, tâter le pouls* (→ Délire, cit. 1; notre, cit. 13).

En passant par le cœur il *(le sang)* cause un battement; 1
C'est ce qu'on nomme pouls, sûr et fidèle indice
Des degrés du fiévreux tourment
Autant de coups qu'il réitère,
Autant et de pareils vont d'artère en artère
Jusqu'aux extrémités porter ce sentiment.
Notre santé n'a point de plus certaine marque
Qu'un pouls égal et modéré;
Le contraire fait voir que l'être est altéré;
LA FONTAINE, Poème du Quinquina, I.

Votre bras... Bon, bon, le pouls n'est pas mauvais, il n'y a presque plus de fièvre. 2
DIDEROT, Jacques le fataliste, Pl., p. 531.

Un soir Jean Valjean eut de la peine à se soulever sur le coude; il se prit la main et 3
ne trouva pas son pouls, sa respiration était courte et s'arrêtait par instants (...)
HUGO, les Misérables, V, IX, III.

Son pouls qui tantôt se ralentit jusqu'à devenir une ombre, une virtualité de pouls, 3.1
et tantôt galope, suit les bouillonnements de sa fièvre interne, le ruisselant également de son esprit. Ce pouls qui bat à coups précipités comme son cœur, qui devient intense, plein, bruyant (...)
A. ARTAUD, le Théâtre et son double, p. 25-26.

4 (...) il coula ses doigts le long du poignet et il sentit battre le pouls. Il fermait les yeux, il embrassait cette main maigre et le pouls battait sous ses doigts comme le cœur d'un oiseau. SARTRE, le Sursis, p. 208.

4.1 — Comment est son pouls? demandé-je. Agité, capricant, concentré, critique, cymatode, dicrote, fébrile, filiforme, formicant, fourmillant, fréquent, inégal, intercadent, intercurrent, intermittant, irrégulier, misérable, myure, ondulant, récurent, serratile ou vermiculant?
Pinaud hoche la tête.
— Il est arrêté, tout simplement.
SAN-ANTONIO, le Secret de Polichinelle, p. 21-22.

4.2 Le civil doit être une sorte de docteur, ou d'infirmier, car il saisit alors avec précaution le poignet de l'homme, et le conserve entre ses doigts un certain temps, comme on le fait pour mesurer le pouls, mais sans consulter de montre, toutefois.
A. ROBBE-GRILLET, Dans le labyrinthe, p. 129.

Sans pouls : en syncope, défaillant. *Sans pouls et sans haleine.*

5 *(Il)* recula en chancelant et s'affaissa sur un fauteuil, sans pouls, sans voix, sans larmes, branlant la tête et agitant les lèvres d'un air stupide (...)
HUGO, les Misérables, IV, VIII, VII.

Par métaphore et fig. *Tâter* le pouls de qqn, de qqch. Prendre le pouls de l'électorat* (→ ci-dessous, 2.).

♦ **2.** (1617). Fig. Ce par quoi on juge de la condition, de la bonne marche de qqch. *Le prix des monnaies* (cit. 9) *est le pouls d'un État.*

HOM. Pou, pouh.

POULT-DE-SOIE [pudswa] n. m. ⇒ **Pou-de-soie.**

POUMON [pumɔ̃] n. m. — V. 1160; *pulmun,* 1080; lat. *pulmo, -onis.*

♦ **1.** Vx. Viscère formé par les deux poumons (ou «lobes»). *C'est du poumon que vous êtes malade* (cit. 7).

♦ **2.** Mod. Chacun des deux viscères logés symétriquement dans la cage thoracique (⇒ **Thorax**), organes de la respiration où se font les échanges gazeux (⇒ **Expiration, inspiration, pulmonaire,** et préf. **pneumo-**). *Poumon droit, poumon gauche* (→ Impropre, cit. 5). *Sommet, base d'un poumon. Structure du poumon* (⇒ **Alvéole, lobe, lobule**). *Sillons, scissure des poumons. Ramification des bronches dans les poumons* (arbre bronchique). ⇒ **Bronche, bronchiole.** *Enveloppe des poumons.* ⇒ **Plèvre.** *L'air qui pénètre par la trachée et les bronches abandonne son oxygène* (cit. 4) *aux globules* (cit. 4) *rouges des poumons.* ⇒ **Respiration; circulation** (→ aussi Osmose, cit. 1). *Sang rouge* ou *artériel, élaboré* (cit. 3) *dans les poumons. Capacité des poumons* (⇒ **Spiromètre**). *Remplir ses poumons d'air* (→ Asphyxie, cit. 3), *dilater ses poumons. Aspirer à pleins poumons,* profondément (→ 1. Air, cit. 4). *Poumons gazés* (→ 2. Gazer, cit. 1). *Maladies des poumons.* ⇒ **Anthracose, congestion** (pulmonaire), **fluxion, pneumonie, pneumoconiose, tuberculose...** *Lésion** (cit. 5) *au poumon, cavernes* du poumon.* — Fam. *Cracher ses poumons,* se dit des tuberculeux pulmonaires qui expectorent abondamment. — *Médecin spécialiste des poumons.* ⇒ **Pneumologue; pneumologie;** et aussi **phtysiologue.** *Auscultation, radiographie, radioscopie, scintigraphie, tomographie des poumons. Affaissement provoqué d'un poumon.* ⇒ **Pneumothorax, thoracoplastie.** *Chirurgie du poumon.* ⇒ **Pneumonectomie.**

1 Chez nous *(les hommes),* la membrane respiratoire présente une surface totale de près de 200 mètres carrés, et, afin de pouvoir se loger dans l'intérieur du corps, elle affecte la forme d'une multitude de petits ballons microscopiques (...) qui s'agglomèrent ensemble et constituent deux grosses masses spongieuses connues sous le nom de *poumons* (...) les poumons se dilatent en avant et par en haut parce qu'ils sont entraînés par la paroi thoracique, et inférieurement parce qu'ils sont entraînés par le diaphragme. *Leur rôle est purement passif.* Ce sont les petites alvéoles pulmonaires et les plus fines bronchioles qui se gonflent à ce moment, *grâce à leurs parois très minces et élastiques* (...)
A. PIZON, Anatomie et Physiologie humaines, p. 391 et 401.

Loc. *Chanter, crier à pleins poumons.* ⇒ **Époumoner** (s'). → Hurler, cit. 20. *La force de leurs poumons* (→ Étouffer, cit. 22). *Avoir de bons poumons,* et, absolt, *des poumons,* une voix puissante, du souffle. *Ce coureur a des poumons.*

2 «(...) je suis plus franchement impudent, meilleur comédien, plus affamé, fourni de meilleurs poumons. Je descends apparemment en droite ligne du fameux Stentor». Et pour me donner une juste idée de la force de ce viscère, il se mit à tousser d'une violence à ébranler les vitres du café (...)
DIDEROT, le Neveu de Rameau, Pl., p. 459.

Poumons des mammifères, des oiseaux, des reptiles. Batraciens qui ont des branchies et des poumons. Mollusques à poumons.* ⇒ **Pulmonés.** *Absence de poumon.* ⇒ **Apneumie.** — *Poumons des animaux de boucherie.* ⇒ **Mou.**

♦ **3.** (Réalisé en 1929; *spirophore,* 1876). *Poumon d'acier :* appareil qui permet d'entretenir artificiellement la ventilation pulmonaire d'un malade atteint de paralysie des muscles respiratoires. — *Mettre un malade dans le poumon d'acier.* — *Poumon électrique.*

COMP. Cœur-poumon. Époumoner (s').

POUND [pawnd] n. m. — 1765; mot anglais.

♦ Anglicisme. (Rare). Mesure anglo-saxonne de masse valant 453,59 g. ⇒ **Livre.**

POUPARD, ARDE [pupaʀ, aʀd] n. m. et adj. — 1220; du lat. pop. *puppa,* autre forme de *pupa* «petite fille, poupée». → Poupée. Vieilli.

♦ **1.** Enfant au maillot, bébé (⇒ **Poupon**) gros et joufflu.

Une face de poupard, aux paupières bouffies, aux pommettes si carminées qu'on dirait qu'on y a collé de petits losanges de papier rouge (...)
H. BARBUSSE, le Feu, I, II.

Adj. (V. 1840). Rare. Qui rappelle un poupard. *«Physionomie pouparde»* (Académie). ⇒ **Poupin.**

♦ **2.** (1680). Vx. Poupée de son, de celluloïd, etc., représentant un bébé. ⇒ **Baigneur.**

HOM. Poupart.

POUPART [pupaʀ] n. m. — 1752; orig. inconnue.

♦ Tourteau*.

HOM. Poupard.

POUPE [pup] n. f. — XIVe; *pope,* 1246; provençal *poppa,* du lat. *puppis.*

♦ Arrière (d'un navire), et, spécialt, partie qui comprend l'arcasse, la voûte et le tableau arrière. *La poupe et la proue d'un vaisseau* (→ aussi Abordage, cit. 2). *Poupe à trois ou quatre étages* (→ Galion, cit. 2). *Château** (cit. 8), *chambre* (cit. 12) *de poupe. Pavillon* (cit. 7) *qui claque à la poupe. Navires* (cit. 6) *qui ont le vent en poupe.*

Sa flotte, qu'à l'envi favorisait Neptune, 1
Avait le vent en poupe ainsi que sa fortune. CORNEILLE, Pompée, III, 1.

(...) les deux nacelles étaient dépouillées de leur tente, et l'on voyait dans l'une 2
Richelieu, pâle et décharné, assis sur la poupe (...)
A. DE VIGNY, Cinq-Mars, XXV.

Mon triste cœur bave à la poupe 3
Mon cœur couvert de caporal (...) RIMBAUD, Poésies, XXIII, «Le cœur volé».

(XVe). Fig. *Avoir le vent en poupe :* être poussé par les circonstances, la fortune, vers le succès, la réussite (→ Assurance, cit. 10).

POUPÉE [pupe] n. f. — Fin XIe, *popede,* sens 4 «masse d'étoupe...»; lat. pop. **puppa,* de *pupa,* probablt «mamelle, sein», d'où «tétine» et «poupée de chiffon»; cf. *pouper* «téter», et aussi *pompe.*

♦ **1.** (1265). Figurine humaine servant notamment de jouet d'enfant. *Poupée de bois, de carton, de celluloïd, de chiffon, de cire, de matière plastique, de porcelaine... Poupée représentant un bébé* (→ **Baigneur, poupard, poupon**), *un enfant, un adulte. Perruque de poupée. Petit garçon, petite fille qui joue* (cit. 18) *à la poupée; donner à manger à sa poupée* (→ Jeu, cit. 2). *Vêtements, maison, meubles, berceau; voiture... de poupée.* (→ ci-dessous, *infra* cit. 5). — *Théâtre de poupées.* ⇒ **Marionnette.** — *Avoir un visage de poupée* (⇒ **Poupin**), *des yeux de poupée.*

La poupée est un des plus impérieux besoins et en même temps un des plus charmants instincts de l'enfance féminine. Soigner, vêtir, parer, habiller, déshabiller, rhabiller, enseigner, un peu gronder, bercer, dorloter, endormir, se figurer que quelque chose est quelqu'un, tout l'avenir de la femme est là. 1
HUGO, les Misérables, II, III, VIII.

On a trouvé dans des tombeaux égyptiens, grecs, étrusques, osques, romains, plus ou moins bien conservées, des poupées en terre cuite, en os, en ivoire, avec des articulations mobiles à peu près comme celles des poupées modernes dites à ressort (...) 2
Th. GAUTIER, Souvenirs de théâtre..., Les marionnettes.

Pour la Saint-Nicolas, M. Dérys apporta à Catherine une maison de poupée avec quatre pièces, et tous les petits meubles, et la cuisine avec les casseroles, les plats, les assiettes, une merveille. 3
ARAGON, les Cloches de Bâle, II, III.

(...) c'était une caisse de poupées, de poupées en robes fraîches, et qui toutes dormaient parce qu'elles avaient des yeux à bascule et étaient couchées sur le dos. Les quatre hommes les contemplaient, stupéfaits. Renaud en prit une. Dès qu'il la redressa, elle ouvrit les yeux. Il la reposa sur le ventre : elle pleura, un petit cri aigre et long, un miaulement de chat naissant. 4
Roger VERCEL, Remorques, IX.

Par ext. Figurine à forme humaine, parée et servant d'ornement. *Poupée de lit à large robe étalée. Poupées de porcelaine qui décorent une vitrine. Collection de poupées en costume régional.*

(...) de vrais lits de province, en acajou, sous des courtepointes bien tirées. Sur l'oreiller, une compagne les attend : grandes poupées d'étoffe, vêtues en Carmen ou en bayadère, qui ont les mêmes joues peintes et les mêmes yeux cernés. 5
R. DORGELÈS, la Drôle de guerre, XII.

Par anal. *De poupée :* très petit, transposé à l'échelle d'une poupée. *Jardin de poupée. Maison de poupée,* pièce d'Ibsen.

♦ **2.** (V. 1360). Fig. Femme jolie, coquette, enfantine et futile. *Une gracieuse poupée* (→ Divertissement, cit. 4). *Grande poupée blonde* (→ Goût, cit. 41).

(...) madame du Gua lui dit à l'oreille : — Toujours le même! Vous ne périrez que par la femme. Une poupée vous fait tout oublier. 6
BALZAC, les Chouans, Pl., t. VII, p. 851.

J'ai été séduite, répondit-elle à ses remords, je suis une faible femme, mais du moins je n'ai pas été égarée comme une poupée par les avantages extérieurs. 7
STENDHAL, le Rouge et le Noir, II, XIX.

(1640). Fam. Jeune femme, jeune fille. ⇒ **Pépée** (→ Faire, cit. 251). *Une chouette poupée.*

7.1 La routine... On a passé vos épreuves à la Brigade des Mœurs... une de ces poupées étaient en carte... elle a refilé le tuyau...
H.-G. CLOUZOT et J. FERRY, Quai des Orfèvres (Scénario), *in* l'Avant-Scène, nº 29, p. 29.

(Appellatif). *Salut, poupée!* ⇒ **Chérie.**

7.2 Sylvia demanda :
— De quoi vous parlez?
— Poupée, on cause. T'occupe pas. Jean GENET, Journal du voleur, p. 127.

♦ **3.** a Figurine servant de but au tir. *La poupée fut décapitée* (→ Lâcher, cit. 1).

8 Eugène était un adroit chasseur, mais il n'avait pas encore abattu vingt poupées sur vingt-deux dans un tir. BALZAC, le Père Goriot, Pl., t. II, p. 895.

b (1396). Vx. Figurine pour présenter les vêtements. ⇒ **Mannequin.**

c *Poupée gonflable :* simulacre féminin (en plastique gonflable), utilisé à des fins érotiques.

♦ **4.** (1690). Doigt malade, blessé, entouré d'un linge, d'un pansement (→ Gaze, cit. 5); le pansement ainsi enroulé.
Masse d'étoupe, de filasse dont on garnit la quenouille.
Gravure. Tampon pour poser une couleur sur une planche de gravure qui doit en comporter plusieurs. *Tirage à la poupée,* avec toutes les couleurs sur une seule planche.

♦ **5.** Techn. Partie intérieure d'un cigare*.

♦ **6.** (1676). Dispositif pour maintenir la ou les pièces à travailler. *Poupée fixe, mobile d'une machine-outil.*
Mar. Partie d'un winch* autour de laquelle on enroule la manœuvre.

POUPELIN [puplɛ̃] n. m. — xvᵉ; *popelin* «petit enfant», v. 1220; du rad. de *poupée**.

♦ Régional. Gâteau que l'on trempe, encore chaud, dans du beurre fondu.

POUPIN, INE [pupɛ̃, in] adj. — 1530; du lat. pop. **puppa* (→ Poupard), de *pupa* «poupée».

♦ Qui a les traits, l'air d'une poupée. *Figure poupine :* visage rond, frais, coloré (→ Désabuser, cit. 9).

À l'aide d'une barbe énorme il tâchait de donner un air mâle à son visage débonnaire et poupin (...) GIDE, Si le grain ne meurt, I, X, p. 270.

POUPON [pupɔ̃] n. m. — 1534, Rabelais; même rac. que *poupard**.

♦ **1.** Terme familier, affectueux désignant un bébé. ⇒ **Poupard** (→ Fortuné, cit. 1). *Un joli poupon rose.*

♦ **2.** Poupée représentant un gros bébé. ⇒ **Baigneur.**

DÉR. Pouponner, pouponnière. — V. **Pouponnier.**

POUPONNAGE [pupɔnaʒ] n. m. — 1966, → cit.; de *pouponner.*

♦ Action de pouponner. *Elle passe son temps entre le ménage et le pouponnage* (⇒ **Maternage**).

(...) lui est mort, et elle... épouse tardive, à la maternité rendue impossible par ses organes douloureux, stériles et finalement ectomisés, elle n'a sans doute jamais espéré d'autre joie, parmi celles du mariage, que de pouponner l'enfant d'une autre et, passé l'âge du pouponnage, l'enfant d'une autre lui a donné des coups de pied dans le ventre. A. SARRAZIN, la Traversière, 1966, p. 15.

POUPONNER [pupɔne] v. — 1906; de *poupon.*

★ **I.** V. intr. ♦ **1.** Dorloter maternellement des bébés. *Une femme qui ne sait que pouponner.*

Elle se tut. Louise s'était penchée sur l'enfant et pouponnait déjà comme une grand-mère. «Il est beau, murmura-t-elle». Eugène DABIT, Hôtel du Nord, XVI.

♦ **2.** (1929). Par ext. Faire des enfants, être souvent enceinte.

★ **II.** V. tr. Rare. S'occuper maternellement de (un bébé), soigner, dorloter. *«C'est la joie de cette mère de pouponner son dernier-né»* (Académie).

DÉR. Pouponnage.

POUPONNIER, IÈRE [pupɔnje, jɛʀ] adj. — 1977, cit.; de *poupon,* d'après *pouponnière.*

♦ Rare. Relatif aux poupons, aux bébés, aux enfants en bas âge.

J'oscille, je vacille entre l'image phallique des bras levés et l'image pouponnière des bras tendus. R. BARTHES, Fragments d'un discours amoureux, 1977, p. 23.

POUPONNIÈRE [pupɔnjɛʀ] n. f. — 1851, *in* D. D. L.; de *poupon.*

♦ Établissement où l'on garde les bébés jusqu'à trois ans. ⇒ **Crèche.** *Les pouponnières sont contrôlées par les services de la Santé publique.*

Cet argent m'arrivait au moment où j'étais le plus occupée par mon regret des enfants. Et tout de suite une idée me vint : le donner à la pouponnière tenue ici par les religieuses de Sainte-Opportune. MONTHERLANT, les Lépreuses, I, IV.

POUPOULE [pupul] n. f. — Av. 1798, Casanova, *in* D. D. L.; de *poule.*

♦ Pop. Terme d'affection adressé par un homme à une femme (comporte souvent une nuance de condescendance). ⇒ **Poule.** *«Viens poupoule, viens, poupoule, viens!»* (Chanson). *Oui, ma poupoule.* — (Avec un changement de genre hypocoristique) :

— Bonjour, mon trésor! bonjour, mon poupoule!
R. QUENEAU, le Dimanche de la vie, p. 98.

POUR [puʀ] prép. — 842, *pro,* in *Serments de Strasbourg; por,* in *Vie de sainte Eulalie,* xᵉ; lat. *pro* «devant», devenu *por* en lat. vulg. Le sens de «en faveur de, à la place de, en échange de» existait déjà en latin.

★ **I.** (Marquant l'idée d'échange, d'équivalence, de correspondance, de réciprocité). ♦ **1.** En échange de; à la place de. *Pour un de perdu* (*supra* cit. 62), *dix de retrouvés. Acheter, acquérir, livrer* (cit. 14), *vendre qqch. pour telle somme.* ⇒ **Contre, moyennant.** *Pour un prix modique, pour dix sous* (→ Lunette, cit. 7). *Je l'ai eu pour une bouchée de pain, pour rien. En avoir pour son argent. Un prêté pour un rendu. Pas pour un empire* (cit. 18 et 19). *Pour un client malhonnête* (cit. 5) *cinq... tiendraient parole. Pour tout l'or* (cit. 25 et *supra*) *du monde.*
Ellipt. *En avoir*, en vouloir pour son argent* (cit. 55 et *supra*). Iron. *Il en a été pour son argent, pour ses frais* (cit. 13, 14 et *supra*). Fig. *En être* (cit. 86) *pour...*
Loc. (vx). *N'avoir pas pour un... :* n'avoir pas seulement un, pas qu'un... ⇒ **Que.**
Tant pour cent. ⇒ **Cent; pourcentage** (→ 1. Marc, cit.). — REM. Avec les expressions de ce type (*cinq, dix... pour cent* (%), *pour mille* (‰), suivies d'un complément singulier, le verbe se met au singulier, ou au pluriel selon que la pensée insiste sur le nom complément *(dix pour cent de la population est dans l'industrie lourde)* ou sur le numéral *(cinq pour cent d'augmentation seront accordés);* cf. Grevisse, *le Bon Usage,* § 812.
Loc. *Prendre, dire un mot pour un autre* (→ Non, cit. 57), au lieu* de... *Vous me prenez pour une femmelette* (cit. 3). *Pour qui me prenez-vous? — Traduire mot pour mot* (on dit aussi *mot à mot*). *Mot pour mot** (cit. 37). *— Rendre coup pour coup* (cit. 4). *— Œil* (cit. 49 et 50) *pour œil, dent pour dent. — Virer lof* (cit.) *pour lof. — Mesure pour mesure* (titre français d'une comédie de Shakespeare). *— Il y a tout juste un an, jour pour jour* (cit. 36). *Trait pour trait.*

Je n'aurais pas du moins à cette aveugle rage
Rendu meurtre pour meutre, outrage pour outrage. RACINE, Athalie, II, 7.

(...) il se borna à lui jeter un veston de pyjama. Elle ne vit là qu'un jeu, et rendit projectile pour projectile (...) COLETTE, Belles saisons, p. 136.

Elle-même, aiguillonnée d'inquiétude et de désir (...) rendit amour pour amour avec une fureur inconnue d'elle. FRANCE, le Lys rouge, XXIII.

Une fois (cit. 3) *pour toutes* (→ Force, cit. 72).

♦ **2.** **POUR,** employé avec un terme redoublé, marque la possibilité d'un choix entre deux choses, deux circonstances équivalentes ou présentées comme telles : puisque telle chose vaut telle autre (→ À tant faire que de..., et, fam., tant qu'à faire).

(...) mourir pour mourir, j'aimerais mieux que ce fût à l'endroit où j'étais qu'à deux lieues plus loin. DIDEROT, Jacques le fataliste, Pl., p. 509.

J'ignorais que servitude pour servitude, il vaut encore mieux être asservi par son cœur que l'esclave de ses sens. R. RADIGUET, le Diable au corps, p. 145.

♦ **3.** **POUR,** établissant un rapport d'équivalence, entre deux termes. ⇒ **Comme, fait** (en fait de), **guise** (en guise de), **tant** (en tant que), etc. *«L'amour pour principe, l'ordre* (cit. 29) *pour base et le progrès pour but»* (A. Comte). *Donner la religion pour fondement* (cit. 7) *à la morale. Avoir pour effet, pour conséquence*. La littérature* (cit. 5) *a pour substance et pour agent la parole.*
(Avec *tout*, seul**...). *Pour tout, pour seul, pour tous avantages :* comme seul, unique avantage. ⇒ **Guise, manière** (en manière de...). *Pour tout potage*. — Avoir* pour maître* (cit. 78), *pour élève* (→ Loger, cit. 13). *«Il ne faut choisir* (cit. 5) *pour épouse que la femme qu'on choisirait pour ami, si elle était homme»* (Joubert). *— Prendre* pour femme* (→ Lignage, cit. 1). *— Tenir* pour...* (→ Fond, cit. 30; lieu, cit. 55). — Loc. *Se le tenir pour dit.* ⇒ **Dire** (cit. 29). *— Laisser* (cit. 45) *qqn pour mort* (cit. 4). *Laissé** (*infra* cit. 18) *pour compte. — Compter* pour rien, pour du beurre* (fam.), *pour beaucoup* (→ Différence, cit. 9). *— Pour le moins** (cit. 22, 23, et *supra*) *— Passer pour.* ⇒ **Passer** (cit. 77 à 82). *Être connu pour...* (→ Fille, cit. 35). *Les artistes le reconnaissaient pour un maître* (cit. 91).

Mon Dieu, préservez-moi des rides de l'esprit! Et surtout gardez-moi de ne pas les reconnaître pour des rides! GIDE, Journal, 19 mai 1919.

Loc. fam. *Pour de bon* (cit. 127), *pour tout de bon :* d'une façon «bonne», réelle, authentique. — Fam. (enfantin). *Pour de vrai :* vraiment. — Régional ou vx. *Pour sûr*.*

7 (...) ce n'était pas une amourette comme il y en a tant. Mais c'était pour de vrai, pour de bon, *cette fois.* ARAGON, les Beaux Quartiers, I, XIII.

8 Tu racontes que tu ne te sens supérieur à personne; mais pour de vrai, tu méprises tout le monde (...) S. DE BEAUVOIR, les Mandarins, p. 468.

♦ **4.** En prenant la place de... (⇒ **Remplacer**). *Les pères se livrèrent* (cit. 19) *pour les fils. Financer* (cit. 2), *payer pour qqn. Le mandat, la procuration permet à une personne d'agir pour une autre. Parler pour qqn* (→ Porte-parole). — *Pour le directeur, pour le chef de service* (dans une lettre, une circulaire...), mention précédant la signature du subordonné qui remplace ces personnes.

♦ **5.** En ce qui concerne... (une chose, une personne prise comme objet et, le plus souvent, par comparaison avec d'autres). *Approuver* (cit. 13) *pour une idée ce qu'on blâme pour une autre. — En tout et pour tout*.*

9 (...) que la comparaison de la lune au soleil pour la grandeur, pour l'éloignement, pour la course? LA BRUYÈRE, les Caractères, XVI, 43.

10 On est pour les livres à peu près comme pour les hommes : on exige d'eux toujours ce qu'ils nous ont accoutumés à en attendre.
Mme DE STAËL, De l'Allemagne, II, XII.

Par rapport à... *Il n'est pas mal du tout pour son âge. Il fait froid pour la saison.*

POUR, servant «à mettre en évidence, généralement en tête de la phrase, le sujet, l'attribut ou l'objet» (Le Bidois, § 1877).

a (Sujet). *Pour moi, je pense que...* ⇒ **Quant** (à); → Austère, cit. 12; manger, cit. 14; parole, cit. 12. *Pour ma part...* ⇒ **Part** (*infra* cit. 8). — *Pour toi, Socrate, tu n'étais que...* (→ Camus, cit. 1). *«Pour l'homme aux rubans verts...»* (→ Divertir, cit. 10).

(Avec une valeur d'opposition). *Pour une jeune fille, elle n'en sait pas mal* (2. Mal, cit. 29).

11 Quel beau temps, pour un 3 novembre. Pierre BENOIT, Bethsabée, p. 216.

b (Attribut). Littér. (Avec un adj.). *«Pour stupide, tu l'es»* (R. Rolland). *«Pour jolie, elle l'avait toujours été comme personne»* (Loti). *«Pour savante, c'est une autre affaire»* (Musset, *Il ne faut jurer de rien*, III, 4). *«Oh! pour impatientée, elle l'était réellement»* (Barbey d'Aurevilly, *les Diaboliques*). — Cour. (Avec un nom). *«Pour un orateur, c'est un orateur»* (Romains, *in* Le Bidois, § 1877).

c (Objet). *«Pour de l'esprit, j'en ai»* (Molière, *le Misanthrope*, III, 1). — *Pour ce qui est de... :* en ce qui concerne*, à l'égard* de..., par rapport à...

12 Pour les après-dînées, je les livrais totalement à mon humeur oiseuse et nonchalante (...) ROUSSEAU, les Confessions, XII.

13 Pour le problème de l'influence extérieure, du pouvoir temporel par emplois et fonctions, on peut l'examiner sans hâte; il est de toute éternité.
G. DUHAMEL, Défense des lettres, II, XI.

Fam. *Pour ça, on a de la chance!*, en ce qui concerne la chose dont on parle.

14 On a bonne mine, les gars. Pour ça, on a bonne mine.
SARTRE, la Mort dans l'âme, p. 69.

d (*Pour*, introduisant un infinitif avec reprise d'un terme de la principale). *Pour être malin, il est malin, il l'est, il l'est bien. Pour avoir de la chance, il en a!*

15 Pour me soigner, elle m'a soigné! Elle venait me voir dix fois par jour.
Pierre VIALAR, Risques et Périls, p. 63.

15.1 Est-ce que vous recevez beaucoup? — (...) Oui, oh! ça oui... pour recevoir... ça, je reçois. Sacha GUITRY, Ils étaient 9 célibataires, p. 305.

REM. 1. Dans la langue classique *pour* pouvait être construit devant une autre préposition, par ellipse de l'infinitif. «Quelque chose dans notre tête, à la bonne heure... mais *pour dans* la mienne...» (MARIV., Jeu de l'amour, II, 11)... «*Pour à* de l'argent...» (MARIV., Paysan, II)... «mais *pour de* mari, néant» (MARIV., Paysan, I)... «Il faut des hommes : mais *pour des* hommes de génie, point» (DIDER., Rameau, 132); cités par Brunot, H. L. F., t. VI, p. 1526-1527.

2. Cf. aussi le germanisme (ou flamandisme). «*Qu'est-ce là pour un homme?* (quel homme, quelle sorte d'homme est-ce là?), courant dans toute la Wallonie (...) répandu aussi en Lorraine, dans la Suisse romande et même en Savoie» (Grevisse).

♦ **6.** En ce qui concerne une personne en tant que sujet, dans sa conscience, son esprit. ⇒ **Œil** (à mes yeux, à ses yeux). → Arène, cit. 10; impulsion, cit. 11; invincible, cit. 6; lumière, cit. 29. *Pour lui, toutes les religions se valent. Il n'est plus rien pour moi, il était tout pour elle. Rien ne compte plus pour nous. Pour qui eût compris...* (→ Limier, cit. 6). *Ce n'est un mystère, un secret pour personne.* — Philos. *Le pour-soi*.*

16 On aurait dit que j'existais de deux manières : entre ce que j'étais pour moi, et ce que j'étais pour les autres, il n'y avait aucun rapport.
S. DE BEAUVOIR, Mémoires d'une jeune fille rangée, p. 140.

★ **II.** (Direction, destination, résultat, intention). ♦ **1.** (Marquant la direction, le but dans l'espace). *Partir pour une destination, une ville, un pays...* ⇒ **Partir** (cit. 8 à 12 et *supra*). *Le train pour Paris, pour l'Italie.* ⇒ **De** (cit. 6), **vers.** *Les voyageurs pour Lyon, en voiture!*

Mar. (vx). *«Partir pour France»* (Académie), pour la France. — *Pour où** (cit. 29). *«Je ne songe plus qu'au départ, mais pour où?»* (Gide, *Journal*, 14 mai 1943).

♦ **2.** (Marquant le terme dans la durée, dans le temps). *Pour le lendemain* (→ Location, cit. 2). *Ce sera pour ce soir, pour la semaine prochaine. Alors, c'est pour aujourd'hui ou pour demain?*

Il ne lui reste plus, s'il ne tend pas la main, 17
Que la faim pour ce soir et la mort pour demain.
A. DE MUSSET, Poésies nouvelles, «Lettre à Lamartine».

Vous partez? — Oui! c'est pour ce soir — 18
Où allez-vous? Reims ou Belgique!
APOLLINAIRE, Ombre de mon amour, p. 34.

Pendant (telle durée), dans le futur. *Pour six mois, pour deux ans :* pendant six mois, deux ans à partir de maintenant (→ Lier, cit. 33; mornifle, cit. 1). *Pour un moment, un temps. Pour l'éternité* (→ Apprendre, cit. 11). — *C'est assez pour aujourd'hui* (→ Finir, cit. 11). *Pour le moment*. Pour l'heure* (cit. 89 et *supra*).

Elle se trouvait donc libre pour la semaine entière. 19
MAUPASSANT, les Sœurs Rondoli, «Le mal d'André».

Pour longtemps (cit. 3), *pour toujours** (→ 2. Finale), *pour jamais*... Pour lors** (→ Marchandise, cit. 3). ⇒ **Alors.** — *Pour quand*? C'est pour quand, ton départ?*

Est-ce que vous voulez apprendre à danser pour quand vous n'aurez plus de jambes? MOLIÈRE, le Bourgeois gentilhomme, III, 3. 20

Pour, suivi d'une préposition. *Pour dans; pour après; pour jusqu'à...* (→ Fin, cit. 5).

(...) ce qu'il désirait pour après sa mort (...) 21
PROUST, À la recherche du temps perdu, t. I, p. 308.

(...) la guerre générale qui se prépare pour dans deux ou trois ans (...) 22
J. ROMAINS, les Hommes de bonne volonté, t. XXI, II, p. 42.

Par ext. *Pour une fois, pour cette fois.* ⇒ **Fois** (cit. 17 à 19 et *supra*). — *Pour le coup.* ⇒ **Coup** (cit. 67, et *supra* cit. 64).

♦ **3. POUR,** marquant la destination figurée (dans l'intérêt, en faveur de...), le but*, l'intention...

a Destiné à...; à l'usage* de... *L'eau pour les bêtes et l'arrosage* (→ Mare, cit. 1). *Une cuillerée, une louchée pour chacun...* (→ 2. Louche, cit. 1). *Il n'y en aura pas pour tout le monde. Tailleur pour hommes. Film pour adultes. Journaux pour enfants.*

Pour qui sont ces serpents qui sifflent sur vos têtes? 23
RACINE, Andromaque, V, 5.

Fait (cit. 271 à 273), *prévu pour* (tel usage). — Ellipt. et fam. *C'est fait, c'est pas fait pour, étudié pour.* — (Personnes). *Vous n'êtes pas fait pour cette vie :* cette vie ne vous convient pas.

Tout lui paraissait créé dans la nature avec une logique absolue et admirable. Les «Pourquoi» et les «Parce que» se balançaient toujours. Les aurores étaient faites pour rendre joyeux les réveils, les jours pour mûrir les moissons, les pluies pour les arroser, les soirs pour préparer au sommeil et les nuits sombres pour dormir. 24
MAUPASSANT, Clair de lune.

Spécialt. Destiné à combattre, à guérir... *Remède, médicament pour telle maladie.* ⇒ **Contre.**

b En vue de... *Pour son plaisir, pour le plaisir* (→ Faire, cit. 9; fortune, cit. 50). *Pour son compte, son propre compte* (→ Libertin, cit. 14; marché, cit. 3). *Pour leur intérêt.* ⇒ **Dans** (→ Maître, cit. 12). *C'est pour son bien. Pour votre gouverne* (cit. 2 et 3). *Spectacle offert pour une fête, pour un anniversaire* (⇒ **Honneur** [en l']), *pour une occasion*... — Pour le meilleur et pour le pire. Pour le cas où... :* dans le, au cas où (→ Ligne, cit. 29). — *«Pour si jamais...»* (Proust, *Correspondance, in* Le Bidois).

Ils avaient des couvertures pour si le temps changeait (...) 24.1
PROUST, Jean Santeuil, Pl., p. 381.

C'est pour si vous aviez besoin (...) M. AYMÉ, Maison basse, p. 81. 24.2

Loc. *Faire qqch. pour la forme** (cit. 61 et 62). *Pour la frime* (cit. 2). *Parler, poser pour la galerie* (cit. 10). *Pour la gloire, pour l'honneur.* ⇒ **Nom** (au nom de). — *Pour mémoire*.* — (Avec un terme redoublé). *L'art pour l'art** (cit. 82 et *supra*).

Cette profondeur, où se tapit un orgueil de père et de Dieu, contient le culte de l'amour pour l'amour, comme le pouvoir pour le pouvoir fut le mot de la vie des jésuites (...) BALZAC, la Fausse Maîtresse, Pl., t. II, p. 31. 25

Je n'ai jamais dit : l'art pour l'art, j'ai toujours dit : l'art pour le progrès. 26
HUGO, Correspondance, À Baudelaire, 6 oct. 1859.

c À l'égard* de... ⇒ **Envers.** *Passion* (cit. 23) *haine pour qqn* (→ Faveur, cit. 4). *Sentiments des pères pour leurs fils* (→ Attendre, cit. 16). *Mon admiration, mon amitié pour lui* (→ Attaquer, cit. 34; 2. mort, cit. 22). *Par égard pour lui. — Magnanime* (cit. 2), *indulgent, sévère pour qqn. — Éprouver, ressentir un sentiment pour qqn* (→ Malgré, cit. 14; morsure, cit. 3). *S'en faire* (cit. 250), *trembler* (→ Foyer, cit. 7) *pour qqn.* — Vx. *S'intéresser* (cit. 16) *pour...* ⇒ **À.** — *Être* (cit. 55 et *supra*) *tout pour quelqu'un.*

Elle n'était guère belle que pour elle-même et pour les rares hommes qui avaient été épris d'elle. PROUST, Jean Santeuil, Pl., p. 742. 26.1

Tant mieux, tant pis pour lui* (→ Malavisé, cit. 2). *C'est bien fait pour elle! Malheureusement* (cit. 3) *pour lui.* — Fam. *Crotte, merde* (cit. 3), *zut... pour lui!*

Bon (cit. 86 à 89); *fatal* (cit. 14), *mauvais pour...*

d En faveur* de..., pour l'intérêt, le bien, la sauvegarde de... (→ Elle, cit. 5; lourd, cit. 24). *Former* (cit. 12) *des vœux, intercéder* (cit. 4), *prier* pour qqn. Quêter pour les pauvres.* ⇒ **Profit** (au). *Faire qqch. pour qqn.* ⇒ **Intérêt** (dans l'). — Prov. *Cha-*

cun (cit. 14) *pour soi et Dieu pour tous. Pour la Patrie** (→ Fort, cit. 80). *Mourir pour une religion* (→ Martyr, cit. 4). *Parier** (cit. 8), *opter pour...* (→ Lettre, cit. 40). *Voter pour qqn. Prendre parti pour...* (⇒ **Partisan**). *Il ferait des folies pour elle.* — Ellipt. (fam.). *Je ne paierais pas pour. Je vote pour.*

26.2 — Aimez-vous les épinards? — Avec des petits croûtons je les supporte, mais je ne ferais pas des folies pour. R. QUENEAU, Zazie dans le métro, Folio, p. 80.

Loc. fam. (en parlant aux enfants). *Une bouchée, une cuillerée pour papa... :* pour faire plaisir à papa...

27 *(Manger était)* le plus sérieux de mes devoirs : « Une cuiller pour maman, une pour bonne-maman... si tu ne manges pas, tu ne grandiras pas ». S. DE BEAUVOIR, Mémoires d'une jeune fille rangée, p. 11.

ÊTRE POUR... (qqn ou qqch.) : être partisan de... ⇒ **Côté** (de son côté); **être** (cit. 88). *Quiconque n'est pas pour lui est contre lui* (→ Parti, cit. 16). *Je suis pour les gens qui disent* (cit. 16) *leur pensée.* — Ellipt. (fam.). *Je suis pour. C'est idiot : personne ne sera pour.*

28 Il *(le surréaliste)* considérait — semblable en ceci au parti communiste — que tout ce qui n'était pas totalement et exclusivement pour lui était contre. SARTRE, Situations II, Notes, p. 318.

♦ **4. POUR** (suivi de l'infinitif) : afin de pouvoir. ⇒ **Afin** (de), **effet** (à l'effet de), **manière** (de manière à), **vue** (en vue de...); → Arc-bouter, cit. 4; levée, cit. 1; liberté, cit. 26; 1. livre, cit. 19; machine, cit. 22; main, cit. 46. *« Pour réparer des ans* (cit. 19) *l'irréparable outrage »* (Racine). Il faut manger pour vivre (→ Frugalité, cit. 1). *Faire l'impossible, tout tenter pour...* (→ Fléchir, cit. 8). *Travailler* pour vivre. Attendre* (cit. 43, 49 et 56) *pour faire qqch. « On ne loue* (1. Louer, cit. 9) *d'ordinaire que pour être loué »* (La Rochefoucauld). *Voilà cent francs pour boire.* ⇒ **Pourboire.** — *Comme pour faire...* (→ Arlequin, cit. 5; livrer, cit. 6). — *Pour quoi* faire?* (parfois écrit fautivement : *pourquoi* faire*). — *Pour ce faire :* pour faire cela.

Pour ne... pas (→ Morgue, cit. 6). *Pour n'avoir pas à...* (→ Fond, cit. 56). — *Pour ne les pas* (2. Pas, cit. 10) *gâter. Pour ne pas se mettre mal* (2. Pas, cit. 10) *avec lui.*

29 Nous sommes revenus par le chemin de Saint-Malo, pour ne pas le rencontrer. MAUPASSANT, Mon oncle Jules.

Pour (suivi de l'infinitif), ne marquant plus qu'une valeur finale (ou intentionnelle) très atténuée. *On s'accorde, ils s'accordent pour dire...* (au sens propre : on se met d'accord dans l'intention de dire) : ils sont d'accord en disant... — Loc. *Pour ainsi dire* (→ Lendemain, cit. 2), *pour mieux dire, pour tout dire* (→ Palabre, cit. 2). ⇒ **Dire** (*infra* cit. 104). *Ce n'est pas pour dire** (*infra* cit. 31). *Pour parler* comme X...* — Iron. *Untel, pour ne pas le nommer.* — *Je l'ai dit pour rire, pour plaisanter* (signifie plutôt « en plaisantant » que « dans l'intention de... »). *C'est pour rire* (→ Histoire* de rire). Dans le langage enfantin, et par infl. de *pour de bon : pour de rire.* — (Les faits, les événements étant considérés comme voulus par la nature, la providence, le destin, le hasard). → Malédiction, cit. 17, Voltaire.

30 Une mouche éphémère naît à neuf heures du matin (...) pour mourir à cinq heures du soir (...) STENDHAL, le Rouge et le Noir, II, XLIV.

31 (...) ce remue-ménage sournois cesse complètement, une seconde, pour reprendre ensuite (...) ALAIN-FOURNIER, le Grand Meaulnes, I, IV.

32 Ce bonheur-là, qui ne naît que pour mourir (...) sera-ce donc du bonheur totalement perdu pour l'avenir? G. DUHAMEL, les Plaisirs et les Jeux, p. 12.

Être pour (et l'infinitif) : être sur le point* de... ⇒ **Être** (cit. 89).

33 Quand il fut pour la quitter devant la porte de sa maison (...) elle lui demanda : « Quel jour nous revoyons-nous? » MONTHERLANT, les Lépreuses, I, V.

34 — Son homme est peut-être pour partir, dit-elle. SARTRE, le Sursis, p. 15.

REM. 1. *Pour,* suivi de l'infinitif ne s'emploie plus que lorsque le sujet de la proposition finale est le même que celui de la principale (l'infinitif peut avoir cependant pour sujet le complément d'un verbe à valeur finale : *Je l'ai choisi pour être votre guide* (Le Bidois); *on lui a donné cent francs pour aller au cinéma.* La langue classique employait ce tour avec deux sujets différents (→ Lourd, cit. 4, Corneille; mandement, cit. 2, Bossuet).

35 Est-ce pour obéir qu'elle l'a couronné? RACINE, Britannicus, IV, 2.
N. B. On dirait plutôt de nos jours : « Est-ce pour qu'il obéisse... »

36 (...) je lui avais envoyé les deux premières parties de *Julie* pour m'en dire son avis. ROUSSEAU, les Confessions, IX.

37 Des hommes sont roués de coups par des policiers dans des caves pour les faire avouer, et ils meurent. Émile HENRIOT, On n'est pas perdu sur la terre..., III, Du bonheur.

2. Pour éviter l'amphibologie des emplois mentionnés ci-dessus, l'ancienne langue énonçait parfois le sujet entre *pour* et l'infinitif; cet emploi est encore vivant dans le nord de la France, en Belgique (*« J'ai emporté un livre pour moi lire »* cf. Grevisse, *le Bon Usage,* § 1027). Cf. dans la langue juridique :

38 (...) toute ma fortune restera entre les mains de mon notaire (...) pour ma volonté (...) être accomplie (...) MAUPASSANT, l'Héritage, *in* Miss Harriet.

39 S'il fréquenta les salons... c'était seulement pour lui se divertir. Cl. ROY, *in* les Temps modernes, cité par M. COHEN, le Subjonctif..., p. 140.

39.1 Il y a l'eau chaude courante, maman trouve que c'est commode pour elle faire la vaisselle. M. AYMÉ, Maison basse, p. 37.

♦ **5. POUR QUE...** ⇒ **Afin** (que). *C'est un truc pour que j'ouvre* (→ Mensonge, cit. 1). *« Pour que Dieu* (cit. 43) *nous réponde, adressons-nous à lui »* (Musset). *Dérange-toi, manant* (cit. 2), *pour que je passe.*

(...) *pour que,* énonçant la finalité, ne s'est définitivement établi qu'au XVIIIe siècle. G. et R. LE BIDOIS, Syntaxe du franç. moderne, § 1486. 40

(...) elle pressa Bovary d'écrire à sa mère pour qu'elle leur envoyât vite tout l'arriéré de l'héritage. FLAUBERT, Mme Bovary, III, VI. 41

REM. Lorsqu'il y a deux propositions coordonnées, le second *pour que...* peut se réduire à *que. Il nous a téléphoné pour que nous allions le voir et que nous le ramenions ici.*

Un peu de peinture verte pour peindre le tout et que ce fût joli. LOTI, le Livre de la pitié et de la mort, XXI. 42

Iron. En présentant « comme intentionnel un résultat quelconque qu'on prévoit » (Sandfeld). *C'est ça! laisse ton porte-monnaie sur la table, pour qu'on te le vole!*

POUR QUE... NE PAS (→ 1. Manger, cit. 27). Dans une subordonnée introduite par *pour... que,* la langue très familière intercale souvent la négation *ne pas* entre les deux éléments de la locution. *Ferme la porte à clef pour ne pas qu'on entre.* Pop. (sans *ne*). *Pour pas qu'il s'en aperçoive.*

Aujourd'hui, surtout dans la langue populaire, il y a une tendance à réunir *pour* à *pas.* Une locution négative de finalité est en train de se forger : *pour pas que* (...) Cette locution traduit excellemment l'intention négative, elle serait logique et commode. F. BRUNOT, la Pensée et la Langue, p. 849. 43

L'ouvrière reprit : — J'en ai deux *(oiseaux),* vous comprenez, pour pas qu'ils s'ennuient. FRANCE, les Désirs de Jean Servien, XVIII. 44

Je l'ai pris *(ce carnet)* pour ne pas qu'Armand le voie *(dit Sarah).* GIDE, les Faux-monnayeurs, I, XII. 45

C'était pour pas qu'on insiste. CÉLINE, Mort à crédit, p. 37. 46

★ **III.** (Conséquence). En ayant pour résultat (qqch.). *Pour son malheur* (cit. 34 et 35). *« N'ai-je donc tant vécu que pour cette infamie? »* (cit. 2, Corneille).

Qu'en dis-tu? N'est-ce pas cette même Agrippine
Que mon père épousa jadis pour ma ruine, RACINE, Britannicus, I, 4. 47

Chaque fois que j'ai repris Vauvenargues, ç'a été pour ma déception. GIDE, Journal, 16 janv. 1929. 48

(Suivi de l'infinitif; la principale exprimant une condition). Afin de. *La première condition pour écrire* (→ Manière, cit. 4). — *Pour faire telle chose, il faut, il est bon, utile...* (→ Demander, cit. 40; liberté, cit. 35; main, cit. 51; passer, cit. 70). *« Les moissons pour mûrir ont besoin de rosée »* (→ 1. Loi, cit. 36, Musset). *Il suffit de... pour* (→ Malchance, cit. 3). — *Pour faire telle chose, il faudrait, vous n'auriez qu'à...* (→ Appui, cit. 18).

Il faut que ce jeune homme aime furieusement l'argent, pour ne pas planter là cette fille (...) STENDHAL, le Rouge et le Noir, II, XIII. 49

(...) il n'y a que les imbéciles et les ambitieux pour faire des révolutions. FRANCE, l'Orme du mail, XIV, Œ., t. XI, p. 163. 50

Vx. *C'est pour... :* c'est une chose à faire..., c'est une chose capable, susceptible de faire... *Être homme pour... :* être homme à.

Mod. (sous la forme négative) :

Ils savent ces choses-là infiniment mieux que moi. Je ne suis pas pour les contredire. FRANCE, la Vie littéraire, II, *in* Œ., t. VI, p. 639. 51

(...) voilà une réputation qui n'est pas pour m'effrayer (...) PROUST, Du côté de chez Swann, Pl., t. I, p. 128. 52

Assez pour..., suffisamment pour..., trop pour... (→ Lettre, cit. 39; maladroit, cit. 4; manigance, cit. 2). *Trop laid pour être infidèle* (cit. 10). *Assez, pas assez* (cit. 34) *pour...* (→ Lucratif, cit. 1). *Trop pour ne pas...* (→ Âpreté, cit. 11). Loc. *Trop poli pour être honnête. C'est trop beau pour être vrai.*

Assez de bien pour en donner
Et pas assez pour faire envie. FLORIAN, Fables, V, Épilogue. 53

REM. *Pour,* séparé de son complément (→ Fil, cit. 22).

Mais je n'ai plus assez de jours devant mes pas pour, de toutes ces folies, faire un peu de ferme raison. G. DUHAMEL, la Pierre d'Horeb, XVII. 54

POUR QUE..., introduisant une subordonnée de conséquence. *« Je suis bien jeune... pour qu'on veuille m'écouter »* (Stendhal, *la Chartreuse de Parme*). *Assez*, pas assez* (cit. 44), *trop*... pour que... Il faut, il suffit... pour que.* — *Faire une chose à temps pour que* (→ Lettre, cit. 26).

(...) les maisons (...) étaient assez obscures pour qu'il fallût dès que le jour commençait à tomber relever les rideaux (...) PROUST, Du côté de chez Swann, Pl., t. I, p. 48. 55

Pour, pour que..., en corrélation avec une interrogative. *Qu'aviez-vous contre elle pour la maltraiter* (cit. 2) *ainsi? Es-tu un prince pour qu'on te flagorne?* (cit. 1). → aussi 3. Droit, cit. 40.

★ **IV.** (Cause). À cause de. ⇒ **Par** (→ Matelassier, cit. 3; mot, cit. 21). *Puni pour ses fautes* (→ Majeur, cit. 6). *Il ne faut pas brûler ses compatriotes pour des arguments* (cit. 5). Prov. *Pour un point* Martin perdit son âne.* — Loc. *Pour un oui, pour un non* (→ Canaillerie, cit. 2; guerroyer, cit. 3). *Pour rien. Beaucoup de bruit pour rien* (→ 1. Foin, cit. 6). *Pour sa peine :* en considération* de. — *Merci* (cit. 15, et *supra*) *pour...* ⇒ **De.** *Remercier* pour...* — *Pour l'amour* du grec* (cit. 14). *Pour Dieu* (cit. 55). *Pour l'amour de Dieu, taisez-vous!*

(...) elle voulait être épousée pour sa fausse laideur et ses prétendus défauts, comme les autres femmes veulent l'être pour les qualités qu'elles n'ont pas et pour d'hypothétiques beautés. BALZAC, la Vieille Fille, Pl., t. IV, p. 253. 56

On plaignait donc le capitaine d'Auverney, moins pour les pertes qu'il avait souffertes que pour sa manière de les souffrir. HUGO, Bug-Jargal, II. 57

Pour quoi? pour quelle raison? ⇒ **Pourquoi.** *Pour ce que...* ⇒ **Parce**

que. « *Pour ce que rire** » (Rabelais) — REM. Le tour *pour ce que* commença à vieillir au XVIᵉ s., à cause de la confusion du sens causal et du sens d'intention ou de finalité. — *Pour le motif, la raison que...* ⇒ **Par.**

58 Je ne sais pour quel intérêt ils tâchent d'ôter à *car* ce qui lui appartient pour le donner à *pour ce que*, ni pourquoi ils veulent dire avec trois mots ce qu'ils peuvent dire avec trois lettres.
VOITURE, Lettre sur « Car » à Mˡˡᵉ de Rambouillet, 1637.

59 (...) nos libres penseurs qui, le plus souvent, ne pensent pas librement pour la raison qu'ils ne pensent pas du tout. FRANCE, l'Île des pingouins, VII, I.

60 Il me plaisanta pour ce que je n'avais pas su poser mon dernier mot (...)
GIDE, la Porte étroite, III.

Le magasin est fermé pour cause de maladie, de décès.* — Absolt. *Et pour cause !* : pour une raison trop évidente.
Pour un peu. ⇒ **Peu.**
Vx. (Suivi de l'infinitif). ⇒ **Parce que.**

61 Pour être plus qu'un roi, tu te crois quelque chose ! CORNEILLE, Cinna, III, 4.

62 (...) pour être plus lyrique, on finit quelquefois par ne plus être précis du tout.
GIDE, les Nouvelles Nourritures, p. 212.

Mod. Littér. (Suivi d'un infinitif passé ou passif). → Marionnette, cit. 8.

63 Ce cœur s'est-il brisé pour avoir trop aimé ?
LECONTE DE LISLE, Poèmes barbares, « Fontaine aux lianes ».

64 Ainsi mourut la fille d'Hamilcar pour avoir touché au manteau de Tanit.
FLAUBERT, Salammbô, XV.

65 Pour avoir oublié ces choses, l'apprenti sorcier a perdu la tête.
A. MAUROIS, Ce que je crois, p. 121, *in* GREVISSE.

★ **V.** (Avec une valeur d'opposition ou de concession).

Littér. **POUR... QUE** (avec un adjectif). ⇒ **Aussi, si.** *Pour invisible* (cit. 10) *qu'il fût* (→ Malplaisant, cit. 1). ⇒ **Quelque.** — REM. Ce tour commande généralement le subjonctif, mais on le rencontre avec l'indicatif.

66 La phrase : **Pour grands que soient** les rois, ils sont ce que nous sommes (CORN., Cid, 157), signifie à la fois : *quoique les rois soient grands* et : *quelque grands que soient les rois.* F. BRUNOT, la Pensée et la Langue, p. 886.

67 (...) pour mystérieux et distant qu'il me parût en cet état, mon père était alors une divinité courtoise. G. DUHAMEL, Chronique des Pasquier, I, IX.

Pour peu que... ⇒ **Peu** (cit. 56 à 58, et *supra*).
Pour autant que... : dans la mesure où... (avec l'indicatif ou le subjonctif).

68 Pour autant que je le sache, ils étaient d'une très honnête et probablement très loyale piété. G. DUHAMEL, Chronique des Pasquier, I, X.

69 L'idée n'a ici de prix que pour autant qu'elle est liée à une cogitation personnelle.
Julien BENDA, la France byzantine, p. 77, *in* GREVISSE.

POUR AUTANT : même si telle condition est remplie, même pour cela ; « à peu près uniquement dans les phrases négatives, interrogatives ou dubitatives » (Grevisse). ⇒ **Pourtant.**

Pour si peu. Ne t'en fais pas pour si peu ! — Iron. Pour autant. *Il a échoué quatre fois à son examen, mais il n'est pas découragé pour si peu !*

Fam. *Pour ce que ça nous rapporte !*

70 — Et puis, tu n'aimes pas, toi, des vues dégagées comme ici ? — Pour ce qu'on en profite ! Il n'y a pas un endroit où on puisse risquer le nez dehors.
J. ROMAINS, les Hommes de bonne volonté, t. XV, VI, p. 75.

Suivi de l'infinitif présent « quand la principale est négative ou interrogative et contient un comparatif » (Le Bidois, § 1457).

71 (...) quand Tartuffe déclare : *« Ah ! pour être dévot, je n'en suis pas moins homme »*, il paraît d'abord n'énoncer qu'une cause : *du fait que, parce que je suis dévot.* Mais cette causale étant suivie d'une proposition négative, il en résulte que *l'effet* auquel on pourrait s'attendre ne s'est pas produit ; de cette discordance (...) l'esprit passe tout naturellement à l'idée d'*opposition* (...) *J'ai beau* être dévot, je n'en suis pas moins homme pour cela.
G. et R. LE BIDOIS, Syntaxe du franç. moderne, § 1581.

72 Es-tu moins esclave, pour être aimé et flatté de ton maître ?
PASCAL, Pensées, III, 209.

73 *(Il savait)* qu'un officier, pour être plus ancien, n'est pas toujours meilleur.
VOLTAIRE, le Siècle de Louis XIV, XVIII.

74 Pour ne pas reposer sur une sympathie de l'esprit, cet amour n'en était pas moins vrai. R. ROLLAND, Jean-Christophe, L'adolescent, III, p. 335.

Littér. **POUR SI... QUE,** introduisant une proposition concessive (cf. Daudet, Madelin, Bernanos, Giono, *in* Grevisse, § 1031).

75 Mais, pour si précieux qu'il le tînt, Bonaparte entendait ne pas le mettre au pinacle. Louis MADELIN, Talleyrand, II, XII.

Littér. **POUR PLUS (MOINS)... QUE...** avec un adjectif comparatif. — REM. L'ellipse de *que* et du verbe (cit. Gide, ci-dessous) est exceptionnelle.

76 Les hommes, pour plus généreux qu'ils soient, doivent être fortement individuels.
PROUST, Chroniques, p. 143.

77 Non ! le sacrifice même d'Isaac, pour plus atroce, n'est pas plus éloquent à mes yeux. GIDE, Journal, Numquid et tu, 18 févr. 1916.

★ **VI.** N. m. **LE POUR.** ♦ **1.** Le bon côté*, les éléments favorables. *Le pour et le contre** (1. Contre, cit. 30 et 31).

♦ **2.** (1914 ; aussi *pourre* ; de *c'est pour rire*). Argot. Plaisanterie, mensonge, mystification. *C'est du pour, il frime. C'est pas du pour :* c'est sérieux, c'est pas de la blague*.

78 La Joconde elle c'est pas du pour !... CÉLINE, Guignol's band, p. 85.

Au pour : en mentant. ⇒ **Flan** (au flan).

... il te lui retournait net les naseaux et sec et séance tenante !... et devant la coterie tout entière ! et pas au pour et pas d'histoire !... 79
CÉLINE, Guignol's band, p. 97.

À six plombes, je pouvais plus tolérer de rester sans savoir. Ce vanne de l'enlèvement. C'était peut-être pas du pour, après tout ? 80
Albert SIMONIN, Touchez pas au grisbi, p. 137.

COMP. V. Pour-.

POUR-

POUR- Premier élément de mots composés, du lat. *pro* (→ Continuation, cit. 1).

Pro, devenu en français *pour*, se trouve dans *poursuivre, pourvoir*, etc., passés directement du latin en français, et dans des composés nouveaux : *pourchasser, pourparler* (devenu substantif). Dans *pourfendre* et *pourpoint*, il y a eu confusion de sens avec per. *Pour* est adverbe dans *pourtour* (...) préposition dans *pourboire.*
DARMESTETER, Traité de la formation de la langue franç., *in* HATZFELD, Dict. général, t. I, p. 84.

POURÂNA ou PURÂNA

POURÂNA ou **PURÂNA** [puʀana] n. m. — XIXᵉ ; mot sanscrit *purâna* « ancien ».

♦ Littér. Texte sanscrit, généralement long et touffu, exposant des traditions et des légendes (en principe très anciennes), présentées comme des faits historiques. *Les dix-huit grands pourânas.* — Par ext. *Pourânas dravidiens* (tamouls, etc.).

POURBOIRE

POURBOIRE [puʀbwaʀ] n. m. — 1740 ; loc. verbale *« aurait pour droit d'avis mille louis pourboire »* (Boursault, *Mercure galant*, I, 1, 1683) ; on trouve encore *pour-boire* au XIXᵉ ; de *pour*, et *boire*.

♦ Somme d'argent remise, à titre de gratification, de récompense, par le client à un travailleur salarié, en plus de son salaire. ⇒ **Cadeau, commission, don, gratification ; bakchich** (→ fam. Pourliche ; régional bonne-main). *Le pourboire est licite s'il n'est pas donné à l'insu du patron* (Code pénal, art. 377). *Le pourboire est d'usage dans certaines professions* (garçons de café, placeurs et ouvreuses des salles de spectacles, chauffeurs de taxi...). *Donner un petit pourboire.* ⇒ **Pièce** (donner la pièce). *Un copieux* (cit. 3), *un fameux* (→ Ficeler, cit. 2) *pourboire. Pourboire compris* (⇒ **Service**).

On n'évite jamais le pourboire des cochers, des garçons de café, de restaurant, l'almanach du facteur, quelques étrennes légitimes, les garçons baigneurs, la pièce d'adieu aux domestiques des maisons de campagne, le pourboire des gens qui vous apportent des présents, etc. 1
BALZAC, Code des gens honnêtes, II, Œ. diverses, t. I, p. 119.

(...) ce serait le meilleur peuple de la terre *(le peuple égyptien)* sans son avidité pour le bachiz (le pour-boire). NERVAL, Correspondance, 95, avr. 1843. 2

POURCEAU

POURCEAU [puʀso] n. m. — 1487 ; *porcel*, v. 1119 ; *purcel*, v. 1200 ; *pourcel*, v. 1283 ; du lat. *porcellus*, dimin. de *porcus*. → Porc, porcelet.

★ **I.** ♦ **1.** Vx. ou littér. ⇒ **Cochon, porc.** *Le grognement des pourceaux ; les pourceaux grognent, grognonnent. La bauge* (cit. 2) *aux pourceaux. L'enfant prodigue gardait les pourceaux* (→ Gland, cit. 1). *« Dom pourceau... »* (→ Clameur, cit. 1, La Fontaine).

Par le trou des haies, on apercevait (...) quelque pourceau sur un fumier (...) 1
FLAUBERT, Mᵐᵉ Bovary, II, III.

Allus. bibl. *Jeter des marguerites* (vx), *des perles** (cit. 8 et 9) *devant les pourceaux, aux pourceaux* (cf. De la confiture aux cochons).

♦ **2.** Par métaphore et fig. *Être sale comme un pourceau ; bâfrer comme un pourceau.* ⇒ **Cochon, porc** (→ Goinfre, cit. 5). *Une étable à pourceau :* une maison malpropre.

Les autres, à demi noyés, les bras ballants, 2
La tête sur la table, et la langue tirée,
Pareils à des pourceaux repus de leur curée (...)
LECONTE DE LISLE, Poèmes barbares, « Paraboles de Dom Guy », VI.

♦ **3.** **a** (1690). Homme malpropre ; glouton. ⇒ **Porc.**

b (1555). Littér. *Un pourceau :* un homme qui s'adonne aux plaisirs des sens (cit. 4, ci-dessous). — Loc. *Pourceau du troupeau d'Épicure, pourceau d'Épicure* (Horace, *Épître*, IV). ⇒ **Épicurien, jouisseur.**

L'un, valet de sa panse pleine, 3
Pourceau d'Épicure ocieux *(oisif)*,
Mange en un jour de ses aïeux
Les biens acquis à grande peine.
RONSARD, Premier livre des hymnes, « Des étoiles », p. 198.

Saluez-moi, pourceaux qui vous vautrez sur ces tapis comme sur du fumier ! 4
BALZAC, la Peau de chagrin, Pl., t. IX, p. 156.

★ **II.** Qualifié ; désignant des animaux. (1611). *Pourceau de mer :* le marsouin. — (1845). Vx. *Pourceau ferré :* le hérisson. — (1877, Littré, *Suppl.*). *Petit pourceau :* papillon du genre sphinx.

DÉR. V. Porcelet.

POURCENTAGE

POURCENTAGE [puʀsɑ̃taʒ] n. m. — 1874, « fixation du pourcent » ; dér. de *pour-cent*, n. m. (1845) ; de *pour*, et *cent*.

♦ **1.** Taux d'un intérêt, d'une commission, calculé sur un capital de cent unités. ⇒ **Cent.** *Pourcentage de bénéfices* (⇒ **Rapport, tantième**). *Avoir un pourcentage sur les bénéfices* (→ Incontestable, cit. 3).

1 Il ne s'agissait pas de salariés recevant chaque jour du patron une somme fixe, mais d'associés, intéressés aux affaires, touchant un pourcentage sur la recette.
ARAGON, les Cloches de Bâle, III, IX.

♦ **2.** Proportion* pour cent. *Pourcentage de malades. Pourcentage de votes. Variation de pourcentage.*

2 On ne compte qu'un pourcentage infime d'Allemands parmi les victimes *(des bombardements de Tunis).* GIDE, Journal, 5 mars 1943.

3 Malgré l'immigration de 2 millions de jeunes étrangers, le pourcentage des sexagénaires *(en France)* passa à 15 % en 1938.
A. SAUVY, la Montée des jeunes, IV, p. 59.

POURCHAS [puʀʃa] n. m. — V. 1530; «effort, peine», fin XIIe; *porchas*, v. 1160; *purchad*, v. 1138; dér. de *pourchasser.*

♦ Vx (langue préclassique). Poursuite, recherche. Spécialt. Poursuite amoureuse (cf. La Fontaine, *in* Littré, et de nombreux exemples chez Gautier *in* Matoré). — Fig. *« Ingres (...) est toujours au pourchas de la couleur »* (→ Naturaliste, cit. 5, Baudelaire), à la recherche de...

POURCHASSER [puʀʃase] v. tr. — XIIIe; *purchacer*, v. 1175; *porchacier* «chercher à obtenir, à causer qqch.», 1080; de *por* (pour) et *chacier* (chasser).

♦ Poursuivre, rechercher (qqn) avec obstination, avec ardeur. ⇒ **Chasser, courir** (après), **poursuivre** (→ Coupable, cit. 8; heureusement, cit. 5). *Pourchasser qqn jusqu'en ses derniers retranchements* (→ Mouton, cit. 14). *Pourchasser un criminel. Être pourchassé par des créanciers, des importuns.* — Pron. *Se pourchasser* (récipr.). — Au p. p. *Criminel pourchassé* (→ Dent, cit. 27).

1 (...) mademoiselle de Verneuil n'avait rencontré sur sa route aucun des partis Bleus ou Chouans qui se pourchassaient les uns les autres dans le labyrinthe de champs situés autour de la cabane de Galopechopine.
BALZAC, les Chouans, Pl., t. VII, p. 1022.

2 Pourchassé de rue en rue par des policiers imaginaires, il recherchait les parties populeuses de la ville, évitant les places désertes (...) J. GREEN, Léviathan, I, VII.

Par ext. *Pourchasser l'argent, les plaisirs. Écrivains et grammairiens pourchassent le moindre soupçon d'obscurité* (→ Mot, cit. 8).

3 L'argent qu'on possède est l'instrument de la liberté : celui qu'on pourchasse est celui de la servitude. Voilà pourquoi je serre bien et ne convoite rien.
ROUSSEAU, les Confessions, I.

4 D'ordinaire, il pourchassait, ensemble, trois ou quatre idées, courait de l'une à l'autre et s'étonnait qu'on ne le suivît pas toujours (...)
G. DUHAMEL, Chronique des Pasquier, V, IV.

(V. 1240). Sujet n. de chose abstraite. *Souvenir, image qui pourchasse qqn.* ⇒ **Hanter, poursuivre.**

DÉR. Pourchas, pourchasseur.

POURCHASSEUR, EUSE [puʀʃasœʀ, øz] n. — 1669; *porchaceor* «celui qui cherche à obtenir qqch.», XIIIe; de *pourchasser.*

♦ Rare. Personne qui pourchasse (qqn ou qqch.). *« Les pourchasseurs éhontés de la richesse et de la vanité »* (Louise Colet, *in* P. Larousse).

POUR-COMPTE ou **POURCOMPTE** [puʀkɔ̃t] n. m. invar. — 1878; de *pour*, et *compte*; cf. Laissé pour compte.

♦ Comm. Acte par lequel on prévient l'expéditeur d'une marchandise qu'on la vendra pour son compte.

POURFENDEUR [puʀfɑ̃dœʀ] n. m. — 1798, «fanfaron»; de *pourfendre.*

♦ Vx ou par plais. Celui qui pourfend, tue ou met à mal. — Loc. (vx). *Un grand pourfendeur de géants* : un fanfaron*, un matamore.

Croyez-moi, cessez, au plus vite, une parade — qui vous serait déjà devenue funeste (...) si j'étais un pourfendeur d'enfants.
VILLIERS DE L'ISLE-ADAM, Axël, p. 145.

REM. Le fém. *pourfendeuse* est virtuel.

POURFENDRE [puʀfɑ̃dʀ] v. tr. — Conjug. *fendre.* — XIIIe; *purfendre*, fin XIe; *porfendre*, v. 1160; de *pour*, et *fendre.*

♦ **1.** Vx. ou littér. Fendre complètement (avec un sabre, etc.), couper.

1 Ceux d'Albi, de Béziers, de Foix et de Toulouse,
Que le fer pourfendit, que la flamme brûla (...)
LECONTE DE LISLE, Poèmes barbares, «Agonie d'un saint».

♦ **2.** (XIXe). Fig. (littér. ou par plais.). Mettre à mal. *Don Quichotte voulait défendre* (cit. 4) *les faibles et pourfendre les méchants.* ⇒ **Tuer.** *Un malotru qui menaçait de les pourfendre* (→ Matamore, cit. 3). — *Pourfendre des abus.*

2 (...) je courais à l'armée des Princes, je revenais en courant pourfendre la Révolution ; le tout étant terminé en deux ou trois mois.
CHATEAUBRIAND, Mémoires d'outre-tombe, t. II, p. 23.

Absolument :

3 (...) que lui resterait-il à faire, à Mirbeau, s'il ne pourfendait point. C'est là sa vocation et son occupation première. Il retomberait à plat s'il ne s'imaginait environné de monstres. GIDE, Journal, 1er janv. 1910.

DÉR. Pourfendeur.

POURIM [puʀim] n. m. pl. — XIXe, *purim*; mot d'orig. persane, «sorts».

♦ Didact. Fête juive commémorant l'intervention d'Esther et de Mardochée auprès d'Assuérus, en faveur des juifs qu'Aman voulait faire exterminer.

POURLÈCHE [puʀlɛʃ] n. f. ⇒ **Perlèche.**

POURLÉCHER [puʀleʃe] v. tr. — Conjug. *lécher.* → Céder. — 1767, pron., Diderot; *se pourlecquer*, XVe; de *pour-*, et *lécher.*

♦ **1.** (Attesté XIXe). Vx. Lécher autour. *Chatte qui lèche* (cit. 2), *et pourlèche ses petits.*

1 Toujours comme ces chiens perdus qui furent réputés toute leur vie méchants et dangereux et qui aujourd'hui vous pourlèchent, je le devinais disposé à montrer ses tendresses (...) GIRAUDOUX, Siegfried et le Limousin, p. 141.

(XIXe). Fig. Exécuter soigneusement (qqch.). ⇒ **Lécher, parfaire, polir.**

2 Bixiou eut la patience de pourlécher un chef-d'œuvre pour jouer un tour à son Sous-chef. BALZAC, les Employés, Pl., t. VI, p. 942.

♦ **2.** Mod. SE POURLÉCHER : passer sa langue sur ses lèvres (en signe de contentement avant ou après un bon repas, etc.). *On s'en pourlèche. Se pourlécher les babines*.*

POURLICHE [puʀliʃ] n. m. — Fin XIXe; de *pourboire*, et *liche*, dér. de *licher* «boire».

♦ Argot, puis fam. Pourboire.

Il n'y a que lui qui donne des pourliches, invoqua le môme pour sa défense.
R. DORGELÈS, À bas l'argent !, p. 43.

POURPARLER [puʀpaʀle] n. m. — 1465; *porparler*, mil. XIe; subst. verb. du v. *pourparler* «tramer, comploter (Molière), discuter» encore chez Chateaubriand, *Congrès de Vérone*, p. 382 (*in* Brunot); de *pour*, et *parler.*

♦ Conversation organisée entre plusieurs parties pour résoudre une affaire litigieuse, pour arriver à un accord. ⇒ **Conférence, conversation, tractaction.** *« Un court pourparler à voix basse »* (Gautier, *in* G. L. L. F.). — REM. *Pourparler* s'emploie presque toujours au pluriel. — *De longs pourparlers* (→ 1. Coucher, cit. 9). *Pourparlers diplomatiques* (→ 2. Bas, cit. 5). *Les pourparlers anglo-français* (→ Couvert, cit. 9) — *Entrer en pourparler* (Racine, *Port-Royal*), *en pourparlers* (Rousseau, *Confessions*, VII). ⇒ **Aboucher** (s'), **traiter; langue** (*supra* cit. 5 : prendre langue).

1 Tout le monde savait depuis longtemps combien de pourparlers, de ruses et d'intrigues la favorite avait mis en jeu, et quelle obstination elle avait montrée, pour obtenir ce titre (...) A. DE MUSSET, Contes, «La mouche», V.

2 Je suis en pourparlers avec «Le Matin»; je vais probablement y tenir la rubrique immobilière (...) J. ROMAINS, les Hommes de bonne volonté, t. V, XVIII, p. 140.

POURPENSER [puʀpɑ̃se] v. tr. — V. 1050, *purpenser; porpenser*, v. 1160; *pourpenser*, 1300; de *pour* (*por*, etc.), intensif, et *penser.*

♦ Vx (langue class.) ou archaïsme littér. Examiner attentivement. ⇒ **Méditer.**

▶ **POURPENSÉ, ÉE** p. p. adj.

Longuement étudié, médité. *Un projet pourpensé.* ⇒ **Mûri.** *« Un homme à méchancetés pourpensées d'avance »* (Stendhal).

POURPIER [puʀpje] n. m. — 1538; *pourpié*, 1314; *porpié*, XIIIe; altér. d'une forme *poulpié, polpier* (fin XIe), du lat. pop. *pulli pes* «pied de poulet».

♦ **1.** Plante dicotylédone *(Portulacées)* à feuilles charnues, comestibles dans une espèce. *Salade de pourpier jaune* (→ Fade, cit. 1). *Une variété de pourpier est cultivée pour ses fleurs.*

♦ **2.** *Pourpier sauvage :* le péplis portula *(Lythrariées).* — *Pourpier des mers*, nom donné à une arroche* *(Salsolacées).*

POURPOINT [puʀpwɛ̃] n. m. — 1313; *porpoint*, v. 1200; subst. part. de l'anc. franç. *pourpoindre*, comp. de *pour*, et *poindre* «piquer».

♦ Anciennt. Partie du vêtement d'homme qui couvrait le torse jusqu'au-dessous de la ceinture (⇒ **Justaucorps**). *Petit pourpoint* (→ Nombril, cit. 2). *Pourpoint brodé, à crevés, à taillade... orné de* *rubans* (→ Casaque, cit. 1). *Collet, devant* (cit. 21), *basque* (1. Basque, cit. 2) *d'un pourpoint. Haut de chausses attaché* (cit. 86) *au pourpoint.*

1 Un beau pourpoint bien long et fermé comme il faut,
Qui, pour bien digérer, tienne l'estomac chaud (...)
MOLIÈRE, l'École des maris, I, 1.

2 (...) un pourpoint de drap de Hollande, couvert de larges dentelles d'or et portant des manches bouffantes et brodées le couvrait du cou à la ceinture, habillement assez semblable au corset des femmes (...)
A. DE VIGNY, Cinq-Mars, XXV.

3 Le jeune Théophile Gautier (...) portait son fameux pourpoint rose, un pantalon vert d'eau très pâle et un habit à revers de velours noir.
A. MAUROIS, Olympio, IV, III.

N. B. On parle plus couramment du gilet* (cit. 3) de Gautier.

Allus. littér. « *(...) connaître un pourpoint d'avec un haut de chausse* » (→ Capacité, cit. 6, Molière; et aussi différence, cit. 12, Montaigne).

Loc. fig. (vx). *Se mettre en pourpoint* : se disposer à se battre. *Mettre qqn en pourpoint,* le ruiner.

COMP. **Brûle-pourpoint** (à).

POURPRE [puʀpʀ] n. f. et m., et adj. — Fin XIIe; *porpre,* n. f., XIIe; *purpure* «vêtement», v. 980; *purpre,* adj., 1170; du lat. *purpura,* empr. au grec *porphura.* → Porphyre.

★ **I.** N. f. **A.** ♦ **1.** (1538). Matière colorante d'un rouge vif et soutenu, extraite d'un mollusque (⇒ **Murex, pourprier**) et utilisée par les Phéniciens, les Grecs et les Romains. *La pourpre est un dérivé de l'indigo.*

0.1 Celui-ci *(un navire)* venait de Syrie, chargé d'esclaves, de pourpre en balles et de pépites.
GIDE, le Voyage d'Urien, *in* Romans, Pl., p. 16.

♦ **2.** (XVe; «vêtement», au moyen âge). Didact. (hist.) ou littér. Étoffe teinte de pourpre (chez les Anciens), étoffe ou vêtement d'un rouge vif symbole de richesse ou d'une haute dignité sociale. *La pourpre tyrienne* (→ Agrafe, cit. 1). *Manteau de pourpre. Vêtu de pourpre* (→ 1. Maille, cit. 8). *Lambeaux de pourpre* (→ 1. Bure, cit. 1). *Un lit de pourpre* (→ Étendre, cit. 11). *« Le linceul de pourpre où dorment les dieux* (cit. 18) *morts »* (Renan). — *La tunique des sénateurs romains était bordée d'une bande de pourpre.* ⇒ **Laticlave** (cit. 3).

1 On y voit de tous les côtés le fin lin d'Égypte et la pourpre tyrienne deux fois teinte, d'un éclat merveilleux; cette double teinture est si vive, que le temps ne peut l'effacer (...)
FÉNELON, Télémaque, III.

2 Il se rencontrait pour lui des fêtes magnifiques pompeusement célébrées au coucher du soleil, quand l'astre versait ses couleurs rouges sur les flots comme un manteau de pourpre.
BALZAC, l'Enfant maudit, Pl., t. IX, p. 702.

Par métaphore. Dignité de consul (et de certains magistrats), à Rome.

3 Oh! pourquoi l'Empire n'avait-il pas su mieux assimiler les Barbares? Pourquoi tous ces petits royaumes? Sans doute, Clovis reçut la pourpre consulaire; en fut-il moins roi des Francs?
Valery LARBAUD, Fermina Marquez, XIV.

♦ **3.** [a] Dignité souveraine. ⇒ **Souveraineté.** *La pourpre royale* (→ Lambeau, cit. 9). *La pourpre de César* (→ Arlequin, cit. 4). *Être né dans la pourpre* (porphyrogénète), *être assis dans la pourpre.*

[b] (1647). *La pourpre romaine, cardinalice,* et, absolt, *la pourpre :* la dignité de cardinal* (→ Désinvolte, cit. 3). *Aspirer à la pourpre* (→ Conjungo, cit. 1).

4 — Il n'est pas nécessaire, lui dit-il, de persécuter plus longtemps Urbain VIII en faveur de ce capucin, que vous voyez là-bas; c'est bien assez que Sa Majesté ait daigné le nommer au cardinalat; nous concevons les répugnances de Sa Sainteté à couvrir ce mendiant de la pourpre romaine.
A. DE VIGNY, Cinq-Mars, VII.

♦ **4.** Par métonymie (littér. et rare). Manteau de pourpre. (Au fig.). *« La pensée est la pourpre de l'âme »* (→ Haillon, cit. 7, Hugo).

5 La guerre est une pourpre où le meurtre se drape (...)
HUGO, les Châtiments, VII, II, 1.

B. (V. 1130). Littér. ou techn. (peint.). Couleur rouge vif. ⇒ **Rouge.** *La pourpre de la cornaline* (cit.). *Les pourpres d'un tableau. La pourpre de ses lèvres* (→ Inévitable, cit. 10). *L'or et la pourpre de l'automne* (→ 1. Goutte cit. 24). — (XVIIIe). Rougeur (du visage). *Une pourpre de honte enflammait ses joues* (→ Dédaigneux, cit. 4).

6 L'or des genêts et la pourpre des bruyères frappaient mes yeux d'un luxe qui touchait mon cœur (...)
ROUSSEAU, 3e lettre à Malesherbes.

7 (...) on venait de la saigner de nouveau... Elle regardait en souriant une larme de pourpre sur son bras aussi blanc que du marbre.
A. DE MUSSET, Contes et Nouvelles, « Frédéric et Bernerette », IX.

8 I, pourpres, sang craché, rire des lèvres belles (...)
RIMBAUD, Poésies, XLII.

Couleur de pourpre (→ Brasier, cit. 1; 1. lever, cit. 32; meurtre, cit. 7).

★ **II.** N. m. ♦ **1.** (V. 1360; *purpre,* XIIIe). Cour. Couleur rouge foncé, tirant sur le violet (⇒ aussi **Amarante**). *Des gerbes d'un pourpre vif* (→ 1. Feu, cit. 35). — Littér. *Un pourpre d'orgueil* (→ Inepte, cit. 7). *Le pourpre de la colère.*

(1606). Blason. Couleur rouge, représentée en héraldique par des traits montant en diagonale de gauche à droite. *Le pourpre et le sinople.*

(1765). Techn. *Pourpre de Cassius* ou *pourpre minéral :* pigment rouge, mélange d'or colloïdal et d'acide stannique.

♦ **2.** (1890). Anat. *Pourpre rétinien :* pigment photosensible porté par les bâtonnets de la rétine, association d'une protéine (opsine) et d'un pigment rouge (rétinène). Syn. : *rhodopsine. Décomposé par la lumière blanche, le pourpre rétinien est régénéré à l'obscurité.*

♦ **3.** (V. 1560). Vx. Maladie (petite vérole...) caractérisée par des éruptions rouges. — (1765). Purpura.

♦ **4.** (XVIe; *porpre,* déb. XVe). Zool. Mollusque gastéropode prosobranche *(Monotocardes),* dont la coquille ovoïde porte un siphon très court. (On l'appelle communément *faux bigorneau*). → Coquillage, cit. 1. *Le pourpre sécrète un liquide violacé qui devient pourpre à l'air.*

★ **III.** Adj. (XIIe). De couleur de pourpre. ⇒ **Pourpré, pourprin** (vx). *Velours pourpre* (→ Housse, cit. 1). *Cistes* (1. Ciste, cit.) *pourpres et blancs. Plume jaune et pourpre* (→ Calumet, cit. 3)... *Son visage devint pourpre.* ⇒ **Empourprer** (s'). — Spécialt. *Hêtres pourpres,* à feuillage rouge sombre (→ Parc, cit. 9).

Édouard était pourpre; on eût dit que la joie lui sortait par tous les pores du visage sous les espèces sensibles d'une rosée chaude. 9
G. DUHAMEL, Salavin, III, XIII.

DÉR. **Pourpré, pourprer, pourpreuse, pourprier, pourprin.**

POURPRÉ, ÉE [puʀpʀe] adj. — 1552, Ronsard; *porpré,* XIIe; de *pourpre.*

♦ **1.** Littér. Teinté, coloré de pourpre. ⇒ **Purpurin.** *« Les plis de sa robe pourprée* (de la rose) » → Déclore, cit., Ronsard. *Les baies pourprées de l'épine-vinette* (cit. 2). *Lotus* (cit. 4) *pourpré. Digitale* pourprée. — Le couchant pourpré.*

Serait-ce le roi de Thulé des ballades allemandes, qui jette aux flots sa coupe d'or ruisselante d'un vin pourpré? 1
NERVAL, Notes de voyage, Tour dans le Nord, III.

Avec un juste sentiment de sa gloire, elle contemplait l'image de sa forme dans la lumière vermeille qui avivait les roses pâles ou pourprées des joues, des lèvres et des seins. 2
FRANCE, le Lys rouge, XXVII.

(...) certains buissons pourprés rutilaient à travers l'averse (...) GIDE, Isabelle, V. 3

♦ **2.** (1673). Vx. *Fièvre pourprée.* ⇒ **Pourpre** (II., 3.), **urticaire** (on a dit *pourpreuse,* adj. fém.).

POURPRER [puʀpʀe] v. tr. — Déb. XVe; de *pourpre.*

♦ Vx. Colorer en pourpre.

▶ **SE POURPRER** v. pron. (Mil. XXe).
Se colorer de pourpre. ⇒ **Empourprer** (s').

POURPREUSE [puʀpʀøz] adj. f. — 1765, *Encyclopédie;* de *pourpre,* et suff. *-eux.*

♦ Vx. *Fièvre pourpreuse.* ⇒ **Pourpré** (2.).

POURPRIER [puʀpʀije] n. m. — 1752, Trévoux; de *pourpre.*

♦ Zool. Coquillage qui fournissait la pourpre (I., 1.). ⇒ **Murex.**

POURPRIN, INE [puʀpʀɛ̃, in] adj. et n. m. — XIIIe; *porprin,* adj., v. 1119; de *pourpre.*

♦ **1.** Adj. Vx. Pourpré, purpurin. ⇒ **Pourpre,** III. (mod.).

♦ **2.** N. m. (1690; «étoffe de pourpre», fin XIIe). *Le pourprin d'une fleur,* couleur pourpre.

POURPRIS [puʀpʀi] n. m. — V. 1240; *porpris,* v. 1155; p. p. subst. de l'anc. franç. *pourprendre* «investir, occuper» (1080), comp. de *prendre.*

Vieux.

♦ **1.** Enclos, enceinte (encore par archaïsme au XIXe s. : Chateaubriand, *Mémoires d'outre-tombe,* t. VI, p. 2; Balzac, *Maître Cornélius,* Pl., t. IX, p. 922).

♦ **2.** (1685). Demeure, habitation.

(Fin XVIe). Poét. et vx. *Le céleste pourpris :* le ciel.

POURQUOI [puʀkwa] adv., conj. et n. m. — Fin XIIe; *purquei,* 1080; *porqueit,* v. 1050; de *pour,* et *quoi.*

★ **I.** Adv. et conj. ♦ **1.** (Interrogatif direct). Pour quelle cause; pour quelle raison, dans quelle intention? ⇒ aussi **Venir** (d'où vient que...?); **interrogation** (→ Interroger, cit. 9); **parce que.**

S'il y a un terme ambigu, c'est *pourquoi,* qui questionne à la fois sur le but et sur la cause. Le français manque d'un interrogatif proprement causal (...) Aussi arrive-t-il qu'à la question *pourquoi* on réponde par une double subordonnée, l'une causale, l'autre finale : « *pourquoi* voulez-vous me revoir; *parce que* vous m'intéressez, et *pour que* nous causions tranquillement » (Romains, Six oct. IX, 92). 1
G. et R. LE BIDOIS, Syntaxe du franç. moderne, § 1460.

« Pourquoi dites-vous cela? — Parce que c'est mon opinion » (cit. 6). *Pourquoi me chasses-tu?* (→ Aimer, cit. 65). *Pourquoi me mettrais-je à geindre?* (1. Geindre, cit. 7). *Pourquoi faut-il que...?* (→ Autre, cit. 64) — *Pourquoi veux-tu donc que...?* (→ Meurtrissure, cit. 2). *Pourquoi donc n'y venez-vous pas?* (→ Monde, cit. 18; et aussi libéral, cit. 5). *Pourquoi diable est-il parti?*

2 Pourquoi me tuez-vous? — Eh quoi! ne demeurez-vous pas de l'autre côté de l'eau? PASCAL, Pensées, v, 293.

3 Pourquoi existons-nous? pourquoi y a-t-il quelque chose? VOLTAIRE, Dict. philosophique, Les pourquoi.

4 Pourquoi mon cœur bat-il si vite? (...)
(...) Pourquoi ma lampe à demi morte
M'éblouit-elle de clarté? A. DE MUSSET, Poésies nouvelles, « Nuit de mai ».

5 Pourquoi donc étiez-vous, comme eût été Dieu même,
Si terrible et si grand? HUGO, Ruy Blas, III, 3.

6 Pourquoi, pourquoi avez-vous tiré un corps à terre? Là encore, je n'ai pas su répondre. Le juge a passé ses mains sur son front et a répété sa question d'une voix un peu altérée : « Pourquoi? Il faut que vous me le disiez. Pourquoi? » Je me taisais toujours. CAMUS, l'Étranger, II, I.

Fam. *Pourquoi est-ce que...? Pourquoi est-ce qu'il ne vient pas :* pourquoi ne vient-il pas?

7 Pourquoi est-ce que vous saluez cette Cambremer (...)? PROUST, Du côté de chez Swann, Pl., t. I, p. 341.

Pop. (et incorrect). *Pourquoi que...*, sans inversion. *Pourquoi qu'il est parti? Pourquoi que t'es* (tu n'es) *pas venu?*

8 Pourquoi donc que tu n'es pas venue dire adieu à mon bon ami? *(dit un enfant).* BALZAC, la Femme de trente ans, Pl., t. II, p. 780.

9 — Et pourquoi que je me retirerais, monsieur? *(dit un garde forestier).* PROUST, le Côté de Guermantes, Pl., t. II, p. 309.

Fam. (Sans inversion, mais sans *que*...) :

9.1 Il *(l'enfant)* vit que les yeux de cette femme, sa mère, brillaient... — Pourquoi tu pleures? — Ça peut arriver comme ça, pour rien. M. DURAS, Moderato cantabile, p. 122.

(Suivi de l'infinitif). À quoi bon*? *Pourquoi l'assassiner?* (cit. 2). *Pourquoi donc me donner de semblables conseils?* (→ Demander, cit. 48). *Pourquoi venir auprès de moi?* (cit. 32). → aussi Existence, cit. 16; matériellement, cit. 4; mentir, cit. 14; peindre, cit. 2.

10 Mais pourquoi m'entraîner vers ces scènes passées? LAMARTINE, Harmonies..., IV, XLV.

11 Pourquoi les avoir abandonnés, la paix conclue? FLAUBERT, Salammbô, I.

(Le verbe « interrogatif » ayant été exprimé dans le contexte précédent). *Pourquoi y êtes-vous allé? Pourquoi j'y suis allé? Pour me faire plaisir.*

12 Pourquoi j'en parlais? Pour éclairer cette idée de témoignage. J. ROMAINS, les Hommes de bonne volonté, t. II, XV, p. 175.

(Le verbe étant sous-entendu; style soutenu ou littér.). *Ô Dieu juste, pourquoi la mort?* (→ Bon, cit. 100). *Pourquoi tant d'existences* (cit. 33), *puisqu'elles se ressemblent toutes? Pourquoi cette narration* (cit. 5), *cette phrase?* (→ Mourir, cit. 19). — (Avec un adj.). *Pourquoi si craintive...?* (→ Hardiment, cit. 2).

13 Pourquoi ces choses et non pas d'autres? BEAUMARCHAIS, le Mariage de Figaro, V, 3.

14 Qu'est-ce que c'est que de rencontrer une femme, de la regarder, de lui dire un mot et de ne plus jamais l'oublier? Pourquoi celle-là plutôt qu'une autre? Invoquez la raison, l'habitude, les sens, la tête, le cœur et expliquez, si vous pouvez. A. DE MUSSET, la Confession d'un enfant du siècle, III, VI.

Absolt. *Pourquoi?* (→ Clef, cit. 11; démodé, cit. 4; gracieux, cit. 7; injuste, cit. 8). *« Ce serait mal* (1. Mal, cit. 5) *— Mal, pourquoi? »* (Balzac). *Et pourquoi?* (→ Imposteur, cit. 1). *Et pourquoi donc?* (→ Improbable, cit. 5). *Mais pourquoi?* (→ Larme, cit. 1). — *Pourquoi non?* (→ Large, cit. 18). Plus cour. : *Pourquoi pas*?* (→ Nom, cit. 33).

15 Êtes-vous satisfait? — Moi, dit-il, pourquoi non? LA FONTAINE, Fables, I, 7.

16 Ah! si tu pouvais passer l'eau!
Pourquoi pas? Attends-moi. FLORIAN, Fables, IV, 13.

17 — Anne, fis-je, allons chez moi. Elle haussa les épaules : — Oh non. — Pourquoi? Nous sommes libres. G. DUHAMEL, la Pierre d'Horeb, XVII.

♦ **2.** (Interrogatif indirect). Pour quelle cause*, quelle raison*, quel motif*; dans quelle intention. *Je ne comprenais pas pourquoi je devais me taire,* en vertu, en raison de quoi..., à cause de quoi... (→ 2. Mercuriale, cit. 2). *Savoir pourquoi...* (→ Jour, cit. 3; persécuter, cit. 4). *Sans que je sache pourquoi je suis placé plutôt en ce lieu qu'en un autre* (→ Étendue, cit. 7). *Demander pourquoi...* (→ Dérober, cit. 15; homme, cit. 72; jeu, cit. 28). *Nous avons peine à dire pourquoi c'est* (→ Caprice, cit. 3).

18 (...) Philippe ne pouvait souffrir de faire les choses quand il n'aurait su dire pourquoi il les faisait (...) A. HERMANT, l'Aube ardente, XI.

(*Pourquoi,* en fin de phrase). *On ne sait trop pourquoi* (→ Oursin, cit.); *sans savoir pourquoi* (→ Faner, cit. 2; marionnette, cit. 4). *Sans demander pourquoi* (→ Mornifle, cit. 2). — Loc. (1678). Vx. *Demandez-moi pourquoi :* j'ignore pour quelle raison. — *Dire pourquoi* (→ Attitude, cit. 23; nettement, cit. 5). *Il expliqua pourquoi* (→ Incident, cit. 15).

19 Le pire était qu'au milieu de ses sanglots, elle lui répondait qu'elle n'avait rien contre lui, qu'elle pleurait sans pouvoir s'arrêter, en ne sachant même pas pourquoi. ZOLA, la Terre, IV, VI.

Loc. fam. *Vous ferez cela ou vous direz pourquoi,* formule de commandement ou de menace. — Fam. *Il faut que ça marche, que ça casse,* (1881) *que ça pète ou que ça dise pourquoi :* il faut absolument que...

Quant aux chevaux, je les surmène tellement, qu'il faut qu'ils crèvent ou qu'ils disent pourquoi. TH. GAUTIER, Mlle de Maupin, V. 20

Ce pourquoi s'écrit parfois au lieu de « ce pour quoi » (→ Annoncer, cit. 8; néant, cit. 19).

♦ **3.** (V. 1155). Vx. (En fonction de pronom relatif). Pour lequel, pour laquelle... (En parlant des choses). *La raison pourquoi...* (→ Canaille, cit. 6; cf. aussi La Bruyère, V, 19; Mme de Sévigné, 1318, 10 avr. 1691. — Mod. *Voilà, voici pourquoi telle chose a eu lieu.*

C'est une des raisons pourquoi j'ai eu quelquefois du plaisir à la guerre. MONTHERLANT, les Olympiques, p. 111. 21

REM. La reprise de *pourquoi* par *que,* dans une coordonnée, n'était pas rare au XVIIe s. (cf. Molière, Bossuet, *in* Littré). On rencontre encore cette construction dans la langue moderne.

Et voilà pourquoi peut-être, avant de partager avec lui ce souper amer et suprême, elles pensèrent à lui offrir le leur et qu'elles en firent un chef-d'œuvre. BARBEY D'AUREVILLY, les Diaboliques, « Le plus bel amour », p. 91. 22

C'est pourquoi... : c'est pour cela, pour cette raison que... ⇒ **Aussi; conséquence** (→ Arrière-neveu, cit. 4; 1. aube, cit. 10; longuement, cit. 1). — *C'est pourquoi... et pourquoi...* (ou... *et que...;* cf. Pascal, *in* Littré).

Rare. *C'est pourquoi...*, suivi d'un impératif.

C'est pourquoi, leur dit l'hirondelle, 23
Mangez ce grain (...) LA FONTAINE, Fables, I, 8.

C'est pourquoi, mon fils, convoquez les Anciens d'Alca, et d'accord avec eux nous établirons l'impôt. FRANCE, l'Île des pingouins, II, IV. 24

★ **II.** N. m. invar. ♦ **1.** (V. 1175). Cause, motif, raison. *Demander le pourquoi d'une chose. Le pourquoi et le comment** (cit. 18).

Nous ne saurions découvrir ni la première cause, ni le vrai motif d'aucun être : le pourquoi de l'univers reste inaccessible à l'intelligence individuelle. É. DE SENANCOUR, Oberman, LXIII. 25

Depuis quelques mois, il contredisait pour contredire, sans raison, sans justifier ses opinions : il demandait le pourquoi de toute chose (...) BALZAC, le Lys dans la vallée, Pl., t. VIII, p. 919. 26

La nature de notre esprit nous porte à chercher l'essence ou le *pourquoi* des choses. En cela nous visons plus loin que le but qu'il nous est donné d'atteindre (...) Cl. BERNARD, Introd. à l'étude de la médecine expérimentale, II, I. 27

♦ **2.** (1764). Question par laquelle on demande la cause, la raison d'une chose. *Les pourquoi des enfants. Le « pourquoi? » et le « comment? »* (cit. 19). *Les pourquoi et les parce que. Les Pourquoi,* article du *Dictionnaire philosophique* de Voltaire.

(...) quand je lui adressai enfin tous ces pourquoi insatiables de l'amour (...) elle ne me répondit jamais que par de longues étreintes. BARBEY D'AUREVILLY, les Diaboliques, « Le rideau cramoisi », p. 65. 28

(...) la science s'élève, par une suite de *pourquoi* sans cesse résolus et sans cesse renaissants, jusqu'aux notions générales qui représentent l'explication commune d'un nombre immense de phénomènes. M. BERTHELOT, la Science idéale et la Science positive, *in* RENAN, Œ. compl., t. I, p. 652. 29

POURRE [puʀ] n. m. ⇒ **Pour,** VI., 2. (argot)

POURRI, IE [puʀi] adj. et n. ⇒ **Pourrir.**

POURRIDIÉ [puʀidje] n. m. — 1874; de *pourrir.*

♦ Agric. Maladie cryptogamique des racines de certaines plantes (châtaignier, pêcher, vigne...); champignon qui en est la cause.

POURRIR [puʀiʀ] v. — V. 1265; *porrir,* v. 1155; *purir,* v. 1050; du lat. pop **putrire* (lat. class. *putrescere*).

★ **I.** V. intr. ♦ **1.** (Le sujet désigne une matière organique). S'altérer profondément, se décomposer*. — REM. *Pourrir, se décomposer* et *se putréfier* sont synonymes, mais le premier est du langage courant (à la différence de *putréfier*), et emporte l'idée d'une apparence répugnante, surtout lorsqu'il s'agit de substances animales. ⇒ **Altérer** (s'), **corrompre** (se), **décomposer** (se), **putréfier** (se); **pourriture, putréfaction** (tomber en). — *Bois* (cit. 25) *qui pourrit plus ou moins vite. Feuilles qui pourrissent à terre. Confitures, conserves qui moisissent* avant de pourrir.* ⇒ **Chancir.** *Pourrir dans l'eau, à l'humidité* (⇒ **Croupir**). — *Cadavre qui pourrit* (→ Carcasse, cit. 2). — Loc. *Pourrir dans la terre :* être mort (→ Graine, cit. 11).

Pourrir sous du marbre, pourrir sous de la terre, c'est toujours pourrir. DIDEROT, le Neveu de Rameau, Pl., p. 441. 1

Quelques fruits étaient tombés sous les arbres et pourrissaient sans qu'on les récoltât. BALZAC, Adieu, Pl., t. IX, p. 756. 2

Par métaphore. Se décomposer, s'altérer, se gâter (→ Charnier, cit. 4). *Les bons mûrissent* (cit. 12), *les mauvais pourrissent.*

Hélas! Sainte-Beuve a raison d'écrire qu'on durcit à certaines places, qu'on pourrit à d'autres, mais qu'on ne mûrit pas. F. MAURIAC, le Jeune Homme, I. 3

♦ **2.** (Fin XIVe). Fig. (Personnes). Demeurer, rester dans une situation où l'on se dégrade, sans faire de progrès. *Pourrir dans l'ignorance*

(⇒ **Croupir**), *dans le vice, dans la misère, dans l'ordure...* Spécialt. *Pourrir en prison.*

Vx. (En parlant d'une œuvre, d'un livre). Rester inconnu. ⇒ **Moisir.** Par métonymie. « *Un auteur ne peut-il pourrir en sûreté !* » (Boileau, *Satires*, IX).

4 Je crains fort que nos écrits de précision de l'Académie des inscriptions et belles-lettres, destinés à donner quelque exactitude à l'histoire, ne pourrissent avant d'avoir été lus. RENAN, Souvenirs d'enfance..., IV, Œ. compl., t. II, p. 852.

♦ **3.** Se dégrader (en parlant d'une situation). *Laisser pourrir la situation en n'agissant pas* (→ ci-dessous II., 3. : *se pourrir*). *Laisser pourrir une grève.*

★ **II.** V. tr. ♦ **1.** (V. 1050). Attaquer*, corrompre en faisant pourrir. ⇒ **Corrompre, gâter.** *L'humidité, l'eau, la pluie pourrit les végétaux, le bois...* (→ Abandonner, cit. 18; fil, cit. 28; orme, cit. 2). *Les pluies pourrissaient les semences.* ⇒ **Avarier** (→ Hacher, cit. 11). *La chaleur pourrit la viande.*

5 Le fruit pourri ne pourrit pas l'arbre. Il tombe. R. ROLLAND, Jean-Christophe, Dans la maison, I, p. 986.

Pron. *Se pourrir* : devenir pourri. *Pommes qui se pourrissent à l'humidité.*

6 (...) les fœtus du pharmacien, comme des paquets d'amadou blanc, se pourrissent de plus en plus dans leur alcool bourbeux (...) FLAUBERT, Mme Bovary, II, I.

♦ **2.** Fig. et vieilli. Rendre malsain. « *Le temps barbouillé pourrissait les rues basses de Montmartre* » (→ 1. Mou, cit. 7, M. Aymé). Spécialt. ⇒ **Infecter, ronger.** *La gangrène a pourri son pied, sa jambe.* — Contaminer par une maladie vénérienne. ⇒ **Plomber.**

7 (...) cette Marie-ruisseau, un danger pour les familles. Qui sait combien elle en avait pourri des jeunes gens ? ARAGON, les Beaux Quartiers, I, XXII.

♦ **3.** (XIIIe). Le compl. désigne une chose abstraite. Corrompre, gâter. ⇒ **Pervertir.** *Pourrir les mœurs... Ce qui pourrit.* ⇒ **Gangrène** (fig.).

8 — C'est injuste qu'une minute suffise à pourrir toute une vie. — Il faut beaucoup plus d'une minute. Crois-tu qu'un moment de faiblesse puisse pourrir cette heure où tu as décidé de tout quitter pour venir avec nous ? SARTRE, Morts sans sépulture, I, 4.

Pron. *Se pourrir* : se dégrader, empirer lentement, devenir inextricable, en parlant d'une situation litigieuse ou dangereuse. *La situation se pourrit et l'on ne voit aucune issue.* ⇒ **Pourrissement.** → cidessus I., 3.

♦ **4.** (Compl. n. de personne; abstrait). **a** (1878, Académie). Gâter extrêmement (un enfant) jusqu'à (le) corrompre. ⇒ **Gâter.** *Sa mère finira par le pourrir.*

b Corrompre (qqn) par de mauvaises influences.

9 Tu as pour ami un homme politique comme on n'en fait plus, qui veut à toute force rester pauvre, et ton rêve à toi, c'est de lui faire épouser une femme qui a trois cent mille francs de revenus, ou du moins qui le raconte ? Tu veux le pourrir ? J. ROMAINS, les Hommes de bonne volonté, t. X, IV, p. 36.

▶ **POURRI, IE** p. p. adj. et n. m. (XIIe).

A. Adj. ♦ **1.** Corrompu ou altéré par la décomposition. *Arbre* (→ Grouillant, cit. 1), *bois* (→ 1. Foudre, cit. 7), *tronc pourri* (→ Hanter, cit. 4). *Souche pourrie jusqu'au cœur* (cit. 20). *Partie pourrie dans un bois de construction* (⇒ **Malandre**). *Appuyer* un échafaudage sur un étai pourri.* — Loc. *Planche** (*supra* cit. 10) *pourrie.* — *Qui vit sur des matières pourries.* ⇒ **Sapro-** (saprophyte, etc.). *Feuilles à moitié pourries* (→ Étiolé, cit. 1; nervure, cit. 1) — *Fruits* pourris* (→ Couteau, cit. 2, et aussi envie, cit. 36). *Lancer des pommes* pourries sur un mauvais acteur.* — (En parlant des aliments, souvent par exagération). Altéré, avarié, gâté* et impropre à la consommation. *Pâtés pourris, viandes pourries.* ⇒ **Corrompu** (→ Fourmiller, cit. 2; gueule, cit. 4). — Loc. *Engueuler qqn comme du poisson** (cit. 13) *pourri.* — *Odeur d'œufs pourris.* ⇒ **Nidoreux.** — Décomposé. *Cadavres pourris, demi* (cit. 14)*-pourris* (→ Flot, cit. 4).

(XIIIe). Personnes; parties du corps. Qui est attaqué, rongé* par une lésion maligne, une maladie honteuse... *Pourri d'ulcères, de chancres. Pourri de vérole* (→ Coureur, cit. 9). — Par métaphore. *C'est un membre pourri qu'il faut retrancher* (→ ci-dessous, sens 5).

♦ **2.** (1864). Par anal. (En parlant de matières qui se désagrègent, s'altèrent et dont l'aspect évoque la pourriture). Désagrégé. *Roche, pierre pourrie* (humide et effritée). *Glace, neige, pourrie*, à demi fondue. — *Corail* pourri* (ou *mort*). — *Ce câble est complètement pourri.*

Vx. Amolli par l'excès de cuisson.

10 Vous me faites manquer mon dîner quand il faut qu'il soit bon. Maintenant tout est pourri de cuire. BALZAC, le Médecin de campagne, Pl., t. VIII, p. 430.

♦ **3.** POT-POURRI. (Voir à l'ordre alphabétique).

♦ **4.** (1747, Piron *in* D. D. L.). Humide et mou (en parlant du temps). *Temps pourri* (→ 1. Barbe, cit. 30, Voltaire). *Climat pourri.* ⇒ **Malsain.** *Un été pourri*, très pluvieux.

11 L'hiver alors touchait à sa fin, un hiver pourri, comme on dit aux champs, humide et tiède. MAUPASSANT, Une vie, X.

♦ **5.** (V. 1188). Fig. (Personnes). Qui est moralement corrompu, dégradé. Vx. *Un cœur pourri* : un homme corrompu, vil. — Mod. *Un homme pourri de vices* : rempli de vices. — *Une littérature pourrie et faisandée*. Une société pourrie, des mœurs pourries. Régime pourri.*

Si dans cette époque pourrie nous nous donnons le luxe d'être compréhensifs et indulgents, nous sommes fichus. J. ROMAINS, Une femme singulière, I. 12

Incapable de supporter cette dure vérité : « Je suis un enfant faible et veule, lâche devant mes passions », il a voulu se voir comme un produit typique d'une société tout entière pourrie. SARTRE, Situations III, p. 59. 13

Allus. littér. « *Il y a quelque chose de pourri dans le royaume de Danemark* » (Shakespeare, *Hamlet*, I, 4).

Hist. *Bourg* pourri.*

♦ **6.** Fam. Très mauvais, insupportable. ⇒ **Dégueulasse, infect.** *J'en ai marre, de cette boîte pourrie !, de ce bled pourri !* — En très mauvais état.

Une vieille Jaguar verte, complètement pourrie, mais qui tiendrait bien quelques centaines de kilomètres encore. J.-P. MANCHETTE, Nada, p. 55. 13.1

N. m. (Personnes). Terme d'injure (évoquant la corruption morale). *Pourri, vendu ! Bande de pourris !*

Tous dans le même sac, je vous dis. Et la pierre au cou. Des pourris. ARAGON, les Beaux Quartiers, I, XIV. 14

♦ **7.** Fam. POURRI DE... : rempli de..., qui a beaucoup* de... (Par anal. avec l'expression, *pourri de vices*). *Il est pourri de fric.* ⇒ **Plein.** — REM. L'expression a souvent une valeur péjorative. — (Avec une valeur méliorative). *Il est pourri d'idées, de talent.*

C'est pourri de chic, disait la Faloise, en examinant la tente de pourpre, tenue sur des lances dorées. ZOLA, Nana, XII. 15

Cette mystique païenne était rongée de politique (...) cet homme d'un génie unique était ravagé d'au moins un double politicien (...) Ce génie était pourri de talent(s). Ch. PÉGUY, Victor-Marie, comte Hugo, p. 121. 16

La région est pourrie d'ennemis, de rebelles, d'espions...

B. N. m. (1538). Ce qui est pourri. *Sentir le pourri. Une odeur de pourri* (⇒ **Putride**).

DÉR. Pourridié, pourrissable, pourrissage, pourrissant, pourrissement, pourrissoir, pourriture.

POURRISSABLE [puʀisabl] adj. — XVe; de *pourrir.*

♦ Rare. ⇒ **Putrescible.**

POURRISSAGE [puʀisaʒ] n. m. — 1803; « fermentation de l'indigo », 1793; d'un sens vx de *pourrir* « faire macérer des chiffons » (Richelet, 1680).

Technique.

♦ **1.** Opération qui consistait à faire macérer des chiffons dans l'eau, avant de les triturer pour en faire de la pâte à papier.

♦ **2.** (1877). Traitement de l'argile à céramique par exposition aux agents atmosphériques, à l'humidité (pour rendre la pâte plus homogène).

POURRISSANT, ANTE [puʀisɑ̃, ɑ̃t] adj. — XIIIe; *purrissant*, fin XIIe; de *pourrir.*

♦ **1.** Qui est en train de pourrir (→ Maccabée, cit. 1). *L'Enchanteur pourrissant*, œuvre d'Apollinaire.

Vers la mer, où les anses encor se mirent,
Les haches et les marteaux voraces
Dépècent les carcasses,
Pourrissantes, de vieux navires.
VERHAEREN, les Campagnes hallucinées, « Les plaines ».

♦ **2.** (Du temps). Qui devient humide, malsain.

♦ **3.** (Mil. XVIe; de *pourrir*, v. tr.). Qui fait pourrir. ⇒ **Pourrisseur.** « *La Mort pourrissante* » (Goncourt).

POURRISSEMENT [puʀismɑ̃] n. m. — 1459; *porrissement*, XIVe; repris XXe (1953); de *pourrir.*

♦ **1.** État de ce qui est en train de pourrir. *Le pourrissement d'un fruit, d'un légume.* ⇒ **Décomposition, putréfaction.**

♦ **2.** Dégradation progressive (d'une situation). *Pourrissement d'un conflit, qui devient interminable, sans qu'on puisse apercevoir une issue.* ⇒ **Dégradation.**

Telles ont été les fatalités de notre politique, dont le fruit, dans l'immédiat, est l'immobilité et le « pourrissement ». Il appartiendra à notre génération d'introduire dans le dictionnaire de l'Académie ce néologisme : *pourrissement.* F. MAURIAC, Bloc-notes 1952-1957, p. 56.

POURRISSEUR, EUSE [puʀisœʀ, øz] adj. — 1794, Babeuf *in* D. D. L.; de *pourrir.*

♦ Rare. Qui pourrit (qqch., qqn, au fig.). ⇒ **Pourrissant** (3.). « *C'est à la gauche " pourrie et pourrisseuse " que certains à droite contestent le droit de gouverner* » (*le Nouvel Obs.*, 15 mai 1982, p.40).

POURRISSOIR [puʀiswaʀ] n. m. — Fin XVIIe, Saint-Simon; de *pourrir.*

♦ **1.** Littér. Lieu où quelque chose pourrit. — Fosse commune.

1 Ce mur bas, clôture du pourrissoir mortuaire de la geôle, ne dépassait guère la stature d'un homme. HUGO, l'Homme qui rit, II, IV, V.

2 (...) des marais, des pourrissoirs grouillants de toutes les vermines, voilà le pays d'en bas. M. AYMÉ, la Vouivre, p. 86.

♦ **2.** (1723). Techn. Local où se faisait le pourrissage des chiffons.

POURRITURE [puʀityʀ] n. f. — V. 1380; *purreture,* v. 1120; *porriture,* XIIIe; de *pourrir.*

♦ **1.** Altération profonde, décomposition des tissus organiques (⇒ **Putréfaction**); état de ce qui est pourri (⇒ **Corruption, décomposition**). *Pourriture d'un fruit, du bois, des feuilles... Odeur de pourriture,* de matières organiques en décomposition (→ Croupir, cit. 8). — *La chair des malades tombait en pourriture* (→ Peste, cit. 2). *« La corruption et les vers, la cendre et la pourriture (...) »* (→ Néant, cit. 6, Bossuet).

1 C'était une église (...) qui tombait en ruines (...) les eaux de pluie filtraient au travers des ardoises cassées de la toiture, on voyait de grandes taches indiquant la pourriture avancée du bois (...) ZOLA, la Terre, I, IV.

2 Une violente odeur de pourriture marine venait par bouffées du lac (...) G. DUHAMEL, Salavin, VI, XII.

2.1 (...) en bas, une odeur violente, immonde, le heurta, une de ces odeurs de pourriture dont le souvenir, par la suite, vous obsède. Oh! cette odeur, il en eut le cœur qui chavira (...) M. LEBLANC, l'Aiguille creuse, p. 76.

♦ **2.** (V. 1190). Par ext. *(Une, des pourritures).* Ce qui est complètement pourri. — Spécialt. ⇒ **Charogne.**

3 De féroces oiseaux perchés sur leur pâture
Détruisaient avec rage un pendu déjà mûr,
Chacun plantant, comme un outil, son bec impur
Dans tous les coins saignants de cette pourriture (...)
BAUDELAIRE, les Fleurs du mal, CXVI.

♦ **3.** Par ext. (Avec un compl. de n.). Se dit de maladies qui attaquent et détruisent les tissus. — (1812). Vx. *Pourriture d'hôpital :* maladie infectieuse qui provoque des foyers de ramollissement gangréneux sur les plaies (→ Érysipèle, cit. 2). — Art vétér. *Pourriture des bêtes à cornes.*

(1798). Agric. Se dit de diverses maladies cryptogamiques ou bactériennes. *Pourriture molle de la carotte. Pourriture grise de la vigne,* due à des moisissures, et qui, pour certains vins blancs (sauternes, saumur...), hâte la concentration des sucres (on parle alors de *pourriture noble*).

4 Il paraît que les vignerons du Bordelais parlent, pour le raisin, de la pourriture noble. À mon avis, le mot est faible. Pourriture sacrée me conviendrait mieux. G. DUHAMEL, Chronique des Pasquier, VII, III.

♦ **4.** (1789). Abstrait. État de grande corruption morale. ⇒ **Carie, gangrène** (fig.); **corruption.** *Société qui s'enfonce* (cit. 28) *dans la pourriture. — Pourriture cérébrale* (→ Flatter, cit. 27).

5 Les vieillards, dans les capitales, sont plus corrompus que les jeunes gens. C'est là que la pourriture vient à la suite de la maturité. CHAMFORT, Caractères et Anecdotes, « Corruption des vieillards ».

♦ **5.** *(Une, des pourritures).* Personne corrompue.

6 (...) cette aimable petite pourriture ambrée, le marquis de Gourdes, que nous appelons le *dernier des marquis,* un de ces êtres qui plaisanteraient derrière un cercueil et même dedans. BARBEY D'AUREVILLY, les Diaboliques, « Le dessous de cartes... ».

(1869). Pop. et trivial. Terme d'injure. *Salope, pourriture!...* ⇒ **Pourri, ordure.**

POUR-SOI [puʀswa] n. m. — 1907, Hamelin, écrit *pour soi* (→ Soi, cit. 16), répandu par Sartre, *l'Être et le Néant,* 1943; cf. all. *für sich;* de *pour,* et *soi,* employés en philos. avec cette valeur : *« exister pour soi », « pour soi-même »,* Maine de Biran. → Soi, cit. 15.

♦ Philos. Mode d'être de la conscience*, des existants conscients.

(1943, Sartre). Par ext. L'être conscient, en tant que conscient.

POURSUITE [puʀsɥit] n. f. — 1283, en dr.; *poursieute,* 1247; au sens I, 1, v. 1360, Froissart; dér. de *poursuivre,* d'après *suite.*

★ **I.** Action de poursuivre. ♦ **1.** Action de suivre (une personne, un animal) pour le rattraper, l'atteindre, s'en saisir. ⇒ **Chasse, pourchas** (vx.). *La poursuite des voleurs par les gendarmes, des gangsters par la police. La poursuite d'un fuyard.* — À LA POURSUITE DE... *Armée à la poursuite de soldats qui se replient. Être, se mettre, se lancer, se jeter à la poursuite de qqn* (⇒ **Poursuivant**). *La police est à la poursuite des malfaiteurs.* — (Sans compl.). *Scènes de poursuites d'un film. Jeux de poursuite :* jeux d'enfants dans lesquels on court les uns après les autres (chat, gendarmes et voleurs, etc.). — (Fin XIVe). Anciennt. *Droit de poursuite :* droit du seigneur de reprendre un serf fugitif dans une autre seigneurie. — *Poursuite des chevaux que l'on veut prendre au lasso* (cit. 2). — Par ext. *Poursuite d'un véhicule par un autre.* — REM. Le tour *poursuite de...* est amphibologique; le complément désigne normalement le poursuivi *(poursuite de... par...),* mais, sans compl. en *par,* peut désigner le poursuivant *(les poursuites de la police ont abouti à la capture des malfaiteurs; échapper à la poursuite, aux poursuites de qqn).*

Les soldats commencèrent la fouille des maisons d'alentour et la poursuite des fuyards. HUGO, les Misérables, V, I, XXIII. 1

Vous avez le naturel de ces chasseurs qui du gibier n'aiment que la poursuite et, la pièce tuée, ne la ramassent même point. Th. GAUTIER, le Capitaine Fracasse, VIII. 2

Le premier mouvement de la patronne fut de courir après Angèle et de la frapper, mais, outre que la lenteur de ses jambes ne lui eût pas permis une poursuite dans l'escalier (...) elle réfléchit qu'il valait mieux ne pas rendre publique cette petite querelle de famille. J. GREEN, Léviathan, I, VIII. 3

Psychol. Le fait de suivre un mobile en faisant coïncider un repère manœuvrable. *Test de poursuite. Tâche de poursuite* (à effectuer dans ce test).

(V. 1970). Techn. Technique permettant de suivre un engin, un satellite, etc., pendant son déplacement; détermination des positions d'un mobile. — *Radar de poursuite,* dont l'antenne s'oriente automatiquement en direction d'un obstacle.

(Déb. XXe). *Poursuite* ou *course poursuite :* épreuve de cyclisme sur piste fermée où deux concurrents partent de deux points diamétralement opposés et tentent de se rattraper. *Championnats de poursuite.* ⇒ **Poursuiteur.**

(1875, Larousse). Jeu de billes où chaque joueur lance sa bille sur celle de l'adversaire, alternativement.

♦ **2.** (XIVe). Au plur. Démarches pressantes auprès de qqn. — (Mil. XVe). Vx. Assiduités amoureuses auprès d'une personne qui s'y dérobe ⇒ **Pourchas.** (→ Attrait, cit. 13). *Les poursuites d'un galant* (→ Galanterie). *Être lasse des poursuites de quelqu'un.*

(...) il faut (...) cesser toutes vos poursuites auprès d'une personne que je prétends pour moi (...) MOLIÈRE, l'Avare, IV, 3. 4

Ce n'était guère que son confesseur, le bon curé Chélan, qui lui avait parlé de l'amour, à propos des poursuites de M. Valenod, et il lui en avait fait une image si dégoûtante que ce mot ne lui représentait que l'idée du libertinage le plus abject. STENDHAL, le Rouge et le Noir, I, VII. 5

♦ **3.** (Déb. XIVe). Effort pour atteindre (une chose qui semble fuir, qui paraît inaccessible). ⇒ **Recherche.** *La poursuite de l'argent* (→ Gouffre, cit. 22), *de l'idéal* (→ Mieux, cit. 36), *de la vérité* (→ Égotisme, cit. 4), *d'un rêve* (→ Infidélité, cit. 13), *d'une chimère... Poursuite d'une fin* (→ Erroné, cit. 2); *d'un but** *(supra* cit. 20). *Le jeu* (cit. 2), *libre poursuite de buts fictifs.*

(...) je vous remercie d'avoir imprimé en moi comme une seconde nature ce principe (...) que le but d'une vie noble doit être une poursuite idéale et désintéressée. RENAN, Souvenirs d'enfance..., III, Œ. compl., t. II, p. 790. 6

♦ **4.** (Premier emploi attesté). Dr. (procéd. pén.). Acte juridique dirigé contre qqn qui a enfreint une loi, n'a pas respecté une obligation. ⇒ **Procès.** *La poursuite et la condamnation se font au nom de l'État* (→ 3. Droit, cit. 68). *Poursuite judiciaire pour outrage* (cit. 7) *aux bonnes mœurs. Poursuites contre qqn, contre son mari* (→ Mettre, cit. 54), *contre un journal...* ⇒ **Accusation.** *Engager, entamer des poursuites. Cessation des poursuites. Décision judiciaire arrêtant une poursuite.* ⇒ **Non-lieu.**

Le Premier Consul (...) voudrait faire savoir à messieurs de Simeuse qu'aucune poursuite ne sera faite contre eux, s'ils lui adressent une pétition dans laquelle ils diront qu'ils rentrent en France dans l'intention de se soumettre aux lois, en promettant de prêter serment à la Constitution. BALZAC, Une ténébreuse affaire, Pl., t. VII, p. 520. 7

Le gouvernement exercera des poursuites contre ce canard effronté. Pour l'instant, la police a saisi tout ce qui restait de l'édition. MARTIN DU GARD, les Thibault, t. VII, p. 88. 8

Dr. fiscal. Action qu'exerce le fisc pour recouvrer des créances du Trésor. *Poursuite à vue :* action permettant aux douaniers de saisir en tous lieux une marchandise qui a franchi la frontière frauduleusement.

★ **II.** (Déb. XIVe). *La poursuite de (qqch.).* Action de continuer sans relâche. ⇒ **Continuation.** *La poursuite d'un travail, d'une œuvre, des efforts, des négociations. Les fonds nécessaires à la poursuite des recherches.*

CONTR. Arrêt, cessation.
DÉR. Poursuiteur.

POURSUITEUR [puʀsɥitœʀ] n. m. — 1933; de *poursuite.*

♦ Sport. Cycliste spécialiste de la poursuite.

POURSUIVABLE [puʀsɥivabl] adj. — Fin XVe, Commynes; *poursuivible,* 1482; de *poursuivre,* et *-able.*

♦ Rare. Qu'on peut poursuivre.

Vraiment, le hasard ne l'a pas trop mal servi, parlant à un homme de lettres déjà poursuivi et qui se sent poursuivable toute sa vie (...) Ed. et J. DE GONCOURT, Journal, t. I, p. 121.

POURSUIVANT, ANTE [puʀsɥivɑ̃, ɑ̃t] n. — 1424; adj. *porsivant* « (cheval) bien fait pour la poursuite », 1266; p. prés. de *poursuivre.*

♦ **1.** N. m. Celui qui brigue pour obtenir qqch. — Anciennt. *Poursuivant d'armes :* gentilhomme qui était le second du héraut d'armes. — (Vx). Candidat* à un emploi. — (Vx). Prétendant d'une femme.

♦ **2.** N. (1457). Dr. Personne qui exerce des poursuites judiciaires. ⇒ **Demandeur.** *Poursuivant qui reste adjudicataire sur la mise à prix.* — Adj. *Partie poursuivante.*

♦ **3.** (1690, rare av. fin XIXe; sens absent de Littré, Hatzfeld, Académie, 8e éd.). Personne qui poursuit qqn, court après un fuyard. *Le malfaiteur a échappé à ses poursuivants. Être rattrapé par ses poursuivants.* — Personne qui poursuit un animal.

(...) malgré la lenteur de la chasse, leurs poursuivants perdaient du terrain.
M. GENEVOIX, la Dernière Harde, I, IX.

(1919). Sports. Dans une course, coureur qui étant derrière un concurrent, cherche à le rattraper (et à le dépasser).

POURSUIVEUR [puʀsɥivœʀ] n. m. — 1787; *porseveor* «persécuteur», 1190; de *poursuivre.*

♦ Rare. Qui poursuit. ⇒ **Poursuivant.** — REM. Le fém. est virtuel.

POURSUIVI, IE [puʀsɥivi] adj. ⇒ Poursuivre.

POURSUIVRE [puʀsɥivʀ] v. tr. — Conjug. *suivre.* — XIIIe; *pursivre, porsivre,* XIIe; comp. de *per- (pour-),* et *suivre.*

★ **I.** Suivre pour atteindre. ♦ **1.** Suivre de près, rapidement, pour atteindre (ce qui fuit, cherche à s'échapper). *Poursuivre quelqu'un.* ⇒ **Courir** (après), **pourchasser** (→ Être aux trousses* de qqn). *Poursuivre une personne de très près.* ⇒ **Serrer** (de près), **talonner** (→ Mettre l'épée* dans les reins). *Il se mit à le, à la poursuivre.* ⇒ **Poursuite** (se mettre, se lancer, se jeter à la poursuite de...). → Abusif, cit. 2. *Poursuivre les fugitifs* (cit. 6), *les fuyards* (→ Attaquer, cit. 17), *les proscrits* (→ Intercéder, cit. 3), *les ennemis, les malfaiteurs.* ⇒ **Donner** (la chasse), **traquer.** *Rêver qu'on est poursuivi par des ennemis* (→ Dormir, cit. 36). *Poursuivre qqn en courant, à cheval, dans une voiture... Motards qui poursuivent une voiture* (cf. Prendre en chasse). *Poursuivre qqn à coups de pierres,* en lui jetant des pierres (→ 1. Le, cit. 4). *Poursuivre qqn pour l'attaquer, le battre.* ⇒ **Foncer** (sur). *Poursuivre un cerf.* ⇒ **Chasser, courir** (II., v. tr.), **courre, forcer.** — (Le sujet désigne un animal). *Enfant poursuivi par un chien. Le lynx* (cit. 1) *poursuit son gibier jusqu'à la cime des arbres. — Oiseau qui poursuit un lièvre.* ⇒ **Voler** (vén.).

1 La gent maudite aussitôt poursuivit
Tous les pigeons, en fit ample carnage. LA FONTAINE, Fables, VII, 8.

♦ **2.** (V. 1228). Tenter de rejoindre (une personne qui se dérobe). ⇒ **Presser, relancer** (→ S'attacher* aux pas de..., être après ses chausses, à ses trousses). *Être poursuivi par ses créanciers. Admirateurs, journalistes qui poursuivent une vedette.* ⇒ **Importuner.** *Poursuivre des acheteurs qui se dérobent* (→ Difficulté, cit. 2).

♦ **3.** (V. 1265). Tenter d'obtenir les faveurs amoureuses de (qqn). ⇒ **Courir** (courir après; fam.). *Cette Rosine que vous avez tant poursuivie* (→ 2. Le, cit. 34). *On cesse d'aimer ce qu'on cesse de poursuivre* (→ 1. Pensée, cit. 3). *Poursuivre ce qui se refuse et refuser ce qui s'offre* (→ Coquetterie, cit. 9). — *Il la poursuit de ses assiduités.* ⇒ **Assiéger.**

2 Être trop belle, être trop poursuivie,
De ses beautés engendrer trop d'envie. Clément MAROT, Opuscules, XI.

3 Mme Berthe d'Avancelles avait jusque-là repoussé toutes les supplications de son admirateur désespéré (...) Pendant l'hiver à Paris, il l'avait ardemment poursuivie, et il donnait pour elle maintenant des fêtes et des chasses en son château normand de Carville. MAUPASSANT, les Contes de la Bécasse, «Un coq chanta».

♦ **4.** (XVIIe). *Poursuivre qqn de...,* s'acharner* contre lui par... ⇒ **Harceler** (→ Être après* qqn). *Elle le poursuivait de sa haine, de ses malédictions* (→ Interdire, cit. 19). *Poursuivre qqn de ses injures, de ses menaces* (⇒ **Aboyer,** fig.) *de ses traits* (→ Larder* de ses traits). — Vieilli. (Compl. n. de chose abstraite). *Poursuivre l'innocence* (→ Crime, cit. 22). ⇒ **Persécuter, tourmenter** (→ S'attaquer* à..., faire la guerre à...).

4 La vertu dans le monde est toujours poursuivie;
Les envieux mourront, mais non jamais l'envie. MOLIÈRE, Tartuffe, V, 3.

5 La haine dont on poursuit la philosophie est la même que la haine dont on poursuit la théologie (...) C'est toujours la métaphysique et la pensée que l'on poursuit et le spirituel et la liberté et la fécondité.
Ch. PÉGUY, Note conjointe, Sur Descartes, p. 295.

6 Elle *(Junon)* a poursuivi de sa haine toutes les maîtresses de Jupiter. Pour soustraire la nymphe Io à sa furie, il avait métamorphosé en vache cette jeune fille. Un taon envoyé par Junon rendit la bête folle, au point qu'elle se jeta dans la Méditerranée pour échapper à ses piqûres.
Émile HENRIOT, Mythologie légère, p. 45.

♦ **5.** (Sujet n. de chose). Se dit du sort, de la destinée, etc., personnifiés. *La Providence s'acharnait* (cit. 5) *à le poursuivre. La malchance, la déveine le poursuit* (→ Perte, cit. 9). *L'ennui* (cit. 29) *nous poursuit.* — (V. 1170; le sujet désigne une image, un sentiment pénible constamment présent à l'esprit). Hanter, obséder. *Ces images lugubres* (cit. 2) *me poursuivirent longtemps. «Je l'évite* (cit. 14) *partout; partout il* (ce songe) *me poursuit»* (Racine).

Jusque dans son sommeil cette idée le poursuivait. 7
Alphonse DAUDET, le Petit Chose, II, XII.

J'ai vu une *Vierge* de Murillo qui me poursuit comme une hallucination perpé- 8
tuelle (...) FLAUBERT, Correspondance, 282, 9 avr. 1851.

♦ **6.** (1255). Dr. (procéd.). Le sujet désigne la partie civile ou le ministère public. Agir, ester* en justice contre (qqn). ⇒ **Accuser, actionner, attraire** (cf. Diriger, engager des poursuites contre...). *Poursuivre qqn au civil*, civilement, au criminel. Ses amis voulaient qu'il poursuivît ses diffamateurs* (→ Perce-oreille, cit. 2). *Être poursuivi pour déni* (cit. 3) *de justice. Occuper* (cit. 7) *pour le père et poursuivre le fils.*

C'est mon père! Vraiment, vous leur pouvez apprendre 9
Que si l'on nous poursuit, nous saurons nous défendre.
RACINE, les Plaideurs, II, 3.

— C'est bon, j'irai chez le juge, à Châteaudun, et il me fera rentrer chez moi, et 10
je vous poursuivrai en justice pour des dommages-intérêts... Au revoir!
ZOLA, la Terre, V, V.

Spécialt. Demander devant les tribunaux la répression de... *Poursuivre l'usage de faux.*

♦ **7.** (1287). Chercher à atteindre, à obtenir* (qqch.). *Poursuivre la fortune, la gloire.* ⇒ **Chercher; briguer, rechercher** (→ Bagage, cit. 3). *Poursuivre son intérêt* (→ Hypocrisie, cit. 8). *Nous poursuivons l'idéal sans jamais l'atteindre* (cit. 36). *Les hommes ont toujours poursuivi la vérité absolue* (cit. 17). *Poursuivre quelque chose d'inaccessible* (cit. 9), *des rêves, des songes* (→ Abuser, cit. 13). *L'image qu'ils poursuivent leur échappe* (→ Étreindre, cit. 6). *Poursuivre un dessein* (cit. 13). *Poursuivre un but** (*supra* cit. 20). → Justifier, cit. 22; moral, cit. 4; mystifier, cit. 3. *Poursuivre un but en commun* (⇒ **Associer** [s'], **conspirer;** → Association, cit. 12). *Poursuivre deux buts à la fois* (→ Il ne faut pas courir* deux lièvres à la fois).

Poursuivre le réel, c'est chercher l'introuvable. 11
HUGO, la Légende des siècles, XLII.

(...) surtout (...) n'est-ce plus lui *(Liszt)* qui poursuit le succès, mais bien le succès 12
qui perd haleine à le suivre (...) BERLIOZ, Beethoven, p. 135.

Dr. Chercher à obtenir par voie juridique. *Poursuivre l'expropriation* (cit. 1). *Poursuivre un procès, une affaire.*

Nous verrons bientôt si le conseil voudra bien revoir et réformer le procès des Sir- 13
ven. Il y a cinq ans que je poursuis cette affaire.
VOLTAIRE, Correspondance, 3254, 13 janv. 1768.

★ **II.** (V. 1188). Continuer sans relâche (compl. n. de chose : action, opération). *Poursuivre sa marche* (→ Daigner, cit. 8), *son voyage* (→ Moraliser, cit. 1), *son chemin** (→ Homme, cit. 10; justesse, cit. 9). ⇒ **Aller, passer** (son chemin). *Poursuivez votre chemin :* partez. *Poursuivre une affaire qui vaut la peine d'être achevée* (→ Abandonner, cit. 4). *Poursuivre son œuvre* (→ Détourner, cit. 11) *avec lenteur, constance*, opiniâtreté* (→ Creuser son sillon*). *Poursuivre un travail** (→ Naturalisation, cit. 2). *L'assemblée a poursuivi ses travaux. Poursuivre ses études. Poursuivre des investigations* (→ Perler, cit. 2). *Poursuivre des recherches assez loin...* ⇒ **Conduire, mener, pousser** (→ Moisissure, cit. 2; papillonner, cit. 3). — Absolt. *Il faut poursuivre.* ⇒ **Persévérer, soutenir** (l'effort).

(...) — Poursuis, Néron, avec de tels ministres. 14
Par des faits glorieux tu te vas signaler.
Poursuis. Tu n'as pas fait ce pas pour reculer. RACINE, Britannicus, V, 6.

Le somnambule poursuivait sa promenade, ou plutôt il la répétait, faute d'espace. 15
J. ROMAINS, les Copains, I.

Jusque-là (...) chacun de nos concitoyens avait poursuivi ses occupations, comme 16
il l'avait pu, à sa place ordinaire. CAMUS, la Peste, p. 81.

Spécialt. (Le compl. désigne un récit, un discours). *Poursuivre un récit, une narration* (→ Donner, cit. 39). — Absolt. *«Je serais bien aise de poursuivre»* (→ Ici, cit. 19, Descartes). *Poursuivez, cela m'intéresse!* — (En incise). *Le passif* (cit. 3) *de la succession, poursuivit le notaire, excédait l'actif* (→ aussi Pelure, cit. 1).

Cette fille (...) — Poursuis. — N'est rien moins qu'inhumaine. 17
MOLIÈRE, l'Étourdi, III, 2.

Maintenant Alban lui décrivait le secteur. Elle sentait bien qu'il eût aimé de pour- 18
suivre sur ce sujet. MONTHERLANT, le Songe, I, VIII.

Intrans. (vx). *Poursuivre à, de...* (suivi de l'infinitif) : continuer* à, de... *Poursuivre à vouloir qqch.* (→ Excellence, cit. 1).

▶ **SE POURSUIVRE** v. pron.

♦ **1.** (Récipr.). Se suivre l'un l'autre pour s'atteindre (en parlant de deux ou plusieurs personnes ou animaux). *Jouer à se poursuivre* (→ 1. Fou, cit. 9). *Singes qui se poursuivent d'arbre en arbre* (→ 1. En, cit. 39). *Martinets* (2. Martinet, cit. 1) *qui se poursuivent.*

Par anal. *Entrelacs* (cit. 2) *qui se poursuivent.*

Fig. *Ils se poursuivent de leur haine.*

♦ **2.** (1276; sens II; sujet n. de chose; réfléchi). Se continuer (→ Essai, cit. 1). *Un drame se poursuivait entre ces deux personnages* (→ Obscur, cit. 12). *Parlote* (cit. 4) *qui se poursuit indéfiniment. La discussion se poursuivait dans les journaux* (→ Naître, cit. 16). — Dr. *Vendre un immeuble tel qu'il se poursuit et se comporte**.

▶ **POURSUIVI, IE** p. p. adj. *Bandits poursuivis par la police. Animaux chassés et poursuivis.* — N. *Les poursuivants et les poursuivis.* — *Femme poursuivie par des admirateurs.* — Fig. *Héros poursuivi par la fatalité* (→ Incompris, cit. 3). *Poursuivi par un souvenir ineffaçable* (cit. 7). — (Au sens I, 6). *Journaliste, journal poursuivi pour un article, poursuivi en diffamation.* — (Au sens I, 7). *Le but, l'objectif poursuivi.*

CONTR. Fuir, éviter. — Amorcer, commencer, inaugurer. — Abandonner, arrêter, cesser, classer.
DÉR. Poursuivable, poursuivant, poursuiveur.

POURTANT [puʀtɑ̃] adv. — Fin XIIe; *portant,* v. 1130; de *pour,* et *tant.*

♦ **1.** Vx. Pour cela, pour tout cela. *« Pourtant, mon fils bien-aimé, le plus tôt que faire pourras, ... retourne... »* (Rabelais, *Gargantua,* I, XXIX).

♦ **2.** (XIVe). Mod. Adverbe marquant l'opposition entre deux choses qui restent liées, deux aspects contradictoires d'une même chose. ⇒ **Cependant, mais, néanmoins, pour** (autant), **toutefois.** *Pourtant* « marque une opposition moins accusée que celle de *mais,* plus forte que celle de *cependant* » (G. et R. Le Bidois, *Syntaxe du français moderne,* § 1138) — *« Argent* (cit. 44) *que j'ai tant méprisé (...) tu as pourtant ton mérite »* (Chateaubriand). *Barrès qui n'avait aucun don oratoire sut pourtant se faire acclamer* (→ A-propos, cit. 4). *Il faut pourtant avancer* (→ Hasarder, cit. 4). *« Pourtant j'avais quelque chose là »,* phrase prononcée par A. Chénier, en se frappant le front, au moment de monter à l'échafaud. *Elle n'était pourtant pas mal* (2. Mal, cit. 25). *Que de pages pourtant charmantes!* (→ Intimiste, cit.). *C'est pourtant bien simple* (→ Dessus, cit. 24). *Voilà pourtant où nous en sommes* (→ Opérette, cit. 3). *Si pourtant il fait imprimer un ouvrage* (→ Impression, cit. 4).
(En liaison avec *quoique* : → Amovible, cit.).

1 (...) Et qu'il est *pourtant temps,* comme dit la chanson,
De sortir de ce siècle ou d'en avoir raison.
A. DE MUSSET, Poésies nouvelles, « Une soirée perdue ».

2 La rue Saint-Jacques n'est pas une île déserte; pourtant je me sentis cruellement seul, en revenant chez moi, le soir de ce jour-là.
G. DUHAMEL, la Pierre d'Horeb, XI.

(Après le mot auquel il se rapporte et qu'il met en relief). *Mince... grasse pourtant, avec de petits os* (cit. 4). *Elle est bien laide* (cit. 6), *elle est délicieuse pourtant!*

3 (...) triste, découragée, souriante pourtant (...)
PROUST, Du côté de chez Swann, Pl., t. I, p. 12.

(1580, Montaigne). *Et pourtant,* servant à unir deux mots, deux propositions tout en les opposant. *Une note grave, douce et pourtant pénétrante* (cit. 4). *Façon de parler impertinente* (cit. 1) *et pourtant en usage. L'âme* (cit. 43) *est... la partie éminente de notre être; et pourtant c'est aussi un hôte de passage. « Et pourtant elle tourne »* (la Terre), mot prêté à Galilée après sa rétractation (en italien, *eppur si muove*).

4 Et pourtant quelque chose est changé dans la vie,
Nous n'aurons plus jamais notre âme de ce soir (...)
Csse DE NOAILLES, le Cœur innombrable, « Il fera longtemps clair ».

Mais pourtant, servant à introduire une opposition atténuée. *Caractère efféminé, mais pourtant indomptable* (→ Flotter, cit. 15). *Mais pas pourtant jusqu'au point de...* (→ Aristocratique, cit. 4). — REM. L'inversion après *pourtant* est exceptionnelle.

5 *(Ces graves questions)* si je ne me les formulais pas nettement encore, pourtant m'habitaient-elles déjà, et me retenaient-elles de trouver mon confort dans un hédonisme de complaisance (...)
GIDE, Si le grain ne meurt, II, II, *in* Souvenirs, Pl., p. 607.

POURTOUR [puʀtuʀ] n. m. — 1400; comp. de *pour-,* et *tour.*

♦ **1.** Ligne formant le tour d'un objet, d'une surface. ⇒ **Tour.** *Le pourtour de qqch., d'un espace. Forme du pourtour.* ⇒ **Bord, contour.** *Le bois a tant de mètres de pourtour.* ⇒ **Circonférence, circuit, périphérie.**

♦ **2.** (XIXe). Partie qui fait le tour (d'un lieu), qui forme les bords d'une chose. ⇒ **Bord, extérieur.** *Place dont le pourtour seul est pavé* (→ Maigriot, cit. 4). *Le pourtour du chœur d'une église :* prolongement des nefs latérales derrière le chœur. *Murs* (cit. 9) *de pourtour et murs de refend.* — *Le pourtour de l'iris* (cit. 2). *Le pourtour de la corolle* (→ Lacérer, cit. 3).

Le pourtour de cette oasis tournait au square, avec des bancs et même on y était assez bien pour la regarder la Mairie, assis.
CÉLINE, Voyage au bout de la nuit, p. 178.

POURTOURNANT, ANTE [puʀtuʀnɑ̃, ɑ̃t] adj. — V. 1942; de *pourtourner* « faire le tour d'un édifice », 1871; cf. anc. franç. *purturner,* fin XIIe, « s'en retourner ».

♦ Archéol. Qui fait le tour d'un édifice. ⇒ **Tournant.**

(...) des *pagodes* (...) constituées de plusieurs étages, sept le plus souvent, munis chacun d'une fenêtre par face et d'une corniche pourtournante.
Jeannine AUBOYER, les Arts de l'Extrême-Orient, p. 76.

POURTRAIRE [puʀtʀɛʀ] v. tr. Vx. ⇒ **Portraire.**

POURVOI [puʀvwa] n. m. — 1804; « prévoyance », XIVe; subst. verbal de *pourvoir.*

♦ Dr. Action* par laquelle on attaque devant une juridiction supérieure la décision d'un tribunal inférieur. ⇒ **Appel.** *Pourvoi devant la Cour de cassation, le Conseil d'État. Pourvoi en cassation;* absolt, *pourvoi. Dépôt du pourvoi* (⇒ **Cassation,** cit. 3). — *Pourvoi en révision.* ⇒ **Révision.** — (1835). *Pourvoi en grâce.* ⇒ **Recours.** — Dr. fiscal. ⇒ **Requête.** *Examiner la recevabilité d'un pourvoi. Pourvoi rejeté.*

Ces événements, pressés, tordus dans les salons (...) par les plus habiles langues de la ville, donnèrent un cruel intérêt à l'exécution du criminel, dont le pourvoi fut, deux mois après, rejeté par la Cour suprême.
BALZAC, le Curé de village, Pl., t. VIII, p. 593.

POURVOIR [puʀvwaʀ] v. tr. — Se conjugue comme *voir,* sauf au futur : *je pourvoirai,* au cond. : *je pourvoirais,* au passé simple : *je pourvus,* et au subj. imp. : *que je pourvusse.* — XIIIe; *soi porveoir de,* « examiner », XIIe, puis « prévoir » (*purveeir,* déb. XIIe); lat. *providere,* d'après *pour-,* et *voir.*

★ **I.** V. tr. ind. (XIIe). **POURVOIR À** : faire ou fournir le nécessaire pour... *Pourvoir à l'entretien de la famille* (cit. 27). ⇒ **Assurer.** *Pourvoir aux besoins de qqn* (⇒ **Subvenir;** → Hôtelier, cit. 4), *aux besoins du ménage* (→ Faire bouillir* la marmite), *à ses propres besoins.* ⇒ **Suffire** (se). *Pourvoir à la subsistance, aux besoins de qqn.* ⇒ **Entretenir.** *Assemblée qui pourvoit aux dépenses de la paroisse* (cit. 4). *Il fallait pourvoir au nettoiement* (cit. 1) *des rues. La loi juive a pourvu à toutes choses avec équité* (cit. 3). *Le général en chef a pourvu à tout* (→ Assigner, cit. 7). ⇒ **Parer** (→ Faire face*, apporter bon ordre* à...). *Pourvoir à la nomination des sénateurs inamovibles* (cit. 1). — (XIVe). *Pourvoir à un emploi,* y mettre qqn. — Vx. *Pourvoir à* (suivi de l'inf.). *« Auguste a su pourvoir à ne te laisser pas... »* (Corneille, *Cinna,* I, 4). (Suivi de *ce que...*). *« La mode (...) semble avoir pourvu à ce que les femmes changent (...) »* (La Bruyère, XIV, 8).

Je saurai mettre mon pendard de fils en lieu de sûreté. — Nous y pourvoirons. 1
MOLIÈRE, les Fourberies de Scapin, I, 4.

L'aigle n'ose sortir, ni pourvoir aux besoins 2
De ses petits (...) LA FONTAINE, Fables, III, 6.

Bougainville a renvoyé Aotourou, après avoir pourvu aux frais et à la sûreté de son retour. 3
DIDEROT, Suppl. au voyage de Bougainville, I.

Ils lui objectèrent qu'il n'y avait ni eau pour boire, ni bois ni pierres pour construire. Sidi-Okba leur imposa silence par ces mots : « Dieu y pourvoira ». Le lendemain, on vint lui annoncer qu'une levrette avait trouvé de l'eau. 4
MAUPASSANT, la Vie errante, Vers Kairouan, 14 déc.

Marguerite malade, ma mère surchargée de soucis, j'allais donc pourvoir moi-même aux besoins de la maison. 5
G. DUHAMEL, Salavin, XVIII.

★ **II.** V. tr. dir. ♦ **1.** (Mil. XIIe, *porveesir*). Mettre (qqn) en possession* (de ce qui est nécessaire ou utile). ⇒ **Donner** (à), **munir, nantir.** *Pourvoir qqn du nécessaire, d'un équipement. Pourvoir qqn d'une recommandation, d'un titre* (⇒ **Gratifier**), *d'une terre, d'un emploi, d'un apanage* (apanager), *d'un bénéfice...* ⇒ **Nommer** (à), **procurer.** *Écrivain* (cit. 14) *que l'on pourvoit d'une fonction sociale.* — Par ext. *La nature l'a pourvu de grandes qualités.* ⇒ **Douer; doter.**

Sa maison *(de Descartes)* était noble et des plus anciennes. On y avait suivi le métier des armes jusqu'à son père, Joachim, qui se fit pourvoir d'une charge de conseiller au Parlement de Bretagne. 6
VALÉRY, Variété, Vue sur Descartes, Pl., t. I, p. 810.

(V. 1282). Vx. Établir par un mariage, un emploi. *« Il me reste à pourvoir un arrière-neveu »* (cit. 1, La Fontaine). *Il y avait une fille à pourvoir* (→ Marcher, cit. 21). *« Il est bon de pourvoir Henriette, De choisir* (cit. 3) *un mari... »* (Molière).

♦ **2.** (1690). Munir (une chose). *Pourvoir une place de munitions.* ⇒ **Alimenter, approvisionner, fournir.** *Pourvoir un magasin d'articles variés.* ⇒ **Assortir.** *Pourvoir une lame d'un manche.* ⇒ **Garnir, orner.** *Pourvoir une voiture de dispositifs* (cit. 4), *une maison du confort moderne.* ⇒ **Équiper.**

▶ **ÊTRE POURVU, UE** (passif), **POURVU, UE** p. p. et adj. (V. 1190, *purveü*).

Avoir, qui a (ce qui est nécessaire, avantageux ou considéré comme tel). ⇒ **Avoir, posséder.** *Il est pourvu de vêtements chauds, le voilà bien pourvu, il a tout ce qu'il faut*. Soldat pourvu de galon* (cit. 4). *Fille pourvue de prétendants* (→ Disputer, cit. 10). *Pourvu d'un adversaire* (cit. 8) *à sa mesure. Animal pourvu d'écailles, d'une queue* (→ Embryon, cit. 3), qui a des écailles, une queue. ⇒ **Armé.** *Elle est pourvue de grâces et d'attraits* (cit. 20). *Pourvu d'imagination* (cit. 7), *de bon sens* (→ Partager, cit. 20).

7 Pauvres, orphelins impourvus,
Tous déchaussés, tous dépourvus,
Et dénués comme le ver;
J'ordonne qu'ils soient pourvus
Au moins pour passer cet hiver. VILLON, le Lais, XXV.

Spécialt. *Bien pourvu, pourvu :* riche. Subst. *Les pourvus :* les nantis.

8 Rien ne fait mieux comprendre le peu de choses que Dieu croit donner aux hommes, en leur abandonnant les richesses, l'argent, les grands établissements et les autres biens, que la dispensation qu'il en fait, et le genre d'hommes qui en sont le mieux pourvus. LA BRUYÈRE, les Caractères, VI, 24.

▶ **SE POURVOIR** v. pron.

♦ **1.** (V. 1160). *Se pourvoir de (qqch.).* Faire en sorte de posséder, d'avoir (une chose nécessaire ou jugée telle). *Se pourvoir d'aliments, de provisions.* ⇒ **Approvisionner** (s'). — Absolt. *Se pourvoir pour plusieurs jours. — Se pourvoir de linge, de vaisselle...* ⇒ **Monter** (se). *Il faut se pourvoir d'opinions fixes et constantes* (→ 4. Dériver, cit. 1). ⇒ **Munir** (se).

9 Si vous voulez des chevaux de labour ou des chevaux de trait, il faudra se pourvoir ailleurs. BALZAC, le Curé de village, Pl., t. VIII, p. 687.

0 Dès le commencement, selon une règle universelle, la crainte de manquer accroît la disette; chacun se pourvoit pour plusieurs jours; une fois, dans le galetas d'une vieille femme, on trouve seize pains de quatre livres.
TAINE, les Origines de la France contemporaine, t. I, III, p. 134.

♦ **2.** (1680). Dr. *Se pourvoir :* recourir* à une juridiction supérieure pour modifier, annuler une décision; former un pourvoi*. *Les parties intéressées pourront se pourvoir devant le tribunal de première instance* (→ Absence, cit. 13). *Le président renverra les deux époux à se pourvoir* (→ Concilier, cit. 1). *Laisser passer le temps de se pourvoir contre un arrêt* (→ Forme, cit. 72).

CONTR. Démunir, déposséder. — (Du p. p.) **Court** (à court de), **démuni, dénué, dépourvu, pauvre.**
DÉR. Pourvoi, pourvoirie, pourvoyeur; pourvu que.
COMP. Dépourvoir.

POURVOIRIE [puʀvwaʀi] n. f. — 1337, *pourverrie;* de *pourvoir.* Vieux.

♦ **1.** Lieu où étaient conservées les provisions fournies par des pourvoyeurs. — Logis; administration des pourvoyeurs.

♦ **2.** Dr. anc. *Droit de pourvoirie.* ⇒ **Réquisition.**

POURVOYEUR, EUSE [puʀvwajœʀ, øz] n. — 1380; *porveour,* 1248; de *pourvoir.*

♦ **1.** *Pourvoyeur, pourvoyeuse de... :* personne qui fournit, procure (qqch). *Un déjeuner dont j'étais le pourvoyeur* (Rousseau, *les Confessions,* I).

Fig. Personne (ou chose) qui fournit en victimes (le compl. désigne une institution judiciaire, un supplice, etc.). *Le pourvoyeur des prisons, du bagne.*

Je ne vous tuerai pas. Non! je ne me ferai jamais le pourvoyeur de l'échafaud. Mais sortez, vous nous faites horreur.
BALZAC, la Femme de trente ans, Pl., t. II, p. 805.

Personne qui fournit en provisions (une communauté, un groupe).

.1 On fera observer ici que pendant ces travaux, qui furent cependant activement conduits, car la mauvaise saison approchait, la question alimentaire n'avait point été négligée. Tous les jours, le reporter et Harbert, devenus décidément les pourvoyeurs de la colonie, employaient quelques heures à la chasse.
J. VERNE, l'Île mystérieuse, t. I, p. 251.

Fig. (en parlant d'un État, d'une entreprise). ⇒ **Fournisseur.**

L'important, à l'heure présente, c'est de soutirer d'Amérique autant de pétrole, de matériel, d'avions et d'hommes, que possible. Pour cela, prendre bien garde de contredire le puissant pourvoyeur.
MARTIN DU GARD, les Thibault, t. VIII, p. 257.

♦ **2.** Spécialt. **a** Vx. (sans compl.). — N. m. Celui qui fournissait une maison des provisions nécessaires. ⇒ **Fournisseur** (fig. : → Lion, cit. 2). *Le pourvoyeur d'une communauté, d'un couvent.* — N. Personne qui livrait les provisions dans les maisons particulières. ⇒ **Livreur.** *La Pourvoyeuse,* peinture de Chardin.

b Mod. (milit.). Soldat, artilleur chargé de l'approvisionnement (d'une pièce). ⇒ **Servant.** *Tireur, chargeur et pourvoyeurs d'une mitrailleuse, d'un mortier.*

c N. f. (Vx). POURVOYEUSE : entremetteuse.

♦ **3.** (Choses). Ce qui fournit (qqch.).

(...) la convention est la grande pourvoyeuse de mensonges.
GIDE, Dostoïevsky, Conférences, IV.

POURVU, UE [puʀvy] adj. et n. ⇒ **Pourvoir.**

POURVU QUE [puʀvykə] loc. conj. avec le subj. — 1396, *pourveü que;* p. p. de *pourvoir* I., «étant donné, assuré que».

♦ **1.** (Servant à présenter une condition comme étant à la fois nécessaire et suffisante). À condition* de. ⇒ **Si** (→ Il suffit* que). *«Petit poisson deviendra grand Pourvu que Dieu lui prête vie»* (La Fontaine, → Attendre, cit. 87). *«Qu'importe le flacon* (cit. 6) *pourvu qu'on ait l'ivresse»* (Musset). *«Qu'ils me haïssent, pourvu qu'ils me craignent!»* (cit. 6, Alain). *Elles pensent être les plus vertueuses personnes pourvu qu'elles sauvent les apparences* (cit. 29). — (En tête de phrase, pour mettre en relief le fait que la condition suffit). *Pourvu qu'il arrive au but, le reste est peu de chose* (→ Après, cit. 73). *Moi, pourvu que je mange à ma faim...* (sous entendu : cela me suffit, le reste m'est indifférent).

Je permets à chacun de penser à sa manière, pourvu qu'on me laisse penser à la mienne (...) 1
DIDEROT, Entretien d'un philosophe avec maréchale de ***, Pl., p. 1209.

Pourvu qu'on la laissât seule errer dans son beau jardin, elle ne se plaignait jamais. 2
STENDHAL, le Rouge et le Noir, I, III.

Il lui semblait, à ces instants, qu'il eût préféré la plus dévergondée des femmes, pourvu qu'elle se tût, à l'honnêteté et à toutes les vertus, quand elles font trop de bruit. R. ROLLAND, Jean-Christophe, L'adolescent, I, p. 241. 3

♦ **2.** En tête d'une proposition indépendante généralement exclamative. (Servant à exprimer le souhait qu'une chose soit ou ne soit pas, lorsqu'on redoute la possibilité contraire). Espérons que (⇒ **Espérer**). → Offensant, cit. 4. *Pourvu qu'il ait reçu ma lettre! Pourvu qu'il ne voie pas* (→ Métropolitain, cit. 9). *«Pourvu qu'il ne lui arrive pas malheur!»* (Académie). *Pourvu que ça dure!*

Notre paquet est parti il n'y a pas quinze jours. Il faut au moins encore attendre autant. Pourvu qu'on ne l'ait pas saisi! Toutes les précautions ont été prises pourtant. FLAUBERT, Correspondance, 400, 14-15 juin 1853. 4

Oh! pourvu que je tienne jusqu'à l'aube (...) 5
Alphonse DAUDET, Lettres de mon moulin, «Chèvre de M. Seguin».

Pourvu, pourvu qu'il ne soit pas trop tard! 6
G. DUHAMEL, Récits des temps de guerre, I, Le sacrifice.

REM. *Pourvu* peut être séparé de *que. «Pourvu, se disait Manifassier,... que le patron ne s'emballe pas»* (→ Monter, cit. 30).

POUSSA [pusa] n. m. Vx. ⇒ **Poussah.**

POUSSAGE [pusaʒ] n. m. — 1957, in *le Monde;* de *pousser.*

♦ Techn. Procédé de navigation fluviale par convois de barges métalliques rectangulaires amarrées de façon rigide et poussées (⇒ **Pousseur**). *«Une méthode de navigation fluviale que les États-Unis connaissent depuis vingt-cinq ans déjà va-t-elle révolutionner le système de transport sur les voies d'eau françaises? Le "poussage" va-t-il remplacer le "tracté"?»* (*le Monde,* 26 juin 1959, *in* P. Gilbert). — S'oppose à *remorquage, touage.*

POUSSAH [pusa] n. m. — Mil. XIXe; *poussa,* 1782; *pussa,* 1670; chinois *pu s'a* «image de Bouddha assis les jambes croisées».

♦ **1.** Figurine extrême-orientale ventrue (⇒ **Magot**) assise les jambes repliées, portée par une demi-sphère lestée qui la ramène à la position verticale lorsqu'on la pousse (→ Idole, cit. 4).

♦ **2.** (1869, Littré, avec infl. probable de *poussif*). Gros homme petit et ventru. *Un gros poussah.*

(...) nous voyons des poussahs quadragénaires assommés par d'indiscrètes tendresses, par d'excessives adorations.
F. MAURIAC, Souffrances et Bonheur du chrétien, p. 69.

On a écrit *poussa.*

1. POUSSE [pus] n. f. — XVe; de *pousser.*

A. (De *pousser,* III.) ♦ **1.** Le fait de pousser* (III.); croissance, développement de ce qui pousse. *La pousse des feuilles, des arbres.* ⇒ **Poussée** (→ Individuel, cit. 4). *Première pousse. Pousse de printemps* (⇒ **Brout**); *seconde pousse* (en été). — *La pousse des dents* (→ Percer, cit. 16). *Lotion pour la pousse des cheveux. Des corps dont rien n'a gêné la pousse* (→ Contrainte, cit. 4). *Un corps bien membré* (cit. 1) *et de belle pousse.*

Ce soir, le petit cousin donne, pour la pousse de ses moustaches, ce qu'on appelle une petite fête, chez Voisin. Ed. et J. DE GONCOURT, Journal, t. III, p. 203. 0.1

(...) les fleurs et les plantes, fatiguées de toutes ces voluptés de l'été, s'élancent maintenant, refleurissent vigoureuses, avec des teintes plus ardentes au milieu d'une verdure éclatante, et quelques feuilles déjà jaunies ajoutent au charme viril de cette nature à sa seconde pousse. LOTI, Aziyadé, II, IV. 1

Vous non plus, vous ne le savez pas, dis-je au poète. Ces paysans sont de la nature aussi; leurs besoins et leurs actions sont naturels aussi bien que la pousse des feuilles. ALAIN, Propos, 27 avr. 1908, Les bûcherons. 2

♦ **2.** (1680). Ce qui pousse, à un certain stade de la végétation. Spécialt. Bourgeon à son premier état de développement, jet de l'arbre, germe de la graine. ⇒ **Bourgeon, brin, germe, jet, recru, rejet, rejeton, scion, talle.** *Animaux domestiques qui mangent les jeunes pousses* (→ Espérance, cit. 47). *Les pousses nouvelles* (→ Attrister, cit. 15). *Germes jaillissant en pousses inattendues* (cit. 5). *Pousses de bambou comestibles.* ⇒ **Turion.** *Pousses de houblon.* ⇒ **Jet.**

— Mais je t'apprendrai, si tu l'ignores, que, dans l'Inde, on mange ces bambous en guise d'asperges. 2.1
— Des asperges de trente pieds! s'écria le marin. Et elles sont bonnes?
— Excellentes, répondit Harbert. Seulement, ce ne sont point des tiges de trente pieds que l'on mange, mais bien de jeunes pousses de bambous.
J. VERNE, l'Île mystérieuse, t. I, p. 349.

3 Les pousses vertes, sous la clarté horizontale, blondoyaient à l'infini : la terre les portait ainsi qu'une vêture délicate, somptueuse et presque immatérielle.
M. GENEVOIX, Raboliot, IV, I.

Fig. *Rubens est la plus belle pousse, le produit de sa nation* (→ Isolé, cit. 4).

4 *(La science)* cherche à se compléter. Elle pousse par le dedans. Un rameau, puis un autre. La succession des pousses n'exclut pas tout caprice. Car le hasard est chez lui, là aussi. Mais ce sont des caprices du dedans.
J. ROMAINS, les Hommes de bonne volonté, t. XII, XII, p. 122.

B. ♦ **1.** (XVIe). Méd. vétér. Maladie du cheval (dyspnée) due à l'emphysème pulmonaire ou à la rigidité de la cage thoracique par ossification des cartilages costaux. *Cheval qui a la pousse.* ⇒ **Poussif.**

♦ **2.** (1878, cit.). Techn. Maladie du vin, caractérisée par une fermentation au cours de laquelle se dégage du gaz carbonique.

5 On confond aujourd'hui, selon M. Armand Gautier, la maladie des vins tonnés, qui attaque les vins du midi de la France, avec la tourne, ou pousse, des vins du centre. L. FIGUIER, l'Année scientifique et industrielle 1879, p. 351 (1878).

♦ **3.** (Fin XIXe). Vx. Méd. Développement éruptif. *Une pousse d'urticaire.* ⇒ **Poussée.**

♦ **4.** (XXe). Techn. Fermentation (de la pâte qui lève).

6 Le groupe des pâtes levées est caractérisé par un gonflement sous l'action de la chaleur, dont la cause varie suivant la technique employée (...)
La pâte est consolidée et garde sa forme, si le réseau protéique se coagule; mais le durcissement doit suivre la «pousse» et non la précéder. La cuisson doit donc être ménagée dans le cas des levures chimiques, alors que les pâtes poussées aux levures biologiques (...) ne doivent pas continuer à lever dans le four (...)
François LÉRY, Technique de la cuisine, p. 104-105.

HOM. Pouce.

2. POUSSE [pus] n. m. ⇒ **Pousse-pousse.**

POUSSE-
Premier élément, tiré du v. *pousser,* et servant à former des composés (voir à l'ordre alphabétique).

POUSSÉ, ÉE [puse] p. p. adj. ⇒ **Pousser.**

POUSSE-AU-CRIME [pusokʀim] n. m. — 1916; de *pousser* («inciter») *au crime.*

♦ Fam. (argot vieilli, encore employé plaisamment). Eau-de-vie, alcool. *Un verre de pousse-au-crime.*

Toi, je te connais, tu prends du Vittel-fraise tandis que l'autre singe s'envoie du pousse-au-crime. R. DORGELÈS, Tout est à vendre, p. 66.

POUSSE-AVANT [pusavɑ̃] n. m. invar. — XXe; hom. anciens, 1640, «ce qu'on mange en le poussant avec le pain»; *poussavant* «coït», 1529; → Rentre-dedans.

♦ Techn. Outil d'acier à manche court, que l'on pousse pour sculpter le bois.

POUSSE-BOUTON [pusbutɔ̃] adj. — 1973, Sauvy; adapt. angl. *push-button.*

♦ Anglic. Qui s'effectue en poussant des boutons, automatiquement. ⇒ **Presse-bouton.**

POUSSE-CAFÉ [puskafe] n. m. invar. — 1842; de *pousse-,* et *café.*

♦ Alcool que l'on boit après le café. ⇒ **Rincette.**

1 Le souper fait, nous allâmes prendre le café et le pousse-café à l'établissement de Paul Niquet. NERVAL, Nuits d'octobre, XV.

2 Mais alors, les joues calées, la panse pleine, le ventre au chaud, les pieds au sec, le pinard regorgeant par les yeux, ayant bu le café, le pousse-café et la rincette, et encore un dernier coup de gniole, les pipes allumées, il nous semblait pénible d'avoir à se lever de table et inique de s'équiper, de s'armer pour partir en patrouille (...) B. CENDRARS, la Main coupée, in Œ. compl., t. X, p. 139.

POUSSE-CAILLOUX [puskaju] n. m. invar. — 1829; argot milit., 1806; de *pousse-,* et *caillou.*

♦ Fam. Fantassin.

— Monsieur votre frère était dans les dragons, je crois, et moi j'étais dans les pousse-cailloux, dit Maxence. BALZAC, la Rabouilleuse, Pl., t. III, p. 1015.

POUSSÉE [puse] n. f. — 1562; *poulcée,* 1530; de *pousser.*

♦ **1.** Action d'une force qui pousse* (II., 1.); résultat de cette action. ⇒ **Impression** (vx), **pression.** *La poussée de la foule* (→ Meurt-de-faim, cit. 3). *Une poussée :* action de pousser qqn (pour l'écarter, le faire reculer). *Donner une poussée à qqn.* ⇒ **Bourrade;** et aussi **coup.** *Poussée de l'épaule.* ⇒ **Épaulée.** *Sous la poussée d'une chiquenaude* (cit. 3). *Résister aux poussées de l'ennemi.* ⇒ 1. **Élan** (→ Émissaire, cit. 3; escadron, cit. 3). — Par métaphore. *La poussée de l'espèce, de l'élan vital* (→ Individualisme, cit. 7; obstacle, cit. 5), *de l'instinct* (→ Idée, cit. 36). *La poussée des puissances germinales* (cit. 2). ⇒ **Impulsion.** — *Sous la poussée du vent* (→ Gâter, cit. 43). *Déformation de couches géologiques par suite de poussées d'inégale intensité* (→ Laminage, cit.). *Poussée des gaz dans un moteur à réaction** (⇒ **Propulsion**).

Une espèce de calme venait de se faire dans les eaux, bien que le vent continuât de nous envoyer sa poussée furieuse. LOTI, Mon frère Yves, LXII.

Tout en marchant, il avait saisi très discrètement le bras de la jeune fille. Il le tenait par derrière, sans du tout le serrer, lui communiquant une poussée légère, ainsi qu'il eût fait avec un camarade.
J. ROMAINS, les Hommes de bonne volonté, t. VIII, VI, p. 63.

La poussée des arrivants les avait déjà rejetés à mi-pente entre les tribunes.
ARAGON, les Beaux Quartiers, II, XXIX.

Archit. Effort de pesanteur exercé par un élément pesant (arc, voûte...) sur ses supports et qui tend à les renverser. ⇒ **Charge, pesée, poids.** *Les arcs-boutants* sont destinés à contrebuter* une poussée, la poussée des murs.*

Si l'arc d'ogive est fait de deux poussées, peut-être deux souffrances qui se contrebutent s'élanceront-elles plus haut encore que la flèche de couronnement.
A. ARNOUX, Suite variée, II, Le pauvre.

Sports. (Rugby). Impulsion collective des huit avants de chaque équipe dans la mêlée. — (Athlétisme). Détente qui projette le corps en avant.

Phys. Pression* exercée par un corps pesant sur un autre et tendant à le déplacer. *Poussée horizontale, verticale.* — Résultante des forces de pression* exercée par un fluide sur la paroi qui le renferme ou sur un objet immergé. *Centre de poussée,* point d'application de cette résultante.

Force propulsive d'un moteur à réaction, d'une fusée. *Fusée de* n *kg de poussée. Dispositif d'arrêt de poussée.*

♦ **2.** (1829, *poussée de travail*). Développement* rapide, irrésistible (de qqch.). *Une poussée de fanatisme, de révolution* (→ Anarchie, cit. 7), *de mondanité* (cit. 1).

On a pris l'habitude de regarder la Fronde comme un épisode romanesque et même galant à cause des belles dames qui s'en mêlèrent. Ce fut, en réalité, la poussée révolutionnaire du dix-septième siècle.
J. BAINVILLE, Hist. de France, XII, p. 209.

Écon. *Poussée des prix :* brusque montée des prix. ⇒ **Augmentation, hausse.** — *La poussée de l'inflation, du chômage.*

♦ **3.** (1852). Méd. Brusque éruption cutanée. ⇒ **Pousse,** B., 3. (vx). *Poussée de furonculose.* — Manifestation subite d'un mal. *Poussée de fièvre.* ⇒ **Accès, crise, paroxysme** (→ Insidieux, cit. 2).

♦ **4.** (1908, Willy, *in* D. D. L.). Concret. Le fait de pousser (III.). ⇒ **Croissance, pousse.**

(...) j'en venais à croire que la plante donnait d'un coup toute sa poussée dans la nuit, car j'avais beau rester les yeux fixés sur la feuille (...)
GIDE, Si le grain ne meurt, I, V, Pl., p. 445.

HOM. Pousser.

POUSSE-PIED [puspje] n. m. ⇒ **Pouce-pied.**

POUSSE-POUSSE [puspus] ou POUSSE [pus] n. m. invar. — 1889; de *pousser.*

♦ **1.** Voiture légère à deux roues, à une place, tirée par un homme et en usage en Extrême-Orient, et, par ext., dans d'autres régions. REM. *Pousse* désigne aussi le *vélo-pousse* ou *cyclo-pousse.*

Nous sautons dans un pousse, que tire un jeune noir mince et vigoureux.
GIDE, Voyage au Congo, *in* Souvenirs, Pl., p. 685.

Le Raffles a beaucoup changé; mais comme jadis, les tireurs de pousse jouent aux cartes chinoises sur le trottoir. Les vélos ont remplacé les brancards des rickshaws. Quand je suis venu ici pour la première fois, je n'avais pas vingt-cinq ans. Devant moi, il y avait l'Asie — et mon destin.
MALRAUX, Antimémoires, Folio, p. 410.

Franç. d'Afrique. Petite charrette à bras, souvent caisse métallique sur deux roues de voiture ou de vélo.

Par métonymie. Tireur de pousse.

♦ **2.** (1896, «petite voiture réclame»). Vx. Petite voiture de livraison.

POUSSER [puse] v. — 1130, v. intr., «haleter» (en parlant d'un cheval), mil. XIIe (→ Pousse, poussif); v. tr., 1360; lat. *pulsare,* de *pulsum,* supin de *pellere* «remuer, pousser».

★ **I.** V. tr. Soumettre à une force permettant de mettre en mouvement, de déplacer. — (Emploi général; sujet n. de chose ou de personne; compl. n. de chose ou de personne).

Nous voyons par là que l'eau pousse en haut les corps qu'elle touche par-dessous; qu'elle pousse en bas ceux qu'elle touche par-dessus; et qu'elle pousse de côté ceux qu'elle touche par le côté opposé : d'où il est aisé de conclure que, quand un corps est tout dans l'eau, comme l'eau le touche par-dessus, par-dessous et par tous les côtés : elle fait effort pour le pousser en haut, en bas et vers tous les côtés : mais comme sa hauteur est la mesure de la force qu'elle a dans toutes ces impressions, on verra bien aisément lequel de tous ces efforts doit prévaloir.
PASCAL, Traité de l'équilibre des liqueurs..., V, Œ., t. III, p. 177.

♦ **1.** Spécialt. (Sujet n. de personne; le compl. désigne une personne ou un être animé). Exercer une pression sur (qqn, un animal) de manière à le déplacer ou à le faire tomber. *Ceux qui sont derrière poussent ceux qui sont devant* (→ Foule, cit. 5). *Pousser qqn dehors* (→ Géant, cit. 7, immoler, cit. 19), *par les épaules.* ⇒ **Bouter.** *Pousser violemment qqn pour le faire tomber.* ⇒ **Bousculer, culbuter.** *Pousser des chevaux dans les brancards à coups de botte* (→ Atteler, cit. 2).

2 (...) il pousse sa compagne, lui fait perdre l'équilibre et la jette à terre, un pied pris dans la basque de son habit et les cotillons renversés sur sa tête.
DIDEROT, Jacques le fataliste, Pl., p. 507.

Pousser qqn dans..., contre, sur... — Spécialt. *Pousser de, du haut de... :* faire tomber en poussant.

3 Le roi de l'île le fit périr *(Thésée)*, par jalousie, en le poussant dans un précipice, du haut d'un rocher où il lui faisait admirer le paysage.
Émile HENRIOT, Mythologie légère, p. 128.

Pousser qqn, un animal de... (suivi du nom de la partie du corps, d'un instrument qui exerce la poussée). *Pousser qqn des pieds et des mains.* — Par ext. *Pousser qqn du coude, du genou,* en exerçant une légère pression pour avertir, mettre en garde, etc.

4 Et il l'entraîna en avant sur la pente où tout de suite elle s'abattit en hurlant. Mais lui, avec une brusque rage, la poussait des pieds et des mains comme il eût fait d'une barrique.
F. MAURIAC, les Anges noirs, XIV.

Spécialt. *Pousser* (compl. au plur.) : écarter en poussant. *Pousser les gens pour entrer, sortir :* se frayer un passage.

Loc. (1722). *Il va comme on le pousse,* sans choisir sa direction, en obéissant aux impulsions extérieures. Fig. Se dit d'un homme docile, faible, sans volonté. — Vx. *Va comme je te pousse,* «se dit d'une affaire qui va de soi et sans qu'on s'en mêle» (Littré). — Mod. (loc. adv. fam.). *Va comme je te pousse, à la va comme je te pousse :* n'importe comment, de façon désordonnée. *Ce travail a été fait à la va comme je te pousse.*

5 Ils *(nos contemporains)* posent au hasard leurs mains innocentes et brusques sur des dièzes et des bémols, et vas-y comme je te pousse.
Léon-Paul FARGUE, Lanterne magique, p. 182.

(Le compl. désigne une chose). *Pousser un objet. Pousser qqch. de toute sa force. Pousser qqch. du pied,* avec le pied (→ Âtre, cit. 4; coulisse, cit. 4). *Pousser un meuble contre le mur, contre la fenêtre...* (→ Démantibuler, cit. 1; faire, cit. 193; jour, cit. 10). *Pousser les ordures dans un coin, en balayant. Pousser une porte,* soit pour l'ouvrir (→ Claire-voie, cit. 2; entrouvrir, cit. 10; grand, cit. 18), soit pour la fermer (complètement ou non). — Spécialt. *Pousser la porte :* entrer. *À peine avait-il poussé la porte... Pousser une barrière.* ⇒ **Lever** (→ Forcer, cit. 3). *Pousser les volets* (→ Judas, cit. 1). *Pousser le verrou,* le fermer (→ Oreille, cit. 17, fig.). *Pousser qqch. vers le bas* (⇒ **Baisser**), *le haut* (⇒ **Hausser, monter**). — Au p. p. *Porte poussée. Verrou poussé* (→ ci-dessous, cit. 7).

6 À présent, monsieur, dit-il à son maître, nous n'avons plus qu'à nous barricader en poussant nos lits contre cette porte, et à dormir paisiblement (...)
DIDEROT, Jacques le fataliste, Pl., p. 511.

7 (...) le gros loquet poussé sur la petite porte à claire-voie (...)
Alphonse DAUDET, Lettres de mon moulin, «Installation».

8 Macaire *(le chien)* se faufila, longea le comptoir sans s'arrêter, poussa du nez une petite porte de communication au battant libre.
J. ROMAINS, les Hommes de bonne volonté, t. IV, VIII, p. 81.

(Le compl. désigne un instrument, dans une opération technique). *Pousser un rabot, le rabot* (→ Glisser, cit. 7). *Pousser un trusquin* (→ 1. Marbre, cit. 12). *Pousser son aiguille* (cit. 3). — Loc. (1857). *Pousser l'aiguille :* coudre.

♦ **2.** (Le compl. désigne un animé). Faire aller devant soi, dans une direction déterminée, par une action continue et insistante; inciter à aller dans une direction.

a (Concret). *Pousser ses troupes* (en avant), les faire avancer. ⇒ **Avancer.** *Pousser l'ennemi* (en arrière), le faire reculer (→ Nôtre, cit. 7). ⇒ **Refouler, rejeter, repousser.** *Ouvreuse* (→ 2. Ouvreur, cit. 2) *poussant devant elle un spectateur. Ils avancent où ils sont poussés* (→ 1. Pas, cit. 18). *Pousser qqn dans la mêlée* (cit. 5). *Charretier qui pousse ses chevaux* (→ Herse, cit. 2; et aussi cheval, cit. 10). *Meunier* (cit. 2) *poussant son âne. Pousser ses vaches, ses moutons vers la ferme.*

9 (...) poussant à leur tour les Gaulois qui étaient devant eux, comme le flot pousse le flot.
FUSTEL DE COULANGES, Leçons à l'Impératrice, p. 77.

Faire aller plus vite (un être animé). *Pousser son cheval.* ⇒ **Porter** (en avant).

b (Par métaphore). Entraîner (le sujet désigne une force). *Elle se laissait aller* (cit. 90) *où on la poussait. «Mais je me sens poussé D'un souffle impétueux...»* (→ Force, cit. 65, Hugo). *Le vieil instinct de voyage qui pousse infatigablement* (cit. 1) *Israël sur tous les chemins du monde. Les excès poussent le corps dans sa voie propre* (→ Ivrognerie, cit. 1).

10 (...) je ne sais quelle force encore m'a poussé vers vous!
FLAUBERT, Mme Bovary, II, IX.

11 C'est du propre, continuait-il, les yeux étoilés de haine, Gérard et toi vous entraînez cette petite, vous la poussez dans les bras de ce juif; vous voulez peut-être la vendre!
COCTEAU, les Enfants terribles, p. 141.

Au p. p. *«Ainsi* (cit. 11), *toujours poussés vers de nouveaux rivages...»* (Lamartine).

c (1538). Fig. **POUSSER (qqn), POUSSER (qqn) À (qqch.).** → Cabrer, cit. 2 ; hardiesse, cit. 12 ; impatient, cit. 10 ; pari, cit. 1. **POUSSER (qqn) À (faire qqch.).** → Fait, cit. 25; homme, cit. 85; inciter, cit. 2; contraindre. ⇒ **Aiguillonner, animer, conduire, conseiller, disposer, encourager, engager, entraîner, exciter, induire, instiguer, inviter, porter, solliciter, stimuler.** *Pousser qqn à l'action, à la révolte, à la haine, au désespoir. Pousser qqn à agir.* — (Sujet n. de chose). *La publicité pousse les gens à la consommation. Force, instinct, besoin, sentiment, mobile... qui nous pousse à qqch* (⇒ **Impulsion** [cit. 14; → aussi Excès, cit. 14; fanatisme, cit. 9; gain, cit. 8; immodéré, cit. 2; intention, cit. 7; moralisation, cit. 1]), *à faire qqch.* (→ Altruiste, cit.; développer, cit. 18; divertissement, cit. 1; instinct, cit. 1; jupon, cit. 4; mythomane, cit.; œuvre, cit. 24; paraître, cit. 46). ⇒ **Emporter.**

(Sans finalité exprimée). *«Quelque diable* (cit. 1) *aussi me poussant...»* (La Fontaine). ⇒ **Agir** (faire), **décider, déterminer, diriger.**

Et l'intérêt du Ciel est tout ce qui le pousse. MOLIÈRE, Tartuffe, I, 1. 12

(...) lorsqu'on a commencé une tâche, il est quelque chose en nous qui nous pousse à ne pas la laisser imparfaite. 13
BALZAC, le Médecin de campagne, Pl., t. VIII, p. 395.

(...) des grands chefs, que l'ambition pousse et que la gloire attire (...) 14
ALAIN, Propos, 2 avr. 1921, La guerre est la messe de l'homme.

Au p. p. *Se sentir poussé vers...* ⇒ **Attirer, incliner** (→ 3. Droit, cit. 71). *Poussés d'un zèle indiscret* (→ Inconsidéré, cit. 1).

Aider (qqn) à atteindre une position meilleure; faciliter l'avancement, la réussite de (qqn). ⇒ **Favoriser.** *Je l'aurais poussé si je lui avais trouvé quelque disposition* (→ Bonasse, cit. 1). *Pousser un élève, un athlète,* lui faire faire des progrès par un travail, un entraînement intensif.

N'est-ce pas votre intention, Monsieur, de le pousser à la cour, et d'y ménager pour lui une charge de médecin? 15
MOLIÈRE, le Malade imaginaire, II, 5.

(...) cette passion de protéger, de guider, de *pousser,* propre à tant de femmes du monde. 16
Louis MADELIN, Talleyrand, I, II.

(Vx). *Pousser qqn,* avoir envers lui une attitude provocante, offensante.

Mais c'est trop me pousser, ce respect est à bout (...) 17
MOLIÈRE, le Dépit amoureux, V, 7 (cf. aussi le Misanthrope, III, 5).

Loc. *Pousser qqn en avant :* faire occuper à qqn une position en vue, mais périlleuse (afin de s'abriter derrière lui). → Mettre en avant*. *Tous ces lâches qui nous poussaient en avant* (→ 1. Dire, cit. 55). — (1656). **POUSSER À BOUT :** acculer (→ Pantomimer, cit.), et, par ext., exaspérer (qqn), mettre sa patience à bout* (→ Explosion, cit. 8). *En me poussant à la dernière extrémité* (cit. 11).

(...) c'était tout simplement un poète irascible, franc jusqu'à la colère, un esprit que la contrariété poussait à bout, et qui ne pouvait pas plus cacher son opinion qu'il ne pouvait prendre celle d'autrui. 18
CHATEAUBRIAND, Mémoires d'outre-tombe, t. II, p. 186.

J'aime une femme! Tu le sais et tu la railles devant moi, tu me pousses à bout; tant pis pour toi. 19
MAUPASSANT, Pierre et Jean, VII.

(1656). Presser (qqn), forcer à parler, à répondre, à réagir. *Pousser qqn sur un sujet, une affaire.* ⇒ **Harceler.**

Si on l'avait poussé un peu, on aurait fini par comprendre qu'il voyait là *(dans la religion)* une histoire ennuyeuse et sans portée, dont il serait convenable de reparler au moment de la mort (...) 20
F. MAURIAC, les Anges noirs, XI.

♦ **3.** (Fin XVIe). Personnes. Fournir l'effort nécessaire pour faire avancer (une chose mobile, un objet).

a (Concret). *Pousser une malle, une valise par terre. Pousser un traineau.* — (Le compl. désigne un objet sur roues). *Pousser une brouette, une voiture d'enfant, une charrue, un chariot...* (→ Brancher, cit. 3; machiniste, cit. 3; marchand, cit. 10). — (Le compl. désigne un objet quelconque). *Pousser un pion* (→ Déplacer, cit. 4). — Loc. (vx). *Pousser le bois :* jouer aux dames, aux échecs. *Pousser un ballon, une balle* (⇒ **Crosser**).

Est-ce que vous perdez aussi votre temps à pousser le bois? (C'est ainsi qu'on appelle par mépris jouer aux échecs ou aux dames). 21
DIDEROT, le Neveu de Rameau, Pl., p. 427.

(1606; sujet n. de chose, éléments naturels). *Vent poussant un navire* (→ Galion, cit. 2; perdition, cit. 3). *Le vent, la tempête... pousse les nuages, des flocons, des étincelles...* ⇒ **Chasser, souffler, voler** (faire); → Aquilon, cit. 5; engouffrer, cit. 3; incendie, cit. 3. — Par anal. *La lune* (cit. 4) *poussait des gerbes de lumière jusque dans l'épaisseur des ténèbres.* ⇒ **Lancer, projeter.**

(...) l'esprit de ces infidèles est comme le nuage qui change de forme et de route selon le vent qui le pousse. 22
HUGO, Littérature et Philosophie mêlées, Sur l'abbé de Lamennais (juil. 1823).

Par métonymie. *Pousser une botte*, une charge, une attaque.* — Techn. *Relieur qui pousse des fers, des filets sur les plats d'une reliure,* qui les applique, les trace. — (1765). *Menuisier qui pousse des moulures,* qui les forme sur le bois. *Soldats du génie poussant la sape*.*

(...) ce grand enfant d'Aouïmer, joyeux comme un cheval qui sent l'écurie... poussait des charges à fond de train contre de pauvres lièvres qui (...) prenaient le frais dans l'alfa. 23
E. FROMENTIN, Un été dans le Sahara, p. 279.

b Par métaphore, fig. (*Pousser à, jusqu'à, vers, loin,* etc.). Faire aller (qqch.) jusqu'à un certain point, une certaine limite, un certain degré (une activité, un travail, etc.). *Pousser jusqu'à l'achèvement* (cit. 1), *jusqu'au bout une action, une aventure, une œuvre* (→ Dépendance, cit. 1; frivolité, cit. 2). ⇒ **Terminer.** — Vx (dans le même sens). *Pousser qqch. à bout* (→ Pacifier, cit. 2). — *Pousser* *qqch. à la perfection, à l'extrême...* (→ Couard, cit. 1 ; jeu, cit. 17 ; imaginaire, cit. 5). *Pousser bien loin**, *trop loin* (⇒ **Exagérer**) *la logique, les figures* (cit. 27), *l'analogie* (cit. 10), *la plaisanterie...* (→ Habile, cit. 5 ; monopole, cit. 5 ; parole, cit. 27). *Pousser qqch. trop avant* (cit. 55), *plus outre* (→ 2. Outre, cit. 7)... ⇒ **Persévérer.** *Pousser la luxure* (cit. 2), *la recherche des plaisirs* (→ Épicurisme, cit. 3)... *Pousser l'impudence* (cit. 4), *le mépris* (cit. 3)... *Pousser les tons du roman à un diapason* (cit. 3) *extrême. Pousser les choses au noir** (cit. 47), *pousser au noir* (cit. 47.1). *Pousser l'enchère plus haut* (cit. 119). — Par ext. *Pousser un objet dans une vente,* en offrir plus d'argent.

24 Platon s'est au projet simplement arrêté (...)
(...) Mais à l'effet entier je veux pousser l'idée
Que j'ai sur le papier en prose accommodée.
MOLIÈRE, les Femmes savantes, III, 2.

25 Il n'y trouve plus rien de chatte,
Et, poussant l'erreur jusqu'au bout,
La croit femme en tout et partout. LA FONTAINE, Fables, II, 18.

26 À la vente qui eut lieu par suite du décès du chevalier de Valois, Suzanne, désirant un souvenir de son premier et bon ami, fit pousser sa tabatière jusqu'au prix excessif de mille francs. BALZAC, la Vieille Fille, t. IV, p. 331.

27 Mais, c'est curieux, depuis que j'habite avec elle, au lieu de pousser plus loin l'étude de cette langue japonaise, je l'ai négligée (...)
LOTI, Mme Chrysanthème, XX.

28 (...) cette fin de scène peut et doit être poussée jusqu'aux limites de la décence ou plutôt : de l'indécence, de l'impudeur. GIDE, Attendu que..., p. 200.

29 (...) car le propre de la divinité, c'est l'entêtement. Si l'homme savait pousser l'obstination à son point extrême, lui aussi serait déjà dieu. Voyez les savants, et les secrets divins qu'ils arrachent de l'air ou du métal, simplement parce qu'ils se butent. GIRAUDOUX, Amphitryon 38, III, 1.

Pousser jusqu'à (avec un inf. marquant le point* extrême). *Pousser l'audace* (cit. 20) *jusqu'à approcher... Pousser le dévouement, la délicatesse, la gentillesse* (cit. 7)... *jusqu'à faire telle ou telle chose* (→ Déranger, cit. 14 ; furet, cit. 4 ; opportunisme, cit. 1). — (Avec un subst. marquant qu'à ce point extrême la chose devient autre). *Amour maternel poussé jusqu'à la passion* (→ Assombrir, cit. 2). *Pousser jusqu'à la coquetterie le soin de son ajustement* (→ Fleurette, cit. 2). *Pousser l'esprit d'obéissance* (cit. 8) *jusqu'à la soumission aveugle.*

30 J'ai poussé la vertu jusques à la rudesse. RACINE, Phèdre, IV, 2.

31 (...) il pousse l'amour de la poésie jusqu'au parfait abandon de soi-même et au sacrifice le plus absolu des nécessités de la vie.
Th. GAUTIER, Portraits contemporains, Glatigny.

c (Sans compl. ind.). Faire parvenir à un degré supérieur de développement, d'intensité. *Pousser son travail, les travaux.* ⇒ **Avancer** (faire). *Je pousse laborieusement* (cit.) *mon second volume.* — (1656). *Pousser une affaire,* la mener activement.

32 Tout de suite, Jean avait eu l'idée de pousser ses affaires, auprès de Lise, en se déclarant. ZOLA, la Terre, II, III.

Pousser le feu. ⇒ **Activer, attiser.** — Mar. *Pousser les feux**.

33 Du bout du pied, il rouvrit la porte ; et le chauffeur, ensommeillé, comprit, poussa le feu encore, afin d'augmenter la pression. ZOLA, la Bête humaine, VII.

Pousser ses études, une discussion, une enquête. ⇒ **Durer** (faire), **poursuivre, prolonger.** — Vieilli. *Pousser un sujet.* ⇒ **Approfondir, développer.** — *Pousser son avantage.* ⇒ **Accentuer.** *Pousser sa chance. Pousser un travail, un essai, une activité.*

34 (...) j'aurais persévéré dans mes essais de jardinage qu'à travers maints déboires je n'ai pas poussés plus de trois ans. GIDE, Journal, 18 juil. 1932.

Pousser sa voix. ⇒ **Forcer.**

35 (...) il poussait la voix sur la fin des phrases.
G. DUHAMEL, Chronique des Pasquier, VIII, XI.

Pousser un moteur, une voiture, chercher à lui faire rendre le maximum. — *Pousser une voiture* (dans une occasion donnée), la mettre à plein régime, augmenter* la vitesse. — Au p. p. *Voiture poussée* (→ ci-dessous).

♦ **4.** (XVIe ; même valeur que *pousser* intrans., III.). Faire naître, faire croître (spécialt, en parlant de productions végétales). ⇒ **Produire.** *Troncs d'oliviers* (cit. 6) *poussant encore de grêles branches.* ⇒ **Étendre.** *Cet arbre pousse des bourgeons, des rejetons nouveaux, de profondes racines. Vigne qui pousse des rameaux chétifs.* ⇒ **Chênevotter.** — Par anal. *Enfant qui pousse ses premières dents.*

36 (...) quand les enfants n'ont pas la force de les pousser *(les dents)* dans le temps, ils n'ont pas celle de soutenir le mouvement qui les veut faire percer toutes à la fois (...) Mme DE SÉVIGNÉ, Lettres, 625, 16 juil. 1677.

37 Les platanes de la Halle aux vins poussaient leur jeune feuillage.
G. DUHAMEL, Chronique des Pasquier, II, V.

Par métaphore. *Expression hors d'usage qui tout à coup pousse un rejeton* (→ Chandelle, cit. 5). *Toutes les sensations poussent des racines dans l'étendue* (cit. 5). *Chez cet auteur... les métaphores poussent en tous sens leurs branchages noueux* (→ Hyperbolique, cit. 4).

♦ **5.** (Av. 1650). Produire avec force ou laisser échapper avec effort par la bouche (un son). *Pousser des cris* (cit. 7, 13 et 27). ⇒ **Crier, émettre, faire, jeter, proférer** (→ Épouvantable, cit. 2 ; fendre, cit. 5 ; frisson, cit. 12). *Pousser un hurlement* (cit. 3), *des vociférations* (→ 1. Lie, cit. 7). *Pousser un gémissement* (cit. 4), *des plaintes, des lamentations* (cit. 3 et 4), *un terrible juron* (→ Empoigner, cit. 2), *des exclamations* (→ Ha, cit. 7 ; heu, cit. 2)... *Pousser un soupir, des soupirs.* ⇒ **Exhaler, lâcher** (→ Évanouir, cit. 4 ; geignard, cit. 1 ; geindre, cit. 5 ; inarticulé, cit. ; lassitude, cit. 8). *Pousser des hoquets* (cit. 3), *des sanglots. Pousser de grands éclats de rire* (→ Bravade, cit. 1 ; gloire, cit. 27), *des rires* (→ Feuilleton, cit. 1), *un petit rire gloussant* (cit. 2).

(...) il prie, mais il médite, il pousse des élans et des soupirs (...)
LA BRUYÈRE, les Caractères, XIII, 24.

Fam. *Pousser une chanson.* ⇒ **Chanter.** *En pousser une* (chanson). *Pousser la chansonnette, la romance.*

On lui demandait d'en « pousser une ». Il se croyait un talent de tragédien, et ne se faisait pas prier. Eugène DABIT, Hôtel du Nord, XV.

Un bar avait été installé sur une caisse. Un lieutenant de gendarmerie, ténor amateur, poussa la chansonnette.
A. BILLY, Un touriste solitaire, *in* le Figaro, 30 mars 1961.

(Animaux).

Il est la risée du village (...) Un lâche (...) On le mènerait à la boucherie et il ne pousserait pas le moindre bêlement. F. MAURIAC, les Anges noirs, XVI.

Vx. Faire entendre, exprimer avec une vivacité passionnée. *« Honteux* (cit. 8) *d'avoir poussé tant de vœux superflus »* (Racine). *« Pousser le doux, le tendre et le passionné »* (cit. 10, Molière).

Il nous ferait beau voir, attachés face à face
À pousser les beaux sentiments ! MOLIÈRE, Amphitryon, I, 4.

★ **II.** V. intr. (Personnes ou valeur active). ♦ **1.** (1160). Faire effort en poussant qqch. ou qqn, en exerçant une poussée, une pesée, une pression. *Allez, poussez dur !* (cit. 29). *Voyons, ne poussez pas !* — Mar. Faire avancer en poussant. *Pousser de fond,* « faire avancer une embarcation en faisant effort contre le fond avec des gaffes ou avirons » (Gruss).

Dans l'après-midi, au large de la Brière, un chaland s'éloignait par la curée de Nivince. C'était M. Ulric qui poussait. A. DE CHÂTEAUBRIANT, la Brière, III, VI.

— Je veux pousser aussi, dit Pablo. Sarah s'arc-bouta contre la voiture et poussa de toutes ses forces, les yeux clos, dans un cauchemar.
SARTRE, la Mort dans l'âme, p. 16.

Loc. (Emploi absolu de I., 3.). *Pousser à la roue.* ⇒ **Roue.**

(1690). Techn. (Sujet n. de chose). Exercer une poussée. *« Les terres ont poussé contre le mur de la terrasse »* (Littré, Académie).

Loc. techn. *Pousser en dehors,* en parlant d'un mur, Se déformer vers l'extérieur. Syn. : *faire ventre**.

♦ **2.** (Fin XVIIe). Faire un effort pour expulser de son organisme. — Spécialt. Se dit des efforts de la femme qui accouche, pour expulser le fœtus.

Elle poussait de toutes ses forces en silence, sans respirer, puis elle reprenait haleine en criant et elle retombait sur la mousse.
J. GIONO, le Chant du monde, I, III.

(Pour expulser les excréments). → Selle, cit. 0.1, Beckett. *« Assis sur son pot, le petit poussait »* (plaisanterie sur le *Petit Poucet*).

♦ **3.** Fig. **POUSSER À** : inciter à, mener une action favorable à... ⇒ **Instigateur.** *Pousser à la consommation.*

Voilà le terrible ! cria-t-il. D'un côté, nous autres, les paysans, qui avons besoin de vendre nos grains à un prix rémunérateur. De l'autre, l'industrie, qui pousse à la baisse, pour diminuer les salaires. ZOLA, la Terre, II, V.

(...) il n'y a point de déshonneur à être faible, malade ou vieux, mais il y a déshonneur si, étant faible, malade ou vieux, on se permet de pousser à la guerre.
ALAIN, Propos, 14 sept. 1921, Piquons l'honneur.

♦ **4.** Sports. Jeter toutes ses forces dans l'effort. *Il a dû pousser pour gagner. L'emporter sans pousser.*

♦ **5.** Vx (langue class.). Aller plus loin, avancer. ⇒ **Continuer.**

Figuré :

Allons, ferme, poussez, mes bons amis de cour (...)
MOLIÈRE, le Misanthrope, II, 4.

Mod. *Pousser plus loin, jusqu'à :* aller plus loin, poursuivre son chemin. ⇒ **Avancer, porter** (se). *Poussons jusqu'au prochain village.* — (Mar.). *Pousser au large,* se dit d'une embarcation qui déborde d'un bâtiment, d'une côte pour s'en écarter.

(...) il a pu descendre à Mantes, à moins qu'il ne soit descendu à Rolleboise, ou qu'il n'ait poussé jusqu'à Pacy (...) HUGO, les Misérables, III, III, VII.

Fig. *Pousser de l'avant, plus loin.*

Il me tarde d'avoir achevé de recopier le chapitre VII de mes *Mémoires* ; pour pouvoir pousser de l'avant. GIDE, Journal, 28 oct. 1917.

♦ **6.** Fam. Aller trop loin (en acte ou en paroles) ; exagérer. ⇒ **Attiger, charrier, cherrer.** *Faut pas pousser ! Dis donc, tu pousses ! Il pousse un peu, le mec !*

★ **III.** V. intr. (Choses, végétaux, animaux ; valeur passive). ♦ **1.** (1660). Végétation. Croître*, se développer*, grandir*. *Plantes, arbres* (cit. 34) *qui poussent, poussent dru* (cit. 3), *droit* (→ Entamer, cit. 6 ; herbe, cit. 6 et 18 ; mur, cit. 6 ; palmier, cit.). *Les premiers bourgeons poussent.* ⇒ **Pointer, sortir.** *Un bon champ où tout pousse.* ⇒ **Venir.** *Un désert où il ne pousse rien* (→ Manque, cit. 7). *Faire pousser une plante.* ⇒ **Cultiver.** *Espèces qui poussent dans nos régions.* ⇒ **Habiter.** *« Il faut que l'herbe pousse et que les enfants meurent »* (cit. 17, Hugo). *Graine* (cit. 1) *qui doit germer et pousser.* — Par anal. *Barbe* (cit. 10), *cheveux qui poussent* (→ Dresser, cit. 2 ; huile, cit. 7). *Ses premières dents ont toutes poussé.* — Par compar. (D'un animal, d'un être humain). *Cet enfant pousse comme un chêne* (cit. 9).

51 Sur ces grasses et plantureuses campagnes, uniformément riches d'engrais, de canaux, d'exubérante et grossière végétation, herbes, hommes et animaux, poussent à l'envi, grossissent à plaisir. Le bœuf et le cheval y gonflent à jouer l'éléphant. La femme vaut un homme et souvent mieux.
MICHELET, Hist. de France, III.

52 Boche disait que les enfants poussaient sur la misère comme des champignons sur le fumier. ZOLA, l'Assommoir, V, t. I, p. 197.

53 À côté du pupitre où j'écrivais, végétait sur une planchette un glaïeul que je prétendais voir pousser (...) Un glaive verdoyant avait bientôt surgi de terre, et sa croissance de jour en jour m'émerveillait (...) J'avais calculé que la feuille gagnait trois cinquièmes de millimètre par heure (...)
GIDE, Si le grain ne meurt..., I, V, Pl., p. 444.

(Animaux, humains). *Ton petit chien a poussé, a bien poussé. Il laisse pousser ses enfants sans trop s'en occuper.*

Par métaphore, fig. (le sujet désigne une construction, une ville). S'accroître, se développer, grandir... (→ 2. Neuf, cit. 3; parasite, cit. 13). — Le sujet désigne une réalité psychique : idée (→ Crâne, cit. 5; dru, cit. 4), sentiment (→ Arbre, cit. 43). — Le sujet désigne une réalité artistique, une œuvre (→ Étendre, cit. 4)... — *Pousser comme des champignons*, du chiendent*.* ⇒ **Pulluler.**

54 De retour à Avignon, je cherchai le palais des papes, et l'on me montra la Glacière : la Révolution s'en est prise aux lieux célèbres; les souvenirs du passé sont obligés de pousser au travers et de reverdir sur des ossements.
CHATEAUBRIAND, Mémoires d'outre-tombe, t. II, p. 227.

55 Et devant les cafés, des rangs de tables vertes
Ont par enchantement poussé sur les trottoirs.
BANVILLE, Odes funambulesques, Gaietés, « Premier soleil ».

56 Mais la symphonie naissante poussait de toutes parts.
R. ROLLAND, Voyage musical au pays du passé, p. 243.

57 Que les hommes qui travaillent prétendent élever les salaires, et s'unir pour cela, je ne m'en effraie point, je ne m'en étonne point. C'est la Raison qui pousse, comme poussent les seigles et les blés. ALAIN, Propos, 18 avr. 1909, La grève.

(Au p. p.). *Cassis* (→ 1. Cassis, cit. 1) *sauvage poussé entre les pierres* (→ aussi Greffer, cit. 2). *Abbaye poussée comme un manoir fantastique* (cit. 2). — *Amours mignons poussés en une nuit* (→ Imbroglio, cit. 1). — *Enfant poussé trop vite.*

58 Un clair de lune magnifique éclairait la steppe *(sic)* et, glissant entre les écailles de cactus énormes poussés à quelques mètres devant nous, leur donnait l'aspect surnaturel d'un troupeau de bêtes infernales éclatant tout à coup et jetant en l'air, en tous sens, les plaques rondes de leurs corps affreux.
MAUPASSANT, la Vie errante, Vers Kairouan, 13 déc.

59 (...) elle restait raide, immobile, avec son cou maigre de fille poussée trop vite (...)
ZOLA, Nana, III.

♦ **2.** (1802). Peint. *Pousser au noir,* « se dit d'une couleur, d'une peinture qui se noircit sous l'action du temps ou par suite d'un abus des bitumes » (Réau).

Par anal. *Pousser au vert, au rouge :* évoluer vers...

♦ **3.** (Av. 1850). Techn. (œnologie). Fermenter par suite de la pousse*. *Le vin pousse.*

▶ **SE POUSSER** v. pron.

♦ **1.** (Réfl.). Avancer avec effort (→ Dénoncer, cit. 6). — (XVIe). Fig. (souvent péj.). Conquérir une situation, une position meilleure; se mettre en vue. *Le peuple appelle faire fortune* (cit. 36) *se pousser. Se pousser dans les salons, auprès de qqn* (→ Mouche, cit. 17). — Fam. *Se pousser du col :* se rengorger, prendre de grands airs*.

60 On sait que ce pied plat, digne qu'on le confonde,
Par de sales emplois s'est poussé dans le monde.
MOLIÈRE, le Misanthrope, I, 1.

61 Je fis réflexion que je pourrais me pousser à la cour, où un génie supérieur, à ce que j'avais ouï dire, n'était pas absolument nécessaire pour s'avancer.
A.-R. LESAGE, Gil Blas, VII, XI.

62 Le jeune Racine songe à son avancement, ainsi que tous les garçons de son âge. Il est fort désireux de se pousser dans le monde et ne néglige aucun de ceux qui le peuvent servir. F. MAURIAC, Vie de Jean Racine, II.

63 Elle m'aime (...) mais c'est un caractère difficile : elle s'en croit. Il y a sa mère aussi, qui se pousse du col. SARTRE, la Mort dans l'âme, p. 78.

(1660). S'ôter (d'un endroit où l'on gêne [qqn]), pour faire, pour laisser une place. *Pousse-toi, laisse-moi passer. Poussez-vous un peu sur le banc, que je puisse m'asseoir.*

♦ **2.** (Récipr.). ⇒ **Entre-pousser** (s'). *Il se pressent, s'entrechoquent, se poussent en silence* (→ Direction, cit. 7). *Femmes qui se poussent le coude* (cit. 4). *Les atomes qui se poussent et s'entrechoquent* (→ Objectiver, cit. 1). — Par métaphore (→ 1. Engendrer, cit. 11).

64 On devinait une histoire d'hôpital dans laquelle « ils », c'était à la fois les médecins, et ceux qui acceptent la loi; et ses méfiants compagnons de chambrée, bien que se poussant du coude comme les collégiens devant le loustic, préparaient des combines compliquées pour qu'il ne fût jamais garde-chambre.
MALRAUX, Antimémoires, Folio, p. 304.

♦ **3.** (Rare). Passif. Être poussé (à un certain point), continuer. *La discussion « se poussa fort loin »* (Mme de Sévigné).

▶ **POUSSÉ, ÉE** p. p. adj.

♦ **1.** (Sens I, 1). *Voyageurs poussés, bousculés.* — *Porte poussée* (→ cit. 7 et *supra*) — (Sens 2). → *infra* cit. 11; *infra* cit. 14. — *Poussé en avant. Poussé à bout.* — (Sens 3). *Traîneau, bateau poussé* (⇒ **Poussage**) *ou tiré.*

♦ **2.** (Correspond à I., 3., c). Qui est porté très loin, à un haut degré ou qui est fait avec un grand soin du détail, de la précision. *Travail cérébral* (cit. 2) *trop poussé. La plaisanterie est un peu poussée.* ⇒ **Fort.** *Caricatures trop poussées, trop insistantes* (cit. 2). *Il faudrait faire une analyse plus poussée de la situation.*

(...) cet étudiant nord-africain hospitalisé, après un interrogatoire un peu trop poussé, comme on dit (...) 65
F. MAURIAC, le Nouveau Bloc-notes 1959-1960, p. 152.

Dessin extrêmement poussé. — N. m. *Le poussé,* « se dit d'une exécution très soignée, d'un rendu très consciencieux » (Réau). *Moteur poussé,* qui a plus de puissance qu'à l'origine. *Voiture poussée.*

♦ **3.** (Correspond à III., 1.). → ci-dessus cit. 58, 59 et *supra.*

CONTR. Haler, immobiliser, tirer. — Détourner, dissuader, empêcher.
DÉR. Poussage, pousse, poussée, poussette, pousseur, poussoir.
COMP. Entre-pousser. V. Repousser.

POUSSETTE [pusɛt] n. f. — 1718, « jeu d'enfants où les adversaires poussaient des épingles »; de *pousser.*

★ **I.** (Action). ♦ **1.** (1873). Tricherie consistant à pousser une mise sur le tableau ou le numéro que l'on voit gagner.

♦ **2.** (1925). Argot (sport). Action d'aider un coureur cycliste en le poussant dans une côte. *Coureur pénalisé pour avoir bénéficié de la poussette.*

Action de pousser en course une autre voiture.

♦ **3.** Fam. Allure très lente des véhicules, qui se suivent sur une route encombrée.

★ **II.** (XXe). ♦ **1.** Petite voiture d'enfant très basse.

(...) Tout cela est vide, privé de ces objets domestiques, qui révèlent en général la vie d'une maison : paillassons devant les portes, poussette laissée au bas des marches, seau et balai appuyé dans un recoin.
A. ROBBE-GRILLET, Dans le labyrinthe, p. 54.

♦ **2.** Châssis métallique léger, monté sur roues et muni d'un manche ou guidon, pour transporter un sac à provisions, de petits fardeaux. *Elle fait son marché avec une poussette.*

HOM. Poucettes.

POUSSEUR, EUSE [pusœʀ, øz] n. — Déb. XVIIe; de *pousser.*

A. Personne, chose qui pousse (I.). ♦ **1.** Rare. Personne qui pousse (qqch.). Personne chargée de pousser les voyageurs dans les voitures du métro, aux heures de pointe (s'est dit à propos du Japon). — (1875). *Pousseur de bois :* faible joueur de dames, d'échecs.

Fig., vx. *Pousseur, pousseuse de grands sentiments :* personne qui a l'habitude de pousser* les grands sentiments (→ 1. Héroïne, cit. 4).

Techn. *Pousseur de ranges :* ouvrier paveur.

♦ **2.** N. m. (Choses). Techn. Levier articulé utilisé pour pousser les wagons. — (Mil. XXe). Bateau à moteur qui assure le poussage*. *« Le transport de voitures par barges sur la Seine va rapidement se développer (...) Le matériel se compose d'un pousseur de 1 600 ch et de six barges... »* (*France-Europe,* no 16, p. 29).

♦ **3.** N. f. Techn. Dispositif de manutention servant à pousser.

B. N. m. (1902). Sport. Coureur cycliste qui fait montre de plus de force que de souplesse.

CONTR. (Du sens 3) **Remorqueur, toueur.**

POUSSEUX [pusø] n. m. — Var. dial. (Normandie) de *pousseur, poussoir,* XIIIe, même sens; de *pousser.*

♦ Régional, techn. (pêche). Filet à crevettes que l'on peut pousser. ⇒ **Bourraque, guidel.**

POUSSE-WAGON [pusvagɔ̃] n. m. — Mil. XXe; de *pousse- (pousser),* et *wagon.*

♦ Techn. Engin automoteur capable de pousser sur de courtes distances des wagons. *Des pousse-wagons.*

POUSSIER [pusje] n. m. — 1549; *pulsier* « poussière », fin XIVe; forme masc. de *poussière.* → Poussière.

♦ **1.** Poussière de charbon, qu'on utilise notamment pour faire des agglomérés*. *Poussier de houille* (cit. 4), *de coke... Coup de poussier :* déflagration brusque des poussières de charbon dans une mine ou un dépôt de charbon.

Son familier lui apporta un peu de poussier, afin qu'elle renouvelât les cendres de sa chaufferette, car le temps était rude (...) 1
BALZAC, Jésus-Christ en Flandre, Pl., t. IX, p. 266.

Débris pulvérulents. *Poussier de paille, de foin, de motte* (à brûler).

2 On marche sur du poussier de verre, de brique, d'ardoise, recouvrant le trottoir.
Ed. et J. DE GONCOURT, t. IV, p. 219.

♦ **2.** Techn. *Poussier d'artillerie.* ⇒ **Pulvérin.**

♦ **3.** (1755). Techn. Débris de coupe de pierre tamisés, utilisés avec du plâtre pour former l'aire d'un carrelage.

HOM. Poucier.

POUSSIÈRE [pusjɛʀ] n. f. — 1549; *posiere,* 1190; de l'anc. franç. *pous,* attesté dans certains dial., du lat. pop. *pulvus,* class. *pulvis.*

♦ **1.** Terre desséchée réduite à l'état de particules très fines et très légères, et, par ext., mélange pulvérulent de particules solides (grains) assez ténus pour pouvoir se maintenir en suspension dans l'air. ⇒ **Poudre** (1., vx). *Poussière fine, impalpable* (→ Fond, cit. 5); *fine poussière. La poussière des routes, des chemins* (→ Fonds, cit. 1; gris, cit. 7). *La poussière des villes provient surtout des fumées* (résidus de combustion, cendres, suies...). *Appareil servant à mesurer la quantité de poussière contenue dans l'air.* ⇒ **Aéroscope.** — *Foule* (cit. 7), *troupe, troupeau, soulevant la poussière dans sa marche* (→ 1. Caravane, cit.; fantasia, cit. 1 et 2). *Poussière soulevée par le vent* (→ Limpidité, cit. 3). *Faire voler la poussière* (→ Cabale, cit. 4); *faire de la poussière* (→ Foule, cit. 1; genre, cit. 45). *Flot, nuage, tourbillon de poussière* (→ Engouffrer, cit. 3; haut, cit. 89; malle, cit. 6). *« Je l'ai vu, tout couvert* (cit. 42) *de sang et de poussière »* (Corneille). *Gris* (cit. 8), *blanc, jaune... de poussière* (→ Camion, cit. 2; couvrir, cit. 16). ⇒ **Poussiéreux.** *Avaler de la poussière* (→ Gratter, cit. 16). *Poussière aveuglante* (→ Mouton, cit. 22). *Atmosphère* (cit. 7) *Saturée de poussière. Rues pleines de poussière* (→ Fuir, cit. 36). *Traîner, se rouler, se tordre... dans la poussière* (→ Fakir, cit. 1; fuir, cit. 4). *Le front dans la poussière* (→ Croix, cit. 19). — *Grain de poussière* (→ Épousseter, cit. 2; ordre, cit. 17). — *Poussière d'un appartement, sur les meubles, le plancher...* (→ Dévastation, cit. 3; épousseter, cit. 3). *Chatons* (→ 2. Chaton; cit. 3) *de poussière.* ⇒ **Mouton.** — *Ôter, enlever la poussière avec un balai, un chiffon, un plumeau.* ⇒ **Balayer, dépoussiérer, essuyer.** *Pelle à poussière.* ⇒ **Ordure**(s). *Fille* (cit. 42) *de salle qui soulève la poussière sous prétexte de balayer. Aspirateur* à poussières. Housses* (cit. 4) *qui protègent les meubles de la poussière. La poussière des bibliothèques, des livres, des dossiers...* (→ Demeure, cit. 13). *La poussière des bureaux* (→ Employé, cit. 3).

1 Cette chambre n'était pas de celles que harcèlent le houssoir, la tête de loup et le balai. La poussière y était tranquille. HUGO, les Misérables, V, VIII, I.

2 Excusez, vous vous êtes empli de poussière, continua le directeur en replaçant l'objet sur une planche. Vous comprenez, s'il fallait épousseter tous les jours, on n'en finirait plus (...) ZOLA, Nana, IX.

2.1 La pluie, pulvérisée par l'ouragan, s'enlevait comme un brouillard liquide (...) Le sable, soulevé par le vent, se mêlait aux averses et en rendait l'assaut insoutenable. Il y avait dans l'air autant de poussière minérale que de poussière aqueuse.
J. VERNE, l'Île mystérieuse, t. I, p. 78.

3 On soulève, en marchant, une épaisse poussière blanchâtre qui prend à la gorge et fait venir les larmes aux yeux. GIDE, Journal, 3 mars 1943.

3.1 La tragédienne saisit adroitement les livres pour les remettre en place; mais, parvenue devant la bibliothèque, elle aperçut une épaisse couche de poussière répandue sur la planche dégarnie. Alignant provisoirement son fardeau sur un fauteuil, elle se mit en devoir d'épousseter avec son mouchoir (...)
Raymond ROUSSEL, Impressions d'Afrique, p. 306.

Loc. *Réduire en poussière :* pulvériser. ⇒ **Effriter.** Fig. ⇒ **Anéantir, détruire.** *Tomber en poussière :* se désagréger. — Fig. Être en décadence (cit. 4).

Mordre la poussière. Baiser la poussière des pieds, des pas de qqn.* → Baiser* les pieds, les pas de qqn.

Bibl. *Secouer la poussière de ses pieds (de ses souliers, de ses sandales) :* s'éloigner d'un lieu en se promettant de n'y pas revenir.

4 Lorsque quelqu'un ne voudra point vous recevoir, ni écouter vos paroles en sortant de cette maison ou de cette ville, secouez la poussière de vos pieds.
BIBLE (SACY), Évangile selon saint Matthieu, X, 14.

5 Il a fait comme Dante et le prophète : il est sorti de la ville; il a pris la route de l'exil, secouant la poussière de ses sandales sur son peuple, et, d'abord, sur ses amis. André SUARÈS, Trois hommes, « Ibsen », II.

La poussière, signe de l'état d'abandon ou d'oubli où tombent des choses, des lieux, des institutions ⇒ **Poussiéreux** (4.). *La poussière du greffe, de l'école, des bibliothèques* (4.). *Les décombres et la poussière de la vieille monarchie* (→ Écroulement, cit. 3). *La poussière du passé, des siècles.*

Par ext. (Littér., par allus. à la Bible, qui fait naître le corps humain de la terre, de la poussière et retourner après la mort à la poussière; → Argile, 1. limon). Les restes matériels de l'homme, après la mort. ⇒ **Cendre**(s), **débris, dépouille**(s), **poudre** (*supra* cit. 3), **reste**(s). *« Tes os dans le cercueil* (cit. 2) *vont tomber en poussière »* (Musset) → aussi 3. Mort, cit. 7. *« Dormez* (cit. 18) *votre sommeil et demeurez dans votre poussière »* (Bossuet). *Enseveli* (cit. 6) *et restitué à la poussière. La poussière des rois dans leur tombeau* (→ Étiqueter, cit. 1). *« Ont-ils rendu l'esprit* (cit. 9), *ce n'est plus que poussière »* (Malherbe). *Un pauvre diable qui sera bientôt poussière* (→ Image, cit. 15). — *La poussière de la tombe, du cercueil...*

6 Qu'il dorme maintenant dans son lit de poussière!
On ne voit plus, autour de sa couche guerrière,
Vingt courtisans royaux épier son réveil (...) HUGO, Odes et Ballades, II, IV, II.

Et toute cette multitude de deux qui dorment dans la poussière de la terre se réveilleront, les uns pour la vie éternelle, les autres pour un opprobre éternel (...) 7
BIBLE (SACY), Daniel, XII, 2.

Mais nous qui savons, comme le dit l'épître d'aujourd'hui, que « la nuit est avancée, que le jour approche », nous nous moquons bien de l'image qui pourra subsister de nous dans l'esprit des survivants, lorsque nous serons passé de l'Académie à la pourriture et de la pourriture à la poussière. Et ce ne sera pas la douce poussière qui flottait dans le soleil sur les routes d'autrefois, ni la poussière studieuse qui recouvre nos livres — mais celle qui attend la Résurrection dans les ténèbres, sous une pierre scellée. 7.1
F. MAURIAC, le Nouveau Bloc-notes 1958-1960, p. 133.

Puis avec un peu de chance on tombe sur un véritable enterrement, avec des vivants en deuil et quelquefois une veuve qui veut se jeter dans la fosse, et presque toujours cette jolie histoire de poussière, quoique j'aie remarqué qu'il n'y a rien de moins poussiéreux que ces trous-là, c'est presque toujours de la terre bien grasse, et le défunt non plus n'a encore rien de spécialement pulvérulent, à moins d'être mort carbonisé. C'est joli quand même, cette petite comédie avec la poussière. S. BECKETT, Premier amour, p. 11. 7.2

Une, des poussières : un, des grains de poussière. *Avoir une poussière dans l'œil. Il y a une poussière dans la pipette.* — Fig. Chose imperceptible, infime. — Chose insignifiante, un rien. Fam. *Cela m'a coûté mille francs et des poussières,* et une petite somme en plus.

Je crois que vous vous moquez quand vous me parlez de mes libéralités présentes (...) quelle poussière au prix de ce que je voudrais faire! 8
Mme DE SÉVIGNÉ, 202, 13 sept. 1671.

Une poussière de... : un grand nombre, une multiplicité d'éléments. *Pays constitué par une poussière de petits États. La voie lactée est une poussière d'étoiles.*

♦ **2.** Matière réduite à l'état de fines particules. ⇒ **Poudre** (1.), **pulvérulent.** *Les clochettes de bruyère* (cit. 1) *s'effritent et tombent en poussière. La fine poussière de froment* (→ 1. Meule, cit. 2). *Réduire du papier, du bois, en cendres et en poussière* (→ Brûler, cit. 7; ou, cit. 25). *Atelier de menuisier où vole une poussière blonde* (→ Aigrette, cit. 5). *Poussière de charbon.* ⇒ **Poussier** (→ Dépôt, cit. 12; manufacture, cit. 2). *Poussières volcaniques.* — *Les poussières en suspension dans l'atmosphère, poussières organiques* (cit. 3), *inorganiques, chimiques...* (→ Génération, cit. 5). *Les poussières qui polluent l'atmosphère des villes.* ⇒ **Pollution.** *Les météorologistes appellent les poussières* « boues atmosphériques ». *Pluies colorées par certaines poussières de l'air. Captation des poussières nocives, toxiques dégagées par certaines industries* (⇒ **Dépoussiérage**). *Poussières radioactives. Affections pulmonaires causées par l'inhalation des poussières.* ⇒ **Pneumoconiose.** *Effets lumineux dus à la présence des poussières dans l'air.* ⇒ **Fumée, poudroiement** (→ Étinceler, cit. 11; gris, cit. 1; impalpable, cit. 4).

La poussière rose couvrait ses mains, et, volant quelquefois jusqu'à son visage, saupoudrait ses joues et ses lèvres d'un léger fard, qui faisait paraître ses yeux plus bleus et plus resplendissants. LAMARTINE, Graziella, III, X. 9

Le brassage incessant de particules d'origines très diverses aboutit à une dispersion et à un mélange tels qu'*une poussière est un véritable complexe de toutes sortes de corps* (...) Les poussières constituées d'une seule catégorie d'éléments (...) ne se rencontrent que dans des circonstances spéciales (...) Le plus souvent les poussières sont composées, en proportions très variables, *de particules inertes* et *de particules vivantes.* André ASSAILLY, les Poussières, p. 13. 10

♦ **3.** Sc. Matière pulvérulente. *Poussière fécondante* (cit. 2). ⇒ **Pollen** (→ aussi Éparpiller, cit. 5). *Poussières odorantes* (→ Dorer, cit. 3). — Fine efflorescence* à la surface de certains fruits. ⇒ **Pruine.** — Zool. Poudre fine recouvrant l'aile des papillons (→ Écaille, cit. 5).

Astron. *Poussière cosmique :* matière interstellaire formée de très petites particules (moins de 1/100 de mm), contenant les éléments normaux de la croûte terrestre (d'abord observées sur la Terre). *Poussières interstellaires,* milieu interstellaire galactique, formé de très petites particules absorbant et polarisant la lumière. *Absorbtion de la lumière par les poussières. Poussières et gaz interstellaires.*

♦ **4.** Adj. (1849). De la couleur (grise) de la poussière (1.). *Un pardessus gris poussière, couleur poussière.* — (1908). Rare. *Un costume poussière.*

DÉR. Poussiéreux.
COMP. Dépoussiérer. — Cache-poussière.

POUSSIÉREUX, EUSE [pusjeʀø, øz] adj. — 1786, repris 1801; de *poussière.*

♦ **1.** Couvert, rempli de poussière. ⇒ **Poudreux.** *Route poussiéreuse. Dallage, trottoir poussiéreux* (→ Arrosoir, cit. 2; pétale, cit. 1). — (D'un local). *Chambre, fenêtres poussiéreuses* (→ Hangar, cit. 3; lit, cit. 8). *Eau poussiéreuse et grasse* (cit. 9) *au toucher.*

♦ **2.** (XIXe). Où la poussière, des poussières sont en suspension.

Vers midi, dans la plaine où l'air poussiéreux brûle, 1
Don Hernando s'arrête et siège sur sa mule.
LECONTE DE LISLE, Poèmes barbares, « Accident de Don Iñigo ».

♦ **3.** (1842). Qui semble couvert, gris de poussière. *Chair, teint poussiéreux* (→ Livide, cit. 8).

♦ **4.** Fig. Vieux, à l'abandon. *Administration poussiéreuse* (→ Enliser, cit. 3). *La vie est si poussiéreuse et inconsistante* (cit. 2).

2 (...) tout ce monde poussiéreux, rance, moisi, fétide, éraillé de la sorcellerie et de l'astrologie judiciaire.
Th. GAUTIER, Souvenirs de théâtre..., Beautés de l'Opéra, IV.

POUSSIF, IVE [pusif, iv] adj. — 1530; *poussis,* 1220; de *pousser* au sens ancien de « haleter ».

♦ **1.** Méd. vétér. Se dit du cheval qui a la pousse*.

♦ **2.** (Fin XIXe). Cour. (Personnes). Qui respire difficilement, qui manque de souffle. ⇒ **Essouffler** (s'). — REM. Se dit surtout de personnes corpulentes, que gêne leur embonpoint. Subst. *Un gros poussif.*

1 (...) j'ai besoin d'exercice. Je suis trop sédentaire et je deviens poussif.
G. DUHAMEL, Salavin, Journal, 8 août.

2 (...) cette figure de Jaurès, un homme gros, vieilli, déjà poussif, sanguin, avec sa barbe sel et moutarde, son torse de lutteur, et son ventre de bourgeois, son écharpe tricolore (...) ARAGON, les Beaux Quartiers, II, XXIX.

Par anal. *Le halètement* (cit. 4) *du soufflet poussif de la forge. Voix poussive d'un mauvais chanteur.* — Par ext. ⇒ fam **Asthmatique** (2.). *Moteur poussif,* qui a du mal à fonctionner. *Voiture poussive,* qui n'avance pas.

♦ **3.** Fig. (Abstrait). Qui manque de souffle, d'inspiration. *Un écrivain poussif. Un récit poussif et ennuyeux,* lent, mou.

DÉR. Poussivement.

POUSSIN [pusɛ̃] n. m. — 1265; *pulcin* « petit d'un oiseau », 1120; lat. pop. **pullicinus,* bas lat. *pullicenus,* de *pullus.* → Poule.

♦ **1.** Jeune poulet, nouvellement sorti de l'œuf, encore couvert de duvet. *La poule et ses poussins. Enfants qui s'ébattent* (cit. 3) *comme des poussins. Poussins qui piaillent.* Loc. fam. *Un fouillis* (cit. 1) *où une poule ne retrouverait pas ses poussins.*

Une grosse poule gloussante promenait un bataillon de poussins, vêtus de duvet jaune, léger comme de la ouate (...)
MAUPASSANT, Clair de lune, « La reine Hortense ».

Jeune poulet* consommé avant l'âge de 3 mois. *Poussin au four à l'alsacienne.*

(1680, Mme de Sévigné). Vx. *La poule et les poussins :* la mère et les jeunes enfants.

♦ **2.** Zool. Jeune oiseau (par rapport aux adultes, aux parents). *Un poussin d'aigle, de pingouin.*

♦ **3.** (Êtres humains). [a] Fam. Terme d'affection (enfant). *Allons, il faut rentrer, mes poussins.* ⇒ **Poussinet.**

[b] Sports. Catégorie d'âge (9 ans) qui précède celle des benjamins.

[c] Élève de première année dans certaines écoles (Air, Aéronautique).

DÉR. Poussinet, poussinière.

POUSSINE [pusin] n. f. — XIIIe, *pucine, Roman de Renart; pougene,* 1770 (Suisse); du lat. pop. *pullicinus.* → Poussin.

♦ Régional (Suisse, Savoie, Dauphiné). Jeune poule. *Œufs de poussine.*

POUSSINESQUE [pusinɛsk] adj. — 1834, Boiste; de Nicolas *Poussin* (1594-1665), d'après les adj. italiens en *-esco;* → Raphaélesque.

♦ Hist. de la peint. Relatif à Poussin, à sa manière.

POUSSINET [pusinɛ] n. m. — XIIIe, dimin. de *poussin;* de *poussin,* figuré.

♦ Fam. (t. d'affection à l'endroit d'un petit enfant). Petit poussin. ⇒ **Poussin.** *Rentre vite au chaud mon poussinet.*

(...) qu'est-ce qu'il a encore, mon poussinet, mon grand nigaud (...) assise sur le bord de mon lit et moi blotti contre elle (...) la douceur soyeuse de sa peau si fine, plus soyeuse que la soie, ses doigts dans mon cou, sur mon front (...)
N. SARRAUTE, Martereau, p. 149.

POUSSINIÈRE [pusinjɛʀ] n. f. — 1562; *géline pocinière* « mère poule », 1196; *estoile poucinière* « constellation des Pléiades », 1372; de *poussin.*

♦ Agric. Cage dans laquelle on enferme les poussins. — Couveuse, ou éleveuse artificielle.

POUSSINISTE [pusinist] n. — XXe; de *Poussin;* → Poussinesque.

♦ Hist. de la peint. Partisan de Poussin et de la primauté du dessin, au XVIIe siècle.

(...) jusque dans l'Académie, s'affrontent les poussinistes, partisans du dessin et du costume, et les rubénistes, défenseurs du coloris.
V.-L. TAPIÉ, le Baroque, p. 88.

POUSSIVEMENT [pusivmɑ̃] adv. — Fin XIXe, Huysmans; de *poussif.*

♦ D'une manière poussive, en s'essoufflant ou avec difficulté. *Une vieille rosse tirait poussivement une charrette. Il montait poussivement la côte. Une vieille locomotive qui avance poussivement.*

(...) Mario se relève, époussette son pantalon, se frotte les mains, escalade poussivement l'escalier. Roger BORNICHE, le Gang, p. 178.

POUSSOIR [puswaʀ] n. m. — Fin XVe; *pousoir,* 1258; de *pousser.*

♦ **1.** Vx. Engin de pêche poussé. ⇒ **Pousseux.**

♦ **2.** (1752). Mod. Pièce destinée à transmettre une poussée, une pression. — Spécialt (cour.). Bouton sur lequel on appuie pour déclencher un mécanisme, une sonnerie, etc. *Poussoir d'une sonnette, d'un timbre, d'une montre à répétition. Poussoir de la baïonnette. Poussoirs et ressorts assurant la commande des soupapes d'un moteur d'automobile.* — Méd. Instrument servant à chasser de l'œsophage un corps étranger.

POUTARGUE [putaʀg] n. f. — 1751, altér. de *boutargue.* ⇒ **Boutargue.**

POUT-DE-SOIE [pudswa] n. m. ⇒ **Pou-de-soie.**

POUTINE [putin] n. f. — D. i., variante de *poutargue.* → Boutargue.

♦ Régional. Alevins d'anchois et de sardines.

Il était retourné dans la cuisine, manger l'omelette de poutine, ces minuscules alevins, hachure d'argent dans le jaune or de l'œuf.
Max GALLO, la Baie des anges, p. 231-232.

POUTOU [putu] n. m. — 1784, Mme Rolland, *in* D. D. L.; mot occitan (*poudoun, poutoun, poutou,* etc., *in* F. e. w.), d'orig. onomatopéique, « baiser », d'un rad.* *pott* désignant les lèvres, la moue.

♦ Fam. (régional). Baiser amical, affectueux et sonore. ⇒ **Bisou.**

À peine avait-il franchi le seuil de la gare que des bras puissants le soulevaient 1
de terre, que trois poutous retentissaient.
R. SABATIER, les Noisettes sauvages, p. 17.

REM. On rencontre la var. *poutoune* [putun] (R. Merle, *En nos vertes années,* p. 37) et le dér. *poutouner* [putune] v. tr., « embrasser » (occitan *putuná*).

Sur les quais des gares, les voyageurs arrivés à destination, en bons Auvergnats de 2
Paris, poutounaient des femmes en coiffe, des vieux en casquette, qui les accueillaient avec des mines réjouies.
R. SABATIER, les Noisettes sauvages, p. 16.

POUTRAGE [putʀaʒ] n. m. ou **POUTRAISON** [putʀɛzɔ̃] n. f. — 1863, *poutrage; poutraison,* 1874; de *poutre.*

♦ Techn. Assemblage de poutres. ⇒ **Charpente.**

POUTRE [putʀ] n. f. — 1318; *poustre* « pouliche », 1280; par une métaphore fréquente d'un animal (de trait, de bât, etc.) à un élément de construction (→ Bélier, chevalet, chevron); lat. pop. **pullitra,* supposé d'après *pulletrus (Capitulaires de Charlemagne),* du lat. class. *pullus* « petit d'un animal ». → Poulain, poulet.

♦ **1.** Grosse pièce de bois équarrie servant de support (dans une construction, notamment pour la charpente*, d'une maison, d'un pont, etc.). ⇒ **Chevalement, comble, corbeau, entrait, jambage, jambe, lambourde, madrier, poitrail...** *Équarrir, aviner, bûcher une poutre* (→ Hâche, cit. 3). *Poutres sur un chantier* (cit. 1). *Poutres simples, armées. Poutres destinées à soutenir les solives d'un plancher, un balcon* (cit. 4). *Saillies de poutres formant console* (cit. 1). *La maçonnerie et les poutres qui s'y appuient* (→ Fil, cit. 28). ⇒ aussi **Ope.** *Portée* d'une poutre.* ⇒ **Travée.** *Enduit* (cit. 1) *recouvrant d'anciennes poutres sculptées. Maîtresse poutre :* la poutre principale (→ Fléchir, cit. 12; percer, cit. 2); par métaphore. → Nez, cit. 8. *Entrecroisements* (cit.) *de poutres sur les murs de maisons pyrénéennes.* ⇒ **Colombage.** — *Poutres entrant dans la charpente d'un navire* (→ Ber, cit.; heurter, cit. 7). ⇒ **Architrave.**

C'était une assez longue poutre, en cœur de chêne, saine et robuste, pouvant servir d'engin d'attaque et de point d'appui; levier contre un fardeau, bélier contre une tour. HUGO, l'Homme qui rit, I, II, XII.

Poutres apparentes, au plafond d'une maison ancienne. *Plafond aux poutres apparentes* (→ 2. Baie, cit. 2; pendre, cit. 1). *Beau studio de caractère avec poutres apparentes.* (Abrév. fam. : *poutres ap'* [putʀap]).

Loc. prov. (d'après l'évang.). *Il voit la paille* dans l'œil du voisin et ne voit pas la poutre dans le sien :* il voit et critique les moindres défauts d'autrui et ne se rend pas compte qu'il en a de plus graves. *C'est la paille et la poutre,* se dit d'une personne qui critique chez une autre un défaut qu'elle a encore plus.

♦ **2.** Par ext. Élément de construction (en fer, en ciment armé, etc.)

destiné à des usages semblables. ⇒ **Poutrelle** (2.), **profilé.** *Poutres métalliques d'un pont.* ⇒ **Lattis, longeron.** *Poutres de fer à double T. Poutres pleines ou à treillis. Piliers et poutres* (→ Métro, cit. 8; mur, cit. 9).

♦ **3.** (1819, *in* Petiot). Sport. Longue pièce de bois horizontale servant à des exercices de gymnastique. *Exercices à la poutre,* déplacements, appuis, équilibres, changements de face. — Par ext. *La poutre :* la gymnastique à la poutre. *Elle est très forte à la poutre.*

DÉR. Poutrage ou **poutraison, poutrelle.**
COMP. Bipoutre.

POUTRELLE [putʀɛl] n. f. — 1676; *poultrelle,* 1489 *in* D. D. L.; de *poutre,* et suff. *-elle.*

♦ **1.** Vx. Petite poutre (→ Lit, cit. 23; pergola, cit. 1).

♦ **2.** (V. 1900). Mod. Barre d'acier allongée, entrant dans la construction d'une charpente métallique. *Noyer des poutrelles dans le ciment* (cit. 3) *armé. Les poutrelles d'un pont.*

Je suis resté prisonnier des hommes de là-bas, et la lande redevient peu à peu cette terre de béton et de poutrelles. J.-M. G. Le Clézio, le Déluge, p. 264.

POUTSER [putse] v. tr. — 1867, Neuchâtel; de l'all. de Suisse, *putzen* d'après la langue militaire.

♦ Régional (Suisse, Jura). Fam. Nettoyer, astiquer.

(...) et j'ai *(un soldat)* tout cousu moi-même, et j'ai tout poutsé moi-même, les courroies, ma giberne, mes souliers (...)
C.-F. Ramuz, la Guerre aux papiers, p. 256.

POUTURE [putyʀ] n. f. — xiiie, «légume»; du lat. *puls, pultis* «bouillie de céréales»; cf. anc. franç. *pou* «bouillie».

♦ (1782). Agric. Engraissement du bétail à l'étable, principalement au moyen de farineux.

1. POUVOIR [puvwaʀ] v. tr. — *Je peux* ou *je puis* (mais toujours *puis-je,* interrog.); *tu peux, il peut, nous pouvons, vous pouvez, ils peuvent; je pouvais; je pus, nous pûmes, vous pûtes, ils purent; je pourrai; je pourrais;* pas d'impér.; *que je puisse, que nous puissions; que je pusse, qu'il pût, que nous pussions; pouvant, pu* (invar.). — 1440; *poeir, pooir, povoir* en anc. franç.; *pod(e)ir,* 842; lat. pop. *potere,* class. *posse* d'après les formes à rad. *pot-,* comme *potui, poteram.*

REM. 1. À la première personne du singulier de l'indicatif, la forme *je puis,* plus ancienne, est archaïque ou un peu affectée (sauf dans l'interrogation). → Accusation, cit. 5; heure, cit. 89; journée, cit. 3... Il arrive qu'on emploie *je puis* pour éviter la répétition de *je peux.*

1 Certes je ne voulais pas cela. Elle m'y a forcé, je peux le dire. Je crois bien que je puis le dire. Henri Michaux, La nuit remue, p. 9.

2. Le participe passé *pu* reste toujours invariable.

★ **I.** (Le compl. est un inf.). «Auxiliaire d'aspect», servant à exprimer la modalité du possible (⇒ **Possibilité**) avec diverses extensions (déjà présentes en ancien français) telles que la permission, l'hypothèse, le souhait... — REM. *Pouvoir* est (avec savoir, vouloir) l'un des verbes pour lesquels *ne,* employé seul, suffit à exprimer la négation. *Je ne peux, on ne pourrait...*

♦ **1.** Avoir la possibilité de, être capable, en mesure de... (en raison des qualités de la personne ou de la chose, ou en raison des moyens offerts par les circonstances). ⇒ **Capable, état** (en état de), **même** (à même de), **mesure** (en mesure de), **situation** (en situation de), **susceptible.** — (Sujet n. de personne). *Pouvoir porter, lancer* (→ Argonaute, cit.; brancher, cit. 3) *qqch.,* en avoir la possibilité physique. *Cet enfant ne peut pas encore marcher, parler.* ⇒ **Savoir.** *Tu ne peux pas porter cela, attraper l'assiette là-haut..., tu es trop petit. Il est cardiaque, il ne peut plus jouer au tennis. Pouvoir deviner* (cit. 8) *des secrets.* ⇒ **Art** (avoir l'art). *Ne pas pouvoir,* ou, littér., *ne pouvoir se tenir, parler* (→ Ivre, cit. 2), *retenir un cri* (→ Démarche, cit. 1). *Ne pas pouvoir atteindre* (cit. 46) *au vrai, dissimuler* (cit. 5) *sa joie...* ⇒ **Incapable** (être). *Pouvoir parfaitement faire...* ⇒ **Peine** (n'être pas en). *Pouvoir à peine marcher* (→ Altérer, cit. 12). *On voudrait tant pouvoir se voir de dos* (→ Cambrer, cit. 3). *Qui peut savoir...?* (→ Destin, cit. 7). *Personne ne peut prévoir, ne peut dire...* — Prov. *La plus belle femme du monde ne peut donner* (cit. 16) *que ce qu'elle a.* «*Je ne puis méditer qu'en marchant*» (cit. 1, Rousseau). *Pouvoir faire ceci ou cela.* ⇒ **Choix** (avoir le).

Spécialt. (Surtout en phrase interrogative et exclamative). Avoir le cœur, le courage de..., en parlant d'une action blâmable, commise par insensibilité, lâcheté, indignité, etc. ⇒ **Résoudre** (se). «*Peux-tu voir tant de pleurs d'un œil si détaché?*» (→ 1. Détacher, cit. 28, Corneille). «*Lui* (cit. 32) *qui me fut si cher, et qui m'a pu trahir!*» (Racine). *Dire qu'il a pu faire une chose pareille!*

2 Et vous pouvez le voir *(ce billet)* sans demeurer confuse
Du crime dont vers moi son style vous accuse?
Molière, le Misanthrope, iv, 3.

REM. La valeur de *pouvoir* varie selon la nature du verbe complément Notamment en parlant d'êtres humains, *pouvoir* implique que l'action visée est dans la norme de l'espèce. On ne dira guère qu'un athlète *ne peut pas franchir plus de 2 m au saut en hauteur,* qu'un écrivain *ne peut pas écrire un chef-d'œuvre.* En revanche, la notion de possibilité physique, intellectuelle, naturelle ou acquise, disparaît lorsque le verbe a des implications négatives (ex. : *tout le monde peut se tromper, peut échouer*).

(Le verbe à l'infinitif de la proposition qui forme le contexte n'étant pas répété). *Faire qqch. comme on peut, si l'on peut, quand on peut...* (→ Achever, cit. 5; caser, cit. 3; changer, cit. 63). «*Il faut, autant qu'on peut, obliger* (cit. 9) *tout le monde*». *Si vous pouvez* (→ Détruire, cit. 38; dire, cit. 106); *dès que vous pourrez* (→ Divers, cit. 9). *Comme ils peuvent* (→ Évader, cit. 12). *Chacun se logeait* (cit. 11) *où il pouvait. Le mieux, le plus, le moins que vous pourrez.* ⇒ **Possible** (→ Arranger, cit. 7; fatiguer, cit. 4; 1. flétrir, cit. 12; foule, cit. 17; loger, cit. 9). *Du mieux* (cit. 15) *que vous pourrez, qu'il peut* (→ Morfondre, cit. 4). *On voudrait les fixer* (cit. 7), *on ne peut pas. Quand il ne pouvait plus* (→ 3. Mal, cit. 29).

L'un fait plus qu'il ne peut, et l'autre plus qu'il n'ose. 3
Mathurin Régnier, Satires, x.

Devine, si tu peux, et choisis, si tu l'oses. Corneille, Héraclius, iv, 4. 4

Sois belle, si tu peux, sage si tu veux (...) 5
Beaumarchais, le Mariage de Figaro, i, 4.

J'abolis la famille et romps le mariage; 6
Voilà. Quant aux enfants, en feront qui pourront.
Ceux qui voudront trouver leurs pères chercheront.
A. de Musset, Poésies nouvelles, «Dupont et Durand».

Moi je me débats, lié par cette impuissance atroce, qui nous paralyse dans les songes; je veux crier, — je ne peux pas; — je veux remuer, — je ne peux pas; — j'essaye, avec des efforts affreux, en haletant, de me tourner, de rejeter cet être qui m'écrase et qui m'étouffe, — je ne peux pas! 7
Maupassant, le Horla, 25 mai.

C'est comme d'ouvrir une fenêtre dans une prison, trahir. Tout le monde en a envie, mais c'est rare qu'on puisse. Céline, Voyage au bout de la nuit, p. 312. 8

Loc. *Sauve qui peut.* ⇒ **Sauver.**

Loc. adv. et adj. *On ne peut mieux** (cit. 10 et 11) : d'une manière excellente, parfaite. *On* (cit. 54) *ne peut plus** (cit. 54 et 57) : énormément, beaucoup. *On ne peut moins* (cit. 9) : extrêmement peu. — REM. Dans ces tours, *peut* reste toujours au présent.

N'y pouvoir rien. On n'y peut rien. — Régional. *N'en pouvoir rien.* ⇒ **Mais** (il n'en peut mais). — (Sujet n. de chose). *Force* (cit. 59) *qui peut lever un poids.* «*Inventez des ressorts qui puissent m'attacher*» (cit. 31, Boileau). *Les idées a priori* (cit. 2) *sont celles qui ne peuvent avoir été acquises par l'expérience. Rien ne peut arrêter* (cit. 15 et 18) *le temps, l'amour.* «*Est nécessaire* (cit. 1) *ce qui ne peut être autrement*». *Si ça peut vous intéresser.*

(...) notre condition faible et mortelle, et si misérable, que rien ne peut nous consoler, lorsque nous y pensons de près. Pascal, Pensées, ii, 139. 9

Loc. *Qu'est-ce que ça peut (bien) vous faire?* : cela ne devrait pas vous concerner. *Qu'est-ce que ça pouvait lui faire?* (→ Lard, cit. 4).

Ellipt. Archaïque. *Se pouvoir :* être possible.

Une si magistrale aisance ne se peut qu'avec un parfait abandon aux suggestions des paroles et de leur sonorité. Gide, Journal, 18 nov. 1929. 10

(Vx). *Ne pouvoir* ou *ne pas pouvoir que... ne...,* et subj. : ne pas pouvoir ne pas (faire telle ou telle chose), être incapable de ne pas...

(...) vous ne sauriez avoir tort (...) vous ne pouvez pas que vous n'ayez raison. 11
Molière, l'Avare, i, 5.

L'homme ne peut qu'il ne s'approprie ce qui lui semble si exactement *fait pour lui* qu'il ne regarde malgré soi comme fait par *lui* (...) 12
Valéry, Variété, Situation de Baudelaire, *in* Œ., Pl., t. I, p. 608.

♦ **2.** Avoir le droit*, la permission*, la possibilité selon une règle.

a (Selon le droit). «*La liberté consiste à pouvoir faire tout ce qui ne nuit pas à autrui*» (cit. 18, *Déclaration des droits de l'Homme*). *Le mineur* (→ 1. Mineur, cit. 8) *peut contracter mariage dans certains cas.* ⇒ **Capacité.** *Le tuteur ne pourra accepter* (cit. 2) *ni répudier une succession... Ne peuvent se rendre adjudicataires* (cit. 2)... *La femme ne peut ester en jugement sans l'autorisation* (cit. 2) *de son mari.*

b (Selon la morale). «*Une femme d'honneur peut avouer sans honte...*» (→ Assaut, cit. 5, Corneille). *Je crois pouvoir...* (→ Indiscrétion, cit. 7; intentionné, cit. 1). *Une action ne peut être imputée à blâme* (cit. 2) *lorsqu'elle est involontaire. On ne peut quand même pas l'abandonner* (cit. 8), *demander* (cit. 26) *aux gens de faire...*

c (Selon la raison). «*On ne peut affirmer* (cit. 4), *on peut tout supposer*». *On peut, on ne peut pas dire...* (→ Adieu, cit. 14; aimer, cit. 48; arriver, cit. 57). *On pourrait même dire...* (→ Apport, cit. 5). *On ne pourrait dire.* ⇒ **Savoir.** *Si l'on peut dire* (→ Art, cit. 2). *Nous pouvons définir...* (→ Articulation, cit. 1). *J'aimerais pouvoir en dire autant* (cit. 36)... *Sainte-Beuve pouvait se flatter de...* (→ Index, cit. 9). «*Comment peut-on être Persan*?*» (cit. 1).

d (Selon une règle). *Peut-on dire : des œufs de canard?* (cit. 4).

On ne peut employer le conditionnel, le subjonctif dans ce cas. On ne peut pas faire ce coup-là au jeu.

e Avoir l'autorisation de. *Les élèves internes pourront sortir jusqu'à telle heure. Pourrais-je m'absenter demain? Notre ami demanda s'il ne pourrait point voir Sa Majesté et se justifier* (cit. 19).

Pouvoir..., pouvoir bien (en opposition avec une autre proposition introduite ou non par *mais*), signifie que la liberté (théorique ou pratique) de faire une chose est sans influence sur la réalité ou la possibilité qu'exprime cette autre proposition (→ Avoir beau*). *Il peut bien venir me voir, je ne lui parlerai pas. Il peut promettre tout ce qu'il voudra, on ne le croit plus.*

13 Vous pouvez sur la terre avoir toute la place (...)
(...) Sire, vous pouvez prendre, à votre fantaisie,
L'Europe à Charlemagne, à Mahomet l'Asie;
Mais tu ne prendras pas demain à l'Éternel!
HUGO, les Chants du crépuscule, V, II.

(Belgique; emploi critiqué). *Je ne peux pas de ma mère,* à cause de, du fait de ma mère : elle ne m'en donne pas la permission.

♦ **3.** (En parlant de ce qui est hypothétique, incertain, contingent). (Être) éventuellement, (être) probablement. Syn. : *il se peut que... Des hommes habiles dans l'analyse peuvent être privés d'imagination,* il est possible* qu'ils soient... (→ Apte, cit. 3). *L'artiste* (cit. 7) *peut ne faire qu'un avec l'exécutant. Je puis avoir des illusions* (→ Demander, cit. 31). *Le tyran peut n'être pas despote* (cit. 3). *Je puis échouer, mais je puis réussir aussi* (→ Journalier, cit. 4). — (Indiquant un futur possible). *Je puis avoir besoin de vous :* j'aurai peut-être besoin de vous (→ Journée, cit. 3). — *Les malheurs qui peuvent nous arriver* (cit. 48). ⇒ **Risquer.** *Geste, qui peut paraître une dérobade* (cit. 2). *La retraite aurait pu se changer en déroute* (cit. 5). « *J'ignore* (cit. 2) *jusqu'aux lieux qui le peuvent cacher* » (Racine). — (Indiquant un passé hypothétique). *J'ai bien pu me tromper :* il est possible que je me sois trompé. *La marquise pouvait avoir dépassé le cap* (cit. 6) *de la trentaine.*

♦ **4.** Littér. (au subj. optatif, exprimant un souhait, un vœu). « *Puissé-je auparavant* (cit. 4) *fléchir leur injustice!* » (Racine); « *Puissions-nous chanter sous les ombrages des arbres...!* » (cit. 12, La Fontaine). *Puissiez-vous jouir d'une meilleure santé!* (→ Mourir, cit. 23). *Puisse le ciel...* « *Puisse le juste ciel dignement* (cit. 1) *te payer!* » (Racine). → aussi Blanc, cit. 10; distraire, cit. 10; ligne, cit. 51. « *Puissent mes destinées Vous amener à moi...!* » (→ Flot, cit. 12, Vigny).

14 PUISSE, aux diverses personnes, peut être considéré comme un véritable auxiliaire de souhait : **Puissé-je** *vous suivre!* **Puisses-tu** *dire vrai!* « **Puissent** *tous ses voisins ensemble conjurés Saper ses fondements encor mal assurés!...* **Puissé-je** *de mes yeux y voir tomber ce foudre* (...)! » (CORNEILLE, Horace, IV, 5).
F. BRUNOT, la Pensée et la Langue, p. 572.

15 Ah! puisse mon esprit laisser tomber ses idées mortes! comme l'arbre ses feuilles flétries! GIDE, Journal, Feuillets d'automne, 1947.

♦ **5.** (Impersonnel). **IL PEUT, POURRA, POUVAIT...** (et inf.) : il est possible que (et subordonnée au présent, au futur, au passé). ⇒ **Peut-être.** *Il peut y avoir..., il ne peut pas y avoir...* (→ Accessoire, cit. 1; atome, cit. 3; milieu, cit. 22; 1. ombre, cit. 49). *Peut-il exister un terrain neutre...* (→ Lisière, cit. 7). *Il pouvait être minuit quand :* il était vraisemblablement, peut-être minuit; il était à peu près minuit. *Il peut, il pourra venir un temps où...* (→ Alchimie, cit. 1; infini, cit. 4). *Il peut pleuvoir demain.* « *Ce sont vingt mille francs* (→ 3. Franc, cit. 1) *qu'il m'en pourra coûter* » (Molière). *Il pourrait se trouver des gens...* (→ 2. Mal, cit. 7). *Il peut arriver que... Il peut se faire* que...*

Pron. **IL SE PEUT, POURRA,** etc. — Vieilli. *Il se pouvait faire* (cit. 256) *que..., il se peut bien faire que...* (→ Milieu, cit. 16). — Loc. *Autant que faire se peut, se pourrait :* autant que cela est, serait possible (→ Matineux, cit.). — (Sans compl. à l'inf.). *Il se peut, il est possible.* « *Diviser chacune des difficultés* (cit. 4) *en autant de parcelles qu'il se pourrait* » (Descartes). *S'il se peut* (→ Jeu, cit. 1; oublier, cit. 6; 2. parer, cit. 5). *S'il se pouvait* (→ Nécessité, cit. 14). — *Il se peut que...* et subj. (→ Disparition, cit.; moral, cit. 5; multiplicité, cit. 1; pensant, cit. 1). *Il se peut très bien que...* (→ Lier, cit. 37). *Se peut-il que...!* (→ Attache, cit. 14; envoler, cit. 7). *Ne se peut-il que...!* (→ Névropathe, cit. 1). *Se pourrait-il que...?* (→ Après, cit. 11). — (Avec un démonstratif). *Lorsque cela se peut* (→ Intégral, cit. 2). *Cela ne se peut* (vieilli). — *Cela ne se peut pas.* ⇒ **Impossible** (→ Aller, cit. 81). Fam. *Ça se peut, je ne dis pas le contraire. Ça se pourrait bien. Ça se peut bien.* Par plais. *Si c'est vrai, ça se peut bien.*

16 Si vous étiez en pays de droit écrit, cela se pourrait faire; mais (...) dans les pays coutumiers (...) c'est ce qui ne se peut (...) MOLIÈRE, le Malade imaginaire, I, 7.

17 Comment se pourrait-il que de moi ceci vînt?
HUGO, la Légende des siècles, II, « Booz endormi ».

18 Tout se joue en dialogues et ceux-ci sont aussi bons qu'il se puisse.
GIDE, Journal, 12 juin 1944.

19 Se peut-il que j'aie enfin un ami?
R. ROLLAND, Jean-Christophe, Le matin, II, p. 155.

20 Tu sais bien, quoi... — C'est possible, en y pensant, ça se pourrait.
J. GIONO, Colline, p. 63.

(Avec d'autres déterminants).

Ou bien elle aura trouvé une voiture pour l'emmener et elle n'a pas eu le temps 20.1
de venir me chercher au café. À ton idée, Arsène?
— Tout se peut. M. AYMÉ, la Vouivre, p. 124.

Loc. *Advienne que pourra.* ⇒ **Advenir.**

★ **II.** (Le compl. est un pronom neutre; un indéfini).

♦ **1.** (Le pronom neutre *le* remplaçant l'infinitif complément). *Résistez, si vous le pouvez, si vous pouvez résister. Autant* (cit. 8) *qu'on le peut* (→ Félibre, cit. 2). *Ils se débattirent comme ils le purent* (→ Longueur, cit. 8). *Dès qu'il le put* (→ 1. Marque, cit. 9).

♦ **2.** (Généralement avec un pronom neutre ou indéfini). Être capable, être en mesure de faire (qqch.). *Je fais ce que je peux, j'ai fait ce que j'ai pu* (→ Douter, cit. 8; ligne, cit. 37; malchance, cit. 4; offenser, cit. 8; perte, cit. 19). *Tu peux ce que tu veux* (→ Haut, cit. 117). *L'homme vraiment libre* (cit. 26 et 28) *ne veut que ce qu'il peut. Que peuvent tes amis...?* (→ Fragile, cit. 3). *Il ne pouvait rien* (→ Destinée, cit. 20; naufrage, cit. 4; parjure, cit. 2; 1. pensée, cit. 39). — (Le compl. est un indéfini ou un adverbe). *Pouvoir qqch. Ne rien pouvoir. Pouvoir tout* (→ Exaltation, cit. 2; méchanceté, cit. 2), *beaucoup* (→ Malheureux, cit. 19), *bien des choses* (→ Monarque, cit. 2). *Qu'est-ce que je peux, que puis-je pour vous? — Vous pouvez beaucoup, je ne vois pas qu'ils pussent autre chose pour lui* (→ Loisir, cit. 2). Par plais. *Il peut peu.* — Prov. *Qui peut le plus peut le moins :* la réussite d'une chose difficile implique celle de ce qui est plus facile.

Vieilli. (Le compl. est un syntagme nominal comportant un nom autre que *chose,* mais précédé par un indéfini). *Il peut bien des actions...* → ci-dessous, cit. 22.

Un monarque a souvent des lois à s'imposer; 21
Et qui veut pouvoir tout ne doit pas tout oser.
CORNEILLE, Tite et Bérénice, IV, 5.

L'ardeur de vous revoir peut bien d'autres miracles. 22
MOLIÈRE, Dom Garcie, III, 2.

Que ne peut l'amitié conduite par l'amour? RACINE, Andromaque, III, 1. 23

L'homme avec l'or fait ce qu'il peut. Dieu avec le vent fait ce qu'il veut. 24
HUGO, les Travailleurs de la mer, I, V, V.

Promettre (...) Je ne peux pas promettre ce que je ne peux pas, dit Jean. — On 24.1
peut ce qu'on veut, dit sa mère. — On peut ne pas penser? dit Jean en souriant avec tendresse. — On peut tout ce qui ne dépend que (de) notre volonté, répondit Mme Santeuil. — Je te promets d'essayer, dit Jean.
PROUST, Jean Santeuil, Pl., p. 222.

(Interrogatif ou négatif). **POUVOIR QQCH À..., Y POUVOIR.** *Qu'y puis-je?* (→ Apprêt, cit. 20). *On n'y peut rien* (→ Pécher, cit. 5). *On n'y peut pas grand-chose. Qu'est-ce que j'y peux, moi?*

Vous pouvez condamner un poète au silence 25
Et faire d'un oiseau du ciel un galérien
Mais pour lui refuser le droit d'aimer la France
Il vous faudrait savoir que vous n'y pouvez rien ARAGON, les Yeux d'Elsa, p. 51.

Spécialt. **POUVOIR (qqch) SUR... :** avoir de l'autorité, de l'influence, quelque action sur... « *Tout ce que peut l'amour sur le cœur d'Alexandre* » (→ Nouveau, cit. 10, Racine).

Mascarille est un fourbe et fourbe fourbissime, 26
Sur qui ne peuvent rien la crainte et le remords (...) MOLIÈRE, l'Étourdi, II, 4.

Absolt. *Savoir, vouloir et pouvoir* (→ Attribut, cit. 3). *Dieu* (cit. 7), *cet être qui veut et qui peut. Le capable peut et l'habile* (cit. 3) *exécute.* « *Savoir, c'est pouvoir* » (Bacon).

Si jeunesse savait, si vieillesse pouvait. 27
H. ESTIENNE, les Prémices, Épigrammes, CXCI.

(...) c'est être malheureux que de vouloir et ne pouvoir. 28
PASCAL, Pensées, VI, 389.

La volonté est l'organe de la puissance. Être soi, c'est dominer. On ne veut que 29
pour pouvoir. Puissant en énergie, je ne vis que pour être puissant en actes.
André SUARÈS, Trois hommes, « Ibsen », V.

Pour ma part, j'ai maintes fois évoqué, avec une sorte d'horreur, ce monde futur, 30
dominé par la biologie et la chimie (...) Tout dédramatisé : quel drame! Plus rien de sérieux, plus rien à aimer, à respecter, à admirer, à souffrir. On ne pourra plus que pouvoir (...) Quelle misère! Jean ROSTAND, l'Apocalypse, p. 225-226.

♦ **3.** (XIIIe). Dans des loc. négatives, construites avec *en.* (Vieilli). *N'en pouvoir mais** (cit. 3 à 6). — Mod. **N'EN POUVOIR PLUS** [ply] : être dans un état d'extrême fatigue, d'épuisement total (→ Attaque, cit. 18; décrépit, cit. 1; devoir, cit. 24; 1. frais, cit. 32). Être dans un état de souffrance, de lassitude, d'abattement ou de nervosité extrême (→ Aimer, cit. 21; ardent, cit. 14; mûr, cit. 2). — Ne pas supporter un excès de plaisir. « *On n'en peut plus. On pâme. On se meurt* (cit. 49) *de plaisir* » (Molière). — (Avec un compl. de cause introduit par *de*). *Je n'en pouvais plus d'essoufflement* (cit. 3). « *Enfin n'en pouvant plus d'effort et de douleur* » (→ 1. Bas, cit. 68). — Fam. (langue parlée). Sans *ne. Ouf!, j'en peux plus.*

Je n'en peux plus de fatigue, adieu. Un de ces jours je me mettrai à t'écrire de 31
meilleure heure et causerai plus longuement.
FLAUBERT, Correspondance, 427, 21-22 sept. 1853.

Il se sentait tellement las de lutter, las de frapper, las de détester, las de tout, 32
qu'il n'en pouvait plus et tâchait d'engourdir son cœur dans l'oubli (...)
MAUPASSANT, Pierre et Jean, IX.

DÉR. V. **Puissant.**
COMP. Peut-être.
HOM. Peu. — Puis, puits. — Pus.

2. POUVOIR [puvwaʀ] n. m. — 1360; *podir*, 842; *poeir*, 1130; de *pouvoir, podeir, poeir*, etc.

♦ **1.** Le pouvoir de... (et inf.) : le fait de pouvoir* (I.) de disposer de moyens naturels ou occasionnels qui permettent une opération particulière. ⇒ **Faculté** (cit. 7), **possibilité.** *Vous appelez âme* (cit. 15) *un pouvoir de sentir et de penser. L'imagination* (cit. 3) *est le pouvoir de se représenter les choses sensibles. Par la grâce* (cit. 35) *Dieu donne à la créature « le pouvoir d'être fait enfant du Père ». Le pouvoir de parler* (→ Humanité, cit. 1), *de saisir la réalité* (→ Intelligence, cit. 3), *de retrouver le temps perdu* (cit. 63). *Le pouvoir de percer l'avenir* (1. Avenir, cit. 15). ⇒ **Don.** *Le pouvoir d'affermir des couronnes.* ⇒ **Art** (cit. 6). *Pouvoir d'acheter* (→ Demande, cit. 6). *Le fatal* (→ Dire, cit. 79), *l'étonnant* (cit. 6), *le terrible* (→ Gouvernant, cit. 9), *le doux* (→ Mélancolie, cit. 10) *pouvoir de... Le pouvoir magique de...* (→ 2. Critique, cit. 9). *Avoir le pouvoir de faire qqch :* être libre (et capable) de... ⇒ **Liberté.** *Si j'en avais le pouvoir* (→ Fossoyeur, cit. 4). ⇒ **Permission.** *À cause, en vertu* du pouvoir de...*

1 Et c'était elle, la petite Circassienne au corps aujourd'hui anéanti dans la terre, qui avait gardé le pouvoir de jeter un enchantement sur ce pays, elle qui était cause de tout, et qui, à cette heure, triomphait. Loti, les Désenchantées, II, v.

Pouvoir de (qqch). *Pouvoir d'assimilation* (cit. 7), *de fascination* (cit. 6), *de contrôle et de coordination* (→ Incohérence, cit. 5), *de domination* (→ Narine, cit. 5). — Loc. *Pouvoir d'achat** (cit. 2) : ce qu'il est possible de se procurer (biens, services) avec une quantité déterminée de l'unité monétaire (⇒ **Valeur;** → Indice, cit. 14; et aussi monnaie, cit. 8).

Capacité d'action (qualifié par un adj.). *Pouvoir coercitif*. Doué du pouvoir créateur* (→ Impersonnalité, cit. 3). *Pouvoirs déformants de la poésie* (→ Héroïque, cit. 2).

(Qualifié par un compl. de n.). *Un pouvoir de...*, de créer, de susciter (ce que désigne le complément).

2 Il y a dans toute musique un pouvoir d'ivresse.
R. Rolland, Musiciens d'aujourd'hui, p. 198.

(Introduit par *en, à*...). *Cela n'est pas en mon pouvoir,* parmi les choses que je peux faire. ⇒ **Ressort.** *Les secours qu'il sera en mon pouvoir de lui fournir.* ⇒ **Permettre** (→ Marchander, cit. 9). *Ce qu'il est au pouvoir de qqn d'accomplir.*

3 Quoi que désormais puisse entreprendre un rival,
Il n'est plus en pouvoir de me faire du mal. Molière, l'Étourdi, II, 7.

Être hors du pouvoir de qqn, au-dessus de son pouvoir.

4 (...) il entreprend au-dessus de son pouvoir (...)
La Bruyère, les Caractères, XI, 141.

(Au plur., l'opération permise par tel ou tel pouvoir n'étant pas précisément exprimée). *Les dieux* (cit. 12) *confèrent au culte des primitifs des pouvoirs utiles. Des pouvoirs surnaturels* (→ Fétichisme, cit. 2), *extraordinaires* (→ Enflammer, cit. 9). *Masques* (→ 1. Masque, cit. 3) *nègres chargés de pouvoirs.*

♦ **2.** Spécialt. **a** (XIIIe). Dr. Capacité* légale de faire une chose. ⇒ 3. **Droit** (→ Amiable, cit. 2). *Un interdit n'a pas pouvoir de tester.* — « Aptitude légale ou constitutionnelle à exercer tout ou partie des droits d'une autre personne et à agir pour son compte » (Capitant). *Sous le régime de la communauté, le mari a le pouvoir d'agir pour le compte de sa femme.* — (Sans compl. en *de*...). *Pouvoir d'un tuteur, d'un mandataire* (→ Mandat, cit. 2). *À défaut de pouvoir légal, de mandat ou d'habilitation* (→ Habiliter, cit. 1)... *Donner pouvoir. Il m'a donné pouvoir.* ⇒ **Commission, délégation, mandat, mission...** *Pouvoir limité.* — (Au plur.). *Des pouvoirs. Recevoir, avoir pleins pouvoirs.* ⇒ **Carte** (blanche). *Agent diplomatique ayant reçu pleins pouvoirs pour négocier.* ⇒ **Plénipotentiaire.** *Outrepasser ses pouvoirs. Cela excède vos pouvoirs.* — Loc. Fondé de pouvoir : personne qui a reçu d'une autre (ou d'une société, d'un conseil d'administration...) un pouvoir pour agir à sa place (→ Aveu, cit. 28). — *Bon pour pouvoir,* formule qu'on inscrit sur certains actes avant la signature, par laquelle on donne pouvoir à qqn. — Spécialt. Acte écrit conférant à une personne la faculté d'en représenter une autre. ⇒ **Procuration.** *Avoir un pouvoir par-devant notaire. Pouvoir en bonne forme. Vérification* des pouvoirs. Avoir les pouvoirs de toutes les parties, de tous les héritiers, tous les pouvoirs* (→ Considérer, cit. 15). *Ils ont échangé, se sont communiqué leurs pouvoirs.*

5 C'est tout juste s'ils se donnent la peine de signer les pouvoirs qu'on leur envoie.
J. Romains, les Hommes de bonne volonté, t. II, XI, p. 115.

Relig. (Dr. canon). *Jésus-Christ a conféré aux apôtres le pouvoir de lier* (cit. 34) *et de délier les âmes. Les pouvoirs des clercs parvenus au diaconat* (cit.). — Absolt. *Les pouvoirs,* ceux que confère l'évêque au prêtre (de célébrer la messe, de confesser, etc.). *« On lui a retiré ses pouvoirs »* (Académie).

b (XVIIIe). Sc., techn. (Qualifié, dans des syntagmes). Propriété* physique (d'une substance placée dans des conditions déterminées) → Force, cit. 62, Voltaire; mouvant, cit. 5). — *Pouvoir calorifique,* quantité de chaleur produite par la combustion complète de l'unité de masse d'une substance. — *Pouvoir absorbant* (absorptivité), rapport de l'énergie radiante, par unité de surface, à l'énergie absorbée. — *Pouvoir émissif :* énergie émise par seconde par l'unité de surface d'un corps. — *Pouvoir réflecteur :* rapport de l'énergie rayonnante réfléchie sous une incidence normale à l'énergie rayonnante incidente. ⇒ **Réflexion.** — *Pouvoir émanateur* (dans la désintégration radioactive du radon) : rapport du nombre des atomes libérés au nombre des atomes qui s'y forment par unité de temps. — *Pouvoir rotatoire,* l'angle α de la polarisation rotatoire rapporté à l'unité d'épaisseur et à la densité du corps dissous (→ Hémiédrique, cit.). — (Opt.) *Pouvoir séparateur d'un système optique* (objectif, microscope, spectrographe...) : capacité de produire des images distinctes discernables d'objets rapprochés; mesure de cette capacité. — (Physiol.). *Pouvoir accommodatif des yeux.* ⇒ **Accommodation.** — (Chim.). *Pouvoir ferment :* proportion de sucre transformée, relativement à la levure produite pendant cette transformation. ⇒ **Diastase** (cit. 2). *Pouvoir diastasique* (d'un malt). — (Bot.). *Pouvoir germinatif*.* — (Techn.). *Pouvoir couvrant d'une couleur, d'un vernis :* surface qui peut être couverte utilement avec un kilo de couleur. — *Pouvoir de rétention :* capacité que possède un filtre à cigarette à retenir les constituants de la fumée.

♦ **3.** Le fait de pouvoir (1. Pouvoir, II.), de disposer de moyens d'action sur qqn ou sur qqch. ⇒ **Autorité, empire, puissance.** *Le pouvoir de qqn, d'un groupe sur* (qqn, qqch.). *Le pouvoir d'un chef. Pouvoir paternel,* du père sur les enfants. *Pouvoir directorial.*

À l'origine de tout pouvoir, il y a une autorité spirituelle. La famille primitive, le clan primitif, s'ils reconnaissent le pouvoir du père, c'est à cause de sa supériorité, quant à l'âge, quant à la raison, quant à la sagesse. La société la plus simple consacre une hiérarchie analogue dans le chef de bande, dans le roi. 6
Daniel-Rops, Ce qui meurt..., p. 98.

(Dans les relations psychologiques). *« Son pouvoir n'est fondé que sur votre faiblesse »* (→ Lâcheté, cit. 11). *Le pouvoir que vous donne sur elle cette amitié qu'elle a pour vous* (→ Déployer, cit. 14). — Spécialt. (Relations amoureuses). *Il fallait employer* (cit. 7) *le pouvoir qu'elle avait sur lui.* ⇒ **Ascendant.** *Reprendre tout son pouvoir sur des soupirants évincés* (cit. 4). ⇒ **Crédit.** *Le pouvoir de ses charmes, de ses yeux* (→ Dissiper, cit. 6; impénétrable, cit. 8). — *Un pouvoir diabolique* (→ Découvrir, cit. 35), *magique* (cit. 1), *irrésistible* (→ Magicien, cit. 2), *magnétique* (cit. 7). — En (possessif) pouvoir; au pouvoir de... *L'homme regarde comme sien tout ce qui est en son pouvoir, ce qui est soumis* à son pouvoir.* ⇒ **Posséder, possession** (→ Disposition, cit. 12). *Vous êtes en notre pouvoir, à notre discrétion* (cit. 3). ⇒ **Coupe, disposition, férule, main** (entre les). *« Il n'y a rien qui soit entièrement en notre pouvoir que nos pensées »* (→ Homme, cit. 2, Descartes). *Son corps était au pouvoir du mien* (→ Inter-, cit. 4), sous la domination* du mien. ⇒ **Dépendance.** *Tomber au pouvoir de qqn.*

Le pouvoir des sens (→ Désir, cit. 15), *de l'esprit* (→ Idéaliste, cit. 3), *des mots* (→ Inconciliable, cit. 3; liberté, cit. 26). *« D'un mot* (cit. 5) *mis en sa place enseigna le pouvoir »* (Boileau). ⇒ **Efficacité.** *Le mystérieux pouvoir des nombres* (→ Kabbale, cit. 2). *Le pouvoir que le mythe* (cit. 3) *prend sur nous. « Les exemples* (cit. 2) *vivants sont d'un autre pouvoir »* (Corneille). *Le pouvoir de la musique sur l'âme* (→ Invincible, cit. 8), *de la nuit* (cit. 6), *de la paresse* (cit. 1). ⇒ **Charme.** *Le pouvoir de l'or* (→ Grandir, cit. 8)...

Le pouvoir de la poésie est grand sur le peuple (...) 7
Hugo, Notre-Dame de Paris, I, I, v.

Qu'il soit plus d'une fois tombé dans l'impopularité, et qu'il ait pu remonter toujours, c'est ce qui donne une idée bien grande du pouvoir de l'éloquence sur cette nation, sensible entre toutes, au génie de la parole. 8
Michelet, Hist. de la Révolution franç., I, III.

Il a simplement conscience, dans sa personne, du pouvoir de l'esprit humain, quand l'esprit humain se donne la peine qu'il faut. 9
J. Romains, les Hommes de bonne volonté, t. IV, IV, p. 26.

(Dans la société, mais au sens général du mot). *Le pouvoir d'un chef d'État, d'un leader politique. Le pouvoir politique* (→ État, cit. 110; gouverner, cit. 37), *politique et civil* (→ Monarchie, cit. 1). *Le pouvoir social* (→ Indivisible, cit. 2); → ci-dessous 4., spécialt.

♦ **4.** Spécialt. Situation de ceux qui dirigent; puissance politique à laquelle est soumis le citoyen. *Le pouvoir du roi, de César...* ⇒ **Grandeur** (→ Acheminer, cit. 5; appesantir, cit. 4). *Le terme d'État** (cit. 109 et 110) *évoque l'idée de pouvoir efficace et souverain. Pouvoir suprême, souverain.* ⇒ **Souveraineté** (→ Dépouiller, cit. 22; despote, cit. 3; élever, cit. 17). *Pouvoir politique suprême.* ⇒ **Hégémonie, prépotence.** *Pouvoir absolu* (→ Dey, cit. 2; enivrer, cit. 13; ivresse, cit. 8). ⇒ **Omnipotence, toute-puissance.** *Pouvoir autocratique* (cit. 2), *oppresseur, tyrannique* (→ Liberté, cit. 19). *Pouvoir faible, branlant, chancelant... Les bornes, les limites du pouvoir. « Le pouvoir arrête le pouvoir »* (Montesquieu). — Loc. *Excès, abus* de pouvoir.* ⇒ **Oppression** (→ Dissoudre, cit. 5; insurrection, cit. 1). *Recours pour excès de pouvoir.* — *Avoir, détenir, exercer le pouvoir.* — Au pouvoir : dans la situation où l'on détient le pouvoir. *Parvenir, être, se maintenir au pouvoir* (→ Aristocratique, cit. 2; fureter, cit. 6; fraternité, cit. 10; garçon, cit. 11). *La majorité au pouvoir* (en démocratie). *Parti unique au pouvoir. La coalition au pouvoir. Parmi les hommes au pouvoir.* ⇒ **Haut** (en haut lieu). — Loc. *Les avenues* du pouvoir. Aimer, désirer le pouvoir. Les attraits du pouvoir* (→ Enfermer, cit. 19). *Les prérogatives, les privilèges du pouvoir. « Le pouvoir ne grandit* (cit. 11) *que les grands »* (Balzac). *Il est impossible* (cit. 13) *que les richesses* *ne donnent du pouvoir. Mots désignant le pouvoir de certaines classes, de certains corps...* ⇒ **-crate, -cratie.**

10 Le pouvoir et l'argent ont le prestige de l'infini; ce n'est pas telle chose, ni telle faculté d'agir que l'on désire précisément posséder. Nul ne convoite follement une puissance raisonnable; ni l'exercice du gouvernement comme métier clair et régulier; ni l'argent, comme valeur d'objets bien déterminés.
VALÉRY, Rhumbs, p. 101.

11 — Comme si, bien avant Grenade, on n'aimait pas l'or! — On aimait l'or parce qu'il donnait le pouvoir et qu'avec le pouvoir on faisait de grandes choses. Maintenant on aime le pouvoir parce qu'il donne l'or et qu'avec cet or on en fait de petites. MONTHERLANT, le Maître de Santiago, III, 1.

12 (...) M. Bertrand de Jouvenel, ouvre son livre, *Du pouvoir,* par un chapitre (...) consacré à « l'obéissance civile ». Contrairement aux prétentions d'une certaine « physique sociale », le phénomène du pouvoir ne tient pas, tout entier, dans la force de ceux qui détiennent le pouvoir. Jamais la force des « puissants » ne serait suffisante, si n'y répondait (...) le consentement des *humbles.*
Marcel PRÉLOT, la Science politique, p. 91.

13 (...) la cause la plus profonde de la désagrégation politique que nous observons dans tant de régimes : c'est la confusion, consciente ou non, entre autorité et pouvoir. Parce qu'un régime existe, parce qu'il détient le pouvoir, il pense que cela suffit : l'autorité viendra par surcroît. Ainsi les régimes se sclérosent, le corps social meurt d'anémie; aux institutions vivantes se substituent des automatismes, et les élans spirituels se fossilisent en routines.
DANIEL-ROPS, Ce qui meurt..., p. 99-100.

13.1 Mieux vaut se contenter de marquer la singularité absolue de la réalité du pouvoir et de souligner l'étroite connexion qui identifie presque sa nature à celle du sacré. R. CAILLOIS, l'Homme et le Sacré, p. 111.

13.2 — Qu'appelez-vous pouvoir? Un logement dans un palais? Le grand cordon de la Légion d'honneur? Le droit de grâce régalien? La curiosité des foules? La maîtrise des décrets? Les hommes qui se courbent? Les hommes qui se couchent? La télévision à la botte? La chasse au lièvre, au tigre, au pauvre? La fierté familiale? La visite des ambassadeurs? Le doigt sur le bouton de la guerre atomique? Le cercle étroit des grands du monde? Deux millions de chômeurs? 15 % d'inflation? Du nucléaire partout? Un budget crevé? Une France triste? Les jeunes sous un ciel vide les pieds dans une poubelle? Un président qui règne, qui gouverne, qui juge, qui légifère, qui commente lui-même les nouvelles qu'il inspire, monarque souverain d'un pouvoir absolu? J'ai prononcé le mot qu'il fallait taire, l'absolu.
F. MITTERRAND, Ici et maintenant, 1980, p. 8-9.

La lutte autour du pouvoir, pour le pouvoir. ⇒ **Politique.** *Prendre le pouvoir, saisir le pouvoir* (→ Baillonner, cit. 3; fascisme, cit. 1). *Prise de pouvoir. La Prise du pouvoir par Louis XIV,* film de R. Rosselini. *L'armée, la junte militaire, la police a pris le pouvoir par un putsch. — Perdre, reprendre le pouvoir. — Écarter qqn du pouvoir* (→ Exclusif, cit. 10). *Enlever le pouvoir à...*

Plur. *Avoir des pouvoirs excessifs, incontrôlés,* strictement limités. *Les pouvoirs du Président.* — (XXe). *Les pleins pouvoirs :* autorité illimitée (ou moins limitée) accordée aux détenteurs du pouvoir légal, dans des circonstances exceptionnelles. *Accorder les pleins pouvoirs au gouvernement par un vote.*

(Trad. de l'angl.). *Le pouvoir noir.*

Vieilli. (Qualifié par un adj. déterminant sa nature). ⇒ **Gouvernement, régime.** *Pouvoir monarchique* (→ Démocratique, cit. 1; milieu, cit. 19), *despotique* (cit. 4), *aristocratique, oligarchique* (cit.). *Pouvoir démocratique, parlementaire* (→ 1. Parlementaire, cit. 3). *Pouvoir arbitraire* (cit. 6), *dictatorial...*

14 Il en a coûté sans doute pour établir la liberté en Angleterre; c'est dans des mers de sang qu'on a noyé l'idole du pouvoir despotique; mais les Anglais ne croient point avoir acheté trop cher leurs lois.
VOLTAIRE, Mélanges historiques, Lettres sur les Anglais..., VIII.

15 Il me paraît donc certain que non seulement les gouvernements n'ont point commencé par le pouvoir arbitraire, qui n'en est que la corruption, le terme extrême, et qui les ramène enfin à la seule loi du plus fort, dont ils furent d'abord le remède (...) ROUSSEAU, De l'inégalité parmi les hommes, II.

Mod. (Le pouvoir considéré dans ses diverses fonctions et manifestations). « Fonction juridiquement distincte de l'État*, incarnée dans un organe séparé » (Capitant). *Organe, organisme exerçant un pouvoir, des pouvoirs* (institutions politiques). — (1789). *Pouvoir constituant*.* — (1748). *Pouvoir législatif** (cit. 2), chargé d'élaborer la loi*. ⇒ **Législateur** (→ Feudataire, cit. 1). — *Pouvoir exécutif,* chargé du gouvernement et de l'administration. ⇒ **Gouvernement, exécutif** (→ Dualité, cit. 2; inamovible, cit. 2; monarchique, cit. 2). — (1748). *Pouvoir judiciaire*,* chargé de la fonction de juger, incarné dans l'ensemble des autorités juridictionnelles subordonnées à la Cour de cassation. ⇒ **Justice.** — *Les pouvoirs :* les différents aspects du pouvoir. *Réunion des pouvoirs dans les mains d'un seul homme* (→ Corps, cit. 44; dictateur, cit. 2). *Confusion des pouvoirs* (monarchie absolue, dictature, régime conventionnel). *Division, séparation* des pouvoirs* (régime parlementaire, présidentiel). → Garantie, cit. 6. *Balance, équilibre, limitation des pouvoirs. Collaboration des pouvoirs dans le régime parlementaire* (1. Parlementaire, cit. 2; et → Parlementarisme, cit. 3). — (1842). *Pouvoir temporel* et pouvoir spirituel*. Confusion des pouvoirs* (temporel et spirituel) *dans l'Empire byzantin.*

16 Tout serait perdu si le même homme, ou le même corps des principaux, ou des nobles, ou du peuple, exerçait ces trois pouvoirs : celui de faire des lois, celui d'exécuter les résolutions publiques, et celui de juger les crimes ou les différends des particuliers. Dans la plupart des royaumes de l'Europe, le gouvernement est modéré, parce que le prince, qui a les deux premiers pouvoirs, laisse à ses sujets l'exercice du troisième. Chez les Turcs, où ces trois pouvoirs sont réunis sur la tête du sultan, il règne un affreux despotisme.
MONTESQUIEU, l'Esprit des lois, XI, VI.

17 (...) on ne saurait avoir une meilleure constitution que celle où le pouvoir exécutif est joint au législatif (...) ROUSSEAU, Du contrat social, III, IV.

(Dr.). *Pouvoir disciplinaire,* du supérieur hiérarchique, d'un conseil, dans un corps politique, administratif, professionnel... ⇒ **Discipline** (→ Ministre, cit. 7). *Pouvoir discrétionnaire* (en dr. publ.), par oppos. à *compétence liée :* « pouvoir pour une autorité d'agir librement, parce que la conduite à tenir n'a pas été dictée à l'avance par une règle de droit » (Capitant). *Pouvoir discrétionnaire du président des assises, des juges du fond* (pour apprécier les faits). *Pouvoir réglementaire*. Les pouvoirs d'un préfet.* ⇒ **Attribution.**

♦ **5.** Organes et hommes dans lesquels s'incarne le pouvoir. ⇒ **Gouvernant, gouvernement.** *Le pouvoir fédéral* (cit. 3) *dans un État fédératif* (→ Autonome, cit. 1). *Le pouvoir central.* ⇒ **Centraliser** (→ Département, cit. 2; maire, cit. 2). *Pouvoir municipal* (→ Mainforte, cit. 5). *Le pouvoir civil,* par oppos. à *l'Église,* antérieurement à la loi de séparation (→ Dîme, cit. 2; institution, cit. 6; mésestimer, cit. 3). — (1791). **LES POUVOIRS PUBLICS,** et, absolt, **LES POUVOIRS :** ensemble des autorités ou corps constitués titulaires du pouvoir d'imposer des règles ou de donner des ordres aux citoyens. → Arrondissement, cit. 6. — *Les pouvoirs* (→ Corps, cit. 38; grève, cit. 13; légalité, cit. 3). *Les pouvoirs constitués* (→ Autorité, cit. 27).

Un pouvoir qui avait, depuis des siècles, toutes les forces du pays dans ses mains, 18
administration, finances, armées, tribunaux, qui avait encore partout ses agents, ses officiers, ses juges, sans aucun changement, et, pour partisans forcés, deux ou trois cent mille nobles ou prêtres, propriétaires d'une moitié ou des deux tiers du royaume, ce pouvoir immense, multiple, qui couvrait la France, pouvait-il mourir comme un homme, d'un seul coup, en une fois?
MICHELET, Hist. de la Révolution franç., II, III.

Absolt. (Au sing. collectif). **LE POUVOIR.** *L'opinion et le pouvoir* (→ Arbitre, cit. 7; heurter, cit. 15; hypocrisie, cit. 9). *Fronder* (cit. 8), *encenser le pouvoir. « Ce n'est pas le pouvoir qui flétrit* (2. Flétrir, cit. 3), *c'est le public »* (Voltaire). *Aveuglement, indifférence du pouvoir* (→ Bascule, cit. 1; ilotisme, cit. 1). *Hostilité au pouvoir* (→ Essentiel, cit. 2). *Être à l'index* (cit. 11) *du pouvoir. Être bien vu du pouvoir.* ⇒ **Soleil** (près du); **faveur** (en).

Si le pouvoir n'est pas résolu à forcer l'obéissance, il n'y a plus de pouvoir (...) 19
il faut limiter, surveiller, contrôler, juger ces terribles pouvoirs car il n'est point d'homme au monde qui, pouvant tout et sans contrôle, ne sacrifie sa justice à ses passions. C'est pourquoi cette obéissance des civilisés serait pour effrayer s'ils ne se juraient à eux-mêmes de résister continuellement et obstinément aux pouvoirs.
ALAIN, Propos, 5 déc. 1923, Tout pouvoir est absolu...
(Cf. aussi « Le citoyen contre les pouvoirs », du même auteur).

CONTR. Impossibilité, impuissance.

POUZZOLANE [pudzɔlan] n. f. — 1670; ital. *pozzolana,* dér. de *Pozzuoli* (Pouzzoles), ville située près de Naples.

Technique.

♦ **1.** Variété de terre d'origine volcanique, formée de scories restées à l'état meuble et qui, mélangée à la chaux, entre dans la composition de certains ciments (→ Friable, cit.). *Les gisements de pouzzolane se rencontrent près des anciens volcans*, à Pouzzoles en Italie, autour de Clermont-Ferrand en France.*

Ce n'était pas à la fumée seule du volcan qu'ils *(ces nuages)* devaient d'être si étrangement opaques et lourds. Des scories à l'état de poussière, telles que de la pouzzolane pulvérisée et des cendres grisâtres aussi fines que la plus fine fécule, se tenaient en suspension au milieu de leurs épaisses volutes.
J. VERNE, l'Île mystérieuse, t. II, p. 836.

♦ **2.** Substance qu'on mélange à la chaux ou au ciment pour augmenter son pouvoir hydraulique.

DER. Pouzzolanique.

POUZZOLANIQUE [pudzɔlanik] adj. — 1890, in *Année sc. et industr.* 1891, p. 472; de *pouzzolane.*

♦ Techn. De la pouzzolane.

P. P. C. M. [pepeseɛm] n. m.

♦ Math. Abrév. de *plus petit commun multiple.*

PRÂCRIT [pʀakʀi] n. m. ⇒ **Prâkrit.**

PRACTICE [pʀaktis] n. m. — Mil. XXe; mot angl. « pratique ».

♦ Anglic. Sport. Au golf, Terrain d'entraînement.

Je passais mes journées à travailler mon golf sur le parcours de Saint-Cloud, fermement décidé à faire baisser mon handicap (...) les partenaires ne manquaient pas, même parmi les personnalités « fort occupées » du Tout-Paris : cet avocat réputé (...) s'entraînait à putter sur le green du practice.
Philippe BOEGNER, les Punis, 1978, p. 123.

PRADELLE [pʀadɛl] n. f. — 1817; provençal *pradelo,* dér. de l'anc. provençal *prada* « prairie », de *prat* « pré ».

♦ Régional (pays occitans). Prairie naturelle.

PRÆSIDIUM [pʀezidjɔm] n. m. ⇒ **Présidium.**

PRAGMATICISME [pʀagmatisism] n. m. — 1907; angl. *pragmaticism,* Ch. S. Peirce, 1905, terme forgé pour se démarquer du *pragmatisme* de W. James. → Pragmatisme.

♦ Philos. Philosophie selon laquelle l'idée (d'un phénomène, d'un objet) est la somme des effets imaginables conçus par l'homme comme ayant une valeur pratique. — REM. On parle souvent de *pragmatisme,* à propos de cette théorie, très différente de celle de W. James.

PRAGMATIQUE [pʀagmatik] adj. — 1441, *pragmatique sanction,* 1438, calque du lat. jurid. *pragmatica sanctio,* grec *pragmatikos* «relatif à l'action, aux affaires»; de *pragma* «action».

♦ **1.** Hist. PRAGMATIQUE SANCTION : édits des souverains territoriaux, promulgués en vue de régler définitivement une affaire importante (succession dynastique, rapports entre le souverain et le pouvoir ecclésiastique...). *La pragmatique sanction de Bourges.* — N. f. (1461). *La Pragmatique de Bourges.*

♦ **2.** (1842; déb. XVIIe, en math.; grec *pragmatikos*). Didact. [a] Qui est adapté à l'action sur le réel, qui est susceptible d'applications pratiques, qui concerne la vie courante. ⇒ **Pratique.** — Psychol. *Activité pragmatique :* activité concrète, réalisant la coordination d'actions partielles pour un comportement utile. *L'activité pragmatique suppose, avec le sens du réel, le maintien du contact vital avec le milieu.* (→ Extase, cit. 3). *Inaptitude à l'activité pragmatique.* ⇒ **Apragmatisme.**

[b] Qui accorde la première place à l'action, à la pratique*, qui se fonde sur la réussite dans l'action. *Le mercantilisme* (cit.), *doctrine pragmatique. Vérité pragmatique.*

1 Gœthe se plaisait à peindre surtout un amour malheureux, l'idéalisme tout subjectif de son héros se meurtrissant aux barreaux d'une cage faite de conventions, se heurtant à l'hostilité raisonnable et pragmatique d'un rival.
GIDE, Attendu que..., p. 115.

2 La classe dirigeante *(du XVIIIe siècle)* a compris que ses principes religieux et politiques étaient les meilleurs outils pous asseoir sa puissance, mais justement, comme elle n'y voit que des outils, elle a cessé d'y croire tout à fait; la vérité *pragmatique* a remplacé la vérité révélée. SARTRE, Situations II, p. 144.

(1851). Philos. Qui concerne l'action et ses effets utiles (chez Kant, opposé à *pratique,* comme à *moral*). Qui s'inspire des principes ou de l'esprit du pragmatisme*, qui est relatif au pragmatisme. *La doctrine pragmatique de W. James.* ⇒ **Pragmatiste.**

♦ **3.** N. f. (Angl. *pragmatics,* Ch. Morris). Sémiol. Étude des signes en situation. *Syntaxe, sémantique et pragmatique.* ⇒ **Pragmatisme.**
Adj. Relatif aux rapports entre les signes et leurs utilisateurs.

CONTR. **Spéculatif, théorique.**
DÉR. **Pragmatiquement.** (Du même rad.) **Pragmatisme.**
COMP. **Apragmatique.**

PRAGMATIQUEMENT [pʀagmatikmɑ̃] adj. — 1869; de *pragmatique.*

♦ Didact. D'une manière pragmatique. — Par ext. D'une manière effective.

Ils nous ont séparés pragmatiquement. Yoko me tenait d'un côté et Tong de l'autre. É. AJAR (R. GARY), l'Angoisse du roi Salomon, p. 288.

PRAGMATISME [pʀagmatism] n. m. — 1878; all. *Pragmatismus,* grec *pragmatikos.*
Philosophie.

♦ **1.** Doctrine qui donne les valeurs pratiques comme critère de la vérité (d'une idée).

♦ **2.** (1907; angl. *pragmatism,* 1898, W. James). Doctrine selon laquelle le seul critère de la vérité, d'une idée, d'une théorie est sa valeur pratique, son utilité. ⇒ **Activisme.** *Le pragmatisme de W. James.*

Il *(W. James)* ne nie pas que la réalité soit indépendante, en grande partie au moins, de ce que nous disons ou pensons d'elle; mais la vérité, qui ne peut s'attacher qu'à ce que nous affirmons de la réalité, lui parait être créée par notre affirmation. Nous inventons la vérité pour utiliser la réalité, comme nous créons des dispositifs mécaniques pour utiliser les forces de la nature. On pourrait, ce me semble, résumer tout l'essentiel de la conception pragmatiste de la vérité dans une formule telle que celle-ci : *tandis que pour les autres doctrines une vérité nouvelle est une découverte, pour le pragmatisme c'est une invention.*
H. BERGSON, la Pensée et le Mouvant, Sur le pragmatisme de W. James, VIII, 1911.

Abusivt. *Le pragmatisme de Ch. S. Pierce.* ⇒ **Pragmaticisme.**

DÉR. **Pragmatiste.**
COMP. **Apragmatisme.**

PRAGMATISTE [pʀagmatist] adj. et n. — 1909, *Larousse mensuel,* n. m.; de *pragmatisme.*
Philosophie.

♦ **1.** Adj. (1911). Relatif au pragmatisme. *Philosophie pragmatiste.* — Partisan du pragmatisme; dont la conduite, la manière de penser rappelle le pragmatisme (→ Catholique, cit. 6). — N. *Les pragmatistes.*

♦ **2.** (1928). Adj. et n. (Personne) qui recherche l'utilité, l'efficacité, notamment en politique. ⇒ **Réaliste.**

(...) il était *opportuniste.* Il n'avait pas le culte des principes : ceux-ci ne lui paraissaient appréciables qu'aux résultats qu'ils pouvaient avoir; notre temps eût dit que, par là, il était *pragmatiste.* 1
Louis MADELIN, Hist. du Consulat et de l'Empire, De Brumaire à Marengo, VI.

À quoi sert en politique d'avoir raison et d'être toujours battu? La foi chrétienne suffit à contenter mon exigence d'absolu. Je suis politiquement pragmatiste. 2
F. MAURIAC, le Nouveau Bloc-notes 1958-1960, p. 135.

PRAIRE [pʀɛʀ] n. f. — 1873; mot provençal, sens initial «prêtre».

♦ Mollusque bivalve comestible *(Venus verrucosa)* du genre *Venus* (⇒ **Vénus**), à la coquille cannelée de fortes côtes concentriques, de couleur gris jaunâtre, vivant enfoncé dans le sable ou le gravier de l'étage infralittoral. *Les praires se mangent crues ou cuites, comme les palourdes. Une douzaine de praires. Praires d'un plateau de fruits de mer. Comme la coquille* Saint-Jacques, la praire fut un insigne de pèlerin.*

1. PRAIRIAL [pʀɛʀjal] n. m. — 1793; de *prairie.*

♦ Hist. Neuvième mois du calendrier républicain (du 20 mai au 18 juin) → Floréal, cit. *Émeute du 1er prairial* (an III). *Coup d'État* ou *Journée du 30 prairial* (an VII).

Par une douce nuit de prairial, tandis qu'au-dessus du préau la lune montrait dans le ciel pâli ses deux cornes d'argent (...) FRANCE, Les dieux ont soif, XIX.

2. PRAIRIAL [pʀɛʀjal] adj. — 1803; de *prairie.*

♦ Didact. ou littér., rare. Qui se rapporte aux prairies. *Les herbes prairiales.*

PRAIRIE [pʀeʀi] n. f. — V. 1180; *proiere,* v. 1200; de *pré*.*

♦ Surface couverte de plantes herbacées (⇒ **Herbe**) qui fournit au bétail du fourrage sec (⇒ **Foin**) ou vert (1757). *Prairie artificielle* (cit. 2), qui entre dans la succession de l'assolement et qui est ensemencée exclusivement de légumineuses, luzerne, sainfoin, trèfle... (⇒ aussi **Champ**). — *Prairie temporaire,* établie pour une durée limitée et ensemencée d'un mélange de graminées et de légumineuses. — (1869). *Prairie naturelle* ou *permanente,* qui n'entre pas dans la succession de l'assolement et qui est couverte d'une végétation spontanée ou réglée par l'homme. ⇒ **Pré** (REM); **alpage, herbage** (cit. 2), 1. **noue, pâturage.** *La savane*, prairie des régions tropicales. Droit de vaine pâture sur les prairies naturelles. La canche, le pâturin, plantes des prairies. Création, drainage, irrigation* (→ Arrosage, cit. 2), *fumure, chaulage, exploitation, fauchage, fauchaison... d'une prairie. Prairies pâturées* (cit. 1) *par les animaux. Prairies d'élevage* (→ Domaine, cit. 1), *d'embouche*. Riantes prairies* (→ Convenir, cit. 11). *De belles prairies* (→ Couronner, cit. 9). *Fraîches prairies* (→ Pailleter, cit. 1). *Prairie toute parée de l'émail* (cit. 6) *des fleurs, émaillée* (cit. 2) *de fleurs.* — Myth. *Les napées, nymphes des prairies.*

Vu le nombre de ses bestiaux, il s'appliquait aux prairies artificielles; c'était d'ailleurs un bon précédent pour les autres récoltes, ce qui n'a pas toujours lieu avec les racines fourragères. 1
FLAUBERT, Bouvard et Pécuchet, II.

L'herbe à Guernesey, c'est l'herbe de partout, un peu plus riche pourtant; une prairie à Guernesey, c'est presque le gazon de Cluges ou de Géménos. Vous y trouverez des fétuques et des paturins, comme dans la première herbe venue, plus le brome mollet aux épillets en fuseau, plus le phalaris des Canaries, l'agrostide qui donne une teinture verte, l'ivraie raygrass, la houlque qui a de la laine sur sa tige, la flouve qui sent bon, l'amourette qui tremble, le souci pluvial (...) 1.1
HUGO, l'Archipel de la Manche, IV, p. 5.

Une prairie à l'herbe à la fois rase et drue dévalait à nos pieds; plus loin pâturaient quelques vaches; chacune d'elle, dans ces troupeaux de montagne porte une cloche au cou. GIDE, la Symphonie pastorale, *in* Romans, Pl., p. 908. 2

Géogr. Formation naturelle herbacée couvrant complètement le sol. *Les Prairies, la Grande Prairie, la Prairie :* vastes steppes de l'Amérique du Nord (États-Unis, Canada), aujourd'hui défrichées, autrefois domaine des tribus indiennes.

DÉR. 1. **Prairial,** 2. **prairial.**

PRÂKRIT ou **PRÂCRIT** [pʀɑkʀi] n. m. — 1845; sanscrit *prakr(i)ta* «dénué d'apprêt, vulgaire».

♦ Ling. Nom générique des langues et dialectes de l'Inde issus du sanscrit* ou développés parallèlement à lui (jusque vers la fin du moyen âge). — REM. On écrit aussi, sans accent, *prakrit, pracrit.*

Le sanscrit (...) n'est pas la seule langue employée dans le drame; elle est réservée (...) à un petit nombre de rôles, aux personnages d'élite seulement. Tous les autres s'expriment dans des patois spéciaux, qui varient avec le rang, les fonctions ou la profession de chacun d'eux. On désigne tous ces patois sous le nom générique de prâcrit (...) Le plus élevé des prâcrits, celui qu'emploient couramment les femmes

de haut rang, est la Çaurasenî (...) les gens du harem parlent la mâgadhî (...) le bouffon s'exprime en prâcyâ (...)
Sylvain LÉVI, le Théâtre indien, p. 129-130 (1890).

PRALIN [pʀalɛ̃] n. m. — 1869; de *praliner*.
Technique.

♦ **1.** Mélange utilisé pour le pralinage des racines, des graines.

♦ **2.** (1938, Montagne). Préparation à base de pralines, d'amandes et de sucre, utilisée en pâtisserie, en confiserie. ⇒ **Praliné.**

PRALINAGE [pʀalinaʒ] n. m. — 1869, Littré; de *praliner*.
Technique.

♦ **1.** Agric. Opération qui consiste à enrober les racines d'un jeune arbre qu'on va planter ou les graines qu'on va semer d'un mélange pâteux de terre et d'engrais, d'une substance protectrice contre les parasites, etc. *Le pralinage est usité en arboriculture, en horticulture, en sylviculture.* ⇒ **Agricole** (opérations agricoles).

♦ **2.** (1875). Pâtisserie, confiserie. Fabrication des pralines.

PRALINE [pʀalin] n. f. — 1680; d'après le nom du maréchal du *Plessis-Praslin,* dont le cuisinier inventa cette confiserie.

★ **I.** ♦ **1.** Bonbon fait d'une amande rissolée dans du sucre bouillant. ⇒ **Confiserie.** *Pralines de Montargis. Croquer des pralines.*

♦ **2.** (En Belgique). Bonbon au chocolat.

♦ **3.** Loc. fam. *Cucul la praline :* niais, un peu ridicule. ⇒ **Cucul.** — Elliptiquement :

1 Tiens, tout à l'heure, chez Levélan, sont petit topo sur les stoïciens, tu sais : « Supporte et abstiens-toi... ». De loin, ça paraît un peu la praline, mais il y a du fond (...)
M. AYMÉ, Maison basse, p. 190.

♦ **4.** Adj. (1909). Vieilli. Brun clair, un peu rosé. *Robe praline.*

★ **II.** (V. 1915). Par anal. de forme. Argot. Balle d'arme à feu.

2 Le comte porte les deux mains à son ex-tignasse (...)
— Ah! vous avez bougé! fait Spontinini.
Et il lui loge une praline dans le baquet.
SAN-ANTONIO, Remets ton slip, gondolier!, p. 180.

DÉR. Praliner, pralineur.

PRALINER [pʀaline] v. tr. — 1715; de *praline.*
Technique.

♦ **1.** Faire rissoler dans le sucre bouillant, à la manière des pralines*.

♦ **2.** (1856). Agric., hortic. (Par compar. des grumeaux de terre, d'engrais à des pralines). Enrober (une racine, des graines) dans une préparation protectrice, une pâte d'engrais, d'antiparasites, etc. ⇒ **Pralinage.** *Praliner des racines.*

▶ **PRALINÉ, ÉE** p. p. adj.

♦ **1.** (1748). Rissolé dans le sucre bouillant. *Amandes pralinées. Feuilleté* (bonbon feuilleté) *praliné.* — Mélangé de pralines, d'amandes pilées. *Chocolat praliné,* ou, n. m., *du praliné. Crème, glace pralinée.* — Par métaphore. Dont l'aspect rappelle celui des pralines (→ Gâchis, cit. 1, Colette).

♦ **2.** N. m. Préparation à base d'amandes et de sucre qui sert à garnir un gâteau, à fourrer un bonbon (⇒ **Pralin**). — Par métonymie. Ce gâteau ainsi garni, ce bonbon ainsi fourré.

DÉR. Pralin, pralinage.

PRALINEUR, EUSE [pʀalinœʀ, øz] n. — 1836, Académie; de *praline.*

♦ Techn. Ouvrier, ouvrière qui confectionne des pralines (et certains bonbons analogues).

PRAME [pʀam] n. f. — 1792; néerl. *praam.*

♦ Mar. a Anc. Navire à fond plat, à voiles ou à rames (⇒ **Galère**), pouvant porter une artillerie puissante et qui était utilisé pour la défense des côtes (→ Mahonne, cit.; nef, cit. 4).

b Mod. Embarcation de service à fond plat, souvent manœuvrée à la godille.

PRANDIAL, ALE, AUX [pʀɑ̃djal, o] adj. — 1922; dans l'expression *diarrhée prandiale* « succédant au repas »; du lat. *prandium* « repas ».

♦ Didact. Relatif aux repas, cf. *préprandial, postprandial :* qui a lieu, qui se fait, se produit avant (après) le repas. *Douleurs gastriques postprandiales.*

PRAO [pʀao] n. m. — V. 1525; mot ital. écrit *praho* au XIXe.

♦ Didact. Barque à balancier utilisée en Malaisie.

(...) cinquante milles peuvent être facilement franchis, soit par des praos malais, soit par de grandes pirogues polynésiennes.
J. VERNE, l'Île mystérieuse, t. I, p. 138.

(XXe). Bateau construit à la manière des praos malais, comportant une coque équilibrée d'un côté seulement par un flotteur-balancier. *« Huit trimarans et un prao »* (*le Point,* 9 juin 1980, p. 96).

PRASE [pʀaz] n. m. — 1755; *prasie,* déb. XIIIe; lat. *prasius,* grec *prasios, prasinos* « vert poireau ».

♦ **1.** Minéralogie. Quartz vert.

♦ **2.** PRASE DE... (suivi d'un nom de gemme) : cristal de roche teinté (de la couleur de la pierre).

PRASÉODYME [pʀazeɔdim] n. m. — V. 1900; *praseodynium,* 1890, mot all. (1886), du grec *prasinos* « d'un vert de poireau », et *didumos* « double ».

♦ Chim. Élément dont les oxydes sont parmi les constituants des terres rares (symb. *Pr ;* nº at. 59; masse at. 140,90 g); métal jaune clair, trivalent, donnant des sels d'un beau vert.

PRASÉOLITE [pʀazeɔlit] n. f. — 1875; du grec *prasinos,* et *-lite* pour *-lithe.*

♦ Minéralogie. Silicate hydraté naturel d'aluminium, de magnésium et de fer, de couleur verte.

PRASIN, INE [pʀazɛ̃, in] adj. — XIIe; grec *prasinos* « de la couleur verte du poireau », *prason.* → Praséodyme.

♦ Didact., rare. (Hellénisme). D'une nuance claire (couleur verte). *« Une tunique d'un vert prasin »* (Gautier, *in* Larousse).

PRATELLE [pʀatɛl] n. f. — 1826, *in* F. e. w.; dér. sav. du lat. *pratum* « pré »; cf. anc. franç. *praetel, pratel* (1413 en Normandie) « petit pré », lat. *pratellum,* de *pratum.*

♦ Bot. ou régional. Champignon comestible, genre d'agaric* *(Agaricacées)* cultivé. Syn. : *champignon de Paris.*

PRATICABILITÉ [pʀatikabilite] n. f. — Déb. XIXe (A. Carrel); *pratiquabilité,* 1719; de *praticable.*

♦ Rare. État, caractère de ce qui est praticable. *Praticabilité d'une route.* ⇒ **Viabilité.**

CONTR. Impraticabilité.

PRATICABLE [pʀatikabl] adj. et n. m. — 1555; de *pratiquer ;* cf. le lat. *praticabilis.*

♦ **1.** Qu'on peut mettre à exécution. ⇒ **Possible.** *Projet praticable,* applicable, réalisable. *Moyen praticable.* ⇒ **Utilisable.** — *Une religion praticable,* facile à pratiquer (→ Démesuré, cit. 6). *Cette justice* (cit. 23) *est la seule praticable.*

(...) il ne trouvait plus, lui-même, maintenant qu'il était de sang-froid, ses projets aussi praticables ou plutôt agréables à pratiquer que cela lui avait semblé dans un moment d'enthousiasme et d'emportement (...) 1
J.-A. DE GOBINEAU, Nouvelles asiatiques, p. 64.

♦ **2.** (1694). Où l'on peut passer sans danger ou sans difficulté. *Chemin praticable pour les voitures.* ⇒ **Carrossable.** *Voies mal praticables* (→ Déviation, cit. 1). *Ce gué n'est pas praticable... — Récifs qui cessent d'être praticables* (→ Pirogue, cit. 1).

Les sentiers possibles, praticables même pour un renard, sont en fort petit nombre dans ce précipice (...) STENDHAL, Vie de Henry Brulard, 33. 2

Le flot des voitures s'étant écoulé, la chaussée devint praticable, et M. Turel s'y engagea avant le signal. M. AYMÉ, Maison basse, p. 7. 2.1

Spécialt. Archit. *Arcade praticable* (réelle) opposé à *en trompe l'œil.*

(1835). Théâtre. *Porte, fenêtre praticable,* par laquelle on peut passer. *Décors* praticables* et *décors figurés.*

N. m. (1835). *Un praticable :* un décor où l'on peut passer, marcher...

(...) ces montagnes sont de vastes toiles tendues sur châssis, le long desquelles les *villageois* descendent par des *praticables,* et l'on cherche sur le ciel de fond si quelque tache d'huile ne va pas trahir enfin la main humaine et dissiper l'illusion. 3
NERVAL, Lorely, « Du Rhin au Mein », IV.

(...) retraverser la scène en courant, puis galoper une nouvelle fois parmi les portants et les praticables poussiéreux (...) Claude SIMON, le Palace, p. 186. 3.1

(1944). Cin., télév. Élément supportant des projecteurs, les caméras, et, par métonymie, le personnel qui s'en occupe.

4 Nous construirons, en face, un échafaud de praticables où jucher l'appareil, l'opérateur et ses aides. COCTEAU, la Belle et la Bête, p. 87.

♦ **3.** (XVIIe, Mme de Sévigné). Fig., vx. Sociable*, facile à fréquenter.

CONTR. Impraticable.
DÉR. Praticabilité.

PRATICIEN, IENNE [pʀatisjɛ̃, jɛn] n. — 1370, adj.; *prauticien*, n. m. (sens 2), XIVe; au fém., 1719; de *pratique*.

♦ **1.** (1674). Personne qui connaît la pratique d'un art, d'une technique. *Les théoriciens et les praticiens* (→ Expérimentateur, cit. 2). *Un praticien émérite*, expérimenté** (⇒ **Habile**). *L'écrivain* (cit. 11), *praticien du langage écrit.*

1 (...) mes grand-mères attachaient une importance capitale à la cuisine (...) Certes, si des titres avaient été attribués à ces praticiennes (j'allais écrire patriciennes) de l'art culinaire, elles auraient pu prétendre sans présomption à celui de docteur (...)
M. JOUHANDEAU, le Prix de l'existence humaine, *in* le Monde, 11 oct. 1960.

♦ **2.** (XIVe). Vx. Celui qui connaît la pratique, la procédure; juriste, avocat, procureur... (→ Étude, cit. 51, La Bruyère; exercer, cit. 37, Balzac; 2. officier, cit. 1, La Bruyère). — Clerc de notaire. — Recors.

2 Le praticien, vulgairement appelé recors, est l'homme de justice par hasard, il est là pour assister l'exécution des jugements (...)
BALZAC, le Cousin Pons, Pl., t. VI, p. 670.

♦ **3.** Arts. Personne qui exécute un travail sur les indications de l'artiste (cit. 7). ⇒ **Exécutant.** — En sculpture, Ouvrier qui dégrossit le marbre, ébauche la statue.

♦ **4.** (1314). Médecin* qui exerce, soigne les malades (opposé à *chercheur, théoricien*). ⇒ **Clinicien; chirurgien** (cit. 2); → Diffus, cit. 2; glotte, cit.; guérisseur, cit. 2; nerveux, cit. 8. *Praticien célèbre, notoire* (cit. 3). — Cour. Médecin (généraliste) ⇒ **Omnipraticien.** Personne qui donne des soins (médecin, dentiste, auxiliaire médical, sage-femme).

3 Le vieux Haudry était un médecin de l'école de Molière, grand praticien et ami des anciennes formules de l'apothicairerie, droguant ses malades ni plus ni moins qu'un médicastre, tout consultant qu'il était.
BALZAC, César Birotteau, Pl., t. V, p. 474.

COMP. Omnipraticien.

PRATICO- Premier élément de mots de philosophie, formé sur *pratique.*

Ex. : *pratico-inerte*, adj. (Sartre, *Critique de la raison dialectique*) : relatif à l'objectivation des projets individuels dans les synthèses pratiques (qui leur confèrent l'extériorité et l'inertie des choses). — N. m. *Le pratico-inerte.*

1 Dans quelle mesure cette re-saisie de mon histoire par le pratico-inerte est-elle une limitation et une contrainte? Quelle place laisse-t-elle à ma liberté?
S. DE BEAUVOIR, Tout compte fait, p. 40.

Pratico-sensible, adj. : relatif à la pratique (action) et au sensible.

2 La création d'un monde pratico-sensible à partir des gestes répétitifs. La rencontre des besoins et des biens; la jouissance, plus rare encore que les biens mais puissante. Henri LEFEBVRE, la Vie quotidienne dans le monde moderne, p. 72.

PRATIQUANT, ANTE [pʀatikɑ̃, ɑ̃t] adj. et n. — 1868; «utilisateur», n. m., 1360; de *pratiquer.*

♦ **1.** Relig. Qui observe les pratiques (d'une religion). *Être plutôt pratiquante que croyante* (cit. 4). *Chrétiens zélés et catholiques pratiquants* (→ Ordre, cit. 43).

N. *Un pratiquant* (→ Crapule, cit. 4). *Croyants* et pratiquants. Une pratiquante zélée, fervente.*

♦ **2.** (1948). Sports. Personne qui s'entraîne régulièrement et participe à des épreuves dans (une discipline sportive). *Un pratiquant du marathon, du karaté.*

1. PRATIQUE [pʀatik] n. f. — 1256; XIIIe; du lat. *practice*, grec *praktikos.*

★ **I.** ♦ **1.** Activités volontaires visant des résultats concrets, positifs (opposé à *théorie*). ⇒ **Action, expérience; 2. pratique** (→ Méthode, cit. 1, Descartes). *La pratique et la contemplation* (→ Attacher, cit. 75), *l'idéologie* (cit. 9). *La pratique procède avec plus de lenteur que les théories* (→ Habile, cit. 5). *Connaissance* obtenue par la pratique.* ⇒ **Empirique** (cit. 6); **expérimental, pragmatique.** — *La théorie et la pratique, en matière* (cit. 23) *de révolution.* ⇒ **Praxis.**

1 (...) la différence des esprits des hommes (...) fait goûter aux uns les choses de spéculation et aux autres celles de pratique (...)
LA BRUYÈRE, Disc. sur Théophraste.

2 En France, on ne s'est presque jamais occupé des vérités abstraites que dans leur rapport avec la pratique. Perfectionner l'administration, encourager la population par une sage économie politique, tel était l'objet des travaux des philosophes, principalement dans le dernier siècle. Mme DE STAËL, De l'Allemagne, I, XIV.

3 La pratique les a prémunis *(les Anglais)* contre les chimères des théoriciens; ils ont éprouvé par eux-mêmes combien il est difficile de mener et de contenir les hommes. Ayant manié la machine, ils savent comment elle joue, ce qu'elle vaut, ce qu'elle coûte (...)
TAINE, les Origines de la France contemporaine, t. II, II, p. 119.

(1656). *Dans la pratique* (→ Connaître, cit. 11), *dans la pratique de chaque jour* (→ Ascèse, cit. 5) : dans la vie. — **EN PRATIQUE.** *En théorie et en pratique.*

(...) on a raison, dans l'École, de dire que les vertus sont des habitudes; car, en effet, on ne manque guère, faute d'avoir, en théorie, la connaissance de ce qu'on doit faire, mais seulement faute de l'avoir en pratique, c'est-à-dire faute d'avoir une ferme habitude de la croire. DESCARTES, Correspondance, 15 sept. 1645. 4

♦ **2.** (XIIIe). *La pratique de qqch., une pratique.* Manière concrète d'exercer une activité (opposé à *règle, principe*). ⇒ **Apprentissage, perfectionnement.** *La pratique d'un art* (cit. 61), *d'une science, d'une technique, d'un métier*, d'une profession*. La pratique de la mer, de la navigation*. La pratique des sports** (→ Mesurer, cit. 9), *de la natation** (→ Immersion, cit. 3). ⇒ **Pratiquant.** *Gestes inculqués par une longue pratique* (→ Génération, cit. 18). *Pratique machinale.* ⇒ **Routine.** — *Avoir la pratique de...* ⇒ **Connaître** (s'y connaître), **expérience.** *Se rendre familier* une activité par la pratique.* ⇒ **Familiariser** (se). *Une pratique consommée* (cit. 8). — Par ext. Expérience vécue. *Des sensations dont ils n'ont aucune pratique personnelle* (→ Éprouver, cit. 28).

(...) nous n'avons ni la pratique militaire ni la compétence stratégique qui autorisent un système (...) HUGO, les Misérables, II, I, III. 5

Ce sage et juste milieu qui, en France, a toujours été plutôt à l'état de vœu, de regret ou d'espérance, qu'à l'état de pratique réelle, avait pourtant quelque ombre d'effet et de coutume dans le pouvoir attribué au Parlement (...) 6
SAINTE-BEUVE, Causeries du lundi, 20 oct. 1851.

Philos. Ensemble des activités, des champs d'activité humaine. *Pour le matérialisme dialectique, la pratique* (⇒ **Praxis**) *est conditionnée par les données matérielles et historiques; c'est elle qui produit la théorie. Pratique sociale :* ensemble des pratiques liées dialectiquement à l'intérieur d'une formation sociale dans une situation historique donnée. *Pratique technique. Pratique politique,* entraînant la transformation des rapports sociaux. *Pratique empirique :* rapport entre pratique technique et pratique politique, dans une société donnée. *Pratique idéologique :* transformation des états de conscience. *Pratique théorique* (Althusser) : transformation des produits idéologiques en connaissances théoriques.

(1626, d'Aubigné). **METTRE EN PRATIQUE.** *Mettre en pratique une idée, un projet.* ⇒ **Exécution, œuvre.** *Ses idées ne sont pas encore mises en pratique.*

(...) la ligne *(les régiments de ligne)*, par son espèce de neutralité d'abord, et ensuite par sa défection, acheva le mal que des dispositions belles en théorie, mais peu exécutables en pratique, avaient commencé. 7
CHATEAUBRIAND, Mémoires d'outre-tombe, t. V, p. 199.

♦ **3.** (1580). Dr. (Vx). *La pratique.* ⇒ **Procédure.** *Termes de pratique, style de pratique.*

Il faut bien, pour parler ainsi, que vous ayez étudié la pratique. 8
MOLIÈRE, Monsieur de Pourceaugnac, II, 10.

Acte de procédure (Boileau, *le Lutrin*, V).

♦ **4.** Littér. Le fait de suivre une règle d'action (spécialt sur le plan moral ou social). *L'esprit et la pratique de la politesse* (→ Attacher, cit. 108). *Pratique de la dévotion* (cit. 2); *des commandements* (cit. 6), *des lois morales* (→ Ascétisme, cit. 5), *des maximes* (→ Imprimer, cit. 5), *des prescriptions* (→ Expiatoire, cit. 1). — *La pratique du bien* (→ Fondement, cit. 7), *des vertus* (→ Ennui, cit. 26; et aussi dessiner, cit. 3, par ext.). *La pratique de la charité...* ⇒ **Exercice.** — *Mettre une méthode, un procédé en pratique.* ⇒ **Action, application; appliquer** (→ Intention, ct. 2).

Pour ce noble dessein, j'ai cru mettre en pratique 9
Tout ce que peut trouver l'humaine politique (...)
MOLIÈRE, l'École des femmes, IV, 7.

(1679). *La pratique religieuse* (→ ci-dessous, 5. : *les pratiques*). ⇒ **Pratiquer.**

Et l'esprit religieux, dans nos campagnes? — Oh! de la pratique, rien au fond! répondit négligemment Hourdequin. ZOLA, la Terre, II, V. 10

♦ **5.** (1683). *Les pratiques :* les exercices extérieurs de la piété, de la dévotion religieuse. ⇒ **Observance; culte** (→ Dévot, cit. 8; enfermer, cit. 10). *Pratiques et croyances* (cit. 13). *Pratiques de la dévotion* (→ Direction, cit. 3; exhorter, cit. 2). *Les pratiques de la piété* (→ Fille, cit. 14; pieux, cit. 2). *Pratiques extérieures* (→ Irréligion, cit. 2). *Les pratiques ordinaires et des superstitions* (→ Médaille, cit. 9).

Une religion chargée de beaucoup de pratiques attache plus à elle qu'une autre qui l'est moins; on tient beaucoup aux choses dont on est continuellement occupé : témoin l'obstination tenace des mahométans et des juifs, et la facilité qu'ont de changer de religion les peuples barbares et sauvages qui (...) ne se chargent guère de pratiques religieuses. MONTESQUIEU, l'Esprit des lois, XXV, II. 11

Toutes les pratiques, si minutieuses et si peu comprises que le catholicisme ordonne, sont autant de digues nécessaires à contenir les tempêtes du mauvais esprit. Obtenez donc de madame votre fille qu'elle accomplisse tous ses devoirs religieux et nous la sauverons (...) 12
BALZAC, la Muse du département, Pl., t. IV, p. 207.

(...) elle imita toutes les pratiques de Virginie, jeûnait comme elle, se confessait avec elle. FLAUBERT, Trois contes, « Un cœur simple », III. 13

♦ **6.** (1580). *Une, des pratiques.* Manière habituelle de faire, de procéder (propre à une personne ou à un groupe). ⇒ **Agissements, con-**

duite, façon (d'agir), **procédé.** *La peine de mort, ignoble et intolérable pratique* (→ Abolir, cit. 3; attacher, cit. 40). *Une pratique courante, générale* (→ Navire, cit. 12), *répandue, universelle.* ⇒ **Coutume,** 1. **mode, usage.** *Pratique habituelle, constante.* ⇒ **Habitude** (→ Clandestin, cit. 2; espion, cit. 4; immodéré, cit. 6). — *Pratiques odieuses* (→ Appartement, cit. 6). *Les pratiques du monde* (→ Louange, cit. 1). *Toutes les pratiques employées par les femmes* (→ Maquillage, cit. 1).

14 (...) lorsque, dans les tribunaux laïques, on voulut changer de pratique, on prit celle des clercs, parce qu'on la savait (...) car, en fait de pratique, on ne sait que ce que l'on pratique. MONTESQUIEU, l'Esprit des lois, XXVIII, XL.

15 Tout argument tiré d'une pratique ancienne et commune est faible. On raisonne trop souvent comme si l'esclavage, la torture, le fouet, la guerre étaient des moyens auxquels les hommes se sont arrêtés parce qu'ils ne pouvaient pas assurer l'ordre autrement. ALAIN, Propos, 28 oct. 1921, Fausses perspectives du progrès.

Loc. (1732). *Peindre de pratique,* d'après des formules figées. ⇒ **Routine.**

Vx. Travail, occupation. — Loc. fam. *Donner de la pratique à qqn,* du tracas.

♦ **7.** Vx (langue class., au plur.). Vieilli. Activités secrètes, souterraines; intrigues, menées (→ Ameuter, cit. 1; ménager, cit. 14).

★ **II. A.** ♦ **1.** Vx (langue class.). *La pratique de qqn,* sa fréquentation habituelle. ⇒ **Commerce** (→ Amitié, cit. 4). Absolt. La société. « *Loin de toute pratique* », dans la solitude (Molière, *l'École des femmes,* I, 1). — *La pratique du monde, des hommes.* ⇒ **Fréquentation, habitude.**

16 Évite avec grand soin la pratique des femmes. CORNEILLE, l'Imitation de J.-C., I, 552.

♦ **2.** (1588, Montaigne). Vx (en usage jusqu'au déb. XXe). Le fait de se fournir chez un marchand, de recourir aux services d'un homme de loi, d'un médecin. *Donner sa pratique à un marchand. Vous perdrez ma pratique.*

17 Si vous pouvez me donner à moi de bonne crème et des œufs frais, vous aurez ma pratique (...) BALZAC, l'Initié, Pl., t. VII, p. 363.

♦ **3.** Vieilli. Clientèle. ⇒ **Achalandage, clientèle** (→ Étalage, cit. 1; oublieur, cit.). — *La pratique d'une étude d'avoué, de notaire.*

18 La blanchisseuse soignait d'une façon particulière sa pratique de la rue des Portes-Blanches (...) ZOLA, l'Assommoir, t. I, VI, p. 243.

♦ **4.** N. f. Vieilli. UNE PRATIQUE : un client, une cliente. ⇒ **Acheteur, client** (→ Désarroi, cit. 2; louage, cit. 1). *Les pratiques d'une boutique, d'un commerce, d'un magasin.* Loc. Vx. *Attendre pratique.* — REM. La substitution de *client* à *pratique* au XIXe s. s'est longtemps heurtée à l'hostilité des puristes.

19 Quand le *client* (tel est le mot élégant substitué par Marius à l'ignoble mot de *pratique*)... apparaît sur le seuil, Marius lui jette un coup d'œil (...) BALZAC, les Comédiens sans le savoir, Pl., t. VII, p. 41.

19.1 Et puis, du matin au soir, les pratiques mécontentes affluaient de plus belle à la maison, et elles parvenaient jusqu'au vieil horloger, qui ne savait laquelle entendre.
« Cette montre retarde sans que je puisse parvenir à la régler ! disait l'un.
Celle-ci, reprenait un autre, y met un entêtement véritable, et elle s'est arrêtée, ni plus ni moins que le soleil de Josué ! » J. VERNE, Maître Zacharius, p. 150.

♦ **5.** (1826). Vx. *Une pratique :* une fripouille (Maupassant, Courteline, *in* G. L. L. F.).

B. (Déb. XVIIIe). Mar. *Libre pratique :* liberté de communiquer avec un port (en particulier, pour les gens de mer qui ont fait une quarantaine*).

★ **III.** (1731). Vx. Petit instrument utilisé par les montreurs de marionnettes pour changer leur voix.

20 (...) il *(un vendeur d'orviétan)* disait au public réuni, au moyen d'un gazouillement joyeux produit à l'aide d'une *pratique* cachée dans sa bouche (...) NERVAL, Fragments des faux-saulniers, III.

21 Il tenait dans ses doigts un fragile instrument de métal, qu'il offrit le mieux possible aux regards de l'assistance en le faisant tourner lentement pour exposer alternativement toutes ses faces.
C'était une pratique semblable, en un peu plus grand, à ces jouets nasillards qui servent à copier la voix de Polichinelle.
Cuijper nous conta brièvement l'histoire de cette babiole, qui, inventée par lui, avait pu, en centuplant sa voix, ébranler jusque dans ses fondations le théâtre de la Monnaie à Bruxelles. Raymond ROUSSEL, Impressions d'Afrique, p. 101.

CONTR. Spéculation, théorie.
DÉR. Praticien, pratiquer.

2. PRATIQUE [pʀatik] adj. — 1370; bas lat. *practicus.*

♦ **1.** [a] Qui concerne l'action, la transformation de la réalité extérieure par la volonté humaine. ⇒ **Pragmatique.** *Philosophie spéculative et pratique* (→ Nature, cit. 59, Descartes). « *Le principal attribut pratique de la raison* » (→ Intelligence, cit. 9). — Vx. *Science pratique :* connaissance réglée ayant des effets pratiques (cf. la notion moderne de science appliquée). → Gnose, cit. 1. — *L'expérimentation* (cit. 1), *base pratique de la méthode expérimentale.* « *L'absolu doit être pratique* » (→ 2. Idéal, cit. 12). *Problèmes théoriques et pratiques* (→ Individu, cit. 7). *Le divorce* (cit. 5) *de la vie pratique et de la pensée théorique. Valeurs pratiques* (→ Jeu, cit. 3). *Applications littéraires et pratiques de l'idéologie* (→ Idéologue, cit. 2).

Je m'habituai dès lors à suivre une règle singulière, c'est de prendre pour mes jugements pratiques le contre-pied exact de mes jugements théoriques, de ne regarder comme possible que ce qui contredisait mes aspirations. 1
RENAN, Souvenirs d'enfance... Œ. compl., t. II, II, p. 783.

(...) les hommes manifestent aujourd'hui (...) la volonté de se poser dans le mode 2
réel ou *pratique* de l'existence, par opposition au mode *désintéressé* ou *métaphysique.* Julien BENDA, la Trahison des clercs, p. 122.

(XXe). TRAVAUX PRATIQUES (abrév. : *T. P.*) : exercices d'application, dans l'enseignement d'une matière scientifique. *Cours et travaux pratiques.* — *Exercices pratiques.*

Phys. *Unités pratiques* (en électricité : joule, watt, ampère, ohm, coulomb, volt, farad...).

[b] Utilitaire*. ⇒ **Utile.** *Fins pratiques des artscutilitaires* (→ Art, cit. 2). *Inventions* (cit. 5), *recettes pratiques* (→ Exprimer, cit. 14). *Procédé pratique* (⇒ aussi **Profitable**). *Intérêts* (cit. 14) *pratiques.* ⇒ **Matériel.** *Considérations pratiques* (→ Négligeable, cit. 2). *Cette découverte n'aura peut-être aucun effet pratique* (⇒ aussi **Réalisable**). — REM. Dans ce sens, *pratique* comporte parfois une nuance péjorative.

Quand vous reviendrez, on vous donnera un emploi qui vous fera peut-être entrer 3
dans ce que le langage moderne appelle superbement « la vie pratique », c'est-à-dire dans toutes les platitudes, les niaiseries, les lâchetés de l'existence actuelle. J.-A. DE GOBINEAU, Nouvelles asiatiques, p. 278.

(...) les clercs (...) ont inscrit au sommet des valeurs morales la possession des 4
avantages concrets, de la force temporelle (...) et ont voué au mépris des hommes la poursuite des biens proprement spirituels, des valeurs non pratiques ou désintéressées. Julien BENDA, la Trahison des clercs, p. 178.

N. m. *Le pratique* (→ Panique, cit. 4).

♦ **2.** Philos. Qui détermine, prescrit la conduite. ⇒ **Normatif.** La *Critique de la raison pratique,* œuvre de Kant (succédant à la *Critique de la raison pure*). — Qui concerne l'action, la pratique et les champs d'activité (liés aux conditions sociohistoriques) qui les structurent. *Ensembles pratiques* (Sartre) : structures dont relèvent les actions humaines individuelles et collectives et les objets ou champs matériels sur lesquels la pratique exerce sa fonction totalisatrice. *Théorie des ensembles pratiques* (sous-titre de *la Critique de la raison dialectique*).

♦ **3.** Qui concerne le sens des réalités, l'aptitude à s'adapter aux situations concrètes et à défendre ses intérêts matériels. *Intelligence* (cit. 13), *sens pratique* (→ Fourmi, cit. 5; pécule, cit. 2). *Les « passions pratiques »* (Benda). *Incapacité pratique* (→ Dépasser, cit. 14).

(XIXe). Cour. (Personnes). Qui a le sens du réel et de ses intérêts pratiques. *Un homme, une femme pratique.* ⇒ **Concret, positif.** → Honorer, cit. 3; perdre, cit. 31. *Un être exclusivement pratique* (→ Négoce, cit. 4).

Pierrot, qui n'a rien d'un Clitandre, 5
Vide un flacon sans plus attendre,
Et, pratique, entame un pâté. VERLAINE, Fêtes galantes, « Pantomine ».

Dès qu'un peuple est sauvagement pratique, comme l'américain, il élit, pour gui- 5.1
der ses pas, les plus fumeux et ignorants idéologues que l'univers ait jamais connus. GIRAUDOUX, Siegfried et le Limousin, p. 270.

Vx. Au courant de..., versé dans... *Pratique dans les affaires* (La Bruyère, *les Caractères,* I, 3).

♦ **4.** (Fin XIXe, cit.). Cour. Qui est ingénieux et efficace, bien adapté à son but. ⇒ **Commode, fonctionnel** (→ Exister, cit. 14). *Un dispositif pratique.* ⇒ **Maniable.** *Instrument, outil pratique. Système plus ou moins pratique* (→ Numération, cit.). *C'est pratique, très pratique* (→ Fourrer, cit. 11). *Un horaire pratique, peu pratique. Ce livre, cette encyclopédie est (n'est pas) pratique.*

(...) vous êtes un homme pratique. 5.2
— Excessivement pratique, dit le banquier; père pratique, tuteur pratique! Je vous ai fait donner une éducation pratique!
A. ROBIDA, le Vingtième Siècle, p. 13 (av. 1900).

Cette revue est d'ailleurs fort bien conçue : quand on voit qu'elle est rédigée d'une 6
façon vraiment *pratique,* quand on voit qu'on peut réellement y *trouver ce qu'on cherche,* on s'émerveille qu'elle soit faite par des Français.
MONTHERLANT, les Lépreuses, I, V.

♦ **5.** (D'Aubigné, *in* Wartburg). Mar. → Pratiquer (II., 2.). Qui connaît, qui fréquente un lieu (cf. Retz, *in* Littré).

N. m. (1771). Mar. *Un pratique :* celui qui connaît bien (telle région, tels parages), par une fréquentation habituelle. *Il est préférable d'embouquer la passe avec un pratique la première fois.*

CONTR. Théorique. — Abstrait, spéculatif. — Contemplatif, idéaliste, sentimental. — Incommode, malcommode.
DÉR. Pratiquement. — V. Praticable.

PRATIQUEMENT [pʀatikmɑ̃] adv. — 1610; de 2. *pratique.*

♦ **1.** Dans la pratique, d'une manière pratique. *Pratiquement et théoriquement* (→ Espèce, cit. 30). *Pratiquement, cela ne sert à rien,* sur le plan utilitaire.

(...) le même conflit équivoque entre cet idéal internationaliste auquel on adhère 1
théoriquement, et tous ces intérêts nationaux, dont, pratiquement, personne, même parmi les chefs socialistes, ne consent à faire le sacrifice!
MARTIN DU GARD, les Thibault, t. VII, p. 292.

♦ **2.** En fait (→ Paupérisme, cit. 2).

2 Il est probablement vrai qu'un homme nous demeure à jamais inconnu (...) Mais *pratiquement*, je connais les hommes et je les reconnais à leur conduite (...) De même tous ces sentiments irrationnels sur lesquels l'analyse ne saurait avoir de prise, je puis *pratiquement* les définir, *pratiquement* les apprécier (...)
CAMUS, le Mythe de Sisyphe, p. 25.

♦ **3.** (xxe; d'après l'angl. *practically*). Emploi critiqué. Virtuellement, presque. ⇒ **Quasiment.** *Il est pratiquement incapable de se déplacer. Ce bouquin est pratiquement introuvable.*

3 Pratiquement, il n'y a pas de misère dans ce pays-là, il n'y a même pas de paupérisme. Je n'ai jamais vu un taudis.
J. ROMAINS, les Hommes de bonne volonté, t. XIX, XX, p. 110.

PRATIQUER [pʀatike] v. tr. — Fin XIVe; « s'occuper de pratique, de droit », 1477; de 1. *pratique.*

★ **I.** ♦ **1.** Mettre en application, à exécution (une prescription, une règle morale, religieuse...). ⇒ **Exécuter, garder, observer.** *Pratiquer les leçons de la morale* (→ Dépravé, cit. 7), *une règle* (→ Étroit, cit. 21; pédagogie, cit. 1). *Pratiquer un précepte.* — Par ext. Exercer habituellement (une vertu, une activité prescrite par la loi morale ou religieuse). *Pratiquer le bien* (→ Crime, cit. 8), *la charité* (→ Exercer, cit. 26), *l'indulgence* (cit. 3), *l'humilité* (cit. 10), *la sagesse* (→ Jeunesse, cit. 3). *Pratiquer assidûment* (cit. 2) *un devoir.* ⇒ **Accomplir.** *Prêcher une chose sans la pratiquer. Pratiquer sa foi* (→ Menace, cit. 4), *un culte* (→ Géhenne, cit. 3), *une religion. Pratiquer des sacrifices* (→ Inutilité, cit. 1).

1 (...) il en coûte peu de prescrire l'impossible, quand on se dispense de le pratiquer.
ROUSSEAU, les Confessions, VIII.

Absolt. Observer les pratiques religieuses. *Cesser de pratiquer sans cesser de croire.*

2 (...) Pécuchet, d'un air indifférent, lui demanda *(à l'abbé)* comment s'y prendre pour obtenir la foi. — Pratiquez d'abord. Ils se mirent à pratiquer, l'un avec espoir, l'autre par défi, Bouvard étant convaincu qu'il ne serait jamais un dévôt. Un mois durant, il suivit régulièrement tous les offices; mais, à l'encontre de Pécuchet, ne voulut pas s'astreindre au maigre.
FLAUBERT, Bouvard et Pécuchet, IX.

3 Autrefois, Dieu lui gardait toutes ses miséricordes. Au moindre chagrin, au moindre obstacle barrant sa vie, il entrait dans une église, s'agenouillait, humiliait son néant devant la souveraine puissance et il en sortait fortifié par la prière, prêt aux abandons des biens de ce monde, avec l'unique désir de l'éternité de son salut. Mais, aujourd'hui, il ne participait plus que par secousses, aux heures où la terreur de l'enfer le reprenait (...)
ZOLA, Nana, VII.

♦ **2.** (1361). Mettre en action, appliquer (une théorie, des préceptes abstraits). *Adopter* et pratiquer une méthode, une philosophie* (→ Ôter, cit. 3), *un système. Pratiquer la semaine de 35 heures, la journée continue.* — Rare. *Pratiquer un projet* (→ Praticable, cit. 1).

4 Les extrêmes opinions
Qu'hier encor nous pratiquâmes
Et qu'aujourd'hui nous renions.
VERLAINE, Épigrammes, I, IV.

(1534). Cour. *Pratiquer un métier, une profession, un travail.* ⇒ **Exercer, livrer** (se)... *Connaître* et pratiquer* (une technique, un art...), s'y habituer*, l'apprendre ou se perfectionner par la pratique (→ Intégrité, cit. 1). — *Pratiquer un sport, le football* (cit. 2) *la voile.* ⇒ **Jouer.**

Par ext. *Pratiquer un remède, une drogue* (→ Aromate, cit. 3). ⇒ **Éprouver, expérimenter, utiliser.** Fam. *Je ne pratique pas le haschisch, les cocktails.* ⇒ **Consommer.**

(1530). Spécialt, absolt. Exercer la médecine.

♦ **3.** (Déb. XVIIe). Employer* (un moyen, un procédé) ou avoir (une activité) d'une manière habituelle. *Pratiquer le chantage*, le bluff... Pratiquer un genre de vie.* ⇒ **Mener.** *Pratiquer le concubinage. Pratiquer le farniente* (→ Nonchalance, cit. 3). — Vx. *Pratiquer l'amour* (Corneille, *le Menteur,* I, 1). *Pratiquer une conduite* (Pascal), *une coutume* (Bossuet).

5 Mais la débauche pourtant (si elle n'était un mensonge) serait une chose belle et il est bon, sinon de la pratiquer, du moins de la rêver.
FLAUBERT, Correspondance, 418, 21-22 août 1853.

6 Avec Malherbe, la littérature française pratique la recherche du bien-dire pour ne pas dire grand-chose (...) Julien BENDA, la France byzantine, p. 169.

(1872). *Pratiquer des prix élevés, bas.*

♦ **4.** Exécuter*, faire (une opération manuelle) selon les règles prescrites (se dit surtout en médecine). ⇒ **Opérer.** *Pratiquer une intervention, une opération chirurgicale* (→ Amputer, cit. 1; anesthésique, cit. 1), *une dissection* (cit. 1), *une injection* (cit. 2), *une désinfection* (→ Hygiène, cit. 5).

♦ **5.** (XVIe; 1588, Montaigne). Ménager (une ouverture, un passage, un abri...). *Pratiquer une entaille* (→ Creuser, cit. 3), *une ouverture* (⇒ **Ouvrir**), *un tunnel* (→ Obvier, cit. 2), *des jalousies* (→ Observer, cit. 18). — *Pratiquer un abri* (→ Fontaine, cit. 3), *une loge* (→ Parterre, cit. 6).

7 Ces deux terrasses formaient comme une espèce de bastion où venaient se briser les regards des curieux. Au-dessous étaient pratiquées les écuries.
Th. GAUTIER, Fortunio, XVI.

Pratiquer un passage, une route, un chemin. ⇒ **Frayer.**

8 Cette forêt *(de Fontainebleau)* a vingt-deux lieues de long et dix-huit de large. Napoléon y avait fait pratiquer trois cents lieues de routes sur lesquelles on pouvait galoper. STENDHAL, Mémoires d'un touriste, t. I, p. 25.

★ **II.** ♦ **1.** (XVe). Vx. Fréquenter (qqn). ⇒ **Hanter.** → Étrangeté, cit. 1, Montaigne. *Pratiquer les femmes* (→ Mésestimer, cit. 2, Corneille).

(1890). Mod. *Pratiquer un auteur, un livre* (→ Extravagance, cit. 4).

Pour connaître l'homme, il suffit de s'étudier soi-même; pour connaître les hommes, il faut les pratiquer. « Je connais très peu les hommes. Mes études ont été sur l'homme. STENDHAL, Journal, 21 août 1810. 9

J'ai pratiqué dans ma vie des personnes de diverses sortes (...) 10
FRANCE, le Crime de S. Bonnard, t. II, p. 431.

♦ **2.** (Rare). Aller régulièrement dans (un lieu).

(...) Anselme, depuis quelque cinquante ans qu'il pratiquait la montagne, en connaissait jusqu'au moindre caillou. H. BOSCO, l'Âne Culotte, p. 24. 11

♦ **3.** Vx. Organiser, tramer par des intrigues, des pratiques (⇒ 1. **Pratique**). → Corneille, Bossuet, *in* Littré. *« Pratiquer des cabales »* (Académie, 1964). — *Pratiquer qqn,* le gagner par l'intrigue. *Pratiquer des témoins,* les suborner.

▶ **SE PRATIQUER** v. pron. (1660).

Passif. Être pratiqué (→ Cajoler, cit. 4; éconduire, cit. 1). *Infamies qui se pratiquent sous le manteau* (cit. 17). *Comme cela se pratique* (→ Patron, cit. 10).

▶ **PRATIQUÉ, ÉE** p. p. adj.

Une morale peu pratiquée. Une méthode très pratiquée. Ce métier n'est plus pratiqué de nos jours. ⇒ **Usage** (en), **usité.** — (1872). *Les prix pratiqués sur le marché. — Tunnel, passage, route pratiquée entre deux villes.*

CONTR. Abstenir (s'), **ignorer.**
DÉR. Praticable, pratiquant.

PRAXÉOLOGIE [pʀakseɔlɔʒi] n. f. — XXe; grec *praxis* (→ Praxie, praxis), et *-logie.*

Didactique.

♦ **1.** Philos. Philosophie, science des praxis.

♦ **2.** Sc., techn. Ensemble des méthodes d'analyse de l'action, en matière économique (organisation, prévision, recherche opérationnelle, etc.).

(...) un type spécifique de recherches que l'on peut appeler « praxéologie » (...) et qui serait une théorie, essentiellement interdisciplinaire, des comportements en tant que relations entre les moyens et les fins, sous l'angle du rendement aussi bien que des choix.
J. PIAGET, Épistémologie des sciences de l'homme, 1970, p. 314.

DÉR. Praxéologique.

PRAXÉOLOGIQUE [pʀakseɔlɔʒik] adj. — Mil. XXe; de *praxéologie.*

♦ Didact. De la praxéologie*. *Une épistémologie praxéologique.*

PRAXIE [pʀaksi] n. f. — 1959; du grec *praxis* « action, mouvement ».

♦ **1.** Philos. Action particulière. *Les gnosies* et les praxies.* — REM. *Praxis* désigne les actions en général, l'activité.

♦ **2.** Psychiatrie. Adaptation des mouvements au but recherché. *Le terme de praxie est utilisé pour caractériser la guérison d'un malade précédemment atteint d'apraxie*.*

DÉR. Praxique.

PRAXINOSCOPE [pʀaksinɔskɔp] n. m. — 1877; comp. sav. du grec *praxis* « mouvement », et *-scope.*

♦ Didact. (Anciennt). Phénakistiscope* perfectionné, où les images sont reflétées sur de petits miroirs disposés en prisme. *« Avec son praxinoscope, Émile Reynaud avait mis au point un nouveau système de représentation, un nouvel art plastique et graphique en mouvement »* (*le Monde,* 31 oct. 1977).

PRAXIQUE [pʀaksik] adj. — Mil. XXe; de *praxis ou praxie.*

♦ Didact. (philos., psychol.). De la praxis, qui concerne l'activité, l'action. ⇒ **Pratique.**

(Souvent opposé à *gnosique*). *« Les centres gnosiques et praxiques* (du cerveau) » (P. Chauchard, *le Cerveau humain,* p. 99, 1958).

PRAXIS [pʀaksis] n. f. — XXe, philos.; all. *praxis,* la forme existe dès le XVIe en angl., empr. au lat. mod. *praxis* (XIIIe, Albert le Grand); grec *praxis* « action ».

♦ Didact. Activité en vue d'un résultat, opposée à la connaissance d'une part, à l'être d'autre part. — Spécialt, dans la philosophie marxiste. Action par laquelle l'homme transforme le milieu naturel pour répondre à ses besoins, en s'engageant collectivement dans des structures sociales déterminées par les rapports de production et déterminantes de son être, de sa conscience. *Gramsci a défini le marxisme comme une philosophie de la praxis. Théorie et praxis.*

1 *(Pour le matérialisme dialectique)* la philosophie serait essentiellement une *praxis,* un instrument pour agir, un pouvoir qui s'exerce sur les choses.
J. MARITAIN, le Philosophe dans la cité, p. 13.

2 (...) il y avait entre eux des divergences, mais elles n'étaient que d'opinions et d'attitudes : des nuances qui ne s'inscrivaient dans aucune praxis.
S. DE BEAUVOIR, Tout compte fait, p. 37.

3 L'« ouverture au monde moderne » ? Pour les étudiants, c'était l'espoir de rajeunir les programmes, de les délester des questions désuètes : cette ouverture devait être l'ouverture de la philosophie aux problèmes concrets de l'éthique quotidienne, l'enracinement de la spéculation dans la praxis et la vivification de la praxis par la spéculation nourricière, la résolution d'accepter, quoi qu'il en coûte, la problématisation radicale des valeurs.
V. JANKÉLÉVITCH, *in* le Nouvel Obs., 17 mars 1975.

DÉR. Praxique.

PRÉ [pʀe] n. m. — V. 1130; *pred,* 1080, *Chanson de Roland;* lat. *pratum.*

♦ **1.** Terrain produisant de l'herbe* (cit. 4) destinée à la nourriture du bétail. ⇒ **Prairie** (plus techn.). — *Un grand, un beau pré. Herbe, foin produits par un pré. Mener les vaches au pré.* ⇒ **Pâturage.** *Mettre un cheval au pré.* ⇒ **Vert.** *Âne qui paît dans un pré* (→ Chardon, cit. 1). *« L'agneau* (cit. 2) *paît les prés verts »* (Hugo). Pré d'embouche* (⇒ **Herbage**). *Pré salé,* au bord de la mer. *Moutons de pré salé.* — *Faucher** (cit. 2) *un pré à la faucheuse* (cit. 3) *mécanique. Prés embaumant les foins* (1. Foin, cit. 2) *coupés. Récolter le regain* d'un pré.*

1 M. Seguin avait derrière sa maison un clos entouré d'aubépines. C'est là qu'il mit sa nouvelle pensionnaire. Il l'attacha à un pieu, au plus bel endroit du pré (...)
Alphonse DAUDET, Lettres de mon moulin, «La chèvre de M. Seguin».

Des prés, se dit de plantes à fourrage. *Crételle des prés. Fléole des prés. Trèfle des prés.*

Par ext. Étendue d'herbe à la campagne (sans considération de destination pratique quelconque. Cf. dans les noms propres de lieux : *Pré-Catelan, Pré-Saint-Gervais, Saint-Germain-des-Prés...*). *Le gazon* des prés. Prés verdoyants, diaprés* (cit. 4), *émaillés* (cit. 7) *de fleurs. Une promenade à travers prés* (→ Évoquer, cit. 9). *Ruisseau qui coule à travers prés* (→ Arène, cit. 3; 2. courant, cit. 3). *Pré gorgé d'eau.* ⇒ **Mouillère** (→ aussi Battre, cit. 15). *Nymphes des prés.* ⇒ **Napée.** *Toile des Vosges blanchie sur pré.*

2 (...) des fontaines, coulant avec un doux murmure sur des prés semés d'amarantes et de violettes (...)
FÉNELON, Télémaque, I.

3 Quand il *(l'artiste)* sort pour rêver, et qu'il erre incertain,
Soit dans les prés lustres au gazon de satin,
Soit dans un bois (...)
HUGO, les Feuilles d'automne, XXXVI.

4 Toute la lessive était là, étalée très blanche parmi l'herbe verte, sentant bon l'odeur des plantes; et le pré semblait s'être fleuri soudain de nappes neigeuses de pâquerettes.
ZOLA, le Rêve, V.

5 Le bonheur est dans le pré.
Cours-y vite, cours-y vite.
Le bonheur est dans le pré.
Cours-y vite. Il va filer.
Paul FORT, le Bonheur, *in* Poètes d'aujourd'hui, p. 135.

♦ **2.** (XVIe-XVIIe, d'Aubigné; du nom du *Pré-aux-clercs,* ancienne plaine qui s'étendait au moyen âge sur l'emplacement actuel du quartier de Saint-Germain-des-Prés et où se rencontraient les étudiants de l'Université de Paris pour se divertir ou pour vider leurs querelles par les armes). *Sur le pré :* sur le terrain du duel. *Coucher son adversaire mort sur le pré* (→ Parade, cit. 10). — (XVIIIe). Fig. *Aller sur le pré, vider une affaire sur le pré* (→ Estocade, cit. 1) : se battre en duel*. *Revenir du pré sans une égratignure* (cit. 2).

6 (...) n'ayez pas l'air de railler : vous pourriez vous faire fustiger d'importance! Je suis maintes fois allé sur le pré, comme tout le monde (...)
MALRAUX, Antimémoires, Folio, p. 423.

♦ **3.** (1827). Argot, vieilli. Bagne (cf. Balzac, *Splendeurs et Misères des courtisanes,* t. V, p. 1045).

Loc. (Vx.). *Faucher le grand pré :* ramer aux galères.

DÉR. et **COMP. Préau.** — **Pré-gazon, pré-salé.** — **Reine-des-prés.** — (Du même rad.) **Prairie.**

PRÉ- Premier élément tiré du lat. *præ* (préposition) « devant, en avant », et qui sert à former des adjectifs et, plus rarement, des noms et des verbes (⇒ **Anté-**). De nombreux mots en *pré-* sont empruntés au latin *(prédire, préjudice, prématuré, préméditer...).* Parmi ceux qui sont formés en français *(préavis, préconçu, préfabriqué...,* à l'ordre alphabétique) avec la valeur de « qui est fait, existe avant, dans le temps » ou « qui vient avant, dans l'espace », on peut signaler des composés plus rares ou occasionnels.

Ex. : Adj. : *Prébarré, ée. « La généralisation des chèques prébarrés » (le Monde,* 28 juin 1977). — *Prébiotique,* « avant l'apparition de la vie » (→ cit. 1, ci-dessous). — *Prébyzantin, ine* (→ cit. 2). — *Précâblé, ée. Carte précâblée* (inform.). — *Précommunal, ale, aux. « La phase précommunale »* (L. Mollat, 1974). — *Précancéreux, euse. « Lésions précancéreuses » (la Recherche,* oct. 1981, p. 1116). — *Précuit, uite. « Des produits alimentaires précuits » (in* P. Gilbert). — *Préimprimé, ée.* — *Prélimé, ée. Ampoules pharmaceutiques prélimées.* — *Prémagnétisé, ée.* — *Prénazi, ie.* — *Prépisté, ée.* Techn. *Film prépisté,* qui porte une piste magnétique (pour le son). — *Préprofessionnel, elle, els. « Classes préprofessionnelles » (le Monde,* 7 oct. 1972, p. 8). — *Prépubère,* « qui se produit un peu avant l'âge de la puberté ». — *Préscriptural, ale, aux* (d'avant l'écriture). — *Présignificatif, ive* (→ cit. 4). — *Prétinctorial, ale, aux.* Techn. *« Traitements prétinctoriaux » (Science, progrès, découverte,* 1972, in *la Clé des mots).* — *Préurbain, aine,* « d'une époque antérieure à l'urbanisation » (→ cit. 5).

On peut a priori définir trois étapes dans le processus qui a pu conduire à l'apparition des premiers organismes : 1
a) la formation sur la terre des constituants chimiques essentiels des êtres vivants, nucléotides et amino-acides (...)
La première *(étape)* souvent appelée la phase « prébiotique », est assez largement accessible, non seulement à la théorie, mais à l'expérience.
Jacques MONOD, le Hasard et la Nécessité, p. 179.

Ses prophètes *(de Doura)* unissent des visages semblables à ceux des derniers por- 2
traits égyptiens et un drapé aussi prébyzantin que celui des stèles de Palmyre.
MALRAUX, la Métamorphose des dieux, p. 123.

Accroupi contre la jeune femme, à sa droite (mais à gauche du tableau) un enfant 3
prépubère, à grosse tête, une frange de cheveux sur le front, au regard et au sourire parfaitement imbéciles.
P. KLOSSOWSKI, la Révocation de l'Édit de Nantes, p. 55.

Avant de signifier quoi que ce soit toute émission de langage signale que quelqu'un 4
parle. — Ceci est capital — et non relevé — ni donc développé par les linguistes. — La seule voix dit bien des choses, avant d'agir comme porteuse de messages particuliers. Et il arrive que cette perception présignificative dénonce « poésie ».
VALÉRY, Cahiers, t. I, Pl., p. 473.

Les ensembles préurbains de Palestine, du Liban et de Turquie ont pu comporter 5
des sanctuaires ou des maisons plus riches que la moyenne, toutefois on n'y connaît pas encore de véritables palais.
A. LEROI-GOURHAN, le Geste et la Parole, t. I, p. 232-233.

Une classe de composés en *pré-* est formée sur des dérivés adjectifs *(-ien, -iste)* ou substantifs *(-isme)* de noms propres. Ces substantifs s'opposent alors assez régulièrement à ceux en *post-* (ex. : *pré-stalinien, ienne,* etc.). Ex. : *préhitlérien, ienne* (1936, *in* D. D. L.), *prémarxiste,* adj. (1936, *in* D. D. L.).

Nous vivons encore dans une mentalité pré-voltairienne. 6
R. BARTHES, Mythologies, p. 67.

Noms. *Préadolescence,* n. f. — *Préautonomie,* n. f. (→ ci-dessous, cit. 7). — *Pré-congrès,* n. m. — *Précompréhension,* n. f. — *Préconditionnement,* n. m. (→ ci-dessous, cit. 8). — *Prémagnétisation,* n. féminin.

REM. 1. Ce procédé de composition est particulièrement fréquent en technique et en science.

2. On trouve une valeur spécifique de *pré-* + nom de chose, « qui est préfabriqué » (ex. : *Prédalle,* n. f., 1973, in *la Clé des mots*).

Cette préautonomie dont bénéficie la Catalogne devra néanmoins être réexaminée 7
par le prochain Parlement, seul habilité à élaborer un statut définitif.
l'Express, 24 févr. 1979, p. 84.

La mémoire mécanique n'est pas sans offrir une certaine similitude avec la 8
mémoire animale : une sorte de préconditionnement spécifique existe dans chaque type de machine, mais le programme opératoire est dicté de manière totalement instinctive (...)
A. LEROI-GOURHAN, le Geste et la Parole, t. II, p. 64.

Pavlov, qui avait bien vu ce rôle du conditionnement dans la perception, en con- 9
cluait à la vérité de « ce que le génial Helmholtz a désigné sous le terme célèbre de conclusion inconsciente », donc à la réalité des inférences ou préinférences perceptives.
J. PIAGET, Épistémologie des sciences de l'homme, p. 167.

(...) ces phrases du pré-sommeil dont j'ai été amené à dire en 1924, dans le *Mani-* 10
feste du surréalisme, qu'elles *cognaient à la vitre.*
A. BRETON, l'Amour fou, IV, p. 79.

REM. Les composés adjectifs à forme participiale ont entraîné la composition de verbes comme *préchauffer* (1970, *in* Gilbert), *présécher* (« *les présécher* [les ordures] *sur une sole ou grille* », *Science et Vie,* 1974, n° 106, p. 113), *présélectionner,* etc., et de substantifs verbaux dérivés des verbes, formant ainsi des séries cohérentes *(préchauffé, préchauffer, préchauffage).*

Orthographe. On écrira de préférence ces composés en un seul mot. Cependant, lorsque le deuxième élément commence par une voyelle et surtout par un *e* ou un *é,* ou qu'il vient d'un nom propre, le trait d'union est fréquent. L'usage est hésitant dans de nombreux cas (voir des exemples dans P. Gilbert, *Dict. des mots contemporains,* art. *Pré-*).

PRÉADAMISME [pʀeadamism] n. m. — 1842; de *préadamite.*

♦ Didact. Doctrine des préadamites, d'après laquelle Adam n'aurait pas été le premier homme de la création, mais seulement l'ancêtre du peuple juif. *Le préadamisme est condamné à la fois par les catholiques et par les protestants.*

PRÉADAMITE [pʀeadamit] n. et adj. — Déb. XVIIe; de *pré-,* et *Adam.*

Didactique.

♦ **1.** Nom donné aux races humaines qui, d'après une doctrine imaginée au XVIIe siècle (⇒ **Préadamisme**), auraient été créées par Dieu antérieurement à Adam.

Adj. (1845). Qui est antérieur à Adam *(univers préadamite).*

♦ **2.** (1875). Qui a rapport au préadamisme *(hérésie préadamite).*

1 Monsieur le duc, dit l'évêque in partibus de Sarcellopolis, vous devrez faire pénitence pour cet incident et amende honorable pour vos convictions préadamites.
R. QUENEAU, les Fleurs bleues, p. 176.

N. Sectateur du préadamisme. *Condamnation des préadamites par le pape Alexandre VII. Le polygénisme*, aspect scientifique de la théorie théologique des préadamites.*

2 Cycles antérieurs à l'homme ; chaos, cieux,
Monde terrible et plein d'êtres prodigieux ;
Ô brume épouvantable où les préadamites
Apparaissent debout dans l'ombre sans limites (...)
HUGO, la Fin de satan, I, « Et nox facta est », X.

DÉR. Préadamisme.

PRÉADAPTATION [pʀeadaptasjɔ̃] n. f. — 1901, Cuénot ; de *pré-*, et *adaptation.*

♦ Biol. Prédisposition (d'un organisme) à s'adapter à un milieu déterminé.

(...) en vertu de ce que la biologie a appelé la *préadaption,* les êtres vivants sont naturellement poussés vers l'environnement *(biotope)* qui leur convient organiquement le mieux. Pierre GRAPIN, l'Anthropologie criminelle, p. 116.

PRÉALABLE [pʀealabl] adj. et n. m. — 1580 ; *preallable ;* de *pré-*, et de l'anc. adj. *allable,* du v. *aller.*

♦ **1.** Adj. Qui a lieu, se fait ou se dit avant autre chose, dans une suite logique d'événements, d'actes, de faits, étroitement liés entre eux. *Une initiation* (cit. 2), *une pause préalable* (→ Marge, cit. 5). *Jugement hâtif, qui ne repose sur aucun examen préalable* (⇒ **Anticipé**). *Malgré toutes ses résolutions préalables...* ⇒ **Antérieur** (→ Endormir, cit. 10). *Après entente préalable* (→ Ordre, cit. 14). *Autorisation préalable* (→ Accepter, cit. 2). *Avis préalable* (⇒ **Préavis ;** → Embargo, cit. 1 ; guerre, cit. 18). *Sans mise en demeure préalable* (→ Exécution, cit. 17).

1 L'amour exige certaines préparations (...) une retenue (...) des réserves (...) une rêverie préalable, comme une religion qui a été très tôt déposée dans le cœur.
J. CHARDONNE, les Destinées sentimentales, p. 382.

(1674). **PRÉALABLE À...** *Argument préalable à l'expérience* (→ À priori). *Jugement préalable à la sentence définitive.* ⇒ **Provision.**

Spécialt. Qui doit précéder* (qqch.). *Question* préalable.* ⇒ **Préliminaire.** *Conditions préalables à toute tentative de conciliation.*

2 Il tenait ce ministre *(Hardenberg)* pour responsable de l'attitude de ses maîtres à l'automne de 1806 et, bien loin de recevoir ses suggestions, exigeait son renvoi, geste préalable, déclarait-il, à toute entente possible avec les Hohenzollern.
Louis MADELIN, Hist. du Consulat et de l'Empire, Vers Empire d'Occident, XXIV.

3 La révolte n'est pas en elle-même un élément de civilisation. Mais elle est préalable à toute civilisation. Elle seule, dans l'impasse où nous vivons, permet d'espérer l'avenir dont rêvait Nietzsche : « Au lieu du juge et du répresseur, le créateur ».
CAMUS, l'Homme révolté, p. 337.

Dr. constit. *Question préalable :* motion préliminaire pour savoir si une question sera débattue.

♦ **2.** N. m. *Un, des préalables.* **a** *Vieilli.* Ce qui a lieu, se fait ou se dit préalablement à autre chose.

4 Il me demanda ensuite, sans aucun préalable, si son nez me paraissait propre à recevoir des chiquenaudes. RETZ, Mémoires, II, p. 679.

b Mod. Condition ou ensemble de conditions *sine qua non* auxquelles est subordonnée l'ouverture de négociations en vue d'un accord, de la conclusion d'un traité. *Poser un préalable inacceptable. Écarter tout préalable qui pourrait faire obstacle à l'ouverture des pourparlers. Le préalable du cessez-le-feu. « Le préalable sarrois n'est toujours pas signé »* (*France-Observateur,* 13 mai 1954).

5 (...) le préalable de l'indépendance n'est rien d'autre que le refus de toute négociation et la provocation au pire. CAMUS, Actuelles III, p. 211.

Par ext. (Sens général). Condition ou ensemble de conditions à remplir avant l'exécution d'une entreprise.

5.1 (...) il ne manque pas de travaux récents où sont évoquées les éventuelles relations entre ces deux domaines de l'analyse *(la psychanalyse et la sociologie),* mais ce sont tous des ouvrages de préalables, nullement des examens complets d'un secteur de l'expérience où se mêlerait l'inspiration des deux recherches.
J. DUVIGNAUD, l'Impossible Rencontre, *in* la Nef, n° 31, p. 134.

♦ **3.** Loc. adv. (1591, *in* D. D. L.). **AU PRÉALABLE** ⇒ **Abord** (d'), **auparavant, avant, préalablement** (→ Biffer, cit. 3 ; non, cit. 59). *Pour suivre le roi à la chasse, un noble devait établir au préalable l'ancienneté de sa noblesse* (→ Généalogiste, cit. 3).

6 Fallait-il au préalable faire place nette, et convenait-il d'abolir ou seulement de réformer les ordres et les corps ?
TAINE, les Origines de la France contemporaine, III, t. I, p. 223.

CONTR. Successif. — Postérieur.
DÉR. Préalablement.

PRÉALABLEMENT [pʀealabləmɑ̃] adv. — 1477 ; de *préalable.*

♦ De manière préalable. ⇒ **Abord** (d'), **auparavant, préalable** (au). *Les héros d'Homère n'en viennent pas aux coups sans s'être préalablement adressé de longues harangues* (cit. 5). — Loc. prép. (XVIIIe, Rousseau). *Préalablement à...* (qqch.). *Préalablement à toute décision, pesez bien le pour et le contre.* ⇒ **Avant.**

PRÉALLUMAGE [pʀealymaʒ] n. m. — Mil. XXe ; de *pré-*, et *allumage.*

♦ Techn. Combustion prématurée du carburant, dans un moteur à explosion. (Ne pas confondre avec *précombustion**).

PRÉALPIN, INE [pʀealpɛ̃, in] adj. — 1899 ; de *Préalpes,* nom du massif montagneux bordant à l'ouest les Alpes proprement dites.

♦ Géogr. De la zone des Alpes qui forme transition entre les massifs montagneux et les plaines de pourtour. *Relief préalpin. Cimes, vallées préalpines.*

PRÉAMBULAIRE [pʀeɑ̃bylɛʀ] adj. — 1588, Montaigne ; de *préambule.*

♦ Didact., vx. Qui précède, qui sert de préambule. — Sens concret. Qui sert d'entrée.

Deux longs murs de pierres sèches embrassaient en guise de cour préambulaire un arpent de terre rase où subsistaient seuls les chicots de genévriers mal arrachés.
J. GIONO, Naissance de l'Odyssée, p. 38.

PRÉAMBULE [pʀeɑ̃byl] n. m. — 1314 ; lat. *præambulus,* du v. *præambulare* « marcher devant ». → Ambule.

♦ **1.** Dr. Ce dont on fait précéder un texte de loi pour en exposer les motifs et les buts. *Préambule d'une constitution* (→ Laïcité, cit. 3). *La Déclaration des Droits de l'homme et du citoyen sert de préambule à la Constitution de 1791.*

Les préambules des édits de Louis XIV furent plus insupportables aux peuples que les édits mêmes. Les princes ne devraient jamais faire d'apologies (...) 1
MONTESQUIEU, Pensées diverses, Variétés.

♦ **2.** (Déb. XVIIe). Cour. Courte introduction* par laquelle un auteur, un orateur expose ses intentions avant d'entrer dans le vif de son sujet. ⇒ **Avant-propos, préface, préliminaire** (discours), **prolégomènes.** → Exclusivement, cit. 2. *Préambule d'un sermon, d'un discours.* ⇒ **Exorde.** *Ce préambule embarrassé fait mal augurer de la suite du récit.* ⇒ **Commencement.**

— Tenez, tenez, lisez : passez ce préambule qui ne signifie rien, et allez droit aux adieux que fit un des chefs de l'île à nos voyageurs. Cela vous donnera quelque notion de l'éloquence de ces gens-là. 2
DIDEROT, Suppl. au voyage de Bougainville, I.

La salle était pleine (...) Duport était à la tribune ; il parut déconcerté. Au lieu d'en venir au fait, il errait, s'embarrassait dans un interminable préambule, parlant toujours de Lafayette, et pensant à Mirabeau. 3
MICHELET, Hist. de la Révolution franç., IV, IX.

♦ **3.** (Av. 1430). Paroles, démarches constituant seulement une entrée en matière. *Assez de préambules ; au fait, je vous prie. Sans préambule, il exécuta une acrobatie* (cit. 1) *devant l'assistance ahurie.*

— Vous voulez bien, mon frère, que je vous demande, avant toute chose, de ne vous point échauffer l'esprit dans notre conversation (...) De répondre sans nulle aigreur aux choses que je pourrais vous dire (...) — Mon Dieu ! oui. Voilà bien du préambule. MOLIÈRE, le Malade imaginaire, III, 3. 4

Il me demanda avec brusquerie, sans préambule, comme le fruit d'un problème longtemps médité en silence : — Un mouton, s'il mange les arbustes, il mange aussi les fleurs ? SAINT-EXUPÉRY, le Petit Prince, p. 27. 5

— (...) Ce genre d'audience dépasse rarement vingt minutes. Une petite question à régler sur laquelle ils seront très vite d'accord. — On n'entre pas tout de suite dans le vif du sujet. Il y a les politesses, les préambules (...) — Le maître a pour habitude de brusquer les préambules dans ce cas. J. ANOUILH, Ornifle, I. 6

Fig. Ce qui fait présager, prépare (qqch.). ⇒ **Prélude, prémices.** *Ce malaise pourrait être le préambule d'une grave maladie.* ⇒ **Prodrome.**

CONTR. Conclusion, péroraison.
DÉR. Préambulaire.

PRÉAMPLIFICATEUR [pʀeɑ̃plifikatœʀ] n. m. — 1948 ; de *pré-*, et *amplificateur.*

♦ Amplificateur de tension placé entre la source (détecteur, micro, tête de lecture) et l'amplificateur de puissance. *Préamplificateur correcteur de puissance.* Abrév. cour. *Préampli,* n. m. *L'ensemble préampli-amplificateur d'une chaîne haute fidélité.*

PRÉAMPLIFICATION [pʀeɑ̃plifikasjɔ̃] n. f. — Mil. XXe ; de *pré-*, et *amplification.*

♦ Techn. Amplification de tension (⇒ **Préamplificateur**). *« Un circuit de préamplification pour l'enregistrement et la lecture »* (*Science et vie,* 1974, n° 105, p. 104). — Abrév. fam. : *la préampli.*

PRÉANESTHÉSIE [pʀeanɛstezi] n. f. — Mil. XXe ; de *pré-*, et *anesthésie.*

♦ Méd. Traitement calmant préalable à l'anesthésie.

Les syncopes possibles avec certains anesthésiques, l'anxiété du malade ont conduit à utiliser une prémédication calmante, la préanesthésie.
A. GALLI et R. LELUC, les Thérapeutiques modernes, p. 52.

PRÉANNONCE [pʀeanɔ̃s] n. f. — V. 1970 (*in* Larousse 1975); de *pré-*, et *annonce*.

♦ Techn. Signal renseignant le conducteur d'un train rapide sur l'occupation de deux cantons de signalisation successifs.

PRÉAPPEL [pʀeapɛl] n. m. — 1960; de *pré-*, et *appel*.

♦ Sport (gymnastique). Appel d'un pied sur le tremplin, précédant l'appel des mains sur le cheval sautoir.

PRÉAPPRENTI [pʀeapʀɑ̃ti] n. m. — D. i. (mil. xxe); de *préapprentissage*.

♦ Admin. Apprenti en préapprentissage. *« Il a 14 ans et travaille comme préapprenti dans un garage (...) Une semaine sur trois, il va suivre des cours dans un lycée d'enseignement professionnel »* (*l'Express*, 27 janv. 1979, p. 137).

REM. Le mot est mal formé.

PRÉAPPRENTISSAGE [pʀeapʀɑ̃tisaʒ] n. m. — V. 1973; de *pré-*, et *apprentissage*.

♦ Admin. Période précédant l'apprentissage. *« En abaissant à 14 ans l'âge du préapprentissage, la loi ouvre une brèche dans le principe de la scolarité obligatoire jusqu'à 16 ans »* (*l'Express*, 12 nov. 1973).

DÉR. Préapprenti.

PRÉARTICLE [pʀeaʀtikl] n. m. — 1972; de *pré-*, et *article*.

♦ Ling. Déterminant placé avant l'article. *Dans* « Toute une équipe », « toute » *est un préarticle.*

PRÉASPIRÉE [pʀeaspiʀe] adj. f. — 1972; de *pré-*, et *aspiré*.

♦ Phonét. *Consonne préaspirée*, dont l'articulation est précédée d'une aspiration (dans des langues autres que le français).

PRÉAU [pʀeo] n. m. — 1373; *prael* (cas sujet *preaius*), 1080, *Chanson de Roland*; de *pré*.

♦ **1.** (Encore au xvie). Vx. Petit pré, enclos de gazon.

♦ **2.** (V. 1160). Cour* intérieure (d'un monastère, d'une prison, d'un hôpital) → Expédier, cit. 12.

1 Ce parloir tire son jour du préau, le lieu de promenade intérieure où les accusés respirent au grand air et font de l'exercice à des heures déterminées.
BALZAC, Splendeurs et Misères des courtisanes, Pl., t. V, p. 931.

2 (...) une cour, aux épaisses murailles aussi hautes que celles d'un préau de prison.
LOTI, l'Inde (sans les Anglais), III, XII.

♦ **3.** (1845). Partie couverte d'une cour d'école*, où les élèves peuvent prendre leurs récréations à l'abri, les jours de pluie. *Préau couvert*, ou, absolt, *préau. Les élèves jouent, se mettent en rang sous le préau.*

3 Cour d'école (...) où les sabots avaient enlevé la neige (...) cour noircie où le dégel faisait dégoutter les toits du préau (...)
ALAIN-FOURNIER, le Grand Meaulnes, VI.

4 La cour des moyens était séparée de la cour des grands par une longue grille (...) Au fond de la cour se trouvait un préau couvert, pour les jours de pluie, et ce préau était adossé lui-même à la chapelle (...)
G. DUHAMEL, Inventaire de l'abîme, XII.

PRÉAVIS [pʀeavi] n. m. — 1789; de *pré-*, et *avis*.

♦ **1.** Avertissement préalable. *« Cette taxe sera perçue sans préavis »* (Académie).

1 (...) ce n'était guère qu'une promesse, pas même une promesse, mais un préavis, une notification. R. QUENEAU, Pierrot mon ami, éd. L. de Poche, p. 61.

2 (...) elle essuie les coups en souriant. Tout glisse sur elle, n'est-ce pas, ils doivent se dire cela, « elle a une peau d'éléphant » (...) Jamais un mot quand les autres, ainsi, sans préavis, passent à l'attaque (...) N. SARRAUTE, le Planétarium, p. 43.

♦ **2.** (En matière de législation du travail). *Préavis de congé, de démission, de licenciement*, et, absolt, *préavis* : avertissement qu'aux termes de la loi du 19 juillet 1928 la partie qui prend l'initiative d'une rupture du contrat de travail est tenue de donner à l'autre partie, dans un délai et des conditions déterminés. — *Délai, période de préavis*, et, ellipt, *préavis* ⇒ **Délai** (-congé).

♦ **3.** ⇒ **P. A. V.**

DÉR. Préaviser.

PRÉAVISER [pʀeavize] v. — V. 1460; *preadviser*, 1414; de *préavis*.

♦ **1.** V. tr. Vx. Avertir à l'avance. — Dr. Donner préavis à (quelqu'un).

♦ **2.** V. intr. (1870). Vx. Donner par avance un avis sur quelque chose.

PRÉBACCALAURÉAT [pʀebakalɔʀea] n. m. — D.i. (mil. xxe); de *pré-*, et *baccalauréat*.

♦ Anciennt. Brevet d'études du premier cycle qui, dans l'enseignement du second degré, se passait deux ans avant le baccalauréat. (Abrév. fam. : *prébac*, n. m.).

PRÉBAROQUE [pʀebaʀɔk] adj. — xxe; de *pré-*, et *baroque*.

♦ Arts. Antérieur à la période baroque.

(...) à la période de 1580 à 1620 peuvent avec autant de raison s'appliquer les épithètes : post-Renaissance *(Spät renaissance)*, prébaroque *(frühbarock)* ou maniérisme et l'on éprouve même quelque gêne à bien délimiter la pleine période du baroque, entre 1630 ou 1650 et 1720 ou 1740.
V.-L. TAPIÉ, le Baroque, p. 109.

PRÉBENDE [pʀebɑ̃d] n. f. — 1398; *prevende*, xiiie; lat. ecclés. *præbenda* « ce qui doit être fourni », plur. neutre de *præbendus*, adj. verbal de *præbere* « fournir ».

♦ **1.** Dr. canon. Revenu* fixe accordé à un ecclésiastique et, en particulier, à tout dignitaire d'une cathédrale. — Spécialt. Bénéfice* (d'un chanoine). *Jouir d'une prébende.* (⇒ **Prébendé, prébendier**). *Ecclésiastique à qui sa prébende permet de faire bonne chère* (cit. 4). — Par ext. Le titre donnant droit à la prébende. *Recevoir une prébende.*

Vous êtes un évêque, c'est-à-dire un prince de l'Église, un de ces hommes dorés, armoriés, rentés, qui ont de grosses prébendes, — l'évêque de Digne, — quinze mille francs de fixe, dix mille francs de casuel, total, vingt-cinq mille francs (...) 1
HUGO, les Misérables, I, I, X.

♦ **2.** (xxe; *in* Académie 1935). Fig., littér. Profit tiré d'une charge, et, par ext., cette charge. *« Accepter une sinécure, une mince prébende »* (→ Intransigeant, cit. 1, Duhamel). *Pourvoir qqn d'une prébende*, d'un travail rémunérateur et exigeant peu de lui.

Écrite dans un style d'écrivain public, la lettre de l'ancien fondé de pouvoir était un tissu de lamentations, de reproches fraternels, de promesses, de menaces peu déguisées (...) Morales y trahissait surtout sa crainte de perdre une prébende aussi grasse que devait l'être la gérance des propriétés de la Serena. 2
Joseph PEYRÉ, Sang et Lumières, 1935, p. 24.

DÉR. Prébendé, prébendier.

PRÉBENDÉ, ÉE [pʀebɑ̃de] adj. — 1320, n. m. « dignitaire jouissant d'une prébende »; adj., 1380; de *prébende*.

♦ **1.** Relig. Qui possède, reçoit une prébende. ⇒ **Prébendier.**

♦ **2.** (Déb. xxe). Littér. Qui possède des avantages matériels assurés et excessifs.

PRÉBENDIER [pʀebɑ̃dje] n. m. — 1468; « celui qui fournit une préboucle », 1365; de *prébende*.

♦ **1.** Titulaire d'une prébende. *Gras comme un prébendier* (→ Maigre, cit. 1). — (1694). Ecclésiastique servant au chœur au-dessous des chanoines. — Spécialt. (Vx). *Pauvres prébendiers*, nourris aux frais d'une église.

Ce sont des mérites de cour et donc inexplicables. N'allons pas en prendre texte pour faire le procès d'un régime; tous les régimes ont leurs sinécures et leurs prébendiers. G. DUHAMEL, Refuges de la lecture, IV.

♦ **2.** (Mil. xxe). Fig., littér. Profiteur, qui jouit d'une situation anormalement lucrative (M. Aymé, *in* G. L. L. F.).

PRÉ-BOIS [pʀebwɑ] n. m. — 1842; de *pré-* et *bois*.

♦ Régional. Pâturage occupant un ancien bois communal, sur une pente montagneuse. *Des prés-bois. « Alpages de prés-bois... »* (*Folklore suisse*, 1946, p. 41).

PRÉBOUILLI, IE [pʀebuji] adj. — xxe; de *pré-*, et *bouilli*.

♦ Préparé par une cuisson préalable (⇒ **Précuit**) à l'eau bouillante.

PRÉCAIRE [pʀekɛʀ] adj. — Mil. xvie; 1336, *precoire*; lat. jurid. *precarius* « obtenu par prière ». → Prière.

♦ **1.** Dr. Qui ne s'exerce que grâce à une autorisation, à une tolérance révocable. — (Dr. civ.). *Possession* précaire. Détention d'un bien à titre précaire.* — Par ext. *Détenteur* précaire.* (⇒ **Détention**).

♦ **2.** (Déb. xviie). Cour. Dont l'avenir, la durée, la solidité ne sont pas assurés; qui peut à chaque instant être remis en question. ⇒ **Incertain, instable.** *Un résultat précaire, qui ne tient qu'à un fil*, à un souffle. Bonheur, tranquillité précaire.* ⇒ **Court, éphémère, fugace, fugitif, passager** (→ Bassesse, cit. 28). *Œuvre, influence* (→ Incertain, cit. 6), *victoire précaire*, sans lendemain. *Santé précaire.* ⇒ **Délicat, fragile.** *Gouvernement, régime qui n'a plus qu'une autorité précaire* (→ Branler* dans le manche). *Être dans une position, une situation précaire* (→ Comme l'oiseau sur la branche*). *Vie précaire* (→ Entraide, cit.).

1 J'aurais fui surtout, comme nécessairement mal gouvernée, une république où le peuple, croyant pouvoir se passer de ses magistrats, ou ne leur laisser qu'une autorité précaire, aurait imprudemment gardé l'administration des affaires civiles et l'exécution de ses propres lois (...)
ROUSSEAU, De l'inégalité parmi les hommes, À la république de Genève.

2 Le mot *précaire* signifie aujourd'hui une chose ou un état mal assuré, et prouve le peu qu'on obtient par la prière puisque ce mot vient de là.
RIVAROL, Littérature, Notes.

3 Les hommes réclament tous la paix (...) Mais leur intolérance réciproque, leur instinct combatif, la rendent précaire, dès qu'ils l'ont (...)
MARTIN DU GARD, les Thibault, t. IX, p. 91.

3.1 L'aléatoire n'exige pas l'absurde, mais un agnosticisme de l'esprit ; le tragique n'est pas sa dernière instance, et sans doute n'en a-t-il pas d'autre, que lui-même. Pour lui l'homme n'est qu'objet d'interrogation, à la façon dont le monde l'est pour la science. Et avec autant de rigueur que la chrétienté enfanta le chrétien, la plus puissante civilisation de l'histoire aura enfanté l'homme précaire.
MALRAUX, l'Homme précaire et la Littérature, p. 331.

N. m. Ce qui est précaire.

4 C'est le pays de l'écroulement, de l'inconsistant, du précaire, du vent qui emporte sans cesse tous les murs de boue en poussière.
Jérôme et Jean THARAUD, Marrakech, X.

(1900). Choses matérielles. *Abri, hutte précaire* (→ Un château de cartes*).

5 Point de villages ni de cultures ; à peine, çà et là, entre les arbres dépouillés, quatre, cinq huttes précaires, quelques engins de pêche sur la berge une barque ruineuse (...)
CLAUDEL, Connaissance de l'Est, p. 106.

CONTR. Assuré, durable, éternel, solide, stable.
DÉR. Précairement, précarité.

PRÉCAIREMENT [pʀekɛʀmɑ̃] adv. — 1611 ; de *précaire.*

♦ Dr. À titre précaire*. — Littér. D'une manière précaire*.

PRÉCAMBRIEN [pʀekɑ̃bʀijɛ̃] adj. et n. m. — Déb. XXᵉ ; de *pré-,* et *cambrien.*

♦ Géol. Se dit des terrains antérieurs au cambrien (d'où les fossiles sont absents), de la période qui y correspond. ⇒ **Archéen.** — *L'ère précambrienne,* ou, n. m. , *le précambrien. Le précambrien a duré au moins six fois plus que toutes les périodes postérieures ; on y situe l'achèvement des grands boucliers continentaux.* — REM. On dit aussi *antécambrien.*

PRÉCANTEUR [pʀekɑ̃tœʀ] n. m. — Déb. XXᵉ ; lat. *præcantor.*

♦ Mus. ⇒ **Préchantre.**

PRÉCAPITALISME [pʀekapitalism] n. m. — XXᵉ ; de *pré-,* et *capitalisme.*

♦ Didact. (hist.). Époque antérieure au capitalisme*.

Dans la vie sociale, avant la seconde guerre mondiale, du moins en France et en Europe, se prolongeaient les survivances de l'ancienne société. La production industrielle n'avait pas encore liquidé et intégré les restes de production artisanale et paysanne. Le village vivait encore et la campagne entourait la ville, à l'intérieur même des pays industrialisés. De nombreux prolongements du précapitalisme n'avaient pas encore été relégués dans le folklore (ni ravivés à ce titre pour la consommation touristique).
Henri LEFEBVRE, la Vie quotidienne dans le monde moderne, p. 123.

PRÉCAPITALISTE [pʀekapitalist] adj. — XXᵉ ; de *pré-,* et *capitaliste.*

♦ Didact. (hist.). Antérieur au capitalisme. *L'économie précapitaliste.*

PRÉCARENCE [pʀekaʀɑ̃s] n. f. — Mil. XXᵉ (in Larousse 1963) ; de *pré-,* et *carence.*

♦ Méd. État d'un organisme insuffisamment alimenté. ⇒ **Avitaminose.**

PRÉCARITÉ [pʀekaʀite] n. f. — 1823 ; de *précaire.*

♦ **1.** Littér. Caractère ou état de ce qui est précaire. ⇒ **Fragilité, incertitude, instabilité.** *La précarité d'une situation. La précarité de ses revenus.*

Ma nature, mon tempérament se reconstituaient au cours d'une trêve dont j'avais d'abord craint la précarité, mais qui s'attestait durable.
Marcel PRÉVOST, Sa maîtresse et moi, XV, p. 236.

Admin. *Prime de précarité d'emploi.*

♦ **2.** Dr. Caractère de la possession précaire ; le fait de détenir à titre précaire.

CONTR. Éternité, immuabilité, solidité, stabilité.

PRÉCATIF [pʀekatif] adj. — 1869 ; bas lat. *precativus,* du supin de *precari* « prier, supplier ».

♦ Didact. Accompagné d'une prière. — Spécialt. Dr. *Legs précatif,* par lequel il est demandé au légataire de léguer à son tour ce qu'il aura reçu à un tiers.

PRÉCATION [pʀekɑsjɔ̃] n. f. — 1869, Littré ; « prière », v. 1500 ; lat. *precatio,* du supin de *precari* « prier, supplier ». → Imprécation.

♦ Didact. Figure de rhétorique par laquelle on s'adresse à Dieu, par une prière.

PRÉCATON [pʀekatɔ̃] n. m. ⇒ **Prégaton.**

PRÉCAUTION [pʀekosjɔ̃] n. f. — 1580 ; lat. *præcautio,* de *præcavere* « prendre garde », de *cavere.*

♦ **1.** Disposition, mesure prise pour éviter un mal, un désagrément ou pour en atténuer l'effet. ⇒ **Disposition, garantie, mesure.** *Précaution contre les maladies* (⇒ **Prophylaxie**). *Précautions excessives* (cit. 3), *suffisantes.* — Littér. *La précaution inutile** (cit. 2). — *Ce serait une bonne, une excellente, une sage précaution de...* (suivi de l'inf.). → 1. Garde, cit. 13. *S'entourer* (→ Démocratie, cit. 7), *user de précautions* (→ Filtrage, cit.). *Prendre des précautions, ses précautions.* ⇒ **Précautionner** (se), **préparer** (se). → Assertion, cit. 3 ; fléau, cit. 6. *Prendre des précautions en cas de besoin* (→ Une poire* pour la soif). *On ne prend jamais trop de précautions* (→ Défiance, méfiance* est mère de sûreté ; deux sûretés* valent mieux qu'une). *Avec de grandes précautions* (→ Engagement, cit. 9), *avec toutes les précautions nécessaires* (→ Juif, cit. 3). *Négliger les précautions élémentaires* (cit. 3). — Littér. *Le Barbier de Séville ou la Précaution inutile,* pièce de Beaumarchais (1775).

(...) la sagesse ne consiste pas à prendre indifféremment toutes sortes de précautions, mais à choisir celles qui sont utiles et à négliger les superflues. 1
ROUSSEAU, Julie ou la Nouvelle Héloïse, IV, XIV.

Pour qu'un scandale n'éclatât pas, il nous fallait prendre des précautions de voleurs, guetter dans la rue l'absence des Marin et du propriétaire. 2
R. RADIGUET, le Diable au corps, p. 155.

Loc. (1798). *Précautions oratoires :* moyen par lequel on présente qqch. verbalement avec le désir de ne pas choquer, de ne pas surprendre. — *Discours, exposé embarrassé de maintes précautions* (→ Couper, cit. 33).

Loc. prov. *Trop de précautions nuit :* il ne faut pas être trop prudent.

PAR PRÉCAUTION (→ Gilet, cit. 6 ; long, cit. 11). *Par précaution contre un accident possible.* ⇒ **Prévision** (en prévision de).

(Fin XVIIᵉ). Par euphém. *Prendre ses précautions :* aller aux cabinets en prévision de situations qui ne le permettront pas.

Prendre des précautions : éviter de concevoir (femmes), de faire concevoir une femme (hommes). → Excepter, cit. 1, Laclos.

(...) il n'avait point à compter sur Lise, qui était enceinte de huit mois. Cette grossesse l'exaspérait. Lui qui prenait tant de précautions ! comment ce bougre d'enfant se trouvait-il là ? 3
ZOLA, la Terre, III, IV.

♦ **2.** Manière d'agir prudente, circonspecte. ⇒ **Attention, circonspection, prévoyance, prudence** (surtout dans : *avec, sans précaution*). *Avec précaution.* ⇒ **Précautionneusement** (→ Aborder, cit. 2 ; étiquette, cit. 2 ; filet, cit. 7). *Qui agit avec précaution.* ⇒ **Précautionneux.** *Essayer avec précaution.* ⇒ **Tâtonner.** *Traiter qqn avec précaution. Parler avec précaution.* ⇒ **Diplomatie, ménagement.** *Dire qqch. crûment, sans (aucune) précaution.*

(...) vers le petit jour, il vint frapper avec précaution à la porte de sa chambre, comme un amant clandestin (...) 4
J. ROMAINS, les Hommes de bonne volonté, t. V, XXVI, p. 264.

DÉR. Précautionner, précautionneux.

PRÉCAUTIONNER [pʀekosjɔne] v. tr. — 1671 ; au p. p., 1640 ; de *précaution.*

♦ **1.** Vx. Mettre en garde, prémunir (qqn), contre (qqch.). → Mensonge, cit. 15, Voltaire.

♦ **2.** V. pron. (1671). Vieilli ou littér. *Se précautionner contre... :* prendre ses précautions. ⇒ **Armer** (s'), **assurer** (s'), **garde** (se mettre en garde), **garder** (fam. Se garder à carreau*), **prémunir** (se), **veiller** (au grain). → Déshonorant, cit. — *Se précautionner de... :* se munir de... (→ Friperie, cit. 3, Gautier).

L'année d'auparavant, sa moissonneuse mécanique s'était détraquée ; et, désespéré du mauvais vouloir de ses serviteurs, arrivant à douter lui-même de l'efficacité des machines, il avait dû se précautionner d'une équipe de moissonneurs, dès l'Ascension. 1
ZOLA, la Terre, III, IV.

▶ **PRÉCAUTIONNÉ, ÉE** p. p. adj.

(1640). Vieilli ou littér. Circonspect, prudent (→ Entamer, cit. 9 ; malavisé, cit. 1).

Par ext. ⇒ **Précautionneux.**

(...) il se méfiait de quiconque lui parlait de cession de licence et il ne répondait à M. Warting que des paroles précautionnées. 2
Pierre HAMP, la Peine des hommes (Moteurs), p. 10.

N. *Un précautionné, une précautionnée.*

3 Au siège social affluaient des ouvriers réfractaires à la grève (...) Parmi eux beaucoup de dociles et de précautionnés mais aucun chef.
Pierre HAMP, la Peine des hommes (Moteurs), p. 88-89.

PRÉCAUTIONNEUSEMENT [pʀekosjɔnøzmɑ̃] adv. — 1834, Balzac; de *précautionneux.*

♦ D'une manière précautionneuse, avec précaution (→ Frigo, cit. 1). *Agir, parler précautionneusement.*

1 (...) la conversation avec eux était devenue impossible. Tout sujet qui me tenait à cœur devait être précautionneusement évité. GIDE, Ainsi soit-il, p. 57.

2 Le soleil émergeait du plateau; des dorures atteignirent les cimes des cèdres et des marronniers. Des ombres encore vaporeuses se posèrent précautionneusement sur l'herbe. J.-R. BLOCH, les Chasses de Renaut.

PRÉCAUTIONNEUX, EUSE [pʀekosjɔnø, øz] adj. — 1788; de *précaution.*

♦ Qui a l'habitude de prendre des précautions. ⇒ **Circonspect, précautionné, prudent.**

1 Dans la vie dite réelle, je reste le plus souvent prudent et précautionneux; mais parfois le démon de la curiosité l'emporte (je devrais dire : m'emporte) et me rend insoucieux du danger. GIDE, Ainsi soit-il, p. 99.

Par ext. Qui témoigne de cette habitude. *Caractère précautionneux. Manière d'agir précautionneuse. Paroles, déclarations précautionneuses.*

2 Autant l'exercice modeste, prudent, sage, précautionneux de la critique scientifique peut éloigner un Duclaux des attitudes gouvernementales, autant par l'exercice de son génie oratoire un Jaurès devait incliner à exercer une autorité de commandement. Ch. PÉGUY, la République..., p. 71.

3 Sa façon précautionneuse de toucher, d'ouvrir, de fermer sa bible était, à elle seule, un acte de piété, de gratitude.
MARTIN DU GARD, les Thibault, t. VI, p. 115.

CONTR. Imprudent.
DÉR. Précautionneusement.

PRÉCÉDEMMENT [pʀesedamɑ̃] adv. — 1555; *precedentement,* 1439; de *précédent.*

♦ Dans le temps, à un moment, en un point d'une succession, qui précède celui dont on parle ou celui où l'on est. ⇒ **Antécédemment, antérieurement, auparavant, avant, ci-devant** (→ Imitation, cit. 22; intersection, cit. 2; opposer, cit. 22). *Comme nous l'avons dit précédemment.*

CONTR. Après, ensuite, postérieurement.

PRÉCÉDENT, ENTE [pʀesedɑ̃, ɑ̃t] adj. et n. m. — XIIIe; lat. *præcedens, entis.*

★ **I.** Adj. Qui précède* immédiatement (dans le temps ou dans l'espace). ⇒ **Antécédent.** *Dans un précédent ouvrage.* ⇒ **Antérieur** (→ Incise, cit. 2). — Spécialt. Qui précède immédiatement ce dont on parle (du point de vue du temps, ou de l'ordre, du rang). *Le siècle précédent* (→ Frotter, cit. 23). *Le jour précédent.* ⇒ **Veille** (→ Le jour d'avant*). *L'année précédente* (par rapport à celle où l'on est). ⇒ **Dernier.** *L'époque* (→ Avant-coureur, cit. 8), *la génération précédente* (→ Écrire, cit. 64; maître, cit. 88). — *L'article* (→ 1. Germain, cit. 1), *le mot précédent* (→ H, cit. 4). *La leçon* (→ Matière, cit. 16), *la phrase précédente* (→ Parce que, cit. 12).

1 Quant il songeait à ses précédentes opinions, qui n'étaient que d'hier et qui pourtant lui semblaient déjà si anciennes, il s'indignait et il souriait.
HUGO, les Misérables, III, III, VI.

2 Je lègue dix mille francs à ma cuisinière Adrienne Estivie. Ce testament annule le précédent. J. CHARDONNE, les Destinées sentimentales, p. 271.

★ **II.** N. m. **A.** (1824; cité comme mot angl., 1771; angl. *precedent,* n. m., 1433, du franç.). ♦ **1.** *(Un, des précédents).* Fait antérieur qui permet de comprendre un fait analogue; décision qui peut ou pourra servir d'exemple dans un cas semblable. ⇒ **Jurisprudence.** (→ Cas, cit. 13; inquisition, cit. 2). *Un précédent juridique.*

3 Au moment où je mets cet ouvrage au jour, le mot *précédent* est devenu substantif dans la langue ministérielle et parlementaire, pour exprimer, je crois, une chose faite qui a acquis force de jurisprudence (...) il faut espérer que ce détestable argot n'entrera pas dans le dictionnaire.
Charles NODIER, Examen critique des dict. de la langue franç. (1828).

♦ **2.** (1830). Fait antérieur qui peut ou pourra servir de règle de conduite dans un cas semblable. *Créer un précédent. S'autoriser d'un précédent pour...* ⇒ **Usage.** *Invoquer un précédent. Un dangereux précédent.*

4 (...) mais cela créait un précédent dont il s'autorisa pour s'introduire, tant il savait qu'une première concession nous oblige. GIDE, Attendu que..., p. 31.

♦ **3.** (1869). SANS PRÉCÉDENT : inouï, jamais vu. *Toute maladie se présente comme un cas* (cit. 14) *premier sans précédent identique. Cette création sans précédent.* ⇒ **Exemple** (→ Idéologie, cit. 10). *Fortune* (→ Démesure, cit.), *prospérité sans précédent* (→ Étrangler, cit. 19).

(...) leur amour n'était pas seulement quelque chose de rare et de précieux, mais constituait une aventure absolument exceptionnelle, sans précédent. 5
MARTIN DU GARD, les Thibault, t. VI, p. 221.

B. (Mil. XXe). Math. *Précédent* (ou *prédécesseur*) *d'un élément X d'un ensemble ordonné E* : le plus grand élément de l'ensemble des éléments de E qui lui sont inférieurs.

CONTR. Subséquent, suivant.
DÉR. Précédemment.

PRÉCÉDER [pʀesede] v. tr. — Conjug. *céder.* — 1353; lat. *præcedere* «marcher devant» de *præ,* et *cedere* «avancer, aller».

★ **I.** ♦ **1.** (Temporel; surtout des choses). Exister, se produire avant, dans le temps. ⇒ **Antériorité, priorité;** et aussi préf. **pré-.** Événement qui précède un autre. ⇒ **Préalable, précédent, préliminaire.** *Qui précède sans intermédiaire.* ⇒ **Immédiat.** *Symptômes qui précèdent une maladie.* (⇒ **Prodrome**). *Les sourds mugissements* (cit. 1) *qui précèdent l'orage.* ⇒ **Avant-coureur, avant-courrier, précurseur.** «... *de ces bruits prophétiques qui précédaient la mort des paladins antiques*». ⇒ **Annoncer** (→ Ouïr, cit. 4, Vigny). «*Quelques crimes* (cit. 5) *toujours précèdent les grands crimes*» (Racine). — «*L'existence* (cit. 7) *précède l'essence*» (Sartre). — *Qui précède un jugement.* ⇒ **Préjudiciel** (droit).

Le dix-huitième siècle paraîtra toujours dans l'histoire comme étouffé entre le siècle qui le précède et le siècle qui le suit. 1
HUGO, Littérature et Philosophie mêlées, Sur Voltaire.

(Avec pour sujet un nom ou un pronom désignant une personne). *Ceux qui nous ont précédés.* ⇒ **Prédécesseur** (→ Histoire, cit. 3; et aussi grand, cit. 53; imitation, cit. 16; insatiabilité, cit.).

♦ **2.** (1530). Être avant, selon l'ordre logique ou spatial (→ Ordre, cit. 6, Descartes). *Cour qui précède un édifice. Morceau, passage qui précède l'essentiel d'un discours, d'un livre, d'un récit...* ⇒ **Commencement;** et aussi **préambule, préface, prologue...** *Les temps forts qui précédaient la césure* (→ Métrique, cit. 3). *Faire précéder un mot de la préposition* par (cit. 33). ⇒ **Placer** (devant). *Qui précède l'avant-dernière* (⇒ **Antépénultième**), *la dernière syllabe.* (⇒ **Pénultième**). — Absolt. *L'assertion qui précède* (→ Moins, cit. 20).

Çà et là des gens étaient assis devant leur porte, dans cette sorte d'atrium de branches qui précède toutes les maisons de ce pays. LOTI, Ramuntcho, II, III. 2

(...) Descartes fait précéder ses trois *Essais* d'une *Préface* où l'on peut dire qu'il brûle ses vaisseaux. Léon BRUNSCHVICG, Descartes, p. 19. 3

★ **II.** (Personnes). **A.** ♦ **1.** (1534). Spatial. Aller, marcher, être avant, devant qqn, qqch. (particult, dans un cortège, un défilé, un convoi...). ⇒ aussi **Pas** (prendre le pas); **préséance.** *Avant-garde* qui précède le gros des troupes. Précéder qqn pour lui montrer le chemin.* ⇒ **Passer** (devant). *Ils marchaient, précédés de la bannière de l'Inquisition* (→ Autodafé, cit. 2; manifestant, cit.). — *Voiture qui en précède une autre* (→ Gratter, cit. 16). — (Dans une formule de politesse). *Je vous précède...*

Je vais vous précéder pour vous montrer le chemin, dit l'hôtelier (...) 4
Th. GAUTIER, le Capitaine Fracasse, XIII.

Absolument :

Dans les choses d'apparat, le respect est de précéder. L'huissier de la verge noire, ayant derrière lui son officier, marchait devant. Gwynplaine suivait. 5
HUGO, l'Homme qui rit, II, VIII, I.

♦ **2.** (1636). Temporel. Arriver à un endroit avant (qqn, qqch.). *Il ne m'a précédé que de cinq minutes. Précéder qqn quelque part.*

B. (1845). Abstrait. ♦ **1.** Devancer qqn. ⇒ **Premier.** *Précéder qqn en âge, en dignité.* ⇒ **Prééminence.**

♦ **2.** Parvenir avant qqn à un certain but, s'engager avant lui dans une certaine direction. ⇒ **Devancer.** *Précéder qqn dans la carrière, dans la voie de...* (→ aussi Couper l'herbe* sous les pieds de quelqu'un).

L'Amérique semble prendre à cœur de précéder le reste de l'humanité dans la voie des pires expériences. G. DUHAMEL, Scènes de la vie future, IV. 6

♦ **3.** Se produire, être perçu avant l'arrivée de... *La réputation la plus fâcheuse avait précédé son arrivée.* — Par métaphore. (En parlant d'une chose concrète). *La voiture arrivait, précédée d'un bruit de ferraille* (→ aussi Fanal, cit. 4).

CONTR. Suivre. — Accompagner, coexister, coïncider.

PRÉCEINTE [pʀesɛ̃t] n. f. — 1638; lat. *præcinctus,* de *præcingere,* de *cingere* «ceindre»; réfect. de l'anc. franç. *pourceinte* (1317) «enceinte», *porchainte* (XIIIe).

♦ Mar. Ensemble de bordages* plus épais que les autres et formant autour du navire une ceinture qui renforce la muraille. — Bordage au-dessus de la ligne de flottaison.

Nous allons ajuster les préceintes, et une douzaine de bras ne seront pas de trop. Avant deux mois, je vois que notre nouveau Bonadventure (...) flotte sur les eaux du Port-Ballon! J. VERNE, l'Île mystérieuse, t. II, p. 830.

PRÉCELLENCE [pʀeselɑ̃s] n. f. — 1420; de *pré-*, et *excellence*, lat. *præcellere* «exceller».

♦ Vx ou littér. Excellence au-dessus de toute comparaison, supériorité*. ⇒ **Préexcellence.** — *De la précellence du langage français*, ouvrage d'H. Estienne (1579).

1 J'ai mis beaucoup de temps à reconnaître (...) la précellence de la belle prose et sa plus grande rareté. GIDE, Si le grain ne meurt..., I, VII, p. 203.

2 L'édifice du savoir suppose, entre nos travaux et nos connaissances, un ordre qui n'est point une hiérarchie. Je ne pense pas qu'une des sciences modernes puisse, invoquant ses desseins et ses instruments, réclamer la précellence. G. DUHAMEL, Nuit d'orage, III.

PRÉCELLENT, ENTE [pʀeselɑ̃, ɑ̃t] adj. — V. 1160, repris v. 1900; lat. *præcellens, entis*, de *præcellere* «exceller».

♦ Vx ou archaïsme littér. Supérieur à tous les autres. ⇒ **Excellent, prééminent.**

PRÉCELLES [pʀesɛl] n. f. plur. — 1877; var. de *brucelles*. ⇒ **Brucelles.**

PRÉCELTIQUE [pʀesɛltik] adj. — 1869, Littré; de *pré-*, et *celtique*.

♦ Didact. Antérieur à la civilisation celtique. *La protohistoire préceltique.*

PRÉCENSURE [pʀesɑ̃syʀ] n. f. — 1946, *in* D. D. L.; de *pré-* et *censure*.

♦ Admin. Censure préalable (au cinéma, droit de regard sur un scénario, avant la réalisation d'un film).

PRÉCEPTE [pʀesɛpt] n. m. — 1119, *precept* «commandement, ordre»; lat. *præceptum* «règle», p. p. de *præcipere* «recommander», de *præ* «avant», et *capere* «prendre».

♦ **1.** Proposition, formule qui exprime un enseignement, une règle, une recette, un commandement (dans le domaine de l'art, de la science, de la morale, de la vie pratique, etc.). ⇒ **Aphorisme, apophtegme, enseignement, instruction, leçon, maxime, prescription.** *Préceptes de composition poétique.* ⇒ **Loi, règle; principe** (→ Formule, cit. 11). *Préceptes moraux et juridiques* (→ Opinion, cit. 36). *Préceptes de morale* (→ Épargner, cit. 17). *«Les vieillards aiment à donner de bons préceptes...»* (→ Exemple, cit. 8, La Rochefoucauld). *Suivre* (→ Blé, cit. 11), *observer un précepte* (→ 2. Courant, cit. 12). — Allus. littér. *«Le conte fait passer le précepte avec lui»* (→ Fable, cit. 12, La Fontaine). — Spécialt. Commandement* religieux. *L'amour du prochain est un précepte. Les préceptes du Décalogue, de l'Évangile* (cit. 3). — *Précepte et conseil* (cit. 15 et 16).

1 À propos de préceptes de l'art, j'ai oublié, et c'est un de ses plus beaux titres à la gloire classique, que Scudéry a introduit le premier la règle des vingt-quatre heures dans son *Amour libéral* (...) Th. GAUTIER, les Grotesques, IX, p. 319.

2 Il y a des hommes qui gouvernent comme ils peuvent et qui mènent au port par n'importe quel moyen la barque de l'État, et il y a des moralistes dont la tâche est de rappeler certains préceptes imprescriptibles de la morale. André SIEGFRIED, La Fontaine..., p. 17-18.

♦ **2.** Hist. Acte seigneurial, charte, au moyen âge.

DÉR. Préceptorial.

PRÉCEPTEUR, TRICE [pʀesɛptœʀ, tʀis] n. — V. 1460; lat. *præceptor* «maître qui enseigne», de *præceptum*. → Précepte.

♦ **1.** Personne chargée d'assurer l'éducation et l'instruction d'un enfant (d'une famille noble, riche...) qui reste dans sa famille et ne fréquente pas une école ou un collège. ⇒ **Éducateur, maître, pédagogue** (→ Éduquer, cit. 3; négliger, cit. 8). — REM. Le féminin *préceptrice* est rare. — *Emploi* (cit. 14) *de précepteur.* ⇒ **Préceptorat.** *Le gouverneur** (cit. 4) *des enfants de France choisissait leur précepteur. Bossuet fut précepteur du dauphin. Prendre un précepteur à domicile* (→ Instituteur, cit. 2). *Le précepteur dispense un enseignement individuel.*

1 Quoi, c'était là ce précepteur qu'elle s'était figuré comme un prêtre sale et mal vêtu, qui viendrait gronder et fouetter ses enfants! STENDHAL, le Rouge et le Noir, I, VI.

2 (...) madame Graslin jugea nécessaire de donner un précepteur à son fils, qui avait onze ans; elle ne voulait pas s'en séparer, et voulait néanmoins en faire un homme instruit. BALZAC, le Curé de village, Pl., t. VIII, p. 731.

♦ **2.** (XVIe). Vx. Professeur, maître. ⇒ **Instituteur** (sens général). *Mon précepteur en langue arabique* (cit. Rabelais; → aussi Étude, cit. 9 et 17).

Mod., littér. Personne, ou, par ext., chose qui enseigne, qui guide, qui initie. *Ces dignes prêtres ont été mes premiers précepteurs spirituels* (→ Brillant, cit. 19).

(...) il a consenti à être mon précepteur en politique; il m'apprend les affaires, il me nourrit de son expérience (...) BALZAC, Modeste Mignon, Pl., t. I, p. 514. 3

DÉR. Préceptoral, préceptorat.

PRÉCEPTORAL, ALE, AUX [pʀesɛptɔʀal, o] adj. — 1788; du lat. *præceptor*.

♦ Littér. Qui se rapporte au précepteur. *Ton préceptoral.* ⇒ **Doctoral.** — *Mission préceptorale. Devoirs préceptoraux.*

PRÉCEPTORAT [pʀesɛptɔʀa] n. m. — 1688; du lat. *præceptor*. → Précepteur.

♦ Littér. ou didact. Emploi de précepteur; temps pendant lequel on l'exerce.

Il se joignait à cette raison l'espoir secret que les économies réalisées dans ce préceptorat me permettraient, une fois ma licence passée, de préparer mon agrégation à Paris. Paul BOURGET, le Disciple, V, III.

PRÉCEPTORIAL, ALE, AUX [pʀesɛptɔʀjal, o] adj. — 1571; du lat. *præceptor*. → Précepteur.

♦ Didact., vx. En forme de préceptes. *Texte préceptorial.* — Hist. *Prébende préceptoriale*, attribuée à un prêtre qui faisait fonction de maître d'école.

PRÉCESSIF, IVE [pʀesesif, iv] adj. — 1973, in *la Clé des mots*; de *précession*, et *-if*.

♦ Didact. De la précession. *Mouvement précessif.*

PRÉCESSION [pʀesesjɔ̃] n. f. — 1690; lat. tardif *præcessio*, de *præcessum*, supin de *præcedere*. → Précéder.

♦ **1.** Astron. *Précession des équinoxes :* mouvement rétrograde des points équinoxiaux (→ Aplatissement, cit.; gravitation, cit.). *Par suite de la précession des équinoxes, l'axe de rotation* (⇒ **Pôle**) *de la terre décrit, en sens rétrograde, un cône de révolution.* — Mouvement de l'axe terrestre causant la précession.

♦ **2.** (Mil. XXe). Phys. *Mouvement de précession :* mouvement conique que prend l'axe d'un corps en rotation gyroscopique.

♦ **3.** Mouvement de l'axe d'un projectile autour de la tangente à sa trajectoire.

PRÉCHAMBRE [pʀeʃɑ̃bʀ] n. f. — Mil. XXe; de *pré-*, et *chambre*.

♦ Techn. Cavité supérieure des cylindres de certains moteurs Diesel, où le combustible est pulvérisé.

PRÉCHANTRE [pʀeʃɑ̃tʀ] n. m. — 1487; *précentre*, 1270; bas lat. *præcentor*, de *præcinere*, de *præ*, et *canere* «chanter».

♦ Didact., vx. Dignitaire ecclésiastique qui était chargé du chant à l'église. (On trouve aussi *précantor*).

Mod. Directeur d'une maîtrise.

PRÉCHAUFFAGE [pʀeʃofaʒ] n. m. — Mil. XXe (*in* Larousse 1949); de *pré-*, et *chauffage*.

Technique.

♦ **1.** Chauffage préliminaire destiné à ramollir certains corps avant usage. *Préchauffage des goudrons. «L'eau de mer à traiter subit d'abord un préchauffage»* (*la Recherche*, mars 1981, p. 328).

♦ **2.** Mise en température d'un moteur, d'un organe mécanique.

PRÉCHAUFFER [pʀeʃofe] v. tr. — Mil. XXe; de *pré-*, et *chauffer*.

Technique.

♦ **1.** Réchauffer (un produit, un corps) avant de le soumettre à une température élevée.

♦ **2.** Mettre en température (un moteur, etc.).

PRÊCHE [pʀɛʃ] n. m. — 1547; de *prêcher*.

♦ **1.** Discours religieux prononcé par un ministre protestant (→ Prédication).

Pour celui qui dit que je vais au prêche des Calvinistes, c'est bien une calomnie très pure; me trouvant à La Haye (...) je fus entendre un ministre français dont on fait éclat (...) je n'y entrai qu'au moment que le prêche commençait; j'y demeurai contre la porte, et en sortis au moment qu'il fut achevé, sans vouloir assister à aucune de leurs cérémonies. DESCARTES, Correspondance, 13 nov. 1639. 1

La Restauration, madame, doit se dire comme Catherine de Médicis, quand elle crut la bataille de Dreux perdue : — Eh! bien, nous irons au prêche! Or, 1815 est votre bataille de Dreux. BALZAC, la Duchesse de Langeais, Pl., t. V, p. 189. 2

Par ext. Sermon prononcé par un prêtre catholique. ⇒ **Homélie, prône, sermon.**

3 La fin du premier mois de peste fut assombrie en effet par une recrudescence marquée de l'épidémie et un prêche véhément du Père Paneloux, le jésuite (...)
CAMUS, la Peste, p. 107.

♦ **2.** Par métonymie. (Vx). La religion protestante (Boileau, *Épîtres,* III). — Vx. Lieu, temple où s'assemblaient les protestants.

♦ **3.** (1665, La Fontaine). Fam., iron. Discours, propos d'un ton solennel, moralisateur, ennuyeux(⇒ **Sermon**).

PRÊCHER [pʀeʃe] v. — V. 1138, *precher; predier, pretier,* xᵉ, au sens II; lat. ecclés. *prædicare* «annoncer, publier».

★ **I. A.** V. tr. (Avec pour complément direct un nom désignant ce qui est prêché). ♦ **1.** Enseigner* (la révélation religieuse) ⇒ **Annoncer.** Prêcher l'Évangile (→ Abstrait, cit. 7), la foi. — Par ext. *Prêcher Jésus Christ* (→ Exorciste, cit. 1).

1 C'est ainsi que Jésus veut être prêché, et il dédaigne pour sa parole aussi bien que pour sa personne, tout ce que les hommes admirent. N'attendez donc pas de l'Apôtre (...) qu'il vienne flatter les oreilles par des cadences harmonieuses (...) Écoutez ce qu'il dit lui-même : «Nous prêchons une sagesse cachée; nous prêchons un Dieu crucifié. Ne cherchons pas de vains ornements à ce Dieu qui rejette tout l'éclat du monde».
BOSSUET, Panégyrique de saint Paul, 1.

Par extension :

1.1 Calvin, prêché à Jersey par Pierre Morice et à Guernesey par Nicolas Baudoin, a fait son entrée dans l'archipel normand en 1563. Il y a prospéré, ainsi que Luther, fort gêné pourtant aujourd'hui par le wesleyanisme, excroissance du protestantisme qui contient l'avenir de l'Angleterre.
HUGO, l'Archipel de la Manche, X, p. XXIII.

♦ **2.** *Prêcher l'avent, le carême, une retraite :* prononcer dans une même église une série de sermons à l'occasion de ces fêtes, de cette retraite (⇒ **Prédicateur**).

♦ **3.** (Mil. XIIIᵉ). Par ext. Conseiller, vanter (qqch.) par des sermons, des discours, des écrits, etc. ⇒ **Exhorter** (à). *Prêcher une croisade* (→ Capucinade, cit. 1; exalter, cit. 17). — *Prêcher le pardon des outrages* (→ Christianisme, cit. 3), *la fuite du monde* (→ Épître, cit. 1). — *Prêcher la haine* (→ Hargne, cit. 2), *l'indulgence* (cit. 3), *l'ordre* (cit. 28). ⇒ **Conseiller, préconiser, prôner, recommander.** — *Prêcher qqch. à qqn* (→ Main, cit. 43; mien, cit. 23). — Fig. *Leurs exemples prêcheront encore le vice ou la vertu à nos neveux* (→ Dissolution, cit. 6). — *Prêcher que...* (→ Enseignement, cit. 2).

1.2 J'aime à les entendre ces gens riches, ces gens titrés, ces Magistrats, ces Prêtres, j'aime à les voir nous prêcher la vertu. Il est bien difficile de se garantir du vol, quand on a trois fois plus qu'il ne faut pour vivre (...)
SADE, Justine..., t. I, p. 36-37.

2 Elle trouva son salon rempli de dames libérales qui prêchaient l'union des partis.
STENDHAL, le Rouge et le Noir, I, XVIII.

3 Elles lui avaient, en effet, tant prodigué les offices, les retraites, les neuvaines, les sermons, si bien prêché le respect que l'on doit aux saints et aux martyrs (...)
FLAUBERT, Mᵐᵉ Bovary, I, VI.

Pron. (réfl. ou récipr.). *Se prêcher le calme* (→ Agitation, cit. 14).

B. (Fin xᵉ). Absolt ou intr. ♦ **1.** Prononcer un sermon ou une série de sermons. *Prêcher à une cérémonie* (→ Honnêteté, cit. 15). *Quand le Père Bourdaloue prêchait à Rouen* (→ Désordre, cit. 24). — (Avec un adv. ou un compl. de manière). *Prêcher bien* (→ 1. Avocat, cit. 5), *divinement* (cit.) *bien. Prêcher apostoliquement* (cit.), *en apôtre. Il prêche très mal.*

4 Un prêtre qui descend de la chaire de Vérité, la bouche en machin de poule, un peu échauffé, mais content, il n'a pas prêché, il a ronronné, tout au plus.
BERNANOS, Journal d'un curé de campagne, p. 65.

♦ **2.** (Fin XIVᵉ). Péj. ou iron. Faire des «sermons» (au sens ironique), parler d'un ton solennel, moralisateur, ennuyeux; répéter* toujours la même chose. ⇒ **Moraliser** (→ Évangéliser, cit. 3).

♦ **3.** Loc. *Prêcher dans le désert*. — Prêcher pour son saint*. — Prêcher d'exemple, par l'exemple :* encourager par son exemple à faire (qqch.), pratiquer soi-même ce qu'on conseille aux autres.

4.1 Quant au travail de la journée, le Père de famille s'occupait lui-même avec infatigabilité, et prêchait beaucoup plus d'exemple que de paroles.
RESTIF DE LA BRETONNE, la Vie de mon père, p. 231.

5 (...) ils prêchent d'exemple, parce que, même s'ils demeurent silencieux, ils montrent dans leurs actes ce qu'il convient de faire en telle ou telle circonstance.
G. DUHAMEL, Biographie de mes fantômes, V.

★ **II.** V. tr. (V. 980, pretier). ♦ **1.** *Prêcher qqn,* lui annoncer la parole de Dieu. ⇒ **Évangéliser.** *Prêcher les infidèles.*

♦ **2.** (XIIIᵉ). Essayer de convaincre, de persuader qqn, lui faire la morale, des remontrances. ⇒ **Catéchiser** (fig., fam.), **remontrer, sermonner.** *Prêcher un enfant.*

Loc. *Prêcher un converti*.*

DÉR. Prêche, prêcheur.
COMP. Prêchi-prêcha.

PRÊCHEUR, EUSE [pʀɛʃœʀ, øz] n. et adj. — Mil. xvᵉ, *prescheur; preecher,* v. 1175; de *preecher, prescher.* → Prêcher.

♦ **1.** Vx. Prédicateur* (→ Badaud, cit. 1, Rabelais). Mod. (Adj. : *freres prescheors,* XIIIᵉ). *Les frères prêcheurs :* les dominicains. ⇒ **Religieux.**

♦ **2.** Qui aime à faire des exhortations, des remontrances, à faire la leçon et la morale aux autres. ⇒ **Prêcher** (I., B., 2.). *Une folie prêcheuse* (→ Embrasser, cit. 6).

Moi, je ne suis qu'une vieille prêcheuse qui vous aime bien, qui vous conjure de ne pas vous coucher tard toutes les nuits (...) G. SAND, Elle et Lui, p. 9. 1

Adj. (1761). *Il est trop prêcheur,* trop moralisateur, pontifiant, et, par ext., ennuyeux. — *Des déclarations un peu prêcheuses.*

Les lettres venues de la classe ouvrière sont presque toujours sérieuses, prêcheuses, appliquées, recherchées dans l'expression. 2
F. MAURIAC, Bloc-notes 1952-1957, p. 22.

PRÊCHI, PRÊCHA ou **PRÊCHI-PRÊCHA** [pʀeʃipʀɛʃa] — 1808; redoublement plais. de *prêcher.*

Familier.

★ **I.** **PRÊCHI, PRÊCHA,** loc. (équivalant à une phrase) :

(...) ces prétendus hommes charitables, qui font les confits, qui vont à la messe, qui donnent dans la prétraille, préchi, précha, dans les calotins, et qui se croient au-dessus de nous, et qui viennent nous humilier (...) 1
HUGO, les Misérables, III, VIII, VIII.

★ **II.** N. m. inv. **PRÊCHI-PRÊCHA :** sermon, discours d'un mauvais prédicateur, d'un mauvais orateur ou radotage d'un sermonneur. ⇒ **Rabâchage.** *Quel prêchi-prêcha! Il nous ennuie, avec son prêchi-prêcha!*

Qu'une société, rongée par l'érotisme, soit condamnée, les Soviétiques n'en doutent pas. Nous nous moquons de leur art pudibond et de leur «prêchi-prêcha» officiel. F. MAURIAC, le Nouveau Bloc-notes 1958-1960, p. 394. 2

PRÉCHRÉTIEN, IENNE [pʀekʀetjɛ̃, jɛn] adj. — Av. 1932, Larousse; de *pré-,* et *chrétien.*

♦ Didact. Antérieur au christianisme. *«La mythologie européenne préchrétienne»* (*l'Express,* 21 mars 1981, p. 79).

PRÉCIEUSEMENT [pʀesjøzmɑ̃] adv. — V. 1265; *preciosement,* v. 1160; de *précieux.*

♦ **1.** Comme il convient pour une chose précieuse*. ⇒ **Soigneusement, soin** (avec). *Garder précieusement un livre, des lettres d'amour.* ⇒ **Jalousement** (→ Fortifiant, cit. 2). *Conserver précieusement le souvenir d'un bienfait.*

♦ **2.** (1636). Littér. D'une manière précieuse. ⇒ **Finement.** *Feuilles d'acanthe* (cit. 2) *précieusement dorées. Tableau précieusement fait,* exécuté avec raffinement.

♦ **3.** (Déb. XVIIIᵉ). Vx. Avec préciosité*. *Parler, s'exprimer précieusement.*

CONTR. Simplement.

PRÉCIEUX, EUSE [pʀesjø, øz] adj. et n. f. — V. 1175, *precieus; precios,* v. 1050; lat. *pretiosus,* de *pretium* «prix».

★ **I.** ♦ **1.** Adj. De grand prix, d'une grande valeur vénale. ⇒ **Prix** (de), **valeur** (de). *Matières* (cit. 8) *précieuses. Bois*, cuir, marbre précieux* (→ Brocart, cit. 3; cabaret, cit. 3; moulure, cit.). *Étoffes, tissus précieux* (→ Fabriquer, cit. 7; justaucorps, cit.). *Meubles précieux* (→ Magot, cit. 4; pal, cit.). *Lambris* (cit. 3) *précieux. Bijou, joyaux précieux* (→ Nuée, cit. 5). *Bagatelles* (cit. 3) *précieuses, précieux bibelots... Livres, manuscrits* (cit. 3) *précieux* (→ Illustrer, cit. 7; imagier, cit. 1). *Pièce extrêmement rare et précieuse.* ⇒ **Inestimable, introuvable, rarissime.** *Parfum précieux* (→ Baume, cit. 5; nard, cit.; oindre, cit. 1). *Objets précieux* (→ Fabrication, cit. 2).

Je lui ai donné tout ce que je possédais de précieux, je lui ai donné mes plus belles majoliques, mes plus belles faïences d'Urbino, mes tableaux de maître (...) 1
FRANCE, le Crime de S. Bonnard, II, Œ., t. II, p. 321.

PIERRE PRÉCIEUSE. ⇒ **Pierre.** — **MÉTAL PRÉCIEUX** (argent, or, platine) → Métal, cit. 6; peau, cit. 7.

Dont la valeur, dont l'importance est grande du point de vue économique. *Nombreux et précieux sous-produits* (→ Goudron, cit. 4).

♦ **2.** (XIIIᵉ). Auquel on attache une grande valeur, une grande importance (pour des raisons d'ordre moral, sentimental, intellectuel...). *Les droits et les biens les plus précieux de l'homme* (→ Abus, cit. 3; art, cit. 80; idéalisme, cit. 4). *Son bien le plus précieux.* ⇒ **Fleuron, trésor.** *L'honneur* (cit. 20) *infiniment* (cit. 9) *plus précieux que la vie. Dans la vie, une seule chose est précieuse,* une seule chose compte* (→ Passer, cit. 61). *«Le repos, trésor si précieux»* (→ Partage, cit. 7, La Fontaine). *Temps, moments, instants précieux* (→ Attacher, cit. 18; dernier, cit. 2; expansif, cit. 5; 1. fou, cit. 25; imputer, cit. 26; perte, cit. 14). *Perdre* (cit. 32) *six années précieuses de sa vie. Qualités, vertus précieuses* (→ Désaltérer, cit. 6; doute, cit. 12; infériorité, cit. 2). *L'instinct, plus précieux que l'intelligence* (→ Inconscient, cit. 5). *Votre aide, vos* *soins consolants* (cit. 1) *et si précieux.* ⇒ **Inappréciable.** *Des conseils précieux.* ⇒ **Profitable.** *Les idées* (cit. 14) *les plus précieuses. Textes, monuments, documents précieux* (→ Authentique, cit. 11; ecclésiaste, cit. 3; inédit, cit. 3; nouvelle, cit. 18; palimpseste, cit. 3). — *« Chacun est plus précieux que tous »* (→ Homme, cit. 40; et individualisation, cit. 1, Gide).

2 (...) ces impressions que nous apporte hors du temps l'essence commune aux sensations du passé et du présent, mais qui, plus précieuses, sont aussi trop rares pour que l'œuvre d'art puisse être composée seulement avec elles.
PROUST, le Temps retrouvé, Pl., t. III, p. 898.

Relig. cathol. *Le précieux sang, le précieux corps de Notre-Seigneur,* reçus dans le sacrement de l'Eucharistie. *Les précieuses reliques d'un saint.*

3 MADAME appelle les prêtres (...) Elle demande (...) la sainte Onction des mourants avec un pieux empressement (...) on lui voit (...) présenter son corps à cette huile sacrée; ou plutôt au sang de Jésus, qui coule si abondamment avec cette précieuse liqueur. BOSSUET, Oraison funèbre d'Henriette-Anne d'Angleterre.

Spécialt. Particulièrement cher à qqn. ⇒ **Cher** (→ Différent, cit. 12). *Votre chère et précieuse santé* (→ Confirmation, cit. 2). — (V. 1370). Particulièrement utile*. *Le martin* (cit.), *précieux pour les pays infestés de sauterelles. Un homme précieux pour les trafiquants* (→ Négrier, cit. 3). *Un auxiliaire* (cit. 7) *précieux pour un ambassadeur. Un précieux collaborateur.* ⇒ **Irremplaçable.** *Il est précieux pour un pays que...,* suivi du subj. (→ Assentiment, cit. 1). ⇒ **Avantageux.**

4 (...) je pleure tout ce que dans la vie je pouvais perdre de plus cher et de plus précieux (...) MOLIÈRE, le Malade imaginaire, III, 14.

5 Ô vous, sur ces enfants si chers, si précieux,
Ministres du Seigneur, ayez toujours les yeux. RACINE, Athalie, II, 7.

♦ **3.** (1690). Littér. D'une exécution extrêmement délicate*, raffinée, en art. *Bijou d'un travail précieux.* ⇒ **Fin.** *Un faire, un fini précieux* (→ Foyer, cit. 3). — (En parlant d'un artiste) :

6 S'il se rapproche de ces maîtres si vrais, si naturels, si fins, si précieux par la perfection du travail, la netteté du faire, le soin du détail, il en diffère par des qualités toutes françaises (...) Th. GAUTIER, Souvenirs de théâtre..., Meissonier.

♦ **4.** N. f. (XVIIIe). Vx. **PRÉCIEUSE** : mouche* placée auprès des lèvres (syn. : *friponne*). Cf. Goncourt, *la Femme au XVIIIe s.*, t. II, p. 47.

★ **II.** ♦ **1.** (1654). Hist. littér. **PRÉCIEUSE** n. f., s'est dit au XVIIe siècle de femmes distinguées, raffinées, qui adoptèrent une attitude nouvelle devant l'amour (refus de l'amour vulgaire, conception du parfait amour et de l'amitié amoureuse, droits de la femme), une manière de parler originale (refus du langage commun, emploi de métaphores), et affirmèrent la supériorité du goût sur les règles et le savoir des pédants. — REM. La comédie de Molière, encore qu'elle ne soit pas dirigée en principe contre les « véritables précieuses » (→ ci-dessous, cit. 9, Molière), a contribué à donner au mot une valeur péjorative. *« Les précieuses Font dessus tout les dédaigneuses »* (cit. 9, La Fontaine). *« Les Marquis, les Précieuses... ont souffert doucement qu'on les ait représentés »* (→ Effaroucher, cit. 6, Molière).

7 C'est dans cette atmosphère qu'apparut, au début de 1654, un type de femme que les contemporains appelèrent la précieuse. Il semble certain que le mot fut employé d'abord dans l'entourage de Gaston d'Orléans et de sa fille, Mademoiselle. On dansa devant Gaston la *Déroute des Précieuses,* un ballet qui tournait en ridicule les mines de Mlle d'Aumale et d'Angélique-Clarice d'Angennes. C'est encore un poète de la maison de Gaston, Maulévrier, qui écrivit dans les premiers mois de 1654, la *Carte du Royaume des Précieuses* (...) Le mot fit fortune. On l'employa dans d'autres cercles (...) À cette date l'image de la Précieuse est donc simple et nette. La Précieuse est une femme ou une fille qui se méfie des galants et ne veut pas imiter les coquettes et les dévergondées. Mais qui ne veut pas non plus passer pour prude. Déjà on appelle les Précieuses « les jansénistes nouvelles », les jansénistes de l'amour.
Antoine ADAM, Hist. de la littérature franç. au XVIIe s., t. II, p. 26-27.

8 Il y a une nature de filles et de femmes à Paris que l'on nomme Précieuses, qui ont un jargon et des mines, avec un démanchement merveilleux; l'on a fait une carte pour naviguer en leur pays.
Chevalier DE SÉVIGNÉ, Lettre du 3 avr. 1654, *in* A. ADAM, Hist. de la littérature franç., t. II, p. 26, note 2.

9 J'aurais voulu faire voir (...) que les plus excellentes choses sont sujettes à être copiées par de mauvais singes, qui méritent d'être bernés; que ces vicieuses imitations de ce qu'il y a de plus parfait ont été de tout temps la matière de la comédie (...) aussi les véritables précieuses auraient tort de se piquer lorsqu'on joue les ridicules qui les imitent mal. MOLIÈRE, les Précieuses ridicules, Préface.

10 Mais qui vient sur ses pas? c'est une précieuse,
Reste de ces esprits jadis si renommés
Que d'un coup de son art Molière a diffamés. BOILEAU, Satires, X.

N. m. pl. (Mil. XVIIe). Personnes (homme ou femme) qui suivaient l'esthétique et l'éthique des précieuses, le mouvement précieux. *Les baroques et les précieux.*

Adj. Relatif, propre aux précieuses du XVIIe siècle, à leurs mœurs, leur esprit, leur influence... *« L'air précieux n'a pas seulement infecté* (cit. 8, Molière) *Paris ». Société, salons, cercles précieux. L'esprit précieux. Littérature précieuse. Romans, genres, style précieux. Écrivains précieux. Le mouvement précieux.*

11 En 1660, le mot de précieux avait fini par désigner, non plus tel ou tel cercle mondain, mais une mode, une attitude, une certaine façon de parler, et même, plus vaguement encore, les innombrables salons où les Parisiennes du beau monde aimaient à se rencontrer. C'est à ce moment que Somaize écrivit son *Dictionnaire des Précieuses,* sorte de répertoire de la vie mondaine à Paris (...)
Antoine ADAM, Hist. de la littérature franç. au XVIIe s., t. II, p. 29.

♦ **2.** Littér. Propre à la préciosité*. *En France, le courant précieux apparaît déjà dans la littérature courtoise* du moyen âge. Style précieux.* ⇒ **Affecté, affété, apprêté, maniéré** (péj.), **recherché** (→ Galanterie, cit. 14; gongorisme, cit. 2). *Comparaisons précieuses* (→ Libretto, cit. 2). *Jugements apprêtés et précieux* (→ Insanité, cit.). *Marivaux, Mallarmé, Giraudoux... qualifiés d'écrivains précieux.* — N. m. *Le précieux et l'affecté* (→ Dépraver, cit. 10, Voltaire; maniéré, cit. 3, Diderot). — *Manières, mines précieuses.* — Rare. (Personnes). *Un précieux dandy* (→ Mignardise, cit. 2). *Gourmé* (cit. 6) *et précieux.*

(Le faux goût) 12
Toujours accablé d'ornements,
Composant sa voix, son visage,
Affecté dans ses agréments.
Et précieux dans son langage. VOLTAIRE, Poésies, « Temple du goût ».

Deux ou trois de ces messieurs ont des mines précieuses : l'un d'eux, jeune homme 13
de cinquante-cinq ans (...)
STENDHAL, Mémoires d'un touriste, t. I, p. 268.

Comme beaucoup d'intellectuels, il ne pouvait pas dire simplement les choses sim- 14
ples. Il trouvait pour chacune d'elles un qualificatif précieux, puis généralisait.
PROUST, À l'ombre des jeunes filles en fleurs, Pl., t. I, p. 881.

Péj. Qui affecte un très grand raffinement. *Un monsieur très précieux dans son langage.*

CONTR. Commun, vil. — Dérisoire, désinvolte, naturel, simple.
DÉR. Précieusement, préciosité.

PRÉCIOSITÉ [pʀesjozite] n. f. — 1664; « grande valeur », v. 1300, aussi *précieuseté ;* 1671, Mme de Sévigné : *« L'honnêteté et la préciosité d'un long veuvage »,* dans le sens probable de « délicatesse, scrupule »; de *précieux, précieuse* (II.).

♦ **1.** Hist., littér. Ensemble des traits qui caractérisent les précieuses* et l'esprit précieux du XVIIe siècle; le mouvement, le courant précieux. *La préciosité est un phénomène moral et social autant que littéraire. La préciosité des salons, des ruelles*. Préciosité dans la poésie, le roman, la conversation, les manières...*

Leurs conversations sont de véritables entretiens pointus où la préciosité la plus 1
exquise pousse à droite et à gauche ses vrilles capricieuses et ses fleurs bizarres aux parfums enivrants. — La préciosité, cette belle fleur française qui s'épanouit si bien dans les parterres à compartiments des jardins de la vieille école, et que Molière a si méchamment foulée aux pieds dans je ne sais plus quelle immortelle mauvaise petite pièce. Th. GAUTIER, les Grotesques, IX, p. 330.

Un écrivain du temps a donné une exacte description de la préciosité. Les précieu- 2
ses, écrit-il, ne se sont pas contentées d'exercer leur empire « sur les habits et sur quelques bagatelles ». Elles l'ont étendu « sur le langage, sur les mœurs, et même sur les choses les plus spirituelles » (*Dialogue de la Mode et de la Nature,* 1662). Ce qu'il appelle « les choses les plus spirituelles » ce sont, n'en doutons pas, l'amour et ses problèmes.
Antoine ADAM, Hist. de la littérature franç. au XVIIe s., t. II, p. 29.

♦ **2.** Caractères esthétiques ou moraux présentés, soit en France, avant ou après les « Précieuses », soit à l'étranger, par différents groupes, hommes, écrivains, artistes animés d'un esprit analogue à celui de la société et de la littérature précieuse du XVIIe siècle. ⇒ **Cultisme, euphuisme, gongorisme, maniérisme, marinisme, marivaudage.** *Préciosité de la littérature courtoise,* de Pétrarque.

Il est à souhaiter que les historiens se décident à rendre au mot de préciosité son 3
véritable sens. La préciosité est une mode qui apparaît en 1654 (...) On ne saurait sans arbitraire parler de la préciosité des débuts du XVIIe siècle, car la préciosité n'a aucune relation avec l'art baroque de Nervèze, de La Serre et même de Scudéry. Nul moyen non plus de parler de la préciosité de Racine, et les vers prétendus précieux que l'on cite de lui sont simplement de la poésie galante, celle de toute son époque et non pas seulement des cercles précieux. Ce que l'on appelle préciosité en France répond au *seicentismo* étudié par les historiens italiens. Il s'agit là d'un mouvement général des lettres dans toute l'Europe occidentale, mais qui est resté étranger aux cercles précieux de 1654-1660. Le terme de baroque est sans aucun doute celui qui lui conviendrait le mieux.
Antoine ADAM, Hist. de la littérature franç. au XVIIe s., t. II, p. 26, note 1.

♦ **3.** (XVIIe). Cour., péj. Caractère affecté, recherché, du langage et du style. ⇒ **Affectation, afféterie, concetti, entortillage, manière, recherche, subtilité.** *Réputation de préciosité et d'hermétisme* (cit. 3). *La coquetterie* (cit. 2) *du paradoxe et de la préciosité. Écrivain qui triomphe de sa préciosité naturelle* (→ 1. Fort, cit. 30). *« Cette triple formule d'exécration* (contre Mallarmé) : *obscurité, préciosité, stérilité »* (Valéry).

(...) tourmenté par ce souci d'élégance et de préciosité, qui fit son art s'écarter si 4
délibérément de la vie. GIDE, Si le grain ne meurt, I, X, p. 263.

Rare. *Une préciosité :* expression précieuse, recherchée (→ Juron, cit. 1).

La langue française, d'ailleurs, est une eau pure que les écrivains maniérés n'ont 5
jamais pu et ne pourront jamais troubler. Chaque siècle a jeté dans ce courant limpide, ses modes, ses archaïsmes prétentieux et ses préciosités, sans que rien surnage de ces tentatives inutiles, de ces efforts impuissants.
MAUPASSANT, Pierre et Jean, « Le roman ».

Péj. Affectation* dans les manières. ⇒ **Mièvrerie, mignardise.** *La préciosité d'un homme du monde.*

♦ **4.** Rare. Raffinement.

(...) une simplicité apparente extrême dans l'ensemble, et une incroyable précio- 6 sité dans les détails infiniment petits : telle est la manière japonaise de comprendre le luxe intérieur. LOTI, Mme Chrysanthème, XXXV.

CONTR. Désinvolture, simplicité.

PRÉCIPICE [pʀesipis] n. m. — 1554 ; lat. *præcipitium.* → Précipiter.

♦ **1.** Vallée ou anfractuosité du sol extrêmement profonde, aux flancs très abrupts et escarpés. ⇒ **Abîme, cavité, gouffre.** *Précipices dans les montagnes* (→ Chamois, cit. 1 ; dédoubler, cit. 1). *Côtoyer les escarpements* (cit. 2) *et les précipices. Dans un précipice, au fond d'un précipice* (→ Fracture, cit. 2 ; grimper, cit. 13). *Courir* (cit. 3) *à flanc de précipice. Route en corniche au bord, sur les bords d'un précipice. Plaines coupées de précipices* (→ Glaise, cit. 1). *Vertige* à la vue d'un précipice. Garde-fou, parapet au bord d'un précipice. Jeter, pousser dans un précipice.* ⇒ **Précipiter.**

1 J'ai souvent essayé *(éprouvé)* cela en nos montagnes (...) que je ne pouvais souffrir la vue de cette profondeur infinie sans horreur et tremblement de jarrets et de cuisses, encore qu'il s'en fallût bien ma longueur que je ne fusse du tout au bord (...) les précipices coupés et unis, nous ne les pouvons pas seulement regarder sans tournoiement de tête... *(ce)* qui est une évidente imposture de la vue. MONTAIGNE, Essais, II, XII (Cf. Imagination, cit. 11, Pascal).

2 Tout à coup, de petits graviers roulèrent d'en haut (...) du côté de la gorge, des museaux pointus, des oreilles droites parurent ; des prunelles fauves brillaient. C'étaient les chacals arrivant pour manger les restes. Le Carthaginois, qui regardait penché du haut du précipice, s'en retourna. FLAUBERT, Salammbô, XIV.

♦ **2.** Par métaphore ou fig. Danger dans lequel on risque de tomber (⇒ **Abîme, gouffre**) ; désastre, malheur (⇒ **Ruine**). *« Vois-je l'État penchant au bord* (cit. 2) *du précipice ? »* (Racine). *« Je leur semai de fleurs* (cit. 9) *le bord des précipices »* (Racine). *Tomber dans « le plus horrible précipice de l'infortune »* (→ Malédiction, cit. 17). *Jeter, entraîner qqn dans un précipice.*

3 Et que, dans le chemin du vice,
On est au fond du précipice,
Dès qu'on met un pied sur le bord. FLORIAN, Fables, V, 18.

4 Ah ! qu'on a bien raison de dire qu'une première faute mène à un précipice ! A. DE MUSSET, Il ne faut jurer de rien, III, 1.

Loc. (XVIIe). *Marcher sur le (au bord du) précipice :* être en grand danger.

CONTR. Éminence.

PRÉCIPITABILITÉ [pʀesipitabilite] n. f. — 1903 ; de *précipitable.*

♦ Chim. Caractère d'une substance précipitable. *« La précipitabilité et la solubilité des enzymes »* (*Rev. gén. des sc.*, 30 juin 1903, p. 60).

PRÉCIPITABLE [pʀesipitabl] adj. — 1875, Larousse ; de *précipiter* (II.).

♦ Chim. Qui peut précipiter.

DÉR. Précipitabilité.

PRÉCIPITAMMENT [pʀesipitamɑ̃] adv. — 1508 ; *précipitément* XVIIe ; de *précipitant,* p. prés. anciennt adjectivé de *précipiter.*

♦ En grande hâte, d'une manière précipitée. ⇒ **Précipitation** (avec). *S'enfuir, déloger précipitamment.* ⇒ **Brusquement, dare-dare, vau-de-route** (à, vx), **vivement.** *Se lever précipitamment.* ⇒ **Prestement** (→ Courir, cit. 4 ; 2. mule, cit. 1). *S'habiller précipitamment.* ⇒ **Hâtivement** (→ Aurore, cit. 8 ; juponner, cit.). — *Cela a été fait bien précipitamment.* ⇒ **Boule** (à boule vue, vx), **courir** (en courant), **vite** (à la va). *Il les forçait à modifier précipitamment leurs plans* (→ Initiative, cit. 2).

Sentinelle ! Appelez-moi le sergent de garde ! L'homme, précipitamment, met l'arme sur l'épaule, et court frapper à un petit vasistas : — Sergent ! Sergent ! Venez tout de suite ! J. ROMAINS, les Copains, V.

CONTR. Doucement, lentement, posément.

PRÉCIPITANT, ANTE [pʀesipitɑ̃, ɑ̃t] adj. — 1903 ; de *précipiter* (II.).

♦ Chim. Qui produit une précipitation (II.). *« Sérums précipitants » ; « réaction précipitante »* (in *Rev. gén. des sc.*, 15 juin 1903, p. 623).

PRÉCIPITATION [pʀesipitasjɔ̃] n. f. — 1471 ; *precipitacion* « renversement », terme de méd., 1429 ; lat. *præcipitatio,* de *præcipitare.* → Précipiter.

★ **I.** ♦ **1.** Grande hâte*. *Avec précipitation* (→ Malheur, cit. 16 ; paquet, cit. 9 ; paraître, cit. 10). *Avec une précipitation forcenée* (→ Dégoiser, cit. 2). ⇒ **Brusquerie, empressement, frénésie.** *Précipitation dans la course.* ⇒ **Impétuosité** (→ Entraver, cit. 5). — Allure rapide, accélération (→ Désordre, cit. 11).

1 Ce Jason d'une nouvelle espèce, en quête d'une autre toison d'or, prit le soir même la diligence de Bruxelles avec la précipitation d'un banqueroutier las du commerce des hommes et sentant le besoin de quitter la France (...) Th. GAUTIER, la Toison d'or, I, *in* Fortunio.

(...) cette enragée petite sonnette qui s'agite au pied de l'autel avec une précipitation infernale et semble dire tout le temps : « Dépêchons-nous, dépêchons-nous » (...) Alphonse DAUDET, Lettres de mon moulin, « Trois messes basses », II. 2

♦ **2.** (Fin XVe). Hâte excessive apportée à une action, une opération. ⇒ **Irréflexion ; impatience.** *Précipitation dans le travail* (→ Assumer, cit. 4). *Désordre et précipitation.* ⇒ **Bousculade, pagaïe.** *Fautes commises par précipitation, pécher par précipitation* (→ Créer, cit. 22 ; frustrer, cit. 6 ; ingénument, cit. 1). *« Éviter soigneusement la précipitation et la prévention »* (→ Évidemment, cit. 1, Descartes). *Livres écrits avec précipitation* (→ Nouveauté, cit. 1). ⇒ **Six** (à la six-quatre-deux). — Caractère hâtif et improvisé. *La précipitation d'un départ imprévu.*

S'il fallait choisir, j'aimerais mieux la mollesse qui laisse aux hommes le temps de devenir meilleurs, que la sévérité qui les rend pires, et la précipitation qui n'attend pas le repentir. Joseph JOUBERT, Pensées, Titre préliminaire. 3

♦ **3.** (Fin XIXe). Rare. Le fait de se précipiter (vers un lieu, dans une direction).

★ **II.** (1672). Chim. Phénomène physique (variation de solubilité) ou chimique (réaction) à la suite duquel un corps solide insoluble (⇒ 2. **Précipité**) prend naissance dans une phase liquide (→ Chimie, cit. 1 ; détonation, cit. 1). ⇒ **Floculation.** — *Précipitation fractionnée :* méthode physico-chimique permettant de précipiter successivement certains des constituants d'une solution en faisant varier soit la proportion du réactif ajouté, soit les conditions du milieu.

★ **III.** (V. 1875, Faye, « abondantes précipitations de vapeurs », *in* P. Larousse, *Deuxième Suppl.*, art. « Grêle »). Par métonymie. Météor. (surtout plur.). *Précipitations atmosphériques,* ou *précipitations :* chute d'eau provenant de l'atmosphère, sous forme de *précipitations liquides* (pluie, brouillard), *ou solides* (neige, grêle). *Abondance des précipitations.* ⇒ **Pluviométrie** (→ Cavité, cit. 1). *Précipitation occulte :* condensation invisible d'eau (brouillard, rosée).

CONTR. Atermoiement, lenteur. — (Du sens II) **Dissolution.**

1. PRÉCIPITÉ, ÉE [pʀesipite] p. p. adj. ⇒ **Précipiter.**

2. PRÉCIPITÉ [pʀesipite] n. m. — Av. 1690, Furetière ; « oxyde mercurique », 1553 ; de *précipiter.*

♦ Chim. Dépôt obtenu quand se produit la précipitation. *Précipité blanc, jaune...* ⇒ **Précipitation** (II.).

Alchim. *Précipité d'étain.* ⇒ **Arbre** (de Jupiter). *Précipité de plomb* (arbre de Saturne), *d'argent* (arbre de Diane), etc.

PRÉCIPITER [pʀesipite] v. tr. — 1443 ; lat. *præcipitare,* de *præceps, præcipitis* « qui tombe la tête *(caput)* en avant *(præ)* ».

★ **I.** ♦ **1.** Jeter ou faire tomber d'un lieu élevé dans un lieu bas ou profond. *Précipiter des condamnés dans une oubliette* (cit.). *Les anciens Romains précipitaient certains criminels du haut de la roche Tarpéienne. Dieu précipita certains anges* (cit. 11) *dans l'enfer* (cit. 9).

Il monta sur la tour, et dans les flots hurlants 1
Précipita d'en haut la dépouille livide
De celle qui voulut trahir ses cheveux blancs.
LECONTE DE LISLE, Poèmes barbares, « Jugement de Komor ».

Par métaphore. *« En quel gouffre* (cit. 13) *d'horreur m'as-tu précipité ? »* (Corneille).

Il *(Fouquier-Tinville)* se voyait précipité dans une telle mer de sang, qu'il n'en surnagerait jamais. MICHELET, Hist. de la Révolution franç., XX, I. 2

Précipité constamment à des milliers de mètres de profondeur, avec un abîme plusieurs fois aussi immense sous moi, je me retiens avec la plus grande difficulté aux aspérités (...) Henri MICHAUX, La nuit remue, p. 8. 3

(1644, Corneille). Fig. Faire tomber d'une situation élevée ou avantageuse dans une situation inférieure ou mauvaise. *La révolution précipiterait le monde dans le chaos* (→ Péril, cit. 7). *Être précipité dans le discrédit et l'oubli* (→ Élever, cit. 18), *dans les malheurs* (→ Moins, cit. 3). — Absolt. Entraîner la décadence de... ⇒ **Anéantir, ruiner.** *Causes générales* (cit. 2, Montesquieu) *qui élèvent, maintiennent ou précipitent une monarchie.*

Ah ! Madame, faut-il me voir précipité 4
De l'espoir glorieux dont je m'étais flatté ?
Et ne puis-je savoir quels crimes on m'impute,
Pour avoir mérité cette effroyable chute ? MOLIÈRE, Dom Garcie, III, 2.

♦ **2.** (1677, cit. Racine). Pousser ou entraîner avec violence. *Un soulèvement de tout son être le précipitait vers elle* (→ Ébranler, cit. 20). *À force de persécutions* (cit. 5) *on les a précipités dans la révolte.*

La frayeur les emporte *(les chevaux)* 5
À travers des rochers la peur les précipite (...) RACINE, Phèdre, V, 6.

J'ai poursuivi le plus loin que j'ai pu, mais aucune lecture n'est plus propre à me précipiter dans l'opposition, et c'est par précaution que je l'arrête. GIDE, Journal, 1er févr. 1916. 6

♦ **3.** (1671). Par ext. Faire aller plus vite. ⇒ **Accélérer, hâter.** *Précipiter ses pas, sa marche, son allure.* ⇒ **Forcer, presser** (→ Fermer, cit. 3). *Précipiter son départ.* ⇒ **Avancer, brusquer** (→ Faire, cit. 195). *Précipiter la réunion* (→ Ostensible, cit. 1), *la vente* (→ On, cit. 13), *une affaire* (⇒ **Trousser**). *Précipiter le mouvement, le rythme de qqch.* (→ Gémir, cit. 4). *Précipiter la ruine de qqn* (→ Encourager, cit. 12; enfoncer, cit. 28). *Précipiter les choses, les affaires* (→ Exécution, cit. 1). *Il ne faut rien précipiter :* il ne faut pas montrer de précipitation*, il faut avoir de la patience*.

7 *(N'est-ce pas Agrippine qui)* a de ses derniers jours,
Trop lents pour ses desseins, précipité le cours? RACINE, Britannicus, I, 4.

8 Je me dis qu'il ne fallait rien précipiter, qu'Ellénore était trop peu préparée à l'aveu que je méditais, et qu'il valait mieux attendre encore.
B. CONSTANT, Adolphe, II.

9 (...) il était descendu au plus tôt qu'il avait pu, précipitant sa toilette et différant travail et prière. GIDE, Journal, 21 oct. 1916.

★ **II.** (1636). Chim. (En parlant de l'agent de la précipitation). Faire tomber, faire déposer le corps en solution dans un liquide, par précipitation* (→ Impureté, cit. 4; liqueur, cit. 2).

V. intr. Se déposer par précipitation*. *Précipiter en cristaux, en poudre. Précipiter en jaune.* ⇒ **Précipité.**

▶ **SE PRÉCIPITER** v. pron. (1556).

★ **I.** ♦ **1.** Se jeter de haut dans un lieu bas et profond. ⇒ **Jeter** (se), **tomber.** *Ruisseau, source qui se précipite du haut d'un rocher, en cascade* (cit. 1), *en cataracte*... (→ Bouillon, cit. 2). *« Puis soudain dans le Tibre, il s'est précipité »* (→ Justice, cit. 28, Corneille). *Se précipiter par-dessus bord* (→ Gouffre, cit. 7). ⇒ **Piquer** (une tête). *Se précipiter par les fenêtres* (→ Massacreur, cit. 1). *Se précipiter au fond de... Se précipiter aux pieds de qqn.* ⇒ **Abattre** (s'). — Par métaphore. *Se précipiter dans un abîme* (cit. 31). — Fig. *Se précipiter dans la honte* (→ Légèreté, cit. 9), *dans des dépenses* (cit. 1) *effroyables.*

♦ **2.** (1653). Êtres animés. S'élancer* brusquement, rapidement, impétueusement. ⇒ **Foncer, fondre, lancer** (se), **ruer** (se). → Tête* baissée, la tête la première, comme un torrent*. — *Se précipiter sur l'ennemi.* ⇒ **Assaillir.** *Les soldats se précipitent entre les hommes et les chevaux* (→ Jeter, cit. 13). *Taureau se précipitant dans l'arène* (→ Hourra, cit. 3), *sur l'étoffe écarlate* (cit. 6). *Se précipiter vers...* (→ Estafier, cit. 3; goinfrerie, cit.) *contre un obstacle* (→ Corps, cit. 35; idée, cit. 38), *sur la porte* (→ Nez, cit. 40), *à la cave* (→ Honneur, cit. 77), *dans une pièce* (⇒ **Entrer**). *Se précipiter en bas de l'escalier.* ⇒ **Dévaler.** *Se précipiter au-devant de qqn.* ⇒ **Accourir, courir** (→ Escorter, cit. 6). *Se précipiter dans les bras, au cou de qqn.* ⇒ **Jeter** (se), **embrasser.** *L'eau se précipite par la brèche.* ⇒ **Engouffrer** (s'). — *Se précipiter pour faire qqch.* (→ Occupant, cit. 2; lui, cit. 29). ⇒ **Empresser** (s'). — Absolt. Agir avec précipitation. ⇒ **Agiter** (s'), **dépêcher** (se), **hâter** (se). *Allons, précipite-toi un peu!* — Fig. *Se précipiter dans le sein de Dieu* (→ Infini, cit. 17), *dans la vie politique* (→ Pamphlet, cit. 3), *dans le plaisir* (→ Frondeur, cit. 4).

10 Et comme une biche qui sent le souffle de la meule, elle se leva, courut à la fenêtre, l'ouvrit, et se précipita sur le balcon.
HUGO, Notre-Dame de Paris, II, VIII, VI.

11 (...) cette jeunesse pleine d'instincts de toutes sortes qui se précipite avec une ardeur si intelligente et une patience si résignée dans les directions de l'art.
HUGO, Littérature et Philosophie mêlées, Ymbert Gallois.

12 Craignant, s'il approchait, que Dargelos et son groupe ne l'empêchassent de prévenir, il s'était précipité chercher du secours.
COCTEAU, les Enfants terribles, p. 23.

♦ **3.** (1559). Vieilli (langue class.). *Se précipiter de...*, (et inf.) : être très pressé de... *Vous vous êtes bien précipité de lui en parler, il valait mieux attendre.*

13 Je ne sais encore pourquoi vous vous êtes précipitée (...) d'aller à Grignan sans votre mari. Mme DE SÉVIGNÉ, 1160, 6 avr. 1689.

♦ **4.** (1669, La Fontaine). Choses. Prendre un cours rapide, un rythme accéléré. *Les battements du cœur se précipitaient. La marche* (cit. 25) *des jours sembla se précipiter davantage. Les fiançailles et le mariage se précipitèrent* (→ Factice, cit. 8). *Des miracles qui se précipitent et s'accumulent si rapidement* (→ Étonner, cit. 24). *Les événements vont bientôt se précipiter.*

14 Quelques pages encore, et soudain l'action semble se précipiter.
MARTIN DU GARD, les Thibault, t. IV, p. 25.

★ **II.** Chim. Rare. Se déposer par précipitation*.

▶ **PRÉCIPITÉ, ÉE** p. p. adj.

♦ **1.** Vx. Jeté, tombé d'un lieu élevé. *Roche précipitée.* — Fig. *Homme d'affaires précipité dans la ruine.*

♦ **2.** Poussé, entraîné avec violence. *Glaçons* (cit.) *précipités les uns contre les autres.*

♦ **3.** Extrêmement rapide ou accéléré dans son allure, son rythme. ⇒ **Pressé, rapide.** *Course précipitée* (→ Après, cit. 48). *La vie est si précipitée dans sa course* (→ Inopinément, cit. 1; irrévocable, cit. 4). *Galop* (cit. 9) *précipité. Les battements précipités de son cœur* (→ Anhéler, cit. 1). *Battement d'ailes précipité* (→ Chauve-souris, cit. 3). *Respiration précipitée.* ⇒ **Haletant.** *Pas précipités* (→ Courber, cit. 2). *Rythmes précipités* (→ Écrire, cit. 52). *Salves, sons précipités* (→ Lourd, cit. 36; glapissement, cit. 1).

L'avarice annonce le déclin de l'âge et la fuite précipitée des plaisirs. 15
VAUVENARGUES, Maximes et réflexions, 438.

♦ **4.** (1542). Qui a un caractère de précipitation*. *Cette ardeur précipitée et cette indiscipline* (cit. 1). *Zèle indiscret et précipité* (→ Inconsidéré, cit. 1). *Démarche précipitée* (→ Manquer, cit. 83). *Départ, retour précipité. Tout cela est bien précipité, bien improvisé.* ⇒ **Hâtif.**

Jamais entreprise au théâtre ne fut si précipitée que celle-ci (...) 16
MOLIÈRE, les Fâcheux, Avertissement.

(Personnes). *Il est trop précipité dans ses décisions.*

Gens (...) entreprenants, légers et précipités. 17
LA BRUYÈRE, les Caractères, VIII, 19.

CONTR. Hisser. — Différer, ralentir, retarder. — Atermoyer, attendre. — (De l'adj.) **Lent.**
DÉR. Précipitamment, 2. **précipité, précipitine.**
COMP. Précipito-diagnostic.

PRÉCIPITINE [pʀesipitin] n. f. — 1903, in *Rev. gén. des sc.*, 30 janv., no 2, p. 60 : de *précipit(é)*, et *-ine.*

♦ Physiol. Anticorps qui donne un précipité avec son antigène* correspondant. *Recherche de la précipitine* ⇒ **Précipito-diagnostic.**

PRÉCIPITO-DIAGNOSTIC [pʀesipitodjagnɔstik] n. m. — Déb. XXe; de *précipit(er)*, et *diagnostic.*

♦ Méd. Diagnostic fondé sur la recherche d'une précipitine* (dans le sang ou les humeurs) due à la réaction de l'organisme contre un agent pathogène.

PRÉCIPUT [pʀesipyt] n. m. — 1481; *précipu*, XVIe; lat. jurid. *præcipuum*, neutre substantivé, de l'adj. *præcipuus* « pris en premier »; écrit *préciput* par attraction de *caput* « capital ».

♦ **1.** Dr. *Préciput conventionnel :* avantage conféré par le contrat de mariage, sous le régime de la communauté, à l'un des époux (généralement au survivant), « consistant dans le droit de prélever, lors de la dissolution de la communauté, sur la masse commune avant tout partage de celle-ci, certains biens déterminés ou une somme d'argent » (Capitant). → Avantage, cit. 27, Code civil. *Clause de préciput. Prendre tel bien pour son préciput. Préciput successoral de l'un des héritiers* (« dispense de comprendre, dans la masse partageable, les biens donnés audit héritier », Capitant). ⇒ **Succession, testament.** *Le père a donné cette terre par préciput à un de ses fils.*

Marcel, légataire universel, avec la maison et son contenu, par préciput!
Hervé BAZIN, Cri de la chouette, p. 41.

♦ **2.** Admin. Vx. Supplément de traitement accordé à certains fonctionnaires.

DÉR. Préciputaire.

PRÉCIPUTAIRE [pʀesipytɛʀ] adj. — 1836; de *préciput.*

♦ Dr. Du préciput, qui y a trait, lui est lié. *Avantage préciputaire.*

1. PRÉCIS, ISE [pʀesi, iz] adj. — 1361; *pressis*, 1663; lat. *præcisus*, p.p. de *præcidere* « couper ras, retrancher », de *præ*, et *cædere* « frapper, abattre », proprt « coupé, retranché (par la pensée) ».

♦ **1.** Qui ne laisse place à aucune indécision dans l'esprit. ⇒ **Clair, défini.** *Sens précis, signification précise* (→ 1. Fou, cit. 27; ignorance, cit. 8; littérature, cit. 1; peuple, cit. 9). *Idées, notions précises.* ⇒ **Distinct** (→ Écriture, cit. 16; liberté, cit. 25; nature, cit. 1). *Ordres, règlements, règles, renseignements, données, indications, signalement, témoignages... précis.* ⇒ **Circonstancié, détaillé, développé, explicite, formel** (→ Assurance, cit. 14; évaluer, cit. 3; instantané, cit. 2; légitimer, cit. 5). *Définir*, renseigner de façon précise* (→ Orthographe, cit. 5; parenté, cit. 5). *Détermination* (cit. 2); *définition, désignation, qualification précise. Problèmes précis* (→ Philosophie, cit. 9). *Sans raison précise.* ⇒ **Particulier** (→ Doigt, cit. 10). — *Plan précis* (→ Fantaisiste, cit. 6). *Conditions précises.* ⇒ **Exprès** (→ Forme, cit. 56). *Imputation* (cit. 4) *précise.* ⇒ **Catégorique.** *Réponse précise.* ⇒ **Congru.** *Avoir une fonction précise* (→ Parc, cit. 5). *Structure, organisation précise* (→ État, cit. 115). *Institutions* (cit. 8) *précises. Ne penser à rien de précis* (→ Formuler, cit. 10). *Des faits, des phénomènes précis* (→ Développer, cit. 17). *Détails précis. Besoins, désir précis* (→ Gage, cit. 24; imprégner, cit. 13).

C'est la vérité de la vie nécessaire. Il est certain qu'elle repose sur les faits les 1
plus précis, sur les seuls que tout homme puisse observer et éprouver.
MAETERLINCK, la Vie des abeilles, V, XI.

Tout est changé maintenant. Pourquoi? Que s'est-il passé entre eux? Elle ne sau- 2
rait rien alléguer de précis. MARTIN DU GARD, les Thibault, t. III, p. 165.

(Langage). Qui est nettement défini, correspond à une notion repérable. *Mots, termes, vocabulaire précis* (→ Perpétuité, cit. 5). *Mot plus ou moins précis qu'un autre* (→ Guère, cit. 2). *Exiger des mots un contenu* (cit.) *précis. Formule, expression précise* (→ 3. Droit, cit. 55; hiératique, cit. 3; littéral, cit. 1). *Images précises* (→ Métaphore, cit. 1). *Paroles précises* (→ Mordant, cit. 2). *S'appuyer sur des textes précis. Style précis.* ⇒ **Concis, fort, serré** (→ Langage, cit. 23). *Langue précise* (→ Ellipse, cit. 2). *Manière précise* (→ Large, cit. 11). *Le diffus* (cit. 8) *n'est pas précis.*

3 (...) le français n'est *(pas)* la langue maternelle de Napoléon, mais la langue claire, précise, pragmatique du XVIIIe siècle, celle de Montesquieu et de Voltaire, n'a jamais mieux exprimé son universalité, sa mission de formuler la pensée comme une algèbre de l'action, qu'en fournissant à ce Corse le style de leur génie et le génie de leur style. A. THIBAUDET, Hist. de la littérature franç., p. 21.

N. m. *« Rien de plus cher que la chanson grise* (cit. 14) *Où l'indécis au précis se joint »* (Verlaine).

Par ext. *Écrivain précis. Il est bref, précis et clair* (→ Laconique, cit. 3; et aussi compte, cit. 24; fond, cit. 34). *Pour être plus précis, je dirai que...*

♦ **2.** Déterminé*, fixé d'une façon qui ne laisse aucune place à l'incertitude ou à l'erreur. *Point précis* (→ Appuyer, cit. 18; escrimeur, cit. 2; lointain, cit. 13). *Douleur diffuse* (cit. 4) *qui n'a pas de siège précis. Jalons précis d'un exposé* (cit. 2). *Ligne de démarcation* (cit. 4) *précise.* — Qui est perçu, qui apparaît d'une façon particulièrement nette. ⇒ **Net.** *Bruit d'abord faible, puis précis* (→ Interruption, cit. 7). *Trait saillant et précis* (→ Optique, cit. 4). *Contours précis* (→ Flou, cit. 5).

♦ **3.** Qui est exécuté ou qui opère de la façon la plus sûre*, avec le minimum d'erreur. *Un dessin, un trait précis. Geste précis* (→ Joueur, cit. 2). ⇒ **Assuré, ferme, sûr.** *Le bond précis d'une bête* (→ Cantharide, cit.). *Fusillade, tir précis* (→ Crépiter, cit. 1). *Vengeance précise et infaillible* (→ Expiation, cit. 5). *Esprit précis,* clair, net et aussi concret, objectif... ⇒ **Rigoureux.** *Raisonnement précis.* ⇒ **Géométrique, mathématique.** — Sports. *Faire une passe précise.*

4 (...) cet esprit clair, net, précis, soigneux, ne trouvant jamais rien d'achevé, et dont les esquisses mêmes sont écrites avec une rare certitude.
Th. GAUTIER, Souvenirs de théâtre, Meissonier.

(XXe). Personnes. *Un dessinateur, un descripteur très précis. Le guide le plus précis* (→ Plaisir, cit. 13).

♦ **4.** (Grandeurs, mesures). Qui, à la limite, est exact; qui est exactement calculé. ⇒ **Exact, exactement** (cit. 3). *Une mesure peut être précise sans être exacte* (→ Exactitude, cit. 21). *Date précise.* ⇒ **Certain** (→ Historien, cit. 2). *Le moment, l'instant précis, la minute précise* (→ Déterminer, cit. 3; forme, cit. 29; intuition, cit. 4; journal, cit. 5). *Arriver à l'heure précise* (→ Enfermer, cit. 17), *à quatre heures* (cit. 29) *très précises.* ⇒ **Juste, pile, sonnant, tapant.** *Relations précises qui existent entre des grandeurs* (→ Mathématique, cit. 5).

5 Est *exacte* la mesure qui ne comporte aucune approximation : la somme des trois angles d'un triangle est 180° (...) Est *précise* la mesure approchée qui diffère peu de la mesure exacte, qui est « exacte à un *n*^e près »; c'est ainsi qu'on parle d'évaluer une longueur avec une plus ou moins grande précision. — C'est à ce point de vue qu'on appelle les mathématiques pures des *sciences exactes* et qu'on appelle *instruments de précision* ceux dont se sert le physicien mais en ce sens, il arrive pourtant quelquefois que précis se confonde avec exact.
LALANDE, Voc. de la philosophie, art. *Précis.* Cf. Exactement, cit. 3.

Par ext. ⇒ **Rigoureux.** *Connaissance, science précise* (→ Mesure, cit. 23; objectif, cit. 10).

CONTR. Ambigu, équivoque, évasif, flottant, imparfait, imprécis, incertain, indécis, indéterminé, indistinct, vague. — Abstrait, diffus, flou, fumeux, nébuleux, obscur. — Approchant, approximatif, grossier.
DÉR. 2. **Précis, précisément, préciser, précision.**

2. PRÉCIS [pResi] n. m. — V. 1660, Bossuet; de 1. *précis.*

♦ Exposé précis et succinct qui s'en tient à l'essentiel. ⇒ **Abrégé.** *Composer un précis des événements,* un bref historique. — Littér. *Précis du siècle de Louis XV,* ouvrage de Voltaire (1768). *Précis de décomposition,* ouvrage de Cioran (1949).

Ce précis rapide, qui, développé savamment, aurait fourni tout un tableau de mœurs, suffit à faire comprendre (...)
BALZAC, Modeste Mignon, Pl., t. I, p. 386.

(1835). Spécialt. Bref manuel. ⇒ **Aide-mémoire, mémento.** *Un précis de géographie générale, de botanique. Une collection de petits précis.*

Vx. Résumé. *Faire le précis d'un livre.* — Sommaire (→ Dominical, cit.).

PRÉCISABLE [pResizabl] adj. — 1973, G. Marcel, *in* D.D.L.; de *préciser.*

♦ Rare. Qui peut être précisé. *L'heure de son départ est difficilement précisable.*

PRÉCISÉMENT [pResizemɑ̃] adv. — 1314, *précisement;* de 1. *précis.*

♦ **1.** D'une façon précise. — REM. Dans ce sens, on emploie plutôt aujourd'hui les périphrases *de façon précise, avec précision...* — *Répondre précisément à ce qu'on nous dit* (→ Agréable, cit. 6). *Décrire très précisément qqch.* ⇒ **Rigoureusement** (→ Antécédent, cit. 4). *Nommer qqn précisément par son nom* (→ Bien, cit. 23). *Parlons plus précisément.* ⇒ **Clairement** (→ Incontinence, cit. 2). ⇒ **Exactement.** *Précisément la même chose* (→ Mourir, cit. 8; offenser, cit. 9). *Précisément en cette année* (→ Auparavant, cit. 5).

Tel (...) a entendu (...) sur une chose précisément la même, des sentiments précisément opposés. LA BRUYÈRE, les Caractères, XVII, 12. 1

PLUS PRÉCISÉMENT : pour parler en termes plus précis, à proprement parler. *Les malades, les blessés plus précisément,* plus exactement, plutôt (→ Guérisseur, cit. 3).

Ellipt. (Dans une réponse). Oui, c'est cela même, tout juste. *C'est lui qui vous en a parlé? — Précisément.* ⇒ **Exactement.**

(Dans des expr. négatives). *Je ne pris pas précisément la résolution de...* (→ Apprivoiser, cit. 22). *Elle n'avait pas précisément son franc-parler* (→ Boutade, cit. 4). *Il n'est pas précisément hypocrite, pas précisément frivole...* (→ Cacher, cit. 6; et aussi formule, cit. 14; mince, cit. 10). — *Vous pensez donc que... — Pas... précisément* (→ Idéal, cit. 19). — Par euphémisme. Guère, pas du tout. *Ma vie n'est pas précisément folichonne* (cit. Flaubert). *Il n'est pas précisément intelligent.* ⇒ **Vraiment** (pas vraiment).

♦ **2.** (XVIIIe, sens affaibli). S'emploie pour souligner une coïncidence, une rencontre ou concordance entre deux séries distinctes de faits ou d'idées. ⇒ **Justement.** *On y jouait précisément la « Symphonie pastorale »* (cit. 4). *Une idée qui était précisément celle qui ne devait pas paraître dans l'entretien* (→ Gaffe, cit. 4).

Spécialt. Pour introduire une réplique ou une nouvelle proposition qui tire argument de ce qui vient d'être invoqué. *Car c'est cela précisément qu'il importait de prévoir* (→ Aléatoire, cit. 2). *C'est précisément pour cela que...* (→ Captieux, cit. 4), *parce que..., que...* (→ Détruire, cit. 22; impardonnable, cit. 3). *Mais précisément...* (→ Biais, cit. 7; humour, cit. 4; pensée, cit. 5).

La comtesse avait prié son mari de sonner sa femme de chambre, à qui elle avait demandé avant mon arrivée une potion que je venais précisément de lui conseiller (...) BARBEY D'AUREVILLY, les Diaboliques, « Bonheur dans le crime ». 2

Chaque paragraphe est bon en soi, et il y a des pages, j'en suis sûr, parfaites. Mais précisément à cause de cela, *ça ne marche pas.* 3
FLAUBERT, Correspondance, 365, 29-30 janv. 1853.

CONTR. Ambigument, confusément, évasivement, vaguement. — Approximativement, environ.

PRÉCISER [pResize] v. tr. — Déb. XIVe, rare av. 1788 (sens 1); de 1. *précis.*

♦ **1.** Exprimer, présenter de façon précise, plus précise*. *Préciser une intention* (→ Dire, cit. 22), *ses idées* (→ Essai, cit. 22). *Préciser une notion* (→ Incommensurable, cit. 3), *le sens de certains termes* (→ Jurisconsulte, cit.). ⇒ **Définir.** *Préciser certaines données* (→ Analyse, cit. 6), *certaines conditions* (→ Immigrant, cit. 2), *certaines exigences* (→ Indistinct, cit. 2). ⇒ **Énoncer.** *Préciser l'étendue* (→ Ex cathedra, cit. 1), *la nature* (→ Grammairien, cit. 3), *la répartition de...* (→ Géographie, cit. 2). ⇒ **Déterminer, établir.** *Préciser sa position* (→ Homme, cit. 8). *Préciser le lieu du drame et le moment* (→ Exactitude, cit. 14). *Préciser une date.* ⇒ **Fixer.** *Veuillez préciser ce point.* ⇒ **Détailler, particulariser.**

Par la suite j'ai souvent revu le juge d'instruction. Seulement, j'étais accompagné de mon avocat à chaque fois. On se bornait à me faire préciser certains points de mes déclarations précédentes. CAMUS, l'Étranger, II, I. 1

(Suivi d'une complétive ou d'une interrogative indirecte). Dire de façon plus précise, soit pour apporter un éclaircissement, soit pour éviter une interprétation erronée. ⇒ **Expliquer, souligner, spécifier** (→ Expressément, cit. 3). *Sans qu'il eût été précisé entre eux de quoi cette gracieuseté* (cit. 3) *était le paiement. Le ministre de l'Information a précisé qu'il n'était pas question de...*

♦ **2.** (Déb. XIVe). Rendre plus précis, plus net, plus sûr. *Préciser un sentiment vague* (→ Articuler, cit. 13). *Temps forts qui précisent la fin du vers* (→ Métrique, cit. 3). *De nombreux chercheurs ont précisé cette technique* (→ Électrique, cit. 1). *Préciser sa pensée* (→ Nébuleux, cit. 3). ⇒ **Corps** (donner).

La lutte contre l'Angleterre a rendu à la France un immense service. Elle a confirmé, précisé sa nationalité. À force de se serrer contre l'ennemi, les provinces se sont trouvées un peuple. C'est en voyant de près l'Anglais, qu'elles ont senti qu'elles étaient France. MICHELET, Hist. de France, III. 2

♦ **3.** (1837). *Se préciser* (v. pron. passif) : devenir plus précis, plus net. ⇒ **Dessiner** (se). *Le mouvement humaniste* (cit. 6) *se précise au XVe siècle. Malaise général qui se précise en une douleur localisée* (cit. 3). ⇒ **Caractériser** (se). *La lutte se précise entre les deux pouvoirs* (→ Parlementaire, cit. 3). *Le danger se précise.*

Les faits pourtant se précisaient, il se souvenait que, le matin de son attaque, il avait posé le paquet à cette place, en attendant de le glisser, au plafond, dans la fente d'une poutre (...) ZOLA, la Terre, V, I. 3

La pensée d'offrir ses services à un hôpital du front ou de l'arrière-front se précisait en elle. MONTHERLANT, le Songe, I, IV. 4

♦ **4.** Absolt. Apporter des précisions (en parlant, en écrivant), éviter le vague ou l'allusion. *Soucieux de distinguer et de préciser*

(→ Analytique, cit. 3). *« Précisez, monsieur, j'exige que vous précisiez ! »* (→ On, cit. 13).

5 — De qui, de quoi voulez-vous parler ? — Mère, est-ce vrai que tu as... — Ne précise donc pas, Oreste. Demande-lui simplement qui est-ce. Il y a en elle un nom. Quelle que soit ta question, si tu la presses bien, le nom sortira (...)
GIRAUDOUX, Électre, II, 4.

CONTR. Estomper. — (Du p. p.) **Indéterminé.**
DÉR. Précisable.

PRÉCISION [pʀesizjɔ̃] n. f. — 1520 ; « action de rogner », v. 1380 ; lat. *præcisio.* → 1. Précis, de *præcidere ;* sens étym. au XVIIe « retranchement par la pensée ».

★ **I.** *La précision.* ♦ **1.** Caractère précis, qualité de ce qui est précis. ⇒ **Clarté, rigueur.** *La précision de certains récits, de certaines biographies* (→ Éthique, cit. 5 ; hybridation, cit. 2). *Avec une grande précision de détails* (→ Pittoresque, cit. 6). *Parler, interroger avec précision* (→ Érudition, cit. 2 ; évader, cit. 15). *Déterminer avec précision le sens d'un mot.* (→ Exemple, cit. 35). *La précision d'une définition. Indiquer* (cit. 5) *avec précision* (→ Érudit, cit. 6). ⇒ **Caractériser.** *La précision et la rapidité de la conversation* (→ Nettement, cit. 3). *Les mots scientifiques disent avec une précision rigoureuse ce qu'ils veulent dire* (→ Nomenclature, cit. 2). *Le graphique* (cit. 4) *l'emporte en précision sur la parole. Précision dans le style* (→ Emporte-pièce, cit. 1 ; marotique, cit. 1).

1 Concision dans le style, précision dans la pensée, décision dans la vie.
HUGO, Post-Scriptum de ma vie, L'Esprit, Tas de pierres, III.

2 La précision des détails, qui fait souvent illusion, prouve seulement la force d'imagination du narrateur ; elle n'est qu'une apparence d'exactitude.
Ch. SEIGNOBOS, Méthode hist., *in* LALANDE, Voc. de la philosophie, art. *Précis.*

♦ **2.** Netteté de ce qui est précis. ⇒ **Fidélité, netteté.** *La nette précision de la miniature* (→ Fresque, cit. 9). *Souvenir qui revient avec une précision brutale* (→ Assaillir, cit. 11).

3 (...) ses descriptions, aidées par l'œil exercé de l'artiste, ont une précision caractéristique des plus rares ; chaque objet est attaqué par son angle saillant, chaque touche posée à sa place et du premier coup (...)
Th. GAUTIER, Portraits contemporains, Marilhat.

4 Il se représenta, avec une précision cruelle, tout ce qu'il savait possible en pareil cas ; le monstrueux développement du néoplasme, ses ravages, l'étouffement progressif des organes (...) MARTIN DU GARD, les Thibault, t. III, p. 195.

♦ **3.** Façon précise d'agir, d'opérer. ⇒ **Sûreté.** *Précision de gestes chez le chirurgien* (cit. 1). ⇒ **Adresse, dextérité, doigté.** *Mouvement exécuté avec une précision militaire* (→ Embarcation, cit. 1). *Une précision mathématique*. Précision d'un tir.* ⇒ **Justesse.** *Précision dans la taille des pierres* (cit. 14). *La précision de ses imitations* (→ Exactitude, cit. 15), *de son jeu.*

5 La manière de tuer de Montès *(un matador)* est remarquable par la précision, la sûreté et l'aisance de ses coups ; avec lui, toute idée de danger s'évanouit ; il a tant de sang-froid, il est si maître de lui-même, il paraît si certain de sa réussite, que le combat ne semble plus qu'un jeu (...)
Th. GAUTIER, Voyage en Espagne, p. 212.

Qualité d'une personne précise. La précision d'un dessinateur. (→ Hybride, cit. 6). — *Joueur de tennis qui manque de précision. Quelle précision chez ces danseuses !* (→ Gracieux, cit. 10).

6 (...) sans se hâter, mais sans s'y reprendre à deux fois pour rien, avec une précision ferme et brève, d'autant plus remarquable en un pareil moment que la patrouille et Javert pouvaient survenir d'un instant à l'autre, il défit sa cravate, la passa autour du corps de Cosette sous les aisselles en ayant soin qu'elle ne pût blesser l'enfant (...) HUGO, les Misérables, II, V, V.

♦ **4.** (XIXe). Caractère de ce qui est calculé, mesuré d'une manière précise. *Précision et exactitude.* ⇒ **Exactitude** (cit. 21). *Précision d'un calcul, d'une mesure, d'un instrument de mesure. Problème mécanique dont les valeurs initiales seraient connues avec une précision absolue* (→ Indétermination, cit. 3). *Faits indéterminés* (cit.) *et recueillis sans précision. Déterminer avec précision un point, un moment* (→ 1. Mort, cit. 22).
DE PRÉCISION. *Instruments** (cit. 2) *de précision,* très exacts. *Balance, chronomètre... de précision. Arme de précision.* — *Mécanicien de précision.* ⇒ **Précisionniste.**

7 Les dictionnaires définissent souvent les mots *exactitude* et *précision* l'un par l'autre. Il serait cependant nécessaire de les bien distinguer (...) L'*exactitude* est une qualité objective, en ce sens qu'elle est définie par la conformité avec un phénomène extérieur : l'exactitude est inversement proportionnelle à l'erreur constante, ou s'il s'agit d'un cas unique, à l'erreur connue. La *précision* est une qualité pour ainsi dire subjective, en ce sens qu'elle est définie par la constance de réaction, d'un appareil ou d'un individu. Lorsqu'un appareil ne comporte pas d'erreur systématique, on dit qu'il est exact ; lorsqu'il ne comporte pas d'erreur fortuite, on dit qu'il est précis.
CLAPARÈDE *in* LALANDE, Voc. de la philosophie, art. *Précis.*

8 Les calculs analytiques des mouvements de la lune ont sans doute été portés à un assez grand degré de précision pour nous convaincre que l'attraction newtonienne est en effet la vraie cause des inégalités qu'on observe dans le mouvement de cette planète (...)
D'ALEMBERT, Disc. préliminaire du système du monde, Œ. compl., t. I, p. 376.

9 (...) elle ne comprit pas tout d'abord l'égoïste tranquillité de cet homme (...) qui, pour vivre, avait réglé les mouvements de son existence avec la précision fatale que les horlogers donnent à leurs pendules.
BALZAC, la Muse du département, Pl., t. IV, p. 69.

Sport (parachutisme, 1950). *Précision d'atterrissage :* épreuve de parachutisme sportif dans laquelle le concurrent doit se poser le plus près possible d'une cible.

★ **II.** (Fin XVIIe). *Une, des précisions.* (Rare au sing.). Détail ou fait précis, donnée ou explication précise permettant une information plus étendue et plus sûre. ⇒ **Développement.** *Fournir, apporter, donner des précisions, des précisions intéressantes* (→ Époque, cit. 16). *Chercher dans sa mémoire des dates, des précisions* (→ Nuit, cit. 22). *Demander, exiger des précisions sur tel ou tel point. Il a été convoqué sans précisions. — Je voudrais, une ou deux précisions. Pas d'autres précisions ?*

Il faut donc nécessairement s'inquiéter de la vie et des aventures de François Villon, et tenter de les reconstituer, au moyen des précisions qu'il donne, ou de déchiffrer les allusions qu'il faut à chaque instant. 10
VALÉRY, Variété, Villon et Verlaine, Œ., Pl., t. I, p. 430.

CONTR. Ambiguïté, confusion, diffusion, imprécision, incertitude, indécision, vague. — Approximation. — Généralité.
DÉR. Précisionniste.

PRÉCISIONNISTE [pʀesizjɔnist] adj. et n. — 1942 ; de *précision.*

♦ Techn. Chargé d'un travail de précision. — N. m. Mécanicien de précision.

Artisans fabriquant eux-mêmes, ils avaient la fierté de leur marchandise devant les précisionnistes du moteur d'aviation. 1
Pierre HAMP, la Peine des hommes, (Moteurs), p. 30.

Léon Seuilles, le chef d'atelier, avait après vingt-cinq ans de maison cette place comme retraite, mais il y trouvait plus de soucis que dans sa longue carrière de mécanicien précisionniste. Pierre HAMP, la Peine des hommes, (Moteurs), p. 72. 2

PRÉCITÉ, ÉE [pʀesite] adj. — 1797, *in* D. D. L. ; de *pré-,* et *citer.*

♦ Didact. Qui a déjà été cité, dont on a parlé précédemment, plus haut.

« Maladies de la peau : troubles digestifs ; entérites ; névroses ; diathèse arthritique »... Pour lui toutes les maladies précitées proviennent d'un encrassement des organes. J. ROMAINS, les Hommes de bonne volonté, t. V, XXII, p. 178.

PRÉCLASSIQUE [pʀeklasik] adj. — V. 1870 ; de *pré-,* et *classique.*

♦ Hist. (littér., arts). Qui précède la période classique. *Littérature préclassique* (opposé à *postclassique**).

PRÉCOCE [pʀekɔs] adj. — 1672, n. m., « fruit précoce » ; adj., 1680 ; lat. *præcox,* de *præcoquere,* de *præ,* et *coquere* « faire cuire ; faire mûrir ».

♦ **1.** Qui est mûr* avant le temps, plus tôt que les autres individus de son espèce (végétaux). ⇒ **Hâtif.** *Fruits précoces* (→ Pervertir, cit. 3). *Variétés précoces, tardives d'une même espèce. Maraîcher qui récolte des asperges, des petits pois précoces* (⇒ **Primeur**). — Par anal. (En parlant d'animaux). Dont la croissance est très rapide. *Races précoces. Élevage d'ovins précoces.*

La précoce hyacinthe est le tendre mignon 1
Que sur ces prés fleuris caressait Apollon...
VOLTAIRE, Poésies, « Apologie de la Fable ».

L'année dernière, à cette époque, la véronique précoce n'avait pas tant d'éclat (...) 2
J. CHARDONNE, l'Amour du prochain, p. 73.

(Animaux). Dont la croissance est très rapide. *Races précoces. Élevage d'ovins précoces.*

♦ **2.** (XIXe). Qui survient, se développe plus tôt qu'il n'est habituel de le constater. — (Temps, saison). *Automne précoce* (→ Halo, cit. 3). *Mauvais temps précoce* (→ Octobre, cit. 3).

(...) la cuisine, avec les trois maigres tisons du dîner, se trouvait déjà glacée par les gelées précoces de novembre. ZOLA, la Terre, I, V. 3

(Événements, évolutions, altérations). ⇒ **Prématuré.** *Calvitie* (cit. 1) *précoce* (→ Argenter, cit. 3). *Embonpoint précoce* (→ Gras, cit. 15). *Rides précoces* (→ Graver, cit. 7). *Puberté précoce. Sénilité, vieillissement précoce* (→ Déchéance, cit. 5).

C'était un jeune homme aux épaules étroites (...) Dans son visage exsangue de blond mal nourri, des rides précoces semblaient prendre plaisir à sillonner en tous sens une chair misérable. J. GREEN, Léviathan, I, X. 4

Méd. *Démence* précoce.*
Qui se produit, se fait plus tôt qu'il n'est d'usage ou que ne l'exigerait la raison, la prudence. *Mariage précoce* (→ Eugénique, cit. 1).
(Vie psychique). *Enfant qui fait preuve d'une maturité précoce* (→ Enfantin, cit. 7). *Grâces* (cit. 85) *closes dans tout l'éclat d'une maturité précoce. Intelligence* (cit. 5) *précoce.*

(...) ce petit bonhomme m'étonna quelquefois par des crises singulières de tristesse précoce (...) BAUDELAIRE, le Spleen de Paris, XXX. 5

(...) tous les autres enfants, même les plus jeunes, ouvraient des yeux rieurs, où flambaient les vices précoces. ZOLA, la Joie de vivre, t. II, VII, p. 31. 6

♦ **3.** (V. 1750). Personnes. Dont le développement intellectuel est très rapide. *Enfant précoce* (→ Indigne, cit. 17). ⇒ **Avancé** (pour son âge) ; prodige.

(...) le petit Ludovic, était un enfant précoce, une véritable merveille, et montrait les dispositions les plus étonnantes pour son âge. 7
Th. GAUTIER, les Grotesques, IV.

— Ce sont peut-être des lycéens ? demanda-t-elle, se souvenant que son fils, à seize 8 ans, écrivait des choses de cet acabit. — Oh ! non, dit Costals. Je connais quelques-uns des signataires. Ce sont des hommes d'une trentaine d'années. Mais il y a certains milieux de pensée, à Paris, où l'on n'est pas précoce.

MONTHERLANT, les Lépreuses, I, III.

(Mil. XVIIIe, Buffon). Spécialt. Qui a une connaissance, une expérience des choses sexuelles très au-dessus de son âge ; chez qui l'instinct sexuel s'est éveillé très tôt.

9 Le plus discrètement possible, j'ai donc essayé de faire comprendre à Mme Dumouchel que son enfant me paraissait très avancée, très précoce (...) que sa conduite, ou du moins ses manières, ne me convenaient pas. — « Que manières ? » — « Un peu de coquetterie », ai-je répondu.

BERNANOS, Journal d'un curé de campagne, p. 114.

CONTR. Tardif. — Arriéré, attardé.
DÉR. Précocement, précocité.

PRÉCOCEMENT [pʀekɔsmɑ̃] adv. — 1866, Baudelaire ; de *précoce.*

♦ D'une manière précoce, de bonne heure*. ⇒ **Prématurément.** *Fleur précocement éclose. Tristesse qui mûrit* (cit. 8) *précocement quelqu'un.*

Quand, plus tard, par exemple, il apprit mon mariage, il fut presque offensé de n'avoir pas été sinon pressenti, du moins précocement avisé.

G. DUHAMEL, le Temps de la recherche, V.

CONTR. Tardivement.

PRÉCOCITÉ [pʀekɔsite] n. f. — 1715 ; de *précoce.*

♦ **1.** Caractère de ce qui est précoce. *Précocité des cerises dites « Précoces de Bâle ». Précocité d'une race,* son aptitude particulière à atteindre très rapidement la maturité.

♦ **2.** Développement prématuré. *Une précocité d'embonpoint monstrueuse* (→ Énorme, cit. 9, Baudelaire).

♦ **3.** Caractère d'une personne précoce. *Enfant d'une étonnante précocité,* très en avance pour son âge. — Spécialt. *Précocité sexuelle.* Absolt. *La précocité de cette fillette est inquiétante.*

Mon père d'ailleurs, était inconsciemment complice de mon premier amour. Il l'encourageait plutôt, ravi que ma précocité s'affirmât d'une façon ou d'une autre.

R. RADIGUET, le Diable au corps, p. 90.

PRÉCOGNITION [pʀekɔgnisjɔ̃] n. f. — Mil. XXe (*Elle,* 1971) ; de *pré-,* et *cognition ;* lat. *cognitio,* de *cognitum,* supin de *cognoscere.*

♦ Didact. Phénomène qui consisterait à connaître ce qui va arriver (parapsychologie).

PRÉCOLOMBIEN, IENNE [pʀekɔlɔ̃bjɛ̃, jɛn] adj. — 1876 ; de *pré-,* et *Colomb.*

♦ Didact. Relatif à l'Amérique, à son histoire, à ses civilisations, avant le voyage de Christophe Colomb et la conquête des Espagnols. *Arts, vestiges précolombiens. Figures* (→ Océanien, cit. 2), *poteries précolombiennes. Civilisations précolombiennes du Mexique* (Aztèques*, Mayas*), *de la mer des Caraïbes, des Andes* (Pérou, Bolivie, Incas*). — *L'Amérique précolombienne.*

Les hautes civilisations précolombiennes se trouvent cantonnées au Mexique, en Amérique centrale, aux Antilles et à l'intérieur du système andin de l'Amérique du Sud (...) En Amérique du Nord (...) nous ne trouvons guère de civilisations remarquables (...) H. LEHMANN, les Civilisations précolombiennes, p. 18.

N. *Les précolombiens.*

PRÉCOLONIAL, ALE, AUX [pʀekɔlɔnjal, o] adj. — Mil. XXe ; de *pré-,* et *colonial.*

♦ Didact. Antérieur à une colonisation, à une période coloniale. *L'Afrique précoloniale,* ouvrage du cheikh Anta Diop.

PRÉCOMBUSTION [pʀekɔ̃bystjɔ̃] n. f. — Mil. XXe (*in* Larousse 1949) ; de *pré-,* et *combustion.* → Postcombustion.

♦ Techn. Phase du cycle d'un moteur Diesel précédant immédiatement l'entrée en combustion du combustible.

PRÉCOMMANDE [pʀekɔmɑ̃d] n. f. — 1969, *le Monde ;* de *pré-,* et *commande.*

♦ Comm. Commande faite d'un produit avant qu'il ne se trouve sur le marché. ⇒ **Option.**

PRÉCOMPRESSION [pʀekɔ̃pʀesjɔ̃] n. f. — Mil. XXe (*in* Larousse, 1968) ; de *pré-,* et *compression.*

♦ Techn. Action de soumettre (un matériau) à une compression préalable.

PRÉCOMPTE [pʀekɔ̃t] n. m. — 1499 ; de *précompter.* Commerce.

♦ **1.** Estimation préalable de sommes à porter en déduction. — Par métonymie. Ces sommes.

♦ **2.** (Mil. XXe). Retenue* opérée sur une rémunération. *Revenus mobiliers ayant subi le précompte de l'impôt lors du paiement des dividendes.*

PRÉCOMPTER [pʀekɔ̃te] v. tr. — 1347 ; de *pré-,* et *compter.*

♦ **1.** Comm. Estimer, calculer par avance (les sommes à déduire d'un règlement entre créancier et débiteur).

♦ **2.** (XXe). Dr. soc. Déduire, à titre de retenue préalable (d'une rémunération, d'une pension...). ⇒ **Retenir.** *Le montant de la cotisation ouvrière à la Sécurité sociale est précompté par l'employeur sur le salaire ou gain de l'employé lors de chaque paie.*

DÉR. Précompte.

PRÉCONCENTRATION [pʀekɔ̃sɑ̃tʀasjɔ̃] n. f. — Mil. XXe (*in* Larousse 1968) ; de *pré-,* et *concentration.*

♦ Techn. Première augmentation de la teneur d'un produit, dans un mélange.

PRÉCONCEPT [pʀekɔ̃sɛpt] n. m. — XXe ; de *pré-,* et *concept.*

♦ Didact. Unité logique fondamentale, de structure quasi-symbolique, correspondant à un individu type représentatif d'un groupe (mais non une classe générale, comme dans le concept), et caractéristique de la pensée préconceptuelle.

PRÉCONCEPTION [pʀekɔ̃sɛpsjɔ̃] n. f. — 1823, Boiste ; de *pré-,* et *conception.*

♦ Didact. Idée qu'on se fait par avance (de qqch.). ⇒ **Préjugé** (cour.), **présomption.**

PRÉCONCEPTUEL, ELLE [pʀekɔ̃sɛptɥɛl] adj. — XXe ; de *pré-,* et *concept.*

♦ Didact. Qui est antérieur à la formation du concept, du jugement. ⇒ **Antéprédicatif.** *Pensée préconceptuelle de l'enfant* (de 2 à 4 ans) : le premier stade du niveau préopératoire.

PRÉCONÇU, UE [pʀekɔ̃sy] adj. — 1640 ; de *pré-,* et p. p. de *concevoir.* Cf. le v. *préconcevoir* (1767).

♦ **1.** Qui est conçu, imaginé par avance. ⇒ **Hypothétique.** *Plan préconçu.* ⇒ **Préétablir** (préétabli). *Vouloir refondre l'homme d'après un type préconçu* (→ Élan, cit. 7).

Je voudrais ne chercher point même à former mes phrases. Commencer sans plan préconçu. Sans trop savoir d'avance ce que je veux dire. 1

GIDE, Journal, 19 nov. 1928.

♦ **2.** (1761). Péj. (plus cour.) *Idée, opinion préconçue,* élaborée antérieurement à toute expérience et sans critique suffisante (⇒ **Anticiper,** p. p.) ou reçue sans examen (⇒ **Préjugé**). *Expérience qui infirme* (cit. 3) *l'idée préconçue. Aborder* (cit. 11) *la vie avec les idées préconçues de l'adolescence.*

(...) le Fontenelle disciple de Descartes en liberté d'esprit et en étendue d'horizon, l'homme le plus dénué de toute idée préconçue, de toute prévention dans l'ordre de la pensée et dans les matières de l'entendement (...) 2

SAINTE-BEUVE, Causeries du lundi, 27 janv. 1851.

PRÉCONDENSATION [pʀekɔ̃dɑ̃sasjɔ̃] n. f. — V. 1970 ; de *pré-,* et *condensation.*

♦ Techn. Condensation partielle (d'un polymère), avant les opérations de condensation définitives.

PRÉCONGÉ [pʀekɔ̃ʒe] n. m. — V. 1960 ; de *pré-,* et *congé.*

♦ Admin. Congé obtenu en plus et avant le congé annuel. *Obtenir une semaine de précongé.*

PRÉCONISATEUR [pʀekɔnizatœʀ] ou **PRÉCONISEUR** [pʀekɔnizœʀ] n. m. — 1680 ; « crieur public », 1467 ; de *préconiser.*

♦ **1.** Celui qui préconise un évêque.

♦ **2.** Rare. Celui qui loue, qui vante (quelqu'un ou quelque chose).

PRÉCONISATION [pʀekɔnizasjɔ̃] n. f. — 1680 ; *préconzacion* « proclamation », 1321 ; de *préconiser.*

♦ **1.** Relig. cathol. Acte solennel par lequel le Pape ou un cardinal préconise (⇒ **Préconiser,** 2.) un évêque.

♦ **2.** (xxe). Rare. Action de recommander avec insistance.

PRÉCONISER [prekɔnize] v. tr. — V. 1378, sens 2; *préconizer* «proclamer», 1321; bas lat. *præconizare* «publier», de *præco* «crieur public».

♦ **1.** Vx. Louer* publiquement et chaleureusement (quelqu'un ou quelque chose).

1 Un coiffeur, qui venait le coiffer à heure fixe (autre luxe de soixante francs par an!) le préconisait comme l'arbitre souverain en fait de modes et d'élégance.
BALZAC, Albert Savarus, Pl., t. I, p. 758.

♦ **2.** (1680). Relig. cathol. Proclamer, en consistoire l'aptitude à remplir les fonctions épiscopales de (un préfet désigné par un chef d'État). ⇒ **Préconisation.** *Préconiser un évêque.*

♦ **3.** (1660). Mod. Recommander* partout et avec insistance (une chose dont on célèbre* les mérites, dont on vante* la valeur, l'efficacité). ⇒ **Prôner.** *Préconiser une doctrine* (→ Enracinement, cit.), *une méthode* (→ Malthusianisme, cit. 1). *Diplomate qui préconise une alliance, une entente* (cit. 3). *L'Église préconise la pauvreté* (cit. 7).

2 (...) si les conclusions étaient saines, les arguments étaient presque partout violents et irritants, les moins faits pour attirer et affectionner les esprits à la cause qu'il préconisait. SAINTE-BEUVE, Causeries du lundi, 30 sept. 1850.

3 Ceux qui préconisent la solution militaire doivent savoir qu'il ne s'agit de rien ou d'une reconquête par les moyens de la guerre totale (...)
CAMUS, Actuelles III, Avant-propos, p. 25.

Préconiser un remède, en recommander vivement l'emploi (par métaphore → Dénoncer, cit. 8).

CONTR. Abaisser, blâmer, censurer, critiquer, dénigrer, dénoncer.
DÉR. Préconisateur, préconisation.

PRÉCONJUGAL, ALE, AUX [prekɔ̃ʒygal, o] adj. — 1968, *l'Express*; de *pré-,* et *conjugal.*

♦ Didact. Qui concerne la période avant le mariage. — *Rapports sexuels préconjugaux.*

PRÉCONSCIENT, ENTE [prekɔ̃sjɑ̃, ɑ̃t] adj. et n. m. — 1896, Ribot; de *pré-,* et *conscient.*
Didactique.

♦ **1.** Adj. Qui n'est pas encore conscient (⇒ **Subconscient**).

1 La première période est celle de la sensibilité protoplasmique, vitale, organique, préconsciente. Th. RIBOT, Psychologie des sentiments, p. 3.

2 Je ne me suis attaché à rien tant qu'à montrer quelles précautions et quelles ruses le désir, à la recherche de son objet, apporte à louvoyer dans les eaux pré-conscientes et, cet objet découvert, de quels moyens (...) il dispose pour le faire connaître par la conscience. A. BRETON, l'Amour fou, p. 37.

♦ **2.** N. m. Dans la première théorie freudienne, Système psychique séparé de l'inconscient par la censure.

3 La première conception freudienne de l'appareil psychique a été formulée nettement dans la *Science des rêves* (1900). En bref, elle distingue trois qualités ou manières d'être du psychique : le conscient, le préconscient, l'inconscient. Elle n'apporte rien d'essentiellement nouveau sur le conscient, dont elle souligne surtout qu'il n'est qu'une manière d'être du psychique. Le préconscient en est une première limitation; il s'agit de processus psychiques latents mais disponibles, c'est-à-dire pouvant être facilement appelés à la conscience, tels que la parole, les souvenirs, le savoir. Daniel LAGACHE, la Psychanalyse, 1955, p. 33-34.

PRÉCONTINENT [prekɔ̃tinɑ̃] n. m. — Mil. xxe (*in* Larousse 1968); de *pré-,* et *continent.*

♦ Sc. Zone des reliefs sous-marins (glacis, pente et plateau continental) bordant un continent.

PRÉCONTRAINDRE [prekɔ̃trɛ̃dr] v. tr. — Mil. xxe (*in* Larousse, 1963); de *pré-,* et *contraindre* (phys.).

♦ Techn. Soumettre (un matériau) à une précontrainte*.

PRÉCONTRAINT, AINTE [prekɔ̃trɛ̃, ɛ̃t] adj. et n. m. — 1928; de *pré-,* et *contraint,* p. p. de *contraindre.*

♦ Techn. Qui a subi une précontrainte initiale. *Béton armé précontraint. Poutres précontraintes servant d'ossature à un plancher.*

(...) c'est l'arrivée des techniciens coopérants, c'est la construction d'une usine, c'est la prolifération du béton précontraint (et post-contraignant), c'est la nouvelle colonisation. Michèle PERREIN, Entre chienne et louve, p. 158-159.

N. m. Béton précontraint. *Pont en précontraint.*

PRÉCONTRAINTE [prekɔ̃trɛ̃t] n. f. — 1928; de *pré-,* et *contrainte* (phys.).

♦ Techn. Méthode de mise en œuvre du béton qui a pour but d'éliminer tout effort de traction et, par conséquent, d'augmenter la résistance du matériau (⇒ **Précontraint**). *Le développement moderne de la précontrainte est dû à un ingénieur français, Freyssinet.*

PRÉCORDIAL, ALE, AUX [prekɔrdjal, o] adj. — V. 1363; lat. *præcordia* «diaphragme».

♦ Anat., méd. Qui a rapport à la région thoracique située au-devant du cœur, qui a son siège dans cette région. *Région précordiale. Les douleurs précordiales ne sont pas en rapport avec l'angine de poitrine, comme on le croit couramment.*

PRÉCORRECTION [prekɔrɛksjɔ̃] n. f. — xxe; de *pré-,* et *correction.*

♦ Techn. Correction effectuée en un point d'un système électroacoustique qui précède l'élément que l'on veut corriger.

PRÉCRITIQUE [prekritik] adj. — xxe; de *pré-,* et *critique.*

♦ **1.** Méd. Qui précède une crise.

♦ **2.** Didact. Qui précède la critique, une phase dite critique. *La période précritique de Kant,* avant la *Critique de la raison pure.*

PRÉCUIT, CUITE [prekɥi, kɥit] adj. — Mil. xxe; de *pré-,* et *cuit.*

♦ Préparé par une cuisson préalable (⇒ **Prébouilli**). *Les aliments précuits n'ont plus qu'à être réchauffés.*

PRÉCULTURAL, ALE, AUX [prekyltyral, o] adj. — Mil. xxe; de *pré-,* et *cultural.*

♦ Agric. Qui concerne la mise en état d'une terre destinée à être cultivée. *Travaux préculturaux* (défrichement, dérochement, nivellement).

PRÉCURSEUR [prekyrsœr] n. m. et adj. m. — 1415; lat. *præcursor* «éclaireur, avant-coureur», de *præcurrere* «courir *(currere)* en avant».

♦ **1.** N. m. *Précurseur de...* Celui qui annonce, prépare la venue de (un autre). *Saint Jean-Baptiste, précurseur du Christ,* et, absolt, *le précurseur.*
Personne dont la doctrine ou les œuvres ont frayé* la voie (à un grand homme, à un mouvement...) qu'elles ont précédé dans le temps ⇒ **Ancêtre, devancier.** *Statue d'un précurseur inconnu de Donatello* (→ Copier, cit. 7). *Le glorieux précurseur de Buffon, de Cuvier* (→ Inventeur, cit. 2, Balzac). *Les précurseurs du «Risorgimento» italien* (→ Faire, cit. 230). — Absolt. ⇒ **Initiateur** (→ Moment, cit. 30). *Être salué comme un précurseur* (→ Ésotérique, cit. 2).

(...) Sainte-Beuve (...) avait écrit, après le succès de *Notre-Dame de Paris,* que tout relevait désormais de Victor Hugo en poésie, au théâtre ou dans le roman. Vigny se sentait injurieusement relégué dans la dépendance et au second plan (...) le poète d'*Eloa* et le romancier de *Cinq-Mars* pouvait à bon droit se considérer comme le précurseur et l'initiateur (...) 1
Émile HENRIOT, les Romantiques, p. 77.

♦ **2.** (xviie). Littér. Ce qui précède et annonce quelque chose.

Le soleil a toujours l'aube pour précurseur (...) 2
HUGO, la Légende des siècles, IX, «L'an neuf de l'Hégire».

♦ **3.** Adj. m. (V. 1750). Qui annonce en précédant. ⇒ **Annonciateur, avant-coureur.** *Signes précurseurs de l'orage. Malaises précurseurs d'une maladie.* ⇒ **Prodrome.**

Après un éclair précurseur, un coup de tonnerre a retenti (...) 3
BAUDELAIRE, l'Art romantique, XXII, III.

♦ **4.** (Fin xviiie). Dont l'arrivée, la venue, précède celle d'autres. *«Les premiers vols de ramiers, précurseurs des palombes»* (F. Mauriac, *in* G.L.L.F.).

Milit. *Détachement précurseur,* qui précède une unité pour préparer son cantonnement.

Méd. ⇒ **Prodromique.**

♦ **5.** N. m. Biochim. Molécule organique simple participant à la synthèse des grosses molécules.

Nous admettons que les petites molécules organiques libres de la fraction acido-soluble (la première fraction obtenue après précipitation totale du broyat cellulaire et extraction par l'acide trichloracétique à froid), sont amenées, dans la cellule vivante, à participer à la synthèse des grosses molécules insolubles, un peu comme un stock de pièces détachées est employé pour l'assemblage d'appareils complexes. Elles portent le nom de *précurseurs.* On remarquera que le poids sec de la fraction acido-soluble ne représente que 2 à 5% du poids total, ce qui est peu pour un stock de pièces détachées. Ceci suppose que la cellule synthétise sans cesse les précurseurs des grosses molécules. Nous appelons *pool des précurseurs* les différents stocks de pièces détachées : pool des nucléotides, précurseurs des acides nucléiques, pool des acides aminés, précurseurs des protéines, etc. 4
M. DURAND et P. FAVARD, la Cellule, p. 83.

PRÉDATEUR, TRICE [pʀedatœʀ, tʀis] n. m. et adj. — 1547; lat. *prædator* « pillard »; de *præda* « proie ».

♦ **1.** Vx. Pillard, homme qui vit de rapines, de butin. — Myth. (Adj. ou appos.). *Jupiter prédateur,* l'un des noms de Jupiter, qui avait droit à une part des dépouilles.

♦ **2.** (1923). Mod. Zool. Se dit d'animaux qui se nourrissent de proies, et, par ext., de végétaux qui croissent aux dépens d'autres végétaux jusqu'à la destruction totale ou partielle de ces derniers (→ Parasite, cit. 8). — Adj. *Insectes prédateurs. Fourmis prédatrices. Espèces prédatrices.*

♦ **3.** Didact. Hominien, homme vivant de chasse et de cueillette. *Au Mésolithique, l'Homme passe du stade du prédateur à celui de l'économie.*

REM. La forme *prédatrice,* n. f., n'est pas signalée par les dictionnaires.

PRÉDATION [pʀedasjɔ̃] n. f. — Mil. XXe; lat. *prædatio,* et de *prédateur.*

♦ Didact. Activité des animaux (et en général des organismes) prédateurs*.

REM. On a employé *prédatisme* [pʀedatism] n. m. *Le « carnassier qui tue sa proie pour s'en repaître (prédatisme) » (Rev. gén. des sc.* 30 juil. 1903, p. 778).

Préhist. Stade de l'homme prédateur (3.).

PRÉDATOIRE [pʀedatwaʀ] adj. — Mil. XXe, P. Morand; lat. *prædatorius* « de pillard », de *prædator.* → Prédateur.

♦ Didact. ou littér. Du prédateur.

PRÉDÉCÉDER [pʀedesede] v. intr. — Conjug. *décéder* → Céder. — XVIe, au p. p. substantivé; de *pré-,* et *décéder.*

♦ Dr. Mourir avant (une autre personne). *Celui des conjoints qui prédécèdera... Legs du prédécédé aux survivants.*

DÉR. (Du même rad.) **Prédécès.**

PRÉDÉCÈS [pʀedesɛ] n. m. — 1690; de *pré-,* et *décès.*

♦ Dr. Décès d'une personne antérieur au décès d'une autre.

PRÉDÉCESSEUR [pʀedesesœʀ] n. m. — 1281; bas lat. *prædecessor,* de *præ,* et *decessor* « magistrat sortant », de *decessum,* supin de *decedere* « s'en aller ». → Décéder.

♦ **1.** Personne qui a précédé* qqn dans une fonction, une charge... ⇒ **Devancier** (→ Condamner, cit. 17; pied, cit. 34). *Ministre qui poursuit les réformes entreprises par son prédécesseur. Un artiste qui n'a eu ni prédécesseurs ni rivaux* (→ Exclusivement, cit. 2).

1 Pétion n'était guère moins que Bailly, son prédécesseur, majestueux, froid et vide, une cérémonie vivante. MICHELET, Hist. de la Révolution franç., VI, IX.

2 Presque tous les princes savent bien l'histoire de leurs prédécesseurs, alors même qu'ils profitent fort mal de leurs exemples.
MÉRIMÉE, Hist. du règne de Pierre le Grand, p. 136.

REM. L'absence de fém. (B. Constant, dans sa *Correspondance,* s'est risqué à « prédécessrice ») conduit à employer *un prédécesseur* en parlant d'une femme.

♦ **2.** Plur. Ceux qui ont précédé qqn. ⇒ **Ancêtre, précurseur.** *L'homme tire avantage de l'expérience* (cit. 33, Pascal) *de ses prédécesseurs. L'exemple de nos prédécesseurs* (→ Expérience, cit. 1).

♦ **3.** Math. ⇒ **Précédent.**

CONTR. Successeur.

PRÉDÉCOUPÉ, ÉE [pʀedekupe] adj. — 1966, *le Figaro;* de *pré-,* et *découpé.*

♦ Qui a été découpé avant d'être vendu pour être assemblé.

PRÉDÉLINQUANCE [pʀedelɛ̃kɑ̃s] n. f. — 1966, *le Figaro;* de *pré-,* et *délinquance.*

♦ État une personne (d'un adolescent, le plus souvent) dont les antécédents, le milieu, le comportement font craindre qu'elle ne tombe dans la délinquance*. *« Nous sommes en situation de prédélinquance, dit le maire adjoint (...) Il est urgent de faire quelque chose »* (*l'Express,* 24 oct. 1977).

DÉR. Prédélinquant.

PRÉDÉLINQUANT, ANTE [pʀedelɛ̃kɑ̃, ɑ̃t] n. — 1968, *le Nouvel Obs.;* de *prédélinquance.*

♦ Personne (adolescent le plus souvent), en état de prédélinquance. *De jeunes prédélinquants.*

PRÉDELLE [pʀedɛl] n. f. — XIXe, Gautier; ital. *predella.*

♦ Didact. (arts). Partie inférieure d'un tableau d'autel, généralement divisée en petits panneaux représentant une série de sujets. *La prédelle d'un retable.*

Ainsi un amateur d'art à qui on montre le volet d'un retable se rappelle dans quelle église, dans quels musées, dans quelle collection particulière les autres sont dispersés de même qu'en suivant les catalogues des ventes ou en fréquentant les antiquaires il finit par trouver l'objet jumeau de celui qu'il possède et fait avec lui la paire; il peut reconstituer dans sa tête la prédelle, l'autel tout entier.
PROUST, le Temps retrouvé, Pl., t. III, p. 973.

PRÉDEMANDE [pʀed(ə)mɑ̃d] n. f. — 1966, *le Monde;* de *pré-,* et *demande.*

♦ Admin. Demande préalable, exploratoire, précédant une demande officielle.

PRÉDESTINATION [pʀedɛstinasjɔ̃] n. f. — 1190; lat. *prædestinatio.*

♦ **1.** Didact. (théol.). Intention, dessein qui aurait animé Dieu quand il a, de toute éternité, déterminé le destin de l'humanité et l'avenir du monde (⇒ **Détermination, prédétermination**). *Le dogme de la prédestination absolue et de la fatalité* (cit. 3) *dans le mahométisme.*

Ô Dieu! que prépare ici votre éternelle Providence? Me permettrez-vous, ô Seigneur, d'envisager en tremblant vos saints et redoutables conseils? (...) réservez-vous dans les temps marqués par votre prédestination éternelle, de secrets retours à l'État et à la Maison d'Angleterre? 1
BOSSUET, Oraison funèbre de Henriette-Anne d'Angleterre.

Doctrine essentielle du calvinisme, selon laquelle Dieu aurait, par avance, élu certaines de ses créatures (⇒ **Prédestiner**) pour les conduire au salut par la seule force de sa grâce*, et voué les autres à la damnation éternelle, sans considération de leur foi ni de leurs œuvres. ⇒ **Prédestinianisme.** *Le jansénisme** (cit. 1) *a soutenu aussi la thèse de la prédestination. Les molinistes* ont tenté de concilier la prédestination avec le libre arbitre.*

(...) il s'agit des desseins de Dieu sur nous par rapport au salut, et de la manière dont nous y devons coopérer. C'est en cela même aussi que consiste le grand mystère de la prédestination. Mystère profond et adorable; mystère sur lequel on a formé et l'on forme encore dans le christianisme tant de questions (...) Le calvinisme (...) pour élever la prédestination de Dieu, anéantissant le libre arbitre de l'homme, humiliait l'homme en apparence, mais il lui ôtait en effet toute la pratique des bonnes œuvres. Que fait l'Église? (...) elle nous enseigne une voie qui nous maintient dans l'humilité chrétienne, sans préjudice de la ferveur (...) Et cette voie, c'est la doctrine que je vous prêche; savoir, que pour l'accomplissement de la prédestination de Dieu, nous devons coopérer et travailler avec Dieu. 2
BOURDALOUE, Carême, Sur la prédestination.

♦ **2.** (XVIe). Littér. Détermination préalable d'événements ayant un caractère de fatalité. Spécialt. Choix inéluctable qui semble vouer certains êtres à telle ou telle destinée* (⇒ **Vocation**).

(...) la nature a pour ainsi dire créé cette pauvre fille pour la douleur, comme elle a créé d'autres femmes pour le plaisir. En voyant de telles prédestinations, il est impossible de ne pas croire à une autre vie. 3
BALZAC, le Médecin de campagne, Pl., t. VIII, p. 409.

S'il est vrai qu'une sorte de prédestination domine toutes les circonstances d'une vie, cette prédestination ne saurait se trouver que dans notre caractère (...) 4
MAETERLINCK, Sagesse et Destinée, XIX.

PRÉDESTINÉ, ÉE [pʀedɛstine] adj. ⇒ **Prédestiner.**

PRÉDESTINER [pʀedɛstine] v. tr. — V. 1190; lat. ecclés. *prædestinare.*

♦ **1.** Didact. (relig.). Destiner*, de toute éternité et de manière inéluctable, à la damnation ou (absolt) au salut.

Et si ce corps avez prédestiné 1
À être un jour par flamme terminé,
Que ce ne soit au moins pour cause folle (...) Clément MAROT, Épîtres, XLIII.

P. p. adj. (V. 1190). *Prédestiné, ée :* que Dieu a choisi, élu pour être sauvé. ⇒ **Appeler** (p. p.). *Âmes prédestinées* (→ Attaque, cit. 4). — N. m. *Selon les Jansénistes* (cit. 1), *le Christ n'est mort que pour les Prédestinés.* — Rare. *Celui que Dieu a condamné d'avance* (→ ci-dessous, cit. 3, Maurois).

— (...) personne ne pourrait reconnaître en ces trappistes des êtres prédestinés vivant hors la société moderne, en plein moyen âge, dans la fiance absolue d'un Dieu. — (...) Tout est en dedans, dit l'oblat. Pourquoi les âmes élues seraient-elles écrouées dans des geôles charnelles différentes des autres? 2
HUYSMANS, En route, II, VII.

Il avait été obsédé depuis l'enfance par ce thème du Premier Prédestiné, de l'homme condamné par Dieu *avant* le crime. *Caïn* était un effort pour transposer sous forme de drame sa protestation passionnée contre l'existence du mal dans une création divine. 3
A. MAUROIS, la Vie de Byron, III, XXXI.

♦ **2.** (Mil. XVIe). Surtout au passif. Vouer* d'avance (cit. 14) à l'accomplissement de grandes choses ou, simplement, d'un destin particulier (en bonne ou mauvaise part). *Ses origines ne le prédestinaient pas à (jouer) un grand rôle dans l'État. Avec un nom pareil, il était prédestiné à gagner de l'argent* (→ Faire, cit. 28). *« Sa mauvaise étoile le prédestinait à se noyer »* (Littré). *Elle avait toujours été prédestinée à la mansuétude* (cit. 1, Hugo).

4 Il y a des destinées à secret ; moi, j'ai la clef de la mienne, et j'ouvre mon énigme. Je suis prédestiné ! j'ai une mission. HUGO, l'Homme qui rit, II, IX, II.

5 (...) il lui parlait la langue secrète, la langue natale de ceux qui sont prédestinés pour entretenir dans leur âme le feu des curiosités maudites (...)
M. BARRÈS, la Colline inspirée, XVIII.

Au p. p. adj. (1549, Calvin). *Croire chaque femme prédestinée à un homme* (→ Ineffaçable, cit. 5). — Adj. *Un être prédestiné,* voué à un destin exceptionnel. N. *Les grands prédestinés.*

6 Le vieil archevêque de Paris a remercié publiquement la Vierge d'avoir fait naître, le jour de l'Assomption, l'homme prédestiné.
Louis MADELIN, Hist. du Consulat et de l'Empire, l'Avènement de l' Empire, VII.

♦ **3.** Réserver, disposer par avance pour un usage, un emploi déterminé. *Climat, terrain qui prédestine une région à l'agriculture.*
Par métonymie. Décider*, fixer d'avance. P. p. adj. *Sort prédestiné.*

▶ **PRÉDESTINÉ, ÉE** p. p. adj.
Voir à l'article : cit. 2, 3 et *supra ;* 6 et *supra.*

PRÉDESTINIANISME [pʀedɛstinjanism] n. m. — 1752, Trévoux ; de *prédestinatien, ienne,* adj. (1704), lui-même de *prédestinat(ion)* et *-ien.*

♦ Théol. Doctrine selon laquelle Dieu a choisi certains hommes en qui se manifeste sa miséricorde, les autres étant soumis à sa sévérité. ⇒ **Prédestination** (spécialt).

PRÉDÉTERMINANT, ANTE [pʀedetɛʀminɑ̃, ɑ̃t] adj. et n. m. — 1752 ; de *prédéterminer.*

★ **I.** Adj. Théol. Qui prédétermine. *Grâce prédéterminante.*

★ **II.** N. m. (Mil. XXe). Ling. Élément qui précède le déterminant (et le nom), dans le syntagme nominal. (On dit aussi *préarticle*).

PRÉDÉTERMINATION [pʀedetɛʀminasjɔ̃] n. f. — 1636 ; de *prédéterminer.*

♦ **1.** Relig. Acte par lequel Dieu prédétermine la volonté humaine. ⇒ **Prédestination.** *Doctrine de la prédétermination,* selon laquelle toute détermination de l'être libre est soumise à une impulsion divine préalable.

♦ **2.** (XIXe). Philos. Détermination d'un fait, d'un acte par des causes antérieures au moment qui le précède immédiatement.

PRÉDÉTERMINER [pʀedetɛʀmine] v. tr. — 1530 ; lat. ecclés. *prædeterminare ;* de *præ,* et *determinare.* → Déterminer.

♦ **1.** Philos., psychol. Déterminer d'avance par des causes ou des raisons immédiatement antérieures à la décision, à l'acte.

♦ **2.** (XVIIe). Relig. *Dieu prédétermine la volonté humaine :* Dieu intervient de manière que l'homme se détermine* de tel ou tel côté sans rien perdre de sa liberté de décision.

▶ **PRÉDÉTERMINÉ, ÉE** p. p. adj. (Mil. XIXe, Proudhon).
Déterminé à l'avance ; déterminé par des causes antérieures et donc, inévitable, nécessaire. *Caractères prédéterminés par le patrimoine génétique.*
Techn. *Caractéristiques, force, intensité prédéterminée.* ⇒ **Préréglé.**

DÉR. Prédéterminant, prédétermination, prédéterminisme.

PRÉDÉTERMINISME [pʀedetɛʀminism] n. m. — Déb. XXe ; all. *Praedeterminism* (Kant) ; du rad. de *prédéterminer.*

♦ Hist. de la philos. Système où les événements sont considérés comme prévus par Dieu.

PRÉDICABLE [pʀedikabl] adj. et n. — 1503 ; lat. *prædicabilis, de prædicare* «proclamer, déclarer».

♦ Didact. Applicable (à un sujet). — N. (Mil. XVIe). *Les prédicables :* les classes de prédicats* des scolastiques (genre, espèce, différence, propre, accident).

PRÉDICAMENT [pʀedikamɑ̃] n. m. — V. 1220, repris au XIXe en philos. ; autres sens au XVIe ; lat. scolast. *prædicamentum,* du supin de *prædicare* → Prédicat.

♦ Philos. Syn. de *catégorie.*

PRÉDICANT [pʀedikɑ̃] n. m. — 1523 ; lat. *prædicans,* p. prés. de *prædicare* «prêcher», ou du v. *prédiquer* (vx) «prêcher».

♦ **1.** Vx. Celui qui prêche, qui fait des sermons. — Mod. Ministre du culte protestant dont la prédication est la fonction essentielle. → Bigotisme, cit. 1.

1 Votre immonde journal est une charretée
De masques déguisés en prédicants camus (...) HUGO, les Châtiments, IV, IV.

♦ **2.** Adj. (1883). Littér. (Par allus. au ton, à l'attitude des «prédicants»). Gourmé, revêche, empreint d'austérité et de solennité. ⇒ **Moralisateur, sermonneur.**

Il a cinquante ans, et du plomb dans l'aile ; ni si ingambe ni si désinvolte qu'autrefois, l'âge l'a rendu un peu grognon, un peu prédicant et farci d'idéologies. 2
Émile HENRIOT, la Rose de Bratislava, V.

PRÉDICAT [pʀedika] n. m. — 1370 ; lat. *prædicatum,* p.p. de *prædicare* «proclamer», spécialisé au moyen âge dans la langue didactique.

♦ **1.** Log. Second terme d'une énonciation où il est possible de distinguer ce dont on parle et ce qu'on en affirme ou nie ; attribut du sujet. *Chez Aristote, le prédicat de la proposition porte le nom de « catégorie* ».*

♦ **2.** Ling. Ce qui, dans un énoncé, est affirmé à propos d'un autre terme (sujet ou thème). Ex. : le cheval *(sujet)* galope *(prédicat). Le thème et le prédicat.* (⇒ **Rhème**).

(...) une phrase ne peut donc pas servir d'intégrant à un autre type d'unité. Cela tient avant tout au caractère distinctif entre tous, inhérent à la phrase, d'être un prédicat. Tous les autres caractères qu'on peut lui reconnaître viennent en second par rapport à celui-ci. Le nombre de signes entrant dans une phrase est indifférent : on sait qu'un seul signe suffit à constituer un prédicat. De même la présence d'un «sujet» auprès d'un prédicat n'est pas indispensable : le terme prédicatif de la proposition se suffit à lui-même puisqu'il est en réalité le déterminant du «sujet». La «syntaxe» de la proposition n'est que le code grammatical qui en organise l'arrangement. Les variétés d'intonation n'ont pas valeur universelle et restent d'appréciation subjective. Seul le caractère prédicatif de la proposition peut donc valoir comme critère. 1
É. BENVENISTE, Problèmes de linguistique générale, t. I, p. 128 (Cf. aussi Phrase, cit. 8.1.).

Fonction propositionnelle*. *Le calcul des prédicats est un outil d'analyse sémantique.*

♦ **3.** Gramm. [a] Attribut (d'un sujet).

Attribut est le mot généralement employé par nos grammairiens ; d'autres disent : *prédicat.* Peut-être serait-il plus conforme à l'étymologie (lat. *praedicatum* = chose déclarée avec force) de réserver ce nom à un certain genre d'attribut, à celui qui se présente (...) sous une forme particulièrement appuyée. 2
G. et R. LE BIDOIS, Syntaxe du franç. moderne, § 661.

[b] (En gramm. structurale ou générative ; angl. *predicate).* Le syntagme verbal (par rapport au syntagme nominal sujet).

DÉR. Prédicatif. — V. 2. **Prédication.**

PRÉDICATEUR [pʀedikatœʀ] n. m. — 1239 ; du lat. ecclés. *prædicator, de prædicare* «prêcher».

♦ **1.** Celui qui prêche (⇒ **Prêcheur**), qui prononce un sermon. *Prédicateur qui monte en chaire*.*

«Le Royaume des Cieux, commença le prédicateur, le royaume des Cieux...» Il s'appuya des mains au rebord large de la chaire (...) se pencha sur la foule. 1
SAINT-EXUPÉRY, Courrier Sud, p. 128.

Ecclésiastique qui a pour fonction habituelle de prononcer des sermons. ⇒ **Orateur** (sacré, de la chaire). *L'éloquence des grands prédicateurs du XVIIe siècle* (Bossuet, Bourdaloue, Massillon...). *« La tonnante parole des prédicateurs »* (→ Piège, cit. 5, Balzac). *Un prédicateur apostolique, ministre* (cit. 1, Bossuet) *de l'esprit de l'Évangile.*

Les prédicateurs sont suivis, parce qu'on observe les pratiques de religion ; mais ils n'attirent point par leur éloquence (...) 2
Mme DE STAËL, De l'Allemagne, I, VI.

REM. Le fém. *prédicatrice* est virtuel.

♦ **2.** (1679). Rare. Celui qui prêche, tente de propager une religion, une doctrine, une méthode... ⇒ **Apôtre, prêcheur.** *Les prédicateurs du réalisme politique* (→ Condamner, cit. 13).

CONTR. Auditeur.

PRÉDICATIF, IVE [pʀedikatif, iv] adj. — 1842, *proposition prédicative ;* «qui affirme», 1466 ; de *prédicat.*
Didactique.

♦ **1.** Qui affirme un prédicat d'un sujet. *Proposition prédicative.* ⇒ **Attributif.** — Du, de prédicat. *Fonction prédicative.*

♦ **2.** Gramm. [a] *Phrase prédicative,* qui ne comporte qu'un prédicat. — *Emploi prédicatif du v. être,* introduisant un attribut du sujet.

[b] (En gramm. structurale et générative). *Syntagme prédicatif :* syntagme verbal constituant le prédicat.

♦ **3.** Épistém. Qui affirme d'une façon absolue et définitive. ⇒ **Apodictique, catégorique.** *Connaissance, discipline, procédure prédicative.*

COMP. Antéprédicatif.

1. PRÉDICATION [pʀedikasjɔ̃] n. f. — V. 1120 ; du lat. ecclés. *prædicatio, de prædicare* «prêcher».

♦ **1.** *(La prédication).* Action de prêcher* ; son résultat. *La prédication des apôtres* (→ Attester, cit. 1). *La prédication de l'Évangile* (→ Face, cit. 40). *La libre prédication de la parole de Dieu*

(→ Hussite, cit.). *Art de la prédication évangélique.* ⇒ **Homilétique.** *Convertir des hérétiques* (cit. 7, par métaphore) *par la prédication. Prédication de saint Étienne à Jérusalem,* tableau de Carpaccio. *Prédication de saint Paul à Éphèse,* tableau de Le Sueur. — Par ext. Toute propagande par le discours.

1 Il faut méditer sur la prodigieuse ambition du marxisme, évaluer sa prédication démesurée, pour comprendre qu'une telle espérance force à négliger des problèmes qui apparaissent alors comme secondaires.
CAMUS, l'Homme révolté, p. 257.

♦ **2.** Littér. *(Une, des prédications).* ⇒ **Homélie, sermon.** *Prônes et prédications* (→ Mandement, cit. 2). *Suivre les prédications de l'Avent à Notre-Dame. Prédications des Pères de la Mission* pour la propagation de la foi*.*

2 (...) aimons Paul dans son style rude et profitons d'un si grand exemple. Ne regardons pas les prédications comme un divertissement de l'esprit ; n'exigeons pas des prédicateurs les agréments de la rhétorique, mais la doctrine des Écritures.
BOSSUET, Panégyrique de saint Paul, I.

3 Ses prédications *(de saint Bernard)* étaient terribles : les mères en éloignaient leurs fils, les femmes leurs maris, ils l'auraient tous suivi aux monastères.
MICHELET, Hist. de France, IV, IV.

Littér. Discours en forme d'exhortation morale (souvent péj. ou ironique).

HOM. 2. **Prédication.**

2. PRÉDICATION [pʀedikasjɔ̃] n. f. — Mil. XXe ; de *prédiquer,* ou de *prédicat.*

Didactique.

♦ **1.** (Philos., log.). Action d'affirmer (⇒ **Attribution**) ou de nier un prédicat d'un sujet.

♦ **2.** Ling. Formation du prédicat. *Modalités* (mode, ou modus) *de la prédication :* affirmation, interrogation, exclamation...

HOM. 1. **Prédication.**

PRÉDICTIF, IVE [pʀediktif, iv] adj. — XXe ; angl. *predictive.*

Sciences.

♦ **1.** Qui permet de prévoir autre chose. *Valeur prédictive d'une série d'observations.*

♦ **2.** (1972). Se dit d'un modèle mathématique utilisé pour décrire l'évolution d'une population animale ou d'un érosystème.

PRÉDICTION [pʀediksjɔ̃] n. f. — 1549 ; du lat. *prædictio.* → Prédire.

♦ **1.** *La prédiction (de qqch. par qqn).* Action de prédire ; paroles par lesquelles on prédit (qqch.). *Faire des prédictions* (→ Métoposcopie, cit.) *en lisant* (cit. 25) *dans les cartes. Prédictions de la sibylle, des visionnaires.* ⇒ **Divination, vaticination.** *Prédictions des prophètes.* ⇒ **Prophétie.** — *Prédiction de l'avenir* par les tarots, le marc de café, les boules de cristal...* ⇒ **-ancie.**

1 De toutes les prédictions du temps passé, les plus anciennes et plus certaines étaient celles qui se tiraient du vol des oiseaux. MONTAIGNE, Essais, II, XII.

2 Le mot triste et doux de Virgile : « Ô heureux l'homme des champs, s'il connaissait son bonheur ! », est un regret ; mais, comme tous les regrets, c'est aussi une prédiction. Un jour viendra où le laboureur pourra être aussi un artiste, sinon pour exprimer (...) du moins pour sentir le beau.
G. SAND, la Mare au diable, II.

3 Un vent aigre gémissait dans les branches. La vieille Irfané, une de nos esclaves un peu sorcière qui lit dans le marc de café, avait prétendu que ce jour était favorable pour des prédictions sur notre destinée.
LOTI, les Désenchantées, IV, XXIV.

♦ **2.** Par métonymie. *(Une, des prédictions).* Ce qui est prédit. *Voir s'accomplir, se réaliser, réussir une prédiction* (→ Astrologie, cit. 3). *Événements qui vérifient une prédiction.* ⇒ **Destin.** *Les prédictions d'un horoscope*, d'un astrologue* (→ Alchimiste, cit. 1). *Accepter* (cit. 6) *aveuglément les prédictions des charlatans* (⇒ **Annonce**). *Expériences qui démentent les prédictions* (→ Illusoire, cit. 1). — *Je veux bien croire à votre prédiction.* ⇒ 2. **Augure** (en accepter l').

4 Il arrive toutes sortes d'événements dans ce monde ; de là des rencontres qui ébranleront le plus ferme jugement. Vous riez d'une prédiction sinistre et invraisemblable ; vous rirez moins si cette prédiction s'accomplit en partie ; le plus courageux des hommes attendra alors la suite (...)
ALAIN, Propos, 14 avr. 1908, Prédictions.

5 On peut dire de Marx que la plupart de ses prédictions se sont heurtées aux faits dans le même temps où sa prophétie a été l'objet d'une foi accrue. La raison en est simple : les prédictions étaient à court terme et ont pu être contrôlées (...) Quand les prédictions s'effondraient, la prophétie restait le seul espoir.
CAMUS, l'Homme révolté, p. 234.

♦ **3.** Vx. Conjecture* appuyée sur le calcul, le raisonnement. ⇒ **Prévision.** *Les prédictions des almanachs.*

PRÉDIGÉRÉ, ÉE [pʀediʒeʀe] adj. — V. 1950 ; de *pré-,* et *digérer.*

♦ **1.** Techn., comm. Qui a été soumis à une digestion chimique préalable, plus ou moins complète. *Lait prédigéré pour nourrissons prématurés. Aliments prédigérés pour grands dyspeptiques.*

♦ **2.** Fig., fam. Se dit d'une publication dont on a simplifié, condensé le contenu. ⇒ **Digest.**

PRÉDIGESTION [pʀediʒɛstjɔ̃] n. f. — 1809 ; de *pré-,* et *digestion.*

♦ **1.** Processus physiologiques préparant la digestion.

♦ **2.** (Mil. XXe). Méd. Transformation (d'aliments) destinée à diminuer le travail de la digestion (par un malade).

♦ **3.** (Mil. XXe). Physiol. Digestion externe par des sucs digestifs (avant l'ingestion : animaux, plantes insectivores).

PRÉDILECTION [pʀedilɛksjɔ̃] n. f. — V. 1460 ; de *pré-,* et *dilection.*

♦ **1.** Préférence* marquée (pour qqn ou qqch.). *La prédilection de qqn pour qqn. Prédilection d'une mère pour un de ses enfants, pour un fils bien-aimé** (→ Cadet, cit. 2 ; jalousie, cit. 4). *Hanter* (cit. 2) *un lieu avec prédilection, par prédilection,* de préférence à tout autre endroit. — *Témoigner ouvertement sa vive prédilection pour qqn.* ⇒ **Affection, faible** (avoir un faible). → Dire, cit. 54. *Prédilection du public pour une vedette de l'écran* (⇒ **Faveur**). *Se sentir une secrète prédilection pour...* ⇒ **Faiblesse** (cit. 43 ; → Fronder, cit. 6). *Avoir une prédilection pour les jeunes femmes simples et laborieuses.* ⇒ **Goût** (→ Misogyne, cit.).

Le critique-poète *(Chateaubriand)* termine par une de ces perspectives de l'infini, comme il les aime. Tout mis en balance, on croit sentir sa prédilection de cœur pour Virgile. SAINTE-BEUVE, Chateaubriand..., p. 261. 1

(...) cette prédilection des hommes pour les femmes qui, avant de les connaître, ont commis des fautes, pour ces femmes qu'ils sentent enlisées dans le danger et qu'il leur faut, pendant toute la durée de leur amour, reconquérir (...) 2
PROUST, À la recherche du temps perdu, t. III, p. 414.

(...) il me témoignait une sorte de prédilection, à laquelle j'étais sensible (...) 3
GIDE, les Faux-monnayeurs, II, IV, p. 255.

(...) il s'appelle Châteaubriant. C'est un surnom flatteur : il le doit à une vive et persévérante prédilection pour le bifteck aux pommes. 4
G. DUHAMEL, Salavin, III, III.

♦ **2.** (XIXe). *Une, des prédilections.* Activité, occupation favorite.

♦ **3.** (XVIe). **DE PRÉDILECTION.** ⇒ **Favori, préférer** (p. p.). *Maître qui s'entretient avec son disciple de prédilection. Sa lecture de prédilection :* son livre de chevet*. *Son menu, son dîner de prédilection* (→ Frugal, cit. 5).

Le lieu natal de ma pauvre Maman avait encore pour moi un attrait de prédilection. ROUSSEAU, les Confessions, IX. 5

Spécialt. Privilégié de Dieu. *Âmes de prédilection.*

CONTR. Animosité, antipathie, aversion.
DÉR. Prédilectionner.

PRÉDILECTIONNER [pʀedilɛksjɔne] v. tr. — 1774 ; de *prédilection.*

♦ Littér. Préférer ouvertement. ⇒ **Affectionner, goûter, préférer** (cit. Gide, *in* G. L. L. F).

PRÉDIQUER [pʀedike] v. tr. — Mil. XXe ; adapt. lat. *prædicare,* avec infl. de l'angl. *to predicate* (1552 ; sens log. mil. XIXe).

♦ **1.** Log. Fournir un prédicat à (un sujet, un thème).

♦ **2.** Ling. Donner un prédicat à (un sujet).

PRÉDIRE [pʀediʀ] v. tr. — Conjug. *dire,* sauf à la deuxième pers. du pluriel du présent et de l'impér. : *vous prédisez ; prédisez.* — 1258 ; de *dire,* d'après le lat. *prædicere,* de *præ,* et *dicere* « dire ».

♦ **1.** Dire (l'avenir), annoncer* comme devant être ou se produire (un événement qui n'a pas une forte probabilité). ⇒ **Prédiction.** *Prédire l'avenir, prédire qqch.* ⇒ **Dévoiler, vaticiner.** *Les prophètes prédirent la venue du Messie* (cit. 2). *Prédire par inspiration* (⇒ **Augurer, prophétiser ; divination ; devin, prophète, sibylle**), *par observation de signes.* ⇒ **Mantique ; astrologie** (cit. 2), **cartomancie, chiromancie ; dire** (la bonne aventure), **lire** (dans les lignes de la main), **tirer** (les cartes) ; **aruspice, astrologue** (cit. 5), **cartomancienne, diseuse** (de bonne aventure). *Prédire que...* (suivi de l'indic.). *Ils me prédirent que je mourrais à trente-deux ans* (→ Humblement, cit. 4). *Prédire que la fin du monde aura lieu en telle année.* — Par ext. *Signe qui prédit qqch.* ⇒ **Présage.**

Dès longtemps les écrits des antiques Prophètes, 1
Les songes menaçants, les hideuses comètes,
Avaient assez prédit que l'an soixante et deux
Rendrait de tous côtés les Français malheureux (...)
RONSARD, Disc. des misères de ce temps, Disc. à la Reine mère.

Il a prédit fort exactement le jour et l'heure de sa mort. 2
BALZAC, Séraphîta, Pl., t. X, p. 501.

Gonin annonça qu'il avait en outre le talent de prédire l'avenir par la cartoman- 3

cie, la chiromancie, et les nombres pythagoriques; ce qui ne pouvait se payer, mais qu'il ferait pour un sol, dans la seule vue d'obliger.
NERVAL, Contes et Facéties, « La main enchantée », V.

♦ **2.** (1529). Annoncer (une chose probable) comme devant se produire, par conjecture*, raisonnement, intuition, prémonition, etc. *On lui prédisait le plus brillant avenir* (1. Avenir, cit. 26). *Il ira loin* (cit. 8), *je vous le prédis. Prédire la victoire d'un sportif.* ⇒ **Pronostiquer.** *Prédire et parier* (cit. 2). *Je vous l'avais prédit!*
Prédire que... (suivi de l'indic.). → Arriver, cit. 61; oui, cit. 8. *Je prédis que la timide écolière prendra bientôt son essor* (cit. 5). ⇒ **Augurer, deviner.** *Je vous prédis qu'il va réussir.*

4 Il la jugea gentille, et surtout pleine de promesses, car il avait tant conduit de cotillons qu'il s'y connaissait en jeunes filles et pouvait prédire presque à coup sûr l'avenir de leur beauté, comme un expert qui goûte un vin trop vert.
MAUPASSANT, Fort comme la mort, I, II.

5 Pour prédire la guerre, ou la révolution, les prophètes de malheur n'ont jamais manqué (...) MARTIN DU GARD, les Thibault, t. V, p. 182.

(Suj. n. de chose). *Son excitation nous prédit une grande nouvelle.*

♦ **3.** (1690). Vx. Prévoir (par observation et calcul). *Prédire une éclipse* (→ Gourmet, cit. 3; intelligence, cit. 4).

REM. L'adj. dérivé de prédire signifiant « qui peut être prédit » manque en franç. : on a formé en sc. les dér. *prédicible* (1933, J. Rostand), *prédictible* et *prédisible. Prévisible**, en général conviendrait. Le subst. dér. est attesté sous la forme *predictabilité*, empr. à l'angl. *predictability* (1858), de l'adj. *predictable*; on préfèrera *prévisibilité**.

PRÉDISPOSER [pʀedispoze] v. tr. — Fin XVIIIe; au p. p., XVe; comp. de *pré-*, et *disposer.*

♦ **1.** Disposer d'avance (qqn; qqch.), mettre dans une disposition favorable. ⇒ **Incliner, préparer.** — *L'habitude de la musique* (cit. 10) *et de sa rêverie prédispose à l'amour. Son atavisme* (cit. 2) *protestant la prédisposait à cette idée.* — **PRÉDISPOSER (QQN) À** (et inf.). *L'irritabilité* (cit. 2) *nerveuse où je me trouvais me prédisposait à souffrir sans motif.*

1 Assurément ce que j'avais entendu n'était pas de nature à me prédisposer à la tendresse et à la volupté : j'avais les hommes en horreur.
Th. GAUTIER, Mlle de Maupin, X.

PRÉDISPOSÉ À... p. p. ⇒ **Enclin.**

2 Je crois que l'on naît prédisposé à la foi ou au doute; et que tous les raisonnements ne peuvent pas grand'chose, ni pour, ni contre (...)
MARTIN DU GARD, Jean Barois, La chaîne, IV.

PRÉDISPOSANT (À)... p. prés. adj. *« Tout ce qui peut faire fléchir la résistance cérébrale chez un sujet jeune ou adulte (...) peut intervenir comme cause prédisposante à l'éclosion ultérieure de troubles mentaux »* (Porot, *Manuel de psychiatrie*, p. 331). — Absolt. *Causes « prédisposantes et favorisantes » (Ibid.).*

♦ **2.** Mettre d'avance (qqn) dans certaines dispositions ⇒ **Influencer.** *Placés dans un milieu intellectuel qui les prédispose d'une manière favorable* (→ Perspicace, cit.).

3 Œuvres et gens, nous jugeons tout d'après un certain biais, et le jugement d'autrui nous prédispose. Tel livre nous paraît d'autant moins bon que nous l'avons entendu louer à l'excès, ou d'autant meilleur que tel critique l'a dénigré.
GIDE, Journal, 6 févr. 1929.

DÉR. Prédisposition.

PRÉDISPOSITION [pʀedispozisjɔ̃] n. f. — Fin XVIIIe; de *prédisposer*, d'après *disposition.*

♦ **1.** Tendance naturelle (de qqn) à (un type d'activités). ⇒ **Aptitude, inclination.** *La prédisposition de qqn à, pour... Prédisposition pour la musique, à faire de la musique. Avoir des prédispositions artistiques.* ⇒ **Penchant, goût.**

1 Pourtant, d'autres hommes très corrompus du siècle ne furent point cruels quand l'heure sanglante fut venue : il y en eut même, comme Louvet, qui eurent de beaux élans d'humanité. Il fallait donc qu'il y eût chez Saint-Just, indépendamment de ce fonds de volupté sombre, une prédisposition instinctive à la cruauté.
SAINTE-BEUVE, Causeries du lundi, 26 janv. 1852.

1.1 Dans le cas de Marchenoir, ce très simple phénomène se compliquait de prédispositions passionnelles à faire sombrer quarante volontés du plus haut bord. Tout à coup, une furie de concupiscence sauta sur lui, comme eût fait un tigre.
Léon BLOY, le Désespéré, p. 231.

♦ **2.** (1834). État, physique ou mental, particulier à un sujet, qui le rend davantage apte à contracter certaines maladies. *Prédisposition constitutionnelle, innée, héréditaire* (→ Terrain* favorable). ⇒ **Propension.** *Prédispositions acquises. Une légère prédisposition à l'obésité. Prédisposition à un type particulier de psychose.*

2 Tu avais hérité de ta mère une prédisposition à être malade comme elle. Une prédisposition, tu comprends? rien de plus. C'est-à-dire que, si tu te trouvais dans certaines conditions défavorables, le même mal pouvait s'attaquer à toi.
MARTIN DU GARD, Jean Barois, Goût de vivre, II.

PRÉDISTORSION [pʀedistɔʀsjɔ̃] n. f. — Mil. XXe (*in* Larousse 1963); de *pré-*, et *distorsion.*

♦ Électron. Signal injecté à l'origine d'une transmission en vue d'atténuer l'altération du signal transmis.

PRÉDOMINANCE [pʀedɔminɑ̃s] n. f. — 1595; de *prédominant.*

♦ Caractère prédominant, état de ce qui prédomine, a la première place. *Prédominance d'un pays, d'un groupe social.* ⇒ **Prépondérance, supériorité.** *Une toile très colorée, avec prédominance du bleu. Énumérer* (cit. 2) *des mobiles en ne donnant la prédominance à aucun.* ⇒ **Primauté.**

Race évidemment mélangée, avec prédominance d'éléments méridionaux (brun aux yeux noirs). J. ROMAINS, le Dieu des corps, II.

PRÉDOMINANT, ANTE [pʀedɔminɑ̃, ɑ̃t] adj. — V. 1370; p. prés. de *prédominer.*

♦ Qui prédomine. ⇒ **Principal, primordial.** *Mon souci prédominant est de trouver du travail.* ⇒ **Dominant, majeur, premier.** *« La peinture offre aussi, suivant l'époque, et la race et le peintre, des tendances prédominantes »* (Élie Faure, *Histoire de l'Art*).

(1662). Astrol. *Astre prédominant* : astre qui déterminerait les événements ou les conduites de la vie.

DÉR. Prédominance.

PRÉDOMINER [pʀedɔmine] v. intr. — XVe, « exercer une forte influence »; de *pré-*, et *dominer.*

♦ **1.** (Choses). Être le plus important, avoir l'avantage. *Ce qui prédomine dans son œuvre, c'est...* (→ Glorification, cit. 1). *Entre ces deux mesures, la justice et la charité veulent que la première prédomine.* ⇒ **Emporter** (l'), **prévaloir, primer** (→ Nuisible, cit. 2). *Faire, laisser prédominer...* (→ Essentiel, cit. 10; gris, cit. 20). *Principe qui a prédominé à une époque* (→ Immigration, cit. 2). ⇒ **Régner.** *« L'ambition a toujours prédominé sur ses autres passions »* (Académie).

(...) cette discipline qu'on exerce sur soi-même et qui fait prédominer la volonté sur les autres facultés (...) 1
FUSTEL DE COULANGES, Leçons à l'Impératrice, p. 122.

Nous lui donnerons toutes ces perfections corporelles, sans faire prédominer l'une au détriment de l'autre (...) TAINE, Philosophie de l'art, t. II, p. 300. 2

♦ **2.** (1690). Être en plus grande quantité. ⇒ **Dominer.**

♦ **3.** V. tr. (1828). Rare. L'emporter sur (qqch.). *La recherche d'un logement prédomine ses autres activités.*

DÉR. Prédominance, prédominant.

PRÉDORSAL, ALE, AUX [pʀedɔʀsal, o] adj. — 1869, Littré; de *pré-*, et *dorsal.*

♦ Qui concerne la partie antérieure et supérieure (dos) de la langue. — Phonét. *Consonne prédorsale.*

PRÉDYNASTIQUE [pʀedinastik] adj. — Déb. XXe; de *pré-*, et *dynastique.*

♦ Hist. Antérieur aux civilisations des dynasties égyptiennes.

On nomme époque *prédynastique* le laps de temps qui s'est écoulé avant le début de la période historique, pendant lequel toute la civilisation qui se révèle à ce moment s'est lentement constituée. 1
G. CONTENAU et V. CHAPOT, l'Art antique, p. 8.

C'est encore l'odeur égyptienne du sable, c'est déjà l'odeur assyrienne du sang. Les figurines prédynastiques à tête de serpent viennent de ténèbres plus menaçantes que les monstres lisses de l'Égypte. 2
MALRAUX, la Métamorphose des dieux, p. 10.

PRÉE [pʀe] n. f. — 1080, *Chanson de Roland*; fém. de *pré.*

♦ Vx ou archaïsme littér.
Étendue de prés (Chateaubriand, A. Theuriet *in* G. L. L. F.).

PRÉÉLECTORAL, ALE, AUX [pʀeelɛktɔʀal, o] adj. — 1957; de *pré-*, et *électoral.*

♦ Qui précède des élections. *Le climat préélectoral. « Ceux qui nous font les courbettes habituelles en cette période préélectorale »* (*Charlie Hebdo*, 12 janv. 78). — On écrit souvent *pré-électoral. Les promesses pré-électorales sont rarement tenues.*

Que les milieux parlementaires français aient fort mal pris la politique pré-électorale de M. Dulles et la dérobade anglaise (...) cela est dans l'ordre.
F. MAURIAC, Bloc-notes 1952-1957, p. 270.

PRÉEMBALLÉ, ÉE [pʀeɑ̃bale] adj. — 1966, *le Monde*; de *pré-*, et *emballé*, p. p. de *emballer.*

♦ Se dit d'une marchandise, d'un produit alimentaire, présenté sous emballage. *Acheter de la viande préemballée.* — REM. On trouve aussi *pré-emballeuse*, n. f. (*France-Soir*, 30 mars 1982, p. 12).

Par métaphore. *« Les hommes politiques veulent avoir le temps de débiter leur message préemballé, tout préparé »* (*le Nouvel Obs.*, 2 mars 1981, p. 59).

PRÉÉMINENCE [pʀeeminɑ̃s] n. f. — 1373 ; du bas lat. *præminentia.* → Éminence.

♦ **1.** Vx. Dignité, privilège du rang. *On leur donna ces titres pour prééminence, pour les distinguer de ceux qui servaient sous eux* (→ Grand, cit. 41).

♦ **2.** (Mil. XVIIe). Mod. (Littér.). Supériorité* absolue de ce qui est au premier rang, au premier plan ; première place. *Les nations se disputent la prééminence.* ⇒ **Suprématie** (→ Concurrence, cit. 5). *La prééminence de l'état militaire* (→ Obéissance, cit. 3). ⇒ **Primauté.** *Chef qui a acquis la prééminence dans une tribu.* ⇒ **Autorité** (→ Inca, cit. 2). *Avoir la prééminence.* ⇒ **Précéder.**

« Le cœur humain *(écrivait Chateaubriand)* a en soi-même un élan vers une beauté inconnue, pour laquelle il fut créé dans son origine ». Il en concluait à la prééminence poétique du christianisme (...)
SAINTE-BEUVE, Chateaubriand..., t. II, p. 2.

Donner la prééminence à (qqch.), placer au-dessus.

♦ **3.** (Av. 1662). Mérite supérieur. *La prééminence de la poésie.* ⇒ **Excellence, primauté.**

CONTR. Infériorité.

PRÉÉMINENT, ENTE [pʀeeminɑ̃, ɑ̃t] adj. — V. 1453 ; du lat. *præminens.*

♦ Littér. Qui a la prééminence. ⇒ **Supérieur.** *Rang prééminent.* ⇒ **Prédominant, prépondérant.** *Vertu prééminente.* ⇒ **Majeur, premier.**

CONTR. Inférieur.

PRÉEMPLOI [pʀeɑ̃plwa] n. m. — Mil. XXe ; de *pré-,* et *emploi.*

♦ Admin. Emploi préalable et momentané. *« Un stage de préemploi payé par l'État » (le Nouvel Obs.,* 2 mars 1981, p. 29).

PRÉEMPTER [pʀeɑ̃pte] v. tr. — 1836 ; de *pré-,* et lat. *emptum,* supin de *emere* « acheter ».

♦ Rare. Faire jouer un droit de préemption pour acquérir (qqch.). *Préempter une œuvre d'art.*

PRÉEMPTIF, IVE [pʀeɑ̃ptif, iv] adj. — 1877 ; de *préemption.*

♦ Rare. De la préemption.

PRÉEMPTION [pʀeɑ̃psjɔ̃] n. f. — XVIe, repris de *pré-,* lat. *præ-,* et lat. *emptio* « achat ».

♦ Dr. Action d'acheter avant un autre. *Droit de préemption :* priorité dont jouit un acheteur, soit par la loi, soit par convention des parties. *Avoir un droit de préemption sur un terrain, sur les actions d'une société.*

1 1963 : à présent, Robert a quitté le Moulin. Il avait un bail avec Marie qui a vendu la ferme à un gros propriétaire, injustement, car Robert avait un droit de préemption, puisqu'il exploitait les terres. IONESCO, Journal en miettes, p. 18.

Droit de préemption des musées nationaux *(dans les ventes aux enchères).*

2 Désormais, l'agriculteur qui exploite une terre louée est assuré d'y demeurer aussi longtemps qu'il le voudra, pourvu qu'il remplisse les conditions de son bail. En outre, il a, sur cette terre, un droit de préemption, s'il arrive qu'elle soit mise en vente. Ch. DE GAULLE, Mémoires de guerre, t. III, p. 97.

Spécialt, dr. fisc. « Droit reconnu à la douane, dans certains cas, d'acheter comptant, au prix déclaré, une marchandise que son importateur aurait déclarée pour une valeur trop faible » (Capitant).

DÉR. Préemptif.

PRÉENCOLLÉ, ÉE [pʀeɑ̃kɔle] adj. — 1971, *Elle ;* de *pré-,* et *encoller.*

♦ Techn. Se dit d'un matériau enduit sur son envers d'un produit que l'eau transforme en colle. *Du papier peint préencollé.*

PRÉENQUÊTE [pʀeɑ̃kɛt] n. f. — V. 1970 ; de *pré-,* et *enquête.*

♦ Publicité. Test préalable d'un film publicitaire auprès des clients concernés, précédant le stade de la fabrication.

PRÉENREGISTRÉ, ÉE [pʀeɑ̃ʀʒistʀe] adj. — 1969, *le Monde ;* de *pré-,* et *enregistrer.*
Technique et courant.

♦ **1.** Se dit d'une émission de radio ou de télévision enregistrée à l'avance pour être diffusée en différé.

♦ **2.** Se dit de bandes magnétiques, de cartouches ou de cassettes porteuses de sons déjà enregistrés, et destinées ou non à recevoir une surimpression.

PRÉENREGISTREMENT [pʀeɑ̃ʀʒistʀəmɑ̃] n. m. — 1946, Cohen-Séat ; de *pré-,* et *enregistrement.*
Technique et courant.

♦ **1.** Action d'enregistrer à l'avance une émission de radio ou de télévision qui sera diffusée en différé.

♦ **2.** Action ou manière d'enregistrer à l'avance (des informations, signaux et phénomènes divers) sur une bande magnétique, une cartouche ou une cassette destinée à la vente.

PRÉÉTABLIR [pʀeetabliʀ] v. tr. — 1609 ; de *pré-,* et *établir.*

♦ Rare. Établir d'avance (une chose abstraite).

▶ **PRÉÉTABLI, IE** p. p. adj.
Établi à l'avance, une fois pour toutes. *Réaliser un plan préétabli* (→ Manifester, cit. 8). — (1710, Leibniz). Philos. *L'harmonie préétablie de Leibniz.* ⇒ **Harmonie** (cit. 41).

PRÉEXCELLENCE [pʀeɛkselɑ̃s] n. f. — 1839 ; de *pré-,* et *excellence.*

♦ Littér. Primauté de ce qui est excellent. ⇒ **Précellence.**

Ce n'est qu'une fois à bord que nous nous sommes rendu compte de la préexcellence curative de l'Angleterre, de son climat émollient, de son ambiance d'innocence (...) B. CENDRARS, Moravagine, Œ. compl., t. IV, p. 179.

PRÉEXILIEN, IENNE [pʀeɛgziljɛ̃, jɛn] adj. — Mil. XXe ; de *pré-,* et *exil,* suff. *-ien.*

♦ Hist. Antérieur à l'Exil (du peuple hébreu à Babylone).

PRÉEXISTANT, ANTE [pʀeɛgzistɑ̃, ɑ̃t] adj. — XVe ; de *pré-exister.*

♦ Littér. Qui existe avant, qui existait déjà. ⇒ **Antécédent.** *Matière préexistante* (→ Forme, cit. 77). *Richesse produite par une richesse préexistante* (→ Capital, cit. 3). *Éléments préexistants qui servent à composer la musique* (cit. 18) *concrète. Les institutions préexistantes.*

Ce passé, dont moi, le rêveur, j'étais constamment conscient, n'a joué au cours du rêve aucun rôle : il était seulement *préexistant* à ce rêve, comme le passé des personnages est préexistant à l'action qui les rassemble fortuitement sur la scène.
MARTIN DU GARD, les Thibault, t. IX, p. 13.

PRÉEXISTENCE [pʀeɛgzistɑ̃s] n. f. — 1551 ; de *pré-,* et *existence.*

♦ Littér. Existence (d'une chose) antérieure à celle d'une autre chose. ⇒ **Antériorité.**

(...) l'expérience, dans la mesure où elle est autre chose qu'un constat, mais un enrichissement de l'esprit, implique la préexistence de la raison.
Julien BENDA, la Trahison des clercs, p. 56.

Théol. *La préexistence des âmes :* doctrine judéochrétienne condamnée, selon laquelle les âmes auraient toutes été créées en même temps que celle d'Adam.

CONTR. Coexistence, postériorité.
DÉR. Préexistentiel.

PRÉEXISTENTIEL, ELLE [pʀeɛgzistɑ̃sjɛl] adj. — 1854, Sainte-Beuve ; de *préexistence.*

♦ Didact. De la préexistence.

PRÉEXISTER [pʀeɛgziste] v. intr. — 1482, rare av. XVIIIe ; lat. scolast. *præexistere.* → Exister.

♦ Exister antérieurement (à qqch.). *L'illusion que le néant* (cit. 14) *préexiste à toute chose.* ⇒ **Antérieur** (être antérieur à). *Coutume qui préexistait à une loi.*

L'homme que j'étais, l'homme qui préexistait au médecin, — l'homme que je suis encore, après tout (...) MARTIN DU GARD, les Thibault, t. V, p. 202. 1

Là encore l'analyse nous révélerait les raisons d'une faiblesse qui préexiste à de Gaulle et qui a rendu inévitable le recours à son arbitrage. 2
F. MAURIAC, le Nouveau Bloc-notes 1958-1960, p. 222.

DÉR. Préexistant.

PRÉFABRICATION [pʀefabʀikasjɔ̃] n. f. — 1946, *Réalités ; pré-,* et *fabrication.*

♦ Techn. Fabrication en série d'éléments standards de construction (maison, navires) assemblés ultérieurement sur place. — Le mode de construction correspondant.
Préfabrication lourde, dans laquelle le gros œuvre est constitué de grands panneaux réalisés en usine. *Préfabrication légère,* dans laquelle le gros œuvre est formé de petits éléments préfabriqués.

PRÉFABRIQUÉ, ÉE [pʀefabʀike] adj. — 1932 ; de *pré-*, et *fabriqué.*

♦ **1.** Cour. Se dit d'une maison montée avec des éléments (murs, toit...) fabriqués au préalable et apportés sur les lieux.

1 Il rayonnait parce que Monnod lui avait confié un projet de logements préfabriqués aux environs de Paris : une affaire sûre et qui rapportera gros.
S. DE BEAUVOIR, les Belles Images, p. 192.

Élément préfabriqué : chacun des panneaux dont l'assemblage forme un mur, une construction.

N. m. (1963). *Le préfabriqué :* les éléments de construction préfabriqués. *Maison montée, construite en préfabriqué. C'est du préfabriqué. Un, des préfabriqués :* un, des bâtiments préfabriqués.

2 (...) des campements super-superconfortables dont les préfabriqués poussent en deux jours. Joseph JOFFO, Baby-Foot, p. 37.

♦ **2.** (1959). Fig. Fait, élaboré d'avance ; qui n'est pas spontané.

3 (...) cela lui fait mal de voir ce petit sourire préfabriqué que sa mère — comme elle sait se dominer — pose sur son visage et retire aussitôt (...)
N. SARRAUTE, le Planétarium, p. 122.

Truqué. « *Les aveux préfabriqués, les tortures, les atrocités du régime le plus policier, le plus sanguinaire qu'ait connu l'histoire* » (*le Monde,* 25 janv. 1966).

(Personnes). Caricature ; constitué pour les besoins d'une cause. « *Une délégation d'étudiants catalogués gaullistes, délégation légèrement préfabriquée* » (P. Viansson-Ponté, *in* Gilbert).

PRÉFABRIQUER [pʀefabʀike] v. tr. — 1949 ; de *pré-*, et *fabriquer.*

♦ Utiliser des éléments préfabriqués pour réaliser (une construction).

PRÉFACE [pʀefas] n. f. — XIIIe ; lat. *præfatio,* de *præfari* « dire d'avance ».

♦ **1.** Texte placé en tête (d'un livre) et qui sert à le présenter au lecteur. ⇒ **Avant-propos, avertissement, avis, introduction, notice, préambule, prolégomènes** (opposé à *postface**). *Préface et avertissement* (cit. 11), *et épître dédicatoire* (→ 1. Livre, cit. 4). *Préface de l'auteur. Écrire une préface pour s'expliquer* (cit. 26), *donner des indications. Humble* (cit. 24) *préface. Petite préface. Longue préface en forme de manifeste* (2. manifeste, cit. 4). *La Préface de Mademoiselle de Maupin,* de Gautier. *La préface de Cromwell,* de Hugo. *Pièce liminaire* servant de préface à un recueil de poèmes. Préface d'un écrivain qui présente l'œuvre d'un autre.* ⇒ **Préfacier.** *La préface de Gide à l'*Armance *de Stendhal. Préface du traducteur. Demander une préface à qqn* (→ Écrivain, cit. 1). *Louanges d'une préface* (→ Maussadement, cit. 1). — *Préface et postface**.

1 Une mauvaise préface allonge considérablement un mauvais livre (...)
VAUVENARGUES, Maximes et réflexions, 355.

2 En écrivant cette préface, mon but n'est pas de rechercher oiseusement si j'ai mis au théâtre une pièce bonne ou mauvaise ; il n'est plus temps pour moi : mais d'examiner scrupuleusement (et je le dois toujours) si j'ai fait une œuvre blâmable.
BEAUMARCHAIS, le Mariage de Figaro, Préface.

3 Depuis bien longtemps l'on se récrie sur l'inutilité des préfaces — et pourtant l'on fait toujours des préfaces. Il est bien convenu que les lecteurs (pluriel ambitieux) les passent avec soin, ce qui paraîtrait une raison valable de n'en pas écrire.
Th. GAUTIER, Fortunio, Préface.

Loc. (Vx). *Sans préface :* sans préambule.

4 Elle lui dit, sans préface, qu'elle venait lui demander grâce, qu'elle le priait du moins de lui dire pourquoi il ne passait pas un jour sans la cribler, l'accabler.
MICHELET, la Femme, Introd., III.

♦ **2.** (Fin XIIIe). Liturgie cathol. Prologue solennel d'action de grâces qui précède le Canon.

♦ **3.** (1541). Fig. Ce qui précède, débute qqch. « *Le despotisme est la préface des révolutions* » (P. Larousse). ⇒ **Préliminaire, prélude, prodrome.**

CONTR. Conclusion, postface.
DÉR. Préfacer, préfacier.

PRÉFACER [pʀefase] v. tr. — Conjug. *placer.* — 1907 ; « préluder à un discours », 1784 ; de *préface.*

♦ Présenter par une préface. *Écrivain qui préface le roman d'un jeune auteur. — Préfacer un jeune auteur.*

Il *(Apollinaire)* a également réédité et préfacé la *Tariffa delle Puttane di Venezia* (de l'Arétin), dont le titre suffit à indiquer la tendance (...)
Pascal PIA, Apollinaire par lui-même, p. 140.

Var. rare : *préfacier,* v. tr. (L. de Larmandie, *in* G. Nouveau, Pl., p. 1045).

PRÉFACIER [pʀefasje] n. m. — 1833 ; de *préface.*

♦ **1.** Auteur d'une préface.

(...) poète, romancier, préfacier, commentateur, biographe, le littérateur *(Nodier)* est volontiers à la fois amateur et nécessiteux ; libre et commandé (...)
SAINTE-BEUVE, Portraits littéraires, Ch. Nodier, 1er févr. 1844.

♦ **2.** (1842). Écrivain qui écrit des préfaces.

PRÉFECTORAL, ALE, AUX [pʀefɛktɔʀal, o] adj. — 1836 ; var. anc. *préfectorial,* 1842 ; de *préfet,* d'après le lat. *præfectus.* → Doctoral, etc.

♦ **1.** Relatif au préfet, à l'administration par les préfets. *Administration, institution préfectorale. Mouvements* (cit. 27) *préfectoraux.*

(1962). *Le corps préfectoral :* l'ensemble des cadres supérieurs des préfectures et des sous-préfectures (fam. : *la préfectorale*).

Un statut a été établi par le décret du 19 juin 1950 pour le corps préfectoral. Ce corps comprend (art. 1er) les préfets, les sous-préfets, les secrétaires généraux de préfecture, les directeurs et chefs de cabinet de préfet.
Louis ROLLAND, Précis de droit administratif, p. 186.

♦ **2.** (1869). Qui émane du préfet, de l'administration préfectorale. *Un arrêté préfectoral. Par mesure préfectorale.*

PRÉFECTURE [pʀefɛktyʀ] n. f. — Fin XIIIe ; lat. *præfectura,* de *præfectos.* → Préfet.

♦ **1.** Hist. rom. Charge de préfet*, dans l'empire romain. — (Déb. XVIe). Territoire administré par l'un des préfets du prétoire. *Provinces, diocèses* (cit. 1) *et préfectures.*

♦ **2.** Hist. Suzeraineté sur une ville, un territoire (→ Voltaire, *in* Littré).

♦ **3.** (1800 ; en 1775 dans un projet de circonscriptions financières). Charge de préfet. *Obtenir, refuser la préfecture de Limoges.* — Durée des fonctions d'un préfet. *Pendant la préfecture de M. X...*

Son père, très estimé de Louis-Philippe, avait occupé jusqu'à sa mort une préfecture. ZOLA, Nana, XII. 1

Ensemble des services de l'administration préfectorale : Préfet, *secrétaire général de préfecture,* cabinet du préfet, bureaux (chefs de division, *attachés de préfecture,* secrétaires administratifs) et éventuellement *conseil interdépartemental de préfecture. La préfecture, le conseil général et la commission départementale administrent le département* (⇒ **Département**). *La préfecture et l'évêché* (→ Forcer, cit. 7). *Les bureaux de la préfecture.*

(1836). Ville où siège la préfecture (⇒ **Chef-lieu**). → Exister, cit. 13. — Circonscription administrée par la préfecture (⇒ **Département**).

(1803). Local où sont installés les services de la préfecture (→ Endroit, cit. 6).

La préfecture ressemblait à un château dans la campagne : elle avait été construite pour un préfet de l'Empire et les préfets radicaux couchaient encore dans son lit. 2
P. NIZAN, le Cheval de Troie, I, V.

♦ **4.** (1800). *Préfecture maritime :* résidence, bureaux du préfet maritime. — Par ext. Chef-lieu de région maritime.

♦ **5.** (1835). *Préfecture de police.* ⇒ **Police.** — Absolt. *La Préfecture.*

COMP. Sous-préfecture.

PRÉFÉRABLE [pʀefeʀabl] adj. — 1587 ; de *préférer.*

♦ Qui mérite d'être préféré*, d'être choisi. ⇒ **Meilleur, mieux** (III.). → Ennuyer, cit. 25. *Être, paraître préférable à quelque chose* (→ Indifférence, cit. 1 ; insociable, cit. 2). — *Ces qualités solides, mille fois préférables* (→ Exclusif, cit. 10). *Bien préférable à...* (→ Mâle, cit. 12). « Ailleurs *semble toujours préférable à* Ici » (→ Exil, cit. 10, Hugo).

(...) le solide bonheur est préférable aux vains plaisirs qui le détruisent (...) 1
ROUSSEAU, Lettre à d'Alembert.

Il est préférable que... (suivi de subj.), *il est préférable de...* (suivi de l'inf.) : il vaut mieux... (→ Cultiver, cit. 7). — *Trouver préférable de...* (→ 2. Parage, cit. 3). — REM. La construction classique, avec les deux termes exprimés, est : *il est préférable de faire ceci, plutôt que de faire cela.* On trouve aussi *il est préférable de... que de...*

Être loué (...) par un Maurice Barrès était préférable que d'avoir à y subir les enguirlandements d'un Robert de Montesquiou. 2
H. DE RÉGNIER, *in* G. et R. LE BIDOIS, Syntaxe du franç. moderne, § 1195.

« La construction *Il est préférable de mourir à trahir* est rare » (Grevisse, qui cite Montherlant).

DÉR. Préférablement.

PRÉFÉRABLEMENT [pʀefeʀabləmɑ̃] adv. — 1654 ; de *préférable.*

♦ Littér. De préférence. *Préférablement à toutes choses.* ⇒ **Plutôt** (que).

PRÉFÉRANT, ANTE [pʀefeʀɑ̃, ɑ̃t] adj. — Mil. XXe ; de *préférer.*

♦ Rare. Qui préfère. — Bot. *Espèce, plante préférante,* particulièrement fréquente dans un groupement donné (et présente dans plusieurs groupements).

PRÉFÉRÉ, ÉE [prefere] adj. et n. ⇒ **Préférer.**

PRÉFÉRENCE [preferɑ̃s] n. f. — 1361, «supériorité, haute qualité»; de *préférer.*

♦ **1.** (1636). Jugement ou sentiment par lequel on place une personne, une chose au-dessus d'une autre, des autres (⇒ **Choix**); jugement plus favorable. *Préférence qui est l'effet* (cit. 2) *d'une inclination*, d'un goût, d'un jugement rationnel. Les préférences de chacun* (→ Gras, cit. 16). *«Sur quelque préférence une estime se fonde»* (→ Estimer, cit. 13). — Spécialt. *La notion de préférences nationales (préférences de structure), en économie politique. «La noblesse est la préférence de l'honneur à l'intérêt»* (Vauvenargues; → Noblesse, cit. 1). *Le péché* (cit. 9), *préférence de nous-mêmes à Dieu. — Préférence d'une chose sur une autre* (vx → Indécemment, cit. 1). *Préférence d'une chose à une autre. Préférence pour une personne au préjudice d'une autre.* ⇒ **Acception.**

1 (...) l'amour véritable (...) ne saurait se prêter (...) à cette tranquillité, à cette froideur de l'âme, qui permet des comparaisons, qui souffre même des préférences.
LACLOS, les Liaisons dangereuses, LXVIII.

Avoir une préférence marquée pour... (→ Itinérant, cit. 2). ⇒ **Faiblesse, faveur, prédilection; affectionner, préférer** (→ Ménagement, cit. 3; opportunisme, cit. 2). *Témoigner une préférence aveugle, injuste à, pour quelqu'un.* ⇒ **Favoritisme, partialité** (→ Chérir, cit. 2). — *Je n'ai pas de préférence :* cela m'est égal, indifférent. — (Av. 1678). *Accorder, donner la préférence à :* donner l'avantage*, la supériorité dans une comparaison, un choix. ⇒ **Préférer** (→ Gourmandise, cit. 3; inconstance, cit. 5; panthéon, cit. 2).

(1559). Marque particulière d'estime, d'affection donnée à qqn. *Faire des préférences entre plusieurs personnes.* ⇒ **Distinction** (2.). — Vx. *«La préférence que vous faisiez... d'une grive à ma fille»* (Mme de Sévigné, 226, 6 déc. 1671). — *Donner la préférence à un fournisseur* (lui accorder sa clientèle), *à un postulant...* ⇒ **Décider** (se décider pour), favoriser.

2 Un père n'a point de choix et ne doit point avoir de préférence dans la famille que Dieu lui donne : tous ses enfants sont également ses enfants; il leur doit à tous les mêmes soins et la même tendresse. ROUSSEAU, Émile, I.

Loc. adv. PAR PRÉFÉRENCE. Vx. — Mod. DE PRÉFÉRENCE. ⇒ **Plutôt**; → Logement, cit. 7. *Choisir de préférence...* (→ Déportement, cit. 4).

3 Je fréquentais soit les petites rues de la Montagne Sainte-Geneviève, soit les allées du Luxembourg, le matin de préférence, quand le jardin désert semble une île silencieuse au sein de la ville convulsive. G. DUHAMEL, Salavin, I, XVI.

(XXe). *Par ordre de préférence :* en classant, en ordonnant chaque chose selon ses préférences.

(Av. 1782). Loc. prép. *De préférence, par préférence à...* ⇒ **Avant** (I., 2.), **plutôt** (que). *Prendre une chose de préférence à une autre.* ⇒ **Choisir*, option.**

♦ **2.** Le fait d'être préféré. *Avoir, obtenir la préférence sur qqn :* passer* avant lui (→ Indifférence, cit. 21, Corneille).

♦ **3.** Avantage consenti à une personne plutôt qu'aux autres. ⇒ **Privilège.** *S'accorder des préférences* (→ Pitance, cit. 1).

(1690). Dr. *Droit de préférence,* qui permet à un créancier d'être payé par préférence aux créanciers chirographaires (→ Gage, cit. 1). — *Action* de préférence.* Dr. publ. *Système des préférences.* ⇒ **Préférentiel** (vote).

♦ **4.** (1962). Système économique, commercial et douanier qui instaure des relations privilégiées entre certains pays.

DÉR. Préférentiel.

PREFERENDUM [preferɛ̃dɔm] n. m. — 1963; mot lat.; de *præferre* «préférer».

♦ Biol. Valeur d'une grandeur physique ou chimique (température, salinité, réaction ionique,...) caractérisant la zone dans laquelle un animal, une espèce vivante a tendance à se maintenir de façon élective. *Le preferendum thermique* (ou *thermopreferendum*) *des bactéries avoisine 40°C.* — Plur. *Des preferendums ou des preferenda.*

PRÉFÉRENTIEL, IELLE [preferɑ̃sjɛl] adj. — 1915; de *préférence.*

♦ **1.** Qui établit une préférence. *Tarif préférentiel,* ou de faveur. *Traitement préférentiel.*

♦ **2.** (V. 1960). *Vote préférentiel,* par lequel «l'électeur vote pour une liste entière, en marquant d'un signe distinctif un ou deux candidats... On classe ensuite d'après le nombre des «préférences» les membres de la liste...» (M. Duverger, *Manuel de droit constitutionnel,* p. 79).

♦ **3.** Qui correspond à une préférence, qui est recommandé. *Mariage préférentiel :* règle de mariage positive qui sélectionne une classe de conjoints (en ethnologie).

DÉR. Préférentiellement.

PRÉFÉRENTIELLEMENT [preferɑ̃sjɛlmɑ̃] adv. — Mil. XXe; de *préférentiel.*

♦ Didact., admin. D'une manière préférentielle. ⇒ **Préférence** (de). *Doivent être vaccinés, préférentiellement, tous les enfants en bas âge.*

PRÉFÉRER [prefere] v. tr. — Conjug. *céder.* — 1355; lat. *præferre* «porter *(ferre)* en avant *(præ)*».

★ **I.** Personnes. ♦ **1.** Considérer (qqch., qqn) comme meilleur, supérieur, plus important, parmi plusieurs, par un jugement, un goût; se déterminer en sa faveur. ⇒ **Aimer** (mieux, I.), **estimer** (le plus), **incliner** (II.), **pencher** (pour); **adopter** (II.), **choisir** (cit. 16), **distinguer** (parmi...), **élire.** *Préférer une chose, une personne à une autre* (→ Audacieux, cit. 11; blâme, cit. 3; cœur, cit. 108; contemplation, cit. 4; déterminer, cit. 7; folie, cit. 11). *Je préfère une jolie* (cit. 9) *bouche à un joli mot. Préférer à une chose (une personne) une autre...* (→ Clinquant, cit. 3; étanchement, cit. 1). *De deux choses, entre, parmi plusieurs choses, en préférer une...* (→ Appartenir, cit. 11; 2. pas, cit. 11). *Il préfère beaucoup, de beaucoup telle chose à telle autre. Préférer qqch. à tout,* aimer pardessus tout. — (L'autre terme de la comparaison étant sous-entendu). *Préférer la laideur.* ⇒ **Aimer, chérir** (→ Beauté, cit. 27). *Ce moi* (cit. 53) *que l'on préfère.* — Loc. *Si tu préfères, si vous préférez, si vous aimez mieux.*

(...) on n'aime qu'après avoir jugé, on ne préfère qu'après avoir comparé. 1
ROUSSEAU, Émile, IV.

Je préfère tes fruits, Automne, 2
Aux fleurs banales du Printemps! BAUDELAIRE, les Épaves, XII, I.

Quand j'entrai, deux dames me demandèrent laquelle de l'une et de l'autre je préférais et je les préférais toutes deux. Max JACOB, le Cornet à dés, p. 32. 3

Toute femme préfère à rien un bonheur dont elle sait la brièveté. 4
MONTHERLANT, les Jeunes Filles, p. 165.

♦ **2.** PRÉFÉRER (et l'inf.), PRÉFÉRER DE (et l'inf.; littér.); PRÉFÉRER QUE (et le subj.) : opter pour (telle action). *Préférer faire qqch.,* aimer mieux. *Je préfère que tu t'en ailles.*

Sale, hideux, pauvre, elle le soigne; elle préfère à tout d'être, au fond de la terre, la servante de Marat. MICHELET, Hist. de la Révolution franç., IV, VI. 5

— Eh bien! moi, s'écria Salavin, plutôt que de recourir à ce que vous appelez la violence, je préfère mourir. — Bart, frappant ses paumes à plat, prononça durement : — Autrement dit, vous préférez que les autres meurent. On ne meurt jamais seul dans ces histoires-là. G. DUHAMEL, Salavin, V, XII. 6

Absolt. *Faites comme vous préférez,* comme vous voudrez, comme vous l'entendez*.

Littér. PRÉFÉRER (DE) **(faire telle chose)** PLUTÔT QUE (DE) **(faire telle autre);** cour. PRÉFÉRER **(faire telle chose)** QUE (DE) **(faire telle autre).** *«Elle préférait souffrir que d'être dupe»* (cit. 15, Radiguet).

(Elle) a préféré vivre dans la maison de son amant, au péril de tout, que d'être sa maîtresse à V... 7
BARBEY D'AUREVILLY, les Diaboliques, «Bonheur dans le crime».

Nous voulions agir à coup sûr, et avons préféré d'attendre et de vous faire attendre plutôt que de risquer inconsidérément la vie de nos soldats et des vôtres. 8
GIDE, Journal, 22 mai 1943.

Vx., littér. PRÉFÉRER (DE) **(faire telle chose)** À **(faire telle autre).**

Il préférait souffrir à ne pas aimer. Elsa TRIOLET, Mille regrets, p. 105. 9

★ **II.** (1875). Choses. Fig. Se développer mieux, prospérer. *Plante qui préfère les terrains sablonneux.* ⇒ **Aimer, plaire** (se).

► **SE PRÉFÉRER** v. pron. (Réfl.). *Se préférer à tous les autres. Il n'y a si vil praticien qui... ne se préfère au laboureur* (→ Étude, cit. 51, La Bruyère). *Nous ne nous préférons à personne* (→ Généreux, cit. 5).

► **PRÉFÉRÉ, ÉE** p. p. adj. (1360).

♦ **1.** Jugé meilleur. *Sa chanson, son œuvre préférée,* celle qu'il préfère à toutes les autres. ⇒ **Prédilection.** *De toutes les heures du jour, l'aube* (1. Aube, cit. 10) *est ma préférée. Le benjamin*, enfant préféré. Fournisseur préféré* (⇒ **Attitré**).

Mozart est le compagnon préféré des cœurs qui ont aimé et des âmes apaisées. 10
R. ROLLAND, Musiciens d'autrefois, p. 290.

♦ **2.** N. Personne qui est préférée, mieux aimée. *Le préféré, la préférée.* ⇒ **Chouchou, favori** (2.).

Durant cette promenade sur l'eau, je m'étais cru le préféré; je sentis amèrement qu'elle était de bonne foi dans ses paroles. L'amant qui n'est pas tout n'est rien. 11
BALZAC, le Lys dans la vallée, Pl., t. VIII, p. 928.

CONTR. Haïr, rejeter.
DÉR. Préférable, préférence.

PRÉFET [prefɛ] n. m. — V. 1170; lat. *præfectus* «préposé», *de præficere* «mettre à la tête», de *præ-,* et *facere* «faire».

♦ **1.** Hist. rom. Dans l'Empire romain, l'un des hauts magistrats chargés de l'administration de Rome (*préfet de l'annone*, chargé du ravitaillement; *du prétoire*, chargé du commandement de la garnison; *des vigiles*, chargé de la police). *Préfet de la ville.* — Par ext. L'un des préfets du prétoire qui étaient à la tête d'un département de l'Empire (préfecture). *Les vicaires des préfets administraient un diocèse** (1.) *comprenant plusieurs provinces. Le préfet des Gaules.*

♦ **2.** (XVIIe). Relig. *Préfet des brefs :* le chef de la section des brefs de la secrétairerie du Pape. — Vx. Supérieur de certains monastères.

(1869). *Préfet apostolique :* prêtre qui, au nom du pape, dirige une circonscription ecclésiastique en pays de mission.

(1963). *Préfet de congrégation :* cardinal chargé de diriger une congrégation romaine.

(1668). Dans certains établissements d'enseignement religieux (jésuites...), le prêtre chargé de la discipline (→ Assidu, cit. 2, Boileau). *Le préfet des études. Le Père préfet d'un collège**.

♦ **3.** (1800; à la fin du XVIIIe, dans des projets de réforme admin.). Cour. Fonctionnaire placé à la tête d'un département et agissant à la fois comme représentant du pouvoir central et du département. ⇒ **Département** (cit. 2). → Arrondissement, cit. 5; fonctionnaire, cit. 2; intérieur, cit. 12. *Les préfets assurent « la direction générale de l'activité des fonctionnaires de l'État, la représentation des intérêts nationaux et le contrôle administratif des collectivités »* (L. Rolland, *Précis de droit admin.*, § 208). *Femme préfet. Elle est préfet. Attribution de police du préfet. Cabinet du préfet* (⇒ **Préfecture**). *Le bureau du préfet. Mesures prises par le préfet* (→ Essence, cit. 22). *Arrêté du préfet.* ⇒ **Préfectoral.** — Spécialt. *Le préfet de la Seine a les attributions d'un maire en ce qui concerne la ville de Paris* (sauf pour la police et l'état civil).

À la tête de chaque département, il y aurait *un préfet.* Le mot sonne antique; Sieyès l'avait prononcé; Bonaparte l'adopta, peut-être parce que, chez lui, le Romain était toujours porté à ressusciter les souvenirs des bords du Tibre : (...)
Louis MADELIN, Hist. du Consulat et de l'Empire, De Brumaire à Marengo, X.

Préfet de police, placé à la tête de la Préfecture de police* (à Paris). → 2. Officier, cit. 4.

(1963). *Préfet de région :* le préfet du département dans lequel se trouve le chef-lieu d'une région de programme. ⇒ **Igame, super-préfet.**

♦ **4.** (1800). *Préfet maritime :* officier général placé à la tête d'un arrondissement maritime.

♦ **5.** (1958). En Belgique, Directeur d'athénée* (2.), de Lycée.

DÉR. Préfète.
COMP. Sous-préfet, super-préfet.

PRÉFÈTE [pʀefɛt] n. f. — 1811, *in* D. D. L.; *prefette* «protectrice», fin XVIe; de *préfet.*

♦ **1.** Femme d'un préfet. *Madame la préfète.* — REM. Cet emploi incite à employer la forme *préfet* (n. m.) même lorsqu'il s'agit d'une femme, pour désigner la fonction. *Mme X, préfet de...;* l'exemple suivant est emprunté à un roman d'anticipation publié av. 1900.

On s'est aperçu que là même où échouait un préfet masculin, une préfète pouvait réussir... A. ROBIDA, le Vingtième Siècle, p. 150.

♦ **2.** (1963). En Belgique, Directrice d'un lycée de fille.

COMP. Sous-préfète.

PRÉFIGURATEUR, TRICE [pʀefigyʀatœʀ, tʀis] adj. — 1886; de *préfigurer.*

♦ Rare. Qui préfigure.

(...) la lumière de tous les symboles préfigurateurs que ce prodige allumera (...)
Léon BLOY, le Désespéré, p. 228.

PRÉFIGURATION [pʀefigyʀasjɔ̃] n. f. — Av. 1520; *préfiguration,* déb. XVe; lat. *præfiguratio.*

♦ Littér. Ce qui présente tous les caractères d'un être, d'une chose à venir. ⇒ **Annonciation, prélude.**

1 Swann ne le savait-il pas... et n'était-ce pas déjà, dans sa vie — comme une préfiguration de ce qui devait arriver après sa mort — un bonheur après décès que ce mariage avec cette Odette...
PROUST, À l'ombre des jeunes filles en fleurs, Pl., t. I, p. 471.

2 Je me dis que ce commencement d'idylle bourgeoise contenait déjà bien autre chose que le peu que j'y ai senti; qu'il était plein de préparations, de préfigurations, d'amorces des événements à venir (...)
J. ROMAINS, le Dieu des corps, VI.

PRÉFIGURER [pʀefigyʀe] v. tr. — V. 1220; lat. ecclés. *præfigurare;* de *præ,* et *figurare.* → Figurer.

♦ **1.** Avoir tous les caractères de (une chose à venir).

1 Et ce cimetière de vivants préfigurait celui où ils finiraient par se rejoindre tous, les bourreaux et leur victime, à l'entrée du village.
F. MAURIAC, les Anges noirs, II.

♦ **2.** (V. 1460). Présenter à l'avance le germe ou le modèle de (une chose appelée à être davantage répandue). ⇒ **Annoncer.**

(...) Tout ce qui devrait arriver était déjà là dans l'œuf, elle l'avait senti sur le moment, elle savait que tout était là tout prêt, préfiguré (...) tout allait sortir de là et se dérouler (...) N. SARRAUTE, le Planétarium, p. 47. 2

DÉR. Préfigurateur.

PRÉFINANCEMENT [pʀefinɑ̃smɑ̃] n. m. — Mil. XXe (*in* Larousse 1963); de *pré-*, et *financement.*

♦ Fin., admin. Accord de crédit permettant le lancement d'une opération économique, antérieur à ses moyens de financement définitifs. *« Un matériel* (..) *dont le préfinancement était assuré par un crédit spécial »* (*le Monde,* 10 juil. 1965).

PRÉFINANCER [pʀefinɑ̃se] v. tr. — Mil. XXe; de *pré-*, et *financer.*

♦ Fin., admin. Accorder un préfinancement à.

PRÉFIX, IXE [pʀefiks] adj. — XIVe, Froissart; lat. *præfixus.*

♦ **1.** Vx. (Dr.). Déterminé, fixé d'avance. *«Au jour et au lieu préfix»* (Retz), *« au terme préfix »* (Bossuet).

♦ **2.** (1690). Anciennt. *Douaire préfix :* douaire fixé par le contrat de mariage.

♦ **3.** (1966). *Délai préfix,* prescrit impérativement par la loi.

DÉR. 1. **Préfixer.**
HOM. Préfixe.

PRÉFIXAL, ALE, AUX [pʀefiksal, o] adj. — V. 1960; de *préfixe.*

♦ Ling. Relatif aux préfixes.

PRÉFIXATION [pʀefiksasjɔ̃] n. f. — 1870; de 2. *préfixer.*

♦ Ling. Formation de composés par adjonction de préfixes; emploi d'un élément comme préfixe.

PRÉFIXE [pʀefiks] n. m. — 1751; lat. *præ-*, et *fixus* «fixé».

♦ **1.** Élément de formation de mots; morphème qui précède le radical (opposé à *suffixe*). *Préfixes séparables,* constituant des mots indépendants (avant-, contre-, entre-; plus-, sous-, sur-). *Préfixes empruntés au latin ou au grec* (préfixes latins, grecs; ou mots utilisés en français comme préfixes). — *Préfixe exprimant l'idée d'achèvement* (cit. 1), *de continuation* (cit. 1), *d'absence, de privation... Préfixe superlatif* (→ 2. Extra, cit. 4).

♦ **2.** Élément d'un numéro d'appel (téléphone) correspondant à un pays, une ville. *Préfixe d'accès.*

DÉR. Préfixal, 2. **préfixer.**
HOM. Préfix.

1. PRÉFIXER [pʀefikse] v. tr. — 1368; de *préfix.*
Vieux.

♦ **1.** (Dr.). Fixer d'avance. *Préfixer un délai.*

♦ **2.** (1797). Vx. Placer devant.

DÉR. Préfixion.

2. PRÉFIXER [pʀefikse] v. tr. — 1869; *préfichier,* XVe; de *préfixe.*
Linguistique.

♦ **1.** Joindre comme préfixe. *Préfixer un élément à une base.*

♦ **2.** (1962). Composer avec un préfixe.

▶ **PRÉFIXÉ, ÉE** p.p. adj. *Élément préfixé.*

DÉR. Préfixation.

PRÉFIXION [pʀefiksjɔ̃] n. f. — 1372, «détermination (d'un temps, etc.)»; de 1. *préfixer.*

♦ Dr. Fixation d'un délai; délai fixé.

PRÉFLORAISON [pʀeflɔʀɛzɔ̃] n. f. — 1869; *préfleuraison,* 1839; de *pré-*, et *floraison.*

♦ Bot. Disposition des pièces du périanthe, dans le bouton floral (⇒ **Fleur**). *Préfloraison valvaire, tordue, imbriquée...*
Syn. : *estivation.*

PRÉFOLIATION [pʀefɔljasjɔ̃] n. f. — 1869; de *pré-*, et *foliation.*

♦ Bot. Disposition des feuilles, dans le bourgeon. *Préfoliation plane, plissée* (pour une seule feuille); *valvaire, imbriquée...* (pour les feuilles d'un bourgeon). — Syn. : *vernation.* — Var. : *préfoliaison* [pʀefɔljɛzɔ̃].

PRÉFORMAGE [pʀefɔʀmaʒ] n. m. — Mil. xxᵉ; de *préformer.*

♦ Techn. Opération qui consiste à donner à une matière une forme (préalablement à l'opération suivante). « *Le préformage en chambre close, le préformage par projection directe, le préformage par bain* (des matières plastiques) » (J.-C. Desjeux et J. Duflos, *les Plastiques renforcés,* p. 88).

PRÉFORMANT, ANTE [pʀefɔʀmɑ̃, ɑ̃t] adj. — 1875; de *pré-,* et p. prés. de *former.*

♦ Ling. Se dit d'un élément qui s'ajoute avant une racine pour former un dérivé. *Consonnes préformantes en hébreu.*

PRÉFORMATION [pʀefɔʀmasjɔ̃] n. f. — 1764, « formation préalable »; de *pré-,* et *formation.*
Didactique.

♦ **1.** (1875). Hist. des sc. L'une des deux théories biologiques en lutte aux XVIIᵉ et XVIIIᵉ siècles, selon laquelle l'organisme vivant est complètement constitué dans le germe (⇒ **Oviste; spermatiste**). *Théorie de la préformation.* ⇒ **Préformationisme.**

1 La préformation entraînait logiquement une conséquence plus que paradoxale, à savoir que toutes les générations devaient être réalisées d'avance (...) Il devait y avoir *emboîtement* des germes. Tous les hommes devaient être préformés dans le corps d'Ève au Paradis terrestre.
Maurice CAULLERY, les Sciences biologiques, *in* Encycl. Pl., Hist. des sciences, p. 1194.

♦ **2.** Formation antérieure (d'un phénomène, d'une structure) aux premières manifestations.

2 (...) et l'on se représentera la relation causale comme une espèce de préformation du phénomène à venir dans ses conditions présentes.
H. BERGSON, Essai sur les données immédiates de la conscience, (1889), p. 153.

DÉR. Préformationnisme, préformationniste.

PRÉFORMATIONNISME ou **PRÉFORMATIONISME** [pʀefɔʀmasjɔnism] n. m. — xxᵉ; de *préformation.*
Hist. des sciences.

♦ **1.** Théorie de la préformation (1.).

♦ **2.** Syn. de *préformisme.*

Ainsi l'historicisme leibnizien verse à l'éclectisme : cherchons dans le monde et l'histoire les mille éclats de la vérité; il verse aussi au préformationisme puisque, dans l'éternité, les lois de séries et la logique incréée sont posées une fois pour toutes.
Michel SERRES, Hermes I, la Communication, p. 138.

PRÉFORMATIONNISTE ou **PRÉFORMATIONISTE** [pʀefɔʀmasjɔnist] adj. et n. — 1897, *l'Année biol.*; de *préformation.*

♦ Hist. des sciences. Partisan de la préformation. → Oviste, cit. 2.

PRÉFORME [pʀefɔʀm] n. f. — Mil. xxᵉ; de *pré-,* et *forme.*

♦ Techn. Forme préalable (⇒ **Ébauche**) dans l'opération de préformage.

PRÉFORMER [pʀefɔʀme] v. tr. — V. 1770; de *pré-,* et *former.*

♦ Didact. Former d'avance (⇒ **Préformation**).

(...) nous finissons par trouver une aisance supérieure aux mouvements qui se faisaient prévoir, aux attitudes présentes où sont indiquées et comme préformées les attitudes à venir.
H. BERGSON, Essai sur les données immédiates de la conscience, p. 9.

▶ **PRÉFORMÉ, ÉE** p. p. adj. *Homme, animal préformé dans le germe.*
Spécialt. *Soutien-gorge préformé,* à bonnets galbés.

DÉR. Préformage.

PRÉFORMISME [pʀefɔʀmism] n. m. — Mil. xxᵉ; de *préform(er), préform(ation),* et *-isme.*

♦ Didact. Doctrine, théorie qui recourt à la préformation, à la formation préalable. — REM. Quand il s'agit de préformation au sens biologique, on emploie *préformationnisme.*

Cette logique *(de la coordination des actions)* ne contient pas d'avance les structures cognitives ultérieures, comme l'imaginerait un préformisme où *tout serait donné.*
J. PIAGET, *in* Encycl. Pl., Logique et Connaissance scientifique, 1967, p. 31.

PRÉFRACTIONNER [pʀefʀaksjɔne] v. tr. — Mil. xxᵉ (*in* Larousse 1963); de *pré-,* et *fractionner.*

♦ Techn. Distiller par fractionnement (un produit pétrolier) avant de soumettre à une distillation continue (opération du *préfractionnement* [pʀefʀaksjɔnmɑ̃]).

PRÉFRITTER [pʀefʀite] v. tr. — Mil. xxᵉ (*in* Larousse 1963); de *pré-,* et *fritter.*

♦ Techn. Agglomérer légèrement (un produit pulvérulent) en le chauffant, avant frittage* (opération du *préfrittage* [pʀefʀitaʒ]).

PRÉFRONTAL, ALE, AUX [pʀefʀɔ̃tal, o] adj. — Mil. xxᵉ; de *pré-,* et *frontal.*

♦ Anat. De la région antérieure du front; qui y correspond. *Zone préfrontale du cerveau.*

Des lésions qui paraissent laisser intactes les opérations perceptives et même intellectuelles les plus complexes atteignent, dans la conduite du sujet, ce qui relève du sentiment qu'il avait de sa dignité. Leur siège paraît être essentiellement la région préfrontale, qui est celle dont le développement dans l'espèce, la maturation chez l'individu sont le plus tardifs.
Henri WALLON, l'Évolution psychologique de l'enfant, p. 118.

PRÉGATON [pʀegatɔ̃] ou **PRÉCATON** [pʀekatɔ̃] n. m. — 1690, *prégaton; précaton,* 1903; orig. incertaine.

♦ Techn. Filière dans laquelle on pousse le fil d'or pour la seconde fois.

PRÉ-GAZON [pʀegazɔ̃] n. m. — 1869; de *pré-,* et *gazon.*

♦ Techn. (Agric.). Prairie artificielle obtenue à partir d'un semis de graines provenant de prairies naturelles. *Des prés-gazons.*

PRÉGÉNITAL, ALE, AUX [pʀeʒenital, o] adj. — 1968; de *pré-,* et *génital.*

♦ Psychan. Se dit du stade de la sexualité antérieur à l'établissement de la génitalité. ⇒ **Anal** (2.). *Sexualité prégénitale de l'enfant.*

PRÉGLACIAIRE [pʀeglasjɛʀ] adj. — 1873; de *pré-,* et *glaciaire.*

♦ Qui précède une glaciation, une période glaciaire* (⇒ **Interglaciaire**), ou l'action des glaciers en un lieu. *Modelé préglaciaire.*

CONTR. Postglaciaire.

PRÉGNANCE [pʀegnɑ̃s] n. f. — 1957; de 2. *prégnant.*

♦ Psychol. « Force, et par suite stabilité et fréquence d'une organisation psychologique privilégiée, parmi toutes celles qui sont possibles » (P. Guillaume).

Les Gestaltistes ont alors dégagé les lois de ces totalités, telles que les lois de ségrégation entre les figures et les fonds, les lois de frontières, les lois de « bonnes formes » ou de « prégnance » (les bonnes formes sont prégnantes parce que simples, régulières, symétriques, etc.)...
J. PIAGET, Épistémologie des sciences de l'homme, p. 164.

1. PRÉGNANT, ANTE [pʀegnɑ̃, ɑ̃t] adj. — Déb. xivᵉ; lat. *prægnans* « qui est près de produire, enceinte » (en parlant d'une femelle).
Didactique.

♦ **1.** Qui porte en soi un germe de reproduction. — (Av. 1951). Fig. Plein de sens implicite; gros de raison, de conséquence, etc.

♦ **2.** (1842). Ling. *Valeur prégnante :* terme, construction dont le sens n'est pas entièrement énoncé.

♦ **3.** Fig. (Didact.). Qui est de nature à produire, à engendrer des résultats.

2. PRÉGNANT, ANTE [pʀegnɑ̃, ɑ̃t] adj. — V. 1570 au sens 2.; de l'anc. franç. *preindre* « presser », lat. *premere.*

♦ **1.** (1611). Vx. Pressant, violent. *Des douleurs prégnantes.*

♦ **2.** (V. 1570). Fig. et littér. Qui s'impose à l'esprit. — (1962). Psychol. *Structure prégnante.* ⇒ **Prégnance.**

DÉR. Prégnance.

PRÉGNATION [pʀegnasjɔ̃] n. f. — Mil. xviiiᵉ; *pregnacion* « fécondité des arbres », fin xivᵉ; lat. *prægnatio.*

♦ Vx. État d'une femelle pleine.

PRÉGRAINE [pʀegʀɛn] n. f. — D. i. (xxᵉ); de *pré-,* et *graine.*

♦ Bot. Organe de dissémination dans lequel la fécondation n'est pas encore faite, la plantule se développant après fécondation sans qu'il existe de période de repos. *La prégraine permet de définir les préspermatophytes* (ex : les Cycadales).

PRÉHELLÉNIQUE [pʀeelenik; pʀeɛlenik] adj. — 1910, Dussaud; de *pré-*, et *hellénique.*

♦ Hist. Relatif aux époques précédant l'invasion dorienne (~ XIIe siècle) en Grèce et dans les régions avoisinantes. *Époques néolithique, minoenne, mycénienne, de la Grèce préhellénique* (⇒ **Grec**).

PRÉHENSEUR [pʀeɑ̃sœʀ] adj. m. — 1842; du rad. de *préhension.* Didactique.

♦ **1.** Qui sert à prendre, à saisir. *Organe préhenseur.* ⇒ **Préhensile.**

♦ **2.** N. m. Représentant d'une espèce animale dotée d'organes de préhension. *Un préhenseur.*

(...) par opposition aux marcheurs, les préhenseurs possèdent tous, même très loin du point d'aboutissement humain, les virtualités fondamentales de la technicité.
A. LEROI-GOURHAN, le Geste et la Parole, t. I, p. 116.

PRÉHENSIBLE [pʀeɑ̃sibl] adj. — 1595; du rad. de *préhension.*

♦ Rare. Qui peut être saisi.

CONTR. Impalpable.

PRÉHENSIF, IVE [pʀeɑ̃sif, iv] adj. — 1947; du rad. de *préhension.*

♦ Syn. de *préhenseur.*

L'Avarice était une énorme marmite surmontée d'une tête d'oiseau de proie aux yeux vifs et méchants (...) Ses courtes pattes, au nombre de quatre, étaient munies de pieds préhensifs. Tout en elle révélait la cruauté, la méfiance qui vont de pair chez les avares.
M. AYMÉ, le Vin de Paris, « La fosse aux péchés », p. 142.

PRÉHENSILE [pʀeɑ̃sil] adj. — 1753; rad. de *préhension.*

♦ Didact. Qui peut prendre, saisir, en parlant d'un organe qui ne sert pas uniquement à la préhension. *Queue, pince préhensile.* ⇒ **Préhenseur.**

PRÉHENSION [pʀeɑ̃sjɔ̃] n. f. — 1559, repris 1793; *prehencion* « compréhension », XVe; lat. *prehensio,* de *prehendere* « saisir ».

♦ **1.** Didact. Action de saisir, de prendre. — Faculté de saisir avec un organe approprié (patte, tentacule, trompe, main; pièces buccales des insectes...).

1 Les mains, douces et assez fines, n'étaient pas cependant élégamment allongées, comme celles de la dame oisive. Elles étaient moyennement courtes, faites pour la préhension. MICHELET, la Femme, Introd., IV.

2 Du Primate à l'Homme, les opérations de préhension ne changent pas de nature, mais se développent en variété dans les buts et en finesse dans l'exécution.
A. LEROI-GOURHAN, le Geste et la Parole, t. II, p. 38.

♦ **2.** (1510, « arrestation »; 1793 « saisie »). Anc. Dr. *Droit de préhension,* de réquisition.

DÉR. (Du même rad.) **Préhenseur, préhensible, préhensif, préhensile.**

PRÉHISTOIRE [pʀeistwaʀ] n. f. — 1872; de *pré-*, et *histoire* d'après *préhistorique,* qui semble antérieur.

♦ **1.** Ensemble des faits et des événements concernant l'humanité qui sont antérieurs à l'apparition de l'écriture (*préhistoire* au sens large incluant la *protohistoire**) ou, plus strictement, antérieurs à la première métallurgie. ⇒ **Histoire** (cit. 32, et *supra*). *Divisions de la préhistoire d'après le climat, la géologie* (glaciations et périodes interglaciaires), *d'après la paléontologie humaine, l'anthropologie* (⇒ **Homme**), *d'après l'évolution technique* (⇒ **Pierre** [*infra* cit. 3]; **paléolithique; néolithique**). ⇒ aussi **Quaternaire.**

♦ **2.** Science qui étudie ces faits et événements. ⇒ **Histoire; anthropologie, archéologie, ethnologie** (préhistoriques); **paléo-** (paléo-botanique, -zoologie, etc.). *Préhistoire, géologie* et paléontologie*. Spécialiste de la préhistoire.* ⇒ **Préhistorien.**

La préhistoire n'est ni réellement une science littéraire, ni totalement une science expérimentale, c'est une science née au confluent de l'histoire naturelle et de l'humanisme, et qui conserve encore aujourd'hui des représentants de chacune de ses origines. Elle s'est développée comme un dialogue entre la géologie et l'histoire et l'on retrouve dans l'appareil critique qu'elle est en voie de systématiser les signes de sa double appartenance. Les proportions que revêt chacune de ses branches dans l'exploitation des documents sont elles-mêmes inversées à l'une et l'autre extrémité de l'immense étendue chronologique qu'elle exploite : la part ethnologique dans l'étude de la vie des pithécanthropes est minime par rapport à celle de la géologie, alors que la part géologique est faible dans l'exploitation des matériaux du néolithique et de l'Âge du Bronze (...) Le tableau de la préhistoire, telle qu'elle tend à s'équilibrer dans son exploitation, pourrait s'établir ainsi :

Versant des sciences naturelles	Versant des sciences humaines
— géologie stratigraphique	— stratigraphie des structures d'origine humaine
— paléo-botanique	— paléo-ethno-botanique
— paléo-zoologie	— paléo-ethno-zoologie
— paléo-anthropologie	— paléo-ethno-raciologie

typologie stratigraphique
— Technologie préhistorique
— Sociologie préhistorique
— Religions préhistoriques
— Art préhistorique

A. LEROI-GOURHAN, Archéologie préhistorique, *in* Encycl. Pl., l'Histoire et ses méthodes, p. 1207-1208.

PRÉHISTORIEN, IENNE [pʀeistɔʀjɛ̃, jɛn] n. — 1874, *in* P. Larousse, art. *Préhistoire;* de *préhistoire,* d'après *historien.*

♦ Didact. Spécialiste de la préhistoire. *Le préhistorien peut être essentiellement archéologue, anthropologue, ethnologue, technologue, spécialiste de l'art, de la religion, sociologue...* ⇒ aussi **Historien.**

Pour le préhistorien, sociologie et religion sont les domaines d'exploration les plus difficiles. A. LEROI-GOURHAN, l'Histoire sans textes, *in* Encycl. Pl., l'Histoire et ses méthodes, p. 239.

PRÉHISTORIQUE [pʀeistɔʀik] adj. et n. m. — 1864, Lartet et Christy, *Objets gravés et sculptés des temps pré-historiques* (titre), cité in *Rev. des cours sc.,* t. II (1865), p. 266; de *pré-*, et *historique;* on disait par ex. Boucher de Perthes : *antiquités antédiluviennes.*

♦ **1.** Antérieur à l'apparition des témoignages écrits et à l'usage des métaux (⇒ **Préhistoire**). *Les âges, les temps préhistoriques.*

♦ **2.** (V. 1890). Relatif à la préhistoire. — (En tant que science). *Anthropologie, archéologie** (cit. 2), *chronologie préhistorique.* — (En tant qu'objet d'étude). *L'homme* préhistorique. Site, grotte, monument préhistorique* (→ Mégalithe, cit. 1); *ossements, outils préhistoriques. Arts, cultures, sociétés, techniques préhistoriques; faune, flore, animaux préhistoriques.*

N. m. **LE PRÉHISTORIQUE.** [a] (1888, *la Sc. illustrée,* t. II, p. 308). Vx. La préhistoire.

[b] L'homme préhistorique. *« À présent, nous savons que les préhistoriques chassaient les oiseaux avec des techniques plus ou moins avancées et nous pouvons essayer de reconstituer l'usage qu'ils faisaient de leurs proies »* (*la Recherche,* déc. 1979, p. 1209).

♦ **3.** (1903). Très ancien, suranné, démodé (⇒ **Antédiluvien**). *Une machine, une voiture préhistorique.*

(...) c'était une des idées les plus à la mode de dire que l'avant-guerre était séparé de la guerre par quelque chose d'aussi profond, simulant autant de durée, qu'une période géologique, et Brichot lui-même (...) quand il faisait allusion à l'affaire Dreyfus disait : « Dans ces temps préhistoriques ». 1
PROUST, le Temps retrouvé, Pl., t. III, p. 728.

À l'heure dite, au moment où j'allais monter en voiture, je fus accosté par une sorte de vieil individu, dont la longue barbe blanche était touffue et que coiffait un préhistorique gibus. A. ALLAIS, Contes et chroniques, p. 125. 2

REM. On dit aussi *antéhistorique.*

PRÉHOMINIENS [pʀeɔminjɛ̃] n. m. pl. — V. 1955; de *pré-*, et *hominien.*

♦ Sc. Groupe d'hominiens les plus proches des hominidés et qui comprend le pithécanthrope et le sinanthrope. ⇒ aussi **Africanthrope.** — Au sing. *Un préhominien. « Depuis le Préhominien »* (A. Sauvy, *Croissance zéro?,* p. 80).

REM. Le mot est mal formé sémantiquement; il s'agit d'hominiens préhominidés et non d'une espèce antérieure aux Hominiens.

PRÉHUMAIN, AINE [pʀeymɛ̃, ɛn] adj. — 1904, *Rev. gén. des sc.,* no 12, p. 578; de *pré-*, et *humain.*

♦ **1.** Didact. Antérieur à l'apparition de l'*homo sapiens;* propre aux préhominiens.

L'Homme de Néanderthal est à ce point de vue identique aux Hommes actuels. L'activité réflexive purement humaine (abstraction, culte des morts, art) a pu être précédée aux stades antérieurs préhumains par une activité technique comportant l'emploi d'outils. Paul CHAUCHARD, le Système nerveux..., p. 109. 1

♦ **2.** N. m. (1928). Ce qui est antérieur à l'homme.

(...) l'impression constante de pays neuf, *sans passé,* d'immédiate jeunesse, d'inépuisable surgissement, domine encore, pour moi du moins, celle de l'ancestral, du préhistorique, du préhumain, dont parlent de préférence ceux qui voyagent dans ce pays. GIDE, le Retour du Tchad, VII, *in* Souvenirs, Pl., t. II, p. 975. 2

PRÉIMPRESSION [pʀeɛ̃pʀesjɔ̃] n. f. — V. 1970 (*in* Larousse, 1975); de *pré-*, et *impression.*

♦ Techn. Impression préalable, pour un journal, d'images en couleurs.

PRÉIMPRIMER [pʀeɛ̃pʀime] v. tr. — 1975 *in* Larousse; de *pré-*, et *imprimer.*

♦ Techn. Effectuer la préimpression de.

PRÉINCASIQUE [pʀeɛ̃kazik] adj. — 1903 ; de *pré-*, et *incasique.*

♦ Hist. Qui est antérieur aux Incas, à leur civilisation (avant l'an 1000). *« Les civilisations préincasiques du Pérou et de la Bolivie »* (J. Soustelle, *in* Encycl. Pl., *Hist. universelle,* t. I, p. 1620). — REM. On écrit aussi *pré-incasique* et l'on trouve également la forme *préincaïque.*

PRÉINDUSTRIEL, ELLE [pʀeɛ̃dystʀijɛl] adj. — 1968, *in le Nouvel Obs.* ; de *pré-*, et *industriel.* Cf. Prémécanique, 1921, *in* D.D.L.

♦ Didact. Qui se situe avant la révolution industrielle, le machinisme (fin XVIIIe — première moitié du XIXe siècle). *L'époque préindustrielle. L'histoire du travail étudie le passage des économies préindustrielles aux économies modernes.*

Les Français veulent vivre dans un grand pays moderne tout en conservant les comportements d'une société aux structures et à la mentalité préindustrielles.
Philippe BAUCHARD, les Syndicats en quête d'une révolution, 1972.

On écrit aussi *pré-industriel.*

CONTR. Postindustriel.

PRÉINSCRIPTION [pʀeɛ̃skʀipsjɔ̃] n. f. — 1968, in *le Monde* ; de *pré-*, et *inscription.*

♦ Inscription préliminaire.

PRÉISLAMIQUE [pʀeislamik] adj. — 1933 ; de *pré-*, et *islamique.*

♦ Hist. Antérieur à l'Islam (dans les régions où la civilisation islamique s'étendit). Syn. : *anté-islamique. La poésie arabe préislamique.*

(...) cette vallée *(des Tombeaux)*... n'a livré ni ses inscriptions ni les noms de ses grands morts qu'entourent les cadavres des guerriers-poètes préislamiques (...)
MALRAUX, Antimémoires, II, p. 93.

On écrit aussi *pré-islamique.*

PRÉJUDICE [pʀeʒydis] n. m. — V. 1212 ; lat. *præjudicium,* « jugement anticipé, précipité ; opinion préconçue », de *præjudicare* « préjuger », de *præ,* et *judicare.*

♦ **1.** Perte* d'un bien, d'un avantage par le fait d'autrui (⇒ **Dommage, lésion,** 3. **mal**). Acte ou événement nuisible aux intérêts de qqn, et le plus souvent contraire au droit, à la justice (⇒ **Atteinte, tort** ; → Justice, cit. 2). *Causer un préjudice à qqn* (→ Faute, cit. 26). *Porter un notable préjudice à...* (→ Formalité, cit. 1). *Porter préjudice :* causer du tort. ⇒ **Atteindre, blesser, léser...** *Réparer un préjudice par une indemnité*. Subir un préjudice. Assurances* contre les préjudices. Le préjudice personnel (matériel* ou *moral) peut servir de base à l'action civile. Préjudice esthétique, d'agrément, de jouissance.*

(1271). **AU PRÉJUDICE de qqn.** ⇒ **Dam, désavantage, détriment.** *Préférence pour qqn au préjudice d'un autre.* ⇒ **Acception.** *Les différents privilèges « dont quelques-uns jouissent au préjudice des autres »* (→ Inégalité, cit. 3). — *Voir tourner une situation à son préjudice,* à son désavantage. — Dr. *Actes délictueux commis au préjudice de qqn* (→ Détourner, cit. 22). ⇒ **Baraterie, chantage, collusion, détournement, dissipation, vol...**

1 Quoi, parce que ce petit ouvrier déguisé en abbé était précepteur de ses marmots, il avait l'audace de le nommer garde d'honneur au préjudice de messieurs tels et tels riches fabricants ! STENDHAL, le Rouge et le Noir, I, XVIII.

2 (...) Cerbelot est moins instruit, moins intelligent que moi. Une injustice vient d'être commise à son profit, à mon préjudice.
G. DUHAMEL, Salavin, Journal, 15 avr.

♦ **2.** Ce qui est nuisible pour, ce qui va contre* (qqch.). *Causer un grave préjudice à une cause, à la justice.*

(1677). Littér. **AU PRÉJUDICE (de qqch.) :** contrairement à, au mépris de. — (1538). **SANS PRÉJUDICE (de qqch) :** sans porter atteinte à, sans renoncer à. *Sans préjudice de ses droits, de ses intérêts.* ⇒ **Réserve** (réserve faite de...). — Par ext., fam. Sans parler de..., en ne tenant pas compte de... ⇒ **Sauf.** *Sans préjudice des questions qui pourront être soulevées plus tard.*

3 *(Nos médecins)* mettent leurs divinations au poids, à l'encontre des maux présents, et, pour ne guérir le cerveau au préjudice de l'estomac, offensent l'estomac et empirent le cerveau par ces drogues (...)
MONTAIGNE, Essais, II, XXXVII.

4 Que je m'en sens pour moi tous les membres roués ;
Sans préjudice encor d'un accident bien pire (...) MOLIÈRE, Sganarelle, 7.

♦ **3.** (Av. 1952). Psychopath. *Idées de préjudice :* idées délirantes exprimant le sentiment ou la conviction d'un préjudice subi éprouvés par le sujet. *Idées de préjudice des mythomanes, des paranoïaques.* ⇒ aussi **Persécution.** *Délire de préjudice :* délire essentiellement constitué d'idées de préjudice. *Délire de préjudice présénile.*

CONTR. Avantage, bénéfice, 2. **bien. — Aide, assistance, bienfait.**

PRÉJUDICIABLE [pʀeʒydisjabl] adj. — 1266 ; bas lat. *præjudiciabilis,* du lat. *præjudicium* « préjudice ».

♦ Qui porte, peut porter préjudice (à qqn, à qqch.). ⇒ **Attentatoire, dangereux, dommageable, nocif, nuisible** (→ Crime, cit. 6, Montesquieu). *Chose préjudiciable au progrès de l'esprit humain.* ⇒ **Contraire.** *Cela risque de nous être préjudiciable.*

Ces messieurs, plus sages que moi, me faisaient remarquer combien ce régime d'immobilité, à l'âge que j'avais, était préjudiciable à ma santé. 1
RENAN, Souvenirs d'enfance..., IV, Œ. compl., t. II, p. 843.

Rien de plus préjudiciable à une cause, si excellente qu'elle puisse être, que certaines exagérations de ses défenseurs. GIDE, Journal, 1927, Feuillets. 2

CONTR. Salutaire, profitable, utile.

PRÉJUDICIAUX [pʀeʒydisjo] adj. m. pl. — XVIe ; *préjudicial* « préjudiciable », 1299 ; lat. *præjudicialis ;* → Préjudiciel.

♦ Dr. *Frais préjudiciaux,* qu'on doit acquitter avant de pouvoir faire appel.

PRÉJUDICIEL, ELLE, ELS [pʀeʒydisjɛl] adj. — 1752 ; « préjudiciable, nuisible », 1276 ; lat. *præjudicialis,* de *præjudicium.* → préjudice.

♦ Dr. Qui précède, doit précéder le jugement. *Action préjudicielle, question préjudicielle,* « qui doit être tranchée par une juridiction autre que celle saisie de l'action principale et préalablement à celle-ci » (Capitant, *Vocabulaire juridique,* Question).

PRÉJUDICIER [pʀeʒydisje] v. intr. — 1344 ; dér. sav. du lat. *præjudicium.* → Préjudice.

♦ Vx. ou littér. Porter préjudice, faire du tort à... ⇒ **Blesser, nuire.** *Préjudicier à qqn.* — (Choses). *« Leur doctrine ne préjudicie pas au salut »* (Bossuet), ne lui est pas préjudiciable.

CONTR. Aider, assister, avantager.
DÉR. Préjudiciable.

PRÉJUGÉ [pʀeʒyʒe] n. m. — 1584 ; de *préjuger.*

♦ **1.** Vx. Opinion formée au sujet d'un événement futur.

♦ **2.** (1636). Vx. Ce qui a été jugé auparavant dans un cas analogue et qui peut servir de précédent. *« Cet arrêt est un préjugé pour notre cause »* (Académie).

♦ **3.** (Déb. XVIIe). Didact. Indice qui permet de se faire une opinion provisoire au sujet de qqn ou de qqch. en attendant un examen plus approfondi. *C'est un préjugé en sa faveur. Voilà qui constitue un préjugé favorable.*

♦ **4.** (Fin XVIe). Cour. Croyance, opinion préconçue, souvent imposée par le milieu, l'époque, l'éducation. ⇒ **Erreur, idée** (toute faite), **jugement** (préconçu), **parti** (parti pris), **préconception, préoccupation, prévention, priori** (idée *a priori*). *Préjugé de race et de secte* (→ Enraciner, cit. 14). *Préjugés bourgeois, aristocratiques* (→ Fossile, cit. 3). *Préjugé indéracinable* (→ Écrivain, cit. 9), *tenace, vivace. Préjugés contre les étrangers* (→ Corroborer, cit. 2). *Être aveuglé par un préjugé.* — (1893). *Avoir un préjugé contre qqn, contre qqch. :* être hostile à (qqn, qqch.) dès l'abord et sans examen. *Il n'est pas capable de se libérer de ses préjugés. Un homme à préjugés.* (→ Paradoxe, cit. 1, Rousseau). *Être encroûté, imbu de préjugés. Être sans préjugés* (→ Bonifacement, cit. ; majorité, cit. 3). *Heurter* (cit. 14), *braver les préjugés* (→ 2. Outre, cit. 11). *Passer par-dessus les préjugés.* — *Être victime des préjugés de son époque.* — *Le Préjugé à la mode,* comédie de Nivelle de La Chaussée (1735).

Si donc, il existe des êtres dans le monde dont les goûts choquent tous les préjugés admis (...) il faut les servir, les contenter (...) 0.1
SADE, Justine..., t. I, p. 190 (1791).

(...) si quelquefois les savants ont moins de préjugés que les autres hommes, ils tiennent, en revanche, encore plus fortement à ceux qu'ils ont. 1
ROUSSEAU, les Confessions, VII.

Ses idées religieuses et ses préjugés d'enfance s'opposèrent à la complète émancipation de son intelligence. 2
BALZAC, la Maison du Chat-qui-pelote, Pl., t. I, p. 55.

PRÉJUGER [pʀeʒyʒe] v. tr. — Conjug. *bouger.* — XVe, « juger quelqu'un par conjecture » ; lat. *præjudicare,* « juger *(judicare)* préalablement.

★ **I.** V. tr. dir. ♦ **1.** (1580). Vieilli ou littér. Porter un jugement prématuré sur (qqch.). *« Je ne veux point préjuger la question, j'attendrai pour la résoudre les renseignements qui m'ont été promis »* (Académie). — Prévoir* au moyen des indices dont on dispose. *« Cela arrivera, autant qu'on peut le préjuger, à ce qu'on peut préjuger »* (Académie).

Mais, venons-en au grand reproche qu'on me fait d'avoir, en parlant de collaboration et de fidélité, préjugé l'avenir. 0.1
CAMUS, Actuelles II, Textes complémentaires, *in* Essais, Pl., p. 1754.

♦ **2.** (1606). Dr. Prendre, avant le jugement définitif, une décision provisoire sur (qqch.), qui laisse prévoir la décision finale.

★ **II.** V. tr. ind. (plus cour.). PRÉJUGER DE : porter un jugement prématuré sur (qqch.); considérer comme résolue, dans tel ou tel sens, une question qui ne l'est pas encore. *Autant qu'on peut (puisse) en préjuger. Il ne préjugeait de rien.*

1 Je suis allée au plus pressé en faisant transporter ici Mme de Saint-Selve. Je n'ai nullement entendu préjuger de votre décision. Je suis toute disposée à m'y ranger.
Pierre BENOIT, Mlle de la Ferté, p. 208.

1.1 C'est moi qui, sans préjuger de votre réponse, lui ai conseillé de s'adresser à vous.
R. ROLLAND, Deux hommes se rencontrent, p. 124.

2 Tout ceci, en tout cas, doit nous apprendre à ne rien préjuger de ce qui concerne l'Algérie et à nous garder des formules toutes faites.
CAMUS, Actuelles III, p. 96.

REM. Cet emploi a longtemps été critiqué par les puristes.

DÉR. Préjugé.

PRÉLAQUAGE [pʀelakaʒ] n. m. — V. 1970 (*in* Larousse, 1975); de *pré-*, et *laquage.*

♦ Techn. Opération par laquelle on dépose une couche de peinture ou de vernis (sur une tôle métallique).

PRÉLART [pʀelaʀ] n. m. — 1670; orig. incert. (selon P. Guiraud, de *prèler* «récurer avec la prèle» → Prèle, étym.); on emploie aussi, surtout dans l'artillerie, la variante *prélat.*

♦ Techn. (Mar., artill., etc.). Grosse toile imperméabilisée servant à recouvrir et à protéger les panneaux de cale, les embarcations d'un navire, le chargement d'une voiture, etc. ⇒ **Bâche.**

1 Le Languedocien et le Génois, en attendant le souper, se pelotonnèrent près des femmes, au pied du mât, sous les prélarts que les matelots leur jetèrent.
HUGO, l'Homme qui rit, I, II, III.

2 En traversant le pont, il croisa des hommes silencieux, déjà engoncés dans les cirés et qui s'affairaient aux besognes d'appareillage. Ils vérifiaient la fermeture des panneaux et des claires-voies, tendaient des prélarts (...)
Roger VERCEL, Remorques, p. 16.

PRÉLARVE [pʀelaʀv] n. f. — 1897, in *l'Année biol.*, p. 237; de *pré-*, et *larve.*

♦ Zool. Premier stade du développement postembryonnaire précédant le stade larvaire (disparu chez de nombreuses espèces).

PRÉLASSER (SE) [pʀelɑse] v. pron. — 1552 aux sens 1. et 2.; de *prélat*, la finale est probablt due à l'influence de *lasser, délasser.*

♦ **1.** Vx. Prendre un air important, une attitude, une démarche nonchalante et satisfaite (→ Flâneur, cit. 2). *« L'âne, se prélassant, marche seul devant* (cit. 10) *eux »* (La Fontaine).

♦ **2.** Mod. S'abandonner nonchalamment, paresseusement. *Se prélasser dans un hamac, dans un fauteuil. Il passe son temps à se prélasser.* ⇒ **Goberger** (se).

Une jolie litho de Gavarni, un brin voluptueuse, me regarde écrire. Que penserait la dormeuse nue qui s'y prélasse de la jeune femme de 1941?
COLETTE, Belles saisons, p. 90.

PRÉLAT [pʀela] n. m. — V. 1155; lat. médiéval *prælatus* «porté en avant, préféré» de *præ* (en avant), et *latus.*

♦ (Dans l'Église cathol.). Haut dignitaire ecclésiastique (cardinaux*, archevêques*, évêques*, vicaires généraux, clercs) ayant reçu la prélature à titre personnel. *Prélats domestiques* ou appartenant à la maison du pape *(prélats romains).* ⇒ **Clergé; pontife** (→ État, cit. 94; immense, cit. 10). *Dignité de prélat.* ⇒ **Prélature.** *Titre d'honneur donné à un prélat.* ⇒ **Monseigneur, monsignor.** *Les protonotaires* apostoliques sont prélats* ipso facto. *Caudataire*, coadjuteur* d'un prélat.*

— C'est l'auditeur de Sa Sainteté, dit ensuite Dom Magloire (...) un des prélats palatins. A ce titre, il fait partie de l'antichambre secrète du Pape. Il a beaucoup d'importance. C'est par lui que passent les enquêtes sur les candidats à l'épiscopat. Il recevra le chapeau sous peu.
J. ROMAINS, les Hommes de bonne volonté, t. XIII, XIX, p. 177.

DÉR. Prélasser (se), prélature.

PRÉLATIN, INE [pʀelatɛ̃, in] adj. et n. m. — Déb. XXe; de *pré-*, et *latin.*

♦ Didact. Antérieur à la civilisation latine, au latin (langue), dans son domaine. *Mot d'origine prélatine* (étrusque, etc.).

PRÉLATION [pʀelɑsjɔ̃] n. f. — 1520; «droit de préférence accordé à un fils pour succéder à son père dans sa charge»; fin XIIe, «prélature»; lat. *prælatio* «préférence».

♦ Dr. anc. Droit accordé au bailleur emphytéotique (⇒ **Emphytéose**) d'avoir la préférence sur toute autre personne pour acheter ce que le preneur désirait aliéner. *Droit de prélation.*

PRÉLATURE [pʀelatyʀ] n. f. — V. 1378; de *prélat.*

♦ **1.** Didact. ou littér. Dignité de prélat. *Renoncer à la prélature.*

(...) il n'aspirait à la prélature que pour se hisser plus haut, non point tant dans la carrière ecclésiastique que dans celle des grandes affaires.
Louis MADELIN, Talleyrand, II, p. 28.

♦ **2.** (1694). Corps des officiers de la maison du pape.

PRÉLAVAGE [pʀelavaʒ] n. m. — V. 1960; de *pré-*, et *lavage.*

♦ Lavage préalable. — (1967, in *le Figaro*). Dans une machine à laver le linge, phase préliminaire du cycle, permettant d'effectuer une première lessive sur un linge très sale.

PRÉLAVER [pʀelave] v. tr. — V. 1970; de *pré-*, et *laver.*

♦ Nettoyer par un lavage préalable; laver sommairement une première fois. *Les casseroles sales doivent être prélavées avant d'être mises dans une machine à laver la vaisselle.*

PRÈLE [pʀɛl] n. f. — 1539; altér. d'*asprele* (XIIIe); lat. vulg. **asperella;* de *asper* «âpre», la tige noueuse de la plante ayant servi à récurer.

♦ Plante cryptogame vasculaire *(Équisétinées),* formant à elle seule la famille des Équiselacées* à tige creuse et à épiamille terminal, qui croît sur les terrains siliceux et humides (→ Dru, cit. 3; fontaine, cit. 8). Syn. : *queue-de-cheval, queue-de-rat.*

Les joncs, les prèles, depuis deux jours inclinés par sa force *(du ruisseau),* se redressaient avec des froissements insensibles (...)
M. GENEVOIX, Raboliot, I, I.

REM. On écrit parfois *presle* et *prêle.*

PRÉLECTURE [pʀelɛktyʀ] n. f. — V. 1784, Diderot; de *pré-*, et *lecture.*

♦ **1.** Lecture de l'épreuve réalisée à l'imprimerie avant l'envoi à l'auteur.

♦ **2.** (Mil. XXe). Lecture de la copie par le correcteur.

PRÉLEGS [pʀelɛ; cour. pʀelɛg] n. m. — 1690; de *pré-*, et *legs.*

♦ Dr. Legs* particulier fait à l'un des légataires et qui doit être pris sur la masse de l'héritage, avant le partage.

PRÉLÉGUER [pʀelege] v. tr. — Conjug. *léguer* → Céder. — 1506; lat. *prælegare,* de *legare.* → Léguer.

♦ Dr. Attribuer (qqch.) sous forme de prélegs. *Préléguer qqch. à qqn.*

PRÉLÈVEMENT [pʀelɛvmɑ̃] n. m. — 1767; de *prélever.*

♦ **1.** Action de prélever. *Prélèvement d'un échantillon, d'une marchandise, opéré par les services de répression des fraudes.*

(...) à celui-là, monsieur des Grassins avait escompté des traites, mais avec un effroyable prélèvement d'intérêts. BALZAC, Eugénie Grandet, Pl., t. III, p. 486. 1

(V. 1780). Écon. Contribution versée à l'État. *L'impôt* (cit. 1) *est un prélèvement d'argent fait sur les choses ou sur les personnes. — Prélèvement exceptionnel :* impôt de caractère exceptionnel ou temporaire.

(V. 1965). *Prélèvement automatique,* que peut effectuer un organisme, public ou privé, sur le compte postal ou bancaire, de celui qui lui doit une redevance régulière, et a donné son accord pour cette opération.

UN PRÉLÈVEMENT DE... : la quantité que l'on prélève.

J'ajouterai que, vendredi, samedi dernier au plus tard, il a, dans la même caisse, opéré un second prélèvement, de cinquante francs, cette fois. 2
G. DUHAMEL, Salavin, Journal, 26 mai.

♦ **2.** (1936). Dr. «Opération au moyen de laquelle une personne copropriétaire d'une masse de biens, prend, au moment de la liquidation de la masse commune et avant tout partage de celle-ci, un ou plusieurs biens ou une somme d'argent pour se payer de ce qui lui est dû sur la masse» (Capitant). — (1962). Les biens ainsi prélevés. *Prèlèvement mobilier, immobilier.* ⇒ **Distraction.**

♦ **3.** (1935). Méd. Action de prélever de l'organisme (un tissu, un produit pathologique) en vue d'une analyse médicale. *Effectuer un prélèvement de sang.* — Absolt. *Faire un prélèvement* (d'organe, de tissu, etc.). — Le fragment ainsi prélevé. *L'analyse des prélèvements est en cours.*

PRÉLEVER [pʀelve] v. tr. — Conjug. *lever.* — 1629 «lever un impôt...»; bas lat. *prælevare.*

♦ **1.** (1690). Prendre (une partie d'un ensemble, d'un total). ⇒ **Enlever, extraire, ôter, retenir, retrancher.** *Prélever un échantillon. — Qui peut être prélevé sur...* ⇒ **Imputable.**

1 (...) si, sur vos grands biens, vous prélevez pour la doter ces trois millions d'or du Mexique, je ne supporte point l'idée d'en devenir propriétaire (...)
BEAUMARCHAIS, la Mère coupable, I, 6.

2 (...) l'imprimerie de Séchard fils produisait à peine trois cents francs par mois, sur lesquels il fallait prélever le traitement du prote, les gages de Marion, les impositions, le loyer (...) BALZAC, Illusions perdues, Pl., t. IV, p. 483.

(Rare). *Prélever des contributions, une dîme* (cit. 4), *un impôt, un tribut sur...* ⇒ **Lever.**

3 Comme c'est admirable ce droit qu'ils ont de taxer les autres, et de prélever, par exemple, comme en ce moment-ci, quatre shillings par livre sterling de rente (...)
HUGO, l'homme qui rit, II, II, XI.

♦ **2.** Dr. Prendre (une part d'un total, d'une masse) avant un partage*. ⇒ **Prélèvement.** *« Il faut prélever telle somme sur la succession, pour les frais funéraires »* (Académie).

♦ **3.** (Mil. XXe). Méd. Séparer de l'organisme (un tissu, un produit pathologique) pour faire subir une analyse médicale.

DÉR. **Prélèvement.**

PRÉLIBATION [pʀelibasjɔ̃] n. f. — 1756; bas lat. *prælibatio* «action d'effleurer, de goûter»; offrande préalable (faite aux dieux) de *præ*, et *libatio*. → Libation.

Didactique.

♦ **1.** (1824). Dans l'Antiquité, Action de recueillir les prémices.

♦ **2.** (Av. 1865). Dr. Action de jouir en premier de (qqch.) — (1869). *Prélibation d'hérédité :* prélèvement sur un héritage.

♦ **3.** (1756, Voltaire). Vx. Syn. de *cuissage. Droit de prélibation.*

PRÉLIBER [pʀelibe] v. tr. — 1826, Brillat-Savarin; lat. impérial *prælibare.*

♦ Rare, littér. Effleurer le premier (un sujet). — Goûter, toucher le premier à (une chose).

S'ils ne l'emportaient pas, ils *(les chiens)* lui donnaient au moins deux ou trois tours de langue, et en prélibaient ainsi la première et la plus délicate saveur.
Th. GAUTIER, Voyage en Espagne, p. 228.

PRÉLIMINAIRE [pʀeliminɛʀ] n. m. et adj. — 1671, attesté; après 1648, à l'occasion du traité de Westphalie; bas lat. *præliminaris.* → Liminaire.

★ **I.** N. m. ♦ **1.** Plur. Ensemble des manœuvres, des négociations qui précèdent et préparent un armistice, un traité de paix; les premières bases d'un traité. *Préliminaires de paix.*

1 Les préliminaires de la paix entre la France et l'Angleterre, arrêtés à Londres le 1er octobre 1801, sont convertis en traité à Amiens.
CHATEAUBRIAND, Mémoires d'outre-tombe, t. III, p. 135.

2 (...) celui-ci *(Bonaparte)* y reçoit, non des simples parlementaires, mais deux plénipotentiaires envoyés de Vienne pour solliciter mieux qu'un armistice : une conférence où l'on traiterait des *préliminaires de paix.*
Louis MADELIN, Hist. du Consulat et de l'Empire, Ascension de Bonaparte, IX.

Cour. Ce qui prépare un acte, un événement plus important. ⇒ **Commencement, prélude** (→ Face, cit. 68).

3 Quoique ni l'un ni l'autre ne fussent arrivés à ce déclin où les hommes et les femmes abrègent les préliminaires, tous deux allèrent rapidement au but.
BALZAC, Une fille d'Ève, Pl., t. II, p. 113.

4 Quand un homme a, comme moi, une vie de travail très exigeante et qu'il appartient avant tout à son métier, il lui faut ou le mariage, ou une maîtresse qui simplifie les préliminaires (...) Faire une cour en règle prendrait trop de temps.
A. MAUROIS, Terre promise, XXV.

♦ **2.** Sing. (Dr.). *Préliminaire de conciliation*.* ⇒ aussi **Essai.**

★ **II.** Adj. (1671). Qui précède ou prépare une autre chose considérée comme plus importante (→ Analyse, cit. 7) ⇒ **Préalable, préparatoire.** *Discours préliminaire.* ⇒ **Introduction, préambule, préface, prologue...**

5 Traducteurs, éditeurs, faiseurs de commentaires,
Qui nous parlez toujours de grec ou de latin,
Dans vos discours préliminaires (...) FLORIAN, Fables, I, 15.

CONTR. **Conclusion.**
DÉR. **Préliminairement.**

PRÉLIMINAIREMENT [pʀeliminɛʀmɑ̃] adv. — 1757; de *préliminaire.*

♦ Rare. Préalablement.

PRÉLITTÉRAIRE [pʀeliteʀɛʀ] adj. — 1928 *in* D.D.L.; de *pré-*, et *littéraire.*

♦ Didact. Antérieur à l'apparition d'une littérature (pour une langue, une civilisation).

PRÉLOGIQUE [pʀelɔʒik] adj. — 1910; de *pré-*, et *logique*, adj.

♦ **1.** Sociol. *Mentalité prélogique :* nom donné en 1910 par Lévy-Bruhl à la mentalité propre aux sociétés primitives, caractérisée essentiellement par le fait qu'elle ne répugne pas à la contradiction. — REM. Par la suite, Lévy-Buhl lui-même a reconnu que ce terme était inadéquat et les sociologues modernes préfèrent employer les mots *alogique, paralogique.*

♦ **2.** (Mil. XXe). Psychol. *Stade prélogique,* pendant lequel l'esprit de l'enfant ne respecte pas encore les règles de la logique (notamment les relations de causalité).

PRÉLUDE [pʀelyd] n. m. — 1530; bas lat. *præludium,* du lat. *præludere ;* de *præ,* et *ludere.* → Préluder.

♦ **1.** Suite de notes qu'on chante ou qu'on joue pour se mettre dans le ton.

♦ **2.** (1690). Pièce instrumentale ou orchestrale de forme très libre qui sert à introduire une autre pièce ou qui constitue un tout par elle-même (peut s'opposer à *postlude*). — (1765). *Préludes précédant les fugues de J.-S. Bach* (toujours dans la même tonalité que la fugue). *Préludes de Liszt, de Chopin.* — Introduction* symphonique d'un opéra qui ne se présente pas sous la forme traditionnelle de l'ouverture. *Le prélude wagnérien* (→ Introduction, cit. 5).

Le prélude appartient essentiellement à la musique instrumentale. C'est une pièce 1
de dimensions assez variables, qui, ainsi que l'indique son nom, a pour fonction d'introduire une ou plusieurs autres pièces : suite de danses ou fugue. Cependant, des compositeurs comme Chopin et Debussy ont écrit des séries de préludes qui se suffisent à eux-mêmes.
A. HODEIR, les Formes de la musique, p. 86.

Prélude à l'après-midi d'un faune, poème symphonique de Debussy, inspiré par le poème de Mallarmé.

♦ **3.** (1532). Fig. Ce qui précède* ou annonce (qqch.); ce qui constitue le début (d'une œuvre, du déroulement d'événements, d'un fait). ⇒ **Annonce, commencement, préliminaire, présage, prologue.** *Prélude à Verdun,* de J. Romains.

Albertine (...) me laissa heureux, mais (...) ne comptant les moments que nous 1.1
venions de passer ensemble que comme un prélude, sans grande importance par lui-même, à ceux qui suivraient.
PROUST, À l'ombre des jeunes filles en fleurs, Folio, p. 599.

(...) ce bombardement était sans importance réelle : une manière d'avertissement, 2
de démonstration symbolique, plutôt que le prélude des hostilités.
MARTIN DU GARD, les Thibault, t. VII, p. 31.

Ce fut, pour tous, un soulagement délicieux, sauf pour notre mère qui pressentait 3
là, de ses sens déliés, une ébauche de dénouement, une première trêve de l'étreinte, un inquiétant prélude à l'essaimage, à la dispersion.
G. DUHAMEL, Chronique des Pasquier, III, VI.

PRÉLUDER [pʀelyde] v. — 1657; lat. *præludere* «se préparer à jouer» *(ludere).*

♦ **1.** V. intr. Essayer sa voix ou son instrument par un prélude (1.).

Avant que de chanter, il faut que je prélude un peu, et joue quelque pièce, afin 1
de mieux prendre mon ton.
MOLIÈRE, le Malade imaginaire, Premier intermède.

(1678). Jouer une improvisation (cit. 8) en forme ou en guise de prélude (2.). ⇒ **Improviser.**

Préluder par... : chanter, jouer (tel morceau) pour commencer.

Elle préludait doucement par de vagues mélodies, et Gilbert reconnut bientôt son 2
air favori, *le Désir* de Beethoven. A. DE MUSSET, Nouvelles, « Emmeline », V.

♦ **2.** V. tr. ind. (1690). Littér. (Personnes). **PRÉLUDER À :** s'exercer, s'essayer à (faire qqch.). ⇒ **Préparer** (se préparer à). → Essayer, cit. 2. — Absolt :

Je ne parle pas des morceaux où Vauvenargues prélude et où il n'est pas encore 3
dégagé de toute rhétorique et de toute déclamation (...)
SAINTE-BEUVE, Causeries du lundi, 18 nov. 1850.

(Av. 1813). Choses. Se produire dans l'attente d'autre chose, constituer le début, les préliminaires de qqch. ⇒ **Annoncer.**

Il s'interrompit. Un temps interminable prélude à ce qui allait suivre. 4
COURTELINE, Messieurs les ronds-de-cuir, 3e tableau, II.

CONTR. **Conclure.**

PRÉMATURATION [pʀematyʀasjɔ̃] n. f. — XXe; de *pré-*, et *maturation.*

♦ Didact. Évolution qui prépare une maturation.

Le fait qu'à sa naissance un être soit impuissant à subsister par lui-même, faute d'une maturation suffisante de ses organes a été assimilé à un cas de prématuration. Nul exemple n'est plus saisissant que celui du Kangourou, dont le petit ne quitte l'utérus de sa mère que pour réintégrer sa poche ventrale, où il attendra de pouvoir enfin supporter les rudes contacts du monde extérieur. La prématuration est normale chez plusieurs espèces de mammifères.
Henri WALLON, l'Évolution psychologique de l'enfant, p. 42.

PRÉMATURÉ, ÉE [pʀematyʀe] adj. — 1632; lat. *præmaturus* «mûr *(maturus)* avant».

♦ **1.** Qu'il n'est pas encore temps d'entreprendre. *Je crains que ce* *ne soit une démarche prématurée* (→ L'affaire n'est pas mûre*; fam. La poire* n'est pas mûre). *Il est prématuré de...* (suivi de l'inf.). ⇒ **Tôt** (il est trop tôt pour...). — Qui a été fait trop tôt. *Cette intervention prématurée lui a beaucoup nui.*

1 — Tu fis sagement, Bellombre, fit Blazius, bien que ta retraite ait été prématurée et que tu eusses pu rester dix ans au théâtre.
Th. GAUTIER, le Capitaine Fracasse, VII.

Une nouvelle prématurée, annoncée avant sa réalisation.

♦ **2.** Qui survient, qui apparaît, qui se développe avant l'âge, avant le temps habituel ou convenable; qui arrive trop tôt. *Une sagesse prématurée.* ⇒ **Hâtif, précoce.** *Une vieillesse prématurée.* ⇒ **Anticipé.** *Une mort, une fin prématurée* (→ aussi Éternel, cit. 32; fortuit, cit. 2).

2 Pour l'acteur comme pour l'homme absurde, une mort prématurée est irréparable. Rien ne peut compenser la somme des visages et des siècles qu'il eût, sans cela, parcourus.
CAMUS, le Mythe de Sisyphe, p. 114.

Méd. *Accouchement prématuré.* ⇒ **Avancé, terme** (avant terme).

♦ **3.** (V. 1900; in *Larousse mensuel,* 1912). *Un enfant prématuré,* né avant terme, mais viable. ⇒ **Prématurité.** — Subst. (1901). *Un prématuré. Des prématurés en couveuse.*

CONTR. Tardif.
DÉR. Prématurément.

PRÉMATURÉMENT [pʀematyʀemɑ̃] adv. — 1690; *prématurement,* 1576; de *prématuré.*

♦ Avant le temps habituel ou convenable. *Mourir prématurément.* ⇒ **Heure** (*infra* cit. 70; avant l'heure). *Ses chagrins avaient prématurément flétri* (1. Flétrir, cit. 5) *son visage.* ⇒ **Précocement.**

1 (...) une pauvre petite fille (...) âgée d'une dizaine d'années, à moins toutefois que la faim dont elle était rongée n'eût vieilli prématurément son visage.
BAUDELAIRE, les Paradis artificiels, « Mangeur d'opium », II.

2 Les journaux sont comme certaines montres qui ont la manie d'avancer, et ils avaient prématurément annoncé l'achèvement de la ligne (de chemin de fer).
J. VERNE, le Tour du monde en 80 jours, p. 79.

PRÉMATURITÉ [pʀematyʀite] n. f. — 1953; « caractère de ce qui est prématuré », 1762; de *pré-,* et *maturité.*

♦ Didact. État d'un enfant prématuré (défini conventionnellement par un poids à la naissance inférieur à 2 500 grammes et né après une gestation de moins de 37 semaines).

PRÉMÉDICATION [pʀemedikɑsjɔ̃] n. f. — 1959; de *pré-,* et *médication.*

♦ Méd. Traitement médicamenteux administré avant une anesthésie ou un examen difficilement toléré. *Prémédication destinée à détendre le malade et à renforcer les effets de l'anesthésique. Prémédication visant à atténuer les effets secondaires d'une pneumographie cérébrale.*

PRÉMÉDITATION [pʀemeditɑsjɔ̃] n. f. — 1572; *premeditacion,* v. 1370; lat. *præmeditatio,* du supin de *pæmeditari* → Préméditer.

♦ **1.** Vx. Le fait de penser à l'avance à un évènement, de s'y préparer (→ Peur, cit. 2, Descartes).

♦ **2.** Mod. Dessein* réfléchi, intention délibérée d'accomplir une action (→ Accidentel, cit. 2).

0.1 Le Général de Gaulle est venu remplir un vide dont il n'était pas la cause. Il l'a fait, certes, avec résolution et, j'en conviens, en homme qui attendait l'évènement. La préméditation ne s'applique pas seulement au crime.
F. MAURIAC, le Nouveau Bloc-notes 1958-1960, p. 131.

(1690). Cour. Dessein prémédité d'accomplir une action mauvaise, un délit ou un crime. Qui est commis avec préméditation. ⇒ **Prémédité.** *Avec préméditation et de sang-froid.* — Dr. pén. *La préméditation, circonstance aggravante en matière d'homicide, de coups et blessures volontaires* (⇒ aussi **Guet-apens**). *Meurtre commis avec préméditation.* ⇒ **Assassinat** (cit. 2). *Le jury a écarté, retenu la préméditation* (→ 2. Infanticide, cit. 1).

1 La préméditation consiste dans le dessein formé, avant l'action, d'attenter à la personne d'un individu déterminé, ou même de celui qui sera trouvé ou rencontré, quand même ce dessein serait dépendant de quelque circonstance ou de quelque condition.
Code pénal, art. 297.

2 Le vol a engendré l'assassinat par la fatale logique qu'inspire la peine de mort aux criminels. Aussi, dit-elle (...) serait-ce une chose digne de vous, que de faire écarter la préméditation, vous sauveriez la vie à ce malheureux.
BALZAC, le Curé de village, Pl., t. VIII, p. 588.

PRÉMÉDITER [pʀemedite] v. tr. — 1474; *se préméditer* « se concerter », 1395; lat. *præmeditari,* de *præ,* et *meditari.* → Méditer.

♦ Décider, préparer avec calcul, précaution, réflexion (le compl. désigne souvent un acte moralement condamnable). ⇒ **Calculer.** *Préméditer un crime, la guerre* (→ Militarisme, cit. 1).

1 Poussé par elle, le pharmacien avait patiemment prémédité la rupture de son ménage.
J. ROMAINS, les Hommes de bonne volonté, t. III, XXIII, p. 308.

Trans. ind. *Préméditer de...* (suivi de l'inf.). ⇒ **Projeter** (→ Garantir, cit. 7; motif, cit. 9). *Il avait prémédité de s'enfuir.*

▶ **PRÉMÉDITÉ, ÉE** p. p. adj.

Qui est accompli, réalisé avec préméditation, qui a été l'objet d'une réflexion préalable. ⇒ **Intentionnel.** *Réponse, réaction préméditée.* ⇒ **Concerté** (opposé à *automatique, spontané*). *Crime, mauvais coup prémédité* (cf. Coup monté). *Discours prémédité.*

Madame de Rênal avait été pour moi comme une mère. Mon crime est atroce, et il fut *prémédité.* J'ai donc mérité la mort, messieurs les jurés. 2
STENDHAL, le Rouge et le Noir, II, XLI.

(...) il s'arrange, en racontant l'histoire, de manière à tourner en décision préméditée ce que les circonstances l'ont amené à faire. 3
GIDE, Journal, 7 janv. 1902.

Vx. *De dessein prémédité :* de propos délibéré (→ Fallacieux, cit. 1).

PRÉMÉNOPAUSE [pʀemenɔpoz] n. f. — Mil. XXᵉ; de *pré-,* et *ménopause.*

♦ Méd. Ensemble des signes psycho-physiologiques qui présagent la ménopause. Période de temps (plus ou moins longue) durant laquelle ils se manifestent. ⇒ **Âge** (critique). « *Fréquemment la préménopause est marquée uniquement par des manifestations congestives alors que les règles restent pratiquement normales* » (*Guérir,* oct. 1967).

PRÉMENSTRUEL, ELLE [pʀemɑ̃stʀyɛl] adj. — 1908; de *pré-,* et *menstruel.*

♦ Méd. Qui précède l'époque des règles. *Syndrome prémenstruel.*

PRÉMICES [pʀemis] n. f. pl. — V. 1120, *primices;* lat. *primitiae.*

♦ **1.** Hist. (Chez les Grecs, les Romains, les Hébreux, etc.). Premiers fruits de la terre, premiers animaux nés du troupeau qu'on offrait à la divinité (→ Froment, cit. 4, Bible).

De leurs champs dans leurs mains portant les nouveaux fruits, 1
Au Dieu de l'univers *(ils)* consacraient ces prémices.
RACINE, Athalie, I, 1.

♦ **2.** (V. 1540). Vx. Commencement, début. *Les prémices de la vie. Les prémices de l'hiver.* ⇒ **Avant-goût.**

Toujours la tyrannie a d'heureuses prémices (...) RACINE, Britannicus, I, 1. 2

C'était une femme de trente-cinq à quarante ans, parfaitement belle encore, amusante, et si consommée dans l'art de plaire, qu'elle vendait, disait-on, plus cher les restes de sa beauté qu'elle n'en avait vendu les prémices. 3
A.-R. LESAGE, Gil Blas, III, IV.

Premiers élans du cœur. « *Vous avez eu les prémices de son cœur* » (Académie).

♦ **3.** Littér. Virginité (d'une femme).

(...) on lui *(à Juliette)* indique sa chambre dans la maison, et dès le lendemain, ses prémices sont en vente. En quatre mois la marchandise est successivement vendue à près de cent personnes (...) Chaque fois la Duvergier rétrécit, rajuste, et pendant quatre mois ce sont toujours des prémices que la friponne offre au public. 4
SADE, Justine..., t. I, p. 14.

HOM. Prémisse.

PREMIER, IÈRE [pʀəmje, jɛʀ] n. et adv. — 1080; *primer,* 980; lat. *primarius,* de *primus* (anc. franç. *prin* → Prime). — REM. Devant un nom commençant par une voyelle, on prononce [pʀəmjeʀ ou pʀəmjɛʀ], ex. : *premier avril* [pʀəmjeʀavʀil; pʀəmjɛʀavʀil].

★ **I.** Adj. et emplois subst. Qui vient avant les autres dans un ordre. ⇒ **Ordre.**

REM. 1. *Premier* joue à la fois le rôle d'adjectif numéral ordinal et d'adjectif qualificatif (avec une valeur de superlatif). *Le premier... qui (que, dont)...* peut être suivi du subjonctif, à cause de cette valeur superlative. « *Vous n'êtes pas le premier homme que j'aie aimé* » (Musset).
2. *Premier,* épithète, se place le plus souvent avant le nom.

♦ **1.** Qui est le plus ancien ou parmi les plus anciens dans le temps; qui s'est produit, apparaît, doit apparaître avant. ⇒ **Antérieur, initial; commencement, début** (→ Acte, cit. 10; île, cit. 6; limite, cit. 8; mortel, cit. 2). — *Premiers commencements* (→ Origine, cit. 9 et 11). *Premier jour* (cit. 1). *Au premier matin du monde* (→ Maîtrise, cit. 1). *Le premier jour du mois.* — Subst. *Le premier janvier, le premier avril, le Premier de l'An. Le Premier Mai* (→ Conjuguer, cit. 2). *Les premiers du mois :* chaque premier jour. — *La première heure du jour.* ⇒ **Aube, aurore** (→ Matin, cit. 13). — Loc. *À la première heure** : très tôt dans la matinée (→ Papier, cit. 2). — (Av. 1778). *Le premier âge** (⇒ 1. **Bas,** I., B., 4.), *la première enfance, la première jeunesse.* ⇒ **Prime.** — Loc. *Ne pas être de première jeunesse*.* — *Les premières années de ma vie* (→ Impérissable, cit. 2). *Les premiers développements* (cit. 2) *de l'enfance. Les premières facultés* (cit. 4) *qui se forment. Les premiers cris du nouveau-né* (cit. 4). *Les premiers pas** (cit. 1). *Premier amour, premières amours* (cit. 37 à 39). *Premiers sentiments* (→ Aube, cit. 10), *premiers chagrins* (→ Attrait, cit. 15), *premières émotions, passions...* (→ Bouillonnement, cit. 1). *Premier ren-*

dez-vous (→ Maladroit, cit. 13). *Premier bal* (→ Inviter, cit. 5). — *Faire sa première communion** (→ Infraction, cit. 2; journée, cit. 4). *Faire ses premières armes.* ⇒ **Apprentissage.** *Premier combat* (→ Baptême* du feu). *Premier livre, premier ouvrage* (cit. 11). *Premiers vers* (→ Homme, cit. 149). *Premières poésies. Première manière d'un écrivain, d'un peintre* (→ Peinture, cit. 14). — *Premier mariage. Enfants du premier lit** (cit. 21). — *La première cigarette, la première pipe d'un collégien* (→ Ivre, cit. 5). — *Il s'en soucie,* (fam.) *il s'en fiche comme de sa première chemise*, de sa première culotte.*

1 L'un de ces trois livres, le premier, comme chez plusieurs écrivains qui n'ont pu faire qu'un premier ouvrage, avait obtenu le plus brillant succès.
BALZAC, Une fille d'Ève, Pl., t. II, p. 89.

2 C'était le jour béni de ton premier baiser.
MALLARMÉ, Premiers poèmes, « Apparition ».

(1875). Dans l'histoire. *Les premiers âges, les premiers temps* (→ Avant, cit. 60; habitant, cit. 8). *Les premiers hommes, les premiers humains* (→ Berceau, cit. 13). *Nos premiers parents :* Adam et Ève. *Les premiers Romains* (→ Arme, cit. 13). *Les premiers chrétiens* (→ Piétiste, cit. 1). *Les premières croisades. Premier Empire. Première coalition. La Première Guerre mondiale.*

Loc. *La première fois** (cit. 10 et 17). — *Au premier, du premier coup** (→ Désastre, cit. 5; jeunesse, cit. 10, Académie) : à la première tentative, au premier essai. *Faire les premiers pas** (cit. 19). — Loc. prov. *Il n'y a que le premier pas* (la première décision, le début de l'action) *qui coûte** (cit. 23 et 26). — *Au premier abord** (cit. 8). ⇒ **Prime.** *À première vue :* tout d'abord. *La première impression* (cit. 23). *Le premier mouvement* (cit. 37). *Dès le premier contact* (cit. 11). *Première nouvelle!* (cit. 9) : je ne le savais pas!

*Première ébauche** (→ Maquette, cit. 1), *premier essai...* ⇒ aussi **Linéament.** *Première rédaction.* ⇒ **Projet.** — Loc. *Du premier jet** (cit. 3). *De première main** (cit. 70 et 71). — *Premier usage d'une chose.* ⇒ **Étrenne, étrenner; inauguration, inaugurer.** *Poser la première pierre** (cit. 20 et 21). *Premier exemplaire d'un modèle.* ⇒ **Prototype.** *Première épreuve* (typogr.), et, n. f., *la première, les premières. Lire, corriger en première.* — *Première édition** ⇒ 2. **Original, princeps.** *Premières notions, premiers rudiments* d'une science,* ceux qu'on apprend d'abord. ⇒ **Élément.** — *Premiers soins. Premiers secours* (⇒ **Urgent**).

Les premières lueurs, le premier feu de l'aurore (cit. 5 et 15). *Le premier quartier de la lune* (→ Incertain, cit. 13). *Les premiers bourgeons* (→ Inexprimable, cit. 3), *les premières feuilles, les premières fleurs... les premiers fruits* (⇒ **Prémices, primeur**). — Loc. *Jeter la première pierre* (*supra* cit. 6). *Couper le premier morceau, la première tranche.* ⇒ **Entame, entamer.**

Premier service (→ Hure, cit. 4). *Premier round* (→ Gong, cit. 6). *Première manche* (1. Manche, cit. 16). *Première course.* — Subst. *Jouer placé* (1. Placer, cit. 19) *dans la première, dans la première course d'une série.* — *Première représentation**, et, n. f., *une première* (1844) : première représentation d'une pièce ou projection d'un film. *La générale, la couturière et la première. Nous nous sommes vus à la première de cette pièce.*

3 Madame de la Baudraye est ficelée comme pour une *première,* dit-il *(Lousteau)* en se servant de l'abréviation par laquelle on désigne en argot du journal une première représentation. BALZAC, la Muse du département, Pl., t. IV, p. 197.

Première partie du baccalauréat, première année de droit. — *Enseignement du premier degré :* enseignement primaire. *Premier cycle.*

Le premier occupant (cit. 1) : le plus ancien.

(En fonction d'attribut). *Arriver premier,* avant les autres. ⇒ **Tête** (en). *Ils sont bons premiers :* ils sont de beaucoup avant les autres. *L'un des tout premiers.* ⇒ **Tout.**

N. m. et f. (En parlant des personnes ou des animaux). *La tortue arriva* (cit. 12) *la première. Parler le premier. J'aurais ri tout le premier, si... Il fut le premier qui fit..., le premier à faire, à dire...* ⇒ **Auteur; initiateur, introducteur, inventeur, pionnier, promoteur; initiative.** *Il est parmi les premiers, les tout premiers (à)... Être tout le premier. Né le premier.* ⇒ **Premier-né, primogéniture.** « *Le premier qui fut roi fut un soldat heureux* » (cit. 4). *Le premier des Césars* (→ 2. Carrière, cit. 22). « *Enfin Malherbe vint, et le premier en France...* » (→ Cadence, cit. 1). — Allus. hist. *Messieurs les Anglais, tirez* les premiers.*

4 — J'ai été bien aise d'être des premières, Monsieur, à venir vous féliciter du haut degré de gloire où vous êtes monté. MOLIÈRE, le Bourgeois gentilhomme, V, 3.

5 Il est tard, et il faut que je sois la première couchée et la première levée.
DIDEROT, Jacques le fataliste, Pl., p. 634.

UNE PREMIÈRE, n. f. **a** Au théâtre, Première représentation → ci-dessus cit. 3 et *supra.*

b (Mil. xxe). Sports. En alpinisme, Premier parcours d'un itinéraire. *Une première hivernale. Une première solitaire,* sans compagnon.

c Par ext. Ce qui est tenté, et réussi, pour la première fois. Spécialt. *Acte médical (traitement, opération chirurgicale) tenté pour la première fois.* « *Un enfant conçu après la fécondation d'un ovule en laboratoire, est né à l'hôpital d'O. (...) Cette "première" n'ouvre pas encore la voie d'un traitement définitif de la stérilité féminine* » (*le Monde,* 27 juil. 1978). — Réussite technique réalisée pour la première fois. « *Concorde 02 gagnera Washington (...) d'où (...) il s'envolera pour Paris, faisant ainsi une grande "première"* » (*le Monde,* 19 sept. 1973).

♦ **2.** Qui est le premier, la première à venir, à se produire (dans le futur). ⇒ **Prochain.** *À la première occasion, j'irai vous voir. Au premier beau matin* (→ Dette, cit. 4).

Je dirai à mon frère de me l'apporter la première fois qu'il ira à Senlis. 6
NERVAL, les Filles du feu, « Sylvie », V.

Le premier jeune garçon venu (→ Envie, cit. 13). — Subst. *Le premier venu :* la première personne qui est venue, qui viendra, et, par ext., n'importe qui (⇒ **Quelconque**). → Caprice, cit. 5; 1. crocheteur, cit.; homme, cit. 116.

— Si, si, reprit-elle, il le faut (...) Je me ferai une raison. Après tout, elle est ta femme. Ce n'est pas comme si tu me trompais avec la première venue. 7
ZOLA, Nana, XII.

♦ **3.** Qui se présente avant les autres ou avant d'autres, dans une série, dans un ordre conventionnellement défini. *La première place, le premier numéro, le premier nom d'une liste. En premier lieu** (cit. 21). — *Le premier point, le premier article.* — *Au premier chef** (→ Méfiant, cit. 2). — *La première personne* (cit. 19) *du singulier, du pluriel. Verbe du premier groupe* (en *-er*). — Dr. *Le premier degré de juridiction. Première instance**.

(1932). Autom. LA PREMIÈRE : la première vitesse. *Monter un raidillon en première. Passe ta première en douceur!*

Première partie (cit. 5 et 14). ⇒ **Commencement, début; liminaire.** *Première page* (1. Page, cit. 2). *De la première ligne à la dernière* (→ Journal, cit. 10). *La dernière* (cit. 1) *chose qu'on trouve en faisant un ouvrage, est de savoir celle qu'il faut mettre la première. Le premier et le dernier mot :* → L'alpha* (cit. 1) et l'oméga. — *Le premier mot d'une charade.* — Subst. (1842). MON PREMIER... (dans l'énoncé de la charade).

N. f. (1631). LA PREMIÈRE : classe qui précède les classes terminales des études secondaires. ⇒ **Rhétorique.** — (Déb. xxe). *Entrer en première. Première supérieure :* classe des lycées qui prépare au concours de l'École normale supérieure. ⇒ **Cagne** ou **khâgne.**

♦ **4.** (1559). Qui est dans l'état de son origine, de son début (généralement après le nom). ⇒ **Originaire, original, originel, primitif.** — *Moments où la destinée se détourne* (cit. 3) *de sa ligne première. Rendre à qqch. son caractère premier* (→ Pathos, cit. 2). *État premier.*

Il ne devait plus jamais ressentir la ferveur première. 8
FRANCE, les Désirs de Jean Servien, VI.

Loc. *Matières** (cit. 10 et *supra*) *premières.*

♦ **5.** (1080). Qui se présente d'abord (dans l'espace) par rapport à un observateur, un point de repère. *Arrière-plan* (cit. 1) *et premiers plans** (opposé à *fond*). — *La première porte après l'escalier* (→ Disponibilité, cit. 3). *La première salle* (→ Intérieur, cit. 4). *Au premier détour* (cit. 4) *du chemin. La première (rue) à droite.* — *En première ligne* (cit. 36 et 37). *Au premier rang, à la première place. Le premier de la file.* — *La première lettre en renfermait une seconde* (→ Cachet, cit. 3). *Première semelle.* — PREMIÈRE (n. f.) : mince semelle de cuir à l'intérieur de la chaussure. — *Le premier étage* (→ Fuir, cit. 22). — (1762). LE PREMIER (n. m.) : le premier étage. *L'entresol et le premier. Au premier* (→ Jour, cit. 11; maison, cit. 6). — (XIXe). Abrév. pop. : *le preu.* « *Il vous a loué tout son preu* » (Henri Monnier, *Scènes populaires,* p. 114). — *Les premières loges** (cit. 8; et, au fig., cit. 11 à 13).

Subst. (En parlant des personnes). *Marcher, passer, sortir le premier,* devant* les autres. ⇒ **Devancer, ouvrir** (la marche). *Passez donc le premier!* (→ Après* vous). — *Premier de cordée**.

Par ext. En avant, vers l'avant. — (1564). *Il est tombé la tête la première* (→ Pantelant, cit. 1). *Il a sauté les pieds les premiers.*

(...) il tomba la tête la première en avant (...) 9
BALZAC, le Médecin de campagne, Pl., t. VIII, p. 530.

♦ **6.** Qui vient en tête, doit être considéré avant les autres, pour l'importance, la qualité, la valeur...; plus remarquable* que les autres. ⇒ **Dominant, meilleur; prépondérance, primauté** (cf. Sans égal). *Première place* (cit. 30), *premier rang. Les premiers honneurs militaires* (→ Capitaine, cit. 2). — Loc. *Soldat de première classe* (ellipt, *un première classe*). — *Des étrangers de la première distinction* (→ Indice, cit. 6). — *Première qualité. De premier ordre* (→ Gnosticisme, cit.; griffe, cit. 14). *Premier choix* (→ Mesurer, cit. 1). *Morceau de premier choix,* de choix*.

(xxe). Spécialt. *Côte, côtelette première,* se dit en boucherie d'une des quatre côtelettes le plus près de la selle.

Un jongleur (cit. 5) *de première force.* — Fam. *De première bourre**. — (1923). Ellipt. *De première! :* de première qualité; remarquable, exceptionnel. — Qui doit être considéré, satisfait d'abord. ⇒ **Primordial, principal.** *La première preuve de l'existence* (cit. 2) *de Dieu. Le premier but de la Révolution* (→ Faciliter, cit. 3). *De première nécessité* (→ Nourriture, cit. 7). *Satisfaire aux premiers besoins* (⇒ **Indispensable, nécessaire**). — (Placé après le nom). *L'objectif* (2. Objectif, cit. 9) *premier.* ⇒ **Capital, principal.** *La lan-*

gue, instrument premier de toute littérature (cit. 11). — Subst. *La liberté est le premier des biens* (→ 2. bien, cit. 26). *Le premier des droits de l'homme* (→ Liberté, cit. 30).

Jouer le premier rôle. ⇒ **Protagoniste.** — Par ext. *Le grand premier rôle,* l'acteur qui le joue. → ci-dessous, Jeune premier.

Premier prix, premier accessit... Premier prix de piano au Conservatoire.*

Première classe, dans un moyen de transport. — **PREMIÈRE,** n. f. (1867). *Wagon de première. Il ne voyage qu'en première. Les premières.*

10 — Prends des premières, prends des cabines de luxe, dit Stephen, le *Lafayette* est peut-être le dernier bateau qui part pour l'Amérique d'ici longtemps.
SARTRE, le Sursis, p. 21.

(V. 1175). Personnes. *Le premier personnage de l'État* (prince, souverain, roi, reine, président...), *d'un parti* (leader, chef...). *Un des premiers hôteliers* (cit. 2) *d'Europe.* — Subst. *« Les premiers seront les derniers »* (→ Peu, cit. 38).

11 C'était (...) pour imiter un peu l'activité de son père qu'il aimait tant à agir : c'était le premier escrimeur, le premier tireur, le premier sauteur de son temps.
STENDHAL, Romans et nouvelles, « Le rose et le vert », VI.

12 J'aime mieux, comme César, être le premier au village que le second à Rome.
A. DE MUSSET, On ne badine pas avec l'amour..., II, 2.

13 (...) les premiers selon le rang sont souvent les derniers selon la vie; et les derniers selon le monde, les premiers suivant l'âme cachée du monde.
André SUARÈS, Trois hommes, « Dostoïevski », V.

(En parlant de dignités, de titres*). *Premier Président* (→ 2. Causer, cit. 2). — Anciennt. *Premier écuyer,* et, subst. (1660), *Monsieur le Premier.* — *Premier Consul* (cit. 4). — *Premier Ministre* (cit. 5 et 8).

N. m. (1923; angl. *Premier*). Premier ministre de Grande-Bretagne (abusivt, d'autres pays [anglic.]).

13.1 D'abord il y avait celui que tous appelaient « monsieur le Président » et quelquefois « monsieur le Premier », expression dont on se sert à la fois pour adresser la parole au premier ministre, président du conseil, et aussi au président de la Cour d'appel de Paris. G. LEROUX, Rouletabille chez Krupp, p. 16.

13.2 Je leur dénonce donc sans retard le silence que vous gardez touchant le projet d'une autre visite d'Eisenhower : à de Gaulle précisément, après celle qu'il fera au Premier britannique (...)
F. MAURIAC, le Nouveau Bloc-notes 1958-1960, p. 231.

(En parlant de fonctions). *Premier secrétaire* (→ Insinuer, cit. 16). *Le premier secrétaire d'un parti politique. Premier commis d'un ministre* (au XVIIIe siècle). *Premier clerc*. — Premier violon. Premier sujet** (danse). *Première danseuse. Première chanteuse* (⇒ **Prima donna).** *Première main*.* — Subst. **UNE PREMIÈRE** (« directrice de rayon », 1874) : la couturière qui assure la direction d'un atelier dans une maison de couture, un atelier de modes; par ext., couturière spécialisée (→ 1. Penser, cit. 59). — REM. L'adjectif *premier* est très courant dans les désignations de métier *(premier berger, commis, fondeur, lamineur, ouvrier..., surveillant, valet...).*

(1820). **JEUNE PREMIER** (fém. *Jeune première,* rare) : comédien (comédienne) qui assure les premiers rôles d'amoureux. *Un physique de jeune premier,* de séducteur.

14 Il serait jeune premier, il irait en tournée par le monde. À New York, des héritières de trusts jetteraient leurs perles sur la scène quand il paraîtrait. À Vienne, des princesses risqueraient leur rang, l'espoir d'un trône pour une minute dans sa loge (...) ARAGON, les Beaux Quartiers, I, XIII.

Spécialt (attribut). Qui vient avant les autres, dans un classement sériel. *Être premier dans sa classe. Sortir premier d'une école* (→ Bourrer, cit. 6). *Un fort en thème toujours premier.* — Subst. **LE PREMIER** *de sa classe* (→ Distribution, cit. 1). *Premier en version latine* (cit. 5). *Place* de premier. Premier de la promotion.* ⇒ **Major.** *Premier au concours de Normale.* ⇒ **Cacique.** *Les deux, les dix premiers.*

15 — Appelez la première *(Mouvements).* Pourquoi ces mouvements? — C'est qu'il n'y a pas de première, Monsieur l'Inspecteur, ni de seconde, ni de troisième. Vous ne pensez pas que j'irais leur infliger des froissements d'amour-propre. Il y a la plus grande, la plus bavarde, mais elles sont toutes premières.
GIRAUDOUX, Intermezzo, I, 6.

♦ **7.** Didact. (après le nom). Qui n'est pas déduit, qui n'est pas défini au moyen d'autre chose (terme ou proposition). *Terme premier, proposition première d'un système logique, déductif.*

Cour. Qui s'impose à l'esprit. *Principe premier, vérité* première.*

Psychol. Ce qui est « le point de départ de l'esprit..., dans la formation d'un jugement ou d'un raisonnement, dans une association, etc. » (Lalande). *Les formes* (cit. 79), *considérées comme des données premières.*

(1390). Math. *Nombre premier :* nombre entier qui n'est divisible que par lui-même et par l'unité. Par ext. *Facteurs premiers. Diviseurs premiers. — Nombres premiers entre eux,* dont le seul diviseur commun est l'unité.

16 On dit qu'un nombre est *premier* lorsqu'il n'admet pas d'autre diviseur que lui-même et l'unité. On dit aussi quelquefois *nombre premier absolu* lorsqu'il est nécessaire de distinguer le nombre premier des nombres *premiers entre eux.*
Émile BOREL, les Nombres premiers, p. 15.

Corps premier. Polynôme premier. Idéal premier.

♦ **8.** (1559). Philos. (Après le nom). Qui contient en soi la raison d'être des autres réalités. *Cause* première* (→ Chaîne, cit. 34; dialectique, cit. 2; dieu, cit. 36). — *Les premières causes* (→ Philosophe, cit. 4; philosophie, cit. 2). *Le premier être* (2. Être, cit. 18).

★ **II.** ♦ **1.** Adv. (vx). D'abord, premièrement.

Loc. conj. (vx). *Premier que... :* auparavant, avant que... *« Premier que d'avoir mal, il trouva le remède »* (Malherbe).

♦ **2.** **EN PREMIER** (loc. adv.; 1580) : d'abord, pour commencer. *Arriver en premier,* au premier rang, en avant. *Il marche en premier.* — (1820). En tête pour l'importance, etc. *Capitaine en premier, en second.*

CONTR. **Dernier, extrême, fin** (adj., vx.), **suprême, ultime; inférieur. — Après, dernière.**

DÉR. Premièrement.

COMP. Premier-lieutenant, premier-maître, premier-né, premier-Paris. — Avant-première.

PREMIÈRE [pʀəmjɛʀ] n. f. ⇒ **Premier** (*supra* cit. 3; *infra* cit. 3; I., 3.; I., 5.; *infra* cit. 13.2).

PREMIÈREMENT [pʀəmjɛʀmɑ̃] adv. — XIe; de *premier.*

♦ **1.** D'abord, en premier lieu. ⇒ **Abord** (d'), **primo** (→ Géminé, cit. 2; ordonnance, cit. 13; 2. pas, cit. 3). *Il faut premièrement que... puis après* (cit. 74)... *Enseignez* (cit. 9) *premièrement aux enfants...*

Je vous ai dit premièrement : or, dire un premièrement, c'est annoncer au moins un secondement. Secondement donc (...)
DIDEROT, Jacques le fataliste, Pl., p. 559.

♦ **2.** Rare. Devant les autres (→ Bedeau, cit. 1).

CONTR. Ensuite.

PREMIER-LIEUTENANT [pʀəmjeljøtnɑ̃] n. m. — De *premier,* et *lieutenant.*

♦ Régional (Suisse). Officier dont le grade se situe entre celui de lieutenant et celui de capitaine. *Des premiers-lieutenants.*

(...) un homme est accouru, à bout de souffle, a pris position : Mon premier-lieutenant (...) C.-F. RAMUZ, Journal, 1914, p. 239.

PREMIER-MAÎTRE [pʀəmjemɛtʀ] n. m. — XXe; de *premier,* et *maître.*

♦ Officier marinier dont le grade est supérieur à celui de maître, de second-maître.

PREMIER-NÉ [pʀəmjene], PREMIÈRE-NÉE [pʀəmjɛʀne] adj. et n. — XIIIe; de *premier,* et *né.*

♦ Le premier enfant. ⇒ **Aîné** (opposé à *dernier-né*). *Les premiers-nés. Des premières-nées.*

Il n'y a peut-être pas de joie comparable à celle de la mère qui voit son premier-né; mais ce moment sera payé bien cher. DIDEROT, Sur les femmes.

REM. Le fém. *premier-née* (des *premiers-nées*) semble inusité.

PREMIER-PARIS [pʀəmjepaʀi] n. m. — 1836, Sainte-Beuve *in* D. D. L.; de *premier,* et *Paris.*

♦ Vx. Article de tête dans un grand journal parisien. ⇒ **Éditorial.** *Les premiers-Paris.*

Ce journal était (surtout le premier article, non signé) admirablement rédigé. Mais il intéressait mille fois davantage quand ce premier article (dit premier-Paris dans ces temps lointains, et appelé aujourd'hui, on ne sait pourquoi, « éditorial ») était au contraire mal tourné (...)
PROUST, À la recherche du temps perdu, t. XIII, p. 270.

PRÉMILITAIRE [pʀemilitɛʀ] adj. — 1935; de *pré-,* et *militaire;* → Paramilitaire.

♦ Qui précède le service militaire légal. *Formation, instruction prémilitaire* (→ Préparation* militaire).

PRÉMISSE [pʀemis] n. f. — V. 1320; lat. *præmissa (sententia)* « (proposition) mise en avant ».

♦ **1.** Log. Chacune des deux propositions* *(la majeure et la mineure)* placées normalement au début d'un raisonnement (⇒ **Démonstration, syllogisme**) et dont on tire la conclusion*. ⇒ **Hypothèse, principe.** — REM. Le mot est presque uniquement employé au pluriel. — *Syllogisme dont l'une des prémisses est sous-entendue.* ⇒ **Enthymème.** *Axiome* constituant l'une des prémisses d'un raisonnement.*

♦ **2.** (V. 1350). Cour., mais style soutenu. Fait d'où découle une conséquence (→ Accident, cit. 4), affirmation dont on tire une conclusion; commencement* d'un exposé, d'une démonstration.

1 Ces deux faits, dont l'un était la conséquence de l'autre, devaient être les prémisses de l'attentat actuel (...)
BALZAC, Une ténébreuse affaire, Pl., t. VIII, p. 572.

2 À mesure que je vous comprends mieux, il me paraît davantage que votre conclusion déborde sensiblement vos prémisses. GIDE, Corydon, IIe dialogue.

CONTR. Conclusion, conséquence.
HOM. Prémices.

PRÉMOLAIRE [pʀemɔlɛʀ] n. f. — 1859; de *pré-,* et *molaire.*

♦ Chacune des dents (chez l'homme au nombre de deux de chaque côté de chaque mâchoire), situées entre la canine et les molaires (on dit aussi *petite molaire*). *L'homme a huit prémolaires.*

PRÉMONITION [pʀemɔnisjɔ̃] n. f. — 1842; *premonicion,* XIIIe; de *pré-,* et lat. *monere* «avertir».

♦ **1.** Vx. Avis donné d'avance.

♦ **2.** (1923). Mod. Avertissement inexplicable, pensée ou sentiment d'origine mystérieuse qui s'impose à la conscience du sujet et lui fait connaître un événement à l'avance (à distinguer de la monition*, intuition d'un événement simultané). ⇒ **Intuition, prescience; prémonitoire** (signe). *Prémonition imprécise.* ⇒ **Pressentiment.** *Avoir une prémonition, la prémonition de qqch., la prémonition que...*

1 Je ne suis pas grand amateur de prémonitions; je résiste à croire à ces attractions mystérieuses par lesquelles on se flatte d'expliquer tant de coïncidences remarquables qui s'observent dans toutes les vies, les modifient ou les orientent avec une sorte d'intelligence. Mais quelque chose me faisait m'attarder dans ce numéro et pressentir que j'y trouverais une substance précieuse. J'effleurai du regard le feuilleton d'Adolphe Brisson... Je lus. Je relus. Je *reconnus* ma voie.
VALÉRY, Variété, V, p. 121-122.

2 Il croyait avoir constaté des phénomènes de prémonition et, par exemple, cette accablante tristesse qui s'était, sans raison, à Oléron, emparée de lui au moment de la mort de Léopoldine, bien que son être conscient ignorât tout alors de la catastrophe. A. MAUROIS, Olympio, VIII, III.

PRÉMONITOIRE [pʀemɔnitwaʀ] adj. — 1853; comp. sav. de *pré-,* lat. *monere* «avertir»; d'après *prémonition*; suff. *-oire,* lat. *-orius.*

♦ **1.** Méd. Se dit de symptômes qui précèdent la phase aiguë d'une maladie infectieuse et permettent de l'identifier précocement. — Cour. *Signe prémonitoire,* avant-coureur.

♦ **2.** (1923). Qui a rapport à la prémonition, qui constitue une prémonition*. *Signe, songe prémonitoire.*

1 (...) j'en reviens à ces pages d'ouverture, premières écrites de ce carnet (...) une sorte d'instinct prémonitoire m'invitait à les mettre en avant, à parler de cela d'abord (...) GIDE, Journal, Feuillets d'automne, Post-scriptum (1947).

2 Je n'attachais pas alors une valeur prémonitoire aux rêves; mais leur naissance, leur évolution, leur nature ont toujours préoccupé mon esprit. Les événements qu'ils imposent au sommeil me suivent longtemps et me troublent. J'ai peur du sommeil à cause des rêves. H. BOSCO, Un rameau de la nuit, V, p. 256.

PRÉMONTAGE [pʀemɔ̃taʒ] n. m. — XXe; de *prémonter.*

♦ Techn. Montage préalable.

PRÉMONTER [pʀemɔ̃te] v. tr. — XXe; de *pré-,* et *monter.*

♦ Techn. Monter avant l'utilisation (ou l'assemblage final). — Au p. p. ⇒ **Préfabriqué.** « *Des unités monoblocs* (de radar) *prémontées en France* (*Science et Vie,* no 592, p. 112).

DÉR. Prémontage.

PRÉMONTRÉ, ÉE [pʀemɔ̃tʀe] n. — 1680; *prémonstré,* 1611; du nom de la localité de Prémontré, où fut fondée la maison mère de l'ordre.

♦ Religieux de l'ordre de chanoines réguliers fondé au XIIe siècle par saint Norbert. *Un couvent de prémontrés.*

Il y a vingt ans, les Prémontrés, ou plutôt les Pères blancs, comme les appellent nos Provençaux, étaient tombés dans une grande misère.
Alphonse DAUDET, Lettres de mon moulin, «Élixir du R. P. Gaucher».

N. f. *Une prémontrée :* une chanoinesse des chapitres nobles d'Allemagne qui suivaient la règle des prémontrés.

PRÉMOURANT [pʀemuʀɑ̃] n. m. — XVIe; de *pré-,* et *mourant.*

♦ Dr. Celui qui meurt le premier, avant les autres. ⇒ **Mourant** (*infra* cit. 3), **prédécédé.** *Dans une donation entre vifs, le prémourant donne tout son patrimoine au survivant.*

PRÉMUNIR [pʀemyniʀ] v. tr. — 1376; lat. *præmunire* «protéger» de *præ,* et *munire.* → Munir.

♦ Littér. Protéger (qqn), mettre en garde contre qqch. ⇒ **Armer, garder, préserver.**

1 Je ne suis pas fâchée, mon fils, de me trouver seul avec vous, pour vous prémunir, tandis qu'il en est temps encore, contre un grand danger qui pourrait vous menacer un jour (...)
FRANCE, la Rôtisserie de la reine Pédauque, *in* Œ., t. VIII, p. 189.

▶ **SE PRÉMUNIR** v. pron.

(1671). Plus cour. Se garantir par des précautions. ⇒ **Armer** (s'), **assurer** (s'), **garantir** (se), **munir** (se), **précautionner** (se). *Se prémunir contre une contagion* (→ Pastille, cit. 3).

Ma mère et ma femme sont d'une discrétion exemplaire. Je dois pourtant me prémunir contre la curiosité naturelle à leur sexe (...) 2
G. DUHAMEL, Salavin, Journal, 2 févr.

▶ **PRÉMUNI, IE** p. p. adj. *Organisme prémuni contre une maladie contagieuse.*

C'est ainsi que ces hommes en vinrent à négliger de plus en plus souvent les règles d'hygiène qu'ils avaient codifiées (...) à courir quelquefois, sans être prémunis contre la contagion, auprès des malades atteints de peste pulmonaire (...) 3
CAMUS, la Peste, p. 212.

PRÉMUNITION [pʀemynisjɔ̃] n. f. — 1576, lat. *præmunitio,* de *præmunitium,* de *præmunire.*

♦ **1.** Vx. Action de prémunir, protection.

♦ **2.** (Mil. XXe). Méd. Mod. *État de prémunition :* infection latente pendant laquelle une autre infection ne peut se développer, après la guérison d'une infection aiguë.

PRENABLE [pʀənabl] adj. — 1155; de *prendre.*

♦ **1.** Rare (sauf en emploi négatif). Qui peut être pris. *Cette forteresse est prenable. Ce fortin n'est pas prenable.* — Fig. Qui peut être attrapé, séduit (cf. Molière, *Tartuffe,* 1er placet).

♦ **2.** Qui peut être pris, absorbé. — Qui peut être pris.

— Ce n'est pas avec une demi-carafe d'eau que mon bain deviendra prenable (...) il faut d'abord ôter de l'eau. Ch. PAUL DE KOCK, la Grande Ville, t. I, p. 22.

♦ **3.** Vx. (Personnes). Qui peut être séduit, gagné.

CONTR. Imprenable, inexpugnable.

PRENANT, ANTE [pʀənɑ̃, ɑ̃t] adj. — V. 1360; «corruptible, vénal», v. 1160; de *prendre.*
Qui prend.

♦ **1.** Dr. Qui reçoit de l'argent. *Partie prenante.* — Fin. publ. ⇒ **Partie** (*infra* cit. 24).
Fig. Qui est intéressé par une offre.

♦ **2.** (1753). Rare. Préhensible. *Queue prenante du singe.* — Par ext. Qui saisit avidement.

(...) il a l'impression tout à coup — c'est très rapide — qu'en elle un long bras avide aux doigts prenants se tend, il ne sait pas très bien, il n'a pas le temps de savoir comment il a décelé en elle ce mouvement (...) 1
N. SARRAUTE, le Planétarium, p. 102.

♦ **3.** (V. 1180). Vx. Qui commence. — Loc. *Carême* prenant.*

♦ **4.** (1788). Qui captive en émouvant, en intéressant profondément. ⇒ **Captivant.** *Une voix chaude et prenante. Un récit, une lecture, un spectacle prenant.*

Être passif, croire un récit, etc., cela coûte fort peu, et contre ce peu, de grandes jouissances peuvent être obtenues et l'ennui conjuré. Mais la sorte de réveil qui suit une lecture prenante m'est assez désagréable. J'ai l'impression d'avoir été joué, manœuvré, traité comme un homme endormi auquel les moindres incidents du régime de son sommeil font vivre l'absurde, subir des supplices et des délices insupportables. VALÉRY, Variété V, p. 99. 2

♦ **5.** Qui occupe beaucoup, accapare, en parlant d'une opération, d'un travail, d'un métier. *Le commerce est très prenant.* ⇒ **Absorbant.** — Par métaphore. « *Ce prenant despotisme du rêve* » (L. Bloy, *le Désespéré,* p. 29).

(...) j'ai pris le train pour Detroit où, m'assurait-on, l'embauche était facile dans maints petits boulots pas trop prenants et bien payés. 3
CÉLINE, Voyage au bout de la nuit, 1932, p. 204.

PRÉNATAL, ALE, ALS [pʀenatal] adj. — 1901; de *pré-,* et *natal.*

♦ Qui précède la naissance. *Infection prénatale.* — Spécialt. Qui concerne la période où l'on attend un enfant. *Allocations prénatales.*

CONTR. Postnatal.

PRENDRE [pʀɑ̃dʀ] v. — *Je prends, tu prends, il prend, nous prenons, vous prenez, ils prennent; je prenais; je pris, nous prîmes; ils prirent; je prendrai; je prendrais; que je prenne, que nous prenions; que je prisse; prends, prenons; prenant; pris, prise.* — 980; lat. *pre(he)ndere.*

★ **I.** V. tr. **A.** Mettre avec soi ou faire sien.

♦ **1.** Mettre en sa main (pour avoir avec soi, pour faire passer d'un lieu dans un autre, pour être en état d'utiliser, pour tenir). *Prendre un objet, un instrument, une quantité de matière, une partie d'une* *chose. Action de prendre.* ⇒ **Prise.** *Endroit où l'on peut prendre qqch.* ⇒ **Prise.** *Prendre qqch. à pleine main, entre ses doigts* (cit. 4), *entre le pouce et l'index, du bout des doigts*, dans le creux de la main* (⇒ **Préhension**). *Prendre une poignée* (→ Main, cit. 19), *une pincée* (cit. 2) *de... Prendre vivement* (⇒ **Saisir**), *en serrant* (⇒ **Agripper, empoigner**). *Prendre au sol.* ⇒ **Ramasser.** *N'avoir qu'à se baisser* (cit. 31) *et prendre pour prendre* (→ Manier, cit. 20), *prendre facilement. Prendre ce qui est loin, qui est difficile à tenir.* ⇒ **Attraper; atteindre, aveindre** (vx). *Prendre au passage.* ⇒ **Intercepter.** — Loc. fig. *Prendre la balle* au bond.* — *Je te défends de prendre ce livre.* ⇒ **Toucher** (à). *Prendre pour utiliser, mettre en œuvre* (→ aussi ci-dessous, III.). *« Poète, prends ton luth »* (→ Baiser, cit. 12). *Elle prit son tricot* (→ Laine, cit. 9). *Il prit sa pelle* (cit. 3) *et remplit le seau. Prends ce miroir et vois* (→ Neige, cit. 6). *Elle prit la coupe et la porta à ses lèvres* (cit. 15). *Il a pris un moellon et l'a lancé de toutes ses forces* (→ Lapider, cit. 1). — *Prendre qqch. des mains de qqn.* ⇒ **Arracher, enlever** (→ Lait, cit. 16). *Prendre son stylo dans son sac.* ⇒ **Sortir, tirer** (→ Bloc, cit. 5). — Loc. fig. *Prendre une affaire en main** (cit. 39). *Prendre son courage* à deux mains.* — *Prendre la main** (cit. 24) *de, à qqn.* ⇒ **Étreindre.** *Prendre le bras** (cit. 12), *la taille*, le menton* (→ Pincer, cit. 1) *de qqn.* ⇒ **Tenir.** *Prendre qqn par la main, le bras, la taille* (→ Frotter, cit. 29), *le cou* (avec l'idée de violence). *Prendre qqn par les cheveux, la tignasse* (→ Marteler, cit. 4), *la peau du cou; prendre qqn à la gorge*, au collet* (cit. 5), le serrer. (→ Juguler, cit. 1). — Loc. fig. *Prendre l'occasion* aux cheveux* (cit. 31). *Prendre le taureau par les cornes*.*

1 À tout instant, il prenait Suzanne par le bras ou par la taille avec un naturel si parfait, avec une si charmante liberté que la jeune femme ne songeait pas même à se rebeller. G. DUHAMEL, Chronique des Pasquier, t. IX, p. 145.

2 Tu m'as pris par la main dans cet enfer moderne
Où l'homme ne sait plus ce que c'est qu'être deux
Tu m'as pris par la main comme un amant heureux (...)
ARAGON, le Roman inachevé, p. 238.

Par ext. Se mettre à tenir, à serrer avec certaines parties du corps. *Prendre qqch. avec la bouche, les dents.* — Loc. fig. *Prendre la lune avec ses dents*. Prendre qqn, qqch. dans ses bras* (→ Délicatesse, cit. 10), *à bras*-le-corps.* ⇒ **Embrasser.** — (Animaux). *Prendre avec les pattes, les pinces* (cit. 4), *la gueule* (⇒ **Happer**), *le bec* (⇒ **Picorer**). — *Cheval qui prend le mors aux dents* (au fig. ⇒ **Mors,** cit. 3, 4 et 5). — Zool. *Organe qui peut prendre.* ⇒ **Préhensile.**

(En se servant d'un instrument, d'un outil mieux approprié que la main). *Prendre des berniques* (1. Bernique, cit. 1) *au bout de son couteau. Prendre de la terre avec une pelle, de l'herbe* (cit. 15) *avec une fourche, un liquide avec un seau, un vase.* ⇒ **Puiser.** *Prendre avec une pince.* — Loc. fig. *N'être pas à prendre avec des pincettes** (cit. 2).

♦ **2.** Mettre avec soi, amener à soi. *Prendre un sac sur son dos. Prendre un parapluie pour sortir.* ⇒ **Emporter, pourvoir** (se). *Des valets vinrent prendre dans les boutiques ce que leurs maîtres avaient acheté* (→ Nippe, cit. 1). ⇒ **Chercher, enlever.** *Prendre de l'essence. N'oublie pas de prendre le pain.* ⇒ **Acheter.** *Prendre de l'argent à la banque.* ⇒ **Retirer.**

2.1 Prenez ce qu'il vous faut pour un voyage de quinze jours, et suivez-moi. DUMAS, les Trois Mousquetaires, XIX.

2.2 — Dix-neuf sous, est-ce possible! disait madame Marty, séduite comme sa fille. Bah! je puis bien en prendre deux *(cravates de femme)*, ce n'est pas ça qui nous ruinera. ZOLA, Au Bonheur des Dames, IX.

Loc. *Prendre ses cliques* et ses claques.*

Prendre qqch. à bail, à ferme*.* ⇒ **Louer.** *Prendre une chambre.*

2.3 Si vous faisiez épier ses démarches, je suis sûre que vous découvririez qu'il n'a fait que prendre un asile plus commode, pour quelque noirceur qu'il médite dans les environs. LACLOS, les Liaisons dangereuses, IX.

(Compl. n. de personne). *Prendre qqn sur ses genoux* (→ Dodeliner, cit. 1). *Prendre un enfant sur son dos.* — Loc. fig. *Prendre ses jambes* (cit. 16) *à son cou.* — *Prendre une personne à part** (1. Part, cit. 25). — *Il la prit chez lui, avec lui* (→ Captiver, cit. 6). ⇒ **Accueillir, recueillir.** *Prendre qqn en pension* (cit. 4). *Maison qui prend des pensionnaires* (cit. 1). *Prendre un élève dans une classe.* — Spécialt. ⇒ **Recevoir.** *Le docteur ne pourra vous prendre aujourd'hui.* — *Pouvez-vous me prendre?*, vous occuper de moi. — *Le capitaine me prit à son bord* (cit. 3). *Prendre qqn en croupe, sur son cheval* (→ Manquer, cit. 61). — Par ext. *Taxi qui prend un client.* ⇒ **Emmener.** *Le canot* (cit. 2) *vint me prendre. Passer** (cit. 49) *prendre qqn.* ⇒ **Joindre.** *Dieu nous l'a pris,* l'a rappelé à lui. — Par ext. *Prendre qqn en chasse*, en filature* (cit. 4). — *Prendre qqn sous sa protection.*

3 Nous allons le ramener, le prendre avec nous, qu'il le veuille ou non, il ne nous quittera plus. HUGO, les Misérables, V, IX, IV.

4 (...) il fut convenu que ses témoins le prendraient chez lui en landau, le lendemain à sept heures du matin, pour se rendre au bois du Vésinet où la rencontre aurait lieu. MAUPASSANT, Bel-Ami, I, VII.

5 (...) quand mon heure sera venue de quitter ce monde, Dieu veuille me prendre sur mon échelle, devant mes tablettes chargées de livres! FRANCE, le Crime de S. Bonnard, Œ., t. II, p. 342.

6 Il prenait chacun de ses compagnons à part, à tour de rôle, et commençait toujours ainsi : « Toi qui es le seul intelligent de cette bande de patates » (...) G. DUHAMEL, Salavin, III, III.

7 En tout cas elle n'avait pas encore quitté Paris, sinon elle fût repassée au Foyer pour prendre ses valises. SARTRE, l'Âge de raison, XV.

♦ **3.** Fig. (avec un compl. de manière). Aborder, se mettre à considérer (qqch., qqn) de telle façon. *Prendre une chose de front*. Prendre qqch. à l'endroit, à l'envers, à contre-poil.* Loc. *Prendre la vie du bon côté,* par ce qu'elle a d'agréable. *Prendre qqn par le bon bout** (cit. 43). *On ne sait par où le prendre :* il n'est pas approchable*, il est hargneux, susceptible. — *Prendre une expression à la lettre** (cit. 18), *au pied de la lettre** (cit. 17). → Interprétation.

(Sans compl. second). ⇒ **Considérer.** *Prenons cet exemple. Prendre un mot dans un sens* (→ Anarchie, cit. 1; franchise, cit. 2; libertinage, cit. 3; pédagogie, cit. 2). *Prendre au figuré.* — **À TOUT PRENDRE :** en considérant tous les aspects de la question (→ Piètre, cit. 2; et aussi à tout examiner*, somme* toute, en conclusion*).

Et que, dans un âge plus avancé, l'expérience nous ait convaincus, qu'à tout prendre, il vaut mieux, pour son bonheur dans ce monde, être un honnête homme qu'un coquin? DIDEROT, Entretien d'un philosophe avec la maréchale de ***. 8

Prenez-moi votre sujet tantôt en travers, tantôt par la queue; enfin variez vos plans, pour n'être jamais le même. 9
BALZAC, Illusions perdues, Pl., t. IV, p. 649.

Je ne sais quelle froideur littéraire, saine à tout prendre, me garda du délire romanesque. COLETTE, la Maison de Claudine, p. 49. 10

Dupont disait qu'on ne savait par quel bout le prendre *(Bonaparte)*, qu'il avait des moments d'humeur où il était inabordable. A. MAUROIS, Lélia, I, II. 11

PRENDRE BIEN, MAL (ce qui arrive) : supporter bien ou mal; accepter avec flegme, résignation ou réagir par du dépit, de l'abattement. — Spécialt. *Prendre mal* un propos.* ⇒ **Fâcher** (se). → 2. Mal, cit. 7. *Le prendre bien,* entendre la plaisanterie, ne pas être susceptible. ⇒ **Interpréter.** *Prendre la chose avec philosophie*. Prendre les hommes comme ils sont,* les accepter, ne pas vouloir les changer. ⇒ **Accommoder** (s'). → 1. Être, cit. 41. *Prendre les choses comme elles viennent, le temps comme il vient. Prendre qqch. au sérieux** (→ Espionnage, cit. 3), *à cœur** (cit. 53), *au tragique* (→ Lettre, cit. 38), *à la légère* (cit. 34), *en riant. Prendre en plaisanterie, comme une plaisanterie; prendre en badinage* (cit. 8). *Prendre qqch. en bonne, en mauvaise part** (→ Domesticité, cit. 1; largeur, cit. 3), *le prendre de haut.* ⇒ **Haut.** *Prenez-le un peu moins haut* (→ Monsieur, cit. 3). *Le prendre sur un ton...* ⇒ **Parler.** *Si vous le prenez ainsi :* si vous vous fâchez. ⇒ **Entendre.** *Je ne le prenais pas ainsi* (→ Justice, cit. 8).

Ce que je propose de dire dans cet article et dans ceux qui suivront, je voudrais qu'on le prenne bien. Je parle au nom d'une fraternité de combat et personne n'est ici visé en particulier. CAMUS, Actuelles I, p. 264. 11.1

Prendre pour soi une remarque, une allusion, considérer qu'elle s'applique à soi. ⇒ **Appliquer** (s').

Les Pères démêlèrent la ruse du frère Jean et son objet : ils prirent la chose au grave, frère Jean, au lieu d'être procureur comme il s'en était flatté, fut réduit au pain et à l'eau, et bien discipliné (...) DIDEROT, Jacques le fataliste, Pl., p. 538. 12

Il en convenait et prenait bien la plaisanterie, car il était homme de bonne compagnie. CHATEAUBRIAND, Mémoires d'outre-tombe, t. V, p. 318. 13

(...) on se scandalisait un peu, mais surtout on le prenait à la blague, on se gaussait. GIDE, Si le grain ne meurt, II, II, p. 331. 14

♦ **4. PRENDRE (qqn, qqch.) en...** [a] (Suivi du nom d'un sentiment). Éprouver (tel sentiment) pour... ⇒ **Avoir** (avoir en...) *Prendre qqn en amitié, en affection* (cit. 8), *en pitié* (→ Cœur, cit. 104), *en haine* (cit. 19), *en grippe** (cit. 3 et 6), se mettre à éprouver pour lui de l'amitié, de l'affection... *Prendre une chose en aversion, en dégoût. Prendre en gré* (cit. 11), *en considération.*

Dès qu'il s'apercevait que quelqu'un s'attachait à lui par inclination, il le prenait en amitié. A.-R. LESAGE, Gil Blas, XI, VIII. 15

(...) j'avais pris en aversion les études, les écoles (...) 16
MARTIN DU GARD, les Thibault, t. IV, p. 95.

[b] Loc. *Prendre qqn en charge.*

[c] (Avec une valeur proche de B., 7.). *Prendre qqn en traître,* par traîtrise (→ Assaillant, cit. 2). ⇒ aussi ci-dessous B., 9. : *prendre qqn en faute, en défaut;* et ci-dessus A., 2. (emploi concret) *prendre qqn en croupe;* (abstrait) *prendre en chasse* (A., 2.).

REM. Certaines de ces expressions se nominalisent en *prise en...* ⇒ **Prise.**

♦ **5. PRENDRE (qqn) À PARTIE*.** ⇒ aussi **Prise** (prise à partie).

♦ **6.** (XIIe). **PRENDRE (qqch.) SUR SOI,** en porter volontairement la responsabilité. ⇒ **Assumer, charger** (se), **endosser.** *Prendre sur soi les péchés du monde* (→ Monastique, cit. 2), *la faute de qqn.* ⇒ **Couvrir.** *Prendre sur soi de faire qqch.* (→ Aveu, cit. 16; difficulté, cit. 9; outrepasser, cit. 1). — *Prendre sur son compte :* garder toute la responsabilité de qqch. *Prendre qqch. sous son bonnet*.*

L'idée m'est venue que nous prenons volontiers sur nous certaines fautes pour enlever au destin une part de son honneur et de sa stupidité. 17
G. DUHAMEL, Chronique des Pasquier, III, XIX.

PRENDRE SUR SOI DE... : faire en sorte de... par quelque effort de volonté. ⇒ **Efforcer** (s'). *Il prit sur lui de ne pas se plaindre.*

Ivre d'amour et de volupté, il prit sur lui de ne pas lui parler. C'est, selon moi, l'un des plus beaux traits de son caractère; un être capable d'un tel effort sur lui-même peut aller loin (...) STENDHAL, le Rouge et le Noir, II, XXXI. 18

Absolt. *Il faut prendre sur soi.* ⇒ **Supporter** (→ Écouter, cit. 28).

Aimer ses parents c'est prendre sur soi, agir par sa volonté pour leur faire plai- 18.1

sir (...) On peut tout ce qui ne dépend que [de] notre volonté, répondit Mme Santeuil.
PROUST, Jean Santeuil, Pl., p. 222.

B. Agir de façon à avoir, à posséder (qqch., qqn).

♦ **1.** Se mettre en possession de ; se rendre maître de (en prenant matériellement, ou non). ⇒ **Approprier** (s'). *Prendre ce qui n'appartient à personne, ce qu'on trouve* (→ Fossé, cit. 5). *Prendre qqch. sans demander* (→ Offrir, cit. 8). *Prendre ce qu'on vous donne*, ce qu'on vous offre. Vous pouvez le prendre.* ⇒ **Disposer** (en). *Prenez !* ⇒ **Tenir** (tenez !). *Prendre sa part.* ⇒ **Attribuer** (s'). *J'ai le droit d'en prendre la moitié* (→ Notre, cit. 6). *Prendre tout.* ⇒ **Accaparer.** *Prendre une partie de...* ⇒ 1. **Lever, prélever.** *Prendre des biens, des terrains.* ⇒ **Anticiper, empiéter, emprise.** *Prendre avec l'intention de rendre.* ⇒ **Emprunter.** *Prendre de préférence.* ⇒ **Choisir.** *C'est à prendre ou à laisser*. Prendre de-ci de-là.* ⇒ **Grappiller.** — *Prendre par force*, par ruse, prendre à qqn ; prendre contre de l'argent.*

19 Je saisis un moment, où Mme de Rosemonde s'était éloignée, pour remettre ma lettre : on refusa de la prendre (...) LACLOS, les Liaisons dangereuses, XXV.

19.1 Ou les fauteuils de cuir ou rien... c'est à prendre ou à laisser.
N. SARRAUTE, le Planétarium, p. 54.

Prendre sa part de butin. — Loc. fig. *Prendre son pied.* ⇒ **Pied.**

Absolument :

20 Prends ! Et ne t'avise pas de refuser, si tu ne veux pas que je crève de pléthore. Je ne peux pas te donner moins, arrange-toi.
COLETTE, la Naissance du jour, p. 53.

Fig. *Prendre sur son sommeil :* enlever du temps au sommeil (pour faire qqch.). ⇒ **Prélever.**

♦ **2.** Demander, exiger. — (Le sujet désigne une personne qui touche une rémunération d'un client). *Un artisan, un coiffeur qui prend tant pour son travail. Professeur qui prend tant de l'heure. Combien prend-il ? :* quel est son prix*. *Il me prend tant.* ⇒ **Coûter.** — Fam. *Médecin qui prend cher,* dont les prix sont élevés.

21 Combien me prendriez-vous pour mon logement, ma nourriture et vos soins ?
DIDEROT, Jacques le fataliste, Pl., p. 545.

22 Nous sommes obligés de demander vingt pour cent d'intérêt (...) Nous prenons des intérêts normaux qui ont été établis en considération de nos frais et de nos risques (...) SARTRE, l'Âge de raison, XV.

Exiger, employer (du temps). *La traversée prend plus de quatre heures* (→ Pagayeur, cit.). *Cela prendra trois jours* (→ aussi Loisir, cit. 17). *Un travail qui me prend tout mon temps.* ⇒ **Absorber, dévorer.**

23 Ta « conversation » prendra beaucoup de temps ? — Je ne sais pas (...)
J. ROMAINS, Une femme singulière, XX.

♦ **3.** Fam. Recevoir, supporter. ⇒ **Attraper, recevoir.** *Prendre des coups, des gifles, une raclée. Prendre une bûche** : tomber. *Qu'est-ce qu'il a pris ! Taureau qui prend la pique* (1. pique, cit. 3). *Prendre une averse.* — Loc. *Prendre qqch., en prendre pour son grade*. Prendre une culotte*. L'équipe a pris trois buts* (→ Encaisser).

♦ **4.** (1080). Se rendre maître de, par la force ; conquérir. *Prendre d'assaut** (cit. 4, au fig.) *qqch., un lieu.* ⇒ **Enlever, forcer, obtenir** (→ 1. Gare, cit. 6), **prise.** *Prendre une forteresse* (→ Citadelle, cit. 1), *une place fortifiée* (cit. 14), *une ville* (→ Dompter, cit. 6). *Place qu'on ne peut prendre.* ⇒ **Imprenable, inexpugnable.** *Prendre des provinces.* ⇒ **Conquérir, envahir, occuper** (→ Conquête, cit. 1). *Prendre un navire à l'ennemi.* ⇒ **Capturer, saisir.** — *Prendre le pouvoir* (→ Dualité, cit. 2 ; fascisme, cit. 1). — Fig., fam. (au p. p.). *C'est toujours ça de pris sur l'ennemi ! C'est autant de pris...* (→ Assommant, cit. 1), se dit d'un petit avantage dont on est assuré.

24 Un apéritif, ça ne se refuse pas. L'autre le regarda, et pensa que c'était toujours ça de pris sur l'ennemi (...) ARAGON, les Beaux Quartiers, I, XII.

Posséder sexuellement (une femme, un partenaire). ⇒ **Connaître, posséder** (→ Maîtresse, cit. 68). *Prendre une femme de force.* ⇒ **Violer.**

25 Épuisée enfin, elle tomba ; et je la pris brutalement, par terre, sur le pavé.
MAUPASSANT, les Contes de la bécasse, « Un fils ».

26 Tu crois que je vais tomber à tes pieds et crier : prends-moi ! Mais tu n'as donc connu que des jeunes filles ? Penser que je vais perdre la tête, pour un baiser (...)
COLETTE, Chéri, p. 36.

♦ **5.** **PRENDRE QQCH. À QQN :** s'emparer de (ce qui appartient à qqn). ⇒ **Confisquer, dérober, ravir, voler ;** (fam.) **chiper, chouraver, faucher, piquer, rafler** (→ Faire main basse* sur). *Prendre des biens, de l'argent à qqn* (→ Gorger, cit. 10 ; 1. foutre, cit. 9). *C'est mon trésor qu'on m'a pris* (→ Joignant, cit. 1). *Les voleurs vinrent prendre le magot* (cit. 1). *Elle lui a pris sa fortune.* ⇒ **Manger.** *Conquérants qui ne trouvent plus rien à prendre.* (⇒ **Piller**). *Prendre son argent* (⇒ **Escroquer**), *ses biens* (⇒ **Déposséder, dépouiller**), *ses affaires* (⇒ **Dévaliser**) *à qqn. On lui a tout pris.* — Fig. *Prendre une idée, une phrase à qqn, dans un auteur.* ⇒ **Plagier** (→ Appliquer, cit. 6). *Prendre la place* de qqn.* ⇒ **Chasser, supplanter.** — Par ext. (Compl. n. de personne). *On lui a pris son fils. On vous les prend et on vous les tue* (→ Exempter, cit. 4). *Il lui a pris sa femme, sa maîtresse.* — Par ext. *Prendre un baiser* (cit. 4) : embrasser qqn sans sa permission. ⇒ **Cueillir, dérober.**

Si vous m'avez pris quelque chose, je vous le donne ; demandez-en seulement pardon à Dieu, et pendant le temps plus ou moins court que nous avons encore à vivre ensemble, ne me volez plus. DIDEROT, Jacques le fataliste, Pl., p. 551. 27

— Vous n'aurez pas un sou de plus. Laissez-moi passer (...) — Je veux mes cent francs ou je prends la valise. SARTRE, la Mort dans l'âme, p. 19. 28

♦ **6.** (Jeu). Se mettre en possession d'une carte, d'un pli, d'un pion, d'une pièce, etc. de l'adversaire. *Prendre une carte avec une carte plus forte. Prendre un pion en mettant le sien à sa place. Prendre un pion dont l'adversaire ne s'est pas servi pour prendre lui-même.* ⇒ **Souffler.** — Absolt. *Prendre avec la dame* (1. Dame, cit. 22), *avec l'atout* (⇒ **Couper**). *Je prends !*

♦ **7.** Se saisir de (ce qui fuit, se dérobe : animal, personne). *Poursuivre, guetter un animal pour le prendre.* ⇒ **Chasser, chasse ; pêche, pêcher ; gibier, proie.** *Prendre au piège.* ⇒ **Amorce, piège ; filet, ligne** (cit. 25 et 27). *Prendre des animaux vivants.* ⇒ **Attraper, capturer.** *Prendre une bête au miroir* (→ Alouette, cit. 4), *au lasso* (cit. 2), *à la glu* (cit. 1). *Le chat joue* (cit. 12) *avec la souris qu'il a prise. Ça ne mord* (cit. 15) *plus, je n'ai rien pris.* — Loc. fig. *Prendre la mouche*.* — Prov. *On ne prend pas les mouches* avec du vinaigre :* il faut agir avec diplomatie pour arriver à ses fins.

Pourquoi, après avoir échappé à la glu de la mare, au trébuchet de l'oiseleur, au plomb du braconnier, à l'appeau du chasseur, s'être fait prendre et finir ainsi ! 29
L. PERGAUD, De Goupil à Margot, p. 147.

Se saisir de (qqn qu'on poursuit, qu'on recherche). *L'ennemi les a pris* (⇒ **Captif, prisonnier**). *Il faut les prendre morts* (2. Mort, cit. 3) *ou vifs. Se laisser, se faire prendre.* — (Passif). *Vous êtes pris !* ⇒ **Fait** (Faire, p. p.). *Pas vu, pas pris ! — La police l'a pris.* ⇒ **Arrêter ; appréhender, attraper, avoir ;** (fam.) **agrafer, arnaquer, arquepincer, choper, coincer, cueillir, harponner, paumer, piger, pincer, poisser** (→ Mettre la main dessus*, la main au collet*). *Prendre qqn dans une rafle, dans une souricière.*

(...) nous voilà pris, j'en suis sûr, dans quelque traquenard. 30
BALZAC, les Chouans, Pl., t. VII, p. 789.

Ils nous tueraient, les nazis, s'ils nous prenaient ? demanda Pablo tout à coup. 31
SARTRE, la Mort dans l'âme, p. 22.

Fig. *Prendre au piège*.* ⇒ (fig.) **Attraper** (→ Infernal, cit. 5). *Se laisser prendre à un hameçon* (cit. 2) *grossier, à l'appeau, aux apparences*, aux supercheries* (→ 1. Objectif, cit. 12). *On ne m'y prendra plus ! :* je ne serai plus dupe*.

Que tel est pris, qui croyait prendre. LA FONTAINE, Fables, VIII, 9. 32

Le corbeau, honteux et confus, 33
Jura, mais un peu tard, qu'on ne l'y prendrait plus. LA FONTAINE, Fables, I, 2.

Dans quelle escroquerie s'est-elle laissée prendre ? 34
Émile AUGIER, les Effrontés, I, 4.

Attraper, immobiliser involontairement dans... ⇒ **Accrocher, coincer.** *Prendre son doigt, sa main, se prendre la main dans une porte. Prendre son manteau dans une portière.* — (Passif et p. p.). *Le pied pris dans l'étrier* (→ Futur, cit. 7). *Être pris dans l'engrenage** (cit. 2). *Il se trouva pris dans la bagarre,* il s'y trouva mêlé malgré lui (→ Être entraîné).

(...) il pousse sa compagne, lui fait perdre l'équilibre et la jette à terre, un pied pris dans la basque de son habit et les cotillons renversés sur sa tête. Jacques descend dégage le pied de cette pauvre créature et lui rabaisse ses jupons. 35
DIDEROT, Jacques le fataliste, Pl., p. 507.

Brunet est pris dans un remous énorme, il se sent bousculé, déplacé, frappé ; il voit Moulû qu'un tourbillon emporte et qui lève les mains en l'air, comme s'il se noyait. SARTRE, la Mort dans l'âme, p. 225. 36

♦ **8.** **PRENDRE (qqn) par... :** amener (qqn) à ses vues, à faire ce qu'on veut par la persuasion, etc. *Prendre qqn par la douceur,* l'amener à ses vues en le traitant doucement. — *Prendre qqn par son côté faible,* l'attaquer*, lui faire faire ce qu'on veut en flattant ses faiblesses. *Prendre les gens par leur faible* (cit. 43 et 45), *par l'intérêt, par la gourmandise, par les bons sentiments. « Toujours par quelque endroit fourbes se laissent* (cit. 13) *prendre ».* ⇒ aussi **Compromettre.** — Absolt. *Savoir prendre qqn,* savoir lui plaire pour en obtenir ce qu'on veut, le soumettre à ses désirs*. ⇒ **Amadouer, entortiller, persuader, séduire.**

♦ **9.** **PRENDRE QQN...** (suivi d'un compl. circonstanciel). ⇒ **Surprendre.** *Prendre qqn en faute** (cit. 18), *en défaut* (→ Appareil, cit. 14), *sur le fait** (cit. 1). *Prendre qqn en flagrant délit** (→ Inexactitude, cit. 4), *la main dans le sac*.* — *Prendre qqn au dépourvu** (cit. 7), *de court*, sans vert*. Prendre qqn au mot** (*supra* cit. 38). *Prendre qqn à faire qqch.,* le surprendre au moment où il fait qqch. ⇒ **Attraper.** *Si je te prends encore à mentir, je te punis. Je vous y prends ! Je vous y prends à conspirer !* (→ Plaisanterie, cit. 7).

La menace est comme une permission sous condition. « Si je t'y prends » ; et c'est la guerre. ALAIN, Propos, 25 avr. 1921, Les fruits de la confiance. 37

Le directeur comprit que l'héritage ne le tentait pas. Le cas lui parut curieux, mais ne le prit pas sans vert. M. AYMÉ, Maison basse, p. 45. 37.1

(En parlant des choses extérieures). Rare. (On dit plutôt *surprendre*). *La nuit allait les prendre* (→ Casser, cit. 2). *L'hiver le prit au dépourvu.*

Un orage épouvantable les prit comme elles étaient sur la chaussée. 38
RACINE, Correspondance, 187, 12 sept. 1698.

♦ **10.** (Sujet n. de chose abstraite : sensation, sentiment). Saisir (qqn), faire sentir à (qqn). *La fatigue* (cit. 5), *la fièvre me prend. Une panique les prenait* (→ Maîtrise, cit. 3). *Les douleurs* (cit. 4) *la prirent l'après-midi. Ça l'a pris brusquement, à l'improviste.* — Fam. *Ça le prend comme ça le quitte. Quand l'envie, la fantaisie* (cit. 17) *m'en prendrait. Pris du désir de...* (→ Passer, cit. 112). — Fam. *Ça l'a pris comme une envie de pisser,* brusquement. — Fam. *Qu'est-ce qui vous prend? Ça vous prend souvent?* se dit à une personne dont on juge l'attitude inattendue ou déplacée. *Qu'est-ce qui lui prend à cette enragée-là?* (→ Chameau, cit. 3). — (Passif). *Être pris de vertige* (→ Dire, cit. 115), *d'une nausée* (cit. 1) *soudaine.*

39 (...) mon père a été pris, à peine parti de Rouen, d'un mal d'yeux opiniâtre (...)
FLAUBERT, Correspondance, 97, 15 juin 1845.

40 Voyons, qu'est-ce qui vous prend depuis dix minutes, avez-vous perdu la tête?
MAUPASSANT, Pierre et Jean, VI.

41 (...) un jeune homme, quelque employé attardé, lui jeta un : « Bonsoir chérie », au passage. Du coup, elle se redressa, elle eut une dignité de reine offensée, en disant : — « Qu'est-ce qui lui prend à ce cochon-là? » ZOLA, Nana, VIII.

42 Lorsqu'il se vit seul, livré aux puissances mauvaises qui planaient dans cette chambre silencieuse et presque obscure, l'épouvante le prit.
MARTIN DU GARD, les Thibault, t. III, p. 248.

43 Je ne sais ce qui lui prit ce jour-là, mais, après la leçon (...) subitement il éclata en invectives d'une violence extrême, déclara qu'il y voyait clair dans mon jeu (...)
GIDE, Si le grain ne meurt, I, VI, p. 163.

Impersonnel. *Il me prend l'envie de...* (→ aussi Aller, cit. 85), *des tentations de...* (→ Accommoder, cit. 5).

44 (...) il prit à la sœur de M. Pascal une fièvre dont elle mourut.
RACINE, Port-Royal, II.

45 Voilà ma fille aînée qui a trois enfants (...) lorsqu'il lui prendra fantaisie de se marier, elle les emmènera; ils sont les siens : son mari les recevra avec joie (...)
DIDEROT, Suppl. au voyage de Bougainville, III.

46 Félicien ne dit pas un mot, il prit le manuscrit et dégringola les escaliers. — Que lui prend-il? s'écria Lucien. — Il porte ton article à l'imprimerie! dit Hector Merlin, c'est un chef-d'œuvre (...) BALZAC, Illusions perdues, Pl., t. IV, p. 778.

47 Qu'est-ce qu'il lui prend? avait grommelé Jean.
Pierre BENOIT, le Déjeuner de Sousceyrac, p. 161.

♦ **11.** Littér. **BIEN, MAL (lui, vous,** etc.) **PREND DE :** cela a de bonnes, de fâcheuses conséquences. *Bien lui en prit* (→ Dictionnaire, cit. 1). *Mal lui en a pris, mal en prit à...* (→ Mal, cit. 4 et 5).

48 Bien vous prend que son frère ait toute une autre humeur (...)
MOLIÈRE, l'École des maris, I, 2.

49 Nous arrivâmes donc d'assez bonne heure... et bien nous prit de n'avoir rencontré sur notre route personne de contrariant (...)
BARBEY D'AUREVILLY, le Chevalier des Touches, VII.

C. (Relation abstraite d'appropriation). — REM. Dans cette valeur, comme en D., *prendre* sert à former des expressions verbales pouvant suppléer l'absence de verbe simple; dans ce cas le subst. compl. est souvent privé de déterminant (*prendre note :* noter, prendre place, etc.).

♦ **1.** Faire sien (une chose abstraite). *Prendre un nom, un surnom. Prendre une devise, un insigne. Prendre pour devise* (→ Bon, cit. 94), *pour règle. Prendre une citation dans un ouvrage.* ⇒ **Extraire, tirer.** *Prendre un renseignement, ses renseignements* (→ Margoulin, cit. 3). *Prendre l'avis de... qqn.* ⇒ **Consulter.** *Prendre des nouvelles** *de qqn,* à son sujet. *J'ai pris son adresse. Prendre les ordres, les commandes* (cit. 2) *de qqn,* de lui. *Prendre le mot d'ordre.* — Loc. *Prendre conseil** (auprès de qqn). *Prendre acte** (cit. 13). — *Prendre les idées, les habitudes de qqn.* ⇒ **Adopter** (→ Mimétisme, cit. 2). *Prendre les façons* (cit. 43), *les mœurs d'un pays. Le perroquet* (cit. 2) *avait pris sa voix.*

50 Le monde aujourd'hui n'est plein (...) que de ces imposteurs qui (...) s'habillent insolemment du premier nom illustre qu'ils s'avisent de prendre.
MOLIÈRE, l'Avare, V, 5.

51 L'histoire, ainsi que les nations déprédatrices et conquérantes, semble avoir pris pour règle d'équité le mot de Brennus : *Væ victis* (malheur aux vaincus).
MARMONTEL, Éléments de littérature, t. IV, *in* LITTRÉ.

52 Les ambassadeurs qu'on laisse trop longtemps à la même cour prennent les mœurs du pays où ils résident : charmés de vivre au milieu des honneurs (...) ils craignent de laisser passer dans leurs dépêches une vérité qui pourrait amener un changement dans leur position.
CHATEAUBRIAND, Mémoires d'outre-tombe, III, II, XII, I.

53 (...) elle ne vit dans ses yeux que du calme et de la fermeté. Sancha en fut étonnée. « Où cette femme si timide prend-elle tant de courage? »
STENDHAL, Contes et nouvelles, « Le coffre et le revenant ».

(Avec un compl. d'origine). *Prendre une idée quelque part. Où prends-tu cette audace?* (cit. 17). — *Où as-tu pris que cette société est en faillite?,* qui te l'a dit?

Spécialt. ⇒ **Choisir** (une date). *Prendre une date**, la déterminer. ⇒ **Fixer.** *Prendre un jour* (cit. 51), *une heure.* — Loc. *Prendre heure avec qqn pour faire qqch. Prendre (un) rendez-vous**.

54 (...) je suis obligé de prendre les rendez-vous qui arrangent mes clients.
J. ROMAINS, les Hommes de bonne volonté, t. II, VI, p. 64.

⇒ **Considérer.** *Nous prenons ce mot entre mille* (→ Incisif, cit. 4). *Prenez monsieur Untel, n'est-il pas dans le même cas? Prendre un exemple* (→ Instinct, cit. 33).

55 Si l'on prend deux œuvres qui sont au début et à la fin de sa carrière d'agitateur, on est frappé de voir qu'il *(Lénine)* n'a cessé de lutter sans merci contre les formes sentimentales de l'action révolutionnaire. CAMUS, l'Homme révolté, p. 280.

♦ **2.** Évaluer, définir (pour connaître). *Prendre les dimensions, les mesures d'un objet, d'un terrain, d'une personne.* ⇒ **Mesurer** (→ Mètre, cit. 3). — Fig. *Prendre la mesure de qqn.* (→ Mari, cit. 8). — *Prendre la température* (→ Laborantin, cit. 2). *Prendre le pouls**, *la tension d'un malade.* — *Prendre le diapason* (cit. 2). *Prendre le vent** (la direction du vent).

56 Comme Pierre se penchait pour prendre son pouls, elle retira sa main d'un mouvement si brusque qu'elle heurta une chaise voisine.
MAUPASSANT, Pierre et Jean, VI.

57 Mieux valait (...) retourner à *l'Humanité* pour prendre la température de l'après-midi. MARTIN DU GARD, les Thibault, t. VI, p. 256.

♦ **3.** Inscrire ou reproduire. *Prendre un double.* ⇒ **Faire.** *Prendre une copie* (cit. 1). *Prendre des notes** (cit. 23 et 24). *Prendre note** (cit. 25) : noter. *Prendre un croquis* (→ Gourd, cit. 2). *Prendre le masque* (1. Masque, cit. 27) *d'un mort. Prendre des photos* (→ Médailler, 2), *des instantanés* (→ Enregistreur, cit.). *Ce croquis a été pris sur le vif.* — REM. Le sens correspond à *prise* III., A., 4. : *prise de vues.*

♦ **4.** (1132, «épouser»). S'adjoindre (une personne). *Prendre une femme, prendre femme** (→ Douter, cit. 2; île, cit. 8), *prendre un mari* (cit. 7). ⇒ **Épouser.** *Il s'engage à la prendre sans dot* (cit. 3). *Prendre un amant* (cit. 6), *une maîtresse.* — (Avec un compl. prépositionnel). *Prendre qqn à son service, à gages.* ⇒ **Employer, engager** (→ Pizza, cit.). *Prendre qqn à l'essai* (cit. 7). — (Sans compl. prépositionnel). *On ne prend plus personne* (à l'usine). ⇒ **Embaucher.** *Prendre un gérant, un précepteur, une institutrice* (cit. 2), *un avocat* (→ Invisible, cit. 10), *un guide* (→ Orienter, cit. 10), *un porteur...*

58 Car d'hymen, point de nouvelles.
Celle que je prendrais voudrait qu'à sa façon
Je vécusse et non à la mienne. LA FONTAINE, Fables, I, 17.

59 Quand les Orientaux prennent femme, ils ne voient qu'après la noce le visage de leur fiancée, qui jusque-là reste voilée devant eux (...)
A. DE MUSSET, Nouvelles, « Fils du Titien », IV.

Prendre qqn pour, comme... : s'adjoindre, se servir de (qqn) en tant que... ⇒ **Faire** (en faire son). *Consentez-vous à prendre Monsieur X pour époux? Il l'avait prise pour ménagère* (cit. 11) *plutôt que pour femme. Prendre pour associé.* ⇒ **Associer** (s'), **attacher** (s'). *Il l'a prise comme secrétaire. Prendre pour arbitre* (1. Arbitre, cit. 3), *pour juge* (→ Lâche, cit. 13). *Prendre pour modèle* (→ Inclination, cit. 3), *pour exemple, en exemple. Prendre pour cible.* — REM. En ce sens le complément n'est jamais accompagné d'un déterminant : on ne peut pas non plus, comme dans la langue classique, le faire précéder d'un possessif. Cf. Prendre pour son ambassadeur (cit. 4, Molière).

60 Par où, dites-moi, ai-je mérité cette rigueur désolante? Je ne crains pas de vous prendre pour juge : qu'ai-je donc fait?
LACLOS, les Liaisons dangereuses, XXIV.

61 Alors Battaincourt m'a pris pour confident, sans crier gare. Il m'a raconté toute sa vie, comme on confie sa fortune à un banquier en lui disant : Occupez-vous de mes affaires, je m'en rapporte à vous.
MARTIN DU GARD, les Thibault, t. II, p. 215.

PRENDRE À (dans des loc.). *Prendre qqn à témoin**. *Prendre qqn à partie** (cit. 21, 22).

♦ **5. PRENDRE POUR :** croire* qu'une personne, une chose est (autre ou autrement). *Prendre une personne pour une autre.* → Distinction, cit. 6; gâter, cit. 4. ⇒ **Méprendre** (se), **tromper** (se). *On aurait pu le prendre pour son frère jumeau* (cit. 1). *On nous prend l'un pour l'autre* (→ Gémeau, cit.). ⇒ **Confondre.** *On le prenait pour un savant.* ⇒ **Regarder** (comme). → Il passait* pour... *Pour qui me prenez-vous? Tu me prends pour un imbécile? un menteur? Vous me prenez pour une autre.* — *Des fleurs qu'on prendrait pour des papillons d'or* (→ Ajonc, cit. 1). *Ils prirent son laconisme* (cit. 1) *pour de la bêtise. Ce que nous prenons pour des vertus* (→ Assemblage, cit. 20).

62 (...) je t'avouerai que je n'y entends rien du tout; que je serais bien embarrassé de distinguer une école d'une autre; qu'on me donnerait un Boucher pour un Rubens ou pour un Raphaël; que je prendrais une mauvaise copie pour un sublime original (...) DIDEROT, Jacques le fataliste, Pl., p. 663.

63 Toi! que j'ai vu grand comme ça, dont le père vendait du drap, me prends-tu pour un nigaud? BALZAC, les Ressources de Quinola, I, 11.

64 Que de fois il nous est arrivé de prendre Jules pour Edmond, et de continuer avec l'un la conversation commencée avec l'autre!
Th. GAUTIER, Portraits contemporains, Goncourt.

65 Don Quichotte prenait les moulins à vent pour des géants et les moutons pour des armées, d'Artagnan prit chaque sourire pour une insulte et chaque regard pour une provocation. DUMAS, les Trois Mousquetaires, I.

66 Elle commença par dire qu'on la prenait pour ce qu'elle n'était pas et qu'Albert s'était trompé d'adresse (...) P. NIZAN, le Cheval de Troie, I, IV.

67 Si l'astronome s'obstine à prendre pour un lac de la lune le défaut de sa lunette, qu'il change donc de lunette. J. PAULHAN, les Fleurs de Tarbes, p. 129.

Loc. *Vous me prenez pour une autre,* formule par laquelle une femme proteste devant le comportement hardi d'un homme. (Cf. Je ne suis pas celle que vous croyez).

67.1 — Monsieur Valentin, vous m'prenez pour une autre.
— VALENTIN, lui passant les bras autour de la taille. J'vous prends pour moi, méchante. Henri MONNIER, Scènes populaires, t. I, p. 330.

Loc. prov. (vx). *Prendre l'ombre pour le corps**. *Prendre son cul* pour ses chausses.* — *Prendre des vessies pour des lanternes** (cit. 8). *Prendre ses désirs* (cit. 5) *pour des réalités* (cf. fam. Croire que c'est arrivé). *Prendre une chose pour argent** (cit. 62) *comptant.* — *Prendre le Pirée pour un nom d'homme, pour un homme* (→ La Fontaine, IV, 7) : se tromper grossièrement.

(Avec un adjectif attribut). Vx (langue class.). ⇒ **Compter, croire.** *Je le prenais pour raisonnable* (→ Bon, cit. 126). *Nous prendrions pour certain l'opposé de ce que dirait le menteur* (→ Mensonge, cit. 7).

♦ **6.** Absorber, mettre en soi. *Prendre la nourriture* (→ Faim, cit. 8), *de la nourriture, un repas* (→ Modique, cit. 3). ⇒ **Absorber, manger.** *Prendre une boisson.* ⇒ 1. **Boire** (cit. 1; et REM.). *Prendre son café* (→ Excellentissime, cit.), *du lait* (→ 1. En, cit. 38), *de la soupe* (→ Encore, cit. 10). *Prendre un verre.* ⇒ **Consommer** (→ Garçon, cit. 21). — Fam. *Viens, on va prendre un pot*, un glass. Voulez-vous prendre quelque chose? Qu'est-ce que vous prenez?* — *Prendre une médecine* (→ Aller, cit. 15), *un remède* (→ Difficulté, cit. 16), *un cachet.* ⇒ **Absorber, avaler; prise.**

Fig. *Prendre la poudre* d'escampette :* s'enfuir. — *Faire prendre qqch. à qqn.* ⇒ **Administrer.** *Prendre un lavement* (→ 2. Hâte, cit. 8). *Prendre les eaux* (cit. 16.9). — *Prendre l'air** (1. Air, cit. 11). → Effarer, cit. 2. *Prendre le frais* (1. Frais, cit. 5, 6 et 10). — Par ext. *Prendre un bain, une douche* (→ Ambré, cit. 1; parfum, cit. 10).

68 (...) un pauvre bougre qui ne prend que des lavements et des bouillons, qui ribote avec de la tisane et bamboche avec le clysoir.
FLAUBERT, Correspondance, 74, 10 févr. 1843.

69 Lorsqu'on passait devant, on voyait la porte toujours fermée (...) et un grand chat maigre qui prenait le soleil sur le bord de la fenêtre et vous regardait d'un air méchant.
Alphonse DAUDET, Lettres de mon moulin, « Secret de Maître Cornille ».

70 S'il était permis de tant dépenser! Elle n'avait rien pris, le matin, pour en avaler davantage le soir. ZOLA, la Terre, II, VII.

70.1 Je la fis asseoir, car elle ne tenait plus sur ses jambes, et je la suppliai de prendre quelque chose, mais elle me dit qu'il lui serait impossible d'absorber pour le moment même une goutte d'eau, et elle claquait des dents.
G. LEROUX, le Parfum de la dame en noir, p. 78.

71 (...) entrez donc (...) Vous prendrez bien quelque chose (...)
ARAGON, les Beaux Quartiers, I, XXIV.

72 — Je vais prendre un bain de pieds.
Il trempa son pied droit dans l'eau (...) SARTRE, la Mort dans l'âme, p. 73.

73 Prenez de l'hémostyle, disait le médecin, ça provient du sang.
Henri MICHAUX, La nuit remue, p. 146.

♦ **7.** (Choses; personnes). Subir l'effet de. *Bateau qui prend l'eau; chaussures qui prennent l'eau.* ⇒ **Imprégner** (s'). *Tissus, cheveux, poils qui prennent la teinture,* qui retiennent le colorant, se teignent bien. — *Prendre feu*, s'enflammer* (→ Mazout, cit.). — (Personnes). ⇒ **Contracter.** *Prendre une maladie* (→ Autopsie, cit.; inoculer, cit. 1). ⇒ **Gagner** (iron.). *Prendre du mal* (3. Mal, cit. 21). *Prendre les fièvres paludéennes* (cit. 1). — *Prendre des habitudes* (→ Ivrognerie, cit. 2), *l'habitude de...* (→ Accoutumer, cit. 19; dicter, cit. 3; fainéantise, cit. 1). *Prendre certaines façons au contact de quelque chose.* — Loc. (sans déterminant). *Prendre froid* (→ Fluxion, cit. 2), *mal.* ⇒ **Attraper.**

74 Ne te fâche pas, je vais me refourrer dans le lit. Tu n'auras plus peur que je prenne mal. ZOLA, la Bête humaine, XI.

75 À cultiver une terre ingrate, à forcer, à embellir de mauvaises herbes, il avait pris quelque chose de dur qui ne s'accordait guère avec sa douceur.
COCTEAU, le Grand Écart, p. 5.

(D'un moteur). *Prendre des tours :* tourner plus vite.

D. Se mettre à utiliser, à avoir, à être (sans idée d'appropriation durable). Voir REM. en C., ci-dessus (loc. verbales formées avec *prendre*).

♦ **1.** [a] Commencer à mettre sur soi, à utiliser. ⇒ **Employer, user, utiliser.** — *Prendre un manteau.* ⇒ **Mettre, munir** (se). *Il prenait chaque jour un gilet de piqué blanc* (→ Fluctuer, cit.). *Prendre des bottes de sept lieues* (cit. 1). — Loc. fig. *Prendre des gants** (cit. 17) : agir avec délicatesse pour ne pas froisser (qqn). *Prendre le voile* (→ Monastère, cit. 3), *l'habit* (cit. 16 et 19). ⇒ **Endosser; prise.** — Par ext. *Prendre le deuil** (cit. 6) : mettre des vêtements de deuil. — *Prendre la plume*. Je n'ai pas voulu prendre mon papier* (cit. 12) *à lettres pour t'écrire.* — *Prendre un siège* (→ Approcher, cit. 32; fond, cit. 21) : s'asseoir. *Prendre place** (et fig.) : s'installer, se situer. *Prendre le lit* (cit. 13) : s'aliter. — *Prendre les armes* (→ 1. Jacques, cit. 1; et aussi courir* aux armes) : se disposer à combattre. *Quitter son métier pour prendre son fusil* (→ Canarder, cit. 3). *Ceux qui prennent le glaive* (cit. 2) *périront par le glaive.* — *Prendre la clef* des champs* : s'enfuir. *Prendre les rênes*.* — Mar. *Prendre le vent :* présenter les voiles au vent de manière à en utiliser la force (⇒ **Navigation**).

76 Prends un siège, Cinna, prends, et sur toute chose
Observe exactement la loi que je t'impose (...) CORNEILLE, Cinna, V, 1.

77 Et je suis tout prêt à faire comme les copains : à prendre un flingot, et à défendre le pays. MARTIN DU GARD, les Thibault, t. VII, p. 295.

78 (...) Marie, toute à ses pensées, prit le fauteuil, et abandonna sa main à Sammécaud, qui s'assit près d'elle.
J. ROMAINS, les Hommes de bonne volonté, t. V, XXIII, p. 211.

Faire usage de (un véhicule). — (Concrètement). *Prendre un train.* ⇒ **Monter** (dans). *Prendre un autre train.* ⇒ **Changer; correspondance.** *C'est mon mari qui a pris la voiture.* — (En général). ⇒ **Emprunter.** *Prendre sa voiture, un taxi. Prendre la diligence* (cit. 8), *le train* (→ Inspecter, cit. 1), *le bateau, l'avion.*

79 (...) pour les longs voyages, il est plus simple et plus confortable de prendre le train. J. ROMAINS, les Hommes de bonne volonté, t. III, XII, p. 165.

[b] S'engager dans. ⇒ **Emprunter.** *Prendre un chemin* (cit. 3), *le chemin de... Prendre une route* (→ Camp, cit. 8); *un défilé, un couloir.* ⇒ **Enfiler, entrer** (dans). — *Prendre un tournant* (→ Corde, cit. 7), *un virage. Il a mal pris son tournant.* — *Prendre la tangente*.* — Loc. *Prendre le change*. Prendre la porte** (→ Ouste, cit. 2). — *Prendre la direction** (cit. 5) *de...* — *Prendre la mer :* se mettre à voyager sur mer. ⇒ **Embarquer** (s'). → 1. Contrecœur (cit. 2). *Prendre le large* (cit. 23 et 24). *Prendre terre, port* (vx). ⇒ **Débarquer.** — (XXe). *Prendre l'air :* s'envoler (pour un avion; par métonymie pour les passagers). « *Les navires sont en mesure de quitter les ports à tout instant. Les avions peuvent prendre l'air au premier signal* » (*le Monde,* 7 juin 1964).

Salavin se retrouva sur le trottoir de la petite rue Littré (...) Prendrait-il, pour regagner la maison, la rue de Vaugirard, profonde et rapide, ou le boulevard du Montparnasse? G. DUHAMEL, Salavin, V, II. 80

Dès le boulevard traversé, il avait pris la rue Championnet. 81
J. ROMAINS, les Hommes de bonne volonté, t. I, XVII, p. 177.

[c] User à son gré de... (le compl. désigne une durée, le temps). *Prendre le temps* de..., prendre son temps* (→ Laisser, cit. 46; médiocre, cit. 7; orphelin, cit. 5). *Prendre du bon temps.* ⇒ **Amuser** (s'). → Aise, cit. 13; libertin, cit. 3. — Théâtre (vx). *Prendre des temps,* déclamer en prenant complaisamment son temps.

(...) Melchior (...) ne déclamait pas, mais (...) il bramait ses vers, tant il allongeait les sons en s'écoutant lui-même. En argot de coulisse, Canalis prenait des temps un peu longuets. BALZAC, Modeste Mignon, Pl., t. I, p. 510. 81.1

Loc. Vx. *Prendre lieu* (2. Lieu, cit. 40) *de... :* se donner l'occasion de... — Mod. *Prendre occasion de... Prendre congé** — *Prendre le droit de..., la liberté* (cit. 9) *de..., des libertés* (cit. 10). ⇒ **Permettre** (se). *Prendre des licences* (cit. 10), *des privautés* (→ Objet, cit. 27). *Prendre la hardiesse* (cit. 13) *de...* — Spécialt. Dans les formules de politesse. *Excusez-moi si je prends la liberté de vous écrire.* — *En prendre à son aise*.*

♦ **2.** Se mettre à avoir, se donner. *Prendre un air* (2. Air, cit. 12), *une voix* (→ Aigu, cit. 6), *un ton* (→ Doctoral, cit. 2). ⇒ **Adopter, affecter.** *Prendre une apparence. Prendre une attitude, une position, une pose. Prendre le contrepied* (propre et fig.). — Loc. *Prendre appui. Prendre pied** (propre et fig.). — *Prendre son élan* (→ Bondir, cit. 4), *son essor, son vol* (→ Hanneton, cit. 1), *sa course* (→ Incertain, cit. 25), *ses ébats*. Prendre une allure rapide. Prendre le départ. Prendre de l'exercice.* ⇒ **Donner** (se),; **pratiquer** (→ Neurasthénique, cit. 2; 2. pêche, cit. 5). *Prendre du repos* (→ Calmer, cit. 2), *son somme* (vx). → Chêne, cit. 2. *Prendre une cuite*, une sacrée beurrée... :* s'enivrer. — *Prendre la parole* (cit. 30 et 31) : commencer son discours.

Depuis un mois que son mari avait obtenu sa place de sergent de ville, la grande brune prenait des allures cavalières et parlait d'arrêter tout le monde. 82
ZOLA, l'Assommoir, VII, t. I, p. 253.

Prendre ses distances, prendre du recul*, du champ*, de la hauteur*. Prendre la tête** (→ 2. Marche, cit. 22), *les devants** (cit. 24). *Prendre rang* (→ Ordinaire, cit. 4). *Prendre le pas sur...* (→ Contraindre, cit. 4) : passer devant (propre et fig.). — Fig. *Prendre le dessus, l'avantage.* ⇒ **Gagner; ascendant.**

Prendre une condition (→ Messie, cit. 1), *une profession* (→ Jouir, cit. 12). ⇒ **Embrasser, entrer** (dans). *Prendre sa retraite* (→ Obstiner, cit. 1). *Prendre du congé, des vacances.* — Commencer à assurer* (une fonction). *Prendre la garde* (→ Magasin, cit. 2). *Guetteur* (cit. 3) *qui prend la veille. Prendre la relève. Prendre la succession. Prendre la direction d'une entreprise. Prendre des contacts* (→ Mécontent, cit. 8).

(...) je voudrais pourtant bien par moments, comme tout écolier émérite, prendre quelque semaine de congé. SAINTE-BEUVE, Causeries du lundi, 13 oct. 1851. 83

(Dans des emplois plus ou moins figés, le compl. étant parfois sans déterminant). — REM. Dans ce type d'emplois, la nominalisation avec *prise* est relativement fréquente. → Prise. — *Prendre contact** (cit. 10) *avec qqn. Prendre connaissance de qqch. Prendre possession* de qqch.* (→ Dominateur, cit. 1). — *Prendre position*. Prendre parti** (cit. 14 à 16) : choisir. *Prendre le parti* (cit. 13) *de..., son parti* (cit. 18 à 21) : soutenir. *Prendre la défense* de... :* défendre. (→ Assurer, cit. 25; chamailler, cit. 2). *Prendre fait* et cause pour qqn :* intervenir* en sa faveur. *Prendre une part à* (→ 1. Part, cit. 3, 4 et 6). — Loc. *Prendre part*.* ⇒ **Participer.** *Prendre des risques :* se mettre dans une situation qui peut devenir dangereuse. — Prendre l'engagement de... (→ Liquidateur, cit. 1). *Prendre l'initiative* (cit. 2), *l'offensive** (→ Attaquer, cit. 36). *Prendre une décision* (→ Initial, cit. 2). ⇒ **Décider.** *Prendre une résolution* (→ Destin, cit. 16; irrésolu, cit. 2), *des dispositions* (→ Artillerie, cit. 2), *des mesures* (cit. 29), *des précautions* (→ Assertion, cit. 3).

En ce moment, ma résolution était prise et rien ne pouvait plus m'en faire changer. 84
FRANCE, le Crime de S. Bonnard, VI, Œ., t. II, p. 473.

Prendre du plaisir, un plaisir extrême (→ Âne, cit. 17), *prendre plaisir à... Prendre intérêt* (cit. 21), *de l'intérêt (à qqch.).* — Loc. *Prendre patience* (→ Fortune, cit. 13) : attendre patiemment. *Prendre soin** (→ Apostille, cit. 1; corps, cit. 4), *du soin à...* ⇒ **Apporter.** *Prendre garde** (1. Garde, cit. 35 à 59). *Prendre de la peine** (cit. 18 et 19). *Prendre la peine de ...* (→ Appartenir, cit. 11 ; 1. gazer, cit. 2). *Prenez la peine d'entrer :* veuillez entrer, (→ Se donner la peine* de...).

85 Prenez la peine de vous asseoir, madame.
SARTRE, l'Âge de raison, XV.

♦ **3.** Commencer à avoir (un mode d'être). ⇒ **Acquérir.** *Prendre une forme** (cit. 2, 19, 37 et 60). *Prendre forme* (cit. 8). *Prendre l'aspect* (cit. 20 et 22), *un aspect* (→ Désaffecté, cit. 1), *un caractère* (→ Organique, cit. 4). *Prendre une bonne ou mauvaise tournure**, *prendre tournure* (→ 2. Meule, cit. 1). *Prendre un tour* (→ Mieux, cit. 38). *Prendre le pli**. *Prendre une couleur* (→ Mimétisme, cit. 1 ; peler, cit. 2), *prendre couleur**. *Prendre un mauvais goût. Prendre une consistance* (cit. 4). *Prendre corps**. *Prendre racine**.

(Personnes). Désignant une action involontaire. Avoir plus de ; gagner en. *Prendre du poids ; prendre du ventre.* ⇒ **Gagner** (→ fam. Prendre de la brioche*, de la bouteille*, fig.). *Prendre de l'âge :* vieillir. *Prendre du retard, de l'avance. Prendre de l'altitude, de la vitesse :* aller plus haut, plus vite. *Prendre fin** (→ Pavoiser, cit. 2). *Prendre de l'importance, du prix* (→ Miette, cit. 5), *de l'empire* (cit. 8) *sur...*

Acquérir (un caractère abstrait). *Prendre de l'assurance. — Prendre conscience** (cit. 7 ; → aussi Abord, cit. 9 ; accuser, cit. 24 ; capital, cit. 9 ; désir, cit. 13). *Prendre goût** (cit. 27 et 28), *y prendre goût. Prendre peur* (cit. 15). *Prendre ombrage** (cit. 13).

86 Oui, puisque je retrouve un ami si fidèle,
Ma fortune va prendre une face nouvelle (...) RACINE, Andromaque, I, 1.

87 Julien prenait de l'humeur de ne point se trouver touché de tout cet héroïsme.
STENDHAL, le Rouge et le Noir, II, XXXIX.

88 (...) son visage osseux, le grand nez busqué, la perspective fuyante du front, et ces boucles blanches, comme poudrées, prenaient du style.
MARTIN DU GARD, les Thibault, t. III, p. 280.

89 L'affaire prend un tour romanesque.
M. AYMÉ, la Tête des autres, I, 12.

Prendre son origine, sa source ; prendre naissance : commencer, naître.

★ **II.** V. intr. ♦ **1.** Durcir, épaissir (le sujet désigne une substance). *Mayonnaise, crème, gelée qui prend. Le mortier, le plâtre commence à prendre.* — Spécialt. ⇒ **Geler.** *Le lac a pris. Faire prendre un sorbet.*

90 La Tamise prit, ce qui n'arrive pas une fois par siècle, la glace s'y formant difficilement à cause de la secousse de la mer. HUGO, l'Homme qui rit, I, I, 1.

♦ **2.** Attacher, coller (le sujet désigne une substance). *Aliment qui prend au fond de la casserole.* ⇒ **Attacher, cramer.**

♦ **3.** (Végétaux). Pousser des racines, continuer sa croissance après transplantation. *Bouture qui prend.* ⇒ **Raciner, reprendre.** *Greffon qui prend bien.*

♦ **4.** (Le sujet désigne le feu). Se mettre à consumer une substance. *Actionner un soufflet pour faire prendre le feu d'un foyer. Le feu s'éteint, ne prend pas. Le feu ne prend pas tout seul* (→ Pin, cit. 2), *prend facilement en forêt* (→ Inoffensif, cit. 2). *Le feu prit à la petite cagna* (→ Pied, cit. 27).

91 Un de mes amis (..) a mis une fois le feu à une forêt pour voir, disait-il, si le feu prenait avec autant de facilité qu'on l'affirme généralement.
BAUDELAIRE, le Spleen de Paris, IX.

♦ **5.** Fig. (Sujet n. de chose). Produire son effet, l'effet recherché. ⇒ **Marcher, réussir.** *Greffe* (2. greffe, cit. 2) *animale qui prend. Vaccin qui prend. La teinture de ce tissu a bien pris. Coutumes étrangères qui prennent en France.* ⇒ **Implanter** (s'). *C'est une mode qui ne prendra pas.*

92 Il faut autant de peine pour faire prendre un nom nouveau, un auteur et son livre, que pour faire réussir les théâtres étrangers (...)
BALZAC, Illusions perdues, Pl., t. IV, p. 701.

(Mil. XXe). Réussir, obtenir le succès désiré. *« Le syndicalisme a du mal à "prendre" dans le transport routier qui emploie de très nombreux artisans »* (*le Monde,* 14 févr. 1975).

Spécialt. (En parlant de ce qu'on veut faire admettre à qqn). Être cru, accepté. *On leur a raconté cela, mais ça n'a pas pris. Ils nous ont assez menti, ça ne prend plus !*

93 Cette affectation de supprimer les distances ne prenait plus auprès des garçons de cette espèce. F. MAURIAC, le Sagouin, p. 12.

94 J'avais beau répéter : « C'est une racine » — ça ne prenait plus.
SARTRE, la Nausée, p. 164.

♦ **6.** (Sujet n. de personne). Se mettre à suivre une direction, un chemin. *Prendre à gauche, sur la gauche, par* (cit. 6) *un endroit, à travers champs* (→ Franc-tireur, cit. 1). *Prenez par ici. Par où* (cit. 62) *a-t-elle pris ? S'il fait laid à droite, je prends à gauche* (cit. 10, Montaigne).

95 (...) j'errai dans la ville déserte jusqu'au son des premières cloches ; puis, sentant le matin, je pris par les petites rues derrière Chiaia, et je me mis à gravir le Pausilipe au-dessus de la grotte. NERVAL, les Filles du feu, « Octavie ».

♦ **7.** Commencer (le sujet désigne ce qui suit une direction). *La grand'rue prend devant la gare et va jusqu'à la poste. L'escalier prenait à gauche* (→ Loge, cit. 14). *Une découpe, une pince qui prend à l'épaule et descend jusqu'à la taille.*

▶ **SE PRENDRE** v. pron.

A. (Sens passif). Être mis en main. *Objet qui se prend aisément.* ⇒ **Maniable.** *Cela se prend avec les doigts... par le milieu.* — Être absorbé. *Médicament qui se prend avant les repas.* — Être attrapé. *Poisson qui se prend généralement au filet.*

Il y a des folies qui se prennent comme les maladies contagieuses. 96
LA ROCHEFOUCAULD, Maximes, 300.

Être considéré ou employé. *Mot qui se prend dans tel ou tel sens.*

B. (Sens réfléchi). ♦ **1.** Loc. fam. *Se prendre par la main :* s'entraîner soi-même à faire qqch. *S'il veut terminer ce travail aujourd'hui il peut se prendre par la main !* — Dans le même sens :

Chaque jour je me prends par les épaules et me force à une promenade, parfois 97
assez longue. GIDE, Journal, janv. 1944.

♦ **2.** Se laisser attraper (dans un piège). *Moucheron qui se prend dans une toile d'araignée* (cit. 5). — Fig. *Se prendre à son propre jeu* (cit. 75).

Elle n'eut plus besoin de feindre une sympathie qu'elle éprouvait réellement ; et 98
le garçon vint de lui-même se prendre à sa toile et s'y empêtrer avec délices.
F. MAURIAC, la Pharisienne, XIII.

Par ext. Être attrapé, coincé comme dans un piège. *Le pied se prit aux houppes* (cit. 1) *des cordons. Sa robe s'est prise dans la portière.*

♦ **3.** Vx ou littér. S'attacher, s'accrocher à... *« Il faut se prendre à l'arbre et non pas aux rameaux »* (Tristan, *in* Littré). — *Aliment qui se prend au récipient,* qui attache*. *Ne savoir à quoi se prendre,* à quoi recourir. — Fig., littér. S'attacher, s'intéresser vivement à...

(...) je ne pouvais me prendre à rien en voyant des choses auxquelles je ne sentais 99
plus mon âme attachée. BALZAC, le Lys dans la vallée, Pl., t. VIII, p. 885.

(...) dans les efforts que je ne cesse d'accumuler pour me prendre aux choses de 100
la vie. J.-A. DE GOBINEAU, les Pléiades, II, IX.

♦ **4. S'EN PRENDRE À :** s'attaquer à, en rendant responsable. ⇒ **Incriminer** (→ Prendre à partie*). — Vx. *Se prendre à qqn (de qqch.). « C'est ainsi qu'aux flatteurs, on doit partout se prendre Des vices où l'on voit les humains se répandre »* (Molière, *le Misanthrope,* II, 5).

Qu'attaquer Rosidor, c'est se prendre à moi-même (...) 101
CORNEILLE, Clitandre, III, 1.

Il s'en est pris à moi qui n'y étais pour rien. Il ne peut s'en prendre qu'à lui-même : il est responsable de ses propres malheurs, il l'a voulu. *Ne savoir à qui s'en prendre :* chercher un responsable à incriminer (→ Destinée, cit. 2). *Ne sachant à qui s'en prendre, il s'attaquait* (cit. 51) *à tout. — S'en prendre à qqch.* (→ Marmonner, cit. 3 ; optimisme, cit. 3).

Trouvait-on quelque chose au logis de gâté : 102
L'on ne s'en prenait point aux gens du voisinage. LA FONTAINE, Fables, IX, 17.

Le jour où il lui arrivera malheur, il ne pourra s'en prendre qu'à lui-même. 103
ARAGON, les Beaux Quartiers, II, VI.

♦ **5. SE PRENDRE DE... :** se mettre à avoir. *Se prendre d'amitié pour qqn.* ⇒ **Concevoir, éprouver.** *Se prendre d'une passion. Se prendre de querelle* avec qqn. — Se prendre de vin, de boisson :* s'enivrer.

Graslin passait pour s'être pris d'amour. 104
BALZAC, le Curé de village, Pl., t. VIII, p. 559.

Félicité se prit d'affection pour eux. 105
FLAUBERT, Trois contes, « Un cœur simple », II.

(...) il se prenait peu à peu pour elle d'un goût singulier, d'une passion perverse, 106
où son ancienne amitié d'enfant tournait à des raffinements sensuels.
ZOLA, la Joie de vivre, IV.

♦ **6. SE PRENDRE À...** (suivi d'un infinitif). Littér. Se mettre à (généralement de façon inopinée). *Se prendre à rire* (→ Âpre, cit. 19), *à pleurer amèrement* (cit. 1), *à geindre* (1. Geindre, cit. 1), *à réfléchir* (→ Camouflage, cit. 1).

Elle se prit à tousser, puis elle bâilla, finement. 107
G. DUHAMEL, Chronique des Pasquier, IX, I.

Et, soudain, parce qu'elle est malade, maman se prend à trembler du menton (...) 108
G. DUHAMEL, Chronique des Pasquier, II, IX.

Il se prit à penser que sa piété allait bien à sa paresse (...) 109
ARAGON, les Beaux Quartiers, I, IX.

♦ **7. S'Y PRENDRE,** (vx) **SE PRENDRE À :** agir d'une certaine manière en vue d'obtenir un résultat déterminé. ⇒ **Agir.** *S'y prendre bien, mal, de travers, avec douceur* (→ Persuader, cit. 9). ⇒ **Procéder.** *Je m'y pris maladroitement* (cit. 2). *S'y prendre à deux fois, à plusieurs fois :* tâtonner, ne pas réussir du premier coup. *En s'y prenant bien,* avec de l'adresse (→ Calomnie, cit. 5). *Comment il s'y prend, elle s'y est prise* (→ Dénouer, cit. 11). *Elle doit s'y prendre* (→ Flirt, cit. 3). ⇒ **Faire.** *Savoir s'y prendre* (→ Malin, cit. 14). *Dites-moi, montrez-moi comment il faut s'y prendre :* donnez-moi le procédé, la méthode, la recette, l'exemple.

(...) lorsqu'un censeur à contresens m'arracha la plume et me dit que c'était mal 110
se prendre au panégyrique de louer une jeune personne de beauté, parce qu'elle
était rousse. CYRANO DE BERGERAC, Lettres diverses, Pour une dame rousse.

111 Le renard, ayant mis la peau,
Répétait les leçons que lui donnait son maître.
D'abord il s'y prit mal, puis un peu mieux, puis bien.
Puis enfin, il n'en manqua rien. LA FONTAINE, Fables, XII, 9.

112 Jouons à l'attaque de la diligence. Je vais vous montrer comment on s'y prend. FRANCE, le Petit Pierre, XXXI.

113 — Si, mon petit, il faut que je m'en aille. Je ne sais pas où, ni comment je m'y prendrai, ni ce que je dirai, mais il le faut. MAUPASSANT, Pierre et Jean, VII.

114 (...) les Allemands (...) avec sans doute la consigne (...) de faire souhaiter leur règne, et s'y prenant comme il faut pour cela. GIDE, Journal, 11 déc. 1942.

(Avec une précision de temps). Se mettre à, s'occuper de... *Si vous voulez louer des billets pour ce spectacle, il faut vous y prendre une semaine à l'avance. Ils s'y sont pris trop tard.* — Par plais. *C'est s'y prendre un peu tôt pour radoter* (→ Ganache, cit. 4).

115 Il y a une chose qui m'a semblé très farce dans ce qu'il t'a dit, à savoir, l'aveu qu'il travaillait pour la postérité (il est temps qu'il s'y prenne). FLAUBERT, Correspondance, 387, 30 avr. - 1er mai 1853.

116 Voilà quinze ans qu'on la voit venir *(la guerre).* Il fallait s'y prendre à temps pour l'éviter ou pour la gagner. SARTRE, la Mort dans l'âme, p. 75.

♦ **8.** Se considérer, se juger. *Se prendre au sérieux** (→ Diablerie, cit. 5).

SE PRENDRE POUR (suivi d'un nom) : estimer qu'on est. ⇒ **Croire** (se). *Se prendre pour un héros, un génie* (cit. 44), *un prophète, un martyr. Il se prend pour quelqu'un de très fort, pour quelqu'un**. — Fam. *Il ne se prend pas pour rien, pas pour une merde :* il a une très haute opinion de lui-même. — Péj. *Pour qui se prend-il?* (→ Il ne se mouche* pas du pied; fam. Qu'est-ce qu'il se croit*!) — REM. *Se prendre pour* ne s'emploie pas avec un adjectif; toutefois il est usité avec un comparatif : *se prendre pour plus malin qu'on n'est.*

117 Le docteur, ce jour-là, ne se prenait pas pour de l'eau de bidet. ARAGON, les Beaux Quartiers, II, VII.

118 La vérité, c'est que vous vous prenez pour des caïds. Vous méprisez vos camarades. SARTRE, la Mort dans l'âme, p. 271.

♦ **9.** Devenir dur, en parlant d'une substance. → ci-dessus, v. intr. (1.). *Se prendre en caillots.* ⇒ **Caillebotter** (vx), **cailler, coaguler.**

119 Semblable à ces roches granitiques qui se sont prises en englobant dans leur masse encore liquide des substances étrangères, qui éternellement feront corps avec elles (...) RENAN, l'Avenir de la science, XXIII, Œ. compl., t. III, p. 1117.

Spécialt. ⇒ **Geler** (cit. 8). *La mer de Norvège se prit.* — Par ext. *Le ciel, le temps se prend,* se couvre.

C. (Sens récipr.). ♦ **1.** Se saisir, se tenir l'un l'autre. *Se prendre par la main* (→ Chœur, cit. 1), *le bras, le cou... Se prendre la main.* — Loc. *Se prendre aux cheveux** : se quereller.

120 Quand elles se retrouvèrent face à face, sur leurs sièges, elles se prirent les mains, et restèrent ainsi, se regardant et se souriant (...) MAUPASSANT, Pierre et Jean, VIII.

REM. Cette valeur du verbe correspond aux sens I., A., 3. et 4. de *prise.*

♦ **2.** S'ôter l'un à l'autre. *Joueurs qui cherchent à se prendre le ballon.*

♦ **3.** S'unir sexuellement.

121 Prenons-nous. Le meilleur moyen
de s'expliquer sans être dupe,
c'est de s'étreindre, corps à corps. Paul GÉRALDY, Toi et Moi, XVII.

▶ **PRIS, PRISE** [pʀi, pʀiz] p. p. adj.

♦ **1.** Occupé. *Cette place est-elle prise? Non, elle est libre. Tout est pris. Je regrette de ne pouvoir vous engager, la place est déjà prise,* pourvue. *Avoir les mains prises,* occupées à tenir quelque chose. — Occupé, utilisé, en parlant du temps. *Matinée prise par deux rendez-vous. Tout mon samedi est pris.* — Par ext. (Personnes). Qui a des occupations. *Le médecin est pris jusqu'à 5 heures. Je suis prise toute la journée. — Je suis très pris, cette semaine.* ⇒ **Occupé.**

122 Simone semblait fort ennuyée. La lettre était d'un jeune homme auquel elle avait promis pour le soir. Elle remit à madame Bron un billet griffonné : Pas possible ce soir, mon chéri, je suis prise. Mais elle restait inquiète; ce jeune homme allait peut-être l'attendre quand même. ZOLA, Nana, V.

123 Il avait sa journée prise, des tas de rendez-vous importants et il s'est dérangé pour me porter secours. SARTRE, l'Âge de raison, VIII.

♦ **2.** Subitement affecté (de...). *Être pris de fièvre, de peur, de panique... prise de fou rire. Pris de vin, de boisson,* ivre*.

124 Sans jamais être absolument ivre, il était presque toujours pris de vin (...) ROUSSEAU, les Confessions, III.

125 Le maréchal de Villars (...) alla faire sa cour au roi de Sardaigne, tellement pris de vin, qu'il ne pouvait se soutenir, et qu'il tomba à terre. Dans cet état, il n'avait pourtant pas perdu la tête, et il dit au roi : Me voilà porté tout naturellement aux pieds de votre Majesté. CHAMFORT, Caractères et anecdotes, « Jambes et tête du maréchal de Villars ».

126 Et Pauline, oubliée, les regardait toujours, prise d'une rage sombre (...) ZOLA, la Joie de vivre, IV.

♦ **3.** Atteint* d'une affection. *Avoir le nez pris, la gorge prise,* le nez, la gorge enflammés. *Un seul poumon est pris. La gangrène s'est déclarée, le jarret s'est trouvé pris* (→ Dessous, cit. 14).

127 (...) le père a été pris par les jambes, une paralysie assez fréquente dans nos villages (...) ZOLA, la Joie de vivre, IV.

♦ **4.** Fam. (d'une femme). *Prise :* enceinte.

Au début de mai, elle avait compris sans erreur possible que cette fois elle était prise. De qui? Pierre ou Lamberdesc? ARAGON, les Beaux Quartiers, II, XXII. 128

♦ **5.** (Personnes). Amoureux. ⇒ **Épris.** *Il est bien pris.*

(...) il regardait comme une insulte qu'on continuât à lui parler de quelque autre; Maurice S. le croit sérieusement pris. GIDE, Journal, 8 mai 1905. 129

♦ **6.** BIEN PRIS : beau*, bien fait, bien proportionné, en parlant du corps humain. *Une taille aisée* (cit. 1) *et bien prise. Buste* (cit. 4) *bien pris.*

Enver monte en wagon; il est de taille bien prise et de démarche très assurée (...) GIDE, Journal, 1914, Marche turque, Koniah. 130

♦ **7.** (Choses). Durci, coagulé. *Crème bien prise.* ⇒ **Dur.** — Spécialt. Gelé. *La rivière est prise* (→ Geler, cit. 12; hyperboréen, cit. 1).

Vers minuit, la boue avait déjà durci, les flaques d'eau étaient prises (...) Th. GAUTIER, Voyage en Russie, I, XXI. 131

C'était ma mère elle-même (...) qui, quand le lait était pris, faisait les petits fromages, ces jonchées du pays d'Arles (...) F. MISTRAL, Mes origines, Mémoires et récits, X. 132

CONTR. Lâcher. — Jeter. — Abandonner, écarter, laisser, quitter, rejeter, renvoyer. — Donner, offrir. — Perdre.
DÉR. Prenable, prenant, preneur, prise, priser.
COMP. Déprendre (se), éprendre (s'), entreprendre, méprendre (se), reprendre, surprendre (V. aussi **Appréhender, comprendre, pourpris, préhension).**
HOM. (De *pris*) **Prix.**

PRENEUR, EUSE [pʀənœʀ, øz] n. — 1400; *prendeor,* fin XIIe; de *prendre.*

♦ **1.** Rare. PRENEUR, EUSE DE... : personne, chose qui prend... (dans des syntagmes).

(...) quelques preneurs de notes envoyés par les grands journaux. Léon BLOY, le Désespéré, p. 90. 1

(...) preneurs de métro à la chaîne, automobilistes à la chaîne, estivants à la chaîne, traverseurs de clous pourchassés. Michèle PERREIN, Entre chienne et louve, p. 136. 2

Grand preneur de lapins. ⇒ **Attrapeur** (→ Lieue, cit. 5). *Preneur de thé* (vx), qui en consomme habituellement. *Preneur de poses* (→ Faire, cit. 107). — Adj. (V. 1960). *Benne* preneuse.*

♦ **2.** (Mil. XIVe). Dr. comm. Personne qui prend à bail* (cit. 3), à ferme (2. Ferme, cit. 1), à loyer*. ⇒ **Fermier, locataire; 2. louer.** *Le bailleur et le preneur. Preneur d'un bail à cheptel* (cit. 2). ⇒ **Cheptelier.** — Personne qui prend un effet de commerce. *L'émetteur* et le preneur.*

♦ **3.** (1893). Cour. Personne qui achète qqch. ⇒ **Acheteur, acquéreur.** *Je suis preneur à tel prix. — Trouver preneur,* un acquéreur ou un locataire; par plais. (en parlant d'une femme), trouver un mari.

♦ **4.** Techn. *Preneur de son :* technicien chargé de la prise*.

PRÉNOM [pʀenɔ̃] n. m. — 1694; attestation isolée, 1556; lat. *prænomen,* de *præ* et *nomen.* → Nom.

♦ Nom particulier joint au nom patronymique et servant à distinguer les différentes personnes d'une même famille. ⇒ **Nom** (petit nom, nom de baptême). *Acte* (cit. 12) *de l'état civil qui énonce les prénoms et nom... Souligner le prénom usuel,* celui qui est donné à une personne dans la vie courante. — Spécialt. Prénom usuel (→ Déplaire, cit. 5; patronyme, cit. 1). *Appeler qqn par son prénom* (→ 1. Cousin, cit. 3). *Prénoms français d'origine latine, grecque, germanique, hébraïque...* (→ Convenir, cit. 19). *Le prénom chez les Romains* (→ Nom, cit. 11). *La plupart des prénoms français sont des noms de saints du calendrier chrétien. Il a un drôle de prénom. Diminutif d'un prénom. Prénom et surnom.*

L'oncle qu'on attendait s'appelait Palamède, d'un prénom qu'il avait hérité des princes de Sicile ses ancêtres. PROUST, À la recherche du temps perdu, t. IV, p. 184. 1

Mon nom était fait 2
Je me suis fait un prénom.
Sacha GUITRY, Toutes réflexions faites. V, *in* DUPRÉ, no 3952.

DÉR. Prénommer.

1. PRÉNOMMÉ, ÉE [pʀenɔme] n. — 1869; « déjà cité », v. 1570; de *pré-,* et *nommer.*

♦ Dr. Personne qui a été précédemment nommée dans un acte ou document. ⇒ **Susnommé.**

HOM. Prénommer (dér. de *prénom*).

2. PRÉNOMMÉ, ÉE [pʀenɔme] n. et adj. — 1845; de *prénommer.*

♦ (Suivi d'un prénom). Personne qui a (tel prénom). *Le prénommé Albert :* le nommé, le dénommé Albert.

PRÉNOMMER [pʀenɔme] v. tr. — 1846; de *prénom.*

♦ Appeler d'un prénom. *On a prénommé l'enfant comme son grand-père. On l'a prénommé(e) Jules, Marie...*

DÉR. 2. **Prénommé.**

PRÉNOTION [pʀenosjɔ̃] n. f. — 1585; lat. *prænotio.*
Philosophie.

♦ **1.** (Épicuriens et stoïciens). Notion naturelle et pragmatique du général (grec *prolêpsis*). ⇒ **Anticipation, prolepse.**

♦ **2.** Vx. Notion vague, anticipée, d'une chose à venir, ou encore mal connue. ⇒ **Avant-goût.**

♦ **3.** (1842). Mod. « Concept formé spontanément au cours de l'action, avant l'étude scientifique des faits » (Lalande).

PRÉNUPTIAL, ALE, AUX [pʀenypsjal, o] adj. — 1932; de *pré-,* et *nuptial.*

♦ Qui précède le mariage. ⇒ **Anténuptial.** *Certificat prénuptial,* délivré par le médecin aux futurs époux et attestant qu'ils ont subi la visite médicale *(examen prénuptial)* à laquelle la loi les oblige à se soumettre (→ Famille, cit. 29).
Par plaisanterie :

Le lendemain il fut invité par Mme Dandillot à une nouvelle tasse de thé pré-nuptiale. MONTHERLANT, le Démon du bien, p. 114.

PRÉOBJECTAL, ALE, AUX [pʀeɔbʒɛktal, o] adj. — 1951; de *pré-,* et lat. *objectum.*

♦ Psychan. Qui est antérieur à la distinction entre le moi et les objets (ou personnes) indépendants du moi.

(...) par des expériences précises sur 90 bébés, où elle a repris nos résultats concernant la formation cognitive de l'objet permanent (...) Th. Gomin-Décarie a pu montrer une corrélation relativement bonne entre nos stades et ceux de l'affectivité préobjectale puis objectale (...)
J. PIAGET, Épistémologie des sciences de l'homme, p. 18.

PRÉOCCUPANT, ANTE [pʀeɔkypɑ̃, ɑ̃t] adj. — Av. 1922; de *préoccuper.*

♦ Qui préoccupe, inquiète. *La situation est très préoccupante.* ⇒ **Alarmant, inquiétant; critique.**

Depuis un quart de siècle (...) l'écart entre riches et pauvres a encore augmenté, événement préoccupant en soi, qui se double d'une accusation d'exploitation des pays pauvres par les pays riches. A. SAUVY, Croissance zéro ?, p. 291.

PRÉOCCUPATION [pʀeɔkypɑsjɔ̃] n. f. — 1486; lat. *præoccupatio.* → *Préoccuper.*

♦ **1.** Souci, inquiétude qui occupe l'esprit. ⇒ **Ennui, inquiétude, sollicitude, souci, tourment.** *La préoccupation principale, essentielle de qqn. Leur préoccupation majeure* (cit. 4). *Ma préoccupation d'aujourd'hui. Sans souci du lendemain, sans préoccupations pour l'avenir* (→ Jour, cit. 47). *Ses préoccupations d'avenir* (→ Évanouir, cit. 13), *d'intérêt* (→ Léger, cit. 34). *Les préocccupations personnelles* (cit. 2). *Préoccupations futiles* (→ Dissiper, cit. 14), *grossières, terre à terre... Les préoccupations du législateur* (→ Famille, cit. 29), *d'une époque* (→ Attentif, cit. 17). *La préoccupation du beau.* ⇒ 1. **Pensée** (→ Art, cit. 83). *Notre préoccupation doit être de...* ⇒ **Occupation, soin** (→ Engager, cit. 52). *Préoccupation de défense, de justice* (→ Immigration, cit. 2; impôt, cit. 4).

1 (...) je parle surtout des préoccupations sociales, patriotiques, pornographiques, ou pseudo-artistiques de l'auteur. GIDE, Nouveaux prétextes, p. 12.

2 Ce même soir, la comtesse de Champcenais avait des préoccupations de maîtresse de maison analogues... puisqu'elle aussi recevait des gens à dîner.
J. ROMAINS, Les Hommes de bonne volonté, t. III, X, p. 134.

♦ **2.** (1580). Vx. État d'un esprit prévenu, dominé par une idée préconçue*. ⇒ **Préjugé, prévention.**

3 Quand il s'agit de nous, notre goût n'a plus cette justesse (...) la préoccupation le trouble (...) personne ne voit des mêmes yeux ce qui le touche et ce qui ne le touche pas. LA ROCHEFOUCAULD, Réflexions diverses, 10.

♦ **3.** (Fin XVe). Littér. Considération d'un objet à l'exclusion de tout autre. *Cela le distrayait un instant de sa préoccupation* (→ Oubli, cit. 4). — Spécialt. (1733). Idée fixe. ⇒ **Obsession.**

4 Il paraît que la préoccupation d'éviter de ressembler au Titien, dont on prétend qu'il *(le Greco)* avait été élève, lui troubla la cervelle et le jeta dans les extravagances et les caprices (...) Th. GAUTIER, Voyage en Espagne, p. 23.

PRÉOCCUPÉ, ÉE [pʀeɔkype] adj. ⇒ **Préoccuper.**

PRÉOCCUPER [pʀeɔkype] v. tr. — 1352; lat. *præoccupare,* « occuper avant un autre, gagner d'avance, prévenir », de *præ* et *occupare* → Occuper.

♦ **1.** (1642). Inquiéter* fortement, donner beaucoup de souci à (qqn). ⇒ **Tourmenter, tracasser, travailler.** *Sa santé me préoccupe. Préoccuper qqn...* (→ Fantoche, cit. 3).

Il faut croire que ces questions me préoccupent depuis longtemps (...) 1
MARTIN DU GARD, les Thibault, t. III, p. 192.

♦ **2.** Vx. (Av. 1525). S'emparer de l'esprit, du cœur de (qqn) par préoccupation* (2.). ⇒ **Prévenir.** *« Il ne faut pas qu'un juge se laisse préoccuper »* (Académie, 1694).

♦ **3.** (1352). Sujet n. de chose. Occuper* exclusivement l'esprit, l'attention... de (qqn). ⇒ **Absorber, obséder.** *Amuser* (cit. 9) *l'esprit au lieu de le préoccuper. Bruit étrange* (cit. 9) *qui préoccupe l'oreille. Cette idée le préoccupe.* ⇒ **Trotter** (dans la tête).

D'où vient que les noms de certaines villes vous préoccupent invinciblement l'imagination et bourdonnent pendant des années à vos oreilles avec une mystérieuse harmonie, comme ces phrases musicales retenues par hasard et qu'on ne peut chasser ? Th. GAUTIER, Voyage en Russie, II, Le Volga. 2

▶ **SE PRÉOCCUPER** v. pron. (1844).
S'occuper* (de qqch.) en y attachant un vif intérêt (mêlé parfois de quelque inquiétude). ⇒ **Considérer, inquiéter** (s'), **intéresser** (s'), **penser** (à).

REM. Selon Littré, cet emploi pronominal n'a d'autre sens que « avoir l'esprit saisi par une opinion préconçue », et ce serait « une faute fort commune aujourd'hui d'employer *se préoccuper* pour *s'occuper* ». Cette prétendue « mauvaise locution » est pourtant employée par les meilleurs auteurs depuis le début du XIXe siècle. *Se préoccuper de « vils intérêts matériels »* (→ Écheniller, cit. 1, Balzac), *de l'effet à produire* (→ Interloquer, cit. 3, Balzac; et aussi confiner, cit. 3, Hugo). *Se préoccuper d'une chose* (→ Concerner, cit. 5; effort, cit. 11; épidémie, cit. 3; figure, cit. 18), *de faire qqch.* (→ But, cit. 18; engager, cit. 48; noble, cit. 13). *Il ne s'en préoccupait guère.* ⇒ **Embarrasser** (s'). *Ne se préoccuper que de son plaisir.* ⇒ **Connaître.**

(...) les amis véritables jouissent dans l'ordre moral, de la perfection dont est doué l'odorat des chiens : ils flairent les chagrins de leurs amis, ils en devinent les causes, ils s'en préoccupent. BALZAC, le Cousin Pons, Pl., t. VI, p. 544. 3

Mais M. de Lommérie est un catholique sincère, qui se préoccupe de la condition du peuple, et ne voudrait commettre ni le péché de dureté, ni celui d'injustice. 4
J. ROMAINS, les Hommes de bonne volonté, t. V, XXVIII, p. 294.

▶ **PRÉOCCUPÉ, ÉE** p. p. adj.

♦ **1.** (1580). Vx. Prévenu, persuadé par quelque idée préconçue. *Détromper* (cit. 2) *un homme préoccupé de son mérite.*

(...) je veux croire qu'à moins que d'avoir l'esprit fort préoccupé d'un sentiment contraire, ils *(les curieux)* demeureront d'accord de ce que je dis. 5
CORNEILLE, la Galerie du Palais, Examen.

Rome de ma faveur est trop préoccupée (...) RACINE, Britannicus, I, 2. 6

♦ **2.** (V. 1355). Qui est sous l'empire d'une préoccupation* ⇒ **Absorbé, anxieux, inquiet.** *Constamment préoccupé et abstrait** (cit. 9). *Préoccupé, tendu et irritable* (cit. 3). — *Préoccupé de quelque chose* (→ Conseiller, cit. 5; médiocrité, cit. 4; occulte, cit. 9), *de faire quelque chose* (→ Lésiner, cit.). ⇒ **Attentif** (à), **soucieux.**

Il arrivait, l'esprit plein de petits soucis nouveaux, préoccupé de la coupe d'une jaquette, de la forme d'un chapeau de feutre, de la grandeur convenable pour des cartes de visite. MAUPASSANT, Pierre et Jean, VI. 7

(1824). *Un air préoccupé,* qui manifeste la préoccupation de l'esprit. ⇒ aussi **Pensif, songeur.**

CONTR. (Du pron.) **Désintéresser (se), moquer (se).** — (Du p. p.) **Indifférent, insouciant.**
DÉR. Préoccupant.

PRÉŒDIPIEN, IENNE [pʀeedipjɛ̃, jɛn] adj. — Mil. XXe; de 1. *pré-,* et *œdipien.*

♦ Psychan. Antérieur au développement du complexe d'Œdipe. *L'attachement à la mère prédomine pendant la phase préœdipienne.*

PRÉOLYMPIQUE [pʀeɔlɛ̃pik] adj. — Mil. XXe; de 1. *pré-,* et *olympique.*

♦ Qui concerne la préparation à des Jeux olympiques. *Entraînement préolympique.*

PRÉOPÉRATOIRE [pʀeɔpeʀatwaʀ] adj. — 1892, *Année sc. et industr.* 1893, p. 532; de *pré-,* et *opératoire.*

♦ **1.** Méd. Qui précède une intervention chirurgicale. *Analyses, examens, repos, traitement préopératoires. Anesthésie préopératoire. Appréhension préopératoire.*

Prenons date pour l'opération (...) Il *(le médecin)* m'a indiqué la marche à suivre pour les examens préopératoires et pour l'admission à la clinique.
Marie CARDINAL, les Mots pour le dire, p. 14.

♦ **2.** Didact. Antérieur à l'établissement des structures opératoires de la pensée. *Niveau préopératoire de la pensée préconceptuelle et de la pensée intuitive de l'enfant avant 7 ans* (d'après Piaget).

CONTR. Postopératoire.

PRÉOPINANT, ANTE [pReɔpinɑ̃, ɑ̃t] n. — 1690; de *préopiner.*

♦ Vx, rare. Personne qui opine avant une autre (→ Objet, cit. 25). *Je ne suis pas d'avis de l'honorable préopinant.*

PRÉOPINER [pReɔpine] v. intr. — 1718; de *pré-*, et *opiner.*

♦ Vx, rare. Opiner* avant un autre.

DÉR. Préopinant.

PRÉORAL, ALE, AUX [pReɔRal, o] adj. — 1897, *Année biol.*, p. 329; de 1. *pré-*, et *oral.*

♦ Didact. (zool.). Situé en avant de la bouche.

PRÉORDRE [pReɔRdR] n. m. — XXe; de 1. *pré-*, et *ordre.*

♦ Math. Relation d'ordre strict.

PRÉPALATAL, ALE, AUX [pRepalatal, o] adj. — 1904; de *pré-*, et *palatal.*

♦ Phonét. Se dit d'un phonème dont le point d'articulation se situe en avant du palais dur (opposé à *postpalatal*). — N. f. *Une prépalatale :* une consonne prépalatale. *En franç., ch* [ʃ], *j, ge* [ʒ] *sont des prépalatales.*

PRÉPARAGE [pRepaRaʒ] n. m. — Attesté mil. XXe; de *préparer.*

♦ Techn. Opération préparatoire dans la fabrication des rubis et de quelques autres pièces d'horlogerie.

PRÉPARATEUR, TRICE [pRepaRatœR, tRis] n. — 1503; de *préparer.*

♦ **1.** Vx. Personne qui prépare qqch. — Mod. (déb. XXe). Dans les courses automobiles, Mécanicien spécialisé pour améliorer la puissance d'un moteur. « *Les deux machines préparées par* (X) *terminaient aux deux* (sic) *et troisième places de la course* (...) *le résultat, pour le préparateur comme pour les pilotes, est pour le moins encourageant...* » (*Moto-Revue*, 6 juin 1981, p. 34).

♦ **2.** (1851). Rare. Personne qui prépare (qqn) à qqch. *C'est un excellent préparateur au baccalauréat.*

♦ **3.** (1837). Assistant d'un chercheur (physicien, chimiste, biologiste, etc.), d'un professeur de sciences.

1 (...) monsieur Postel, ceint d'un tablier de préparateur, une cornue à la main, examinait un produit chimique tout en jetant l'œil sur sa boutique (...)
BALZAC, Illusions perdues, Pl., t. IV, p. 518.

2 Il venait tout droit d'Aix où il avait été préparateur de physique (...)
G. LEROUX, le Parfum de la dame en noir, p. 15.

Préparateur de laboratoire. ⇒ vx. **Appariteur** (3.). — (1875). *Préparateur en pharmacie :* employé travaillant dans une officine ou dans un laboratoire industriel, sous la responsabilité d'un pharmacien et chargé de certaines préparations, de divers travaux. *Pharmacien employant une préparatrice.*

PRÉPARATIF [pRepaRatif] n. m. — 1361; de *préparer.*

♦ **1.** Vx. Mesure, comportement qui prépare autre chose (→ St-Simon, Duclos, *in* Littré; et aussi Rousseau, *les Confessions*, V.).

♦ **2.** (Presque toujours au pluriel). Ensemble de dispositions prises en vue de préparer quelque opération ou quelque événement. ⇒ **Apprêt, arrangement, disposition.** *Préparatifs de guerre* (cit. 26), *de débarquement* (→ Ostensiblement, cit. 2), *de combat* (⇒ **Branle-bas**). *Préparatifs militaires. Préparatifs de départ* (→ Exténuer, cit. 8). *Terminer ses préparatifs* (→ Occuper, cit. 6). *Les préparatifs d'une fête, de ce grand jour* (→ Manier, cit. 3), *du mariage...* ⇒ **Appareil** (vx). *Voyage qui demande de longs préparatifs.*

1 (...) dès le lendemain ces deux mariages se pourraient faire, parce que les ordres qu'il avait donnés pour cela s'exécutaient avec tant de diligence que les préparatifs étaient déjà fort avancés. A.-R. LESAGE, le Diable boiteux, V.

2 Je suis sûr maintenant qu'on fait là-bas les préparatifs du départ de Meaulnes.
ALAIN-FOURNIER, le Grand Meaulnes, I, IV.

PRÉPARATION [pRepaRasjɔ̃] n. f. — 1314; v. 1282, «élevage (d'un animal)»; lat. præparatio, de *præparatum*, supin de *præparare.* → Préparer.

★ **I.** ♦ **1.** Action de préparer (qqch.). *La préparation de quelque chose pour quelqu'un. Préparation des aliments.* ⇒ **Apprêt.** *La chair* (cit. 64) *n'a subi aucune préparation.* ⇒ **Assaisonnement.** *Préparation des médicaments* (→ Ipécacuana, cit.). *Une préparation longue et difficile.* — (1845). Techn. *Préparation des peaux, des laines...* ⇒ **Façon.**

Elle réserve pour le dimanche les préparations de longue haleine, celles qui exigent des cuissons lentes à feu doux, ou qui procèdent par étapes bien calculées, avec des introductions successives de sauces, de jus, d'assaisonnements et condiments, etc. J. ROMAINS, les Hommes de bonne volonté, t. XVI, XXVI, p. 245. 1

(1762). *Une, des préparations.* Chose préparée, produit de cette action de préparer. ⇒ **Composition.** *Préparations culinaires* (→ Cuisine, cit. 8). *Préparation à base d'alcool* (→ Liqueur, cit. 3). *Préparations chimiques et pharmaceutiques* (→ Extrait, cit. 1; falsification, cit. 1; icône, cit. 2; lancement, cit. 2; pilon, cit. 1). *Préparation chimique*, se dit spécialement d'un mélange de diverses substances préparées en laboratoire* pour quelque expérience. — (1751). *Préparation anatomique :* pièce d'anatomie spécialement préparée pour faire apparaître des détails d'organisation. *Préparation sur lamelle, pour le microscope.*

J'ai toujours vu mon père prendre un réel plaisir à essayer, sur les membres de sa famille, sur ses amis, sur lui-même et, plus tard, sur ses patients, des préparations compliquées dont il gardait le secret et dont il ne désespérait jamais d'ailleurs de tirer quelque parti financier. 2
G. DUHAMEL, Inventaire de l'abîme, IV.

♦ **2.** (V. 1460). Arrangement, organisation ayant pour effet de préparer... ⇒ **Préparatif.** *Travail de préparation.* ⇒ **Préparatoire;** et aussi **art, étude.** *Préparation de la guerre, d'une attaque... Préparation d'artillerie, tir de préparation* (1932) : tir d'artillerie (pilonnage des positions de l'ennemi) préparant une attaque de l'infanterie. — *Préparation d'un voyage, d'une fête. Préparation déjà bien avancée.* ⇒ **Train** (mise en). — *Préparation d'une œuvre.* ⇒ **Ébauche** (cit. 5). *Parler sans préparation.* ⇒ **Chic** (de), **impromptu, pied** (au pied levé). → Génie, cit. 24. — EN PRÉPARATION. *Expéditions* (cit. 12) *en préparation. Roman en préparation. Être en cours de préparation.*

(...) une illusion régulière tend à déformer ces sentiments, les ruine, et les réduit à n'être que la préparation et comme le retentissement par avance de quelques maigres événements. J. PAULHAN, Entretien sur des faits divers, p. 67. 3

Techn. *Préparation du travail :* organisation méthodique d'un travail industriel. *Temps de préparation :* temps de mise en œuvre (d'un outil, d'une machine) avant le fonctionnement. — (Journal.). *Préparation et réalisation d'interview, d'enquête.*

Spécialt (dans le lang. scol.; déb. XXe). *Préparation latine, française :* travail préparatoire à l'explication d'un texte qui sera étudié en classe.

Peint. Ébauche d'un pastel. *Les préparations de La Tour.*

♦ **3.** Manière de préparer, en rendant naturel. *Savante préparation d'un dénouement. Milton entonne cet épithalame* (cit. 2) *sans préparation.* ⇒ **Abruptement.** « *Préparations didactiques* » (→ Générateur, cit. 3, Balzac). *Les deux déclarations de Phèdre et leur courte préparation* (→ Pendant, cit. 7).

En fait d'art dramatique, tout est dans la préparation. 4
DUMAS, Histoire de mes bêtes, I, *in* GUERLAC.

Mus. *Préparation d'une dissonance*.*

★ **II.** Action de préparer (qqn) ou de se préparer; résultat de cette action. *Préparation des élèves au baccalauréat. Période de préparation.* ⇒ **Formation, stage.** — (1928). *Préparation militaire (P. M.) :* enseignement militaire donné, avant le service, aux jeunes gens destinés à être sous-officiers ou officiers de réserve (→ Armée, cit. 14). *Préparation militaire technique.* — *Préparation à la première communion. Préparation à la messe, à la sainte communion*, se dit de certaines prières par lesquelles le catholique se prépare à la messe.

(1588). Fait de se préparer à qqch. *Cette préparation de Balzac à la connaissance de son siècle.* ⇒ **Acheminement, introduction** (→ Journalistique, cit. 2). *C'est une étrange préparation pour...* (→ Exercer, cit. 9). *Préparation aux épreuves, à la mort.* ⇒ **Apprentissage.**

Il est certain qu'à la plupart la préparation à la mort a donné plus de tourment que n'a fait la souffrance (...) Ce n'est pas contre la mort que nous nous préparons : c'est chose trop momentanée. Un quart d'heure de passion sans conséquence, sans nuisance, ne mérite pas des préceptes particuliers. À dire vrai, nous nous préparons contre les préparations de la mort. La philosophie nous ordonne d'avoir la mort toujours devant les yeux (...) Si nous avons su vivre constamment et tranquillement, nous saurons mourir de même. 5
MONTAIGNE, Essais, III, XII.

De même dans la piété et la connaissance de Dieu : la révélation en apparence la plus subite est précédée d'une inconsciente, lente préparation. 6
GIDE, Journal, 19 févr., 1916.

Spécialt. Le fait de préparer (qqn) à (une nouvelle fâcheuse). *On lui a annoncé cet accident tragique sans préparation.*

CONTR. Accomplissement.
COMP. Contre-préparation.

PRÉPARATOIRE [pRepaRatwaR] adj. — 1322; de *préparer*, d'après bas lat. *præparatorius.*

♦ **1.** Qui prépare (qqch. ou qqn). *Travail préparatoire* (→ Analyse, cit. 8; manière, cit. 27).

Quant à la Révolution, elle ne s'explique que par le long travail préparatoire des sociétés secrètes (...) A. MAUROIS, Études littéraires, II, Jules Romains, IV. 1

L'invasion, fait préparatoire de l'occupation (cit. 6). Dr. *Jugement préparatoire,* qui, sans préjuger le fond du débat (à la différence du *jugement interlocutoire***), ordonne des mesures d'instruction. *Instruction préparatoire* (→ Inculpé, cit. 2). *Question* préparatoire.* — *Cours préparatoire au baccalauréat.*

♦ **2.** Spécialt. *Cours préparatoire (C. P.) :* premier cours de l'enseignement primaire élémentaire (suivi du cours élémentaire, des cours moyens). — N. m. *Le préparatoire.*

2 Les lettres peintes sur la façade, grandes et larges, bien écrites comme celles que trace la maîtresse du préparatoire. Joseph JOFFO, Un sac de billes, p. 11.

(XIXᵉ). *Classe préparatoire,* ou subst. *préparatoire* (n. f.) : classe de préparation aux grandes écoles. Fam. (argot scolaire). *Prépa :* abrév. pour *(classe) préparatoire. « Sur les bureaux des proviseurs des lycées à "prépas", les dossiers de candidatures s'accumulent » (le Point,* 7 mai 1974).— *École préparatoire de médecine et pharmacie.*

♦ **3.** Psychol. *Période préparatoire :* intervalle temporel séparant le signal proposé à l'attention du sujet et le stimulus auquel il devra réagir.

PRÉPARC [pʀepaʀk] n. m. — V. 1968 ; de *pré-,* et *parc.*

♦ Zone située à la périphérie d'un parc* naturel ou national, et destinée à être aménagée (rénovation rurale, stations de ski, etc.) [d'après *la Recherche,* juin 1970]. — On écrit aussi *pré-parc.*

PRÉPARÉ, ÉE [pʀepaʀe] adj. ⇒ **Préparer.**

PRÉPARER [pʀepaʀe] v. tr. — V. 1380 ; « panser », 1314 ; lat. *præparare.*

★ **I.** (Compl. n. de chose). ♦ **1.** Mettre par un travail préalable, en état d'être utilisé, de remplir sa destination *(préparé pour).* ⇒ **Apprêter** (cit. 1), **arranger, disposer** (cit. 4) ; régional **appareiller, arrimer.** *Préparer un emplacement, un local, une chambre... pour quelqu'un* (→ Arène, cit. 6 ; déloger, cit. 8 ; gymnase, cit. 4), *pour un usage. Préparer le lit* (cit. 3 ; ⇒ **Faire**), *la table* (⇒ **Dresser, mettre** ; → Feuillage, cit. 3 ; néophyte, cit. 2). *Préparer son équipement* (cit. 3), *ses effets, ses outils...* (→ Broyer, cit. 4 ; gaufrer, cit. 3). *Tout préparer pour...* (un dîner, un voyage, etc.). → Grand, cit. 34 ; 1. pas, cit. 37. — Loc. *Préparer la route*, la voie** (propre et fig.). ⇒ **Aplanir, faciliter, frayer, ouvrir.** *Préparer le terrain*.* ⇒ **Déblayer.** — *Préparer des lignes* (cit. 23) *de défense.* ⇒ **Organiser.** *Préparer un piège* (→ Indiquer, cit. 4). — *Préparer des marchandises avant l'expédition.* ⇒ **Manutentionner.**

(1689). *Préparer la viande, le poisson, le gibier...* ⇒ **Apprêter, parer** (→ Assaisonnement, cit. 3 ; chair, cit. 64 ; cru, cit. 2). *Préparer des mets, des boissons, le thé, le café...* (→ Couscous, cit. 1 ; four, cit. 5 ; mélange, cit. 10 ; moût, cit. 1). *Préparer le repas* (→ Expédier, cit. 4 ; 1. officier, cit. 3). *Le dîner est préparé.* — (1564). Techn. (Pharm., etc.). ⇒ **Composer, fabriquer.** *Préparer des médicaments* (cit.), *des cataplasmes, un philtre* (cit. 3), *des potions...* (→ Farine, cit. 5 ; extrait, cit. 1 ; kermès, cit. ; pharmacien, cit. 1). ⇒ **Préparation.**

1 Il demanda (...) qu'on lui préparât de la tisane et qu'on lui apportât une bouteille de vin blanc : ce qui fut exécuté sur-le-champ.
DIDEROT, Jacques le fataliste, Pl., p. 638.

2 Antoine, le dos tourné, debout près de l'autoclave, préparait son dosage.
MARTIN DU GARD, les Thibault, t. VI, p. 207.

(1690). Techn. *Préparer la laine* (→ Obtenir, cit. 5). *Préparer les cuirs, les peaux.* ⇒ **Corroyer.** *Préparer un bloc de pierre.* ⇒ **Façonner.** — (Anat.). *Préparer un squelette. Collectionneur d'insectes qui prépare des coléoptères* (cit. 1).

(Agric.). *Préparer la terre,* pour semer, planter, etc. *Champ mal préparé* (→ Exercer, cit. 9). — Absolt. (en franç. d'Afrique). Faire la cuisine.

♦ **2.** (1559). Faire ce qu'il faut en vue d'une opération à réaliser, d'une œuvre à accomplir, d'un événement à provoquer, etc. ⇒ **Organiser, prévoir.** *Préparer un plan, un projet...* ⇒ **Combiner, concerter, ébaucher, échafauder, élaborer, étudier, former.** *Concevoir* un projet, puis le préparer longuement en secret.* ⇒ **Méditer, mûrir, nourrir.** *Préparer soigneusement un voyage. Préparer un assaut, une attaque* (→ Jalousement, cit. 1). *« Si tu veux la paix, prépare la guerre* »* (adage). *Préparer une embuscade* (cit. 2), *un attentat, des crimes* (→ Association, cit. 14), *une révolution* (→ Instrument, cit. 14). *Préparer un débat* (→ Leader, cit. 1). *Préparer un complot.* ⇒ **Conspirer, couver, machiner, monter, ourdir.** *Préparer sa fuite* (→ Impénétrable, cit. 21).

Travailler (à). *Préparer un discours, un plaidoyer* (cit. 1), *un réquisitoire* (→ Irritable, cit. 3). *Préparer ses phrases, ses mots, une réplique* (→ Approche, cit. 4 ; étude, cit. 49 ; neutre, cit. 10). ⇒ (fig.) **Mijoter** (cit. 3), **mitonner** (cit. 5). *Professeur qui prépare une leçon* (cit. 5), *un cours* (→ Copie, cit. 6 ; maître, cit. 70). — *Préparer un roman, un drame, une thèse,* y travailler avant de rédiger (→ Fable, cit. 17 ; garder, cit. 90 ; micro-, cit. 1 ; passer, cit. 94). *Préparer une édition* (→ Addition, cit. 2 ; extrait, cit. 2). *Préparer des actes* (→ Notoriété, cit. 2), *des lois, des décrets... Préparer une question difficile.* ⇒ **Défricher** (fig.).

(...) et il préparait, disait-il, des discours importants sur les questions agricoles. 3
ZOLA, la Terre, II, v.

L'image la plus courante que nous formions du rhétoriqueur montre un homme qui prépare et assure, *avant* d'y couler sa pensée, des combinaisons de langage. 4
J. PAULHAN, les Fleurs de Tarbes, p. 118.

(1821). *Préparer un examen, une licence* (cit. 4), *son bachot...* (→ Lampe, cit. 7 ; passe-temps, cit. 4). *Préparer une matière d'examen* (cit. 14). ⇒ **Potasser.** — *Préparer une grande école,* le concours d'entrée à cette école. Ellipt. *Préparer Polytechnique.*

♦ **3.** Rendre possible par son action. *Préparer l'avenir* (→ Illuminer, cit. 24). *Ils préparent et semblent presque déterminer* (cit. 11) *le hasard. Les savants qui ont préparé une découverte* (→ Éclipser, cit. 4). *Préparer le bonheur des générations futures* (Académie).

On sait bien que nous jugeons les hommes et qu'ils se jugent eux-mêmes, sur leurs succès, bon ou mauvais, comme s'ils avaient de tout temps préparé ce succès. 5
J. PAULHAN, Entretien sur des faits divers, p. 65.

Préparer quelque chose à quelqu'un, faire que la chose lui arrive. ⇒ **Réserver.** *On lui a préparé une surprise. Les épreuves que ses camarades lui préparent* (→ Assouplir, cit. 1). *Les peines éternelles préparées aux impies.* ⇒ **Destiner** (→ Gouffre, cit. 1). *Le coup, le sort qu'on vous prépare* (→ Mérite, cit. 4 ; 1. penser, cit. 46). Pron. *Se préparer une méfiance* (cit. 2) *qui risque d'empoisonner la vie. Vous vous préparez bien des déceptions, bien des ennuis.*

Et l'on voit en vous deux un mérite si rare, 6
Qu'un tendre avis veut bien prévenir par pitié
Ce que votre cœur se prépare. MOLIÈRE, Psyché, I, 2.

(Sujet de chose ; 1490). Rendre possible ou probable. ⇒ **Produire, provoquer ; faciliter...** (→ Coopération, cit. 2 ; démolition, cit. 3 ; ébranlement, cit. 3, Hugo ; fascisme, cit. 2 ; opposer, cit. 16 ; piqûre, cit. 3). *Floraison préparée profondément et de loin par une élaboration* (cit. 1) *de la sève. Modification psychologique, préparée obscurément...* (→ Désagrégation, cit. 2). *Nouvelle inattendue* (cit. 1), *si peu préparée... Le roman d'observation* (cit. 4) *a été préparé par des siècles de roman historique. Les joyeusetés* (cit. 1) *rabelaisiennes préparaient Molière.* ⇒ **Annoncer.**

J'ignore quel conseil prépara ma disgrâce (...) RACINE, Britannicus, I, 1. 7

(...) une haine patiente, infatigable pour tout dire, a préparé cette ruine et l'a consommée. André SUARÈS, Trois hommes, « Pascal », I. 8

Tout ce que lui avait préparé une avarice ingénieuse (→ Frustrer, cit. 10). *Les avantages que mon amitié lui préparait* (→ Fumée, cit. 17).

Ah! Myrtil, vous avez du Ciel reçu des charmes 9
Qui nous ont préparé des matières de larmes (...) MOLIÈRE, Mélicerte, II, 6.

Il faudrait attendre quelque temps cependant (...) Nous ne savons pas ce que le retour de ton frère nous prépare. MAETERLINCK, Pelléas et Mélisande, I, 2. 10

♦ **4.** (Dans une œuvre, etc.). Rendre possible ou naturel en enlevant le caractère arbitraire. ⇒ **Amener, aménager.** *Le poète a su préparer cette métaphore. Préparer ses effets.* ⇒ **Scène** (mise en). — *Transition* préparant un nouveau développement.* — Mus. *Préparer une dissonance*.*

Il possédait une façon d'ironie, une manière de plaisanter sans qu'on fût averti, ni que rien préparât le trait, que je n'ai vues à personne. 11
RENAN, Souvenirs d'enfance..., Œ. compl., t. II, p. 771.

★ **II.** (Complément n. de personne). ♦ **1.** (1564). Rendre (quelqu'un), par une action préalable et concertée, capable de..., prêt à... *Préparer un élève à l'examen, aux grandes classes* (→ Abréger, cit. 4). *Préparer le pays à soutenir une guerre. Préparer à la prêtrise* (⇒ **Séminaire**). Absolt. *L'État doit préparer plus d'ingénieurs et de savants.* ⇒ **Former, instruire.** *Effondrement militaire d'un pays mal préparé. Préparer un athlète.* ⇒ **Entraîner.**

Les esprits préparés pour la foi parmi les êtres supérieurs aperçoivent seuls l'échelle mystique de Jacob. BALZAC, Séraphîta, Pl., t. X, p. 560. 12

Cela signifie qu'elle doit non seulement préparer des techniciens, des savants du second degré, mais encore inspirer ce que j'appelle des inventeurs de méthodes et des philosophes de la science. G. DUHAMEL, la Turquie nouvelle, III. 13

Rendre disposé à..., mettre dans les dispositions d'esprit requises. ⇒ **Prédisposer** (→ Négocier, cit. 5). *Il était déjà préparé à accepter cette fin* (cit. 25). — Absolt. *Préparer l'auditoire* (→ Oratoire, cit. 1), *l'attention des auditeurs* (→ Exorde, cit. 3). *Il faut préparer les esprits, l'opinion. Peu préparé par son éducation* (→ Irrécusable, cit. 2).

(...) il devra essayer d'aller au-devant d'eux pour les préparer, les amadouer, quémander leur indulgence (...) N. SARRAUTE, le Planétarium, p. 283. 13.1

Spécialt. (À quelque chose d'inattendu, de brutal). *Préparer quelqu'un à une nouvelle,* lui annoncer la chose avec ménagement et progressivement.

Un télégramme annonçant une maladie, un décès, ou même des fiançailles, devait être adressé à un oncle ou à un cousin, qui avait pour mission de « préparer » l'intéressé. A. MAUROIS, Mémoires, I, IX. 14

Nous sommes donc en présence de quelque chose de nouveau, à quoi rien, ou à peu près rien, dans le passé, ne nous préparait. 15
André SIEGFRIED, l'Âme des peuples, I.

♦ **2.** Rendre exposé à..., conduire à:.. (un danger). *« On prépare la France à toutes les fureurs de l'anarchie »* (cit. 3, Cambon).

▶ **SE PRÉPARER** v. pron. (1538).

♦ **1.** (Réfl.). Se mettre en état, en mesure de faire, de soutenir. — *Se préparer au combat, à la guerre* (→ Bon, cit. 48; mythe, cit. 7). *Préparez-vous au départ! Se préparer aux études* (→ Endosser, cit. 3). *Se préparer à tous les événements* (→ Peur, cit. 2). *Se préparer à la souffrance, à la mort.* ⇒ **Cuirasser** (se). — *Se préparer à affronter* (cit. 5), *à attaquer* (→ 1. Foudre, cit. 10). *Se préparer à être avocat* (→ On, cit. 7). — *Se préparer pour un voyage, pour le bal...* — (Av. 1696). Absolt. (→ Animer, cit. 31; impromptu, cit. 9). *Les femmes sont longues à se préparer quand elles doivent sortir.* ⇒ **Parer** (se); **toilette** (faire sa).

16 Les femmes se préparent pour leurs amants, si elles les attendent (...)
LA BRUYÈRE, les Caractères, III, 9.

(Dans un sens affaibli). Se mettre en devoir* de, être sur le point* de... ⇒ **Apprêter** (s'), **demeure** (se mettre en), **disposer** (se). → Accolade, cit. 1; égal, cit. 38; frater, cit. 2; lier, cit. 34; noble, cit. 14. *On se prépare encore à perdre* (cit. 35) *des heures.*

♦ **2.** — Passif. (1801). Être préparé. *« La chaumine où se prépare la cuisine »* (cit. 7, Baudelaire). — (1669). Être en voie de se produire. *Je crois qu'un orage se prépare.* ⇒ **Imminent, menacer.** *Une grande bataille se prépare* (→ Lutte, cit. 5). *Une tragédie qui se prépare* (→ Gâcher, cit. 6). *Une nouvelle éruption* (cit. 1) *se prépare. Période où une chose se prépare, couve...* ⇒ **Incubation.** — Impers. (1687). *Il se prépare quelque chose...*

▶ **PRÉPARÉ, ÉE** p. p. adj.

♦ **1.** (Au sens 1.). *Tout préparé.* ⇒ **Prêt** (→ Naître, cit. 2); **accommodé.**

Soie préparée (opposé à *écru, naturel*). — (Au sens 2.). *Un coup préparé de longue main. Épreuves préparées, dans un concours.*

♦ **2.** (Au sens 3.). *Événement préparé* (→ Escompter, cit. 6).

♦ **3.** (Personnes; sens II.). Qui a la formation, les connaissances nécessaires; qui est dans la disposition d'esprit convenable (pour quelque chose).

CONTR. Accomplir, réaliser... — Improviser. — (Du p. p., en parlant d'événements) **Fortuit.**
DÉR. Préparage, préparateur, préparatif, préparatoire. — V. **Préparation.**

PRÉPATENCE [pʀepatɑ̃s] n. f. — 1972, Manuila; de *pré-*, et *patence*, de *patent.*

♦ Méd. Période d'une maladie infectieuse allant du début jusqu'au moment où l'on peut mettre en évidence l'agent responsable par des examens de laboratoire. ⇒ **Patence.**

PRÉPAYER [pʀepeje] v. tr. — Conjug. *Payer.* — Av. 1973; *prépayé*, de *pré-*, et *payé*, pour remplacer l'anglic. *prepaid.*

♦ Payer d'avance (surtout au p. p.). *Billet d'avion prépayé.*

PRÉPERCEPTIF, IVE [pʀepɛʀsɛptif, iv] adj. — V. 1950; de *pré-*, et *perceptif.*

♦ Psychol. Préalable à la perception, à une situation perceptive. *Les attitudes préperceptives conditionnent en partie la perception.*

PRÉPISTÉ, ÉE [pʀepiste] adj. — V. 1970; de *pré-*, et *piste.*

♦ Techn. Se dit d'un film qui, en plus de l'émulsion normale, porte une piste magnétique.

PRÉPONDÉRANCE [pʀepɔ̃deʀɑ̃s] n. f. — 1752; de *prépondérant.*

♦ **1.** Qualité de ce qui est prépondérant. ⇒ **Supériorité.** *La prépondérance d'une nation.* ⇒ **Hégémonie.** *La prépondérance du législatif, de l'exécutif.* ⇒ **Prédominance** (→ Parlementaire, cit. 2). *Une prépondérance absolue, relative. Avoir, acquérir la prépondérance sur..., par rapport à... Perdre sa prépondérance.* — (Abstrait). *La prépondérance de l'esprit.*

1 La prépondérance de l'Allemagne à cette époque, la gloire d'Othon, vainqueur des Hongrois et maître de l'Italie, justifieraient d'ailleurs la prédilection de ces princes pour la langue du roi.
MICHELET, Hist. de France, II, III.

2 Cette phrase (...) absurde va, grâce aux journaux, être plus lue et commentée qu'aucun de mes livres (...) Nouvel, excellent (et déplorable) exemple de la funeste prépondérance actuelle du journal.
GIDE, Journal, 2 août 1934.

♦ **2.** (1783 Buffon). Concret. Vx. Poids supérieur; densité plus grande (d'une substance).

CONTR. Infériorité. — Faiblesse.

PRÉPONDÉRANT, ANTE [pʀepɔ̃deʀɑ̃, ɑ̃t] adj. — 1723; lat. *præponderans*, p. prés. de *præponderare* « peser plus, l'emporter », rac. *pondus, ponderis* « poids ».

♦ **1.** Vieilli. Qui a plus de poids* (fig.), qui l'emporte en autorité, en influence. ⇒ **Dominant, supérieur.** *Les classes prépondérantes.* ⇒ **Dirigeant.** — Mod. *Rôle prépondérant* (→ Mouvement, cit. 8). *Deux faits prépondérants* (→ Laïcité, cit. 1).

Les anciens Galls, autrefois resserrés dans les montagnes par l'invasion kymrique, mais redevenus prépondérants par leur barbarie même et leur attachement à la vie de clan. 1
MICHELET, Hist. de France, I, I.

(...) mettre le vieux continent sous la tutelle américaine, en empêchant les Alliés de prendre, demain, dans les affaires du monde, la place prépondérante qu'une victoire pourrait leur assurer. 2
MARTIN DU GARD, les Thibault, t. VIII, p. 256.

(1743). *La voix du président est prépondérante,* décisive* en cas de partage des voix.

♦ **2.** (1765). Sens concret (sens étymologique). Vx. Supérieur en poids, en densité (substance).

CONTR. Inférieur.
DÉR. Prépondérance.

PRÉPOSÉ, ÉE [pʀepoze] adj. et n. ⇒ **Préposer.**

PRÉPOSER [pʀepoze] v. tr. — 1407; adapt., d'après *poser*, du lat. *præponere.*

♦ Charger (qqn) d'assurer un service, une fonction en lui conférant l'autorité pour le faire. ⇒ **Charger, commettre, employer.** *Préposer quelqu'un à une fonction. On l'a préposé à la conduite des travaux, à la direction des travaux.* — REM. Le verbe s'emploie le plus souvent au passif. *Être préposé à la garde* (cit. 1), *à la surveillance, à la direction, à l'administration, au soin de.*

(...) les charpentiers, les armuriers, les forgerons et les orfèvres furent préposés aux machines. Les Carthaginois en avaient gardé quelques-unes, malgré les conditions de la paix romaine. On les répara. 1
FLAUBERT, Salammbô, XIII.

Je vous prépose, Jeanne, à la confection du dessert. 2
FRANCE, le Crime de S. Bonnard, Œ., t. II, p. 451.

Vx. *Préposer quelqu'un sur...* ⇒ **Mettre** (à la tête de). *Les évêques sont préposés sur l'Église de Dieu* (Académie).

▶ **PRÉPOSÉ, ÉE** p.p. (1619).

♦ **1.** Adjectif.

(...) c'est là que les navires mouillent, pour les opérations de police et d'hygiène. Nous dûmes patienter presque trois heures d'horloge avant que les officiers préposés à ces divers services daignassent se déranger. 3
G. DUHAMEL, Scènes de la vie future, I.

♦ **2.** N. Personne qui accomplit un acte ou une fonction déterminée sous la direction ou le contrôle d'une autre (→ Gérance, cit.). — Spécialt. (dans le langage administratif). Agent d'exécution subalterne. ⇒ **Agent, commis, employé** (→ Arbitraire, cit. 9). *Les préposés de l'octroi, des douanes, des forêts... La préposée à la poste restante. Ne discutez jamais avec le préposé!* (→ Espérer, cit. 28). *Préposé d'un bureau de tabac.* ⇒ **Buraliste.**

(...) avec une désinvolture étudiée, il remettait chapeau, canne et gants, à la préposée au vestiaire (...) 4
MARTIN DU GARD, les Thibault, t. II, p. 99.

La personne qui m'écrivait la lettre avait été le préposé à la porte *(de la chambre à gaz)*, le réceptionniste — je ne sais comment lui donner un nom, ni quel est le titre officiel qu'il assumait. 5
R. GARY, la Promesse de l'aube, p. 107.

♦ **3.** (1957). Admin. Facteur des postes. ⇒ (cour.) **Facteur.** *La préposée vient de distribuer votre courrier.*

PRÉPOSITIF, IVE [pʀepozitif, iv] adj. — 1607; « qui est devant », 1531; bas lat. *praepositivus*, de *praepositio.* → Préposition.

♦ Ling. Qui est de la nature de la préposition. — (1835). *Locution prépositive :* groupe de mots dont l'ensemble fait office de préposition. *Principales locutions prépositives :* à cause* de, à côté* de, à défaut* de, à force* de, à raison* de, à l'abri* de, à l'aide* de, à l'égard* de, à l'endroit* de, à la faveur* de, à l'envi* de, à l'insu* de, à même* de, à travers*; afin* de, auprès* de, autour* de; au dedans* de, au-delà* de, au-dessus* de, au-dessous* de, au-devant* de, au bas* de, au haut* de, au milieu* de, au travers* de, au lieu* de, au prix* de, au sujet* de, aux environs* de, aux dépens* de; d'après*, d'avec*, d'entre*, de chez*, de devant*, de derrière*, de dessus*, de dessous*, de part*; en deçà* de, en dedans* de, en dehors* de, en face* de, en tête* de, en faveur* de, en raison* de, en vertu* de, en dépit* de, en plus* de; étant donné*, eu égard* à, faute* de, grâce* à, hors* de, il y a*, le long* de, loin* de, par rapport* à, par-delà*, par-dessus*, par-devant*, par-devers*, pour* ce qui est de, près* de, quant* à, vis-à-vis* de, etc.

Locutions prépositives. — Il s'est créé aussi, à côté des prépositions, un grand nombre de locutions prépositives, qui sont ou qui ont été pour la langue une immense ressource. Certaines sont mortes : *a lei de* (à la loi de); *pour l'amour de* (= en raison de, par). Mais la plupart ont fait fortune : *à côté de, le long de, en tête de, aux environs de, à droite de, au sujet de, vis-à-vis de.* Nous en voyons naître sous nos yeux, telles que : *rapport à, histoire de.* Certaines de ces locutions ont été en concurrence avec les prépositions, ainsi *autour* avec *alentour* (à l'entour) et *aux alentours.* F. BRUNOT, la Pensée et la Langue, p. 410.

DÉR. **Prépositivement.**

PRÉPOSITION [pʀepozisjɔ̃] n. f. — 1380; lat. grammatical *præpositio,* de *præ-,* et *positio.* → Position.

♦ Mot* grammatical, invariable, servant à introduire un complément* en marquant le rapport qui unit ce complément au mot complété. *« La préposition est un instrument de détermination et de liaison »* (Dauzat). *La préposition joue en français le rôle rempli par les cas* dans les langues flexionnelles. La préposition introduit des compléments de verbes, d'adjectifs ou de noms. Prépositions proprement dites.* ⇒ **À, après, avant, avec, chez, contre, dans** (cit. 26), **de, depuis, derrière, dès, devant, en** (→ Gérondif, cit. 3), **entre, envers, hors** (cit. 1), **jusque, malgré, outre, par** (cit. 1), **parmi, passé, pour** (→ Partir, cit. 11), **proche, sans, sauf, selon, sous, sur, vers, via**; (vx) **ès, fors, jouxte, lez** (les ou lès), **sus.** *Anciens participes devenus prépositions.* ⇒ **Attendu, durant, excepté, hormis, moyennant, nonobstant, pendant, suivant, touchant, vu; joignant** (vx). *Les locutions prépositives* jouent le rôle de prépositions. Emploi explétif de certaines prépositions, introduisant, non un complément, mais une apposition* (la ville *de* Rome) *ou un attribut* (prendre *à* témoin, tenir *pour* certain). *Préposition entrant dans la formation de mots composés* (à-propos, en-cas, etc.). → Particule, cit. 1. *On peut distinguer* (De Boer) *des prépositions « pleines » exprimant des rapports bien définis* (avant, après, sans...), *des prépositions pouvant exprimer soit un simple cas, soit un rapport précis* (avec, en, par, pour...) *et des prépositions « vides » ou « casuelles »* (à, de). Cf. G. et R. Le Bidois, *Syntaxe du franç. mod.,* § 1801.

1 Les prépositions du latin n'ont pas suffi au français. Il a dû s'en créer de nouvelles; et pour cela (...) il a employé d'autres mots existant dans la langue. Ainsi il a tiré *chez* du substantif *casa (...)* Certains participes ou adjectifs sont devenus de véritables prépositions : *pendant* la nuit, *vu* les circonstances (...)
J. VENDRYES, le Langage, p. 195.

2 La préposition est une particule qui *relie* et qui *subordonne* entre eux deux mots ou groupes de mots, dont le second est appelé régime.
G. et R. LE BIDOIS, Syntaxe du franç. moderne, § 1805.

3 En latin classique déjà, de nombreuses prépositions (...) étaient employées pour préciser les cas, qui étaient en nombre insuffisant pour exprimer les divers types de rapports. La préposition est arrivée à régir le cas, puis, en développant son emploi, à le rendre inutile. En français (...) la syntaxe des prépositions se confond avec la syntaxe des compléments. Toutefois certains compléments se passent de préposition. Le complément direct est indiqué essentiellement par sa place dans la phrase, après le verbe (...) Des compléments de temps, de prix, de manière, se passent de préposition (...) Il reste, en outre, quelques vestiges de l'ancienne syntaxe, tandis que des ellipses modernes ont réintroduit des tournures analogues.
A. DAUZAT, Grammaire raisonnée..., p. 343-344.

REM. 1. La préposition peut s'employer sans régime avec une valeur adverbiale *(c'est selon)* ou par ellipse *(je voterai contre).*
2. La préposition se place immédiatement avant son régime, sauf dans quelques cas où un terme court est intercalé (surtout avant un infinitif), dans des tours interrogatifs avec Savoir (Par je ne sais qui, avec je ne sais quoi) et *Importer** (cit. 33 et *supra*), et des tours réciproques formés de deux indéfinis (l'un l'autre).
3. Devant plusieurs régimes, la préposition peut ou non se répéter (cf. G. et R. Le Bidois, *Syntaxe du franç. mod.,* §§ 1900-1908).

DÉR. **Prépositionnel.**

PRÉPOSITIONNEL, ELLE [pʀepozisjɔnɛl] adj. — 1819; de *préposition.*

♦ **1.** Relatif à la préposition, qui en a la valeur. — *Locution prépositionnelle.* ⇒ **Prépositif.** — *Syntagme prépositionnel,* constitué d'un syntagme nominal présenté par une préposition.

♦ **2.** (Mil. xxe). Qui est introduit, présenté par une préposition. *L'infinitif prépositionnel.*

PRÉPOSITIVEMENT [pʀepozitivmɑ̃] adv. — 1845; de prépositif.

♦ Ling. En fonction de préposition. *Adverbe employé prépositivement.*

PRÉPOTENCE [pʀepɔtɑ̃s] n. f. — 1450; lat. *præpotentia,* de *præ,* et *potentia* « pouvoir ».

♦ Vieilli ou littér. Toute-puissance, pouvoir absolu (souvent avec l'idée d'un abus, d'un excès). ⇒ **Autorité, domination, pouvoir, puissance; despotisme, tyrannie.**

On prononçait que la Royauté, à ses origines, avait été élective, qu'elle n'était qu'une délégation du pouvoir populaire, que sa prépotence usurpée devait être limitée par des corps constitués et qu'enfin l'impôt devait être consenti par la nation.
Louis BERTRAND, Louis XIV, II, I.

PRÉPOTENT, ENTE [pʀepɔtɑ̃, ɑ̃t] adj. — V. 1450, rare av. XVIe; lat. *præpotens* « tout-puissant », de *præ-,* et *potens.*

♦ Vieilli ou littér. Qui détient une puissance excessive ou abusive, une prépotence*.

Louis XVIII (...) de reconnaissance pour le coulis (...) avait orné l'estomac prépotent de ce maître queue *(sic)* de génie (...) de son grand cordon noir de Saint-Michel, qu'on n'accordait guère qu'à des savants ou à des artistes.
BARBEY D'AUREVILLY, les Diaboliques, « À un dîner d'athées ».

PRÉPSYCHOTIQUE [pʀepsikɔtik] adj. et n. — V. 1968; de *pré-,* et *psychotique.*

Didactique.

♦ **1.** Qui précède, annonce une psychose. *Des troubles prépsychotiques.*

♦ **2.** Dont l'état laisse présager une psychose; prédisposé à une psychose. « (...) chez des sujets fragiles, déséquilibrés ou prépsychotiques, la drogue peut déclencher un raptus anxieux suicidaire, favoriser le passage à l'acte » (Y. Pélicier *in* Porot, 1975, art. *Psychédélique*). — N. *Un, une prépsychotique.*

PRÉPUBERTAIRE [pʀepybɛʀtɛʀ] adj. — Mil. XXe; de *prépuberté,* d'après *pubertaire.*

♦ Méd., psychol. De la prépuberté.

PRÉPUBERTÉ [pʀepybɛʀte] n. f. — 1948; de *pré-,* et *puberté.*

♦ Méd., psychol. Ensemble des signes psycho-physiologiques présageant la puberté. — Période de temps durant laquelle ces signes se manifestent. *L'époque de la prépuberté.*

Nous retrouvons donc, lors de la prépuberté (onze à douze ou treize ans pour les filles, entre onze et quatorze pour les garçons), une première phase de tendance auto-érotique avec tendance à l'intraversion, à la culture du moi.
E. MOUNIER, la Relation sexuelle, *in* Dr WILLY, la Sexualité, t. I, p. 34.

PRÉPUBLICATION [pʀepyblikɑsjɔ̃] n. f. — Mil. XXe (1970, *in* Gilbert); de *pré-,* et *publication.*

♦ Didact. Publication d'un texte (sous forme d'article, de livret reproduit par un procédé économique) avant sa publication définitive en livre. *« La prépublication en exclusivité d'un livre* (dans un hebdomadaire) » *l'Express,* 21 mars 1981, p. 90. *Prépublications scientifiques.* — REM. Le mot rend bien l'angl. *preprint,* n. masculin, souvent employé en français.

PRÉPUCE [pʀepys] n. m. — Fin XIIIe; lat. *præputium,* probablt mot d'emprunt.

♦ Repli tégumentaire qui entoure le gland de la verge. *Excision du prépuce.* ⇒ **Circoncision.** *Infibulation du prépuce. Étroitesse excessive de l'anneau du prépuce* ⇒ **Phimosis.**

(...) observe de toujours tenir la tête *(du vit)* à découvert. Ne la recouvre jamais de cette peau que nous appelons le prépuce; si ce prépuce venait à recouvrir cette partie que nous nommons le gland, tout mon plaisir s'évanouirait.
SADE, les 120 Journées de Sodome, I, 1re journée.

DÉR. **Préputial.**

PRÉPUTIAL, ALE, AUX [pʀepysjal, o] adj. — 1817; de *prépuce.*

♦ **1.** Relatif au prépuce. *La muqueuse préputiale.*

♦ **2.** Fixé au prépuce.

(...) des Bonzes, des Fakirs (...) ont soin de charger leur prépuce d'un énorme anneau d'infibulation. Dans ces climats chauds où la nudité ne scandalise pas, les femmes dévotes vont (...) saintement, à deux genoux, baiser l'anneau préputial, apparemment pour gagner les indulgences.
J.-J. VIREY, *in* Nouveau dict. d'hist. naturelle, XVI, 1817, p. 175 (*in* D. D. L., II, 15).

PRÉRAPHAÉLIQUE [pʀeʀafaelik] adj. — 1882; de *préraphaélite,* d'après l'angl. *preraphaelitic.*

♦ Art. Qui évoque la peinture des prédécesseurs de Raphaël ou la manière des préraphaélites. *Figures, anges préraphaéliques.*

Exposition de Bastien-Lepage : de la peinture préraphaélique appliquée sur des motifs et des compositions de Millet. 1
Ed. et J. DE GONCOURT, Journal, t. VII, 28 mars 1885.

REM. On trouve aussi l'orthographe *préraphaëlique.*

La belle Mrs Goodman, Betty, une grande blonde, au visage de vierge, tout ce qui se fait de plus préraphaëlique, absolument impassible, les paupières extrêmement bombées, comme un prolongement du front, tant elle avait les sourcils pâles (...) 2
ARAGON, Aurélien, I, p. 211.

PRÉRAPHAÉLISME [pʀeʀafaelism] n. m. — 1861; *préraphaélitisme,* 1858; d'après l'angl. *pre-raphælism, pre-raphælitism,* 1851.

♦ Art. Doctrine esthétique des préraphaélites.

PRÉRAPHAÉLITE [pʀeʀafaelit] n. m. et adj. — 1855; angl. *preraphælite,* 1848; de *pré-, Raphaël,* n. pr., et *-ite.*
Art.

♦ **1.** Se dit des peintres anglais (Rossetti, Burne-Jones, etc.) qui voulurent renouveler la peinture par l'étude et l'imitation des peintres italiens antérieurs à Raphaël.

Adj. (1861). Qui appartient, qui est relatif à l'art de ces peintres. *Les procédés, les motifs, les sujets préraphaélites.*

♦ **2.** Peintre antérieur à la référence idéale du classicisme.

Nos préraphaélites seront Masaccio, Uccello, Piero della Francesca, non la Toscane frisée. MALRAUX, l'Homme précaire et la Littérature, p. 253.

PRÉRASAGE [pʀeʀazaʒ] n. m. — 1967; de *pré-,* et *rasage.*

♦ *Lotion de prérasage,* pour adoucir et préparer la peau avant le rasage.

PRÉRÉGLAGE [pʀeʀeglaʒ] n. m. — V. 1960; de *pré-,* et *réglage.*

♦ Techn. (Électr., radio). Réglage d'accord préalable (d'un récepteur).

PRÉRÉGLÉ, ÉE [pʀeʀegle] adj. — V. 1960; de *pré-,* et *régler.*

♦ Techn. (Électr., radio). Réglé par un préréglage. *Circuit, récepteur préréglé.*

PRÉRENTRÉE [pʀeʀɑ̃tʀe] n. f. — V. 1970, Gilbert; de *pré-,* et *rentrée.*

♦ Admin. Rentrée des enseignants, précédant de quelques jours la rentrée des élèves dans les établissements scolaires, et destinée à la préparer.

PRÉRETRAITE [pʀeʀ(ə)tʀɛt] n. f. — 1966; de *pré-,* et *retraite.*

♦ Retraite anticipée; allocation versée avant l'âge normal de la retraite. *Être, partir, être mis en préretraite.* — REM. On écrit aussi *pré-retraite. « Pré-retraite : les accords de retraite avant l'âge légal se multiplient dans les entreprises »* (*Femme pratique,* déc. 1973). REM. Le dér. *préretraité, ée* [pʀeʀ(ə)tʀete], n., est attesté.

PRÉRÉVOLUTIONNAIRE [pʀeʀevɔlysjɔnɛʀ] adj. — 1931, *in* D.D.L.; de *pré-,* et *révolutionnaire.*

♦ Qui précède et annonce une révolution. *Des revendications prérévolutionnaires.* — (En parlant d'une nation, d'un gouvernement). De la période qui a précédé une révolution.

CONTR. Postrévolutionnaire.

PRÉROGATIVE [pʀeʀɔgativ] n. f. — V. 1235; lat. jurid. *prærogativa* «centurie qui vote la première», de *præ-,* et *rogatum,* supin de *rogare* «demander, consulter.»

♦ **1.** Avantage honorifique ou positif, droit, pouvoir exclusif (que possède une personne ou une collectivité) attaché à l'exercice d'une fonction, à l'appartenance à une classe sociale, à un état juridique, etc. ⇒ **Privilège;** et aussi **attribution, avantage, droit, honneur** (*supra* cit. 83), **monopole, pouvoir, préséance** (→ Despotisme, cit. 2; noble, cit. 18; praticien, cit. 1).

1 La chasse (...) c'est l'antique prérogative féodale qui autorisait le seigneur à chasser partout, et qui faisait punir de mort le vilain ayant l'audace de chasser chez lui (...) ZOLA, la Terre, I, V.

♦ **2.** (V. 1340). Avantage, don, faculté... dont jouissent exclusivement les êtres d'une certaine espèce. ⇒ **Attribut** (→ Expérience, cit. 33).

2 Et cette prérogative que les Poètes font valoir de notre stature droite, regardant vers le ciel son origine (...) elle est vraiment poétique, car il y a plusieurs bestioles qui ont la vue renversée tout à fait vers le ciel; et l'encolure des chameaux et des autruches, je la trouve encore plus relevée et droite que la nôtre. MONTAIGNE, Essais, II, XII.

PRÉROMAN, ANE [pʀeʀɔmɑ̃, an] adj. — 1900; de *pré-,* et *roman.*
Didactique.

♦ **1.** Hist. de l'art. Antérieur à l'art roman (et le préparant). *Les églises préromanes des Asturies.*

J'avais rencontré *(en Sicile)* des églises jaunes au fond de rues multicolores, des chapelles préromanes (...) MALRAUX, Antimémoires, éd. Gallimard, p. 69.

♦ **2.** Ling. Antérieur aux langues romanes, sur le territoire de la Romania.

PRÉROMANTIQUE [pʀeʀɔmɑ̃tik] adj. — XXe; de *pré-,* et *romantique.*

♦ Hist. littér. Qui précède la période romantique (peut s'opposer à *romantique* et à *postromantique*). *Les écrivains préromantiques français* (Mme de Staël, Chateaubriand...). *La littérature préromantique* (opposé à *postromantique*).

N. Artiste qui a précédé le romantisme et l'a, en quelque sorte, préparé.

PRÉROMANTISME [pʀeʀɔmɑ̃tism] n. m. — 1923, selon G. L. L. F.; de *pré-,* et *romantisme.*

♦ Hist. littér. Période littéraire antérieure au romantisme, et qui lui en a préparé les voies.

PRÈS [pʀɛ] adv. — 1080; du bas lat. *presse* «en serrant», d'où «de près», ou de *pressus,* p. p. de *premere* «presser, serrer».

Adverbe marquant la proximité*, indiquant une petite distance*. — REM. Le mot perd souvent son sens fort au comparatif et au superlatif, où il ne marque plus qu'une relation entre deux ou plusieurs distances → Position.

A. ♦ **1.** À une distance (d'un observateur ou d'un point d'origine) considérée comme petite. *Il habite assez près, près, tout près.* ⇒ **Distance** (à une petite distance), 1. **lieu** (I. 1. dans un lieu proche, voisin...), 1. **pas** (à deux pas, à quatre pas), **proximité** (à proximité), **voisinage** (dans le voisinage). «*Le coup* (cit. 27) *passa si près que le chapeau tomba*» (Hugo).

Fam. *Ce n'est pas près, c'est pas tout près :* c'est loin.

♦ **2.** DE PRÈS (v. 1175). Loc. adv. [a] Dans l'espace. *Tirer un coup de feu de près.* ⇒ **Bout** (à bout portant), **brûle-pourpoint** (à). *Oiseau qui rase la terre de près. Considérer, voir, regarder de près, de trop près, de tout près* (→ Autre, cit. 35; cambrer, cit. 2; cristallin, cit. 5; montagne, cit. 11). *Poursuivre quelqu'un de près.* ⇒ **Serrer, talonner.** *Garder* (cit. 5), *surveiller, tenir quelqu'un de près.* ⇒ 1. **Court** (cit. 26 : de court), **vigilance** (avec vigilance).

Mais que t'a-t-il dit à l'oreille? 1
Car il s'approchait de bien près,
Te retournant avec sa serre. LA FONTAINE, Fables, V, 20.

(1869). *Se raser, se faire couper, tondre les cheveux de près.* ⇒ **Ras** (à ras). → fam. Rasibus. *Avoir la barbe rasée de près.*

Enfin Edmond ne se trouva pas rasé d'assez près, il se redonna un coup de rasoir dans le cou. Il se coupa au menton. ARAGON, les Beaux Quartiers, II, XXVII. 2

Fig. *Coudoyer la mort de près* (→ Éternité cit. 17). *Être intéressé de près à quelque chose,* y être fortement intéressé (→ Fouiller, cit. 32). *Tenir de fort près à...* (→ Intellectuel, cit. 2). *Imiter la nature du plus près possible* (→ Art, cit. 76). *Le langage* (cit. 6) *est le signe qui serre de plus près la pensée. Connaître quelqu'un de près,* très bien. *Cela me concerne d'assez près.* — (1690). *Examiner, lire, observer, regarder, surveiller* (→ Péril, cit. 4) *voir quelque chose de près,* attentivement*, avec soin*. — Loc. (1671). *Ne pas y regarder de si près, de trop près :* se contenter de ce qu'on a, de ce qu'on peut faire (→ Distance, cit. 7; fabriquer, cit. 15). — Loc. (1869). *Ni de près ni de loin.* ⇒ **Pas** (du tout). → Grue, cit. 5 — *Toucher de près quelqu'un :* avoir avec lui un lien étroit de parenté*.

(...) il existe une autre personne qui les a connus d'aussi près que moi, peut-être de plus près, et aux souvenirs de qui je pourrais recourir. 3
J. ROMAINS, le Dieu des corps, I.

[b] Dans le temps. *Des lettres* (cit. 20) *qui se suivent de si près. Il l'a suivi de près dans la tombe.*

♦ **3.** PRÈS DE (fin XIe). Loc. prép. [a] (Dans l'espace). *Près de,* indiquant soit la position (⇒ aussi **Proche**), soit le mouvement. *Qui est près de..., à petite distance de...* (⇒ **Proche, voisin**). *Sa maison est située tout près de la mienne.* ⇒ **Contre** (I.), **joignant** (vx), **jouxte** (vx); → aussi les adj. Attenant, contigu. *Près d'ici, tout près d'ici :* non loin* de... (→ Apparaître, cit. 1). *Il y a une station de métro près de chez lui* (→ À sa porte*). *Tout près de Paris,* aux abords de, à la porte de. *Maison qui est tout près de la route.* ⇒ **Bord** (au bord de). → aussi Mas, cit. *Navires rangés très près l'un de l'autre* (→ Bord* à bord).

S'asseoir près de quelqu'un, auprès de, aux côtés de. *Venir, s'approcher près de quelqu'un* (→ Accoster, approcher). *Placer quelque chose près de...* ⇒ **Approcher, juxtaposer, rapprocher** (→ Peluche, cit. 2). *Passer très près de...* ⇒ **Friser, frôler, raser.** *La balle est passée tout près du cœur.* ⇒ **Doigt** (à deux doigts). *Embarcation qui navigue près de la terre.* ⇒ **Serrer.** *Coureur qui termine tout près du gagnant.* ⇒ **Talon** (sur les talons). — REM. Avec *l'un... l'autre, près* se place soit devant le groupe, soit, plus fréquemment, entre les deux indéfinis. *«Mais elles s'assirent près l'une de l'autre, sur deux petits sièges, devant le feu»* (Maupassant, *Notre cœur,* II, VI). *«Ils étaient l'un près de l'autre, debout, dans l'embrasure de la croisée»* (Flaubert, *l'Éducation sentimentale* I, V). *«L'après-midi, nous travaillions l'un près de l'autre, du moins quand je travaillais»* (Duhamel, *Pierre d'Horeb,* XII). La première tournure est de règle quand *près* est modifié par un adverbe. *Tout près l'un de l'autre.*

Pour me sentir plus près d'elle, je me blottissais sous cape, et je la tenais par la taille. R. RADIGUET, le Diable au corps, p. 63. 4

Dans l'entourage, auprès de (quelqu'un). *Vivre près de quelqu'un.* Loc. fam. *Avoir la tête près du bonnet** (cit. 6).

Mar. (1870). *Naviguer près du vent, au plus près du vent,* ou, ellipt, *au plus près* (→ aussi Navire, cit. 6), dans une direction aussi rapprochée que possible de celle d'où vient le vent. — *Gouverner près et plein :* aller près du vent tout en gardant les voiles suffisamment gonflées.

4.1 Sur les quatre-vingt-dix milles que mesurait le périmètre de l'île, la côte sud en comptait une vingtaine depuis le port jusqu'au promontoire. De là, nécessité d'enlever ces vingt milles au plus près, car le vent était absolument debout.
J. VERNE, l'Île mystérieuse, 1874, t. II, p. 573.

Par métaphore :

5 Même le vice et la vertu lui étaient des occupations qui ont leur temps et leur élégances particuliers, et qui s'exercent selon l'occasion. « Parfois, disait-il, on prend le largue, et parfois on est au plus près. L'essentiel est de naviguer proprement ! »
VALÉRY, Eupalinos, p. 104.

N. m. L'allure* du près. *Tenir un près serré. Naviguer au près. Se mettre au près bon plein.*

Vx ou littér. (Avec une idée de proximité spatiale très affaiblie). Auprès de. *Être introduit* (cit. 4, Molière) *près des grands. Obtenir des succès, se pousser près d'une femme* (→ Mouche, cit. 17 ; passablement, cit. 1).

6 Frédéric (...) sautant dans un cabriolet, s'enquit près du cocher s'il n'y avait point quelque part, sur les hauteurs de Sainte-Geneviève, un certain café Alexandre.
FLAUBERT, l'Éducation sentimentale, II, I.

Vx ou littér. En comparaison de, à côté de. ⇒ **Auprès** (de). *Il paraît difforme* (cit. 2) *près de ses portraits* (→ aussi Jalousie, cit. 8).

7 Et près de vous ce sont des sots que tous les hommes.
MOLIÈRE, Tartuffe, I, 5.

8 Mais combien les phrases, hélas ! devenaient pâles près des actes !
GIDE, l'Immoraliste, II, II.

Fig. *Être plus près de la nature* (→ Étudiant, cit. 6). *S'approcher le plus près possible de la perfection* (cit. 4). *Il est passé tout près du succès* (→ fam. Cela a été tangent*).

9 Parce que la peinture qui représente ou suggère trois dimensions n'en possède que deux, n'importe quel paysage peint est plus près de n'importe quel autre paysage peint que du spectacle qu'il figure. MALRAUX, les Voix du silence, p. 313.

Loc. (1694). *Être près de son argent, de ses pièces, de ses sous, de ses intérêts... :* être intéressé, regardant.

10 On est un peu près de ses sous, peut-être, mais il faut ça pour vivre, et il vient aussi bien des misères de la prodigalité (...)
ARAGON, les Beaux Quartiers, I, XVI.

(Pour indiquer une mesure approximative). Un peu moins de... ⇒ **Loin** (*supra* cit. 37 : pas loin de), **presque.** *Près d'un tiers* (→ Impulsion, cit. 5), *près de neuf francs* (→ 2. Mal, cit. 30).

b (Dans le temps). *Être près de la retraite :* s'approcher de l'âge de la retraite. *Société, ouvrage* (cit. 19) *qui est tout près de son terme.* ⇒ **Toucher** (à). *Il était près de minuit. Pour l'âge, ils sont près l'un de l'autre.* ⇒ **Proche** (→ cit. 13.1).

11 Heure indue ? Monsieur voit qu'il est aussi près du matin que du soir.
BEAUMARCHAIS, le Barbier de Séville, IV. 8.

PRÈS DE... (suivi d'un verbe à l'infinitif). *Quand le jour est près de paraître.* ⇒ **Imminent, prochain.** *On se livre* (cit. 29) *d'autant plus aux plaisirs qu'on se sent près de les perdre.* ⇒ **Point** (sur le point de). *Il était près de s'évanouir* (cf. J'ai vu le moment où il allait...).
⇒ **1. Prêt** (I., 3.). — REM. Ne pas confondre avec *prêt à...*, dont le sens est parfois voisin.

12 Les démarches étaient près d'aboutir. FRANCE, le Lys rouge, XXXII.

13 (...) dans cette chambre où j'écris, où je suis un vieillard près de mourir, au milieu d'une famille aux aguets (...) F. MAURIAC, le Nœud de vipères, I, III.

Fam. (XXe). *Ne pas être près de* (et l'inf.) : ne pas risquer de.

c (Pour indiquer une ressemblance approximative).

13.1 (...) un des frères de Kalj, très près de ce dernier comme âge et comme traits, fut désigné pour l'emploi de sosie.
Raymond ROUSSEL, Impressions d'Afrique, p. 318.

♦ **4.** (XIIe). Vieilli. **PRÈS,** suivi d'un nom. — REM. Cette locution, vieillie et familière, se rencontre encore quelquefois dans certaines expressions géographiques ou dans certaines locutions traditionnelles (vocabulaire du droit...). *Châteaulin près Brest* (→ Ardoisière, cit.). *Marines, près Pontoise* (→ Patoiser, cit.). ⇒ aussi **Lez.** — *Notre ambassadeur près le roi de...,* délégué* auprès de... *Greffier près le tribunal de X.*

14 Tous deux, descendant l'allée aux fleurs, allaient s'asseoir dans le rond-point, près l'escalier du potager (...) GIDE, la Porte étroite, II.

B. (Exprimant l'idée d'une différence, dans des locutions).

15 Pris adverbialement, *près* forme plusieurs locutions en combinaison avec *à* et un mot (nominal ou adverbe) intercalé entre les deux et qui marque de quoi il s'en faut pour que l'exactitude soit complète (...)
G. et R. LE BIDOIS, Syntaxe du franç. moderne, § 1734.

♦ **1. À PEU PRÈS** (indiquant l'approximation). *Ce fut à peu près à cette époque* (→ Libéralisme, cit. 2). *Une pratique à peu près générale.* ⇒ **Assez, presque** (→ Navire, cit. 12). *À peu près comme...* (→ Malice, cit. 12 ; moraliser, cit. 4 ; 1. mue, cit. 3). *Cela faisait à peu près un habit bourgeois* (cit. 14). ⇒ **Comme** (comme qui dirait). — *À très peu près.*

Taine avait achevé à très peu près son monument (...) 16
Émile FAGUET, Propos littéraires, III, p. 159, *in* LE BIDOIS, Syntaxe du franç. moderne, § 1734.

Heureusement, l'hôtel était à peu près vide à ce moment de l'année. Personne 17
n'habitait cet étage. F. MAURIAC, les Anges noirs, VIII.

Je regardais la racine : était-elle *plus que noire* ou noire à *peu près ?* 18
SARTRE, la Nausée, p. 165.

(1487). Pour indiquer une mesure, une quantité approximative*. ⇒ **Approximativement.** *À peu près six mille hommes.* ⇒ **Dans, plus** (plus ou moins) ; → Infecter, cit. 10. *Il est cinq heures et demie, ou à peu près.* ⇒ **Approchant** (*supra* cit. 12). *Il y a à peu près vingt minutes qu'il est sorti.* ⇒ **Bien** (*supra* cit. 106), **loin** (pas loin de).

(XVIIe Bossuet). N. m. *Un à peu près* (ou *à-peu-près*) : un calcul, un résultat qui est seulement approché (→ Astronomique, cit.). ⇒ **À-peu-près.** — Péj. Ce qui est imparfait, imprécis, sommaire. *Il a horreur du travail bâclé, de l'à peu près* (contr. : *exactitude*).

Ma cohabitation passionnée avec les mathématiques m'a laissé un amour fou pour 19
les bonnes *définitions,* sans lesquelles il n'y a que des à peu près.
STENDHAL, Vie de Henry Brulard, p. 37.

Il savait d'ailleurs fort bien que toute la vie est faite d'à peu près, et il s'y était 20
jusqu'ici résigné (...) Mais il avait pensé cette fois qu'il allait obtenir enfin le « tout à fait » sans cesse espéré, sans cesse attendu. Le « tout à fait » n'est point de ce monde. MAUPASSANT, Notre cœur, II, IV.

Spécialt. Calembour* fondé sur la ressemblance approximative de deux mots. *Il aime à faire des à peu près faciles.*

J'entendais retentir à tout propos dans la conversation le nom de M. Hassenpflug, 21
qu'ils prononçaient *Hessenfluch* (malheur de la Hesse). L'Allemagne aime beaucoup les calembours *par à peu près.*
NERVAL, Lorely, « Souvenirs de Thuringe », II.

♦ **2. À PEU DE CHOSE(S) PRÈS,** (indiquant une faible différence). ⇒ **Cheveu** (*supra* cit. 33 : *à un cheveu près*), **presque** (→ Fait, cit. 21 ; moine, cit. 6).

(...) le fils du Grand Turc ressemble à ce Cléonte, à peu de chose près. 22
MOLIÈRE, le Bourgeois gentilhomme, IV, 3.

(...) ce sont, à peu de choses près, les termes dont je crois m'être servi à cette épo- 23
que. G. DUHAMEL, Défense des lettres, II, I.

♦ **3. À BEAUCOUP PRÈS :** avec de grandes différences (cf. il s'en faut de beaucoup).

Assurément, tu ne parais pas ton âge, même à beaucoup près. 24
G. DUHAMEL, Chronique des Pasquier, I, XI.

♦ **4. À CELA PRÈS :** cela étant mis à part, si on ne tient pas compte de ce que... ⇒ **Excepté, sauf** (→ Attrait, cit. 16). — *À cela près que...*

Du reste, à ce vice du jeu près... M. Hartford passait pour avoir toutes les quali- 25
tés pharisaïques et protestantes que les Anglais sous-entendent dans le confortable mot d'*honorability.*
BARBEY D'AUREVILLY, les Diaboliques, « Dessous de cartes... ».

(Il) avait été frappé d'une peine disciplinaire et tout aussitôt reçu dans le meil- 26
leur monde, où il se tenait bien, à cela près qu'il faisait des jeux de mots (...)
FRANCE, M. Bergeret à Paris, Œ., t. XII, p. 506.

C'est toujours une ville : celle-ci est fendue par un fleuve, l'autre est bordée par 27
la mer, à cela près elles se ressemblent. SARTRE, la Nausée, p. 195.

♦ **5.** (1611). **À** (non précédé d'un déterminant numérique) **PRÈS,** indiquant le degré de précision d'une évaluation, l'écart, la différence qui sépare le résultat d'une mesure de la valeur réelle de la grandeur mesurée. *À un sou près* (→ Pécuniaire, cit. 3). *À dix mètres près.*

Il avait d'ailleurs une mémoire si parfaite, qu'un objet, restât-il cinq ans dans sa 28
boutique, sa femme et lui se rappelaient, à un liard près, le prix d'achat, enchéri chaque année des intérêts. BALZAC, le Curé de village, Pl., t. VIII, p. 539.

(Avec l'idée que la différence en plus ou en moins est sans conséquence). *Il n'en est pas à cent francs près. Nous ne sommes pas à cinq minutes près.*

— Oh ! moi, fit César avec une moue capable, moi, Legrain, je n'en suis pas à 29
une femme près. — Bien, reprit le bonhomme. Voilà ce que j'appelle un heureux caractère. Vous en avez eu des centaines, de femmes ; alors, vous lui laissez celle-là. C'est d'un vrai copain. G. DUHAMEL, Salavin, V, XV.

CONTR. Loin (cf. aussi Éloigné, lointain).
COMP. Après, auprès, presque.
HOM. 1. **Prêt,** 2. **prêt.**

PRÉSAGE [prezaʒ] n. m. — 1390, *presaige ;* lat. *præsagium,* de *præ-,* et *sagire* « agir avec habileté ».

♦ **1.** Signe* d'après lequel on croit pouvoir deviner, prévoir l'avenir*. ⇒ 2. **Augure** (1.), 2. **auspice** (cit. 1). *Astrologue interprétant* les présages que lui fournit l'observation des astres. Croire aux présages :* être superstitieux*. *Présage favorable. Heureux présage. Le corbeau* (cit. 2), *la corneille, oiseaux de mauvais présage.* ⇒ **Porte-malheur.** *Considérer les hurlements* (cit. 1) *prolongés des chiens comme un présage sinistre.*

Un présage avait un moment ranimé les esprits : un vautour s'était embarrassé 1
dans les chaînes qui soutenaient les croix de la principale église ; Rome, eût, comme Moscou, vu dans ce présage la captivité de Napoléon.
CHATEAUBRIAND, Mémoires d'outre-tombe, t. III, p. 213.

(...) il jeta par trois fois, dans l'air, des pièces de monnaie. Toutes les fois, le pré- 2
sage fut heureux. FLAUBERT, l'Éducation sentimentale, I, V.

Par métonymie. Ce qui est annoncé, prédit d'après ce signe. *Présages* *tirés du vol des oiseaux, de l'appétit des poulets sacrés, de l'examen des entrailles de bêtes sacrifiées* (⇒ **Aruspice**)... *Les présages de son horoscope**. *Il m'a prédit le succès, j'en accepte le présage.* ⇒ 2. **Augure,** 2.

♦ **2.** (Av. 1525). Ce qui annonce, laisse prévoir (un événement ou une série d'événements à venir). ⇒ **Symptôme.** *Fâcheux présages qui s'accumulent* (cit. 13), *qui assombrissent l'horizon* (cit. 32) *international.* — *Ses succès universitaires semblent le présage d'une brillante carrière.* ⇒ **Prélude ; présager.** *Présages d'une catastrophe, d'une crise, d'une tempête.* ⇒ **Avant-coureur.** *Présage d'une vie sans amour.* ⇒ **Avant-goût** (cit. 4). *Le départ des hirondelles, présage de la fin des beaux jours* (⇒ **Annonce, avertissement ;** 1. **marque**).

3 Monsieur, les tristes présages que me donnait votre lettre du 3 courant sur la maladie de M. de Sainte-Croix, ne se sont que trop vérifiés (...)
P.-L. COURIER, Correspondance, CIII, 13 mars 1809.

4 Une brume légère flottait, présage de chaleur. MAUPASSANT, Notre cœur, II, I.

DÉR. Présager.

PRÉSAGER [prezaʒe] v. tr. — Conjug. *bouger.* — V. 1536, au sens 2. ; var. *presagier,* 1539 au sens 1. ; de *présage.*

♦ **1.** Littér. (Sujet n. de chose). Indiquer (une chose à venir) ; être le présage de. ⇒ **Annoncer.** *Une vieille superstition veut que les cris lugubres* (cit. 3) *des oiseaux de nuit présagent le malheur. Troubles de l'estomac* (cit. 7) *qui semblent présager quelque affection cancéreuse. Visite officielle présageant quelque événement extraordinaire* (cit. 4).

1 C'était, c'était le ciel, dont la sourde menace
Présageait à mon cœur cette horrible disgrâce. MOLIÈRE, Dom Garcie, IV, 7.

2 Mais de ce souvenir mon âme possédée
A deux fois en dormant revu la même idée (...)
Que présage, Mathan, ce prodige incroyable ? RACINE, Athalie, II, 5.

3 (...) cela jetait une mélancolie imprévue (...) sur les moindres indices de la saison prochaine, sur l'éclosion de certaines plantes, sur l'épanouissement de certaines espèces de fleurs, sur tout ce qui présageait l'arrivée et la marche si rapide de leur dernier été. LOTI, Ramuntcho, I, XXII.

Faire présumer, supposer. *Cela ne me présage rien de bon* (cit. 108). Cf. Cela ne me dit rien de bon, rien qui vaille.

♦ **2.** (Sujet n. de personne). Prévoir. *Je ne pouvais, on ne pouvait présager que les choses en viendraient là. Maladie qui laisse présager une issue fatale* (⇒ **Menacer**, spécialt). — *Voilà qui me fait mal présager du dénouement.* ⇒ **Augurer.**

4 Et justement Landry était un caractère patient plus que d'autres, jamais on n'aurait pu présager qu'il se laisserait brûler si fort à la chandelle (...)
G. SAND, la Petite Fadette, XXV.

5 Un vieux faune de terre cuite
Rit au centre des boulingrins,
Présageant sans doute une suite
Mauvaise à ces instants sereins. VERLAINE, Fêtes galantes, « La Faune ».

PRÉSALAIRE [presalɛr] n. m. — 1949 ; de *pré-,* et *salaire.*

♦ Admin. Allocations devant être perçues par les étudiants au cours de leurs études.

Si l'hôtel Lambert est aménagé en succursale de la caisse locale du présalaire des écoliers du cycle élémentaire [1], si Notre-Dame devient un musée (...), j'aurai l'impression (...) que Paris n'est plus exactement Paris (...)
Jacques PERRET, Bâtons dans les roues, 1953, p. 24.

1. Pastiche du style administratif et titre fantaisiste d'un organisme inexistant.

PRÉ-SALÉ [presale] n. m. — 1732 ; de *pré,* et *salé.*

♦ *Mouton de pré-salé,* ellipt., *pré-salé :* mouton engraissé dans des pâturages côtiers périodiquement inondés par les eaux salées de la mer. *La viande des prés-salés est très recherchée.* — Par ext. Cette viande. *Gigot de pré-salé.*

PRÉSANCTIFIÉ, ÉE [presɑ̃ktifje] adj. — 1610 ; de *pré-,* et *sanctifier.,*

♦ Liturgie. Qui a été consacré d'avance. *Espèces présanctifiées.* — N. m. (1867). *Messe des présanctifiés :* office du Vendredi saint (dans l'Église romaine) où le célébrant communie sous des espèces consacrées la veille, dites *pains présanctifiés.*

PRÉSAUSSURIEN, IENNE [presosyrjɛ̃, jɛn] adj. — 1943, cit. ci-dessous ; de *pré-,* et *saussurien.*

♦ Ling. Qui est antérieur à l'enseignement de F. de Saussure, au structuralisme en linguistique. *La linguistique présaussurienne. Méthodes présaussuriennes.* ⇒ **Saussurien.**

Les termes dans lesquels se posait tout problème de la linguistique présaussurienne étaient ceux de l'acte individuel (...) le langage se réduit à la somme des actions individuelles.
L. HJELMSLEV, Langue et Parole, 1943, *in* Travaux du Cercle linguistique de Copenhague, XII, p. 69.

PRESBY- Élément de mots savants (du grec *presbus* « âgé »), qui signifie « vieillard ». — REM. Il apparaît d'abord dans *presbyopie**.

PRESBYACOUSIE [presbiakuzi ; prezbiakuzi] n. f. — 1908, *in* Cottez ; *de presby-**, et *-acousie**.

♦ Didact. Affaiblissement de l'ouïe dû au vieillissement. — On écrit aussi *presby-acousie.*

PRESBYOPHRÉNIE [presbiofreni ; presbjofreni ; prezbijofreni] n. f. — 1905 ; t. créé en all. par Wernicke, du grec *presbus* « âgé » (→ Presby), et *-phrenia,* de *phrên,* au plur. « esprit » (→ Oligophrénie, hébéphrénie, schizophrénie).

♦ Psychiatrie. Démence sénile caractérisée par la perte de la mémoire des faits récents, compensée par de la fabulation, et par de la désorientation spatio-temporelle. *Dans la presbyophrénie, qui se rencontre surtout chez les femmes, la détérioration intellectuelle globale est moins accentuée que dans les autres démences séniles.* — *Presbyophrénie aiguë :* trouble mental grave de la présénilité, dont les symptômes s'apparentent à ceux de la confusion onirique.

PRESBYOPIE [prɛsbiɔpi ; prɛsbjɔpi ; prɛzbijɔpi] n. f. — 1808, Boiste ; de *presby-**, et *-opie**.

♦ Didact. Rare. Presbytie*.

PRESBYTE [prɛsbit ; prɛzbit] n. et adj. — 1694 ; *presbite,* 1690 ; grec *presbitês* « vieillard ».

♦ Cour. (mais moins que *myope*). Personne atteinte de presbytie, qui distingue mal les objets rapprochés. ⇒ **Hypermétrope.** *Les presbytes, comme les hypermétropes**, *doivent porter des lunettes biconvexes, à verres convergents.*

Adj. *Devenir presbyte.* — Par ext. *Œil presbyte.*

(...) M. Mesurat (...) tenait à bout de bras son journal déplié (...) Dans son visage sanguin, l'attention creusait de petites rides tout autour de ses yeux et de son nez, car il était presbyte et ne lisait qu'avec des grimaces. 1
J. GREEN, Adrienne Mesurat, I, VI.

Presbyte, il avait repéré Pierrot dès que celui-ci avait apparu au coin de la rue des Larmes et de l'avenue de la Porte-d'Argenteuil (...) 1.1
R. QUENEAU, Pierrot mon ami, Folio, p. 105.

Par métaphore :

En général, les poètes et les artistes sont presbytes ; c'est-à-dire qu'ils n'aperçoivent nettement que les objets placés à une grande distance : leur vue n'est distincte que pour le passé. Th. GAUTIER, Souvenirs de théâtre..., Gavarni, I. 2

CONTR. Myope.
DÉR. Presbytie.

PRESBYTÉRAL, ALE, AUX [prɛsbiteral, o ; prɛzbiteral, o] adj. — 1495 ; *presbiteral,* mil. XIVe ; lat. ecclés. *presbyteralis,* de *presbyter* « prêtre ».

♦ Didact. Qui a rapport aux prêtres. *Bénéfices presbytéraux.* — (1869). *Maison presbytérale :* la maison paroissiale.

Spécialt. (1962). *Conseil presbytéral :* consistoire assistant le pasteur, dans la branche presbytérienne de l'Église réformée. — (1968). Conseil créé dans plusieurs diocèses pour assister l'évêque.

PRESBYTÉRAT [prɛsbitera ; prɛzbitera] n. m. — 1875 ; bas lat. *presbyteratus* « prêtrise », de *presbyter* « prêtre ».

Religion.

♦ **1.** Vx. Qualité d'*ancien,* chez les presbytériens.

♦ **2.** Mod. Dans le sacrement de l'ordre, degré qui correspond à la prêtrise*.

PRESBYTÈRE [prɛsbitɛr ; prɛzbitɛr] n. m. — 1549 ; *presbitaire,* 1460 ; *presbiterie,* 1170, « partie du sanctuaire réservée au clergé dans les anciennes basiliques » ; lat. ecclés. *presbyterium,* rad. *presbyter* « prêtre ».

♦ Habitation du curé dans une paroisse. ⇒ **Cure, curial** (maison [cit. 12] curiale). *Paroisse trop pauvre pour faire réparer son presbytère* (→ Humide, cit. 6). — *Église flanquée de son presbytère* (→ Motte, cit. 0.1).

(...) un vieux pasteur qui n'est connu que sous le nom de *curé* (...) sort de sa retraite, bâtie auprès de la demeure des morts (...) Il est établi dans son presbytère, comme une garde avancée aux frontières de la vie, pour recevoir ceux qui entrent et ceux qui sortent de ce royaume des douleurs. 1
CHATEAUBRIAND, le Génie du christianisme, IV, I, VIII.

2 Ce presbytère, construit en cailloux et en mortier, avait un étage surmonté d'un énorme toit en pente (...) Le jardin potager séparait la maison de l'église (...)
BALZAC, le Curé de village, Pl., t. VIII, p. 607.

Acheter, habiter un ancien presbytère.

DÉR. **Presbytérien.**

PRESBYTÉRIANISME [pʀɛsbiteʀjanism; pʀɛzbiteʀjanism] n. m. — 1704; angl. *presbyterianism* (1644), de *presbyterian;* du lat. → Presbytère.

♦ Relig. Branche de l'Église réformée, directement issue de la doctrine calviniste. *Le presbytérianisme, religion dominante en Écosse.*

PRESBYTÉRIEN, IENNE [pʀɛsbiteʀjɛ̃, jɛn; pʀɛzbiteʀjɛ̃, jɛn] n. et adj. — 1649; empr. angl. *presbyterian;* «chapelain», XIVe; de *presbytère.*

Religion.

♦ **1.** Protestant adepte du presbytérianisme.

1 Il me faut déguiser à Paris ce que je ne pourrais dire trop fortement à Londres. Cette circonspection, malheureuse, mais nécessaire, me fait rayer plus d'un endroit assez plaisant sur les quakers et les presbytériens.
VOLTAIRE, Correspondance générale, t. I, nov. 1732.

♦ **2.** Adj. (Av. 1782). Qui a rapport ou appartient au presbytérianisme. *La « Confession de foi de Westminster »* (1646), *fondement de la doctrine presbytérienne. Église presbytérienne d'Angleterre* (dite *« non-conformiste »*). *Synode presbytérien.*

2 Il nous reste à parler de la religion de Genève (...) La constitution ecclésiastique de Genève est purement presbytérienne; point d'évêques, encore moins de chanoines : ce n'est pas qu'on désapprouve l'épiscopat; mais comme on ne le croit pas de droit divin, on a pensé que des pasteurs moins riches et moins importants que des évêques, convenaient mieux à une petite république (...)
D'ALEMBERT, Description abrégée du gouvernement de Genève, Œ. compl., t. IV, p. 419.

PRESBYTIE [pʀɛsbisi; pʀɛzbisi] n. f. — 1820; *presbyopie,* 1793; de *presbyte.*

♦ Anomalie de la vision, défaut d'un œil qui distingue mal les objets rapprochés, par suite d'une diminution de l'élasticité du cristallin et de son pouvoir d'accommodation, ou du relâchement du muscle ciliaire qui assure les modifications de courbure du cristallin. ⇒ **Hypermétropie.**

PRESBYTRE [pʀɛsbitʀ; pʀɛzbitʀ] n. m. — 1869, Littré; du bas lat. *presbyter* «prêtre».

♦ Didact. et rare. Prêtre (de l'Église primitive).

PRESCIENCE [pʀesjɑ̃s] n. f. — XIIe; lat. ecclés. *præscientia,* de *præsciens, -entis.* → Prescient.

♦ **1.** Théol. Connaissance* infaillible que Dieu a de l'avenir de l'humanité, dans son ensemble et ses moindres détails. *Difficulté de concilier le libre-arbitre de l'homme et la prescience divine* (→ Antinomie, cit. 2). — Par anal. Sorte de divination, d'intuition sacrée du futur. *Don de prescience des visionnaires* (⇒ **Prévision**). *Prescience instinctive des grands mystiques.*

1 (...) il n'y a point sujet de s'étonner que quelques-uns de nos docteurs aient osé nier la prescience infinie de Dieu, sur ce fondement, qu'elle est incompatible avec sa justice (...) Comment Dieu pourrait-il prévoir les choses qui dépendent de la détermination des causes libres? Il ne pourrait les voir que de deux manières : par conjecture, ce qui est contradictoire avec la prescience infinie; ou bien il les verrait comme des effets nécessaires qui suivraient infailliblement d'une cause qui les produirait de même, ce qui est encore plus contradictoire (...)
MONTESQUIEU, Lettres persanes, LXIX.

2 Je n'entends rien aux subtilités par lesquelles on prétend accorder le libre arbitre avec la prescience : le choix de l'homme, avec l'absolue puissance de son Dieu (...)
É. DE SENANCOUR, Oberman, LXXXI.

♦ **2.** (1765). Cour. Faculté ou action de deviner, de prévoir des événements à venir. ⇒ **Anticipation, prévision.**

3 Il en est, parmi nous, qui sont doués d'une sorte de prescience, qui distinguent déjà ce que d'autres n'aperçoivent pas encore.
MARTIN DU GARD, Jean Barois, Le semeur, II.

Dans un sens affaibli. ⇒ **Pressentiment.**

4 (...) je suis de ces promotions où, en moins de temps qu'il n'en faudrait à l'historien pour faire un cours d'économie politique, les arrivistes se retournèrent avec cette admirable prescience, au moins avec cet admirable pressentiment qui est la caractéristique du génie même (...) Ch. PÉGUY, la République..., p. 94.

5 Nous pensons pouvoir déduire de la connaissance du passé quelque prescience du futur. VALÉRY, Variété, Disc. de l'histoire, *in* Œ., Pl., t. I, p. 1134.

PRESCIENT, ENTE [pʀesjɑ̃, ɑ̃t] adj. — V. 1260; de *præsciens, -entis,* p. prés. de *præscire* «savoir *(scire)* d'avance».

♦ Didact. Doué de prescience. Qui a la prescience (de quelque chose). *« L'expression rêveuse, déjà à demi presciente du miracle d'une présence divine... »* (Proust, *in* G.L.L.F.).

PRÉSCIENTIFIQUE [pʀesjɑ̃tifik] adj. — 1933; de *pré-,* et *scientifique.*

♦ Didact. Antérieur à la constitution de la connaissance scientifique.

L'une des principales différences (...) entre les phases préscientifiques de nos disciplines et leur constitution en sciences autonomes et méthodiques est la découverte progressive du fait que les états individuels ou sociaux directement vécus et donnant apparemment prise à une connaissance intuitive ou immédiate sont en réalité le produit d'une histoire ou d'un développement dont la connaissance est nécessaire pour comprendre les résultantes.
J. PIAGET, Épistémologie des sciences de l'homme, p. 33.

PRÉSCOLAIRE [pʀeskɔlɛʀ] adj. — 1920; de *pré-,* et *scolaire.*

♦ Admin., Didact. Relatif à la période qui précède celle de la scolarité obligatoire (de 6 à 16 ans). *Formation préscolaire assurée par les écoles maternelles, les jardins d'enfants. « Le développement de l'éducation préscolaire, le recours à des pédagogies mieux adaptées permettront de réduire la proportion des réfractaires »* (*la Nef,* juil. 1971).

CONTR. **Postscolaire.**

PRÉSCOLARITÉ [pʀeskɔlaʀite] n. f. — Mil. XXe; de *préscolaire,* d'après *scolarité.*

♦ Admin. Éducation préscolaire.

PRESCRIPTEUR, TRICE [pʀɛskʀiptœʀ, tʀis] n. — 1968; de *prescrire.*

Didactique.

♦ **1.** Personne qui prescrit (une ordonnance, un mode d'emploi, etc.). — En appos. *Médecin prescripteur.*

♦ **2.** Écon., publicité. Personne ou groupe ayant une influence sur le choix des produits, des services.

PRESCRIPTIBLE [pʀɛskʀiptibl] adj. — 1374; de *prescrire.*

♦ **1.** Dr. Qui peut être prescrit; qui peut faire l'objet d'une prescription. *Biens, droits prescriptibles.*

♦ **2.** (1875). Didact. ou littér. Qui peut être prescrit, ordonné.

CONTR. **Imprescriptible.**

PRESCRIPTION [pʀɛskʀipsjɔ̃] n. f. — 1260; lat. *præscriptio,* de *præscribere* «écrire en tête», de *præ-,* et *scribere.*

♦ **1.** Dr. « Moyen d'acquérir ou de se libérer par un certain laps de temps, et sous les conditions déterminées par la loi » (Code civil, art. 2219). *Biens, droits qui échappent à la prescription.* ⇒ **Imprescriptible** (cit. 1). *Invoquer, opposer la prescription.*

Il existe une notion universellement admise dont le fondement est assez mal défini 1
et que nous appelons, en langage de droit, la prescription. La prescription est au civil une manière d'acquérir une propriété à la faveur du temps, au criminel le privilège pour le coupable de n'être plus poursuivi ou pour un condamné de ne pas subir sa peine lorsqu'une certaine durée s'est écoulée. Si cette idée que le temps modifie le droit s'impose assez impérieurement à l'esprit pour être universellement acceptée, il n'en reste pas moins que la prescription est toujours une violation d'un droit. Au civil la prescription acquisitive du droit de propriété est la violation du droit du propriétaire antérieur, au criminel c'est une atteinte au droit de punir ou à la valeur de la chose jugée.
Maurice GARÇON, De la prescription, *in* le Monde, 3 févr. 1960.

Dr. civil. *Prescription acquisitive* (⇒ **Usucapion**), mode d'acquisition de la propriété et des autres droits réels, par une possession non entachée de discontinuité pendant une durée généralement fixée à trente ans *(prescription trentenaire). Prescription abrégée (dix à vingt ans),* dont peut bénéficier un possesseur de bonne foi qui a juste titre. *Acte, fait interruptif* de prescription. Prescription extinctive* (ou *libératoire*), mode de libération des obligations*. *Extinction* d'une hypothèque* par prescription. Prescriptions de courte durée* (un an, six mois... fondées sur présomption de paiement).

Dr. pén. *Prescription criminelle, pénale,* et absolt. (cour.), *prescription,* mode de *prescription extinctive* applicable à la répression d'une infraction : *prescription de l'action* (publique et civile). *Prescription de la peine. — Meurtre couvert par la prescription. Il y a prescription.*

Supposez qu'autrefois j'aie assommé un vieil oncle à héritage. Je me suis arrangé 2
à ce moment-là pour faire croire (...) qu'il était mort en tombant dans un escalier (...) Je raconte ça aujourd'hui. Aucun inconvénient (...) Pas de danger que la Justice s'émeuve. Pourvu que le délai de prescription soit dépassé — et il l'est en somme très vite — le Juge d'instruction lui-même lira mon histoire, les pieds au feu... la prescription couvre mon coup de marteau.
J. ROMAINS, le Besoin de voir clair, Deuxième rapport Antonelli, IX.

Par métaphore. *Il n'y a point de prescription contre la vérité* (→ Erreur, cit. 25, Bayle).

♦ **2.** Cour. (1580). Ordre* expressément formulé, avec toutes les précisions utiles; ce qui est ainsi ordonné, prescrit. *Conformément aux prescriptions de ses chefs.* ⇒ **Instruction** (cit. 14). *Des prescriptions gênantes et surannées.* ⇒ **Précepte** (→ 2. Poétique, cit. 3).

Obéir aux prescriptions de l'Église (⇒ **Commandement**), *en matière d'abstinence, de jeûne* (⇒ **Indiction**). *Moniale vêtue selon la prescription de saint Benoît.* ⇒ **Règle** (→ Guimpe, cit. 1). *Contrevenir aux prescriptions légales et réglementaires.* ⇒ **Disposition** (→ Pharmacien, cit. 2). — Par métaphore. *Suivre les prescriptions de son appétit* (→ Panade, cit. Montaigne).

3 Vint le début du ramadan, et Moktar observa les prescriptions, jour par jour, avec un scrupule farouche. G. DUHAMEL, Salavin, VI, XIII.

(1823). *Prescriptions d'un médecin :* ensemble des recommandations qu'il fait à son malade, verbalement ou par écrit (sous forme d'ordonnance*). ⇒ **Indication.** *Observer scrupuleusement les prescriptions de la Faculté. Inobservance des prescriptions médicales.*

4 J'ai encore passé une journée à batailler à notre commission de l'hygiène... L'incohérence des prescriptions officielles pour les injections de vaccin antityphique est incroyable ! MARTIN DU GARD, les Thibault, t. IX, p. 117.

CONTR. Interdiction.

PRESCRIRE [pʀeskʀiʀ] v. tr. — Conjug. *écrire.* — XIIe, « condamner » ; var. *prescriber,* 1254 ; lat. *præscribere,* de *præ-,* et *scribere* « écrire ».

♦ **1.** (1355). Dr. Soumettre à la prescription*. *On ne peut prescrire le domaine des choses qui ne sont point dans le commerce* (Code civil, art. 2262). ⇒ **Prescriptible.** — Acquérir par la prescription. *Prescrire la propriété d'un immeuble.* — Faire ou laisser éteindre par la prescription. *Condamné dont la peine est prescrite.* — Absolt. Exercer un droit de prescription, invoquer la prescription. *Ceux qui possèdent pour autrui ne prescrivent jamais* (Code civil, art. 2236). *On ne prescrit pas contre les interdits. Prescrire contre son titre.*

Pron. (1549, sens passif). Être abrogé, éteint, perdu par la prescription. *Les arrérages* (cit. 3) *de rentes se prescrivent par cinq ans* (→ aussi Marchand, cit. 2). — *Les peines portées par les arrêts ou jugements rendus en matière criminelle se prescriront par vingt années révolues, à compter de la date des arrêts ou jugements* (Code d'instruction criminelle, art. 635).

♦ **2.** (1544). Cour. Ordonner* ou recommander expressément ; indiquer avec précision (ce qu'on exige, ce qu'on impose). ⇒ **Commander** (→ Braver, cit. 4). *Prescrire quelque chose. Prescrire que...,* suivi du subjonctif. ⇒ **Disposer, vouloir** (→ Cadastre, cit. 1). *Prescrire de...,* suivi de l'infinitif. ⇒ **Recommander** (→ Fil, cit. 28). *Prescrivez-lui ce qu'il doit faire.* ⇒ **Dicter** (→ Convenir, cit. 5). *Prescrire une enquête.* ⇒ **Ordonner.** *Ordonnance qui prescrit l'emploi exclusif du français* (cit. 13). ⇒ **Imposer.** *Les devoirs qu'on prescrit aux enfants* (→ Impraticable, cit. 1). *Les bonnes œuvres que l'Église prescrit* (→ Indulgence, cit. 13). *Selon les formes que la loi a prescrites.* ⇒ **Fixer** (→ Cas, cit. 12). *Les règles de conduite que je me suis prescrites.* ⇒ **Donner** → Inconsidéré, cit. 6. — (Sujet n. de chose). *Ce que l'honneur prescrit à la noblesse* (cit. 20). ⇒ **Demander, enjoindre.**

1 Ses affaires le pressent d'en trouver *(de l'argent),* et il en passera par tout ce que vous prescrirez. MOLIÈRE, l'Avare, II, 2.

2 (...) il en coûte peu de prescrire l'impossible quand on se dispense de le pratiquer. ROUSSEAU, les Confessions, VIII.

3 Mais Julien était trop fidèle à ce qu'il appelait le devoir pour manquer à exécuter de point en point ce qu'il s'était prescrit. STENDHAL, le Rouge et le Noir, I, XVI.

4 Il prescrivit que les passagers, au nombre d'une centaine environ, fussent rangés sur le pont-promenade, en une seule file et au complet. G. DUHAMEL, Scènes de la vie future, I.

(1788). Recommander, conseiller formellement. *Médecin qui prescrit des remèdes* (→ Granule, cit.), *un traitement* (→ Insuffisance, cit. 6), *le port d'une ceinture* (cit. 4) *orthopédique...* (→ aussi Aller, cit. 65 ; médecine, cit. 11). Pron. (sens passif). *Le régime lacté se prescrit dans certaines affections.*

5 Le sage médecin ne donne pas étourdiment des ordonnances à la première vue, mais il étudie premièrement le tempérament du malade avant de lui rien prescrire (...) ROUSSEAU, Émile, II.

6 Le médecin (...) prescrivit une infusion de quinquina pur, et, pour le cas où la fièvre reprendrait dans la nuit, une potion calmante. HUGO, les Misérables, I, VII, VI.

7 Pédemay (...) prétendait n'être plus sûr qu'une de ses ordonnances ne fût pas tout entière de sa main. Pour l'aconitine, le chloroforme et la digitaline, il ne pouvait en avoir prescrit d'aussi fortes doses (...) F. MAURIAC, Thérèse Desqueyroux, VIII.

♦ **3.** (Choses ; 1804). Rendre indispensable. *Exiger une économie raisonnable que les circonstances prescrivent.* ⇒ **Réclamer** (→ Lésinerie, cit.).

8 La méthode inspirée par l'expérience, prescrivait que les patients se présentassent tous à la file et nus jusqu'à la ceinture, ce qui faisait gagner beaucoup de temps (...) G. DUHAMEL, le Temps de la recherche, VIII.

▶ **PRESCRIT, ITE** p. p. adj.

(1669). Qui est imposé, fixé. *Sortir des règles prescrites* (→ Art, cit. 49). *Se renfermer dans les bornes* (cit. 16) *prescrites.* — *Dans les délais prescrits par le règlement, au jour prescrit.* ⇒ **Vouloir** (p. p.). — *Ne pas dépasser la dose prescrite.* — *Âge prescrit pour l'obtention d'une charge.* ⇒ **Requérir** (p. p.) ; → Dispenser, cit. 7.

9 (...) je fus le seul qui fut prêt au terme prescrit. ROUSSEAU, les Confessions, VII.

(...) si on était éclairé sur son véritable bonheur, on ne le chercherait jamais hors des bornes prescrites par les lois et la religion. 10
LACLOS, les Liaisons dangereuses, CLXXI.

CONTR. Interdire. — Observer, subir.
DÉR. Prescripteur, prescriptible.

PRÉSÉANCE [pʀeseɑ̃s] n. f. — 1580 ; de *pré-,* et *séance.*

♦ **1.** Droit de précéder* (une ou plusieurs personnes) dans une hiérarchie protocolaire, d'occuper une place plus honorifique dans une cérémonie officielle. *« Des rangs et préséances »,* titre 1er du décret du 19 juin 1907 qui fixe les préséances entre les corps officiels. *Dans les États à majorité catholique, le cérémonial*, le protocole* veulent que le légat du pape ait la préséance sur les autres représentants de puissances étrangères.* ⇒ 1. **Pas** ; **passer** (devant). *Ordre des préséances dans une assemblée, un cortège, une procession...*

(...) aux cérémonies de la cour, entrées, mariages des Rois, baptêmes, obsèques, il y a eu souvent des disputes entre les duchesses et les princesses étrangères pour la préséance (...) SAINT-SIMON, Mémoires, I, XLII. 1

Par anal. *Politesses de préséance entre convives.* (→ Interpeller, cit. 1). *Rivalités de préséance entre femmes* (→ Féroce, cit. 3).

Rex et Philippe s'excusèrent d'être légèrement en retard ; puis ils firent le tour des convives en souhaitant à chacun le bonjour et en leur serrant la main, selon l'ordre des préséances. A. HERMANT, l'Aube ardente, XIV. 2

♦ **2.** (1686). Prérogative due au rang, à l'âge, etc. *Princes très formalistes* (cit. 2) *quant à leurs préséances.* ⇒ **Prérogative.** *Des querelles de préséance. Des questions d'étiquette* et de préséance.*

Et eux feignaient de ne vouloir pas entendre parler d'un mariage qu'ils jugeaient humiliant. Appauvris, et presque ruinés, Thérèse s'étonnait qu'ils crussent encore aux préséances. F. MAURIAC, la Fin de la nuit, II. 3

PRÉSÉLECTEUR [pʀeselɛktœʀ] n. m. — 1934, *in* D.D.L. ; de *pré(sélection),* et *sélecteur.*

♦ Techn. Dispositif de présélection.

PRÉSÉLECTION [pʀeselɛksjɔ̃] n. f. — 1948 ; de *pré-,* et *sélection.*

♦ **1.** Premier tri dans un choix. *Candidats admis en présélection.* — Milit. *Futures recrues soumises à la présélection avant l'appel du contingent* (en vue de déterminer dans quelle arme il convient de les verser).

♦ **2.** (V. 1960). Techn. Sélection opérée préalablement. *Boîte de vitesses à présélection. Poste de radio muni d'un bouton de présélection.*

PRÉSÉLECTIONNER [pʀeselɛksjɔne] v. tr. — Mil. XXe ; de *pré(sélection),* et *sélectionner.*

♦ **1.** Admettre en présélection. — Au p. p. *« J'ai aussi entendu parler d'un joueur présélectionné, qui a refusé de se porter candidat à la sélection définitive »* (*le Nouvel Obs.,* 22 mai 1978). — N. *Les présélectionnés.*

♦ **2.** Techn. Sélectionner par présélection.

PRÉSENCE [pʀezɑ̃s] n. f. — 1172 ; lat. *præsentia.* → Présent.

A. (Personnes). ♦ **1.** Le fait d'être dans le lieu*, dans le groupe, auprès de la personne dont on parle ; le fait qu'une ou plusieurs personnes se trouvent présentes dans le lieu où l'on est soi-même ou dont on parle. ⇒ 1. **Présent** (I., A., 1.). *La présence de quelqu'un, dans, à, chez...* — (1835). *Faire acte de présence :* n'être présent qu'un instant. *Fuir, éviter la présence de quelqu'un,* le fuir. *« Lorsque de sa présence il semblait me bannir »* (cit. 6, Racine). ⇒ **Vue.** *J'étais gêné* (cit. 19) *par la présence de vingt-cinq camarades.* — Par ext. (1530). *Une présence importune* (cit. 16). *Sentir une présence, une présence amie.* — (Formule d'invitation). *Vous êtes prié d'honorer de votre présence...* Au plur. (seult dans la langue littér.). *Cette rue qu'animaient quatre ou cinq présences misérables et furtives* (cit. 13). — (Avec un complément indiquant le lieu, le groupe... dans lequel on est présent). *La deuxième année de présence au corps* (cit. 46), *sous les drapeaux.* — Avec un double complément. (→ Horizontal, cit. 6). *On a remarqué la présence de M. X... à la cérémonie de...* ⇒ **Assistance** (vx). *La présence de quelques troupes françaises en Italie* (→ Persister, cit. 2).

(...) ces heures rapides (...) qui ne laissent dans notre âme qu'une longue trace de bonheur (...) tant de plaisir dans la présence, et dans l'absence tant d'espoir (...) charme de l'amour, qui vous éprouva ne saurait vous décrire ! 1
B. CONSTANT, Adolphe, IV.

Ma présence gêna les vingt-cinq ou trente pairs qui s'y trouvaient rassemblés ; j'empêchais les douces effusions de la peur, la tendre consternation à laquelle on se livrait. CHATEAUBRIAND, Mémoires d'outre-tombe, t. V, p. 222. 2

C'était pour lui une joie de plus, que de savoir sa maison acceptée par Gracieuse, d'être sûr qu'elle viendrait apporter le rayonnement de sa présence dans ce vieux logis aimé, et qu'ils feraient là leur nid pour la vie (...) 3
LOTI, Ramuntcho, I, XVIII.

Il ne pouvait sans doute pas se passer de la présence féminine ; et, sans pou- 4

voir faire, en rien, le bonheur d'une femme, il lui fallait rêver qu'une femme fît le sien.
André SUARÈS, Trois hommes, « Dostoïevski » IV.

Présence contrôlée. Présence assidue au bureau, au lieu de travail. ⇒ **Assiduité.** *Faire l'appel*, un pointage pour s'assurer de la présence de...* ⇒ 1. **Pointer** (I., 1.).

Faire acte de présence, faire de la présence : être présent, sans plus. — *Feuille de présence :* feuille qui atteste la présence effective (à une réunion, etc.). *Veuillez signer la feuille de présence.*

(1578). *Droit de présence :* somme allouée à chacun des membres d'une association, d'une société, en rémunération de sa présence à l'assemblée. — *Jeton* de présence.*

Dr. Existence (d'une personne) au lieu de son domicile légal.

♦ **2.** (XIIe). Relig. *Présence mystique, spirituelle. « La présence de Dieu remplit l'univers »* (Académie). ⇒ **Omniprésence.** *La présence d'un Dieu qui se cache* (cit. 39, Pascal).

5 Cette idée féconde du pouvoir des hommes réunis *(ecclesia)* semble bien une idée de Jésus. Plein de sa doctrine tout idéaliste que ce qui fait la présence des âmes, c'est l'union par l'amour, il déclarait que toutes les fois que quelques hommes s'assembleraient en son nom, il serait au milieu d'eux.
RENAN, Vie de jésus, XVIII, Œ. compl., t. IV, p. 270.

La présence divine dans l'Eucharistie (cit. 3 ; → aussi Local, cit. 1). — (1668). *La présence réelle :* le fait que le Christ soit réellement présent dans l'Eucharistie, sous les espèces du pain et du vin, avec son sang, son corps, son âme et sa divinité (⇒ **Eucharistie**). — Le dogme qui affirme cette présence. *Les sacramentaires rejettent la présence réelle.*

6 Tous ces puissants symboles, d'Homme-dieu, de présence réelle, de communion, sont comme les mots d'une langue oubliée.
ALAIN, Propos, 4 mai 1921, Première communion.

Par ext. (1690 ; ci-dessous, sens 3.). En parlant d'une présence non matérielle. *Cette présence constante de l'absente qui est le premier signe de l'amour. Cette présence inattendue de moi-même en moi-même* (→ Moi, cit. 47).

Poét. Sentiment vague que des êtres mystérieux sont présents quoique invisibles. *« La solitude foisonne* (cit. 6, Mauriac) *de présences ».*

7 La nuit est une présence. HUGO, l'Homme qui rit, I, II, VII.

8 Pourtant elle se sentait enveloppée d'une présence sourde, innombrable, puissante.
P.-J. TOULET, la Jeune Fille verte, IV.

♦ **3.** (1690). Philos. *Présence au monde, dans le monde* (→ Existence, cit. 7, Sartre).

8.1 (...) rêvant la mort qu'un vivant peut rêver, dans cet instant miraculeux la vie atteint l'extrême pureté de ma présence nue.
S. DE BEAUVOIR, la Force de l'âge, p. 618.

(Valeur abstraite). Le fait d'être mêlé à un milieu, une activité, de participer à qqch. *Présence dans la politique d'une couche* (cit. 10) *sociale nouvelle. On soupçonne la présence de X... dans cette affaire.*

(1958). Le fait, pour un pays, de jouer un rôle (politique, économique, intellectuel) sur un territoire. *La présence de la France, la présence française, chinoise en Afrique.*

♦ **4.** Caractère encore vivant, efficacité et prestige. *Présence de Shakespeare, de l'art roman, de la Grèce antique.*

(D'un acteur ; 1956). Qualité qui consiste à s'emparer fortement de l'esprit du spectateur, à manifester vigoureusement sa personnalité à travers le rôle qu'on joue. *Cette comédienne a de la présence, manque de présence. — La présence d'un présentateur de télévision.*

9 R. Kemp prend également la défense de *présence* dont abuse la critique dramatique et même littéraire : *« Présence* est une synthèse d'impressions très nette. L'acteur qui a "de la présence" est celui qui, dès son entrée, fixe l'attention des spectateurs, se fait suivre dans tous ses gestes, et écouter. Son arrivée sur la scène fixe et accroît l'intérêt ou l'émotion de tous. Quelqu'un vient d'entrer dont la physionomie et l'*habitus corporis* signifient quelque chose. Un personnage est là qui a du caractère, de l'autorité ; c'est un protagoniste ». Le plaidoyer est habile et presque convaincant. Pourtant ce mot magique ne se justifie qu'avec un sens technique, à propos d'un acteur. Appliqué à un auteur ou à un livre, il n'est plus qu'un obsédant cliché, présentement à la mode, une élégance affectée et à bon marché.
René GEORGIN, Jeux de mots, p. 316.

(En parlant d'un écrivain, d'un artiste, d'un personnage quelconque ou même d'un ouvrage) :

10 Dans la *Fuite*, c'est lui *(Casanova)* que j'entends, sa voix même, sa respiration ; avec son amusant français parlé de 1760, ses italianismes, son accent, ses tours, sa verbosité, sa diction, sa présence verbale.
Émile HENRIOT, la Rose de Bratislava, V.

Qualité de quelqu'un dont la personnalité s'impose fortement à l'attention.

10.1 (...) cet homme de trente ans un peu court de taille, toujours pensif et dénué de cette qualité subtile qu'il est convenu, de nos jours, d'appeler « la présence » (...)
Pierre GASCAR, les Bêtes, p. 140.

B. (Choses ; v. 1370). Le fait qu'une chose se trouve placée dans le lieu où l'on est ou dont on parle, qu'elle existe à l'intérieur de l'ensemble plus vaste (matériel ou non) dont il s'agit. ⇒ **Existence.** *Pour expliquer* (cit. 15) *la présence de la malle dans son arrière-boutique. — Présence de la vapeur d'eau dans l'atmosphère* (cit. 3) *de Mars. Présence d'une substance à l'état de traces* (→ Hydrologie, cit.). — *(Être) en présence dans... :* être présent. — *Présence de charbon, de pétrole dans le sous-sol de telle région. — Présence de poteries, de monnaies dans un site archéologique* (→ aussi Massaliote, cit.). — *Présence de membres articulés* (cit. 2) *chez les arthropodes. — La présence du verbe* faire (cit. 164) *dans une locution.*

(Abstrait) :

Du reste, il ne se révélait dans ce logis la présence d'aucun travail ; pas un métier, pas un rouet, pas un outil. HUGO, les Misérables, III, VIII, VI. 11

(1660). **PRÉSENCE D'ESPRIT :** le fait d'avoir l'esprit « présent », de répondre, de réagir avec à-propos. *Avoir de la présence d'esprit. Il manque de présence d'esprit, il a l'esprit de l'escalier*.*

C. EN... PRÉSENCE. ♦ **1.** (Fin XIIe). Vx. *« L'on détourne son visage pour rire comme pour pleurer en la présence des grands... »* (La Bruyère, *les Caractères* I, 50).

♦ **2.** (1549). Mod. **EN PRÉSENCE DE :** en face de ; devant. *En présence de la foule* (→ Œuvre, cit. 12), *du public* (→ Plateau, cit. 5 ; et aussi À la barbe* de ; sous les yeux* de ; vis-à-vis). *Dresser un acte en présence de témoins*. — Désertion en présence de l'ennemi. — En ma (ta, sa...) présence* (→ Amende, cit. 7 ; assembler, cit. 28 ; blé, cit. 14 ; épée, cit. 3). — *En présence des maux qui nous frappent* (→ Haut, cit. 53), *de ces difficultés, de ces problèmes. — Réaction qui se produit en présence d'un catalyseur. — Être, se trouver en présence de* (quelqu'un, quelque chose) → Famille, cit. 19 ; fourrer, cit. 26 ; mystificateur, cit. 1. *Mettre quelqu'un en présence de* (quelqu'un, quelque chose) → Flair, cit. 5 ; part 1., cit. 4.

Avant de le quitter, son père lui fit une admonestation en présence de son nouveau maître, lui commandant de le contenter en toutes choses et d'avoir soin de son bétail comme si c'était son bien propre. G. SAND, la Petite Fadette, IV. 12

Je suis tombé de surprise quand je me suis trouvé en présence de cette langue si simple (...) RENAN, Souvenirs d'enfance..., V, Œ. compl., t. II, p. 863. 13

Relig. *En présence de Dieu.*

Le terrible et suppliant aveu du psaume : « J'ai fait le mal en votre Présence », n'a évidemment pas grande signification aux yeux d'une foule de braves types qui préféreraient mille fois, dans un cas délicat, la présence de Dieu à celle du gendarme. 14
BERNANOS, les Grands Cimetières sous la lune, p. 240.

HORS DE LA PRÉSENCE DE... : en l'absence de, sans (→ Imaginatif, cit. 4).

♦ **3.** (XIIIe, repris 1646). **EN PRÉSENCE :** dans le même lieu, face à face, en opposition l'un vis-à-vis de l'autre. *Les deux armées en présence.* — Fig. *Les parties en présence* (dans un procès). *Les thèses, les arguments en présence* (→ Agacer, cit. 4). — *Mettre, laisser deux personnes en présence.* ⇒ **aussi Confronter.**

D. Vx. (1651). Personnes ou choses. Apparence, aspect d'une personne ou d'une chose ; allure, prestance. *« Ce port majestueux, cette douce présence »* (Racine, *Bérénice*, I, 5). — *« Hé! depuis quand Seigneur, craignez-vous la présence De ces paisibles lieux, si chers à votre enfance? »* (Racine, *Phèdre*, I, 1). ⇒ **Vue.**

CONTR. Absence. — Carence, faute, manque.

PRÉSÉNESCENCE [presenesɑ̃s] n. f. — V. 1960 (*in* Larousse 1968) ; de *pré-*, et *sénescence.*

♦ Didact. Période qui précède la sénescence et durant laquelle le vieillissement physique s'accompagne d'inévitables modifications psychologiques. *Troubles psychopathologiques de la présénescence.*

PRÉSÉNILE [presenil] adj. — Mil. XXe, (*in* Porot, 1952) ; de *pré-*, et *sénile.*

♦ Didact. De la présénilité, propre à la présénilité. *« (...) au moment de l'involution présénile, certaines psychoses actives de l'adulte perdent de leur acuité (...) par refroidissement de l'affectivité »* (Porot, *Manuel de psychiatrie*, 1952, art. *« Présénilité »*). *Mélancolie présénile* (ou *d'involution*). *Manie présénile. Démences préséniles* (ou mieux, selon Delay, Bardenat : *tardives*) : états démentiels à évolution rapide, à base organique, survenant précocement (entre 50 et 70 ans) par rapport à l'époque habituelle des démences séniles simples.

PRÉSÉNILITÉ [presenilite] n. f. — Mil. XXe (*in* Porot, 1952) ; de *pré-*, et *sénilité.*

♦ Didact. État résultant du processus de sénescence*, qui se caractérise par un fléchissement intellectuel plus ou moins important pouvant s'accompagner de divers autres troubles (organiques, affectifs, thymiques), et qui s'observe à une période de la vie variable selon les sujets dans ses limites et sa durée. *Désordres neuro-psychiques de la présénilité : petits accidents* (ralentissement et fatigabilité intellectuels, états dépressifs...), *involutions préséniles, accidents majeurs* (psychoses, démences. ⇒ **Encéphalose**). ⇒ aussi **Affaiblissement** (intellectuel), **bradypsychie.** *« (...) la présénilité se réfère à la fois à une donnée temporelle et à un état clinique »* (A. Porot et Ch. Bardenat, *in* Porot, *Manuel de psychiatrie*, 1975).

PRÉSENSIBILISÉ, ÉE [pʀesɑ̃sibilize] adj. — V. 1960; de *pré-*, et *sensibilisé.*

♦ Techn. Se dit d'une plaque recouverte d'une couche sensible et prête pour la copie (imprimerie offset, photographie).

1. PRÉSENT, ENTE [pʀezɑ̃, ɑ̃t] adj. et n. — Fin XIe; lat. *præsens, præsentis,* p. prés. de *præesse* «être en avant», de *præ-*, et *esse.*

★ **I.** Adj. **A.** (Opposé à *absent**.). ♦ **1.** Qui est dans le lieu, le groupe où se trouve la personne qui parle ou dans le lieu, le groupe dont on parle. ⇒ **Présence.** *Être présent dans un endroit, à une fête. Ici présent. Elle était présente quand l'accident s'est produit.* ⇒ **Témoin** (→ Être sur les lieux*). — *Être présent à...* ⇒ **Assister.** *Les personnes présentes à...* ⇒ **Assistant.** *Il n'était pas présent, il manquait*. Untel étant présent,* ou ellipt, *untel présent* (tournure employée surtout dans la langue de la pratique). ⇒ **Présence** (en présence de). *Vous présent* (→ Fureter, cit. 3). — *M. X, ici présent, dit que...* — Spécialt. (Dans un groupe organisé, où la présence est soumise à un contrôle). *Élève présent au cours. Soldat présent au rapport, à l'appel. À l'assemblée générale, étaient présents MM. Untel,* etc. — *Élève, soldat qui répond «présent!» à l'appel de son nom.* — Fig. *Il était toujours prêt à répondre «présent» quand on demandait son aide.* — *Les personnes présentes.* (V. 1220). N. m. *Les présents. Contrat conclu entre présents ou par téléphone* (→ Pollicitation, cit.).

1 Tel que vous me voyez, Monsieur ici présent
M'a d'un fort grand soufflet fait un petit présent. RACINE, les Plaideurs, II, 5.

2 Contre vous, contre moi, vainement je m'éprouve :
Présente, je vous fuis; absente, je vous trouve;
Dans le fond des forêts votre image me suit. RACINE, Phèdre, II, 2.

3 Un huissier commence l'appel (...) Mesdemoiselles A, B, C, D, etc. Présent, présent, présent (...) G. REVAL, les Sévriennes, p. 12, *in* NYROP, t. V, p. 106.

Avoir une action, une présence (fig.). *Être présent partout à la fois :* se dépenser, se multiplier. *Être présent en pensée, par le cœur.*

(XVIIe). Relig. Se dit en parlant d'une présence mystique ou spirituelle. *Dieu est présent partout.* ⇒ **Omniprésent.** *Jésus-Christ, présent avec ses disciples jusqu'à la consommation des siècles* (→ Assurer, cit. 32). *Le Christ présent dans l'Eucharistie.* ⇒ **Présence** (réelle). → aussi Humanité, cit. 2.

(Avec une valeur abstraite). Qui participe à... *Pays présent à une conférence internationale.*

(Fin XVe). En parlant d'une chose. *L'argon est présent dans l'air en proportion infinitésimale.* ⇒ **Trouver** (se). *L'imagination* (cit. 1) *est affectée de l'objet, qu'il soit présent ou non.* — (En parlant d'une chose immatérielle). *Dans l'œuvre d'art, le travail doit devenir invisible, encore que toujours présent* (→ Analyse, cit. 8).

4 Il est vrai qu'une image peut *être* sans *être perçue;* elle peut être présente sans être représentée; et la distance entre ces deux termes, présence et représentation, paraît justement mesurer l'intervalle entre la matière elle-même et la perception consciente que nous en avons. H. BERGSON, Matière et Mémoire, p. 32.

♦ **2.** Dont on est conscient, auquel on pense, dont on se souvient à un moment donné. *Personne, chose qui est présente à l'esprit de quelqu'un* (→ 1. Dame, cit. 8; 1. mort, cit. 4). *Avoir une chose présente à l'esprit* (→ Dormitif, cit. 2; mieux, cit. 11). *Ma vie entière m'est présente comme un tableau ineffaçable* (cit. 2).

5 De son visage en vain j'ai voulu me distraire :
Trop présente à mes yeux, je croyais lui parler; RACINE, Britannicus, II, 2.

6 Tout mort qu'il est, Thésée est présent à vos yeux; RACINE, Phèdre, II, 5.

7 Je sens en écrivant ceci que mon pouls s'élève encore; ces moments me seront toujours présents quand je vivrais cent mille ans. ROUSSEAU, les Confessions, I.

8 J'ai présent à la mémoire, comme si je le voyais encore, le spectacle dont je fus témoin lorsque Louis XVIII, entrant dans Paris (...)
CHATEAUBRIAND, Mémoires d'outre-tombe, t. III, p. 314.

9 Les belles choses que j'ai vues sont si présentes à mon esprit, que je considère comme vaine fatigue le soin de les décrire.
FRANCE, le Crime de S. Bonnard, II, Œ., t. II, p. 308.

♦ **3.** (XVIIe). Qui est disponible pour l'activité dont il s'agit, qui peut, à chaque instant, intervenir, s'exercer. *Être présent à la conversation,* la suivre attentivement. — (1651). *Avoir toujours l'esprit présent :* avoir de la présence d'esprit* (→ 1. Champ, cit. 9). — (1637). *Mémoire présente,* fidèle et prompte. *Cet enfant chez qui la fermeté* (cit. 2) *de juger est si forte et toujours présente.*

10 (...) il n'est ni présent ni attentif dans une compagnie à ce qui fait le sujet de la conversation. LA BRUYÈRE, les Caractères, XI, 7.

♦ **4.** Vx. Très actif, très prompt, surtout en parlant d'un remède ou d'un poison (Bossuet, *Premier sermon sur la conception de la Sainte Vierge*).

B. (Par oppos. à *futur* ou à *passé* et généralement employé comme épithète placée après le nom). ♦ **1.** Qui existe*, se produit au moment où l'on parle, à l'époque où l'on vit, ou au moment, à l'époque dont on parle. *Les circonstances présentes* (→ Donner, cit. 89; on, cit. 57). *La société présente.* ⇒ **Contemporain** (→ Faire, cit. 224). *L'usage, l'état présent de la langue.* ⇒ **Actuel** (→ Dictionnaire, cit. 6; intéresser, cit. 10; nouveau, cit. 33). *La sensation présente.* ⇒ **Immédiat.** — Dr. *Les immeubles, les biens présents ou futurs, présents et à venir* (→ 2. Ameublissement, cit.; dot, cit. 8).

(...) passionnés enfin pour la sensation présente, ils sont débarrassés à la fois des ombres du passé, qui ne sauraient les suivre dans leur évolution incessante, et encore bien plus des préoccupations de l'avenir écrasées sous la présence impérieuse de ce qui est là. J.-A. DE GOBINEAU, Nouvelles asiatiques, p. 311. 11

(Avec un nom désignant une division du temps). Qui constitue le *présent* (→ ci-dessous, II., 1.). *Le temps, le moment, l'âge, le siècle présent* (→ Anticiper, cit. 1; augurer, cit. 10; garder, cit. 58; histoire, cit. 25). *L'heure, la minute, l'époque présente* (→ Descendance, cit. 1; diviser, cit. 6; infléchir, cit. 2).

Je vous ai dit qu'elle vivait surtout dans l'instant présent. Elle inventait le passé et l'avenir au moment où elle en avait besoin, puis oubliait ce qu'elle avait inventé. A. MAUROIS, Climats, I, VIII. 12

♦ **2.** (V. 1207). Toujours placé devant le substantif. Dont il est actuellement question, qu'on fait en ce moment même. ⇒ **Ce.** *Au moment où s'ouvre* (cit. 41) *le présent récit.* — (En parlant d'un texte, surtout s'il a un caractère juridique, administratif, etc.) Celui-ci même qu'on rédige. *Notre présent mandement* (cit. 2). *La présente loi, la présente pétition* (→ Armateur, cit.; 2. marin, cit. 8; paix, cit. 19). — *La présente lettre* ou subst. *la présente* (style commercial). — T. de chancellerie. *Par ces présentes...* — (Dans la langue de la pratique). *Le cinq du présent mois,* du mois où l'on est au moment où l'on rédige un acte.

Je vous prie de vous rendre en mon étude, pour y prendre connaissance du testament de votre père naturel (...) décédé en cette commune le 10 du présent mois. FLAUBERT, Bouvard et Pécuchet, I. 13

★ **II.** N. m. (1338). *Le présent;* (qualifié) *un, des présents.*

♦ **1.** [a] Partie du temps*, plus ou moins étendue, qui est celle où se trouve placée réellement la personne qui parle au moment même où elle parle, et qui est conçue comme une durée distincte, opposable à l'ensemble du temps antérieur (⇒ **Passé**) ou postérieur (⇒ **Avenir, futur**).

[b] Durée limite, instant idéal entre le temps déjà écoulé et le temps à venir. — REM. Ce sens ne se rencontre guère qu'en philosophie.

[c] Partie du temps dont on parle, où l'on se place par l'imagination, quand on la considère comme opposable à un passé ou à un avenir relatif. *Dans le présent* (→ Essence, cit. 5). — *Vivre dans le présent,* sans se préoccuper du passé ni de l'avenir (→ Impulsivité, cit.; 1. passé, cit. 15).

Le propre du temps est de s'écouler; le temps déjà écoulé est le passé, et nous appelons présent le temps où il s'écoule. Mais il ne peut être question ici d'un instant mathématique. Sans doute il y a un présent idéal, purement conçu, limite indivisible qui séparerait le passé de l'avenir. Mais le présent réel, concret, vécu, celui dont je parle quand je parle de ma perception présente, celui-là occupe nécessairement une durée. H. BERGSON, Matière et Mémoire, p. 152. 14

(...) une analyse rigoureuse qui prétendrait débarrasser le présent de tout ce qui n'est pas lui, c'est-à-dire du passé et de l'avenir immédiat, ne trouverait plus en fait qu'un instant infinitésimal, c'est-à-dire (...) le terme idéal d'une division poussée à l'infini : un néant (...) Quelle est la signification première du Présent? Il est clair que ce qui existe au présent se distingue de toute autre existence par son caractère de *présence.* Lors de l'appel nominal, le soldat ou l'élève répond «Présent!» au sens de *«adsum».* Et *présent* s'oppose à *absent* aussi bien qu'à *passé.* Ainsi le sens du *présent* c'est la présence à (...) La présence à (...) est un rapport interne de l'être qui est présent avec les êtres auxquels il est présent. SARTRE, l'Être et le Néant, p. 165. 15

[d] L'ensemble des choses et des êtres qui existent, des événements qui se déroulent dans cette partie du temps. *Le présent accouche* (cit. 4), *est gros* (cit. 14) *du futur, de l'avenir. Le romancier est l'historien* (cit. 7) *du présent. Un présent cruel* (→ Créer, cit. 13), *trouble* (→ 1. Passé, cit. 3), *heureux.* — Les avantages, les plaisirs, etc., que donne le temps présent (par oppos. à ceux qu'on peut attendre de l'avenir ou, au contraire, du rappel de ses souvenirs). *Jouir, s'enivrer du présent* (→ Différence, cit. 16; indéfini, cit. 3). *«Le présent est pour les riches, et l'avenir* (→ 1. Avenir, cit. 6, La Bruyère) *pour les vertueux».*

Comme tous les enfants, il ne vivait que du présent car le passé s'évanouissait tôt dans l'oubli, et l'avenir n'éveillait en lui qu'impatience. MARTIN DU GARD, les Thibault, t. II, p. 48. 16

La vie actuelle (d'un individu, d'une collectivité), situation à un moment du temps considéré comme un présent (→ 1. Avenir, cit. 27). *Les liens* (cit. 3) *se renouaient entre le glorieux présent et le passé glorieux de la France. Mon passé empiète* (cit. 6) *sur mon présent.*

♦ **2.** (Déb. XIIIe). Gramm. Cette partie de la durée, en tant qu'on y situe une action ou un état exprimé par un verbe*; le verbe, considéré comme indiquant cette durée, indépendamment de la forme qu'il peut avoir (passé, «présent», futur).

Cependant, en français, le futur simple peut exprimer le présent («Il sera à Paris à l'heure qu'il est») ou bien le futur antérieur peut avoir la valeur d'un passé (...) Dans les deux cas, le futur introduit sans doute dans la phrase une nuance spéciale (de possibilité, d'éventualité), mais le fait est que le futur s'y rapporte à un présent ou a un passé. J. VENDRYES, le Langage, p. 119. 17

Ensemble de formes verbales, temps* du verbe qui sert principalement à exprimer cette durée. *Conjuguer, mettre un verbe au présent. Les trois personnes du présent au singulier du verbe* Faillir (cit. 1). *Présent de l'indicatif, du conditionnel, du subjonctif, de* *l'impératif. Présent du participe, de l'infinitif* (on dit plutôt *participe, infinitif présent*). *Le présent de l'indicatif exprime une action contemporaine du moment où l'on parle* (présent propre), *une action habituelle, une vérité d'ordre général, un fait situé hors de tout temps précis* (présent général ou indéfini); *il indique le futur proche* («Dès demain, j'entre en danse avec tout mon orchestre» Hugo, *Éviradnus*), *le passé immédiat* (vous le manquez de peu, il sort à l'instant), *une série d'événements passés* (présent historique ou de narration), *une conséquence immédiate et infaillible* (un geste, et vous êtes mort!), *un fait futur avec si* («Si vous dites un mot, duègne, vous êtes morte» Hugo, *Hernani*, I, 2).

18 Le passé peut aussi s'exprimer par le présent. Dans les récits, c'est un usage fréquent, qu'on désigne du nom de présent historique. Les lettrés y trouvent un charme spécial; ils disent que le présent est plus expressif, plus descriptif, qu'il fait revivre la scène sous les yeux du lecteur, qu'il nous reporte par la pensée au moment où l'action s'est déroulée. J. VENDRYES, le Langage, p. 119.

19 On a été jusqu'à dire de cette forme verbale que pour l'indication du temps elle est «aussi neutre que l'infinitif». De fait, le présent, en plus de ses emplois ordinaires, sert à énoncer tout état, toute action, qui se situe hors du temps, c'est-à-dire que l'on ne présente pas comme contenue dans une portion particulière de la durée. Ce ne sont pas seulement les «vérités éternelles» qui s'énoncent sous la forme verbale du présent, mais toutes sortes d'affirmations générales, constatations, définitions, etc. Il y a donc un présent qui a aussi peu que possible valeur réelle de temps; on peut l'appeler *présent général*, ou *présent indéfini*.
G. et R. LE BIDOIS, la Syntaxe du franç. moderne, § 716.

19.1 Et moi, je voyais ce que deviendrait ce soir de fête dans leur souvenir : «C'était en 56. J'avais sept ans. Mon grand-père nous avait amenés à Zermatt ...». Ce présent devenait pour moi un passé futur ...
F. MAURIAC, Bloc-notes 1952-1957, p. 255.

★ **III.** ♦ **1.** (XIIe). Loc. adv. **À PRÉSENT :** au moment où l'on parle; au moment dont on parle (qui peut être exprimé dans une phrase à un temps passé). ⇒ **Maintenant**; et aussi **actuellement, aujourd'hui, moment** (en ce moment), **présentement** (contr. : *autrefois*); → Exécrer, cit. 5; jeune, cit. 4; laurier, cit. 7. — (XVIIe). *Jusqu'à présent* (→ Atermoiement, cit. 2; différer, cit. 5; parade, cit. 9). — *Dès à présent* (→ Futur, cit. 1; lutte, cit. 9).

20 (...) ses cheveux, encore gris le mois dernier, devenaient tout blancs à présent.
MAUPASSANT, Pierre et Jean, IX.

♦ **2.** (XVIIIe). Loc. conj. **À PRÉSENT QUE... :** maintenant que (→ Annoncer, cit. 4).

21 (...) à présent que ses yeux étaient clos, plus rien ne restait, dans l'expression de ses traits, que d'austère (...) GIDE, Et nunc manet in te, *in* Souvenirs, Pl., p. 1125.

♦ **3.** (XVIIe). Loc. adj. **D'À PRÉSENT :** actuel (→ Mouton, cit. 5; noble, cit. 26; plupart, cit. 4). *« Les femmes d'à présent sont bien loin de ces mœurs »* (cit. 15, Molière).

22 Cette pensée pesait sur elle (...) Sa solitude d'à présent s'augmentait de ce secret horrible (...) MAUPASSANT, Une vie, X.

CONTR. Absent, abstrait, ancien. — (Du subst.) **Avenir, futur; passé.**
DÉR. Présentement, présentification.

2. PRÉSENT [prezɑ̃] n. m. — Déb. XIIe; de *présenter.*

♦ Littér. Action de donner qqch. à qqn (rare, sauf en loc. → ci-dessous, *faire présent de*). Ce qui est donné. ⇒ **Cadeau, don, offrande.** — *Présent de noces.* ⇒ aussi **Corbeille** (de mariage); → Mareyeur, cit.; marital, cit. *Présent offert à l'occasion du nouvel an.* ⇒ **Étrenne.** *Faire un présent, des présents à quelqu'un* (→ Dictionnaire, cit. 11; palabre, cit. 1). — *« Détestables flatteurs* (cit. 3), *présent le plus funeste que puisse faire aux rois la colère céleste »* (Racine). — (V. 1130). *Faire présent de... à...* ⇒ **Donner** (qqch. à qqn); → Fontaine, cit. 6; ostensoir, cit.

Fig. Don, bienfait. *« Les présents du ciel. »* ⇒ 2. **Bien, bienfait** (→ 1. Pas, cit. 14, La Fontaine). *« Le blé* (cit. 1, La Fontaine), *riche présent de la blonde Cérès. »* Vieilli. *Les présents de Bacchus, de Flore, de Pomone :* le vin, les fleurs, les fruits. *Les doux présents de l'aurore :* la rosée (→ Boire, cit. 24, Chénier).

1 (...) c'est un fatal présent du ciel qu'une âme sensible!
ROUSSEAU, Julie ou la Nouvelle Héloïse, I, XXVI.

2 Que vous êtes bon, Monsieur, de vous être souvenu de moi et d'avoir pensé que le présent de vos premiers poèmes me serait agréable.
SAINTE-BEUVE, Correspondance, 43, 17 mars 1828.

3 Quand les Phéaciens offrent des présents à Ulysse, ils lui offrent des chaudrons et des étoffes. G. DUHAMEL, Refuges de la lecture, I.

Dr. (XXe). *Présents d'usage,* se dit des dons ou des cadeaux qu'on fait à l'occasion de certaines fêtes ou cérémonies (premier jour de l'an, anniversaires, baptêmes, mariages, etc.) et qui sont dispensés du rapport successoral.

PRÉSENTABLE [prezɑ̃tabl] adj. — V. 1530, Marot; v. 1190, au sens de «qu'on a pu présenter, présent»; de *présenter.*

♦ **1.** (Choses). Qui est digne d'être présenté, offert, donné. *Ce plat n'est pas présentable. Cette copie n'est pas présentable. C'est présentable, tout-à-fait présentable.*

♦ **2.** (Personnes). Dont la tenue, l'allure, les manières sont telles qu'elles peuvent paraître en public. ⇒ **Sortable.** *Avec ce costume usé, tu n'es guère présentable.*

(...) si elle s'était, comme les Parisiennes, habituée à porter chaque nouvelle mode, elle eût été présentable et acceptable; mais elle gardait la roideur d'un bâton.
BALZAC, la Cousine Bette, Pl., t. VI, p. 165.

PRÉSENTATEUR, TRICE [prezɑ̃tatœr, tris] n. — 1483; de *présenter.*

♦ **1.** Hist. Personne qui avait le droit de présenter qqn à un bénéfice ecclésiastique.

♦ **2.** (1858). Rare. Celui, celle qui présente une personne à une autre, qui introduit qqn dans une société. *« Cette dame fut ma présentatrice »* (Littré).

♦ **3.** (1893). Comm. Personne qui présente un effet de commerce, un billet à l'échéance.

♦ **4.** (1876). Personne qui présente un objet, un appareil au public dans une exposition (→ Démonstrateur). — Personne qui présente une émission, un spectacle à la radio, à la télévision, etc. ⇒ **Animateur, annonceur.** *Le présentateur, la présentatrice du journal télévisé.*

PRÉSENTATIF [prezɑ̃tatif] n. f. — Mil. XXe; de *présenter.*

♦ Ling. Terme, expression servant à présenter, à mettre en situation le nom désignant une personne ou une chose.

PRÉSENTATION [prezɑ̃tasjɔ̃] n. f. — V. 1180, sens 2.; de *présenter.*

♦ **1.** (1263). Action de présenter (qqn) à un emploi, à une fonction, etc. ⇒ **Présenter** (I., 2.). *La présentation d'une personne par quelqu'un.* — (Rare, sauf dans quelques loc.) *Les professeurs de faculté sont nommés par le ministre de l'Éducation nationale sur présentation du Conseil de la faculté. Liste de présentation.* — *Droit de présentation :* droit que possèdent certains officiers ministériels de présenter leur successeur à l'agrément des pouvoirs publics (→ Greffier, cit. 2).

♦ **2.** Action de présenter une personne à une autre, de l'introduire dans une famille, un cercle, etc. *Faire les présentations.* ⇒ **Présenter** (I., 1.).

Avec quel bonheur ne fit-elle pas les solennelles présentations du vicomte au chevalier, du chevalier au vicomte, de tout Alençon à monsieur de Troisville, de monsieur de Troisville à ceux d'Alençon! 1
BALZAC, la Vieille Fille, Pl., t. IV, p. 300.

Spécialt. *Présentation d'une ou de plusieurs personnes à la cour, à un souverain,* ou absolt., *présentation. Cérémonie des présentations.*

♦ **3.** (Dans la relig. judaïque). Cérémonie au cours de laquelle le premier-né de chaque famille était présenté au Temple de Jérusalem pour être consacré à Dieu.

(XIVe). Liturgie cathol. *Fête de la Présentation de la Vierge* (célébrée le 21 novembre), *de la Présentation de l'Enfant Jésus* (qui se confond avec la Purification de la Vierge et qui est célébrée le 2 février).

♦ **4.** Manière, bonne ou mauvaise, de se présenter* (II.), allure, apparence d'une personne. *Ce vendeur a une bonne présentation.* ⇒ **Présentable.**

♦ **5.** (1538). Action de présenter quelque chose à quelqu'un. ⇒ **Présenter** (I., 3.). *Présentation d'une pièce d'identité, d'un billet de chemin de fer,* etc. ⇒ **Exhibition** (*supra* cit. 1). — Dr. commun. *Payer un billet à ordre, un effet à présentation. Effet payable à présentation,* à vue, au moment où il est présenté. — *Présentation d'un document au cours d'un procès.* ⇒ **Production.**

♦ **6.** (XXe). Manifestation au cours de laquelle on présente quelque chose au public (⇒ **Exposition**); action de faire connaître, de présenter quelque chose. ⇒ **Présenter** (I., 4.). *Présentation des fauves dans un cirque.* ⇒ **Exhibition** (*supra* cit. 2). *Présentation de la collection de printemps chez un grand couturier. Présentation de modèles.* — *Présentation d'un nouveau roman* (au cours d'une émission radiophonique, dans un article de journal, etc.). *Présentation d'une œuvre (théâtrale, musicale).* ⇒ **Audition.**

♦ **7.** (XXe). Manière dont une chose est présentée, aspect qu'on donne à ce qu'on fait. ⇒ **Présenter** (I., 5.). *Mauvaise présentation qui nuit à la vente d'un article. Présentation originale des tableaux dans un musée, des marchandises dans un magasin.*

♦ **8.** Action, manière de présenter une thèse, ses idées, etc. ⇒ **Présenter** (I., 7.). *Présentation détaillée d'une théorie.* ⇒ **Développement.** *Sa thèse est juste, mais la présentation des arguments est confuse.*

♦ **9.** (1833). Méd. Manière particulière dont le fœtus se présente au niveau du détroit supérieur du bassin. ⇒ **Accouchement.** *Présentation normale par la tête, par l'occiput* (présentation du sommet). *Présentation par la face, par le siège, par l'épaule, par le tronc.*

Elle se remit à pleurer, quand elle aperçut la sage-femme. Celle-ci lui posa quel- 2 ques questions brèves, sur les dates, le lieu et le caractère des douleurs. Puis elle conclut sèchement : — Nous allons voir... Je ne peux rien dire tant que je n'aurai pas déterminé la présentation. ZOLA, la Joie de vivre, X.

PRÉSENTEMENT [pʀezɑ̃tmɑ̃] adv. — V. 1155; de 1. *présent.*

♦ Vieilli ou régional (cour. au Québec). Au moment, à l'époque qui est celle où l'on est au moment où l'on parle. ⇒ **Actuellement, aujourd'hui, moment** (en ce moment, pour le moment), 2. **or, présent** (à présent); → Discréditer, cit. 3; face, cit. 36. — Loc. conj. (vx). *Présentement que :* maintenant que.

1 — Il faut, lui dit-elle, que tu ailles tout présentement chez le père Landriani, notre excellent archevêque (...) STENDHAL, la Chartreuse de Parme, VII.

2 New York et San Francisco sont donc présentement réunis par un ruban de métal non interrompu qui ne mesure pas moins de trois mille sept cent quatre-vingt-six milles. J. VERNE, le Tour du monde en 80 jours, p. 224.

CONTR. Anciennement.

PRÉSENTER [pʀezɑ̃te] v. — V. 880 sens I., 1.; lat. impérial *præsentare.*

★ **I.** V. tr. ♦ **1.** Amener (une personne) en présence d'une autre pour la faire connaître, la faire voir. *Présenter une personne à une autre. On lui présenta un possédé aveugle et muet* (→ Démon, cit. 12).

1 Des mères présentaient à Paphnuce leurs jeunes garçons dont les membres étaient retournés, les yeux révulsés, la bouche écumeuse et la voix rauque. FRANCE, Thaïs, p. 236.

Faire connaître (une personne) à une autre personne présente en énonçant son nom (et parfois ses titres, etc.), selon les usages de la politesse. ⇒ **Présentation.** → 1. Agréer, cit. 16. — REM. C'est la personne inférieure (en âge, dans une hiérarchie) qui est présentée à la personne supérieure, selon le code social des préséances. — *J'ai l'honneur, le plaisir, permettez-moi de vous présenter M. X. Venez, je vais vous présenter à la maîtresse de maison.* ⇒ **Connaissance** (faire faire la connaissance de). *Présenter deux personnes l'une à l'autre. Une personne qui ne m'a pas été présentée* (→ 1. Point, cit. 80). — (Avec l'idée d'une cérémonie plus ou moins solennelle). *Être présenté au roi, à la reine, à la cour...* (→ Généalogiste, cit. 3; nouveau, cit. 17). — Absolt. *Le comte de X... n'avait pas encore été présenté.*

2 Monsieur, dit-elle, en continuant et en présentant Eugène au comte de Restaud, est monsieur de Rastignac (...) BALZAC, le Père Goriot, Pl., t. II, p. 895.

3 (...) quand on lui eut nommé Brichot, elle voulut lui faire faire la connaissance de son mari (...) mais la rage ou l'orgueil l'emportant sur l'ostentation du savoir-vivre, elle dit, non comme elle aurait dû : « Permettez-moi de vous présenter mon mari », mais : « Je vous présente à mon mari », tenant ainsi haut le drapeau des Cambremer (...) PROUST, Sodome et Gomorrhe, t. II, p. 915.

Présenter quelqu'un dans une maison, dans une famille, un cercle, l'y introduire*, le faire agréer. *Être présenté dans un club par deux parrains*.*

Faire connaître par un moyen quelconque (une personne ou un groupe) à une autre personne, au public. *Présenter un conférencier, un écrivain, un musicien* (dans une allocution préliminaire, une préface, etc.). *Cet artiste est trop connu pour qu'il soit besoin de le présenter. On ne présente pas M. X* (sous-entendu : *il est trop connu*). — Milit. *Présenter une troupe, un détachement à un officier.*

4 (...) le jour suivant, devant un des perrons de l'école, seize soldats étaient rangés et présentés par leurs sergents. J. CHARDONNE, les Destinées sentimentales, p. 341.

♦ **2.** (1599). Proposer* pour un emploi, un poste. ⇒ **Présentation.** *Présenter quelqu'un à un emploi, pour un emploi.* — Absolt. *« Pour cet emploi, c'est le ministre qui présente et c'est le chef de l'État qui nomme »* (Académie).

Proposer, faire inscrire comme candidat à un examen, à un concours, à une élection. *Le lycée de X... présente cette année trois candidats au concours général. Liste présentée par un parti aux élections générales.*

♦ **3.** (XIIe). Mettre (qqch.) à la portée, sous les yeux de qqn ⇒ **Présentation.** *Présenter un fauteuil, un plat* (→ Entrecôte, cit. 2), *une coupe de champagne* (→ Hésiter, cit. 24); *une pipe* (→ Opium, cit. 4) *à qqn.* ⇒ **Donner, offrir.** *Présenter son billet au contrôleur.* ⇒ **Exhiber, montrer, produire.** — Pron. (pour exprimer la réciprocité). *L'une à l'autre, elles se présentent des cadeaux* (cit. 2). — Vx. *Présenter à boire* (→ Molière, *Dom Juan*, IV, 7).

Fig. (Sujet n. de chose). *La baie de Naples présente un spectacle magique* (→ Grandiose, cit. 4). *Mes sensations émoussées ne me présentaient que des images faibles* (cit. 29). ⇒ **Voir** (Faire voir). *Tous les objets que nous présente l'univers* (→ Histoire, cit. 37). *L'occasion que me présente le hasard* (→ Moitié, cit. 17).

5 Ah! la vie est bête, dit-elle à un moment. — Non, lui répondis-je, non la vie n'est pas bête. Elle est moqueuse, voilà tout. Elle s'amuse à nous présenter le bonheur et à nous le retirer aussitôt. Paul LÉAUTAUD, Journal littéraire, t. I, p. 57.

(1753). *Présenter les armes :* rendre les honneurs en restant au garde-à-vous et en tenant les armes d'une certaine manière (variable selon les armées et le type de l'arme : fusil, pistolet-mitrailleur, sabre, etc.). *Soldats qui présentent les armes* (→ Honneur, cit. 103). *Régiment qui présente les armes à un général, à un chef d'État.* — Exécuter le mouvement par lequel on se met dans cette position. *Présentez armes!* commandement militaire. — Subst. *Le premier temps du « présentez armes ».*

(Le compl. désigne une partie du corps). *Si quelqu'un te frappe* (cit. 1, Bible) *sur la joue droite, présente-lui aussi l'autre.* ⇒ **Tendre.** *Présenter la main à une dame pour l'aider à descendre de voiture.* — Fauconn. *Présenter le poing et le leurre* (cit. 1).

(1694). ⇒ **Diriger, tourner** (vers). *Navire qui présente le travers au vent, le bout à la lame.* — (1538). Avec une idée de menace. *Présenter la pointe de son épée à son adversaire. — Des arabesques en fer qui présentent leurs innombrables piquants* (cit. 11) *aux malfaiteurs.*

Loc. fig. (Vx). *Présenter la bataille à...,* offrir le combat (→ Massue, cit. 4).

♦ **4.** (Déb. XXe). Sujet n. de personne ou de chose. Faire connaître au public par une manifestation spécialement organisée, au cours d'une exposition, etc. ⇒ **Présentation.** *Firme qui présente un nouveau modèle de voiture au Salon. Le musée du Louvre présente ses dernières acquisitions.* ⇒ **Exposer.** — *Présenter un nouveau film.* — *Présenter une émission radiophonique, un spectacle télévisé :* prononcer quelques mots pour annoncer aux auditeurs ou aux spectateurs le titre, les noms des acteurs, etc. *Présenter les nouvelles, le journal parlé.* ⇒ **Présentateur.**

♦ **5.** Disposer, préparer d'une certaine façon, faire apparaître sous un certain aspect (ce qu'on soumet à l'appréciation d'autrui, ce qu'on expose à la vue du public, ce qu'on vend). ⇒ **Présentation** (7.). *Livres présentés sous une couverture bariolée* (→ Jaquette, cit. 6). *Présenter un étalage, une vitrine* (⇒ **Étalagiste**). *Cet antiquaire ne sait pas présenter ses meubles.* ⇒ **Valeur** (mettre en valeur).

♦ **6.** (Avec une valeur plus abstraite). Donner, remettre, faire parvenir, faire connaître (qqch. à qqn) en vue d'une lecture, d'un examen, d'une vérification, d'un jugement, etc. *Présenter la note à quelqu'un* (→ Garage, cit. 3). *Présenter les quittances* (→ Inscription, cit. 5). *Présenter une lettre de change* (pour la faire payer). *Présenter ses lettres de créance. Présenter un compte. Présenter un devis, un projet.* ⇒ **Proposer, soumettre.** *Présenter une thèse. Présenter un placet* (→ Maître, cit. 63). *Présenter une requête* ou, (dr., loc.) *présenter requête à...* (→ Gros, cit. 44).

Je me fis de nouveau introduire chez le pacha, pour lui donner le *oui* solennel qui devait me lier pour jamais à la Turquie, et le prier de faire, le soir même, présenter ma requête au Sultan. LOTI, Aziyadé, IV, I. 6

Présenter une affaire devant les tribunaux. ⇒ **Porter.** *Présenter une motion* (cit. 4). *Présenter une proposition de loi.* — *Présenter sa candidature à un poste.* ⇒ **Demander.**

(Dans le langage des étudiants). Se présenter à (un examen); choisir (une matière, un auteur) dans un programme à option. *Présenter le premier chant de l'Énéide comme texte latin.*

♦ **7.** (V. 1180). Exprimer sous une certaine forme, dans un certain ordre, faire l'exposé de. ⇒ **Présentation** (8.). *Présenter sa défense. Présenter l'accusation.* ⇒ **Porter.** *Présenter en détail une théorie, une doctrine.* ⇒ **Développer.** *Savoir présenter ses idées.* — Au p. p. *Le faux* (1. Faux, cit 45) *présenté avec art nous surprend et nous éblouit. Présenter habilement une comparaison, sa conclusion.* ⇒ **Amener.** *Présenter des arguments, des faits, des chiffres à l'appui de sa thèse.* ⇒ **Aligner, fournir.** *Présenter des observations* (→ 2. Caméra, cit. 1; gâteau, cit. 5), *une critique* (→ Mordant, cit. 4). *Présenter un compliment.* ⇒ **Servir** (iron.).

(...) car ce n'est pas la profondeur même de la science, mais l'obscurité dans la manière de la présenter, qui seule peut empêcher les enfants de la saisir : ils comprennent tout de degré en degré; l'essentiel est de mesurer les progrès sur la marche de la raison dans l'enfance. Mme DE STAËL, De l'Allemagne, I, XIX. 7

Il insulte les juges (...) et il refuse de répondre aux questions qu'on lui pose. Le Promoteur, les assesseurs (...) l'invitent à présenter sa défense. HUYSMANS, Là-bas, XVI. 8

(V. 1188). *Présenter ses civilités, ses compliments, ses condoléances, ses excuses* (cit. 14), *ses félicitations, ses hommages* (cit. 19), *ses remerciements, ses respects à quelqu'un.* — (Dans une formule de politesse*). *Je vous présente mes hommages, mes respects, etc.*

Après avoir présenté tes respects, tes devoirs et tes hommages à madame et mademoiselle Mignon, à monsieur et madame Dumay (...) BALZAC, Modeste Mignon, Pl., t. II, p. 358. 9

Monsieur le Directeur, je suis seul coupable. Je regrette mon geste et présente à mon collègue mes excuses les plus sincères. G. DUHAMEL, Salavin, Journal, 11 mai. 10

♦ **8.** Montrer, rendre présent à l'esprit. *Présenter à ses lecteurs une image complète de la condition humaine* (→ Engager, cit. 48).

Il ne faut présenter au monde que ce qui est beau; ce n'est pas mentir à Dieu que de ne découvrir de sa vie que ce qui peut porter nos pareils à des sentiments nobles et généreux. CHATEAUBRIAND, Mémoires d'outre-tombe, t. II, p. 279. 11

Spécialt. Montrer, décrire, définir, comme étant tel ou tel. *Balzac put être tenté de présenter une Catherine de Médicis pleinement consciente de son rôle historique* (→ Incliner, cit. 13). *Présenter quelqu'un, quelque chose comme...* (→ État, cit. 25; expression, cit. 44; flexible, cit. 7).

12 Notre tort est de présenter les choses telles qu'elles sont, les noms tels qu'ils sont écrits, les gens tels que la photographie et la psychologie donnent d'eux une notion immobile. PROUST, la Fugitive, Pl., t. III, p. 573.

♦ **9.** (Sujet n. de chose). Avoir (une apparence, une particularité, un caractère) par rapport à un observateur ou à un utilisateur actuel ou éventuel. ⇒ **Offrir.** *Présenter l'aspect* (cit. 17) *de... Le chemin présentait de nombreux détours.* ⇒ **Dessiner, former.** *Phrase, mot qui présente deux sens* (→ Calembour, cit. 3 ; moral, cit. 11). *Présenter tels caractères, telles propriétés* (→ Crise, cit. 7 ; 1. devoir, cit. 39). *Présenter des différences, des analogies avec...* (→ Hindi, cit. ; 1. poétique, cit. 4). *Présenter des avantages* (→ Adoption, cit.), *des difficultés* (cit. 12), *un danger* (→ Équitation, cit. 1), *de l'intérêt* (→ Glace, cit. 13), *des inconvénients* (→ Parcellaire, cit. 1). *Présenter un obstacle à...* ⇒ **Opposer** (s'). — (Sujet n. de personne). *Les individus qui présentent ce caractère* (→ Impulsif, cit. 2). *Malade qui présente certains symptômes* (→ Antécédent, cit. 1), *des troubles névrotiques* (cit. 2).

13 (...) son discours *(de Brissot)* m'a paru présenter un vice, qui n'est rien dans un discours académique, et qui est de quelque importance dans la plus grande de toutes les discussions politiques. JAURÈS, Hist. socialiste, t. III, p. 155.

14 La jeune fille était en plein délire et présentait tous les symptômes de la peste pulmonaire. CAMUS, la Peste, p. 285.

♦ **10.** (1691). Techn. Mettre en place (un objet) afin de voir s'il s'ajuste convenablement. « *Présenter une serrure avant de la poser* » (Académie).

★ **II.** V. intr. (Déb. xxe). Fam. *Présenter bien (mal) :* avoir une bonne, (une mauvaise) « présentation » (4.), faire bonne (mauvaise) impression par son physique, son allure, sa tenue. ⇒ **Marquer.** (Dans une annonce). *On demande vendeur jeune, actif, présentant bien.*

▶ **SE PRÉSENTER** v. pron.

♦ **1.** (1080). Arriver* en un lieu, paraître* devant une personne. *Des mages* (1. Mage, cit. 2) *venus d'Orient se présentèrent à Jérusalem. Se présenter à la visite médicale.* ⇒ **Passer** (*supra* cit. 50). — (1775). *Se présenter chez quelqu'un,* lui rendre visite (→ Héberger, cit. 1 ; heure, cit. 96). *Il s'est présenté chez moi vers six heures.* ⇒ **Passer.** *Se présenter devant, à la vue de quelqu'un.* ⇒ **Montrer** (se). → Donneur, cit. 4 ; jouer, cit. 9. — Spécialt. (En parlant d'une première visite qu'on fait pour se faire connaître). *Fonctionnaire qui se présente à son supérieur hiérarchique.* — (Avec une apposition, un complément de manière). *Un homme se présenta, nu jusqu'à la ceinture* (cit. 5). *Se présenter les mains vides.* Absolt. *Quand il se présenta, on lui fit de plates* (cit. 17) *excuses.* — (Dans une annonce). *Ne pas écrire, se présenter,* venir. — Impers. *Il ne s'est présenté personne* (→ aussi Député, cit. 3).

15 Il pensa toutefois qu'il était encore trop matin pour se présenter chez sa protectrice, et il fit un tour de promenade, en attendant, sous les Procuraties. A. DE MUSSET, Nouvelles, « Fils du Titien », II.

Se présenter à l'audience, devant la justice. ⇒ **Comparaître** (→ Habeas corpus, cit. 2). — *Avoué qui se présente pour une partie dans un procès,* qui déclare occuper* pour cette partie.

Fig. *Se présenter devant Dieu.*

16 J'ai aidé mon mari : j'ai bien élevé nos enfants ; je ne me présenterai pas les mains vides devant Dieu. A. MAUROIS, Bernard Quesnay, XVI.

♦ **2.** Se faire connaître (à quelqu'un) en énonçant son nom (parfois ses titres, etc.), selon les usages de la politesse (→ Pharmacien, cit. 3). *Vous ne vous êtes pas présenté au directeur. Je me présente : Pierre X.*

17 (...) un gaillard entra, s'inclina devant moi jusqu'à terre (...) et poussa le cri que deux ou trois millions d'Allemands rugissent en se présentant (...) — Meyer ! GIRAUDOUX, Siegfried et le Limousin, IV.

♦ **3.** (Fin XVIIe). Avoir telle allure, tel maintien quand on paraît en société. *Il se présente bien. Se présenter avec grâce, gauchement.* — Absolt. *Il ne sait pas se présenter.*

♦ **4.** (Avec une valeur plus ou moins abstraite). Vx. Se mettre dans telle situation, s'exposer à. *Se présenter à un péril* (→ Enrager, cit. 13), *à la difficulté* (→ Fait, cit. 38).

Mod. Venir se proposer au choix, à l'appréciation d'autrui, se mettre sur les rangs pour participer à une compétition, chercher à être admis dans un groupe, etc. *Un riche épouseur* (cit.) *s'était présenté. Décourager les néophytes* (cit. 4) *qui se présenteraient avec cet état d'esprit.*

(Avec un attribut). Intervenir en se donnant pour. *César s'était présenté en Gaule comme un protecteur* (→ Intervention, cit. 4). *Se présenter comme le défenseur de la tradition.* ⇒ **Ériger** (s'ériger en).

♦ **5.** (Fin XVIIe). *Se présenter pour un emploi, un poste.* ⇒ **Proposer** (se).

(En parlant d'un examen, d'un concours). Au sens restreint. En subir les épreuves. ⇒ **Passer.** *Il s'absenta pour se présenter au bachot* (→ Oral, cit. 1). — Au sens large. Être candidat. *Jadis il s'était présenté à l'École normale* (→ Formation, cit. 5).

18 Il s'était présenté au concours d'agrégation avec une thèse *sur le droit de tester,* où il soutenait qu'on devait le restreindre autant que possible (...) FLAUBERT, l'Éducation sentimentale, II, I.

Être candidat à une élection*. ⇒ **Porter** (se). *Se présenter au conseil municipal* (cit. 1), *aux élections législatives. Se présenter sur la même liste que X... Se présenter contre quelqu'un.*

Et sans savoir encore s'il se présenterait comme républicain de gauche ou comme radical (...) J. ROMAINS, les Hommes de bonne volonté, t. III, XI, p. 155. 19

♦ **6.** (1538). Sujet n. de chose. Apparaître (à la vue, à la pensée). ⇒ **Produire** (se), **venir.** *Qui se présente de façon fortuite.* ⇒ **Occurrent.** *Les idées qui se présentent par hasard* (cit. 44). *Deux noms se présentent aussitôt à l'esprit* (→ Favori, cit. 14). *Ce fut le seul doute qui se présenta à elle.* ⇒ **Traverser** (l'esprit). → Exécutable, cit.

Absolt. *Profiter des occasions* (cit. 3) *qui se présentent.* ⇒ **Offrir** (s'), **survenir.** *Il mange, il lit tout ce qui se présente.* ⇒ **Tomber** (sous la dent, sous les yeux). — Impers. *Il se présente à ma pensée une idée...* (→ Néant, cit. 11, et aussi indéterminé, cit. 4 ; insinuer, cit. 2).

♦ **7.** Apparaître sous un certain aspect ; être disposé, placé d'une certaine manière, dans une certaine position (→ Environner, cit. 1 ; madrier, cit. 2).

Se présenter sous (la) forme de..., sous deux formes, etc. (→ Inconscient, cit. 4 ; institution, cit. 7 ; métallurgique, cit. 2). *Se présenter comme...* (→ Cas, cit. 14 ; méchant, cit. 17 ; phrase, cit. 8).

(1798). *Se présenter bien (mal) :* faire bonne (mauvaise) impression dès l'abord ; avoir une apparence qui laisse prévoir une issue favorable (défavorable). *Cette affaire se présente bien, se présente plutôt mal.*

▶ **PRÉSENTÉ, ÉE** p. p. adj. Voir à l'article.

CONTR. Conclure.

DÉR. 2. **Présent, présentable, présentateur, présentatif, présentation, présentoir.**

COMP. (Du même rad. lat.) **V. Représenter.**

PRÉSENTIFICATION [pʀezɑ̃tifikasjɔ̃] n. f. — V. 1960 ; de 1. *présent,* adj., et *-ification ;* on rencontre aussi le v. *présentifier.*

♦ Philos. Processus par lequel un objet est rendu présent (sous forme d'image).

PRÉSENTOIR [pʀezɑ̃twaʀ] n. m. — Mil. xxe ; « pelle à gâteau, à poisson », 1898 ; de *présenter.*

♦ **1.** Dispositif pour présenter des marchandises.

Dans les foires campagnardes de la passe de Khaïber à la frontière afghane (...) les pâtissiers qu'on prendrait plutôt pour des marchands de mouches collées sur des présentoirs à gâteau (...) Claude LÉVI-STRAUSS, Tristes tropiques, p. 124.

♦ **2.** (xxe). Plateau supportant certaines pièces d'orfèvrerie, de vaisselle.

PRÉSÉRIE [pʀeseʀi] n. f. — V. 1960 ; de *pré-,* et *série.*

♦ Techn., comm. Fabrication industrielle en nombre limité, avant de passer à la production en série destinée à la vente. *Après le prototype, la firme a fabriqué une présérie de cette voiture.*

PRÉSERVATEUR, TRICE [pʀezɛʀvatœʀ tʀis] adj. et n. m. — 1514 ; de *préserver.*

♦ **1.** Vx. Qui préserve, sert à préserver d'une maladie, d'un danger. « *Une potion cordiale et préservatrice* » (→ Bézoard, cit. 1). « *Des frontières préservatrices* » (→ Négociation, cit. 2).

♦ **2.** Mod. (Didact.). N. m. Agent chimique ajouté à un produit (médicament, produit alimentaire) pour en empêcher l'altération. ⇒ **Conservateur.**

PRÉSERVATIF, IVE [pʀezɛʀvatif, iv] adj. et n. m. — 1314, adj. ; 1549, n. ; du lat. *præservatum.* → Préserver.

♦ **1.** Vx. Qui préserve des maladies. *Remède préservatif.* — N. m. Remède, moyen thérapeutique. — Par ext. *Gris-gris* (cit. 2) *regardés comme des préservatifs contre tous les maux.*

Par métaphore, fig. ⇒ **Antidote, remède.** *Une sorte de fortifiant* (cit. 2) *moral et de préservatif salutaire.* « *La liberté est le seul préservatif possible contre la disette* » (Turgot). — REM. Le mot n'est guère employé de nos jours, à cause de l'emploi 2.

La raison n'est-elle pas le préservatif de l'intolérance et du fanatisme ? 1
ROUSSEAU, Julie ou la Nouvelle Héloïse, II, XVIII.

♦ **2.** (Déb. xxe). Mod. N. m. Gaine, enveloppe de matière souple, qui s'adapte à la verge, employée comme protection contre les maladies vénériennes et comme moyen anticonceptionnel. ⇒ **Capote** (anglaise), **condom.**

(...) mademoiselle Hermance (...) dont la spécialité était jusqu'à ce jour l'article de caoutchouc avouable ou non, se serait très bien débrouillée (...) si elle n'avait éprouvé précisément toutes les difficultés du monde à s'approvisionner en « préservatifs » qu'elle recevait d'Allemagne. 2
CÉLINE, Voyage au bout de la nuit, p. 73.

Par ext. Moyen anticonceptionnel mécanique. *Préservatif féminin :* diaphragme*.

PRÉSERVATION [pʀezɛʀvasjɔ̃] n. f. — 1314; de *préserver.*

♦ Action ou moyen de préserver; abri, sauvegarde (→ Immunité, cit. 6). *Préservation des droits d'une personne.* ⇒ **Protection.** *La préservation des sites, de l'environnement.*

PRÉSERVER [pʀezɛʀve] v. tr. — xive; aussi «réserver»; empr. lat. *præservare.*

♦ **1.** Garantir, mettre à l'abri ou sauver (d'une chose néfaste, d'un danger ou d'un mal). ⇒ **Assurer, garantir** (cit. 13), **garer, prémunir, protéger, sauver, soustraire.** *Préserver qqn, qqch. des dangers* (cit. 5), *des ennuis, du malheur, d'une maladie* (→ Jade, cit. 1). ⇒ **Épargner, exempter; éviter.** *Préserver une région d'une attaque.* ⇒ **Défendre.** *Un mantelet* (cit. 2) *préservait les voyageurs du vent et de la pluie.* ⇒ **Abriter.** — (Sujet n. de chose) *Leur morgue* (cit. 3) *les préservait de toute sympathie...*

1 (...) la nature a voulu vous préserver de la science, comme une mère arrache une arme dangereuse des mains de son enfant (...)
ROUSSEAU, Disc. sur les sciences et les arts, I.

2 Seigneur! préservez-moi, préservez ceux que j'aime (...)
De jamais voir, Seigneur, l'été sans fleurs vermeilles,
La cage sans oiseaux, la ruche sans abeilles,
La maison sans enfants! HUGO, les Feuilles d'automne, XIX.

3 (...) elle avait songé à faire comme font beaucoup d'ouvrières, mais la peur de mal tourner et de tomber dans une effroyable misère l'avait préservée du vice.
BALZAC, les Employés, Pl., t. VI, p. 942.

4 Ce moyen ne réussit qu'à les préserver d'une chute de cheval, car le brouillard rampait et semblait se coller à la terre humide.
G. SAND, la Mare au diable, VII.

(xviie) Loc. *Dieu, le ciel me préserve, nous préserve de... ; le ciel m'en préserve!* ⇒ **Garder** (→ Ladrerie, cit. 2; moralisme, cit. 2; nuit, cit. 34).

(Concret). *Préserver des livres de l'humidité* (→ Tenir* au sec), *des chaînes de la rouille* (→ Négrier, cit. 3).

♦ **2.** (1559). Garantir de la destruction, de l'oubli. ⇒ **Conserver, garder** (→ Grammaire, cit. 6).

▶ **SE PRÉSERVER** v. pron.

Se garder. *Se préserver d'une maladie par l'hygiène, la prophylaxie...* ⇒ **Protéger** (se). *Se préserver de l'ennui* (→ Château, cit. 3), *de la guigne* (2. Guigne, cit. 1), *des haines* (cit. 26)... *Un précipice dont il doit se préserver* (→ Inexcusable, cit. 2). ⇒ **Garder,** 2. **parer** (II.).

CONTR. Contaminer, gâter.
DÉR. Préservateur, préservatif, préservation.

PRÉSIDE [pʀezid] n. m. — 1556; esp. *presidio;* lat. *praesidium* «protection, défense».

♦ **1.** Hist. Poste fortifié espagnol, place forte servant de bagne. *Les présides d'Afrique, des Indes.*

« Un condamné à mort, pauvre gitane! Pourquoi était-il au préside de Ceuta, pourquoi avait-il pu être condamné à mort?» demanda-t-elle à Ricardo.
Joseph PEYRÉ, Sang et Lumières, p. 1600.

♦ **2.** (Repris du lat.). Territoire protégé par l'armée.

PRÉSIDENCE [pʀezidɑ̃s] n. f. — 1372; de *président.*

♦ **1.** Fonction, titre de président (⇒ **Direction**). *Présidence d'une assemblée, d'un congrès* (→ Intriguer, cit. 6), *d'une chambre, d'un tribunal...* (→ Mortier, cit. 3). *Présidence d'une société.* — *Présidence d'honneur.*
Action de présider. *La présidence de la séance. Cérémonie sous la présidence effective de monsieur le Ministre...*

♦ **2.** (1869). *La présidence de la République :* la fonction de président* (*supra* cit. 3).

♦ **3.** (xviiie). Durée des fonctions d'un président. *L'aube d'une nouvelle présidence* (de la République). → Notoire, cit. 2.

♦ **4.** (1875). Résidence, bureau(x) d'un président. *Aller à la présidence.*

COMP. Vice-présidence.

PRÉSIDENT [pʀezidɑ̃] n. m. — 1296; empr. lat. *præsidens.*

♦ **1.** Celui qui préside* (une assemblée, une réunion ou tout groupement organisé en vue d'une action collective), pour (en) diriger les délibérations, les travaux, etc. ⇒ **Directeur.** — Dr. Magistrat qui préside un tribunal, une cour. → Assigner, cit. 17 et 18; jugement, cit. 1. (1875). *Président et vice-président du tribunal. Président de chambre* (1690), *de section. Président d'audience. Premier président de la Cour d'appel* (→ Bâtonnier, cit. 1). *Président de la Haute* (cit. 38) *Cour, des assises* (cit. 8; et → Assesseur, cit. 2). *Président du jury* (→ Énoncé, cit. 2). — Hist. *Les présidents du parlement* (→ Huissier, cit. 4). *Président au mortier, à mortier*. Premier président* (→ Audience, cit. 13; parlement, cit. 2).

(...) ce pauvre président des assises, tout juge qu'il est depuis nombre d'années, avait la larme à l'œil en me condamnant. 1
STENDHAL, Le Rouge et le Noir, II, XXLI.

(...) le bureau, drapé de rouge, était occupé par trois commissaires fort majestueux. Chacun avait devant soi sa sonnette, et le président frappa trois coups avec le marteau consacré. 2
NERVAL, Nuits d'octobre, IX.

Président d'une société scientifique (→ Ondulation, cit. 1), *d'une commission, d'une fédération sportive... Président de séance. Président d'un jury d'examen, de concours...* — Dr. comm. *Président d'un conseil* (cit. 27) *d'administration. Le président* (→ Gestion, cit. 5), *le président-directeur général d'une société.* ⇒ **P.-D.G.** *Des présidents-directeurs généraux. Président fondateur.* — *Monsieur le président.* — *Président d'honneur,* à titre honorifique.

♦ **2.** (1792). Chef politique. Le chef de l'État, premier magistrat dans une république. *Le président de la République française* (→ Dotation, cit.; élire, cit. 7; magistrat, cit. 9). *Maison* civile, militaire du Président. Sous la Ve République, le Président de la République nomme le Premier ministre* (cit. 8), *préside le Conseil des ministres, promulgue* les lois, peut prononcer la dissolution de l'Assemblée nationale, est le chef des armées, peut recourir aux pouvoirs exceptionnels, a le droit de grâce,* etc. (→ la Constitution de 1958, Art. 5 à 17). *Le Président Pompidou; le Président Mitterrand.* — *Présidents des États-Unis.* — Hist. *Le Prince-Président :* Louis-Napoléon Bonaparte, le futur Napoléon III (→ aussi Plébiscite, cit. 2).

Dans les derniers jours de novembre, comme le bruit d'un coup d'État courait et qu'on accusait le prince-président de vouloir se faire nommer empereur (...) 3
ZOLA, la Fortune des Rougon, III.

Le Président de la République veille au respect de la Constitution. Il assure, par son arbitrage, le fonctionnement régulier des pouvoirs publics ainsi que la continuité de l'État. Constitution de 1958, art. 5. 4

PRÉSIDENT DU CONSEIL : sous la IIIe et la IVe République, Chef du gouvernement* (Premier ministre qui coordonnait l'activité des ministères et présidait les conseils de cabinet → Dissocier, cit. 2; guider, cit. 13; investir, cit. 5. — *Président de l'Assemblée nationale* (→ Dissolution, cit. 4), *du Sénat...* — *Président de l'assemblée générale de l'O. N. U., d'un organisme international...*

REM. 1. L'usage qui consiste à faire habituellement précéder le nom de famille de la mention *«le président X»* ne concerne plus guère que les hommes politiques *(le président Herriot, le président Roosevelt).* On ne dirait plus, comme au xviiie s., *le président de Brosses,* en parlant d'un juge.

2. En parlant d'une femme, on emploie concurremment le fém. (→ Présidente, 2.) et le masc. *Mme X, Président de sociétés. Elle pourrait être ministre, et même président (de la République).*

DÉR. Présidence, présidente, présidentialiser, présidentialisme, présidentiel.

PRÉSIDENTE [pʀezidɑ̃t] n. f. — Fin xve; fém. de *président.*

♦ **1.** (1617). Vx. Femme d'un président. — Femme d'un président de tribunal, d'un juge, d'un magistrat président (→ Balsamique, cit. 6). *Madame* (cit. 5) *la présidente.* — Vx. *La présidente X...*

Vous connaissez la Présidente Tourvel, sa dévotion, son amour conjugal (...) Vous saurez donc que le Président est en Bourgogne, à la suite d'un grand procès (...) Son inconsolable moitié doit passer ici tout le temps de cet affligeant veuvage.
LACLOS, les Liaisons dangereuses, IV.

♦ **2.** Femme qui préside. *Présidente d'une assemblée, d'un comité, d'une société.* Allus. littér. *La Présidente,* surnom donné par Gautier à «madame Sabatier», qui «présidait» des réunions d'artistes, d'écrivains, et qui fut l'inspiratrice de quelques poèmes de Baudelaire.
Femme qui a une fonction politique de présidence. *La présidente d'une assemblée.*

PRÉSIDENTIABLE [pʀezidɑ̃sjabl] adj. et n. — V. 1970; de *président (iel),* et *-able.*

♦ Qui est susceptible de devenir président; spécialt, Président d'un corps politique. *« Le Président du Parlement européen sera le premier élu supranational d'Europe. (X) a fait le tour des "présidentiables" »* (*l'Express,* 9 juin 1976, p. 96).

PRÉSIDENTIALISATION [pʀezidɑ̃sjalizasjɔ̃] n. f. — V. 1974; de *présidentialiser.*

♦ Polit. Tendance à présidentialiser, à se présidentialiser. *Présidentialisation d'un régime.*

PRÉSIDENTIALISER [pʀezidɑ̃sjalize] v. tr. — V. 1973; de *président.*

♦ Polit. Concentrer le maximum de pouvoirs entre les mains du président (de la République). *« Le problème politique numéro un est celui du rôle du président de la République. Il s'est trouvé au cœur d'une campagne électorale qui fut fortement présidentialisée»* (*la Croix*, 20 mai 1973). — Pron. (réfl.). *Le régime se présidentialise.*

DÉR. Présidentialisation.

PRÉSIDENTIALISME [pʀezidɑ̃sjalism] n. m. — 1945; de *président, présidentiel.*

♦ Système présidentiel*.

Le présidentialisme, c'est ça : l'Assemblée fait les lois mais ne peut pas renverser le gouvernement; le gouvernement mène, sous l'impulsion exclusive du président, la politique définie lors de l'élection présidentielle, et cette politique n'est mise en jugement que lors de l'élection présidentielle suivante.
P. ROUANET, *in* le Nouvel Obs., 2 oct. 1972, p. 30.

PRÉSIDENTIALISTE [pʀezidɑ̃sjalist] adj. — 1966, *in* P. Gilbert; de *président, présidentiel.*

♦ Du présidentialisme. *Système présidentiel et système présidentialiste. Réforme de caractère présidentialiste.* — N. Partisan du présidentialisme.

PRÉSIDENTIEL, ELLE, ELS [pʀezidɑ̃sjɛl] adj. — 1791; de *président.*

♦ Relatif au président, à la présidence (spécialt d'une république). *Élection présidentielle* (→ Gagner, cit. 52).

Ellipt. (Plur.). *Les présidentielles*, les élections présidentielles. *«En 1965, une semaine après les présidentielles»* (*l'Express*, 8 mai 1967). Au sing. *«Le jour du résultat de la présidentielle»* (*l'Express*, 21 mars 1981, p. 43). *Fonctions présidentielles. Décret présidentiel.* — *Régime, système présidentiel*, dans lequel le Président de la République a un rôle prépondérant et est irresponsable devant les assemblées (séparation des pouvoirs). *Régime parlementaire* (cit. 2) *et régime présidentiel.* ⇒ **Présidentialisme.**

PRÉSIDER [pʀezide] v. tr. — 1388; lat. *præsidere*, de *præ* «avant, devant», et *sidere* «s'asseoir, siéger».

★ **I.** V. tr. indir. PRÉSIDER À. ♦ **1.** (Fin XVIe). Vieilli. Occuper le premier rang, la première place dans une assemblée, une réunion, une société... avec charge d'y maintenir l'ordre, de diriger les débats, de proclamer les décisions... *Le magistrat qui préside à une cérémonie, qui y préside* (→ Exorbitant, cit. 3). *Présider au conseil* (Bossuet), *à un tribunal* (Voltaire). — Absolt. *Le magistrat veut présider* (→ 2. Officier, cit. 1, La Bruyère).

♦ **2.** (1559). Avoir la direction, le soin, la surveillance de quelque chose; y veiller*. *Dieu préside à la mort des rois de la terre* (→ Frère, cit. 20). — (En parlant des divinités du polythéisme, des forces occultes). Avoir pour attribution particulière. *Mars présidait à la guerre, aux combats. Les astres, les fées qui présidèrent à sa naissance* (→ Nativité, cit. 3). — (Déb. XVIIe). Choses. *Règles qui président à...* ⇒ **Diriger, régler.** *L'art qui a présidé à la rédaction des synoptiques* (→ Agencement, cit. 3). *Le dessein* (cit. 16), *l'esprit* (cit. 178) *qui préside à...*

1 Je vois deux surveillants, ses maîtres et les miens,
Présider l'un ou l'autre à tous nos entretiens.
RACINE, Britannicus, I, I.

2 (...) il se rencontre de ces choses que nous ne savons dire ou faire sans je ne sais quelles harmonies inconnues auxquelles président un jour, une heure, une conjonction heureuse dans les signes célestes ou de secrètes prédispositions morales.
BALZAC, Mme Firmiani, Pl., t. I, p. 1027.

3 Le Fils de l'homme, assis à la droite de Dieu, présidera à cet état définitif du monde et de l'humanité.
RENAN, la Vie de Jésus, XVII, Œ. compl., t. IV, p. 256.

Vx. (Fin XVe). *Présider sur :* avoir autorité sur.

4 Ô Dieux, dont le pouvoir sur les choses préside (...)
MOLIÈRE, Amphitryon, II, 2.

★ **II.** V. tr. dir. ♦ **1.** (1671). Diriger les débats de; être le président de. *Présider une assemblée, un conseil, un débat, une réunion, une séance..., un tribunal.* ⇒ **Président; présidence;** et aussi **diriger, siéger** (→ **Lier**, cit. 29). *Présider un conseil d'administration* (→ Personnage, cit. 4), *une société* (→ Parrainage, cit. 2). *Meeting* (cit.) *présidé par Jaurès.* Absolt. Siéger au fauteuil* présidentiel, comme président*.

5 Aussi, lorsque l'intérêt qu'il prenait aux élections le ramena présider le conseil, fut-il étonné de le sentir rebelle, d'une raideur hostile.
ZOLA, la Terre, IV, V.

♦ **2.** (1869). Occuper la place d'honneur*dans (une manifestation). *Présider un dîner, une réunion mondaine. Présider une table* (→ Freiner, cit. 3).

PRÉSIDIAL, ALE, AUX [pʀezidjal, o] n. m. et adj. — 1611; 1435 comme adj.; lat. *præsidialis*, de *præses, præsidis* «gouverneur de province», même rac. que *présider.*

♦ **1.** Hist. N. m. Tribunal d'appel des bailliages ordinaires érigés en 1552 dans les bailliages les plus importants, et jugeant en dernier ressort des affaires de modeste importance. — (1690). Lieu où siégeait un présidial; circonscription qui en formait le ressort. — (1680). Juge qui siégeait à ce tribunal.

♦ **2.** Adj. (V. 1570). *Sièges présidiaux. Cas présidiaux*, relevant des présidiaux. *Sentences présidiales.*

DÉR. Présidialité.

PRÉSIDIALITÉ [pʀezidjalite] n. f. — 1560; de *présidial.*

♦ Hist. Juridiction, ressort d'un présidial.

PRÉSIDIUM [pʀezidjɔm] n. m. — XXe; mot russe, empr. lat. *præsidium.* → Présider.

♦ Dr. constit. En U.R.S.S., Organisme dirigeant d'une assemblée politique (et, spécialt, du Soviet suprême).

Le Présidium *(du Soviet suprême)* est un organe collectif qui joue à peu près le rôle d'un chef d'État dans un régime parlementaire (...) Le Présidium (...) joue en quelque sorte un rôle de contrôle, d'arbitrage et éventuellement de suppléance, par rapport au Soviet suprême.
Maurice DUVERGER, les Régimes politiques, p. 103-104.

REM. On écrit aussi *prœsidium* [pʀezidjɔm].

PRÉSOCRATIQUE [pʀesɔkʀatik] adj. et n. m. — XXe; de *pré-*, et *socratique.*

♦ Philos. Se dit des philosophes grecs antérieurs à Socrate. *Les philosophes, les penseurs présocratiques. Les Présocratiques.*

Nietzsche retourne alors aux origines de la pensée, aux présocratiques. Ces derniers supprimaient les causes finales pour laisser intacte l'éternité du principe qu'ils imaginaient. Seule est éternelle la force qui n'a pas de but, le «Jeu» d'Héraclite.
CAMUS, l'Homme révolté, *in* Essais, Pl., p. 482.

PRÉSOMPTIF, IVE [pʀezɔ̃ptif, iv] adj. — 1671; *presumptif*, 1406; «présomptueux», 1306; lat. *præsumptivus*, dér. de *præsumere.* → Présumer.

♦ Dr. *Héritier* présomptif, héritière présomptive :* personne qui, du vivant de qqn, a vocation de lui succéder. ⇒ **Successible; succession.** — (1788). Dans une monarchie héréditaire. *L'héritier présomptif de la couronne, du trône, d'un empire* (cf. Le Prince héritier).

(...) son père, obligé de se montrer comme un vieux lion majestueux, prononça, d'une voix solennelle, le petit discours suivant : «Mes amis, voici mon fils Étienne, mon premier-né, mon héritier présomptif, le duc de Nivron, à qui le roi confirmera sans doute les charges de défunt son frère (...)»
BALZAC, l'Enfant maudit, Pl., t. IX, p. 711.

DÉR. Présomptivement.

PRÉSOMPTION [pʀezɔ̃psjɔ̃] n. f. — XIIe; *presumpsion*, 1180, «conjecture»; empr. lat. *præsumptio*, dér. de *præsumere.* → Présumer.

♦ **1.** Opinion, jugement, qui n'est fondé que sur des signes de vraisemblance* (apparences, commencements de preuves*). ⇒ **Conjecture, supposition;** et aussi **hypothèse.** *Présomptions faibles, gratuites, sérieuses, graves, terribles* (→ Certitude, cit. 1). *N'avoir que des présomptions* (→ Fonder, cit. 16). *La présomption que...* (→ Noblesse, cit. 13).

♦ **2.** (1549). Dr. Induction par laquelle on remonte d'un fait connu (⇒ **Indice**, cit. 10) à un fait contesté. — (XXe). *Présomption de fait* (ou *de l'homme*), que le juge induit d'un fait sans y être obligé. — (1748). *Présomption légale*, établie par la loi et constituant une dispense de preuve (*simple*, pouvant être combattue; ou *absolue, irréfragable, juris et de jure*). → Aveu, cit. 26. *Présomption de faute* (→ Gardien, cit. 2), *d'innocence* (→ Inculpé, cit. 2). *Lourdes présomptions de culpabilité.* ⇒ **Charge**(s). *Présomption de paternité.* ⇒ **Père** (cit. 10).

En fait de présomption, celle de la loi vaut mieux que celle de l'homme. La loi 1
française (du 18 nov. 1702) regarde comme frauduleux tous les actes faits par un marchand dans les dix jours qui ont précédé sa banqueroute : c'est la présomption de la loi. La loi romaine infligeait des peines au mari qui gardait sa femme après l'adultère, à moins qu'il n'y fût déterminé par la crainte de l'événement d'un procès, ou par la négligence de sa propre honte; et c'est la présomption de l'homme (...) Lorsque le juge présume, les jugements deviennent arbitraires, lorsque la loi présume, elle donne au juge une règle fixe.
MONTESQUIEU, l'Esprit des lois, XXIX, XVI.

En de pareilles dispositions, un magistrat prend facilement de simples présomp- 2
tions pour des preuves évidentes.
BALZAC, Une ténébreuse affaire, Pl., t. VII, p. 574.

Les présomptions les plus graves pèsent sur vous et peuvent entraîner des consé- 3
quences capitales.
HUGO, les Misérables, I, VII, X.

♦ **3.** (V. 1220). Opinion trop avantageuse, trop favorable qu'une personne a de ses capacités, de ses possibilités, de sa valeur. ⇒ **Arrogance, audace, confiance** (en soi), **fierté, orgueil** (cit. 5), **outrecuidance** (cit. 2), **prétention, suffisance, superbe** (n. f.). → Différence, cit. 10; entier, cit. 7; hardiesse, cit. 8; pédant, cit. 10. *Impertinente présomption.* ⇒ **Vanterie** (→ Épaule, cit. 23). *Sûr de soi jusqu'à la présomption* (→ Audacieux, cit. 6). *Par présomption et légèreté* (→ Frustrer, cit. 6). *Agir inconsidérément, affronter le danger par présomption.* ⇒ **Témérité.** *Ambitieuse présomption.* ⇒ **Ambition** (→ Gourmand, cit. 9).

4 DE LA PRÉSOMPTION. Il y a une autre sorte de gloire, qui est une trop bonne opinion que nous concevons de notre valeur. C'est une affection inconsidérée, de quoi nous nous chérissons, qui nous représente à nous-mêmes autres que nous sommes (...) MONTAIGNE, Essais, II, XVII (→ aussi Maladie, cit. 11).

5 (...) il *(saint Ambroise)* conclut que le grand principe sur lequel roule l'ambition de la plupart des hommes est communément la présomption ou l'idée secrète qu'ils se forment de leur capacité (...) L'ambitieux aspire à tout et prétend à tout : donc il se croit capable de tout.
BOURDALOUE, Carême, Sermon sur l'ambition, II (→ aussi Ambition, cit. 8).

6 Elle était près de croire, avec la belle présomption de l'adolescence, que ce qu'on désire de tout son être finit par s'accomplir.
R. ROLLAND, Jean-Christophe, L'adolescent, I, p. 260.

7 Sa présomption *(de la jeunesse)* et son insolence ne sont pourtant que les expressions à peine différentes d'une timidité profonde car elle craint le ridicule plus que la mort (...) BERNANOS, les Grands cimetières sous la lune, p. 231.

CONTR. Humilié, modestie.

PRÉSOMPTIVEMENT [pʀezɔ̃ptivmɑ̃] adv. — V. 1460; de *présomptif.*

♦ Rare. Par présomption. *Hériter présomptivement.*

PRÉSOMPTUEUSEMENT [pʀezɔ̃ptɥøzmɑ̃] adv. — 1538; XIVe, *presumptueusement*; attestation isolée XIIIe, *presumpcieusement*; de *présomptueux.*

♦ Littér. Avec présomption; d'une manière présomptueuse.

PRÉSOMPTUEUX, EUSE [pʀezɔ̃ptɥø, øz] adj. — V. 1355; *presumptueus*, v. 1220; *presuntueux*, XIIe; bas lat. *præsumptuosus*, lat. class. *præsumptor*, de *præsumere.* → Présumer.

♦ Qui présume* trop de soi, fait preuve de présomption*; est trop confiant* en soi. ⇒ **Ambitieux, arrogant, audacieux, avantageux, content** (de soi), **glorieux, hardi, orgueilleux, vain, vaniteux.**

1 Nous sommes si présomptueux que nous voudrions être connus de toute la terre, et même des gens qui viendront quand nous ne serons plus (...)
PASCAL, Pensées, II, 148.

2 La jeunesse est présomptueuse; elle se promet tout d'elle même : quoique fragile, elle croit pouvoir tout, et n'avoir jamais rien à craindre; elle se confie légèrement et sans précaution. FÉNELON, Télémaque, I.

3 Nous sommes si présomptueux, que nous croyons pouvoir séparer notre intérêt personnel de celui de l'humanité, et médire du genre humain sans nous commettre.
VAUVENARGUES, Réflexions et maximes, 219.

N. « *Jeune présomptueux !* » (→ Émouvoir, cit. 21, Corneille).

Par ext. (V. 1460). Qui dénote de la présomption. *Air présomptueux* (⇒ **Conquérant**). *Attitude, réponse présomptueuse.* ⇒ **Prétentieux, vaniteux.** *Critique* (cit. 19) *présomptueuse. Cette prudence présomptueuse qui se croyait infaillible* (cit. 9).

4 N'y a-t-il pas une présomptueuse et hautaine folie à prétendre juger toutes les femmes? A. DE MUSSET, Barberine, II, 3.

CONTR. Modeste, prudent.
DÉR. Présomptueusement.

PRÉSONORISATION [pʀesɔnɔʀizasjɔ̃] n. f. — 1973; de *pré-*, et *sonorisation.*

♦ Techn. Syn. de *play*-back* (préconisé par l'Administration, *Journal officiel* du 18 janv. 1973). ⇒ **Postsonorisation.**

DÉR. Présonoriser.

PRÉSONORISER [pʀesɔnɔʀize] v. tr. — 1975; de *présonorisation*, d'après *sonoriser.*

♦ Techn. Traiter par la technique de la présonorisation. ⇒ aussi **Postsonoriser.**

PRESQUE [pʀɛsk] adv. — V. 1265; *à près que*, v. 1175, «à peu près»; comp. de *près*, et *que.*

REM. 1. *Presque* ne s'élide en principe que dans *presqu'île.* On rencontre cependant l'élision chez certains auteurs : *«projet presqu'irréalisable»* (Martin du Gard); *«c'était presqu'un enfant»* (Mauriac, *le Désert de l'amour*, p. 116); *«presqu'au coin du boulevard»* (→ Lumineux, cit. 4, Aragon). *«C'était déjà presqu'un sourire»* (Gide, *les Faux-Monnayeurs*, III, X).

2. La forme *presques* se rencontre encore en poésie au XVIIe s., devant une voyelle. *«J'en eus presques envie...»* (Corneille, *Médée*, II, 4).

♦ **1.** À peu près... (l'affirmation n'étant pas loin d'être exacte). ⇒ **Falloir** (peu s'en faut), **près** (à peu près, à peu de chose près), **quasi, quasiment.** *Voix sourde, presque indistincte* (→ Étouffer, cit. 23). *Très petite, presque naine* (cit. 5). *Air fat et presque impertinent* (→ Muscadin, cit. 2). *C'est presque sûr. Presque imperceptible* (cit. 3 à 6), *presque introuvable* (cit. 2 et 3). *Ils étaient presque cousins* (1. Cousin, cit. 3). *Il est presque mort.* ⇒ **Comme, demi** (demi-mort). *Cela fait presque dix kilomètres*, un peu moins de, près de, pas loin* de... — *Presque toujours* (→ Attacher, cit. 39; fanatisme, cit. 9), *presque jamais* (cit. 34); *presque autant* (→ Froideur, cit. 4). *Presque chaque soir* (→ Foyer, cit. 20). *Presque tout de suite* (→ Imprimerie, cit. 3), *presque aussitôt* (→ Madame cit. 14). *Presque infailliblement* (cit. 4). *Presque partout. — Presque tous*...; presque tout*..., presque tout le monde* (→ Ingratitude, cit. 1; jeu, cit. 36; majorité, cit. 10). *Presque aucun travers* (→ Faute, cit. 21). *Presque personne. Presque rien* (→ Cendre, cit. 13). *Presque pas, point, plus... :* très peu*, à peine*. « *Ne dormir presque pas* » (Romains, *les Hommes de bonne volonté*, t. I, V, p. 66).

Le baron de Vintimille n'était presque plus un homme à argent, on ne sera donc pas surpris de ses procédés presque délicats envers les dames Wanghen (...) 1
STENDHAL, Romans et Nouvelles, « Le rose et le vert », III.

J'étais seul, l'autre soir, au Théâtre Français, 2
Ou presque seul : l'auteur n'avait pas grand succès.
A. DE MUSSET, Poésies nouvelles, « Une soirée perdue »

Nous ne savons pas toujours qu'on aime, mais nous savons presque toujours que nous ne sommes pas aimés. F. MAURIAC, Vie de Jean Racine, VIII. 3

Ellipt. *Quotidiennement ou presque* (→ Correspondance, cit. 6). *Écrivains ignorés ou presque* (→ Obscurité, cit. 13).

REM. Place de *presque.* **a** *Presque* se place en principe après les verbes et les auxiliaires à un mode personnel (*elle pleurait presque; elle a presque pleuré.* → N, cit. 1). Cf. cependant : *«il imposait et presque indisposait»* (cit. 2); *«Un rien presque suffit pour les scandaliser»* (→ Jusque, cit. 58, Molière).

Ce jour presque éclaira vos propres funérailles (...) RACINE, Bérénice, I, 3. 4

(Ce moment) nous nous le représentons, nous le possédons, nous y intervenons, nous l'avons créé presque (...) PROUST, Du côté de chez Swann, Pl., t. I, p. 31. 5

(...) quatre pièces exiguës et si basses que presque on en pourrait toucher de la main le plafond. GIDE, Si le grain ne meurt, I, I, p. 35. 6

Tout cela je le savais. Mais sur l'écran de la télévision, je le vois, je l'entends et presque je le touche. 7
F. MAURIAC, *in* l'Express, 13 mars 1959.

N.B. Selon *la Classe de français* (1959, p. 91) *Presque* sert ici « à excuser l'emploi hyperbolique du verbe *toucher* ».

b Avec le participe, comme avec les adjectifs, adverbes, nominaux..., *presque* est placé avant (→ Injurier, cit. 4; ouvrir, cit. 5). On trouve pourtant *presque* placé après le terme qu'il modifie. *Personne presque...* (→ Oisiveté, cit. 1, La Bruyère). *Tranquille, indifférent* (cit. 10) *presque... Une passion* (cit. 24) *sentimentale, intellectuelle presque.*

c *Presque* se place généralement avant l'infinitif (→ Captivant, cit. 7; inceste, cit. 4; 1. mode, cit. 9). Cf. la construction inverse chez Marmontel (Littré), Renard, Proust (Grevisse).

Et maintenant, il se prenait à la ruminer, à la désirer presque. 8
HUYSMANS, Là-bas, VIII.

d *Presque*, avec un complément introduit par une préposition, se met en général devant la préposition. *Un air d'autorité et presque de réprimande* (→ Gourmander, cit. 5). *Un rôle presque de simple figurante* (cit. 2). *Presque à elle seule* (→ 2. Frais, cit. 11). — *Presque sans...* (→ Freiner, cit. 1; imperceptible, cit. 11). *Sans presque...* (→ Balbutier, cit. 7; figure, cit. 23).

Avec un terme de quantité (tout, chaque, aucun...), *presque* se place généralement entre la préposition et ce terme. *À presque toutes...* (→ Agacerie, cit. 2). *De presque toutes...* (→ Endoctrinement, cit.). *Dans presque toute la terre* (→ Holocauste, cit. 3). Cf. cependant *«presque pour toutes les femmes»* (→ 1. Mère, cit. 12); *«il est responsable presque de tous les crimes»* (→ 1. Outre, cit. 4). Avec *à*, ce dernier tour est le plus courant : *presque à chaque pas, presque à tout instant.*

C'était le gagne-pain de presque tous ces hommes. 9
ALAIN-FOURNIER, le Grand Meaulnes, Épilogue.

Pris cette nuit de singuliers vertiges; accompagnés de presque aucun malaise (...) 10
GIDE, Journal, 7 mai 1921.

L'espèce de gêne, et presque d'effroi, qui s'est visiblement emparée d'elle (...) 11
J. ROMAINS, les Hommes de bonne volonté, t. I, V, p. 85.

♦ **2.** Devant un substantif abstrait énonçant une quantité. *La presque unanimité* (1791, in Brunot, *H. L. F.*, t. IX, p. 781); *la presque totalité* (→ Majorité, cit. 10). « *Votre presque éternité* » (Lamartine). *Une presque immobilité* (Loti, *in* Le Bidois). → Presqu'île.

Ils ménagèrent cependant son aimable confusion, et la laissèrent tout à son aise, donner un presque démenti à sa jeune Sœur. 11.1
RESTIF de LA BRETONNE, la Vie de mon père, p. 88.

Malheureusement, Dumay, j'ai la presque certitude de ce que je vous ai dit, répéta la mère. BALZAC, Modeste Mignon, Pl., t. I, p. 388. 12

Ce n'était qu'une lueur dans la presque obscurité (...) 13
PROUST, le Côté de Guermantes, Pl., t. II, p. 145.

CONTR. Absolument, complètement, tout à fait.

PRESQU'ÎLE [pʀɛskil] n. f. — 1546; de *presque*, et *île.*

♦ Partie saillante d'une côte, rattachée à la terre par un isthme*, une langue de terre. *Grande presqu'île.* ⇒ **Péninsule.**

Par ext. → Cap (cit. 4, Valéry).

Jadis Européens de droit divin, nous sentions depuis quelque temps notre dignité s'effriter sous les regards américains ou soviétiques; déjà l'Europe n'était plus qu'un accident géographique, la presqu'île que l'Asie pousse jusqu'à l'Atlantique.
SARTRE, Situations III, p. 231.

PRESSAGE [pʀɛsaʒ] n. m. — 1803; de *presser.*

♦ **1.** Opération par laquelle on comprime, on marque d'une empreinte, etc. à l'aide d'une presse. *Pressage des pailles, des fourrages. Pressage des disques phonographiques :* fabrication des disques à partir d'une matrice. *Usine de pressage. — Pressage des étoffes pour leur donner l'apprêt** (lustrage...). *Pressage des faces encollées* (en reliure).

♦ **2.** Équivalent français de *pressing**. *Pressage à la vapeur.*

PRESSANT, ANTE [pʀɛsɑ̃, ɑ̃t] adj. — 1538; v. 1330, «qui serre fortement quelque chose»; p. prés. de *presser.*

Qui presse, sollicite ou contraint.

♦ **1.** Qui sollicite avec insistance. ⇒ **Presser.** *Insister d'une manière pressante.* ⇒ 1. **Instant.** *La main vigilante et pressante de l'empereur* (→ Dimension, cit. 4). *Ordres pressants.* ⇒ **Impérieux; impératif.** *Demandes, prières, sollicitations pressantes. Lettre pressante* (→ Emprunt, cit. 4). *Recommandations pressantes.* ⇒ **chaleureux, chaud.** — Vieilli. *Arguments pressants; raisons pressantes* (Académie). — *Sollicitude attentive, pressante,* insistante. — (Personnes). *Il a été pressant. Orateur véhément et pressant.*

1 (...) je viens de recevoir une invitation fort pressante de la comtesse de B***, pour aller la voir à la campagne (...) LACLOS, les Liaisons dangereuses, LIX.

2 Elle essaya d'abord de le distraire par une ardente gaieté, par des douceurs d'une intimité pressante, par l'humilité superbe d'une maîtresse qui s'offre.
FRANCE, le Lys rouge, XXIII.

♦ **2.** (1580). Qui tourmente et contraint, en parlant des choses, qui oblige ou incite fortement à agir sans délais. *Pressant besoin* (→ Malgré, cit. 8). *Pressant intérêt* (→ Agiter, cit. 7; desserrer, cit. 5). *Appétit pressant* (→ Ardu, cit. 1). *Pressant désir* (→ Plein, cit. 8). ⇒ **Ardent.** *Les plus pressantes inquiétudes* (→ Inspirer, cit. 11).

3 (...) la colère, chez les bons cœurs, n'est qu'un besoin pressant de pardonner!
BEAUMARCHAIS, la Mère coupable, IV, 18.

♦ **3.** (1642). Qui presse, exige une solution urgente. ⇒ **Urgent.** *Danger pressant* (→ Anxieux, cit. 2). *Nécessité pressante* (→ Grève, cit. 13). *Motif pressant.*

4 Le péril est pressant plus que vous ne pensez. RACINE, Mithridate, I, 5.

5 Dangers de toutes parts : le plus pressant l'emporte. LA FONTAINE, Fables, VIII, 22.

6 Devant une situation aussi pressante, il s'agit de faire vite et on aurait mauvaise grâce à imaginer des systèmes utopiques et à préconiser des solutions chimériques.
CAMUS, Actuelles III, p. 65.

7 (...) nos amis se préoccupent de tout ce qui regarde les soins matériels les plus pressants et sont sur ce chapitre d'une rigueur que je n'ai pas le courage de blâmer.
Germain NOUVEAU, G. Nouveau à sa sœur, 17 oct. 1891, *in* Correspondance, Pl., p. 885.

Fam. *Un besoin pressant* (par euphémisme) : besoin naturel urgent.

PRESS BOOK [pʀɛsbuk] n. m. — Mil. XXe; angl. *press,* et *book* «livre».

♦ Anglic. Album de coupures de presse (concernant une personne, un événement, etc.).

Ce producteur va sûrement demander à voir mon press-book. Je l'ai dans ma valise. René MASSON, Drugstore, p. 83.

REM. On trouve dans ce sens la francisation *livre de presse* (Michel Déon, *le Jeune Homme vert,* p. 234), et l'abrév. *book.*

PRESSE [pʀɛs] n. f. — V. 1040; de *presser.*

★ **I.** (1050). Vx ou littér. Multitude de personnes qui se pressent, sont assemblées dans un petit espace. ⇒ **Affluence, concours, multitude.** *Craindre, fuir, éviter la presse.* ⇒ **Foule.** *Fendre la presse.* — Loc. (vx). *Faire la presse à...,* y être en grand nombre, en foule. — (1622). Il y a presse à..., dans... : il y a foule (→ Billet, cit. 12, Mme de Sévigné). *La presse y est,* se disait d'une chose à la mode, qui attire la foule.

1 Du peuple épouvanté j'ai traversé la presse RACINE, Andromaque, V, 3.

2 Elle trouva un courage surnaturel pour fendre la presse et pour rejoindre sa cousine, encore occupée à percer la masse du monde, qui l'empêchait d'arriver jusqu'au tableau. BALZAC, la Maison du Chat-qui-pelote, Pl., t. I, p. 33.

★ **II.** (Déb. XIIe). **A.** ♦ **1.** Dispositif, engin, mécanisme destiné à exercer une pression* sur un solide, soit pour le comprimer, soit pour y laisser une empreinte. *Presse à levier, à coin, à vis. Presse mécanique à plateaux, presse à cylindres* (⇒ **Laminoir**). *Presse à bras, à moteur. Presse hydraulique,* dispositif par lequel une force appliquée par un piston sur une petite surface est transmise par un liquide à un autre piston de grande surface, et ainsi multipliée (⇒ **Pression**). Cf. Pascal, *Traités de l'équilibre des liqueurs,* II, «*Nouvelle sorte de machine pour multiplier les forces*». — *Corps de pompe* d'une presse hydraulique. — Presse à comprimer, à écraser, à fouler* (⇒ **Fouloir**), *à lisser* (⇒ 2. **Calandre**). *Presses agricoles : presse à jus, à raisins...* (⇒ **Pressoir**), *à fromage, à fourrage; presses d'huilerie* (→ Huile, cit. 7). *Presse à moyenne, à haute densité* (densité du produit pressé). — *Presses de relieur : grande presse, presse à rogner, presse à endosser. Mise en presse des feuilles pour le brochage. Châssis* presse de photographe. — Presse à coller de menuisier* (pour maintenir serrées deux pièces à coller). *Presse à découper, à emboutir*, à perforer les métaux* (matériel de grosse forge*). *Presse à tréfiler. Outils de découpage* (matrices, poinçons) *montés sur une presse* (machine*-outil). *Presse à matières plastiques, à vulcanisation... Presse d'une machine à papier. — Presse à disques. — Presse monétaire,* destinée à la frappe des médailles et des monnaies. *Presse lithographique* (→ aussi Photolithographie, cit. 2).

Mais le moule est lui-même inclus dans une presse 2.1
Qui injecte la pâte et conforme la pièce,
Ce qui présente donc le très grand avantage
D'avoir l'objet fini sans autre façonnage. R. QUENEAU, le Chant du styrène.

Dans le placard, j'avais remarqué une presse à viande (...) Sur une petite cuve de fer, percée de trous, un volant de métal tournait, et, en tournant, écrasait la viande. Je pris les beefsteak *(sic)* crus dans le même placard et, un à un (...) je les pressai de toutes mes forces. H. BOSCO, Antonin, p. 19. 3

Une semaine plus tard, je termine les dernières membrures, en fer plat de 50 × 5 mm, les courbant sur champ suivant le tracé des couples, à l'aide d'une petite presse à vis sans fin, actionnée à la main comme un étau.
Bernard MOITESSIER, Cap Horn à la voile, p. 43. 3.1

Mettre qqch. sous la presse (→ Aplatir, cit. 1).

Spécialt. Presse-raquette.

♦ **2.** (1520). Machine destinée à l'impression typographique et au tirage des imprimés. ⇒ **Imprimer, imprimerie; impression, tirage.** *Presse à bras, anciennement en bois et à vis. Parties d'une presse* (à bras). ⇒ **Berceau, châssis, frisquette** (cit.), **jumelle, platine, tympan.** *Petite presse.* ⇒ **Minerve.** *Presse mécanique à cylindres; presse à retiration*. Encrier*, pointure*, rouleaux encreurs d'une presse. Presse rotative.* ⇒ **Rotative.** — *Conducteur d'une presse* (⇒ **Presseur, pressier**).

Le père (...) se précipita sur la première de ses presses sournoisement huilées et nettoyées, il montra les fortes jumelles en bois de chêne (...) — Est-ce là un amour de presse? dit-il (...) — Avec ces trois presses-là, sans prote, tu peux gagner tes neuf mille francs par an (...) je m'oppose à ce que tu les remplaces par ces maudites presses en fonte qui usent les caractères.
BALZAC, Illusions perdues, Pl., t. IV, p. 472. 4

Loc. Vieilli. *Faire gémir la presse :* imprimer sans arrêt (→ Application, cit. 4). — *Donner un manuscrit* (cit. 5, Rousseau) *à la presse.* ⇒ **Imprimer.** — (1630, *sous la presse;* 1746, *sous presse*). *Mettre sous la presse* (vx), *sous presse :* donner à imprimer ou commencer à imprimer. ⇒ **Impression** (→ Hypothéquer, cit. 4). *À l'heure* (cit. 52) *où nous mettons sous presse. Ouvrage sous presse :* ouvrage à l'impression.

Que nous faisions de mauvais livres! il ne se passait guère de mois que nous ne fissions pour le moins deux volumes, et aussitôt la presse en gémissait (...)
A.-R. LESAGE, Gil Blas, X, XII. 5

(Dans le nom d'une maison d'édition). *Les Presses Universitaires de France. Les Presses de la Cité. Les Presses Universitaires d'Oxford.*

B. (1765). Ce que la presse typographique imprime.

♦ **1.** (Au sens large). Vx ou dr. «Ensemble des procédés servant à diffuser les idées par l'écrit, l'imprimé ou l'image» (Capitant). — (1753). *Liberté de la presse :* liberté d'imprimer, de reproduire et de diffuser (absence de censure* préalable...); → Garantie, cit. 8; plaisir, cit. 1, Chateaubriand. *Lois sur la presse. Délits de presse :* provocation aux crimes et délits; apologie de certains crimes; délits contre la chose publique (fausses nouvelles, publications pouvant nuire à la défense nationale, outrage aux bonnes mœurs; diffamation, injures, outrages; publications interdites). — REM. De nos jours, ces expressions sont plutôt comprises dans le sens restrictif B., 2.

Y a-t-il rien de plus tyrannique, par exemple, que d'ôter la liberté de la presse? et comment un peuple peut-il se dire libre, quand il ne lui est pas permis de penser par écrit? VOLTAIRE, Correspondance, 2734, 16 oct. 1765. 6

(...) je me flattais qu'il me serait aussi permis de le publier : toutefois, peu de jours après l'envoi de mon manuscrit, il parut un décret sur la liberté de la presse d'une nature très singulière : il y était dit «qu'aucun ouvrage ne pourrait être imprimé sans avoir été examiné par des censeurs».
Mme DE STAËL, De l'Allemagne, Préface. 7

♦ **2.** Spécialt. LA PRESSE PÉRIODIQUE, et, absolt., LA PRESSE : l'ensemble des publications périodiques et des organismes qui s'y rattachent; activités du journalisme. ⇒ **Journal, journalisme, magazine, périodique, revue** (→ Chantage, cit. 1; désaveu, cit. 2; pomper, cit. 5). *Agence de presse,* chargée de fournir des informations aux journaux. *L'agence France-Presse. Agencier de presse. Attaché de presse. Service* de presse. Argus* de la presse. — Presse d'information*, d'opinion; presse politique* (→ Politique, cit. 13); *la grande presse. La presse parisienne. La presse de province. La presse du soir* (→ Garantir, cit. 18). *la presse technique. La presse du cœur :* les magazines sentimentaux. *La presse féminine. La presse féministe. — Une entreprise de presse. — Dans la presse ou sur les ondes* (→ Envoyer, cit. 17). *Revue* de presse. Campagne de presse* (→ Déclencher, cit. 3; 2. pénitencier, cit.). *Interview* (cit. 3) *de presse.* — Loc. *Conférence* de presse. Coupures de presse. Presse et publicité, et propagande politique. Étouffer* (cit. 27), *museler* (cit. 2) *la presse.*

La presse est un élément jadis ignoré, une force autrefois inconnue, introduite maintenant dans le monde; c'est la parole à l'état de foudre; c'est l'électricité sociale. Pouvez-vous faire qu'elle n'existe pas? Plus vous prétendrez la comprimer, 8

plus l'explosion sera violente. Il faut donc vous résoudre à vivre avec elle, comme vous vivez avec la machine à vapeur.
CHATEAUBRIAND, Mémoires d'outre-tombe, t. V, p. 182.

9 — Autrefois les sophistes parlaient à un petit nombre d'hommes, aujourd'hui la presse périodique leur permet d'égarer toute une nation, s'écria le juge de paix; et la presse qui plaide pour le bon sens n'a pas d'écho!
BALZAC, le Curé de village, Pl., t. VIII, p. 717.

10 La polémique fait la puissance de la presse et détermine son utilité.
NERVAL, Fragments des faux saulniers, II.

11 La presse officielle n'a pas cessé de triturer l'opinion.
MARTIN DU GARD, les Thibault, t. V, p. 128.

Le mot *presse,* dans des titres de journaux (cit. 8). *La Presse,* fondée en 1836 par É. de Girardin. — *Presse,* inscription sur les véhicules... des agences et entreprises de presse.

12 (...) des autos avec des placards PRESSE à leur pare-brise, qui charriaient les débris des Messageries Hachette. ARAGON, les Yeux d'Elsa, Appendice, p. 87.

(1838, Barbey in D.D.L.). Par métonymie. Les journalistes. *Convoquer la presse.*

Loc. (1896). *Avoir bonne, mauvaise presse :* avoir des commentaires flatteurs ou défavorables dans la presse. *Cette pièce, ce film a eu une presse exécrable.* — Fig. (xxe). Avoir bonne, mauvaise réputation.

★ **III.** ♦ **1.** (XIIe). Action de presser qqn de faire qqch.; instance, insistance, injonction, sollicitation pressante.

Spécialt. (Vx). Enrôlement forcé des matelots (en France, jusqu'à Colbert).

♦ **2.** (V. 1320). Vx. Le fait d'être pressé (par la nécessité, le besoin...); douleur, embarras pressant (surtout dans les constructions : *dans la presse, en presse*). *Les craintes qui mettent le cœur en presse* (→ Maternel, cit. 1, Mme de Sévigné).

13 Allons, mon cher Le Brun, il s'agit de me servir, il s'agit d'obliger un galant homme qui est dans la presse; vous ne me refuserez pas; vous viendrez.
DIDEROT, Jacques le fataliste, Pl., p. 692.

★ **IV.** ♦ **1.** (V. 1220). Vx. Action de se presser, fait d'être pressé. ⇒ **Empressement, hâte.** Loc. *Il y a presse, la presse est grande à... :* on s'empresse de... (tour fréquent chez Mme de Sévigné). *Il est venu sans presse* (Académie, 8e éd.).

♦ **2.** (1869). Mod. (avec influence du sens I.). Se dit, dans le commerce et l'industrie, des travaux, des activités plus intenses et urgentes dans certaines périodes (→ Le coup de feu*).

14 — Oui, dans les moments de presse, aux grandes foires, Mme Charlet va donner là-bas un coup de main à sa fille (...) Vous savez, le commerce est le commerce, il y a des jours où l'on s'écrase, dans la boutique. ZOLA, la Terre, II, VII.

★ **V.** Action de presser. ⇒ **Pressage.** (Rare, sauf dans l'expression *vin de presse.* → Pressoir, cit. 2).

DÉR. Presselle, pressier.

PRESSE- Élément, du v. *presser.*

PRESSÉ, ÉE [pʀese] p. p. adj. ⇒ **Presser.**

PRESSE-AGRUMES [pʀesagʀym] n. m. invar. — V. 1969; de *presse-,* et *agrume.*

♦ Appareil ménager qui permet d'extraire le jus des citrons, oranges, etc. *Presse-agrumes électrique.*

PRESSE-BOUTON [pʀɛsbutɔ̃] adj. invar. et n. — 1954; de *presse-,* et *bouton,* adapt. de l'anglo-amér. *push button.*

♦ **1.** Adj. *Guerre presse-bouton,* menée au moyen des appareils de précision les plus perfectionnés, par simple manœuvre de commandes s'effectuant en appuyant sur un bouton.

(V. 1960). Qui est entièrement automatique, s'effectue seulement en manœuvrant des commandes, en pressant des boutons. « *L'approche automatique d'aujourd'hui, l'atterrissage entièrement "presse-bouton" de demain* » (*Science et Vie,* n° 593, p. 96). *Cuisine presse-bouton.*

♦ **2.** N. m. Appareil, dispositif de commande dont on presse les boutons. *Des presse-bouton* ou *des presse-boutons.*

1 Voyez-vous, monsieur, seule la guerre hisse les politiciens sur un piédestal, seule la guerre oblige l'humanité à se surpasser, surtout la guerre moderne, la guerre des machines, des presse-boutons. Michel DÉON, les Poneys sauvages, p. 429.

♦ **3.** N. Partisan de l'automatisme (notamment en matière militaire).

2 De préférence aux tenants de la guerre révolutionnaire, il *(de Gaulle)* a choisi les techniciens et les presse-boutons, comme si la guerre d'Algérie était déjà terminée.
Jean LARTÉGUY, les Prétoriens, p. 673.

PRESSE-CITRON [pʀɛsitʀɔ̃] n. m. invar. — 1877; de *presse-,* et *citron.*

♦ Ustensile de cuisine servant à presser les citrons, les oranges..., pour en extraire le jus. ⇒ **Presse-agrumes.** — Fig. et fam. *On lui a fait le coup du presse-citron :* on s'est servi de lui au maximum, puis on l'a rejeté (→ Presser* l'orange et jeter l'écorce).

PRESSÉE [pʀese] n. f. — 1793; de *presser.*

Techn. Action de presser (spécialt, sens 2.); choses pressées (sens 1.).

♦ **1.** [a] Masse (de fruits, de graines...) soumise en une fois à l'action du pressoir* pour en exprimer le suc. — Suc ainsi obtenu.

[b] Ensemble de livres mis sous presse (en reliure).

♦ **2.** *Faire une pressée :* mettre sous presse les strates devant former un panneau stratifié.

HOM. Presser.

PRESSE-ÉTOUPE [pʀesetup] n. m. invar. — 1865, in *Année sc. et industr.* 1866, p. 47; de *presse-,* et *étoupe.*

♦ Techn. Dispositif empêchant la vapeur de s'échapper par l'entrée de la tige du piston, dans une machine à vapeur. — Mar. Dispositif s'opposant à l'entrée de l'eau par l'orifice de l'arbre d'hélice, constitué d'une longue boîte remplie d'étoupe graissée par laquelle passe l'arbre.

REM. On dit aussi *presse-garniture,* n. m. invar. (xxe).

Le moteur est en place, aligné avec son arbre, l'hélice installée, mais le presse-étoupe pose un problème que Henry n'a pas encore entièrement résolu : ce sera pour demain en principe. Bernard MOITESSIER, Cap Horn à la voile, p. 50.

PRESSE-FLAN [pʀɛsflɑ̃] n. m. — Mil. xxe, *in* Larousse, 1963; de *presse-,* et *flan.*

♦ Techn. Élément qui presse le flan, dans un outil à emboutir ou à découper.

PRESSE-FRUITS [pʀɛsfʀɥi] n. m. invar. — 1935; de *presse-,* et *fruit.*

♦ Ustensile, instrument pour presser les fruits et en extraire le jus. ⇒ **Presse-agrumes, presse-citron.**

PRESSE-GARNITURE [pʀɛsgaʀnityʀ] n. m. ⇒ **Presse-étoupe.**

PRESSELLE [pʀesɛl] n. f. — 1875, *in* P. Larousse; de *presse.*

♦ Pince extrêmement fine, utilisée en anatomie, en chirurgie dentaire. — *Presselle* ou (plur.) *presselles :* petite pince de bijoutier. — On écrit aussi *précelle(s),* par attraction de *brucelles.*

PRESSEMENT [pʀɛsmɑ̃] n. m. — 1538; de *presser.*

♦ Vx. Action de presser (cf. Bossuet, Malebranche, *in* Littré). — (Fin XVIIe). Vx. Pression morale.

PRESSENTIMENT [pʀesɑ̃timɑ̃] n. m. — 1559; de *pressentir.*

♦ Phénomène subjectif, état affectif interprété comme la connaissance intuitive et vague d'un événement futur qui ne peut être connu par un moyen naturel. ⇒ **Impression, intuition, prémonition, sentiment** (→ Extatique, cit. 2). *Pressentiment de l'avenir, de ce qui va arriver..., de qqch.* ⇒ **Avant-goût** (→ Cœur, cit. 166; indifférence, cit. 23; passion, cit. 20). *Ce n'est pas une prévision, mais un simple pressentiment. Pressentiments sûrs* (→ Méfiance, cit. 4), *qui ne trompent pas. Pressentiment vague, obscur, sourd... Mystérieux pressentiment.* ⇒ **Avertissement** (du ciel...). *Noir* (cit. 20), *sinistre pressentiment.* ⇒ **Appréhension, crainte** (→ Immodérément, cit.). *Heureux pressentiment.* ⇒ **Espérance** (→ Expliquer, cit. 29). *Avoir le pressentiment de..., que...* ⇒ **Idée; deviner** (→ Le cœur* me le dit).

(...) il n'y a que les pressentiments fâcheux qui se vérifient! 1
B. CONSTANT, Journal intime, 3 oct. 1804.

Les femmes ont des pressentiments dont la justesse tient du prodige. 2
BALZAC, la Recherche de l'absolu, Pl., t. IX, p. 511.

Les vrais pressentiments se forment à des profondeurs que notre esprit ne visite 3 pas. Aussi, parfois, nous font-ils accomplir des actes que nous interprétons tout de travers. R. RADIGUET, le Diable au corps, p. 188.

S'il m'aime, ce n'est pas dans mes lettres qu'il a lu l'avertissement. S'il m'aime, 4 il connaît ces chocs mystérieux, ce doigt léger et malfaisant qui heurte le cœur, ces menus foudroiements qui immobilisent soudain un geste, coupent un éclat de rire, — il connaît que la trahison, l'abandon, le mensonge frappent à travers la distance, il connaît la brutalité, l'infaillibilité du *pressentiment !*
COLETTE, la Vagabonde, p. 242.

PRESSENTIR [pʀesɑ̃tiʀ] v. tr. — Conjug. *partir.* — 1414; lat. *præsentire,* de *sentire* « sentir », et *præ* « avant ».

♦ **1.** Attendre, prévoir vaguement. ⇒ **Deviner, douter** (se douter de), **prévoir, sentir.** *Flairer* et pressentir qqch.* (→ Futur, cit. 11). ⇒ **Pénétrer.** *Pressentir l'approche de...* (→ Annonce, cit. 8; famine, cit. 3). *Pressentir des calamités* (→ Orage, cit. 6). *Laisser pressentir qqch. à qqn. Cela me laisse pressentir un malheur.* ⇒ **Annoncer, augurer, présager.**

1 (...) la face de ma fortune était des plus riantes : et pourtant je me laissais aller à la tristesse, sans pouvoir m'en défendre. Qu'on dise après cela qu'on ne pressent point les malheurs qui nous menacent! A.-R. LESAGE, Gil Blas, VII, XI.

2 Enfin, mon amitié pressent quelque malheur qu'aucune prévision ne pourrait m'expliquer (...) BALZAC, Mémoires de deux jeunes mariées, Pl., t. I, p. 296.

3 L'instinct de la bête, en communication avec l'âme des choses, pressent le malheur et le déplore avant qu'il soit connu.
Th. GAUTIER, le Capitaine Fracasse, VI.

(1459; en parlant d'un objet de connaissance présent). Avoir conscience* de..., apercevoir, sentir. ⇒ **Entrevoir** (cit. 9), **deviner, flairer, soupçonner, subodorer** (→ Aryen, cit. 1; espèce, cit. 27).

4 Nous ne pouvons mesurer l'orbite immense de la pensée divine de laquelle nous ne sommes qu'une parcelle aussi petite que Dieu est grand, mais nous pouvons en pressentir l'étendue (...) BALZAC, Séraphîta, Pl., t. X, p. 472.

5 Le curé lui-même parut pressentir un instant les secrets abîmes de cette âme qu'il croyait connaître, et fixa sur sa pénitente un regard plus attentif qu'à l'ordinaire. Mais ce ne fut qu'un éclair. P.-J. TOULET, la Jeune Fille verte, III.

♦ **2.** (1690). Interroger (qqn), ou s'informer auprès de lui (d'une manière plus ou moins détournée), sur ses intentions, sur ses dispositions. ⇒ **Sonder.** *Pressentir qqn sur qqch. Pressentir qqn comme ministre.* — (Passif). *Il a été pressenti pour être ministre.*

Pron. (réciproque) :

5.1 Cependant, ils ne s'évitèrent pas et cherchèrent plutôt à se pressentir réciproquement sur les nouvelles du jour. J. VERNE, Michel Strogoff, p. 10.

Au p. p. *Le président pressenti.*

6 Quand, plus tard, par exemple, il apprit mon mariage, il fut presque offensé de n'avoir pas été sinon pressenti, du moins précocement avisé.
G. DUHAMEL, le Temps de la recherche, V.

6.1 À sept heures, je saurai si le président pressenti est devenu président tout court.
F. MAURIAC, Bloc-notes 1952-1957, p. 324.

Vx. *Pressentir si... :* demander..., s'informer si...

7 Et, par ce que j'ai dit, je voulais pressentir
Si de ce que j'ai fait tu pourrais m'applaudir.
MOLIÈRE, la Princesse d'Élide, I, 1.

DÉR. Pressentiment.

PRESSE-PAPIERS [pʀɛspapje] n. m. invar. — 1839, Balzac; de *presse-*, et *papier.*

♦ Objet lourd qu'on pose sur les papiers pour les maintenir. *Se servir d'un bloc de fonte, d'une pierre comme presse-papiers. Presse-papiers décoratif, en bronze, en marbre...* (→ Papeterie, cit. 2).

1 Elles *(les grenouilles)* se posent, presse-papiers de bronze, sur les larges feuilles du nénuphar. J. RENARD, Histoires naturelles, Les grenouilles.

2 Je n'oublie pas les presse-papiers massifs, en verre de couleur, riches de ce que l'arabesque indestructible doit à des objets que personne, jusque-là, ne s'avisait d'appeler sulfures. COLETTE, Belles saisons, p. 256.

PRESSE-PURÉE [pʀɛspyʀe] n. m. invar. — 1855; de *presse-*, et *purée.*

♦ Ustensile de cuisine pour réduire les légumes en purée. — On dit parfois *passe-purée.*

PRESSER [pʀese] v. — 1150, «tourmenter»; du lat. pop. *pressare*, de *pressum*, supin de *premere.*

★ **I.** V. tr. **A.** (Concret). ♦ **1.** (Fin XIIᵉ). Serrer de manière à extraire un liquide. ⇒ **Épreindre** (vx), **exprimer.** *Presser des raisins.* ⇒ **Pressoir; pressurer.** *Presser un fruit, un citron.* ⇒ **Presse-citron** (→ Jus, cit. 2). — Loc. fig. *On presse l'orange et on jette l'écorce* (cit. 5) : on rejette qqn après s'en être servi au maximum (→ Faire le coup du presse-citron*). — *Presser une éponge* (au fig. ⇒ **Éponge**). *Presser les pis d'une vache.* — Loc. fam. *Si on leur pressait le nez, il en sortirait du lait* (cit. 10).

1 Ses doigts tout pleins de lait (...)
Pressaient les bouts du pis (...) MOLIÈRE, la Princesse d'Élide, Intermède, II, 1.

Par métaphore ou fig. Extraire (cit. 10), tirer tout ce que l'on peut de (qqch., et, par métaphore, qqn). *Presser un auteur* (→ On, cit. 1).

2 Nous volons au passage un plaisir clandestin
Que nous pressons bien fort comme une vieille orange.
BAUDELAIRE, les Fleurs du mal, Au lecteur.

♦ **2.** (1256). Serrer de manière à comprimer, à déformer, à marquer d'une empreinte. ⇒ **Comprimer, fouler, serrer, tasser; broyer, écraser, esquicher** (régional). *Presser dans un étau*.* ⇒ aussi **Presse.** *Presser une pile de papiers.* ⇒ **Presse-papiers.** — *Presser une étoffe.* ⇒ **Catir.**

Presser la main, le bras de qqn. ⇒ **Caresser, pétrir; masser** (→ Garder, cit. 34; itinérant, cit. 2). *Les bras qui la pressaient.* ⇒ **Embrasser, étreindre** (→ Céder, cit. 12). *Presser le cou, la nuque de qqn.* ⇒ **Étrangler; oppresser.**

3 (...) elle avait un genou en terre, ma jambe était posée sur sa cuisse, que je pressais quelquefois un peu : j'avais une main sur son épaule (...)
DIDEROT, Jacques le fataliste, Pl., p. 733.

Presser qqn entre, dans... ses bras. ⇒ **Serrer.**

De ses bras innocents je me sentis presser. RACINE, Athalie, I, 2. 4

La vierge d'Orient, une ombre dans les yeux, 5
Pressait entre ses bras son fils mystérieux (...)
LECONTE DE LISLE, Poèmes barbares, «Le Runoïa».

♦ **3.** Appliquer avec force contre, sur qqch. ⇒ **Appliquer, appuyer.** *Presser un cachet, une marque sur de la cire.* ⇒ **Empreinte; imprimer.** *Presser un disque :* fabriquer une série de disques. — *Presser des animaux, des prisonniers les uns contre les autres.* ⇒ **Entasser, tasser.**

Il lui presse la tête contre sa poitrine (→ Embrasser, cit. 3). *Presser son sein contre...* (→ Palpiter, cit. 4). *Presser qqn sur son cœur* (→ Garder, cit. 46). *Presser ses mains l'une contre l'autre* (→ Piteusement, cit.).

♦ **4.** (1538). Approcher, rapprocher* de manière à gêner, à serrer. — Vx. *Presser les rangs.* ⇒ **Resserrer, serrer.** — Vx. *Presser qqn*, le serrer de près. *«Ceux qui pressent et entourent le prince»* (La Bruyère).

(1660). Fig., vx. Serrer, condenser. *Presser son style, ses idées :* s'exprimer avec concision.

♦ **5.** Exercer une pression*, une poussée sur... ⇒ **Appuyer, peser.** *Presser un bouton.*

Et qu'on ne s'étonne pas de ce que le poids de l'eau ne comprime pas ce ballon 6
visiblement, et que néanmoins on le comprime d'une façon fort considérable, en appuyant seulement le doigt dessus, quoiqu'on le presse alors avec moins de force que l'eau. La raison de cette différence est que, quand le ballon est dans l'eau, elle le presse de tous côtés, au lieu que quand on le presse avec le doigt, il n'est pressé qu'en une partie seulement (...)
PASCAL, Traité de l'équilibre des liqueurs..., VI, XVII.

♦ **6.** Repasser (un vêtement) à la vapeur, au pressing*.

(...) pourquoi ne fait-il pas porter plus souvent ses costumes au teinturier pour les 6.1
faire détacher, nettoyer, délustrer, presser, repasser?
N. SARRAUTE, le Planétarium, p. 170.

B. (Abstrait). ♦ **1.** (1150). Tourmenter, être vivement et péniblement ressenti. ⇒ **Accabler, tourmenter.** *Ardeur* (→ Heureux, cit. 9), *désirs* (cit. 22) *qui pressent qqn.* ⇒ **Contraindre.** *Une loi inexorable* (cit. 11) *nous presse. La nécessité qui nous presse de toute part* (→ Immanent, cit 2). *La politique... nous presse* (→ Incolore, cit. 4). *La fatalité le presse* (→ Encaisser, cit. 3). — *Les dettes le pressent* (→ Épouvanter, cit. 6).

♦ **2.** [a] (Fin XIIIᵉ). Vx. Attaquer* avec vigueur. *«Nous les pressons sur l'eau, nous les pressons sur terre»* (Corneille, *le Cid*, IV, 3).

[b] Poursuivre de manière à obtenir qqch. ⇒ **Assaillir, assiéger, courir** (après), **harceler, persécuter** (→ Fuyard, cit. 3). *Presser ses débiteurs* (→ Gras, cit. 33; et aussi insolvable, cit. 1). — *Presser qqn de questions.* ⇒ **Interroger** (→ Hésitation, cit. 11). *Si on l'eût beaucoup pressé...* (→ Gallican, cit. 2).

Spécialt. Vieilli. *Presser une femme,* la courtiser d'une façon pressante.

♦ **3.** (Fin XIIIᵉ). *Presser qqn de :* pousser vivement (qqn) à faire qqch. (par la persuasion ou la violence). ⇒ **Aiguillonner, conseiller, engager, exciter** (à), **hâter, insister** (auprès), **pousser; instance, violence** (faire). *Presser qqn de dire, de faire* (→ Aimer, cit. 8, Montaigne; aujourd'hui, cit. 11; falloir, cit. 44; inexorablement, cit. 1).

Je savais que le soir même, ou le lendemain, Robert me presserait enfin d'exécu- 7
ter mes projets. F. MAURIAC, le Nœud de vipères, II, XV.

Vx. *Presser qqn de* (qqch.).

Mais il me semble que je ne puis assez reculer ce choix dont on me presse (...) 8
MOLIÈRE, les Amants magnifiques, III, 1.

♦ **4.** (1552). Inciter ou obliger (qqn) à faire diligence, à se hâter. ⇒ **Bousculer, brusquer.** *Il est paresseux, indolent, il faut le presser sans cesse.* — *Presser un animal de l'aiguillon* (cit. 1), *un cheval de l'éperon, du talon.* ⇒ **Talonner.** *«Presse tes blancs moutons»* (→ Pleuvoir, cit. 1).

Son usage était de le laisser aller à sa fantaisie; car il trouvait autant d'inconvé- 9
nient à l'arrêter quand il galopait, qu'à le presser quand il marchait lentement.
DIDEROT, Jacques le fataliste, Pl., p. 529.

Rien ne me pressait plus maintenant, je pouvais demeurer tranquille. 10
F. MAURIAC, le Nœud de vipères, II, XV.

Presser une affaire, les événements. ⇒ **Accélérer, activer, chauffer, dépêcher, hâter.** *Presser son départ* (Fénelon, *Télémaque*). — *Presser le pas :* marcher* plus vite. ⇒ aussi **Courir, hâter** (se), **voler** (fig.). → Affliger, cit. 7; faiblir, cit. 5; fuir, cit. 36. *Presser l'allure, la cadence* (cit. 3). ⇒ **Forcer.**

(...) le désir déraisonnable de revenir en arrière ou au contraire de presser la mar- 11
che du temps (...) CAMUS, La Peste, p. 85.

★ **II.** V. intr. (XVIIᵉ). Être urgent*; ne laisser aucun délai. *La chose presse beaucoup* (→ Lieue, cit. 1). *Le temps presse. Rien ne presse.*

L'affaire presse, et le plus tôt que vous pourrez sortir d'ici sera le meilleur. 12
MOLIÈRE, Dom Juan, II, 5.

Le temps presse, le péril grandit (...) Il faut agir. 13
FRANCE, M. Bergeret à Paris, XXV, Œ., t. XII, p. 523.

Impers. *Il presse* (vieilli) : cela presse (cf. Corneille, Bossuet, *in* Littré).

▶ **SE PRESSER** v. pron. (réfléchi ou réciproque).

♦ **1.** *Se presser contre qqn, contre sa poitrine.* ⇒ **Blottir** (se). → Agripper, cit. 3. — *Se presser les uns contre les autres* (→ Brouhaha, cit. 3), *dans les bras l'un de l'autre.* ⇒ **Embrasser** (s').

Fig., vx. *Le cœur se presse,* est serré (de douleur...).

14 Vos larmes vont couler, et votre cœur se presse. CORNEILLE, Horace, II, 4.

Être en foule compacte. ⇒ **Entasser** (s'), **étouffer** (s'). → Anarchie, cit. 6; bosquet, cit. 1. *Se presser pêle-mêle* (→ 3. Gaillard, cit. Chateaubriand). *Se presser à l'entrée d'un spectacle.* ⇒ **Assiéger.** *Se presser autour** : approcher* en foule (→ Pontifier, cit. 2). *Des groupes se pressent* (→ Flot, cit. 13). *La foule, la populace* (cit. 4) *se presse* (→ Bourdonnement, cit. 5; bousculer, cit. 4). *Moutons* (cit. 6) *qui se pressent vers les parcs.*

Par métaphore ou fig. *Les mots, les paroles* (cit. 6) *se pressent dans sa bouche, sur sa langue* (→ Effervescence, cit. 5). *Ces manuscrits... se pressent en foule* (cit. 24).

♦ **2.** Plus cour. Se hâter. ⇒ **Courir, dépêcher** (se); **mouvement** (hâter, presser le mouvement), **vite** (aller vite). → Appeler, cit. 1; 1. penser, cit. 51. *Sans se presser :* en prenant son temps, tranquillement (→ Garder, cit. 50; grimper, cit. 9; impression, cit. 36; marcher, cit. 6). *Sans trop se presser* (→ Faufiler, cit. 6). — *Se presser de faire qqch.* « *Je me presse de rire de tout...* » (→ Obliger, cit. 14). — (Avec ellipse du réfléchi). « *Ce qui m'a fait presser de...* » (Mme de Sévigné). — Fam. *Allons, les enfants, pressons!*

15 Va, fais dire à Mathan qu'il vienne, qu'il se presse (...) RACINE, Athalie, II, 3.

16 Que diable, marche donc, mordieu! marche donc (...) Ma femme, je te prie de te presser un peu et de ne le pas faire attendre (...)
DIDEROT, Jacques le fataliste, Pl., p. 587.

17 Les ouvrières ne se pressèrent pas, engourdies d'une torpeur de paresse, les bras abandonnés sur leurs jupes, tenant toujours d'une main leurs verres vides, où un peu de marc de café restait. Elles continuèrent de causer.
ZOLA, l'Assommoir, VI, t. I, p. 239.

18 (...) cette affectation d'indolence qui lui faisait dire : « Il ne faut jamais se presser; moi je ne me suis jamais pressé et je suis toujours arrivé ».
Louis MADELIN, Talleyrand, V, XL.

▶ **PRESSÉ, ÉE** p. p. adj.

♦ **1.** (XIVe). Qui a été pressé. *Citron pressé, orange pressée.* — Par ext. Jus de ces fruits (pour le distinguer des jus de fruits industriels). *Trayons à peine pressés* (→ 1. Pis, cit. 2). — *Un tas de papier bien pressé.* ⇒ **Comprimé, serré** (→ Oreiller, cit. 4). — *Fromage* à pâte pressée.*

Techn. Obtenu par pressage, au moyen d'une presse.

18.1 Les objets « pressés » offrent souvent un aspect imitant l'effet de la taille, mais il n'est pas besoin d'un œil bien exercé pour saisir la différence : les facettes de l'objet pressé ne sont pas rigoureusement planes et les arêtes de séparation ne sont ni très droites, ni très vives. F. MEYER et P. GRIVET, le Verre, p. 77.

♦ **2.** (1629). Vx ou littér. Rapproché (dans l'espace). *Pressés éperdument* (cit. 2) *l'un contre l'autre. Cordon* (cit. 8) *d'alouettes pressées. Cette population* (cit. 8) *de pierres* (statues) *est si nombreuse, si pressée...* ⇒ **Compact.** — Fig. *Ruelle pressée entre des murs* (→ Douloureux, cit. 13).

19 (...) tous (...) pressés les uns contre les autres afin de se tenir chaud (...)
BALZAC, le Médecin de campagne, Pl., t. VIII, p. 397.

(1642). Par anal. *Coups pressés* (→ Martèlement, cit. 1), très rapprochés. ⇒ **Redoublé.**

Fig., vx. *Avoir le cœur pressé.* ⇒ **Serré.**

20 Peut-être (...) que mon cœur, qui est toujours pressé, se mettra un peu plus au large (...) Mme DE SÉVIGNÉ, 341, 30 oct. 1673.

Vx. Dont le style est bref, concis.

21 Soyez vif et pressé dans vos narrations (...) BOILEAU, l'Art poétique, III.

♦ **3.** Vx. Tourmenté (par un besoin*, etc.). *Pressé par la faim* (→ Canin, cit. 2), *pressé d'une détresse* (cit. 1) *incroyable.* — *Pressé d'argent* (cit. 31), du besoin d'argent.

22 Sa mère se trouvant de pauvreté pressée,
De la lui demander il me vint la pensée (...) MOLIÈRE, l'École des femmes, I, 1.

♦ **4.** (1564). Qui a de la hâte*. — *Pressé de...* (et inf.). *Pressé d'en finir* (→ Briser, cit. 6; marchandage, cit 2). *Il n'est pas pressé de vendre* (→ Marché, cit. 1). — *Pressé d'arriver* (→ Impatience, cit. 9). ⇒ **Hâtif.** — (Sans compl.). *Il est bien pressé* (→ Hé, cit. 1). *Voyageur pressé* (→ Malle, cit. 2). *Un air pressé* (→ Important, cit. 16; mander, cit. 4; morgue, cit. 3).

23 (...) au bout de quelque temps, car les Espagnols ne sont jamais pressés, l'on vint nous ouvrir (...) Th. GAUTIER, Voyage en Espagne, p. 119.

24 (...) nous sommes des gens pressés. Nous avons hâte de nous connaître et de nous juger. SARTRE, Situations II, p. 40.

♦ **5.** (1606). Qui doit être fait sans délai. ⇒ **Urgent; pressant.** *Besogne pressée* (→ Parterre, cit. 2). *Une lettre pressée. Il n'eut rien de plus pressé que de...* (→ Infect, cit. 4).

25 Est-ce que c'était pressé d'annoncer au monde qu'il y avait un mort dans le logement? Ça manquait de gaieté au milieu de la nuit (...)
ZOLA, l'Assommoir, IX, t. II, p. 80.

N. m. (1588). *Aller, courir au plus pressé,* à ce qui est le plus urgent, le plus important*.

Il faut aviser au plus pressé (...) PROUST, la Fugitive, Pl., t. III, p. 421. 26

Les exceptions abondent et je les connais : mais, pour en rendre compte, il faudrait un gros livre : je suis allé au plus pressé. SARTRE, Situations II, p. 188. 27

CONTR. Dilater, écarter. — Effleurer. — Attendre. — Atermoyer, lambiner. — Clairsemé.

DÉR. Pressage, pressant, presse, presse- (et comp.), **pressée, pressement, presseur.**

COMP. V. à l'ordre alphab. les comp. à partir de *presse-*.

HOM. Pressée.

PRESSE-RAQUETTE [pʀɛsʀakɛt] n. m. invar. — Mil. XXe; de *presse-,* et *raquette.*

♦ Appareil servant à maintenir les raquettes de tennis en forme (→ Raquette, cit. 3). — On dit aussi *presse,* n. f.

PRESSEUR, EUSE [pʀɛsœʀ, øz] adj. et n. — 1384, repris 1699; de *presser.*

Technique.

♦ **1.** Adj. (1858, *Année sc. et industr.* 1859, p. 193). Qui exerce une pression. *Cylindres presseurs.*

♦ **2.** N. Ouvrier, ouvrière qui travaille à une presse. *Presseur de fourrage, d'étoffes, de vêtements* (calendreur). *Presseur de forge. Presseur de pâte* (céramique; à papier...).

PRESSE-VIANDE [pʀɛsvjɑ̃d] n. m. — Mil. XXe, *in* Larousse, 1963; de *presse-,* et *viande.*

♦ Ustensile servant à presser la viande pour en extraire le sang (viande crue), le jus. *Des presse-viandes* ou *des presse-viande.*

PRESSIER [pʀesje] n. m. — 1625; de *presse.*

Technique.

♦ **1.** Ouvrier imprimeur qui travaille à une presse à bras. ⇒ **Ours.**

(...) Séchard était un ancien compagnon pressier, que dans leur argot typographique les ouvriers chargés d'assembler les lettres appellent un Ours. Le mouvement de va-et-vient, qui ressemble assez à celui d'un ours en cage, par lequel les pressiers se portent de l'encrier à la presse et de la presse à l'encrier, leur a sans doute valu ce sobriquet. BALZAC, Illusions perdues, Pl., t. IV, p. 465.

♦ **2.** (De *presser*). Ouvrier qui presse la pile de papier, dans la fabrication du papier à la main.

PRESSING [pʀesiŋ] n. m. — Av. 1935; mot angl., « action de presser », de *to press* « presser ».

Anglicisme.

♦ **1.** (V. 1935). Établissement où l'on repasse les vêtements à la vapeur. — (1949). Repassage à la vapeur. — REM. On a proposé de remplacer cet anglicisme par *pressage.*

Il y avait un couple d'Américains à table. Elle, presque belle, en tout cas formidablement soignée, sortant du pressing (...) ARAGON, Blanche..., p. 369.

♦ **2.** (V. 1950). Sports. Pression constante, insistante, maintenue sur l'adversaire, dans les sports collectifs. « *Utiliser le "pressing" et l'agressivité au service de cette récupération du ballon* » (Mercier, *le Football,* 1966, *in* G. Petiot).

PRESSIOMÈTRE [pʀɛsjɔmɛtʀ] n. m. — Mil. XXe, *in* Larousse, 1963; de *pression,* et *-mètre.* Cf. *pressiographe* (1907).

♦ Techn. Appareil de mesure des variations de pression à haute température (moteurs à réaction; à combustion).

PRESSION [pʀɛsjɔ̃] n. f. — 1638, Descartes, *Lettre à Marsenne;* XIIIe et XIVe, « épreintes » (de *épreindre*) et « impression, empreinte »; lat. *pressio,* dér. de *premere.* → Presser.

★ **I.** (Concret). ♦ **1.** (XVIe, en parlant de l'action matérielle; le concept phys. se dégage au XVIIe : 1648, Pascal). Sc., cour. Force* qui agit sur une surface donnée; mesure de la force qui agit par unité de surface. ⇒ aussi **Effort, impression, poussée.** *Unités de pression.* ⇒ **Barye; pièze** (et comp.); **atmosphère; pascal.** *Étalon de pression* (la pression exercée par une colonne de mercure de 76 cm de haut à 0 °C). — *Pression exercée par un solide sur un autre. Pression d'un étau, d'une presse* (→ Huile, cit. 7), *d'un ressort. Comprimer, serrer, marquer* (⇒ **Empreindre, imprimer**) *par pression.* ⇒ **Pressage, pressurer;** 1. **serre, serrer.** *Pression et frottement*. Pression des fluides contenus dans un récipient, s'exerçant perpendiculairement aux surfaces des parois* (→ Force, cit. 60). *Centre de pression sur une paroi plane. Pression d'une colonne d'eau* (dite *charge* d'eau*). *Expériences de Pascal sur la pression des liquides.* ⇒ **Crève-tonneau.** *Mesure de la pression de l'eau à l'aréomètre, à l'hydromètre*. — Pression des gaz*. Pression absolue et pression partielle. Loi des pressions partielles de Dalton. Pression interne,* produite par l'attraction entre les molécules d'un gaz. *Pression de cohésion :* correction appliquée dans les équations d'équilibre des gaz pour tenir compte de l'attraction moléculaire. — *Pression statique dans un fluide,* pression qui s'exerce perpendiculairement à sa surface. *Pression d'impact,* dans un fluide en mouvement. *Vitesse de pression :* différence entre la pression d'impact et la pression statique. — *Pression de vapeur,* dont le maximum, dans un espace fermé, dépend de la nature et de la température de la vapeur. ⇒ **Tension.** — *Pression de contact (de Hertz),* en mécanique des surfaces. *Effet d'une pression sur les corps.* ⇒ **Compression; compressibilité, comprimer; incompressible.** *Élargissement, déplacement des raies spectrales par la pression. Charges électriques apparaissant par pression.* ⇒ **Piézo-électricité.**

Techn. *Pression de vapeur, dans un autoclave*, dans une chaudière* (cit. 2) *de machine* à vapeur. Contrôleur de pression. Manomètre* (cit.) *indiquant la pression. Pression de régime, pression limite* (maximum). *Diminuer, régler la pression.* ⇒ **Détendre; détendeur; soupape.** *Pression exercée sur le piston* (→ Gazeux, cit. 1). — *Machine à haute, à basse, à faible pression* (→ aussi Entraîner, cit. 1).

1 Il était tout au souci de garder sa vitesse, sachant bien que la vraie qualité d'un mécanicien, après la tempérance et l'amour de sa machine, consistait à marcher d'une façon régulière, sans secousse, à la plus haute pression possible.
ZOLA, la Bête humaine, VII.

1.1 Des pelletées de charbon et de bois furent engouffrées dans le foyer de sa chaudière, le feu se ranima, la pression monta de nouveau, et, vers deux heures après midi, la machine revenait en arrière vers la station de Kearney. C'était elle qui sifflait dans la brume.
J. VERNE, le Tour du monde en 80 jours, p. 274.

SOUS PRESSION. *Chaudière, locomotive sous pression,* où la vapeur, à une pression supérieure à la pression atmosphérique, est capable d'assurer le fonctionnement. *Être, mettre* (une machine) *sous pression.* ⇒ **Chauffer.** *Gaz sous pression.* ⇒ **Comprimer** (p.p. adj.); **compresseur.** — *Réacteur atomique refroidi par de l'eau sous pression.*

Par métaphore. *Une sensibilité sous pression* (→ Cause, cit. 59). *Violence sous pression* (→ Contenir, cit. 13).

2 Un peu plus de courage, de joie, de *pression,* ces derniers jours. Si seulement je pouvais dormir!
GIDE, Journal, 21 janv. 1908.

Vx. *En pression :* sous pression.

2.1 Phileas Fogg commanda alors un train spécial.
Il y avait plusieurs locomotives de grande vitesse en pression; mais, attendu les exigences du service, le train spécial ne put quitter la gare avant trois heures.
J. VERNE, le Tour du monde en 80 jours, p. 312.

(1845; *pression de l'atmosphère,* 1751). *Pression atmosphérique,* exercée par l'atmosphère terrestre en un point. *Mesure de la pression atmosphérique.* ⇒ 3. **Bar; millibar; baromètre; -bare.** *Étude des pressions par la météorologie*. D'égale pression atmosphérique.* ⇒ **Isobare, isobarique.** *Changements des conditions de la pression* (→ Mousson, cit. 2). ⇒ aussi **Gradient.** *Le crève-vessie*, appareil mettant en évidence la pression atmosphérique. Affection due aux changements de la pression atmosphérique.* ⇒ **Aéropathie.** — (1896). Absolt. *Hautes, basses pressions.* ⇒ **Anticyclone, cyclone** (cit. 1), **dépression** (cit. 2).

3 Le mois de janvier 1896 est caractérisé par une persistance inaccoutumée du régime des hautes pressions sur l'Europe centrale et occidentale (...)
L. FIGUIER, l'Année scientifique et industrielle, 1897, p. 25 (1896).

Régler la pression d'une cabine d'avion, d'un véhicule spatial. ⇒ **Pressuriser.** *Mise en pression :* rétablissement de l'air à un niveau normal dans la cabine d'un aéronef volant à haute altitude. ⇒ **Pressurisation.**

Pression osmotique.*

Phys. *Pression de radiation,* exercée par un rayonnement électromagnétique (→ Étoile, cit. 18).

♦ **2.** Cour. Action de presser; force (de ce qui presse). *La pression, la force de pression de qqch. sur... Huile d'olive obtenue par première pression à froid* (dite *huile vierge*). *Pression de la main* (→ Durcir, cit. 1; poigne, cit. 4), *d'une poignée de main* (→ Influence, cit. 9). *Pression des bras.* ⇒ **Étreinte.** *La pression de la chaussure sur le pied* (cit. 2). — *Faire pression sur...* ⇒ **Peser, presser** (→ Phlegmon, cit.). *Massage par pression.* — Spécialt. *Pressions de main, du genou...* ⇒ **Caresse.** *Le tact, sensibilité aux pressions.*

4 (...) il en tenait un sous chacun de ses genoux; les misérables râlaient sous cette pression comme sous une meule de granit (...)
HUGO, les Misérables, III, VIII, XX.

5 (...) elle s'était cramponnée au bras de son père à qui elle révélait involontairement ses pensées par la pression plus ou moins vive de ses doigts.
BALZAC, la Femme de trente ans, Pl., t. II, p. 682.

6 (...) les mains d'Albertine cédaient un instant, puis résistaient à la pression de la main qui les serrait (...)
PROUST, À l'ombre des jeunes filles en fleurs, Pl., t. I, p. 919.

♦ **3.** (1909). *Une pression* (n. f.) ou *un* (bouton) *pression* (n. m.) : un bouton en deux parties qui s'engagent l'une dans l'autre, la partie engagée se maintenant par la pression d'un petit ressort. *Fermé avec des pressions.* ⇒ **Pressionné.**

7 (...) les mains de ce personnage épique étaient couvertes de gants de coton noir, soigneusement fermés au bouton-pression.
ARAGON, les Beaux Quartiers, II, XIII.

♦ **4.** *Bière à la pression,* ou, cour. (appos.), *bière pression,* mise sous pression en récipients et tirée directement dans les verres, au café (la pression maintenant le gaz carbonique qui forme la mousse lors du tirage). *Un demi pression.* — Ellipt. *Vous voulez de la pression ou une bouteille?*

♦ **5.** Physiol. *Pression circulaire exercée par un muscle.* ⇒ **Constriction.** — (1874). *Pression artérielle.* ⇒ **Tension** (→ Médecin, cit. 8).

La pression dépend non pas du volume absolu de la masse sanguine, mais de la relation de ce volume à la capacité du système circulatoire. 7.1
Alexis CARREL, l'Homme, cet inconnu, VI, II.

♦ **6.** En escrime, Attaque préparant l'offensive en utilisant la réaction qu'elle provoque, par une poussée (appui) sur la lame de l'adversaire.

★ **II.** (Abstrait). ♦ **1.** (XIXe, Balzac). Influence*, action insistante qui tend à contraindre. ⇒ **Contrainte** (→ Inéligible, cit.; influencer, cit. 2). *La pression des événements, des nécessités* (→ Circonstance, cit. 6). ⇒ **Empire.** *Pression sociale* (→ Obliger, cit. 3). *Les pressions de la masse* (→ Diriger, cit. 1). *Exercer une pression sur qqn* (→ Exécutant, cit. 2). — *Moyen de pression* (→ Endoctrinement, cit.; pleur, cit. 5). — *Faire pression sur qqn,* chercher à le convaincre, à l'intimider*... ⇒ **Forcer.** *Faire pression par un bluff, un chantage..., par la force*.*

C'est sous cette pression continue qu'on administre, et les élus du peuple, les magistrats les plus aimés, les mieux famés, sont à la discrétion de la cohue qui heurte à leurs portes. 8
TAINE, les Origines de la France contemporaine, III, t. I, p. 130.

Chacune de ces habitudes d'obéir exerce une pression sur notre volonté. Nous pouvons nous y soustraire, mais nous sommes alors tirés vers elle, ramenés à elle, comme le pendule écarté de la verticale. 9
H. BERGSON, les Deux Sources de la morale et de la religion, p. 2.

Pression fiscale : contrainte exercée par un impôt. *La pression fiscale est calculée par rapport à un chiffre représentant les ressources économiques* (produit* national brut, revenu national...).

♦ **2.** (V. 1955; de l'anglo-amér. *pressure group).* **GROUPE DE PRESSION :** groupement qui, par une action concertée, cherche à exercer une pression sur l'État, l'opinion publique, etc., pour défendre les intérêts de ses membres ou des positions morales, idéologiques. ⇒ **Lobby.**

Au cours des dernières années, l'expression « groupe de pression » (littéralement traduite de l'anglais : *pressure group*), est devenue, malgré son incorrection grammaticale, d'usage courant en France. Dans son acception la plus générale, elle évoque les luttes engagées pour rendre les décisions des pouvoirs publics conformes aux intérêts ou aux idées d'une catégorie sociale quelconque. 10
Jean MEYNAUD, les Groupes de pression, Introduction.

DÉR. Pressiomètre, pressionné. — V. Pressostat.
COMP. Contre-pression, surpression.

PRESSIONNÉ, ÉE [pʀesjɔne] adj. — 1975, in *la Clé des mots;* de *(bouton)-pression.*

♦ Comm. Muni de boutons-pression; fermant par ce moyen.

PRESSOIR [pʀeswaʀ] n. m. — 1190; du bas lat. *pressorium,* de *premere* « presser ».

♦ **1.** Machine servant à extraire de certains fruits (raisins, pommes, poires, olives...) ou graines, par pression, les liquides qui s'y trouvent (jus, huile...). ⇒ **Presser.** *Pressoir à cidre, à pommes. Pressoir à huile, à olives.* ⇒ **Maillotin, moulin** (à huile); et aussi **maye** (→ Olivier, cit. 6). — Spécialt. *Pressoir à vin,* et, absolt, *pressoir,* dans lequel la vendange est pressée (⇒ **Pressurage**) après foulage. ⇒ **Fouler, fouloir.** (→ Boire, cit. 24; cellier, cit. 1; 2. foudre, cit. 1). *Pressoir à vis, à main. Pressoir continu, à trémie et à cylindres. Bâti* (maie, table), *appareil de serrage, robinet* (⇒ 2. **Cannelle**)... *d'un pressoir. Jus sortant du pressoir.* ⇒ **Moût.** *Enlever le marc* du pressoir.* — Féod. *Pressoir banal.*

Vendange, joie précipitée, urgence de mener au pressoir, en un seul jour, raisin mûr et verjus ensemble (...) 1
COLETTE, la Naissance du jour, p. 50.

Le traitement qui suit le foulage peut être très divers, ainsi que (...) la manière de séparer le liquide. Cette séparation se fait d'abord par simple égouttage, et le vin ainsi obtenu est dit *vin de goutte;* on extrait alors le liquide restant à l'aide d'un pressoir, et l'on obtient le *vin de presse* (...) 2
Jules CARLES, la Chimie du vin, p. 54.

Par métaphore. *« L'effroyable pressoir de la justice divine »* (Bossuet). — Icon. *Le pressoir mystique,* scène allégorique où le sang du Christ est assimilé au vin.

♦ **2.** (Fin XIIe). Bâtiment, emplacement où se trouve le pressoir à vin (cave, cellier, hangar). → Chènevière, cit. 2.

Les pressoirs seuls restaient ouverts pour donner de l'air au plancher des *treuils,* et d'un bout à l'autre du village une moiteur de raisins pressés, la chaude exhalaison des vins qui fermentent, se mêlaient à l'odeur des poulaillers et des étables. 3
E. FROMENTIN, Dominique, I.

DÉR. Pressurer.

PRESSOSTAT [pʀesɔsta] n. m. — Mil. XXe; du rad. de *pression,* et *-stat.*

♦ Techn. Appareil à fonctionnement automatique qui permet de maintenir constante la pression d'un fluide comprimé contenu dans un réservoir, une conduite, etc.

PRESSURAGE [pʀesyʀaʒ] n. m. — 1549; *pressoerage,* 1342; «droit féodal», 1296; de *pressurer.*

♦ **1.** Agric. Opération par laquelle on presse une substance (vendange foulée, marc de fruits, olives...) au moyen du pressoir*. ⇒ **Serre.** *Vin de pressurage* (ou *de presse*). *Pressurage avant ou après cuvage. Pressurage de certains fromages*.*

Les Garçons de charrue et les Vignerons buvaient un vin qui leur était beaucoup plus agréable que celui du Maître ne leur aurait paru: c'était le vin de pressurage, passé sur un rapé, de rales de raisin.
RESTIF DE LA BRETONNE, la Vie de mon père, p. 227.

♦ **2.** (1875). Fig. Action de soumettre les contribuables à des impositions trop fortes. ⇒ **Pressurer.**

PRESSURE [pʀesyʀ] n. f. — 1764; «action de presser», xve; de *presser.*

♦ Techn. Anc. Opération par laquelle on empointe* les aiguilles, les épingles (empointage).

PRESSURER [pʀesyʀe] v. tr. — 1336; *pressoirer,* 1283; «paraît dû à l'influence du lat. class. *pressura*» (Hatzfeld); dér. de *pressoir.*

♦ **1.** Presser (des fruits, des graines) pour en extraire un liquide. ⇒ **Pressoir; pressurage.** — Vx. (Voltaire, *in* Littré). Presser (les fromages).

♦ **2.** (xve). Tirer d'une personne, une chose, tout ce qu'on peut en tirer (avec une idée de violence). *Pressurer un peuple.* ⇒ **Exploiter.** *Se faire pressurer comme un citron*.* — Spécialt. Extorquer* l'argent, les biens de (qqn). ⇒ **Épuiser, saigner, suer** (faire suer). *Pressurer les contribuables.*

1 Louis XI appelait familièrement maître Cornélius de ce vieux nom *(torçonnier),* qui sous le règne de saint Louis, signifiait un usurier, un collecteur d'impôts, un homme qui pressurait le monde par des moyens violents.
BALZAC, Maître Cornélius, Pl., t. IX, p. 912.

1.1 (...) Suter est haï, mais Suter n'en a cure. On ne peut se passer de ses produits et il pressure le monde tant qu'il peut. «Ils rendront gorge, ils rendront gorge, ces sales bougres (...) ».
B. CENDRARS, l'Or, p. 206.

Fam. *Se pressurer le cerveau* (→ Enfermer, cit. 20, Gide) : avoir une activité mentale longue et pénible, de recherche, de raisonnement, etc. ⇒ **Torturer** (se).

(Compl. n. de chose) :

2 (...) en ce moment vous vous dites : Ce chanoine espagnol invente des anecdotes et pressure l'histoire pour me prouver que j'ai eu trop de vertu (...)
BALZAC, Illusions perdues, Pl., t. IV, p. 1021.

DÉR. Pressurage, pressureur.

PRESSUREUR, EUSE [pʀesyʀœʀ, øz] n. — 1680; *presseureur,* 1291; de *pressurer.*

♦ **1.** Techn. Ouvrier, ouvrière qui assure le fonctionnement d'un pressoir.

♦ **2.** (1875). Personne qui pressure autrui, exploiteur.

PRESSURISATION [pʀesyʀizasjɔ̃] n. f. — 1949, Larousse; de *pressuriser,* d'après l'angl. *pressurization.*

♦ Anglic. Techn. Mise en pression, sous pression normale. — *Système, dispositif de pressurisation.*

J'étais grisé par le temps, comme les premiers aviateurs, avant l'invention de la pressurisation, l'étaient par l'altitude.
P. GUTH, le Chat beauté, 1975, p. 339, *in* REY-DEBOVE-GAGNON.

PRESSURISER [pʀesyʀize] v. tr. — 1949, Larousse; angl. *to pressurize,* de *pressure* «pression», du lat. *pressura.*

♦ Anglic. Techn. Maintenir à une pression normale (un avion, un véhicule spatial). — Au p. p. *Cabine pressurisée.*

REM. Le terme a été critiqué :

Tout le monde, je crois, est d'accord pour blâmer l'anglicisme *pressurisé* dans : les «cabines *pressurisées*» des avions. Ce mot, qui évoque en français le verbe pressurer, péjoratif au figuré (au propre «écraser sous le pressoir»), est éminemment fâcheux pour indiquer l'agrément d'une cabine soumise à une pression constante. Mais par quoi le remplacer?
A. DAUZAT, *in* le Monde, 2 déc. 1953.

REM. Des équivalents ont été proposés : *mettre en pression, sous pression, surcomprimer.*

DÉR. Pressurisation.

PRESTANCE [pʀɛstɑ̃s] n. f. — 1540; «excellence», 1460; lat. *præstantia* «supériorité».

♦ Aspect imposant (d'une personne); physique, maintien (cit. 1) et contenance imposants. *Avoir de la prestance.* → Porter beau* (*supra* cit. 25), avoir de l'allure*, être décoratif*. *Belle mine*, noble prestance* (→ Gentleman, cit. 1). *De belle prestance* (→ Honnête, cit. 17). *Sa prestance* (→ Harnais, cit. 4).

Ce joli costume mettait en relief la perfection des formes de Montcornet, alors âgé de trente-cinq ans, et qui attirait le regard par cette haute taille exigée pour les cuirassiers de la garde impériale, dont le bel uniforme rehaussait encore sa prestance, encore jeune malgré l'embonpoint qu'il devait à l'équitation. 1
BALZAC, la Paix du ménage, Pl., t. I, p. 999.

Pour dire un homme bien élevé et distingué, on disait alors «un cavalier accompli»; en effet, il n'avait toute sa prestance qu'en selle et sur un cheval de race comme lui. 2
TAINE, les Origines de la France contemporaine, I, t. I, p. 145.

Velbar, magnifique dans le rôle de Dédale, traduisit en comédien consommé les angoisses et les espérances de l'artiste obsédé par les conceptions grandioses de son génie. Les draperies grecques mettaient en valeur sa superbe prestance, et le timbre idéal de sa puissante voix provoquait à chaque fin de phrase de brusques élans d'enthousiasme. 3
Raymond ROUSSEL, Impressions d'Afrique, p. 270.

PRESTANT [pʀɛstɑ̃] n. m. — 1636; ital. *prestante* «excellent»; même rac. que *prestance.*

♦ Mus. Jeu de montre de l'orgue, principal sur lequel on accorde les autres jeux. *Les tuyaux les plus graves du prestant sont placés en façade.*

PRESTATAIRE [pʀɛstatɛʀ] n. m. — 1845; de *prestation.*

♦ **1.** Dr. Contribuable assujetti à la prestation en nature.

♦ **2.** Admin. Personne qui bénéficie d'une prestation (I., 4.).

♦ **3.** (V. 1960). Écon. *Prestataire de services :* personne, entreprise spécialisée dans les activités économiques relatives aux services*, ou qui donne une prestation précise.

PRESTATION [pʀɛstasjɔ̃] n. f. — 1270; lat. jurid. *præstatio,* de *præstare* «fournir».

★ **I.** Action de fournir; résultat de cette action. ♦ **1.** Dr. civ. Objet de l'obligation, ce qui doit être fourni ou accompli par le débiteur. *Échéance des prestations* (→ Coupon, cit. 1).

♦ **2.** Dr. féod. Fourniture, redevance due au seigneur par son sujet. ⇒ **Aide.** — (1836). Dr. fisc. *Prestation en nature :* impôt* direct consistant en un travail de quatre jours que doivent fournir les habitants des communes pour l'entretien des chemins vicinaux. *La prestation, impôt par tête* (⇒ **Capitation**) *qui a remplacé la corvée* (⇒ **Corvée**) *est rachetable en argent* (→ 1. Loi, cit. 20). ⇒ **Taxe** (vicinale).

Tantôt les uns, ignorant les lois, se refusaient à la prestation en nature; tantôt les autres, qui manquaient de pain, ne pouvaient réellement pas perdre une journée (...) 1
BALZAC, le Médecin de campagne, Pl., t. VIII, p. 349.

La taxe des prestations est assise par le service des contributions directes. Elle peut être acquittée, au gré du contribuable, soit en nature, soit en argent. Toutes les fois que le contribuable n'a pas opté dans le mois de la publication du rôle, elle est exigible en argent. 2
DALLOZ, Petit dict. de droit, Voirie, 178-179.

Prestation en nature : charges qu'un propriétaire est autorisé à faire payer à son locataire. ⇒ **Charge.**

♦ **3.** (1875). Allocation donnée aux militaires. *Prestation en espèces; en nature.* ⇒ **Fourniture.**

Tribut en nature qu'un pays vaincu doit au pays vainqueur.

♦ **4.** (V. 1930). Admin. Allocation en espèces que l'État verse au travailleur pour l'aider dans certaines circonstances prévues par la loi. *Prestations de la Sécurité sociale en cas de maladie, d'accouchement, d'accident* (remboursement partiel ou total des frais, indemnité* de salaire). *Prestations d'invalidité, de vieillesse. Prestations familiales* (⇒ **Allocation; attributaire**) : *allocation de maternité, de salaire unique, de logement, allocations prénatales. Taux des prestations. Cotisations et prestations. Toucher les prestations.*

Son rôle essentiel *(de la Sécurité sociale)* est de parer aux dangers provenant de la maladie ou de l'accident ou de permettre, par un accroissement de ressources, de faire face à certaines charges de famille particulières. Les prestations seront donc fonction des besoins ou des charges qui atteignent les travailleurs. 3
André GETTING, la Sécurité sociale, p. 34.

♦ **5.** (xxe). Ethnol. (Au plur.). Institution qui règle le temps de service qu'un jeune marié doit à sa belle-famille et les biens qui doivent être fournis aux parents de l'épousée.

♦ **6.** Régional (Belgique). Accomplissement d'une tâche convenue (qu'elle soit rémunérée ou non).

♦ **7.** (1943 en Belgique comme terme de sports, cf. Petiot; emploi critiqué). Sports, spectacles. Ce qu'un athlète ou un artiste offre au public en se produisant. *« Les orateurs, les comédiens, les journalistes de la radio et de la télévision vivent dans la crainte de ruiner l'effet de leur prestation, soigneusement préparée, par un lapsus malencontreux »* (*la Recherche,* juin 1980, p. 686). *«Ses prestations télévisées avaient assuré une bonne partie de son succès électoral»* (*le Nouvel Obs.,* 17 juin 1974, p. 26).

★ **II.** (1480). Hist. ou dr. Action de prêter (serment). — Féod. *Pres-*

tation de foi et hommage du vassal. — *Prestation de serment d'un avocat**.

4 (...) le préfet leur remettrait l'arrêté qui les réintégrait dans tous leurs droits après leur prestation de serment et leur adhésion aux lois de l'Empire.
BALZAC, Une ténébreuse affaire, Pl., t. VII, p. 543.

DÉR. Prestataire.

PRESTE [pʀɛst] adj. — Attesté 1460 (→ Prestement, XIIe); ital. *presto* «prompt».

♦ Style soutenu. Prompt* et agile*. *Avoir la main preste,* adroite*. *Mouvements prestes* (→ 1. Fouine, cit. 1), *vol preste* (→ Filer, cit. 22), *pas preste* (→ Picorer, cit. 2), *preste caresse* (→ Porcelaine, cit. 1). *« Il est preste à la réplique »* (Académie).

(...) des écuyers prestes tournèrent sur la piste à peine assis sur des croupes luisantes de chevaux.
F. MAURIAC, le Mal, X.

Interj. Vx. *Preste ! :* vite.

CONTR. Lent, maladroit, mou.
DÉR. Prestement.
COMP. Prestidigitateur.

PRESTEMENT [pʀɛstəmɑ̃] adv. — V. 1195, *in* Arveiller; de *preste.*

♦ Style soutenu. D'une manière preste. ⇒ **Agilement; vivement.** *Déplier* (cit. 2) *prestement. Prestement, elle rassembla les papiers* (cit. 23) *épars. Elle les fit prestement disparaître* (cit. 24).

CONTR. Lentement, maladroitement.

PRESTESSE [pʀɛstɛs] n. f. — 1690; *prestezze* «rapidité», fin XVIe.

♦ Littér. Promptitude et agilité. ⇒ **Adresse, vivacité.** *Sauter avec prestesse* (→ 1. Bourrée, cit. 2), *avec sa prestesse ordinaire* (→ Houssine, cit. 1). *Prestesse d'ouvrière* (cit. 7), *de pickpocket* (cit. 2).

Une jeune femme Samoïède dansait nue, avec un poignard à la main. Elle paraissait s'en frapper; mais elle esquivait aux coups qu'elle se portait avec une prestesse si singulière, qu'elle avait persuadé à ses compatriotes que c'était un dieu qui la rendait invulnérable (...)
DIDEROT, Sur les femmes.

CONTR. Lenteur, maladresse.

PRESTIDIGITATEUR, TRICE [pʀɛstidiʒitatœʀ, tʀis] n. — 1823; de *preste,* lat. *digitus* «doigt», et suff. *-ateur;* proprt «homme aux doigts prestes». → Expressif, cit. 3.

1 On nous permettra de clore la série par un mot (...) qui est le plus bouffon de tous : c'est *prestidigitateur.* On avait à naturaliser le terme italien de *prestigiatore* qui est l'équivalent de *prestigeur,* en somme : faiseur de prestiges, illusionniste (...) On a forgé ce cocasse mot latin où il s'agit de *doigt* (digitus), en gardant un élément *preste* qui est italien. Et le mot a fait fortune (...)
A. THÉRIVE, Clinique du langage, p. 131.

♦ **1.** Artiste qui, par l'adresse de ses mains, produit des illusions*, en faisant disparaître, apparaître, changer de place ou d'aspect certains objets. ⇒ **Escamoteur, illusionniste.** *L'adresse* (→ 2. Adresse, cit. 1), *la dextérité du prestidigitateur. Tour de prestidigitateur* (→ Dévoiler, cit. 4). *Escamoter* (cit. 1) *avec une habileté de prestidigitateur. Un prestidigitateur ne ferait pas mieux* (→ Éventail, cit. 1).

2 Et aussitôt, au-dessus de la tête du prestidigitateur, ces choses commençaient à voltiger, se suivant, s'alternant, se croisant sans se rencontrer, et sortant de dessous ses jambes, de derrière son dos, pour toujours revenir à ses adroites mains et s'en aller de nouveau.
Ed. DE GONCOURT, les Frères Zemganno, IV.

3 (...) le chanceux petit homme, qui s'était marié à une *prestidigitatrice,* passait pour gagner beaucoup d'argent avec son char et les tours de cartes de sa femme (...)
Ed. DE GONCOURT, les Frères Zemganno, XXI.

4 De temps en temps, négligemment, il *(Faulkner)* nous dévoile une conscience. Mais c'est comme un prestidigitateur qui montre la boîte lorsqu'elle est vide.
SARTRE, Situations I, p. 8.

♦ **2.** (1837). Fig. Celui qui fait des tours d'adresse (→ Moralité, cit. 5). *Prestidigitateur de la pensée* (→ Habile, cit. 14). *Necker, le prestidigitateur par qui le crédit renaissait* (→ Magicien, cit. 6).

DÉR. Prestidigitation.

PRESTIDIGITATION [pʀɛstidiʒitasjɔ̃] n. f. — 1823; de *prestidigitateur.*

♦ **1.** Technique, art du prestidigitateur. *Tours** (3. Tour), *trucs de prestidigitation.* ⇒ **Escamotage, illusion, passe-passe.** *Objets servant aux tours de prestidigitation.* ⇒ **Escamote, gobelet, godenot** (vx), **muscade.** *Numéro de prestidigitation.*

Comme certains cônes de prestidigitation d'où l'on voit sortir indéfiniment des fleurs de toute espèce, le réservoir aux écus semblait inépuisable. Stella n'avait qu'à le secouer doucement pour semer ses richesses, dont la couche épaisse mais inconsistante s'écrasait partiellement sous les circuits de la roue vagabonde.
Raymond ROUSSEL, Impressions d'Afrique, p. 42.

♦ **2.** Fig. Habileté à produire des faux-semblants.
C'est de la prestidigitation !, se dit d'une illusion, d'une apparence incompréhensible.

PRESTIGE [pʀɛstiʒ] n. m. — 1518; lat. *præstigium* «artifice, illusion». → aussi Prestidigitateur, cit. 1.

♦ **1.** Vx ou littér. Illusion dont les causes sont surnaturelles, magiques. ⇒ 2. **Charme, illusion.** *Les prestiges des démons. Imposteur* (cit. 1) *qui fait des prestiges, des exorcismes* (→ Magicien, cit. 4). — Par ext. Fantasmagorie. *Le voile du prestige tombe, et l'amour s'évanouit* (cit. 12).

Fascinez-le par de doux prestiges, plongez-le dans une mer d'illusions. 1
NERVAL, Traduction de Faust, I, p. 66.

♦ **2.** (1688). Vx ou littér. Artifice séducteur, apparence qui éblouit. *Les prestiges de l'orateur, du poète* (→ Illusion, cit. 5). *Des prestiges d'élocution* (cit. 2). *Les prestiges de l'art d'écrire* (→ Fictivement, cit.). *Tout le prestige du théâtre* (→ Envoûter, cit. 4). ⇒ **Magie.**

(...) les jeux de lumière électrique et tous les prestiges que nécessite une mise en scène compliquée (...) 2
Th. GAUTIER, Voyage en Russie, I, XII.

♦ **3.** (V. 1750). Pouvoir de séduire, d'imposer à l'imagination d'autrui par une action remarquable, une situation brillante ou jugée telle. ⇒ **Ascendant, auréole, autorité, importance, séduction** (→ Fort, cit. 58). *L'éclat de rayonnement du prestige. Prestige et popularité** (cit. 4) *de Bonaparte. Prestige d'une actrice* (→ Dissiper, cit. 16), *d'un artiste* (→ Endoctriner, cit. 4), *d'un champion* (→ Fascination, cit. 7). *Personnes qui exercent un grand prestige sur qqn.* ⇒ **Empire.** *Il s'auréolait* (cit. 3) *de prestige à mes yeux. Avoir du prestige* (→ Maquisard, cit. 1). *Jouir d'un grand prestige. Manquer de prestige. Victoire qui donne du prestige, ajoute au prestige de...* (→ Disputer, cit. 18). *Tirer du prestige de...* (→ 1. Pignon, cit. 6). *Garder, sauvegarder son prestige* (→ Sauver* la face). *Perdre son prestige, de son prestige. Rehausser le prestige de qqn* (→ Directeur, cit. 2).

Cet homme ruiné resta encore avec des revenus qui eussent honorablement nourri bien des familles laborieuses; mais le prestige du premier, du fabuleux, du libéral et inépuisable Lauzun, avait reçu une atteinte mortelle. 3
SAINTE-BEUVE, Causeries du lundi, 30 juin 1851.

Mais en dépit de tout cela, il *(un chef berbère)* jouit d'un prestige immense : prestige de l'homme fort chez des gens qui n'estiment rien autant que la force, prestige de l'homme riche au milieu de populations très pauvres, prestige enfin que revêt aux yeux de tout ce monde si attaché à ses coutumes, le chef assez puissant et audacieux pour les violer. 4
Jérôme et Jean THARAUD, Marrakech, III.

Par ext. *Le prestige d'un pays* (→ Estomper, cit. 4). *Pour le prestige* (→ Guerre, cit. 41). *Prestige du rang* (→ Familiarité, cit. 7). ⇒ **Éclat.** *Métier, grade sans prestige* (→ Fille, cit. 8). *Le prestige de l'uniforme. Prestige de la beauté, de la jeunesse.* ⇒ **Attrait.**

Elle s'est affaissée *(la France)*; pourtant elle conserve un prestige sur ces peuples neufs qui ont le nombre et la force; elle reste haute de toute la hauteur de ses tentatives vaincues. Elle porte toujours la charge sacrée, elle reste la plus dévouée, la plus inventive (...) 5
Ch. PÉGUY, Note conjointe, Sur Descartes, p. 153.

Le monde vit d'illusion, c'est-à-dire de prestiges, et c'est un grand malheur pour beaucoup que se substitue au prestige des personnes ou même des uniformes, le prestige plus médiocre encore des mots. 6
BERNANOS, les Grands Cimetières sous la lune, p. 217.

Ce n'était pas la gloire des armes, qui, dans tous les temps, lui avait valu son prestige; c'était surtout le rayonnement de son esprit et aussi celui de sa richesse; la France était la nation la plus opulente en hommes et en choses (...) 7
Louis MADELIN, Talleyrand, IV, XXVIII.

J'avais cédé au prestige qu'ont gardé toujours à mes yeux les traditions de la famille Fondaudège. 8
F. MAURIAC, le Nœud de vipères, I, VII.

(...) j'ai l'impression que ces écoles sont faites pour les touristes et les commissions d'enquête et qu'elles sacrifient au préjugé du prestige les besoins élémentaires du peuple indigène. 9
CAMUS, Actuelles III, p. 63.

Loc. (XXe). *Politique de prestige,* par laquelle on tire un bénéfice moral de brillantes réalisations (cf. De grandeur).

PRESTIGIEUX, EUSE [pʀɛstiʒjø, øz] adj. — 1550; lat. *præstigiosus,* de *præstigium.* → Prestige.

♦ **1.** Vx. Qui fait des prestiges (1.). *Un mage prestigieux.*

♦ **2.** Qui tient du prestige (1.). ⇒ **Étonnant, extraordinaire, prodigieux.** *De prestigieuses pirouettes* (→ Fantaisie, cit. 35).

Ils évoquaient ces mets prestigieux des voyageurs : le pied d'ours, la trompe de tapir, les œufs de tortue marine, la bosse de zébu. 1
G. DUHAMEL, Salavin, III, XVII.

(...) prestigieux pouvoir qu'il a de nous rendre intelligente et compréhensible l'histoire de la France (...) 2
Émile HENRIOT, les Romantiques, p. 390.

Par ext. Merveilleux, magnifique.

(...) nous eûmes le loisir de contempler, un peu plus longtemps que nous ne l'eussions fait en passant, un des plus beaux sites que présentent les rives prestigieuses de la Loire. 3
BALZAC, Une vue de Touraine, *in* Œ. diverses, t. I, p. 215.

♦ **3.** Cour. (Choses). Qui a du prestige (3.). *Un nom prestigieux. Titre prestigieux* (→ Empire, cit. 14). ⇒ **Éblouissant.**

Victorieuse des Perses, tête et cœur de cette ligue maritime de Délos qui fait de la mer Égée un lac hellénique, elle *(Athènes)* est la cité prestigieuse, «l'école de la Grèce» dit Périclès, une des réalisations les plus accomplies de tout ce que l'intelligence offre de possibilités à l'homme. 4
DANIEL-ROPS, le Peuple de la Bible, IV, II.

(Personnes). *Un orateur, un chef d'orchestre prestigieux.*

REM. Aux sens 2. (par ext.) et 3., le mot est abondamment utilisé par la langue publicitaire et journalistique pour valoriser des produits dont le prestige n'est pas toujours évident (*«la bière la plus prestigieuse», «prestigieuse collection de linge de maison», «une de ces prestigieuses laveries», «prestigieux téléviseurs», in* Gilbert).

PRESTISSIMO [pʀɛstisimo] adv. et n. m. — 1762; mot ital., superl. de *presto.*

♦ Mus. (indication de mouvement). Très vite. ⇒ **Presto.**

Enfin la strette qui va terminer cet acte magnifique (...) s'emporte dans un *prestissimo* déchaîné. On dirait un train express qui passe.
J. VERNE, le Docteur Ox, p. 58.

N. m. (1784). *Un prestissimo.* — Au plur. *Des prestissimo* ou *des prestissimos.*

PRESTO [pʀɛsto] adv. et n. m. — 1651; mot italien.

♦ **1.** Mus. (indication de mouvement). Vite. ⇒ **Mouvement** (cit. 29). — Au superl. *Prestissimo**. — N. m. *Un presto.* — Au plur. *Des presto* ou *des prestos.*

♦ **2.** (1683). Fam. Rapidement, vite. — On dit aussi *illico presto, subito presto.*

Il m'a dit aussi que j'étais un buffle de santé. Mais peut-être n'était-ce que parce qu'il va m'envoyer sa note d'honoraires dans huit jours. Il veut que je l'aime pendant huit jours, de façon à le payer presto.
MONTHERLANT, les Lépreuses, II, XXII.

PRESTOLET [pʀɛstɔlɛ] n. m. — 1657; du provençal *prestoulet,* dimin. péj. de *prêtre.*

♦ Vx, péj. Petit prêtre.

(...) un petit prestolet, qui n'a d'autre mérite qu'un mince babil assez vif et un air cavalier.
A. DE VIGNY, Cinq-Mars, VII.

PRÉSUCCESSION [pʀesyksesjɔ̃] n. f. — Av. 1850, Balzac; de *pré-,* et *succession.*

♦ Dr. Droit exercé par anticipation sur une succession.

PRÉSUMABLE [pʀezymabl] adj. — 1599; de *présumer.*

♦ **1.** Rare. Qui peut être présumé. — *Il est présumable que :* il est probable que.

Était-il présumable que *Rosalie, Rosalie* qui m'aimait tant! eût pu consentir à me quitter sans me dire un mot?
SADE, Justine..., t. I, p. 123-124.

♦ **2.** Littér. Qui peut être découvert, trouvé, deviné.

PRÉSUMER [pʀezyme] v. tr. — 1190; lat. *præsumere,* de *sumere* «prendre», et *præ* «d'avance», au fig. «conjecturer», «être présomptueux».

♦ **1.** V. tr. dir. Donner (qqch.) comme probable. ⇒ **Augurer, conjecturer, supposer.** *Caractère qui fait présumer l'existence d'une chose* (→ Hydrate, cit.). *Présumer une issue heureuse.* — Au p. p. *La bonne foi* (cit. 17) *est toujours présumée.*

(Introduisant un attribut). ⇒ **Croire, estimer.** — (Vx à l'actif). *Ne me présume pas succombé* (→ Méchant, cit. 6). *Vous la présumez* (sa naissance) *basse* (→ Cause, cit. 34). — Mod. (Au passif). *Tout homme est présumé innocent jusqu'à ce qu'il ait été déclaré coupable* (cit. 1). *Il est présumé être...* ⇒ **Censé, supposé.** — Ellipt. (P. p.). *Les présumés absents* (cit. 9).

1 Les décisions des assemblées ne valent que parce qu'elles sont présumées être l'expression de la volonté générale.
JAURÈS, Hist. socialiste..., t. VI, p. 298.

PRÉSUMER QUE... ⇒ **Penser** (→ Banc, cit. 5; immersion, cit. 1). *Je présume que c'est un bon médecin* (cit. 9). *Choses qui font présumer que...* (→ Flagrant, cit. 1). *J'ai lieu de présumer que...* (→ Conjoncture, cit. 3). *Il est à présumer que...* (→ 3. Droit, cit. 65).

2 Pour moi, je la devine *(la cause),* et l'on doit présumer
Qu'il faut, que là-dessous soit caché du mystère (...)
MOLIÈRE, Psyché, I, 1.

3 Qu'est-ce qui a rendu la langue française universelle?
Pourquoi mérite-t-elle cette prérogative?
Est-il à présumer qu'elle la conserve?
Sujet proposé par l'Acad. de Berlin, en 1783, *in* RIVAROL, Littérature, I, De l'universalité de la langue franç.

4 Sylvinet eût bien voulu le suivre; mais il n'osa, à cause qu'il présumait bien qu'il allait faire part de son chagrin à la Fadette (...)
G. SAND, la Petite Fadette, XXIX.

♦ **2.** Spécialt. (Vieilli). Donner pour certain (une qualité, un pouvoir que l'on croit avoir). ⇒ **Prétendre.**

(Suivi d'un inf.; avec *de*). Vx. *Il a de l'esprit, mais dix fois moins qu'il ne présume d'en avoir* (cit. 24). ⇒ **Piquer** (se). — (Sans *de*). *Aussitôt qu'on présume en jouir* (→ Échapper, cit. 6).

♦ **3.** V. tr. ind. (V. 1500). **PRÉSUMER DE :** avoir trop bonne opinion* de, compter* trop sur... ⇒ **Présomption; présomptueux.** *Présumer trop de soi* (→ Appréhender, cit. 4), *de ses forces* (→ Exténuer, cit. 8). *Elle n'a pas présumé de ses connaissances* (→ Éclairer, cit. 27). — Rare. (Compl. n. de personne). *« Vous présumez trop de votre ami, de votre fils »* (Académie).

Comment voulez-vous qu'*Érophile* (...) ne présume pas infiniment de soi et de son industrie? 5
LA BRUYÈRE, les Caractères, XI, 26.

(...) il n'est jamais trop tard pour apprendre, même de ses ennemis, à être sage, vrai, modeste, et à moins présumer de soi. 6
ROUSSEAU, Rêveries..., IVe promenade.

▶ **PRÉSUMÉ, ÉE** p. p. adj.

Que l'on croit être tel par hypothèse. ⇒ **Hypothétique, supposé.** *Son fils présumé. Ses intentions présumées* (→ aussi ci-dessus *supra* cit. 1).

DÉR. Présumable.

PRÉSUPPOSÉ, ÉE [pʀesypoze] adj. et n. m. — V. 1960; de *présupposer.*

♦ **1.** Littér. Supposé d'avance. *Conditions présupposées.* — N. m. Ce qui est supposé préalablement (à une démarche, une conduite de l'esprit). *Les présupposés qui guident nos décisions.*

Le roman prête plus facilement à toutes ces analyses structurales, celles du récit, par exemple, mais on met la plupart du temps dans les présupposés structuraux d'espace et de temps ce qu'on croit y retrouver.
J. GILLIBERT, la Création littéraire, *in* la Nef, no 31, 1967, p. 95.

♦ **2.** (V. 1968). Ling. Information contenue dans un énoncé en dehors du message proprement dit et qui conditionne la validité et l'interprétation de celui-ci. *La notion de présupposé.* ⇒ **Présupposition.**

PRÉSUPPOSER [pʀesypoze] v. tr. — 1361; de *pré-,* et *supposer.*

♦ Supposer préalablement. *Les passions présupposent une âme capable de les ressentir* (→ Nature, cit. 47). *La mystique* (cit. 4) *présuppose et exige l'abdication de la raison. Présupposer que.*

La vengeance divine présuppose notre dissentiment entier pour sa justice et pour notre peine.
MONTAIGNE, Essais, II, XII.

Au p. p. ⇒ **Présupposé.**

DÉR. Présupposé, présupposition.

PRÉSUPPOSITION [pʀesypozisjɔ̃] n. f. — 1306; de *présupposer.*

♦ Littér. Supposition préalable.

(...) le contexte ou ensemble des présuppositions communes aux lecteurs et à l'auteur et qui sont nécessaires pour rendre intelligible à ceux-là ce qu'écrit celui-ci. 1
SARTRE, Situations II, p. 136.

Ling. ⇒ **Présupposé** (2.).

Il est banal de remarquer qu'en disant *J'ai cessé de fumer,* on dit deux choses différentes : que l'on a fumé, et qu'actuellement on ne fume pas. On peut facilement montrer que ces deux dires ont des statuts différents (...) l'un, de présupposition, concernant, dans mon exemple, la mauvaise conduite antérieure de celui qui parle, et l'autre, d'assertion, qui a trait à sa présente sagesse. 2
Oswald DUCROT, les Mots du discours, p. 39.

Ling. *Relation de présupposition :* relation entre deux éléments telle que la présence de l'un est la condition nécessaire de la présence de l'autre (la réciprocité n'étant pas vraie). *L'article est en relation de présupposition par rapport au substantif.*

PRÉSURE [pʀezyʀ] n. f. — 1190, *prisure;* du lat. pop. **presura, *prensura,* de *prendere* «prendre».

♦ Substance extraite de la caillette des jeunes ruminants nourris de lait, qui contient une diastase coagulante dont on se sert pour faire prendre, cailler le lait (→ Estomac, cit. 3). *Utilisation de la présure dans la fabrication des fromages.*

Après quoi, il fit prendre avec la présure la moitié de son lait, et le mit bien proprement sur des claies d'osier, et mit le reste dans des pots pour boire à son souper.
RACINE, Livres annotés, Remarques sur l'Odyssée, IX.

DÉR. Présurer, présurier.

PRÉSURER [pʀezyʀe] v. tr. — 1600; en provençal, XIVe; de *présure.*

♦ Techn. Cailler avec de la présure. *Présurer du lait.* ⇒ **Emprésurer.**

PRÉSURIER [pʀezyʀje] n. m. — 1818; de *présure.*

♦ Vx. Marchand de présure.

PRÉSYSTOLE [pʀesistɔl] n. f. — Déb. XXe; de *pré-,* et *systole.*

♦ Physiol. Temps qui précède la systole ventriculaire (pendant la diastole auriculaire).

PRÉSYSTOLIQUE [pʀesistɔlik] adj. — 1869, *in* Littré; de *pré-,* et *systolique.*

♦ Physiol. *Bruit présystolique,* correspondant à la contraction des oreillettes du cœur (avant la systole ventriculaire).

1. PRÊT, PRÊTE [pʀɛ, pʀɛt] adj. — 1050, *prest;* du lat. pop. *præstus,* du lat. class. *præsto,* adv., « à portée de main, tout près* ».

♦ **1.** (Personnes). Qui est en état de..., est rendu capable de..., grâce à une préparation matérielle (⇒ **Préparé**) ou morale (⇒ **Décidé, disposé**). — PRÊT À (et n. ou inf.). Préparé pour... *Prêt à l'action, au départ. Être prêt à partir* (→ Avoir le pied à l'étrier*). *Prêts à relever un défi* (→ Casse-cou, cit.). *« Je dois être prêt à nier »* (cit. 11). *Prêt à servir...* (→ Ordonner, cit. 9). *Prêt à faire feu* (cit. 50). *Se tenir prêt à venir* (→ Appel, cit. 5), *à commencer...* (→ Carillon, cit. 3). — Disposé à..., susceptible de..., par le fait d'une décision, d'une intention. *Prêt à tout :* disposé à n'importe quel acte pour arriver à ses fins (→ Cour, cit. 10), ou décidé à tout supporter. — *Prêt à faire n'importe quoi* (→ Gloire, cit. 41), *à tout faire* (→ Insinuer, cit. 15). *J'étais prêt à payer* (→ Gratuitement, cit. 3). *Prêt à tout croire* (→ Fleur, cit. 15; implicite, cit. 1).

1 Je suis prête à le suivre et lasse de l'attendre. CORNEILLE, Cinna, IV, 5.

2 (...) je n'ai point d'autre dessein que de vous épouser (...) M'y voilà prêt quand vous voudrez (...) MOLIÈRE, Dom Juan, II, 2.

3 (...) deux ou trois mille hommes, pas plus, intelligents, rigoureusement honnêtes, et en même temps prêts à tous les risques, à tous les sacrifices, prêts à obéir sans discuter, ah! ce serait merveilleux!
J. ROMAINS, les Hommes de bonne volonté, t. X, VI, p. 83.

PRÊT POUR... *Prêt pour l'action. Ces anges se tiennent prêts pour vous assister* (→ Gardien, cit. 7). — *Tout prêt pour la tentation.* ⇒ **Mûr** (fig.). → Désarmer, cit. 15.

Vx. PRÊT DE... (→ Inconstant, cit. 10).

4 Vous n'avez qu'à parler, je suis prêt d'obéir. MOLIÈRE, Mélicerte, II, 5.

Vx. **PRÊT SUR (qqch.).** Préparé par l'étude, le travail, en tel ou tel domaine (→ Illustrateur, cit.).

5 Je te rendrai prêt aussi sur les généalogies (...)
LA BRUYÈRE, Correspondance, II, 3 avr. 1685.

Absolt. *Il est prêt, fin prêt* (→ Guerrier, cit. 3). *« Toujours prêt! »,* devise scoute. *« À vos marques. Prêts? Partez! »,* signal donnant le départ d'une course à pied. *Armées prêtes* (→ Sur pied*, sur le pied de guerre*). *Candidat prêt. Il faut être prêt dans un quart d'heure* (→ On, cit. 32). *Il est prêt, à pied d'œuvre*.*

6 Non, Sire, il ne faut pas différer davantage :
On est toujours trop prêt quand on a du courage. CORNEILLE, le Cid, IV, 5.

7 *(Diderot)* me proposa la partie de la musique (*dans l'*Encyclopédie*)*, que j'acceptai, et que j'exécutai très à la hâte et très mal (...) mais je fus le seul qui fut prêt au terme prescrit.
ROUSSEAU, les Confessions, VII.

8 (...) sur la frontière austro-serbe, les troupes de couverture sont tenues prêtes : en quelques heures, sous le premier prétexte, elles occuperont Belgrade!
MARTIN DU GARD, les Thibault, t. V, p. 133.

(Au tennis). *Prêt!,* réponse du relanceur au serveur, celui-ci pouvant alors frapper la balle (trad. de l'angl. : *ready*).

Spécialt. Habillé, paré (pour sortir, pour paraître en société). → Mettre, cit. 31. *Tu n'es pas encore prête? Dépêche-toi.*

9 Pendant que sa femme, dans l'état qu'on devine, s'habillait, Anne, toujours prêt le premier, recevait une visite assez singulière : celle du prince Naroumof, que tout le monde croyait mort. R. RADIGUET, le Bal du comte d'Orgel, p. 178.

♦ **2.** (Choses). Mis dans l'état convenable (pour qqch., pour faire qqch.). *Canons prêts à tirer* (→ Militarisme, cit. 2). *Navire prêt à virer.* ⇒ **Paré.** — *Tout est prêt pour...* (→ Cérémonie, cit. 1). — Absolt. *La cérémonie est prête* (→ 1. Porte, cit. 22). *Les vaisseaux sont tout prêts* (→ Appareil, cit. 2)... *Avoir qqch. prêt sous la main* (→ Plateau, cit. 1). — *Une justification* (cit. 2) *toute prête.*

10 Vous n'avez qu'à parler : c'est une affaire prête. RACINE, les Plaideurs, I, 5.

11 Je passai rapidement en revue toutes mes réponses. Elles étaient prêtes, péremptoires, cinglantes, rangées devant mes yeux comme des armes au râtelier.
G. DUHAMEL, Salavin, I, III.

Spécialt. Préparé, apprêté. *Le café* (→ Passer, cit. 22), *le déjeuner, le dîner est prêt* (→ aussi Détailler, cit. 1 ; encas, cit. 2). *La soupe est prête* (→ Brûler, cit. 37). — *« Le poison est tout prêt »* (→ Officieux, cit. 2).

PRÊT-À- (et inf., sur le modèle de *prêt-à-porter**, sert à former des adj. et des n.). — *Maison (...) « prête-à-habiter » (l'Express,* 21 févr. 1966). *« Le "prêt-à-vivre" ou le "prêt-à-finir" » (l'Express,* 19 mai 1959), *le « prêt-à-manger »* (équivalent proposé pour *fast-food*), etc. — *Prêt-à-monter :* ensemble d'éléments et de pièces détachées vendus simultanément et permettant de construire un appareil (équivalent proposé pour *kit*). *Des prêts-à-monter.* — *Aliments en boîte prêts à consommer,* à être consommés.

♦ **3.** (V. 1190). Vieilli ou littér. Qui est sur le point* (1. Point) de... ⇒ **Près.** — *Prêt à rendre l'âme* (→ Côté, cit. 38), *à tomber en faiblesse* (cit. 8), *à se trouver mal* (→ Flageoler, cit. 1). *Prête à sortir, elle s'arrêta* (→ Langage, cit. 8). — *Un flot prêt à jaillir* (→ Attendrissement, cit. 5). *Goutte* (→ 1. Goutte, cit. 22) *d'eau prête à tomber. Foins prêts à mûrir* (→ Blondir, cit. 2).

12 Regarde quel orage est tout prêt à tomber. RACINE, Iphigénie, V, 1.

Ainsi, prêt à quitter l'horizon de la vie, 13
Pleurant de mes longs jours l'espoir évanoui,
Je me retourne encore, et d'un regard d'envie
Je contemple ses biens dont je n'ai pas joui (...)
LAMARTINE, Premières méditations, XXXV.

Il était prêt à dire qu'il l'aimait : cette dangereuse parole expira sur ses lèvres (...) 14
A. DE MUSSET, Nouvelles, « Frédéric et Bernerette », V.

Vx. *Prêt de...* (→ Appeler, cit. 19).

(...) étant prête d'être mariée, elle rompit tout net le mariage (...) 15
MOLIÈRE, l'Avare, II, 5.

(...) ou j'aime à me flatter, 16
Ou sur eux quelque orage est tout prêt d'éclater. RACINE, Iphigénie, II, 8.

(...) lorsqu'au troisième acte vous êtes prête d'avouer tout (...) 17
VOLTAIRE, Correspondance, 1979, 7 août 1761.

— Je suis prêt de mourir et il y a quelque chose que je veux te révéler (...) 18
MAUPASSANT, l'Inutile Beauté, « Le champ d'oliviers », III.

HOM. **Près,** 2. **prêt.**

2. PRÊT [pʀɛ] n. m. — XVIIe; *prest,* 1160; de *prêter.*

♦ **1.** Action de prêter* (qqch.). *Le prêt d'une chose à qqn par qqn. Le prêt d'un livre, d'un peu d'argent... Faire à qqn le prêt de documents.*

Toute cette grande philosophie *(du XVIIIe)* était là réunie. Le studieux vieillard la savait par cœur et vivait des petits profits que lui rapportait le prêt de ses volumes à quelques personnes qui lisaient. 1
RENAN, Souvenirs d'enfance..., II, Œ. compl., t. II, p. 776.

(1690). Dr., cour. Contrat par lequel une chose est livrée à charge de restitution. *Prêt à usage :* prêt d'une chose corporelle déterminée à l'effet d'en user (par oppos. au *dépôt*) et à charge de la restituer en nature. ⇒ **Commodat.** *Prêt de consommation :* prêt d'une chose consomptible (spécialt, d'argent). ⇒ **Avance, crédit** (→ Destination, cit. 2). *Prêt à intérêt** (cit. 2). *Prêt à court terme* (→ Escompte, cit. 2), *à long terme. Prêt usuraire*.* ⇒ **Usure, usurier** (→ Excéder, cit. 1). *Taux* (d'intérêt) *d'un prêt. Prêt sur gage*, sur garantie, sur nantissement* (→ aussi Antichrèse), *sur dépôt de marchandises.* ⇒ **Warrant.** — *Prêt d'honneur,* consenti à une personne qui s'engage à le rembourser dès qu'elle en aura les moyens. — *Crédit, prêt bancaire. Demander un prêt à sa banque.* — Spécialt. *Prêt à la grosse aventure** (*infra*cit. 28). — *Consentir* (⇒ **Prêter**), *recevoir* (⇒ **Emprunter**) *un prêt.*

Son orgueil lui offrait l'illusion de n'accepter que comme un prêt la somme offerte par le maire de Verrières, et de lui en faire un billet portant remboursement dans cinq ans avec intérêts. STENDHAL, le Rouge et le Noir, I, XXIII. 2

Cérizet, au fait des besoins de tous les malheureux, faisait cette usure de ruisseau nommée le prêt à la petite semaine (...) 3
BALZAC, les Petits Bourgeois, Pl., t. VII, p. 127.

(1973). **PRÊT-RELAIS :** prêt à court terme, « consenti dans l'attente de la réalisation d'un bien ou de l'octroi d'un crédit à long terme » (in *la Clé des mots*).

Écon. *Prêt consenti par un État.* ⇒ aussi **Subvention.** *Prêts à la construction.* ⇒ aussi 2. **Prime.** *Prêts d'organisation, de productivité... Aide sous forme de prêt à long terme et à faible intérêt.* — Hist. *Loi prêt-bail,* par laquelle les États-Unis purent octroyer des crédits aux démocraties belligérantes, en 1941.

♦ **2.** (1330). Somme allouée par l'État pour la subsistance et l'entretien d'un soldat, d'un sous-officier. — Anciennt. *Demi-prêt d'un enfant* (cit. 36) *de troupe.* — Spécialt. Partie de cette somme qui est remise au soldat. ⇒ 1. **Solde.** — (Déb. XXe). *Prêt franc,* se dit lorsque l'intégralité du prêt est versée au soldat, qui doit pourvoir lui-même à sa subsistance.

Avance sur un salaire.

♦ **3.** Littér. Le fait de prêter (I., 3.) à qqn (une pensée, un sentiment, un caractère, un acte).

(...) mes tantes Claire et Lucile, modèles de décence, d'honnêteté, de réserve, à qui le prêt du moindre trouble de la chair eût fait injure (...) 4
GIDE, Et nunc manet in te, *in* Souvenirs, Pl., p. 1128.

HOM. **Près,** 1. **prêt.**

PRÊTABLE [pʀɛtabl] adj. — 1606, *prestable ;* « qui prête volontiers » (personnes), déb. XVIe.

♦ Qui peut être prêté.

PRETANTAINE [pʀətɑ̃tɛn] ou **PRÉTANTAINE** [pʀetɑ̃tɛn] n.f. ⇒ **Pretentaine.**

PRÊT-À-PORTER [pʀɛtapɔʀte] n. m. — XXe; de *prêt, à,* et *porter,* calque de l'anglo-amér. *ready-to-wear.*

♦ (Collectif). Vêtements de confection d'une qualité supérieure à celle de la confection courante (opposé à *sur mesure*). *Prêt-à-porter masculin, féminin. Magasin, rayon, boutique de prêt-à-porter. Démocratisation de la haute couture par le prêt-à-porter. Des prêts-à-porter.*

(...) une affaire de gros qui crée et distribue des modèles exclusifs de prêt-à-porter pour quarante détaillants français et qui exporte ces modèles en Suisse, Bel- 1

gique, Allemagne, Italie (...) Nous faisons deux collections par an de cent vingt modèles chacune, dont je dessine certains (...)
P. GUTH, Lettre ouverte aux idoles, Sheila, p. 98.

Par métaphore :

2 — Dès qu'un enfant vient au monde, que fait-il? Il se met à crier. Il crie, il crie. Eh bien, il crie parce que c'est le prêt-à-porter qui commence (...) Les peines, les joies, la peur, l'anxiété, pour ne pas parler d'angoisse (...) Et les consolations, les espoirs, les choses que l'on apprend dans les livres et qu'on appelle philosophies, au pluriel (...) et qui sont du prêt-à-porter aussi.
É. AJAR (R. GARY), l'Angoisse du roi Salomon, p. 26.

PRÉTARSE [pʀetaʀs] n. m. — XXe; de *pré-*, et *tarse.*

♦ Zool. Partie terminale du tarse (des acariens).

PRÉTENDANT, ANTE [pʀetɑ̃dɑ̃, ɑ̃t] n. — V. 1500; de *prétendre.*

♦ **1.** (Rare). Personne qui prétend (à qqch.). *Prétendant à un poste.* ⇒ **Postulant.**

1 (...) venez annoncer aux prétendants afin qu'ils s'écartent, et aux électeurs, afin qu'ils y pensent, que vous voulez être de l'Institut.
Joseph JOUBERT, Lettre à Chênedollé, 7 août 1812, *in* SAINTE-BEUVE, Chateaubriand..., t. II, p. 218.

♦ **2.** (1588, Montaigne). Personne qui prétend au pouvoir souverain. ⇒ **Candidat.** *« Un prétendant et aspirant à l'empire... »* (→ 1. Frais, cit. 3). *Luttes personnelles entre les prétendants* (à la papauté). → Exclusif, cit. 9. — Spécialt. Personne qui prétend avoir des droits à régner, à prendre possession du trône occupé par un autre. *Les prétendants de la maison des Stuarts, au XVIIIe siècle. Prince prétendant.*

♦ **3.** Celui qui aspire à la main d'une femme, et, rare (cf. Fontenelle, Voltaire, *in* Littré), celle qui veut épouser un homme. ⇒ **Épouseur** (→ Disputer, cit. 10; escorter, cit. 3; maladroit, cit. 6). *Elle ne manque pas de prétendants.* ⇒ **Amateur.** *Les prétendants de Pénélope* (→ Lui, cit. 37; nettoyage, cit.).

2 — Car tu es d'accord, n'est-ce pas? Tu acceptes le mariage? — J'accepte. — Je dois t'avouer que les prétendants ne font pas foule autour de toi.
GIRAUDOUX, Électre, I, 4.

PRÉTENDRE [pʀetɑ̃dʀ] v. tr. — Conjug. *tendre* (→ Rendre). — 1320; empr. au lat. *prætendere* « tendre en avant, présenter ».

♦ **1.** Vx ou littér. Poursuivre (ce que l'on réclame comme un droit). ⇒ **Demander, exiger, réclamer, revendiquer** (→ Attendre, cit. 66; exemption, cit. 4; grâce, cit. 91; jour, cit. 15). *Prétendre une chose de qqn. Ne rien prétendre à qqch., dans qqch.* — REM. Cet emploi, vieux avec un nom déterminé, se rencontre encore (littér.) avec un pronom neutre ou indéfini.

1 Sans vous demander rien, sans oser rien prétendre (...)
RACINE, Mithridate, I, 2.

2 Il crut que sans prétendre une plus haute gloire,
Elle lui céderait une indigne victoire.
RACINE, Mithridate, I, 1.

3 (...) il faut songer que tes nouveaux enfants, n'ayant rien à prétendre dans l'héritage de ceux du premier lit, se trouveraient dans la misère si tu venais à mourir (...)
G. SAND, la Mare au diable, IV.

4 Les patriotes allemands (...) n'ont rien négligé pour alarmer les nations, les avertir qu'ils prétendent un empire universel.
MICHELET, la France devant l'Europe, *in* Œ. choisies, p. 397.

(XIVe). Vx. Poursuivre (une chose que l'on désire). ⇒ **Désirer, vouloir.** *Prétendre la main de qqn; prétendre qqn* (pour l'épouser). → ci-dessous, *prétendu.*

5 (...) il faut (...) cesser toutes vos poursuites auprès d'une personne que je prétends pour moi (...)
MOLIÈRE, l'Avare, IV, 3.

♦ **2.** (Déb. XVe). Mod. Littér. (ou style soutenu). **PRÉTENDRE À :** aspirer ouvertement à (ce que l'on considère comme un droit, un dû). ⇒ **Aspirer, tendre** (→ Baptême, cit. 7). *Prétendre à un état* (cit. 86), *à un parti* (→ Haut, cit. 40), *à un rang* (→ Éterniser, cit. 4). ⇒ **Ambitionner.** *Prétendre à un héritage, à une succession.* ⇒ **Lorgner** (cf. Se mettre sur les rangs). *Les mystiques fascistes* (cit. 4) *n'ont jamais prétendu à un empire universel. La musique* (cit. 17) *ne prétend plus à la consonance et à l'harmonie.*

6 Personne ne peut mieux prétendre aux grandes places que ceux qui ont les talents.
VAUVENARGUES, Réflexions et maximes, 440.

7 (...) le petit Médard et Lahrier ne pouvaient, eux non plus, prétendre à l'avancement, étant, l'un un gamin et l'autre un amateur (...)
COURTELINE, Messieurs les ronds de cuir, 6e tableau, I.

8 N'était-ce pas de son devoir de montrer à ces militaires aimables certes, mais bornés, ce à quoi peut prétendre, dans les domaines de l'action et de la pensée, un aristocrate qui a suivi les cours de Victor Cousin et tutoyé Michel de Bourges?
Pierre BENOIT, Mlle de La Ferté, I, p. 11.

Vx. *Prétendre à une femme* (pour l'épouser).

Prétendre à un titre, à une responsabilité (⇒ **Endosser**), les revendiquer. *L'amabilité à laquelle vos Français prétendent à tort ou à droit* (→ Maturité, cit. 6).

9 Ma bohémienne ne pouvait prétendre à tant de perfections.
MÉRIMÉE, Carmen, II.

10 L'idée d'être un homme infatue tous les hommes : comble de ridicule en presque tous. Comme s'il était permis à leur indigence d'y prétendre; et comme s'il n'en coûtait pas toute leur fortune, même aux héros.
André SUARÈS, Trois hommes, « Ibsen », VIII.

Prétendre à... (suivi de l'inf.). *Je prétendais à gagner le ciel* (cit. 49). → aussi Durer, cit. 14; 1. lever, cit. 10.

Sans prétendre à vous obtenir, je m'occupai de vous mériter. 11
LACLOS, les Liaisons dangereuses, XXXVI.

Jamais il n'eût osé prétendre à épouser la pythonisse, la vierge sacrée. 12
COCTEAU, les Enfants terribles, p. 145.

(...) l'audacieux qui prétend à écrire, après tant d'autres, une « Vie de Jésus » se sent retenu par le scrupule (...) 13
DANIEL-ROPS, Jésus en son temps, Introd., p. 69.

Vx. *Prétendre de...*

C'est en vain que tu prétendrais de le déguiser : l'affaire est découverte (...) 14
MOLIÈRE, l'Avare, V, 3.

♦ **3.** (V. 1460). Cour. Avoir la ferme intention, la volonté de... (avec la conscience d'en avoir le droit, le pouvoir). ⇒ **Entendre,** 1. **vouloir.** — (Suivi de l'inf.). *Je prétends être obéi.* ⇒ **Flatter** (se flatter de). → aussi Gourmander, cit. 1; gratuitement, cit. 7. *« Qui prétend contenter* (cit. 3) *tout le monde et son père ». Que prétendez-vous faire?* (→ Hormis, cit. 6). *Cette liberté que nous prétendons représenter et défendre* (→ Insubordination, cit. 1). *Chacun prétend dire ce qu'il veut* (→ Ombrageux, cit. 3). — (En parlant d'une prétention injustifiée ou démentie par les faits). *Perrette « prétendait arriver sans encombre à la ville »* (→ Coussinet, cit. 1). *Ce qu'on prétendait lui cacher* (cit. 24). *L'enfant qui prétend donner des leçons à ses parents* (→ Monde, cit. 33). — (La prétention étant injuste, condamnable). → Asservir, cit. 7; attenter, cit. 9.

C'est en vain (...) qu'on prétend donner aux choses humaines une solidité qui n'est pas dans la nature (...) ROUSSEAU, Julie ou la Nouvelle Héloïse, V, II. 15

(...) avec un énorme aplomb, et un tout petit dictionnaire de poche, *(il)* prétendait servir d'interprète à la délégation (...) 16
Alphonse DAUDET, Tartarin sur les Alpes, IX.

J'avais fait tirer un nombre mortifiant d'exemplaires de mon premier livre (...) Je prétendais trier désormais mes lecteurs; je prétendais, excité par Albert, me passer de cornacs; je prétendais (...) je prétendais courir une aventure qu'aucun autre encore n'eût courue. GIDE, Si le grain ne meurt, I, IX, p. 250. 17

Je prétends ne pas... : (→ Esclave, cit. 9) : je considère, j'estime fermement ne pas... — *Je prétends ne pas obéir :* je refuse d'obéir. — *Je ne prétends pas... :* je n'ai pas la prétention de... (→ Champi, cit.; gouverner, cit. 13).

Non : mon intention n'est pas de vous rien déguiser. Je ne prétends point me défendre, ni vous nier les choses, puisque vous les savez. 18
MOLIÈRE, George Dandin, III, 6.

(...) je n'ai point prétendu empêcher (...) Je l'aurais prétendu inutilement. 19
RACINE, Britannicus, 1re préface.

Par antiphr. *Je ne prétends pas... :* je prétends ne pas... *Je ne prétends pas l'en tenir quitte* (→ Marché, cit. 11).

(...) mais je ne prétends pas, moi, les avoir faites pour rien *(mes écritures).* 20
MOLIÈRE, l'Avare, V, 6.

Prétendre que... (suivi du subj.). → Fouler, cit. 9; garder, cit. 39. *Il prétend qu'on lui obéisse. Tu prétends que j'endure tes insolences?* (→ Éternellement, cit. 8). — *Je ne prétends pas que...* (→ Acquitter, cit. 3).

(...) Mais au moins je prétends 21
Que monsieur Chicanneau, puisqu'il est là-dedans,
N'en sorte d'aujourd'hui (...) RACINE, les Plaideurs, II, 11.

(...) pour être assuré qu'elle *(la bénédiction du ciel)* porterait ses fruits, il prétendit qu'elle vînt d'un haut personnage de l'Église. 22
Maurice BEDEL, Molinoff, Indre-et-Loire, I.

♦ **4.** (1380). Cour. Affirmer avec force; oser donner pour certain (sans nécessairement convaincre). ⇒ **Affirmer, alléguer, avancer, déclarer,** 1. **dire, garantir, soutenir.**

(Suivi de l'inf.). *Il prétend avoir fait...* (→ Cache, cit. 1), *être...* (→ Papier, cit. 26). ⇒ **Présumer.** *Elle prétendait se connaître en musique* (→ Différence, cit. 15). *« Tu prétends être fort habile »* (cit. 8). — *Je ne prétends pas être avare,* je prétends ne pas l'être (→ Épargnant, cit. 1).

D'autant plus qu'il prétend nous avoir créés à son image : on déteste les mauvais miroirs. GIRAUDOUX, Amphitryon 38, III, 1. 23

Prétendre que... (suivi de l'indicatif). *Il prétend que...* (suivi du présent). → 3. Droit, cit. 54; espèce, cit. 2; laid, cit. 12. — *Il prétendait, il prétendit que...* (suivi de l'imparfait). → Mourir, cit. 18; pied, cit. 19; pli, cit. 12. — (Suivi du présent, en parlant d'une vérité générale). → Caractère, cit. 16; garder, cit. 75; nier, cit. 4. *On a bien tort de prétendre que...* (→ Approfondir, cit. 14). — *En prétendant que...* (→ Sous prétexte* que...). — (Suivi du futur, du conditionnel). *Prétendre qu'une chose sera, se fera...* (→ aussi Honnête, cit. 3). — *On prétendait, on a prétendu qu'il serait possible de...* (→ aussi Héréditaire, cit. 3). — *Est-ce vrai, ce qu'on prétend?* (→ Indicateur, cit. 2). *À ce qu'il prétend... :* à ce qu'il dit (mais je n'en crois rien). ⇒ **Soi-disant.** *Si ces pauvres sauvages sont aussi malheureux qu'on le prétend...* (→ Policier, cit. 1).

Vous me demandez : « Ce petit somme vous a-t-il été profitable? » et vous venez prétendre ensuite que vous ne m'avez pas questionné! (...) 24
COURTELINE, Messieurs les ronds-de-cuir, 5e tableau, II.

REM. Comme pour les autres verbes d'opinion, la négation et l'interrogation entraînent normalement le subjonctif : *je ne prétends pas qu'il l'ait dit; prétendez-vous qu'elle ait raison?* (→ Caractériser, cit. 1; ligne, cit. 17). *On n'osait pas prétendre qu'un excommunié dût...* (→ Excommunication, cit. 2). Mais l'indicatif semble s'imposer au cas où l'emploi du subjonctif créerait une confusion avec le sens 3. *Je ne prétends pas qu'il le fasse* sera interprété : «je ne désire pas, je n'exige pas qu'il le fasse». Si l'on veut dire : «je n'affirme pas», on emploiera l'indicatif : *«je ne prétends pas qu'il le fera»* (Hanse).

25 Mais de prétendre que je me sois donné tant de soins pour n'en pas retirer les fruits (...) Non, Vicomte, jamais. LACLOS, les Liaisons dangereuses, LXXXI.

26 Qui oserait cependant prétendre que la pratique des vertus héroïques soit le privilège des moines (...) BERNANOS, Journal d'un curé de campagne, p. 80.

(Avec un attribut). *Un lit qu'on prétend d'époque* (cit. 13).

27 (...) elle voulut être affable, on la prétendit fausse (...)
BALZAC, le Curé de village, Pl., t. VIII, p. 565.

▶ **SE PRÉTENDRE** v. pron. (1759).

(Suivi d'un attribut). Prétendre, affirmer que l'on est... *La dame qui se prétendait Cunégonde* (→ Fripon, cit. 4). *Se prétendre logé à...* (→ Impécuniosité, cit. 1). *Se prétendre amoureux de l'ordre* (→ Pensant, cit. 8).

28 Depuis le règlement définitif des comptes, chez M. Baillehache, elle se prétendait volée, elle ne tarissait pas en accusations abominables, lancées d'une cour à l'autre.
ZOLA, la Terre, V, I.

▶ **PRÉTENDU, UE** p. p. adj. et n.

♦ **1.** (1611). Vx. Que l'on revendique, à quoi l'on aspire. *Exclu « d'un rang vainement prétendu »* (Racine, *Britannicus*, III, 3). — (1665). Spécialt. *Hymen prétendu* (→ Honneur, cit. 17). *Mari, gendre prétendu :* futur mari, futur gendre (→ Molière, *in* Littré).

29 (...) votre prétendu gendre n'aura plus de cœur à donner à Mademoiselle votre fille (...) MARIVAUX, le Jeu de l'amour et du hasard, II, 1.

♦ **2.** N. (1762). Régional. *Le prétendu, la prétendue de qqn,* celui, celle qui doit l'épouser. ⇒ **Fiancé, promis; mariage.** *Sa prétendue* (→ Beau-père, cit. 2).

30 (...) les soins de son mariage avec mademoiselle de Troisville, conclu dans les premiers jours de l'année 1819, le retinrent (...) au château de son beau-père, à faire la cour à sa prétendue. BALZAC, les Paysans, Pl., t. VIII, p. 114.

31 C'était le comte Serlon de Savigny, le *prétendu* (disait la ville de V... dans son langage de petite ville) de Mlle Delphine de Cantor.
BARBEY D'AUREVILLY, les Diaboliques, «le Bonheur dans le crime».

♦ **3.** Adj. (1611). Que l'on prétend à tort être, être tel; qui passe pour ce qu'il n'est pas. ⇒ **Apparent,** 1. **faux, soi-disant, supposé.** *Un prétendu crime* (→ Appréhender, cit. 9). *Cette prétendue franchise* (→ Blessant, cit. 1). *Mes prétendues contradictions* (→ Avarice, cit. 8), *ma prétendue force* (→ Humblement, cit. 5). *La prétendue légèreté* (cit. 9) *des femmes* (→ aussi Fanatique, cit. 3; garantir, cit. 8; inexorable, cit. 4; infidèle, cit. 15; malice, cit. 9). — *Leur scepticisme prétendu* (→ Affirmatif, cit. 4). *Son Dieu prétendu* (de Voltaire) *n'est qu'un être malfaisant* (cit. 1). — (Modifiant un adj.). *Éducation prétendue humaniste* (cit. 4). *Le prétendu « tendre » Racine* (Faguet). — (1671). *La religion prétendue réformée,* nom donné par les catholiques au protestantisme, au XVIIe siècle. Abrév. : *la R.P.R.*

32 (...) l'injustice de la Fronde, qui élève sa prétendue justice contre la force. Il n'en est pas de même dans l'Église, car il y a une justice véritable, et nulle violence.
PASCAL, Pensées, XIV, 878.

33 (...) le véritable marquis Caraccioli, fort différent du prétendu marquis Caraccioli, natif d'auprès de Tours, auteur d'une prétendue *Vie* de madame de Pompadour, et imprimeur des prétendues *Lettres* de ce pauvre pape Ganganelli.
VOLTAIRE, Correspondance, 4363, 18 oct. 1776.

34 C'est une chose avérée qu'au moment où M. de Guibert fut nommé gouverneur des Invalides, il se trouva aux Invalides six cents prétendus soldats qui n'étaient point blessés et qui, presque tous, n'avaient jamais assisté à aucun siège, à aucune bataille (...) CHAMFORT, Maximes, Sur la noblesse, XXIX.

CONTR. (Du p. p.) **Authentique, rare.**
DÉR. Prétendant, prétendument.
HOM. (Du p. p.) **Prétendu.**

PRÉTENDU, UE [pʀetɑ̃dy] adj. — XXe; de *pré-*, et p. p. de 1. *tendre.*

♦ Techn. Dont les armatures ont été traitées par précontrainte avant le durcissement du béton. *Béton armé prétendu.*

HOM. Prétendu (p. p. adj. de *prétendre*).

PRÉTENDUMENT [pʀetɑ̃dymɑ̃] adv. — 1769; de *prétendu,* p. p. adj. de *prétendre**; considéré comme un barbarisme par Féraud (1788).

♦ Faussement, d'une manière prétendue. ⇒ **Soi-disant.**

Décrire le monde prétendument objectif dans le relief changeant et la mouvante densité de ses apparences. Claude MAURIAC, le Dîner en ville, p. 71.

CONTR. Vraiment.

PRÊTE-NOM [pʀɛtnɔ̃] n. m. — 1718; de *prêter,* et *nom.*

♦ Personne qui assume personnellement les charges, les responsabilités d'une affaire, d'un contrat..., à la place du principal intéressé. ⇒ **Mandataire, représentant; paille** (cit. 12 : *homme de paille*). *Prendre* (→ Engageable, cit.), *employer un prête-nom. « Des prête-noms »* (Académie).

Tu seras mon prête-nom. Je veux pouvoir toujours diriger la rédaction, y garder tous mes intérêts et ne pas avoir l'air d'y être pour quelque chose.
BALZAC, Illusions perdues, Pl., t. IV, p. 713.

PRETENTAINE [pʀətɑ̃tɛn] ou **PRÉTENTAINE** [pʀetɑ̃tɛn] n. f. — 1645, *Muse normande* (cf. Saint-Amant, Scarron, *in* Brunot); p.-ê. du normand *pertintaille* (→ Pretintaille) «ornement de robe»; le suff. *-taine* correspond probablement aux refrains de chansons *(tontaine, dondaine...).*

♦ Loc. (1604). COURIR LA PRÉTENTAINE : faire sans cesse des escapades, vagabonder çà et là (→ ci-dessous, cit. 1, Renard), et, spécialt (1718), avoir de nombreuses aventures galantes, mener une vie de plaisirs (→ ci-dessous, cit. 2, Romains). ⇒ **Courailler, courir.**

Il *(M. Lepic)* chérit Poil de Carotte, mais ne s'en occupe jamais, toujours courant la pretentaine, pour affaires. 1
J. RENARD, Poil de Carotte, Coup de théâtre, III.

Tu ne vas pas m'obliger à rester chaste, hein? ni à courir la prétentaine. Moi, pour le moment, je n'ai envie que de toi (...) 2
J. ROMAINS, les Hommes de bonne volonté, t. XIX, X, p. 149.

REM. On écrit aussi *pretantaine* ou *prétantaine.*

M. Curieux Fontaine, notaire à Pinceau, avertit les commerçants d'ici et d'ailleurs qu'il ne paiera plus les dettes de sa femme qui, telle une gourgandine, court la prétantaine avec un bravache alcoolique. R. QUENEAU, le Chiendent, p. 244. 3

PRÉTENTIARD, ARDE [pʀetɑ̃sjaʀ, aʀd] adj. et n. — 1929, *in* D.D.L.; de *prétentieux.*

♦ Fam., péj. Prétentieux.

(...) c'est moins l'idée (...) qui me chiffonne, que le débagoulage prétentiard et un peu délirant, qu'il a répandu autour (...) 1
J. ROMAINS, les Hommes de bonne volonté, t. XXIV, p. 216.

Oh! je vous prie! protesta l'abbé. Pas de ces vocables prétentiards. 2
Boris VIAN, l'Automne à Pékin, p. 268.

N. *C'est un petit prétentiard.*

— Vous ne dites jamais de conneries? qu'il demande insidieusement. — Il se les réserve pour lui tout seul, dit Charles aux deux autres. C'est un prétentiard. 3
R. QUENEAU, Zazie dans le métro, Folio, p. 71.

PRÉTENTIEUSEMENT [pʀetɑ̃sjøzmɑ̃] adv. — 1834; de *prétentieux.*

♦ D'une manière prétentieuse. *Une toque prétentieusement posée sur le côté droit* (→ Occiput, cit. 2).

PRÉTENTIEUX, EUSE [pʀetɑ̃sjø, øz] adj. et n. — 1789, en parlant du style; de *prétention.*

♦ **1.** (Personnes). Qui estime avoir de nombreuses qualités, des mérites, qui affiche des prétentions* excessives. ⇒ **Orgueilleux, présomptueux, prétentiard** (fam.), **vaniteux; fat, fier.** *Un jeune garçon prétentieux* (→ 2. Botte, cit. 3). ⇒ **Freluquet.** *Gamines* (cit. 10) *prétentieuses.* ⇒ **Mijaurée, pimpesouée** (vx). *Un bellâtre* prétentieux qui fait le joli cœur.* ⇒ aussi **M'as-tu-vu** (n. m.), **poseur.**

(...) un de ces prétentieux gaillards qui se croient des merveilles d'intelligence, des phénomènes, des monstres, des génies, parce qu'ils perdent leur temps à dire bien haut ce que tout le monde pense tout bas. 1
G. DUHAMEL, Cri des profondeurs, II.

N. (1813). *Un prétentieux.* ⇒ **Crâneur, faraud.** *C'est un petit prétentieux et un insolent. Un prétentieux qui se prend* pour qqn, qui se croit qqn* (→ aussi Se croire le premier moutardier* du pape).

♦ **2.** (Choses). Qui dénote de la prétention. *Air, ton prétentieux.* ⇒ **Affecté, arrogant, faraud, gourmé, maniéré; effet** (à effet). *Allure, élégance prétentieuse d'un petit-maître*. Mis* (cit. 80) *avec un soin prétentieux. Intonation* (cit. 6) *prétentieuse. — Style emphatique, ambitieux et prétentieux.* ⇒ **Académique, affecté, ampoulé, emphatique** (cit. 4), **ronflant** (→ Larder, cit. 4). *Pathos* (cit. 3) *prétentieux. Un luxe prétentieux.* ⇒ **Tapageur.** — (Choses concrètes). *Maison, villa prétentieuse* (opposé à *sans prétention*). → Meneau, cit. 2.

Écoutez avec quelle solennité prétentieuse et quelle affectation presque niaise d'héroïsme Roland introduit son mémoire (...) 2
JAURÈS, Hist. socialiste..., VI, p. 218.

(...) elle avait aperçu juste devant elle une porte arrondie en bois apparent, ça faisait d'un toc... vulgaire, prétentieux (...) 3
N. SARRAUTE, le Planétarium, p. 11.

CONTR. Modeste. — Aisé, naturel.
DÉR. Prétentiard, prétentieusement.

PRÉTENTION [pʀetɑ̃sjɔ̃] n. f. — 1489; du lat. *prætantus,* p. p. de *prætendere.* → Prétendre.

♦ **1.** Le fait de revendiquer, de prétendre (1.) qqch., en vertu d'un droit que l'on affirme, d'un privilège que l'on réclame. ⇒ **Exigence, revendication.** *Prétention légitime* (cit. 9); *soutenable; prétentions mal fondées; exagérées, inadmissibles... Prétention sur un héritage, à un domaine. « Les justes prétentions qu'elles ont sur nos cœurs »* (→ Constance, cit. 6). *Démordre* (cit. 2), *rabattre de ses préten-*

tions (→ Caler* la voile, vx; mettre une sourdine*; déchanter*...). *Contredire les prétentions de qqn.*

1 Toute guerre naît d'une prétention commune à la même propriété. L'homme civilisé a une prétention commune, avec l'homme civilisé, à la possession d'un champ dont ils occupent les deux extrémités; et ce champ devient un sujet de dispute entre eux. DIDEROT, Suppl. au voyage de Bougainville, p. 997.

(V. 1673, Retz). Spécialt. Exigence dans un contrat, un marché. ⇒ **Condition.** *Rivalité des prétentions* (d'héritiers). ⇒ **Concours, concurrence.** *Les parties portent leurs prétentions à la connaissance du tribunal.* ⇒ **Conclusion.**

2 Elle s'en alla, indignée. — Quatre francs! Aussitôt rentrée, elle appela Rose et lui dit les prétentions du puisatier.
MAUPASSANT, les Contes de la Bécasse, «Pierrot».

Vx. «L'espérance de gagner le cœur d'une femme» (Littré).

♦ **2. PRÉTENTION À..., DE...** (et inf.). Le fait de revendiquer pour soi (une qualité, un avantage intellectuel, moral); le fait de se flatter d'obtenir (un résultat). ⇒ **Prétendre** (2. et 3.). *Prétention à l'élégance, au dandysme.* ⇒ **Ambition** (→ Fastueux, cit. 5; hôtel, cit. 5). — *La prétention de ne jamais être dans son tort* (→ Ankylose, cit. 2), *de vouloir être aimé exclusivement* (cit. 4), *de séduire* (→ Franchir, cit. 9). — Loc. (1835). *Avoir la prétention de...* ⇒ **Piquer** (se); **présumer.** *Tu n'as pas la prétention de m'apprendre mon métier?* — (Sans compl. prép.). *Prétentions éducatrices* (→ Cendre, cit. 6), *nobiliaires* (→ Marquisat, cit.)... *Afficher des prétentions excessives, ridicules.* ⇒ **Prétentieux** (et → ci-dessous, 3.). *Les prétentions et les projets.* ⇒ **Désir, dessein, espérance, visée.** *L'immensité* (cit. 13) *de sa prétention* (de romancier). — Loc. (1772). *Un homme à prétentions.*

3 Les hommes ont de grandes prétentions et de petits projets.
VAUVENARGUES, Réflexions et maximes, 89.

4 (...) toutes *(les femmes)* ayant des prétentions à la finesse, aucune ne veut perdre l'occasion d'en montrer. LACLOS, les Liaisons dangereuses, LXXVI.

5 Les prétentions sont une source de peines, et l'époque du bonheur de la vie commence au moment où elles finissent. Une femme est-elle encore jolie au moment où sa beauté baisse, ses prétentions la rendent ou ridicule ou malheureuse : dix ans après, plus laide et plus vieille, elle est calme et tranquille.
CHAMFORT, Maximes, «Sur l'homme et la société», XLVIII.

6 Voilà la vie! la vie telle qu'elle est : de grandes prétentions, de petites réalités.
BALZAC, le Lys dans la vallée, Pl., t. VIII, p. 1016.

7 Cela ne manque pas de style, ou plutôt d'une certaine prétention au style.
BAUDELAIRE, Curiosités esthétiques, I, IV.

Loc. (1754). *Sans prétention(s), sans aucune prétention,* se dit d'une personne modeste. ⇒ **Apprêt** (sans). → Bonnement, cit. 3. — (En parlant de choses). *Une maison coquette, mais sans prétention.* ⇒ **Simple.** — Opposé à *prétentieux.*

♦ **3.** (V. 1747). Estime trop grande de soi-même qui pousse à des ambitions, à des visées excessives. ⇒ **Arrogance, crânerie, fatuité, orgueil, pose, présomption, vanité.** *Sa prétention le conduit à se vanter*.* *Accuser qqn de prétention* (→ Néologisme, cit. 1). *S'exprimer, parler, écrire avec prétention.* ⇒ **Prétentieusement; affectation, bouffissure, emphase.** *Avoir un air de prétention insupportable.* ⇒ **Afficher** (s'); **embarras.** *Un homme doux, sans prétention, modeste...* (→ Ordinaire, cit. 8).

8 Ce jeune vidame était un nigaud de la pire sorte; il ajoutait la prétention à la sottise et je vis très bien ce dont je bénéficiais dans son esprit : c'était d'avoir été aperçu à Nice, qui est à ses yeux le point géométrique du beau monde et de la fashion. Émile HENRIOT, le Diable à l'hôtel, X.

CONTR. Modestie, simplicité.
DÉR. Prétentieux, prétentionnisme.

PRÉTENTIONNISME [pʀetɑ̃sjɔnism] n. m. — 1940; de *prétention.*

♦ Didact. (ling.). Emploi prétentieux; façon de s'exprimer qui manifeste un besoin prétentieux de distinction. ⇒ **Hypercorrection.**

PRÊTER [pʀete] v. — 1138, *prester;* du lat. *præstare* «fournir, mettre à la disposition» et, en bas lat., «fournir sous forme de prêt».

★ **I.** V. tr. dir. ♦ **1.** Mettre (qqch.) à la disposition de qqn (le plus souvent pour un temps déterminé). ⇒ **Donner, fournir; prestation.** *«Pourvu que Dieu lui prête vie»* (→ Attendre, cit. 87). *Prêter son aide*, son appui* (→ Malignité, cit. 1), *son concours*.* ⇒ **Aider, secourir.** *Il lui a prêté son concours, son appui pour se pousser, pour améliorer sa situation* (→ Faire la courte échelle*, fig.). — (Compl. abstrait, sans article, formant des loc. verbales). *Prêter appui* (cit. 21), *assistance** (cit. 8), *main-forte** (cit. 2, 3 et 5), *secours** (→ Mystère, cit. 4). ⇒ **Assister, secourir...** *Prêter asile* (cit. 7). *Prêter attention** (cit. 29). ⇒ **Porter.** *Prêter foi et hommage* (cit. 2 et 4). *Prêter serment.* ⇒ **Jurer** (→ Insermenté, cit.). — Vx. *Prêter une défense à qqn,* le défendre. — *Prêter la main, les mains à qqch., à qqn.* ⇒ **Main.** *Prêter l'épaule* (vx), *le bras, son bras* (→ Engager, cit. 5). *Prêter son crédit*.* ⇒ **Engager** (s'). *Prêter sa voix à... :* parler pour... *Prêter son nom* (cit. 10). ⇒ **Prête-nom.** — *Prêter l'oreille à... :* écouter attentivement, avec intérêt. ⇒ **Dresser, tendre** (→ Attentif, cit. 2; attention, cit. 14). — Vx. *Prêter les yeux à...* (Corneille, *Rodogune*). — (1559). *Prêter silence :* faire silence.

N'a-t-il point quelque ami qui pût, sur ses manières, 1
D'un charitable avis lui prêter les lumières? MOLIÈRE, le Misanthrope, II, 4.

Pourquoi dit-on *prêter l'oreille,* et que *prêter les yeux* n'est pas français? N'est-ce 2
point qu'on peut s'empêcher à toute force d'entendre, en détournant ailleurs son attention; et qu'on ne peut s'empêcher de voir, quand on a les yeux ouverts?
VOLTAIRE, Commentaires sur Corneille, Rem. sur Rodogune, V, 3, «Prêtez les yeux au reste».

(...) femme qui prête l'oreille prêtera bientôt autre chose. 3
P.-L. COURIER, Correspondance, XXXVIII, 28 mai 1806.

Prêtez-moi seulement, vallon de mon enfance, 4
Un asile d'un jour pour attendre la mort.
LAMARTINE, Premières méditations, «Le vallon».

Dieu nous prête un moment les prés et les fontaines (...) 5
Puis il nous les retire (...) HUGO, les Rayons et les Ombres, XXXIV.

(...) eût-il à ce moment connu quelque liaison «spéciale» de son frère que (...) 6
M. de Guermantes eût passé dessus, fermant les yeux sur elle, et au besoin y prêtant la main. PROUST, Sodome et Gomorrhe, Pl., t. II, p. 719.

Vx. (Sujet n. de chose). Conférer, communiquer, procurer. *Chose qui prête une preuve, un prétexte à...,* qui sert de preuve, de prétexte (Corneille).

♦ **2.** (1250). Fournir (une chose) à la condition qu'elle (ou une chose équivalente) sera rendue. ⇒ **Prêt; donner** (→ Crier, cit. 34; donner, cit. 25). *Celui qui prête qqch. à qqn.* ⇒ **Prêteur.** *Prêter des livres* (→ Herbier, cit. 1; négliger, cit. 2). *Prêtez-moi votre stylo une minute.* — *Prêter de l'argent, une somme d'argent à qqn.* ⇒ 1. **Avancer** (→ Faillir, cit. 10; 2. mémoire, cit. 4; obliger, cit. 19; offrir, cit. 4). *Prêter une somme sur nantissement* (cit. 1). *Prêter des fonds à une entreprise.* ⇒ **Commanditer.** — Par plais. *«Je vous prête le bonjour»* (cit. 1, Molière). — Fig. *«Je rends au public ce qu'il m'a prêté»* (→ Matière, cit. 14).

(Elle) régla tout à la mairie et à l'église, poussa la passion jusqu'à prêter l'argent 7
nécessaire, contre un papier signé des deux, et où la somme fut doublée, pour les intérêts. ZOLA, la Terre, IV, VI.

(V. 1155). Absolt. *Prêter sur gage** (→ Nantissement, cit. 2). *Prêter à la petite semaine. Prêter à usure* (→ Débiteur, cit. 1; grippesou, cit.). *Prêter à fonds* perdu.* — Loc. prov. *«Qui donne* (cit. 10) *aux pauvres prête à Dieu».*

Il est de la reconnaissance comme de la bonne foi des marchands : elle entretient 8
le commerce, et nous ne payons pas parce qu'il est juste de nous acquitter, mais pour trouver plus facilement des gens qui nous prêtent.
LA ROCHEFOUCAULD, Maximes, 223.

On leur prête, parce qu'ils rendent, et passent pour exacts; mais d'ailleurs on les 9
hait, parce qu'ils s'enrichissent de ces spéculations (...)
P.-L. COURIER, Pamphlets politiques, Lettre V.

N. m. *Ami au prêter, ennemi au rendu.*

♦ **3.** (XVIe). Attribuer ou proposer d'attribuer (un caractère, un acte). ⇒ **Attribuer** (cit. 17), **donner, imputer, supposer** (→ Désir, cit. 15). *Prêter nos idées aux enfants* (→ Entasser, cit. 8). *L'esprit* (cit. 151) *qu'on lui prête. Les pensées que vous me prêtez gratuitement* (cit. 8). *Prêter un sentiment à autrui* (cit. 21). *On me prête des propos que je n'ai jamais tenus* (cf. On veut me faire dire...). — *Prêter de l'importance* (→ Motilité, cit.), *une signification à qqch.* (→ Griserie, cit. 9).

Je te salue, ô mort! Libérateur céleste, 10
Tu ne m'apparais point sous cet aspect funeste
Que t'a prêté longtemps l'épouvante ou l'erreur (...)
LAMARTINE, Premières méditations, «L'immortalité».

Il m'est impossible d'admettre et de permettre que ma femme accepte un legs de 11
cette nature d'un homme que la rumeur publique lui a déjà prêté pour amant.
MAUPASSANT, Bel-Ami, II, VI.

Qu'il fût d'une condition modeste, cela me le rendait plus proche (...) je lui prê- 12
tais, à la fois, cette simplicité et cette force d'attachement qui ne sont pas rares dans le peuple. F. MAURIAC, le Nœud de vipères, II, XVII.

Prov. *On ne prête qu'aux riches :* les caractères, les actions que l'on attribue à qqn sont fondés sur sa réputation.

(...) on lui prêtait à peu près tous les mots piquants qui se pouvaient faire, parce 13
qu'on aime prêter aux riches.
Louis MADELIN, Hist. du Consulat et de l'Empire, Vers Empire Occident, III.

♦ **4.** V. tr. ind. (XVIe). **PRÊTER À :** donner matière* à..., fournir l'occasion* de... *Prêter aux commentaires, à la critique, à la médisance* (cit. 3). ⇒ **Exposer** (s'). — *Prêter à équivoque* (→ Guillemet, cit. 2). — *Prêter à rire :* inciter au rire, à la dérision. ⇒ **Apprêter** (vx), **donner** (→ Moquer, cit. 3). *Cela prête à jaser.* ⇒ **Inciter.**

(...) madame Poulain, qui se souvenait d'avoir été simple ouvrière, ne voulait pas 14
nuire à son fils ou prêter à rire, au mépris (...)
BALZAC, le Cousin Pons, Pl., t. VI, p. 660.

Quand les femmes ne prêtent plus à la médisance elles s'y adonnent. 15
Émile AUGIER, les Lionnes pauvres, III, 7.

(...) une simplicité qui prête parfois à sourire. 16
FRANCE, Crainquebille, *in* SANDFELD.

♦ **5.** Vx. Présenter. — Loc. *Prêter le collet à qqn,* se présenter pour combattre avec lui; et, fig., se préparer à lutter contre lui. — Mod. *Prêter le flanc** (cit. 14, et *supra*). ⇒ **Découvrir.**

★ **II.** V. intr. (1611). Pouvoir s'étirer, s'étendre, en parlant d'un tissu, d'une peau... non élastique. ⇒ **Donner.** *Étoffe, tissu qui prête à l'usage. Cuir, fourrure qui prête.*

▶ **SE PRÊTER** v. pron. (Fin XIIe, «mettre au service de qqn»).

♦ **1.** (Sujet n. de personne). Vx. Se laisser aller momentanément à... *Se prêter à l'espoir, aux illusions.*

♦ **2.** (1580; sujet n. de personne). Consentir à qqch., supporter, accepter de bonne grâce. ⇒ **Accommoder** (s'), **consentir, plier** (se). *Se prêter complaisamment* (cit.), *avec complaisance**, *à... Se prêter à une caresse* (cit. 12), *aux flatteries* (→ Encensoir, cit. 4). *Se prêter aux projets de qqn* (→ Bout, cit. 8). *Il se prêta à tout ce qu'on voulut* (→ Ministère, cit. 2). ⇒ **Céder, souscrire.**

17 Jacques s'était prêté à cette espièglerie, et l'hôtesse de rire, et Jacques et son maître de rire. DIDEROT, Jacques le fataliste, Pl., p. 602.

18 Au cirque, une mère imprudente laisse son enfant se prêter à l'expérience d'un magicien chinois. COCTEAU, le Grand Écart, p. 54.

Littér. *Se prêter à...* (et inf.). → Laisser, cit. 53.

♦ **3.** (XVIIIe; sujet n. de chose). Être propre à..., pouvoir s'adapter à... ⇒ **Convenir.** *Cette terre ne se prête pas à la culture des céréales. La langue italienne* (cit. 1), *l'allemand se prête, ne se prête pas à...* (→ Nettement, cit. 3).

19 La véritable grâce est élastique. Elle se prête à toutes les circonstances, elle est en harmonie avec tous les milieux sociaux (...) BALZAC, Modeste Mignon, Pl., t. I, p. 511.

► **PRÊTÉ, ÉE** p. p. adj. *Argent prêté, somme prêtée* (→ Arrérage, cit. 3).

N. m. (1690). Loc. *C'est un prêté rendu*, une juste représaille, une revanche méritée. *C'est un prêté pour un rendu :* l'injustice, le mauvais procédé est payé de retour. — REM. On devrait logiquement dire : *c'est un rendu pour un prêté.*

CONTR. **Emprunter. — Rendre, restituer.**
DÉR. 2. **Prêt, prêteur.**

PRÉTÉRIT [pReteRit] n. m. — Déb. XIIIe; lat. *præteritum (tempus)*, de *præterire* «laisser en arrière, passer».

♦ Gramm. Forme temporelle du passé. — Vx. *Prétérit imparfait :* imparfait; *prétérit défini* ou *simple :* passé simple; *prétérit antérieur* (cit. 6) : passé antérieur. — Spécialt. Passé simple. — REM. Il est abusif de parler de *prétérit* en grammaire moderne (cf. aussi les emplois abusifs de *parfait*), sauf pour désigner la forme du passé «dans les langues qui ne distinguent pas entre imparfait, aoriste, parfait» (Marouzeau). *Le prétérit anglais correspond à l'imparfait et au passé simple français.*

PRÉTÉRITER [pReteRite] v. tr. — D. i.; lat. *præteritare*, fréquentatif de *præterire* «négliger, passer sous silence».

♦ Régional (Suisse). Léser (qqn), lui causer du tort. *Être, se sentir prétérité.*

PRÉTÉRITION [pReteRisjɔ̃] n. f. — 1314, en dr.; lat. *præteritio*, de *præterire*. → Prétérit.

♦ **1.** Dr. Omission. — Spécialt. (Droit anc.). Omission d'un héritier nécessaire dans un testament.

♦ **2.** (1609). Rhét. Figure par laquelle on déclare ne pas parler d'une chose, tout en attirant l'attention sur elle sous une forme négative (je ne dirai rien de son dévouement, qui...; sans insister sur son courage, qui...; pour ne pas parler de...). — On dit aussi *paralipse, prétermission. Parler d'une chose par prétérition. La réticence et la prétérition sont deux figures voisines.*

PRÉTERMISSION [pRetɛRmisjɔ̃] n. f. — 1549; «action de laisser de côté», 1458; du lat. *prætermissio* «omission», de *prætermissum*, supin de *prætermittere* «laisser passer, négliger».

♦ Rhét. (Vx). ⇒ **Prétérition.**

PRÉTERNATURE [pRetɛRnatyR] n. f. — 1972, cit.; du lat. *præter* «au-delà», et *nature*, d'après *préternaturel*. → Surnature.

♦ Didact. Ensemble des phénomènes préternaturels.

(...) je crois qu'on serait fondé à dire que le surréalisme n'est pas absent de votre laboratoire, où prospère l'insolite, où abonde la préternature (...) Jean ROSTAND, Réponse au disc. de réception à l'Acad. franç. de M.-É. WOLFF, 19 oct. 1972.

PRÉTERNATUREL, ELLE [pRetɛRnatyRɛl] adj. — 1891, Huysmans; «contre nature», fin XIVe; comp. sav., du lat. *præter* «au-delà», et *naturel*.

♦ Didact. Qui dépasse le caractère naturel, sans impliquer un ordre différent (à la différence de *surnaturel*).

PRÉTEST [pRetɛst] n. m. — V. 1960 (*in* Larousse, 1968); de *pré-*, et *test*.

♦ **1.** Didact. (psychol.). Phase préliminaire dans la mise au point d'un test. — Épreuve que l'on fait subir à un questionnaire d'enquête (avant mise au point).

♦ **2.** Publ. Étude, test préliminaire effectué sur un matériel publicitaire, avant parution et emploi.

PRÉTEUR [pRetœR] n. m. — Fin XVe; *pretor*, 1213; lat. *prætor*.

♦ Antiq. rom. Magistrat judiciaire qui avait pouvoir de faire exécuter et d'interpréter la loi. ⇒ **Prétorien, préture.** *Le préteur était spécialisé dans l'administration de la justice. En 242, une charge de préteur pérégrin fut créée, pour les affaires entre étrangers ; le premier préteur devint préteur urbain. Les préteurs étaient annuels* (→ 1. Annuel, cit.). *Édits du préteur.* — Gouverneur de province, sous l'empire, choisi parmi les anciens préteurs (propréteur). — Loc. lat. *Le préteur ne s'occupe pas...* (adage latin : *de minimis non curat prætor*).

PRÊTEUR, EUSE [pRɛtœR, øz] n. et adj. — XVIIe; *presteour*, XIIIe; de *prêter*.

♦ Personne qui prête de l'argent, consent un prêt* (2. Prêt). → Augmenter, cit. 12; intérêt, cit. 4. *L'État et ses prêteurs* (→ Emprunt, cit. 6). *Le prêteur et l'emprunteur.* ⇒ aussi **Bailleur** (de fonds). — Spécialt. Personne qui fait métier de prêter à intérêt. *Prêteur sur gages. Prêteur à intérêt usuraire.* ⇒ **Usurier.**

Le prêteur sur gages à qui Mathieu avait confié les deux boîtes fit assigner Mathieu. J'intervins dans ce procès. DIDEROT, Jacques le fataliste, Pl., p. 698. 1

(...) si la pensée lui était un moment venue d'emprunter à un prêteur de Cloyes, une prudence inquiète l'en avait détourné (...) ZOLA, la Terre, I, III. 2

Adj. *«La fourmi n'est pas prêteuse»* (→ Emprunteur, cit. 1, La Fontaine).

CONTR. **Emprunteur.**

1. PRÉTEXTE [pRetɛkst] n. f. et adj. — 1355; lat. *prætexta (toga)* «(toge) bordée (de pourpre)», de *prætexere* «border»; de *præ*, et *texere* «tresser, tisser». → Texte.

♦ **1.** Antiq. rom. Toge blanche bordée d'une bande de pourpre que les jeunes patriciens portaient jusqu'à l'âge de seize ans (→ Bulle, cit. 1). — Toge semblable qui était portée par certains hauts magistrats. — Adj. *Robe, toge prétexte.* — Littér. *La Robe prétexte*, roman de Mauriac.

♦ **2.** (XIXe). Antiq. rom. *Tragédie prétexte* ou *prétexte :* tragédie latine dont on empruntait le sujet à l'histoire nationale (les acteurs y portaient la *robe prétexte*).

HOM. 2. **Prétexte**, formes du v. **prétexter.**

2. PRÉTEXTE [pRetɛkst] n. m. — 1530; lat. *prætextus.*

♦ **1.** Raison alléguée pour dissimuler le véritable motif d'une action; argument spécieux dont on se sert pour se justifier ou pour refuser de faire qqch.; cause occasionnelle, apparente et alléguée, d'un acte. ⇒ **Allégation, apparence, argument, cause, couleur, couverture, échappatoire, excuse, faux-fuyant, motif** (faux motif), **raison, refuite, semblant** (faux semblant), **subterfuge.** *Prétexte spécieux* (→ Apparence, cit. 19), *frivole* (→ Autoriser, cit. 16), *mauvais prétexte* (→ Humeur, cit. 22). *Prétexte plausible. Tout prétexte est bon quand on veut se débarrasser de qqn* (→ Qui veut noyer son chien* [*supra* cit. 42] l'accuse de la rage). *Ce n'est qu'un prétexte* (→ Intercéder, cit. 5). *Alléguer, invoquer des prétextes. Se couvrir d'un prétexte. Se retrancher derrière un prétexte. Saisir un prétexte. Donner* (→ Coexister, cit.), *fournir* (→ Impérialisme, cit. 2) *des prétextes (à qqn). — Donner, fournir un prétexte à..., pour... :* servir de prétexte à (qqch.). ⇒ 1. **Lieu, matière** (donner lieu, matière à). *Chercher* (cit. 19), *prendre, trouver un prétexte, des prétextes à qqch., pour faire qqch.* (→ Biais, cit. 6; borner, cit. 16; corvée, cit. 6). *Prendre, tirer prétexte de... pour...* ⇒ **Autoriser** (s'), **exciper** (de), **prétexter.** — Littér. *Prétextes* et *Nouveaux prétextes*, titres de deux recueils d'essais de Gide.

Quelque prétexte que nous donnions à nos afflictions, ce n'est souvent que l'intérêt et la vanité qui les causent. LA ROCHEFOUCAULD, Maximes, 232. 1

Le prétexte ordinaire de ceux qui font le malheur des autres est qu'ils veulent leur bien. VAUVENARGUES, Réflexions et maximes, 160. 2

Si par hasard il vous demandait pourquoi vous êtes venu, trouvez quelque prétexte plausible (...) BALZAC, la Recherche de l'absolu, Pl., t. IX, p. 520. 3

(...) il était froid de plus en plus : laconique aux repas, et rare dans la maison. Quand sa tante l'en grondait, il était très doux et donnait pour prétexte ses études, les cours, les examens, des conférences, etc. HUGO, les Misérables, III, III, VI. 4

(1539). **SOUS... PRÉTEXTE.** *Sous le premier prétexte, sous un prétexte quelconque, sous aucun prétexte* (→ Couverture, cit. 3; entrer, cit. 4; habitude, cit. 10). *Sous le moindre prétexte. Ne sortez sous aucun prétexte*, en aucun cas*.

Sous prétexte de... (suivi d'un nom). ⇒ **Couleur** (sous couleur de), 1. **couvert** (sous le couvert de), **manteau** (sous le manteau de, vx), **ombre** (sous ombre de, vx), **voile** (sous le voile de, littér.). → Arguer, cit. 1; bonapartisme, cit. 1; invalider, cit. 2. — *Sous prétexte de...* (suivi d'un inf.). → Gémir, cit. 7; humilier, cit. 15; persécution, cit. 3. — *Sous prétexte, sous le prétexte que...* (suivi d'un verbe à un mode personnel). → Esprit, cit. 121; nombre, cit. 19. — (1679). *Sous prétexte que..., il affirme...* ⇒ **Prétendre.**

5 Pour présenter une cause ou un motif comme une allégation spécieuse, on se sert des locutions *sous (le) prétexte que* (ou *de*) et *sous couleur de* (...) «Ce dîner où elle n'était pas venue *sous prétexte qu'*elle était malade et en réalité pour rester avec Swann» PROUST *Swann,* II, 94 (au faux motif allégué succède ici la vraie raison, présentée sous forme de finale : «en réalité *pour rester* ...»). — Rappelons que la langue classique employait parfois la préposition *sur,* au lieu de *sous :* «On me l'est venu demander, *sur le prétexte que* c'était une jolie lettre» LA FAYETTE, *Pr. de Clèves,* III, 104.
G. et R. LE BIDOIS, Syntaxe du franç. moderne, § 1476.

6 *(L'auteur du présent livre)* fait des vers pour avoir un prétexte de ne rien faire, et ne fait rien sous prétexte qu'il fait des vers.
Th. GAUTIER, Premières poésies, Préface, 1832.

7 Sous le prétexte de quelque affaire de famille à régler, j'obtins du marquis huit jours de vacances (...) Paul BOURGET, le Disciple, IV, V.

8 *(Elle)* allait aussitôt ouvrir la fenêtre sous le prétexte qu'il faisait trop chaud dans cette misérable cuisine. PROUST, le Côté de Guermantes, Pl., t. II, p. 17.

9 Sous prétexte d'aider son frère, Alissa avait appris avec moi le latin (...)
GIDE, la Porte étroite, II.

10 Je m'arrange pour qu'on vous laisse seul, dans un petit salon, avec la nièce; sous prétexte que vous puissiez bavarder, la petite et vous, un peu plus librement (...)
J. ROMAINS, les Hommes de bonne volonté, t. XI, XXIII, p. 226.

♦ **2.** Ce qui permet de faire qqch.; occasion. — Spécialt. (Bx-arts, et, particult, peint.). Le sujet, le modèle, en tant qu'il n'est pour l'artiste qu'une occasion de développer certaines recherches esthétiques, de produire certains effets, etc. (→ aussi Motif, cit. 9; 1. nu, cit. 18).

DÉR. Prétexter.
HOM. 1. **Prétexte,** formes du v. **prétexter.**

PRÉTEXTER [pʀetɛkste] v. tr. — 1556, au sens 2.; 1456, selon Bloch-Wartburg; de 2. *prétexte.*

♦ **1.** (1636). Vx. Dissimuler par un prétexte. *«Les peuples prétextent leur révolte du zèle de la religion»* (Académie, 1694).

♦ **2.** (1556). Mod. Alléguer, prendre (qqch.) pour prétexte*. (2. Prétexte). ⇒ **Autoriser** (s'autoriser de), **arguer** (de), **objecter, opposer** (*supra* cit. 8). *Prétexter un mal de tête.* ⇒ aussi **Simuler** (→ Indisposer, cit. 7). — *Prétexter que...* (suivi de l'ind.). → Indiscrètement, cit. *Il a prétexté qu'il n'était pas assez riche.*

1 Depuis son échec, Allory, prétextant sa maladie, puis sa convalescence, avait refusé toutes les invitations à dîner, sauf une (...)
J. ROMAINS, les Hommes de bonne volonté, t. XI, XVIII, p. 169.

Trans. ind. **PRÉTEXTER DE (qqch.)** : prendre prétexte de (qqch.).

2 Il prétexta d'un rendez-vous pour s'en aller.
Félix VALLOTON, Corbehaut, p. 293.

3 Le repas à peine achevé, prétextant de je ne sais quelle occupation, elle avait entraîné Armande. G. CESBRON, Une abeille contre la vitre, p. 53.

PRETINTAILLE [pʀətɛ̃taj] n. f. — 1702; se rattache au normand *pertintaille* «collier de cheval muni de grelots», même rac. que *pretentaine**. → aussi Retentir, tinter.

Vieux.

♦ **1.** Découpures qui servaient d'ornements sur les vêtements féminins au XVIIIe siècle. *Pretintailles d'une robe.*

REM. 1. Le mot, au sens propre, s'employait surtout au pluriel.

2. À côté de *pretintaille* on rencontre aussi parfois la forme *prétintaille* [pʀetɛ̃taj].

♦ **2.** Fig. Clinquant, futilité. *«Les Neuchâtelois, qui n'aiment que la pretintaille et le clinquant»* (Rousseau, *les Confessions,* XII).

PRETIUM DOLORIS [pʀesjɔmdɔlɔʀis] n. m. — Loc. lat., «prix de la douleur».

♦ Dr. Dommages-intérêts accordés par un tribunal à la victime d'un fait dommageable, en compensation des souffrances endurées par elle. *Un pretium doloris important, insuffisant.*

PRÉTOIRE [pʀetwaʀ] n. m. — XIIIe; *pretoire,* XIIe; lat. *prætorium,* de *prætor.* → Préteur.

★ **I.** Antiq. rom. ♦ **1.** Tente du général (dans un camp); l'espace entourant cette tente. — Habitation, palais du préteur* dans le chef-lieu de la province dont il avait le gouvernement. — Tribunal où le préteur rendait la justice à Rome.

♦ **2.** (1734). Caserne des prétoriens; la garde prétorienne elle-même. — *Préfet du prétoire.* ⇒ **Préfet** (1.). *Préfecture du prétoire* (→ Diocèse, cit. 1).

★ **II.** (1523). Mod. Littér. Salle d'audience d'un tribunal. *L'éloquence du prétoire.*

(...) le Rebendart ministre venait lui-même au prétoire témoigner contre lui et publiquement le renier. GIRAUDOUX, Bella, III.

PRÉTONIQUE [pʀetɔnik] adj. — XXe; de *pré-,* et *tonique.*

♦ Phonét. Qui précède la syllabe accentuée d'un mot. *Voyelle prétonique.*

CONTR. Post-tonique.

PRÉTORIAL, ALE, AUX [pʀetɔʀjal, o] adj. — V. 1355; dér. sav. du lat. *prætorium.*

♦ Didact. Du prétoire. *Droit prétorial. Palais prétorial.* ⇒ **Prétorien.**

PRÉTORIEN, IENNE [pʀetɔʀjɛ̃, jɛn] adj. et n. m. — 1213; lat. *prætorianus,* de *prætor.* → Préteur.

★ **I.** Antiq. rom. ♦ **1.** Relatif au préteur*. *La dignité prétorienne. Le droit prétorien, tiré des édits des préteurs.* — (1636). *Province prétorienne,* administrée par un préteur.

♦ **2.** Relatif au général, au commandant en chef. *Cohorte prétorienne,* attachée à la garde du général en chef. *Porte prétorienne d'un camp,* située en face de la tente du général.

♦ **3.** Qui constituait la garde personnelle de l'empereur romain. *Garde prétorienne, commandée par le préfet du prétoire. Cohortes prétoriennes. Les soldats prétoriens.* — N. m. (1644). *Les prétoriens. Les prétoriens déposèrent et élevèrent au trône plusieurs empereurs romains.*

★ **II.** (XVIIIe, par métaphore : «*les jésuites,* ces prétoriens *ou janissaires** [cit. 2] *du Saint-Siège*», d'Alembert; 1791, Mme Roland [ci-dessous, cit. 1], par allusion au rôle joué par la garde prétorienne des empereurs romains). — Péj. Se dit des éléments militaires qui constituent la garde personnelle d'un chef d'État autoritaire ou qui interviennent par la force dans la vie de la nation. *Garde prétorienne d'un dictateur.* — N. m. *Régime qui ne se maintient que par l'appui des prétoriens.*

(...) le lieu des séances est environné de gardes nombreuses qui présentent aux hommes réfléchis l'aspect des gardes prétoriennes à la dévotion d'un fourbe. 1
Mme ROLAND, Lettres, 1791, t. II, p. 442, *in* BRUNOT, Hist. de la langue franç., t. IX, p. 739.

Ces grands bals étaient toujours des occasions saisies par de riches familles pour y produire leurs héritières aux yeux des prétoriens de Napoléon, dans le fol espoir d'échanger leurs magnifiques dots contre une faveur incertaine. 2
BALZAC, la Paix du ménage, Pl., t. I, p. 994.

PRÊTRAILLE [pʀetʀɑj] n. f. — XVIIIe; *prebstraille,* 1498; *prestraille,* 1549; de *prêtre.*

♦ Vieilli. Péj. Ensemble des prêtres, clergé (→ Prêchi-prêcha, cit. 2), et surtout bas clergé. ⇒ **Curé** (les curés).

PRÉTRAITEMENT [pʀetʀɛtmɑ̃] n. m. — XXe; de *pré-,* et *traitement.*

♦ Techn. Traitement préalable. *Prétraitement du bois* (cf. J.-C. Reggiani, *Industries et commerce du bois,* p. 58, 1966).

PRÊTRE [pʀɛtʀ] n. m. — XVIIe; *prestre,* v. 1112; du lat. chrét. *presbyter,* empr. au grec *presbuteros* «ancien». → Presbytère.

♦ **1.** (Dans l'Église catholique, notamment romaine). [a] Celui qui a reçu le troisième ordre majeur. ⇒ **Prêtrise.** *Relatif au prêtre.* ⇒ **Presbytéral.** *Consacrer un prêtre.* ⇒ **Ordonner.** *Clerc*, diacre* ordonné prêtre.* ⇒ **Ordinand, ordination.** *Le prêtre porte la tonsure. On peut être religieux* sans être prêtre.* ⇒ aussi **Vœu** (prononcer ses vœux). *Autrefois un abbé* n'était pas toujours prêtre. Le prêtre est au service de Dieu.* ⇒ **Ministère** (sacré), **sacerdoce.** *Prêtre qui donne la bénédiction* (cit. 7), *célèbre la messe.* ⇒ aussi 1. **Officier.** *Prêtre célébrant*, consacrant*, servi par un acolyte, un assistant.* ⇒ **Messe.** *Prêtre abstème. Vêtements, ornements* liturgiques du prêtre.* ⇒ **Amict,** 2. **aube, chasuble, étole, manipule, surplis; aumusse, barrette, camail, cordon, orfroi...** *Prêtre qui lit son bréviaire*. Prêtre qui porte le viatique aux malades* (⇒ **Porte-Dieu,** vx; → Dais, cit. 5), *qui assiste un mourant. Appeler* (cit. 13), *courir chercher un prêtre* (→ Décréter, cit. 4), *pour faire administrer les derniers sacrements à un malade. Se confesser* à un prêtre.* ⇒ **Confession.** *Le prêtre, guide des âmes.* ⇒ **Confesseur, directeur** (de conscience). → Médecin* des âmes, médecin spirituel, pasteur* des âmes, père* spirituel. *Prêtre qui prêche.* ⇒ **Prédicateur, sermonnaire.**

(...) le prêtre, ayant salué le saint sacrement d'une génuflexion sur le pavé, montait à l'autel et étalait le corporal au milieu duquel il plaçait le calice. Puis, ouvrant le Missel, il redescendit. Une nouvelle génuflexion le plia; il se signa à voix haute, joignit les mains devant la poitrine, commença le grand drame divin, d'une face toute pâle de foi et d'amour. 1
ZOLA, la Faute de l'abbé Mouret, I, II.

Cardinal-prêtre ou *cardinal prêtre* ⇒ 2. **Cardinal.**

[b] Cour. Tout membre du clergé séculier* (⇒ **Église**) qui, ayant été ordonné prêtre (au sens 1., a), n'a cependant pas été sacré évêque et qui, de ce fait, occupe un rang plus modeste dans la hiérarchie ecclésiastique et ne jouit pas de la plénitude du sacer-

doce chrétien. ⇒ **Archiprêtre, aumônier, chanoine, chapelain, coadjuteur, curé, desservant, doyen,** 1. **pénitencier, vicaire**; régional **capelan.** *Vêtement traditionnel du prêtre* (aujourd'hui abandonné en France). ⇒ **Soutane.** *Prêtre traditionnaliste. Admittatur, celebret, exeat accordé à un prêtre. Prêtre interdit.* ⇒ 2. **Interdit,** 1. **suspense.** *Prêtre indépendant, prêtre libre, prêtre retiré,* qui ne dépend pas d'une circonscription ecclésiastique déterminée. — Vx. *Prêtre habitué.* ⇒ **Habituer** (*supra* cit. 12). *Prêtre adjoint, suppléant* (→ Curé, cit. 3). *Prêtre de campagne* (→ Excellence, cit. 4; paroissien, cit. 2). *Prêtre missionnaire** (→ Exiler, cit. 10; incantation, cit. 2). — *Prêtre au travail,* ou (1948, *in* D. D. L.), cour., PRÊTRE-OUVRIER : après la Seconde Guerre mondiale, Prêtre qui exerçait un métier manuel et qui partageait la vie des travailleurs afin de faire pénétrer le catholicisme dans les milieux ouvriers déchristianisés.

2 — C'est un Père? demanda Cyprien, l'air ahuri, et de quel ordre?
— Non, répondit Mikael, c'est un séculier. On devrait l'appeler M. l'Abbé (...) Imaginez qu'il a été prêtre-ouvrier pendant trois ans. Quand sont intervenues les décisions épiscopales concernant les prêtres-ouvriers, il a quitté l'atelier, non sans rancune. Mais enfin, il a obéi. G. DUHAMEL, l'Archange de l'aventure, VII.

2.1 Le mythe de l'abbé Pierre dispose d'un atout précieux : la tête de l'abbé. C'est une belle tête, qui présente clairement tous les signes de l'apostolat : le regard bon, la coupe franciscaine, la barbe missionnaire, tout cela complété par la canadienne du prêtre-ouvrier et la canne du pèlerin.
R. BARTHES, Mythologies, p. 54.

Hist. (sous la Révolution française). *Prêtre assermenté*, constitutionnel*, jureur** (→ Consacrer, cit. 12), *insermenté** (cit.), *réfractaire**.

Prov. *Le prêtre doit vivre de l'autel** (cit. 31).

c Membre du clergé (surtout du clergé séculier), considéré en tant qu'il exerce un certain état dans la société et présente certains traits qui le distinguent du laïc. ⇒ **Ecclésiastique** (cf. Un homme d'Église, et, au plur., les gens d'Église; et aussi homme de Dieu, serviteur de Dieu, oint du Seigneur). — REM. Dans ce sens, *prêtre* peut parfois s'appliquer à un prélat* (→ Main, cit. 47) ou même au pape (→ Pontifical, cit. 1). — *École où l'on prépare les futurs prêtres.* ⇒ **Séminaire.** *Se faire prêtre* (cf. Endosser la soutane). *Prêtre qui revient à la vie laïque.* ⇒ **Défroquer** (se). Cf. Jeter le froc, la soutane aux orties. *Célibat des prêtres. L'influence des prêtres.* ⇒ **Clergé.** — Termes fam. et péj. désignant les prêtres. ⇒ **Corbeau, curé; calotte, prêtraille** (collectif). *La vue d'un prêtre le met en fureur.* — Fam. *Manger du prêtre.* ⇒ **Anticlérical.** *Ménager* (cit. 10) *les prêtres. Partisan des prêtres.* ⇒ **Calotin** (péj.).

3 Les prêtres ont cela d'excellent que, quelle que soit la portée, ou médiocre ou élevée, de leur esprit, cet esprit vit au moins dans les plus hautes régions de la pensée et ne s'occupe que des questions supérieures.
A. DE VIGNY, Journal d'un poète, 1843.

4 Il y a un mystère du prêtre aux yeux de l'indifférent en matière de religion. Le problème existe, précisément lié à l'existence de ces observateurs extérieurs à la religion. L'incrédule intelligent tient nécessairement le prêtre pour une énigme, pour un monstre, mi-homme, mi-ange, dont il s'étonne, dont il sourit, dont il s'inquiète assez souvent. Il se demande : *Comment peut-on être prêtre?*
VALÉRY, Variété, Œ., Pl., t. I, p. 576.

Adj. (Généralement péj. et vx). *Il a bien l'esprit prêtre.* — (1838). Hist. Appos. *Le parti prêtre,* expression employée sous la Restauration pour désigner le parti des partisans zélés de l'Église catholique. ⇒ **Clérical.**

5 Ces messieurs reprochaient unanimement à Julien l'air *prêtre* : humble et hypocrite. STENDHAL, le Rouge et le Noir, II, XII.

6 (...) le parti prêtre, expression inventée par Montrosier, royaliste passé aux constitutionnels et entraîné par eux au-delà de ses intentions.
BALZAC, le Curé de village, Pl., t. VIII, p. 594.

d (Dans les Églises chrétiennes d'Orient). ⇒ **Papas, pope.** *Prêtre arménien* (→ Camée, cit. 3).

♦ **2.** Ministre d'une religion antique (grecque, latine, etc.) ou non chrétienne. *Bestiaux égorgés par des prêtres.* ⇒ **Sacrificateur, victimaire** (→ Lustral, cit. 1). *Prêtres grecs.* ⇒ **Corybante, hiérophante, mystagogue...** *Prêtre d'Orphée* (→ Exact, cit. 6), *d'Apollon, etc. Prêtre de Cybèle.* ⇒ 2. **Galle.** *Prêtres romains.* ⇒ **Aruspice,** 1. **augure, épulon, flamine, pontife, quindécemvir,** 1. **salien, septemvir.** *Prêtre de Pan* (→ Lupercales, cit.), *d'Assyrie, de Perse.* ⇒ **Hiérogrammate,** 1. **mage.** *Prêtres gaulois.* ⇒ **Druide, eubage, ovate, saronide;** et aussi **barde.**

7 Un homme s'élança sur le cadavre. Bien qu'il fût sans barbe, il avait à l'épaule le manteau des prêtres de Moloch, et à la ceinture l'espèce de couteau leur servant à dépecer les viandes sacrées et que terminait, au bout du manche, une spatule d'or. FLAUBERT, Salammbô, XV.

Allus. littér. « *Nos prêtres ne sont point ce qu'un vain peuple pense; Notre crédulité* (cit. 2) *fait toute leur science* », vers de l'*Œdipe* de Voltaire, cités parfois quand on parle d'une personne qui jouit d'un crédit injustifié.

(Dans les religions de l'Extrême-Orient). ⇒ **Bonze, brahmane, lama, talapoin** (vx). → Baguette, cit. 9.

(Dans le judaïsme ancien). → Holocauste, cit. 1., Bible. *Les prêtres et les lévites** (→ Authentique, cit. 6). *Le parvis des prêtres* (dans le temple de Jérusalem).

8 Le prêtre hébreu ne diffère pas beaucoup des autres prêtres de l'antiquité; le caractère qui distingue essentiellement Israël entre les peuples théocratiques, c'est que le sacerdoce y a toujours été subordonné à l'inspiration individuelle.
RENAN, Vie de Jésus, Œ. compl., t. IV, I, p. 88.

Le grand prêtre (→ Huile, cit. 20) ou *le grand-prêtre* : chez les Hébreux, Chef de la caste sacerdotale, dont les fonctions religieuses se doublaient de certaines attributions politiques.

Grand-prêtre, désigne un haut personnage religieux dans l'antiquité païenne (→ Autorité, cit. 16). — Par analogie :

(...) cette charmante Clotilde de Vaux, qui inspira un si extraordinaire amour au philosophe Auguste Comte, et fut par lui canonisée après sa mort, sainte et patronne de l'église positiviste, dont il s'était lui-même fait le fondateur, le pape et le grand prêtre. Émile HENRIOT, Portraits de femmes, p. 399. 9

♦ **3.** (1213). Ministre du culte; homme exerçant des fonctions religieuses, dans une société quelconque. — REM. Pratiquement, on n'emploie guère le mot *prêtre* qu'en parlant des religions de l'antiquité et de certaines religions exotiques. En ce qui concerne le protestantisme et le judaïsme moderne, on emploie les termes de *ministre** ou *pasteur** et de *rabbin**. De même en parlant de l'Islam, il faut éviter le mot *prêtre,* cette religion ne comportant, à proprement parler, que des fonctionnaires religieux (ayatollah, imam, mollah, muezzin, mufti...)

♦ **4.** Fig., par métaphore. (→ Autel, cit. 15, Hugo).

Et qui pourrait dire ce corps 10
Sinon moi, son chantre et son prêtre (...) VERLAINE, Parallèlement, « Filles », I.

♦ **5.** Loc. *Bonnet** *de prêtre.*

♦ **6.** (1769). Régional. Petit poisson, appelé aussi *faux éperlan.*

DÉR. Prêtraille, prêtresse, prêtrise.
COMP. Prêtricide, prêtrophobe, prêtrophobie. — V. **Archiprêtre.**

PRÊTRESSE [pʀɛtʀɛs] n. f. — XVIIe; *prestresse,* v. 1130; de *prêtre.*

♦ **1.** (Dans les religions païennes). Femme ou jeune fille attachée au culte d'une divinité, exerçant des fonctions religieuses. ⇒ **Prêtre** (3.). *Prêtresses grecques, romaines.* ⇒ **Bacchante, pythie, vestale.** *Prêtresse de Diane* (→ Loge, cit. 6). *Prêtresse gauloise.* ⇒ **Druidesse.**

Bacchus paraissait élevé sur un tréteau. Ses prêtresses agitaient autour de lui des torches enflammées, des thyrses entourés de pampres de vigne, et bondissaient au son des cymbales, des tambours et des clairons (...) 1
CHATEAUBRIAND, les Martyrs, t. II, p. 281.

♦ **2.** (1671). Par métaphore. (Vieilli, littér.). *Prêtresse de Vénus* : prostituée, courtisane. *Prêtresse de Lesbos* : lesbienne.

Même une dame fardée et mouchetée, toute passequillée de jayet et de rubans couleur de feu, qui semblait quelque prêtresse de Vénus en quête d'aventure (...) 2
Th. GAUTIER, le Capitaine Fracasse, XI.

PRÊTRICIDE [pʀɛtʀisid] n. m. — 1651; de *prêtre,* et *-cide.*

♦ Vx. Meurtre d'un prêtre.

PRÊTRISE [pʀɛtʀiz] n. f. — 1636; *prestrise,* v. 1320; de *prêtre.*

♦ **1.** (Dans l'Église catholique romaine). Fonction, dignité de prêtre (le troisième ordre majeur au-dessus du sous-diaconat et du diaconat); sacrement qui fait accéder à cet ordre. ⇒ **Ordre.** *Recevoir la prêtrise. Exercer la prêtrise. Renoncer à la prêtrise.* ⇒ **État** (état ecclésiastique, religieux). *La prêtrise constitue la fonction sacerdotale de second ordre* (ou presbytérat), *par oppos. à* l'épiscopat. ⇒ **Sacerdoce.** *Pouvoirs conférés par la prêtrise : (sans juridiction) consacrer l'Eucharistie, célébrer la messe; (avec juridiction) prêcher, administrer certains sacrements : baptême, pénitence, extrême-onction, mariage; (à titre exceptionnel) administrer la confirmation, conférer les ordres inférieurs au diaconat, consacrer les saintes huiles.* ⇒ **Prêtre** (1., a).

Il s'était, de toujours, fait à l'idée de la prêtrise. Il s'était vu, une fois pour toutes, grand, dans une soutane (...) vivant comme vivent les prêtres (...)
ARAGON, les Beaux Quartiers, I, XIII.

♦ **2.** Rare. (Dans d'autres religions). Fonction de prêtre (2. et 3.). Cf. Racine, *Athalie,* III, 3.

♦ **3.** Vx. Ensemble des prêtres. ⇒ **Clergé;** (péj.) **prêtraille** (→ Célibat, cit. 2, Boileau).

PRÊTROPHOBE [pʀɛtʀɔfɔb] n. et adj. — 1833, Gautier; de *prêtre,* et *-phobe.*

♦ Littér., rare. Qui déteste les prêtres. ⇒ **Anticlérical.**

PRÊTROPHOBIE [pʀɛtʀɔfɔbi] n. f. — 1865, Baudelaire; de *prêtre,* et *-phobie.*

♦ Littér., rare. Antipathie, aversion à l'égard des prêtres. ⇒ **Anticléricalisme.**

PRÉTUBERCULEUX, EUSE [pʀetybɛʀkylø, øz] adj. et n. — 1895; de *pré-,* et *tuberculeux.*

♦ Méd. Qui annonce un début de tuberculose (pulmonaire). *Symptômes prétuberculeux* (ex. : voile au poumon). — N. *Un prétubercu-*

leux, une prétuberculeuse : une malade qui présente de tels symptômes et relève du traitement en préventorium*.

Une vieille dame assise à côté de moi me confia qu'elle venait à Paris chercher son petit-fils, un enfant de neuf ans, demeurant à Auteuil, dont les privations avaient fait un prétuberculeux. M. AYMÉ, le Passe-muraille, « Le décret ».

PRÉTURE [pʀetyʀ] n. f. — V. 1500; empr. au lat. *prætura.* Didactique (antiquité romaine).

♦ **1.** Dignité, magistrature du préteur.

♦ **2.** (1636). Temps pendant lequel le préteur exerçait cette magistrature.

PREUVE [pʀœv] n. f. — V. 1200, «témoin»; *prueve,* v. 1155; des formes toniques anc. du v. *prouver**.

♦ **1.** Ce qui sert à établir qu'une chose est vraie. *La preuve peut être un raisonnement, la présentation d'un fait, le fait lui-même ou l'objet qui le concrétise. On prouve* par des preuves, on démontre* (cit. 3) *par des arguments.* ⇒ **Démonstration.** *Preuve d'une vérité* (⇒ **Établissement**) *et réfutation d'une erreur. Les preuves ne convainquent que l'esprit* (→ Entraîner, cit. 11, Pascal). *Expérience qui dispense de la preuve* (→ Homme, cit. 27). *Amener à croire par des preuves.* ⇒ **Convaincre, persuader** (→ Méthodique, cit. 1). *Donner qqch. comme preuve.* ⇒ **Alléguer, attester.** *Avoir, apporter, fournir des preuves. Faire la preuve de qqch.* — Loc. *Preuve en main :* par une preuve matérielle. *Démontrer qqch. preuve en main* (→ Faire toucher du doigt*). — *Avoir des preuves sous les yeux* (→ Légèreté, cit. 10). ⇒ **Constater.** *Avancer* (cit. 4), *croire* (→ Convaincre, cit. 2), *accuser* (cit. 10), *juger sans preuves* (→ Envie, cit. 4). *Manquer de preuves* (→ Doute, cit. 24). *À défaut de preuves* (→ Imposer, cit. 35). *Il n'en faut..., je n'en veux pour preuve que...* (→ 1. Passé, cit. 3). *Je crois, j'admets, j'admettrai ceci jusqu'à preuve du contraire.* — Var. *Jusqu'à preuve contraire* (→ ci-dessous, cit. 4). *Preuve matérielle, tangible* (→ Indication, cit. 3), *formelle* (→ Culpabilité, cit. 2), *convaincante* (cit. 1), *sûre* (→ Incartade, cit. 2), *évidente* (→ Homme, cit. 4), *indéniable, irrécusable, irréfragable* (cit. 2). — *Preuve par l'absurde**. — *Preuve insuffisante, impuissante* (cit. 13). *Preuves assez fortes pour le jaloux* (→ Bagatelle, cit. 14). — *Preuves de l'existence* (cit. 2) *de Dieu* (→ Merveille, cit. 4); *preuve cosmologique, ontologique** (cit. 1), *physico-théologique* (de l'existence de Dieu). ⇒ **Physico-.** — *Preuve de ce qu'on avance.* ⇒ **Justification.** *Preuve concernant la nature d'une chose.* ⇒ **Critère.** *Preuve d'un engagement.* ⇒ **Caution.** *Preuve a posteriori.* ⇒ **Confirmation.** *Preuve d'attachement* (→ Aversion, cit. 8; dos, cit. 16), *d'intérêt, de fidélité* (→ Apporter, cit. 32) *portée à qqn.* ⇒ **Affirmation, assurance,** 1. **enseigne** (vx), **gage, témoignage.** *Une grande preuve d'amour.* — Par ext. Acte, chose, réalité qui atteste un sentiment, une intention. ⇒ **Indice, marque, signe** (et ci-dessous cit. 1, 3 et 5). *Donner la preuve d'une mesquine vanité* (→ Détail, cit. 12). *L'obstination est la plus sûre preuve de bêtise* (→ Âne, cit. 6). ⇒ **Accuser.** — Par anal. *Personne qui est la preuve, la preuve vivante d'une chose,* qui est l'illustration de ce qu'on avance.

1 Veuille le juste Ciel me garder en ce jour
De recevoir de vous cette preuve d'amour!
MOLIÈRE, les Femmes savantes, IV, 5.

2 Les prophéties, les miracles mêmes et les preuves de notre religion ne sont pas de telle nature qu'on puisse dire qu'ils sont absolument convaincants (...)
PASCAL, Pensées, VIII, 564.

3 Quand les peuples du Nord bravent les inconvénients de leur climat, ils s'endurcissent singulièrement contre tous les genres de maux : le soldat russe en est la preuve. Mme DE STAËL, De l'Allemagne, I, II.

4 S'il existe des Valois, ils proviennent de Charles de Valois, duc d'Angoulême, fils de Charles IX et de Marie Touchet, de qui la postérité mâle s'est éteinte, jusqu'à preuve contraire, en la personne de l'abbé de Rothelin (...)
BALZAC, la Vieille Fille, Pl., t. IV, p. 209.

5 (...) Pascal avait déjà aperçu, non sans une espèce d'épouvante, que les preuves théologiques de l'existence de Dieu sont des raisonnements puérils. Aussi disait-il : «Allez à la messe; abêtissez-vous; voilà la vraie preuve.»
ALAIN, Propos, 13 juil. 1913, Conversations chinoises.

Loc. fam. À PREUVE... : en donnant pour indice certain... ⇒ **Témoin** (→ Fruste, cit. 6). → ci-dessous *À preuve que...*

6 L'histoire démontre que l'amateur tombe souvent le professionnel. À preuve Pasteur, qui n'était même pas médecin, et qui les a tous matés.
G. DUHAMEL, Salavin, Journal, 10 mars.

(Employé avec *que*). *Avoir la preuve que...* (→ Impartial, cit. 3; 2. mèche, cit. 1). *Faire la preuve que...* (→ Excommunication, cit. 4). *La preuve est faite que...* (→ Factum, cit. 5). *La preuve que..., c'est que...* (→ Gouache, cit. 1). *«La preuve qu'il ne fut jamais mon médecin, c'est que je suis encore en vie»* (→ Assassin, cit. 10). *C'est la preuve que... :* j'en infère* que. — *La preuve en est que...* — Vx. *C'est la preuve combien...*

7 Vous êtes la preuve vivante qu'il n'est pas vrai qu'il faille plier ou briser; qu'on peut atteindre à la plus haute considération, sans un respect superstitieux pour le monde et ses lois (...) MIRABEAU, Lettres à Chamfort, V, *in* CHAMFORT.

8 Hortense fut la femme et Valérie fut la maîtresse. Beaucoup d'hommes veulent avoir ces deux éditions du même ouvrage, quoique ce soit une immense preuve d'infériorité chez un homme que de ne pas savoir faire de sa femme sa maîtresse.
BALZAC, la Cousine Bette, Pl., t. VI, p. 333.

À preuve que... (introduisant la preuve de ce qui précède). → Déprédation, cit. 3.

Mais je ne me cache pas! repris-je avec impatience : à preuve que je viens de frapper chez elle (...)! É. ESTAUNIÉ, Tels qu'ils furent, II, 6. 9

Fam. *Preuve que...* (indiquant que ce qui précède est la preuve de ce qui suit).

Bizarre amour, celui que la France inspire. Il m'a touché vers l'âge de vingt-deux ans, et m'a entraîné à toutes sortes d'actions imprudentes, preuve que c'est une passion. J. DUTOURD, les Taxis de la Marne, XXVIII. 10

Loc. (1094). FAIRE PREUVE DE... ⇒ 1. **Montre; montrer.** *Faire preuve de notre attachement* (cit. 17) *l'un pour l'autre. Faire preuve de tolérance* (→ Longanimité), *d'indépendance* (→ Débrailler, cit. 4), *d'une adresse singulière* (→ Bonheur, cit. 4). *Les scrupules dont ils ont fait preuve.*

(...) rappelant ses états de service, le désintéressement dont il avait fait preuve (...) COURTELINE, Messieurs les ronds-de-cuir, 6e tableau, I. 11

(De *faire ses preuves de noblesse*). **a** Vx. *Faire ses preuves :* justifier, par titres ou témoins, de sa noblesse.

b Mod. Montrer sa valeur, son talent, ses capacités. *Avant d'être nommé, il doit faire ses preuves* (→ aussi Démonstration, cit. 6). — (Choses). *Ce procédé n'a pas encore fait ses preuves.*

Les mots de passe qui ont fait leurs preuves, à quoi bon les compliquer? CAMUS, le Mythe de Sisyphe, p. 100. 12

À cette heure où chacun d'entre nous doit tenddde l'arc pour refaire ses preuves, conquérir (...) ce qu'il possède déjà, la maigre moisson de ses champs, le bref amour de cette terre (...) CAMUS, l'Homme révolté, p. 378. 13

♦ **2.** Dr. féod. Épreuve judiciaire. *Preuve par jugement de Dieu.* ⇒ **Ordalie; épreuve** (judiciaire). *Preuve par le combat* (cit. 9) *singulier.*

♦ **3.** Dr. Démonstration de l'existence d'un fait matériel ou d'un acte juridique dans les formes admises par la loi (Capitant). *Jugement qui ordonne la preuve* (→ Enquête, cit. 1). *Preuve juridique complète.* ⇒ **Certificat** (cit. 1). *Administrer une preuve. Faire la preuve de la fausseté d'un acte par l'inscription de faux* (→ Authenticité, cit. 1). *Sur la seule preuve de son identité* (→ Bannir, cit. 35), *de l'état* (cit. 71) *des personnes. Preuve par témoins* (→ Notoire, cit. 1); *par des écrits; par présomption*, par aveu de la partie, par serment, par la commune renommée.* — Par ext. Moyen employé pour faire la preuve. *Preuve matérielle.* ⇒ **Conviction** (pièce à), **délit** (corps du). *Preuve littérale.* ⇒ **Document, écriture.** *Preuve testimoniale.* ⇒ **Témoignage.** *Le flagrant délit, preuve admise contre le prévenu. Preuves accablantes.* ⇒ **Charge.** *Police* (cit. 8) *qui rassemble les preuves. Il fut relâché faute* (cit. 8) *de preuves. Recueillir des preuves pour un recours en grâce* (→ Intervalle, cit. 13). — *Commencement de preuve* ⇒ **Adminicule** (→ Copie, cit. 3). *Preuve insuffisante qui fournit cependant des indices* (cit. 10).

Je n'ai pas même besoin des présomptions morales et des preuves matérielles qui démentent les dénégations de l'accusé. HUGO, les Misérables, I, VII, X. 14

Qui t'a vue sortir? Qui t'a vue rentrer? Quelle preuve a-t-on? Pas un témoin, pas une pièce à conviction (...) BERNANOS, Sous le soleil de Satan, Prologue, IV. 15

♦ **4.** (1677). *Preuve d'une opération :* opération autre, avec les mêmes données, et qui en vérifie le résultat. — Spécialt. **PREUVE PAR NEUF** *(preuve de la multiplication) :* la somme des chiffres du produit des deux nombres obtenus en ôtant 9 (ou ses multiples) — chaque fois que cela est possible — de la somme des chiffres du multiplicateur et de celle du multiplicande doit être égale à la somme des chiffres du produit moins 9 (ou ses multiples), si la soustraction est possible. — Fig. *Preuve par neuf :* preuve irréfutable (→ Éventualité, cit. 3).

(...) du seul point de vue d'une morale plus banale ne serait-ce logique que ce livre entraînât mon corps et m'attirât en prison (...) par une fatalité qu'il contient, que j'y ai mise, et qui, comme je l'ai voulu, me garde comme témoin, champ d'expérience, preuve par 9 de sa vertu et de ma responsabilité? 16
Jean GENET, Journal du voleur, p. 285.

♦ **5.** Rhét. Partie importante du discours*, où est établie la véracité d'une assertion antérieure; dite aussi *confirmation* ou *réfutation. Preuves oratoires.* — Par ext. Pièce, document figurant à la fin d'un livre pour établir la vérité de ce qu'on a avancé.

♦ **6.** (1875; désignant le flacon contenant le liquide, 1842). Essai par lequel on vérifie la richesse d'un liquide en alcool.

PREUX [pʀø] adj. m. et n. m. — XIVe; *pru(z),* 1080; *prou,* fin XIe; *preu,* v. 1175; bas lat. *prode,* du v. *prodesse* «être utile».

♦ Vx., ou archaïsme évoquant le moyen âge. (Dans la langue de la chevalerie). Brave, vaillant. ⇒ 2. **Gentil.** *Un preux chevalier.* — N. m. *Charlemagne et ses preux* (→ aussi Armure, cit. 2; histoire, cit. 13). *Les neuf preux.* — On a dit *preuse,* n. f.

On ne voit plus les preux se ruer aux exploits 1
Comme des tourbillons d'âmes impétueuses (...)
HUGO, la Légende des siècles, XXI, « La paternité ».

Roland est preux et Olivier sage. J. BÉDIER, la Chanson de Roland, LXXXVII. 2

CONTR. Lâche.
DÉR. Prouesse, prude.
COMP. V. Prud'homme.

PRÉVALENCE [pRevalɑ̃s] n. f. — 1966; angl. *prevalence,* du franç.; du lat. *prævalentia, de prævalere.* → Prévaloir.

♦ Méd. Nombre de cas de maladies, ou de tout autre événement médical, enregistrés dans une population déterminée, soit à un moment précis, soit durant une période déterminée, et englobant aussi bien les cas nouveaux que les cas anciens (opposé à *incidence** et à *fréquence**).

PRÉVALOIR [pRevalwaR] v. intr. — Conjug. *valoir,* sauf au subj. prés. : *que je prévale, que nous prévalions, qu'ils prévalent.* — 1420; lat. *prævalere,* de *valere* «avoir de la valeur».

♦ **1.** Vx. (Personnes). Avoir le dessus, prendre l'avantage, se montrer supérieur. ⇒ **Emporter** (l').

1 Antoine essaya d'imiter César. Il entreprit de transporter à Alexandrie le siège de l'Empire, il adopta le costume et les mœurs des vaincus. Octave ne prévalut contre lui qu'en se déclarant l'homme de la patrie, le vengeur de la nationalité violée.
MICHELET, Hist. de France, I, III.

♦ **2.** Mod. Littér. (Choses). L'emporter. *La forme* (cit. 72) *prévaut sur le fond. Faire prévaloir les bons penchants sur les mauvais* (→ Liberté, cit. 37). — *L'Église* (cit. 9) *doit tout surmonter et... rien ne prévaudra contre elle* (→ aussi Enfer, cit. 5, Bible). *La meilleure éducation du monde ne prévalait pas contre les mauvais instincts* (cit. 6, Gide).

2 Il est triste que la bonté n'accompagne pas toujours la force et que l'amour de la justice ne prévale pas nécessairement (...) sur tout autre amour.
VAUVENARGUES, De l'esprit humain, XLIV, «De la grandeur d'âme».

3 (...) le droit du frère puîné prévaut chez les barbares sur celui du neveu.
MICHELET, Hist. de France, II, III.

4 Ce sentiment intime, immédiat, que j'avais du néant de ma pensée, prévalait contre toutes les paroles flatteuses qu'on pouvait me prodiguer (...)
PROUST, Du côté de chez Swann, Pl., t. I, p. 174.

Absolt. *Faire prévaloir son opinion* (→ Plaisance, cit. 2), *son point* (1. Point, cit. 21) *de vue. Cet indice fait prévaloir la thèse de l'innocence* (→ Faire pencher la balance* pour..., en faveur de...). — *Tour grammatical, construction qui a prévalu* (→ Hors, cit. 7). *Les vieux préjugés prévalaient encore.* ⇒ **Dominer, prédominer** (→ Genèse, cit. 1).

5 Quand les circonstances ont prononcé, quand un régime a remplacé l'autre, quand la défalcation du vrai et du faux s'est faite par le succès, ici la catastrophe, là le triomphe, aucun doute n'est plus possible, l'honnête homme se rallie à ce qui a prévalu (...)
HUGO, l'Homme qui rit, II, I, II.

6 (...) il n'eût pas admis qu'une autre volonté que la sienne prévalût dans la conclusion du traité (...)
Louis MADELIN, Hist. du Consulat et de l'Empire, Ascension de Bonaparte, XI.

♦ **3.** (Mil. XXe; angl. *to prevail*). Anglic. Exister, se produire.

6.1 *Prévaloir,* conformément à l'étymologie, c'est l'emporter en valeur, avoir l'avantage, etc. Mais journalistes et traducteurs l'emploient de plus en plus au sens très vague d'exister, se produire (comme l'anglais *to prevail*) : «les conditions qui *prévalent* en Algérie», «La situation qui *prévaudra* alors (...)» C'est là un de ces mots pompeux qui imposent (et en imposent) aux lecteurs naïfs!
Robert LE BIDOIS, les Mots trompeurs, 1970, p. 270.

▶ **SE PRÉVALOIR** v. pron. (1564; le plus souvent à l'inf.).
Tirer avantage ou parti (de qqch.), faire valoir* (qqch.). *Il pouvait se prévaloir de sa situation exceptionnelle* (→ Novice, cit. 2), *de ses droits.* ⇒ **Alléguer.**

7 Car il n'est pas dit, que, en temps et lieu, il ne soit permis de nous prévaloir de la sottise de nos ennemis, comme nous faisons de leur lâcheté.
MONTAIGNE, Essais, I, VI.

8 La présence d'esprit, la pénétration, les observations fines sont la science des femmes; l'habileté de s'en prévaloir est leur talent (...) ROUSSEAU, Émile, V.

(1647, Corneille; généralement avec une nuance défavorable). Tirer vanité, faire grand cas de (qqch.). ⇒ **Bruit** (faire grand bruit de), **enorgueillir** (s'), **flatter** (se), **glorifier** (se), **targuer** (se), **triompher.** *Le droit à l'inconstance* (cit. 7, Laclos) *dont les hommes se prévalent, quand ils devraient en être humiliés. Se prévaloir de sa vertu.* ⇒ **Draper** (se draper dans...). *Un homme simple, ne se prévalant jamais de ses titres, de sa fortune.* ⇒ **Oublier.**

9 (...) le pardon des injures n'était pas, à cette époque, au nombre des mérites dont eût pu songer à se prévaloir Mlle de la Ferté.
Pierre BENOIT, Mlle de la Ferté, p. 30.

PRÉVARICATEUR, TRICE [pRevaRikatœR, tRis] adj. et n. — 1370, masc.; fém., XVIIIe; *prévaricator,* XIIIe; lat. *prævaricator, de prævaricari.* → Prévariquer.

♦ Littér. ou dr. Qui se rend coupable de prévarication. *Fonctionnaires, magistrats prévaricateurs.* ⇒ **Infidèle** (→ Cannibale, cit. 3; inexistant, cit. 3).

1 (...) contre les autorités qui se sont montrées au-dessous de leur tâche en ne faisant pas respecter la loi, ni contre les officiers de police incapables de défendre l'ordre public, ni contre les fonctionnaires prévaricateurs. Il n'en veut à personne, mais demande justice, tout simplement (...)
B. CENDRARS, l'Or, *in* Œ. compl., t. II, p. 216.

N. (1380). *N'être que le prête-nom d'un prévaricateur* (→ Paille, cit. 12).

Un prévaricateur, moi! un ministre qui se serait vendu, qui aurait reçu deux cent mille francs de ce Hunter, pour les mettre simplement dans sa poche! 2
ZOLA, le Ventre de Paris, III, III.

CONTR. **Fidèle, intègre.**

PRÉVARICATION [pRevaRikasjɔ̃] n. f. — 1380; *prevaricaciun* «abandon de la loi divine», v. 1120; lat. *prævaricatio,* du supin de *prævaricari.* → Prévariquer.

♦ Littér. ou dr. Acte de mauvaise foi commis dans la gestion de qqch. — Spécialt. Grave manquement d'un fonctionnaire*, d'un homme d'État aux devoirs et obligations de sa charge, de son mandat. ⇒ **Déprédation** (cit. 3), **malversation.** *La prévarication est une forme de trahison*. Intendant que ses prévarications ont fait accuser de forfaiture*.* ⇒ **Prévaricateur.**

(...) les deux ministres accusés si bruyamment de prévarication devaient (...) établir leur parfaite innocence (...) le parlement entier ne pouvait rester sous l'accusation d'une vénalité déshonorante. Et il refit toute l'histoire de l'affaire (...) la fameuse émission de valeurs à lots votée par la Chambre, grâce à un maquignonnage effréné, à un marchandage et à un achat des consciences (...) 1
ZOLA, le Ventre de Paris, III, V.

Littér. (Au sens étymologique de «transgression». → Prévariquer) :

On dirait que les accidents de la géologie ou, d'autres fois, la structure fine des ligaments, des membranes, préfigurent les tentatives de l'art. À plusieurs reprises dans l'histoire, les peintres ont soupçonné ces interférences et en ont même tiré profit (...) *De telles prévarications sont révélatrices.* 2
Roger CAILLOIS, Esthétique généralisée, p. 9.

CONTR. **Fidélité.**

PRÉVARIQUER [pRevaRike] v. intr. — 1398, au p. prés. substantivé; var. anc. *prévarier,* 1120, trans., «transgresser la loi divine»; lat. jurid. *prævaricari* «entrer en collusion avec la partie adverse», de *prae,* et *varicare* «écarter du droit chemin», de *varicus,* de *varus* «cagneux».

♦ Dr. (Rare). Se rendre coupable de prévarication, trahir les devoirs de sa charge, de son mandat.

PRÉVÉLAIRE [pReveleR] adj. — Mil. XXe; de *pré-,* et *vélaire.*

♦ Phonét. Articulé dans la partie antérieure du palais mou.

PRÉVENANCE [pRevnɑ̃s] n. f. — 1732; de *prévenant.*

♦ **1.** (1740). Disposition à se montrer prévenant; attitude d'une personne qui cherche à prévenir* (I., 3.) les désirs d'autrui, ⇒ **Obligeance.** *Des actes de prévenance* (→ 1. Gens, cit. 28). *Avoir de la prévenance, faire preuve de prévenance, manquer de prévenance à l'égard de qqn, pour qqn.*

Les mêmes gens qui, sur la terre ferme, nous feraient flanquer à la porte de chez eux, si nous avions le toupet de nous y présenter, sont à bord d'une prévenance exquise. 1
J. ROMAINS, Lucienne, VIII.

♦ **2.** *(Une, des prévenances).* Action, parole par laquelle on cherche à prévenir les désirs de qqn (souvent au plur.). *Entourer* (cit. 4) *qqn de prévenances.* ⇒ **Amabilité, attention, délicatesse, gâterie, gentillesse.** *Mari plein de prévenances et d'égards pour sa femme.* ⇒ **Attentionné; soin** (aux petits soins).

Julien ne répondit pas un seul mot aux prévenances dont pendant tout le reste de la promenade il fut l'objet. STENDHAL, le Rouge et le Noir, I, IX. 2

Il fallait qu'on l'aimât pour rester son ami; mais, alors, elle avait des prévenances inimaginables, des attentions délicieuses, des gentillesses infinies, pour conserver autour d'elle tous ceux qu'elle avait captivés. MAUPASSANT, Notre cœur, I, II. 3

CONTR. **Hostilité, indifférence. — Avanie.**

PRÉVENANT, ANTE [pRevnɑ̃, ɑ̃t] adj. — 1514; p. prés. de *prévenir.*

♦ **1.** Théol. Qui prévient (I., 2.), qui agit par avance. *Grâce prévenante,* qui devance la volonté et l'aide à se déterminer au bien. *«Les secours prévenants de la grâce»* (Académie).

♦ **2.** (1718). Cour. (Personnes). Qui a de la prévenance* (1.); qui va au-devant des désirs d'autrui, cherche à faire plaisir. ⇒ **Aimable, attentionné, complaisant, obligeant.** *Un ami délicat et prévenant. Infirmière qui se montre très prévenante envers, pour ses malades.*

Elle avait avancé une chaise, elle continuait à se montrer prévenante, en faisant un visible effort pour corriger sa rudesse ordinaire.
ZOLA, la Bête humaine, VII.

♦ **3.** (1718). (Choses). Qui prévient (II., 1.) en faveur de qqn; qui plaît*. *Air prévenant, mine, physionomie* (cit. 1) *prévenante.* ⇒ **Agréable, avenant.** *Manières prévenantes* (→ Pantomime, cit. 6).

CONTR. **Désagréable, hostile, indifférent.**
DÉR. **Prévenance.**

PRÉVENCE [prevɑ̃s] n. f. ⇒ **Préventif** (2.).

PRÉVENIR [prevnir] v. tr. — Conjug. *venir*, avec auxiliaire *avoir* aux temps composés. — 1467, «citer en justice»; empr. au lat. *prævenire*, proprt. «venir devant, en avant».

★ **I.** Précéder, devancer. ♦ **1.** Vx. Venir avant, arriver avant (qqn). → Mouche, cit. 15.

Fig. Anticiper* (sur qqch.).

1 Est-ce que du retour que j'ai précipité
Un songe, cette nuit, Alcmène, dans votre âme
A prévenu la vérité? MOLIÈRE, Amphitryon, II, 2.

♦ **2.** Vx ou littér. Devancer* (qqn) dans l'accomplissement d'une chose, agir avant (un autre). ⇒ **Gagner** (de vitesse). → Empoisonner, cit. 14; malheur, cit. 16; nier, cit. 7.

2 — Je m'acquitte bien tard, Madame, d'une telle visite. — Vous avez fait, Madame, ce que je devais faire, et c'était à moi de vous prévenir. MOLIÈRE, l'Avare, III, 6.

3 Il *(Innocent II)* ordonna d'enfermer Abailard. Celui-ci l'avait prévenu en se réfugiant de lui-même au monastère de Cluny. MICHELET, Hist. de France, IV, IV.

4 (...) tirant mon gama *(poignard)*, je voulus lui en donner un bon coup à travers le corps. Il me prévint, et du sien qu'il avait levé, il me fit une entaille à la tête (...) J.-A. DE GOBINEAU, Nouvelles asiatiques, p. 179.

Vx. *Prévenir (qqn) de politesses, par toutes sortes de bons offices,* le combler de marques de courtoisie, de complaisance, avant d'en avoir reçu de lui. — Ellipt. *Prévenir qqn,* l'entourer d'égards.

5 M. le cardinal Fesch m'a trouvé depuis, ambassadeur auprès de Léon XII; il m'a donné des preuves d'estime : de mon côté, j'ai tenu à le prévenir et à l'honorer. CHATEAUBRIAND, Mémoires d'outre-tombe, t. II, p. 283.

Vx. Détourner (qqn) d'une erreur, le préserver d'un dommage en prenant les devants. *J'aviserai* (cit. 13) *de ce que j'ai à faire pour vous prévenir de cette étourderie.*

Dr. anc., dr. canon. Avoir le pas, la priorité (sur une autre juridiction pour se saisir d'une affaire ou en juger). *« En certains cas, les baillis et les sénéchaux prévenaient les juges subalternes »* (Académie). *En matière de collation des bénéfices, le Saint-Siège prévient l'ordinaire du lieu.*

♦ **3.** Aller au-devant de (qqch). **a** Vx ou littér. Aller au-devant de (qqch.), en devancer l'heure, la date.

6 Elle eût été fort en peine de dire ce qu'elle espérait d'une conversation possible avec Guéret et se gardait même d'y trop songer, par la crainte superstitieuse qu'en prévenant les choses dans son esprit elle les empêcherait de se produire. J. GREEN, Léviathan, II, V.

b (1561). Mod. Aller au-devant d'une chose pour en hâter l'accomplissement, la réalisation. ⇒ **Devancer.** — *Prévenir les besoins de qqn,* y pourvoir à l'avance (→ Curiosité, cit. 1). *Malade dont l'entourage prévient les moindres désirs,* dont les désirs sont satisfaits avant même qu'il les ait exprimés. ⇒ aussi **Prévenance, prévenant** (2.). *Employé zélé qui sait prévenir les ordres de son supérieur,* les deviner et les exécuter avant d'en avoir été prié.

7 (...) prévenir toujours les désirs n'est pas l'art de les contenter, mais de les éteindre. ROUSSEAU, Julie ou la Nouvelle Héloïse, V, II.

c (1608). Mod., cour. Aller au-devant d'une chose pour y faire obstacle.

Empêcher* par ses précautions* (une chose fâcheuse ou considérée comme telle) d'arriver, de nuire. ⇒ **Détourner, éviter, obvier** (à). *Moyens de prévenir les maladies.* ⇒ **Préventif** (médecine préventive), **prophylaxie** (→ Pathologie, cit. 1). *Prévenir la variole par la vaccination* (→ Inoculation, cit. 1). *Médecin qui peut enrayer des crises* (cit. 2), *mais non les prévenir. Le rôle des hygiénistes* (cit. 1) *est de prévenir le mal* (→ aussi Maladie, cit. 1, Bergson). — Absolt. Prov. *Mieux vaut prévenir que guérir.* — *Mesures, précautions prises par la police pour prévenir les accidents de la route.* ⇒ **Prévention** (routière). *Chemin qu'on a bordé d'un parapet* (cit. 1) *pour prévenir les chutes.* — *Prévenir une attaque* (cit. 8), *une trahison* (→ Associer, cit. 16). *Prévenir tout abus* (→ 1. Bon, cit. 41; honneur, cit. 8). *Un problème sur lequel il importe de prévenir les malentendus* (cit. 2).

8 De pareils attentats étaient une chose extraordinaire. L'insuffisance des moyens pour les prévenir témoignait assez qu'on les jugeait impossibles. FLAUBERT, Salammbô, V.

9 (...) ce journal s'est borné (...) à publier des annonces de nouveaux produits, infaillibles pour prévenir la peste. CAMUS, la Peste, p. 135.

Littér. ou style soutenu. Éviter une chose considérée comme gênante en prenant les devants pour l'empêcher de se produire. *Prévenir des questions, des curiosités indiscrètes* (cit. 9), y répondre par avance. *Prévenir une objection* (cit. 3), la réfuter avant qu'elle ait été formulée. ⇒ **Prévention** (3.), **prolepse.** *Un homme avisé qui sait prévenir les difficultés,* les résoudre avant qu'elles ne se manifestent, les écarter. *« Je m'informe adroitement de tout ce qui peut (...) prévenir vos perplexités »* (cit. 5, Rousseau).

10 (...) elle affectait une fausse joie, se disait toujours bien portante, ou prévenait les questions sur sa santé par de pudiques mensonges. BALZAC, la Femme de trente ans, Pl., t. II, p. 708.

11 Ses manières envers elle étaient douces, bienveillantes, mais réservées comme s'il eût voulu prévenir ou refouler quelque aveu importun auquel il lui eût été pénible de répondre. Th. GAUTIER, le Roman de la momie, VIII.

★ **II.** Fig. ♦ **1.** (XVIIe). *Prévenir contre, en faveur de :* mettre par avance dans une disposition d'esprit favorable ou défavorable (⇒ **Prévention**) à l'égard de qqch. ou de qqn. ⇒ **Influencer, préoccuper.** *Ses amis sauront bien prévenir le directeur en faveur de sa candidature. Des mauvaises langues vous ont prévenus contre lui.* ⇒ **Indisposer** (cf. Monter contre...). — (Sujet n. de chose). *Sa physionomie prévenait en sa faveur* (cit. 27). ⇒ **Prévenant** (3.).

Mais ne s'offre-t-il rien à votre souvenir 12
Qui contre vous, Madame, ait pu le prévenir? RACINE, Bérénice, II, 5.

(...) peut-être ne fut-il touché que de mon air triste et languissant qui le prévenait 13 en faveur de ma fidélité. A.-R. LESAGE, Gil Blas, I, XI.

♦ **2.** (1709). Cour. **a** Mettre qqn au courant (d'une chose, d'un événement, d'un fait à venir). ⇒ **Avertir.** *Il vous attend ce soir, je l'ai prévenu de votre visite* (→ aussi 2. Parer, cit. 2). *Prévenez-le que nous arriverons demain. Ne fais rien sans me prévenir.* ⇒ **Aviser.** — Absolt. *Vous pouvez prévenir par lettre, par écrit, par téléphone... Partir sans prévenir* (→ aussi Perquisitionner, cit.).

Le bonhomme déjeunait à onze heures, puis il s'habillait, se parfumait et allait à 14 Paris. Ordinairement les bourgeois préviennent quand ils dînent en ville, le père Cardot, lui, prévenait quand il dînait chez lui. BALZAC, Un début dans la vie, Pl., t. I, p. 700.

J'aurais pu y emmener Simone (...) En la prévenant à temps, elle sèmerait son 15 mari. A. MAUROIS, Bernard Quesnay, IV.

Prévenir qqn de qqch. On l'a prévenu d'un danger, d'un risque... ⇒ **Alerter, crier** (casse-cou), 1. **garde** (mettre en). — (Sans compl. en *de*). *Te voilà prévenu, à toi de faire attention, de veiller au grain.* — (En manière de menace, d'avertissement sévère). *Prévenir que...* ⇒ **Avis** (donner avis). *Je vous préviens que si vous continuez, vous aurez de mes nouvelles* (→ aussi Entretenir, cit. 10; jour, cit. 33).

Depuis que le vieux avait fait la dette d'une tasse de café chez Lengaigne, celui-ci 16 et Macqueron étaient prévenus qu'on ne les payerait pas, s'ils lui servaient des consommations à crédit. ZOLA, la Terre, V, II.

Sortez d'ici, cria-t-elle. — Pas avant de vous avoir prévenue qu'à la prochaine 17 lettre de ce genre que je trouve dans ma boîte, je dénonce votre conduite à l'opinion publique. J. GREEN, Adrienne Mesurat, III, III.

b Mettre (qqn) au courant (d'une chose présente ou passée). ⇒ **Informer, instruire, savoir** (faire savoir). *En cas d'accident, prévenir M. X... Dès que la bonne s'aperçut du larcin* (cit. 1) *elle courut prévenir sa maîtresse. Allez prévenir votre patron* (1. Patron, cit. 14). — *Il reçut le pli* (cit. 10) *qui le prévenait de sa nomination.* ⇒ **Annoncer.** — *Prévenez-la que je viens de la part* (1. Part, cit. 13) *de son mari.* ⇒ 1. **Dire.**

Préviens cette visiteuse que le comte d'Auërsperg la salue. 18
VILLIERS DE L'ISLE-ADAM, Axël, III, 2.

— (...) Deux morts, l'un en quarante-huit heures, l'autre en trois jours... — « Pré- 19 venez-moi, si vous avez d'autres cas », dit Rieux. CAMUS, la Peste, p. 42.

Spécialt. Informer (qqn) d'une chose fâcheuse ou illégale pour qu'il y remédie ou essaie d'y mettre fin. *Prévenir la police* (→ Faufiler, cit. 7), *les pompiers. Prévenez vite le médecin!*

Sauvez-vous! répondit Fernande. Les gendarmes sont prévenus. Ils vont vous arrê- 20 ter. J. GREEN, Léviathan, II, XIV.

▶ **PRÉVENU, UE** p. p. adj. et n.

♦ **1.** (XVIe). Qui a de la prévention* (2.), des préventions (en faveur de, contre...). *Tout prévenu que j'étais en ta faveur* (→ Attente, cit. 31). *Belle-mère qui semble prévenue contre sa bru* (→ Genre, cit. 42). — Absolt. (Péj.). *Des juges prévenus* (→ Drame, cit. 4), *qui ont l'esprit prévenu* (→ Innocence, cit. 9). — *L'entêtement aveugle des hommes prévenus* (→ Ainsi, cit. 15).

On ne pouvait guère choisir de gens plus prévenus contre les jansénistes. M. Bail 21 surtout leur était fort opposé. RACINE, Hist. de Port-Royal, II.

Mais, s'il est prévenu contre celui-ci, on ne peut dire d'autre part qu'il le soit beau- 22 coup en faveur de M. Puyoo ou de ses idées. P.-J. TOULET, la Jeune Fille verte, VII.

Vx. (Sans nuance péjorative). *« Le haut idéal où leur cœur prévenu aimait à le placer »* (→ Fermer, cit. 35, Michelet).

Vx. *Prévenu de... :* qui a, qui se fait, sans examen, une très haute opinion de... *« Cet être bien coiffé, bien prévenu de lui »* (Molière, *Tartuffe,* IV, 3).

Vx. (Langue class.). **PRÉVENU DE... :** qui est sous l'influence de (un sentiment, une pensée...) le privant de tout sens critique. *« D'un noir* (cit. 20) *pressentiment malgré moi prévenue »* (Racine).

♦ **2.** Dr. **a** Adj. Qui est considéré comme coupable de... *Être prévenu d'un délit. Individu prévenu d'être auteur ou complice d'un fait criminel* (→ Perquisition, cit. 5).

b N. (1604). Inculpé* (REM). *Citer un prévenu devant le tribunal.* ⇒ **Citation.** *Mandat d'amener, de dépôt... décerné contre un prévenu. Prévenu incarcéré à la Santé.* ⇒ **Prévention.** *Renvoi du prévenu en cour d'assises.* ⇒ **Accusé** (→ Accusation, cit. 2; crime, cit. 11). *Être assis au banc des prévenus* (→ Gibbosité, cit. 2). *Confrontation* (cit. 1) *des témoins avec le prévenu.*

Tant que le mandat d'arrêt n'est pas signé, les auteurs présumés d'un crime ou 23 d'un délit grave sont des inculpés; sous le poids du mandat d'arrêt, ils deviennent des prévenus, ils restent purement et simplement prévenus tant que l'instruction se poursuit. BALZAC, Splendeurs et Misères des courtisanes, Pl., t. V, p. 920.

CONTR. **Tarder.** — **Exciter, provoquer.** — **Taire** (se).
DÉR. **Prévenant.**

PRÉVENTEUR [pʀevɑ̃tœʀ] n. m. — 1960; formé sur *prévention*, d'après *inventeur*.

♦ Spécialiste de la prévention des accidents.

REM. Le fém. *préventrice* est virtuel.

Ayant pris rang parmi les préventeurs, il *(le délégué à la sécurité)* est averti des inconvénients, des fautes contre la sécurité, pour les avoir constatés.
Pierre CALONI, les Préventeurs, 1960, p. 193.

PRÉVENTIF, IVE [pʀevɑ̃tif, iv] adj. — 1810, au sens 2.; dér. sav. du lat. *præventus*, p. p. de *prævenire*. → Prévenir.

♦ **1.** (1819). Qui sert à prévenir (I., 3.), qui tend à empêcher (une chose fâcheuse) de se produire, de nuire. *Mesures préventives contre les accidents de la route, du travail, contre les incendies...* ⇒ **Prévention** (5.). — Spécialt. *Médecine préventive :* ensemble des moyens mis en œuvre pour prévenir* le développement des maladies, la propagation des épidémies. ⇒ **Prophylactique.** *Hygiène* (cit. 8) *préventive. Traitement préventif de la tuberculose.* ⇒ **Préventorium.** *Inoculation* (cit. 3) *préventive d'un virus.* ⇒ **Vaccination.** *Prendre un médicament à titre préventif.* ⇒ **Préventivement.**

1 (...) dans un esprit de prudence (...) le préfet prenait quelques mesures préventives. Comprises et appliquées comme elles devaient l'être, ces mesures étaient de nature à arrêter net toute menace d'épidémie. CAMUS, la Peste, p. 65.

2 — Dois-je prendre dès maintenant des soins préventifs? — Vos soins préventifs seront, malgré tout, de cesser vos relations avec cette personne. Il ne faut pas jouer avec les muqueuses! MONTHERLANT, les Lépreuses, II, XIV.

♦ **2.** Dr. Qui a rapport, qui est appliqué aux prévenus (2.). *Détention** (cit. 2), *prison préventive* .⇒ **Prévention** (4.).

3 Comme on ne put relever aucune charge contre lui, on le renvoya après quatorze mois de détention préventive. FRANCE, Crainquebille, « Putois », II.

N. f. Fam. PRÉVENTIVE : prison préventive. *Faire trois mois de préventive.* — Abrév. (Argot). *Prévence* [pʀevɑ̃s].

4 Comme il a déjà fait 27 mois de préventive, dont, paraît-il, 10 en cellule qui comptent double, il quitte la Haute Cour sitôt le jugement rendu, libre, crâneur.
Denyse VAUTRIN, le Tourbillon des jours, t. II, p. 289.

DÉR. Préventivement. — V. Préventologie.

PRÉVENTION [pʀevɑ̃sjɔ̃] n. f. — XIIIe, « opposition » (en astronomie); « action d'arriver le premier », 1374, au sens jurid.; empr. au lat. *præventio*, du rad. de *prævenire*. → Prévenir.

♦ **1.** (1594). Anc. dr. canon → Prévenir, I., 2.. *Prévention en cour de Rome :* droit qu'avait le Saint-Siège de conférer un bénéfice (cit. 9) avant l'ordinaire.

♦ **2.** (1637; → Prévenir, II., 1.). *(La prévention).* État d'esprit d'une personne prévenue (⇒ **Partialité, préoccupation,** vx); *(une, des préventions)* opinion antérieure à tout examen (⇒ **Parti** [pris], **préjugé**), sentiment irraisonné d'attirance ou de répulsion. *Avoir des préventions, de la prévention* (plus rare) *en faveur de, pour, contre qqn. La prévention de qqn contre qqn. Examiner les choses sans prévention ni précipitation* (→ Douter, cit. 21; évidemment, cit. 1). *Un juge doit écarter* (1. Écarter, cit. 5) *toute prévention. Réponse dictée par quelque prévention religieuse* (→ Largeur, cit. 3). *Revenir de ses erreurs et de ses préventions. Il en coûte aux esprits faibles d'abandonner leurs préventions* (→ Plausible, cit. 2). — *La prévention du peuple en faveur des grands* (→ Entêtement, cit. 1). *La prévention de Louis XIV contre le jansénisme* (→ Apparent, cit. 3). — *Éprouver une prévention instinctive* (⇒ **Défiance**), *subite.* ⇒ **Grippe** (prendre en). *Avoir des préventions contre qqn* (→ Fixe, cit. 9; murer, cit. 4).

1 (...) je me roidis contre, pour cette raison-là même, de peur que cette prévention ne me suborne (...) PASCAL, Pensées, IX, 615.

2 Nous autres, personnes du commun, nous regardons les grands seigneurs avec une prévention qui leur prête souvent un air de grandeur que la nature leur a refusé.
A.-R. LESAGE, Gil Blas, VII, II.

3 (...) je suis arrivé au milieu de toutes les préventions suscitées contre moi, et j'ai tout vaincu; on paraît me regretter.
CHATEAUBRIAND, Mémoires d'outre-tombe, t. V, p. 151.

4 La précipitation n'est pas la seule cause d'erreur. Il y a aussi *la prévention.* Nous ne sommes pas des miroirs plans, mais des miroirs déformants. Nous arrivons devant les questions, non comme des surfaces vierges et transparentes, mais avec des opinions de famille, de clan; notre nature, notre hérédité, notre éducation, nous imposent des sentiments. A. MAUROIS, Un art de vivre, Art de penser, V.

Spécialt. Disposition d'esprit hostile, malveillante; opinion préconçue défavorable. *Juger d'une pièce en n'ayant « ni prévention aveugle* (cit. 19) *ni complaisance affectée »* (Molière). *Avoir conscience de la prévention dont on est l'objet.* ⇒ **Antipathie** (→ Indirectement, cit. 2).

5 Il est bon aussi et utile de faire tomber les barrières entre les esprits et les intelligences, de détruire le plus possible les préventions d'homme à homme quand ces hommes ont une valeur et qu'ils mériteraient de s'entendre et de s'apprécier, même en se combattant (...)
SAINTE-BEUVE, Proudhon, Vie et correspondance, p. 13.

6 Les gens composant la société réunie au château n'étaient pas très propres à le faire revenir des préventions qu'il avait décidément formées pendant son séjour à l'étranger. J.-A. DE GOBINEAU, les Pléiades, III, VIII.

7 Constantinople justifie toutes mes préventions et rejoint dans l'enfer de mon cœur Venise. GIDE, Journal, 1er mai 1914.

♦ **3.** (1706). Rhét. Figure par laquelle on répond d'avance à une objection prévue. ⇒ **Prévenir,** *supra* cit. 10; et aussi **prolepse.**

♦ **4.** (1792). Dr. Situation d'une personne prévenue d'une infraction. *Mise en prévention. Temps de prévention,* et, ellipt., *prévention :* temps qu'un prévenu passe en prison entre son arrestation et son jugement; cet emprisonnement lui-même. ⇒ **Préventif** (prison préventive). *Faire six mois de prévention.*

La cour des pairs est convoquée pour demain afin de mettre en prévention M. de Praslin. HUGO, Choses vues, I. 8

Par ext. Accusation. *Innocent qui se défend contre une prévention honteuse* (→ Animation, cit. 4).

♦ **5.** (1883; de *prévenir,* I., 3.). Cour. Ensemble de mesures préventives contre certains risques; organisation chargée de les appliquer. *Prévention des accidents du travail. Prévention routière. Centre national de prévention et de protection* (contre le feu).

CONTR. Amour, sympathie.
DÉR. V. Préventeur. — Préventionnaire.
COMP. Préventologie, préventologue.

PRÉVENTIONNAIRE [pʀevɑ̃sjɔnɛʀ] n. — Probablt 1914-1918 (→ cit.); de *prévention.*

♦ Personne qui fait de la prison préventive. ⇒ **Prévenir** (p. p. adj.).

(...) le Conseil de guerre *(en 1918)* est une juridiction exceptionnelle (...) la responsabilité des chefs de corps serait engagée, si l'on continuait à l'encombrer de préventionnaires contre qui ne seraient pas relevées des charges suffisantes.
Roger VERCEL, Capitaine Conan, 1934, V, p. 103.

PRÉVENTIVE [pʀevɑ̃tiv] n. f. ⇒ **Préventif** (2.).

PRÉVENTIVEMENT [pʀevɑ̃tivmɑ̃] adv. — 1834; de *préventif.*

♦ **1.** D'une manière préventive. *Se soigner préventivement.*

♦ **2.** (1838). Dr. En qualité de prévenu. *Elle fut incarcérée préventivement à la Petite-Roquette.*

PRÉVENTOLOGIE [pʀevɑ̃tɔlɔʒi] n. f. — V. 1970; de *préventif, prévention,* et *-logie.*

♦ Méd. Branche de la médecine qui se préoccupe de la prévention des maladies et des accidents.

PRÉVENTOLOGUE [pʀevɑ̃tɔlɔg] n. — V. 1970 (in *la Clé des mots,* 1974); de *prévention,* et *-logue.*

♦ Méd. Médecin qui se consacre à la préventologie.

PRÉVENTORIUM [pʀevɑ̃tɔʀjɔm] n. m. — 1907; du lat. *præventus,* sur le modèle de *sanatorium.*

♦ Établissement de cure où sont admis des sujets (généralement des enfants ou des adolescents) menacés de tuberculose. ⇒ **Aérium.** *Préventorium héliomarin, de montagne.* — Au plur. *Des préventoriums.*

PRÉVENU, UE [pʀevny] p. p. adj. ⇒ **Prévenir.**

PRÉVERBAL, ALE, AUX [pʀevɛʀbal, o] adj. — V. 1960; de *pré-,* et *verbal.*

♦ Didact. Antérieur à la phase verbale, langagière, de l'évolution psychique.

(Chez les sourds-muets) les opérations fondamentales de classification, sériation, correspondance, etc. ne sont nullement absentes jusqu'à un certain niveau de complexité, ce qui témoigne d'une organisation préverbale des actions.
J. PIAGET, Épistémologie des sciences de l'homme, 1970, p. 347.

PRÉVERBE [pʀevɛʀb] n. m. — XXe (*in* Larousse, 1932); de *pré-,* et *verbe.*

♦ Ling. Préfixe apposé à une forme verbale. — Ex. : *dé-,* dans *défaire.*

PRÉ-VERGER [pʀevɛʀʒe] n. m. — 1922; de *pré,* et *verger.*

♦ Géogr. Prairie plantée d'arbres fruitiers. *Les prés-vergers de Normandie sont plantés en pommiers.*

PRÉVERTÉBRAL, ALE, AUX [pʀevɛʀtebʀal, o] adj. — 1869, Littré; de *pré-,* et *vertébral.*

♦ Anat. Qui est situé en avant des vertèbres.

PRÉVISIBILITÉ [pʀevizibilite] n. f. — XXe (1951, *in* D.D.L.); de *prévisible.*

♦ Caractère de ce qui est prévisible.

CONTR. Imprévisibilité.

PRÉVISIBLE [pʀevizibl] adj. — 1847, Balzac; de *prévoir,* d'après *visible.*

♦ Qui peut être prévu, facilement prévu (→ Écœurant, cit. 6). *La chose était prévisible, il fallait s'y attendre. Le miracle* (cit. 6) *ne doit jamais devenir prévisible. Son échec n'était pas prévisible.*

Une révolution ne vaut la peine (...) qu'on souffre pour elle la prison que si elle refuse d'avance d'appliquer des châtiments sans terme prévisible.
CAMUS, l'Homme révolté, p. 361.

CONTR. Déroutant, imprévisible.
DÉR. Prévisibilité.

PRÉVISION [pʀevizjɔ̃] n. f. — V. 1265; bas lat. *prævisio, de prævisum,* supin de *prævidere.* → Prévoir.

♦ **1.** Action de prévoir, connaissance de l'avenir. *La prévision d'un événement par qqn. Prévision par la magie* (⇒ **Divination**), *l'intuition* (⇒ **Prescience, pressentiment**), *le raisonnement, le calcul.* ⇒ **Probabilité** (calcul des). *Prévision et prédiction*, et hypothèse* (cit. 10). *Prévision dans les détails* (→ Hauteur, cit. 13). *Prévision des recettes et des dépenses dans l'établissement d'un budget.* — Phys. *Théorie générale des prévisions* (→ Ondulatoire, cit. 2). *Prévisions sociologiques, économiques.* ⇒ **Prospective.**

Prévision du temps. Prévision météorologique.* — (1904, *Rev. gén. des sc.,* no 10, p. 514). Absolt. *Prévisions.*

Prévision numérique objective : prévision des champs de pression à l'aide d'un calculateur, sans intervention personnelle du prévisionniste. — Écon. Ensemble d'études mettant en œuvre les données de la statistique, les théories économiques, les conditions extra-économiques, etc. *Prévision à court, à moyen, à long terme. Les prévisions d'un plan. Prévision boursière. Statistiques, sondages et prévisions.*

1 (...) plus l'existence est difficile, mieux on supporte les peines et mieux on jouit des plaisirs; car la prévision n'a pas le temps d'aller jusqu'à des maux simplement possibles; elle est tenue en bride par la nécessité.
ALAIN, Propos, 23 mai 1910, Les maux d'autrui.

2 En général, les découvertes sont faites sans aucune prévision de leurs conséquences. Mais ce sont ces conséquences qui ont donné sa forme à notre civilisation.
Alexis CARREL, l'Homme, cet inconnu, I, V.

Vx. *Esprit de prévision.* ⇒ **Clairvoyance, prévoyance** (→ 1. Bas, cit. 13; efficacité, cit. 4).

Loc. prép. (1844). **EN PRÉVISION DE... :** en pensant que telle chose sera, arrivera. *Se munir d'un imperméable en prévision du mauvais temps. Il avait pris les diamants en prévision d'une fuite* (→ Parenthèse, cit. 2).

3 Un jour, qu'en prévision de son départ, elle faisait des rangements dans un tiroir (...)
FLAUBERT, Mme Bovary, I, IX.

♦ **2.** Ce qu'on croit devoir être, dans l'avenir; opinion formée par le raisonnement sur les choses futures (rare au sing.). *Prévisions qui s'appuient sur des calculs** (1. Calcul; → Intervenir, cit. 5), *sur le fait qu'une chose est probable, vraisemblable.* ⇒ **Anticipation** (3.), **conjecture, croyance, probabilité, pronostic.** *Les prévisions se sont révélées exactes. Les chiffres confirment les prévisions. Se tromper, s'égarer dans ses prévisions* (→ 1. Politique, cit. 20). *Les événements détrompent* (cit. 4) *les prévisions. Engin* (cit. 7) *dont l'effet pourrait dépasser toutes les prévisions. Chose dépassant* (cit. 13) *les prévisions les plus pessimistes. C'était au-delà, au-dessus de toutes ses prévisions* (→ Monsieur, cit. 4). ⇒ **Attente, espérance.** *Prévision fausse.* ⇒ **Mécompte.** *Prévisions astronomiques.*

4 Presque toujours, en politique, le résultat est contraire à la prévision.
CHATEAUBRIAND, Mémoires d'outre-tombe, t. II, p. 12.

5 (...) quant à Pécuchet, la chute de la royauté confirmait trop ses prévisions pour qu'il ne fût pas content.
FLAUBERT, Bouvard et Pécuchet, VI.

6 Tu sais qu'il réussit au delà de toute prévision!
MARTIN DU GARD, les Thibault, t. IV, p. 103.

♦ **3.** Admin. Cas prévu par un texte. *Les prévisions des règlements* (→ 4. Casse, cit. 2).

CONTR. et COMP. Imprévision.
DÉR. Prévisionnel, prévisionniste.

PRÉVISIONNEL, ELLE [pʀevizjɔnɛl] adj. — 1845, puis 1876; de *prévision.*

♦ **1.** Admin. Qui est fait, qui est organisé en prévision de qqch. *Budget, plan prévisionnel.*

♦ **2.** Didact. Qui fait l'objet d'une étude ou qui constitue une étude destinée à prévoir quelque chose.

PRÉVISIONNISTE [pʀevizjɔnist] n. — 1943, Sauvy; de *prévision.*

♦ Spécialiste de la prévision. « *Un hideux néologisme :* prévisionniste » (*le Figaro,* 23 nov. 1966, *in* Gilbert). — Écon. Spécialiste de la prévision économique. ⇒ **Conjoncturiste.**

La meilleure ressource pour le prévisionniste reste l'observation du déséquilibre et de son accentuation. Sans formuler de véritable pronostic de chute, il peut alors prodiguer des conseils de prudence de plus en plus nets.
A. SAUVY, la Prévision économique, p. 97.

Spécialiste de la prévision météorologique.

PRÉVOCALIQUE [pʀevɔkalik] adj. — XXe (in *Larousse,* 1932); de *pré-,* et *vocalique.*

♦ Ling. Qui précède une voyelle.

PRÉVOIR [pʀevwaʀ] v. tr. — Conjug. *voir,* sauf au futur : *je prévoirai,* et au conditionnel : *je prévoirais.* — V. 1265; *previr,* 1219; du lat. *prævidere, de prae,* et *videre,* d'après *voir.*

REM. *Prévoir d'avance* (cit. 15) est un pléonasme à éviter.

♦ **1.** Connaître et annoncer (une chose future) comme devant être, devant se produire. *Prévoir l'avenir par observation des astres* (cit. 21), *par divination.* ⇒ **Percer** (l'avenir), **prédire, prophétiser.** *Prévoir une chose par intuition* (⇒ **Pressentir; augurer, flairer**), *par imagination* (⇒ **Anticiper, imaginer**), *par raisonnement, calcul.* ⇒ **Calculer, préjuger; probabilité** (→ Expérience, cit. 46). *Prévoir son malheur.* ⇒ **Entrevoir** (→ Avance, cit. 12). « *Je ne sais point prévoir les malheurs de si loin* » (cit. 23, Racine). *Prévoir le pire* (→ Pincer, cit. 23). ⇒ **Attendre.** *Prévoir un résultat.* ⇒ **Pronostiquer.** *Prévoir les conséquences d'une chose.* ⇒ **Calculateur, prévoyant, prudent.** *Trop prévoir les suites des choses empêche d'entreprendre* (cit. 2). *Prévoir le rôle de qqch.* ⇒ 1. **Part** (faire la part de). *Ce qu'il faut toujours prévoir, c'est l'imprévu* (→ Imminent, cit. 2). *On ne saurait tout prévoir.* ⇒ **Penser** (à tout). *C'est ce que j'avais prévu. Je l'avais prévu! Il fit ce que j'avais prévu* (→ Enjeu, cit. 1). *Vous avez prévu tout ce qui est arrivé* (→ Almanach, cit. 2). *Ils n'avaient rien vu d'avance, rien prévu* (→ Hésitation, cit. 2). *Ceux qui, ne sachant rien voir, ne peuvent rien prévoir* (→ Faible, cit. 20). *Faire, laisser prévoir qqch.* ⇒ **Présage; promettre.** *Facile* (cit. 19) *à prévoir.* ⇒ **Prévisible.** *Difficile* (cit. 2), *impossible à prévoir.* ⇒ **Imprévisible** (→ Dévorant, cit. 6). — (XVIe). Absolt. Connaître* l'avenir*. *L'histoire ne nous permet guère de prévoir* (→ Associer, cit. 28). *Gouverner*, c'est prévoir.*

Il vaut mieux employer notre esprit à supporter les infortunes qui nous arrivent qu'à prévoir celles qui nous peuvent arriver. LA ROCHEFOUCAULD, Maximes, 174. 1

Il prévoyait l'avenir par la profonde sagesse qui lui faisait connaître les hommes et les desseins dont ils sont capables. FÉNELON, Télémaque, II. 2

S'il faut arranger, projeter, conduire, comment n'avoir point de sollicitude? On doit prévoir les incidents, les obstacles, les succès; or, les prévoir, c'est les craindre ou les espérer. É. DE SENANCOUR, Oberman, XLIII. 3

C'était un caractère auquel il ne fallait qu'un mot pour prévoir facilement les plus grands malheurs; son imagination se chargeait ensuite de lui peindre ces malheurs avec les détails les plus horribles. 4
STENDHAL, la Chartreuse de Parme, I, II.

Or, le travail mental de prévision est une des bases essentielles de la civilisation. Prévoir est à la fois l'origine et le moyen de toutes les entreprises, grandes ou petites. C'est aussi le fondement présumé de toute la politique. 5
VALÉRY, Variété III, p. 209.

(...) sans pénétrer jusqu'aux détails la théorie de l'éclipse, ils peuvent encore se faire une idée suffisante des raisonnements et calculs qui permettent de prévoir la durée de l'éclipse, l'heure et le lieu où elle sera visible. 6
ALAIN, Propos, 22 avr. 1921, Le catéchisme.

(...) une formule qu'Auguste Comte a trouvée et qui dit tout : « Savoir, pour prévoir, afin de pouvoir ». DANIEL-ROPS, Ce qui meurt..., IV. 7

PRÉVOIR QUE... *On pouvait prévoir que la bougie* (cit. 2) *allait s'éteindre.* ⇒ **Attendre** (s'attendre à). *Il est facile de prévoir que...* (→ Gentilhomme, cit. 4). *Je ne prévoyais pas que...* (→ Foule, cit. 22). — Vx. *Prévoir de...* (et l'inf.). « *Ce que vous prévoyez de perdre* » (Mme de Sévigné, 1011, 8 févr. 1687).

♦ **2.** Spécialt. Envisager (des possibilités). *Prévoir toutes les réponses. Formuler une règle générale sans prévoir les cas exceptionnels* (→ Dérogation, cit. 1). — Par ext. *Les crimes prévus par un article de loi* (→ Apologie, cit. 5).

« *J'ai prévu ce qui pourrait arriver* ». Aucune perspective qu'il n'ait examinée et aucun événement contre lequel il ne se soit prémuni. 8
Louis MADELIN, Hist. du Consulat et de l'Empire, De Brumaire à Marengo, VI.

♦ **3.** (Déb. XVIe). Organiser d'avance, décider pour l'avenir. ⇒ **Préparer.** *Prévoir l'établissement de ses enfants. La loi prévoit la création de centres de désintoxication.* — (Souvent au passif). *La dictature* (cit. 1) *romaine était prévue par la loi au nom du salut public. Aucune procédure n'était prévue* (→ Martial, cit. 3). *Prévoir 200 000 francs pour une publicité massive* (cit. 8). *Tout est prévu dans les grandes manœuvres* (1. Manœuvre, cit. 5). *J'ai tout prévu :* j'ai pris toutes les mesures, les précautions nécessaires. — Ellipt. (Fam.). *Nous arriverons demain comme prévu* (tour condamné par certains grammairiens).

Seigneur, j'ai tout prévu pour une mort si juste. 9
Le poison est tout prêt (...) RACINE, Britannicus, IV, 4.

10 Dès le lendemain, les noces furent faites ainsi que Riquet à la Houppe l'avait prévu, et selon les ordres qu'il en avait donnés longtemps auparavant.
Ch. PERRAULT, Contes, « Riquet à la Houppe ».

11 Tout est prévu dans ta vie : tu n'as ni à espérer, ni à craindre, ni à souffrir.
BALZAC, Mémoires de deux jeunes mariées, Pl., t. I, p. 169.

12 (...) la loi prévoit des dispenses importantes pour les étudiants, les concours.
ARAGON, les Beaux Quartiers, II, XV.

12.1 Or, c'est Jules Verne qui avait raison. Il a tout prévu, non seulement ce que depuis cinquante ans la science a réalisé dans la paix, mais aussi hélas! ce qu'elle a réalisé dans la guerre moderne. L.-H. LYAUTEY, Paroles d'action, p. 246.

Être prévu pour qqch. : être fait pour, destiné à. *Paquebot* (cit. 2) *prévu pour plusieurs emplois.* — Fam. (Sans compl.). *C'est prévu pour.*

13 L'homme est plus général que sa vie et ses actes. Il est comme *prévu* pour plus d'éventualités qu'il n'en peut connaître. VALÉRY, M. Teste, p. 134.

▶ **PRÉVU, UE** p. p. adj. et n. m.

♦ **1.** (Voir aussi à l'article). Qu'on a prévu (au sens 1.); qu'on attendait. — Contr. : *inattendu, inopiné.* — N. m. (XIXe). *Le prévu et l'imprévu* (→ Envisager, cit. 14).

♦ **2.** Qu'on a décidé par avance. *Dans les conditions prévues, prévues par la loi* (→ Inamovible, cit. 2). — Contr. : *accidentel, fortuit.*

DÉR. Prévisible, prévoyant. — V. Prévision, prévoyance.
COMP. Imprévu.

PRÉVÔT [pʀevo] n. m. — V. 1131, *provost;* du lat. *præpositus* « préposé ».

♦ **1.** Anciennt. Officier et magistrat d'ordre civil ou judiciaire, dépendant d'un roi ou d'un seigneur. — (1549). *Prévôt de l'hôtel* ou *grand prévôt de France,* qui jugeait les personnes de la suite, de la cour. — (1351). *Prévôt des marchands,* à la tête de l'administration municipale de Paris (→ Façon, cit. 26; marmouset, cit. 3; nettoyer, cit. 10). — (1690). *Prévôt de Paris,* aux attributions très étendues (politiques, financières, judiciaires). *Prévôt de la marine, des monnaies. Prévôts des maréchaux,* à la tête de la maréchaussée*...
Spécialt. Officier de justice subalterne appelé à juger en première instance d'affaires et de délits ne relevant pas des baillis ni des sénéchaux (→ Archer, cit. 4; assise, cit. 6). ⇒ **Vicomte, viguier.** *Dans certains cas, les prévôts jugeaient prévôtalement,* c'est-à-dire sans appel.

♦ **2.** (Fin XVIe). Mod. (Milit.). Officier de gendarmerie, dans l'armée française, dont la juridiction s'exerce lorsqu'une armée se trouve hors de France. *Prévôts d'armée, de corps d'armée, de division,* attachés au quartier général de l'armée, de la division...

♦ **3.** (XVIe). Escr. *Prévôt de salle, prévôt d'armes :* second d'un maître d'armes (→ Plastron, cit. 1). *Prévôt d'escrime :* sous-officier enseignant l'escrime dans un corps de troupe.

Sigognac se mit à tirer au mur, et vit qu'il n'avait rien oublié des leçons que Pierre, ancien prévôt de salle, lui donnait pendant ses longs loisirs (...)
Th. GAUTIER, le Capitaine Fracasse, IX.

♦ **4.** (1690). Relig. Nom donné au supérieur de certains ordres religieux. *Le père prévôt.*

♦ **5.** (1828). Détenu affecté à une tâche auxiliaire de surveillance; détenu chef de chambrée.

DÉR. Prévôtal, prévôté.

PRÉVÔTAL, ALE, AUX [pʀevotal, o] adj. — 1514; de *prévôt.*

♦ Didact. (hist.). Relatif au prévôt (1.), de la compétence du prévôt. *Cour* prévôtale. Sentence prévôtale. Cas prévôtaux.*

DÉR. Prévôtalement.

PRÉVÔTALEMENT [pʀevotalmɑ̃] adv. — Av. 1672; de *prévôtal.*

♦ Didact. (hist.). D'une manière prévôtale. *Juger prévôtalement,* sans appel. ⇒ **Prévôt** (1.).

PRÉVÔTÉ [pʀevote] n. f. — V. 1155, *prévosté;* de *prévôt.*

♦ **1.** Anciennt. Fonction, juridiction du prévôt; circonscription où elle s'exerçait, siège de cette juridiction (→ Écartèlement, cit. 2).

♦ **2.** Mod. (Admin.). Juridiction des prévôts, service de gendarmerie aux armées (cf. Police militaire).

PRÉVOYANCE [pʀevwajɑ̃s] n. f. — 1410; de l'anc. franç. *pourvoyance,* d'après *prévoir.*

♦ **1.** Vieilli. Faculté ou action de prévoir (1.). ⇒ **Prévision.** *La pitié* (cit. 4), *habile prévoyance des malheurs où nous pouvons tomber.*

1 Voyez combien la prévoyance des hommes est faible : toutes les choses d'où nos premiers généraux craignaient la perte de notre Société, c'est par là qu'elle s'est accrue (...) PASCAL, Pensées, XIV, 956.

La prévoyance a toujours gâté chez moi la jouissance. J'ai vu l'avenir à pure perte : je n'ai jamais pu l'éviter. ROUSSEAU, les Confessions, III. 2

♦ **2.** Mod. Attitude de celui qui prend les dispositions, les précautions* nécessaires pour faire face à telle ou telle situation qu'il prévoit, qui est prévoyant (2.). ⇒ **Prudence.** *Instinct paysan de prévoyance* (→ Hasard, cit. 23). *Prévoyance de celui qui épargne pour l'avenir.* ⇒ **Épargne** (cit. 7). *Le grand homme excelle par sa prévoyance* (→ Héros, cit. 10). *Réflexion et prévoyance* (→ Enchaînement, cit. 1). *Montrer de la prévoyance :* voir loin (→ Assurer, cit. 17). *Manquer de prévoyance* (→ Ne pas voir plus loin que le bout de son nez*). *Prévoyance attribuée aux animaux* (→ Besoin, cit. 75; déterminant, cit. 2; nid, cit. 1). *Société de prévoyance :* société privée de secours mutuel (→ Bienfaisance, cit. 6). *Caisse de prévoyance.*

(...) pour satisfaire aux engagements qu'il avait pris, il lui fallut en contracter de nouveaux, plus difficiles et plus onéreux que les premiers. Il n'avait pas reçu de la nature ce caractère insouciant qui, en pareille circonstance, ôte du moins la crainte du mal à venir; tout au contraire, des qualités qu'il avait perdues, la prévoyance lui restait seule (...) 3
A. DE MUSSET, Nouvelles, « Frédéric et Bernadette », VI.

♦ **3.** (V. 1600). Au plur. Vx (langue class.). Soins concernant l'avenir.

(...) c'est (...) par ces prévoyances qu'on est garanti des malheurs où les autres tombent par leur imprudence (...) Mme DE SÉVIGNÉ, 826, 3 juil. 1680. 4

CONTR. Étourderie, insouciance; imprévoyance.

PRÉVOYANT, ANTE [pʀevwajɑ̃, ɑ̃t] adj. — V. 1570, *in* Carloix (1509-1571); de *prévoir.*

♦ **1.** Qui prévoit avec perspicacité. *Quand le mal est certain* (cit. 1) *le moins prévoyant est toujours le plus sage.* — N. *L'imprévoyant* (cit. 3) *est moins accablé par l'événement catastrophique que le prévoyant. C'est une prévoyante.*

Le rôle de l'homme prévoyant est triste : il afflige ses amis, en leur annonçant les malheurs auxquels les expose leur imprudence. On ne le croit pas; et, quand ces malheurs sont arrivés, ces mêmes amis lui savent mauvais gré du mal qu'il a prédit, et leur amour-propre baisse les yeux devant l'ami qui devait être leur consolateur, et qu'ils auraient choisi s'ils n'étaient pas humiliés en sa présence. 1
CHAMFORT, Maximes, « Sur l'amitié », XVI.

♦ **2.** Qui prend des dispositions en vue de ce qui doit ou peut arriver. ⇒ **Diligent, prudent.** *Il a été prévoyant et a évité le pire* (→ Avoir le nez* fin, le nez creux). — (Choses). *Mesures prévoyantes.*

Ton père prévoyant ménage à ses cadets un évêché, une abbaye. Ils font élire par leurs serfs leurs petits enfants aux plus grands sièges ecclésiastiques. 2
MICHELET, Hist. de France, IV, II.

Il faut être sévère pour celles qui crient : « Ah! Je ne sais plus ce que je fais! » et discerner dans leur désarroi une bonne part de ruse prévoyante (...) 3
COLETTE, la Vagabonde, p. 129.

CONTR. Imprévoyant. — Dépensier, étourdi, insouciant.

PRÉVU, UE [pʀevy] p. p. adj. ⇒ **Prévoir.**

PRIANT, ANTE [pʀijɑ̃, ɑ̃t] n. et adj. — 1230; de *prier.*
Vieux.

♦ **1.** N. Personne qui prie. — (1472). Spécialt. ⇒ **Orant.**

♦ **2.** Adj. (1556). Qui fait une prière.

PRIAPE [pʀijap] n. m. — 1304, *in* Arveiller : *« laquelle verge est apelee preape et en comun langage vit »;* de *Priape,* du lat. *Priapus,* grec *Priapos,* dieu des jardins et de la génération.

♦ Membre viril en érection. ⇒ **Phallus, ithyphalle.**

DÉR. Priapique, priapuliens. — (Du même rad.) Priapée, priapisme.

PRIAPÉE [pʀijape] n. f. — V. 1500; lat. *priapeium (metrum),* grec *priapeion (metron)* « mètre priapéen », au plur. « poème en vers priapéens », ce type de mètre et de vers étant réservé aux chants en l'honneur du dieu Priape.
Didactique.

♦ **1.** Antiq. (Plur.). Chants ou fêtes en l'honneur de Priape; poésies licencieuses.

♦ **2.** (1548, Sébillet). Littér. Poème, peinture, scène ou spectacle obscène. *Les Priapées de Maynard.*

(...) avec un si magnifique sujet, une héroïne véritable *(Jeanne d'Arc)* Chapelain n'a pu faire qu'une lourde gazette rimée, ennuyeuse comme la vie; Voltaire, qu'une infâme priapée, abominable comme intention et d'une médiocrité singulière, même dans ce misérable genre. 1
Th. GAUTIER, les Grotesques, VIII, p. 281.

(...) je ne vous conterai pas les amusements d'Alexandre VI : il faut les lire dans le journal de son chapelain Burckhard; le latin seul peut exposer des priapées et des bacchanales. TAINE, Philosophie de l'art, t. I, p. 159. 2

PRIAPÉEN, ENNE [pʀijapeɛ̃, ɛn] adj. — 1842; du bas lat. *priapeius*, dans *priapeius versus*, grec *priapeion metron*, de *Priapos* « Priape ». → Priapée.

♦ Didact. Se dit d'un vers grec ou latin employé dans les priapées. — Hexamètre dactylique divisé en deux parties égales (coupe centrale).

PRIAPIQUE [pʀijapik] adj. — 1832, *in* F. E. W. ; de *priape*.

♦ Didact. Qui appartient à Priape ou à son culte. *Culte priapique. Emblème priapique.* ⇒ **Phallique.**

(...) l'enfant de chœur qui marche en tête braillant les répons (...) la haute croix de cuivre fichée dans le cornet de cuir du baudrier qui pend à hauteur de son basventre (si bien qu'il semble tenir à deux mains dans un geste enfantin, équivoque et canaille quelque symbole priapique démesuré jailli d'entre ses cuisses...
Claude SIMON, la Route des Flandres, p. 68.

PRIAPISME [pʀijapism] n. m. — 1495; lat. médical *priapismus*, grec *priapismos*.

♦ **1.** Méd. « Érection violente, prolongée, souvent douloureuse, née sans appétit sexuel et n'aboutissant à aucune éjaculation » (Garnier). *Le priapisme est souvent un symptôme de cystite, de blennorragie,* etc.

♦ **2.** Vive excitation érotique, chez l'homme.

Par métaphore :

Qui m'expliquera pourquoi cette lettre m'a causé au cœur une sorte de priapisme sentimental? L'exhibition de la plus luxueuse nudité ne procure pas à la chair plus d'attirement que le récit de tout cela n'en a fait à ma pensée.
FLAUBERT, Correspondance, 399, 12 juin 1853.

PRIAPULIENS [pʀijapyljɛ̃] n. m. pl. — XXe; du lat. zool. *priapulus*; dér. sav. de *priape* « sexe masculin », à cause de la forme de l'animal.

♦ Zool. Embranchement de vers à cavité générale assez vaste (« qui ne paraît pas être un vrai cœlome », selon A. Tétry), non segmentés, de petite taille (maximum 3 à 8 cm), vivant dans les mers arctiques et tempérées et dont l'organisme comporte une trompe (ou *introvert*), un tronc terminé par un appendice caudal porteur de l'anus et un panache caudal assurant la respiration quand l'animal est enfoui. — Au sing. *Un priapulien.*

PRIÉ, ÉE [pʀije] p. p. adj. ⇒ **Prier.**

PRIE-DIEU [pʀidjø] n. m. invar. — 1603; de *prier*, et *Dieu*.

♦ Siège* bas, au dossier terminé en accoudoir, sur lequel le fidèle s'agenouille pour prier (→ Paranymphe, cit.). *Un prie-Dieu gothique* (→ Passer, cit. 108), *de luxe* (→ Place, cit. 16), *garni de velours... Agenouilloir* d'un prie-Dieu. Les prie-Dieu d'une église, d'un oratoire.*

1 Je la découvris dans une chapelle, les coudes nus sur le prie-Dieu de la chaise où elle était agenouillée, et son menton dans la paume de ses mains (...)
BARBEY D'AUREVILLY, Une vieille maîtresse, I, VII.

2 Il s'échappait se prosterner sur les prie-Dieu de paille, en se penchant si fort, qu'il s'arrêtait la respiration. ARAGON, les Beaux Quartiers, I, IX.

PRIER [pʀije] v. — Indic. imp. et subj. prés. : *nous priions, vous priiez. — 880, Poème de Sainte-Eulalie, preier*; du lat. de basse époque *precare*, class. *precari*.

★ **I.** (Relig.). S'adresser à Dieu, à un être surnaturel. ♦ **1.** *Prier Dieu,* ou, absolt, *prier.* **a** V. intr. Élever son âme à Dieu par la prière*. ⇒ **Adorer.** *« Veillez et priez... »* (→ Chair, cit. 44). *« Dieu veut-il qu'à toute heure* (cit. 87) *on prie, on le contemple? »* (Racine). → aussi Occuper, cit. 8. *« À prier avec vous jour et nuit assidus »* (cit. 3, Racine). *Prier avec ferveur* (→ Piété, cit. 2), *dévotement* (cit.), *sans relâche* (→ Jeûner, cit. 6). *Prier la tête dans ses mains* (→ Père, cit. 22), *à haute voix* (→ Agenouiller, cit. 5), *à voix basse en marmottant* ses prières. Prier des lèvres et non du cœur. Prier à genoux* (cit. 19). ⇒ **Agenouiller** (s'); **agenouillement.** *La manière de prier des hypocrites* (cit. 8), *des pharisiens* (cit. 2; et → Hypocrisie, cit. 12). *Savoir prier* (→ Intercéder, cit. 4), *ne pouvoir prier* (→ Paroissien, cit. 4). *Prier sur la tombe de qqn* (→ Là, cit. 37), *dans la chambre mortuaire* (→ Deuil, cit. 2). *Prier ensemble* (→ Fraternité, cit. 11), *en commun. « Gémir, pleurer, prier est également lâche »* (→ Énergiquement, cit. Vigny).

1 Il faut premièrement faire ce qu'on doit, et puis prier quand on le peut; voilà la règle que je tâche de suivre. Je ne prends point le recueillement que vous me reprochez comme une occupation, mais comme une récréation; et je ne vois pas pourquoi parmi les plaisirs qui sont à ma portée, je m'interdirais le plus sensible et le plus innocent de tous. ROUSSEAU, Julie ou la Nouvelle Héloïse, VI, VIII.

2 Aimer, prier, chanter, voilà toute ma vie.
LAMARTINE, Nouvelles méditations, « Le poète mourant ».

b V. tr. *Prier Dieu, les dieux.*

3 Un soir, dans sa chambre, les larmes le prirent; il se jeta désespérément à genoux devant son lit, il pria (...) Qui priait-il? Qui pouvait-il prier! Il ne croyait pas en Dieu, il croyait qu'il n'y avait point de Dieu (...) Mais il fallait prier, il fallait *se* prier. Il n'y a que les médiocres qui ne prient jamais. Ils ne savent pas la nécessité où sont les âmes fortes de faire retraite dans leur sanctuaire. Au sortir des humiliations de la journée, Christophe sentit, dans le silence bourdonnant de son cœur, la présence de son Être éternel.
R. ROLLAND, Jean-Christophe, Foire sur la place, I, p. 668.

♦ **2.** (V. 1112). **a** V. tr. S'adresser à... (la divinité ou un intercesseur), par une prière instante. ⇒ **Crier** (vers Dieu). *« Mais priez Dieu que tous nous veuille absoudre »* (cit. 1, Villon). *Prier le ciel qu'il nous aide* (cit. 3), *nous illumine* (cit. 2). *Prier Dieu de...* (avec l'inf.). → Messe, cit. 5. *Prier la Vierge, les saints d'intercéder* pour nous.* ⇒ **Invoquer.** *Prier Dieu* (et, absolt, *prier*) *que qqch. arrive.*

Jésus prie dans l'incertitude de la volonté du Père, et craint la mort (...) Il ne prie qu'une fois que le calice passe et encore avec soumission, et deux fois qu'il vienne s'il le faut. PASCAL, Pensées, VII, 553. 4

Je lui disais : « Quoi! vous ne pouvez pas demander à Dieu la rémission de vos péchés? Non, répartit-elle. Eh bien, repris-je aussitôt, moi (...) je vous ordonne, Dieu par ma bouche, de dire après moi : Mon Dieu, je vous prie de me pardonner mes péchés ». BOSSUET, Relation sur le quiétisme, II, 20. 5

b V. intr. (ou absolt). *Prier pour qqn :* demander pour qqn l'aide, la grâce de Dieu. *« Aimez* (cit. 3) *vos ennemis et priez pour ceux qui vous persécutent »* (→ Calomnier, cit. 1). *Priez pour moi* (→ Bord, cit. 24). *Prier pour les morts* (→ Devoir, cit. 14; maint, cit. 10). *Prêtre qui prie pour sa paroisse* (cit. 1). *Prier pour l'âme de qqn* (→ Mentalement, cit. 1). *« Priez pour nous, pauvres pécheurs »*, une des phrases de l'Ave Maria. — (1690). *« Priez pour nous »*, réponse des fidèles dans une litanie.

(...) en reconnaissance du don de Dieu dont le sceau est en vous, priez sans relâche pour son Église : priez, fondez en larmes devant le Seigneur : priez, justes; mais priez, pécheurs : prions tous ensemble : car si Dieu exauce les uns pour leur mérite, il exauce aussi les autres pour leur pénitence. C'est un commencement de conversion que de prier pour l'Église. 6
BOSSUET, Sermons, Sur l'unité de l'Église, III (1681).

Ô vous tous, ma peine est profonde : 7
Priez pour le pauvre Gaspard! VERLAINE, Sagesse, III, IV.

(...) par une secrète saisie antérieure de sa future, de sa prochaine autorité de béatitude, il parle, il prie déjà pour sa femme comme un martyr dans le ciel prie pour sa femme qui est restée sur terre. Comme tous ceux qui sont partis, comme tous ceux qui sont arrivés prient pour tous ceux qui sont restés. 8
Ch. PÉGUY, Victor-Marie, comte Hugo, p. 187.

★ **II.** V. tr. (Sens non religieux). ♦ **1.** (V. 1175; compl. n. de personne; compl. second en *de*... ou *que*...). Demander avec humilité ou déférence. ⇒ **Adjurer, conjurer, implorer, solliciter, supplier.** *Prier qqn de...* (suivi de l'inf.). → Crier, cit. 34; excuser, cit. 15; honneur, cit. 93; perdre, cit. 68... *Prier le médecin de venir.* ⇒ **Appeler.** *Il m'a prié de l'aider.* ⇒ **Réclamer, requérir** (l'aide). *Prier qqn instamment* (cit.) *de...* ⇒ **Insister, presser, recommander.** *« Je t'en prie à mains jointes »* (→ 1. Mort, cit. 14, Ronsard). — *Prier qqn que...* (suivi du subj.). → Liasse, cit. 2; moisson, cit. 8. — Absolt. *« On a beau la prier... »* (→ Boucher, cit. 4, Malherbe). *Il ira prier ses chefs* (→ Fonctionnaire, cit. 4). — Vx. *Prier qqn de qqch.*

Les mendiants n'arrivent plus souvent 9
À la porte ni à l'auvent
Prier qu'on les gare du froid.
VERHAEREN, Campagnes hallucinées, « Les fièvres ».

Le lendemain matin, le Père Nicolle reçut une lettre du curé Puyoo qui le priait, en termes pressants, de passer chez lui, ce jour-là même, sur les 6 heures du soir. 10
P.-J. TOULET, la Jeune Fille verte, VII.

(XIXe). SE FAIRE PRIER : n'accorder qqch., ne céder qu'après de longues hésitations, en sollicitant les prières, l'insistance de celui qui demande. ⇒ **Résister; oreille** (se faire tirer l'oreille). *Il aime se faire prier. « Elle s'est fait prier pour chanter, et elle en mourait d'envie »* (Académie). *Elle ne se fait pas prier :* elle ne se le fait pas dire deux fois (→ 1. Caver, cit. 2). *Sans se faire prier :* sans difficulté, de plein gré.

« — (...) quelque modeste que soit ma demeure, vous y serez toujours mieux qu'en plein air ». Comme on le pense bien, les compagnons de Blazius ne se firent pas prier et ils entrèrent dans la ferme fort charmés de l'aventure (...) 11
Th. GAUTIER, le Capitaine Fracasse, VII.

Emma accepta mon invitation après s'être fait un peu prier. 12
MAUPASSANT, les Sœurs Rondoli, « La patronne ».

Lanoue me dit soudain : — Tu restes dîner avec nous? J'étais venu pour ça. Je présentai pourtant des objections. Je me fis prier. G. DUHAMEL, Salavin, I, VI. 13

♦ **2.** (Dans un sens affaibli; le compl. second est parfois effacé). Demander poliment (s'emploie comme terme de politesse, pour atténuer ce que *demander* pourrait avoir de trop brutal). *Je le priai de me faire venir un tailleur* (→ Fripier, cit. 2). *Prier qqn d'excuser* (cit. 12)... *« Ma fille me prie de vous mander... »* (→ Glisser, cit. 13, Mme de Sévigné).

(...) quand son incapacité sera prouvée, vous le destituerez en priant ses protecteurs de l'employer chez eux. BALZAC, les Employés, Pl., t. VI, p. 1043. 14

(En s'adressant à qqn). *Je vous prierai de me répondre* (→ Garant, cit. 10). *Je vous prie de me pardonner si...* (→ Indiscret, cit. 8). ⇒ 1. **Vouloir** (veuillez). *Je vous prie de croire que je ne me laisserai pas faire!*, je vous assure que, croyez bien que... *Il est parti sans demander son reste, je vous prie de le croire!* — (En incise, le plus souvent après un impératif). *Je te prie, je vous prie, je vous en prie,* formules de politesse. ⇒ **Plaire** (s'il te, s'il vous plaît). *Laisse-les, je te prie, achever* (cit. 2) *leur repas* (→ aussi Adresser, cit. 8; 1. causer, cit. 2; cérémonie, cit. 8; larme, cit. 26). *Excusez-moi, je* *vous prie.* ⇒ **Comment** (comment donc). — Ellipt. (après une interrogation). *Je te prie, je vous prie :* je te prie, je vous prie de me le dire, de me répondre. *Croyez-vous, je vous prie, que je puisse...* — *Je vous prie de ne pas en parler*, de ne pas le faire,* s'emploie pour éluder poliment des remerciements, un service, etc. *Mais je vous en prie, c'est peu de chose. « Voulez-vous ma place? — Je vous en prie! »* (sous-entendu : ne vous dérangez pas). — (Dans une réponse). *« Je peux entrer? — Je vous en prie. »*

15 Il (...) le remercia de toutes ses attentions. « Je vous prie, ajouta-t-il, faites-moi parler à votre maître ». Le valet étonné introduisit les deux voyageurs (...)
VOLTAIRE, Zadig, XX.

(XVIIe). Euphém. Demander avec fermeté, exiger... *Elle me pria de lui épargner de pareils affronts à l'avenir* (→ 1. Cas, cit. 18). *Je l'ai prié un peu rudement de...* (→ Fâcher, cit. 19). — (En s'adressant à qqn). *Pas de zèle intempestif* (cit. 3), *je vous prie!* — Iron. (Avec une nuance de menace). *Essayez un peu, je vous prie. Ah non, je t'en prie, ça suffit!*

16 Je voudrais bien le voir vraiment que vous fussiez amoureux de moi. Jouez-vous-y, je vous en prie, vous trouverez à qui parler. MOLIÈRE, George Dandin, I, 6.

♦ **3.** (V. 1350). Littér. (Compl. n. de personne; avec ou sans compl. second en *à*). Inviter* (qqn). *Prier qqn à dîner, à un dîner. Être prié à souper* (→ Oisif, cit. 1), *à un banquet* (→ Philharmonique, cit.). *Aller chasser chez ses voisins sans en être prié* (→ Hobereau, cit. 2). *Je viens vous prier de la part de Coralie* (→ Huit, cit. 1). *« À quelque temps de là* (cit. 43) *la cigogne le prie »* (La Fontaine). *Prier une fille à danser* (→ Dépiter, cit. 7). — (Dans une formule de politesse, sens intermédiaire entre le 2. et le 3.). *Monsieur et Madame X... prient Monsieur Y... de leur faire l'honneur* (cit. 82) *de dîner... Vous êtes prié d'assister aux obsèques de...*

17 Je ne sais s'il était du dîner où avait paru la robe neuve, mais il fut prié pour une partie de chasse chez madame Duval, qui avait une fort belle terre près de Fontainebleau. A. DE MUSSET, Nouvelles, « Emmeline », I.

18 Il est à peine onze heures. Je les ai priés pour midi. Nous avons tout notre temps.
J. ROMAINS, les Hommes de bonne volonté, t. XVIII, XI, p. 150.

19 Solange, en se rendant à l'hôtel où l'avait priée Costals, avait donc l'impression de reprendre sa vie presque au point où elle l'avait laissée trois mois plus tôt (...)
MONTHERLANT, les Lépreuses, II, XXI.

Vx. *Prier qqn d'un repas* (→ Convier, cit. 2).

▶ **PRIÉ, ÉE** p. p. adj. et n. (Vx). *Repas, dîner prié,* où l'on est invité dans les formes.

N. Invité. *Un petit nombre de priés* (→ Assemblée, cit. 1).

DÉR. Priant, 2. **prieur.**
COMP. Prie-Dieu.

PRIÈRE [pʀijɛʀ] n. f. — V. 1138; var. *preiere,* v. 1120; d'un lat. pop. **precaria,* fém. substantivé de *precarius,* qui a remplacé le lat. class. plur. *preces,* rare au sing. → Précaire.

♦ **1.** Relig. Mouvement de l'âme tendant à une communication spirituelle avec Dieu par l'élévation vers lui des sentiments (amour, reconnaissance, espoir, etc.), des aspirations, de l'objet des méditations. ⇒ **Acte** (*supra* cit. 11), **élévation** (cit. 9), **oraison** ; 1. **arche** (cit. 5) ; **aspiration** (cit. 2) ; **force** (cit. 67). *Place de la prière dans la dévotion*. Prière mentale, vocale. Prière jaculatoire** (cit. 1, Bourdaloue). *Prière d'adoration, d'action de grâces, de demande* (cit. 4). *Prière consistant en un acte* de foi, d'humilité, de contrition... « Donnez, riches, l'aumône* (cit. 12) *est sœur de la prière »* (Hugo). *L'attitude, la pose de la prière.* ⇒ **Orant** (→ Chapelet, cit. 1 ; foi, cit. 46). *Être absorbé dans sa prière* (→ Lévitation, cit.). — Loc. *En prière. Être en prière* (→ Marabout, cit. 1 ; merveilleux, cit. 9). *Une foule en prière.* — *Pénitents* (cit. 1) *qui s'adonnent à la prière et au jeûne. Femme pieuse* (cit. 1) *dont la vie n'est qu'une prière continuelle. Lieu de prière.* ⇒ **Oratoire.** *« Ma maison sera appelée maison de prière »* (→ Caverne, cit. 4).

1 Dans ma chambre, je prie plus rarement et plus sèchement : mais à l'aspect d'un beau paysage, je me sens ému sans pouvoir dire de quoi. J'ai lu qu'un sage évêque, dans la visite de son diocèse, trouva une vieille femme qui, pour toute prière, ne savait dire que O! Il lui dit : Bonne mère, continuez de prier toujours ainsi; votre prière vaut mieux que les nôtres. Cette meilleure prière est aussi la mienne.
ROUSSEAU, les Confessions, XII.

1.1 La prière est la plus douce consolation du malheureux; il devient plus fort quand il a rempli ce devoir. SADE, Justine..., t. I, p. 65.

2 (...) la prière est indifférente à son expression verbale; c'est une élévation de l'âme, qui pourrait se passer de la parole. À son plus bas degré, d'autre part, elle n'était pas sans rapport avec l'incantation magique; elle visait alors, sinon à forcer la volonté des dieux et surtout des esprits, du moins à capter leur faveur.
H. BERGSON, les Deux Sources de la morale et de la religion, p. 212.

3 Il faut entendre par prière, non pas la simple récitation machinale de formules, mais une élévation mystique, où la conscience s'absorbe dans la contemplation du principe immanent et transcendant du monde.
Alexis CARREL, l'Homme, cet inconnu, IV, VIII.

4 La prière est la forme oratoire de l'âme.
GIDE, Journal (1896), Littérature et morale.

5 Oh! je sais parfaitement que le désir de la prière est déjà une prière, et que Dieu n'en saurait demander plus (...) Nous nous faisons généralement de la prière une si absurde idée! (...) Si la prière était réellement (...) une sorte de bavardage, le dialogue d'un maniaque avec son ombre, ou moins encore — une vaine et superstitieuse requête en vue d'obtenir les biens de ce monde, — serait-il croyable que des milliers d'êtres y trouvassent (...) une dure, forte et plénière joie!
BERNANOS, Journal d'un curé de campagne, p. 119.

Spécialt. Prière de demande (→ Foi, cit. 40 ; litanie, cit. 2). *Demander qqch. à Dieu dans ses prières. Prière intéressée* (→ Blasphème, cit. 4). *« La prière est un cri d'espérance »* (→ Dieu, cit. 43, Musset). ⇒ **Cri, invocation.** *Dieu a exaucé nos prières. Les ferventes* (cit.) *prières et les humbles supplications. L'incantation* (cit. 3) *participe du commandement et de la prière. Demander son pardon par une prière.* ⇒ **Dépréciation.** *Dieu était sourd à leurs prières* (→ Neuvaine, cit.). *Prière adressée à la Vierge, aux saints, aux intercesseurs.* ⇒ **Intercession.** *On demande* (cit. 5) *aux saints des prières.* — Littér. *Prière pour demander à Dieu le bon usage des maladies,* opuscule de Pascal. *Prière à Dieu,* de Voltaire (*Traité sur la tolérance,* XXIII). *Prière sur l'Acropole* (adressée à la déesse Athéna), de Renan. *Prière pour nous autres charnels,* de Péguy (*Ève*)... *La prière d'un païen* (adressée à la déesse Volupté), poème de Baudelaire (*les Fleurs du mal,* 139).

Prière. Ne me châtiez pas dans ma mère et ne châtiez pas ma mère à cause de moi. — Je vous recommande les âmes de mon père et de Mariette. — Donnez-moi la force de faire immédiatement mon devoir tous les jours et de devenir ainsi un héros et un Saint. BAUDELAIRE, Journaux intimes, Mon cœur mis à nu, XVI. 6

♦ **2.** (V. 1138). Suite de formules exprimant ce mouvement de l'âme et consacrées par le culte de la liturgie. *Prières catholiques, chrétiennes... Faire, réciter, marmonner* (cit. 1), *lire, dire... sa prière, des prières* (→ Bout, cit. 26.4 ; chapelet, cit. 2 ; dicter, cit. 2 ; fidèle, cit. 20). *Prières en usage dans l'Église catholique romaine.* ⇒ **Absoute, angélus, ave, benedicite, chapelet, confiteor, credo, de profundis, doxologie, grâce**(s), **libera, oraison** (dominicale), **pater, salutation** (angélique), **salve** (Regina) ; et aussi **chant.** *Prières de la messe*.* ⇒ **Offertoire, ordinaire ; benedictus, sanctus...** *Prières des grandes et petites heures*. Prières en l'honneur de la Vierge, des saints.* ⇒ **Litanie**(s). *Prières d'une cérémonie, d'un office*, d'une consécration, d'un exorcisme... La prière des agonisants* (cit. 3), *des morts.* ⇒ **Mémento** (→ Fossoyeur, cit. 1 ; mesurer, cit. 14). *Livres de prières.* ⇒ **Bréviaire, diurnal, heure**(s), **missel.** *Mots hébreux figurant dans certaines prières.* ⇒ **Amen, hosanna.** — *Les prières de l'Islam* (cit. 2 ; et → Génuflexion, cit. 3 ; orienter, cit. 5). *Muezzin lançant l'appel* (cit. 6) *à la prière.* — Loc. *Moulin* à prières.* — Par ext. Office* ou suite d'offices où l'on récite les prières. *Aller, se rendre à la prière* (→ Dignitaire, cit.). *La cloche de la prière* (→ 3. Gaillard, cit. Chateaubriand). *Prières générales* (→ 1. Être, cit. 14), *publiques* (→ Météorologiste, cit. 1), *de quarante* heures* (→ Exalter, cit. 17), *de trois jours.* ⇒ **Triduum.** *Prières publiques aux dieux antiques.* ⇒ **Obsécration.**

Je ne perds un moment des prières divines : 7
Dès la pointe du jour je m'en vais à Matines,
J'ai mon bréviaire au poing, je chante quelquefois,
Mais c'est bien rarement, car j'ai mauvaise voix;
Le devoir du service en rien je n'abandonne,
Je suis à Prime, à Sexte et à Tierce et à Non(n)e.
RONSARD, Disc. des misères de ce temps, « Réponse aux injures et calomnies ».

Tous, ils allaient s'asseoir sur les banquettes de boue séchée, autour de la cour de la maison du cheikh. Puis ils allaient dire leur prière, au coucher du soleil, à l'est du puits, à genoux dans le sable, le corps tourné dans la direction du désert. 7.1
J.-M. G. LE CLÉZIO, Désert, p. 33.

♦ **3.** (V. 1138). Action de prier* (II.) qqn ; demande instante. ⇒ **Adjuration, imploration, instance, supplication.** *Faire, adresser une prière, des prières à qqn. Ne rien obtenir, ni par prières ni par menaces* (→ Après, cit. 55 ; faire, cit. 97). *Entendre, écouter la prière, céder à la prière de qqn* (→ Égard, cit. 5 ; genou, cit. 10). *Sans égards* (cit. 10) *pour mes prières, sourd à mes prières* (→ Grimaud, cit. 1). *« Avant qu'un peu de terre, obtenu par prière... »* (→ Enfermer, cit. 1, Boileau). *Malgré les prières et les importunités* (cit. 4). *« Les premiers pleurs des enfants sont des prières »* (Rousseau). *La prière de Mme du Barry au bourreau* (cit. 2). — (Dans un sens affaibli). ⇒ **Demande, invitation.** *Acquiescer* (cit. 6) *à une prière courtoise.* — **À LA PRIÈRE :** à la demande, à l'invitation. *On l'avait gratifié* (cit. 4), *à la prière du docteur, de béquilles neuves.*

Je n'ai fait aucune prière au ministère, mais j'en fais à l'amitié. Je fais plus de cas de la vertu que des puissances (...) 8
VOLTAIRE, Correspondance, 213, 5 août 1733.

(Ellipt.). **PRIÈRE DE :** vous êtes prié de... *Prière de répondre par retour du courrier.* — (Dans des avis au public, pour l'inviter à faire telle ou telle chose). *Prière de ne pas se pencher à la portière. Fragile, prière de manier l'objet avec précaution* (→ Étiquette, cit. 2). *Prière d'insérer** (→ Papillon, cit. 9). — REM. *Prière d'insérer* forme un composé invariable que la plupart des auteurs font du masculin (cf. A. Billy, R. Kemp, A. Arnoux, R. Le Bidois, *in* Grevisse, § 269). Duhamel et Henriot, par contre, font le mot du féminin.

J'enverrai l'indication des heures à M. B (...) lui-même, avec *prière* de m'avertir de son arrivée. FLAUBERT, Correspondance 419, 23 août 1853. 9

1. PRIEUR, EURE [pʀijœʀ] n. — V. 1175 ; fém., 1390 ; *prior,* v. 1155 ; lat. *prior* « premier de deux, supérieur », spécialisé en lat. ecclésiastique.

♦ **1.** Supérieur, supérieure de certains couvents (dits *prieurés*). *Prieur, père prieur* (→ Honneur, cit. 108 ; marri, cit. 2). *Prieure, mère prieure* (→ 1. Mère, cit. 17 ; nonnette, cit.). *Sous-prieur :* religieux immédiatement au-dessous du prieur. *Grand prieur,* se disait de celui qui avait la première dignité après l'abbé titulaire, dans certaines abbayes; spécialt dans l'ordre de Malte, chevalier revêtu d'un bénéfice de l'Ordre (dit *Grand Prieuré*).

1 *(Saint)* Dunstan fonda un petit prieuré (...) et lui donna le nom de prieuré de la Montagne (...) En l'année 1689, le 15 juillet au soir, l'abbé de Kerkabon, prieur de Notre-Dame de la Montagne, se promenait sur le bord de la mer (...) Le prieur (...) était un très bon ecclésiastique, aimé de ses voisins (...) Ce qui lui avait donné surtout une grande considération, c'est qu'il était le seul bénéficier du pays qu'on ne fût pas obligé de porter dans son lit quand il avait soupé avec ses confrères.
VOLTAIRE, l'Ingénu, I.

2 La prieure est élue pour trois ans par les mères, qu'on appelle *mères vocales* parce qu'elles ont voix au chapitre. Une prieure ne peut être réélue que deux fois, ce qui fixe à neuf ans le plus long règne possible d'une prieure.
HUGO, les Misérables, II, VI, II.

♦ **2.** (1690). Hist. Titre que portaient de hauts magistrats dans certaines républiques italiennes.

DÉR. Prieural, prieuré, priorat.
COMP. Sous-prieur.
HOM. 2. **Prieur.**

2. PRIEUR, EUSE [pʀijœʀ, øz] n. — 1486; de *prier.*

♦ **1.** N. m. Vx. Personne qui annonçait les funérailles. — (1695). *Prieur au deuil.*

♦ **2.** N. f. Régional (Suisse). Femme qui ouvre le cortège d'un enterrement.

Les deux prieuses avançaient sans trop de peine, habituées mieux que lui au verglas.
Corinna BILLE, le Sabot de Vénus, p. 100.

HOM. 1. **Prieur.**

PRIEURAL, ALE, AUX [pʀijœʀal, o] adj. — 1694, *prioral,* en moy. franç.; de 1. *prieur.*

♦ Didact. Du prieur; d'un prieuré. — (1869). *Chambre prieurale,* nom de certaines commanderies de l'ordre de Malte.

PRIEURE [pʀijœʀ] n. f. ⇒ 1. **Prieur.**

PRIEURÉ [pʀijœʀe] n. m. — XIVe; *prioret,* v. 1190; de 1. *prieur.*

♦ **1.** Couvent dirigé par un prieur, une prieure. ⇒ **Abbaye** (→ Évasion, cit. 2). *Bénéfice d'un prieuré.* — Église de ce couvent; maison du prieur.

Le Bouthillier possédait, près du parc de Chambord, un prieuré de l'ordre de Grammont. Ce prieuré était desservi par sept ou huit religieux.
CHATEAUBRIAND, Vie de Rancé, p. 67.

♦ **2.** (1690). Rare. Dignité de prieur(e).

PRIMA DONNA [pʀimadɔ(n)na] n. f. — 1823, cit. 1; mots italiens, «première dame».

♦ Première et principale chanteuse d'un opéra. — Principale cantatrice d'un théâtre lyrique. — Plur. ital. *Des prime donne* [prime dɔ(n)ne]; ou plur. invar. *Des prima donna.*

1 Où trouver une *prima donna* d'une poitrine assez robuste pour chanter un grand air à roulades à la fin d'une pièce aussi fatigante?
STENDHAL, Vie de Rossini, 1823, III, p. 104.

2 Tout à coup des applaudissements à faire crouler la salle accueillirent l'entrée en scène de la *prima donna.*
BALZAC, Sarrasine, Pl., t. VI, p. 95.

1. PRIMAGE [pʀimaʒ] n. m. — 1730; de 2. *prime* ou 2. *primer.*

♦ **1.** Vx. Prime d'assurance.

♦ **2.** (1783). Mod. Le fait d'accorder une prime. — Spécialt. (Dr. mar.). Bonification accordée sur le fret au capitaine d'un navire.

HOM. 2. **Primage.**

2. PRIMAGE [pʀimaʒ] n. m. — 1904, Larousse; dér. de *primer* (1840), vx, «projeter par la cheminée l'eau que la vapeur a entraînée», de l'angl. *to prime,* d'après l'angl. *primage.*

♦ Techn. Entraînement de gouttelettes d'eau par la vapeur, dans un bouilleur, un appareil de distillation...

HOM. 1. **Primage.**

PRIMAIRE [pʀimɛʀ] adj. et n. — 1789, *assemblée primaire;* du lat. *primarius.* → Premier.

A. ♦ **1.** Qui est du premier degré, en commençant. *Assemblée primaire :* électeurs du premier degré dans une élection au suffrage indirect. *Électeurs primaires* (→ Imposer, cit. 51). — (1791). *Enseignement primaire,* et, n. m., *le primaire.* ⇒ **Enseignement.** *École primaire, primaire supérieure, normale primaire.* ⇒ **École** (→ Instituteur, cit. 4 et 5). *Inspecteur, inspection primaire* (→ Néophyte, cit. 4).

(Angl. *primary*). **a** (Aux États-Unis). *Élections primaires,* et, n. f., *les primaires :* élections à l'intérieur d'un parti, désignant les candidats à une élection (notamment à l'élection présidentielle).

b (Dans un pays non anglo-saxon). Abusif. Premier tour de scrutin.

La France, qui en est à faire l'apprentissage du régime présidentiel, semble s'intéresser plus qu'autrefois aux institutions américaines. Il faut se féliciter de ce progrès tout en rectifiant les assimilations hâtives et les confusions qu'il peut entraîner. C'est ainsi que le mot «primaires» semble avoir acquis depuis quelques mois droit de cité dans le vocabulaire politique de la Ve République (...) L'ennui, c'est qu'il n'y a rien de commun entre une «élection primaire» de style américain et un premier tour de scrutin. 0.1
LE MONDE, «Primaires» franglaises, 17 déc. 1972.

♦ **2.** (Déb. XXe; 1906, L. Daudet, *les Primaires,* et adj., *in* D. D. L.). Se dit d'un état d'esprit dogmatique et borné (que certains reprochent à l'enseignement primaire). *Il est primaire, un peu primaire.* ⇒ **Simpliste.** *Anticommunisme* primaire.* — N. *C'est un primaire.*

Il faut bien voir aujourd'hui que le primaire n'est pas tout (...) dans le primaire. Il s'en faut (...) Il faut prendre garde que c'est sans aucun doute dans le supérieur aujourd'hui qu'il y a le plus de primaire, de contamination primaire, de domination primaire. Ch. PÉGUY, Notre jeunesse, p. 43 (cf. aussi Parasiter, cit. 1). 1

Quand on lit un ouvrage, la tête ne doit pas fonctionner ou alors c'est qu'on est un primaire ou un bourgeois, deux espèces également méprisables aux yeux d'un bourgeois. 2
M. AYMÉ, le Confort intellectuel, p. 70.

♦ **3.** Dr. *Délinquant primaire,* qui n'a pas subi de condamnation antérieure. — N. *Un, une primaire :* un(e) délinquant(e) primaire (opposé à *récidiviste*).

Je me sens un peu primaire, devant ces filles *(les autres détenues).* Leur montrer que je suis au coup, en faisant savamment mon grabat, d'abord. Une primaire, même si elle est femme de chambre dans le civil, s'en tirera moins bien qu'une récidiviste à qui l'on fait dehors sa couverture chaque soir (...) 3
A. SARRAZIN, la Cavale, p. 12.

B. Qui vient en premier. ♦ **1.** Qui est, qui vient en premier (dans un ordre temporel ou sériel). ⇒ **Premier, primitif.** — (1845). (1795 en angl., Hutton). Vieilli. (Géol.). *Terrains primaires,* les plus anciens (on disait auparavant *primitifs*), comprenant les terrains du précambrien et de l'ère primaire entendue au sens actuel. — (Déb. XXe). Mod. *Ère* (cit. 8) *primaire,* et, n. m., *le primaire :* ère géologique (environ 300 millions d'années) qui succède au précambrien et comprend essentiellement le cambrien*, le silurien* (ou gothlandien), le dévonien*, le carbonifère* et le permien*. ⇒ **Paléozoïque** (→ Fossile, cit. 2). — Qui appartient à cette époque. *Sédiments d'origine primaire* (→ Détritique, cit.). *Grès primaires* (→ Gîte, cit. 9).

Chim. Se dit, dans la formule d'un composé organique, d'un atome de carbone qui ne présente qu'une seule liaison avec un autre atome de carbone. — *Structure primaire* (d'une protéine).

(XXe). Phys. Se dit du circuit d'entrée, dans une bobine d'induction, un transformateur. *Enroulement primaire.* — N. m. *Les variations de courant dans le primaire engendrent une force électromagnétique induite dans le secondaire.* — *Source primaire d'énergie,* produisant elle-même l'énergie rayonnée. — *Couleurs primaires,* et, n. f., *les trois primaires :* couleurs définies par leur chromaticité et leur unité lumineuse, et servant de base à un système de spécification de couleurs. — *Rayons cosmiques primaires.* — Techn. *Énergie primaire,* provenant des centrales hydrauliques (transformation directe d'énergie mécanique en énergie électrique).

Méd. *Accidents* (ou *lésions*) *primaires,* qui apparaissent en premier lieu dans certaines maladies. *Le chancre*, accident primaire de la syphilis.* — Psychol. *État primaire :* sensation.

(1945). Caractér. Se dit du premier retentissement* des représentations. *Fonction primaire de la représentation :* «les effets produits par la représentation *(d'un objet)* pendant qu'*(il)* occupe la conscience claire» (Le Senne). — Par ext. Se dit des personnes chez qui la fonction primaire est dominante. ⇒ **Primarité.** — N. *Le nerveux* (cit. 13) *est un primaire.*

♦ **2.** (V. 1975). Didact. Se dit d'une revue scientifique qui (par opposition aux revues de vulgarisation) ne présente que des résultats inédits de recherche. *Une publication primaire.*

♦ **3.** (V. 1950). Écon., sociol. Se dit des activités productrices de matières non transformées : agriculture, chasse, pêche, exploitation des forêts... (et industries extractives simples). — S'oppose à *secondaire* (cit. 3) et à *tertiaire. Secteur, activités primaires.* — N. m. *Le primaire diminue d'importance relative dans les pays développés.*

♦ **4.** Philos. *Qualités primaires de la matière* (étendue et mouvement, résistance...). — Log. *Divisions primaires,* celles qui ont l'extension la plus grande (dans l'analyse, elles viennent en premier) ou la plus petite (dans la synthèse).

DÉR. Primarisme, primarité.

PRIMARISME [pʀimaʀism] n. m. — XXe (1938, *in* D. D. L.; 1900 [?], in *Lexis*); de *primaire,* et *-isme.*

♦ Littér. Caractère (d'une personne, d'une pensée) primaire (A., 2.); dogmatisme borné.

(...) cette sévérité *(de Léon-Paul Fargue)* s'étendait, chez lui, à toute la politique, avec une nuance d'aggravation devant la politique de gauche, car il est bien évi-

dent que les plates âneries débitées par les royalistes ne sauraient être assimilées au primarisme du socialiste.
Francis JOURDAIN, Sans remords ni rancune, p. 80-81.

PRIMARITÉ [pʀimaʀite] n. f. — Mil. xxe (1946, Mounier, *Traité de caractérologie*); de *primaire.*

♦ Caractér. Modalité du retentissement* dans laquelle prédominent les réactions immédiates, mais superficielles et éphémères. ⇒ **Primaire** (fonction). « *La primarité est en corrélation assez étroite avec l'extraversion, la secondarité avec l'introversion* (Jung) » (H. Aubin, *in* Porot, 1975, art. *Retentissement*).

CONTR. Secondarité.

1. PRIMAT [pʀima] n. m. — V. 1155; lat. ecclés. *primas, -atis* « qui est au premier rang », de *primus* « premier ».

♦ Archevêque, prélat ayant la prééminence sur plusieurs archevêchés et évêchés. *Le titre de primat est devenu purement honorifique. L'archevêque de Lyon est primat des Gaules lyonnaises.*

DÉR. Primatial, primatie.
HOM. 2. **Primat.**

2. PRIMAT [pʀima] n. m. — xxe (1927, Benda); empr. all. *Primat.* Cf. *Le primat de la raison pratique* (Kant), *de la volonté* (Schopenhauer).
Didactique.

♦ **1.** (Philos.). Primauté (→ Individu, cit. 16; interrogation, cit. 2). *Le primat de l'instinct, de l'intuition* (→ Opposition, cit. 3).

1 Descartes retrouve dans la métaphysique l'inspiration maîtresse de la méthode, le primat d'une intuition qui n'a rien de mystique (...)
Léon BRUNSCHWICG, Descartes, p. 34.

♦ **2.** Primauté, caractère prépondérant, primordial.

2 Cette maîtrise accordée à l'homme, les romantiques la reconnaissent-ils? Comme, en psychologie, nous acceptons dans maints domaines le primat de l'inconscient, le romantisme accepte un primat de l'admiration, grandie et non diminuée par une irrationalité supposée.
MALRAUX, l'Homme précaire et la Littérature, p. 285-286.

HOM. 1. **Primat.**

PRIMATE [pʀimat] n. m. — 1823; au plur., 1793, *les primates*, trad. de Linné, *in* D. D. L.; lat. *primas, -atis* « qui est au premier rang », employé dans ce sens par Linné.

♦ **1.** Zool. Animal de l'ordre des mammifères placentaires, à dentition complète et à main préhensile. *Un Primate* (ou *un primate*). *L'ordre des Primates.* ⇒ **Lémuriens, tarsiens, simiens; hominiens; anthropoïde.**

1 Dans la classe des Mammifères, il *(l'homme)* appartient à l'ordre des *Primates*, dont le nom témoigne la prééminence organique, et qui comprend les animaux comme lui plantigrades, possédant cinq doigts et cinq orteils, trois sortes de dents, deux mamelles pectorales, et des hémisphères cérébraux bien développés.
Jean ROSTAND, l'Homme, I.

2 Quand on a beaucoup médité sur l'homme, par métier ou par vocation, il arrive qu'on éprouve de la nostalgie pour les primates. Ils n'ont pas, eux, d'arrière-pensées.
CAMUS, la Chute, p. 9.

3 À l'inverse des Rongeurs qui, de manière presque exclusive, saisissent ou palpent d'abord par préhension labio-dentaire, les Primates font intervenir d'abord la main. Cette inversion du rapport main-face pour une série d'actes qui ne sont pas foncièrement différents de ceux qu'effectuent les Rongeurs à main préhensive suffit à isoler les Primates du reste des Mammifères; elle amorce les voies du comportement opératoire de l'homme.
A. LEROI-GOURHAN, le Geste et la Parole, t. II, p. 38.

4 (...) l'Oréopithèque fournit le témoignage, au milieu de l'ère tertiaire, d'un primate à face assez courte et pourvu de longs bras qui assuraient peut-être une station debout transitoire.
A. LEROI-GOURHAN, le Geste et la Parole, t. II, p. 93.

♦ **2.** Fam. Homme grossier, brutal, inintelligent (comparé à un singe). ⇒ **Gorille.** *Ce type est une brute, un vrai primate.*

COMP. Primatologie, primatologue.

PRIMATIAL, ALE, AUX [pʀimasjal, o] adj. et n. f. — 1445; de 1. *primat.*

♦ Relig. Qui appartient ou a rapport à un primat. *Sièges primatiaux. Juridiction primatiale. — Église primatiale,* et, (1607) n. f., *une primatiale. La primatiale Saint-Jean de Lyon.*

PRIMATIE [pʀimasi] n. f. — 1549; *primacie,* xive; de 1. *primat.*

♦ **1.** (1669). Relig. Dignité de primat. *Les pairies, les primaties, la pourpre* (→ Entasser, cit. 7). *La primatie d'Aquitaine.*

♦ **2.** Étendue et siège d'un primat; prééminence du siège épiscopal d'un primat. *L'archevêque de Rouen prétendit soustraire sa métropole* (cit. 1) *à la primatie de Lyon.*

♦ **3.** Fig. (Littér., rare). Primauté (2.), caractère dominant.

(...) une juste royauté, une trois fois légitime primatie (...)
Léon BLOY, le Désespéré, p. 207.

PRIMATOLOGIE [pʀimatɔlɔʒi] n. f. — V. 1960 (*le Nouvel Obs.*, 9 juin 1973); de *primate,* et *-logie.*

♦ Didact. Étude scientifique des Primates. *Primatologie préhistorique :* étude des Primates préhominiens et hominiens.

PRIMATOLOGUE [pʀimatɔlɔg] n. — V. 1960; de *primate,* et *-logue.*

♦ Didact. Spécialiste des Primates. *Les primatologues étudient notamment le comportement des grands singes.* « *Les plus grands primatologues du monde se sont réunis* (...) *pour confronter leurs observations et leurs réflexions sur l'histoire naturelle, les conditions de vie en liberté et en captivité des singes anthropoïdes* » (*Sciences et Avenir,* févr. 1980, p. 68).

PRIMATURE [pʀimatyʀ] n. f. — 1970; mot créé par le président L. S. Senghor; dér. sav. du lat. *primas, -atis* « qui est au premier rang ». → 1. Primat.

♦ Admin. Bureaux du premier ministre, au Sénégal.

PRIMAUTÉ [pʀimote] n. f. — 1564; sens religieux, xiiie; dér. sav. du lat. *primus* « premier », d'après *royauté.*

♦ **1.** Caractère, situation de ce qui est premier, vient au premier rang. ⇒ **Prédominance, prééminence, prépondérance, supériorité, suprématie.** « *La primauté de leur état* (des rois) » (Bossuet). — Spécialt. Autorité suprême, en matière religieuse, spirituelle. *Primauté du pape* (cit. 2).

♦ **2.** Supériorité de fait. *Primauté de la force* (cit. 46) *sur le droit. Donner la primauté à une idée.* ⇒ 2. **Primat.**

Quand un peuple devient le premier dans la politique et dans la guerre, ses voisins imitent, de près ou de loin, les institutions qui lui ont donné la primauté.
TAINE, Philosophie de l'art, t. II, p. 189.

CONTR. Infériorité.

1. PRIME [pʀim] adj. et n. f. — 1119, *prime lune;* a remplacé l'anc. adj. *prin* (→ Printemps); de *primus* « premier ».

★ **I.** Adj. ♦ **1.** (xiiie). Vx ou littér. Premier.

Mortel, ange ET démon, autant dire Rimbaud, 1
Tu mérites la prime place en ce mien livre.
VERLAINE, Dédicaces, LVI.

(...) aussi maints jeunes hommes nés avec de vieux estomacs, répugnent aux nourritures nouvelles et préfèrent se désoler si les mots remâchés qu'ils recherchent n'ont plus de ces qualités nutritives qu'on leur trouvait au temps de leur prime verdeur. 2
GIDE, Nouveaux prétextes, p. 56.

Loc. (1662). Littér. ou iron. *La prime jeunesse, la prime enfance :* le début de la vie. *Il n'est plus dans sa prime jeunesse.* — (Déb. xviie). *De prime abord** (cit. 9; → aussi Instinct, cit. 34; intuitif, cit. 4). — Vx. *De prime saut :* du premier coup* (→ Évolution, cit. 16). ⇒ **Prime-saut, primesautier.**

♦ **2.** (xixe). Math. Se dit d'un symbole (lettre...) qui est affecté d'un seul signe (en forme d'accent*). *A, A prime (A')...*

★ **II.** N. f. ♦ **1.** (Fin xie). Première heure canoniale, qui commence à 6 heures du matin. *Chanter, dire prime.* — Astron. anc., astrol. Première apparition d'un astre.

♦ **2.** (1690). Escr. Première position de l'épée et de l'escrimeur. *Garde de prime, ligne* d'engagement de prime* (l'épée la pointe en bas, la main à hauteur du visage).

♦ **3.** Comm. Laine de première qualité.

♦ **4.** (1545; du sens I., 1., « premier »). Jeux. (Vx). Ancien jeu de cartes où l'on ne distribuait que quatre cartes, et où le joueur qui obtenait quatre cartes de couleurs différentes avait gagné. — Loc. *Avoir prime :* avoir les quatre cartes.
Grande, petite prime (cf. Grand, petit chelem). — Loc. fig. *Tirer sur jeu à petite prime* (Mme de Sévigné, *in* Littré) : attendre longtemps.

DÉR. 1. **Primer, primeur.**
COMP. Primerose, primesaut.
HOM. 2. **Prime,** 3. **prime,** formes des v. 1. **primer,** 2. **primer.**

2. PRIME [pʀim] n. f. — 1620; empr. angl. *premium* (prononcé [primjəm]), lui-même du lat. *præmium* « prix, récompense ».

♦ **1.** Somme que l'assuré doit payer à l'assureur (opposé à *cotisation,* terme employé dans les sociétés mutualistes). *Prime d'assurance.* ⇒ aussi **Bonus, malus.**

Il avait contracté trois ou quatre assurances sur le même objet et s'épuisait à payer les primes. 1
G. DUHAMEL, Salavin, III, III.

Dr. mar. *Prime de grosse* (ou *profit maritime*) : intérêt payé par l'emprunteur dans le prêt à la grosse aventure*.

♦ **2.** (1751). Somme d'argent ou don alloué à titre d'encouragement, d'aide ou de récompense. *Donner, octroyer une prime, une forte prime à qqn* (→ Jouissance, cit. 3). *Primes allouées dans un concours agricole, industriel.* — Sommes allouées par l'État, les collectivités publiques, pour encourager une activité. *Prime à l'exportation* (cit. 3), *à la construction. Aide sous forme de primes, de subventions... Prime à la navigation.*

(1875). Forme de rémunération destinée à couvrir des frais (*prime de transport, de déménagement...*) ou à récompenser, à intéresser le personnel *(prime d'entreprise, de rendement...).* ⇒ aussi **Gratification, guelte.** *Prime et salaire fixe.* ⇒ **Gain, rémunération** (→ Ouvrier, cit. 12; pécule, cit. 2). *Prime accordée à un commissionnaire* (⇒ **Commission, ducroire**), *à un courtier* (⇒ **Courtage**).

2 (...) Roubaud calculait que, si Pecqueux, le mari, avait apporté ses deux mille huit cents francs de chauffeur, tant pour les primes que pour le fixe, au lieu de nocer aux deux bouts de la ligne, le ménage aurait réuni plus de quatre mille francs, le double de ce que lui, sous-chef de gare, gagnait au Havre.
ZOLA, la Bête humaine, I.

Fig. *En prime :* en plus, par surcroît (→ Place, cit. 25).

2.1 Alors, tu ne sais pas ton bonheur. Une vie de bagnard t'est évitée. Tu as ta place au ciel retenue d'avance et tu auras droit à la considération des hommes, en prime.
J. ANOUILH, Ornifle, p. 168.

♦ **3.** (1869). Objet remis à titre gratuit ou remise faite à un acheteur. *Les ventes avec primes ne sont autorisées que lorsque la prime consiste en menus objets publicitaires de faible valeur, ou en un escompte. Prime à tout acheteur. Timbre-prime.*

3 (...) au mur (...) une grande photo d'école de Bébert, avec son tablier, un béret et la croix. C'était un « agrandissement » qu'elle avait eu en prime avec du café.
CÉLINE, Voyage au bout de la nuit, p. 315.

♦ **4.** (1820). Fig. Encouragement (souvent à une chose considérée mauvaise). ⇒ **Récompense.** *C'est une prime à la paresse.*

4 Faire la charité, selon l'expression vulgaire, me parut souvent être une espèce de prime donnée au crime. BALZAC, Mme de La Chanterie, Pl., t. VII, p. 288.

♦ **5.** (1730). Bourse. Somme payée par une partie en cas de résiliation d'un marché. *Action émise à prime.* — (1835). *Marché** (*infra* cit. 17) *à prime, à double prime.* ⇒ **Stellage.**

Somme à payer en plus du capital nominal d'une action que l'on souscrit. *Prime d'émission. Action émise à prime. Prime de remboursement :* somme payée en plus du capital fourni (différence entre la valeur nominale et le prix d'émission).

Loc. (1798). *Faire prime :* augmenter de valeur (en parlant d'un titre en bourse). — Fig. [a] Augmenter de valeur; apporter un avantage. *Le mensonge opportun* (cit. 2) *fait prime.*

[b] Être très recherché. *Cet ouvrage fait prime sur le marché.*

5 Le *Vingtras* est en hausse (...) Partout, je fais prime. Je suis devenu un grand homme chez Joly. J. VALLÈS, le Bachelier, XXII.

6 (...) c'est toujours le faux qui fait prime et prend le pas sur la vérité, pour peu qu'on y prête la main, ou seulement qu'on abandonne.
GIDE, Journal, 14 déc. 1933.

CONTR. Châtiment, punition.
DÉR. 1. **Primage,** 2. **primer.**
COMP. Surprime.
HOM. 1. **Prime,** 3. **prime,** formes des v. 1. **primer,** 2. **primer.**

3. PRIME [pRim] n. f. — XVIIe, altér. de *prisme;* var. de *presme,* XIVe, du lat. *prasinus* « variété de quartz agate », de l'adj. *prasinus* « vert tendre comme le poireau ».

♦ Minér. Cristal de roche coloré qui ressemble à une pierre précieuse. *Prime d'émeraude* (vert), *de topaze* (jaune), *de rubis* (rouge)...

HOM. 1. **Prime,** 2. **prime,** formes des v. 1. **primer,** 2. **primer.**

PRIMÉ, ÉE [pRime] p. p. adj. ⇒ 2. Primer.

1. PRIMER [pRime] v. — XVIe; attestation isolée, XIIe, « goûter le premier à »; de 1. *prime.*

♦ **1.** Vieilli. [a] V. intr. Tenir, occuper la première place, le premier rang; avoir l'avantage sur les autres. ⇒ **Dominer** (→ Improvisation, cit. 2; incompatible, cit. 4). *Primer sur ses concurrents.* ⇒ **Gagner; emporter** (l'). « *Il veut toujours primer* » (Académie).

1 Quiconque prime en quelque chose est toujours sûr d'être recherché.
ROUSSEAU, les Confessions, VII.

2 Il y a des hommes qui ont besoin de primer, de s'élever au-dessus des autres, à quelque prix que ce puisse être. Tout leur est égal, pourvu qu'ils soient en évidence; sur des trétaux de charlatan, sur un théâtre, sur un trône, sur un échafaud, ils seront toujours bien, s'ils attirent les yeux.
CHAMFORT, Maximes, « Sur les sentiments », XII.

3 Habituée à primer, ayant toujours été obéie (...)
BALZAC, le Contrat de mariage, Pl., t. III, p. 98.

[b] V. tr. (1665). ⇒ **Devancer, surpasser** (→ Familièrement, cit.). « *La France est primée en industrie, en commerce (...) par l'Angleterre* » (Balzac, *Modeste Mignon,* t. I, p. 530).

4 Son importance ne fut plus primée à Sancerre que par celle du plus riche propriétaire foncier de France dont il se faisait le rival.
BALZAC, la Muse du département, Pl., t. IV, p. 193.

Pour les pairs de France, avoir le pas sur les princes étrangers, précéder les grands d'Espagne, primer les patrices de Venise (...) c'était la grosse affaire. 5
HUGO, l'Homme qui rit, II, VIII, II.

♦ **2.** (XIXe). Mod. (Abstrait). L'emporter. [a] V. tr. « *La forme voulant primer le fond* » (→ Chicane, cit. 6). *L'idée chez lui primait tout le reste* (→ Degré, cit. 29). *Leurs obligations mondaines* (cit. 6) *priment la mort d'un ami. Des hommes où l'idée religieuse (...) prime tous les intérêts* (→ Mouler, cit. 5). — Prov. *La force prime le droit* (3. Droit, cit. 36).

[b] Intrans. (ou absolt). « *En eux, l'intelligence prime* » (→ Extérioriser, cit. 2).

CONTR. Céder (le pas).
HOM. 2. **Primer.**

2. PRIMER [pRime] v. tr. — 1853; de l'anc. franç. *premier* « récompenser », dér. du lat. *præmium;* de 2. *prime.*

♦ Gratifier d'une prime; récompenser par une prime. *Primer un animal.* — Plus cour. au passif et au p. p. *Animaux primés à un concours agricole. Construction primée,* bénéficiant de primes.

DÉR. 1. **Primage.**
HOM. 1. **Primer.**

PRIMEROSE [pRimRoz] n. f. — 1845; « primevère », v. 1175; comp. de *prime,* fém. de *prin* (→ 1. Prime), et *rose.*

♦ **1.** Rose trémière (alcée ou guimauve* rose). ⇒ **Passerose.**

♦ **2.** Chim. *Primerose soluble.* ⇒ **Érythrosine.**

PRIME-SAUT ou PRIMESAUT [pRimso] n. m. — 1841, Balzac, de la loc. *de prime-saut* « d'un bond » (v. 1462); réfection de *de prinsaut* (v. 1160), de *prin* (→ 1. Prime), et *saut.*

♦ Vieilli ou littér. Première impulsion, action spontanée. *Les héros impétueux, les génies de primesaut* (→ Panthéon, cit. 2). *Une de ces lettres que le primesaut vous dicte* (→ Galoper, cit. 5).

Quand il s'agissait de leur maîtresse, les deux frères avaient de ces admirables prime-sauts du cœur en harmonie avec l'action (...) 1
BALZAC, Une ténébreuse affaire, t. VII, p. 550.

Rare. *En prime-saut.*

Il couvait un cafard monstre. Moi aussi je craignais le pire car Robert était un instable, un garçon tout en prime-saut, capable d'un geste héroïque ou de désespoir. B. CENDRARS, la Main coupée, *in* Œ. compl., t. X, p. 26. 2

DÉR. V. **Primesautier.**

PRIMESAUTIER, IÈRE [pRimsotje, jɛR] adj. — 1751, Voltaire; *primesauter,* déb. XIVe; réfect. de *prinsaltier* (v. 1130), *prinsautier* (XIIIe); de *prinsault.* → Primesaut.

♦ Qui se détermine, agit, parle spontanément. ⇒ **Impulsif, spontané, vif.** *Enfant primesautier. — Esprit primesautier. Intelligence primesautière.* — Par ext. *Réponse franche et primesautière. Mouvement primesautier.* « *Le tout venant primesautier* » (→ Ficher, cit. 17).

(...) j'ai un esprit prim*(e)*sautier. Ce que je ne vois de la première charge, je le vois moins en m'y obstinant. MONTAIGNE, Essais, II, X. 1

Le *génie* (...) part d'un point et s'élance vers le but (...) il est rare qu'il suive la chaîne des conséquences; il est *primesautier,* pour me servir de l'expression de Montaigne. Encycl. (DIDEROT), art. *Génie* (1757). 2

(...) Jean les aimait bien tous les deux, la maman et le grand-père : dans son petit cœur primesautier, inégal, oublieux par instants, ils avaient une place un peu cachée, mais sûre et profonde. LOTI, Matelot, II. 3

Je m'étais donc spécialisé dans l'étude des soi-disant « maladies » de la volonté et, plus particulièrement, des troubles nerveux (...) Cette étude (...) par tout ce qu'elle offre de brillant et de vaste à une intelligence primesautière et clairvoyante, pouvait seule séduire un caractère aussi ambitieux et intéressé que le mien (...) 4
B. CENDRARS, Moravagine, *in* Œ. compl., t. IV, p. 61.

(Actes, comportements). *Une réponse franche et primesautière. Un mouvement primesautier.*

N. (Rare). « *Ce naturel, ce montant* (cit. 3), *ce primesautier...* » ⇒ **Spontanéité.**

PRIMEUR [pRimœR] n. f. — 1200, *primor* « commencement »; *en la primur,* v. 1160; *dans la primeur, sa primeur,* 1670; de 1. *prime.*

♦ **1.** Caractère de ce qui est tout nouveau, de ce qui vient d'être fait, d'apparaître... ⇒ **Nouveauté; commencement; premier.** [a] Vieilli. *Dans la primeur. Vin dans sa primeur,* tout jeune (seul emploi du mot donné par Furetière et Trévoux). *Des légumes, des fruits dans la primeur, dans leur primeur,* tout au début de la récolte normale de ces fruits, de ces légumes.

Par exemple, vous donnez à dîner dans la première primeur de toutes choses, au mois de février; l'idée vous vient d'avoir des petits pois sur votre table (...) 1
STENDHAL, Romans et nouvelles, « Féder », VI.

[b] Mod. **DE PRIMEUR :** avant la récolte normale. *Fruits et légumes de primeur* (→ ci-dessous, 2.). *Fraises, petits pois de primeur.*

c Plus cour. *Avoir la primeur de (qqch.)* : être le premier à recevoir (qqch.), à bénéficier de (qqch.). — *« Une étoffe inédite (...) dont la primeur appartenait à... »* (→ Mousseline, cit. 2).

(En parlant d'une nouvelle, d'une information). *« Les nouveaux contes (...) dont ces dames avaient la primeur »* (Marmontel, *in* Littré). ⇒ **Étrenne.** *Avoir, donner la primeur d'un récit, d'un ouvrage, d'une nouvelle.*

2 (...) sa jeune compagne recevait en son particulier chez elle, une bonne heure auparavant, la plupart de ses habitués, et (...) elle prenait ainsi pour elle seule la primeur des conversations. SAINTE-BEUVE, Causeries du lundi, 20 mai 1850.

2.1 Et maintenant, après avoir assisté tous deux à l'engagement des Russes et des Tartares devant la ville, après avoir quitté Kolyvan au moment où la lutte se livrait dans ses rues, ils étaient accourus à la station télégraphique, afin de lancer à l'Europe leurs dépêches rivales et de s'enlever l'un à l'autre la primeur des événements. J. VERNE, Michel Strogoff, p. 254.

♦ **2.** (1749). Au plur. Fruit, légume qui est à maturité avant ceux de son espèce. ⇒ **Précoce; hâtif, hâtiveau.** *Savourer toutes les primeurs à leur date* (→ Gobichonner, cit. Balzac). — Spécialt. Fruits et surtout légumes* que l'on peut consommer avant la saison normale de leur espèce, qu'ils aient été obtenus par forçage* ou cultivés dans des conditions plus favorables et transportés rapidement. *Marchand de primeurs.* ⇒ **Primeuriste.**

3 Castanier était gourmand, il eut une excellente cuisinière; et, pour lui plaire, Aquilina le régalait de primeurs, de raretés gastronomiques, de vins choisis qu'elle allait acheter elle-même. BALZAC, Melmoth réconcilié, Pl., t. IX, p. 282.

En appos. *Beaujolais primeur.* ⇒ **Nouveau.**

♦ **3.** (1842, Paul de Kock). Fig. Chose nouvelle.

4 Je ne veux point les dernières découvertes; cela ne cultive point; cela n'est pas mûr pour la méditation humaine. La culture générale refuse les primeurs et les nouveautés. Je vois que nos amateurs se jettent sur la dernière idée comme la plus jeune symphonie. Votre boussole, mes amis, sera bientôt folle. ALAIN, Propos, 18 mai 1921, Une bibliothèque.

♦ **4.** (1829). Fam., vx. Jeune fille vierge.

DÉR. Primeuriste.

PRIMEURISTE [pʀimœʀist] n. — 1872; de *primeur* (2.).

♦ Agric., comm. Cultivateur de primeurs. ⇒ **Horticulteur.** — Personne qui fait le commerce des primeurs. *Une primeuriste.*

PRIMEVÈRE [pʀimvɛʀ] n. f. — 1573; *primevoire,* XIIe, emploi fig. de *primevoire (-vère),* n. m., « printemps », du lat. pop. *prima vera* « premier printemps »; lat. class. *primum ver.*

♦ Plante herbacée, à souche vivace *(Primulacées),* à fleurs de teintes variées (jaune à l'état naturel, violet, blanc, etc.) qui éclosent au printemps (→ Bois, cit. 6; marché, cit. 23). → Bouquet* de lait (régional). *Primevère officinale.* ⇒ **Coucou.** *Une variété de primevère* (primula auricula) *est appelée* oreille d'ours. *Cueillir des primevères. Primevères cultivées.* — Fleur de cette plante. *Bouquet de primevères.*

(...) ses fleurs *(de la forêt)* encore pâles (...) ses primevères aux hampes droites et cassantes, d'un vert d'amande exquisement décoloré. M. GENEVOIX, Forêt voisine, IV.

PRIMI- ⇒ **Primo-.**

PRIMICIER [pʀimisje] n. m. — XVIIe; « celui qui porte le premier cierge », 1380; lat. *primicerium,* et réfect. de *princier.*

♦ Relig. Premier dignitaire de certains chapitres. ⇒ **Chanoine.** — On dit aussi *princier* [pʀɛ̃sje].

PRIMIDI [pʀimidi] n. m. — 1793, Fabre d'Églantine; du lat. *primus* « premier », et *dies* « jour ».

♦ Hist. Le premier jour de la décade, dans le calendrier républicain.

PRIMIPARE [pʀimipaʀ] adj. et n. f. — 1814; lat. *primipara,* de *parere* « enfanter ».

♦ Didact. Qui accouche pour la première fois (en parlant d'une femelle de mammifère). *Brebis, génisse, jument primipare. Une primipare.* — Spécialt. *Femme primipare. Elles espérait ne pas demeurer primipare* (→ Grossesse, cit. 2). — Opposé à *nullipare* et à *multipare.*

DÉR. Primiparité.

PRIMIPARITÉ [pʀimipaʀite] n. f. — 1842; de *primipare.*

♦ Didact. État d'une femelle, d'une femme primipare.

PRIMIPILAIRE [pʀimipilɛʀ] ou **PRIMIPILE** [pʀimipil] n. m. — XVIe, attestation isolée, *primipilaire,* repris 1721; *primipile,* XIVe; mot lat., de *primus* « premier », et *pilum* « javelot ».

♦ Hist. rom. Centurion commandant la première centurie d'une cohorte.

PRIMITIF, IVE [pʀimitif, iv] adj. et n. — V. 1310, *primitive yglise* (église); lat. *primitivus* « qui naît le premier », de *primus.*

★ **I.** Adj. ♦ **1.** (V. 1330). Qui est à son origine ou près de son origine. ⇒ **Ancien, archaïque.** *L'Église* (cit. 1) *primitive, la primitive Église* (→ Historiquement, cit.). — REM. Sauf dans cette expression, *primitif* se place presque toujours après le nom. *Le christianisme, le bouddhisme primitif.* — *Le monde primitif,* tel qu'il était à l'origine (dans les cosmogonies). *L'homme primitif,* tel qu'il était à l'apparition de l'espèce. — Vx. *Société primitive,* préhistorique (→ ci-dessous, 4.). *Art primitif; la photographie primitive* (→ Épreuve, cit. 36).

On ne peut nommer plus proprement que « primitives » les premières manifestations d'art connues. L'art primitif débute par conséquent dans l'abstrait et même dans le préfiguratif. A. LEROI-GOURHAN, le Geste et la Parole, t. II, p. 220. 0.1

♦ **2.** Qui est le premier, le plus ancien (→ Efficacité, cit. 5; individu, cit. 22). *Forme primitive, état primitif d'une chose.* ⇒ **Brut, initial, originaire, original** (vx), **originel, premier, primordial** (→ Humain, cit. 10). *Rendre qqch. à sa primitive destination* (→ Maison, cit. 12). *Étoffe qui a perdu sa couleur primitive* (→ Haillon, cit. 2). *Projet primitif* (→ Modifier, cit. 5). *Texte primitif d'une loi.* — Géol. Vx. *Terrains primitifs,* les plus anciens que l'on connaisse. ⇒ **Précambrien;** et aussi **primaire.** — Vx. *Le feu primitif* (→ Granite, cit. 1).

(Phénomènes psychiques). *L'induction* (cit. 2) *a dû être la forme de raisonnement primitive et générale. Passion primitive, innée, antérieure* (cit. 1) *à toute autre. Ses aptitudes* (cit. 7) *foncières, ses instincts primitifs.* — REM. Dans ces emplois, *primitif* a aussi une valeur qualificative (« fondamental, profond... »).

(...) une de ces représentations que nous appelons « réellement primitives », spontanément formées par l'humanité en vertu d'une tendance naturelle (...) 1
H. BERGSON, les Deux Sources de la morale et de la religion, p. 155.

Spontané. *Impressions primitives et fougueuses* (cit. 2).

♦ **3.** Qui est la source, l'origine (d'une autre chose de même nature). ⇒ **Premier.** — Log. *La proposition primitive et ses opposées, ses conséquences. Proposition primitive,* posée et non déduite. ⇒ **Principe.** *Concept primitif,* ou, n. m., *un primitif* : concept indéfinissable.

Math. *Fonction primitive et fonction dérivée.* — N. f. *Les primitives d'une fonction sont les fonctions qui admettent celle-ci pour dérivée.* ⇒ **Intégration.**

Les mathématiques induisent à ne tenir compte que de ce qui est prouvé; tandis que les vérités primitives, celles que le sentiment et le génie saisissent, ne sont pas susceptibles de démonstration. Mme DE STAËL, De l'Allemagne, I, XVIII. 2

(Avec une idée d'antériorité). Ling. *Sens primitif d'un mot,* son sens propre (opposé à *extension,* à *sens figuré*). → Diffusion, cit. 1; fortune, cit. 40; philosophe, cit. 5.

Car les objets qui furent aimés pour eux-mêmes autrefois, sont aimés plus tard comme symboles du passé et détournés alors de leur sens primitif, comme dans la langue poétique les mots pris comme image ne sont plus entendus dans leur sens primitif. PROUST, Jean Santeuil, Pl., p. 723. 2.1

(1550). Vx. *Mot primitif* : radical servant à former dérivés et composés. ⇒ **Racine.** — *Temps* primitifs d'un verbe,* à partir desquels sont formés les autres. — *Langue primitive* : langue mère dont d'autres langues sont dérivées (→ Autel, cit. 9).

L'idée que par la comparaison des langues existantes on aboutirait à la reconstitution d'un idiome primitif est chimérique (...) les langues les plus anciennement connues, les « langues mères » (...) n'ont rien en soi de *primitif.* 3
J. VENDRYES, le Langage, Introd.

(1892). Biol. *Ligne* primitive.*

(1759; sans idée d'antériorité). *Couleurs primitives* : les sept couleurs du spectre*, dont les autres sont formées.

Méd. Se dit d'une lésion, d'un trouble qui peut provoquer d'autres manifestations qui lui succèdent; qui existe en soi, de cause inconnue. ⇒ **Essentiel.** *Myopathie primitive.*

♦ **4.** (V. 1800). Se dit des groupes humains (anciens ou contemporains) qui ignorent l'écriture, les formes sociales et les techniques des sociétés dites « évoluées ». — REM. Les critères d'antériorité et de simplicité appliqués au mot par Durkheim (*Formes élémentaires de la vie religieuse,* p. 1) ne sont plus retenus par la science actuelle. — *Groupe social, peuple primitif, société primitive* (→ Gouvernant, cit. 11; inégalité, cit. 9; littérature, cit. 20 et 24; magicien, cit. 3).

Malgré toutes ses imperfections, et en dépit de critiques méritées, il semble bien que, faute d'un meilleur terme, celui de « primitif » ait définitivement pris place dans le vocabulaire ethnologique et sociologique contemporain (...) Nous savons que « primitif » désigne un vaste ensemble de populations, restées ignorantes de l'écriture (...) touchées, à une date récente seulement, par l'expansion de la civilisation mécanique : donc étrangères par la structure sociale et leur conception du monde à des notions que l'économie et la philosophie politiques considèrent comme fondamentales quand il s'agit de notre propre société (...) Certes, le terme de « primitif » semble définitivement à l'abri des confusions impliquées par son sens étymologique et entretenues par un évolutionnisme périmé. Un peuple primitif n'est pas un peuple arriéré ou attardé (...) Un peuple primitif n'est pas davantage un peuple sans histoire (...) 4
Claude LÉVI-STRAUSS, Anthropologie structurale, VI, p. 113-114.

4.1 Le mot *primitif* désigne ici l'état techno-économique des premiers groupes humains, c'est-à-dire l'exploitation du milieu naturel sauvage. Il couvre donc toutes les sociétés préhistoriques antérieures à l'agriculture et à l'élevage et, par extension, celles, très peu nombreuses, qui ont prolongé l'état primitif dans l'histoire jusqu'à nos jours. Les ethnologues ont critiqué depuis longtemps ce terme qui est constamment contredit par les faits sociaux, religieux ou esthétiques et qui a pris de ce fait une coloration péjorative, ils ne l'ont pourtant pas abandonné, faute d'un terme qui désignerait de manière globale les peuples sans écriture, écartés des « grandes civilisations ». Il apparaît toutefois le plus souvent encadré de guillemets. Le sens adopté ici est au contraire précis et fondé puisqu'il fait écarter des primitifs tous les groupes dont l'économie repose sur l'exploitation artificielle du milieu naturel. Il répond par surcroît à des caractéristiques communes et particulières aux groupes exclusivement chasseurs-pêcheurs-cueilleurs.
A. LEROI-GOURHAN, le Geste et la Parole, t. I, p. 306.

Relatif à ces peuples. *La Mentalité primitive,* ouvrage de Lévy-Bruhl. *« Mentalité primitive chez le civilisé »* (in *les Deux Sources de la morale et de la religion,* de Bergson).

♦ **5.** Cour. (Personnes). Qui a les caractères de simplicité, de naïveté ou de grossièreté qu'on attribue aux sociétés, aux institutions naissantes, aux hommes des temps reculés, etc. ⇒ **Grossier, inculte.** *Un homme, un paysan assez primitif; des gens primitifs.* ⇒ **Fruste, naïf, simple** (→ Loin, cit. 19).

5 Dans sa tête primitive et simple, les choses avaient du mal à se former.
ARAGON, les Beaux Quartiers, I, XXII.

(Choses). *Une architecture* (cit. 5) *très primitive.* ⇒ **Élémentaire, rudimentaire.** *Procédé, système primitif* (→ Métier, cit. 12; plot, cit. 1). *Métier primitif* (→ Forgeron, cit.). — Fam. *« Leur installation est bien primitive »* (Académie), sommaire.

6 Malgré la lenteur et la fatigue de ce battage primitif, il avait toujours refusé d'acheter une batteuse à manège (...) ZOLA, la Terre, III, VI.

Spécialt. (Surtout dans l'idéologie du XVIIIe siècle). Qui est proche de l'état de nature, conforme à la nature. ⇒ **Naturel** (→ 2. Devoir, cit. 20, Rousseau). *L'instinct primitif,* opposé aux « passions sociales » (→ Jalousie, cit. 17, Rousseau). *L'homme primitif rêvé par Jean-Jacques* (Rousseau), « le bon sauvage* » (→ Dépraver, cit. 9). *Peuple plus proche de la nature, de la barbarie primitive* (→ Aligner, cit. 4).
Les mœurs primitives. ⇒ **Simple.** *Le charme de la vie primitive* (→ Candeur, cit. 3).

★ **II.** N. (Fin XIXe). ♦ **1.** Personne appartenant à un groupe social « primitif » (I., 4.). → Dieu, cit. 12; fête, cit. 1. *Les primitifs d'Australie.* ⇒ **Aborigène.**
Vx. Homme de la préhistoire (cf. Bergson, qui oppose les *« primitifs d'aujourd'hui ou d'hier »* aux *« vrais primitifs »,* in *les Deux Sources de la morale et de la religion,* p. 142).

♦ **2.** Artiste d'une période antérieure à celle où l'art qu'il cultive atteint sa maturité. *Les primitifs de la sculpture grecque :* les sculpteurs archaïques. — Spécialt. Artiste (et surtout peintre) antérieur à la Renaissance, en Europe occidentale. *Primitifs flamands, italiens, allemands, français* (→ Gemme, cit. 1). ⇒ aussi **Préraphaélite.** *On a comparé les naïfs* aux primitifs. Imitation des primitifs.* ⇒ **Primitivisme.**

CONTR. Contemporain, moderne, récent. — Dérivé, second. — Civilisé, évolué.
DÉR. Primitivement, primitivisme, primitivité.

PRIMITIVEMENT [pʀimitivmɑ̃] adv. — V. 1460; de *primitif.*

♦ À l'origine, initialement. ⇒ **Originairement, originellement** (→ Attaquer, cit. 10; envoi, cit. 3). *Peuples primitivement sauvages* (→ Civilisé, cit. 3). *Donnée primitivement fausse* (→ Paradoxe, cit. 2). *Mot qui signifie primitivement...* ⇒ **Étymologiquement** (→ Atticisme, cit. 1; 2. bien, cit. 69).

PRIMITIVISME [pʀimitivism] n. m. — Av. 1904; de *primitif.*

Didactique.

♦ **1.** Arts. Imitation des primitifs. *Le primitivisme des préraphaélites.*

♦ **2.** Sociol. Caractère, état des sociétés primitives. ⇒ **Barbarie** (2.).

Le problème du primitivisme d'une société est généralement posé par le contraste qu'elle offre avec ses voisins (...) Sa culture est plus pauvre, par l'absence ou l'insuffisance de techniques dont on fait remonter l'usage courant (...) à la période néolithique : habitations permanentes, jardinage, élevage, polissage de la pierre, tissage, poterie (...) Claude LÉVI-STRAUSS, Anthropologie structurale, p. 126.

PRIMITIVITÉ [pʀimitivite] n. f. — Mil. XXe; de *primitif.*

♦ Caractère primitif. *« La furie montante de la primitivité »* (*le Nouvel Obs.,* 2 mars 1981, p. 23). ⇒ **Primitivisme.**

PRIMO [pʀimo] adv. — 1322; mot latin.

♦ (Dans une énumération). D'abord, en premier lieu. ⇒ **Premièrement.** *Primo, secundo, tertio..., ultimo* (→ Capital, cit. 8; édification, cit. 2). — Fam. *Primo et d'une...*

Ils veulent avant tout et à quelque prix que ce soit persuader à tout ce qui les écoute, primo qu'ils ont beaucoup d'argent, secundo qu'ils jouissent de la plus haute considération, tertio qu'ils ont beaucoup d'esprit.
STENDHAL, Romans et Nouvelles, « Le rose et le vert », IV.

PRIMO- Premier élément de mots composés, tiré du lat. *primus* « premier ».

PRIMOGÉNITURE [pʀimoʒenityʀ] n. f. — Fin XVe; lat. *primogenitus* « premier-né, aîné », de *primus,* et *genitus.* → Génération.

♦ Dr. Antériorité, priorité de naissance (⇒ **Aînesse**), entraînant certains droits (transmission des titres de noblesse). → Descendant, cit. 1. — Hist. *Succession par ordre de primogéniture* (→ Ébranler, cit. 30).

PRIMO-INFECTION [pʀimoɛ̃fɛksjɔ̃] n. f. — 1938, Garnier-Delamare, *in* D. D. L.; de *primo-,* et *infection.*

♦ Méd. Infection qui se produit pour la première fois (spécialt, en parlant de la tuberculose). *Primo-infection qui se manifeste par une cuti-réaction positive, par des troubles pathologiques. Des primo-infections.*

PRIMORDIAL, ALE, AUX [pʀimɔʀdjal, o] adj. — 1480; lat. *primordialis,* de *primordium* « commencement », du rad. de *ordiri* « commencer ». → Ourdir.

♦ **1.** Vx ou didact. Qui est le plus ancien et sert d'origine. ⇒ **Premier, primitif** (→ Atome, cit. 7). *Les instincts* (cit. 5) *primordiaux. Penchant primordial* (→ Perversité, cit. 3). — *Reprendre sa position primordiale* (→ Élasticité, cit. 3). — Vx. *Terrains primordiaux,* primitifs. *Les mines primordiales de l'or* (1. Or, cit. 1, Buffon). *Faune primordiale.*

Il ne reste de vous, s'il reste quelque chose, 1
Que l'embryon, peut-être effet, peut-être cause,
Que les rudiments sourds, muets, primordiaux. HUGO, Dieu, II, II.

C'étaient les poissons de la famille Barca. Tous descendaient de ces lottes primor- 2
diales qui avaient fait éclore l'œuf mystique où se cachait la Déesse.
FLAUBERT, Salammbô, I.

Oui, l'homme a le droit primordial d'aller et de venir, de travailler, de penser, de 3
vivre, et de déployer en tout sens la liberté, sans autre limite que la liberté d'autrui.
JAURÈS, Hist. socialiste..., t. I, p. 341.

(1817). Bot. *Feuille primordiale :* petite feuille de la gemmule visible avant la germinaison.

♦ **2.** (XVIe). Qui est de première importance. ⇒ 1. **Capital, essentiel, fondamental, nécessaire, principal.** *Être d'une importance primordiale* (→ Genre, cit. 14; lutéine, cit.). *Cela ne me paraît pas primordial. Il a joué un rôle primordial dans cette affaire.* — REM. Cet emploi, jugé abusif par certains philosophes (Lachelier, *in* Lalande, *Voc. de philosophie*), est devenu courant.

Il *(le volume du cerveau)* joue, lorsque l'humanité est acquise, un rôle décisif 4
dans le développement des sociétés, mais il est certainement, sur le plan de l'évolution stricte, corrélatif de la station verticale et non pas, comme on l'a cru pendant longtemps, primordial. A. LEROI-GOURHAN, le Geste et la Parole, t. I., p. 33.

Qui est essentiel dans un ensemble, qui constitue un fonds indispensable.

DÉR. Primordialement.

PRIMORDIALEMENT [pʀimɔʀdjalmɑ̃] adv. — Fin XVIIe, Saint-Simon; de *primordial.*

Rare.

♦ **1.** Primitivement, à l'origine.

♦ **2.** Essentiellement (→ Primordial, 2.).

PRIMULACÉES [pʀimylase] n. f. pl. — 1809; du lat. sc. *primula* « primevère », de *primulus* « qui commence ».

♦ Bot. Famille de plantes phanérogames angiospermes *(Dicotylédones gamopétales),* comprenant des herbes annuelles ou vivaces des régions tempérées. ⇒ **Androsace, cyclamen, lysimaque, mouron** (anagallis), **primevère, samole, soldanelle.** — Au sing. *Une primulacée.*

(...) jolie primulacée aux fleurs d'un rose pâle (...)
A. BILLY, Sur les bords de la Veule, p. 180.

PRIMULINE [pʀimylin] n. f. — XXe; du lat. *primula* « primevère », et *-ine.*

♦ Chim. Matière colorante jaune extraite de certaines primevères, actuellement obtenue aussi par synthèse, couramment employée en industrie textile.

PRIMUM MOVENS [pʀimɔmmɔvɛ̃s] n. m. — Mots lat., *primum* « premier », et p. prés. de *movere* « mouvoir ».

♦ Didact. Impulsion initiale. *« Le point de départ, le primum movens de cet ensemble de symptômes »* (*Rev. gén. des sc.*, 30 mars 1903, p. 330).

PRIMUM VIVERE, DEINDE PHILOSOPHARI [pʀimɔmviveʀedeindefilɔzɔfaʀi].

♦ Adage latin signifiant « vivre d'abord, philosopher ensuite ».

PRIMUS INTER PARES [pʀimysɛ̃tɛʀpaʀɛs].

♦ Mots latins signifiant « le premier entre ses pairs, ses égaux ». — N. m. *« Le secrétaire général du Parti n'est qu'un* primus inter pares *d'une direction collégiale... »* (*le Nouvel Obs.*, 28 avr. 1981, p. 48).

1. PRIN [pʀɛ̃] n. m. — Av. 1925, *in* F. E. W. ; par substantivation du moy. franç. *prin*, adj., « mince, menu, fin », dans des expressions comme *prin bouet* « petit bois » ; du lat. *primus* « premier ».

♦ Régional (Jura). Petit bardeau pour les toits.

De plus en plus rares aussi sont les plaques de bois, épicéa ou mélèze, fendues à la main, qui jadis couvraient les maisons du Jura et des Alpes et s'appelaient « bardeaux, prins, essentes, ancelles ».
L. HAUTECŒUR, l'Architecture franç., p. 164-165, *in* D. D. L., II, 2.

HOM. 2. Prin.

2. PRIN [pʀɛ̃] n. m. — D. i. (attesté dans les textes déb. XXe) ; même étym., *prin*, adj., que 1. *prin*.
Régional.

♦ **1.** (Av. 1910, Suisse, Blonay). Fanon du bœuf.

(...) mille abattis, mamelles, queues, testicules, prins ou mangues, dont la spécieuse valeur comestible ne dépassait pas celle du cartilage ou de la glande (...)
Pierre GASCAR, les Bêtes, p. 58.

♦ **2.** (Av. 1932, Bugey). Morceau de côte de bœuf recherché pour le pot-au-feu.

HOM. 1. Prin.

PRINCE [pʀɛ̃s] n. m. — V. 1120 ; du lat. *princeps* « premier », et, par ext., « chef, empereur ».

★ **I.** ♦ **1.** Didact. ou littér. Celui qui possède une souveraineté (à titre personnel et héréditaire) ; celui qui règne *(prince régnant).* ⇒ **Monarque, roi, souverain ; princesse.** *Le prince et le pouvoir* (→ Despotisme, cit. 3 ; magistrature, cit. 1 ; main, cit. 98, Voltaire ; perdre, cit. 59, Montesquieu). *Le prince et l'État** (cit. 130, Bossuet). *Le prince et le législateur* (cit. 2, Rousseau). *Prince de droit divin* (→ Majesté, cit. 2, Bossuet). *Les républiques et les princes* (→ Envie, cit. 23). *Le prince qui gouverne un peuple* (→ Berger, cit. 14), *règne sur un peuple. Le prince et ses sujets* (→ Étaler, cit. 10), *et le peuple...* (→ Honneur, cit. 40). — *Les ministres, le ministère* (cit. 9) *du prince* (→ 2. Politique, cit. 2, Bossuet). — *Bon prince ; prince magnanime* (cit. 1). *Ce prince humain et bienfaisant* (→ Attitude, cit. 4). *« Un roi qui n'a de prince que le nom »* (cit. 38). *La cour*, les courtisans d'un prince. La faveur* (cit. 12) *du prince. Avoir l'oreille* (cit. 15) *du prince. Flagorner* (cit. 1) *un prince* (→ aussi 1. Louer, cit. 12). — Hist. *Princes feudataires* (cit. 2) : vassaux d'un roi, d'un empereur et souverains sur leur fief. *Princes de la maison de France. Princes de la maison d'Autriche, princes allemands...* ⇒ **Archiduc, grand-duc, landgrave, margrave, rhingrave.** *Princes médiatisés*. Prince turc* (⇒ **Hospodar, sultan...**), *arabe* (⇒ **Chérif**), *hindou, indien* (⇒ **Maharajah, rajah**). — *Le Prince Igor*, opéra de Borodine.

1 Doncques *(donc)*, Roi, si tu veux que ton règne prospère,
Il te faut craindre Dieu : le Prince qui révère
Dieu, Justice et la Loi, vit toujours fleurissant,
Et toujours voit sous lui le peuple obéissant.
RONSARD, Premier livre des hymnes, « Hymne de la Justice ».

2 *(Saint Louis)* ce grand beau jeune homme français aux cheveux blonds, aux yeux clairs, au courage enfantin, c'est aussi un prince, un prince qui bat monnaie, rend justice, un administrateur du temporel, enfin !
BERNANOS, les Grands Cimetières sous la lune, p. 360.

Le souverain, celui qui exerce le pouvoir réel. *Le Prince*, ouvrage de Machiavel (1513). *« Les raisons légitimes de motiver la violation de ses engagements ne manqueront jamais à un prince »* (Machiavel). — Loc. (1869). *Le fait du prince :* acte du gouvernement, du pouvoir, qui contraint à l'obéissance (surtout en parlant de mesures arbitraires*). — *Ce sont là jeux** (cit. 10 à 12) *de prince.*

(XVIIIe). Spécialt, vx. (Dr. constitutionnel). Les titulaires du pouvoir exécutif.

3 (...) il y a dans l'État un corps intermédiaire entre les sujets et le souverain (...) Les membres de ce corps s'appellent *magistrats* ou *rois* c'est-à-dire gouverneurs. Le corps entier, considéré par les hommes qui le composent, s'appelle *prince*, et, considéré par son action, il s'appelle *gouvernement*.
ROUSSEAU, Émile, V (→ aussi Équilibre, cit. 21 ; monarque, cit. 1).

♦ **2.** (V. 1120). Celui qui appartient à une famille souveraine, sans régner lui-même ; titre porté par les membres de la famille royale*, en France. — (1578). **PRINCE DU SANG :** proche parent du souverain (au XVIIe siècle, les fils, les frères et neveux du roi, ses autres parents, étant appelés *princes du sang royal*). → 1. Duc, cit. 1 ; habilité, cit. *Titres donnés aux princes du sang.* ⇒ **Altesse, monseigneur** (cit. 1). *Apanage* (cit. 1) *d'un prince du sang.* — (1677). *Monsieur le Prince* (→ Apothéose, cit. 3 ; 1. barbe, cit. 5). ⇒ **Monsieur.** *« Très haut* (cit. 36) *et très puissant prince Louis de Bourbon... »* (Bossuet). — *Prince prétendant*. Prince consort*.* — *Princes légitimés :* bâtards du roi de France. — (Sous l'Empire). *Princes français* (membres de la famille de l'Empereur).

Spécialt. L'héritier de la souveraineté. *Prince héritier de France* (⇒ 2. **Dauphin**), *d'Espagne* (⇒ **Infant**), *de Grèce* (⇒ **Diadoque**), *d'Allemagne* (⇒ **Kronprinz**), *de Russie* (⇒ **Tsarévitch**), *etc. L'instruction* (cit. 3) *du prince.* — (V. 1360). *Le prince de Galles :* le fils aîné du souverain d'Angleterre. *Le prince Noir :* le prince de Galles, Édouard (fils d'Édouard III). — (Sous l'Empire). *Le prince impérial.*

♦ **3.** (V. 1188). Celui qui possède un titre, attaché ou non à la possession d'une terre (⇒ **Principauté**), conféré par un souverain. — REM. Le titre de *prince* n'avait pas d'existence légale en France, sauf pour les membres de la maison royale (sens 2.) ; les *princes* étaient des seigneurs descendant des possesseurs de certains alleux, de terres anciennement territoires d'Empire ou ayant appartenu à un prince du sang, ou (les *princes étrangers*) des personnes reconnues d'origine souveraine. — *Faire* (cit. 133) *qqn prince. Princes d'Empire* (créés par Napoléon Ier).

(...) le fils de ma belle-sœur porte le titre de prince d'Agrigente, qui nous vient de Jeanne la Folle, comme aux La Trémoille celui de prince de Tarente. Or, Napoléon a donné ce titre de Tarente à un soldat (...) mais en cela l'empereur a disposé de ce qui lui appartenait encore moins que Napoléon III en faisant un duc de Montmorency (...) PROUST, le Côté de Guermantes, Pl., t. II, p. 592. 4

Mod. (En France). Titulaire du plus haut titre de noblesse*, qu'il s'agisse d'un prince du sang royal (sens 2.) ou non (→ Dépayser, cit. 2 ; noble, cit. 25).

— Il porte le titre de baron de Charlus. Régulièrement, quand mon grand-oncle est mort, mon oncle Palamède aurait dû prendre le titre de prince des Laumes, qui était celui de son frère avant qu'il devînt duc de Guermantes, car dans cette famille-là ils changent de nom comme de chemise (...) et bien qu'il eût le choix entre quatre ou cinq titres de prince, il a gardé celui de baron de Charlus, par protestation (...) « Aujourd'hui, dit-il, tout le monde est prince, il faut pourtant bien avoir quelque chose qui vous distingue ; je prendrai un titre de prince quand je voudrai voyager incognito ». Il n'y a pas selon lui de titre plus ancien que celui de baron de Charlus (...) PROUST, À l'ombre des jeunes filles en fleurs, Pl., t. I, p. 755. 5

(À l'étranger). *En Italie, les neveux des papes portaient le titre de prince. Prince russe* (titre inférieur à celui de grand-duc). → Gouverneur, cit. 5.

♦ **4.** Personnage princier, grand seigneur. *Contes où le prince épouse* (cit. 7) *la bergère. Le prince charmant* (→ Oiseau, cit. 10). — *Le Petit Prince*, récit de Saint-Exupéry (1943). *La ville dont le prince est un enfant*, pièce de Montherlant (1952).

♦ **5.** Souverain régnant sur un État portant le nom de principauté*. *Prince de Monaco.* ⇒ aussi **Principicule.**

♦ **6.** Loc. (XVIIe). *Être habillé* (→ Fashion, cit. 3), *vêtu comme un prince*, richement, princièrement*. ⇒ **Luxe** (→ aussi Commis, cit. 2). *Vivre, manger comme un prince.*

Loc. fig. (1690). **BON PRINCE.** *Être bon prince :* faire preuve de générosité, de bienveillance, de tolérance. ⇒ **Accommodant.**

Le gouvernement, bon prince, déchire, en rigolant, ses listes noires, et laisse courir les suspects (...) MARTIN DU GARD, les Thibault, t. VIII, p. 34. 6

★ **II.** ♦ **1.** (V. 1160). *Le prince de... :* le premier, le principal personnage (d'un groupe).

(1765). Hist. rom. *Le prince du Sénat :* le premier sénateur dont le nom était lu par le censeur. *Prince de la jeunesse, de l'ordre équestre :* le premier nommé, dans le dénombrement de cet ordre (sous la République). — Chez les Hébreux. *Princes du peuple :* chefs des tribus. *Princes de la synagogue. Prince des prêtres* (vx) : grand prêtre. — (1690). Relig. chrét. *Le prince des apôtres :* saint Pierre. *Les princes de l'Église :* les cardinaux, archevêques et évêques. — *Le prince des démons** (cit. 12), et, poét., *le prince des ténèbres :* Satan.

Au moyen âge. Premier personnage d'une confrérie de « fous », de « sots ». ⇒ **Sotie.** *Prince des sots.* — Littér. Président d'une cour littéraire, auquel on dédiait les ballades (→ Envoi, cit. 3).

Mod. *Le prince des poètes, des critiques* (→ Périphrase, cit. 1) : celui qui est reconnu par ses pairs comme étant le premier.

♦ **2.** (Dans un domaine particulier). Maître, seigneur. *Les princes de la terre :* les grands* de ce monde (→ Hauteur, cit. 28). *Chateaubriand, prince de cette jeunesse qui n'a pas su être jeune* (cit. 12). *Le prince du bric-à-brac* (cit. Balzac). ⇒ **Roi.** *Les « princes de la science »* (→ Consultation, cit. 3). — Poét. *L'albatros, prince des nuées* (cit. 2).

(...) ce qui importe à l'histoire de la littérature, c'est qu'un Allemand *(Lessing)* ait eu le courage de critiquer un grand écrivain français, et de plaisanter avec esprit le prince des moqueurs, Voltaire lui-même. Mme DE STAËL, De l'Allemagne, II, VI. 7

8 Le ci-devant jeune homme, gravement malade, venait de subir une consultation des plus fameux médecins, qui ne s'appelaient pas encore *les princes* de la science.
BALZAC, le Cousin Pons, Pl., t. VI, p. 612.

DÉR. Princerie, princesse, 1. princier.
COMP. Prince de Galles.

PRINCE DE GALLES [pʀɛ̃sdəgal] n. m. invar. et adj. — XXᵉ; de *prince de Galles,* nom propre.

♦ **1.** Tissu de laine, à lignes fines croisées donnant un effet de carreaux, généralement de teinte uniforme, sur fond clair.

1 C'était une dame, un peu forte et très jolie, avec un chapeau de paille et un tailleur en prince de galles.
SARTRE, le Sursis, p. 244.

Adj. *Tissu prince de galles.*

♦ **2.** Par métonymie. Costume fait avec du tissu prince de galles. *Porter un prince de galles.* — On écrit aussi *prince-de-galles.*

2 Au moment de choisir un costard dans la penderie, j'ai mesuré à quel point on pouvait varier en un rien de temps. Mes bleu-pétrole, mes Prince-de-Galles, mes fil-à-fil, qui excitaient tant d'envie chez les barbiquets, ils me semblaient soudain détestables.
Albert SIMONIN, Touchez pas au grisbi, 1953, p. 185.

PRINCEPS [pʀɛ̃sɛps] adj. — 1811; mot latin.

Didactique.

♦ **1.** *Édition princeps* : première édition (quand il s'agit d'un ouvrage ancien et rare). ⇒ 2. **Original.**

Quelquefois les investigateurs patients rencontrent parmi beaucoup de fatras un incunable, une édition princeps, un volume perdu (...)
Th. GAUTIER, Voyage en Russie, XIII.

♦ **2.** Qui traite pour la première fois d'un sujet.

PRINCERIE [pʀɛ̃sʀi] n. f. — Déb. XVIᵉ; de *prince.*

♦ Vx, fam. Dignité de prince (*in* Saint-Simon).

PRINCESSE [pʀɛ̃sɛs] n. f. — V. 1160; de *prince.*

♦ **1.** Fille ou femme d'un prince* (I., 2. et 3.), fille d'un souverain. ⇒ **Prince** (I., 1.); et aussi **altesse, madame, mademoiselle.** *La princesse Palatine** (cit. 2 et 3). *La princesse de Guermantes* (→ Matinée, cit. 4). *Princesse espagnole.* ⇒ **Infante.** *Princesse hindoue.* ⇒ **Maharané, rani.** — Littér. *La Princesse de Montpensier, la Princesse de Clèves,* œuvres de Mᵐᵉ de La Fayette. *La Princesse d'Élide,* comédie-ballet de Molière. *La princesse de Babylone,* conte de Voltaire.

(Rare). Souveraine* régnante, reine.

♦ **2.** Loc. fam. (XVIIIᵉ). *Faire sa princesse, prendre des airs de princesse* : être affectée, prétentieuse. — *Danseuses belles comme des princesses* (→ Étincelle, cit. 13). *Être habillée comme une princesse* (→ Nipper, cit. 2).

1 (...) aussi la régisseuse, blonde, éclatante et fraîche, d'environ trente-six ans, restée fluette, mignonne et gentille, malgré ses trois enfants, jouait-elle encore à la jeune fille et se donnait-elle des airs de princesse.
BALZAC, Un début dans la vie, Pl., t. I, p. 677.

2 Désormais, Madame se leva à neuf heures comme une princesse, et même elle exigea que la bonne lui montât son déjeuner au lit.
ARAGON, les Beaux Quartiers, I, II.

Loc. fig. (1877). *Aux frais de la princesse,* de l'État, d'une collectivité; par ext., gratuitement. *Il voyage tous frais payés, aux frais de la princesse.*

3 On dira ce qu'on voudra, la mobilisation, ça n'a pas que des mauvais côtés. Prenez Léon, il aura fait un voyage en Allemagne aux frais de la princesse (...)
J. DUTOURD, Au bon beurre, I, I.

♦ **3.** Appos. [a] (1835; n. f., 1735). Se dit d'une garniture de pointes d'asperges et de truffes. — On dit aussi *à la princesse.*

[b] (1842). *Haricots princesse,* à cosse allongée. — (1835). *Amandes princesse,* à bois tendre. — REM. On écrit aussi *haricots, amandes princesses.*

[c] *Robe princesse* : robe ajustée sous la poitrine et large du bas. *« Costume en cheviotte (...) forme princesse devant et à basques derrière »* (Mallarmé, *la Dernière Mode,* 1874, Pl., p. 749).

♦ **4.** Adj. Vx. *La faculté princesse* (Molière) : l'intelligence.

1. PRINCIER, IÈRE [pʀɛ̃sje, jɛʀ] adj. — Fin XVIᵉ, *denier princier*; de *prince.*

♦ **1.** Littér. De prince (I., 2. et 3.), de princesse. *Titre princier. L'hôtel princier de Talleyrand* (→ Cour, cit. 19). *Les maisons princières d'Allemagne* (→ Famille, cit. 9). — Qui est prince. *« Fille du prince de Parme, elle avait épousé un cousin également princier »* (→ Noble, cit. 25).

Par ext. *Abbaye princière,* où l'on ne recevait que les filles de maison princière (en Allemagne).

♦ **2.** De grand seigneur. *Le grand-duc, avec un sans-façon princier...* (→ Humilier, cit. 37).

♦ **3.** (1836). Digne d'un prince. ⇒ **Luxueux, somptueux.** *Faste, luxe princier. Traitement princier* (→ Élévation, cit. 6).

Tout ce luxe, dit princier par des gens qui ne savent plus ce qu'est un vrai prince (...) BALZAC, la Fausse Maîtresse, Pl., t. II, p. 17 (1842). 1

Les boutons de perles, le collier célèbre, le col droit baleiné, tout était, comme le nom légitime de Valérie, princier. COLETTE, la Fin de Chéri, p. 82. 2

DÉR. Princièrement.
HOM. 2. Princier.

2. PRINCIER [pʀɛ̃sje] n. m. ⇒ **Primicier.**

PRINCIÈREMENT [pʀɛ̃sjɛʀmɑ̃] adv. — 1875; de 1. *princier.*

♦ D'une façon princière, en prince, en grand seigneur. *Vivre princièrement. Il nous a reçus princièrement.*

PRINCIPAL, ALE, AUX [pʀɛ̃sipal, o] adj. et n. — 1119; «princier», 1080, *Chanson de Roland;* lat. *principalis* «principal; du prince», de *princeps.* → Prince.

★ **I.** Adj. ♦ **1.** Qui est le plus important*, le premier* parmi plusieurs. ⇒ 1. **Capital, essentiel, fondamental, majeur, primordial** (→ Exclusif, cit. 2). *Action principale et actions secondaires, accessoires* (cit. 1). *Premier et principal objet d'un dictionnaire* (cit. 6 et 12). *La principale règle est de plaire* (cit. 23). *Cause, raison principale.* ⇒ **Décisif, dominant, prédominant; vrai.** *L'objet, le point** (1. Point, cit. 82) *principal* (d'une question, d'un exposé...). ⇒ **Chef** (cit. 8), **nœud; clé** (de voûte). → Digression, cit. 1. *Les quatre vertus principales.* ⇒ **Cardinal.** *Les principales puissances du monde.* ⇒ **Grand.** *Partie principale d'une chose.* ⇒ **Centre, corps.** *Principal élément, ingrédient.* ⇒ **Base.** *Les organes principaux d'une administration.* ⇒ **Central.** *Le principal avantage* (⇒ **Meilleur**), *inconvénient* (⇒ **Pire**)... — *Poutre, branche principale,* maîtresse. ⇒ **Maître.** *Porte principale* (→ Portail, cit. 2). *Bâtiment principal* (→ Galerie, cit. 2). *Habitation principale* (→ Chalet, cit. 1). *Jouer le rôle principal dans une affaire.* ⇒ **Protagoniste.** *Attraction principale.* ⇒ **Clou.** *« La discipline faisant la force principale des armées »* (→ Obéissance, cit. 9). — Dr. *Résidence principale* (opposé à *secondaire*). *Principal établissement* (cit. 7). *Demande* principale ou originaire. Appel* principal. Conclusions* principales.* — *La principale de deux questions; le principal des deux sujets.*

Un jour on apprit qu'il était arrivé au vieil absent, lord Linnæus Clancharlie, diverses choses dont la principale était qu'il était trépassé. 1
HUGO, l'Homme qui rit, II, I, II, III.

♦ **2.** Gramm. *Proposition principale,* et, n. f., *la principale* : la proposition, dans une phrase, dont les autres (les *subordonnées,* qui précisent et complètent son sens) dépendent. — *Terme, verbe principal. Le principal* (n. m.) : «terme de la proposition par rapport auquel les autres sont des compléments ou déterminants» (Marouzeau).

♦ **3.** Sc. (Phys.). *Plan principal,* contenant l'axe optique et le rayon ordinaire ou le rayon extraordinaire d'un cristal biréfringent.

(Math.). *Partie principale d'un infiniment grand, d'un infiniment petit. Directions principales d'une conique, d'une quadrique.*

♦ **4.** (Personnes). Qui joue le premier rôle, a le plus d'importance. *Une des principales actrices* (cit. 1). *Les principaux auteurs* (cit. 8 et 9), *agents...* ⇒ **Cheville** (ouvrière). *La principale intéressée* (cit. 22). *Les principaux citoyens* (→ 1. Bas, cit. 23). *Personnage principal d'un roman, d'une pièce de théâtre.*

Voltaire en est le personnage principal *(du XVIIIᵉ siècle)* et en quelque sorte typique, et, quelque prodigieux que fût cet homme, ses proportions semblent bien mesquines entre la grande image de Louis XIV et la gigantesque figure de Napoléon. 2
HUGO, Littérature et Philosophie mêlées, 1823-1824, Sur Voltaire.

Dr. *Demandeur principal. Locataire* principal.*

(1904). *Clerc principal,* et, n. m., *le principal* : premier clerc d'un notaire.

★ **II.** N. m. **A.** (Choses). ♦ **1.** (1283). Dr. Ce qui fait l'objet essentiel d'une action, son fond. *L'accessoire* suit le principal.* — Par ext. Action portée devant une juridiction statuant au fond.

Somme constituant une dette. ⇒ **Capital.** *« Intérêt* (cit. 1) *et principal ». Le principal et les revenus d'un placement* (→ Grossir, cit. 8). — Dr. fisc. Montant originaire de l'impôt (sans les décimes ou centimes additionnels). — Dr. civ. Bien dont la valeur supérieure entraîne dans la même condition juridique d'autres biens qui lui sont associés.

Il touche des intérêts et il en est tout glorieux. Il n'imagine pas très bien qu'il ne verra plus jamais ce que l'on appelait jadis, fortement, le principal. 3
G. DUHAMEL, Chronique des Pasquier, VI, XVII.

♦ **2.** (XVᵉ). Cour. Ce qu'il y a de plus important, de plus grave, de plus considérable. ⇒ **Essentiel** (n.); et aussi **quintessence, substance.** *Vous avez réussi, c'est le principal. Le principal est de...* (suivi de l'inf.). ⇒ **Tout** (→ Appliquer, cit. 14; exciper, cit. 1). *Le princi-*

pal est de ne pas se décourager. Le principal est fait. ⇒ **Gros** (le plus gros). *Les accessoires me font oublier le principal* (→ Borner, cit. 14).

♦ **3.** Jeu d'orgue formant la base des jeux de fonds, constitué par de gros tuyaux de métal, souvent en façade (on l'appelle alors *montre*), de 2 à 16 pieds. *Le prestant* est un principal.*

B. (Personnes). **PRINCIPAL, PRINCIPALE** : personne qui dirige un collège. ⇒ **Directeur** (→ Introduction, cit. 1).

4 (...) elle ne se rendit que deux fois à Tours : ce fut d'abord pour prier le principal du collège de lui indiquer les meilleurs maîtres de latin, de mathématiques et de dessin (...) BALZAC, la Grenadière, Pl., t. II, p. 188.

(XXe). Mod. Directeur, directrice (d'un C. E. S.). *Madame la Principale* (ou *Madame le Principal*).

CONTR. Accessoire, annexe, complémentaire, incident, secondaire. — (Du II.) **Dépendance, détail.**
DÉR. Principalat, principalement.

PRINCIPALAT [prɛ̃sipala] n. m. — 1587; de *principal,* (II.).

♦ **1.** Rare. Fonction de principal* dans un collège. *Être nommé au principalat d'un C. E. S.*

♦ **2.** Fonction de professeur principal chargé de l'animation de l'équipe pédagogique responsable d'une classe.

PRINCIPALEMENT [prɛ̃sipalmɑ̃] adv. — V. 1190, *principalment;* de *principal.*

♦ Avant les autres choses, par-dessus* tout. ⇒ **Avant** (avant tout), **surtout** (→ Consolateur, cit. 4; divertissement, cit. 1; jouer, cit. 59). *Il faut remarquer principalement...* ⇒ **Particulièrement, singulièrement, spécialement** (→ Baptême, cit. 3). *Notre système solaire consiste principalement en un soleil...* (→ Lune, cit. 9). *Fâchée contre le monde entier, elle en voulait principalement à son mari* (→ Humeur, cit. 47).

PRINCIPAT [prɛ̃sipa] n. m. — 1300, « terre »; lat. *principatus,* de *princeps.* → Prince.

♦ **1.** Vx. Dignité de prince. ⇒ **Principauté.**

(...) dès le début, la France a eu l'inestimable concours de Sa Majesté le Sultan Moulay Youssef, apportant à l'établissement de notre Protectorat le haut appui de son autorité héréditaire, de son principat religieux (...) L.-H. LYAUTEY, Paroles d'action, p. 364.

♦ **2.** Hist. rom. Dignité impériale, de « princeps ». *Le principat d'Auguste.* — Règne d'un empereur romain. *Sous le principat de Trajan.*

PRINCIPAUTÉ [prɛ̃sipote] n. f. — 1362, *principaltie* « terre »; « souveraineté », 1370; du lat. *princeps, -ipis,* d'après *royauté.*

♦ **1.** Vx. Dignité, titre de prince* (I., 2. et 3.).

♦ **2.** (1473). Vx. Terre (alleu, fief, seigneurie) à laquelle est attaché le titre de prince.

(XIXe). Mod. Petit État indépendant dont le souverain porte le titre de prince (→ Mosaïque, cit. 5). *La principauté de Monaco, du Liechtenstein. Les principautés réunies* (Moldavie, Valachie) *qui formèrent la Roumanie.*

♦ **3.** (1541). Plur. *Les principautés :* le troisième chœur des anges. *Les archanges et les principautés.*

PRINCIPE [prɛ̃sip] n. m. — 1265; lat. *principium* « commencement; origine ».

★ **I.** Cause agissante; origine; élément constituant. ♦ **1.** Cause* première, à la fois active (ou « efficace » [Malebranche], efficiente) et primitive, originelle. ⇒ **Archétype, origine.** *La nature*, principe universel* (→ Individu, cit. 5). — Théol. *Dieu, principe de la nature, de l'univers..., principe et fin de soi-même...* ⇒ **Auteur, créateur** (cit. 2 et 4), **essence** (première). — *Le principe des choses, du monde, de l'univers; le principe unique, suprême.* ⇒ **Axe, centre** (poét.). → Embrasser, cit. 20; monde, cit. 10. *Les idées* (cit. 2) *platoniciennes, principes des choses. La forme* aristotélicienne, principe des êtres.* ⇒ aussi **Entéléchie, monade.** *Principe immatériel et matière* (→ Informer, cit. 1). *Le principe de l'être, de la vie* (→ Esprit, cit. 118)... — Relig. *Le principe du Mal et le principe du Bien, dans le manichéisme.* — REM. Le mot *principe* a une valeur abstraite et n'est guère employé dans les philosophies matérialistes pour désigner la matière, la substance. — *Connaissance, recherche des principes.* ⇒ **Métaphysique, philosophie.** (→ Effet, cit. 1; philosophe, cit. 4, Descartes). *La fin des choses et leurs principes sont cachés à l'homme* (cit. 51, Pascal).

1 *(Pour philosopher)* il faut commencer par la recherche de ces premières causes, c'est-à-dire des principes; et que ces principes doivent avoir deux conditions : l'une, qu'ils soient si clairs et si évidents que l'esprit humain ne puisse douter de leur vérité, lorsqu'il s'applique avec attention à les considérer; l'autre, que ce soit d'eux que dépende la connaissance des autres choses, en sorte qu'ils puissent être connus sans elles, mais non pas réciproquement elles sans eux (...) DESCARTES, Principes de philosophie, Lettre de l'auteur.

♦ **2.** Didact. Cause agissante d'une chose (surtout en parlant des causes naturelles). ⇒ **Agent** (cit. 2), **cause, ferment, fondement, germe, origine, source.** *Principe et effet, et conséquence* (→ Christianisme, cit. 7). *Le principe corporel du mouvement* (→ Corps, cit. 10, Descartes). — Psychol. (Vx). *Principe spirituel, principe pensant de l'homme.* ⇒ **Âme, esprit, raison.** — Philos. (Vx). *Principe vital.* ⇒ **Âme**; 2. **archée, esprit; vitalisme.** *Toutes nos perceptions* (cit. 4) *ou idées naissent d'un principe actif. Le principe, les principes des vices, du péché* (cit. 11). *Principe de grandeur et principe de misère en l'homme* (→ Enseigner, cit. 15, Pascal). — *Le principe de toute souveraineté* (→ Autorité, cit. 15). *Nature* (cit. 4) *et principe du gouvernement.* — Par ext. *Une nation* (cit. 1) *est une âme, un principe spirituel* (Renan).

Le principe de toute action est dans la volonté d'un être libre; on ne saurait remonter au delà. Ce n'est pas le mot de liberté qui ne signifie rien, c'est celui de nécessité. ROUSSEAU, Émile, IV. 2

Felipe aime tant, que je le trouve digne d'être aimé. Je suis exactement le principe de sa vie, et je tiens dans ma main le fil qui mène sa pensée. BALZAC, Mémoires de deux jeunes mariées, Pl., t. I, p. 207. 3

Le fruit, dès ses premiers jours, porte en lui le principe de sa pourriture (...) RENAN, l'Avenir de la science, Œ. compl., t. III, p. 1085. 4

Au principe de... : aux faits, aux événements qui constituent ou entourent la cause. ⇒ **Origine** (à l'), **source** (à la). → 1. Mère, cit. 22. ⇒ **Premier, primordial.** *Remonter jusqu'au principe.* — *Dans son principe. Étouffer la révolte dans son principe* (→ Dans l'œuf*; et aussi mesure, cit. 29). — *Procéder d'un principe.*

Le courage civil et le courage militaire procèdent du même principe. BALZAC, le Médecin de campagne, Pl., t. VIII, p. 362. 5

Vx. (En parlant d'une chose matérielle, concrète).

Si vous allez derrière un théâtre, et si vous nombrez les poids, les roues (...) qui font les vols (...) vous direz : « Sont-ce là les principes et les ressorts de ce spectacle si beau (...) ? » LA BRUYÈRE, les Caractères, VI, 25. 6

♦ **3.** (XVe). Par ext., et sans idée causale. ⇒ **Commencement, début.** (Dans ce sens, *principe* ne s'emploie qu'en locution). *Dès* le principe :* dès le début (→ Discipline, cit. 6; exprimer, cit. 28).

♦ **4.** (1631, Descartes, *Lettre à Villebressieu;* lat. *principium,* utilisé en chimie). Élément matériel qui entre dans la composition, la constitution ou l'élaboration de qqch., de par son action propre, sa « vertu ». *Principes constituants*. Principes nécessaires à la nutrition* (→ Artériel, cit. 1). *Principes minéraux* (→ Faune, cit. 5). *Principes fertilisants. Principes actifs de certaines plantes.* — Méd. *Principe alimentaire, délétère, extractif, nutritif, sapide... Principe lutéotrophique* ou prolactine.

(XVIe-XVIIe). Hist. des sc. *La chimie des principes vécut jusqu'à Lavoisier.* ⇒ **Calorique, phlogistique** (cit.), etc. (→ Élément, cit. 11, Voltaire). — *Les atomes* (cit. 7), *« principes insécables ».*

À la théorie des quatre éléments, l'expérience avait amené les chimistes à ajouter de nombreux compléments. La notion qui jouera le rôle principal dans l'évolution de la chimie jusqu'à la fin du XVIIIe siècle est celle de principe (...) les corps naturels possèdent des propriétés que ne laissent pas deviner leur simple apparence ou leur manipulation courante (...) Ces qualités sont conférées aux corps par des principes occultes (...) M. DAUMAS, *in* Encycl. Pl., Hist. de la science, Sciences physiques aux XVIe et XVIIe s., p. 844. 7

★ **II.** (1361). ♦ **1.** Log. Proposition* première, posée et non déduite (dans un système déductif donné). ⇒ **Définition, hypothèse, postulat** (cit. 2), **prémisse.** *Principe posé a priori. Admettre, refuser un principe.* ⇒ **Convention.** *Pétition* de principe. Principe considéré comme évident, clair et intelligible par lui-même.* ⇒ **Axiome** (cit. 1 et 2), **vérité.** *« Les principes se sentent, les propositions se concluent »* (cit. 21, Pascal). *Poser en principe l'existence* (cit. 5) *de Dieu. Déduction, démonstration, raisonnement qui repose sur tel principe.* ⇒ **Base, centre.** — *Raisonner par principes.*

Cette jeune personne, dit-elle, n'est pas sans intelligence. Mais elle ne peut se résoudre à apprendre les choses par principes. FRANCE, le Crime de S. Bonnard, V, Pl., t. II, p. 407. 8

Quand une loi a reçu une confirmation suffisante de l'expérience (...) on peut l'ériger en *principe,* en adoptant des conventions telles que la proposition soit certainement vraie. H. POINCARÉ, la Valeur de la science, p. 239. 9

♦ **2.** Proposition, notion particulièrement importante (⇒ **Principal; essentiel, fondamental**) et à laquelle le développement d'un ordre de connaissance (⇒ **Science**) est subordonné. ⇒ **Loi** (cit. 58). → Inductif, cit.; philosophie, cit. 3. *Les principes, bases* (cit. 12) *des vérités de détail. Principe fondamental, central...* ⇒ **Centre, pierre** (angulaire, fondamentale...). *Déduire, d'après des principes connus et établis* (→ Développer, cit. 17). *« J'ai posé les principes, et j'ai vu les cas particuliers s'y plier »* (→ 1. Général, cit. 7, Montesquieu). *Découler* d'un principe. Les principes, dans l'esprit de géométrie et dans l'esprit de finesse* (chez Pascal). → Esprit, cit. 125; géométre, cit. 4; perdre, cit. 55. *Les principes formant un système*.*

Jamais principe *(l'idée de la Providence)* n'eut plus de suites avantageuses à la religion et à la morale. Qu'il répand de lumières, qu'il dissipe de difficultés, cet admirable principe! Tous ces effets qui se contredisent dans l'ordre de la nature et dans celui de la grâce ne marquent nulle contradiction dans la cause qui les produit (...) — Je vois bien, Ariste, que vous avez suivi de près et avec plaisir le principe que je vous ai exposé (...) Mais l'avez-vous bien saisi (...) Faites-nous 10 part, je vous prie, de quelques-unes de vos réflexions, afin de me délivrer de mon doute (...) car plus les principes sont utiles, plus ils sont féconds, plus est-il dangereux de ne les prendre pas tout à fait bien.

MALEBRANCHE, Entretiens sur la métaphysique, XIII.

Principes de la logique, de la philosophie, de la physique, de la mécanique, de la psychanalyse, du droit. — Applications d'un principe de physique, d'électricité. Appareil qui est fondé, qui repose sur tel ou tel principe (→ Force, cit. 59). *Machines qui utilisent le principe de la roue* (→ 2. Marche, cit. 5). — REM. Dans ces emplois, *principe* a en même temps la valeur de loi scientifique, de prémisses et de règle normative (→ ci-dessous, III.). **a** Log. *Principe d'identité* (cit. 17 et 18) ou *de non-contradiction. Principe de contradiction* ou *de contrariété* (le contraire du vrai est faux). *Principe du milieu** (*infra* cit. 16) *exclu. Principe de causalité*, du déterminisme** (cit. 2), *d'induction* (cit. 3) *complète.*

b Philos. *Principes rationnels* : vérités fondamentales sur lesquelles s'appuie tout raisonnement. *Principe des indiscernables** (Leibniz), *d'individuation. Principe de substance* (Kant).

c Phys. Énoncé d'une loi générale non démontrée, mais vérifiée dans ses conséquences. *Principe d'inertie* (→ Mouvement, cit. 4). *Le principe qu'on a appelé loi de continuité* (cit. 4). *Principe fondamental de la dynamique; principe de l'action et de la réaction* (énoncés par Newton). *Principe d'inertie* (ou *principe d'Alembert*) : autre formulation du principe fondamental de la dynamique. *Principe de la conservation de la masse* (conséquence du principe fondamental de la dynamique). *Principe de conservation de l'énergie (mécanique). Principe de la moindre contrainte* (ou *principe de Gauss*). *Principe de moindre action* (ou *principe de Maupertuis,* 1744). *Principe des travaux virtuels* (énoncé par d'Alembert, in *Traité de dynamique,* 1743). — *Principe d'incertitude* d'Heisenberg. Principe d'exclusion* de Pauli. Principe de Huygens (-Fresnel),* concernant les phénomènes de diffraction de la lumière. *Principe de conservation de la matière. — Principe de relativité de Galilée. Principe de relativité* restreinte, principe de relativité générale, énoncés par Einstein. Principe d'équivalence masse-énergie* ($E = mc^2$). *Principe de Mach. — Principe de la thermodynamique : principe de l'équivalence, premier principe; principe d'évolution* (ou *principe de Carnot-Clausius*), *deuxième principe; principe d'entropie* (ou *principe de Nernst*), appelé abusivement *troisième principe de la thermodynamique. — Application, conséquence, extension, généralisation d'un principe.*

(En probabilités). *Principe de symétrie**.

d Psychan. *Principe de plaisir et principe de réalité,* régissant, selon Freud, le fonctionnement mental de l'individu. *Principe de constance,* «énoncé par Freud, selon lequel l'appareil psychique tend à maintenir à un niveau aussi bas ou, tout au moins, aussi constant que possible, la quantité d'excitation qu'il contient. La constance est obtenue d'une part par la décharge de l'énergie déjà présente, d'autre part par l'évitement de ce qui pourrait accroître la quantité d'excitation et la défense contre cette augmentation» (Laplanche et Pontalis).

♦ **3.** (Au plur.). Connaissances élémentaires (fondamentales et simples). *Apprendre les principes, les premiers principes d'une science.* ⇒ **A. B. C., élément, rudiment.**

11 — N'avez-vous point quelques principes, quelques commencements des sciences?
— Oh! oui, je sais lire et écrire. MOLIÈRE, le Bourgeois gentilhomme, II, 4.

(Par métonymie, dans un titre d'ouvrage). *Principes de chimie,* de Mendeleev. *Principes de biologie, de psychologie, de sociologie,* de Spencer. *Principes d'économie politique,* de Stuart Mill.

★ **III.** (1351). ♦ **1.** Règle d'action, formulée ou non, s'appuyant sur un jugement de valeur* et constituant un modèle, une règle ou un but. ⇒ **Loi, maxime, norme, règle.** *Le principe et l'application, et la pratique, et l'usage* (→ Contenant, cit.; flottant, cit. 10). ⇒ **Théorie.** *Les principes du raisonnement* (→ ci-dessus, II., 2. : *principes rationnels*), *de la recherche scientifique. Le grand principe expérimental, c'est le doute* (cit. 12). *Les principes de l'hygiène* (cit. 2). ⇒ **Précepte.** — *Ériger, poser en principe que...* (→ Bourse, cit. 8). *Partir* d'un principe. Principe adopté par qqn.* ⇒ **Opinion.** *Avoir pour principe de...* (suivi d'un inf.). → Autrui, cit. 15. *C'était aussi un principe chez lui que de remettre...* (→ Faiblesse, cit. 36).

12 (...) selon les principes de la raison, la conduite des hommes est tout à fait déraisonnable (...) PASCAL, Pensées, III, 195.

13 Pendant un instant, il chercha de bonne foi à démêler sur quels principes se réglait sa vie quotidienne. MARTIN DU GARD, les Thibault, t. III, p. 217.

14 La tyrannie des principes paraît peut-être moins pesante, parce qu'elle est anonyme (...) André SUARÈS, Trois hommes, «Ibsen», III.

15 Les contraintes imposées aux individus en vertu des principes évidemment si raisonnables de l'hygiène, de la morale, de l'esthétique, de la protection sociale, en un mot de la civilisation, de notre civilisation, soulèvent peu de colère dans le monde moderne. G. DUHAMEL, Scènes de la vie future, IV.

Loc. **POUR LE PRINCIPE** : pour une raison absolue et théorique (et non par intérêt, etc.). *Je vous demande une augmentation pour le principe.* — Règle d'action sociale, politique. *Principe d'égalité* (→ Abâtardir, cit. 3), *de légalité* (cit. 4). *Le principe que le roi règne et ne gouverne* (cit. 43) *pas. Au nom d'un principe supérieur* (→ Ordre, cit. 25). *Le principe fondamental du gouvernement démocratique* (→ 1. Parler, cit. 24). *La fraternité* (cit. 9) *considérée comme un devoir, non un principe. — Les principes républicains. Les «immortels* (cit. 20) *principes» de 1789. — Se combattre* (cit. 2) *pour des principes et des droits. Déclaration de principes.* — Allus. hist. *Périssent les colonies plutôt qu'un principe.* ⇒ **Périr** (*supra* cit. 5).

Il *(le gouvernement révolutionnaire)* doit se rapprocher des principes ordinaires et généraux, dans tous les cas où ils peuvent être rigoureusement appliqués sans compromettre la liberté publique. 16

ROBESPIERRE, Disc. sur les principes du gouvernement révolutionnaire, 25 déc. 1793.

Que de leçons il faut pour qu'un pays arrive à comprendre que les principes généraux sont seuls à longue portée, et que sans eux les combinaisons les plus ingénieuses sont au fond aventure et hasard! 17

RENAN, Questions contemporaines, Œ. compl., t. I, p. 50.

Il y a des chefs de parti qui sont prêts à sacrifier le pays à une doctrine ou à des principes. Le vrai chef, lui, dit : «Périssent les principes plutôt que la nation!» 18

A. MAUROIS, Un art de vivre, IV, V.

♦ **2.** Plur. Les règles morales (corps de doctrine ou règles vagues) auxquelles une personne, un groupe est attaché. ⇒ **Morale, religion; conseil** (→ Examen, cit. 4). *Mes principes de morale* (→ Gendarme, cit. 7). *Manquer à ses principes* (→ Écarter, cit. 22). *Austère*, sévère dans ses principes. Il n'est pas dans mes principes de faire...* (→ Languir, cit. 24). *Les principes et les préjugés d'une famille* (→ Frasque, cit. 5), *d'une société, d'une secte* (→ Détacher, cit. 6). *Instruction dans les principes du christianisme.* ⇒ **Catéchisme;** et aussi **credo, foi.**

Je ne sais ce que c'est que des principes, sinon des règles qu'on prescrit aux autres pour soi. Je pense d'une façon, et je ne saurais m'empêcher de faire d'une autre. DIDEROT, Jacques le fataliste, Pl., p. 576. 19

Avoir de bons, de mauvais principes. Inculquer (cit. 4) *de bons principes à qqn. Des principes d'honnêteté* (cit. 12), *de justice... Principes étroits. Être fidèle à ses principes.*

(...) un homme d'esprit a beau marcher dans les meilleurs principes et même de bonne foi, toujours par quelque côté il est cousin germain de Voltaire et de Rousseau. STENDHAL, la Chartreuse de Parme, I, VII. 20

♦ **3.** Les «bons» principes; ceux qui dominent dans une société donnée. ⇒ aussi **Mœurs** (bonnes mœurs). *Entorse aux principes* (→ Audace, cit. 16). *Être nourri* dans les principes* (→ 1. Penser, cit. 13). *Homme à principes. Une personne sans principes.* — Loc. *Être à cheval* sur les principes.*

Ils ne parlent que de leurs principes. Ah, le joli mot! Comme si les principes n'étaient pas ce que les font les hommes. «Appuyez-vous sur les principes, disait Moréas, ils finiront par céder». La boutade est profonde. 21

J. DUTOURD, les Taxis de la Marne, I, XXII.

★ **IV.** Loc. (XXᵉ). **PAR PRINCIPE** : par une décision, une détermination a priori résultant d'un principe (au sens II., 2. ou III.). *Hostile* (cit. 5) *par principe. Je continue, par principe, à le bouder* (cit. 5; → aussi Mariage, cit. 14). — (Dans le même sens). **DE PRINCIPE** : a priori. *Hostilité* (cit. 6) *de principe. Accord de principe.*

(XIXᵉ). **EN PRINCIPE** : théoriquement, d'après les principes. *Il avait raison en principe,* d'une manière générale et théorique (→ Généralement, cit. 2). *Il avait fini par admettre, en principe...* (→ Infaillible, cit. 10).

Par ext. (Servant à introduire une règle générale à laquelle on constate ensuite une exception). → Fédéral, cit. 3; lier, cit. 33.

«En principe» Victor ne fume pas encore. Toutefois quelques cigarettes (...) ne sont pas pour lui déplaire. GIDE, Journal, 20 janv. 1943. 22

De ce point à celui où il se tenait, l'espace en principe réservé à la circulation était tellement embarrassé d'objets de toutes sortes qu'il se demanda comment la foule des passagers et des parents venus à leur rencontre avait fait pour s'y frayer un chemin. A. ROBBE-GRILLET, le Voyeur, p. 43. 23

CONTR. Conséquence, fin. — Exception.

PRINCIPICULE [pʀɛ̃sipikyl] n. m. — 1831; du lat. *princeps, principis* «prince»; on disait *principion.*

♦ Iron. Prince d'une principauté sans importance.

Rédacteur en chef du *Figaro* en 1831 *(H. de Latouche),* il inventa mille épigrammes, des sobriquets de toute sorte (...) Pour ne rien paraître lui ôter, je dirai seulement que ce fut lui qui mit en circulation alors le mot de *principicule.* Quel trophée! SAINTE-BEUVE, Causeries du lundi, 17 mars 1851.

PRINTANIER, IÈRE [pʀɛ̃tanje, jɛʀ] adj. — 1503; de *printemps.*

♦ **1.** Qui se rapporte au printemps. *Feuillaison* (cit.), *floraison* (cit. 1) *printanière. Temps, soleil printanier. — Potage printanier,* aux légumes de printemps. *Étoffe, robe, tenue printanière,* légère, claire, fleurie.

(Une alouette) Avait laissé passer la moitié d'un printemps 1
Sans goûter le plaisir des amours printanières.
LA FONTAINE, Fables, IV, 22 (→ Amour, cit. 35).

On a dans la tête toutes sortes de floraisons printanières qui ne durent pas plus que les lilas, qu'une nuit flétrit, mais qui sentent si bon! 2

FLAUBERT, Correspondance, 393, 27 mai 1853.

♦ **2.** Fam. (Personnes). Dont l'apparence évoque le printemps. *Vous êtes bien printanière avec cette robe.*

3 En vérité, les arbres s'étaient déjà transformés, l'air était plus léger, les rues avaient un autre aspect. Les femmes étaient aussi plus printanières.
M. AYMÉ, le Passe-muraille, p. 81.

♦ **3.** (1668). Fig., poét. Du printemps de la vie, de la jeunesse.

PRINTANISATION [pʀɛ̃tanizɑsjɔ̃] n. f. — 1937; de *printemps.*

♦ Agric. Traitement d'une plante (ou d'une graine) par le froid, permettant d'en hâter le développement. ⇒ **Vernalisation.**

PRINTEMPS [pʀɛ̃tɑ̃] n. m. — Fin XIIe; *prins tans,* XIIe; lat. *primus tempus* «premier temps»; a éliminé *primevère* (cf. esp. et ital. *primavera*).

♦ **1.** La première des quatre saisons, qui va du 21 mars au 21 juin dans l'hémisphère nord. *Printemps astronomique. Équinoxe de printemps.* ⇒ **Vernal.** *Au printemps dernier* (→ Atermoiement, cit. 3). *En plein printemps.* — Saison qui succède à l'hiver, dans les climats tempérés, et où la température s'adoucit, la végétation renaît et reverdit (cf. Nouvelle saison, renouveau). → Averse, cit. 2, Gautier; environ, cit. 9, Chateaubriand. *Attente* (cit. 24), *retour du printemps* (→ Érotique, cit. 1). *Les premiers jours du printemps* (→ Naissant, cit. 4). *Printemps précoce, tardif. Bourgeons, boutons qui éclosent* (cit. 3 et 6) *au printemps. Le printemps, saison des amours* (→ Frai, cit. 1). *Le rossignol, héraut* (cit. 3) *du printemps. Retour des hirondelles au printemps. Semailles, blé*, bois* de printemps. Douceur* (cit. 6) *du printemps.* — Prov. *Une hirondelle* ne fait pas le printemps.* — *Le Printemps,* peinture allégorique de Botticelli. *Le Sacre du printemps,* ballet de Stravinski.

1 Je reviens encore à vous, ma bonne, pour vous dire que si vous avez envie de savoir, en détail, ce que c'est qu'un printemps, il faut venir à moi (...) Que pensez-vous donc que ce soit que la couleur des arbres depuis huit jours? répondez. Vous allez dire: «Du vert». Point du tout, c'est du rouge. Ce sont de petits boutons, tout prêts à partir, qui font un vrai rouge; et puis ils poussent tous une petite feuille, et comme c'est inégalement, cela fait un mélange trop joli de vert et de rouge.
Mme DE SÉVIGNÉ, Lettres inédites, 149, 19 avr. 1690.

2 Ajoutez l'aggravation du printemps. Il aspirait les effluves sans nom de l'obscurité sidérale. Il allait devant lui, délicieusement hagard. Les parfums errants de la sève en travail, les irradiations capiteuses qui flottent dans l'ombre, l'ouverture lointaine des fleurs nocturnes, la complicité des petits nids cachés, les bruissements d'eaux et de feuilles, les soupirs sortant des choses, la fraîcheur, la tiédeur, tout ce mystérieux éveil d'avril et de mai, c'est l'immense sexe épars, proposant à voix basse la volupté, provocation vertigineuse qui fait bégayer l'âme.
HUGO, l'Homme qui rit, II, III, IX.

3 C'est le printemps, comme on l'imagine dans les contes de fées, l'exubérant, l'éphémère, l'irrésistible printemps du Midi, gras, frais, jailli en verdures profondes, en herbe haute que le vent balance et moire, en arbres de Judée autant mauves que rouges, en paulownias couleur de pervenche grise, en lilas bleus dont la croix de pétales s'ourle d'une pourpre nacrée, en faux ébéniers, en glycines, en roses (...)
COLETTE, Belles saisons, p. 148.

Par ext. Température et végétation de cette saison. *Recéler le printemps au milieu des hivers* (→ Arbre, cit. 14). *Un lieu de printemps éternel* (→ Border, cit. 1).

4 Un printemps de septembre refleurit la capucine grimpante, la rose, l'infatigable pourpier aux cinq couleurs, les petits pétunias sarmenteux.
COLETTE, Belles saisons, p. 35.

♦ **2.** (1968). Fig. (Domaine politique, social). Période pendant laquelle des espoirs de libération, de progrès (économique, social) semblent sur le point de se réaliser. *Printemps démocratique, de la liberté. Le printemps de Prague. Le printemps polonais.*

4.1 (...) ce que l'on appela le «printemps de Prague» procéda d'une conception réellement libérée, joyeusement intelligente, de l'homme et de la société socialistes, où le bolchevisme russe eût pu trouver l'occasion de se rédimer.
Raymond ABELLIO, Ma dernière mémoire, t. II, p. 155.

♦ **3.** (V. 1530). Fig., littér. Jeune âge, temps du jeune âge. ⇒ **Jeunesse; avril** (fig.). *Amour et les fleurs* (cit. 2, Ronsard) *ne durent qu'un printemps. Mon beau printemps et mon été* (→ 1. Être, cit. 40). *Sur le printemps de ma jeunesse folle* (→ Arondelle, cit. Marot). *L'homme n'a qu'un printemps dans la vie* (→ Approche, cit. 27). *Aujourd'hui le printemps, Ninon, demain l'hiver* (cit. 11, Musset).

5 Regarde sans frayeur la fin de toutes choses,
Consulte le miroir avec des yeux contents :
On ne voit point tomber ni tes lis, ni tes roses.
Et l'hiver de ta vie est un second printemps.
François MAYNARD, la Belle Vieille.

6 Je ne suis qu'au printemps, je veux voir la moisson;
Et comme le soleil, de saison en saison,
Je veux achever mon année.
André CHÉNIER, Odes, VII.

7 (...) que gagnerais-je à lésiner sur mon printemps, pour goûter les joies de la vie quand personne ne voudra plus les partager avec moi?
CHATEAUBRIAND, Mémoires d'outre-tombe, t. VI, p. 38.

♦ **4.** (XVIIIe). Poét. Vieilli. Année (en parlant de l'âge d'une personne jeune). *Elle avait quinze printemps.* — Par plais. *Ses quatre-vingts printemps.*

CONTR. Automne. — Arrière-saison.
DÉR. Printanier, printanisation.
COMP. Avant-printemps.

PRINTING [pʀintiŋ] n. m. — 1932; angl. *printing* «impression, imprimerie», de *to print* «imprimer».

♦ Anglic. Techn. Appareil de transmission télégraphique permettant la frappe directe des dépêches dans les récepteurs des agences de presse, lorsque ceux-ci sont reliés à l'émetteur. ⇒ **Téléscripteur.**

Pour l'imprévisible, catastrophes aériennes, accidents de chemin de fer, incendies, tremblements de terre, les printings interrompent leur tic-tac incessant par une sonnerie annonciatrice d'un événement important.
Philippe BOEGNER, les Punis, p. 48.

PRIODONTE [pʀijɔdɔ̃t] n. m. — 1868; grec *priein* «scier», et *odous* «dent».

♦ Zool. Mammifère édenté, tatou* géant.

PRIORAT [pʀijɔʀa] n. m. — 1688; de 1. *prieur.*

♦ Didact. (relig.). Fonction de prieur; sa durée.

PRIORI (A) [apʀijɔʀi] adv. et n. m. ⇒ **A priori.**

PRIORITAIRE [pʀijɔʀitɛʀ] adj. — V. 1930; de *priorité.*

♦ **1.** Qui a la priorité. *Dossier, cas prioritaire. Mesures prioritaires d'un gouvernement.*

Spécialt. Qui a la priorité (2.). *Le véhicule venant de la droite est prioritaire.*

(De *priorité,* 2., c). *Les personnes prioritaires sont priées de se présenter au guichet.* — N. *Un, une prioritaire.*

♦ **2.** (Abstrait). Qui vient en premier par ordre d'importance, d'urgence. *C'est l'objectif prioritaire du gouvernement. Besoins, exigences, soucis prioritaires.*

DÉR. Prioritairement.

PRIORITAIREMENT [pʀijɔʀitɛʀmɑ̃] adv. — XXe; de *prioritaire.*

♦ De manière prioritaire, en priorité. *«Un domaine (...) qui peut être utilisé à des fins diverses. Prioritairement par le service public, mais aussi par d'autres entreprises»* (G. Fillioud, entretien in *l'Express,* 23 avr. 1982, p. 90).

PRIORITÉ [pʀijɔʀite] n. f. — 1361; lat. scolast. *prioritas.*

♦ **1.** [a] Qualité de ce qui vient, passe en premier, dans le temps. *Revendiquer la priorité d'une découverte.* ⇒ **Antériorité.** *Priorité en faveur* (cit. 29) *d'un ordre du jour. Donner la priorité absolue à quelque chose.*

Loc. *En priorité, par priorité :* en premier lieu, avant les autres (avec une idée d'importance plus grande; → ci-dessous, 4.). *Venir en priorité.* ⇒ **Précéder.** *Nous discuterons ce point en priorité. Les enfants ont été évacués par priorité.*

[b] (Spécialt. Dr.). Caractère d'antériorité ou d'importance conférant un droit, un avantage. *Droit de priorité et d'initiative d'une assemblée en matière de lois. Droit de priorité pour acheter.* ⇒ **Préemption.** — (1875). Fin. *Actions de priorité,* qui donnent certains avantages à leurs titulaires. ⇒ **Privilégié.**

♦ **2.** (V. 1370). Droit de passer le premier. [a] Vieilli. ⇒ **Préséance.** *Orateur qui demande la priorité. Priorité résultant de l'ancienneté*.*

[b] (1923). Mod. Droit de passage d'un véhicule par rapport à d'autres, dans les circonstances déterminées par le Code de la route. *Véhicule qui a priorité sur un autre à un croisement. Priorité à droite, priorité absolue sur les voies à grande circulation. Signal de priorité. Laisser, refuser la priorité à une voiture.*

À l'approche des carrefours, au croisement des «nationales», entre le 28 août et le 2 septembre, les automobiles convergeant en étoile de toutes les directions vers Paris se faisaient affront ou politesse, selon le tempérament des chauffeurs : «Passez, madame. — Après vous, monsieur». Ou bien «Priorité, bon Dieu! — Et la droite, qu'est-ce que c'est?»
COLETTE, Belles saisons, p. 98.

[c] *Carte de priorité,* accordée aux aveugles, aux invalides, aux femmes enceintes, etc., pour leur permettre de passer avant les autres dans certaines files d'attente. — Par métonymie. Fam. Titulaire de cette carte. *Laissez passer les priorités!* ⇒ **Prioritaire.**

♦ **3.** Fig. Vx. Primauté. *La priorité du spirituel sur le temporel.*

♦ **4.** Fait de considérer (qqch.) comme plus important, plus urgent que les autres choses du même genre. *Pour le gouvernement, la priorité, c'est le problème du chômage. Ce n'est pas une priorité* *pour le ministère. — La priorité des priorités :* ce qui est absolument prioritaire (2.).

DÉR. Prioritaire.

PRIS, PRISE [pRi, pRiz] p. p. adj. ⇒ **Prendre.**

PRISABLE [pRizabl] adj. — V. 1265; de 1. *priser.*

♦ Vx. Appréciable, estimable.

(...) l'esprit particulier aux artistes qui comporte plusieurs prisables qualités, mais qui s'élève au-dessus des idées bourgeoises par la liberté des jugements et par l'étendue des aperçus. BALZAC, Illusions perdues, Pl., t. IV, p. 494.

CONTR. Méprisable.

PRISAGE [pRizaʒ] n. m. — 1416; *presage,* XIIIe; de 1. *priser.*

♦ Vx. Action de priser, d'estimer. ⇒ **Estimation.**

PRISE [pRiz] n. f. — V. 1175; p. p. fém. du v. *prendre**.

REM. Ce nom ne correspond au verbe *prendre* que dans quelques valeurs spéciales et dans quelques emplois figés *(prise en charge, à partie)*; la nominalisation de *prendre* en *prise,* en emploi libre, est exceptionnelle. *Prise* correspond en outre à des emplois figés où son sens est transféré et où il n'y a pas de correspondance entre verbe et nom *(prise de courant,* etc.).

★ **I. A.** (Action de prendre). ♦ **1.** (Concret). **a** Littér. Action de prendre* qqch. pour tenir. *L'énergie* (cit. 3) *de la prise.* ⇒ **Poigne, préhension.** *Poignée d'un instrument qui permet la prise.* — (Tennis). Manière de tenir la raquette. *Avoir une bonne, une mauvaise prise.*

b (1559). Manière de saisir et d'immobiliser l'adversaire, dans la lutte. *Prise d'épaules. La ceinture, la clé, la cravate, le bras roulé, le collier, la manchette sont des prises. Prises autorisées* (→ Palestre, cit.). *Prises de catch, de judo.*

1 (...) il était comme un lutteur devant l'adversaire, hésitant quelle *prise* tenter sur lui (...) MONTHERLANT, les Lépreuses, II, XV.

1.1 Une fois à terre, nous fournîmes tous deux un long effort; étonné de la durée de cette détente, de l'effort qu'il me fallait faire, dans cette étreinte, pour continuer de souffler, désemparé de la durée de cette prise et de toute la chaleur massive qui sortait de mes muscles, je n'avais plus le sentiment d'aucun sport (...) Jean PRÉVOST, Plaisirs des sports, p. 94.

1.2 Attention, hein, moi je te fais la prise qui te casse les veines! J.-M. G. LE CLÉZIO, le Déluge, p. 268.

c (Sports). Le fait de saisir, de tenir (plus ou moins bien) un objet nécessaire à l'exercice d'un sport; manière de tenir. *Avoir une bonne, une excellente prise* (en aviron : → ci-dessous, *prise d'aviron*; au tennis ou au ping-pong : *prise ouverte, fermée...*; au javelot, à la perche).

Spécialt. (Gymnastique). Manière dont la main du gymnaste saisit la barre. *Prise palmaire, radiale... Prises mixtes : ouvertes* (les cinq doigts du même côté), *fermées, croisées* (les avant-bras se croisant), *jointes, écartées. «On écrit prise (au singulier), qu'il s'agisse d'une ou des deux mains; mais il est recommandable de mettre le pluriel lorsqu'il s'agit des deux mains»* (Fédération internationale de gymnastique, *Précis de terminologie,* 1971).

♦ **2.** (1632). Vx (langue class.). Altercation, dispute. — Loc. *Avoir prise avec qqn.*

2 Nous eûmes prise ensemble à l'hôtel de Bourgogne. CORNEILLE, la Galerie du Palais, I, 9.

Loc. fig. (XIXe). *Prise de bec :* altercation, dispute. *Avoir une prise de bec* (avec qqn).

3 (...) elle avait eu ce qu'elle appelait une *prise de bec* avec le pauvre Pons. BALZAC, le Cousin Pons, Pl., t. VI, p. 708.

4 Il avait mauvais caractère (...) De temps en temps, on avait des prises de bec. Mais c'était un bon chien quand même. CAMUS, l'Étranger, I, V.

♦ **3.** Loc. (XVIe). **a** **ÊTRE AUX PRISES (avec...) :** se battre avec (comme par une suite de prises). *Être aux prises avec qqn. Ils sont aux prises.* ⇒ **Main** (aux mains). — Fig. Être en lutte contre... ⇒ **Combattre, lutter.** *L'homme est aux prises avec la nature* (→ Modifier, cit. 1). *Se trouver aux prises avec des difficultés, une situation nouvelle* (→ Intelligence, cit. 10). ⇒ **Butte** (en butte à). *Être aux prises avec une maladie irrémédiable* (cit. 1). — Par ext. *Être aux prises avec un travail laborieux* (cit. 4). — *Mettre aux prises :* faire s'affronter (au propre et au figuré).

5 (...) les voyageurs *(de commerce),* ces intrépides affronteurs de négations qui, dans la dernière bourgade, représentent le génie de la civilisation et les inventions parisiennes aux prises avec le bon sens, l'ignorance ou la routine des provinces. BALZAC, l'Illustre Gaudissart, Pl., t. IV, p. 13.

6 *(Balzac)* met aux prises, sous les figures de Matthias et de Solonnet, l'ancien et le nouveau notariat (...) Th. GAUTIER, Portraits contemporains, Balzac, III.

7 (...) il était très saisi de se sentir aux prises avec cette chose mystérieuse qui est le *souvenir.* LOTI, Mon frère Yves, X.

b (1653). **LÂCHER PRISE :** cesser de tenir, de serrer; lâcher ce qu'on tenait serré dans la main. *Faire lâcher prise à qqn* (→ Dégager, cit. 26). *Il lâcha prise et tomba.* — Par métaphore (→ Cramponnement, cit.). — Fig. Abandonner.

Serrez bien, dirent-ils; gardez de lâcher prise. LA FONTAINE, Fables, X, 2. 8

La mort semble une force étrangère qui vient fondre sur notre pauvre nature et ne lâche prise qu'après l'avoir étouffée. 9
B. CONSTANT, Journal intime, 9 mai 1805.

REM. Ces sens (2. et 3.) de *prise* correspondent à *se prendre,* C., 1.

♦ **4.** (Déb. XVIIe, M. Régnier). Vx (langue class.; littér. au XIXe). Le fait de tenir sous l'influence d'une personne. ⇒ **Emprise.** *Avoir qqn sous sa prise. «Il avait une prise extraordinaire sur l'esprit et sur le cœur»* (Chateaubriand).

B. Endroit servant à prendre*. ♦ **1.** (1559). Endroit, moyen par lequel une chose, une personne peut être prise. *Je n'ai pas de prise pour attraper, tenir cet outil.* — (Abstrait). *Le moins qu'on peut laisser de prise aux dents d'autrui* (cit. 7, La Fontaine). *Nous avons une grande prise de plus pour gouverner l'enfant* (→ 1. Bon, cit. 96, Rousseau).

Qu'importe de paraître avoir moins de faiblesses qu'un autre, et donner aux hommes moins de prises sur vous? Il suffit qu'il y en ait une, et qu'elle soit connue. Il faudrait être un Achille *sans talon,* et c'est ce qui me paraît impossible. 10
CHAMFORT, Maximes, «Sur l'homme et la société», III.

♦ **2.** (1889). Alpin. Endroit d'un rocher, d'une paroi où l'on peut se tenir, prendre un point d'appui. ⇒ **Aspérité, saillie.** *Prises de mains, de pieds. Chercher une prise. Bonne prise, prise minime* (⇒ **Gratton**), *dangereuse. Prise inversée,* dont l'aspérité, la saillie est dirigée vers le bas. *Tailler des prises dans la glace.*

♦ **3.** Loc. (1625). **DONNER PRISE.** *Bateau qui donne peu de prise* (→ Avarie, cit. 3). — (XVIIe). Fig. ⇒ **Exposer** (s'). → Prêter le flanc*, fournir des armes*. *Donner prise à la malignité* (cit. 4) *des hommes, à la médisance... Donner prise à la chimère* (cit. 11). *Il faut se garder de donner prise à l'ennemi* (→ Hérisser, cit. 38). — *Donner prise sur soi :* se rendre vulnérable.

(...) tous vos déportements 11
Pourraient moins donner prise aux mauvais jugements.
MOLIÈRE, le Misanthrope, III, 4.

(...) ces bâtisses excessives donnaient de toute part prise à la bourrasque, comme ces généraux trop chamarrés qui dans la bataille attirent les coups. 12
HUGO, l'Homme qui rit, I, II, XI.

(...) j'ignorais encore avec quelle malignité les événements dérobent à nos yeux le côté par où ils nous intéresseraient davantage, et combien peu de prise ils offrent à qui ne sait pas les forcer. GIDE, Isabelle, I. 13

(Déb. XVIIe). **AVOIR PRISE.** **a** (Concret). Avoir une prise.

b (Abstrait). *Avoir prise sur* (qqch., qqn) : avoir une action, un moyen d'agir* sur. *Avoir prise sur les choses* (→ 1. Manche, cit. 7), *sur les gens. On n'a aucune prise sur les naturels indolents* (cit. 3; → aussi Emprise, cit. 6). *Sentiment qui a prise sur qqn* (→ Blesser, cit. 15), *sur le cœur humain* (→ Établir, cit. 35). — Absolt. *Un âge où les chagrins ont peu de prise* (→ Forger, cit. 10).

(...) Bonaparte était un poète en action, un génie immense dans la guerre, un esprit infatigable, habile et sensé dans l'administration, un législateur laborieux et raisonnable. C'est pourquoi il a tant de prise sur l'imagination des peuples (...) 14
CHATEAUBRIAND, Mémoires d'outre-tombe, t. IV, p. 54.

Considérez tour à tour les grands peuples depuis leur apparition jusqu'à l'époque présente; toujours vous trouverez en eux un groupe d'instincts et d'aptitudes sur lesquels les révolutions, les décadences, la civilisation ont passé sans avoir prise. 15
TAINE, Philosophie de l'art, t. II, p. 250.

Les gens qui n'eurent point de faiblesses sont terribles; on n'a point de prise sur eux. FRANCE, le Crime de S. Bonnard, Œ., t. II, p. 425. 16

Ne croyez pas qu'un homme d'État d'aujourd'hui, fût-il entier et tyrannique comme M. Clemenceau, ait prise directe sur les faits. 17
MARTIN DU GARD, les Thibault, t. VIII, p. 254.

Jamais la foi n'avait eu de prise sur cette femme à qui toutes les religions paraissaient également fausses (...) J. GREEN, Léviathan, II, II. 18

★ **II.** ♦ **1.** (XIIe). Action de s'emparer. ⇒ **Prendre.** *La prise de La Rochelle par Richelieu. La prise de la Bastille, dont la célébration* (cit. 2) *a lieu le 14 juillet.* — REM. Le syntagme *prise de la Bastille* est attesté dès 1789 (*in* D.D.L.). — *Prise d'une ville.* ⇒ **Conquête, enlèvement** (→ Destruction, cit. 1). — *Prise d'un animal.* ⇒ **Capture.**

Dr. *Prise de navire, de cargaison :* saisie d'un navire ou d'une cargaison appartenant à l'ennemi, parfois à des neutres. ⇒ **Capture** (→ Fortune, cit. 30).

Dr. criminel. **PRISE DE CORPS :** fait pour la justice de s'assurer de la personne d'un inculpé. ⇒ **Arrêter; arrestation.** *Ordonnance de prise de corps* (→ Inculper, cit. 3).

(...) son tailleur, son boulanger, son marchand de vin ou son hôte avaient obtenu et mis à exécution contre lui une prise de corps. 19
DIDEROT, Jacques le fataliste, Pl., p. 573.

Dr. féod. *Droit de prise :* droit pour le seigneur de réquisitionner ce qui lui était nécessaire pendant ses déplacements.

(...) le droit de gîte, de prise et pourvoirie, qui, sur le passage du roi ou du seigneur, dévalisait les chaumières, enlevait les paillasses et les couvertures, chassait l'habitant de chez lui, quitte à ce qu'on arrachât les portes et les fenêtres, s'il ne déguerpissait pas assez vite. 20
ZOLA, la Terre, I, V.

Mar. Droit de réquisitionner un navire ennemi ou sa cargaison. — Loc. (1684). *Navire, cargaison de bonne prise,* contre lesquels s'exerçait le droit de prise. — Fig. *Être de bonne prise,* bon à prendre (→ 1. Éponge, cit. 4; filature, cit. 3).

Le fait de prendre (une pièce); coup par lequel on prend une pièce adverse, au cours d'un jeu.

Loc. *Mettre (une pièce) en prise* (aux échecs), dans une position où elle peut être prise par l'adversaire. *Roi mis en prise.* ⇒ **Échec.** — *Prise en passant* (d'un pion, aux échecs).

♦ **2.** (V. 1119, «animal capturé»). Par métonymie. Ce qui est pris. ⇒ **Butin.** *Une belle prise* (cf. Un beau coup de filet). *Les prises d'un chasseur, d'un pêcheur. Abandonner une prise* (→ Indemniser, cit. 2). *Pirate qui rend ses prises* (→ 2. Marque, cit.). — Spécialt. Navire capturé.

★ **III.** (Dans des emplois ou des syntagmes figés nominalisant souvent un emploi de *prendre). A.* (Concret). **PRISE DE...** : action de se pourvoir, d'utiliser.

♦ **1. PRISE D'ARMES.** [a] (1690). Vx. (Correspond à *prendre les armes*). Bataille, émeute (→ Population, cit. 6). *Périr dans une prise d'armes* (→ Moteur, cit. 2).

[b] (1904). Mod. Parade militaire en présence de soldats en armes pour une revue*, une cérémonie.

♦ **2.** (1679). **PRISE D'HABIT, PRISE DE VOILE** : cérémonie par laquelle un (une) novice prend l'habit, le voile (→ Froc, cit. 4). ⇒ **Vêture.**

21 Les dames causaient d'une prise de voile, une cérémonie très touchante, dont le Paris mondain restait tout ému depuis trois jours. C'était la fille aînée de la baronne de Fougeray qui venait d'entrer aux Carmélites, par une vocation irrésistible. ZOLA, Nana, III.

♦ **3.** (Correspond à *prendre,* I., C., 6.). [a] *La prise d'un médicament, etc.* : action d'absorber (un aliment, un médicament...).

[b] (1567). *Une prise* : la chose absorbée en une fois. *Médicaments à ingérer en trois prises quotidiennes.* — (1812). Spécialt. Dose, pincée de tabac que l'on prend par le nez. ⇒ 2. **Priser.** *Humer* (cit. 9) *une prise de tabac.* — Ellipt. *Offrir une prise* (→ Insinuer, cit. 18).

22 (...) le chevalier tirait sa tabatière par un geste digne de Molé (...) levait dignement le couvercle, massait sa prise, la vannait, la lévigeait, la façonnait en talus; puis, quand les cartes étaient données, il avait garni les antres de son nez. BALZAC, la Vieille Fille, Pl., t. IV, p. 214.

23 Parfois, maman aspirait une petite prise de tabac; elle le faisait discrètement, presque en cachette, car elle sait que je n'aime pas à la voir priser, moi qui fume toute la journée, moi qui suis gâté par toute sorte de vices, de manies et de tics. G. DUHAMEL, Salavin, I, XVI.

Le fait d'absorber (des stupéfiants). ⇒ **Sniff** (anglicisme).

Fam. Vx. *Prendre une prise* : humer, sentir une mauvaise odeur.

24 T'as le nez solide, t'as pas peur de prendre une prise, toi! ZOLA, l'Assommoir, X, t. II, p. 140.

♦ **4.** (1903, in *Année sc. et industr.* 1904, p. 323). **PRISE DE VUE(S)** (au cinéma) : tournage d'un plan* (2. Plan), entre le déclenchement de la caméra* et son arrêt (correspond à *prendre,* I., C., 3. : *prendre une photo,* etc.). *Rapport entre la position de la caméra et le sujet, dans une prise de vue. Faire plusieurs prises de vue d'un même plan. Angle de prise de vue.* ⇒ **Champ.** *Opérateur de prises de vue.* — *Prise de vue terrestre; aérienne; horizontale, oblique* (⇒ **Plongée, contre-plongée**); *fixe, mobile.* ⇒ **Mouvement** (d'appareil).

24.1 Il aurait voulu conclure avec sur le front, comme la lampe des dentistes, un petit appareil de prise de vues, pour filmer les visages dans cet instant-là. MONTHERLANT, le Démon du bien, p. 139.

Par ext. *Prise de vues photographique.* ⇒ **Cliché, photographie.** — Ellipt. *Prise. Faire plusieurs prises d'un plan.*

(1930). **PRISE DE SON** : opération par laquelle on règle la modulation microphonique, la qualité du son pour le transmettre (radio) ou l'enregistrer (disque, bande, film...). *Prise de son d'un film pendant le tournage au moyen de la perche* à son, complétée par l'enregistrement d'autres éléments sonores.* ⇒ **Mixage.**

♦ **5.** (Déb. XXe). **PRISE DE SANG** : action de prélever du sang pour l'analyser, pratiquer une transfusion... ⇒ **Prélèvement.**

♦ **6.** Rare. Action de capter (un fluide). *Effectuer une prise d'eau, de courant, illicite, frauduleuse.* — REM. Les syntagmes *prise d'eau, de courant,* etc. sont en général employés et compris au sens IV, ci-dessous.

♦ **7.** Techn. *Prise de terrain :* manœuvre d'un aéronef pour se poser.

24.2 Je décrivis une large courbe, fis une «prise de terrain». MERMOZ, Mes vols, *in* G. PETIOT.

♦ **8.** Sports (escrime; de *prendre* au sens de «s'emparer de, maîtriser»). **PRISE DE FER** : action qui consiste à maîtriser le fer adverse. *L'enveloppement, le liement et l'opposition sont des prises de fer. Prise de fer double, composée.*

♦ **9.** Sports (→ ci-dessus, I., A., 1., c). Le fait de prendre et de serrer (l'aviron). *Prise d'aviron.* — *Prise d'eau* : le fait de prendre, d'attaquer l'eau, avec l'aviron.

Prise de témoin (course de relais).

B. (Abstrait). **PRISE DE...** (et n. abstrait) : action de prendre, de se mettre à avoir. *Prise de conscience*. Prise de possession*. Prise de position sur une question. Prise de contact avec qqn.*

Prise de fonction, de poste : fait de prendre ses fonctions, son poste.

La foule ouvrière arrivait drue venant du métro. Aux heures de prise de poste elle était blanche de visages tournés vers l'usine. Au départ elle apparaissait sombre vue de dos. Pierre HAMP, la Peine des hommes (Moteurs), p. 31. 24.3

Prise de commandement, pour un officier. — Admin. *Prise de rang :* fait de prendre sa place hiérarchique.

Prise de parole : fait de prendre la parole.

C. (Avec *en..., à...*). ♦ **1.** (Fait de prendre la responsabilité de...). — (Mil. XXe). **PRISE EN CHARGE.** [a] Action de prendre en charge (qqn), d'assumer son entretien, ses dépenses. *Prise en charge des parents âgés nécessiteux par les enfants. Prise en charge d'un assuré par la Sécurité sociale.* ⇒ **Charge.**

[b] Prise en charge d'un passager par une voiture de louage. — Spécialt. Moment où le compteur d'un taxi est enclenché; prix forfaitaire minimal de départ. *Taxe de prise en charge. La prise en charge a augmenté d'un franc.*

♦ **2. PRISE EN...** (fait de manifester une attitude). *La prise en amitié, en pitié de qqn par qqn.* — *Prise en considération* de quelque chose.*

REM. Les loc. *prise en...* correspondent à *prendre en...* (→ Prendre, I., A., 4.).

♦ **3.** (1599, en dr.). **PRISE À PARTIE** : fait de prendre qqn à partie, de l'attaquer. ⇒ **Attaque.**

Dr. Poursuite contre un juge, voie de recours extraordinaire portée devant une cour d'appel ou la cour de cassation. *Prise à partie dans le cas de déni* de justice, vol, fraude, concussion...*

REM. Les emplois de *prise* traités ci-dessus (B. et C.) correspondent à des syntagmes figés, formés avec *prendre,* I., C. et D., 2.

★ **IV.** (XVIe, dispositif qui «prend»). — REM. Dans ces valeurs, à la différence du sens III, *prise* ne correspond pas à la nominalisation d'un emploi figé de *prendre.* ♦ **1.** (1600). **PRISE D'EAU** : robinet*, tuyau, vanne où l'on peut prendre de l'eau (→ Pont, cit. 7). — Mar. *Prise d'eau à la mer,* qui permet d'obtenir de l'eau de mer de l'intérieur du navire.

Près d'elle *(la machine Lison),* une prise d'eau, mal fermée, ruisselait et entretenait une mare, coulant entre ses roues, dans la fosse. ZOLA, la Bête humaine, VI. 25

(1869). **PRISE D'AIR** : dispositif d'aération. — *Prise de vapeur d'une machine.*

Aéron. *Prise d'air* (sur un avion supersonique), munie de parois internes (ou externes) mobiles de façon à adapter le fonctionnement du réacteur aux vitesses de l'avion.

♦ **2.** (Déb. XXe; av. 1922, Duhamel). **PRISE DE COURANT, PRISE ÉLECTRIQUE** et, absolt, **PRISE** : contacteur* électrique. Chacune des deux parties du dispositif : bouton isolant portant deux fiches ou *prise mâle;* socle isolant muni de deux douilles ou *prise femelle. Appareil électrique à fil terminé par une prise. Prise fixée sur un mur* (→ Fourrer, cit. 4). *Brancher* (cit. 2) *une lampe sur la prise électrique. Prise de pick-up d'un récepteur de radio. Prise d'antenne, de télévision.* — (1932). *Prise de terre :* conducteur qui relie à la terre une installation électrique. *Prise multiple :* prise femelle à plusieurs douilles. ⇒ **Multiprise**; et aussi **plot.**

(Avec un n. en appos.). *Prise tourne-disque, prise magnétophone.*

♦ **3.** (1899). **PRISE DIRECTE,** et, absolt, **PRISE.** — Autom. Position du changement de vitesse dans laquelle la transmission du mouvement moteur est directe (les autres positions correspondant aux vitesses démultipliées ou surmultipliées). *Mettre la prise directe.* — **EN PRISE.** *Voiture qui a sa troisième vitesse en prise. Monter une côte en prise. Être en prise.*

Loc. fig. (1961). *Être en prise (directe) avec, sur qqch.,* en contact direct et actif. *Être en prise directe avec son époque. Être en prise directe sur la réalité.*

Absolument :

(...) l'art n'est plus seulement cette tangence de l'esprit à la matière, cette expression métaphorique de l'exister auxquelles nous avaient habitués des générations d'artistes. Il est désormais une infusion de la pensée dans la chose inerte, un contact en prise directe et qui se résout en une création vivante (...) M. AYMÉ, le Vin de Paris, «La bonne peinture», p. 212. 26

REM. L'auteur pastiche le style prétentieux de certains critiques.

★ **V.** (1783, Buffon). Le fait de prendre. — Techn. ⇒ **Coagulation,**

durcissement, solidification. *La prise d'un béton.* — Loc. *Ciment à prise rapide.*
Gélification* (cit.) du lait, dans la fabrication du fromage.
(1869, *in* Littré). *Faire prise :* se coaguler.
DÉR. 2. **Priser.**

PRISE D'AIR [pʀizdɛʀ] n. f. ⇒ **Prise** (IV., 1.).

PRISE D'EAU [pʀizdo] n. f. ⇒ **Prise** (IV., 1.).

PRISE DE COURANT [pʀizdəkuʀɑ̃] n. f. ⇒ **Prise** (IV., 2.).

PRISÉE [pʀize] n. f. — Déb. xvᵉ; *prisie, prisiee,* xiiiᵉ; de 1. *priser.*

♦ Vx ou dr. Action de priser* (1. Priser). ⇒ **Estimation** (cit. 1), **évaluation.** — Spécialt. (Dr.). Estimation d'objets mobiliers par un commissaire-priseur ou un greffier de justice de paix. *Prisée d'un inventaire de succession, d'une société en liquidation. Prisée de vente aux enchères**
HOM. 1. **Priser,** 2. **priser.**

1. PRISER [pʀize] v. tr. — xivᵉ; *preiser,* 1080, *Chanson de Roland; prisier,* xiiᵉ; bas lat. *pretiare* «apprécier»; de *pretium* «prix».

♦ **1.** Vx. Évaluer*, mettre un prix à... ⇒ **Estimer; prisée,** 1. **priseur.**

1 (...) je dis au marchand que je m'en rapportais à sa bonne foi; qu'il n'avait qu'à priser la bête en conscience, et que je m'en tiendrais à sa prisée.
A.-R. LESAGE, Gil Blas, I, II.

♦ **2.** Fig., littér. Donner du prix à... ⇒ **Apprécier, estimer** (→ Faire cas* de). *Priser un ouvrage* (→ Déshonorer, cit. 16). *Priser une qualité chez qqn* (→ 1. Feu, cit. 31; montant, cit. 3).

2 Et comme je ne vois nul genre de héros
Qui soient plus à priser que les parfaits dévots.
MOLIÈRE, Tartuffe, I, 5.

3 Il n'est pas un seul de ces livres qui ne soit digne, par quelque mérite singulier, de l'estime d'un galant homme. Quel autre possesseur saura les priser comme il faut?
FRANCE, le Crime de S. Bonnard, Œ., t. II, p. 448.

4 J'y eus la table, le couvert et cette douceur d'amitié que je prisais plus que tout.
G. DUHAMEL, la Pesée des âmes, XII.

▶ **SE PRISER** v. pron.
Vx ou littér. S'estimer.

5 Nous ne nous prisons pas, tout petits que nous sommes,
D'un grain moins que les éléphants.
LA FONTAINE, Fables, VIII, 15.

▶ **PRISÉ, ÉE** p. p. adj. *Une qualité assez prisée, très prisée.*
CONTR. Dépriser, discréditer, mépriser.
DÉR. Prisable, prisage, 1. **priseur.**
HOM. Prisée, 2. **priser.**

2. PRISER [pʀize] v. tr. — 1807; de *prise,* III.

♦ **1.** Prendre, aspirer (du tabac) par le nez. *Priser du tabac en poudre* (→ Inconvenant, cit. 2). *Tabac* à priser* (→ Caftan, cit. 2). — Absolt. *Personne qui prise. Priser, fumer ou chiquer.*

1 (...) Chazelle et Paulmier étaient deux employés toujours en guerre : l'un fumait, l'autre prisait, et ils se disputaient sans cesse à qui pratiquait le meilleur mode d'absorber le tabac.
BALZAC, les Employés, Pl., t. VI, p. 946.

2 Elles ne fument pas encore comme aujourd'hui, mais elles prisent : Madame de Caylus elle-même a son joli nez barbouillé de tabac.
SAINTE-BEUVE, Causeries du lundi, 23 févr. 1852.

3 Quant à mon second défaut, j'en demande pardon aux dames... mais je prise... j'aime à me fourrer du tabac dans le nez. (Tirant mystérieusement une tabatière.) Voilà l'objet!... pendant que je suis seul... j'ai bien envie...
Il ouvre la tabatière et y plonge les doigts.
E. LABICHE, Mon Isménie, 6.

♦ **2.** (Complément n. de médicament, de stupéfiant en poudre). *Priser de l'héroïne, de la cocaïne.* ⇒ **Sniffer** (anglic.). — Pron. (Passif). *La poudre d'héroïne* (2. Héroïne, cit.) *se prise aisément.*
DÉR. 2. **Priseur.**
HOM. Prisée, 1. **priser.**

1. PRISEUR [pʀizœʀ] n. m. — V. 1268; *priseaur, priseor,* v. 1252; de 1. *priser.*

♦ **1.** Vx. Celui qui fait une estimation, une prisée.

♦ **2.** Mod. (En appos., ou adj.). Commissaire-priseur.
HOM. 2. **Priseur.**

2. PRISEUR, EUSE [pʀizœʀ, øz] n. — 1807; de 2. *priser.*

♦ Personne qui prise du tabac. *Un grand priseur. Les priseurs et les fumeurs. Priseur d'héroïne.* — Adj. Par plais. *Nez priseur* (→ Laid, cit. 9).
HOM. 1. **Priseur.**

PRISMATIQUE [pʀismatik] adj. — 1647, Pascal; de *prisme.*

♦ **1.** Du prisme. *Surface prismatique.* — Qui a la forme d'un prisme. *Objet, construction, moulure prismatique* (→ aussi Iceberg, cit.; ocellure, cit. 3). *Cristal prismatique.*

Herminie se leva et poussa la persienne, afin que le jour tombât mieux sur la bague de sa mère et qu'on en pût mieux apprécier la beauté. Et elle se rassit, le coude à la table, regardant aussi la pierre prismatique (...) 1
BARBEY D'AUREVILLY, les Diaboliques, «Dessous de cartes...».

♦ **2.** Qui est muni d'un prisme optique. *Jumelles prismatiques.*

♦ **3.** (1762). Se dit des couleurs perceptibles à travers le prisme optique. *Couleurs prismatiques.* ⇒ **Spectral.**

Ces tubes transparents, selon que le jour les traverse, prennent des teintes prismatiques étranges et revêtent toutes les couleurs du spectre solaire (...) 2
Th. GAUTIER, Voyage en Russie, VIII.

Produit par un prisme. *Lumière, scintillement prismatique.*
DÉR. Prismatiser.

PRISMATISATION [pʀismatizasjɔ̃] n. f. — 1802; de *prismatiser.*

♦ Didact. Action de prismatiser; son résultat.

PRISMATISER [pʀismatize] v. tr. — 1802; de *prismatique.*

♦ Didact. Donner la forme d'un prisme à (qqch.). *Prismatiser une moulure.*
DÉR. Prismatisation.

PRISMATOÏDE [pʀismatɔid] n. m. — 1869; du grec *prisma, prismatos* (→ Prisme), et *-oïde.*

♦ Géom. Polyèdre dont deux des faces (bases) sont des polygones contenus dans des plans parallèles. — On dit aussi *prismoïde.*

PRISME [pʀism] n. m. — 1613; grec *prisma, prismatos,* de *prizein* «scier».

♦ **1.** Géom. Polyèdre qui a deux de ses faces, nommées *bases,* égales et parallèles, les autres faces ou *faces latérales* étant des parallélogrammes. *Prisme triangulaire, quadrangulaire, pentagonal...,* dont la base a trois, quatre, cinq côtés... *Prisme régulier,* qui a pour bases des polygones réguliers. *Prisme droit, prisme oblique,* dont les bases sont perpendiculaires ou non aux autres faces. *Prismes droits particuliers.* ⇒ **Parallélépipède; cube.** *Section droite d'un prisme. Le volume du prisme est égal au produit de la surface de base par la hauteur. Pans d'un prisme,* ses surfaces latérales.

♦ **2.** Sc. Forme d'un cristal qui a plusieurs faces parallèles *(pans)* à une même droite dite *axe de zone. Prisme ouvert,* dont les faces opposées aux faces parallèles sont quelconques. *Prisme ouvert du système quadratique, hexagonal, rhomboédrique... Prisme allongé.* ⇒ **Bacillaire.** *Prisme fermé,* qui a la forme d'un prisme géométrique, oblique ou droit. *Prisme orthorhombique.*

(...) cependant on sent une certaine froideur sous cette animation, qui étincelle comme les prismes irisés de la neige aux rayons d'un soleil d'hiver. 1
NERVAL, Lorely, Fêtes de Hollande, III.

♦ **3.** (1637, Descartes). Opt. et cour. Prisme à section triangulaire, quadrangulaire, etc., en matière transparente, qui a la propriété de dévier et de décomposer les radiations (rayons lumineux ou radiations invisibles). ⇒ **Dispersion, réfraction** (de la lumière), **spectre.** *Prisme de verre, de cristal de roche, de quartz, de sel gemme... Prisme à vision directe. Prisme d'inclinaison; prisme redresseur.* — *Prisme achromatique. Prisme biréfringent.* — *Prisme à réflexion totale. Prisme de Nicol.* ⇒ **Nicol.** *Prisme polarisateur, polariseur. Prismes d'un polarimètre. Prisme d'un spectroscope. Chambre claire à prisme,* permettant de reproduire des dessins. *Jumelles à prisme* ou *prismatiques. Prisme à faces courbes pour concentrer les radiations dispersées. Rayon blanc qui se décompose* (cit. 1) *en une infinité de couleurs en passant à travers le prisme* (→ Image, cit. 8). *Les couleurs du prisme* (→ Néo-impressionniste, cit.). ⇒ **Prismatique.**

(...) le prisme, dans l'écartement calculé de ses trois angles et le concert de son triple miroir diédrique, enclôt tout le jeu possible de la réflexion et restitue à la lumière son *équivalent coloré.* 2
CLAUDEL, Connaissance de l'Est, «Proposition sur la lumière».

Ouvrir les yeux, c'est encore s'évader, mais monter d'un vol oblique et lent dans une lumière irisée d'arc-en-ciel. Les fûts des arbres cessent d'être blancs, tournent comme des colonnes à demi-matérielles où se dégradent les nuances du prisme, du mauve bleu de l'ombre au rose soufre du soleil. 3
M. GENEVOIX, Forêt voisine, V.

Fig. *Voir à travers un prisme :* voir la réalité déformée, transformée. *Le prisme de l'imagination, des préjugés.*

4 Du moins c'était l'impression qu'éprouvait Musidora; elle voyait les objets extérieurs à travers le prisme de la passion.
Th. GAUTIER, Fortunio, XV.

5 Les charmantes impossibilités dont fourmillent ses paroles, quand il met en scène les rois et les puissants, prouvent qu'il ne conçut jamais la société aristocratique que comme un jeune villageois qui voit le monde à travers le prisme de sa naïveté.
RENAN, Vie de Jésus, Œ. compl., t. IV, p. 110.

6 L'ancienne existence familiale lui apparut à travers le prisme de la jeunesse, de la santé.
MARTIN DU GARD, les Thibault, t. VIII, p. 226.

♦ **4.** Histol. Élément constitutif de l'émail des dents.

7 *Les prismes.* — Découverts par Retzius en 1835 : se dirigent de la dentine à la surface externe. Ils présentent des striations transversales assez irrégulières (...)
P.-L. ROUSSEAU, les Dents, p. 21.

DÉR. Prismatique.

PRISMOÏDE [pʀismɔid] n. m. — 1829; du rad. de *prisme*, et *-oïde*. ⇒ **Prismatoïde.**

PRISON [pʀizɔ̃] n. f. — Déb. XIIe; *prisun, prisum* «prise, capture», 1080, *Chanson de Roland;* du lat. pop. ***prensio, -onis*, lat. class. *prehensio, -onis*, de *prehendere*. → Prendre.

★ **I.** Lieu de détention. ♦ **1.** Établissement, local clos aménagé pour recevoir des délinquants condamnés à une peine privative de liberté ou des prévenus* en instance de jugement. ⇒ **Maison** (vx), 2. **chartre** (vx), **geôle** (littér.); fam. **taule;** (argot) 2. **ballon.** *La prison de la Santé. Prison de femmes. Prison d'État,* où sont purgées les peines de longue durée. ⇒ **Bagne** (vx), **force** (maison de, anciennt); 2. **pénitencier; pénitentiaire** (centre). *Prison centrale.* ⇒ **Central.** *Prison départementale. Prévenu écroué à la prison du chef-lieu d'arrondissement.* ⇒ **Arrêt** (maison d'); (vx) **justice** (maison de). *Organisation et terminologie des prisons, en France :* maisons centrales (hommes) et centres pénitentiaires (femmes; catégories spéciales de condamnés); maisons d'arrêt et maisons de correction (souvent regroupées). *Évasion par bris de prison. Régime, règlement des prisons. Prison cellulaire* (cit. 1; → Consommer, cit. 3). *Cachots* (cit. 1), *cellule* (cit. 4) *de punition d'une prison non cellulaire. Quartiers de haute surveillance des prisons. Coupables détenus* (cit. 7) *dans les prisons.* ⇒ **Prisonnier.** *Prison militaire* (⇒ **Forteresse**). — Hist. *La Bastille, le Châtelet, la Conciergerie* (cit. 2), *prisons de l'Ancien Régime. La pistole* dans les prisons d'autrefois. Prisons de Venise.* ⇒ **Plomb** (*supra* cit. 7). — *Prisons de Rome* (⇒ **Ergastule**), *de Syracuse* (⇒ **Latomie**)... — *Mes prisons,* ouvrage de Silvio Pellico.

1 Il y avait bien d'autres prisons, mais celle-ci *(la Bastille),* c'était celle de l'arbitraire capricieux, du despotisme fantasque, de l'inquisition ecclésiastique et bureaucratique. La cour (...) avait fait de la Bastille le domicile des libres esprits, la prison de la pensée.
MICHELET, Hist. de la Révolution franç., I, VII.

2 Le règlement général des prisons dit que tout détenu qui commet un délit ou un crime subira sa peine dans l'établissement où il le commit (...) Je vous rappelle qu'à l'intérieur des prisons, il existe des moyens de répression : le plus simple est la privation de cantine, puis le pain sec, le cachot, et la salle de discipline pour les Centrales.
Jean GENET, Miracle de la rose, Œ. compl., t. II, p. 213.

2.1 Au détenu la prison offre le même sentiment de sécurité qu'un palais royal à l'invité d'un roi. Ce sont les deux bâtiments construits avec le plus de foi, ceux qui donnent la plus grande certitude d'être ce qu'ils sont — qui sont ce qu'ils voulurent être, et le demeurent. La maçonnerie, les matériaux, les proportions, l'architecture sont en accord avec un ensemble moral qui laisse indestructibles ces demeures tant que la forme sociale dont ils sont le symbole tiendra. La prison m'entoure d'une garantie parfaite. Je suis sûr qu'elle fut construite pour moi — avec le palais de justice, sa dépendance, son monumental vestibule.
Jean GENET, Journal du voleur, p. 93.

Barreaux, guichet (cit. 3), *murs* (cit. 3) *d'une prison. Gardien, surveillant de prison* (⇒ **Geôlier; argot gaffe, maton**). *Cantine, parloir, préau* (cit. 2) *d'une prison. L'argot des prisons* (→ Curieux, cit. 10; mouton, cit. 18 et 19).

3 Une voiture cellulaire les déposa à la prison (...) À Mazas (...) Le greffe franchi, on conduisit chacun d'eux par une galerie-balcon suspendue dans l'obscurité sous une longue voûte humide jusqu'à une porte étroite (...) Le représentant ainsi cloîtré se trouvait dans une petite chambre, longue, étroite, obscure. C'est là ce que la langue pleine de précautions que parlent aujourd'hui les lois, appelle une «cellule» (...) des murs blanchis à la chaux et verdis çà et là par des émanations diverses, dans un coin un trou rond garni de barreaux de fer et exhalant une odeur infecte, dans un autre coin une tablette tournant sur une charnière (...) pas de lit, une chaise de paille. Sous les pieds un carreau en briques (...) Une cloche de la prison sonnait, le guichet de la porte s'ouvrait, un bras tendait au prisonnier une écuelle d'étain et un morceau de pain (...) Le pain était noir et gluant, l'écuelle contenait une espèce d'eau épaisse, chaude et rousse.
HUGO, Histoire d'un crime, I, XV.

4 (...) on commence par le décréter de prise de corps : on l'eût arraché de son lit pour le traîner dans les mêmes prisons où pourrissent les scélérats (...)
ROUSSEAU, Lettre à Mgr de Beaumont, 18 nov. 1762.

EN PRISON. *Être en prison.* ⇒ (littér.) **Cage** (en), **fer** (dans les fers); (fam., pop.) **bloc** (au), **cabane** (en), **ombre** (à l'), **placard** (au), **taule** (en). *Mettre, faire mettre,* (fam.) *coller* (cit. 8), *fourrer* (cit. 8) *qqn en prison.* ⇒ **Emprisonner, incarcérer.**

5 Un séjour en prison de près de quatre mois vous fait oublier un peu les usages. Est-ce que vous avez été en prison? (...) Je pense que les hommes appelés à en juger d'autres devraient avoir fait un stage de deux ou trois mois en prison.
M. AYMÉ, la Tête des autres, I, 11.

DE PRISON. *Extraire, tirer qqn de prison* (→ Détrôner, cit. 1). *Un échappé* de prison.* ⇒ **Évadé.** *Condamné grâcié* (cit. 1) *qui sort de prison. Sortie de prison.* ⇒ **Libération.**

Local clos où l'on garde des individus enfermés (plus ou moins longtemps). *Vagabond que les gendarmes, la police emmènent en prison.* ⇒ **Chambre** (de sûreté), **dépôt;** et pop. **cabane, trou.** — Spécialt. *Prison des anciens monastères.* ⇒ **In-pace.**

Crainquebille, dont l'arrestation fut maintenue, passa la nuit au violon et fut 6
transféré, le matin, dans le panier à salade, au Dépôt. La prison ne lui parut ni douloureuse ni humiliante (...) Ce qui le frappa en entrant ce fut la propreté des murs et du carrelage.
FRANCE, Crainquebille, II.

Milit. Local disciplinaire où sont détenus et soumis au régime cellulaire des soldats coupables de fautes graves contre la discipline (→ argot milit. Grosse caisse*, gnouf, mitard...).

Loc. fig. *Être aimable, gracieux comme une porte* (1. Porte, cit. 23) *de prison,* très désagréable.

Lieu où qqn est retenu prisonnier, est séquestré.

(Ce calme que je goûtais à voir Albertine rentrer avec moi) comme une femme 7
que j'avais à moi, et, protégée par les murs, disparaître dans notre maison. Malheureusement elle semblait s'y trouver en prison et être de l'avis de cette Mme de La Rochefoucauld qui, comme on lui demandait si elle n'était pas contente d'être dans une aussi belle demeure que Liancourt, répondit qu'«il n'est pas de belle prison (...)»
PROUST, la Prisonnière, Pl., t. III, p. 176.

Loc. *Vivre dans une prison dorée,* richement mais privé de liberté.

Bâtiment, local dont l'aspect sombre et sinistre évoque une prison. *Ces H. L. M. sont de véritables prisons.*

♦ **2.** Par métaphore. Ce qui tient serré, enveloppe, enferme étroitement. *La mer des fiords* (cit. 1) *dans sa prison de pierre. Pieds* (cit. 2) *comprimés dans la prison des chaussures.* — Fam. et vx. *La prison de Saint-Crépin* (patron des cordonniers) : des souliers étroits, qui blessent les pieds.

(...) elle prenait ses bottines si étroites, qu'elle souffrait le martyre dans la pri- 8
son de Saint-Crépin (...)
ZOLA, l'Assommoir, XI, t. II, p. 156.

(Abstrait). ⇒ **Geôle.** *Sortir de la prison des chimères* (→ Évader, cit. 5, Hugo). *Inspiration enchaînée* (cit. 8) *dans l'étroite prison de la rime* (⇒ **Limite**). — *Le corps, prison de l'âme. «Mon âme* (cit. 24) *est à l'étroit dans sa vaste prison»* (Lamartine). *«L'inclination nous enchaîne* (cit. 6) *et nous jette dans une prison»* (Bossuet).

(...) car ce corps jà grison 9
Ce n'est pas moi, ce n'est que ma prison (...)
Clément MAROT, Épigrammes, CLXXVII.

Plus étroite se resserrait autour de Christophe la prison des soucis et des tâches 10
médiocres plus son cœur révolté sentait son indépendance.
R. ROLLAND, Jean-Christophe, Le matin, I, p. 142.

★ **II.** (1080, *prisun*). État d'un individu privé de sa liberté; le fait d'être détenu. ⇒ **Emprisonnement.**

♦ **1.** Vx. État de captif; captivité; durée d'une captivité. *Racheter sa liberté* (cit. 3) *après une longue prison.*

Si troublant tous les Grecs, et vengeant ma prison, 11
Je pouvais contre Achille armer Agamemnon (...)
RACINE, Iphigénie, IV, 1.

Par métaphore. Poét., vx. État d'une personne soumise au joug amoureux.

♦ **2.** Mod. Peine privative de liberté subie dans une prison (I., 1.). ⇒ **Emprisonnement, réclusion.** *Risquer la prison* (→ Pincer, cit. 20; et aussi gendarme, cit. 4). *Être condamné à la prison perpétuelle. Peine de prison* (→ Équivaloir, cit. 5; interdiction, cit. 1). *Cinq ans de prison* (→ Mariolle, cit. 5). *Faire de la prison. Tirer* un an de prison.* — Spécialt. *Prison préventive*.* ⇒ **Prévention.** *Prison pour dettes* (anciennt).

«— Vous êtes très violent, vous avez été condamné à cinq ans de prison pour avoir 12
tué un homme, dans une querelle». Cabuche baissa la tête (...) Il murmura : «— (...) Je n'ai fait que quatre ans, on m'a gracié d'un an».
ZOLA, la Bête humaine, IV.

Milit. *Soldat puni de prison, qui fera huit jours de prison.*

(...) je vous porte quarante-huit heures de salle de police (...) et je vous fais attra- 13
per au rapport une augmentation de quinze jours de prison (...)
COURTELINE, le Train de 8 h 47, VI.

CONTR. Liberté.

DÉR. et COMP. Emprisonner. — Prisonnier.

PRISONNIER, IÈRE [pʀizɔnje, jɛʀ] n. — 1190; de *prison.*
Personne privée de sa liberté*.

♦ **1.** Personne tombée aux mains de l'ennemi au cours d'une guerre. ⇒ **Captif.** *Prisonniers gardés comme otages** (cit. 1). *Rançon* d'un prisonnier.* — *Échange de prisonniers* (→ Cartel, cit. 2). *Camp* de prisonniers* (→ Inconnu, cit. 7) *en Allemagne* (⇒ **Oflag, stalag**). *Prisonnier de retour de captivité.* — Dr. internat. *Prisonnier sur l'honneur, sur parole**, mis en liberté* sur parole (→ 1. Gens, cit. 8). *Prisonniers protégés par la convention de Genève. Faire de nombreux prisonniers. Les vainqueurs ne firent pas de prisonniers,* ils tuèrent tous les ennemis capturés. — Loc. (1606). *Prisonnier de guerre* (même sens). Adj. *Soldats, officiers prisonniers* (→ Avec, cit. 29). — (V. 1530). *Faire qqn prisonnier. Massacrer les vaincus et faire prisonnières leurs femmes, leurs filles. Faire une garnison* (cit. 2) *prisonnière.*

1 Je dis plus : quand son bras força notre frontière,
Et dans les murs d'Omphis m'arrêta prisonnière (...) RACINE, Alexandre, II, 1.

2 (...) les Carthaginois avaient remarqué dans le camp des Nomades une troupe de trois cents hommes à l'écart des autres. C'étaient les Riches, retenus prisonniers depuis le commencement de la guerre (...) leur visage disparaissait sous la vermine et les ordures. FLAUBERT, Salammbô, IX.

3 La poursuite fut monstrueuse. Blücher ordonna l'extermination. Roguet avait donné ce lugubre exemple de menacer de mort tout grenadier français qui lui amènerait un prisonnier prussien. Blücher dépassa Roguet. Le général de la jeune garde, Duhesme, acculé sur la porte d'une auberge de Genappe, rendit son épée à un hussard de la Mort qui prit l'épée et tua le prisonnier. La victoire s'acheva par l'assassinat des vaincus. HUGO, les Misérables, II, I, XIII.

4 (...) c'étaient les Allemands qu'on parquait là comme des moutons. Le 26 octobre 1916 (...) on en ramena six mille, avec leurs états-majors. Quand (...) le général Mangin revint du champ de bataille, on lui apprit que les officiers supérieurs prisonniers se plaignaient d'être laissés sans abri, même sans nourriture (...) Il entra dans le camp des captifs (...) puis, de sa voix tranchante : « Excusez-nous, messieurs, de ne pas vous recevoir comme votre grade l'exige, mais nous ne vous attendions pas si nombreux. R. DORGELÈS, la Drôle de guerre, XX.

♦ **2.** Personne qui est détenue dans une prison*. ⇒ **Détenu**; (fam.) **taulard.** *L'atroce condition des prisonniers dans les forteresses* (cit. 1) *de l'Ancien Régime* (→ Immonde, cit. 1; livide, cit. 8). *Chaînes, entraves* (⇒ **Cep**) *du prisonnier. Mettre un prisonnier aux fers*, au secret*. Prisonniers de droit commun et prisonniers politiques. Compagnons de cellule* d'un prisonnier.* ⇒ **Codétenu.** *Prisonnier à la solde de la police.* ⇒ **Mouton** (cit. 19). — *Transfèrement de prisonniers en voiture cellulaire*.* — *Délivrer* (cit. 1), *libérer, relâcher, relaxer un prisonnier. Prisonnier qui obtient sa levée d'écrou, touche son pécule* à sa libération. Prisonnier élargi** (cit. 13), *évadé* (cit. 16). *Prisonnier qui s'échappe* (cit. 34), *se fait reprendre et renfermer.* — Adj. *La tour où il a été longtemps prisonnier* (→ Alguazil, cit. 1). *Marie-Antoinette, la reine prisonnière* (→ Libérateur, cit. 3).

5 Voici ce que c'est que mon cachot (...) À droite de la porte (...) une espèce d'enfoncement qui fait la dérision d'une alcôve. On y jette une botte de paille où le prisonnier est censé reposer et dormir, vêtu d'un pantalon de toile et d'une veste de coutil, hiver comme été. HUGO, le Dernier Jour d'un condamné, X.

Milit. Soldat puni de prison. *Corvées des prisonniers.*

♦ **3.** Personne qui est prise, qui se fait prendre* par la police. *Faire qqn prisonnier.* ⇒ **Arrêter.** *Se constituer prisonnier.* ⇒ **Livrer** (se). *Gendarmes qui passent les menottes*, les poucettes* à un prisonnier.*

6 (...) à neuf heures, Me Hervé Annequin (...) apprit que son frère Noël (...) avait tué sa femme dans la nuit et s'était, à l'aube, constitué prisonnier. Charles PLISNIER, Meurtres, t. I, p. 81.

♦ **4.** [a] N. Personne qui est enfermée ou maintenue dans un endroit, une position où elle perd toute liberté d'action, de mouvement. *Le pape Pie VII fut le prisonnier de Napoléon Ier au château de Fontainebleau.*

Littér. *La Prisonnière,* roman de Marcel Proust (→ Prison, cit. 7, Proust).

[b] Adj. *Elle était prisonnière dans cette chambre* (→ Impatienter, cit. 4; et aussi mouvement, cit. 11). *Il était prisonnier de la foule qui l'enserrait* (→ 1. Masse, cit. 19).

7 *(Il)* obéit et alla dans la chambre qui lui était indiquée. Aussitôt, il entendit la porte se refermer derrière lui, la clef tourna. Il était prisonnier. APOLLINAIRE, l'Hérésiarque..., p. 176.

8 Aoustin (...) pataugeait dans cette boue (...) Il étouffait. Il était prisonnier au fond de ce chantier torride où les plantes s'enlaçaient à son corps, il n'avait plus la force de repousser ces murailles souterraines qui se refermaient toujours (...) A. DE CHATEAUBRIANT, la Brière, II, III.

Par anal. (En parlant de tout ce qui est réduit à l'impuissance ou à l'immobilité). *Piège, trappe qui maintient, retient des animaux prisonniers* (→ Basculer, cit. 1; étau, cit. 25). *Bateau qui demeure prisonnier des glaces* (⇒ **Assiéger,** p. p.).

♦ **5.** N. et adj. Fig. **PRISONNIER DE.** ⇒ **Esclave.** *Nation qui ne se considère pas comme la prisonnière d'une alliance* (→ Coudée, cit. 3). *Être le prisonnier d'un succès* (→ Entraîner, cit. 18). — *Ne pas se sentir prisonnier de ses propres théories* (⇒ **Attaché**; et → Force, cit. 29).

9 Il *(le penseur)* n'est plus libre, il a de la colère en lui;
Il est le prisonnier sinistre de la haine. HUGO, l'Année terrible, Avril, VII.

10 Il était bien difficile de sortir de ces difficultés et de ces contradictions et Louis XVI commençait à être prisonnier de ses principes et à tourner dans un cercle vicieux. J. DE BAINVILLE, Hist. de France, XV, p. 311.

11 Un orgueil lui était venu, une admiration de soi-même, du personnage qu'il jouait et que les autres admiraient. Mais il ne s'apercevait pas qu'il en était déjà le prisonnier, qu'il se guindait un peu plus chaque jour à la semblance de ce héros factice, et qu'il ne pouvait plus maintenant fléchir (...) M. GENEVOIX, Raboliot, II, IV.

♦ **6.** N. m. (Choses; 1845). Techn. Tige filetée, vissée dans une pièce; tige à double filetage réunissant deux pièces métalliques. Tourillon fixant deux pièces ensemble. Inclusion dans une matière plastique, au moment du moulage (syn. : *insertion*).

CONTR. Libre. — Évadé.

PRISTI ! [pʀisti] interj. — XIXe; abrév. de *sapristi.*

♦ Vx, fam. Sapristi !

— Qu'y a-t-il ?
— Pristi ! *(Bas, à Cyprien.)* Cinq cents francs pour toi (...)
E. LABICHE, Un monsieur qui prend la mouche, 23.

PRISUNIC [pʀizynik] n. m. — V. 1931; nom déposé, de *pri(x) unique.*

♦ Magasin à succursales multiples (→ Monoprix, Uniprix) originairement à prix unique pour un groupe déterminé de marchandises. ⇒ **Centrale** (d'achat).

Au Prisunic de la place Blanche, je me suis offert une chouette valise fibrine gaufrée croco, pour week-end de midinette (...) 1
Albert SIMONIN, Touchez pas au grisbi, p. 82.

Par abrév. *Prisu* [pʀizy].

Au Prisu, on vendait manteaux, pulls, gants comme en métropole. 2
Claude COURCHAY, La vie finira bien par commencer, p. 129.

PRIVANCE [pʀivɑ̃s] n. f. — Fin XIIe; de 1. *privé.*

♦ Vx (langue class.). Familiarité étroite. *Vivre « dans une grande privance » avec quelqu'un* (Saint-Simon).

PRIVAT-DOCENT [pʀivatdɔsɛnt] ou PRIVAT-DOZENT [pʀivatdɔtsɛnt] n. m. — 1867, Taine; mot all., calqué sur l'ital. *libero docente* « enseignant libre ».

♦ Didact. Professeur qui ouvre un cours libre dans une université allemande, autrichienne ou suisse. *Les privat-docents* (ou *-dozents*) *sont payés par leurs auditeurs.*

Aucun peuple n'attache plus ses désirs à ce qu'il n'a pas que le peuple allemand, — signe de guerre. Il désire Besançon, Grenoble, il réclame Chopin, Franck; il baptise Roger de la Bruyère, Roger van der Wayden dans un appétit d'annexion souterraine auquel pas un professeur ordinaire ou un privat-dozent ne s'est refusé, il a annexé les cathédrales gothiques, les colonies hollandaises et l'Algérie, les épopées françaises (...) GIRAUDOUX, Siegfried et le Limousin, p. 148.

PRIVATIF, IVE [pʀivatif, iv] adj. — 1514; lat. *privativus,* rad. *privare.* → Priver.

★ **I.** ♦ **1.** Vx ou littér. Qui est négatif (opposé à *positif*), caractérisé par le manque, la privation de quelque chose.

Je m'aperçois que je n'ai dit d'elle presque rien que de privatif; rien qui puisse expliquer peut-être son empire sur mon cœur et sur mes pensées.
GIDE, Et nunc manet in te, p. 65.

♦ **2.** (1570). Gramm. Qui marque la privation, l'absence d'un caractère donné. *Particules privatives, préfixes privatifs* (⇒ **A-; dé-;** 1. **in-; non-, sans-**). — N. m. (1690). *Les privatifs, préfixes marquant la négation*.*

♦ **3.** Qui prive; qui entraîne la privation de... *Peine privative de liberté.*

★ **II.** ♦ **1.** (1544). Dr. Exclusif. *Disposition privative. Droit privatif.*

♦ **2.** Cour. Dont on a la jouissance exclusive (mais non la propriété). *Jardin privatif* (d'un appartement en copropriété). — REM. Cet adjectif de valeur négative *(privatif de propriété)* est valorisé et senti comme un synonyme de *privé**.

DÉR. Privativement.

PRIVATION [pʀivasjɔ̃] n. f. — 1290; lat. *privatio,* rad. *privare.* → Priver.

♦ **1.** Absence ou suppression (de qqch.). *« L'ignorance* (cit. 8) *consiste proprement dans la privation de l'idée d'une chose »* (Diderot).

(...) une chose infinie n'est qu'une même chose finie à laquelle nous ôtons ces termes et ces bornes : ainsi l'idée de l'infini n'est qu'une idée de privation, et n'a point d'objet réel. BUFFON, Essai d'arithmétique morale, XXIV. 1

♦ **2.** Action de priver (qqn) d'une chose dont l'absence, la disparition ou la suppression entraîne un dommage, de l'insatisfaction; le fait d'être privé ou de se priver d'une telle chose. ⇒ **Défaut, faute** (vx), **manque.** *Privation de dessert infligée à un enfant. Privation d'air, de mouvement et d'exercice* (cit. 7). *Plante qui germe* (cit. 4) *malgré les privations d'eau. « L'erreur* (cit. 10) *est une privation de quelque connaissance... qu'on devrait avoir »* (Descartes). *Une chose dont la privation ne vous soit pas trop pénible* (→ Désir, cit. 4). *Privation cruellement ressentie* (⇒ **Vide,** fig.). *Endurer* (cit. 7) *une privation.* — *Privation de la motricité.* ⇒ **Perte.** *Privation sensorielle :* isolement expérimental (en caisse d'isolement, sous terre...) ayant pour but d'étudier les réactions psychophysiologiques d'un sujet privé de l'environnement perceptif habituel. — Dr. *Privation des droits civils, civiques...* (⇒ **Interdiction; atimie**), *de jouissance* (⇒ **Non-jouissance**).

2 Les seuls biens dont la privation coûte sont ceux auxquels on croit avoir droit.
ROUSSEAU, Émile, V.

3 (...) nécessité implique privation, et la privation marche avec le désir.
CHATEAUBRIAND, le Génie du christianisme, I, II, III.

4 (...) je dois demeurer ici, et j'y resterai. Je voudrais seulement que vous crussiez bien que c'est un grand sacrifice pour moi que la privation de ce voyage et de ce séjour. SAINTE-BEUVE, Correspondance, 294, 10 juin 1833.

♦ **3.** *(Une, des privations).* Le fait d'être privé de choses nécessaires au bien-être ou même à la vie, soit par les circonstances, soit par refus de satisfaire ses désirs, ses besoins; ensemble des choses dont on est ainsi privé. *Souffrir de privations.* ⇒ **Pâtir** (→ Détresse, cit. 10). *Femme usée par des années de privations et de fatigues* (→ fam. De vache enragée*). *Population amaigrie par les privations qu'entraînent une disette, une pénurie de vivres. Les ascètes vivent dans les privations* (⇒ **Ascétisme, continence, dépouillement, renoncement**). *Privations prescrites par l'Église en carême* (⇒ **Abstinence, jeûne**). *S'imposer* (cit. 20) *des privations.* ⇒ **Sacrifice.** *Économiser* (cit. 1) *quelque argent à force de privations. Sa mère l'avait élevé au prix des plus dures privations* (→ Idole, cit. 10). — *Mener une vie de privations. Vivre de privations.* ⇒ **Besoin** (dans le), **gêne** (dans la), **indigence** (dans l'), **misère, pauvreté** (dans la). → Paysan, cit. 5; et par métaphore indifférence, cit. 24.

5 Les petites privations s'endurent sans peine, quand le cœur est mieux traité que le corps. ROUSSEAU, Rêveries..., IXe promenade, 1776.

6 Jusque-là, il n'avait pas souffert réellement, physiquement; tandis que commençaient à cette heure les privations, le pain mesuré, les douceurs supprimées.
ZOLA, la Terre, IV, II.

7 (...) Antoinette continua la même vie de privations, mais pour Olivier, maintenant (...) elle économisait sur sa toilette, et parfois sur sa faim, pour la toilette de son frère et pour ses distractions, pour rendre sa vie plus douce et plus ornée (...)
R. ROLLAND, Jean-Christophe, Antoinette, p. 876.

CONTR. Jouissance.

PRIVATISATION [pʀivatizɑsjɔ̃] n. f. — V. 1965; de *privatiser,* d'après l'anglo-amér. *privatization.*

♦ Écon., admin. Action de privatiser, son résultat. *« La privatisation de l'information »* (*le Nouvel Obs.,* 18 sept. 1972). *Opérer la privatisation d'un secteur de l'économie. « La "privatisation" des biens collectifs gratuits représentent pour eux* (les citadins les plus pauvres) *une forme d'aliénation supplémentaire »* (*Sciences et Avenir,* 1974, no spécial, p. 18).

CONTR. Étatisation, nationalisation.

PRIVATISER [pʀivatize] v. tr. — V. 1960; de *privé,* sur le modèle de *étatiser,* d'après l'anglo-amér. *to privatize,* de *private* «privé».

♦ Écon., admin. Confier au secteur privé une activité relevant jusqu'alors du secteur public. *Privatiser une entreprise.* — REM. Le terme officiellement recommandé est *privétiser,* mais il ne semble guère usité.

CONTR. Étatiser, nationaliser.

PRIVATIVEMENT [pʀivativmɑ̃] adv. — 1542; de *privatif.*

♦ Vx. Exclusivement. *Privativement à :* à l'exclusion de.

PRIVAUTÉ [pʀivote] n. f. — 1170, *privité, priveté;* de *privé,* d'après *royauté.*

♦ **1.** (Vx). Au sing. Très grande familiarité; familiarité excessive, inconvenante.

♦ **2.** (1668; XIIIe, «confidences»). Mod. Au plur. Familiarité, liberté. *« Vous avez pris céans certaines privautés »* (→ Mamie, cit. 1, Molière).

1 «— Ma belle, fit Mme Legras, quel âge avez-vous? Vous n'êtes pas encore à celui où l'on doive le cacher (...) Voulez-vous ne pas baisser le nez, dit-elle d'une voix plus sourde (...)». Ces privautés de langage la déconcertèrent et elle sentit que tout le plaisir qu'elle avait eu à venir chez cette femme se dissipait à mesure qu'elle l'entendait parler. J. GREEN, Adrienne Mesurat, I, XIII.

(Mil. XVIe). Spécialt (à l'égard d'une femme). *Privautés amoureuses, galantes. Se permettre* (cit. 19) *une privauté* (⇒ **Caresse**).

2 Mais ce qu'elle avait de plus bizarre était un mélange d'audace et de réserve difficile à concevoir. Elle se permettait avec moi les plus grandes privautés, sans jamais m'en permettre aucune avec elle (...) ROUSSEAU, les Confessions, I.

3 Sournoisement, Buteau la martyrisait de petites privautés, des claques sur les reins, des pinçons aux cuisses, toutes sortes de caresses féroces, qui la laissaient en sang, les yeux pleins de larmes, raidie dans son obstination de silence.
ZOLA, la Terre, IV, II.

1. PRIVÉ, ÉE [pʀive] adj. — V. 1138, au sens 3; lat. *privatus.*

♦ **1.** Où le public n'a pas accès, n'est pas admis. *Rue, voie privée* (→ 1. Desservir, cit. 2). *Chemin, passage privé. Piscine privée. Appartements* (cit. 5) *privés d'une reine.* ⇒ **Particulier, personnel.** *Chapelle privée d'un château* (→ Permission, cit. 2). *Propriété privée, entrée interdite. Chasse privée.* ⇒ **Réservé.** *Plage privée.* — *Représentation, séance privée.* — *Communion privée,* à laquelle n'assistent que les intimes (opposé à *solennelle*). — Spécialt. Qui se tient, se déroule à part. *Entretiens privés. Chef d'État qui reçoit un visiteur en audience privée.* — Hist. *Conseil* privé* (→ Attribuer, cit. 2).

N. m. (1538). Par allus. à la situation de cet endroit généralement retiré, à l'écart. Vx. Cabinet d'aisances. *Aller au privé.*

Loc. adv. EN PRIVÉ : à l'écart, seul à seul. ⇒ **Particulier** (en). *Puis-je vous parler en privé?*

(...) compagnon très fidèle 1
De Francion, qu'à part il écoutait,
Et ses regrets en privé lui contait. RONSARD, la Franciade, III.

♦ **2.** (Mil. XIIIe). Individuel, particulier (opposé à *collectif, commun, public*). *Intérêts privés. La propriété privée. Domaine* privé. Biens privés. Rancunes privées* (→ Malfaiteur, cit. 2). *Guerres privées de la féodalité* (→ 2. Justicier, cit. 2; et aussi paysan, cit. 6). — Spécialt (opposé à *général*). *Discussions privées qui éclatent dans un groupe* (→ Interruption, cit. 9).

Celui qui, de son autorité privée, enfreint une mauvaise loi, autorise tout autre à 2
enfreindre les bonnes. Il y a moins d'inconvénients à être fou avec des fous, qu'à être sage tout seul. DIDEROT, Suppl. au voyage de Bougainville, IV.

♦ **3.** Qui est d'ordre strictement personnel, qui n'intéresse pas le public. ⇒ **Intime.** *Sa vie privée ne regarde que lui. Le mur*, le secret de la vie privée* (→ Impôt, cit. 13). *Vie privée à la merci d'une indiscrétion* (cit. 13; → aussi Éreinter, cit. 3). *Il est difficile à un roi de cacher sa conduite privée* (→ Excuse, cit. 8). *Concilier les exigences de la vie professionnelle* avec celles de la vie privée. Correspondance de caractère privé* (⇒ **Particulier**).

Il n'est point de roi qui se soit montré aussi simple que lui dans sa vie privée, 3
et même dans sa cour : il se croyait chargé de ménager, autant qu'il était possible, l'argent de ses sujets. Mme DE STAËL, De l'Allemagne, I, XVI.

N. m. (V. 1160). Vx ou littér. *Le privé.* ⇒ **Intimité.** *S'immiscer dans le privé des gens* (→ Défensif, cit. 5). — Loc. *En son privé :* dans l'intimité.

Ce doctrinaire, en son privé, était sensible à autre chose qu'au conflit des 4
pures idées. Émile HENRIOT, les Romantiques, p. 424.

Mod. *Dans le privé :* en particulier, entre soi (→ Fastueux, cit. 4; incommunicable, cit. 9).

♦ **4.** (1367). Personnes et choses. Qui n'a aucune part aux affaires publiques, aucune notoriété. *En tant que personne privée,* que simple citoyen. ⇒ **Particulier.** *Dualité de l'homme privé et de l'homme public* (→ Éviter, cit. 28).

Par ext. (Choses). Qui n'a pas de caractère officiel. *Souverain qui séjourne à titre privé, qui fait un voyage privé dans un pays étranger. Nouvelles de source privée. De source privée, on apprend que...* ⇒ **Officieux.**

(Opposé à *public, politique, social*). *La vie privée de qqn. Circonstances politiques qui affectent les vies privées* (→ Jouet, cit. 8). *La lutte sociale fait appel à des procédés qui seraient condamnés dans la vie privée* (→ 1. Politique, cit. 16). *Condition privée et fonction publique* (→ Diamant, cit. 2). — *Droit** (3. Droit, cit. 58 et 59) *privé* (→ Changer, cit. 26).

♦ **5.** Dr. (Opposé à *authentique, notarié,* cit. 4). *Acte sous seing privé,* passé sans l'intervention d'officiers publics (→ Approuvé, cit.; date, cit. 6; ⇒ aussi **Chirographaire**). *Un sous*-seing privé.*

♦ **6.** Qui n'est pas d'État (cit. 135 et 137), ne dépend pas de l'État. → aussi ci-dessus, le sens 2. (Opposé à *public, national*). *École* (cit. 6) *privée* (→ Démarcation, cit. 3), *enseignement privé.* ⇒ **Libre.** *Établissement* (cit. 10) *privé reconnu d'utilité publique. Initiative* (cit. 6) *privée* (→ Croire, cit. 54). *Investissements* (cit. 2) *privés. Nationalisation* (cit. 1) *d'une entreprise privée. Le secteur public et le secteur privé. Les salaires dans le secteur* privé. Clientèle privée* (d'un médecin qui exerce également dans un service hospitalier public). *Consultation privée d'un médecin hospitalier. Lits privés d'un hôpital* (réservés naguère aux *malades privés* d'un médecin). *Clinique privée.* — N. m. *Le privé :* le secteur privé de la médecine. *Consulter, se faire opérer en privé.*

Vous savez, tous les journaux vont être obligés tôt ou tard d'accepter des subsi- 5
des privés; la presse libre : encore un joli bobard!
S. DE BEAUVOIR, les Mandarins, p. 139.

Fam. *Dans le privé :* dans le secteur privé. *Fonctionnaire qui démissionne pour prendre un emploi dans le privé* (⇒ **Pantoufler**).

(Il est) inadmissible (...) d'apporter à l'État un certificat de bonne conscience. De 6
plus, de grandes lézardes balafrent ces édifices et les rapports (en France et ailleurs), du «public» et du «privé» ne vont pas sans problèmes.
Henri LEFEBVRE, la Vie quotidienne dans le monde moderne, p. 112.

♦ **7.** *Police privée. Détective* privé,* et n. m., *un privé* (fam.) : un détective privé, aux États-Unis (ou dans les romans policiers influencés par les États-Unis).

7 Poul... hum... inspecteur, hein?
— Tu pourrais dire flic ou poulet. C'est admis (...)
— Bon sang! jamais vu de flic comme ça, moi.
— Je ne suis pas tout à fait un flic (...)
— Ah! non? Et qu'est-ce que vous êtes, alors?
— Privé. Tu vois, ça ne te change pas de tes lectures.
Léo MALLET, la Nuit de Saint-Germain-des-Prés, p. 93-94.

CONTR. Public. — (Dr.) **Authentique.**
DÉR. Privance, privauté, privément, 2. **priver.**
HOM. 2. **Privé, privé** (p. p. de 1. *priver*), 1. **priver,** 2. **priver.**

2. PRIVÉ, ÉE [pʀive] p. p. adj. ⇒ 2. Priver.

PRIVÉMENT [pʀivemɑ̃] adv. — 1538; *priveement*, 1138; de *privé*.

♦ **1.** Littér. En particulier, en secret. *Ils se sont entretenus de cette affaire privément* (Académie).

♦ **2.** Vx. Dans une grande familiarité. *Agir privément avec quelqu'un.*

1. PRIVER [pʀive] v. tr. — 1307; lat. *privare*.

♦ Empêcher (qqn) de jouir (d'un bien, d'un avantage présent ou futur) [⇒ **Déposséder, dépouiller, destituer**]; enlever à (qqn) ce qu'il a ou lui refuser ce qu'il espère, ce qu'il attend. *Priver qqn de qqch. Les biens dont on prive injustement autrui.* ⇒ **Frustrer** (→ Dépens, cit. 6). *Priver un héritier de ses droits.* ⇒ **Déshériter** (→ Majorat, cit.). *Priver qqn d'une partie des ses ressources* (⇒ **Appauvrir**). — *Être privé de sommeil* (→ Café, cit. 3). *Je suis très fâché* (cit. 16) *d'être privé du plaisir de vous voir* (→ aussi Idiot, cit. 10). *« Qu'une mauvaise honte* (cit. 39) *ne te prive point d'un secours... »* (Lesage). — *Elle veut que je m'éloigne* (cit. 9) *pour me priver de sa vue.* ⇒ **Sevrer.** *Priver les enfants de toute intimité avec leurs pères* (→ Morgue, cit. 1). *La peur le prive de tous ses moyens.* ⇒ **Enlever.** — (Avec un nom de chose personnifiée pour objet). *On ne saurait priver la vie d'idéal* (2. Idéal, cit. 8). *Une mauvaise politique avait privé le pays de ses moyens de défense* (→ Incroyable, cit. 13). *L'amour est privé de son plus grand charme quand l'honnêteté* (cit. 11) *l'abandonne* (Rousseau).

1 Il *(Leibniz)* pose des définitions exactes qui le privent de l'agréable liberté d'abuser des termes dans les occasions.
FONTENELLE, Éloge de Leibniz, Œ. compl., t. VI, p. 455.

2 Le vin prive l'homme du gouvernement de soi-même (...)
BAUDELAIRE, les Paradis artificiels, « Mangeur d'opium », III.

2.1 Deux plaisirs qu'il regretta toujours d'avoir découverts si tard, presque au moment de partir, car il pensait que, connus plus tôt, ils auraient donné un charme infini à son séjour à Réveillon. Peut-être se trompait-il et ne les goûta-t-il au contraire si vivement que parce qu'il se savait au moment d'en être privé.
PROUST, Jean Santeuil, Pl., p. 498.

Spécialt. Enlever (qqch.) par châtiment, punition. *Jugement qui prive un délinquant de sa liberté* (⇒ **Captif**), *de ses droits civiques* (⇒ **Déchoir**). *L'exil* (cit. 4) *privait les grands criminels de leur patrie. Ennemi privé de funérailles* (cit. 1), *de sépulture* (→ aussi Épisode, cit. 1). *Être privé de ses biens par l'excommunication* (cit. 2). ⇒ **Désapproprier.** — *Priver de son poste un fonctionnaire indélicat.* ⇒ **Destituer.** — *Pensionnaire privé de sortie. Tu seras privé de dessert, petit garnement!*

3 Que si d'impardonnables égarements ont motivé la suppression du dessert, il adopte une façon fort noble et même dédaigneuse de regarder, sans rien demander, les friandises dont le voici privé. G. DUHAMEL, les Plaisirs et les Jeux, p. 68.

4 (...) selon moi tous les internements sont arbitraires. Je continue à ne pas voir pourquoi on priverait un être humain de liberté. A. BRETON, Nadja, p. 182.

Par ext. (Le compl. désigne une personne ccdont on´deplore l'absence, la mort). Enlever à. *Duel* (1. Duel, cit. 4) *qui prive la société d'un homme d'élite.*

▶ SE PRIVER v. pron. réfl.

(1538). Renoncer à (qqch.), s'en passer* volontairement. ⇒ **Refuser** (se). *Pauvres gens qui se privent de tout* (→ Assurer, cit. 13). *Se priver d'un bonheur* (→ Acoquinement, cit. 2), *de bien des douceurs* (→ Pessimiste, cit. 2), *du plaisir de faire qqch.* (→ Fourrager, cit. 7). *Je me verrai dans l'obligation de me priver de vos services* (→ Place, cit. 42). *Se priver d'un moyen de défense.* ⇒ **Démunir** (se). — (Avec l'inf.). *Il ne peut se priver de fumer.* ⇒ **Abstenir** (s'). — Absolt. S'imposer des privations, des sacrifices (→ Liarder, cit.). *Se priver sur la nourriture* (→ fam. Faire ballon*, se bomber*, se serrer la boucle*, se mettre la ceinture*, la tringle*...). *Mère qui se prive pour son enfant.* ⇒ **Dépouiller** (se). → fam. S'arracher, s'ôter les morceaux, le pain de la bouche*.

5 Ils essayaient de se priver; mais ils ne savaient pas : c'est une science, qu'il faut bien des années d'épreuves pour apprendre, quand on ne l'a point pratiquée depuis l'enfance. Ceux qui ne sont pas économes, de nature, perdent leur temps à vouloir l'être : dès qu'une nouvelle occasion de dépenser se présente, ils y cèdent; l'économie est toujours pour la prochaine fois (...)
R. ROLLAND, Jean-Christophe, Antoinette, p. 865.

Loc. *Ne pas se priver de...* (et l'inf.) : faire (qqch.) sans contrainte, sans se gêner. *Elle ne se prive pas de te critiquer* (→ Ne pas se faire faute* de, ne pas se gêner* pour).

Le Vieux, je te l'ai dit souvent, déteste les politiques et ne se prive pas de répandre en paroles son dédain et son animadversion. 6
G. DUHAMEL, Chronique des Pasquier, VI, XVII.

▶ PRIVÉ, ÉE p. p. et adj. (V. 1370).

♦ **1.** Qui n'a pas ou qui n'a plus, qui manque de... ⇒ **Démunir, dénuer** (p. p.), **dépourvoir** (p. p.). *Les animaux sont privés de la faculté de parler. Personne privée de l'ouïe et de la parole* (⇒ **Sourd-muet**), *de la vue* (⇒ **Aveugle**). *Âmes privées de la grâce* (→ Apologie, cit. 4). — *Maison privée de jardin* (→ Partager, cit. 23). *Plante privée d'eau.* ⇒ **Sans.** *Des hommes privés d'imagination* (→ Apte, cit. 3).

Les hommes (...) souffrent parce qu'ils sont privés de ce qu'ils croient être un bien, ou que, le possédant, ils craignent de le perdre (...) FRANCE, Thaïs, p. 35. 7

(...) j'étoufferai là maintenant, comme une plante privée de soleil (...) 8
LOTI, Aziyadé, IV, XXVI.

♦ **2.** Qui n'a plus, qui a perdu (cit. 11)... ⇒ **Sans.** *Corps privé de vie* (→ Gésir, cit. 10). *Elle restait privée de conscience* (→ Inhiber, cit. 3), *de voix. Se trouver privé de ses rentes* (→ Fureur, cit. 15). *Pays privé de ses forces navales* (→ Liquider, cit. 3). *Christianisme privé de son essence* (→ Désosser, cit. 2).

(...) vous me parlez de vos cheveux! Je ne puis, moi, vous rien dire des miens, car me voilà bientôt privé de cet appendice. 9
FLAUBERT, Correspondance, 498, 2 oct. 1856.

CONTR. Donner, fournir, garnir, gratifier, munir, nantir. — **Empiffrer, gaver, gorger, nourrir.**
DÉR. (Du même rad.) **Privatif, privation.**
HOM. 2. **Privé** (p. p. de 2. *priver*), 2. **priver.**

2. PRIVER [pʀive] v. tr. — XVe; v. 1130, au p. p.; de 1. *privé*.

♦ Vx. Apprivoiser. *Priver un renard.* — Pron. (Passif). *Animal qui se prive difficilement.*

▶ PRIVÉ, ÉE p. p. adj.

Vx. Qui est apprivoisé* (cit. 1). *Cygne privé* (→ Habituel, cit. 4).

Tel jeune prêtre (...) ayant offert un lapin privé à la servante d'un vieux curé, il avait obtenu d'être demandé pour vicaire (...)
STENDHAL, le Rouge et le Noir, I, XXVII.

HOM. 1. **Privé, privé** (p. p. de 1. *priver*), 1. **priver.**

PRIVILÈGE [pʀivilɛʒ] n. m. — V. 1190; var. *privilegie, priviliege*; lat. jurid. *privilegium* « loi concernant un particulier ».

♦ **1.** Droit, avantage particulier* accordé à un seul individu ou à une catégorie d'individus (⇒ **Privilégié**), avec faculté* d'en jouir en dehors de la loi commune. *Privilège spécial, séculaire, temporel... Concéder, donner* (→ Évêque, cit. 3), *retirer un privilège. Avoir, obtenir un privilège* (→ Égal, cit. 14; égalitaire, cit. 3). *User d'un privilège* (→ Permettre, cit. 4). *Refuser un privilège* (→ Euthanasie, cit. 1). *Il a ses entrées* (cit. 15) *partout, privilège précieux. Les privilèges dont les uns jouissent au préjudice des autres.* ⇒ **Passe-droit** (→ Inégalité, cit. 3). *Accepter les privilèges d'une caste, d'une classe* (⇒ **Attribution**) *sans en accepter les fonctions* (cit. 6). — *Le privilège de* (et l'inf.). *S'attribuer le privilège de faire qqch.* (→ Déontologie, cit. 2). *Avoir le privilège d'être admis auprès d'un haut personnage.* ⇒ **Honneur** (→ Doyen, cit. 1). — Spécialt (hist.). *Les privilèges* : « Droits et avantages utiles ou honorifiques que possédaient certaines personnes, soit à raison de leur naissance (nobles), soit à raison de leurs fonctions ou de l'entrée dans certains corps (clercs, magistrats, membres des diverses corporations), ou certaines régions (pays d'État) » (Lepointe, *Petit voc. d'hist. du droit franç.*). ⇒ **Prérogative.** *Privilèges des nobles* (cit. 17) *et du clergé sous l'Ancien Régime* (→ Éminent, cit. 4). *Abolition des privilèges et des droits seigneuriaux dans la nuit du 4 août 1789. Privilège de clergie*. Privilèges acquis par les communes, les villes.* ⇒ **Franchise** (cit. 2 et 3). *Privilèges octroyés par une charte*.* — Hist. ecclés. ⇒ **Indult.** — Dr. internat. *Droits et privilèges reconnus par les capitulations*.*

Ce que je nomme en ce moment le *privilège* n'est pas un de ces droits abusivement concédés jadis à certaines personnes au détriment de tous; non, il exprime plus particulièrement le cercle social dans lequel se renferment les évolutions du pouvoir. BALZAC, le Médecin de campagne, Pl., t. VIII, p. 440. 1

Je trouve impertinents les privilèges de la noblesse. Je quitte une patrie où ces privilèges m'offensent, et ce serait être encore sous leur empire que de profiter du changement de pays pour donner à mon nom les apparences de la noblesse. 2
STENDHAL, Romans et nouvelles, « Le rose et le vert », III.

L'argent, l'orgueil, immolé, toutes les vieilles insolences héréditaires, l'antiquité, la tradition même (...) le monstrueux chêne féodal abattu d'un coup (...) Tout semblait fini (...) Après les privilèges des classes, vinrent ceux des provinces. Celles qu'on appelait Pays d'État, qui avaient des privilèges à elles, des avantages divers pour les libertés, pour l'impôt, rougirent de leur égoïsme, elles voulurent être France (...) Puis ce fut le tour des villes. Leurs députés vinrent en foule déposer leurs privilèges sur l'autel de la Patrie. 3
MICHELET, Hist. de la Révolution franç., II, IV.

Nul en ce monde n'est le pareil et l'égal d'un autre. La règle absolue des sociétés, la seule logique, la seule naturelle et légitime doit être le privilège. L'inégalité est le droit naturel, l'égalité la plus horrible des injustices. 3.1
Ed. et J. DE GONCOURT, Journal, t. III, p. 172.

L'erreur des anciennes élites a été d'oublier que les privilèges dont elles disposaient n'étaient que la rétribution des services qu'elles avaient rendus. 4
DANIEL-ROPS, Ce qui meurt..., p. 33.

4.1 Entre autres privilèges enviés par toute la noblesse anglaise, lord Burbury avait celui, exclusif, d'ouvrir son parapluie dans les appartements du roi et sa femme une ombrelle. M. AYMÉ, le Passe-muraille, p. 39.

Par métaphore. *Bénéficier* (2. Bénéficier, cit. 1) *d'un merveilleux privilège. Femme revêtue d'un privilège imprescriptible* (cit. 2). — Par antiphr. (→ ci-dessous, cit. 5, Renard).

5 Quant à Poil de Carotte, il est spécialement chargé d'achever les pièces blessées. Il doit ce privilège à la dureté bien connue de son cœur sec.
J. RENARD, Poil de Carotte, Les perdrix.

6 (...) beaucoup de vivants dont ce n'était pas l'heure de mourir sont descendus par curiosité aux Enfers, et ils en sont par extraordinaire revenus. C'est un privilège poétique dont Homère, Virgile, Ovide, Dante, ont fait bénéficier leurs héros.
Émile HENRIOT, Mythologie légère, p. 169.

Dr. *Privilèges juridictionnels.* ⇒ **Immunité.** *Privilège de juridiction* ou de judicature. — Privilège d'une créance, d'un créancier :* « droit que la qualité d'une créance donne à son bénéficiaire d'être préféré aux autres créanciers même hypothécaires » (Capitant, *Vocabulaire juridique*). ⇒ **Privilégié.** *Gage* (cit. 1) *qui permet à un créancier de se faire payer par privilège* (⇒ **Préférence**). *Privilèges généraux, spéciaux, mobiliers, immobiliers. Purger certains biens de leurs privilèges et hypothèques* (→ Détenteur, cit. 2). *Frais* assortis d'un privilège.* — Dr. comm. *Privilèges de crédit* (→ Exportation, cit. 3). — Dr. fisc. (⇒ **Exemption**). *Privilège des bouilleurs de cru* (→ Escompter, cit. 5). *Privilèges du Trésor.* — Écon. *Privilèges exclusifs* (cit. 1) *qui gênent la liberté du commerce.* ⇒ **Monopole** (cit. 1). *Privilège d'émission de la Banque* (cit. 3) *de France.*

7 — Je paierai moi-même, reprit-il, la charge à votre patron, de manière à m'établir un privilège bien solide sur le prix et le cautionnement. — Oh! tout ce que vous voudrez pour les garanties. BALZAC, Gobseck, Pl., t. II, p. 641.

(XVIIe). Hist. *Privilège du Roi* ou, ellipt, *privilège :* autorisation exclusive d'imprimer un ouvrage après examen de la censure. *Privilège qui figure en tête, à la fin d'un livre.*

♦ **2.** (XIIIe). Par métonymie. (Dr., hist.). Acte authentifiant la concession d'un privilège. *Dresser, enregistrer, sceller un privilège.*

♦ **3.** Fig. Avantage, faveur que concède qqch. *Les privilèges de la naissance, de la fortune. Le privilège du génie* (→ Anachronisme, cit. 2). *Le privilège de l'âge. Un des privilèges prodigieux de l'Art* (→ Artistement, cit. 3, Baudelaire).

8 Les privilèges de la beauté sont immenses. Elle agit même sur ceux qui ne la constatent pas. COCTEAU, les Enfants terribles, p. 15.

♦ **4.** (XVe). Apanage naturel de (un être, un groupe, une chose). *La marche, privilège de l'espèce humaine* (cit. 9) *et animale. « Le dessin* (cit. 7) *de création est le privilège du génie »* (Baudelaire) → aussi Naturaliste, cit. 5. — *Le privilège de l'immortalité.* ⇒ **Don** (→ Impalpable, cit. 1). *Posséder le privilège de l'infaillibilité* (→ Fatalité, cit. 13). — (Avec *de* et l'inf.). *Avoir le privilège d'entrer dans le vice sans s'y perdre* (→ Dépraver, cit. 4, Michelet).

9 *(Dieu)* n'a accordé qu'à nous seuls ce triple et glorieux privilège, de boire sans avoir soif, de battre le briquet, et de faire l'amour en toutes saisons, ce qui nous distingue de la brute beaucoup plus que l'usage de lire les journaux et de fabriquer des chartes.
Th. GAUTIER, Préface de Mlle de Maupin, éd. critique MATORÉ, p. 33.

10 (...) beaucoup plus malheureuse que la plupart de ceux qui l'approchaient, elle avait néanmoins ce privilège d'être pour chacun une source de courage, d'équilibre, de bonheur. MARTIN DU GARD, les Thibault, t. II, p. 37.

Péj. ou iron. *Le triste privilège de s'égarer d'erreurs en erreurs* (→ Conscience, cit. 14). *Humiliation* (cit. 13) *dont les hommes ont le privilège.* ⇒ **Monopole.** — *« Rire des gens d'esprit, c'est le privilège des sots »* (→ 1. Fou, cit. 10, La Bruyère). *Le privilège « Qu'ont les pédants de gâter* (cit. 25) *la raison »* (La Fontaine). *Nains* (cit. 3) *dont les grimaces avaient le privilège de dérider les rois* (→ aussi Imbroglio, cit. 4).

DÉR. Privilégier.

PRIVILÉGIÉ, ÉE [pʀivileʒje] adj. et n. — V. 1270 ; de *privilégier.*

♦ **1.** Qui bénéficie d'un privilège, qui a des privilèges. *Les deux ordres privilégiés de l'Ancien Régime. La caste privilégiée des nobles* (cit. 22). *Vassaux privilégiés* (→ Cour, cit. 26). *Franchises* (cit. 3) *des villes privilégiées.* — N. *La classe des privilégiés.* ⇒ **Aristocratie ; patricien.**

1 (...) si la royauté est un privilège, la seigneurie en est un autre ; le roi n'est lui-même que le plus privilégié des privilégiés.
TAINE, les Origines de la France contemporaine, I, t. I, p. 25.

Spécialt. Écon. (Choses et personnes). *Monopole* (cit. 1) *des compagnies privilégiées.* — Dr. *Créance privilégiée* (→ 2. Frais, cit. 17), *créancier privilégié* (⇒ **Privilège**). *Frais** (2. Frais, cit. 19) *privilégiés.* — Fin. *Actions privilégiées.* ⇒ **Priorité** (de). — Dr. anc., dr. canon. *Cas* privilégiés.* — Liturgie. *Autel privilégié,* où toute messe célébrée pour un défunt lui mérite une indulgence plénière.

Par métaphore. *L'hypocrisie* (cit. 10, Molière), *vice privilégié qui jouit de l'impunité* (cit. 2).

♦ **2.** Cour. Qui jouit d'avantages matériels considérables, qui mène une vie comblée. *Les classes privilégiées.* ⇒ **Favoriser, fortuné.** — N. (→ Patriciat, cit. 2). *Les privilégiés.* ⇒ **Nanti.** *Les privilégiés de la fortune, du sort.*

2 Les privilégiés n'ont pas d'oreille du côté des déshérités. Est-ce la faute des privilégiés ? non. C'est leur loi, hélas! HUGO, l'Homme qui rit, II, IX, II.

Qui a de la chance. *Nous avons été privilégiés, nous avons joui d'un temps splendide.* — N. *Les rares privilégiés qui assistaient à ce spectacle.*

♦ **3.** (XIXe). Littér. Qui a des dons exceptionnels*, une nature d'élite. *Un être absolument privilégié* (→ Aduler, cit. 2). *La noblesse native empreinte* (cit. 11) *sur les êtres privilégiés.*

Il est des créatures privilégiées, les Prophètes, les Voyants, les Messagers, les Martyrs, tous ceux qui souffrirent pour la Parole ou qui l'ont proclamée ; ces âmes 3
franchissent d'un bond les sphères humaines (...)
BALZAC, Séraphîta, Pl., t. X, p. 575.

N. ⇒ **Élu** (→ Exception, cit. 17, Fromentin). — Spécialt. *Les privilégiés de Dieu* (⇒ **Prédilection**).

Par ext. (Choses). D'un caractère exceptionnel ; qui convient mieux que tout autre à telle personne, à telle chose. *Pour les âmes d'élite* (cit. 6, Gide), *il y a des situations privilégiées. — Lieu privilégié* (→ 1. Idéalement, cit. 2 ; 2. magot, cit. 3).

Le génie est ce pouvoir d'autonomie, dont la densité des œuvres est l'expression, 4
et le chef-d'œuvre l'expression privilégiée.
MALRAUX, les Voix du silence, p. 456.

CONTR. Défavorisé (V. Défavoriser), **déshérité, malheureux.**

PRIVILÉGIER [pʀivileʒje] v. tr. — XIIIe ; sens relig., v. 1260 ; *se privilégier,* XVIe ; repris XXe ; de *privilège.*

♦ Didact. Doter d'un privilège ; accorder une situation privilégiée, donner une importance particulière à (qqn ou qqch.). ⇒ **Avantager, favoriser.** *Privilégier les facteurs économiques en histoire. « C'est une collection de poche (...). Elle privilégie, dans un esprit de liberté, les auteurs modernes »* (*le Monde,* 15 nov. 1972).

Dans tous les types de caractères, les *tendres* préfèrent ce qui est doux, aimable, 1
caressant : leur amitié, leur affection, leur amour, privilégient cette douceur et ce goût de la caresse, physique ou morale ; les *non-tendres* n'aiment pas moins, mais autrement : ils privilégient les situations fortes et nettes, la vigueur, l'entrain, au besoin une clarté un peu raide.
A. LE GALL et R. BRUN, les Malades et les Médicaments, p. 95-96.

C'est une illusion, une erreur même, une erreur peut-être utile que nous donnent 2
à croire les artistes quand ils privilégient les zones nostalgiques de paradis perdu ou d'enfance ressongée.
J. GILLIBERT, la Création littéraire, *in* la Nef, no 31, p. 98.

DÉR. Privilégié.

PRIX [pʀi] n. m. — 1050, *pris ; prix,* XIVe ; du lat. *pretium.*

★ **I.** ♦ **1.** Rapport de valeur d'un bien à un autre bien (→ Marchandise, cit. 3), et, spécialt, rapport d'échange entre un bien et la monnaie. ⇒ **Coût, valeur** (vénale). → Argent, cit. 13.

a *Le prix de qqch.* (point de vue objectif). *Prix d'un objet, d'une denrée, d'une marchandise. Prix à l'unité, prix unitaire ; prix au kilo, au litre... Prix d'un service, d'un travail.* ⇒ **Rémunération, salaire.** *Le prix de la journée* (cit. 6) : le salaire. *Prix de location, de louage** (cit. 4). ⇒ **Loyer.** *Prix d'un transport par camion* (Camionnage), *d'une course* en taxi...* ⇒ **Tarif.** *Prix de transport* (⇒ **Factage, fret,** 2. **port**). *Prix de pension* (→ Gérer, cit. 4). *Les prix des baux à ferme* (→ 1. Fruit, cit. 34). *Le prix de l'argent* (→ Épargner, cit. 2), *des monnaies* (cit. 9). *Le taux d'intérêt** (cit. 4) *est un prix. Prix des marchandises, des valeurs... en Bourse.* ⇒ **Change, cotation, cote, cours.** *Prix d'une opération de courtage* (⇒ **Commission, courtage**), *de change... Différence de prix d'une marchandise entre deux places.* ⇒ **Arbitrage.**

L'argent est le prix des marchandises ou denrées. Mais comment se fixera ce prix ? 1
c'est-à-dire par quelle portion d'argent chaque chose sera-t-elle représentée ?
MONTESQUIEU, l'Esprit des lois, XXII, VII.

Avoir un prix, tel prix. ⇒ **Coûter ; valoir ; revenir** (à). *Atteindre* un certain prix. Convenir** (cit. 9) *d'un prix* (→ Muletier, cit. 1). *Le prix convenu. Débattre un prix.* ⇒ **Marchander.** *Faire tel prix* (→ Marché, cit. 17). ⇒ **Faire.** *Fixer le prix de qqch. Mettre un prix à une marchandise. Offrir*, proposer* une chose à tel prix. Demander le prix de qqch.* ⇒ **Combien.** *S'entendre sur le prix. Traiter* à tel prix. Conditions* de prix. — Acheter, vendre à tel prix.* ⇒ **Pour.** *Vendre au-dessous du prix.* ⇒ **Perdre** (y perdre). *Payer le prix de qqch., un prix.* ⇒ **Payer** (→ Délivrer, cit. 11). *Y mettre le prix. Obtenir une chose à tel prix* (⇒ **Avec**). — *Demander, exiger, vouloir tel prix de qqch.* ⇒ **Tant.** *Prix normal. Prix élevé* (→ Estimation, cit. 2), *énorme, excessif, exorbitant, fabuleux* (cit. 9). ⇒ **Cherté.** *« Prix élevé justifié »* (formule des annonces immobilières). *Au prix fort.* ⇒ **Cher, chèrement.** *Coûter* un prix fou* (→ Les yeux* de la tête). *De haut* prix.* ⇒ **Cher, coûteux, dispendieux** (→ Joyau, cit. 2). — Loc. *À prix d'or :* très cher. — *Prix modéré** (cit. 10), *modique** (cit. 1). *Prix abordable, raisonnable ; avantageux* (→ À bon compte*). ⇒ **Marché** (à bon marché). *Prix d'ami. Prix doux* (cit. 24). *Prix défiant toute concurrence. Prix dérisoire. Prix réduit** (⇒ **Solde ; rabais**). *Prix spécial. À moitié* prix. Prix de fins de séries, de soldes. — Augmenter, gonfler, élever, faire hausser* (cit. 14), *monter un prix.* ⇒ **Valoriser.** *Augmentation de prix.* ⇒ **Plus-value ; majoration, majorer.** *Exagérer le prix, vendre à un prix exagéré.* ⇒ **Charger, surfaire, survendre.** *Abaisser, baisser un prix, les prix* (→ Exportation, cit. 3). *Rabattre* d'un prix.* ⇒ **Rabais, réduction, réfaction, remise.** *Vendre à bas, à* *vil prix.* ⇒ **Avilir, déprécier, donner.** → Pour une bouchée* de pain, pour rien*. *Casser* les prix.* ⇒ **Brader.** — *Maximum, minimum de prix. Prix inférieur* (⇒ **Moins**), *supérieur* (⇒ **Plus**) *à... — Déterminer le prix de qqch., un prix.* ⇒ **Apprécier, estimer, évaluer, priser.** *Calcul des prix. Comparer prix pour prix* (→ Étrenne, cit. 6).

2 (...) on serait étonné du prix qu'atteignent les chefs-d'œuvre, si un chef-d'œuvre pouvait être trop chèrement payé.
Th. GAUTIER, Souvenirs de théâtre..., Collection d'Espagnac.

3 On demande le prix à l'aide de : *Combien, à quel prix, pour combien,* etc.? (...) Il n'y a pas d'adjectifs de prix précis. Le prix est le plus souvent marqué par un complément introduit à l'aide des prépositions *de* et *à* : *un canif* de treize sous; — *je vous le solderai* à cinq francs (...) *Pour* entre aussi en jeu : *on vend tout* pour rien (...)
F. BRUNOT, la Pensée et la Langue, p. 665.

Écrit portant des prix. ⇒ **Bordereau, étiquette, facture, mercuriale, tarif; devis.** *Liste de prix.*

b (Précédé d'un possessif). Prix de qqch. pour qqn. — (Du point de vue du vendeur). *Quel est votre prix? Faire connaître son prix.* — (Du point de vue du vendeur ou de l'acheteur). *Je vous le laisse à vingt francs, c'est mon dernier prix. Je veux bien mettre quinze francs, c'est mon dernier prix.* — Au plur. (Du point de vue de l'acheteur). *Être dans les prix de qqn,* abordable financièrement pour lui. *Je ne peux pas, ce n'est pas dans mes prix.*

3.1 — Vous venez souvent ici?
— Oui, tous les jours.
— Vous trouvez ça bon, ici?
— Ce n'est pas trop mauvais; surtout, c'est dans mes prix.
R. QUENEAU, le Chiendent, p. 81.

(Dans un marchandage). *Prix initial :* premier prix proposé, dans une vente au plus offrant (⇒ **Enchère**). → ci-dessous Mise à prix. *Dernier prix,* celui qui n'est plus modifié (→ Marchander, cit. 4).

4 Alors, il lâchait brusquement le «dernier prix» qu'il tenait en réserve depuis le matin et M. Roch, agréablement surpris, tirait de sa poche un carnet d'ordres.
A. MAUROIS, Bernard Quesnay, VIII.

c (Dans des contextes économiques). Écon. et cour. *Théorie des prix; prix et valeur, et utilité marginale* (⇒ **Valeur**); *prix et marché; prix et entreprise. Formation des prix : prix de concurrence, de marché* (⇒ **Concurrence, marché,** cit. 27; **demande,** cit. 7; **offre**); *prix de monopole. — Prix historiques, réels, constatés par les statistiques. Prix instantanés et prix d'équilibre. — Prix fixés, imposés par les pouvoirs publics (prix autoritaires, «politiques»). Intervention de l'État sur les prix :* taxation, tarification, action sur l'offre et la demande, organisation des marchés; action sur la monnaie... (⇒ **Taxation; péréquation; subvention...**). *Contrôle des prix. Comité, service des prix. Prix indicatifs,* considérés comme souhaitables par les autorités pour une marchandise. — *Prix de seuil,* auquel une marchandise importée dans le marché européen peut être acceptée.

Prix d'achat, de vente*. Prix commerciaux. Prix de gros*, de détail*. Prix coûtant*, prix de fabrique* ou d'usine. Prix fini,* du produit fini. *Prix de catalogue.* — Vieilli. *Prix bourgeois et prix marchand** (→ Plaie, cit. 7). — *Prix de facture*. — Prix courant,* normal, moyen (⇒ **Mercuriale**). Vieilli. *Prix fait,* convenu. *Marché à prix fait.* — **PRIX FIXE,** fixé d'avance par le vendeur ou par voie autoritaire, et qui ne donne lieu à aucun marchandage (opposé à *prix débattu*). Par métonymie. *Prix fixe* (1789) : magasin à prix fixés (vx); (1831) : restaurants à prix fixes. — *Publicité des prix. Prix marqués. Dans le commerce moderne, presque toutes les transactions se font à prix fixes et marqués, affichés, officiels et fixes. Prix stable. Prix standard. Prix toutes taxes comprises* (ou *prix T. T. C.*). *Prix hors taxes* (ou *prix H. T.*). — *Prix libre,* fixé librement par le producteur ou débattu librement. *Prix indicatif conseillé,* souhaité par les autorités. *Prix imposé* (cit. 50), *taxé. Prix dirigés. Prix garanti :* prix minimum garanti au producteur par les pouvoirs publics. *Prix maximum autorisé. Prix plafond; prix plancher.*

(1690). *Juste prix* (→ Concurrence, cit. 8; marché, cit. 1), considéré «non plus comme une confrontation... de l'offre et de la demande, mais comme une exigence de la morale, de l'équité» (L. Franck, *les Prix,* p. 24).

(1842). **PRIX DE REVIENT,** comprenant tout ce qui constitue la valeur du bien produit ou mis en vente (achats, transport, main-d'œuvre, douane, taxe, frais fixes, frais variables, impôts, publicité, etc.). ⇒ aussi **Coût, frais; fabrication, production** (→ Bureau, cit. 2; enfler, cit. 24; moitié, cit. 1). *La marge bénéficiaire* (⇒ **Bénéfice**), *différence entre le prix de revient et le prix de vente.* ⇒ aussi **Revient** (prix de). — *Prix net,* déduction faite des éléments considérés comme non indispensables à la production du bien en question.

5 Si on me procure (...) le moyen de baisser mes prix de revient, c'est-à-dire de diminuer mes charges fiscales et de réduire les salaires, je serai parfaitement satisfait.
P. NIZAN, le Cheval de Troie, p. 113.

Étude, statistique des prix. L'ensemble des prix. ⇒ **Vie** (coût de la vie...). *Indice** (cit. 13 et 14) *des prix. Emprunt indexé* (cit.) *sur les prix. Salaires réglés sur les prix* (→ Hausse, cit. 3). ⇒ **Échelle** (cit. 16 : échelle mobile).

*Équilibre, stabilité des prix. Déséquilibre des prix en période de crise** (cit. 8). *Hausse, montée, flambée des prix.* ⇒ **Augmentation, élévation, hausse;** et aussi **inflation** (cit. 2). → Dépréciation, cit. 2; échelle, cit. 16. *Les prix montent** (→ Gaspiller, cit. 2). ⇒ **Enchérir, enchérissement; renchérir, renchérissement.** *Atteindre un prix record. — Baisse des prix.* ⇒ **Baisse, dépréciation** (→ Dépression, cit. 4). *Les prix baissent*, descendent, fléchissent* (cit. 17), *tombent*. — Blocage des prix. Baisse autoritaire des prix.*

d Loc. **DE PRIX :** se dit de ce qui est d'un prix élevé, vaut, coûte cher. ⇒ **Précieux** (→ Arborer, cit. 5; cheval, cit. 7). *Objet de prix. Hors de prix :* excessivement ou extrêmement coûteux*, cher... ⇒ **Inabordable** (→ 2. Montre, cit. 2).

On ne peut payer une chose inestimable que par une offrande qui soit aussi hors de prix. BALZAC, Un épisode sous la terreur, Pl., t. VII, p. 442. 6

N'avoir pas de prix, être sans prix : être de très grande valeur (et de prix non fixé). ⇒ **Inappréciable** (→ Pavage, cit.).

Je jure que ce portrait est un chef-d'œuvre qui, un jour à venir, n'aura point de prix. DIDEROT, Salon de 1763, Greuze, *in* Œ. esthétiques. 7

À PRIX. *Mettre à prix, mise à prix.* ⇒ 1. **Priser.** — (Mil. XIVe). *Mettre à prix qqch.* Spécialt. *Mise à prix,* se dit du prix initial, dans une vente aux enchères. — (1671). Fig. *Mettre à prix la tête* de qqn :* promettre une récompense en argent à qui le capturera, le tuera. *À prix d'argent :* pour de l'argent. *Corrompre à prix d'argent.* ⇒ **Payer.** — *À prix d'or :* contre une forte somme.

(1844, Balzac). *À aucun prix. Ne se dessaisir d'une chose à aucun prix* (→ Expropriation, cit. 2).

♦ **2.** (XIIe, aussi «réputation, gloire»). Abstrait. Valeur que l'on attribue à qqch., valeur relative, ce qu'il en coûte pour obtenir qqch. ⇒ **Valeur** (→ Acquérir, cit. 8 et 22; 1. loi, cit. 36). *Le prix d'un bienfait* (→ Mécompte, cit. 3). *L'imagination fait le prix de ce qu'on reçoit* (→ Donner, cit. 16). *Le prix de la gloire.* ⇒ **Rançon.** *Le prix du temps, de la vie* (→ Joie, cit. 6; 1. ombre, cit. 41)... — *Attacher** (cit. 34 à 36), *donner* plus ou moins de prix à qqch.* ⇒ **Importance** (→ Persuasion, cit. 3). *Apprécier*, estimer* à son prix, à son juste prix* (→ Détourner, cit. 24). *Mettre* une chose à son vrai prix, au-dessus* (⇒ **Surestimer**), *au-dessous* (⇒ **Mésestimer, sous-estimer**) *de son prix. Donner du prix à qqch.,* l'estimer beaucoup (→ Balancer, cit. 20; dissimuler, cit. 8; liant, cit. 2). *Le prix que l'opinion donne aux choses* (→ Différence, cit. 8). *Sentir tout le prix de...* (→ Honnêteté, cit. 11). — *Avoir son prix, avoir son utilité et son prix* (→ Explication, cit. 3). ⇒ **Mérite.** — Loc. prov. *Chacun a son prix :* il ne faut pas rabaisser les uns ni exalter les autres à la légère. — *Avoir plus de prix* (→ Idée, cit. 57). *Avoir un prix tout particulier pour qqn. Cela vaut toujours son prix* (→ Monde, cit. 5). *Prendre du prix* (→ Miette, cit. 5). — *D'un prix inestimable* (cit. 3). *De moindre prix* (→ Étanchement, cit. 1).

La rareté du fait donnait prix à la chose. LA FONTAINE, Fables, XII, 12. 8

Il n'est rien de plus précieux que le temps, puisque c'est le prix de l'éternité. 9
BOURDALOUE, Méditations, De la perte du temps.

La souveraine habileté consiste à bien connaître le prix des choses. 10
LA ROCHEFOUCAULD, Maximes, 244.

Mlle du Châtelet n'était ni jeune ni jolie, mais elle ne manquait pas de grâce; elle était liante et familière, et son esprit donnait du prix à cette familiarité. 11
ROUSSEAU, les Confessions, IV.

Elle a la peau très blanche, et quoiqu'elle n'attache pas un grand prix à ce frêle avantage, elle n'est pas fâchée qu'on en fasse l'éloge (...) 12
DIDEROT, Entretien d'un philosophe avec maréchale de ***, Pl., p. 1206.

On n'est pas né pour la gloire lorsqu'on ne connaît pas le prix du temps. 13
VAUVENARGUES, Réflexions et maximes, 180.

Nous ne sentons le prix de nos amis qu'au moment où nous sommes menacés de les perdre. CHATEAUBRIAND, Mémoires d'outre-tombe, t. II, p. 262. 14

(...) ce bien sans prix : une santé robuste. 15
André SUARÈS, Trois hommes, «Dostoïevski», I.

De quel prix est le monde auprès de la vie? et de quel prix la vie, sinon pour la donner? CLAUDEL, l'Annonce faite à Marie, IV, 5. 16

Acheter, obtenir...; mettre à tel prix, à ce prix (→ Croix, cit. 8). *À bas* (cit. 18 et 19), *à haut prix. — À quelque prix que ce soit, que ce fût* (→ Astuce, cit. 1; déterminer, cit. 23; infidélité, cit. 6). *À quelque prix qu'on mette...* (→ Fumée, cit. 6).

L'ingrate, qui mettait son cœur à si haut prix. RACINE, Andromaque, II, 1. 17

Loc. *Ne donner, ne céder... ne vouloir d'une chose à aucun prix,* quelles que puissent être les compensations (→ Pas pour un empire*, pour rien au monde*, en aucun cas*). — *À tout prix :* quoi qu'il puisse en coûter. ⇒ **Coûter** (coûte que coûte), **force** (à toute force). → Effet, cit. 27; fortune, cit. 20; nouveau, cit. 24.

AU PRIX DE... : en échange de (tel ou tel sacrifice*). ⇒ **Contre, dépens** (aux dépens de), **moyennant** (→ Déplacer, cit. 5; goût, cit. 8; idole, cit. 10; long, cit. 18).

Je voulais votre fille, et ne pars qu'à ce prix. RACINE, Iphigénie, IV, 6. 18

(...) on voudrait qu'elles sussent qu'il n'y a point de beauté, dans quelque rang qu'elle pût être, que l'on ne regardât avec indifférence, et qu'il n'y a point de couronne que l'on voulût acheter au prix de ne les voir jamais. 19
Mme DE LA FAYETTE, la Princesse de Clèves, II, p. 294.

(1580, Montaigne). Vieilli ou littér. *Au prix de... :* en comparaison*, auprès* de. ⇒ **Auprès, raison** (à raison de...); → Atome, cit. 9; bois, cit. 17; filandière, cit. 1; jeu, cit. 19.

Oh! vraiment tout cela n'est rien au prix du fils (...) MOLIÈRE, Tartuffe, I, 2. 20

(...) *auprès de* a remplacé *au prix de,* qui était très classique, et que Vaugelas soutenait (H. L., III, 645) : *les sœurs filandières Ne faisaient que brouiller* au 21

prix de celles-ci (La Fontaine, Fables, v, 6); — *Virgile*, au prix de lui, *n'a point d'invention* (Boileau, A. P. [*Art poétique*], III, 325) (...)
F. BRUNOT, la Pensée et la Langue, p. 730.

22 Qu'étaient, à nos yeux, les périls de la rue, au prix de ses enchantements?
G. DUHAMEL, Chronique des Pasquier, I, VII.

♦ **3.** (Par métaphore du sens 1). Coût*.

22.1 Il n'y a cependant aucun paradoxe physique dans la reproduction invariante de ces structures : le prix thermodynamique de l'invariance est payé, au plus juste, grâce à la perfection de l'appareil téléonomique qui, avare de calories, atteint dans sa tâche infiniment complexe un rendement rarement égalé par les machines humaines. Jacques MONOD, le Hasard et la Nécessité, p. 37.

★ **II.** (XIIe). ♦ **1.** (1467). Vx. Récompense (→ Œillade, cit. 3; payer, cit. 10). *Le prix d'un bienfait* (cit. 3). *« C'est le prix que vous gardait* (cit. 68) *l'ingrate ». Le prix d'une action, d'avoir fait qqch. Décerner un prix au courage de qqn.* ⇒ **Couronne** (fig.).

23 Sors vainqueur d'un combat dont Chimène est le prix. CORNEILLE, le Cid, v, 1.

Pour prix de... : en récompense de (→ Orthodoxie, cit. 1).

24 (...) il était serviable, empressé même, mais pas très adroit, de sorte que, pour prix de ses soins, il recevait moins de remerciements que de rebuffades.
GIDE, Si le grain ne meurt, I, v, p. 151.

Par anthiphr. Châtiment, punition.

25 Me préserve le ciel de soupçonner jamais
Que d'un prix si cruel vous payez mes bienfaits (...) RACINE, Mithridate, III, 3.

♦ **2.** (V. 1175). Mod. Récompense* destinée à honorer celui, celle qui l'emporte dans une compétition ou qui est distingué(e) parmi plusieurs. ⇒ **Diplôme** (d'honneur), **médaille...** *Concours* doté de prix. Prix d'athlétisme, de gymnastique* (→ Athlète, cit. 3 et 5). *Prix dans un championnat.* ⇒ **Coupe.** — *Prix académique; prix de poésie* (→ Glacer, cit. 17). *Prix littéraires. Le prix Goncourt. La saison des prix. — Prix scientifique. Le prix Nobel de physique. — Prix de peinture, d'architecture. Le premier grand Prix de Rome. — Prix de musique. Les prix de violon, de piano... du Conservatoire. Prix de la chanson. Prix décernés dans un festival de cinéma* (⇒ aussi **Oscar**). — *Prix de vertu*. Prix de beauté. — Avoir, emporter, remporter* le prix* (→ Course, cit. 6). ⇒ **Gagner.** *Proposer un prix. Décerner* un prix. — Prix d'encouragement* (cit. 2), *d'honneur* (cit. 89).

26 Au lieu de faire un prix Monthyon pour la récompense de la vertu, j'aimerais mieux donner, comme Sardanapale, ce grand philosophe que l'on a si mal compris, une forte prime à celui qui inventerait un nouveau plaisir; car la jouissance me paraît le but de la vie, et la seule chose utile au monde.
Th. GAUTIER, Mlle de Maupin, Préface.

Récompenses décernées aux premiers, dans chaque discipline, dans une école, un lycée. *Premier prix de composition française, de physique, de gymnastique. Prix et accessits*. Prix d'excellence*. Distribution** (cit. 1) *des prix* (→ Discours, cit. 10; 2. estrade, cit. 2). *Livre de prix,* donné en prix.

27 Philibert avait remporté tous les prix au collège; le fait est qu'en sortant il ne savait rien. STENDHAL, Romans et nouvelles, « Ph. Lescale ».

28 Un enfant qui n'a jamais eu de prix dans ses classes! s'écria Clapart. Aux yeux des bourgeois, remporter des prix dans ses classes est la certitude d'un bel avenir pour un enfant. — En avez-vous eu? lui dit sa femme. Et Oscar a obtenu le quatrième accessit de philosophie.
BALZAC, Un début dans la vie, Pl., t. I, p. 695.

Par métonymie. La récompense (objet matériel ou somme d'argent). *Doubler un prix* (→ Lauréat, cit. 2).

Le lauréat d'un prix. *M. X..., prix Goncourt. Le premier grand Prix de Rome d'architecture.* — (En parlant de l'œuvre qui a reçu un prix). *Avez-vous lu le prix Goncourt?*

29 Oui, répondit-il, j'ai joué pas mal, dans le temps; je suis un premier prix du Conservatoire de 19... Mais qu'est-ce que vous voulez, un premier prix ça ne nourrit pas, nous sommes trop... Je me suis mis un peu à tout...
COLETTE, Belles saisons, p. 162.

(Mil. XIXe). Épreuve à l'issue de laquelle est décerné un prix. *Cheval qui court le Grand Prix. Le Grand Prix de Paris. Grand prix automobile.*

COMP. Surprix. Prisunic.

HOM. Pris; formes des v. **prier** et **prendre.**

PRO [pʀo] n. — V. 1930; abrév. de *professionnel.*

♦ Fam. (Sports). Professionnel. *Les amateurs et les pros.*

Tu étais goal? (...)
Il ajouta :
— Ça gazait?
— Avec de la chance, je serais passé pro.
SARTRE, la Mort dans l'âme, 1949, p. 174.

Par ext. (appliqué à n'importe quel domaine). Personne qualifiée dans son métier. *Un pro. C'est une pro, une vraie pro.*

PRO- Élément, du grec ou du lat. *pro* « en avant; à la place de; en faveur de ». ⇒ **Pour.** Ex. : *procéder, progrès; proconsul, pronom...* — Spécialt (surtout dans la langue des journaux, dans le langage politique, par opposition à *anti-*). *Pro-* servant à former des adjectifs qui ont le sens de « partisan de, sympathisant avec ». *Profrançais, proallemand, pro-anglais, procommuniste...* (→ suff. -phile : francophile, anglophile...). Ex. : *La « politique pro-arabe de la France »* (*le Point,* 27 avr. 1981, p. 73); *« les déclarations pro-alliées faites à la Chambre »* (L. Marcellin, avr. 1918, *in* D. D. L.); *« des Arabes proaméricains »* (*l'Express,* 2 oct. 1978, p. 123). *« Le Pape Pie XI (...) mû par sa passion progermanique... »* (L. Daudet, *in* D. D. L.). — *Pro-ouvrier* (*le Nouvel Obs.,* 2 mars 1981, p. 43).

REM. L'adjectif qui se combine avec *pro-* est le plus souvent un dérivé de nom de lieu ou de pays ou un dérivé en *-iste.* Dans ce cas, *pro-* correspond en général à un composé en *anti-**. — L'orthographe des composés ne comporte un trait d'union que si le second élément commence par une voyelle; même dans ce cas (sauf si la voyelle est un *o*) le trait d'union peut être omis (→ ci-dessus : *proaméricain*).

CONTR. Anti-.

PROACCÉLÉRINE [pʀoakseleʀin] n. f. — Mil. XIXe (*in* Larousse 1963); de *pro-, accélérer,* et *-ine.*

♦ Biol. Substance du plasma qui accélère la coagulation du sang.

PROBABILISER [pʀɔbabilize] v. tr. — 1847, *in* D. D. L.; de *probable.*

♦ Didact. Rendre (plus) probable.

REM. On rencontre l'adj. dérivé *probabilisable* (1974, *in* D. D. L.).

PROBABILISME [pʀɔbabilism] n. m. — 1697; du rad. du lat. *probabilis.*

Didactique.

♦ **1.** Doctrine selon laquelle on peut, en matière de morale, suivre l'opinion la moins sûre, pourvu qu'elle soit probable*. ⇒ **Probabilité.**

♦ **2.** Philos. Doctrine selon laquelle l'esprit humain ne peut parvenir à la certitude absolue, mais seulement à des propositions probables. *Probabilisme des philosophes de la nouvelle Académie* (dans l'Antiquité), *de Cournot.* — Philos. des sc. Conception de ceux qui récusent le déterminisme au profit de la notion de probabilité.

DÉR. Probabiliste.

PROBABILISTE [pʀɔbabilist] n. et adj. — 1704; de *probabilisme.*

Didactique.

♦ **1.** Partisan du probabilisme. — Adj. Qui est relatif au probabilisme. *Doctrine probabiliste.*

♦ **2.** (XXe). Mathématicien spécialiste du calcul des probabilités*. — Adj. Qui utilise la notion de probabilité, qui s'appuie sur la théorie des probabilités, qui est fondé sur le calcul des probabilités (→ Indéterministe, cit. 2). *Interprétation probabiliste de l'entropie, de la mécanique ondulatoire.*

PROBABILITÉ [pʀɔbabilite] n. f. — 1361; lat. *probabilitas.*

♦ **1.** Caractère de ce qui est probable. *Le faux* (cit. 46) *a toujours des apparences très grandes de probabilité. La probabilité d'une hypothèse* (cit. 2). ⇒ **Vraisemblance.** *Grande, forte probabilité d'un événement.* ⇒ **Chance** (→ aussi Matérialisme, cit. 5). — *Selon toute probabilité :* vraisemblablement. — Log. *La probabilité, catégorie logique distincte à la fois de la certitude et de la simple possibilité. L'expression de la probabilité dans la langue.*

En somme, tout pouvoir est exactement dans la situation d'un établissement de crédit dont l'existence repose sur la seule probabilité (d'ailleurs très grande), que tous les clients à la fois ne viendront pas le même jour réclamer leurs dépôts. 1
VALÉRY, Variété, Œ., t. I, Pl., p. 1034.

♦ **2.** Théol. Caractère d'une doctrine morale fondée sur les opinions probables*. ⇒ **Probabilisme.** *Pascal fut un adversaire de la probabilité.*

Ôtez la *probabilité,* on ne peut plus plaire au monde; mettez la *probabilité,* on ne peut plus lui déplaire. 2
PASCAL, Pensées, XIV, 918.

♦ **3.** (Déb. XVIIIe, Fontenelle; concept précisé au XIXe). Math. Grandeur numérique par laquelle on exprime le caractère aléatoire (possible* et non certain*) d'un événement, d'un phénomène et qui est égale au rapport du nombre des cas favorables à celui des cas possibles. *Une probabilité d'un contre dix mille* (→ Lot, cit. 5). *La probabilité de ce phénomène est de 85 %, de 0,85.* — *Calcul* (→ Mécanique, cit. 6), *théorie des probabilités,* ou, ellipt, *les probabilités. Le calcul des probabilités, branche des mathématiques*. Mathématicien spécialiste des probabilités.* ⇒ **Probabiliste** (2.). *Importance de la loi des grands nombres* dans le calcul des probabilités. Application du calcul des probabilités :* élucidation de la notion de hasard, prévision*, statistique, recherche opérationnelle, problèmes posés par les jeux de hasard (problème des partis, etc.).

(...) la première moitié du XXe siècle a assisté à l'application sans cesse plus large des probabilités à l'étude des phénomènes économiques, à la biologie biométrique, au problème de la lutte pour la vie, si bien illustré par les exemples classiques de Volterra, à la médecine, à l'astronomie, voire à certaines questions délicates d'arithmétique. 3
René TATON, *in* Encycl. Pl., Hist. de la science, les Mathématiques, p. 706.

3.1 (...) dans une foule de circonstances, le physicien se trouve dans la même position que le joueur qui suppute ses chances. Toutes les fois qu'il raisonne par induction, il fait plus ou moins consciemment usage du calcul des probabilités (...) Le nom seul de calcul des probabilités est un paradoxe : la probabilité, opposée à la certitude, c'est ce qu'on ne sait pas, et comment peut-on calculer ce que l'on ne connaît pas?
Henri POINCARÉ, la Science et l'Hypothèse, p. 214.

3.2 Vous vous étonnerez peut-être que Marie ait pendant tant d'années mené une vie où chaque jour il pouvait se dire : peut-être est-ce aujourd'hui qu'arrivera la catastrophe finale. Mais la volonté de vivre et de suivre ses passions n'a d'autre arithmétique que le calcul des probabilités et le postulat que, entre deux probabilités, la plus agréable est la plus probable.
PROUST, Jean Santeuil, Pl., p. 591.

Importance de la notion de probabilité dans la physique moderne. Probabilité et déterminisme. Onde de probabilité. Probabilité de première collision (d'un neutron, dans une région spécifiée).

4 Du même coup, disparaît le déterminisme des phénomènes admis par l'ancienne Physique et qui était lié à la possibilité de se faire une image précise de la réalité physique dans le cadre de l'espace et du temps. On ne peut plus en général prévoir avec certitude les phénomènes qui vont avoir lieu : seules les probabilités des divers phénomènes possibles sont accessibles à nos calculs. Il est vrai qu'entre chaque mesure les probabilités ont une évolution rigoureuse réglée par l'équation d'ondes, mais chaque mesure ou observation nouvelle, par les informations qu'elle nous apporte, rompt le cours de ce déterminisme des probabilités.
L. DE BROGLIE, Nouvelles perspectives en microphysique, p. 133.

♦ **4.** (Surtout au plur.). Apparence, raison*, indice qui laisse à penser qu'une chose est probable, qui permet de conjecturer ce qui s'est produit ou ce qui se produira (→ Limier, cit. 6). *Opinion, présomption fondée sur de simples probabilités.* ⇒ **Conjecture.** *Avoir pour soi une foule de probabilités* (→ Athée, cit. 6).

5 (...) il massa les preuves, les semi-preuves, les probabilités, avec un talent que stimulait la récompense certaine de son zèle, et il s'assit tranquillement en attendant le feu des défenseurs.
BALZAC, Une ténébreuse affaire, Pl., t. VII, p. 607.

CONTR. Certitude. — Impossibilité, improbabilité.

PROBABLE [pʀɔbabl] adj. — 1380; *proubable* «qu'on peut prouver», 1285; lat. *probabilis,* de *probare.* → Prouver.

★ **I.** Didact. (en parlant d'une opinion, d'une thèse, etc.).

♦ **1.** Vx. *Opinion probable,* qui sans exclure la possibilité d'une autre opinion, ne présente cependant rien de contraire à la raison, à l'expérience, à l'autorité, etc. *Deux opinions contraires peuvent être probables l'une et l'autre.* — Relig. *Opinion probable :* opinion fondée sur des raisons ou des autorités sérieuses quoique non décisives (→ Base, cit. 7; ensuivre, cit. 5; large, cit. 21). *La doctrine des opinions probables a été violemment combattue par Pascal dans les* Provinciales. ⇒ **Probabilisme** (1.).

♦ **2.** Mod. Qui, sans être absolument certain, peut ou doit être tenu pour vrai plutôt que pour faux. *Idée* (→ Expérience, cit. 43), *hypothèse* (cit. 3) *probable.* ⇒ **Plausible.**

1 *(Au point de vue de la découverte, de l'expérience intérieure)* les données de la science ne participent pas à la certitude du *cogito* et (...) elles doivent être tenues pour simplement probables (...)
SARTRE, Situations I, p. 163.

★ **II.** Cour. (en parlant d'un événement, d'un phénomène, d'une chose, etc.).

♦ **1.** (1812). Dont la réalisation, l'existence (dans le passé, le présent, ou l'avenir), sans être certaine, peut ou doit cependant être affirmée plutôt que niée, compte tenu des informations qu'on possède, des règles de la logique, etc.; qu'il est raisonnable de conjecturer, de présumer, de prévoir (→ Inconstant, cit. 3). *Son échec n'est pas certain mais il est probable. Ce qu'on craint apparaît moins comme probable que possible* (→ Appréhender, cit. 3). *Valeur probable d'une erreur dans une mesure physique.* — Gramm. *Futur* probable,* marqué par le verbe *devoir*.*
Avait-il des intelligences (cit. 25) *avec quelqu'un? c'est probable.* ⇒ **Vraisemblable.** — Ellipt (dans une réponse). *Viendra-t-il demain? Probable.* ⇒ **Possible** (*supra* cit. 14). — Adv. Fam. Probablement. *Il avait un drôle d'accent : un Américain, probable.*

2 — Elles sont donc à Paris? — Probable (...)
Alphonse DAUDET, Rose et Ninette, IX.

3 — C'est des gaz asphyxiants, probable. Préparons nos sacs à figure!
H. BARBUSSE, le Feu, II, XIX.

3.1 Elle surveille du coin de l'œil l'invité. Il se tient rudement bien. Foutre! quelle distinction! Il a dû claper dans le monde, probable.
R. QUENEAU, Pierrot mon ami, éd. L. de Poche, p. 31.

Il est probable que... (et l'indic.). → Improbable, cit. 6; 2. partant, cit. 3 (ou abusivt parfois suivi du subj.). — Ellipt. *Probable que...* (→ Faim, cit. 7). — *Il n'est pas probable, il est peu probable* (→ Improbable, cit. 4), *est-il probable que...* (et le subj.). *Il paraît peu probable que nous partions.*

N. m. (1656). *Le probable :* ce qui est probable.

4 Imaginez donc le papier disparu : billets de banque, titres, traités, actes, codes, poèmes, journaux, etc. Aussitôt, toute la vie sociale est foudroyée et, de cette ruine du passé, l'on voit émerger de l'avenir, du virtuel et du probable, *le réel pur.*
VALÉRY, Variété, *in* Œ., t. I, Pl., p. 1035.

(Déb. XXe). *Un, des probables.* ⇒ **Probabilité.** *La loi des probables.*

♦ **2.** (Dans une comparaison). Dont la réalisation, l'existence peut être affirmée plus (ou moins) facilement que celle de tel autre événement, de telle autre chose. *Étant donné la manière dont l'affaire est engagée, un échec est plus probable qu'un succès.*

★ **III.** Abusif. Qu'on peut présumer, supposer être ou devenir. *Les ministres probables.*

CONTR. Certain, douteux, improbable, invraisemblable.
COMP. et **DÉR. Improbable. — Probabiliser, probablement.**

PROBABLEMENT [pʀɔbabləmɑ̃] adv. — 1370; de *probable.*

♦ D'une manière probable, selon une probabilité assez grande. ⇒ **Vraisemblablement; doute** (sans doute). → Insinuer, cit. 9; ligue, cit. 46. *Il viendra probablement nous voir. Il est probablement encore chez lui, à cette heure-là. Il était probablement au cinéma : il me l'avait dit.* — *Bien probablement* (rare); *très probablement* (→ Interprétation, cit. 8). — (Avec une négation). *Je n'irai probablement pas, probablement jamais.*

(...) et probablement n'eussé-je pas pensé à vous la conter. 1
BARBEY D'AUREVILLY, les Diaboliques, «Rideau cramoisi».

(Dans une réponse). *Est-ce que vous irez voir ce spectacle? Probablement. Probablement pas.* ⇒ aussi **Peut-être.**

(En tête de phrase, entraînant parfois l'inversion du sujet). *«Et probablement n'en était-elle pas heureuse»* (Proust, *À l'ombre des jeunes filles en fleurs,* III, p. 225, cité par R. Le Bidois, *Inversion du sujet...,* p. 100).

(1788). *Probablement que...* (et l'inf.). → Fidélité, cit. 7. ⇒ **Probable** (fam.).

Probablement qu'il y a dans toi quelque chose du sauvage 2
Peut-être confusément crains-tu d'être réduit au servage.
ARAGON, le Roman inachevé, Le mot «vie».

PROBANT, ANTE [pʀɔbɑ̃, ɑ̃t] adj. — 1566; lat. *probans,* p. prés. de *probare* «prouver».

♦ **1.** Dr. *En forme probante :* en forme authentique. *Pièce probante,* qui constitue une preuve.

♦ **2.** (1787). Cour. Qui prouve* sérieusement, qui présente un caractère convaincant (→ Hypnotisme, cit. 3; photographie, cit. 4). *Argument probant.* ⇒ **Concluant, convaincant, décisif.** *Raison probante. C'est tout à fait probant.*

Dans un débat de l'Académie de Médecine, où il avait triomphé des hypothèses chimériques formulées jadis sur la fermentation, par des savants étrangers (...) il *(Pasteur)* pouvait lancer ces mots décisifs : «Tous ces échafaudages créés par l'imagination s'écroulent devant notre expérience si simple et si probante».
Henri MONDOR, Pasteur, VII.

PROBATION [pʀɔbasjɔ̃] n. f. — 1549; «épreuve», 1350; lat. *probatio,* de *probare* «prouver».

♦ **1.** Relig. Temps du noviciat* religieux, qui précède l'entrée définitive dans un ordre (→ Novice, cit. 2). *Année de probation.* — Temps d'épreuve qui précède le noviciat lui-même.

♦ **2.** Dr. pén. Méthode permettant le traitement des délinquants en vue de leur reclassement. ⇒ **Sursis.** — (Anglic.). «(Quand on les pince, ils) *vont faire trois petits tours à la prison du comté de Los Angeles, puis s'en vont avec une* probation *(mise en liberté conditionnelle) de six mois»* (*le Nouvel Obs.,* 28 nov. 1977, p. 122).

PROBATIQUE [pʀɔbatik] adj. — XIIIe; lat. *probaticus,* grec *probatikos* «relatif au bétail».

♦ Didact. *Piscine probatique :* bassin établi près du Temple de Jérusalem et dans lequel on purifiait les victimes destinées aux sacrifices.

PROBATOIRE [pʀɔbatwaʀ] adj. — 1707; 1617, «qui prouve (d'un fait)»; 1603, *forme probatoire* «forme authentique»; lat. *probatorius,* de *probare* «prouver».

♦ **1.** (1707). Vx. *Acte probatoire :* examen universitaire.

♦ **2.** (XIXe). Mod. *Examen probatoire :* examen qu'on fait passer à un élève pour s'assurer que ses connaissances correspondent bien au niveau de la classe où il veut entrer. — *Épreuve probatoire,* qui sert à vérifier les aptitudes psychotechniques d'un candidat à un emploi. — *Stage probatoire,* imposé à celui qui postule une place, avant son engagement définitif dans une entreprise.
Dr. pén. *Délai probatoire.* ⇒ **Probation** (2.).

PROBE [pʀɔb] adj. — XVIe, repris 1788; lat. *probus.*

Littéraire.

♦ **1.** Qui fait preuve de probité* dans sa conduite. ⇒ **Droit, honnête, intègre** (→ Concussion, cit. 2; manigance, cit. 2; mérite, cit. 2). *Il a agi comme un homme probe, en galant* homme. Employé, serviteur probe.* ⇒ **Fidèle.** *Un homme probe et délicat.*

♦ **2.** Qui est le fait d'un homme probe, qui porte la marque de la probité (→ Authentique, cit. 17). *Conscience probe.* ⇒ **Droit** (1.).

(...) cette conscience droite, claire, sincère, probe, austère et féroce (...)
HUGO, les Misérables, I, VI, II.

CONTR. Improbe. — Dépravé, fourbe, fripon, malhonnête.
COMP. et **DÉR.** (Du même rad. lat.) **Improbe. — Probité.**

PROBIT [pRɔbit] n. m. — 1934; empr. à l'angl., abrév. de *probability unit.*

♦ Didact. En statistique, Unité de mesure de la probabilité d'une variation normalement distribuée, calculée sur la base d'une formule mathématique faisant appel à la variable aléatoire.

PROBITÉ [pRɔbite] n. f. — 1420; lat. *probitas.*

♦ Plus cour. que *probe.* Vertu qui consiste à observer scrupuleusement les règles de la morale sociale, les devoirs imposés par l'honnêteté et la justice. ⇒ **Droiture** (cit. 2), **honnêteté, intégrité** (cit. 7), **justice, loyauté.** *Probité professionnelle* (→ Déontologie, cit. 2). *La probité d'un domestique* (⇒ **Fidélité**), *d'un fonctionnaire* (⇒ **Incorruptibilité**). *Un homme de probité, d'une grande probité* (→ Un homme d'honneur*). *Manquer de probité. Être sans probité.* ⇒ **Conscience** (*supra* cit. 18), **foi** (*supra* cit. 14). — *Doutez-vous de ma probité?* (→ Devoir, cit. 2). Allus. littér. *« Vêtu de probité candide* (cit. 1) *et de lin blanc »* (Hugo). — Par ext. *Probité du langage, de la pensée.*

1 *(La langue française)* est de toutes les langues la seule qui ait une probité attachée à son génie. RIVAROL, Disc. sur l'universalité de la langue franç.

2 (...) elle sut (...) traverser à la Cour tant d'écueils visibles ou cachés, sans se détourner de sa voie, et en restant dans les règles et les délicatesses d'une exacte probité (...) SAINTE-BEUVE, Causeries du lundi, 1er déc. 1851.

3 Tout ce que nous avons soutenu (...) la propreté, la probité de langage, la probité de pensée, la justice et l'harmonie (...) recule de jour en jour devant une barbarie, devant une inculture croissantes (...) Ch. PÉGUY, la République..., p. 218.

CONTR. Déloyauté, fourberie, fraude, infidélité, malhonnêteté.

PROBLÉMATIQUE [pRɔblematik] adj. et n. f. — 1450, *probleumaticque;* bas lat. *problematicus,* de *problema.* → Problème.

♦ **1.** Qui prête à discussion; dont l'existence, la vérité, la certitude, la réussite est douteuse. ⇒ **Aléatoire, douteux.** *Les vérités les plus claires étaient devenues problématiques* (→ Obscurcir, cit. 12). *Existence, succès problématique.* ⇒ **Hypothétique** (→ Absence, cit. 12). *Phrase latine dont le sens est problématique.* ⇒ **Équivoque, suspect.** *Mettre toute sa fortune dans une entreprise problématique.* ⇒ **Incertain.** — Spécialt (philos.). *Jugement problématique :* chez Kant, proposition qui exprime une simple possibilité.

1 Si la gloire de César, *dit Napoléon,* n'était fondée que sur la guerre des Gaules, elle serait problématique. STENDHAL, Mémoires d'un touriste, t. I, p. 68.

1.1 Jean Cornbutte instruisit aussitôt sa nièce de son projet, et il vit briller quelques lueurs d'espérance à travers ses larmes. Il n'était pas encore venu à l'esprit de la jeune fille que la mort de son fiancé pût être problématique; mais à peine ce nouvel espoir fut-il jeté dans son cœur, qu'elle s'y abandonna sans réserve.
J. VERNE, Un hivernage dans les glaces, p. 227.

♦ **2.** N. f. (1951; p.-ê. d'après l'all. *Problematik*). Didact. *La problématique :* art, science de poser les problèmes. ⇒ **Questionnement.**

2 Si, dans le monde sacré, on ne trouve pas le problème de la révolte, c'est qu'en vérité on n'y trouve aucune problématique réelle, toutes les réponses étant données en une fois. CAMUS, l'Homme révolté, p. 34.

3 Le seul « système » qui découvre un degré de généralité suffisant pour mériter cette appellation, c'est celui des *alibis* (qui va si loin que la « problématique » et le « questionnement » et la « mise en question » peuvent devenir des alibis pour éluder les problèmes et maintenir un « système » qui n'existe que dans les mots!).
Henri LEFEBVRE, la Vie quotidienne dans le monde moderne, p. 186.

Ensemble des problèmes dont les éléments sont liés; champ théorique qui définit les positions relatives de problèmes liés.

CONTR. Certain, sûr.
DÉR. Problématiquement, problématisation.

PROBLÉMATIQUEMENT [pRɔblematikmɑ̃] adv. — 1548; de *problématique.*

♦ Didact. D'une manière problématique.

(...) si la question du sujet est impliquée problématiquement par la psychanalyse, elle n'est pas posée thématiquement (...)
Paul RICŒUR, Une interprétation philosophique de Freud, *in* la Nef, no 31, p. 120.

PROBLÉMATISATION [pRɔblematizasjɔ̃] n. f. — Mil. XXe; de *problématique,* et *-isation.*

♦ Didact. Mise en cause par une problématique.

PROBLÈME [pRɔblɛm] n. m. — 1382; lat. *problema,* grec *problêma.*

♦ **1.** Question à résoudre, point obscur que l'on se propose d'éclaircir, qui prête à discussion, dans un domaine quelconque de la connaissance. ⇒ **Question.** *Problèmes philosophiques, moraux* (→ Distinguer, cit. 2), *métaphysiques* (1. ¹Métaphysique, cit. 3). *Le problème du mal* (3. Mal, cit. 50), *de l'origine* (cit. 10) *des idées. Soulever le problème de... Il a très bien vu le problème. — C'est là la clef* du problème. Le problème est clair, est bien posé. Problème verbal. Problème insoluble, soluble. Aborder* (→ 1. Avocat, cit. 17), *traiter, résoudre un problème. — Le vieux problème de l'origine* (cit. 11) *des religions.* Loc. *Tout le problème est là :* c'est toute la question.

Nous espérions y trouver quelques données pour la solution de ce problème historique : comment le protestantisme s'est infiltré dans les grandes maisons de France, et comment s'est formée cette double opposition populaire et aristocratique (...) 1
BALZAC, le Feuilleton, *in* Œ. diverses, t. I, XXXV, p. 419.

Je confesse que j'ai coutume de distinguer dans les problèmes de l'esprit ceux que j'aurais inventés et qui expriment un besoin réellement ressenti par ma pensée, et les autres, qui sont les problèmes d'autrui. 2
VALÉRY, Variété, *in* Œ., Pl., t. I, p. 1318.

« TOUT LE PROBLÈME EST LÀ! » Brevet de bon sens, de parfaite logique, décerné au parleur qui vient de terminer sa démonstration politique, sociale ou économique. Ex. : *« Le Marché Commun, c'est très joli, encore faut-il que l'on joue le jeu franchement! — Tout le problème est là... ».* 2.1
Pierre DANINOS, Un certain Monsieur Blot, p. 237.

Spécialt (dans les sciences mathématiques). Question à résoudre, portant soit sur un résultat inconnu à trouver à partir de certaines données, soit sur la détermination de la méthode à suivre pour obtenir un résultat supposé connu. *Problèmes mathématiques* (→ Équation, cit. 2). *Problèmes de géométrie, d'algèbre* (→ Opération, cit. 3), *de mécanique* (cit. 8) *céleste. Dégager l'inconnue d'un problème algébrique. Déduire* (cit. 5) *la solution de la supposition du problème résolu.* ⇒ **Analyse** (*infra* cit. 8). *Résoudre* un problème* (→ Approximation, cit. 1). *Résolution d'un problème par la méthode de... Problème qui comporte deux, trois... solutions. Problème indéterminé. Problème insoluble.* ⇒ **Aporisme.** *Problème de la quadrature du cercle*. — Problème des partis* (traité par Pascal et Fermat). *Problème* (ou *paradoxe*) *de Saint-Pétersbourg. Le problème du tricheur* (dû à Henri Poincaré). — REM. Un grand nombre de problèmes mathématiques sont désignés par le nom des savants qui les ont proposés ou résolus. *Problème de Pappus.*

(1913). *Le problème d'arithmétique* (⇒ **Calcul**), *de mathématiques :* exercice scolaire (→ Classe, cit. 13). *Les données*, l'énoncé* d'un problème. Questions de cours et problèmes. Faire un problème. Tu as fait, fini tes problèmes?*

On nous avait donné — pour modérer nos plaisirs de vacances — quelques problèmes à secret, dont la solution, je le savais bien, résultait toujours d'une astuce tapie sournoisement dans l'énoncé. Ce dernier présentait un visage bénin et ironique, comme une devinette. Il avait pour mission de vous fourvoyer, en désespoir de cause, dans des opérations interminables dont le résultat (s'il en résultait, par hasard, quoi que ce fût) était monumentalement absurde. Et le maître vous le démontrait sèchement au tableau. H. BOSCO, Antonin, p. 89. 3

(Dans les jeux dont les règles sont précises). *Problème d'échecs. Cette revue, ce journal propose des problèmes de mots croisés, de bridge.*

Faux problème : problème mal posé, posé à côté du vrai problème, qui ne correspond pas aux vraies difficultés (→ 1. Faux, cit. 31).

Le danger, aujourd'hui, c'est qu'on se pose de fausses questions. On résout des milliers de problèmes. Mais, hélas! ce sont de faux problèmes dès le départ. 3.1
J.-L. GODARD, Arts, no 716, 1er avr. 1959, *in* Coll. des Cahiers du cinéma, p. 237.

♦ **2.** (Dans l'ordre de la pratique, de l'action). Difficulté qu'il faut résoudre pour obtenir un résultat; situation instable ou dangereuse exigeant une décision. ⇒ **Ennui.** *Problèmes techniques* (→ Culture, cit. 2). *Les problèmes de la circulation* (cit. 5), *du stationnement. Problèmes des nuisances.* — (Art, littér.). *Problèmes plastiques* (→ Expressionnisme, cit. 2).

(...) unité dans l'aspect et variété infinie dans le détail, voilà le difficile problème que les artistes du moyen-âge ont presque toujours résolu avec bonheur. 4
Th. GAUTIER, Voyage en Espagne, p. 27.

Cour. *Être débordé par les problèmes pratiques* (→ Inopiné, cit. 2). *Régler un problème :* résoudre une difficulté d'ordre pratique.

Loc. *Faire problème :* présenter des difficultés. *Son refus ferait problème. — Poser des problèmes :* susciter des difficultés qu'il faudra résoudre. ⇒ **Bémol** (3.), **hic.** *Cet enfant me pose des problèmes. Ça pose, ça me pose des problèmes!*

(Calque de l'anglo-amér.; av. 1959). Fam. *Il n'y a pas,* (fam.) *y a pas* [japa] *de problème :* c'est une chose simple, évidente ou facile; s'emploie aussi en réponse : bien sûr, évidemment. *« Tu pourras venir demain? — Pas de problème! »,* certainement.
C'est mon (ton, son) problème : cela me (te, le) concerne particulièrement.

— Mademoiselle Cora, tu sais? (...) J'ai dû l'inviter à sortir avec moi. 4.1
— Tu n'étais pas obligé, dis donc.
— Il faut bien que quelqu'un soit obligé. Sans ça, c'est le pôle Nord.
— Le pôle Nord?
— Sans ça, c'est les glaciers, le vide et cent degrés au-dessous de zéro.
— Ça, coco, c'est *ton* problème.
— On dit toujours ça pour se désintéresser.
É. AJAR (R. GARY), l'Angoisse du roi Salomon, 1979, p. 84.

Spécialt. [a] (Appliqué à une collectivité). *Problèmes politiques* (→ Nationaliste, cit. 3). *Le problème de la Tchécoslovaquie* (→ Pacifiquement, cit. 4). *Graves, immenses* (→ Hypertrophier, cit. 2), *redoutables problèmes* (→ Intéresser, cit. 8). — *Problèmes économiques, financiers. — Le problème social, les problèmes sociaux* (→ Apporter, cit. 19; enchevêtrer, cit. 5). *Le problème du logement, de l'alcoolisme* (→ Facteur, cit. 3).

5 L'unique chance de paix, semble-t-il, serait, au contraire, comme le demande l'Angleterre, de *ne pas localiser le conflit,* d'en faire un problème diplomatique *européen,* auquel toutes les puissances seraient directement intéressées, et que toutes les chancelleries s'appliqueraient à résoudre (...)
MARTIN DU GARD, les Thibault, t. VI, p. 173.

(V. 1960). **b** (Appliqué à une personne). *Avoir des problèmes familiaux, personnels, professionnels. Problèmes sexuels. — Problèmes psychologiques,* ou absolt, *problèmes :* conflits affectifs, difficultés à trouver un bon équilibre psychologique. *Adolescent qui a des problèmes, de gros problèmes. Il est à l'âge où l'on a des problèmes.*

Avec une valeur générale, couvrant la théorie (→ ci-dessus, 1.) et la pratique. *Étude, traitement des problèmes. Science du traitement des problèmes* (problémologie).

♦ **3.** Par métonymie. Chose, personne qui pose un, des problèmes (au sens 2); chose incompréhensible. *Pour moi, son attitude est un vrai problème.* ⇒ **Énigme.**

Personne qui a des problèmes psychologiques et qui en pose aux autres. *Cet élève, cet adolescent est un problème.*

PROBLOQUE [pʀɔblɔk] n. — 1886; de *propriétaire,* et suff. libre.

♦ Fam. Propriétaire d'immeuble, pour son locataire. ⇒ **Proprio.** *Le probloque réclame son loyer.* — Var. graphique : *probloc.*

(...) les probloques sont deux vieilles filles intransigeantes question visites nocturnes; le type monte l'escalier à pas de loup et je le suis, les souliers à la main (...)
A. SARRAZIN, l'Astragale, p. 180.

(1912). Var. (rare) : *problo* [pʀɔblo].

PROBOSCIDE [pʀɔbɔsid] n. m. — 1554; lat. *proboscis, -idis,* grec *proboskis* «trompe».

♦ Archaïsme littér. ou héraldique. Trompe (d'animal). Spécialt (blason). Trompe d'éléphant.

Pierre Martyr recueille la description de bêtes monstrueuses : serpents semblables à des crocodiles; animaux ayant un corps de bœuf armé de proboscide comme un éléphant (...)
Claude LÉVI-STRAUSS, Tristes tropiques, p. 59.

DÉR. Proboscidiens.

PROBOSCIDIENS [pʀɔbɔsidjɛ̃] n. m. pl. — 1822, Blainville; de *proboscide.*

♦ Sous-ordre de mammifères ongulés de très grande taille, qui possèdent une trompe* utilisée pour la préhension. *Les proboscidiens ne sont représentés aujourd'hui que par les éléphants*. Autrefois les proboscidiens étaient classés parmi les pachydermes.* — Au sing. *Le dinothérium est un proboscidien fossile.*

REM. Le mot a été utilisé comme adjectif : «qui possède un appendice ou proboscis» (1842) et au fig. (plais.) «qui évoque la trompe de l'éléphant» (*un masque proboscidien, in* A. Daudet).

PROBOSCIS [pʀɔbɔsis] n. m. — XXe; mot lat., du grec → Proboscide.

♦ Sc. nat. Organe en forme de trompe, chez certains insectes. *«On appelle proboscis la partie allongée de l'appareil buccal des insectes : «trompe» chez les Papillons, «rostre» chez les insectes piqueurs»* (*Sciences et Avenir,* août 1979).

PROCAÏNE [pʀɔkain] n. f. — Mil. XXe; de *pro-,* et *(co)caïne.*

♦ Méd. Substance employée comme anesthésique local, dont il existe un grand nombre de préparations pharmaceutiques. ⇒ **Novocaïne.**

PROCALMADIOL [pʀɔkalmadjɔl] n. m. — 1963; marque déposée, de *pro-, calm(er),* et *-diol.*

♦ Pharm. Nom commercial d'un tranquillisant (dicarbamate de méthyl 2n-propyl-2 propanediol 1,3). Syn. : *méprobamate.*

PROCARYOTE [pʀɔkaʀjɔt] adj. et n. m. — XXe; de *pro-, caryo-,* et *-ote.*

♦ Biol. Organisme constitué de cellules à chromatine dont le noyau *(zone nucléaire)* n'est pas séparé du cytoplasme par une frontière individualisée. *Les bactéries, les algues bleues sont des procaryotes* (Opposé à *eucaryote*). *«Les procaryotes offrent une très grande simplicité de structure. En particulier, le chromosome bactérien y est en contact direct avec le reste du contenu cellulaire, le cytoplasme»* (*Sciences et Avenir,* oct. 1979).

Adj. *Végétal procaryote.*

PROCÉDÉ [pʀɔsede] n. m. — 1540; p. p. de *procéder.*

♦ **1.** Littér. Façon d'agir, de se conduire à l'égard d'autrui. ⇒ **Agissement, comportement, conduite, manière, pratique, procédure** (vx). *Un procédé net, sincère et habile* (→ Habileté, cit. 8). *Procédé cavalier, déloyal. Mauvais procédé* (→ Manquer, cit. 35; noirceur, cit. 8).

Je lui dis qu'il me rappelait à la vie par son procédé généreux, et que je souhaitais de me retrouver en état de lui en témoigner ma reconnaissance. 1
A.-R. LESAGE, Gil Blas, IX, IV.

Plus cour. au plur. *Ses procédés habituels.* ⇒ **Errements** (1.). *Gens* (1. Gens, cit. 28) *sensibles à certains procédés, à certains actes de prévenance et de délicatesse.* ⇒ **Honnêteté** (vx). *Avoir l'œil* (cit. 31) *sur les procédés de quelqu'un.* ⇒ **Agissements.** *Procédés corrects, blessants, indélicats. Bons* (→ Désarmer, cit. 4), *mauvais procédés* (→ Inconsolable, cit. 4; manière, cit. 15; plaignant, cit.). *User de bons, de mauvais procédés à l'égard de quelqu'un. Échange de mauvais procédés* (→ Lazzi, cit. 3). — Loc. cour. *Échange de bons procédés :* politesses, services rendus réciproquement.

♦ **2.** (1627). Moyen, méthode qu'on emploie ou dont on dispose pour parvenir à un résultat. ⇒ **Formule, moyen, système.** *Procédé technique.* ⇒ **Processus.** *Procédés empiriques de la technique néolithique* (cit.). *Procédé industriel. Procédé de fabrication.* ⇒ **Méthode, secret** (de fabrication), **truc** (fam.). *Procédé routinier.* ⇒ **Usage.** *Procédé de préparation culinaire.* ⇒ **Recette.** — *Procédé mnémonique, mnémotechnique.* — (Gramm., ling.). *Procédés d'abrégement* (cit.). *Procédés syntaxiques* (→ Participe, cit. 3). — (Stylistique). *Les procédés du style oratoire* (→ Associer, cit. 9). *Procédé oratoire* (→ Discours, cit. 22). *Procédés de rythme, d'assonance.* ⇒ **Dispositif.** — (Arts). Moyen technique, mode particulier d'exécution. *Le procédé de la peinture sur lave* (→ Intégrité, cit. 1). *Le moulage* (2. Moulage, cit. 1), *procédé qui donne l'empreinte la plus fidèle du modèle.*

Que le choix, l'ajustement et la mise en rapport des termes, que le transfert des pensées et des images, que l'orchestration du discours — prose ou vers — mette en jeu nombre de procédés, de tours, intéresse au premier chef le savoir et le goût, bref suppose un art à la fois délicat, puissant et compliqué, cela ne fait doute que pour les sots. 2
G. DUHAMEL, Discours aux nuages, p. 10.

L'eau sort à la température de 18°. Elle est assez franchement gazeuse. Mais une partie notable du gaz se perd dans les échantillons du fait du procédé primitif de mise en bouteilles. 3
J. ROMAINS, les Hommes de bonne volonté, t. V, XXII, p. 175.

La peinture d'amateur n'existait guère lorsqu'il fallait préparer les couleurs et non acheter des tubes; lorsque les procédés étaient presque secrets. 4
MALRAUX, les Voix du silence, p. 363.

C'était une étude approfondie de chacune des aventures de Lupin, où les procédés de l'illustre cambrioleur nous apparaissaient avec un relief extraordinaire, où l'on nous montrait le mécanisme même de ses façons d'agir, sa tactique toute spéciale, ses lettres aux journaux, ses menaces, l'annonce de ses vols, bref, l'ensemble des trucs qu'il employait pour «cuisiner» la victime choisie et la mettre dans un état d'esprit tel qu'elle s'offrait presque au coup machiné contre elle et que tout s'effectuait pour ainsi dire de son propre consentement. 4.1
M. LEBLANC, l'Aiguille creuse, p. 56.

Péj. (Opposé à *inspiration, spontanéité*). Recette stéréotypée, qui sent l'artifice. ⇒ **Artifice, convention.** *Ce roman n'est qu'un fatras de procédés empruntés.* ⇒ **Cliché, poncif.** — (Au sing. collectif). *Le procédé. Cela sent le procédé.*

Les modes substituent le chic, le poncif et le procédé d'atelier à l'étude austère de chaque chose et aux originalités individuelles. 5
HUGO, Littérature et Philosophie mêlées, But de cette publication.

♦ **3.** Didact. (en parlant d'événements, de phénomènes dans lesquels la volonté humaine n'intervient pas). Forme particulière que revêt le déroulement d'un processus. *Ce procédé de bipartition cellulaire* (→ Cellule, cit. 9; et aussi incubation, cit. 1).

♦ **4.** Vx. Préliminaires, démarches qui précédaient un duel (Sévigné, Lettre du 28 mai 1676; Molière, *G. Dandin,* I, 6).

♦ **5.** (1842). Techn. (Au billard). Rondelle de cuir appliquée au petit bout d'une queue de billard. *Frotter le procédé avec de la craie. Queue à procédé.*

PROCÉDER [pʀɔsede] v. — Conjug. *céder.* — V. 1300; lat. *procedere* «aller en avant».

★ **I.** V. intr. (Mil. XIVe). **PROCÉDER DE.** ♦ **1.** Théol. (Du Saint-Esprit). Être uni aux deux autres personnes de la Trinité, en émanant d'elles. *Le Saint-Esprit procède du Père et du Fils.*

♦ **2.** Littér. ou didact. Tenir de, participer de la nature de.

Le mal concourt au salut final des hommes, et en cela, il procède du bien et participe des mérites attachés au bien. 1
FRANCE, Thaïs, p. 163.

Tirer son origine* de, avoir pour cause, pour prédécesseur. ⇒ **Découler, dépendre, dériver, émaner, ensuivre** (s'), **partir** (partir de), **provenir, venir.** *C'est de Voltaire que procèdent les polémistes* (cit. 1) *du XIXe siècle. Le plus infime animalcule procède d'un germe* (cit. 6) *vivant.* — (Choses). *Il y a une faiblesse* (cit. 19) *du corps qui procède de la force de l'esprit.*

Aussi, chez un homme bien organisé, les passions qui procèdent du cerveau survivront-elles toujours aux passions émanées du cœur. 2
BALZAC, la Vieille Fille, Pl., t. IV, p. 230.

★ **II.** V. intr. (1300). ♦ **1.** Agir, se conduire de telle manière; avancer, marcher vers un but, selon telle méthode, à telle allure. *Voyez si je ne procède pas de bonne foi avec* (cit. 36) *vous. — Procéder avec méthode. Voilà comment il faut procéder. L'empirisme* (cit. 2) *est la manière de procéder d'un esprit qui se contente de l'expérience. Procéder lentement* (cit. 2) *d'idée sensible en idée sensible. Procéder par élimination* (cit. 1), *par ordre.*

3 La cour fut étonnée de la décision, de la fermeté, de la suite avec laquelle procédèrent vingt-cinq mille électeurs primaires si neufs dans la vie politique. Il n'y eut aucun désordre. MICHELET, Hist. de la Révolution franç., I, I.

4 Enfants! Quand il s'agit de vous, nous ne pouvons qu'errer, indécis, et procéder par tâtonnement. COLETTE, Aventures quotidiennes, *in* DUPRÉ, 3573.

(Sujet n. de chose). *La pratique procède avec plus de lenteur que la théorie* (→ Habile, cit. 5). *La nature* (cit. 35) *ne procède que par bonds.* ⇒ **Marcher** (→ Contraire, cit. 12).

♦ **2.** Loc. Vx. (Passif). *Tant est procédé, tant fut procédé que... :* on fait, on fit tant et si bien que...

♦ **3.** Littér. (Sens étym. ; 1501). S'avancer, progresser.

★ **III.** V. tr. ind. (XIVe). PROCÉDER À. ♦ **1.** (1549). Dr. Exécuter (un acte juridique). *Procéder à l'exécution* (cit. 17) *d'un débiteur, à une information supplémentaire* (→ Informer, cit. 20), *à la licitation* (cit.) *des biens, à une perquisition. L'officier de l'état civil qui procède au mariage.* ⇒ **Célébrer** (→ Légitimation, cit. 2). — (Au passif impers.). *Il* (cit. 36) *sera procédé à...* (→ Interrogatoire, cit. 1).

♦ **2.** Cour. Faire, exécuter (une opération complexe). ⇒ **Effectuer, exécuter.** *Faire procéder à une étude géologique* (→ Émergence, cit.). — REM. *Procéder à,* qui ne devrait se dire qu'en parlant d'opérations techniques ou complexes, est parfois employé abusivement, par pédantisme ou par plaisanterie, pour désigner des actions simples. *Procéder au lavage de la cour et de l'escalier* (→ 2. Pompe, cit. 2).

DÉR. Procédé, procédure.

PROCÉDURAL, ALE, AUX [pʀɔsedyʀal, o] adj. — 1877; de *procédure.*

♦ Dr. Relatif à la procédure* judiciaire.

PROCÉDURE [pʀɔsedyʀ] n. f. — 1344, en dr. ; de *procéder,* suff. *-ure.*

♦ **1.** (Déb. XVIIe). Vx. Manière de procéder pour aboutir à un certain résultat; procédé dont on use à l'égard de quelqu'un. *La fortune a des procédures bizarres* (Malherbe, cité par Littré, *Supplément*).

♦ **2.** Dr. et cour. Manière de procéder juridiquement, « série de formalités qui doivent être successivement remplies pour aboutir à un résultat déterminé » (Cuche). *Quelle est la procédure à suivre? Un maquis de formalités* (cit. 6), *de procédures et de visas* (⇒ **Paperasserie**).

1 (...) dans ce sens (...) l'on peut dire qu'il y a une *procédure* à suivre pour obtenir l'assistance judiciaire ou bien encore pour se faire inscrire au barreau d'une cour ou d'un tribunal (...)
On aperçoit également que si tout procès implique une procédure, il peut y avoir des procédures sans procès.
Paul CUCHE, Précis de procédure civile et commerciale, 1.

Spécialt. Ensemble des règles*, des formalités*, qui doivent être observées, des actes qui doivent être accomplis pour parvenir à une solution juridictionnelle (⇒ **Action, instance, instruction, poursuite, procès**). *Procédure de divorce. Procédure de conciliation. Engager, intenter, introduire une procédure* (⇒ **Assignation, citation ; moyen**). *Officiers ministériels qui conduisent la procédure* (⇒ **Avoué, huissier**). *Actes, pièces, dossier de procédure.* ⇒ **Acte, avenir, avoué** (acte d'avoué à avoué, conclusion...). *Critiquer la procédure, en suspendre l'effet* (⇒ **Exception**). *Procédure dilatoire. Incident* de procédure. Vice de procédure. Formes de procédure : procédure ordinaire, procédure sommaire* ; procédure par défaut. Procédure contentieuse ; procédure gracieuse.*
Le maquis de la procédure. Le lacis inextricable* (cit. 1) *de la procédure.* ⇒ **Chicane.** *Madré* (cit. 3), *retors en fait de procédure.* ⇒ **Chicaneur, procédurier, processif.**
Anciennt. *Procédure inquisitoriale** (→ Inquisition, cit. 1).

♦ **3.** (XVIIe). Domaine du droit* qui détermine ou étudie « les règles d'organisation judiciaire, de compétence, d'instruction des procès et d'exécution des décisions de justice » (Capitant). ⇒ **Pratique** (1.). *Code de procédure civile. Procédure commerciale* (Code de commerce). *Code de procédure pénale* (anciennt Code d'instruction criminelle). *Les voies d'exécution* (cit. 16), *matière importante de la procédure. — Étude de la procédure.* Ouvrage traitant de cette matière. *Bûcher* (cit. 2) *sa procédure.*

2 Comme toutes les choses humaines, la procédure française a des vices ; néanmoins, de même qu'une arme à deux tranchants, elle sert aussi bien à la défense qu'à l'attaque. BALZAC, Illusions perdues, Pl., t. IV, p. 935.

♦ **4.** (Av. 1959, d'après l'angl. *procedure* « procédé, méthode »). Techn. Ensemble des procédés successifs utilisés dans la conduite d'une opération technique ou scientifique complexe. *Une procédure très compliquée. Procédure d'atterrissage d'un avion.* — Inform. Méthode de résolution ordonnée d'un problème. *Procédure nucléaire :* ensemble des dispositions (techniques, administratives) qui régissent les manipulations de l'arme nucléaire. — Ling. *Procédure de découverte, d'évaluation.*

DÉR. Procédural, procédurier.

PROCÉDURIER, IÈRE [pʀɔsedyʀje, jɛʀ] adj. et n. — 1819; de *procédure.*

A. Adj. Vx. Qui connaît la procédure. *Avocat bon procédurier.*

B. Péj. ♦ **1.** (1842). Adj. Qui est enclin à la procédure (2.), à la chicane. ⇒ **Chicanier, processif.** *Humeur procédurière.*
Qui multiplie les formalités. *Paperasserie* (cit. 2) *procédurière. Formalités procédurières.*

♦ **2.** N. Personne qui aime la chicane, recourt volontiers à la procédure, aux procès (⇒ **Plaideur**). *C'est un redoutable procédurier.*

PROCELLARIIDÉS [pʀɔselaʀiide; pʀɔsɛllaʀiide] n. m. plur. — 1875; dér. du lat. zool. *procellaria* (*procellaire,* n. f., *in* Boiste, 1832, « pétrel, oiseau des tempêtes »), du lat. *procella* « orage ».

♦ Zool. Unique famille de l'ordre des *Procellariiformes,* comprenant des oiseaux de mer palmipèdes, généralement de grande taille. ⇒ **Albatros, pétrel.** — Au sing. *Un procellariidé.*

PROCELLARIIFORMES [pʀɔselaʀiifɔʀm; pʀɔsɛllaʀiifɔʀm] n. m. plur. — Mil. XXe; du lat. zool. *procellaria* et de *forme.*

♦ Zool. Ordre d'oiseaux marins palmipèdes, à bec formé de plaques juxtaposées, aux plumages blancs ou ternes (une seule famille, les *Procellariidés**). — Au sing. *Un procellariiforme.*

PROCÉPHALIQUE [pʀɔsefalik] adj. — V. 1904; de *pro-,* et *céphalique.*

♦ Didact. (zool.). Situé en avant de la tête. *Appendices procéphaliques. Apophyses procéphaliques des écrevisses.*

PROCÈRE [pʀɔsɛʀ] n. m. — 1875, *in* P. Larousse; formé du grec *pro-,* et *keras* « corne ».

♦ Zool. Grand coléoptère (carabe) à reflets métalliques, d'aspect rugueux.

1. PROCÈS [pʀɔsɛ] n. m. — XIIIe, Rutebeuf; lat. *processus* « *progression, progrès* », de *processum,* supin de *procedere* « avancer ». → Procéder.

★ **I.** Vx ou littér. Progrès, développement.
Mod. (Didact.). Processus (voir ce mot). *« Le procès de la formation embryonnaire »* (Littré). *Le procès de l'évolution intellectuelle.*
Ling. Contenu sémantique du prédicat; ce que le verbe peut affirmer du sujet (existence, devenir, action...).

★ **II.** (1560, Paré). Anat. Prolongement d'une partie anatomique principale. *Procès ciliaires. Procès alvéolaires.*

HOM. 2. Procès.

2. PROCÈS [pʀɔsɛ] n. m. — 1324; 1174, « titre juridique ; contrat », lat. jurid. *processus,* de *processum.* → 1. Procès.

♦ **1.** Litige soumis par les parties à une juridiction. ⇒ **Instance ; plaid** (vx); **procédure.** *Procès civil. Procès criminel. Procès au civil* (→ Plaideur, cit. 2). *Soutenir un procès.* ⇒ **Ester** (ester en justice), **plaider.** *Contestation*, dispute, querelle qui donne lieu à un procès, finit par un procès* (→ Exhérédation, cit. 2 ; mitoyenneté, cit.). *Matière à procès.* ⇒ **Conflit, différend.** *Avoir un procès, des procès. Aimer les procès.* ⇒ **Chicane ; chicaneur ; procédurier, processif.** *Entreprendre, engager un procès, ouvrir un procès contre quelqu'un.* ⇒ **Actionner, attaquer, poursuivre ; action, demande, information, plainte, poursuite.** *Se constituer, se porter partie civile dans un procès. Faire, intenter* (cit. 1) *un procès à quelqu'un* (→ Bohémien, cit. 1 ; bornage, cit. 2). *Procès en cours, procès pendant* (→ Gros, cit. 21). ⇒ **Action, affaire, cas, cause, litige, litispendance.** *Personnes impliquées dans un procès.* ⇒ **Partie, plaideur ; adversaire, adverse** (partie), **défendeur, demandeur, intervenant, plaignant, requérant.** *Avocat, avoué qui se présente pour une partie dans un procès.* ⇒ **Constitution, défense.** *Le fond** (cit. 54) *du procès. Moyens invoqués dans un procès.* ⇒ **Procédure.** *Bon, mauvais* (cit. 3) *procès. Grand procès. Petit procès.* ⇒ **Procillon** (vx). *Les pièces* (→ Maléfice, cit. 2), *le dossier d'un procès.* Par métonymie. *Recevoir communication du procès,* des pièces du procès. *Instruire* un procès.* ⇒ **Instruction** (→ Huissier, cit. 7). *Les débats, les incidents d'un procès. Expédier* (cit. 2) *les procès avec célérité* (→ Déférer, cit. 4). *Procès qui traîne* (→ Inextricable, cit. 1). *L'issue d'un procès.*

⇒ **Jugement; acquittement, condamnation; accommodement, arrangement, débouté, gain, perte** (cit. 17), **transaction.** *Procès qui se termine à l'amiable* (cit. 3). — Loc. prov. (Mil. XIXe). *Un mauvais arrangement* (cit. 13) *vaut mieux qu'un bon procès. — Juger, statuer sur le fond d'un procès* (→ Évocation, cit. 1). *Trancher, vider un procès* (→ Commettre, cit. 7). *Gagner* (→ Assigner, cit. 14; devoir, v., cit. 24; épices, cit. 3...), *perdre* (→ Appeler, cit. 35) *un procès. Frais* (2. Frais, cit. 16) *d'un procès.* ⇒ **Dépens.** *Interjeter appel après la perte d'un procès. Réviser* un procès.* ⇒ **Révision.**

1 Si c'est un malheur d'être engagé dans un procès dont le plus grand bien possible est qu'il n'en résulte aucun mal; au moins est-ce un avantage de justifier ses actions devant un tribunal, jaloux de l'estime de la nation qui a les yeux ouverts sur son jugement; devant des magistrats trop généreux pour prendre parti contre un citoyen, parce que son adversaire est leur confrère.
BEAUMARCHAIS, Mémoires... dans l'affaire Goëzman, p. 2.

2 Comme dans tous les procès célèbres, le président fut obligé de faire garder les portes par des piquets de soldats.
BALZAC, Une ténébreuse affaire, Pl., t. VII, p. 598.

3 Et, invariablement, le récit se terminait par le procès et l'exécution, à Chartres, de la bande des Chauffeurs, que le Borgne-de-Jouy avait vendue : un procès monstre, dont l'instruction demanda dix-huit mois, et pendant lequel soixante-quatre des prévenus moururent en prison d'une peste déterminée par leur ordure; un procès qui déféra à la cour d'assises cent quinze accusés dont trente-trois contumaces, qui fit poser au jury sept mille huit cents questions, qui aboutit à vingt-trois condamnations à mort.
ZOLA, la Terre, I, V.

(1341). *En procès :* impliqué dans un procès (contre quelqu'un). *Être perpétuellement en procès. Je suis en procès contre mes employeurs. Personnes en procès.*

Loc. (1638). Vx. *Faire le procès à quelqu'un,* le poursuivre comme criminel (→ Pain, cit. 10). — *Faire un mauvais procès à quelqu'un,* l'incriminer à tort.

♦ **2.** Loc. fig. (XVe). *Faire le procès de quelqu'un, de quelque chose :* faire la critique d'une personne, d'une chose, la mettre en cause*, l'attaquer, la blâmer. ⇒ **Accuser, attaquer, condamner, vitupérer.** *Faire le procès du machinisme* (cit. 1), *d'un régime* (→ Prébendier, cit.). — *Procès d'intention*. Procès de tendance*.*

♦ **3.** Loc. (1609, *in* D. D. L.). *Sans forme, sans autre forme de procès,* s'est dit d'une condamnation sans jugement, sans observation des formes légales. — Mod. (Fig.). Sans formalité, sans plus de façon. *« On lui a retiré son emploi sans autre forme de procès »* (Académie).

DÉR. Processif, procillon.
COMP. Procès-verbal.
HOM. 1. Procès.

PROCESS [pʀɔsɛs] n. m. — V. 1960; mot angl., « procédé, méthode ».

♦ Anglic. Techn. Étude théorique des procédés et des techniques de traitement du pétrole et de la pétrolochimie. — REM. Terme critiqué, absent du *Dict. technique* de M. Moureau et J. Rouge.

PROCESSEUR [pʀɔsesœʀ] n. m. et adj. — 1969; angl. des États-Unis *processor.*

♦ **1.** Inform. Unité centrale d'un ordinateur capable d'exécuter la séquence d'instructions du programme contenu dans la mémoire. ⇒ aussi **Microprocesseur, multiprocesseur.**

(...) le processeur électronique, chargé d'une mise à jour du portefeuille, a, suivant l'expression de Goguet, ravi, « craché un zéro de trop » et fait apparaître un solde créditeur de 8 milliards alors qu'il s'agissait de 800 millions (...)
Pierre DANINOS, Un certain Monsieur Blot, p. 53.

♦ **2.** Par ext. Programme d'adaptation des programmes de traitement des données. — Adj. *Programme processeur.*

COMP. Microprocesseur, monoprocesseur, multiprocesseur.

1. PROCESSIF, IVE [pʀɔsesif, iv] adj. — 1549; 1511, « relatif aux procès »; de 2. *procès.*

♦ **1.** Vx. Qui aime à intenter, à prolonger des procès. ⇒ **Chicaneur, chicanier, procédurier.** *Tracassière, processive...* (→ Fléau, cit. 9). *Un voisin processif.*

(...) il était difficultueux et processif en affaires comme tous les nains, mais toujours avec douceur.
BALZAC, la Muse du département, Pl., t. IV, p. 67.

Par ext. *Humeur processive.*

♦ **2.** Psychiatrie. Qui présente une constitution paranoïaque marquée par la tendance à se lancer continuellement dans des revendications, des réclamations, des procès. (On dit aussi *quérulent*). — Subst. *Un processif, une processive.*

(Choses). Propre aux processifs. *Manie, folie processive. Forme processive de la quérulence.*

HOM. 2. Processif.

2. PROCESSIF, IVE [pʀɔsesif, iv] adj. — 1966; angl. *processive,* de *process.*

♦ Anglic. Écon. polit. Qui améliore les conditions sociales et la vie économique. *Progrès processif.*

Certains *(auteurs)* avaient même montré que le progrès pouvait être processif (lorsqu'il augmentait « les moyens d'existence de la classe laborieuse ») ou récessif (...) 1
J.-P. COURTHÉOUX, la Politique des revenus, p. 96.

Le meilleur (progrès processif) s'observe, lorsque la nouvelle demande de personnel porte sur des catégories en chômage ou en sous-emploi, et qu'au contraire le personnel éliminé appartient à des catégories déficitaires, enfin lorsque la demande de produits importés diminue. 2
A. SAUVY, Croissance zéro?, p. 252.

CONTR. Récessif.

1. PROCESSION [pʀɔsesjɔ̃] n. f. — 1150; lat. *processio* « action de s'avancer », de *procedere* « s'avancer ». → Procéder.

♦ **1.** Cortège*, défilé religieux plus ou moins solennel, qui se déplace en chantant et en priant. ⇒ **Cérémonie** (religieuse); → Autodafé, cit. 1; bannière, cit. 6; crosse, cit. 3. *Ordre d'une procession catholique, précédée ou non de groupements laïques :* clergé régulier, clergé séculier (thuriféraire, porte-croix, acolytes), prélats, cérémoniaires et officiant. *Procession suivie des fidèles.* — REM. Dans la langue religieuse, *procession* ne désigne que les membres du clergé; dans le langage courant, le mot désigne tout le cortège, laïcs compris. — *Cierges, bannières; croix, dais d'une procession. Processions ordinaires, de la Purification, des Rameaux, des Rogations, du Corpus Christi* ou *de la Fête-Dieu* (cit.; → aussi Escorte, cit. 4; 1. jonchée, cit. 1). *Procession qui entonne* (2. Entonner, cit. 2) *un psaume, un cantique; s'arrête devant un reposoir.*

On faisait une procession avec la châsse de sainte Geneviève, pour obtenir de la sécheresse. À peine la procession fut-elle en route, qu'il commença à pleuvoir. Sur quoi l'évêque de Castres dit plaisamment : « La sainte se trompe; elle croit qu'on lui demande la pluie ». 1
CHAMFORT, Caractères et Anecdotes, Erreur de sainte Geneviève.

Des processions composées de tous nos infirmes, précédés des jeunes filles du voisinage, passent en chantant sous les arbres, avec le Saint-Sacrement, la croix et la bannière. 2
CHATEAUBRIAND, Mémoires d'outre-tombe, t. VI, p. 4.

Nous arrivâmes à temps pour voir rentrer la procession. Ce fut pendant une heure un interminable défilé de pénitents en cagoule, pénitents blancs, pénitents bleus, pénitents gris, confréries de filles voilées, bannières roses à fleurs d'or, grands saints de bois dédorés portés à quatre épaules, saintes de faïence coloriées comme des idoles avec de gros bouquets à la main, chapes, ostensoirs, dais de velours vert, crucifix encadrés de soie blanche, tout cela ondulant au vent dans la lumière des cierges et du soleil, au milieu des psaumes, des litanies (...) et des cloches qui sonnaient à toute volée. 3
Alphonse DAUDET, Lettres de mon moulin, « Le poète Mistral ».

Par ext. Le fait de défiler, de se dérouler, en parlant d'une procession; le temps de la cérémonie. *Pendant la procession les cloches sonnaient...* (Loti).

♦ **2.** (1538). Cortège religieux (spécialt dans une fête, un mystère antique). *La procession des Panathénées* (cit. 1), *des Lupercales* (cit.). *Procession phallique* (phallophorie). — *Procession d'eubages* (cit. 2) *et de druides.*

♦ **3.** (Mil. XIIe). Longue suite de personnes qui marchent à la file ou en colonne (⇒ **File, queue, suite, théorie**). *Une longue procession d'enfants, d'écoliers. La polonaise* (cit. 2), *sorte de défilé, de procession. — Marcher en procession.* ⇒ **Processionnellement.** — (Choses). *Procession de voitures sur l'autoroute.*

C'était un rêve errant dans la brume, un mystère, 4
Une procession d'ombres sur le ciel noir.
HUGO, les Châtiments, V, XIII, I.

La procession se déroulait dans le chemin creux ombragé par les grands arbres poussés sur les talus des fermes. Les jeunes mariés venaient d'abord, puis les parents, puis les invités, puis les pauvres du pays, et les gamins qui tournaient autour du défilé, comme des mouches, passaient entre les rangs, grimpaient aux branches pour mieux voir. 5
MAUPASSANT, les Contes de la Bécasse, « Farce normande ».

Fig. Suite de personnes qui se succèdent à brefs intervalles. *Une procession de visiteurs, d'importuns.* ⇒ **Défilé, série, succession.** *Une procession de marionnettes* (cit. 4).

Il laissa passer d'abord quelques personnages insignifiants et beaucoup de mérites inutiles, et n'arrêta cette procession qu'au maréchal d'Estrées, qui, partant pour l'ambassade de Rome, venait lui faire ses adieux (...) 6
A. DE VIGNY, Cinq-Mars, VII (1826).

(...) il dépeignit l'ininterrompu défilé des lésés et des mécontents, leurs attitudes découragées, leurs figures navrées et navrantes. — Une procession, je vous dis! Une véritable procession! 7
COURTELINE, Messieurs les ronds-de-cuir, 3e tableau, III.

DÉR. Processionnaire, processionnal, processionnel, processionner.
HOM. 2. Procession.

2. PROCESSION [pʀɔsesjɔ̃] n. f. — 1690; v. 1265, J. de Meung, « origine, condition d'un homme »; lat. *processio,* d'après *procéder,* I., 1.

♦ **1.** Théol. *Procession du Saint-Esprit :* le fait de procéder* du Saint-Esprit.

♦ **2.** Philos. Le fait de procéder de... (par ext. *la procession des hypostases,* chez Platon).

HOM. 1. Procession.

PROCESSIONNAIRE [pʀɔsesjɔnɛʀ] adj. et n. — 1413, « relatif aux processions »; de 1. *procession.*

♦ **1.** Didact. Qui va en procession, à la file. — N. (1894). *Des processionnaires.*

♦ **2.** (1734, Réaumur). Spécialt. *Chenilles** (cit. 2) *processionnaires.* — N. f. *Processionnaires du chêne, du pin :* chenilles de bombycidés (⇒ **Bombyx**).

PROCESSIONNAL, AUX [pʀɔsesjɔnal, o] n. m. — 1563; «relatif aux processions», xvᵉ; de 1. *procession.*

♦ Relig. Livre d'église où sont notées les prières chantées aux processions.

REM. On a dit en moy. franç. *processionnaire,* dans ce sens.

PROCESSIONNEL, ELLE [pʀɔsesjɔnɛl] adj. — 1542; *processionnal,* xivᵉ; de 1. *procession.*

♦ **1.** Liturgie. Relatif aux processions. *Cortège, défilé processionnel ; marche processionnelle. Croix processionnelle.*

♦ **2.** (1826). Littér. Qui tient de la procession, de la suite ordonnée (concret ou abstrait). *Le rythme processionnel des quatre saisons* (→ Cycle, cit. 2).

DÉR. Processionnellement.

PROCESSIONNELLEMENT [pʀɔsesjɔnɛlmɑ̃] adv. — V. 1500; de *processionnel.*

♦ Littér. En procession (→ Métropolitain, cit. 1), en cortège.

1 C'était hier le jour des dévotions arabes; et, toute la matinée, de longues files de femmes et d'hommes se sont rendues processionnellement à la mosquée.
E. FROMENTIN, Un été dans le Sahara, p. 269.

2 Celles, que l'une d'entre elles appelle les Carolines, sur l'emplacement d'une vespasienne détruite se rendirent processionnellement.
Jean GENET, Journal du voleur, p. 68.

PROCESSIONNER [pʀɔsesjɔne] v. intr. — 1779; de 1. *procession.*
Rare.

♦ **1.** Faire une procession.

♦ **2.** Marcher, avancer en procession. ⇒ **Défiler.**

Aujourd'hui, c'est en toute liberté que la foule vient à la date traditionnelle processionner sur le plateau (...)
M. BARRÈS, la Colline inspirée, VI.

PROCESSUEL, ELLE [pʀɔsesɥɛl] adj. — 1967; angl. *processual* «qui appartient à une voie légale», de *process* «processus, développement». → 1. Procès, I.

♦ Didact. et rare. Qui tient à un processus déterminé, évolue conformément à des lois. *« Un premier mode processuel de la guérison »* (R. Held, *le Processus de guérison,* in *la Nef,* nº 31, p. 21). *Phases processuelles de la schizophrénie. Bouleversement processuel de la personnalité.*

PROCESSUS [pʀɔsesys] n. m. — 1541; lat. *processus* «progrès». → 1. Procès.

A. Anat. Prolongement anatomique. ⇒ 1. **Procès, diverticule, saillie.** *Processus ethmoïdal du sphénoïde. Processus palatins* (saillies des bourgeons maxillaires).

B. (1865, *Rev. des cours sc.,* t. II, p. 751). ♦ **1.** Didact. Ensemble de phénomènes conçu comme actif et organisé dans le temps. ⇒ **Évolution,** 1. **procès.** *Processus biologique, physiologique. Processus de croissance, de développement, d'extension* (⇒ **Progrès**). *Le processus de la maladie, de l'intoxication* (cit. 1). ⇒ **Développement, marche, mécanisme.** *Processus organiques et mentaux* (→ Flux, cit. 4; et aussi irréversible, cit. 2; 1. mort, cit. 22). *Processus et structure, en psychologie.* ⇒ **Fonction** (cit. 14). *Processus d'identification* (cit. 3). *Processus inconscients* (→ Phantasme, cit. 2). — Psychan. *Processus primaire, et processus secondaire,* modes de fonctionnement de l'appareil psychique. *Processus social, politique, économique. Processus inflationniste. — Processus physique* (→ Fission, cit. 1), *géologique* (→ Glissement, cit. 6). *Le processus de la photosynthèse* (cit.). — *Processus simple, complexe. D'un processus* ⇒ **Processuel.**

(...) une théorie générale des « processus », mot qui désigne soit une suite de phénomènes, douée d'une certaine cohérence ou unité, soit la source ou la loi de genèse de cette suite.
G.-T. GUILBAUD, la Cybernétique, p. 43.

♦ **2.** Cour. Ensemble de phénomènes se déroulant dans le même ordre; façon de procéder. *Ignorer, connaître le processus de... Selon le même processus.*

♦ **3.** (xxᵉ). Suite ordonnée d'opérations aboutissant à un résultat. ⇒ **Procédure** (4.). *Processus de fabrication.*

PROCÈS-VERBAL, AUX [pʀɔsɛvɛʀbal] n. m. — V. 1290; de 2. *procès,* et *verbal.*

♦ **1.** Acte*, écrit dressé par une autorité compétente (officier de police, agent assermenté), et qui constate, relate un fait entraînant des conséquences juridiques (civiles ou pénales). → Pièce, cit. 18. *Des procès-verbaux. Procès-verbal du juge, du notaire, de l'huissier* (⇒ **Constat**). *Procès-verbal de carence*, de non-conciliation*, d'enquête*, d'interrogatoire*, de perquisition** (cit. 6), *de saisie** (→ Itératif, cit. 1), *de sursis*... Déposition* (cit. 1) *consignée sur procès-verbal. Compromis* (cit. 1) *fait par procès-verbal. Pièces annexes d'un procès-verbal.* — Spécialt. *Procès-verbal de contravention** (cit. 1). Cour. *Avoir un procès-verbal pour excès de vitesse* (→ fam. Un P.-V.). ⇒ **Contravention.** *Procès-verbal établi par un agent de police, une contractuelle. — Dresser* (cit. 17) *procès-verbal* (→ Flagrant, cit. 2; incarcération, cit.). ⇒ **Instrumenter, verbaliser.**

Cependant, le commissaire verbalisait à son tour, et comme il n'y avait rien dans son procès-verbal que l'exposition pure et simple du fait, les deux moines furent obligés de signer. 1
DIDEROT, Jacques le fataliste, Pl., p. 658.

(...) ce brave homme, nommé Sparchmann, fit constater, dans les formes juridiques voulues par le droit du pays, la manière miraculeuse dont j'étais sorti de la fosse des morts, le jour et l'heure où j'avais été trouvé par ma bienfaitrice et par son mari; le genre, la position exacte de mes blessures, en joignant à ces différents procès-verbaux une description de ma personne. 2
BALZAC, le Colonel Chabert, Pl., t. II, p. 1101.

Elle fut stoïque, le lendemain, lorsque Maître Hareng, l'huissier, avec deux témoins, se présenta chez elle pour faire le procès-verbal de la saisie. 3
FLAUBERT, Mᵐᵉ Bovary, III, VII.

♦ **2.** (1718). Relation officielle de ce qui a été dit ou fait dans une réunion, une assemblée, etc. *Procès-verbal de séance.* ⇒ **Compte** (compte rendu). → Document, cit. 2. *Rédiger un procès-verbal. Lire, approuver le procès-verbal.* — Par extension :

(Il) força son attention, parvint à la fixer, obtint un résultat satisfaisant, se félicita sans enthousiasme, décida de rédiger le procès-verbal de son expérience et, comme midi sonnait, se retrouva devant une page blanche, la plume en l'air, souriant à des images. 4
G. DUHAMEL, Salavin, III, I.

PROCÈS-VERBALISER [pʀɔsɛvɛʀbalize] v. intr. — 1918; de *procès,* et *verbaliser,* ou de *procès-verbal.*

♦ Rare. ⇒ **Verbaliser.**

PROCHAIN, AINE [pʀɔʃɛ̃, ɛn] adj. et n. — V. 1155, au sens I, 2; *prucein,* 1120; du lat. pop. *propeanus,* de *prope* «près de».

★ **I.** Adj. Très rapproché, le plus rapproché. ⇒ **Proche.**

♦ **1.** (Dans l'espace). Vx ou littér. (Après ou av. le nom). Qui est le plus proche. ⇒ **Voisin.** *Dans la chambre* (cit. 2) *prochaine.* ⇒ **Adjacent, attenant, contigu.** *Jusqu'aux arbres prochains* (→ Barrique, cit. 2). *Les gens du prochain village* (→ Jambe, cit. 17). *Au prochain cimetière* (→ Murer, cit. 7). *Boire une pinte* (cit. 1) *de vin au prochain cabaret.*

Amants, heureux amants, voulez-vous voyager? 1
Que ce soit aux rives prochaines (...)
LA FONTAINE, Fables, IX, 2.

Un valeureux lion, roi d'une immense plaine, 2
Désirait de la terre une plus grande part,
Et voulait conquérir une forêt prochaine,
Héritage d'un léopard.
FLORIAN, Fables, III, 22.

♦ **2.** (Dans le temps futur). Cour. **a** Qui est près d'arriver, de se produire (après le nom). ⇒ **Près.** *Je n'augure* (cit. 10) *pas bien de l'avenir prochain. La mort, la fin prochaine* (→ Annonce, cit. 4; cygne, cit. 1; écouter, cit. 29; haschisch, cit. 1; laboureur, cit. 3). *La menace* (cit. 6) *d'une guerre prochaine, des tourmentes prochaines* (→ Annonciateur, cit. 3). ⇒ **Imminent.** *Je ne pense pas que des malheurs prochains éclatent* (→ Orage, cit. 6). *Mésintelligence* (cit.) *faisant prévoir une crise prochaine. Un jour prochain.* ⇒ **Jour** (un de ces jours). *À une époque plus prochaine qu'on ne croit* (→ Fait, cit. 23). — (Avant le nom). *La prochaine fois :* la première fois que la chose se reproduira, que tel événement aura lieu.

(...) il a demandé d'une voix humble s'il pouvait ramasser son mégot. L'agent a déclaré qu'il le pouvait et il a ajouté : « Mais la prochaine fois, tu sauras qu'un agent n'est pas un guignol ». 2.1
CAMUS, l'Étranger, I, IV.

Il admire l'œuvre d'art en détail tout en pensant qu'il faudra bientôt en refaire une autre, d'œuvre d'art, pour la prochaine, de guerre, car fallait pas compter y couper, à une prochaine autre. 2.2
R. QUENEAU, le Dimanche de la vie, p. 83.

À la prochaine fois, ou ellipt, fam. ou pop., *à la prochaine,* formule de départ, de séparation (→ Au revoir).

Gramm. *Futur* (cit. 16) *prochain.* — REM. Dans ce type d'emploi, l'antéposition est archaïque.

Les flots toujours nouveaux d'un peuple adorateur 3
Qu'attire sur ses pas sa prochaine grandeur.
RACINE, Bérénice, I, 3.

Quand les hirondelles approchent du moment de leur départ, il y en a une qui s'envole la première pour annoncer le passage prochain des autres (...) 4
CHATEAUBRIAND, Mémoires d'outre-tombe, t. V, p. 167.

Loc. *À la prochaine occasion.*

b Spécialt (d'une date). Qui suit immédiatement, le premier à compter de maintenant (avant ou après le nom). *Aux prochaines calendes* (cit. 3) *grecques. La semaine prochaine, le mois prochain, l'été prochain...* (→ Campagne, cit. 5; fin, cit. 2; manière, cit. 29; minute, cit. 3). ⇒ **Venir** (qui vient). *Le week-end prochain, au prochain week-end. Lundi, mardi... prochain* (→ Midi, cit. 5). *Le*

15 septembre, le 24 décembre prochain (→ Honneur, cit. 82 ; honorer, cit. 22).

5 Voulez-vous repasser lundi prochain à la fin de la journée.
J. ROMAINS, les Hommes de bonne volonté, I, VII, p. 74. → Passe-droit, cit. 2.

[c] (En parlant d'un lieu, dans un mouvement). Qui suit immédiatement, qui vient juste après (le lieu où on se trouve). Av. le nom. *Descendre au prochain arrêt* [pʀɔʃɛnaʀɛ] *d'autobus. Tourner à gauche au prochain carrefour.*

♦ **3.** (V. 1360). Didact. (Log. et théol.). *Genre prochain,* « le plus faible, en extension, de ceux qui comprennent une espèce donnée » (Lalande). *Définition par le genre prochain et la différence* spécifique.* — *Cause prochaine,* celle qui précède immédiatement l'effet. ⇒ **Direct, immédiat.** *La finesse est l'occasion prochaine de la fourberie* (cit. 3). *Pouvoir prochain* (→ 1. Point, cit. 86).

6 (J') allai d'abord chez un des disciples de M. Le Moine. Je le suppliai de me dire ce que c'était qu'*avoir le pouvoir prochain de faire quelque chose.* Cela est aisé, me dit-il : c'est avoir tout ce qui est nécessaire pour la faire, de telle sorte qu'il ne manque rien pour agir. PASCAL, les Provinciales, I (Cf. tout le passage).

7 (...) ce que nous appelons la cause prochaine d'un phénomène n'est rien autre que la condition physique et matérielle de son existence ou de sa manifestation.
Cl. BERNARD, Introd. à l'étude de la médecine expérimentale, II, I.

★ **II.** N. m. (XIIIe ; *prucein,* v. 1120). Précédé de l'article défini ou d'un possessif. Personne, être humain considéré comme un semblable. ⇒ **Semblable.** *« Tu aimeras* (cit. 2) *ton prochain comme toi-même »* (→ Haïr, cit. 1). ⇒ **Proche.** *L'amour du prochain.* ⇒ **Charité, humanité** (→ Espérance, cit. 14 ; foncièrement, cit. ; meurtrier, cit. 11). *« On se voit d'un autre* (cit. 131) *œil qu'on ne voit son prochain ». Nuire à son prochain ; calomnier* (cit. 3), *offenser, tuer... notre prochain* (→ Bénir, cit. 9 ; frauder, cit. 2 ; mauvais, cit. 16 ; œil, cit. 49). *Juger la conduite* (cit. 27) *de son prochain* (→ Contrôler, cit. 3). *Dire du mal, du bien de son prochain.* ⇒ **Autrui ; autre** (les autres). → Languir, cit. 10. *« Si l'on doit aimer son prochain comme soi-même, il est au moins aussi juste de s'aimer comme son prochain »* (Chamfort).

7.1 Le système de l'amour du prochain est une chimère que nous devons au christianisme et non pas à la Nature ; le sectateur du Nazaréen, tourmenté, malheureux et par conséquent dans l'état de faiblesse qui devait faire crier à la tolérance, à l'humanité, dut nécessairement établir ce rapport fabuleux d'un être à un autre ; il préservait sa vie en le faisant réussir.
SADE, Justine..., t. I, p. 198.

8 Il faut aimer la vérité plus que soi-même, mais son prochain plus que la vérité.
R. ROLLAND, Jean-Christophe, Dans la maison, I, p. 979.

9 Si le premier commandement est d'aimer Dieu, le second « qui lui est semblable » est d'aimer le prochain « comme soi-même ». Et qui est le prochain ? N'importe qui : cet homme qui passe et dont la figure ne me plaît guère, cet inconnu ou celui-là que je connais trop, voire l'ennemi même que j'ai envie de frapper au visage et qu'il m'est enjoint d'embrasser !
DANIEL-ROPS, Jésus en son temps, VIII, p. 402.

CONTR. Lointain. — Dernier, passé.
DÉR. Prochainement, proche.

PROCHAINE [pʀɔʃɛn] n. f. ⇒ **Prochain** (adjectif).

PROCHAINEMENT [pʀɔʃɛnmɑ̃] adv. — V. 1130 ; de *prochain.*

♦ Dans un proche avenir, dans peu de temps. ⇒ **Bientôt, incessamment** (→ Futur, cit. 16). *Être destiné prochainement à...* (→ Impopularité, cit. 1). *Je reviendrai prochainement, très prochainement. Prochainement sur cet écran,* annonce désignant un film programmé ultérieurement.

PROCHE [pʀɔʃ] adv., prép., adj. et n. — 1259, rare av. XVIe ; dér. régressif de *prochain ;* a éliminé l'anc. franç. *pruef, prof,* adv., du lat. *prope.*

★ **I.** Adv. (Vx). À une faible distance, dans le voisinage. ⇒ **Près.** *Il demeure ici proche* (Académie).

1 René prit l'habitude de sortir après chaque repas. Il allait, tout proche, s'étendre dans les ajoncs, sur les bords ravinés d'une petite rivière.
FRANCE, Jocaste, Œ., t. II, XIV, p. 126.

Loc. Vx. *Tout au proche :* tout près. — (1772). Mod. *De proche en proche :* en allant d'un point à un point voisin, en avançant par degré, peu à peu. *Feu, épidémie* (cit. 5) *qui gagne de proche en proche...* (→ Brande, cit. 2). *Le chant de « la Marseillaise »* (cit. 2) *répété de proche en proche, a gagné toute la terre.*

★ **II.** Prép. (1652). Vx ou régional. Près de. ⇒ **Jouxte.** *Ayant construit leurs cabanes* (cit. 3) *proche la sienne.* — Poét. *« Mais proche la croisée au nord vacante,... »* (Mallarmé, *Sonnets,* IV).

2 Nous campions dans les dortoirs du Collège qui se trouvait alors proche le Palais.
G. DUHAMEL, Inventaire de l'abîme, VIII.

Loc. prép. (Mil. XVIIe, Scarron). Vx. *Proche de... :* près de... ⇒ **Auprès** (de), **côté** (à), **proximité** (à). *Lorsque les jeunes filles furent proche du fleuve* (→ Dételer, cit. 1). *On fit faire une grande lice* (cit. 1) *proche de la Bastille.* — REM. Dans cet emploi, *proche,* adv., tendait à se confondre avec l'adjectif et à s'accorder ; il a disparu.

3 — En quel lieu votre maître... ? — Il est proche d'ici (...)
MOLIÈRE, Dom Garcie, IV, 3.

Le lendemain, cette princesse, qui cherchait des occupations conformes à l'état où elle était, alla proche de chez elle voir un homme qui faisait des ouvrages de soie d'une façon particulière (...) 4
Mme DE LA FAYETTE, la Princesse de Clèves, t. IV, p. 378.

★ **III.** (1587). Adj. Qui est à peu de distance.

♦ **1.** (Dans l'espace). ⇒ **Voisin ; adjacent, attenant, avoisinant, circonvoisin, contigu, environnant, limitrophe ; joignant** (après le nom, sauf dans *le plus proche,* qui peut être antéposé). *Lieu proche. Un endroit proche, assez proche, tout proche* (→ Heure, cit. 54 ; minaret, cit. 2). *Saisir la branche* (cit. 4) *la plus proche.* ⇒ **Accessible.** *Leurs deux visages proches.* ⇒ **Rapproché** (→ Glace, cit. 28). *Bruit proche, tout proche* (→ Grésillement, cit. 2 ; boîte, cit. 6 ; grue, cit. 2).

Loc. *Le Proche-Orient.* ⇒ **Orient.** *Proche-oriental,* voir à l'ordre alphabétique.

(Personnes). *Les plus proches voisins.* ⇒ **Voisiner** (→ Convoi, cit. 6 ; exposition, cit. 14). — Par métaphore. *La distance* (cit. 12) *qui nous sépare de ceux que nous croyons le plus proches.*

(...) les cimes espagnoles ou les cimes françaises étaient là, toutes également proches, comme plaquées les unes sur les autres, exagérant leurs bruns calcinés, leurs violets intenses et sombres. 5
LOTI, Ramuntcho, II, IV.

Proche de..., tout proche de... (et subst.). ⇒ **Confiner ; proximité** (à proximité de) → Artisanal, cit. ; front, cit. 32. *Cet homme si proche de lui matériellement* (cit. 1). *La plus proche de...* (→ Catastrophe, cit. 3). *« Les fous sont aux échecs* (cit. 18, Régnier) *les plus proches des rois ». Deux maisons proches l'une de l'autre.*

Trois étoiles que séparent des abîmes paraissent proches les unes des autres par rapport à une autre plus éloignée. 6
F. MAURIAC, la Pharisienne, XVI.

♦ **2.** (1636). Dans le temps. Qui va bientôt arriver, qui est arrivé il y a peu de temps (après le nom). *« Repentez-vous, car le royaume des cieux* (cit. 42) *est proche ».* ⇒ **Approcher, arriver.** *L'heure est proche. Ces années me paraissent toutes proches* (→ Immémorial, cit. 2). *« Que notre heur fût si proche et si tôt se perdit ! »* (→ 2. Le, cit. 10, Corneille). *« La nuit est déjà proche à qui passe midi »* (→ Matinée, cit. 1, Malherbe). *Sentiment de la mort* (cit. 6) *très proche.* ⇒ **Imminent** (→ Objectif, cit. 8). *Naguère* (cit. 2) *s'applique à un passé assez proche. La certitude de la victoire toute proche* (→ Pénétrer, cit. 9). *Un événement encore tout proche.* ⇒ **Récent.** — Rare (placé avant le nom). *Son proche départ.*

Acaste est satisfait d'un si proche départ (...) CORNEILLE, Médée, II, 3. 7

Vieillard ! ton heure est proche et ton cœur est de fer. 8
LECONTE DE LISLE, Poèmes barbares, « Le Barde de Tevirah ».

Proche de (quelqu'un, quelque chose). *Un passé plus proche de nous* (→ Archéologie, cit. 3). *Des événements tout proches de nous* (→ Histoire, cit. 21). *Être proche de sa perte.* ⇒ **Doigt** (à deux doigts).

♦ **3.** Fig. (Choses). *Proche (de...) :* qui est peu différent, semble être près de se confondre avec. ⇒ **Approchant, comparable, parallèle, semblable, similaire.** *Are* (cit.) *est proche du latin* area. *Un sens, un son proche de* (quelque chose) → Garde, cit. 61 ; mouiller, cit. 12. *Tâche très proche de la rêverie* (→ Mécanique, cit. 2). *Débit plus proche de la modulation que de la déclamation* (→ Ponctuation, cit. 2). *Calcul proche de la vérité.* ⇒ **Approché, approximatif.** *Couleurs assez proches l'une de l'autre.*

(Personnes). Avec qui on peut communiquer, éprouver des affinités (sentimentales, spirituelles). *Un ami très proche. Se sentir proche de quelqu'un. Écrivain proche du mouvement surréaliste.*

À voir de tels amis, des personnes si proches, 9
Venir pour leur patrie aux mortelles approches,
L'un s'émeut de pitié, l'autre est saisi d'horreur. CORNEILLE, Horace, III, 2.

♦ **4.** (1549). Dont les liens de parenté sont étroits (av. ou après le nom). *Proche parent* (→ Damier, cit. 2 ; idée, cit. 8 ; ligne, cit. 50). *Un cousin très proche* (→ Harem, cit. 5). *Son hoir* (cit. 1) *le plus proche. Mammifères* (cit. 1) *proches des singes.*

★ **IV.** N. ♦ **1.** (1647). Rare au sing. *Les proches de quelqu'un, ses proches.* ⇒ **Parent**(s) ; **entourage** (→ Dénoncer, cit. 14 ; désolation, cit. 1 ; habituer, cit. 9 ; népotisme, cit.). *C'est un parent, un proche.*

(...) presque tous les riches, sans exception, le regardaient comme une espèce de fou ; et peu s'en fallut que ses proches ne le fissent interdire comme dissipateur. 10
DIDEROT, Jacques le fataliste, Pl., p. 548.

♦ **2.** Vx. ⇒ **Prochain** (→ Commandement, cit. 7 ; Dieu, cit. 45).

CONTR. Lointain.

PROCHE-ORIENT [pʀɔʃɔʀjɑ̃] n. m. ⇒ **Orient.**

PROCHE-ORIENTAL, ALE, AUX [pʀɔʃɔʀjɑ̃tal, o] adj. — XXe ; de *proche,* et *orient.*

♦ Relatif au Proche-Orient. *La question proche-orientale.*

PROCHILE [pʀɔkil] n. m. — 1875 ; grec *prokheilos* « dont les lèvres saillent ».

♦ Zool. Mammifère de la famille des ursidés, à grandes lèvres mobiles, qui vit dans les forêts de l'Inde et de Ceylan.

PROCHINOIS, OISE [pʀɔʃinwa, waz] adj. et n. — V. 1960; de *pro-*et *chinois.*

♦ Polit. Partisan des méthodes politiques employées en Chine populaire, et notamment de celles de Mao Tsé-toung (⇒ **Maoïste**), notamment depuis le commencement des différends sino-soviétiques. — Partisan de la Chine, de sa politique (dans une situation conflictuelle quelconque).

PROCHORDÉS [pʀɔkɔʀde] n. m. pl. ⇒ **Procordés.**

PROCHRONISME [pʀɔkʀɔnism] n. m. — 1762; grec *prochronos* «antérieur».

♦ Didact. Erreur de chronologie, anachronisme* consistant à avancer la date d'un événement.

PROCIDENCE [pʀɔsidɑ̃s] n. f. — 1560, Paré; lat. *procidentia* «chute d'un organe», de *procidere* «tomber en avant».

♦ Pathol. Prolapsus* d'un organe ou d'une partie anatomique. *Procidence du cordon ombilical :* descente du cordon ombilical, d'un membre du fœtus, en avant de la partie qui se présente normalement à l'accouchement, au moment de la rupture des membranes. — *Procidence du vagin, du rectum.*

PROCILLON [pʀɔsijɔ̃] n. m. — 1719; dimin. de *procès.*

♦ Vx et péj. Petit procès, procès sans importance.

(L') Agréé, n'y gagnant presque rien, préfère diriger des faillites et mène peu rondement ce procillon.
BALZAC, César Birotteau, X, 261, 1837, *in* D. D. L., II, 2.

PROCLAMATEUR, TRICE [pʀɔklamatœʀ, tʀis] n. — 1541; de *proclamer.*

♦ Rare. Personne qui proclame. ⇒ **Héraut.**

J'ai devancé de trente années ceux qui se disent les proclamateurs d'un monde inconnu. CHATEAUBRIAND, Mémoires d'outre-tombe, t. III, p. 38.

PROCLAMATION [pʀɔklamasjɔ̃] n. f. — 1320; lat. *proclamatio.*

♦ **1.** Vx. Action de proclamer (quelqu'un). ⇒ **Annonce, déclaration, dénonciation, divulgation, publication;** et (vx) **ban.** Vx. *La proclamation d'un roi, d'un empereur.*

♦ **2.** Mod. Le fait de proclamer (quelque chose). *Proclamation de la République...* (→ Authenticité, cit. 8). *Proclamation de l'indépendance d'un pays. Proclamation d'un édit. Proclamation du résultat d'un scrutin, des résultats d'un examen, des lauréats d'un concours...*

♦ **3.** Discours ou écrit public contenant ce qu'on proclame. ⇒ **Appel, avis, communiqué, manifeste** (cit. 4). *Rédiger, lire, afficher une proclamation* (→ Entasser, cit. 1). *Proclamation lue par un héraut, un crieur public.* ⇒ **Cri** (public). *Emphase* (cit. 4) *habituelle des proclamations. Proclamations violentes, incendiaires. Les proclamations de Bonaparte à l'armée d'Italie. Le Prince-Président et sa proclamation du 2 décembre* (→ Plébiscite, cit. 2). ⇒ **Pronunciamiento.**

1 — Songe qu'une proclamation, qu'un caprice du cœur précipite l'homme enthousiaste dans le parti contraire à celui qu'il a servi toute la vie!
STENDHAL, la Chartreuse de Parme, I, VI.

2 Dans la matinée du 25 février 1848, on apprit à Chavignolles, par un individu venant de Falaise, que Paris était couvert de barricades, et, le lendemain, la proclamation de la République fut affichée sur la mairie.
FLAUBERT, Bouvard et Pécuchet, VI.

♦ **4.** (1721; 1680, «ordre du supérieur»). Relig. cathol. Accusation publique portée par un moine contre un autre pour une faute qu'il a pu constater de la part de ce dernier. — Aveu de cette faute par le moine coupable.

PROCLAMER [pʀɔklame] v. tr. — XIVe; lat. *proclamare.*

A. ♦ **1.** (1664). Reconnaître solennellement (une personne, un groupe, un régime) comme détenteur du pouvoir. *Proclamer un roi, un empereur. — Proclamer la République, la dictature* (cit. 1).

♦ **2.** Publier ou reconnaître (quelque chose) par un acte officiel. *Proclamer l'indépendance d'un pays. L'indépendance de l'Algérie fut proclamée en juillet 1962. Proclamer la déchéance de... La Révolution a proclamé les droits individuels* (→ Corps, cit. 44). *Faire proclamer l'unité indivisible* (cit. 3) *de la France. Proclamer l'état de siège. Proclamer le résultat d'un scrutin, d'un concours.* — (Le compl. désigne l'acte officiel lui-même). *Proclamer une ordonnance.*

(...) le décret de l'Assemblée, imprimé et affiché, sera, de plus, à tous les carrefours, proclamé à son temps par les notables, les huissiers de la ville, dûment escortés de troupes. MICHELET, Hist. de la Révolution franç., V, VII. 1

Comme tout le monde, Mlle Hauteclaire entendit, à l'église paroissiale de V..., proclamer les bans du comte de Savigny et de Mlle de Cantor (...) 2
BARBEY D'AUREVILLY, les Diaboliques, «Bonheur dans le crime».

La patrie est en danger et la Révolution comprend qu'à proclamer ce danger de la patrie, elle soulèvera jusqu'à l'héroïsme la force des volontés. 3
JAURÈS, Hist. socialiste de la Révolution franç., t. IV, p. 68.

♦ **3.** *Proclamer (qqn, qqch.),* suivi d'un nom ou d'un adj. : déclarer officiellement et solennellement que (qqn, qqch.) est... *On l'a proclamé roi. Le président du pays d'accueil proclame officiellement ouverts les Jeux olympiques. Le Sénat proclame... Napoléon, empereur* (cit. 6) *des Français. Proclamer quelqu'un monarque* (→ Cohorte, cit. 3). *Il fut proclamé membre du Conseil général* (→ Imposant, cit. 9). *Candidat proclamé élu* (→ Majoritaire, cit.). — *Le peuple français proclame que...* (→ 3. Droit, cit. 8). *En 1950, l'Église a proclamé que...* (→ Homme, cit. 8). — Pron. *Se proclamer* (→ Instituer, cit. 5). *Dictateur qui se proclame chef de l'État.*

B. (En dehors de tout caractère légal et officiel). ♦ **1.** Annoncer* hautement, en recherchant le maximum d'effet auprès du plus vaste public. ⇒ **Clamer, crier, déclarer, professer.** *Proclamer haut et fort. Proclamer son innocence, sa conviction, la supériorité de quelque chose* (→ Amener, cit. 10; homme, cit. 89; organisation, cit. 4). *Proclamer la malfaisance de quelque chose.* ⇒ **Dénoncer.** *La science a proclamé une grande vérité.* ⇒ **Divulguer, révéler** (→ Matière, cit. 3). *Proclamer un principe philosophique* (→ Généralité, cit. 5). *Proclamer sa victoire* (⇒ **Chanter**), *sa foi* (⇒ **Confesser**).

(...) les grands hommes qui pullulent à cette heure démontrent qu'il y a duperie à ne pas proclamer soi-même son immortalité. 4
CHATEAUBRIAND, Mémoires d'outre-tombe, t. V, p. 136.

(...) l'emphase de quelqu'un qui, ne pouvant pas taire une situation qui lui est pénible, préfère la proclamer pour donner aux autres l'idée que l'aveu qu'il fait ne lui cause aucun embarras (...) 5
PROUST, Du côté de chez Swann, Pl., t. I, p. 127.

♦ **2.** *Il proclama le vin bon* (→ Clapper, cit.). — *Proclamer que...* ⇒ **Affirmer, prononcer** (→ Ascète, cit. 3; participe, cit. 6; période, cit. 3). — *Proclamer,* suivi d'une citation en style direct (→ Pacifiste, cit. 3). — Pron. (1809). *Se proclamer...* (→ Guenipe, cit.; laudatif, cit.). *Se proclamer le plus fort.*

Kant proclame que le devoir suprême de l'homme envers l'homme, c'est de le traiter comme une fin, et non comme un moyen. 6
JAURÈS, Hist. socialiste de la Révolution franç., t. V, p. 160.

♦ **3.** (Sujet n. de chose). Manifester ou exprimer de la manière la plus nette, la plus frappante (→ Juvénile, cit. 1). *Tout proclame son innocence. Cet intérieur où tout proclamait la petitesse d'une existence* (cit. 28) *bourgeoise* (→ aussi Hôtel, cit. 11). *Signes éclatants qui proclament la pureté d'une lignée* (cit. 5).

Lorsque tant de choses sur terre 7
Proclament la Divinité,
Et semblent attester d'un père
L'amour, la force et la bonté (...)
A. DE MUSSET, Poésies nouvelles, «L'espoir en Dieu».

CONTR. Détrôner. — Celer.
DÉR. Proclamateur.

PROCLISE [pʀɔkliz] n. f. — 1904, Vendryes; de *pro-,* d'après *enclise,* et *proclitique*.*

♦ Ling. Processus par lequel un mot atone, dans l'énoncé, forme une unité phonétique avec le mot tonique suivant.

PROCLITIQUE [pʀɔklitik] adj. et n. — 1812; mot formé par le grammairien allemand Hermann sur le modèle de *enclitique*,* d'après le grec *proklinein* «incliner en avant».

♦ Ling. Se dit d'un mot qui, s'appuyant sur le mot suivant avec lequel il fait corps, est dépourvu d'accent. *Mots proclitiques.* — N. m. *Les proclitiques. On peut considérer en français comme proclitiques les articles, les pronoms personnels relatifs, les prépositions monosyllabiques...*

CONTR. Enclitique.

PROCLIVE [pʀɔkliv] adj. — 1845; 1842, dans un sens plus général; lat. *proclivis,* de *pro-,* et *clivus* «pente, montée»; Cf. *proclif,* XVIe, «enclin à».

♦ Sc. nat. Se dit des dents des mammifères, lorsqu'elles sont inclinées vers l'avant (incisives inférieures).

PROCLIVITÉ [pʀɔklivite] n. f. — 1842; lat. *proclivitas*, de *proclivis*. → Proclive; Cf. le sens «inclinaison, propension», en 1603.

♦ Sc. nat. État des dents proclives.

PROCOMBANT, ANTE [pʀɔkɔ̃bɑ̃, ɑ̃t] adj. — 1869; dér. du lat. *procumbere*, de *pro-*, et *cubare* «être penché».

♦ Bot. *Tige procombante*, couchée au sol et qui ne forme pas de racines adventives.

PROCONSUL [pʀɔkɔ̃syl] n. m. — 1140; lat. *proconsul*.

♦ **1.** Hist. rom. Nom donné, après Sylla, aux anciens consuls qui, en sortant de charge, recevaient le gouvernement d'une province avec les pouvoirs militaire, civil et judiciaire. ⇒ **Gouverneur, magistrat** (rom.); **proconsulaire** (2.).

♦ **2.** (1818; repris xxe). Mod. Personnage qui exerce, dans une province ou une colonie, un pouvoir absolu et sans contrôle. ⇒ **Despote.** *On qualifia de proconsuls certains des Commissaires de la Convention. Agir, dicter* (cit. 13) *des lois en proconsul.*

Être journaliste, c'est passer proconsul dans la république des lettres.
BALZAC, Illusions perdues, Pl., t. IV, p. 663.

DÉR. Proconsulaire, proconsulat.

PROCONSULAIRE [pʀɔkɔ̃sylɛʀ] adj. — 1512; lat. *proconsularis*, de *proconsul*.

♦ **1.** Hist. rom. Qui appartient, qui est propre au proconsul. *Le pouvoir*, l'imperium *proconsulaire* (→ Empereur, cit. 3). *Province proconsulaire*, gouvernée par un proconsul. — Propre à un proconsul (2.).

♦ **2.** (1896). Méd. (Par allus. au cou épais du proconsul Vitellius, dans la représentation en buste de celui-ci). *Cou proconsulaire*, dans lequel la délimitation du cou et de la mâchoire est effacée par une grosseur, une tuméfaction.

PROCONSULAT [pʀɔkɔ̃syla] n. m. — 1552; lat. *proconsulatus*, de *proconsul*.

♦ Hist. rom. Dignité, fonctions de proconsul; temps d'exercice de ces fonctions.

PROCONVERTINE [pʀɔkɔ̃vɛʀtin] n. f. — Mil. xxe; de *pro-*, et *convertine*.

♦ Biol. Substance du plasma sanguin qui est cause de la transformation de la prothrombine en thrombine (sa diminution entraînant un syndrome hémorragique).

PROCORDÉS [pʀɔkɔʀde] n. m. pl. — 1898, *prochordés*; de *pro-*, et *corde*.

♦ Zool. Embranchement d'animaux, métazoaires, à cavité générale *(cœlomates)* et symétrie bilatérale, qui possèdent une corde* dorsale, un système nerveux dorsal, mais ni colonne vertébrale ni crâne. (On disait aussi *vertébrés primitifs, provertébrés.*) *L'amphioxus, les tuniciers (ascidies) sont des procordés.* — Au sing. *Un procordé.* REM. La variante *protochordés* n'est plus en usage. La graphie *prochordés* est vieillie.

PROCRASTINATION [pʀɔkʀastinɑsjɔ̃] n. f. — xvie, inus. entre 1639 et fin xviiie; lat. *procrastinatio*, de *pro-*, et *crastinus* «du lendemain».

♦ Littér. Tendance à remettre au lendemain des décisions à prendre ou leur exécution, à ajourner, à temporiser. ⇒ **Ajournement** (cit.).

1 Chênedollé écouta trop le *Démon de la procrastination*, comme on l'a appelé. Il n'invoqua pas assez la *Muse de l'achèvement* (...)
SAINTE-BEUVE, Chateaubriand..., t. II, p. 158.

2 Les difficultés que ma santé, mon indécision, ma «procrastination», comme disait Saint-Loup, mettaient à réaliser n'importe quoi, m'avaient fait remettre de jour en jour, de mois en mois, d'année en année, l'éclaircissement de certains soupçons comme l'accomplissement de certains désirs.
PROUST, la Fugitive, Pl., t. III, p. 513.

PROCRÉATEUR, TRICE [pʀɔkʀeatœʀ, tʀis] adj. et n. — 1540, n.; lat. *procreator*, du supin de *procreare* → Procréer.

♦ Adj. (1753). Qui procrée. *Pouvoir procréateur. Puissance, vertu procréatrice.* — N. m. pl. (Vieilli ou plais.). *Les procréateurs* : les parents. ⇒ **Géniteur.**

PROCRÉATION [pʀɔkʀeɑsjɔ̃] n. f. — 1213; lat. *procreatio*, du supin de *procreare* → Procréer.

Littéraire.

♦ **1.** Action de procréer. ⇒ **Génération.** *La procréation des enfants. Aptitude à la procréation* (→ Insémination, cit.). ⇒ **Engendrement.**

Or, ce caillou noir, centre de tout, raison d'être, cause première d'un si prodigieux travail de déblaiement et de sculpture, est le plus condensé et le plus significatif des symboles qu'imaginèrent jadis les Indiens pour figurer le Dieu qui féconde sans cesse, pour sans cesse détruire; il est le Lingam; il représente la procréation; *qui ne sert qu'à alimenter la mort.*
LOTI, l'Inde (sans les Anglais), V, IV.

(En parlant des femmes). Accouchement.

♦ **2.** Fig. Littér. et rare. Production.

PROCRÉER [pʀɔkʀee] v. tr. — V. 1300; lat. *procreare*, de *creare*. → Créer.

Littéraire.

♦ **1.** Engendrer* (en parlant de l'espèce humaine). ⇒ **Jour** (mettre au jour), **produire** (vx); et (en parlant de la femme) **accoucher, enfanter, former, jour** (donner le). *Procréer des enfants* (→ Conditionner, cit. 2; hériter, cit. 11), *une géniture* (cit.). *Inapte à procréer.* ⇒ **Stérile.**

Il n'aimait point les enfants, ne jugeait pas qu'il fût utile d'en procréer, craignait (...) d'engrosser de dix en dix mois sa femme (...)
HUYSMANS, En ménage, II.

♦ **2.** (xvie). Fig. Produire*. «*Le passé procrée l'avenir*» (Gautier).

PROCT-, PROCTO- Élément, du grec *prôktos* «anus», entrant dans la formation de quelques termes médicaux. ⇒ **Proctalgie, proctite, proctologie, proctologue, proctorrhée**; 2. **recto-.**

PROCTALGIE [pʀɔktalʒi] n. f. — 1795; de *proct-*, et *-algie*.

♦ Méd. Douleur à l'anus et à la partie inférieure du rectum.

PROCTITE [pʀɔktit] n. f. — 1814; de *proct-*, et *-ite*.

♦ Méd. Inflammation de l'anus. ⇒ **Rectite.**

PROCTOLOGIE [pʀɔktɔlɔʒi] n. f. — Mil. xxe; de *procto-*, et *-logie*.

♦ Méd. Partie de la médecine traitant des maladies de l'anus et du rectum.

DÉR. Proctologue.

PROCTOLOGUE [pʀɔktɔlɔg] n. — Mil. xxe; de *proctologie*.

♦ Méd. Spécialiste en proctologie.

PROCTORRHÉE [pʀɔktɔʀe] n. f. — 1836; de *procto-*, et *-rrhée*.

♦ Méd. Écoulement muqueux par l'anus.

PROCURATÈLE [pʀɔkyʀatɛl] n. f. — Déb. xxe; de *pro-*, et *curatèle, curatelle*.

♦ Hist. Fonction civile réservée à l'ordre équestre, à Rome.

PROCURATEUR [pʀɔkyʀatœʀ] n. m. — 1680, Richelet; *procuratour* «qui agit pour un autre», 1180; lat. *procurator*, du rad. de *curare* «prendre soin de...».

Histoire.

♦ **1.** Sous l'Empire romain, Intendant des domaines impériaux dans les provinces, parfois investi de pouvoirs politiques. ⇒ **Gouverneur.** *Ponce Pilate était procurateur de Judée.*

♦ **2.** Hist. mod. Titre de l'un des principaux magistrats des républiques de Venise et de Gênes.

Grand Procurateur de la nation : l'un des deux députés soutenant les accusations devant la Haute Cour, sous la Première République.

DÉR. Procuratie.

PROCURATIE [pʀɔkyʀasi] n. f. — 1687; de *procurateur*.

♦ Hist. (Au plur.). À Venise, Palais des procurateurs.

Capraja se montrait sous les procuraties vers dix heures du matin, sans qu'on sût d'où il vînt, il flânait dans Venise et s'y promenait en fumant des cigares.
BALZAC, Massimilla Doni, Pl., t. IX, p. 348.

(1802). Par métonymie. Dignité, fonctions de procurateur.

PROCURATION [pʀɔkyʀasjɔ̃] n. f. — 1219; lat. *procuratio*.

♦ **1.** Dr. Mandat*. ⇒ **Pouvoir** (→ Mandataire, cit. 1). *Procuration générale, spéciale. Donner procuration, sa procuration* (⇒ **Constituant,** 2.). *Chargé, fondé de procuration.* ⇒ **Mandant** (→ Comparaître, cit. 3). *Agir en vertu d'une procuration, par procuration.*

Révoquer une procuration (→ Gueux, cit. 8). *Conditions dans lesquelles l'endossement* (cit.) *est une procuration.*

♦ **2.** Dr. et cour. Écrit constatant un mandat et en déterminant l'étendue. *Rédiger, dresser, signer une procuration. Présenter une procuration au guichet d'une banque, d'un bureau de poste.* — *Procuration notariée.*

1 Si monsieur d'Espard vous avait remis une procuration, il vous aurait témoigné de la confiance, et le tribunal apprécierait ce fait. Avez-vous eu sa procuration? Vous pourriez avoir acheté, vendu des immeubles, placé des fonds?
BALZAC, l'Interdiction, Pl., t. III, p. 53.

♦ **3.** (Mil. XIXe, Balzac). *Par procuration,* sans intervenir en personne, en s'en remettant à un autre, à d'autres du soin d'agir, de penser,... à sa place.

2 Trompe-la-Mort dînait chez les Grandlieu, se glissait dans le boudoir des grandes dames, aimait Esther par procuration.
BALZAC, Splendeurs et Misères des courtisanes, Pl., t. V, p. 1030.

3 Mon cœur ne bat que par sympathie; je ne vis que par autrui; par procuration, pourrais-je dire, par épousaille *(sic)* [...]
GIDE, les Faux-monnayeurs, I, VIII, p. 93.

DÉR. (Du même rad.) **Procuratoire, procuratrice.**

PROCURATOIRE [pʀɔkyʀatwaʀ] adj. — XIVe; bas lat. *procuratorius,* de *procurator.*

♦ Dr. Relatif à une procuration.

PROCURATRICE [pʀɔkyʀatʀis] n. f. — 1529; fém. de *procurateur.*

♦ Dr. Femme qui a pouvoir d'agir pour quelqu'un en vertu d'une procuration (correspond à *procureur,* 1.).

PROCURE [pʀɔkyʀ] n. f. — 1743; 1265, J. de Meung, «procuration»; de *procurer.*
Religion.

♦ **1.** Office de procureur* dans certaines maisons religieuses. *Adjoint à procure* (→ Ordre, cit. 42). — Par métonymie. Bureaux, logement du procureur d'un couvent.

♦ **2.** Magasin fournissant des objets de piété.

PROCURER [pʀɔkyʀe] v. tr. — XIIe, «prendre soin»; lat. *procurare,* de *pro-,* et *curare,* rad. *cura* «soin».

♦ **1.** Vx. Obtenir, amener (un résultat) par ses soins, ses efforts.

1 Mais sitôt que j'ai eu acquis quelques notions générales touchant la physique (...) j'ai cru que je ne pouvais les tenir cachées sans pécher grandement contre la loi qui nous oblige à procurer autant qu'il est en nous le bien général de tous les hommes.
DESCARTES, Discours de la méthode, VI.

Mod. et didact. *Procurer une édition,* apporter tous ses soins à sa préparation et à sa publication. *Œuvre dont un érudit procure la première édition critique.*

♦ **2.** (XVe). *Procurer quelque chose à quelqu'un :* faire obtenir à quelqu'un (quelque chose d'utile ou d'agréable) en y employant ses soins, ses efforts, son crédit... ⇒ **Assurer, donner, fournir, munir, nantir, pourvoir.** *Procurer à quelqu'un un avantage* (cit. 39). *Procurer un emploi, un gagne-pain* (cit. 2), *une place* (→ Mendicité, cit. 1), *une clientèle* (cit. 2) *à quelqu'un.* ⇒ **Trouver.** *Procurer à quelqu'un un passeport* (→ Intervenir, cit. 6), *un laissez-passer* (cit.)... *Procurer une marchandise à un client.* ⇒ **Envoyer, livrer** (→ Doux, cit. 24; marché, cit. 18). *Il faut lui procurer de quoi manger* (nourrir), *un logement* (caser, loger)... *Procurer à quelqu'un un plaisir* (→ Ingénier, cit. 3), *des satisfactions* (→ 2. Offensif, cit.), *l'occasion* (cit. 4) *de...* ⇒ **Moyenner** (vx). — Iron. *Il n'était pas fâché de leur procurer quelque humiliation* (→ Disciple, cit. 3). — (Compl. n. de personne). *Une excellente cuisinière que me procura mon oncle* (→ Ordinaire, cit. 16).

2 (...) vous m'avez procuré l'honneur de lire celui-ci *(cet ouvrage)* devant un homme dont toutes les heures sont précieuses.
RACINE, Britannicus, Épître.

3 Grâce à Barberou, ils pénétrèrent dans les coulisses d'un petit théâtre. Dumouchel leur procura des billets pour une séance de l'Académie.
FLAUBERT, Bouvard et Pécuchet, I.

▶ **SE PROCURER** v. pron. (1180).
Procurer à soi-même, faire en sorte d'avoir en sa possession, à sa disposition. ⇒ **Acquérir, obtenir, trouver.** *Se procurer de l'argent.* ⇒ **Faire** (→ Appoint, cit. 1). *Se procurer des ressources* (→ Finance, cit. 3; gain, cit. 4), *du pain* (→ Énergie, cit. 10), *de quoi vivre. Se procurer un livre* (→ 2. Exemplaire, cit. 5; introduction, cit. 4). *Se procurer un plaisir* (→ Boisson, cit. 1). *Se procurer des clients* (⇒ **Racoler, recruter**), *une bonne* (⇒ **Dénicher**). *Se procurer des amis, des concours* (⇒ **Décrocher**), *des appuis.* ⇒ **Concilier** (se), **conquérir, ménager** (se).

4 Elle résolut de cultiver avec son esclave un petit coin de terre, afin de se procurer de quoi vivre.
BERNARDIN DE SAINT-PIERRE, Paul et Virginie, p. 16.

5 Les efforts de l'homme pour se procurer de la joie sont parfois dignes de l'attention du philosophe.
HUGO, l'Homme qui rit, I, II, I.

(Sujet n. de chose). Être la cause ou l'occasion de... (pour quelqu'un qui en retire l'avantage ou en subit la conséquence). ⇒ **Causer, occasionner.** *Le plaisir que me procurait toute chose excessive* (cit. 5; et → Harangue, cit. 4; occasion, cit. 9). *Procurer des satisfactions* (→ Frustrer, cit. 5), *un peu de joie* (cit. 23). ⇒ **Offrir.** — *Procurer telle réputation à quelqu'un.* ⇒ **Attirer, mériter, valoir** (→ Coordination, cit. 1). *Les ignominies que procurent à l'humanité les maladies du temps de guerre* (cit. 35). *Les maux que procure l'intolérance.* ⇒ **Produire.**

Le plus difficile, dit-il, sera de conserver dans la victoire les vertus qui nous l'ont procurée. 6
A. MAUROIS, les Discours du Dr O'Grady, XIV.

DÉR. Procure, procureur, procureuse.

PROCUREUR [pʀɔkyʀœʀ] n. m. — 1213, «intercesseur»; de *procurer.*

♦ **1.** Dr. «Celui qui a le pouvoir de gérer les affaires d'une autre personne ou de la représenter en justice» (Capitant). ⇒ **Procuratrice.** *Agir par procureur.* ⇒ **Procuration.** *«Si quelque affaire* (cit. 7) *t'importe, Ne la fais point par procureur»* (La Fontaine). *Les princes se mariaient souvent par procureur. Nul en France ne plaide par procureur,* vieil adage juridique signifiant qu'une partie ne peut dissimuler sa qualité en se substituant un prête-nom.

Hist. (sous l'Anc. Régime). «Officier établi pour agir en justice au nom de ceux qui plaident en quelque juridiction» (Académie, 1762). *Les procureurs ont été remplacés par les avoués* (cit. 2; → aussi Chicaneur, cit. 3; illégalité, cit. 1; pièce, cit. 1). *Clerc de procureur* (→ Parterre, cit. 6).

Je lui avais dit *(à l'ambassadeur)* dans nos démêlés qu'il ne lui fallait pas un secrétaire, mais un clerc de procureur. Il suivit cet avis et me donna réellement pour successeur un vrai procureur (...) 1
ROUSSEAU, les Confessions, VII (→ Esclandre, cit. 2).

Deux procureurs, celui du défunt et celui de Le Pileur, travaillaient à l'inventaire, assistés d'un notaire et d'un clerc. NERVAL, les Filles du feu, «Angélique», II. 2

♦ **2.** (1285). Hist. *Procureur du roi* (→ Communication, cit. 3; haut, cit. 80; humiliation, cit. 5; légal, cit. 1) ou (mil. XVe) *Procureur général :* officier chargé des intérêts du roi et du public dans le ressort d'un parlement.

Le procureur du Roi de Paris décerna quarante-quatre mandats d'amener contre les signataires de la protestation des journalistes. 3
CHATEAUBRIAND, Mémoires d'outre-tombe, t. V, p. 190.

(Sous l'Empire). *Procureur impérial* (→ Pièce, cit. 18).

(Depuis 1875). *Procureur de la République :* magistrat représentant du ministère* public et chef du parquet* près du tribunal de première instance (→ Absence, cit. 11.4; arrêter, cit. 36; avis, cit. 23; excuse, cit. 20; parquet, cit. 1). — *Procureur général* (ou *Procureur*) : représentant du ministère public et chef du parquet près la cour de Cassation, la cour des Comptes et les cours d'appel (→ Accusation, cit. 2; application, cit. 1; hauteur, cit. 29). *Substituts*, suppléants du procureur (général).* ⇒ **Avocat** (général). *Rôle du procureur.* ⇒ **Accusation; requérir, réquisition, réquisitoire.**

REM. Dans ce sens, il semble qu'on emploie *procureur* s'agissant d'une femme, le fém. *procureuse* ayant d'autres sens (alors qu'au sens 1, on dit : *procuratrice*).

♦ **3.** (V. 1212). Religieux chargé des intérêts de tout l'ordre. *Le procureur général des bénédictins. Procureur patriarcal de Jérusalem* (→ Métropolitain, cit. 2). — Religieux chargé des intérêts d'une maison religieuse (⇒ **Procure**). *Le père procureur.*

DÉR. 1. **Procureuse.**

1. PROCUREUSE [pʀɔkyʀøz] n. f. — 1494; de *procureur.*

♦ Vx. Épouse d'un procureur (1. ou 2.). *Procureuse générale.*

2. PROCUREUSE [pʀɔkyʀøz] n. f. — 1834; de *procurer.*

♦ Fam. et vx. Entremetteuse, proxénète.

PROCURSIF, IVE [pʀɔkyʀsif, iv] adj. — 1893, Encycl. Berthelot, art. *Épilepsie;* du lat. *procursus* «course en avant».

♦ Didact. Qui amène une course en avant.

Le plus souvent, il s'agit d'actes automatiques incoordonnés, inoffensifs en eux-mêmes : mouvements bizarres, course en avant — épilepsie procursive — dangereux parfois cependant pour le malade en tant que causes possibles d'accidents.
J. CAU, la Pitié de Dieu, p. 114.

PRO DEO [pʀodeo] ⇒ **Gratis.**

PRODIASTASE [pʀodjastaz] n. f. — Mil. XXe; de 1. *pro-,* et *diastase.*

♦ Sc. ⇒ **Proenzyme.**

PRODIGALEMENT [pʀɔdigalmɑ̃] adv. — 1492; du rad. de *prodigalité.*

♦ Littér. Avec prodigalité.

Le bleu tendre du ciel fourmillait de vapeurs étincelantes; haut encore, le soleil semblait dépenser d'un coup, prodigalement, ses ultimes richesses.
Roger IKOR, les Fils d'Avrom, Prologue, p. 37.

PRODIGALITÉ [pʀɔdigalite] n. f. — V. 1212; bas lat. *prodigalitas.*

♦ **1.** Caractère, défaut d'une personne prodigue*. *Mesures de protection juridiques à l'égard de la prodigalité.* ⇒ **Conseil** (judiciaire), **prodigue.** *La prodigalité n'est parfois que l'exagération de certaines qualités.* ⇒ **Désintéressement, générosité, largesse, libéralité.** — Spécialt (psychol.) *La prodigalité « s'oppose trait pour trait à l'avarice et se rapproche (...) de la cupidité en ce qu'elle (...) ne trouve pas sa fin en elle-même»* (Bardenat, *in* Porot 1952). *Prodigalité obsédante, avec manie des achats, des cadeaux* (⇒ **Oniomanie**), *collectionnisme*. Valeur symptomatique de la prodigalité en psychopathologie (accès maniaques...).*

1 (...) la prodigalité des millionnaires ne peut se comparer qu'à leur avidité pour le gain. BALZAC, Splendeurs et Misères des courtisanes, Pl., t. V, p. 772.

♦ **2.** (XIVᵉ). *Une, des prodigalités.* Dépense* excessive (→ Gabegie, cit.; payer, cit. 19). *Il s'est ruiné par ses prodigalités.*

♦ **3.** Fig. et littér. ⇒ **Exagération, excès, foisonnement, gaspillage, luxe, orgie** (*supra* cit. 5), **profusion, surabondance** (→ aussi Gaspiller, cit. 4; généreux, cit. 17). *« Le goût* (cit. 33) *du sacrifice n'est qu'une forme de la prodigalité de la vie ».*

2 Il y a PRODIGALITÉ DE FORMES dans la Nature, comme prodigalité de semences. Le SUPERFLU c'est là ce qui déconcerte, mais c'est là ce qu'il faut admettre.
GIDE, Journal, Feuillets, 1925.

CONTR. Avarice, cupidité, économie, lésine, parcimonie. — Rareté.
DÉR. V. **Prodigalement.**

PRODIGE [pʀɔdiʒ] n. m. — V. 1355; lat. *prodigium.*

♦ **1.** Littér. ou style soutenu. Événement extraordinaire, de caractère fabuleux, magique ou surnaturel. ⇒ **Miracle.** *Les magiciens*, les sorciers faisaient ou empêchaient les prodiges à l'aide de quelques paroles magiques* (cit. 2). ⇒ **Prestige** (vx).

1 Les Phéniciens du temps d'Alexandre prétendaient être établis dans leur pays depuis trente mille ans; et ces trente mille ans étaient remplis d'autant de prodiges que la chronologie égyptienne. VOLTAIRE, Dict. philosophique, Histoire, I.

Didact. Signe divin (pluie de sang, naissance d'un monstre, etc.) annonçant un événement important, une catastrophe...

2 Quand la divinité est offensée par l'oubli ou la négligence des hommes, elle manifeste sa colère par des signes terrifiants qui viennent rompre le cours régulier des événements. Ces phénomènes anormaux constituaient le monde redoutable des prodiges qui ont toujours tenu une place importante dans la vie religieuse du Romain.
R. BLOCH, *in* Encycl. Pl., Histoire universelle, t. I, Rome et l'Italie..., p. 869.

Loc. fig. *Tenir du prodige,* se dit d'une chose extraordinaire dans son genre, inexplicable. ⇒ **Prodigieux** (→ Oncle, cit. 2; 1. patience, cit. 3). *Une vigueur et une souplesse qui tenaient du prodige* (→ Gymnastique, cit. 1).

♦ **2.** *Un, des prodiges de...* Événement, action extraordinaire (comme le serait un miracle, un *prodige* au sens 1). *Des prodiges d'habileté, d'obstination, de courage.* ⇒ **Chef-d'œuvre.**

3 Longues histoires fantastiques, aventures du grand Tchengiz ou des anciens héros du désert, légendes persanes ou tartares, où l'on voit de jeunes princesses, persécutées par les génies, accomplir des prodiges de fidélité et de courage.
LOTI, Aziyadé, III, XXVIII.

REM. Au XVIIᵉ s., *prodige* s'employait, dans ce sens et dans le sens suivant, surtout avec une valeur péjorative (*Un prodige de cruauté,* etc.).

(Sans compl. en *de...*). *Accomplir, faire des prodiges* (→ Avilissement, cit. 7; justice, cit. 33).

♦ **3.** (Mil. XVIIᵉ). Personne extraordinaire par ses talents, ses vertus, ses vices, etc. ⇒ **Phénomène** (→ Gendre, cit. 2; introuvable, cit. 1). — Spécialt. Enfant exceptionnellement précoce et brillant. *Son fils est un vrai petit prodige.* — (V. 1900). Par appos. *Mozart, Pascal furent des enfants prodiges.*

4 *(La future Mme de Genlis)* y débuta sur le pied d'une petite prodige et d'une rare virtuose : musette, clavecin, viole, mandoline, guitare, elle jouait de tout à merveille (...) SAINTE-BEUVE, Causeries du lundi, 14 oct. 1850.

Être dont l'existence, la nature est une énigme (cit. 6, Bossuet). *« Quelle chimère est-ce donc que l'homme?... Quel chaos* (cit. 4)*... quel prodige! »* (Pascal).

DÉR. (Du même rad.) **Prodigieux.**

PRODIGIEUSEMENT [pʀɔdiʒjøzmɑ̃] adv. — 1549; de *prodigieux.*

♦ D'une manière surprenante, prodigieuse; à un degré extrême (→ Dictateur, cit. 4; égarer, cit. 29; harmonie, cit. 38). *Un roman prodigieusement ennuyeux.* ⇒ **Excessivement, extrêmement.** *Cet enfant a prodigieusement grandi.* ⇒ **Considérablement, énormément.**

PRODIGIEUX, EUSE [pʀɔdiʒjø, øz] adj. — Fin XIVᵉ; lat. *prodigiosus.*

♦ **1.** Littér. Qui a le caractère fabuleux, magique ou surnaturel du prodige. ⇒ **Fantastique, merveilleux, miraculeux.**

(1625). Vx. Qui réalise, qui fait des prodiges.

♦ **2.** (XVIᵉ). Cour. Extraordinaire; anormalement important, intense... ⇒ **Étonnant, surprenant.** *Quantité, multitude prodigieuse.* ⇒ **Considérable** (→ Filet, cit. 3; histoire, cit. 37). *Une foule prodigieuse.* ⇒ **Monstre** (→ Jubilé, cit.). *Grosseur prodigieuse.* ⇒ **Monstrueux** (→ Boutonner, cit. 1). *Taille prodigieuse.* ⇒ **Colossal, gigantesque.** *C'est prodigieux!* — Ellipt. *Prodigieux!*

(...) sa force était prodigieuse. On dit que d'un coup d'épée il fendait un cavalier de la tête à la selle; il faisait voler d'un revers la tête d'un bœuf ou d'un chameau.
MICHELET, Hist. de France, IV, III.

Richesse prodigieuse. ⇒ **Fabuleux.** *Succès prodigieux.* ⇒ **Époustouflant** (fam.), **fou** (1.), **inouï** (→ Devise, cit. 1). *Guérison* (cit. 2) *prodigieuse.* ⇒ **Miraculeux** (2.). *Il est d'une inconscience, d'une bêtise prodigieuse* (ou *d'une prodigieuse bêtise*). ⇒ **Faramineux** (fam.), **monumental, phénoménal.** *Il a un talent prodigieux. Un prodigieux talent.* ⇒ **Merveilleux, prestigieux** (→ 1. Niche, cit. 3). — *Ce prodigieux génie, un artiste prodigieux* (→ Écraser, cit. 10; insolence, cit. 5).

REM. L'adj. se place surtout après le nom; antéposé, il acquiert une valeur stylistique qui le rapproche du sens originel. → Merveilleux.

N. m. *Le prodigieux et le sublime* (→ Art, cit. 32, Boileau) : le caractère prodigieux, extraordinaire d'une chose.

DÉR. Prodigieusement, prodigiosité.

PRODIGIOSITÉ [pʀɔdiʒjozite] n. f. — 1835; de *prodigieux.*

♦ Littér. et rare. Caractère de ce qui est prodigieux.

Je suis aussi las que si j'avais exécuté toutes les prodigiosités de Sardanapale.
Th. GAUTIER, Mˡˡᵉ de Maupin, 1835, p. 154.

PRODIGUE [pʀɔdig] adj. et n. — V. 1265; lat. *prodigus.*

♦ **1.** Qui fait des dépenses excessives, injustifiées (⇒ **Dépensier**); qui dilapide son bien (→ Fournir, cit. 14; hardi, cit. 12; joueur, cit. 5). *Être, se montrer prodigue* (→ Brûler la chandelle par les deux bouts*; jeter son argent par les fenêtres*; mener la vie à grandes guides*; avoir toujours l'argent à la main*; semer* son argent). *L'héritier prodigue dévore* (cit. 17) *son patrimoine.* — Prov. *À père avare* (cit. 10), *fils prodigue.* Allus. bibl. *L'enfant, le fils prodigue.* ⇒ **Enfant** (*infra* cit. 28).

(En bonne part). *Il se montre prodigue avec ses amis dans le besoin.* ⇒ **Désintéressé, généreux, libéral.**

N. (1701). Dilapidateur, dissipateur. ⇒ **Gaspilleur, mange-tout** (vieilli). → aussi Bourreau d'argent*, et, fam., panier* percé. *Défaut du prodigue.* ⇒ **Prodigalité.** — Dr. civ. *Prodigue reconnu incapable majeur. Pourvoir un prodigue d'un conseil* judiciaire* (→ aussi Assistance, cit. 5). — Spécialt (psychol.) ⇒ **Prodigalité.**

♦ **2.** (1643, Corneille). *Prodigue de :* qui distribue, donne abondamment (quelque chose). *Être prodigue de paroles, de compliments.* ⇒ **Prodiguer.** — (Vieilli). *Être prodigue de son sang* (pour la patrie). — Poét. *Prodigue en... Champs prodigues en moissons.* ⇒ **Fertile.**

Vers ce temple fameux, si cher à tes désirs, 1
Où le ciel fut pour toi si prodigue en miracles (...) BOILEAU, le Lutrin, VI.

Mais ces mêmes héros, prodigues de leur vie, 2
Ne la rachetaient pas par une perfidie. RACINE, Bajazet, II, 3.

CONTR. Avare, avide, économe, parcimonieux. — Chiche.
DÉR. Prodiguer. — (Du même rad.) **Prodigalité.**

PRODIGUER [pʀɔdige] v. tr. — 1552; de *prodigue.*

♦ **1.** Dépenser avec prodigalité (ses biens ou ceux d'autrui). ⇒ **Consumer, dilapider, dissiper** (→ Dissipation, cit. 1). — (Abstrait). Accorder trop facilement; employer, distribuer à tort et à travers; faire connaître à tout venant. ⇒ **Gaspiller** (cit. 3), **jeter** (aux chiens). *Prodiguer son estime* (→ aussi Ostentation, cit. 6). *Prodiguer ses secrets. « À venir prodiguer sa voix sur un théâtre »* (Racine, *Britannicus,* I, 4).

La providence est ménagère de ses grands hommes. Elle ne les prodigue pas; elle ne les gaspille pas. Elle les émet et les retire au bon moment, et ne leur donne jamais à gouverner que des événements de leur taille. 1
HUGO, Littérature et Philosophie mêlées, Journal des idées..., 1830, Derniers feuillets sans date.

♦ **2.** (Sans idée péjorative). Accorder, distribuer, donner, sacrifier généreusement, employer sans parcimonie. *Prodiguer les millions.* ⇒ **Jeter** (*supra* cit. 17), **verser** (l'or à pleines mains). *Prodiguer son énergie, son talent* (⇒ **Dépenser, déployer; prodigue**), *sa vie* (⇒ **Exposer**; → Éloignement, cit. 9), *son sang* (→ Harnais, cit. 5), *son temps. Prodiguer les démonstrations* (cit. 12) *de joie, les marques de douleur, les larmes. — Prodiguer ses soins à quelqu'un* (→ 1. Gens, cit. 24). *Prodiguer ses bienfaits.* ⇒ **Épancher.** *« Dieu prodigue ses biens à ceux qui font vœu d'être siens »* (→ Gros, cit. 2, La Fontaine). — (Sujet n. de chose). *Ce sol prodigue des trésors à ceux qui savent le cultiver.* ⇒ **Abonder** (en), **donner** (à profusion).

2 (...) les soins que vous m'avez prodigués avec tant d'amitié, de zèle et de bienveillance! RENAN, Souvenirs d'enfance..., Œ. compl., t. II, III, p. 793.

▶ **SE PRODIGUER** v. pron.

(V. 1600). Se dépenser sans compter, se dévouer (→ Mutuel, cit. 5). *« S'il faut agir, prodigue-toi; s'il faut parler* (cit. 6), *ménage-toi »* (Joubert).

3 La considération de l'homme le plus célèbre tient au soin qu'il a de ne pas se prodiguer. CHAMFORT, Maximes, Sur la dignité du caractère, XI.

Spécialt. Se montrer trop, chercher à paraître, se disperser. *Se prodiguer dans le monde :* consacrer trop de soin, trop de temps à la vie mondaine (→ Se montrer).

CONTR. Accumuler, amasser, économiser, entasser, ménager, mesurer.

PRO DOMO [pʀodɔmo] loc. adv. et adj. invar. — XIXe (1875, *in* P. Larousse); mots lat. « pour (sa) maison », d'après un discours de Cicéron.

♦ Didact. *Plaider* pro domo, pour sa propre cause. *Avocat* pro domo, qui défend sa propre cause. — Cour. *Plaidoyer* pro domo. *Le discours du ministre était un véritable plaidoyer* pro domo.

PRODROME [pʀɔdʀom] n. m. — XVe, « précurseur »; lat. *prodromus*, grec *prodromos* « avant-coureur ».

♦ **1.** Littér. Ce qui annonce un événement; ce qui constitue le début du déroulement d'un fait. ⇒ **Avant-coureur, préambule, précurseur** (→ 1. Bien, cit. 72).

Il voyait venir la rupture avec la Russie, prodrome de la grande crise qu'il attendait et souhaitait (...) Louis MADELIN, Talleyrand, III, XXIV.

(1765). Méd. Symptômes* avant-coureurs, indisposition qui précède une maladie (→ Instruire, cit. 28).

♦ **2.** (1665). Vx. Introduction*, préface d'un ouvrage scientifique (surtout d'un traité d'histoire naturelle).

DÉR. Prodromique.

PRODROMIQUE [pʀɔdʀɔmik] adj. — 1855; de *prodrome.*

♦ Didact. (méd.). Relatif à un prodrome. ⇒ **Avant-coureur, précurseur.** *Signes prodromiques. Apparition d'un syndrome prodromique. « Les diarrhées prodromiques avaient annoncé l'invasion du mal »* (*Année sc. et industr.* 1866, p. 290; 1865).

PRODUCTEUR, TRICE [pʀɔdyktœʀ, tʀis] adj. et n. — 1442; rare av. XVIIIe; du lat. *productus*, du supin de *producere*. → Produire.

♦ **1.** Adj. Qui produit, qui provoque un événement, un phénomène, qui crée quelque chose (⇒ **Créateur, productif**). *L'esprit* (cit. 44), *faculté productrice de nos pensées.*

♦ **2.** N. m. Écon. (Opposé à *consommateur*. → Conspiration, cit. 4; marge, cit. 10). Personne ou entreprise qui produit des biens ou assure des services. ⇒ **Production, produire.** *Un gros, un petit producteur. Intermédiaires* (cit. 8) *entre le producteur et le consommateur. Directement du producteur au consommateur. Entente entre des producteurs, groupement de producteurs.* ⇒ **Cartel, pool, trust.** *Producteurs, grossistes, détaillants* (→ Intermédiaire, cit. 12). — *Opposition entre « oisifs » et « producteurs » dans la doctrine saint-simonienne.* — Adj. (Vx). *La classe productrice :* les agriculteurs (dans l'usage des physiocrates).

Producteur de... : personne, entreprise, région, pays qui produit (une marchandise déterminée). *Producteur agricole.* ⇒ **Agriculteur.** *La maison X... est le producteur exclusif de ce nouveau produit.* ⇒ **Créateur** (→ Exportateur, cit.).

REM. Alors que *producteur*, n. m., s'emploie en parlant de femmes et d'entités ayant un nom féminin (on dira : *cette région est un producteur de blé, cette multinationale est le plus gros producteur de matériel électronique*, etc.), l'emploi adj. s'accorde normalement *(cette région est productrice de blé; une région productrice).*

Adj. *Les pays producteurs de pétrole. Les entreprises productrices.*

♦ **3.** (1908; d'après l'angl. *producer*). Personne ou société qui assure le financement d'un film. ⇒ **Production.** *Producteur exécutif* (calque de l'angl. *executive producer*). *Producteur de cinéma. Le producteur et le metteur en scène.* — REM. On a employé dans ce sens l'anglicisme *producer.* — Adj. *Société productrice (de films).*

(Mil. XXe). Par ext. Personne qui apporte l'idée d'une émission et favorise sa réalisation en fonction des moyens financiers et techniques qui lui sont alloués. *Producteur de radio, de télévision.*

♦ **4.** (1904). Agric. *Producteur direct :* cépage qui peut être cultivé directement (sans être greffé) pour la production de vin.

CONTR. Destructeur. — Consommateur, intermédiaire.
COMP. Surproducteur.

PRODUCTIBILITÉ [pʀɔdyktibilite] n. f. — 1771; de *productible.*

♦ **1.** Caractère de ce qui est productible.

♦ **2.** (XXe). Quantité d'énergie maximale que peut produire une centrale électrique. *Productibilité d'une centrale hydraulique* (pendant une période donnée).

PRODUCTIBLE [pʀɔdyktibl] adj. — 1771; du rad. du p. p. lat. *productus.* → Produire.

♦ Didact. Qui peut être produit, obtenu. *Marchandise, substance productible à peu de frais.*

DÉR. Productibilité.

PRODUCTIF, IVE [pʀɔdyktif, iv] adj. — 1470; rare av. fin XVIIe; du rad. du p. p. lat. *productus.* → Produire.

♦ **1.** Qui produit* (II.), crée; qui est d'un bon rapport. *Activité productive, plus ou moins productive* (⇒ **Productivité**). *La division du travail augmente* (cit. 5) *sa puissance productive. Les physiocrates pensaient que le travail agricole est le seul productif. — Sol productif, terre productive.* ⇒ **Bon** (*supra* cit. 8), **fécond, fertile, généreux.** *Rendre productif.* ⇒ **Féconder.**

♦ **2.** Écon. Qui est directement lié à l'activité productrice. *Investissements productifs.* ⇒ **Fructueux, lucratif, rentable.** *Personnel productif* (opposé à *personnel d'encadrement*). — (Avec un compl.). *Capital productif d'intérêts*.*

♦ **3.** Dr. Qui produit un effet juridique. *Le contrat* est productif d'obligations.*

♦ **4.** Pathol. Se dit d'une lésion caractérisée par une prolifération de tissus. *Ostéite productive. Toux productive,* qui s'accompagne de crachats abondants.

♦ **5.** Didact. Qui produit, fournit des éléments nouveaux. *Processus productif. Radical, élément lexical productif. Cause productive d'effet.*

CONTR. Improductif. — Aride.
DÉR. Productivisme, productivité.
COMP. Sous-productif.

PRODUCTION [pʀɔdyksjɔ̃] n. f. — Fin XVe; *producion*, 1283; sur le rad. du p. p. lat. *productus* de *producere.* → Produire.

★ **I.** Dr. ♦ **1.** Document, pièce qu'on présente. — Spécialt. Bordereau qu'un créancier remet au syndic de la faillite en même temps que ses titres de créance.

♦ **2.** Le fait, l'action de produire* (I., 1.), de présenter un document, une pièce, etc. ⇒ **Présentation.** *Production d'un document au cours d'un procès* (⇒ **Procédure**). *Production d'une carte d'identité* (cit. 16), *du livret de famille.* — Par ext. *Production de témoins.*

★ **II.** Cour. ♦ **1.** Action de provoquer, de produire* (II., 1.) un phénomène; le fait ou la manière de se produire. *L'hypnotisme* (cit. 2) *est la production artificielle du somnambulisme. Étude de la production du son* (→ Phonétique, cit.).

♦ **2.** (1546). Ouvrage produit par (une personne; une faculté intellectuelle). ⇒ **Œuvre, ouvrage** (→ Auteur, cit. 27; littérature, cit. 4). *Les productions de l'esprit* (→ Difficile, cit. 29), *de l'art* (→ Échapper, cit. 27). *Les productions du génie* (→ Bibliothèque, cit. 4). *Les plus belles productions d'un écrivain.* ⇒ **Écrit.**

(...) un cercle choisi s'entretenait avec intérêt de chaque production nouvelle des arts. Des femmes, disciples aimables de quelques hommes supérieurs, s'occupaient sans cesse des ouvrages littéraires, comme des événements publics les plus importants. Mme DE STAËL, De l'Allemagne, I, XV. 1

Ensemble des œuvres (d'un auteur, d'un artiste, d'un genre, d'une époque). *La production dramatique du XVIIe siècle. La production poétique, romanesque d'un écrivain.*

♦ **3.** Le fait de produire (II., 2.), de créer par l'esprit. *Production d'une pensée par l'esprit. Production d'idées nouvelles.* ⇒ **Apparition, éclosion, enfantement, génération, genèse.**

La production de toute grande découverte, de toute haute et forte pensée, s'accompagne toujours d'une émotivité extraordinaire. M. BARRÈS, Leurs figures, p. 341. 2

(Dans le domaine de l'art). *La production du beau. La production poétique* (→ Poète, cit. 5).

♦ **4.** (En parlant d'une formation naturelle). **a** Le fait ou la manière de se former, de prendre naissance; le fait de produire (II., 3.) naturellement qqch. ⇒ **Formation** (→ Antitoxine, cit. 2). *Production de gaz carbonique au cours d'une réaction.* ⇒ **Dégagement.** *Production de fumée, de gaz toxiques.* ⇒ **Émission.**

b Ce qui se forme, ce qui est produit naturellement. *Les dents* (cit. 1), *productions épidermiques. Production accidentelle, pathologique* (tumeur, pus, épanchement). — *Production ligneuse.*

(...) dans l'immense majorité des cas, il s'agit en effet de productions tuberculeuses ou surtout syphilitiques qui, par leur diffusion et les toxines qu'elles émettent à distance, ne localisent pas sur un territoire précis leurs effets nocifs. B. CENDRARS, Moravagine, Œ. compl., t. IV, p. 255. 2.1

Ce qui est produit par le sol. ⇒ 1.**Fruit, produit.** → 1. Fraise, cit. 1. *Les productions des Indes* (→ Exotique, cit. 3).

♦ **5.** (1695). Le fait de produire plus ou moins (en parlant d'une terre, d'une entreprise); les biens créés par l'agriculture ou l'industrie. ⇒ **Produit** (II.). *Production intérieure brute d'un pays* (P.I.B.) : l'ensemble des produits et services créé sur son territoire pendant un an et calculé avant déduction des amortissements économiques. *Les productions du sol et de l'industrie* (cit. 12). *Production élevée, médiocre d'une terre.* ⇒ **Rendement.** *Ralentissement, diminution de la production* (→ Chômage, cit. 1; dépression, cit. 4; malthusianisme, cit. 2). — Le fait de produire (un bien matériel), pour l'agriculture et l'industrie. ⇒ **Fabrication.** *Production d'un nouveau modèle.* ⇒ **Création.** *Production croissante. Production insuffisante* (⇒ **Sous-production**), *trop élevée, excessive* (⇒ **Surproduction**). *Indices* (cit. 15) *de la production.*

Écon. (Opposé à *consommation,* à *circulation,* à *distribution,* à *répartition*). Le fait de créer des biens matériels par l'activité agricole ou industrielle (⇒ **Agriculture, industrie**). — (Opposé à *consommation*). Le fait de produire des biens matériels et d'assurer des «services» (transports, commerce, secteur «tertiaire», etc.); l'ensemble des activités, des moyens ou des méthodes qui permettent de créer des biens matériels ou d'assurer des services. ⇒ **Producteur, produire** (II., 4.). *La production des richesses* (→ Malthusien, cit. 3). *La nature, le travail* et le capital** (cit. 3) *sont les trois principaux agents ou facteurs de la production. Biens de production* (→ Épargne, cit. 8). *Moyens, instruments de production :* terre, instruments, machines... (→ Dictature, cit. 5; perfectionnement, cit. 2). *Propriété collective des moyens de production. Entreprise de production.* ⇒ **Commerce** (*supra* cit. 1). *Coopérative** (cit. 2) *de production. Modernisation, standardisation de la production* (→ Consommation, cit. 8). — *Type servant de modèle à la production d'un objet.* ⇒ **Fabrication.** *Production d'un nouveau modèle.* ⇒ **Création.** *Coût de production d'une entreprise* (opposé à *frais généraux*).

3 L'inégalité des terres, le perfectionnement plus ou moins rapide des moyens de production, la lutte pour la vie ont créé rapidement des inégalités sociales qui se sont cristallisées en antagonismes entre la production et la distribution; partant, en luttes de classes. Ces luttes et ces antagonismes sont les moteurs de l'histoire. L'esclavage antique, le servage féodal ont été les étapes d'une longue route qui aboutit à l'artisanat des siècles classiques où le producteur est le maître des moyens de production. À ce moment, l'ouverture des routes mondiales, la découverte de nouveaux débouchés exigent une production moins provinciale. La contradiction entre le mode de production et les nouvelles nécessités de la distribution annonce déjà la fin du régime de la petite production agricole et industrielle.
CAMUS, l'Homme révolté, p. 249-250.

4 Par un retour aux sources, à savoir les œuvres de jeunesse de Marx (sans pourtant écarter *le Capital*) le terme *production* reprend un sens large et fort. Ce sens se dédouble. La production ne se réduit pas à la fabrication de produits. Le terme désigne d'une part la création d'œuvres (y compris le temps et l'espace sociaux), en bref la production «spirituelle» et d'autre part la production matérielle, la fabrication de choses. Il désigne aussi la production par lui-même de «l'être humain» au cours de son développement historique. Ce qui implique la production de *rapports sociaux.*
Henri LEFEBVRE, la Vie quotidienne dans le monde moderne, p. 62-63.

♦ **6.** (1915; d'après l'angl.). Le fait de produire (un film). *La société X... a assuré la production de ce film* (⇒ **Producteur**). — *Directeur de production,* choisi par le producteur pour coordonner l'ensemble des opérations nécessaires à la réalisation d'un film, fournir au metteur en scène les éléments matériels dont il a besoin, veiller à ce que le devis ne soit pas dépassé, etc. *Assistant de production.* (D'un acteur). *Entrer dans une production.*

(1906). Par métonymie. Le film lui-même. *C'est une production X.... Une production américaine, italienne. Production coûteuse, à grand spectacle* (superproduction).

5 Ils commentent ensemble les productions qu'ils ont vues, ils apprécient les comédiens, ils jugent.
R. QUENEAU, Loin de Rueil, p. 224.

Par ext. Émission radiophonique, spectacle télévisé.

CONTR. Destruction. — Consommation, distribution.
COMP. Sous-production, surproduction.

PRODUCTIQUE [pʀɔdyktik] n. f. — 1980; de *production,* d'après *informatique, télématique.*

♦ Application de l'informatique aux processus économiques de production. *«La "productique" qui veut assurer la maîtrise totale de la production depuis l'étude jusqu'à la fabrication en passant par la gestion automatique des projets industriels et des ateliers»* (*Sciences et avenir,* n° 415, p. 1695).

PRODUCTIVISME [pʀɔdyktivism] n. m. — XXe; de *productif.*

♦ Didact. (Péj.). Système d'organisation de la vie économique dans lequel la production, la productivité sont données comme l'objectif essentiel.

DÉR. Productiviste.

PRODUCTIVISTE [pʀɔdyktivist] adj. — 1932; de *productivisme.*

♦ Didact. Qui se rapporte au productivisme*.

(...) un appareil bureaucratique démesuré sans liens avec les masses et monstrueusement puissant, une obsession productiviste qui prend le moyen pour le but.
Charles PLISNIER, Mesure de notre temps, 1932, p. 54, *in* D.D.L., II, 7.

PRODUCTIVITÉ [pʀɔdyktivite] n. f. — 1766; de *productif.*

♦ **1.** Caractère productif* (d'une chose, d'une activité). → Industrialiste, cit. *La productivité du capital. Productivité d'une terre.* ⇒ **Fécondité.**

♦ **2.** Écon. Rapport du produit (quantité de bien matériel obtenu, importance du «service» assuré) aux facteurs de production (quantité d'énergie ou de matière première employée, temps de travail dépensé, capital mis en œuvre, etc.). *Normes de productivité. Productivité globale,* calculée par rapport à la totalité des facteurs. *Productivité d'un facteur* (généralement la quantité de travail). *Productivité du capital, des matières premières. Productivité du travail,* ou, absolt, *productivité.* ⇒ **Rendement.** *Mesure de la productivité. Productivité horaire, annuelle. Productivité d'une entreprise, d'une industrie. Augmentation, accroissement de la productivité d'une entreprise.* — Absolt. Ce rapport considéré comme élevé ou devant être accru. *La productivité, facteur d'amélioration du niveau de vie. Recherche systématique de la productivité.*

À partir du moment où la productivité, envisagée par les bourgeois et les marxistes comme un bien en elle-même, a été développée dans des proportions démesurées, la division du travail, dont Marx pensait qu'elle pourrait être évitée, est devenue inéluctable. 1
CAMUS, l'Homme révolté, p. 265.

Nous savons que maintenant, on réserve de plus en plus le mot productivité à une notion particulière, celle de la production *par heure de travail.* Mais, au sens large, le mot productivité s'applique à toute production ramenée à l'unité de l'un des facteurs de la production. Par exemple, on peut mesurer la productivité par rapport aux investissements, par rapport aux intérêts versés aux obligataires, par rapport au capital social, ou par rapport à telle machine que l'on achète, en comparant la production obtenue sans la machine avec la production obtenue avec la machine. 2
Jean FOURASTIÉ, la Productivité, p. 86.

♦ **3.** Didact. Caractère de ce qui produit (un effet, un élément nouveau). *La productivité d'un processus, d'une règle...* — *Productivité d'un éco-système :* rapport entre la quantité d'énergie stockée (sous forme de matière organique) au temps. *Productivité primaire brute :* assimilation totale (vitesse de photosynthèse).

CONTR. Improductivité. — Aridité.

PRODUIRE [pʀɔdɥiʀ] v. tr. — Conjug. *conduire.* — 1349; adapt., d'après *conduire,* du lat. *producere* «mener en avant, faire avancer».

★ **I.** Faire apparaître, faire connaître (ce qui existe déjà).

♦ **1.** a Dr. Présenter (une pièce, un document, etc.), ⇒ **Production** (I., 1.), **produit.** *Produire un acte authentique* (cit. 5), *un mémoire ampliatif* (→ Cassation, cit. 3), *un certificat.* ⇒ **Déposer, fournir.** *Produire une pièce d'identité.* ⇒ **Exhiber, présenter.** — Absolt. *Produire au greffe* (Littré). *Sommation de produire.*

J'écris sur nouveaux frais. Je produis, je fournis 1
De dits, de contredits, enquêtes, compulsoires (...) RACINE, les Plaideurs, I, 7.

Produire des témoins, les faire témoigner en justice.

b Vx. Invoquer (qqn ou qqch.) pour sa défense, à l'appui de sa thèse. ⇒ **Alléguer, citer.** → Mettre en avant*. *Produire une autorité, un auteur.* — *Produire une preuve pour affirmer* qqch.* ⇒ **Administrer.**

♦ **2.** (XVIIe). Vx. Présenter, montrer, faire connaître* (qqn ou qqch.) à une personne, au public. *Produire une personne à une autre,* la lui présenter, l'introduire* chez elle (cf. Molière, *les Femmes savantes,* III, 3). *Produire un ouvrage sur un théâtre* (→ Mendier, cit. 5). *Produire une œuvre ancienne, oubliée.* ⇒ **Exhumer** (Contr. : *enterrer*). — *Produire toutes les ressources de son talent.* ⇒ **Développer.** — Mod. Présenter avec ostentation. *Femme du monde qui produit un jeune écrivain dans son salon.*

★ **II.** (1361). Cour. Faire exister (ce qui n'existe pas encore). ⇒ **Créer, faire.**

♦ **1.** (Choses, personnes). Causer, provoquer (un phénomène, ou un événement); avoir pour conséquence*, pour effet*, pour résultat*, ⇒ **Producteur** (1.), **production** (II., 1.). *Être produit par...* ⇒ **Sortir** (de). *Force qui produit un mouvement* (→ Inclinaison, cit. 1). *Effet* (cit. 4) produit par une cause.* ⇒ **Causer, déterminer.** *Influence* qui produit certains effets. Tout changement matériel produit un changement moral.* ⇒ **Amener, apporter, créer, engendrer, entraîner, naître** (faire naître), **occasionner, préparer** (*supra* cit. 7), **provoquer** (→ 1. Dépendre, cit. 5). *Arriver à produire un certain résultat.* ⇒ **Obtenir; efficace.** *Produire un certain effet sur l'auditeur* (→ Malice, cit. 12), *sur l'opinion* (→ Persister, cit. 2), *sur le public.* ⇒ **Agir** (sur), **frapper.** *Produire sur qqn une vive impression* (→ Gentleman, cit. 1), *une impression profonde.* ⇒ **Exercer** (→ Insubordination, cit. 2). *Lieu qui produit une sensation de malaise. Stupéfiants qui produisent des rêves agréables.* ⇒ **Procurer.**

2 (...) regardez à la fin d'un fait accompli, et vous verrez qu'il a toujours produit le contraire de ce qu'on en attendait, quand il n'a point été établi d'abord sur la morale et sur la justice.
CHATEAUBRIAND, Mémoires d'outre-tombe, t. VI, p. 332.

♦ **2.** Élaborer, faire exister une œuvre, une production* (II., 2.) de l'esprit, de l'art. ⇒ **Composer.** *Produire une tragédie, une comédie.* ⇒ **Écrire** (→ Impuissance, cit. 5). *Produire une œuvre* (→ Laborieux, cit. 5). *Produire de beaux vers.* ⇒ **Forger** (fig.). → Inférieur, cit. 4. *Cet écrivain produit un roman tous les ans.* ⇒ **Donner** (*supra* cit. 40); fam. **pondre.** — Absolt. *La mission* (cit. 9) *du Poète ou de l'Artiste est de produire.* ⇒ **Créer.** *Écrivain qui produit très peu, qui ne produit plus.*

3 Goya a beaucoup produit; il a fait des sujets de sainteté, des fresques, des portraits, des scènes de mœurs, des eaux-fortes, des aquatinta, des lithographies et, partout, même dans les plus vagues ébauches, il a laissé l'empreinte d'un talent vigoureux (...)
Th. GAUTIER, Voyage en Espagne, p. 82.

Par anal. Créer (le sujet désigne Dieu, une divinité). *Dieu m'a produit à son image* (cit. 28).

♦ **3.** Former naturellement. **a** (Le sujet désigne des végétaux, des phénomènes géologiques, chimiques...). ⇒ **Production** (II., 4.). *L'arbre produit de beaux fruits dès qu'il est en espalier* (cit. 3). ⇒ **Donner** (*supra* cit. 46), **porter** (*supra* cit. 5). *L'insecte qui produit la soie.* ⇒ **Fournir** (→ Originaire, cit. 1). *Faire produire du blé à une terre.* ⇒ **Cultiver.**

4 Dans ces contrées sablonneuses, où la terre ne produit que des sapins et des bruyères, la force de l'homme consiste dans son âme (...)
Mme DE STAËL, De l'Allemagne, I, XVI.

Absolt. *Mettre une terre en état de produire,* la mettre en valeur*. *Cet arbre ne produira pas avant de longues années.* ⇒ **Fructifier.** *Terre qui produit beaucoup* (⇒ **Fertile**), *peu* (⇒ **Improductif**).

Former (I., A., 3.). *Combustion, réaction chimique qui produit beaucoup de gaz carbonique, de fumée.* ⇒ **Dégager, émettre, exhaler.**

b (1553). Donner naissance à un être vivant, à un enfant (vieilli). ⇒ **Former** (*supra* cit. 4), **procréer** (→ Dissemblable, cit. 3; imprégnation, cit. 2). *Un cheval ombrageux et rétif produit des poulains qui ont le même caractère* (→ Hargneux, cit. 6). *Produire de nombreux rejetons.* ⇒ **Proliférer.** — Absolt, vx. Engendrer (→ 1. Frayer, cit. 11; nubile, cit. 2).

c Être le lieu, le temps de naissance de (qqn). → 1. Don, cit. 9. *La Grèce a produit beaucoup de grands hommes.* ⇒ **Abonder** (en). *Le siècle qui a produit Horace et Virgile.* ⇒ **Enfanter** (→ Glorifier, cit. 12).

5 Il y avait eu là un flot incroyable de puissance et de génie, deux années (1768-1769) avaient produit tout à la fois Bonaparte, Hoche, Marceau et Joubert, Cuvier et Chateaubriand, les deux Fourier.
MICHELET, Hist. de la Révolution franç., IV, I.

♦ **4.** Faire exister (qqch.) par une activité économique. ⇒ **Producteur, production** (II., 5.), **productivité...** *Produire des richesses, des marchandises ou des services destinés à être vendus* (→ Entrepreneur, cit. 10; entreprise, cit. 12). *Cultivateur qui produit du blé dans son champ.* ⇒ **Faire** (*supra* cit. 32). *Pays qui produit dix millions de tonnes d'acier par an. La France produit beaucoup de vin. Produire de l'essence synthétique au moyen de la houille.* ⇒ **Obtenir, tirer** (de). *Produire des appareils de radio, du matériel électrique.* ⇒ **Fabriquer.** — *Produire beaucoup, peu* (→ 2. Frais, cit. 15).

6 La première injustice c'est de ne pas produire soi-même des objets utiles en échange de ceux que l'on reçoit (...)
ALAIN, Propos, 11 mars 1914, Une épingle.

Absolt. *« L'agriculture remplaça la guerre : le travail qui produit remplaça le travail qui détruit »* (cit. 13).

♦ **5.** Procurer (un profit). ⇒ **Rapporter.** Vx. *Produire de l'argent, un revenu à qqn. « Sa charge lui produit tant par an »* (Littré). — Mod. (Sans compl. second). *Cette métairie ne produit guère.* ⇒ **Rendre.** *Titres au porteur qui produisent des intérêts*.* ⇒ **Productif** (de); → Coupon, cit. 1. — Absolt. *Faire produire son argent.* ⇒ **Fructifier, travailler.** *C'est de l'argent bien placé, qui produit* (→ fam. Faire des petits*).

♦ **6.** (1906). Assurer la réalisation matérielle de (un film, une émission), par le financement et l'organisation. ⇒ **Producteur** (3.), **production** (II., 6.). — Au p.p. *Film produit par une grande compagnie américaine.*

▶ **SE PRODUIRE** v. pron.

♦ **1.** (1629). Personnes. Vx. Se montrer, apparaître (→ Gagner, cit. 22). *« Quoi! vous osez* (cit. 10), *dit-elle, à mes yeux vous produire »* (La Fontaine). — Se mettre en valeur, se donner en spectacle. ⇒ **Montrer** (se; *supra* cit. 29); → aussi Se mettre en avant*. — *Se produire dans le monde.*

Les sots savent tous se produire; 7
Le mérite se cache, il faut l'aller trouver.
FLORIAN, Fables, I, 19.

(1748). Mod. (Le sujet désigne un acteur de théâtre, de music hall). Jouer, paraître en public au cours d'une représentation. *Se produire devant le public,* ou (vieilli), *au public.* ⇒ **Paraître** (*infra* cit. 27). → Maestro, cit. *Se produire sur la scène de tel théâtre.*

♦ **2.** (Sujet n. de chose). Vieilli. Se manifester ouvertement, apparaître. ⇒ **Éclore, émerger** (→ Jour, cit. 15, Molière).

Mod. (Cour.). Arriver, survenir (en parlant d'un événement). ⇒ **Accomplir** (s'), **advenir, dérouler** (se), **lieu** (avoir lieu), **passer** (se). *Un coup de théâtre se produisit* (→ Objection, cit. 6). *Cela peut se produire. Cela s'est déjà produit plusieurs fois. Un grand changement s'est produit.* ⇒ **Opérer** (s'). *Dès qu'une occasion se produira.* ⇒ **Offrir** (s'), **présenter** (se).

(...) quelques personnes fument du haschisch mêlé avec du tabac; mais alors les phénomènes en question ne se produisent que sous une forme très modérée (...) 8
BAUDELAIRE, les Paradis artificiels, « Poème du haschisch », II.

Impers. *Il se produisit un incident minime* (cit. 3).

CONTR. Cacher. — Détruire. — Consommer.
DÉR. Produit.
COMP. Coproduire, reproduire.

PRODUIT [pʀɔdɥi] n. m. — 1554; p. p. substantivé de *produire.*

★ **I.** *Le produit (de).* ♦ **1.** Nombre qui est le résultat d'une multiplication* (→ Machine, cit. 10). *Produit de plusieurs facteurs*. Produit d'un nombre multiplié par lui-même.* ⇒ **Carré.** *Dans une proportion*, le produit des extrêmes est égal au produit des moyens. L'espace* (cit. 10) *parcouru est égal au produit du temps par la vitesse.* — Didact. Résultat d'opérations mathématiques autres que la multiplication. *Produit direct de deux ensembles* (ou *produit cartésien*) : ensemble nouveau dont l'élément est obtenu en associant un élément du premier ensemble avec un élément du second. *Produit logique :* opération d'intersection*, de conjonction* (symb. ∧), cumulant les propriétés des facteurs. ⇒ **Et.** — *Produit d'applications, de fonctions. — Produit scalaire*, produit vectoriel** (opérations sur les vecteurs).

♦ **2.** Dr. *Acte de produit :* acte qu'on fait signifier pour déclarer qu'on a déposé sa production (I., 1.) au greffe.

♦ **3.** (1690). Ce que rapporte une charge, une propriété foncière, etc., en espèces ou en nature; le profit qu'on retire d'une activité; le bénéfice qui résulte d'une opération commerciale ou financière. ⇒ **Bénéfice, gain, profit, rapport, recette, rente, revenu, usufruit.** *Le produit, les produits d'une métairie* (cit. 1). *Cette terre donne un bon produit.* ⇒ **Rendement.** *Vivre du produit de sa terre, de son travail.* — Dr. Revenus d'un bien qui ne présentent pas un caractère de périodicité ou qui altèrent la substance de la chose (opposé à *fruit*). *Les coupes de bois dans une futaie non aménagée constituent un produit.*

Là, content du petit produit 1
D'un grand travail, sans dette et sans soucis pénibles,
Le bon vieillard, libre, oublié,
Coulait des jours doux et paisibles (...)
FLORIAN, Fables, I, 8.

Le produit des ventes (→ Hypothécaire, cit.). — Par ext. *Malfaiteurs qui se partagent le produit d'un vol, d'un cambriolage.*

*Le produit de l'impôt** (cit. 9). — Techn. (Fiscalité). *Produits divers :* recettes publiques d'origines diverses obtenues par un procédé autre que l'impôt.

Produit brut, avant déduction des taxes, frais.

(1758). *Produit net,* ce que rapporte un bien, une activité, une opération, déduction faite des charges et des frais. — Écon. *Importance de la notion de* produit net *dans la doctrine des physiocrates* (→ aussi Écriture, cit. 36, Beaumarchais).

Il est dans la nature de toute opération productive de créer plus d'utilités qu'elle n'en détruit, de laisser, comme on dit, un *produit net,* non pas seulement dans l'agriculture, comme l'enseignaient les Physiocrates, mais dans toute production. 2
Charles GIDE, Cours d'économie politique, t. I, p. 205.

Produit national : agrégat combinant la totalité des produits des différentes branches de l'activité nationale pendant une période déterminée. — *Produit national brut :* produit national calculé avant amortissement économique (abrév. *P. N. B.* [peenbe]). *Produit national net,* calculé après amortissement.

Comptab. *Produit net :* solde débiteur ou créditeur d'une opération commerciale.

★ **II.** *Un, des produits.* ♦ **1.** *Produit(s) de... :* substance, fait ou être qui résulte de tel processus naturel, de telle opération humaine, qui doit son existence, ses caractères particuliers, à telle force créatrice, à telles circonstances, à tel fait... *Les produits de sécrétion du foie* (→ 2. Intestin, cit.). *Les produits de la terre, du sol.* ⇒ 1. **Fruit, production** (II., 4.), **récolte.** *Les produits et les sous-produits* de la distillation du pétrole. Un produit du travail* (→ Capital, cit. 2), *de la nature* (→ Métal, cit. 1).

Chim. *Produit de substitution :* composé qui est obtenu si on remplace, dans une molécule, un atome ou un groupe d'atomes par un autre atome ou un autre groupe.

Absolument :

3 Le vice et la vertu sont des produits comme le vitriol et le sucre.
TAINE, Hist. de la littérature anglaise, Introd., III, p. 15.

Fig. Résultat. *Son succès est le produit de la persévérance, de la réflexion et de la méthode.* ⇒ **Enfant** (fig.), **fruit.** *L'amollissement* (cit.) *général, qui est le produit du progrès des jouissances.* ⇒ **Effet.**

4 Que serait donc un homme à ses propres yeux, s'il ne représentait que soi-même? Que chacun de nous tourne la tête sur son épaule, il voit une suite indéfinie de mystères, dont les âges les plus récents s'appellent la France. Nous sommes le produit d'une collectivité qui parle en nous.
M. BARRÈS, la Terre et les Morts, p. 20.

♦ **2.** (V. 1750). Techn. Animal considéré du point de vue de l'hérédité. ⇒ **Rejeton** (→ Atavisme, cit. 3). *Le faon est le produit du cerf et de la biche.*

Turf. Jeune cheval considéré du point de vue des qualités héréditaires, de l'élevage, du dressage. *Ce poulain est le produit de X...,* son fils. *Poule des produits.*

4.1 (...) c'est tout de même curieux : on m'avait dit que ce produit d'Atys n'était à son aise que sur 1 600 mètres. Il court sur 2 500.
Pierre DANINOS, Un certain Monsieur Blot, p. 261.

♦ **3.** Substance, mélange chimique (opposé à *corps simple*).

5 Ce produit *(la résine tirée du haschisch)* est mou, d'une couleur verte foncée, et possède à un haut degré l'odeur caractéristique du haschisch.
BAUDELAIRE, les Paradis artificiels, « Poème du haschisch », II.

Produit de combustion, de décomposition. — Produits dérivés. Produit de synthèse, issu par création chimique de deux ou plusieurs corps. — Biochim. *Produit organique,* fabriqué par un tissu ou organe, mais qui ne fait pas partie intégrante et permanente de l'organisme, étant éliminé ou transformé en d'autres substances. *Les hormones, les enzymes, l'urine, sont des produits organiques. Produits du métabolisme :* métabolites. — Phys. *Produits fissiles. Produits intermédiaires. Produits radioactifs.*

♦ **4.** Productions* (II., 4.) de l'agriculture ou de l'industrie, en tant qu'elles constituent des marchandises, des biens ayant une valeur.

6 En travaillant pour les masses, l'industrie moderne va détruisant les créations de l'art antique dont les travaux étaient tout personnels au consommateur comme à l'artisan. Nous avons des *produits,* nous n'avons plus d'*œuvres.*
BALZAC, Béatrix, Pl., t. II, p. 320.

7 (...) bronzes européens, horlogerie de la Suisse, velours et soieries de Lyon, cotonnades anglaises, articles de carrosserie, fruits, légumes, minerais de l'Oural, malachites, lapis-lazuli, aromates, parfums, plantes médicinales, bois, goudrons, cordages, cornes, citrouilles, pastèques, etc., tous les produits de l'Inde, de la Chine, de la Perse, ceux de la mer Caspienne et de la mer Noire, ceux de l'Amérique et de l'Europe, étaient réunis sur ce point du globe.
J. VERNE, Michel Strogoff, p. 74.

8 Voici l'un des paradoxes de l'histoire. Il y eut *style* au sein de la misère et de l'oppression (directe). Pendant les périodes révolues, il y eut *œuvres* plus que produits. L'œuvre a presque disparu, remplacée par le produit (commercialisé) pendant que l'exploitation remplaçait l'oppression violente.
Henri LEFEBVRE, la Vie quotidienne dans le monde moderne, p. 76.

Produits bruts (→ Industrialiser, cit. 3), *finis* (→ Intégration, cit. 1), *semi-finis* (on dit aussi *demi-produits*). *Produits agricoles** ou *naturels* (→ Falsifier, cit. 2). *Produits fabriqués, industriels* (cit. 3), *manufacturés*, usinés* (opposé à *matières* premières*). — (1948, *Charte des Nations-Unies*). *Produits de base :* produits de l'agriculture, de la pêche, des forêts et minéraux (sens voisin de celui de *matière première*).

9 (...) dans les boutiques alignées des deux côtés de l'allée sont mélangés produits artisanaux et produits usinés ; des éventails, des ceintures, des kimonos, des cotonnades, des corbeilles mais aussi de la quincaillerie, des ustensiles et des vêtements fabriqués en série.
S. DE BEAUVOIR, Tout compte fait, p. 288.

Produits de luxe (cit. 15). *Produits de consommation courante, de grande consommation* (→ Marché, cit. 21). *Produits de première nécessité. Produit de remplacement.* ⇒ **Succédané; ersatz.** *Produit promotionnel. Produit pilote. Produit type,* caractéristique d'une *famille de produits. Produits alimentaires, d'alimentation.* ⇒ **Aliment, denrée** (→ Épicier, cit. 2). *Produits congelés, surgelés. Produits frais, produits laitiers. — Produits médicamenteux*, pharmaceutiques* (→ Ballotter, cit. 8; négatif, cit. 2). *Produits de beauté.* ⇒ **Cosmétique.** *Produit solaire,* protégeant la peau du soleil. *Produits d'entretien,* nécessaires à l'entretien des objets ménagers. *Produits de nettoyage. Produits détersifs, moussants. — Produits corrosifs, dangereux, explosifs, toxiques...* — Comm., publicité. *Échantillon* d'un produit. Lancement* (cit. 2) *d'un nouveau produit. Jeter des produits sur le marché* (→ Équipement, cit. 6). *Ouvrir, offrir des débouchés* (cit. 8 et 10) *à des produits.*

Absolt. *(Le produit). Étude de produit,* cherchant l'adéquation du produit à son marché. — *Chef de produit :* responsable de la fabrication et de la commercialisation d'un produit, dans une entreprise.

Inform. *Produit-programme :* programme commercialisé.

CONTR. Facteur. — Dommage. — Auteur, cause.
COMP. Demi-produit, semi-produit, sous-produit.

PROÈDRE

PROÈDRE [pʀɔɛdʀ] n. m. — 1869; grec *proedros* « qui siège devant ».

♦ Didact. Dans l'Antiquité grecque, Chacun des neuf citoyens tirés au sort et représentant chacune des neuf tribus n'assurant pas la prytanie. *Les proèdres formaient le bureau de l'assemblée du peuple.*

DÉR. Proédrie.

PROÉDRIE

PROÉDRIE [pʀɔedʀi] n. f. — Déb. XXe; de *proèdre.*

♦ Didact. Fonction de proèdre*. — Droit d'être assis à la place d'honneur (prêtre, magistrat ou exceptionnellement citoyen).

PROÈME

PROÈME [pʀɔɛm] n. m. — 1690; lat. *proemium* « prélude », grec *prooimion.*

♦ Rhét. grecque. Exorde (d'un discours), prélude (d'un chant).

PROÉMINENCE

PROÉMINENCE [pʀɔeminɑ̃s] n. f. — 1560; de *proéminent.* Littéraire.

♦ **1.** État de ce qui est proéminent, qui forme une avancée. *La proéminence du nez, de la mâchoire.*

♦ **2.** Plus cour. *(Une, des proéminences).* Partie proéminente. ⇒ **Protubérance, saillie.** *Proéminences dans une plaine.* ⇒ **Mamelon.**

PROÉMINENT, ENTE

PROÉMINENT, ENTE [pʀɔeminɑ̃, ɑ̃t] adj. — 1556; bas. lat. *proeminens,* p. prés. de *proeminere,* lat. class. *prominere* « s'avancer ».

♦ Qui dépasse en relief ce qui l'entoure, qui forme une avancée. *Nez proéminent, et busqué* (→ Bréchet, cit. 1). *Front proéminent, ventre proéminent.* ⇒ **Bombé** (→ Embonpoint, cit. 5; fluctuer, cit.). *Os proéminent* (→ Difforme, cit. 3; laver, cit. 17). ⇒ **Saillant.** *Vertèbre proéminente :* septième vertèbre cervicale à apophyse saillante.

Son front arrondi, proéminent comme celui de la Joconde, paraissait plein d'idées inexprimées, de sentiments contenus, de fleurs noyées dans des eaux amères. 1
BALZAC, le Lys dans la vallée, Pl., t. VIII, p. 797.

(...) un front bas, déjà marqué de deux plis profonds ; des sourcils très proéminents (...) 2
J. ROMAINS, les Hommes de bonne volonté, t. III, II, p. 26.

CONTR. Creux, rentrant.
DÉR. Proéminence, proéminer.

PROÉMINER

PROÉMINER [pʀɔemine] v. intr. — 1897, *l'Année biol.* 1899, p. 667; de *proéminent.*

♦ Littér. et rare. Être proéminent, bomber. — Par métaphore :

Lalla se relève, elle marche en titubant, les mains pressées sur le bas de son ventre, là où il y a une douleur qui proémine.
J.-M. G. LE CLÉZIO, Désert, p. 307.

PROENZYME

PROENZYME [pʀɔɑ̃zim] n. m. — 1904, *Rev. gén. des sc.,* n° 12, p. 597; de *pro-,* et *enzyme.*

♦ Sc. (chim., biol.). Substance (ion métallique, par ex.) susceptible de donner naissance à une enzyme sous l'influence d'un activateur. *La prothrombine est un proenzyme.* Syn. : *prodiastase, proferment.*

PROF

PROF [pʀɔf] n. — 1890; abrév. de *professeur.*

♦ Fam. Professeur. *Le, la prof de maths. C'est un bon prof* (se dit aussi d'une femme). *Une prof. Des profs de fac.*

Impossible de déplier le journal, toute la classe le remarquerait. Jean-Paul allait plutôt lui lancer un petit billet pendant que le prof aurait le dos tourné.
René FLORIOT, La vérité tient à un fil, p. 87.

PROFANATEUR, TRICE

PROFANATEUR, TRICE [pʀɔfanatœʀ, tʀis] n. et adj. — 1566, masc.; 1829, fém.; lat. ecclés. *profanator.*

♦ Littér. Personne qui profane (qqch.). *Profanateur d'un temple, d'un objet sacré* (⇒ **Impie, sacrilège**), *d'une sépulture* (⇒ **Violateur**).

Si nul profanateur n'eût touché vos offrandes;
Si nul reptile impur sur vos chastes guirlandes
N'eût traîné ses nœuds flétrissants (...)
HUGO, Odes et Ballades, II, I, I.

Adj. *Main profanatrice, geste profanateur.*

PROFANATION

PROFANATION [pʀɔfanasjɔ̃] n. f. — 1460, *prophanation;* lat. *profanatio,* de *profanare.* → Profaner.

♦ **1.** Action de profaner; résultat de cette action. Relig. Irrévérence envers les objets, les choses sacrées, les lieux saints (→ Libation, cit. 1). *Profanation des choses saintes,* leur emploi à des usages vulgaires ou coupables. — Relig. cathol. *Profanation de l'hostie. Profanation des églises* (⇒ **Violation**), dans les cas d'effusion de sang (⇒ **Pollution**), de meurtre, d'attentat contre les mœurs. *Réconcilia-*

tion d'une église après sa profanation. Profanation de sépulture. Profanation intentionnelle. ⇒ **Sacrilège.**

♦ **2.** (1690). Mauvais usage ou irrespect (des choses précieuses, irremplaçables). ⇒ **Avilissement, dégradation** (→ Oppresseur, cit. 2). *La profanation d'un beau paysage par des constructions laides, des usines.*

1 (...) ce village d'Etchézar, solitaire et haut perché sur l'un des contreforts pyrénéens, loin de tout, loin des lignes de communication qui ont bouleversé et perdu le bas pays des plages; à l'abri des curiosités, des profanations étrangères, et vivant encore de sa vie basque d'autrefois. LOTI, Ramuntcho, I, XII.

2 À chacun de mes retours mon œil se heurtait à quelque profanation. C'est ainsi que je vis une fois toute une installation télégraphique, une forêt de pylônes et de fils, dressée sur la crête de la plus charmante ligne de vieux remparts. L.-H. LYAUTEY, Paroles d'action, p. 454.

CONTR. **Respect.**

PROFANE [pʀɔfan] adj. et n. — 1553; *prophane*, 1229; lat. *profanus*, de *pro* «devant», et *fanum* «temple», proprt «hors du temple».

★ **I.** ♦ **1.** Adj. Qui est étranger à la religion (opposé à *religieux, sacré*). *Le monde profane* (→ Humanisme, cit. 3). *Usage profane d'un objet sacré* (⇒ **Profanation**), *d'une langue hiératique* (cit. 2). *Annibal, César, prénoms profanes* (→ Baptiser, cit. 5). *Occupations, désirs profanes.* ⇒ **Mondain** (cit. 2). *Fête* (cit. 2) *profane. Valeurs profanes de l'Occident* (→ Dirigeant, cit.). *Art profane. Musique profane. Savoir sacré et savoir profane, au moyen âge. Chants noirs profanes* (→ Blues, cit. 2). *Littérature profane.* ⇒ **Laïc.**

1 Du reste, le Père Nicolle ne laisse pas d'aller dans le monde, assiste à des garden-parties, à des lawn-tennis, à des thés et autres divertissements profanes où il lui est facile de pêcher à l'âme. P.-J. TOULET, la Jeune Fille verte, VII.

2 Tout art est l'expression, lentement conquise, du sentiment fondamental qu'éprouve l'artiste devant l'univers. C'est sans doute pourquoi toute religion vivante imprègne les œuvres profanes; et pourquoi il n'y a d'œuvres profanes capitales que dans les sociétés dont le sacré se retire. MALRAUX, les Voix du silence, p. 412.

Par ext. *Auteur profane*, dont les œuvres sont profanes.

Vx. Qui est contraire à la religion établie. ⇒ **Impie.** *Un temple profane* (→ Approcher, cit. 26). *Un profane adultère* (→ Falloir, cit. 28).

3 Jusqu'à quand souffre-t-on que ce peuple respire,
Et d'un culte profane infecte votre empire? RACINE, Esther, II, 1.

Vx. (Personnes). Qui n'est pas du clergé. *Évêques investis* (cit. 1) *par des princes profanes.* ⇒ **Laïque.**

♦ **2.** N. m. Ce qui est étranger à la religion. *Confusion du sacré et du profane* (→ 1. Garde, cit. 29).

4 (...) quoique j'aie évité soigneusement de mêler le profane avec le sacré, j'ai cru néanmoins que je pouvais emprunter deux ou trois traits d'Hérodote, pour mieux peindre Assuérus. RACINE, Esther, Préface.

4.1 Sans doute, par rapport au sacré, le profane n'est emprunt que de caractères négatifs : il semble en comparaison aussi pauvre et dépourvu d'existence que le néant en face de l'être. Roger CAILLOIS, l'Homme et le Sacré, p. 20.

5 Dans la masse des traditions orales, qu'il est embarrassant de distinguer ce qui revient au sacré et ce qui proprement appartient au profane. Force contes ou récits, que nous tenons volontiers pour de belles histoires, amusantes ou tragiques, en tout cas comme des histoires, qui nous garantit que ce ne furent pas, voilà quelques millénaires, des paraboles religieuses, ou des rituels d'initiation? ÉTIEMBLE, Littératures laïques, *in* Encycl. Pl., Hist. des littératures, t. I, p. 44.

♦ **3.** N. Didact. ou littér. *Un, une profane.* Personne qui n'est pas initiée à une religion donnée (qu'elle ait ou non une autre religion).

6 Quel profane en ce lieu s'ose avancer vers nous? RACINE, Esther, I, 3.

7 Les situations de la vie sont éclairées par les livres; les profanes ont les sorts virgiliens, les croyants ont les avertissements bibliques. HUGO, les Travailleurs de la mer, I, VII, III.

8 (...) à la porte *(de la synagogue)*, on m'arrêta : personne n'avait le droit d'entrer que couvert. Mais on me fit aussitôt entendre que le concierge louait des chapeaux à l'usage des profanes non avertis. GIDE, Ainsi soit-il, p. 92.

★ **II.** (1690). ♦ **1.** Adj. Qui n'est pas initié à un art, une science, une technique, un mode de vie, etc. ⇒ **Béotien, ignorant.** *Expliquez-moi, je suis profane en la matière.*

♦ **2.** N. *Un profane, une profane en peinture. Les profanes et les initiés* (cit. 10), *et les spécialistes. École* (cit. 23) *d'où les profanes sont exclus. Expliquer à un profane* (→ Cuisson, cit. 1).

9 La couleur n'y fait rien, dit Bernard, avec le léger agacement du technicien devant le profane (...) A. MAUROIS, Bernard Quesnay, XXXIII.

N. m. (Collectif). *Le profane :* les gens profanes. *Comme le croit souvent le profane* (→ Forme, cit. 59). *Aux yeux du profane* (→ Fouille, cit. 3).

CONTR. **Auguste, benoît, divin, hiératique, sacré. — Ésotérique. — Connaisseur, initié.**

PROFANEMENT [pʀɔfanmɑ̃] adv. — 1564; *prophanement*, 1564; de *prophane, profane.*

♦ Littér. D'une manière profane.

PROFANER [pʀɔfane] v. tr. — 1538; *prophaner*, 1328; lat. *profanare*, de *profanum.* → Profane.

♦ **1.** Relig. Violer le caractère sacré de...; traiter sans respect, avec mépris (une chose sacrée). *Profaner un temple, un autel* (cit. 3 et 5). *«J'ai profané la crosse et j'ai souillé l'anneau»* (→ Pécher, cit. 3). *Jérusalem pleura de se voir profanée* (→ Hurlement, cit. 3).

On vint régulièrement, et en toute cérémonie, *profaner* la chapelle, on enleva les hosties et les vases sacrés. SAINTE-BEUVE, Causeries du lundi, 13 mai 1850. 1

♦ **2.** Fig. Faire un usage indigne, mauvais de (une chose de grande valeur). ⇒ **Avilir, dégrader, polluer, souiller, violer.** *Profaner un grand sentiment* (→ Ineffable, cit. 4); *profaner son cœur* (→ Griserie, cit. 5). *Profaner un nom* (→ Âne, cit. 9). *Les richesses étaient intactes* (cit. 2), *rien n'avait été profané. Profaner une institution.* ⇒ **Dépraver.**

(...) une personne comme vous serait la femme d'un simple paysan! Non, non : c'est profaner tant de beautés (...) MOLIÈRE, Dom Juan, II, 2. 2

Et c'est assurément en profaner le nom *(de l'amitié)*
Que de vouloir le mettre à toute occasion. MOLIÈRE, le Misanthrope, I, 2. 3

Mais soyez sûre que l'amour ardent et pur dont j'ai brûlé pour vous ne s'éteindra de ma vie (...) et qu'on ne verra jamais profaner par d'autres feux l'autel où Julie fut adorée. ROUSSEAU, Julie ou la Nouvelle Héloïse, I, III. 4

Il est cependant des paroles qui ne devraient servir qu'une fois; on les profane en les répétant. CHATEAUBRIAND, Mémoires d'outre-tombe, t. II, p. 285. 5

CONTR. **Consacrer, respecter.**
DÉR. **Profanateur.**

PROFASCISTE [pʀɔfaʃist] adj. et n. — 1970; de *pro-*, et *fasciste.*

♦ Qui est partisan du fascisme, le soutient. — N. *Un profasciste.*

(...) une révolte profasciste. Michel DÉON, les Poneys sauvages, 1970, p. 473.

PROFECTIF, IVE [pʀɔfɛktif, iv] adj. — 1567; du lat. *profectus* «qui vient de».

♦ Dr. Qui vient des ascendants. *Biens profectifs d'un héritage.*

PROFECTION [pʀɔfɛksjɔ̃] n. f. — Déb. XVIe; lat. *profectio, onis*, de *profectum*, supin de *profisci*, de *proficere*, de *pro-*, et *facere.*

♦ **1.** Hist. des sc. Avancement (d'un astre).

♦ **2.** (1752). Astrol. Calcul par lequel les astrologues situent une planète dans un signe.

PROFÉRATION [pʀɔfeʀasjɔ̃] n. f. — Mil. XXe (1951, Gide); de *proférer.*

♦ Rare. Action de proférer.

À quel ordre linguistique appartient donc cet être bizarre, cette feinte de langage, trop phrasée pour relever de la pulsion, trop criée pour relever de la phrase? Ce n'est ni tout à fait un énoncé (aucun message n'y est gelé, emmagasiné, momifié, prêt pour la dissection) ni tout à fait de l'énonciation (le sujet ne se laisse pas intimider par le jeu des places interlocutoires). On pourrait l'appeler une *profération.* R. BARTHES, Fragments d'un discours amoureux, 1977, p. 177.

PROFÉRER [pʀɔfeʀe] v. tr. — Conjug. *céder.* — 1265; adapt. du lat. *proferre* «porter en avant».

♦ **1.** Didact. Former, articuler* à voix haute. ⇒ **Prononcer.** *Proférer un «ouf!»* (cit. 3). ⇒ **Émettre, jeter, pousser.** *Sans proférer un seul mot.* ⇒ **Dire.** *Proférer des paroles entrecoupées* (→ Dire, cit. 31). *Les perroquets peuvent proférer des paroles mais ne peuvent parler* (1. Parler, cit. 1).

Il avait repris l'usage de ses sens; mais il ne pouvait proférer une parole. BERNARDIN DE SAINT-PIERRE, Paul et Virginie, p. 129. 1

♦ **2.** Péj. et cour. Articuler, dire (des paroles violentes, menaçantes, menteuses...). → Mimer, cit. 2. *Proférer des injures, des menaces, des exécrations.* ⇒ **Cracher, débagouler, exhaler, vomir.** *Proférer des blasphèmes.* ⇒ **Blasphémer.**

(...) d'autres proféraient on ne sait quoi, des choses qui ressemblaient à des menaces (...) COURTELINE, Messieurs les ronds-de-cuir, 6e tableau, III. 2

▶ **PROFÉRÉ, ÉE** p. p. adj. *Les mots proférés par lui* (→ Oreille, cit. 12).

DÉR. **Profération.**

PROFERMENT [pʀɔfɛʀmɑ̃] n. m. — 1903, *Rev. gén. des sc.*, no 24, p. 1271; de *pro-*, et *ferment.*

♦ Sc. Proenzyme.

PROFÈS, ESSE [pʀɔfɛ, ɛs] adj. — XIIe; lat. ecclés. *professus* «qui déclare».

♦ **1.** Relig. Qui a fait sa profession, qui a prononcé ses vœux dans un ordre religieux. *Religieuses professes* (→ Après, cit. 77). — N. *Un profès, une professe.* — Par anal. *Les profès de la chevalerie* (cit. 1).

♦ **2.** (Mil. XVIIᵉ; Pascal). Fig. et vx. Celui, celle qui est initié, passé maître en quelque chose.

(...) le vieux valet de chambre, quoique profès, avait fini par prendre Cérizet pour un solliciteur (...) BALZAC, Un homme d'affaires, Pl., t. VI, p. 810.

CONTR. Apprenti, novice.

PROFESSER [pʀɔfese] v. tr. — 1584 ; de *profession.*

★ **I.** Littér. Déclarer hautement avoir (un sentiment, une croyance, une opinion habituelle). *Professer une religion* (vieilli), *une opinion, une théorie* (→ Gourme, cit. 4). *Professer une doctrine et en pratiquer une autre est une indignité* (cit. 3). *Ils ont professé l'unité de la patrie et sont morts pour elle* (→ Indivisibilité, cit. 1). *Professer la bonté* (→ Marotte, cit. 4). *Professer de l'admiration, la plus profonde admiration pour...* (→ Endroit, cit. 18 ; idolâtre cit. 9).

1 Le marquis professait une haine vigoureuse pour les lumières : ce sont les idées, disait-il, qui ont perdu l'Italie (...) STENDHAL, la Chartreuse de Parme, I, II.

2 Quoiqu'il professât pour la mémoire de son père une vénération toute filiale (...) Th. GAUTIER, le Capitaine Fracasse, I.

3 *(Il)* revendiquait pour le maître le droit de professer sur un même sujet deux opinions contradictoires (...) FRANCE, l'Orme du mail, *in* Œ., t. XI, VII, p. 71.

Professer que... (avec l'indic.). *Elle professait que pour exprimer fortement une passion il faut l'éprouver* (cit. 23). *Professer qu'il n'y a d'aristocratie que par la culture* (→ Inconvenance, cit. 3). ⇒ **Proclamer.**

4 Nous continuons à professer, en dépit des Allemands, que l'érudition n'a pas de patrie. FUSTEL DE COULANGES, Questions contemporaines, p. 26.

★ **II.** ♦ **1.** (1636). Vx. Exercer (un métier, un art. [cit. 59], une science...).

♦ **2.** (1738 ; d'après *professeur*). Vieilli. Enseigner en qualité de professeur. *Professer les mathématiques.* ⇒ **Enseigner** (cit. 7).

5 *(Phellion)* dînait rue Notre-Dame-des-Champs dans le pensionnat où sa femme *professait la musique* (...) BALZAC, les Employés, Pl., t. VI, p. 934.

Absolt. (Mod.). *Il professe à la Sorbonne. Professer trois ans à l'École de guerre* (→ Galon, cit. 5).

Péj. Pontifier. *Ce personnage professe un peu trop.*

PROFESSEUR [pʀɔfesœʀ] n. m. — 1337 ; en parlant d'une femme, 1846 ; lat. *professor,* de *profiteri* «enseigner en public».

♦ **1.** Personne qui enseigne une discipline, un art, une technique, des connaissances, d'une manière habituelle et le plus souvent organisée. ⇒ **Instructeur, maître** (cit. 78). *Il, elle est professeur. Professeur de mathématiques, d'anglais, d'histoire, de philosophie* (→ Idée, cit. 9), *de droit* (3. Droit, cit. 70), *de théologie* (→ Hésiter, cit. 13), *de dessin, de musique...* ⇒ **Prof** (fam.). *Professeur privé.* ⇒ **Précepteur.** *Professeur dans l'enseignement* ⇒ **Enseignant.** *Professeur qui donne des leçons particulières chez lui, à domicile. Professeur libre. Professeur fonctionnaire* (cit. 5) *dans l'enseignement secondaire et supérieur, dans les Écoles normales d'instituteurs. Professeur de lycée, de collège* (⇒ **Régent**, vx ; → 1. Élève, cit. 3). *Professeur de seconde* (→ Invendu, cit. 1). *Professeur qui a plusieurs classes. Le métier de professeur :* professorat. *Professeur agrégé*. Professeur certifié :* licencié ayant satisfait aux épreuves du C. A. P. E. S. (certificat d'aptitude pédagogique pour l'enseignement secondaire). *Professeur adjoint* (⇒ **Répétiteur,** vx) *chargé* de cours. Professeur suppléant. Il, elle est professeur au lycée Louis-le-Grand. Avoir qqn comme professeur* (→ Animalier, cit. 1). *Avoir de bons professeurs. Professeur éminent, célèbre, érudit, brillant. Mauvais professeur. Professeur sévère* (→ 1. Fort, cit. 9), *indulgent, chahuté* (→ Demeurer, cit. 38). *Professeur qui prend un élève en aversion* (→ Grimace, cit. 7). *Note, appréciation d'un professeur* (→ Gradué, cit. 5). *Professeur qui prépare la leçon* (cit. 5), *le cours qu'il va faire. Professeur qui explique, fait comprendre* (→ Intelligence, cit. 19), *inculque* (cit. 5) *des idées. Professeur noté par un inspecteur*. Conseil de professeurs. Salle des professeurs.*

1 Les cours magistraux sont temps perdu. Les notes prises ne servent jamais (...) On n'apprend pas à dessiner en regardant un professeur qui dessine très bien (...) De même, me suis-je dit souvent, on n'apprend pas à écrire et à penser en écoutant un homme qui parle bien et qui pense bien.
ALAIN, Propos, 17 oct. 1931, Les cours et l'enseignement.

2 (...) sa tâche de professeur lui était devenue intolérable. Il n'avait aucun goût pour ce métier, où il faut s'étaler, dire tout haut sa pensée, où l'on n'est jamais seul. Le professorat de lycées exige, pour avoir quelque noblesse, une vocation d'apostolat, qu'Olivier ne possédait point ; et le professorat de Facultés impose avec le public un contact perpétuel, qui est douloureux aux âmes éprises de solitude, comme celle d'Olivier.
R. ROLLAND, Jean-Christophe, Dans la maison, II, p. 992.

3 On dit que les ignorants font les meilleurs professeurs. Mais ce peut être qu'ils cherchent à s'instruire et apprennent, pour ainsi dire, du même élan que leurs élèves, qu'ils entraînent aisément.
J. PAULHAN, Entretien sur des faits divers, p. 39.

♦ **2.** Personne titulaire d'une chaire (cit. 7) d'enseignement supérieur, d'un titre spécifique. ⇒ **Docteur, doctorat** (opposé, en France, à *assistant, maître assistant, chargé de cours, maître de conférence,* etc.). *Il, elle est docteur ès lettres, mais pas professeur. Professeur de faculté* (fam. Prof de fac). *Les professeurs de l'université* (→ Éducateur, cit. 1 ; maître, cit. 76). *Doyen* (cit. 4) *choisi parmi les professeurs. Mᵐᵉ X, Professeur à la Sorbonne. Professeur à l'École normale supérieure, au Collège de France. Professeur invité* (appartenant à une autre université). — *Costume traditionnel des professeurs* (chaperon, épitoge [cit.], rabat, toque, toge...).

(Au Canada). *Professeur agrégé,* rattaché au personnel permanent d'une université. *Professeur titulaire.*

(Dans d'autres pays). *Professeur libre dans une université allemande.* ⇒ **Privat-docent.**

REM. 1. Certaines formes au féminin ont été tentées sans succès : *une professeuse, une professoresse* (Bloy, *la Femme pauvre,* p. 99), *une professeur ;* le masculin est seul en usage en parlant des femmes. *Trois professeurs femmes* (Gide, *Journal,* 3 mars 1943). *Le professeur Paulette Gauthier-Villars* (Colette, *le Fanal bleu,* p. 67).

2. *Professeur,* dans l'usage français, ne s'emploie que rarement devant le nom propre et seulement au sens 2 *(Le professeur X ; M. ou Mᵐᵉ le professeur X).* Cet emploi (normal en anglais, allemand, italien, etc.) n'est reçu qu'en parlant des professeurs de l'Académie de médecine. *M. le Professeur, le professeur X* (→ Monsieur, cit. 4. 2 et *supra*).

♦ **3.** Fig. *Professeur de...* ⇒ **Maître.** *C'est un professeur de courage, d'athéisme, de révolte...*

CONTR. Élève, enseigné, étudiant.

PROFESSION [pʀɔfesjɔ̃] n. f. — V. 1160, au sens I, 2 ; *professiun,* v. 1155, au sens I, 1 ; lat. *professio.*

★ **I.** ♦ **1.** (Dans l'expression *faire profession de ;* XVIᵉ). Déclaration ouverte, publique (d'une croyance, d'une opinion, d'un comportement qu'on a ou qu'on prétend avoir). *Faire profession d'une sagesse austère* (→ Après, cit. 37). *Faire profession d'une opinion politique, d'une religion.* ⇒ **Afficher.** — (Avec *de* et l'inf.). *Faire profession de mépriser la gloire* (→ État, cit. 56), *de chérir l'ignorance* (cit. 21). ⇒ **Piquer** (se), **targuer** (se), **vanter** (se). *Les impies* (cit. 8) *qui font profession de suivre la raison.*

(...) j'ai fait toute ma vie profession de ne rien aimer (...) 1
MOLIÈRE, la Princesse d'Élide, II, 4.

Il me semble qu'il eût mieux valu présenter quelque autre preuve de mes atrocités, qu'une lettre du comte de la Blache, qui, depuis dix ans, fait profession ouverte de me haïr avec passion (...) 2
BEAUMARCHAIS, Mémoires... dans l'affaire Goëzman, p. 163.

(Relig.). **PROFESSION DE FOI** ⇒ **Foi ; credo ; confession.** *Profession de foi de l'Islam* (cit. 2). — Par ext. ⇒ **Déclaration** (de principes), **manifeste.** — Ellipt. *Il y a bien loin de la profession à la croyance* (→ Musulman, cit. 3).

♦ **2.** (V. 1160). Relig. Acte par lequel un religieux, une religieuse prononce ses vœux, et devient profès*. *Novice qui va faire sa profession.*

★ **II.** (Déb. XVᵉ). Dr. admin. Occupation déterminée dont on peut tirer ses moyens d'existence, qu'elle soit un métier (⇒ **Métier**), une fonction*, un état*. *Acte* (cit. 12) *de l'état civil portant la profession. Ignorer le nom, la profession d'un inconnu* (cit. 29). *Femme mariée sans profession. Sa profession d'abbé* (→ Chiffonner, cit. 6). — Fig. *La profession d'hypocrite a de merveilleux avantages* (→ Hypocrisie, cit. 10). *Il est bel* (cit. 38) *esprit, c'est sa profession.*

Sans prétendre rabaisser ici l'illustre profession de savetier, que j'honore à l'égal de la profession de monarque constitutionnel, j'avouerai humblement que j'aimerais mieux avoir mon soulier décousu que mon vers mal rimé (...) 3
Th. GAUTIER, Préface de Mˡˡᵉ de Maupin, p. 30.

Cour. Métier. *La profession et l'ordre économique* (cit. 2). *Groupement par professions* (→ Corporatif, cit. 2). *Profession qui exige l'emploi des bras* (→ Métier, cit. 3). *Professions libérales* et professions salariées. Annuaire par professions.* — Plus cour. Métier qui a un certain prestige par son caractère intellectuel ou artistique, par la position sociale de ceux qui l'exercent. *La profession d'avocat* (cit. 6), *de médecin* (→ Comparer, cit. 9), *de critique, de professeur, de journaliste* (→ Épineux, cit. 5). ⇒ **Carrière.** *Profession militaire* (→ Fils, cit. 7). ⇒ **Parti** (des armes). *Embrasser, exercer* (cit. 36), *pratiquer une profession. Se spécialiser dans une profession.* ⇒ **Spécialité ; art** (homme de l'). *Choix, exercice* (→ Considération, cit. 9), *pratique d'une profession. Devoirs régissant une profession* (⇒ **Déontologie**). *Exercice illégal d'une profession* (⇒ 2. **Marron**). *Dans leur profession* (→ Imprévu, cit. 4). ⇒ **Partie.** *Personnes qui exercent la même profession.* ⇒ **Collègue, confrère** (cit. 2), **personnel.**

Donnez à l'homme un métier qui convienne à son sexe, et au jeune homme un métier qui convienne à son âge : toute profession sédentaire et casanière, qui effémine et ramollit le corps, ne lui plaît ni ne lui convient. 4
ROUSSEAU, Émile, III.

Il n'existe que trois êtres respectables : le prêtre, le guerrier, le poète. Savoir, tuer, créer. Les autres hommes sont taillables et corvéables, faits pour l'écurie, c'est-à-dire pour exercer ce qu'on appelle des *professions.* 5
BAUDELAIRE, Journaux intimes, Mon cœur mis à nu, XXII.

Votre profession est l'une des plus entières qui soient : elle exige l'existence et la 6

dépense de l'homme complet. La mienne — si c'en est une — me spécialise dans la poursuite de quelques ombres.
VALÉRY, Variété, Disc. aux chirurgiens, *in* Œ., t. I, Pl., p. 907.

(1637). *Faire profession de :* pratiquer comme métier. *La musique dont il fait profession* (→ Exercer, cit. 34). — Fig. Avoir comme occupation habituelle. *« Ceux qui faisaient profession de vivre noblement* (cit. 1), *c'est-à-dire de ne rien faire. »*

DE PROFESSION : de son état*. *Critique* (→ 2. Critique, cit. 26) *de profession. Musicien de profession.* ⇒ **Professionnel.** — Par comportement habituel. *Les dévots de profession* (→ Âpreté, cit. 7). *Chicaneur* (cit. 2), *calomniateur de profession. Lovelace* (cit.) *de profession.*

7 (...) avec un mouvement de corsage si élastique, un tordion *(une contorsion)* de hanche si fripon, un froufrou de jupes si coquet, qu'une ballerine de profession n'eût pu mieux faire (...) Th. GAUTIER, le Capitaine Fracasse, V.

DÉR. Professer, professionnel.

PROFESSIONNALISATION

[pʀɔfesjɔnalizasjɔ̃] n. f. — V. 1970 ; de *professionnaliser.*

♦ Didact. Action de se professionnaliser*, de devenir une profession. *« La professionnalisation de la recherche »* (*la Recherche,* nov. 1973, p. 928).

PROFESSIONNALISER

[pʀɔfesjɔnalize] v. tr. — 1898, sports « devenir un professionnel » ; de *professionnel,* d'après l'anglais.

♦ **1.** Donner à (une activité) le caractère d'une profession. *Les circonstances qui ont professionnalisé certains sports.* — V. pron. *Se professionnaliser.*

♦ **2.** (Compl. n. de personne). Rendre (qqn) professionnel. — Passif et p. p. *« Un tiers seulement des chercheurs est "professionnalisé" »* (*la Recherche,* nov. 1973, p. 933).

DÉR. Professionnalisation.

PROFESSIONNALISME

[pʀɔfesjɔnalism] n. m. — 1885, sports ; de *professionnel,* d'après l'angl. *professionalism.*

♦ Caractère professionnel d'une activité. *Le professionnalisme sportif* (opposé à *amateurisme*).

(...) il ne s'était jamais permis une erreur aussi stupide en dix années de professionnalisme. René FALLET, le Triporteur, p. 395.

PROFESSIONNEL, ELLE

[pʀɔfesjɔnɛl] adj. et n. — 1842 ; de *profession.*

A. Adj. Relatif à la profession, au métier. *Vie professionnelle. Milieux professionnels. Activités professionnelles. Orientation** (cit. 1) *professionnelle. Formation professionnelle.* ⇒ **Apprentissage** (cit. 4). → Instruction, cit. 6. *Enseignement professionnel.* ⇒ **Technique.** *École professionnelle,* qui prépare à un métier. *Capacité professionnelle* (→ Artisan, cit. 7). *Certificat d'aptitude professionnelle (C.A.P.). Habileté, patience* (→ Inlassable, cit. 3), *gestes* (→ 1. Geste, cit. 6), *habitudes* (cit. 18) *professionnelles. Déformation* professionnelle. Maladies professionnelles. Langage professionnel.* ⇒ **Jargon** (→ Argotique, cit.). *Conscience*, honnêteté professionnelle* (→ Lâcheté, cit. 7). *Devoir* (cit. 21), *obligation* (cit. 8) *professionnelle* (→ Galanterie, cit. 18). *Soucis professionnels. Secret* professionnel. Faute professionnelle. Intérêts professionnels. Aspirations* professionnelles. Groupement, association* (cit. 10) *professionnelle.* ⇒ **Corporation, syndicat.**

B. Adj. et n. (Déb. XXe). Personnes. Qui est tel par profession, de profession.

♦ **1.** Adj. *Écrivain professionnel* (→ Apanage, cit. 6). *Journaliste, musicien professionnel.* — Spécialt. (D'après l'angl. *professional*). *Sportif professionnel,* régulièrement salarié pour des activités sportives ou pour la formation de sportifs (opposé à *amateur*). ⇒ **Pro.** *Équipes professionnelles de football* (cit. 2). — Par ext. *Le tennis professionnel.*

Fig. *Libres penseurs professionnels* (→ Instituteur, cit. 5).

♦ **2.** N. m. ou f. (1893). Personne de métier, spécialiste. ⇒ **Pro.** *Un travail de professionnel. C'est une excellente professionnelle. Fautes commises par des professionnels* (→ Lourd, cit. 6). — Spécialt. *Professionnels du sport* (→ Acclimater, cit. 5), ou, ellipt, *professionnels. Match de professionnels. Passer professionnel.*

Fig. *Les professionnels du désordre* (→ Conduire, cit. 8). *Crime qui n'est pas l'œuvre d'un professionnel* (→ Estimer, cit. 11).

1 Tous nos patriotes folliculaires ne rêvent qu'une chose : nous rendre enfin semblables à l'ennemi. Et ils y travaillent assidûment, avec adresse, ces professionnels de la haine (...)
G. DUHAMEL, Récits des temps de guerre, IV, XIX.

2 Il y a toujours, dans la composition d'un roman par un professionnel expérimenté, une part de métier.
A. MAUROIS, Études littéraires, t. II, Jacques de Lacretelle, III.

3 Le régime de la prison n'avait rien d'atroce, en tant que régime. Administratif : les geôliers étaient des professionnels, amenés de Séville.
MALRAUX, l'Espoir, I, II, II, IX.

♦ **3.** N. f. (Déb. XXe). Fam. Prostituée.

4 Dès lors, Duperrier passa la plupart de ses nuits dans des hôtels borgnes où il poursuivait son initiation avec des professionnelles du quartier.
M. AYMÉ, le Vin de Paris, « Traversée de Paris », p. 96.

CONTR. Amateur, dilettante, non-professionnel.
DÉR. Professionnaliser, professionnalisme, professionnellement.
COMP. Extraprofessionnel, interprofessionnel, non-professionnel, socioprofessionnel.

PROFESSIONNELLEMENT

[pʀɔfesjɔnɛlmɑ̃] adv. — 1845 ; de *professionnel.*

♦ De façon professionnelle. *Sport pratiqué professionnellement.* — Du point de vue de la profession. *Il est professionnellement très compétent.*

PROFESSORAL, ALE, AUX

[pʀɔfesɔʀal, o] adj. — 1686 ; dér. du lat. *professor.*

♦ **1.** Didact. Qui appartient aux professeurs. *Vie professorale. Devoirs professoraux. Le corps professoral.*

♦ **2.** (1859). Propre à l'enseignement, au comportement traditionnel des professeurs. *Des habitudes professorales. Un ton professoral,* didactique. ⇒ **Doctoral, magistral ; pontifiant.** (→ Ex* cathedra).

(...) il pouvait exercer encore son éloquence professorale, émaillée de grec et de latin, qui émerveillait Adrien Arnaud lui-même.
ARAGON, les Beaux Quartiers, I, VII.

PROFESSORAT

[pʀɔfesɔʀa] n. m. — 1685 ; dér. du lat. *professor.*

♦ État, situation de professeur (cit. 2). *Les fonctions* (cit. 3) *du professorat. Choisir le professorat.* ⇒ **Enseignement.** *Professorat et monitorat d'éducation physique.*

— Monsieur, s'écria Dargoult, je suis heureux de vous entendre parler ainsi, car j'aime avec passion le professorat. Je peux même dire que nous l'aimons, ma femme et moi, comme la carrière par excellence. G. DUHAMEL, Salavin, VI, I.

PROFIL

[pʀɔfil] n. m. — 1636, *peindre de profil ;* « contours, même vus de face », XVIIe ; ital. *profilo ; porfil, pourfil* « bordure », XIIe ; de l'anc. franç. *porfiler* « border ».

♦ **1.** Aspect d'un visage vu par un de ses côtés* ; visage* ainsi vu. ⇒ **Contour, ligne, linéament** (→ Douceur, cit. 22 ; nez, cit. 3). *Dessiner le profil de qqn, un profil. Lignes, traits d'un profil. Dur* (cit. 10) *et long profil. Beau, joli profil.* — Fam. *Le bon, le mauvais profil de qqn,* celui où il est à son avantage, à son désavantage. *Profil antique, grec* (→ Pince, cit. 2), *romain,* conforme aux canons de la plastique antique. *Profil régulier. Profil de camée* (cit. 3), *de médaille* (cit. 3). *Profil de déesse* (→ Menton, cit. 2). *Profil d'aigle* (→ Busqué, cit. 1), *profil moutonnier* (cit. 3). *Profil fuyant.*

1 (...) à son profil antique, à son nez aquilin, on reconnaissait un prince de la grande race des Bourbons (...) A. DE VIGNY, Cinq-Mars, VIII.

2 Sa figure semblait tout en profil, à cause du nez qui descendait très bas.
FLAUBERT, Bouvard et Pécuchet, I.

3 Je me couche, crevé de fatigue et si maigre qu'une dame journaliste déclare : « Sa figure est faite de ses deux profils réunis ». COCTEAU, la Belle et la Bête, p. 46.

Par ext. Visage représenté de côté. *Médaille portant le profil d'un roi. « Profil à la silhouette »* (Rousseau, *in* Littré).

Loc. (1833). *Profil perdu :* aspect, représentation d'un visage vu de côté et un peu en arrière (trois-quart arrière), cachant en partie les traits du profil normal. *Dessiner un visage en profil perdu.*

4 (...) la tempe, la pommette de sa joue et son menton, de forme antique, se montrèrent peu à peu, de façon à produire cet espèce de profil, appelé profil perdu, que les grands maîtres, et surtout Raphaël, affectionnent particulièrement (...)
Th. GAUTIER, les Jeunes-France, Celle-ci et celle-là, p. 104.

Fig., fam. Figure, portrait. *« Se faire casser le profil »* (→ Massacrer, cit. 5, Hugo).

♦ **2. DE PROFIL :** en étant vu (ou visible) par le côté, en parlant d'un visage, et, par ext., d'un corps, d'un personnage, d'un animal. ⇒ **Silhouette** (en). *Regarder* (→ Borgne, cit. 2), *voir, dessiner, peindre qqn de profil. Se faire photographier de profil ou de trois-quarts. De face, de profil, de dos...* (→ Glace, cit. 24 ; maigre, cit. 2). *Elle lui souriait de profil* (→ Étincelant, cit. 5).

♦ **3.** (XVIIe). Représentation, vue latérale, ou aspect (d'une chose dont les traits, le contour se détachent comme un profil). ⇒ **Silhouette.** *Le profil des maisons* (→ Carrément, cit. 1), *des branches* (→ 1. Détacher, cit. 12).

5 Les profils des dômes, les flèches des minarets et les boules de marbre des belvédères découpaient vigoureusement leurs dentelures, à travers les ténèbres, sur le bleu intense du ciel. LAUTRÉAMONT, les Chants de Maldoror, V.

Spécialt. Coupe perpendiculaire (d'un bâtiment). Syn. : *coupe**. — Section ou coupe (d'un membre d'architecture). *Profil d'une corniche, d'une moulure.* ⇒ **Section.**

Géol, géogr. Coupe géologique. *Profil d'un lit de rivière, d'un sol* (en pédologie); *profil isolé; profils parallèles, en série.* — *Profil en travers, transversal* (d'une vallée), *en long* (d'une rivière). *Profil d'équilibre,* stable par l'équilibre entre érosion et dépôts. — *Profil littoral.* — Trav. publ. *Profils d'une route*, d'une voie de chemin de fer...,* montrant les rampes (pentes), les paliers...

Techn. *Profil d'une aile d'avion, d'une pièce métallurgique... Dessiner un profil.*

5.1 (...) Rouletabille, qui traçait, dans son petit bureau, le profil d'un nouveau levier, en prenant soin d'établir les différences et mesures qui distinguaient ce levier d'un autre levier ancien modèle qu'il avait déposé sur une tablette devant lui (...)
G. LEROUX, Rouletabille chez Krupp, p. 192.

Contour d'une pièce. *Tailler, découper* suivant un profil. Profil chantourné*.* ⇒ **Galbe.** *Profil creux.*

6 (...) il achetait donc douze centimes de l'heure le droit de travailler à son aise, et de ne pas trop se tourmenter si un outil cassait, si le profil d'une pièce venait mal.
J. ROMAINS, les Hommes de bonne volonté, t. IX, III, p. 22.

Géom. *Plan de profil,* perpendiculaire à la fois au plan frontal et au plan horizontal (en géométrie descriptive). *Droite de profil,* située dans le plan de profil.

♦ **4.** Fig. *Profil psychologique :* courbe dont les éléments proviennent des résultats de tests, et donnent la « physionomie mentale » d'une personne. *Profil médical :* ensemble des caractéristiques psychiques, anatomiques et physiologiques établies sur la base de tests et de mensurations, en vue de déterminer l'aptitude d'un individu au service militaire. — (1967). Par ext. *Profil :* esquisse psychologique d'un individu, notamment quant aux aptitudes professionnelles. *Un profil de gestionnaire, de technicien. Correspondre au profil du candidat idéal à un poste. Il n'a pas le profil.*

Par ext. Ensemble de traits caractéristiques (d'une chose, d'une situation...). *Profil de carrière.*

Didact. *Profil écologique :* histogramme figurant les fréquences d'une espèce.

Loc. *Profil bas; profil haut :* programme d'action minimal, le plus faible; maximal.

♦ **5.** Techn. (Journal.). Portrait rapide.

7 Non. Ce que je veux, c'est savoir quel journal vous a envoyée.
— Aucun. Je suis venue de moi-même. J'ai pensé que je ferais un joli papier qui se vendrait facilement. Vous savez, ce qu'ils appellent un profil, dit-elle d'un ton professionnel.
S. DE BEAUVOIR, les Mandarins, p. 165.

DÉR. **Profiler.**

PROFILAGE [pʀɔfilaʒ] n. m. — XXe; de *profiler.*

Technique.

♦ **1.** Opération qui confère un profil déterminé à une pièce (⇒ **Profilé**).

♦ **2.** Le profil ainsi obtenu.

Spécialt. Forme de carrosserie présentant un maximum d'aérodynamisme*.

PROFILÉ [pʀɔfile] adj. et n. m. ⇒ **Profiler.**

PROFILER [pʀɔfile] v. tr. — 1615; « dessiner les contours de (un objet), quelle que soit la perspective », cf. Brunot, *Hist. de la langue franç.,* t. VI, p. 728; de *profil.*

♦ **1.** Techn. Représenter en profil, en coupe perpendiculaire. *Profiler un édifice. Profiler une corniche, une moulure.*

♦ **2.** (Sujet n. de chose). Faire voir avec netteté les contours de (qqch.). *La lumière du couchant profilait la cime des arbres.* ⇒ **Découper.**

0.1 Après deux longues heures de marche, ils arrivent devant la petite porte. Se couchant, la lune profile la maison inachevée.
R. QUENEAU, le Chiendent, p. 105.

(Le compl. désigne une partie, un aspect du sujet). *Les montagnes profilent leurs cimes.* ⇒ **Montrer.**

1 (...) trois temples superbes profilent, vus d'en bas, leurs grandes silhouettes de pierre sur le ciel bleu des pays chauds. MAUPASSANT, la Vie errante, La Sicile.

♦ **3.** Techn. Tracer et exécuter un profil (de moulure, d'un ouvrage de menuiserie, d'une pièce métallique, etc.). ⇒ **Profilé.** — Établir en projet ou en exécution le profil de (qqch.). *Profiler une carlingue, une aile, la carrosserie d'un nouveau modèle d'automobile.* ⇒ **Caréner.**

♦ **4.** V. intr. (1869). Se dit de deux pièces de profil déterminé qui se joignent parfaitement (par leurs profils accolés). *Moulures* qui profilent.*

▶ **SE PROFILER** v. pron.

♦ **1.** Techn. Avoir un profil déterminé. *Ornements d'architecture qui se profilent en saillie, en creux.* ⇒ **Moulure.**

♦ **2.** (1780). Cour. Se présenter de profil, se montrer en silhouette*, avec des contours précis. ⇒ **Découper** (se), **dessiner** (se), 1. **détacher** (se). *Ombres qui se profilent à l'horizon. Silhouettes qui se profilent en noir sur un écran.* ⇒ **Projeter** (se). → Ombre (cit. 40) chinoise. *Sur le couchant se profile la dentelure d'un vieux château...* (→ Hérisser, cit. 13).

(...) les tours de Notre-Dame se profilaient en noir sur le ciel bleu, mollement baigné à l'horizon dans des vapeurs grises. 2
FLAUBERT, l'Éducation sentimentale, II, II.

L'ombre d'un homme et d'un cheval au galop se profile sur le mur. 3
APOLLINAIRE, Ombre de mon amour, p. 71.

♦ **3.** (XXe). Par métaphore ou fig. Apparaître, commencer à exister. *Encore des ennuis qui se profilent à l'horizon!*

▶ **PROFILÉ, ÉE** p. p. adj. et n. m.

♦ **1.** Adj. (1875). Techn. Auquel on a donné un profil précis. *Aile profilée. Locomotive profilée. Acier profilé,* laminé suivant un profil déterminé.

♦ **2.** N. m. (XXe). Pièce fabriquée suivant un profil déterminé. *Profilés métalliques :* cornières, poutres, fer en T, en L..., rails, etc. *Presses à étirer, à cintrer les profilés.* « *Le châssis est constitué de profilés en acier B Martin avec traverses à faible écartement assemblées par soudure et platelage en tôle cannelés* » (*la Vie du rail,* 14 mai 1963, p. 20).

DÉR. **Profilage, profilé, profileur.**
COMP. **Profilographe.**

PROFILEUR [pʀɔfilœʀ] n. m. — 1875; de *profiler.*

♦ Techn. Instrument avec lequel on trace sur le papier le profil d'une route ou d'une voie de chemin de fer (⇒ **Profilographe**).

PROFILOGRAPHE [pʀɔfilɔgʀaf] n. m. — 1890, in *Année sc. et industr.* 1891, p. 621; du rad. de *profil,* et de *-graphe.*

♦ Techn. Appareil au moyen duquel on relève graphiquement les profils (⇒ **Profileur**).

PROFIT [pʀɔfi] n. m. — V. 1155; *prufit,* 1120; var. *proufit, pourfit* (XIIe-XIIIe); lat. *profectus,* de *proficere* « progresser ».

♦ **1.** Augmentation de l'avoir, des biens, ou amélioration d'état, de situation... qui résulte ou peut résulter d'une chose, d'une activité. ⇒ **Acquêt, avantage, bénéfice, bien,** 1. **fruit, gain.** *Profit matériel; intellectuel, moral.* ⇒ **Enrichissement.** *Profit pécuniaire* (→ Conscience, cit. 19; et aussi ci-dessous 2.). *Profit ou dommage* (→ Blâme, cit. 5); *profit ou préjudice. Part d'un profit.* ⇒ **Parti** (→ aussi Une part du gâteau*; et pied, taf [argot]). *Profit obtenu aux dépens de qqn, extorqué à qqn.* — *Recherche du profit.* ⇒ **Lucre.** *C'est un homme intéressé*, il ne cherche que son profit. Faire qqch. pour le profit, pour son profit et non pour le plaisir* (→ Hobereau, cit. 2). *Se donner du mal pour le profit d'autrui* (→ Tirer les marrons* du feu). — *Source de profit* (→ fig. et fam. Vache* à lait). — Loc. prov. *Plus de profit et moins d'honneur.*

(...) les hommes n'ayant guère à choisir qu'entre la sottise et la folie, où je ne vois point de profit je veux au moins du plaisir (...) 1
BEAUMARCHAIS, le Barbier de Séville, II, 5.

(...) il ne peut y avoir que profit dans une entente, que préjudice dans un conflit. 2
GIDE, Journal, 1918, Feuillets, II.

Il y a du profit, profit à (telle chose, faire telle chose). → Dissemblance, cit. 2. *C'est tout profit.* — *Avoir le profit de* (qqch.). → Nez, cit. 20. *Il en a tout le profit.*

Ah! ce n'est pas toujours profit que d'être un mauvais sujet! 3
BARBEY D'AUREVILLY, les Diaboliques, « Rideau cramoisi », p. 29.

Loc. (XVIe). **FAIRE (SON) PROFIT DE... (qqch.).** → Lopin, cit. 1. Utiliser, employer à son avantage. *Faire profit de... :* tirer un bénéfice. — (Au sens moral). *Faire profit d'une leçon* (cit. 2), *faire son profit d'une conversation, d'un exemple* (→ Expérience, cit. 28), *d'une nouvelle* (→ Ce n'est pas tombé dans l'oreille* d'un sourd). *Faites-en votre profit :* tirez-en les conséquences pour vous-même.

(...) François comprit enfin tout le malheur de son état, et, cette fois, il fit son profit de ce qu'il entendait avec plus de raison qu'on ne lui en eût jamais supposé. 4
G. SAND, François le Champi, III.

TIRER PROFIT DE (qqch.), en faire résulter qqch. de bon*, d'avantageux pour soi. ⇒ **Exploiter, profiter, utiliser; parti** (tirer), **valoir** (faire). → Escient, cit. 1 : hôpital, cit. 1; pauvre, cit. 14; pègre, cit. 2. (→ Faire ses choux* gras de..., trouver son compte* à...) *Tirer profit de sa beauté* (→ Faire métier* de...) *Tirer double profit d'une affaire* (→ Tirer d'un sac deux moutures*, faire d'une pierre* deux coups). *Tirer profit de la ruine de qqn* (⇒ **Opime :** dépouilles opimes), *du malheur d'autrui* (⇒ **Spéculer** [sur]), *du désordre* (→ Pêcher* en eau trouble). *Abandonner qqn après avoir tiré profit de son travail* (→ Presser l'orange et jeter l'écorce*). — (Sens moral). *Tirer profit d'une lecture, de ses études* (en faisant des progrès*).

Le bon maître tire profit des leçons qu'il donne. 5
G. DUHAMEL, les Plaisirs et les Jeux, VI, VI.

METTRE... À PROFIT : employer, utiliser de manière à tirer tous les avantages possibles. *Mettre à profit chaque instant, le temps qui reste.* — REM. *Tourner à profit* (→ Admettre, cit. 15) est littéraire.

6 Une nuit que chacun s'occupait au sommeil
Et mettait à profit l'absence du soleil (...) LA FONTAINE, Fables, VIII, 11.

7 (...) songe que dans ce monde nous n'avons jamais le bonheur parfait et mets à profit ta jeunesse, pour apprendre (...)
STENDHAL, Souvenirs d'égotisme, éd. Charpentier, p. 135.

Loc. (1534). Vx. *À profit de ménage :* d'une manière utile, avantageuse.

(XIIIe). AU PROFIT DE (qqn, qqch.) : de sorte que la chose en question profite à... (→ Avantage, cit. 30). *Les biens sont confisqués au profit des juges* (→ Inquisition, cit. 1). *Fête donnée au profit d'œuvres, au profit des orphelins...* ⇒ **Bénéfice** (au), **intention** (à l'). → Patronage, cit. 2. — Par ext. En agissant, en travaillant pour* le bien, l'intérêt de qqn. ⇒ **Faveur** (en). *Trahir qqn au profit de...* (→ Espionnage, cit. 4). — Fig. *Tourner au profit de...*, à l'avantage de... (→ Démocratie, cit. 5).

8 Te voilà noyé dans les quittances, les mémoires et toutes ces vilaines choses qui ne sont bonnes que quand on les fait à son profit.
SAINTE-BEUVE, Correspondance, 10, 14 sept. 1822.

(1690). Fam. Utilité; services que l'on peut tirer d'une chose (en compl. du v. *faire*). *Faire du profit, beaucoup de profit :* être d'un usage économique. ⇒ **Durer, servir.**

Dr. *Profit de défaut** (*supra* cit. 14).

♦ **2.** (V. 1360). Cour. (Au sing. ou au plur.). Gain, avantage pécuniaire que l'on retire d'une chose ou d'une activité. ⇒ **Gain; bénéfice, revenu.** *Profits d'un travail, d'un office, d'un emploi...* ⇒ **Salaire; casuel, émolument, prébende, traitement...** *Profits illicites* (→ Tour de bâton*). ⇒ aussi **Resquille, trafic.** *Faire de petits profits.* ⇒ **Gratte** (fam.), **pelote** (faire sa). — Loc. plais. *Il n'y a pas de petits profits :* les bénéfices même petits ont leur valeur. — *Profits tirés d'un capital, d'une terre.* ⇒ **Intérêt.** *Profits usuraires.* ⇒ **Usure.** *Profit éventuel d'une affaire.* ⇒ **Revenant-bon.** *Procurer un profit.* ⇒ **Produire.**

Comptab. Excédent des recettes sur les frais. *Profits et pertes**. Loc. *Passer qqch. par profits et pertes**. *Profit d'exploitation, profit brut, net...* ⇒ **Bénéfice.** — *Être à profit :* laisser un profit.

9 (...) la comptabilité seule établissait la situation, indiquait ceux des produits qui étaient à profit, ceux qui étaient à perte; en outre, elle donnait le prix de revient et par conséquent de vente. ZOLA, la Terre, II, v.

♦ **3.** [a] Au sing. LE PROFIT : ce que rapporte une activité économique, en plus du salaire du travail (rémunération du risque, revenu de l'exploitation, etc.). *Théories, définitions du profit. Selon Schumpeter, le profit est un excédent sur le coût. Profit global, social* (en économie collectiviste). *La loi du profit, base de l'entreprise privée. Recherche du profit. Source, origine du profit : le profit considéré comme* le salaire de l'entrepreneur (Adam Smith), la rémunération du travail de direction et l'intérêt du capital (Stuart Mill), une prime de risque... *Le profit, quantité de travail non payé, selon Marx* (→ Capitaliste, cit. 3). *Coopérative* (cit. 2) *qui a pour but d'abolir le profit.*

10 Le profit *(selon Marx)* est alors un revenu d'*exploitation*, plus précisément de « l'exploitation de l'homme par l'homme », revenu *non gagné* (...) de caractère institutionnel (...) Parmi les thèses apparentées à celles de l'*exploitation*, on mentionnera aussi celle du prélèvement de Charles Gide... *(pour Knight)* le profit rémunère l'*incertitude*, c'est-à-dire le risque *non assurable* que représentent les changements inhérents à la vie économique... *(pour Schumpeter)* le profit découle de la mise en œuvre de *nouvelles combinaisons de facteurs de production* (...)
P. DIETERLEN, *in* ROMEUF, Dict. des sciences économiques, art. *Profit.*

[b] *(Un, des profits). Profits individuels d'une entreprise, d'une société. Réaliser d'importants profits. Profits de structure, de croissance, de transfert* (obtenus au détriment de qqn). *Niveler les profits* (→ Égaliser, cit. 2).

♦ **4.** (1617). Au plur. Vx. Petites gratifications.

CONTR. Désavantage, dommage, perte, préjudice.
DÉR. Profiter, profiterole.
COMP. Surprofit.

PROFITABLE [pʀɔfitabl] adj. — 1155; de *profiter.*

♦ Qui apporte, donne du profit*, un avantage. ⇒ **Avantageux, bon, fructueux, payant, productif, salutaire, utile.** *Leçons* (cit. 6) *profitables* (→ Épreuve, cit. 35). *Lectures profitables. Une tactique profitable* (→ Gagner, cit. 37), *des recherches éminemment profitables* (→ Grandiloquence, cit. 2). ⇒ aussi **Pratique.**

1 La médecine est un art profitable (...) et souvent on en a fait un art d'empoisonner les hommes. MOLIÈRE, Tartuffe, Préface.

2 (...) il ne s'agit jamais pour eux de savoir si une action est légale ou immorale, mais si elle est profitable. BALZAC, les Paysans, Pl., t. VIII, p. 54.

Profitable à qqn. La leçon lui sera peut-être profitable. L'homme cultive (cit. 14) *les vices qui lui sont profitables.*

CONTR. Dommageable, infructueux, néfaste, funeste.
DÉR. Profitablement.

PROFITABLEMENT [pʀɔfitabləmɑ̃] adv. — 1266; de *profitable.*

♦ D'une manière profitable. — Vieilli. *Gérer profitablement une entreprise.* ⇒ **Fructueusement.**

Mod. *S'occuper profitablement au lieu de perdre son temps.* ⇒ **Utilement.**

PROFITANT, ANTE [pʀɔfitɑ̃, ɑ̃t] adj. — 1226; de *profiter.*

♦ Fam. Qui est d'un usage économique*, qui « fait du profit ». *Vêtement profitant. Placement profitant.* ⇒ **Avantageux, rentable.**

PROFITARD, ARDE [pʀɔfitaʀ, aʀd] n. — 1972; de *profiter.*

♦ Péj. Personne qui tire profit de tout. ⇒ **Profiteur.**

(...) la France dort, comme le Général; elle se fout de ces petits tricheurs, de ces petits profitards. G. CESBRON, Voici le temps des imposteurs, 1972, p. 311.

PROFITER [pʀɔfite] v. — V. 1170, tr. ind.; *prufiter,* v. intr., « réussir », v. 1120; de *profit.*

★ **I.** (Sujet n. de personne). **A.** V. tr. ind. PROFITER DE...

♦ **1.** (1307). Tirer profit, avantage de..., se servir de qqch. pour son bien (matériellement ou intellectuellement, moralement). ⇒ **Bénéficier.** *Il n'a pas profité de sa réussite, de sa victoire... Bien, mal profiter de qqch. Profiter d'une largesse* (→ Payer, cit. 20), *d'une libéralité,* la recevoir. *Profiter d'un avantage* (→ Critique, cit. 26), *d'une chance, d'un privilège,* être en mesure d'en tirer parti. ⇒ **Jouir** (de). *Profiter d'une situation, d'un état. Profiter de la situation :* utiliser abusivement un état de fait. *Pâtir ou profiter des événements* (→ Atteindre, cit. 9). *Profiter d'une circonstance** (→ Dévorer, cit. 20). *Profiter du moment pour...* ⇒ **Attraper, saisir** (l'occasion). → aussi Bombance, cit. 2. — *Profiter d'une occasion* (cit. 3 et 8), *de l'occasion**. *J'en profitais pour m'en aller.* — *Profiter des sentiments, des dispositions, du caractère de qqn...* (→ Alchimiste, cit. 2; crédule, cit. 2; facilité, cit. 20). « *L'iniquité* (cit. 5) *ne plaît qu'autant qu'on en profite.* » — *Profiter d'un bon conseil* (cit. 2). *Profiter d'une lecture, d'un livre* (→ Histoire, cit. 33). — *Profiter de la miséricorde du ciel* (→ Ici, cit. 23). — *Profiter de l'instant* (→ Grâce, cit. 17), *des derniers moments* (→ Museler, cit. 2). *Profiter de sa vie de garçon* (cit. 17). *Profiter de la vie, de sa jeunesse. Il faut savoir en profiter* (→ Ce n'est pas fait pour les chiens*).

(...) chacun s'efforce de prendre les hommes par leur faible, pour en tirer quelque profit. Les flatteurs (...) cherchent à profiter de l'amour que les hommes ont pour les louanges (...) MOLIÈRE, l'Amour médecin, III, 1. 1

Aussi bien ce n'est pas la première injustice 2
Dont la Grèce d'Achille a payé le service.
Hector en profita, Seigneur; et quelque jour
Son fils en pourrait bien profiter à son tour. RACINE, Andromaque, I, 2.

(...) ils chantent, rient, et, dans un joyeux chœur, s'excitent à profiter de la jeunesse qui s'envole et du temps qui ne revient plus. 3
Th. GAUTIER, Souvenirs de théâtre..., Beautés de l'Opéra, I.

La sagesse de Rome a consisté, comme toute sagesse, à profiter des circonstances favorables qu'elle rencontrait. FUSTEL DE COULANGES, la Cité antique, V, II. 4

Tu as vingt ans, lui dis-je, et tu n'en profites pas. Cours donc un peu le guilledou (...) M. JOUHANDEAU, Chaminadour, II, IV. 5

(Sujet n. de chose) :

Dans cette bouffée qui l'étourdissait après chaque geste (...) il perdait le contrôle même de son corps, et les tics, les mouvements nerveux en avaient profité pour l'envahir sans qu'il s'en doutât. 6
GIRAUDOUX, Juliette au pays des hommes, III, p. 87-88.

PROFITER DE (qqch.) POUR : prendre prétexte de, saisir l'occasion pour... « *Ne profitez pas de ce contretemps pour redevenir le plus ours des ours* » (cit. 9). *J'en profite pour m'éclipser.*

Profiter de ce que...

Il n'y a rien de trop beau pour vous. Pourquoi ne pas profiter de ce que vous êtes riches? La richesse, cela s'ajoute au bonheur. 7
HUGO, les Misérables, V, VIII, III.

Daniel profita de ce que la bavarde reprenait haleine pour lui demander si l'hiver elle habitait Paris. F. MAURIAC, le Fleuve de feu, p. 54. 8

Pop. (fautif). *Profiter que. Elle profita que nous demeurions loin pour...* (→ Maison, cit. 16, Céline).

PROFITER DE (qqn), tirer le maximum de lui. *Profiter d'un collaborateur, d'un associé.* — (Sens sexuel). *Profiter d'une femme.*

♦ **2.** Dr. Tirer un bénéfice, un profit. *L'usufruitier profite des parties du bois...* (→ Futaie, cit. 1).

B. V. intr. ♦ **1.** (1532). Fam. ou régional. Se développer, se fortifier, croître. *Cet enfant profite bien, a bien profité.* ⇒ **Grandir, grossir.** — *Les arbres fruitiers ne profitent pas, sur ce terrain* (→ aussi Autant, cit. 47, La Fontaine).

(...) il ne faut pas qu'elle s'en aille de la maison sans avoir un peu profité. 9
FRANCE, le Crime de S. Bonnard, VI, Œ., t. II, p. 442.

♦ **2.** (1606). Avoir un profit, une amélioration, un enrichissement intellectuel, moral (dans un domaine). *Étudier* (cit. 3) *et profiter.* — (Avec un compl.). *Profiter en sagesse, en science,* faire des progrès. ⇒ **Avancer.** « *Il y a plus à profiter dans douze vers d'Homère...* »

(Voltaire). *Bien profiter en sagesse et en vertu* (→ Étude, cit. 17, Rabelais).

♦ **3.** (Mil. XVIIe). Vx. Gagner un profit matériel, pécuniaire. *Profiter sur des marchandises. « Il profite à ce marché »* (Académie).

★ **II.** (Sujet n. de chose). **A.** V. tr. ind. **PROFITER À...**

♦ **1.** (V. 1170). Apporter du profit; constituer un profit pour... *Cette entreprise lui a beaucoup profité. L'alluvion* (cit. 2) *profite au propriétaire du terrain,* lui revient. *Chercher à qui profite le crime.*

10 L'association de cet homme et de ce loup profitait aux foires, aux fêtes de paroisse, aux coins de rues où les passants s'attroupent, et au besoin qu'éprouve partout le peuple d'écouter des sornettes et d'acheter de l'orviétan.
HUGO, l'Homme qui rit, I, I, I.

10.1 Celui qui possède, celui qui domine de façon absolue et sans contrepartie, a intérêt à voir augmenter constamment le domaine qui lui appartient et lui profite (...)
A. SAUVY, Croissance zéro?, p. 28.

♦ **2.** (Mil. XVIIe). Le sujet désigne un aliment. *Profiter à qqn :* être assimilable. *Tout ce qu'elle mange lui profite.*

11 Les gens de naturel peureux
Sont, disait-il, bien malheureux;
Ils ne sauraient manger morceau qui leur profite. LA FONTAINE, Fables, II, 14.

11.1 Bonnes faces tous les deux, la nourriture leur profitait bien, surtout en largeur, mais ni allure, ni manières. Du gros garçon gentil (...)
M. AYMÉ, la Vouivre, p. 25.

♦ **3.** Vieilli. Être utile (à). ⇒ **Servir.** *« De quoi m'ont profité mes inutiles soins? »* (→ Haïr, cit. 6, Racine).

12 Reste à jeter, monsieur Bertrand, un coup d'œil sur votre confrontation avec le docteur Gardane, dont vous nous donnez une version à votre manière, c'est-à-dire, bonne pour ce qui vous profite, et louche sur ce qui l'intéresse.
BEAUMARCHAIS, Mémoires... dans l'affaire Goëzman, p. 204.

B. V. intr. ♦ **1.** (V. 1213). Vx. Donner du profit. Loc. prov. *Bien mal acquis ne profite pas, ne profite jamais* (cf. Villon : *« Jamais mal acquît ne profite », Testaments,* CLVIII).

♦ **2.** (XVIIe), Fam. ou régional. Être d'un usage avantageux, économique (⇒ **Profitant**). *Un plat, un aliment, une étoffe qui profite.*

★ **III.** V. tr. (Sujet n. de personne). ♦ **1.** Vx (langue class.). Obtenir, recueillir à titre de profit. ⇒ **Gagner.** *« Vous pouvez profiter les bons exemples... »* (Guez de Balzac, *in* Littré).

♦ **2.** Vx (langue class.). Fournir, donner (qqch.) en tant que profit.

13 Seigneur, jusques ici votre sévérité
A fait beaucoup de bruit et n'a rien profité.
CORNEILLE, Cinna, variante, 4, *in* Lexique.

♦ **3.** Pop., fautif (s'emploie dans la langue commerciale). *Occasion à profiter, à profiter de suite.*

CONTR. Gâcher, laisser (laisser échapper, etc.), **négliger, perdre, rater. — Pâtir** (de).
DÉR. Profitable, profitant, profitard, profiteur.

PROFITEROLE [pRɔfitRɔl] n. f. — 1549; var. *-erolle, -erelle,* d'abord « petit profit, gratification » (1532, Rabelais), puis « pâte cuite sous la cendre »; de *profit,* et dimin. *-erole.*
Cuisine.

♦ **1.** Vx. Petit pain évidé et farci, cuit en potage.

♦ **2.** Mod. Chou rempli d'une préparation sucrée (crème, etc.) ou salée (purée, fromage...) et servant de garniture (à un gâteau, une pièce de boucherie, de gibier).

N. f. pl. (1935, Académie). Choux fourrés de glace à la vanille et nappés d'une sauce au chocolat chaude.

PROFITEUR, EUSE [pRɔfitœR, øz] n. — 1636; de *profiter.*

♦ Péj. Personne qui profite, tire des profits matériels de toutes choses (spécialt, en parlant des calamités, du travail d'autrui, d'un trafic malhonnête). ⇒ **Fricoteur, prébendier.** *Profiteurs de guerre. Le plus gros profiteur du béton armé* (→ Paquet, cit. 10). *Traiter les capitalistes de profiteurs.* ⇒ **Exploiteur.** *Quel profiteur!*

Les honnêtes mystiques du mouvement en jugent les profiteurs avec sévérité (...)
A. MAUROIS, Études littéraires, II, Martin du Gard, II.

Le fém. est rare.

PROFOND, ONDE [pRɔfɔ̃, ɔ̃d] adj. et n. — 1175, fém.; *parfont, parfunt,* 1080, *Chanson de Roland,* lat. *profundus,* rac. *fundus* « fond ».

★ **I.** Concret. **A.** ♦ **1.** Dont le fond* est très bas par rapport à l'orifice, aux bords. *Un trou profond* (⇒ **Grand,** → Plantation, cit. 1), *peu profond* (⇒ **Creux**), *pas profond. Bassin, puits profond. Fossés larges et profonds* (→ Flanc, cit. 12). *Gorge* (cit. 32 et 33), *crevasses, ornières* (cit. 1) *profondes. Cratère profond. Vallée profonde. — Un sac profond, une boîte profonde* (→ Pâtisserie, cit. 2). *Poches profondes* (→ ci-dessous Les profondes).
Profond de : qui a une profondeur de (tant).

C'était une étroite cuve naturelle, creusée par l'eau dans un sol glaiseux, profonde 1
d'environ deux pieds (...) HUGO, les Misérables, II, III, V.

Dont le fond est très loin de la surface, en parlant des eaux naturelles. *Flots* (cit. 7) *profonds, eaux profondes* (→ Couler, cit. 24; haut-fond, cit. 2), *mer profonde. Fleuve large et peu profond* (→ Guéable, cit. 2). *Plonger en un endroit profond,* où il y a du fond*. — Par ext. *Terres fortes et profondes* (→ Labourer, cit. 5).
Par comparaison :

Vous trouvez que je m'explique assez clairement *(dans les Éléments de la philo-* 2
sophie de Newton); je suis comme les petits ruisseaux; ils sont transparents parce qu'ils sont peu profonds (...) Je me donne bien de la peine pour en épargner à nos Français, qui, généralement parlant, voudraient apprendre sans étudier.
VOLTAIRE, Correspondance, 440, 20 juin 1737.

Racines profondes, qui descendent bas dans le sol. — Par métaphore (→ Étendue, cit. 5; libéralisme, cit. 1).

♦ **2.** (1553). Qui est loin au-dessous de la surface du sol ou de l'eau. ⇒ **Bas, inférieur.** *Les couches profondes du sol* (→ Fossile, cit. 1; houille, cit. 2). *Galerie, cave profonde. Cachot noir et profond* (→ Immonde, cit. 1).

Fuyons sous la spirale 3
De l'escalier profond! HUGO, les Orientales, XXVIII.

(...) nous descendîmes; nous fîmes quelques pas, et, descendant encore, nous arri- 4
vâmes à une crypte profonde (...)
BAUDELAIRE, Trad. E. POE, Nouvelles histoires extraordinaires, « Barrique d'Amontillado ».

La faune des eaux profondes, des grands fonds. ⇒ **Abysse, abyssal.**

Le géographe ne peut pas plus de désintéresser de l'état des couches profondes 5
dans les océans que de celui des couches élevées de l'atmosphère (...)
E. DE MARTONNE, Traité de géographie physique, t. I, p. 354.

Loc. *À l'endroit le plus profond de...,* et, ellipt, *au plus profond de... :* tout au fond de.

♦ **3.** (1377). Dont le fond est loin de l'orifice, des bords, dans quelque direction que ce soit (horizontale...). *Grottes* (cit. 1) *profondes. Profondes narines* (→ Face, cit. 2). *Alcôve profonde.* ⇒ **Enfoncé.** *Four, placard profond. Porche profond* (→ Enfoncement, cit. 4). — Dont la dimension perpendiculaire à la façade, ou à un observateur qui fait face, est grande. *Maison profonde. Pièces larges, profondes et hautes* (→ Enfilade, cit. 2). — Milit. *Colonne profonde,* dont les hommes sont disposés en nombreuses lignes derrière le front (→ Attaque, cit. 1). Par ext. *Ordre profond,* cette disposition, par oppos. à *ordre mince. — Forêt profonde,* dont le cœur est très éloigné de l'orée (→ 2. Dôme, cit. 5). — *Baie, rade profonde, estuaire profond,* où la mer pénètre très loin dans les terres.
(Sièges). Dont le bord est éloigné du dossier. *Fauteuil profond et confortable. Banquette d'automobile profonde.* — (En parlant d'un siège où l'on s'enfonce). *Profondes bergères* (cit. 2).

(...) Josette se laissa tomber à côté de lui dans un profond fauteuil (...) 6
S. DE BEAUVOIR, les Mandarins, p. 288.

Qui est intérieur, loin de la surface. *Muscles profonds. Lésion profonde. Couches profondes du derme.*
Très marqué, en parlant d'une trace, d'une empreinte, etc. *Profondes entailles, profondes fissures* (→ Exfolier, cit. 2). *Plaie, blessure, balafre* (cit.), *cicatrice* (cit. 3), *ride profonde* (→ Entassement, cit. 1). *L'empreinte profonde de ses pas.*

B. Par anal. ♦ **1.** (XVIIe). Qui évoque la profondeur. *Perspective profonde d'un tableau. Miroir profond* (→ Natal, cit. 1). — Poét. *Ciel profond,* sans fond (→ Étinceler, cit. 3; ou, cit. 11). — *Des yeux, un regard profond* (→ Fenêtre, cit. 7; lèvre, cit. 3; obscur, cit. 6). *Nuit profonde.* ⇒ **Épais, obscur** (→ Dérober, cit. 6). *« C'était pendant l'horreur* (cit. 33) *d'une profonde nuit »* (Racine). — (D'une couleur). Foncé et intense. *Couleur, nuance profonde* (→ Franger, cit. 5). *Noir* (→ Panthère, cit. 2), *brun* (→ Lichen, cit.), *bleu* (→ Gentiane, cit. 1), *vert* (→ 1. Mousse, cit. 3) *profond.*

Vois-tu briller là-bas cette profonde étoile? HUGO, les Feuilles d'automne, XII. 7

♦ **2.** (Du sommeil). Intense, d'où le dormeur ne semble pas devoir sortir facilement. *Tomber dans un profond sommeil. Sommeil, assoupissement* (cit. 2) *profond* (→ Bourdonnement, cit. 2). *Profond somme* (→ Ours, cit. 4).

C. (Impliquant un mouvement). ♦ **1.** Qui descend très bas ou pénètre très avant (mouvement, opération). *Labour profond* (→ Fouiller, cit. 3). *Forage, sondage profond. Pénétration, percée profonde. Affouillement* (cit.) *profond de la côte par la mer. — Profonde révérence, profond salut,* où l'on s'incline très bas.

♦ **2.** Qui va au fond ou vient du fond (des poumons). *Aspiration profonde. Soupir profond.* ⇒ **Gros** (→ Inintelligible, cit. 4).
(1532). Voix, sons. *Voix profonde.* ⇒ **Caverneux, grave, sépulcral** (→ Bramer, cit. 1; guttural, cit. 1). *Rire profond* (→ Fusée, cit. 7). *Sons profonds et son aigus* (→ Éteindre, cit. 34). *Notes profondes et passionnées* (→ Mélodique, cit. 2).

Tout à coup, le son monte : il y en a de profonds, il y en a d'aigus, il y en a qui 8
tintent, il y en a d'autres qui grondent.
R. ROLLAND, Jean-Christophe, L'aube, II, p. 58.

(...) cette voix grave et sereine, douce et profonde (...) 9
Ch. PÉGUY, la République..., p. 260.

★ **II.** (Abstrait). ♦ **1.** (1636). Qui va au fond des choses, en parlant de l'esprit et de ses activités. *Un esprit profond.* ⇒ **Pénétrant.** *Intelligence profonde* (→ Organisation, cit. 1). ⇒ aussi **Beau** (une belle intelligence). *Méditation profonde* (→ Besoin, cit. 77; force, cit. 62). *Examen profond* (→ Désintéressé, cit. 9). *Une profonde analyse de la situation. Le fruit de profondes réflexions* (→ Examen, cit. 4). *Connaissance profonde des sciences* (→ Différencier, cit. 6). *Science profonde* (→ Poing, cit. 2). *Les conseils les plus profonds de Molière* (→ 2. Farce, cit. 3). *On n'a rien écrit de plus profond sur ce sujet* (→ Lumineux, cit. 8). *Pensées, vues profondes* (→ Intérieur, cit. 15; lecture, cit. 7). *Un mot profond* (→ 1. Meule, cit. 1; place, cit. 26). *Banalités* (cit. 7) *qui semblent profondes mais qui sont creuses*. C'est trop profond pour moi.* ⇒ **Abstrait, abstrus, élevé, fort.**

10 La clarté orne les pensées profondes.
VAUVENARGUES, Réflexions et maximes, 4.

11 Lorsqu'une pensée s'offre à nous comme une profonde découverte, et que nous prenons la peine de la développer, nous trouvons souvent que c'est une vérité qui court les rues. VAUVENARGUES, Réflexions et maximes, 9.

12 (...) souvent on prend pour une politique profonde ce qui n'est que l'alternative de l'ambition et de la faiblesse. L'histoire attribue presque toujours aux individus comme aux gouvernements plus de combinaisons qu'ils n'en ont eu.
Mme DE STAËL, De l'Allemagne, I, VI.

13 Les enfants (...) sont bons pour les femmes malheureuses! Et le docteur Torty finit brusquement son histoire sur ce mot, qu'il croyait profond.
BARBEY D'AUREVILLY, les Diaboliques, «Bonheur dans le crime», p. 199.

(Personnes). Qui a des pensées, des vues profondes. *Écrivain profond* (→ Héritier, cit. 15). *Génies profonds* (→ Frivolité, cit. 3). *Un profond politique* (→ 1. Politique, cit. 24). *Cromwell, le plus profond des dictateurs* (cit. 4). *Paraître profond quand on n'est que vide et creux* (→ 2. Politique, cit. 5). *Être profond en pure perte* (cit. 16).

14 Le doux éclat d'une épaule assez pure n'est pas détestable à voir poindre entre deux pensées! (...) les messieurs sont ainsi, même profonds.
VALÉRY, Monsieur Teste, p. 43.

Vx. Qui possède à fond les qualités de son état. *Un profond scélérat* (→ Légalité, cit. 1). — Qui possède à fond les connaissances (d'une discipline).

♦ **2.** Intérieur, peu sensible, difficile à atteindre, à pénétrer. ⇒ **Impénétrable.** *La nature profonde et non apparente* (→ Foncièrement, cit.). ⇒ **Intime.** *« L'ordre profond du grand désordre naturel »* (cit. 2, Hugo). ⇒ **Mystérieux.** *L'être profond qui est le moi* (cit. 53). *Éléments profonds de l'homme* (→ Pénétration, cit. 2). ⇒ **Essentiel.** *L'âme* (cit. 43) *est ce qu'il y a de plus profond en nous-mêmes. Profonds instincts* (→ Pétrir, cit. 13), *instinct profond de l'homme* (→ Accord, cit. 17). *Vocation profonde* (→ Critère, cit. 6). *Le travail profond de la chair* (→ Excitation, cit. 3). — *La France profonde :* la partie de la population française qui représente la réalité la plus permanente de la culture (et qui s'exprime le moins en fonction de l'actualité, de la mode). — Psychol. Qui est inconscient ou caractériel. *Nos tendances profondes* (→ Eudémonisme, cit. 1). *Nature profonde d'un homme* (→ Freudien, cit.). *Conflit profond* (→ Obsessionnel, cit. 1). — *Causes profondes* (→ Machinisme, cit. 3). *Les raisons profondes d'un choix.* — *Mal, malaise profond* (→ Anévrisme, cit. 3; malade, cit. 8). *Sens profond d'une allégorie* (→ Musique, cit. 4), *de la langue* (→ Génie, cit. 17). *Signification profonde d'une époque* (→ Histoire, cit. 31), *de la personne* (cit. 16).

15 (...) elles aiment le courage aventureux, imprudent, pas du tout le courage tranquille et magnanime de Turenne ou du maréchal Davoust. Tout ce qui est profond n'est ni compris, ni admiré en France : Napoléon le savait bien; de là ses affectations, ses airs de comédie (...)
STENDHAL, Mémoires d'un touriste, t. I, p. 24.

16 Mais l'incohérence n'est pas le monopole des fous : toutes les idées essentielles d'un homme sain sont des constructions irrationnelles édifiées tant bien que mal pour expliquer ses sentiments profonds.
A. MAUROIS, les Silences du colonel Bramble, XIX.

Ling. *Structure profonde,* celle des suites produites par la partie syntagmatique (ou base) d'une grammaire générative, avant les transformations qui produisent, à partir de ces suites, les structures superficielles des phrases.

La psychologie profonde (ou *des profondeurs*), celle qui concerne l'inconscient. ⇒ **Psychanalyse.**

(Déb. XVIe). Sentiments. Cour. Intense et durable*. *Sentiments trop profonds qu'on n'exprime pas* (→ Délicatesse, cit. 18). *Sentiment plus profond que violent* (→ Disparate, cit. 4). *Le respect profond est intérieur* (→ Autorité, cit. 48). *Affections vives et profondes* (→ Poésie, cit. 17). *Amour profond, passion profonde. Vouer à qqn une haine profonde. Foi profonde* (→ Béer, cit. 13). ⇒ **Ardent, extatique...**

17 (...) il avait pour sa Sophie un amour contenu, immense, de ces passions profondes d'autant plus qu'elles sont tardives, plus profondes que la vie même, et qu'on ne peut pas sonder. MICHELET, Hist. de la Révolution franç., V, IV.

18 (...) personne ne pourra vous apporter un sentiment pareil au mien, aussi profond, aussi ancien, resté aussi vivace, en dépit de tout!
MARTIN DU GARD, les Thibault, t. VI, p. 162.

♦ **3.** (1559). Très grand*, extrême en son genre. ⇒ **Extrême, intense.** *Calme profond* (→ Annonciateur, cit. 6); *silence profond* (→ Approfondir, cit. 16). ⇒ **Absolu.** *Immobilité, paix profonde* (→ Attrait, cit. 12). *Transformation, modification, influence profonde* (→ Amener, cit. 20; douteux, cit. 2). *Différence profonde* (→ Distinction, cit. 14; litière, cit. 8). *Un profond sérieux* (→ Amateur, cit. 7). *Profonde ignorance* (→ Dogmatique, cit. 4), *ignorance profonde. Profonde erreur* (→ Inoffensif, cit. 4). *Un profond mépris. Un profond respect* (→ Fraternité, cit. 10). *Intérêt* (cit. 27) *profond.* ⇒ **Immense, puissant.** *Profonde indifférence.* ⇒ **Complet** (→ Ataraxie, cit. 1). *Profond ennui* (→ 1. Brouillard, cit. 13), *dégoût* (→ Avilir, cit. 27). *Tomber dans une mélancolie profonde.* ⇒ **Aigu** (→ Nostalgie, cit. 4). *Joie* (cit. 9), *volupté profonde* (→ Gâter, cit. 22). *Oubli profond* (→ Insister, cit. 2).

La marquise était douée d'une profonde indifférence pour tout ce qui n'était pas elle (...) BALZAC, l'Interdiction, Pl., t. III, p. 41. 19

Il est neuf, dit Camille avec un accent de tristesse profonde, comme elle eût dit : « Il est mort ». COLETTE, la Chatte, p. 197. 20

L'expression de ma profonde et hautement masculine admiration, Comtesse.
GIRAUDOUX, la Folle de Chaillot, II, p. 174. 21

Psychol. (Par métonymie). *Débile profond,* dont le quotient intellectuel (Q. I.) se situe entre 20 et 50. *Arriéré profond,* dont le Q. I. est inférieur à 20. ⇒ **Idiot.**

★ **III.** N. m. ♦ **1.** (1552). Vx ou régional. Partie la plus profonde. ⇒ **Profondeur**(s). *Le profond des eaux* (→ Pied, cit. 8). *Au profond de la mer* (→ Étonner, cit. 35), *de la terre* (→ Millésimer, cit.). ⇒ **Entrailles.** — Figuré :

C'était bien un bruit de pas qu'elle guettait, qu'elle entendait venir du profond de son être (...) F. MAURIAC, la Fin de la nuit, VI. 22

Régional. *Un profond :* un endroit profond dans un cours d'eau.

♦ **2.** (Fin XVe). Ce qui est profond. *Le clair n'exclut* (cit. 21) *pas le profond.*

★ **IV. PROFONDE,** n. f. ♦ **1.** (1790). Argot. Poche (d'un vêtement).

Thénardier reprit : — Finissons. Combien le pantre avait-il dans ses profondes? 23
HUGO, les Misérables, V, III, VIII.

Les uns pleuraient l'absence de leur montre et les autres celle de leur porte-monnaie et, tout pochetés qu'ils étaient, ils en arrivaient à supposer que la dispute des deux lascars était combinée pour laisser à un troisième complice le soin d'explorer les « profondes ». 23.1
L. FORTON, les Aventures des Pieds-Nickelés, *in* l'Épatant, 1909, p. 58.

Quelle poche! un gouffre qui commençait à la hanche et finissait aux chevilles. Ayant retenu un terme de troupier, il l'appelait sa « profonde », et c'était sa profonde, en effet! MAUPASSANT, Contes du jour et de la nuit, « Tombouctou ». 24

♦ **2.** Neige non tassée, dans laquelle on enfonce profondément. *Skier dans la profonde. « L'un des apprentis skieurs (...) perd son ski dans la profonde »* (*F Magazine,* févr. 1981, p. 54).

★ **V.** Adv. (1260). Profondément, bas. *Creuser très profond,* loin de la surface. *Il faut aller plus profond.*

Il a pesé sur le pieu du frein et il a cloué comme ça l'araire bien profond dans la terre. J. GIONO, Regain, II, IV. 25

CONTR. (De I., A., 1.) **Petit; supérieur. — Plat, superficiel. —** (De B.) **Léger** (sommeil). **— Aigu** (voix, son). — (De C.) **Superficiel.** — (De II., 1.) **Banal, plat, superficiel. — Apparent. — Accidentel, passager, superficiel. — Facile. — Borné, faible, médiocre.**
DÉR. Profondeur, profondément.
COMP. Approfondir.

PROFONDÉMENT [pʀɔfɔ̃demɑ̃] adv. — V. 1220, *profondement; de profond.*

D'une manière profonde.

★ **I.** (Concret). ♦ **1.** Loin de la surface, verticalement. *Creuser profondément la terre. Pénétrer profondément* (→ Effondrer, cit. 1). *Profondément enfoui, enseveli* (cit. 11). *Plonger profondément* (→ Fond, cit. 8). — Par métaphore. *Idée profondément ancrée, enracinée.*

♦ **2.** Loin de la surface, de l'orifice (dans quelque direction que ce soit). *L'eau avait profondément creusé la falaise* (cit. 3). *Le harpon* (cit.) *entrait profondément dans la chair.* ⇒ **Avant.** *Profondément échancré.* — Par métaphore. *Profondément marqué* (→ Oie, cit. 7), *gravé dans l'âme* (→ Injustice, cit. 7).

♦ **3.** Par anal. Littér. *Un ciel profondément noir* (⇒ **Profond,** I., B.). *Dormir profondément* (→ À poings* fermés; et aussi bercer, cit. 2).

♦ **4.** (⇒ **Profond,** C.). En se penchant très bas. *Saluer profondément,* en s'inclinant, en faisant la révérence. — Jusqu'au fond (des poumons). *Aspirer, respirer profondément* (→ Inhalation, cit.).

★ **II.** (Fin XIVe). Abstrait. (⇒ **Profond,** II.). ♦ **1.** En allant au fond des choses. *Réfléchir profondément* (→ Honneur, cit. 19). *« Comme dit Hegel si profondément... »* (→ Extériorité, cit. 2).

Vx. À fond*. *Il sait profondément le ménage* (cit. 1) *de la campagne.*

♦ **2.** D'une manière intérieure (→ Manie, cit. 7). *Être profondément convaincu de qqch.* ⇒ **Intimement.** *Vouloir, souhaiter profondément,* intérieurement. — De manière inconsciente. ⇒ **Inconsciemment.**

♦ **3.** De façon intense et durable. *Aimer profondément. Être pro-*

fondément attaché à... ⇒ **Vivement.** *Sentir profondément les injures* (→ Bilieux, cit. 3).

1 Plus on plaît généralement, moins on plaît profondément.
STENDHAL, De l'amour, Fragments divers, 43.

2 Obscur se fait nécessairement celui qui ressent très profondément les choses et qui se sent en union intime avec ces choses mêmes. Car la clarté cesse à quelques soudées de la surface. VALÉRY, Mauvaises pensées, p. 15.

♦ **4.** (⇒ **Profond,** II., 3.). ⇒ **Extrêmement, fortement.** *Se différencier* (cit. 5) *profondément. Profondément différent.* ⇒ **Bien, foncièrement.** *Troubler* (→ Apercevoir, cit. 12), *étonner, choquer profondément* qqn. *S'altérer* (cit. 9) *profondément. Être profondément vexé, navré* (cit. 4), *étonné* (→ Béer, cit. 14), *ému, touché... Le Français est profondément non conformiste.* → Antitotalitaire, cit.

CONTR. Peine (à), superficiellement. — Légèrement, peu.

PROFONDEUR [pʀɔfɔ̃dœʀ] n. f. — 1377 ; *parfondor,* fin XIIe ; 1377 ; de *profond.*

★ **I.** (Concret). **A.** ♦ **1.** Qualité, caractère de ce qui est profond (I., A.), qui s'étend vers le bas par rapport à l'orifice, aux bords. ⇒ **Hauteur** (vx). *Profondeur d'un abîme, d'un gouffre*, d'un précipice.* — Par métaphore. *Profondeur de l'abîme** (cit. 4 et 17). ⇒ **Centre.** *Profondeur d'un puits, d'un bassin* (→ Pencher, cit. 8, par métaphore). *Boîte, récipient qui manque de profondeur.*

1 (...) nous n'avons dû notre salut qu'à notre habileté comme cavalier (...) ainsi qu'à la profondeur du fossé qui s'est trouvé fort à propos sous les pas de l'ennemi (...)
A. JARRY, Ubu roi, IV, 4.

Spécialt. *Profondeur d'une mer, d'un océan* (→ Bas-fond, cit. 6). *Cours d'eau de faible profondeur. Manque de profondeur sur les hauts-fonds*.*

Endroit profond, très au-dessous de la surface de la terre, de l'eau. — (1553 ; le plus souvent au plur.). *Les profondeurs abandonnées de la mine* (→ Cristallisation, cit. 4). *Les profondeurs du métro* (→ Fourmi, cit. 10). — *Les plus grandes profondeurs où les plongeurs puissent descendre* (→ Brasse, cit. 2). ⇒ **Plongée.** *Les grandes profondeurs océaniques, des océans* (cit. 4). ⇒ **Abysse, fond, fosse... ; bathymétrie** (→ Géosynclinal, cit. ; large, cit. 22). *Les poissons des grandes profondeurs. La vie des profondeurs, des grandes profondeurs.*

2 C'était le moment de la splendeur matinale de Constantinople ; les palais et les mosquées, encore roses sous le soleil levant, se réfléchissaient dans les profondeurs tranquilles de la Corne d'or (...) LOTI, Aziyadé, III, LXVI.

3 Simon laissa le tenancier disparaître dans les profondeurs de sa cave (...)
Francis CARCO, les Belles Manières, p. 122.

Par ext. Lieu situé en contrebas. *Des profondeurs de l'orchestre...* (→ Fouiller, cit. 21).

Par métaphore. *Des profondeurs de la vie monte une féconde aspiration* (cit. 4). Littér. *Cri des profondeurs,* roman de G. Duhamel.

♦ **2.** Caractère de ce qui a le fond éloigné des bords, de l'orifice, de la surface (⇒ **Profond,** I., A., 3.). *La profondeur d'un bois, d'une forêt.* ⇒ **Épaisseur.** *Grotte sans profondeur. Profondeur d'un golfe. Profondeur d'une plaie.*

(Au plur.). Endroit situé loin des bords, de l'orifice, de la surface. *Les profondeurs d'une forêt* (→ Indice, cit. 2), *des champs* (→ Azurer, cit. 2). ⇒ **Fond, lointain.** *Les profondeurs du restaurant* (→ Commande, cit. 2). ⇒ **Intérieur.**

4 (...) les lourdes draperies qu'une main invisible attire des profondeurs de l'Orient (...) BAUDELAIRE, le Spleen de Paris, XXII.

♦ **3.** Dimension verticale* (d'un corps, d'un espace à trois dimensions) mesurée de haut en bas (⇒ **Hauteur**). *Longueur*, largeur* et profondeur de l'espace* (cit. 3). *Profondeur entre deux crêtes de vagues.* ⇒ **Creux.** *Profondeur d'une boîte.*

Distance au-dessous de la surface (du sol, de l'eau). *Une profondeur de X mètres.* — EN PROFONDEUR : à une grande distance au-dessous de la surface. *Creuser en profondeur.* — *À deux, à mille mètres de profondeur* (→ Atomique, cit. 1 ; fusion, cit. 1). *Endroit d'un lac où il y a dix mètres de profondeur.* ⇒ **Fond.** *Mesure de la profondeur des mers.* ⇒ **Sonde, sonder.** — Phys. *Le rapport de la profondeur réelle* à la profondeur apparente* d'un liquide est égal à l'indice de réfraction.*

5 Il y a une bombe dans le métro de la Puerta del Sol. Un trou de dix mètres de profondeur. MALRAUX, l'Espoir, II, II, VI.

Gouvernail, gouverne* de profondeur.*

Épaisseur verticale (→ Fange, cit. 2 ; fond, cit. 5). *Terre d'une profondeur de 50 pieds* (→ Humus, cit. 1).

Par métaphore. *À différentes profondeurs de notre vie* (→ 2. Couche, cit. 6).

♦ **4.** (1718). Dimension (horizontale) perpendiculaire à la face qui se présente de front, au plan de l'orifice. *Base, hauteur et profondeur d'un cube* (cit. 2). *Profondeur d'une maison,* dimension perpendiculaire à la façade. *Dans le sens de la profondeur. Profondeur d'un placard, d'une armoire, d'un tiroir. Profondeur d'un fauteuil* (cit. 1). — Cout. *Profondeur d'un pli.* — Milit. *Profondeur d'une formation de soldats. Front et profondeur d'un corps d'armée. Vingt hommes de profondeur.*

Loc. *Profondeur du champ** (*supra* cit. 5) *d'un instrument d'optique.* — *Profondeur de champ d'un objectif photographique, d'une caméra de cinéma* (dans les limites duquel les images sont nettes). ⇒ **Champ.** — (Cin.). *Utiliser la profondeur de champ pour filmer dans le même plan des sujets plus ou moins éloignés. Profondeur de champ et mouvements de caméra réduisant l'importance du montage.*

B. Par anal. (⇒ **Profond,** I., B.). (Peinture, arts graphiques). Suggestion d'un espace à trois dimensions sur un support qui n'en a que deux. *Profondeur rendue par la perspective, le trompe-l'œil, par les ombres des modelés, des volumes, par la couleur...* ⇒ **Perspective** (cit. 3) ; enfoncement. *Profondeur d'un paysage, d'une galerie* (cit. 1). — Par analogie :

La perspective est une convention en honneur dans les civilisations raffinées. Le petit homme *(un bébé)* vit dans un espace qui n'a que deux dimensions. Cet espace est large, long, mais sans profondeur : ce n'est guère qu'une surface. Toutes les choses se peignent sur un écran, l'œil sans agilité ne cherche guère au delà. 6
G. DUHAMEL, les Plaisirs et les Jeux, III, III.

(...) depuis ses Prophètes jusqu'à l'évêque de *Saint-François renonçant à ses biens,* c'est du volume qu'il tire son accent *(Giotto).* Sa relative profondeur n'est à aucun degré conquise sur la toile par une perspective ou des valeurs. Celle des peintres de Rome et du Nord sera obtenue en creusant la toile : celle de Giotto, en la bosselant. MALRAUX, les Voix du silence, p. 253. 7

Profondeur du ciel (→ Infini, cit. 26 ; œil, cit. 15). *Profondeur des yeux, du regard.* — *Profondeur d'une nuance, d'une couleur.*

L'œil dans leurs profondeurs découvre à chaque pas 8
Mille mondes nouveaux qu'il ne soupçonnait pas (...)
HUGO, les Feuilles d'automne, XII.

C. Caractère de ce qui s'enfonce (⇒ **Profond,** I., C.). *Profondeur d'un forage, d'un labour.*

★ **II.** (1553). Abstrait. ♦ **1.** Qualité de ce qui va au fond des choses, au delà des apparences. ⇒ **Profond,** II., 1. (→ Folie, cit. 5). *Esprit vif mais sans profondeur* (→ Analyser, cit. 1). *Profondeur des pensées*. Profondeur de vues. La profondeur des recherches imposées aux modernes* (→ Historien, cit. 3).

La profondeur est le terme de la réflexion. Quiconque a l'esprit véritablement profond doit avoir la force de fixer sa pensée fugitive, de la retenir sous ses yeux pour en considérer le fond, et de ramener à un point une longue chaîne d'idées (...) 9
VAUVENARGUES, Introd. à la connaissance de l'esprit humain, De la profondeur.

Personnes. ⇒ **Force, pénétration** (→ Face, cit. 16). *Imagination et profondeur de Malebranche* (→ Esprit, cit. 137). *Profondeur et verve ne sont pas incompatibles* (→ Intelligence, cit. 5).

(...) Laurence avait (...) ce pouvoir inexplicable qui impose toujours, même quand il n'est qu'apparent, car chez les sots le vide ressemble à la profondeur. Pour le vulgaire, la profondeur est incompréhensible. De là vient peut-être l'admiration du peuple pour tout ce qu'il ne comprend pas. 10
BALZAC, Une ténébreuse affaire, Pl., t. VII, p. 482.

(En parlant d'une œuvre). → Légèreté, cit. 13. *Beauté et profondeur d'un livre. Force et profondeur, en poésie, en peinture* (→ Facile, cit. 12). *Cette école, avec sa fausse profondeur* (→ Haut, cit. 67). *Art sans profondeur* (→ Étriquer, cit. 8).

♦ **2.** Caractère de ce qui est profond (II., 2.), difficile à atteindre, à pénétrer. — *La profondeur d'un secret, d'un mystère*.* ⇒ **Impénétrabilité.** « *La profondeur, l'inconnu* (cit. 31) *du caractère de Julien...* » — Au pluriel :

Les génies, dans les profondeurs inouïes de l'abstraction et de la spéculation pure, situés pour ainsi dire au-dessus des dogmes, proposent leurs idées à Dieu. 11
HUGO, les Misérables, I, I, XIV.

♦ **3.** Caractère de ce qui est durable, fort (de la vie intérieure). *La profondeur du sentiment* (→ Corriger, cit. 13 ; explosion, cit. 5), son caractère durable. *Sentiment qui gagne* (cit. 18) *en profondeur* (→ Imprégner, cit. 12).

♦ **4.** EN PROFONDEUR : en affectant la réalité d'une chose par-delà les apparences superficielles. *Modification en profondeur. Travail en profondeur. Agir en profondeur* (→ Aller au fond* des choses).

Oui, je conçois que l'œuvre d'art doive exprimer en profondeur le monde à une époque donnée (...) F. MAURIAC, *in* le Figaro littéraire, 24 juin 1961. 12

♦ **5.** (Au plur.). Partie la plus intérieure et la plus difficile à pénétrer. — *Les profondeurs intimes, secrètes de la personne, de l'être* (→ Évidence, cit. 6 ; moi, cit. 66). *Les profondeurs de son intelligence et de son cœur* (→ Jet, cit. 2). *Les profondeurs de la nature humaine* (→ Infécond, cit. 5). — *La psychologie des profondeurs, de l'inconscient :* la psychanalyse. *À de telles profondeurs* (→ Obscur, cit. 13). *Émotion surgie des profondeurs* (→ Dilater, cit. 6).

(...) je renfonçais ce souci dans les obscures profondeurs de mon âme ; je le noyais. 13
FRANCE, le Petit Pierre, XXXIV.

Profondeurs de la conscience 14
On vous explorera demain
Et qui sait quels êtres vivants
Seront tirés de ces abîmes
Avec des univers entiers APOLLINAIRE, Calligrammes, p. 20.

♦ **6.** Vx ou littér. Caractère extrême, intense. *La profondeur et l'étendue du désastre* (cit. 3). « *Quelle profondeur de scélératesse* » (Voltaire, *in* Littré).

15 La volupté même est douloureuse en sa profondeur (...)
MONTAIGNE, Essais, III, X.

CONTR. Superficie, surface. — Facilité, légèreté, verbalisme.

PRO FORMA [pʀɔfɔʀma] loc. adj. invar. — 1771, Trévoux; mots lat. «pour la forme».

♦ Comptab. *Facture* pro-forma : facture établie dans les règles, mais anticipée et n'entraînant aucune conséquence juridique pour le client. *La facture* pro forma *constitue pour le fournisseur un engagement de prix. Des factures* pro forma.

PROFORME [pʀɔfɔʀm] n. f. — V. 1970; de *pro-*, et *forme.*

♦ Ling. (Grammaire générative). Forme représentant une catégorie entière, abstraction faite des traits distinctifs de nature sémantique.

PROFUS, USE [pʀɔfy, yz] adj. — Mil. XVe; lat. *profusus,* de *fundere* «répandre».

♦ Littér. ou didact. Qui se répand en abondance, avec profusion. ⇒ **Abondant.** *Sueurs profuses. — Lumière profuse* (→ Été, cit. 3, Gide). ⇒ **Répandu.** — Figuré :

1 Salavin fit, de Lanoue, des louanges profuses.
G. DUHAMEL, Salavin, III, XXII.

2 La force de son génie profus rendant son identité problématique pour certains, qui s'étonnent qu'un pareil lot soit échu à un modeste acteur, n'en est-il pas arrivé, en étant cet incroyable Shakespeare, créateur de tant de figures fantastiquement vivantes, à faire douter de sa propre existence?
Michel LEIRIS, Frêle bruit, IV, p. 236.

DÉR. Profusément.

PROFUSÉMENT [pʀɔfyzemɑ̃] adv. — XVIe, *profusement;* de *profus,* et suff. d'adv.

♦ Littér. Avec profusion, en abondance. ⇒ **Abondamment.** *Transpirer, suer profusément. — Donner profusément,* généreusement.

1 Cette espèce de galerie était profusément éclairée par d'immenses châssis vitrés et garnis de ces grandes toiles vertes à l'aide desquelles les peintres disposent de la lumière.
BALZAC, la Vendetta, Pl., t. I, p. 865.

2 Il faisait une température orageuse, dès le matin, et Joseph commença de transpirer profusément.
G. DUHAMEL, Chronique des Pasquier, X, VIII.

CONTR. Parcimonieusement.

PROFUSION [pʀɔfyzjɔ̃] n. f. — 1495; lat. *profusio,* de *profundere* «répandre». → Foison, profus.

♦ **1.** Grande abondance* (de choses répandues, distribuées). *Une profusion de cadeaux, de dons, d'aumônes* (cit. 5). *Profusion de vins, de liqueurs, de nourriture..., dans un repas.*

Abondance, souvent excessive (d'ornements). ⇒ **Étalage, excès, surabondance...** *Une profusion de bijoux* (→ Anneau, cit. 6), *de candélabres* (cit. 2), *de colonnes* (cit. 3) *torses... Profusion confuse* (→ Enfilade, cit. 5). — *Profusion de fleurs, de plantes...* (⇒ **Pullulement**). *Profusion de couleurs, de lumières.* ⇒ **Débauche, luxe, orgie** (figuré).

1 Ses bottes à l'écuyère, ne s'élevant guère à plus de trois pouces au-dessus de la cheville du pied, étaient doublées d'une telle profusion de dentelles (...) qu'elles semblaient les porter comme un vase porte des fleurs.
A. DE VIGNY, Cinq-Mars, VIII.

2 C'était une vraie nuit d'Orient où le ciel bleu disparaissait sous la profusion des astres.
FLAUBERT, Correspondance, 254, 15 avr. 1850.

Fig. *Une profusion d'images, de figures de style* (→ Fertilité, cit. 4). *Une incroyable profusion de paroles.* ⇒ **Débordement.**

3 Et Saint-Potin se mit à parler. Il parla de tout le monde et du journal avec une profusion de détails surprenants.
MAUPASSANT, Bel-Ami, I, IV.

Au plur. (rare) :

4 Sa coiffure, formée de gazillons mouchetés d'or et tordus en turban, laissait échapper des profusions de nattes d'un noir de jais, qui faisaient ressortir ses joues avivées par le fard.
NERVAL, Voyage en Orient, Nuits du Ramazan, I, VII.

Loc. adv. **À PROFUSION** ou (plus rare) **EN PROFUSION :** en abondance. ⇒ **Abondamment, beaucoup.** *Avoir tout à profusion.* ⇒ **Foison** (à). *Donner à profusion,* sans compter. ⇒ **Combler** (de), **prodiguer**... *De la nourriture à profusion.* ⇒ **Discrétion** (à), **satiété** (à). *Jeter à profusion* (→ Étonnement, cit. 38, par métaphore). — *Plante qui fleurit à profusion* (→ Gerbe, cit. 5).

5 La nature lui avait donné en profusion les avantages nécessaires à ce rôle de Célimène.
BALZAC, le Bal de Sceaux, Pl., t. I, p. 83.

6 (...) le régisseur vit apporter une jatte de fraises, des abricots, des pêches, des cerises, des amandes, tous les fruits de la saison à profusion (...)
BALZAC, les Paysans, Pl., t. VIII, p. 214.

♦ **2.** Littér. Action ou habitude de répandre, sans retenue, les libéralités, de dépenser avec excès; largesse extrême. ⇒ **Prodigalité.** *L'abondance sans profusion* (→ Maison, cit. 17). *Donner avec profusion.*

7 La trop grande économie fait plus de dupes que la profusion.
VAUVENARGUES, Réflexions et maximes, 414.

(XVIIe). Vieilli. *Une, des profusions.* ⇒ **Libéralité** (→ Fin, cit. 13, Balzac).

CONTR. Dénuement, rareté. — Avarice, économie, parcimonie...

PROGÉNÈSE [pʀɔʒenɛz] n. f. — V. 1896, Giard, in *Année sc. et industr.* 1897, p. 435; de *pro-*, et *genèse.*

♦ **1.** Biol. Influence de facteurs héréditaires sur la génération humaine avant la fécondation de l'œuf (aussi *progenèse* [pʀɔʒənɛz; pʀɔʒenɛz]).

♦ **2.** Géol. Début de modification de l'écorce terrestre. *« Que la croûte des continents se déforme, c'est un fait que les géologues ont observé depuis longtemps. Mais quel est le rapport des grandes déformations observées (progenèses hercynienne ou alpine par exemple) avec les vastes mouvements de plaques? »* (*Sciences et Avenir,* févr. 1980, p. 61).

PROGÉNÉSIQUE [pʀɔʒenezik] adj. — XXe; *progénétique,* 1904, *Rev. gén. des sc.,* no 12, p. 605; de *progénèse.*

♦ Biol. Qui existe, se situe avant la fécondation.

PROGÉNITEUR [pʀɔʒenitœʀ] n. m. — Mil. XIVe; lat. *genitor* → Géniteur, de *gignere* «engendrer».

♦ Vx. ou littér. Aïeul, ancêtre. *Le progéniteur et sa progéniture*. Les progéniteurs :* les parents.

PROGÉNITURE [pʀɔʒenityʀ] n. f. — 1481; comp. sav. du lat. *genitura* (→ Géniture), d'après le lat. *progenies* «race, lignée», de *pro-*, et *gignere* «engendrer».

♦ Littér. Les êtres engendrés par un homme, un animal. ⇒ **Descendance, enfant, petit** (→ Disjoindre, cit. 3; eugénique, cit. 1). *Avoir une nombreuse progéniture. — La progéniture d'une chatte, d'une chienne.*

Fam., plais. *Promener sa progéniture.* ⇒ **Famille** (sa petite famille).

Les enfants se prirent par la main, se mirent en place, et commencèrent à exécuter les pas que le maître de danse de l'endroit leur avait appris. Les parents, d'autre part, commencèrent à se complimenter réciproquement, à trouver charmante cette petite fête, et à se faire remarquer les uns aux autres la gentillesse de leurs progénitures.
A. DE MUSSET, Contes, « Pierre et Camille » IV. 1

Rare (en parlant d'un seul être engendré) :

Elle contemple Monique non seulement comme sa progéniture, le fruit de sa chair, son enfant, mais encore comme un spécimen accompli de la jeune fille moderne (...)
G. DUHAMEL, Récits des temps de guerre, III, LI. 2

PROGESTATIF, IVE [pʀɔʒɛstatif, iv] adj. — Mil. XXe; comp. sav. de *pro-*, et lat. *gestare.* → Progestérone.

♦ **1.** Anat. *Corps progestatif,* synonyme de *corps jaune*.*

♦ **2.** Biol. Se dit des substances qui ont une activité semblable à celle de la progestérone*, et favorisent les processus de la grossesse. *Hormones progestatives,* sécrétées par le corps jaune et le placenta. — N. m. *Un progestatif. Progestatifs de synthèse.*

PROGESTÉRONE [pʀɔʒɛsteʀɔn] n. f. — XXe; de *pro-*, lat. *gestare,* et *(horm)one.*

♦ Biochim. Hormone sécrétée par le corps jaune (constitué au cours de chaque cycle ovarien ou pendant la grossesse), ainsi que par le placenta. ⇒ **Lutéine** (vx; cit.); progestatif. *La progestérone prépare la muqueuse utérine à l'implantation de l'œuf et assure le maintien de la grossesse.* (On dit aussi *progestine*).

PROGESTINE [pʀɔʒɛstin] n. f. ⇒ **Progestérone.**

PROGICIEL [pʀɔʒisjɛl] n. m. — 1978; de *prog(ramme),* et *log(iciel).*

♦ Inform. Ensemble de programmes informatiques conçus pour un type d'utilisation (syn. : *programme-produit*). *« Vous pouvez acheter des programmes tout faits (on dit un progiciel), ou réaliser (...) vos propres logiciels »* (*Sciences et Avenir,* no spécial 36, p. 15).

PROGLACIAIRE [pʀoglasjɛʀ] adj. — Mil. XXe; de *pro-*, et *glaciaire.*

♦ Géol. Creusé parallèlement au front d'un glacier. *Chenal proglaciaire.*

PROGLOTTIS [pʀɔglɔtis]. n. m. — 1843, Dujardin; lat. sav., du grec *pro-*, et *glôttis* «languette», à cause de sa forme.

♦ Zool. Anneau d'un ver cestode (ténia, etc.).

PROGNATHE [pʀɔgnat] adj. et n. m. — 1849, *in* Cottez, signalé par Nysten 1855; de *pro-*, et *-gnathe*, d'après l'angl. *prognathus*, 1836.

♦ **1.** Adj. Didact. Qui a les maxillaires proéminents, en parlant des êtres humains. *Races prognathes. Être prognathe :* avoir le menton saillant, en galoche.

1 La lune éclairait son visage légèrement prognathe, cette lèvre inférieure gonflée qui lui donnait un caractère avide, presque animal.
F. MAURIAC, la Pharisienne, VI.

2 l'autre (...) les cheveux gris coupés en brosse, le visage légèrement prognathe (...)
Claude SIMON, le Palace, p. 35.

♦ **2.** N. m. (1842). Zool. Coléoptère *(Staphylinidés)* des écorces.

DÉR. **Prognathisme.**

PROGNATHIE [pʀɔgnati] n. f. — XXe; de *pro-*, et *-gnathie.*

♦ Didact. (morphologie). Synonyme de *prognathisme**.

PROGNATHISME [pʀɔgnatism] n. m. — 1849, d'Orbigny, *in* D.D.L.; de *prognathe.*

♦ Didact. Qui a les maxillaires proéminents, en parlant des êtres humains. ⇒ **Prognathie.** *Un léger prognathisme; un prognathisme accentué.*

PROGNOSE [pʀɔgnoz] n. f. — 1669, Molière; grec *prognôsis* «prévision». → -gnose, -gnostique.

♦ Anc. méd. Chez Hippocrate et ses disciples, Étude de l'évolution et des symptômes des maladies (⇒ **Prognostique**). *La diagnose* (cit. 1) *ou la prognose* (Molière).

PROGNOSTIQUE [pʀɔgnɔstik] adj. — XVIe; grec *prognôstikos.* → Prognose.

♦ Anc. méd. Qui annonce, permet de prévoir une maladie*. *Signe prognostique.* ⇒ **Symptôme;** et aussi pronostic.

PROGRADATION [pʀogʀadɑsjɔ̃] n. f. — V. 1970; de *pro-*, et *gradation.*

♦ Océanographie. Progression frontale d'une accumulation littorale ou sous-marine.

PROGRAMMABLE [pʀɔgʀamabl] adj. — V. 1960; de *programmer.*
Didactique.

♦ **1.** Qui peut être soumis sous forme de programme* (4.) à un traitement informatique.

♦ **2.** Auquel on peut assigner un programme. *Calculateur, calculatrice programmable. Magnétoscope programmable.* «*Un réseau logique programmable*» (*la Recherche,* juin 1981, p. 761). *Microprocesseur programmable dans plusieurs langages.*

PROGRAMMATEUR, TRICE [pʀɔgʀamatœʀ, tʀis] n. — 1936; de *programmer,* d'après l'angl. *programmer,* nom.
Technique.

♦ **1.** Personne chargée de la programmation de spectacles (cinéma, radio, télévision).

♦ **2.** (V. 1960). Électron. Appareil dont les signaux de sortie commandent l'exécution d'un programme. *Le programmateur d'un ordinateur.* ⇒ **Programmeur.** — Adj. Qui élabore ou déclenche l'exécution d'un programme.

♦ **3.** (1966). Système qui commande le déroulement d'une série d'opérations simples. *Le programmateur d'une machine à laver, d'une cuisinière électrique.*

Il avait installé là un programmateur capable d'allumer plusieurs dizaines de lampes par intermittence.
René MASSON, Drugstore, 1971, p. 134.

PROGRAMMATHÈQUE [pʀɔgʀamatɛk] n. f. — 1980, *Journ. off.*, 7 déc.; de *programme,* d'après *bibliothèque.*

♦ Inform. Ensemble organisé de programmes informatiques accompagnés des documents permettant leur emploi.

PROGRAMMATION [pʀɔgʀamɑsjɔ̃] n. f. — 1924, *in* D.D.L.; attestation isolée, 1845; de *programme.*

♦ **1.** Établissement, organisation des programmes (cinéma, radio, télévision...). Distribution des copies d'un film aux salles de projection. — REM. Le mot ne se justifie qu'en langage de métier et lorsque *programme(s)* ne peut convenir. *Être chargé de la programmation.* ⇒ **Programmateur.** *Service de programmation d'une entreprise de spectacles.*

♦ **2.** Didact. Techn. Élaboration et codification de la suite d'opérations formant un programme (4.). *Programmation de calculs. Programmation d'une machine électronique, d'une calculatrice* (⇒ **Programmeur**). — *Langage de programmation* (Algol, Basic, Cobol, Fortran...). *Programmation dynamique, structurée.*

La programmation est, en fait, une activité fortement intellectuelle, où l'imagination et la rigueur logique trouvent une alliance féconde. On peut dire que le calcul numérique (...) prend maintenant une éclatante revanche (...) D'importants programmes n'ont pas pour objet de produire les résultats numériques d'un calcul, mais les *instructions d'un programme* permettant de résoudre un problème donné (...) C'est ce qu'on appelle «l'autoprogrammation», la machine elle-même produisant son programme.
R. CAYREL, Programmation pour calcul électronique, *in* Sciences, n° 6, p. 83.

Par anal. (Écon., polit.). *Programmation d'un financement* (⇒ **Plan**). — Biol. *Programmation génétique :* processus qui aboutit au programme génétique.

DÉR. **Programmateur.**

PROGRAMMATIQUE [pʀɔgʀamatik] adj. — 1970, *in* Gilbert; de *programme.*

♦ Didact. Qui a les caractères d'un programme; relatif à un programme. *Contrat, document programmatique.* «*On ne peut plus désormais opposer au gouvernement d'autre référence doctrinale ou programmatique que la charte*» (*le Nouvel Obs.*, 8 juin 1981, p. 32).

PROGRAMME [pʀɔgʀam] n. m. — 1677, rare av. le XIXe; grec *programma* «ce qui est écrit à l'avance». → -gramme.

♦ **1.** (D'abord en parlant des pièces jouées dans les collèges; cf. Richelet, 1680). Écrit (feuille, livret) annonçant et décrivant les diverses parties d'une cérémonie, d'une fête, d'un spectacle, etc., et leur déroulement. *Programme affiché* (⇒ **Affiche**), *distribué* (⇒ **Prospectus**), *publié dans un journal, un périodique* (⇒ aussi **Annonce**). *Programme d'une cérémonie officielle, d'un spectacle théâtral* (comprenant l'analyse de la pièce, la distribution...). *Morceau, pièce... du programme, hors programme. Programme radiophonique* (→ Méticuleusement, cit. 2), *de télévision. Établissement, service des programmes.*

Loc. *Demandez le programme!*

Le folklore, c'est ce qui reste quand on a tout oublié. Ça amusait qui? Comme s'il s'agissait de s'amuser (...) Il s'agit de quoi? Demandez programme (...) 0.1
Claude COURCHAY, La vie finira bien par commencer, p. 133.

Fig., fam. *Le programme des réjouissances,* le détail de ce qui est organisé, prévu (⇒ **Menu,** plais.).

Ce qui est annoncé, décrit par un programme. *Un beau programme, un programme intéressant. Combiner un programme de concert* (→ Graduer, cit. 2). *Changement de programme.* — Cin. Les films projetés en une séance (actualités, court métrage, grand film...). — Télév. ⇒ **Émission.** *Il y a de beaux programmes, ce soir.*

♦ **2.** Annonce des matières d'un cours, du sujet d'un concours, d'un prix...; ces matières elles-mêmes. *Publication du programme de l'agrégation, du C. A. P. E. S.* «*Le programme des prix de l'Académie*» (Académie 1798).

Si un professeur a pour devoir évident de ne pas sortir de son programme, il ne peut, dans l'intérieur de son programme, accepter de restrictions sans manquer à la première de ses obligations, qui est l'absolue sincérité. 1
RENAN, Questions contemporaines, Œ. compl., t. I, p. 148.

(XIXe). Ensemble des connaissances, des matières qui sont enseignées dans un cycle d'études ou qui forment les sujets d'un examen, d'un concours. *Programmes scolaires. Le programme de sixième, de première année de droit; du baccalauréat, d'une licence. Piocher son programme* (→ Examen, cit. 17). *Œuvres inscrites au programme* (→ Examinateur, cit. 2).

Le programme des cours, qu'il lut sur l'affiche, lui fit un effet d'étourdissement; cours d'anatomie, cours de pathologie, cours de physiologie, cours de pharmacie (...) 2
FLAUBERT, Mme Bovary, I, I.

(...) les examens avaient lieu en juillet, pendant les jours les plus torrides de l'année : comme si l'on avait l'intention arrêtée d'achever les malheureux, déjà écrasés par la préparation de programmes monstrueux, dont aucun de leurs juges ne sait la dixième partie. 3
R. ROLLAND, Jean-Christophe, Antoinette, p. 901.

♦ **3.** Suite d'actions que l'on se propose d'accomplir pour arriver à un résultat. ⇒ **Dessein, projet; calendrier; emploi** (du temps). *Programme d'existence* (→ Inculquer, cit. 5). *C'est tout un programme,* se dit d'une annonce, d'un titre qui suffit à faire prévoir la suite.

Une pièce à thèse, et le titre en était tout un programme : *Alsace.* 4
ARAGON, les Beaux Quartiers, II, V.

Loc. (Vx). *Mentir comme un programme :* faire des promesses* sans pouvoir les tenir.

S'il y a des jours où je mens comme un programme, il y en a d'autres où je ne peux pas être sérieux. 5
BALZAC, les Comédiens sans le savoir, Pl., t. VII, p. 55.

(1798). Exposé général des intentions, des projets politiques d'une personne, d'un groupe (parti, etc.). → Communiste, cit. 3; idéologie, cit. 5. *Programme électoral. Programme de réformes. Les résolutions* d'un programme. Programme à court, à long terme.* ⇒ **Objectif.** *Programme élargi. Programme commun* (→ Front, cit. 34, ⇒ aussi **Plate-forme**). *Le programme socialiste, communiste.* — *Loi-programme* ou *loi de programme,* qu'utilise le gouvernement à engager certaines dépenses échelonnant le règlement sur plusieurs exercices budgétaires. — Écon. *Programme et plan*.* ⇒ **Planification** (cit.). *Programme d'une entreprise* (⇒ **Planning**). *Programme de recherche. Programme-pilote.*

6 Éperdus de nouveautés, leur énergie se dépense à se tracer entre eux, en s'échauffant les uns les autres, des programmes qu'ils prennent pour des actes, et où il n'est jamais question que de refaire, — refaire le pays, refaire la société, refaire l'humanité.
Paul BOURGET, Un divorce, III.

Littér., arts. Ensemble de conditions à remplir dans l'exécution d'un travail. *Programme architectural,* proposé à l'architecte. *Programme fonctionnel. Programme d'avancement* (des travaux sur un chantier). — Mus. *Musique à programme* (ou descriptive), qui se propose d'illustrer un thème précis (poème symphonique...).

♦ **4.** (1895; v. 1960, en informatique; d'après l'angl. des États-Unis *program*). Didact. (Techn.). Ensemble ordonné (et formalisé) des opérations nécessaires et suffisantes pour obtenir un résultat; dispositif permettant à un mécanisme d'effectuer ces opérations. *Programme sur bande perforée, magnétique. Programme d'un calculateur, d'un ordinateur :* algorithme, ensemble séquentiel d'instructions, rédigées pour qu'un ordinateur puisse, à l'aide de ses informations mémorisées, résoudre un problème donné (⇒ **Programmer, programmeur**). *Programme d'assemblage,* qui assure le décodage d'un programme écrit en langage symbolique pour le transposer dans le langage de l'ordinateur. ⇒ aussi **Assembleur** (3.). — *Programme de contrôle ou de commande,* qui provoque l'enchaînement de plusieurs programmes indépendants et permet d'en surveiller le déroulement (syn. : *programme moniteur*). *Programme principal, et sous-programmes. Programme enregistré, mis en mémoire.* — *Programme de diagnostic ou de test,* destiné à repérer et à localiser les défauts du matériel. — *Programme de traduction* (d'un langage* à un autre). *Programme résultant, programme objet.*

Biol. *Programme génétique. « Le stock des chromosomes change à chaque création d'un individu au " programme génétique " strictement personnel »* (*Sciences et Avenir,* mars 1978).

Comm. *Programme d'action :* schéma détaillé précisant l'enchaînement des décisions et des opérations pour l'exécution d'un certain plan pour une période déterminée.

DÉR. Programmation, programmatique, programmer. — V. **Programmathèque.**
COMP. Sous-programme.

PROGRAMMER [pʀɔgʀame] v. tr. — 1917; de *programme,* d'après l'angl. *to program;* le mot a été vivement critiqué.

♦ **1.** Inclure dans un programme (cinéma, radio, télévision). *Programmer un film, une émission pour les enfants. Émission programmée à une heure de grande écoute, à une heure tardive.* — *Programmer qqn, un artiste.*

1 Je suis tranquille, pas un de mes lecteurs ne peut douter de mon sentiment à l'endroit du verbe *programmer.* Comme je n'ai pas l'habitude de mâcher les mots, je dirai simplement qu'il est grotesque.
A. HERMANT, Chronique de Lancelot du « Temps », t. II, p. 304.

2 Aucun cabaret ne m'engagera, sous prétexte qu'Alexandre ne voudrait plus le programmer.
Nicole LOUVIER, les Marchands, p. 163.

♦ **2.** (V. 1960). Assigner un programme à (un ordinateur, un programmateur*, 3.). *Programmer un magnétoscope,* le régler pour un enregistrement automatique ultérieur. — Absolt. Élaborer un programme.

♦ **3.** Prévoir et organiser. *Programmer l'éducation de ses enfants, ses vacances, son temps.*

▶ **PROGRAMMÉ, ÉE** p. p. adj.

♦ **1.** *Enseignement programmé,* où l'intervention directe du professeur est remplacée par un programme, dont le déroulement est assuré par l'élève.

♦ **2.** Inform. Commandé par un programme* (4.) et non par un opérateur *(câblé).*

Fig. (Organismes vivants). Organisé pour une activité, un comportement, etc. (par le « programme » génétique).

♦ **3.** Muni d'un programmateur* (3.). *Machine à laver programmée.*

DÉR. Programmable.

PROGRAMMERIE [pʀɔgʀamʀi] n. f. — V. 1970; de *programme,* d'après l'angl. *programme, programmer.*

♦ Didact. Ensemble des programmes et procédés relatifs au traitement automatique de l'information. ⇒ **Logiciel.**

PROGRAMMEUR, EUSE [pʀɔgʀamœʀ, øz] n. — V. 1960; de *programme.*

♦ Spécialiste qui établit le programme (4.) d'un calculateur électronique, d'un ordinateur. *Analyste-programmeur.*

Ils ont préféré (...) un jeune programmeur qui travaille avec Jeannet, qui comme lui manie l'*assembleur* ou le *cobol* (...)
Hervé BAZIN, Cri de la chouette, p. 192.

COMP. Analyste-programmeur.

PROGRÈS [pʀɔgʀɛ] n. m. — 1532, « développement »; lat. *progressus* « action d'avancer », du v., de *pro-,* et *gradi* « marcher, s'avancer » *(progredi).*

♦ **1.** Vx. Mouvement en avant; action d'avancer. ⇒ **Avancement, marche.** *« Le progrès journalier du soleil »* (Académie 1694).

Mod. Avance (d'une troupe, d'une armée). — REM. Ne s'emploie guère qu'au pluriel dans ce sens. ⇒ **Progresser, progression.**

(...) la grande carte de Russie qu'il a épinglée sur un mur de sa chambre et sur laquelle il marque, avec de petits drapeaux, les admirables progrès des Russes. 1
GIDE, Journal, 7 févr. 1943.

Par métaphore, vx. Dans le langage galant. (→ Arme, cit. 34, Molière; galant, cit. 14, Molière; et aussi ci-dessous, 4.).

Le fait de se répandre, de s'étendre (dans l'espace). ⇒ **Gagner** (du terrain), **propagation.** *Les progrès de l'incendie, de l'inondation, d'une épidémie.* — Par métaphore. *Les progrès de la contagion* (→ Foyer, cit. 22).

♦ **2.** Littér. Développement*, progression dans le temps. ⇒ **Évolution** (→ Immanquable, cit. 1). *Le progrès de l'âge* (→ Figure, cit. 14). *Un progrès inévitable que la mort seule pouvait arrêter* (→ Dépérissement, cit. 1). *Le progrès de l'éducation d'un enfant* (→ Maintenir, cit. 9, Rousseau), son cours. ⇒ **Procès, processus.**

L'amour veut faire tout son progrès lui-même; il n'aime point que l'amitié lui épargne la moitié du chemin. ROUSSEAU, Julie ou la Nouvelle Héloïse, VI, II. 2

Considérée dans le temps, elle *(la vie)* est le progrès continu d'un être qui vieillit sans cesse : c'est dire qu'elle ne revient jamais en arrière, et ne se répète jamais. 3
H. BERGSON, le Rire, II.

Philos. *Progrès à l'infini,* par lequel l'esprit passe nécessairement d'un terme à un terme nouveau, *ad infinitum* (Cf. Molière, *la Comtesse d'Escarbagnas,* 4).

♦ **3.** (1564). Cour. [a] (Qualifié). Changement d'état qui consiste en un accroissement (le plus souvent régulier, graduel) d'action, de force, d'intensité ou d'importance, en un passage à un degré supérieur. ⇒ **Augmentation, développement** (→ aussi De plus* en plus). *Les progrès de l'étatisme* (→ Inquiétant, cit. 2), *de la laïcité* (cit. 1). *Progrès d'un sentiment, d'une pensée.* ⇒ **Approfondissement.** *Faire des progrès.* ⇒ **Progresser.**

La marquise lui faisait remarquer le progrès de ses sentiments, et lui en familiarisait le terme, sous prétexte de lui en inspirer de l'effroi. 4
DIDEROT, Jacques le fataliste, Pl., p. 621.

[b] (Non qualifié). Développement en mal. ⇒ **Aggravation.** *Le progrès du mal, les progrès de la maladie* (→ Enterrer, cit. 15; graphique, cit. 3). *Le progrès d'un abcès.* ⇒ **Maturation.**

(Plus cour.). Développement en bien. ⇒ **Amélioration, amendement** (vx), **avancement, développement, essor, perfectionnement.** *Faire un progrès, des progrès.* ⇒ **Avancer, progresser.** — *Le progrès de la matière vivante consiste dans...* (→ Différenciation, cit. 1). ⇒ **Évolution** (→ aussi Différencier, cit. 8). *L'apparition de la pensée* (cit. 13) *a marqué un nouveau et prodigieux progrès de la vie.* — *Les progrès de l'homme, de l'espèce humaine.* ⇒ **Ascension, cheminement** (→ Homme, cit. 29; luxe, cit. 3). *Le progrès, les progrès de l'esprit humain* (→ Accroissement, cit. 2; américanisme, cit., Renan; histoire, cit. 5, Voltaire; 1. moule, cit. 4). *Esquisse d'un tableau historique des progrès de l'esprit humain,* de Condorcet (1794). — *Le progrès des institutions libres* (→ Grandeur, cit. 9). — *Progrès résultant d'une évolution, de réformes*, d'une révolution... Le progrès de la culture, des lumières** (*infra* cit. 33). *Progrès d'ordre culturel* (cit. 1). *Le progrès des lettres* (→ 1. Or, cit. 31), *des sciences* (→ Conjuration, cit. 7; intuitif, cit. 3; invention, cit. 5; matérialisme, cit. 2). *Le progrès des sciences et des arts* (→ Mœurs, cit. 3, Rousseau). *Le progrès de la mécanique* (cit. 6). *Progrès qui reprend, dans un domaine.* ⇒ **Renaissance, résurrection** (fig.). — *Progrès social. Théorie générale du progrès économique,* de F. Perroux. *Progrès technique* (par introduction de nouvelles techniques, accroissement de la productivité...).

De là vient que, par une prérogative particulière, non seulement chacun des hommes s'avance de jour en jour dans les sciences, mais que tous les hommes ensemble y font un continuel progrès à mesure que l'univers vieillit (...) 5
PASCAL, Fragments, Traité du vide, p. 80.

(...) il n'y a point de vrai progrès de raison dans l'espèce humaine, parce que tout ce qu'on gagne d'un côté on le perd de l'autre (...) ROUSSEAU, Émile, IV. 6

Je ne partage point la croyance à un progrès indéfini, quant aux Sociétés; je crois aux progrès de l'homme sur lui-même. BALZAC, Avant-propos, Pl., t. I, p. 12. 7

Tout progrès effectif, dans le domaine de la connaissance comme dans celui de l'action, a exigé l'effort persévérant d'un ou de plusieurs hommes supérieurs. Ce fut chaque fois une création, que la nature avait sans doute rendue possible en nous octroyant une intelligence dont la forme dépasse la matière, mais qui allait pour ainsi dire au delà de ce que la nature avait voulu. 8
H. BERGSON, les Deux Sources de la morale et de la religion, p. 179.

♦ **4.** (1757; parfois avec un P majuscule). *Le progrès, le Progrès :* l'évolution de l'humanité, de la civilisation (vers un terme idéal) → Bienfait, cit. 15, Valéry; marcher, cit. 38, Hugo. *« L'ordre* (cit. 29) *pour base et le progrès pour but »* (Comte). *Progrès et civilisation** (→ Effronté, cit. 8). — *Croire au progrès* (→ Inébranlable, cit. 10), *nier le progrès. Le culte du progrès, au XIXᵉ siècle* (surtout en parlant du progrès scientifique et technique. → Miracle, cit. 8, Baudelaire). *Partisan* (cit. 1) *du progrès* (→ Morcellement, cit. 1). *Homme de progrès.* ⇒ **Progressiste** (→ Départ, cit. 6; gouverner, cit. 30). *Incarner* (cit. 6) *le progrès. Refuser le progrès.* ⇒ **Immobilisme.** — *Périodes* (cit. 3), *phases de progrès et de régression. Pays à l'écart du progrès.* ⇒ **Arriéré, attardé** (→ aussi Oublier, cit. 10). — *Le progrès, en politique. Se réclamer du progrès. Parti du progrès.* ⇒ **Mouvement; progressiste.**

9 Le Progrès, un de ces mots derrière lesquels on essayait alors de grouper beaucoup plus d'ambitions menteuses que d'idées (...)
BALZAC, le Député d'Arcis, Pl., t. VII, p. 659.

10 Le progrès est le mode de l'homme. La vie générale du genre humain s'appelle le Progrès; le pas collectif du genre humain s'appelle le Progrès. Le progrès marche (...) HUGO, les Misérables, V, I, XX.

11 Si une nation entend aujourd'hui la question morale dans un sens plus délicat qu'on ne l'entendait dans le siècle précédent, il y a progrès; cela est clair... Si les denrées sont aujourd'hui de meilleure qualité et à meilleur marché qu'elles n'étaient hier, c'est dans l'ordre matériel un progrès incontestable. Mais où est, je vous prie, la garantie du progrès pour le lendemain? Car les disciples des philosophes de la vapeur et des allumettes chimiques l'entendent ainsi : le progrès ne leur apparaît que sous la forme d'une série indéfinie.
BAUDELAIRE, Curiosités esthétiques, V, I.

12 Je me suis essayé autrefois à me faire une idée positive de ce que l'on nomme *progrès*. Éliminant donc toute considération d'ordre moral, politique, esthétique, le progrès me parut se réduire à l'accroissement très rapide et très sensible de la *puissance* (mécanique) utilisable par les hommes, et à celui de la *précision* qu'ils peuvent atteindre dans leurs prévisions.
VALÉRY, Regards sur le monde actuel, Sur le progrès, p. 172.

13 (...) la notion classique de progrès (...) suppose une ascension qui rapproche indéfiniment d'un terme idéal. SARTRE, Situations III, p. 53.

Loc. fam. (souvent iron.). *On n'arrête pas le progrès !* (pour commenter une innovation, un objet nouveau, une pratique nouvelle...).

♦ **5.** Spécialt (d'une personne, d'une entreprise...). Amélioration, changement en mieux par lequel on approche d'un but, d'un résultat*. [a] Rare. *Le progrès* (de qqn). Loc. cour. (1651). EN PROGRÈS. *Il, elle est en progrès.*

14 *(Bouilhet),* est en progrès évident. Jamais il n'a été si crâne de forme, ni si élevé d'idées. FLAUBERT, Correspondance, 396, 2 juin 1853.

Fam. *Il y a du progrès :* cela va mieux.

[b] *(Un, des progrès). Qui ne fait aucun progrès.* ⇒ **Stagnant, stationnaire.** *Le progrès des travaux.* ⇒ **Avancement.** *Un grand progrès, un progrès sensible* vers...* ⇒ **Pas.**

Spécialt. *Faire des progrès dans une connaissance* (→ Exprimer, cit. 41; 1. pair, cit. 15). *Les progrès d'un élève* (→ Contention, cit. 4; négliger, cit. 8).

15 Ses progrès en musique ont été surprenants; maintenant elle tient l'orgue de la chapelle chaque dimanche (...) GIDE, la Symphonie pastorale, II, 10 mai.

Fam. *Faire des progrès à l'envers :* régresser dans le savoir, les connaissances, la compétence.

CONTR. Arrêt, immobilité. — Recul, régression, rétrogradation. — Abrutissement, barbarie, corruption, décadence.
DÉR. Progresser.

PROGRESSER [pʀɔgʀese] v. intr. — 1834; de *progrès.*

Faire des progrès, être en progrès.

♦ **1.** Se développer, évoluer, s'étendre par un progrès (2., 3.). — (Choses). ⇒ **Développer** (se). *Idée qui progresse.* ⇒ **Cheminer, marcher** (→ Faire du chemin*; et aussi force, cit. 32; passage, cit. 11). *Le mal progresse.* ⇒ **Aggraver** (s'); **empirer.** *La vénalité progresse* (→ Contamination, cit.). — (Personnes). *Progresser régulièrement, par degrés, par paliers*. Progresser vite, à grands pas** (→ Aller loin*). *Progresser dans l'échelle sociale.* ⇒ **Monter.**

1 Le siècle *progresse!* Quel joli mot qui rime avec *graisse!...* Demandez-lui *(à M. Magnin)* pourquoi il invente *progresse.*
STENDHAL, Lettre du 21 déc. 1834, cité par NYROP.

(Personnes). Faire des progrès. ⇒ **Améliorer** (s'). *« Cet enfant a beaucoup progressé depuis l'année dernière »* (Académie). *Affaire qui progresse.*

2 Si (...) un de mes principaux projets est de *progresser,* c'est-à-dire d'être toujours et coûte que coûte *plus avancé* dans une certaine voie que je ne l'étais la veille (...)
SARTRE, l'Être et le Néant, p. 585.

♦ **2.** (1914). Milit. Avancer, gagner* du terrain. *L'ennemi progresse* (→ 1. Exode, cit. 5). — Par ext. Avancer, se mouvoir (avec une idée de difficulté, de résistance, ou encore de régularité. → Progressif). *Camion qui progresse avec difficulté* (→ Embouteiller, cit.). *Navire, voilier qui progresse, cingle* vers...* ⇒ **Aller.**

3 Pour que la loi du progrès existât, il faudrait que chacun voulût la créer, c'est-à-dire que, quand tous les individus s'appliqueront à progresser, alors (...) l'humanité sera en progrès.
BAUDELAIRE, Journaux intimes, Mon cœur mis à nu, LXXXV.

4 Le visiteur risqua deux ou trois pas. Il progressait un peu de biais, comme les chiens de chasse, l'épaule gauche en avant, la tête inclinée, la jambe droite en retard sur l'autre. G. DUHAMEL, Salavin, V, I.

CONTR. Arrêter (s'), attarder (s'), décliner, décroître, interrompre, piétiner, reculer, rétrograder. — Déchoir.

PROGRESSIF, IVE [pʀɔgʀesif, iv] adj. — 1372; dér. du lat. *progressus.*

♦ **1.** Vx. Qui avance, porte à avancer, à mouvoir. *Vertu, faculté progressive.* — *Mouvement progressif* (XVIIᵉ) : le fait de se déplacer, en parlant d'un organisme animal (→ Étendue, cit. 3). — *Marche* progressive,* en avant.

À la fois si collé au sol, si touchant et si lent, si progressif et si capable de me décoller du sol pour rentrer en moi-même *(l'escargot parle).* 0.1
Francis PONGE, le Parti pris des choses, p. 52.

Fig. Qui marche en avant (opposé à *régressif*). — Log. *Sortie progressive.* Ling. *Séquence progressive,* dans laquelle les termes de l'énoncé sont ordonnés par « détermination croissante » (Bally).

♦ **2.** Mod., littér. Qui s'accroît, se développe, progresse. ⇒ **Progrès.** *Une joie progressive* (→ État, cit. 17). *Le Droit* (→ 3. Droit, cit. 52) *naturel est essentiellement variable et progressif.*

S'il est impossible d'admettre un Dieu progressif, ne sachant pas de toute éternité le résultat de sa création, Dieu stationnaire existe-t-il? 1
BALZAC, Séraphîta, Pl., t. X, p. 540.

♦ **3.** (1797). Vx. Qui fait des progrès (3. ou 5.), représente un progrès, participe du progrès (4.). ⇒ **Progressiste.** *Mouvement progressif, ascensionnel*. « Notre époque, essentiellement progressive (...) »* (Balzac, *l'Illustre Gaudissart,* t. IV, p. 33). — Par métonymie. (Personnes, institutions). Vieilli. Partisan du progrès, du mouvement. *Journal progressif* (→ Indigeste, cit. 2). *Parti* (cit. 35) *« républicain progressif ».* ⇒ **Progressiste.**

Les gouvernements absolus, qui établissent des télégraphes, des chemins de fer, des bateaux à vapeurs, et qui veulent en même temps retenir les esprits au niveau des dogmes politiques du quatorzième siècle, sont inconséquents; à la fois progressifs et rétrogrades, ils se perdent dans la confusion résultante d'une théorie et d'une pratique contradictoires. 2
CHATEAUBRIAND, Mémoires d'outre-tombe, t. VI, p. 147.

♦ **4.** (1839). Qui suit une progression, un mouvement par degré. *Impôt progressif* (→ Dégressif, cit.), *à taux progressif. Surtaxe progressive* (⇒ **Impôt**). *Frais progressifs.*

Cour. Qui s'effectue d'une manière régulière et continue, en parlant d'un mouvement « progressif » ou régressif. ⇒ **Graduel.** *Développement* (cit. 1) *progressif. Rapprochement progressif de deux pays* (→ Diplomatiquement, cit. 2). *Modification progressive d'un esprit* (→ Influence, cit. 12). *Problèmes de difficulté progressive.* ⇒ **Gradué.** — *L'augmentation progressive de l'éloignement* (→ 1. Pas, cit. 11). — Méd. *Paralysie* générale progressive.*

Les amnésies *progressives* sont celles qui, par un travail de dissolution lent et continu, conduisent à l'abolition complète de la mémoire (...) La destruction progressive de la mémoire suit donc une marche progressive, une loi. *Elle descend progressivement de l'instable au stable.* 3
Th. RIBOT, les Maladies de la mémoire, p. 90 et 94.

Ling. Qui exprime une progression, une évolution graduelle et constante. *Forme progressive* (cf. le *-ing* dans l'angl. *I am coming*).

CONTR. Régressif, rétrograde, stationnaire. — Brusque.
DÉR. Progressivement, progressivité.

PROGRESSION [pʀɔgʀesjɔ̃] n. f. — XIIIᵉ, math.; lat. *progressio,* de *progressus.* → Progrès.

♦ **1.** Math. Suite de nombres* dans laquelle chaque terme est déduit du précédent par une loi constante. *Progression arithmétique; progression géométrique,* où chaque terme se déduit du terme précédent en l'additionnant avec, en le multipliant* par un terme constant (⇒ **Raison**). *Progression ascendante, croissante* (⇒ **Ascendance**), *décroissante ou descendante*. Chaque terme d'une progression arithmétique constitue le logarithme du terme correspondant d'une progression géométrique.*

Mus. Succession de sons suivant une loi déterminée. *Progression mélodique, harmonique* ⇒ **Marche** (d'harmonie). *Modèle d'une progression.*

♦ **2.** (XIVᵉ). Suite ininterrompue, graduelle (⇒ **Progressif**) correspondant à un développement, à un progrès. *« Une progression d'effets à l'infini »* (Condillac, *in* Littré). *La progression des revenus, des richesses...* ⇒ **Accroissement, augmentation, croissance.** — Développement graduel. ⇒ **Gradation.** *« Il faut établir une progression dans ces études »* (Académie).

♦ **3.** (XVIIᵉ). Mouvement* dans une direction déterminée, mouvement en avant. ⇒ **Marche; progresser.** *Modes de progression chez l'animal, chez l'homme.* (⇒ **Course,** cit. 1; **marche**)... *Progression lente, insensible,* (→ Paresseux, cit. 10). — *La progression d'un véhicule* (→ Plot, cit. 1). — *La progression des glaces, des glaciers* (→ Envahissement, cit. 2). — Astron. *Mois de progression* (de la lune) : mois de consécution (croissant* et décroît*).

Milit. Suite d'opérations de guerre par lesquelles une armée avance, progresse. *La progression d'une armée.* ⇒ **Avance, cheminement, marche; guerre.** *Progression d'une section d'infanterie. Progression par bonds.*

♦ **4.** Fig. (de 2. et 3.). Marche en avant, marche ascendante, développement. ⇒ **Acheminement, ascension, développement, marche** (fig.), **progrès.** *La progression du mal.* ⇒ **Aggravation** (→ 2. Enrayer, cit. 2). *Suivre la progression de l'anxiété sur un visage* (→ Aggravation, cit.). — *La progression de la science.* ⇒ 2. **Courant, cours...** *La progression des lumières* (→ Barbare, cit. 12), *de la civilisation* (→ Culturel, cit. 1)... ⇒ **Essor, progrès.** *Échelle de progression* (→ Mouvement, cit. 39).

1 (...) telle est la loi de progression : à la tradition orale succède l'écriture; à l'écriture, l'imprimerie : le livre, insuffisant désormais à la propagation des idées, est remplacé par le journal (...)
Th. GAUTIER, Souvenirs de théâtre..., Gavarni, I.

2 (...) on n'observe pas ce mouvement dans l'Histoire, qui ne nous retrace qu'une suite de catastrophes et des progressions toujours suivies de régressions.
FRANCE, la Vie en fleur, XXVIII.

Gramm. (→ aussi Progressif) :

3 **Aspect de progression.** — L'action peut être considérée dans sa progression. La langue possède pour l'expression de cet aspect une forme spéciale : elle emploie le verbe *aller* avec le participe présent ou le gérondif : les vivres **vont augmentant** *de prix chaque jour; — le mur* **va s'écroulant.**
F. BRUNOT, la Pensée et la Langue, p. 451.

CONTR. Dégression, recul, rétrogradation. — Interruption.

PROGRESSISME [pʀɔgʀesism] n. m. — 1845; de *progressiste.*

♦ Doctrine, position politique progressiste.

Spécialt (dans le catholicisme) :

Que je me sens étranger, au fond, à la bataille du progressisme et de l'intégrisme!
F. MAURIAC, Bloc-notes 1952-1957, p. 307.

PROGRESSISTE [pʀɔgʀesist] adj. et n. — Av. 1837, Fourier; de *progrès.*

♦ **1.** Qui est partisan du progrès sur le plan politique, social, économique, qui tend à la modification de la société vers un idéal, par des réformes ou des moyens violents. — REM. Le contenu de ce mot est en relation avec l'état social de chaque époque. *Parti progressiste.* ⇒ **Gauche** (de gauche). *Il est progressiste. Idées progressistes.* — N. *Un, une progressiste* (→ Homme de progrès*). *Les progressistes et les conservateurs.*

1 Les Autrichiens (...) avaient divisé les Belges, amusant leurs *progressistes,* leur donnant espoir de progrès, leur montrant un monde d'or dans le cœur du philanthrope et sensible Léopold. MICHELET, Hist. de la Révolution franç., IV, IV.

2 — Si j'étais réactionnaire (...) vous me verriez aussi ardent que vous-même à toutes les passes d'armes et à tous les genres de tournois. C'est, au contraire, parce que je suis le plus dépassant des progressistes, le pionnier de l'extrême avenir, que je condamne ces pratiques surannées.
Léon BLOY, le Désespéré, p. 214.

3 Depuis deux siècles, les auteurs débattent pour savoir s'il faut classer Rousseau comme progressiste ou réactionnaire. A. SAUVY, Croissance zéro?, p. 31.

Spécialt (dans le catholicisme). Qui est partisan d'une évolution (opposé à *intégriste*).

♦ **2.** Mod. Qui est partisan d'une politique d'extrême gauche. *Chrétiens progressistes. Journal progressiste.*

N. *Un, une progressiste.*

4 Il n'existe pas de général factieux qu'elle *(la bourgeoisie française)* ne préfère mille fois, je ne dis pas même à un homme d'État communiste, mais à un progressiste. F. MAURIAC, le Nouveau Bloc-notes 1958-1960, p. 299.

CONTR. Conservateur, obscurantiste, réactionnaire.
DÉR. Progressisme.

PROGRESSIVEMENT [pʀɔgʀesivmɑ̃] adv. — 1753; de *progressif.*

♦ **1.** Vx. Par un mouvement progressif. « *Se mouvoir progressivement* » (Buffon).

♦ **2.** D'une manière progressive, par degrés* (⇒ **Graduellement**) ou d'une manière régulière et constante. ⇒ **Petit** (petit à petit), **peu, plus** (*infra* cit. 46 : de plus en plus). → Gémissement, cit. 6; lit, cit. 32; organe, cit. 8. *Augmenter, diminuer* (cit. 11) *progressivement. S'écrouler, s'édifier progressivement* (→ Pièce* à pièce, pierre* à pierre).

1 (...) après sa mort il ne resta plus rien de ce qu'il avait établi, parce que rien ne dure que ce qui vient progressivement. Mme DE STAËL, De l'Allemagne, I, VI.

2 (...) c'est une hypothèse en somme arbitraire d'admettre que le corpuscule, parce que l'on a saisi successivement sa présence en A puis en B, a réellement décrit la droite AB en coïncidant progressivement avec tous ses points.
L. DE BROGLIE, Physique et Microphysique, II, IX, p. 205.

CONTR. Brusquement, instanément.

PROGRESSIVITÉ [pʀɔgʀesivite] n. f. — 1833, « progressivité du génie humain »; de *progressif.*

♦ Caractère de ce qui est progressif. — Spécialt. *Progressivité de l'impôt* (cit. 15; → aussi Exonération, cit. 1). *Progressivité globale, par tranches...*

PROHIBER [pʀɔibe] v. tr. — 1377; lat. *prohibere* « tenir (*habere,* pris spécialt) à distance » (*pro :* « en avant »).

♦ Dr. Défendre, interdire par une mesure légale. ⇒ **Condamner, défendre, empêcher, exclure, inhiber** (vx), **interdire.** *Prohiber certaines fabrications* (→ Nature, cit. 76), *certaines importations. Prohiber les associations* (cit. 10) *professionnelles.* — *Loi qui prohibe l'inceste* (cit. 3). *Invention qui serait prohibée par le droit des gens* (→ Découvrir, cit. 39). — Absolt. (→ Négatif, cit. 9).

Fumer en plein air, avec vingt degrés de froid, est une chose presque impossible, et il n'en coûte pas beaucoup de se conformer à l'ukase qui prohibe, dehors, la pipe et le cigare. Th. GAUTIER, Voyage en Russie, I, XVI.

▶ **PROHIBÉ, ÉE** p. p. adj. (1488).

Défendu par la loi. ⇒ **Illégal, illicite.** *Activités prohibées. Mariage à un degré prohibé* (→ Inceste, cit. 5). *Commerce prohibé. Trafic clandestin*, marché noir d'un produit prohibé.* ⇒ aussi **Contrebande.** — (Choses concrètes). Dont l'usage, la détention... sont interdits. *Marchandises prohibées. Armes prohibées* (dont l'usage, le port sont interdits). *Engins* (cit. 9) *de chasse prohibés.*

CONTR. Autoriser, permettre. — (Du p. p.) **Autorisé, libre, permis.**
DÉR. (Du lat. *prohibitum*) **Prohibé, prohibitif.**

PROHIBITEUR, TRICE [pʀɔibitœʀ, tʀis] adj. — 1782; bas lat. *prohibitor,* de *prohibitum,* supin de *prohibere.* → Prohiber.

Droit, didactique.

♦ **1.** Vx. Qui prohibe, interdit. « *Le pauvre Socrate n'avait qu'un démon prohibiteur* » (Baudelaire).

♦ **2.** (Choses). Qui constitue une prohibition. *Droit prohibiteur.* ⇒ **Prohibitif.** — REM. Cet emploi semble dû à l'extension de sens de *prohibitif*.*

La politique doit consister (...) à prohiber ou à demander une somme prohibitrice. Les bateaux déchargeant dans la mer devraient être frappés de lourdes taxes ou amendes de dissuasion. A. SAUVY, Croissance zéro?, p. 239.

PROHIBITIF, IVE [pʀɔibitif, iv] adj. — 1503; de *prohiber.*

♦ **1.** Dr. Qui prohibe, défend, interdit légalement. *Loi, mesure prohibitive. Empêchement prohibitif, en matière de mariage.* ⇒ **Dirimant.** — Vx. *Écrit, texte prohibitif de* (cf. Bossuet, *in* Littré). — Relatif à la prohibition. *Régime, système prohibitif.*

Quand le mal se sera révélé dans toute son étendue, les lois restrictives, et prohibitives, la censure, mise à propos de l'assassinat du duc de Berry et levée depuis l'ouverture des Chambres, reviendra. 1
BALZAC, Illusions perdues, Pl., t. IV, p. 843.

♦ **2.** (1760). *Droits, tarifs douaniers prohibitifs,* si élevés qu'ils équivalent à la prohibition d'une marchandise, d'une denrée. ⇒ **Prohibiteur** (2.).

♦ **3.** (XXe). Cour. Se dit d'un prix si élevé qu'il écarte les acheteurs, les consommateurs.

Si je vous achète trop cher, je suis obligé de faire un prix exorbitant, parfaitement 2
prohibitif. M. AYMÉ, le Vin de Paris, « La bonne peinture », p. 176.

PROHIBITION [pʀɔibisjɔ̃] n. f. — 1237; lat. *prohibitio,* de *prohibere.*

♦ **1.** Action de prohiber; défense, interdiction légale. ⇒ **Condamnation, défense, inhibition** (vx), **interdiction** (→ Indivision, cit.). *Prohibition du port d'armes.* — Vx. *Prohibition de faire qqch.*

♦ **2.** Écon. Interdiction d'importer, de fabriquer, de vendre certaines marchandises, certaines denrées (pour des raisons de salubrité, de sécurité, de protection douanière...). *Droits de prohibition.* ⇒ **Prohibitif.**

Ah! oui, la protection, n'est-ce pas? la surtaxe, un droit de prohibition sur les blés 1
étrangers, pour que les blés français doublent de prix? Enfin, la France affamée, le pain de quatre livres à vingts sous, la mort des pauvres! (...) Comment, vous, un homme de progrès, osez-vous en revenir à ces monstruosités?
ZOLA, la Terre, IV, V.

(1890, à propos des lois des États, *in* D.D.L.). Hist. **LA PROHIBITION** (calque de l'angl. des États-Unis *prohibition*). Prohibition de l'alcool, aux États-Unis (entre 1919 et 1933). → Alcool, cit. 2; bootlegger.

La prohibition appartient à la même série législative que la défense d'enseigner 2
l'évolution : c'est une mesure de moralisation nationale (...) Le mouvement prohibitionniste a donc sa source au « saint des saints » : de là son immense portée. Celui qui en aurait la compréhension intégrale pourrait se vanter d'avoir pénétré l'âme américaine. André SIEGFRIED, les États-Unis d'aujourd'hui, I, V.

CONTR. Autorisation, permission.
DÉR. Prohibitionnisme, prohibitionniste.

PROHIBITIONNISME [pʀɔibisjɔnism] n. m. — 1878; de *prohibition.*

♦ **1.** Système de protection douanière par prohibition.

♦ **2.** (1927; angl. *prohibitionism,* de *prohibition.* → Prohibition, 2.). Hist. Système des partisans de la prohibition de l'alcool, aux États-Unis.

PROHIBITIONNISTE [pʀɔibisjɔnist] adj. et n. — 1833; de *prohibition.*

♦ **1.** Partisan de la prohibition*.

Mais comment, me direz-vous, pourrons-nous assurer la vente? Grâce à des droits protecteurs, cher monsieur, et nous les obtiendrons; cela nous regarde! Moi, du reste, je suis franchement prohibitionniste! Le Pays avant tout!
FLAUBERT, l'Éducation sentimentale, II, III.

♦ **2.** (1927; angl. *prohibitionist,* de *prohibition.* → Prohibition, 2.). Hist. Partisan de la législation interdisant la vente de l'alcool aux États-Unis.

PROHIBITOIRE [pʀɔibitwaʀ] adj. — 1532; lat. *prohibitorius,* de *prohibitum,* supin de *prohibere.* → Prohiber.

♦ Hist. Se dit de l'interdit par lequel le préteur romain empêchait quelque chose.

PROIE [pʀwɑ; pʀwa] n. f. — Fin XIIe; *preie,* 1119; lat. *præda.*

♦ **1.** Être vivant dont un animal (mammifère, oiseau...) s'empare pour le dévorer. *Les mammifères carnivores vivent de proies.* ⇒ **Carnassier** (→ Fauve, cit. 3; instinct, cit. 8). *Attendre* (cit. 15), *épier la proie* (→ Doux, cit. 31), *être à l'affût d'une proie. Chasser, poursuivre sa proie.* ⇒ **Chasse.** *La « fuyante* (cit. 1) *proie ». Rapace qui fond* sur sa proie. Manger, dévorer, déchirer une proie, s'acharner sur sa proie. Proie qui sert d'appât dans un piège* (cit. 2). — *Les proies d'une araignée, d'un insecte...*

1 Alors soudain la bête a bondi sur sa proie,
Et debout, et terrible, et rugissant de joie,
De ses griffes de fer elle fouille, elle mord.
Albert SAMAIN, le Chariot d'or, II, Évocations, « La chimère ».

(XIIIe). **... DE PROIE :** qui se nourrit surtout de proies vivantes. *Oiseau** (cit. 4 et 7) *de proie.* ⇒ **Rapace** (→ Émerillon, cit.). *L'aigle, l'épervier, le vautour sont des oiseaux de proie.*

2 Dans chaque grande division de l'espèce animale, elle *(la nature)* a choisi un certain nombre d'animaux qu'elle a chargés de dévorer les autres : ainsi il y a des insectes de proie, des reptiles de proie, des oiseaux de proie et des quadrupèdes de proie. J. DE MAISTRE, les Soirées de St-Pétersbourg, 7e entretien.

Figuré :

3 (...) c'est l'intelligence et l'amitié qui me donnèrent la sorte de courage qu'il faut à un être très jeune et très faible pour s'accoutumer à l'idée qu'il vivra dans un monde peuplé d'animaux de proie. G. DUHAMEL, Inventaire de l'abîme, IV.

Par ext. *L'aigle et le lion « nés pour le combat et la proie »* (→ Fier, cit. 1).

Allus. littér. *Laisser, lâcher la proie pour l'ombre** (→ 1. Ombre, cit. 44).

♦ **2.** (1155). Vx. Butin* de guerre; prise de guerre. *« Les nations sont ma proie »* (→ Avare, cit. 8).

4 Oui, Seigneur, lorsqu'au pied des murs fumants de Troie
Les vainqueurs tout sanglants partagèrent leur proie,
Le sort, dont les arrêts furent alors suivis,
Fit tomber en mes mains Andromaque et son fils. RACINE, Andromaque, I, 2.

♦ **3.** (1380). Ce qui est ravi, pris par la force, avec violence et avidité. *Sa fortune fut la proie des créanciers, des voleurs.* — Allus. littér. (→ Laisser, cit. 3, La Fontaine).

Personne dont on s'est emparé ou que l'on persécute* pour s'en emparer... ⇒ **Victime** (→ Incarcérer, cit. 1). *N'être qu'une proie,* un objet de convoitise (→ Déshabiller, cit. 2). *Être la proie, le jouet d'une femme :* être asservi* par elle.

5 Ils furent la proie des hommes de loi et des hommes d'affaires.
FRANCE, le Petit Pierre, XX.

6 Elle goûtait, les paupières mi-closes, l'humiliation superbe d'être une belle proie.
FRANCE, le Lys rouge, XXI.

Par métaphore (poét.). *« C'est Vénus tout entière à sa proie attachée »* (cit. 91, Racine; → aussi furie, cit. 3). *« C'est le destin. Il faut une proie au trépas »* (→ Fille, cit. 24).

7 On ne voit point deux fois le rivage des morts,
Seigneur. Puisque Thésée a vu les sombres bords,
En vain vous espérez qu'un Dieu vous le renvoie;
Et l'avare Achéron ne lâche point sa proie. RACINE, Phèdre, II, V.

♦ **4.** (Personnes). *Être la proie de... :* être entièrement absorbé, pris par (un sentiment, une force hostile). *Être la proie du génie* (→ Asservir, cit. 19); *de l'adversité, du malheur* (→ Élever, cit. 24). *Elle était la proie de n'importe quelles pensées, de n'importe quels rêves* (→ Fatiguer, cit. 25).

8 Mais que vos yeux sur moi se sont bien exercés!
Qu'ils m'ont vendu bien cher les pleurs qu'ils ont versés!
De combien de remords m'ont-ils rendu la proie. RACINE, Andromaque, I, 4.

9 Il *(Berlioz)* ne commande pas à son démon; il est vraiment sa proie (...) il était terrassé, ravagé, dévasté par l'émotion musicale.
R. ROLLAND, Musiciens d'aujourd'hui, p. 25.

(Choses). Être livré à, exposé à. *La forêt fut un instant la proie des flammes.* ⇒ **Destruction, ravage.**

♦ **5.** (XVIe). Littér. **EN PROIE** (À)... *Être en proie aux bêtes, livré en proie,* comme une proie. *Tomber en proie à l'adversaire* (→ Combativité, cit. 2). *Offert en proie à la malignité publique.* ⇒ **Pâture.**

L'apôtre et le fidèle, en ce siècle de fer, 10
M'abandonnent en proie aux bêtes de l'Enfer.
LECONTE DE LISLE, Poèmes tragiques, « Hiéronymus ».

Fig. Tourmenté* par (un mal, un sentiment, une passion, une pensée...). *Être en proie à l'anxiété* (cit. 2), *à l'incertitude* (cit. 13), *aux inquiétudes* (→ Poindre, cit. 2), *à une obsession*. En proie à la colère* (→ Assombrir, cit. 12), *à l'irritation* (cit. 4). *En proie à une émotion* (→ Battre, cit. 61), *aux passions* (→ Fixer, cit. 18), *à un sentiment* (→ Obscurité, cit. 1), *au désespoir* (cit. 16); *à des fantaisies* (cit. 23)... — *En proie à la maladie.*

Assise sur une chaise dans l'antichambre de cet appartement, madame de Rênal était en proie à toutes les horreurs de la jalousie. 11
STENDHAL, le Rouge et le Noir, I, IX.

Ma vie est en proie aux gens, aux choses, à tous les souffles, n'étant pas protégée. 12
SAINTE-BEUVE, Correspondance, 1229 bis, 16 août 1841.

Elle *(Mme de la Tour)* eut peu de succès; il *(Rousseau)* lui donna son congé par lettre, et lui signifia que c'était assez de cette troisième visite. En proie à ses idées fixes, Rousseau, à cette date, ne s'appartenait plus. 13
SAINTE-BEUVE, Causeries du lundi, 29 avr. 1850.

(Choses). *Arbre « en proie à la cognée »* (cit. 2). *Maison en proie aux flammes.*

Tout sur terre est en proie, ainsi que nous le sommes, 14
Au souffle, à la tempête, au funeste aquilon.
HUGO, la Légende des siècles, XVII, « L'aigle du casque ».

PROJECTEUR [pʀɔʒɛktœʀ] n. m. — Attesté en 1890 (P. Larousse, *Deuxième Suppl.*), mais l'appareil est antérieur à 1860; du lat. *projectus,* de *projicere* « jeter en avant », et suff. *-eur.*

★ **I.** ♦ **1.** Appareil d'optique dans lequel les rayons d'une source lumineuse intense sont réfléchis et projetés en un faisceau parallèle. *Source lumineuse* (arc électrique...), *réflecteur, glace diffusante ou système optique d'un projecteur. Éclairage des monuments publics par projecteurs* (⇒ **Éclairer, lumière**). *Projecteurs de marine, de la défense aérienne* (→ Escadrille, cit. 1). *Projecteur d'avion, d'automobile* (⇒ **Phare**).

Techn. *Projecteur,* ou *lentille de projection d'un microscope.*

Cour. Un tel appareil, orientable et autonome (excluant les phares). *Signaux par projecteurs. Donner un coup de projecteur.*

Batterie (cit. 5) *de projecteurs.* — Spécialt. *Projecteurs de théâtre, de cinéma.* (Abrév. fam. : *projo**). ⇒ **Gamelle, spot, sunlight.** *Le feu des projecteurs* (→ Livrer, cit. 12).

(...) les projecteurs se remuaient sans cesse, flairant l'ennemi, le cernant de leurs lumières jusqu'au moment où les avions aiguillés bondiraient en chasse pour le saisir. PROUST, le Temps retrouvé, Pl., t. III, p. 759. 1

(...) la lumière des projecteurs tombait sur la piste comme un monstrueux clair de lune, un clair de lune-réclame pour Honolulu. SARTRE, le Sursis, p. 218. 2

J'avais cru écrire la vie d'un saint, mais un autre protagoniste, personnage luciférien et plus qu'inquiétant, s'était poussé sous le projecteur. 3
F. MAURIAC, Bloc-Notes 1952-1957, p. 69.

♦ **2.** (V. 1923). Appareil de projection (qui projette des images sur un écran). ⇒ **Épidiascope, rétroprojecteur.** *Projecteur de cinéma.* Syn. : *appareil de projection. Projecteur « sonore ». Projecteur de diapositives.*

★ **II.** Math. Endomorphisme idempotent d'un espace vectoriel.

DÉR. et COMP. Rétroprojecteur.

PROJECTIF, IVE [pʀɔʒɛktif, iv] adj. — 1752; du lat. *projectus.*

♦ **1.** (1822, Poncelet). Géom. Relatif à la projection* (2.); qui concerne une projection, résulte d'une projection. *Propriétés projectives d'une figure,* que toute projection plane de cette figure conserve. *Géométrie** (cit. 4) *projective. Espace projectif* (→ 1. Point, cit. 12), comprenant des éléments à l'infini, dont les éléments sont définis par des coordonnées homogènes. *Coordonnées projectives d'un point.*

La géométrie projective ne s'est constituée à titre de branche autonome qu'à partir du XVIIe siècle et la topologie s'est imposée enfin au XIXe siècle, alors que l'on découvrait par ailleurs les géométries non euclidiennes. 1
J. PIAGET, Épistémologie des sciences de l'homme, p. 367.

♦ **2.** (1951; de l'anglo-amér. *projective,* 1939). Psychotechn., psychan. Qui projette des états intérieurs, suscite cette projection. *Technique projective. Test projectif :* test qui amène le sujet à manifester son caractère, extérioriser ses tendances (interprétation de dessins, constructions de villages, etc.) — *Psychologie projective.*

L'écriture automatique, les techniques de créativité en groupe, l'éducation par le jeu et le dessin libres, les tests projectifs, le psychodrame, l'entretien non directif, le groupe de diagnostic, certaines méthodes modernes de formation des adultes sont des variantes ou des dérivés de ce but *(découvrir les chemins du fantasme).* 2
D. ANZIEU, le Moment de l'apocalypse, *in* la Nef, n° 31, p. 132.

Stade projectif : « état d'un enfant, succédant au stade sensori-moteur, et tel qu'il ne peut penser qu'en agissant ou en s'exprimant par la parole » (H. Wallon, *in* Piéron, *Voc. de psychologie,* p. 225).

Ling. *Grammaire projective :* ensemble de règles construites à partir d'un échantillon d'une langue, supposé capable d'être projeté sur l'ensemble des phrases de la langue.

♦ **3.** Didact. Relatif à un projet, qui concerne, qui relève d'un projet.

3 L'objet matérialise l'intention préexistante qui lui a donné naissance et sa forme s'explique par la performance qui en était attendue avant même qu'elle ne s'accomplisse. Rien de tel pour le fleuve ou le rocher que nous savons ou pensons avoir été façonnés par le libre jeu de forces physiques auxquelles nous ne saurions attribuer aucun «projet». Ceci tout au moins si nous acceptons le postulat de base de la méthode scientifique : à savoir que la Nature est *objective* et non *projective*.
Jacques MONOD, le Hasard et la Nécessité, p. 19.

CONTR. Affin.

PROJECTILE [pʀɔʒɛktil] n. m. et adj. — 1750, Buffon; du rad. de *projection*, lat. *projectus*.

★ **I.** N. m. ♦ **1.** Corps lancé ou projeté (⇒ **Balistique**). *Vitesse initiale d'un projectile. Trajectoire* parabolique d'un projectile lancé dans le vide* (⇒ **Parabole**). — *Projectiles cosmiques* (→ Météore, cit. 2).

1 Tantôt ils *(les savants)* ont assimilé un faisceau de lumière à un ensemble de très nombreux petits projectiles décrivant des trajectoires voisines et ont conçu une source de lumière comme projetant en tous sens des corpuscules lumineux.
L. DE BROGLIE, Physique et Microphysique, p. 68.

♦ **2.** Cour. Corps lancé par une arme (arme de jet*, arme à feu), ou à la main contre qqn ou qqch. *Lancer, jeter, envoyer des projectiles* (⇒ **Bombarder; tir**). *Science des projectiles.* ⇒ **Balistique** (cit. 2). *Jet* vertical de projectiles* (→ Hourd, cit.). *Pierres* utilisées comme projectiles. Machines de guerre pour lancer des projectiles* (⇒ **Baliste, catapulte, perrière...**). *Projectile envoyé par un ressort, un tube* (sarbacane), *une fronde, un arc... — Projectiles d'armes à feu, d'artillerie...* ⇒ **Balle, bombe, cartouche, obus, prune, pruneau** (fam.); **boulette** (2.). *Projectile constituant la charge* d'une arme. — Propulsion des projectiles par un explosif* (cit. 3). ⇒ **Poudre.** *Tube qui dirige le projectile.* ⇒ **Canon.** *Calibre* d'un projectile. Centrage des projectiles. — Projectile plein, creux, chemisé... Projectile percutant. Fusée d'un projectile. Projectile métallique, en plomb... — Projectile autopropulsé.* ⇒ **Fusée, torpille; roquette.** *Projectile radioguidé, téléguidé. Propulsion additionnelle appliquée à un projectile sur sa trajectoire. — Portée*; point de chute*, d'impact* d'un projectile. Grêle, pluie de projectiles. Dégâts, blessures causées par des projectiles* (→ Mutilation, cit. 2). *Abri, casemate, blockhaus contre les projectiles de guerre.*

2 L'obus fend l'air à mille mètres peut-être au-dessus de nos têtes. Son bruit couvre tout comme d'un dôme sonore. Son souffle est lent; on sent un projectile plus bedonnant, plus énorme que les autres. On l'entend passer, descendre en avant avec une vibration pesante et grandissante de métro entrant en gare; ensuite son lourd sifflement s'éloigne.
H. BARBUSSE, le Feu, II, XIX.

Par ext. *Les traversins servaient de projectiles* (→ Éclaboussure, cit. 3). — Par métaphore. → Fureur, cit. 19.

★ **II.** Adj. (Mil. XVIIIe, Rousseau). Vx. Qui propulse vers l'avant. *Force projectile.*

PROJECTION [pʀɔʒɛksjɔ̃] n. f. — 1314; lat. *projectio*, de *projectus*, p. p. de *projicere* «jeter en avant, en dehors», de *pro-*, et *jacere* «jeter, lancer».

♦ **1.** Action de jeter, de projeter*, de lancer en avant (⇒ **Jet**). *Force de projection* (⇒ **Choc**). *Projection de liquide* (écoulement par jet), *de poudre* (pulvérisation), *de vapeur* (vaporisation)...

1 La première *(théorie)*, à laquelle déjà se ralliait Lucrèce, assimile l'émission de la lumière à la projection par la source de petits corpuscules en mouvement rapide.
L. DE BROGLIE, Physique et Microphysique, III, XII, p. 252.

Spécialt. Lancement, jet de projectiles*. *Projection de pierres, d'obus. Angle de projection,* de tir*.

Géol. *Projection de cendres par un volcan. Laves* (cit. 2) *et produits de projection.* — Par ext. Matières projetées. ⇒ **Déjection, éjection.** *Projections de petit calibre* (→ Lapilli, cit.). — Techn. Action de couler un métal en fusion dans un moule, de jeter une substance dans un creuset.

(1587). Alchim. *Poudre de projection,* qui, projetée sur un métal, était supposée le changer en or.

Sports. *Projection circulaire :* mouvement du skieur qui provoque le déplacement des talons des skis vers l'extérieur du virage.

Mouvement de judo visant à projeter l'adversaire à terre. *Projection de hanche, d'épaule.* — Fait de projeter le partenaire à terre.

♦ **2.** (1674). Géom. Opération par laquelle on fait correspondre à un point ou à un ensemble de points de l'espace, un point ou un ensemble de points d'une droite (axe), d'une surface (*projection plane,* si cette surface est un plan), suivant un procédé géométrique défini; le point ou l'ensemble de points ainsi définis. *La projection d'un point sur un plan est le point d'intersection de ce plan et d'une droite menée par le point — et qui passe par un point fixe* (*projection conique* ou *centrale.* ⇒ aussi **Perspective**) *ou est parallèle à une direction fixe (projection cylindrique* ou *parallèle). Projection orthogonale*, orthographique. Projection oblique. Projection stéréographique*,* ou *stéréographie. Projection sur un système de deux plans, en géométrie descriptive. Plan horizontal, vertical* (frontal) *de projection. — Projection d'un vecteur, d'une somme vectorielle, sur un axe* (⇒ aussi **Projectif**). — Math. *Projection dans un espace vectoriel.*

Projection orthogonale sur des plans horizontaux, verticaux (⇒ **Élévation; axonométrie**), *en dessin industriel, en architecture. Projection d'une machine* (⇒ **Développement**). — Méthode de représentation de la surface terrestre sur une surface (plan, sphère); image obtenue par une telle méthode. ⇒ **Carte** (cit. 16), **mappemonde, planisphère** (cit.). *Système de projection équivalent* (donnant des aires équivalentes), *conforme ou équiangle, équidistant. Projection cylindrique* (de Mercator, etc.), *conique, horizontale (stéréographique* ou *orthographique).*

Neurologie. *Centres de projection du cortex :* «zones sensorielles ou motrices, auxquelles aboutissent les voies afférentes apportant les messages des dispositifs récepteurs, ou d'où partent les voies efférentes commandant les appareils de la motricité» (Piéron, 1973). — *Projection cérébrale d'un appareil somatique :* aire cérébrale qui lui correspond selon des lois définies, soit point par point, soit de structure à structure, et dans les deux directions centripète et centrifuge (d'après Laplanche et Pontalis).

♦ **3.** (1897). Sc. Action de projeter des radiations, des rayons lumineux (en parlant d'un foyer*); ces rayons. — Méd. Plan de prise d'une radiographie. — *Projection d'une ombre.* — Par ext. Ombre portée (→ Fantasmagorique, cit. 3).

(...) il vit surgir à ses pieds, sur le trottoir aux larges dalles rectangulaires qui complétait l'ensemble, l'ombre de la paysanne de pierre. Elle était déformée par la projection, méconnaissable, mais bien marquée (...) 2
A. ROBBE-GRILLET, le Voyeur, p. 44.

Cour. Action de projeter une image sur un écran. *Appareil, lanterne à projection.* (Vieilli). *Appareil de projection* (⇒ **Projecteur**). *Projections fixes* (opposé à *cinéma*). *Conférence avec projections. Projection de diapositives en couleurs. Projection d'un film. Salle de projection.* ⇒ **Cinéma** (cit. 4). *Cabine de projection. Vitesse de projection* (en images par seconde).

Durée de la projection (d'un film, etc.).

♦ **4.** Fig. Didact. Image (projetée).

C'était, dans l'obscurité voulue de sa retraite, la brusque projection de tout un monde qu'il avait cru oublier. MARTIN DU GARD, les Thibault, t. IV, p. 59. 3

L'art ne vaut à mes yeux que s'il est la projection d'une morale. 4
COCTEAU, la Difficulté d'être, p. 273, note.

♦ **5.** Psychol. Localisation externe d'impressions ressenties. *Projection des images* (visuelles, auditives) *en un point de l'espace.*

Mécanisme par lequel la vision du monde d'un sujet est structurée par ses intérêts, ses habitudes, ses états affectifs et sa personnalité. *Tests de projection.* ⇒ **Projectif** (test).

(1914, Régis et Hesnard, *in* D.D.L.). Psychan. Mécanisme de défense par lequel le sujet expulse de lui-même et localise dans autrui ou dans autre chose des idées, des affects, des qualités, désagréables ou méconnus, qui lui sont propres. (Opposé à *introjection**, à distinguer de *identification* et de *transfert*). «*(...) ce qui est toujours présupposé dans la définition psychanalytique de la projection : une bipartition au sein de la personne et un rejet sur l'autre de la partie de soi qui est refusé* (sic)» (Laplanche et Pontalis, p. 350). *Rôle de la projection dans la genèse de l'opposition sujet (moi) objet (monde extérieur), dans les constructions paranoïaques et phobiques.*

♦ **6.** Didact. Fait de projeter dans l'avenir. *Projections démographiques :* prévisions pour l'évolution future, hypothétique, d'une population, sur la base de calculs statistiques.

DÉR. Projectionniste.

PROJECTIONNISTE [pʀɔʒɛksjɔnist] n. — 1907; de *projection.*

♦ Technicien chargé de la projection des films. ⇒ **Opérateur.**

PROJECTIVEMENT [pʀɔʒɛktivmɑ̃] adv. — 1975, *infra;* de *projectif.*

♦ Didact. En projection.

Le réalisme est toujours timide, et il y a trop de *surprise* dans un monde que l'information de masse et la généralisation de la politique ont rendu si profus qu'il n'est plus possible de le figurer projectivement : le monde, comme objet littéraire, échappe (...) R. BARTHES, Roland Barthes, 1975, p. 122.

Par une projection (5.) psychologique.
Par une projection (6.) dans l'avenir.

PROJECTURE [pʀɔʒɛktyʀ] n. f. — 1596; lat. *projectura.*

♦ Archit. Saillie. ⇒ **Avant-corps.**

PROJET [pʀɔʒɛ] n. m. — 1549; *pourget,* XVe; de *projeter.*

♦ **1.** Image d'une situation, d'un état que l'on pense atteindre.

⇒ **Dessin, idée** (cit. 5.1); **calcul, conseil** (vx), **entreprise, intention, pensée, plan, programme, résolution, spéculation, vue.** *Projets et espérances, et espoirs* (→ Calendrier, cit. 2). *Faire des projets au lieu d'agir* (→ Gouverner, cit. 40). *« Le projet est le brouillon* (cit. 3) *de l'avenir. » « Et le chemin est long du projet à la chose »* (→ Exécuter, cit. 2; et cf. Il y a loin de la coupe aux lèvres). — *Concevoir* (cit. 21), *couver* (cit. 7), *ébaucher* (cit. 5), *faire, former* (cit. 7) *un projet.* ⇒ **Projeter** (II.), **proposer** (se), **songer** (à). → Se mettre qqch. en tête*. *Caresser, mûrir, nourrir un projet. Ruminer un projet. Arrêter* (cit. 47) *un projet. Concerter un projet. Combiner des projets.* ⇒ **Combinaison.** *Mille projets enthousiastes germaient* (cit. 7) *dans nos têtes. Projet d'avenir**, *à long, à court* (cit. 14) *terme. Projet raisonnable, facilement réalisable. Projet chimérique* (cit. 2 et 3), *impraticable* (cit. 2 et 3), *insensé* (cit. 7), *irréalisable* (cit. 1), *vain...* ⇒ **Utopie.** *Ce projet ne tient pas debout* (→ Commercial, cit.), *n'est qu'un château* en Espagne* (→ Effet, cit. 16)... Cf. aussi La laitière et le pot au lait. — *Projets criminels* (cit. 5); *noirs* (cit. 28) *projets* (⇒ **Machiner**). *Projet secret contre qqn.* ⇒ **Complot.** *Dévoiler ses projets.* ⇒ **Démasquer** (ses batteries). — *Projet de livre* (→ Entier, cit. 19), *de travail, de voyage. Projet de mariage. Projet de faire qqch.* (→ Aller, cit. 112). *« Le sot projet qu'il* (Montaigne) *a de se peindre »* (cit. 28). — *Donner suite à un projet* (→ Mitiger, cit. 3). *Entreprendre de réaliser un projet. Projet en cours de réalisation. Poursuivre deux projets à la fois* (→ Courir deux lièvres* à la fois). *S'obstiner dans un projet. Exécuter* (cit. 8), *réaliser un projet.* ⇒ **Exécution, réalisation.** — *Plier* (cit. 9) *ses projets aux circonstances. Encourager* (cit. 10), *seconder un projet; se prêter à un projet. Impénétrables* (cit. 19) *dans leurs projets.* — *Renoncer à son projet* (→ Attenter, cit. 8; cours, cit. 18). *Faire son deuil* (cit. 11) *d'un projet.* — *Projet qui avorte, craque, échoue, reste en plan, en suspens. Projet manqué* (→ Fatalité, cit. 15). *Ce projet en demeure là* (→ 1. Barrer, cit. 3.1). — *Hostilité* (cit. 7) *à un projet. Contrarier, contrecarrer, déconcerter* (vx, → Couronner, cit. 13), *déjouer, déranger... les projets d'un adversaire, de l'ennemi. Se jeter au travers, en travers d'un projet. Endormir* (cit. 9) *les projets de qqn. Détourner qqn d'un projet.*

1 La science des projets consiste à prévenir les difficultés de l'exécution.
VAUVENARGUES, Réflexions et maximes, 442.

2 Tous ces hommes à grande vie sont toujours un composé de deux natures, car il les faut capables d'inspiration et d'action : l'une enfante le projet, l'autre l'accomplit. CHATEAUBRIAND, Mémoires d'outre-tombe, t. II, p. 238.

3 Le sens commun conviendra avec nous (...) que l'être dit *libre* est celui qui peut *réaliser* ses projets. SARTRE, l'Être et le Néant, p. 562.

Spécialt. Ce que l'on se propose de faire, à un moment donné. *Quels sont vos projets pour cet été?*

Avoir des projets sur qqn, à son sujet, en ce qui le concerne. *Avoir des projets sur une femme,* des projets de séduction, de galanterie*, de mariage...

4 Elle aimait surtout M. de Rênal quand il lui parlait de ses projets sur leurs enfants, dont il destinait l'un à l'épée, le second à la magistrature, et le troisième à l'Église.
STENDHAL, le Rouge et le Noir, I, III.

Projets de grands travaux (→ Métropolitain, cit. 5). *Projets administratifs, économiques, politiques. Le projet de la Fédération* (cit. 2). *Projet développé, concerté...* ⇒ **Plan, programme.**

Didact. Manière dont on envisage de traiter, d'appréhender un problème. *Le projet de la biologie moderne. Ceci s'intègre dans le projet de description des variantes régionales du français.*

Philos. Tout ce par quoi l'homme tend à modifier le monde ou lui-même, dans un sens donné. *« L'homme est un projet qui décide de lui-même »* (Sartre).

5 L'horreur de notre condition est telle que, la plupart du temps, nous renonçons, nous tentons de nous fuir dans le *projet,* c'est-à-dire dans ces mille petites activités qui n'ont qu'un sens restreint et qui masquent la contradiction *(de l'existence)* par les fins qu'elles projettent devant soi.
SARTRE, Situations I, p. 167.

♦ **2.** (1637). Travail, rédaction préparatoire; premier état. *Ébaucher, élaborer un projet. Laisser un livre à l'état de projet.* — *Projet de fresque* (⇒ **Carton**), *de sculpture* (⇒ **Maquette**). *Projet à l'échelle.* — (1842). Archit. Dessin (en plan, coupe, élévation) d'un édifice à construire. *Projet d'un concurrent au prix de Rome. Dresser** (cit. 16) *un projet sommaire de constructions. Projet d'architecture, projet de bâtiment. Projet et devis.* — Techn. Description, dessin, modèle*... antérieur à la réalisation. *Projet de chemin de fer sur rail unique* (→ Funambulesque, cit. 4). *Étude* d'un projet.*

Rédiger un projet de roman, de thèse. ⇒ **Canevas, dessin, ébauche, esquisse.** *Un projet de lettre. Éditer des œuvres inachevées, des projets...* (→ aussi Imagination, cit. 26).

Projet de loi. Voter, accepter, rejeter un projet de loi* (⇒ **Assemblée**). *Amender un projet de loi.* ⇒ **Amendement.** — *Projet d'acte du Parlement, en Angleterre.* ⇒ **Bill.**

CONTR. Exécution, réalisation.
COMP. Contre-projet ou **contreprojet.**

PROJETANT, ANTE [pʀɔʒtɑ̃, ɑ̃t] adj. et n. f. — XVIIIe, Rousseau; de *projeter.*

★ **I.** ♦ **1.** Adj. Vx. Qui fait des projets.

♦ **2.** Didact. Qui projette (3.) ses états psychologiques. — Nom :

Quand la psychologue m' (...) a communiqué le résultat du test, j'ai glissé dans le fantastique : je consultais une voyante qui m'aurait dit la vérité. Elle ne m'apprenait rien de neuf. Mais je m'étonnais de m'être révélée à elle sans l'avoir cherché et de me saisir du dehors comme projetante et projetée.
S. DE BEAUVOIR, Tout compte fait, p. 48.

★ **II.** N. f. Géom. **PROJETANTE** : droite qui détermine la projection* d'un point (elle joint le point à sa projection).

PROJETER [pʀɔʒte] v. tr. — Conjug. *jeter.* — 1452; *porjeter* « jeter dehors, à terre », XIIe; de *por,* et *jeter;* cf. le bas lat. *projectare.*

★ **I.** (Correspond à *projection*). ♦ **1.** Jeter en avant et avec force. ⇒ **Éjecter, envoyer, jeter, lancer.** *Projeter une pierre sur qqn* (⇒ **Projectile**). *Projeter un jet de salive* (→ Courbe, cit. 6), *un liquide organique* (⇒ **Éjaculer**). *Projeter une poudre insecticide* (cit. 1) *au moyen d'un pulvérisateur.* ⇒ **Pulvériser.** — *Projeter des particules élémentaires sur des noyaux d'atome.* ⇒ **Bombarder; bombardements** (2.). — *Volcan qui projette des scories, foyer qui projette des étincelles.* ⇒ **Cracher, vomir** (figuré).

Un groupe d'immenses cheminées d'usines et de fonderies (...) projettent dans le ciel, par leurs bouches géantes, des vomissements tortueux de fumée, retombés aussitôt sur la ville en une pluie noire de suie (...) 1
MAUPASSANT, la Vie errante, La côte italienne.

(Sujet n. de chose). Avoir comme prolongement, dans une direction. *Arbre qui projette ses branches au-dessus d'un mur* (→ Houppe, cit. 7).

Fig. Pousser* violemment, porter (qqn). *Un élan qui le projetait à la tribune* (→ Électriser, cit. 4).

♦ **2.** (1762). Géom. Figurer, tracer en projection* (2.); déterminer la projection (d'une figure). *Projeter une surface courbe sur un plan.* ⇒ **Développer.** — Archit. Dessiner en projection.

(1788). (Choses). Envoyer sur une surface, sur un objet (des rayons lumineux, des radiations). *Projeter une lueur* (→ Ondoiement, cit.), *un reflet vers..., sur... Le cercle de clarté que projetait un abat-jour* (→ Étaler, cit. 45). — *Projeter une ombre* (cit. 33).

(1898, au p. p., *vues projetées,* in *Année sc. et industr.,* 1899, p. 83). Personnes. Faire passer dans un projecteur. *Projeter des vues fixes* (⇒ **Projection**), *des photos. Projeter un film. Le film est projeté en matinée.* ⇒ **Passer.**

Par métaphore. (⇒ **Projection,** 4.).

Il y a d'étranges possibilités dans chaque homme. Le présent serait plein de tous les avenirs, si le passé n'y projetait déjà une histoire. Mais, hélas! un unique passé propose un unique avenir — le projette devant nous, comme un pont infini sur l'espace. GIDE, les Nourritures terrestres, p. 23. 2

♦ **3.** (1875). Psychol. Faire sortir de soi (ce qu'on perçoit, ressent). *Projeter un état, une perception, un sentiment.* ⇒ **Projection** (4.); → Hallucination, cit. 7. — Cour. *Projeter un sentiment sur qqn,* lui attribuer un sentiment, un état affectif qu'on a soi-même, ou des caractères qui justifient ce sentiment.

(...) en étant amoureux d'une femme nous projetons simplement en elle un état de notre âme (...) par conséquent l'important n'est pas la valeur de la femme, mais la profondeur de l'état (...) 3
PROUST, À l'ombre des jeunes filles en fleurs, Pl., t. I, p. 833.

(...) c'est sa propre peur qu'il projette, sa propre appréhension qu'il voit blottie là (...) N. SARRAUTE, le Planétarium, p. 96. 3.1

♦ **4.** **SE PROJETER** : être projeté. *Ombre, lumière qui se projette sur un mur.* ⇒ **Profiler** (se).

Le phare, bâti par derrière, au sommet de la falaise, illuminait le ciel d'une grande clarté rouge, et l'ombre du palais, avec ses terrasses superposées, se projetait sur les jardins comme une monstrueuse pyramide. FLAUBERT, Salammbô, V. 4

La ville au loin s'étale et domine la plaine (...) 5
Sa clarté se projette en lueurs jusqu'aux cieux (...)
VERHAEREN, les Villes tentaculaires, « La ville ».

★ **II.** (Correspond à *projet*). XIVe, Froissard, *pour jeter une embusque* « préparer une embuscade », d'après un sens milit. de *projeter :* « reconnaître, espionner, épier (une ville...) par une reconnaissance ».

♦ **1.** Former le projet de, concevoir (ce qu'on veut faire et les moyens d'y parvenir). ⇒ **Compter, méditer, penser.** *Projeter un voyage, une entreprise, un travail...* (⇒ **Ébaucher**). *Projeter de...* (et inf.). *Projeter d'aller, de faire...* ⇒ **Préméditer, proposer** (se); → aussi **Mercerie,** cit. — *Projeter qqch. à plusieurs et en secret.* ⇒ **Comploter, conspirer.** *Espérer, escompter qqch. sans rien projeter pour l'obtenir.*

Nous n'avons ni la force ni les occasions d'exécuter tout le bien et tout le mal que nous projetons. VAUVENARGUES, Réflexions et maximes, 313. 6

Absolt. *L'homme qui projette songe au lendemain* (cit. 8). *Projeter et exécuter.*

Ainsi va le monde; on travaille, on projette, on arrange d'un côté; la fortune accomplit de l'autre (...) BEAUMARCHAIS, le Mariage de Figaro, IV, 1. 7

♦ **2.** Réaliser un projet (2.) pour. *Projeter une machine révolutionnaire, une ville entièrement nouvelle* (⇒ **Projeteur**).

► **PROJETÉ, ÉE** p. p. adj.

♦ **1.** Au sens I. (Sens 1). *Une masse de fer projetée à toute volée* (→ Défoncer, cit. 2).

(Sens 2). *Ombre projetée.* ⇒ **Porté.** — *Vues, photos projetées.*

(Sens 3). *États, sentiments projetés.* — (De *se projeter*). « *Se saisir comme projetante* (cit.) *et projetée* ».

♦ **2.** (Au sens II). *Partie de pêche projetée* (→ Ingénier, cit. 3). *Livre projeté; œuvre projetée :* projet de livre, d'œuvre.

DÉR. Projetant, projeteur.

PROJETEUR, EUSE [pʀɔʒtœʀ, øz] n. — 1972; «personne qui fait des projets», v. 1770; de *projeter.*

♦ Techn. Technicien qui établit des projets. ⇒ **Concepteur-projeteur.**

PROJO [pʀɔʒo] n. — Mil. XXe (1955, *in* D.D.L.); de *proj(ecteur),* et suff. pop. *-o.*

Familier.

♦ **1.** Projecteur. « *Deux caméras et un "projo" tombent en panne* » (*l'Express*, 20 sept. 1980, p. 15).

♦ **2.** N.f. (1974, *in* D. D. L.). Séance de projection. *Faire une projo privée.*

PROLACTINE [pʀolaktin] n. f. — 1933; de *pro-,* et lat. *lactus* «lait».

♦ Physiol. Hormone sécrétée par l'hypophyse et qui déclenche la lactation (cit. 2). (On dit aussi *hormone lutéotrope*).

PROLAMINE [pʀɔlamin] n. f. — 1953; de *pro(téine),* 1., et *amine.*

♦ Biochim. Protéine végétale simple (holoprotéine) extraite de diverses graines (maïs, froment, seigle, orge, riz).

PROLAN [pʀɔlɑ̃] n. m. — 1928, Zondek et Aschheim; du grec *proles* «lignée» (→ Prolifique), et *-an.*

♦ Biochim. (Vieilli). ⇒ **Gonadotrophine.** « *La gonadostimuline* (ou *gonadotrophine*) *chorionique* (...), *trouvée en abondance dans le sang et l'urine des femmes enceintes, est appelée prolan* » (Garnier).

PROLAPSUS [pʀɔlapsys] n. m. — 1803, *in* D. D. L.; lat. mod., de *pro-,* et *labi* «tomber».

♦ Pathol. Glissement vers le bas, abaissement, descente (d'un organe ou d'une partie d'organe). ⇒ **Hernie, ptose.** *Prolapsus de l'utérus, du rectum.* ⇒ **Procidence.**

PROLATION [pʀɔlasjɔ̃] n. f. — 1691; «action de proférer», fin XVe; *prolacion* «ajournement», 1406; lat. *prolatio, de proferre.* → Proférer.

♦ Mus. anc. Prolongation du son.

PROLÉGAT [pʀɔlega] n. m. — Av. 1848; bas lat. *prolegatus,* de *legatus.* → Légat.

♦ Didact. Rare. Suppléant du légat.

PROLÉGOMÈNES [pʀɔlegɔmɛn] n. m. pl. — 1578; grec *prolegomena.*

♦ Ample préface contenant les notions préliminaires* nécessaires à l'intelligence d'un livre. ⇒ **Introduction, préface.**

1 Voilà les prolégomènes qui me semblaient nécessaires à l'intelligence du *Mémoire* qui suit (...) CHATEAUBRIAND, Mémoires d'outre-tombe, t. V, p. 47.

2 (...) Il (*Jules Laforgue*) était de ceux qui s'attendent toujours eux-mêmes au prochain livre, des nobles insatisfaits qui ont trop à dire pour jamais croire qu'ils ont dit autre chose que des prolégomènes et des préfaces.
R. DE GOURMONT, le Livre des masques, p. 209.

Notions, principes préliminaires à l'étude d'une question. *Prolégomènes à toute métaphysique future,* de Kant.

PROLEMME [pʀɔlɛm] n. m. — Mil. XVIIIe, Diderot; grec *prolêmma,* de *prolambanein* «avancer».

♦ Rhét. (Vx). Proposition (ou ensemble de propositions) constituant le fondement d'un lemme*.

PROLEPSE [pʀɔlɛps] n. f. — 1701; *prolepsie,* XVIe; lat. *prolepsis,* d'orig. grecque «anticipation», de *prolambanein* «avancer *(lambanein)* devant, devancer».

Didactique.

♦ **1.** Figure de rhétorique par laquelle on prévient une objection, en la réfutant d'avance.

♦ **2.** (1842). Philos. antiq. ⇒ **Anticipation, prénotion.**

♦ **3.** Gramm. Le fait de placer un mot dans la proposition qui précède celle où il devrait normalement figurer.

PROLEPTIQUE [pʀɔlɛptik] adj. — 1755, en méd.; grec *prolêptikos,* de *prolambanein.* → Prolepse.

Didactique.

♦ **1.** Qui anticipe.

Méd. *Fièvre proleptique,* dont les accès sont avancés par rapport à la périodicité normale.

(1842). Relatif à un fait antérieur à une époque, à l'établissement d'une ère chronologique, d'une méthode de datation.

♦ **2.** Rhét., philos. Relatif à la prolepse (1. et 2.).

♦ **3.** Gramm. Relatif à la prolepse (3.). *Tournure proleptique.*

DÉR. Proleptiquement, adv. (1709).

PROLÉTAIRE [pʀɔletɛʀ] n. m. et adj. — 1486, *prolectaire;* repris en 1748 (Montesquieu); lat. *proletarius,* de *proles* «lignée».

♦ **1.** Antiq. Citoyen de la sixième et dernière classe du peuple romain, exempt d'impôt, et ne pouvant être utile à l'État que par sa descendance *(proles). Les prolétaires faisaient partie de la plèbe.*

♦ **2.** (1570, repris par Rousseau, *le Contrat social*). Vx. Personne qui appartient à la classe la plus pauvre. ⇒ **Indigent, pauvre.**

♦ **3.** (Déb. XIXe, *in* Brunot). Mod. Personne qui ne possède pour vivre que les revenus de son travail (salaire), qui exerce un métier manuel ou mécanique et a un niveau de vie relativement bas (dans l'ensemble du groupe social), par oppos. à *capitaliste* (cit. 2), *bourgeois**. (Abrév. fam. : *prolo**). *Prolétaires des villes et des campagnes.* ⇒ **Ouvrier, paysan** (non propriétaire), **prolétariat.** « *Prolétaires de tous les pays, unissez-vous* », célèbre mot d'ordre du *Manifeste communiste* (1847). — Spécialt. Salarié de la grande industrie, n'assurant pas de fonction de direction ni d'encadrement.

(...) il *(Charles Fourier)* vous garantit des enfants, et se propose de réduire le nombre des habitants du monde de façon que chacun y soit à son aise; ce qui est beaucoup plus raisonnable que de pousser les prolétaires à en faire d'autres, sauf à les canonner ensuite dans les rues quand ils pullulent trop, et à leur envoyer des boulets au lieu de pain. 1
Th. GAUTIER, Préface de Mlle de Maupin, éd. critique MATORÉ, p. 37.

Certes *(dit le médecin Benassis),* je crois avoir assez prouvé mon attachement à la classe pauvre et souffrante, je ne saurais être accusé de vouloir son malheur; mais (...) je la déclare incapable de participer au gouvernement. Les prolétaires me semblent les mineurs d'une nation, et doivent toujours rester en tutelle. 2
BALZAC, le Médecin de campagne, Pl., t. VIII, p. 441.

Quant à la question des salaires, des heures de travail, cela ne signifie rien politiquement parlant. Cette ardente question tombe devant le défaut d'ouvrage. Les maîtres, s'abstenant de faire, ont bientôt raison des ouvriers. La main-d'œuvre a ses variations de hausse et de baisse. Mais il est très-dangereux de laisser aux ouvriers la faculté de s'assembler et de reconnaître leurs forces réelles dans un temps où la *propriété* est visiblement menacée par la variabilité du Principe Gouvernemental et par des discussions anti-sociales. Les ouvriers, sachez-le bien, sont les sous-officiers, tout formés, de l'armée des prolétaires, dont les généraux sont dans le parti républicain. 3
BALZAC, Sur les ouvriers, *in* Revue parisienne, 25 août 1840 (*in* Œ. diverses, t. III, p. 409).

Adj. (1789). *Les classes prolétaires.* ⇒ **Prolétarien.** *Milieu prolétaire. Faire cesser d'être prolétaire.* ⇒ **Déprolétariser.**

CONTR. Riche. — Bourgeois, capitaliste, patron...; aristocrate, gentilhomme, noble.
DÉR. Prolétairement, prolétariat, prolétarien, prolétariser.
COMP. Sous-prolétaire.

PROLÉTAIREMENT [pʀɔletɛʀmɑ̃] adv. — 1834, *infra;* de *prolétaire.*

♦ Rare. Selon les manières d'agir attribuées aux prolétaires; d'une façon digne des prolétaires.

L'utilité matérielle *(d'un roman, c'est)* pour le cabinet de lecture, des tas de gros sous très-prolétairement vert-de-grisés, et une quantité de graisse, qui, si elle était convenablement recueillie et utilisée, rendrait superflue la pêche de la baleine.
Th. GAUTIER, Préface de Mlle de Maupin, p. 26.

PROLÉTARIAT [pʀɔletaʀja] n. m. — 1832; de *prolétaire.*

♦ **1.** Vx. Condition du prolétaire (2.). ⇒ **Misère, pauvreté.** « *La dégradation de l'homme par le prolétariat* » (→ Misère, cit. 14, Hugo).

♦ **2.** Hist. Classe des prolétaires (1.) dans la Rome antique. ⇒ **Populace.**

♦ **3.** (Mil. XIXe, mais les premiers emplois font allusion au sens antique ; → cit. 1). Mod. Classe sociale des prolétaires (3.). ⇒ **Peuple.** *Le prolétariat moderne s'est développé avec la grande industrie du XIXe siècle. Prolétariat et capital* (cit. 8), *et patronat.* — *Le prolétariat urbain, ouvrier ; rural. Le prolétariat français, mondial* (→ Communiste, cit. 4). *Les internationales* (cit. 3 et 5) *et le prolétariat. Le prolétariat et la grève* (cit. 11). *Le dynamisme* (cit.) *du prolétariat. Partis du prolétariat et partis bourgeois.* — *Dictature** (cit. 5) *du prolétariat.*

1 Marat personnifiait en lui ces rêves vagues et fiévreux de la multitude qui souffre (...) Classe qui, sans voix pour se faire entendre, sans action régulière pour se faire sa place, s'émeut comme un élément au souffle de toutes les factions (...) et brise sans cesse les gouvernements, sans avoir pu briser encore les conditions de travail, d'oppression et de misère qui la retiennent dans la dégradation. Marat était le représentant du prolétariat moderne, sorte d'esclavage tempéré par le salaire. Il introduisait sur la scène politique cette multitude jusque-là reléguée dans son impuissance.
LAMARTINE, Histoire des Girondins, 1847, XXXVIII, II.

2 C'est en poussant à bout le mouvement économique que le prolétariat s'affranchira et deviendra l'humanité. JAURÈS, Hist. socialiste..., t. I, p. 27.

3 (...) les libertés formelles (...) n'ont plus rien de commun avec les exigences profondes du prolétariat. Celui-ci ne songe pas à réclamer la liberté politique, dont il jouit après tout et qui n'est qu'une mystification ; de la liberté de penser, il n'a que faire, pour l'instant ; ce qu'il demande est fort différent de ces libertés abstraites : il souhaite l'amélioration matérielle de son sort et, plus profondément, plus obscurément aussi, la fin de l'exploitation de l'homme par l'homme.
SARTRE, Situations II, p. 164.

4 Le statut du prolétariat tend à se généraliser, ce qui contribue à diluer les contours de la classe ouvrière et à estomper ses « valeurs » et son idéologie. L'exploitation bien organisée de la société entière porte aussi sur la consommation et non plus sur la seule classe productrice.
Henri LEFEBVRE, la Vie quotidienne dans le monde moderne, p. 114.

CONTR. Aristocratie, bourgeoisie, capital.
COMP. Sous-prolétariat.

PROLÉTARIEN, IENNE [pʀɔletaʀjɛ̃, jɛn] adj. — 1872 ; de *prolétaire.*

♦ Relatif au prolétariat moderne ; formé par le prolétariat. *Classe* (cit. 6) *prolétarienne. La force* (→ Fraction, cit. 7), *la résistance prolétarienne* (→ Légitimer, cit. 5). *Parti socialiste et prolétarien. Révolution prolétarienne. L'État* (cit. 119) *prolétarien.* ⇒ **Populaire, socialiste.**

PROLÉTARISATION [pʀɔletaʀizasjɔ̃] n. f. — 1904 ; de *prolétariser.*

♦ Le fait d'être prolétarisé. *La prolétarisation d'un bourgeois.*

Aussi bien la prolétarisation des classes moyennes n'a-t-elle pas eu, dans les pays industriels, les conséquences attendues par les premiers théoriciens de la lutte des classes. Raymond ABELLIO, Ma dernière mémoire, t. II, p. 129.

Le fait de devenir prolétaire (3.), ouvrier d'usine. *La prolétarisation des paysans.* — Par ext. *La prolétarisation et l'urbanisation.*

PROLÉTARISER [pʀɔletaʀize] v. tr. — 1904 ; de *prolétaire.*

♦ Réduire à la condition de prolétaire. — Au p.p. *Petits propriétaires ruraux prolétarisés.*

La nouvelle pauvreté s'instaure, se généralise, *prolétarise* des couches sociales nouvelles (les « cols blancs », les employés, une bonne partie des techniciens et des « professions libérales », etc.).
Henri LEFEBVRE, la Vie quotidienne dans le monde moderne, p. 102.

Pron. *Se prolétariser :* devenir prolétaire (dans ses habitudes ou ses goûts). *Bourgeois qui se prolétarisent.*

COMP. Sous-prolétariser.

PROLÉTARISME [pʀɔletaʀism] n. m. — 1832, *in* D.D.L. ; de *prolétaire.*

♦ Didact., vx. Situation du prolétaire. ⇒ **Prolétariat.**

Pour vous, l'effet de ce système *(l'organisation du travail manuel par des concours d'admission aux écoles spéciales)* sera de poser la question d'une manière plus violente dans un temps donné. Ce sera l'œuvre saint-simonienne, le triage des capacités. Le prolétarisme y verra tôt ou tard une aristocratie.
BALZAC, Sur les ouvriers, *in* Revue parisienne, 15 août 1840 (*in* Œ. diverses, t. III, p. 409).

PROLIFÉRATEUR, TRICE [pʀɔlifeʀatœʀ, tʀis] adj. — V. 1980 ; de *prolifération.*

♦ Qui fait proliférer qqch. Spécialt. Qui contribue à la prolifération nucléaire (in *Sciences et Avenir,* no 415, p. 1625).

PROLIFÉRATIF, IVE [pʀɔlifeʀatif, iv] adj. — 1897, *in* D.D.L. ; du rad. de *prolifération.*

♦ Didact. (biol., méd.). Capable de proliférer ; tendant à proliférer par processus morbide. *Inflammation, sclérose proliférative.*

PROLIFÉRATION [pʀɔlifeʀasjɔ̃] — 1842 ; de *prolifère.*

♦ **1.** Bot. Apparition d'une production surnuméraire sur un organe prolifère. — (1869, Littré). Biol. Multiplication des cellules vivantes. ⇒ **Proligération.** *Prolifération d'organismes unicellulaires* (par scissiparité...), *des cellules embryonnaires* (segmentation). *Prolifération par bourgeonnement* (gemmiparité). *Prolifération microbienne. Prolifération pathologique de cellules, de tissus.* ⇒ **Cancer, néoplasme, tumeur.** — Spécialt. *Prolifération des cellules d'un néoplasme, d'un cancer.* ⇒ **Néoplasie.**

(...) une plaie peut être souillée par des milliards de spores du vibrion de la septicémie, sans que la cicatrisation de la plaie semble retardée ; mais les moindres caillots sanguins, le moindre fragment de tissus contus vont être le point de départ de la prolifération microbienne et d'une infection généralisée.
Henri MONDOR, Pasteur, VII.

♦ **2.** Cour. Multiplication rapide (d'êtres vivants). — Fig. et péj. *La prolifération des doctrines subversives, des théories, des écoles.*

PROLIFÈRE [pʀɔlifɛʀ] adj. — 1766 ; du lat. *proles* « descendance », et *-fère.*

♦ Bot. Qui produit un organe (feuille, fleur) surnuméraire. *Fleur, fruit prolifère.*

DÉR. Prolifération.

PROLIFÉRER [pʀɔlifeʀe] v. intr. — Conjug. *céder.* — 1859 ; de *prolifère.*

♦ **1.** Se multiplier, se reproduire (cellules vivantes) ; engendrer, produire un organe, un tissu par des divisions cellulaires.

♦ **2.** (XXe). Se multiplier en abondance, rapidement. Procréer, produire une descendance nombreuse, pulluler (souvent en parlant d'espèces nuisibles). *Plantes, animaux qui prolifèrent.* Par métaphore. (→ Paraphrase, cit. 2).

Fig. et péj. Foisonner.

(...) dès l'instant où le crime se raisonne, il prolifère comme la raison elle-même, il prend toutes les figures du syllogisme. Il était solitaire comme le cri, le voilà universel comme la science. CAMUS, l'Homme révolté, p. 13.

PROLIFICATION [pʀɔlifikasjɔ̃] n. f. — 1812 ; « qualité prolifique », fin XIVe ; de *prolifique.*

Rare.

♦ **1.** Caractère d'un organe prolifère.

♦ **2.** Fait de proliférer. ⇒ **Prolifération.**

PROLIFICITÉ [pʀɔlifisite] n. f. — XXe ; de *prolifique.*

♦ Littér. ou sc. Fécondité (plus ou moins grande) d'un être vivant, d'une espèce. « *Une prolificité trop à l'étroit dans ses frontières* » (→ Expansion, cit. 4, Gide).

Malgré sa faible prolificité, l'espèce humaine ne laisse pas d'être passablement 1
envahissante. Jean ROSTAND, l'Homme, 1941, II.

En Allemagne, survit une vieille idée, d'origine relative à la prolificité des Ger- 2
mains *(germinare).* A. SAUVY, Croissance zéro ?, p. 18.

PROLIFIQUE [pʀɔlifik] adj. — 1503 ; du lat. *proles* (→ Prolifère) sur le modèle des adj. en *-ique.*

♦ **1.** Vx. Qui a, donne la faculté, le pouvoir d'engendrer*, la fécondité. *La vertu prolifique* (→ Louable, cit. 5, Molière). ⇒ **Générateur.** *L'humeur prolifique :* le sperme. — *Remède prolifique. Une « pilule prolifique »* (Lesage).

♦ **2.** (Av. 1874). Mod. Qui se multiplie plus ou moins rapidement (en parlant des êtres vivants). *Espèces plus, moins prolifiques* (→ aussi Haras, cit. 4). — Absolt. ⇒ **Fécond.** *Peuple, race prolifique* (→ Déclin, cit. 6). *Les lapins sont prolifiques.*

J'ai plus d'une fois (...) fait venir d'Italie des reines fécondées, car la race italienne est meilleure, plus robuste, plus prolifique, plus active et plus douce que la nôtre.
MAETERLINCK, la Vie des abeilles, II, XIX.

♦ **3.** Fig. Qui produit beaucoup. *Un auteur prolifique, trop prolifique.*

CONTR. Stérile.
DÉR. Prolification, prolificité.

PROLIGÉRATION [pʀɔliʒeʀasjɔ̃] n. f. — 1904 ; de *proligère.*

♦ Biol. Prolifération.

PROLIGÈRE [pʀɔliʒɛʀ] adj. — 1845 ; du lat. *proles* « descendance », et *gerere* « porter ».

♦ Sc. nat. Qui porte un germe. *Disque proligère :* partie du follicule de De Graaf qui porte l'ovule.

DÉR. Proligération.

PROLINE [pʀɔlin] n. f. — 1905, → cit.; all. *Prolin* dû à Fischer et Abderhalden, 1901. → cit.

♦ Chim., biol. Acide aminé hétérocyclique, très abondant dans les protéines végétales (prolamines) et dans la gélatine, qui joue un rôle dans la synthèse des glucides de l'organisme humain. *La proline fut isolée en 1901, dans la caséine du lait.*

E. Fischer et ses élèves ont, en outre, préparé récemment toute une série de *polypeptides artificiels* (...) Déjà E. Fischer et ses collaborateurs se sont élevés jusqu'au *tétraglycollylglycocolle*, soit donc à un pentapeptide (...) en passant par des tri- et des tétrapeptides. Parmi ces composés, les uns sont simples, c'est-à-dire constitués par l'association de plusieurs radicaux d'un même acide (...) les autres mixtes, c'est-à-dire formés par l'association de radicaux d'amino-acides différents (...) Plus récemment, E. Fischer et Abderhalden ont pu introduire aussi dans ces composés l'acide α-pyrrolidine-carbonique, qu'ils proposent de désigner sous le nom abrégé de *proline*, et à préparer par exemple la *leucyl-proline*.
E. LAMBLING, *in* Revue générale des sciences, 30 janv. 1905, p. 77-78.

PROLIXE [pʀɔliks] adj. — Déb. XIVe; *prolipse*, 1223; lat. *prolixus* « allongé ».

♦ Qui est trop long, qui a tendance à délayer*, dans ses écrits ou ses discours. ⇒ **Bavard, diffus, verbeux.** *Orateur, écrivain prolixe. Un accusé prolixe* (→ Escamoter, cit. 7). *Conférencier fatigant à force d'être prolixe. Outrageusement* (cit. 2) *prolixe. Il est éloquent mais prolixe :* il parle trop.

1 Cicéron critiquait un orateur prolixe qui, ayant à dire que son client s'était embarqué, s'exprimait ainsi : « Il se lève, — il s'habille, — il ouvre sa porte, — il met le pied hors du seuil, — il suit à droite la voie Flaminia,— pour gagner la place des Thermes », etc., etc. NERVAL, les Nuits d'octobre, I.

1.1 Je ne déteste pas ces gens prolixes, capables à eux seuls de mener une conversation et qui vous épargnent la peine d'y prendre part.
Geneviève DORMANN, la Fanfaronne, p. 122.

(Av. 1778). Par ext.⇒ **Abondant, copieux.** *Discours, style prolixe.*

N. m. Le *diffus* (cit. 8) et le *prolixe.*

2 L'autre (...) fait des romans qui ont une fin, en bannit le prolixe et l'incroyable, pour y substituer le vraisemblable et le naturel.
LA BRUYÈRE, Discours de réception à l'Académie, 15 juin 1693.

CONTR. Concis, continent, court, laconique, sobre.
DÉR. Prolixement.

PROLIXEMENT [pʀɔliksəmɑ̃] adv. — V. 1225; de *prolixe.*

♦ Littér. D'une manière prolixe (→ Compendieusement, cit. 2). *Écrire prolixement.*

(...) il me paraît (...) que la pensée de nombre d'auteurs gagnerait à être moins diluée, et qu'en s'exposant trop prolixement elle donne plus de prise au temps, à la ruine. Le plus souvent les plus prolixes sont ceux qui ont le moins à dire.
GIDE, Journal, 2 janv. 1931.

CONTR. Laconiquement.

PROLIXITÉ [pʀɔliksite] n. f. — V. 1265; bas lat. *prolixitas.*

♦ Défaut de celui qui est prolixe, de ce qui est prolixe. ⇒ **Diffusion, faconde** (cit. 2), **loquacité** (→ 1. Noyer, cit. 3), **verbiage.**

Ou je me trompe fort, ou la prolixité de nos grands prosateurs ne sera que de l'ennui pour 1880. STENDHAL, Correspondance, éd. Charpentier, p. 316.

Fig., littér. « *Le destin nous ahurit* (cit. 1) *par une prolixité de souffrances insupportables* » (Hugo).

CONTR. Brièveté, continence, laconisme, sobriété.

PROLO [pʀolo] n. m. — 1883; de *prolétaire.*

♦ Fam. Prolétaire. *C'est un fils de prolo. Les prolos.* — Resuffixation populaire : *prolingue* (1974).

(...) voyez-vous messieurs-dames, les petits prolos de chez Renault qui rouspètent sans-cesse, ils gagnent autant ou même plus que des profs.
Yanny HUREAUX, la Prof, p. 244.

Adj. « *Origine prolo. Les grands ensembles (...)* » (Claude Courchay, *les Américains sont de grands enfants*, p. 75, *in* D. D. L.).

PROLOGUE [pʀɔlɔg] n. m. — V. 1225; *prologe*, v. 1160; lat. *prologus*, grec *prologos.*

A. ♦ **1.** Hist. littér. Partie (d'un drame antique) qui précède l'entrée du chœur. *Les prologues de la tragédie grecque. Prologues de Plaute*, exposant le sujet (⇒ **Argument**).

1 Déjà on avait vu chez Eschyle (...) un monologue lyrique du coryphée précéder le chant du chœur (...) avec Sophocle et dès l'*Antigone* le prologue s'étoffe en un dialogue animé qui nous jette au cœur du drame; il en viendra dans l'*Électre* à prendre l'ampleur d'un premier épisode.
P. GUILLON, Littérature de la Grèce antique, *in* Encycl. Pl. Hist. des littératures, t. I, p. 393.

♦ **2.** Acteur qui récitait le prologue (→ Outrageusement, cit. 2).

♦ **3.** (1611). Littér. Discours qui introduit une pièce de théâtre. *Prologues d'*Esther (Racine), *d'*Amphitryon, *des* Fâcheux, *du* Malade imaginaire (Molière). → Ici, cit. 18.

Notre siècle a inventé une autre espèce de prologue pour les pièces de machines, qui ne touche point au sujet, et n'est qu'une louange adroite du prince devant qui ces poèmes doivent être représentés. 2
CORNEILLE, Discours sur le poème dramatique.

♦ **4.** (1690). Mus. Partie préliminaire de certains opéras anciens (→ Flagorner, cit. 3). Par anal. *Prologue de quelques opéras wagnériens.* ⇒ aussi **Prélude.**

B. ♦ **1.** Texte introductif. *Les Prologues de Térence*, préfaces littéraires souvent polémiques. ⇒ **Introduction, préface.** *Le prologue de la loi salique. Les prologues de* Gargantua *et du* Tiers Livre *de Rabelais. Les prologues des divers livres des* Fables *de La Fontaine*, vers ou pièces de vers liminaires constituant une dédicace. *Le prologue en vers de* Jocelyn (Lamartine).

C'est souvent du hasard que naît l'opinion, 3
Et c'est l'opinion qui fait toujours la vogue.
Je pourrais fonder ce prologue
Sur gens de tous états (...) LA FONTAINE, Fables, VII, 15.

♦ **2.** Fig. Préliminaire, prélude. *Un prologue sanglant à des troubles.*

Déjà quelques scènes tumultueuses, quelques assassinats éclatants avaient fait sentir l'affaiblissement du monarque, l'absence et la fin prochaine du ministre; et, comme une sorte de prologue à la sanglante comédie de la Fronde, venaient aiguiser la malice et même allumer les passions des Parisiens. 4
A. DE VIGNY, Cinq-Mars, XIV.

♦ **3.** (1828, Nerval, trad. du *Faust* de Goethe : *« Prologue sur le théâtre; Prologue dans le ciel »*). Première partie (d'un roman, d'une pièce, d'un film) présentant des événements antérieurs à l'action proprement dite. *En prologue à l'émission, on a diffusé des films d'archives.*

CONTR. Épilogue.

PROLONGATEUR [pʀɔlɔ̃gatœʀ] n. m. — Mil. XXe (in *Larousse* 1963); du rad. de *prolongation.*

♦ Techn. Ensemble (fil et prises) destiné à relier électriquement deux câbles souples l'un à l'autre. ⇒ **Rallonge.** *Prolongateur d'appareil électrique, de télévision.* Adj. *Cordon, fil prolongateur.*

PROLONGATION [pʀɔlɔ̃gasjɔ̃] n. f. — 1467; *prolongacion* « caractère d'un corps long enroulé sur lui-même », 1314; de *prolonger.*

♦ **1.** Action de prolonger dans le temps; résultat de cette action. ⇒ **Allongement, augmentation, continuation.** *Prolongation d'une trêve, d'un congé. La prolongation de sa vie* (→ Heureusement, cit. 6). *Obtenir une prolongation.* ⇒ **Délai.** *Le tribunal le condamna pour ce délit à une prolongation de trois ans* (→ Évasion, cit. 1). *Prolongation de terme.*

J'ai une jeune femme, et je crains que la prolongation des fatigues de la route ne soit une épreuve un peu dure pour elle (...)
J.-A. DE GOBINEAU, Nouvelles asiatiques, p. 286.

(1842). Mus. *Prolongation d'une note :* action de la tenir plus longtemps en la prolongeant sur les accords suivants.

♦ **2.** (1559). Absolt. Temps accordé en plus. ⇒ **Délai.**

(1901). Sports. Chacune des deux périodes supplémentaires qui, dans un match de football ou de rugby, lorsque les deux équipes sont à égalité à la fin du temps réglementaire, prolongent le match en vue de les départager. *Jouer les prolongations.*

CONTR. Cessation. — Raccourcissement.

PROLONGE [pʀɔlɔ̃ʒ] n. f. — 1752, *prolonge; prolongue*, XIVe; de *prolonger.*

♦ Artill. Anciennt. Cordage qui servait à manœuvrer les pièces d'artillerie. — (1835). Mod. Voiture sommaire, châssis monté sur roues servant au transport des munitions, du matériel militaire, etc. *Prolonge d'artillerie. — Cercueil placé sur une prolonge* (dans certaines cérémonies funéraires militaires).

— Des camions bâchés. 1
— Naturellement qu'ils sont bâchés. Mais c'est-y des allèges de pontonniers ou des prolonges d'artillerie? Ne fais pas le niais.
B. CENDRARS, la Main coupée, p. 175.

(1874). Ch. de fer. Long cordage faisant partie des agrès de secours (pour assujettir les bâches, manœuvrer les freins, etc.).

La pièce avec ses six servants (...) plus loin l'avant-train et ses quatre chevaux (...) 2
plus loin le caisson (...) plus loin encore la prolonge, la fourragère, la forge (...)
ZOLA, la Débâcle, II, v.

PROLONGÉ, ÉE [pʀɔlɔ̃ʒe] adj. ⇒ **Prolonger.**

PROLONGEABLE [pʀɔlɔ̃ʒabl] adj. — 1788; de *prolonger.*

♦ Qui peut être prolongé.

Le soldat est persuadé qu'un certain délai indéfiniment prolongeable lui sera accordé avant qu'il soit tué, le voleur, avant qu'il soit pris, les hommes en général, avant qu'ils aient à mourir.
PROUST, À l'ombre des jeunes filles en fleurs, Pl., t. I, p. 608.

PROLONGEMENT [pʀɔlɔ̃ʒmɑ̃] n. m. — V. 1165; de *prolonger.*

A. (V. 1165). Temporel. Ce par quoi un événement, une activité, une situation se prolonge ou semble se prolonger. ⇒ **Continuation** (→ Collège, cit. 3; pastoral, cit. 2). *Quel chemin parcouru, du modèle de Don Quichotte à Cervantès et à ses prolongements!* (→ Mythe, cit. 4). *Les prolongements d'une affaire, d'un événement politique.* ⇒ **Développement, suite.**

1 Si je pensais que cette civilisation fût le prolongement de celle qui, depuis trente ou quarante siècles, a, malgré bien des erreurs, enrichi, orné, ennobli le patrimoine de l'espèce, de quel cœur ne chanterais-je pas ses louanges ?
G. DUHAMEL, Scènes de la vie future, XV.

B. Spatial. ♦ **1.** (1549). Action de prolonger (dans l'espace); augmentation de longueur. ⇒ **Allongement, extension.** *Décider le prolongement d'une autoroute, d'une voie de chemin de fer. Projet de prolongement d'une rue.*

♦ **2.** (1778). Ce par quoi on prolonge (ou se prolonge) une chose; ce qui prolonge la partie principale d'une chose, d'un corps. *Le prolongement de la route est récent. L'inculte prolongement des jardins de l'hôtel* (→ Falaise, cit. 3). *La Provence n'est qu'un prolongement, un pente* (cit. 9) *des Alpes.* — Techn. *Prolongement d'arrêt :* zone où un avion peut s'arrêter, en cas d'interruption du décollage. — Spécialt. Sc. nat. ⇒ **Appendice, procès.** *La cellule nerveuse et ses prolongements.* ⇒ **Dendrite** (cit.; et → Neurone, cit. 1). *Prolongements des nerfs* (cit. 8). *Les prolongements de l'amibe peuvent se rétracter.* ⇒ **Pseudopode** (→ Excitation, cit. 12). *Prolongements protoplasmiques* (→ Phagocytose, cit.).

Fig. (→ Bonheur, cit. 28).

2 Les lois sont le prolongement des mœurs. HUGO, Paris, V, I.

Math. *Prolongement d'une application :* extension d'une application d'un ensemble A dans un ensemble B à un ensemble A′ contenant A.

♦ **3.** (1910). *Dans le prolongement de; en prolongement :* dans la direction qui prolonge qqch. *Oiseau qui allonge le bec dans le prolongement du cou* (→ Piège, cit. 1).

CONTR. Contraction, conversion, raccourcissement.

PROLONGER [pʀɔlɔ̃ʒe] v. tr. — Conjug. *bouger.* — XIIIe; *prolonger,* d'après *allonger; prolonguer,* 1213; bas lat. *prolongare.*

Faire aller au delà d'une limite antérieurement fixée.

A. Temporel. ♦ **1.** Faire durer plus longtemps; accroître, augmenter la durée* de (⇒ **Prolongation**). *Prolonger la vie de qqn.* ⇒ **Entretenir** (→ Abréger, cit. 6; imprimer, cit. 4; nécessaire, cit. 12). *Prolonger la jeunesse* (→ Longévité, cit. 3). *Prolonger une veille, la veillée* (→ Douloureux, cit. 12; intraitable, cit. 2). *Prolonger le bonheur de l'amour dans le mariage* (cit. 23). *Prolonger les délices du rêve* (→ Fiançailles, cit. 3). *Prolonger une séance, un débat. Nous ne pouvons prolonger notre séjour.* ⇒ **Attendre.** *Prolonger la trêve. « Prolonger le terme d'un paiement »* (Académie). ⇒ **Proroger.** *Mesure dilatoire* tendant à prolonger un procès.* ⇒ **Longueur** (tirer, traîner en). *Un être dont je voudrais prolonger la mémoire* (1. Mémoire, cit. 34).

1 Et peut-être après tout, en l'état où je suis,
Sa mort avancera la fin de mes ennuis.
Je prolongeais pour lui ma vie et ma misère (...) RACINE, Andromaque, I, 4.

2 Quiconque prolonge sa carrière sent se refroidir ses heures; il ne retrouve plus le lendemain l'intérêt qu'il portait à la veille.
CHATEAUBRIAND, Mémoires d'outre-tombe, t. II, p. 168.

♦ **2.** Venir à la suite de.

3 (...) un froid noir prolongeait le dur hiver, sans pitié des misérables.
ZOLA, Germinal, VI, I.

B. (1538). Spatial. ♦ **1.** Faire aller plus loin, dans le sens de la longueur; augmenter la longueur de. ⇒ **Allonger; prolongement.** *Prolonger une rue, une voie ferrée. Deux lignes prolongées à l'infini* (cit. 23; → aussi force, cit. 62; infiniment, cit. 1). *Prolonger une ombre* (→ Flamme, cit. 2).

♦ **2.** Par ext. (Sujet n. de chose). Être, constituer le prolongement de; être ce qui rend plus long, plus grand. *Les marches qui couvraient* (cit. 23) *et prolongeaient la France. Cloison qui prolonge la voûte du palais* (2. Palais, cit. 1). — Fig. *Les objets* (cit. 8) *qui s'ajoutent à l'homme et le prolongent.*

Mar. *Prolonger une côte,* la longer* parallèlement. *Prolonger un navire,* se porter parallèlement à lui; se mettre vergue à vergue avec lui.

▶ **SE PROLONGER** v. pron.

♦ **1.** (Dans le temps). Durer plus longtemps qu'il n'est prévu ou prévisible. ⇒ **Continuer.** *Breuvage* (cit. 5) *dont l'action se prolonge pendant toute la vie. Bruit, murmure* (cit. 3) *qui se prolonge* (→ Orage, cit. 1). *La voix, l'écho se prolonge* (→ 1. Cor, cit. 2; déserter, cit. 16). *La séance, le gala* (cit. 5) *se prolongea.* ⇒ **Éterniser** (s'). *Les liaisons* (cit. 9) *qui se prolongent. La leçon se prolongeait jusqu'à ce que...* (→ Lourd, cit. 12). *Le bonheur est produit par des sentiments assez paisibles* (cit. 6) *pour se prolonger.*

Les soldats, se cramponnant à la poutre, tiraient en arrière. Les Carthaginois halaient pour la faire monter; et l'engagement se prolongea jusqu'au soir. 4
FLAUBERT, Salammbô, XIII.

Ils y font tous les jours des repas qui se prolongent durant des heures et parfois fort avant dans la nuit. MAETERLINCK, la Vie des abeilles, II, IX. 5

♦ **2.** (Dans l'espace). Aller plus loin. ⇒ **Continuer, étendre** (s'), **poursuivre** (se). *Une houle qui se prolongeait et allait mourir à l'autre bout* (→ Haleine, cit. 31). *Le chemin se prolonge à travers bois. La plaine en bas se prolongeait* (→ Perdre, cit. 79). — *Être prolongé :* avoir pour prolongement. *Se prolonger par..., en... Une éminence* (cit. 2) *qui se prolongeait en promontoire.* — Fig. *Un souvenir se prolonge dans une direction divergente* (cit. 1)... ⇒ **Pousser.**

Avez-vous quelque fois regardé un cap avançant sous la nuée et se prolongeant à perte de vue dans l'eau profonde ? HUGO, Shakespeare, II, II, V. 6

Une jeunesse saine se suffit à soi-même, au point de ne pas éprouver ce besoin de s'accroître, ce désir de se prolonger dans autrui qu'est l'amour. 7
F. MAURIAC, le Jeune Homme, VII.

▶ **PROLONGÉ, ÉE** p. p. adj.

Qu'on prolonge, qui se prolonge.

♦ **1.** (1690). Dans le temps. Qui dure longtemps. *Rire, cri, hurlements* (cit. 1), *échos, coups de sifflet... prolongés* (→ Étourdissant, cit. 2; modulation, cit. 2). *Collaboration* (cit. 2), *contacts* (cit. 2) *prolongés. Vérifications prolongées et méthodiques* (→ Contrôle, cit. 2). *Jeûnes prolongés des fakirs* (cit. 2). *Sécheresse prolongée* (→ Herbe, cit. 9). *Froids rigoureux et prolongés* (→ Olivier, cit. 1). *Lune de miel indéfiniment* (cit. 2) *prolongée.* — Fam. *Une jeune fille prolongée,* non mariée à un âge où elle pourrait l'être et qui garde un comportement un peu puéril. ⇒ **Attardé.**

♦ **2.** (Dans l'espace). *Au numéro 40 de la Rue-Neuve prolongée. Cheveux prolongés en « devants »* (→ 1. Fou, cit. 52).

Puis, la lourde machine s'ébranla avec un bruit de ferrailles, en lançant de la boue jaune, rayons prolongés des larges roues. 8
André SUARÈS, Trois hommes, « Ibsen », VI.

CONTR. Abréger, accourcir, cesser, couper, diminuer, raccourcir... — (Du pron.) **Fuir. —** (Du p. p. adj.) **Bref, court.**

DÉR. Prolongation, prolongeable, prolongement.

PROMAZINE [pʀomazin] n. f. — V. 1955; de *pro(pyl-),* et *(phénotia)zine.*

♦ Méd. Neuroleptique de la formule (Diméthylamino-3 propyl)-10 phénotiazine, prescrit dans le traitement de diverses psychoses et comme anti-émétique.

(...) dès 1952, les principes des chimiothérapies neuroleptiques étaient posés (...) À la suite de la chlorpromazine, d'autres phénothiazines furent synthétisées : les unes moins puissantes (méthopromazine, promazine) ou d'action moins régulière (acépromazine), une au moins, plus puissante et dotée d'actions sédatives et végétatives importantes, la *lévomépromazine* (...)
Pierre DENIKER, la Psychopharmacologie, p. 70.

COMP. Cf. ci-dessus, cit.

PROMENADE [pʀɔmnad] n. f. — 1557, *pourmenade;* de *pourmener, promener.*

♦ **1.** Action de se promener; trajet que l'on fait en se promenant. ⇒ **Course, échappée, errance** (littér.), **excursion, flânerie, tour;** fam. 2. **baguenaude, balade, vadrouille, virée;** régional **bambée.** *Faire une promenade* (→ Herborisateur, cit. 2; observateur, cit. 12). *Promenade à la campagne, en montagne, en ville, extra-muros* (cit. 1)... (→ Évoquer, cit. 9; 1. porte, cit. 1). *Promenade à pied* (→ Loto, cit. 1), *pédestre* (cit. 1), *à cheval* (⇒ **Cavalcade;** → Ébrouement, cit. 1). *Promenade en barque* (⇒ **Canotage;** → Fil, cit. 31), *en voiture... Longue promenade* (→ Emmener, cit. 3). *Faire une grande promenade. Tour de promenade. Promenade solitaire* (→ Ennuyeux, cit. 8). *Promenade à deux, en groupe... Promenade des prisonniers dans la cour de la prison. Promenade touristique.* ⇒ **Circuit, randonnée, voyage.** — Littér. *Promenade dans Rome,* de Stendhal (1829). — *Promenade hygiénique, de santé.*

(...) la soirée était charmante; la rosée humectait l'herbe flétrie (...) les arbres des terrasses étaient chargés de rossignols qui se répondaient de l'un à l'autre. Je me promenais dans une sorte d'extase, livrant mes sens et mon cœur à la jouissance de tout cela, et soupirant seulement un peu du regret d'en jouir seul. Absorbé dans ma douce rêverie je prolongeai fort avant dans la nuit ma promenade, sans m'apercevoir que j'étais las. 1
ROUSSEAU, les Confessions, in Œ. compl., Pl., t. I, IV.

Ce qui m'a déterminé à publier ce livre, c'est que souvent, étant à Rome, j'ai 2

désiré qu'il existât. Chaque article est le résultat d'une promenade, il fut écrit sur les lieux ou le soir en rentrant.
STENDHAL, Promenades dans Rome, Avertissement.

EN PROMENADE. *Collégiens en promenade* (→ Jeudi, cit. 2; pépinière, cit. 1). *Aller en promenade* (→ Empêtrer, cit. 9). *Mener les enfants en promenade* (→ Jeudi, cit. 2).

(1825). *Promenade (militaire)* : exercice de marche*. — Fig. *L'expédition n'a été pour l'armée qu'une simple promenade.*

3 Les Prussiens *(après le combat de Valmy)*, ayant trouvé le morceau plus dur qu'ils ne croyaient, car ils comptaient sur une promenade militaire, s'en tinrent là.
J. BAINVILLE, Hist. de France, XVI, p. 365.

Sports. (Courses). Allure facile, aisée; course facile. — Cour. Voyage, déplacement facile et rapide. *Aller au Japon est devenu une simple promenade, avec la ligne polaire.*

Par métaphore ou fig. *La promenade à travers la vie* (→ Infliger, cit. 3). *La promenade de votre fantaisie* (cit. 35), *autour de votre volonté.* Littér. *Promenades littéraires, philosophiques,* de R. de Gourmont.

4 À moins que mes dernières années ne me réservent des peines bien cruelles, je n'aurai, en disant adieu à la vie, qu'à remercier la cause de tout bien de la charmante promenade qu'il m'a été donné d'accomplir à travers la réalité.
RENAN, Souvenirs de jeunesse, Œ. compl., t. II, VI, p. 909.

♦ **2.** (1599). Lieu aménagé dans une ville pour les promeneurs. ⇒ **Avenue, boulevard, cours, mail, parc.** *La promenade des Anglais à Nice. Ville aux vastes promenades* (→ Grandiose, cit. 1). *Les bancs des promenades* (→ Malheureusement, cit. 3). *Dans, sur les promenades* (→ Brûler, cit. 26; intérieur, cit. 9). — *Promenade couverte.* ⇒ **Galerie.**

5 (...) je redescendais en courant pour aller passer une demi-heure à la promenade du Jardin de Ville, qui, le soir en été, au clair de lune, sous de superbes marronniers de quatre-vingts pieds de haut, servait de rendez-vous à tout ce qui était jeune et brillant dans la ville.
STENDHAL, Vie de Henry Brulard, 25.

6 Les Français font partout des promenades : j'ai vu au Caire un grand carré qu'ils avaient planté de palmiers et environné de cafés, lesquels portaient des noms empruntés aux cafés de Paris : à Rome, mes compatriotes ont crée le Pincio; on y monte par une rampe.
CHATEAUBRIAND, Mémoires d'outre-tombe, t. V, p. 144.

7 Autrefois, Tomsk passait pour être située à l'extrémité du monde. Voulait-on s'y rendre, c'était tout un voyage à faire. Maintenant, ce n'est plus qu'une simple promenade, lorsque la route n'est pas foulée par le pied des envahisseurs. Bientôt même sera construit le chemin de fer qui doit la relier à Perm en traversant la chaîne de l'Oural.
J. VERNE, Michel Strogoff, p. 319-320.

PROMENER [pʀɔmne] v. — Conjug. *lever.* — XVIe; *pourmener,* XIIIe; de *mener.*

★ **I.** V. tr. ♦ **1.** Faire aller (qqn) dans un lieu et dans un autre. ⇒ **Transporter.** *Blessé qu'on promène sur des brancards* (→ Ambulance, cit. 1). — Spécialt (pour faire plaisir, pour faire prendre l'air, pour faire faire de l'exercice, etc.). *Promener un hôte à travers Paris, sa femme aux Tuileries* (→ Me, cit. 4). *Promener un visiteur d'atelier en atelier* (cit. 2). *Le batelier qui les promène* (→ Livrer, cit. 26). « *Quatre bœufs* (cit. 3)... *Promenaient dans Paris le monarque indolent* » (Boileau). — Par métaphore. *Promener son lecteur* (→ Ovale, cit. 2). — *Personne chargée de promener des enfants.* ⇒ **Promeneuse.** *Promener son chien, le promener au bout d'une laisse* (cit. 2). — Par plais. *On la promène en laisse* (→ Garder, cit. 10). *Elle promenait ses oies* (cit. 1).

1 (..) une petite calèche de voyage passée de mode que Moreau fit repeindre, et dans laquelle il promenait sa femme, en se servant de deux bons chevaux, d'ailleurs utiles aux travaux du parc.
BALZAC, Un début dans la vie, Pl., t. I, p. 676.

2 Il nous promena pendant près d'une heure, et enfin nous arrêta à la porte d'un garni, près d'une petite gare suburbaine.
Valery LARBAUD, A. O. Barnabooth, Journal, II, 16 juin.

Fam. *Cela vous promènera* : cela vous fera faire une promenade (en parlant d'une commission, d'une course à faire).

Sports. Dans les sports de combat, Faire se déplacer (son adversaire) contre son gré, sans qu'il puisse résister. *Il promenait son adversaire d'un côté à l'autre du ring.*

(Compl. n. de chose). *Promener un mannequin* (cit. 6), *des statues* (→ Idolâtre, cit. 2). *Ces orgues* (cit. 3) *que les Italiens promènent dans les rues. Les mers où leurs vaisseaux promènent le pavillon étoilé* (→ Expédition, cit. 14). *Promener un fanal* (cit. 4). *Promener ses toilettes dans la rue* (→ Façon, cit. 8; pinson, cit. 1). *Promener sa décoration* (→ 1. Palme, cit. 7). *Promener sa carcasse* (cit. 4). — (Sujet n. de chose). *La lune promenant sa lumière argentine* (→ Parsemer, cit. 3).

3 (...) leurs toilettes assorties, promenées à pied, à cheval, en voiture, avaient ensorcelé la ville.
Alphonse DAUDET, Rose et Ninette, VI.

4 (...) les salons où je me fourvoyai, j'y faisais figure d'oiseau de nuit; j'y promenais, il est vrai, des redingotes assez bien faites (...)
GIDE, Si le grain ne meurt, I, X, p. 279.

5 (...) le jour de la prise de Loos, il promena ses vieux rhumatismes sur le champ de bataille détrempé (...)
A. MAUROIS, les Silences du colonel Bramble, X.

♦ **2.** Imprimer un mouvement à (qqch.), faire aller et venir, sans se déplacer soi-même. *Promener un archet sur les cordes. Promener sa faux au ras du sol* (→ Moissonner, cit. 2), *la navette sur le métier* (→ Peigner, cit. 3). — (Le compl. désigne un partie du corps). *Promener ses doigts, sa main sur...* ⇒ **Caresser, passer.** *Promener ses yeux, ses regards sur...* ⇒ **Regarder** (→ Arracher, cit. 48; étincelant, cit. 3; frisson, cit. 23; montrer, cit. 1; 2. ouvreur, cit. 2).

Il promena sa vue de toutes parts, et la diversité des choses qui l'environnaient eut de quoi occuper longtemps sa curiosité. 6
A.-R. LESAGE, le Diable boiteux, III.

Souvent sur la montagne, à l'ombre du vieux chêne, 7
Au coucher du soleil, tristement je m'assieds;
Je promène au hasard mes regards sur la plaine,
Dont le tableau changeant se déroule à mes pieds.
LAMARTINE, Premières méditations, I.

Et, tout en promenant son petit doigt tremblant 8
Sur sa joue, un velours de pêche rose et blanc (...)
RIMBAUD, Poésies, XX.

♦ **3.** (XVIIe). Compl. n. de chose abstraite. Faire aller, porter avec soi en se déplaçant d'un lieu à l'autre. *Promener partout son ennui* (cit. 14), *sa tristesse. Les lieux où on promène ses peines, ses chagrins* (→ Engourdissement, cit. 4; humilier, cit. 36). *Il promène une vie médiocre et des rêves chétifs* (cit. 5). « *De fleurs en fleurs, de plaisirs en plaisirs, promenons nos désirs* » (→ Impie, cit. 2, Racine).

Il y a peu de temps qu'encor j'y promenais, 9
Vous le savez, mon goût de son clair paysage (...)
VERLAINE, Dédicaces, XV.

♦ **4.** Fig. Vx. *Promener qqn* : le mener* en bateau, le lanterner*. *Au lieu de me payer ce qu'il me doit, voilà six mois qu'il me promène.*

★ **II.** V. intr. (1530). Vx ou régional. Se promener. « *J'étais allé promener dans le parc* » (Dorgelès).

Quand il lui arrivait de sortir avec l'un d'eux, d'emmener l'un d'eux « promener », 9.1
il serrait fort, en traversant la rue, la petite main dans sa main chaude (...)
N. SARRAUTE, Tropismes, p. 51.

REM. 1. Cet emploi, fréquent chez les classiques, se trouve chez G. Sand, Veuillot et, plus récemment, chez Dorgelès, Green (*in* Grevisse, *Problèmes de langage,* p. 276-278, qui écrit : «Ce n'est pas qu'*aller promener* soit, dans l'usage actuel, de mise partout...; dans la langue littéraire et soignée, on dira «*aller se promener*»).
2. Pour *mener, envoyer... promener,* voir ci-dessous *se promener.*

▶ **SE PROMENER** v. pron. (V. 1465, *se premener*).

♦ **1.** Aller d'un lieu à un autre pour se distraire, prendre l'air, faire de l'exercice, voir du pays... ⇒ **Baguenauder** (2.), **balader** (se), **circuler, voyager; ambuler** (vx). *Se promener à pied.* ⇒ **Déambuler, marcher.** *Se promener à cheval* (cit. 20), *en voiture. Se promener en barque, en bateau, en canot* (→ Guide, cit. 1; passer, cit. 99)... *Se promener à grands pas, à pas lents* (→ Pensif, cit. 1). *Se promener dans sa chambre* (→ Allée, cit. 1), *de long en large* (→ Journée, cit. 2; nerveux, cit. 11). *Se promener dans une ville, dans les rues* (→ Chanter, cit. 11; entretenir, cit. 16), *à la campagne* (→ Divin, cit. 7)... — Vx. *S'aller promener, s'en aller promener.* Mod. *Aller se promener.* ⇒ **Sortir** (→ Cercle, cit. 5; faire, cit. 197; 1. flanquer, cit. 7). — *Se promener seul, avec un ami, une femme...* (→ Badiner, cit. 1; garrotter 1., cit. 5). *Se promener au lieu d'aller en classe* : faire l'école buissonnière*. (⇒ **Buissonner**). *Viens te promener avec papa* (cf. lang. enfantin : *mener-mener*).

Car si l'après-dînée est plaisante et sereine, 10
Je m'en vais promener tantôt parmi la plaine,
Tantôt en un village, et tantôt en un bois,
Et tantôt par les lieux solitaires et cois (...)
RONSARD, Disc. des misères de ce temps, « Réponse aux injures et calomnies ».

Quand j'étais chez quelqu'un à la campagne, le besoin de faire de l'exercice et de respirer le grand air me faisait souvent sortir seul, et m'échappant comme un voleur, je m'allais promener dans le parc ou dans la campagne (...) 11
ROUSSEAU, Rêveries..., 8e promenade.

(...) monsieur le philosophe se promenait de long en large sur le pont, les mains dans les poches, la tête au vent. 12
Alphonse DAUDET, le Petit Chose, IV.

Au troisième rendez-vous, ils se promenèrent bras dessus bras dessous, et elle consentit à entrer avec lui dans un café de l'avenue du Maine. 13
Ch.-L. PHILIPPE, Bubu de Montparnasse, I, II.

Loc. fig. *Allez vous promener, va te promener!* (manifestation d'impatience, de mauvaise humeur, envers qqn dont on veut se débarrasser, qu'on n'a plus envie de voir) : Allez vous-en! Va-t'en! ⇒ **Ficher** (va te faire fiche; fiche le camp), **foutre** (va te faire foutre; fous le camp), **lanlaire** (va te faire). Dans le même sens. *Qu'il aille se promener!* ⇒ **Renvoyer.**

Allez vous promener. — Va-t'en te faire pendre. MOLIÈRE, Mélicerte, I, 3. 14

Quand ils me parlent, ces monstres-là (...) et que je sens sur ma nuque le piquant de leur barbe et la chaleur de leur haleine (...) va te promener! (...) je suis plus qu'une chiffe (...) et c'est eux, au contraire, qui ont de moi tout ce qu'ils veulent (...) 14.1
O. MIRBEAU, le Journal d'une femme de chambre, p. 21.

(Avec ellipse de *se*). *Mener promener les élèves d'un lycée* (cit. 1). *Mener* (cit. 10) *promener son chien. Faire promener les chiens de garde* (1. Garde, cit. 14). — (1640). *Envoyer* (cit. 12) promener qqn* (→ Goguenard, cit. 2; insistance, cit. 3) : repousser sans ménagement (cf. Envoyer balader, dinguer, paître, au bain, aux pelotes).

Avant-hier, en vous embarquant au port de Côme, n'avez-vous pas envoyé promener l'inspecteur de police qui vous demandait votre passeport? Eh bien! aujourd'hui, il vous empêche de vous promener. 15
STENDHAL, la Chartreuse de Parme, I, V.

(...) ta voix qui m'interpellait à chaque minute et surtout tes attouchements sur 16

l'épaule pour solliciter mon attention me causaient une douleur réelle. Comme je me suis retenu pour ne pas t'envoyer promener de la façon la plus brutale!
FLAUBERT, Correspondance, 379, 31 mars 1853.

17 (...) il s'arrangeait pour déjeuner presque tous les jours avec elle, et quelquefois il la menait promener. FRANCE, le Lys rouge, I.

Fam. *Envoyer promener qqch.*, l'envoyer* dinguer, valser. — Fig. *Envoyer* tout promener.* ⇒ **Abandonner, renoncer.**

18 Elle envoya promener sa chaise d'un coup de pied et sortit en clanquant la porte.
SARTRE, le Sursis, p. 176.

18.1 (...) la rejetant *(une brochure)* ou plus exactement la jetant, l'envoyant promener d'un geste qu'animait non pas tellement la grossièreté, le défi, l'apparente brutalité, mais cette même sorte de violence fébrile apparemment sans objet (...)
Claude SIMON, le Vent, p. 162.

♦ **2.** (1669, concret; 1600, abstrait). Se déplacer. — (Choses). *« Un ruisseau qui sur la molle arène* (cit. 3)... *se promène »* (Boileau). *Le soleil se promène autour de ma cellule* (→ Pénétrer, cit. 1). — Par métaphore, fig. (Personnes ou choses). *Se promener dans le labyrinthe* (cit. 6) *des consciences, dans le passé... Laisser promener ses idées.* ⇒ **Errer** (→ Consolation, cit. 3).

19 Je (...) connais votre cœur pour le plus grand coureur du monde : il se plaît à se promener de liens en liens (...) MOLIÈRE, Dom Juan, I, 2.

20 La flamme qui dansait dans les branchages du foyer faisait promener au plafond noir leurs ombres agrandies. LOTI, Pêcheur d'Islande, IV, V.

DÉR. Promenade, promenette, promeneur, promenoir.

PROMENETTE [pRɔmnɛt] n. f. — 1877; de *promener.*

Vieux.

♦ **1.** Support à roulettes qui permet à un enfant d'apprendre à marcher.

♦ **2.** Siège permettant de transporter un jeune enfant assis.

PROMENEUR, EUSE [pRɔmnœR, øz] n. — 1606; *pourmeneur,* v. 1560; de *promener.*

♦ **1.** Personne qui se promène (en particulier à pied, dans les rues et les promenades publiques). ⇒ **Flâneur, passant.** *Promeneurs attardés* (→ Filer, cit. 27). — *Le promeneur qui rentre* (→ Différent, cit. 11)... *Promeneur nocturne.* ⇒ **Noctambule.** — *Rêveries du promeneur solitaire, de* J.-J. Rousseau. — *Des promeneuses* (→ 2. Plaid, cit. 2).

1 (...) la population pacifique des promeneurs du dimanche, rassemblée par groupes, en familles, et composée en grande majorité de femmes et d'enfants, au milieu desquels circulaient des marchands de coco, de pain d'épices (...)
MICHELET, Hist. de la Révolution franç., V, VIII.

2 On sait, lui-même y fait mainte allusion dans ses vers, quel infatigable promeneur c'est que Victor Hugo. Pensif et mystérieux rôdeur que la muse toujours accompagne, il aime à surprendre la solitude dans l'abandon de ses attitudes secrètes, à venir chez la nature aux heures où, n'attendant personne, elle reste en déshabillé et ne compose pas son visage.
Th. GAUTIER, Souvenirs de théâtre, Dessins de Victor Hugo.

♦ **2.** (1808). Presque toujours au fém. Personne chargée de promener quelqu'un. *Promeneuse d'enfants.*

PROMENOIR [pRɔm(ə)nwaR] n. m. — 1679; 1538, « lieu où l'on se promène »; de *promener.*

♦ **1.** Lieu destiné à la promenade (en particulier, galerie couverte) dans l'enceinte d'un édifice clos (couvent, collège, hôpital, prison, etc.). → 1. Part, cit. 21. *Cour d'honneur* (cit. 88) *avec promenoirs à arcades. Promenoirs d'un cloître, autour du chœur d'une église.* ⇒ **Déambulatoire.**

1 Promenade dans Magdalen-collège; je ne me lasse pas d'admirer ces vieux édifices festonnés de lierre (...) surtout ces larges cours carrées dont les arcades font un promenoir semblable à celui des couvents italiens.
TAINE, Notes sur l'Angleterre, Oxford.

♦ **2.** (1904). Partie d'un théâtre, de certaines salles de spectacle où les spectateurs se tiennent debout et peuvent *(en principe)* circuler. *Prendre un billet de promenoir.*

2 (...) tandis que les vibrantes cordes, les bois rauques et doux, les cuivres tout puissants construisaient, détruisaient l'édifice sonore (....) un homme *(Mallarmé)* assis à l'ombre d'un rang d'hommes sur une banquette du promenoir (...) subissait avec ravissement (...) l'enchantement des souveraines symphonies.
VALÉRY, Variété, *in* Œ., Pl., t. I, Existence du symbolisme, p. 699.

PROMÉROPS [pRɔmeRɔps] n. m. — 1791; lat. mod., de *pro-,* et *merops* « mésange », mot grec.

♦ Zool. Oiseau passereau d'Afrique du Sud, au long bec courbe et à longue queue étagée et dont la langue « en pinceau » lui permet d'atteindre le nectar des fleurs.

PROMESSE [pRɔmɛs] n. f. — V. 1131; lat. *promissa,* p. p. au plur. neutre de *promittere.* → Promettre.

♦ **1.** Action de promettre, fait de s'engager à faire qqch. *Faire des promesses, de grandes, de hautes promesses* (→ Auteur, cit. 33; entrée, cit. 20). *J'ai votre promesse, je compte sur votre promesse. Les promesses et les actes, les effets* (cit. 11). *« Le sénat n'épargnait promesse ni menace »* (→ Calmer, cit. 3). *« Espère en ton courage, espère* (cit. 29) *en ma promesse ». Extraire* (cit. 8), *arracher une promesse à qqn.*

Engagement ainsi contracté. *Accomplir* (cit. 6), *remplir, tenir sa promesse* (→ Appuyer, cit. 11; foi, cit. 15). *Être, rester fidèle à sa promesse. Gage* d'une promesse. Enfreindre* (cit. 2), *oublier* (→ Inconséquent, cit. 3), *trahir* (→ 1. Mine, cit. 18), *violer sa promesse. Faillir* (cit. 4), *manquer à sa promesse* (→ Identité, cit. 12; mont, cit. 7). *Se dédire d'une promesse.* ⇒ **Rétracter** (se). *Dégager, délier quelqu'un de sa promesse.* ⇒ **Rendre** (sa parole). → Abri, cit. 12.

Dès qu'un intérêt fait promettre, un intérêt plus grand peut faire violer la promesse; il ne s'agit plus de la violer impunément : la ressource est naturelle; on se cache et l'on ment. ROUSSEAU, Émile, II. 1

Mes patrons sont puissants, et je puis vous promettre le succès si vous pouvez me promettre le plus profond secret, même avec vos enfants, et me tenir votre promesse (...) BALZAC, l'Initié, Pl., t. VII, p. 375. 2

(Souvent au plur.). Paroles prononcées pour promettre quelque chose. ⇒ **Assurance, déclaration, foi, parole** (d'honneur), **protestation, serment.** *Promesse solennelle* (→ Pacte, cit. 2), *sincère. Promesses ronflantes, trompeuses, de Gascon; promesses vaines, en l'air.* ⇒ **Vent.** *Payer en belles promesses.* ⇒ **Singe** (monnaie de). *Promesse qu'on est incapable de tenir.* ⇒ **Ivrogne** (serment d'). *Bercer qqn de promesses, appâter qqn par des promesses. Rivaliser de promesses.* ⇒ **Surenchère.** *Promesses électorales. Promesse à Dieu.* ⇒ **Vœu.** *Promesse sur parole* (anglicisme : *gentleman's agreement*). *Abuser* (cit. 15), *amuser* (cit. 6), *tromper par des promesses* (→ Alchimiste, cit. 1).

Ah! certes, on n'est pas avare de promesses, chacun les prodigue, les préfets, les ministres, l'empereur. Et puis, la route poudroie, rien n'arrive (...) 3
ZOLA, la Terre, II, V.

(...) il ne suffit pas d'être honnête, une fois la promesse faite. Il faut encore être scrupuleux dans le choix des promesses et promettre peu pour être sûr de tenir. 4
SARTRE, Situations I, p. 224.

Des promesses de soutien électoral (cit. 2), *de souvenirs éternels* (→ Accumuler, cit. 9). *Sous la promesse d'un loyer garanti* (→ Astreinte, cit.). *La promesse de...,* suivi de l'inf. (→ Incorporer, cit. 9; mesmériste, cit.). *La promesse que...,* suivi du futur ou du conditionnel (→ Carte, cit. 1).

(...) Que chaque espèce en ambassade 5
Envoyât gens le visiter,
Sous promesse de bien traiter
Les députés, eux et leur suite (...) LA FONTAINE, Fables, VI, 14.

(...) quand j'aurai écrit le livre dont ces pauvres petites m'ont arraché la promesse (...) LOTI, les Désenchantées, V, XXXVII. 6

Malgré tout, elle emportait avec elle la promesse que Mme Grosgeorge lui avait faite de réfléchir à son cas. J. GREEN, Léviathan, II, VIII. 7

(V. 1283). Dr. « Engagement de contracter une obligation ou d'accomplir un acte » (Capitant). ⇒ **Billet, contrat, convention, engagement, pollicitation** (→ Approuvé, cit.; bail, cit. 7; 1. plaid, cit.). *Exécuter une promesse* (→ Garantir, cit. 3). *Promesse d'achat, de bail, de vente :* engagement d'acheter, de louer, de vendre à des conditions déterminées, par contrat (⇒ **Acompte, arrhes, dédit**). — *Promesse de mariage :* engagement pris envers une personne de contracter mariage avec elle (engagement qui n'oblige pas juridiquement). → Autel, cit. 26; garantir, cit. 6. ⇒ **Fiançailles** (cit. 2). *Il y a promesse de mariage entre M. X... et Mlle Y...*

(...) chez eux *(les Allemands)* l'amour est plus sacré que le mariage. C'est par une honorable délicatesse, sans doute, qu'ils sont surtout fidèles aux promesses que les lois ne garantissent pas : mais celles que les lois garantissent sont plus importantes pour l'ordre social. Mme DE STAËL, De l'Allemagne, I, IV. 8

Promesse d'action ou *promesse :* valeur mobilière ne donnant pas encore les mêmes droits qu'une action.

(Théol. cathol.). *Promesse faite par Dieu* (cit. 47) *aux hommes. Les enfants de la promesse :* les élus (cf. Pascal, *Pensées,* VII, 513). *Le peuple de la Promesse :* les Hébreux (→ Déréliction, cit. 2).

Engagement des scouts à respecter les principes du scoutisme. *Faire sa promesse.* — Texte de cet engagement. *Oublier la promesse.* — Cérémonie qui entoure cet engagement. *Lors de la promesse de X...*

♦ **2.** (Déb. XVIIe). Littér. Assurance ou espérance que semblent donner (une chose, un événement). *« Et les fruits passeront la promesse des fleurs »* (→ Faucille, cit. 2, Malherbe). *Une gorge* (cit. 10) *encore peu formée, mais qui faisait les plus admirables promesses. « La beauté* (cit. 10) *n'est que la promesse du bonheur »* (Stendhal). ⇒ **Annonce, signe** (→ Beauté, cit. 14, Proust). *La liberté* (cit. 25), *mot plein de promesses. Une œuvre de débutant pleine de brillantes promesses.*

Les jeunes gens ne sont-ils pas tous disposés à se fier aux promesses d'un joli visage, à conclure de la beauté de l'âme par celle des traits? Un sentiment indéfinissable les porte à croire que la perfection morale concorde toujours à la perfection physique. BALZAC, Une double famille, Pl., t. I, p. 964. 9

On circule déjà par les rues, car les Orientaux se lèvent avant le soleil, et nous apercevons entre les maisons un beau ciel propre et pâle plein de promesses de chaleur et de lumière. MAUPASSANT, la Vie errante, « Vers Kairouan ». 10

Ce qui paraîtra bientôt le plus vieux, c'est ce qui d'abord aura paru le plus moderne. Chaque complaisance, chaque affectation est la promesse d'une ride. 11
GIDE, les Faux-monnayeurs, I, VIII.

12 Non que le livre *(« Devenir »)* ne contienne des promesses (...) mais c'est le classique roman d'adolescent, portrait de l'auteur jeune qui entre dans la vie avec l'espoir de la dominer. A. MAUROIS, Études littéraires, t. II, Martin du Gard, I.

PROMÉTHÉEN, ENNE [pʀɔmeteɛ̃, ɛn] adj. — 1837, *in* D. D. L.; de *Prométhée,* et suff. *-en.*

♦ Didact. Relatif à Prométhée. *Le mythe prométhéen.* — Littér. Caractérisé par le goût de l'action, la foi en l'homme.

L'esprit prométhéen, plus encore peut-être que l'apollinien, était privilège de l'Europe. J. ROMAINS, les Hommes de bonne volonté, t. XXVII, p. 247.

PROMÉTHÉISME [pʀɔmeteism] n. m. — 1917, R. Rolland; de *Prométhée,* et *-isme.*

♦ Didact. Attitude prométhéenne*, esprit prométhéen.

PROMÉTHIUM [pʀɔmetjɔm] n. m. — xxe; de *Prométhée.*

♦ Chim. Élément du groupe des terres rares (symb. : *Pm;* n^o^ at. : 61; masse at. : 145 g).

PROMETTEUR, EUSE [pʀɔmɛtœʀ, øz] n. et adj. — XIIIe; de *promettre.*

♦ **1.** N. Rare. Personne qui promet facilement, qui n'est pas avare de promesses (mais ne les tient pas toujours). *Grands prometteurs de soins et de services* (→ Ardélion, cit.). *Les agents théâtraux, ces prometteurs d'engagement* (→ Fond, cit. 18). (Sans compl.). *C'est un grand prometteur, mais il ne tient pas toujours.*

♦ **2.** Adj. (XIXe, Balzac, Dumas, *in* P. Larousse). Qui promet, donne à espérer, plein de promesses*. *Regard, sourire prometteur. Ces pavillons hospitaliers* (cit. 1) *et prometteurs. Débuts prometteurs d'une jeune actrice. Victoire modeste, mais prometteuse.*

Ma lassitude s'aggravait devant ces étendues de façades, cette monotonie gonflée de pavés, de briques et de travées à l'infini et de commerce et de commerce encore, ce chancre du monde, éclatant en réclames prometteuses et pustulentes. CÉLINE, Voyage au bout de la nuit, p. 188.

PROMETTRE [pʀɔmɛtʀ] v. tr. — Fin X^e^, *prometre;* lat. *promittere,* avec infl. de *mettre.*

Assurer* à qqn qu'on fera ou qu'on donnera (qqch.). ⇒ **Engager** (s'), **parole** (donner sa); **obliger** (s').

1 (...) *promettre* est évidemment moins fort que *s'engager.* En *promettant* vous faites naître des espérances; en vous *engageant* vous donnez un droit. Celui qui a *promis* ne peut guère refuser; il est absolument impossible à celui qui s'est *engagé* de sortir des liens dans lesquels il se trouve pris (...) *Donner parole* ou *sa parole* a la même force que *s'engager :* mais il la tire d'ailleurs. Comme la *parole* est purement verbale, non consacrée par un écrit, elle repose sur la loyauté de celui qui la donne; c'est un *engagement* d'honneur. LAFAYE, Dict. des synonymes, Promettre...

♦ **1.** *Promettre de* (et inf.), *que* (et futur ou conditionnel)... *à quelqu'un.* S'engager envers qqn à (qqch.). — *Promettre* (à qqn) *de...,* suivi de l'infinitif (→ Apparence, cit. 31; congédier, cit. 2; employer, cit. 19; équivoque, cit. 20; grâce, cit. 40). *Promettre devant Dieu et devant les hommes de...* ⇒ **Jurer** (→ Accusé, cit. 2). *Promettre de payer.* ⇒ **Accepter.** — *Promettre que...,* suivi du futur après un présent, ou du conditionnel après un passé (→ Bravement, cit. 1; faire, cit. 191; muet, cit. 7). — (Avec un pron. compl.). *J'ose* (cit. 24) *vous le promettre. Je n'ose rien projeter ni promettre* (→ Biaiser, cit. 9). — Absolt (prov.). *Promettre et tenir sont deux. « Promettre est un et tenir est un autre »* (→ Hui, cit., La Fontaine).

2 La femme (...)
Crut la chose et promit ses grands dieux de se taire.
LA FONTAINE, Fables, VIII, 6.

3 (...) rebuté de sa facilité à promettre et de sa négligence à tenir (...) ROUSSEAU, les Confessions, IX.

4 Le jeune roi *(Louis XVI)* lui pressa les mains *(à Turgot),* lui dit qu'il entrerait dans toutes ses vues, promit qu'il aurait du courage. MICHELET, Hist. de France, XIII.

5 Si je vous promets (...) que dans quelques jours Meaulnes se mettra en campagne pour vous, rien que pour vous? ALAIN-FOURNIER, le Grand Meaulnes, III, VIII.

(À la première pers., suivi d'une complétive au futur ou au conditionnel). Par ext. Affirmer que l'on est sûr, se porter garant de ce (que...). *Je vous promets qu'il s'en repentira. Tu ne riras pas toujours, je te le promets! Je te promets bien que je n'y suis pour rien.*

6 Je vous promets que je ne saurais les donner à moins. MOLIÈRE, le Médecin malgré lui, I, 5.

(Suivi d'un présent ou d'un passé). Fam. *Je te promets qu'il est venu hier. Je vous promets qu'elles sont d'origine.* ⇒ **Assurer, garantir, jurer.** — REM. Cette construction n'était pas familière dans la langue classique.

7 Je vous promets que ce qu'il m'a dit ne m'a point du tout offensée (...) MOLIÈRE, l'Avare, III, 7.

8 Je vous abuserais si j'osais vous promettre
Qu'entre vos mains, Seigneur, il voulut la remettre (...)
RACINE, Andromaque, I, 1.

♦ **2.** *Promettre qqch. (à qqn) :* s'engager (envers qqn) à lui donner (qqch.), à le faire bénéficier de (un avantage). *Les alchimistes* (cit. 2) *promettent des montagnes d'or à ceux qui les écoutent.* — Loc. *Promettre monts** (cit. 7) *et merveilles. Promettre la lune*...* ⇒ **Briller, miroiter** (faire). — Au passif. *Le bonheur qui nous est promis.* ⇒ **Attendre** (qui nous attend). — *Promettre une récompense* (→ Entier, cit. 6; gâcher, cit. 2), *un poste* (→ Piétiner, cit. 3) *à quelqu'un. Je te promets une récompense si tu fais cela, si tu réussis, quand tu réussiras. Il m'a promis le secret* (→ Juger, cit. 30). *Promettre son cœur, son amour.* Absolt (avec cette valeur spéciale). → ci-dessous, cit. 9. *« On promet beaucoup pour se dispenser* (cit. 16, Vauvenargues) *de donner peu. »* — Spécialt. *Promettre quelque chose à Dieu par un vœu.* ⇒ **Vouer.** *Promettre à quelqu'un le bonheur, une vie agréable.*

Avant que de promettre, elle songe longtemps. 9
Après avoir promis, ses propos sont constants (...)
(...) Car de promettre à deux, ou à trois, ou à quatre,
C'est signe d'inconstance, et le cœur généreux
Ne doit jamais promettre un même bien à deux.
RONSARD, Élégies, XXI.

Pour trouver le larron qui détruit mon troupeau 10
Et le voir en ces lacs pris avant que je parte,
Ô monarque des dieux, je t'ai promis un veau :
Je te promets un bœuf si tu fais qu'il s'écarte.
LA FONTAINE, Fables, VI, 1.

Le ciel sembla promettre une fin à ma peine. RACINE, Bérénice, I, 4. 11

(...) ne craignez point de lui paraître trop favorable; il faut tout promettre pour ne rien accorder. A.-R. LESAGE, le Diable boiteux, XV. 12

— (...) Je te promets mieux qu'ivresse fleurie et que songes d'une nuit brève. Je te promets de saintes agapes et des noces célestes (...) 13
— Il est plus facile de promettre un grand bonheur que de le donner.
FRANCE, Thaïs, II, p. 118.

♦ **3.** (V. 1460). Annoncer, prédire. *Je vous promets du beau temps pour demain* (Littré, Académie). — (Sujet n. de chose). Faire espérer. ⇒ **Promesse.** *Bouton* (cit. 3) *qui promet une belle rose. La soirée promettait une belle nuit* (→ Étale, cit. 1). *Cela ne nous promet rien de bon.* ⇒ **Prévoir** (laisser). *Une époque* (cit. 9) *qui ne promet guère de repos. Un regard langoureux* (cit. 4) *qui promet beaucoup.* — (Suivi de *de* et l'infinitif). *Au moment où la pièce promettait de mieux aller* (→ Force, cit. 66). *J'aime acquérir ce qui promet de durer* (→ Instinct, cit. 36).

Surnommée la petite Vierge, elle promettait d'être bien faite et blanche. BALZAC, le Curé de village, Pl., t. VIII, p. 543. 14

J'appelle fausses passions celles qui nous promettent, dans telle situation, un bonheur que nous ne trouvons pas lorsque nous y sommes arrivés. 15
STENDHAL, Souvenirs d'égotisme, éd. Charpentier, p. 199.

Il était impossible de rencontrer un lieu qui promît au voyageur une halte plus agréable. MÉRIMÉE, Carmen, I. 16

Ton œil promet l'amour, ton cœur donne le ciel. 17
Tu passes dans la vie, humble, sans peur, sans fiel.
HUGO, la Légende des siècles, XXXIX, « En Grèce ».

Promettre beaucoup. Iron. *« Les filles de l'ogre* (cit. 1) *n'étaient pas encore fort méchantes, mais elles promettaient beaucoup. »*

Absolt. Donner de grandes espérances. *C'est un enfant qui promet. Il vient de lancer une affaire qui promet.* — Fam. *De la neige en septembre, ça promet pour cet hiver!*

(1784, *in* D. D. L.). Fam. *Ça promet! :* les choses vont devenir mauvaises, pires.

▶ **SE PROMETTRE** v. pron.

♦ **1.** (XIIIe). Réfl. dir. Promettre sa propre personne.

Et votre cœur, paré de beaux semblants d'amour, 18
À tout le genre humain se promet tour à tour. MOLIÈRE, le Misanthrope, V, 4.

Cette vaste plage n'était donc qu'une halle d'amour où les unes se vendaient, les autres se donnaient, celles-ci marchandaient leurs caresses et celles-là se promettaient seulement. MAUPASSANT, Pierre et Jean, V. 19

♦ **2.** (1538; dès le XIIe avec *de* et inf.). Réfl. ind. Espérer, compter sur (qqch.). *Les joies qu'il s'était promises* (→ Homme, cit. 132). *Se promettre du plaisir* (→ 2. Original, cit. 8). *Le succès que vous vous en promettez* (→ Novice, cit. 5). *Se promettre beaucoup de plaisir de...* ⇒ **Fête** (se faire une). — (Avec *de* et l'infinitif). ⇒ **Compter.** *Un benêt qu'on se promettait de mener par le nez* (cit. 23).

Je me promettais beaucoup de joie d'un peu de temps passé seul avec elle (...) 20
GIDE, Et nunc manet in te, *in* Souvenirs, Pl., p. 1138.

Faire le projet de..., prendre la ferme résolution de... *Nous nous promettons de boycotter* (cit. 1)... → aussi Place, cit. 36.

♦ **3.** (XVIIe). Récipr. Se promettre (qqch.) l'un à l'autre. *Elles se sont promis qu'elles partiraient ensemble. — Ils se sont promis de s'admirer* (cit. 8) *réciproquement.*

Tous, Montagnards et Girondins, faisant encore trêve à leurs haines, se promirent union et fraternité (...) MICHELET, Hist. de la Révolution franç., X, I. 21

▶ **PROMIS, ISE** p. p. adj.

♦ **1.** (1080, *Chanson de Roland*). Qui a été promis. *Un eldorado* (cit. 2) *promis par le destin. Chose promise, chose due :* on doit faire, donner ce qu'on a promis. — Spécialt. Promis par Dieu. *La terre promise :* la terre de Chanaan que Dieu avait promise au peuple hébreu. — Fig. *Terre promise.* Pays riche et fertile; domaine, milieu dont on rêve, qu'on attend. ⇒ **Eldorado** (cit. 1). — Le Paradis (→ Dessillement, cit.).

22 Il voit tout Chanaan et la terre promise
Où sa tombe, il le sait, ne sera point admise.
A. DE VIGNY, le Livre mystique, « Moïse ».

23 Tout cela vous attendait, mais personne ne vous l'a indiqué, parce que vous n'aviez pas assez de relations. La terre promise vous entoure : vous ne le savez pas.
MONTHERLANT, les Jeunes Filles, p. 27.

♦ **2.** (V. 1200). Fig. Personnes. *Promis à... :* destiné à, voué à... *Jeune homme promis à un brillant avenir.*

24 La nation entière est promise aux vautours. RACINE, Esther, II, 1.

N. *Promis, promise* (vieilli ou régional). ⇒ **Fiancé, ée.** *Le promis et la promise ; les promis. C'est son promis.*

25 Rien n'est plus rare aussi que de voir rompre un mariage *communiqué.* Une fois, il y a une vingtaine d'années, une promise ayant dansé avec un cavalier autre que son promis, celui-ci en prit occasion de rompre le mariage.
STENDHAL, Mémoires d'un touriste, t. II, p. 201 (1838).

26 Ce sont des lettres ordinaires, telles qu'une fiancée de campagne en envoie chaque semaine à son promis, donnant des nouvelles de la ferme ou des voisins (...)
A. ROBBE-GRILLET, Dans le labyrinthe, p. 214.

DÉR. Prometteur.

PROMIS, ISE [pʀɔmi, iz] adj. et n. ⇒ **Promettre,** ci-dessus.

PROMISCUE [pʀɔmisky] adj. f. — 1875 ; « confus », 1580 ; lat. *promiscuus* « mêlé ».

♦ **1.** Dr. Commun à plusieurs personnes. *Possession promiscue.*

♦ **2.** Didact., rare. Où règne la promiscuité. *Une assemblée promiscue.*

PROMISCUITÉ [pʀɔmiskɥite] n. f. — 1752 ; dér. du lat. *promiscuus* « mêlé, commun ».

♦ **1.** Assemblage, vie en commun* d'individus, de sexes ou de milieux différents, dont la réunion a un caractère disparate ou contraire aux bienséances (⇒ **Mélange ; confusion**). *La famille ne dispose que d'une seule pièce et vit entassée dans une promiscuité de tous les instants. La promiscuité des taudis. Promiscuité écœurante, répugnante... Vivre dans la promiscuité.*

Situation d'une personne soumise à des voisinages nombreux et désagréables ; ces voisinages.

(Une, des promiscuités). Les promiscuités de l'hôpital, du métro...

1 (...) l'œil, en s'enfonçant dans la pénombre du hangar, distinguait des corps, des formes, des têtes assoupies, des allongements inertes, des guenilles des deux sexes, une promiscuité dans du fumier, on ne sait quel sinistre gisement humain.
HUGO, les Travailleurs de la mer, I, V, VI.

2 Depuis que sa nature s'affinait, il se trouvait blessé davantage par les promiscuités du coron. Est-ce qu'on était des bêtes, pour être ainsi parqué *(sic)*, les uns contre les autres (...) si entassés, qu'on ne pouvait changer de chemise sans montrer son derrière aux voisins ! Et comme c'était bon pour la santé, et comme les filles et les garçons s'y pourrissaient forcément ensemble. ZOLA, Germinal, III, III.

3 Dans les chambres groupées autour d'une cour intérieure, d'innombrables familles mêlent dans une promiscuité ignoble leur vermine, leurs maladies, leurs animaux et leurs enfants. Jérôme et Jean THARAUD, Marrakech, VII.

♦ **2.** (Mil. XIXᵉ). Littér., rare. Mélange confus. *« La promiscuité des idiomes »* (Renan, *in* Larousse).

PROMISSION [pʀɔmisjɔ̃] n. f. — 1190 ; lat. *promissio* « promesse ».

♦ Relig. judaïque. *Terre de promission :* terre promise*.

PROMO [pʀomo] n. f. — 1850 ; apocope de *promotion.*

♦ Fam. Promotion ; ensemble des élèves entrés en même temps dans une grande école. *Nous sommes de la même promo, la promo de 1950.*

PROMONTOIRE [pʀɔmɔ̃twaʀ] n. m. — 1213 ; lat. *promontorium.*

♦ **1.** Pointe de relief élevé s'avançant en saillie au-dessus de la mer (→ Couronne, cit. 18 ; hanter, cit. 8 ; par métaphore, heurter, cit. 24). *Ville bâtie sur un promontoire rocheux* (→ Éperon).

1 (...) il y avait de grandes difficultés à tourner le promontoire Malée, où des vents opposés se rencontrent et causent des naufrages (...)
MONTESQUIEU, l'Esprit des lois, XXI, VII.

2 La plupart des promontoires du Pélopon*(n)*èse, de l'Attique, de l'Ionie et des îles de l'Archipel étaient marqués par des temples, des trophées ou des tombeaux.
CHATEAUBRIAND, Itinéraire..., I, p. 213.

3 (...) mon regard (...) revient toujours (...) sur le haut promontoire qui dresse audessus de Rabat une puissante masse en trois couleurs (...) Il y a là-haut un amoncellement prodigieux de murs rouges qui plongent à pic dans la mer ou s'appuient sur la falaise (...) Jérôme et Jean THARAUD, Rabat, I.

Par métaphore :

4 Un brin d'herbe dans l'eau par elle *(la colombe)* étant jeté,
Ce fut un promontoire où la fourmis arrive. LA FONTAINE, Fables, II, 12.

Par ext. Avancée d'un plateau.

♦ **2.** Anat. Petite saillie osseuse de la paroi interne de la caisse du tympan.

(1878). Saillie formée par le sacrum à l'articulation avec la colonne vertébrale.

Fam., vx. *Promontoire nasal,* ou, absolt, *promontoire :* le nez (→ Moucher, cit. 1).

PROMOTEUR, TRICE [pʀɔmɔtœʀ, tʀis] n. et adj. — V. 1300 ; fém., XVIᵉ ; bas lat. *promotor,* rad. *promovere.* → Promouvoir ; et aussi Moteur.

★ **I.** N. **A.** ♦ **1.** Personne qui donne la première impulsion à quelque chose, qui est la première à en lancer l'idée, à en provoquer la création, la réalisation... ⇒ **Animateur, créateur, initiateur, innovateur, pionnier, protagoniste.** *Les promoteurs du monde moderne* (→ Démolisseur, cit. 4), *de l'hypothèse atomique* (→ 2. Physique, cit. 2). *Un promoteur d'idées.* ⇒ **Excitateur** (cit. 3 ; → aussi grand, cit. 60). *Il a été le promoteur de ce complot* (⇒ **Auteur, centre**), *de ce mouvement** (⇒ **Instigateur**).

Aucun d'eux ne se présenta pour être promoteur d'un embarquement où le temps présent ne permettait pas de s'engager avec prudence. 1
SAINT-SIMON, Mémoires, IV, XXXIII.

Le moment présent n'est pas très favorable à Rousseau, à qui l'on impute d'avoir été l'auteur, le promoteur de bien des maux dont nous souffrons. 2
SAINTE-BEUVE, Causeries du lundi, 4 nov. 1850.

Quel ensemble. Quelle discrétion. Discrets, ces promoteurs de l'érotisme florissant sur les livres et sur les écrans. 2.1
Michèle PERREIN, Entre chienne et louve, p. 60.

Par ext. ⇒ **Cause.**

De vrai, non la vieillesse seulement, mais toute imbécilité, selon Aristote, est promotrice de l'avarice. MONTAIGNE, Essais, II, VIII. 3

♦ **2.** Dr. canon. Procureur d'office, tenant le rôle du ministère public auprès des juridictions ecclésiastiques.

♦ **3.** (Mil. XXᵉ). Spécialt (dr., cour.). *Promoteur de constructions, promoteur immobilier :* personne qui assure et finance la construction d'immeubles. — Absolt. *Le promoteur et les architectes, les entrepreneurs qu'il emploie. La publicité d'un promoteur. Mᵐᵉ X est (un) promoteur actif. La Fédération nationale des promoteurs-constructeurs.*

Ce qui fait l'intérêt de cette histoire, c'est qu'elle se passe au XXᵉ siècle. Dans un village hérissé d'antennes de télévision, sous le règne de la pilule, des promoteurs immobiliers, de la libération sexuelle, dans un monde où la transformation est plus rapide et plus surprenante chaque jour (...) 4
F. MALLET-JORIS, le Jeu du souterrain, p. 8.

♦ **4.** *Promoteur de ventes :* agent commercial chargé de la promotion des ventes, dans une entreprise.

B. Chim. Substance qui, ajoutée en faible quantité à un catalyseur, en augmente beaucoup l'activité. ⇒ **Activeur.**

★ **II.** Adj. (1580, « qui suscite un effet »). Qui a pour objet la promotion immobilière. *Société promotrice.*

CONTR. Continuateur.

PROMOTION [pʀɔmɔsjɔ̃] n. f. — 1350 ; bas lat. *promotio,* rad. *promovere.* → Promouvoir.

♦ **1.** Accession, nomination* (d'une ou plusieurs personnes) à un grade, une dignité, un emploi supérieur. ⇒ **Avancement.** *La promotion de quelqu'un à une situation, dans une hiérarchie. Il assure la promotion régulière de ses subordonnés. Arroser, fêter sa promotion* (→ fam. Ses galons*). *Promotion dans l'ordre de la Légion d'honneur... Promotion à titre posthume. La plus flatteuse* (cit. 9) *des promotions.*

(...) Camusot pouvait être nommé juge dans le ressort de Paris, puis plus tard, à Paris. Cette promotion rêvée, désirée à tout moment, devait apporter six mille francs d'appointements (...) BALZAC, le Cabinet des antiques, Pl., t. IV, p.441. 1

Par métaphore. (→ Homme, cit. 157 ; 1. mannequin, cit. 10).

Promotion ouvrière (cit. 15), *sociale :* émancipation des classes défavorisées, par leur accession à un niveau de vie supérieur ; ensemble des moyens mis en œuvre à cette fin *(promotion professionnelle, promotion supérieure du travail...). Loi du 31 juillet 1959 tendant à la promotion sociale. La promotion des cadres, de la femme, des masses ouvrières et paysannes. La promotion en milieu rural, etc. Promotion par la formation continue.*

Promotion. — Ouvrière, sociale, musulmane ou des élites, il faut la *favoriser.* Se disait « progrès » quand celui-ci n'était pas aussi marqué. 1.1
Pierre DANINOS, le Jacassin, p. 94.

Nous appartenons à une nation particulière, certes, mais étroitement soumise aux lois qui régissent l'ensemble de la communauté humaine : décolonisation, entre autres, et promotion des races colonisées. 1.2
F. MAURIAC, le Nouveau Bloc-notes, 1958-1960, p. 401.

Absolt. Amélioration des conditions de vie. *« Devant un progrès de qualifications individuelles, une partie de l'accroissement du revenu national (...) est absorbée pour faire les frais de la promotion »* (J.-P. Courthéoux, *la Politique des revenus,* p. 46).

♦ **2.** Élévation* simultanée (de plusieurs personnes) à un même grade, une même dignité, un même poste. *Promotion de cardinaux, de généraux* (→ Noblaillon, cit.), *de préfets... Se voir toujours oublié dans les promotions* (→ Brouiller, cit. 9).

Par ext. Ensemble des bénéficiaires de cette promotion. *Les officiers de la même promotion.*

2 (...) il fut établi que (...) tout ce qui servait demeurait, quant au service et aux grades, dans une égalité entière *(les)* avancements (...) ne se firent plus que par promotions suivant l'ancienneté (...) SAINT-SIMON, Mémoires, IV, LII.

(1869, Littré). Spécialt. Ensemble des candidats admis la même année à certaines grandes écoles (⇒ fam. **Promo**). *Camarades de promotion. Les trois promotions de Normale* (→ 2. Droit, cit. 1 ; ulminer, cit. 9). *Baptême de la promotion à Saint-Cyr.*

3 Avant de quitter l'Algérie il *(Lyautey)* passait Capitaine, le troisième de sa promotion. A. MAUROIS, Lyautey, II.

Franç. d'Afrique. Ensemble des élèves du même âge (dits *promotionnaires*).

♦ **3.** (1930 ; trad. angl. *sales promotion* ; emploi critiqué). *Promotion des ventes :* développement des ventes, par la publicité, les efforts de vente exceptionnels (expositions, démonstrations, baisse des prix) ; ensemble des techniques, des services chargés de ce développement. — *Promotion des exportations.* ⇒ **Stimulation.** — Absolt. *La promotion. Cet article est en promotion,* vendu moins cher que la normale, pour inciter les acheteurs à l'acheter. ⇒ **Promotionnel.** — Article en promotion. *Notre promotion du mois.*

4 Je pense qu'on aurait dit aujourd'hui de lui qu'il a le sens de la publicité et de la promotion. Joseph JOFFO, Anna et son orchestre, p. 142.

Spécialt. *Contrat de promotion immobilière,* pour les constructions d'immeubles.

CONTR. Destitution.
DÉR. Promotionnel.

PROMOTIONNEL, ELLE [pʀɔmɔsjɔnɛl] adj. — 1962 ; angl. *promotional,* de *promotion.* → Promotion (des ventes).

♦ **1.** Qui favorise l'expansion, la « promotion » des ventes. — *Vente promotionnelle :* vente à des conditions exceptionnelles (en général destinée à augmenter le chiffre des ventes par abaissement du prix : cette dénomination prétentieuse tend à supplanter les termes traditionnels : *en solde, etc.*). *Opération, campagne promotionnelle. Tarifs promotionnels. Article promotionnel.*

♦ **2.** (1970). Relatif à la promotion sociale et professionnelle. *Le système promotionnel d'une société.*

PROMOUVABLE [pʀɔmuvabl] adj. — 1968 ; de *promouvoir.*

♦ Admin. Qui peut être promu. *Fonctionnaire promouvable. Il est promouvable au choix.*

PROMOUVOIR [pʀɔmuvwaʀ] v. tr. — Conjug. *mouvoir.* — Rare, sauf inf. et p. p. — 1130 ; du lat. *promovere* « pousser en avant, faire avancer », d'après *mouvoir.*

♦ **1.** Élever (qqn) à une dignité, un grade, un rang supérieur. *Il vient d'être promu officier de la Légion d'honneur. Soldat qui a l'espoir d'être promu fourrier* (→ Incorporer, cit. 9). *Promouvoir quelqu'un à une haute responsabilité* (→ État-major, cit. 3 ; et aussi lecteur, cit. 2).

1 *(La dame aux camélias)* pauvre paysanne, fille de ferme, venue à Paris tenter la fortune, et l'y trouvant (...) dénichée par un Anglais, lancée et promue courtisane.
Émile HENRIOT, Portraits de femmes, p. 381.

♦ **2.** (XVe ; donné comme vieilli ou vx par Hatzfeld et *Nouveau Larousse Illustré ;* repris mil. XXe). Encourager, favoriser, soutenir (qqch.) ; provoquer la création, l'essor, le succès de... (⇒ **Animer**). *« Le Roi François Ier employa tous ses soins pour promouvoir et cultiver les lettres en France »* (Furetière, 1690). *Promouvoir une politique, la recherche scientifique...*

2 (...) les principaux beaux faits de Scipion étaient en partie dus à Lælius, qui (...) alla toujours promouvant et secondant la grandeur et gloire de Scipion (...)
MONTAIGNE, Essais, I, XLI.

♦ **3.** (V. 1970). Mettre (un produit) en promotion*, chercher à attirer l'attention des clients sur (un produit). *Promouvoir un article.*

♦ **4.** (1922, Valéry). Poét., rare (sens étymol.). Mouvoir, tendre en avant.

▶ **PROMU, UE** p. p. adj. (v. 1360) et nominal.

Qui vient d'avoir une promotion. *Les élèves promus.* N. *Les nouveaux promus.*

Qui a fait l'objet d'une promotion sociale.

On devine encore que ces promotions de la voirie *(les noms de personnes donnés aux rues, etc.)* favorisent autant l'intérêt des promoteurs que la mémoire des promus. Jacques PERRET, Bâtons dans les roues, p. 98.

PROMPT, PROMPTE [pʀɔ̃, pʀɔ̃t ; cour. pʀɔ̃pt] ; au fém., aussi [pʀɔ̃pt] adj. — 1530 ; 1205, *prons* « prêt, disposé à » encore au XVIIe, → Étendard, cit. 4, Racine ; lat. *promptus.* (Style soutenu ou littér.). —

REM. En épithète, *prompt* est plus souvent placé après le nom, sauf au sens I, 2, a.

★ **I.** Qui agit ou se produit tôt.

♦ **1.** (Personnes). Qui agit, fait les choses sans délai, sans tarder. — **PROMPT À...** [pʀɔ̃a], suivi de l'inf. (toujours après le nom). *Un homme prompt à se décider. « L'habitude* (cit 39) *de penser nous rend plus prompts à tout voir »* (Joubert). — **PROMPT À...,** suivi d'un nom. *Femme prompte au découragement* (→ Impossible, cit. 22), *à la réplique* (→ Matrone, cit. 3), *à la riposte* (→ Grivois, cit. 5). *Population* (cit. 6) *prompte aux explosions.*

À choisir un mari vous êtes un peu prompte. 1
MOLIÈRE, l'École des femmes, II, 5.

Faites-vous des amis prompts à vous censurer (...) BOILEAU, l'Art poétique, I. 2

(...) il est vaillant et prompt à dégaîner (...) 3
Th. GAUTIER, Préface de Mlle de Maupin, éd. critique MATORÉ, p. 11.

Il était violent, généreux, prompt à l'injure, prompt aux excuses. 4
G. DUHAMEL, Salavin, III, III.

Par ext. *Intelligence aiguë* (cit. 15), *mais prompte à se lasser. Les passions les plus promptes à fermenter* (→ Élever, cit. 40). *Vertu prompte à s'effaroucher* (cit. 7).

Quoi ! ce rêve d'une âme à s'enflammer trop prompte (...) 5
LAMARTINE, Jocelyn, V, 6 août 1795.

Esprit prompt à comprendre, à concevoir. — Absolt. *Esprit prompt* (→ Aérien, cit. 1 ; modeler, cit. 8). *Intelligence* (cit. 5) *prompte.*

N'avons-nous pas l'esprit plus éveillé, la mémoire plus prompte, le discours plus vif en santé qu'en maladie ? MONTAIGNE, Essais, II, XII. 6

Loc. (1690). *Avoir la main prompte* (à frapper). ⇒ **Leste.** — (Fin XVIe). Vx. *Avoir l'humeur prompte* (à s'irriter), *être prompt* (à la colère). ⇒ **Emporter** (cit. 46), **irascible, susceptible.**

♦ **2.** (XVIe). Choses. **a** (Avant le nom). Qui ne tarde pas à se produire, qui survient rapidement. ⇒ **Rapide.** *Je vous souhaite un prompt rétablissement. Une prompte réponse* (→ Épancher, cit. 20). *Le prompt accueil fait à sa demande* (→ Note, cit. 31). *Général habitué à une prompte victoire* (→ Balancer, cit. 22). *L'attente* (cit. 2) *d'une prompte mort.* — *De prompts secours.* ⇒ **Immédiat** (→ Expéditif, cit. 2). *Devoir son salut à de promptes et savantes dispositions* (cit. 5).

b (Après le nom). *Avoir la repartie prompte* (⇒ **Riposte**). *Être à l'âge des jugements prompts, des conclusions promptes.* ⇒ **Hâtif** (→ Nuance, cit. 8). — *Un changement si prompt.* ⇒ **Brusque, instantané, soudain** (→ Front, cit. 19).

Cet amour est bien *prompt* (...) c'est un effet (...) de votre grande beauté, et l'on vous aime autant en un quart d'heure, qu'on ferait une autre en six mois. 7
MOLIÈRE, Dom Juan, II, 2.

Ell s'était prise d'un goût trop prompt et trop vif pour être excusable mais où le cœur entrait du moins autant que les sens (...) ROUSSEAU, les Confessions, VI. 8

Jeune homme, il avait aperçu Julie au théâtre (...) et décidé, sans la connaître, qu'elle serait sa femme (...) ce sentiment si prompt avait duré sans décroître depuis vingt ans (...) J. CHARDONNE, les Destinées sentimentales, p. 127. 9

★ **II.** Qui agit ou se produit vite.

♦ **1.** (Personnes). Vieilli (après le nom). Qui met peu de temps à ce qu'il fait. ⇒ **Rapide.** *Serviteur prompt et zélé.* ⇒ **Diligent** (cit. 4), **empressé.** — *C'est un homme prompt dans tout ce qu'il fait* (Académie). *Matelot prompt à la manœuvre* (→ Cordage, cit. 3). — *Être prompt dans ses jugements.* ⇒ **Expéditif** (→ Légèreté, cit. 5). — Par ext. *« Un coup d'œil prompt qui saisit les choses et abrège les observations »* (cit. 13, Diderot).

(1587). Vx. Qui fait de l'effet en peu de temps. *Poison, remède prompt.* ⇒ **Actif** (→ aussi Plus, cit. 79).

♦ **2.** (Choses). Souvent avant le nom ; littér. Qui est exécuté, s'accomplit en peu de temps ; qui demande peu de temps. ⇒ **Rapide.** *Mets de prompte confection* (→ Fondue, cit. 3 ; et aussi penchant, cit. 2). — *« Et les plus prompts moyens de gagner leur faveur... »* ⇒ **Court** (→ Flatter, cit. 23, Molière).

♦ **3.** Qui se meut avec rapidité. *« Au toucher des vents prompts et des brises profondes ».* ⇒ **Impétueux** (→ Frémissant, cit. 4, Verhaeren). — *Prompt comme l'éclair, comme une flèche, comme la foudre...* (→ aussi Embraser, cit. 6).

Mais dès que son regard plus terrible et plus prompt 10
Qu'une flèche, eut atteint le redoutable don (...)
A. DE MUSSET, Premières poésies, « Don Paez », II.

(1680). Par ext. Après le nom. Qui a un caractère de rapidité, de vivacité. *Le pas* (1. Pas, cit. 45, Buffon) *du cheval doit être prompt. Démarche prompte.* ⇒ **Agile, allègre, leste.** *Son allure se fit plus prompte* (⇒ **Accélérer**). *Mouvements prompts de l'écureuil.* ⇒ **Preste** (→ Grimper, cit. 3). *Geste* (1. Geste, cit. 12) *prompt.* ⇒ **Brusque.**

D'une main prompte, Buteau lui arracha le bâton, qu'il envoya sous l'armoire (...) 11
ZOLA, la Terre, IV, II.

♦ **4.** Fig. (Après le nom). Personnes. Qui est ardent, fougueux, qui a de la rapidité et de la vivacité dans son comportement. ⇒ **Bouillant, impétueux.**

Comme il *(le Germain)* est moins prompt, il est moins sujet à l'impatience et aux éclats déraisonnables (...) TAINE, Philosophie de l'art, t. I, p. 235. 12

13 Jeune, il était plein de verve, prompt, homme à caprices et aux nerfs violents (...)
André SUARÈS, Trois hommes, « Ibsen », III.

Loc. *L'esprit est prompt, et la chair* (cit. 46) *infirme* (faible) : l'esprit est ardent au bien, mais la chair est sans force pour suivre les aspirations de l'esprit.

♦ **5.** (Après le nom). Qui passe ou se passe très vite. ⇒ **Bref.** *Nous rappelons le passé pour l'arrêter comme trop prompt* (→ Anticiper, cit. 1, Pascal). *Sa joie fut prompte*, de courte durée.

CONTR. **Appesant, lent, pesant. — Patient.**
DÉR. **Promptement.**
COMP. **Prompt-bourgeon.**

PROMPT-BOURGEON [pʀɔ̃buʀʒɔ̃] n. m. — 1923, Larousse; de *prompt* (1., 2.), et *bourgeon*.

♦ Bot., agric. Rameau secondaire qui se développe prématurément sur un bourgeon normal de l'année. *Des prompts-bourgeons.*

À l'aisselle de la feuille se développent les bourgeons. Un même nœud porte deux sortes d'yeux, un œil latent dont le départ en végétation n'aura lieu qu'au printemps suivant sa formation et un œil qui peut se développer l'année même et donner naissance à un rameau secondaire, le *prompt-bourgeon, entre-cœur* ou *anticipé*.
Louis LEVADOUX, la Vigne et sa culture, p. 13.

PROMPTEMENT [pʀɔ̃tmɑ̃; cour. pʀɔ̃ptəmɑ̃] adv. — V. 1300; de *prompt*.

♦ Littér. D'une manière prompte, en peu de temps. ⇒ **Rapidement, vite.** *Le désir d'arriver plus promptement à la célébrité* (cit. 6). ⇒ **Tôt.** *Impressions fugitives* (cit. 14) *qui s'effacent promptement.* ⇒ **Bientôt.** *Enthousiasme* (cit. 23) *qui s'éteindra promptement.* — « *Il fallait promptement s'armer* » (cit. 11, La Fontaine). ⇒ **Hâte** (en). *Aviser* (cit. 12) *promptement aux moyens de s'en tirer. Dépêcher, expédier promptement son travail.* ⇒ **Rondement** (→ Perler, cit. 3). *Saisir promptement les bonnes occasions.* ⇒ **Volée** (à la). « *Deux hommes demandaient* (cit. 18) *à le voir promptement* ». ⇒ **Immédiatement.**

1 (...) éloignons-nous promptement, il y a du péril à passer par ici.
A.-R. LESAGE, le Diable boiteux, X.

2 La beauté s'use promptement par la possession (...) ROUSSEAU, Émile, V.

CONTR. **Doucement, lentement.**

PROMPTEUR [pʀɔ̃ptœʀ] n. m. — 1978, *l'Express*, 2 oct.; angl. *prompter* « souffleur de théâtre », de *to prompt* « souffler ».

♦ Anglic. Techn. Appareil qui fait défiler un texte sur un écran au-dessus d'une caméra de télévision, de sorte qu'une personne puisse le lire en regardant la caméra. « *Les journalistes travailleront sans filet, traduisez sans le "prompteur", cet appareil largement utilisé qui déroule au-dessus de la caméra le texte que lit le présentateur, les yeux fixés sur la ligne imaginaire matérialisant le téléspectateur anonyme* » (*l'Express*, 6 janv. 1979, p. 78). — On dit aussi *téléprompteur.*

PROMPTITUDE [pʀɔ̃tityd; cour. pʀɔ̃ptityd] n. f. — 1470, « facilité à comprendre »; bas lat. *promptitudo*, rad. *promptus*. → Prompt.

Littéraire.

♦ **1.** (Déb. XVIe). Manière d'agir, de se comporter d'une personne qui met très peu de temps à faire ou entreprendre qqch. ⇒ **Rapidité.** « *La promptitude à croire le mal sans l'avoir assez examiné...* » (La Rochefoucauld). *La promptitude avec laquelle agit l'homme d'action* (⇒ **Diligence**; → Caractériser, cit. 5). *La promptitude avec laquelle cette femme lui a donné rendez-vous* (⇒ **Empressement, hâte**; → Juger, cit. 17). *La promptitude d'un homme infatigable* (⇒ **Activité**), *qui expédie sa besogne avec promptitude* (⇒ **Dextérité; promptement**). — Par ext. *Juger avec une étonnante promptitude* (⇒ **Célérité**; → Expression, cit. 35).

1 Le trop de promptitude à l'erreur nous expose.
MOLIÈRE, Sganarelle, XII.

2 (...) ses progrès furent d'une rapidité déconcertante : j'admirais souvent avec quelle promptitude son esprit saisissait l'aliment intellectuel que j'approchais d'elle (...)
GIDE, la Symphonie pastorale, I, 8 mars.

♦ **2.** (Av. 1690). Caractère de ce qui est prompt, se fait en peu de temps. ⇒ **Rapidité, vitesse.** *La promptitude de sa reconversion, de sa guérison. La promptitude de l'événement le déconcerta.*

3 Le gouvernement monarchique a un grand avantage sur le républicain : les affaires étant menées par un seul, il y a plus de promptitude dans l'exécution.
MONTESQUIEU, l'Esprit des lois, V, X.

4 La promptitude du rêve est telle que ses décors se peuplent d'objets inconnus de nous dans la veille et dont nous connaissons d'emblée les moindres détails.
COCTEAU, la Difficulté d'être, p. 88.

Caractère de ce qui est vif, rapide. ⇒ **Vivacité.** *La promptitude des gestes d'un prestidigitateur, des doigts d'un pianiste.* ⇒ **Agilité, prestesse.** — Fig. *La promptitude de ses reparties* (→ Contrainte, cit. 7). — Spécialt. *Une certaine promptitude de jugement* (→ 2. Desservir, cit. 5). *La promptitude du discernement* (→ Goût, cit. 15). *Être doué d'une grande promptitude d'esprit, d'intelligence.*

Cela donnait une haute idée de la sagacité extraordinaire de la justice, de 5
la promptitude de son coup d'œil, de la sûreté avec laquelle elle saisissait la piste du crime. RENAN, Souvenirs d'enfance..., I, Œ. compl., t. II, p. 747.

CONTR. **Lenteur, retard.**

PROMPTO [pʀɔ̃pto; pʀɔ̃to] adv. — XXe; de *prompt*, et suff. pop. *-o.*

♦ Pop. Rapidement (cf. Rapido).

(...) Baponot m'orna la paume de la main d'un billet de mille et me pria de disparaître, ordre que j'exécutai prompto (...)
R. QUENEAU, Loin de Rueil, p. 217.

PROMULGATEUR, TRICE [pʀɔmylgatœʀ, tʀis] n. — 1567; fém. *in* Larousse, 1875; de *promulguer.*

♦ Didact., admin. Personne qui promulgue (une loi). — Adj. *Les autorités promulgatrices.*

PROMULGATION [pʀɔmylgɑsjɔ̃] n. f. — V. 1300, rare av. XVIIIe; lat. *promulgatio*, de *promulgare*. → Promulguer.

♦ **1.** Action de promulguer; décret par lequel le chef de l'exécutif atteste officiellement l'existence d'une nouvelle loi votée par le corps législatif et en ordonne l'exécution (→ Exécutoire, cit. 1). *Décret de promulgation.*

Cette salve d'artillerie annonçait aux musulmans que le padishah leur octroyait une Constitution (...) la promulgation avait lieu à Top-Kapou (...)
LOTI, Aziyadé, III, XVII.

♦ **2.** Publication. *La promulgation des doctrines pastoriennes* (cit. 1).

CONTR. **Abrogation.**

PROMULGUER [pʀɔmylge] v. tr. — V.1355, *promulger*; lat. *promulgare.*

♦ **1.** Attester officiellement, dans les formes requises, l'existence de (une loi), rendre exécutoire (une loi). *Action de promulguer.* ⇒ **Promulgation.** « *Nul ne peut être puni qu'en vertu d'une loi établie* (cit. 9) *et promulguée antérieurement au délit* ». « *Le Président de la République promulgue les lois dans les 15 jours qui suivent la transmission au gouvernement de la loi définitivement adoptée* » (Constitution de 1958, Titre II, art. 10). *Promulguer des édits, des textes de loi, des décrets, des ordonnances* (cit. 10; → Colliger, cit. 1; famille, cit. 29). ⇒ **Édicter, publier.**

Par anal. *Promulguer un dogme.*

(...) cette déclaration extraordinaire : « Je suis l'Immaculée Conception », qui 1
éclatait là comme l'utile reconnaissance par la sainte Vierge elle-même du dogme promulgué en cour de Rome, trois années plus tôt. ZOLA, Lourdes, I, V.

♦ **2.** Publier.

Une impatience qui a même quelque chose de louable entraîne les gens de bien à 2
promulguer les vérités qui les frappent, dès l'instant où elles s'offrent à leurs yeux (...) MIRABEAU, Lettres, I, 22 juin 1784, À Chamfort.

PRONAOS [pʀɔnaos] n. m. — 1701; mot grec.

♦ Didact. (archit.). Portique qui précédait le sanctuaire (ou « naos ») dans les anciens temples grecs.

Le temple de Minerve (...) était un simple parallélogramme allongé, orné d'un péristyle, d'un pronaos ou portique, et élevé sur trois marches ou degrés qui régnaient tout autour. Ce pronaos occupait à peu près le tiers de la longueur totale de l'édifice (...) CHATEAUBRIAND, Itinéraire..., I, p. 188.

PRONATEUR, TRICE [pʀɔnatœʀ, tʀis] adj. et n. — 1560; bas lat. *pronator*, de *pronus* « penché en avant ».

♦ Anat. Se dit d'un muscle qui détermine la pronation*. *Muscle rond pronateur, muscle carré pronateur*, situés à la partie antérieure de l'avant-bras. *Muscles pronateurs et muscles supinateurs.* — N. m. *Les pronateurs de l'avant-bras.*

REM. Ne pas confondre avec *prôneur.*

PRONATION [pʀɔnɑsjɔ̃] n. f. — 1654; bas lat. *pronatio.*

♦ Physiol. Mouvement de rotation que la main et l'avant-bras exécutent de dehors en dedans sous l'action des muscles pronateurs; position de l'avant-bras et de la main, quand celle-ci se présente avec la paume en dessous et le pouce à l'intérieur. — Par ext. *Pronation du pied* : mouvement par lequel le pied se tourne, la plante étant dirigée vers le côté externe. *La pronation s'oppose à la supination. — Position en pronation, en escrime.*

PRÔNE [pRon] n. m. — 1420; *prosne* «grille séparant le chœur de la nef», 1175, *prodne*, fin XIe; lat. pop. **protinum*, du lat. *protirum*; grec *prothura* «couloir allant de la porte d'entrée à la porte intérieure».

♦ **1.** Relig. Discours de piété qu'un curé ou un vicaire fait à ses paroissiens à la messe du dimanche. ⇒ **Homélie, prêche, sermon.** *Curé qui monte en chaire* après l'évangile pour prononcer son prône. Mandement* (cit. 2) *pastoral lu au prône.*

1 (...) on nous ruine en fêtes,
L'une fait tort à l'autre, et monsieur le curé
De quelque nouveau saint charge toujours son prône.
LA FONTAINE, Fables, VIII, 2.

2 Au prône du dimanche suivant, le vieux curé publiait les bans (...)
MAUPASSANT, Contes de la Bécasse, «Les sabots».

3 Au moment du prône, il commenta de la manière la plus éloquente ce grand texte essentiel de l'Évangile selon saint Jean, qui est le point de départ de toutes les doctrines gnostiques (...) M. BARRÈS, la Colline inspirée, XIII.

Recommander qqn au prône, le recommander aux prières ou à la charité des fidèles, avant de prononcer le prône proprement dit. *Les défunts de la semaine sont recommandés au prône.*

4 Je connais monsieur le curé : quand on pense à sa chère église, il ne vous oublie pas dans son prône (...) BALZAC, les Employés, Pl., t. VI, p. 997.

♦ **2.** (1675, Mme de Sévigné). Littér. Vx. Discours moralisateur, long et ennuyeux.

DÉR. Prôner.

PRONÉPHROS [pRonefRos] n. m. — 1897, in *l'Année biol.*; de *pro-*, et grec *nephros* «rein»; → Néphro-.

♦ Biol. Premier stade du développement embryonnaire du rein, chez les mammifères (remplacé ensuite par le *mésonéphros*).

Les reins sont encore plus primitifs que ceux des autres poissons et correspondent à l'ébauche rénale des autres Vertébrés, qui a reçu le nom de pronéphros. Le mésonéphros, rein définitif des poissons, ne devient fonctionnel qu'à un stade relativement tardif du développement. R. et M.-L. BAUCHOT, les Poissons, p. 58.

PRÔNER [pRone] v. tr. — 1578; de *prône*.

♦ **1.** Louer sans réserve et avec insistance (qqch. ou [rare] qqn). ⇒ **Louer, vanter.** *Prôner l'esprit, la grâce d'une femme* (→ Enjôler, cit. 3). *Prôner les vertus de l'huile* (cit. 2) *d'olive.* ⇒ **Célébrer.** — *Les méthodes, les procédés que prônaient les journaux.* ⇒ **Prêcher, préconiser.** — Par métaphore. *Une pensée qui prône et glorifie* (cit. 5) *l'effort.* ⇒ **Canoniser, élever.**

1 Platon et Jean-Jacques Rousseau, qui prônèrent le bon vin sans en boire, sont à son avis de faux frères de la gourde. DIDEROT, Jacques le fataliste, Pl., p. 688.

2 Il avait soulevé contre lui l'opinion de sa petite ville allemande, par sa franchise à soutenir des idées, qu'il trouvait maintenant prônées par ces Parisiens, et qui prônées par eux, maintenant le dégoûtaient.
R. ROLLAND, Jean-Christophe, Foire sur la place, I, p. 718.

Pron. (sens réciproque). → Âne, cit. 15.

♦ **2.** Vx. Affirmer, assurer. *Prôner comme évangile que...* (→ Fragile, cit. 18).

♦ **3.** (1680). Vx. Faire un prône, un sermon à (qqn). *Prôner les fidèles.*

CONTR. Censurer, décrier, dénigrer, déprécier, diffamer, discréditer.
DÉR. Prôneur.

PRÔNEUR, EUSE [pRonœR, øz] n. — V. 1654; de *prôner*.

♦ Vx ou littér. Personne qui se répand en éloges (souvent iron.). ⇒ **Panégyriste** (→ Niveau, cit. 11).

C'était un maître homme *(Boileau)* et un grand écrivain surtout, bien plus qu'un poète. Mais comme on l'a rendu bête! Quels piètres explicateurs et prôneurs il a eus! La race des professeurs de collège, pédants d'encre pâle a vécu sur lui et l'a aminci, déchiqueté comme une horde de hannetons fait à un arbre.
FLAUBERT, Correspondance, 430, 30 sept. 1843.

CONTR. Détracteur.

PRONOM [pRɔnɔ̃] n. m. — XIIIe; lat. *pronomen*, de *pro* «à la place de», et *nomen* «nom».

♦ Mot qui sert à représenter un mot de sens précis déjà employé à un autre endroit du contexte ou qui joue le rôle d'un nom absent, généralement avec une nuance d'indétermination (⇒ aussi **Nominal,** *supra* cit. 5). *Pronom qui remplace un nom*. Les pronoms sont traditionnellement répartis en six classes.* ⇒ **Démonstratif** (*infra* cit. 3), **indéfini** (cit. 11), **interrogatif, personnel, possessif, relatif.** *Pronoms personnels réfléchis. Les pronoms (démonstratifs, possessifs...) se distinguent des adjectifs correspondants en ce qu'ils n'accompagnent pas un substantif.*

Dans le débat toujours ouvert sur la nature des pronoms, on a l'habitude de considérer ces formes linguistiques comme formant une même classe formelle et fonctionnelle; à l'instar, par exemple, des formes nominales ou des formes verbales. Or toutes les langues possèdent des pronoms, et dans toutes on les définit comme se rapportant aux mêmes catégories d'expression (pronoms personnels, démonstratifs, etc.). L'universalité de ces formes et de ces notions conduit à penser que le problème des pronoms est à la fois un problème de langage et un problème de langues, ou mieux, qu'il n'est un problème de langues que parce qu'il est d'abord un problème de langage. C'est comme fait de langage que nous le poserons ici, pour montrer que les pronoms ne constituent pas une classe unitaire, mais des espèces différentes selon le mode de langage dont ils sont les signes. Les uns appartiennent à la syntaxe de la langue, les autres sont caractéristiques de ce que nous appellerons les «instances de discours», c'est-à-dire les actes discrets et chaque fois uniques par lesquels la langue est actualisée en parole par un locuteur.
É. BENVENISTE, Problèmes de linguistique générale, t. I, p. 251.

PRONOMINAL, ALE, AUX [pRɔnɔminal, o] adj. — 1714; bas lat. *pronominalis*, du lat. class. *pronomen*. → Pronom.

♦ Qui est relatif au pronom, qui est de la nature du pronom. *Adjectifs pronominaux :* adjectifs démonstratifs, indéfinis, interrogatifs, possessifs. — «En» *et* «y» *sont appelés quelquefois adverbes pronominaux.*

(1754). Cour. *Verbe pronominal*, ou, n. m., *un pronominal :* verbe qui se conjugue avec les pronoms personnels réfléchis, *me, te, se, nous, vous, se* (ex. : *je* me *promène, tu* te *promènes*, etc.). *Verbes essentiellement pronominaux,* qui ne s'emploient jamais à la forme simple (se repentir). *Verbes accidentellement pronominaux* (se heurter *à côté de la forme active* heurter). *Verbe pronominal réfléchi** (Je me baigne; elle s'est donné la mort), *réciproque** (Elles se sont fâchées). *Verbe pronominal indiquant la part ou l'intérêt que le sujet prend à l'action* (se taire, s'étonner). — *Verbe pronominal à sens passif* (ce plat se mange froid). — *Mettre un verbe à la forme* (ou *voix*) *pronominale. La conjugaison pronominale utilise toujours, aux temps composés, l'auxiliaire être.*

Le français évite autant qu'il le peut la construction au passif; c'est ce qui explique qu'il use si fréquemment du verbe pronominal précédé de *il* comme sujet impersonnel de valeur neutre : «*Il se coupait bien* de temps en temps une tête par-ci, par-là» HUGO, Dern. jours d'un condamné; «Dès lors *il se forma* comme deux camps» MUSSET, Confess., I, 2. 1
G. et R. LE BIDOIS, Syntaxe du franç. moderne, § 320.

Dans les verbes pronominaux non réfléchis, le pronom conjoint *me, te, se*, etc. — qu'on pourrait appeler *censément préfixé* ou *agglutiné* — est comme incorporé au verbe et n'a qu'une valeur emphatique, ou affective, ou vague : il ne joue aucun rôle de complément d'objet et sert simplement, du moins en certains cas, à mettre en relief l'activité personnelle du sujet ou à marquer un intérêt particulier de ce sujet dans l'action; ce pronom conjoint *me, te, se*, etc. est une sorte de particule flexionnelle, de «reflet» du sujet, et ne doit pas, dans l'analyse, être distingué de la forme verbale : *s'apercevoir (de), se connaître (à), se douter, s'écrouler, s'emparer* (...) Certains verbes pronominaux non réfléchis sont formés d'un verbe de mouvement précédé de l'adverbe *en*, soudé ou non avec le verbe : *s'en aller, s'en retourner, s'envoler, s'enfuir*, etc. 2
M. GREVISSE, le Bon Usage, § 601, B.

DÉR. Pronominalement, pronominalisation.

PRONOMINALEMENT [pRɔnɔminalmɑ̃] adv. — 1829; de *pronominal.*

♦ Gramm. En emploi pronominal. *Mot, verbe employé pronominalement* (abrév. : *pronom.*).

PRONOMINALISATION [pRɔnɔminalizasjɔ̃] n. f. — 1968, M. Gross, *Grammaire transformationnelle du français*, p. 22; de *pronominal.*

♦ Ling. Remplacement par un pronom (d'un syntagme nominal ou verbal).

PRONOMINALISER [pRɔnɔminalize] v. tr. — V. 1968; de *pronominal.*

♦ Ling. Remplacer par un pronom; employer à une forme pronominale (un verbe habituellement transitif). — Pron. *Beaucoup de verbes transitifs français sont susceptibles de se pronominaliser.* — Au p. p. *Syntagme complément pronominalisé.*

PRONONÇABLE [pRɔnɔ̃sabl] adj. — 1611; *pronuncible*, v. 1501; de *prononcer.*

♦ Qu'on peut prononcer. *Ce mot n'est pas prononçable.*

CONTR. Imprononçable.

PRONONCER [pRɔnɔ̃se] v. — Conjug. *placer.* — 1120, *pronuncier* «déclarer, proclamer»; lat. *pronuntiare*, de *pro-*, et *nuntiare* «annoncer».

★ **I.** V. tr. ♦ **1.** (V. 1283). Dr., cour. Rendre ou lire (un jugement), prendre ou faire connaître (une décision), selon les formes requises, en vertu des pouvoirs dont on dispose. *Prononcer un arrêt, une sentence.* ⇒ **Rendre.** *Prononcer une condamnation, une peine contre quelqu'un.* ⇒ **Infliger** (→ Absolutoire, cit.; atténuant, cit. 1). *Greffier qui prononce sa sentence à un accusé.* — *Prononcer le huis-clos. Prononcer la cassation d'un arrêt, le renvoi de l'affaire devant un autre tribunal.* — (Sujet n. de chose). ⇒ **Contenir.** *Un jugement qui prononce la dissolution du mariage* (→ Gré, cit. 16). — *Prononcer une expropriation* (cit. 3), *une expulsion* (cit. 2), etc. ⇒ **Décréter.** — Dr. constit. *Prononcer la clôture d'un débat* (→ Clôturer, cit. 2), *la dissolution* (cit. 4) *de l'Assemblée nationale, la* *déchéance d'un souverain,* etc. — Dr. canon. *Prononcer l'anathème, l'excommunication contre...* ⇒ **Fulminer.**

Par métaphore, littér. → Confirmer, cit. 10. *Le destin, le sort a prononcé l'arrêt. Par cet aveu, il a prononcé sa propre condamnation.*

Vx. *Prononcer quelque chose à quelqu'un,* l'annoncer, le faire savoir (Cf. Racine, *Iphigénie,* IV, 8).

Vx. *Prononcer que...,* suivi de l'ind. ⇒ **Affirmer, déclarer, proclamer** (→ Exécrable, cit. 6).

1 Je voudrais voir un homme sobre, modéré, chaste, équitable, prononcer qu'il n'y a point de Dieu (...) LA BRUYÈRE, les Caractères, XVI, 11.

♦ **2.** Dire*, et, par ext., écrire (un mot, une phrase, etc.). *Elle pleurait, elle ne pouvait prononcer un mot* (→ Main, cit. 52). *Des mots prononcés tout bas.* ⇒ **Chuchoter, murmurer** (→ aussi Honte, cit. 47). *Tout cela était prononcé d'un accent humble, désespéré* (→ Grandeur, cit. 23). *Prononcer des paroles incohérentes* (cit. 2), *des blasphèmes* (→ Éternel, cit. 12), *des injures...* ⇒ **Proférer.** *Un mot, un nom qu'on ne peut prononcer sans émotion* (→ Paroisse, cit. 1). *Prononcer les formules d'exorcisme* (cit. 1). *Prononcer un souhait, un vœu.* ⇒ **Émettre, énoncer, exprimer, formuler.** *Prononcer le grand oui** (*supra* cit. 20). *Prononcer des serments* (→ Invoquer, cit. 6; ivresse, cit. 9). — *Prononcer ses vœux**. — Au p.p. *Des mots prononcés tout bas,* chuchotés, murmurés.

2 Une petite larme ou deux, des bras jetés au cou, un «mon petit papa mignon», prononcé tendrement sera assez pour vous toucher.
MOLIÈRE, le Malade imaginaire, I, 5.

3 Il était prêt à dire qu'il l'aimait : cette dangereuse parole expira sur ses lèvres; mais Bernerette la sentit dans son cœur, et ils s'endormirent tous deux contents, l'un de ne pas l'avoir prononcée, et l'autre de l'avoir comprise.
A. DE MUSSET, Nouvelles, «Frédéric et Bernerette», V.

3.1 Il dit : «Voilà des gens qui ne sont pas ducs, mais je vous assure que j'aimerais mieux passer cinq minutes avec eux que cinq heures avec M. de Trailles» (car même pour les flétrir il ne peut s'empêcher de prononcer les noms des grands).
PROUST, Jean Santeuil, Pl., p. 429.

Pron. (sens passif). *Le mot d'impérialisme* (cit. 1) *se prononçait beaucoup à l'époque.* — Impers. *Si tu ne veux pas qu'il se prononce entre nous des paroles irréparables* (cit. 3).

4 Il se prononce en vous des chiffres, un à un, comme se suivent des battements aux tempes. J. ROMAINS, les Hommes de bonne volonté, t. V, VII, p. 62.

Par ext. (Emploi comparable à ceux de *dire*). Écrire (un mot, une phrase). → Captieux, cit. 4; exclusivisme, cit. 2.

♦ **3.** (Avec un compl. ou adv. de manière, ou un attribut du compl. d'objet direct). Articuler (les sons du langage). ⇒ **Prononciation***. *Il prononce les* o *très ouverts. Prononcer une voyelle, une consonne avec accompagnement d'un souffle.* ⇒ **Aspirer.** *Prononcer* b *pour* v. *Prononcer les mots en faisant les liaisons* (⇒ **Lier**), *en détachant les syllabes,...* ⇒ **Accentuer, appuyer, détacher** (cit. 13), **marteler, scander.** *Le mot gars* (cit. 2) *que l'on prononce* [ga]. Pron. *Ça s'écrit comme ça se prononce. Prononcer correctement, exactement un mot* (→ Cuir, cit. 7). *Étranger qui prononce mal le français.* ⇒ **Écorcher.**

5 (...) les parents de Gilberte (...) me disaient : — Comment allez-vous (qu'ils prononçaient tous deux «commen allez-vous», sans faire la liaison du *t*,...).
PROUST, À l'ombre des jeunes filles en fleurs, Pl., t. I, p. 504.

Pron. (sens passif). *Consonne qui finit par se prononcer comme un* s [s], *qui se prononce avec émission d'un yod...* ⇒ **Assibiler** (s'), **mouiller** (se)... *En français, les voyelles placées devant* m *ou* n *se prononcent en général avec une résonance nasale.* ⇒ **Nasaliser** (se). *Le mot* celle *se prononçait* [sœle] (→ Fin, cit. 36). *«Son nom se prononce à l'anglaise, comme ceci,* Djack» (→ Par, cit. 23).

Articuler, émettre (tel son, tel mot). *Les enfants ont du mal à prononcer le* r. *C'est un mot impossible à prononcer.* ⇒ **Imprononçable.**

(Sans compl. direct). *Il prononce bien* (→ Il a une bonne prononciation*). *Prononcer de manière indistincte, vicieuse.* ⇒ **Avaler** (ses mots), **bafouiller, balbutier, bégayer, bléser, bredouiller, chuinter, escamoter** (ses mots), **grasseyer, mâchonner, manger** (ses mots), **nasiller, nasonner, zézayer.**

6 Les enfants qu'on presse trop de parler n'ont le temps ni d'apprendre à bien prononcer, ni de bien concevoir ce qu'on leur fait dire (...)
ROUSSEAU, Émile, I.

Émettre le son, le phonème, qui correspond à (un signe graphique, une lettre). ⇒ **Sentir, sonner** (faire sentir, sonner une lettre). → Écrire, cit. 11, Ronsard. *En poésie, on prononce tous les* e *placés devant une consonne.* ⇒ **Marquer** (*supra* cit. 29). *On prononce* l *final dans* profil, *mais non dans* fusil. — Pron. (sens passif). *Dans* somptueux *le* p *intérieur se prononce, mais doit rester muet dans* dompteur.

♦ **4.** Faire entendre, dire ou lire* publiquement (un texte, un développement à caractère oratoire). ⇒ **Débiter.** *Prononcer un plaidoyer* (→ 1. Avocat, cit. 5), *une harangue* (→ Blandice, cit. 4), *une allocution, un discours* (→ Expression, cit. 44), *un sermon,* etc. — Vx. Lire, dire (un poème, des vers). *«Quel supplice que celui d'entendre... prononcer de médiocres vers avec toute l'emphase d'un mauvais poète».* ⇒ **Déclamer, réciter** (cf. La Bruyère, *les Caractères,* I, 7).

♦ **5.** (1667). Vx. Marquer, dessiner avec fermeté (les détails, les contours d'une œuvre plastique). — Mod. Au p.p. (→ ci-dessous, Prononcé, 3.). Marquer fortement un détail, le rendre très sensible; dessiner avec fermeté les contours d'une figure, d'un objet. *«Prononcer un bras, les muscles»* (Littré). — REM. Dans ce sens, *prononcer* ne s'emploie plus guère qu'au participe passé et surtout au figuré.

Pron. *Sous l'effet de l'âge, les rides se prononcent* (→ S'accentuer, s'accuser). — Fig. *«Ce remarquable développement de l'esprit* (cit. 124) *critique en matière de forme qui s'est prononcé à partir du* XVI*e* *siècle».*

(...) les plis qui s'y formaient *(sur son front)* causaient une sorte d'effroi par la vigueur avec laquelle ils se prononçaient (...) 7
BALZAC, la Maison du Chat-qui-pelote, Pl., t. I, p. 20.

★ **II.** V. intr. ♦ **1.** (V. 1587). Dr. Rendre un arrêt, un jugement. *Ces juges ne peuvent prononcer qu'en première instance.* ⇒ **Juger** (→ Appel, cit. 20). — (Sujet n. de chose). *Le même jugement prononcera sur la disjonction* (cit.). — Absolt. *Le tribunal n'a pas encore prononcé.*

♦ **2.** (1604). Vx ou littér. Prendre une décision, prendre parti; manifester*, formuler son opinion de manière autoritaire, décisive. — REM. Dans ce sens, on emploie plutôt la forme pronominale. *Se prononcer* (→ ci-dessous). *Prononcer en faveur de...* (→ Ancien, cit. 15), *pour, contre... Prononcer sur...* (→ Hasardeux, cit. 4; juger, cit. 32). *Prononcer entre... et...* ⇒ **Choisir.** — Absolt. (→ Philosophie, cit. 4).

Si j'ose prononcer où tant d'hommes ont douté, c'est d'après une conviction intime : si ma décision se trouve conforme à mes besoins, elle n'est dictée du moins par aucune partialité (...) É. DE SENANCOUR, Oberman, XLI. 8

Qui de nous pourrait prononcer entre Clarisse et Lovelace, entre Hector et Achille? Quel est le héros d'Homère? 9
BALZAC, Illusions perdues, Pl., t. IV, p. 789.

▶ **SE PRONONCER** v. pron. (1604; v. 1587 en droit).

♦ **1.** Être prononcé (→ ci-dessus I., 3.).

♦ **2.** (→ ci-dessus I., 5.).

♦ **3.** (1795). Sujet n. de personne. Se décider, se déterminer. *Se prononcer sur un problème* (→ Conjoncture, cit. 4; 2. politique, cit. 16). *Se prononcer en faveur* (cit. 28) *de quelqu'un. Se prononcer pour quelque chose.* ⇒ **Conclure** (à), **défendre** (*supra* cit. 7); → Neutralité, cit. 3. — Absolt. *Il n'a pas voulu se prononcer avant d'avoir tous les éléments d'information nécessaires. Il faut se prononcer hardiment.* Contr. : *s'abstenir.*

La crise de juin 91 devait décider Condorcet, elle l'appelait à se prononcer. Il lui fallait choisir entre ses relations, ses précédents d'une part, et de l'autre ses idées. 10
MICHELET, Hist. de la Révolution franç., V, IV.

▶ **PRONONCÉ, ÉE** p.p. adj.

♦ **1.** (1312). Déclaré, dit. *Le jugement prononcé,* rendu. — N. m. (1718). Dr. *«Le prononcé de l'arrêt, de la sentence, du jugement»* (Académie) : le texte de la décision tel qu'il est lu par le juge à la fin de l'audience. ⇒ **Minute.** — Absolt. *Le prononcé* (→ Piller, cit. 9).

♦ **2.** *Lettre prononcée et lettre muette.* — Dit, récité (et non écrit). *«Un discours prononcé»* (→ Action, cit. 25, La Bruyère).

♦ **3.** (→ ci-dessus, I., 5.). Fermement marqué, dessiné. *Muscles bien prononcés. Ombre peu prononcée* (→ 1. Feuillé, cit. 2).

Très marqué ou très visible. *Avoir les traits du visage très prononcés. Courbure prononcée. Scoliose prononcée.*

♦ **4.** Très nettement perceptible. ⇒ **Fort, marqué.** *Ce gâteau a un parfum de cannelle très prononcé.* — *Caractère prononcé. Un homme du type intellectuel* (cit. 7) *le plus prononcé. Avoir un goût, manifester un talent prononcé pour...* (→ Instinct, cit. 27). ⇒ aussi **Arrêté, formel.**

CONTR. Imperceptible, indécis, insensible. — Faible.
DÉR. Prononçable.

PRONONCIATION [pʀɔnɔ̃sjasjɔ̃] n. f. — 1281; lat. *pronuntiatio,* proprt «déclaration», de *pronuntiare.* → Prononcer.

♦ **1.** Vx. Jugement, arrêt, décision judiciaire.

(Déb. XVe). Action de lire le prononcé du jugement. *Assister à la prononciation de l'arrêt.*

♦ **2.** Rhét. anc. Manière de dire, de lire à haute voix (un discours); partie de la rhétorique qui enseigne l'art de dire en public de manière expressive, en utilisant les ressources de l'intonation, etc.

♦ **3.** Vx. Fait de prononcer (I., 4.) un discours en public. *«Ils partirent pour la cour le lendemain de la prononciation de ma harangue»* (La Bruyère, *Disc. à l'Acad.,* Préface).

♦ **4.** (Fin XIVe). Mod. Manière dont un phonème est articulé, dont un mot est prononcé (⇒ **Articulation**); les sons qui correspondent à un signe écrit, à une lettre ou à un groupe de lettres. ⇒ **Prononcer**

(I., 3.). *Les faits de prononciation relèvent de la phonétique, de la phonologie.* ⇒ **Accent** (I., accent tonique), **accentuation, assibilation, élision, hiatus, synalèphe, synérèse.** *Prononciation d'une lettre, d'un son. Signe qui a plusieurs prononciations.* ⇒ **Polyphone.** *Prononciation des consonnes*. Prononciation des voyelles,* toniques ou muettes, brèves ou longues (⇒ **Prosodie, quantité**), ouvertes ou fermées, etc. *Prononciation des syllabes. Mots qui ont la même prononciation.* ⇒ **Homonyme, homophone.** *Prononciation correcte, usuelle d'un mot. La prononciation* frustre *qu'on entend souvent pour* fruste (cit. 6). *Des prononciations disparues* (→ Assoner, cit.). *Harmonisation de l'orthographe* (cit. 2) *et de la prononciation.*

0.1 Et même, la guerre ayant jeté sur le marché de la conversation des gens du peuple une quantité de termes dont ils n'avaient fait la connaissance que par les yeux, par la lecture des journaux et dont en conséquence ils ignoraient la prononciation, le maître d'hôtel ajoutait : « Je ne peux pas comprendre comment que le monde est assez fou... Vous verrez ça, Françoise, ils préparent une nouvelle attaque d'une plus grande enverjure que toutes les autres.
PROUST, le Temps retrouvé, Pl., t. III, p. 842.

0.2 Séil-kor remit à Carmichaël une large feuille de papier couverte par lui de mots étranges mais parfaitement lisibles, dont la périlleuse prononciation se trouvait fidèlement reproduite au moyen de l'écriture française ; c'était la *Bataille du Tez,* transcrite à l'instant par le jeune noir sous la dictée de l'empereur.
Raymond ROUSSEL, Impressions d'Afrique, p. 431-432.

(La prononciation de quelqu'un). Manière d'articuler les phonèmes, de prononcer les mots (propre à une personne, à un milieu, à une région, à une époque). *Avoir une prononciation correcte, parfaite* (→ Lyrique, cit. 10). *Donner à quelqu'un une bonne prononciation* (→ Maintien, cit. 4). ⇒ **Orthophonie.** *Il avait un fort accent étranger et une mauvaise prononciation.* ⇒ **Accent.** *Une prononciation défectueuse* (→ Cuir, cit. 7). *Défaut de prononciation.* ⇒ **Balbutiement, bégaiement, blésement, blésité, bredouillement, chuintement, deltacisme, dystonie, grasseyement, iotacisme, lallation, lambdacisme, nasillement, nasonnement, rhotacisme, sigmatisme, zézaiement** (→ Articuler, cit. 7). *La prononciation populaire, faubourienne, provinciale. La prononciation du* XVI*e siècle.*

1 Il se moquait de l'orthographe comme d'une chose méprisable et avait au contraire le respect de la vieille prononciation si légère et si coulante et qui de nos jours s'alourdit malheureusement.
FRANCE, M. Bergeret à Paris, Œ., t. XII, VIII, p. 352.

(La prononciation d'une langue). Art, manière de prononcer les mots d'une langue conformément aux règles, à l'usage. ⇒ **Phonétique** (normative). *Manuel, traité de prononciation. Les règles de la prononciation française. Faute grossière de prononciation.* ⇒ **Pataquès.** *Prononciation restituée, traditionnelle du latin. Prononciation romaine* (italienne) *du latin, en usage de nos jours dans l'Église catholique.*

2 (...) à Grenoble, par exemple, on dit : J'ai été au Cour-*ce*, ou : j'ai lu des ver-*ce* sur Anver-*se* et Calai-*se*. Si l'on parle ainsi à Grenoble, ville d'esprit et tenant encore un peu aux pays du Nord qui pour la langue ont écrasé le Midi, que sera-ce à Toulouse, Bazas, Pézenas, Digne ? Pays où l'on devrait afficher la prononciation française à la porte des églises. STENDHAL, Vie de Henry Brulard, 23.

Fait d'être effectivement prononcé (d'une lettre qui peut ou non être muette). *La prononciation de* r *final dans* tiroir, courir, *a été rétablie au* XVIII*e siècle.* Au XVIIe siècle, on disait *tiroi, couri.*

PRONOSTIC [pʀɔnɔstik] n. m.

— 1314, au sens 2 ; 1260, *pronostique,* au sens 1 ; bas lat. *prognosticus,* du plur. neutre *prognostica,* grec *prognôstika,* de *progignôskein* « connaître à l'avance ». → Suff. *-gnose, -gnosie, -gnostique.*

♦ **1.** Vx. Signe qui permet de conjecturer l'avenir* ; signe* avant-coureur d'un événement (→ Présage, cit. 1). *« Ce revers fut le pronostic de sa chute »* (Académie). *« Ce petit discours (...) me parut d'un bon pronostic »* (Marivaux, *le Paysan parvenu,* p. 85).

1 Mais quant aux autres pronostics, qui se tiraient de l'anatomie des bêtes aux sacrifices (...) du trépignement des poulets, du vol des oiseaux (...) des foudres, du tournoiement des rivières (...) et autres sur lesquels l'ancienneté *(l'Antiquité)* appuyait la plupart des entreprises, tant publiques que privées, notre religion les a abolies.
MONTAIGNE, Essais, I, XI.

♦ **2.** Mod. Méd. Jugement que porte un médecin, après le diagnostic, sur la durée, le déroulement et l'issue probable d'une maladie. *Qui est relatif au pronostic.* ⇒ **Pronostique** (adj.). *Pronostics et diagnostics** (cit. 2 ; → aussi médecine, cit. 7). *Pronostic réservé.* — Manière de porter ce jugement. *Il avait un pronostic infaillible.* REM. Ne pas confondre *pronostic* et *pronostique* avec *prognostique*.*

♦ **3.** (V. 1380). Souvent au pluriel. Conjecture sur ce qui doit arriver, sur l'issue d'une affaire, etc. ⇒ **Conjecture** (→ Papoter, cit. 2). *Son pronostic s'est vérifié. Se tromper dans ses pronostics. Ceci rend les pronostics difficiles. Émettre un pronostic, faire des pronostics.* ⇒ **Pronostiquer.** *Pronostics avant les élections. — Pronostic qui donne un cheval gagnant. Concours de pronostics* (pour les matches de football, dans certains pays). Abrév. fam. : *prono.*

2 L'intérêt de ne pas s'être trompé quand on a émis un pronostic faux abrège la durée du souvenir de ce pronostic et permet d'affirmer très vite qu'on ne l'a pas émis. PROUST, le Temps retrouvé, Pl., t. III, p. 972.

DÉR. Pronostique, pronostiquer.
HOM. Pronostique.

PRONOSTICATION [pʀɔnɔstikasjɔ̃] n. f.

— Mil. XIVe, Machaut, *prenonsticaçon,* 1456 ; de *pronostiquer.*

♦ Vx. Fait d'augurer, de pronostiquer l'avenir en observant les présages. *« Des pronostications »,* titre d'un chapitre des *Essais* de Montaigne.

PRONOSTIQUE [pʀɔnɔstik] adj.

— V. 1553 ; *signes pronostiques.* → Pronostic.

♦ Didact. (méd.). Relatif au pronostic.

PRONOSTIQUER [pʀɔnɔstike] v. tr.

— V. 1340 ; *pronostiquier,* 1314 ; de *pronostic.*

♦ **1.** Méd. Émettre au sujet d'une maladie le pronostic (2.) de... *Le médecin a pronostiqué une guérison rapide.* — Cour. Émettre un pronostic* (3.) sur (ce qui doit arriver). ⇒ **Annoncer, prédire, prévoir.** *Les journaux avaient pronostiqué la défaite de ce parti aux élections. Pronostiquer la victoire d'un boxeur, d'une équipe de football. — Pronostiquer quelque chose à quelqu'un. — Pronostiquer que...* (→ Langueur, cit. 16, Montaigne).

Les médecins lui pronostiquèrent une meilleure santé ; mais la marquise ne crut point à ces présages hypothétiques. 1
BALZAC, la Femme de trente ans, Pl., t. II, p. 709.

Il est vrai que si je raisonnais, cherchais la vérité, pronostiquais l'avenir d'après ses paroles, lesquelles approuvaient toujours tous mes projets, exprimaient combien elle aimait cette vie, combien sa claustration la privait peu, je ne doutais pas qu'elle restât toujours auprès de moi. 2
PROUST, la Prisonnière, Pl., t. III, p. 393.

♦ **2.** (1611). Sujet n. de chose. Constituer le signe avant-coureur de (un événement, un phénomène). *Ces gros nuages noirs pronostiquent la pluie.*

(...) ce nom lui pronostiquait des vengeances que son mobile esprit lui faisait atroces. BALZAC, la Duchesse de Langeais, Pl., t. V, p. 205. 3

DÉR. Pronostiqueur.

PRONOSTIQUEUR, EUSE [pʀɔnɔstikœʀ, øz] n.

— Av. 1350, « devin » ; de *pronostiquer.*

♦ **1.** Personne qui fait des pronostics (2.), qui se prétend bien informée de ce qui va se passer. *Les pronostiqueurs de la politique se trompent parfois lourdement.*

♦ **2.** (1898, *in* Petiot). Personne qui établit les pronostics sportifs (notamment en matière de courses de chevaux) dans un journal, à la radio, à la télévision.

PRONUCLÉAIRE [pʀonykleɛʀ] adj.

— V. 1970 ; de *pro-,* et *nucléaire.*

♦ Qui est partisan de l'emploi de l'énergie nucléaire, de sa généralisation. — N. *Les pronucléaires et les antinucléaires.*

PRONUCLÉUS [pʀonykleys] n. m.

— 1897, cit. ; de *pro-,* et *nucléus.*

♦ Biol. Noyau haploïde d'un œuf fécondé. *Pronucléus mâle, femelle. « Pendant un certain temps, le pronucléus mâle est à demi engagé dans une sorte de calotte »* (A. Labbé, in *l'Année biol.,* 1899, p. 34).

PRONUNCIAMIENTO [pʀɔnunsjamjɛnto] ou PRONUNCIAMENTO [pʀɔnunsjamɛnto] n. m.

— 1869, *pronunciamiento ; pronunciamento,* 1838 ; mot esp. « déclaration ».

♦ **1.** Dans les pays hispaniques. Acte par lequel un chef militaire ou un groupe d'officiers déclare son refus d'obéir au gouvernement ; manifeste rédigé à cette occasion. ⇒ **Manifeste, proclamation.** *Des pronunciamientos* [-mjɛntɔ].

En revanche, la petite révolution anti-espartériste, qu'on appelle *el pronunciamiento,* s'est faite à Saint-Sébastien le plus paisiblement du monde. 1
HUGO, Alpes et Pyrénées, Pyrénées, VII.

(...) le général Franco tenta un pronunciamiento : la victoire demeura au Frente populaire, que nos journaux bien pensants baptisèrent « Frente crapulare » et dont ils entreprirent de décrire les atrocités. 1.1
S. DE BEAUVOIR, la Force de l'âge, p. 272.

♦ **2.** Coup d'État organisé ou favorisé par l'armée. ⇒ **Putsch, sédition.**

La France, Dieu merci, n'est pas une république sud-américaine et le besoin ne se fait pas sentir d'un général de pronunciamento. 2
PROUST, le Côté de Guermantes, Pl., t. II, p. 243.

Craint-on toujours à Paris un « pronunciamiento » algérien ? Il faudrait que ses auteurs fussent incapables de toute prévision. 3
F. MAURIAC, le Nouveau Bloc-notes 1958-1960, p. 30.

PROPAGANDE [pʀɔpagɑ̃d] n. f. — 1689, *congrégation de la Propagande ;* trad. lat. *congregatio de progaganda fide* « pour progager la foi » ; de *propagare.*

♦ **1.** Relig. Institution pour la propagation de la foi chrétienne. *Propagandes catholiques, évangéliques. Propagande qui envoie des missionnaires.* — (1790). Par ext. Vx. Association dont le but est de répandre les doctrines d'un parti politique (Bescherelle). *Les propagandes au pouvoir* (→ Copieux, cit. 5).

♦ **2.** (1790). Cour. Action exercée sur l'opinion pour l'amener à avoir certaines idées politiques et sociales, à vouloir et soutenir une politique, un gouvernement, un représentant. *Propagande politique* (⇒ **Agit-prop**). *Propagande d'un parti* politique. Propagande électorale. Propagande gouvernementale, nationale. Propagande bonapartiste* (→ Inonder, cit. 14). *Propagande communiste, anticommuniste. Instruments, moyens de propagande. Propagande par la parole* (discours, meetings, émissions radiophoniques), *l'écriture* (journaux, tracts, inscriptions, graffiti), *l'image* (affiches, photos, cinéma, télévision), etc. *Propagande qui frappe, suggestionne plus qu'elle n'informe, provoque des réflexes conditionnés* (→ Plasticité, cit. 2). ⇒ **Bourrage** (de crâne). *Thème de propagande. Les bluffs, les mensonges de la propagande. — C'est de la propagande,* des nouvelles fausses, destinées à manipuler l'opinion. *Ennemis qui doivent être convertis par la propagande* (→ Hérétique, cit. 7). *Le discours, la rhétorique de la propagande. Publicité* commerciale et propagande* (→ Montage, cit. 1). *Militant qui fait de la propagande.* — (Choses). *De propagande :* qui sert une propagande. *Film, revue... manœuvre de propagande. Guerre de propagande* (→ Expansionniste, cit.).

1 (...) refus de percevoir la présence de l'envahisseur, de lire l'affiche de Paul Chack et les autres placards déshonorants, régurgitation mentale opposée à la propagande assenée par les journaux et les ondes (...) COLETTE, l'Étoile Vesper, p. 31.

2 Est-il possible de ne pas penser chaque heure de chaque jour au duel engagé non même plus sourdement, mais avec le vacarme des publicités et des propagandes entre les deux plus grands empires du monde.
G. DUHAMEL, Manuel du protestataire, III.

3 La propagande se rapproche de la publicité en ce qu'elle cherche à créer, transformer ou confirmer des opinions et qu'elle use en partie de moyens qu'elle lui a empruntés; elle s'en distingue en ce qu'elle vise un but politique et non commercial (...) La propagande influence (...) l'attitude fondamentale de l'être humain. En cela elle peut être rapprochée de l'*éducation :* mais les techniques qu'elle emploie habituellement et surtout son dessein de convaincre et de subjuguer sans former, en font l'antithèse.
J.-M. DOMENACH, la Propagande politique, p. 9.

Par ext. Action de vanter les mérites d'une théorie, d'une idée, d'un homme... pour recueillir une adhésion, un soutien. *Il faisait de la propagande pour un peintre de ses amis.*

DÉR. et COMP. Propagandisme, propagandiste. — Contre-propagande.

REM. Péguy (*in* D. D. L.) emploie le verbe dérivé, *propagander* (tr. et intr.) en 1901, ainsi que les dérivés *propagandable,* adj., *propagandeur,* n. m., et une série formée avec le suff. *-iser (propagandiser, -able, -ation, -eur).* Ces formes n'ont pas vécu.

PROPAGANDISME [pʀɔpagɑ̃dism] n. m. — 1794 ; de *propagande.*

♦ Tendance à faire de la propagande. *Le propagandisme d'un militant politique.*

PROPAGANDISTE [pʀɔpagɑ̃dist] n. et adj. — 1792, *in* D. D. L. ; de *propagande.*

♦ **1.** Personne, partisan qui fait de la propagande. *Les propagandistes d'une doctrine. Une zélée propagandiste.*

Adj. *Militant propagandiste.*

(...) La Révolution (...) dès la première heure, s'était faite, on le sait, propagandiste à outrance : les *Droits de l'homme* à peine votés, on avait, à Paris, pensé sinon les imposer, du moins les répandre à travers tous les peuples, et ç'avait été, un peu plus tard, ce zèle de propagande, une des forces des armées révolutionnaires.
Louis MADELIN, Hist. du Consulat et de l'Empire, Vers Empire Occident, X.

♦ 2. Personne qui vante, soutient (qqch., qqn).

♦ **3.** (1800). Vx. Membre de la congrégation de la Propagande (1.).

PROPAGATEUR, TRICE [pʀɔpagatœʀ, tʀis] n. — 1495 ; lat. *propagator, -trix,* de *propagare.* → Propager.

♦ Personne qui propage (une religion, une opinion, une coutume). *Les missionnaires*, propagateurs de la foi. Le médecin de campagne est un propagateur d'opinion* (→ Électoral, cit. 1). *Les propagateurs de l'alphabet* (→ Lettre, cit. 3), *d'une doctrine, d'une méthode nouvelle.* ⇒ **Apôtre** (fig.), **diffuseur.**

PROPAGATION [pʀɔpagɑsjɔ̃] n. f. — 1380 ; attestation isolée, XIIIe, « descendant » ; lat. *propagatio,* de *propagare.* → Propager.

♦ **1.** Multiplication* par voie de génération. *La propagation de l'espèce* (cit. 34). ⇒ **Reproduction** (→ Conjonction, cit. 4).

Le sévère directeur expliqua les opinions de l'Église, qui ne voit dans le mariage que la propagation de l'humanité (...) BALZAC, Pierrette, Pl., t. III, p. 723. 1

(...) s'il est démontré qu'en plaçant cette semence dans nos reins, il s'en faille de beaucoup que la Nature ait eu pour but de l'employer toute à la propagation, qu'importe, en ce cas, *Thérèse,* qu'elle se perde dans un lieu ou dans un autre ? 2
SADE, Justine..., t. I, p. 46.

Biol., techn. Multiplication de cellules. *Propagation de la levure.* Bot. *Bulbe* de propagation.*

♦ **2.** (1688). Le fait de propager (une croyance, une doctrine). *La propagation d'une opinion, d'une technique.* ⇒ **Développement, diffusion, dissémination, invasion, progrès, vulgarisation.** *Association pour la propagation de la foi dans les pays infidèles* (⇒ **Apostolat, propagande,** 1.). *Le commerce, moyen de propagation de l'art* (→ Expansion, cit. 6).

♦ **3.** (1690). Progression par expansion, communication dans un milieu. *La propagation d'un rire.* ⇒ **Contagion.** *Propagation d'une sensation douloureuse.* ⇒ **Irradiation.** *Lutter contre la propagation des fausses nouvelles.* ⇒ **Circulation** (mise en circulation), **transmission.**

(Concret). Le fait de s'étendre. *La propagation de l'incendie* (→ Extinction, cit. 2), *de l'épidémie.* ⇒ **Extension, marche, progrès.** *Propagation d'un processus morbide dans l'organisme.* ⇒ **Dissémination.**

(1690). Phys. Mouvement par lequel un agent, un phénomène physique s'éloigne de son origine. *Propagation d'une onde* (cit. 17 ; Matière, cit. 5). *Propagation de particules et onde* (cit. 14) *élastique. Propagation du son ; de la lumière* (⇒ **Rayonnement**). *L'optique* (cit. 2) *géométrique étudie la propagation rectiligne des rayons lumineux. Vitesse de propagation d'une onde*. Propagation de la chaleur.*

PROPAGER [pʀɔpaʒe] v. tr. — Conjug. *bouger.* — 1480, *estre propagié de* « dériver de » ; lat. *propagare* « reproduire par provignement ».

♦ **1.** (1762). Multiplier* par reproduction. *Propager des espèces* (→ 2. Greffe, cit. 3).

♦ **2.** (1752). Répandre*, faire accepter, faire connaître (qqch.) à de nombreuses personnes, en de nombreux endroits. *Propager la foi.* ⇒ **Propagande, propagateur.** *Propager un art* (→ Iconographie, cit. 1). *Propager une nouvelle, un bruit.* ⇒ **Colporter, semer** (→ Exalter, cit. 18). *Propager une idée, une science...* ⇒ **Diffuser, disséminer, divulguer, enseigner.** *Propager des connaissances dans le peuple.* ⇒ **Populariser, vulgariser.** — (Sujet n. de chose). *Ce livre a propagé une idée nouvelle. Mode propagée à l'étranger par les journaux* (→ Nouveauté, cit. 20). *Exemple qui propage l'amour des vertus* (→ 2. Neuf, cit. 6).

Quand les Français disent qu'ils se taillent un empire colonial, il ne faut pas les croire. Ils propagent des libertés. Ch. PÉGUY, la République..., p. 337. 1

▶ **SE PROPAGER** v. pron. (1762).

♦ **1.** Vx. Se multiplier, se reproduire (êtres vivants). *Plante qui germe* (cit. 4) *et se propage.*

♦ **2.** Se répandre, se communiquer à un nombre de plus en plus nombreux de personnes, d'endroits. *Maladie qui se propage par contact.* ⇒ **Contagion** (→ Contagieux, cit. 2). *Le désordre* (cit. 11), *l'incendie se propage.* ⇒ **Augmenter, étendre** (s'), **gagner.** *Les nouvelles se propagent rapidement.* ⇒ **Circuler** (→ Voler de bouche* en bouche). *Idées, théories qui se propagent.* ⇒ **Développer** (se). → Gagner du terrain*. *L'erreur s'est propagée.* ⇒ **Accréditer** (s'). → Greffer, cit. 5.

Aucune science, pas même la statistique, ne peut rendre compte de la rapidité plus que télégraphique avec laquelle les nouvelles se propagent dans les campagnes (...) BALZAC, les Paysans, Pl., t. VIII, p. 188. 2

♦ **3.** (D'un phénomène vibratoire). Progresser, s'étendre en s'éloignant de sa source. *La lumière* (cit. 20) *se propage par ondes, par émissions de corpuscules* (→ Optique, cit. 1). *Se propager en rayonnant.* ⇒ **Irradier.** *Vitesse à laquelle le son se propage* (célérité). *Écho* (cit. 6) *qui se propage. On sentait se propager la vibration des machines.* (→ Navire, cit. 8). *L'influx* (cit. 2) *nerveux se propage toujours dans le même sens* (→ aussi Chair, cit. 12 ; excitation, cit. 12).

Je pense surtout que le gouvernement commet une faute grave en laissant se propager à tous les échos votre (...) bruit de sabre ! 3
MARTIN DU GARD, les Thibault, t. VI, p. 125.

Tantôt, ils *(les savants)* ont préféré se figurer la lumière comme une ondulation se propageant dans l'espace telles les rides qui se propagent à la surface d'une nappe d'eau, la source lumineuse étant alors un centre d'agitation où naissent les ondulations qui vont ensuite s'évanouir alentour. 4
L. DE BROGLIE, Physique et Microphysique. p. 68-69.

CONTR. Borner, enrayer, limiter, restreindre, stopper. — Détrôner.

PROPAGULE [pʀɔpagyl] n. f. — 1823 ; lat. mod. *propagulum,* de *propago* « bouture », de *propagare* « propager ».

♦ Bot. Cellules groupées qui assurent la multiplication végétative des bryophytes.

PROPANE [pʀɔpan] n. m. — 1875; de *(acide) propionique*, du grec *pro, prôto-*, et *piôn* «gras», proprt «premier acide gras», les acides formique et acétique n'étant pas considérés par les créateurs du mot comme «gras», et suff. *-ane.*

♦ Chim. Troisième terme de la série des hydrocarbures saturés (ou *paraffines** ou *alcanes*), C_3 H_8, gaz inflammable, un des constituants du gaz naturel dont il est extrait. *Correspondent au propane : l'acide propionique* (troisième terme des acides gras), *l'alcool propylique* (troisième terme des alcools primaires).

DÉR. Propanier, propanoduc, propanol.

PROPANIER [pʀɔpanje] n. m. — 1968; de *propane*, sur le modèle des noms de navires en *-ier.*

♦ Techn. Navire spécialisé dans le transport du propane (⇒ **Pétrolier**). *Les propaniers transportent le propane liquéfié.*

PROPANODUC [pʀɔpanɔdyk] n. m. — 1975; de *propane*, d'après *gazoduc.*

♦ Techn. Pipe-line servant à transporter le propane liquide.

PROPANOL [pʀɔpanɔl] n. m. — 1904; de *propane*, et *(alco)ol.*

♦ Chim. Alcool propylique*, dont les composés sont appelés *isopropanol, méthyl-propanol, propanolamide.*

PROPANOLOL [pʀɔpanɔlɔl] n. m. — 1975; de *propane.*

♦ Méd. Substance béta-bloquante*, employée dans le traitement de troubles cardiaques. *Traitement au propanolol. « L'action hypotensive du propanolol »* (*la Recherche*, nov. 1979).

PROPAROXYTON [pʀɔpaʀɔksitɔ̃] adj. et n. m. — 1869; grec *proparoxutonos ;* de *pro-*, et *paroxyton.*

♦ Ling. Qui porte l'accent sur l'antépénultième syllabe. *Mot proparoxyton.*

PROPÉDEUTE [pʀɔpedøt] n. et adj. — V. 1955; de *propédeutique.*

♦ Anciennt. Élève de propédeutique. *Les propédeutes de lettres.*

Elles venaient à table par roulement, à cause du service. Une d'elles, propédeute, lui parla études. Claude COURCHAY, La vie finira bien par commencer, p. 37.

PROPÉDEUTIQUE [pʀɔpedøtik] n. f. — 1876; all. *Propädeutik* (Kant), du grec *paideuein* «enseigner».

♦ **1.** Didact. Enseignement préparant à des études plus approfondies.

♦ **2.** (1950). Anciennt. Cours préparatoire obligatoire d'une année, donnant lieu à un examen, qui préparait les bacheliers à l'enseignement supérieur, dans certaines facultés et grandes écoles (abrév. fam. : *propé*). *Être en propédeutique. La propédeutique a été supprimée en 1966.* — Par ext. Les études de ce cours. *Faire sa propédeutique.* — Adj. *Année propédeutique.*

J'ai appris ton succès avec ta pièce de théâtre, tu sais. J'ai lu ça dans les journaux, et ça m'a rappelé le temps de la propé. J.-M. G. LE CLÉZIO, la Fièvre, p. 96.

PROPÈNE [pʀɔpɛn] n. m. — 1932; angl. 1866; du rad. *prop-*, et suff. *-ène*, des carbures non saturés («alcènes»).

♦ Chim. Hydrocarbure gazeux de la série des hydrocarbures éthyléniques *(oléfines)*, C_3 H_6, correspondant au propane dans la série des paraffines. *Le propène* (anciennt *proprylène*) *est utilisé dans un grand nombre de synthèses industrielles* (glycérine, détergents, essences, fibres et caoutchoucs de synthèse : polymérisation, etc.).

DÉR. Propénoïque, propénol.

PROPÉNOÏQUE [pʀɔpenɔik] adj. — 1932, Larousse xxe; de *propène.*

♦ Chim. *Acide propénoïque : syn. de acide acrylique*.*

PROPÉNOL [pʀɔpenɔl] n. m. — 1932, Larousse; de *propène*, et *-ol* «alcool».

♦ Chim. Syn. de *alcool allylique**.

PROPENSION [pʀɔpɑ̃sjɔ̃] n. f. — 1528; 1690, «attraction», vx; lat. *propensio*, de *propendere* «pencher».

♦ **1.** Tendance naturelle. ⇒ **Disposition, inclination, penchant, pente, tendance.**

Vx. *C'était sa propension naturelle* (→ Inclination, cit. 1, Montaigne).

Mod. PROPENSION À... (suivi d'un nom, d'un inf.). *Propension à un sentiment* (→ 2. -eux, cit. 1), *à la bienveillance, à critiquer autrui. Propension à l'amour physique* (⇒ **Tempérament**). — *Propension à consommer, à épargner.*

J'ai dans l'esprit une singulière propension à réfléchir à tout ce qui m'arrive, même 1
aux moindres incidents, et à leur donner une sorte de raison conséquence, et morale (...) A. DE MUSSET, la Confession d'un enfant du siècle, I, VII.

(...) une infinie série de méprises auxquelles la Raison s'achoppe dans sa route, 2
par sa propension malheureuse à chercher la vérité *dans le détail.* BAUDELAIRE, Trad. E. POE, Histoires grotesques et sérieuses, Myst. Marie Roget.

Je ne suis pas crédule, j'ai au contraire une propension merveilleuse au doute, et 3
ce penchant me porte à me défier du sens commun et même de l'évidence comme du reste. FRANCE, la Rôtisserie de la reine Pédauque, XV, Œ., t. VIII, p. 133.

♦ **2.** Techn. (Choses). *Propension d'un revêtement de sol à l'accumulation de charges électrostatiques.*

PROPÉNYLE [pʀɔpenil] n. m. — xxe, *in* Larousse, 1932; de *propène*, et *-yle.*

♦ Chim. Radical non saturé, univalent de formule $CH_3 - CH = CH -$. *Le propényle est isomère de l'allyle.*

PROPERGOL [pʀɔpɛʀgɔl] n. m. — 1946; mot all., a remplacé *Énergol*, nom déposé; de *pro(ulsion)*, et *-ergol(e).*

♦ Chim., techn. Substance, ou ensemble de substances, dont la décomposition, ou la réaction chimique, est génératrice de l'énergie utilisée pour l'autopropulsion des fusées (fusées «anaérobies», fonctionnant sans air). *Fusées à propergol solide* (ou à poudre); *fusées à propergol liquide ; solide-liquide* (*« lithergol »* ou *propergol hybride*). *Chacun des constituants élémentaires du propergol est un* ergol. *Propergol hypergolique* ou *hypergol* (dont les deux «ergoles» s'enflamment par simple mélange). *Propergol simple, à un seul élément* (monergol).

PROPFAN ou **PROP-FAN** [pʀɔpfan] n. m. — 1979; mot angl., de *prop*, abrév. de *propeller* «hélice», et *fan* «ventilateur».

♦ Techn. Anglic. Hélice d'avion à huit ou dix pales capable de fonctionner à des vitesses transsoniques.

PROPHARMACIE ou (vieilli) **PRO-PHARMACIE** [pʀofaʀmasi] n. f. — Mil. xxe; de *pro-*, et *pharmacie*, d'après *propharmacien.*

♦ Officine d'un propharmacien.

Il a ouvert un cabinet avec pro-pharmacie. André SOUBIRAN, les Hommes en blanc, t. III, p. 137.

PROPHARMACIEN, ENNE [pʀofaʀmasjɛ̃, ɛn] n. — 1902; de *pro-*, et *pharmacien.*

♦ Didact., admin. Médecin autorisé à délivrer des médicaments dans les localités où il n'y a pas de pharmacien. — Appos. *Médecin propharmacien.*

PROPHASE [pʀofɑz] n. f. — 1897, *l'Année biol.*, p. 41; de *pro-*, et *phase.*

♦ Biol. Première phase de la division cellulaire (méiose ou mitose), dans laquelle les chromosomes s'individualisent en filaments fissurés longitudinalement, et se disposent par paires de chromosomes homologues.

L'addition d'acide ribonucléique ramène à la normale, dans certaines conditions, la multiplication cellulaire et la croissance. La molécule d'acide ribonucléique apparaît ainsi nécessaire à l'accomplissement de la mitose, notamment dans le passage de la prophase à la métaphase. J. VERNE et S. HÉBERT, la Culture des tissus, p. 89.

PROPHÈTE, PROPHÉTESSE [pʀofɛt, pʀofetɛs] n. — 980; *prophétesse*, xive; *profetiseresse*, v. 1130, de *profetisier* «prophétiser»; lat. ecclés. *propheta*, grec *prophêtês* «interprète d'un dieu».

♦ **1.** Dans certaines religions, Personne qui proclame la volonté divine (⇒ **Prophétiser**), qui relève des vérités cachées au nom d'un dieu dont elle est inspirée. ⇒ **Voyant** (vx). *La prophétesse d'Apollon à Delphes* (⇒ **Pythie**). *Velléda, prophétesse druidique. Prophètes de la tradition hindoue.* ⇒ **Rishi.** *Prophètes des sociétés asiatiques, sibériennes* (⇒ **Chaman**), *africaines* (⇒ **Saltigué**), etc. — *Mahomet (Mohammed, Muhammad), le grand prophète de la religion musulmane* (cit. 1). — (1672). Absolt. *Le Prophète :* Mohammed, fondateur de l'Islam. *Le tombeau du Prophète à La Mecque. Déployer l'étendard du Prophète*, de la guerre sainte. — Spécialt. *Les prophètes juifs de l'Ancien Testament* (→ Dieu, cit. 33).

Les premiers prophètes hébreux (⇒ **Nabi,** cit. 1 et 2; **voyant**) : les patriarches (Abraham, Moïse...), ainsi que Samuel. *Les quatre grands prophètes bibliques* (Daniel, Ézéchiel, Isaïe, Jérémie) *et les douze petits prophètes, dont les livres de la Bible portent le nom. Le prophète Élie qui vivait en ermite* (cit. 3). *David, le roi-prophète, le prophète-roi. Rôle des prophètes dans l'antique société israélite* (→ Bistouri, cit. 3), *dans la genèse du christianisme* (cit. 8). *Les lettres de feu** (1. Feu, cit. 6) *gravées par les prophètes. La force divine qui s'exprime par les prophètes* (→ Esprit, cit. 16). *Pénétrer le sens des discours des prophètes* (⇒ **Prophétie;** et → Équivoque, cit. 5). Ellipt. *Interpréter les prophètes,* les textes prophétiques. *Le prophétisme, système religieux fondé sur les prédictions des prophètes.*

1 (...) les miracles de la création et du déluge s'oubliant, Dieu envoie la loi et les miracles de Moïse, les prophètes qui prophétisent des choses particulières (...)
PASCAL, Pensées, VIII, 576.

2 Parle : veux-tu l'Empire? Une Gauloise l'avait promis à Dioclétien, une Gauloise te le propose; elle n'était que prophétesse, moi je suis prophétesse et amante.
CHATEAUBRIAND, les Martyrs, X.

3 Les prophètes, Isaïe en particulier (...) avec leurs brillants rêves d'avenir, leur impétueuse éloquence, leurs invectives entremêlées de tableaux enchanteurs, furent ses véritables maîtres *(de Jésus).*
RENAN, Vie de Jésus, Œ. compl., t. IV, III, p. 108.

4 (...) aucun courant de pensée ou de sentiment n'a contribué autant que le prophétisme juif à susciter le mysticisme que nous appelons complet, celui des mystiques chrétiens (...) Nous trouvons cet élan chez les prophètes : ils eurent la passion de la justice; ils la réclamèrent au nom du Dieu d'Israël; et le christianisme (...) dut en grande partie aux prophètes juifs d'avoir un mysticisme agissant (...)
H. BERGSON, les Deux Sources de la morale et de la religion, p. 255.

Faux prophètes* (→ Égarement, cit. 2), *prophètes menteurs* (→ Destinée, cit. 16). *Gardez-vous des faux prophètes* (→ Loup, cit. 5, Bible). — Par ext. ⇒ **Imposteur.**

Loc. *La loi et les prophètes* (au propre et au fig.). ⇒ 1. **Loi** (cit. 42 et *supra*). → aussi Abolir, cit. 1; détruire, cit. 17; humanisme, cit. 3.

Loc. prov. (tirée du Nouveau Testament) : « *Un prophète n'est sans honneur que dans son pays et dans sa maison* » (Bible, Évangile selon saint Matthieu, XIII, 57). — (XVIe, cit. 5). *Nul n'est prophète dans, en son pays :* il est plus difficile d'acquérir du crédit*, de la considération parmi ses proches ou ses concitoyens qu'auprès des étrangers (→ Ailleurs, cit. 1). «*Aucun* (cit. 38, La Fontaine) *n'est prophète chez soi* ».

5 Tel a été miraculeux au monde, auquel sa femme et son valet n'ont rien vu seulement de remarquable. Peu d'hommes ont été admirés par leurs domestiques. Nul *(n')* a été prophète non seulement en sa maison, mais en son pays, dit l'expérience des histoires.
MONTAIGNE, Essais, III, II.

5.1 (...) contrairement au proverbe qui veut que le prophète ne le soit pas en son pays ici je fais autorité.
R. QUENEAU, Loin de Rueil, p. 31.

♦ **2.** (V. 1155). Rarement *prophétesse ;* on disait aussi *prophète* (n. m.) en parlant d'une femme. Personne qui prédit* l'avenir. ⇒ **Augure, devin** (cit. 2), **vaticinateur.** *Se croire prophète* (→ Avant, cit. 70), *s'ériger en prophète* (→ Enthousiaste, cit. 1), *se prendre pour un prophète* (→ Poète, cit. 7). *Je ne suis pas prophète, mais je vous parie que cette affaire va tourner mal. Les visions de quelque prophétesse.* ⇒ **Pythonisse.**

6 Il peut arriver aussi que deux prophètes, sans se connaître, vous annoncent la même chose. Si cet accord ne vous trouble pas plus que votre intelligence ne le permettra, je vous admire.
ALAIN, Propos, 14 avr. 1908, Prédictions.

Prophète de malheur : personne qui annonce, prédit (cit. 5) des événements fâcheux.

♦ **3.** Personne qui annonce, promet l'avènement, le triomphe (de qqch.). *Être l'avocat* (1. Avocat, cit. 17) *et le prophète de la science, d'une civilisation* (→ Héraut, cit. 5).

DÉR. (Du même rad.) **Prophétie, prophétique, prophétiser, prophétisme.**

PROPHÉTIE [pʀɔfesi] n. f. — V. 1206; *prophecie,* v. 1119; lat. ecclés. *prophetia,* de *propheta.* → Prophète.

♦ **1.** Action de prophétiser; ce qui est prédit par un prophète inspiré. ⇒ **Prédiction.** *Don* (1. Don, cit. 13) *de prophétie.* ⇒ aussi **Divination.** *Les prophéties de l'Apocalypse* (cit. 1). *Sens caché des prophéties* (→ Charnel, cit. 4). *Comment les prophéties désignent le Messie* (cit. 1). — *Les prophéties de la pythie, de la sibylle.* ⇒ **Oracle.** *Les prophéties de Cassandre.*

1 Et dès le mois de janvier, Monsieur avait dit : « La commission tient sa dernière séance le mercredi. Nous pourrons partir le jeudi saint. » Les projets lointains faits avec précision par M. Santeuil donnaient à Mme Santeuil l'impression de prophéties et redoublaient son admiration pour son mari.
PROUST, Jean Santeuil, Pl., p. 177.

♦ **2.** (Déb. XIIIe). Ce qui est annoncé par des personnes qui prétendent lire l'avenir, qui pratiquent la divination. ⇒ **Vaticination.** *Les prophéties d'une cartomancienne, d'une faiseuse d'horoscopes* (cit. 5). ⇒ **Annonce.**

2 On se passait ainsi, de la main à la main, diverses prophéties dues à des mages ou à des saints de l'Église catholique (...) Lorsque l'histoire elle-même fut à court de prophéties, on en commanda à des journalistes (...) Quelques-unes de ces prévisions s'appuyaient sur des calculs bizarres où intervenaient le millésime de l'année, le nombre des morts et le compte des mois déjà passés sous le régime de la peste (...) Mais les plus appréciées du public étaient sans conteste celles qui, dans un langage apocalyptique, annonçaient des séries d'événements dont (...) la complexité permettait toutes les interprétations. Nostradamus et sainte Odile furent ainsi consultés quotidiennement (...) Ce qui d'ailleurs restait commun à toutes les prophéties est qu'elles étaient finalement rassurantes.
CAMUS, la Peste, p. 241-242.

♦ **3.** Expression d'une conjecture sur des événements à venir. *L'autorité* (cit. 46) *de ses prophéties.*

Tu avais raison, ma chère Sophie; tes prophéties réussissent mieux que tes con- 3
seils. Danceny, comme tu l'avais prédit, a été plus fort que le Confesseur (...)
LACLOS, les Liaisons dangereuses, LV.

PROPHÉTIQUE [pʀɔfetik] adj. — 1450; lat. *propheticus,* de *propheta.* → Prophète.

♦ **1.** Qui a rapport ou qui appartient au prophète, à la prophétie. *Délire, inspiration, souffle, transes prophétiques. Don prophétique. Le langage prophétique, ambigu* (cit. 1) *et obscur.* — (1636). *Les livres prophétiques de l'Ancien Testament,* qui contiennent les écrits des prophètes.

Ils reviendront, ces Dieux que tu pleures toujours! 1
Le temps va ramener l'ordre des anciens jours;
La terre a tressailli d'un souffle prophétique.
NERVAL, Poésies, « Les chimères », Delfica.

Le juif (...) grâce à une espèce de sens prophétique qui rend par moments le Sémite merveilleusement apte à voir les grandes lignes de l'avenir, a fait entrer l'histoire dans la religion. 2
RENAN, Vie de Jésus, IV, Œ. compl., t. IV, p. 115.

♦ **2.** (1495). Qui a le caractère de la prophétie, qui annonce, prédit. *Bruits prophétiques* (→ Ouïr, cit. 4).

(..) ce qui m'a frappé le plus dans le souvenir de cette rêverie, quand elle s'est réalisée, c'est d'avoir retrouvé des objets tels exactement que je les avais imaginés. Si jamais rêve d'un homme éveillé eut l'air d'une vision prophétique, ce fut assurément celui-là. 3
ROUSSEAU, les Confessions, III.

(...) Bernadotte s'emporta et dit au général Moreau : « Vous n'osez pas prendre la cause de la liberté; eh bien! Bonaparte se jouera de la liberté et de vous. Elle périra malgré nos efforts, et vous, vous serez enveloppé dans sa ruine sans avoir combattu ». Paroles prophétiques! 4
CHATEAUBRIAND, Mémoires d'outre-tombe, t. IV, p. 285.

(...) du haut de ce cimetière ensanglanté *(Eylau),* sous ce climat d'airain, Napoléon pour la première fois averti, put avoir comme une vision de l'avenir. Le futur désastre de Russie était là, sous ses yeux, en abrégé, dans une prophétique perspective. 5
SAINTE-BEUVE, Causeries du lundi, 3 déc. 1849.

DÉR. Prophétiquement.

PROPHÉTIQUEMENT [pʀɔfetikmɑ̃] adv. — XVe; de *prophétique.*

♦ Littér. En prophète, de manière prophétique.

PROPHÉTISER [pʀɔfetize] v. tr. — 1155, *prophetisier;* v. 1130, *profetisier;* lat. ecclés. *prophetizare,* de *propheta.* → Prophète.

♦ **1.** Révéler, en état d'inspiration (la parole, la volonté ou la connaissance divine); prédire*, en se proclamant inspiré d'un dieu ou en s'adonnant à la divination, aux pratiques occultes. *Prophétiser l'avenir, la venue du Messie.* — Absolt. (→ 1. Avenir, cit. 15; immédiat, cit. 1). *La Pythie prophétisait sur son trépied.* ⇒ **Vaticiner.**

♦ **2.** (Fin XVIe). Deviner* par pressentiment ou par conjecture et annoncer (ce qui va arriver). ⇒ **Prévoir.** *Prophétiser l'abondance ou la pénurie des récoltes* (→ Grain, cit. 3).

Jamais l'abbé Ader ne devait reparaître, lui qui avait prophétisé la mission de Bernadette. Il allait rester absent de cette histoire, après avoir été le premier à sentir éclore la petite âme entre ses mains pieuses. 1
ZOLA, Lourdes, I, V.

Sturel, pour conclure, prophétisait une avalanche qui transformerait jusqu'au sel de la politique (...) 2
M. BARRÈS, Leurs figures, p. 40.

Absolument :

(...) vous allez croire que je me vante, et dire qu'il est facile de prophétiser après l'événement : mais je peux vous jurer que je m'y attendais. 3
LACLOS, les Liaisons dangereuses, CVI.

PROPHÉTISME [pʀɔfetism] n. m. — 1823, Boiste; de *prophète,* et *-isme.*

Didactique.

♦ **1.** Ensemble des prédictions prophétiques ou des faits relatifs aux prophètes considérés systématiquement. *Le prophétisme biblique.*

Par ext. (sens général, plus cour.). Ensemble des prédictions qui se veulent prophétiques.

(...) la prévision en politique exprime souvent soit un *prophétisme déguisé,* soit une forme indirecte de la suggestion et de la propagande.
Gaston BOUTHOUL, Sociologie de la politique, p. 9.

♦ **2.** Don de faire des prophéties. « *Le prophétisme était fréquent et considéré comme un don analogue à celui des langues* » (Renan).

♦ **3.** Activité et fonction des prophètes, de prédiction de l'avenir (dans une société). *Etudier le prophétisme chamanique, africain.*

PROPHÉTOLOGIE [pʀɔfetɔlɔʒi] n. f. — Mil. XXe; de *prophète,* et *-logie.*

♦ Didact. Étude des prophètes, du prophétisme.

PROPHÉTOLOGIQUE [pRɔfetɔlɔʒik] adj. — 1973, *in* D. D. L.; de *prophétologie.*

♦ Didact. De la prophétologie. *Travaux prophétologiques.*

PROPHYLACTIQUE [pRɔfilaktik] adj. — 1537; grec méd. *prophulaktikos,* de *prophulassein* (ou *-attein*) «veiller, garder», de *phulax, akos* «gardien».

♦ **1.** Qui prévient une maladie. *Mesures prophylactiques. Asepsie* (cit. 2), *antisepsie, hygiène prophylactique. Traitement prophylactique.* ⇒ **Préventif.**

Il est sur le point de trouver non pas une méthode pour traiter la coqueluche, mais une méthode pour prévenir cette odieuse maladie, une méthode prophylactique.
G. DUHAMEL, Chronique des Pasquier, VI, XIV.

♦ **2.** Par métaphore, fig. Qui est propre à prévenir (un mal, un danger). *Images prophylactiques.* ⇒ **Apotropaïque.**

PROPHYLAXIE [pRɔfilaksi] n. f. — 1793; lat. sav. *prophylaxis,* du gr. *pro-* «en avant», et *phulaxis* «protection», d'après *prophulaktikos.* → Prophylactique.

♦ **1.** Ensemble des mesures et précautions* à prendre pour prévenir les maladies. ⇒ **Préventif** (médecine préventive). *Prophylaxie des infections* (⇒ **Antisepsie, asepsie**), *des épidémies* (⇒ **Hygiène, vaccination...**). *Prophylaxie antituberculeuse, antivénérienne. Services de prophylaxie mentale.*

(...) pour arrêter cette maladie (...) il fallait appliquer les graves mesures de prophylaxie prévues par la loi (...) il fallait reconnaître officiellement qu'il s'agissait de la peste (...)
CAMUS, la Peste, p. 62.

♦ **2.** (Déb. XXe). Mesures prises pour éviter un danger (social, etc.). *Une prophylaxie contre le fascisme.*

PROPICE [pRɔpis] adj. — V. 1170; lat. *propitius* «favorable». Littér. ou style soutenu.

♦ **1.** (En parlant de puissances surnaturelles, le plus souvent). Qui est bien disposé* à l'égard de quelqu'un, prêt à l'assister dans ses entreprises, à assurer son succès. ⇒ **Favorable.** *Dieu nous soit propice!* (Académie). ⇒ **Miséricordieux.** *Se rendre les dieux propices par des offrandes, des sacrifices* (⇒ **Propitiation, propitiatoire**).

1 Fasse le juste ciel, propice à mes désirs,
Que ces longs cris de joie étouffent vos soupirs.
CORNEILLE, Pompée, V, 5.

2 Salut, père étranger; et que puissent tes vœux
Trouver le ciel propice à tout ce que tu veux!
André CHÉNIER, Poésies antiques, II.

(XIIIe). Vx. ou par plais. *Prêtez-nous une oreille propice.*

♦ **2.** (Choses). Qui est favorable* (à qqn ou qqch.), qui convient, se prête tout particulièrement (à une chose). ⇒ **Bon.** *Saison propice aux sorcières* (→ Philtre, cit. 3). *Atmosphère irrespirable* (cit. 3), *propice à l'extravagance. Mouvement propice au recueillement* (→ Enrouler, cit. 3). *Endroit propice aux guet-apens* (cit. 2). *Pays propice à l'élevage.* ⇒ **Propre.** — (Sans compl.). *Malade qui se rétablira dans un climat propice, sous des cieux plus propices.* ⇒ **Bénin.** *«... et vous, heures propices, Suspendez votre cours!»* ⇒ **Ami** (→ Délices, cit. 9, Lamartine). *L'occasion était propice.* ⇒ **Beau.** *Choisir le moment propice.* ⇒ **Opportun.** *Contempler un tableau sous le jour propice.* ⇒ **Convenable** (→ Dissiper, cit. 16; et aussi magnifier, cit. 3).

3 Sa convalescence exigeait un repos complet (...) et l'absence totale de sensations extrêmes. Les grasses campagnes du Bessin et l'existence pâle de la province parurent donc propices à son rétablissement.
BALZAC, la Femme abandonnée, Pl., t. II, p. 206.

4 (...) rien n'est propice à la rêverie comme de suivre une jolie femme sans savoir où elle va.
HUGO, Notre-Dame de Paris, I, II, IV.

CONTR. Adverse, contraire, défavorable, fatal, funeste, néfaste. — Désastreux, fâcheux.
DÉR. Propicement.

PROPICEMENT [pRɔpismɑ̃] adv. — XIVe, Froissart, repris XIXe; de *propice.*

♦ Rare. D'une manière propice, favorable et agréable. ⇒ **Convenablement, favorablement, opportunément.**

(Le touriste) laisse à quelques kilomètres un des coins de France les plus pittoresques et propicement ensoleillés.
G. CHEVALLIER, Clochemerle, p. 24.

PROPIOLIQUE [pRɔpjɔlik] adj. — Fin XIXe; de *pro-,* grec *piôn* «gras», *-ol,* et *-ique.*

♦ Chim. Se dit de composés acétyléniques à trois atomes de carbone. *Aldéhyde propiolique :* liquide lacrymogène.

PROPIONATE [pRɔpjɔnat] n. m. — 1868, Littré; de *propionique.*

♦ Chim. Sel de l'acide propionique. *Propionate de cellulose. Une «solution huileuse de propionate de testostérone»* (P. Rey, *les Hormones,* p. 123). *Propionate de calcium,* utilisé comme additif pour la conservation du pain.

PROPIONIQUE [pRɔpjɔnik] adj. — 1847, Comptes rendus Académie des sc., XXV, 581; de *pro-,* grec *piôn* «gras», et *-ique.*

♦ Chim. *Acide propionique :* acide saturé, homologue de l'acide acétique (CH_3-CH_2-CO_2H). Syn. : *méthylacétique. Aldéhyde propionique.*

PROPITIATEUR, TRICE [pRɔpisjatœR, tRis] n. — 1519; lat. ecclés. *propitiator,* du lat. class. *propitiatum,* de *propitiare* «fléchir par un sacrifice», de *propitius.*

♦ Didact., rare. Personne par l'intermédiaire de qui Dieu se montre favorable. ⇒ **Intercesseur.**

PROPITIATION [pRɔpisjɑsjɔ̃] n. f. — XVIe; fin XIIe; «faveur accordée par Dieu; pardon»; lat. ecclés. *propitiatio,* de *propitius.*

♦ Didact. (relig.). *Sacrifice, victime de propitiation,* qu'on offre à Dieu pour se le rendre propice, obtenir son pardon. *La messe*, acte de propitiation. Qui participe de la propitiation.* ⇒ **Propitiatoire.**

PROPITIATOIRE [pRɔpisjatwaR] n. m. et adj. — 1170, *propiciatorie;* lat. *propitiatorium,* de *propitiatorius,* adj.; de *propitius.*

★ **I.** N. m. Antiq. hébr. Table d'or posée au-dessus de l'arche d'alliance (cf. Bible de Jérusalem, Lévitique, XVI, 2).

★ **II.** Adj. (1541; du lat. *propitiatorius*). Relig. Qui a pour but de rendre propice (une divinité ou plusieurs). *Offrir un sacrifice propitiatoire pour l'expiation de ses péchés. Offrande, victime propitiatoire.* ⇒ **Propitiation** (de).

Cette coutume barbare *(d'immoler les premiers-nés)* passait pour le plus efficace des rites propitiatoires. Quand on bâtissait une maison, on accomplissait souvent l'horrible «sacrifice de fondation»; on a retrouvé beaucoup de ces petits squelettes (...)
DANIEL-ROPS, le Peuple de la Bible, I, II.

PROPOLIS [pRɔpɔlis] n. f. — 1555; mot lat.; grec *propolis,* proprt «entrée d'une ville».

♦ Didact., techn. (apiculture). Gomme rougeâtre que les abeilles (cit. 5) recueillent sur les écailles des bourgeons de marronniers, de saules..., et qu'elles utilisent pour obturer les fentes des ruches, fixer les gâteaux de cire.

(Les ouvrières) se munissent en outre d'une certaine quantité de propolis, qui est une sorte de résine destinée à mastiquer les fentes de la nouvelle demeure, à y fixer tout ce qui branle, à en vernir toutes les parois, à en exclure toute lumière (...)
MAETERLINCK, la Vie des abeilles, II, VII.

REM. Certains auteurs ont fait *propolis* du masculin.

PROPOLISATION [pRɔpɔlizɑsjɔ̃] n. f. — Mil. XXe; de *propolis.*

♦ Techn. Utilisation de la propolis par les abeilles; résultat de cette action.

PROPORTION [pRɔpɔRsjɔ̃] n. f. — Fin XIIIe; 1230, *porposcion;* lat. *proportio.*

★ **I.** ♦ **1.** Rapport* de grandeur entre les parties d'une chose, entre une des parties et le tout défini par rapport à un idéal esthétique. Au plur. Combinaison des différents rapports; dimensions* relatives des parties et du tout. — *«Juger de la beauté* (cit. 5), *c'est juger de l'ordre, de la proportion et de la justesse»* (Bossuet). *Échelle* (cit. 18) *de proportion. Dimensions absolues et proportions* (→ Effet, cit. 9). *Proportions harmoniques* ⇒ **Beauté, harmonie.** — En architecture (→ Architecte, cit. 1). *Proportion de la hauteur et de la largeur, de la hauteur à la largeur, entre la hauteur et la largeur d'une façade. Juste, exacte proportion, proportion idéale, dans un style...* ⇒ **Équilibre, eurythmie** (cit. 1), **harmonie;** et aussi **symétrie.** *L'ordre et les proportions des ornements d'un édifice* (→ Assemblage, cit. 10). *Unité de mesure pour déterminer les proportions.* ⇒ **Module** (cit. 1). *Règles de proportion* (cf. Nombre d'or, section dorée). *Canon de proportions. — Proportions du corps des animaux* (→ Membre, cit. 6), *des parties du corps humain* (→ Anthropologie, cit. 2; ⇒ **Anthropométrie**), *des traits du visage* (→ Face, cit. 7). *Équilibre* (cit. 25) *de ligne et équilibre de proportion. Proportions harmonieuses, gracieuses...* ⇒ **Beauté** (des formes), **régularité** (des traits). — *Avoir de belles proportions* (cf. Être bien fait, membré, proportionné). *Élégance des proportions. Anomalie des proportions.* ⇒ **Difformité.**

La notion de proportion est, aussi bien en logique qu'en esthétique, une des plus élémentaires, des plus importantes, et des plus difficiles à préciser; elle est tantôt confondue avec celle de rapport, qui lui est logiquement antérieure, tantôt (...) avec celle d'un ensemble, d'un enchaînement de rapports caractéristiques reliés par un module (...) 1
Matila M. GHYKA, *in* Encycl. franç., XVI, 28-4.

Dans les actes de la vie ordinaire, en évaluant des proportions, et en combinant des 2 efforts, les hommes préparent ce qu'ils croient propre à rendre agréable leur passage sur la terre : c'est l'art. É. DE SENANCOUR, De l'amour, p. 5.

3 (...) telle proportion entre la grandeur de la tête et la grandeur de l'ensemble fait le corps florentin ou romain. TAINE, Philosophie de l'art, t. II, p. 333.

Spécialt. *Proportion harmonieuse, correcte. La proportion des parties.* ⇒ **Correspondance** (cit. 1, Bossuet). *« Un monstre (...) dont le corps n'a aucune proportion avec* (la) *tête »* (Fénelon, *Télémaque*). — Absolt, vx. *Beauté, harmonie des proportions,* des dimensions relatives des parties et du tout.

4 *(M. Crousaz)* définit la *proportion, l'unité assaisonnée de variété,* de *régularité* et *d'ordre* dans chaque partie.
DIDEROT, Sur l'origine et la nature du beau, *in* Œ. esthétiques, p. 396.

5 La proportion produit l'idée de force et de solidité.
DIDEROT, Pensées détachées sur la peinture, *in* Œ. esthétiques, p. 786.

♦ **2.** Rapport ou ensemble de rapports (dans le domaine des grandeurs). → Géométrie, cit. 8. *Les proportions des nombres* (→ Éternel, cit. 10). *L'idée de grandeur implique celles de qualité, de proportion et de mesure* (→ Mathématique, cit. 6).

Chim. *Loi des proportions définies* (loi de Proust), selon laquelle les rapports des masses suivant lesquelles des éléments se combinent sont déterminés, et ne sont pas susceptibles de variations continues. — *Loi des proportions multiples* (loi de Dalton) : quand deux éléments forment plusieurs composés, les masses de chacun d'eux qui peuvent s'unir à une même masse de l'autre sont entre elles en rapports généralement simples, et toujours à termes entiers. ⇒ aussi **Proportionnel.**

(V. 1370). Math. Égalité de deux rapports. *Termes d'une proportion.* ⇒ **Extrême, moyen.** *Une proportion s'écrit* $\frac{a}{b}=\frac{c}{d}$ *ou* a : b : : c : d (*a* est à *b* comme *c* à *d*). ⇒ **Analogie.** *Qui forme une proportion.* ⇒ **Proportionnel.** — *Proportion arithmétique*, numérique. Proportion harmonique*. Proportion géométrique. Proportion continue,* dont les moyens sont égaux entre eux. — *Règle de proportion* : règle de trois.

Géom. *Compas* de proportion.*

♦ **3.** (V. 1265). Cour. Rapport* de nature quantitative (entre deux ou plusieurs choses). → Conscient, cit. 2. *Proportion entre... et..., de... et de... Proportion heureuse... entre l'étendue des plaines et celles des montagnes* (→ Côte, cit. 12). *Une proportion égale* (cit. 7) *de réussites et d'échecs, de valeurs et de déchets. Proportion de décès normale* (cit. 3), *élevé, faible* (par rapport à la population). ⇒ **Pourcentage.** *Les unités où la proportion des étrangers était la moins forte* (→ 2. Fratricide, cit. 4). — *Dans, selon une proportion* (→ Charge, cit. 11), *la proportion de 10 %, de cent contre* un, d'une souris à un éléphant* (→ Gigantesque, cit. 3). *Dans la même proportion* (que...). → Faire, cit. 270. *Dans des proportions démesurées, dérisoires, normales, moyennes. Accorder qqch. selon une proportion équitable, une juste proportion* (⇒ **Proportionnellement**). *Dans la proportion, l'exacte proportion où...* ⇒ **Mesure** (→ Perception, cit. 6). — *Dans une proportion faible, infime, en proportion insuffisante* (⇒ **Dose**).

♦ **4.** Fig., vieilli. Relation que l'on établit entre deux choses que l'on compare, rapport de convenance. ⇒ **Accord, analogie, convenance** (cit. 2, Bossuet), **correspondance.** *« Il doit y avoir une certaine proportion entre les actions et les desseins »* (cit. 1, La Rochefoucauld). *Il n'y a pas de proportion entre ces choses-là* (→ Bœuf, cit. 14). *Les proportions sont mieux gardées dans les états médiocres* (→ Image, cit. 27, Rivarol). *Établir une proportion.* ⇒ **Proportionner.**

6 Quelle proportion, à la vérité, de ce qui se mesure, quelque grand qu'il puisse être, avec ce qui ne se mesure pas ? LA BRUYÈRE, les Caractères, XVI, 43.

7 Il faut quelque proportion dans une alliance. Mon fils aura un jour quatre-vingt mille livres de rente. BALZAC, Paméla Giraud, IV, 8.

♦ **5.** (1636). Loc. littér. **À PROPORTION DE... :** suivant l'importance, la grandeur relative de... ⇒ **Proportionnellement ; avenant** (à l'), **raison** (à). → aussi Sur un pied* de... ; besoin, cit. 5 ; 2. bien, cit. 13. *Chose qui augmente* (cit. 12) *à proportion de...,* en raison* directe de... (→ aussi Force, cit. 62). *Le résultat n'était pas à proportion de l'effort.* ⇒ **Correspondre, répondre.** — *Partout on considère* (cit. 12) *les femmes à proportion de leur modestie.* — **À PROPORTION QUE...** (et l'ind.) : à mesure* que (et, dans la mesure où...). → Discuter, cit. 8 ; habile, cit. 13. — Loc. adv. **À PROPORTION :** suivant la même proportion (→ Hémisphère, cit. 4 ; multiplier, cit. 1).

8 Nous ne souffrons qu'à proportion que le vice, qui nous est naturel, résiste à la grâce surnaturelle (...) PASCAL, Pensées, VII, 498.

9 Peignant la vie, il *(Rabelais)* peindra l'action, et ces objets l'intéresseront à *proportion qu'*il y trouvera *plus* d'effort (...) *plus* d'action.
LANSON, *in* G. et R. LE BIDOIS, Syntaxe du franç. moderne, § 1227.

(Mil. XVIIIe). Cour. **EN PROPORTION DE... ⇒ Égard** (eu égard à), **raison** (en), **selon, suivant** (→ Articuler, cit. 3 ; corps, cit. 35 ; inégalité, cit. 4). *Le travail était payé en proportion des risques.* ⇒ **Prorata** (au) ; → Fort, cit. 54. *C'est peu de chose, en proportion du service qu'il vous avait rendu.* ⇒ **Comparaison** (en), **relativement.** — **EN PROPORTION AVEC...** (→ Luxe, cit. 2). — Loc. adv. **EN PROPORTION :** suivant la même proportion (→ Fourmillon, cit. 1 ; gros, cit. 5).

HORS DE PROPORTION, *hors de toute proportion :* sans commune mesure avec... (→ Étale, cit. 3).

PROPORTION, TOUTE(S) PROPORTION(S) GARDÉE(S). ⇒ **Garder** (cit. 90).

— L'avoine est bien chère, disait le maréchal des logis au maçon. — Elle n'est pas encore si renchérie que le plâtre, proportion gardée, reprit l'entrepreneur. 10
BALZAC, la Vendetta, Pl., t. I, p. 910.

★ **II.** (1690). **LES PROPORTIONS :** les dimensions (par référence implicite à une échelle, une mesure...). *Œuvre* (cit. 21) *de proportions colossales. Les proportions commodes* (cit. 2) *d'une pièce. De grands poêles* (cit. 2) *aux proportions monumentales. Mesurer les proportions d'une catastrophe* (⇒ **Étendue**), *d'un événement* (⇒ **Intensité**). *Ramener une nouvelle à ses proportions véritables.*

Ces deux phases, Waterloo et Sainte-Hélène, réduites aux proportions bourgeoises, tout homme ruiné les traverse. 11
HUGO, les Travailleurs de la mer, III, I, I.

CONTR. Discordance, disproportion.

PROPORTIONNABLE [pʀɔpɔʀsjɔnabl] adj. — D. i ; de *proportionner.*

♦ Didact. *Proportionnable à :* qui peut être proportionné à, mis en proportion avec. *Prévoir un programme d'enseignement qui soit proportionnable au niveau de chacun des élèves.*

PROPORTIONNALISME [pʀɔpɔʀsjɔnalism] n. m. — Déb. XXe ; de (représentation) *proportionnelle.*

♦ Polit. Doctrine des partisans de la représentation proportionnelle.

PROPORTIONNALISTE [pʀɔpɔʀsjɔnalist] adj. — 1906, n. m., *in* D. D. L. ; de (représentation) *proportionnelle.*

♦ Polit. Qui est partisan de la représentation proportionnelle. — N. *Un, une proportionnaliste.*

PROPORTIONNALITÉ [pʀɔpɔʀsjɔnalite] n. f. — V. 1370 ; lat. *proportionalitas.*

Didactique.

♦ **1.** Caractère des grandeurs qui sont ou restent proportionnelles entre elles. *La proportionnalité de la masse* (1. Masse, cit. 34) *et du poids. « La proportionnalité de la force attractive aux masses »* (Laplace, *Système,* IV, 16). *Coefficient de proportionnalité.*

♦ **2.** Fait de répartir selon une juste proportion. *Proportionnalité de l'impôt. Proportionnalité des délits et des peines. Proportionnalité dans le suffrage.* ⇒ **Proportionnel.** *La véritable égalité, selon Louis Blanc, c'est la proportionnalité* (→ Inégalité, cit. 8).

La règle de proportionnalité serait strictement respectée pour l'élection. On peut prévoir ainsi qu'il y aurait, dans un Parlement composé de six cents députés, une quinzaine de représentants français d'Algérie et une centaine d'élus musulmans.
CAMUS, Actuelles III, p. 208.

PROPORTIONNÉ, ÉE [pʀɔpɔʀsjɔne] adj. ⇒ **Proportionner.**

PROPORTIONNEL, ELLE [pʀɔpɔʀsjɔnɛl] adj. — 1487 ; *proporcional,* v. 1370 ; lat. *proportionalis,* de *proportio.* → Proportion.

♦ **1.** Se dit de grandeurs mesurables qui sont ou dont les mesures sont et restent dans des rapports égaux (formant une proportion*). *Grandeurs proportionnelles, directement proportionnelles, proportionnelles entre elles. La densité* (cit. 2) *de l'air est proportionnelle au poids qui le comprime. Augmentation, diminution, déperdition* (cit. 1) *proportionnelle à une variable.* ⇒ **Fonction.** *Le frottement* (cit. 8) *est proportionnel au poids. Les poids* (cit. 1) *sont proportionnels aux masses* (cit. 33). *Partages proportionnels :* partage d'un nombre proportionnellement à plusieurs nombres donnés.

Grandeurs (variables) inversement proportionnelles, telles que le rapport de deux valeurs de la première soit égal au rapport inverse des deux valeurs correspondantes de la deuxième.

Moyenne proportionnelle,* ou *géométrique. Quatrième proportionnelle à trois grandeurs :* le quatrième terme de la proportion.

Chim. *Loi des nombres proportionnels* (loi de Richter), selon laquelle le rapport des masses de deux éléments s'unissant à la même masse d'un troisième élément définit le rapport des masses suivant lesquelles les deux premiers éléments s'unissent entre eux (si les éléments B et C s'unissent à A suivant les masses *b* et *c,* le rapport des masses entre B et C est $\frac{b}{c}$, ou $\frac{b}{c}$ multiplié par un rapport de nombres entiers simples).

♦ **2.** Qui est, reste en rapport avec..., varie dans le même sens que... ⇒ aussi **Relatif.**

La chimère est proportionnelle à l'ignorance.
HUGO, Post-Scriptum de ma vie, L'âme, Rêver. sur Dieu.

(Dans le domaine politique, administratif...). *Un nombre de députés proportionnel à la population de chaque État* (→ Fédération, cit. 3). *Traitement proportionnel à l'ancienneté. Part proportionnelle.* ⇒ **Prorata.** — Absolt. Déterminé par une proportion. *Retraite proportionnelle* (→ Contracter, cit. 9). *Impôt* (cit. 15) *proportionnel,* à taux invariable (opposé à *progressif*). *Échelle proportionnelle.*

Spécialt. *Scrutin proportionnel, représentation proportionnelle* (→ Minorité, cit. 6), par abrév., *la R. P.,* et, n. f., *la proportionnelle :* système électoral où les élus de chaque parti sont en nombre proportionnel à celui des voix obtenues par leur parti. ⇒ **Liste, panachage, préférentiel** (système...), **quotient, reste.** *Partisan de la représentation proportionnelle.* ⇒ **Proportionnaliste.** *Élection, scrutin à la proportionnelle.*

2 Cette proportionnelle, une vraie bouteille à l'encre. Des gens qui auraient moins de voix que d'autres seraient élus à leur place ! Dans toute cette arithmétique électorale, les braves gens se perdraient, avec le panachage et *tutti quanti.*
ARAGON, les Beaux Quartiers, II, V.

3 (...) les élections à l'intérieur du village se feront au scrutin proportionnel. Et chaque village aura un représentant par 800 habitants.
CAMUS, Actuelles III, p. 70.

CONTR. Absolu. — Indépendant. — Progressif. — Majoritaire.
DÉR. Proportionnalisme, proportionnaliste, proportionnellement.

PROPORTIONNELLEMENT [pʀɔpɔʀsjɔnɛlmɑ̃] adv. — V. 1370, *proporcionalment ;* de *proportionnel.*

♦ **1.** Suivant une proportion, en formant, en conservant des rapports égaux. *Réduire, agrandir proportionnellement un dessin. Calcul de charges, de responsabilités proportionnellement aux droits, à certaines grandeurs...* (→ Mitoyen, cit. 2 ; locatif, cit. 2). — *Varier, augmenter, diminuer proportionnellement à...,* d'une manière directement proportionnelle à...

♦ **2.** (Dans une comparaison ; avec *plus, moins...*). Si on fait le rapport entre le point considéré et l'ensemble du problème dans chacun des domaines concernés. ⇒ **Comparativement, relativement.** *Un petit État est proportionnellement plus fort qu'un grand* (→ Étendre, cit. 40). *Il y a proportionnellement moins d'oiseaux* (cit. 4) *de proie que de quadrupèdes carnassiers. Le bourgeois dépense moins — proportionnellement — que l'ouvrier, pour sa nourriture* (cit. 5).

PROPORTIONNÉMENT [pʀɔpɔʀsjɔnemɑ̃] adv. — 1548 ; *proporcionneement,* 1414 ; de *proportionner.*

♦ Rare. D'une manière proportionnée.

PROPORTIONNER [pʀɔpɔʀsjɔne] v. tr. — 1483 ; 1314, « préparer, mettre en état, mélanger, répartir, etc. » ; lat. *proportionare,* de *proportio.*

♦ Rendre proportionnel, en établissant une égalité de rapports, une proportion ; un rapport convenable, normal... ⇒ **Approprier, assortir, rapporter.** *Proportionner les moyens de défense aux armes, aux forces des assaillants* (→ aussi Attaquer, cit. 2). *Proportionner l'effort, le travail au but visé, aux résultats cherchés.* ⇒ **Doser.** *Proportionner le style, le vocabulaire au genre.* ⇒ **Accommoder.** *Proportionner la récompense au service, la peine au délit ; proportionner les récompenses et les services. Proportionner avec exactitude, par un calcul, par des mesures précises.* ⇒ **Calculer, mesurer.**

▶ **SE PROPORTIONNER** v. pron.

(XIVe). Vx. Devenir proportionnel, prendre une importance, une action proportionnelle à (une circonstance, etc.).

1 L'âme se proportionne insensiblement aux objets qui l'occupent, et ce sont les grandes occasions qui font les grands hommes.
ROUSSEAU, Discours sur les sciences et les arts, II.

2 Puis, par degrés, sa pupille se proportionna à la lumière comme elle s'était proportionnée à l'obscurité ; il finit par distinguer ; la clarté, qui lui avait d'abord paru trop vive, s'apaisa dans sa prunelle et se refit livide (...)
HUGO, l'Homme qui rit, II, IV, VIII.

Vx. *Se proportionner aux autres* (Vauvenargues), *aux besoins des autres* (Fénelon), se mettre à leur portée. *Se proportionner à son sujet par le style, le ton...*

▶ **PROPORTIONNÉ, ÉE** p. p. adj. (1314, *proportionné à* « adapté à »).

♦ **1.** *Proportionné à.* Qui est dans une proportion convenable, normale, avec (qqch.) ; qui forme avec quelque chose une proportion. ⇒ **Assortir, convenable, mesuré** (→ Accusation, cit. 4 ; discours, cit. 19 ; haire, cit. 2 ; hasard, cit. 8 ; petitesse, cit. 1 ; place, cit. 31). *Résultat proportionné à la cause, aux efforts, aux ennuis qu'il a causés* (→ aussi Définitif, cit. 3 ; hasard, cit. 27). *Peines proportionnées aux délits* (cit. 2).

Les hommes épouvantés à leur tour des prodiges de cette effroyable saison, en tirent des présages proportionnés à leur crainte (...) 3
CYRANO DE BERGERAC, Lettres diverses, Contre l'hiver.

(...) il y a tant de moralité parmi ses habitants, que pendant longtemps on y a payé les impôts dans une espèce de tronc, sans que jamais personne surveillât ce qu'on y portait ; ces impôts devaient être proportionnés à la fortune de chacun, et, calcul fait, ils ont toujours été scrupuleusement acquittés. 4
Mme DE STAËL, De l'Allemagne, I, XIX.

♦ **2.** (Précédé d'un adv.). Qui a telles proportions. *Ses bras, au lieu d'être proportionnés comme ceux de l'homme...* (→ Gibbon, cit. 1). — *Corps bien proportionné, femme bien proportionnée.* ⇒ **Beau, harmonieux, moulé** (bien), **pris** (bien), **taillé** (bien)... Cf. fam. Bien fait, bien fichu, bien roulé.. *Visage bien proportionné.* ⇒ **Régulier.**

(1580). Absolt. Vx. Bien proportionné. *Rien que de proportionné* (dans l'art antique). → Gothique, cit. 6.

CONTR. Disparate, disproportionné.
DÉR. Proportionnable, proportionnément.

PROPOS [pʀɔpo] n. m. — 1265 ; 1180, *purpos ;* de *proposer,* d'après lat. *propositum.*

★ **I.** Au sing. ♦ **1.** Littér. Ce qu'on se propose, ce qu'on se fixe pour but*. ⇒ **Dessein, intention, résolution.** *Le propos de qqn. Son propos est de...,* suivi de l'inf. (→ aussi Erroné, cit. 3). *Il n'est pas dans mon propos de... J'étais venu dans le ferme propos de...* (→ Assurance, cit. 14). — Relig. *Ferme propos :* résolution ferme de ne plus commettre le péché. *Le ferme propos, condition d'une confession sincère.*

(...) je formais le propos de ne jamais chicaner, de ne jamais mettre en mouvement la mécanique judiciaire. 1
G. DUHAMEL, Inventaire de l'abîme, XV.

De propos délibéré. ⇒ **Délibéré.**

♦ **2.** Vx. Ce dont on parle, ce qu'on se propose de traiter dans un ouvrage, etc. ⇒ **Sujet.** *Quand quelqu'un extravague de son premier propos* (→ Mouton, cit. 10). — *Se mettre sur le propos de...* (Cf. La Fontaine, *Fables,* I, 14).

♦ **3.** (Fin XVe). Mod. Cour. **À PROPOS DE :** à l'occasion de, au sujet de. *Dire, faire,* etc., *quelque chose à propos de...* (→ Hache, cit. 6 ; intensifier, cit. 2 ; manœuvrer, cit. 2 ; 1. porte, cit. 3). *Dire des horreurs, à propos de quelqu'un.* ⇒ **De** (*supra* cit. 74). — *Le dilemme* (cit. 1) *d'Omar à propos de l'incendie de la bibliothèque d'Alexandrie.* ⇒ **Concernant, relatif** (à). — *À ce propos. À propos de quoi ? À quel propos ?*

Comment deux hommes qui partageaient tout le reste, pouvaient-ils s'attraper sans cesse à propos de la politique ? 2
ZOLA, l'Assommoir, t. II, XI, p. 191.

Fam. *À propos de bottes.* ⇒ **Botte.**
À propos d'un rien (→ Embrasser, cit. 11), *de rien* (→ Estimer, cit. 28 ; langueur, cit. 7). *À propos de tout* (→ Mystère, cit. 21 ; obliguer, cit. 3). *À propos de tout et de rien.* ⇒ **Motif** (sans motif). — **À TOUT PROPOS.** ⇒ **Bout** (à tout bout de champ), **coup** (à tous les coups, à tous coups), **instant** (à chaque instant). → Irritation, cit. 1 ; petit, cit. 2. *Un homme qui se cite* (cit. 9) *à tout propos.*

(...) c'est devenu chez elles un gentil usage de s'installer ainsi les unes chez les autres, pendant des jours et même des semaines, à propos de tout et de rien, quelquefois pour se faire une simple visite (...) 3
LOTI, les Désenchantées, I, II.

(1579). **À PROPOS.** *À ce propos, à propos de...,* servant à introduire dans la suite du discours une idée qui surgit brusquement à l'esprit, soit par hasard, soit par association d'idées avec un mot qui vient d'être prononcé (souvent avec la valeur d'une simple formule de transition, pour introduire une question, une remarque, etc. → 2. Piloter, cit. 2). *À ce propos, il faut que je vous dise... Ah ! à propos, je voulais vous demander...*

— Je m'imagine que le plaisir est grand de se voir imprimé. — Sans doute. Mais à propos, il faut que je vous die *(dise)* un impromptu que je fis hier (...) 4
MOLIÈRE, les Précieuses ridicules, 9.

Quand Thérèse dit : « À propos », cela ne signifie pas du tout qu'il y ait le moindre rapport entre ce qu'elle va dire et ce qui vient d'être dit. 4.1
Pierre DANINOS, Un certain Monsieur Blot, p. 63.

(1538). *Mal à propos :* sans raison sérieuse, sans sujet, de manière intempestive, inopportune (→ Impasse, cit. 1). *Très mal à propos* (→ Littérateur, cit. 1). — Vieilli. *Bien à propos* (→ Fausseté, cit. 5). — **À PROPOS :** de la manière, au moment, à l'endroit convenable ; avec discernement. ⇒ **Opportunément, point** (à point, à point nommé), **temps** (à temps) ; → Opprimer, cit. 5 ; 1. point, cit. 41. *Très à propos* (→ Merveilleux, cit. 9). *Si à propos* (→ Finement, cit. 3 ; pinceau, cit. 1). *Ce qui se fait, ce qui vient à propos* (⇒ **À-propos**). *Voilà qui arrive, qui tombe à propos.* ⇒ **Pile** (fam.). → aussi Arriver comme marée en carême*. *Ne parler qu'à propos* (→ Exagérateur, cit. 1). *« La libéralité* (cit. 2) *consiste moins à donner beaucoup qu'à donner à propos »* (La Bruyère).

Le vrai moyen de gagner beaucoup est de ne vouloir jamais trop gagner et de savoir perdre à propos. 5
FÉNELON, Télémaque, III.

Souvenez-vous que, pour un solliciteur, il n'y a pas de plus grande éloquence que de savoir se taire à propos (...) 6
A. DE MUSSET, Contes, « La mouche », VII.

(...) nous nous réjouissons tous de te voir parmi nous et l'on peut dire que tu viens à propos. 7
FRANCE, Thaïs, II, p. 156.

Il est, il serait à propos que..., suivi du subj. (→ Guider, cit. 7 ; haut, cit. 55). *Il est à propos de...,* suivi de l'inf. ⇒ **Bon, convenable,**

expédient, opportun (→ Cassation, cit. 1). *Croire, juger, trouver à propos de...* (→ Geôle, cit. 1; grâce, cit. 74; 2. œillère, cit. 2).

8 (...) de sorte qu'après tant d'épreuves de leur faiblesse, ils ont jugé plus à propos et plus facile de censurer que de repartir parce qu'il leur est bien plus aisé de trouver des moines que des raisons? PASCAL, les Provinciales, III.

Hors de propos. ⇒ **Contretemps** (à), **saison** (hors de saison); → Étrange, cit. 11. *À tout propos et hors de propos* : sans motif sérieux. *Il serait hors de propos de...*, suivi de l'inf. ⇒ **Inopportun.**

9 (...) il ne sera pas hors de propos de dire deux paroles des ornements qu'on a mêlés avec la comédie. MOLIÈRE, les Fâcheux, Avertissements.

10 Don Jaime lui trouva l'air poli d'un vieux soldat qui veut faire le bon et sourit à tout propos et hors de propos. STENDHAL, Romans et nouvelles, « Le coffre et le revenant ».

10.1 — À propos, dit Mao apparemment hors de propos, j'ai reçu, il y a quelques mois, une délégation parlementaire de chez vous. Vos partis socialiste et communiste croient vraiment ce qu'ils disent? MALRAUX, Antimémoires, Folio, p. 549.

★ **II.** (XVe). *Un, des propos.* ♦ **1.** Paroles dites au sujet de qqn. ou de qqch., mots échangés, prononcés au cours d'une conversation. Par ext. Phrase, texte écrit. ⇒ **Discours, parole, phrase** (*supra* cit. 15). *Échange de propos.* ⇒ **Conversation, entretien.** *Les propos d'un personnage de roman, d'une pièce de théâtre* (→ Nombre, cit. 28). *Vivacité dans les propos. De propos en propos* (→ De fil en aiguille*, cit. 11). *Répéter un propos inutile* (→ Opportunité, cit. 2). *Propos en l'air.* ⇒ **Bruit.** *Tenir des propos...* ⇒ **Parler** (*infra* cit. 15). *Tenir à quelqu'un des propos inacceptables* (cit.). *Propos caustiques, mordants, vifs...* ⇒ **Boutade.** *Propos spirituels* : mots d'esprit. *Propos blessants, comminatoires, diffamatoires, injurieux* (→ Dommage, cit. 3), *insultants, mensongers, offensants*, etc. ⇒ **Insinuation, médisance, vilenie.** *Propos calomnieux sur...* (→ Désaveu, cit. 4), *sur le compte de...* ⇒ **Calomnie.** *Mauvais propos* (→ Fait, cit. 45). *Propos austères* (cit. 17). *Propos gais, guillerets, joyeux.* ⇒ **Gaieté.** *Propos de table. Propos cajoleurs, galants.* ⇒ **Cajolerie, douceur** (*supra* cit. 19), **galanterie.** *Propos badins, frivoles, futiles, oiseux, extravagants*, etc. ⇒ **Badinage, badinerie, bagatelle, baliverne, boniment** (fam.), **calembredaine, chanson, faribole, papotage, turlutaine...** *Propos banals, rebattus* (⇒ **Banalité**), *maladroits, stupides* (⇒ **Balourdise, bêtise, sottise**), *incohérents* (→ 1. Fou, cit. 8), *dépourvus de sens.* ⇒ **Insanité.** *Ce ne sont que des propos de vantard.* ⇒ **Vantardise, vanterie.** *Propos blasphématoires* (⇒ **Blasphème**), *impudents* (→ Avec, cit. 63), *cyniques* (→ Indigner, cit. 9), *déplacés, grossiers, inconvenants, malséants, malsonnants. Des propos de chambrée, de corps de garde, de garnison* (→ Impudent, cit. 5). *Propos égrillards, gaillards* (cit. 11), *gaulois, graveleux, grivois, légers* (cit. 27), *lestes, libertins, libres, licencieux, obscènes, salés, scatologiques*, etc. ⇒ **Cochonnerie, gaillardise, gaudriole, gauloiserie, grivoiserie, obscénité, polissonnerie, saleté.**

11 Ces dames faisaient les frais de la conversation, et égayaient la compagnie de propos plus ou moins piquants aux dépens de leurs amis et connaissances (...) A. DE MUSSET, Contes, « Mimi Pinson », III.

12 Ce n'étaient guère encore que des paroles, transparentes, mais vagues; quelquefois des propos en l'air, des on-dit, des ouï-dire. HUGO, les Misérables, IV, I, V.

13 Toutes sortes de propos s'ensuivirent : calembours, anecdotes, vantardises, gageures, mensonges tenus pour vrais, assertions improbables, un tumulte de paroles qui bientôt s'éparpilla en conversations particulières. FLAUBERT, l'Éducation sentimentale, II, I.

14 J'aime à sentir chez un auteur la richesse intérieure et non exploitée, et qui ne fasse qu'affleurer dans les rares propos qu'il nous livre. GIDE, Journal, 2 janv. 1931.

Littér. *Propos*, essais d'Alain.

Loc. (XVe). Vx. *Entrer en propos*, en conversation (→ Compliment, cit. 1, La Fontaine).

♦ **2.** (1553). Vx. Bavardage, indiscrétion. *Vous n'êtes point une bavarde* (cit. 9), *on peut parler devant vous sans craindre les propos.* ⇒ **Médisance.** *Sa conduite a donné lieu à bien des propos.* ⇒ **Commentaire, commérage, dire** (qu'en-dira-t-on).

♦ **3.** Ling. Ce qu'on dit de qqch. (appelé le *thème*). ⇒ **Prédicat, thème.**

COMP. À-propos, avant-propos.

PROPOSABLE [pʀɔpozabl] adj. — 1747; de *proposer.*

Rare.

♦ **1.** Qu'on peut proposer. *Manuscrit proposable à un éditeur.*

♦ **2.** (Mil. XXe). Personnes. Qui peut être proposé pour l'avancement dans une hiérarchie. *Vous êtes proposable pour la prochaine promotion.*

PROPOSANT, ANTE [pʀɔpozɑ̃, ɑ̃t] adj. et n. — 1390; p. prés. de *proposer.*

♦ **1.** Vx. Qui propose (qqch.).

♦ **2.** (N. m., 1752). Hist. relig. Cardinal qui proposait les autres cardinaux et recevait les professions de foi des évêques nommés dans les pays d'obédience. (1823). Appos., adj. *Cardinal proposant.*

♦ **3.** (1561, Calvin). Hist. relig. Étudiant en théologie protestante qui propose ses thèses.

PROPOSER [pʀɔpoze] v. — V. 1120; lat. *proponere* « poser devant », d'après *poser.*

★ **I.** V. tr. ♦ **1.** Littér. *Proposer (qqch.) à*, mettre devant (le regard, la perception). ⇒ **Montrer.** *Proposer qqch. à l'admiration, au respect des hommes* (→ Ligne, cit. 17). — Spécialt. Donner comme exemple, comme modèle, etc. *Proposer un modèle à quelqu'un* (→ Perfection, cit. 3). *Proposer qqn en exemple.*

♦ **2.** (V. 1250). Faire connaître (une chose) à quelqu'un, soumettre à son choix; faire connaître (la solution qu'on apporte à un problème, la décision qu'on veut faire adopter) tout en laissant aux autres la liberté de rejet. *Proposer sa marchandise* (→ Herbe, cit. 4). *Proposer un prix* (→ Courtisane, cit. 4). *On lui a proposé dix millions de sa villa.* ⇒ **Offrir.** *Proposer un projet* (→ Impraticable, cit. 3), *un avis, un plan* (à qqn). ⇒ **Mettre** (en avant), **présenter, soumettre.** *Proposer un nom* (pour désigner une chose nouvelle), *une définition* (pour un mot), *une interprétation* (pour un texte), etc. (→ Microbe, cit. 1; nomenclature, cit. 3; nuisance, cit. 3; oblation, cit. 2). *Proposer une solution nouvelle pour un problème de mathématiques.* — *Proposer des lois* (→ Innovation, cit. 1), *un décret* (→ Jouir, cit. 8), *des amendements* (→ Lecture, cit. 14), *une motion.*

Proposer que..., suivi du subj. *Il proposa que la motion fût mise aux voix immédiatement.* — *Proposer de...*, suivi d'un inf. (→ Imprécation, cit. 2; 2. mercuriale, cit. 1). *Il proposa d'organiser des bureaux de secours et de travail* (→ Fonds, cit. 7).

♦ **3.** Soumettre (un projet, une entreprise) en demandant d'y prendre part. *Proposer une promenade à qqn* (→ Éluder, cit. 4). *Proposer un arrangement, un accommodement, une bonne affaire* (cit. 54) *à qqn. Proposer la paix.* ⇒ **Proposition.** — *Proposer à qqn de...*, suivi de l'inf. ⇒ **Conseiller** (→ Ordre, cit. 38).

Le pot de fer proposa 1
Au pot de terre un voyage. LA FONTAINE, Fables, V, 2.

Jacques, après avoir recommandé à son maître de ne pas s'endormir, va à la rencontre du voyageur, lui propose l'achat de son cheval, le paye et l'emmène. 2
DIDEROT, Jacques le fataliste, Pl., p. 536.

Deux nouveaux clients sont venus, et proposent au patron une partie de zanzibar. 3
J. ROMAINS, les Hommes de bonne volonté, t. IV, III, p. 17.

(Dans une incise). *Mettons-nous là, proposa-t-il* (→ Discrètement, cit. 1; et aussi glass, cit. 1).

♦ **4.** Demander à quelqu'un d'accepter (ce qu'on veut lui donner, ce qu'on veut faire pour lui). *Il m'a proposé de l'argent, son aide.* ⇒ **Offrir.** Fam. *Proposer la botte.* ⇒ 3. **Botte.** — (Compl. n. de personne). *Proposer sa fille en mariage.* ⇒ **Offrir.** — *Proposer à qqn de...*, suivi d'un infinitif ayant le même sujet. *Je t'ai maintes fois proposé d'aller au marché ou de faire le ménage à ta place.* ⇒ **Offrir.** (→ Ingambe, cit. 2). *Elle lui proposa d'intervenir* (cit. 6) *auprès de Choiseul pour lui procurer un passeport.*

Le fils d'un des plus riches banquiers de Paris avait proposé à une célèbre lingère une loge à l'Opéra et une maison de campagne qu'elle avait refusées (...) 4
A. DE MUSSET, Contes, « Mimi Pinson », III.

♦ **5.** Soumettre (un thème, un problème) comme sujet de réflexion à (un artiste, un chercheur, un candidat à un examen). (→ Entomologie, cit.). *Proposer un problème de mathématiques à...* (→ Humilier, cit. 31). — Au p. p. *Sujet proposé aux candidats à la licence.*

(...) ce fut, je pense, en cette année 1753, que parut le programme de l'Académie de Dijon sur l'*Origine de l'inégalité parmi les hommes.* Frappé de cette grande question, je fus surpris que cette Académie eût osé la proposer; mais, puisqu'elle avait eu ce courage, je pouvais bien avoir celui de la traiter et je l'entrepris. 5
ROUSSEAU, les Confessions, VIII.

♦ **6.** Faire connaître, promettre de donner (ce qui sera le prix, la récompense du vainqueur). *Proposer un prix, une récompense.*

Quelques prix glorieux qui me soient proposés, 6
Quels lauriers me plairont de son sang arrosés? RACINE, Iphigénie, IV, 8.

♦ **7.** (XVIIe; *in* Académie 1694). Compl. n. de personne. Désigner (qqn) comme candidat pour un emploi, une fonction, etc.; désigner, soumettre une personne au choix d'autrui. ⇒ **Présenter.** *Proposer un candidat. Être proposé pour tel poste, pour tel grade. Il proposa Me X...comme avocat* (→ Invisible, cit. 10). — *Proposer un époux* (cit. 2), *un mari à une femme.*

★ **II.** V. intr. (Fin XIVe). Vx. Former un dessein, un projet. « *Pourvu qu'elle propose bien de ne plus pécher* » (Pascal, *les Provinciales*, 10). → Se proposer, ci-dessous. — Prov. Mod. *L'homme* (cit. 63) *propose et Dieu dispose.*

▶ **SE PROPOSER** v. pron. (Déb. XVe).

♦ **1.** Se fixer comme but, avoir pour objet, pour objectif; avoir en considération, en vue. *Se proposer un but** (→ Arriver, cit. 28; machine, cit. 25; perfection, cit. 5). *La fin qu'il s'est proposée toute sa vie.* — *Se proposer des exemples* (cit. 18) *et des modèles.*

Quand on se propose un but, le temps, au lieu d'augmenter, diminue. 7
RIVAROL, Notes, pensées et maximes, t. II, 40.

Vx. *Se proposer à...* Mod. *Se proposer de...*, suivi de l'inf. : avoir l'intention*, former le projet* de... ⇒ **Compter, projeter** (de); → Faire, cit. 66; monument, cit. 2; 1. penser, cit. 8.

♦ **2.** Poser sa candidature à un emploi, à une fonction, etc.; se mettre sur les rangs pour une compétition; se soumettre au choix d'autrui. ⇒ **Présenter** (*supra* cit. 18, *se présenter*). *Il s'était proposé à l'abbé comme moniteur* (cit. 1) *pour le patronage. Se proposer au choix de...* ⇒ **Offrir** (*supra* cit. 9, *s'offrir*); → Parure, cit. 2. *Il défit, en champ* (1. Champ, cit. 6) *clos, tous ceux qui se proposèrent.* — REM. Dans cet emploi, le participe passé s'accorde avec le sujet. *Elle s'est proposée comme chaperon.*

8 Monsieur de Granville (...) se proposa; mais, à la surprise de tout Limoges, madame Graslin refusa le nouveau Procureur général (...)
BALZAC, le Curé de village, Pl., t. VIII, p. 642.

DÉR. Propos. — (Du même rad. lat.). Cf. Proposition.

PROPOSITION [pʀɔpozisjɔ̃] n. f. — V. 1120, *propositium* « action de faire connaître ses intentions »; lat. *propositio.*

★ **I.** ♦ **1.** L'action, le fait de proposer* (1., 2., 3., et 4.), d'offrir, de suggérer quelque chose à quelqu'un; ce qui est proposé. ⇒ **Offre.** *Faire à qqn la proposition de..., une proposition. Propositions de paix.* ⇒ **Ouverture** (*supra* cit. 8), **parole.** *Dernières propositions avant les hostilités.* ⇒ **Ultimatum.** *Faire des propositions* (→ Émissaire, cit. 1), *des propositions avantageuses* (→ Manège, cit. 6). *Accepter une proposition inespérée* (→ Douter, cit. 9). *Accepter une proposition faite par défi* (→ Prendre au mot*). *Refuser d'écouter, repousser une proposition* (→ Désespérer, cit. 15). — *La proposition de...,* suivi de l'inf. (→ Passer, cit. 30).

1 (...) elle lui avait proposé avec courtoisie de faire appeler un médecin, mais sa proposition avait été rejetée avec une violence qu'elle considérait comme regrettable.
CAMUS, la Peste, p. 250.

(Mil. XVIIIe). Spécialt. Le fait de proposer des relations sexuelles à un partenaire. *Faire une proposition lascive* (cit. 7), *des propositions déshonnêtes, faire des propositions à une femme.*

2 Le déraisonnable Ixion, séduit par la beauté pourtant sévère de Junon, fut assez vain pour lui faire des propositions. Émile HENRIOT, Mythologie légère, p. 174.

Proposition votée au cours d'un congrès, dans une assemblée. ⇒ **Motion.** — Dr., cour. *Proposition de loi :* texte qu'un ou plusieurs parlementaires déposent sur le bureau de leur Assemblée pour qu'il soit transformé en loi après un vote du Parlement. ⇒ **Loi.** *Apporter un amendement à une proposition de loi. Repousser une proposition de loi.*
Sur la proposition de..., suivi d'un nom de personne. ⇒ **Conseil, initiative** (→ Esclavage, cit. 4; inviolable, cit. 6).
Action de proposer (1., 7.) qqn comme candidat à une fonction, etc. *Être nommé à un poste sur la proposition de ses supérieurs hiérarchiques.* ⇒ **Choix** (au choix).

♦ **2.** (V. 1265). Didact. Expression d'un jugement de réalité ou de valeur, formule qui résume une opinion. ⇒ **Aphorisme, assertion, maxime, précepte.** *La proposition de Diderot : « on a de l'expression avant d'avoir de l'exécution et du dessin »* (→ Expressionnisme, cit. 1). *Les propositions physiocratiques s'opposent aux thèses mercantilistes.* ⇒ **Affirmation, allégation, assertion, thèse** (→ Industrialisme, cit.). *Proposition contraire aux idées reçues.* ⇒ **Paradoxe.** *Argument qui vient appuyer une proposition. Positions et Propositions,* œuvre de Claudel.

3 (...) autrefois les socialistes répétaient qu'on ne supprime, vraiment, que ce que l'on remplace; et même cette proposition était au cœur de tout le socialisme; elle en faisait la force et le retranchement (...)
Ch. PÉGUY, la République..., p. 119.

Relig. *Propositions frappées d'anathème* (cit. 2), *condamnables* (→ Extraire, cit. 6), *suspectes, malsonnantes*, téméraires, hérétiques, sentant l'hérésie* (→ Mufti, cit.). — *Les cinq propositions,* qui résumaient l'essentiel de la doctrine de Jansénius (→ Janséniste, cit. 1, Pascal).

Log. Énoncé qui exprime une relation entre deux ou plusieurs termes*; ce qui est asserté par un tel énoncé. « La proposition peut aussi être définie comme l'énoncé d'un jugement, au moins virtuel » (Lalande). ⇒ **Jugement.** *Vérité, fausseté d'une proposition* (⇒ **Apophantique**). *Affirmer, nier une proposition.* ⇒ **Affirmation, négation.** *Énonciation traditionnelle de la proposition dans la logique aristotélicienne :* sujet, copule, attribut (forme attributive). *Proposition attributive*. Termes (arguments* — les noms — *et prédicats*) *d'une proposition. Proposition catégorique*, complexe*, conclusive* (⇒ **Conclusion**), *converse, convertible* (⇒ **Conversion**), *directe* (dont les termes ne sont pas inversés), *hypothétique** (⇒ **Hypothèse**), *modale*, particulière* (qui concerne seulement quelques individus d'une seule classe), *universelle**, etc. ⇒ **Logique***. *Proposition alternative* ⇒ 1. **Alternative.** *Propositions contradictoires*, contraires*. Équipollence* (cit.) *de deux propositions. Proposition évidente de soi, claire et intelligible par elle-même* (⇒ **Axiome,** cit. 1 et 3), *posée comme principe* (⇒ **Postulat, principe**). *Proposition qui dérive immédiatement d'une autre.* ⇒ **Corollaire** (→ aussi Immédiat, cit. 3). *Implication* entre deux propositions.* ⇒ **Antériorité.** *Assumer une proposition.* ⇒ **Assomption** (3.). *Démontrer* (cit. 3) *une proposition.* ⇒ **Démonstration.** *Composition des propositions dans un raisonnement. Propositions d'un syllogisme* : majeure** et *mineure** (⇒ **Prémisse**), *conclusion* (→ aussi Apprécier, cit. 6). *Calcul des propositions.*

Math. Le fait de poser une égalité*, un théorème*, etc.; l'énoncé. *Les propositions d'Euclide* (→ aussi Base, cit. 9).

♦ **3.** (1677). Gramm., cour. Unité psychologique et syntaxique (réduite parfois à un seul mot) qui constitue à elle seule une phrase simple ou qui entre comme élément dans la formation d'une phrase complexe. ⇒ **Phrase** (*supra,* cit. 7). *Sujet, verbe, attribut, complément d'une proposition. Ordre* des mots dans la proposition.* ⇒ **Syntaxe.** *Décomposition d'une phrase en propositions.* ⇒ **Analyse** (logique). *Proposition principale** (→ Assemblage, cit. 24; certitude, cit. 4), *subordonnée** ou *dépendante, indépendante** (cit. 15). *Proposition incidente* ou *incise** (cit. 2) ou *intercalée. Propositions réunies par des conjonctions* (cit. 7). *Propositions coordonnées** (cit. 4), *corrélatives, juxtaposées*. Proposition elliptique, nominale, verbale, infinitive, participiale. Proposition affirmative* (cit. 4.1), *négative, interrogative, exclamative, impérative, optative, énonciative. Proposition relative*. Proposition introduite par une conjonction* ou *conjonctive* (→ aussi Plus, cit. 97). *Fonction d'une proposition subordonnée par rapport au verbe de la principale : une proposition peut être sujet, complément* (complémentaire *ou* complétive*), *attribut. Propositions compléments d'objet* (→ Désir, cit. 10). *Propositions compléments de circonstance* (circonstancielles*) : *propositions de but* (finales), *de cause* (causales), *de comparaison* (comparatives), *de concession* (concessives), *de condition* (conditionnelles*, hypothétiques*), *de conséquence* (consécutives), *de temps* (temporelles), *etc. Proposition complétive.*

(...) et il n'est pas jusqu'à la sèche et maigre *Grammaire,* jusqu'à la perfide et fantasque *Syntaxe* qui ne paraissent tout à coup, impérieuses, mais séduisantes par leurs pièges mêmes, escortées de toutes les *Parties du Discours,* bien défendues par les féroces *Participes,* suivies dans l'ordre des préséances par l'immense armée des *Propositions,* les Principales, les Subordonnées, les capricieuses Complétives, les Circonstancielles, et les autres, (s'il en est...). 4
VALÉRY, Variété, Disc. prononcé à la Maison d'éducation de la Légion d'honneur de Saint-Denis, *in* Œ., Pl., t. I, p. 1421.

Faut-il voir dans la *proposition,* comme le font à peu près tous nos grammairiens et nos dictionnaires, « l'expression ou l'énonciation d'un jugement » ? (*Dict.* de LITTRÉ, et *Dict. gén.*)... Avec bien plus d'exactitude (...) Alan H. Gardiner la définit ainsi : « Un mot ou groupe de mots révélant un dessein intelligible de communication, suivi d'une pause » (*The Theory of Speech and Language,* p. 98). Voilà, en effet, ce qui, rationnellement, constitue la proposition (...) 5
G. et R. LE BIDOIS, Syntaxe du franç. moderne, § 1109.

Il faut donc reconnaître que le niveau catégorématique comporte seulement une forme spécifique d'énoncé linguistique, la proposition; celle-ci ne constitue pas une classe d'unités distinctives. C'est pourquoi la proposition ne peut entrer comme partie dans une totalité de rang plus élevé. Une proposition peut seulement précéder ou suivre une autre proposition, dans un rapport de consécution. Un groupe de propositions ne constitue pas une unité d'un ordre supérieur à la proposition. Il n'y a pas de niveau linguistique au-delà du niveau catégorématique[1]. 6
É. BENVENISTE, Problèmes de linguistique générale, t. I, p. 129.
(→ aussi Prédicat, cit. 1; phrase, cit. 8.1.).

1. Qui concerne la prédication (grec *katêgorêma*).

♦ **4.** Rhét. Partie d'un discours dans laquelle le sujet est exposé. ⇒ **Exposition** (*supra* cit. 9).

★ **II.** (V. 1170). Relig. judaïque. *Pains de proposition,* déposés par les prêtres sur la table du sanctuaire, pour chacune des douze tribus d'Israël.

COMP. et **DÉR. Contre-proposition. — Propositionnel.**

PROPOSITIONNEL, ELLE [pʀɔpozisjɔnɛl] adj. — 1951; de *proposition.*

♦ Log. Qui est relatif aux propositions (I., 2.) de la logique. *Logique propositionnelle et logique fonctionnelle. Opérateur propositionnel. Fonction, forme propositionnelle :* « expression verbale ou algorithmique contenant une ou plusieurs variables et qui devient une proposition si ces variables sont remplacées par des valeurs fixes » (Lalande). *Variables propositionnelles.*
Psychol. *Opérations propositionnelles :* opérations de la pensée consistant à manipuler des propositions hors de toute référence immédiate.

PROPRE [pʀɔpʀ] adj. et n. m. — 1090; lat. *proprius.*

★ **I.** Adj. **A.** Correspondant à *propriété.* ♦ **1.** (Après le nom, épithète). Qui appartient d'une manière exclusive ou particulière* (*supra* cit. 2) à une personne ou à une chose, un groupe. ⇒ **Distinctif, exclusif, individuel, intrinsèque, personnel.** *Avoir des qualités propres. Qualité propre, personnelle, par laquelle le grand artiste se distingue* (cit. 27) *des autres. Les fluides* (cit. 13) *n'ont pas de forme propre mais prennent celle de leur contenant. Remettre des papiers en mains propres à leur destinataire* (cit. 1). — Astron. *Mouvement propre d'un astre, d'une étoile,* son déplacement angulaire, indépendamment des mouvements de la terre et de l'aberration* astronomique. — NOM* PROPRE (opposé à *nom commun,* ainsi qu'aux autres mots de la langue). *Jean, Paris, les Français sont des noms propres. Les noms propres prennent une majuscule en français. Pluriel** (*infra* cit. 3) *des noms propres* (→ aussi Exploitation, cit. 8; extrêmement, cit. 5; personne, cit. 37). *Noms com-*

muns issus de noms propres. Description d'un nom propre. Dictionnaire de noms propres. — **Sens propre** : sens d'un mot considéré comme antérieur aux autres (logiquement ou historiquement). ⇒ **Littéral.** *Distinction du sens propre et de la métaphore* (cit. 4). *Au sens figuré* (cit. 13) *comme au sens propre. Le sens propre de* motif (cit. 9). *Insignifiant* (cit. 3) *au sens propre du mot.* — Subst. → *infra,* II., 5.

1 La marque d'une expression propre est que, même dans les équivoques, on ne puisse lui donner qu'un sens. VAUVENARGUES, Réflexions et maximes, 375.

2 Je savais bien que ce nom de Chavegrand me disait quelque chose. Et dieu sait que je n'ai pas, autant que mon mari, la mémoire des noms propres.
G. DUHAMEL, Salavin, VI, I.

Philos. « Qui appartient à un sujet donné, individu ou espèce, et à lui seul (sans distinction de ce qui est essentiel et de ce qui est accidentel » (Lalande). → Essentiel; et ci-dessous, II., *infra* cit. 41.

Qui est possédé en toute propriété (opposé à *commun*). *Biens propres,* dans le régime de la communauté (→ Paraphernal, cit.).

Psychol., psychan. *Le corps propre* (au sujet). ⇒ **Corps,** cit. 25.1 et *supra.*

♦ **2.** (1562). **Propre à** (suivi d'un nom; épithète ou attribut). ⇒ **Particulier.** *Attribut, caractère propre à une chose, une personne, un ensemble.* ⇒ **Spécial, spécifique.** *Traits propres à certains individus* ⇒ **Idiosyncrasie.** (→ Hérédité, cit. 12). *L'enfance* (cit. 9) *a des manières de sentir qui lui sont propres* (→ aussi Apporter, cit. 23).

3 Pour faire donc l'histoire de l'animal, il faut d'abord reconnaître avec exactitude l'ordre général des rapports qui lui sont propres; et distinguer ensuite les rapports qui lui sont communs avec les végétaux et les minéraux.
BUFFON, Hist. nat. des animaux, Compar. anim. et végét., I.

4 (...) il est absurde de vouloir ramener les sentiments à des formules identiques; en se produisant chez chaque homme, ils se combinent avec les éléments qui lui sont propres, et prennent sa physionomie.
BALZAC, la Vieille Fille, Pl., t. IV, p. 317.

♦ **3.** Dans un sens affaibli, employé avec un possessif* qu'il renforce (→ À moi, à toi, à lui, etc.), épithète, généralement placé avant le nom, et toujours après le pronom possessif. *Je l'ai vu de mes propres yeux* (→ Appeler, cit. 40). *Ridicule à ses propres yeux* (→ Attaquer, cit. 25). *De ses propres mains* (→ Entrailles, cit. 3). *Leur propre vie* (→ Aimer, cit. 63). *Ma propre image* (cit. 4). *Dans son propre lit* (→ Nourrisson, cit. 1). *De ses propres deniers* (→ Friandise, cit. 3). *Battu sur son propre terrain. Pour son propre compte* (→ Humeur, cit. 56.). *Par ses propres moyens* (→ Exclure, cit. 20). *Dans leur propre intérêt* (→ Neutralité, cit. 5). *De leur propre autorité* (cit. 31). *De sa propre initiative* (→ Carence, cit. 2). *De son propre chef*. De son propre cru*. Par sa propre faute* (→ Attribuer, cit. 15). *Aux yeux d'autrui* (cit. 24) *et aux siens propres. Je m'intéresse à ses enfants autant qu'aux miens propres* (→ Famille, cit. 7). *Remettre un objet à qqn en mains* propres.*

5 Voici ce que j'ai entendu de mes propres oreilles et vu de ma propre vue.
FRANCE, le Petit Pierre, XIX.

Par ext. De *soi,* au sens de « pour soi », « envers soi ». *Être son propre maître, son propre juge. Jouir de sa propre estime* (cit. 12). *Le propre amour* (vx), *l'amour propre :* l'amour de soi. ⇒ **Amour-propre.**

6 (...) pour être le maître de l'enfant, il faut être assez son propre maître.
ROUSSEAU, Émile, II.

(Exprimant l'appartenance et placé devant le nom présenté comme étant l'être, la chose en question). Lui-même, elle-même (chose, personne). *Il vint habiter la propre maison de son rival. Ce sont ses propres mots* (→ Pièce, cit. 3) : c'est exactement ce qu'il a dit, écrit. ⇒ **Textuel.** Vx. (Exprimant d'autres rapports que l'appartenance). *C'est le propre jour où il est parti.*

7 Oserais-je demander encore cette grâce à Votre Majesté le propre jour de la grande résurrection de Tartuffe (...) MOLIÈRE, Tartuffe, 3e placet.

8 Sa maison de Paris se trouvait située tout en haut du faubourg Saint-marceau. Par une coïncidence assez bizarre, c'était la propre maison de Pierre Ronsard (...)
Th. GAUTIER, les Grotesques, VII, p. 215 (Guillaume Colletet).

9 C'est alors que tu t'es approché de l'agent et que tu lui as dit d'un air sévère : « Vous ne savez pas à qui vous avez affaire. Ce jeune homme est le propre fils de M. Clemenceau. G. DUHAMEL, Salavin, V, III.

♦ **4.** (1538). Après le nom. Qui convient particulièrement. (Choses). ⇒ **Approprié, convenable.** *Le mot propre,* qui convient pour exprimer qqch. ⇒ **Exact, juste** (→ Corriger, cit. 7). *« Horreur »* (cit. 12) *est le mot propre. Le don du mot propre* (→ Expression, cit. 11). — (Par jeu de mots). *« Il appelait allégrement toutes choses par le mot propre ou malpropre... »* (→ Grossièreté, cit. 10, Hugo).

10 (...) le mot propre, ce rustre,
N'était que caporal je l'ai fait colonel (...) HUGO, les Contemplations, I, VII.

11 (...) tout mot propre est banni de la poésie; quand on en rencontre un, il faut l'esquiver ou le remplacer par une périphrase.
TAINE, les Origines de la France contemporaine, I, t. I, p. 296.

Propre à..., pour... (vieilli), suivi d'un nom. **a** Qui est fait pour..., est propice à..., convient à... (pour). *Obscurité propre au recueillement* (→ Enténébrer, cit. 1). *Les usages auxquels ils sont propres* (→ Nature, cit. 59). *L'objet est peu propre à cet usage.* ⇒ **Adapté.** *Composition frivole, propre au boudoir d'une petite maîtresse* (→ Petit, cit. 30). *Il n'y a pas de doctrine plus propre à l'homme* (→ Capacité, cit. 2). *Rendre propre à qqch. :* faire servir à un but*. ⇒ **Approprier.** *Mal propre à...* (vx) : qui ne convient pas à... (cf. Corneille, *Rodogune,* v. 695).

(Nos parents) sont en état de se tromper bien moins que nous, et de voir beaucoup mieux ce qui nous est propre (...) MOLIÈRE, l'Avare, I, 2. 12

Ains a péri : la voyelle qui le commence, et si propre pour l'élision, n'a pu le sauver (...) LA BRUYÈRE, les Caractères, XIV, 73. 13

C'est un lieu vide et désaffecté, mélancolique en son abandon, un lieu propre à la rêverie et aux rendez-vous (...) Émile HENRIOT, le Diable à l'hôtel, XI. 14

(Suivi d'un verbe à l'infinitif ayant pour sujet le nom qualifié par *propre*). *Discipline propre à former* (cit. 25) *des hommes.* ⇒ **Nature** (de nature à). *Les moyens* (→ 2. Moyen, cit. 5) *propres à le dompter. Voix propre à remuer les cœurs* (→ Onction, cit. 4). *Des effets propres à faire valoir l'exécutant* (cit. 1). *Vices plus propres à rebuter qu'à séduire* (→ Apprêt, cit. 9). *Rien n'était plus propre à me toucher* (→ Contenir, cit. 18).

(...) me dire (...) ce que vous croyez le plus propre à soulager ma fille. 15
MOLIÈRE, l'Amour médecin, II, 5.

(...) les voies les plus propres pour extirper entièrement cette hérésie (...) 16
RACINE, Port-Royal, II.

Vx. Suivi d'un verbe à l'infinitif dont le sujet n'est pas le nom qualifié par *propre. Un lieu propre à dormir* (→ Ajuster, cit. 18). *Les vertus propres à commander* (→ Apprentissage, cit. 14).

b Vieilli. Qui est apte, par sa personnalité, ses capacités, ses connaissances. ⇒ **Apte, capable, fait** (pour), habile (à), idoine (vx). — (Suivi d'un nom). *Éducation qui rend propre à toutes les conditions* (cit. 15). *Un garçon hardi et propre à la guerre* (→ Pente, cit. 3). *Vous n'êtes pas propre à la solitude* (→ Démon, cit. 26). *« On pense à moi pour une place, mais par malheur j'y étais propre »* (→ Calculateur, cit. 1, Beaumarchais). — Loc. prov. *Qui est propre à tout n'est propre à rien :* il faut avoir une spécialité* pour faire du bon travail.

Moi, je suis propre à tout et bon à rien, paresseux comme un homard? (...) eh! bien, j'arriverai à tout. BALZAC, la Peau de chagrin, Pl., t. IX, p. 98. 17

Propre à tout pour les autres, bon à rien pour moi : me voilà. 18
CHATEAUBRIAND, Mémoires d'outre-tombe, t. I, p. 169.

N. **Propre à rien** (parfois écrit avec des traits d'union; → Morveux, cit. 5) : personne qui ne sait rien faire ou ne veut rien faire, qui ne peut se rendre utile. ⇒ **Bon** (à rien), fainéant, maladroit (→ 1. Foutre, cit. 3). *Propre à rien! gâcheur* (cit. 2) *de besogne! Elle la traita de propre à rien* (→ Licheur, cit. 2). *Des propre à rien.*

Elle le traitait de propre à rien, parce qu'il gagnait de l'argent sans rien faire, de sapas[1], parce qu'il mangeait et buvait comme dix hommes ordinaires (...) 19
MAUPASSANT, Toine, I.

1. Mot dialectal (Normandie) : « homme glouton, goinfre ».

La femme, entre nous, m'a tout l'air d'une propre à rien, d'une Marie-couche-toi-là. Je la crois capable d'élever un enfant comme moi de jouer de la guitare. 20
FRANCE, le Crime de S. Bonnard, I, Œ., t. II, p. 274.

(Suivi d'un infinitif). *Être propre à remplir son emploi* (→ Épice, cit. 6). *Coquette propre à porter son amant à faire des dettes* (→ Joli, cit. 16). *Il n'est propre qu'à brouiller ceux qui l'ont fait arbitre* (1. Arbitre, cit. 2). — Vx. *Je suis mal propre à décider la chose* (→ Dispenser, cit. 14).

(...) je suis bien plus propre qu'un autre à sentir vos peines! 21
Mme DE SÉVIGNÉ, 797, 5 avril 1680.

(...) je me sens mal propre à bien exécuter ce que vous souhaitez de moi. 22
MOLIÈRE, les Amants magnifiques, I, 2.

♦ **5.** Math. *Sous-groupe propre, vecteur propre, valeur propre, direction propre.* — Astron. *Mouvement propre d'un astre* (opposé à *apparent*).

B. (Correspondant à *propreté*). ♦ **1.** (1280). Vx. Qui est net* et bien arrangé. ⇒ **Soigné, tenu** (bien). *Il est toujours fort propre dans ses habits, dans ses meubles, dans son équipage* (Académie, 1694). — Spécialt. Vx. ⇒ **Élégant.** *Il est propre sans affectation* (Académie, 1694).

(...) l'habit est propre et riche, et il fera du bruit ici. 23
MOLIÈRE, Monsieur de Pourceaugnac, I, 3.

Mod. Qui a l'aspect convenable, net*. *Porter les cheveux très courts, c'est plus propre. Se présenter dans une tenue propre.* ⇒ **Décent.** *Une copie propre.* — N. m. *Mettre, recopier un brouillon au propre,* au net* (opposé à *au brouillon*). *Il rédige directement au propre. — C'est ton propre?,* la copie propre, définitive.

Elle venait de se lever, et déjà ses cheveux, lissés, collés et comme vernis, lui descendaient en petits bandeaux plats sur les tempes. Cela la rendait très propre. 23.1
ZOLA, le Ventre de Paris, t. I, p. 57.

REM. Cet emploi, encore vivant au XIXe s., risquerait d'être ambigu en français contemporain.

Fait convenablement. *Voilà du travail propre. Pianiste qui a un jeu propre.* ⇒ **Correct.** — Adv. *Ce trompettiste joue propre,* avec correction, netteté, clarté. — Vx. Très bien fait.

(...) un petit dîner aussi bon, aussi délicat, aussi propre qu'il est possible (...) 24
Mme DE SÉVIGNÉ, 956, 7 mars 1685.

♦ **2.** (1640). Qui n'a aucune trace d'ordure, de crasse, de poussière, de souillure. ⇒ **Net.** *Maison, appartement propre* (→ Orner, cit. 6). *Hôtel modeste mais propre. Tout était propre et net* (→ Luisant, cit. 4). *Rendre une capitale plus propre et plus saine* (→ Embellissement, cit.). *Tenez cet endroit propre. On est prié de laisser cet* *endroit aussi propre qu'on l'a trouvé* (formule de recommandation dans des cabinets publics). *Ruisseau dont l'eau est propre.* ⇒ **Clair.** *Vaisselle, verres* (→ Couvert, cit. 14), *godets* (cit. 3) *propres. Draps bien propres.* ⇒ **Blanc, immaculé.** *Pansements propres* (→ Après, cit. 27). *Linge propre. Passer* (cit. 126) *une chemise propre. Avoir les mains propres. Rendre propre.* ⇒ **Blanchir, laver, nettoyer.** → Nettoyage. — N. m. *La blancheur du propre. Ça sent le propre.*

25 Vous êtes fort bien vêtu contre votre usage; pourquoi sous cet habit, qui est très propre, une chemise sale? DIDEROT, Jacques le fataliste, Pl., p. 556.

26 Rien de mieux tenu et de plus propre : à Douai, les plus pauvres, une fois par an, font blanchir leur maison, dehors et dedans, et il faut retenir six mois d'avance les vernisseurs (...) De tous côtés on lave et l'on balaye. Quand on arrive en Hollande, le soin redouble et s'exagère. Dès cinq heures du matin on voit des servantes lessiver les trottoirs. TAINE, Philosophie de l'art, t. I, p. 258.

Par ext. (d'une action, d'une occupation). *Ne mange pas avec les doigts, ce n'est pas propre.*

27 Sophie (...) parcourt l'atelier *(de menuiserie)*, examine les outils, touche le poli des planches, ramasse des copeaux par terre, regarde à nos mains, et puis dit qu'elle aime ce métier, parce qu'il est propre. ROUSSEAU, Émile, V.

♦ **3.** (Personnes). Qui se lave souvent; dont le corps et les vêtements sont débarrassés de toute impureté. *Être propre sur soi.* — Loc. *Propre comme un sou* neuf, comme un sou. Dépenaillé* (cit. 2), *pauvre, mais propre. Des enfants propres* (→ École, cit. 3; nursery, cit. 1). — Loc. *Un petit vieux bien propre.* — *Mettre un tablier afin de rester propre.* — Qui tient sa maison avec grand soin. *Une ménagère, une femme de ménage très propre.* ⇒ **Soigneux.**

28 Il passait à sa toilette une heure environ, car sa femme l'avait habitué à ne se présenter devant elle, au déjeuner, que rasé, propre et habillé. BALZAC, le Député d'Arcis, Pl., t. VII, p. 685.

29 Pour commencer, tu n'as point l'air propre et soigneux, et tu te fais paraître laide par ton habillement et ton langage. G. SAND, la Petite Fadette, XVIII.

30 Je ne l'ai jamais vu si bien mis que ce jour-là. Il était propre comme un sou. HUGO, les Misérables, IV, XI, III.

30.1 — C'est dommage. Un vieillard qui est si propre! Il est blanc comme un poulet. HUGO, les Misérables, V, IX, II.

Fig. et par antiphr. Dans une mauvaise situation. *Nous sommes propres, nous voilà propres!* ⇒ **Frais** (→ Dans de beaux draps*).

31 Pourvu que la Coliche ne vêle pas en même temps que moi! (...) Ça en ferait, une affaire! Ah! bon sang! nous serions propres! ZOLA, la Terre, III, V.

♦ **4.** Qui a le contrôle de ses fonctions naturelles. *Cet enfant a été propre vers un an. Chienne propre à l'appartement* (→ Maladie, cit. 9).

♦ **5.** Qui produit une pollution nulle ou réduite. *Industrie, usine, technologie propre. Moteur propre. Énergies propres.*

♦ **6.** (Av. 1875). Fig. Personnes. Qui ne manque pas à l'honneur pour des raisons d'intérêt, dont la réputation est sans tache. ⇒ **Moral.** *C'est un homme propre en qui l'on peut avoir confiance.* — Fam. *Qui est-ce? Rien de propre, pas grand-chose de propre.*

31.1 — Voulez-vous que je vous dise, c'est pas grand-chose de propre (...) Avec ça, crâneuse, jamais bonjour, jamais bonsoir : qu'est-ce qu'elle se croit! Et qui se lève à des heures où les honnêtes gens sont depuis longtemps à leur travail (...) Et qui reçoit de tout, des hommes, des femmes. Une traînée, quoi!. René FLORIOT, La vérité tient à un fil, p. 58.

Acquis honnêtement, dont l'origine est pure. ⇒ **Honnête**

32 L'argent de ce vieux (...) cet argent taché de boue et de sang, non! non! ce n'était pas de l'argent assez propre, pour qu'un honnête homme y touchât. ZOLA, la Bête humaine, VI.

(En parlant de la vie, du comportement, etc.). Qui est honnête, moral. *Faire de sa vie qqch. de pur et de propre* (→ Incapable, cit. 7). *Une affaire pas très propre.*

33 (...) nous possédons tous (...) un petit coin pour ranger ce qui reste d'un peu propre en nous-mêmes. P. MAC ORLAN, Quai des brumes, VI.

N. m. (1791, *in* D. D. L.) *C'est du propre!*, se dit par antiphrase d'une chose sale, et (fig.) d'un comportement indécent, immoral, scandaleux (→ aussi C'est du beau*, du joli*!). *J'irai mendier* (cit. 2) *chez les autres, ce sera du propre!*

34 Ah! tu sais, je les connais tes femmes mariées, c'est du propre! Elles ont plus d'amants que nous, seulement elles les cachent parce qu'elles sont hypocrites. Ah! oui, c'est du propre! MAUPASSANT, Pierre et Jean, IV.

35 Eh ben vrai, alors, c'est du propre! déclara Lahrier, qui fit halte sur place; voilà maintenant que vous vous lavez les pieds ici! COURTELINE, Messieurs les ronds-de-cuir, IVe tableau, I.

36 Tenez regardez Giraudat. Il a mis les oisillons dans sa chemise. Ils ont fait là-dedans ce qu'ils ont voulu. C'est du propre (...) ALAIN-FOURNIER, le Grand Meaulnes, II, IX.

★ **II.** N. m. EN PROPRE : possédé à l'exclusion («fortune particulière», v. 1213).

♦ **1.** (1690). Avoir un bien en *propre,* à soi*. ⇒ **Propriété.** *L'Athénien* (cit. 4) *semblait n'avoir en propre que sa pensée. Particularités que la Bretagne possède en propre* (→ Hagiographie, cit. 1). *Appartenir en propre* (→ 1. Louer, cit. 8; mon, cit. 17). *Ce qui appartient en propre à l'homme et à la femme* (→ Éternel, cit. 22).

37 Les universités possédaient des biens en propre, comme le clergé; elles avaient une juridiction à elles (...) Mme DE STAËL, De l'Allemagne, I, XVIII.

♦ **2.** Dr. Biens de la femme ou du mari qui restent la propriété de chacun, dans le régime de la communauté. *Les propres d'une femme. Annexes* de propres.*

(...) Pierquin calcula que les propres de madame Claës, pour employer son expression, pouvaient encore se retrouver et devaient montrer une somme d'environ quinze cent mille francs (...) BALZAC, la Recherche de l'absolu, Pl., t. IX, p. 575. 38

♦ **3.** (1718). Liturgie. Élément de célébration qui est propre à un saint, un temps, un lieu..., et ne fait partie ni de l'ordinaire* ni du commun*. *Propre du temps. Propre des saints. Propres nationaux, provinciaux, diocésains.*

La France a un *propre national,* c'est-à-dire un ensemble de fêtes concédées à tout le pays (...) H.-R. PHILIPPEAU, *in* LESAGE, Dict. de liturgie romaine, Propre. 39

♦ **4.** (1611). Cour. LE PROPRE DE, qualité distinctive qui appartient* à une chose, une personne. ⇒ **Apanage, particularité.** *C'est le propre de l'amour de nous rendre à la fois plus défiants et plus crédules* (cit. 7). *Le propre de la superstition* (→ Bouture, cit.), *de la miséricorde* (→ Combattre, cit. 9). *« Pour ce que rire* est le propre de l'homme ». Le propre de la divinité* (→ Buter, cit. 5). *C'est le propre des inventeurs* (cit. 5) *de saisir le rapport des choses.*

Le propre de chaque chose doit être cherché. Le propre de la puissance est de protéger. PASCAL, Pensées, V, 310. 40

(...) sa doctrine n'accordait pas volontiers aux animaux une part de cette sagesse qu'elle proclamait le propre de l'homme. FRANCE, le Petit Pierre, I. 41

Philos. anc. Ce qui appartient exclusivement à une espèce ou à certains éléments d'une espèce; ce qui appartient à toute l'espèce sans lui être exclusif. *Le propre est l'un des universaux*.*

♦ **5.** Sens propre (→ ci-dessus I., A., 1.), littéral. *Prendre un mot au propre* (→ Moral, cit. 11). *Se dit au propre et au figuré* (→ Fastidieux, cit. 1).

CONTR. Collectif, commun. — Conquêt. — Apparent. — Figuré. — Étranger (à). **— Abusif, impropre, incapable. — Négligé. — Malpropre, tenu** (mal). **Contaminé, crasseux, immonde, infect, maculé, poussiéreux, sale, sali, souillé, taché. — Malhonnête. — Cochon, immoral, indécent.**

COMP. Amour-propre, approprier, exproprier, impropre, malpropre.

DÉR. Proprement, propret, propreté (cf. aussi Propriété).

PROPREMENT [pʀɔpʀəmɑ̃] adv. — V. 1180, «convenablement»; de *propre.*

A. ♦ **1.** (1580). D'une manière spéciale à qqn, ou à qqch.; en propre. *Caractères proprement humains. Les mœurs austères* (cit. 6) *sont proprement le caractère d'un sauvage. « C'est proprement le mal français »* (→ Croire, cit. 72). *C'est à ces pensées que convient proprement le nom d'idées* (cit. 3).

Il n'y a pas de comique en dehors de ce qui est proprement *humain.* H. BERGSON, le Rire, I, I. 1

Sa vie est un prisme où le patrimoine commun aux dieux et aux hommes, courage, amour, passion, se mue en qualités proprement humaines, constance, douceur, dévouement, sur lesquelles meurt notre pouvoir. GIRAUDOUX, Amphitryon 38, II, 3. 2

♦ **2.** (V. 1190). Au sens propre du mot, à la lettre. ⇒ **Exactement, fait** (en), pratiquement, précisément, véritablement. *Cet état est proprement un état de guerre* (→ Paix, cit. 22). *C'est proprement l'associer* (cit. 2) *à l'empire.* (⇒ **Littéralement**).

Ce n'étaient point proprement des lettres d'amour; je répugne aux effusions et elle n'eût point supporté qu'on la loue. GIDE, Et nunc manet in te, Journal intime, 24 nov. 1918. 3

Loc. (1664). À PROPREMENT PARLER, en nommant les choses exactement, par le mot propre (→ Assimiler, cit. 20; département, cit. 1; fierté, cit. 3; français, cit. 5; personnel, cit. 1; 1. point, cit. 11). *Il n'est pas à proprement parler indifférent, mais plutôt négligent.* — (Vx). *Proprement parlant* (→ Pamphlet, cit. 1).

Il se leva (...) et prit en mains la lettre de Broudier, qui à proprement parler était une épître, conçue dans le goût classique, et composée en vers alexandrins (...) J. ROMAINS, les Copains, II. 4

(Après un nom). PROPREMENT DIT : au sens exact et restreint (⇒ **Stricto sensu**), au sens propre (→ Abstraction, cit. 2; intuition, cit. 1; joli, cit. 12; papier, cit. 17; pâtisserie, cit. 4). *L'Arabie proprement dite* (→ Indigène, cit. 3). *Le louage* (cit. 6) *d'ouvrage comprend le louage de services et le louage d'ouvrage proprement dit.*

Dans la dernière enceinte, les brahmes très purs, affectés au service des dieux, ont seuls le droit d'habiter avec leurs familles. Quand on y arrive enfin, on a devant soi le temple proprement dit (...) LOTI, l'Inde (sans les Anglais), IV, II. 5

♦ **3.** (1538). Vx. De la manière qui convient, comme il faut. ⇒ **Bien** (→ Fable, cit. 5). *Parler proprement et ennuyeusement* (cit.). *Jouer proprement* (→ Ornement, cit. 8). *Encaisser proprement un coup* (→ Maître, cit. 111). *Mourir proprement,* avec fermeté, dignité.

(...) j'ai pensé : c'est ma mort qui décidera; si je meurs proprement, j'aurai prouvé que je ne suis pas un lâche (...) SARTRE, Huis clos, V. 6

Mod., iron. (Avant le verbe). *Il lui a proprement rivé son clou. On l'a proprement ficelé et bâillonné.*

Comme il faut, sans plus. ⇒ **Convenablement, correctement.** *Travail proprement exécuté.*

7 Et maintenant, elle jouait Bach et Beethoven très proprement, (ce qui, à la vérité, n'est pas beaucoup dire)...
R. ROLLAND, Jean-Christophe, Foire sur la place, II, p. 733.

B. 1580. ♦ **1.** Avec soin. ⇒ **Soigneusement.** *Chambres* (cit. 13) *proprement rangées. Piquer* (cit. 24) *proprement une épingle au revers de son habit. Tenir son homme* (cit. 131) *proprement. Deux filles jolies, proprement mises* (→ Mousser, cit. 1). — Vx. Élégamment (→ Appliquer, cit. 31 ; nœud, cit. 10).

♦ **2.** Avec propreté. *Manger proprement* (→ Couffin, cit. 1). *Proprement vêtu.*

8 (...) elle laisserait plutôt aller tout le dîner par le feu, que de tacher sa manchette (...) bien faire ce qu'elle fait n'est que le second de ses soins; le premier est toujours de le faire proprement.
ROUSSEAU, Émile, V.

♦ **3.** Fig., fam. Moralement, avec honnêteté, décence. *Se conduire proprement.*

CONTR. Mal. — Malproprement, salement.

PROPRET, ETTE [pʀɔpʀɛ, ɛt] adj. — V. 1500, « vêtu avec soin »; de *propre.*

♦ (De ce qui est simple et d'aspect agréable, avenant). Bien propre (I., B.). *Une petite cour proprette* (→ Grille, cit. 8); *cabaret propret, reluisant* (→ Aviser, cit. 5). *Servante proprette.* — Iron. *La peinture proprette, le joli, le niais* (→ Contestation, cit. 4).

Il y avait des ruelles proprettes entre de petites maisons. J'errais sur des mosaïques lavées, et devant les portes peintes, des petites filles assorties essuyaient des taches qu'on ne voyait pas.
GIDE, Journal, 23 juil. 1891.

PROPRETÉ [pʀɔpʀəte] n. f. — 1538; de *propre* (I., B.).

♦ **1.** Vx. « Manière convenable de s'habiller, d'être meublé, de préparer certaines choses » (Littré). *J'aime* (cit. 47) *le luxe, la propreté...* (Voltaire). *Vêtu avec propreté.* ⇒ **Décence.** — Spécialt. ⇒ **Élégance.** *Une propreté fort simple* (→ Curieux, cit. 1).

1 La rapidité des modes, qui vieillit tout d'une année à l'autre, la propreté, qui leur fait aimer à changer souvent d'ajustement, les préservent *(les Françaises)* d'une somptuosité ridicule (...)
ROUSSEAU, Julie ou la Nouvelle Héloïse, II, XXI.

♦ **2.** Mod. Façon correcte et précise d'exécuter qqch. (dans le domaine artistique). *Propreté d'exécution d'un morceau de musique, d'une peinture.* ⇒ **Netteté.**

♦ **3.** (1671). État, qualité de ce qui est propre* (I., B., 1.). *La propreté d'un logis* (cit. 3), *d'une ville* (→ Nettoiement, cit. 1). *Cuisine* (cit. 4) *d'une merveilleuse propreté. La propreté et le poli des casseroles* (cit. 1). *Propreté et blancheur du linge. Propreté des vêtements.* ⇒ **Netteté.** *Un air de propreté* (→ Plâtrer, cit. 1). *Propreté absolue des instruments et des mains* (→ Antisepsie, cit.). *Propreté sur soi, soin de soi-même* (→ Peau, cit. 9). *D'une exacte* (cit. 5) *propreté. Les règles de la propreté.* ⇒ **Hygiène*.** *Mettre en état de propreté.* ⇒ **Nettoyage; ménage, toilette.** — *Plaque* de propreté.*

2 Elle a tant prêché ce devoir à sa fille dès son enfance, elle en a tant exigé de propreté sur sa personne, tant pour ses hardes, pour son appartement, pour son travail, pour sa toilette (...)
ROUSSEAU, Émile, V.

3 La propreté embellit l'opulence et déguise la misère.
RIVAROL, Notes, pensées et maximes, t. II, p. 51.

4 Depuis le plancher soigneusement ciré, jusqu'aux rideaux de toile à carreaux verts, tout brillait d'une propreté monastique.
BALZAC, Une double famille, Pl., t. I, p. 958.

5 Il prit, dans le buffet, des serviettes, des assiettes, des fourchettes et des couteaux, deux verres. Tout cela était d'une propreté extrême, et il s'amusait à ces soins de ménage, comme s'il eût joué à la dînette, heureux de la blancheur du linge (...)
ZOLA, la Bête humaine, I.

Qualité d'une personne qui est propre sur elle, qui veille à ce que son intérieur, les objets dont elle se sert soient propres. *Propreté minutieuse d'une ménagère. Les marins, les Flamands, les Suisses sont réputés pour leur propreté* (→ aussi 2. Chaton, cit. 3). *Manger* (→ 1. Manger, cit. 17) *avec propreté. Habitudes de propreté. La manie, l'obsession de la propreté.*

6 Selon elle, entre les devoirs de la femme, un des premiers est la propreté; devoir spécial, indispensable, imposé par la nature.
ROUSSEAU, Émile, V.

7 (...) dans un pays aussi humide *(la Hollande)*, une tache devient tout de suite une moisissure malsaine; l'homme, contraint à la propreté méticuleuse, en contracte l'habitude, en éprouve le besoin, et à la fin en subit la tyrannie.
TAINE, Philosophie de l'art, t. I, p. 259.

Le fait de ne pas polluer, de ne pas modifier les caractères physiques d'un milieu. Techn. *Propreté magnétique d'un engin.*

♦ **4.** Techn. Les finitions, en couture.

CONTR. Crasse, saleté. — Malpropreté.

PROPRÉTEUR [pʀɔpʀetœʀ] n. m. — 1542; lat. *propraetor.* → Préteur.

♦ Hist. rom. Magistrat romain ayant exercé la charge de préteur et auquel on confiait souvent le gouvernement d'une province*.

DÉR. Propréture.

PROPRÉTURE [pʀɔpʀetyʀ] n. f. — 1845; de *propréteur.*

♦ Hist. rom. Dignité, fonction de propréteur.

1. PROPRIÉTAIRE [pʀɔpʀijetɛʀ] n. — 1263; bas lat. *proprietarius*, même sens de *proprietas* « propriété », de *proprius* « propre ».

♦ **1.** *(Le propriétaire de qqch.).* Personne qui possède en propriété, exerce à son profit exclusif le droit de propriété. *Le possesseur* d'un bien en est souvent le propriétaire. Devenir propriétaire de qqch., le propriétaire de qqch.* ⇒ **Acquérir.** *Propriétaire de biens meubles et immeubles. Le propriétaire d'un bateau, d'une auto* (→ Numéro, cit. 3), *d'un chien* (→ Collier, cit. 11 ; fourrière, cit.). *Remettre une chose à son propriétaire. Objets trouvés* (⇒ **Épave**) *rendus à leurs propriétaires. Un propriétaire de capitaux* (⇒ **Capitaliste**, cit. 2), *d'actions* (⇒ **Actionnaire**). *Le propriétaire d'une maison* (→ Encorbellement, cit. 1). *La villa dont elle était seule propriétaire* (→ Emprunt, cit. 4). *Propriétaire de domaines, de forêts* (→ Forestier, cit. 3), *d'une métairie* (cit. 1). *Propriétaire d'un fonds de commerce qui le met en gérance* (cit.). *Nu-propriétaire.* ⇒ **Nu.**

Adj. (Rare). *Instinct propriétaire.*

M. de Trémeur me rappelle mon mari par la façon propriétaire qu'il a d'articuler : « Ma femme ». 1
Paul HERVIEU, Peints par eux-mêmes, II.

♦ **2.** Spécialt (sans complément). Personne qui possède en propriété des biens immeubles. *Propriétaire foncier*. Propriétaire terrien*. Les grands* (→ Plèbe, cit. 1), *les petits propriétaires* (→ Expliquer, cit. 14). *Un pays où le plus pauvre est propriétaire* (→ Classe, cit. 8).

Propriétaires mitoyens. Les alluvions (cit. 2) *et atterrissements* (cit. 2) *profitent au propriétaire riverain. Propriétaire qui fait valoir son domaine par un exploitant* (→ Exploitation, cit. 4), *qui donne à bail** (cit. 2). ⇒ **Locateur** (vx). *Propriétaire exploitant. Propriétaire qui loue sa maison.* (→ ci-dessous 3.). — (Attribut). *Être, devenir propriétaire. Le paysan veut mourir propriétaire* (→ 1. Mire, cit. 2).

(...) ils étaient devenus propriétaires, un arpent, deux peut-être, achetés au seigneur dans l'embarras, payés de sueur et de sang dix fois leur prix. 2
ZOLA, la Terre, I, III.

Faire le tour du propriétaire : visiter sa maison, son domaine. — *Faire faire le tour du propriétaire à qqn*, lui faire visiter (un lieu quelconque).

(...) je te ferai faire le tour du propriétaire. Tu verras toute notre nouvelle installation (...) 3
MARTIN DU GARD, les Thibault, t. V, p. 168.

Adj. *Le paysan* (→ Anachronique, cit. 1), *la bourgeoisie propriétaire* (→ Particule, cit. 2).

♦ **3.** (Déb. XIVe). Personne qui possède une maison en propriété et la loue (par rapport à ses locataires). ⇒ **Hôte** (vx.); fam. **proprio, probloque.** *Propriétaire et locataire*. Loyer* (cit. 3) *dû au propriétaire* (→ Menacer, cit. 6). *Effets mobiliers à perpétuelle demeure* (cit. 15) *d'un propriétaire. Obligations du propriétaire* (→ Égout, cit. 1 ; impense, cit.). *Réparation à la charge du propriétaire. Le propriétaire refuse d'installer* (cit. 5) *l'électricité. Propriétaire qui donne congé, jette qqn sur le pavé* (→ Meuble, cit. 8). *Le propriétaire de qqn, le propriétaire du logement dont on est soi-même locataire. Il faut que j'en discute avec mon propriétaire.*

Vers neuf heures, il eut la visite de M. Gorgerin, son meilleur client. C'était un gros propriétaire possédant quarante-deux immeubles dans la ville et que le défaut d'argent de certains de ses locataires obligeait à recourir très souvent au ministère de Malicorne. Cette fois, il venait l'entretenir d'une famille besogneuse qui était en retard de deux termes. 4
M. AYMÉ, le Passe-muraille, « L'huissier », p. 236.

— Décampez! répéta Malicorne. 5
— Voyons, vous perdez la tête. Je suis le propriétaire.
Effectivement, Malicorne perdait la tête, car il se rua sur Gorgerin et le jeta hors du logis en vociférant :
— Un sale cochon de propriétaire, oui. A bas les propriétaires! A bas les propriétaires!
M. AYMÉ, le Passe-muraille, « L'huissier », p. 244-245.

CONTR. Locataire.
COMP. Copropriétaire.

2. PROPRIÉTAIRE [pʀɔpʀijetɛʀ] adj. — Fin XIVe, du bas lat. *proprietarius* « qui appartient en propre à qqn »; même mot que 1. *propriétaire.*

Vieux (langue classique).

♦ **1.** Qui appartient au propre à qqn. *Rendre la couronne « propriétaire en faveur du roi »* (Guez de Balzac).

♦ **2.** (1403). Attaché à son intérêt personnel.

PROPRIÉTÉ [pʀɔpʀijete] n. f. — 1174; lat. jur. *proprietas*, de *proprius.* → Propre I., A.

★ **I.** ♦ **1.** Droit d'user, de jouir et de disposer de biens d'une manière exclusive et absolue sous les restrictions établies par la loi (→ Indemnité, cit. 1).

La propriété (sans compl.). *La propriété est un droit réel et perpétuel sur les biens corporels*, tangibles. Détention*, possession* et propriété. La propriété, droit naturel selon la Déclaration des droits* (cit. 7) *de l'homme. Origines et fondements de la propriété; la propriété fondée sur le droit du premier occupant par le travail* (→ Inculquer, cit. 2, Rousseau; et aussi confirmer, cit. 3; fainéant, cit. 3). *La propriété permet d'être indépendant* (cit. 8). *Le socialisme rend la propriété responsable des distinctions sociales* (→ Égalitaire, cit. 1), *du luxe* (cit. 3). *« La propriété c'est le vol »* (Proudhon). → Appropriation, cit. 3. *Propriété privée*, appartenant à une personne physique ou morale. *Propriété individuelle. Propriété collective, commune* (⇒ **Copropriété**). *Propriété de l'État.* ⇒ **Domaine** (*supra*, cit. 3). *Régime de la propriété individuelle et régime collectiviste.* (→ Exploitation, cit. 7). *Propriété capitaliste* (⇒ **Capitalisme**) *et propriété sociale. Propriété collective des moyens de production*.* ⇒ **Collectivité, collectivisme** (cit. 1), **communisme, socialisme.** — *Chose qui est ou n'est pas objet de propriété, susceptible de propriété.* ⇒ **Appropriable, inappropriable** (cit.). *Accéder à la propriété. Propriété acquise par travail, occupation, convention, accession* (cit. 2), *succession, donation, effet des obligations* (→ Acquérir, cit. 2), *prescription acquisitive ou usucapion... La propriété est acquise* (cit. 3) *de droit dès qu'on est convenu de la chose et du prix. Transfert de propriété. Propriété inaliénable, incommutable. Titres de propriété* (→ Flamber, cit. 17; notre, cit. 14); *certificat, acte de propriété* (→ Francisation, cit.). *Marque de propriété. En toute propriété* (opposé à *en copropriété*) (→ Enter, cit. 2). *Avoir la propriété sans l'usufruit.* ⇒ **Nu** (nue-propriété), **usufruit.** *Propriété commerciale. Priver de la propriété.* ⇒ **Déposséder, désapproprier, exproprier.** *Passion du paysan* (cit. 5) *pour la propriété. Le goût de la propriété et de l'épargne* (cit. 5). — *Propriété immobilière, foncière* (→ Brutalité, cit. 4). *Propriété mobilière.* ⇒ **Possession** (cit. 2).

La propriété de... (suivi du nom désignant le ou les biens). *Acquérir la propriété de qqch.* ⇒ **Appropriation, approprier.** *La propriété d'un immeuble peut être individuelle ou collective. Propriété des épaves* (cit. 1). *Propriété d'une lettre de change* (→ Endossement, cit.), *de titres* (→ Expliquer, cit. 19). *Propriété de lettres missives.*

1 (...) il est impossible de concevoir l'idée de la propriété naissante d'ailleurs que de la main-d'œuvre; car on ne voit pas ce que, pour s'approprier les choses qu'il n'a point faites, l'homme y peut mettre de plus que son travail. C'est le seul travail qui, donnant droit au cultivateur sur le produit de la terre qu'il a labourée, lui en donne par conséquent sur le fonds, au moins jusqu'à la récolte, et ainsi d'année en année; ce qui, faisant une possession continue, se transforme aisément en propriété. ROUSSEAU, De l'inégalité parmi les hommes, II.

2 Tel est le principe de la propriété simple, *droit de gérer arbitrairement les intérêts généraux pour satisfaire les fantaisies individuelles.*
Charles FOURIER, Textes choisis, p. 91.

3 L'esprit de propriété est le plus fort levier qu'on connaisse pour électriser les civilisés; on peut, sans exagération, estimer au double produit le travail du propriétaire, comparé au travail servile ou salarié.
Charles FOURIER, Textes choisis, p. 139.

4 La propriété est le droit de jouir et disposer des choses de la manière la plus absolue, pourvu qu'on n'en fasse pas un usage prohibé par les lois ou par les règlements. Code civil, art. 544.

5 (...) toute propriété se résout en un système de jouissances, elle procure finalement au propriétaire la satisfaction de besoins variés, besoins élémentaires de la vie, besoins de luxe, besoins de liberté ou de domination.
JAURÈS, Hist. socialiste, t. V, p. 203.

6 (...) il y a dans le sentiment qui attache l'homme à la propriété autre chose que le plaisir d'avoir, et c'est le plaisir de faire; c'est pourquoi l'homme peut s'intéresser de cœur à une œuvre commune et y retrouver avec bonheur la marque de son outil. ALAIN, Propos, 25 janv. 1923, Collectivisme et Communisme.

7 Le propriétaire qui se sert de sa chose, qui cultive son champ, n'exerce pas un droit. Les choses se passeraient exactement de même s'il n'était pas propriétaire. Il y a une possibilité de fait; il n'y a pas l'exercice d'un droit. La question de droit ne se pose que lorsqu'un obstacle est apporté par une volonté étrangère à l'usage de la chose (...) on a imaginé de dire que la propriété est un droit subjectif. La propriété est protégée par le droit; mais elle n'est pas un droit; elle est une chose, une utilité, une richesse.
L. DUGUIT, Traité de droit constitutionnel, t. I, p. 446.

8 Entre ces deux régimes de propriété (copropriété indivise et propriété collective), la différence n'est pas seulement dans les mots; ils diffèrent en ce que la *propriété collective supprime l'autonomie des parts individuelles.*
M. PLANIOL, Traité élémentaire de droit civil, t. I, p. 1047.

8.1 — Saloperie, dit une troisième, on lui a donc jamais appris à cette petite que la propriété, c'était sacré? R. QUENEAU, Zazie dans le métro, Folio, p. 57-58.

Par ext. (appliqué à des biens incorporels*, emploi discuté par les juristes). Monopole temporaire d'exploitation d'une œuvre, d'une invention par son auteur. *Propriété littéraire; propriété artistique* (→ Identiquement, cit.). ⇒ **Auteur** (droits d'). *Propriété industrielle :* « droit exclusif à l'usage d'un nom commercial, d'une marque, d'un brevet, d'un dessin ou modèle de fabrique et plus généralement d'un moyen spécial de rallier la clientèle » (Capitant). ⇒ **Brevet.**

9 Ce projet de loi, le voici (...) il répond à tout : « Article unique : La propriété littéraire est une propriété.
A. KARR, les Guêpes, Les femmes, mars 1841, *in* GUERLAC.

♦ **2.** *(La propriété de qqn).* Ce qu'on possède en propriété. *C'est ma propriété :* c'est à moi, cela m'appartient*, c'est le mien*. *Faire sa propriété de...* ⇒ **Appropriation** (cit. 2). *Richesses qui sont la propriété de quelques-uns et l'esclavage du plus grand nombre.* → Engraisser, cit. 5. *Ce domaine est la propriété de la famille X... Crime contre les personnes et les propriétés.* → Association, cit. 14. *Aliénation* d'une propriété.*

Par ext. *Des procédés qui sont la propriété commune de tous les hommes.* ⇒ **Patrimoine** (→ Œuvre, cit. 3).

Personne considérée comme un bien dont on dispose. *Les esclaves étaient la propriété de leur maître.*

(...) le véritable Figaro qui, tout en défendant Suzanne, sa propriété, se moque des projets de son maître (...) BEAUMARCHAIS, le Mariage de Figaro, Préface. 10

(...) que les rois sont faits pour les peuples et que les peuples ne sont pas la propriété des rois. RUHL, cité par JAURÈS, Hist. socialiste, t. III, p. 125. 11

(Il) est à moi; c'est mon bien, c'est ma propriété, c'est ma chose (...) 12
Th. GAUTIER, les Grotesques, II, p. 42.

♦ **3.** (1472). Spécialt. *(Une, des propriétés).* Bien-fonds* (terre, construction) possédé en propriété. ⇒ **Domaine, fonds, héritage** (vx), **immeuble; capital** (en nature). *Cette propriété consiste en une terre, une plantation, une maison.* ⇒ **Habitation.** *Propriété d'agrément, de rapport. Revenu* d'une propriété. Acquérir, vendre une propriété* (⇒ **Réaliser**). *Propriété héritée des ascendants.* ⇒ **Patrimoine.** *Propriété de famille,* héritée des ascendants (se prend aussi au sens cour., ci-dessous : maison avec jardin, etc.). → Plaisir, cit. 30. — *Propriété indivise* (→ Hanter, cit. 19). *Limite* (cit. 2), *bornage* (cit. 1) *de propriétés. Murs, murailles des riches propriétés bourgeoises* (→ Flanc, cit. 11). *Appartenances* (cit. 2), *dépendances, parc* (cit. 9) *d'une propriété. Pancarte portant les mots « propriété privée ». Propriété de campagne.* ⇒ **Campagne** (vx). *Servitudes* d'une propriété. Propriété grevée d'hypothèques** (cit. 5). *Inscriptions* (cit. 5) *qui pèsent sur des propriétés. Propriété vendue en viager. Propriété qu'on loue* (⇒ **Bail**). *Gérer* (cit. 2) *les propriétés de qqn.* ⇒ **Régisseur.**

Il possédait par là une propriété qui appartenait à sa famille, depuis plusieurs générations. Petite terre et de maigre rapport (...) 13
Edmond JALOUX, Fumées dans la campagne, VIII.

Cour. Riche maison d'habitation, avec un jardin, un parc.

À la sortie du village s'étendaient des propriétés : derrière les grilles, les barrières de bois, il y avait des perspectives de pelouses, de parterres de fleurs de buis taillés (...) P. NIZAN, le Cheval de Troie, I, I. 14

Spécialt. Terres et exploitations agricoles. *Propriété agricole, rurale* (→ Culture, cit. 4). *Grandes propriétés romaines.* ⇒ **Latifundia.** *Propriétés des colons.* ⇒ **Plantation** (cit. 4). *Propriété collective en U. R. S. S.* (⇒ **Kolkhose; mir**). *Propriété cadastrée.* ⇒ **Cadastre.** *Donner une propriété à ferme.* ⇒ **Ferme.** *Petites* (→ Are, cit.) *et grandes propriétés. Le partage des successions émiette* (cit. 3) *la propriété. Division* (cit. 1) *excessive des propriétés* (⇒ **Démembrement**). *Multiplication des petites propriétés* (→ Agraire, cit.). ⇒ **Morcellement** (cit. 1), **parcellement** (cit. 2). *Propriété morcelée* (cit. 2). *Regroupement de petites propriétés.* ⇒ **Remembrement.**

(Collectif). *La grande, la petite propriété* (→ Colonisation, cit. 2).

(...) la lutte s'établit et s'aggrave entre la grande propriété et la petite (...) Les uns, comme moi, sont pour la grande, parce qu'elle paraît aller dans le sens même de la science et du progrès, avec l'emploi de plus en plus large des machines, avec le roulement des gros capitaux (...) Les autres, au contraire, ne croient qu'à l'effort individuel et préconisent la petite, rêvent de je ne sais quelle culture en raccourci, chacun produisant son fumier lui-même et soignant son quart d'arpent, triant des semences une à une, leur donnant la terre qu'elles demandent, élevant ensuite chaque plante à part, sous cloche (...) Laquelle des deux l'emportera? 15
ZOLA, la Terre, II, V.

Formes de propriété et formes d'exploitation ne se superposent pas toujours. La grande propriété ne constitue pas nécessairement la grande culture : dans l'Ouest, beaucoup de grandes propriétés se répartissent entre un grand nombre de petites exploitations. La petite propriété n'entraîne pas toujours la petite exploitation : dans le Vexin et le Valois, beaucoup de grandes fermes ont réuni, pour les exploiter en un même bloc de terre, un certain nombre de petites propriétés. 16
DEMANGEON, Géographie économique et humaine de la France, t. I, p. 142.

Par ext. Les propriétaires de cette sorte de biens. *Loi qui mécontente la grande propriété.*

★ **II.** (V. 1265). Qualité* propre, caractère* (surtout caractère de fonction) qui est commun à tous les individus d'une espèce (sans nécessairement leur appartenir exclusivement). ⇒ **Propre** (n. m.; adj.); **attribut; faculté, pouvoir, vertu.** *Ensemble constant de caractères et de propriétés.* ⇒ **Essence, nature** (→ Existence, cit. 7). *Les propriétés de la matière* (→ Âme, cit. 18; expérimenter, cit. 7). *Définir un corps, un phénomène par ses propriétés* (→ Électricité, cit. 4). *Propriétés constitutives.*

Chim. Ensemble de constantes, de phénomènes, de réactions d'une substance; manière dont elle se comporte suivant les conditions (pression, température, etc.) dans lesquelles elle est placée. *Propriétés physiques** (densité, température de fusion et d'ébullition, etc.), *chimiques* (réactions diverses), *physiologiques* (action sur l'organisme). — *Propriétés imaginaires des pierres précieuses* (→ Jade, cit. 1), *des planètes* (→ Maléfique, cit. 1). *Propriétés des principes** (cit. 7) *occultes.* ⇒ **Efficacité.** — Biol. *Propriétés vitales* (→ Physico-chimie, cit. 2). *L'excitabilité* (cit. 3) *et la conductibilité, propriétés des nerfs. Propriété des muscles de se contracter* (→ Chair, cit. 1). *Les propriétés stimulantes de l'avoine* (cit. 1). — Math. *Propriétés des opérations naturelles* (→ Nombre, cit. 7). *Propriétés d'un ensemble* (2. Ensemble, cit. 18). *Propriétés de l'espace* (cit. 8), *de la ligne droite* (→ 2. Plan, cit. 2).

17 (...) il connaît les vertus et les propriétés
De tous les simples de ces prés (...) LA FONTAINE, Fables, V, 8.

18 Car la matière inanimée, cette pierre, cette argile qui est sous nos pieds, a bien quelques propriétés : son existence seule en suppose un très grand nombre, et la matière la moins organisée ne laisse pas que d'avoir, en vertu de son existence, une infinité de rapports avec toutes les autres parties de l'univers.
BUFFON, Hist. nat. des animaux, Compar. anim. et végétaux.

19 Si dans la physique (...) on se proposait de chercher (...) quelle est la propriété première, essentielle à la substance d'où peuvent dériver toutes les qualités secondes que l'expérience découvre l'une après l'autre (...)
MAINE DE BIRAN, Examens des leçons de philosophie, § II.

20 (...) la vie, dont la mort est une des propriétés caractéristiques.
VALÉRY, l'Idée fixe, p. 79.

Les propriétés du langage (→ Littérature, cit. 20), *de la langue française* (→ Génie, cit. 12).

★ **III.** (Fin XVIe). Littér. Qualité du mot propre. ⇒ **Convenance.** *La propriété d'un mot* (→ Académie, cit. 4), *d'une expression. Propriété des termes* (→ Justesse, cit. 2). — Par ext. *La propriété et la verve du style de Rabelais* (→ Gymnastique, cit. 16).

21 « Mon cher Richard, vous vous f... de moi, et vous avez raison ». Mon cher lecteur, pardonnez-moi la propriété de cette expression ; et convenez qu'ici comme dans une infinité de bons contes (...) le mot honnête gâterait tout.
DIDEROT, Jacques le fataliste, Pl., p. 662.

CONTR. (De III) **Impropriété.**
COMP. Copropriété.

PROPRIO [pʀɔpʀijo] n. m. — 1878 ; de *propriétaire*, et suff. pop. *-o.*

♦ Fam. Propriétaire d'immeuble, pour son locataire. ⇒ **Probloque.** *Le proprio les a mis à la porte. C'est son proprio, sa proprio. Il déteste ses proprios.*

1 Elles devaient se faire belles, et le soir revenir vers neuf heures sortir et ramener des hommes avec elles dans la maison de leur digne « proprio ».
GORON, l'Amour à Paris, t. III, p. 1580 (v. 1900).

2 Bien souvent, l'argent manquait à la fois pour la pharmacie, le pain et le proprio.
M. AYMÉ, le Passe-muraille, p. 55.

3 Il n'oserait pas se montrer. Il envoie son gérant, la vache. On dit pourtant dans le quartier qu'il est bien aimable le proprio quand on le rencontre. Ça n'engage à rien.
CÉLINE, Voyage au bout de la nuit, p. 219.

PROPRIOCEPTEUR [pʀɔpʀiɔsɛptœʀ] n. m. et adj. — Mil. XXe (*in* Piéron, 1951) ; de *proprioceptif.*

♦ Didact. (physiol.). Récepteur de la sensibilité des muscles, des os, des tendons, qui permet au sujet d'avoir conscience des mouvements de son propre corps.

PROPRIOCEPTIF, IVE [pʀɔpʀijosɛptif, iv] adj. — Av. 1951, Piéron ; de *propre*, et l'élément de *(ré)ceptif, (per)ceptif.*

♦ Didact. (physiol.). *Sensibilité proprioceptive*, propre aux muscles, ligaments, os, par oppos. à la sensibilité tactile (dite *extéroceptive*) et à la sensibilité viscérale *(intéroceptive). Espace proprioceptif. On reconnaît mal sa propre voix enregistrée, car la transmission purement aérienne du son est différente de ce qu'elle est lorsqu'elle est associée à la transmission proprioceptive.*

1 C'est (...) par apport à l'axe orienté de la pesanteur que nous construisons fondamentalement notre représentation, grâce à un repérage sensoriel conjuguant les impressions labyrinthiques d'origine maculaire, les impressions tactiles, enfin les impressions émanant des différents récepteurs situés dans les muscles, les aponévroses, les tendons, les capsules et les ligaments articulaires (récepteurs de la sensibilité proprioceptive). J. GUILLERME, la Vie en haute altitude, p. 106.

2 La sensibilité du corps propre est celle que Sherrington a appelée proprioceptive, par opposition à la sensibilité extéroceptive, qui est tournée vers l'extérieur et qui a pour organes les sens. À chacune des deux répondent des formes d'activité musculaire distinctes, bien qu'étroitement conjuguées.
Henri WALLON, l'Évolution psychologique de l'enfant, p. 49.

PROPRIOCEPTION [pʀɔpʀijosɛpsjɔ̃] n. f. — 1968 ; de *proprioceptif.* → Proprioceptivité.

♦ Didact. Perception proprioceptive*, activité de la sensibilité proprioceptive.

PROPRIOCEPTIVITÉ [pʀɔpʀijosɛptivite] n. m. — 1945, Merleau-Ponty ; de *proprioceptif.*

♦ Didact. ⇒ **Proprioception.**

PROPULSER [pʀɔpylse] v. tr. — 1863 ; de *propuls(ion)* ; en moy. franç. « écarter », 1521, du lat. *propulsare.*

♦ **1.** Rare. Faire avancer au moyen d'un propulseur.
Cour. (Au p.p.). *Missile propulsé par une fusée à combustible liquide. Engin propulsé par ses propres moyens.* ⇒ **Autopropulsé.**
Par ext. Projeter au loin, avec violence.

♦ **2.** Fig. *Propulser qqn à (un poste)*, l'y mettre, sans qu'il ait fait grand-chose pour l'obtenir ou le mériter.

▶ **SE PROPULSER** v. pron. (Passif). *Cette fusée se propulse à l'hydrogène.*
(Réfl.). Fam. Se déplacer. *Elle se propulse en moto. Se propulser dans la nature :* se promener.

COMP. Autopropulsé.

PROPULSEUR [pʀɔpylsœʀ] adj. et n. — 1846 ; de *propuls(ion).*

★ **I.** Adj. m. Qui transmet le mouvement de propulsion. *Organe, mécanisme propulseur.*

La seule force propulsive qu'elle ait jamais montrée fut le simple mouvement acquis par la descente du plan incliné (...) et en l'absence du propulseur, qui lui servait en même temps d'appui, toute la machine devait nécessairement descendre vers le sol. Cette considération induisit sir George Cayley à ajuster un propulseur à... un ballon (...) La force motrice, ou principe propulseur, était... attribuée à des surfaces non continues ou ailes tournantes. 1
BAUDELAIRE, Trad. E. POE, Histoires extraordinaires, Canard au ballon.

★ **II.** N. m. ♦ **1.** (1846). Engin de propulsion assurant le déplacement d'un bateau, d'un avion, d'un engin spatial. *Propulseur de fusée.* ⇒ **Booster** (anglicisme). *Propulseur à hélice, propulseur d'étrave, propulseur transversal, propulseur à tuyère. Propulseur à gaz* (⇒ **Turbopropulseur**), *à réaction* (⇒ **Statoréacteur, turboréacteur**). *Propulseur fonctionnant hors des limites de l'atmosphère* (⇒ **Anaérobie**). *Propulseur auxiliaire.*

Dans le mouvement de rotation d'un propulseur à hélice ordinaire, les molécules d'eau repoussées par le mouvement de l'hélice ne sont pas seulement chassées vers l'arrière, de manière à produire la réaction (...) 2
L. FIGUIER, l'Année scientifique et industrielle 1859, t. I, p. 341 (1858).

♦ **2.** Ethnol., préhist. Instrument (le plus souvent : bâton muni d'un crochet contre lequel vient buter l'objet lancé) destiné à amplifier la longueur de la course du bras dans le lancer d'une sagaie, d'un harpon...

Le propulseur est attesté plus tard, au Magdalénien des environs de 13 600 ; c'est une baguette à crochet qui sert à accélérer le jet de la sagaie (...) en ajoutant au bras du lanceur qui la tient en main la valeur mécanique d'un coude et d'un avant-bras supplémentaires. A. LEROI-GOURHAN, le Geste et la Parole, t. II, p. 47. 3

♦ **3.** Techn. Dispositif d'une machine à filer le plastique, qui permet de l'approvisionner en pâte.

COMP. Motopropulseur, turbopropulseur.

PROPULSIF, IVE [pʀɔpylsif, iv] adj. — 1846 ; de *propulsion.*

♦ Didact. Qui produit un effet de propulsion. *Hélice, roue propulsive. Poudre propulsive* (opposée à *brisante*).

PROPULSION [pʀɔpylsjɔ̃] n. f. — 1640, rare av. 1834 ; du lat. *propulsus*, p. p. de *propellere* « pousser devant soi ».

♦ **1.** Didact. Action de pousser en avant, de mettre en mouvement, en circulation ; résultat de cette action. *Le cœur, organe de propulsion, qui projette le sang dans le système artériel.*

♦ **2.** Cour. Production d'une force qui assure le déplacement d'un mobile. *Propulsion au sol des êtres animés, des véhicules. Propulsion dans les fluides. Force de propulsion.* — *Propulsion des bateaux par hélices, par roues à aubes...* (⇒ **Propulseur**). *Propulsion électrique. Propulsion par jet de gaz* (⇒ **Poussée**), *par réaction*, s'effectuant par projection de masses de fluides (liquide, gaz) vers l'arrière. *Propulsion mécanique*, par turbopropulseurs, turboréacteurs... *Propulsion thermique*, par statoréacteurs. — *Propulsion* (auto-propulsion) *des fusées* (cit. 10). ⇒ **Propergol.** *Propulsion d'un avion-cible par pulsoréacteur. Propulsion atomique, nucléaire. Propulsion électrothermique, ionique, photonique, plasmique.*

La différence fondamentale entre la propulsion au sol et la propulsion dans les fluides provient de ce que, dans ces derniers, le milieu sur lequel le propulseur prend appui n'est pas fixe, mais cède à la réaction et reçoit une certaine vitesse vers l'arrière. Le fluide absorbe ainsi une partie de l'énergie de propulsion, qui se dissipe progressivement par frottement entre particules voisines (...)
Georges LEHR, la Propulsion des avions, p. 6.

♦ **3.** Méd. Syn. de *antépulsion**.

DÉR. et **COMP. Propergol. — Propulser, propulseur, propulsif. — Autopropulsion, thermopropulsion.**

PROPYL- [pʀɔpil] Préfixe employé en chimie, pour former les noms des composés possédant le radical propyle (⇒ **Propyle**). Ex. : *propylamine, propylbenzène.*

PROPYLAMINE [pʀɔpilamin] n. f. — 1874, *Année sc. et industr.*, p. 412-413 ; de *propyl-*, et *amine.*

♦ Chim. Amine primaire de formule $CH_3 — CH_2 — CH_2 — NH_2$.

PROPYLE [pʀɔpil] n. m. — 1873, P. Larousse ; → *propylamine*, 1855, Nysten-Littré ; angl. *propyl*, 1859 ; de *propionique*, et *-yle.*

♦ Chim. Radical univalent (CH_3 — CH_2 — CH_2—) dérivé de l'alcool propylique. *Chlorure, bromure de propyle.*

DÉR. Propylique.

PROPYLÉE [pʀɔpile] n. m. — 1752; grec *propulaion,* proprt «ce qui est devant la porte», de *pro,* et *pulê* «porte».

♦ Didact. (antiq. grecque). Vestibule d'un temple. — Au plur. Portique à colonnes qui formait l'entrée, la porte* monumentale d'un sanctuaire, d'une citadelle. — Cour. *Les Propylées de l'Acropole d'Athènes.* — Absolt. *Les Propylées.*

(...) l'immense escalier de marbre long de cent pieds, large de soixante-dix, qui conduisait aux Propylées, vestibule de l'Acropole.
TAINE, Philosophie de l'art, t. II, p. 213.

(Au XVIIIe). *Les Propylées de Ledoux* (construits aux barrières de Paris).

PROPYLÈNE [pʀɔpilɛn] n. m. — 1869; de *propane,* d'après *éthyle,* et suff. *-ène,* indicatif des carbures d'hydrogène.

♦ Chim., techn. Deuxième membre de la série des hydrocarbures éthyléniques (formule $CH_3CH = CH_2$). *Cable de propylène.* Syn. : *propène.*

PROPYLIQUE [pʀɔpilik] adj. — 1868, Littré; de *propyle.*

♦ Chim. *Alcool propylique :* alcool homologue supérieur de l'alcool éthylique. *Alcool propylique* (propanol) et *alcool isopropylique* (propanol 2 ou diméthylcarbinol).

PROQUESTEUR [pʀokɛstœʀ] n. m. — 1765, *Encyclopédie;* lat. *pro quaestore.*

♦ **1.** Didact. Questeur* romain sorti de charge et remis en activité dans une province.

♦ **2.** Officier romain chargé par un gouverneur de remplir les fonctions d'un questeur.

DÉR. Proquesture.

PROQUESTURE [pʀokɛstyʀ] n. f. — 1869; de *proquesteur,* d'après *questure.*

♦ Didact. (hist. rom.). Charge de proquesteur.

PRORATA [pʀɔʀata] n. m. invar. — 1594, *in* D. D. L.; *pro rata,* adv., «proportionnellement», 1360; du lat. *pro rata (parte)* «selon la part calculée, dans un rapport déterminé».

♦ **1.** Loc. prép. AU PRORATA DE... : en proportion de, proportionnellement à. *Le partage, la liquidation des biens d'un failli a lieu entre ses créanciers au prorata de leurs créances.* ⇒ **Marc** (au marc le franc). *La participation* (cit. 3) *aux bénéfices est généralement fixée au prorata des salaires. Levée au jeu qui se paye au prorata de la mise* (→ Miser, cit. 1).

1 Imaginez une société où (...) tout le monde travaille selon son intelligence et sa vigueur, et où les produits de cette coopération sociale sont distribués à chacun, au prorata de son effort.
ZOLA, l'Argent, I.

2 Les hommes les couvrirent de bijoux au prorata de leurs bilans.
M. DURAS, Moderato cantabile, p. 130.

♦ **2.** N. m. (1684). Vx. Quote-part. *Toucher, verser son prorata.*

PROROGATIF, IVE [pʀɔʀɔgatif, iv] adj. — 1800; lat. *prorogativus.*

♦ Didact. Qui a pour effet de proroger. *Mesures prorogatives.*

PROROGATION [pʀɔʀɔgasjɔ̃] n. f. — 1313; lat. *prorogatio,* rad. *prorogare.* → Proroger.

♦ **1.** Action de proroger*; résultat de cette action; fixation d'un terme à une date postérieure à celle qui avait été primitivement fixée. *Prorogation de jouissance accordée à un locataire.* ⇒ **Prolongation.** *Prorogation de délai, de terme.* ⇒ **Renouvellement.** *Demander la prorogation de son mandat, de ses fonctions* (→ aussi Impétrer, cit. 2). *Prorogation d'enquête.*

Sa grande affaire du moment était d'obtenir de Malin une prorogation du bail de sa ferme qui n'avait plus que six ans à courir.
BALZAC, Une ténébreuse affaire, Pl., t. VII, p. 463.

♦ **2.** (1683; angl. *prorogation*). Polit. Acte du pouvoir exécutif suspendant les séances d'une assemblée et en reportant la suite à une date ultérieure.

CONTR. Dissolution.

PROROGER [pʀɔʀɔʒe] v. tr. — Conjug. *bouger.* — 1330, *proroguer;* lat. *prorogare.*

♦ **1.** Renvoyer à une date ultérieure; accorder un délai* pour l'exécution de qqch. *Proroger une échéance.* — Faire durer au delà de la date d'expiration fixée. ⇒ **Prolonger.** *Le délai a été prorogé. Proroger un traité.*

♦ **2.** (1690; angl. *to prorogue*). Polit. *Proroger une assemblée,* en décréter la prorogation. — Pron. (réfl.). *Parlement qui se proroge jusqu'en octobre.*

♦ **3.** Littér. Retarder (un moment, un instant).

PROSAÏQUE [pʀozaik] adj. — Déb. XVe; bas lat. *prosaicus,* rad. *prosa.* → Prose.

♦ **1.** Vx. Qui a rapport ou appartient à la prose*. *Tours prosaïques.* — Péj. Qui tient trop de la prose, qui manque d'élévation, de grâce. *Vers prosaïques* (→ Languissant, cit. 13).

♦ **2.** (Mil. XVIe). Fig. et mod. Qui manque d'élégance, de distinction, de noblesse. ⇒ **Commun, vulgaire.** *Vie prosaïque et mercenaire* (cit. 5). *Travaux prosaïques* (→ Poète, cit. 11). *Femme préoccupée de détails prosaïques.* ⇒ **Terre** (*supra* cit. 2, terre à terre). (→ Ménager, cit. 3). *Esprit bourgeoisement* (cit. 2) *prosaïque,* sans poésie*.

La femme au cœur prosaïque, celle qui n'est pas une poésie vivante, une harmonie pour relever l'homme, élever l'enfant, sanctifier constamment et ennoblir la famille, a manqué sa mission, et n'aura aucune action, même en ce qui semble vulgaire. 1
MICHELET, la Femme, I, VI.

(1797). Personnes. *Un bourgeois prosaïque.* ⇒ **Matériel** (→ Héros, cit. 36).

Tous les hommes me semblaient *prosaïques* et plats dans les idées qu'ils avaient de l'amour et de la littérature. 2
STENDHAL, Vie de Henry Brulard, p. 43.

Ce n'est pas cet imbécile qui m'aurait éclairée, *il* trouve bien tout ce que je fais, *il* est d'ailleurs bien trop *pot-au-feu,* trop prosaïque pour avoir le sens du beau. 3
BALZAC, le Prince de la Bohème, Pl., t. VI, p. 835.

N. (Av. 1842, Stendhal). Rare. *Personne prosaïque.*

CONTR. Lyrique, poétique. — Idéal, noble.

DÉR. Prosaïquement, prosaïser, prosaïsme.

PROSAÏQUEMENT [pʀozaikmɑ̃] adv. — 1833; «en prose», 1539; de *prosaïque.*

♦ **1.** Vx. D'une manière, d'un style qui rappelle trop la prose. *Une ode prosaïquement écrite.*

♦ **2.** (1833). Mod. D'une manière prosaïque (2.). ⇒ **Banalement, platement.** *Vivre prosaïquement.*

Le mariage était rompu. La raison?... La Gilardière n'était pas La Gilardière, mais prosaïquement un sieur Manchon (...)
É. ESTAUNIÉ, l'Appel de la route, V, p. 75.

PROSAÏSER [pʀozaize] v. — 1723; *prosaïquer,* déb. XVIe; de *prosaïque.*

Vieux ou littéraire.

★ **I.** V. intr. Vx. ♦ **1.** Écrire en prose.

♦ **2.** (1878). Écrire de la poésie de façon plate et inintéressante.

★ **II.** V. tr. (1837). Littér. Rendre prosaïque (2.), banal; ôter sa distinction à. ⇒ **Banaliser.**

Et de même que le vin devient pour bon nombre d'intellectuels une substance médiumique qui les conduit vers la force originelle de la nature, de même le bifteck est pour eux un aliment de rachat, grâce auquel ils prosaïsent leur cérébralité et conjurent par le sang et la pulpe molle, la sécheresse stérile dont sans cesse on les accuse.
R. BARTHES, Mythologies, p. 78.

Pron. (1845). *Se prosaïser.*

PROSAÏSME [pʀozaism] n. m. — 1785; de *prosaïque.*

♦ **1.** Vx. Caractère de ce qui est prosaïque (1.). *Le prosaïsme de ces vers.*

(1835). Didact. Tournure courante, considérée comme inacceptable dans un style soutenu.

♦ **2.** (1842). Mod. Caractère de ce qui est plat, sans noblesse. ⇒ **Monotonie, vulgarité.** *Il est écœuré par le prosaïsme de sa vie.*

Au souffle glacial du prosaïsme, j'ai perdu une à une toutes mes illusions (...)
Th. GAUTIER, les Jeunes-France, Contes humoristiques, Âme de la maison, I.

PROSAÏSTE [pʀozaist] n. — 1827; de *prose,* et suff. *-iste.*

♦ Littér. et rare. Partisan de l'usage de la prose (dans un genre, en littérature).

PROSATEUR [pʀozatœʀ] n. m. — 1666, Ménage; rare av. XVIIIe; ital. *prosatore,* rad. lat. *prosa.* → Prose.

♦ Auteur qui écrit (cit. 44) en prose. ⇒ **Auteur.** *Un grand prosateur*

(→ Lignée, cit. 6; nostalgie, cit. 9). *Poètes et prosateurs* (→ Dictionnaire, cit. 1). *Les premiers prosateurs grecs.* ⇒ **Logographe.**

1 On ne dit rien en vers qu'on ne puisse très souvent exprimer aussi bien dans notre prose, et cela n'est pas toujours réciproque. Le prosateur tient plus étroitement sa pensée, et la conduit par le plus court chemin (...) RIVAROL, Littérature, I.

2 Je vous ai dit que Théophile de Viau était un grand poète; vous avez pu voir, par les fragments que j'ai cités plus haut, que c'était un non moins grand prosateur, que ses pieds valaient ses ailes, et qu'il marchait aussi bien qu'il volait : cela est un privilège de poète (...) Th. GAUTIER, les Grotesques, III, p. 98.

CONTR. Poète.

PROSCENIUM [pʀɔsenjɔm] n. m. — 1719, *in* D. D. L.; *proscenio,* par l'ital., 1627; mot lat., du grec *proskênion.*

♦ **1.** Antiq. Corniche qui coupe le mur de fond et surplombe la scène d'un théâtre antique. — Par ext. ⇒ **Avant-scène.**

♦ **2.** Mod. Avant-scène.

L'un de ces escaliers partait du fond de la scène et montait vers le cintre. L'autre commençait presque au proscenium et s'en allait vers le mur de refend qui séparait les «locaux artistiques» des quelques pièces réservées à l'administration. G. DUHAMEL, Chronique des Pasquier, IX, VI. (1941).

PROSCRIPTEUR [pʀɔskʀiptœʀ] n. m. — 1542, rare av. 1721; lat. *proscriptor.*

♦ Didact. Personne qui proscrit, pratique la proscription.

Ce fut ce moine chassé et dépouillé, occupé à compter consciencieusement pour ses proscripteurs les reliques de son cloître, qui me rendit les quinze cents francs avec lesquels j'allais m'acheminer vers l'exil. CHATEAUBRIAND, Mémoires d'outre-tombe, t. II, p. 27.

PROSCRIPTION [pʀɔskʀipsjɔ̃] n. f. — XIVe; lat. *proscriptio* «affichage pour une vente», et, par ext., «proscription», par allus. aux listes de proscrits que Sylla faisait afficher au Forum; rad. *proscribere.* → Proscrire.

♦ **1.** Hist. rom. Mise hors la loi, condamnation* prononcée sans jugement contre des adversaires politiques dans la Rome antique. *Les sanglantes proscriptions de Sylla* (→ ci-dessous, cit. 1).

1 *(Sylla)* gouverne par la terreur. Pendant plusieurs mois ce furent d'atroces massacres (...) le système des «proscriptions» organise les tueries : le dictateur fait afficher des listes de condamnés (sans jugement préalable), dont les biens seront confisqués et que le premier venu pourra mettre à mort en se faisant verser une prime. J.-R. PALANQUE, *in* Encycl. Pl., Hist. universelle, t. I, Occident et République romaine, p. 945.

♦ **2.** (1525). Cour. Mesure plus ou moins arbitraire de répression, et, spécialt, de bannissement, prise à l'encontre de certaines personnes, en période d'agitation civile ou de dictature (⇒ **Exil; ostracisme**). *Proscriptions politiques, religieuses. Listes, tables de proscription* (→ Léger, cit. 33). *Les victimes de la proscription* (⇒ **Proscrit**).

2 Dans la proscription du prince d'Orange, Philippe II promet à celui qui le tuera de donner à lui ou à ses héritiers vingt-cinq mille écus et la noblesse (...) MONTESQUIEU, l'Esprit des lois, XXIX, XVI.

3 On l'avait expulsé au 2 décembre; il s'était rendu à Bruxelles où il était venu me voir; chassé de Bruxelles, il était allé à Londres; et à Londres, il avait vécu plus d'un an dans les derniers échelons de la misère de la proscription. HUGO, Choses vues, 1853, L'espion Hubert.

♦ **3.** (1672). Action de proscrire* qqch.; résultat de cette action. *Proscription de certains mots* (→ Fortune, cit. 39; ouvrir, cit. 21). ⇒ **Condamnation.**

PROSCRIRE [pʀɔskʀiʀ] v. tr. — Conjug. *écrire.* — 1175; empr. d'après *écrire* au lat. *proscribere* «porter sur une liste de proscription», de *pro,* et *scribere* «écrire».

♦ **1.** Antiq. et hist. Frapper de proscription*. ⇒ **Bannir, exiler.** «*Punissons l'assassin* (cit. 4), *proscrivons les complices*» (Corneille). *Proscrire la moitié du Sénat* (→ Fournée, cit. 5). «*J'ai été chassé, traqué, poursuivi..., maudit* (cit. 10), *proscrit*» (Hugo).

1 La malheureuse coutume de proscrire, introduite par Sylla, continua sous les empereurs (...) Les proscriptions de Sévère firent que plusieurs soldats de Niger se retirèrent chez les Parthes (...) MONTESQUIEU, Grandeur et décadence des Romains, XVI.

(1718). Chasser, éloigner. *Proscrire un homme de la société.* ⇒ **Rejeter** (→ Pernicieux, cit. 3). *Les Jésuites, proscrits par le Saint-Siège* (→ Janissaire, cit. 2).

Par métaphore. Faire disparaître, abolir. *Rome, où les dieux «ont proscrit la liberté pour jamais»* (→ Dictateur, cit. 1, Montesquieu). *Proscrire de son style les mots superflus.* ⇒ **Éliminer** (→ Conjonction, cit. 8).

2 La politesse des hautes classes de France, et probablement d'Angleterre, *proscrit toute énergie,* et l'use si elle existait par hasard. STENDHAL, Souvenirs d'égotisme, 6.

♦ **2.** (Déb. XVIIe). Fig., littér. Interdire formellement (une chose que l'on condamne). ⇒ **Interdire;** et aussi **Condamner** (cit. 12), **défendre.** *Louis XIV qui avait proscrit le calvinisme...* (cit. 2). *Les livres que proscrit l'Index* (cit. 7). ⇒ **Prohiber.** — *Malherbe proscrivit tous les hiatus* (cit. 1). ⇒ **Rejeter.** *Situations que la décence a proscrites au théâtre* (→ Naturel, cit. 21).

Aussi la jeune femme était-elle persuadée que l'inconnue était une *ci-devant* (...) — Madame? (...) lui dit-elle involontairement et avec respect en oubliant que ce titre était proscrit. BALZAC, Un épisode sous la Terreur, Pl., t. VII, p. 431. 3

On ne dansait plus. Les bals étaient proscrits comme une perdition. BARBEY D'AUREVILLY, les Diaboliques, «Dessous de cartes...». 4

Spécialt. Interdire l'usage de...

Je sais que les hommes de ce pays, dans un esprit de singulier despotisme, ont proscrit l'opium par des lois sévères. Claude FARRÈRE, la Bataille, VI. 5

Il continuait à faire la guerre à l'*anglomanie* à la mode, proscrivant la mousseline et imposant la soie, ou au moins le linon, à la Cour (...) Louis MADELIN, Hist. du Consulat et de l'Empire, Vers Empire Occident, VII. 6

▶ **PROSCRIT, ITE** p. p. adj. (1552, n.; adj., 1694). Qui est frappé de proscription. ⇒ **Banni, exilé; fugitif.** «*Persécuté, proscrit, chassé de son asile*» (→ Nom, cit. 31, Florian). *Les Juifs* (cit. 4), *peuple proscrit et malheureux.*

Seul, outragé, proscrit, errant au fond des bois, 7
LECONTE DE LISLE, Poèmes barbares, «Les deux glaives», I.

(...) tous les propos de Buzot proscrit exhalent la violence douloureuse des haines (...) JAURÈS, Hist. socialiste, t. VII, p. 519. 8

N. m. (1552, en parlant de l'Antiquité; 1694, pour l'époque moderne). *L'exil* (cit. 5) *du proscrit. Proscrits et émigrés* (cit. 2). *Liste de proscrits* (→ Exiler, cit. 9). *Proscrit qui retrouve sa patrie* (→ Grâce, cit. 45; et aussi foucade, cit. 3; intercéder, cit. 3; orgue, cit. 4). — Littér. *Les Proscrits,* roman de Balzac (1831).

Au mois d'avril dernier, un homme *(Hubert)* débarquait à Jersey, un réfugié politique (...) Il avait habité cinq mois (...) d'hiver, dans ce qu'on appelait une Sociale, espèce de grande salle délabrée (...) Il avait couché, les deux premiers mois de son arrivée, côte à côte avec un autre proscrit, Bourillon, sur la dalle de pierre devant la cheminée. Ces hommes couchaient sur cette dalle, sans matelas, sans couvertures, sans une poignée de paille, avec leurs haillons mouillés sur le corps. HUGO, Choses vues, 1853, L'espion Hubert. 9

Loc. (1812). Vx. *Figure, mine de proscrit : mine patibulaire.*

CONTR. Autoriser.

PROSCYNÈME [pʀɔsinɛm] n. m. — 1869; grec *proskunein.*

♦ Didact. Formule d'offrande placée au début des stèles funéraires égyptiennes.

PROSCYNÈSE [pʀɔsinɛz] n. f. — XXe (*in* Larousse, 1963); grec *proskunêsis* «prosternation», de *proskunein* «saluer en se prosternant».

♦ Didact. Prosternation pratiquée par les Perses devant les dieux et les monarques, et que les Grecs reprirent vers le IVe siècle.

1. PROSE [pʀoz] n. f. — 1265; lat. *prosa,* de *prosa oratio* «discours qui va en droite ligne, sans inversion».

★ **I.** ♦ **1.** Forme du discours oral ou écrit, manière de s'exprimer qui n'est soumise à aucune des règles de la versification.

(...) tout ce qui n'est point prose est vers; et tout ce qui n'est point vers est prose. MOLIÈRE, le Bourgeois gentilhomme, II, 4. 1

*Prose et poésie** (cit. 2 et 6). *Prose et vers libres. Faire des vers plus volontiers que de la prose* (→ Facilité, cit. 14). «*De la prose où les vers se sont mis*» (cit. 75, Rivarol).

La prose et le vers ne sont que des matières dont se sert le poète, fondeur et ciseleur, pour faire les figures de ses idées. Le vers, c'est le marbre; la prose, c'est l'airain. HUGO, Post-Scriptum de ma vie, L'esprit, Tas de pierres, III. 2

Tout ce qu'il y a en français d'invention, de force, de passion, d'éloquence, de rêve, de verve, de couleur, de musique spontanée de sentiment des grands ensembles, tout ce qui répond le mieux en un mot à l'idée que depuis Homère on se fait généralement de la poésie, chez nous ne se trouve pas dans la poésie, mais dans la prose. Les grands *poètes français* (...) s'appellent Rabelais, Pascal (...) Chateaubriand, Honoré de Balzac, Michelet. CLAUDEL, Positions et Propositions, Sur le vers français, p. 87-88. 3

Le langage parlé est de la prose. Il ne faut pas bannir l'hiatus (cit. 3) *de la prose. Style, vocabulaire de la prose. Genres en prose* (éloquence, histoire, lettres, philosophie, roman).

La prose est utilitaire par essence; je définirais volontiers le prosateur comme un homme qui se sert des mots. M. Jourdain faisait de la prose pour demander ses pantoufles et Hitler pour déclarer la guerre à la Pologne. SARTRE, Situations II, p. 70. 4

*Variétés de prose qui participent à certaines propriétés du vers : prose cadencée, mesurée**, rythmée (ou *rythmique*); *prose lyrique, poétique* (cit. 3).

(...) vous n'allez entendre chanter que de la prose cadencée ou des manières de vers libres, tels que la passion et la nécessité peuvent faire trouver à deux personnes qui disent les choses d'eux-mêmes et parlent sur-le-champ. MOLIÈRE, le Malade imaginaire, II, 5. 5

Comme il y a des vers qui se rapprochent de la prose, il y a une prose qui peut se rapprocher des vers. Presque tout ce qui exprime un sentiment ou une opinion décidée, a quelque chose de métrique ou de mesuré. Joseph JOUBERT, Pensées, XXII, CXXIV. 6

EN PROSE. *Écrire en prose* (→ Épurer, cit. 10). *Écrivain en prose* (⇒ **Prosateur**). *Comédie, fiction* (cit. 9), *ouvrage, tragédie en prose*

(→ Atterrer, cit. 4; gril, cit. 4; noble, cit. 10). *Avoir quelque talent en prose* (→ 1. Garde, cit. 67). — *Poème** (cit. 3) *en prose.*

7 Il se tue à rimer : que n'écrit-il en prose? BOILEAU, Satires, IX.

Loc. (1788). D'après une scène du *Bourgeois gentilhomme,* de Molière, → ci-dessus, cit. 1. *Faire de la prose sans le savoir (comme Monsieur Jourdain) :* avoir fait ou réussi qqch. sans en avoir eu la moindre intention, presque inconsciemment (→ ci-dessus, cit. 4, Sartre).

8 — Quoi? quand je dis : « Nicole, apportez-moi mes pantoufles, et me donnez mon bonnet de nuit », c'est de la prose? — Oui, Monsieur. — Par ma foi! Il y a plus de quarante ans que je dis de la prose sans que j'en susse rien (...) MOLIÈRE, le Bourgeois gentilhomme, II, 4.

♦ **2.** Par métonymie. Texte écrit en prose. *Apprendre* (cit. 17) *de la prose par cœur. Réciter des phrases de prose* (→ Lune, cit. 6). *Un volume de prose* (→ Galerie, cit. 7). — *Une prose poétique :* un poème en prose. *Proses lyriques* (titre de pièces de chant de Debussy).

♦ **3.** (1580). Manière propre à un auteur, une école, une époque, un pays... dans cette forme du discours; l'ensemble des textes que caractérise cette manière. ⇒ **Style.** *« Buffon et Jean-Jacques ont une prose noble, juste, vigoureuse, souple et brillante... »* (→ Déplacer, cit. 10, Sainte-Beuve). *La prose de Montaigne, de Rabelais, de Péguy, hérissée de citations* (cit. 7). *La prose française* (→ Gymnastique, cit. 16; nourrir, cit. 40). *La prose romantique.*

9 La prose française se développe en marchant, et se déroule avec grâce et noblesse. Toujours sûre de la construction de ses phrases, elle entre avec plus de bonheur dans la discussion des choses abstraites, et sa sagesse donne de la confiance à la pensée. RIVAROL, Littérature, I.

10 Il *(Rousseau)* a été vraiment un grand musicien, et, en un temps où le vers ne savait plus chanter, il a orchestré sa prose avec éclat. Gustave LANSON, l'Art de la prose, p. 201.

(XIVe). Fam. (Avec une nuance d'ironie ou de plaisanterie le plus souvent). Manière propre à une personne ou à certains milieux d'utiliser le langage écrit; texte, lettre où se reconnaît cette manière. *« La belle prose administrative »* (→ Gaver, cit. 4, Courteline). *Il y a de l'onction* (cit. 3) *dans sa prose. Voilà un échantillon de sa prose.* ⇒ **Style.** *J'ai lu votre prose,* ce que vous avez écrit.

10.1 On peut lire notre prose, il n'y est question que de machines à coudre. Il faut avoir la grille pour y découvrir un autre sens! G. LEROUX, Rouletabille chez Krupp, p. 151.

♦ **4.** (1832). Par métaphore, fig. (par oppos. à *poésie*). Les choses communes, vulgaires, quotidiennes, les réalités concrètes (⇒ aussi **Prosaïque, prosaïsme**).

11 Il l'aimait respectueusement; elle était la poésie de sa vie de garçon, où d'ailleurs la prose ne manquait pas. FRANCE, Jocaste, Œ., t. II, p. 59.

★ **II.** (V. 1340). Liturgie. Hymne latine qui se chante aux messes solennelles, après le graduel. ⇒ **Séquence.** *Les proses sont en vers rimés et rythmés, mais ne sont pas soumises à la quantité prosodique. Les cinq proses du Missel romain :* Dies irae, Lauda Sion, Veni Sancte spiritus, Stabat Mater, Victimae pascali.

Fig. *Prose pour Des Esseintes,* poème de Mallarmé.

CONTR. Poésie, vers.
DÉR. (Du même rad.) **Prosaïque, prosateur.**

2. PROSE [pʀoz] n. m. — 1260, *prois; proys* chez Villon; repris fin XIXe, instamment par Bruant; orig. incert.

♦ Fam. Derrière, fesses, postérieur (d'une personne).

1 Elle était en sécurité. Le mot que nous allons employer ne la choquait plus à force de se l'être mentalement répété, qu'un docker avait lâché à son passage : son « prose ». La responsabilité, la confiance en soi de Madame Lysiane, résidait dans son prose. Jean GENET, Querelle de Brest, p. 290.

2 La dernière fois qu'il a chassé, c'est dans le prose d'un péquenot qu'il a tiré et le bonhomme n'a pas pu s'asseoir pendant deux mois. SAN-ANTONIO, le Secret de Polichinelle, p. 19.

3 Mets-moi à plat ventre enfile toi ça quoi dans le prose (...) Tony DUVERT, Paysage de fantaisie, p. 83.

PROSÉCRÉTINE [pʀosekʀetin] n. f. — 1903, cit.; de *pro-,* et *sécrétine.*

♦ Chim. Substance inactive que secrète la muqueuse du duodénum et qui se transforme en sécrétine sous l'influence du chyme* de l'estomac.

La prosécrétine est un produit de la vitalité propre de certaines parties de la muqueuse intestinale. Revue générale des sciences, 15 févr. 1903, p. 161.

PROSECTEUR [pʀɔsɛktœʀ] n. m. — 1803; attestation isolée, mil. XVIIIe; du lat. *prosectus,* p. p. de *prosecare* « découper ».

♦ Didact. Enseignant de la faculté de médecine, médecin spécialisé dans les travaux pratiques d'anatomie, particulièrement dans les dissections.

DÉR. Prosectorat.

PROSECTORAT [pʀɔsɛktɔʀa] n. m. — 1855, *in* D. D. L.; de *prosecteur.*

♦ Didact. Fonction, charge de prosecteur.

PROSÉLYTE [pʀozelit] n. — 1553; *proselite,* XIIIe; lat. ecclés. *proselytus,* du grec *prosêlutos,* proprt « nouveau venu dans un pays »; de *proselensesthai,* forme de *proserhesthai,* de *pros,* et *erkesthai* « aller ».

♦ **1.** Antiq. hébr. Païen converti au judaïsme. *Prosélytes de la porte,* qui, demeurant incirconcis, n'étaient admis que sur le parvis du temple; *prosélytes de la justice,* entièrement assimilés aux Juifs de tradition.

Le judaïsme devint la vraie religion d'une manière absolue; on accorda à qui voulut le droit d'y entrer; bientôt, ce fut une œuvre pie d'y amener le plus de monde possible (...) ces convertis (prosélytes) étaient peu considérés et traités avec dédain. RENAN, Vie de Jésus, Œ. compl., t. IV, p. 92. 1

♦ **2.** (1611). Littér. ou style soutenu. Nouveau converti* à une religion quelconque. *« Le martyre* (cit. 2) *dans tous les temps a fait des prosélytes »* (Voltaire). *Baptême de prosélytes.* ⇒ **Catéchumène.**

Il *(Voltaire)* veut comme eux changer la religion régnante, il se conduit en fondateur de secte, il recrute et ligue des prosélytes, il écrit des lettres d'exhortation, de prédication et de direction, il fait circuler les mots d'ordre, il donne « aux frères » une devise; sa passion ressemble au zèle d'un apôtre et d'un prophète. TAINE, les Origines de la France contemporaine, II, t. II, p. 93. 2

♦ **3.** (1746). Fig. Personne récemment gagnée à une doctrine, un parti, une nouveauté... ⇒ **Adepte, partisan.** *Ses prosélytes vouent un culte* (cit. 9) *idolâtre à cet auteur. Zèle maladroit des prosélytes.* ⇒ **Néophyte.** *Faire de nombreux prosélytes* (⇒ **Prosélytisme**).

(...) je heurtais bien des idées. je rencontrai une violente opposition fomentée par le maire (...) je voulus en faire mon adjoint et le complice de ma bienfaisance. Oui, monsieur, ce fut dans cette tête, la plus dure de toutes, que je tentai de répandre les premières lumières (...) Enfin convaincu, cet homme devint mon prosélyte. BALZAC, le Médecin de campagne, Pl., t. VIII, p. 349. 3

DÉR. Prosélytique, prosélytisme.

PROSÉLYTIQUE [pʀozelitik] adj. — 1834, Boiste; de *prosélyte.*

♦ Littér. Du prosélyte; empreint de prosélytisme. *Une attitude prosélytique. Zèle prosélytique.*

PROSÉLYTISME [pʀozelitism] n. m. — 1721; de *prosélyte.*

♦ **1.** Zèle déployé pour répandre la foi, une religion. *Goût du prosélytisme.* ⇒ **Apostolat** (cit. 2). *Prosélytisme manifesté par les sectes.*

(...) ces représentations, tolérées sans doute et encouragées dans le couvent par un secret esprit de prosélytisme, et pour donner à ces enfants quelque avant-goût du saint habit (...) HUGO, les Misérables, III, VI, III. 1

♦ **2.** Zèle déployé pour faire des adeptes (en politique, intellectuellement...). *Prosélytisme politique. Le prosélytisme d'un néophyte.*

Je trouve indigne de vouloir que les autres soient de notre avis. Le prosélytisme m'étonne. VALÉRY, Rhumbs, p. 258. 2

PROSÉMITE [pʀosemit] adj. et n. — XXe; de *pro-,* et *sémite* d'après *antisémite.*

♦ Didact. Qui est favorable aux Sémites, et, spécialt, aux Juifs (et s'oppose aux *antisémites*). *Il est antiraciste et prosémite.*

CONTR. Antisémite.

PROSÉMITISME [pʀosemitism] n. m. — XXe; de *pro-, sémite,* et *-isme,* d'après *antisémitisme.*

♦ Attitude favorable aux Sémites, et, spécialt, aux Juifs.

Vous avez vraiment besoin de nous expliquer tout cela pour justifier votre prosémitisme? Denyse VAUTRIN, le Reste de l'âge, p. 195.

CONTR. Antisémitisme.

PROSENCÉPHALE [pʀozɑ̃sefal] n. m. — XXe; de *pro-, s* de liaison, et *encéphale.*

♦ Anat. Partie de l'encéphale qui dérive de la vésicule cérébrale antérieure de l'embryon, constituée par les deux hémisphères cérébraux et les formations situées entre les deux hémisphères (thalamus et hypothalamus entourant le troisième ventricule cérébral). Syn. courant : *cerveau.*

PROSEUQUE [pʀozøk] n. m. — 1869; lat. *proseucha;* grec *proseukhê* «lieu de prière», de *proseukhesthai* «adresser une prière», de *eukhesthai* «prier».

♦ Didact. Lieu de prière ouvert, situé dans la campagne, des Juifs de l'antiquité.

PROSIMIENS [pʀosimjɛ̃] n. m. pl. — 1839; de *pro-* «avant», et *simien.*

♦ Zool. ⇒ **Lémuriens.**

PROSIT [pʀozit] interj. — xxe (*in* Larousse, 1932); mot all., lat. *prosit,* subj. de *prodesse* «être utile».

♦ Formule de souhait accompagnant un toast. Syn. franç. : *santé!, à la tienne!, à la vôtre! On dit* prosit! *quand on trinque**. ⇒ **Tchin tchin.**

PROSOBRANCHES [pʀozobʀɑ̃ʃ] n. m. pl. — 1904; grec *proso-* «en avant», et *branches* «branchies».

♦ Zool. Ordre de mollusques gastéropodes dont les branchies sont à l'avant du corps. — Au sing. *Un prosobranche.*

PROSODÈME [pʀɔzɔdɛm] n. m. — V. 1960; de *prosodie,* et suff. *-ème* de *phonème,* etc.

♦ Ling. Trait phonétique (accent d'intensité ou de longueur, intonation, ton...) affectant un segment de la chaîne phonétique.

PROSODIE [pʀɔzɔdi] n. f. — 1562; grec *prosôdia* «accent, quantité, dans la prononciation», → -odie.
Didactique.

♦ **1.** Vx (gramm.). Prononciation correcte des mots.

♦ **2.** (1573). Mod. Caractères quantitatifs (durée...) et mélodiques des sons (surtout en grec et en latin), en tant qu'ils interviennent dans la poésie. ⇒ **Métrique, versification; mètre, pied** (→ Intonation, cit. 5). — Règles concernant ces caractères. *Apprendre la prosodie grecque, la quantité des voyelles** (longues, brèves). *Dictionnaire de prosodie latine.* ⇒ **Gradus.**

1 Ils *(les anciens)* ont une harmonie élémentaire qui tient surtout à deux choses, à des syllabes presque toujours sonores, et à une prosodie très distincte (...) La plupart de nos syllabes n'ont qu'une quantité douteuse, une valeur indéterminée; celles des anciens, presque toutes décidément longues ou brèves, forment leur prosodie d'un mélange continuel de dactyles et de spondées, d'iambes, de trochées et d'anapestes; ce qui (...) équivaut à différentes mesures musicales, formées de rondes, de blanches, de noires et de croches.
J.-F. DE LA HARPE, Abrégé du Cours de littérature, t. I, III, p. 92.

2 En apprenant la prosodie d'une langue, on entre plus intimement dans l'esprit de la nation qui la parle que par quelque genre d'étude que ce puisse être.
Mme DE STAËL, De l'Allemagne, II, IX.

♦ **3.** Mus. Règles concernant les rapports de quantité, d'intensité, entre les temps de la mesure et les syllabes des paroles dans la musique vocale.

♦ **4.** Ling. Étude de l'accent et de la durée des phonèmes.

♦ **5.** (1875). Pièce vocale grecque antique que l'on chantait en s'accompagnant de la lyre.

DÉR. **Prosodique.**

PROSODIER [pʀozɔdje] v. tr. — 1842; de *prosodie.*

♦ Vx. Traiter (une phrase, un texte) en plaçant ou en respectant les accents et les durées. *Prosodier des vers pour les mettre en musique.*

(1836). Absolt. Mus. Respecter les règles de la prosodie.

PROSODIQUE [pʀɔzɔdik] adj. — 1736; de *prosodie.*
Didactique.

♦ **1.** Relatif à la prosodie, aux caractères quantitatifs des syllabes. *Vers prosodique et vers syllabique* (fondé sur le nombre des syllabes). *Les réalités prosodiques et métriques* (cit. 1) *du vers.*

♦ **2.** Phonét. *Caractéristiques prosodiques d'une langue :* «les éléments phoniques (dynamique, mélodique, quantitatif, etc.) qui caractérisent telle ou telle tranche de la chaîne parlée, par ex. dans le mot, la syllabe» (Marouzeau).

DÉR. **Prosodiquement.**

PROSODIQUEMENT [pʀɔzɔdikmɑ̃] adj. — 1869, Littré; de *prosodique.*

♦ Didact. En ce qui concerne la prosodie.

PROSOMA [pʀosoma] n. m. — xxe; de *pro-,* et grec *soma.* → Soma.

♦ Zool. Partie antérieure du corps (des acariens).

PROSOPOAGNOSIE [pʀɔzɔpoagnozi] n. f. — 1968; du grec *prosôpon,* et *agnosie** «personnage», d'où «rôle» et «personne».

♦ Psychol. Incapacité à reconnaître les êtres animés, et en particulier les silhouettes humaines.

PROSOPOGRAPHIE [pʀɔzɔpogʀafi] n. f. — 1797, Gattel; du grec *prosôpon* «personne», et *-graphie.*

♦ Didact. et plais. Description d'une personne.

— Ainsi, vénérable docteur, poursuivit le bourreau que les terreurs de Spiagudry égayaient, vous ne connaissez pas ce Benignus Spiagudry?
— Non, maître, dit le concierge un peu rassuré par son incognito, je ne le connais pas, je vous assure. Et puisqu'il a le malheur de vous déplaire, je serais, maître, bien fâché, vraiment, de connaître cet homme.
— Et vous, seigneur ermite, reprit Orugix, vous paraissez le connaître?
— Oui, vraiment, répondit l'ermite. C'est un homme grand, vieux, sec, chauve... Spiagudry, justement alarmé de cette prosopographie, raffermit en hâte sa perruque.
HUGO, Han d'Islande, Œ. compl., t. VI, p. 108-209 (1823).

PROSOPOLOGIE [pʀɔzɔpɔlɔʒi] n. f. — 1963; de *prosôpon* «personne», et *-logie.*

♦ Didact. Étude psychologique menée à travers l'observation des expressions du visage. — On emploie aussi l'adj. *prosopologique* [pʀɔzɔpɔlɔʒik].

PROSOPOPÉE [pʀɔzɔpɔpe] n. f. — 1611; *prosopopeye,* fin xve; lat. *prosopopeia,* grec *prosôpopoiia* «personnification», rac. *prosôpon* «personne, personnage», et *poieîn* «faire».

♦ **1.** Rhét. Figure par laquelle on fait parler et agir une personne que l'on évoque*, un absent, un mort, un animal, une chose personnifiée... ⇒ **Évocation.** *La prosopopée de Fabricius,* dans le *Discours sur les Sciences et les Arts,* de Rousseau.

♦ **2.** Fig. (Rare). Discours, harangue* d'une véhémence emphatique, pompeuse.

Il se voyait (...) à la tribune de la Chambre, orateur qui porte sur ses lèvres le salut de tout un peuple, noyant ses adversaires sous ses prosopopées, les écrasant d'une riposte, avec des foudres et des intonations musicales dans la voix (...) 1
FLAUBERT, l'Éducation sentimentale, I, V.

Or, l'incident Lenoir était, on en conviendra, de nature à m'inspirer sinon des prosopopées, du moins de très «poétiques» solennités d'idées et de phrases. 2
VILLIERS DE L'ISLE-ADAM, Tribulat Bonhomet, p. 146.

PROSOVIÉTIQUE [pʀɔsɔvjetik] adj. et n. — V. 1920 (1947, J. Chardonnet, *in* D. D. L.); de *pro-,* et *soviétique.*

♦ Partisan de la politique de l'Union soviétique.

CONTR. **Antisoviétique.**

PROSOVIÉTISME [pʀɔsɔvjetism] n. m. — Mil. xxe; de *pro-, soviét(ique),* et *-isme.*

♦ Fait d'être prosoviétique.

CONTR. **Antisoviétisme.**

1. PROSPECT [pʀɔspɛ] n. m. — 1588; attestation isolée, xve; lat. *prospectus.*

♦ **1.** Vx. Vue que l'on a d'un endroit.

♦ **2.** Mod. (Techn.). Distance minimale autorisée entre deux immeubles (permettant une vue). *«Les grands prospects, rêve des urbanistes contemporains accroissent les solitudes jusqu'au suicide»* (*Sciences et Avenir,* n° 25, p. 15).

2. PROSPECT [pʀɔspɛ] n. m. — 1861; mot anglais.
Anglicisme.

♦ **1.** Rare et vx. Prospection, recherche des gîtes minéraux.

♦ **2.** (1960). Publicité. Client potentiel d'une entreprise — Spécialt. Client potentiel qui fait l'objet d'une prospection commerciale, d'une action publicitaire, d'une stratégie de vente.

L'approche du prospect — traduisez : le siège du client éventuel — obéit à des lois rigoureuses consignées dans la notice dite de «la prise de contact téléphonique».
Pierre DANINOS, Un certain Monsieur Blot, p. 49 (1960).

PROSPECTER [pʀɔspɛkte] v. tr. — 1862, in *le Tour du monde;* angl. *to prospect,* du lat. *prospectus.*

♦ **1.** Examiner, étudier (un terrain) pour en rechercher les richesses naturelles, minérales en particulier. *Prospecter une région saharienne pour y chercher du pétrole.*

♦ **2.** (1932). Parcourir une région, un lieu, pour y découvrir qqch. (en vue de l'exploiter). ⇒ **Faire.** *Voyageur de commerce qui prospecte un secteur de vente.*

(V. 1950). Comm. et publ. *Prospecter un marché.* (Avec un compl. n. et de personne). Solliciter (qqn) d'utiliser ses services (se dit d'un annonceur publicitaire, d'un fournisseur de services, etc.).

♦ **3.** Examiner soigneusement pour découvrir qqch.

1 À tout instant, derrière son dos, leur regard, prospectant discrètement, effleurera cela imperceptiblement et se détournera aussitôt (...)
N. SARRAUTE, le Planétarium, p. 283.

▶ **PROSPECTÉ, ÉE** p. p. adj. et n. *Les entreprises prospectées. Les industriels prospectés. — Les prospectés.*

2 La publicité met en rapport un vendeur et un acheteur; en termes plus techniques, un « annonceur » et un *prospecté.*
B. DE PLAS et H. VERDIER, la Publicité, p. 53 (1947).

PROSPECTEUR, TRICE [pʀɔspɛktœʀ, tʀis] n. — Av. 1862, L. Simonin, *Voyage en Californie* (1859); angl. *prospector,* de *to prospect.*

♦ **1.** Personne qui prospecte un terrain, une région. *Le coup de pioche du prospecteur* (→ Bagnard, cit. 1).

♦ **2.** (1923). Personne qui explore, cherche à découvrir. ⇒ **Chercheur.** *Les prospecteurs de la* Légende des siècles (→ Fourre-tout, cit. 2). *Faire office* (cit. 2) *de prospecteurs dans une région particulière de l'esprit.*

Dostoïevsky n'est nullement un théoricien, c'est un prospecteur (...)
GIDE, Dostoïevsky, p. 111.

♦ **3.** (1971). *Prospecteur-placier :* personne qui recherche des emplois pour les gens sans travail.

REM. Le mot est rare au fém., en particulier au sens 1.

PROSPECTIF, IVE [pʀɔspɛktif, iv] adj. — 1829, *science prospective* « optique », 1444; de 1. *prospect.*

♦ **1.** Qui concerne l'avenir. Philos. Qui concerne l'intelligence en tant qu'orientée vers l'avenir (Lalande). *Conception prospective de l'existence* (cit. 8).

1 L'on a donc inventé la critique d'avenir, la critique prospective.
Th. GAUTIER, Préface de Mlle de Maupin, p. 40.

♦ **2.** (Mil. XXe; G. Berger, 1957; par infl. de l'anglais *prospective,* de même orig. que le franç.). Qui concerne la prospective*. *Enquête prospective. Réflexion prospective.*

2 Le travail humain se caractérise donc par une double transcendance de l'homme à l'égard de la nature; d'abord ce travail, comme l'a montré Marx, est une activité prospective (« il est précédé par la conscience de ses fins ») : il marque l'émergence du projet, l'efficace de l'avenir sur le présent par l'anticipation humaine et le détour de l'outil et du symbole (du langage).
Roger GARAUDY, Parole d'homme, p. 130.

CONTR. Rétrospectif.
DÉR. Prospective.

PROSPECTION [pʀɔspɛksjɔ̃] n. f. — 1861; de *prospecter* d'après l'anglais.

♦ **1.** Recherche des gîtes minéraux. *Prospection par étude topographique, géologique, sondages, méthodes géophysiques* (gravimétriques, magnétiques, etc.). *Prospection biologique. Prospection pétrolière.*

♦ **2.** Le fait de rechercher les clients éventuels, de visiter la clientèle. *La prospection d'une région.*

♦ **3.** Fig. Exploration. *La prospection d'un domaine intellectuel.*

PROSPECTIVE [pʀɔspɛktiv] n. f. — 1957, G. Berger; angl. *prospective* de même orig. que le franç. *prospectif, ive;* cf. le moy. franç. *prospective;* « perspective », 1537; de *prospectif,* peut-être d'après l'ital. *prospettiva.*

♦ Ensemble de recherches concernant l'évolution future de l'humanité (ou d'un groupe humain) et de son environnement, et permettant de dégager des éléments de prévision. ⇒ **Futurologie; anticipation;** 1. **avenir.** *Prospective et enseignement. Études de prospective.* ⇒ **Prospectif; prévisionnel.**

Contrairement à un préjugé fort répandu, la prospective ne peut pas être considérée, au niveau de l'entreprise, comme un service auxiliaire du marketing, et, au niveau de l'État, comme un service auxiliaire de la planification.
Roger GARAUDY, Parole d'homme, p. 166.

REM. Le mot a été condamné comme anglicisme, comme emprunt « yanki » qui « fournit un des témoignages les plus flagrants de notre asservissement culturel » (Etiemble, *le Jargon des sciences,* p. 101).

DÉR. Prospectiviste.

PROSPECTIVISTE [pʀɔspɛktivist] n. — 1971; de *prospective.*

♦ Didact. Spécialiste de la prospective. « *L'esprit fertile des "prospectivistes" a même déjà élaboré des projets de recyclage du CO_2 atmosphérique...* » (*la Recherche,* juil-août 1978). *Prospectivistes et futurologues.*

PROSPECTUS [pʀɔspɛktys] n. m. — 1723, « programme de librairie »; mot lat. « vue, aspect », de *prospicere* « regarder devant ».

♦ **1.** Annonce imprimée, brochure exposant le plan d'un ouvrage à paraître, d'une collection, d'une série d'ouvrages. *Le prospectus de l'Encyclopédie,* de Diderot (paru en 1750). *Prospectus d'un nouveau journal* (→ 2. Courant, cit. 15).

(...) quelques écrivains cherchant (...) à se faire connaître en promenant leur figure comme un prospectus, passèrent successivement. 1
STENDHAL, Romans et nouvelles, « Le rose et le vert », IV.

♦ **2.** (Fin XVIIIe, *prospectus d'un établissement*). Cour. Annonce publicitaire, le plus souvent imprimée, brochure ou simple feuille, dépliant*, destinée à vanter auprès de la clientèle un établissement public, un commerce, une affaire. ⇒ **Réclame** (→ Marchand, cit. 3). *Prospectus d'un hôtel* (cit. 7), *d'une station thermale...* (→ Magnétique, cit. 5). *Prospectus annonçant un spectacle, une fête.* ⇒ **Programme.**

Elle distribua des prospectus en tête desquels se lisait : MAISON VAUQUER. « C'était, disait-elle, une des plus anciennes et des plus estimées pensions bourgeoises du pays latin. Il y existait une vue des plus agréables sur la vallée des Gobelins (on l'apercevait du troisième étage), et un *joli* jardin, au bout duquel s'étendait une *allée* de tilleuls ». Elle y parlait du bon air et de la solitude. 2
BALZAC, le Père Goriot, Pl., t. II, p. 863.

Bergotte (...) essaya avec succès, mais avec excès, de différents narcotiques, lisant avec confiance le prospectus accompagnant chacun d'eux (...) 3
PROUST, À la recherche du temps perdu, t. XI, p. 230.

(1790). Spécialt. *Prospectus publicitaire. Distribuer, envoyer des prospectus* (→ Courrier, cit. 8). *Prospectus publicitaires* ı *tracts politiques.*

PROSPÈRE [pʀɔspɛʀ] adj. — V. 1355; *prospre,* XIIe; lat. *prosperus* « favorable ».

♦ **1.** (V. 1460). Vx ou littér. Qui est favorable au succès, qui dispense le bonheur. ⇒ **Propice.** *Les Cieux prospères* (→ Père, cit. 1, Molière). *Fortunes, destins prospères* (Malherbe, Racine). → aussi Endormir, cit. 23, Rousseau. — *Le ciel vous soit prospère!* (Académie, 1694).

♦ **2.** Qui est dans un état heureux, de réussite, de succès, le plus souvent avec une idée de belle apparence. ⇒ **Florissant, heureux; beau.** *Santé prospère. Un commerce prospère. — Années, périodes prospères* (→ Dividende, cit. 1; enquête, cit. 7). *Une vie prospère et brillante*. Être prospère.* ⇒ **Prospérer.** — *Avoir un air prospère, une mine prospère.*

Job est plus majestueux misérable que prospère. Sa lèpre est une pourpre. Son accablement terrifie ceux qui sont là. HUGO, Shakespeare, I, II, II, II. 1

La fabrique du Houlme était alors une des plus importantes usines de Rouen, dont le commerce était encore prospère. GIDE, Si le grain ne meurt, I, IV, p. 100. 2

CONTR. Défavorable. — Malheureux, misérable, pauvre...
DÉR. Prospèrement. (Du même rad.) **Prospérer, prospérité.**

PROSPÈREMENT [pʀɔspɛʀmɑ̃] adv. — Mil. XIIIe, puis v. 1355; *prosprement,* v. 1120; de *prospère.*

♦ Rare. De manière prospère. ⇒ **Favorablement, heureusement.**

PROSPÉRER [pʀɔspeʀe] v. intr. — Conjug. *céder.* — V. 1355; lat. *prosperare,* de *prosperus.* → Prospère.

♦ **1.** Être favorisé par la fortune, le sort, quant à la santé (→ ci-dessous, cit. 2, Zola), la situation matérielle ou morale; devenir prospère*. *Le ménage prospérait* (→ Loin, cit. 10). « *C'est en vain que Néron prospère...* » (→ Abjection, cit. 1).

Les méchants prospèrent pendant qu'ils vivent. 1
LA BRUYÈRE, les Caractères, XVI, 47.

Au milieu de ce démolissement général, Coupeau prospérait. Ce sacré soiffard se portait comme un charme. Le pichenet et le vitriol l'engraissaient, positivement. 2
ZOLA, l'Assommoir, IX, t. II, p. 70.

(1770, Buffon). Croître en abondance, se développer, se multiplier (en parlant d'êtres vivants). ⇒ **Propager** (se). *Les animaux, les plantes qui prospèrent dans ce climat* (⇒ **Croître**). *Le mulot* (cit. 2), *la musaraigne prospéraient...* (→ aussi Plaire, cit. 42).

♦ **2.** (1532). Réussir, progresser dans la voie du succès*, en parlant d'une entreprise, etc. ⇒ **Développer** (se), **étendre** (s'), **marcher, réussir.** *Entreprise* (→ Conduire, cit. 18), *fonds de commerce* (→ Manquer, cit. 54), *pays qui prospère* (→ Impôt, cit. 1). *Dès qu'on voit prospérer ce que l'on considère comme mauvais...* (→ Indifférence, cit. 16). *Industrie, science, technique qui prospère*, progresse et s'étend. *La poésie prospérait.* ⇒ **Fleurir.**

3 (...) de toutes les formes de l'Amour éternel (...) nul doute que la Raison ne soit la première, la plus haute. C'est par elle qu'il est l'harmonie, l'ordre qui fait prospérer tout, l'ordre bienfaisant, bienveillant. MICHELET, la Femme, I, XI.

4 La ville *(Saint-Étienne)* a prospéré, comme l'indiquent les guides et les manuels de géographie. Mais le voyageur cherche avec étonnement quelle relation il y a entre cet heureux mot de « prospérité » et la morne, la monstrueuse agglomération de bâtisses où deux choses demeurent seules possibles : le travail et le sommeil. G. DUHAMEL, Récits des temps de guerre, IV, XXXIV.

(1689). Vx. *Prospérer à... (qqn)*, lui réussir (Racine, *Esther*, I, 1).

CONTR. Détruire (se), échouer, languir, péricliter.

PROSPÉRITÉ [pʀɔspeʀite] n. f. — 1120; lat. *prosperitas*, de *prosperus*. → Prospère.

♦ **1.** (Personnes). État heureux, situation favorable, quant au physique (⇒ **Bien-être, santé**), à la fortune (⇒ **Fortune, richesse, succès**) et aux agréments qui en découlent (⇒ **Bonheur, félicité**). → Apparence, cit. 21. « *Les attraits* (cit. 6) *enchanteurs de la prospérité* » La Fontaine. *L'injuste prospérité des méchants* (→ Indignation, cit. 1). *Jaloux* (cit. 9) *de la prospérité d'autrui* (→ aussi Envie, cit. 1). *Souhaiter à qqn « prospérité, hilarité* (cit. 1) *et succès ». Le calme d'une grande prospérité* (⇒ **Grandeur**; → Aise, cit. 17). — Vx. (1680). *Visage de prospérité*, gras et content. — Plur. (V. 1380). Vx. ou littér. Moments, états de prospérité, jours* heureux, fortunes. ⇒ **Bénédiction.** *Grandes prospérités et grandes infortunes* (→ Image, cit. 27). *Durant mes courtes prospérités* (→ Ennuyeux, cit. 8). *Au sein de vos fausses prospérités* (→ Enfer, cit. 18).

1 Vous voyez, Madame, que Monsieur Jourdain n'est pas de ces gens que les prospérités aveuglent, et... il sait, dans sa gloire, connaître encore ses amis. MOLIÈRE, le Bourgeois gentilhomme, V, 3.

2 Les longues prospérités s'écoulent quelquefois en un moment, comme les chaleurs de l'été sont emportées par un jour d'orage. VAUVENARGUES, Réflexions et Maximes, 18.

3 La grandeur de Napoléon n'était pas de cette qualité qui appartient à l'infortune; la prospérité seule lui laissait ses facultés entières : il n'était point fait pour le malheur. CHATEAUBRIAND, Mémoires d'outre-tombe, t. III, p. 210.

4 Il donnait l'idée d'une prospérité ascendante, en plein accroissement, mais non subite comme il plaît aux caprices de la Fortune, en équilibre sur sa roue d'or qui tourne, d'en distribuer à ses favoris d'un jour. Th. GAUTIER, le Capitaine Fracasse, V.

5 Environ sa trentième année, Édouard connut les effets d'une grande prospérité matérielle et morale. G. DUHAMEL, Salavin, III, III.

Vx. (Au plur.). Événements heureux. « *Je lui contai (...) mes petites prospérités* » (Mme de Sévigné, 1139, 21 février 1689).

6 Les prospérités me servent de discipline et d'instruction, comme aux autres les adversités et les verges. MONTAIGNE, Essais, III, IX.

♦ **2.** (1751). État d'abondance, augmentation des richesses (d'une collectivité, d'une entreprise), et, spécialt progrès dans le domaine économique. *Prospérité nationale* (Necker, 1775), *des nations* (→ Grandeur, cit. 9). *La prospérité des monarchies dépend du caractère* (cit. 38) *d'un seul homme. Sources intarissables* (cit. 1) *de prospérité... Époque de prospérité et de culture.* ⇒ **Or** (siècle, âge d'or).

Spécialt. ⇒ **Activité, développement, essor.** *Rétablir la prospérité d'une entreprise.* ⇒ **Relever, restaurer.** *Période de prospérité et période de crise* (→ Écraser, cit. 12). ⇒ **Expansion.** — *Être en pleine prospérité.*

7 Ce n'est pas pour moi ce que je fais! La prospérité de tous va croissant, les industries s'éveillent et s'excitent, les manufactures et les usines se multiplient, les familles, cent familles, mille familles! sont heureuses (...) HUGO, les Misérables, I, VII, III.

CONTR. Adversité, détresse, infortune, malheur. — Besoin, pauvreté. — Anémie, crise, dépression, déroute (fig), effondrement, épuisement, marasme, ruine.

PROSTAGLANDINE [pʀɔstaglɑ̃din] n. f. — XXe; découverte en 1934; mot créé par le suédois Von Euler, lorsqu'on pensait que ces substances étaient élaborées par la prostate; de *prosta(te), gland(e)*, et suff. *-ine*.

♦ Chim., biol. Substance hormonale élaborée par les tubes séminifères et par divers organes et tissus, dérivée d'acides gras non saturés, à effets biologiques et métaboliques importants et très divers (action abortive, emménagogue, contraceptive, hypotensive, vasodilatatrice, cicatrisante, etc.). *La première prostaglandine fut isolée du liquide séminal.*

1. PROSTATE [pʀɔstat] n. f. — XVIIIe; *les prostates*, «lobes de la prostate», 1555; grec *prostatês*, «qui se tient en avant». → 2. Prostate.

Anatomie.

♦ **1.** Glande à sécrétion externe et interne de l'appareil génital masculin, située autour de la partie initiale de l'urètre et en dessous de la vessie, et dont la sécrétion contribue à la formation du sperme. *Lobes antérieur, médian, latéraux de la prostate. Maladies de la prostate.* ⇒ **Prostatique, prostatite.**

(...) il déclara qu'il n'y avait point de pierre, mais que la prostate était squirreuse et d'une grosseur surnaturelle; il trouva la vessie grande et en bon état (...) 1
ROUSSEAU, les Confessions, XI.

♦ **2.** (Abusif en méd.). Affection de la prostate. *On l'a opéré de la prostate :* on lui a fait une prostatectomie, ou (plus souvent) on lui a enlevé les adénomes prostatiques (opération fréquente chez les hommes âgés).

Quelques vieux messieurs (...) je m'en rappelle un, affligé d'une prostate : un appareil gonflait une des jambes de son pantalon. 2
S. DE BEAUVOIR, la Force de l'âge, p. 547.

DÉR. Prostatectomie, prostatique, prostatite.

2. PROSTATE [pʀɔstat] n. m. — 1875, P. Larousse; grec *prostatês* «celui qui se tient devant» de *prosistanai*, de *pros*, et *histanai* «placer».

♦ Didact. (Hist.). Protecteur (titre de quelques personnages dans l'Antiquité grecque). — Spécialt. Protecteur des métèques, à Athènes.

PROSTATECTOMIE [pʀɔstatɛktɔmi] n. f. — 1890, P. Larousse, *Deuxième Suppl.*; de *prostate*, et *-ectomie*.

♦ Méd. Ablation, extirpation (totale ou partielle) de la prostate ou, plus souvent, des adénomes prostatiques.

PROSTATIQUE [pʀɔstatik] adj. — 1765, *Encyclopédie*; de 1. *prostate*.

♦ **1.** De la prostate. *Sinus, loge prostatique.* « *Hypertrophie* » (en réalité, adénome) *prostatique :* développement dans le parenchyme prostatique d'une tumeur de tissu glandulaire, conjonctif et musculaire (adéno-fibromyome).

♦ **2.** N. m. Malade atteint d'hypertrophie prostatique ou de troubles analogues provenant du col vésical.

PROSTATITE [pʀɔstatit] n. f. — 1823; de 1. *prostate*.

♦ Méd. Inflammation de la prostate. *Prostatite provenant d'une blennorragie.*

(Le médecin) a pris cela très mal. Il m'a dit qu'il était marié, père de famille, qu'il avait autre chose à faire de plus intéressant dans la vie et qu'il me prédisait je ne sais combien de prostatites et d'accidents vénériens. J. ANOUILH, la Répétition, p. 28.

PROSTERNATION [pʀɔstɛʀnasjɔ̃] n. f. — 1568; de *prosterner*.

Littéraire.

♦ **1.** Action de se prosterner; suite de gestes, de mouvements de celui qui se prosterne. ⇒ aussi **Génuflexion, prostration.** *Les prosternations de la prière musulmane* (→ Islam, cit. 2).

Les mains ouvertes de celui qui s'agenouille dans la reconnaissance, et les bras collés au corps de la prosternation orientale (...) MALRAUX, les Voix du silence, p. 591.

♦ **2.** (1801). Fig. Abaissement, acte de servilité. *La prosternation dégradante* (1. Dégradant, cit. 13) *devant la médiocrité...*

PROSTERNEMENT [pʀɔstɛʀnəmɑ̃] n. m. — 1580; de *prosterner*.

♦ **1.** Attitude de celui qui est prosterné. Action de se prosterner. ⇒ **Prosternation.**

Les trois grands saluts, de même que pour les Majestés occidentales; mais le troisième, un prosternement complet à deux genoux, la tête à toucher terre, comme pour baiser le bas de la robe de la Dame (...) LOTI, les Désenchantées, III, X.

♦ **2.** (Av. 1869, Lamartine) Fig. et littér. Abaissement, humiliation. ⇒ **Prosternation** (2.).

PROSTERNER [pʀɔstɛʀne] v. tr. — 1329; lat. *prosternere* «étendre à terre; jeter à terre», de *pro-*, et *sternere* «étendre au sol». → Prostration.

♦ **1.** Vx. Abattre, jeter bas. « *Dieu prosternait... ses ennemis* (de Clovis) » Montesquieu, *De l'esprit des lois*, 30, 24.

(XIXe). Abaisser, courber. *Le vent prosterne les arbres* (→ Instar, cit. 1, Chateaubriand). « *Le Guignon* (cit. 4) *dont le rire inouï les prosterne* » (Mallarmé).

♦ **2.** (Fin XVe). Littér. Placer ou étendre à terre (devant qqn, à ses pieds) en signe d'hommage. ⇒ **Humilier** (vx). — (Abstrait). *Prosterner son repentir* (Corneille), *ses douleurs* (Chénier) *aux pieds, aux genoux de qqn. Ils prosternent leur bassesse avachie* (cit. 3).

♦ **3.** Pencher vers le sol, en signe de respect (son front, sa tête, son corps).

1 Et le pauvre vieux bonhomme, comme s'écroulant sous le désespoir, prosterna sa tête chauve et enfouit son visage sanglotant dans les plis de la robe aux pieds de Déa. Il demeura là, évanoui. HUGO, l'Homme qui rit, Conclusion, IV.

1.1 Prophète! si ta main me sauve
De ces impurs démons des soirs,
J'irai prosterner mon front chauve
Devant tes sacrés encensoirs! HUGO, les Orientales, « les Djinns ».

▶ **SE PROSTERNER** v. pron. Courant.

♦ **1.** (1478). S'abaisser, s'incliner en avant et très bas, dans une attitude d'adoration, de supplication, d'extrême respect*... ⇒ 1. **Coucher** (se), **courber** (se), **incliner** (s'). → Abattre, cit. 18; adorer, cit. 4; mortifier, cit. 1, pantomime, cit. 4. *Se prosterner à plat ventre* (→ Coulpe, cit. 2). *Se prosterner devant qqn* (→ Inconnu, cit. 26), *aux pieds* de qqn.* ⇒ **Étendre** (s'), **jeter** (se). *Saluer* en se prosternant. Faire une génuflexion*, se prosterner devant l'autel.*

2 Quelques-uns même se prosternèrent, les coudes serrés au long du corps, le front dans la poudre, avec des attitudes de soumission absolue et d'adoration profonde (...) Th. GAUTIER, le Roman de la momie, III.

3 La foule se prosterne, et, du haut des piliers
Et des plafonds pourprés, tombe un profond silence.
LECONTE DE LISLE, Poèmes barbares, « Néférou-Ra. »

♦ **2.** (Fin xve). Fig. *Se prosterner devant qqn*, faire preuve d'une grande humilité*, de servilité* envers lui. ⇒ **Abaisser** (s'), **fléchir** (le genou), **humilier** (s'). Cf. Baiser la poussière...

4 — (...) je suis homme; je ne veux pas devenir une statue de pierre. — Libre à toi : seulement, l'univers ne se prosterne que devant les statues.
VILLIERS DE L'ISLE-ADAM, Axël, III, 1.

▶ **PROSTERNÉ, ÉE.** p. p. adj.

♦ **1.** (XVIIe). Vx (langue class.). Abattu, jeté à terre.

♦ **2.** (1549). Allongé la face contre terre et, par ext, profondément incliné, courbé en avant. *Un énergumène* (cit. 2) *prosterné qui frappe du front contre la terre. Prosterné devant qqn* (→ Haranguer, cit. 3), *devant Dieu* (→ Humilier, cit. 2). *Foules prosternées, peuples prosternés* (→ Bondir, cit. 2; élancement, cit. 3; nombre, cit. 20). — Par métaphore, fig. Très humble (cit. 10). — Servile (→ ci-dessous, cit. 6, Chateaubriand).

5 — Allons, superbe, humilie-toi! — Cela est juste : à genoux, bien courbé, prosterné, ventre à terre. BEAUMARCHAIS, le Mariage de Figaro, V, 8.

6 La France ne reniera point les nobles âmes qui réclamèrent contre sa servitude, lorsque tout était prosterné, lorsqu'il y avait tant d'avantages à l'être, tant de grâces à recevoir pour des flatteries, tant de persécutions à recueillir pour des sincérités. CHATEAUBRIAND, Mémoires d'outre-tombe, t. III, p. 292.

(1809). N. m. Hist. ecclés. *Un prosterné* : catéchumène du second ordre.

DÉR. Prosternation, prosternement.

PROSTHÈSE [pʀɔstɛz] n. f. — 1755; *prothèse*, 1704; lat. *prosthesis*, mot grec de *prostithenai*. → aussi Prothèse.

♦ Ling. Adjonction, à l'initiale d'un mot, d'un élément (lettre, syllabe) non étymologique, sans modification sémantique; l'élément ainsi ajouté (ex. : *le* l *de lendemain, le* g *de grenouille (ranunculus)*. — REM. La forme *prothèse* est vieillie dans ce sens, comme l'est *prosthèse* (1752) au sens de *prothèse**.

CONTR. Aphérèse.
DÉR. Prosthétique.

PROSTHÉTIQUE [pʀɔstetik] adj. — Fin XIXe; de *prosthèse*.

♦ **1.** Ling. Qui constitue une prosthèse. *Le* l *de lierre est prosthétique.*

♦ **2.** (1903, *groupe prosthétique, Rev. gén. des Sc.*, n° 18, p. 927). Biochim. *Groupement prosthétique* : partie de la molécule d'une protéine conjuguée (hétéroprotéine) constituée par des éléments non protidiques et qui confère à cette molécule des propriétés particulières.

PROSTHION [pʀɔstjɔ̃] n. m. — Av. 1962; substantivation de l'adj. grec *prosthios, a, on* « placé par devant ».

♦ Anat., anthrop. Dans un crâne, point du maxillaire supérieur qui se trouve au sommet de la pointe osseuse située entre les incisives centrales. (On dit aussi *point alvéolaire*).

PROSTIGMINE [pʀɔstigmin] n. f. — Mil. XXe; de *pro-*, et grec *stigmê* « piqûre, point ».

♦ Méd. Médicament qui agit sur les muscles, faisant disparaître l'asthénie. *Test à la prostigmine.*

1. PROSTITUÉ, ÉE [pʀɔstitɥe] adj. ⇒ **Prostituer.**

2. PROSTITUÉ, ÉE [pʀɔstitɥe] n. — 1596, n. f.; de *prostituer*.

A. N. f. **PROSTITUÉE.** ♦ **1.** Femme qui se livre à la prostitution, qui fait métier de son corps, en se donnant à quiconque la paie. ⇒ **Catin, fille, horizontale, péripatéticienne, professionnelle, putain, pute**; → Femme* (*supra* cit. 103) de mauvaise vie, fille* de joie, publique, soumise, etc., fleur* de macadam, marchande* d'amour, asphalteuse, belle*-de-nuit, etc., et (argot fam.) béguineuse, bifteck (2.), marmite, ménesse, moukère, tapin, taxi, turfeuse. *Termes d'injure désignant ou ayant désigné les prostituées.* ⇒ **Bagasse, boucanière, garce, gaupe, goton, grue, morue, paillasse, peau, poufiasse, poule, traînée...** *Vieille prostituée* (→ Bouchon, cit. 3). *Prostituée de bas étage* (cit. 15). ⇒ **Pierreuse** (et les termes d'injure ci-dessus). → aussi Hiérarchie, cit. 14. *Prostituée « de haut-vol ».* ⇒ **Cocotte, courtisane, demi-mondaine, hétaïre, poule** (de luxe)... *Prostituée qui fait la retape, le tapin, le tas, le trottoir**..., qui racole. *Prostituée exerçant son métier en voiture.* ⇒ 1. **Amazone.** *Client d'une prostituée* (argot : miché, micheton). *Contrôle des prostituées par la police* (⇒ **Encarter**). — *La prostituée, thème littéraire. « Voilà bien la sirène et la prostituée... »* (→ Abrutissement, cit. 1). *Les prostituées... ont dépouillé l'orgueil* (→ Honte, cit. 23).

La prostituée est un bouc émissaire; l'homme se délivre sur elle de sa turpitude et il la renie. Qu'un statut légal la mette sous une surveillance policière ou qu'elle travaille dans la clandestinité, elle est en tout cas traitée en paria. 1
S. DE BEAUVOIR, le Deuxième Sexe, t. II, VIII, p. 376.

Vous remarquerez qu'il y a toujours deux prostituées en attente au coin de la rue des Dames. Elles tiennent ces quelques heures épuisées qui séparent le fond du jour du petit matin. Grâce à elles la vie continue à travers les ombres. Elles font la liaison avec leur sac à main bouffi d'ordonnances, de mouchoirs pour tout faire et les photos d'enfants à la campagne. 2
CÉLINE, Voyage au bout de la nuit, p. 317.

Antiq. *Prostituées sacrées* (→ Orgiastique, cit. 2).

♦ **2.** (1764, Voltaire). Par métaphore, fig. *Babylone, la grande prostituée* : la Rome païenne. *La prostituée de Babylone* : la Rome catholique, papiste (dans la polémique protestante).

La guerre est la prostituée; 3
Elle est la concubine infâme du hasard. HUGO, l'Année terrible, Juil. 1871, III.

B. (V. 1930). N. m. **PROSTITUÉ** : homme se prostituant, le plus souvent à d'autres hommes.

Le désir ne fait pas acception d'objet. Lorsqu'un prostitué regardait Abou Nowas, Abou Nowas lisait dans son regard non le désir de l'argent, mais le désir tout court et il en était ému. R. BARTHES, Roland Barthes, p. 127. 4

PROSTITUER [pʀɔstitɥe] v. tr. — 1361; lat. *prostituere* « exposer en public », de *pro-* « en avant », et *statuere* « placer ».

♦ **1.** (1361). Littér. Déshonorer; avilir (étymologiquement, en exposant publiquement). ⇒ **Dégrader.** — REM. Quoique ce sens soit le plus ancien en français, il est souvent pris comme un figuré du sens 2. et implique une idée de vénalité. — *« Un juge accessible à la corruption prostitue la justice, la magistrature... »* (Académie). *Prostituer son talent, sa plume*, l'abaisser à des besognes indignes, déshonorantes... » *Il prostitue son amitié au premier venu.*

(La nation) prostitue aujourd'hui ses libertés à la monarchie dite républicaine, variant perpétuellement de nature selon l'esprit de ses guides. 1
CHATEAUBRIAND, Mémoires d'outre-tombe, t. VI, p. 149.

Moi qui l'avais entendu parler de même à tant d'autres à qui il avait cessé de trouver du talent depuis que Mme Delven n'avait plus besoin d'eux pour ses soirées, je regardais ces sentences dorées, que cette imagination divine livrait et prostituait en paiement d'un service mondain, avec la honte de celui qui voit le prêtre trafiquer lui-même avec les marchands des vases du temple. 1.1
PROUST, Jean Santeuil, Pl., p. 801.

♦ **2.** (1530). Livrer une personne ou l'inciter à se livrer aux appétits, aux désirs charnels de qqn, pour un motif d'intérêt. ⇒ **Débaucher.** *Prostituer une jeune fille à un riche vieillard.* — Spécialt. Livrer à la prostitution* publique. ⇒ **Maquereauter.**

Prostituer (...) c'est livrer une femme, ou fille à quelque homme afin que cet homme en abuse et prenne avec elle tous les plaisirs de la chair. 2
RICHELET, Dict. (1680), art. *Prostituer.*

Personne n'ignorait qu'avant le jour où Mme Londe avait commencé à prostituer Angèle le restaurant Londe végétait sans espoir. J. GREEN, Léviathan, II, IV. 3

Par ext. *Femme qui prostitue son honneur, sa vertu.*

▶ **SE PROSTITUER.** v. pron.

♦ **1.** (Déb. XVIe). Se livrer (spécialt par intérêt) aux désirs sensuels d'une ou de plusieurs personnes. *Se prostituer à qqn.* — Absolt. Devenir prostituée.

(...) ne vaut-il pas mieux le sacrifier à un seul homme qui deviendra dès-lors votre soutien et votre protecteur, que de vous prostituer à tous? 3.1
SADE, Justine..., t. I, p. 44.

Les femmes se prostituaient publiquement dans le temple de Vénus à Babylone (...) Les femmes de Biblis qui ne consentaient pas à couper leurs cheveux au deuil d'Adonis étaient contraintes, pour se laver de cette impiété, de se livrer un jour entier aux étrangers. CHATEAUBRIAND, Études historiques, V, III. 4

Les chiffres hallucinants de la misère imposent l'horreur de la réalité vécue des hommes. Au Brésil, 15 millions d'enfants, privés de tout soutien, vivent seuls ou en bandes dans la rue. A Belem (Para), 9 000 enfants de moins de quatorze ans se prostituent. Jean ZIEGLER, Main basse sur l'Afrique, p. 262. 4.1

♦ **2.** (XVIIe, → ci-dessus, Prostituer, 1.). S'abaisser, s'avilir, se dégrader. *Écrivain qui se prostitue en vendant sa plume.*

5 La gloire, c'est rester *un*, et se prostituer d'une manière particulière.
BAUDELAIRE, Journaux intimes, Mon cœur mis à nu, LXV.

▶ **PROSTITUÉ, ÉE.** p. p. adj.

♦ **1.** (1666). Avili, dégradé. *Âmes prostituées à l'ambition* (Bossuet).

6 Non, non, il n'est point d'âme un peu bien située
Qui veuille d'une estime ainsi prostituée
MOLIÈRE, le Misanthrope, I, I.

♦ **2.** (1669). Livré(e) aux pratiques sexuelles d'autrui (⇒ **Débauché**), et, spécialt, à la prostitution* publique. *Filles prostituées* (→ Fléau, cit. 10). *Jeunes garçons prostitués.*

PROSTITUTEUR, TRICE [pʀɔstitytœʀ, tʀis] n. — 1663; bas lat. *prostitutor* «corrupteur», du lat. class. *prostitutum,* de *prostituere.* → Prostituer.

♦ **1.** Vx (langue class.). Personne qui avilit, dégrade (qqch.). ⇒ **Prostituer** (1.).

♦ **2.** (1811). Personne qui prostitue (2.) quelqu'un.

PROSTITUTION [pʀɔstitysjɔ̃] n. f. — XIIIe, «impudicité, débauche», repris 1530; lat. *prostitutio,* de *prostitutum, prostituere.* → Prostituer.

♦ **1.** Vx. Pratique de la débauche, en parlant d'une femme.

Spécialt. *Prostitution sacrée* : pratiques sexuelles à caractère rituel, par des femmes.

♦ **2.** Mod. (1690; on disait aussi au XVIIIe *prostitution publique* [Montesquieu] ou encore «publicisme des femmes» [Restif]). Le fait de «livrer son corps aux plaisirs sexuels d'autrui, pour de l'argent» (*Petit dict. de Droit,* Dalloz) et d'en faire métier; l'exercice de ce «métier»; le phénomène social qu'il représente. ⇒ **Business** (2.). *Réglementation administrative, police de la prostitution* («fichier sanitaire et social» remplaçant la mise en carte [⇒ **Encarter**]), répression du racolage*, etc. *Établissement, maison de prostitution.* ⇒ **Bordel, maison** (*supra* cit. 29), **passe, tolérance...** *Prostitutions des mineurs* (→ aussi Excitation* à la débauche). *Personnes qui vivent de la prostitution;* (→ Marlou, cit. 1). ⇒ **Prostituée; bordelier, entremetteur, maquerelle, proxénète, sous-maîtresse, souteneur, taulier, tenancier.** *Trafic de femmes en vues de la prostitution.* ⇒ **Pornographe, pornographie** (vx.). → aussi Traite des blanches*.

1 Une vraie courtisane (...) porte dans la franchise de sa situation un avertissement aussi lumineux que la lanterne rouge de la Prostitution (...)
BALZAC, la Cousine Bette, Pl., t. VI, p. 265.

2 Ici, les enfants innombrables jouent autour des pauvres p... nues ou demi-nues, à vendre devant leur chambre ouverte. Il y a une prostitution analogue au petit commerce des rues. Elles vendent leur nature comme fait la voisine ses châtaignes, ses figues, ses immenses tartes dorées, farinade de pois chiches.
VALÉRY, Rhumbs, p. 15.

Par exagér. (et par retour au sens 1.) :

3 Quoi de plus sot, au contraire, dans nos mœurs actuelles, que la présentation officielle et presque sentimentale du *futur* à la jeune fille! Cette prostitution légale va jusqu'à choquer la pudeur.
STENDHAL, De l'amour, XXI.

♦ **3.** Fig. et littér. (1580, Montaigne). Action de prostituer (1.), d'avilir; son résultat. ⇒ **Dégradation.**

4 De là est venue cette immense prostitution du monde moderne. Elle ne vient pas de la luxure. Elle n'en est pas digne. Elle vient de l'argent.
Ch. PÉGUY, Note conjointe, Sur Descartes, p. 291.

PROSTRATION [pʀɔstʀasjɔ̃] n. f. — 1300, «prosternation», repris en méd., 1743; lat. *prostratio,* dér. de *prostratus,* p. p. de *prosternere.* → Prosterner.

♦ **1.** Relig. Attitude liturgique qui consiste à s'étendre entièrement sur le sol, face contre terre, après s'être agenouillé. ⇒ **Prosternation.**

♦ **2.** Méd. Abattement extrême, observé dans certaines maladies aiguës. ⇒ **Adynamie, apathie.**

♦ **3.** (XIXe). Cour. État d'abattement, de faiblesse et d'inactivité. ⇒ **Abattement, accablement, anéantissement, léthargie** (fig.). *Prostration dans les états de dépression*, d'épuisement** (→ Loyer, cit. 9). *Tirer qqn de sa prostration* (→ Coup, cit. 28). — Fig. «*Une prostration du désir, une tristesse vague...*» (→ Affadissement, cit. 2, Goncourt).

1 Son désespoir s'accrut du fait que le mort-né était un garçon. La marquise y gagna une prostration maladive, qui fit d'elle une créole des images, passant sa vie sur une chaise longue.
R. RADIGUET, le Bal du comte d'Orgel, p. 20.

2 Enfin, le malheureux, affaibli par les mauvais traitements, tomba dans une prostration profonde qui ne lui permit plus ni de voir, ni d'entendre. Aussi, à partir de ce moment, c'est-à-dire depuis deux jours, il ne pouvait même dire ce qui s'était passé.
J. VERNE, l'Île mystérieuse, t. II, p. 753 (1874).

CONTR. Exultation, surexcitation.

PROSTRÉ, ÉE [pʀɔstʀe] adj. — 1850, méd. et fig.; «*prosterné*», v. 1200 (encore dans la langue littér., au XIXe); «couché sur le dos», XIVe; du lat. *prostratus.*

♦ **1.** Méd. Qui est dans un état de prostration. — Cour. Très abattu, accablé. ⇒ **Effondré.**

♦ **2.** Fig. Dont l'aspect évoque celui d'une personne accablée. «*Que la France demeure prostrée..., c'en est fait de sa foi en elle-même*» (→ Jeu, cit. 48). *Être prostré.*

(...) enfin un déluge inévitable de larmes rend à toutes ces choses, prostrées, souffrantes et découragées, la fraîcheur et la solidité d'une nouvelle jeunesse!
BAUDELAIRE, l'Art romantique, XXII, III.

CONTR. Exulter.
DÉR. Prostrer.

PROSTRER [pʀɔstʀe] v. tr. — 1888, Daudet; de *prostré.*

♦ Rare. Mettre dans un état de prostration (3.), d'accablement.

PROSTYLE [pʀɔstil] adj. et n. m. — 1691; empr. lat. *prostylos,* mot grec. → *Pro-,* et *-style.*

♦ Archit. antiq. Qui n'a de colonnes qu'à sa façade antérieure. *Temple, vestibule prostyle.*

(1691). UN PROSTYLE. n. m. Rangée de colonnes* formant portique, vestibule (devant un temple prostyle).

COMP. Amphiprostyle.

PROSYLLOGISME [pʀosi(l)lɔʒism] n. m. — 1611; bas lat. *prosyllogismus,* mot grec.

♦ Syllogisme dont la conclusion sert de majeure à un second syllogisme. *Enchaînement de prosyllogismes.* ⇒ **Polysyllogisme.**

PROSYNODAL, ALE, AUX [pʀosinɔdal, o] adj. — 1875, *in* P. Larousse; de *pro-,* et *synodal.*

♦ Relig. Relatif à la préparation d'un synode.

PROT- ⇒ **Proto-**

PROTACTINIUM [pʀɔtaktinjɔm] n. m. — V. 1918; de *prot-,* et *actinium.*

♦ Chim. Élément radio-actif (symb. : *Pa;* nº at. : 91; masse at. : 231; période : 34 000 ans), qui appartient à la famille de l'actino-uranium (⇒ **Uranium**).

PROTAGONISTE [pʀɔtagɔnist] n. m. — 1826; grec *prôtagônistês,* de *prôtos* «premier» et *agônizesthai* «combattre, concourir».

♦ **1.** Hist. littér. (Théâtre grec). Acteur qui jouait le rôle principal dans une tragédie grecque. *Le protagoniste, le deutéragoniste* et le tritagoniste.* — Par ext. (En parlant du théâtre moderne). «*Le protagoniste ne paraît dans cette pièce qu'au troisième acte*» (Académie). — À l'opéra :

Le protagoniste, comme on dit ici, est un soprano du théâtre de la Scala.
STENDHAL, Rome, Naples et Florence, 3 déc. 1816, *in* Voyages en Italie, Pl., p. 77.

♦ **2.** (Fin XIXe). Fig., cour. Personne qui joue le premier rôle dans une affaire, qui en est le principal personnage. ⇒ **Acteur;** et aussi **animateur, instigateur, meneur, pionnier, promoteur** (→ Héraut, cit. 5; initiatique, cit. 1).

PROTAL [pʀɔtal] n.m. — 1920; de *pro(viseur),* d'abord sous la forme *proto* (1905), d'après le grec *prôtos.*

♦ Argot scol. Proviseur (d'un lycée). *Vingt-deux! voilà le protal!*

HOM. Prothalle.

PROTALISATION [pʀɔtalizasjɔ̃] n. f. — 1930, Boulanger; nom déposé, de *prot(éger),* et *al(uminium).*

♦ Techn. Procédé de protection de l'aluminium par formation d'oxydes superficiels (analogue à la *parkérisation* pour le fer).

PROTAMINE [pʀɔtamin] n. f. — 1890; découverte en 1874; de *prot(éine),* et *amine.*

♦ Biochim. Polypeptide basique, de structure relativement simple, entrant dans la composition des nucléoprotéides cellulaires. *Les laitances de poissons sont riches en protamine. La salmine, la sturine sont des protamines.*

PROTANDRE [pʀɔtɑ̃dʀ] adj. — 1890, P. Larousse, *Deuxième Suppl.,* art. *Dichogamie;* de *prot(o)-,* et *-andre* (grec *andros*).

♦ Bot. Se dit des fleurs hermaphrodites dans lesquelles les étamines (mâles) arrivent à maturité avant le pistil. *La fécondation des fleurs protandres ne peut se faire qu'entre fleurs différentes.*

CONTR. Protogyne.
DÉR. Protandrie, protandrique.

PROTANDRIE [pʀɔtɑ̃dʀi] n. f. — 1892, Encycl. Berthelot, art. *Dichogamie; de protandre.*

♦ Bot. État des fleurs protandres. Syn. : *protérandrie* (2.)

CONTR. Protogynie.

PROTANDRIQUE [pʀɔtɑ̃dʀik] ou **PROTÉRANDRIQUE** [pʀɔteʀɑ̃dʀik] adj. — 1890; de *protandre,* et suff. *-ique.*

♦ Zool. Qui est d'abord mâle, dans une évolution. *Hermaphrodisme protandrique.* ⇒ **Protérandrie.**

Chez la Dorade, l'hermaphroditisme est protandrique : tous les individus sont d'abord des mâles fonctionnels, puis 30 % d'entre eux évoluent jusqu'à acquérir des organes femelles, alors que les autres restent mâles.
R. et M.-L. BAUCHOT, les Poissons, p. 85.

PROTARGOL [pʀɔtaʀgɔl] n. m. — Fin XIXe; de *prot(éine), arg(ent),* et suff. *-ol;* nom déposé.

♦ Méd. Protéinate d'argent faible, antiseptique utilisé en ophtalmologie et en dermato-vénérologie.

PROTASE [pʀɔtaz] n. f. — 1660, Corneille; lat. *protasis,* grec *protasis* « tension en avant, question proposée, proposition », de *proternein,* de *teinein* « tendre ».

♦ **1.** Didact. et vieilli. Partie d'une pièce de théâtre dans laquelle le sujet est exposé. ⇒ **Exposition** (*supra* cit. 9); → Brouhaha, cit. 2; catastrophe, cit. 3; dénouement, cit. 1.

(...) il *(Térence)* a introduit une nouvelle sorte de personnages, qu'on a appelés protatiques, parce qu'ils ne paraissent que dans la protase, où se doit faire la proposition et l'ouverture du sujet.
CORNEILLE, Discours du poème dramatique.

♦ **2.** [a] (1842). Rhét. Première partie d'une période, d'une phrase, amorçant la partie concluante (⇒ **Apodose**).

[b] Majeure d'un syllogisme.

[c] Gramm. Subordonnée conditionnelle placée en tête de phrase (ex. : *si vous n'arrivez pas à l'heure,* je ne vous attendrai pas).

PROTE [pʀɔt] n. m. — 1710; grec *prôtos* « premier », ou selon P. Guiraud, du moy. franç. *preut* « premier ». → Preux.

♦ **1.** Contremaître, dans un atelier d'imprimerie. (→ Douteux, cit. 4; écrivain, cit. 12; épreuve, cit. 34).

Loc. (Vx). *Prote à tablier,* qui travaillait à l'atelier (loc. encore en usage dans certaines branches de l'imprimerie). *Prote à manchettes,* qui travaillait au bureau de l'imprimerie. *Prote aux machines :* contremaître des conducteurs de machines.

(...) Nicolas Séchard fut obligé de chercher un autre maître Jacques qui pût être compositeur, correcteur et prote.
BALZAC, Illusions perdues, Pl., t. IV, p. 466.

♦ **2.** (XXe). Chef du service de la composition dans une imprimerie typographique.

PROTÉACÉES [pʀɔtease] n. f. pl. — 1816; de *Protée.*

♦ Bot. Famille de plantes phanérogames angiospermes *(Dicotylédones apétales)* qui comprend de très nombreuses espèces d'arbres ou d'arbrisseaux d'Australie ou d'Afrique tropicale. — Au sing. *Une protéacée.*

PROTÉASE [pʀɔteaz] n. f. — 1903, *Rev. gén. des Sc.* no 15, p. 835; de *proté(ine),* et *-ase.*

♦ Biochim. Enzyme hydrolysant les protéines et les polypeptides. *Protéases digestives :* pepsine, trypsine. — REM. On dit aussi *protéinase* [pʀɔteinaz], *enzyme protéolytique.*

(...) la vitamine A, administrée à de fortes doses, provoque aussi l'affaissement des oreilles du lapin, plus modérément, néanmoins, que la papaïne (le composant actif de la papaïne brute est une protéase, c'est-à-dire un enzyme provoquant la lyse des protéines).
Michel SIGOT, la Culture d'organes, p. 62-63.

Adj. : *protéasique* [pʀɔteazik] (*la Recherche,* mars 1981, p. 374).

PROTECTEUR, TRICE [pʀɔtɛktœʀ, tʀis] n. et adj. — 1234; lat. tardif *protector,* du lat. class. *protectum,* supin de *protegere.* → Protéger.

★ **I.** N. m. et f. ♦ **1.** [a] Personne qui protège* (1.), qui défend (les faibles, les pauvres, etc.). *Il voulut être le protecteur de la veuve et de l'orphelin.* ⇒ **Défenseur.** *Tant de pauvres dont elle était la mère et la protectrice.* ⇒ **Asile** (*supra* cit. 29), **bienfaiteur, providence** (fig.); → Moment, cit. 12. *Protecteur de l'ordre public.* ⇒ **Gardien.**

Il est aisé d'imaginer combien de pareils procédés m'attachaient à Madame de Bressac; n'eût-elle pas eu, d'ailleurs, pour moi toutes sortes de bontés, comment de telles démarches ne m'eussent-elles pas liée pour jamais à une protectrice aussi précieuse? 0.1
SADE, Justine..., t. I, p. 73.

En parlant d'une chose :

(...) les lois qui sont les protectrices des intérêts, les gardiennes de la sécurité de chacun, dans nos sociétés modernes, appartiennent à tous. 1
FUSTEL DE COULANGES, Leçons à l'Impératrice, p. 53.

Spécialt. [b] N. m. Hist. (1657). *Le protecteur de la république d'Angleterre, d'Écosse et d'Irlande* ou, absolt., *le Protecteur,* titre sous lequel Cromwell exerça le pouvoir (→ aussi Gibet, cit. 2). — *Protecteur de la Confédération du Rhin,* titre sous lequel Napoléon Ier domina une partie de l'Allemagne après la paix de Presbourg.

Cromwell avait domestiqué Mazarin; dans les traités, le protecteur d'Angleterre signait au-dessus du roi de France (...) 2
HUGO, l'Homme qui rit, II, I, III.

Cardinal protecteur ou *protecteur.* — Anciennt. (1690). Cardinal chargé des affaires consistoriales de certains pays ou des intérêts de certains ordres religieux. — Mod. Cardinal s'occupant de certains instituts religieux.

(XIXe). Sous le Bas-Empire romain, Membre de la garde personnelle de l'Empereur.

♦ **2.** (1678). Fém. Rare. Personne qui protège (2.) qui patronne (qqn). → Fatiguer, cit. 11. *Richelieu fut le protecteur de Mazarin* (→ Inventeur, cit. 4). *« Chercher un protecteur puissant, prendre un patron ».* ⇒ 1. **Patron** (*supra* cit. 4); → Lierre, cit. 2, Rostand. *Il a sûrement des protecteurs en haut lieu.* ⇒ **Appui** (*supra* cit. 37), protection (4.).

Nos plus sûrs protecteurs sont nos talents. 3
VAUVENARGUES, Réflexions et maximes, 86.

(...) je ne veux point vous sortir de votre état. C'est toujours une faute et un malheur pour le protecteur comme pour le protégé. 4
STENDHAL, le Rouge et le Noir, II, VII.

♦ **3.** (1678). Personne qui protège* (3.) une activité, qui favorise la naissance ou le développement de qqch. *Ce ministre fut le protecteur des arts* (cit. 69), *des lettres, des sciences.* ⇒ **Mécène.**

♦ **4.** (1845). N. m. *Le protecteur d'une femme,* son amant, l'homme qui l'entretient. *Danseuse qui a un banquier pour protecteur.*

(XXe). Fam. et par euphém. *Le protecteur d'une prostituée,* son souteneur (⇒ **Maquereau**).

♦ **5.** N. m. Au Québec, *le Protecteur du citoyen* (1968) : fondé de pouvoir de l'Assemblée nationale, nommé pour un mandat de cinq ans, ayant pour fonction de défendre les droits du citoyen face à l'administration gouvernementale. ⇒ **Médiateur; ombudsman.**

♦ **6.** N. m. Dispositif servant à protéger. ⇒ **Protection** (3.)

(1869). Mar. (Vx). Protection extérieure métallique (d'un navire).

(1904). *Protecteur de niveau d'eau :* enveloppe métallique protégeant le niveau d'eau d'une chaudière.

(Mil. XXe). Carter, enveloppe, bague de protection.

Partie (renforcée) du pneu en contact avec la route.

★ **II.** Adj. ♦ **1.** (1718). Qui remplit un rôle de protection à l'égard de qqn ou de qqch. *La déesse protectrice de l'Attique.* ⇒ **Tutélaire** (→ Hymne, cit. 2). — Dr. internat. *État protecteur* (⇒ **Protectorat,** 2.). — *Société protectrice des animaux.* — *Cuirasse, enveloppe protectrice* (→ aussi Corne, cit. 3).

La Restauration (...) s'éleva contre les traités de Vienne, elle réclama des frontières protectrices, non pour la gloriole de s'étendre jusqu'au bord du Rhin, mais pour chercher sa sûreté (...) 5
CHATEAUBRIAND, Mémoires d'outre-tombe, t. V, p. 46.

Je cherche un homme qui (...) ne soit pas membre d'une société protectrice de n'importe quoi, des chevaux ou du bagne (...) 5.1
Ed. et J. de GONCOURT, Journal, t. II, p. 164.

(XXe). Chim. *Action protectrice,* qui retarde ou supprime l'agrégation (floculation) des particules colloïdales.

(1842). Écon. polit. Qui vise à protéger (4.) les produits nationaux contre la concurrence des produits étrangers. *Régime, système protecteur.* ⇒ **Protectionnisme.** *Droits protecteurs perçus sur certains produits étrangers pour protéger les produits nationaux.*

♦ **2.** (1769). Péj. Qui insiste sur la qualité de protecteur, qui exprime une intention bienveillante mais avec une nuance de condescendance, de dédain. ⇒ **Condescendant, dédaigneux.** *Air, ton protecteur.* ⇒ **Protection** (7.). — *Il le traita avec une bonté affectueusement* (cit.) *protectrice et un peu dédaigneuse.*

Il avait toujours l'impression que son beau-frère Thianges le traitait avec une condescendance un peu méprisante. Il se trompait : Maurice de Thianges avait un ton de voix protecteur et ne pouvait pas plus le changer que la forme de ses sourcils. 6
A. MAUROIS, Bernard Quesnay, XIX.

(...) il a ce ton inquiet et tendre, protecteur, qu'il prend quand elle a ses moments de dépression, ses crises de larmes (...) 7
N. SARRAUTE, le Planétarium, p. 81.

CONTR. Agresseur, déprédateur, despote, oppresseur, persécuteur, tyran. — Créature, protégé.
DÉR. Protectorat.

PROTECTIF, IVE [pʀɔtɛktif, iv] adj. — Mil. XXe; du rad. de *protect(ion)*, et suff. d'adj. *-if.*

♦ Littér. Qui protège, a pour effet de protéger (ne se dit que des choses, *protecteur* [II., adj.] ayant une valeur plus active).

Il faudrait (...) dire qu'il n'y a pas de distances et que non seulement les distances nous trompent, mais encore qu'elles résultent d'une erreur protective de notre machine. COCTEAU, Journal d'un inconnu, 1953, p. 170.

PROTECTION [pʀɔtɛksjɔ̃] n. f. — V. 1200; lat. tardif *protectio*, du lat. class. *protectum*, supin de *protegere.* → Protéger.

♦ **1.** [a] L'action, le fait de protéger* (1.), de défendre (qqn) contre un agresseur, un danger; le fait de se protéger ou d'être protégé. ⇒ **Aide, assistance, défense, garde, sauvegarde, secours, tutelle** (fig.). *La protection de qqn par qqn. Assurer la protection de qqn. La protection des opprimés,* le fait de les protéger.

La protection de qqn, par qqn. *La protection du ciel* (→ Armure, cit. 5), *céleste* (→ Consacrer, cit. 1) *divine.* ⇒ **Bénédiction;** → Obsécration, cit. 2. *Amulettes*, talismans*, considérés comme des gages de protection. Le mari doit protection à sa femme* (cit. 117). — *Accorder sa protection à...* ⇒ **Aider** (→ aussi Insister, cit. 2; monarque, cit. 2).

1 S'il est un sentiment inné dans le cœur de l'homme, n'est-ce pas l'orgueil de la protection exercée à tout moment en faveur d'un être faible? BALZAC, le Père Goriot, Pl., t. II, p. 920.

Psychiatr. *Idées, délire de protection :* constructions délirantes s'exprimant sur le mode hallucinatoire ou plus rarement interprétatif, selon lesquelles le sujet se croit protégé par quelque aide extérieure contre les obstacles de la vie, un danger qui le menace, etc., et qui apparaissent comme thème dans certains délires chroniques (persécution, mégalomanie, érotomanie...).

[b] (Collectif). *La protection de la métropole* (cit. 3) *accordée aux colonies.* ⇒ aussi **Protectorat** (2.). *Mesures de protection en faveur des minorités ethniques.* ⇒ **Garantie.** *Régimes de protection des incapables majeurs prévus par la loi du 3 janvier 1968.* ⇒ **Curatelle, tutelle; sauvegarde** (de justice). — *Protection diplomatique. Protection sociale. Protection de l'enfance. Protection contre les maladies* (⇒ **Prophylaxie**), *contre les accidents du travail.*

2 Les contraintes imposées aux individus en vertu des principes évidemment si raisonnables de l'hygiène, de la morale, de l'esthétique, de la protection sociale, en un mot de la civilisation, de notre civilisation, soulèvent peu de colère dans le monde moderne. G. DUHAMEL, Scènes de la vie future, IV.

Loc. *Protection civile :* aide aux populations en cas de sinistre, de guerre... — *Protection maternelle et infantile* (abrév. : *P.M.I.*), nom d'un service social, en France.

[c] Loc. *Sous la protection de...* ⇒ **Auspice, égide;** → 1. Arche, cit. 4; élément, cit. 9; hospitalité, cit. 3. — (1690). *Se mettre, se placer* (1. Placer, cit. 16) *sous la protection de...* (→ Se jeter, se réfugier dans les bras* de). *Église placée sous la protection d'un saint.* ⇒ **Invocation.** — (1694). *Prendre qqn sous sa protection* (→ Sous son aile*).

3 (...) insolent cette fois, sous la protection de la force armée, Vimeux frappa des deux poings. Rien ne répondait. Les gendarmes durent s'en mêler, ébranlèrent la vieille porte à coups de crosse. ZOLA, la Terre, IV, VI.

♦ **2.** Le fait de protéger (1.) qqch. *Protection contre*... Protection des récoltes contre le gel, des bâtiments contre l'incendie, etc. Protection des métaux contre l'oxydation, des fruits contre la moisissure, etc.* ⇒ **Conservation.** *Protection des sites, de l'environnement*.* — *De protection :* servant à protéger. *Capuchon*, cloche, couvercle, écran, emballage, enveloppe, fourreau, gaine, garde*, lunettes, masque, plastron, rideau, visière de protection.* ⇒ **Protecteur** (I., 6.), et aussi les préf. **garde-, para-;** et → les comp. de 2. *parer** et de *protéger**. — (Ch. de fer). *Limite de protection d'un signal.* — Milit. *Zone de protection.* ⇒ **Couverture.** — Biol. *Organes de protection* (épines chez les plantes; peau*, carapace*, cuirasse* écailleuse, etc. chez les animaux). *Les paupières* sont les organes de protection des yeux.*

♦ **3.** (XIIIe, *protectiun*). Personne ou chose qui protège. ⇒ **Abri, armure** (fig.), **asile, bastion** (fig.), **bouclier** (fig.), **boulevard** (fig.), **cuirasse** (fig.), 1. **glacis** (fig.), **paravent** (fig.), **soutien.** *« Le Seigneur est notre protection et notre aide »* (→ Étonner, cit. 35).

(Mar. et milit.). *La protection d'un navire de guerre, d'un char d'assaut.* ⇒ **Blindage, habillage.**

Techn. [a] Couche d'enduit protégeant un métal, un alliage de la corrosion.

[b] Dispositif détectant et corrigeant les anomalies dans un réseau de transport, un réseau électrique.

[c] Dispositif de protection des locaux contre le vol. *Protection ponctuelle,* garantissant un seul objet. *Protection volumétrique,* concernant le volume entier du local.

♦ **4.** (XVIIe). L'action de protéger (2.), de patronner qqn. (⇒ **Appui, patronage,** cit. 1); les personnes qui protègent qqn. ⇒ **Protecteur** (I., 2.). *Le ministre le prit sous sa protection.* ⇒ **Charger** (se charger de); → Falloir, cit. 36. *Accorder sa protection à qqn.* (⇒ **Grâce**). — *Avoir de hautes protections. Se chercher des protections.* — *Par protection. Faveur, dérogation obtenue par protection, par protection spéciale.*

Le marquis de Saint-Albans l'avait pris sous son admiration spéciale, — protection ne dirait pas assez. 4
BARBEY D'AUREVILLY, les Diaboliques, « Dessous de cartes... ».

Quoi qu'il en fût, la protection du préfet s'était retirée du député sortant, pour se 5
porter sur M. Rochefontaine, l'ancien candidat de l'opposition (...) ZOLA, la Terre, IV, V.

♦ **5.** (1685). Action de protéger (3.) une activité, de favoriser la naissance ou le développement de qqch. *Une époque où les progrès des lettres sont encouragés par la protection des chefs de l'État.* ⇒ **Encouragement** (→ 1. Or, cit. 31).

♦ **6.** (1664). Écon. Politique qui tend à protéger (4.) les produits nationaux contre la concurrence étrangère; l'ensemble des mesures prises pour les protéger. *Système de protection.* ⇒ **Protectionnisme.**

Sans doute, des choses ont bien marché à la suite des traités de 1861, on a crié 6
au miracle. Mais, aujourd'hui, les véritables effets se font sentir, voyez comme tous les prix s'avilissent. Moi, je suis pour la protection, il faut qu'on nous défende contre l'étranger. ZOLA, la Terre, II, V.

♦ **7.** (1764). Comportement protecteur (II., 2.). *Un air, un ton, un sourire de protection.*

Il était, je crois, de cette famille d'esprits qui ne sont susceptibles que d'ami- 7
tiés dévalantes, je veux dire : accompagnées de condescendance et de protection. Même au plus chaud de notre passion il me faisait sentir que je n'étais pas né comme lui. GIDE, Si le grain ne meurt, I, VI, p. 176.

CONTR. Agression, attaque, déprédation, hostilité, oppression, tyrannie.
DÉR. Protectionnisme.
COMP. Autoprotection, surprotection.

PROTECTIONNISME [pʀɔtɛksjɔnism] n. m. — 1845; de *protection.*

♦ Écon. Politique douanière qui vise à protéger* (4.) l'économie nationale contre la concurrence étrangère. ⇒ **Commerce, douane, droit** (droits protecteurs), **échange** (*supra* cit. 3), **protecteur** (II., 1., système protecteur), **protection** (6.). *Protectionnisme limité à certains produits. Protectionnisme et prohibition. Protectionnisme généralisé.*

M. Léon Say ayant dit un jour à M. Méline : « Le protectionnisme, c'est le socialisme des riches »; M. Méline, piqué, répondit : « Le libre-échange, c'est l'anarchisme des millionnaires ». Cela amusait la galerie socialiste. JAURÈS, Hist. socialiste, t. I, p. 160.

CONTR. Libre-échange.
DÉR. Protectionniste.

PROTECTIONNISTE [pʀɔtɛksjɔnist] adj. et n. — 1845; de *protectionnisme.*

♦ **1.** Relatif au protectionnisme. *Loi, politique, système protectionniste* (opposé à *antiprotectionniste,* à *libre-échangiste*).

♦ **2.** N. Partisan du protectionnisme.

Le décret impérial proclamant la liberté de la boulangerie, bien qu'il comporte encore quelques restrictions qu'une plus longue expérience fera disparaître, doit être considéré comme la première victoire décisive d'une longue campagne que deux partis opposés avaient engagée dans le domaine du commerce et de l'industrie. C'est l'antagonisme des libre-échangistes et des protectionistes, qui a trouvé chez nous, dans la nouvelle législation des céréales, une solution définitive. L. FIGUIER, l'Année scientifique et industrielle, 1864, p. 455 (1863).

REM. L'orthographe *protectioniste* (avec un seul *n*) de cette citation (1864) n'est plus en usage.

CONTR. et COMP. Antiprotectionniste.

PROTECTORAT [pʀɔtɛktɔʀa] n. m. — 1751; de *protecteur,* d'après le rad. du lat. *protector.*

♦ **1.** (1751). Hist. (En parlant de Cromwell). Dignité de Protecteur (→ Démission, cit. 1).

Richard Cromwell aima mieux se démettre du gouvernement que de régner par 1
des assassinats; il vécut particulier, et même ignoré, jusqu'à l'âge de quatre-vingt-dix ans, dans le pays dont il avait été quelques jours le souverain. Après sa démission du protectorat, il voyagea en France. VOLTAIRE, le Siècle de Louis XIV, 1751, t. XIX, VI.

♦ **2.** (1809). Cour, anciennt. Régime juridique établi par un traité international et selon lequel un État plus puissant (État protecteur) exerce un contrôle sur un autre (État protégé), qui, tout en conservant sa personnalité internationale, abandonne au premier une part plus ou moins grande de sa souveraineté dans le domaine des relations extérieures ou même de l'administration intérieure et bénéficie en revanche de sa protection. ⇒ **Association** (d'États).

À nul pays *(que le Maroc)* ne convenait donc mieux le régime du protectorat, 2
régime non pas transitoire mais définitif, qui a comme caractéristique essentielle l'association et la coopération étroite de la race autochtone et de la race protectrice dans le respect mutuel, dans la sauvegarde scrupuleuse des institutions traditionnelles. L.-H. LYAUTEY, Paroles d'action, p. 173.

Par ext. Contrôle de fait, domination qu'une nation exerce sur une autre plus faible.

(...) l'Occident qui, en dix ans, a donné l'autonomie à une douzaine de colonies, 3

mérite à cet égard plus de respect et, surtout, de patience, que la Russie qui, dans le même temps, a colonisé ou placé sous un protectorat implacable une douzaine de pays de grande et ancienne civilisation.
CAMUS, Actuelles III, Avant-propos.

♦ **3.** Le pays ainsi soumis au contrôle d'un autre. *Le Maroc, la Tunisie étaient des protectorats français. Les protectorats et les colonies*.*

PROTÉE [pʀɔte] n. m. — V. 1568, Jodelle *in* D. D. L. (écrit *Prothée*); lat. *Proteus* (du grec. *Prôteus*), nom d'une divinité de la mer qui avait le don de prendre des formes variées.

♦ **1.** Littér. Homme qui change sans cesse d'opinions (→ Caméléon), qui joue toutes sortes de personnages. — REM. En ce sens, le mot s'écrit souvent avec une majuscule.

1 (...) ce personnage changeant *(Talleyrand)*, ce Protée politique qui, tantôt se faisait gloire d'avoir collaboré avec l'Assemblée qui avait détruit la vieille monarchie et tantôt se vantait d'avoir, vingt-cinq ans après, rétabli celle-ci (...)
Louis MADELIN, Talleyrand, V, XXXV.

♦ **2.** (1869). Zool. Animal *(Batraciens, Urodèles)*, à branchies persistantes, qui vit dans les eaux souterraines (en Yougoslavie, etc.). *Blanc dans l'obscurité, le corps du protée se couvre à la lumière de taches brunes ou noires.*

2 C'était *(un pâle rayon de lumière)* comme un glaçon avec une goutte d'eau trouble au bout. Et c'est dans cette goutte d'eau que j'ai vécu dix ans, comme un être au sang froid, comme un protée aveugle!
B. CENDRARS. Moravagine, Œ. compl., t. IV, p. 97.

DÉR. **Protéiforme,** 2. **protéique, protéisme.**

PROTÈGE- Premier élément, du verbe *protéger*, entrant dans la composition de mots désignant des objets destinés à protéger ce que dénomme le second élément.
Les noms composés comprenant l'élément *protège-* constituent une série ouverte; outre les termes traités à l'ordre alphabétique, on peut citer : *protège-cheville, protège-coude* (en escrime), *protège-livre, protège-mine* (d'un crayon), *protège-pointe* (d'un outil, d'un instrument), *protège-radiateur*, etc.

1 (...) une façon de protège-crâne en joncs ou en baleines, destinée à rendre le képi rigide...
Edmonde CHARLES-ROUX, l'Irrégulière, p. 116.

2 Après de longues recherches Bex avait obtenu l'étanchium, métal gris peu brillant enfanté par de laborieuses manipulations (...).
Les crayons et les protège-mine étaient tous en étanchium (...)
Raymond ROUSSEL, Impressions d'Afrique, p. 66

PROTÉGÉ, ÉE [pʀɔteʒe] adj. ⇒ **Protéger.**

PROTÈGE-BAS [pʀɔtɛʒba] n. m. invar. — Mil. XXe; de *protège-*, et *bas.*

♦ Petit chausson échancré sur le dessus du pied, servant à protéger le bas du contact de la chaussure.

PROTÈGE-CAHIER [pʀɔtɛʒkaje] n. m. — XXe; de *protège-*, et *cahier.*

♦ Couverture en matière souple qui sert à protéger un cahier d'écolier. *Des protège-cahiers.* — REM. En franç. d'Afrique, le mot est abrégé en *protège.*

PROTÈGE-COUDE [pʀɔtɛʒkud] n. m. — 1906, en escrime *in* Petiot; de *protège-*, et *coude.*

♦ Dispositif de protection des coudes (d'un sportif). *Des protège-coudes.*

PROTÈGE-DENTS [pʀɔtɛʒdɑ̃] n. m. invar. — 1924; de *protège-*, et *dents.*

♦ Appareil de protection pour les dents, que les boxeurs, les karatékas, etc. se mettent dans la bouche.

(...) il n'est pas jusqu'à son protège-dents de caoutchouc qui, lui sortant à demi de la bouche, ne rappelle la langue pendante du taureau (...)
MONTHERLANT, les Olympiques, p. 190.

PROTÈGE-JAMBE [pʀɔtɛʒʒɑ̃b] n. m. — Mil. XXe; de *protège-*, et *jambe.*

♦ Panneau de tôle protégeant les jambes d'un motocycliste (ou d'un cyclomotoriste) des projections de boue. *Des protège-jambes.*

PROTÈGEMENT [pʀɔtɛʒmɑ̃] n. m. — 1778, Beaumarchais; de *protéger.*

♦ Rare. Action de protéger. ⇒ **Protection.**

PROTÈGE-NEZ [pʀɔtɛʒne] n. m. inv. — Mil. XXe; de *protège-*, et *nez.*

♦ Petit écran protégeant le nez des coups de soleil.

Pour les courses entièrement glaciaires à haute altitude, on a intérêt à disposer de lunettes comportant un protège-nez.
Paul BESSIÈRE, l'Alpinisme, p. 61.

PROTÈGE-OREILLES [pʀɔtɛʒɔʀɛj] n. m. invar. — 1897, Petiot; de *protège-*, et *oreilles.*

♦ Casque de cuir protégeant les oreilles, porté par les avants, au rugby.

PROTÈGE-PARAPLUIE [pʀɔtɛʒpaʀaplɥi] n. m. — XXe; de *protège-*, et *parapluie.*

♦ Gaine d'étoffe qui sert à envelopper un parapluie quand il est fermé et roulé. *Des protège-parapluies.*

PROTÈGE-POINTE [pʀɔtɛʒpwɛ̃t] n. m. — 1904; de *protège-*, et *pointe.*

♦ Techn. Objet, étui destiné à protéger une pointe, à en préserver l'aigu. *Des protège-pointes.*

PROTÉGER [pʀɔteʒe] v. tr. — Conjug. *céder* et *bouger.* — 1395; empr. lat. *protegere*, littéralt «couvrir en avant».

♦ **1.** [a] Aider (qqn) de manière à mettre à l'abri d'une attaque, des mauvais traitements, d'un danger. ⇒ **Aider, défendre, secourir** (→ Prendre sous sa protection*, se faire l'ange gardien*, soustraire* à un danger, mettre en sûreté*). *Que Dieu vous protège*, formule de souhait (vieilli). ⇒ **Assister bénir.** *Protéger les opprimés* (→ Justicier, cit. 2). — *On chargea une escorte de le protéger.* ⇒ **Accompagner, escorter.** — *Protéger qqn d'un danger moral, psychologique. Rien ne le guidait* (cit. 11) *que le désir de me protéger contre moi-même.* ⇒ **Prémunir.**

(...) les saints 1
Nous protègent. — Les morts nous servent. — Dieu nous garde.
HUGO, Hernani, IV, 3.

Une alliance tacite s'établit; les rois protégèrent la plèbe, et la plèbe soutint les rois. 2
FUSTEL DE COULANGES, la Cité antique, IV, VII, 3.

Absolument :

(...) la joie de protéger, cette joie qui, de toutes, est la plus noble, la plus exaltante aussi. 3
G. DUHAMEL, Chronique de Pasquier, VII, I.

[b] (XIXe). Rendre inefficaces les efforts pour compromettre, faire disparaître (qqch.). ⇒ **Conserver.** *Protéger la vie de qqn.* ⇒ **Veiller** (aux jours de...). *L'État* (cit. 111) *doit protéger la liberté d'opinion.* ⇒ **Assurer, sauvegarder.** *Protéger l'autorité, le prestige de quelqu'un.* ⇒ **Fortifier.**

[c] (Avec une valeur concrète). Couvrir* (qqch., qqn) de manière à intercepter ce qui peut nuire, à mettre à l'abri des chocs, des agents atmosphériques, du regard d'autrui, etc. ⇒ **Abriter, défendre** (*supra* cit. 17), **garantir, préserver.** *Protéger un navire, un véhicule par un blindage.* ⇒ **Blinder, cuirasser.** *Un mouchoir* (cit. 9) *lui protégeait le visage de l'éclat du soleil.* ⇒ **Ombrager.** *Un rideau d'arbres protège le jardin, nous protège contre les regards indiscrets. Formation rigide qui protège le corps d'un animal.* ⇒ **Carapace, cuirasse** (*infra* cit. 4). *Enveloppe, fourreau qui sert à protéger un doigt* (dé, doigtier), *la main* (paumelle), *le genou* (genouillère). ⇒ **Protection** (de). *Rempart, épaulement, parapet servant à protéger les soldats du feu de l'ennemi. Brise-lames, digue, estacade qui protège un port. Objets, dispositifs, etc. qui servent à protéger.* ⇒ **Bouclier, capuchon, cloche, clôture, couvercle, couverture, écran, enveloppe, fourreau, gaine, grillage, grille, masque, plastron, rideau, tablier...**; et aussi les préf. **garde-, para-**; → les comp. de 2. *parer** et de *protéger.*

Cette scène, peinte sur la paroi extérieure de l'église, est protégée par une sorte d'auvent contre l'intempérie des saisons. 4
Th. GAUTIER, Voyage en Russie, XVII.

Techn. (Ch. de fer). *Protéger un train par un signal, des pétards*, de manière à interdire la voie à un autre train.

Le conducteur d'arrière courut poser les pétards qui devaient protéger le train, en queue tandis que le mécanicien sifflait éperdument, à coups pressés, le sifflet haletant et lugubre de la détresse. 5
ZOLA, la Bête humaine, VII.

♦ **2.** (1676). Aider (une personne), faciliter la carrière, la réussite (de qqn) par des recommandations, un appui matériel ou moral. ⇒ **Appuyer, épauler, patronner, pistonner** (fam.), **pousser, recommander.** *Les personnalités qui le protègent.* ⇒ **Protecteur** (1., 2.), **protection** (4.).

♦ **3.** (1669). Favoriser la naissance ou le développement (d'une activité). ⇒ **Encourager, favoriser, promouvoir.** *Protéger les arts* (→ Mécène, cit.), *les lettres, les sciences*, etc.

— Comment, monsieur Poirier! trouveriez-vous mauvais qu'on protège les arts? 6
— Qu'on protège les arts, bien! mais les artistes, non (...) ce sont tous des fainéants et des débauchés.
Émile AUGIER, le Gendre de M. Poirier..., I, 6.

♦ **4.** (1788). Écon. Favoriser l'économie nationale et la vente de ses produits en diminuant ou en supprimant la concurrence des produits étrangers par l'interdiction ou la limitation des importations, par l'établissement de droits de douane compensateurs, etc. ⇒ **Protectionnisme.** *Protéger l'agriculture française contre la concurrence étrangère.*

7 Les États-Unis protègent tout ce qu'ils fabriquent dès maintenant, tout ce qu'ils fabriqueront plus tard, tout ce qu'ils pourraient fabriquer s'ils en avaient jamais la fantaisie. G. DUHAMEL, Scènes de la vie future, I.

♦ **5.** (Mil. XIXe). Vieilli ou par plais. *Protéger une femme,* être son protecteur (I., 4.).

▶ **SE PROTÉGER.** v. pron.

(Au propre et au fig.). Se mettre à l'abri de ce qui peut nuire. ⇒ **Armer** (s'armer, fig.), **assurer** (s'), **défendre** (se), **garer** (se), **parer** (à); → aussi Se mettre à couvert*; être en garde* contre..., prendre garde* à... (→ Développer, cit. 21; gladiateur, cit. 2; paiement, cit. 4). — REM. *Se protéger de...* peut avoir deux sens : *se protéger au moyen de...* ou *contre...*

8 (...) dans ce quartier où les gens vivaient toujours sur leur seuil, toutes les portes étaient fermées et les persiennes closes, sans qu'on pût savoir si c'était de la peste ou du soleil qu'on entendait ainsi se protéger. CAMUS, la Peste, p. 127.

▶ **PROTÉGÉ, ÉE** p. p. adj. et n.

♦ **1.** Adj. Qui est protégé, mis à l'abri, préservé. *Armée protégée par son arrière-garde.* ⇒ **Couvert.** — (Code de la route). *Passage protégé.* ⇒ **Passage** (*supra* cit. 18).

Dr. internat. (1875). *État protégé.* ⇒ **Protectorat** (2.).

Fig. (Personnes). *Être protégé contre les déceptions et les désillusions.* ⇒ **Blindé** (fam.), **immunisé** (→ aussi Courtois, cit. 4).

9 (...) nous connaissons assez bien l'illusion pour nous trouver protégés contre elle. J. PAULHAN, Entretien sur des faits divers, p. 25.

♦ **2.** N. (1747). La personne (ou par ext. l'animal) qu'on prend sous sa protection. ⇒ aussi **Chouchou** (fam.), **client, créature, favori.** — REM. Dans cet emploi, *protégé* est presque toujours accompagné d'un complément de nom ou d'un adjectif possessif.

10 Mes canaris firent souche et, quelques semaines plus tard, si grande que fût ma cage, mes protégés s'y bousculaient. GIDE, Si le grain ne meurt, I, VII, p. 187.

CONTR. Assaillir, attaquer, dévaster, menacer, persécuter, tyranniser. — Découvrir. — Disgracier. — (Du p. p.) **Inabrité, ouvert. — Protecteur.**

DÉR. Protègement.

PROTÈGE-RADIATEUR [pʀɔtɛʒʀadjatœʀ] n. m. — 1904; de *protège-,* et *radiateur.*

♦ Techn. (Anciennt). Grille métallique protégeant le radiateur extérieur d'une automobile. ⇒ **Calandre.** *Des protège-radiateurs.*

PROTÈGE-TIBIA [pʀɔtɛʒtibja] n. m. — 1934; de *protège-,* et *tibia.*

♦ Appareil de protection du dessous de la jambe, porté par les joueurs de football, de rugby, etc. *Des protège-tibias.*

PROTÉIDE [pʀɔteid] n. f. — 1903, *Rev. gén. des sc.* no 9 (15 mai), p. 503; angl. *proteid,* 1871; formé sur *protéine* par substitution de suffixe.

Biochimie.

♦ **1.** Protéine* au sens large (ensemble des holoprotéines et des hétéroprotéines). — REM. Ce terme tend à remplacer *protéine* dans l'usage scientifique.

♦ **2.** Spécialt. Protéine conjuguée (hétéroprotéine). *Protéide ferrique :* hémoglobine.

PROTÉIFORME [pʀɔteifɔʀm] adj. — 1761; de *Protée,* et *forme.*

♦ Littér. Qui peut prendre toutes les formes, qui se présente sous les aspects les plus divers. *Un esprit, une imagination protéiforme. Un écrivain, un créateur protéiforme.*

Cette union finale des conceptions de lumière et de matière dans l'unité de cette entité protéiforme qu'est l'énergie a été complètement démontrée par les progrès de la physique contemporaine (...) L. DE BROGLIE, Physique et Microphysique, I, III, p. 75.

PROTÉINASE [pʀɔteinaz] n. f. ⇒ **Protéase.**

PROTÉINE [pʀɔtein] n. f. — 1838, Berzélius, Lettre à Mulder. Cf. « La matière organique, étant un principe général de toutes les parties constituantes du corps animal (...) pourrait se nommer *protéine* » (Mulder, in *Bulletin de sc. physiques en Néerlande*); sens mod. repris dans la 2e moitié du XIXe; comp. du grec *prôtos* « premier », et suff. *-eine.*

♦ Chim. Corps appartenant à la classe des macromolécules organiques azotées, de poids moléculaire très élevé (de 10 000 à plus de 500 000), qui entrent pour une forte proportion dans la constitution des êtres vivants et libèrent par hydrolyse des acides aminés (amino-acides) naturels. ⇒ **Protéide; albuminoïde.** *Protéines proprement dites* (hétéroprotéines) : albumines, globulines (ex. : fibrine, fibrinogène, cit.), prolamines, protamines, scléroprotéines (ex. : kératine). *Protéines globulaires*, fibreuses*. Les changements de forme des molécules de protéines sont parfois irréversibles* (protéines dénaturées). *Propriété qu'ont certaines protéines de subir un changement de structure.* ⇒ **Allostérie.** *Protéines exerçant le rôle de catalyseur spécifique des réactions biochimiques.* ⇒ **Enzyme.** — *Protéines conjuguées ou hétéroprotéines, hétéroprotéides* (vx), se dit, par oppos. aux précédentes (ou « holoprotéides », « albumines simples » [vx]), des molécules dans la constitution desquelles entre un groupement prosthétique* : *métalloprotéines; phosphoprotéines* (ex. : caséine), *chromoprotéines* (ex. : hémoglobine, hémocyanine), *nucléoprotéines.* ⇒ **Protéide,** 2. *Protéines plasmatiques,* contenues dans le plasma sanguin. *Protéine spécifique,* capable de provoquer une réaction allergique bien déterminée (⇒ **Allergie**).

Biol. *Assimilation, digestion des protéines* (→ Intestinal, cit.). *Les peptones*, produits de la transformation des protéines par la pepsine. Réserves de protéines des tissus* (→ Oxygène, cit. 4). *Biosynthèse des protéines* (→ Codon, anticodon). *Protéines jouant un rôle dans la contraction musculaire.* ⇒ **Actine, myosine.**

Les protéines sont de très grosses molécules, de poids moléculaire variant de 10 000 à 1 000 000 ou plus. Ces macromolécules sont constituées par la polymérisation séquentielle de composés de poids moléculaire environ 100, appartenant à la classe des « acides aminés ». Jacques MONOD, le Hasard et la Nécessité, p. 69.

DÉR. et COMP. Protéiné, protéinique. — Protéinogramme, protéinurie. — (Du même rad.) 1. **Protéique.**

PROTÉINÉ, ÉE [pʀɔteine] adj. — Mil. XXe; de *protéine.*

♦ Comm. Enrichi en protéines. *Pain protéiné.*

PROTÉINIQUE [pʀɔteinik] adj. — XXe; *protéique,* 1841; de *protéine.*

♦ Biochim. De la nature des protéines (ou protéides); qui se rapporte aux protéines. — Par ext. Relatif aux protides, en général (⇒ **Protidique**). *Substance protéique.* « *Espèces protéiniques* » (Monod).

(...) même s'il s'agit de réseaux qui ne seraient pas constitués exclusivement de protéines, la structure de tels réseaux aurait nécessairement, en dernière analyse, été déterminée par les propriétés de reconnaissance de leurs constituants protéiniques. Jacques MONOD, le Hasard et la Nécessité, p. 118.

PROTÉINOGRAMME [pʀɔteinɔgʀam] n. m. — Mil. XXe; de *protéine,* et *-gramme.*

♦ Sc. Courbe donnant les taux de protéines, après fractionnement, ainsi que leurs vitesse de précipitation.

PROTÉINURIE [pʀɔteinyʀi] n. f. — Mil. XXe; de *protéine,* et *-urie.*

♦ Pathol. Présence de protéines dans l'urine. — Syn. : *albuminurie.*

1. PROTÉIQUE [pʀɔteik] adj. — 1841, *substance protéique,* Mulder; de *proté(ine).*

♦ Vx. ⇒ **Protéinique.**

2. PROTÉIQUE [pʀɔteik] adj. — 1842; de *Protée.*

♦ Vx. Protéiforme.

PROTÉISME [pʀɔteism] n. m. — 1826 *in* D. D. L.; de *Protée.*

♦ Vieilli. Tendance, capacité à prendre des formes diverses.

PROTÈLE [pʀɔtɛl] n. m. — 1842; du grec *pro-* « avant, devant », et *teleeis* « accompli, parfait » (à cause des cinq doigts de ses pieds de devant).

♦ Zool. Mammifère carnassier d'Afrique *(Hyénidés),* semblable à la hyène*. *Le protèle est parfois appelé* loup fouisseur.

PROTÉLIEN, IENNE [pʀɔteljɛ̃, jɛn] adj. — D. i.; dér. sav. du grec *protelein* « initier ».

♦ Zool. Se dit du parasitisme provisoire de jeunesse conduisant à un état adulte libre. *Parasitisme protélien des moules d'eau douce, dont les larves vivent en parasite des poissons* (branchies).

PROTENSION [pʀɔtɑ̃sjɔ̃] n. f. — V. 1960; *protension de temps* « allongement d'un délai », 1596; lat. *protensio* « action d'étendre ».

♦ Psychol. Attitude de l'esprit tourné vers l'avenir.

PROTÉOLYSAT [pʀɔteɔliza] n. m. — Mil. XXe; de *protéolyse.*

♦ Pharm. Médicament obtenu par la décomposition de protéines (protéolyse).

PROTÉOLYSE [pʀɔteɔliz] n. f. — 1903, in *Rev. gén. des Sc.* no 15, p. 800; de *protéine), et lyse.*

♦ Biochim. Désintégration (lyse) des substances protidiques complexes au cours des processus métaboliques sous l'effet d'enzymes (⇒ **Protéase**); ensemble des réactions qui se font alors. *« La présure a deux fonctions* (...) : *gélification du lait et protéolyse »* (A. Eck, *le Lait et l'Industrie laitière,* p. 57).

DÉR. Protéolysat, protéolytique.

PROTÉOLYTIQUE [pʀɔteɔlitik] adj. — 1901, Garnier-Delamare; de *protéolyse; propriétés protéolytiques, Rev. gén. des sc.,* no 5, p. 288.

♦ Chim., biol. De la protéolyse. *Substance protéolytique,* qui hydrolyse les protéines. *Bactéries protéolytiques.*

Dans une deuxième phase de la coagulation *(du lait),* il y a action des propriétés protéolytiques de la présure sur les mailles du réseau : celui-ci se rompt en maints endroits et une partie du sérum est libérée.
André Eck, le Lait et l'Industrie laitière, p. 51.

PROTÉOSE [pʀɔteoz] n. f. — Déb. XXe; de *proté(ine),* et *-ose.*

♦ Biochim. Polypeptide à poids moléculaire élevé.

On a cherché à identifier la nature chimique des tréphones. Il semble qu'elles représentent des produits de dislocation des matières protéiques, à un stade encore assez peu avancé, tels que les protéoses. On a pu obtenir à l'aide de protéoses, préparées à partir de fibrine ou de peptones, des résultats sur les cultures comparables à ceux fournis par les tréphones des jus embryonnaires.
Jean Verne et Simone Hébert, la Culture de tissus, p. 12-13.

PROTÉOSYNTHÈSE [pʀɔteosɛ̃tɛz] n. f. — Mil. XXe; de *protéine,* et *synthèse.*

♦ Biochim. Synthèse des protéines (naturelle ou artificielle).

PROTÉRANDRIE [pʀɔteʀɑ̃dʀi] n. f. — 1892, bot.; du grec *proteros* «antérieur», et *-andrie* (grec *andros* «mâle»).

♦ **1.** Biol. Forme d'hermaphrodisme dans laquelle les gamètes mâles sont mûrs avant les gamètes femelles. ⇒ **Protandrique.** *Protérandrie animale* (chez les ténias, les huîtres).

♦ **2.** Bot. *Protérandrie végétale.* ⇒ **Protandrie; protandre.**

CONTR. Protogynie.

PROTÉRANDRIQUE [pʀɔteʀɑ̃dʀik] adj. ⇒ **Protandrique.**

PROTÉRANTHE [pʀɔteʀɑ̃t] adj. — D. i.; du grec *proteros* «premier», et *anthos* «fleur».

♦ Bot. Se dit d'une plante dont les fleurs apparaissent avant les feuilles.

PROTÉROGLYPHES [pʀɔteʀɔglif] n. m. pl. — Fin XIXe; comp. sav. du grec *proteros* «le premier», et *gluphê* «ciselure, cannelure».

♦ Zool. Groupe de reptiles ophidiens dont les dents antérieures communiquent directement avec les glandes à venin et dont la morsure est de ce fait très venimeuse. *Le cobra, la pétamyde sont des protéroglyphes.* — Sing. *Un protéroglyphe.*

PROTÉROGYNE [pʀɔteʀɔʒin] n. f. ⇒ **Protogyne.**

PROTESTABLE [pʀɔtɛstabl] adj. — 1876; de *protester.*

♦ Dr. Que l'on peut protester (4.). *Effet protestable* (par protêt*). *Facture protestable.*

PROTESTANT, ANTE [pʀɔtɛstɑ̃, ɑ̃t] n. et adj. — 1546, adj.; 1585, subst. en parlant des États luthériens d'Allemagne qui *protestaient* contre les décisions de la diète de Spire; de *protester.*

♦ Chrétien appartenant à l'un des groupements (églises, sectes) qui constituent la religion réformée*, et rejettent l'autorité du pape (⇒ **Anglican** ou **conformiste, baptiste, calviniste, évangélique, évangéliste, luthérien, méthodiste, piétiste, presbytérien, puritain, quaker...,** et aussi [hist.] **huguenot** [cit. 3], **momier, parpaillot** [péj.], **réfugié, religionnaire**). *Pour Rome, les protestants sont des hérétiques. Les protestants appelaient les catholiques « papistes ». Persécutions* (cit. 5) *contre les protestants, du XVIe au XVIIIe siècle.* → Dragonnade, cit. 1; fonction, cit. 7; cf. aussi l'Édit de Nantes et sa révocation, le massacre de la Saint-Barthélemy... *Places* (cit. 8) *de sûreté des protestants. Protestants français réfugiés en Hollande, en Suisse.* — Allus. littér. (→ Bible, cit. 1, Boileau).

Il me semble que la religion protestante n'est inventée ni par Luther ni par Zuingle. Il me semble qu'elle se rapproche plus de sa source que la religion romaine, qu'elle n'adopte que ce qui se trouve expressément dans l'*Évangile* des chrétiens (...) Il n'y a qu'à ouvrir les yeux pour voir que le législateur des chrétiens n'institua point de fêtes, n'ordonna point qu'on adorât des images (...) Les protestants réprouvent toutes ces nouveautés scandaleuses et funestes; ils sont partout soumis aux magistrats (...) Si les protestants se trompent comme les autres dans le principe, ils ont moins d'erreurs dans les conséquences (...) 1
Voltaire, Dialogues et entretiens philosophiques, XIX.

Adj. *Religion protestante* (→ Feudiste, cit.). *Culte*, temple* protestant. Ministre* (cit. 2), *pasteur protestant.* ⇒ **Pasteur** (→ aussi Doubler, cit. 12, Gide). *Évêque protestant. Diaconesses* protestantes. Églises protestantes d'organisation épiscopale* (anglicans, méthodistes), *synodale* (⇒ **Synode;** et aussi **consistoire**), *congrégationalistes* (⇒ **Congrégation**). — *Missions, missionnaires protestants. L'Armée du Salut, organisation protestante.* — *Fédération protestante de France. Institutions œcuméniques protestantes.* ⇒ **Catholique.** Littér. *Histoire des variations des églises protestantes,* de Bossuet.

Quand la religion chrétienne souffrit, il y a deux siècles, ce malheureux partage qui la divisa en catholique et en protestante, les peuples du Nord embrassèrent la protestante, et ceux du Midi gardèrent la catholique. 2
C'est que les peuples du Nord ont et auront toujours un esprit d'indépendance et de liberté (...) et qu'une religion qui n'a point de chef visible convient mieux à l'indépendance du climat (...) Montesquieu, l'Esprit des lois, XXIV, v.

Être protestant. Une famille protestante. Les milieux protestants de France. Recevoir une éducation chrétienne et protestante.

Péguy n'était pas protestant, certes, mais il était plus que protestant : il était l'homme qui proteste. A. Thibaudet, la République des professeurs, p. 93. 3

DÉR. Protestantiser, protestantisme.

PROTESTANTISER [pʀɔtɛstɑ̃tize] v. tr. — 1827; de *protestant.*

♦ Rare. Convertir au protestantisme.

J'ai bien, et depuis quelques années, entendu bourdonner autour de moi le vœu de faire protestantiser la France. Mais voulez-vous une preuve que ce vœu n'est qu'une sotte chimère?
Eckstein, *in* le Catholique, no 32, p. 139, août 1828 (*in* D. D. L., II, 15).

PROTESTANTISME [pʀɔtɛstɑ̃tism] n. m. — 1623; de *protestant.*

♦ **1.** La religion réformée, ses croyances (spécialt., en ce qu'elles diffèrent des dogmes de l'Église catholique et romaine); l'ensemble des Églises protestantes. ⇒ **Christianisme; réforme; anglicanisme, baptisme, calvinisme, évangélisme, luthéranisme, méthodisme, presbytérianisme, etc.** *Protestantisme piétiste, puritain... Le protestantisme reconnaît une autorité souveraine à l'Écriture sainte. Importance du péché originel, de la prédestination, refus du culte des Saints, de la Vierge..., dans le protestantisme* (→ aussi Intercesseur, cit. 2). *Le baptême, l'eucharistie*, sacrements pratiqués dans le protestantisme.*

Le protestantisme doute, examine et tue les croyances, il est donc la mort de l'art et de l'amour. Balzac, le Lys dans la vallée, Pl., t. VIII, p. 990. 1

Le modèle de la société sur-répressive, c'est celle qui eut pour idéologie dominante le protestantisme. Beaucoup plus fine et plus rationnelle que le catholicisme en tant que théologie et philosophie, beaucoup moins répressive par l'appareil, les dogmes et les rites, la religion protestante accomplit plus subtilement les fonctions répressives de la religion. Chacun porte en soi son Dieu et sa raison. Chacun devient son prêtre. Chacun se charge de réprimer les désirs, de contenir les besoins. 2
Henri Lefebvre, la Vie quotidienne dans le monde moderne, p. 272.

♦ **2.** (Mil. XVIIIe). Par ext. Les protestants (d'une région, d'un pays). *Le protestantisme français.*

PROTESTATAIRE [pʀɔtɛstatɛʀ] adj. et n. — 1842; de *protester.*

♦ **1.** Littér. Qui proteste.

N. *Un, une protestataire. Protestataires et contestataires*. Un protestataire. Manuel du protestataire,* ouvrage de Duhamel.

Et après eux s'en vinrent les grands Protestataires — objecteurs et ligueurs, dissidents et rebelles (...) Saint-John Perse, Vents, III, 1.

♦ **2.** (1888). Spécialt. S'est dit de ceux qui protestaient contre l'annexion de l'Alsace-Lorraine par l'Allemagne, en 1870. *Députés protestataires.*

PROTESTATION [pʀɔtɛstasjɔ̃] n. f. — V. 1265, *protestacion,* au sens 1.; dès 1283 au sens 2.; dans la langue classique, seul le sens 1. est courant; lat. *protestatio,* dér. de *protestare.* → Protester.

♦ **1.** Littér. ou style soutenu. Déclaration par laquelle on atteste ses bons sentiments, sa bonne volonté envers qqn. ⇒ **Assurance, démonstration, témoignage** (→ Fureur, cit. 25). *Protestations d'amitié* (→ Caresser, cit. 18), *d'amour, de dévouement* (→ Fondre, cit. 23), *de passion* (→ Ardent, cit. 28). *Faire mille protestations à quelqu'un. « Les contorsions* (cit. 3) *De tous ces grands faiseurs de protestations ».* ⇒ **Promesse.** — Vx. *Faire (sa) protestation de..., que...* ⇒ **Protester** (1.).

1 (...) après tant d'amour (...) de protestations ardentes et de serments (...)
MOLIÈRE, Dom Juan, I, 1.

2 (...) toute vérité n'est pas bonne à croire : et les serments passionnés, les menaces des mères, les protestations des buveurs, les promesses des gens en place, le dernier mot de nos marchands, cela ne finit pas.
BEAUMARCHAIS, le Mariage de Figaro, IV, 1.

3 Je ne fais point de serments, je ne fais point de vœux : je méprise ces protestations si vaines, cette éternité que l'homme croit ajouter à ses passions d'un jour. Je ne promets rien, je ne sais rien, tout passe, tout homme change (...)
É. DE SENANCOUR, Oberman, LXXXIX.

♦ **2.** (D'abord en dr.). Déclaration formelle par laquelle on s'élève contre ce qu'on déclare illégitime, injuste, etc. *Protestation écrite, verbale. Rédiger, signer une protestation. Cette mesure, cette proposition n'a pas soulevé de protestation.* ⇒ **Objection.** *Protestation platonique*, de principe...*

♦ **3.** (1304). Cour. Témoignage de désapprobation, d'opposition*, de refus*. *Protestation violente, bruyante.* ⇒ **Clameur, cri, criaillerie** (péj.). *Protestations voilées* (⇒ **Murmure**); *muette protestation de rage impuissante* (cit. 18). *Protestation indignée, véhémente... Forte protestation contre...* (→ Écraser, cit. 13). *Geste énergique de protestation* (→ Ébaucher, cit. 7). *Protestation contre une accusation* (⇒ **Dénégation**), *contre une mesure abusive* (⇒ **Réclamation**). — *Protestation collective, de la foule. Meeting* (cit. 2) *de protestation. La protestation ouvrière* (→ Briser, cit. 9). — *Être sourd aux protestations de quelqu'un, repousser ses protestations.*

4 (...) il remuait lentement la tête de droite à gauche et de gauche à droite, sorte de protestation triste et muette dont il se contentait depuis le commencement des débats.
HUGO, les Misérables, I, VII, IX.

5 La force d'un penseur n'est ni dans son approbation ni dans sa protestation, mon bon ami, elle est dans son explication.
MALRAUX, l'Espoir, II, II, XII.

♦ **4.** (1462). Dr. Le fait de dresser un protêt*. ⇒ **Protester** (4.).

CONTR. (Des sens 2. et 3.) **Arrière-pensée, réserve(s), résignation; acceptation, acquiescement, approbation, assentiment, confession...**

PROTESTER [pʀɔtɛste] v. — 1343; lat. *protestari.*

♦ **1.** Attester formellement et avec une certaine solennité. ⇒ **Affirmer, assurer.**

a Trans. dir. (Vx). *Protester son innocence à qqn. « Cet intérêt (...) que les hommes protestent aux femmes »* (Diderot). — *Protester faire quelque chose. Protester que...* : affirmer, promettre* formellement que... *Protester à quelqu'un que... Je vous proteste que...* (→ Intelligence, cit. 27; nouveauté, cit. 15). — REM. Dans la langue contemporaine, ce tour s'emploie encore, mais sans complément indirect, et le plus souvent avec un contexte impliquant une dénégation, une opposition; il est alors souvent compris au sens 2. (→ Exemple, cit. 11; gage, cit. 22).

1 La Vicomtesse (...) jura ses grands Dieux qu'il y avait un voleur dans son appartement; elle protesta avec plus de sincérité, que de la vie elle n'avait eu tant peur.
LACLOS, les Liaisons dangereuses, LXXI.

2 Je vous le proteste, mon souverain maître et seigneur, je ne suis pas un compagnon truand, voleur et désordonné.
HUGO, Notre-Dame de Paris, X, V.

b Trans. indirect (avec *de...*). Mod. et littér. (1645). *Protester de son innocence* (cit. 11), *de sa loyauté, de ses sentiments...* (⇒ **Arguer**), *de sa volonté pacifique* (→ Main, cit. 105). — REM. On ne dit plus *protester à qqn*, mais *auprès de qqn* de son innocence, etc. — Vx. *Protester de faire qqch.*, le promettre.

3 Ceux-ci *(les Vénitiens)* ne manquaient pas de protester de leur fidélité à l'observer *(la neutralité)*, tandis qu'ils fournissaient publiquement des munitions aux troupes autrichiennes (...)
ROUSSEAU, les Confessions, VII.

4 Oui, je protestais de ma foi en l'innocence de votre mère, je feignais de ne pas croire qu'elle eût pu commettre ce crime (...)
F. MAURIAC, la Fin de la nuit, XI.

♦ **2.** (XVe). Vx. ou dr. PROTESTER DE... («récuser d'avance, s'opposer à...», en moy. franç.) : déclarer publiquement que l'on est victime de... *(protester de violence, de trahison)* ou que l'on récuse, pour telle ou telle raison *(protester d'incompétence, de nullité).*

♦ **3.** V. intr. Cour. (*Protester au contraire,* XVIe; *protester contre,* 1650; d'abord en dr.). Déclarer formellement son opposition, son hostilité, son refus. ⇒ **Élever** (s'élever contre), **opposer** (s'). *Protester contre une mesure arbitraire, illégale, par un manifeste, une pétition...* (→ aussi Maintien, cit. 7).

Exprimer, par des paroles, des écrits ou des actes (→ Absorber, cit. 1), son opposition à qqch. ⇒ **Attaquer, crier** (contre, après qqn), **désapprouver, gendarmer** (se), **exclamer** (s'), **indigner,** (s'), **grogner, murmurer, plaindre** (se plaindre de), **rebeller** (se), **rebiffer** (se), **réclamer, récrier** (se), **récriminer, regimber, résister, ruer** (dans les brancards); et, fam., **gueuler, râler, ronchonner, rouscailler, rouspéter...** (→ Artifice, cit. 9; générateur, cit. 3; 2. pêche, cit. 5). *Protester contre une injustice, contre sa condition* (→ État, cit. 79). *Protester avec force, indignation*, véhémence..., contre qqch. Protester bruyamment.* → Faire de la musique*. *Protester sans raison, avec insolence...* ⇒ **Clabauder, criailler** (cf. pop. Ramener sa fraise). *Vous avez beau protester.* ⇒ **Dire.** *Ne protestez pas!* (→ Guère, cit. 24). *Nier, protester, objecter* (→ Pointilleux, cit. 2).

5 J'avais pris la précaution de protester dans une préface contre toutes ces interprétations (...)
LA BRUYÈRE, Disc. de réception à l'Académie franç., Préface.

(...) je proteste et regimbe devant cette aventure que rien en moi ne peut approuver (...) 6
GIDE, Journal, 14 mai, 1905.

L'agitation croissait en lui, il ne sut comment protester, comment crier très haut 7
qu'il ne revendiquait pas l'amitié de cette énorme femme (...)
COLETTE, la Fin de Chéri, p. 85.

(...) nous savons que vous avez fait, une fois de plus, une action qu'il faut 8
bien appeler une belle action. Ne protestez pas!
G. DUHAMEL, Salavin, VI, XII.

En incise. *Non, protesta M. X...* (→ Goût, cit. 43; et aussi caporal, cit. 1; perdre, cit. 44).

Par extension :

En poussant le vantail mobile de la porte, qui ne cédait pas sans protester et tour- 9
nait avec une évidente mauvaise humeur sur ses gonds oxydés et criards (...)
Th. GAUTIER, le Capitaine Fracasse, I.

♦ **4.** V. tr. Dr. (1611). Faire un protêt contre... *Protester un billet, une lettre* (cit. 32) *de change...* — Par ext. (1835). *Protester la signature d'un négociant, protester un négociant.*

Il fallait payer, jamais le comte n'aurait laissé protester sa signature. 10
ZOLA, Nana, XII.

Non seulement je présenterai le chèque demain, mais je le ferai protester et je 11
déposerai plainte. Dans quelques jours vous coucherez en prison et tout Paris saura que l'honnête Brasselier n'était qu'un escroc.
René FLORIOT, La vérité tient à un fil, p. 30.

CONTR. (Du sens 3.) **Accéder (à), accepter, acquiescer, admettre, approuver, confesser, consentir, croire, reconnaître, résigner (se), soutenir...**
DÉR. Protestable, protestant, protestataire, protêt.

PROTÊT [pʀɔtɛ] n. m. — 1675; *protest,* 1630; *protest* «protestation», 1451; de *protester.*

♦ Dr. comm. Acte par lequel le porteur* d'un effet de commerce (lettre de change, billet à ordre) fait constater que cet effet n'a pas été accepté par son tireur *(protêt faute d'acceptation,* Code de Commerce, Art. 119) ou qu'il n'a pas été payé à l'échéance *(protêt faute de payement,* Code de Commerce, Art. 162). *Délais de protêt. Protêt dressé par un huissier, un notaire. Exercer un recours en garantie, une saisie conservatoire, après avoir dressé protêt. Frais de protêt. — Recevoir un protêt* (→ Huissier, cit. 8). *Éviter un protêt et faire honneur* (cit. 94) *à sa signature.*

PROTEUS [pʀɔteys] n. m. — 1897; lat. sav., du lat. *Proteus.* → Protée.

♦ Biol. Bactérie aérobie, mobile, de forme variable, qui se rencontre dans les putréfactions de tissus animaux.

PROTHALLE [pʀɔtal] n. m. — 1845, Bescherelle; de *pro-,* et *thalle.*

♦ Bot. Chez les fougères (cryptogames vasculaires ou ptérydophytes), petite lame verte semblable au thalle de certaines algues, produit de la germination de la spore, et représentant le gamétophyte* à la face inférieure duquel se développent des anthéridies et des archégones. *Après la fécondation, le prothalle supporte la nouvelle plante qui se comporte en parasite avant d'être autotrophe.* — REM. Chez les spermatophytes, par analogie de rôle, on appelle parfois le grain de pollen *prothalle mâle* et le sac embryonnaire (endosperme) *prothalle femelle.*

HOM. Protal.

PROTHALLIEN, IENNE [pʀɔtaljɛ̃, jɛn] adj. — 1897, in *Année biol.*; de *prothalle.*

♦ Bot. Du prothalle. *Cellule prothallienne.*

PROTHÈSE [pʀɔtɛz] n. f. — 1694; du grec. *prosthêsis.*

★ **I.** ♦ **1.** Partie de la chirurgie relative au remplacement d'organes, de membres (en tout ou en partie) par des appareils artificiels. *Prothèse des membres. Appareil de prothèse. Étudier la prothèse. Prothèse externe et prothèse interne.*

Mme Remlinger a trouvé le catalogue d'une maison qui fabrique des appareils de 1
prothèse. Elle cherche, avec les autres dames, quel serait le meilleur modèle de bras artificiels ou de jambes articulées.
G. DUHAMEL, Récits des temps de guerre, III, XXXVIII.

Spécialt. Partie de la technique dentaire qui concerne la confection des appareils dentaires, le remplacement des dents manquantes. ⇒ **Orthopédie.**

La prothèse dentaire a pour but : 1) *De restaurer le fonction masticatrice (...)* 2
2) *De redonner à la physionomie* le caractère qu'elle avait avant la perte des dents; 3) *De restaurer* dans une certaine mesure *la phonation.*
P.-L. ROUSSEAU, les Dents, p. 121.

♦ **2.** Appareil de prothèse. *Prothèses articulées :* bras artificiel, jambe artificielle, etc. *Prothèses esthétiques inertes. Prothèses de travail,* à systèmes de commande par le moignon, par un muscle cinématisé. *Prothèses électriques, bio-électriques, myoélectriques. — Prothèses internes :* pièces, dispositifs (matières plastiques, métal, tissus synthétiques) remplaçant un élément osseux, vasculaire, etc., absent. *Prothèses osseuses. Prothèse totale de la hanche. Prothèses vasculaires :* greffes d'artères ou de paroi vasculaire. *Prothèse cardiaques* (valves). — *Placer une prothèse.* ⇒ 1. **Appareiller.**

Spécialt. Appareil de prothèse dentaire. *Prothèses fixes* (couronne, bridge, implant, jaquette...). *Prothèses mobiles* (appareils fixés par crochets, plaques, etc.). ⇒ **Appareil.** *Prothèse totale.* ⇒ **Dentier,** et aussi **articulateur.** *Confectionner une prothèse dentaire après une prise d'empreinte au plâtre. Prothèse en résine* (acrylique).

★ **II.** (1704). Vx. ⇒ **Prosthèse.**

★ **III.** (1869, Littré). Didact. *Autel de la prothèse,* où les chrétiens de rite oriental disposent les instruments du culte nécessaires pour célébrer la messe.

DÉR. (De I.) **Prothésiste, prothétique.**

PROTHÉSISTE [pʀɔtezist] n. m. — Mil. xxe; de *prothèse.*

♦ Technicien fabricant de prothèses. *Prothésiste dentaire. Aller chez un prothésiste faire réparer une prothèse.*

PROTHÉTIQUE [pʀɔtetik] adj. — 1841 ; de *prothèse.*

♦ **1.** Techn. Relatif à la prothèse (I.); d'une prothèse (2.). « *Le traitement* (des déplacements dentaires, après 16 ans) *est surtout prothétique* » (P.-L. Rousseau, *les Dents,* p. 111). *Plaque prothétique. Élément prothétique de soutien des prothèses dentaires.* ⇒ **Implant.**

♦ **2.** (xxe). ⇒ **Prosthétique.**

PROTHORAX [pʀɔtɔʀaks] n. m. — 1845, Bescherelle ; de *pro-,* et *thorax.*

♦ Didact. (Zool.). Segment antérieur du thorax des insectes. *Prothorax des coléoptères, des hémiptères...* ⇒ **Corselet.**

PROTHROMBINE [pʀɔtʀɔ̃bin] n. f. — Mil. xxe (1945, Garnier-Delamare) ; de *pro-,* et *thrombine.*

♦ Biochim. Substance (⇒ **Globulin**) contenue dans le sang, qui participe à sa coagulation. *En présence de calcium et de thromboplastine « la prothrombine devient la thrombine, qui va jouer le dernier acte de la coagulation »* (A. Galli et R. Leluc, *Les Thérapeutiques modernes,* p. 82). *Temps de prothrombine* (ou *temps de Quick*) : évaluation du taux sanguin de la prothrombine, d'après le temps de coagulation d'un plasma oxalaté et mélangé, en parties égales, à des solutions de chlorure de calcium et de thromboplastine.

Usage régulier des anticoagulants, régime, repos, une prise de sang par mois pour vérifier le taux de prothrombine et surveillance du médecin traitant en collaboration avec le cardiologue de Necker.

H. TROYAT, le Front dans les nuages, p. 171.

PROTIDE [pʀɔtid] n. m. — 1838 ; de *protéide,* avec changement de suffixe.

♦ Biochim. Substance appartenant à un groupe comprenant les acides aminés naturels libres et les corps libérant, par hydrolyse, des acides aminés : les peptides (oligo- et polypeptides), les protéines simples ou holoprotéines et les hétéroprotéines. ⇒ **Protéine.** *La ration alimentaire des animaux supérieurs doit contenir des protides* (⇒ **Aliment**). — Spécialt. Protéine.

DÉR. Protidique.

PROTIDIQUE [pʀɔtidik] adj. — Mil. xxe ; de *protide.*

♦ Biochim. Relatif aux protides, qui en contient (⇒ **Protéique**). *Synthèse protidique. Hormones* protidiques. Métabolisme protidique. Constituants protidiques.*

PROTISTES [pʀɔtist] n. m. pl. — 1876, *in* Littré, *Suppl.* ; all. *Protist,* Haeckel (1870) ; dér. sav. du grec *prôtos.* → Proto-.

♦ Zool. Organisme vivant unicellaire. *La notion de protiste permet d'éviter l'arbitraire des distinctions entre « végétaux »* (⇒ **Protophyte**) *et animaux unicellulaires* (⇒ **Protozoaire**). — Au sing. *Un protiste.*

DÉR. Protistologie, protistologue.

PROTISTOLOGIE [pʀɔtistɔlɔʒi] n. f. — 1904, *Rev. gén. des sc.,* no 12, p. 602 ; de *protiste,* et *-logie.*

♦ Didact. Branche de la biologie qui traite des protistes (bactériologie, etc.).

PROTISTOLOGUE [pʀɔtistɔlɔg] n. — Mil. xxe ; de *protiste,* et *-logue.*

♦ Didact. Spécialiste de protistologie. « *Le plus jeune protistologue français* » (*Sciences et Avenir,* janv. 1981, p. 23).

PROTO [pʀɔto] n. m. — xxe ; abréviation.

♦ Fam. Prototype (voiture, avion).

PROTO-, PROT- Élément de formation de mots savants (grec *prôtos* « premier, primitif, rudimentaire ») empruntés au grec, au latin, ou formés en français. ⇒ aussi **Protactinium, protagoniste, protase, prote, protéide, protéine, protide, protococcus, protogine, protogyne, protohistoire, proto-industriel, prototype, protomère, protoneurone, protophyte, protoplasme, protoptères, protovre, protozoaire.**

Chim. Dans l'ancienne nomenclature, Préfixe exprimant la combinaison avec la plus petite quantité possible d'un élément. ⇒ **Protobromure, protochlorure, protosuflure, protoxyde.**

Outre les mots didactiques traités à l'ordre alphabétique, *proto-* sert à former de nombreux adjectifs désignant une période immédiatement antérieure à celle que désigne l'adjectif servant de radical (⇒ **Protohistorique**). Ex. : *Proto-attique : « la céramique proto-attique »* (H. Metzger, *la Céramique grecque,* p. 49) ; *protocorinthien, ienne* (→ ci-dessous cit. 1) ; *protodorique* (« *colonnes protodoriques* », G. Contenau et V. Chapot, *Histoire universelle des arts,* « l'art Antique », p. 62) ; *proto-indoeuropéen* (stade hypothétique antérieur à l'indoeuropéen ancien) ; *protohittite ; protomycénien, ienne* (G. Contenau, et V. Chapot, *Histoire universelle des arts,* « l'art Antique », p. 150).

La céramique dénommée protocorinthienne comprend (...) surtout de petits vases, peut-être en réalité originaires de Sicyone : couleurs vives, tableaux variés, composition alerte. 1

G. CONTENAU et V. CHAPOT, l'Art antique, p. 167.

En sc., désigne un stade antérieur. « *La nébuleuse protoplanétaire* » (*la Recherche,* nov. 1979, p. 1121).

Autres exemples :

Les marxistes appelaient Truong un protocommuniste. 2

MALRAUX, Antimémoires, Folio, p. 433.

Proto-écriture, n. f. (*Sciences et Avenir,* juin 1981, p. 61) ; *proto-élevage,* n. m. (1964, Leroi-Gourhan, *le Geste et la Parole,* t. I, p. 232) ; *protomatière,* n. f. ; *proto-nation,* n. f. (1980, Ziegler, *Main basse sur l'Afrique,* p. 7.

C'était à nouveau le cosmos, les boules d'énergie, la proto-matière qui tournoyait, qui fuyait, qui se perdait, qui fabriquait l'infini. 3

J.-M. G. LE CLÉZIO, la Fièvre, p. 127.

PROTOBASIDE [pʀɔtobazid] n. f. — 1904, *Revue gén. des sc.,* no 11, p. 567 ; de *proto-,* et *baside.*

♦ Bot. Baside* primitif (de certains champignons).

PROTOBASIDIOMYCÈTES [pʀɔtobazidjɔmisɛt] n. m. pl. — xxe ; de *proto-,* et *basidiomycètes,* d'après *protobaside.*

♦ Bot. Champignons primitifs, souvent parasites, dont les spores externes sont portées par des basides particulières. ⇒ **Protobaside.** — Au sing. *Un protobasidiomycète.*

PROTOBROMURE [pʀɔtobʀɔmyʀ] n. m. — D.i. ; de *proto-,* et *bromure.*

♦ Chim. (Vx). Combinaison binaire de brome, bromure (d'un élément), qui contient moins de brome que les autres bromures.

PROTOCANONIQUE [pʀɔtokanɔnik] adj. — 1610 ; de *proto-,* et *canonique.*

♦ Relig. Se dit des livres sacrés admis les premiers dans le canon des Écritures (opposé à *deutérocanonique*).

PROTOCHLORURE [pʀɔtoklɔʀyʀ] n. m. — D.i. ; de *proto-,* et *chlorure.*

♦ Chim. (Vx). Chlorure (d'un élément) contenant moins de chlore que les autres chlorures. *Protochlorure de mercure.* ⇒ **Calomel.** *Protochlorure de cuivre.*

PROTOCHORDÉS [pʀɔtokɔʀde] n. m. pl. Vx. ⇒ **Procordés.**

PROTOCOCCUS [pʀɔtokɔkys] n. m. — 1859 ; *protocoque,* 1872 ; de *proto-,* et lat. *coccus,* du grec *kokkos.* → Coque.

♦ Bot. Algue microscopique *(Chlorophycées)* qui pousse sur le tronc des arbres.

PROTOCOLAIRE [pʀɔtɔkɔlɛʀ] adj. — Fin xixe, (*in* Larousse, 1904); de *protocole.*

♦ **1.** Relatif au protocole (4.), à l'étiquette. *Une pompe protocolaire* (→ Menuet, cit. 4). *Un homme rigide sur les questions protocolaires.* ⇒ **Formaliste.**

♦ **2.** Conforme au protocole.

D'ailleurs cela ne vous avancerait à rien, car je suis bien certaine qu'Albertine ne voudra pas vous voir, si elle vient seule à l'hôtel. Ce ne serait pas protocolaire, ajouta-t-elle en usant d'un adjectif qu'elle aimait beaucoup, depuis peu, dans le sens de « ce qui se fait ».
PROUST, À l'ombre des jeunes filles en fleurs, Pl., t. I, p. 929.

♦ **3.** (Mil. xxe). Attaché au protocole; qui témoigne d'un attachement au protocole. *Un ton protocolaire.* ⇒ **Cérémonieux, solennel.**

DÉR. Protocolairement.

PROTOCOLAIREMENT [pʀɔtɔkɔlɛʀmɑ̃] adv. — 1902; de *protocolaire.*

♦ Littér. D'une manière protocolaire.

PROTOCOLE [pʀɔtɔkɔl] n. m. — 1355, *protocolle; prothecolle* « minute d'un acte », 1330; empr. lat. *protocollum,* du grec *kollaô* « coller ».

♦ **1.** Hist. Recueil de formules en usage pour les actes publics, la correspondance officielle. ⇒ **Formulaire** (→ Impérial, cit. 3). — Par ext. (Vx). Formule d'un « protocole », banalité, poncif; formule de politesse qui termine une lettre...

1 (...) un langage qui, par l'abus qu'on en fait aujourd'hui, est encore au-dessous du jargon des compliments, et ne devient plus qu'un simple protocole, auquel on ne croit pas davantage qu'au très humble serviteur!
LACLOS, les Liaisons dangereuses, CXXI.

♦ **2.** (1655, au sens du lat. *protocollum*). Au moyen âge, Feuille collée à une charte et qui l'authentifiait. ⇒ **Étiquette.**

♦ **3.** (1834). Didact. Actes, registre portant les résolutions d'une assemblée, d'une conférence internationale; document diplomatique constituant le procès-verbal* d'une réunion, le texte d'un engagement (⇒ **Diplomatie; convention, traité...**). Par ext. Le contenu d'un protocole (résolutions, accord...).

♦ **4.** (1829). Cour. Recueil de règles à observer en matière d'étiquette, de préséances, dans les cérémonies et les relations officielles (diplomatiques, etc.). ⇒ **Cérémonial, étiquette.**

Par ext. Service chargé des questions d'étiquette, de protocole. *Chef du protocole* (→ Maître de cérémonies).

Fig. (Cf. Balzac, *les Secrets de la Princesse de Cadignan,* 1839 : *« soixante jours pleins de protocoles »,* de cérémonies). Formes, respect des formes, dans la vie en société. ⇒ **Bienséance, décorum.**

2 L'étiquette des cours est assez simple, comme tout ce qui est noble. Mais rien n'égale en énigmes le protocole des petites gens. Leur folie des préséances se fonde, d'abord, sur l'âge. R. RADIGUET, le Diable au corps, p. 106.

3 Le mot de protocole a plusieurs sens. Je ne retiens ici que celui qui concerne les rapports des individus, que ces individus se présentent en leur nom et seulement nantis de leurs dons et mérites personnels, ou qu'ils parlent et agissent au nom d'un groupe de nations, d'une nation, d'un corps constitué, d'une association, d'une personne morale, d'un parti politique, d'une association, en bref *ès qualités.* Ainsi compris, le protocole suppose un vocabulaire et des rites. Le principal de ces rites a pour objet de régler la préséance, le pas, comme on disait jadis, et l'attribution des places. G. DUHAMEL, Manuel du protestataire, II.

4 La voiture du protocole de la présidence était venue me chercher à l'hôtel France, dans l'après-midi. Jean ZIEGLER, Main basse sur l'Afrique, p. 70.

♦ **5.** Psychol. Compte-rendu écrit de la passation d'un test.

(Mil. xxe). Chir. *Protocole opératoire* : ensemble des gestes exécutés par un chirurgien, selon un plan réglé observé pour chaque opération.

♦ **6.** (1923). Techn. Modèle des signes; liste de conventions (utilisée pour la correction, comme mode d'emploi). *Protocole d'essais pharmaceutiques. Protocole typographique.*

DÉR. Protocolaire.

PROTODORIQUE [pʀɔtɔdɔʀik] adj. — 1869, Littré; de *proto-,* et *dorique.*

♦ Didact. (Vx). *Ordre protodorique,* ordre égyptien d'architecture que l'on considérait comme préparant le dorique*.

PROTOÉTOILE ou **PROTO-ÉTOILE** [pʀɔtoetwal] n. f. — Mil. xxe; de *proto-,* et *étoile.*

♦ Astron. Étoile en formation, nuage de matière interstellaire en cours de condensation. *« Des nuages* (d'hydrogène) *qui ne se fractionnent plus, mais qui continuent toutefois à se contracter pour former des proto-étoiles »* (*la Recherche,* avr. 1981, p. 430).

PROTOGINE [pʀɔtɔʒin] n. m. ou f. — 1806, Jurine, *Journal des Mines,* XIX, 372; comp. irrégulier du grec *prôtos* « premier », et *gi(g)nesthai* « naître »; souvent écrit par erreur *protogyne* au xixe.

♦ Didact. ou régional. Granite contenant du chlorite, qu'on rencontre dans le massif du Mont-Blanc.

La protogyne *(sic)* rugueuse, humide et gelée, était recouverte comme d'un enduit huilé, une sorte de verglas sur lequel les clous glisaient sans mordre.
R. FRISON-ROCHE, Premier de cordée, p. 62 (1941).

HOM. Protogyne (adjectif).

PROTOGYNE [pʀɔtɔʒin] adj. — Déb. xxe, en bot.; de *proto-,* et *-gyne.*

♦ Zool. Se dit d'animaux ou de végétaux dont les organes femelles viennent à maturité avant les organes mâles. — REM. On dit aussi *protérogyne* [pʀɔteʀɔʒin] (1888).

DÉR. Protogynie.
HOM. Protogine.

PROTOGYNIE [pʀɔtɔʒini] n. f. — Déb. xxe; de *protogyne.*

♦ Biol. Forme d'hermaphrodisme animal ou végétal. *La protogynie, moins fréquente que la protérandrie*, se rencontre chez les limaces, des échinodermes, des tuniciers, certaines plantes* (aristoloche, arum, ellébore, etc.).

CONTR. Protérandrie.

PROTOHISTOIRE [pʀɔtoistwaʀ] n. f. — 1910; de *proto-,* et *histoire.*

♦ Didact. Événements concernant l'humanité, immédiatement antérieurs à l'apparition de l'écriture (→ Histoire, cit. 32) et contemporains de la première métallurgie (cuivre, bronze, fer), du $\sim$ 3e au $\sim$ 1er millénaire (⇒ aussi **Préhistoire**). *Civilisations mégalithiques de la protohistoire.*

DÉR. Protohistorien, protohistorique.

PROTOHISTORIEN, IENNE [pʀɔtoistɔʀjɛ̃, jɛn] n. — Mil. xxe; de *protohistoire,* d'après *histoire.*

♦ Didact. Spécialiste de la protohistoire, des périodes intermédiaires entre la préhistoire et l'apparition de l'écriture.

L'analyse pollinique a fourni au préhistorien de précieuses indications sur l'histoire forestière de l'Europe. Mais le protohistorien et l'archéologue des temps historiques ont beaucoup aussi à apprendre de l'étude de la flore et de la faune (...)
R. BLOCH, Méthodes modernes de l'archéologie, *in* Encycl. Pl., l'Histoire et ses méthodes, p. 211.

PROTOHISTORIQUE [pʀɔtoistɔʀik] adj. — 1877, Littré, *Suppl.*; de *protohistoire,* d'après *historique.*

♦ Didact. De la protohistoire.

PROTO-INDUSTRIEL, ELLE [pʀɔtoɛ̃dystʀijɛl] adj. — V. 1960; de *proto-,* et *industriel.* → Protohistorique.

♦ Didact. Qui concerne les origines de la révolution industrielle. ⇒ **Pré-industriel.** *Les « Arts et Métiers, au nom typique d'une époque proto-industrielle »* (1967; Cl. Fohlen, *le Travail au XIXe siècle,* p. 115). — On pourrait écrire *protoindustriel.*

PROTOLANGAGE [pʀɔtɔlɑ̃gaʒ] n. m. — V. 1970; de *proto-,* et *langage.*

♦ Didact. Système sémiotique hypothétique, immédiatement antérieur au langage articulé.

Abusivt. Paralangage. *« Nous nous servons tous quotidiennement d'un protolangage (...) ses signes sont des inflexions de voix, des attitudes... »* (*Science et Vie,* juin 1975, p. 42).

PROTOLYSE [pʀɔtɔliz] n. f. — V. 1965; de *proto(n),* et *-lyse.*

♦ Chim. Réaction chimique qui constitue en un échange de protons entre deux corps.

DÉR. Protolytique.

PROTOLYTIQUE [pʀɔtɔlitik] adj. — V. 1965; de *protolyse.*

♦ Chim. Relatif à la protolyse. *Réaction protolytique.*

PROTOMARTYR [pʀɔtɔmaʀtiʀ] n. m. — Déb. xive; lat. médiéval *protomartyr,* grec *prôtomartur,* de *prôtos* et *martus, turos.* → Martyr.

♦ Didact. Premier martyr (titre donné à saint Étienne).

PROTOME [pʀɔtom; pʀɔtɔm] n. m. — Déb. xxᵉ; mot grec, de *protemnein* «couper en avant», de *temnein*. → -tome.

♦ **1.** Archéol. Buste (d'homme), partie antérieure du corps (d'un animal). *Protomes de taureaux.*

♦ **2.** Mufle de cerf (motif décoratif).

PROTOMÈRE [pʀɔtomɛʀ] n. m. — 1970; de *proto-*, et *-mère*.

♦ Biochim. Monomère* à l'état associé, entrant comme unité constituante dans la molécule d'un oligomère ou d'un polymère.

(...) l'arrangement des protomères au sein d'une molécule oligomérique est tel que chacun d'entre eux est équivalent, géométriquement, à chacun des autres. Ceci entraîne nécessairement que chaque protomère puisse être converti en n'importe lequel des autres par une opération de symétrie, en fait par une rotation. On démontre aisément que les oligomères ainsi constitués possèdent les éléments de symétrie de l'un des groupes ponctuels de rotation.
Jacques MONOD, le Hasard et la Nécessité, p. 112.

PROTON [pʀɔtɔ̃] n. m. — Après 1920; mot angl. (1919, Rutherford); du grec *prôton*, neutre de *prôtos*.

♦ Phys. Particule constitutive du noyau atomique, de charge électrique positive, égale numériquement à celle de l'électron, mais de masse 1840 fois plus grande (voisine de celle du neutron). → Atome, cit. 17 Langevin; matière, cit. 5; et noyau, cit. 6, de Broglie. Noyau de l'atome d'hydrogène. *Le nombre de protons d'un noyau atomique* (numéro atomique) *est caractéristique de l'élément considéré* (le nombre de neutrons pouvant être variable. ⇒ **Isotope**). *« Protons et neutrons* (cit. 3, de Broglie) *pourraient être considérés comme deux états différents d'une même particule élémentaire ».* ⇒ **Nucléon.** *Un accélérateur à protons.*

C'est en 1919 que Rutherford montra la possibilité de provoquer la transmutation des éléments légers par l'action des rayons α; dans ce type de réaction nucléaire, la particule α est capturée par le noyau atomique, lequel émet ensuite un proton. Ce phénomène est extrêmement rare et se produit dans une proportion de l'ordre de 10^{-6} du nombre de particules α incidentes.
F. et I. JOLIOT-CURIE, *in* Revue générale des sciences, 1934, t. 45, p. 229.

DÉR. **Protonation, 1. protonique.**
COMP. **Antiproton.**

PROTONATION [pʀɔtɔnasjɔ̃] n. f. — xxᵉ; de *proton*, et *-ation*.

♦ Phys. Addition d'un proton (H^+) sur un doublet électronique d'une molécule.

HOM. **Protonation** n. f. (V. Proto-).

PROTONÉMA [pʀɔtonema] n. m. — 1846, *protonème*, Bescherelle; de *proto-*, et grec *nêma* «fil, filament».

♦ Bot. Chez les Bryophytes (Mousses), Filament issu de la spore et qui donne naissance à de nouvelles tiges.

PROTONEURONE [pʀɔtonøʀon; pʀɔtonøʀɔn] n. m. — xxᵉ; de *proto-*, et *neurone*.

♦ Biol. Premier neurone d'une chaîne de neurones qui forme une voie nerveuse.

1. PROTONIQUE [pʀɔtɔnik] adj. — xxᵉ; de *proton*.

♦ Phys., chim. Relatif aux protons. *Masse protonique. Base* protonique.*

2. PROTONIQUE [pʀɔtɔnik] adj. et n. f. — 1876; de *pro-*, et *tonique*.

♦ Phonét. *Voyelle, syllabe protonique* ou, n. f. (1877), *la protonique :* voyelle, syllabe placée avant la voyelle, la syllabe qui porte l'accent tonique.

PROTONOTAIRE [pʀɔtonotɛʀ] n. m. — 1390; lat. ecclés. *protonotarius*, de *proto-*, et lat. *notarius*. → Notaire.

♦ **1.** Prélat de la cour romaine, du rang le plus élevé parmi ceux qui n'ont pas le caractère épiscopal. *Les protonotaires apostoliques participants* (de numero participiendum), *officiers de la cour pontificale, sont constitués en collège et sont chargés d'enregistrer les actes pontificaux dans les circonstances solennelles, à la congrégation des rites, de signer les bulles... — Protonotaires à l'instar* (ad instar participantium). *Protonotaires titulaires, honoraires* ou *protonotaires noirs* (dont l'habit ne comporte pas les ornements amarante des autres protonotaires).

Derrière nous, déjà, il n'y a plus que trois personnes : la grand-mère Pluvignec, qui agonise; le protonotaire apostolique, octogénaire, retiré dans un couvent (...) et ma mère.
Hervé BAZIN, Cri de la chouette, p. 25.

♦ **2.** (1680). Hist. Premier notaire d'un empereur romain. (1869). Dignitaire laïc du moyen âge (chef de la chancellerie, etc.).

♦ **3.** (Canada, 1795). Fonctionnaire chargé de l'enregistrement des actes dans un bureau régional.

DÉR. **Protonotariat.**

PROTONOTARIAT [pʀɔtonɔtaʀja] n. m. — 1845; de *protonotaire*.

♦ Didact. Dignité de protonotaire.

PROTOPHYTE [pʀɔtɔfit] n. m. ou f. — 1839, Boiste; de *proto-*, et *phyte*.

♦ Bot. Organisme végétal unicellulaire ou à cellules peu différenciées (schizophytes, bacillariophytes, phycomycètes, etc.). ⇒ aussi **Protiste.**

PROTOPLASME [pʀɔtɔplasm] n. m. — 1890; *protoplasma*, 1855; mot all. (1843); de *proto-*, et *plasma* «chose façonnée».

♦ Biol. Substance organisée, composé chimique complexe et variable qui constitue l'essentiel de la cellule vivante, sous une forme plus ou moins différenciée. *Protoplasme du cytoplasme, du noyau*, de la membrane* cellulaire. Fonctions des protoplasmes :* oxydation (respiration), décomposition des aliments (digestion), assimilation (cit. 3), sensibilité aux excitations (irritabilité). ⇒ **Vie.**

Qu'il s'agisse du cytoplasme ou du noyau, la substance essentielle des cellules vivantes est le *protoplasme*, gelée visqueuse et transparente, très riche en eau (...) il y a autant de protoplasmes différents qu'il y a d'êtres vivants dans une espèce, qu'il y a de cellules différentes dans un même individu. Chacun d'eux est un mélange extrêmement complexe et mal défini de substances albuminoïdes, de graisses, de sucres, de sels minéraux etc. 1
Jean ROSTAND, la Vie et ses problèmes, II.

Au cours de cette longue et étonnante histoire du développement de la Vie sur notre planète, de cette grandiose épopée que M. Jean Rostand a appelée d'un nom si frappant «l'aventure du protoplasme», les organismes vivants se sont adaptés avec une incroyable souplesse aux conditions d'existence qui leur étaient offertes et sont parvenus à ce degré de prodigieuse complication et d'admirable précision que l'on observe dans les espèces évoluées (...) 2
L. DE BROGLIE, Nouvelles perspectives en microphysique, p. 279.

Bien que l'être végétal veuille être défini plutôt par ses contours et par ses formes, j'honorerai d'abord en lui une vertu de sa substance : celle de pouvoir accomplir sa synthèse aux dépens seuls du milieu inorganique qui l'environne. Tout le monde autour de lui n'est qu'une mine où le précieux filon vert puise de quoi élaborer continûment son protoplasme, dans l'air par la fonction chlorophyllienne de ses feuilles, dans le sol par la faculté absorbante de ses racines qui assimilent les sels minéraux. 3
Francis PONGE, le Parti pris des choses, p. 86.

DÉR. **Protoplasmique.**

PROTOPLASMIQUE [pʀɔtɔplasmik] adj. — 1869, Littré; de *protoplasme*.

♦ **1.** Biol. Relatif au protoplasme; de protoplasme. *Masse protoplasmique* (→ Contractile, cit.; excitation, cit. 12). *Prolongements protoplasmiques* (→ 1. Dendrite, cit.; phagocytose, cit.).

♦ **2.** (xxᵉ). Fig. Informe et se développant en toutes directions (comme la masse protoplasmique).

Il distribuait aux uns des réponses d'un ordre universel où, par un jeu d'associations d'idées, purement protoplasmique, partant de Darius Milhaud il arrivait à l'*Homme et son désir* par l'itinéraire d'Ossendowski, au *Bœuf sur le toit* par l'Inde, Mahatma Gandhi et la rive gauche du Rhin (...) 1
Maurice BEDEL, Jérôme 60° latitude Nord, II, p. 27.

(...) proclamation, ou menace, ou protestation qui, comme ces paroles s'échappant en lignes serpentines, de la bouche des personnages des bandes dessinées, ondulait faiblement, inarticulée et protoplasmique. Claude SIMON, le Palace, p. 86. 2

PROTOPLASTE [pʀɔtɔplast] n. m. — 1904, *Rev. gén. des sc.* nº 18, p. 861; angl. *protoplast* «masse de protoplasme constituant une unité cellulaire», 1858; → *Protoplasme* et *-plaste*.

♦ Biol. Cellule végétale débarrassée de sa paroi pecto-cellulosique. *Le plasmalemme, membrane qui limite le protoplaste. Plante hybride obtenue par fusion de protoplastes (dite hybride somatique). « (...) les protoplastes sont un matériel de choix pour l'étude de la synthèse des parois des cellules végétales »* (*la Recherche*, mai 1975, p. 433).

PROTOPTÈRE [pʀɔtɔptɛʀ] n. m. — V. 1905; lat. sc. *protopterus*, 1837, Owen; de *proto-*, et *-ptère*, à cause de ses nageoires en «ailes rudimentaires».

♦ Zool. Poisson des marais africains *(Dipneustes)*, à branchies et poumons, qui passe la saison sèche dans la vase.

PROTOSTOMIENS [pʀɔtɔstɔmjɛ̃] n. m. pl. — Mil. xxᵉ; de *proto-*, et grec *stoma* «bouche».

♦ Zool. Clade comprenant la majorité des Invertébrés (Annélides, mollusques, orthopodes). — Au sing. *Un protostomien.*

PROTOSULFURE [pʀɔtosylfyʀ] n. m. — 1842; de *proto-*, et *sulfure.*

♦ Vx. Sulfure (d'un élément) contenant moins de soufre que les autres.

PROTOTYPE [pʀɔtɔtip] n. m. — 1552; lat. *prototypus*, du grec *prôtotupos* «qui est le premier type»; → Proto-, et -type.

♦ **1.** Type, modèle premier (originel ou principal). ⇒ **Archétype,** 2. **étalon, modèle, type.** *Prototype d'une œuvre d'art.* ⇒ 1. **Original** — Vx. Modèle, exemple parfait. ⇒ 2. **Exemplaire.**

1 Quand on considère le règne animal, et qu'on s'aperçoit que, parmi les quadrupèdes, il n'y en a pas un qui n'ait les fonctions et les parties, surtout intérieures, entièrement semblables à un autre quadrupède, ne croirait-on pas volontiers qu'il n'y a jamais eu qu'un premier animal, prototype de tous les animaux, dont la nature n'a fait qu'allonger, raccourcir, transformer, multiplier, oblitérer certains organes?
DIDEROT, De l'interprétation de la nature, XII.

2 *(Dieu)* l'unique siège de toutes ces idées ou vérités éternelles,prototype du vrai, du beau, du bon absolu (...) ce sont ces idées modèles que Dieu contemple de toute éternité (...)
MAINE DE BIRAN, Exposition de la doctrine philosophique de Leibniz.

♦ **2.** (1904). Cour. Premier exemplaire d'un modèle (de mécanisme, d'appareil, de véhicule : avion, fusée, hélicoptère, sous-marin, engins de guerre, automobile, etc.) construit avant la fabrication en série. *Essai, mise au point d'un prototype. Prototype secret* (⇒ **Modèle**). Voiture construite spécialement pour la course ou voiture de série très améliorée (fam., *proto*).

♦ **3.** (1803). Techn. Outil de fondeur servant à régler la force de corps d'un caractère d'imprimerie.

DÉR. et **COMP. Prototyper, prototypique.**

PROTOTYPER [pʀɔtɔtipe] v. tr. — 1830, Balzac *in* D. D. L.; de *prototype.*

♦ Rare. Établir ou constituer le prototype (1.) de. *Prototyper un idéal, une idée, une croyance.*

PROTOTYPIQUE [pʀɔtɔtipik] adj. — 1842; de *prototype*, et *typique.*

♦ Didact. ou littér. Relatif à un prototype (au sens large), à un modèle. ⇒ 1. **Exemplaire.**

(...) il exhala ces prototypiques admonitions (...)
Léon BLOY, le Désespéré, p. 161.

PROTOURES [pʀɔtuʀ] n. m. pl. — xxe; de *prot(o)-*,et *-oure*, grec *oura* «queue des animaux».

♦ Zool. Ordre d'insectes qui comprend des formes de petite taille, sans ailes, ni yeux ni antennes et ne subissant pas de métamorphose. — Au sing. *Un protoure.*

PROTOXYDE [pʀɔtɔksid] n. m. — 1828; *protoxide*, 1813; de *prot-*, et *oxyde.*

♦ Chim. (Vx). Oxyde* d'un élément le moins riche en oxygène (opposé à *peroxyde*). «Si le corps combustible peut se combiner en plusieurs proportions avec l'oxigène *(sic)*, et former plusieurs oxides..., on appelle le premier ou celui qui en contient le moins, *protoxide...*» (Thénard, 1813). *Protoxyde de baryum* (baryte), *protoxyde de calcium* (chaux), *protoxyde de fer* (FeO), oxyde de fer divalent; *protoxyde de plomb* (PbO. ⇒ **Litharge,** 1. **massicot**), oxyde de plomb divalent; (ou bivalent). — Cour. *Protoxyde d'azote* (N_2O) : gaz incolore, peu soluble dans l'eau, utilisé comme anesthésique léger (syn. : *oxyde azoteux*).

PROTOZOAIRE [pʀɔtɔzɔɛʀ] n. m. — 1834, Boiste; de *proto-*,et *-zoaire.*

♦ Être vivant unicellulaire (⇒ **Protiste**), classé traditionnellement dans le règne animal. *Les protozoaires sont considérés comme un embranchement* (ou un sous-règne, par oppos. aux *Métazoaires*) *du règne animal* (⇒ **Acanthaires; amibe, amibiens; foraminifères; radiolaires; sporozoaires; infusoires; ciliés, flagellés, hétérotriches, holotriches...**). *Protozoaires rhizopodes* (à pseudopodes). *Protozoaires du plancton. Colonies de protozoaires.*

PROTOZOOLOGIE [pʀɔtɔzɔɔlɔʒi] n. f. — xxe (cf. angl. *Protozoology*, 1904); de *proto(zoaire)*, et *zoologie.*

♦ Didact. Science des protozoaires. ⇒ **Protistologie.**

Quant à Leeuwenhoek, c'est (...) le père de la Protozoologie et de la Bactériologie, et, d'une façon plus générale, de toute la biologie microscopique, animaux et végétaux.
Maurice CAULLERY, les Étapes de la biologie, p. 26 (1941).

PROTRACTEUR [pʀɔtʀaktœʀ] adj. et n. m. — 1847, n. m.; adj., 1877; du rad. de *protraction.*

♦ Didact. (Anat.). *Muscles protracteurs,* ou, n. m., *les protracteurs,* qui permettent d'étirer, d'allonger vers l'avant un membre, une partie du corps (opposé à *rétracteur*).

PROTRACTILE [pʀɔtʀaktil] adj. — 1833; du rad. de *protraction.*

♦ Didact. (Sc. nat.). Qui peut être étiré, distendu vers l'avant. *Langue protractile du fourmilier.*

PROTRACTION [pʀɔtʀaksjɔ̃] n. f. — 1846; «ajournement», XIVe; bas lat. *protractio* «prolongement», du lat. class. *protractum*, supin de *protrahere*, de *pro-*, et *trahere* «tirer».

♦ **1.** Didact. Action de tirer en avant. *Protraction de la langue.* Spécialt. (Phonét.). Mouvement vers l'avant des lèvres accompagnant leur arrondissement. *La protraction amplifie le résonateur buccal en donnant plus de gravité au son.*

♦ **2.** (xxe). Métrol. anc. Allongement d'une syllabe consécutif à la syncope d'une syllabe voisine.

PROTRUS, USE [pʀɔtʀy, yz] adj. — 1878; lat. *protrusus*, p. p. de *protrudere* «pousser en avant».

♦ Anat. Qui a été ou semble avoir été poussé en avant.

PROTRUSION [pʀɔtʀyzjɔ̃] n. f. — 1852; du lat. *protrusum*, de *protudere* «pousser en avant».

♦ Didact. Processus qui pousse un organe en avant d'une manière anormale; situation anormalement avancée de cet organe ou de cette partie du corps. *Protrusion de la denture inférieure, cause de malocclusion.*

Chez les enfants et chez beaucoup d'adultes, l'attention vive produit une protrusion des lèvres, une espèce de moue.
H. BERGSON, Essai sur les données immédiates de la conscience, p. 21.

PROTUBÉRANCE [pʀɔtybeʀɑ̃s] n. f. — 1687; de *protubérant.*

♦ **1.** Anat. et cour. Saillie* à la surface d'un os (⇒ **Apophyse, éminence, tubérosité**), d'un organe, d'un tissu. *La phrénologie se fondait sur l'observation des protubérances du crâne.* ⇒ 1. **Bosse** (I., 3.). — Anat. (1869). *Protubérance annulaire,* segment intermédiaire du tronc cérébral, situé entre le bulbe rachidien et les pédoncules cérébraux, et dit aussi *pont* de Varole,* et *mésocéphale.* — Pathol. ⇒ **Excroissance.** *Protubérances cutanées.* ⇒ **Tubercule.**

De nos jours, le docteur Gall a prétendu établir une liaison ou correspondance certaine entre chacune de nos facultés intellectuelles, et même entre telles passions, tels vices, telles vertus ou dispositions morales, et certaines protubérances du crâne qui les signalent aux yeux de l'observateur. 1
MAINE DE BIRAN, Du physique et du moral de l'homme, I, IV, (1812).

(...) les protubérances frontales fortement accusées (...) 2
Th. GAUTIER, les Grotesques, III, p. 68.

Palper les protubérances graisseuses d'un animal de boucherie. ⇒ **Maniement.** — *Tige souterraine bourrelée de protubérances.* ⇒ **Tubercule; tubéreux.**

♦ **2.** (1738). Cour. Saillie (→ Nez, cit. 4). *Un maigre bidet* (cit. 1) *dont la croupe saillait en protubérances osseuses. Protubérances arrondies du relief.* ⇒ **Mamelon.** *Les montagnes, protubérances de pierres calcaires* (cit. 2, Chateaubriand)...

(...) la pèlerine qui lui tombait à mi-jambe paraissait cacher une bosse, une protubérance, quelque extraordinaire déformation. Soudain, il rejeta en arrière les pans de sa pèlerine (...) et l'on vit que sa démarche, cette hanche malade étaient simulées par une façon de porter sa lourde serviette de cuir. 3
COCTEAU, les Enfants terribles, p. 10.

♦ **3.** (1859). Astron. *Protubérances solaires,* immenses projections (jets d'ions ou illumination de la chromosphère par des faisceaux d'électrons) qui s'élèvent de la chromosphère. *Protubérances quiescentes,* lentes et relativement basses. *Protubérances éruptives* (plus de 100 000 km de hauteur).

CONTR. Cavité.
DÉR. Protubérantiel.

PROTUBÉRANT, ANTE [pʀɔtybeʀɑ̃, ɑ̃t] adj. — V. 1560; bas lat. *protuberans*, p. prés. de *protuberare*, rad. *tuber* «excroissance, tumeur».

♦ Didact. Qui forme saillie. *Une pomme d'Adam protubérante.* ⇒ **Proéminant, saillant.**

DÉR. Protubérance.

PROTUBÉRANTIEL, ELLE [pʀɔtybeʀɑ̃sjɛl] adj. — 1868; de *protubérance.*

♦ Didact. (Astron., etc.). Qui est en forme de protubérance. *Masse gazeuse protubérantielle. « Les centres d'action de l'activité protubérantielle »* (*Rev. gén. des sc.*, 30 août 1903, p. 886).

PROTUTEUR, TRICE [pʀɔtytœʀ, tʀis] n. — 1667, *in* Trévoux; lat. *protutor, trix.*

♦ Dr. Personne qui, sans avoir le titre de tuteur ou tutrice, est fondée à administrer les biens d'un mineur. — Spécialt. (1804). Personne chargée de gérer les affaires d'un mineur possédant des biens hors du pays où il est domicilié.

PROTYPOGRAPHIQUE [pʀɔtipɔgʀafik] adj. — 1840, Académie; de *pro-*, et *typographique.*

♦ Didact. Se dit d'un livre manuscrit antérieur à l'invention de l'imprimerie. *Ouvrages protypographiques et incunables*. Bibliothèque protypographique*, qui ne contient que ce type de livres.

PROU [pʀu] adv. — XIIIe; fin XIIe, *pro;* 1080, *prud;* emploi adv. de l'anc. n. m. *prou* (v. 1200; *proud*, v. 980) «profit»; du lat. pop. *prode;* lat. clas. *prodesse* «être utile».

♦ Vx. Beaucoup. — REM. Selon Vaugelas, le mot était encore usuel, dans la langue parlée, v. 1650. — *Avoir prou de quelque chose.*

Vx et littér. (1559). *Ni peu ni prou :* ni peu ni beaucoup, en aucune façon. — Mod. Littér. (V. 1600). *Peu ou prou :* plus ou moins.

Quand le moment est venu de payer, voyez-vous, ça sent toujours le voleur peu ou prou, comme on dit (...) René BOYLESVE, l'Enfant à la balustrade, IV, IV.

HOM. Proue.

PROUDHONIEN, IENNE [pʀudɔnjɛ̃, jɛn] adj. et n. — 1869; du nom de *Proudhon*, philosophe et théoricien socialiste, mort en 1865.

♦ Qui a rapport à Proudhon, à ses théories. *Le socialisme proudhonien, libertaire, anticapitaliste et antimarxiste.* La Voix du peuple, *journal proudhonien.* — N. (1870). Partisan du système de Proudhon.

Franc-Comtois, compatriote de Proudhon, dont il avait fréquenté à Besançon la pauvre famille (...) Morin avait grandi dans les idées proudhoniennes, ami tendre des misérables, nourrissant une colère d'instinct contre la richesse et la propriété. Plus tard (...) il s'était donné (...) à Auguste Comte; et c'était ainsi qu'on aurait retrouvé chez lui, sous le positiviste fervent, l'ancien proudhonien, sa révolte personnelle de pauvre, en haine de la misère. ZOLA, Paris, II, I.

REM. On trouve aussi la forme *proudhoniste* [pʀudɔnist] adj. et n. (1869, Blanqui).

PROUE [pʀu] n. f. — 1382; *proe*, 1246; ital. dial. *proa, prua*, formes issues par dissimulation du lat. *prora.*

♦ Avant (d'un navire). ⇒ **Avant, bout, nez** (II.). — Spécialt. Dans les anciens navires en bois, partie limitée par l'étrave* et comprenant les allonges d'écubiers, la première paire de couples par l'avant et la partie du bordage qui les recouvre. *À la proue et à l'arrière* (poupe) *du bateau* (→ 1. Marque, cit. 12). *Vagues fouettant* (cit. 8) *la proue d'un paquebot. Se tenir sur la proue* (→ Invoquer, cit. 2). — *Fer taillant de la proue d'une gondole* (cit. 2). ⇒ **Éperon.** *Acrostoles* de la proue d'une galère.* — Loc. *Figure** (cit. 8) *de proue.* ⇒ **Bestion** (vieux).

1 Les batailles navales étaient alors plus meurtrières qu'aujourd'hui (...) les vaisseaux s'abordaient par la proue; on en abaissait de part et d'autres des ponts-levis, et on se battait comme en terre ferme. VOLTAIRE, Essai sur les mœurs, LXXV.

2 (...) les matelots se pressaient pêle-mêle sur le tillac : nous nous tenions debout; le visage tourné vers la proue du vaisseau. CHATEAUBRIAND, Mémoires d'outre-tombe, t. I, p. 274.

Par compar. ou par métaphore. *Nez busqué* (cit.) *formant proue. S'avancer en proue :* faire saillie.

3 (...) des babouches (...) dont la pointe se recourbe en proue de gondole. LOTI, l'Inde (sans les Anglais), V, II.

4 Les maisons s'avancent comme des proues de galères où tous les sabords s'éclairent (...) Léon-Paul FARGUE, Poèmes, p. 46.

CONTR. Arrière, poupe.
HOM. Prou.

PROUESSE [pʀuɛs] n.f. — V. 1460; *proesce*, v. 1155; *Proëce*, Roland, 1080; de *preux.*

♦ **1.** Vx. Caractère d'un preux. ⇒ **Vaillance** (→ Imiter, cit. 7). *Le lion... « Chargé d'ans et pleurant son antique* (cit. 8) *prouesse »* La Fontaine. — *« Une nation guerrière, où la force, le courage et la prouesse sont en honneur »* (→ Poltronnerie, cit.).

♦ **2.** (V. 1155). Mod. et littér. Acte de courage, d'héroïsme. *Les prouesses d'un chevalier, d'un paladin, d'un preux. « Leurs prouesses et glorieux faits d'armes »* (→ Laudateur, cit., Rabelais; et, aussi glorifier, cit. 4).

♦ **3.** Cour. Action d'éclat. ⇒ **Exploit; bravoure** (vx). *Les prouesses des pionniers de l'aviation* (→ Mince, cit. 14). — Iron ou plais. (emploi le plus fréquent). *Se lever avant l'aube en guise* (cit. 8) *de prouesse.* — Par antiphr. *Voilà encore de ses jolies prouesses!*

(En parlant d'excès dans la conduite). *Les prouesses d'un Gargantua, d'un grand buveur.* Spécialt. (Mil. XVIIe, Scarron). Exploit érotique (en général, d'un homme). *Un don juan qui se vante de ses prouesses.* ⇒ **Succès.** *« Les prouesses de l'alcôve »* (Proudhon).

PROUSTIEN, IENNE [pʀustjɛ̃, jɛn] adj. — V. 1930; de Marcel *Proust*, écrivain français (1871-1922).

♦ De Proust, propre à son œuvre, caractérisée par la finesse de l'analyse psychologique, la perfection complexe de la forme, l'évocation d'un monde délicat et suranné, etc.

(...) *À la recherche du Temps perdu* partage l'histoire du roman — même au premier regard, et sans faire intervenir la profonde révolution proustienne (...) 1
F. MAURIAC, Bloc-notes 1952-1957, p. 79.

La sentinelle n'en revenant pas de se sentir tout à coup dans les bras d'une «poule de luxe» emmitouflée et parfumée, ces grandes dames proustiennes s'évanouissant dans un frou-frou et envol de paroles gentilles, de balbutiements et de rires avant que le pauvret solitaire n'eût réalisé ce qui lui était tombé du ciel comme beau Noël! B. CENDRARS, la Main coupée, Œ. compl., t. X, p. 274-275. 2

PROUT [pʀut] interj. et n. m. — XIIIe-XIVe *in* Godefroy, qui note : «*Prout*, quoique omis par Littré, est resté dans la langue populaire»; onomatopée.

♦ Pop. Bruit de pet.

Elle pleurait, pleurait et tout en pleurant elle revoyait son garçon du temps qu'il n'était qu'un bébé rose et dodu sur le ventre duquel elle s'amusait à faire des «prout» pour le faire rire (...) Marie CARDINAL, les Mots pour le dire, p. 221.

Pet. *Faire un prout.* — *«À dada prout prout cadet, Quand il trotte il fait un pet»* (Rimes traditionnelles scandées en faisant sauter un enfant assis sur ses genoux).

(1866, Esnault). Interj. argotique évoquant l'homosexualité masculine. *Prout, ma chère!*

PROUTER [pʀute] v. intr. — 1836, Vidocq, au fig. «se fâcher»; cf. Porter le pet; de *prout.*

♦ Pop. Péter.

PROUVABLE [pʀuvabl] adj. — V. 1265; de *prouver.*

♦ Rare. Qu'il est possible de prouver. ⇒ **Démontrable.**

CONTR. et COMP. Improuvable.

PROUVER [pʀuve] v.tr. — V. 1265; fin XIe, *prover* «mettre à l'épreuve*, établir la vérité de»; du lat. *probare*, proprt «éprouver».

♦ **1.** (V. 1130). Faire apparaître ou reconnaître comme vrai, réel, certain, au moyen de preuves*. ⇒ **Démontrer** (cit. 3), **établir.** *Prouver une proposition par un raisonnement, des arguments pertinents, point par point.* — Loc. *Prouver qqch. par A + B. Prouver l'authenticité de ses titres par des pièces justificatives.* — Ellipt. *Prouver vingt ans de noblesse* (cit. 12). — *Prouver l'existence de Dieu par des raisons naturelles* (→ Athée, cit. 2); ellipt, *prouver Dieu* (cit. 34). *Prouver l'immortalité de l'âme par les causes finales* (cit. 2). *Prouver une chose et son contraire* (cit. 16) *avec la même force d'évidence. Je n'avance* (cit. 5, Pascal) *rien que je ne prouve. Prouver qqch. contre qqn. Il ne semble pas que vous prouviez rien contre moi* (→ 2. Être, cit. 31). — (Au passif). *Ne pas croire aux miracles* (cit. 5) *parce qu'aucun n'est prouvé.* ⇒ **Avéré, confirmé.** *Cela n'est pas prouvé, cela reste à prouver.* ⇒ **Constater, évidence** (mettre en). — *Prouver l'absurdité de ragots* (→ 1. Faux, cit. 7), *l'utilité des exercices* (cit. 4) *du corps.* — *Prouver que... « Bayle a prétendu prouver qu'il valait mieux être athée* (cit. 5) *qu'idolâtre »* (Montesquieu). *Prouvez que ces expériences* (cit. 45) *sont inexactes. Raisonnements pour prouver à une femme qu'un amour involontaire* (cit. 2) *n'est pas un crime.* ⇒ **Comprendre** (faire), **croire** (faire). *Je vous prouverai que vous n'êtes qu'une pécore* (cit. 1, Molière).

(...) ceux qui savent les preuves de la religion prouveront sans difficulté que ce fidèle est véritablement inspiré de Dieu, quoiqu'il ne pût le prouver lui-même. 1
PASCAL, Pensées, IV, 287.

Je ne sais si ceux qui osent nier Dieu méritent qu'on s'efforce de le leur prouver (...) LA BRUYÈRE, les Caractères, XVI, 36. 2

Et qui nous prouvera que, cette fois-ci, vous soyez ce que vous dites? car voilà déjà un mensonge que vous n'avez pas pu soutenir. 3
G. SAND, la Mare au diable, Appendice, II.

4 C'est étrange, Thérèse, comme tu dévies la conversation lorsque j'essaye de te prouver par a + b que tu t'es fait rouler par notre chère Éducation nationale.
Yanny HUREAUX, la Prof, p. 239.

Prov. *Qui veut trop prouver ne prouve rien :* l'accumulation des preuves fait douter de leur valeur.

Absolt. *L'excès de généralisation* (cit. 2) *où entraîne le désir de prouver.* — Impers. *Il est prouvé que...* (→ Dénombrement, cit. 3; front, cit. 28). *Il n'est aucunement prouvé que...* (→ Étourderie, cit. 3).

(XIIe). *Prouver qqch. en justice :* en fournir la preuve*. *Innocence qui apparaît* (cit. 18) *impossible à prouver. L'infanticide* (2. Infanticide, cit. 1) *a été prouvé. « Êtes-vous, oui ou non, l'auteur de ce livre? — Si vous pouvez le prouver, produisez vos témoignages »* (→ Inquisiteur, cit. 4).

5 J'ai dit et prouvé, que monsieur Goëzman était l'auteur des déclarations de le-Jay (...)
J'ai dit ensuite, sans le prouver, que mon exposé était en tout conforme aux dépositions des témoins et interrogatoires des accusés; mais la preuve est au procès. Ensuite j'ai prouvé, sans avoir besoin de le dire, que le sieur Marin avait tenu une conduite peu honnête en toute cette querelle (...)
BEAUMARCHAIS, Mémoires... dans l'affaire Goëzman, p. 146.

♦ **2.** (V. 1112). Sens affaibli. Exprimer (une chose) par une attitude, des gestes, des paroles. ⇒ **Montrer, voir** (faire). *Comment vous prouver ma reconnaissance?* (→ Donner la preuve*, des preuves, des marques* de...). *Je suis bon Français, je l'ai prouvé et le prouverai encore* (→ Impolitique, cit.). *Ces folles prouvent par leurs égarements* (cit. 6, Renan) *les saintes lois de la nature.* ⇒ **Affirmer.** — *Prouver que... Il paraît* (cit. 40) *avoir à cœur de me prouver qu'il a de l'honnêteté. Histoire de prouver qu'il est un homme libre* (→ Poivrot, cit.). *Cet enfant prouve qu'il a le sens de l'humour et du plus fin* (cit. 14). *Hugo nous a prouvé que le domaine* (cit. 5, Baudelaire) *de la poésie est presque illimité.*

6 Je volerai à vos pieds et dans vos bras, et je vous prouverai, mille fois et de mille manières, que vous êtes, que vous serez toujours, la véritable souveraine de mon cœur.
LACLOS, les Liaisons dangereuses, CXXIX.

7 La jalousie peut plaire comme une manière nouvelle de prouver l'amour.
STENDHAL, De l'amour, XXXVI.

♦ **3.** (XVIIe). Sujet n. de chose. Servir de preuve, être (le) signe* de... ⇒ **Annoncer, déceler, indiquer, marquer, révéler, témoigner, voir** (faire, laisser). *Une action isolée ne prouve rien* (→ 1. Masse, cit. 14). *Un exemple qui ne prouvait rien* (→ Pessimisme, cit. 4). *Traditions qui prouvent l'antiquité* (cit. 4) *des peuples de l'Égypte.* ⇒ **Attester; foi** (faire foi de...). *Misères qui prouvent la grandeur de l'homme* (→ Déposséder, cit. 1, Pascal). *Cela seul prouve démonstrativement* (cit.) *son libertinage. Ses manières entreprenantes prouvaient un « coureur »* (cit. 6). — *Qu'est-ce que cela prouvait?* (→ Quelle conclusion* en tirer?) — *Prouver que... Cela prouvait qu'il fallait des mesures encore plus exceptionnelles* (cit. 2). *L'expérience prouve que...* (→ Autocratie, cit. 1; et aussi indispensable, cit. 11). *Ce qui prouve que...* (→ Dissection, cit. 1), *ce qui tendrait à prouver que...* (→ Chance, cit. 8). *Cette incartade* (cit. 7) *prouve que ton éducation est à refaire. — Qu'est-ce qui me prouve qu'elle ne va pas le rejoindre?* (→ Imaginer, cit. 18).

8 (...) mes tendres soupirs
Vous ont assez prouvé l'ardeur de mes désirs (...)
MOLIÈRE, les Femmes savantes, I, 2.

9 L'infécondité de huit reines, la mort prématurée de six rois, prouvent assez la dégénération de cette race : elle finit d'épuisement comme celle des Mérovingiens.
MICHELET, Hist. de France, II, III.

10 Mais ces appréciations prouvent plus en faveur de la bonté du Pepys que du talent de sa femme.
R. ROLLAND, Voyage musical..., p. 38.

11 Son expérience personnelle lui prouvait que seul l'amour d'une femme peut inspirer un grand courage.
A. MAUROIS, Ariel..., II, VII.

▶ **SE PROUVER** v. pron.

♦ **1.** (Sens 1). Passif. *Les choses de fait ne se prouvent que par les sens* (→ 1. Point, cit. 88, Pascal).

(Réfl. ind.). *Se prouver à soi-même la vérité d'une religion* (→ Passionner, cit. 13).

12 L'humaniste (...) tâche de se prouver à lui-même qu'il reste le maître de ses abandons.
F. MAURIAC, Souffrances et Bonheur du chrétien, p. 159.

♦ **2.** (Sens 2.). Récipr. *« Quand nous nous serons prouvé l'un à l'autre que je suis une coquette* (cit. 6) *et vous un libertin... »* Musset. — Sens passif. *Tendresse qui se prouve par mille prévenances.*

▶ **PROUVÉ, ÉE** p. p. adj. *C'est prouvé.* ⇒ **Certain, évident, sûr.** — *Accusations dûment prouvées* (→ Instruction, cit. 15). *Circonstances prouvées de manière irréfragable* (cit. 3) *par des dépositions de témoins.*

CONTR. Alléguer, infirmer. — (Du p. p. adj.) Gratuit, incertain.

DÉR. et COMP. Éprouver. — Prouvable, prouveur. — Réprouver. — (Du même rad.) Preuve, probable, probant, probatoire.

PROUVEUR, EUSE [pʀuvœʀ, øz] n. — V. 1120; de *prouver.*

♦ **1.** Vx (anc. franç. et hist.). N. m. Celui qui défend qqn devant un juge (correspond à *avocat*).

♦ **2.** (1834). Personne qui désire prouver qqch. et cherche à persuader les autres.

PROVÉDITEUR [pʀoveditœʀ] n. m. — 1544, Arveiller; adapt. de l'ital. *proveditore,* rad. lat. *providere* « pourvoir ».

♦ Hist. Officier public de l'ancienne république de Venise, chargé d'inspections ou du commandement d'une flotte, d'une place forte, d'une province... *Provéditeur de la mer, de la santé.*

PROVENANCE [pʀɔvnɑ̃s] n. f. — 1294, *prouvenanche* en picard; repris 1801; de *provenant,* p. prés. de *provenir.*

♦ **1.** (1834). Endroit d'où vient ou provient (qqch.). *Un paquet dont j'ignore la provenance* (→ aussi Pâture, cit. 7). — *En provenance de... Avion, train en provenance de...* (opposé à *en partance pour, à destination de*). *Arrivage d'agrumes en provenance d'Algérie, d'Israël, d'Espagne. Courant* (2. Courant, cit. 11) *d'immigration en provenance de l'Europe.*

♦ **2.** Origine. *Ce bibelot a une provenance illustre* (→ Généalogie, cit. 4). *Des maladies dont on ignore la provenance* (→ Écriture, cit. 18). — *De... provenance* (et qualification). *Des éléments de toutes provenances* (→ Autant, cit. 52). *Les gamètes* (cit. 2), *cellules distinctes et de provenance différente. Mot de provenance germanique,* emprunté à un idiome germanique.

Comm. *Estampille garantissant la provenance d'un fromage. Liqueur* (cit. 7) *de bonne provenance. Commerçant en grains* (cit. 3) *qui sait reconnaître les provenances des blés, des farines...* — (Douanes). *Pays de provenance,* celui d'où une marchandise est importée et qui peut être distinct du pays d'origine. — Au plur. (1801). Admin. *Les provenances :* les marchandises et produits importés.

PROVENANT, ANTE [pʀɔvnɑ̃, ɑ̃t] adj. — 1284; p. prés. de *provenir.*

♦ Dr. Qui provient (d'une source), en parlant des biens. *Biens provenants d'une succession.*

PROVENÇAL, ALE, AUX [pʀɔvɑ̃sal, o] adj. et n. m. — 1574; *prouvencel, provencial,* XIIIe; de *Provence;* du lat. *provincia (romana)* « Province romaine », nom donné par les conquérants romains à une très vaste région des Gaules comprenant notamment la Provence actuelle.

♦ **1.** Qui appartient ou qui a rapport à la Provence proprement dite, à ses habitants, et, par ext., à ses environs immédiats (Côte d'Azur,...). *Oliviers et pins parasols de la campagne provençale. Mas et cabanons provençaux. Magnaneries provençales. La manade provençale et ses gardians. Cuisine provençale à l'huile* (cit. 2) *d'olive et à l'ail. — Santons* des crèches provençales. Tambourinaires provençaux. Farandole provençale. Style roman* provençal.*

Ayez seulement (...) une forêt provençale, tout au moins méridionale. Fournissez-vous-y de bois choisi : bûches cornues d'olivier, fagots de ciste, racines et branches de laurier, rondins de pin pleurant la résine d'or, menue broussaille de térébinthe, d'amandier, n'oubliez pas le sarment de vigne (...) allumez le bûcher (...) Le ciel vert du crépuscule provençal au-dessus de lui, tourne au bleu de lac. 1
COLETTE, Prisons et Paradis, p. 52.

♦ **2.** N. *Les Provençaux :* habitants ou natifs de la Provence. *Une Provençale.*

♦ **3.** N. m. (1836). *Le provençal :* un des dialectes de la langue d'oc*. Par ext. La langue d'oc tout entière. ⇒ **Occitan.** — REM. En ce sens, *occitan* est plus usité. — *Apprendre le provençal. Parler provençal.* — Nom donné à la langue littéraire utilisée par Mistral (fondée sur les parlers rhodaniens). — Adj. Du provençal (langue). *La langue provençale. La littérature provençale et le félibrige*. « Mireïo »* (*« Mireille »*), *œuvre de Frédéric Mistral, poète provençal* (⇒ **Félibre**). — *Poésie provençale du moyen âge* (⇒ **Sirventès**). *Les troubadours provençaux.*

Âme éternellement renaissante, âme joyeuse et fière et vive qui hennis dans le bruit du Rhône et de son vent, âme des bois pleins d'harmonie et des calanques pleines de soleil, de la patrie âme pieuse, je t'appelle. Incarne-toi dans mes vers provençaux. 2
F. MISTRAL, Calendal, I, p. 11.

(...) Mistral me disait ses vers dans cette belle langue provençale, plus qu'aux trois quarts latine, que les reines ont parlée autrefois et que maintenant nos pâtres seuls comprennent (...) 3
Alphonse DAUDET, Lettres de mon moulin, « Le poète Mistral ».

Le provençal donnait joyeusement aux conversations leur allure chantante. 4
ARAGON, les Beaux Quartiers, I, XXII.

♦ **4.** (1634, Peiresc *in* D.D.L.). Loc. adv. *À la provençale :* à la manière des habitants de la Provence. — (1826). Spécialt (cuis.). À la mode, à la manière de Provence (avec beaucoup d'ail et de persil).

Champignons, tomates à la provençale. Plus cour. (Appos.). *Tomates provençale,* ou (adj.) *tomates provençales.*

DÉR. Provençaliser, provençalisme.

PROVENÇALISER [pʀɔvɑ̃salize] v. tr. — XXe; de *provençal.*

♦ Donner un caractère provençal à qqch. *Provençaliser une recette de cuisine.* Au p. p. :

Magali sacrifiait toujours à la tradition de la bonne cuisine provençale ou, si elle venait d'ailleurs, provençalisée. R. SABATIER, les Enfants de l'été, p. 227.

PROVENÇALISME [pʀɔvɑ̃salism] n. m. — 1836; de *provençal.*

♦ Ling. Particularité du français régional de Provence.

Je fais, je m'empresse de me conformer à tes conseils, autant que possible, ne me souvenant plus de ma précédente rédaction exactement, je fais servir les vieilles formules; j'ai seulement glissé (provençalisme) le mot « prompte » par une démangeaison, si j'ose dire, que tu excuseras vraisemblablement tout le premier.
Germain NOUVEAU, Lettre à É. Delahaye, 1911, *in* Œ., Pl., p. 991.

PROVENDE [pʀɔvɑ̃d] n. f. — V. 1131; lat. *praebenda,* « avec modification de la syllabe initiale d'après les mots commençant par *pro-* » (Bloch); doublet de *prébende.*

♦ **1.** Vx. Provisions* de bouche, vivres*. *Être en quête de provende. Manquer de provende.*

1 Mieux nourri, maintenant (...) il lui arrivait de flâner, de suivre ses pas au hasard. Cela le surprenait et le désemparait : à mesure que le souci de sa provende relâchait sa terrible étreinte, qu'il se sentait mieux assuré de vivre, son découragement augmentait. M. GENEVOIX, Raboliot, IV, II.

Fig. et littéraire :

2 Ah! vous avez déjà tout regardé, dit-il tristement. Sans doute aurez-vous trouvé là peu de provende. Que voulez-vous? les moindres miettes je les ramasse (...)
GIDE, Isabelle, IV.

♦ **2.** (XIXe; « ration d'avoine donnée aux chevaux », v. 1155; « ce qu'on donne à une bête, outre le foin », 1606). Agric. Préparation de fourrage*, dont on nourrit surtout les moutons à l'engrais. — Par ext. Nourriture donnée aux bestiaux, chevaux ou animaux de basse-cour. *Bœufs d'élevage* (cit. 1) *pourvus d'une abondante provende. Distribuer la provende aux poules.*

3 Il fallut envoyer les troupeaux pâturer le long des chemins, au revers des fossés, et balayer les fenières pour fournir les rateliers d'une provende peu appétissante.
J. TAILLEMAGRE, Peine des hommes, *in* le Monde, 20 nov. 1956.

PROVENIR [pʀɔvniʀ] v. tr. ind. (*de...*) — Conjug. *venir.* — 1210; lat. *provenire* « naître, se produire ».

♦ **1.** (1690). Choses. Venir* de... *Une lettre provenant d'un lycée de Paris.* ⇒ **Partir** (→ Pion, cit. 1). *Caractères provenant de l'atelier d'un fondeur* (1. Fondeur, cit. 1). ⇒ **Sortir.** *Un billet de banque provenant de sa bourse personnelle* (→ aussi Papier, cit. 10). — *Parfum qui provient d'un bouquet.* ⇒ **Émaner.**

1 L'on a formé au couvent de Santo Domingo une collection de tableaux provenant des monastères abolis ou ruinés (...) Th. GAUTIER, Voyage en Espagne, p. 182.

Au p. p. (Rare). — REM. On dit plutôt *provenant de.*

2 (...) on buvait là des vins provenus des meilleurs coteaux du duché de Bourgogne.
VILLIERS de L'ISLE-ADAM, Contes cruels, « La reine Ysabeau ».

♦ **2.** (Choses). Avoir son origine* dans..., tirer son origine de... *Propriétés qui proviennent d'une succession* (→ Notre, cit. 14). *Personne ne savait d'où provenait leur fortune.* ⇒ **Remonter; tirer** (→ Piraterie, cit. 1). — *Le mot provient du grec.* ⇒ 1. **Dériver.** — *Hybrides provenant du croisement d'espèces différentes.* ⇒ **Descendre; issu** (→ Infécond, cit. 3). — *Huiles provenant de la distillation des goudrons* (cit. 4) *de houille.* ⇒ **Résulter.**

3 L'ampleur de ce vêtement déguisait assez mal une maigreur provenue plutôt de la constitution que d'un régime pythagoricien (...)
BALZAC, le Cousin Pons, Pl., t. VI, p. 527.

(1210). Sentiments, idées. Découler, émaner. ⇒ 1. **Dériver, procéder, tenir** (à). — *Cette attitude d'esprit provenait d'une optique* (cit. 5) *particulière* (→ aussi Laideur, cit. 5; missionnaire, cit. 2, Chateaubriand). *L'ennui* (cit. 25) *qui provient de la fainéantise.* ⇒ **Naître.** *Le succès ne pourra provenir que de vos efforts* (⇒ **Dépendre**).

4 D'où peut donc provenir ce bizarre transport? MOLIÈRE, l'Étourdi, II, 4.

5 (...) un cauchemar persistant, comme le vôtre, provient le plus souvent d'idées écartées par l'esprit parce qu'elles produisent sur lui une impression trop pénible.
A. MAUROIS, les Discours du D[r] O'Grady, XII.

DÉR. Provenance.

PROVERBE [pʀɔvɛʀb] n. m. — XIIe; lat. *proverbium, de pro-* et *verbum* → Verbe.

♦ **1.** Formule présentant des caractères formels stables, souvent métaphorique ou figurée (cit. 5) et exprimant une vérité d'expérience ou un conseil de sagesse pratique et populaire (2.), commun à tout un groupe social. ⇒ aussi **Adage, aphorisme, dicton, maxime, pensée, sentence.** — Abréviation dans ce dictionnaire : *Prov. Le proverbe est populaire, il appartient à la sagesse* des nations* (→ Cruche, cit. 8). *« Qui a bu boira »; « L'habit ne fait pas le moine »; « Mieux vaut tenir que courir » sont des proverbes. Proverbe français, étranger. Sages proverbes* (→ Frapper, cit. 8). *Proverbe étonnant* (→ 1. Pensée, cit. 44), *menteur* (cit. 6). *Il y a un proverbe qui dit...* (→ Fourreau, cit. 4). *Comme dit le proverbe* (→ 1. Pas, cit. 30). — *Proverbes ruraux. « Proverbes traînés dans les ruisseaux des halles »* (Molière) → Intervalle, cit. 1. *Vieux proverbe* (→ Abri, cit. 11). *Parler par proverbes.* Vx et péj. *Parler proverbe.* — *Proverbes, locutions banales et lieux communs* (→ Épancher, cit. 25). *Recueil de proverbes. Étude des proverbes* (⇒ **Parémiologie**). *Montaigne, La Fontaine... sont riches en proverbes.*

(...) comme dit le proverbe : Ce qui tombe dans le fossé est pour le soldat. 1
A. DE VIGNY, Cinq-Mars, XI.

Il y a un proverbe qui prétend que ce qui est différé n'est pas perdu. J'aime peu les proverbes en général, parce que ce sont des selles à tous chevaux; il n'en est pas un qui n'ait son contraire, et, quelque conduite que l'on tienne, on en trouve un pour s'appuyer. A. DE MUSSET, Nouvelles, « Emmeline », V. 2

Comme dit un beau proverbe arabe : « Les chiens aboient, la caravane passe » *(l'effet)* fut grand; le proverbe nous était connu (...) 3
Il avait remplacé cette année-là chez les hommes de haute valeur, cet autre : « Qui sème le vent récolte la tempête ».
PROUST, À l'ombre des jeunes filles en fleurs, Pl., t. I, p. 461.

— Pour la troisième fois, je te demande en quoi consiste ton devoir de français. 4
— C'est une explication, dit Lucien. Il faut expliquer le proverbe : « Rien ne sert de courir, il faut partir à point ».
M. AYMÉ, le Passe-muraille, « Le proverbe ».

Gravés sur tout ce qui était bois, bordés sur tout ce qui était étoffe, je retrouvais dans son bureau tous ces proverbes et résidus de la sagesse allemande dont le visiteur est abreuvé : « Qui parle le matin, se tait le soir... Qui aime son prochain aura des fleurs au printemps... Assieds-toi sur moi, je suis un loyal fauteuil de Dessau... L'heure du matin a de l'or dans la bouche ». 5
GIRAUDOUX, Siegfried et le Limousin, p. 112.

Loc. (1673). *Passer en proverbe :* être cité comme une vérité reçue; devenir proverbial (d'une assertion). Fig. Être cité comme modèle, comme un exemple. — (XVIIIe). Vx. *Faire proverbe* (même sens).

(Déb. XIIIe). *Le Livre des Proverbes* ou *Les Proverbes :* livre de l'Ancien Testament qui est un recueil de proverbes et d'exhortations, attribué en partie au roi Salomon.

♦ **2.** (V. 1650). Petite comédie illustrant un proverbe. *Comédies et Proverbes,* de Musset. *Jouer un proverbe.*

PROVERBIAL, ALE, AUX [pʀɔvɛʀbjal, o] adj. — 1487; lat. impérial *proverbialis,* du lat. class. *proverbium.* → Proverbe.

♦ **1.** Qui est de la nature du proverbe. *Phrase proverbiale* (→ Commun, cit. 24). *Formes proverbiales* (→ Indéfini, cit. 9; jeu, cit. 12).

♦ **2.** (1690). Qui tient du proverbe par la forme, l'emploi. *Expression* (→ Pantoufle, cit. 7), *locution proverbiale* (abrév. : *loc. prov.*).

♦ **3.** (Déb. XIXe). Qui est aussi généralement connu et aussi frappant qu'un proverbe, qui est cité comme type. *La sociabilité proverbiale du Français* (→ Articulation, cit. 7). *Habileté proverbiale du mouchard* (→ Mouton, cit. 18). *Sa bonté est proverbiale, est citée comme modèle*.Son ardeur et sa confiance demeuraient* (cit. 34) *proverbiales.*

(...) une des plus nobles familles du Roussillon, espagnole d'origine, et qui, si elle se recommande par l'antiquité de la race, est depuis cent ans vouée à la pauvreté proverbiale des Hidalgos. 1
BALZAC, les Comédiens sans le savoir, Pl., t. VII, p. 11.

Les pauvres eux-mêmes ne marchandaient plus leur gratitude à Malicorne dont la bonté devint proverbiale. On disait couramment : « Bon comme Malicorne », et il arrivait même assez souvent, et de plus en plus, qu'à cette locution, sans trop y penser, on en substituât une autre, si étonnante et si insolite qu'elle sonnait à des oreilles étrangères comme une plaisanterie un peu agressive. On disait, en effet : « Bon comme un huissier ». M. AYMÉ, le Passe-muraille, « L'huissier ». 2

DÉR. Proverbialement, proverbialiser.

PROVERBIALEMENT [pʀɔvɛʀbjalmɑ̃] adj. — 1650; de *proverbial.*

♦ **1.** D'une manière proverbiale (au sens 1.). *On dit proverbialement que...* (→ 1. Général, cit. 13; hérisson, cit. 1; honte, cit. 26).

♦ **2.** Par une locution figée.

♦ **3.** Rare. (Correspond au sens 3, de l'adj.). *Un fait proverbialement connu.*

PROVERBIALISER [pʀɔvɛʀbjalize] v. tr. — 1594, repris XIXe; de *proverbial.*

Rare.

♦ **1.** Donner à (une phrase) l'autorité du proverbe. *Proverbialiser une maxime.* — *Le livre (...) des épigrammes proverbialisés* de Henri Estienne (1594).

♦ **2.** Citer comme un type, un exemple typique.

PROVICAIRE [pʀɔvikɛʀ] n. m. — 1704 *in* D.D.L.; de *pro-*, et *vicaire.*

♦ Relig. (vx). Dignitaire religieux de second rang.

PROVIDENCE [pʀɔvidɑ̃s] n. f. — 1170, «prévoyance»; 1223, relig.; lat. *providentia,* de *providere* «pourvoir».

♦ **1.** Sage gouvernement de Dieu sur la création* (2.).

(1665). Par ext. Dieu* gouvernant la création. — REM. En ce sens seulement, *providence* prend une majuscule, mais cette distinction n'est pas toujours respectée et la majuscule est employée dans les deux sens. — *Providence et hasard** (cit. 19), *et destin*. La divine providence, la providence de Dieu. Les décrets* (cit. 7), *les desseins* (cit. 9) *impénétrables, les conseils, la main* (cit. 60) *de la Providence.* ⇒ **Ciel** (IV., 3.). *Arrêt* (→ Inévitable, cit. 2), *coup de la providence* (→ Bellement, cit. 3). *La Providence sait ce qu'il nous faut* (cit. 13) *mieux que nous. « Une admirable Providence se fait remarquer dans les nids* (cit. 1) *des oiseaux... »* (Chateaubriand). *La Providence s'acharnait* (cit. 5) *à la poursuivre. Trouver un appui* (cit. 32) *dans la volonté de Dieu et sa Providence. La providence, vain mot dont on nous abuse* (cit. 12). — Littér. *Lettre sur la Providence,* de Rousseau, réponse au *Poème du désastre de Lisbonne,* de Voltaire.

1 Mais que la Providence ou bien que le destin
Règle les affaires du monde (...)
LA FONTAINE, Fables, X, 11.

2 Pour moi, qui vois en tout la Providence, je vois ce canon chargé de toute éternité (...)
Mme DE SÉVIGNÉ, 424, 6 août 1675.

3 La Providence n'est que le nom de baptême du hasard.
Mme DE CRÉQUI, cité par RIVAROL, Lettres à M. Necker..., *in* GUERLAC. (Cf. Hasard, cit. 17, CHAMFORT).

4 Le hasard est une part que la Providence s'est réservée dans les affaires de ce monde, part sur laquelle elle n'a pas même voulu que les hommes pussent se croire aucune influence.
Joseph JOUBERT, Pensées, X, XXIII.

5 (...) jamais la *justice morale* (qu'on la nomme fatalité ou Providence, je l'appelle, moi, conséquence inévitable du mal) n'a manqué de punir les infractions à la *loi morale.*
CHATEAUBRIAND, Mémoires d'outre-tombe, t. V, p. 250.

6 Il y a je ne sais quelle *force cachée,* a dit Lucrèce (ce que d'autres avec Bossuet nommeront Providence) qui semble se plaire à briser les choses humaines, à faire manquer d'un coup l'appareil établi de la puissance, et à déjouer la pièce, juste au moment où elle promettait de mieux aller.
SAINTE-BEUVE, Causeries du lundi, 6 mai 1850.

Loc. fig. *Être la providence de qqn* (toujours en bonne part), être la cause de son bonheur, combler ses désirs.

♦ **2.** (1689, Mme de Sévigné). Chose, personne qui est cause de bonheur. *La mère, providence universelle qui suffit à l'enfant* (→ Injuste, cit. 4). *Ils'est fait la providence des malheureux* (→ Marguillier, cit. 1). ⇒ **Protecteur, secours.** *Vous êtes ma providence!* (→ aussi Mousseline, cit. 2).

DÉR. Providentialisme, providentiel.

PROVIDENTIALISME [pʀɔvidɑ̃sjalism] n. m. — Av. 1865; de *providence.*

♦ Didact. Finalisme*de ceux qui croient à la providence.

DÉR. Providentialiste.

PROVIDENTIALISTE [pʀɔvidɑ̃sjalist] adj. et n. — Av. 1865 (1866, Vallès); dér. sav. de *providentialisme.*

♦ Didact. Partisan du providentialisme; qui est relatif au providentialisme. *Théorie providentialiste. Les providentialistes.*

PROVIDENTIALITÉ [pʀɔvidɑ̃sjalite] n. f. — V. 1862, Baudelaire; de *providentiel.*

♦ Littér. et rare. Caractère providentiel (2.) de quelque chose.

PROVIDENTIEL, ELLE [pʀɔvidɑ̃sjɛl] adj. — V. 1792; de *providence,* d'après l'angl. *providential.*

♦ **1.** Qui se rapporte à la providence, est un effet de la providence (généralement usité pour ce qui est heureux). *Fait* (→ Démocratie, cit. 5), *incident* (→ Haine, cit. 33), *succès providentiel* (→ 3. Droit, cit. 36). *Une grâce providentielle* (→ Ophtalmie, cit. 1). — (Personnes). *Sauveurs providentiels* (→ Juge, cit. 4).

1 Que ce soit fatal ou providentiel, Gutenberg est le précurseur de Luther.
HUGO, Notre-Dame de Paris, I, V, II.

♦ **2.** (1840). Cour. Qui arrive opportunément, par un heureux hasard. *Une rencontre, une nouvelle providentielle. Homme providentiel :* l'homme qu'il faut dans une situation délicate ou désespérée (→ Arriver comme le messie*).

2 (...) un ami providentiel et propre à le tirer d'affaire.
Émile HENRIOT, les Romantiques, p. 308.

3 Le point de départ comme le point d'arrivée de toutes ses pensées était la haine de la loi humaine; cette haine qui, si elle n'est arrêtée dans son développement par quelque incident providentiel, devient, dans un temps donné, la haine de la société, puis la haine du genre humain (...)
HUGO, les Misérables, I, II, VII.

CONTR. Malencontreux.

DÉR. Providentialité, providentiellement.

PROVIDENTIELLEMENT [pʀɔvidɑ̃sjɛlmɑ̃] adv. — 1836, Stendhal; de *providentiel.*

♦ **1.** D'une manière providentielle (1.).

♦ **2.** (1875). *Une âme providentiellement secourue* (→ Funérailles, cit. 5). — Par l'action de la Providence. Par bonheur, par une chance inespérée. *Il put providentiellement s'échapper.*

Le commandant de ce fortin, situé *providentiellement* comme diraient les bons écrivains de 1836, croyait arrêter le général Bonaparte (...)
STENDHAL, Vie de Henry Brulard, 46.

PROVIGNAGE [pʀɔviɲaʒ] ou **PROVIGNEMENT** [pʀɔviɲmɑ̃] — 1611, *provignage; provignement,* 1538; de *provigner.*

♦ **1.** Agric. Marcottage* de la vigne.

♦ **2.** (De *provigner, in* Ronsard). Ling. *Provignement. Système, procédé de formation de mots nouveaux par dérivation sur un modèle morphologique normal.*

PROVIGNER [pʀɔviɲe] — V. 1538; *provainier,* 1105; dér. de *provin.*

♦ **1.** V. tr. Marcotter* (la vigne). *Provigner un cep pour obtenir un plant.* — Par métaphore, vx. Faire produire, notamment des mots nouveaux, par la morphologie (→ Drageon, cit. Ronsard).

♦ **2.** V. intr. (1690). Se multiplier par provins, par marcottes. — (XIIe). Fig. et vx. Se multiplier. *L'hérésie a provigné dans ce pays.*

DÉR. Provignage ou **provignement.**

PROVIN [pʀɔvɛ̃] n. m. — 1538; fin XIIe, *provain,* fig. «conséquence (d'un péché)»; du lat. *propaginem,* acc. de *propago,* de *propagare* «propager».

♦ **1.** Vitic. Marcotte* de vigne. *Provin qui prend racine.*

Ne parlez à un grand nombre de bourgeois ni de guérets, ni de baliveaux, ni de provins, ni de regains, si vous voulez être entendu (...) 1
LA BRUYÈRE, les Caractères, VII, 21.

Venez voir mon clos? — Volontiers, dit Gaudissart, ce vin porte singulièrement à la tête. Et l'illustre Gaudissart sortit avec monsieur Margaritis qui le promena de provin en provin, de cep en cep, dans ses vignes. 2
BALZAC, l'Illustre Gaudissart, Pl., t. IV, p. 42.

♦ **2.** Fig. et littér. (vx). Descendance nombreuse.

La tige des Bourbons s'était propagée dans les divers troncs qui, se courbant, prenaient racine et se relevaient provins superbes (...) 3
CHATEAUBRIAND, Mémoires d'outre-tombe, t. VI, p. 264.

PROVINCE [pʀɔvɛ̃s] n. f. — V. 1155, «province ecclésiastique, métropole»; lat. *provincia,* de *pro-,* et rac. *vincere* «vaincre».

♦ **1.** (1213). Hist. rom. Territoire conquis hors de l'Italie, assujetti aux lois romaines et administré par un gouverneur* (⇒ **Proconsul, propréteur**). *César porta les provinces au nombre de dix-huit. La Gaule cisalpine, province romaine. Province proconsulaire. Province sénatoriale, impériale. Provinces annonaires*. Province juive dans laquelle le grand prêtre gardait sa dignité pontificale.* ⇒ **Ethnarchie, ethnarque.** — Dans le Bas-Empire, Division du diocèse* (cit. 1), elle-même divisée en districts ou «civitates», qui était administrée par un gouverneur. *La Gaule comprenait dix-sept provinces, qui furent l'origine des provinces françaises.*

Pendant que Rome ne domina que dans l'Italie, les peuples furent gouvernés comme des confédérés : on suivait les lois de chaque république. Mais lorsqu'elle conquit plus loin, que le sénat n'eut pas immédiatement l'œil sur les provinces, que les magistrats qui étaient à Rome ne purent plus gouverner l'empire, il fallut envoyer des préteurs et des proconsuls. 1
MONTESQUIEU, l'Esprit des lois, XI, XIX.

♦ **2.** Dr. canon. (vx). *Province ecclésiastique :* étendue de la juridiction d'une métropole. ⇒ **Métropole** (1.).

♦ **3.** (V. 1160). Vx. Pays, État. — Fig. *La lune* (cit. 11), *province de l'illusion.*

Thèbes avec raison craint le règne d'un prince 2
Qui de fleuves de sang inonde sa province.
RACINE, la Thébaïde, IV, 3.

Je t'ai cherché moi-même au fond de tes provinces (...) 3
RACINE, Andromaque, IV, 5.

♦ **4.** (Canada, 1867; *Acte de l'Amérique du Nord britannique;* angl. *province*). État fédéré doté d'un gouvernement propre, souverain dans le domaine de ses compétences. *Les dix provinces canadiennes. La Belle Province :* le Québec.

♦ **5.** (Mil. XIIIe). Division d'un royaume, d'un État. — Hist. En France, Circonscription ayant son origine dans la province romaine du Bas-Empire, qui sous l'Ancien Régime correspondait souvent à une liaison militaire (⇒ **Gouvernement** I., 3., *infra* cit. 18; **gouverneur,** cit. 1) et fiscale (⇒ **Généralité** II.; **pays** II., 1., *supra* cit. 16), mais ne formait pas de division politique définie. *Provinces décentralisées* (→ Autonome, cit. 2). *Suppression des provinces à la Révolution* (→ Merveilleux). — Mod. Région, avec ses traditions et ses coutumes particulières. ⇒ **Région.** *La Bretagne, la Normandie, la Picardie, le Poitou, la Provence... sont des provinces françaises. Costumes, fêtes..., blason d'une province* (⇒ **Régional**). *Dialectes, patois et parlers* (2. Parler, cit. 14) *des provinces* (→ Français, cit. 14). *Provinces de l'Est et du Nord* (→ Carte, cit. 17). *Provinces frontalières.* ⇒ **Marche.** — *Les provinces d'Espagne* (→ Jota, cit. 2). *Utrecht et la province qui porte son nom* (→ Capituler, cit. 2). *Les Provinces-Unies, ancien nom de la Hollande* (→ Arminien, cit.). *Prendre des provinces* (→ Conquête, cit. 1). *Province achetée* (→ Avaricieux, cit. 4), *conquise* (→ Immortaliser, cit. 3), *annexée.*

(Belgique, 1899). Unité territoriale dirigée par un gouverneur nommé par le roi, assisté d'un conseil provincial élu au suffrage universel direct, et jouissant de la représentation proportionnelle à la Chambre des représentants. *Les neuf provinces de la Belgique.*

Par métaphore (littér.). *Les provinces du domaine poétique* (→ 3. Mal, cit. 45).

♦ **6.** (XVIIe). Partie d'un pays ayant un caractère propre, à l'exclusion de la capitale. *Une province, les provinces* (opposé à *la capitale*). *Plaidoyer* (cit. 3) *révolutionnaire pour Paris contre les provinces. Dans la capitale et dans les provinces* (→ Indiscipline, cit. 2). *L'air* (1. Air, cit. 25) *précieux s'est répandu dans les provinces. Dans sa paisible province anglaise* (→ Incinérer, cit. 1). *Garder le cachet de sa province* (→ 1. Être, cit. 73). *Des yeux* (cit. 13) *de province. Tout le gauche* (cit. 6) *de sa province. Il arrive de sa province, du fond de sa province* (⇒ **Provincial**).

4 (...) il s'y passe *(à Paris)* cent choses tous les jours qu'on ignore dans les provinces, quelque spirituelle qu'on puisse être.
MOLIÈRE, les Précieuses ridicules, 9.

5 Tout va lentement, tout se fait peu à peu dans les provinces, il y a plus de naturel.
STENDHAL, le Rouge et le Noir, I, VIII.

5.1 C'est un homme très fort *(M. Antoine Pinay)* : il faut un étrange mérite pour faire au degré où il y a réussi quelque chose de rien, et je suis assez de ma province pour être à même de mesurer le singulier pouvoir de son petit chapeau.
F. MAURIAC, le Nouveau Bloc-notes 1958-1960, p. 289.

LA PROVINCE : en France, l'ensemble du pays (spécialt les villes, les bourgs) à l'exclusion de la capitale, de Paris. *À Paris et en province* (→ Aspirer, cit. 9). *Villes, petites villes de province* (→ Désert, cit. 18; enterrer, cit. 20; oisiveté, cit. 3). *Rue de province* (→ Agrément, cit. 7; inégal, cit. 8). *La vie de province. « Scènes de la vie de province »,* titre d'une suite de romans de Balzac. *Habitudes de la province* (→ Encroûter, cit. 2; 2. original, cit. 12). — Vieilli. *Homme, femme de province.* ⇒ **Provincial** (subst.). *Bourgeois* (cit. 10), *noble de province* (→ Fourrure, cit. 5; hobereau, cit. 3).— *Frais émoulu de la province* (→ Dégourdir, cit. 4). — *En province. S'installer, vivre en province et non à Paris.* (1672). Par ext. Les habitants de la province. *Règlement qui mécontente la province.*

6 Cela est étrange, qu'on ne puisse avoir en province un laquais qui sache son monde.
MOLIÈRE, la Comtesse d'Escarbagnas, 2.

7 Sachons-le bien! la France au dix-neuvième siècle est partagée en deux grandes zones : Paris et la province; la province jalouse de Paris, Paris ne pensant à la province que pour lui demander de l'argent (...) les pères de province ne marient leurs filles qu'à des garçons de province (...) la sinistre idée des convenances de fortune y domine toutes les conventions matrimoniales. Les gens de talent, les artistes, les hommes supérieurs, tout coq à plumes éclatantes s'envole à Paris.
BALZAC, la Muse du département, Pl., t. IV, p. 70.

8 Loin de la fournaise des grandes villes, dans le calme de la province, des esprits se formaient lentement pour l'étonnement des peuples, avant de venir à Paris recevoir la consécration.
G. DUHAMEL, Manuel du protestataire, III.

8.1 La province, la nuit (...) Quoi de plus mélancolique, de plus envoûtant aussi? Assis à mon volant, je regarde ces vieilles maisons silencieuses, ces édifices d'un autre âge, ces petites rues furtives aux pavés inégaux et je pense qu'il doit faire bon être épicier dans ce coin (..) Mais mener une vie tranquille dans des habitudes routinières (...) Dire bonjour aux voisins, suivre les défilés de la clique (...) Assister au banquet pour l'anniversaire du maire. Discuter de la construction des nouveaux lavoirs et se mettre sur son trente et un pour aller au cinéma (...)
SAN-ANTONIO, le Secret de Polichinelle, p. 91.

Par anal. *La province anglaise* (cet emploi n'est normal que pour les pays centralisés, dont la capitale est très importante).

Adj. (1884). Fam. Provincial. *« Il est très province »* (Académie). *Cela fait province.*

9 Ainsi rassemblés (...) ils redeviennent tous assez Province, et très sud-ouest. Peu d'accent, à vrai dire, mais néanmoins beaucoup de terroir.
J. ROMAINS, les Hommes de bonne volonté, t. VIII, XXI p. 229.

CONTR. Capitale.
DÉR. V. aussi **Provençal.**

PROVINCIAL, ALE, AUX [pʀɔvɛ̃sjal, o] adj. et n. — XIIIe dans la langue ecclés.; lat. *provincialis,* de *provincia.* → Province.

♦ **1.** Vx ou hist. Qui appartient, est relatif à une province (5.) dans l'Ancien Régime. — REM. Pour les provinces actuelles on dit *régional. Assemblée provinciale, états* provinciaux,* représentants des trois ordres dans une province (→ Ascension, cit. 4; Monsieur, cit. 1). *Milices* (cit. 3) *provinciales. La patrie provinciale et la grande patrie* (cit. 12, Michelet).

Hist. ecclés. Qui appartient aux maisons du même ordre dans une province. *Conciles provinciaux. Pères provinciaux et général* (2. Général, cit. 5) *des Jésuites.* — N. m. (1288). *Un provincial :* père provincial.

♦ **2.** (XVIe). Cour. Qui appartient, est relatif à la province (6.) dans ce qu'on lui trouve de typique (péj. au XVIIe). *La vie provinciale* (→ Bourgeois, cit. 16). *Noblesse de cour,* (cit. 9) *et noblesse provinciale. Éducation provinciale qui rétrécit les idées* (→ Instructif, cit. 2). *Médiocrité* (cit.8) *provinciale. Franchise* (cit. 8), *galanterie provinciale* (→ 1. Patiner, cit.). — Péj. *Avoir des manières provinciales,* un peu gauches, qui ne sont pas à la mode de Paris. *Un air provincial. Jolie mais un peu provinciale.* — Subst. *« Les Provinciales »,* désignation traditionnelle des *« Lettres écrites à un Provincial par un de ses amis »,* œuvre polémique de Pascal. *« Provinciales »,* de Giraudoux.

Les Reinhart n'avaient pas tenu assez de compte du protocole provincial, qui régit les devoirs des nouveaux arrivants dans une ville, à l'égard de ceux qui y sont installés avant eux. R. ROLLAND, Jean-Christophe, La révolte, II, p. 518. 1

— D'ailleurs, ajouta-t-il, quand on habite la campagne... 1.1
— Tout est peine perdue, dit Emma.
— C'est vrai! répliqua Rodolphe. Songer que pas un seul de ces braves gens n'est capable de comprendre même la tournure d'un habit!
Alors ils parlèrent de la médiocrité provinciale, des existences qu'elle étouffait, des illusions qu'y s'y perdaient. FLAUBERT, Mme Bovary, Folio, p. 190.

♦ **3.** N. (1640). Personne qui vit en province (du point de vue des Parisiens, ou dans un contexte où il est fait référence à Paris). *Les provinciaux* (→ Friandise, cit. 5) *et les Parisiens. Place des provinciaux dans la politique, la littérature* (→ Inassouvi, cit. 5). *La mode domine les provinciales, les Parisiennes dominent la mode* (1. Mode, cit. 7). *Ce qui étonne un provincial à Paris* (→ Aborder, cit. 8). *Un jeune provincial* (→ Descendre, cit. 16; lycéen, cit.). *Un provincial frais* (1. Frais, cit. 21) *débarqué à Paris. Petit provincial* (→ Gaine, cit. 9).

Les provinciaux et les sots sont toujours prêts à se fâcher, et à croire qu'on se moque d'eux ou qu'on les méprise (...) LA BRUYÈRE, les Caractères, V, 51. 2

Si le provincial est excessivement timide, c'est qu'il est excessivement prétentieux (...) STENDHAL, Mémoires d'un touriste, t. I, p. 39. 3

(...) et il resta content, sans deviner combien le monologue est blessant pour des provinciaux dont la principale occupation est de démontrer aux Parisiens l'existence, l'esprit et la sagesse de la province. 4
BALZAC, Modeste Mignon, Pl., t. I, p. 533.

♦ **4.** (Canada, 1867). Qui concerne le gouvernement d'une province [4.] (opposé à *fédéral**). — N. m. *Le provincial.*

CONTR. Parisien.
DÉR. Provincialat, provincialement, provincialiser, provincialisme, provincialité.

PROVINCIALAT [pʀɔvɛ̃sjala] n. m. — 1694; de *provincial.*

♦ Relig. Fonction de provincial (1.). — Par ext. Durée de ces fonctions.

PROVINCIALEMENT [pʀɔvɛ̃sjalmɑ̃] adv. — 1800; de *provincial.*

♦ Rare. D'une manière provinciale (2.). *S'habiller provincialement.*

PROVINCIALISER [pʀɔvɛ̃sjalize] v. tr. — av. 1841, Chateaubriand au pron.; 1868, Goncourt au p.p.; de *provincial.*

♦ Rare. Rendre provincial (2.). — REM. Le dér. *provincialisation* est attesté (1958, R. Escarpit).

PROVINCIALISME [pʀɔvɛ̃sjalism] n. m. — 1779; de *provincial.*

♦ **1.** Prononciation, usage d'un mot, d'une locution particulière à une province, qui ne sont pas reçus à Paris. *Les provincialismes d'un écrivain.* ⇒ **Régionalisme.**

Sur le plan du langage, rien ne sépare la Suisse romande de la France — sinon certains provincialismes dont on trouvera les équivalents partout à l'intérieur de l'hexagone. Jean STAROBINSKI, l'Écart romanesque, *in* Littératures de langue franç. hors de France, p. 614.

Mentalité provinciale.

♦ **2.** (1875). Péj. Caractère de ce qui est provincial (2.).

♦ **3.** Caractère de ce qui est provincial (1.), non universel.

PROVINCIALITÉ [pʀɔvɛ̃sjalite] n. f. — 1636; de *provincial.*

♦ **1.** Vx. Air provincial (2.), allure provinciale.

♦ **2.** (V. 1870). Caractère propre à une province, à une région; originalité, spécificité provinciale (1.).

PROVIRUS [pʀoviʀys] n. m. — V. 1965; de *pro-,* et *virus.*

♦ Biol. Virus qui se développe à la même vitesse que la cellule dont il est l'hôte, sans la détruire.

PROVISEUR [pʀɔvizœʀ] n. m. — 1812; «pourvoyeur», 1250; «administrateur d'un collège» (Sorbonne...), 1688; lat. *provisor* «celui qui prévoit, qui pourvoit». → Provision.

♦ Fonctionnaire de l'université, responsable de la discipline des études, dans un lycée*. ⇒ aussi **Directeur**; fam. **protal.** (→ Fête, cit. 7; nouveau, cit. 18). *Fonctions administratives du proviseur. Madame le proviseur.*

(Belgique). Adjoint au préfet (5.), lequel est l'équivalent du proviseur français.

PROVISION [pʀɔvizjɔ̃] n. f. — 1316, en moy. franç., surtout au sens de «prévoyance, précaution» et «action de pourvoir»; en anc. franç., encore «droit de pourvoir à un bénéfice ecclésiastique; lettres de collation» *in* Mme de Sévigné, Saint-Simon, Voltaire; lat. *provisio*, de *providere*. → Pourvoir.

★ **I. A.** Cour. *Une, des provisions (de...).* ♦ **1.** Réunion de choses utiles ou nécessaires à la subsistance, à l'entretien ou à la défense. ⇒ **Amas** (2.), **approvisionnement, fourniture,** 1. **munition** (vx), **réserve, stock...** *Provision de bois, d'eau* (→ Dévorant, cit. 4), *de vin* (→ Assortiment, cit. 7). *Provisions de guerre et de bouche** (1636). → Amasser, cit. 13. *Place de guerre démunie* de provisions. — Provisions d'un navire. Soute* à provisions* (⇒ **Équiper**, 2.). — Spécialt. *Provisions de bouche.* ⇒ **Denrée** (alimentaire), **provende, ravitaillement, victuailles, vivres.** *Avoir des provisions. Faire des provisions pour l'hiver* (→ Fournir, cit. 2), *par crainte de la pénurie. Se munir de provisions* (⇒ **Pourvoir**). *Emporter des provisions dans un voyage* (⇒ **Viatique**). *Mettre ses provisions dans une cave, une réserve.* ⇒ **Cellier, dépense** (II.), **magasin.** — *Placard, armoire à provisions. — Fournir qqn. une communauté de provisions.* ⇒ **Fournisseur, pourvoyeur** (vx). — *Amas de provisions de la fourmi* (cit. 3). — Par ext. *Provision de papier, de plumes et d'encre* (→ Gauche, cit. 7). *Emporter une provision de livres pour les vacances.*

1 On étala les provisions sur la terre maudite : langues fumées, jambons, tripes et *godebillaux*, rien n'y manquait, quoique ce fût un vendredi du saint temps de carême; six bouteilles de vin et quatre bouteilles d'hypocras complétaient le service. NERVAL, Contes et facéties, «Souper des pendus».

2 (...) n'oublions pas la fiole de laudanum, une vaste carafe, ma foi! car nous sommes trop loin des pharmaciens de Londres pour renouveler fréquemment notre provision (...) BAUDELAIRE, les Paradis artificiels, «Un mangeur d'opium», IV.

3 (...) comme sa maladie lui donnait un grand appétit, il y avait (...) force comestibles et force vins, de la saumure, des viandes et des poissons au miel (...) La provision en était considérable; à mesure que l'on ouvrait les corbeilles, il en apparaissait (...) FLAUBERT, Salammbô, II.

♦ **2.** (1553; au plur.). Emplette, achat de choses nécessaires à la vie (nourriture, produits d'entretien...), les choses que l'on achète. *Ménagère qui fait ses provisions.* ⇒ **Commission**(s), **course**(s). *Porter ses provisions* (→ Cabas, cit. 1; filet, cit. 12). — *Filet, panier à provisions.* — Abrév. fam. : *provise* (1966, Boudard).

♦ **3.** (1553). Par métaphore et fig. (Le compl. désigne une abstraction). Quantité d'une chose qui est comme en réserve, que l'on a en abondance. *Une bonne provision de courage* (→ Hôpital, cit. 9). ⇒ **Cargaison** (fig.).

4 L'homme, ici-bas, n'a pas reçu des provisions pour l'immortalité; c'est un voyageur qui finit avec sa route (...) RIVAROL, Notes, pensées et maximes, t. II, éd. Jacques Haumont, p. 16.

B. (V. 1460). Vx. Action de pourvoir (qqn). — Loc. *Faire provision de qqch.*, s'en pourvoir, en faire une provision (sens A.). → Matériaux, cit. 1.

★ **II.** Dr. ♦ **1.** (1549). Vx. *Par provision* : se disait d'un jugement préalable à la sentence définitive. ⇒ **Provisoire.** *Exécution par provision.* — Par ext. *«On n'obtient jamais de provision contre le Roi»* (Furetière, 1690). — (1636). Loc. fig. *De provision* (Mme de Sévigné), *par provision* : provisoire (→ Morale, cit. 3, Descartes) ou préalablement, provisoirement.

5 Je ne sais ce qu'eût produit enfin cette rumeur, si l'un des paysans, témoin de mes conjurations, n'en eût le même jour porté sa plainte à deux jésuites qui venaient nous voir, et qui, sans savoir de quoi il s'agissait, les désabusèrent par provision. ROUSSEAU, les Confessions, VI.

♦ **2.** (1599). Mod. Somme allouée par le juge à un créancier, en attendant le jugement. ⇒ **Allocation.** — (1690). *Provision alimentaire* (en attendant la fixation d'une pension définitive). — (XXe). *Provision ad litem*, «par suite du procès», allouée à un plaideur pour lui permettre de faire face aux frais du procès.

6 Si les tribunaux vous accordent une *provision*, c'est-à-dire une somme à prendre par avance sur votre fortune (...) BALZAC, le Colonel Chabert, Pl., t. II, p. 1117.

♦ **3.** (1679; «acompte en général», v. 1460). Somme versée à titre d'acompte (à un avocat, un avoué, un courtier, un homme d'affaires). ⇒ **Acompte, avance.**

7 (...) Me Mollard, ne travaillait pas gracieusement et demanda tout de suite une petite provision. G. DUHAMEL, Chronique des Pasquier, I, XIII.

♦ **4.** (1643). Dr. comm. Somme déposée chez un banquier par l'émetteur d'un titre, et destinée à assurer le payement de ce titre. ⇒ **Banque; dépôt.** *Défaut de provision sur un compte en banque.* ⇒ **Découvert.** — Cour. *Chèque sans provision*, tiré sur un compte insuffisamment approvisionné; abrév. très fam. : *chèque sans provise, sans prove* (Boudard, *la Cerise*, 1963 *in* D. D. L.). — Couverture remise à un agent de change, à un coulissier par le donneur d'ordre. — «Créance que possède contre le tiré le tireur d'une lettre de change, ou d'un chèque...» (Capitant).

Dr. fisc., comptab. Partie du bénéfice qui est isolée (en prévision d'une perte probable, pour l'assiette de l'impôt, etc.). *La provision, comme la réserve, est extraite des bénéfices.*

DÉR. Provisionné, provisionnel.

PROVISIONNÉ, ÉE [pʀɔvizjɔne] adj. — «Pourvu, approvisionné», repris en finances au XXe; de *provision* (3. et 4.).

♦ Qui a reçu une provision suffisante. *«Un carnet de chèques bien provisionné»* (G. Vedel *in le Monde*, 21 mars 1969, *in* D.D.L.).

Je les ai payés *(les appareils)* en chèques bien provisionnés, je vous le jure. André SOUBIRAN, les Hommes en blanc, t. III, p. 264.

PROVISIONNEL, ELLE [pʀɔvizjɔnɛl] adj. — 1578; *provisionnal*, 1484; de *provision*.

♦ **1.** Vx. Provisoire. *Gouvernement provisionnel* (Rousseau, *le Contrat social*, III.).

♦ **2.** (1611). Dr. Qui se fait par provision, c'est-à-dire en attendant un jugement, un règlement définitif. *Partage provisionnel. Consignation provisionnelle.* — Dr. fisc. (et cour.). *Acompte provisionnel*, défini par rapport aux impôts de l'année précédente, et payé d'avance. *Tiers provisionnel* : acompte provisionnel égal à un tiers des impôts sur le revenu versés l'année précédente.

DÉR. Provisionnellement.

PROVISIONNELLEMENT [pʀɔvizjɔnɛlmɑ̃] adv. — 1580; de *provisionnel*.

♦ **1.** Dr. En attendant un jugement définitif. *Partager provisionnellement un héritage.*

♦ **2.** (1762). Vx. Provisoirement.

PROVISOIRE [pʀɔvizwaʀ] adj. — 1499; dér. sav. du lat. *provisum*, p. p. de *providere*; cf. le lat. médiév. *provisorius*.

♦ **1.** Dr. «Qui demande célérité, qui a besoin d'être jugé par provision» (Furetière, 1690). *Demande, matière provisoire.* Qui est rendu, prononcé ou auquel on procède avant un jugement définitif. ⇒ **Provision.** *Arrêt, jugement, sentence provisoire. Exécution provisoire.*

Dr. pén. *Mise en liberté* (cit. 4) *provisoire.* Ellipt. et fam. (N. f.). *La provisoire* : la mise en liberté provisoire.

Je suis encore indécise quant à, mes propres projets : peut-être mon affaire va-t-elle être correctionnalisée, l'avocat se démène dans ce sens; peut-être obtiendrai-je ma provisoire (...) A. SARRAZIN, la Cavale, p. 62. 0.1

N. m. (1819). Jugement provisoire. *Il a gagné le provisoire.*

♦ **2.** (1819). Cour. Qui existe, qui se fait en attendant autre chose, qui est destiné à être remplacé (opposé à *définitif*). ⇒ **Court, éphémère, passager, transitoire.** *Accord, arrangement, pacte* (→ Non-agression, cit.), *solution provisoire. «Cette sorte de vérité imparfaite et provisoire qu'on appelle la science»* (→ Absolu, cit. 15, France). *La pensée* (cit. 12) *est une activité provisoire. Un bonheur provisoire.* ⇒ **Passer** (IV., 3.). → De passage*. *À titre provisoire* : provisoirement.

Nathanaël, tu regarderas tout en passant, et tu ne t'arrêteras nulle part. Dis-toi bien que Dieu seul n'est pas provisoire. GIDE, les Nourritures terrestres, I, I. 1

Il n'est pas de tradition qui puisse subsister autrement que par artifice dans cette mêlée de nouveautés. Un temps qui interroge tout, qui vit de tout essayer, de tout regarder comme perfectible et donc provisoire; qui ne peut plus rien concevoir qu'à titre d'essai et de valeur de transition, ne saurait être un temps de repos pour les lettres ni pour les arts. VALÉRY, Variété, Remerciement à l'Acad. franç., *in* Œ., t. I, Pl., p. 719. 2

Tous nos actes *(pendant l'occupation)* étaient provisoires, leur sens était limité à la journée même où ils étaient accomplis. SARTRE, Situations III, p. 29. 3

(Personnes). Qui exerce une fonction pour un temps (par intérim, etc.). *Gérant* (cit. 2) *provisoire.*

Dictateur (cit. 2) *provisoire. Gouvernement provisoire* (→ Attente, cit. 17), destiné à gouverner pendant un intervalle, avant la constitution d'un régime stable (après une révolution, dans une période de troubles...).

(Choses matérielles). *Construction* (→ Gable, cit.), *installation provire.* ⇒ **Fortune** (de). *Vivre dans une installation provisoire.* ⇒ **Campement.**

N. m. (1791, Mirabeau, *in* Littré). *Le provisoire. Rester, s'installer dans le provisoire. Un provisoire qui dure longtemps. «La mobilité du provisoire»* (→ Habiter, cit. 11, Fromentin).

Langlumé fut donc un adjoint provisoire : mais, en France, le provisoire est éternel (...) BALZAC, les Paysans, Pl., t. VIII, p. 133. 4

5 Plus je vais, plus j'ai le sentiment d'avancer dans le provisoire et non dans l'éternel.
G. DUHAMEL, Chronique des Pasquier, IV, II.

CONTR. Définitif.
DÉR. Provisoirement.

PROVISOIREMENT [pʀɔvizwaʀmɑ̃] adv. — 1694; de *provisoire.*

♦ D'une manière provisoire, qui n'est pas destinée à durer. ⇒ **Momentanément.** (→ Agnosticisme, cit. 1) *S'installer* (cit. 8) *provisoirement. Administrer, gouverner provisoirement.* ⇒ **Intérim** (par). *Provisoirement, le sous-directeur fera fonction de directeur.*

(...) un dénouement de Crébillon-le-père nous libérait soudain, solution artificielle, enfantine, mais qui annihilait provisoirement sa vengeance.
GIRAUDOUX, Bella, VIII.

Dr. En attendant une décision, un règlement définitif.

PROVISORAL, ALE [pʀɔvizɔʀal] adj. — 1972, *in* D. D. L.; du rad. de *proviseur.*

♦ Rare (plur. non attesté). Du proviseur. *L'autorité provisorale.*

PROVISORAT [pʀɔvizɔʀa] n. m. — 1835; du rad. de *proviseur.*

♦ Admin. Qualité, fonctions de proviseur*; durée des fonctions d'un proviseur. — Bureaux, services qui relèvent directement du proviseur; locaux où ils sont installés.

PROVITAMINE [pʀɔvitamin] n. f. — 1938, *in* D. D. L.; de *pro-*, et *vitamine.*

♦ Chim., biol. Substance inactive qui se trouve dans les aliments et qui est rendue active par l'organisme.

Soulignons la présence de la provitamine A (carotène) qui colore naturellement le lait des vaches nourries en herbages.
André ECK, le Lait et l'Industrie laitière, p. 14.

PROVO [pʀɔvo] n. m. — V. 1965; mot hollandais, du rad. de *provoquer, provocation.*

♦ Jeune révolté qui accuse la société établie par des attitudes provocatrices. — Adj. *Le mouvement provo.*

(...) la jeunesse, en tant que force de rupture, de rébellion et de rénovation, que laissait entrevoir le phénomène *hippy* ou *beatnik* aux États-Unis, *provo* aux Pays-Bas.
E. MORIN, *in* le Monde, 6 juin 1968.

PROVOCANT, ANTE [pʀɔvɔkɑ̃, ɑ̃t] adj. — 1461 comme n. m. (t. de droit); l'adj. (1775) s'est d'abord écrit *provoquant;* dér. de *provoquer.*

Qui provoque, peut provoquer (I., spécialt.).

♦ **1.** (1784). Qui cherche ou tend à provoquer qqn à des sentiments ou à des actions violentes. *Attitude provocante, airs provocants.* ⇒ **Agressif, irritant; provocation.** *Se camper devant qqn, le défier d'une manière provocante.*

1 Ils agissaient de la manière la plus provocante, se montrant partout, aboyant, menaçant, empêchant les mariages, troublant la tête des filles (...)
MICHELET, Hist. de la Révolution franç., IV, XI.

♦ **2.** (1775, Restif). Spécialt. **a** Qui trouble sensuellement, qui éveille le désir. → Excitant (1.). *Beauté, femme provocante.* « *Pudiquement provocante* » (→ Léger, cit. 6). — *Une poitrine provocante.*

2 Quant à la nuque, elle est hardie, provocante et superbe.
Th. GAUTIER, Portraits contemporains, Madame Damoreau.

3 Elle était, par insolence de haute naissance, provocante et inabordable.
HUGO, l'Homme qui rit, II, I, III, I.

b Qui constitue ou paraît constituer une invite déclarée à une relation amoureuse ou sensuelle. *Allure, attitude, pose provocante, airs provocants.* ⇒ **Agaçant, agacerie, aguichant, coquet** (→ Croiser, cit. 7). *Regard provocant.* ⇒ **Hardi.** *Œillade provocante, assassine.*

Qui brave de manière plus ou moins agressive les convenances touchant à la réserve sexuelle, à la pudeur. *Un chemisier d'une transparence provocante.*

CONTR. Apaisant, calmant, froid, réservé.

PROVOCATEUR, TRICE [pʀɔvɔkatœʀ, tʀis] n. et adj. — 1501; lat. *provocator,* de *provocatum,* supin de *provocare.* → Provoquer.

♦ **1.** N. Personne qui provoque, incite à la violence, à la dispute*, à l'émeute, aux troubles... ⇒ **Agresseur, excitateur, fauteur, meneur.**

Spécialt. (Rare au fém.). Personne qui incite une personne ou un groupe à la violence ou à une action illégale dans l'intérêt du parti opposé, de la police, etc. *Indicateurs et provocateurs.*

1 Ils ne demanderaient que ça, que nous répondions par des morts et ils chercheront les occasions. Ça va être le temps des provocateurs (...)
P. NIZAN, le Cheval de Troie, II, XI.

— Il ne faut pas partir. — Partir où? — À la guerre... — C'est un flic, dit Zézette 2
d'une voix aiguë... — Je connais un vieux qui fait des faux papiers, dit-il d'une voix basse et rapide... — Qu'est-ce que je te disais, c'est un provocateur.
SARTRE, le Sursis, p. 153.

Adj. *Agent* provocateur* (même sens que *un provocateur*).

♦ **2.** Adj. (1812). Qui est fait pour provoquer. *Geste provocateur,* qui provoque à la violence, à la dispute. — *Décolleté provocateur.* ⇒ **Provocant** (2.).

PROVOCATION [pʀɔvɔkasjɔ̃] n. f. — 1536; « appel », 1190; lat. *provocatio.*

♦ **1.** Action de provoquer, d'inciter (qqn) à (qqch.). *La provocation de qqn à une action.* ⇒ **Appel** (5.). *Provocation à la désobéissance, au meurtre* (→ Irresponsabilité, cit. 2). ⇒ **Excitation, incitation.** *Provocation à...* (suivi de l'inf.). *La provocation à agir, à se battre.* — Spécialt (dr. pén.). Le fait d'inciter qqn à commettre une infraction. *Provocation de militaires à la désobéissance. Complicité par provocation. Provocation par un agent de la police.* ⇒ **Provocateur.**

Provocation au combat. — (1869). *Provocation en duel*.* ⇒ **Cartel** (1.), **défi** (3.). — Absolt. Défi. *La provocation cynique* (→ Humanitaire, cit. 6). *Attitude de défi et de provocation* (→ Insolence, cit. 7). ⇒ **Menace** (1.). *Mais c'est de la provocation!*

Ce matin, Françoise, en ramenant les vaches, s'était arrêtée un instant avec Jean, 1
qu'elle venait de rencontrer devant l'église. Il faut dire qu'elle y mettait de la provocation, en face de la maison même, dans l'unique but d'exaspérer les Buteau.
ZOLA, la Terre, IV, V.

Abrév. fam. : *provoque, provoc'* (1972 *in* D. D. L.) *C'est de la provoque, ne lui réponds pas!*

♦ **2.** Le fait d'être provoqué. *L'agression* (cit. 1) *est une attaque sans provocation.* — (1810). Dr. *Excuse de provocation,* accordée à celui qui a commis une infraction (coups et blessures, injures) envers une personne qui l'avait provoqué.

♦ **3.** (XVIe, Du Bellay). Ce qui provoque (I., spécialt); parole qui provoque (→ Instigation, cit. 2; lettre, cit. 4). *Répondre à une provocation* (→ Croc, cit. 2). — *Les provocations de la calomnie.* ⇒ **Attaque.**

(Av. 1865, Taine). Rare. Ce qui excite le désir. *Provocations luxurieuses d'une peinture* (→ Étalage, cit. 4).

Mais la décence des figures tempérait les provocations du costume; plusieurs 2
même avaient une placidité presque bestiale, et ce rassemblement de femmes demi-nues faisait songer à un intérieur de harem (...)
FLAUBERT, l'Éducation sentimentale, II, II.

♦ **4.** (1314). Vx. Chose qui excite, incite à... « *Provocation au sommeil* » (Littré).

CONTR. Apaisement, défense.

PROVOCATOIRE [pʀɔvɔkatwaʀ] adj. — 1562; dér. sav. du lat. *provocatio.*

♦ Rare. Qui a un caractère de provocation. ⇒ **Provocateur** (cour.).

PROVOLONE [pʀɔvɔlɔne] n. m. — XXe; mot ital., augmentatif de *provola.*

♦ Fromage italien salé, séché, fumé, généralement paraffiné et en forme de cylindre ou de poire.

PROVOQUER [pʀɔvɔke] v. tr. — Fin XIIe; *purroquer, purvocher* 1120; lat. *provocare,* au propre, « appeler *(vocare)* dehors ».

★ **I.** *Provoquer qqn à...* ♦ **1.** Inciter, pousser (qqn) à..., par une sorte de défi ou d'appel. ⇒ **Amener, disposer, encourager, entraîner, exciter, inciter, instiguer, porter** (I., 10.), **pousser, préparer, solliciter.** *Il nous provoque à l'effort* (→ 2. Offensif, cit.). *Provoquer une femme à la hardiesse* (→ Froideur, cit. 11). — *Provoquer qqn à faire qqch.* (→ Finement, cit. 3), *à agir, à travailler* (⇒ **Aiguillonner**).

Ce commencement de connaissance des grands hommes est nécessaire au peuple. 1
Le monument provoque à connaître l'homme. On désire apprendre à lire pour savoir ce que c'est que ce bronze.
HUGO, Shakespeare, III, I, V.

♦ **2.** Spécialt. Inciter (qqn) à (une violence) par le défi, par une attitude agressive. *Provoquer un adversaire en duel.* ⇒ **Appeler** (2.), **défier** (2.). — *Provoquer qqn à la désobéissance, au meurtre...*

(Sans compl. second). *Provoquer qqn,* l'inciter à la violence (⇒ **Agacer, attaquer, braver, défier, harceler**). *Il ne fait pas bon le provoquer.* ⇒ **Frotter** (s'y). *Celui qui provoque.* ⇒ **Agresseur, provocateur.** *Pays qui en provoque un autre,* qui cherche à l'amener à un conflit (→ Incomber, cit. 2). — Fig. *Provoquer le destin* (→ Engrenage, cit. 4).

Une épée, une épée! un Médicis ne se laisse point provoquer ainsi. 2
A. DE MUSSET, Lorenzaccio, I, 4.

(...) Jésus, qui aime à provoquer, à narguer l'hypocrisie (...) 3
RENAN, Souvenirs d'enfance..., Œ. compl., t. II, III, p. 797.

Pron. *Se provoquer* (mutuellement). → Menace, cit. 3.

♦ **3.** (1762). Exciter le désir de (qqn) par son attitude. ⇒ **Exciter** (4.); **allumer.** Absolt. *Femme qui provoque les hommes.* ⇒ **Provocant** (2.).

4 Si la femme est faite pour plaire et pour être subjuguée, elle doit se rendre agréable à l'homme au lieu de le provoquer (...) ROUSSEAU, Émile, v.

★ **II.** (1560; déb. XVIe au sens 2.). *Provoquer quelque chose.*

♦ **1.** Être (volontairement ou non) la cause de (qqch.). ⇒ **Amener, causer, créer** (3.), **déclencher, occasionner, produire** (II.); **lieu** (donner lieu à), **naître** (faire). *Provoquer des aveux* (cit. 23). *Provoquer les dévouements les plus fervents* (→ Entourer, cit. 14), *la reconnaissance. Provoquer la colère, la rage de qqn* (⇒ **Attirer,** 4.; **déchaîner**; → Braver, cit. 10), *l'indignation* (⇒ **Soulever**), *le ressentiment* (→ Contrition, cit. 3). *Dispenser et provoquer l'amour.* ⇒ **Enflammer** (3.), **éveiller, exciter, inspirer.** — *Provoquer une dispute* (→ Passer, cit. 5), *un duel* (→ Intention, cit. 15), *l'émeute* (→ Excitation, cit. 2), *une querelle* (⇒ **Émouvoir,** 2., vx), *des troubles* (⇒ **Favoriser**). — *Provoquer une action,* en prendre l'initiative*. ⇒ **Promoteur, promouvoir; animer** (2.). *Provoquer l'interdiction* (cit. 4), *l'internement* (cit.) *de qqn.* — *Provoquer l'apparition d'un phénomène* (→ Expérimenter, cit. 7).

5 Un autre que vous ne me parlerait pas ainsi deux fois, dit froidement Cinq-Mars; mais je vous connais, et j'aime cette explication; je la voulais et je l'ai provoquée.
A. DE VIGNY, Cinq-Mars, XVIII.

6 Pas un mot; réclamer leur silence, c'est souvent provoquer leur indiscrétion. Je réponds des miens. BALZAC, Vautrin, IV, 2.

7 (...) Bonaparte se plaisait à réunir les savants et provoquait leurs disputes (...)
CHATEAUBRIAND, Mémoires d'outre-tombe, t. III, p. 97.

♦ **2.** (Choses). Être la cause de. ⇒ **Appeler** (cit. 32), **attirer, causer** (→ Domination, cit. 2; gloire, cit. 27; ostentation, cit. 5). *Les mythes* (cit. 9) *qui provoquent les passions de la foule. Le malheur peut provoquer des réactions inattendues* (cit. 7). *Les bouleversements que provoque une invention.* ⇒ **Apporter** (4.). *Nouvelle qui provoque un mouvement d'indignation dans la foule.* ⇒ **Passer** (faire). — *Piqûres* (cit. 4) *qui provoquent une douleur.*

8 (...) Il ne s'apercevait pas qu'il le lui avait offert d'un ton qui semblait provoquer un refus. G. SAND, la Mare au diable, XI.

9 Il avait une terreur manifeste de tout désordre qui pût provoquer une intervention de la police; et son unique souci était que la réunion s'achevât sans tumulte.
MARTIN du GARD, les Thibault, t. VII, p. 119.

▶ **PROVOQUÉ, ÉE** p. p. adj. *Hasard* (cit. 24) *provoqué. L'hibernation provoquée* (→ Hiberner, cit. 2). *Perle* (cit. 4) *naturelle, mais provoquée. Querelles provoquées à dessein* (→ Justice, cit. 23).

CONTR. **Amortir, apaiser. — Prévenir. — Essuyer, subir.**
DÉR. **Provocant, provoqueur. — (Du lat.) Provocateur, provocation.**

PROVOQUEUR, EUSE [pʀɔvɔkœʀ, øz] n. — 1471; de *provoquer.*

♦ Personne qui provoque (qqn). — Spécialement :

Eh bien! moi, je vous le dis à toutes, provoqueuses d'hommes, pas difficiles : je vous méprise, mesdames! G. CHEVALIER, Clochemerle, p. 140.

PROXÉMIQUE [pʀɔksemik] n. f. et adj. — V. 1970; angl. *proxemics,* E. T. Hall, 1961, discipline créée dans le cadre de *Kinesics,* avec le rad. du lat. *proximus.* → Proximité.

♦ Didact. Science de l'espace, de son utilisation et de son organisation signifiante, dans les relations entre les êtres animés. *Proxémique animale* (éthologie, zoosémiotique), *humaine* (anthropologie, sémiotique).

La proxémique étudie l'espace interhumain à différentes échelles (...) de la distance interne à l'aménagement du territoire, en passant par l'architecture, l'urbanisme, la territorialité. Elle étudie ausi les positions relatives des interlocuteurs (...)
Josette REY-DEBOVE, Lexique, Sémiotique.

PROXÈNE [pʀɔksɛn] n. m. — 1765, *Encyclopédie;* grec *proxenos,* de *xenos* «étranger».

♦ Antiq. grecque. Celui qui, dans une cité grecque, devait aide et protection aux membres d'une cité étrangère, aux hôtes* publics. *La fonction de proxène* (proxénie) *était comparable à celle du consul moderne.*

PROXÉNÈTE [pʀɔksenɛt] n. — 1521, «courtier»; lat. *proxenêta* «courtier», grec *proxenêtês* «médiateur», de *xenos* «hôte, étranger».

♦ **1.** N. m. Vx. Courtier. «On donne ce nom aux honnêtes entremetteurs qui font vendre des offices, qui font des mariages ou autres affaires» (Furetière, 1690).

♦ **2.** (*Prosenette,* XVIe; *proxénète,* v. 1630; fém. au XIXe). Personne qui s'entremet dans des intrigues galantes pour de l'argent. ⇒ **Entremetteur** (2.); **agent, courtier** (d'intrigues, de galanterie); **appareilleuse, procureuse.** — N. m. Spécialt. Celui qui tire des revenus de la prostitution d'autrui. ⇒ **Maquereau, souteneur** (cf. Marchand de chair humaine).

Il m'expliqua comment il venait de gagner trente francs, ayant accepté d'une part dix francs de commission d'une Oulad pour amener à elle un Anglais, majoré de dix francs le salaire de l'Oulad, et reçu dix francs de l'Anglais en paiement de ce petit service. Je m'indignai. J'acceptais qu'il se fît proxénète; mais qu'il fût malhonnête, non, cela je ne le tolérais point. 1
GIDE, Si le grain ne meurt, II, II, p. 353.

Abrév. fam. : *proxéno, proxo,* n. m.

Comme je m'étonnais de ce que je prenais pour un excès de précaution (...) je fus interrompu par : «Ça serait trop con qu'ils te prennent pour un proxéno et que tu te retrouves au trou». Jacques LAURENT, les Bêtises, 1971, p. 112. 2

DÉR. **Proxénétisme.**

PROXÉNÉTISME [pʀɔksenetism] n. m. — 1841; de *proxénète.*

♦ Le fait de tirer des revenus de la prostitution d'autrui (en aidant, assistant, protégeant la prostitution, le racolage, en partageant les profits de la prostitution...). ⇒ **Maquerellage.** *Être condamné pour proxénétisme. Proxénétisme hôtelier,* n'impliquant pas une participation directe au bénéfice de la prostitution, mais une participation indirecte, liée à la mise à disposition pour de l'argent des lieux où elle s'exerce (chambres d'hôtel, notamment).

PROXÉNIE [pʀɔkseni] n. f. — 1869, Littré; grec *proxenia,* de *proxenos.* → Proxène.

♦ Didact. Dignité, titre de proxène.

PROXIMAL, ALE, AUX [pʀɔksimal, o] adj. — 1887; angl. *proximal,* 1803, dans ce sens; dér. sav. du lat. *proximus* (→ Proximité), et *-al;* le mot a existé en français (1499) au sens de «relatif au prochain» : *amour proximal.*

♦ Didact. (biol., zool, etc.). Qui est le plus rapproché d'une insertion, ou du centre du corps. *Segment proximal.*

Le contrôle que peut avoir l'enfant sur ses mouvements, c'est-à-dire le pouvoir de les inhiber, de les sélectionner, de les modifier, suit une progression régionale, qui montre bien sa dépendance à l'égard de l'évolution physiologique. Il commence à s'exercer dans la région supérieure du corps et dans la partie proximale des membres; ne se manifeste que plus tardivement en bas et aux extrémités distales.
Henri WALLON, l'Évolution psychologique de l'enfant, p. 136.

CONTR. **Distal.**

PROXIMITÉ [pʀɔksimite] n. f. — XIVe, «parenté»; lat. *proximitas;* de *proximus* «très près». Cf. l'anc. franç. *proisme, proismeté.*

♦ **1.** (V. 1536). Littér. Situation d'une chose qui est à peu de distance d'une autre, de plusieurs choses qui sont proches*. ⇒ **Contiguïté, voisinage...; près.** *Trop de distance et trop de proximité empêche la vue* (→ Apercevoir, cit. 11, Pascal). *La proximité de la ville, de leurs maisons.* — Techn. *Fusée de proximité :* fusée qui se déclenche à proximité de son objectif. — Par ext. et fig. ⇒ **Contact** (3.), **rapprochement.**

Le contour souverain de la beauté est impérieux. Quand il sort de l'idéal et quand il daigne être réel, c'est pour l'homme une proximité funeste.
HUGO, l'Homme qui rit, II, VII, III.

Psychol. *Loi de proximité,* selon laquelle des objets rapprochés tendent à constituer une seule forme *(gestalt). Proximité et similitude peuvent s'additionner ou se contrarier. Seuil de proximité.*

Loc. adv. (1835). **À PROXIMITÉ.** *Il y a un hôtel à proximité.* ⇒ **Confiner, toucher; alentours** (aux); 1. **autour** (II.). Loc. prép. *À proximité de... :* à faible distance de... ⇒ **Auprès, environs** (aux), **près...** (→ Habiter, cit. 3; période, cit. 8).

♦ **2.** Fig. et vieilli. Caractère de ce qui est proche (d'abord en parlant de la parenté). *La proximité du sang* (→ Persécutant, cit.). *La proximité de parenté* (⇒ **Degré,** cit. 4). — Absolt, vx (premier sens attesté au XIVe). *La proximité :* la parenté (cf. Mme de Sévigné, 345, 13 nov. 1673).

La proximité de deux notions, de deux idées. ⇒ **Parenté** (fig.).

♦ **3.** (Déb. XVIIe). Caractère de ce qui est rapproché dans le temps (passé ou futur). ⇒ **Imminence.** (→ Midi, cit. 7). *La trop grande proximité des temps* (→ Éloignement, cit. 3, Racine). *La proximité possible de la tempête.* ⇒ **Approche** (→ Mouette, cit. 1).

CONTR. **Distance, éloignement.**

PROYER [pʀwaje] n. m. — 1555; var. *pruyer, preyer,* réfect. de l'anc. franç. *praiere* «oiseau des prés» (1180); de *pré.*

♦ Bruant* (*Passereaux**) des plaines d'Europe et d'Afrique du Nord.

PROZINE [pʀozin] n. m. — V. 1970; mot amér., de *professional magazine* «magazine (de bandes dessinées) professionnel».

♦ Revue de bandes dessinées rédigée par des professionnels (s'oppose à *fanzine*).

PROZYMASE [pʀozimaz] n. f. — xxe; de *pro-*, et *(en)zyme* ou grec *zumê* «levain».

♦ Biochim. Substance qui donne naissance à une enzyme sous l'influence d'un agent activateur.

PRUCHE [pʀyʃ] n. f. — 1534; mot canadien, probablt de *prusse* et *pérusse* «épicéa».

♦ Régional. (Canada). Conifère du genre *Tsuga* (terme générique).

PRUDE [pʀyd] adj. et n. — 1648; *prode femme,* v. 1175, altér. de *preude* sous l'infl. de *prudent,* du fém. de *prodom, preudom.* → Prud'homme; de *preux.*

♦ **1.** Vx (plus souvent au fém.). Qui est vertueux jusqu'à l'austérité (le plus souvent avec excès ou ostentation). ⇒ **Modeste** (→ Austère, cit. 3). *Elle est prude et dévote* (→ Inanimé, cit. 4). *« Ce jeune garçon est extrêmement prude pour son âge »* (Académie, 1694). — N. *Un prude* (vx), *une prude* (→ Dévisager, cit. 1; fossé, cit. 6). *« Un ambigu* (cit. 7) *nouveau de prude et de coquette »* (Regnard). *« C'est un prude, qui n'aime point les plaisirs, la débauche »* (Furetière).

1 — Pour prude consommée en tous lieux elle passe,
Et l'ardeur de son zèle (...) — Oui, oui, franche grimace (...)
(...)Elle tâche à couvrir d'un faux voile de prude
Ce que chez elle on voit d'affreuse solitude;
Et pour sauver l'honneur de ses faibles appas,
Elle attache du crime au pouvoir qu'ils n'ont pas.
MOLIÈRE, le Misanthrope, III, 3.

2 (...) n'en espérez aucun plaisir. En est-il avec les prudes? j'entends celles de bonne foi : réservées au sein même du plaisir, elles ne vous offrent que des demi-jouissances. LACLOS, les Liaisons dangereuses, V.

♦ **2.** Adj. et n. f. (1658). Littér. ou style soutenu. Qui manifeste une pudeur affectée, excessive; affecte une vertu extrême (sur le plan sexuel). ⇒ **Bégueule, pudibond, puritain; collet** (monté). *Les femmes prudes et leurs airs de sainte nitouche* (cit. 1). *Les précieuses* (cit. 7) *ne voulaient pas passer pour prudes. Une prude mijaurée* (cit.). — N. f. *Faire la prude.* ⇒ **Sainte-nitouche** (cf. Faire sa Sophie, sa sucrée...). *Les vieilles prudes effarouchées* (→ aussi Lettre, cit. 2). *Prude qui prend ses grands airs de dignité blessée.*

3 Lire une lettre d'amour bien écrite est le souverain plaisir pour une prude; c'est un moment de relâche. Elle ne joue pas la comédie, elle ose écouter son cœur (...)
STENDHAL, le Rouge et le Noir, II, XXIV.

4 — Parlez, monsieur, j'ai dans quelques jours quarant-huit ans, je ne suis pas sottement prude, je puis tout écouter (...)
BALZAC, la Cousine Bette, Pl., t. VI, p. 142.

Par ext. *Elle n'a pas l'oreille prude.* ⇒ **Chaste** (→ Falloir, cit. 5).

CONTR. Dévergondé, léger. — Grivois, obscène.
DÉR. Pruderie.

PRUDEMMENT [pʀydamɑ̃] adv. — 1538; *prudentement,* 1370; de *prudent.*

♦ **1.** Vx. Avec sagesse, de manière raisonnable. ⇒ **Sagement.** *Se conduire prudemment* (→ Avancer, cit. 62). *« C'est prudemment avisé »* (cit. 16, Molière). ⇒ **Bien.**

♦ **2.** (1552). Mod. Avec prudence, de manière prudente. *Taire prudemment ce qu'on sait* (→ Malveillant, cit. 1). *Se démêler* (cit. 14) *prudemment d'une intrigue qui tourne mal. Il se garda prudemment de hasarder* (cit. 13) *des chiffres.*

Si grand que fût son désir de les tuer, prudemment, devant leur nombre, il battit en retraite. Mais il grelottait de regret. MONTHERLANT, le Songe, I, VII.

CONTR. Aveuglément. — Imprudemment.

PRUDENCE [pʀydɑ̃s] n. f. — 1200; lat. *prudentia,* de *prudens, entis.* → Prudent.

♦ **1.** Vx. Sagesse; conduite raisonnable. «La première des vertus cardinales*, qui enseigne à bien conduire sa vie et ses mœurs, ses discours et ses actions selon la droite raison» (Furetière). ⇒ **Sagesse.** *La prudence, « vertu attribuée à l'intellect »* (cit. 1, Ronsard). *« Il est vrai que du ciel la prudence infinie... »* (→ Génie, cit. 11, Corneille). *Une femme « dont l'Écriture a loué la prudence »* (→ Mourir, cit. 3, Bossuet), *« en qui Dieu avait mis la beauté et la prudence »* (→ Immonde, cit. 5, Voltaire). — Relig. *Prudence humaine* (1677), *prudence mondaine* (1718), *prudence de la chair* (1694), *prudence du siècle* (1704) : habileté à se conduire dans le monde en conciliant la religion avec les intérêts personnels.

♦ **2.** (1596). Mod. Attitude d'esprit, qualité de celui qui, réfléchissant à la portée et aux conséquences de ses actes, prend ses dispositions pour éviter des erreurs, des fautes, des malheurs possibles, s'abstient de tout ce qu'il croit pouvoir être source de dommage. *Avoir de la prudence.* ⇒ **Prudent** (être). *« C'est chose vaine et frivole* (cit. 1) *que l'humaine prudence »* (Montaigne). ⇒ **Prévoyance.** *Il a manqué de prudence en ne se gardant pas une poire pour la soif.* ⇒ **Réflexion.** *Avoir la prudence de...* ⇒ **Sagesse** (→ 1. Bien, cit. 22). *La prudence méticuleuse des expérimentateurs.* ⇒ **Circonspection** (→ Contrôle, cit. 2). *Les jeux* (cit. 37) *où la prudence corrige beaucoup la chance.* ⇒ **Attention** (→ aussi Jouer* serré). *Situation délicate, qui exige de la discrétion et de la prudence* (⇒ **Discernement, doigté**). *Annoncez-lui la vérité avec beaucoup de prudence.* ⇒ **Ménagement, précaution.** *Négliger toute prudence* (→ aussi 1. Foudre, cit. 14). *Un homme très éprouvé qu'il faut traiter avec prudence* (⇒ **Ménager**). — *La prudence opposée à l'audace, au goût du risque* (→ Jeunesse, cit. 16). *« On peut parler sans prudence et parler juste »* (→ Hardiesse, cit. 5, Vauvenargues). *La prudence lui conseille* (cit. 4) *de se taire, de se renseigner au préalable* (→ Tâter le terrain*). *Forces* (cit. 69) *qu'il faut manier avec prudence.* ⇒ **Prudemment.** — *La prudence devant les dangers, les risques physiques. Conseils de prudence aux automobilistes. Accident survenu faute de prudence.* ⇒ **Imprudence.** *Aborder les carrefours* (cit. 4) *avec prudence. Se faire vacciner contre une maladie par prudence, par mesure de prudence.* — Prov. *Prudence est mère de sûreté.*

Seigneur, tant de prudence entraîne trop de soin : 1
Je ne sais point prévoir les malheurs de si loin. RACINE, Andromaque, I, 2.

Mon capitaine croyait que la prudence est une supposition, dans laquelle l'expérience nous autorise à regarder les circonstances où nous nous trouvons comme causes de certains effets à espérer ou à craindre pour l'avenir. 2
DIDEROT, Jacques le fataliste, Pl., p. 513.

Art, c'est Prudence. Quand on n'a rien ni à dire, ni à cacher, il n'y a pas lieu d'être prudent. Les timorés ne sont pas des prudents : mais des lâches. 3
GIDE, Journal, 7 déc. 1922.

Fig. *Avoir la prudence du serpent* (⇒ **Cautèle**), par allus. à la perfidie rusée du démon qui prit la précaution de se déguiser en serpent pour tenter Ève.

(...) que le Ciel vous donne la force des lions et la prudence des serpents! 4
MOLIÈRE, le Bourgeois gentilhomme, IV, 4.

Quand il s'agit de défendre sa bourse contre les artistes, il est d'une prudence de serpent. R. ROLLAND, Voyage musical au pays du passé, II. 5

♦ **3.** (*Une, des prudences,* surtout plur.; xxe). Littér. Acte, manifestation de prudence. ⇒ **Précaution.** *Les prudences d'un homme pusillanime* (→ Double, cit. 11).

Le tout avec des prudences pour n'être pas vue, parce qu'on est en grand deuil (...) 6
MONTHERLANT, les Lépreuses, I, VI.

CONTR. Bêtise, égarement, imprévoyance, imprudence, insouciance, légèreté. — Témérité.

PRUDENT, ENTE [pʀydɑ̃, ɑ̃t] adj. — 1090; lat. *prudens.*

♦ **1.** Vx. «Qui agit avec prudence, délibération et conseil» (Furetière). ⇒ **Sage.** — (1455). Par ext. Qui est empreint de sagesse.

Enfants, car votre voix est enfantine et tendre, 1
Vos discours sont prudents plus qu'on n'eût dû l'attendre.
André CHÉNIER, Poésies antiques, I.

♦ **2.** (1573). Qui a de la prudence* (2.), montre de la prudence. ⇒ **Sage.** *Il était trop prudent pour brusquer* (cit. 2) *les choses.* ⇒ **Averti, avisé.** *Vieillard prudent et de bon conseil.* ⇒ **Nestor,** vx (→ Forme, cit. 62). *Homme prudent dans tout ce qu'il fait* (⇒ **Attentif**), *qui prévoit* les suites de ses actes, prend des précautions* (⇒ **Précautionneux**). *Les gens prudents n'agissent pas d'après leurs impulsions* (cit. 13). ⇒ **Circonspect, prévoyant, réfléchi.** *Être prudent à l'excès.* ⇒ **Pusillanime, timoré.** — Spécialt (envers des dangers, des risques physiques). *Escrimeur plus fougueux que prudent* (→ Parade, cit. 10). *Soyez prudents, ne roulez pas trop vite.*

Il tâchait à prévenir le mal; il était prudent avec le plus grand mépris pour la prudence. DIDEROT, Jacques le fataliste, Pl., p. 651. 2

N'est-il pas honteux que les fanatiques aient du zèle, et que les sages n'en aient pas? Il faut être prudent, mais non pas timide. 3
VOLTAIRE, Dialogues, XXVI, Pensées détachées de M. l'abbé de Saint-Pierre.

(...) les gens prudents trouvent de l'imprudence dans ceux qui cèdent à l'honneur. 4
CHATEAUBRIAND, Mémoires d'outre-tombe, t. II, p. 291.

Prudent jusqu'à la lâcheté, il fréquentait divers milieux; il pensait qu'il faut avoir un pied partout. R. RADIGUET, le Bal du comte d'Orgel, p. 24. 5

N. (V. 1660). Personne prudente. *Ceux qui se défient, les prudents, les avertis* (cit. 26).

♦ **3.** (Choses, actes...). Qui est inspiré par la prudence, empreint de prudence. *Les formes* (cit. 64) *prudentes de la diplomatie. Hypocrisie cauteleuse* (cit. 3) *et prudente. « Une coquetterie prudente qui ne s'avançait* (cit. 49) *jamais trop loin »* (Maupassant). *Il se risqua hors de la maison à pas prudents. Prenez une assurance tous risques, c'est plus prudent* (→ aussi Injection, cit. 3). — Impers. *Un ennemi auquel il est prudent de se soustraire.* ⇒ **Bon** (→ Insidieusement, cit.). *Il n'est pas prudent de travailler dans ces conditions* (→ Louvoyer, cit. 5). *Ce n'est pas prudent, pas très prudent.* — (→ aussi Faire, cit. 148; inconvénient, cit. 7). — Ellipt. *Il jugea* (qu'il était) *prudent d'attendre* (→ Pénitent, cit. 4).

Ainsi, craignant toujours un funeste accident, 6
J'imite de Conrart le silence prudent. BOILEAU, Épîtres, I.

7 Le corbeau jugea prudent de se retirer et il prit son vol en poussant un long croassement pour avertir ses compagnons du péril.

Th. GAUTIER, le Capitaine Fracasse, VII.

CONTR. Aventureux, étourdi, forcené, fou, imprévoyant, imprudent, insouciant.

PRUDERIE [pʀydʀi] n. f. — 1666; de *prude.*

♦ **1.** Littér. Affectation de réserve* outrée jusqu'au ridicule dans tout ce qui touche à la pudeur, à la décence. ⇒ **Cant** (vx), **pudibonderie, puritanisme.** *L'impertinente pruderie de cette pecque* (cit. 2, Gautier). *La pruderie d'une sainte nitouche* (cit. 2). — Par ext. *La pruderie en littérature, dans l'art.*

1 Il y a (...) une fausse vertu qui est hypocrisie, une fausse sagesse qui est pruderie.

LA BRUYÈRE, les Caractères, III, 48.

2 L'âge n'avait fait qu'accroître cette pudeur impitoyable. Sa guimpe n'était jamais assez opaque, et ne montait jamais assez haut. Elle multipliait les agrafes et les épingles là où personne ne songeait à regarder. Le propre de la pruderie, c'est de mettre d'autant plus de factionnaires que la forteresse est moins menacée.

HUGO, les Misérables, III, II, VIII.

3 La pudeur n'est point encore devenue pruderie; chez eux *(les Grecs),* l'âme ne siège pas à une hauteur sublime, sur un trône isolé, pour dégrader et reléguer dans l'ombre les organes qui servent à un moins noble emploi; elle n'en rougit pas, elle ne les cache point; leur idée n'excite ni la honte ni le sourire.

TAINE, Philosophie de l'art, t. II, p. 163.

4 (...) la pruderie, qui n'a rien à voir avec la pudeur, et qui est l'attitude de beaucoup de gens — hommes et femmes — devant tout ce qui touche à l'amour et aux rapports des sexes entre eux (...) La pruderie tactique est celle de la femme occupant des situations en vue et élevées sujette comme les autres aux passions de l'amour et contrainte de les dissimuler sous des dehors réservés et froids.

Léon DAUDET, la Femme et l'Amour, VIII.

♦ **2.** (1671, Mme de Sévigné). Littér. et rare. *(Une, des pruderies).* Attitude, acte qui a un caractère de pruderie (1.). *Après quelques hésitations* (cit. 1) *et quelques pruderies.*

PRUD'HOMAL, ALE, AUX [pʀydɔmal, o] adj. — Déb. XXe; de *prud'homme.*

♦ Dr. Des prud'hommes; qui a rapport ou qui appartient à la juridiction des prud'hommes. *Compétence prud'homale. En matière prud'homale.*

PRUD'HOMIE [pʀydɔmi] n. f. — 1372, *prodhommie* «loyauté»; de *prud'homme.*

♦ **1.** Vx. Loyauté, sagesse dans la conduite.

♦ **2.** (1876). Dr. Juridiction des prud'hommes.

REM. L'Académie française (1981) propose d'écrire *prud'hommie* pour harmoniser le mot avec l'ensemble de la série.

PRUD'HOMME [pʀydɔm] n. m. — V. 1534; *preudhomme,* v. 1340; *preudomme,* fin XIIe; *prodomme* «homme de valeur», 1080; de *prod,* forme anc. de *preux,* et *homme.*

♦ **1.** Vx. Homme d'honneur et de valeur, sage et loyal (→ Avocat, cit. 19).

♦ **2.** (1806; *preudome* «homme expert et versé dans un métier, qu'on charge de certaines fonctions comme d'attester en justice, d'estimer la valeur d'un objet, etc.», Wartburg, 1260). Dr. Magistrat de l'ordre juridictionnel, membre élu d'un tribunal d'exception dit *«Conseil de prud'hommes»* et chargé essentiellement de juger des différends d'ordre professionnel entre employeurs et employés. *Les conseils de prud'hommes sont composés par moitié de représentants élus par les patrons et les salariés. Assigner qqn devant le conseil des prud'hommes.* Ellipt. *Attaquer, aller aux prud'hommes.* — Par appos. ou adj. *Conseillers prud'hommes.*

Les conseils des prud'hommes (...) peuvent être établis dans chaque commune, par décret, sans qu'il puisse y en avoir deux dans la même ville. Ils peuvent être divisés en sections autonomes (par exemple ouvriers, employés, professions du commerce) ... Les prud'hommes sont élus par leurs pairs pour six années, le renouvellement se faisant par moitié tous les trois ans.

ROMEUF, Dict. des sciences économiques, art. *Prud'hommes.*

♦ **3.** Adj. (1080). Vx. Sage et loyal. (→ Gentil, cit. 2). — Spécialt. Dont l'honneur, la droiture morale, entraîne un peu de pruderie. *«Très brave homme un peu prud'homme, profondément moral...»* (R. Rolland *in* G.L.L.F.).

REM. L'orthographe *prudhomme* serait plus conforme à l'usage graphique moderne.

DÉR. Prud'homal, prud'homie.

PRUDHOMMERIE [pʀydɔmʀi] n. f. — 1877, Littré, *Suppl.;* du nom de *Joseph Prudhomme,* personnage créé par l'écrivain et caricaturiste Henri Monnier, en 1830; employé parfois comme nom commun ou adjectif.

♦ Littér. et rare. Caractère, attitude, manière de s'exprimer d'un individu médiocre et infatué de lui-même, qui débite des banalités et des niaiseries sur un ton magistral. *Son insupportable prudhommerie.*

DÉR. (Du même rad.) **Prudhommesque.**

PRUDHOMMESQUE [pʀydɔmɛsk] adj. — 1853; de Joseph *Prudhomme,* n. propre

♦ Littér. Qui a un caractère d'emphase prétentieuse et ridicule. Spécialt (en parlant du langage, du style). Qui est d'une platitude sentencieuse (⇒ **Banal**) et pontifiante. *Propos prudhommesques et insipides.*

DÉR. Prudhommesquement.

PRUDHOMMESQUEMENT [pʀydɔmɛskəmɑ̃] adv. — 1870, cit.; de *prudhommesque.*

♦ Rare. D'une manière prudhommesque, emphatique et bourgeoise (s'est dit surtout au XIXe s.). — REM. La graphie *prud'hommesquement* est archaïque.

Ma ville natale est supérieurement idiote (...) Parce qu'elle est à côté de Mézières (...) parce qu'elle voit pérégriner dans ses rues deux ou trois cents de pioupious, cette benoîte population gesticule, prud'hommesquement spadassine, bien autrement que les assiégés de Metz et de Strasbourg! C'est effrayant, les épiciers retraités qui revêtent l'uniforme!

RIMBAUD, Lettre à G. Izambard, 25 août 1870, Pl., p. 241.

PRUINE [pʀɥin] n. f. — 1842; «gelée blanche», 1120; lat. *pruina* «gelée blanche».

♦ Didact. Fine pellicule cireuse à la surface de certains fruits (prune, raisin), des feuilles de choux, du chapeau de divers champignons. ⇒ **Efflorescence, poussière.** (REM. On dit aussi *fleur*). *La pruine s'enlève au frottement des doigts.*

DÉR. Pruiné ou **pruineux.**

PRUINÉ, ÉE [pʀɥine] ou PRUINEUX, EUSE [pʀɥinø, øz] adj. — 1842, sous les deux formes; de *pruine.*

♦ Didact. Couvert de pruine.

Le Muscat de Hambourg *(noir)* ressemble au Cinsaut par ses baies ovoïdes d'un beau bleu pruiné, mais sa grappe est rameuse (...)

Louis LEVADOUX, la Vigne et sa culture, p. 42.

PRUNE [pʀyn] n. f. et adj. — XIIIe; du lat. *pruna,* plur. neutre de *prunum,* employé comme subst. fém. en lat. pop.

♦ **1.** Fruit du prunier* (cit. 1), de forme ronde ou allongée, à peau fine, très glabre, à chair (cit. 65) juteuse, sucrée, agréable au goût. *La prune est une drupe. Les prunes ont des couleurs allant du jaune et du brun au rouge violacé. Parfum des prunes* (→ Léger, cit. 12). *Variétés de prunes.* ⇒ **Agrume** (2.), **ente** (d'ente ou d'Agen), **impériale, madeleine** (2.), **mignonne** (4.), **mirabelle, perdrigon, quetsche, reine-claude.** *Prune de Monsieur, prune précoce de Tours. Tarte aux prunes. Confiture de prunes. Prunes séchées.* ⇒ **Pruneau.** *Prunes confites pour la pâtisserie. Prunes à l'eau-de-vie* (→ aussi Faire, cit. 89). — *Prune sauvage.* ⇒ **Prunelle.** — *Eau-de-vie de prunes.* Ellipt. (1877, Zola). *De la prune. Un petit verre de prune.*

(...) les prunes transparentes montraient des douceurs chlorotiques de vierge; les reine-Claude, les prunes de monsieur, étaient pâlies d'une fleur d'innocence; les mirabelles s'égrenaient comme les perles d'or d'un rosaire, oublié dans une boîte avec des bâtons de vanille. 1

ZOLA, le Ventre de Paris, V, t. II, p. 99-100.

Loc. fam. : (1848; Gautier). *Aux prunes :* l'été prochain ou passé. *Il a eu seize ans aux prunes.* — (1630). Fam. *Pour des prunes* (en parlant d'une action, d'un travail...) inutile). *Je ne veux pas me déranger pour des prunes,* pour rien*. — Vieilli. *Des prunes!,* réponse ironique ou négative à une demande jugée excessive ou déplacée (cf. pop. Des clous, des nèfles, la peau...).

(...) mais ce *le,* où elle s'arrête, n'est pas mis pour des prunes. 2

MOLIÈRE, Critique de l'École des femmes, 3.

Danton n'était pas éloquent pour des prunes. Par quelques coups de gueule si bien sentis qu'on les entend encore, il vous l'a mobilisé en un tour de main, le bon peuple! 3

CÉLINE, Voyage au bout de la nuit, p. 68.

♦ **2.** (1803). Par ext. (Qualifié). Nom donné aux fruits d'arbres autres que le prunier. *Prune de coco, de coton.* ⇒ **Icaque.**

♦ **3.** Adj. invar. (V. 1780). D'une couleur violet foncé rappelant celle de certaines prunes. *Étoffe, manteau prune.*

(...) elle portait (...) une robe prune si foncée qu'elle paraissait noire (...) 4

HUYSMANS, Là-bas, XIII.

♦ **4.** (XIVe). **a** Fam. (vieilli). Coup, gifle. *Se flanquer des prunes.*

b Balle d'arme à feu, et, spécialt, de fusil. ⇒ **Pruneau** (B.).

5 D'un élan je me précipite près de Spontinini. Une prune me siffle à l'oreille. Qu'est-ce à dire? Elle m'arrive de par-derrière.
SAN-ANTONIO, Remets ton slip, gondolier!, p. 201.

♦ **5.** (Déb. xxe). Fam. et vieilli (au plur.). Testicules.

DÉR. Pruneau, prunées, 1. **prunelle, prunier.**

PRUNEAU [pʀyno] n. m. — 1564; au plur. *proniaulx,* 1507; de *prune.*

★ **I.** ♦ **1.** Prune* séchée (obtenue soit par passage à l'étuve ou à l'évaporateur, soit par dessiccation à l'air pendant quelques semaines). *Pruneaux d'Agen* (⇒ **Agrume** 2.), *de Brignoles* (⇒ **Brignole**), *de Tours, de Californie... Les pruneaux qui se consomment crus ou cuits* (→ Écuelle, cit. 3). *Gâteau de semoule aux pruneaux. Propriétés laxatives des pruneaux* (→ Lâcher, cit. 3).

1 (...) une immense table en fer à cheval où des compotiers de riz et de pruneaux alternaient en longues files (...) Comme dans toutes les tables d'hôte suisses, ce riz et ces pruneaux divisaient le dîner en deux factions rivales (...) Les Riz se reconnaissaient à leur pâleur défaite, les Pruneaux à leurs faces congestionnées.
Alphonse DAUDET, Tartarin sur les Alpes, I.

2 (...) les pruneaux séchés au four sur des claies après la cuisson du pain (...)
Louis PERGAUD, De Goupil à Margot, Tragique aventure, Goupil, IX.

Fam. *Être noir, noire comme un pruneau :* avoir une peau foncée, un teint halé.

♦ **2.** (V. 1830). Régional (Doubs, Savoie, Suisse). Quetsche. *Gâteau aux pruneaux :* tarte aux quetsches. *Pruneau sec :* pruneau.

★ **II.** Fig. **A.** ♦ **1.** (1718; *pruneau relavé,* 1694). Fam. et vieilli. Fille, femme dont le teint très brun rappelle la couleur noirâtre du pruneau. *C'est un vrai pruneau.*

♦ **2.** Adj. (1818). Vx. D'un violet très foncé.

B. (1830, *in* D. D. L.). Projectile*. Spécialt. Balle de fusil (on dit aussi *prune*).

3 (...) je me charge d'ajuster le Tapissier, moi (...) Qué plaisir de loger un pruneau dans son bocal, ça me vengerait de tous mes puants d'officiers (...)
BALZAC, les Paysans, Pl., t. VIII, p. 199.

4 Non, je ne sais pas moi, je ne suis pas meilleur qu'un autre, mais je me laisserais envoyer des pruneaux dans la gueule plutôt que d'obéir à des barbares comme ça; car c'est pas des hommes, c'est des vrais barbares.
PROUST, le Temps retrouvé, Pl., t. III, p. 821.

PRUNÉES [pʀyne] n. f. pl. — xxe; de *prune,* et suff. *-ées.*

♦ Bot. Arbres fruitiers dont le fruit est une drupe (opposé à *pirée,* arbre fruitier dont le fruit est un piridion*). *Les prunées et les pirées.* Au sing. *Une prunée.*

PRUNELAIE [pʀynlɛ] n. f. — 1690; de *pruneraie* (1636), par dissimilation du second *-r-* de *prunier.*

♦ Terrain planté de pruniers.

HOM. Prunelet.

PRUNELÉE [pʀynle] n. f. — 1803; de 1. *prunelle.*

♦ Vx. Confiture de prunes.

PRUNELET [pʀynlɛ] n. m. — 1803; de 1. *prunelle.*

♦ Vx. Boisson faite d'une décoction de prunelles (ou de prunes) séchées.

HOM. Prunelaie.

1. PRUNELLE [pʀynɛl] n. f. — V. 1175; de *prune.*

★ **I.** Fruit du prunellier*, petite prune globuleuse bleu ardoise, de saveur âcre. *Prunelles qui mûrissent sur les haies* (→ Montrer, cit. 8). *Boisson fermentée préparée avec des prunelles, buvande* de prunelles. — Eau-de-vie, liqueur de prunelle, obtenue par distillation, ou par macération de ces fruits dans l'alcool, l'eau-de-vie.* Ellipt. *Un carafon de prunelle.*

1 Il allait (...) à la saison cueillir les prunelles sur les haies de Vaudémont (...) il excellait à distiller de ces petites baies une savoureuse eau-de-vie (...)
M. BARRÈS, la Colline inspirée, XV.

★ **II.** (1779; par anal. de couleur, cette étoffe se faisant souvent en noir). Vx. Tissu de laine rase, ou de laine et de soie, utilisé jadis pour l'ameublement, la confection des chaussons de femme...

2 (...) ses petits pieds chaussés de brodequins en prunelle puce (...)
BALZAC, la Femme de trente ans, Pl., t. II, p. 674.

3 Le costume avignonnais, lui expliqua-t-elle, avait comporté longtemps un mélange de l'Arlésie et du Comtat : un chaperon (...) La chaussure était de prunelle grise et les bas de coton blanc.
A. BILLY, Sur les bords de la Veule, p. 169.

DÉR. Prunelée, prunelet, 2. **prunelle, prunellier.**

2. PRUNELLE [pʀynɛl] n. f. — xive; *prunele,* fin xie; de 1. *prunelle,* par anal. de couleur et d'aspect.

♦ **1.** Cour. La pupille de l'œil (considérée surtout quant à son aspect). *Le grain noir de la prunelle* (→ Éteindre, cit. 29). *L'angoisse dilatait* (cit. 2) *leurs prunelles. « La prunelle s'étrécit* (cit. 2) *ou s'élargit suivant la lumière »* (Buffon). *Prunelle douée d'une grande contractilité* (→ Iris, cit. 1). *Prunelle étincelante* (→ Colère, cit. 6).

(...) fixez la prunelle *(d'une belle femme, en la dépeignant)* et la voilà bête; donnez du feu à cette prunelle fixe, et la voilà impudente. 1
DIDEROT, Correspondance, Lettre à Sophie Volland, 2 sept. 1762.

(...) le mouvement étrange par lequel le noir de la prunelle envahissait dans les yeux de Véronique le bleu qui, cette fois, fut réduit à n'être qu'un léger cercle. 2
BALZAC, le Curé de village, Pl., t. VIII, p. 643.

(...) elle couve l'enfant des yeux — des yeux très bleus, très vagues, où la prunelle est un point tout petit, mais infiniment tendre. 3
R. ROLLAND, Jean-Christophe, L'aube, I, p. 3.

Loc. (1535). *Comme (à) la prunelle de ses yeux,* se dit à propos d'une personne ou d'une chose à laquelle on tient par-dessus tout, qu'on entoure de soins vigilants. *Il y tient comme à la prunelle de ses yeux.*

(...) je crois que nous aurons le malheur de le perdre *(Pons),* quoique nous le soignions comme la prunelle de nos yeux (...) 4
BALZAC, le Cousin Pons, Pl., t. VI, p. 691.

♦ **2.** (Déb. xviie). L'œil, considéré quant à sa mobilité, son aspect, son expression, la couleur de son iris. *Un brusque déplacement des prunelles vers le haut et à gauche* (→ Froncement, cit. 2). — *Le bleu, l'émail bleu-noir de ses prunelles* (→ Évanouir, cit. 5; fixer, cit. 10). *Ses prunelles bleues ont gardé leur limpidité* (cit. 5). *Prunelles vertes pailletées d'or des chats* (→ Paillette, cit. 4). — L'œil*, dans son expression; le regard*. *Des prunelles hagardes* (→ Éteindre, cit. 9), *vitreuses* (→ Paupière, cit. 4). *Prunelles fuyantes* (cit. 6) *et sournoises. La lueur que jetaient ses prunelles* (→ Dominer, cit. 7). *Les feux de leurs prunelles* (→ Dégeler, cit. 1).

(...) la syncope de Justin durait encore, et ses prunelles disparaissaient dans leur sclérotique pâle, comme des fleurs bleues dans du lait. 5
FLAUBERT, Mme Bovary, II, VII.

Et des parcelles d'or, ainsi qu'un sable fin, 6
Étoilent vaguement leurs prunelles mystiques *(des chats).*
BAUDELAIRE, les Fleurs du mal, « Spleen et idéal, LXVI.

À certains moments, ces prunelles se brouillaient telles qu'une eau grise et des étincelles d'argent pétillaient à la surface. Elles étaient, tour à tour, dolentes et désertes, langoureuses et hautaines. 7
HUYSMANS, Là-bas, VII.

Dans le plein jour, vos prunelles ont vraiment l'éclat de deux petites pierres bleues, deux saphirs clairs (...) 8
MARTIN DU GARD, les Thibault, t. VI, p. 223.

(...) il plongeait ses yeux au fond des prunelles rousses, transparentes de tiède amitié (...) 9
M. GENEVOIX, Raboliot, II, IV.

(1632). Loc. fam. *Jouer** (cit. 42) *de la prunelle. — Manège de prunelles* (→ Œillade, cit. 7).

PRUNELLIER [pʀynelje] n. m. — 1694; *prunelier,* 1549 (au déb. xiiie en occitan); de 1. *prunelle.*

♦ Arbrisseau des haies (famille des *Rosacées;* nom sc. : *prunus spinosa*) petit prunier sauvage qui porte des fruits (prunelles). Syn. : *prunier épineux; épine noire. Les fleurs blanches des prunelliers.*

PRUNIER [pʀynje] n. m. — V. 1398; 1220, *pruner;* de *prune.*

♦ Arbre (famille des *Rosacées*), scientifiquement appelé *prunus,* cultivé pour ses fruits comestibles, les prunes*. *Prunier de plein vent. Prunier non greffé.* ⇒ **Dominotier.** *Variétés de pruniers : prunier Saint-Julien, de Damas... Secouer un prunier* (→ Mirabelle, cit.). ⇒ **Mirabellier.** *Petit prunier sauvage, prunier épineux.* ⇒ **Prunellier.** — Spécialt. Prunier cultivé pour ses fruits (excluant les variétés sauvages et ornementales). *Verger de pruniers.* ⇒ **Prunelaie.** *Gomme de prunier* ⇒ **Bran** (d'agace).

(...) un prunier (...) dont les prunes mûres avaient une délicate odeur de musc (...) Serge (...) imagina de secouer l'arbre violemment. Une pluie, une grêle de prunes tomba. Albine, sous l'averse, reçut des prunes sur les bras, des prunes dans le cou, des prunes au beau milieu du nez (...) amusée par les balles rondes qui rebondissaient sur elle (...) 1
ZOLA, la Faute de l'abbé Mouret, II, IX.

Prunier à feuillage pourpre, prunier de Chine, de Japon, cultivés comme arbres ou arbustes d'ornement. ⇒ **Prunus.**

(1935, *in* Académie). Loc. fam. *Secouer qqn comme un prunier,* très vigoureusement; au fig., le tancer vertement.

Je le secoue, et le secoue comme un vieux prunier et sa couronne tremble sur sa tête. 2
Henri MICHAUX, La nuit remue, p. 13.

PRUNUS [pʀynys] n. m. — Fin xviie, genre établi par Tournefort; mot lat. « prunier ».

♦ **1.** Bot. Nom scientifique du genre Prunier (comprenant les cerisiers, les pêchers, les abricotiers).

♦ **2.** (XXe). Cour. Variété de prunier d'ornement, de prunellier ou nerprun, aux feuilles d'un brun-rouge luisant très décoratif.

(...) une villa donc, avec sans doute un prunus en fleurs sur le gazon, un portail peint en blanc, une allée tournante de gravier entre les haies d'aucubas aux feuilles tachetées (...) Claude SIMON, la Route des Flandres, p. 181.

PRURIGINEUX, EUSE [pʀyʀiʒinø, øz] adj. — V. 1363; du bas lat. *pruriginosus* « qui a des démangeaisons », du lat. *prurigo.*

♦ Méd. Qui cause de la démangeaison. *Boutons prurigineux, dermatose prurigineuse.*

PRURIGO [pʀyʀigo] n. m. — 1814, Nysten, lat. *prurigo* « démangeaison », de *prurire.*

♦ **1.** Méd. Affection de la peau, caractérisée par l'existence de papules et souvent par un prurit intense (⇒ **Démangeaison, inflammation**). *Prurigo* simplex *chronique, diathésique.*

♦ **2.** (1870, cit.). Fig. et littér. (rare). ⇒ **Prurit** (2.).

Abominable prurigo d'idiotisme, tel est l'esprit de la population. On en entend de belles, allez. RIMBAUD, Lettre à G. Izambard, 2 nov. 1870, Pl., p. 249.

DÉR. (Du même rad.) **Prurigineux.**

PRURIT [pʀyʀit] n. m. — 1271; lat. *pruritus,* n. m., dér. de *prurire* « démanger ».

♦ **1.** Méd. Démangeaisons de la peau, en rapport avec une affection cutanée (eczéma, urticaire, prurigo, piqûres de parasites), une affection générale (jaunisse, urémie) ou sans cause physiologique décelable *(prurits psychosomatiques). Prurit très léger* (⇒ **Chatouillement**), *aigu, douloureux.*

1 (...) le prurit, dont n'arrivent pas à triompher les injections de bromical, me tourmente toutes les nuits. GIDE, Journal, 7 févr. 1943.

2 (...) depuis quelques jours sa nervosité, née de son anémie, lui donnait un prurit aux poignets, aux gras des pouces, dans les interstices des doigts, couverts des égratignures qu'elle s'était faites en se grattant furieusement. MONTHERLANT, les Lépreuses, I, V.

♦ **2.** (1694). Fig. et littér. *(Un prurit de...).* Désir irrépressible. ⇒ **Démangeaison** fig. (→ Ambition, cit. 13). *« Ce prurit du jeu »* (→ Joueur, cit. 6).

3 Peut-être ce désir n'avait-il rien de psychologique et manifestait-il une apoplexie de jeunesse, un excès de sève à dépenser? Ce serait alors un prurit de désirs à détruire par l'assouvissement. Paul BOURGET, le Disciple, IV, V.

PRUSSCO ou **PRUSCO** [pʀysko] n. m. — 1895, *in* Esnault v. 1870 pour *Prusco;* de *Prussien* et suff. pop. *-co* → Turco, etc.

♦ Fam. et vx (fin XIXe et déb. XXe). Soldat prussien; Allemand (Var. : *prussmar, in* Rimbaud, *Correspondance,* mai 1873, Pl. p. 272).

1 Tous nous sommes pour la paix, avec Jaurès, mais il ne faudrait pas que les Pruscos en profitent pour nous marcher sur les pieds! H. TROYAT, les Semailles et les Moissons, p. 385.

2 Qu'il débarrasse le plancher, qu'il retourne dare-dare dans sa Prusse natale, ce Prusco qui ne sait plus se tenir. Christine de RIVOYRE, le Petit Matin, p. 122.

PRUSSIANISER [pʀysjanize] v. tr. — 1869, Littré; de *prussien,* et *-iser.*

♦ Vx ou hist. Soumettre aux méthodes prussiennes (militarisme, caporalisme). — Soumettre à l'influence de la Prusse, de l'Allemagne.

REM. On a employé aussi *prussianisation,* n. f. (1871, *in* D. D. L.).

PRUSSIANISME [pʀysjanism] n. m. — 1870, Veuillot; de *prussien.*

♦ Vx ou hist. Caractère du système politique et militaire prussien. — Soutien à l'hégémonie prussienne; reconnaissance de la supériorité prussienne.

Pendant que Pierre III affirmait son prussianisme et se moquait des popes, elle fréquentait assidûment l'église orthodoxe et se proclamait, en toute circonstance, russe d'âme et de manière. H. TROYAT, le Prisonnier, p. 17.

PRUSSIATE [pʀysjat] n. m. — 1787; dér. de *Prussia* « Prusse », à cause du *bleu de Prusse.*

♦ Chim., vx. Cyanure, sel de l'acide cyanhydrique. ⇒ **Cyanure.**

PRUSSIEN, IENNE [pʀysjɛ̃, jɛn] adj. et n. — 1540 *in* D. D. L.; de *Prusse.*

♦ **1.** Adj. De la Prusse. Par ext. Allemand (en 1870 et immédiatement après). *L'armée prussienne. Le caporalisme, le dressage prussien* (→ Despote, cit. 4). — (1763, *in* D. D. L.). Vx. *Cheminée** (cit. 2) *prussienne.* — N. f. (1803). Vx. *Prussienne :* cheminée prussienne.

Loc. adv. et adj. (Av. 1794). *À la prussienne :* à la manière rigide, strictement disciplinée des soldats prussiens (→ aussi Bomber, cit. 3).

♦ **2.** N. (1871). Pop. et vieilli. Habitant de l'Allemagne. — Spécialt. Soldat de la confédération allemande sous l'égide de la Prusse. ⇒ **Prussco** (1895).

♦ **3.** N. m. (1877). *Ancien prussien, vieux prussien :* langue balte du rameau celtique, éteinte au XVIIIe siècle, qui se parlait sur la côte de la mer baltique.

PRUSSIENNE [pʀysjɛn] n. f. — 1762; de *prussien,* l'étoffe provenant de Prusse.

♦ Vx. Étoffe de taffetas à chaîne à deux couleurs et trame d'une troisième couleur.

HOM. Prussienne (cheminée prussienne. V. **Prussien).**

PRUSSIQUE [pʀysik] adj. — 1787; de *Prusse,* le bleu de Prusse a été découvert en 1709 par le chimiste prussien Dippel.

♦ Chim. Ancien adjectif pour *cyanhydrique*. L'acide prussique, poison violent.*

Il y a trois jours qu'un M. Smith, Anglais puritain, établi ici depuis dix ans, a jugé à propos de quitter la vie; il a avalé un flacon contenant une once d'*acide prussique.* STENDHAL, Mémoires d'un touriste, t. I, p. 118.

PRUTA [pʀyta] n. m. — Mil. XXe; mot hébreu moderne.

♦ Unité monétaire divisionnaire israélienne valant le millième de la livre.

PRYTANAT [pʀitana] n. m. — 1878, P. Larousse, *Premier Suppl.;* de *prytane.*

♦ Didact. Dignité de prytane*, dans l'antiquité grecque.

PRYTANE [pʀitan] n. m. — 1732, Trévoux; adapt. du grec *prutanis* « chef, maître ».

♦ Antiq. grecque. Un des premiers magistrats de certaines cités grecques. — À Athènes, l'un des cinquante sénateurs appartenant aux dix tribus et qui avaient successivement le droit de préséance au sénat (⇒ **Prytanie**).

Quelquefois ce magistrat annuel garda le titre sacré de roi. Ailleurs, le nom de prytane, qui lui fut conservé, indiqua sa principale fonction. Dans d'autres villes le titre d'archonte prévalut. FUSTEL DE COULANGE, la Cité antique, III, X (cf. aussi Citoyen, cit. 1; démocratie, cit. 3).

DÉR. Prytanat. — (Du même rad.) **Prytanée, prytanie.**

PRYTANÉE [pʀitane] n. m. — 1579; lat. *prytaneum,* du grec *prutaneion,* de *prutanis.* → Prytane.

♦ **1.** Didact. (antiq. grecque). Édifice où s'assemblaient les prytanes, et qui servait à divers usages politiques et religieux (on y entretenait le foyer sacré, on y nourrissait les hôtes publics, les pensionnaires de l'État...). *Le prytanée d'Athènes* (→ Athénien, cit. 1).

♦ **2.** (V. 1800). Anc. Établissement d'éducation gratuite pour « les fils de ceux qui avaient rendu des services à l'État, surtout des militaires » (Littré). — Spécialt, mod. *Le Prytanée militaire de la Flèche* (⇒ **Brution**).

Une institution (...) préparait l'avenir : le « Prytanée », auquel le Directoire avait donné son nom et qui n'était autre que l'Institut des boursiers ou de l'Égalité, lequel continuait le collège Louis-le-Grand (...) En 1800 le Prytanée (...) se divisa ou se multiplia (...) C'est là qu'on expérimenta le système d'éducation tout militaire qui fut appliqué dans les Lycées. F. BRUNOT, Hist. de la langue franç., t. IX, p. 1113.

PRYTANIE [pʀitani] n. f. — XVIIIe; *pritannie,* Oresme, v. 1360; grec *prutaneia,* de *prutanein* « être prytane », de *prutanis.* → Prytane.

♦ Didact. Durée pendant laquelle une tribu, à Athènes, fournissait les prytanes.

P.-S. [peɛs] Abrév. de *post-scriptum.*

PSALIDODONTE [psalidodɔ̃t] adj. — XXe; du grec *psalis, psalidos* « ciseaux », et *-odonte.*

♦ Didact. Dont les dents supérieures recouvrent les dents inférieures.

(...) l'homme actuel est psalidodonte (...) à l'inverse des hommes de la préhistoire et de certains animaux à nourriture unique, qui sont labidontes (dents bout à bout). P.-L. ROUSSEAU, les Dents, 1951, p. 11.

PSALLETTE [psalɛt] n. f. — 1643; dér. sav. du grec *psallein.* → Psaume.

♦ Relig., mus. École de musique faisant partie d'une église, et où sont instruits les enfants de chœur. — (1743). L'ensemble des chanteurs d'une psallette. ⇒ **Maîtrise, manécanterie.**

PSALLIOTE [psaljɔt] n. m. — 1846, Bescherelle; dér. sav. du grec *psalis* «voûte, cintre».

♦ Bot. Champignon basidiomycète hyménomycète *(Agaricinées). Le psalliote champêtre* (Psalliota campestris) *est le champignon de couche,* dit champignon de Paris.

PSALMIQUE [psalmik] adj. — 1866, Littré; dér. du lat. *psalmus.* → Psaume.

♦ Didact. Des psaumes. *Les textes psalmiques.* « *Le style psalmique* » (Littré).

PSALMISTAT [psalmista] n. m. — xxᵉ; de *psalmiste.*

♦ Relig. Fonction de psalmiste (2.).

PSALMISTE [psalmist] n. m. — V. 1175, *psalmistre;* lat. chrét. *psalmista* (ɪvᵉ), du grec *psalmistês.* → Psaume.
Religion.

♦ **1.** Auteur de psaumes. Absolt. *Le Psalmiste :* le roi David (auteur présumé du *Livre des Psaumes*).

♦ **2.** (xvɪᵉ). Liturgie. Chantre de psaumes.

(...) les litanies et les hymnes étaient entonnées et chantées, au bruit des sistres, des flûtes et des trompettes, par un psalmiste ou préchantre qui, dans l'ordre des prêtres, remplissait les fonctions d'hymnode. NERVAL, les Filles du feu, « Isis », II.

DÉR. Psalmistat.

PSALMODIE [psalmɔdi] n. f. — 1120; lat. chrét. *psalmodia,* du grec *psalmôdia,* de *psalmos* (→ Psaume), et *ôdê* «chant».
Didactique.

♦ **1.** Relig. Art, manière de chanter, de dire les psaumes. *Psalmodie recto tono, sur une note.*

Les bénédictines-bernardines de Martin Verga, cloîtrées il y a cinquante ans au Petit-Picpus, chantent les offices sur une psalmodie grave, plain-chant pur, et toujours à pleine voix toute la durée de l'office. HUGO, les Misérables, II, VI, II.

♦ **2.** (1803). Fig., littér. Manière monotone de déclamer, de chanter... ⇒ **Monotonie.**
(1845). Vx. Style monotone.

DÉR. Psalmodier, psalmodique.

PSALMODIER [psalmɔdje] v. — 1403; de *psalmodie.*

♦ **1.** V. intr. Didact. (relig., mus.). Dire ou chanter les psaumes. *Psalmodier sur le ton direct; avec une antienne...* Spécialt. Dire les psaumes sur une seule note (recto tono), sans chanter, mais selon des règles musicales traditionnelles (rythme...). — V. tr. (xvɪɪɪᵉ). *Psalmodier les offices* (→ Copte, cit. 2), *les laudes* (cit.), *les litanies* (cit. 1). — Au p. p. *None* (cit.) *se déroula simplement psalmodié.*

1 (...) la cloche sonna l'agonie, et les religieux, psalmodiant les prières des morts, pleurèrent et se lamentèrent dans les cloîtres.
CHATEAUBRIAND, Mémoires d'outre-tombe, t. VI, p. 206.

1.1 Avant de quitter la place, il se retourna pour regarder l'étrange frêle silhouette du vieil homme, tout seul maintenant dans la clarté de la lune, qui psalmodiait sa prière en balançant le haut de son corps comme quelqu'un qui va à cheval.
J.-M. G. LE CLÉZIO, Désert, p. 41.

♦ **2.** Cour. a V. intr. Par anal. Réciter ou chanter d'une manière rituelle et monotone des chants, des textes religieux (→ Derviche, cit. 2; gymnastique, cit. 12).

b V. tr. *Psalmodier une phrase du Coran* (→ Coranique, cit.).

♦ **3.** V. tr. (1734), et intr. (1835). Fig. Parler, dire, réciter d'une façon monotone. ⇒ **Débiter** (→ Aigu, cit. 7; métallique, cit. 2).

2 La voiturée qui ouvrait le cortège avait entonné et psalmodiait à tue-tête avec une jovialité hagarde un pot-pourri de Désaugiers, alors fameux, *la Vestale!*
HUGO, les Misérables, IV, III, VIII.

(1669). Vx. Écrire en un style monotone.

PSALMODIQUE [psalmɔdik] adj. — 1771; de *psalmodie.*

♦ Didact. Relatif à la psalmodie. *Chant psalmodique.*

PSALTÉRION [psalteʀjɔ̃] n. m. — V. 1240; *psalterium* et *salterion,* v. 1155, forme francisée *psaltere,* xɪɪɪᵉ; *saltere,* 1190; lat. *psalterium,* du grec *psalterion* «sorte de harpe». ⇒ **Psautier.**

♦ Didact. (hist. de la mus.). Ancien instrument de musique à cordes pincées ou grattées, à caisse de résonance plate, de forme triangulaire ou trapézoïdale. *Le psaltérion était en usage chez les Hébreux, en Grèce, dans l'Europe médiévale* (→ Jongleur, cit. 1).

PSAMMITE [psamit] n. m. — 1869; dér. sav. du grec *psammos* «sable».

♦ Minér. Grès argileux micacé.

PSAMMOPHILE [psamɔfil] adj. et n. m. — 1875, pour désigner un genre de stellion, *psammophilus;* du grec *psammos* «sable», et *-phile.*

♦ Didact. Se dit des plantes et animaux qui vivent dans ou sur les sols sablonneux.

PSAMMOPHYTE [psamɔfit] adj. et n. m. — xxᵉ (*in* Larousse, 1932); du grec *psammos* «sable», et *-phyte.*

♦ Bot. Se dit d'un végétal qui vit dans des régions sableuses. *Plante psammophyte.* — N. m. *Des psammophytes.*

PSAUME [psom] n. m. — 1120, *psalme;* du lat. ecclés. *psalmum,* grec *psalmos* «air joué sur un instrument à corde», de *psallein* «faire vibrer les cordes d'un instrument, en jouer»; on employait aussi *salme, saume* en anc. franç., prononciation conservée au xvɪɪᵉ.

♦ **1.** L'un des poèmes religieux hébraïques qui constituent un livre de la Bible et qui servent de prières et de chants religieux dans la liturgie juive et chrétienne. *Les cent cinquante psaumes sont des hymnes**, *des supplications (ou lamentations) ou des actions de grâce; certains sont appelés Cantiques. Le* De Profundis, *psaume 129* (ou 130), *le* Miserere, *psaume 50* (ou 51). *Antienne, doxologie d'un psaume. Versets d'un psaume* (→ Papas, cit.). *Les explications messianiques* (cit.) *des psaumes. La poésie des psaumes.* ⇒ **Harpe** (fig.). *Psaumes graduels* (ou «cantiques des montées») qui servaient de chants aux pèlerins juifs qui «montaient» à Jérusalem, pour certaines fêtes. *Psaumes pénitentiaux, de la pénitence :* sept psaumes (dont le *De Profondis*) choisis par l'Église comme prières de pénitence, de contrition. — *Chanter, dire, entonner* (cit. 2), *réciter des psaumes.* ⇒ **Psalmodier** (→ Leçon, cit. 1). *Les psaumes de Complies, de Matines, des Laudes, des Vêpres... Les psaumes constituent* «*l'élément primitif et fondamental... du bréviaire*» (R. Lesage). ⇒ **Psautier.** — Mus. *Les psaumes (et leurs antiennes) constituent le prototype de presque tous les chants de l'Office.*

Les psaumes chantés par toute la terre. PASCAL, Pensées, IX, 596. 1

Les Psaumes, par exemple, participent de l'hymne et de l'élégie, combinaison qui accomplit une alliance remarquable des sentiments collectifs lyriquement exprimés avec ceux qui procèdent du plus intime de la personne et de sa foi. 2
VALÉRY, Variété, Cantiques spirituels, *in* Œ., Pl., t. I, p. 449.

Le livre des *Psaumes* est le plus célèbre de ces ouvrages *(les* « *Écrits* »*);* il est devenu le livre des prières par excellence de la Synagogue comme de l'Église. Les cent cinquante pièces qui le composent ne sont pas toutes de même époque; nul critique n'admet aujourd'hui que la plupart soient du roi David; mais quelques-uns doivent remonter à la période royale. 3
A. DUPONT-SOMMER, *in* Encycl. Pl., Histoire des littératures, t. I, Littérature hébraïque, p. 310.

♦ **2.** (1541). Hist. littér. Poème traduisant ou paraphrasant un psaume. *Les psaumes de Marot, de Desportes. Imitation du psaume* Lauda anima, *de Malherbe* («N'espérons plus, mon âme, aux promesses du monde»).

♦ **3.** (1565). Mus. Composition musicale (vocale), sur le texte d'un psaume. *Les psaumes de Lalande.*

DÉR. (Du même rad.) **Psallette, psalmiste, psalmodie, psaltérion, psautier.**

PSAUTIER [psotje] n. m. — 1215; *psaltier,* v. 1175; du lat. *psalterium,* grec *psalterion,* francisé en *saltier, sautier,* v. 1119.

★ **I.** ♦ **1.** Relig., didact. Le livre des psaumes (⇒ **Bible**). Recueil des psaumes : livre qui les contient (→ 1. Lai, cit. 3). *Le psautier d'un bréviaire**. *Psalmodier en s'aidant d'un psautier.*

Trente moines, épluchant feuillet par feuillet des psautiers aussi crasseux que leurs barbes (...) Aloysius BERTRAND, Gaspard de la nuit, « Office du soir ». 1

(...) mais c'est une grande joie pour moi que de réciter le magnifique psautier Bénédictin, avant le jour (...) HUYSMANS, En route, II, I. 2

♦ **2.** (1690). Vx. Gros chapelet monastique comptant autant de grains (150) qu'il y a de psaumes.

★ **II.** (1752). Vx. (Par anal. de forme avec les cordes du *psaltérion*). Le troisième estomac des ruminants. ⇒ **Feuillet.**

PSCHENT [pskɛnt] ou, incorrect [pʃɛnt] n. m. — V. 1830, trad. de la pierre de Rosette (découverte en 1798) par J.-J. Champollion-Figeac; de l'égyptien démotique *Skhent,* précédé de l'article *P,* grec *pskhent.*

♦ Didact. Coiffure des pharaons, double couronne symbolisant la souveraineté sur la Basse et la Haute Égypte.

Une figure de couleur rougeâtre, à tête d'épervier et coiffée du pschent (...) semblait veiller au seuil du tombeau (...)
Th. GAUTIER, le Roman de la momie, Prologue.

PSCHT, PCHT [pʃt] onomat. et n. m. — 1870, cit.

♦ **1.** Onomatopée évoquant le bruit d'un fluide qui fuse.

1 (...) une partie de la journée à l'hydrothérapie (...) où se mêlent au jaillissement de l'eau, au *pscht* cruel de la douche, les plaintes soupirantes, les petits cris suffoqués.
Ed. et J. DE GONCOURT, Journal, 18 janv. 1870, t. III, p. 240.

REM. Des variantes comportent une voyelle *(i* ou *u)* et s'écrivent avec ou sans *s* : *pchit, pschit* [pʃit], *pchut, pschut* [pʃyt]; le *t* final est parfois redoublé.

2 (...) à cette levée de la mer, il se faisait un «pchitt» énorme, un souffle de monstrueuse fusée (...)
Roger VERCEL, Remorques, p. 64.

♦ **2.** N. m. Élégance à la mode, chic stimulant.

3 Et puis les tailleurs (...) Ils manquaient singulièrement de *pschtt*, et bien qu'il y eût jusque parmi les chasseurs quelques provinciaux assez ingénus pour leur passer commande d'un uniforme.
Edmonde CHARLES-ROUX, l'Irrégulière, p. 116.

PSCHUT [pʃyt] interj. et n. m. — 1920, «bravo!» à Centrale; onomat. *pchch...*

♦ Argot scol. Bruit collectif destiné à exprimer l'approbation, la sympathie.

DÉR. Pschuter.

PSCHUTER [pʃyte] v. tr. — XXe; de *pschut.*

♦ Fam. (argot scol.). Accueillir par des *pschut!*

PSCHUTT [pʃyt] adj. et n. m. — 1883, *in* D. D. L.; onomatopée. → Pchitt.

Fam., vx (à la mode v. 1900).

♦ **1.** Adj. Chic, élégant.

♦ **2.** N. m. Élégance.

Quelle rage a-t-on de créer des néologismes? Nous avions le mot *chic*, exprimant une chose bien française et que rien ne saurait remplacer (...) Eh bien, on veut remplacer ce mot charmant par le mot *pschutt*, onomatopée absurde qui ressemble à un éternuement rentré. Nous ne dirons donc pas que le dernier bal offert par les grands cercles était du dernier *pschutt;* il était chic.
Le Triboulet, 28 janv. 1883, *in* D. D. L., II, 17.

Société élégante.

REM. L'adj. *pschutteux, euse* [pʃytø, øz] qui a eu son moment de vogue (1885-1900 env.), manifeste la lexicalisation de ce mot.

PSELLION [psɛljɔ̃] n. m. — 1765, *Encyclopédie;* du grec *pselion.*

♦ Didact. Anneau de bras (⇒ **Bracelet**) porté par les Perses, par les femmes grecques et romaines.

Anneau de jambe que portaient les Libyennes.

PSEUD-, PSEUDO- Élément (sur le modèle des comp. grecs de *pseudo-*, rad. *pseudês* «menteur») qui indique généralement une désignation impropre ou approximative (⇒ aussi 1. **Faux,** *supra* cit. 19) et qui entre comme préfixe dans la composition de mots tirés du grec ou formés en français; la plupart sont écrits avec un trait d'union, lorsque le deuxième élément est libre.

REM. On peut noter de nombreuses formations en *pseudo-* (adj. et n.) en sciences et dans la langue courante :

[a] Langue courante.

1 Ils ne cherchent même plus à dissimuler : ils reçoivent des ordres et ils les exécutent. Telle est la pseudo-Droite française, en 1955.
F. MAURIAC, Bloc-notes 1952-1957, p. 185.

2 Portée et puissance de ce livre *(Au cœur des masses, de P. Vuillaume)*, en réaction contre l'intellectualisme desséchant de certains grands ordres, et le pseudofreudisme de tel autre (...)
F. MAURIAC, Bloc-notes 1952-1957, p. 33.

3 Pour elle, Chartres ou une hideuse église pseudo-gothique en ciment armé, c'était la même chose.
J. CAU, la Pitié de Dieu, p. 34.

4 Le concept de message (formellement rigoureux, dans la théorie abstraite des communications) doit passer par une critique encore plus rigoureuse. il y a des pseudomessages comme il y a des pseudo-événements, des pseudo-nouvelles et du pseudonouveau. Et une pseudo-production et des œuvres prétendues.
Henri LEFEBVRE, la Vie quotidienne dans le monde moderne, p. 244.

Employé ellipt. et subst. Celui, celle, la chose qui est faussement...

5 Ah! Monsieur, disait-il encore, que pensez-vous du cardinal (...) Puis revenant auprès du pseudo :
— Abruti! C'est malin ce que tu as inventé là!
GIDE, les Caves du Vatican, IV, VII, *in* Romans, Pl., p. 807.

Autres ex. : *pseudo-amitié* (→ Dépêtrer, cit. 4; encombrer, cit. 4, Gide), *pseudo-art* (1885, *in* D. D. L.), *pseudo-artistique* (→ Préoccupation, cit. 1, Gide), *pseudo-certitude (Sciences et Avenir*, avr. 1981, p. 85), *pseudo-décès* (1890, *in* D. D. L.), *pseudo-démocratique, pseudo-événement, pseudo-historique* (1890, *in* D. D. L.), *pseudo-littéraire, pseudo-marmoréen* (→ Exquisement, cit. 1, Henriot), *pseudo-médical, ale, aux* (1890, *in* D. D. L.), *pseudo-moderne* (*le Nouvel Obs.*, 28 avr. 1981, p. 9), *pseudo-rationnel, pseudo-réalisme* (1885, *in* D. D. L.), *pseudo-science, pseudo-scientifique* (→ Concordisme, cit.). — Avec un dérivé de nom propre : *pseudo-mallarméen, enne* (1903, *in* D. D. L.); *pseudo-freudien, pseudo-marxiste; pseudo-marxisme* (*in* Gilbert).

[b] Sc. *Pseudo-acide*, adj. (*Rev. gén. des sc.*, 28 févr. 1903, p. 225)., *pseudo-alvéolaire*, adj. (*Rev. gén. des sc.*, 15 févr. 1904, p. 147), *pseudo-annulaire*, adj. (*l'Année biol.*, II., p. 77, 1899), *pseudo-cellule*, n. f. (*Rev. gén. des sc.*, 15 févr. 1904, p. 148), *pseudo-chromosome*, n. m. (*Rev. gén. des sc.*, 15 févr. 1904, p. 146), *pseudo-clivage*, n. m. (*Rev. gén. des sc.*, 30 avr. 1905, p. 376), *pseudo-combinaison*, n. f. (*Rev. gén. des sc.*, 15 juin 1904, p. 539), *pseudo-continu*, n. m. (*Année sc. et industr.*, 1895, p. 577 [1894]), *pseudoflagelle*, n. f. (*l'Année biol.*, 1897), *pseudo-noyau*, n. m. (*Rev. gén. des sc.*, 15 févr. 1904, p. 146), *pseudoparenchyme*, n. m. (*Rev. gén. des sc.*, 30 oct. 1903, p. 1064), *pseudo-particule*, n.f. (*Sciences et Avenir*, mars 1981 p. 71), *pseudo-sillon*, n. m. (*l'Année biol.*, 1897), *pseudo-solution*, n. f. (*Rev. gén. des sc.*, 30 févr. 1905, p. 177), *pseudo-symétrie*, n. f. (*Rev. gén. des sc.*, 30 avr. 1905, p. 368), *pseudo-tuberculose*, n.f. (*Rev. gén. des sc.*, 15 mai 1905, p. 409), *pseudo-tumeur*, n. f. (*Rev. gén. des sc.*, 30 août 1904, p. 792).

REM. L'abondance des composés observés dans quelques textes scientifiques dépouillés sur plusieurs années suggère la productivité indéfinie de cet élément; le fait qu'ils soient très généralement écrits avec un trait d'union manifeste la labilité de ces composés qu'il conviendrait normalement de souder.

PSEUDARTHROSE [psødaʀtʀoz] n. f. — 1824, Nysten; de *pseud-*, et *arthrose.*

♦ Méd. Articulation accidentelle formée au niveau de la fracture d'un os non consolidé.

PSEUDENCÉPHALE [psødɑ̃sefal] n. m. — 1845; de *pseud-*, et grec *enkephalos* «cerveau». → Encéphale.

♦ Didact. Monstre qui a une tumeur vasculaire à la place du cerveau. — Adj. *Un monstre pseudencéphale.*

DÉR. Pseudencéphalie.

PSEUDENCÉPHALIE [psødɑ̃sefali] n. f. — 1869, Littré; de *pseudencéphale.*

♦ Didact. Monstruosité des pseudencéphales.

PSEUDÉPIGRAPHE [psødepigʀaf] adj. et n. m. — 1877; grec *pseudepigraphos* «qui porte faussement le titre de».

♦ Didact. Livre biblique dont le titre ou le nom de l'auteur est considéré comme inadéquat. — Adj. (Av. 1892, Renan). Se dit d'un livre dont le titre ou le nom de l'auteur est faux (fausse attribution). *Texte pseudépigraphe.*

PSEUDO- ⇒ **Pseud-.**

PSEUDO-ALLIAGE [psødoaljaʒ] n. m. — Mil. XXe; de *pseudo-*, et *alliage.*

♦ Techn. Produit métallique constitué par deux ou plusieurs métaux non alliés entre eux, bien qu'unis physiquement dans leur masse.

PSEUDO-BULBAIRE [psødobylbɛʀ] adj. — 1890; de *pseudo-*, et *bulbaire.*

♦ Méd. *Paralysie* ou *syndrome (Lépine) pseudo-bulbaire :* troubles de la motricité et de sa régulation semblant résulter d'une atteinte du bulbe, mais causés par des lésions ischémiques multiples du cerveau (protubérance, capsule interne...), et consistant essentiellement en troubles de l'articulation (⇒ **Dysarthrie**), de la déglutition, de la mimique, de l'équilibre et de la marche, avec affaiblissement intellectuel.

(...) ces explosions de rire et pleurer spasmodiques qui accompagnent la paralysie bilatérale des mouvements volontaires de la face qu'on désigne sous le nom de paralysie pseudo-bulbaire.
Jean DELAY, la Psycho-physiologie humaine, p. 21.

PSEUDOCARPE [psødokaʀp] n. m. — 1869, Littré; de *pseudo-*, et *carpe*, grec *karpos* «fruit».

♦ Bot. Cône globuleux ressemblant à une baie. *Les pseudocarpes du genévrier.*

PSEUDOCLASSICISME [psødoklasisism] n. m. — xxe; de *pseudo-*, et *classicisme.*

♦ Art, littérature pseudoclassique.

PSEUDO-CLASSIQUE [psødoklasik] adj. — 1920; de *pseudo-*, *et classique.*

♦ Qui prétend imiter ou continuer le classicisme. *Édifice, style pseudo-classique. Une imitation froide et servile des modèles antiques est qualifiée de pseudoclassique* (→ Classique, cit. 6). ⇒ **Académique.** *Des artistes pompiers et peudo-classiques.*
Hist. littér. Se dit de la littérature, surtout de la poésie, de la fin du XVIIIe et du début du XIXe siècles qui prétendait continuer la littérature classique (→ aussi Post-classique et néo-classique). *La poésie pseudo-classique abuse de la périphrase.*

PSEUDO-CONCEPT [psødokɔ̃sɛpt] n. m. — Mil. xxe (*in* Larousse 1953); de *pseudo-*, et *concept.*

♦ Philos. Concept ne correspondant pas à une classe d'objets connaissables.

PSEUDO-DÉMENCE [psødodemɑ̃s] n. f. — 1896; de *pseudo-*, et *démence.*

♦ Psychiatrie (vx). Ensemble de troubles psychiques semblables à ceux que l'on observe dans les états démentiels, mais sans altération mentale irréversible. — (Après 1901). *Pseudo-démence de Wernicke :* syndrome associant hébétude, déficit du contrôle intellectuel et de la mémoire, réponses et gestes «à côté», qui peut survenir après un traumatisme crânien, un choc émotionnel, une intoxication, ou chez des sujets en état de détention, et qui affecte surtout les hommes.

PSEUDO-FÉCONDATION [psødofekɔ̃dɑsjɔ̃] n. f. — V. 1960; de *pseudo-*, et *fécondation.*

♦ Bot. Reproduction parthénogénétique où le pollen excite les tissus de l'ovule.

PSEUDO-FORME [psødofɔʀm] n. f. — Mil. xxe; de *pseudo-*, et *forme.*

♦ Chim. Isomère très instable, parfois hypothétique, d'un composé. Syn. : *pseudomère.*

PSEUDO-HALLUCINATION [psødoa(l)lysinɑsjɔ̃] n. f. — Mil. xxe; de *pseudo-*, et *hallucination.*

♦ Psychol. Hallucination sans base sensorielle.

PSEUDO-HERMAPHRODISME [psødoɛʀmafʀodism] n. m. — xxe; de *pseudo-*, et *hermaphrodisme.*

♦ Méd. État d'un individu qui possède des glandes sexuelles d'un sexe, alors que les organes génitaux externes et les caractères sexuels secondaires lui donnent l'apparence de l'autre sexe.

PSEUDO-HERMAPHRODITE [psødoɛʀmafʀodit] n. m. — xxe; de *pseudo*, et *hermaphrodite.*

♦ Méd. Individu présentant un pseudo-hermaphrodisme. *Pseudo-hermaphrodite masculin,* qui a la morphologie d'un homme, mais qui possède les glandes sexuelles d'une femme. *Pseudo-hermaphrodite féminin,* dont la morphologie est de type féminin, mais qui possède les glandes sexuelles d'un homme. ⇒ **Transsexuel.**

PSEUDO-INSTRUCTION [psødoɛ̃stʀyksjɔ̃] n. f. — Mil. xxe; de *pseudo-*, et *instruction.*

♦ Techn. Système de symboles constituant une directive pour un assembleur (sous la même forme que les instructions proprement dites).

PSEUDO-MEMBRANE [psødomɑ̃bʀan] n. f. — 1846; de *pseudo-*, et *membrane.*

♦ Méd. Production pathologique inflammatoire à la surface d'une muqueuse, ressemblant à une membrane et formée par une accumulation de fibrine.

DÉR. Pseudo-membraneux.

PSEUDO-MEMBRANEUX, EUSE [psødomɑ̃bʀanø, øz] adj. — 1869; de *pseudo-membrane*, d'après *membraneux.*

♦ Méd. Relatif à la pseudo-membrane. *Angine pseudo-membraneuse* (dans la diphtérie). ⇒ **Couenneux.**

PSEUDOMÈRE [psødɔmɛʀ] n. m. — Mil. xxe; de *pseudo-*, et *isomère.* → le suivant.

♦ Chim. Pseudo-forme.

PSEUDOMÉRIE [psødɔmeʀi] n. f. — xxe (*in* Larousse 1932); de *pseudo-*, et *-mérie.* → Isomérie.

♦ Chim. État d'isomérie instable, parfois hypothétique, expliquant le comportement d'autres isomères du même corps. ⇒ **Pseudo-forme.**

PSEUDOMONAS [psødɔmɔnɑs] n. m. — xxe; de *pseudo*, et grec *monas* «unité», employé depuis 1786 pour former les noms de protistes.

♦ Didact. (bactér.). Genre de bacilles gram-négatifs (famille des *Pseudomonadacae*) mobiles par des cils, pigmentés, dont plusieurs sont pathogènes pour les plantes et (plus rarement) pour l'animal et l'homme.

PSEUDOMORPHOSE [psødomɔʀfoz] n. f. — 1858, cit.; de *pseudo-*, et *morphose.*

♦ Didact. Rare. Fausse apparence; substitution d'apparence.

La vente de mon manuscrit ne me faisait pas renoncer à la prétention naturelle de m'en déclarer l'auteur; je n'autorisais personne à mettre son nom à la place du mien. Alexandre Dumas l'a fait bravement (...) La pseudomorphose m'a procuré des jouissances de vanité trop douces pour que je sois ingrat envers elle.
H. AUGER, lettre du 15 mars 1858, *in* E. DE MIRECOURT, Henry Murger (*in* D. D. L., II, 9).

PSEUDONÉVROPTÈRES ou **PSEUDO-NÉVROPTÈRES** [psødonevʀɔptɛʀ] n. m. pl. — 1896; de *pseudo-*, et *névroptère.*

♦ Zool., vx Ancien sous-ordre comprenant les insectes qui tiennent à la fois des névroptères par leurs ailes et des orthoptères par leurs métamorphoses incomplètes. *Les pseudo-névroptères étaient classés autrement parmi les orthoptères.* — Au sing. *Un pseudonévroptère.*
REM. De nos jours, les *pseudonévroptères,* formant un ordre à part, sont appelés *archiptères**.

PSEUDONYMAT [psødonima] n. m. — Fin XIXe; de *pseudonyme*, d'après *anonymat.*

♦ Littér. Usage d'un pseudonyme, d'un nom d'emprunt.

Ni le pseudonymat, ni le dédoublement rigoureux de la personnalité et le souci d'abstraction personnelle du poète derrière son œuvre, n'ont arrêté le critique.
SAINT-JOHN PERSE, Lettre à A. Monnier, 16 mars 1948, *in* D. D. L., II, 7.

PSEUDONYME [psødonim] adj. et n. m. — 1690; empr. grec *pseudônumos.* → -onyme.

♦ **1.** Vx. ou didact. Qui écrit, qui publie sous un faux nom. *Un auteur, un écrivain pseudonyme* ou, n. m. *un pseudonyme.*
(1762). Vx. Qui est écrit, publié sous un nom supposé. *Article, écrit pseudonyme* (→ Décréditer, cit. 2).

♦ **2.** N. m. (1845). Mod. «Dénomination librement choisie par une personne pour masquer son identité dans sa vie artistique, littéraire, commerciale, ou dans toute autre branche de son activité» (Capitant). ⇒ **Cryptonyme, guerre** (nom de guerre), **nom** (faux nom); **allonyme.** *Le pseudonyme et le surnom. Pseudonyme littéraire. Pseudonyme qui est l'anagramme* du patronyme. Ouvrage publié sous le pseudonyme de X. Molière, Voltaire sont des pseudonymes.*

Il était de ceux qui continaient à désigner Jacques par son ancien pseudonyme littéraire, bien que Jacques, depuis la mort de son père, signât maintenant ses articles de son vrai nom. MARTIN DU GARD, les Thibault, t. V, p. 21.

Abrév. fam. : *pseudo* (1961, *in* D. D. L.). *Signer d'un pseudo.*

DÉR. Pseudonymat, pseudonymie.

PSEUDONYMIE [psødonimi] n. f. — 1833; de pseudonyme.

♦ Substitution, librement choisie par celui qui l'accomplit, d'un nom d'emprunt à son nom véritable.

Le commandant Genestas, auquel ce nom sera conservé malgré sa pseudonymie calculée, fut conduit par son hôte.
BALZAC, le Médecin de campagne, 1833, *in* D. D. L., II, 14.

PSEUDO-PARASITE [psødopaʀazit] n. f. — Mil. xxe; de pseudo-, et *parasite.*

♦ Biol. Être vivant présent temporairement dans un organisme et ne vivant pas à ses dépens.

PSEUDO-PARASITISME [psødopaʀazitism] n. m. — xxe (*in* Larousse 1932); de *pseudo-*, et *parasitisme*.

♦ Biol. État d'un pseudo-parasite.

PSEUDOPODE [psødɔpɔd] n. m. — 1877; pour désigner des crustacées, 1827; de *pseudo-*, et *-pode*.

♦ **1.** Didact. Prolongement protoplasmique rétractile que peuvent émettre certaines cellules, certains micro-organismes, prolongement, leur permettant de se déplacer, de capturer d'autres organismes microscopiques. *Pseudopodes des amibes, des leucocytes, des protozoaires, des radiolaires**.

♦ **2.** Bot. Rameau fructifère (de certaines mousses).

♦ **3.** Fig. Prolongement tentaculaire. *La ville pousse, étend des pseudopodes dans toutes les directions,* des prolongements.

Chaque regard qu'il rencontrait, en progressant le long du trottoir, chaque nouveau repli de visage, chaque joue, chaque oreille lançait une attache, ou plutôt jetait vers lui un furtif pseudopode qui le ligotait, qui le vidait de sa substance, de sa vie.
J.-M. G. LE CLÉZIO, la Fièvre, p. 124.

DÉR. Pseudopodique.

PSEUDOPODIQUE [psødɔpɔdik] adj. — 1904, in *Rev. gén. des sc.* n° 21, p. 976; de *pseudopode*.

♦ Didact. Des pseudopodes. *Prolongements pseudopodiques.*

PSEUDOSCOPE [psødɔskɔp] n. m. — 1869; de *pseudo-*, et *-scope*.

♦ Techn. Stéréoscope dans lequel la place des deux clichés est intervertie, ce qui est en relief apparaissant en creux et vice versa.

DÉR. Pseudoscopie.

PSEUDOSCOPIE [psødɔskɔpi] n. f. — xxe; de *pseudoscope*.

♦ Procédé d'examen d'un couple de clichés stéréoscopiques provoquant une inversion du relief.

PSEUDO-SPHÈRE [psødosfɛʀ] n. f. — 1869, J. Houël, trad. de l'ital. (Beltrami); de *pseudo-*, et *sphère*.

♦ Math. Surface de révolution engendrée par la tractrice tournant autour de son asymptote.

PSEUDO-SPHÉRIQUE [psødosfeʀik] adj. — 1890, P. Larousse, *Deuxième Suppl.*; de *pseudo-*, et *sphérique*.

♦ Math. Relatif à la pseudo-sphère.

PSEUDO-TUBERCULOSE [psødotybɛʀkyloz] n. f. — Av. 1890, Eberth; de *pseudo-*, et *tuberculose*.

♦ Didact. Maladie des rongeurs, présentant des lésions nodulaires, et due à un coccobacille. *Pseudo-tuberculose du lapin.*

PSEUDO-TUMEUR [psødotymœʀ] n. f. — Mil. xxe (*in* Larousse, 1963); de *pseudo-*, et *tumeur*.

♦ Méd. Production pathologique semblable à une tumeur, sans en avoir les caractères. *Des pseudo-tumeurs.*

1. PSI [psi] n. m.

♦ **1.** Vingt-troisième lettre de l'alphabet grec (ψ), qui sert à noter le son *ps*.

♦ **2.** Antiq. grecque. Signe numérique, valant 700 avec un accent supérieur placé à droite (ψ'), 700 000 avec un accent inférieur placé à gauche ($,\psi$).

♦ **3.** (xxe). Phys. *Fonction psi :* en mécanique ondulatoire, fonction des coordonnées et du temps.

HOM. Psy.

2. PSI [psi] ⇒ **Psy.**

PSILE [psil] n. m. — 1875; grec *psilês, psilêtos,* même sens, de *psilos* «glabre, nu».

♦ Didact. Soldat (mercenaire) armé légèrement sans bouclier ni cuirasse, dans l'antiquité grecque. Var. : *psilète* [psilɛt] n. m.

PSILOCYBE [psilɔsib] n. m. — 1841, D'Orbigny, *Dict. d'histoire naturelle,* art. «Agaric»; lat. sav. *psilocybe,* n. f. dû à Fries, 1836, du grec *psilos* «dénudé, dégarni», et *kybos* «cube».

♦ Bot. Champignon de la famille des agarics *(Naucoriacées),* dont on a dénombré quinze espèces (Amérique centrale), et qui possède des propriétés hallucinogènes et psychodysleptiques. *« Le* Psylocybe mexicana *est le plus répandu (...) Le Pr Roger Heim cite encore d'autres Psilocybes peu connus (...) La culture des Psilocybes au muséum a permis d'en extraire deux alcaloïdes caractérisés par la présence de phosphore : la psilocybine, acide ester-phosphorique de l'hydroxy-4-diméthyltryptamine, et la psilocine (...) »* (J.-L. Brau, *Hist. de la drogue,* p. 126-127, Tchou, 1968).

DÉR. Psilocybine.

PSILOCYBINE [psilɔsibin] n. f. — 1958; de *psilocybe,* et *-ine.*

♦ Chim., pharm. Substance active hallucinogène du psilocybe*. *La psilocybine est utilisée dans l'oniroanalyse pour susciter l'apparition du rêve éveillé.*

L'équipe du Pr Jean Delay (...) entreprit en 1958 (...) une série d'expériences sur les effets somatiques et psychiques de la psilocybine (...) principaux effets somatiques (...) : dilatation de la pupille (mydriase), troubles vaso-moteurs, modifications du pouls, de la tension et des réflexes (...) si les effets psychiques (...) ressemblaient à ceux de la mescaline ou de l'acide lysergique, on obervait aussi une hypotension caractéristique et un ralentissement du rythme cardiaque.
J.-L. BRAU, Histoire de la drogue, p. 127.

PSIT [psit] ou **PST** [pst] interj. — 1720, *pst; pzit,* 1765 (Collé); *psit,* 1795; *psitt,* 1824.

♦ Fam. Sorte de bref sifflement qui sert à appeler, à attirer l'attention, etc. *Psit! psit! venez donc un peu par ici.* — REM. On écrit aussi *ps't!, psst!, pssit,* et avec redoublement de *t : pstt, psitt,* etc. — Subst. *Un psit.*

Il régnait là je ne sais quelle immobilité de cauchemar. Des «pssit!», des appels indistincts s'élevaient de toute part et, lorsqu'on s'arrêtait, les malheureuses qui les avaient lancés, se taisaient subitement ou se rembuchaient à l'intérieur de leurs taudis. 1
Francis CARGO, Nostalgie de Paris, p. 145.

(...) il ne fait pas (...) kss aux chiens ni psst aux taxis (...) 2
R. QENEAU, Loin de Rueil, p. 63.

PSITTACIDÉS [psitaside] n. m. pl. — 1875; *psittacins,* 1827; dér. sav. du lat. *psittacus,* lui-même empr. grec *psittakos* «perroquet».

♦ Zool. Famille d'oiseaux grimpeurs* exotiques, au plumage vivement coloré, au bec court, très courbé, à langue épaisse et très mobile. — Sing. *Un psittacidé.* ⇒ **Perroquet** (cour.).

PSITTACISME [psitasism] n. m. — V. 1704; du lat. *psittacus,* grec *psittakos* «perroquet».

Didactique.

♦ **1.** Le fait de raisonner sans avoir présentes à l'esprit les idées que les mots expriment. (→ Répéter comme un perroquet*). *La pédagogie moderne cherche à éviter le psittacisme chez l'élève.*

♦ **2.** (xxe). Psychol. Répétition mécanique de mots, de phrases entendues, sans que le sujet les comprenne (phénomène normal chez l'enfant, fréquent chez les débiles mentaux).

PSITTACOSE [psitakoz] n. f. — Fin xixe; du lat. *psittacus,* grec *psittakos* «perroquet», et *-ose.*

♦ Méd. Maladie contagieuse des perroquets et des perruches, transmissible à l'homme.

PSOAS [psɔɑs] n. m. invar. — 1732; grec *psoa* «lombes».

♦ Anat. *Les psoas :* les deux muscles pairs appliqués sur la partie antérieure latérale de la douzième vertèbre dorsale et des quatre premières vertèbres lombaires. *Muscle psoas-iliaque,* comprenant le muscle *psoas* (ou *grand psoas*) et le muscle *iliaque.*

PSOPHOMÈTRE [psɔfɔmɛtʀ] n. m. — Mil. xxe (*in* Larousse 1963); de *psopho-,* grec *psophos* «bruit», et *-mètre.*

♦ Techn. Appareil de mesure des tensions électriques produisant des parasites, et du niveau de ces bruits (en téléphonie, radio, etc.).

PSOPHOMÉTRIE [psɔfɔmetʀi] n. f. — Mil. xxe; de *psopho-* (→ Psophomètre), et *-métrie.*

♦ Techn. Mesure des bruits, en télécommunications.

PSOQUE [psɔk] n. m. — 1827; grec *psôkhein* «gratter, broyer».

♦ Zool. Insecte *(Archiptères)* qui vit en sociétés nombreuses dans les bois, caché sous les feuilles et qui se nourrit de moisissures. *Le psoque est appelé aussi* pou de bois.

PSORA [psɔʀa] ou **PSORE** [psɔʀ] n. f. — 1538, *psora; psore,* 1572; lat. *psora;* lui-même empr. grec *psôra* «gale».
Didactique et vieilli (médecine).

♦ **1.** Maladie de la peau caractérisée par la présence de pustules, de vésicules.

♦ **2.** Gale*. *Remède contre la psore.* ⇒ **Psorique, antipsorique.**

PSORIASIQUE [psɔʀjazik] ou **PSORIASISTIQUE** [psɔʀjazistik] adj. — 1858; de *psoriasis.*

♦ Méd. De la psoriasis; atteint de cette maladie.

Les lignes qui suivent ne sauraient s'adresser à la portion, d'ailleurs dérisoirement numérique, de nos lecteurs eczémateux, psoriasistiques ou atteints de ces fâcheuses dermatoses qui vous prohibent la moindre ichtyophagie (...)
A. ALLAIS, Contes et chroniques, p. 173.

PSORIASIS [psɔʀjazis] n. m. — 1846; *psoriase,* 1836; grec médical *psôriasis.*

♦ Méd. Maladie de la peau de cause inconnue, à évolution chronique, caractérisée par des taches rouges recouvertes de squames abondantes, blanchâtres, sèches et friables, localisées surtout aux coudes, aux genoux, au cuir chevelu.

Pour me gratter je n'avais pas assez de mes deux mains. J'en avais partout, sur les parties, dans les poils jusqu'au nombril, sous les bras, dans le cul, et avec ça des plaques d'eczéma et de psoriasis que je pouvais allumer rien qu'en y pensant.
S. BECKETT, la Fin, *in* Nouvelles, p. 100-101.

DÉR. Psoriasique ou **psoriasistique.**

PSORIQUE [psɔʀik] adj. — 1761; lat. *psoricus* «bon contre la gale», grec *psôrikos,* même sens et «relatif à la gale», de *psôra* «gale».
→ Psora.

♦ Méd. De la nature de la gale. *Affection psorique.* — (1765). Bon contre la gale. *Remède psorique.* Syn. : *antipsorique.*

PST [pst] interj. ⇒ **Psit.**

1. P.S.V. [peesve] n. m. Abrév. (sigle).

♦ Pilotage sans visibilité. *Piloter en P. S. V.*

2. P.S.V. [peesve] n. f. Abrév. (sigle).

♦ Publicité sur les lieux de vente (présentoirs de vente, d'exposition dans les vitrines, affiches destinées aux magasins où le produit est vendu, etc.).

PSY [psi] adj. et n. m. — V. 1972; d'après l'anglo-amér. *psy,* pour *psycho...*
Abréviation de *psychanalyste, psychanalytique, psychiatre, psychiatrique, psychologue,* etc.

♦ **1.** Adj. Relatif aux sciences psychologiques et notamment aux psychothérapies (dans leurs aspects les plus superficiels, en général). *Le «dernier gadget "psy" à la mode»* (*l'Express,* 14 juil. 1979, p. 78).

♦ **2.** N. Professionnel de la psychologie, de la psychiatrie, de la psychanalyse. *Les psys* ou (invar.) *les psy. «Aujourd'hui, chaque businessman a son "psy" qui l'aide à s'adapter...»* (*le Monde,* 3 févr. 1977, p. 15). *Une psy.*

PSYCH-, PSYCHO Premier élément de nombreux mots scientifiques (ou de mythologie) formés en français ou empruntés du grec *psukhê* «l'âme sensitive». Outre les mots traités à l'ordre alphabétique, de nombreux composés sont attestés, dont le caractère redondant ne fait que confirmer le caractère de préfixe à la mode : *psycho-affectif, ive,* adj.; *psycho-émotionnel, elle,* adj. (*l'Express,* 28 avr. 1981, p. 161), *psychomusical, ale, aux,* adjectif.

PSYCHAGÉNÉSIE [psikaʒenezi] n. f. — Av. 1973 (*in* Lafon); de *psych-,* et *agénésie.*

♦ Méd. Arrêt précoce du développement mental chez l'enfant, dû à une cause organique.

DÉR. Psychagénésiste.

PSYCHAGÉNÉSISTE [psikaʒenezist] n. — Av. 1973 (*in* Lafon); de *psychagénésie.*

♦ Méd. Spécialiste de l'éducation des enfants atteints de psychagénésie par la meilleure utilisation des capacités fonctionnelles qui leur restent. *Ordre des psychagénésistes. La formation de psychagénésiste demande trois ans.*

PSYCHAGOGIE [psikagɔʒi] n. f. — 1797; «divination par les esprits», 1611; grec *psukhagôgia.*

♦ **1.** Antiq. Évocation magique des ombres des morts. — (1869). Cérémonie destinée à apaiser les ombres des morts. — (Déb. xxe). Fonction du psychagogue.

♦ **2.** (xxe). Didact. Application de la psychologie à la direction morale de l'individu.

La thérapeutique adlérienne part de l'analyse des souvenirs, des associations d'idées et des rêves. Mais l'analyse n'est pas nécessairement profonde et prolongée et elle se double d'une psychothérapie qui est presque une psychagogie.
Guy PALMADE, la Psychothérapie, p. 83.

DÉR. Psychagogique.

PSYCHAGOGIQUE [psikagɔʒik] adj. — 1803; de *psychagogie.*

♦ Didact. Qui se rapporte à la psychagogie (1.).

PSYCHAGOGUE [psikagɔg] n. — 1813; du grec *psukhagôgos* «qui évoque les ombres».

♦ Antiq. Magicien dont le rôle était d'évoquer les ombres des morts.

PSYCHALGIE [psikalʒi] n. f. — Mil. xxe (1951, Piéron); de *psych-,* et *algie.*

♦ Didact. Variété de névralgie dans laquelle prédomine l'élément psychopathique. *Psychalgie faciale :* névralgie faciale psychopathique.

PSYCHALLERGIE [psikalɛʀʒi] n.f. — 1962, *psychallergie administrative,* Baruk; t. dû à Beno, de *psych-,* et *allergie.*

♦ Psychopath. État de sensibilisation psychique provoqué, sur un terrain prédisposé, par des facteurs psychologiquement traumatisants (choc émotionnel, situation conflictuelle prolongée...), et qui entraîne une allergie* psychique.

PSYCHAMINE [psikamin] n.f. — V. 1960; de *psych-,* et *amine.*

♦ Chim., pharm. Amine psychotonique, dite «de réveil». ⇒ **Amphétamine.**

PSYCHANALYSE [psikanaliz] n. f. — *pscyho-analyse,* 1896, Freud in *Revue neurologique, IV* (*in* D. D. L.), *psychoanalyse,* 1906; 1910, *Association internationale de psychanalyse;* empr. all. *Psychoanalyse* (Freud), de *psycho-,* et *analyse.*

♦ **1.** Méthode de psychologie clinique, investigation des processus psychiques profonds; méthode thérapeutique issue de cette investigation, l'une et l'autre élaborées par Sigmund Freud et ses disciples.

Par ext. Corps de doctrine psychologique, ensemble des théories de Freud et de ses disciples concernant la vie psychique consciente et inconsciente. *Principes essentiels élaborés par la psychanalyse :* principe de constance (tendance à réduire les tensions), de plaisir (recherche du plaisir, tendance à éviter les tensions pénibles), de réalité (adaptation aux conditions imposées par le monde extérieur), etc. *La psychanalyse étudie les instincts* (⇒ **Pulsion; libido**), *la personnalité, l'inconscient et le subconscient, les motivations, les actes manqués* (lapsus, etc.), *les rêves, les fantasmes, les associations d'idées, les troubles mentaux et corporels.*

Ne faudrait-il pas (...) concevoir la psychanalyse didactique comme la forme parfaite dont s'éclairerait la nature de la psychanalyse tout court : d'y apporter 1
une restriction?
Tel est le renversement qui avant nous n'est venu à l'idée de personne. Il semble s'imposer pourtant. Car si la psychanalyse a un champ spécifique, le souci thérapeutique y justifie des courts-circuits, voire des tempéraments; mais s'il est un cas à interdire toute semblable réduction, ce doit être la psychanalyse didactique.
J. LACAN, Écrits, Du sujet enfin en question, p. 231.

N. B. Dans le syntagme *psychanalyse didactique,* le mot est pris au sens 2.

La psychanalyse, c'est comme la révolution russe, on ne sait pas quand ça commence à mal tourner. Il faut toujours remonter plus haut. Avec les Américains (...) 2
avec les premières ruptures qui marquent des renoncements de Freud autant que des trahisons de ceux qui rompent avec lui? avec Freud lui-même, dès la «découverte» d'Œdipe? Œdipe, c'est le tournant idéaliste. Pourtant, on ne peut pas dire que la psychanalyse se soit mise à ignorer la production désirante. Les notions fondamentales de l'économie du désir, travail et investissement, gardent leur importance, mais subordonnées aux formes d'un inconscient expressif (...)
G. DELEUZE et F. GUATTARI, l'Anti-Œdipe, p. 65.

Par ext. Théorie psychanalytique extérieure au système freudien et à ses suites «orthodoxes». *La psychanalyse adlérienne, jungienne, la psychanalyse de Ranle, de Hartmann* (psychologie de l'ego), *etc.*

♦ **2.** Traitement de troubles mentaux (névroses, surtout) et psychosomatiques par la méthode psychanalytique (on dit plus souvent *analyse* dans ce sens). ⇒ **Psychothérapie** (analytique).

(Une, des psychanalyses). Cure, interprétation par la méthode psychanalytique. *Entreprendre une psychanalyse* (ou une analyse*). *Psychanalyse de groupe* (psychodrame). *Psychanalyse didactique, subie par un futur psychanalyste. (Une didactique).*

Psychanalyse contrôlée, conduite par un analyste en cours de formation et dont il rend compte régulièrement à un analyste expérimenté. — *Psychanalyse sauvage :* « dans un sens large, type d'interventions d'“ analystes ” amateurs ou inexpérimentés qui s'appuient sur des notions psychanalytiques souvent mal comprises pour interpréter des symptômes, des rêves, des paroles, des actions, etc. Dans un sens plus technique, on qualifiera de sauvage une interprétation qui méconnaît une situation analytique déterminée, dans sa dynamique actuelle et sa singularité, notamment en révélant directement le contenu refoulé sans tenir compte des résistances et du transfert » (J. Laplanche et J.-B. Pontalis, *Vocabulaire de la psychanalyse*).

3 La psychanalyse est un art qui s'applique à comprendre et modifier des phénomènes irrationnels, mais c'est un art rationnel (...) Une psychanalyse est toujours une recherche, mais la découverte ne jaillit pas *ex nihilo* ou des ténèbres de l'inconscient. L'interprétation se forme souvent par tâtonnements progressifs.
Daniel LAGACHE, la Psychanalyse, p. 124.

4 Surtout, le développement de la psychanalyse, même aux yeux qui n'y voient qu'une discipline parmi d'autres, pulvérisera, dans l'introspection, l'analyse de l'individu par lui-même. Cette matière première mégalomane n'est plus précieuse par sa subtilité, mais par sa passivité ; le sorcier n'est plus le sujet, et le médecin le chassera s'il s'introduit dans sa propre analyse. La psychanalyse fortifiera d'abord l'île individuelle, en soulignant que le segment de vie où se développe la psychose se réfère au segment de la même vie où elle est née ; la psychanalyse ne quitte pas l'individu, ne recourt pas aux coquecigrues de la psychologie théorique : on s'apercevra vite que le complexe d'Œdipe est aussi répandu que l'amour.
MALRAUX, l'Homme précaire et la Littérature, p. 187-188.

♦ **3.** (1938). Étude psychanalytique (d'une œuvre d'art, de thèmes,...). *La psychanalyse du feu,* ouvrage de Bachelard. *Psychanalyse des textes littéraires* (⇒ **Psychocritique**).

REM. 1. Alors qu'au sens 1., *psychanalyse* reste normalement associée à Freud et à ses successeurs théoriciens (Karl Abraham, E. Jones, Lacan) incluant les théories divergentes mais non fondamentalement contradictoires (M. Klein, Winnicott, etc.), le terme devant être qualifié pour inclure les systèmes de Rank, Adler, Jung, etc., le sens 2. (comme l'adjectif *psychanalytique,* le verbe *psychanalyser* et le dérivé *psychanalyste*) est plus compréhensif et plus vague. Le sens 3. ne correspond plus qu'à « analyse pychologique profonde » et n'a guère de rigueur ; il en va de même du verbe *psychanalyser* (2).

2. De nombreux emplois réunissent le sens théorique (1.) et le sens pragmatique, thérapeutique (2.).

L'Association internationale de psychanalyse fut fondée en 1910. Vocabulaire essentiel de la psychanalyse. ⇒ **Abréaction, acte** (acte manqué), **activité, affect, agression, agressivité, ambivalence, analyse** (1., 4., et dérivés), **angoisse, appareil** (psychique), **association, attention** (flottante), **barrage, besoin** (besoin de punition, etc.), **blocage, ça, captativité, castration, catharsis, cathartique, censure, choix** (de la névrose, d'objet), **clivage** (du moi), **complexe, compulsion, compulsionnel, condensation, conflictuel, conflit, conscience, contenu** (latent, manifeste...), **contre-transfert, conversion, culpabilisation, culpabiliser, décharge, défense, défoncement, dénégation, déni** (de la réalité), **déplacement, déréalisant, désexualiser, désinvestir, désinvestissement ; désir, dynamique, ego, élaboration** (psychique), **énergie, envie** (notamment, envie du pénis), **érogène, éros, érotisme, étayage, fantasme** (et fantasmatique), **féminité, fixation, flexibilité, forclusion, formation** (de symptôme, etc.), **frayage, frustration, génital, génitalité, gratification, gratifier, hystérie** (d'angoisse, de conversion, de défense), **idéal** (du moi), **identification, imaginaire, imago, imagoïque, inconscient, incorporation, infériorité, instance** (psychique), **instinct, instinctuel, intégration, interdicteur, intériorisation, interprétation, intropsychique, introjection, introversion, investir, investissement, isolation, latence, latent, levée** (d'interdit), **liaison, libidinal, libido, liquidation, masculinité, masochisme, matériel** (n. m.), **maternage, mécanisme** (de défense, de dégagement), **métapsychologie, miroir** (stade du) **moi, motion, narcissisme, narco-analyse, neurasthénie, neutralité, névrose** (et névrose d'abandon, de caractère, etc.), **objectal, objet, oblativité, œdipe, œdipien, oral, oralité, paranoïa, paraphrénie, perlaboration, perversion, phallique, phallus, phase, plaisir, position** (dépressive, paranoïde), **préconscient, prégénital, préœdipien, principe** (de constance, de plaisir, de réalité), **processus** (primaire, secondaire), **projectif, projection, psychonévrose, psychose, psychothérapie, pulsion, pulsionnel, quantum** (d'affect), **rationalisation, réaction, réalisation, refoulement, refouler, régression, relation** (d'objet), **représentant** (psychique, de la pulsion), **représentation, répression, résistance, retour** (du refoulé), **roman** (familial), **sadique, sadisme, sadomasochisme, scène** (originaire, primitive), **schizophrénie, sécurisation, sécuriser, séduction, sentiment** (de culpabilité, d'infériorité), **sexualité, somatisation, somatiser, source** (de la pulsion), **stade** (libidinal ; oral, sadique-anal, etc.), **stase, subconscient, sublimation, sublimer, surdétermination, surinvestissement, surmoi, symbolique** (n. m.), **symbolisme, thanatos, topique, transférentiel, transfert, trauma, traumatisme, travail** (du rêve, etc.), **zone** (érogène, hystérogène).

DÉR. Psychanalyser, psychanalyste, psychanalytique.

PSYCHANALYSER [psikanalize] v. tr. — V. 1935 ; de *psychanalyse.*

♦ **1.** Traiter par la psychanalyse (on dit aussi et plus couramment *analyser). Se faire psychanalyser* (ou *analyser*).

1 (...) Armand n'a jamais consenti à se faire psychanalyser. — Ah ! Seigneur ! moi non plus. J'aurais trop peur de découvrir en moi un tas de vilaines choses que j'aime mieux ignorer.
GIDE, le Treizième Arbre, 2.

BERENGER
Ça doit être un acte manqué. Il avait des complexes cachés. Il aurait dû se faire psychanalyser.

DUDARD
Même si c'est un transfert, cela peut être révélateur. Chacun trouve la sublimation qu'il peut. 1.1
IONESCO, Rhinocéros, II.

♦ **2.** Étudier, interpréter par la psychanalyse.

Les sociétés, comme les hommes, ont leurs secrets ; les mythes sont des symboles — comme nos rêves. D'où cette mission nouvelle pour l'historien : psychanalyser les textes. 2
SARTRE, Situations I, p. 65.

▶ **PSYCHANALYSÉ, ÉE** p. p. et adj. *Malade psychanalysé* (ou *analysé*). — N. *Le psychanalysé :* le malade psychanalysé (syn. : *l'analysé*).

PSYCHANALYSTE [psikanalist] n. — 1914, *psychoanalyste,* Régis et Hesnard, *in* D. D. L. ; de *psychanalyse.*

♦ **1.** Spécialiste de la psychanalyse (au sens strict, freudien et, par ext., au sens étendu de « psychologie profonde »). ⇒ **Psychanalyse,** REM. (→ Obsessionnel, cit. 1).

♦ **2.** Personne qui exerce la thérapeutique par la psychanalyse (on dit aussi et plus couramment *analyste*). *Un, une psychanalyste. Psychanalyste freudien, adlérien, jungien, lacanien.* — Par appos. *Médecin psychanalyste.*

PSYCHANALYTIQUE [psikanalitik] adj. — 1909, Jung, in *l'Année psychologique ; psycho-analytique,* 1905, Freud, in *Archives de psychologie* (D. D. L.) ; de *psychanalyse.*

♦ Relatif à la psychanalyse. *Théorie, thérapeutique psychanalytique. Interprétation psychanalytique. Société psychanalytique de Paris* (1926). *Association psychanalytique de France* (1964). On dit aussi et plus couramment *analytique.*

La période 1920-1930 a été celle de la diffusion des théories psychanalytiques en France. 1
Claude LÉVI-STRAUSS, Tristes tropiques, p. 42.

Entre l'asile répressif (...) d'une part, et d'autre part la psychanalyse contractuelle, l'analyse institutionnelle essaie de tracer son difficile chemin. Dès le début, le rapport psychanalytique s'est moulé sur la relation contractuelle de la médecine bourgeoise la plus traditionnelle : la feinte exclusion du tiers, le rôle hypocrite de l'argent auquel la psychanalyse apportait de nouvelles justifications bouffonnes, la prétendue limitation dans le temps (...) 2
G. DELEUZE ET F. GUATTARI, l'Anti-Œdipe, p. 76.

DÉR. Psychanalytiquement.

PSYCHANALYTIQUEMENT [psikanalitikmɑ̃] adv. — XXe ; de *psychanalytique.*

♦ Didact. Par la psychanalyse.

PSYCHASTHÉNIE [psikasteni] n. f. — Fin XIXe (1900, *in* Garnier-Delamare) ; de *psych-,* et *asthénie.*

♦ Didact. Névrose dont les principaux éléments sont l'angoisse, l'obsession, la phobie, le doute, un certain nombre d'inhibitions et de manies mentales, etc. (troubles qui étaient souvent rapportés à la neurasthénie*). *Selon Janet* (les Obsessions et la Psychasthénie, 1903), *la psychasthénie, qui est caractérisée par « l'absence de décision, de résolution volontaire, de croyance et d'attention »* (Les Névroses, p. 346), *est un trouble de la fonction du réel*.*

DÉR. Psychasthénique.

PSYCHASTÉNIQUE [psikastenik] adj. et n. — 1898 ; de *psychasténie,* et *-ique.*

Didactique.

♦ **1.** Qui concerne ou qui constitue une psychasthénie.

♦ **2.** Qui souffre de psychasthénie. *Un, une psychasthénique.*

1. PSYCHÉ [psiʃe] n. f. — 1812 ; du nom de *Psyché,* jeune fille de la mythologie grecque, du grec *psukhê* « âme ».

♦ Grande glace mobile montée sur un châssis à pivots grâce auxquels on peut l'incliner à volonté et se regarder en pied. ⇒ **Glace,**

miroir. *Psyché Directoire* (→ Coiffeuse, cit. 1), *Empire, Restauration... Le feu se mirait* (cit. 8) *dans une haute psyché.*

1 Sa psyché est en face d'elle, elle se retourne, écoute; nul témoin, nul bruit; elle a entrouvert le voile qui la couvre, et, comme Vénus devant le berger de la fable, elle comparait timidement. A. DE MUSSET, Nouvelles, « Emmeline », VI.

2 Une grande psyché faisait face à une toilette de marbre blanc, garnie d'une débandade de flacons et de boîtes de cristal, pour les huiles, les essences et les poudres. ZOLA, Nana, V.

2. PSYCHÉ [psiʃe] ou PSYCHÈ [psike] n. f. — 1842; grec *psukhê* « âme ».

♦ Philos. L'ensemble des phénomènes psychiques, considérés comme formant l'unité personnelle (⇒ **Âme, psychisme**).

Par Psychè nous entendons l'*Ego*, ses états, ses qualités et ses actes. L'*Ego* sous la double forme grammaticale du *Je* et du *Moi* représente notre *personne*, en tant qu'unité psychique transcendante. SARTRE, l'Être et le Néant, p. 209.

PSYCHÉDÉLIQUE [psikedelik] adj. — 1967; *psychedelic*, 1966, *in* Höfler; mot angl. *psychedelic*, de *psukhê* (→ 2. Psyché), et *dêlos* « visible, manifeste », proprt « qui manifeste la psyché ».

♦ **1.** Psychiatrie. Qui résulte de l'absorption de drogues hallucinogènes (à propos d'un état psychique). *Expérience psychédélique. « La prétendue évasion psychédélique (...) forme pernicieuse d'aliénation chimique »* (Y. Pélicier, *in* Porot 1975). — Qui provoque un état psychédélique. *Drogues psychédéliques.* (⇒ **Haschich, L.S.D., mescaline, psilocybine**). — N. m. *Un psychédélique.*

1 Leary définit le « voyage » psychédélique comme une transcendance des concepts verbaux, des dimensions spatio-temporelles et de l'*ego* (identité). Cet état n'est pas produit par la drogue elle-même qui n'est qu'une *« clé chimique ».* Les substances psychédéliques ne font que le rendre possible, au même titre d'ailleurs que les exercices du Yoga, la méditation dirigée, l'extase religieuse ou esthétique. Il peut même survenir spontanément. Jean-Louis BRAU, Histoire de la drogue, 1968, p. 303.

♦ **2.** Cour. (Repris à l'américain et parfois écrit avec l'orthographe anglaise). Qui évoque les visions de l'état psychédélique. *Dessins, éclairage, spectacle psychédéliques. « Les groupes psychédélic* (sic) *sont en train d'imposer le concept d'un spectacle total, véritable happening, où musiciens et spectateurs (les « hippies »), musique, images, lumières, bruits, mouvements, ambiances ne sont plus que les mouvements d'un tout »* (*l'Express*, 17-23 juil. 1967).

2 Un soir, Pouzo m'invita à une soirée psychédélique. Je ne savais pas ce que voulait dire « psychédélique », lui non plus. Vladimir VOLKOFF, le Retournement, p. 359.

DÉR. Psychédélisme.

PSYCHÉDÉLISME [psikedelism] n. m. — 1967; de *psychédélique.*

♦ **1.** Psychiatrie. État provoqué par les drogues hallucinogènes.

♦ **2.** Cour. Ensemble des manifestations psychédéliques (2.).

PSYCHIATRE [psikjatʀ] n. — 1802, Laveaux; de *psych-*, et *-iatre*, grec *iatros* « médecin », rare avant la fin du XIXe.

♦ Médecin spécialiste des maladies mentales, de psychiatrie*. *L'aliéniste*, psychiatre spécialisé dans le traitement des malades mentaux asociaux, internés. Un, une psychiatre. Psychiatre expert près les tribunaux.* — REM. L'orthographe *psychiâtre* est fréquente, mais fautive.

1 Tous les psychiâtres *(sic)* qu'il m'a été donné d'approcher, à l'étranger comme en France, m'ont paru touchés plus ou moins par le désordre d'esprit qu'ils ont mission d'étudier. G. DUHAMEL, Biographie de mes fantômes, VI.

2 Le sage choisit l'homme dans le fou, et refuse le fou. Exemple, dans David Copperfield, cette tante qui a recueilli un Monsieur Dick, et le consulte sur toutes les questions de bon sens, sans penser qu'il est fou, ce que penserait au contraire le psychiatre, qui a besoin comme on dit, de sujets. Mais, par ce commerce, le psychiatre s'obscurcit lui-même (...) ALAIN, Propos, 4 mai 1933.

COMP. Antipsychiatre, ethnopsychiatre.

PSYCHIATRIE [psikjatʀi] n. f. — 1842, Académie, *Compl.*; de *psychiatre*, et *-ie*; rare avant la fin du XIXe.

♦ **1.** Partie de la médecine qui étudie et traite les maladies mentales, les troubles pathologiques de la vie psychique. — *Champ, objet de la psychiatrie* (→ Aliénation, folie; pathologique). ⇒ aussi **Médecine, neurologie, neuropsychologie** (vieilli), **psychologie, psychosomatique, sociologie.** *Psychiatrie clinique, thérapeutique, médicolégale. Psychiatrie et criminologie*, et délinquance. Psychiatrie des malades asociaux, internés...* ⇒ **Aliénisme.** *Psychiatrie et neurologie.* ⇒ **Neuropsychiatrie.** *Psychiatrie de l'enfant* (ou *psychiatrie infantile*). ⇒ **Pédopsychiatrie.** *Psychiatrie sociale.* ⇒ **Sociopsychiatrie.** *Psychiatrie et sociétés.* ⇒ **Ethnopsychiatrie.** *Psychiatrie et norme sociale, et répression (familiale, sociale, politique). Crise, critique interne ou externe de la psychiatrie.*

Histoire, naissance de la psychiatrie. Psychiatrie classique : psychiatrie positiviste qui s'est élaborée du milieu du XIXe siècle à la première guerre mondiale (1848-1914). *Psychiatrie moderne.*

(...) le personnage médical selon Pinel devait agir, non pas à partir d'une définition objective de la maladie ou d'un certain diagnostic classificateur, mais en s'appuyant sur ces prestiges en lesquels sont enclos les secrets de la Famille, de l'Autorité, de la Punition et de l'Amour; c'est en faisant jouer ces prestiges, en prenant le masque du Père et du Justicier, que le médecin, par un de ces brusques raccourcis qui laissent de côté sa compétence médicale, devient l'opérateur presque magique de la guérison, et prend figure de thaumaturge (...) après Pinel et Tuke, la psychiatrie va devenir une médecine d'un style particulier : les plus acharnés à découvrir l'origine de la folie dans les causes organiques ou dans les dispositions héréditaires n'échapperont pas à ce style. Ils y échapperont même d'autant moins que ce style particulier — avec la mise en jeu de pouvoirs moraux de plus en plus obscurs — sera à l'origine d'une sorte de mauvaise conscience; ils s'enfermeront d'autant plus dans le positivisme qu'ils sentiront leur pratique y échapper davantage. 1
À mesure que le positivisme s'impose à la médecine et à la psychiatrie singulièrement, cette pratique devient plus obscure, le pouvoir du psychiatre plus miraculeux, et le couple médecin-malade s'enfonce davantage dans un monde étrange. Michel FOUCAULT, Histoire de la folie à l'âge classique, p. 285-287.

Nous avons vu, à la suite de Foucault, comment la psychiatrie du XIXe siècle avait conçu la famille à la fois comme la cause et le juge de la maladie, et l'asile clos comme une famille artificielle chargée d'intérioriser la culpabilité et de faire advenir la responsabilité (...) À cet égard, loin de rompre avec la psychiatrie, la psychanalyse en a transporté les exigences hors de l'asile (...) G. DELEUZE ET F. GUATTARI, l'Anti-Œdipe, p. 430. 2

Enfant hybride née du mariage entre une anatomopathologie neurologique et une médecine en plein essor positiviste, la psychiatrie a été, dès son origine, rivée aux schémas de la neuropathologie d'un côté et au lit de la clinique médicale de l'autre. On comprend mieux alors que, comme le disait si pertinemment Henry Ey, les conditions de naissance de la psychiatrie aient été désastreuses pour le malade. Elles l'ont été d'autant plus que, comme nous le verrons plus loin, la première maladie mentale correspondant à cet idéal d'organicité fut la *paralysie générale*, c'est-à-dire une maladie vénérienne, marquée par la honte et longtemps considérée comme incurable. Roland JACCARD, la Folie, p. 56. 3

Écoles, tendances et courants de la psychiatrie contemporaine. ⇒ **Antipsychiatrie, institutionnel** (thérapeutiques institutionnelles), **organicisme, organodynamisme** (H. Ey), **psychanalyse.** *Psychiatrie classique, conventionnelle, médicale :* psychiatrie héritière de la psychiatrie classique positiviste. *Psychiatrie organiciste, psychogénétiste. Psychiatrie biologique :* recherche psychiatrique de nature neurobiologique (*la Recherche*, oct. 1980). *Psychiatries existentielle, phénoménologique,* s'inspirant respectivement des philosophies de Heidegger, de Husserl. *Psychiatrie morale* (Baruk). *Psychiatrie théorique,* s'efforçant d'abstraire, du donné empirique, des mécanismes internes à l'œuvre dans les troubles psychopathologiques. — *« Pour une psychiatrie communautaire »* (ouvrage de Hochmann). *Psychiatrie libérale* (→ *infra*, cit. 5).

(...) si l'on rencontre relativement peu de désaccord parmi les hommes de science, quant aux théories physiologiques, biochimiques ou physiques fondamentales, il n'en va pas de même en psychiatrie, discipline qui ressemble davantage à la religion ou à la politique qu'à la science. Ce qui, soit dit en passant, n'a rien d'étonnant, car la folie n'est pas un « fait », une « entité naturelle », mais un problème. Dès lors, et Roger Bastide a maintes fois insisté sur ce point, on ne peut en trouver la signification qu'à la condition de la replacer à l'intérieur d'une philosophie de l'homme dans le monde, monde biologique ou monde social, afin de pouvoir lui donner, par contrecoup puisqu'on ne peut le faire directement, une valeur sémantique quelconque. Roland JACCARD, la Folie, p. 9-10. 4

Le modèle médical en psychiatrie. ⇒ **Clinique** (n. f.), **diagnostic, étiologie, nosographie, nosologie, pronostic, prophylaxie, psychobiographie, sémiologie, symptomatologie, syndrome.** *Psychiatrie et étiologie* (ou *pathogénie*) *des troubles mentaux.* ⇒ **Organogenèse, physiogenèse, psychogenèse, sociogenèse** et **anatomo-clinique, anatomopathologie, biochimie, endogène, épidémiologie, génétique** (n. f.), **lésionnel, organicisme.** *Théories mécanicistes, somatogénistes en psychiatrie.*

Classifications en psychiatrie : anciennes classifications de Pinel (manie, mélancolie, démence, idiotisme), d'Esquirol et Georget (manie, monomanie, lypémanie, démence, stupidité, idiotie); classification de Kraepelin.

(...) nous appelons un individu « schizophrène » et il s'en ressent; par ailleurs, nous qualifions un rat de « rat » et une pierre de « granit », et rien ne leur arrive. Autrement dit, en psychiatrie et dans les sciences de l'homme en général, tout acte de classification est extrêmement important. Ainsi, le problème des psychiatres se réclamant d'une psychiatrie libérale, voire même libertaire, n'est pas tant celui de l'existence ou de la fausseté des divers modes de la conduite individuelle, mais celui du contexte, de la nature et du but de l'acte de classification. Roland JACCARD, la Folie, p. 38-39. 5

Vocabulaire de la psychiatrie. (REM. Les termes cités ne désignent pas tous des phénomènes ou entités pathologiques. Ils désignent des malades, des maladies, des troubles, des syndromes ou seulement des symptômes, des comportements, des processus physiologiques, etc. Certains ne sont plus en usage). ⇒ **Abandon, aboulie, absence, acalculie, accoutumance, acculturation, acinèse, acte** (passage à l'acte), **activité** (générale), **adaptation** (faculté d'adaptation), **affaiblissement** (intellectuel), **affect, affectivité, agitation, agnosie, agoraphobie, agrammatisme, agraphie, agressivité, alcoolisme, alcoolomanie, alexie, algophilie, algophobie, aliénation, allochirie, alloesthésie, amaurotique, ambivalence, amnésie, amok, amusie, anaphrodisie, anatopisme, anonymographie, anorexie, anosognosie, anticipation, anxiété, anxieux, apathie, aphasie, approbativité, apraxie, aprosexie, arithmomanie, arriération, asomatognosie, assistance** (psychiatrique), **assuétude, asthénie, aura, autisme, auto-accusation, autoconduction, autocritique, automatisme** (mental), **auto-mutilation, auto-punition, avarice, barrage, bégaiement, blocage, bouffée** (délirante), **calleux** (syndrome calleux), **caractériel, catalepsie, cataplexie, catatonie, cénesthopathie, choc, chorée, claustrophobie, cleptomanie, commotion, comportement, compulsion, confus, confusion** (mentale), **confusion-**

nel, confuso-onirique, conversion, coprolalie, crétinisme, cycloïde, cycloïdie, cycloïdique, cyclothymie, cyclothymique, débilité (de l'esprit), **dédoublement** (de la personnalité), **dégénérescence** (mentale), **délirant** (mécanisme délirant), **délire, delirium tremens, démence, dépersonnalisation, dépresseur, dépression, déréalisant, désagrégation** (psychique), **désensibiliser, déséquilibre, destructivité, dipsomanie, dromomanie, doute** (folie du doute), **écholalie, échopraxie, encéphalite, épilepsie, épileptoïde, éréthisme, éreuthophobie, érotomanie, éthéromanie, éthylisme, euphorie, excitation, exhibitionnisme, extase, fabulation, fabuler, fermé, fétichisme, folie, frigidité, fugue, fugueur, fureur, gâtisme, hallucination, hébéphrénie, homosexualité, hydrocéphalie, hypnoïde, hypocondrie, hypomanie, hyponoïde, hypophysaire** (trouble hypophysaire), **hystérie, idée** (délirante, fixe, obsédante), **idiotie, idiotisme, imbécillité, impuissance, impulsion** (morbide), **incohérence, infantile, infantilisme, institutionnel** (névrose institutionnelle), **insuffisance, intoxication, inversion, involution, jalousie, logorrhée, lycanthrope, lycanthropie, lypémanie** (vx), **malignité, maniaque** (psychose maniaque dépressive), **manichéisme** (délirant), **manie, maniérisme, masochisme, mégalomanie, mélancolie, membre** (fantôme), **mentisme, métabolique** (délire métabolique), **mimique** (n. f.), **miroir** (signe du), **mongolisme, monomanie** (vx), **moria, morphinomanie, mutisme, mysticisme, mythomanie, narcolepsie, narcomanie, nécrophagie, nécrophilie, négation** (délire de), **négativisme, néologisme, neurasthénie, neuropathie, neuropathologie, névrose, nosophobie, nostalgie, nymphomanie, obsession, obsessionnel, obsidional, obtusion, oligophrénie, oniomanie, onirisme, oniroïde, onomatomanie, opiomanie, opposition, palicinésie, paligraphie, palilalie, pamphlétaire, pantophobie, paragnosie, paralysie** (générale), **paranoïa, paranoïaque, paranoïde, parasitose, passionnel, passivité, pathomimie, pathophobie, pédophilie, périodique** (psychose), **persécuté, persécuteur, persécution** (délire, idées de), **persévération, personnalité** (troubles de la), **pervers, perversion, perversité, perverti, pharmacomanie, phobie, piblokto, pithiatisme, possession, potomanie, praxie, préjudice, presbyophrénie, présénile, présénilité, processif, prodigalité, protection** (idées de), **pseudo-démence, psychallergie, psychasthénie, psychédélique, psychédélisme, psycholepsie, psychopathe, psychopathie, psychopathologique, psychose, puérilisme** (mental), **pyromanie, raptus, régresser, régression, revendication, sadisme, schizoïde, schizoïdique, schizophrénie, schizothyme, schizothymie, sénile** (démence), **sénilité, simulation, sociophobie, solitarisme, stupéfiant, stupeur, suicide, sursimulation, tic, toxicomane, toxicomanie, traumatique, vésanie** (vx), **voyeurisme, zoanthropie, zoopathie, zoophilie, zoopsie.**

Méthodes utilisées en psychiatrie : examens et traitements physiques et chimiques ⇒ **Chimiothérapie, endocrinologie, neurologie, neuropharmacologie, neuroradiologie, pharmacologie, psychochimie, psychopharmacologie; amphétamine, antidépresseur, antihistaminique, barbiturique, bromure, cardiazol, chlorpromazine, choc** (thérapeutique), **désintoxication, électrochoc, électronarcose, ganglioplégique, hydrothérapie, impaludation, insulinothérapie, narco-analyse, narcothérapie** (ou cure de sommeil), **neuroleptique, oniro-analyse, paludothérapie, pentétrazolon, phénotiazine, physiothérapie, pneumothérapie, psilocybine, psychotrope;** → aussi Camisole (chimique); interventions* chirurgicales (⇒ **Neurochirurgie, psychochirurgie; leucotomie, lobotomie**); traitements* psychologiques (⇒ **Analyse, communauté** [thérapeutique], **ergothérapie, groupe** [thérapie de], **hypnose, maternage, mimodrame, occupationnel** [thérapies occupationnelles], **primal** [thérapie primale], **psychanalyse, psychothérapie, suggestion, transactionnel** [analyse transactionnelle]). *Psychiatrie et internement.* ⇒ **Asilaire, asile, clinique, hôpital, institution; placement; cabanon** (vx), **camisole** (de force), **contention, maintien, no-restraint.**

6 On sait bien que le XVIIe siècle a créé de vastes maisons d'internement; on sait mal que plus d'un habitant sur cent de la ville de Paris s'y est trouvé en quelques mois, enfermé (...) Depuis Pinel, Tuke, Wagnitz, on sait que les fous, pendant un siècle et demi, ont été mis au régime de cet internement (...) C'est entre les murs de l'internement que Pinel et la psychiatrie du XIXe siècle rencontreront les fous; c'est là — ne l'oublions pas — qu'ils les laisseront, non sans se faire gloire de les avoir « délivrés ».
Michel FOUCAULT, Histoire de la folie à l'âge classique, p. 54-55.

Psychiatrie institutionnelle : psychiatrie qui s'exerce dans le cadre de structures sociales organisées.
Psychiatrie de secteur : psychiatrie qui s'exerce dans des centres de consultation répartis géographiquement en fonction des structures administratives. *Service de psychiatrie sectorisé.*

Par anal. *Psychiatrie naïve :* ensemble des pratiques qui visent, dans des sociétés où la psychiatrie n'existe pas comme discipline constituée, à soigner ou intégrer dans le groupe social les personnes souffrant de troubles mentaux.

♦ **2.** Branche de la psychiatrie, en tant qu'opposée à une autre (le plus souvent, la psychiatrie conventionnelle, institutionnelle ou organiciste, en opposition à la psychanalyse, à l'antipsychiatrie). *La psychiatrie « à bras ouverts »* (Baruk). *La psychiatrie coercitive.*

DÉR. Psychiatrique, psychiatriser.
COMP. Antipsychiatrie, ethnopsychiatrie, pédopsychiatrie.

PSYCHIATRIQUE [psikjatʀik] adj. — 1842, Académie; de *psychiatrie.*

♦ Propre à la psychiatrie (→ Névrose, cit. 1), aux psychiatres. *Techniques, thérapeutiques, théories psychiatriques. Pratique psychiatrique. Classification, diagnostic psychiatrique.* — De (en) psychiatrie; relatif à la psychiatrie. *Équipement psychiatrique d'un pays. Consultant psychiatrique. Assistance* psychiatrique. Clinique, hôpital psychiatrique* (ancienn. *asile*). *« (...) il n'existe aucun lieu où le pouvoir d'un individu sur le corps des autres soit aussi totale que dans les institutions psychiatriques »* (R. Jaccard, *La Folie*, p. 61).

Si on voulait analyser les structures profondes de l'objectivité dans la connaissance et dans la pratique psychiatrique au XIXe siècle, de Pinel à Freud, il faudrait justement montrer que cette objectivité est dès l'origine une chosification d'ordre magique, qui n'a pu s'accomplir qu'avec la complicité du malade lui-même et à partir d'une pratique morale transparente et claire au départ, mais peu à peu oubliée à mesure que le positivisme imposait ses mythes de l'objectivité scientifique (...) Michel FOUCAULT, Histoire de la folie à l'âge classique, p. 288.

DÉR. Psychiatriquement.

PSYCHIATRIQUEMENT [psikjatʀikmɑ̃] adv. — XXe; de *psychiatrique.*

♦ Par la psychiatrie; du point de vue de la psychiatrie. *Psychiatriquement, cette personne n'est pas un malade.*

PSYCHIATRISER [psikjatʀize] v. tr. — V. 1970; de *psychiatrie.*

♦ Didact. Interpréter un fait en termes de psychiatrie; appliquer le savoir et la pratique psychiatriques à. *« Cela conduit Bastide à penser qu'il faudrait « psychiatriser » la société pour guérir la folie ».* (J. Duvignaud, in *le Nouvel Obs.*, p. 11, no 409, 11-17 sept. 1972). — REM. On note le dérivé *dépsychiatriser : « Toute une tendance de la psychiatrie contemporaine vise à dépsychiatriser le « malade » et à psychiatriser la société »* (R. Jaccard, *La Folie*, p. 115).

PSYCHIE [psiʃi] n. f. — D. i. (XXe); grec *psukhê.* → Psycho-.

♦ Didact. et rare. Vie psychique; ensemble des phénomènes psychiques.

Dans chaque phase l'une des trajectoires est privilégiée — attention externe, interne ou somatique — c'est-à-dire perception-monde, psychie; ou sensation « pure ». VALÉRY, Cahiers, Pl., *in* D. D. L., II, 7. 1

(...) *importance de la durée relative de l'enfance*, liée à la place que tient le *jeu* dans la vie et la psychie humaines (délits *ludiques*)... 2
Pierre GRAPIN, l'Anthropologie criminelle, p. 117.

PSYCHIQUE [psiʃik] adj. — 1808; « animal, vital », 1721; au XVIe, *les psychiques :* les catholiques, opposés aux « pneumatiques » (les gnostiques), d'après Tertullien; grec *psukhikos*, de *psukhê.*

♦ **1.** (Au sens large). Qui concerne l'esprit, la pensée. ⇒ **Mental, psychologique** (plus cour.). *Phénomènes, états psychiques* (→ Gouverner, cit. 18). *Appareil* psychique. Faits psychiques* (→ Faculté, cit. 7; forme, cit. 80). *Activité psychique* (→ Fonctionnel, cit. 1). — Par oppos. à *physiologique, organique. Cécité* (cit. 1) *psychique. Impuissance* (cit. 13) *psychique. Maladies psychiques* (→ 1. Morbide, cit.). *Maladie organique à cause psychique.* ⇒ **Psychosomatique.** *Arriération* psychique. Asthénie* psychique.*

Nous n'irons point jusqu'à soutenir, avec M. William James, que l'émotion de la fureur se réduise à la somme de ces sensations organiques : il entrera toujours dans la colère un élément psychique irréductible, quand ce ne serait que cette idée de frapper ou de lutter dont parle Darwin (...) 1
H. BERGSON, Essai sur les données immédiates de la conscience, p. 22.

(...) chaque fonction psychique peut être considérée sous l'angle d'une hiérarchie de structures, car elle comprend une infrastructure biologique et une suprastructure sociale. Cette distinction vaut pour toutes les fonctions psychiques, qu'il s'agisse d'une fonction instinctive comme l'instinct sexuel, ou d'une fonction intellectuelle comme la mémoire. 2
Jean DELAY, la Psycho-physiologie humaine, p. 61.

N. m. *Le physiologique et le psychique.*

L'expérience ne se prononce pas en faveur de sa doctrine *(du matérialisme)* — ni d'ailleurs de la doctrine opposée; elle se borne à mettre en évidence l'étroite connexion du physiologique et du psychique; et cette connexion est susceptible d'être interprétée de mille manières différentes. SARTRE, Situations III, p. 140. 3

Spécialt. Se dit des phénomènes de comportement, qui dépendent de l'expérience individuelle.

♦ **2.** Abusivt. Se dit de phénomènes plus ou moins occultes dont ne s'occupe pas la psychologie classique (télépathie, divination...). Dans cet emploi, « *parapsychique* vaut beaucoup mieux » (Lalande).

CONTR. Organique, physiologie, somatique.
DÉR. Psychisme.

PSYCHISME [psiʃism] n. m. — 1873; « métapsychique, spiritualisme », 1812; de *psychique.*

Didactique.

♦ **1.** La vie psychique. ⇒ 2. **Psyché.**

♦ **2.** Ensemble particulier de faits psychiques (propre à une catégorie d'êtres vivants ou à un individu). *Le psychisme animal, humain. Psychisme morbide.*

PSYCHO [psiko] n. f. — 1931 (un exemple de 1889 est douteux) *in* D. D. L.; abrév. de *psychologie.*

♦ **1.** Fam. Psychologie. *Faire de la psycho. Une licence de psycho.*

♦ **2.** Rare. N. m. Psychologue.

PSYCHO- ⇒ **Psych-.**

PSYCHOANALEPTIQUE ou **PSYCHO-ANALEPTIQUE** [psikoanalɛptik] adj. et n. m. — Mil. xxᵉ; de *psycho-*, et *analeptique**.

♦ Pharm. Qui stimule l'activité mentale. ⇒ **Psychotonique; nooanaleptique;** → Psycholeptique, cit.

CONTR. **Psycholeptique.**

PSYCHOANALYSE [psikoanaliz] n. f. Vx. ⇒ **Psychanalyse.**

PSYCHOBIOGRAPHIE [psikobjɔgʀafi] n. f. — Mil. xxᵉ; de *psycho-*, et *biographie.*

♦ Didact. Étude biographique des troubles du comportement (chez un malade).

DÉR. **Psychobiographique.**

PSYCHOBIOGRAPHIQUE [psikobjɔgʀafik] adj. — Mil. xxᵉ; de *psychobiographie.*

♦ Didact.De la psychobiographie. *Étude psychobiographique.*

(...) si l'on admet que celle-ci *(la psychonévrose émotionnelle)* relève moins d'une constitution que de situations conflictuelles et de complexes institutionnels, souvent anciens et acquis (...) il devient nécessaire d'entreprendre une analyse psychobiographique de tous les problèmes affectifs du malade et de mettre en œuvre une psychothérapie.
Jean DELAY, Introd. à la médecine psychosomatique, 1961, p. 28.

PSYCHOBIOLOGIE [psikobjɔlɔʒi] n. f. — 1946, mais antérieur. → Psychobiologique; de *psycho-*, et *biologie.*

♦ Didact. Science et méthode biologiques appliquées à l'étude de faits psychiques. *Psychobiologie et psychosociologie.*

DÉR. **Psychobiologique, psychobiologiste.**

PSYCHOBIOLOGIQUE [psikobjɔlɔʒik] adj. — 1901, in *Année sc. et industr.* 1902, p. 212 : *« une vie psychobiologique rudimentaire »*; de *psycho-*, et *biologie.*

♦ Didact. De la psychobiologie. *Recherches psychobiologiques.*

C'est l'un des principaux mérites de la psychanalyse, en particulier de la psychanalyse culturaliste (...) d'avoir montré que des tendances psychobiologiques considérées comme un effet de la nature étaient en réalité un produit de la culture et dépendaient de l'histoire des relations de l'individu avec le groupe et les autres individus qui le composent.
Jean DELAY, Introd. à la médecine psychosomatique, p. 27.

PSYCHOBIOLOGISTE [psikobjɔlɔʒist] n. — Mil. xxᵉ; de *psychobiologie.*

♦ Didact. Spécialiste de psychobiologie. « *Les données scientifiques accumulées par les psychologues, les psychobiologistes et les neurologues à propos du gaucher* » (*la Recherche*, nº 124, p. 895-896).

PSYCHOCHIMIE [psikoʃimi] n. f. — Mil. xxᵉ; de *psycho-*, et *chimie.*

♦ Didact. Étude expérimentale de l'action pharmacodynamique et de l'emploi de substances chimiques sur le psychisme. ⇒ **Psychopharmacologie.**

Car nous entrons dans l'ère de la psychochimie, où l'on créera à volonté ses émotions et ses « voyages », où l'homme va jouer avec son cerveau, mettre au point des substances qui modifieront ses gènes.
Claude OLIEVENSTEIN, Il n'y a pas de drogués heureux, 1977, p. 326.

DÉR. **Psychochimique.**

PSYCHOCHIMIQUE [psikoʃimik] adj — Mil. xxᵉ; de *psychochimie.*

♦ Didact. Qui concerne la psychochimie. — Qui relève de la psychochimie. « *Les films présentés lors de la conférence médicale consacrée aux armes psychochimiques donnent une idée de cette "béatitude" subie à une grande échelle* » (*le Monde*, 23 avr. 1966).

PSYCHOCHIRURGICAL, ALE, AUX [psikoʃiʀyʀʒikal, o] adj. — Mil. xxᵉ; de *psycho-*, et *chirurgical*, d'après *psychochirurgie.*

♦ Didact. De la psychochirugie. « *Une personne internée contre sa volonté (...) n'est pas en mesure de consentir librement et volontairement à une intervention psychochirurgicale* » (*Arrêt de la cour de l'État du Michigan* [trad.], in *le Nouvel Obs.*, 5 nov. 1973, p. 49).

PSYCHOCHIRURGIE [psikoʃiʀyʀʒi] n. f. — 1936; de *psycho-*, et *chirurgie.*

♦ Didact. Thérapeutique des troubles mentaux recourant à des interventions chirurgicales sur le cerveau. ⇒ **Leucotomie, lobectomie, lobotomie.** « *Le but de la psychochirurgie est de supprimer la nuance affective qui charge les préoccupations morbides du psychopathe* » (M. Porot, *in* Porot 1952). *Problèmes éthiques posés par la psychochirurgie.*

Le terme de neuro-chirurgie désigne toute la chirurgie du système nerveux, celui de psycho-chirurgie la chirurgie de l'encéphale dans la mesure de ses incidences sur la vie psychique. Cependant l'usage a prévalu de réserver cette expression moins à la chirurgie des lésions cérébrales (...) qu'à la chirurgie dite fonctionnelle. Celle-ci vise à modifier les connexions entre les parties constituantes de l'encéphale (...)
Jean DELAY, Introd. à la médecine psychosomatique, Notes et observations, p. 63-64.

DÉR. V. **Psychochirurgical, psychochirurgien.**

PSYCHOCHIRURGIEN, IENNE [psikoʃiʀyʀʒjɛ̃, jɛn] n. — V. 1970, cit.; de *psycho-*, et *chirurgien*, d'après *psychochirurgie.*

♦ Didact. Spécialiste, praticien de la psychochirurgie. «*En 1970, cent "psychochirurgiens" se rassemblèrent à Copenhague pour former la Société internationale de Psychochirurgie* » (*le Nouvel Obs.*, 5 nov. 1973, p. 48).

PSYCHOCRITIQUE [psikokʀitik] n. et adj. — V. 1950, Ch. Mauron; de *psycho-*, et *critique.*
Didactique.

♦ **1.** N. f. Méthode d'étude des textes littéraires par la mise en évidence des symptômes de l'inconscient de l'auteur (⇒ **Psychanalyse,** 3.). *Psychocritique du genre comique*, ouvrage de Ch. Mauron (1964).

♦ **2.** N. m. (1968). *Un psychocritique* : critique littéraire utilisant cette méthode.

♦ **3.** Adj. Relatif à la psychocritique.

PSYCHODÉPRESSEUR [psikodepʀesœʀ] adj. m. et n. m. — Av. 1979, *in* Quillet; de *psycho-*, et *dépresseur.*

♦ Didact. (pharm.). Syn. de *psycholeptique**.

PSYCHODIAGNOSTIC [psikodjagnɔstik] n. m. — 1913, *in* D. D. L.; de *psycho-*, et *diagnostic.*
Didactique.

♦ **1.** Diagnostic (d'une affection mentale) établi indépendamment des facteurs physiologiques.

♦ **2.** Méthode d'exploration du psychisme, de la personnalité par le test d'interprétation libre de Rorschach.

PSYCHODRAMATIQUE [psikodʀamatik] adj. — 1951; de *psychodrame.*

♦ Didact. Qui concerne le psychodrame, la thérapie au moyen du psychodrame.

(...) c'est Moreno qui créa véritablement la technique psychodramatique (à Vienne, à partir de 1926). Guy PALMADE, la Psychothérapie, 1951, p. 102.

Par ext. Qui ressemble au psychodrame. «*Miroir psychodramatique, érigé en système de représentation universel de notre société, l'auto tend à devenir la pierre de touche de toute la vie occidentale* » (*la Nef*, avr. 1969).

PSYCHODRAME [psikodʀam] n. m. — 1951; empr. angl. *psychodrama*, mot créé par Moreno; de *psycho-*, et *drame.*

♦ Didact. Psychothérapie de groupe consistant à faire participer les sujets à des représentations où ils jouent des rôles comportant des situations conflictuelles proches de leurs conflits. ⇒ **Sociodrame.**

Le malade, dans le psychodrame, doit être acteur. Il est obligé d'agir, de sortir de sa maladie au lieu d'y assister. Il vit et il extériorise ses pensées en passant successivement par les diverses étapes du développement de la spontanéité (...) 1
Le psychodrame a été utilisé pour le traitement des enfants, des troubles du caractère, des névroses, voire aussi dans des cas de psychose.
Guy PALMADE, la Psychothérapie, p. 102-103.

(...) nous nous livrâmes à de sommaires psychodrames, chaque fois que nous avions 2
à affronter des situations désagréables ou difficiles : nous les transposions, nous

les poussions à l'extrême, ou nous les ridiculisions ; nous les explorions en long et en large et cela nous aidait beaucoup à les dominer.
S. DE BEAUVOIR, la Force de l'âge, p. 23.

DÉR. Psychodramatique.

PSYCHODYSLEPTIQUE [psikodislɛptik] adj. et n. m. — 1957, Delay, *Deuxième congrès mondial de Psychiatrie* ; de *psycho-*, *dys-*, et *-leptique**.

♦ Pharm. Qui perturbe l'activité mentale normale, induisant des troubles analogues à des psychoses (dits *psychoses expérimentales*). ⇒ **Dysleptique.** *La cocaïne est à la fois psychoanaleptique et psychodysleptique.* — N. m. *Effets hallucinogènes, onirogènes des psychodysleptiques (acide lysergique, mescaline, psilocybine...). Les psychodysleptiques sont des psychotropes**.

REM. 1. On écrit aussi *psycho-dysleptique.*
2. Syn. (vieilli) : *psychomimétique.*

Dans le groupe des *psycho-dysleptiques* rentrent toutes les substances qui perturbent l'activité mentale et engendrent une déviation délirante du jugement avec distorsion dans l'appréciation des valeurs de réalité. Ces drogues sont génératrices d'états oniriques ou oniroïdes, d'hallucinations, d'états de confusion ou de dépersonnalisation. Jean DELAY, Introd. à la médecine psychosomatique, Notes et observations, p. 66-67.

DÉR. V. **Dysleptique.**

PSYCHOESTHÉTIQUE [psikoɛstetik] adj. — 1937, *psychesthétique*, Valéry, *Cahiers* ; de *psycho-*, et *esthétique*.

♦ Didact. Relatif aux aspects psychiques de l'esthétique.

PSYCHOGÈNE [psikɔʒɛn] adj. — 1914, Régis et Hesnard, *in* D. D. L. ; de *psycho-*, et *-gène*. → Psychogénétique (antérieur).
Didactique (médecine, psychologie).

♦ **1.** Qui agit comme cause purement psychique, en parlant de phénomènes somatiques, psychologiques, normaux ou pathologiques. *« (...) à chaque étape de l'évolution individuelle, certains ordres de faits ont un pouvoir psychogène quasi spécifique qu'ils n'auront plus, par la suite, à un degré aussi élevé. La connaissance de ces sensibilités électives et successives est indispensable au thérapeute comme à l'éducateur »* (A. Porot et J.-M. Sutter, *in* Porot 1975). — Qui est un facteur psychique pathogène (sur le plan mental, psychosomatique). *« (...) les émotions nouvelles sont psychogènes (...) dans la mesure où elles répètent ou symbolisent des expériences antérieures, remontant presque toutes aux premières années de la vie »* (A. Porot et J.-M. Sutter, *in* Porot 1975). *Situations conflictuelles, carences éducatives constituant des facteurs psychogènes.* — *Processus psychogène* : ensemble des mécanismes par lesquels un facteur psychogène se répercute sur l'ensemble de la personnalité, aboutissant à un symptôme, à un syndrome névrotique ou psychotique. ⇒ **Psychogenèse, psychogénie.**

♦ **2.** Dont la cause est purement psychique (le plus souvent à propos de maladies mentales sans origine organique). ⇒ **Psychogénétique, psychogénique.** (Opposé à *physiogène*).

PSYCHOGÉNÈSE [psikoʒenɛz] ou **PSYCHOGENÈSE** [psikoʒənɛz] n. f. — 1951, *psychogénèse* ; *psychogenèse*, 1952 ; de *psycho-*, et *-génèse (-genèse)*. → Psychogénétique (antérieur).
Didactique (psychologie, médecine).

♦ **1.** Étude de l'origine et de l'évolution des fonctions psychiques.

♦ **2.** (1952, Porot). Genèse, processus de développement (⇒ **Psychogène**) de nature psychologique. (Opposé à *organogénèse, physiogenèse*). *Psychogénèse de la création artistique. Psychogenèse et sociogenèse* (cit. 1). *Psychogenèse et pathologie.* ⇒ **Psychogénie ; pathogénie, psychosomatique.** *« Certains idéologues passionnés de psychogenèse et de sociogenèse (influence des facteurs psychologiques et sociologiques dans la formation et l'évolution de l'individu), voudraient que la psychiatrie se sépare non seulement de la neurologie, mais de l'ensemble de la médecine »* (*le Monde*, 9 janv. 1969).

(...) une *psychogenèse* des notions et structures opératoires élémentaires se constituant au cours du développement des individus.
J. PIAGET, Logique et Connaissance scientifique, *in* Encycl. Pl., p. 65.

PSYCHOGÉNÉTIQUE [psikoʒenetik] adj. — 1898, cit. ; angl. *psychogenetical*, 1874.
Didactique.

♦ **1.** Qui étudie, admet la causalité de facteurs psychiques (sur des phénomènes psychologiques ou somatiques). ⇒ **Psychogénétiste ; psychogénèse, psychogénie.** *« Un modèle psychogénétique (...) explique la maladie du corps par un conflit de base »* (*la Nef*, oct. 1972).

La méthode génétique est elle-même à la fois psychogénétique et bio-génétique : au point de vue bio-génétique, elle a pour objet l'étude de l'action des forces biologiques sur les formes et les fonctions somatiques et mentales de la vie des animaux. L. MARILLER, Compte-rendu (1898) de J.-M. BALDWIN, *in* l'Année biologique, 1900 (in D. D. L., II, 10).

♦ **2.** Dont l'origine est psychique. *Maladie « purement psychogénétique, trouvant son origine dans les relations précoces mère-enfant »* (B. Aubin, *in* Porot, 1975, p. 537 b). ⇒ **Psychogène, psychogénique.** — Qui agit comme cause psychique, entre dans la psychogenèse (de troubles...). *Processus psychogénétiques. « L'école psychanalytique a mis en lumière les facteurs psychogénétiques (des psychoses infantiles) en insistant sur les possibilités de psychothérapie qui en découlent »* (B. Aubin, *in* Porot 1975, p. 536 a).

PSYCHOGÉNÉTISTE [psikoʒenetist] adj. et n. — Fin XIXᵉ ; du rad. de *psychogénét(ique)*, et *-iste*.

♦ Didact. Qui place au premier rang la psychogenèse (dans la pathogénie de troubles mentaux ou somatiques). *Psychiatrie psychogénétiste* (opposé à *neurologique, organiciste, physiologique*). ⇒ **Psychogénétique, psychogénique.** — N. *Les psychogénétistes et les organicistes.*

On ne se contente plus de poser des diagnostics comme des étiquettes appliquées aux malades *(mentaux)*, on apprend à penser en termes de psychopathologie. L'orientation est psychogénétiste. François CLOUTIER, la Santé mentale, p. 67.

PSYCHOGÉNIE [psikoʒeni] n. f. — 1951 ; de *psycho-*, et *-génie*.

♦ Didact. (méd.). Mécanisme causal purement psychique (de troubles du comportement, affections morbides physiques ou mentales, modifications organiques). ⇒ **Psychogénèse.**

CONTR. Physiogénie.
DÉR. Psychogénique.

PSYCHOGÉNIQUE [psikoʒenik] adj. — 1951 ; de *psychogénie*.
Didactique (médecine).

♦ **1.** Qui a le caractère de la psychogénie. *Processus psychogénique.* — Dont la cause est psychique. ⇒ **Psychogène, psychogénétique.** (Opposé à *physiogénique*).

Pendant une longue période, il était de règle de faire une séparation absolue entre les névroses et les psychoses d'une part, et les affections organiques d'autre part. Les premières étaient considérées comme de nature et d'origine purement psychologique (affections psychogéniques), les secondes comme liées à une atteinte du système nerveux. Henri BARUK, Psychoses et Névroses, 1951, p. 46.

♦ **2.** En faveur de la psychogénie (dans l'étiologie des troubles psychiques ou organiques). ⇒ **Psychogénétiste.** *Théories psychogéniques et théories organicistes.*

PSYCHOGRAMME [psikɔgram] n. m. — 1922, Claparède ; de *psycho-*, et *-gramme*.
Didactique.

♦ **1.** (Rare). Représentation graphique intégrant les résultats d'un ensemble de tests psychométriques (on dit plutôt *profil* psychologique*).

♦ **2.** Ensemble des données quantifiées du psychodiagnostic de Rorschach.

PSYCHOGRAPHIE [psikɔgrafi] n. f. — 1913, repris par Le Senne, 1945 ; « psychologie descriptive », Ampère, 1834, Cf. Psychographe « écriture de l'âme » en 1799, L. C. de Saint-Martin (*in* D. D. L.) ; de *psycho-*, et *-graphie*.

♦ Didact. Description psychologique d'un individu (on dit plutôt *psychogramme, profil psychologique* lorsqu'il s'agit d'une description scientifique comportant des mesures).

PSYCHOGROUPE [psikɔgrup] n. m. — 1973, R. Lafon ; de *psycho-*, et *groupe*.

♦ Psychol. sociale. Groupement où les relations de choix reposent sur des affinités affectives personnelles. (Opposé à *sociogroupe*).

PSYCHOÏDE [psikɔid] adj. — 1951, Piéron ; t. dû à Bleuler. → Psycho-, et -oïde.

♦ Didact. Qui a l'apparence d'un phénomène psychique sans en avoir la nature. *Processus psychoïdes observés dans la première enfance.*

PSYCHOLEPSIE [psikɔlɛpsi] n. f. — 1898, P. Janet ; de *psycho-*, et *-lepsie*.

♦ Psychopath. « Chute brusque et de courte durée de la tension psychologique, qui se traduit par une suspension des processus intellectuels (vide de la pensée) » (Sivadon, *in* Piéron). ⇒ **Éclipse** (cérébrale), **ictus** (amnésique), **psychoplégique.** *Psycholepsie des psychasthéniques, des schizophrènes.*

PSYCHOLEPTIQUE [psikɔlɛptik] adj. et n. m. — 1951, Piéron; t. dû à J. Delay, de *psycho-*, et *-leptique**.

♦ Didact. (pharm.). Qui a pour effet de déprimer l'activité mentale par diminution de la vigilance, réduction de l'énergie intellectuelle, ou sédation de la tension émotionnelle. *Médicament psycholeptique. Action psycholeptique des barbituriques.* — N. m. *Les psycholeptiques sont des psychotropes**. Syn. : *psychodépresseur.* ⇒ **Sédatif.** *On classe dans les psycholeptiques les dépresseurs de la vigilance* (⇒ **Hypnotique, nooleptique**), *les thymoleptiques* majeurs* (⇒ **Neuroleptique**) *et mineurs* (⇒ **Tanquillisant**). — REM. Certains auteurs opposent *psycholeptique* à *neuroleptique.* Une action psycholeptique *«dépressive des fonctions mentales supérieures (...) ou seulement* neuroleptique *(...) dépressive des fonctions thalamiques et hypothalamiques»* (Piéron, art. «Psychopharmacologie»).

Selon qu'elles dépriment, excitent ou dévient l'activité mentale, j'ai proposé de classer les drogues psychotropes en trois groupes : les psycholeptiques, les psychoanaleptiques et les psycho-dysleptiques (...) Il ne s'agit là que d'une systématisation commode dont le but est de permettre aux praticiens de distinguer les principales drogues psychotropes d'après le type de comportement clinique qu'elles induisent : régime de détente (psycholeptiques), régime de stimulation (psycho-analeptiques), régime de rêve ou de délire (psycho-dysleptiques).
1° Dans le groupe des *psycholeptiques*, rentrent toutes les substances qui dépriment l'activité mentale (...)
Jean DELAY, Introd. à la médecine psychosomatique, 1961, Notes et observations, p. 64-65.

CONTR. Psychoanaleptique.

PSYCHOLINGUISTE [psikolɛ̃gɥist] n. — Mil. XXe; de *psycho-*, et *linguiste.*

♦ Didact. Spécialiste de la psycholinguistique.

PSYCHOLINGUISTIQUE [psikolɛ̃gɥistik] n. f. et adj. — 1952, *in* Quillet (mais la date du tirage est peut-être postérieure); le mot ne s'est répandu en français que v. 1960 (→ cit. 1); anglo-amér. *psycholinguistics,* 1953, Osgood, Sebeok, etc.; de *psycho-*, et *linguistics.* → Linguistique.

♦ N. f. Didact. Étude interdisciplinaire des aspects psychologiques des phénomènes linguistiques. *Objet de la psycholinguistique :* l'émission et la réception des messages en langue naturelle par les communicants; la signification, la nomination et les aspects cognitifs du langage; l'ontogénèse et l'apprentissage des langues *(psycholinguistique évolutive, dynamique);* le bilinguisme et les contacts de langue vécus par l'individu *(psycholinguistique comparative);* les situations psychosociologiques en matière de langage (⇒ aussi **Sociolinguistique; ethnolinguistique**); certains aspects de la pathologie du langage (⇒ aussi **Neurolinguistique**).

1 La linguistique structurale (...) s'est constituée par la conquête de son objet sur les réductions logiques, psychologiques ou sociologiques que l'on en avait tentées. Alors la psycho-linguistique est devenue possible (...)
La psycho-linguistique est l'étude des rapports entre nos besoins d'expression et de communication et les moyens que nous offre une langue apprise dès le jeune âge, ou plus tardivement.
Paul FRAISSE, *in* Problèmes de psycho-linguistique, 1963, p. 4-5.

2 Il est probable que l'objet de la psycholinguistique (...) se trouve en tout cas dans la dynamique du message, avec ses déterminations contextuelles et reflétant un substratum profond qui ne peut être analysé uniquement à travers les séquences linéaires, linguistiques, ni seulement par les états psychiques proprement dits, détachés du message (...)
Il est également certain, à notre avis, que la psycholinguistique ne peut pas être confondue avec la psychologie du langage (...)
Tatiana SLAMA-CAZACU, la Psycholinguistique, p. 43.

3 Par contre une hybridation authentique avec ses recombinaisons fécondes est celle que constitue la psycholinguistique, car elle enrichit à la fois la psychologie, cela va de soi, et la linguistique elle-même, en tant que seule cette nouvelle branche conduit à des études systématiques sur l'exercice individuel de la langue, laquelle au contraire est institutionnalisée.
J. PIAGET, Épistémologie des sciences de l'homme, p. 371.

Adj. (1929). *Travaux, recherches psycholinguistiques.*

PSYCHOLOGIE [psikɔlɔʒi] n. f. — 1690; «science de l'apparition des esprits», 1588; lat. *psychologica,* formé par Melanchton (XVIe), du grec *psukhê,* et *logica.*

★ **I.** Didact, cour. ♦ **1.** Vx. Connaissance de l'âme humaine, de l'esprit, considérée comme une partie de la métaphysique. ⇒ **Pneumatologie.** — (1765, *Encyclopédie*). *Psychologie raisonnée. Psychologie rationnelle, ontologique,* partie de la philosophie (⇒ **Métaphysique**).

♦ **2.** (1754, mais la notion moderne ne se dégage qu'au cours du XIXe). Mod. Étude scientifique des phénomènes de l'esprit, de la pensée, de la vie mentale, au sens le plus large de ces termes, phénomènes caractéristiques de certains êtres vivants (animaux supérieurs, homme*...) chez qui existe une connaissance de leur propre existence (⇒ **Conscience**), et, spécialt, cette étude chez l'homme considéré comme normal. *La psychologie dépend de la biologie**. — *Psychologie générale. Psychologie des types psychiques.* ⇒ **Caractérologie, éthologie.** *Psychologie individuelle.*

1 Abstraire la cause pour considérer exclusivement les effets de la sensibilité physique, les impressions simples et immédiates du plaisir ou de la douleur, etc., sans conscience du *moi,* c'est dénaturer ou détruire toute la science de l'homme intérieur; c'est faire de la psychologie soit une science abstraite de définitions comme les mathématiques ou la logique, soit encore une science toute physique, fondée sur l'observation des faits d'une nature extérieure au *moi,* étrangère à la pensée.
MAINE DE BIRAN, Nouvelles considérations sur les rapports du physique et du moral de l'homme, I, § I.

L'homme peut sans doute rêver ou philosopher, mais il doit vivre d'abord; nul doute que notre structure psychologique ne tienne à la nécessité de conserver et de développer la vie individuelle et sociale. Si la psychologie ne se règle pas sur cette considération, elle déformera nécessairement son objet. 2
H. BERGSON, les Deux Sources de la morale et de la religion, p. 111.

La psychologie a renoncé depuis le début de ce siècle à ses grandes distinctions scolastiques. Nous ne croyons plus que les faits de l'âme se divisent en volitions ou actions, en connaissances ou perceptions et en sentiments ou passivités aveugles. 3
SARTRE, Situations III, p. 262.

Psychologie subjective, des empiristes anglais (Locke, Spencer ⇒ **Empirisme**), *des sensualistes* (Condillac ⇒ **Sensualisme**) *aboutissant à une sorte d'atomisme psychologique, de «chimie mentale»* (Taine). *Psychologie associationniste.* ⇒ **Associationnisme.** *Psychologie subjective et unitaire de Maine de Biran. Psychologie introspective* (⇒ **Introspection,** cit. 2), *du courant de conscience* (W. James), *de l'intuition* (Bergson)... — (1937, Guillaume). *Psychologie de la forme* ⇒ **Forme, gestalt.** — (1913, *in* D.D.L.). *Psychologies objectives. Psychologie de réaction, du comportement* (angl. *behaviour* ⇒ **Behaviorisme**). *Psychologie expérimentale, quantitative.* ⇒ **Psychométrie, psychotechnique; test.** — (1960). *Psychologie mathématique,* utilisant une formalisation avec modèles mathématiques (algorithmiques, probabilistes). — *Psychologie physiologique.* ⇒ **Psychophysiologie.**

Vers la fin du siècle dernier fut créée, à l'instigation de Charcot, une société de psychologie physiologique dont le but était de réunir des médecins et des psychologues convaincus de la nécessité d'unir leurs disciplines. 3.1
Jean DELAY, Introd. à la médecine psychosomatique, p. 8.

(1907). *Psychologie pathologique* (psychopathologie).

La psychologie pathologique a pour objet d'établir les lois psychologiques de nos états morbides et de conclure, si possible, aux lois psychologiques de nos états normaux (G. DUMAS, Journ. de psychol., nov.-déc. 1907, 10). 3.2
FOULQUIÉ, Dict. de la langue philosophique (cf. Psychopathologie).

(1905, Claparède). *Psychologie comparée* (des animaux : *psychologie animale*; des stades de développement : *psychologie de l'enfant, psychologie génétique;* des individus humains appartenant à des groupes différents : *psychologie différentielle, ethnique*). *Psychologie des caractères.* ⇒ **Caractérologie.** *Psychologie sociale et sociologie*. Psychologie criminelle et criminologie. Psychologie et anthropologie*. Psychologie concrète* (Politzer). *Psychologie phénoménologique* (Husserl, Merleau-Ponty). *Psychologie des profondeurs* ou *en profondeur* (⇒ **Abyssal**) : psychanalyse* freudienne et post-freudienne, *psychologie analytique* de Jung, *psychologie individuelle* d'Adler. ⇒ **Psychanalyse.**

Psychologie de l'art (de la création artistique, des effets de l'art sur l'homme), *de la musique...* — *Psychologie appliquée : commerciale, industrielle, juridique, militaire... Psychologie médicale,* associant à la psychologie du malade des notions de psychophysiologie, psychopathologie, psychosomatique, psychologie des profondeurs et psychologie sociale. *Psychologie clinique. Psychologie des groupes, des foules* (G. Lebon). *Psychologie pédagogique.* — *Psychologie officielle* (cit. 3), *scolaire, traditionnelle* (opposée soit à une psychologie plus sicentifique et moderne, soit à une psychologie empirique et «vécue»). *Dans l'enseignement secondaire français, la psychologie s'étudie en classe de philosophie*. Licence de psychologie.* Abrév. fam. ⇒ **Psycho.**

Par ext. Ouvrage de psychologie. *La Psychologie de Dumas.*

Parties de la psychologie, objet de la psychologie. La psychologie étudiait autrefois les facultés, les principes de la vie mentale. La psychologie moderne distingue des fonctions** (cit. 14), *des processus*, des structures** (formes*). — *Vocabulaire de la psychologie :* éléments de la vie psychique : ⇒ **Activité, appétit, désir, impulsion, réaction, réflexe, sensibilité, tendance; automatisme, imitation, inhibition. — Impression, sensation** (externe et interne); **image. — Affectif, affectivité, émotion, mouvement, passion, sentiment. — Plaisir** (II.); **douleur. — Conscience, inconscience, inconscient, subconscient. — Identité** (du moi), **individu, moi, personnalité, personne, sujet; caractère. — Comportement, conduite.** — Fonctions simples, fondamentales : ⇒ **Association, attention, habitude, instinct.** — Fonctions complexes : ⇒ **Mémoire; appréhension, mémorisation, reconnaissance, souvenir. — Perception. — Jugement; concept, idée, notion; abstraction, certitude, cognition, connaissance, croyance, discernement, discrimination, doute, élaboration, entendement, généralisation, opinion, représentation... — Pensée, raison, raisonnement. — Langage, symbolisme. — Réflexion. — Imagination; fabulation, invention... — Volonté; décision, délibération, détermination, velléité, volition. — Liberté.**

★ **II.** Cour. ♦ **1.** (Av. 1922). Connaissance empirique, spontanée, des états de conscience, des sentiments d'autrui; aptitude à comprendre, à prévoir les comportements. *Manquer de psychologie.* ⇒ **Intuition.**

Mais enfin, ça pouvait paraître encore plus louche. Gaffe évidente. Manque de psychologie. 4
J. ROMAINS, les Hommes de bonne volonté, t. IV, XII, p. 123.

(1939). Analyse des états de conscience, des sentiments, dans une œuvre (→ Authentique, cit. 15). *Une psychologie fine* (→ Exégèse, cit. 3), *sommaire. Toute la psychologie de Jules Renard est en notations* (cit. 3). — *Essais de psychologie contemporaine,* de Paul Bourget.

5 La *psychologie* qu'un romancier met dans ses bouquins (...) on sait ce que c'est : de *a* à *z,* du trompe-l'œil. MONTHERLANT, les Lépreuses, I, v.

♦ **2.** (1935). Ensemble d'idées, d'états d'esprit. *« En considérant la psychologie du Français »* (Siegfried). — Fam. Mentalité (d'une personne).

6 Vois-tu, Maria, la première chose à faire d'abord, c'est de changer ta psychologie (...) M. AYMÉ, Maison basse, p. 203.

DÉR. Psychologique, psychologiser, psychologisme, psychologiste, psychologue.
COMP. Bibliopsychologie, biopsychologie.

PSYCHOLOGIQUE

PSYCHOLOGIQUE [psikɔlɔʒik] adj. — 1751 ; de *psychologie.*

♦ **1.** Étudié par la psychologie ; par ext., qui concerne les faits psychiques, la pensée. ⇒ **Mental, psychique** (didact.). *Faits, états psychologiques.*

1 Ce n'est donc que physiologiquement, et, comme on sait, d'après des conjectures plus ou moins hasardées, bien plus que d'après quelque expérience directe, que nous nous figurons des impressions transmises au cerveau, et de là à l'âme qui réagit à sa manière, etc., etc. Certainement tout ce mécanisme organique ne ressemble en aucune manière aux phénomènes psychologiques internes, exprimés par les termes affection, sensation, sentiment, encore moins à la cause ou force productive de ces phénomènes.
MAINE DE BIRAN, Nouvelles considérations sur les rapports du physique et du moral de l'homme, 1821, IX.

♦ **2.** Qui appartient à la psychologie. *Méthodes, théories psychologiques.*

2 Le fait psycho-physiologique étant à double face, son observation nécessite la collaboration de techniques psychologiques et physiologiques. Les techniques psychologiques sont les unes introspectives, les autres extrospectives.
Jean DELAY, la Psycho-physiologie humaine, p. 8.

(1852). *L'analyse psychologique,* qui s'attache à étudier l'homme, les mobiles de ses actions, ses sentiments. — *Vérité psychologique* (→ 1. Général, cit. 5 et 11). *Flair psychologique.*

3 Tu me permettras, chère Louise, de ne pas te faire de compliments sur ton flair psychologique. Tu crois tout ce que la mère Roger t'a débité, avec une bonne foi d'enfant. FLAUBERT, Correspondance, 343, 19 sept. 1852.

Littér., arts. *L'expression* (cit. 28) *psychologique en peinture. Raffinements psychologiques* (→ Frémissement, cit. 18). *Vérité psychologique de la langue* (cit. 47) *musicale. Roman qui manque de crédibilité psychologique* (→ Patatras, cit. 1). *Roman psychologique,* où l'analyse des sentiments tient une place essentielle (→ Percer, cit. 13).

♦ **3.** (1963). Cour. Qui cherche à modifier le comportement des individus en agissant sur leur psychisme. *Action psychologique :* utilisation de méthodes s'appuyant sur la connaissance de la psychologie des comportements pour modifier les opinions, les sentiments, les attitudes de la personne ou du groupe auxquels on s'adresse. — *Guerre psychologique :* utilisation systématique des moyens de propagande destinés à amoindrir le moral et la volonté de combattre d'un adversaire.

4 Nous connaissons le b a ba de la guerre psychologique.
F. MAURIAC, le Nouveau Bloc-notes 1958-1960, p. 81.

♦ **4.** Loc. (1864). *Moment psychologique.* ⇒ **Moment.**

DÉR. Psychologiquement.

PSYCHOLOGIQUEMENT

PSYCHOLOGIQUEMENT [psikɔlɔʒikmɑ̃] adv. — 1875 ; de *psychologique.*

♦ **1.** Du point de vue de la psychologie. *Personnage psychologiquement inexistant* (cit. 2).

♦ **2.** Cour. (Opposé à *physiquement*). Mentalement, moralement. *Des hommes dispersés matériellement ou psychologiquement* (→ Fête, cit. 1).

PSYCHOLOGISANT, ANTE

PSYCHOLOGISANT, ANTE [psikɔlɔʒizɑ̃, ɑ̃t] adj. — 1934, trad. de W. Reich, in D. D. L. ; de *psychologie, psychologiser.*

♦ Didact. Qui fait dominer la psychologie, les données psychiques (dans une réflexion, une recherche). *« La pensée psychologisante »* (Lacan, *in* D. D. L.).

PSYCHOLOGISER

PSYCHOLOGISER [psikɔlɔʒize] v. — Mil. XIXe, Proudhon ; de *psychologique,* et *-iser.*

Didactique.

♦ **1.** V. intr. Vx. Faire de la psychologie.

♦ **2.** V. tr. Mod. Traiter du point de vue de la psychologie. *Psychologiser un problème social.*

PSYCHOLOGISME

PSYCHOLOGISME [psikɔlɔʒism] n. m. — 1887 ; de *psychologie.*

♦ Didact. Tendance à faire prévaloir le point de vue de la psychologie sur celui d'une autre science, dans un domaine commun (opposé à *sociologisme, etc.*).

Spécialt (dans la théorie de la connaissance) :

On appellera donc « psychologisme » le passage illégitime des faits psychologiques aux normes, tel que la pseudo-explication d'une loi logique (normative) par une loi psychologique (causale ou de fait).
J. PIAGET, *in* Logique et Connaissance scientifique, Encycl. Pl., p. 38.

PSYCHOLOGISTE

PSYCHOLOGISTE [psikɔlɔʒist] adj. et n. — 1835 ; de *psychologie.*

♦ **1.** N. Vx. Psychologue.

Monsieur Salomon avait trois psychologistes qui travaillaient pour lui et l'assistaient de leurs conseils. É. AJAR (R. GARY), l'Angoisse du roi Salomon, p. 177.

♦ **2.** Mod. Partisan du psychologisme. — Relatif au psychologisme.

PSYCHOLOGUE

PSYCHOLOGUE [psikɔlɔg] n. — 1760 ; de *psychologie.*

♦ **1.** Personne qui est spécialiste de la psychologie, fait des travaux dans ce domaine (→ Intelligence, cit. 10 ; personnalité, cit. 1). — (1903 en appos., in *Rev. gén. des sc.,* n° 17, p. 904 ; *médecins psychologues*). Spécialt. Spécialiste de la psychologie appliquée (⇒ **Psychopédagogue, psychotechnicien, psychothérapeute,** etc.). — (XXe). *Psychologue scolaire :* psychologue attaché à un établissement d'enseignement (on dit aussi *conseiller scolaire*). — *Psychologue clinicien :* psychologue ayant reçu une formation en psychopathologie et psychopédagogie médico-sociale.

♦ **2.** (1904). Personne qui a une connaissance (empirique, littéraire) de l'âme humaine. *« Un psychologue à la Stendhal »* (Valéry).

Adj. *Il n'est pas très psychologue.*

(Av. 1945). Qui manifeste de la pénétration psychologique. *Prendre un air psychologue.* ⇒ **Perspicace, sagace, subtil.**

PSYCHOMACHIE

PSYCHOMACHIE [psikɔmaʃi] n. f. — Mil. XXe ; bas lat. *psychomachia* « combat des âmes », grec *psukhomakhia* « combat acharné, désespéré », du v. *psukhomakhein* « combattre *(makhein)* pour sa vie *(psukhê)* ».

♦ Didact. Combat des vices et des vertus, thème iconographique courant au moyen âge.

PSYCHOMANCIE

PSYCHOMANCIE [psikɔmɑ̃si] n. f. — 1611 ; de *psycho-,* grec *psukhê,* et *-mancie,* grec *manteia.*

♦ Didact. (Antiq.). Divination par l'évocation des âmes des morts.

PSYCHOMÉCANIQUE

PSYCHOMÉCANIQUE [psikomekanik] n. f. — V. 1930, Guillaume ; comme adj. en sc., 1905, in *Rev. gén. des sc.,* de *psycho-,* et *mécanique.*

♦ Ling. Théorie linguistique de Gustave Guillaume, dans laquelle les mécanismes mentaux inconscients sont exprimés dans leur temporalité par les formes de la langue. ⇒ aussi **Psychosystématique.**

PSYCHOMÉTRICIEN, IENNE

PSYCHOMÉTRICIEN, IENNE [psikɔmetʀisjɛ̃, jɛn] n. — Av. 1967 ; de *psychométrie, -ique.*

♦ Didact. Spécialiste de psychométrie ; psychologue qui effectue des mesures spécifiques (tests, etc.) *« Les résultats enregistrés (à la suite de tests) par les psychométriciens — ou leur interprétation — suggèrent, ou appuient telle ou telle théorie de l'intelligence »* (J. Larmal, *la Génétique de l'intelligence,* 1973).

(...) les divers tests d'attention, de mémoire, de vocabulaire, d'apprentissage employés par les psychométriciens. Léon BINET, Gérontologie et Gériatrie, p. 78.

PSYCHOMÉTRIE

PSYCHOMÉTRIE [psikɔmetʀi] n. f. — 1842, repris XXe ; de *psycho-,* et *métrie ;* le comp. *psychomètre* est attesté en 1764 (Bonnet).

♦ Didact., sc. Ensemble des méthodes quantitatives appliquées en psychologie. La psychométrie « comprend la *sensorimétrie,* et constitue la base de la *psychotechnique* ». (Piéron, in *Voc. de la psychologie*).

DÉR. Psychométricien, psychométrique.

PSYCHOMÉTRIQUE

PSYCHOMÉTRIQUE [psikɔmetʀik] adj. — 1842 ; de *psychométrie.*

♦ Sc. Relatif à la psychométrie. *Méthodes psychométriques.* — *Tests psychométriques,* visant à donner une évaluation chiffrée des aptitudes d'un individu. *« Les tests d'ordre "psychométrique" tendent à l'appréciation de l'efficience intellectuelle et des modifications de la personnalité »* (*le Monde,* 4 oct. 1967).

PSYCHOMIMÉTIQUE [psikomimetik] adj. et n. m. — Av. 1972 (*in* Manuila); de *psycho-*, et *mimétique.*

♦ Pharm. (vieilli). Psychodysleptique*.

PSYCHOMORPHOLOGIE [psikomɔʀfɔlɔʒi] n. f. — 1965, *in* D. D. L.; de *psycho-*, et *morphologie.*

♦ Didact. ⇒ **Morpho-psychologie.**

PSYCHOMOTEUR, TRICE [psikomɔtœʀ, tʀis] adj. — 1877; de *psycho-*, et *moteur.*

♦ Didact. (physiol). Qui concerne à la fois les fonctions motrices et psychiques. *Centres psychomoteurs.* — (Mil. xxe). Psychol., pathol. Relatif à la psychomotricité. *Développement psychomoteur. Troubles, syndromes, désordres, déficits psychomoteurs. Retard psychomoteur dû à un retard mental, à un retard moteur, à un retard affectif. Instabilité psychomotrice. Inhibition, excitation psychomotrice. « Il existe (...) un état de tension psychomotrice lié à la personnalité et à ses moments affectifs »* (Girard-Deley et Lafon, *in* Lafon, art. *Psychomotricité*).

REM. On écrit aussi *psycho-moteur.*

Les progrès qu'a faits l'analyse clinique et physiologique du mouvement, ont montré, sous sa libre trajectoire et sa juste appropriation au but, le jeu complexe de fonctions que leur différenciation progressive dans l'espèce n'a fait que rendre plus étroitement solidaires et qui continuent d'intégrer en elles des réactions de base où s'expriment les possibilités les plus immédiates de l'activité psychique : équilibre et maîtrise de soi, automatisme de posture et attitudes opportunes ou personnelles, degré énergétique de la tension musculaire et disponibilités ou résistances offertes à l'activité psycho-motrice. »

Henri WALLON, cité dans A. POROT, Manuel de psychiatrie, 1952, art. *Psychomotricité.*

DÉR. **Psychomotricien.**

PSYCHOMOTRICIEN, IENNE [psikomɔtʀisjɛ̃, jɛn] n. — Av. 1975, Larousse; de *psychomoteur.*

♦ Didact. Spécialiste de la rééducation des personnes souffrant de troubles psychomoteurs.

PSYCHOMOTRICITÉ [psikomɔtʀisite] n. f. — Mil. xxe (*in* Porot 1952); de *psycho-*, et *motricité.*

♦ Didact. Fonctionnement synergique d'ensemble des fonctions motrices et psychiques, résultant de leur intégration, éducation et maturation respectives et réciproques. *Troubles de la psychomotricité.* ⇒ **Psychomoteur.** *Critères d'évaluation de la psychomotricité (motricité générale, habileté manuelle, maîtrise du langage, tonus musculaire, maintien postural, contrôle des sphincters, possibilité de relaxation...). « L'école maternelle est école de créativité et de joie (...) école de psychomotricité et de maîtrise de soi »* (J.-M. Gabaude, *la Pédagogie contemporaine,* 1972).

REM. On écrit aussi *psycho-motricité.*

PSYCHONÉVROSE [psikonevʀoz] n. f. — 1896, Freud, in *Revue neurologique* (*in* D. D. L.), écrit *psycho-névrose; de psycho-*, et *névrose.*

Médecine, psychologie.

♦ **1.** Vieilli. Névrose caractérisée par des troubles psychiques (par oppos. à *physionévrose, à manifestations d'ordre physiologique*). — On écrivait aussi *psycho-névrose.*

♦ **2.** Méd. Maladie mentale intermédiaire entre la névrose et la psychose. *La psychonévrose est caractérisée par le fait que le sens autocritique du malade est perturbé sans être aboli, ou par l'intensité des troubles qui peuvent prendre la forme d'une vraie psychose. Psychonévrose obsessionnelle, psychonévrose de défense.*

Le nom de *psychonévrose* est habituellement réservé à ceux d'entre eux *(des états cliniques névrotiques)* dont les symptômes essentiels se compliquent d'une signification psychique frappante.

A. HESNARD, *in* A. POROT, Manuel de psychiatrie, 1952, art. *Névroses, Psychonévroses.*

Psychan. « Terme employé par Freud pour caractériser, dans leur opposition aux névroses actuelles, les affections psychiques où les symptômes sont l'expression symbolique des conflits infantiles, à savoir les névroses de transfert* et les névroses narcissiques* » (Laplanche et Pontalis).

DÉR. **Psychonévrosique.** V. **Psychonévrotique.**

PSYCHONÉVROSIQUE [psikonevʀozik] adj. — 1952, cit.; de *psychonévrose.*

♦ Méd., psychol. (rare). Psychonévrotique*. *« Troubles psychonévrosiques attribuables à des perturbations affectives de l'enfance ».* (Porot, 1952, art. *Prédisposition*).

PSYCHONÉVROTIQUE [psikonevʀɔtik] adj. — Mil. xxe; de *psycho-*, et *névrotique,* d'après *psychonévrose.*

♦ Méd., psychol. Qui présente les caractères d'une psychonévrose. Syn. : *psychonévrosique* (rare). *Troubles psychonévrotiques.*

PSYCHOPATHE [psikɔpat] n. — 1894, Sachs-Villatte, *in* D. D. L.; de *psycho-*, et *-pathe,* d'après *psychopathie.*

♦ **1.** Vieilli. Malade mental.

♦ **2.** (Mil. xxe). Mod. Individu présentant une personnalité psychopathique* (⇒ **Psychopathie**). ⇒ aussi **Déséquilibré.**

PSYCHOPATHIE [psikɔpati] n. f. — 1877, Littré-Robin; de *psycho-*, et *-pathie.*

Didactique.

♦ **1.** Vieilli. Maladie mentale.

♦ **2.** Mod. (Sous l'influence des auteurs de langue anglaise et allemande). Déséquilibre* psychique constitutionnel ou précocement installé, caractérisé par une déficience du contrôle des émotions et des impulsions, avec insuffisance des mécanismes d'adaptation au milieu, qui détermine une *personnalité psychopathique*. Sujet présentant une psychopathie.* ⇒ **Psychopathe.** *« En l'état actuel de nos connaissances sur l'hérédité (...) la transmission ou plutôt la genèse du déséquilibre complexe — psychopathie ou névrose de caractère — ressortent plus à des processus éducatifs et/ou psycho-sociologiques qu'à un mécanisme génétique »* (Sutter et Pascalis, *in* Porot 1975, art. *Déséquilibre psychique,* p. 201 a).

DÉR. **Psychopathique.** V. **Psychopathe.**

PSYCHOPATHIQUE [psikɔpatik] adj. — 1877, Littré-Robin; de *psychopathie.*

Didactique.

♦ **1.** Relatif à une maladie mentale (→ Psychopathie, 1.). ⇒ aussi **Psychotique; névrotique.**

(...) une tumeur cérébrale peut, à côté de ses signes de localisation, déterminer des réactions diffuses de compression ou d'intoxication, et réalise des tableaux psychopathiques variés (...)

Henri BARUK, Psychoses et Névroses, p. 47.

♦ **2.** (1955). Relatif à une psychopathie (2.). *Personnalité psychopathique :* conformation mentale dont les traits les plus marquants sont l'impulsivité, l'instabilité, l'intolérance à la frustration, l'incapacité d'une adaptation satisfaisante au milieu, menant à des conduites antisociales. *Les premières descriptions de personnalités psychopathiques, dues à l'allemand Schneider, à Delmas. Sujet présentant une personnalité psychopathique.* ⇒ **Psychopathe.** *L'hérédité psychopathique, concept aujourd'hui critiqué.*

PSYCHOPATHOGÈNE [psikopatɔʒɛn] adj. — V. 1960; de *psycho-*, et *pathogène.*

♦ Didact. (méd.). Pathogène sur le plan psychique; cause de maladie ou troubles mentaux. ⇒ aussi **Psychotraumatique.** *« À ce dispositif totalitaire "classique", capable à lui seul d'engendrer des troubles psychologiques chez la plupart des individus, s'ajoutaient d'autres caractéristiques psychopathogènes provenant des obsessions délirantes paranoïaques de Jim Jones ».* (*la Recherche,* mars 1980, no 109, p. 309).

PSYCHOPATHOLOGIE [psikopatɔlɔʒi] n. f. — 1896, *in* D. D. L.; de *psycho-*, et *pathologie.*

♦ Didact. Étude théorique du fait psychiatrique sous ses différents aspects, entrant dans le projet d'une science de la maladie mentale. *Théories psychopathologiques et psychopathologie générale.*

La psychopathologie générale (...) réflexion sur les différentes démarches d'intelligence du fait clinique psychiatrique (...) tente de dépasser le problème organo-psychique qui infiltre les théories de préjugés métaphysiques (...) Son problème est maintenant de trouver un langage (« une science est une langue bien faite ») qui rende compte d'une expérience particulière en ceci que sa structure est elle-même celle du langage (...) c'est dans une certaine communication, où s'instaure leur différence, que se dévoile l'originalité de l'information transmise de l'homme malade mental (qui *se dit* ou *est dit* tel) à un autre homme... *(Le)* « fait psychiatrique » (...) ne peut être séparé du sujet, le malade psychiatrique... *(La)* psychopathologie est témoignage du psychiatre sur le malade mental, sur le « fou », à l'issue de leur rencontre.

M.-L. LACAS-MONDSZAIN, *in* A. POROT, Manuel de psychiatrie, 1975, art. *Psychopathologie,* p. 533 b.

DÉR. **Psychopathologique.**

PSYCHOPATHOLOGIQUE [psikopatɔlɔʒik] adj. — Fin xixe; de *psychopathologie.*

♦ Didact. Propre à la psychopathologie. *Le vocabulaire psychopathologique.*

C'est à partir d'une perspective génétique, comparant aux lois de l'évolution d'une fonction celles de sa dissolution, qu'il *(Ribot)* a édifié toute la partie psychopathologique de son œuvre pendant vingt années consécutives.
Jean DELAY, Introd. à la médecine psychosomatique, Notes et observations, p. 51.

Qui est objet de la psychopathologie ; pathologique sur le plan psychique. *États psychopathologiques. « À l'origine de notre culture, le fait psychopathologique était conçu et combattu comme une manifestation du mal ».* (*la Nef,* janv. 1971). ⇒ **Psychiatrique, psychopathique** (1.).

PSYCHOPÉDAGOGIE [psikopedagɔʒi] n. f. — 1952 ; de *psycho-,* et *pédagogie.*

♦ Didact. Application de la psychologie expérimentale à la pédagogie. *« La psychopédagogie devrait être l'étude directe et vivante des actions et des relations des élèves au contact de l'exigence pédagogique »* (*la Croix,* 11 févr. 1971).

DÉR. Psychopédagogique.

PSYCHOPÉDAGOGIQUE [psikopedagɔʒik] adj. — 1952 ; de *psychopédagogie.*

♦ Didact. Qui concerne la psychopédagogie ; qui applique la psychopédagogie.

Une solide formation psychopédagogique de tous les enseignants (...) éviterait des erreurs involontaires ; actuellement la plupart des enseignants et des administrateurs ignorent toute didactique psychopédagogique.
Jean-Marc GABAUDE, la Pédagogie contemporaine.

PSYCHOPÉDAGOGUE [psikopedagɔg] n. — V. 1960 ; de *psycho-,* et *pédagogue.*

♦ Didact. Spécialiste de la psychopédagogie. ⇒ **Psychologue.** *« Quel psychopédagogue pourra prétendre que l'on peut, à coup sûr, décider qu'un enfant de 12 à 13 ans est ou n'est pas doué pour telle forme d'études »* (*l'Express,* 15 janv. 1968).

PSYCHOPHARMACOLOGIE [psikofaʀmakɔlɔʒi] n. f. — 1956 ; de *psycho-,* et *pharmacologie.*

♦ Didact. Étude des effets et de l'emploi des substances chimiques sur le psychisme humain (→ Psychotrope) ; science de l'action des médicaments sur le comportement psychologique. *« La psychopharmacologie est incontestablement efficace en ce qui concerne les dépressions courantes. Les réussites de la psychopharmacologie sont moins spectaculaires lorsqu'il s'agit de dépressions graves »* (*le Figaro littéraire,* 29 sept. 1966). *« L'apparition des produits de synthèse sédatifs (...) préfigura la psychopharmacologie »* (*la Recherche,* nov. 1980, p. 1235).

DÉR. Psychopharmacologique.

PSYCHOPHARMACOLOGIQUE [psikofaʀmakɔlɔʒik] adj. — V. 1960 ; de *psychopharmacologie.*

♦ Didact. Qui concerne la psychopharmacologie. *« Les plus récentes découvertes psychopharmacologiques »* (*la Nef,* janv. 1971).

PSYCHOPHYSICIEN, IENNE [psikofizisjɛ̃, jɛn] n. — 1889 ; de *psychophysique.*

♦ Didact. Spécialiste de la psychophysique.

Tout autre est l'objet du psychophysicien : c'est la sensation lumineuse elle-même qu'il étudie, et qu'il prétend mesurer.
H. BERGSON, Essai sur les données immédiates de la conscience, 1889, p. 41.

PSYCHOPHYSIOLOGIE [psikofizjɔlɔʒi] n. f. — 1877, Littré-Robin ; de *psycho-,* et *physiologie.*

♦ Didact. Étude scientifique des rapports entre l'activité physiologique et le psychisme (⇒ **Psychophysiologique**). *Psychophysiologie générale* (étude des fonctions), *individuelle..., appliquée* (psychotechnique, éducation, pédagogie, thérapeutique : médecine psychosomatique). *La psychophysiologie étudie le système nerveux, l'encéphale* (écorce et base ⇒ **Cerveau**), *les hormones... Psychophysiologie du langage, de l'activité électrique* (cit. 1) *du cerveau...* — REM. On écrit aussi *psycho-physiologie.*

La psycho-physiologie est une science, elle n'est pas une philosophie, et précisément parce qu'elle exclut toute hypothèse métaphysique, elle est compatible avec toutes. Qu'il accepte comme une donnée de sens commun la dualité du corps et de l'esprit, ou qu'il suppose que celui-ci n'est qu'un épiphénomène, le premier devoir du psycho-physiologiste est d'aborder l'objet de ses études sans se laisser influencer par des préférences intimes.
Jean DELAY, la Psycho-physiologie humaine, p. 6.

DÉR. Psychophysiologique, psychophysiologiste.

PSYCHOPHYSIOLOGIQUE [psikofizjɔlɔʒik] adj. — 1877, Littré-Robin ; de *psychophysiologie.*

♦ Didact. Qui concerne les rapports entre activité physiologique et psychisme. — REM. On écrit aussi *psycho-physiologique.*

Freud et l'ensemble des psychanalystes ont toutefois très suffisamment dégagé l'importance de la libido et des frustrations pour qu'on prête au conditionnement psycho-physiologique des possibilités d'affleurement jusque dans les formes les plus élevées de la vie esthétique (...).
A. LEROI-GOURHAN, le Geste et la Parole, t. II, 1979, p. 98 et 99.

PSYCHOPHYSIOLOGISTE [psikofizjɔlɔʒist] n. — V. 1904 ; de *psychophysiologie.*

♦ Didact. Spécialiste de psychophysiologie. — REM. On écrit aussi *psycho-physiologiste.*

La tâche du psychologue est donc singulièrement plus complexe que celle du psycho-physiologiste puisqu'il lui appartient de faire le point de ce qui revient au physiologique et au social, à la constitution et aux institutions, et aussi à ce quelque chose d'unique qui ne se laisse réduire ni à l'une ni aux autres.
Jean DELAY, la Psycho-physiologie humaine, p. 99.

PSYCHOPHYSIQUE [psikofizik] adj. et n. f. — 1754, Bonnet ; de *psycho-,* et *physique.*

Didactique.

♦ **1.** Adj. Vx. Psychophysiologique. — N. f. (1875). Psychophysiologie.

♦ **2.** (1864, *Rev. des cours sc.,* t. I, p. 342 ; en all., 1860). N. f. Mod. Étude scientifique des rapports entre les faits physiques (stimuli) et les sensations qui en résultent.

♦ **3.** Adj. (1875). *Méthodes psychophysiques.* ⇒ **Sensorimétrie.**

Des expériences ont été tentées (...) pour établir une formule psychophysique sur la mensuration directe de nos sensations lumineuses.
H. BERGSON, Essai sur les données immédiates de la conscience, p. 39.

(1947). *Loi psychophysique* (ou *Loi de Fechner*), selon laquelle l'intensité de la sensation varie comme le logarithme de l'excitant.

PSYCHOPLÉGIE [psikopleʒi] n. f. — Av. 1921 ; t. dû à É. Dupré, de *psycho-,* et *-plégie.*

♦ Didact. (méd.). Défaillance psychique soudaine et temporaire. ⇒ **Éclipse** (cérébrale), **psycholepsie.** *Psychoplégie survenant après une commotion cérébrale.*

DÉR. V. **Psychoplégique** (2.).

PSYCHOPLÉGIQUE [psikopleʒik] adj. et n. m. — 1959, Garnier et Delamare ; de *psycho-,* et *-plégique* « qui frappe », du grec *plessein* « frapper ». → -plégie.

Didactique (médecine).

♦ **1.** Qui diminue l'activité mentale ou les réactions psychiques aux excitations. — N. m. *Administrer un psychoplégique.*

♦ **2.** (1972, Manuila). Relatif à la psychoplégie. *États psychoplégiques observés dans la psychasthénie...* ⇒ **Psycholepsie.**

PSYCHOPOMPE [psikopɔ̃p] adj. — 1842 ; grec *psukho-pompos* « conducteur des âmes ».

♦ Mythol. Conducteur des âmes (dans l'autre monde), épithète appliquée à Apollon, Charon, Hermès, Orphée... — Vx. Magicien qui évoquait les âmes des morts (⇒ **Magie**).

PSYCHOPROPHYLACTIQUE [psikopʀofilaktik] adj. — 1951, d'après le russe Velvoski ; de *psycho-,* et *prophylactique,* d'après *psychoprophylaxie.*

♦ Mod. Qui recourt à la psychoprophylaxie. *« Des cours d'accouchement psychoprophylactique dans toutes les maternités »* (J. Mauduit, *la Révolte des femmes,* 1971).

PSYCHOPROPHYLAXIE [psikopʀofilaksi] n. f. — Mil. XXe (1955, Chauchard) ; de *psycho-,* et *prophylaxie.*

♦ Méd. Prévention des réactions contraires au bon fonctionnement de l'organisme, par une préparation psychologique appropriée. *La psychoprophylaxie est utilisée comme préparation à l'accouchement dit « sans douleur ». « La psychoprophylaxie obstétricale, basée sur l'éducation, l'apprentissage, la communication, connaît un développement très important outre Atlantique.* » (*le Monde*, 24 janv. 1979).

DÉR. V. **Psychoprophylactique.**

PSYCHOSE [psikoz] n. f. — 1859; all. *Psychosis*, 1845, Feuchtersleben; du grec *psukhê* « esprit » (→ Psych-), et *-osis*, d'après *névrosis*. → Névrose.

♦ **1.** Méd. Affection psychique, ensemble de troubles mentaux affectant de manière essentielle le comportement et constituant un ensemble stable de symptômes dont le malade ne reconnaît pas, en général, le caractère pathologique (à la différence des *névroses**, cit.). ⇒ **Aliénation, folie, délire, démence, paranoïa, schizophrénie.** *Être atteint de psychose; étudier, traiter la psychose.* « *On sait que, du fait de leur complexion et de leur* constitution mentale, *certains sujets orienteront leurs désordres vers telle ou telle formule de psychose* » (Porot, 1952, art. *Prédisposition*). — REM. Le mot est rarement employé absolument, car il correspond à une notion presqu'aussi vague et contestée que celle de *folie* au XIXe siècle; il est le plus souvent qualifié. — *Une psychose. Éthiopathogénie des psychoses. Psychoses organiques.* ⇒ **Démence, paralysie générale...** *Psychoses toxiques, infectieuses, avec confusion* mentale. Psychoses constitutionnelles, réactionnelles. Psychoses carcérales* : psychoses réactionnelles entraînées par l'incarcération. *Psychoses de sensibilisation* : troubles déclenchés par une cause occasionnelle souvent minime, mais rappelant au sujet un choc émotif qui a suscité en lui une intolérance acquise (→ Psychallergie). — *Psychoses délirantes aiguës.* ⇒ **Crépusculaire** (état), **délirant** (bouffée, expérience délirante), **oniroïde** (état)... *Psychose chronique.* — *Psychose hallucinatoire. Psychose obsessionnelle.* ⇒ **Obsession.** *Psychose maniaque** (⇒ **Manie**, cit. 2), *maniaque dépressive, périodique.* ⇒ **Mélancolie** (vx). *Psychoses paranoïaques, hystériques.* — *Psychoses de l'adulte. Psychoses infantiles* (autisme, etc.). — *Psychoses expérimentales*.* — *Dépersonnalisation, déréalisation, dissociation, destructuration de la conscience observées dans certaines psychoses* (⇒ **Schizophrénie**).

1 — Et quelle est la différence entre la névrose et la psychose? — C'est que le névrosé, tout en fuyant devant la vie, reconnaît l'existence du réel, garde ses réflexes sociaux et prend grand soin de rester dans les limites de la vie sociale, fût-ce à l'extrême frontière. Au contraire, dans la psychose, qui est plus grave, le malade sort du monde réel. A. MAUROIS, Terre promise, XXX.

1.1 En Allemagne, partant des données de la psychiatrie qui oppose depuis Kroepelin deux grands types de psychose : la psychose maniaco-dépressive ou cyclophrénie et la démence précoce ou schizophrénie, Kretschmer a été amené à faire une distinction entre deux constitutions. Dans son livre *Le corps et le caractère*, il a opposé deux structures morphologiques, celle du pycnique et celle du leptosome, répondant respectivement à deux caractères, celui du cyclothyme et celui du schizothyme. Jean DELAY, la Psycho-physiologie humaine, p. 76.

Psychanal. Perturbation fondamentale de la relation (libidinale) à la réalité, les symptômes observables (tels les délires) « étant des tentatives de restauration du bien objectal » (Laplanche et Pontalis).

♦ **2.** (1928, cit. 2). Cour. Idée fixe. ⇒ **Obsession.** *Psychose collective.*

2 On a, sciemment, créé dans le pays, ce que vous autres, médecins, vous appelez une *psychose*; la psychose de la guerre (...) Et quand on a éveillé dans une nation cette anxiété collective, cette fièvre et cette peur, ce n'est plus qu'un jeu de le pousser aux pires folies!... MARTIN DU GARD, les Thibault, t. V, p. 194.

3 Dans la plupart des maisons circulait un courant de petite peur, que les spécialistes appelaient psychose de la crise. M. AYMÉ, Maison basse, p. 169.

4 — Psychose collective, monsieur Dudard, psychose collective! C'est comme la religion qui est l'opium des peuples!
— Eh bien, j'y crois, moi, aux soucoupes volantes!
IONESCO, Rhinocéros, II, 1.

DÉR. Psychosé, psychosique, psychotique.

PSYCHOSÉ, ÉE [psikoze] adj. et n. — V. 1960; de *psychose*.

♦ ⇒ **Psychotique.**

PSYCHOSÉDATIF, IVE [psikosedatif, iv] n. m. et adj. — Mil. XXe; de *psycho-*, et *sédatif*.

♦ Pharm. Tranquillisant. *À dose faible, le gardénal est « un psychosédatif ne présentant pas l'inconvénient majeur des hypnotiques »* (A. Galli et R. Leluc, *les Thérapeutiques modernes*, p. 33).

PSYCHOSENSORIEL, ELLE [psikosɑ̃sɔʀjɛl] adj. — 1891, cit.; de *psycho-*, et *sensoriel*.

♦ Psychol. Se dit de troubles psychiques d'apparence sensorielle (ex. : hallucination). — REM. On écrit aussi *psycho-sensoriel*.

(...) ses ouvrages, restés classiques sur la paralysie générale (...), sur les hallucinations psychiques et psycho-sensorielles, sur la mélancolie avec stupeur (...)
Louis FIGUIER, l'Année scientifique et industrielle 1892, p. 590 (1891).

PSYCHO-SENSORI-MOTEUR [psikosɑ̃sɔʀimɔtœʀ] adj. — Mil. XXe (*in* Larousse 1963); de *psycho-*, rad. de *sensoriel*, et *moteur*.

♦ Didact. Se dit d'un trouble portant à la fois sur les facultés psychiques, les organes sensoriels et la motricité.

PSYCHOSEXUEL, ELLE [psikosɛksɥɛl] adj. — 1895, *Archives de psychol. criminelle*, *in* D. D. L.; de *psycho-*, et *sexuel*.

♦ Didact. Qui concerne les phénomènes psychiques liés à la sexualité. *Troubles psychosexuels. L'exhibitionnisme, le sadisme, le voyeurisme sont des anomalies psychosexuelles.* « *La plupart des étudiants consultants ont à faire face à des problèmes psychosexuels* » (*le Monde*, 14 janv. 1966).

Le psychiatre sait que les psychonévroses, les inhibitions, les troubles psychosexuels ou caractériels sont plus accessibles à la psychanalyse que la délinquance ou la psychose. Daniel LAGACHE, la Psychanalyse, p. 85.

PSYCHOSIQUE [psikozik] adj. — 1934, *in* D. D. L.; de *psychose*.

♦ Didact. Qui présente les caractères de la psychose. (On dit plus souvent *psychotique**). *Encéphalite psychosique aiguë.*

PSYCHOSOCIAL, ALE, AUX [psikosɔsjal, o] adj. — 1907, F. Paulhan, *in* D. D. L.; de *psycho-*, et *social*.

♦ Didact. Qui se rapporte à la psychologie humaine dans la vie sociale. « *La rigueur des critères psychosociaux — au premier rang desquels la qualité de la relation humaine — présidant au choix des astronautes explique en partie cet heureux résultat* (du premier séjour de l'homme sur la lune) » (*le Monde*, 20 juil. 1969).
Organisation psychosociale d'un groupe de malades (thérapeutique de groupe). ⇒ **Sociodrame.**

L'évolution psychosociale de la psychiatrie, en humanisant les rapports du psychiatre et du patient, rend concevable une relation psychologique par laquelle le premier agira directement ou indirectement sur le second.
Guy PALMADE, la Psychothérapie, p. 9.

PSYCHOSOCIOLOGIE [psikosɔsjɔlɔʒi] n. f. — 1903, Duprat : *le Mensonge, étude de psychosociologie...*, *in* D. D. L.; de *psycho-*, et *sociologie*.

♦ Didact. Psychologie sociale, étude de la psychologie humaine en relation avec le groupe.

Ce vieux débat *(la place du social dans la formation de la personnalité)* est devenu singulièrement actuel avec les progrès de la psychobiologie d'une part, de la psychosociologie d'autre part. Les réflexologistes de l'École de Pavlov qui interprètent essentiellement les névroses par rapport au « facteur nerveux » n'en sont pas moins obligés de reconnaître (...) l'importance des *facteurs sociaux*.
Jean DELAY, Introd. à la médecine psychosomatique, Notes et observations, p. 47.

DÉR. Psychosociologique, psychosociologue.

PSYCHOSOCIOLOGIQUE [psikosɔsjɔlɔʒik] adj. — 1945, Merleau-Ponty (certainement antérieur); de *psychosociologie*.

♦ Didact. Qui se rattache à la psychosociologie. « *Une étude psychosociologique sur les rapports entre téléspectateur et petit écran* » (*le Monde*, 9 janv. 1970).

PSYCHOSOCIOLOGUE [psikosɔsjɔlɔg] n. — 1918, *in Mercure de France* (D. D. L.); de *psychosociologie*.

♦ Didact. Spécialiste de la psychosociologie. « *Un psychosociologue s'est spécialisé dans l'analyse scientifique de l'influence des médias sur nos habitudes, nos opinions, nos choix* » (*l'Express*, 15 mai 1978).

PSYCHOSOMATICIEN, IENNE [psikosɔmatisjɛ̃, jɛn] n. — 1946; de *psychosomatique*.

♦ Didact. Spécialiste de la médecine psychosomatique.

Un psychosomaticien doit être d'abord un médecin de formation classique dont le réflexe est de penser les symptômes sur le plan de la physiologie, même si sa réflexion le mène à les repenser sur le plan de la psychologie.
Jean DELAY, Introd. à la médecine psychosomatique, Notes et observations, p. 104.

PSYCHOSOMATIQUE [psikosɔmatik] adj. et n. f. — Av. 1946; de *psycho-*, et *somatique*, d'après l'angl. *psychosomatic*, av. 1933, ou l'all. *psychosomatisch*, antérieur.

♦ **1.** Relatif à la fois au corps et à l'esprit. « *La doctrine même des tempéraments* (chez Hippocrate) *procède d'une vue synthétique de l'homme conçu comme une unité psychosomatique* » (A. Porot et Y. Pélicier, *in* Porot, 1975, p. 539 b).

♦ **2.** Didact. Qui se rapporte aux troubles organiques ou fonctionnels occasionnés, favorisés ou aggravés par des facteurs psychiques (émotionnels et affectifs). *Facteurs psychosomatiques déterminant de l'asthme, de l'eczéma... Origine psychosomatique d'un ulcère.* ⇒ **Psychogène.** *Médecine psychosomatique*, qui étudie et soigne les affections psychosomatiques (voir *infra*). — N. f. *La psychosomatique.*
Relatif à la médecine psychosomatique. *Étude, approche psychosomatique d'une maladie. Diagnostic psychosomatique.*

(1952, Porot). *Affections, manifestations, perturbations, désordres psychosomatiques,* qui, étant eux-mêmes de nature organique, physiologique, sont causés ou aggravés par des facteurs psychiques. ⇒ **Psychogène; somatisation.** « *La mise en question des valeurs traditionnelles qui donnaient un sens à la vie provoque un inconfort qui s'exprime médicalement par des troubles psychosomatiques ou par des états dépressifs* » (*le Monde,* 15 oct. 1975).

DÉR. Psychosomaticien.

PSYCHOSTASIE [psikostazi] n. f. — 1818, *in* D. D. L.; grec *psukhostasia.*

♦ Myth. égyptienne. Pesée* des âmes par le dieu Anubis; jugement symbolique du défunt.

PSYCHOSTIMULANT, ANTE [psikostimylɑ̃, ɑ̃t] adj. et n. m. — V. 1960; de *psycho-,* et *stimulant.*

♦ ⇒ **Psychotonique.** « *Les pharmacies françaises ont vendu* (en 1970) ... *huit millions de psychostimulants vendus comme anorexigènes* » (*le Nouvel Obs.,* 3 mars 1975, p. 42).

PSYCHOSYSTÉMATIQUE [psikosistematik] n. f. et adj. — xxe (après 1933); de *psycho-,* et *systématique.*

♦ Didact. Théorie linguistique de Gustave Guillaume, qui considère que les formes de la langue sont mises en œuvre par un système psychique de représentation du monde et du temps. ⇒ aussi **Psychomécanique.**

PSYCHOTECHNICIEN, IENNE [psikɔtɛknisjɛ̃, jɛn] n. — 1930, H. Wallon; de *psychotechnique.*

♦ Didact. Spécialiste de la psychotechnique.

PSYCHOTECHNIQUE [psikɔtɛknik] n. f. et adj. — 1928; de *psycho-,* et *technique.*

♦ Didact. « Discipline qui régit l'application aux problèmes humains des données de la psychophysiologie et de la psychologie expérimentale par l'emploi d'un ensemble de méthodes rigoureusement scientifiques » (Piéron, in *Voc. de la psychologie). Psychotechnique et orientation, et sélection professionnelle, et éducation. Psychotechnique et publicité. Psychotechnique physiologique* (biotechnique). — Adj. (1962). *Examen, analyse psychotechnique. Méthodes psychotechniques* (⇒ **Psychométrie, test).** « *(...) les résultats de l'examen psychotechnique dans l'industrie, l'aviation, etc., sont tout à fait remarquables : durée de l'apprentissage diminuée (...) fréquence des accidents du travail réduite (...)* » (H. Aubin, *in* Porot 1952).

DÉR. Psychotechnicien.

PSYCHOTEST [psikɔtɛst] n. m. — xxe (1946, *in* Höfler); de *psycho-,* et *test,* d'après l'angl. *psychotest.*

♦ Didact., techn. Test psychologique destiné à déterminer les aptitudes d'un sujet à une orientation, à un emploi. *Psychotests effectués dans les centres de sélection de l'armée.* (On dit aussi *test psychotechnique*).

(...) maintenant c'est tout juste s'il desserre les dents pour nous dire (...) C'est à peine s'il nous parle des psychotests, ou des débats avec Hertz.
J.-M. G. LE CLÉZIO, la Fièvre, 1965, p. 137.

PSYCHOTHÉRAPEUTE [psikoteʀapøt] n. — 1905, Claparède *in* D. D. L.; de *psycho-,* et *-thérapeute.*

♦ Didact. Personne qui pratique la psychothérapie. ⇒ **Thérapeute, psychanalyste, psychiatre.**

Son principal psychothérapeute, c'est moi. Moi, je travaillais avec Elly plusieurs heures par jour, sans qu'elle soit soumise à ces traumatismes qui se produisent quand les vacances du psychothérapeute interrompent le traitement (...)
M. CHAPTAL, *in* l'Express, 1972, no 1100, p. 49.

REM. La forme *psychothérapiste* (R. Gary, *la Promesse de l'aube,* p. 80) est un anglicisme.

PSYCHOTHÉRAPEUTIQUE [psikoteʀapøtik] adj. — Attesté v. 1960 (certainement antérieur); de *psycho-,* et *thérapeutique.*

♦ Didact. Syn. de *psychothérapique. Action psychothérapeutique.*

PSYCHOTHÉRAPIE [psikoteʀapi] n. f. — 1891; de *psycho-,* et *thérapie.*

♦ Didact. Thérapeutique (de troubles organiques ou psychiques) qui s'effectue par intervention psychologique sur le psychisme. ⇒ aussi **Psychosomatique** (médecine). *Conduire une psychothérapie. Suivre, faire* (fam.) *une psychothérapie :* se soigner par psychothérapie. — REM. On dit aussi *thérapie.* — *Psychothérapie individuelle. psychothérapies collectives (familiales, du couple, de groupe*).* ⇒ aussi **Psychodrame, sociodrame.** *Psychothérapie infantile.* — *Psychothérapie d'encouragement, de soutien,* visant à diminuer l'angoisse ou l'anxiété du patient. *Psychothérapies utilisant la suggestion*, l'hypnose*, la relaxation*.* ⇒ **Auto-hypnose, autorelaxation, sophrologie, training** (autogène). *Psychothérapies par déconditionnement, par rééducation. Thérapeutiques institutionnelles*, occupationnelles*, psychothérapies qui se servent de l'environnement, de l'action sur le milieu.* ⇒ aussi **Ergothérapie.** *Psychothérapie en profondeur* (psychanalyse* et méthodes voisines). *Psychothérapie analytique.* ⇒ aussi **Primal** (cri), **transactionnel** (analyse transactionnelle).

DÉR. Psychothérapique. — V. aussi **Psychothérapeutique.**

PSYCHOTHÉRAPIQUE [psikoteʀapik] adj. — 1894; de *psychothérapie.*

♦ De la psychothérapie; qui a rapport à la psychothérapie, qui la concerne. *Effets psychothérapiques d'une cure psychanalytique, d'une narco-analyse.*

PSYCHOTIQUE [psikɔtik] adj. et n. — 1877, Littré-Robin; de *psychose.*

♦ **1.** Didact. Relatif aux psychoses. ⇒ aussi **Psychosique.** *Troubles, désordres psychotiques. Épisode psychotique. Dépersonnalisation psychotique.*

♦ **2.** (xxe). Méd. Atteint d'une psychose. Syn. : *psychosé.* — N. *Un, une psychotique.*

COMP. Antipsychotique, prépsychotique.

PSYCHOTONIQUE [psikɔtɔnik] adj. — 1946, *in* Quillet; de *psycho-,* et *tonique.*

♦ Méd. Qui a une action stimulante sur les fonctions psychiques, combat la fatigue le plus souvent par un effet euphorisant. *Substances psychotoniques* (alcaloïdes, vitamines, etc.). — N. m. *Un psychotonique.* ⇒ **Psycho-analeptique, psychodysleptique, psychotrope; énergisant.**

PSYCHOTRAUMATIQUE [psikotʀomatik] adj. — 1975, Porot, art. *Psychallergie;* de *psycho-,* et *traumatique.*

♦ Didact. Traumatisant sur le plan psychique. ⇒ aussi **Psychopathogène.** *Événement psychotraumatique suscitant une psychallergie.*

PSYCHOTROPE [psikɔtʀɔp] adj. et n. m. — V. 1956; t. dû à J. Delay, de *psycho-,* et *-trope.* → Somatotrope.

Didactique (psychologie, médecine, pharmacie).

♦ Qui agit chimiquement sur le psychisme. *Substances psychotropes naturelles, artificielles. Pharmacologie des substances psychotropes.* ⇒ **Psychopharmacologie.** *Médicament, drogue psychotrope.* — *Chimiothérapie psychotrope,* par médicaments psychotropes.

Le terme de drogues psychotropes est utile, en raison de sa généralité même, pour 1
désigner l'ensemble des substances chimiques, d'origine naturelle ou artificielle, qui ont un tropisme psychologique, c'est-à-dire qui sont susceptibles de modifier l'activité mentale sans préjuger du type de cette modification.
Jean DELAY, Introd. à la médecine psychosomatique, Notes et observations, 1961, p. 64.

N. m. Substance, médicament psychotrope. *Classification clinique des psychotropes* (Delay) *selon leur action stimulante* (psychoanaleptiques*, psychotoniques*), *calmante* (psycholeptiques*, tranquillisants*), *ou génératrice de troubles* (psychodysleptiques*). ⇒ aussi **Analeptique, analgésique, anesthésique, antidépresseur, antipsychotique, anxiolytique, ataraxique, excitant, hallucinogène, hypnotique, neuroleptique, nooanaleptique, nooleptique, psychoplégique, thymoanaleptique, thymoleptique...**

Le très grand intérêt des psychotropes est lié, non seulement à leur efficacité, 2
mais aussi à leur facilité d'administration. Ils agissent sur les symptômes les plus gênants comme l'agitation, et peuvent être prescrits sans que le malade soit hospitalisé.
François CLOUTIER, la Santé mentale, p. 70.

PSYCHROMÈTRE [psikʀɔmɛtʀ] n. m. — 1732; grec *psukhros* « froid », et *-mètre.*

♦ Sc., techn. Instrument formé de deux thermomètres, l'un à réservoir sec, l'autre à réservoir humide, qui sert à mesurer l'humidité de l'air. ⇒ **Hygromètre.**

DÉR. Psychrométrie.

PSYCHROMÉTRIE [psikʀɔmetʀi] n. f. — 1842; de *psychromètre.*

♦ Sc., techn. Mesure de l'humidité de l'air, par l'emploi du psychromètre.

1. PSYLLE [psil] n. m. — 1765; lat. *Psylli,* grec *Psulloi,* nom d'un peuple de la Cyrénaïque.

♦ Didact. Jongleur, charmeur de serpents, en Inde, en Orient.

1 Il y a en Égypte une classe d'hommes qui possèdent, à ce qu'on suppose, comme les anciens psylles de Cyrénaïque, cet art mystérieux auquel il est fait allusion dans la Bible, et qui rend invulnérable à la morsure des serpents.
NERVAL, Voyage en Orient, Appendice, I, V.

2 Nous avons été, moyennant batchis *(pourboire)* toujours (...) initiés psylles. On nous a mis des serpents autour du cou, autour des mains. On a récité sur nos têtes des incantations, on nous a soufflé dans la bouche (...)
FLAUBERT, Lettre à Louis Bouilhet, 1850, *in* Correspondance, t. I, Pl., p. 573.

2. PSYLLE [psil] n. m. ou f. — 1869; grec *psulla* «puce».

♦ Insecte hémiptère, très petite cigale dotée de pattes propres au saut. *Psylle du buis. « Les psylles dont diverses espèces attaquent poiriers, pommiers, figuiers, oliviers... »* (*Sciences et Avenir,* n° 379, sept. 1978).

PSYLLIUM [psiljɔm] n. m. — 1765; *psyllion,* 1690; mot lat. d'orig. grecque, proprt «herbe aux puces», grec *psulla.*

♦ Pharm. Graines mucilagineuses d'une plante du sud de l'Europe et d'Afrique du Nord *(Plantago psyllium).*

Pt [pete] Symbole chimique du platine.

PTARMIGAN [ptaʀmigɑ̃] n. m. — 1795; mot angl. 1684 (*termigan,* fin XVIe).

♦ Rare. Perdrix blanche des montagnes.

André Vasling, très adroit tireur, abattit plusieurs fois des oiseaux aquatiques, dont les bandes innombrables voltigeaient autour du navire. Une espèce d'eiderduks et des ptarmigans fournirent à l'équipage une chair excellente, qui le reposa des viandes salées. J. VERNE, Un hivernage dans les glaces, p. 247.

PTÉR-, PTÉRO- Élément, du grec *ptero-,* de *pteron.* ⇒ **-ptère.**

PTÉRANODON [pteʀanɔdɔ̃] n. m. — Fin XIXe; de *ptér-,* et grec *anodous, ontos* «édenté».

♦ Paléont. Reptile volant, édenté, fossile du secondaire.

-PTÈRE Élément final, du grec *-pteros,* de *pteron* «plume, aile, ailé», et «aile, colonnade» (→ préf. Ptéro-) qui sert à former de nombreux mots savants, désignant des animaux ou relatifs au classement des animaux d'après la conformation de leurs ailes, surtout s'il s'agit d'insectes (⇒ **Aphaniptères, aptère, archiptères, baleinoptère, chiroptères, coléoptères, diploptère,** 1. **diptère, hémiptères, hétéroptère, homoptère, hyménoptère, lépidoptères, mégaptère, névroptère, orthoptère, percnoptère, phénicoptère, polyptère, tétraptère**) ou à la disposition des colonnes dans un édifice (⇒ **Aptère,** 2. **diptère, monoptère, périptère**). → aussi Amphiptère (blason).

PTÉRÉON [pteʀeɔ̃] ou **PTÉRION** [pteʀjɔ̃] n. m. — 1877; du grec *pteron* «aile».

♦ Anat. Lieu de la voûte crânienne où se rencontrent les sutures des os (frontal, temporal, pariétal, sphénoïde), dont l'ensemble figure grossièrement un H.

PTÉRIDOPHYTES [pteʀidɔfit] n. f. pl. — 1898; grec *pteris* «fougère», et *-phyte.*

♦ Bot. Embranchement du règne végétal qui comprend les fougères et les plantes pourvues de racines, de tiges et de feuilles mais dépourvues de fleurs, qui sont appelées aussi cryptogames vasculaires. *Les ptéridophytes se divisent en équisétinées, filicinées* (⇒ **Fougère**) *et lycopodinées.* — Au sing. *Une ptéridophyte.*

PTÉRIDOSPERMALES [pteʀidɔspɛʀmal] **PTÉRIDOSPERMÉES** [pteʀidɔspɛʀme] n. f. pl. — Mil. XXe; des éléments initiaux de *ptéridophytes* et *spermatophytes.*

♦ Bot. Plantes fossiles à feuilles de fougère, les plus primitives des gymnospermes, constituant une transition entre les ptéridophytes et les spermatophytes. — Au sing. *Une ptéridospermale, une ptéridospermée.*

PTÉRION [pteʀjɔ̃] n. m. ⇒ **Ptéréon.**

PTÉRO- ⇒ **Ptér-**

PTÉRODACTYLE [pteʀɔdaktil] adj. et n. m. — 1809; de *ptéro-,* et *-dactyle.*
Zoologie.

♦ **1.** Adj. (Vx). Qui a les doigts reliés par une membrane.

♦ **2.** N. m. (1821). Paléont. Animal d'un genre de ptérosauriens du jurassique supérieur.

Les mots se vengent (...) Un jour ils jaillissent des étiquettes des bouteilles qui les avaient retenus prisonniers, ils filent dans l'air noir avec leurs mâchoires de ptérodactyle tendues en avant comme des couteaux-scies.
J.-M. G. LE CLÉZIO, les Géants, p. 97.

PTÉRODON [pteʀɔdɔ̃] n. m. — 1875, P. Larousse; de *ptér-,* et grec *odous, ontos* «dent» → -odonte.

♦ Didact. Mammifère carnassier fossile de l'ère tertiaire (éocène supérieur, oligocène).

PTÉROME [pteʀɔm] n. m. — 1875, P. Larousse; lat. *pteroma,* mot grec, de *pteroûn* «munir d'ailes».

♦ Didact. En architecture antique, aile* (d'un bâtiment); rang de colonnes autour d'un édifice.

1. PTÉROPHORE [pteʀɔfɔʀ] n. m. — 1800; grec *pterophoros* «qui porte des ailes», de *pteron,* et *pherein.* → -phore.

♦ Zool. Papillon à ailes en lanières. *La chenille du ptérophore vit sur les liserons.*

2. PTÉROPHORE [pteʀɔfɔʀ] n. m. — 1877; grec *pterophoros,* voir le précédent.

♦ Archéol. Prêtre de l'Égypte hellénistique porteur d'une coiffure en pointe, qui conservait et portait les livres sacrés.

PTÉROPODE [pteʀɔpɔd] n. m. pl. — 1809; de *ptéro-,* et *-pode.*

♦ Zool. Mollusque gastéropode muni de deux organes locomoteurs en forme de nageoires.

(1822). *Les ptéropodes :* sous-ordre de mollusques gastéropodes opisthobranches.

Sa forme *(de l'île)* véritablement étrange, surprenait le regard... *(on trouva qu')* elle ressemblait à quelque fantastique animal, une sorte de ptéropode monstrueux, qui eût été endormi à la surface du Pacifique.
J. VERNE, l'Île mystérieuse, t. I, p. 135.

PTÉROSAURIENS [pteʀɔsɔʀjɛ̃] n. m. pl. — Fin XIXe; de *ptéro-,* et *saurien.*

♦ Paléont. Reptiles fossiles du secondaire, qui étaient adaptés au vol grâce à des ailes membraneuses soutenues par un doigt (⇒ **Ptérodactyle**). — Au sing. *Un ptérosaurien.*

REM. La variante *ptérosaure* [pteʀɔsɔʀ] n. m., est attestée.

PTÉRYG- Élément de mots didactiques, du grec *pterux, pterugos* «aile». ⇒ **Ptérygo**; aussi **ptéro-.**

-PTÉRYGIEN Élément, du grec *pterugion* «nageoire». (Ex. : *acanthoptérygien*).

PTÉRYGION [pteʀiʒjɔ̃] n. m. — 1842, Académie; *pterigien,* 1538; grec *pterugion* ou lat. *pterygium* «petite aile» et «nageoire», de *pterux, ugos* «aile».

♦ Méd. Épaississement de la conjonctive oculaire, formant un triangle membraneux dont le sommet peut atteindre la cornée transparente.

PTÉRYGO- Premier élément de mots scientifiques tiré du grec *pterux, ugos* «aile» et qui prend en anatomie la valeur de «relatif aux apophyses ptérygoïdes*». Ex. : *ptérygo-maxillaire,* adj.; *ptérygo-palatin,* adj.

PTÉRYGOÏDE [pteʀigɔid] adj. — 1690; grec *pterugoeidês* «en forme d'aile». → -ptère.

♦ Anat. *Apophyse ptérygoïde :* apophyse osseuse de la face inférieure du sphénoïde, formée de deux racines se prolongeant par l'aile interne et l'aile externe de l'apophyse.

DÉR. Ptérygoïdien.

PTÉRYGOÏDIEN, IENNE [pteʀigɔidjɛ̃, jɛn] adj. et n. m. — 1690, Dionis pour l'adj.; 1818 (*in* D. D. L.) pour le nom; de *ptérygoïde.*

♦ Anat. Relatif à l'apophyse ptérygoïde*. *Artères ptérygoïdiennes. Muscles ptérygoïdiens* (interne et externe) : muscles assurant les mouvements de la mandibule (muscles masticateurs), qui s'insèrent sur l'apophyse ptérygoïde.

PTÉRYGOTES [pteʀigɔt] n. m. pl. — 1932; du grec *pterux, rugos,* de *pteros* «aile».

♦ Zool. Sous-classe d'insectes comprenant tous les insectes ailés (opposé à *aptérygotes*). — Au sing. *Un ptérygote.*

PTÉRYLIE [pteʀili] n. f. — Fin XIXe; du grec *pterux,* de *pteron* «aile».

♦ Zool. Chacune des zones de la peau d'un oiseau sur lesquelles sont implantées les plumes (ligne, rangée, le plus souvent). — Opposé à *aptérie**.

PTOLÉMAÏQUE [ptɔlemaik] adj. — 1875; bas lat. *ptolemaïcus,* de *Ptolemaus,* grec *Ptolemaios* «Ptolémée».

♦ Didact. Relatif à Ptolémée Sôter et à sa dynastie (Lagides), ainsi qu'à la civilisation hellénistique de cette période, en Égypte. *Temple ptolémaïque,* construit à *l'époque ptolémaïque.*

PTOLÉMÉEN, ENNE [ptɔlemeɛ̃, ɛn] ou **PTOLOMÉEN, ENNE** [ptɔlɔmeɛ̃, ɛn] adj. — 1869, *ptoléméen; de Ptolomée, Ptolémée,* astronome grec. — REM. *Ptolémaïque* est l'adj. tiré du nom des *Ptolémées,* rois d'Égypte.

♦ Didact. De Ptolémée; relatif à son système du monde, et, par ext., à la cosmogonie antique et médiévale (d'avant Copernic).

(...) cet Hipparque le premier qui découvrit la précession des points équinoxiaux et n'en conclut pourtant pas à la fausseté du système ptoloméen (...)
ARAGON, Blanche..., II, II, p. 213.

PTOMAÏNE [ptɔmain] n. f. — 1879, in *Année sc. et industr.* 1880, p. 162; ital. *ptomaina,* 1875; du grec *ptôma* «cadavre».

♦ Biochim. Substance toxique aminée qui se forme au cours de la putréfaction des protéines animales sous l'effet des bactéries (nom générique). *Les ptomaïnes sont la cause des intoxications alimentaires graves par consommation de conserves avariées.*

PTOSE [ptoz] n. f. — 1895; bot., 1808; grec *ptôsis* «chute».

♦ Méd. Déplacement d'un viscère provoqué par le relâchement de ses moyens de soutien. ⇒ **Prolapsus.** *Ptose abdominale. Ptose de l'intestin* (entéroptose), *de l'estomac* (gastroptose), *de l'utérus* (métroptose), *du rein* (néphroptose).

(...) des femmes nues en stuc, leur chignon, leur large bassin et leur ptose abdominale.
R. QUENEAU, Pierrot mon ami, éd. L. de Poche, p. 48.

REM. On a écrit *ptôse.*

PTOSIS [ptozis] n. m. — 1904, *Rev. gén. des sc.,* n° 9, p. 540; grec *ptôsis* «chute». → Ptose.

♦ Méd. Abaissement permanent de la paupière supérieure. *Ptosis congénital. Ptosis paralytique,* par paralysie du muscle releveur de la paupière.

P.T.T. [petete]

♦ **1.** Vx. Sigle du ministère des Postes, Télégraphe, Téléphone.

Allocution de bienvenue à M. Paul Laffont, Sous-Secrétaire d'État des P.T.T., venu au Maroc inspecter les P. T. T.
L.-H. LYAUTEY, Paroles d'action, p. 343.

♦ **2.** Mod. Sigle du ministère et de l'administration des Postes, Télécommunications et Télédiffusion.

PTYALAGOGUE [ptjalagɔg] *adj.* — 1771; du grec *ptualon* «salive», et suff. *-agogue.*

♦ Didact. (Méd.) Qui active ou excite la sécrétion salivaire. ⇒ **Sialagogue.**

PTYALINE [ptjalin] n. f. — 1842; du grec *ptualon* «salive».

♦ Biochim. Enzyme (amylase) contenu dans la salive. *La ptyaline agit sur l'amidon cuit qu'elle transforme en sucre* (On dit aussi *amylase salivaire*).

PTYALISME [ptjalism] n. m. — 1723; grec *ptualismos.*

♦ Méd. Salivation exagérée, qui s'observe dans diverses affections. ⇒ **Polysialie** (On dit aussi *sialorrhée*). — Opposé à *oligosialie.*

-PTYSIE, -PTYSIQUE Éléments finaux, du grec *ptusis* «crachement», qui entrent dans la composition de quelques mots savants. ⇒ **Hémoptysie, hémoptysique.**

PTYX [ptiks] n. m. — 1868, Mallarmé; empr. grec *ptux.*

♦ Littér. Hapax (emploi unique), mais rendu célèbre par les commentateurs littéraires. Mot employé une fois par Mallarmé sans que le contexte ni le témoignage de l'auteur (→ ci-dessous cit.) permette d'en préciser le sens : *« nul ptyx Aboli bibelot d'inanité sonore »* (en grec, *ptux* signifie : «pli d'une étoffe», et «repli», «bande de métal ou de cuir d'une armure», «tablette ou feuillet pour écrire»; on peut risquer a posteriori cette glose : le signe pur est «aboli» par la page comme en un pli).

(...) comme il se pourrait toutefois que rythmé par le hamac et inspiré par le laurier, je fisse un sonnet, et que je n'ai que trois rimes en *ix,* concertez-vous pour m'envoyer le sens réel du mot ptyx : on m'assure qu'il n'existe dans aucune langue, ce que je préférerais de beaucoup afin de me donner le charme de le créer par la magie du rythme (...)
MALLARMÉ, Lettre à Lefebvre, 3 mai 1868 (à Avignon), *in* Œ., Pl., notes, p. 1488.

Pu [pey] Symbole du plutonium*.

PUAMMENT [pɥamɑ̃] adv. — V. 1380; de *puant.* Vieux.

♦ **1.** Avec bassesse, impudence (encore *in* Saint-Simon).

♦ **2.** En exhalant une odeur puante.

Parqués entre les bancs de chêne, aux coins d'église
Qu'attiédit puamment leur souffle, tous leurs yeux
Vers le chœur (...)
RIMBAUD, Poésies, « Les pauvres à l'église », *in* Œ. compl., Pl., p. 79.

PUANT, ANTE [pɥɑ̃, ɑ̃t] adj. — 1191; *pudent,* 980; p. prés. de *puer.*

♦ **1.** Qui pue, dégage une odeur forte et déplaisante. ⇒ **Fétide, infect, nauséabond.** *Miasmes puants.* ⇒ **Méphitique, pestilentiel.** *Haleine puante.* ⇒ **Nidoreux.** *Chandelle fumeuse et puante* (→ Luminaire, cit. 1). *Vieille graisse puante.* ⇒ **Rance.** *Bouc puant. La punaise, insecte puant.* — *Boule* puante.*

(...) ce sont des fossés croupissants, puants, pleins de sales herbes (...) 1
GIDE, Journal, Feuilles de route, 7 avr. 1896.

Vén. *Bêtes puantes :* les blaireaux, les fouines, les furets, les putois, les renards, etc., qui dégagent une odeur forte et désagréable. — N. m. (1721). Vx. *Un puant :* une bête puante. — (1759). Fig. Personne malfaisante, de laquelle on s'écarte.

♦ **2.** (1660). Fig. et fam. Qui est odieux de prétention, de vanité (→ Esbroufeur, cit. 2). *Un personnage puant.* — Vieilli. Se dit d'une action, d'une attitude qui paraît méprisable et répugnante. ⇒ **Abject.**

Car nous avons trop joui, sous la IIIe, Pétain l'a dit; et la jouissance avilit. L'arrière-pays moralisateur, réactionnaire et petit-bourgeois de la doctrine de Pétain est puant. C'est à vous dégoûter d'être vaincu. 2
Benoîte et Flora GROULT, Journal à quatre mains, p. 124.

CONTR. Aromatique, fragrant, odoriférant, parfumé.
COMP. et DÉR. Empuantir. — Puamment, puanteur.

PUANTEUR [pɥɑ̃tœʀ] n. f. — XIVe; *puantour,* 1260; de *puant.*

♦ **1.** Odeur infecte. ⇒ **Fétidité, infection.** *L'horrible puanteur des cadavres qu'on disséquait* (cit. 1). *Carcasses* (cit. 2), *cadavres d'animaux qui dégagent d'épouvantables puanteurs, qui infectent* (cit. 7), *empoisonnent l'air par leur puanteur.*

Alors, commençaient les puanteurs : les mont-d'or (...) puant une odeur douceâtre; les troyes (...) d'âpreté déjà plus forte, ajoutant une fétidité de cave humide; les camembert, d'un fumet de gibier trop faisandé (...) 1
ZOLA, le Ventre de Paris, t. II, V, p. 106.

Juillet faisait fermenter, dans ce taudis surpeuplé, une puanteur de poubelle et de suint, qui rappelait l'âcre relent des ruelles arabes. 2
MARTIN DU GARD, les Thibault, t. V, p. 275.

♦ **2.** Fig. et vx. Caractère répugnant, vil, puant (2.).

1. PUB [pœb] n. m. — 1925, Mac Orlan *in* Höfler; mot angl., 1865, abrév. de *public house* «auberge». → Public-house.

♦ **1.** En Angleterre et dans certains pays anglo-saxons, Établissement public où l'on sert des boissons alcoolisées. ⇒ **Bar, café.**

1 *(Elle)* ressemblait à une de ces damnées pochardes comme on en rencontre tant dans les *pubs* de Londres à la nuit tombante (...)
B. CENDRARS, Bourlinguer, p. 235.

2 Savez-vous ce qu'ils cachent sous leurs airs tranquilles? Vous n'avez sans doute pas vu leurs yeux et leurs dents briller quand ils sortent le soir des pubs où on les accepte. Michel BUTOR, l'Emploi du temps, p. 108.

♦ **2.** (V. 1960). Par ext. En France, Bar, café, dont le cadre, le décor évoquent (ou affectent d'évoquer) les pubs anglais. *« Renaud y est venu souvent dîner depuis qu'il pratique ce couple d'artistes gauchisants dont il a fait connaissance en 1970, dans un pub du quartier Saint-Jean. »* (*l'Express*, nº 1378, 5 déc. 1977, p. 84).

2. PUB [pyb] n. f. — V. 1965; abrév. de *publicité*.

♦ Fam. Publicité. *Faire de la pub pour une marque. Travailler dans la pub. « Les archives, c'est la providence du journaliste. Après la pub, bien sûr »* (*Charlie-Hebdo*, 12 janv. 1978, p. 3). *« En quelques semaines, la "pub" détrône un mot, enterre une idée ou au contraire lance une expression, une image, un style de vie. Elle est devenue culture »* (*l'Information*, 8 janv. 1973). *Ça lui a fait de la pub.*

Une pub : une publicité, un message publicitaire.

1 Une « pub » assez débile (comme sont les « pubs » cinématographiques dans la majorité des cas), mêle la vocifération triomphante au soupir de l'attente comblée (...) J.-L. BORY, *in* le Nouvel Obs., 10 juil. 1972, p. 51.

2 Si t'as l'œil méchant... Si tu as l'œil qui cherche, tu trouves toujours. Il y a les rides, le flétri et le flasque, ça pendouille... C'est la pub qui fait ça... — La pub? — La pub. Les bonnes femmes ont toutes la pub sur le dos. Il faut qu'elles aient les plus beaux cheveux, la plus belle peau, la meilleure fraîcheur...
É. AJAR, (R. GARY), l'Angoisse du roi Salomon, p. 201.

PUBÉRAL, ALE [pybeʀal] adj. — Av. 1973 (*in* Lafon); lat. tardif *puberalis* « juvénile », 1404 *in* Du Cange, *Suppl.* Cf. aussi lat. *puberale* « pubis ».

♦ Didact. Relatif à la puberté. ⇒ aussi **Pubertaire.** *Éclosion et maturité pubérales.*

PUBÈRE [pybɛʀ] adj. — 1392; lat *puber*, même rad. que *pubis**.

♦ Littér. ou dr. Qui a atteint ou dépassé (depuis peu) l'âge de la puberté*. ⇒ **Adolescent, nubile** (cit. 2). *Un garçon, une fille pubère, à peine pubère.*

CONTR. et **COMP. Impubère.**

PUBERTAIRE [pybɛʀtɛʀ] adj. — Mil. XXe (*in* Larousse, 1963); de *puberté*.

♦ Didact. De la puberté. ⇒ aussi **Pubéral.** *Âge pubertaire. « (...) la poussée biologique pubertaire s'accompagne de toute une évolution psychique dont elle est le principal agent moteur, par l'expansion des pulsions sexuelles qu'elle met en jeu : cette évolution psychique constitue le champ de la préadolescence et de l'adolescence »* (J.-L. Faure, *in* Lafon, 1973).

COMP. Prépubertaire.

PUBERTÉ [pybɛʀte] n. f. — V. 1362; lat. *pubertas*, de *puber*. → Pubère.

♦ **1.** (1599). Passage de l'enfance à l'adolescence; ensemble des modifications endocriniennes, corporelles et génitales, s'accompagnant de modifications psychiques (⇒ **Adolescence**), qui se produisent à cette époque. → Endormir, cit. 37; éveil, cit. 8. *La puberté est caractérisée par l'accentuation des caractères sexuels primaires et l'apparition des caractères sexuels secondaires* ⇒ **Formation.** *Chez le garçon, la puberté commence avec les premières éjaculations porteuses de spermatozoïdes, chez la fille, avec la première ovulation et les premières règles** (⇒ **Femme; cycle,** cit. 3, **menstruation**). *La mue* a lieu au moment de la puberté. Étapes de la puberté.* → Pubéral. *La nubilité*, phase terminale de la puberté. Atteindre la puberté :* devenir pubère*. *La puberté et l'âge ingrat*.* — (Méd.). *Puberté précoce,* survenant avant l'âge habituel.

♦ **2.** Dr. *Âge de la puberté :* âge minimum fixé par la loi pour le mariage et qui, en France, est de quinze ans pour les femmes et de dix-huit ans pour les hommes.

♦ **3.** (Av. 1850). Fig. *Le printemps, « cette puberté de toute la nature »* (Bourget, *le Disciple*, IV, IV). *« La puberté de l'esprit »* (Duhamel, *la Pierre d'Horeb*, XII).

CONTR. Impuberté (rare).
DÉR. et **COMP. Pubertaire.** — **Prépuberté.**

PUBESCENCE [pybesɑ̃s] n. f. — 1803; de *pubescent*.

♦ Biol., bot. Caractère, état d'un organe pubescent.

PUBESCENT, ENTE [pybesɑ̃, ɑ̃t] adj. — 1516; lat. *pubescens*, p. prés. de *pubescere* « se couvrir de poils ».

♦ **1.** Biol., bot. Qui est couvert de poils fins et courts, de duvet. *Feuille, tige pubescente.*

♦ **2.** Didact. (D'un adolescent). Chez qui la pilosité commence à ressembler à celle de l'adulte. — Par ext. Qui est en période de puberté.

DÉR. Pubescence.

PUBIEN, IENNE [pybjɛ̃, jɛn] adj. — 1796; de *pubis*.

♦ Anat. Qui appartient au pubis. *Symphise pubienne.*

(...) une blessure par corne de taureau, affectant la région pubienne en direction du haut (...) Joseph PEYRÉ, Sang et Lumières, 1935, p. 440.

COMP. Sous-pubien.

PUBIS [pybis] n. m. — 1478; aussi « poil » au XVIe; lat. *pubis*, var. de *pubes*, d'abord « poil », signe de puberté.

♦ **1.** Anat. *Os pubis* ou simplement *pubis* (1690) : partie de l'os iliaque* qui forme la moitié antérieure du cadre osseux du trou sous-pubien (⇒ **Obturateur**), devant la cavité pelvienne*. *Articulation du pubis* ou *symphyse pubienne* (⇒ **Bassin**).

♦ **2.** (1793). Plus cour. Région triangulaire, médiane, du bas-ventre limitée latéralement par les plis de l'aine. *Les poils du pubis. Partie saillante du pubis, chez la femme :* mont* de Vénus (⇒ **Pénil**).

(...) si bien qu'il découvrit progressivement les jambes à partir du bas, les deux genoux, le pubis, le noir triangle de crins broussailleux un instant visible (...)
Claude SIMON, le Palace, 1971, p. 118.

DÉR. Pubien.

PUBLI- Élément tiré de *publicité* pour former des noms avec la valeur « de publicité » *(publi-informations, publi-reportage)* et des adjectifs (*publiphobe* « qui déteste la publicité; *publipromotionnel : des actions publipromotionnelles »*, in *l'Express*, 14 févr. 1981, p. 124) ou des noms (*publiphobie*, in *le Figaro*, 3 févr. 1973).

PUBLIABLE [pyblijabl] adj. — 1639; de *publier*.

♦ Qui mérite, qui est en état d'être publié. *Ces vers ne sont pas publiables. Ses mémoires seront publiables vingt ans après sa mort.*

CONTR. et **COMP. Impubliable.**

PUBLIC, IQUE [pyblik] adj. et n. — 1239; lat. *publicus*.

★ **I.** Adj. ♦ **1.** Qui concerne le peuple pris dans son ensemble (et non les simples particuliers); qui appartient à la collectivité sociale ou politique, est fait ou agit en son nom, en émane; qui est relatif, appartient à l'État ou à une personne administrative. *La cause* (cit. 56), *la chose* publique.* ⇒ **République** (vx.). *La vie publique.* ⇒ **Politique** (→ Efficacité, cit. 7). *Les affaires publiques. L'intérêt public.* ⇒ **Commun, général.** *Le bien* (2. Bien, cit. 7), *le bonheur* (→ Intérêt, cit. 7), *le salut* public. La paix* (→ Association, cit. 14), *la liberté* (→ Corps, cit. 44; garantie, cit. 8), *la sécurité publique.* — *Les calamités* (cit. 1) *publiques.* — *Danger public* (fam. ⇒ **Danger**). — *Un ennemi public* (→ 2. Manche, cit. 4; passant, cit. 2), se dit d'un dangereux bandit. — Allus. littér. *« Un empoisonneur* (cit. 2) *public, non des corps, mais des âmes... ».* — *Les mœurs publiques* (→ Fléau, cit. 10). *La morale, la moralité* (cit. 4) *publique.* — *L'admiration* (→ Bénédiction, cit. 12), *l'estime* (→ Fonder, cit. 30), *la douleur publique* (→ Organe, cit. 3). — *L'esprit public. La conscience publique* (→ Arrière, cit. 2). *L'opinion** (cit. 21, 23, 33 et 37), *la clameur, la voix publique.* ⇒ **Renommée.** *Le cri public.* — *De notoriété** (cit. 1) *publique.*

Relatif aux collectivités sociales juridiquement définies, et, spécialt, à l'État*. *L'autorité* (cit. 18), *la force** (cit. 48) *publique. Les pouvoirs* publics. L'ordre* public.* — *Action publique* (→ Informer, cit. 10), *partie* publique. Accusateur* public* (→ 1. Masser, cit. 3; panneau, cit. 3). *Ministère* public.* ⇒ aussi **Parquet.** — *Administration publique* (→ Fraude, cit. 4; 2. port, cit. 5). *Fonction* publique. Places et emplois publics* (→ Capacité, cit. 8). *Agent* (cit. 10), *fonctionnaire public.* ⇒ **Fonctionnaire;** et aussi **magistrat.** — *Acte public,* dressé par une autorité selon les formes légales. ⇒ **Authentique** (→ Authenticité, cit. 1; légaliser, cit. 1). *Registres publics* (→ Extrait, cit. 3). *Écritures publiques.* — *Les caisses* (cit. 4), *les finances**(cit. 3) *publiques. Le Trésor public* (cf. Les coffres de l'État). *Les deniers* (cit. 8), *les fonds* publics. La dette** (cit. 9 et 10) *publique. Comptabilité* publique. Crédit* public. Effets* publics. Les charges publiques et l'impôt*. Le domaine** (cit. 3) *public. Les biens publics. Édifice* public. Monument public :* ouvrage d'architecture ou de sculpture qui fait partie du domaine public. — *Établissement** (cit. 10) *public. Collectivité, entreprise, institution publique* (→ Monnaie, cit. 8). *Enseignement public*

(→ Laïcité, cit. 3). *École* (cit. 6), *instruction* publique. Assistance* publique. Hygiène* (→ Assainissement, cit. 1), *santé* publique. Travaux*, transports publics. Expropriation* (cit. 3) *pour cause d'utilité* publique. Le secteur* public.*
Services publics : entreprises d'intérêt général gérées selon des règles exorbitantes du droit commun. Services publics gérés par l'Administration (armées, justice, police, administration préfectorale, etc.).

♦ **2.** (1538). Accessible, ouvert à tous; dont l'usage n'est pas réservé à un particulier; auquel tout le monde peut participer. *Lieux* publics. Promenade, place* publique, voie* publique. Jardin* public* (→ Paresser, cit. 1).
Spectacle, bal public (→ Entreprise, cit. 11; limonadier, cit.). *Fête publique* (→ Appareil, cit. 1). *Enchères publiques. Vente publique* (→ Épuiser, cit. 31). *Conférence* (cit. 3), *exposition, manifestation, réunion publique* (→ Manquer, cit. 25). — (1835). *Cours public. — Culte public. Prières publiques* (→ Météorologiste, cit. 1).

1 Vous ne fréquenterez point les promenades publiques car il ne faut pas qu'on vous découvre. DIDEROT, Jacques le fataliste, Pl., p. 607.

(1690). Personnes. Qui n'est pas attaché à un particulier, dont l'activité s'exerce au profit de la collectivité, dont les services s'adressent à tout le monde. *Crieur*, écrivain** (cit. 1) *public. Marchande publique* (vieilli). *Officier* public.*
(V. 1545). *Femme* publique* (vx), *fille* publique :* prostituée (→ ci-dessous cit. 2.1).

♦ **3.** Qui a lieu en présence de témoins, devant une assistance plus ou moins nombreuse; qui n'est pas secret (→ Cercle, cit. 10; poursuite, cit. 3). *Scandale public. Confession, pénitence publique* (→ Humiliant, cit. 3). *Scrutin public* (→ Investir, cit. 5; lecture, cit. 14). *Audience, délibération, séance publique* (⇒ **Publicité**).

2 (...) les députés des Communes avaient soumis leurs pouvoirs à une vérification publique, faite solennellement dans la grande salle ouverte et devant la foule. Les deux autres avaient vérifié entre eux, à huis clos.
MICHELET, Hist. de la Révolution franç., I, III.

Rendre un hommage public à qqn. ⇒ **Solennel.**

♦ **4.** (1756). Qui concerne la fonction, plus ou moins officielle, qu'on remplit dans le monde, dans la société. *La vie publique et la vie privée* (→ Indiscrétion, cit. 13; petitesse, cit. 8). — Relig. *La vie publique du Christ.*
(1690). *Un homme public :* un homme qui est investi d'une fonction officielle, qui joue un rôle important dans la vie sociale ou politique (cf. Homme politique) de son pays. (→ Non, cit. 16; obsèques, cit.; période, cit. 4). — *« Chez moi l'homme public est inébranlable, l'homme privé est à la merci de quiconque se veut emparer de lui »* (→ Éviter, cit. 28, Chateaubriand).

2.1 Et puis, comment vous oublier? Le fait que vous soyez un homme public (ce même mot pour un « homme public » et une « fille publique »! Et c'est bien ça...) me l'interdit matériellement. MONTHERLANT, Pitié pour les femmes, p. 54.

♦ **5.** (Choses). Connu de tous. ⇒ **Notoire, officiel, répandu.** *Rendre qqch. public.* ⇒ **Divulger, ébruiter, exposer, paraître** (faire paraître), **publier, répandre, révéler.** *Un fait public, notoire, évident aux yeux de tous* (→ Courir les rues*, et aussi origine, cit. 9). *Les faits publics et ostensibles* (cit. 2).

♦ **6.** (Anglic.). *Relations publiques.* ⇒ **Relation; public-relations** (anglicisme).

★ **II.** N. m. ♦ **1.** (1580). Vx. L'État, la collectivité, la chose publique (→ Athlète, cit. 2; honorable, cit. 8). *La police* (cit. 4) *consiste à assurer le repos du public et des particuliers.* ⇒ **Société.**
Le secteur public.

2.2 (...) de grandes lézardes balafrent ces édifices et les rapports (en France et ailleurs), du « public » et du « privé » ne vont pas sans problèmes.
Henri LEFEBVRE, la Vie quotidienne dans le monde moderne, p. 112.

♦ **2.** (1646) Mod. Les gens, la masse de la population; la foule... *Avis au public.* ⇒ **Communiqué.** *Porter à la connaissance du public.* ⇒ **Divulguer.** *Les éditions spéciales des journaux entretenaient* (cit. 5) *la fièvre du public. Objets qu'un commerçant va livrer au public* (→ Peser, cit. 7). *Où le public est nombreux.* ⇒ **Achalandé.**
(Par oppos. au personnel d'une entreprise, d'une administration, etc.). *Interdit au public. — Service chargé des rapports avec le public.*

♦ **3.** (1688). Plus cour. L'ensemble des personnes qui lisent, voient, entendent les œuvres (littéraires, artistiques, musicales), les spectacles. *Influence qu'un écrivain exerce sur le public* (→ Diffusion, cit. 2). *Flatter le public. Livrer son ouvrage, son œuvre au public* (→ Limer, cit. 4; mûrir, cit. 3). *Conquérir un vaste public. Le grand public.* ⇒ **Masse, peuple;** → 1. Argot, cit. 2; incompréhension, cit. 2. *Un public raffiné. Le public intellectuel, populaire. — Le public d'un écrivain. Ces « honnêtes* (cit. 26) *gens » étaient ce que Molière regardait comme son public. — Le public d'un journal.* ⇒ **Audience** (4.), **clientèle.** — (1875). *Le public de qqn,* celui qu'il touche ou veut toucher. *Il a son public.*

3 Que dites-vous en tout genre de ce monstre énorme qu'on appelle le public, et qui a tant d'oreilles et de langues, étant privé des yeux?
VOLTAIRE, Correspondance, 4042, 10 sept. 1773.

Chamfort enchérira lui-même sur cette doctrine du petit nombre des élus en matière de goût, quand il répondra à quelqu'un qui lui opposait sur un ouvrage le jugement du public : « Le public! le public! combien faut-il de sots pour faire un public? » Nous aurons bientôt occasion de relever cette contradiction chez le futur révolutionnaire qui, après avoir tant méprisé le public, accordera tout au peuple. 4
SAINTE-BEUVE, Causeries du lundi, 22 sept. 1851.

Chacun sait qu'il y a, de nos jours, deux littératures : la mauvaise, qui est proprement illisible (on la lit beaucoup). Et la bonne, qui ne se lit pas. C'est ce que l'on a appelé, entre autres noms, le divorce de l'écrivain et du public. 5
J. PAULHAN, les Fleurs de Tarbes, p. 18.

(...) en admettant que nous touchions à la fois ces éléments disparates *(bourgeois, intellectuels, ouvriers...)*, comment en faire un public, c'est-à-dire une unité organique de lecteurs, d'auditeurs et de spectateurs? 6
SARTRE, Situations II, p. 293.

(1751). Ensemble de personnes qui assistent effectivement à un spectacle, à une réunion, à une manifestation. ⇒ **Assistance, auditoire.** *Les applaudissements, les trépignements du public* (→ 1. Flèche, cit. 13). *Le public populaire* (→ Le parterre, 3.; les populaires*, 5.). *Un public averti* (⇒ **Avertir; adulte**).

(...) c'était, plus loin, au-delà des bruits confus de l'orchestre, comme une immense haleine, la salle qui respirait et dont le souffle se gonflait parfois, éclatant en rumeurs, en rires, en applaudissements. On sentait le public sans le voir, même dans ses silences. 7
ZOLA, Nana, V.

Les personnes devant lesquelles qqn parle ou se donne en spectacle. *Ne faites pas attention à ce qu'il dit, c'est pour amuser le public.* ⇒ **Galerie, parterre** (vx). *Il est très cabotin, il lui faut un public* (→ aussi Portée, cit. 3).

Les personnes qui parlent bien veulent un public, aiment à parler longtemps et fatiguent quelquefois. 8
BALZAC, les Employés, Pl., t. VI, p. 868.

(Av. 1924). *Un bon public :* un public peu difficile, bienveillant. — (En attribut). *Être bon public :* être facile à convaincre, avoir l'admiration, l'approbation facile (pour une œuvre, un spectacle, etc.).

Je suis bon public pour les critiques. Ils me persuadent aisément du mal que je dois penser de mon roman ou de ma pièce. 9
F. MAURIAC, le Nouveau Bloc-notes 1958-1960, p. 209.

♦ **4.** Vx. ou littér. (opposé à *en privé, dans le privé*). *Dans le public* (→ Caresse, cit. 16; incommunicable, cit. 9).

♦ **5.** Loc. adv. (XIIIe). **EN PUBLIC :** à la vue*, en présence d'un certain nombre de personnes. ⇒ **Publiquement** (→ Devant le monde*). *Parler* (→ 1. Dire, cit. 21), *prendre la parole en public* (→ Noblesse, cit. 5). *Paraître* (→ Exercer, cit. 10), *s'exhiber* (cit. 3) *en public. Exprimer* (cit. 9) *ses sentiments en public. Mazarin, si avare dans son privé, savait se montrer fastueux* (cit. 4) *en public. « Il ripaille à huis clos, en public il sermonne »* (→ Landerirette, cit. Hugo).

CONTR. Privé, individuel, particulier. — Clandestin, secret. — Domestique, intime. — Intimité (dans l'intimité).

DÉR. Publiciste, publicité, publiquement. — (Du même rad. lat.) V. **Publicain, publication, publier.**

PUBLICAIN [pyblikɛ̃] n. m. — 1190; lat. *publicanus*, de *publicus* « public ».

♦ **1.** Antiq. Chacun des riches chevaliers romains qui prenaient à ferme le recouvrement des impôts. ⇒ **Fermier** (de l'impôt).
Employé subalterne de ces chevaliers romains, choisi généralement dans la population locale. *Les publicains étaient méprisés et haïs du peuple.* — Allus. bibl. *Le pharisien et le publicain* (Bible (Sacy), *Évangile selon saint Luc*, XVIII, 11 à 13).

Qu'est-ce que vous récoltez, ici, comme impôts? 1
LE PUBLICAIN : Eh bien, il y a deux cents indigents qui ne rapportent rien et les autres paient leurs dix drachmes. Comptez, bon an mal an, cinq mille cinq cents drachmes. Une misère.
LÉLIUS : Oui. Hem... Eh bien, désormais, il faudra tâcher de leur en soutirer huit mille. Le procurateur porte la capitation à quinze drachmes.
SARTRE, Bariona ou le Fils du tonnerre, *in* Écrits, p. 571.

♦ **2.** (1549; fréquent surtout au XVIIIe). Vx. ⇒ **Fermier** (général), **financier, traitant.**

(...) la Croix, riche receveur général de Paris et fort honnête homme, et modeste pour un publicain (...) 2
SAINT-SIMON, Mémoires, III, L.

PUBLICATION [pyblikasjɔ̃] n. f. — 1290; de *publier*, d'après lat. *publicatio*.

♦ **1.** L'action de publier, de rendre public*. ⇒ **Annonce, dénonciation, divulgation, proclamation.** — Dr. « Procédure ayant pour objet de porter un acte juridique à la connaissance de tous, généralement afin que cet acte leur soit opposable » (Capitant). ⇒ **Promulgation.** *La publication d'une loi. Publications de mariage,* qui doivent être faites dix jours au moins avant la célébration (⇒ aussi 1. **Ban,** 1.); → Célébration, cit. 1.

La publication est le fait qui donne au public connaissance de la loi et de sa promulgation. Elle résulte de l'insertion de la loi, précédée de la formule de promulgation, au *Journal Officiel*. 1
DALLOZ, Petit dict. de droit, Lois et décrets, § 32.

♦ **2.** (1549). Cour. Action, manière de publier (un ouvrage, un écrit). *Publication de documents* (cit. 4), *de textes* (→ Éclairer, cit. 12; fugitif, cit. 17), *d'un livre* (→ Furieux, cit. 11). *Dès la publication de son dernier roman.* ⇒ **Apparition, lancement, parution.** *Acheter un* *ouvrage en cours de publication.* ⇒ **Souscrire, souscription.** *Publication par fascicules, par feuilletons* (cit. 4).

1.1 La première de toute la presse, elle avait abandonné le vieux mode de publication typographique, pour se transformer en un journal téléphonique (...)
A. ROBIDA, le Vingtième Siècle, 1890, p. 209-210 (roman d'anticipation).

(1869). Écrit publié (périodiques, brochures). → Éphémère, cit. 10. *Publications périodiques*. Des publications illustrées avec magnificence* (→ Copieux, cit. 5). *Les publications d'un auteur*. Recueil de publications.* ⇒ **Collection.**

2 — Mes quelques hardes et des exemplaires des publications socialistes et républicaines. HUGO, Choses vues, L'espion Hubert.

COMP. Prépublication.

PUBLIC-HOUSE [pyblikaws] n. m. — 1786; mot angl., de *public* «public» et *house* «maison».

♦ Anglic. Débit de boisson public, en Grande-Bretagne. ⇒ **Pub.**

On devrait le forcer à monter dans le ring avec Pat, qu'il soit en condition ou non, pour qu'il emporte au moins avec lui une figure en marmelade et quelques côtes cassées dans le sale petit public-house où il veut prendre sa retraite!
Louis HÉMON, Battling Malone, p. 134.

PUBLICISER [pyblisize] v. tr. — 1965; de *public.*

♦ Polit. Rendre public, faire connaître au public. *« La démocratie essaie de "publiciser" dans la mesure du possible les relations politiques »* (Freund, 1965, *in* Gilbert). — On trouve aussi le subst. dér. *publicisation,* n. f. (1965, *in* Gilbert).

PUBLICISME [pyblisism] n. m. — 1792; «prostitution», 1770, Restif de La Bretonne; de *publiciste.*
Rare.

♦ **1.** Vx. Activité du publiciste.

♦ **2.** (1836). Enseignement sur le droit public.

PUBLICISTE [pyblisist] n. — 1748; de *public.*

♦ **1.** N. m. Vx. Spécialiste du droit public.

♦ **2.** N. m. (1845). Vx. Auteur qui écrit sur les questions politiques. ⇒ **Écrivain** (politique); → Compendium, cit. 1; fils, cit. 15.

♦ **3.** N. m. (1789). Vieilli. Journaliste* (→ Obscur, cit. 16).

♦ **4.** (1906; angl. *publicist,* v. 1900 aux États-Unis). Abusivt. Agent de publicité; spécialiste de la publicité. ⇒ **Publicitaire.** — REM. Cet emploi est dû au vieillissement des sens 1 à 3, et au désir de valoriser une profession en utilisant les connotations de ces anciennes acceptions, *publicitaire* étant trop «transparent». Dans ce sens, le mot est épicène, et le fém. normal : *il, elle est publiciste.*

DÉR. Publicisme.

PUBLICITAIRE [pyblisitɛʀ] adj. et n. — XXe (*in* Larousse, 1932); de *publicité.*

♦ **1.** De publicité; qui sert à la publicité, présente un caractère de publicité. *Campagne, film, émission, panneau, emplacement, voiture, texte, slogan, argument publicitaire. Boom* publicitaire. Vente d'espace publicitaire. Message* publicitaire.*

1 Ce sont *(les buildings de New York)* d'immenses entreprises publicitaires construites par des particuliers ou par des collectivités, en grande partie pour manifester leur triomphe financier. SARTRE, Situations III, p. 88.

2 La publicité ne tendrait-elle pas à fournir et même à devenir l'idéologie dominante de cette société, comme le montrent l'importance et l'efficacité des propagandes qui imitent les procédés publicitaires?
Henri LEFEBVRE, la Vie quotidienne dans le monde moderne, p. 108.

♦ **2.** (1949). Qui s'occupe de publicité. *Agence publicitaire. Rédacteur, dessinateur publicitaire.* — N. *Un publicitaire.* ⇒ **Publiciste,** 4.

3 Le publicitaire est-il le démiurge de la société moderne, le magicien tout-puissant qui conçoit victorieusement la stratégie du désir?
Henri LEFEBVRE, la Vie quotidienne dans le monde moderne, p. 107.

DÉR. Publicitairement.
COMP. Antipublicitaire.

PUBLICITAIREMENT [pyblisitɛʀmɑ̃] adv. — Mil. XXe; de *publicitaire.*

♦ Dans une intention publicitaire; à titre publicitaire; du point de vue de la publicité. *Une opération publicitairement intéressante.*

Les petits avant-propos scientifiques, destinés à introduire publicitairement le produit, lui prescrivent de nettoyer en profondeur, de débarrasser en profondeur, de nourrir en profondeur, bref, coûte que coûte, de s'infiltrer.
R. BARTHES, Mythologies, 1957, p. 83.

PUBLICITÉ [pyblisite] n. f. — 1694; de *public.*

★ **I.** ♦ **1.** Dr. Caractère de ce qui est public (I., 3.), de ce qui n'est pas tenu secret. *Publicité des débats en justice. Publicité des registres des hypothèques.*

Cette belle machine législative, personne ne la verra jouer, il *(Necker)* nous en envie le spectacle, elle fonctionne à huit clos : *Nulle publicité des séances.*
MICHELET, Hist. de la Révolution franç., I, IV. 1

♦ **2.** Littér. ou style soutenu. Caractère de ce qui est public* (I., 5.), de ce qui est connu. *Donner une regrettable publicité à une affaire privée.* ⇒ **Retentissement.** *Les écrits sont arrivés à quelque publicité.* ⇒ **Renommée** (→ 1. Général, cit. 3).

♦ **3.** (1689). Dr. Fait de porter à la connaissance du public. *La publicité des actes de l'état civil. Publicité foncière.*

★ **II.** Cour. ♦ **1.** (1829). Le fait d'exercer une action sur le public à des fins commerciales; le fait de faire connaître (un produit, un type de produits) et d'inciter à l'acquérir (⇒ fam. **Pub**); organisations et activités qui exercent cette action. *Publicité et propagande*. Le discours, le langage, la rhétorique de la publicité.* ⇒ **Publicitaire.** *Faire la publicité d'une marque, d'un produit.* ⇒ **Lancer, promouvoir.** — *Publicité habile, efficace. Publicité massive* (cit. 8), *tapageuse.* ⇒ **Battage, bourrage** (de crâne), **matraquage; accrochage** (I., 4.), **accroche** (2.). *Publicité mensongère* (délit). *Publicité individuelle* (faite par une seule entreprise), *collective. Publicité directe,* s'adressant aux individus (ex. : correspondance). *Publicité par les média* de masse.* — ... DE PUBLICITÉ. ⇒ **Publicitaire.** *Agence, bureau, entreprise, office, régie, service de publicité. Agent, concessionnaire, courtier* (cit. 3), *distributeur, entrepreneur de publicité. Le budget de publicité d'une firme. Compagnie de publicité. Slogan, formule; encart, page, placard; émission de publicité.* — *Éditeur, représentant, conseil en publicité* (⇒ **Annonceur, publicitaire,** n.). — *Types de publicité. Publicité de lancement*, publicité d'entretien. Publicité de produits. Publicité de marque,* destinée à faire connaître une marque, à produire ou à entretenir une image* de marque. — *Canaux, supports de la publicité. Publicité écrite, par affiches* (⇒ **Affichage; affermage** [2.], **barre-la-route**), *publicité de presse, par la presse. Publicité visuelle, par le cinéma, la télévision. Publicité lumineuse, audiovisuelle. Publicité orale. Publicité radiophonique, télévisuelle. Publicité par distribution de prospectus, d'objets-réclames, par hommes-sandwichs, par voitures, camions... Histoire de la publicité. Apparition de la publicité moderne au* XIXe *siècle. Le développement prodigieux de la publicité dans le monde capitaliste. Critiques contre la publicité et la société de consommation. Publicité occulte.*

(...) cette prise d'assaut de l'opinion publique engendra trois succès, trois fortunes, et valut l'invasion des mille ambitions descendues depuis en bataillons épais dans l'arène des journaux où elles créèrent les annonces payées, immense révolution! En ce moment, la maison *A. Popinot et Compagnie* se pavanait sur les murs et dans toutes les devantures. Incapable de mesurer la portée d'une pareille publicité, Birotteau se contenta de dire à Césarine : «Ce petit Popinot marche sur mes traces!» sans comprendre la différence des temps, sans apprécier la puissance des nouveaux moyens d'exécution dont la rapidité, l'étendue, embrassaient beaucoup plus promptement qu'autrefois le monde commercial. 2
BALZAC, César Birotteau, Pl., t. V, p. 489.

(...) la plus grande part de la publicité telle qu'elle se pratique aujourd'hui, c'est de l'énergie gâchée sans bénéfice pour le commun des hommes (...) Mais, nouveau culte, l'effet même de la publicité décroît, se neutralise. Comme toutes les excitations habituelles, celles-ci ne manquent pas d'engendrer la passivité. D'où ces extravagantes surenchères (...) Nous payons ces bruits haïssables, ces lumières dévergondées, ces propositions insolentes, ces injonctions cyniques (...) 2.1
G. DUHAMEL, Scènes de la vie future, p. 158.

(...) la publicité la plus efficace est l'américaine, qui joue sur les réflexes conditionnés, et crée pour ses conserves le Musée Imaginaire des comestibles. 3
MALRAUX, les Voix du silence, p. 521.

♦ **2.** Message publicitaire. *Une publicité bien rédigée. Taux d'attrition* d'une publicité.*

Support présentant un message publicitaire : affiche, écrit, texte, émission, etc. *Un mur couvert de publicités criardes.* — (Collectivt : *la publicité*). *Il y a trente pages de publicité dans cette revue.*

(...) des palais italiens chargés de publicité et sculptés dans la suie (...) 4
J. ROMAINS, les Hommes de bonne volonté, t. V, XXVI, p. 252.

Loc. *Publicité rédactionnelle :* message publicitaire affectant la forme d'un article normal. — Article, critique laudative ayant en fait un contenu publicitaire.

Contenu publicitaire. *Cet article ne contient aucune publicité.*

♦ **3.** Service de publicité. *Adressez-vous à la publicité du journal. « La publicité transmet à la rédaction un bordereau des ordres qu'elle fait exécuter par les services techniques »* (Ph. Gaillard, *Technique du journalisme,* p. 24).

PUBLIC-RELATIONS [pœblikʀilɛʃœns] ou [pyblikʀəlasjɔ̃] n. f. pl. — V. 1950; mots anglais.

♦ Anglic. (parfois francisé : *relations publiques*). ⇒ **Relation.**

Il est question qu'on l'engage, Marie, pour les *public-relations* chez un éditeur. Mais il faut être aimable avec des types qui ont passé l'âge.
ARAGON, Blanche..., I, III, p. 48.

(1955, *les Lettres nouvelles,* n° 3, p. 432 *sq*). Par ext. Personne ou groupe dont la fonction est de s'occuper des relations* publiques. *« Guy C., jeune public-relations, organise cette année son cinquième charter pour le Carnaval »* (*l'Express,* 26 févr. 1968).

Anachronisme plaisant : « *L'impératrice Eugénie dont le nom reste attaché à Biarritz et à plusieurs stations thermales, fut peut-être le meilleur public relation* (sic) *du thermalisme français* » (*le Monde*, 17 févr. 1972).

PUBLIC SCHOOL [pœblikskul; pyblikskul] n. f. — 1894, Lavisse et Rambaud; mot angl. (v. 1580), de *public*, et *school* « école ».

♦ En Grande-Bretagne, École secondaire payante (souvent réservée aux classes supérieures) qui prépare à l'Université. — REM. L'anglicisme, pour parler de cette institution, s'impose du fait que le français *école publique* ne correspond aucunement à la même réalité. — *La célèbre public school d'Eton.*

PUBLIER [pyblije] v. tr. — 1175; var. *poploïer*; du lat. *publicare*.

♦ **1.** Vieilli. Faire connaître* au public, rendre public (I., 5.) par la parole, par des écrits; annoncer, déclarer publiquement. ⇒ **Déclarer, divulguer, proclamer.** *Publier les vices les plus secrets de qqn.* ⇒ **Découvrir** (→ Étaler au grand jour*, mettre en pleine lumière*). — « *Va-t'en publier le Royaume de Dieu* ». ⇒ **Prêcher** (→ 3. Mort, cit. 11). — (V. 1265). Mod. Annoncer officiellement. *Publier une information, une nouvelle.* ⇒ **Communiquer, lancer, répandre** (→ aussi Bavarder). *Publier son opinion.* ⇒ **Émettre, exprimer, manifester.** *Publier un édit, des décrets, des ordonnances.* ⇒ **Édicter, promulguer** (→ Idole, cit. 2; interdiction, cit. 1; paroisse, cit. 4). *Publier les bans* (→ 1. Ban, cit. 1) *à l'église. Publier le signalement d'un criminel* (→ Instantané, cit. 2). — *Publier que...*, suivi de l'indic. (→ Conjurer, cit. 12; hardi, cit. 11).

1 (...) mais trahir la confiance de l'amitié, violer le plus saint de tous les pactes, publier les secrets versés dans notre sein, déshonorer à plaisir l'ami qu'on a trompé, et qui nous respecte encore en nous quittant, ce ne sont pas là des fautes, ce sont des bassesses d'âme et des noirceurs. ROUSSEAU, les Confessions, VIII.

Publier qqch. sur les toits (→ Défi, cit. 3), *à son de trompe.* ⇒ **Claironner, clamer, corner, crier, trompeter** (→ Battre* le tambour, emboucher* la trompette).

2 En la quittant, Gulphar alla tout droit
Conter ce cas, le corner par la ville,
Le publier, le prêcher sur les toits. LA FONTAINE, Contes et nouvelles, II, IX.

(Déb. XVIIe). Vx. ⇒ **Célébrer, préconiser** (vx), **vanter.** « *J'entends de tous côtés Publier vos vertus, Seigneur, et ses beautés* » (Racine, *Bérénice*, II, 2).

♦ **2.** (V. 1307). Cour. Faire paraître* en librairie, donner au public (un texte) par un procédé de reproduction. *Publier un article* (→ Argumenter, cit. 5), *un livre* (→ Distance, cit. 7; édition, cit. 5), *un écrit* (cit. 5), *des recueils de voyages* (→ Inonder, cit. 11). *Publier des dessins* (→ Escarmouche, cit. 3). *Cet écrivain publie un roman tous les ans.* ⇒ **Donner** (*supra* cit. 40), **écrire, faire, sortir.** *Il n'a encore rien publié. Publier qqch. anonymement* (→ Double, cit. 11), *sous un pseudonyme, à ses frais* (→ Pamphlet, cit. 4), *à compte d'auteur.* — (1931). Absolt. *Qui publie s'expose à la critique* (→ 2. Critique, cit. 14). ⇒ **Écrire** (*supra* cit. 45). *Un « écrivain »* (cit. 16), *en France, est autre chose qu'un homme qui écrit et publie. Publier ou périr* (angl. *publish or perish*).

3 Sais-tu que ce serait une belle idée que celle du gaillard qui, jusqu'à cinquante ans, n'aurait rien publié et qui, d'un seul coup, ferait paraître, un beau jour, ses œuvres complètes et s'en tiendrait là ? FLAUBERT, Correspondance, 109, avr. 1846.

4 Il fut un temps où l'on tenait le fait d'oser publier un livre — après Racine, Fénelon ou Pascal — pour une rare impertinence et l'auteur n'avait pas trop de tout son talent pour se faire pardonner d'écrire. SARTRE, Situations II, p. 35.

(1819). Éditer. *Éditeur* (cit. 3) *qui publie le premier roman d'un auteur.* ⇒ **Éditer, imprimer.** *Une revue venait de publier un de ses poèmes* (→ Coquille, cit. 10).

5 (...) je ne m'amuse pas à publier un livre, à risquer deux mille francs pour en gagner deux mille; je fais des spéculations en littérature : je publie quarante volumes à dix mille exemplaires, comme font Panckoucke et les Beaudoin. BALZAC, Illusions perdues, Pl., t. IV, p. 701.

▶ **PUBLIÉ, ÉE** p. p. adj. (Surtout au sens 2). *Livre publié, non encore publié* (inédit), *publié sous un nom d'emprunt* (allonyme), *publié après la mort de l'auteur* (posthume). *Écrits publiés.*

DÉR. **Publiable.** — (Du même rad.) V. **Publication.**

PUBLIPOSTAGE [pyblipɔstaʒ] n. m. — 1972, in *la Banque des mots*; de *publi(cité)*, et *postage*.

♦ Admin. Prospection publicitaire ou vente par voie postale (recomm. off. pour remplacer l'anglicisme *mailing*).

PUBLIQUEMENT [pyblikmɑ̃] adv. — 1302, *publicquement*; de *public*.

♦ En public; au grand jour*; ostensiblement (→ Instruire, cit. 20; obséquieux, cit. 1). *Je déclare hautement et publiquement.* ⇒ **Haut** (*supra* cit. 109; tout haut).

Pourquoi n'est-il pas établi de faire publiquement le panégyrique d'un homme qui a excellé pendant sa vie dans la bonté, dans l'équité, dans la douceur, dans la fidélité, dans la piété ? LA BRUYÈRE, les Caractères, XV, 20.

PUCCINIA [pyksinja] n. m. ou **PUCCINIE** [pyksini] n. f. — Fin XIXe, *puccinies*, 1808; du nom de T. *Puccini*, savant italien.

♦ Bot. Champignon basidiomycète (*Urédinales* ou *Urédinées*), parasite de divers végétaux, qui produit des spores à parois épaisses (téleutospores) résistant au froid de l'hiver. *Une puccinie est l'agent de la rouille* du blé.*

PUCE [pys] n. f. — XIIIe; *pulce*, 1170; du lat. *pulex, pulicis*.

★ **I.** ♦ **1.** Insecte sauteur, diptère aphaniptère (*Pulicidés*; nom sc. : *Pulex*), de couleur brune, parasite de l'homme et de quelques animaux. *La puce est munie de pattes propres au saut, d'un stylet pour piquer et d'une trompe pour aspirer le sang dont elle se nourrit. Puce commune de l'homme* (P. irritans), *des chats et des chiens* (P. felis), *des rongeurs* (P. fasciatus), *des oiseaux* (P. avium). *La puce des rongeurs peut transmettre la peste* (→ Infection, cit. 5) *et le typhus. Puce pénétrante d'Amérique tropicale.* ⇒ **Chique.** — *Avoir des puces.* ⇒ **Puceux.** *Piqûre de puce. Être piqué, mordu par une puce. Prendre une puce* (→ Jusque, cit. 58); *ôter les puces.* ⇒ **Épucer.** *Matelas plein de puces* (⇒ **Vermine**; → Gratifier, cit. 7)

Une puce gentille 1
Chez un prince logeait,
Comme sa propre fille,
Le brave homme l'aimait. NERVAL, Trad. GOETHE, Faust, I.

À Toulon, ce furent les puces (...) Toute la nuit il se gratta (...) lorsqu'il les croyait mortes, aplaties sous son doigt, elles se regonflaient à l'instant même, repartaient sitôt sauves et bondissaient comme devant. 2
GIDE, les Caves du Vatican, IV, I.

Hantez (cit. 6) *les chiens, vous aurez des puces.* — *Dresser des puces. Dresseur de puces qui s'exhibe dans une foire. Puces savantes.* Par compar. *Saut de puce* (→ Franchir, cit. 2). — Bot. *Herbe* aux puces* (qui est censée protéger des puces). ⇒ 2. **Pucier.**

Loc. *Sac à puces* : lit (⇒ 1. **Pucier**); vêtement sale.

Loc. fig. (Fin XIIIe). *Mettre la puce à l'oreille (de qqn; à qqn)* : intriguer, éveiller des doutes, des inquiétudes, des soupçons chez qqn (en parlant d'une personne ou d'une chose). → Guigner, cit. 3. — (1640). *Avoir la puce à l'oreille* : être inquiet, sur le qui vive.

Tu m'as « mis la puce à l'oreille » en m'écrivant que Du Camp s'était montré grossier. Je désire savoir comment. Ça m'intrigue et me trouble. 3
FLAUBERT, Correspondance, 1967, 14 mars 1880.

Van Buck m'a téléphoné avant le déjeuner. J'attendais son coup de téléphone (...) 3.1
Et j'ai foncé par-dessus le corps de Benoîte qui arborait son habituel air ironique et a presque mis la puce à l'oreille de papa.
Benoîte et Flora GROULT, Journal à quatre mains, p. 109.

(XVIIe). *Secouer ses puces* (fam.) : s'étirer, s'ébrouer en se levant (comme fait un chien). *Allons, secoue tes puces, dépêche-toi !*

Le lever et le coucher du jour décidaient du travail : on secouait ses puces dès trois heures du matin, on retournait à la paille vers dix heures du soir. 4
ZOLA, la Terre, III, IV.

(1640). *Remuer* (vx), *secouer les puces à qqn*, le réprimander violemment, le tancer. *S'il recommence, il va se faire secouer les puces !*

Et maintenant, chut ! Reposez-vous. Si l'infirmière m'aperçoit, elle me secouera les puces. G. DUHAMEL, Salavin, Journal, 24 janv. 5

(Déb. XXe). **LE MARCHÉ AUX PUCES**, et, ellipt, **LES PUCES** : marché où l'on vend toutes sortes d'objets d'occasion ou de rebut, des antiquités, etc. (spécialt à Paris, porte de Saint-Ouen). *Acheter un meuble, un vase..., au marché aux puces, à la foire aux puces*, et, ellipt, *aux puces.*

Que n'ai-je acquis, aux « puces », le lasting par quantités industrielles ! 6
COLETTE, Belles saisons, p. 62.

Un individu comme moi, un pané, autant dire une cloche, pas sortable, habillé aux puces, qu'est-ce que c'est pour un sous-préfet ? 6.1
M. AYMÉ, le Vin de Paris, « La bonne peinture », p. 194.

Fam. Personne, enfant de très petite taille. *Une vraie puce. Je n'ai pas peur d'une puce comme toi.*

(Appellatif affectueux). *Bonjour, ma puce !*

Par anal. *Jeu de puce* : jeu d'enfant où l'on fait sauter de petits pions en appuyant sur leur bord avec des jetons.

♦ **2.** (En appos. ou n. m., 1775). Brun-rouge assez foncé (rappelant la couleur de la puce → Harmonie, cit. 35).

Elle n'avait pas retiré son chapeau, vêtue d'une robe sombre de couleur indécise, entre le puce et le caca d'oie. ZOLA, Nana, II. 7

(...) un petit vieillard sec et propre, en habit et culotte puce et bas de laine gris. 8
FRANCE, la Rôtisserie de la reine Pédauque, *in* Œ., t. VII, IV, p. 27.

♦ **3.** Par anal. (petits animaux). — (1768). *Puce d'eau* : daphnie. — (1562). *Puce de mer* : talitre.

★ **II.** (V. 1975). ♦ **1.** Techn. Tablette de silicium de quelques millimètres carrés, sur laquelle est élaboré un microprocesseur* monolithique. *Puce électronique.* « *Les microprocesseurs sont entrés en scène il y a moins de dix ans : en 1972, l'entreprise américaine Intel lançait le premier circuit intégré sur silicium ayant une véritable capacité de calcul. Depuis, ces "puces" n'ont pas cessé de faire des progrès* » (*la Recherche*, oct. 1981, p. 1144). — REM.

Le mot, qui des a connotations plaisantes (→ ci-dessus l'apellatif *ma puce*), est très employé pour valoriser l'informatique (publicité, etc.).

♦ **2.** Petite marque (disque de papier); petite tache circulaire. — Brin de tabac très court, coupé.

DÉR. Puceron, puceux, 1. pucier, 2. pucier.

PUCEAU [pyso] n. et adj. m. — 1530; *pucel*, XIIIe; de *pucelle*.

♦ Fam. (souvent iron.). Garçon, homme vierge. — Adj. *Il est resté puceau.*

1 J'aurais voulu (...) parvenir à savoir s'il ne se vantait pas lorsqu'il parlait de ses aventures avec les femmes. Je jurerais qu'il est puceau, et qu'il en avait un peu honte. GIDE, Journal, 3 août 1942.

2 La classe de Mathématiques-Élémentaires du lycée Condorcet comptait trente-sept élèves. Huit de ces élèves disaient qu'ils étaient dessalés et traitaient les autres de puceaux. SARTRE, le Mur, « L'enfance d'un chef », p. 155.

PUCELAGE [pyslaʒ] n. m. — V. 1160; de *pucelle*.

♦ Fam. (souvent iron.). Virginité.

— Denise avait-elle son pucelage? — Je le crois. — Et toi? — Le mien, il y avait beaux jours qu'il courait les champs. — Tu n'en étais donc pas à tes premières amours? (...) — Et comment le perdis-tu? DIDEROT, Jacques le fataliste, Pl., p. 667.

Fig. et fam. Le fait de n'avoir aucune expérience (de quelque chose).

PUCELLE [pysɛl] n. et adj. f. — Fin XIe; *pulcele*, v. 1050; *pulcella*, Xe, *Poème de sainte Eulalie*; du lat. pop. **pullicella*, dimin. de *pullus* «petit d'un animal».

♦ **1.** (Depuis le XVIIe). Vx ou plais. Jeune fille.

(1119). Jeune vierge. *« Les doctes pucelles »*, nom donné aux Muses* (cit. 2). — Loc. (1656, titre du poème de Chapelain). *La pucelle d'Orléans* (titre d'un poème de Voltaire), *la Pucelle, la Sainte Pucelle :* Jeanne d'Arc.

Adj. *Elle n'est plus pucelle.* ⇒ **Vierge.**

♦ **2.** Fam. Femme vierge (ou supposée telle).

1 (...) d'autres *(des chiens)* accourent (...) pour partager le repas que leur a préparé la charité de certaines pucelles sexagénaires, dont le cœur inoccupé s'est donné aux bêtes parce que les hommes imbéciles n'en veulent plus. BAUDELAIRE, le Spleen de Paris, L.

2 La fille, une pucelle bien sûr, se débattait, résistait, avec des supplications basses, chuchotées; tandis que le garçon, muet, la poussait quand même vers les ténèbres d'un coin de hangar (...) ZOLA, Germinal, II, V.

DÉR. Pucelage.
COMP. Dépuceler.

PUCERON [pysʀɔ̃] n. m. — 1636; attestation isolée, «protubérance (d'une pierre précieuse), XIIIe; de *puce*.

♦ **1.** Genre d'insectes hémiptères *(Aphidiens)* comprenant les aphididés et les chermésidés, qui vivent en parasites sur les plantes dont ils pompent le suc. *Les pucerons sont vivipares. Parthénogenèse* (cit. 1) *des pucerons. Certains pucerons secrètent des matières sucrées recherchées par les fourmis. Puceron du rosier, du pommier, du pêcher, du tilleul..., de la vigne* (⇒ **Phylloxera**).

En voyant multiplier le nombre des Pucerons extrêmement petits, sans trouver jamais d'œufs, je fus porté à penser que ces insectes étaient vivipares (...) R.-A. DE RÉAUMUR, Mémoires pour servir à l'histoire des insectes, Accouchement d'une puceronne, *in* Morceaux choisis, p. 70.

♦ **2.** Fam. Enfant très petit. ⇒ **Puce.**

Vieilli. Individu insignifiant et méprisable. ⇒ **Myrmidon.**

PUCERONNE [pysʀɔn] n. f. — 1768; fém. de *puceron*.

Rare.

♦ **1.** Puceron femelle.

♦ **2.** Fam. Toute petite fille. — Femme, fille insignifiante. *« Une misérable puceronne »* (Montherlant, *in* G. L. L. F.).

PUCEROTTE [pysʀɔt] n. f. — 1875, P. Larousse; de *puce, puceron*, et suff. *-otte*.

♦ Régional. Puceron des rosiers. Altise* de la vigne.

PUCEUX, EUSE [pysø, øz] n. et adj. — 1932; de *puce*.

♦ Fam. Qui a des puces, est plein de puces. ⇒ **Pouilleux.** *Un ramassis de miteux* (cit. 2), *chassieux, puceux. Un clochard puceux.*

PUCHE [pyʃ] n. f. — 1904; de *pucher*, var. dial. de *puiser*.

♦ Régional. Filet à crevettes, épuisette.

PUCHER [pyʃe] v. tr. — XVe; *puichier*, v. 1112; forme normanno-picarde de *puiser*.

♦ (1765). Dial. ou techn. Puiser. *Pucher le sirop*, le puiser au pucheux.

Ils haletaient en serrant la vis, puchaient dans la cuve, surveillaient les bondes, portaient de lourds sabots, s'amusaient énormément. FLAUBERT, Bouvard et Pécuchet, II.

DÉR. Puche, pucheux, puchoir.

PUCHEUX [pyʃø] n. m. — 1803; *pucheur*, 1765; de *pucher*.

♦ Vx. Grande cuiller à pot utilisée dans les opérations de raffinage du sucre.

PUCHOIR [pyʃwaʀ] n. m. — 1765; «endroit où l'on puise de l'eau», 1308; de *pucher*.

♦ Régional. Récipient à manche, pour puiser de l'eau.

1. PUCIER [pysje] n. m. — 1611; de *puce*.

Familier.

♦ **1.** (1890). Lit.

Il lui faut ses dix heures de pucier, tout comme à un mignard. Sans ça, monsieur a la cosse toute la journée. H. BARBUSSE, le Feu, I, II. 1

♦ **2.** (1907). Matelas plein de puces, paillasse.

Darat, la vernisseuse (...) avait approuvé la grève et apportait sa paillasse pour coucher dans l'usine. Schmutt lui infligea une grande déception : — Reprend ton pucier. Pas de femme de nuit. Pierre HAMP, la Peine des hommes (Moteurs), p. 115. 2

2. PUCIER [pysje] n. m. — Attesté XXe; réfection du fém. *pulciere* (1568), *pucière* (1842), de *puce*.

♦ Régional. Plantain des sables à fleurs roses, cultivé pour ses graines (syn. : *herbe au puces*).

PUDDING [pudiŋ] n. m. — 1688, attestations isolées au XVIIe et au XVIIIe, var. *poudin, pouden*, 1698, 1705; mot angl. → Poudingue.

♦ **1.** Gâteau à base de farine, d'œufs, de graisse de bœuf et de raisins secs, souvent parfumé avec une eau-de-vie (→ Pétrir, cit. 1). *Le pudding de Noël, traditionnel en Angleterre.* — REM. On dit aussi, moins couramment, *plum-pudding** [plumpudiŋ], et on écrit parfois *pouding. — Des puddings.*

(Elle) m'a préparé, la nuit de Noël, comme elle était invitée chez une voisine, un petit réveillon pour moi seul (un verre de Sherry, un peu de pudding, une assiette de charcuterie)... Michel BUTOR, l'Emploi du temps, III, 4. 1

REM. L'orthographe restait flottante au XIXe : *«Nous savons faire (...) des poudings, des gâteaux et des tartes»* (René Lefebvre, *Paris en Amérique*, p. 95).

♦ **2.** Fig. Ensemble indigeste.

Et la philosophie, les mathématiques, la physique, tout ce pouding-là me fait mal au cœur et tu feras diversion par ta venue. 2
FLAUBERT, Lettre à E. Chevalier, oct. 1839, *in* Correspondance, t. I, Pl., p. 54.

PUDDLAGE [pydlaʒ] n. m. — 1827; de *puddler*.

♦ Anglic. Techn. Ancien procédé métallurgique, décarburation de la fonte liquide par brassage sous l'influence de scories ou d'oxydes.

Ici le puddleur courbé vers la porte du réverbère d'où se dégage la température du blanc éblouissant, 1 800 à 2 000 degrés, remue, brasse, pétrit la fonte incandescente. C'est le travail du puddlage. 1
L. SIMONIN, le Creusot et les Mines de Saône-et-Loire, *in* le Tour du Monde, 1865, t. XV, p. 184.

De chaque côté de cette longue halle, deux rangées d'énormes colonnes cylindriques, aussi grandes, en diamètre comme en hauteur, que celles de Saint-Pierre de Rome, s'élevaient du sol jusqu'à la voûte de verre qu'elles transperçaient de part en part. C'était les cheminées d'autant de fours à puddler, maçonnés à leur base (...) des trains de wagons vides recevaient et emportaient cette fonte transformée en acier. 2
L'opération du «puddlage» a pour but d'effectuer cette métamorphose. Des équipes de cyclopes demi-nus, armés d'un long crochet de fer, s'y livraient avec activité. J. VERNE, les 500 Millions de la Bégum, p. 68.

PUDDLER [pydle] v. tr. — 1827, *in* Höfler; angl. *to puddle* «brasser».

♦ Anglic. Techn. Affiner (la fonte) par puddlage. *Four à puddler* (→ Puddlage, cit. 2).

(...) devant le four à puddler (...) nu jusqu'à la ceinture, épuisé par la charge trop lourde à retourner, avec l'haleine affreuse du charbon et du feu sur sa figure?
ARAGON, les Cloches de Bâle, II, III.

▶ **PUDDLÉ, ÉE** p. p. adj. *Acier* (cit. 0.1) *puddlé.*

DÉR. Puddlage, puddleur.

PUDDLEUR [pydlœʀ] n. m. — 1827, *in* Höfler; de *puddler.*

♦ Anglic. Techn. Ouvrier qui travaille au puddlage (cit. 1).

Courbé vers la porte de travail du fourneau, le puddleur suant, haletant, armé du ringard, brasse, retourne le métal de son bras nerveux (...)
L. SIMONIN, Une visite aux grandes usines du pays de Galles, *in* le Tour du Monde, 1865, t. XII, p. 351.

PUDENDA [pydɑ̃da; pudɛnda] n. m. pl. — 1845; *pudendum* au sing., 1765; mot lat., de l'adj. *pudendus* «dont on doit avoir honte», de *pudere* «avoir honte».

♦ Didact. (euphémisme) et vx. Parties génitales.

PUDEUR [pydœʀ] n. f. — 1542; lat. *pudor.*

♦ **1.** (1580). Sentiment de honte, de gêne qu'une personne éprouve à faire, à envisager ou à être témoin des choses de nature sexuelle; disposition permanente à éprouver un tel sentiment. ⇒ **Décence, honnêteté** (cit. 12), **honte, modestie, pudicité.** *La pudeur selon les psychologues et les moralistes* (→ Changer, cit. 10; endroit, cit. 11; mystérieux, cit. 2). *La pudeur des femmes* (→ Convention, cit. 8; naturel, cit. 28). *Pudeur virginale, angélique* (cit. 2), *innocente* (→ Arme, cit. 34), *naïve* (→ Mêler, cit. 16). *Avoir de la pudeur* (→ Condition, cit. 3; libertin, cit. 9). *Oublier, secouer toute pudeur* (→ Enivrer, cit. 25; faiblesse, cit. 45). *Les devoirs que la pudeur exige* (→ Abandonner, cit. 21). *Pudeur affectée* ⇒ **Pudibonderie.** *Fausse pudeur* (→ Écarter, cit. 13). *Rougir de pudeur, par pudeur. Chose qui blesse, offense, alarme la pudeur* (→ Honnête, cit. 11). *Pudeur outragée, offensée.*

(1810). Dr. *Attentat** (cit. 7 et 8) *à la pudeur; outrage* public à la pudeur* (puni par la loi). Par ext. *Geste, langage plein de pudeur* (→ Attirer, cit. 29). *La pudeur des mots* (→ Adoucir, cit. 11).

1 Toujours notre pudeur combat dans ces moments
Ce qu'on peut nous donner de tendres sentiments.
Quelque raison qu'on trouve à l'amour qui nous dompte,
On trouve à l'avouer toujours un peu de honte (...) MOLIÈRE, Tartuffe, IV, 5.

2 Cette noble pudeur colorait son visage.
RACINE, Phèdre, II, 5.

3 Aussitôt que la femme devint la propriété de l'homme, et que la jouissance furtive d'une fille fut regardée comme un vol, on vit naître les termes *pudeur, retenue, bienséance.* DIDEROT, Suppl. au voyage de Bougainville, IV.

4 La pudeur n'est rien; elle n'est qu'une invention des lois sociales pour mettre à couvert les droits des pères et des époux, et maintenir quelque ordre dans les familles.
ROUSSEAU, Lettre à d'Alembert.

5 La pudeur des femmes n'est que leur politique. Tout ce qu'elles cachent ou déguisent, n'est caché ou déguisé que pour en augmenter le prix, quand elles le donnent.
RESTIF DE LA BRETONNE, cité par RICARD, l'Amour, les Femmes et le Mariage, Pudeur.

6 La pudeur est on ne sait quelle peur attachée à notre sensibilité, qui fait que l'âme, comme la fleur qui est son image, se replie et se recèle en elle-même, tant qu'elle est délicate et tendre, à la moindre apparence de ce qui pourrait la blesser par des impressions trop vives ou des clartés prématurées.
Joseph JOUBERT, Pensées, VI.

7 D'où venez-vous, Pudeur, noble crainte, ô Mystère,
Qu'au temps de son enfance a vu naître la terre,
Fleur de ses premiers jours qui germez parmi nous,
Rose du Paradis! Pudeur, d'où venez-vous?
A. DE VIGNY, Livre mystique, «Éloa...», III.

8 (...) partout et de tout temps, les actes érotiques furent accomplis secrètement, afin de ne pas causer dans le public des émotions violentes et contraires (...) Ainsi naquit la Pudeur, qui règne sur tous les hommes, et particulièrement chez les peuples lascifs. FRANCE, le Mannequin d'osier, *in* Œ., t. XI, VI, p. 301.

(1843). *(Une, des pudeurs).* Réaction inspirée par ce sentiment (→ Après, cit. 5; comprimer, cit. 6; interposer, cit. 2). *C'est à l'homme de savoir endormir* (cit. 11) *les pudeurs qu'il rencontre. Fausses ou véritables pudeurs* (→ Gêner, cit. 16).

9 Des pudeurs lui venaient. Elle était toute rouge. Personne ne pouvait la voir, pourtant; la chambre s'emplissait de nuit derrière eux, tandis que la campagne déroulait le silence et l'immobilité de sa solitude. Jamais elle n'avait eu une pareille honte. ZOLA, Nana, VI.

♦ **2.** (1614). Gêne qu'éprouve une personne devant ce que sa dignité semble lui interdire. ⇒ **Délicatesse, discrétion** (cit. 9 et 10), **réserve, respect, retenue.** *Cacher ses sentiments, sa bonté par pudeur* (→ Apitoiement, cit. 1). *Pudeur qui empêche un homme d'étaler* (cit. 24) *sa souffrance, qui souffre qu'on exprime* (cit. 9) *en public un sentiment.* «*Petits hommes qui vous donnez sans pudeur de la hautesse* (cit. 1) *et de l'éminence*» (La Bruyère). ⇒ **Impudemment.** *Afficher sans pudeur sa vanité. Il n'a aucune pudeur quand il s'agit de se mettre en valeur. Sans pudeur ni contrainte*. Flatteurs qui louent* (→ 1. Louer, cit. 3) *sans pudeur. Accueillir sans pudeur les plus grossiers compliments* (⇒ **Confusion, gêne, embarras...**). *De la pudeur, pas de larmes!* (→ Mélodrame, cit. 4). *Pudeur des sentiments* (→ Dissimuler, cit. 8). *Cette pudeur hautaine* (cit. 10) *de l'émotion. La pudeur qu'il y a dans l'humour* (cit. 7) *véritable. La pudeur de...,* suivi de l'inf. (→ Ami, cit. 3). *Vous pourriez avoir au moins la pudeur de vous taire.*

(...) qu'est-ce qu'une charité qui n'a point de pudeur avec le misérable, et qui, avant que de le soulager, commence par écraser son amour-propre? 10
MARIVAUX, la Vie de Marianne, I.

(...) j'ai besoin de vaincre à chaque instant cette pudeur d'honnête homme qui a horreur de parler de soi. STENDHAL, Souvenirs d'égotisme, 7. 11

Littér. Réaction inspirée par ce sentiment. *Son culte* (cit. 10) *pour sa mère avait ses délicatesses et ses pudeurs* (→ aussi Étaler, cit. 25).

Bouvard, au premier moment, avait ressenti comme un heurt en pleine poitrine. Puis une pudeur l'empêcha de faire un seul geste; des réflexions douloureuses l'assaillaient. FLAUBERT, Bouvard et Pécuchet, X. 12

CONTR. Impudeur, indécence, malhonnêteté. — Cynisme.
DÉR. Pudibond, pudique.
COMP. Impudeur.

PUDIBOND, ONDE [pydibɔ̃, ɔ̃d] adj. — 1671; *pudibunde,* 1542; *parties pudibundes* «organes génitaux» (parties honteuses), 1488; → Pudenda; lat. *pudibundus,* du rad. de *pudor.* → Pudeur.

♦ Qui a une pudeur affectée ou exagérée jusqu'au ridicule. ⇒ **Prude, pudique.** *Vous êtes bien pudibond. La pudibonde Amérique* (→ Girl, cit. 2). *Société ingénue* (cit. 3) *et pudibonde. Une jeune revue ne doit pas être pudibonde.* ⇒ **Timide** (→ Épicé, cit. 5). *Un air pudibond. Manières pudibondes.*

Oh! je n'insiste pas... Mais vous savez, les femmes vraiment honnêtes n'ont pas à se montrer trop pudibondes. GIDE, le Treizième Arbre, *in* Th. compl., t. V, 3. 1

L'Anglais est plus pudibond, parce que ses désirs sont plus violents. 2
A. MAUROIS, les Discours du Dr O'Grady, III.

CONTR. Égrillard, éhonté, grivois, impudique.
DÉR. Pudibonderie.

PUDIBONDERIE [pydibɔ̃dʀi] n. f. — 1842; de *pudibond.*

♦ Caractère pudibond, affectation de pudeur*.

C'est à propos de ta comédie que l'on va insérer dans le *Pays.* Tu t'étonnes de la pudibonderie de Cohen. Eh bien! il est de l'opinion générale (...) Voilà où nous en sommes. Tu as vu le scandale de Sainte-Beuve qui trouvait que tu manquais de *délicatesse!...* Soyons donc contenus, chastes, sans rien nous interdire comme *Intention;* mais surveillons-nous sur les mots.
FLAUBERT, Correspondance, 445, Lettre à Louise Colet, 18 déc. 1853.

PUDICITÉ [pydisite] n. f. — 1417; de *pudique,* d'après lat. *pudicitia.*

♦ Littér. Pudeur, caractère pudique. — Spécialt. et vx. Chasteté.

CONTR. Impudicité.

PUDIQUE [pydik] adj. — XIVe; lat. *pudicus.*

♦ **1.** Qui a de la pudeur. ⇒ **Honnête, modeste, sage.** *Fille, femme pudique* (→ Élever, cit. 39; foison, cit. 2; et aussi muse, cit. 8). *Chaste* et pudique. Les minauderies de vieilles pudiques.* ⇒ **Pudibond** (→ Formule, cit. 12). — Par métaphore, → cit. Vigny :

Dolorida n'a plus que ce voile incertain, 1
Le premier que revêt le pudique matin
Et le dernier rempart que, dans sa nuit folâtre,
L'Amour ose enlever d'une main idolâtre.
A. DE VIGNY, Livre moderne, «Dolorida».

(...) les hommes les moins pudiques aiment la pudeur dans l'objet aimé (...) 2
BAUDELAIRE, l'Art romantique, XXII, III.

♦ **2.** (1444). Qui marque de la pudeur. *Air pudique. Cette honnête et pudique ignorance* (cit. 16). *Alarmer* (cit. 3) *les pudiques oreilles.* ⇒ **Chaste.** *Grâce pudique.* ⇒ **Décent** (→ Immatériel, cit. 5). *Appliquer un pudique emplâtre sur le milieu des statues* (→ Dépasser, cit. 19).

(...) l'étrange froideur 3
Dont je le vois répondre à ma pudique ardeur (...) MOLIÈRE, Sganarelle, 5.

♦ **3.** (1601). Plein de discrétion, de réserve. *Lyrisme pudique. L'effacement* (cit. 4) *pudique avec lequel il parlait de ses victoires. Mot, expression pudique,* qui ne dit pas les choses brutalement. *Une allusion pudique.*

CONTR. Cru, dévergondé, effronté, égrillard, éhonté, fripon, immodeste, impudique, indécent, licencieux, obscène.
DÉR. Pudicité, pudiquement.

PUDIQUEMENT [pydikmɑ̃] adv. — V. 1378; de *pudique.*

♦ D'une manière pudique, en termes pudiques. «*La misère de ces personnages que l'on dit, pudiquement, déplacés*» (Duhamel), par euphémisme.

CONTR. Crûment.

PUE-LA-SUEUR [pylasɥœʀ] n. m. invar. — V. 1960; de *puer, la* et *sueur.*

♦ Fam. et péj. Ouvrier; personne qui travaille manuellement.

1 Tu pues la sueur, dis donc.
— Ah mais, dit Gerfaut, voilà ce que je suis.
Génériquement parlant. Un pue-la-sueur.
J.-P. MANCHETTE, Trois hommes à abattre, p. 29.

2 Il a assez de ses pue-la-sueur pour le défendre.
R. DORGELÈS, Tout est à vendre, p. 326.

PUER [pɥe] v. — Fin XIIIe; rare jusqu'au XVIIe; *puir*, v. 1175; du lat. pop. **putire*, lat. class. *putere*.

♦ **1.** V. intr. Sentir très mauvais, exhaler une odeur forte et très désagréable, fétide, nauséabonde. ⇒ **Empester, empuantir** (fam. ou argot **Chlinguer, cocoter, cogner, fouetter, taper**). *Viande avariée qui pue. Ça pue là-dedans!* (→ Ménager, adj., cit. 5). *Ce qui est répugnant, ce qui pue* (→ Mission, cit. 10). *Elle puait comme une fleur moisie* (→ Parfum, cit. 10).

1 Il n'y a pas à discuter pourquoi le fumier pue. Il pue, et voilà tout! Je me bouche le nez, et je m'en vais.
R. ROLLAND, Jean-Christophe, L'adolescent, III, p. 349.

1.1 (...) jusqu'à ce qu'ouvrant la fenêtre on se rappelât que ce n'était pas l'hôtel (la fastueuse débauche de corniches, de volutes et de vagues pétrifiées détournée de sa destination première) qui puait ainsi, mais la ville tout entière, comme si elle était en train de se putréfier (...) Claude SIMON, le Palace, p. 11.

Par métaphore, fig. *L'âme du riche pue davantage encore que sa charogne* (cit. 3). *Un manque de distinction qui pue au nez* (→ Camembert, cit.).

Fam. et plais. Sentir. *Ça pue bon.*

♦ **2.** V. tr. (1668, Molière). Répandre une très mauvaise odeur de... ⇒ **Empoisonner.** *Puer le vin, le tabac, l'ail, le cigare...* (→ Buée, cit. 3; haleine, cit. 2). *Puer l'ivresse* (→ Goton, cit. 1).

2 La route fume, la route pue le crottin, la laine mouillée, le cuir, l'homme en sueur.
MARTIN DU GARD, les Thibault, t. VIII, p. 162.

Par métaphore. *Réponse qui pue le fiel à plein nez* (→ Clôturer, cit. 1). *Ouvrages qui puent l'huile* (cit. 28) *et la lampe.*

Par ext. Répandre une violente odeur de...

3 La tante, dont la toilette devait étourdir le greffe, le directeur, les surveillants et les gendarmes, puait le musc.
BALZAC, Splendeurs et Misères des courtisanes, Pl., t. V, p. 1078.

♦ **3.** V. tr. (1580). Laisser apparaître de façon évidente (un caractère désagréable). ⇒ **Sentir.** *Ce lieu pue la canaillerie* (cit. 2). *« Il pue étrangement* (cit. 2) *son ancienneté »* (en parlant d'un mot). *Une musique qui pue la romance.*

3.1 (...) je revois le concierge rougeaud, obèse, puant la vie comme on pue le vin (...)
Ed. et J. DE GONCOURT, Journal, t. II, p. 39.

4 Oui, bien avant la guerre, la France puait la défaite à plein nez.
GIDE, Journal, 7 mars 1943.

CONTR. Embaumer.
DÉR. Puant, puine.

PUÉRICULTEUR, TRICE [pɥeʀikyltœʀ, tʀis] n. — 1932; de *puériculture*.

♦ Personne qualifiée pour s'occuper des nouveau-nés et des enfants jusqu'à trois ans. *Aide-puéricultrice. Jeune puériculteur travaillant dans une crèche.*

PUÉRICULTURE [pɥeʀikyltyʀ] n. f. — 1865, *la Puériculture, ou la science d'élever hygiéniquement et physiologiquement les enfants*, ouvrage du Dr Caron; du lat. *puer* « enfant », et *culture*.

♦ Ensemble des moyens et des méthodes propres à assurer la croissance et le plein épanouissement organique et psychique de l'enfant (depuis la conception à la seconde enfance, vers 3 ou 4 ans). *Puériculture et pédiatrie.* ⇒ **Médecine** (infantile). *Diminution de la mortalité et de la morbidité infantile par la puériculture. Puériculture anté-natale, intra-utérine; natale; du premier âge, etc. Écoles, instituts de puériculture.* ⇒ **Puériculteur.**

DÉR. Puériculteur.

PUÉRIL, ILE [pɥeʀil] adj. — Fin XVe au sens 2; n. m. pl., « rudiments », v. 1460; lat. *puerilis*, de *puer* « enfant ».

♦ **1.** (1512). Vx. Relatif à l'enfant, à l'enfance. ⇒ **Enfantin.** *« Âge puéril »* (Littré, Académie). *La Civilité puérile et honnête*, célèbre manuel de politesse à l'usage des enfants, de J.-B. de La Salle (1713). — Spécialt. (Méd.). *Respiration puérile*, exagérée (rappelant le murmure vésiculaire du poumon des enfants).

♦ **2.** Mod. Qui évoque l'enfant, l'enfance. ⇒ **Enfantin.** *Ces traits si délicats et si puérils* (→ Durcir, cit. 3). *Voix aux inflexions naïves et presque puériles* (→ Homme, cit. 156).

1 « Elle est encore une enfant », se dit-il. « Et ce je ne sais quoi de puéril qui contraste avac sa maturité de femme, est plein de charme (...) »
MARTIN DU GARD, les Thibault, t. VIII, p. 236.

♦ **3.** (XVIe; *« jeux et niaiseries* (cit. 3, Montaigne) *puérils de nos enfants »*). Cour. Qui ne convient qu'à un enfant, n'est pas digne d'un adulte; qui manque de sérieux, de profondeur. ⇒ **Enfantin, infantile; frivole** (cit. 6), **futile.** *Puériles afféteries* (cit. 2). ⇒ **Mièvre.** *Puériles tendresses* (→ Gâterie, cit. 2). *Idée puérile* (→ Passementerie, cit. 2). *Imagination puérile* (→ Fantastique, cit. 10). *Ce qu'on dit, ce qu'on écrit de puéril* (→ Attention, cit. 10). *Jargon puéril et barbare* (cit. 17). *Orgueil, mépris puéril* (→ Écourter, cit. 5; épicier, cit. 3). *Vanité puérile* (→ Gloriole, cit. 4). *Amusement puéril.* ⇒ **Enfant** (faire l'). *Des riens, des expédients* (cit. 7) *puérils* (→ Distraction, cit. 5). *Contes puérils* (→ Exubérant, cit. 3). *C'est un livre charmant, mais un peu puéril. Je trouve cela puéril* (→ Musiquette, cit. 1). *Il est puéril de...*, suivi de l'infinitif.

Il n'est pas très surpris de n'être pas reconnu de la foule, mais il en éprouve une obscure déception, qu'il juge puérile, et qu'il combat. 2
J. ROMAINS, les Hommes de bonne volonté, t. V, XXVIII, p. 301.

CONTR. Adulte, mûr, sérieux.
DÉR. Puérilement, puérilisme.

PUÉRILEMENT [pɥeʀilmɑ̃] adv. — 1510; de *puéril*.

♦ Littér. D'une manière puérile. *Bigot* (cit. 6) *puérilement attaché aux pratiques extérieures.*

CONTR. Sérieusement.

PUÉRILISER [pɥeʀilize] v. tr. — 1801; de *puéril*.

♦ Littér. Rendre puéril; rendre accessible aux enfants. *« Puériliser le latin »* (E. Gilliard, *in* D. D. L.).

PUÉRILISME [pɥeʀilism] n. m. — 1901; de *puéril*.

♦ Psychopath. *Puérilisme mental*, syndrome caractérisé par une régression véritable de la personnalité psychique au stade de l'enfance, qui se traduit par des attitudes, une mimique, un langage, des occupations infantiles révélant aussi des goûts, des tendances et des appétits infantiles. (À distinguer de *puérilité**). *Puérilisme mental causé par une lésion cérébrale, par la paralysie générale, par la démence sénile.* — Ellipt. Puérilisme accidentel de commotionnés. *« Entre le retour à l'enfance des vieillards affaiblis et le puérilisme sénile n'existe qu'une analogie de mots »* (Dupré, cit., *in* Porot 1952).

PUÉRILITÉ [pɥeʀilite] n. f. — 1394; lat. *puerilitas*.

♦ **1.** Caractère puéril (3.), peu sérieux. *La puérilité de ses manières* (→ Enfantin, cit. 5). ⇒ **Mièvrerie.** *La puérilité d'un raisonnement. La puérilité de la plupart des dissentiments.* ⇒ **Frivolité, futilité** (→ Humour, cit. 9). — État d'esprit puéril (→ Infantilisme, cit. 1). *Regarder la vie en face, sans puérilité* (→ Évoluer, cit. 4). — *Puérilité de certains comportements, de certaines réactions* (alors que le puérilisme* intéresse toute la personnalité), *chez les débiles mentaux et chez des névrosés, des séniles...*

♦ **2.** (1552). Littér. *Une, des puérilités.* Chose puérile (action, parole, idée...). *Perdre son temps en puérilités.* ⇒ **Badinerie, enfantillage.** *Un diseur de puérilités.* ⇒ **Baliverne** (→ Exsangue, cit. 5). *« Ces puérilités servent d'enveloppe* (cit. 11) *à des vérités importantes ».*

Je voudrais savoir s'il passe quelquefois dans les cœurs des autres hommes des puérilités pareilles à celles qui passent quelquefois dans le mien. 1
ROUSSEAU, les Confessions, VI.

Souvent on est plus agité d'une faiblesse secrète que du destin d'un empire; l'affaire légère est au fond de l'âme l'affaire sérieuse. Si l'on voyait les puérilités qui traversent la cervelle du plus grand génie au moment où il accomplit sa plus grande action, on serait saisi d'étonnement. 2
CHATEAUBRIAND, Mémoires d'outre-tombe, t. II, III, 2, V, 15, éd. Levaillant, p. 223.

CONTR. Sérieux.

PUERPÉRAL, ALE, AUX [pɥɛʀpeʀal, o] adj. — 1782; dér. sav. du lat. *puerpera* « accouchée », de *puer* « enfant », et *parere* « enfanter ».

♦ Méd. Relatif aux suites de couches, à la période qui suit l'accouchement. *État puerpéral.* ⇒ **Puerpéralité.** *Accidents puerpéraux :* complications pouvant survenir pendant l'accouchement ou immédiatement après. *Infection puerpérale. Fièvre puerpérale :* état fébrile accompagné de symptômes généraux dû à une infection utérine. *Psychose puerpérale précoce :* psychose d'origine souvent infectieuse (avec excitation maniaque, hallucinations, parfois délires) qui peut survenir dans les jours qui suivent l'accouchement. *Psychose puerpérale tardive*, apparaissant plusieurs semaines ou plusieurs mois après l'accouchement (états dépressifs, principalement).

Relatif à la puerpéralité (voir ce mot, REM.) au sens large. *Éclampsie* puerpérale.*

DÉR. Puerpéralité.

PUERPÉRALITÉ [pɥɛʀpeʀalite] n. f. — 1845; de *puerpéral.*

♦ Méd. Période suivant l'accouchement, jusqu'au retour des règles normales. Syn. : *état puerpéral. Phénomènes endocriniens de la puerpéralité.* ⇒ aussi **Lactation.** *Troubles de la puerpéralité. « Une sorte de fièvre puerpérale (...) un trouble pathologique évidemment lié et inhérent aux conditions de la puerpéralité »* (*Année sc. et industr.*, 1859, p. 67). — REM. Ce terme désigne parfois un ensemble plus vaste, incluant grossesse, accouchement et suites de couches *(état gravidopuerpéral).*

PUFF [pyf; pœf] n. m. — 1783, repris en 1824; mot angl. d'orig. onomatopéique.

Anglicisme. Vieux.

♦ **1.** Réclame outrancière ou trompeuse (terme utilisé par Stendhal).

♦ **2.** (1842, Balzac). Manœuvre trop voyante, et donc vouée à l'échec.

La Fontaine disait à la Champmeslé : « Nous aurons la gloire, moi pour écrire des vers, vous pour réciter. » Il a deviné. Mais pourquoi parler de ces choses-là? La passion a sa pudeur; pourquoi révéler ces choses intimes? Pourquoi des noms? Cela a l'air d'une rouerie, d'un puff.

STENDHAL, Lettre à Sainte-Beuve, 26 mars 1830, *in* Correspondance, Pl., t. II, p. 180.

DÉR. Puffer. — Puffiste.

PUFFER [pyfe] v. tr. — 1827; de *puff.*

♦ Vx. Vanter de façon outrancière. — Au p. p. Vanté, louangé.

Je ne doute pas d'un grand succès pour les lettres si elles sont un peu puffées par les journaux. MÉRIMÉE, Correspondance générale, 1851, *in* D. D. L., II, 14.

REM. Stendhal (*Correspondance*, 6 déc. 1825) avait proposé le verbe *poffer* [pɔfe], pour franciser ce mot.

PUFFIN [pyfɛ̃] n. m. — 1760; mot angl. d'orig. incert. (cf. Buffon, *le pétrel-puffin*).

♦ Oiseau de haute mer, palmipède *(Procellariidés)* de la taille d'un pigeon et voisin du pétrel. *Le puffin vit surtout dans les régions australes.*

PUFFISME [pyfism] n. m. — 1874; de *puffiste.*

♦ Anglic. (Vx). Art du puff, de la réclame tapageuse. *« Puffisme, arrivisme et prétention »* (Gide).

PUFFISTE [pyfist] n. m. — 1848, Gautier, *in* D. D. L.; de *puff.*

♦ Vx et littér. Personne qui recourt à une publicité tapageuse.

DÉR. Puffisme.

PUGILAT [pyʒila] n. m. — 1570; lat. *pugilatus.*

♦ **1.** Didact. (Antiq.). Lutte à coups de poings où les adversaires s'armaient de cestes* (→ Athlète, cit. 5; gymnique, cit. 1; palestre, cit.). — Par ext. *Le pancrace*, combinaison de lutte et de pugilat.* ⇒ **Boxe.**

1 *(Ils)* eussent fort bien pu se rappeler les débuts de ces mêmes Français dans la science du pugilat (...) Ils s'étaient un beau jour lassés de se donner des coups de pied dans la figure et avaient résolu d'apprendre à se servir de leurs poings comme des hommes, de boxer, en un mot. Louis HÉMON, Battling Malone, I.

♦ **2.** (1840). Cour. Bagarre à coups de poings. ⇒ **Rixe** (→ Nudité, cit. 3). *Ce jardin fut le théâtre d'un pugilat* (→ Peignée, cit. 1). *Réunion houleuse qui s'achève en pugilat. Un pugilat en règle.*

Par ext. Altercation. ⇒ **Attrapage** (2.), **bagarre** (fam.).

2 Pendant toute une année, nous nous sommes battus comme des lions tous les deux (...) il essayait de rattraper mon étourderie par des leçons particulières qui, régulièrement, tournaient en pugilats.

Geneviève DORMANN, le Chemin des dames, p. 32.

PUGILISME [pyʒilism] n. m. — 1801; angl. *pugilism;* lat. *pugil.* → Pugiliste.

♦ Littér. Art du pugiliste, et, spécialt, du boxeur (syn. littér. ou journalistique de *boxe**). Cf. Le noble art.

Plutôt qu'un instinct cruel, c'est un juste sens de la beauté du pugilisme qui admire sur la victime l'art et l'adresse de l'assaillant.

Jean PRÉVOST, Plaisirs des sports, p. 78.

PUGILISTE [pyʒilist] n. m. — 1789, Beaumarchais; *pugile,* 1765; dér. du lat. *pugil* « athlète pratiquant le pugilat », rad. *pugnus* « poing ».

♦ **1.** Antiq. Athlète spécialisé dans le pugilat*.

♦ **2.** (1836). Mod. et littér. Boxeur; lutteur. *Battling Malone, pugiliste,* roman de Louis Hémon.

Le pugiliste revient sur l'homme, et attaque à nouveau (...) ses gants semblent de plomb mais la joie du combat succède en lui aux plaisirs du jeu (...)

Jean PRÉVOST, Plaisirs des sports, p. 77.

DÉR. Pugilistique.

PUGILISTIQUE [pyʒilistik] adj. — 1866, Esquiros; de *pugiliste.*

♦ Littér. Relatif au pugilat, à la boxe.

Le public de Whitechapel fait fi de la science pugilistique et de l'adresse; ce qu'il veut voir, c'est le simulacre réaliste de la rixe (...)

Louis HÉMON, Battling Malone, pugiliste, II.

PUGNACE [pygnas] adj. — 1842, Sainte-Beuve; lat. *pugnax, acis,* de *pugnare* « combattre ».

♦ Littér. Qui aime le combat, la lutte. ⇒ **Combatif.**

Littér. Qui est porté à la lutte d'idées.

Ainsi, la nature prudente de M. de Saci n'était pas sans quelque méfiance de la nature pugnace d'Arnauld, et il l'aurait voulu tempérer.

SAINTE-BEUVE, Port-Royal, II, XVII.

PUGNACITÉ [pygnasite] n. f. — 1788; lat. *pugnacitas,* de *pugnax.* → Pugnace.

♦ Littér. Caractère pugnace, esprit combatif.

(...) ce qu'il aimait, ce n'était point tant d'avoir raison que de se mesurer avec 1
l'autre, pour ne pas dire de combattre. Cette pugnacité se manifestait tout le long du jour et tirait prétexte de tout. GIDE, Si le grain ne meurt, II, II, p. 358.

(...) la pugnacité à peu près constante des propos montrait qu'il ne s'agissait pas 2
seulement d'un jeu. Raymond ABELLIO, Ma dernière mémoire, t. II, p. 94.

PUINE [pɥin] n. m. — XVe; de *puer,* anciennt *puir* « l'arbrisseau puant ».

♦ Techn. Arbrisseaux (cornouiller, troène, etc.) considérés comme mort-bois*.

PUÎNÉ, ÉE [pɥine] adj. et n. — V. 1150, *puisné;* de *puis,* et *né.*

Vieilli.

♦ **1.** Qui est né après un frère ou une sœur. *Frère puîné. C'est ma sœur puînée.* — N. *Le puîné, la puînée.* ⇒ **Cadet, junior.**

Les fils aînés et puînés des vicomtes et barons sont les premiers écuyers du 1
royaume. Les fils aînés des pairs ont le pas sur les chevaliers de la Jarretière; les fils puînés, point. HUGO, l'Homme qui rit, I, I, III.

Tu sais bien que, puîné, je n'ai point part à l'héritage. Je pars sans rien. 2
GIDE, le Retour de l'enfant prodigue, *in* Romans, Pl., p. 491.

Par métaphore :

(...) l'architecture européenne chrétienne, cette sœur puînée des grandes maçonne- 3
ries de l'Orient (...) HUGO, Notre-Dame de Paris, III, I.

♦ **2.** (Av. 1778). Qui est né après (quelqu'un d'autre). *Il est mon puîné :* il est moins âgé que moi.

CONTR. Aîné.

PUIS [pɥi] adv. — 1080; du lat. pop. **postius,* lat. class. *postea* ou *post.*

♦ **1.** (Succession dans le temps). Après cela, dans le temps qui suit. ⇒ **Ensuite.** — (Actions successives). *D'abord..., puis...* (→ Arrière, cit. 6). *Au début, au départ..., puis...* (→ Arrêter, cit. 25; assemblé, cit.). *Elles font, puis défont* (→ Peut-être, cit. 15). *Des gens entraient, puis ressortaient* (→ Monceau, cit. 2). *Ils commencent avec ardeur* (cit. 47) *et puis ils se rebutent* (→ aussi Brouiller, cit. 23; longueur, cit. 7). *Trois p'tits tours et puis s'en vont* (→ Marionnette, cit. 1). *Je les lève* (cit. 15), *puis je les relève, puis... — Puis...,* au début de la phrase (→ Cantique, cit. 3; larme, cit. 6). *Et puis...,* au début de la phrase (→ Cailler, cit. 2; mouiller, cit. 10...).

Dieu nous prête un moment les prés et les fontaines (...) 1
(...) Puis il nous les retire. Il souffle notre flamme.
HUGO, les Rayons et les Ombres, XXXIV.

(Sujets successifs). *Un rang puis un autre balayant la chaussée* (→ Manège, cit. 1). *Le marquis parut, puis Charlotte* (→ Montée, cit. 3). *La Fayette parla* (cit. 21), *puis Lally.*

(Compl. successifs). *Chanter l'hymne, puis trois psaumes* (→ Nocturne, cit. 3). *S'arrêter devant un tableau, puis devant un autre* (→ Peinture, cit. 14).

Il vit avancer un milicien, puis une dizaine, puis une longue file (cit. 4).

(Qualificatifs successifs). *Bruit d'abord faible, puis précis, puis lourd* (→ Interruption, cit. 7). *Lignée* (cit. 4) *de petites gens, paysans... puis clercs.*

Il chantonne tout bas, puis moins bas, puis tout haut, puis très haut, jusqu'à ce 2
que de nouveau la voix exaspérée du père crie (...)
R. ROLLAND, Jean-Christophe, L'aube, I, p. 14.

♦ **2.** (V. 1160). Succession aux yeux d'un observateur. Plus loin. ⇒ **Après.** *En bas, des fleurs* (cit. 5) *rouges, jaunes... puis c'étaient les jasmins, les glycines. Puis voici une lande* (cit. 1). *La forêt... et puis un damier de plaines* (→ Panorama, cit. 6).

♦ **3.** (Av. 1207). ET PUIS. (Pour introduire le second, le troisième... terme d'une énumération, d'une série). ⇒ **Et** (→ Désapprobation, cit. 1). «*Tout homme a deux pays* (cit. 12), *le sien et puis la France*». ⇒ **Plus.** — Fam. (Pléonasme). *Et puis ensuite* (→ Pognon, cit. 1). — *Et puis c'est tout*, marque que l'on n'a rien à ajouter à un premier terme qui semblait annoncer une énumération.

3 Il est brave, et puis c'est tout, me dit-elle.
STENDHAL, le Rouge et le Noir, II, X.

♦ **4.** (V. 1160). *Et puis* (servant à introduire une nouvelle raison, un argument supplémentaire). ⇒ **Ailleurs** (d'), **outre** (en), **reste** (au, du). *Ce n'est guère possible, et puis cela ne servirait à rien. Et puis il n'était pas très attachant!* (cit. 4). *Je les plains et puis ça me fait rager de penser...* (→ Martyriser, cit. 2; et aussi moche, cit. 3; parole, cit. 9; poignée, cit. 2). *Et puis, en somme...* (→ Parade, cit. 2). — *Oh, puis après tout, c'étaient ses oignons!* (cit. 3).

4 (...) vous devez (...) ne pas mettre en doute la sincérité de ma foi. Et puis votre beauté vous assure de tout. MOLIÈRE, Dom Juan, II, 2.

Ellipt., à la forme interrogative. *Et puis?*, s'emploie pour demander quelle suite, quelle importance peut bien avoir la chose en question. — Fam. (dans le même sens). *Et puis quoi?* ou *Et puis après? Elle m'en voudra? Et puis après?*

♦ **5.** (Vx; fin XIIe). *Puis après* (adv. de postériorité). Après, par la suite. «*Un geai prit son plumage Puis après se l'accommoda*». → Autre, cit. 5.

COMP. Depuis. — Puisque.
HOM. Puits, puy.

PUISAGE [pɥizaʒ] n. m. — 1657; *puchage*, 1466; de *puiser*.

Rare ou technique.

♦ **1.** Action de puiser. ⇒ **Puisement.**

(1959). Dr. *Servitude de puisage*, «servitude donnant au propriétaire d'un fonds le droit de prendre de l'eau sur le fonds du voisin, avec des récipients portatifs, pour les besoins de son propre fonds» (Capitant).

♦ **2.** (1963). Vidage d'un puits de pétrole avec une cuiller*.

PUISARD [pɥizaʀ] n. m. — 1690; de *puits*.

♦ **1.** Puits en pierres sèches, destiné à recevoir et absorber les eaux-vannes et résidus liquides. ⇒ **Bétoire, égout, fosse.** → Albraque, cit. *Puisards servant d'oubliettes* (cit.) *dans les anciens châteaux.*

(...) le lézard
Courant au clair de lune au fond du vieux puisard.
HUGO, les Rayons et les Ombres, XIX.

Puisard d'aqueduc, pratiqué dans la voûte d'un aqueduc (pour pouvoir le nettoyer, le réparer).

♦ **2.** (XXe). Mar. «Espace compris entre deux varangues et formant une caisse étanche sur tout ou partie de la hauteur du double fond, dans laquelle viennent se rassembler les eaux de cale avant d'être aspirées par les pompes d'assèchement» (Gruss).

PUISATIER [pɥizatje] n. m. — 1845; a remplacé *puissier*, 1301; de *puits*.

♦ Ouvrier qui creuse des puits. *La Fille du Puisatier*, film de M. Pagnol. — En appos. *Ouvrier puisatier.*

Avant les compagnies de forages et les puits artésiens, les Arabes avaient des puisatiers. Il faut parfois chercher l'eau jaillissante jusqu'à soixante-dix et même quatre-vingts mètres sous le sol... Il faut traverser trois couches de terre et deux couches d'eau (...) GIDE, Journal, Feuilles de route, 7 avr. 1896.

PUISEMENT [pɥizmɑ̃] n. m. — XVe; de *puiser*.

♦ Rare. Action de puiser. ⇒ **Puisage.**

PUISER [pɥize] v. tr. — V. 1220; *puisier*, v. 1130; *puchier*, v. 1112; de *puits*.

♦ **1.** Prendre dans une masse liquide (une portion de liquide) à l'aide d'un récipient qu'on y plonge. ⇒ **Pucher** (régional). *Puiser de l'eau, l'eau à une source* (→ Anse, cit. 6), *à une fontaine* (cit. 3), *au puits. Puiser l'eau d'un baquet.* ⇒ **Baqueter.** *Puiser de l'eau avec une calebasse* (cit. 2), *une cruche* (cit. 3), *un seau, dans un vase de bois* (→ Gondole, cit. 2). *Puiser du vin dans la cuve. Puiser de l'eau avec une pompe.* ⇒ **Pomper.**

1 (...) on apercevait, dans l'ombre, la margelle d'une citerne et une boîte de conserve bossuée, qui servait à puiser l'eau. G. DUHAMEL, Salavin, VI, IV.

2 Dans les campements, les braseros rougeoyaient dans la dernière ombre. Les femmes allaient puiser l'eau (...) puis elles revenaient, titubant, la jarre en équilibre sur leur cou maigre. J.-M. G. LE CLÉZIO, Désert, p. 20.

(Le compl. désigne un récipient). *Puiser des bouteilles d'eau dans une source* (→ Divers, cit. 9), *un verre d'eau dans la mer* (→ Interdire, cit. 7). *Puiser un seau d'eau.*

Absolt. *Puiser à la source, au bassin, au courant de l'eau.*

♦ **2.** (V. 1360). Prendre dans une masse, un ensemble (solide); prélever. *Puiser des confettis dans un sac* (→ Gosse, cit. 5). *L'albumen* (cit.) *où l'ovule puise sa nourriture.* — Absolt. *Puiser* (de l'argent) *dans son escarcelle* (cit. 2), *dans la bourse de qqn. Il y avait des gros tas de pierre, chacun puisait dedans* (→ Lapider, cit. 1). *La corbeille où puisaient ses mains* (→ Fumeur, cit. 2).

Je vis Babet la glaneuse, qui, en glanant, pour avoir plus vite noué sa gerbe, puisait à poignées aux gerbiers. 2
Alphonse DAUDET, Lettres de mon moulin, «Curé de Cucugnan.»

♦ **3.** (1678). Fig. Emprunter, prendre. *Puiser ses exemples dans l'histoire.* ⇒ **Emprunter** (→ Égoïsme, cit. 1). *Puiser certaines propositions dans un texte* (→ Gouverner, cit. 43). *Puiser son inspiration dans une philosophie* (→ Malheureux, cit. 25). *Paris puise en lui-même sa sagesse* (→ Mesure, cit. 27). «*La fierté des Nérons qu'il puisa dans mon flanc*» (→ Mêler, cit. 10, Racine).

(...) écoutez, humains, un autre conte : 3
Vous verrez que chez vous j'ai puisé ces leçons. LA FONTAINE, Fables, VII, 4.

Oui, d'autres à leur tour viendront, couples sans tâche, 4
Puiser dans cet asile heureux, calme, enchanté,
Tout ce que la nature à l'amour qui se cache
Mêle de rêverie et de solennité! HUGO, les Rayons et les Ombres, XXXIV.

(...) c'est uniquement dans les propres souvenirs de ma vie, et non dans d'abondantes lectures, que je puise toutes mes richesses. 5
FRANCE, la Rôtisserie de la reine Pédauque, *in* Œ., t. VIII, I, p. 5.

Tous les politiques ont lu l'histoire; mais on dirait qu'ils ne l'ont lue que pour y puiser l'art de reconstituer les catastrophes. VALÉRY, Mon Faust, II, I. 6

(Av. 1696). *Puiser qqch., une idée, une information à la source, aux sources*, emprunter en se référant aux textes originaux.

(Sans compl. dir.). *L'historien doit puiser à la source* (→ Érudition, cit. 3; histoire, cit. 7). *Les écrivains puisent dans les inventions de leurs prédécesseurs.* ⇒ **Glaner** (→ Fonds, cit. 15). *Puiser dans un fonds de tradition populaire* (→ Mère-grand, cit.).

Le grand poète est celui qui peut puiser à pleines mains dans son réservoir d'images, de mots et de tournures, dans la multitude infinie des souvenirs, des traits, des rayons et des ombres. G. DUHAMEL, Inventaire de l'abîme, V. 7

▶ **SE PUISER** v. pron. (Passif). *L'eau se puise à cette source.*

▶ **PUISÉE, ÉE** p. p. adj. *Eau puisée à la source.* — *Information puisée aux meilleures sources. Documentation* (cit.) *puisée aux Archives.* — «*Par des gestes* (cit. 1) *puisés dans la passion même*» (Molière).

DÉR. Puisage, puisement, puisette, puisoir.

PUISETTE [pɥizɛt] n. f. — 1328; de *puiser*. → Épuisette.

♦ Vx. Petit récipient de cuisine pour puiser l'eau.

PUISEUR [pɥizœʀ] n. m. — 1553; *puiseres* (cas sujet), v. 1220; de *puiser*.

♦ **1.** Vx. Celui qui puise.

♦ **2.** (1875). Techn. Ouvrier qui, dans la fabrication du papier à la main, puisait la pâte à papier dans la cuve avec la forme (cadre muni d'une toile métallique), faisait égoutter l'eau et passait la forme au coucheur. *Le puiseur, appelé aussi* ouvreur, plongeur, *est le premier ouvrier de la cuve.*
REM. Le fém. *puiseuse* est virtuel.

PUISOIR [pɥizwaʀ] n. m. — 1701; «endroit où l'on puise de l'eau, dans une rivière, un lac», 1358; de *puiser*.

♦ Rare. Récipient servant à puiser les liquides.

PUISQUE [pɥisk(ə)] conj. — 1160; de *puis*, et *que*.

Conjonction de subordination à valeur causale (Causal, cit.).

Le changement de sens de locutions telles que *puis que* est très significatif (...) *Puisque* fait aujourd'hui entendre *s.* Mais on y reconnaît facilement *puis* et *que : après* (ceci) *que.* La locution s'est, jusqu'au XVIIe s., écrite en deux mots : **Puis** *donc* **que** *vous trouvez la mienne inconcevable* (CORN., Méd., 653)... 1
F. BRUNOT, la Pensée et la Langue, p. 812.

♦ **1.** (Introduisant une cause, en faisant reconnaître comme logique et incontestable le rapport de cause à effet). → Dès l'instant* où, du moment* que...

REM. Entre les deux principales conjonctions de cause, *parce que* et *puisque*, la différence est sensible : *parce que* indique la simple énonciation de la cause de façon objective et répond tout naturellement à la question *pourquoi?* Au contraire *puisque* a une valeur subjective d'argumentation et accentue la dépendance de cause à effet en la faisant reconnaître comme logique et incontestable : «*Au lieu de conclure qu'il n'y a point de vrais miracles* parce qu'*il y en a tant de faux** (1. Faux, cit. 23), *il faut dire au contraire qu'il y a certainement de vrais miracles* puisqu'*il y en a tant de faux*» (Pascal). — Dans une proposition positive (→ Attarder, cit. 4; légitimation, cit. 5; mesure, cit. 1; mortification, cit. 2). — Dans une proposition négative (→ Demeurer, cit. 26; fois, cit. 11; honorable, cit. 1; indispensable, cit. 11; objet, cit. 9). — Suivi d'un conditionnel (→ Homologuer, cit. 3).

2 Puisqu'après tant d'efforts ma résistance est vaine,
Je me livre en aveugle au destin qui m'entraîne. RACINE, Andromaque, I, 1.

REM. L'ellipse du sujet et du verbe être, fréquente après *parce que* (cit. 8 et 9), est très rare après *puisque.*

3 Le commandant Esterhazy, bon catholique, puisque zouave du pape, mais déplorable Français. CLEMENCEAU, l'Iniquité, p. 71, *in* K. NYROP, t. V, p. 20.

♦ **2.** (Servant à justifier une assertion ou une question précédente). → Du moment* que...

4 J'ai bien assez vécu, puisque dans mes douleurs
Je marche sans trouver de bras qui me secourent,
Puisque je ris à peine aux enfants qui m'entourent,
Puisque je ne suis plus réjoui par les fleurs (...)
HUGO, les Contemplations, IV, XIII.

5 Les mondes meurent, puisqu'ils naissent. FRANCE, le Jardin d'Épicure, p. 4.

Spécialt. (Introduisant la justification d'un terme employé dans la principale). *Sa triomphante ascension* (cit. 2), *je dis triomphante puisque ce retour au ciel fut un vrai triomphe... « La peste, puisqu'il faut l'appeler* (cit. 42) *par son nom »* (La Fontaine). *La taille, puisqu'il faut employer ce mot affreux* (→ Poitrine, cit. 16). *Une amputation* (cit. 2), *puisque vous parlez chirurgie. Le gouvernement, puisqu'il est question du ministre...*

(Exclam.). Du moment que... *Puisque je vous le dis! Puisqu'il n'en saura rien! — Mais puisque c'est trop tard! Mais puisque vous avez refusé!*

♦ **3.** (Introduisant la cause qui explique non pas le fait énoncé dans la principale, mais son énonciation). *Puisque vous désirez vous entretenir avec moi, nous serons mieux dans mon cabinet* (cit. 7) *de travail. Puisque le hasard nous remet en présence, allons-nous continuer à nous regarder comme deux ennemis irréconciliables?* (cit. 5).

6 Un autre point à remarquer au sujet de *puisque,* c'est que la causale qu'il introduit sert parfois à expliquer, non le fait contenu dans la principale, mais l'acte intellectuel (constatation, jugement, affirmation, etc.) qui conduit à poser ce fait. Ainsi, quand l'âne de la fable déclare : « Je n'en avais nul droit, *puisqu'il faut parler net* » (LA FONT., Fabl., VII, 1), la causale n'énonce pas pourquoi l'âne n'avait aucun droit de manger l'herbe, mais elle explique pourquoi il vient de faire cet aveu. G. et R. LE BIDOIS, Syntaxe du franç. moderne, § 1467 *bis.*

PUISSAMMENT [pɥisamɑ̃] adv. — V. 1360; *puissantment,* v. 1160; de *puissant.*

♦ **1.** Avec des moyens puissants, par une action efficace. *Tout ce qui agite* (cit. 10) *puissamment votre organisme.* ⇒ **Violemment.** *Une lueur* (cit. 6) *illumine puissamment l'horizon.* ⇒ **Fortement.** *La chevalerie a puissamment contribué à sauver l'Europe* (→ Église, cit. 5).

Spécialt. Avec des moyens militaires puissants. *Navire, cuirassé puissamment armé.*

♦ **2.** Avec force, énergie, intensité; en donnant une impression de puissance (II., 2.). *Les piliers et les colonnes semblent se piéter* (cit. 1) *puissamment. Des hanches puissamment développées.* — (En parlant de la pensée). *Entrechoquer* (cit. 8) *puissamment les idées.* (1775). *C'est puissamment raisonné!* (se dit souvent par ironie; cf. Beaumarchais, *le Barbier de Séville,* I, 2), fortement, intelligemment.

(1632). Fam. Extrêmement. *Être puissamment riche* (→ Garçon, cit. 15).

CONTR. Faiblement.

PUISSANCE [pɥisɑ̃s] n. f. — 1150, aux sens I et II; « autorité », v. 1120; de *puissant.*

★ **I.** (Sens faible). ♦ **1.** Vx. *Puissance de... :* moyen ou droit grâce auquel on peut faire qqch. ⇒ **Capacité, possibilité, pouvoir.** *La puissance de bien juger* (cit. 31) *qui est le bon sens.* ⇒ **Art.** *La puissance d'accorder les indulgences* (cit. 13) *a été donnée à l'Église par Jésus-Christ.* — Loc. mod. (V. 1155). *En sa puissance :* en son pouvoir, dans ses possibilités. *Il n'est pas en sa puissance de connaître l'univers* (→ Homme, cit. 50), ce n'est pas en son pouvoir, dans ses possibilités. *S'il est en ma puissance de l'accoster* (cit. 3).

(En parlant des choses; v. 1155). *La musique* (cit. 2) *a la puissance de nous faire rentrer en nous-mêmes.*

♦ **2.** (1644). Philos. Virtualité, possibilité. *La puissance et l'acte*.*

Loc. adj. (1647). *En puissance :* qui existe sans se manifester, qui est sans effet actuel. ⇒ **Potentiel, virtuel** (→ aussi En espérance*). *Impureté* (cit. 7) *en puissance. Les vifs sentiments que j'y sentais en réserve, en puissance* (→ Effleurer, cit. 15).

1 (...) de la Divinité (...) rien ne se rencontre seulement en puissance, mais tout y est actuellement et en effet. DESCARTES, Méditations, III.

★ **II.** Mod. (Sens fort). ♦ **1.** État ou situation (d'une personne, d'une chose) qui peut beaucoup, qui a une grande action sur les personnes, les choses. *La puissance que confère la force*, la richesse, l'autorité légale* (⇒ 3. **Droit**) *ou morale* (⇒ **Autorité, influence**). *Puissance spirituelle* (→ Infaillibilité, cit. 5), *temporelle.* ⇒ **Bras** (séculier). → Entreprise, cit. 13. *La puissance du chef, du père dans la famille patriarcale.* — Dr. *Puissance paternelle** (droit de garde, de direction, de correction du mineur; droit d'administration des biens et usufruit légal). *Puissance maritale* (jusqu'en 1942), droits du mari dans le régime de l'incapacité de la femme mariée. — *Puissance de l'homme* (→ Plaire, cit. 4), *de la femme* (→ Apparence, cit. 24). *La personne et la puissance du citoyen* (→ Commun, cit. 6). *La puissance et le prestige* (→ 2. Fort, cit. 58). *Sa puissance diminue* (→ Son étoile* pâlit).

Celui que sa puissance met au-dessus de l'homme doit être au-dessus des faiblesses de l'humanité, sans quoi cet excès de force ne servira qu'à le mettre en effet au-dessous des autres et de ce qu'il eût été lui-même s'il fût resté leur égal. 2
ROUSSEAU, Rêveries..., VIe promenade.

Oui, votre orgueil doit être immense, 3
Car, grâce à notre lâcheté,
Rien n'égale votre puissance,
Sinon votre fragilité.
Mais toute puissance sur terre
Meurt quand l'abus en est trop grand (...)
A. DE MUSSET, Poésies nouvelles, « À Mademoiselle... ».

(...) une presse qui, à de rares exceptions près, n'avait d'autre but que de grandir la puissance de quelques-uns et d'autre effet que d'avilir la moralité de tous. 4
CAMUS, Actuelles I, p. 32.

Loc. Philos. **VOLONTÉ DE PUISSANCE** *(Wille zur Macht),* principe des « nouvelles valeurs » de Nietzsche. Volonté d'agir sur le monde, d'être plus fort, plus puissant que l'homme moyen au mépris de la morale. ⇒ **Nietzschéisme** (cit.). Cour. Besoin de dominer les gens et les choses (→ Géométrie, cit. 3; égal, cit. 19). *Volonté de puissance et ardeur créatrice.*

La volonté de puissance, en politique comme en amour, il *(Racine)* ne la conçoit que chez la créature femelle : Agrippine et Athalie, c'est Hermione, Roxane et Phèdre qui ont survécu à leur fureur amoureuse et mis l'État dans leur vie, à la place du petit mâle débile (...) F. MAURIAC, Bloc-notes 1952-1957, p. 173. 4.1

Littér. ou vx. Domination* qui résulte de cet état. *Puissance d'une personne sur une autre. Soumettre qqn à sa puissance.* ⇒ **Loi** (cf. Tomber aux mains de...). *« Un père a sur nos vœux une entière puissance »* (→ Obéir, cit. 1). *La puissance ne se montre que si l'on en use avec injustice* (cit. 3).

Ces robes élégantes, toute cette vanité mondaine, lui étaient à charge; elle les changeait en instruments de mortification, car elle ne les portait que pour obéir à sa tante, qui exerçait sur elle la puissance maternelle. 5
Valery LARBAUD, Fermina Marquez, XII.

En... puissance. Être en la puissance de qqn. ⇒ **Dépendance.** — (1549). Vx. *Être en puissance de mari.* [a] Être sous l'autorité d'un mari.

(...) j'ai aussi de nombreux amis auxquels je dois aide et protection, et que je ne saurais favoriser de mes présents si tu ne m'y autorises; puisque je suis en puissance de mari. Ne conviendra-t-il pas que je t'en soumette la liste, comme à mon souverain seigneur et maître? 6
Charles NODIER, Contes, « La fée aux Miettes », XXI.

[b] Fam. Être sur le point de se marier, en parlant d'une femme.

♦ **2.** (XII[e]). Spécialt. Grand pouvoir de fait, qu'une personne, un groupe exerce dans la vie politique d'une collectivité. ⇒ **Autorité, pouvoir, souveraineté.** *Puissance absolue* (→ Payer, cit. 12). *Puissance royale.* ⇒ **Couronne** (fig.). *César ose des rois s'arroger* (cit. 2) *la puissance. Légitimité de la puissance souveraine* (→ Légitime, cit. 1). *Puissance législative et exécutive* (cit. 1). ⇒ **Pouvoir.** *Dans la démocratie* (cit. 1) *le peuple a la puissance. Nous sommes ici par la puissance du peuple* (Mirabeau; → Arracher, cit. 40). *La puissance des syndicats, des groupes de pression, des capitalistes, de la presse. La Révolution amenait à la puissance ces médiocrités actives* (→ 1. Moyen, cit. 8). *Joindre la puissance avec la pensée* (→ Dictateur, cit. 4). *Fonder, asseoir sa puissance sur...* (→ Cour, cit. 16; pragmatique, cit. 2). *Tenir sous sa puissance... Puissance fondée* (cit. 11) *sur la folie des peuples. À quoi tenait la puissance de Robespierre* (→ Immutabilité, cit. 3). *Au milieu de sa puissance et de ses triomphes* (→ Égratigner, cit. 1). *Montrer, étaler* (cit. 10) *sa puissance. Abuser de sa puissance* (→ Humilier, cit. 18).

La puissance souveraine peut maltraiter un brave homme, mais non pas le déshonorer. VOLTAIRE, le Siècle de Louis XIV, XI. 7

Ce fut le premier échec que reçut sur la mer la puissance de Louis XIV. 8
VOLTAIRE, le Siècle de Louis XIV, XV.

(...) des hommes qui décideraient d'opposer, en toutes circonstances, l'exemple à la puissance, la prédication à la domination, le dialogue à l'insulte (...) 9
CAMUS, Actuelles I, p. 173.

Il y a sous tout pouvoir, *potestas,* une puissance, *potentia,* sinon généralement plusieurs. Un texte ne suffit pas à conférer son autorité à un chef d'État, à donner à une assemblée sa puissance (...) Au point de départ, la puissance existante est étroitement intégrée au pouvoir (...) Mais (...) il vient un moment où des puissances nouvelles se manifestent, tandis que le pouvoir se voit en partie vidé de son ancienne puissance. Telle est la situation existant à la veille d'une révolution, celle que Sieyès évoque dans *Qu'est-ce que le Tiers-États?* Celui-ci n'est *rien* comme pouvoir, il est déjà *tout* comme puissance. 10
Marcel PRÉLOT, la Science politique, p. 99.

Pouvoir d'un pays fort, en état d'imposer le respect aux autres pays (→ ci-dessous : *une puissance*). *La puissance de Rome au Ier siècle, de la France sous Napoléon. L'Assyrie au faîte* (cit. 6) *de la puissance. Amoindrissement* (cit. 1) *de territoire et de puissance. Des*

États qui ne sont pas d'égale puissance (→ Associer, cit. 22). *La puissance militaire, économique, politique* (→ Désarmer, cit. 11) *d'un pays.*

Théol. Pouvoir absolu de Dieu. ⇒ **Toute-puissance.** *La puissance de Dieu est infinie* (→ Limite, cit. 9). *L'absolue puissance de Dieu et le libre arbitre* (→ Prescience, cit. 2). *Le glaive de sa puissance* (→ Ébrécher, cit. 3).

♦ **3.** (XIIe). Caractère de ce qui peut beaucoup, de ce qui produit de grands effets. ⇒ **Efficacité, force.** *La puissance des talismans* (→ Amulette, cit. 1). *La puissance des baïonnettes* (→ Arracher, cit. 40). *La puissance des images, de l'hallucination* (→ Fantastique, cit. 4). *La puissance de l'instant* (→ Impulsivité, cit.). *Puissance de la parole* (→ Applicable, cit. 1), *des mots* (→ Emprise, cit. 3). — Par ext. *Puissance d'un compositeur* (→ Exprimer, cit. 37). — *La puissance de l'exemple, de l'amour* (→ Assujettir, cit. 26), *de la volonté* (→ Illuminer, cit. 22), *de l'attention* (cit. 18). *Par la puissance de son génie* (→ Législateur, cit. 3). ⇒ **Dimension.** *Puissance d'un raisonnement, d'un argument. — Puissance de vision, de déduction* (cit. 3). *Puissance de travail. Puissance émotive d'une image* (cit. 46). *Puissance d'action d'un discours* (→ Grandiloquent, cit. 1). *Puissance de séduction des actions héroïques* (cit. 15). *Puissance d'envoûtement* (cit. 2).

11 La puissance du travail et de la réflexion est aussi l'un des traits distincts de la nation allemande. Mme DE STAËL, De l'Allemagne, I, II.

12 (...) chefs-d'œuvre d'une nouveauté, d'un éclat et d'une puissance extraordinaires. Th. GAUTIER, Portraits contemporains, « Marilhat. »

♦ **4.** [a] (XVIIe). Phys. Quantité de travail* fourni par une unité de temps. ⇒ **Énergie.** *Unités de puissance,* dans le système métrique C. G. S. (⇒ **Erg**), dans le système M. K. S. A. (⇒ **Watt ; hectowatt, kilowatt**). Unités pratiques (⇒ **Cheval-vapeur, horse-power, poncelet**). *Puissance d'une machine, d'un moteur. Puissance effective* ou *puissance au frein d'un moteur,* puissance utile mesurée avec un appareil nommé frein. *Puissance administrative* (ou *puissance fiscale*) *d'un moteur d'automobile.*

Électr. (Dans le cas d'un courant continu). Produit en watts, de l'intensité du courant électrique (ampères) par la force électromotrice (volts). *Puissance apparente* d'un courant monophasé.*

[b] Cour. Force physique (surtout considérée comme potentielle, en réserve). *La puissance d'une personne.* ⇒ **Force, vigueur.** *Donner une impression* (cit. 36) *de calme et de puissance. Sans puissance ni force* (→ Exsangue, cit. 1). — *Puissance sexuelle d'un homme.* ⇒ **Virilité.** — *Puissance d'un animal.* — *Serrer, frapper, lancer... avec une grande puissance.*

13 (...) il faisait songer à ces pachydermes dont la puissance reste cachée tant qu'ils sont au repos (...) MARTIN DU GARD, les Thibault, t. I, p. 215.

[c] Sc. Pouvoir d'action (d'un appareil) ; intensité (d'un phénomène). (1690). *Puissance dispersive d'un prisme. Puissance d'un système optique* (⇒ **Convergence**), exprimée en dioptries. — Cour. *Puissance d'une source lumineuse, d'un phare, d'un projecteur.* ⇒ **Intensité.** *Puissance d'un son,* et, par ext., *d'une voix* (→ Accentuer, cit. 1), *d'un instrument* (→ Hautbois, cit. 1). *Niveau de puissance acoustique mesuré en décibels. Puissance du son d'un poste de radio, d'un électrophone, réglable par un bouton. Donner de la puissance. Diminuer la puissance de son poste.*

14 (...) il s'étendit longuement sur le nouveau système de lentilles dont le phare était muni depuis l'automne, d'une puissance optique encore jamais atteinte, capable de percer les brumes les plus épaisses. A. ROBBE-GRILLET, le Voyeur, p. 139.

♦ **5.** (1690). Math. *Puissance d'un nombre,* produit de plusieurs facteurs égaux à ce nombre, le nombre de facteurs étant indiqué par l'exposant. ⇒ **Exposant.** 2^5 *(deux puissance cinq). Un nombre multiplié par lui-même est à la puissance deux. Élever* un nombre à une puissance* (→ Exponentiel, cit. 1), *à la puissance deux* (⇒ **Carré**), *trois* (⇒ **Cube**). ⇒ aussi **Aleph.** *Puissance d'un polynôme.* Fam. *À la nième puissance :* au plus haut degré.

15 Ainsi le produit du nombre 3 multiplié par lui-même, c'est-à-dire 9, est la seconde *puissance* de 3 ; le produit de 9 multiplié par 3, ou 27, est la troisième *puissance* (...) Par rapport à ces produits ou à ces *puissances,* le nombre 3 est appelé la *racine* ou la première *puissance.* Encycl. (D'ALEMBERT), art. *Puissance.*

(Mil. XXe). *Puissance d'un ensemble :* son cardinal*. *Les éléments de deux ensembles de même puissance peuvent être mis en correspondance biunivoque.*

(1904). Géom. *Puissance d'un point P par rapport à un cercle, à une sphère :* produit constant de deux segments formés par une droite quelconque sécante du cercle ou de la sphère et partant de P.

♦ **6.** (1907). Géol. Épaisseur (d'une couche géologique). — Pouvoir de transport, d'érosion (d'un cours d'eau).

♦ **7.** Didact. Capacité (d'une théorie) de rendre compte d'un grand nombre de faits.

★ **III.** (XVIe). *Une, des puissances.* ♦ **1.** (Vieilli). Personne qui a un pouvoir social, politique. *Toutes les puissances du monde ne peuvent par autorité persuader un point* (1. Point, cit. 88) *de fait. Considérez ces grandes puissances..., Dieu les frappe pour nous avertir* (→ Élévation, cit. 7 ; et aussi pardonnable, cit. 1).

16 (...) vous êtes connu du ministre, vous êtes bien avec les puissances (...) LA BRUYÈRE, les Caractères, IX, 37.

Toute carrière a ses aspirants qui font cortège aux arrivés. Pas une puissance qui n'ait son entourage ; pas une fortune qui n'ait sa cour. 17
HUGO, les Misérables, I, I, XII.

Littér. Personnification d'un pouvoir occulte, religieux. *Puissance à laquelle s'adresse un culte* (→ Dieu, cit. 12). *Les puissances occultes et la magie.* — (1530). *Les puissances célestes, infernales* (cit. 3), *des ténèbres* (⇒ **Démon**). *Les anges et les puissances incorporelles* (cit. 1). *Les puissances du hasard* (→ Domaine, cit. 4). *Injuste puissance* (→ Crime, cit. 22). *Puissance hostile, ennemie.*

Entraîné par l'effort d'une occulte puissance, 18
J'ai d'Ithaque en ces lieux fait voile en diligence (...)
MOLIÈRE, la Princesse d'Élide, I, 1.

(Dans les contes) Un obstacle matériel est peu de chose, si les puissances sont favorables ; en revanche tout devient obstacle si l'on n'a pu fléchir les puissances contraires. ALAIN, Propos, 10 sept. 1921, Les contes. 19

(1541). Relig. *Les Puissances,* anges* du 2e chœur de la 2e hiérarchie.

♦ **2.** (V. 1265). Littér. Chose abstraite ou indéterminée qui a un grand pouvoir, produit de grands effets. *Une telle puissance* (la musique) *est capable* (cit. 12) *de faire vivre jusqu'à l'absurde. La nature n'est ni une chose ni un être, mais une puissance immense* (cit. 2) *qui anime tout. La liberté, puissance vivante qu'on sent en soi* (→ Garantie, cit. 7). *Trois puissances gouvernent* (cit. 22) *les hommes : le fer, l'or, l'opinion. Une grande puissance agite ces malades* (→ Magnétiser, cit. 3).

Il faut commencer par là le chapitre des puissances trompeuses. L'homme n'est qu'un sujet plein d'erreur (...) Tout l'abuse ; ces deux principes de vérités, la raison et les sens, outre qu'ils manquent chacun de sincérité, s'abusent réciproquement l'un l'autre. PASCAL, Pensées, II, 83. 20

(...) toutes sortes de puissances troubles fermentaient dans ses artères, lui battaient aux poignets et aux tempes, se soulevaient, pour lui, contre cet homme. 21
M. GENEVOIX, Raboliot, I, II.

♦ **3.** [a] Vx. Faculté, pouvoir (mental, psychique). *Les puissances de l'âme.* ⇒ **Faculté** (→ Levier, cit. 6). *Action du café* (cit. 3) *sur les puissances cérébrales. Une éducation qui rend apparentes* (cit. 2) *les puissances cachées.*

[b] Forces inconscientes, pulsions. *Les puissances obscures* (cit. 14) *qui agissent en nous.*

♦ **4.** (Fin XIIe). Catégorie, groupement de personnes qui ont un grand pouvoir de fait dans la société. *Les puissances temporelles, politiques, les autorités* (cit. 29) *de tout ordre. Les puissances d'argent* (cit. 51). ⇒ **Capitaliste** (→ Manœuvrer, cit. 4 ; occulte, cit. 6). *Les puissances productives* (→ Marché, cit. 29). *La presse, redoutable puissance. L'Église, puissance à ménager* (→ Inféoder, cit. 2). *Les femmes, quelle puissance !* (→ Auxiliaire, cit. 4).

Dostoïevski, victime des puissances, parle pour les puissances : la tyrannie, la police, l'église, les riches. À ses yeux, tout le mal qu'elles peuvent faire, est compensé, de bien loin, par l'action qu'elles ont sur l'âme humaine : elles en provoquent l'excellence, en y prodiguant la douleur. 22
André SUARÈS, Trois hommes, « Dostoïevski », V.

(...) elle passa en revue les noms de toutes ces grandes puissances obscures qui mènent le monde, la Franc-maçonnerie, les Jésuites, les deux cents familles, les marchands de canons, les Maîtres de l'or, le Mur d'argent, les trusts américains, l'Internationale communiste, le Ku-klux-klan (...) SARTRE, le Sursis, p. 283. 23

♦ **5.** (1660). État* souverain (surtout quand il est puissant). ⇒ **Empire, nation, pays.** *Industrie qui fait d'un pays méprisé une puissance respectable* (→ Hareng, cit. 1). *Les grandes puissances* (→ Émonctoire, cit. 2). *Le concert* (cit. 3) *des grandes puissances.* ⇒ **Superpuissance.** *Grande puissance européenne* (→ Neutralité, cit. 4). *Alliance, coalition de puissances. Les trois puissances alliées* (→ Négociateur, cit.). *Puissances antagonistes, belligérantes qui s'affrontent* (cit. 6). *Traité entre puissances* (→ Paix, cit. 22). *Les Hautes Puissances* (ou *Parties*) *contractantes. Les puissances chrétiennes* (→ Divan, cit. 1), *catholiques* (→ Aîné, cit. 1). *Puissances capitalistes, socialistes. Puissances maritimes* (cit. 2 ; → Conférence, cit. 2). *Les principales puissances militaires. — Puissances atomiques* (emploi critique de l'adjectif.)

Il faut étudier le caractère de Frédéric II, quand on veut connaître la Prusse. Un homme a créé cet empire que la nature n'avait point favorisé, et qui n'est devenu une puissance que parce qu'un guerrier en a été le maître. 24
Mme DE STAËL, De l'Allemagne, I, XVI.

(...) la décision de plaider plus énergiquement encore en faveur d'une véritable société internationale, où les grandes puissances n'auront pas de droits supérieurs aux petites et aux moyennes nations, où la guerre, fléau devenu définitif par le seul effet de l'intelligence humaine, ne dépendra plus des appétits ou des doctrines de tel ou tel État. CAMUS, Actuelles I, p. 84. 25

CONTR. Impuissance, impossibilité. — Faiblesse.
COMP. Superpuissance. — Surpuissance. — Toute-puissance.

PUISSANT, ANTE [pɥisɑ̃, ɑ̃t] adj. et n. m. — 1080, la *Chanson de Roland ; poisant,* p. prés. préroman de *pouvoir,* d'après les formes en *pois-, puis-* du verbe. Cf. *Qu'il puisse.*

♦ **1.** [a] Adj. Qui a un grand pouvoir de fait, de la puissance. *Un puissant monarque. Puissante reine* (→ Apprivoiser, cit. 9). *Princes plus puissants que les Capétiens* (→ Article, cit. 19). — (Vx). *Haut et puissant seigneur, haute* (cit. 35) *et puissante dame, le très haut* (cit. 36) *et très puissant prince Louis de Bourbon. — Personne puissante.* ⇒ **Considérable, influent.** *Le ministre des Finances* (cit. 2), *personnage puissant. Les puissants maîtres de l'or*

(→ Nationalisme, cit. 2). *Des gens plus riches, plus honorés, plus puissants* (→ Inégalité, cit. 3), *qui ont du crédit et des dignités.* ⇒ **Considérable** (→ Monde, cit. 43). *« Selon que vous serez puissant ou misérable... »* (La Fontaine, → Blanc, cit. 12). *Le plus puissant impose ses jugements* (→ Niveau, cit. 7). *Puissant ennemi.* ⇒ **Redoutable.** *Plaire aux gens puissants* (→ Intrigant, cit. 3). — *« Hélas je suis, Seigneur, puissant et solitaire... »* (Vigny, → Laisser, cit. 5). ⇒ aussi **Tout-puissant.**

1 Moins on est puissant dans le monde, plus on peut commettre de fautes impunément ou avoir inutilement un vrai mérite.
VAUVENARGUES, Réflexions et Maximes, 244.

2 Valjean (maintenant M. Madeleine) est devenu honnête, riche, et puissant. Il a enrichi, civilisé presque une commune, pauvre avant lui, dont il est maire.
BAUDELAIRE, l'Art romantique, XXV, III.

3 L'homme riche a des commensaux ou des parasites, l'homme puissant des courtisans, l'homme d'action a des camarades qui sont aussi des amis.
A. MAUROIS, Études littéraires, t. II, Saint-Exupéry, I.

Vx ou littér. Avec un complément de nom qui détermine la nature de la puissance :

4 Abondante en richesse, ou puissante en crédit,
Je demeure toujours la fille d'un proscrit.
CORNEILLE, Cinna, I, 2.

b N. m. *Juridiction du puissant sur le faible* (cit. 34). ⇒ **Fort.** — (1530). *Les puissants :* les gens qui ont pouvoir et richesse. *Les puissants de ce monde* (→ Lettre, cit. 37), *de la Terre. Les puissants du moment* (→ Accumuler, cit. 4). *Les Grands et les puissants.* ⇒ **Grand** (cit. 46 ; → Inébranlable, cit. 9). *Irriter les puissants* (→ Faible, cit. 33). *Petits qui se vengent des puissants* (→ Moquer, cit. 12).

5 Si vous ne réprimiez pas de pareils abus, sénateurs, le puissant ne se mettant au-dessus des lois que pour traiter les faibles comme s'ils étaient au-dessous, il n'y aurait plus de lois pour personne.
BEAUMARCHAIS, Mémoires... dans l'affaire Goëzman, p. 130.

6 Les regards des puissants passent par-dessus les petits sans les voir.
GIDE, le Roi Candaule, I, Prologue.

Spécialt. Qui a un pouvoir surnaturel, occulte, religieux. *Puissant démon* (cit. 3). *Dieux puissants !* (→ Outre, cit. 2). — Relig. *Dieu est infiniment puissant* (→ Bon, cit. 76). ⇒ **Tout-puissant.** *Un qui est plus puissant que moi...* (Bible, → Dénouer, cit. 1).

Spécialt. Qui a de grands moyens militaires. *Puissante armée* (en nombre, en armement). → Pacifique, cit. 2. *Troupes puissantes* (→ Armer, cit. 11). *Nation puissante* (→ Barbare, cit. 10). *Pays menacé par un puissant voisin.*

♦ **2.** Qui est très actif, produit de grands effets. — (Choses). *Un puissant antidote* (cit. 3), *narcotique* (cit. 3). *Remède puissant* (→ Exalter, cit. 9). ⇒ **Efficace, énergique.** *Un puissant moyen de défense* (→ Péril, cit. 9), *de connaissance* (→ Intuition, cit. 3), *d'expression* (→ 1. Geste, cit. 9). *Puissantes raisons.* ⇒ **Éloquent, fort.** *Des causes si délicates et si puissantes à la fois* (→ Français, cit. 3). *Puissante influence. Ascendant* (cit. 4) *trop puissant. Exercer un puissant empire* (→ Âge, cit. 28). *Charmes puissants* (→ Après, cit. 45). *La puissante vertu de la famille* (cit. 24). *Puissants symboles* (→ Présence, cit. 6).

7 Mahomet, sans autorité. Il faudrait donc que ses raisons fussent bien puissantes, n'ayant que leur propre force.
PASCAL, Pensées, IX, 595.

(En parlant des états d'âme, de conscience qui s'imposent avec force). ⇒ **Profond, violent.** *Les sensations puissantes de la lecture* (cit. 7). *Sentiments puissants* (→ Blottir, cit. 7 ; calculateur, cit. 3). *Puissantes émotions soulevées par la musique* (cit. 26). *L'intérêt le plus puissant. Une conviction si puissante* (→ Adhésion, cit. 2).

8 Rome à ce nom, si noble et si saint autrefois,
Attacha pour jamais une haine puissante (...)
RACINE, Bérénice, II, 2.

(Personnes). Qui s'impose par sa force, son action. *Une puissante personnalité* (→ Effacer, cit. 30), *individualité* (→ Assujettir, cit. 20). *Un puissant génie* (→ Autel, cit. 14). *Intelligence puissante et supérieure* (→ Organisation, cit. 1). *Diderot, puissant penseur* (→ Parvenir, cit. 16).

9 Dans l'ouverture de *Tannhäuser* (...) il *(Wagner)* ne s'est pas montré moins subtil ni moins puissant.
BAUDELAIRE, l'Art romantique, XXI, III.

Par ext. *Une œuvre puissante.*

Didact. (d'une théorie). Qui rend compte d'un grand nombre de faits.

9.1 Des mécanismes trop généraux et trop puissants risquent d'aboutir non aux langues « naturelles », mais aux produits d'un excès en capacité générative (...) Pour éviter cela, il faut assortir ces mécanismes d'un appareil de contraintes.
Claude HAGÈGE, la Grammaire générative, Réflexions critiques, p. 176.

♦ **3.** (V. 1155). Qui a de la force physique (quand cette force semble permanente, potentielle). ⇒ 1. **Fort.** *L'homme* (cit. 67) *primitif, « calme et puissant, vêtu d'une mâle beauté ». Le cocher, lourd et puissant personnage* (→ Fouet, cit. 5). *Puissant comme un fort des halles, un déménageur.* (En parlant des animaux). *Un taureau, un cheval puissant. Les puissants aurochs* (→ Haut, cit. 20).

10 Il était penché comme pour écouter et son dos arrondi faisait penser à celui d'une bête puissante à l'affût d'une proie.
J. GREEN, Adrienne Mesurat, I, IX.

(1669). *Son puissant corps* (→ Frémissement, cit. 6). *Muscles élastiques et puissants* (→ Inerte, cit. 1 ; médaille, cit. 2). *Puissantes épaules* (→ Nouer, cit. 3). *Puissantes ailes, serres puissantes de l'aigle. Mâchoires puissantes de carnassier* (→ Maxillaire, cit. 2). — Par ext. *Le jeu puissant des muscles* (→ Détente, cit. 3). *L'effort tranquille et puissant de son bras musculeux* (→ Haltère, cit. 1). *Mouvements calmes et puissants* (→ Pioche, cit. 2).

(...) le futile jeu de l'artiste n'adoucissait en aucune façon ce qu'il y avait d'énergique et de batailleur dans cette carrure aux lignes puissantes. 11
J. GREEN, Adrienne Mesurat, I, I.

(V. 1155). Vx. Qui est gros, a de l'embonpoint. *« Une femme très puissante »* (Littré). *« Cet homme est devenu très puissant faute de faire de l'exercice »* (Académie, 8ᵉ éd.). — *« Un dogue aussi* (cit. 2) *puissant que beau »* (La Fontaine).

Un bœuf est plus puissant que toi *(le lion)*, 12
Je le mène à ma fantaisie.
LA FONTAINE, Fables, II, 9.

Spécialt. (d'après *impuissant*). Rare. ⇒ **Viril.**

(...) Vénus qu'on eût voulu plus difficile était une femme comme les autres : elle aimait les garçons puissants. 13
Émile HENRIOT, Mythologie légère, p. 77.

♦ **4.** (Moteur, machine). Qui a de la puissance, de l'énergie. ⇒ **Surpuissant.** *Puissantes machines* (cit. 14) *d'une usine. Voiture puissante* (→ Doubler, cit. 9). *Une fusée puissante. Roues puissantes* (→ Hélice, cit. 4). *Attention, freins puissants.* — Qui produit de grands effets matériels, de grands dégâts. *Une bombe très puissante.*

♦ **5.** Qui a une grande intensité (en parlant d'un phénomène physique). *Parfum* (→ Fumerie, cit. 3), *arôme puissant* (→ Champignon, cit. 1). ⇒ 1. **Fort.** *Une voix puissante* (→ Avancer, cit. 65 ; calmer, cit. 15. 1). ⇒ **Haut.**

CONTR. Faible, misérable, petit. — Maigre, fluet. — Impuissant.
DÉR. Puissance.
COMP. Impuissant. — Tout-puissant. — Surpuissant.

PUITS [pɥi] n. m. — XVIᵉ ; *puis*, v. 1131 ; *puz*, v. 1112 ; lat. *puteus*, avec infl. probable d'un francique *putiu*, anc. haut all. *putte*.

♦ **1.** Cavité* circulaire, profonde, en général étroite, à parois maçonnées, pratiquée dans le sol pour atteindre une nappe aquifère souterraine et en extraire l'eau. *Puits d'eau. Puisatiers qui creusent, forent, approfondissent* (cit. 1 et 2) *un puits à la pioche, au trépan. Muraillement d'un puits. Curer, écurer un puits. Combler un puits. Puits tari. Bord* (cit. 11), *bouche, margelle d'un puits. Prendre, puiser, tirer de l'eau au puits !* ⇒ **Puisage, puiser.** *Main d'une corde, d'une chaîne de puits. Chadouf d'un puits arabe.* — *Puits communal, mitoyen.* — *Puits filtrant alimentant une canalisation* d'eau potable.* — Loc. (1834 ; du nom de l'Artois, où ces *puits* étaient connus dès le moyen âge). **PUITS ARTÉSIEN,** d'où jaillit l'eau d'une nappe souterraine communiquant avec une réserve d'eau située à un niveau plus élevé que la surface du sol où le *puits* est foré. *Cuveler un puits artésien.*

Tant de seaux d'eau que j'ai tirés au puits pour elle ! 1
MOLIÈRE, le Bourgeois gentilhomme, III, 9.

Au milieu de l'une d'elles *(une cour)* bâillait la bouche noire d'un puits énorme, très profond, qui nous promettait le délicieux régal d'une eau bien claire et bien froide. En me penchant sur la margelle, je vis que l'intérieur était tout tapissé de plantes du plus beau vert qui avaient poussé dans l'interstice des pierres. 2
Th. GAUTIER, Voyage en Espagne, p. 231.

Les fameux puits d'eau vive de Ras-el-Aïn, célébrés dans la Bible, et qui sont de véritables *puits artésiens*, dont on attribue la création à Salomon, existent encore à une lieue de la ville (...) 3
NERVAL, Voyage en Orient, Druses et Maronites, IV, III.

Dans les paroisses arides de l'ouest *(de Guernesey)*, le puits banal, avec son petit dôme de maçonnerie blanche au milieu des friches, imite presque le marabout arabe. 4
HUGO, l'Archipel de la Manche, VII.

L'eau était immobile dans les puits, lisse comme du métal, portant à sa surface les débris de feuilles et la laine des animaux. À l'autre puits, les femmes se lavaient et lissaient leurs chevelures. 4.1
J. M. G. LE CLÉZIO, Désert, p. 16.

Par ext. **PUITS PERDU,** dont le fond perméable ne retient pas l'eau. *Puits perdu creusé pour recevoir des eaux-vannes.* ⇒ **Puisard** (→ aussi Effondrer, cit. 4).

Littér. *L'astrologue* (cit. 1) *qui se laisse tomber dans un puits,* fable de La Fontaine (II, 13). — Allus. littér. (à la fable de La Fontaine *le Loup et le Renard*, où le renard fait croire au loup que le reflet de la lune [cit. 2] dans l'eau d'un puits est un gros fromage). *Voir la lune au fond d'un puits :* être berné. — Loc. prov. *La vérité est au fond d'un puits,* elle est extrêmement difficile à découvrir.

La Vérité toute nue 5
Sortit un jour de son puits.
FLORIAN, Fables, I, 1.

Alors la Politique régnait à Rome ; elle avait pour ministres ses deux sœurs, la Fourberie et l'Avarice (...) la Pauvreté les suivait partout ; la Raison se cachait dans un puits avec la Vérité, sa fille. Personne ne savait où était ce puits, et, si l'on s'en était douté, on y serait descendu pour égorger la fille et la mère. 6
VOLTAIRE, Éloge de l'histoire de la Raison.

(XIVᵉ, *« puits de sens et de clergie »*, en parlant de Paris). Fig. Se dit d'une personne qui dispose de ressources inépuisables en quelque domaine. *Un puits d'érudition*,* (cour.) *un puits de science :* une personne inépuisable en fait d'érudition. ⇒ **Abîme, mine ; érudit, savant.**

C'est vous qui êtes ce qu'on appelle un puits d'érudition. 7
A.-R. LESAGE, Gil Blas, III, IV.

Par ext. ⇒ **Source.** *« La femme maigre est un puits de voluptés ténébreuses »* (→ Gras, cit. 14, Baudelaire).

♦ **2.** (1254). Excavation* pratiquée dans le sol ou le sous-sol pour l'exploitation d'un gisement. *Puits d'une carrière souterraine d'ardoise. Puits de mine* : puits d'extraction* (cit. 1), *puits de descente des mineurs, puits d'aérage... Puits entre deux galeries.* ⇒ **Bure** (2.). *Boisage, cuvelage, fonçage des puits. — Puits d'une marnière* (cit.), *d'un placer* (2. Placer, cit. 1).

8 On ne s'était pas contenté d'élargir le puits d'un mètre cinquante et de le creuser jusqu'à sept cent huit mètres de profondeur, on l'avait équipé à neuf, machine neuve, cages neuves (...) La pompe était placée sur l'autre puits de la concession, à la vieille fosse Gaston-Marie (...) ZOLA, Germinal, V, I.

(1904). **PUITS DE PÉTROLE,** ou, absolt, **PUITS** : galerie cylindrique verticale creusée pour aboutir à une nappe d'hydrocarbures. *Forer un puits. Puits stérile, sec. Puits en exploitation. Derrick* d'un puits de pétrole* (→ aussi Foule, cit. 12). *Forer les puits pétrolifères avec des sondes, par voie de sondage.*

*Puits de fondation** : excavation étroite et profonde, ordinairement carrée, dont les terres sont remontées au treuil.

♦ **3.** Géogr. *Puits naturel* ou *puits :* gouffre, aven.

♦ **4.** Techn. Passage vertical. — *Puits d'ascenseur* (→ Bout, cit. 26), *d'escalier* (cit. 6), la cage*.

(1904). Constr. *Puits d'attente, de soutien,* creusés dans les terrains peu solides et remplis de béton, ciment, etc. — *Puits d'amarre d'un pont suspendu.*

Archit. Ouverture, regard. *Puits de lumière* (→ ci-dessous, cit.). *Puits d'aqueduc :* regard dans la maçonnerie pour le nettoyage, l'inspection.

9 Les constructions de ce temps ont de la hauteur; on accède aux étages supérieurs par des escaliers que des courettes ou «puits de lumière» éclairent latéralement, ainsi que les chambres et les galeries (...) G. CONTENAU et V. CHAPOT, l'Art antique, p. 138.

(1869). Mar. Compartiment ou chambre verticale. *Puits aux chaînes, des pompes, de tonnage.*

♦ **5.** (1735). **PUITS D'AMOUR** : gâteau de pâte feuilletée, creusé et garni en son centre de crème pâtissière.

(1814). Cuis. Creux qui se forme au milieu d'un mets présenté en plat.

♦ **6.** Techn. Partie creuse (d'une jante* de roue).

DÉR. Puisard, puisatier, puiser.
COMP. Avant-puits.
HOM. Puis, puy.

PULICAIRE [pylikɛʀ] n. f. — 1784; *erbe policaire,* 1105; lat. *pulicaria (herba),* proprt «herbes aux puces».

♦ Bot. Plante dicotylédone *(Composacées)* à fleurs jaunes, voisine de l'inule, qui pousse dans les lieux humides.

PULICIDÉS [pyliside] n. m. pl. — Du lat. *pulex, icis* «puce».

♦ Zool. Famille de puces dont certains genres sont parasites de l'homme. — Au sing. *Un pulicidé.*

1. PULL [pul] interj. — 1854, comme n. m., *in* Petiot; mot angl., «tirez», de *to pull.*

♦ Anglic. Au tir aux pigeons, Signal donné au puller* pour qu'il lâche les oiseaux.

2. PULL [pul] n. m. — 1924; angl. *pull,* n. (1892), de *to pull* «tirer».

♦ Anglic. Golf. Effet donné à la balle de droite à gauche.

3. PULL [pyl] ou [pul] n. m. — 1930; abrév. de *pull-over.*

♦ Faux anglic. Pull-over et, notamment, pull-over léger. *Acheter des pulls. Tricoter un pull.*
REM. La prononciation en *u* [y] tend à l'emporter sur celle en *ou* [u], plaisamment transcrite en *poul,* chez Queneau (*«tricoter un poul», les Fleurs bleues,* p. 100).

T'es tout'nue
Sous ton pull
Y'a la rue
Qu'est maboul'
Jolie môme. Léo FERRÉ, «Jolie Môme», *in* Ch. ESTIENNE, Léo Ferré, p. 134.

HOM. Pool, poule.

PULLER ou PULLEUR [pulœʀ] n. m. — 1885; mot angl. (XIVe), de *to pull* «tirer».

♦ Anglic. Au tir aux pigeons, Personne qui lâche les oiseaux, au signal convenu (→ 1. Pull).

PULLMAN [pulman] n. m. — 1884, *in* Höfler; *pullman-car,* 1873; *pulman's car,* 1868; mot anglo-amér., du nom de l'inventeur.

♦ **1.** Wagon aménagé de manière particulièrement confortable. *Fauteuils d'un pullman. Voyage en pullman. Des pullmans.*

(...) je m'étais trouvé entraîné à m'offrir plein confort, c'est-à-dire : couchette de luxe dans le pullman. GIDE, Carnets d'Égypte, 19 mars 1939, *in* Souvenirs, Pl. 1

Gide me disait : «Claudel est un monsieur qui croit qu'on peut aller au ciel en pullman.» J. GREEN, Journal, 20 déc. 1948. 2

Par appos. *Train, voiture pullman.*

♦ **2.** *Fauteuil pullman,* et, n. m., *un pullman :* fauteuil confortable, du type utilisé dans les wagons pullman.

Il se laissa conduire par l'hôtesse dans l'avion jusqu'à un pullman dans lequel il s'enfonça. Guy DES CARS, le Grand Monde, p. 409. 3

PULLOROSE [pyloʀoz] n. f. — 1948; du lat. sc. *(bacterium) pullorum* «(bactérie) des poulets», et *-ose.*

♦ Vétér. Grave maladie contagieuse et infectieuse des volailles, atteignant surtout les poussins.

PULL-OVER [pulɔvœʀ; pylɔvɛʀ] n. m. — 1925, *in* Höfler; *sweater «pull-over»,* 1924; mot angl., proprt «tirer par-dessus».

♦ Anglic. Tricot de laine ou de coton avec ou sans manches, qu'on met en le faisant passer par-dessus la tête. ⇒ **Chandail, pull, sweat-shirt.** *Des pull-overs.*

Moi, ma seule élégance, c'était mes pull-overs, que ma mère me tricotait d'après des modèles soigneusement sélectionnés et que souvent mes élèves copiaient. S. DE BEAUVOIR, la Force de l'âge, p. 164.

PULLULANT, ANTE [pylylɑ̃, ɑ̃t] adj. — 1773; de *pulluler.*

♦ Qui pullule. ⇒ **Grouillant.** *La cave était occupée par une population* (cit. 9) *pullulante de rongeurs.*

Là s'entassent vingt mille Juifs, dans un espace infiniment trop étroit pour leur vie pullulante. Jérôme et Jean THARAUD, Marrakech, VII.

PULLULATION [pylylɑsjɔ̃] n. f. — 1555; bas lat. *pullulatio,* de *pullurare;* → Pulluler.

♦ **1.** Vx ou littér. Profusion, grouillement. ⇒ **Pullulement.**

Comme dans l'Inde où la pullulation des dieux interdisait de dresser des statues aux rois, l'important était l'invisible (...) MALRAUX, l'Homme précaire et la Littérature, p. 23. 1

(...) l'avion continua son vol et disparut bientôt au milieu de l'air, confondu parmi les pullulations de points gris et blancs qui naissaient sur les rétines éblouies. J.-M. G. LE CLÉZIO, la Fièvre, p. 128. 2

♦ **2.** (1758). Fait de pulluler, de se multiplier. — Spécialt. (Méd.). Prolifération. *La pullulation microbienne. «La pullulation des bacilles typhiques»* (*Rev. gén. des sc.,* 15 juil. 1904, p. 666).

PULLULEMENT [pylylmɑ̃] n. m. — 1873; de *pulluler.*

♦ **1.** Profusion, grande quantité (de).

Les deux lignes interminables des becs de gaz qui se rapprochaient et se confondaient, tout là-haut, dans un pullulement d'autres lumières. ZOLA, le Ventre de Paris, t. I, p. 9. 1

Ces montagnes *(de Kabylie)* abritent dans leurs plis une population grouillante qui atteint, dans certaines communes comme celle du Djurdjura, une densité de 247 habitants au kilomètre carré. Aucun pays d'Europe ne présente ce pullulement. CAMUS, Actuelles III, p. 33. 2

♦ **2.** (Déb. XXe). Fig. et littér. Grand nombre de (choses), qui vont se multipliant. *«Avez-vous remarqué ce pullulement d'expressions nouvelles qu'emploie Norpois»* (Proust).

PULLULER [pylyle] v. intr. — 1320; lat. *pullulare.*

♦ **1.** Se multiplier, croître en grand nombre et très vite. ⇒ **Pousser** (comme des champignons, du chiendent, etc.). *Organisme où pullulent les microbes* (cit. 3, par métaphore). *«C'est-à-dire environ* (cit. 2) *le temps Que tout aime et que tout pullule dans le monde»* (La Fontaine). *«Dans l'étang splendide où pullule Tout un monde mystérieux»* (→ Libellule, cit. Hugo).

(Av. 1850). Par métaphore. *Un capital bien placé qui a pullulé.* ⇒ **Petit** (faire des petits).

L'ode a les fers aux pieds, le drame est en cellule 1
Sur le Racine mort le Campistron pullule! HUGO, les Contemplations, I, VII.

♦ **2.** (1840). Se manifester en très grand nombre (se dit d'êtres vivants). ⇒ **Fourmiller, grouiller.** *Vers qui pullulent dans un arbre pourri* (→ Grouillant, cit. 1, par métaphore). *Des centaines de lapins* (cit. 3) *pullulaient par les bois et les fourrés. Le nombre infini des gens qui pullulent en ces rues* (→ Fourmilière, cit. 1).

Il y en avait tout autour, ça fourmillait, des chaussés, des déchaussés, des tondus, des barbus, des gris, des noirs, des blancs, des franciscains, des minimes, des capucins, des carmes, des petits augustins, des grands augustins, des vieux augustins (...) — Ça pullulait. HUGO, les Misérables, IV, XII, II. 2

(...) ce labyrinthe de ruelles étroites où circule, s'agite, pullule la population la plus colorée, bigarrée, drapée, pavoisée, miroitante, soyeuse et décorative, de tout ce rivage oriental. MAUPASSANT, la Vie errante, «D'Alger à Tunis», II. 3

(Choses). Apparaître en grand nombre, se répandre à profusion. ⇒ **Abonder, foisonner** (→ Frapper, cit. 30). *Les exemples d'accord avec le sens pullulent en langue classique* (→ On, cit. 48).

4 De nos faux-monnayeurs l'insupportable audace
Pullule en cet État (...) MOLIÈRE, l'Étourdi, II, 5.

5 (...) ce n'étaient pas les bons cœurs qui manquaient dans ce Paris douloureux, les œuvres de charité y pullulaient comme les feuilles vertes aux premières tiédeurs du printemps. Il y en avait pour tous les âges, pour tous les dangers, pour toutes les infortunes (...) il aurait fallu des pages et des pages, si l'on avait voulu énumérer seulement cette extraordinaire végétation de la charité qui pousse entre les pavés de Paris (...) ZOLA, Paris, I, V.

DÉR. Pullulant. — Pullulement.

1. PULMONAIRE [pylmɔnɛʀ] n. f. — XVe; bas lat. *pulmonaria (radicula),* «racine bonne pour le poumon», de *pulmo, onis* «poumon».

♦ Plante dicotylédone *(Borraginacées)* de nos régions, herbacée, vivace, communément appelée *herbe aux poumons* et utilisée jadis contre les affections du poumon. (On dit aussi *pulmonaire officinale*). — *Pulmonaire des Français.* ⇒ **Épervière** (des murs). — *Pulmonaire des marais,* sorte de gentiane. — *Pulmonaire du chêne,* sorte de lichen.

(...) des pulmonaires haussant leurs corolles bleu pourpré sur leurs feuilles aux taches livides. M. GENEVOIX, Forêt voisine, XI.

2. PULMONAIRE [pylmɔnɛʀ] adj. — 1572; lat. *pulmonarius.*

♦ **1.** Qui affecte, atteint le poumon. — (1869). *Congestion pulmonaire* (→ Insidieux, cit. 2). *Embolie* (cit. 1), *thrombose pulmonaire. Emphysème* pulmonaire. Peste pulmonaire* (→ Présenter, cit. 14). *Tuberculose* pulmonaire.* ⇒ **Phtisie** (vx), **tuberculose.** *Formes pulmonaires d'une infection* (→ Multiplier, cit. 10).

1 Les lésions pulmonaires paraissaient alors en voie de cicatrisation. Mais, au Mousquier, on a constaté de la sclérose pulmonaire (...) En février, j'ai fait une pleurite sèche avec expectorations sanguinolentes. MARTIN DU GARD, les Thibault, t. IX, p. 110.

N. (1572). Vx. Personne atteinte d'une maladie pulmonaire. ⇒ **Phtisique, tuberculeux.**

♦ **2.** (1675). Qui appartient ou a rapport au poumon (cit. 1). *Artère, veines pulmonaires* (→ Élaborer, cit. 3). *Circulation* (cit. 3) *pulmonaire. Obstruction des alvéoles pulmonaires* (→ Hypertension, cit.). — *Sang pulmonaire.*

2 (...) un flot écarlate coulait de sa bouche et de son nez et tachait le pull blanc, la veste de chasse, l'imper. Comme c'était du sang pulmonaire, il était plein de bulles, il écumait comme de la bière renversée. J.-P. MANCHETTE, Nada, p. 182.

REM. Sur le lat. *pulmo, onis,* Queneau forge ou emploie une série théorique et plaisante d'adjectifs :

3 (...) Louis-Philippe des Cigales est affligé d'une constriction des poumons, des muscles pulmonaires, des nerfs pulmoneux, des canaux pulmoniques, des vaisseaux pulmoniens (...) R. QUENEAU, Loin de Rueil, p. 22.

PULMONÉS [pylmɔne] n. m. pl. — 1827; lat. zool. *pulmonata,* de *pulmo* «poumon».

♦ Zool. Sous-classe de mollusques gastéropodes, chez qui la cavité palléale* fonctionne comme un poumon. — Au sing. *Un pulmoné.*

PULMONIE [pylmɔni] n. f. — 1562, *poulmonie; polmonie,* XIIIe; dér. sav. du lat. *pulmo, onis* «poumon».

♦ Méd. anc. (jusqu'au déb. XIXe : Balzac). Maladie du poumon.

PULMONIQUE [pylmɔnik] adj. et n. — 1570; *mal pulmonicque* «mal qui affecte les poumons», 1537; du lat. *pulmo, onis* «poumon».

♦ Vx. Qui est atteint d'une affection des poumons. ⇒ **Poitrinaire, pulmonaire.** — N. *Un, une pulmonique.*

1 (...) il s'écoutait respirer, il se sentait déjà malade, il se demandait : Ne suis-je pas pulmonique? Ma mère n'est-elle pas morte de la poitrine? BALZAC, la Peau de chagrin, Pl., t. IX, p. 163.

Par métaphore :

2 Ici, à la place de l'orgue, c'est une vieille dame, dans le chœur (...) qui, péniblement, tapote sur une espèce de piano, pulmonique et désaccordé (...) O. MIRBEAU, le Journal d'une femme de chambre, p. 65.

PULPAIRE [pylpɛʀ] adj. — XXe (*in* Larousse, 1932); de *pulpe.*

♦ Didact. Qui appartient, a rapport à la pulpe dentaire. *La cavité pulpaire.*

PULPATION [pylpasjɔ̃] n. f. — 1835; de *pulper.*

♦ Vieilli. Opération de pharmacie, réduction d'une matière végétale en pulpe. ⇒ **Pultation.**

PULPE [pylp] n. f. — 1503; *polpe,* 1105; lat. *pulpa.*

♦ **1.** Chair (cit. 24) humaine ou animale, considérée quant à sa mollesse, son moelleux; toute partie charnue (opposé à : *parties osseuses*).

Entre ses mains, les divinités grecques sont devenues des corps flamands, à pulpe lymphatique et sanguine (...) TAINE, Philosophie de l'art, t. II, p. 229. 1

Partie savoureuse d'une viande (→ Guère, cit. 25).

(1834). Mod. *Pulpe des doigts,* extrémité charnue de leur face interne (→ Ongle, cit. 7). *Terminaisons sensibles de la pulpe digitale.*

Et en effet, ces mains (...) se mirent à déganter mes propres mains longues et parfaites et les ayant retournées, elles répandirent un onguent sur mes paumes et jusqu'aux pulpes de mes doigts. P. KLOSSOWSKI, la Révocation de l'Édit de Nantes, p. 17. 2

(1836). *Pulpe des dents :* tissu conjonctif mou, abondamment innervé et vascularisé, qui remplit la cavité dentaire. *Affections de la pulpe.* ⇒ **Pulpaire; pulpite.**

♦ **2.** (1534). Tissu parenchymateux riche en sucs, qui constitue, en tout ou en partie, le péricarpe (de certains fruits charnus). ⇒ **Chair.** *La pulpe rose et juteuse d'une pastèque* (cit.). *Pulpe du citron* (cit. 1), *des fruits à huile* (cit. 4). *Poire à pulpe épaisse* (⇒ **Charnu**), *trop molle* (⇒ **Blet**). *Ôter la pulpe d'un fruit.* ⇒ **Dépulper.**

Partie charnue et comestible (de certains légumes). *La peau et la pulpe. Pommes de terre à pulpe farineuse.* — Techn. Exocarpe et mésocarpe du grain de café frais.

♦ **3.** (1765). Pharm. ⇒ **Bouillie.** *Pulpe de casse, de tamarin,* employée comme laxatif. *Préparation des pulpes* (⇒ **Pulpation, pulper**).

♦ **4.** Résidu pâteux du traitement de certains végétaux pour la fabrication des alcools, sucres, huiles, fécules... *Séparation du jus et des pulpes à l'épulpeur*. Pulpes fraîches ou séchées de pommes de terre, de betteraves... utilisées pour l'alimentation du bétail. Pulpe des oléagineux* (⇒ **Tourteau**).

DÉR. et COMP. Pulpaire, pulper, pulpeux, pulpite. — Épulpeur, pulpectomie.

PULPECTOMIE [pylpɛktɔmi] n. f. — Mil. XXe; de *pulp(e),* et *-ectomie.*

♦ Chir. dent. Ablation de la pulpe dentaire et des filets radiculaires.

PULPER [pylpe] v. tr. — 1835; de *pulpe.*

♦ Vieilli. Réduire (une substance) en pulpe.

DÉR. Pulpation.

PULPEUR [pylpœʀ] n. m. — Mil. XXe (1963, Larousse) sous la forme anglo-amér. *pulper;* de *pulpe.*

♦ Techn. Appareil transformant en pâte liquide les matières premières (vieux papiers, notamment).

PULPEUX, EUSE [pylpø, øz] adj. — Fin XVIe; *poulpeux,* 1539; de *pulpe.*

♦ Littér. Fait de pulpe; qui a le moelleux, l'aspect de la pulpe. *Des lèvres pulpeuses. Un corps pulpeux,* charnu, aux formes rondes et pleines (se dit surtout du corps d'une jeune fille, d'une jeune femme). *Une blonde pulpeuse.*

Sa peau, mate et pulpeuse comme une feuille de camélia, semblait plus douce au toucher que la membrane intérieure d'un œuf; pour la couleur, certaines transparences d'ambre en pourraient donner une idée. Th. GAUTIER, Fortunio, XXIV.

PULPITE [pylpit] n. f. — 1878; de *pulp(e),* et *-ite.*

♦ Méd. Inflammation de la pulpe dentaire, le plus souvent par infection provenant d'une carie profonde. *Pulpite rouge, jaune, grise.*

PULPOTOMIE [pylpɔtɔmi] n. f. — 1951; de *pulp(e),* et *-tomie.*

♦ Chir. dent. Extirpation de la pulpe dentaire (contenue dans la chambre pulpaire), à l'exclusion du contenu des filets radiculaires.

On a constaté (...) que les complications dues à une pulpotomie, c'est-à-dire à l'extirpation camérale de la pulpe dentaire, ne survenaient que quelques années après *(les soins de caries pénétrantes infectées)...* P.-L. ROUSSEAU, les Dents, 1951, p. 75.

PULQUE [pulke] n. m. — 1765; mot d'une langue indienne du Mexique, par l'espagnol.

♦ Boisson fermentée fabriquée au Mexique avec le suc de certains agaves*.

On écrit aussi *pulqué,* conformément aux usages graphiques français.

Il a tellement bu de whisky, de brand, de gin, d'eau-de-vie, de rhum, de caninha, de pulqué, d'aguardiente avec tous les enfants perdus retour de l'intérieur, qu'il est un des hommes les mieux renseignés sur les territoires légendaires de l'Ouest.
B. CENDRARS, l'Or, p. 37.

PULSANT, ANTE [pylsɑ̃, ɑ̃t] adj. — XVIe, Ponthus de Tyard; du lat. *pulsare,* et *-ant.* → Pulsation.

♦ Didact. Qui présente des pulsations. — (1904, *Rev. gén. des sc.,* no 7, p. 368). Phys. *Flamme pulsante.* — (XXe). Astron. *Étoile pulsante :* étoile appartenant à un type variable périodique. ⇒ **Céphéide.**

Delta Céphée n'a pas toujours le même éclat. Elle passe de la 3e à la 4e magnitude en un peu plus de 5 jours, et l'on sait, depuis les travaux d'Eddington et de Milne, que ce phénomène est dû à une sorte de pulsation, l'étoile s'enflant et se dégonflant tour à tour. Delta Céphée n'est pas seule de sa catégorie : il existe bien d'autres étoiles pulsantes, qui changent d'éclat en des laps de temps plus ou moins longs, et cataloguées *céphéides.*
Pierre ROUSSEAU, De l'atome à l'étoile, 1948, p. 113-114.

PULSAR [pylsaʀ] n. m. — 1969; angl. *pulsar,* 1967; de *puls(ating) (st)ar* « étoile vibrante ».

♦ Astron. Source de rayonnement radio-astronomique, détectée hors du système solaire, dans notre galaxie. *« Certaines sources X présentent des pulsations périodiques, dues à l'entraînement par rotation de l'étoile d'un champ magnétique non aligné (...) ce phénomène de pulsar est théoriquement exclu pour un trou noir »* (*la Recherche,* juin 1980, p. 696). *« Son noyau infiniment dense (...) se transforme en étoile à neutrons (ou « pulsar »), qui tourne sur elle-même à grande vitesse; en émettant, régulièrement, des signaux radio de forte intensité. Ce sont ces pulsars qui défrayèrent la chronique (...) lorsqu'on découvrit leur existence »* (*le Point,* 2 juil. 1979, no 354, p. 52).

PULSATEUR, TRICE [pylsatœʀ, tʀis] adj. — 1815; bas lat. *pulsator* « celui qui frappe », du lat. class. *pulsatum,* supin de *pulsare.* → Pousser.

♦ Didact., vieilli. Qui pousse. — Mod. Qui produit des pulsations.

PULSATILE [pylsatil] adj. — 1542, *pulsatil;* du lat. *pulsare* « pousser ».

♦ **1.** Didact. Qui est animé de pulsations. — *Onde, phénomène pulsatile,* provoqué par chaque contraction cardiaque. — (1869). Méd. *Tumeur pulsatile,* qui a des pulsations dépendant des battements cardiaques.

♦ **2.** Bot. *Anémone pulsatile,* ou, n. f. (cour.), *la pulsatile :* anémone d'une espèce également appelée *coquelourde, coquerelle, herbe du vent.*

PULSATION [pylsɑsjɔ̃] n. f. — 1560; *pulsacion* « battement douloureux, dans une partie malade », XIVe; lat. *pulsatio,* rad. *pulsare* « pousser, frapper, heurter ».

♦ **1.** Battement (du cœur, des artères). *Synchronisme de la pulsation cardiaque* (ou *choc du cœur*) *et de la systole ventriculaire. Étude des pulsations cardiaques au cardiographe.*

Il perçoit, enfouie au fond de sa poitrine, la pulsation rapide et bien rythmée de son cœur (...) MARTIN DU GARD, les Thibault, t. VIII, p. 150.

Absolt. Chaque battement du pouls*. *La fièvre, l'effort, les émotions... augmentent la fréquence des pulsations. Provoquer un ralentissement des pulsations par compression du globe oculaire. Alternance de pulsations normales et anormales.* ⇒ **Intercadent** (pouls). *Pulsations enregistrées au sphygmographe*.* — Par anal. *Pulsations dans les veines jugulaires* (pouls veineux).

♦ **2.** (1765). Phys. *Pulsation d'un mouvement vibratoire, sinusoïdal :* forme d'onde de courte durée (relativement à l'échelle de temps adoptée) et dont les valeurs initiales et finales sont les mêmes. *Amplificateur de pulsation. Amplitude, durée de pulsation. Vibration de pulsation* n. — (1932). *Pulsation d'un courant alternatif,* sa fréquence angulaire.

♦ **3.** (Av. 1922). Fig. Frémissement, vibration. *« Il avait su fixer sur sa toile (...) la pulsation d'une minute heureuse »* (Proust).

DÉR. Pulsative.

PULSATIVE [pylsativ] adj. f. — XIVe; du rad. de *pulsation.*

♦ Méd. *Douleur pulsative :* battements douloureux perçus dans les parties enflammées (en rapport avec les pulsations artérielles).

PULSATOIRE [pylsatwaʀ] adj. — 1842; dér. sav. de *pulsation.*

♦ **1.** Vx. ⇒ **Pulsative.**

♦ **2.** (Mil. XXe). Mod. Phys. Se dit d'une grandeur qui varie périodiquement en conservant le même signe.

PULSÉ [pylse] adj. m. — V. 1960; de l'angl. *to pulse,* du lat. *pulsare* « pousser ». → Pulsation.

♦ Techn. *Air pulsé,* soufflé. *Massages à l'air pulsé. Chauffage par air pulsé :* chauffage dispensé à l'intérieur d'un édifice au moyen d'une soufflerie. *Le chauffage par air pulsé est produit par une centrale thermique et distribué dans chaque pièce par des ouvertures spéciales.* ⇒ **Bouche** (de chaleur).

PULSER [pylse] v. — 1966, *le Monde;* de l'angl. *to pulse* (→ Pulsé); mais on a employé *pulsion* au XIXe dans le même sens. → 1. Pulsion.

★ **I.** V. tr. Techn. Envoyer (un gaz, de l'air chaud) par pression. *Pulser l'air à l'intérieur d'une pièce.* — (V. 1970). Très fam. *Avance, pulse ta bagnole! :* accélère! — (En constr. impers.). *Ça pulse.* Cf. Ça carbure, ça gaze (vieilli).

★ **II.** V. intr. Argot mus. (angl. *to pulse*). Donner la sensation d'une pulsation rythmique puissante, soutenue, régulière, qui invite à la danse (se dit surtout des musiques telles que le rock, le jazz, etc., et de leurs interprètes). ⇒ **Swinguer.** *« Un vrai rock and roller dans la tradition des pionniers. Une voix et des intonations à la Presley, un petit orchestre qui pulse méchamment... »* (*l'Express,* 14 avr. 1979).

DÉR. Pulseur.

PULSEUR [pylsœʀ] n. m. — 1968; de *pulser.*

♦ Techn. Appareil qui sert à pulser (un gaz).

1. PULSION [pylsjɔ̃] n. f. — 1625; lat. *pulsio, onis,* de *pulsum,* supin de *pellere* « pousser ».
Vieux.

♦ **1.** Action, fait de pousser.

♦ **2.** (1738, Voltaire). Sc. Propagation du mouvement, dans un fluide. (1859). Le fait de pousser l'air pour assurer la ventilation. ⇒ **Pulsé, pulser.**

COMP. Antépulsion.

2. PULSION [pylsjɔ̃] n. f. — 1910; de *impulsion,* ou du lat. *pulsio, ionis* (→ 1. Pulsion), pour trad. l'all. *Trieb.*

♦ Psychan. Force à l'œuvre dans la vie somatique et psychique, qui fait tendre l'organisme vers un but, motivant l'activité d'un individu. *Source, but, objet d'une pulsion. « (...) une pulsion a sa source dans une excitation corporelle (état de tension); son but est de supprimer l'état de tension qui règne à la source pulsionnelle; c'est dans l'objet ou grâce à lui que la pulsion peut atteindre son but »* (Laplanche et Pontalis, art. *Pulsion,* p. 360). *Première théorie freudienne des pulsions, opposant pulsions du moi (ou d'autoconservation) et pulsions sexuelles* (⇒ **Libido**), *et seconde théorie, opposant pulsions de vie* (⇒ **Eros**) *et pulsions de mort* (⇒ **Thanatos**). *Pulsions d'agression :* pulsions de mort orientées vers le monde extérieur. *Pulsions de destruction. — Réservoir des pulsions.* ⇒ **Ça.** *Conflit de pulsions. Stades d'organisation des pulsions au cours de l'histoire individuelle. Pulsion partielle,* indéterminée quant à l'objet. *Caractère répétitif de la pulsion.* ⇒ **Compulsion.** *Refoulement, sublimation des pulsions. Pulsions refoulées* (le refoulé). *Libération des pulsions* (⇒ **Catharsis**).

L'idée d'instinct (...) est une construction symbolique, une entité « mythique ». 1
Par « instinct » (en allemand, Instinkt), Freud n'entend pas une réalité observable, mais une force dont nous supposons l'existence derrière les tensions inhérentes aux besoins de l'organisme, c'est-à-dire les « pulsions » (en allemand, Trieb).
Daniel LAGACHE, la Psychanalyse, p. 26.

(...) du côté somatique, la pulsion trouve sa source dans des phénomènes organi- 2
ques générateurs de tensions internes auxquelles le sujet ne peut échapper; mais, par le but qu'elle vise et les objets auxquels elle s'attache, la pulsion connaît un « destin » *(Triebschicksal)* essentiellement psychique.
J. LAPLANCHE et J.-B. PONTALIS, Voc. de la psychanalyse, art. *Représentant psychique,* p. 411.

DÉR. Pulsionnel.

PULSIONNEL, ELLE [pylsjɔnɛl] adj. — Mil. XXe (1953, *in* D. D. L.); de 2. *pulsion.*

♦ Psychan. Des pulsions. ⇒ **Instinctuel.** *L'énergie pulsionnelle.*

Que l'on prenne l'*Interprétation du rêve* ou les *Trois Essais sur la sexualité,* pour ne considérer que deux des premières œuvres, le plan pulsionnel est pris dans sa relation avec une « censure », des « digues », des « interdictions » et des *idéaux* (...)
Paul RICŒUR, Une interprétation philosophique de Freud, *in* la Nef, no 31, 1967, p. 113.

PULSO- Élément, du lat. *pulsus* (p. p. de *pellere* « pousser, mettre en mouvement »), entrant dans la composition de mots savants.

PULSOMÈTRE [pylsɔmɛtʀ] n. m. — 1874; anglo-amér. *pulsometer,* 1858 (var. *pulsimeter,* 1842); de *pulso-,* et *-meter,* franç. *-mètre.*
Technique.

♦ **1.** Pompe élévatoire fonctionnant par la seule pression de la vapeur d'eau.

♦ **2.** (1875). Vx. Instrument servant à mesurer le pouls.

PULSORÉACTEUR [pylsɔreaktœr] n. m. — V. 1945; de *pulso-*, et *réacteur*.

♦ Techn. (Aviat.). Type de réacteur fonctionnant par combustion discontinue. (On écrit aussi *pulso-réacteur*).

PULTACÉ, ÉE [pyltase] adj. — 1790; du lat. *puls, pultis* «bouillie», et *-acé*.

♦ **1.** Vx. Qui a la consistance d'une pâte, d'une bouillie.

♦ **2.** Mod., méd. *Exsudat pultacé,* dans certaines angines, dites *angines pultacées* (1829).

PULTATION [pyltasjɔ̃] n. f. — 1904; dér. sav. du lat. *puls, pultis.* → Pultacé.

♦ Didact. En pharmacie, réduction en bouillie. ⇒ **Pulpation.**

PULVÉRIN [pylverɛ̃] n. m. — 1540; ital. *polverino,* de *polvere* «poussière».

♦ **1.** Vx. Récipient (boîte, poire...) pour mettre la poudre de guerre.

♦ **2.** (1552). Techn. Poudre très fine, dont on se servait pour l'amorçage des armes à feu, utilisée aujourd'hui pour les pièces d'artifice.

Ivan Ogareff tira une amorce de sa poche, il l'enflamma, et il alluma un peu d'étoupe, imprégnée de pulvérin, qu'il lança dans le fleuve (...)
J. VERNE, Michel Strogoff, 1876, p. 482.

PULVÉRISABLE [pylverizabl] adj. — 1390; de *pulvériser.*

♦ Didact., techn. Qui peut être réduit en poudre ou en fines gouttelettes. *Liquide, mélange pulvérisable.*

PULVÉRISATEUR [pylverizatœr] n. m. — 1862; adj., 1860; du rad. de *pulvérisation,* 2.

♦ **1.** Appareil servant à projeter une poudre, un liquide pulvérisé. ⇒ **Atomiseur, poudreuse, vaporisateur.** *Pulvérisateur à air comprimé.* ⇒ **Aérographe.**

Spécialt. Machine projetant des insecticides, des fongicides liquides.

Ajutage à l'extrémité d'un tube, pour diffuser un liquide en fines gouttelettes.

♦ **2.** Lame ou lamelle sur laquelle un jet de liquide se brise et se pulvérise.

PULVÉRISATION [pylverizasjɔ̃] n. f. — 1390; du bas lat. *pulverizare.* → Pulvériser.

♦ **1.** Techn. Action de réduire en poudre. *Pulvérisation par broyage, trituration.*

Fig. ⇒ **Désagrégation, division.** *«On se trouve devant une véritable pulvérisation des responsabilités»* (*le Monde,* 20 janv. 1968).

1 La pulvérisation des idées était en lui à son comble. Ce qu'il pensait ne ressemblait pas à de la pensée. C'était une diffusion, une dispersion, l'angoisse d'être dans l'incompréhensible.
HUGO, l'Homme qui rit, II, VII, V.

♦ **2.** (1861, in *Année sc. et industr.* 1862, p. 299). Cour. Projection d'une poudre (⇒ **Poudrage**) ou d'un liquide pulvérisé (⇒ **Vaporisation**). *Pulvérisation nasale.*

2 Il a bondi sur sa valise, en a tiré un appareil volumineux et compliqué, s'est pratiqué dans le nez et la gorge une pulvérisation soigneuse, enfin, rangeant l'appareil, m'a dit, avec un sourire, «qu'il valait mieux prendre ses précautions».
G. DUHAMEL, Scènes de la vie future. II.

DÉR. V. **Pulvérisateur.**

PULVÉRISER [pylverize] v. tr. — 1314; bas lat. *pulverizare,* de *pulvis, pulveris* «poudre».

♦ **1.** Réduire (un solide) en très petites parcelles ou miettes, en poudre*. ⇒ **Atomiser** (I., 1.), **broyer, égruger, moudre, piler, porphyriser.** *Pulvériser du marbre à la meule. Pulvériser dans un mortier, un moulin... Pulvériser en écrasant. — Se pulvériser :* tomber en poussière, en miettes. — Au p. p. *De l'ardoise pulvérisée.*

1 Dans les vitrines modernes du musée (...) tout était en ordre, sauf de petits objets pulvérisés sur place par les balles, un trou net entouré de rayons dans le verre devant eux.
MALRAUX, l'Espoir, I, II, II, IV.

Par ext. *Neige* (cit. 3) *pulvérisée,* très fine.

(1866, in *Année sc. et industr.* 1867, p. 352). Projeter (un liquide) en fines gouttelettes. ⇒ **Vaporiser.** *Pulvériser du parfum avec un vaporisateur*. Pulvériser un liquide insecticide.* — Au p. p. *Embrun pulvérisé.* → Lame, cit. 10.

Par ext. Arroser (qqch.) de liquide pulvérisé. *Pulvériser la vigne.*

♦ **2.** (1701). Fig. Détruire complètement, réduire à néant. ⇒ **Anéantir, briser, désagréger** (cit. 1), **écrabouiller, écraser** (cf. Réduire en poudre, en poussière). *Pulvériser des armées, des régiments,* les battre, les tailler en pièces (→ Forcené, cit. 8; frapper, cit. 16). ⇒ aussi **Foudroyer.** *Il a pulvérisé son adversaire.*

Il était curieux de voir un pygmée *raidir ses petits bras* pour étouffer les progrès du siècle, arrêter la civilisation et faire rétrograder le genre humain! Grâce à Dieu, il suffirait d'un mot pour pulvériser l'insensé (...) 2
CHATEAUBRIAND, Mémoires d'outre-tombe, t. II, p. 201.

(1718). Réfuter avec force (un argument, une opposition théorique).

♦ **3.** (1901, *in* Petiot). Fam. *Pulvériser un record,* le battre de beaucoup.

Le garçon vole, bondit, cabriole, galope, fend l'air, saute-moutonne avec les poubelles, pulvérise quelques records locaux des 100 et 200 mètres (...) 3
René FALLET, le Triporteur, p. 32.

► **PULVÉRISÉ, ÉE** p. p. adj. Voir à l'article.

CONTR. Agglomérer, conglomérer.
DÉR. Pulvérisable, pulvérisateur, pulvérisation, pulvériseur.

PULVÉRISEUR [pylverizœr] n. m. — 1845; de *pulvériser.*

♦ **1.** Vx. Celui qui pulvérise (des drogues, etc.).

♦ **2.** (1904). Techn. Machine agricole servant aux façons superficielles, à la réduction des mottes de terre en fines parcelles.

PULVÉRULENCE [pylverylɑ̃s] n. f. — 1823; de *pulvérulent.*
Didactique.

♦ **1.** État de ce qui est pulvérulent.

♦ **2.** Littér. Poussière en suspension dans l'air.

Il embarque dans une jeep qui prend rapidement du champ sous des tourbillons de poussière. La foule dans la pulvérulence scande toujours le nom du colonel quand il est déjà très loin, dans la brousse (...)
P. GRAINVILLE, les Flamboyants, p. 56.

(1870). Par métaphore. Effet visuel pointilliste* produit par des différences de réfraction dans l'air ou un fluide transparent dont la température n'est pas homogène. *«Tout s'agitait dans une sorte de pulvérulence lumineuse»* (Flaubert).

PULVÉRULENT, ENTE [pylverylɑ̃, ɑ̃t] adj. — 1773; lat. *pulverulentus,* de *pulvis.* → Pulvériser.

♦ **1.** Didact. Qui est à l'état de poudre ou se réduit facilement en poudre. ⇒ **Cendre, efflorescence, poudre, poussière, sable...** *Roches effritées* (cit. 4), *pulvérulentes. Chaux pulvérulente, fusée.*

♦ **2.** (1797). Sc. nat. Couvert de pruine. — Mod. *Narines pulvérulentes,* dont les poils sont chargés de poussière.

DÉR. Pulvérulence.

PULVI- Premier élément de mots didactiques, tiré du lat. *pulvis* «poussière», «poudre».

PULVIFÈRE [pylvifɛr] adj. — 1875, P. Larousse; de *pulvi-,* et *-fère.*

♦ Didact. Qui renferme une matière pulvérulente (minéral).

PULVINAR [pylvinar] n. m. — Mil. XIXe (*in* P. Larousse 1875); mot latin.
Didactique.

★ **I.** (Antiq. rom.). Lit d'apparat où l'on plaçait (ou coussin de lit sur lequel on posait) la statue d'un dieu, d'une déesse, lors d'un banquet à caractère sacré.

★ **II.** (XXe; du sens «coussin» du mot lat.). Anat. Saillie de la couche optique du cerveau.

PUMA [pyma] n. m. — 1633; mot esp. empr. au quichua.

♦ Mammifère carnassier d'Amérique *(Félidés)* de taille moyenne, à pelage fauve et sans crinière. ⇒ **Couguar.** *L'eyra* est voisin du puma. Des pumas.*

PUMICITE [pymisit] ou **PUMITE** [pymit] n. f. — 1846; lat. *pumex, icis.*

♦ Didact. (Minér.). Pierre* ponce.

PUNA [pyna] n. f. — 1732; mot esp., empr. au quichua.

♦ **1.** Mal des montagnes, troubles physiologiques liés à l'altitude, dans les Andes.

♦ **2.** Géogr. Haut plateau froid, au Pérou et en Bolivie.

Les plateaux de la « puna » (steppe herbeuse d'altitude) sont parfois des plateaux d'érosion ou parfois dus à des recouvrements volcaniques; ils sont entaillés par des vallées (...) Olivier DOLLFUSS, le Pérou, p. 10.

PUNAIS, AISE [pynɛ, ɛz] adj. — XIIIe; *punés,* v. 1160; *pudneis,* v. 1138; lat. pop. **putinasius* « qui pue du nez ».

♦ **1.** Vx. Qui sent mauvais, qui pue. ⇒ **Puant.**

1 (...) d'aucuns tombèrent dans le ruisseau à jambes rebindaines, grand sujet d'hilarité pour les autres, qui s'esclaffaient de rire et se tenaient les côtés à les voir se relever tout punais et contaminés de fange. Th. GAUTIER, le Capitaine Fracasse, IX, p. 314.

Spécialt. (Personnes). Qui exhale (par le nez) une odeur fétide. ⇒ **Ozène.** — N. m. (le fém. est rendu d'emploi difficile par l'existence du n. f. *punaise*). *Un punais.*

2 (...) je préfère être brouté par les vers, sucé par les racines des plantes et des arbres, plutôt que reniflé au petit bonheur par des jean-foutre et des punais. GIDE, Ainsi-soit-il, p. 87.

♦ **2.** Régional. *Des œufs punais,* pourris.

DÉR. Punaise, punaisie, punaisot.

PUNAISE [pynɛz] n. f. — 1256; *punoise,* déb. XIIIe; de *punais.*

♦ **1.** Petit insecte hétéroptère à corps aplati et d'odeur infecte quand on l'écrase. *Punaise des lits,* parasite de l'homme.

1 (...) dans la maison qu'ils habitaient les punaises empêchaient tout le monde de dormir, surtout pendant les nuits d'orage. CÉLINE, Voyage au bout de la nuit, p. 349.

Punaise des bois : pentatome. *Punaise rouge* ou *pyrrhocoris.*

Par anal. *Punaise d'eau.* ⇒ **Naucore, nèpe, ranatre.**

Loc. fig. et fam. *Plat** (cit. 18 et 19) *comme une punaise.* — Exclam. (Pop. et régional). *Punaise !,* exclamation marquant la surprise, le dépit...

1.1 (...) le mot funérailles est employé comme celui de punaise par les Marseillais qui s'exclament : « Mah ! Funérailles », ou, sur le même ton : « Punaise ». Jean GENET, Pompes funèbres, p. 84.

(1836). Fig. Personne vile, méprisable.

Loc. fig. *Une punaise de sacristie* :* une bigote.

♦ **2.** (1914-1918). Fig. et fam. Lentille. *Trier les punaises* (→ Marrer, cit. Dorgelès).

♦ **3.** (1846). Petit clou à tête plate et ronde, à pointe courte, servant notamment à fixer des feuilles de papier sur un mur, une surface quelconque. *Quatre punaises fixaient* (cit. 2) *une carte à la porte.*

2 (...) des punaises fixaient partout des pages de magazines, de journaux, de programmes, représentant des vedettes de films, des boxeurs, des assassins. COCTEAU, les Enfants terribles, p. 31.

DÉR. Punaiser.

PUNAISER [pyneze] v. tr. — 1891, Huysmans, au sens de « piqueter » (*« les peintres qui punaisent les tons... », Là-bas,* II); de *punaise.*

♦ Fam. Fixer avec des punaises.

1 Mais la pancarte du règlement est punaisée à deux mètres du sol, et elle est tellement jaunie et empoussiérée par les années qu'on ne peut demander aux détenues de la savoir par cœur. A. SARRAZIN, la Cavale, p. 76.

2 Il ouvrait un placard renfoncé dans un mur il sortit un grand morceau de toile bariolé qu'il punaisa derrière moi en montant sur une chaise c'était comme un décor de dessin animé un coin de forêt genre Bambi ou Blanche-neige. Tony DUVERT, Paysage de fantaisie, p. 8.

PUNAISIE [pynezi] n. f. — V. 1310; *puneisie,* v. 1230; de *punais.* Vieux.

♦ **1.** Odeur fétide.

♦ **2.** (V. 1330). Maladie du punais. ⇒ **Ozène.**

PUNAISOT [pynɛzo] n. m. — 1869, Littré, *punaizot;* de *punais* « puant ».

♦ Régional. Putois.

1. PUNCH [pɔ̃ʃ] n. m. — 1674; *bolleponge,* 1653; *bouleponge,* 1671; *ponche,* n. f., v. 1688; mot. angl., du hindi *panch* « cinq » (→ Penta-), à cause des cinq éléments qui entraient dans sa composition.

♦ **1.** Boisson composée d'eau-de-vie (rhum, arack, etc.), de liqueur ou de vin, mélangé à du lait, de l'eau ou à une infusion (thé, etc.), sucré et parfumé (au citron, aux épices). *Punch antillais, martiniquais, au rhum. Punch chaud, froid, glacé. Punch flambé,* où l'on fait brûler l'eau-de-vie. *Bol* (cit. 1) *de punch. Boire, prendre du punch* (→ Donner, cit. 35; écoutille, cit. 1).

À huit heures, entre les deux services, on dégusta le punch glacé. BALZAC, la Cousine Bette, Pl., t. VII, p. 481. 1

Un bol de punch, grand comme le cratère du Vésuve, fut déposé sur la table (...) 2
sa flamme montait au moins à trois ou quatre pieds de haut, bleue, rouge, orangée, violette, verte, blanche, éblouissante à voir (...) Le punch fut versé tout brûlant dans les verres, qui se fendaient et claquaient avec un ton sec. Th. GAUTIER, les Jeunes-France, Le bol de punch.

Ils commandèrent des punchs au rhum blanc. Roger VAILLAND, Bon pied, bon œil, p. 40. 3

♦ **2.** (Fin XIXe, Daudet). Vx. Réunion où l'on boit du punch. *Être invité à un punch d'adieu.*

2. PUNCH [pœn(t)ʃ] n. m. — 1909, *la Boxe et les boxeurs;* angl. *punch* « coup, horion »; de *to punch, to pounce,* mot de même orig. que *poinçon.*

♦ **1.** Aptitude d'un pugiliste, d'un boxeur, à frapper avec force, efficacité (→ Massacrer, cit. 4). *Boxeur qui a du punch,* qui donne des coups secs et précis.

Ils ont le punch; voyez-vous. C'est pour cela qu'ils gagnent. Ils ont le punch : l'utilisation correcte des muscles frappeurs, et la détente. Le punch : tout est là. Louis HÉMON, Battling Malone, I.

Par ext. Sports. Qualité de l'athlète ou de l'équipe qui fait preuve de mordant et de rapidité. *« À trente-sept ans je n'avais plus le même "punch" »* (Lionel Terray, *les Conquérants de l'inutile,* 1961).

♦ **2.** (1952). Fig., fam. Efficacité, dynamisme. *Il manque de punch. Avoir du punch. « K entendait mener cette offensive politique avec autant de punch qu'il avait dirigé ses maquisards à l'aube de la Révolution »* (Yves Courrière, *la Guerre d'Algérie,* 1968-1971; t. IV).

(Choses). Force, vigueur. *« La musique a des trous, la mise en scène se laisse aller. Mais le spectacle a du punch »* (*la Croix,* 15 déc. 1969).

DÉR. Puncheur.

PUNCHEUR, EUSE [pœn(t)ʃœʀ, øz] n. — 1920, *in* Höfler; de 2. *punch.*

♦ **1.** N. m. Sports. Boxeur qui a le punch. ⇒ **Cogneur.** *Le premier combat de la réunion a opposé un styliste à un puncheur.*

♦ **2.** Fig. Personne qui attaque avec vigueur. *« Les trois "puncheuses"* (il s'agit de femmes chefs d'entreprises)*»* (*F Magazine,* févr. 1980, p. 52). ⇒ **Battant.**

REM. En musique (jazz, rock...) on emploie surtout l'anglicisme *puncher.*

PUNCHING-BALL [pœntʃiŋbol; pynʃiŋbɔl] n. m. — 1900, *in* Petiot; mot angl., de *punching* « en frappant », de *to punch* (→ Punch), et *ball* « ballon ».

♦ Ballon fixé par des attaches élastiques, servant à l'entraînement des boxeurs. *Des punching-balls.*

Il suait sous les sweaters, entouré d'appareils de torture, de tampons comme ceux des locomotives qu'il poussait de l'épaule pour se préparer au corps à corps (...) de sacs de sable, de punching-balls sous plate-formes ou sur ressorts. Paul MORAND, Champions du monde, p. 105.

(Mil. XXe). Par ext. Entraînement au punching-ball. *Faire une heure de saut à la corde et une heure de punching-ball.*

PUNCTI- Premier élément de mots savants, du lat. *punctum* « point ».

PUNCTIFORME [pɔ̃ktifɔʀm] adj. — 1869; *ponctiforme,* 1845; du lat. *punctum* « point », et *-forme.*

♦ Didact. Qui a l'apparence d'un point, se réduit à un point. *Tache punctiforme.* — *Émetteur punctiforme,* qui n'émet qu'une fréquence (correspondant à un seul son).

PUNCTUM [pɔ̃ktɔm] n. m. — 1878, P. Larousse, *Premier Suppl.;* mot lat. « piqûre », « point ». → Point.

♦ Physiol. *Punctum proximum* [pɔ̃ktɔm pʀɔksimɔm] : distance minimale à laquelle un objet est vu distinctement par accommodation. — *Punctum remotum* [pɔ̃ktɔmʀemɔtɔm] (« point éloigné ») : distance minimale à laquelle un objet est vu distinctement sans accommodation.

Anat. *Punctum caecum :* tache aveugle (de la rétine).

PUNI, IE [pyni] adj. et n. ⇒ **Punir.**

PUNIQUE [pynik] adj. — Fin XIVe, E. Deschamps; lat. *punicus,* de *Pœni* « les Carthaginois ».

♦ **1.** Hist. Relatif aux colonies phéniciennes* d'Afrique, et, spécialt, à Carthage (avant sa destruction par les Romains, en ~ 146). — (1875). *La langue punique, le punique,* ou phénicien* occidental. *Civilisation, religion, art punique.* — N. *Les Grecs et les Puniques.* — Hist. *Les guerres puniques :* les trois campagnes menées par Rome contre la puissance carthaginoise, entre ~ 264 et ~ 146.

♦ **2.** (Littér.). Fig., rare. Qui évoque la ruse, la perfidie que les Romains prêtaient aux Carthaginois.

Leur artillerie était en embuscade sous les broussailles. Ce travail punique, incontestablement autorisé par la guerre qui admet le piège, était si bien fait que Haxo (...) n'en avait rien vu (...) HUGO, les Misérables, II, I, VI.

PUNIR [pyniʀ] v. tr. — 1250; lat. *punire.*

♦ **1.** Frapper (qqn) d'une peine (selon la loi, le droit d'une société) pour avoir commis un délit ou un crime. ⇒ **Châtier, condamner, corriger, frapper, sévir; punition** (→ Épargner, cit. 25; justice, cit. 44). *Punir un accusé, un coupable, un criminel* (cit. 8), *un délinquant. Punissons l'assassin* (cit. 4). *Être puni comme parjure* (cit. 4). *Punir qqn d'un crime* (→ Atrocité, cit. 2), *pour un crime.* ⇒ **Payer** (faire). *Punir qqn d'avoir fait, pour avoir fait qqch. Punir soi-même celui qui nous a fait du mal.* ⇒ **Venger; vengeance** (tirer). — *Punir un assassin de mort* (→ Arme, cit. 13; assassinat, cit. 3), *des travaux forcés* (→ Arrêter, cit. 35), *de la peine de déportation, de réclusion* (→ Attentat, cit. 8 et 9), *d'un emprisonnement* (→ Extorquer, cit. 1), *d'une amende* (→ Grivèlerie, cit.), *des peines portées à l'article...* (→ Falsifier, cit. 2). — (Sujet n. abstrait). *La loi, la justice punit les coupables. — Punir qqn en lui infligeant une souffrance physique* (⇒ **Battre, corriger, frapper**), *une mutilation...*

1 La loi ne doit établir que des peines strictement et évidemment nécessaires, et nul ne peut être puni qu'en vertu d'une loi établie et promulguée antérieurement au délit, et légalement appliquée. Déclaration des droits de l'Homme, art. 8.

2 C'était là que les Anciens déposaient leurs bâtons en corne de narval, — car une loi toujours observée punissait de mort celui qui entrait à la séance avec une arme quelconque. FLAUBERT, Salammbô, VII.

Frapper d'une sanction pour un acte répréhensible. *Punir un enfant* (→ 3. Droit, cit. 18; perdre, cit. 14). *Je vais le punir, lui frotter* les oreilles. On l'a puni en le privant de dessert. Plus fâché de déplaire* (cit. 14) *que d'être puni. Punir un élève, en le retenant* (⇒ **Coller, consigner**). — *Punir un soldat en lui supprimant ses permissions, en lui donnant une corvée, en l'enfermant...* ⇒ **Ficher** (dedans).

♦ **2.** Sanctionner (une faute) par une peine, une punition (⇒ **Flétrir, réprimer**). *La loi punit les délits, les infractions. Punir un attentat* (cit. 1 et 2), *un crime* (→ Contrition, cit. 2; exemple, cit. 21), *le crime* (→ Encourager, cit. 4), *un forfait* (cit. 1), *un meurtre* (cit. 2). *« De mes accusateurs qu'on punisse l'audace »* (cit. 25, Racine). *La loi punissait le célibat* (cit. 9) *comme un délit. Les grandes rébellions qu'on punit par la mort* (→ Manquement, cit. 3). *Punir* (une faute) *de... La loi militaire punit de mort la désobéissance* (→ Honneur, cit. 39). — *Punir l'injustice et défendre la faiblesse* (→ Paladin, cit. 2). — Vx. *Punir* (une faute, un crime) *sur qqn* (→ Malignité, cit. 1, Racine).

3 (...) ce n'est pas là le langage d'un homme à qui on dispute son droit et qui le défend les armes et la force à la main. Il ne s'amuse pas à dire qu'on n'agit pas de bonne foi, mais il punit cette mauvaise foi par la force. PASCAL, Pensées, VI, 388.

♦ **3.** Absolt. Sévir. *l'État a le droit de punir* (→ 3. Droit, cit. 68). *Punir sans nécessité* (→ Entreprendre, cit. 21). *Celui qui punit.* ⇒ **Justicier, vengeur.** *Punir rigoureusement, sévèrement; justement. « Un père* (cit. 3), *en punissant, Madame, est toujours père ».* — *Surveiller et punir,* œuvre de M. Foucault sur la répression sociale, la prison.

4 Et ce fer que mon bras ne peut plus soutenir,
Je le remets au tien pour venger et punir. CORNEILLE, le Cid, I, 5.

5 Craint de tout l'univers, il vous faudra tout craindre,
Toujours punir, toujours trembler dans vos projets (...) RACINE, Britannicus, IV, 3.

6 La Loi est l'expression de la volonté générale (...) Elle doit être la même pour tous, soit qu'elle protège, soit qu'elle punisse. Déclaration des droits de l'Homme, art. 6.

7 Mais, reprend-on, — il faut que la société se venge, que la société punisse. — Ni l'un, ni l'autre. Se venger est de l'individu, punir est de Dieu. La société est entre deux. Le châtiment est au-dessus d'elle, la vengeance au-dessous (...) Elle ne doit pas « punir pour se venger », elle doit *corriger pour améliorer.* HUGO, le Dernier Jour d'un condamné, Préface.

♦ **4.** (Le sujet désigne Dieu, la providence, le destin, le sort). *Dieu punit les impies* (cit. 7), *les méchants, les pêcheurs* (→ Impénitence, cit. 1). ⇒ **Foudroyer, frapper.** → aussi Équité, cit. 14; peccable, cit. *Le sort l'a bien puni. — Un mal que le ciel « inventa pour punir les crimes de la terre »* (→ Peste, cit. 1, La Fontaine). *Celui des péchés capitaux que Dieu doit punir le moins sévèrement* (→ Gourmand, cit. 2). — Fam. *C'est le Bon Dieu qui t'a puni* (se dit à un enfant).

8 De là sont procédés tant d'abus infinis,
Et tu les vois, ô Dieu, et tu ne les punis! RONSARD, Bocage royal, II.

9 C'est ce que les dieux oublient toujours. Ils ont pitié des malades, ils détestent les méchants. Ils oublient seulement de guérir, de punir. GIRAUDOUX, Amphitryon 38, III, 5.

♦ **5.** (V. 1205). Souvent sujet n. de choses. *Punir qqn de qqch.,* atteindre d'un mal constituant une sanction. *Cet échec le punira de son orgueil, de sa vanité* (→ Esclave, cit. 15; garçon, cit. 1). *« Que les passions vengeresses punissent vos forfaits »* (→ Enfer, cit. 18). *Punir les mépris de qqn* (→ Éprendre, cit. 11), *une offense* (→ Humeur, cit. 30). Plus cour. (Au passif). *« Il est assez puni par son sort rigoureux »* (→ Malheureux, cit. 1). *Je suis insociable* (cit. 3) *et m'en voilà cruellement puni.*

Je ne concevrai jamais que ce que tout homme est obligé de savoir soit enfermé 10
dans des livres, et que celui qui n'est pas à portée ni de ces livres, ni des gens qui les entendent soit puni d'une ignorance involontaire. ROUSSEAU, Émile, IV.

Fam. *Être puni par où l'on a péché :* subir une punition dans des circonstances, des conditions qui correspondent précisément à la faute commise.
Mal récompenser, payer d'un mal (une action non blâmable ou même louable). — (Au passif). *Il est puni de sa bonté* (→ aussi Conserver, cit. 3, Racine). *Un temps où la générosité, la* ***charité*** *est punie* (→ Moquer, cit. 5).

De vos propres bontés il vous aurait punie. RACINE, Britannicus, V, 6. 11

▶ **SE PUNIR** v. pron.

Réfl. S'infliger une punition (→ Huile, cit. 3). — Récipr. *Se punir mutuellement.*

Sans doute Marcas méditait le plan d'une attaque sérieuse, il s'habituait peut-être 12
à la dissimulation et se punissait de ses fautes par un silence pythagorique. BALZAC, Z. Marcas, Pl., t. VII, p. 751.

▶ **PUNI, IE** p. p. adj. *« Un coupable* (cit. 6) *puni est un exemple pour la canaille ». Un innocent injustement* (cit. 2) *puni. Enfant puni.* — N. (Rare au fém.). *Un puni, les punis :* les élèves, les soldats... qui ont une punition (ne se dit pas des condamnés qui purgent une peine).
Faute punie. Infraction punie de peines de police.

Et Phèdre, tôt ou tard de son crime punie, 13
N'en saurait éviter la juste ignominie. RACINE, Phèdre, V, 1.

CONTR. Couronner, encourager, récompenser... — Épargner. — (Du p. p.) Impuni.
DÉR. Punissable, punisseur.

PUNISSABLE [pynisabl] adj. — 1477; de *punir.*

♦ Qui entraîne ou peut entraîner une peine, une punition. ⇒ **Condamnable, répréhensible.**

La raison nous dit qu'un homme n'est punissable que par les fautes de sa volonté, et qu'une ignorance invincible ne lui saurait être imputée à crime. ROUSSEAU, Émile, IV.

PUNISSEUR, EUSE [pynisœʀ, øz] adj. et n. — V. 1355; de *punir.*

♦ **1.** Rare. Qui punit.

Le foudre souhaité que je vois en tes mains, etc.
Il y avait d'abord, *le foudre punisseur : punisseur* était un beau terme qui manquait à notre langue. *Puni* doit fournir *punisseur,* comme *vengé* fournit *vengeur.* J'ose souhaiter, encore une fois, qu'on eût conservé la plupart de ces termes qui faisaient un si bel effet du temps de Corneille (...) VOLTAIRE, Commentaires sur Corneille, Rem. sur « Pompée », IV, 4.

♦ **2.** (1568). Qui aime à punir. ⇒ **Sévère.**

PUNITIF, IVE [pynitif, iv] adj. — 1370, « disposé à punir »; du rad. de *punition.*

♦ Qui est propre à punir, destiné à punir. *Loi punitive. Force punitive et coercitive. L'appareil punitif.*

Loc. (1932). Cour. *Expédition punitive :* coup de main (soldats, groupe) perpétré par représailles.

PUNITION [pynisjɔ̃] n. f. — 1250; lat. *punitio,* du supin de *punire.* → Punir.

A. *(Punition de qqn).* ♦ **1.** Action de punir; acte, mesure par quoi une personne est punie. *La punition du coupable par...*

a (Pour une faute grave, crime ou délit). Vieilli. ⇒ **Répression.** *Punitions légales.* ⇒ aussi **Prison, supplice.** *Le droit de punition de la société, de la loi, de la justice... est une manifestation de la contrainte* sociale. — Justice et punition* (divine). → Courroucer, cit. 2. *L'instrument de la punition divine* (→ Le fléau* de Dieu). — Vx. (Avec le verbe *faire*). *La punition que Votre Majesté a faite de ces magistrats prévaricateurs* (→ Cannibale, cit. 1, d'Alembert).

La Société seule a sur ses membres le droit de répression : car celui de punition, 1
je le lui conteste : réprimer lui suffit, et comporte d'ailleurs assez de cruautés. BALZAC, Mme de La Chanterie, Pl., t. VII, p. 282.

b (1356). Ce que l'on fait subir à l'auteur d'une faute (non d'un crime ou délit grave). ⇒ **Châtiment, peine, pénalité, sanction.** *La punition de qqn, sa punition,* celle qu'il subit. *Encourir une punition, être sous le coup d'une punition. Il mérite une punition.* ⇒ **Leçon.** *Être digne, justiciable d'une punition* (⇒ **Punissable**). *Avoir, recevoir une punition; être condamné à une punition* (⇒ **Condamnation**). *Donner, infliger une punition.* ⇒ **Punir.** *Défendre sous peine de punition* (→ 3. Droit, cit. 35). *Échapper* *à la punition* (⇒ **Impunément, impuni, impunité**). — *Juste; injuste punition. Punition légère* (cit. 17); *exemplaire, rigoureuse, sévère* (⇒ **Rigueur, sévérité**). *Punition infligée par la victime ou par un justicier.* ⇒ **Talion, vengeance, vindicte.** — *Punition corporelle* : souffrance physique infligée au coupable. ⇒ **Correction, coup, fouet, fouetter, fustigation.** *Les punitions corporelles infligées aux enfants* (⇒ **Fessée, martinet...**). *Punition privative de liberté.* ⇒ **Arrêt** (cit. 7), **emprisonnement, internement, prison...** *Punitions disciplinaires* (blâme...), *pécuniaires* (amende...). — *Punitions en usage, jadis, dans les écoles.* ⇒ **Bonnet** (d'âne), **coin, colle, consigne, pensum** (cit. 1), **piquet, retenue...** (→ Assignat, cit. 3). *Cahier* (cit. 4) *de punitions.* — (Dans l'armée). *Corvées et punitions* (→ Pierrot, cit. 3). *Punitions pour faute contre la discipline militaire. Punitions non restrictives de liberté* (⇒ **Avertissement, blâme, réprimande**), *restrictives de liberté* (⇒ **Arrêt, consigne**). *Punitions et sanctions.*

2 Quand une république est parvenue à détruire ceux qui voulaient la renverser, il faut se hâter de mettre fin aux vengeances, aux peines, et aux récompenses même. On ne peut faire de grandes punitions, et par conséquent de grands changements, sans mettre dans les mains de quelques citoyens un grand pouvoir.
MONTESQUIEU, l'Esprit des lois, XII, XVIII.

3 Aussi, le système des punitions corporelles, quoique des philanthropes l'aient fortement attaqué dans ces derniers temps, est-il nécessaire en certains cas pour les enfants; et d'ailleurs, il est le plus naturel, car la nature ne procède pas autrement, elle se sert de la douleur pour imprimer un durable souvenir de ses enseignements.
BALZAC, Un début dans la vie, Pl., t. I, p. 696.

4 Pour qu'une punition soit bonne, dit Bentham, elle doit être proportionnée à la faute, sa conséquence naturelle. FLAUBERT, Bouvard et Pécuchet, X.

c *Punition infligée à un joueur qui n'a pas respecté les règles,* dans un jeu de société. ⇒ **Gage.** (Sports). ⇒ **Pénalité, penalty.**

5 Il commente, pour la foule, toutes les phases du match, annonce le point ou la punition (que l'on appelle en français un penalty) ...
G. DUHAMEL, Scènes de la vie future, XII.

d Loc. *Pour la punition (de qqn),* pour le punir.

6 (...) pour votre punition vous ne saurez rien du tout.
MOLIÈRE, George Dandin, II, 5.

♦ **2.** Peine infligée par Dieu pour l'expiation, la réparation du péché. *La punition du pécheur. Des pluies qui semblaient des punitions de Dieu* (→ Famine, cit. 2).

7 (...) vous savez qu'en fait d'odeurs je suis fort difficile. M. Mazarin m'a dit l'autre jour que ma punition en purgatoire serait d'en respirer de mauvaises (...)
A. DE VIGNY, Cinq-Mars, XIX.

♦ **3.** (1908, en boxe). Fam. Le fait de subir des mauvais traitements, de recevoir des coups sans pouvoir les rendre. *Ce boxeur a reçu une sévère punition.*

B. *(Punition de qqch.).* ♦ **1.** *Punition d'une faute; d'un crime* (→ Excommunication, cit. 3; exil, cit. 4). *Recevoir la punition de ses forfaits.* ⇒ **Prix, récompense** (par ironie).

♦ **2.** Conséquence pénible (d'une action, d'une faute). *Sa pénurie est la punition de sa prodigalité* (→ Imprévoyant, cit. 2). *Cet échec est la punition de sa maladresse* (→ aussi la loc. À ses dépens*).

8 Hé bien! je la souffrirai *(la honte)* : ce sera la première punition de ma faute.
LACLOS, les Liaisons dangereuses, XCVII.

♦ **3.** Loc. (1679, Bossuet). **EN PUNITION DE...** *En punition de ses fautes, de son erreur...* : pour le punir.

CONTR. Compensation, 2. **prime, récompense.**
COMP. Autopunition.

PUNK [pœk; pœnk] n. et adj. (invar. en genre) — 1974, *Elle, in* Höfler; argot amér., «voyou; pourri», 1896; p.-ê. de l'argot angl. «prostituée», v. 1600.

♦ **1.** N. m. *Le punk* : mouvement de contestation (né à Londres, 1976; antérieur en musique) qui regroupe des jeunes affichant divers signes extérieurs de provocation contre l'ordre social qu'ils tournent en dérision : panoplie vestimentaire à base synthétique, objets courants utilitaires portés comme bijoux (épingles de nourrice, lames de rasoir...), auto-mutilations bénignes..., cheveux raides et colorés, etc.

Adj. (invar. en genre). *La génération punk. L'effet punk.* «*La philosophie punk*» *(l'Écho des savanes,* déc. 1977, p. 5).

♦ **2.** *Un, une punk* : adepte du punk. «*La mine hagarde est de rigueur, la lippe méprisante s'impose; le scandale est permanent chez les jeunes "punks".*» *(le Monde,* 18 juin 1977).

1 L'effet punk, en traversant la Manche, a perdu quelque peu son agressivité. Le punk français s'habille de vieux pantalons, de tee-shirts tachés de sang et de graisse; il a le cheveu hérissé et décoloré, le visage blafard, l'œil hagard et bordé de rouge, tout comme son collègue britannique.
le Nouvel Obs., 16 oct. 1978, p. 79.

Adj. *Groupes punks* (ou *punk*). «*Les disques punk se suivent et se ressemblent tous. Rythmes effrénés, voix rugueuses, paroles agressives*» *(l'Express,* 5 nov. 1978).

REM. Le mot a donné naissance à plusieurs dérivés en français : *punkitude,* n. f. (d'après *négritude,* etc.), *punkerie,* n. f., *punkisme,* n. m. *«En tant que symptôme, le punkisme est le refoulé du désir de servitude» (l'Écho des savanes,* déc. 1977, p. 3).

2 Elle affiche tous les signes extérieurs et définitifs de la punkitude. Mutilations : lobe gauche transpercé d'une chaînette et lobe droit deux fois troué par un même anneau. Tatouages : bras droit à jamais marqué d'une épingle de nourrice noire et fesse gauche estampillée d'un «P» «qui ne veut pas dire punk», précise-t-elle. Crâne rasé et taillé en balai brosse à la première repousse. Teint livide et lèvres incandescentes qu'elle a posées, comme sur un coin de glace de lavabo, sur chacune des ailes de son nœud pap' en celluloïd blanc. Depuis l'extrême pointe de ses boots d'homme jusqu'à ses yeux de chatte sauvage, Edwige Gruss, vingt ans, broie du noir.
le Nouvel Obs. nº 683, 12 nov. 1977, p. 68.

PUNKA [pɔ̃ka] n. m. ⇒ **Panca.**

1. PUNT [pœnt] n. m. — 1895, *in* D. D. L.; mot angl., d'après le lat. *ponto* «bateau de transport gaulois».

♦ Rare. Embarcation légère et plate utilisée pour la chasse au gibier d'eau.

Grace me demanda de l'accompagner sur la rivière. Le «tube» nous mit au quai de Richmond, où des centaines de skifs et de punts se balançaient gaiement. Grace prit le gouvernail, je ramai.A. MAUROIS, les Discours du Dr O' Grady, p. 33.

2. PUNT [punt] n. m. — 1978, → cit.; mot angl., p.-ê. le même que le précéd., par l'intermédiaire du sens «lingot qui rappelle par ses deux bouts carrés la forme d'un *punt* (1. Punt)», attesté en 1895, infl. possible de *pound* «livre».

♦ Rare. Unité monétaire irlandaise. (On dit plus souvent *livre irlandaise*).

Dublin. — Le premier ministre, M. Jack Lynch, a annoncé, le 15 décembre, au Parlement, que (...) la République d'Irlande participera au système monétaire européen à partir du 1er janvier. Ainsi, pour la première fois depuis la fondation de l'État, les liens entre la livre sterling et la monnaie irlandaise (le punt) seront rompus, avec la possibilité d'une divergence entre les deux monnaies.
le Monde, 17-18 déc. 1978, p. 14.

PUNTARELLE [pɔ̃taʀɛl] n. f. — 1864; dimin. d'orig. gasconne, du lat. *puncta* «pointe».

♦ Techn. Petit morceau de corail utilisé pour la confection de bracelets, colliers.

PUNTILLERO [puntijeʀo] n. m. — 1900; mot esp., de *puntilla* «poignard».

♦ Taurom. Celui qui est chargé d'achever le taureau au moyen d'un poignard (la *puntilla*) enfoncé dans la moelle épinière, si l'estocade n'a pas tué la bête.

PUPAZZO [pupadzo], plur. **PUPAZZI** [pupadzi] n. m. — 1852; mot ital. → Poupée.

♦ Didact. Marionnette* italienne à tête et bras de bois, montée sur une gaine où le montreur enfile sa main. ⇒ **Guignol.** *Spectacle de pupazzi.*

PUPE [pyp] n. f. — 1822; lat. zool. *pupa,* class. «poupée».
Zoologie.

♦ **1.** Stade intermédiaire entre la larve et l'imago (nymphe). — Enveloppe chitineuse de la nymphe des diptères. ⇒ **Chrysalide.**

♦ **2.** (1875). Mollusque gastéropode pulmoné *(Stylommatophores)* des régions tempérées, à coquille ovoïde ou cylindrique, plus couramment appelé *pupa* et autrefois *maillot.*

COMP. Pupipares, pupivore.

1. PUPILLAIRE [pypi(l)lɛʀ] adj. — 1409; lat. *pupillaris,* de *pupillus.* → 1. Pupille.

♦ Dr. Propre ou relatif au pupille (→ 1. Pupille, 1.) *La gestion du patrimoine pupillaire. Les intérêts pupillaires.*

DÉR. Pupillarité.

2. PUPILLAIRE [pypi(l)lɛʀ] adj. — 1727; de 2. *pupille.*

♦ Physiol., méd. Qui appartient, a rapport à la pupille (→ 2. Pupille). *Réflexes pupillaires. Inégalité pupillaire.*

PUPILLARITÉ [pypi(l)laʀite] n. f. — 1398; du rad. de 1. *pupillaire.*

♦ Dr. État du pupille (→ 1. Pupille, 1.). — Durée de cet état.

1. PUPILLE [pypil] cour. [pypij] n. — 1334; lat. jurid. *pupillus,* de *pupus* «petit garçon».

♦ **1.** Orphelin, orpheline mineur(e) en tutelle*. *Tuteur qui gère* (cit. 4) *honnêtement la fortune de sa pupille. Bartolo, jaloux* (cit. 24) *de sa pupille Rosine.*

1 Règle certaine, mon enfant : lorsque telle orpheline arrive chez quelqu'un comme pupille ou bien comme filleule, elle est toujours la fille du mari.
BEAUMARCHAIS, la Mère coupable, I, 4.

2 Et l'esprit de Madame Chanteau retournait à Paris (...) étonnée elle-même de sa chaleur à accepter cette tutelle, prise d'une considération instinctive pour une pupille riche, d'une honnêteté stricte d'ailleurs, et sans arrière-pensée au sujet de la fortune dont elle aurait la garde.
ZOLA, la Joie de vivre, I.

♦ **2.** (1811). Enfant privé de son soutien naturel pour des raisons diverses (décès, invalidité, déchéance de la puissance paternelle...), et pris en charge par une collectivité. *Pupilles du département de la Seine.* — *Pupilles de l'État,* anciennt *de l'Assistance publique :* les enfants assistés qui ont pour tuteur le préfet (à Paris, le directeur de l'Assistance publique), assisté d'un conseil de famille de sept membres, dont deux conseillers généraux et cinq personnes nommées par la préfecture. *Placement familial des pupilles de l'État.* — (1923). *Pupilles de la Nation :* enfants de victimes de la guerre (tués, morts des suites de leurs blessures ou en déportation, grands mutilés...), qui ont ou ont eu droit, jusqu'à leur majorité, à la protection morale et à l'aide matérielle de l'État, en vertu d'un jugement d'adoption. *Office national des pupilles de la Nation. Pupilles de la Marine, de l'Air.*

3 Mon père est mort en 1918. Je suis pupille de la Nation.
SARTRE, le Sursis, p. 299.

♦ **3.** Pensionnaire d'un établissement relevant de la bienfaisance privée. *Les pupilles d'un pénitencier.*

♦ **4.** Vx. Enfant, élève (par rapport à son précepteur, à sa gouvernante).

4 (...) un précepteur, un abbé sans sou ni maille, qui (...) résolut de se payer, sur les cent mille livres de rente, des soins donnés à son pupille, qu'il prit en affection.
BALZAC, la Fille aux yeux d'or, Pl., t. V, p. 270.

CONTR. **Tuteur.**
HOM. 2. **Pupille.**

2. PUPILLE

2. PUPILLE [pypil] cour. [pypij] n. f. — 1314; lat. *pupilla* «petite fille», et «prunelle, pupille», «à cause de la petite image qu'on voit s'y refléter» (Ernout et Meillet). Cf. le grec *korê.*

♦ Orifice central de l'iris*, partie de l'œil par où passent les rayons lumineux qui vont être réfractés par le cristallin (cit. 4). ⇒ **Prunelle.** (→ Chambre, cit. 15). *Pupilles rondes de l'homme, pupilles ovales du chat, du chien... Contractilité de la pupille qui se dilate* (cit. 5) *à l'obscurité et se rétrécit, par voie réflexe, à la lumière* (→ Proportionner, cit. 2), *ou dans la vision rapprochée* (par l'effet de l'accommodation). *Dilatation* (mydriase) *de la pupille sous l'influence de l'atropine, dans certaines maladies nerveuses... Rétrécissement* (myosis) *de la pupille provoqué par l'ésérine, la morphine, une lésion du nerf dilatateur... Inégalité des deux pupilles* (anisocorie). *Pupilles accommodées* (cit. 8) *à l'infini. Pupilles dilatées* (cit. 7) *par l'horreur...* — *Une étincelle jaillissait de sa pupille* (→ Miroitement, cit.).

1 (...) ces deux trous noirs que font, en se rétractant, les pupilles, dans le gris bleu, trop clair, de l'iris?
MARTIN DU GARD, les Thibault, t. II, p. 255.

2 L'opium rétrécit les pupilles, les réduit à un point, même dans l'ombre : c'est un des symptômes à quoi on reconnaît le fumeur encore sous l'effet de la drogue.
Roger VAILLAND, Drôle de jeu, IV, III, p. 192.

DÉR. et **COMP.** 2. **Pupillaire, pupillomètre.**
HOM. 1. **Pupille.**

PUPILLOMÈTRE

PUPILLOMÈTRE [pypi(l)lɔmɛtʀ] n. m. — V. 1960, cf. Pupillométrie *in* Larousse 1963; de *pupille,* et *-mètre.*

♦ Techn. Appareil utilisé pour mesurer la variation de taille de la pupille soumise à une excitation extérieure.

PUPINISATION

PUPINISATION [pypinizasjɔ̃] n. f. — 1922; du nom du physicien *Pupin* (1858-1935).

♦ Sc., techn. Introduction de bobines d'inductance, régulièrement espacées, dans les conducteurs d'une ligne de télécommunication.

PUPIPARES

PUPIPARES [pypipaʀ] n. m. pl. — 1827; de *pupe,* et *-pare.*

♦ Zool. Sous-ordre de diptères sans ailes, dont les femelles donnent naissance à des larves mûres qui se métamorphosent presque aussitôt en insecte. — Au sing. *Un pupipare.*
Adj. *Insecte pupipare.*

PUPITRE

PUPITRE [pypitʀ] n. m. — 1467; *pepistre,* 1357; var. *pulpite, popitre...;* lat. *pulpitum* «estrade».

♦ **1.** Petit meuble en forme de plan incliné, sur lequel on pose, à hauteur de vue, un livre, du papier..., pour lire, écrire, dessiner. — *Pupitre à pied. Pupitre ouvragé, sculpté.* — *Pupitre d'autel, de chœur.* ⇒ **Lutrin** (cit.). *Pupitre à musique. Musiciens* (cit. 7) *à leurs pupitres. Chef d'orchestre qui se met à son pupitre* (→ Machinalement, cit. 1). — **AU PUPITRE** (de chef d'orchestre). *Qui sera au pupitre? :* qui dirigera l'orchestre? — *Chef de pupitre :* celui qui dirige un groupe d'instruments (→ Premier violon*, premier violoncelle, etc.). *Pupitre de graveur :* pupitre sur lequel le graveur pose sa planche.

(...) les moines entraient, deux par deux, derrière l'Abbé (...) et tous, à genoux alors (...) se redressaient à un petit coup frappé par le père Abbé sur son pupitre et, courbés en deux, attendaient un nouveau coup pour commencer l'office. 1
HUYSMANS, l'Oblat, II.

Planchette inclinée, posée sur un support et servant au même usage. *Pupitre volant pour piano.*

Il ouvrit son secrétaire, en tira un cahier de musique, le mit sur le pupitre du piano, et dit à l'enfant de jouer. 2
R. ROLLAND, Jean-Christophe, L'aube, III, p. 84.

Écrire avec un atlas sur les genoux en guise (cit. 11) *de pupitre.*

(...) le page présenta son épaule comme pupitre, en s'inclinant, et le Cardinal écrivit à la hâte cet ordre, que les manuscrits contemporains nous ont transmis (...) 3
A. DE VIGNY, Cinq-Mars, X.

♦ **2.** Petite table formant une boîte à couvercle incliné, servant à écrire. *Pupitres d'école* (cit. 7), *d'une classe* (cit. 14 et 17). ⇒ **Bureau.** *Lustrer* (cit. 1) *ses manches sur les pupitres d'un collège.* — *Députés qui font battre, claquer leurs pupitres* (→ Hémicycle, cit. 1).

Il ne prononça pas de discours, mais ses clefs, frinc! frinc! frinc! parlèrent pour lui, d'une façon si terrible (...) si menaçante, que toutes les têtes se cachèrent sous les couvercles des pupitres et que le nouveau maître lui-même n'était pas rassuré. Aussitôt que les terribles clefs furent dehors, un tas de figures malicieuses sortirent de derrière les pupitres (...) 4
Alphonse DAUDET, le Petit Chose, I, V.

Les élèves qui se promenaient intrépidement encore sur les rangs de pupitres comme des matelots sur un bateau, grimpant aux poutres ou faisant de l'équilibre sur deux planches, au milieu de bruits aussi multipliés et assourdissants que les bruits du vent, des cordages et de la mer, se ruèrent sur leurs bancs en une seconde. 5
PROUST, Jean Santeuil, Pl., p. 260.

♦ **3.** Techn. Panneau de bois oblique, percé de trous, dans lequel on place les bouteilles de champagne pour le temps du remuage.

♦ **4.** Techn. Emplacement où sont disposés les commandes et les appareils de contrôle d'un système électronique complexe, notamment d'un ordinateur. *Pupitre de visualisation,* réunissant des informations télévisées. *Technicien au pupitre d'un ordinateur.* ⇒ **Pupitreur.** *Pupitre de reconfiguration.*
«Pupitre de conduite» d'une locomotive (*la Vie du rail,* 15 oct. 1978, p. 6).

DÉR. **Pupitreur.**

PUPITREUR, EUSE

PUPITREUR, EUSE [pypitʀœʀ, øz] n. — 1966; de *pupitre.*

♦ Techn. Technicien chargé de suivre au pupitre le fonctionnement d'un ordinateur. *«Un pupitreur est une sorte de contremaître. Il est chargé d'appliquer les consignes d'exploitation, de veiller à ce que tout se passe normalement dans la machine et ses annexes»* (*l'Express,* 16 nov. 1970, *in* P. Gilbert).

REM. On trouve un autre fém. : *pupitrice* [pypitʀis]. *«Opératrices-pupitrices»* (*France-Soir,* 30 mars 1982, p. 10).

PUPIVORE

PUPIVORE [pypivɔʀ] adj. — 1827; de *pupe,* et *-vore.*

♦ Zool. *Insecte pupivore,* dont les larves sont parasites des larves d'autres espèces.

PUPPY

PUPPY [pypi] n. m. — 1880; mot angl. «chiot».

♦ Anglic. Sports. Jeune lévrier de course de deux ans.

PUPULEMENT

PUPULEMENT [pypylmɑ̃] n. m. — XXe attesté; de *pupuler.*

♦ Rare. Cri de la huppe.

(...) le silence, à peine troublé par un bref coassement ou le lointain pupulement d'une huppe.
Hervé BAZIN, Cri de la chouette, 1972, p. 226.

PUPULER

PUPULER [pypyle] v. intr. — 1625, *in* D. D. L.: *puputer,* 1611; de *puput,* nom régional de la huppe.

♦ Pousser son cri, en parlant de la huppe.

DÉR. **Pupulement.**

PUR, PURE

PUR, PURE [pyʀ] adj. — 980, *Passion du Christ;* lat. *purus.*

★ **I.** (Abstrait). ♦ **1.** Plus souvent après le nom, en épithète. [a] Sans mélange. ⇒ **Absolu, complet, parfait.** *Voluptés pures, sans mélange de peine* (→ Gorger, cit. 11). *Il n'y a que le mal qui soit pur* (→ Mélange, cit. 7). *Tout est mêlé dans cette vie, on n'y goûte aucun sentiment pur* (→ Malheur, cit. 22). *Un véritable instinct bestial, pur et intègre comme tout instinct* (cit. 23). — Philos. *Entendement pur. Esprit pur. Il n'y a jamais de pensée pure* (→ Phénoménologie, cit. 2). *Idée pure. La pure intellection* (cit. Descartes). *Souvenirs purs* (→ Passé, cit. 13). *L'image* (cit. 46), *création pure de l'esprit. Plaisir pur.* — Spécialt (chez Kant). Qui ne dépend pas de l'expérience, de la sensation. *Critique* *de la raison pure. Connaissance pure. Intuition pure du temps, de l'espace.*

1 (...) parlez-moi de votre joie, et si elle vous a coûté bien des craintes; on ne les a guère toutes pures. Mme DE SÉVIGNÉ, 881, 26 mai 1681.

2 Comme vous êtes loin, paradis parfumé,
Où sous un clair azur tout n'est qu'amour et joie,
Où tout ce que l'on aime est digne d'être aimé,
Où dans la volupté pure le cœur se noie!
BAUDELAIRE, les Fleurs du mal, « Spleen et idéal », LXII.

3 Y a-t-il des états affectifs *purs*, c'est-à-dire vides de tout élément intellectuel, de tout contenu représentatif, qui ne soient liés ni à des perceptions, ni à des images, ni à des concepts (...) Th. RIBOT, Psychologie des sentiments, Introd., II.

4 Satan, a dit un jour Maritain, est pur. Pur, c'est-à-dire sans mélange et sans rémission. SARTRE, Situations II, p. 246.

Loc. *Pur esprit**. ⇒ **Immatériel.**

(1391). Vx. *À pur et à plein* : complètement.

(1765). Opposé à *appliqué* (3.). *Science pure. Mathématiques pures. Recherche pure*, fondamentale.

Qui s'interdit toute préoccupation étrangère à sa nature spécifique. *Musique pure* (opposé à *musique descriptive, lyrique*, etc.), → Impur, cit. 2; légitimité, cit. 4. *Poésie* (cit. 12) *pure. Art pur* (→ Magie, cit. 9; mitoyen, cit. 4).

(1736). *État de pure nature**.

b (1765). Qui réalise parfaitement, exactement un type, un modèle. *Type provençal très pur* (→ Croiser, cit. 9). *Hérédité pure. Il n'y a pas de race pure* (→ Ethnographique, cit. 2). — *Style pur. L'érudit* (cit. 8) *pur.* — (Antéposé). *C'est du pur Louis XV, du pur roman.*

5 Nous rencontrons une infinité de métis, surtout dans les villes tandis qu'un village isolé dans les montagnes de la grande Chartreuse, près de Grenoble, ou dans celles du *bourg d'Oysans*, présente très souvent des têtes *pures* (...) STENDHAL, Mémoires d'un touriste, t. I, p. 131.

c (V. 1190; devant le nom). Qui est seulement et complètement tel. ⇒ **Simple.** *La pure justice* (cit. 5) *n'est pas charitable. Ouvrage de pure imagination* (→ Jonglerie, cit. 2). *Liaison* (cit. 10) *de pur caprice. Règles de pure convention* (→ Peindre, cit. 6). *De pure forme* : formel. (→ Habitude, cit. 32). *En pur don. Un pur hasard* (→ Faufiler, cit. 4). *Un pur jeu de mots* (→ Jalousie, cit. 24). *C'est la pure vérité*, l'exacte, l'absolue vérité. *« Et j'en sais d'immortels qui sont de purs sanglots »* (→ Chant, cit. 12, Musset). — *Une pure inanité* (cit. 1). *« Ici-bas maint talent n'est que pure grimace »* (→ Argumenter, cit. 2). *Pure folie* (→ Perdre, cit. 78). *Pur fanatisme* (cit. 2), *pure méchanceté* (→ Épine, cit. 12).

(Personnes). *Les purs dessinateurs* (cit.). *De purs ouvriers* (→ Fabriquer, cit. 14). — (Après le nom). Vx. (→ Affectation, cit. 9). *Calomnie très pure* (→ Prêche, cit. 1).

d Loc. adv. (1509). *En pure perte** (cit. 16, et *supra*). ⇒ **Inutilement, vainement.**

e Loc. (Après le nom). TOUT PUR, TOUTE PURE. *La vérité toute pure* (→ Déshonorer, cit. 9; esprit, cit. 43). *Sottise toute pure* (→ Ajouter, cit. 6). — **PUR ET SIMPLE, PURE ET SIMPLE** : sans conditions ni restrictions. *Obligation, promesse, démission pure et simple. L'acceptation* (cit. 4) *pure et simple de la mort.*

f **PUR DE...** *Pur de tout mélange* → Haine, cit. 22.

g Loc. (Avec infl. du sens 2.). **PUR ET DUR,** se dit d'une tendance politique, d'une personne de cette tendance, qui applique des principes avec rigueur (souvent iron.). *Gaullisme, socialisme pur et dur. Une politique pure et dure.*

♦ **2.** (Après le nom). Sans défaut, d'ordre moral, sans corruption, sans tache. ⇒ **Innocent, intègre.** *Âme pure.* ⇒ **Angélique, archangélique, délicat, frais; aérien, ailé** (fig.). *Une nature pure et élevée.* ⇒ **Éthéré.** *Cœur pur.* ⇒ **Droit; cristal** (de), **cristallin** (fig.). *« Le jour n'est pas plus pur que le fond de mon cœur »* (→ Chaste, cit. 3, Racine). *Conscience pure.* ⇒ **Net.** — (Personnes). *Il est pur, blanc* comme neige. Ceux qui se sentent purs* (→ Irréprochable, cit. 2). *« Cet homme marchait pur... »* (→ Candide, cit. 1, Hugo). — *Vie pure et austère* (cit. 5). ⇒ **Saint.** *Vie hautaine* (cit. 11) *et pure. Quelque chose de pur, de propre* (→ Incapable, cit. 7). *Ce qu'il y a de pur en qqn, dans son cœur* (→ 1. Bas, cit. 38; corruption, cit. 9). *Mœurs pures* (→ Intègre, cit. 2). *Rendre les mœurs plus pures.* ⇒ **Assainir, assainissement** (fig.). *Actions pures* (→ Cristal, cit. 3). *La conduite la plus pure* (→ Honorable, cit. 10). *Intentions pures, dépourvues* d'arrière-pensées blâmables, honteuses* (⇒ **Désintéressé...**). — *Une main pure* (→ Journal, cit. 10).

6 (...) tout est pur pour ceux qui sont purs; et rien n'est pur pour ceux qui sont impurs et infidèles (...) BIBLE (SACY), Épître de saint Paul à Tite, I, 15.

7 Bienheureux ceux qui ont le cœur pur, parce qu'ils verront Dieu. BIBLE (SACY), Évangile selon saint Matthieu, V, 8.

8 Pure dans la maison paternelle, au quai de l'Horloge, comme le bleu profond du ciel, qu'elle regardait, dit-elle, de là jusqu'aux Champs-Élysées; — pure à la table de son sérieux époux, travaillant infatigablement pour lui; — pure au berceau de son enfant, qu'elle s'obstine à allaiter, malgré de vives douleurs; — elle ne l'est pas moins dans les lettres qu'elle écrit à ses amis, aux jeunes hommes qui l'entouraient d'une amitié passionnée (...) Ils lui restèrent fidèles jusqu'à la mort, comme à la vertu elle-même *(Madame Roland).* MICHELET, Hist. de la Révolution franç., V, V.

Chaste. ⇒ **Continent, vierge** (→ Nonne, cit. 2). *Pure et sans tache**. *Intacte* (cit. 3), *pure de corps et de cœur.* ⇒ aussi **Honnête, sage.** — *Amour* (*supra* cit. 21) *pur.*

Salut, demeure chaste et pure! 9
J. BARBIER et M. CARRÉ, Faust (de Gounod), III, 4.

— Vous si généreuse, si pure! — Si pure! Vous trouvez que je n'ai pas de sex-appeal. M. AYMÉ, la Tête des autres, II, 1. 10

Par plais. (Vieilli). Naïf, nigaud. *Il est pur, celui-là.*

(Avec un complément introduit par de...). *Pure et nette* (cit. 14) *de péché. « Je me conservais pur de toute souillure »* (→ Brûlant, cit. 9).

Presque personne n'est assez pur de péchés 11
Pour ne pas mériter un châtiment (...) HUGO, la Légende des siècles, IX.

♦ **3.** (Après le nom). Sans défaut d'ordre esthétique. ⇒ **Parfait, impeccable.** *Galbe pur, contours, formes*, lignes pures. Une fille admirable, pure comme une amphore* (→ Capiteux, cit. 4). *Genoux* (cit. 3) *admirablement purs. Nez* (cit. 5) *pur. Bouche pure* (→ Monastique, cit. 3). — *Un bâtiment du goût* (cit. 46) *le plus pur et le plus délicieux. Un plan de style très pur* (→ Grec, cit. 8).

Toutes les lignes sont brisées dans le flot, dans le feuillage, dans le rocher, et on ne sait quelles parodies s'y laissent entrevoir. L'informe y domine. Jamais un contour n'y est correct. Grand, oui; pur, non. 12
HUGO, l'Archipel de la Manche, VI.

(...) son visage brun était d'un ovale ferme et pur. 13
FRANCE, Histoire comique, IX.

(1538). D'une correction élégante. ⇒ **Châtié.** *Poète pur et correct* (cit. 1). *Discours assez pur, mais incolore* (→ Polir, cit. 5). *Un style plus pur, plus ciselé, plus littéraire* (cit. 5).

★ **II.** (Concret). REM. Dans ces emplois, *pur* est placé en épithète après le nom, sauf dans deux cas (cit. 14 et *supra*; 15 et *supra*).

♦ **1.** (V. 1160). Qui n'est pas mêlé avec autre chose, qui ne contient en soi aucun élément étranger. ⇒ **Net** (cit. 12, Bossuet). *Du vin pur, de l'alcool pur*, sans eau (→ Haleine, cit. 21). *Café pur*, noir (⇒ **Nature**). *Boire de l'eau pure. Métal pur*, sans alliage. ⇒ **Fin.** *Un gisement de cuivre pur* (⇒ **Brut**), contenant une très forte proportion de métal. *Or pur.* ⇒ **Or** (cit. 8 et 9). *Rendre pur, plus pur.* ⇒ **Affiner, apurer, décanter, dépurer, épurer, purifier.** *Infusion de quinquina pur* (→ Prescrire, cit. 6). *Protéine que l'on peut isoler à l'état pur* (→ Mosaïque, cit. 6).

Est pur, corps ou ligne, ce dont l'essence n'est mêlée de rien qui l'altère et qui l'avilisse : pur, le vin qui n'est pas mêlangé d'eau, le métal fin qui ne contient pas de métal grossier, pur l'homme qui ne s'est pas uni à la femme, l'organisme sain et vivant que le contact du cadavre ou du sang n'a pas contaminé d'un germe de mort et de destruction. Roger CAILLOIS, l'Homme et le Sacré, p. 38. 13.1

Chim. *Substance, corps à l'état pur*, proche de l'état (théorique) de pureté* absolue. *Il n'y a pas de lumière simple et de corps pur* (→ Infiniment, cit. 2). *L'eau chimiquement pure est impropre à la consommation.*

(Avant le nom, formant un syntagme postposé à un autre nom). Qui ne renferme qu'un élément, un produit (ou une proportion élevée et définie de ce produit). *Tissu pure laine. Cravate pure soie. C'est du pur coton. Confiture pur sucre, pur fruit.* — *Pur jus.* Figuré :

Avant huit jours d'ici il n'y aura plus en France, et peut-être en Europe, une douzaine de socialistes pur jus : il n'y aura plus, partout, que des *socialo-patriotards!* 14
MARTIN DU GARD, les Thibault, t. VII, p. 147.

Couleur pure, ton pur. ⇒ **Franc** (→ Impressionnisme, cit. 1. *Un vert plus pur et plus riche* (→ Heurter, cit. 37). — Blason. *Porter d'argent pur* (ou *plein*), sans pièce ni meuble.

Son pur, formé seulement des harmoniques (cit. 5) d'une note fondamentale.

Par ext. *Sang pur.* — Loc. (*pur* antéposé). **PUR SANG.** *Cheval de pur sang. Cheval pur sang.* ⇒ **Pur-sang.** Par ext. D'ascendance pure, exclusive. *Alsacien pur sang*, par toute son ascendance (→ Légionnaire, cit. 2).

(...) il s'était figuré qu'il trouverait le bonheur en Angleterre quand il pourrait aller y acheter lui-même trois chevaux *pur sang.* 15
STENDHAL, Romans et nouvelles, « Le rose et le vert », VI.

(...) M. Martini, un méridional pur sang (...) 16
MAUPASSANT, la Petite Roque, Mme Parisse, I.

REM. Dans ce contexte, les Québécois emploient le syntagme *pure laine. Un Québécois pure laine.*

Pur de... : exempt de... *Ciel pur de nuages* (→ Grand, cit. 28).

♦ **2.** Qui ne renferme aucun élément mauvais de nature à altérer, à vicier, soit que cet élément n'ait pas été rajouté (⇒ **Franc, naturel**), soit qu'il ait été enlevé (⇒ **Affiné, épuré, purifié**).

Eau pure, claire, limpide, bonne à boire (→ par métaphore Piment, cit. 3; préciosité, cit. 5). *Source pure* (→ Canal, cit. 9). *Fleuve calme et pur* (→ Liquide, cit. 2). *« Dans le courant d'une onde pure »* (→ Agneau, cit. 1, La Fontaine). *Un sable pur et net* (→ Escarpé, cit. 1). *Surface pure et polie comme un miroir* (→ Parfait, cit. 3). — (Antéposé; poét.). *« De purs miroirs, qui font toutes choses plus belles »* (→ Fasciner, cit. 2, Baudelaire). *Yeux purs* (→ Arc, cit. 13; candide, cit. 3). *Teint pur* : clair. *Air* (cit. 9) *pur*, qui n'est pas pollué, qui est salubre... (→ Enivrer, cit. 28; jouir, cit. 13). *« L'air* (cit. 5) *est pur, la route est large... »* — Relig. *Hostie* (cit. 2) *pure, victime pure. Aliments purs et impurs.*

17 D'où vient que notre législateur nous prive de la chair de pourceau, et de toutes les viandes qu'il appelle immondes? (...) Il me semble que les choses ne sont en elles-mêmes ni pures ni impures : je ne puis concevoir aucune qualité inhérente au sujet qui puisse les rendre telles. La boue ne nous paraît sale que parce qu'elle blesse notre vue, ou quelque autre de nos sens; mais, en elle-même, elle ne l'est pas plus que l'or et les diamants. MONTESQUIEU, Lettres persanes, XVII.

Pierre, diamant d'une eau pure; perle (cit. 2) *d'un orient plus pur.* — (Antéposé). *Un pur diamant** (cit. 12, fig.; → aussi Émeraude, cit. 2; jaspe, cit. 1).

Ciel pur, clair, sans nuages ni fumées. ⇒ **Bleu, clair, limpide** (→ Parsemer, cit. 2; place, cit. 40). *Nuits pures* (→ Alternance, cit. 1). — *Temps pur.* ⇒ **Serein.** *Matin* (cit. 8) *glacial et pur. Lumière pure. Flamme très pure* (→ Animal, cit. 1).

Voix pure, claire, cristalline. ⇒ **Argentin** (cit. 3). *Note pure* (→ Filer, cit. 7).

★ **III.** N. ♦ **1.** Personne pure.

18 Tout est pur chez les purs. Tout est pur chez les forts et chez ceux qui sont sains. L'amour, qui pare certains oiseaux de leurs plus belles couleurs, fait sortir des âmes honnêtes ce qu'elles ont de plus noble. R. ROLLAND, Jean-Christophe, L'adolescent, III, p. 339.

♦ **2.** (V. 1792). Personne rigoureusement fidèle à un parti, à une orthodoxie, sans mélange ni concession (⇒ aussi **Puritain**). *C'est un pur. Les purs et les durs* (→ ci-dessus, Pur et dur). *« Un pur trouve toujours un plus pur qui l'épure* ». Les purs :* les vrais fidèles*.

19 Quelque exagérés que soient les organes d'une opinion, ils sont toujours au-dessous des purs de leur parti (...) BALZAC, le Cabinet des antiques, Pl., t. IV, p. 366.

Sports. Sportif amateur. *Les purs et les pros.*

20 (...) M. Guy Mollet que l'on accable, ces jours-ci, dans certains secteurs de la Gauche, comme s'il avait fini de se perdre aux yeux des « purs ». F. MAURIAC, le Nouveau Bloc-notes 1958-1960, p. 66.

♦ **3.** N. f. Argot. *De la pure :* de la drogue pure, non mélangée. *Sniffer de la pure.*

21 Près de lui, Régine la belle chimiste s'égaye. Sous ses doigts de fée, les dix kilos de pure en sont devenus vingt, par l'adjonction de cinq kilos de lactose et cinq de borax. Albert SIMONIN, Hotu soit qui mal y pense, 1971, p. 92.

CONTR. Impur. — Adultéré, altéré, artificiel, bâtard, composite, conditionnel, hybride, irrégulier, mâtiné, métis. — Contaminé, frelaté, souillé, taché, vicié. — Bas, canaille, corrompu, dépravé, dissolu, immonde, incorrect, mauvais, noir (fig.), **vil. — Concupiscent, lascif, lubrique, obscène, paillard.**

DÉR. Pureau, purement, pureté, purisme, puriste. — (Cf. aussi Purger, purifier).

COMP. Pur-sang. — Apurer, épurer. Cf. aussi Dépurer.

PUREAU [pyʀo] n. m. — 1676; de l'anc. franç. *purer.* → Purée.

♦ Techn. Partie non recouverte d'une ardoise, d'une tuile.

HOM. Puro, purot.

PURÉE [pyʀe] n. f. — XIIIe; de l'anc. franç. *purer* « purifier, cribler, passer »; bas lat. *purare,* de *purus.* → Pur.

♦ **1.** Mets qui consiste en légumes cuits et écrasés (⇒ **Bouillie**). *Purée de lentilles, de pois, de pommes de terre* (→ Filandreux, cit. 1); *de choux, d'épinards... Purée à l'eau, au lait : purée claire, épaisse. — Purée de marrons. Préparer une purée d'oignons pour garnir une tarte. Servir une purée de pommes de terre avec un rosbif.*

1 La fécule est la base du pain, des pâtisseries et des purées de toute espèce (...) A. BRILLAT-SAVARIN, Physiologie du goût, t. I, p. 89.

Absolt. Purée de pommes de terre. *Une assiette de purée. Purée en flocons. Donner des potages et des purées à un malade* (→ Olé, cit. 1). — Par appos. *Pommes purée* (→ Pommes mousseline*).

Par ext. *Purée de gibier, de volaille, de homard :* préparation de gibier, volailles... réduits en bouillie. ⇒ **Crème, suprême.**

(1896, adapt. angl. *peasoup*). Loc. fam. **PURÉE DE POIS :** brouillard très épais.

♦ **2.** Vx ou par plais. *Purée septembrale, de septembre :* le vin (cf. Rabelais, *Pantagruel,* I).

♦ **3.** (1878). Fig., fam. Gêne financière, pauvreté, misère, pénurie. *Être dans la purée.* ⇒ **Débine, dèche, mouise, panade** (→ Mistoufle, cit. 1).

1.1 Si bien qu'ils s'aperçurent un beau matin qu'ils avaient mangé, bu plutôt tout leur argent. Plus le sou; pas un rotin. C'était la mouise, la purée complète : que faire? L. FORTON, les Aventures des Pieds-Nickelés, *in* l'Épatant, 1906, p. 28.

1.2 — C'est égal, c'est bien triste de voir un homme de cette valeur-là dans cette purée! A. ALLAIS, Contes et Chroniques, p. 77.

Par ext. Personne qui est dans la purée ⇒ **Pauvre, miséreux; purotin.**

2 (...) elle eût, avec sa robe de laine noire et son bonnet démodé, fait sourire quelque noceur qui de son « rocking » eût murmuré « quelle purée! » PROUST, À l'ombre des jeunes filles en fleurs, Pl., t. I, p. 678.

Exclam. *Purée! :* misère! — (Français d'Afrique du Nord). *La purée! La purée de ta mère!*

Adj. (1895). Vieilli. Misérable, minable.

3 Le canot ayant accosté le radeau, les trois copains sautaient précipitamment dans l'embarcation, au risque de la faire chavirer. « Mince! c'est pas trop tôt que nous changions de bateau! rigolait Croquignol. Il était plutôt purée, notre paquebot (...) pas vrai, les aminches? (...) » L. FORTON, les Aventures des Pieds-Nickelés, *in* l'Épatant, 1909, p. 85.

COMP. Passe-purée, presse-purée.

PUREMENT [pyʀmɑ̃] adv. — V. 1200; de *pur.*

♦ **1.** Rare. Avec pureté. *Agir, aimer, vivre purement.* ⇒ **Honnêtement, innocemment.**

D'ailleurs j'ai purement passé les jours mauvais (...) 1
HUGO, les Feuilles d'automne, I.

♦ **2.** Cour. Intégralement et exclusivement. *Constitution purement presbytérienne* (cit. 2). *Trouvaille purement et spécifiquement bourgeoise* (→ Manuel, cit. 2). *Bienfait* (cit. 8) *purement gratuit.* Exclusivement, seulement. ⇒ **Simplement, uniquement.** *Nos idées les plus purement intellectuelles* (cit. 2). *Un présent* (1. Présent, cit. 14) *idéal, purement conçu. Vertus purement humaines* (→ Augmenter, cit. 15). *Affirmations purement brillantes et gratuites* (→ État, cit. 59). *Éducation purement négative* (cit. 7). *Les gens purement spirituels à la façon de Voltaire, de Chamfort...* (→ Incolore, cit. 2). *Amour purement livresque* (cit. 3).

Je sens que nous sommes dans une fantasmagorie et que notre vue de l'univers est purement l'effet du cauchemar de ce mauvais sommeil qui est la vie. 2
FRANCE, le Jardin d'Épicure, p. 84.

Loc. (1552). *Purement et simplement :* sans condition ni réserve, et, par ext., uniquement, simplement (→ Étourdiment, cit. 2; 1. mère, cit. 6; nature, cit. 2).

Purement et simplement blanchie à la chaux, elle *(la première pièce)* se faisait remarquer par la cynique simplicité de l'avarice commerciale (...) 3
BALZAC, Illusions perdues, Pl., t. IV, p. 470.

♦ **3.** (1669). Littér. Avec une correction élégante. *Écrire* (cit. 48) *purement* (→ Français, cit. 15). *Parler purement et correctement* (→ Gasconner, cit.).

Sans doute un besoin de mon esprit m'amène à tracer plus purement chaque trait, à simplifier tout à l'excès; on ne dessine pas sans choisir (...) 4
GIDE, Si le grain ne meurt, I, X, p. 281.

CONTR. Impurement. — Bassement. — Imparfaitement, incomplètement. — Incorrectement, 2. **mal.**

PURETÉ [pyʀte] n. f. — 1324; réfect. de *purté,* XIIe; lat. *puritas,* de *purus.* → Pur.

★ **I.** (Abstrait). ♦ **1.** État de ce qui est pur, sans souillure morale. ⇒ **Candeur, innocence; vertu.** *Pureté morale* (→ Immoralisme, cit. 1), *des mœurs* (→ Aimable, cit. 9). ⇒ **Droiture** (cit. 3), **honnêteté.** *Noblesse et pureté d'une âme* (cit. 66). *État de pureté.* ⇒ **Grâce.** *Pureté de cœur, du cœur* (→ Élever, cit. 62). — *La pureté des enfants, de l'enfance.* ⇒ **Fraîcheur, ingénuité, innocence.** — *Pureté d'intention* (→ Adoration, cit. 1). *Pureté des motifs,* leur caractère désintéressé.

La pureté de l'âme, l'absence de toute émotion haineuse prolongent sans doute la durée de la jeunesse. STENDHAL, le Rouge et le Noir, I, XIII. 1

L'idée qu'on est tout-puissant par la souffrance et la résignation, qu'on triomphe de la force par la pureté du cœur, est bien une idée propre à Jésus. 2
RENAN, Vie de Jésus, Œ. compl., t. IV, p. 165.

Asepsie, c'est-à-dire éloignement de toute souillure, réalisation et préservation d'une certaine *Pureté;* et l'on ne peut s'empêcher de penser ici au rôle immense que l'idée de *Pureté* a joué dans toutes les religions, à toute époque, et aux développements qu'elle a reçus, selon une sorte de parallélisme remarquable entre la netteté du corps et celle de l'âme. 3
VALÉRY, Variété V, p. 49.

La pureté chez lui ne semblait acquise ni consciente : c'était la limpidité de l'eau dans les cailloux. Elle brillait sur lui, comme la rosée dans l'herbe. 4
F. MAURIAC, le Nœud de vipères, X.

De plus en plus, la pureté, proprement dite, est identifiée à la netteté physique ou morale, et essentiellement à la chasteté. 4.1
Roger CAILLOIS, l'Homme et le Sacré, p. 69.

(1636). État de chasteté parfaite. ⇒ **Continence, virginité.** *Pureté, douceur, bonté héroïque* (cit. 16) *de Jeanne d'Arc. Pureté absolue d'une jeune fille* (→ Ignorance, cit. 4). *Apparence de pureté* (⇒ **Pudeur**).

Cet homme héroïque était d'une pureté singulière. Il ne se maria point, et mourut vierge à trente-huit ans. MICHELET, Hist. de France, IV, III. 5

(...) une mère de famille qui veille sur la pureté de ses filles, et non pas seulement par intérêt, ne songe jamais à la pureté de ses garçons, qui est un trésor pourtant bien plus fragile. ALAIN, Propos, 9 mars 1912, Parures. 6

♦ **2.** État de ce qui est pur, sans mélange. *Pureté primitive et originaire de quelque chose* (→ Efficacité, cit. 5). *Garder son jargon* (cit. 3) *dans toute sa pureté native.*

La première lettre d'Élisabeth me rendit à la pureté de mon tourment. 7
G. DUHAMEL, Nuit d'orage, XVIII.

Les rois sont définis par la pureté de leur race (le Sang bleu), comme des chiots. 7.1
R. BARTHES, Mythologies, p. 35.

État de ce qui est sans défaut, sans altération ni souillure. ⇒ **Perfection.** *La pureté du Non-être* (→ Garder, cit. 21, Valéry).

♦ **3.** (XVIIe). État de ce qui se conforme avec élégance à des règles, à un type de perfection. ⇒ **Correction.** *Pureté de la langue* (→ Offenser, cit. 2), *du style* (→ Cristal, cit. 7; cuistre, cit. 5). *Beauté et* *pureté de la forme* (→ Historien, cit. 3). — *Pureté du dessin* (→ 2. Importer, cit. 4), *du contour* (cit. 6).

8 Il serait déraisonnable, au nom d'une idée contestable de pureté, de mettre obstacle à l'emploi de termes qui sont la propriété commune des hommes voués aux mêmes travaux et aux mêmes recherches (...) Ce n'est pas le mélange de mots étrangers que la pureté de la langue a le plus à redouter : ce sont les termes scientifiques employés mal à propos. Michel BRÉAL, Essai de sémantique, Qu'appelle-t-on pureté de la langue ?, p. 264 et 268.

♦ **4.** État de ce qui est parfaitement orthodoxe, rejette toute compromission, toute altération. *La pureté de sa doctrine.*

★ **II.** (Concret). ♦ **1.** (1530). État d'une substance ne contenant, en principe, aucune trace d'une autre substance (en pratique, aucune impureté décelable); homogénéité parfaite. *Pureté chimique.* — (Sens relatif). *État de pureté plus ou moins grand* (→ Métallurgie, cit. 1). *Aluminium à 99,99 % de pureté. Pureté spectroscopique, nucléaire* (définie par la méthode d'analyse des impuretés). — *Pureté spécifique, pureté d'espèce des semences.*

♦ **2.** État de ce qui est sans défaut, sans altération. *Diamant* (cit. 8) *d'une extraordinaire pureté. Pureté de l'or* (→ Espagnol, cit. 2). — Propreté absolue (→ Intact, cit. 1).

9 Le verre, le cristal, sont des comparaisons trop opaques, trop épaisses, pour donner une idée de la pureté de cette eau qui était encore la veille étendue en nappes d'argent sur les épaules blanches de la Sierra-Nevada. C'est un torrent de diamants en fusion. Th. GAUTIER, Voyage en Espagne, p. 157.

Pureté de l'air (→ Enivrer, cit. 9). ⇒ **Limpidité, netteté.** *L'inaltérable pureté des régions éthérées* (cit. 2). *Pureté des yeux* (→ Exprimer, cit. 17).

10 La pureté de l'air entre pour beaucoup dans l'innocence des mœurs. BALZAC, le Médecin de campagne, Pl., t. VIII, p. 380.

Pureté d'un son, d'un timbre (→ Mélodie, cit. 4). *Harmonies* (cit. 8) *d'une étrange pureté. — Pureté d'une couleur.*

CONTR. **Impureté. — Bassesse, corruption. — Bourbier** (fig.). **— Désordre, flétrissure, immoralité. — Concupiscence, lasciveté, libertinage, lubricité. — Mélange, métissage. — Corruption. — Imperfection, saleté. — Incorrection.**

PURETTE [pyʀɛt] n. f. — 1752; de l'anc. v. *purer.* → Purée.

♦ Rare. Sable noir et ferrugineux.

PURGATIF, IVE [pyʀgatif, iv] adj. et n. m. — Déb. XIVe; lat. *purgativus, de purgare.* → Purger.

♦ **1.** Qui a la propriété de purger, de stimuler les évacuations intestinales. ⇒ **Apéritif** (vx), **cathartique, dépuratif, drastique, évacuant** ou **évacuatif, hydragogue, laxatif, minoratif.** *Médicament purgatif. Médication, préparation, substance purgative.* ⇒ **Purgation, purge.** *Action purgative douce des laxatifs, violente des drastiques. Plantes purgatives :* aloès, armoise (semen-contra, santonine), casse, coloquinte, croton, ellébore, épurge, euphorbe, globulaire, gratiole, jalap (eau-de-vie allemande), médicinier, nerprun, rhubarbe, ricin, scammonée, séné, sureau... *Huiles purgatives* (de ricin). *Sels purgatifs :* citrate de magnésie (*limonade purgative;* → Gin, cit. 2), sulfate, phosphate de soude, calomel. — *Le colostrum a une action purgative sur le nouveau-né.*

N. m. (1669). *Médicament purgatif. Purgatif mucilagineux, à base de gomme-gutte... Évacuer par purgatifs* (→ Désopiler, cit. 1 Molière).

♦ **2.** Qui purifie. (1671). Relig. *La vie purgative* (→ Ascèse, cit. 3).

Fabien éprouvait une sécheresse dont il se glorifiait, s'imaginant suivre la voie que les mystiques dénomment purgative, qui est aride et sans consolation. F. MAURIAC, le Mal, II.

PURGATION [pyʀgasjɔ̃] n. f. — Fin XIIe; lat. *purgatio, de purgare.* → Purger.

♦ **1.** Relig. Vx. Purification (du pécheur). ⇒ aussi **Purgatoire.**

1 Il apprit cependant qu'il y a une purgation active et une purgation passive, une vision interne et une vision externe, quatre espèces d'oraisons (...) FLAUBERT, Bouvard et Pécuchet, IX.

(1549). Vx. Justification (d'une faute). *Purgation canonique,* devant le juge ecclésiastique. — (1370; lat. *purgatio* traduisant le grec *katharsis*). Didact. *La purgation des passions :* élimination, apaisement des passions violentes par le théâtre (Aristote). ⇒ **Catharsis.**

2 (...) la manière dont se fait la purgation des passions dans la tragédie. La pitié d'un malheur où nous voyons tomber nos semblables nous porte à la crainte d'un pareil pour nous; cette crainte, au désir de l'éviter; et ce désir, à purger, modérer, rectifier, et même déraciner en nous la passion qui plonge (...) dans ce malheur les personnes que nous plaignons (...) CORNEILLE, Discours de la tragédie...

♦ **2.** (XIIIe). Vx. Action de purger (⇒ **Purge**); remède purgatif, son effet. *Prendre une purgation. Purgation légère, énergique.*

3 Faites ordonner une purgation à votre cervelle, elle y sera mieux employée qu'à votre estomac. MONTAIGNE, Essais, II, XXXVII.

Méd. Évacuation de selles sous l'effet d'un purgatif.

♦ **3.** (XVIe-XVIIe). Vx. Élimination des impuretés (affinage, nettoyage...). ⇒ **Purification.**

PURGATOIRE [pyʀgatwaʀ] n. m. — V. 1220; *purgatore,* v. 1190; lat. ecclés. *purgatorius* « qui purifie », de *purgare.* → Purger.

♦ **1.** Lieu où les pécheurs morts en état de grâce expient leurs péchés jusqu'à ce que leurs âmes soient purifiées et puissent accéder à la vie éternelle. ⇒ **Expiation, purification.** *Croire au purgatoire* (→ Enfer, cit. 8). *Les âmes du purgatoire :* l'Église souffrante (→ Finir, cit. 24). *Peines, supplices du purgatoire* (→ Indulgence, cit. 14). *Intercéder* (cit. 2) *pour ceux qui souffrent dans le purgatoire. Prière pour les âmes du purgatoire. — Le feu, les flammes* (cit. 2) *du purgatoire et de l'enfer. — Être, aller en purgatoire* (Nerval, Daudet, *in* Grevisse), *au purgatoire, dans le purgatoire.*

La peine du purgatoire la plus grande est l'incertitude du jugement. 1
PASCAL, Pensées, VII, 518.

Le purgatoire surpasse en poésie le ciel et l'enfer, en ce qu'il présente un avenir 2
qui manque aux deux premiers. CHATEAUBRIAND, le Génie du christianisme, II, IV, XV.

♦ **2.** (1862). Fig. Lieu où l'on souffre pour expier des fautes; période, temps d'épreuve. *Faire son purgatoire en ce monde.* ⇒ **Souffrir.** — *Le mariage* (cit. 25), *enfer, purgatoire ou paradis ?*

(...) la ville en son ampleur, 3
Hôpital, lupanar, purgatoire, enfer, bagne (...)
BAUDELAIRE, le Spleen de Paris, Épilogue.

PURGE [pyʀʒ] n. f. — 1538; « justification », XIVe; déverbal de *purger.*

♦ **1.** Vx. Action de purger; traitement purgatif. ⇒ **Purgation.** *La purge d'un malade. Purge drastique, violente.*

♦ **2.** Mod. Remède purgatif*. ⇒ **Drogue.** *Prendre une purge* (Académie). — Fam. *Une purge de cheval :* un purgatif violent.

Il y avait des sinapismes pour les jambes, une potion à prendre d'heure en heure, 1
une purge, en cas de mieux, le lendemain matin. ZOLA, la Terre, V, I.

♦ **3.** (1752). Techn. Vx. Désinfection des marchandises, du courrier... — Mod. Nettoyage des fils de soie, avant le tissage (on dit aussi *purgeage,* n. m.).

(1861, *Année sc. et industr.,* p. 462). Évacuation d'un liquide, d'un fluide dont la présence dans une conduite, un récipient nuit au bon fonctionnement d'un appareil. ⇒ **Vidange.** *Purge d'un radiateur de chauffage. Pompe, robinet de purge.* ⇒ **Purgeur.** — Par métonymie. Robinets de ballast d'un sous-marin.

♦ **4.** (1842). Dr. Opération destinée à libérer un bien des charges qui le grèvent. *Purge des hypothèques inscrites, des privilèges :* procédure par laquelle l'acquéreur (ou le donataire) d'un immeuble peut restreindre le droit de poursuite des créanciers hypothécaires ou privilégiés à la somme par lui offerte. *Purge des privilèges par l'acquéreur d'un fonds de commerce. Purge de l'action résolutoire :* extinction de cette action (pour l'ancien propriétaire d'un immeuble saisi), si elle n'est pas intentée avant la vente.

♦ **5.** (XXe; 1793, par métaphore de 1. : *« L'armée de la Moselle a besoin d'une bonne purge »* Hentz, *in* Brunot, X, p. 66). Élimination collective par voie d'autorité d'individus indésirables. ⇒ **Épuration, lessive.** *Purges dans un parti, à la tête d'un pays.*

Une grande crise de liquidation de la guerre semblait inévitable. Considérée par 2
Staline comme une certitude, elle devait entraîner l'effondrement du capitalisme. Dans les pays capitalistes, on estimait que la purge serait dure, mais salutaire. Cependant, la pénurie subsistait partout, non du fait de la baisse de production, mais de l'abondance de papier. A. SAUVY, Croissance zéro ?, p. 65.

♦ **6.** Argot vieilli. Punition, correction.

Celles qui ne voudraient pas se soumettre aux prescriptions ci-dessus indiquées ne 3
devront pas sortir le soir, sous peine de recevoir la purge.
GORON, l'Amour à Paris, t. III, p. 1487 (v. 1900).

PURGEOIR [pyʀʒwaʀ] n. m. — 1752; de *purger.*

♦ Techn. Bassin, réservoir où l'on filtre l'eau.

PURGER [pyʀʒe] v. tr. — Conjug. *bouger.* — V. 1190, *purgier;* lat. *purgare* « nettoyer, purifier; débarrasser ».

♦ **1.** Vx. Débarrasser (une substance matérielle) de ce qui l'altère, la souille...; rendre plus pure (II.). ⇒ **Nettoyer; épurer, purifier** (→ Impureté, cit. 3). *Purger le sucre,* le raffiner. — Techn. Mod. *Purger le fil de soie grège.* Syn. : *délaver.* ⇒ **Purge.**

(1904). Cour. Vider complètement d'un fluide indésirable. ⇒ **Vidanger.** *Purger un bassin, un réservoir.* ⇒ **Curer.** *Purger un radiateur, un tuyau. Purger des freins hydrauliques.*

Par ext. ⇒ **Purifier.**

(...) les passions de l'adolescence, qui dégagent la personnalité de ses vêtements 1
d'emprunt, comme un coup de tonnerre purge le ciel des vapeurs qui l'enveloppent. R. ROLLAND, Jean-Christophe, Le matin, I, p. 143.

♦ **2.** Vx. Purifier (son âme); expier (ses péchés). *Purger sa conscience,* la libérer. *Purger ses péchés.* ⇒ **Effacer; purgatoire.** — *Purger un affront, une honte, une offense.* ⇒ **Laver.**

2 (...) le sacré caractère,
Qui lave nos forfaits dans une eau salutaire,
Et qui purgeant notre âme et dessillant nos yeux,
Nous rend le premier droit que nous avions aux cieux (...)
CORNEILLE, Polyeucte, I, 1.

(V. 1370, repris 1660). Spécialt. Épurer (les passions). Cf. Corneille, *l'Imitation de J.-C.*, I, 24. — Théâtre. Supprimer par la catharsis, la purgation (→ Fomenter, cit. 1).

3 *(La tragédie se fait)* par une représentation vive, qui, excitant la pitié et la terreur, purge et tempère ces sortes de passions. *(C'est-à-dire qu'en émouvant ces passions, elle leur ôte ce qu'elles ont d'excessif et de vicieux, et les ramène à un état modéré et conforme à la raison.)*
RACINE, Traductions, Fragm. Poétique d'Aristote.

♦ **3.** Littér. Débarrasser (d'une chose mauvaise, néfaste). *Purger son esprit des erreurs, des préjugés, des soucis. Le rire me purge de mes dégoûts* (→ Aérer, cit. 2). *Purger son œuvre de tout soupçon d'érotisme* (cit.). ⇒ **Expurger, retrancher.** — Débarrasser (d'êtres néfastes, dangereux). *Purger la terre d'un coquin* (→ Démesuré, cit. 5), *des vaniteux, des niais* (→ Exterminer, cit. 6). *Purger la mer des pirates* (cit. 2).

4 Reste impur des brigands dont j'ai purgé la terre. RACINE, Phèdre, IV, 2.

5 Voilà la source d'un comique sans second, à mon goût : il n'est pas destructeur; il est purgé de toute ironie. André SUARÈS, Trois hommes, « Dostoïevski », V.

(1789, *in* D. D. L.; repris XXe). Éliminer. « *Purger les intrigants* » (texte de 1794, *in* Brunot). ⇒ **Purge.**

♦ **4.** (V. 1265). Méd. Vx. Débarrasser (un organe, une humeur) d'impuretés dangereuses. *Purger la bile. Purger un poison.* ⇒ **Chasser.** — Par ext. *Purger un organe,* le dégager en chassant les impuretés. *Purger le cerveau, l'estomac, le ventre* (⇒ **Balayer, désobstruer**). — *Purger un malade par une saignée* (→ Objecter, cit. 1), *un clystère, un purgatif.*

6 *(Le tabac)* réjouit et purge les cerveaux humains (...)
MOLIÈRE, Dom Juan, I, 1.

(XIVe). Mod. Cour. Traiter (un malade) en provoquant ou en facilitant les évacuations intestinales par un médicament administré par voie buccale, et qui stimule les mouvements péristaltiques (→ 2. Mort, cit. 10). ⇒ **Purgatif, purgation, purge.** *Purger légèrement un enfant avec un laxatif.* — Absolt. *Purger, saigner, droguer* (→ Grabat, cit. 4). *Les médecins du* XVIIe *siècle ne songeaient qu'à purger et saigner* (cf. Monsieur *Purgon,* personnage du *Malade imaginaire*).

♦ **5.** (1583; XIVe, « justifier [un accusé] en faisant disparaître l'accusation »). Dr. Faire disparaître (une condamnation, une peine). *Purger l'accusation,* en soumettant au jury les questions de l'acte d'accusation. *Purger la contumace, en se constituant prisonnier ou en tombant aux mains de la justice* (cf. Voltaire, *in* Littré).

6.1 (...) il est bon que vous sachiez d'abord que l'affaire que vous avez cru terminée ne l'est point. On vous a dit qu'elle n'existait plus, on vous a induite en erreur; le décret n'a point été purgé. SADE, Justine..., t. I, p. 97-98.

Cour. Faire disparaître en subissant. *Purger la condamnation, sa peine.* ⇒ **Subir** (→ 2. Mort, cit. 9; passible, cit. 2). *Purger une punition.*

7 — Laissez-moi. Je veux purger ma peine, je n'ai pas besoin de votre protection. Le général éclata de rire (...) — Purger ta peine? Pour qui te prends-tu, petit imbécile? (...) il n'y aura pas de guerre, et tu n'as jamais été déserteur.
SARTRE, le Sursis, p. 335.

♦ **6.** (XVIe). Dr. Débarrasser (un bien) des charges qui le grèvent. *Purger des droits immobiliers de privilèges et d'hypothèques* (→ Détenteur, cit. 2), les déshypothéquer.

▶ **SE PURGER** v. pron.

♦ **1.** Vx. Se purifier. — Se justifier. « *Dans les causes criminelles indécises, on se purgeait par serment* » (Voltaire, *Essai sur les mœurs,* XXII).

♦ **2.** Se débarrasser. *Se purger des excréments* (cit. 1, Rabelais) *naturels.* — Figuré :

8 M. Chavegrand semblait soudain très abattu. Il passa plusieurs fois sur son visage une main noire de poussier. Un jeune garçon ne put s'empêcher de rire. Toute l'assistance, de nouveau, rit comme pour se purger de l'angoisse.
G. DUHAMEL, Salavin, VI, II.

♦ **3.** Prendre une purge. « *(...) il vous faut purger Avec quatre grains d'ellébore* » (cit. 1, La Fontaine).

9 Tu sais que demain il faut te purger, le docteur l'a dit, et Reine te fera prendre du bouillon aux herbes dès sept heures (...)
BALZAC, la Cousine Bette, Pl., t. VI, p. 301.

▶ **PURGÉ, ÉE** p. p. adj. Vx. *Passions purgées. Livres purgés* (→ Cagoterie, cit.). ⇒ **Expurgé.** — *Malade purgé et saigné.* — *Peine purgée.*

CONTR. Infecter.
DÉR. Purgeoir, purgeur, purgeuse.

PURGEUR [pyʀʒœʀ] n. m. — 1869; 1576 « celui qui nettoie »; de *purger.*

Technique.

♦ **1.** Appareil qui débarrasse le fil de sa bourre, dans une filature.

♦ **2.** Organe d'un appareil, d'une machine à vapeur, destiné à évacuer l'air et l'eau de condensation des conduites, des réservoirs où passe la vapeur. ⇒ **Décompresseur.** *Purgeur automatique.*

(...) avant la mise en marche, il y eut un silence, les purgeurs furent ouverts, la vapeur siffla au ras du sol, en un jet assourdissant. ZOLA, la Bête humaine, I.

Adj. *Robinets purgeurs.*

PURGEUSE [pyʀʒøz] n. f. — 1869; de *purger.*

Technique.

♦ **1.** Ouvrière chargée de purger la soie.

♦ **2.** Appareil servant à purger les fils de soie.

PURIFIANT, ANTE [pyʀifjɑ̃, ɑ̃t] adj. — 1470; de *purifier.*

♦ Littér. Qui purifie, est propre à purifier.

(...) les souffles purifiants de la jeunesse ou du génie (...)
PROUST, les Plaisirs et les Jours, p. 183.

PURIFICATEUR, TRICE [pyʀifikatœʀ, tʀis] n. et adj. — 1547; du rad. de *purification.*

♦ **1.** **a** N. (Rare). Personne chargée d'une purification. « *Dans certaines cérémonies les prêtres païens faisaient l'office de purificateurs* » (Académie).

b Adj. (Plus cour.). *Rites purificateurs; ablutions, cérémonies purificatrices.* ⇒ **Purificatoire.** — Par ext. *Une atmosphère* (cit. 19) *purificatrice. Flammes purificatrices.*

♦ **2.** N. m. (1881, *Année sc. et industr.,* p. 502). Appareil destiné à purifier un milieu physique. *Purificateur d'atmosphère.*

PURIFICATION [pyʀifikasjɔ̃] n. f. — V. 1190; lat. *purificatio.*

♦ **1.** Cérémonie, rite par lequel on se purifie (⇒ **Ablution, baptême; lustral** [cit. 1]). *Les purifications prescrites par la loi mosaïque, islamique.* — *Purification légale des femmes juives qui relevaient de couches.* — *Fête de la Purification de la Vierge :* fête catholique commémorant la venue de Marie au Temple (pour se purifier selon la loi juive). → Immondice, cit. 3, Bossuet. ⇒ **Chandeleur, présentation** (de Jésus au Temple).

Si une femme ayant usé du mariage enfante un mâle, elle sera impure pendant 1
sept jours; *elle demeurera* séparée *des choses saintes,* de même que dans ses purifications ordinaires.
L'enfant sera circoncis le huitième jour;
Et elle demeurera *encore* trente-trois jours pour être purifiée (...)
BIBLE (SACY), Lévitique, XII, 2-4.

L'histoire universelle jusqu'à Jésus n'est pour Stirner qu'un long effort pour idéali- 2
ser le réel. Cet effort s'incarne dans les pensées et les rites de purification propres aux anciens. À partir de Jésus (...) un autre effort commence qui consiste, au contraire, à réaliser l'idéal. La rage de l'incarnation succède à la purification (...) CAMUS, l'Homme révolté, p. 85.

(1691). Liturgie. Action de nettoyer (les linges sacrés), d'essuyer (le calice, les doigts du prêtre). *Purification des vases sacrés, à la messe.* ⇒ **Purificatoire.**

♦ **2.** Action de purifier, de rendre pur. *Purification de l'âme. Purification des mœurs.* ⇒ **Assainissement.**

♦ **3.** Vx. Opération par laquelle on sépare une substance de ses impuretés. *Purification d'un liquide troublé.* ⇒ **Clarification, épuration.** — *Purification d'un minerai par le feu, au four* (⇒ **Affinage**). ⇒ aussi **Désinfection.**

♦ **4.** Élimination des éléments étrangers (⇒ **Axénisation**), hétérogènes (→ Littérature, cit. 6).

CONTR. Corruption.
DÉR. V. Purificatoire.

PURIFICATOIRE [pyʀifikatwaʀ] n. m. et adj. — 1610; lat. *purificatorium,* du supin de *purificare.* → Purifier.

♦ **1.** N. m. **a** Liturgie. Linge sacré destiné à purifier le calice*, à essuyer les lèvres et les doigts du prêtre après les ablutions (→ 2. Pale, cit. Bossuet).

b Vase dans lequel le prêtre qui a donné la communion en dehors de la messe lave le pouce et l'index de sa main droite.

♦ **2.** Adj. (1795). Littér. Destiné à purifier, propre à la purification. ⇒ **Lustral, purificateur.** *Rites, cérémonies purificatoires.*

PURIFIER [pyʀifje] v. tr. — V. 1190; lat. *purificare,* de *purus* (→ Pur), et *facere* « faire ».

♦ **1.** Littér. Rendre plus pur, débarrasser de la corruption, de la souillure morale. ⇒ **Laver, nettoyer.** — REM. *Purger* s'employait en ce sens dans la langue classique, mais *purifier* était considéré comme plus noble (cf. Brunot, H.L.F., t. IV, p. 349). — *Qui sert à purifier.*

⇒ **Lustral.** *Purifier son cœur, son âme. Purifier les coupables, les pécheurs.* ⇒ **Expier** (faire); → Expiation, cit. 3. *Purifier les mœurs.* ⇒ **Assainir.** *Purifier sa vie au feu des épreuves* (→ Fortune, cit. 33). — *Purifier son cœur de la haine, de l'envie...*

1 Brillantes fleurs, émail des prés, ombrages frais, ruisseaux, bosquets, verdure, venez purifier mon imagination salie par tous ces hideux objets.
ROUSSEAU, Rêveries..., VIIe promenade.

2 Elles *(les prostituées)* sont comme nous des coupables, mais la honte coule sur leur crime comme un baume, la souffrance le purifie comme un charbon ardent.
FRANCE, le Lys rouge, XVII.

3 (...) cette énergie expirante exhala en paroles pressées sa flamme intérieure, une flamme qui avait tout purifié dans son âme.
M. BARRÈS, la Colline inspirée, XIX.

Absolument :

4 J'ai compris la douleur russe dans Dostoïevski : elle n'est pas seulement féconde : elle a la force active qui purifie.
André SUARÈS, Trois hommes, « Dostoïevski », V.

♦ **2.** Laver, enlever les impuretés par une cérémonie religieuse ou magique. ⇒ **Purification.** *Purifier le sanctuaire des impuretés* (cit. 5) *des enfants d'Israël* (Bible).

5 Mon père, ceci est l'acte d'une possédée. Il faudra purifier l'église demain avec du feu! (...) le sacrilège est tellement grand que la miséricorde infinie, seule, peut l'effacer.
VILLIERS DE L'ISLE-ADAM, Axël, I, 2.

♦ **3.** (1265). Vieilli. Débarrasser (une substance matérielle) de ses impuretés, des éléments étrangers ou des défauts qui l'altèrent. ⇒ **Débarrasser, dégager, dépurer, épurer, purger...** *Purifier une plaie* (⇒ **Absterger**), *un organe, l'organisme...* (⇒ **Déterger, purger**). *Purifier un liquide* (⇒ **Clarifier, filtrer, rectifier**). *Purifier la laine, le cuir de ses impuretés.* ⇒ **Dégorger.** *Purifier en criblant, en tamisant...* — Mod. *Purifier l'air* (⇒ **Désinfecter, fumiger...**). *La gelée* (cit. 1) *avait purifié l'air. — Le vent a purifié le ciel,* il a chassé les nuages. ⇒ **Balayer, purger.**

6 On purifie le nitre (...) en le séparant de certains autres sels confondus ou constitués dans une espèce d'aggrégation *(sic)* avec lui.
Encycl. (DIDEROT), art. *Purification.*

♦ **4.** (1714). Rendre plus pur, plus correct. ⇒ **Épurer.** *Purifier la langue* (→ Appauvrir, cit. 2; parfaire, cit. 5).

▶ **SE PURIFIER** v. pron.
Se rendre, devenir pur, plus pur.

7 Peut-être s'était-il purifié par un remords, et croyait-il laver sa faute dans sa douleur et dans sa honte.
BALZAC, l'Auberge rouge, Pl., t. IX, p. 975.

8 (...) tout se purifie au feu de charité qui vous brûle le cœur.
MICHELET, la Femme, III, IV.

Se débarrasser de la souillure morale par une cérémonie religieuse.

9 Un homme superstitieux, après avoir lavé ses mains et s'être purifié avec de l'eau lustrale, sort du temple (...)
LA BRUYÈRE, les Caractères de Théophraste, De la superstition.

▶ **PURIFIÉ, ÉE** p. p. adj.
Rendu pur, plus pur.

10 Il est juste qu'un Dieu si pur ne se découvre qu'à ceux dont le cœur est purifié.
PASCAL, Pensées, XII, 737.

11 Je me consumerai dans la flamme, et vous aimerai d'un amour purifié.
BALZAC, le Lys dans la vallée, Pl., t. VIII, p. 843.

CONTR. Contaminer, corrompre, dépraver, infecter, salir, souiller, vicier.
DÉR. Purifiant, purifier.

PURIFORME [pyʀifɔʀm] adj. — 1765, *Encyclopédie*, art. *Purulent;* du lat. *pus, puris,* et *-forme.*

♦ Méd. Qui a l'apparence du pus.

PURIN [pyʀɛ̃] n. m. — 1842; mot dialectal du Nord, cf. *puriel,* Lille, 1360; *pureau,* Tournai, 1457; — ou de Normandie : *purin* « suint »; de l'anc. v. *purer* « égoutter, passer, suppurer ». → Purée.

♦ Partie liquide du fumier*, constituée par les déjections animales liquides (urines) et par la décomposition des parties solides. *Fosse à purin.* ⇒ **Purot.** *Arroser le fumier de purin. Pompe à purin.* ⇒ aussi **Engrais.**

Il avait en outre établi un système de tuyaux pour amener à la purinière les eaux de vaisselle, les urines des bêtes et des gens, tous les égouts de la ferme; et, deux fois par semaine, on arrosait la fumière avec la pompe à purin. Enfin, il en était à utiliser précieusement la vidange des latrines.
ZOLA, la Terre, V, I.

DÉR. Purot.

PURINE [pyʀin] n. f. — 1904, *Rev. gén. des sc.*, no 16, p. 793; all. *Purin* (Fischer, 1884), dér. sav. du rad. du lat. *purus* « pur », et de *urique,* avec le suff. chim. *-ine.*

♦ Biochim. Substance azotée basique dont la structure comporte deux chaînes fermées (l'une à 5, l'autre à 6 atomes). — Par ext. Substance basique (dite *base purique*) à structure bicyclique, constituant important des nucléotides de la cellule vivante.

DÉR. Purique.

PURIQUE [pyʀik] adj. — Déb. XXe; de *purine,* et suff. *-ique.*

♦ Chim. Dérivé de la purine. *Bases puriques.*

Or la voie de synthèse de l'acide urique chez les oiseaux n'est qu'une modification, au demeurant mineure, de la séquence de réactions qui, chez tous les organismes, synthétise les nucléotides dits puriques (constituants universels des acides nucléiques).
Jacques MONOD, le Hasard et la Nécessité, p. 137.

PURISME [pyʀism] n. m. — 1704; de *pur.*

♦ **1.** Souci extrême, parfois excessif, de la pureté du langage, du style, de la correction grammaticale par rapport à un modèle intangible et idéal (le mot est en général péjoratif). *Le purisme nuit au naturel* (→ Hiatus, cit. 3). *Les vitupérations du purisme* (→ Incorrection, cit. 3). *Purisme affecté* (⇒ **Affectation**).

Rejeter une expression qui ne blesse ni le son, ni le sens, ni le bon goût, ni la clarté, est un purisme ridicule, une pusillanimité. 1
Joseph JOUBERT, Pensées, XXII, XLII.

(...) sur ce point, comme sur bien d'autres, quelques grammairiens sont trop sévères : leur sévérité dégénère en purisme, et le purisme est, selon Domergue, l'ennemi secret de la pureté. 2
A. BONIFACE, Manuel des amateurs de la langue franç., p. 384.

Le fait capital est que, si l'enseignement scolaire s'est détourné du purisme, le public cultivé reste imprégné d'esprit puriste. Il est préoccupé de la correction de la langue et de l'orthographe. À toutes les difficultés (...) il demande une solution *et une seule.* 3
G. GOUGENHEIM, le Purisme en France, *in* Classe de franç., 1952, p. 177.

♦ **2.** (XXe). Souci de pureté, de conformité totale à un type idéal (art, idées, etc.). *Un skieur, un architecte d'un grand purisme. Le purisme de son style. Purisme intellectuel.*

CONTR. Laxisme.

PURISTE [pyʀist] n. et adj. — 1625; « puritain », 1586; de *pur.*

♦ **1.** Partisan du purisme, personne qui affecte, qui manifeste un souci extrême, souvent excessif, de correction, de pureté dans le langage, le style. *Les puristes condamnent les néologismes, les mots empruntés, les glissements de sens, les tournures nouvelles... Malgré les puristes...* (→ 2. Pas, cit. 20). *Les anathèmes des puristes* (→ A, cit. 5). — Adj. Imprégné de purisme; propre au purisme. *Être, devenir puriste* (→ Cordeau, cit. 2). *Grammairien, écrivain puriste. Tendances puristes ou libérales d'un grammairien, d'un chroniqueur.* — REM. Dans la langue classique, le mot peut ne pas avoir de connotation péjorative.

Il y en a (...) qui ont une fade attention à ce qu'ils disent, et avec qui l'on souffre dans la conversation, de tout le travail de leur esprit (...) ils sont *puristes,* et ne hasardent pas le moindre mot, quand il devrait faire le plus bel effet du monde; rien d'heureux ne leur échappe, rien ne coule de source et avec liberté : ils parlent proprement et ennuyeusement. 1
LA BRUYÈRE, les Caractères, V, 15.

(Les censeurs italiens de la Renaissance) sont scrupuleux sur la propriété des expressions; ils sont puristes, comme le seront plus tard les beaux diseurs de l'hôtel de Rambouillet, contemporains de Vaugelas et fondateurs de notre littérature classique. 2
TAINE, Philosophie de l'art, t. I, p. 136.

(...) les puristes nous interdiront peut-être d'écrire sur les locomotives. Mais l'art n'a jamais été du côté des puristes. 3
SARTRE, Situations II, p. 76.

Les puristes (...) auraient tort de se recommander de Vaugelas, qui reconnaissait et notait les changements (...) Mais ils ont, en commun avec lui, la principale préoccupation de définir à tout moment un français distingué, digne de la classe dirigeante qui bénéficie du maximum d'instruction. 4
M. COHEN, Grammaire et Style, p. 63.

J'ignorais que vous fussiez (...) C'est ainsi qu'on dit, n'est-ce pas? 4.1
— Si l'on veut. Je ne suis pas puriste.
Léo MALET, la Nuit de Saint-Germain-des-Prés, p. 19.

♦ **2.** Personne excessivement soucieuse de pureté, de conformité à un modèle idéal. *Les puristes en matière de technique, de sport, d'art, de politique.*

Adjectif :

Un socialiste puriste peut réprouver l'utilisation de tous stimulants matériels. 5
A. SAUVY, Croissance zéro?, p. 303.

PURITAIN, AINE [pyʀitɛ̃, ɛn] n. et adj. — 1562; angl. *puritan* (attesté v. 1570), de *purity* « pureté », ou lat. mod. *puritani* (plur.), de *puritas* « pureté »; repris à l'anglais.

♦ **1.** Hist. relig. Membre d'une secte de presbytériens rigoristes qui voulaient pratiquer un christianisme plus pur, et dont beaucoup, après les persécutions du XVIIe siècle, émigrèrent en Amérique. ⇒ **Protestant.** *Puritain presbytérien. Les puritains d'Écosse, de Nouvelle-Angleterre.*

Adj. (1756). Propre, relatif à cette secte. *Calvinistes puritains. Ministre puritain. — La conscience puritaine* (aux États-Unis). → Assimiler, cit. 9. *Le régime puritain de la Nouvelle-Angleterre.*

♦ **2.** Membre d'une secte rigoriste ou qui appartient à une tendance religieuse rigoriste. *Les jansénistes* (cit. 2) *furent en France des espèces de puritains catholiques.*

1 (...) les fruiteries des incorruptibles M'zabites, puritains mahométans que souille le seul contact des autres hommes, et qui subiront, en rentrant dans leur patrie, une longue purification (...) MAUPASSANT, la Vie errante, D'Alger à Tunis, I.

♦ **3.** (1812). Personne qui montre ou affecte, affiche une pureté morale scrupuleuse, un respect rigoureux des principes (religieux, moraux, politiques...). ⇒ **Rigoriste.** *Une puritaine élevée par une vieille tante dans l'hypocrisie victorienne* (→ Glacial, cit. 5). *Le moralisme* (cit. 2) *simpliste de ce puritain.*

Adj. (1828). *Austérité* (cit. 12) *puritaine. Éducation puritaine* (→ Façonner, cit. 13). *Intransigeance* (cit. 2) *de cœur toute puritaine. Mœurs puritaines.* ⇒ **Austère, rigide.**

2 (...) on ne lui a pas appris *(au Genevois)* à vivre dans des circonstances prospères ; il devient sévère et *puritain ;* il prend de l'humeur contre tous ceux qui s'amusent ou *qui en font semblant ;* il les appelle des *gens immoraux.*
STENDHAL, Mémoires d'un touriste, t. II, p. 209.

Spécialt. Rigoureux en matière de morale sexuelle. ⇒ **Pudibond, prude.**

CONTR. Libertin, épicurien, galant.
DÉR. Puritainement.

PURITAINEMENT [pyʀitɛnmɑ̃] adv. — 1853 ; de *puritain.*

♦ Rare. De manière puritaine. *Vivre puritainement.*

PURITANISME [pyʀitanism] n. m. — 1691 ; angl. *puritanism,* de *puritan.* → Puritain.

♦ **1.** Doctrine, esprit des puritains.

♦ **2.** (1829). Rigorisme, austérité extrême (et souvent affectée). ⇒ **Ascétisme, austérité, rigidité ;** et péj. **affectation.** *Cela choquait* (cit. 10) *son puritanisme. Le puritanisme anglo-saxon.*

1 Le catholicisme n'a rien de prude, de bégueule, de pédant, d'inquiet. Il laisse cela aux vertus fausses, aux puritanismes tondus.
BARBEY D'AUREVILLY, Une vieille maîtresse, Préface.

2 Jusqu'à présent, j'avais accepté la morale du Christ, ou du moins certain puritanisme que l'on m'avait enseigné comme étant la morale du Christ.
GIDE, Si le grain ne meurt, II, I, p. 287.

Spécialt (en matière sexuelle). ⇒ **Pudibonderie.**

PURO [pyʀo ; puʀo] n. m. — 1869 ; mot esp., de *puro* « pur ».

♦ Vx. Gros cigare. *Des puros* [pyʀo] ou [puʀos].

Ensuite, ils fumèrent des puros, accoudés sur la planche de velours, au bord de la fenêtre. FLAUBERT, l'Éducation sentimentale, p. 178.

HOM. Pureau, purot.

PURON [pyʀɔ̃] n. m. — 1768 ; de l'anc. v. *purer.* → Purin.

♦ Régional. Petit-lait épuré et débarrassé du caillé.

PUROT [pyʀo] n. m. — 1842 ; de *purin.*

♦ Agric. Fosse qui sert à recueillir le purin.

HOM. Pureau, puro.

PUROTIN [pyʀotɛ̃] n. m. — 1886 ; de *purée.*

♦ Fam., vieilli. Personne qui est dans la « purée », dans la misère. ⇒ **Pauvre** (→ Fameux, cit. 5).

1 Paul m'a montré l'addition. Comme c'est lui qui invitait, il voulait pas qu'on croie qu'il nous avait régalés dans un truc pour purotin.
R. QUENEAU, le Dimanche de la vie, p. 192.

2 Les Halles regorgeaient de fraises, de choux, de porteurs, de « fortes femmes » en chandail, en jupes à plis et en sabots, de quartiers de bœuf, de purotins, de chevaux hennissants, de voitures. Francis CARCO, Nostalgie de Paris, p. 58.

PURPURA [pyʀpyʀa] n. m. — 1837, *in* D. D. L. ; mot lat. → Pourpre.

♦ Méd. Ensemble de taches cutanées, de couleur rouge foncé, dues à des hémorragies circonscrites au niveau de la peau (pétéchies). — Par ext. Maladie caractérisée essentiellement par de petites hémorragies disséminées de la peau. *Purpura exanthématique, hémorragique, infectieux...*

DÉR. Purpurique. — V. **Purpuracé.**

PURPURACÉ, ÉE [pyʀpyʀase] adj. — 1839, Boiste ; du lat. *purpura* « pourpre » ; cf. *purpuré,* v. 1450.

★ **I.** Didact. De la couleur de la pourpre.

★ **II.** (1904, de *purpura*). Méd. Qui a l'aspect du purpura. ⇒ **Purpurique.**

PURPURIN, INE [pyʀpyʀɛ̃, in] adj. — 1503 ; réfection, d'après le rad. du lat. *purpura,* de l'anc. franç. *pourprin.* → Pourpre.

♦ Poét. ou par plais. Qui a ou qui évoque la couleur de la pourpre. ⇒ **Pourpré, pourprin.** *Des terres purpurines.*

Quand l'enfant, allongeant ses lèvres de carmin,
Fronce, en la respirant, sa riante narine,
La magnifique fleur, royale et purpurine,
Cache plus qu'à demi ce visage charmant.
HUGO, la Légende des siècles, XXVI.

DÉR. Purpurine.

PURPURINE [pyʀpyʀin] n. f. — 1731 ; de *purpurin.*

♦ **1.** Vx. Poudre de bronze mélangé de vernis.

♦ **2.** (1839). Mod. L'une des matières colorantes extraites de la garance. — *Fausse purpurine :* imitation de corail faite d'un mélange de marbre en poudre, de colle de poisson et de vermillon de Chine.

PURPURIQUE [pyʀpyʀik] adj. — 1963 ; de *purpura.*

♦ Méd. Relatif au purpura. ⇒ **Purpuracé.**

PUR-SANG [pyʀsɑ̃] n. m. invar. et adj. — 1842 ; *cheval pur sang,* v. 1830 ; de *pur,* et *sang.*

♦ **1.** N. m. Cheval de course inscrit au studbook, dont les ascendants appartiennent tous à la race issue au XVIIIe siècle de la monte de juments anglaises par des étalons orientaux. *Pur-sang anglais, arabe, anglo-arabe.* — REM. On écrit aussi sans trait d'union *un pur sang, des pur sang. Pur-sang et demi-sang.*

♦ **2.** Adj. invar. (Av. 1857). Fig. Dont l'origine est indiscutable. *C'est une espagnole pur-sang.* ⇒ **Pur** (cit. 16 et *supra*).

PURULENCE [pyʀylɑ̃s] n. f. — 1555 ; lat. ecclés. *purulentia,* du lat. *purulentus.* → Purulent.

♦ **1.** Méd. État purulent, suppuration.

♦ **2.** Fig., littér. Infection (morale). ⇒ **Pourriture.**

PURULENT, ENTE [pyʀylɑ̃, ɑ̃t] adj. — XIIe ; lat. *purulentus,* de *pus, puris.* → Pus.

♦ **1.** Qui contient du pus. ⇒ **Pyo- ; suppurer.** *Lésion purulente de la peau.* ⇒ **Pustule.** *Pleurésie purulente.* ⇒ **Empyème.** *Infection* (cit. 6), *ophtalmie* (cit. 3) *purulente.*

(1833). *Foyer purulent :* lieu où se forme le pus.

♦ **2.** Fig., littér. Qui répand l'infection, la pourriture morale. ⇒ **Putride.**

DÉR. Puruler.

PURULER [pyʀyle] v. intr. — 1891 ; « se produire », 1560 ; de *purulent.*

♦ Rare. Littér. Se putréfier, se décomposer.

PUS [py] n. m. — 1520 ; lat. *pus, puris.*

♦ Production pathologique liquide ou relativement épaisse, le plus souvent jaunâtre, se produisant lors d'inflammations et contenant des leucocytes, des débris cellulaires et des micro-organismes (lorsqu'il s'agit d'une infection). ⇒ **Ichor, sanie.** *Pus phlegmoneux. Qui a l'aspect du pus* (⇒ **Puriforme**), *qui est infecté de pus* (⇒ **Purulent, suppurant**), *qui produit du pus* (⇒ **Pyogène**). *Amas de pus, tumeur infectée de pus.* ⇒ **Abcès, boue** (d'un abcès), **collection, empyème, phlegmon, pustule.** *Abcès qui laisse couler du pus.* ⇒ **Suppurer.** *Écoulement de pus.* ⇒ **Éruption, pyorrhée, suppuration.** *Faciliter l'évacuation du pus au moyen d'un drain*, en appliquant un suppuratif*. Présence pathologique de pus dans les urines* (⇒ **Pyurie**), *dans des matières vomies* (⇒ **Vomique**).

HOM. Pu (p. p. du v. *pouvoir*), formes du v. **puer.**

PUSEYISME [pyzeism] n. m. — 1875, *puséisme, puséyisme,* 1869 ; angl. *puseyism* 1838 ; de *Pusey,* nom propre.

♦ Hist. relig. Mouvement qui, au XIXe siècle, porta une fraction de l'Église anglicane vers la religion catholique et dont Pusey (1800-1882) fut un des initiateurs avec Keble, Newman, etc. ⇒ aussi **Ritualisme.** — On trouve aussi *puseyiste* [pyzeist], adj. et nom.

PUSH-PULL [puʃpul] n. m. — 1928, *in* Höfler ; mot angl., proprt « pousse, tire ».

♦ Électr. (Anglic.). Montage amplificateur à deux lampes triodes, dans lequel les actions des deux tubes s'équilibrent par un effet de va-et-vient. « *L'étage de sortie est monté avec 4 tubes (...) en push-pull parallèle* » (*Revue du son*, nº 160, p. 339).

PUSILLANIME [pyzi(l)lanim] adj. — 1265; bas lat. *pusillanimis*, de *pusillus animus* « esprit mesquin ».

♦ Littér. Qui manque d'audace, de fermeté, qui craint le risque, les responsabilités, l'imprévu, la nouveauté. ⇒ **Couard, craintif, faible, lâche, peureux, prudent, timide, timoré** (→ Déclaration, cit. 6; entreprendre, cit. 2). *Des dirigeants pusillanimes.* — Par ext. *Une attitude pusillanime.*

Comme tous les esprits pusillanimes, il ne se préoccupa que de rejeter sur d'autres la responsabilité de ses actions (...)
MÉRIMÉE, Hist. du règne de Pierre le Grand, p. 214.

CONTR. Audacieux, brave, courageux, énergique, entreprenant, ferme.
DÉR. Pusillanimement.

PUSILLANIMEMENT [pyzi(l)lanimmɑ̃] adv. — Déb. XVe; de *pusillanime*.

♦ Rare. D'une manière pusillanime.

PUSILLANIMITÉ [pyzi(l)lanimite] n. f. — 1279; bas lat. *pusillanimitas*, de *pusillanimis*. → Pusillanime.

♦ Littér. Caractère d'une personne pusillanime. ⇒ **Faiblesse.** *Pusillanimité et lâcheté.*

Il y aurait une grande pusillanimité à ne pas se faire juger, quand on est sûr d'être innocent. D'ailleurs, fût-il coupable, je le ferais acquitter.
STENDHAL, la Chartreuse de Parme, II, XXIV.

CONTR. Audace, force, hardiesse.

PUSTULATION [pystylɑsjɔ̃] n. f. — 1834; bas lat. *pustulatio*, de *pustulare* « couvrir de pustules », de *pustula* « pustule ».

♦ Pathol. Fait de se couvrir de pustules.

PUSTULE [pystyl] n. f. — 1314; lat. *pustula*, même rac. que *pus*.

♦ **1.** Petite tumeur inflammatoire et purulente à la surface de la peau. ⇒ **Bouton, bulbe, élevure** (vx). → Enfler, cit. 27. *Pustules de la gale* (Cirons), *de la variole. Couvert de pustules.* ⇒ **Pustulé, pustuleux.** *Apparition de pustules sur la peau.* ⇒ **Confluence, éruption.** *Pustules caractérisant certaines formes d'acné, la lèpre** (cit. 1), *la psora*, la variole, etc.*
Pustule maligne : le charbon*, chez l'homme.

♦ **2.** (1869). Chacune des petites vésicules, des petites saillies qui couvrent le dos du crapaud, les feuilles ou les tiges de certaines plantes.

Oh! pourquoi la souffrance et pourquoi la laideur?
Hélas! le bas-empire est couvert d'Augustules,
Les césars de forfaits, les crapauds de pustules
Comme le pré de fleurs et le ciel de soleils!
HUGO, la Légende des siècles, LIII, « Le crapaud ».

DÉR. Pustulé.

PUSTULÉ, ÉE [pystyle] adj. — 1560; de *pustule*.

♦ Didact. Couvert de pustules. *Main pustulée.* — *Feuille pustulée.*

PUSTULEUX, EUSE [pystylø, øz] adj. — 1549; lat. *pustulosus*, de *pustula*. → Pustule.

♦ **1.** Caractérisé par la présence de pustules. *Acné pustuleuse. Éruption pustuleuse.*

♦ **2.** Couvert de pustules. *Peau pustuleuse.*

♦ **3.** Qui a l'aspect de pustules.

Dans le salon et la salle à manger l'arrachage des boiseries laissait à nu des plâtres pustuleux, griffonnés par endroits de vieux calculs de métreurs.
Hervé BAZIN, Cri de la chouette, p. 288.

PUTAIN [pytɛ̃] n. f. et adj. — 1120; cas régime en *-ain* de l'anc. franç. *put, pute**.

♦ **1.** Fam., vulg. Prostituée. ⇒ **Catin, gaupe** (vx), **pute.** *La Putain respectueuse*, pièce de Sartre (⇒ **Respectueux**). — REM. On écrit parfois *p...* pour atténuer la trivialité du mot (→ Prostitution, cit. 2).

1 Le long des grilles du Luxembourg, je rencontre aussi, tous les soirs, une petite putain, peinte et poudrée.
G. DUHAMEL, Salavin, Journal, 25 juin.

Être putain, faire la putain : se prostituer.

1.1 (...) si je pouvais je le ferais; je prendrais mes gosses, je ficherais le camp d'ici, et j'irais faire la putain. Mais je ne peux pas. C'est plus fort que moi. Je ne peux être qu'à un homme.
Claude SIMON, le Vent, p. 92.

♦ **2.** (Fin XIVe). Par ext. Trivial. Femme facile, sans moralité.

2 Il lui échappa un jour *(au maréchal de Villars)*, dans l'ennui où il se trouvait dans son armée, qu'il était bien las de monter à cheval comme ces putains de la suite de Mme la duchesse de Bourgogne, qui, par parenthèse, étaient toutes les jeunes dames de la cour et les filles de Madame la Duchesse.
SAINT-SIMON, Mémoires, III, XXXVIII.

Enfant, fils (cit. 8) *de putain* : termes d'injure.

— Vous êtes un sacré fils d'enfant de putain de salaud, lui dit-elle. 2.1
R. QUENEAU, le Dimanche de la vie, p. 108.

Régional (Midi de la France). *Putain de moine!*

♦ **3.** Adj. Fig., fam. Qui cherche à plaire à tout le monde.

Je suis presque sûr que Gautier ne t'a pas vue dans la rue lorsqu'il ne t'a pas 3
saluée (...) C'eût été une insolence gratuite, qui n'est du reste pas dans ses allures; c'est un gros bonhomme fort pacifique et très putain.
FLAUBERT, Correspondance, 432, 12 oct. 1853.

♦ **4.** Interj. pop. (1931). *Putain!*, pour exprimer l'étonnement, l'admiration, etc. *Oh! putain! ça c'est du sport!*

Il prit une outre en peau, la leva au-dessus de sa tête, et laissa couler un jet mince 4
sur ses dents à peine entrouvertes. — Ah! putain! fit-il.
P. MAC ORLAN, la Bandera, XI.

Putain de..., marquant le mépris, l'exaspération, etc. *Putain de sort! Quel putain de temps!* — REM. Dans ces emplois, le mot peut être employé au masculin. Ellipt. « *L'enthousiasme, hélas! c'est rien que pour nous, ce putain!* » (Céline, *Voyage au bout de la nuit*, p. 40).

Le sommeil altère leurs voix et fait battre leurs paupières. C'est avec des malé- 5
dictions, des « putains de métier » qu'ils sortent de leurs rêves.
Eugène DABIT, Hôtel du Nord, VII.

J'appointais mes oreilles tant que je pouvais; la *putain* de pendule cognait : ban 6
et ban.
J. GIONO, Colline, p. 63.

DÉR. Putanat, putanisme, putinerie. Cf. aussi Putanesque, putanier.

PUTANAT [pytana] n. m. — 1887, Bloy, *le Désespéré*, p. 254; de *putain*.

♦ Fam. Par plais. État de putain, prostitution. ⇒ **Putanisme.**

PUTANESQUE [pytanɛsk] adj. — 1606; ital. *putanesco*, de *putana* « putain ».

♦ Fam., vx. Relatif aux putains. ⇒ **Putassier.**

PUTANIER [pytanje] n. m. — XVe; *putenier*, 1408; anc. provençal *putanier* (XIIIe), de *puta* « pute, prostituée ».

♦ Fam., régional. Putassier.

La mémé qui persistait à le traiter en enfant, s'il faisait l'éloge de quelque beauté campagnarde, secouait la tête avec une fausse colère et disait, pour lui, Victor et Marceau à la fois : « De ces putaniers! »
R. SABATIER, les Fillettes chantantes, p. 266.

PUTANISME [pytanism] n. m. — Fin XVIe; de *putain*.
Vieux et littéraire.

♦ **1.** Prostitution, vie de putain. ⇒ **Putinisme.**

♦ **2.** (1694). Débauche, fréquentation des prostituées.

PUTASSE [pytɑs] n. f. — 1558; de *pute*, et suff. péj. *-asse*. → Grognasse, pouffiasse.

♦ Vulg. (péj. et insultant). Prostituée. ⇒ **Pute.**

DÉR. Putasser.

PUTASSER [pytɑse] v. intr. — Av. 1486; de *putasse*.
Vulgaire, vieux.

♦ **1.** Fréquenter les prostituées.

♦ **2.** Vivre en prostituée.

DÉR. Putasserie, putassier.

PUTASSERIE [pytɑsʀi] n. f. — 1606; de *putasser*.
Vulgaire.

♦ **1.** Vie de prostituée.

♦ **2.** (1798). Fréquentation des prostituées.

♦ **3.** (XXe). Chose répugnante, ignoble.

Faut les payer maintenant, de si grandes putasseries!
G. CHEVALLIER, Clochemerle, p. 202.

♦ **4.** Fait de chercher à plaire, à séduire par tous les moyens. « *"Stern" se vend comme le sexe se vend en Allemagne. Sans plus ni moins de putasserie* » (*le Nouvel Obs.*, 12 oct. 1978).

PUTASSIER, IÈRE [pytasje, jɛʀ] n. et adj. — 1549 ; de *putasser.* Vulgaire.

♦ **1.** N. m. Vieilli. Personne qui aime fréquenter les prostituées.

1 Et où penses-tu qu'ils sont ? (...) Ils sont à rôder sur le boulevard Saint-Michel, comme de vrais putassiers. Quelle déchéance !
G. DUHAMEL, la Pierre d'Horeb, XII.

♦ **2.** Adj. (Mil. XVIe). Relatif aux prostituées, digne d'une prostituée. *Mœurs putassières. Un langage putassier.*

2 Le tonnerre lui coupa la parole, tout à coup proche et craquant. Je voulus opposer à l'appareil guerrier de l'orage, aux mâles impairs du tonnerre, les perfidies putassières de la foudre telles que ma grand-mère me les avait apprises (...)
Jacques LAURENT, les Bêtises, p. 96.

PUTATIF, IVE [pytatif, iv] adj. — XIVe ; lat. ecclés. *putativus,* de *putare* « estimer, supposer ».

♦ **1.** Dr. *Enfant, père putatif :* celui qui est supposé être l'enfant, le père de tel ou tel et qui est considéré comme lié par les obligations et jouissant des droits attachés à la relation de filiation (ou de paternité).

(1842). *Mariage putatif :* mariage qui, en dépit d'une décision le frappant de nullité, produit ses effets juridiques jusqu'à la date de cette décision, à raison de la bonne foi des deux époux ou de l'un d'eux seulement (→ Incestueux, cit. 4).

♦ **2.** Par ext. Littér. Que l'on pense être tel.

La mort lui volera impitoyablement ce qu'il considère comme son bien, réel ou putatif, et la mort est son plus haut tourment.
Annie LECLERC, Parole de femme, p. 31.

DÉR. Putativement.

PUTATIVEMENT [pytativmɑ̃] adv. — 1875, Larousse ; de *putatif.*

♦ Dr. D'une manière putative.

PUTE [pyt] n. f. et adj. — Déb. XIIIe ; fém. subst. de l'anc. franç. *put* « mauvais, vil », 1080 ; lat. *putidus* « puant ».

Populaire, vulgaire.

★ **I.** N. f. ♦ **1.** Prostituée de bas étage. *Une vieille pute.* — Cour. (En général péj. et insultant). Prostituée. ⇒ **Putain.** *On va chez les putes.*

1 Sans compter ceux qui savent (...) baisser les yeux lorsqu'ils croisent une pute.
R. QUENEAU, le Dimanche de la vie, p. 15.

♦ **2.** Par ext. Femme facile, de mœurs dissolues. ⇒ **Putain.** — Employé comme terme d'injure :

2 La Reine supportait avec peine sa hauteur avec elle, bien différente des ménagements continuels et des respects de la duchesse de la Vallière, qu'elle aima toujours, au lieu que de celle-ci *(Mme de Montespan)* il lui échappait souvent de dire : « Cette pute me fera mourir ».
SAINT-SIMON, Mémoires, IV, LV.

★ **II.** Adj. ♦ **1.** Qui se comporte en prostituée.

3 Mais c'était Pierre qui s'aventurait dans les massifs, seul avec une belle fille de la bande : la plus pute, c'était visible à ma distance.
Maurice CLAVEL, le Tiers des étoiles, p. 290.

♦ **2.** Qui n'hésite pas à s'abaisser, à se compromettre, pour arriver à ses fins. ⇒ **Putain** (adj.).

4 Si j'étais un peu plus pute, j'irais lui faire la comédie, j'irais lui dire, monsieur Salomon, je sais que vous ne pensez jamais à moi, mais moi je pense à vous tout le temps, j'ai besoin de vous, et je me mettrais à sangloter, si j'étais vraiment pute, je me jetterais à ses genoux, et des fois je crois que c'est ce qu'il attend, ce salaud-là (...)
É. AJAR (R. GARY), les Angoisses du roi Salomon, p. 242.

DÉR. Putain, putasse.

PUTIER [pytje] ou **PUTIET** [pytjɛ] n. m. — 1666, *putier ; putiet,* 1869 ; de l'anc. franç. *put* « mauvais, puant ». → Pute.

♦ Régional. Merisier à grappes.

PUTINERIE [pytinʀi] n. f. ou **PUTINISME** [pytinism] n. m. — 1866 ; de *putain,* d'après la prononciation ; la dérivation étymologique donne *putanat** ; cf. *putanerie,* XVIe.

♦ Caractère, état de putain. ⇒ **Putanat, putanisme.**

On aimera follement une femme, pour sa putinerie, pour la méchanceté de son esprit, pour la voyoucratie de sa tête, de son cœur, de ses sens (...)
Ed. et J. DE GONCOURT, Journal, t. III, p. 49.

PUTOIS [pytwa] n. m. — 1175 ; de l'anc. franç. *put* « puant ». → Pute, putier.

♦ **1.** Petit mammifère carnivore *(Mustélidés),* animal assez semblable au furet, à pelage brun foncé ou jaunâtre, à odeur nauséabonde (→ Loutre, cit. 1). ⇒ **Punaisot** (régional). *Le putois, comme la belette et l'hermine, est un mustélidé. Le putois est une bête puante.*

Quand la feuille morte bougeait sur l'ados du fossé, je voyais les dents du putois, sa tête plate, son poil jaune, et le roulis des petits os tout le long de son échine.
M. GENEVOIX, Forêt voisine, XVI.

Loc. (1904). *Crier comme un putois :* crier très fort, protester.
Putois d'eau : le vison.

♦ **2.** (1694). Fourrure de cet animal. ⇒ **Kolinski.** *Une étole, un manchon de putois.*

♦ **3.** (1802). Techn. Pinceau de poils de putois. *Les peintres sur porcelaine peignent au putois.*

DÉR. Putoisé.

PUTOISÉ [pytwaze] adj. m. — 1925, Genevoix, *Raboliot ;* de *putois.*

♦ Chasse. *Furet putoisé,* issu d'un croisement avec le putois.

PUTRÉFACTION [pytʀefaksjɔ̃] n. f. — 1314 ; bas lat. *putrefactio,* de *putrefacere.* → Putréfier.

♦ **1.** Décomposition (altération ou destruction) des matières organiques sous l'action de ferments microbiques. ⇒ **Corruption, pourriture, putrescence.** *Relatif à la putréfaction.* ⇒ **Putride, septique.** *Qui s'oppose à la putréfaction.* ⇒ **Antiputride, antiseptique.** *Putréfaction des chairs.* ⇒ **Gangrène.** *Les ptomaïnes*, substances produites au cours de la putréfaction. Odeur de putréfaction* (→ Gangrène, cit. 2). *Putréfaction profonde, de surface* (dont les agents sont des bactéries différentes). *Cadavre en état de putréfaction avancée. Tomber, être en putréfaction.* ⇒ **Pourrir, putréfier** (se). — Par ext. Matière, corps, etc., en train de se putréfier.

(...) tout son corps, — d'un seul coup, — dans l'espace d'une minute, et même moins, — se déroba, — s'émietta, — se *pourrit* absolument sous mes mains. Sur le lit, devant tous les témoins, gisait une masse dégoûtante et quasi liquide, — une abominable putréfaction. 1
BAUDELAIRE, Trad. E. POE, Histoires extraordinaires, Vérités sur cas de M. Waldemar.

La vie est une pourriture sacrée. Nous ne pouvons vivre sans faire alliance avec les forces souveraines de la putréfaction. Seulement, nous disons fermentation, par décence, peut-être par peur. 2
G. DUHAMEL, Chronique des Pasquier, VII, III.

♦ **2.** Fig. *Un état de putréfaction morale.* ⇒ **Dépravation, perversion.**

PUTRÉFIABLE [pytʀefjabl] adj. — 1875 ; de *putréfier.*

♦ Putrescible. *Substance putréfiable.*

PUTRÉFIER [pytʀefje] v. tr. — 1314 ; lat. *putrefacere,* de *putris* « pourri », de *pus* « pus ».

♦ Faire pourrir, causer la putréfaction d'une matière organique. ⇒ **Putréfaction, putrescence.** *La chaleur putréfie la viande.* ⇒ **Corrompre, gâter.**

Fig. Atteindre de putréfaction morale.

▶ **SE PUTRÉFIER** v. pron. (1530).

Tomber en putréfaction, se décomposer. ⇒ **Altérer (s'), corrompre** (se), **dissoudre** (se), **pourrir.** *Cadavre qui se putréfie.* ⇒ **Dissoudre** (se). *Qui ne peut se putréfier.* ⇒ **Imputrescible.** *Qui peut se putréfier, qui se putréfie.* ⇒ **Putréfiable, putrescent, putrescible, putride.**

▶ **PUTRÉFIÉ, ÉE** p. p. adj. (v. 1560).

En putréfaction, décomposé, pourri. *Cadavres d'animaux putréfiés* (→ Édile, cit. 2). *Matières putréfiées.*

CONTR. Conserver (se).
DÉR. Putréfiable. — V. Putréfaction.

PUTRESCENCE [pytʀesɑ̃s] n. f. — 1801 ; de *putrescent.*

♦ Didact. État de ce qui est putrescent.

La gangrène dont l'horrible parfum flottait sur la brousse achevait son ouvrage. Mais il vivait encore. Des frissons secouaient ses membres décharnés et faisaient pour un instant lever l'essaim de mouches collé à sa plaie en putrescence.
J. KESSEL, le Lion, p. 210.

PUTRESCENT, ENTE [pytʀesɑ̃, ɑ̃t] adj. — 1549 ; lat. *putrescens,* p. prés. de *putrescere* « se putréfier ».

♦ Didact. Qui est en voie de putréfaction. ⇒ **Putride.**

DÉR. Putrescence, putrescine.

PUTRESCIBILITÉ [pytʀesibilite] n. f. — 1765 ; du rad. lat. de *putrescible.*

♦ Didact. Caractère de ce qui est putrescible.

CONTR. Imputrescibilité.

PUTRESCIBLE [pytʀesibl] adj. — 1390 ; repris au XVIIIe ; bas lat. *putrescibilis.*

♦ Didact. Qui est susceptible de se putréfier. ⇒ **Corruptible, pourrissable, putréfiable** (→ Génération, cit. 5).

CONTR. Imputrescible, incorruptible.
DÉR. V. **Putrescibilité.**

PUTRESCINE [pytʀesin] n. f. — 1903, *Rev. gén. des sc.*, nº 1, p. 6; de *putrescent.*

♦ Chim. biol. Substance aminée toxique, d'odeur nauséabonde, formée lors de la putréfaction des cadavres sous l'action d'enzymes bactériennes.

PUTRIDE [pytʀid] adj. — 1256, *fièvre putride;* lat. *putridus.* Scientifique ou littéraire.

♦ **1.** (1690). Qui est en cours de putréfaction, qui se putréfie, qui pourrit (⇒ **Putrescent**); qui dégage une odeur infecte. *Cadavre putride. — Eau putride,* qui contient des matières albuminoïdes en décomposition.

Les mouches bourdonnaient sur ce ventre putride,
D'où sortaient de noirs bataillons
De larves, qui coulaient comme un épais liquide
Le long de ces vivants haillons.
BAUDELAIRE, les Fleurs du mal, «Spleen et idéal», XXIX.

♦ **2.** (V. 1560). Qui est relatif au processus de la putréfaction; qui en résulte. *Fermentation putride :* la putréfaction (généralement accompagnée d'odeurs nauséabondes). — *Gaz, poisons, miasmes putrides* (→ Gangrène, cit. 1). *Odeur putride.*

♦ **3.** Fig., littér. Qui répand la pourriture morale. *Le désaveu* (cit. 4) *formel d'une littérature putride.* ⇒ **Malsain, pervers.**

DÉR. Putridité.
COMP. Antiputride.

PUTRIDITÉ [pytʀidite] n. f. — 1769; de *putride.* Littéraire.

♦ **1.** Caractère de ce qui est putride.

♦ **2.** *(Une, des putridités).* Rare. Chose putride. ⇒ **Pourriture.**

PUTSCH [putʃ] n. m. — V. 1925; mot all., proprt «échauffourée»; d'abord employé en parlant des pays de langue allemande.

♦ Soulèvement, coup de main d'un groupe politique armé, en vue de prendre le pouvoir. ⇒ **État** (*supra* cit. 123, *coup d'État*), **pronunciamiento.** *Des putsch, des putschs. Un putsch fasciste.*

Après l'occupation de la Ruhr par les Français (...) beaucoup d'Allemands pensèrent que seule une transformation radicale (...) pourrait refaire de leur pays une grande nation. Hitler crut le moment venu. Il tenta un *putsch* avec l'aide de Ludendorff : ce fut la révolution manquée du 8 novembre 1923, où périrent dix-huit de ses partisans, les premiers «martyrs» du national-socialisme (...) auxquels est dédié *Mein Kampf.* J. BAINVILLE, les Dictateurs, Hitler.

DÉR. Putschiste.

PUTSCHISTE [putʃist] n. m. — 1929, *in* D. D. L.; de *putsch.*

♦ Polit. Celui qui participe à un putsch ou est partisan d'un putsch. *Les putschistes ont échoué. «Les putschistes de D. mettent tout en œuvre pour légaliser leur mouvement»* (*le Monde,* 27 févr. 1966). — Adj. *Des tentatives putschistes. Un général putschiste.*

PUTT [pœt] n. m. — 1907; mot anglais de to *put(t).*

♦ Anglic. Golf. Coup joué sur le green avec le poteur. *Un long, un joli putt. Des putts en monté.*

1. PUTTER [pœte] v. ⇒ **Poter.**

2. PUTTER [pœtœʀ] n. m. ⇒ **Poteur.**

PUTTING [pœtiŋ] n. m. — 1896; mot anglais, p. prés. de *to put(t).*

♦ Anglic. (Golf). Partie du jeu qui se déroule sur les greens (putting green), où l'on fait rouler la balle vers le trou. ⇒ **Green** et **poteur** (cit.).

PUTTO [puto] n. m. — XXe, attesté (1644 en angl.); mot italien.

♦ Didact. (arts). Jeune garçon nu représentant l'Amour, dans la peinture italienne. ⇒ **Amour.** *Des putti* [puti].

PUY [pɥi] n. m. — XIVe; v. 1080, *pui;* lat. *podium* «soubassement, support, piédestal, estrade», d'où «tertre, monticule». → Appuyer.

★ **I.** Vx. Hauteur, sommet. ⇒ **Montagne.** Mod. (Dans des noms propres, en Auvergne notamment). *Puy de Dôme, puy de Sancy; la chaîne des Puys* ou *monts Dôme,* etc. *La ville du Puy, Puyloubier, Puy-Sainte-Réparade,* etc.

★ **II.** (*Pui,* 1276). (P.-ê. du sens ancien d'«estrade», à cause de la plate-forme sur laquelle on lisait ou on jouait les poèmes et les pièces, ou bien du nom de la ville du *Puy,* où une société analogue existait depuis très longtemps). Hist. littér. Société mi-littéraire, mi-religieuse, qui, au moyen âge, dans quelques villes du nord de la France (Amiens, Caen, Rouen, Valenciennes, etc.), organisait des concours de poésie dramatique et lyrique. *Le puy de Rouen, «Puy de la Conception Notre-Dame», récompensait chaque année les meilleurs chants royaux en l'honneur de la Vierge.*

HOM. Puis, puits.

PUYA [pyja] n. m. — 1875; mot esp. d'un dial. du Chili, pays d'où cette plante est originaire.

♦ Bot. Plante monocotylédone vivace *(Broméliacées)* à tige épaisse, à feuilles engainantes et épineuses, à fleurs élégantes bleuâtres ou violacées.

PUZZLE [pœzl] ou [pyzl] n. m. — 1909; mot angl. de *to puzzle* «embarrasser».

♦ **1.** Jeu composé d'éléments irrégulièrement découpés qu'il faut assembler et ajuster pour reconstituer un sujet (dessin, carte de géographie, etc.). ⇒ **Patience;** → Casse-tête* chinois.

L'art du puzzle commence avec les puzzles de bois découpés à la main lorsque celui qui les fabrique entreprend de se poser toutes les questions que le joueur devra résoudre, lorsque, au lieu de laisser le hasard brouiller les pistes, il entend lui substituer la ruse, le piège, l'illusion. 1
Georges PÉREC, la Vie mode d'emploi, p. 17.

Faire un puzzle : tenter de reformer le dessin.

(1910). Support matériel (bois, carton découpé) de ce jeu.

Le rôle du faiseur de puzzle est difficile à définir. Dans la plupart des cas — pour tous les puzzles en carton en particulier — les puzzles sont fabriqués à la machine et leur découpage n'obéit à aucune nécessité : une presse coupante réglée selon un dessin immuable tranche les plaques de carton d'une façon toujours identique; le véritable amateur rejette ces puzzles. 2
Georges PÉREC, la Vie mode d'emploi, p. 16.

Par anal. Ensemble visuel formé d'éléments complexes qui paraissent assemblés arbitrairement. *«Des tapisseries médiévales dont le dessin était un puzzle d'éléments authentiques»* (Malraux, *les Voix du silence,* p. 370).

♦ **2.** (1911). Fig. Multiplicité d'éléments qu'un raisonnement logique doit assembler pour reconstituer la réalité des faits (→ Maquiller, cit. 3). *Les pièces du puzzle commençaient à s'ordonner dans sa tête.*

P.-V. [peve] n. m. invar. — XXe; abrév. de *procès-verbal.*

♦ Fam. Contravention. *Attraper un p.-v. Des p.-v.*

P. V. C. [pevese] — 1972, *le Point,* 9 oct., p. 55; de *p(oly)v(inyle) c(hlorure).*

♦ Techn. Matière plastique, chlorure de polyvinyle, utilisée en minces épaisseurs. *Emballage constitué d'un film de P. V. C. Ciré, tapis de sol enduit P. V. C.* — REM. S'écrit aussi *PVC.*

PYARTHROSE [pjaʀtʀoz] n. f. — 1877, Littré-Robin; de *py(o)-,* et *arthrose.*

♦ Méd. Inflammation d'une articulation avec suppuration.

PYCNIDE [piknid] n. f. — 1878; lat. sav. *pycnidium,* Tulasne, 1851; du grec *puknos* «serré, dense».

♦ Bot. Cavité contenant les spores, chez les champignons ascomycètes.

PYCNIQUE [piknik] adj. et n. — Av. 1951, *in* Piéron; t. dû à l'Allemand Kretschmer, du grec *puknos* «dense, compact».

♦ Didact. (psychol.). Dans la morphopsychologie de Kretschmer, Qui se caractérise morphologiquement par un corps rond, corpulent, des membres courts, une tête et un visage de forme arrondie, des cheveux fins et souples (⇒ **Bréviligne**). *Type, constitution pycnique* (opposé à *leptosome, asthénique* et à *athlétique, musculaire*). — N. *Kretschmer attribue aux pycniques une tendance à la cyclothymie.*

PYCNOMÈTRE [piknɔmɛtʀ] n. m. — 1923, *Larousse universel;* du grec *puknos* «épais, serré», et suff. *-mètre.* Cf. *Pycnométrie,* 1909.

♦ Sc., techn. Appareil servant à déterminer les densités des solides et des liquides (méthode du flacon).

PYCNOSE [piknoz] n. f. — 1904 ; du grec *puknôsis* « condensation ».

♦ Pathol. Altération du noyau de la cellule qui se présente sous la forme d'une masse condensée, homogène.

La pycnose constitue une autre forme de dégénérescence de la zone médullaire. Le tissu conserve son aspect compact, le cortex est sain. Les gonades traitées par le cyanure de potassium ou exposées à une carence en oxygène présentent ce type d'inhibition. Michel SIGOT, la Culture d'organes, p. 66.

DÉR. Pycnotique.

PYCNOTIQUE [piknɔtik] adj. — 1930 ; de *pycnose.*

♦ Pathol. Relatif à la pycnose. *Noyau pycnotique dans la nécrose cellulaire.*

PYÉL-, PYÉLO- Élément de mots scientifiques (méd., physiol.), du grec *puelos.* ⇒ **Pyélite.**

PYÉLYQUE [pjelik] adj. — 1972, Manuila ; du grec *puelos.* → Pyélite.

♦ Méd. Relatif au bassinet du rein. *Calcul pyélique.*

PYÉLITE [pjelit] n. f. — 1849, *in* D. D. L. ; du grec *puelos* « cavité, bassin », et *-ite.*

♦ Méd. Inflammation aiguë ou chronique de la muqueuse du bassinet, habituellement associée à une inflammation du rein. ⇒ **Pyélonéphrite.**

PYÉLOGRAPHIE [pjelɔgʀafi] n. f. — 1923 ; de *pyélo-,* et *-graphie.*

♦ Méd. Radiographie du rein après absorption d'un produit opaque aux rayons X. Syn. : *urétéropyélographie.*

PYÉLONÉPHRITE [pjelonefʀit] n. f. — 1878 ; de *pyélo-,* et *néphrite.*

♦ Méd. Inflammation du bassinet et du parenchyme rénal.

PYÉLOSCOPIE [pjelɔskɔpi] n. f. — Mil. XXe ; de *pyélo-,* et *-scopie.*

♦ Méd. Examen radioscopique de l'uretère et du bassinet.

PYÉLOTOMIE [pjelɔtɔmi] n. f. — 1932 ; de *pyélo-,* et *-tomie.*

♦ Méd. Incision du bassinet en vue de l'extraction d'un calcul.

PYGARGUE [pigaʀg] n. m. — 1765 ; *pigart,* 1482 ; lat. *pygargos,* mot grec, proprt « à derrière (→ -pyge) blanc ».

♦ Oiseau qui ressemble à l'aigle. *Le pygargue commun porte souvent les noms de* aigle de mer, aigle pêcheur, huard, orfraie.

Le freux, la louche orfraie, et le pygargue roux,
L'âpre autour, les milans, féroces hirondelles,
Volent droit aux charniers (...) HUGO, les Années funestes, XXXVII, VII.

-PYGE, -PYGIE Second élément (tiré du grec *pugê* « fesse ») de composés savants empruntés au grec ou formés en français tels que *callipyge, stéatopygie.* → aussi, *supra,* Pygargue.

PYGMALIONISME [pigmaljɔnism] n. m. — Mil. XXe ; de *Pygmalion,* d'après le mythe grec et la pièce de Bernard Shaw.

♦ Littér. Attitude de l'homme qui instruit sa maîtresse, lui donne un vernis de culture, de bonnes manières.

Je suis certain qu'à vingt ans déjà il pratiquait le pygmalionisme avec ses conquêtes d'étudiant, qu'il leur parlait de la philosophie de Nietzsche (...) de la musique de Schubert (...) J. DUTOURD, les Horreurs de l'amour, p. 415.

PYGMÉE [pigme] n. m. — 1488 ; var. *pymeau, pimain...* en anc. franç. ; lat. *pygmaeus,* grec *pugmaios,* proprt « haut d'une coudée », de *pugmê* « poing », et, par ext., « longueur d'une coudée ».

♦ **1.** Antiq. Individu appartenant à un peuple légendaire de nains de la région du Nil. *Hercule lutta contre les Pygmées et tua leur roi Antée.*

(1756). Mod. Individu appartenant à certaines races d'hommes de très petite taille, d'Afrique et d'Insulinde. ⇒ **Négrille.**

1 Les anciens Grecs avaient signalé l'existence en Afrique de populations de très petite taille auxquelles ils donnaient le nom de Pygmées (...) Homère, dans l'*Iliade,* parle des combats qu'ils avaient à soutenir contre les grues (...) tous ces récits furent plus tard traités de fables. Ce n'est qu'en 1874 que l'explorateur allemand Schweinfurth constatait la présence d'hommes de très faible stature en Afrique centrale, et prouvait par là que les légendes antiques avaient une base réelle (...) Ce sont les Négrilles ou Pygmées centre-africains. H.-V. VALLOIS, les Races humaines, p. 56.

Adj. ⇒ **Pygméen.** *L'ethnie pygmée. Les langues pygmées.*

♦ **2.** (1611). Vx. Homme de très petite taille. ⇒ **Nain** (→ Homuncule, cit. 4). — Adj. ⇒ **Petit.** *« Éléphant nain, pygmée, avorton »* (cit. 5, La Fontaine).

(XVIe). Par métaphore et fig. Homme insignifiant, petit personnage sans mérite et sans crédit. ⇒ **Myrmidon** (→ Fourmilière, cit. 4).

Il était curieux de voir un pygmée *raidir ses petits bras* pour étouffer les progrès du siècle, arrêter la civilisation et faire rétrograder le genre humain ! 2
CHATEAUBRIAND, Mémoires d'outre-tombe, t. II, p. 201.

CONTR. Colosse.
DÉR. Pygméen, pygmoïde.

PYGMÉEN, ENNE [pigmeɛ̃, ɛn] adj. — 1842 ; de *pygmée.*

♦ **1.** Des Pygmées ; qui concerne les Pygmées. *Langues pygméennes.*

♦ **2.** Littér. Qui évoque les pygmées (2), les hommes de très petite taille, ou qui y a trait. ⇒ **Lilliputien.** *Une taille pygméenne.*

PYGMOÏDE [pigmɔid] adj. — 1972, cit. *infra ;* de *pygmée,* et *-oïde.*

♦ Didact. Qui ressemble aux Pygmées, qui en a les traits et la petite taille.

Les Gagou représenteraient le type primitif classique de cette région : il s'agit d'un groupe autochtone, coincé entre Gouro et Bété. Population presque pygmoïde : un mètre cinquante-cinq, quarante-deux kilos, visages petits.
J. BINET, *in* Encycl. Pl., Ethnologie régionale, t. I, p. 431.

PYJAMA [piʒama] n. m. — 1837, *pyjaamah ;* angl. *pyjamas,* de l'hindoustani *pâê-jama,* proprt « vêtement de jambes ».

♦ **1.** Didact. Pantalon ample et flottant porté par les femmes en certaines régions de l'Inde.

♦ **2.** (1895, A. Hermant ; *pajama,* 1882, Goncourt). Cour. Vêtement de nuit ou d'intérieur, ample et léger, fait d'un pantalon et d'une veste. *Porter des pyjamas. Être en pyjama(s). Veste de pyjama.* (→ Attaquer, cit. 46 ; intérieur, cit. 11). ⇒ **Pyjaveste.**

Nous avions des pyjamas, que nous mettions à minuit, nous nous réveillions avant 1
l'aurore pour les remplacer par nos chemises et jamais l'on ne nous surprit dans nos métamorphoses. GIRAUDOUX, Suzanne et le Pacifique, I.

REM. Avant que la forme actuelle ne se répande, on avait employé la variante *pajama(s),* plus conforme à l'étymologie.

Voici entre autres le *Pajamas* ou *costume pour dormir.* Costume pour dormir : ça 2
dit-il des choses : Et il faut voir le costume, c'est une chemise de soie, ornée de brandebourgs, comme une veste de hussard, et qui coûte 45 francs.
Ed. et J. DE GONCOURT, Journal, t. VI, p. 152 (1882).

PYJAVESTE [piʒavɛst] n.f. — Mil. XXe : de *pyjama,* et *veste.*

♦ Vêtement de nuit pour homme, longue veste de pyjama (sans pantalon).

(...) mon mari a enfilé la pyjaveste, moi, une nuisette turquoise.
Christine DE RIVOYRE, Fleur d'agonie, p. 241.

PYLÔNE [pilon] n. m. — 1819 ; grec *pulôn* « porche, portail ».

♦ **1.** Archéol. Portail monumental placé à l'entrée des temples égyptiens, encadré de deux massifs de maçonnerie en forme de pyramide tronquée dont les faces étaient couvertes de peintures et d'inscriptions (→ Orgueilleux, cit. 9).

(...) la majesté visible de l'écriture de granit, ces gigantesques alphabets formulés 1
en colonnades, en pylônes, en obélisques, ces espèces de montagnes humaines qui couvrent le monde et le passé (...) HUGO, Notre-Dame de Paris, I, V, II.

Devant les colosses moroses 2
Et les pylônes de Luxor,
Près de mon frère aux teintes roses
Que ne suis-je debout encor,
Plongeant dans l'azur immuable
Mon pyramidion vermeil.
Th. GAUTIER, Émaux et Camées, « Nostalgies d'obélisques », I.

(1904). Techn. Pilier quadrangulaire ornant l'entrée d'une avenue, d'un pont (→ Portail, cit. 1). *Les pylônes du pont Alexandre III, à Paris.*

♦ **2.** (1906). Construction (en charpente, maçonnerie, béton, ciment...) ayant la forme générale d'un tronc de pyramide, destinée à supporter un échafaudage, des câbles aériens, des antennes, etc. ⇒ **Colonne, mât, pilier, poteau, sapine, support.** *Projecteurs placés sur des pylônes en ciment* (cit. 2). *Pylônes des transformateurs électriques* (→ Danger, cit. 10).

(...) les pylônes de fer à claire-voie dont les fils réglaient le ciel comme du papier 3
à musique (...) H. BARBUSSE, le Feu, I, VII.

Une ligne de pylônes supportant des câbles qui enjambent une vallée est belle, 4
alors que les pylônes, vus sur les camions qui les apportent, ou les câbles, sur les grands rouleaux qui servent à les transporter, sont neutres.
Gilbert SIMONDON, Du mode d'existence des objets techniques, p. 185.

5 Il y a des forces si terribles à l'intérieur des pylônes de fer, il y a tellement de violence compressée, dans les objets silencieux (...)
J.-M. G. LE CLÉZIO, les Géants, p. 96.

PYLORE [pilɔʀ] n. m. — 1552; lat. médical *pylorus,* grec *pulôros,* proprt «portier».

♦ Orifice faisant communiquer l'estomac avec le duodénum, «à l'extrémité inférieure de la petite courbure de l'estomac» (Lovasy).

Autrefois j'ignorais ce que j'avais; mais aujourd'hui je le sais; j'ai le pylore attaqué, je ne digère plus rien. BALZAC, le Lys dans la vallée, Pl., t. VIII, p. 915.

DÉR et COMP. Pylorectomie, pylorique, pylorisme.

PYLORECTOMIE [pilɔʀɛktɔmi] n. f. — 1932, *Larousse du xxe siècle;* de *pylore,* et *-ectomie.*

♦ Chir. Résection gastrique au niveau du pylore (en cas d'ulcère, par ex.).

PYLORIQUE [pilɔʀik] adj. — 1765; de *pylore.*

♦ Anat. Qui appartient au pylore. *Valvule, artère pylorique.*

PYLORISME [pilɔʀism] n. m. — 1898; de *pylore.*

♦ Méd. Rétrécissement spasmodique du pylore.

PYO- Élément, du grec *puo-,* de *puon* «pus».

PYOCULTURE [pjokyltyʀ] n. f. — 1972, Manuila; de *pyo-,* et *culture.*

♦ Didact. Culture de bactéries faite avec un prélèvement de pus.

PYOCYANINE [pjosjanin] n. f. — 1872, *in* D. D. L.; de *pyo-,* et *cyanine.*

♦ Chim., biol. Pigment bleu produit par les bacilles pyocyaniques, qui colore le pus dans les plaies infectées par ces bacilles.

DÉR. Pyocyanique.

PYOCYANIQUE [pjosjanik] adj. — 1889, *in* D. D. L.; de *pyocyanine.* → Pyo-, et cyan-.

♦ Biol. *Bacille pyocyanique :* bacille en forme de court bâtonnet, mobile, très polymorphe, se cultivant bien dans les milieux habituels. *Les bacilles pyocyaniques sont abondants dans l'eau et dans les cavités du corps.*

Réchauffé, après trois semaines d'immersion dans l'air liquide, le bacille pyocyanique de Charrin recommence à sécréter paisiblement la substance bleue qui le caractérise. Roger SIMONET, le Froid, p. 49.

PYOCYTE [pjosit] n. m. — 1878, Littré-Robin, *in* D. D. L.; de *pyo-,* et *-cyte.*

♦ Méd. Leucocyte dégénéré rempli de matières grasses et glucidiques que l'on trouve en abondance dans le pus.

PYODERMITE [pjodɛʀmit] n. f. — 1932; *pyodermie,* 1904; de *pyo-, derme,* et suff. *-ite.*

♦ Méd. Infection de la peau par des germes pyogènes (staphylocoques, streptocoques), caractérisée par la présence de pustules multiples.

PYOGÈNE [pjɔʒɛn] adj. — 1890; *pyogénique,* 1833; de *pyo-,* et *-gène.*

♦ Méd. Qui produit du pus, qui provoque une suppuration. *Germes pyogènes. Staphylocoque pyogène.*

PYOGÉNÈSE [pjoʒenɛz] n. f. — 1932; *pyogénie,* 1808; de *pyo-,* et *genèse, -génie.*

♦ Didact. Formation du pus. ⇒ **Suppuration.**

PYOHÉMIE [pjoemi] ou **PYÉMIE** [pjemi] n. f. — 1846, Bescherelle, *pyohémie; pyémie,* 1875; de *pyo-,* et *-hémie.*

♦ Biol., méd. Passage dans le sang de microbes pathogènes.

On connaît cependant déjà cet «empoisonnement du sang» appelé aujourd'hui septicémie, ou cette infection purulente (pyohémie) disséminant partout des abcès métastatiques. Mais on ne reconnaît pas toujours leur gravité réelle et surtout on ne sait pas les expliquer. Cl. D'ALLAINES, Histoire de la chirurgie, p. 72.

PYOÏDE [pjɔid] adj. — 1855; de *pyo-,* et *-oïde.*

♦ Didact. Qui a l'aspect du pus.

PYOPHAGIE [pjofaʒi] n. f. — Mil. xxe; de *pyo-,* et *-phagie.*

♦ Didact. Déglutition, volontaire ou non, de pus (affections du rhinopharynx, des dents, etc.).

PYORRHÉE [pjɔʀe] n. f. — 1827; grec *puorroia.* → Pyo-, et -rrhée.

♦ Méd. Écoulement de pus. *Pyorrhée dentaire.*

C'était plutôt la réponse normale d'une dentition travaillée par la pyorrhée alvéolaire, par la gingivite et les névralgies de tout genre.
J.-M. G. LE CLÉZIO, la Fièvre, p. 66.

REM. Ce terme a plusieurs équivalents : *périclasie (clasie* du *parodonte), alvéolyse (lyse* des *alvéoles), para-* ou *parodontose.*

DÉR. Pyorrhéique.

PYORRHÉIQUE [pjɔʀeik] adj. — 1846; de *pyorrhée.*

♦ Didact. De la nature de la pyorrhée. «*Parodontose pyorrhéique*» (P.-L. Rousseau, *les Dents,* p. 115).

PYOURIE [pjɔyʀi] n. f. — 1839; de *pyo-,* et *-urie.*

♦ Didact. Émission d'urine mélangée de pus. Var. : *pyoourie* [pjouʀi], *pyurie* [pjyʀi] n. f.

PYRALE [piʀal] n. f. — 1801; *pyralide,* mil. xvie; lat. *pyralis;* mot d'origine grecque «insecte vivant dans le feu»; cf. en ce sens *pyralide,* xvie.

♦ Zool. Papillon type d'une famille de lépidoptères dont les chenilles s'attaquent aux végétaux. *La pyrale, parasite de la vigne. Pyrale des pommes,* ou *carpocapse.*

PYRAMIDAL, ALE, AUX [piʀamidal, o] adj. — xiie; bas lat. *pyramidalis,* de *pyramis.* → Pyramide.

♦ **1.** Propre à la pyramide, en forme de pyramide. *Forme, figure pyramidale* (→ Plombières, cit.). *Bloc pyramidal. Un vide pyramidal* (→ Monolithe, cit. 1). *Clocheton, comble pyramidal.*

L'île de Ténériffe se dessinait devant nous comme une sorte de grand édifice pyramidal placé sur une immense glace réfléchissante qui était la mer. 1
LOTI, Mon frère Yves, XLI.

Anat. *Os pyramidal :* os de la rangée supérieure des os du carpe. *Muscle pyramidal de l'abdomen, du bassin.* — *Faisceau* (ou *système) pyramidal,* qui constitue la principale voie de transmission des mouvements volontaires (allant du lobe frontal jusqu'aux cornes antérieures de la moelle épinière). *Faisceau pyramidal direct* (faisceau de Türck), situé à la partie interne du cordon antérieur de la moelle. *Faisceau pyramidal croisé,* ou *latéral :* gros cordon situé dans le cordon latéral de la moelle. *Cellules pyramidales :* neurones de l'écorce cérébrale.

L'écorce cérébrale des mammifères et de l'homme contient des neurones spéciaux, 2
les *cellules pyramidales,* dont les dendrites se ramifient à la surface de l'écorce et dont l'axone va aboutir soit à un autre point de l'écorce de l'un ou l'autre hémisphère, soit (...) gagne (...) le bulbe où il croise la ligne médiane (...) et va se terminer dans les cornes antérieures de la moelle.
Paul CHAUCHARD, le Système nerveux..., p. 16.

Bot. *Plantes pyramidales,* dont les branches vont diminuant de la base au sommet.

♦ **2.** (1806, *in* D. D. L.; mot à la mode v. 1830 dans le vocabulaire des «Jeunes-France»). Fig. Vx. Colossal, monumental. ⇒ **Énorme, étonnant.**

(...) dans les premiers moments où son frère lui avait parlé de faire faire son portrait, il lui avait dit ces propres mots : «Un jeune peintre d'un talent pyramidal, qui a à l'Opéra les succès les plus magnifiques!» 3
STENDHAL, Romans et nouvelles, «Féder», IV.

DÉR. Pyramidalement.

PYRAMIDALEMENT [piʀamidalmɑ̃] adv. — 1380; de *pyramidal.*

Rare.

♦ **1.** En forme de pyramide.

De la plate-forme sur laquelle ils conduisaient, s'élevait pyramidalement, par une multitude de degrés, un terre-plein que couronnait l'autel de la Patrie, ombragé d'un palmier. MICHELET, Hist. de la Révolution franç., V, VIII. 1

♦ **2.** (1831, cit.; → pyramidal, 2.). Vx. Extraordinairement, fantastiquement.

Oh! ceci est pyramidalement adroit. 2
BALZAC, Répétition d'une scène improvisée, *in* Œ. diverses, t. II, 1831, p. 409.

PYRAMIDE [piʀamid] n. f. — 1165; lat. *pyramis,* grec *puramis.*

♦ **1.** Grand monument (cit. 5) à base quadrangulaire et quatre faces triangulaires, qui servait de tombeau aux pharaons d'Égypte. *Les pyramides d'Égypte* (→ Archéologie, cit. 2; immémorial, cit. 1). *La pyramide de Chéops* (→ Amas, cit. 2; apparaître, cit. 6). *Pyramides à degrés* (plus anciennes). — Par ext. Construction de même forme (précolombiennes, modernes...). (→ Arc, cit. 15; gazonner, cit.). *Les pyramides aztèques, mayas du Mexique.*

1 Si, depuis qu'elle a des amants, elle avait exigé de chacun d'eux une pierre de taille pour en bâtir une pyramide, comme fit autrefois une princesse d'Égypte, elle en pourrait faire élever une qui irait jusqu'au troisième ciel!
A.-R. LESAGE, Gil Blas, III, X.

2 Soldats, songez que, du haut de ces pyramides, quarante siècles vous contemplent.
BONAPARTE, Disc. aux soldats de l'armée d'Égypte, 21 juillet 1798 (avant la bataille des Pyramides).

3 J'aimais mieux (...) admirer, du haut du château, le vaste tableau que présentaient au loin le Nil, les campagnes, le désert et les pyramides (...) À l'œil nu, je voyais parfaitement les assises des pierres et la tête du sphinx qui sortait du sable; avec une lunette je comptais les gradins des angles de la grande Pyramide.
CHATEAUBRIAND, Itinéraire..., VI, p. 409.

3.1 Dans l'ombre de la grande pyramide, les ramages des derniers rayons diluent un sphinx plus grand encore. Au loin, la seconde pyramide ferme la perspective et fait du colossal masque funèbre, le gardien d'un piège dressé contre les vagues du désert et contre les ténèbres. MALRAUX, la Métamorphose des dieux, p. 7.

♦ **2.** (1361). Didact. (géom.) et cour. Polyèdre qui a pour base un polygone quelconque et pour faces latérales des triangles possédant un sommet commun. *Pyramide triangulaire, quadrangulaire...,* dont la base est un triangle, un quadrilatère... *Pyramide régulière,* dont la base est un polygone régulier et dont la hauteur (dite *axe* dans ce cas) passe par le centre de la base. *Apothème* d'une pyramide. Pyramide tronquée, tronc de pyramide.* ⇒ **Cône.**

Cour. *En forme de pyramide* (→ Cime, cit. 1; dent, cit. 29), *en pyramide* (→ Dessous, cit. 8; épater, cit. 1). ⇒ **Pyramidal.** *Branches de pin en pyramide.*

♦ **3.** Anat. Petite saillie osseuse à la paroi interne de la caisse du tympan. — *Pyramides de Malpighi, pyramides rénales* : masses coniques constituant la substance médullaire des reins. — Se dit également de diverses parties du faisceau pyramidal.

♦ **4.** (XVe). Entassement d'objets qui repose sur une large base et s'élève en s'amincissant. *Pyramide de fruits, de chocolat* (cit. 3; et → Hausser, cit. 1; poser, cit. 1).

4 Là, sur un grand lit français qui tient toute la largeur de la pièce, une pyramide d'autres Arabes s'étage, invraisemblablement empilés et mêlés, un amas de burnous d'où émergent cinq têtes à turban.
MAUPASSANT, la Vie errante, Tunis.

5 (...) les pyramides d'oranges et de melons sur le pavé d'une petite place trop chaude (...) Valery LARBAUD, Barnabooth, Journal, 27 avril.

5.1 Il avait vaguement envie d'essayer son adresse en démolissant avec quatre balles une pyramide de cinq boîtes de conserves vides, ou en se photographiant d'un coup de fusil. R. QUENEAU, Pierrot mon ami, éd. L. de Poche, p. 21.

(1830). *Pyramide humaine* : exercice réalisé par plusieurs athlètes dont certains se tiennent sur les épaules, le dos des autres (→ Paillasse, cit. 5).

(XVIIIe, Diderot, *Salon de 1765,* Loutherbourg). Peint. Disposition des éléments du tableau en pyramide. *Faire la pyramide.* ⇒ **Pyramider.** — Par anal. :

6 Toute œuvre d'art doit avoir un point, un sommet, faire la pyramide, ou bien la lumière doit frapper sur un point de la boule.
FLAUBERT, Correspondance, 1896, oct. 1879.

Pyramides des âges : représentation graphique de la répartition par âges d'une population.

7 On la représente graphiquement *(la répartition d'une population par âges)* par le procédé appelé couramment, mais improprement : *Pyramide des âges.*
On porte en ordonnées les âges de 0 à la limite supérieure (100 ans ou plus) et en abscisses les effectifs à chaque âge (...) sexe masculin d'un côté, sexe féminin de l'autre (...)
Pour une population jeune, la «pyramide» est large dans le bas, mince dans le haut (...) Une population âgée offre une base moins large et une partie élevée plus importante. A. SAUVY, la Population, p. 22-24.

♦ **5.** Par métaphore et fig. (du sens 1). Édifice, monument d'ordre intellectuel, politique... *La construction de cette pyramide de la science* (→ Base, cit. 17). *Cette prodigieuse pyramide que nous appelons la civilisation* (→ Échafauder, cit. 4). *La royauté restait faible* (cit. 7) *à la pointe de cette pyramide. Pyramide renversée, reposant sur la pointe,* se dit d'un régime, d'une construction instable.

DÉR. Pyramidé, pyramider, pyramidion.

PYRAMIDÉ, ÉE [piʀamide] adj. — 1875; de *pyramide.*

♦ Minér. Qui présente une structure en forme de pyramide. *Quartz pyramidé.*

HOM. Pyramider.

PYRAMIDER [piʀamide] v. intr. — 1765; *piramider* «entasser», fin XVe; de *pyramide.*

♦ **1.** Vx. Être disposé, s'élever en pyramide. «(On) *le voit* (un chêne) *pyramider dans le lointain*» (Lamartine, *Harmonies...* II, 9).

Prague est une cité riante où pyramident 25 à 30 tours et clochers élégants (...) 1
CHATEAUBRIAND, Mémoires d'outre-tombe, t. VI, p. 80.

Je puis le regarder à mon aise. L'ensemble a de la grandeur. C'est une énorme 2
masse, dorée entièrement, dont les étages vont pyramidant au-dessus des quatre grosses roues dorées qui la portent.
HUGO, Choses vues, 1840, Funérailles de Napoléon.

♦ **2.** (1765, Diderot, *Salon de 1765*). Peint. Étager en pyramide les éléments de (une composition). *Pyramider un tableau* (→ Intelligence, cit. 20).

HOM. Pyramidé.

PYRAMIDION [piʀamidjɔ̃] n. m. — 1842; de *pyramide.*

♦ Archéol. Sommet pyramidal (→ Pylône, cit. 2, Gautier). *Le pyramidion de l'obélisque de Louxor.*

PYRAMIDON [piʀamidɔ̃] n. m. — 1899; du rad. de *antipyrine,* et *amine.*

♦ Chim. Dérivé de l'antipyrine* (diméthylamino-4-antipyrine), utilisé comme antithermique et analgésique. *Un cachet de pyramidon.*

Fébrilement, il ouvrit le tiroir de la table, trouva un tube de pyramidon, prit un cachet, le posa sur sa langue, déboucha la bouteille d'alcool (...) et avala une rasade à même le goulot. J.-M. G. LE CLÉZIO, la Fièvre, p. 68.

PYRÉE [piʀe] n. f. — XVIIIe, Voltaire, *in* Littré; du grec *pureon,* de *pur* «feu».

♦ Didact. Autel du feu, chez les anciens Perses.

PYRÉNAÏQUE [piʀenaik] adj. et n. m. — XXe; de *Pyrénées,* et suff. *-aïque.*

♦ Didact. Faciès culturel chalcolithique dont on a retrouvé des traces dans les Pyrénées.

PYRÈNE [piʀɛn] n. m. — 1858, Nysten; du rad. chimique *pyr,* grec *pur* «feu», et suff. *-ène.*

♦ Chim. Hydrocarbure polycyclique de formule $C_{16} H_{10}$ que l'on extrait du goudron de houille.

PYRÉNÉEN, ENNE [piʀeneɛ̃, ɛn] adj. et n. — 1845; de *Pyrénées,* lat. *Pyrenæi (montes).*

♦ Des Pyrénées. *Vallées, cimes pyrénéennes* (→ Assembler, cit. 31). — *Un Pyrénéen, une Pyrénéenne* : un habitant, une habitante des Pyrénées; une personne originaire de cette région.

DÉR. Pyrénaïque.

PYRÉNÉISME [piʀeneism] n. m. — 1898, Beraldi *in* Petiot; *birénisme* au XIXe; de *Pyrénées,* d'après *alpinisme.*

♦ Sports. Rare. Alpinisme pratiqué dans les Pyrénées.

Les spécialistes peuvent parler de pyrénéisme, d'himalayisme, d'andinisme, il s'agit bien de la même action de gravir les montagnes par leurs parois, par leurs arêtes, ou en combinant les unes et les autres. Paul BESSIÈRE, l'Alpinisme, p. 50.

PYRÉNÉISTE [piʀeneist] n. et adj. — 1898 (→ Pyrénéisme); de *Pyrénées,* d'après *alpiniste.*

♦ Sports. Rare. Personne qui pratique l'escalade, l'ascension des montagnes dans les Pyrénées. *Un pyrénéiste fervent.* — Adj. *L'activité pyrénéiste.*

PYRÉNÉITE [piʀeneit] n. f. — 1819, terme dû à Wesner; de *Pyrénées.*

♦ Minér. Variété noire de grenat originaire d'une région des Pyrénées.

PYRÉNOMYCÈTES [piʀenomisɛt] n. m. pl. — 1842; du grec *purên* «noyau», et *-mycète.*

♦ Bot. Groupe de champignons ascomycètes au mycélium cloisonné, au périthèce en forme de bouteille ou de sphère. — Au sing. *Le claviceps est un pyrénomycète.*

PYRÈTHRE [piʀɛtʀ] n. m. — 1256, *pirethre;* lat. *pyrethrum,* grec *purethron.*

♦ Plante du genre chrysanthème ou matricaire *(Composacées),* dont certaines variétés sont ornementales.

Poudre de pyrèthre : poudre insecticide provenant des capitules desséchées d'une variété de pyrèthre *(pyrèthre de Dalmatie).*

PYRÉTIQUE [piʀetik] adj. — 1765, «bon contre la fièvre»; du grec *puretos.*

♦ Méd. Relatif à la fièvre; fébrile.

COMP. Antipyrétique.

PYRÉTO- Premier élément de comp. sav. médicaux tiré du grec *puretos* «fièvre».

PYRÉTOGÈNE [piʀetɔʒɛn] adj. et n. m. — 1878, *in* D.D.L.; de *pyréto-*, et *-gène.*
Médecine.

♦ **1.** Adj. Qui produit la fièvre. *Action pyrétogène d'un produit. Agents pyrétogènes utilisés en pyrétothérapie.*

♦ **2.** N. m. Protéine (dite aussi *pyrétogène endogène*), libérée par les lymphocytes au cours de la phagocytose, et responsable de l'élévation de la température de l'organisme. «*Il était logique de supposer que le pyrétogène endogène agissait à ce niveau* (de l'hypothalamus) *pour induire l'élévation du thermostat qui caractérise la fièvre*» (*la Recherche,* juin 1981, p. 692).

PYRÉTOTHÉRAPIE [piʀetoteʀapi] n. f. — 1918; de *pyréto-*, et *-thérapie.*

♦ Méd. Traitement par un état fébrile (⇒ **Hyperthermie**) provoqué artificiellement. *Pyrétothérapie appliquée au traitement de la paralysie générale. Pyrétothérapie infectieuse.* ⇒ **Impaludation, paludothérapie.** *Pyrétothérapies où l'électricité est l'agent pyrétogène.* ⇒ **Diathermie, électropyrexie.**

PYREX [piʀɛks] n. m. — 1937; nom déposé; ce mot ([pajʀɛks] en anglais) qui semble pour les Français à l'évidence tiré du grec *pur* «feu», a été formé sur *pie* [paj] «tourte», au dire de son inventeur.

♦ Verre très résistant pouvant aller au feu. *Mettre 30 mn au four dans un plat en pyrex.*

PYREXIE [piʀɛksi] n. f. — 1795, G. Cullen, *Éléments de médecine pratique,* t. I, p. 190; du grec *purektikos* «fiévreux», d'après *cachexie.*

♦ Méd. Fièvre, et, par ext., maladie fébrile.

CONTR. Apyrexie.
COMP. Électropyrexie.

PYRHÉLIOMÈTRE [piʀeljɔmɛtʀ] n. m. — 1869; de *pyr-*, et *héliomètre.*

♦ Techn. Appareil permettant de mesurer le rayonnement solaire direct. *Utilisation du pyrhéliomètre en météorologie.*

Pour observer l'intensité de la radiation solaire, M. Crova emploie tantôt le pyrhéliomètre à eau de M. Pouiller, tantôt un pyrhéliomètre tout semblable, dans lequel l'eau est remplacée par du mercure (...)
L. FIGUIER, l'Année scientifique et industrielle 1878, p. 469 (1877).

DÉR. Pyrhéliométrique.

PYRHÉLIOMÉTRIQUE [piʀeljɔmetʀik] adj. — 1903, in *Rev. gén. des sc.,* nº 3, p. 164; de *pyrhéliomètre.*

♦ Techn. Relatif aux mesures du pyrhéliomètre.

PYRIDINE [piʀidin] n. f. — 1839, Boiste; du grec *pur* «feu».

♦ Chim. Composé hétérocyclique azoté, de formule $C_6 H_5 N$, se formant dans la pyrolyse des charbons, d'une odeur désagréable, utilisé surtout pour dénaturer l'alcool, comme solvant, et également en médecine (ainsi que certains de ses dérivés).

DÉR. Pyridique.

PYRIDIQUE [piʀidik] adj. — 1890, P. Larousse; de *pyridine.*

♦ Chim. De la pyridine. *Bases pyridiques.*

PYRIDOXINE [piʀidɔksin] n. f. — 1953; du rad. chimique *pyrid-* (→ Pyrimidine), *ox-*, et suff. *-ine.*

♦ Méd. Vitamine (B_6) extraite de levures, de graines de céréales, de tissus animaux, prescrite dans certaines affections de la peau et des nerfs (polynévrites). *La pyridoxine est souvent donnée en association avec les autres vitamines du groupe B.* «*Les besoins diffèrent selon les espèces et même les variétés : les racines de certains blés ont besoin de la seule pyridoxine, celles de certains autres exigent deux ou trois molécules différentes*» (*la Recherche,* mars 1973, p. 224).

PYRIMIDINE [piʀimidin] n. f. — 1899, probablt, → cit.; du rad. chimique *pyr-* (→ Pyrène), *i, (a)mid(e),* et suff. *-ine.*

♦ Biochim. Substance azotée dont la structure comporte une chaîne fermée, à 6 atomes, qui entre sous forme de dérivés *(bases pyrimidiques)* dans la constitution des nucléotides et des acides nucléiques de la cellule vivante.

Ces trois bases (thymnie, cytosine, uracine) ont comme squelette commun la pyrimidine ou métadiazine, base isolée en 1899 par MM. S. Gabriel et J. Colman.
Revue générale des sciences, 30 août 1903, p. 844.

DÉR. Pyrimidique.

PYRIMIDIQUE [piʀimidik] adj. — Déb. xxᵉ; de *pyrimid(ine),* et suff. *-ique.*

♦ Biol. *Bases pyrimidiques.* ⇒ **Pyrimidine.**

PYRITE [piʀit] n. f. — xiiᵉ, *pyrites;* grec *puritês,* rad. *pur* «feu».

♦ Chim. Sulfure naturel de fer de formule Fe S_2, dont le cristal appartient au système cubique, et qui sert à la fabrication de l'acide sulfurique. *Une autre variété de même formule, mais appartenant au système orthorhombique, constitue la* pyrite blanche *ou* marcassite.

(...) les deux échantillons rapportés par Cyrus Smith étaient, l'un du fer magnétique, non carbonaté, l'autre de la pyrite, autrement dit du sulfure de fer.
J. VERNE, l'Île mystérieuse, t. I, p. 190.

(Autres sulfures métalliques). Pyrite de cuivre. ⇒ **Chalcopyrite.**

DÉR. Pyriteux.

PYRITEUX, EUSE [piʀitø, øz] adj. — xviiiᵉ; de *pyrite.*

♦ Didact. Qui renferme de la pyrite. *Minerai pyriteux. Terres pyriteuses* (→ Minière, cit.).

PYRO- Premier élément, tiré du grec *pur, puros* «feu», servant à la formation de composés savants et désignant particulièrement en chimie une substance obtenue par action de la chaleur.

PYROCATÉCHINE [piʀokateʃin] n. f. ou **PYROCATÉCHOL** [piʀokateʃɔl] n. m. — 1890, Encycl. Berthelot, art. *Catéchine;* de *pyro-*, et *catéchine.*

♦ Chim. Ortho-diphénol qui se forme dans la distillation sèche du cachou; solide blanc cristallisé utilisé comme révélateur photographique.

PYROCÉRAM [piʀoseʀam] n. m. — 1968; de *pyro-*, et *céram(ique).*

♦ Techn. Verre partiellement cristallisé, résistant aux variations de température brutales, très dur et très léger, ayant des propriétés d'isolation comparables à celles de la céramique.

PYROCLASTIQUE [piʀoklastik] adj. — 1953, Quillet; de *pyro-* «feu, flamme, haute température», et *clastique**.

♦ Géol., volcanologie. *Produits, matériaux pyroclastiques :* projections fragmentaires d'origine magmatique, formées sous l'effet de la chaleur et des explosions accompagnant une éruption volcanique. ⇒ **Bombe, cendres, lapilli, scories.**
Roches pyroclastiques : roches meubles ou consolidées formées par l'accumulation de produits pyroclastiques.
Coulée pyroclastique : nuée gazeuse chargée de matériaux pyroclastiques (on dit aussi *nuée ardente, nuée péléenne*). «*Bien connues dans les formations géologiques (...), ces coulées pyroclastiques ont rarement été observées dans les éruptions historiques, d'où leur très grand intérêt*» (*la Recherche,* sept. 1980, p. 1002).

PYROCORISE [piʀɔkɔʀiz] n. m. ⇒ **Pyrrhocoris.**

PYROÉLECTRICITÉ [piʀoelɛktʀisite] n. f. — 1869; de *pyro-*, et *électricité.*

♦ Phys. Phénomène par lequel certains cristaux acquièrent des charges électriques sur leurs faces opposées sous l'effet de la chaleur.

DÉR. Pyroélectrique.

PYROÉLECTRIQUE [piʀoelɛktʀik] adj. — Deuxième moitié xixᵉ; de *pyroélectricité.*

♦ Phys. Qui s'électrise sous l'action de la chaleur. *La tourmaline est pyroélectrique. « Un cristal pyroélectrique »* (*Rev. gén. des sc.*, 30 janv. 1905, p. 85).

PYROFUGE [piʀɔfyʒ] adj. — 1963 ; de *pyro-*, et *-fuge*.

♦ Techn. (Rare). Qui sert à lutter contre le feu, les incendies.

PYROGALLOL [piʀogalɔl] n. m. — 1875 ; de *(acide) pyrogallique*, fausse désignation du corps, 1832 ; de *pyro-*, et *gallique*.

♦ Chim., techn. Phénol dérivé du benzène, utilisé comme révélateur en photographie.

PYROGÉNATION [piʀɔʒenɑsjɔ̃] n. f. — 1894 ; de *pyrogéné* « produit par l'action du feu », 1845 ; de *pyrogène*.

♦ Sc. Réaction chimique obtenue sur un corps soumis à une forte élévation de température (⇒ aussi **Pyrolyse**).

PYROGÈNE [piʀɔʒɛn] adj. — 1839, Boiste, minér., « produit par le feu » ; de *pyro-*, et *-gène*.
Didactique.

♦ **1.** Qui produit de la chaleur. — (1923). Méd. Qui élève la température, donne de la fièvre. — N. m. *Un pyrogène.*

On connaît un certain nombre des substances chimiques susceptibles de provoquer la fièvre et on donne le nom de pyrogènes aux substances naturelles responsables. Les pyrogènes sont soit des débris de corps microbiens ou leur produit de sécrétion (fièvre infectieuse), soit des produits de destructions cellulaires (fièvre de l'infarctus, des cancers, etc.).
A. GALLI et R. LELUC, les Thérapeutiques modernes, p. 42.

♦ **2.** (1922). Minér. Formé par la fusion ignée. *Roches pyrogènes.*

DÉR. Pyrogénation.

PYROGRAPHE [piʀɔgʀaf] n. m. — Mil. XXe ; de *pyro-*, et *-graphe*.

♦ Techn. Appareil électrique utilisé en pyrogravure.

PYROGRAVER [piʀogʀave] v. tr. — 1888, *la Science illustrée*, t. I, p. 115 ; de *pyro-*, et *graver*.

♦ Techn. Décorer, exécuter à la pyrogravure. — Au p. p. *Dessin pyrogravé.*

DÉR. Pyrograveur.

PYROGRAVEUR, EUSE [piʀogʀavœʀ, øz] n. — 1907 ; de *pyrograver*.

♦ Techn. Artiste (graveur) en pyrogravure.

PYROGRAVURE [piʀogʀavyʀ] n. f. — 1888, *la Science illustrée*, t. I, p. 115 ; de *pyro-*, et *gravure*.

♦ Procédé de décoration du bois consistant à graver un dessin à l'aide d'une pointe métallique portée au rouge. — *Une pyrogravure :* une gravure réalisée par ce procédé.

Nous n'étions plus pareilles. En même temps, je n'étais pas « pareille » aux jeunes filles qui prenaient des leçons de tennis, de chant ou de pyrogravure pendant que j'apprenais la dactylographie. F. GIROUD, Si je mens, p. 22.

PYROLIGNEUX, EUSE [piʀoliɲø, øz] adj. et n. m. — 1802 ; de *pyro-*, et *ligneux*.
Sciences.

♦ **1.** Adj. *Acide pyroligneux :* acide acétique obtenu par distillation sèche du bois. — Qui contient cet acide. *« (La matière végétale) fournit des gaz pauvres ainsi que des jus pyroligneux »* (*la Recherche*, juil. 1980, p. 774).

♦ **2.** N. m. Partie aqueuse des produits de distillation du bois, contenant de l'acide acétique, des cétones, alcools, etc.

PYROLUSITE [piʀolyzit] n. f. — 1846, Bescherelle, var. *pyrolysite* au XIXe ; de *pyro-*, grec *lusis* (→ -lyse), et suff *-ite*.

♦ Chim. Bioxyde de manganèse, de formule Mn O_2, le plus important des minerais de ce métal.

PYROLYSE [piʀɔliz] n. f. — Mil. XXe (1962, Robert) ; de *pyro-*, et *-lyse*.

♦ Sc. Décomposition chimique sous l'action de la chaleur seule. *Pyrolyse du méthane.* — Cour. *Four à pyrolyse :* four de cuisine qui peut être porté à une température très haute, assurant la destruction des salissures de cuisson. (On dit aussi *four autonettoyant*).

PYROLYSER [piʀɔlize] v. tr. — Av. 1975, cit. ; de *pyrolyse*.

♦ Techn., sc. Soumettre à la pyrolyse. *« Après plusieurs jours d'incubation, l'échantillon va être pyrolysé à 600° C, pour en faire sortir les vapeurs organiques »* (*Science et Vie*, sept. 1975, p. 57).

PYROLYTIQUE [piʀɔlitik] adj. — Av. 1975, cit. ; de *pyrolyse*.

♦ Techn., sc. Relatif à la pyrolyse. *« La première* (méthode) *est la méthode du dégagement pyrolytique »* (*Science et Vie*, sept. 1975, p. 56).

PYROMANE [piʀɔman] n. — 1854, au fém., *in* D. D. L. ; de *pyro-*, et *-mane*.

♦ Didact. (psychopath.). Sujet affecté de pyromanie ; obsédé* du feu. — Cour. Incendiaire par pyromanie. *Le pyromane a été arrêté.*
En appos. (ou adj.). *Un pompier pyromane.*

PYROMANIE [piʀɔmani] n. f. — 1834, *in* D. D. L. ; de *pyro-*, et *-manie*.

♦ Didact. Impulsion obsédante poussant à allumer des incendies (on a dit aussi *monomanie incendiaire*). *La pyromanie n'aboutit à une conduite incendiaire que chez des sujets* (⇒ **Pyromane**) *dont la synthèse du moi est trop faible pour refréner les pulsions, ou dont les facultés critiques se trouvent altérées (ivresse, état dépressif...).*

PYROMÈTRE [piʀɔmɛtʀ] n. m. — 1738 ; de *pyro-*, et *-mètre*.

♦ Sc., techn. Instrument servant à mesurer les températures élevées. *Pyromètres à résistance, à disparition de filament, à radiation, thermoélectriques, optiques.*

PYROMÉTRIE [piʀɔmetʀi] n. f. — 1772 ; de *pyro-*, et *-métrie*.

♦ Sc. Mesure et étude des hautes températures.

DÉR. Pyrométrique.

PYROMÉTRIQUE [piʀometʀik] adj. — 1808 ; de *pyrométrie*.

♦ Sc. Propre à la pyrométrie. *Mesures pyrométriques.*

PYROPE [piʀɔp] n. m. — 1611 ; attestation isolée, XIIIe ; lat. *pyropus* « alliage de cuivre et d'or » ; grec *purôpos* « rouge », de *pur* « feu ».

♦ Sc. Silicate naturel d'aluminium et de magnésium.

PYROPHAGE [piʀɔfaʒ] n. m. — 1869, Littré ; de *pyro-*, et *-phage*.

♦ Didact., rare. Qui ingère des matières incandescentes (ou qui feint leur ingestion). *Chaman pyrophage.*

PYROPHANE [piʀɔfan] adj. — 1811 ; de *pyro-*, et *-phane*.

♦ Sc. Que l'action du feu rend transparent.

PYROPHORE [piʀɔfɔʀ] n. m. — 1752 ; de *pyro-*, et *-phore*.

♦ **1.** Sc. (Vx). Corps qui s'enflamme spontanément au contact de l'air.

♦ **2.** (1907). Rare. Dispositif muni d'un frottoir servant à garder des allumettes.

DÉR. Pyrophorique.

PYROPHORIQUE [piʀɔfɔʀik] adj. — 1858 ; de *pyrophore*.
Sciences.

♦ **1.** Vx. Qui a les propriétés d'un pyrophore, qui s'enflamme spontanément au contact de l'air. *Fer pyrophorique.*

♦ **2.** Qui produit des étincelles sous l'effet d'un choc.

PYROPHOSPHATE [piʀɔfɔsfat] n. m. — 1842 ; de *pyro-*, et *phosphate*.

♦ Chim. Sel de l'acide pyrophosphorique.

PYROPHOSPHORIQUE [piʀɔfɔsfɔʀik] adj. — 1848, *in* D.D.L. ; de *pyro-*, et *phosphorique*.

♦ Chim. *Acide pyrophosphorique*, de formule H_4 P_2 O_7, dérivant de l'anhydride phosphorique.

PYROPHYTE [piʀɔfit] adj. et n. m. — Mil. xxe (*in* Larousse 1963); de *pyro-*, et *-phyte.*

♦ Bot. Se dit d'une plante qui se remet facilement des dégâts causés par le feu. *Acclimater des essences pyrophytes dans une région forestière fréquemment dévastée par les incendies.* — N. m. *Le pin de Boston est un pyrophyte.*

PYROSCAPHE [piʀɔskaf] n. m. — 1776; de *pyro-*, et *-scaphe.*

♦ Vx ou hist. Bateau à vapeur (nom forgé par Jouffroy d'Abbans pour désigner le premier bateau à vapeur).

(...) toute la population du Havre est sur les quais : l'Espérance, pyroscaphe à aubes et à voilures carrées, sort fièrement du port et double l'estacade.
B. CENDRARS, l'Or, p. 27.

PYROSCOPE [piʀɔskɔp] n. m. — 1839; de *pyro-*, et *-scope.*

♦ Phys. Instrument servant à indiquer que la température atteint un degré déterminé (montre de Seger, crayon indicateur, etc.).

PYROSIS [piʀozis] n. m. — 1771; grec *purôsis* «inflammation».

♦ Méd. Sensation de brûlure allant de l'épigastre à la gorge, souvent accompagnée de renvoi d'un liquide acide (⇒ **Fer-chaud**).

PYROSOME [piʀozom] n. m. — 1811, Péron et Lesueur; de *pyro-*, et grec *sôma* «corps».

♦ Zool. Variété de tunicier planctonique luminescent, vivant en colonies.

PYROSPHÈRE [piʀɔsfɛʀ] n. f. — 1859; de *pyro-*, et *sphère.*

♦ Géol. Nappe de fusion ignée, séparant le noyau central rigide du globe (barysphère*) de la lithosphère* (→ Géodynamique, cit.).

PYROSULFURIQUE [piʀosylfyʀik] adj. — 1878; de *pyro-*, et *sulfurique.*

♦ Chim. Se dit de l'acide de formule $H_2 S_2 O_7$, obtenu en chauffant l'acide sulfurique.

PYROTECHNICIEN, IENNE [piʀɔtɛknisjɛ̃, jɛn] n. — 1874, in *Année sc. et industr.* 1875, p. 113; de *pyrotechnique.*

♦ Rare. Spécialiste en pyrotechnie.

PYROTECHNIE [piʀɔtɛkni] n. f. — 1690; «utilisation du feu», 1556; de *pyro-*, et *-technie.*

♦ Techn. Technique de la fabrication et de l'utilisation des matières explosives et des pièces d'artifice (pour les feux d'artifice, illuminations, fusées, etc.). *Pyrotechnie militaire* (relative à la confection des artifices, munitions, explosifs), *civile* (feux d'artifice, fusées diverses, etc.).

1 Luxo, entrepreneur de pyrotechnie, possédant à Courbevoie une vaste usine où s'élaboraient tous les grands feux d'artifice de Paris.
Raymond ROUSSEL, Impressions d'Afrique, p. 214.

2 À nos pieds le panorama était toujours le même. Le spectacle allait son train. Les Boches continuaient leur pyrotechnie de fusées lumineuses. Tout cela n'était pas pour nous.
B. CENDRARS, la Main coupée, *in* Œ. compl., t. X, p. 56.

DÉR. Pyrotechnicien.

PYROTECHNIQUE [piʀɔtɛknik] n. f. et adj. — 1626; de *pyro-*, et *technique.*

♦ **1.** N. f. Vx. Pyrotechnie.

Si vous ne trouvez point ce livre de la Pyrotechnique, je crois que j'en trouverai bien un.
R. CORNIER, lettre à Mersenne, 16 mars, *in* MERSENNE, Correspondance (*in* D.D.L. II, 10).

♦ **2.** Adj. Techn. Qui appartient à la pyrotechnie. *Compositions pyrotechniques. Pièces pyrotechniques* (→ Humide, cit. 3).

PYROXÈNE [piʀɔksɛn] n. m. — 1801; de *pyro-*, et grec *xenos* «étranger», c.-à-d. «étranger au feu, non igné».

♦ Minér. Minéral constituant un des groupes des silicates essentiels, à structure fibreuse (les amphiboles* constituant l'autre). *L'amiante, l'asbeste, l'augite sont des pyroxènes.*

PYROXYLE [piʀɔksil] n. m. — 1846; de *pyro-*, et grec *xulon* «bois».

♦ Chim. (Vieilli). Coton-poudre, fulmi-coton.

Cyrus Smith préféra donc fabriquer du pyroxyle, c'est-à-dire du fulmi-coton, substance dans laquelle le coton n'est pas indispensable, car il n'y entre que comme cellulose.
J. VERNE, l'Île mystérieuse, t. I, p. 402.

DÉR. Pyroxylé, pyroxyline.

PYROXYLÉ, ÉE [piʀɔksile] adj. — 1892, *in* D.D.L.; de *pyroxyle.*

♦ Chim. Qui est à base de coton-poudre. *Poudre pyroxylée,* renfermant une nitrocellulose. *« L'hydrocellulose nitrée donne un fulmicoton pulvérisable, utilisé dans la confection des poudres pyroxylées »* (*Année sc. et industr.* 1899, p. 371).

PYROXYLINE [piʀɔksilin] n. f. — 1975; de *pyroxyle*, et *-ine.*

♦ Sc., techn. Cellulose nitrée. *Plastifiée, la pyroxyline donne le celluloïd*.*

Le bon géant Siqueiros (...) qui peignait alors, à la pyroxyline, des œuvres géantes dont chacune était un cri de colère, de révolte et d'espérance.
Roger GARAUDY, Parole d'homme, p. 115.

1. PYRRHIQUE [piʀik] n. f. — V. 1378, *perrique;* lat. d'orig. grecque *pyrrhicha.*

♦ Antiq. grecque. Danse guerrière simulant un combat en armes particulièrement en honneur à Sparte et en Crète (→ Danse, cit. 8).

Armés de lances et de boucliers, ils *(les Corybantes)* se livraient à des gesticulations frénétiques, images indiscutables de la guerre, et qui, très probablement, furent les ancêtres de la Pyrrhique.
Francis DE MIOMANDRE, Danse, p. 8.

2. PYRRHIQUE [piʀik] n. m. — 1732, Trévoux; lat. *pyrrhichius (pes),* du grec *purrhikhios (pous),* de *purrhikhê.* → 1. Pyrrhique.

♦ Métrique anc. Pied composé de deux brèves.

PYRRHOCORIS [piʀɔkɔʀis] ou **PYRRHOCORE** [piʀɔkɔʀ] ou **PYROCORISE** [piʀɔkɔʀiz] n. m. — 1875, *pyrrhocoris; pyrrhocore,* 1899; grec *purrhos* «roux», et *koris* «punaise».

♦ Zool. Punaise rouge tachetée de noir aux élytres rouges avec un gros pois noir, sans odeur, qui pullule en été au pied des tilleuls, peupliers, etc. *Le pyrrhocore est vulgairement appelé, selon les régions,* diable, soldat, suisse, anglais, *etc.*

PYRRHONIEN, ENNE [piʀɔnjɛ̃, ɛn] adj. et n. — 1546, Rabelais; lat. *pyrrhoneius,* grec *purrhôneios,* du nom propre *Purrhôn.*

♦ Philos. Adj. Propre à Pyrrhon, philosophe grec, fondateur de l'école sceptique, et à ses doctrines. ⇒ **Sceptique.** *Les thèses pyrrhoniennes de l'Apologie de Raimond Sebond* (Montaigne, *Essais,* II, XII). — N. *Les pyrrhoniens :* les disciples de Pyrrhon, les tenants du scepticisme (→ Certitude, cit. 5; conclusion, cit. 4; dogmatique, cit. 3). *« Il n'y a jamais eu de pyrrhonien effectif parfait »* (→ Douter, cit. 14, Pascal). Vx. Sceptique.

Je vois les philosophes pyrrhoniens qui ne peuvent exprimer leur générale conception en aucune manière de parler; car il leur faudrait un nouveau langage. Le nôtre est tout formé de propositions affirmatives, qui leur sont du tout ennemies. De façon que, quand ils disent : «Je doute», on les tient incontinent à la gorge pour leur faire avouer qu'au moins assurent et savent-ils cela, qu'ils doutent.
MONTAIGNE, Essais, II, XII.

CONTR. Dogmatique.

PYRRHONISME [piʀɔnism] n. m. — 1580; de *Pyrrhon.* → Pyrrhonien.

♦ Philos. Doctrine de Pyrrhon; scepticisme philosophique (opposé à *dogmatisme*). Scepticisme (→ Certain, cit. 2).

Quiconque imaginera une perpétuelle confession d'ignorance, un jugement sans pente et sans inclination, et à quelque occasion que ce puisse être, il conçoit le Pyrr(h)onisme. 1
MONTAIGNE, Essais, II, XII.

Ceux qui ne sont ni assez faibles pour subir le joug, ni assez forts pour l'imposer, se rangent volontiers au pyrrhonisme. 2
VAUVENARGUES, Réflexions et maximes (Posthumes).

Il s'amusait pendant des journées à démontrer l'art, la science, la pensée, pour en chercher les rouages cachés; il en arrivait à un pyrrhonisme, où rien de ce qui était n'était plus qu'une fiction de l'esprit, une construction en l'air, qui n'avait même pas l'excuse, comme les figures géométriques, d'être nécessaire à l'esprit. 3
R. ROLLAND, Jean-Christophe, Dans la maison, II, p. 1010.

PYRROL ou **PYRROLE** [piʀɔl] n. m. — 1875; mot all. 1835; du grec *purrhos* «rouge, roux», et suff. chimique *-ol(e).*

♦ Chim. Composé hétérocyclique azoté, produit de la distillation sèche des matières animales.

DÉR. Pyrrolique.
HOM. Pirole, pirolle.

PYRROLIQUE [piʀɔlik] adj. — 1903, *Rev. gén. des sc.*, n° 8, p. 456 ; de *pyrrol.*

♦ Chim. Du pyrrol.

PYRUVIQUE [piʀyvik] adj. — 1866, Littré ; t. créé en all. par Berzélius, 1835, à partir d'éléments savants issus du grec *pur* « feu » (→ Pyro-), et du lat. *uva* « raisin ».

♦ Chim. *Acide pyruvique :* acide cétonique de formule CH_3-CO-CO_2H qui se forme en chauffant l'acide tartrique avec du sulfate de potassium (on dit aussi *acide acétylformique*). — *Aldéhyde pyruvique.* — *Nitrite pyruvique.*

PYTHAGORICIEN, IENNE [pitagɔʀisjɛ̃, jɛn] adj. et n. — 1586 dans une trad. de l'ital. ; *pythagorien*, 1552 ; de *pythagorique.*

♦ Didact. Qui concerne la doctrine de Pythagore. ⇒ **Pythagorique** (vx). *École, doctrine pythagoricienne* (→ 1. Hermétique, cit. 3). — N. Disciple de Pythagore. *Les pythagoriciens croyaient à la métempsycose et s'abstenaient de toute nourriture animale. La théorie des nombres et de l'harmonie chez les pythagoriciens.*

1 Nous avions (...) dans notre Château, un M. le comte de Sainte-Aldegonde, qui aurait cru faire un grand crime, s'il avait touché à une perdrix (...) Je crois que c'est le seul pythagoricien qui reste dans les Gaules. Sa vie est la condamnation de notre gourmandise. Mes quatre-vingt-quatre ans et mon extrême faiblesse me rendent encore plus pythagoricien que lui (...)
VOLTAIRE, Correspondance, 4496, 23 janv. 1778.

2 Vous allez faire un mauvais déjeuner, j'en ai bien peur, dit Sigognac à ses hôtes, et il faudra vous contenter d'une chère pythagoricienne (...)
Th. GAUTIER, le Capitaine Fracasse, II.

PYTHAGORIQUE [pitagɔʀik] adj. — 1540 ; lat. *pythagoricus*, grec *puthagorikos*, de *Puthagoras* « Pythagore ».

♦ Philos. Vx. Relatif ou propre à Pythagore, son école, ses doctrines. ⇒ **Pythagoricien.** — Spécialt. *Silence pythagorique :* silence prolongé (tel que Pythagore le demandait à ses disciples). *Diète pythagorique :* abstinence de viande (pratiquée par les pythagoriciens*).

Sans doute Marcas méditait le plan d'une attaque sérieuse, il s'habituait peut-être à la dissimulation et se punissait de ses fautes par un silence pythagorique.
BALZAC, Z. Marcas, Pl., t. VII, p. 751.

Nombres pythagoriques : nombres utilisés dans la divination, selon leur valeur symbolique et mystique chez les pythagoriciens. → Pour, cit. 3.

DÉR. Pythagoricien, pythagorisme.

PYTHAGORISME [pitagɔʀism] n. m. — 1756 ; de *pythagorique.*

♦ Philos. Philosophie pythagoricienne.

PYTHIADE [pitjad] n. f. — 1788 ; grec *puthias, puthiados*, de *Puthô.* → Pythien ; Olympiade.

♦ Antiq. Intervalle de quatre ans entre chaque célébration des Jeux pythiques.

PYTHIE [piti] n. f. — 1546, Rabelais ; lat. *pythia*, grec *puthia*, proprt « la pythienne », de *Puthô*, anc. nom de Delphes et de sa région.

♦ **1.** Didact. Prêtresse de l'oracle d'Apollon à Delphes. *La pythie rendait ses oracles sur son trépied.* ⇒ **Prophète** (→ Enthousiasme, cit. 1).

1 Jamais un homme ne s'est assis, à Delphes, sur le sacré trépied. Le rôle de Pythie ne convient qu'à une femme. Il n'y a qu'une tête de femme qui puisse s'exalter au point de pressentir sérieusement l'approche d'un dieu, de s'agiter, de s'écheveler, d'écumer, de s'écrier : *Je le sens, je sens, le voilà, le dieu*, et d'en trouver le vrai discours.
DIDEROT, Sur les femmes, Pl., p. 980.

♦ **2.** Littér. Prophétesse, devineresse.

2 Elle est à l'avenir formidable attentive.
Elle est pleine d'un dieu redoutable et muet (...)
(...) Elle est princesse, elle est pythie, elle est prêtresse (...)
HUGO, la Légende des siècles, VI, I, « Cassandre ».

Une Pythie, une Sibylle, un Prophète sont des rêveurs aussi, qui rêvent non point pour eux-mêmes, mais pour nous. Ainsi ils ne traduisent pas, mais expriment directement, par la voix, le geste et l'attitude, l'univers indivisible qui retentit dans leur corps (...) 3
ALAIN, Propos, 19 avr. 1921, L'oracle.

PYTHIEN, IENNE [pitjɛ̃, jɛn] adj. — 1550 ; du lat. *Pytho*, grec *Puthô.* → Pythie.

Didactique.

♦ **1.** De Delphes. *Apollon pythien. Jeux pythiens.* ⇒ **Pythique.**

♦ **2.** Qui concerne la pythie. *Les oracles pythiens.*

PYTHIQUE [pitik] adj. et n. f. — 1690 ; lat. *pythicus*, « de Delphes ». → Pythie.

♦ Hist. Pythien, relatif à Apollon pythien. *Jeux pythiques*, qui se célébraient tous les quatre ans à Delphes en l'honneur d'Apollon pythien. — N. f. *Les Pythiques :* odes de Pindare en l'honneur des vainqueurs des Jeux pythiques. *La première, la sixième Pythique.*

PYTHON [pitɔ̃] n. m. — 1803 ; lat. *python*, grec *puthôn*, nom du serpent fabuleux tué par Apollon dit *pythien.* → Pythie.

♦ Reptile ophidien *(Colubriformes)*, boa* de grande taille, non venimeux, qui broie sa proie entre ses anneaux avant de l'avaler. *Python royal, réticulé ; python molure...* ⇒ aussi **Aboma.**

Le python musculeux, aux écailles d'agate, 1
Sous les nopals aigus glisse sa tête plate (...)
LECONTE DE LISLE, Poèmes barbares, « Les jungles ».

La lourde tapisserie trembla, et par-dessus la corde qui la supportait, la tête du python apparut. Il descendit lentement, comme une goutte d'eau qui coule le long d'un mur, rampa entre les étoffes épandues, puis, la queue collée contre le sol, il se leva tout droit ; et ses yeux, plus brillants que des escarboucles, se dardaient sur Salammbô. 2
FLAUBERT, Salammbô, X.

HOM. Piton.

PYTHONISSE [pitɔnis] n. f. — V. 1380, *pithonisse ;* lat. de la Vulgate *pythonissa*, du grec *puthôn* « prophète inspiré par Apollon pythien ». → Pythie.

♦ **1.** Terme biblique. Femme qui prédit l'avenir. ⇒ **Prophétesse.** *La pythonisse d'Eudor*, qui évoqua l'ombre de Samuel et prédit à Saül sa défaite.

♦ **2.** Par plais. Femme qui fait métier de prédire l'avenir. ⇒ **Devineresse, voyante** (→ Consulter, cit. 1 ; occultiste, cit.).

Elle nous a souvent étonnés par l'audace de ses conceptions et l'exposé clair et raisonné qu'elle en faisait. Elle tenait de la tragédienne et de la pythonisse. Elle avait l'art infaillible de choisir dans l'universalité des informations qui nous parvenaient, le détail typique, vrai, sûr, humain dont il faut toujours tenir compte pour réussir.
B. CENDRARS, Moravagine, Œ. compl., t. IV, p. 114.

PYURIE [pjyʀi] n. f. — 1803 ; de *pyo-*, et *-urie.*

♦ Méd. ⇒ **Pyourie.**

PYXIDE [piksid] n. f. — 1812 ; méd., 1478 ; lat. d'orig. grecque *pyxis, -idis* « coffret, capsule ». → Boîte.

♦ **1.** Bot. Capsule à déhiscence transversale dont la partie supérieure se soulève comme un couvercle. *Pyxides du mouron, du pourpier.*

♦ **2.** (1842). Anciennt. Petite boîte à couvercle où l'on plaçait l'Eucharistie. *Les anciennes pyxides sont à l'origine du ciboire et du tabernacle.*

Ce cœur de Marat eut pour ciboire une pyxide précieuse du garde-meuble.
CHATEAUBRIAND, Mémoires d'outre-tombe, t. II, p. 18.

Mod. (Relig.). Petit vase de métal dans lequel le prêtre porte la communion aux malades. ⇒ **Custode.**

Archéol. Coffret à bijoux.

Pz Symbole de la pièze.

Q

Q [ky] n. m. — Dix-septième lettre et treizième consonne de l'alphabet. *Un Q majuscule; un q minuscule.*

REM. 1. En français, *q* est toujours suivi d'un *u,* sauf à la fin d'un mot *(cinq, coq)* et dans des sigles.

2. Le groupe *qu* se prononce tantôt [k] *(quarante),* tantôt [kw] *(équation, quartz),* tantôt [kɥ] *(équilatéral);* pour certains mots, l'usage n'est pas fixé.

Math. Notation de l'ensemble des nombres rationnels.

q : symbole du quintal.

HOM. Cul.

q.e.d. [kyede] loc. — 1875; abrév. du lat. *quod erat demonstrandum* «ce qui était à démontrer».

♦ Ce qu'il fallait démontrer. ⇒ **C.Q.F.D.**

Q.G. [kyʒe] n. m. invar. — 1914; initiales.

♦ Abréviation de *quartier général. « Le colonel Parker avait décidé de transporter tout le Q.G. du château de Vauchère »* (A. Maurois).

Q.H.S. [kyaʃɛs] n. m. — Mil. XXe; initiales.

♦ Abréviation de *quartier de haute sécurité :* régime pénitentiaire réservé aux détenus jugés dangereux.

Q.S.R. [kyɛsɛʀ] (quartier de sécurité renforcée) désigne un régime un peu moins rigoureux.

Q.I. [kyi] n. m. invar. — Av. 1951 (*in* Piéron); adapt. de l'angl. *I.Q.* (D. Wechsler, 1931).

♦ Abréviation de *quotient* intellectuel. Il, elle a un Q.I. assez élevé. « (...) aujourd'hui " le mythe du Q.I. " (R. Zazzo) est activement dénoncé »* (H. Luccioni, *in* Porot 1975, art. *Âge mental*).

QUADR-, QUADRI-, QUADRU- Élément d'origine latine (même rac. que *quattuor* «quatre»), qui entre , soit comme préfixe (→ aussi préf. grec Tétra-), soit comme radical, dans la formation de nombreux mots empruntés ou créés directement en français.

Voir les composés à l'ordre alphabétique, et des formes plus libres, comme *quadri-annuel, elle, els,* adj. (1969, *in* Gilbert); *quadrilingue,* adj. (1966, *in* Gilbert) «qui parle quatre langues; qui est en quatre langues».

QUADRAGÉNAIRE [kwadʀaʒenɛʀ; kadʀaʒenɛʀ] adj. et n. — 1569, *(nombre) quadragénaire* «quarante»; lat. *quadragenarius,* de *quadrageni,* de *quadraginta* «quarante».

♦ Dont l'âge est compris entre quarante et quarante-neuf ans (→ Muer, cit. 7). — N. *Un, une quadragénaire* (→ Bête, cit. 22).

Au lieu d'un père et d'une mère complaisants à ses moindres caprices, elle rencontrera l'égoïsme d'un quadragénaire; si elle résiste, c'est le quadragénaire qui sera vaincu. BALZAC, le Cousin Pons, Pl., t. VI, p. 602.

Abrév. fam. : *quadra* [kwadʀa; kadʀa]. *« La B.D. (...) réconcilie les "ados"* (adolescents) *et les "quadras" »* (*Magazine littéraire,* déc. 1974, p. 19).

QUADRAGÉSIMAL, ALE, AUX [kwadʀaʒezimal, o; kadʀaʒezimal, o] adj. — V. 1500; lat. ecclés. *quadragesimalis,* de *quadragesima.* → Quadragésime.

♦ Liturgie cathol. Qui est relatif, qui appartient au carême. *Jeûne quadragésimal.*

QUADRAGÉSIME [kwadʀaʒezim; kadʀaʒezim] n. f. — 1680; *quadrageme,* XIVe; lat. chrét. *quadragesima (dies),* de *quadragesimus* «quarantième». → Carême.

♦ **1.** Vx. Carême.

♦ **2.** Mod. *Le dimanche de la Quadragésime* ou *la Quadragésime :* le premier dimanche après le début du carême.

QUADRANGLE [kwadʀɑ̃gl; kadʀɑ̃gl] n. m. — XIIIe; bas lat. *quadrangulus* «qui a quatre angles». → Angle.

♦ **1.** Vx. Quadrilatère.

♦ **2.** Géom. Figure géométrique formée par quatre points (dont trois quelconques ne sont pas alignés) et les six droites qui les joignent deux à deux.

QUADRANGULAIRE [kwadʀɑ̃gylɛʀ; kadʀɑ̃gylɛʀ] adj. — 1488; bas lat. *quadrangularis,* de *quadrangulus.* → Quadrangle.

♦ Qui a quatre angles (et quatre côtés). ⇒ aussi **Carré, rectangulaire, trapézoïdal.** *Figure quadrangulaire.* — Dont la base est un quadrilatère. *Une tour quadrangulaire* (→ Architrave, cit. 3).

Un grand espace de terrain vide (...) entourait un long bâtiment quadrangulaire que perçaient quantité de petites fenêtres. FLAUBERT, Mme Bovary, II, v.

QUADRANT [kadʀɑ̃] n. m. — 1868; 1482, au sens de «quart de jour»; var. de *cadran;* lat. *quadrans* «quart». → Cadran.

♦ **1.** Mar. Anciennt. Instrument qui servait à mesurer la hauteur du soleil. — Quatrième partie de la circonférence du cercle. *Le vent a tourné de près d'un quadrant.*

♦ **2.** Math. Unité de mesure des arcs, valant 90° et divisée en cent grades*. — Chacune des quatre portions du plan délimitées par un système de coordonnées rectangulaires.

♦ **3.** Unité de longueur égale à la quatrième partie du méridien terrestre.

HOM. Cadran.

QUADRAT [kadʀa], **QUADRATIN** [kadʀatɛ̃] n. m. ⇒ **Cadrat, cadratin.**

QUADRATIQUE [kadʀatik; kwadʀatik] adj. — 1765; dér. sav. du lat. *quadratus* «carré». → Cadrat.

Didactique.

♦ **1.** Math. Qui est du second degré élevé au carré. ⇒ **Rectangle.** *Équation quadratique :* équation du second degré. *Moyenne* quadratique de* n *nombres.*

♦ **2.** (1869). Sc. nat. En cristallographie, *Système quadratique :* un des six systèmes cristallins, caractérisé par trois axes de longueurs égales faisant entre eux des angles droits. Par ext. Qui appartient à ce système. *Cristal quadratique. L'étain est quadratique.*

COMP. Biquadratique.

QUADRATURE [kwadʀatyʀ]; souvent [kadʀatyʀ] n. f. — 1407; bas lat. *quadratura* (→ Cadrature), de *quadratus* «carré».

♦ **1.** Géom. Opération qui consiste à construire un carré de surface rigoureusement équivalente à celle d'une figure délimitée par une courbe fermée. ⇒ **Quarrer.** Cour. *La quadrature du cercle,* problème insoluble que les géomètres anciens tentaient de résoudre. ⇒ **Cercle** (*infra* cit. 3), **quarrer.**

Fig. *C'est la quadrature du cercle,* un problème insoluble, un projet irréalisable.

(Calcul intégral). Opération qui consiste à déterminer l'aire comprise à l'intérieur d'une courbe fermée.

♦ **2.** (1546). Astron. Position de la lune ou d'une planète au moment où sa distance angulaire par rapport au soleil est de 90°. *Au premier et au dernier quartier, la lune est en quadrature avec le soleil, correspondant à la période des plus faibles marées. Marée de quadrature* ou *quadratures.*

♦ **3.** Phys. Déphasage d'un quart de période. *Oscillations en quadrature.* ⇒ **Phase.**

♦ **4.** Techn. (horlog.). ⇒ **Cadrature.**

QUADRETTE [kadʀɛt; kwadʀɛt] n. f. — 1902; «jeu de cartes à quatre», 1885; t. de gymnastique, 1850; du provençal *quadretto,* du rad. *quadr-.*

♦ Équipe de quatre joueurs au jeu de boules ou de pétanque, disposant chacun de deux boules. *Quadrette composée de trois pointeurs et d'un tireur.* ⇒ **Doublette, triplette.**

QUADRICEPS [kwadʀisɛps; kadʀisɛps] n. m. — 1765; mot lat., «qui a quatre têtes», de *quadri-,* et *caput, itis.* → Biceps, triceps.

♦ Anat. Muscle situé sur la face antérieure de la cuisse et formé de quatre faisceaux musculaires.

QUADRICHROMIE [kwadʀikʀɔmi; kadʀikʀɔmi] n. f. — 1960; de *quadri-,* et *-chromie.*
Technique.

♦ **1.** Procédé d'impression en quatre couleurs (jaune, rouge, bleu et noir). *L'impression en quadrichromie permet un rendu des nuances.* — Abrév. fam. (1977, *in* D.D.L.) : *quadri. Livre imprimé en quadri.*

♦ **2.** Reproduction, image en quadrichromie.

Illustrée de quadrichromies, la plaquette s'ouvrait sur un cliché offrant en pleine page la flèche de verre et d'acier du building.
Philippe DAUDY, la Force du destin, p. 354.

QUADRICOLORE [kwadʀikɔlɔʀ; kadʀikɔlɔʀ] adj. — 1842; de *quadri-,* et *-colore.*

♦ Didact. Qui présente quatre couleurs différentes. *Plumage quadricolore d'un oiseau. Verre quadricolore d'un projecteur de théâtre, de cirque.*

QUADRICORNE [kwadʀikɔʀn; kadʀikɔʀn] adj. — 1842; de *quadri-,* et *corne.*

♦ Bot. Se dit d'une anthère dont l'extrémité porte des lobes divergents formant quatre cornes.

QUADRICOURANT [kwadʀikuʀɑ̃; kadʀikuʀɑ̃] adj. invar. et n. — 1964; de *quadri-,* et *courant (électrique).*

♦ Techn. Qui fonctionne avec quatre types de courants. « *Locomotives quadricourant* » (*la Vie du rail,* 25 janv. 1976, p. 7). ⇒ **Polycourant.**

QUADRICYCLE [kwadʀisikl; kadʀisikl] n. m. — 1888, in *Année sc. et industr.* 1889, p. 151; de *quadri-,* et *cycle.*

♦ Anciennt ou hist. Petit véhicule à quatre roues, avec ou sans moteur. *Quadricycle-tandem. Quadricycle-triplette.*

Par vagues, les bipèdes et quelques rares quadrupèdes se jetaient dans la gare; par vagues, les bi-, tri- et quadricycles défilaient.
R. QUENEAU, le Chiendent, p. 42.

QUADRIDIMENSIONNEL, ELLE, ELS [kwadʀidimɑ̃sjɔnɛl; kadʀidimɑ̃sjɔnɛl] adj. — xxᵉ, *in* Larousse 1932; de *quadri-,* et *dimensionnel.*

♦ Didact. De quatre dimensions; relatif à quatre dimensions. — Spécialt. Relatif à l'univers à quatre dimensions (trois d'espace, une de temps), dans la théorie de la relativité.

QUADRIENNAL, ALE, AUX [kwadʀijenal, o; kadʀijenal, o] adj. — 1652; bas lat. *quadriennalis,* de *quadriennum* «espace de quatre ans».

♦ Didact. Qui dure pendant quatre ans, qui revient tous les quatre ans. *Fonction quadriennale. Assolement, plan quadriennal. Les Jeux olympiques sont quadriennaux.*

QUADRIFIDE [kwadʀifid; kadʀifid] adj. — 1808; lat. *quadrifidus,* de *quadri-,* et *findere* «fendre».

♦ Bot. Qui présente quatre divisions ou quatre découpures. *Calice, feuille quadrifide.*

QUADRIFOLIÉ, ÉE [kwadʀifɔlje; kadʀifɔlje] adj. — 1845; de *quadri-,* lat. *folium* «feuille», et suff. *-é, -ée.*

♦ Bot. Dont les feuilles sont groupées par quatre; qui se compose de quatre feuilles.

QUADRIGE [kadʀiʒ] vieilli [kwadʀiʒ] n. m. — 1624, *in* D.D.L.; lat. *quadrigæ,* de *quadri-,* et *jugum* «joug».

♦ Antiq. rom. Char attelé de quatre chevaux de front (→ Attelage, cit. 4). *Le quadrige et le bige*. Au cours du triomphe*, le général victorieux s'avançait sur un quadrige à chevaux blancs. Quadriges utilisés pour les courses dans les cirques romains.*

Le quadrige céleste à l'horizon descend,
Et, voyant fuir sous lui l'occidentale arène,
Le dieu retient en vain de la quadruple rêne
Ses étalons cabrés dans l'or incandescent.
J.-M. DE HEREDIA, les Trophées, «Nymphées».

QUADRIGÉMELLAIRE [kwadʀiʒemelɛʀ; kadʀiʒemelɛʀ] adj. — Mil. xxᵉ; de *quadri-,* et *gémellaire.*

♦ Didact. *Grossesse quadrigémellaire,* qui aboutit à la naissance de quadruplés.

QUADRIJUMEAUX [kwadʀiʒymo; kadʀiʒymo] adj. m. pl. — 1654; de *quadri-,* et *jumeau.*

♦ **1.** Anat. *Tubercules quadrijumeaux :* les quatre éminences arrondies, situées à la partie postérosupérieure de la protubérance annulaire et des pédoncules cérébraux (les deux antérieurs faisant partie des voies optiques, les deux postérieurs appartenant aux voies auditives).

♦ **2.** Biol. Syn. de *quadruplés*.*

QUADRILATÉRAL, ALE, AUX [kwadʀilateʀal, o; kadʀilateʀal, o] adj. — 1556; de *quadrilatère,* ou lat. *quadrilaterus.*

♦ Didact. Qui présente quatre côtés, qui a la forme d'un quadrilatère. *Édifice quadrilatéral.*

QUADRILATÈRE [kwadʀilatɛʀ; kadʀilatɛʀ] n. m. — 1694; 1554, comme adj.; bas lat. *quadrilaterus,* de *latus, lateris* «côté».

♦ Géom. Polygone* à quatre côtés. ⇒ **Carré, losange, parallélogramme, rectangle, trapèze.** *Quadrilatère inscrit dans un cercle.*
Cour. Ce qui a quatre côtés approximativement rectilignes et égaux; ce qui est en forme de quadrilatère (terrain, territoire; construction; objet, etc.).

Comme tous les postes, c'était un grand quadrilatère entouré de murs, flanqué d'une tour ronde à chaque coin.
P. MAC ORLAN, la Bandera, x.

Spécialt. Position stratégique, région appuyée par quatre places fortes. *Le quadrilatère lombard* (ou *vénitien*), qui constituait le principal point d'appui de l'Autriche en Italie et qui était protégé par les places de Mantoue, Vérone, Peschiera et Legnago.
(xxᵉ). Techn. *Quadrilatère articulé :* dispositif qui sert à transmettre le mouvement de l'axe du volant aux roues.
Adj. *Un bâtiment quadrilatère* (→ Édifice, cit. 2). ⇒ **Quadrangulaire.**
DÉR. Quadrilatéral.

QUADRILITÈRE [kwadʀilitɛʀ; kadʀilitɛʀ] adj. — 1875, P. Larousse; de *quadri-,* d'après *trilitère.*

♦ Didact. Qui est composé de quatre lettres, de quatre consonnes. *Racines quadrilitères.*

QUADRILLAGE [kadʀijaʒ] n. m. — 1860, «ornement composé de losanges»; de *quadriller,* 3. *quadrille.*

♦ **1.** L'action de quadriller* qqch.; la manière dont une feuille de papier, une étoffe, etc., est quadrillée; l'ensemble des lignes, des bandes qui divisent une surface en carrés* (→ Haie, cit. 1; matricule, cit. 2). *Un quadrillage serré. Un quadrillage vert et jaune. Quadrillage des rues.* ⇒ **Carroyage.**

Ouverte, leur fenêtre, mais grillée, il va sans dire, et, en plus de ses barreaux en fer, défendue par les éternels quadrillages de bois sans lesquels aucune femme turque n'a le droit de regarder à l'extérieur. 1
LOTI, les Désenchantées, I, III.

♦ **2.** (V. 1960). Opération militaire ou policière qui consiste à diviser en zones un territoire en état d'insurrection et à y répartir les troupes de manière à exercer un contrôle aussi serré que possible sur la population, à ne pas laisser de régions dégarnies où des éléments incontrôlés puissent trouver refuge. — Par ext. *Quadrillage* *d'une grande ville par la police. Quadrillage et ratissage* d'un quartier.*

2 (...) ces appels de classes, cette accumulation d'effectifs, le quadrillage enfin *(en Algérie)*, tout cela n'a d'autre excuse à leurs yeux que de rendre inutile et même impossible l'abomination collective. F. MAURIAC, Bloc-notes 1952-1957, p. 227.

1. QUADRILLE [kadʀij] n. f. et m. — Fin XVIe; esp. *cuadrilla*, proprt «réunion de quatre personnes» ou «le quart d'une centaine», d'où «troupe, compagnie, équipe».

★ **I.** N. f. ♦ **1.** Anciennt. Chacune des troupes de cavaliers qui prenaient part à un carrousel*.

♦ **2.** (Esp. *cuadrilla*). Vx. Groupe de toreros (banderilleros, picadors, péons, etc.) recrutés, payés et dirigés par le matador et qui forment équipe avec lui. — REM. Cette forme française rarement usitée tend à apparaître au masculin. La langue de la tauromachie emploie plus volontiers le mot espagnol *cuadrilla* [kwadʀija] n. f.

1 Vinarès! Un des meilleurs péons d'Espagne, de la cuadrilla de Bombita!
MONTHERLANT, les Bestiaires, VI.

★ **II.** N. m. (1751). ♦ **1.** Chacun des groupes de danseurs, dans une contredanse.

♦ **2.** Danse, à la mode surtout au XIXe siècle, dans laquelle les danseurs exécutent une suite de figures et qui est une forme légèrement modifiée de la contredanse. ⇒ **Contredanse, cotillon** (→ Branle, cit. 7; 2. cancan, cit. 1). *Quadrille français, américain. Le quadrille des lanciers*. Figures du quadrille : la boulangère, le chassé-croisé, le chassez-huit, l'été* (ou *en avant-deux*), *le moulinet, le pantalon, la pastourelle, la poule, les visites*, etc.

2 Le quadrille américain, preste et violent, faisait tournoyer des danseurs enchevêtrés; puis revenait, comme un intermède désuet, le quadrille des lanciers, ses présentations muettes, ses visites, son grand salut si difficile et si intimidant.
J. CHARDONNE, les Destinées sentimentales, p. 23.

Air sur lequel on exécute cette danse. *Jouer un quadrille* (→ Pastourelle, cit.).

3 (...) très loin, au fond de quelque restaurant, un violon jouait un quadrille canaille à quelque noce attardée, une petite musique cristalline, nette et déliée comme une phrase d'harmonica. ZOLA, l'Assommoir, t. I, II, p. 62.

Fig., fam. *En place pour le quadrille !*, se dit pour inviter qqn à se mettre au travail, à se préparer pour une activité quelconque.

♦ **3.** *Premier quadrille, second quadrille* : premier et deuxième échelon de la hiérarchie du corps du ballet, à l'Opéra de Paris.

♦ **4.** (1785, Sade *in* D.D.L.). Vx. Groupe de quatre personnes.

2. QUADRILLE [kadʀij] n. m. — 1725; altér., d'après 1. *quadrille*, de l'esp. *cuartillo*, de *cuarto* «quatrième».

♦ Vx. Jeu de cartes, variété de l'hombre (→ Fortune, cit. 35).

3. QUADRILLE [kadʀij] n. m. — 1765, *point de quadrille*, t. de broderie; esp. *cuadrillo*, de *cuadro* «carré».

♦ Techn. (couture, broderie). Chacun des jours en forme de losanges qui résultent de l'entrecroisement des franges d'une étoffe.

DÉR. Quadriller.

QUADRILLER [kadʀije] v. tr. — 1819, au participe; de 3. *quadrille* «jour, point en losange», 1765; de l'esp. *cuadrillo*, du lat. *quadrus* «carré».

♦ **1.** Couvrir (une surface) de lignes droites, de bandes qui se coupent de manière à former des carreaux, des rectangles. *Quadriller du papier pour reproduire un dessin.* ⇒ **Carreler.** — Par anal. Couvrir d'un réseau assez régulier de lignes droites en intersection.

1 L'ombrage et le soleil quadrillent la pelouse
Où le brûlant matin se repose, encagé
Csse DE NOAILLES, les Forces éternelles, «Matin d'été».

♦ **2.** Milit. Procéder au quadrillage* (2.) d'un territoire. *Quadriller un quartier, une ville, un pays.* — Par ext. Établir un réseau de contrôle (politique, économique, etc.) dans une zone donnée. *Administration dont les services locaux quadrillent l'ensemble des régions.*

▶ **QUADRILLÉ, ÉE** p. p. adj. *Du papier quadrillé* (→ Feuille, cit. 9; 1. page, cit. 2). *Une étoffe quadrillée vert et bleu*, et, subst., *un quadrillé vert et bleu* (⇒ **Écossais**). *Un complet* (→ Étriquer, cit. 6), *un plaid* (2. plaid, cit. 1) *quadrillé. Bouton quadrillé. Molette quadrillée.*

2 (...) ses parterres brodés, quadrillés et losangés de fleurs, qui ressemblent à de grands tapis (...) HUGO, l'Homme qui rit, I, I, III.

Par la poche entrebâillée de son ample pantalon de velours gris, on apercevait la crosse noire et quadrillée d'un revolver d'ordonnance. 3
P. MAC ORLAN, Quai des brumes, V.

Territoire quadrillé, zone quadrillée.

DÉR. Quadrillage.

QUADRILLION [kwadʀiljɔ̃; kadʀiljɔ̃] n. m. — 1520; finale empruntée à *million*.

♦ Didact. Nombre égal à un million de trillions, 10^{24} (anciennt : mille trillions). ⇒ aussi **Billion, quintillion.**

QUADRILOBE [kwadʀilɔb; kadʀilɔb] n. m. — 1904, *in* D.D.L.; de *quadri-*, et *lobe*.

♦ Archit. Ornement gothique formé de quatre lobes en arcs brisés, appelé aussi *quatre-feuilles.*

QUADRILOBÉ, ÉE [kwadʀilɔbe; kadʀilɔbe] adj. — 1842; de *quadri-, lobe*, et suff. *-é.*

♦ **1.** Bot. Qui est divisé en quatre lobes. *Feuille quadrilobée.*

♦ **2.** Archit. *Rosace quadrilobée.*

QUADRILOCULAIRE [kwadʀilɔkylɛʀ; kadʀilɔkylɛʀ] adj. — 1842; de *quadri-*, et *loculaire.*

♦ Bot. Qui est divisé en quatre loges.

QUADRIMESTRE [kwadʀimɛstʀ; kadʀimɛstʀ] n. m. — 1875, P. Larousse; de *quadri-*, d'après *trimestre.*

♦ Comptab. Durée de quatre mois, dans certains calculs comptables. *Le premier, le second quadrimestre.*

DÉR. Quadrimestriel.

QUADRIMESTRIEL, ELLE, ELS [kwadʀimɛstʀijɛl; kadʀimɛstʀijɛl] adj. — 1969, in *le Monde*; de *quadrimestre*, d'après *trimestriel.*

♦ Didact. D'un quadrimestre; qui a une périodicité d'un quadrimestre.

QUADRIMOTEUR [kwadʀimɔtœʀ; kadʀimɔtœʀ] adj. et n. m. — 1929; de *quadri-*, et *moteur.*

♦ Qui est muni de quatre moteurs, en parlant d'un avion. *Un avion quadrimoteur*, ou, n. m., *un quadrimoteur* (⇒ aussi **Quadriréacteur**).

QUADRIPARTI, IE [kwadʀipaʀti; kadʀipaʀti] ou **QUADRIPARTITE** [kwadʀipaʀtit; kadʀipaʀtit] adj. — 1797, *quadriparti; quadripartite*, 1555; *quadripartit*, attestation isolée au XVe; du lat. *quadripartitus* «partagé *(partitus)* en quatre».

♦ **1.** Bot. Divisé en quatre parties par des découpures profondes.

♦ **2.** (1762, *quadripartit*). Polit. Qui comprend des représentants de quatre partis, de quatre pays, etc. *Comité, commission, conférence quadripartite* (ou *quadripartie*).

QUADRIPARTISME [kwadʀipaʀtism; kadʀipaʀtism] n. m. — V. 1945; de *quadriparti*, et *-isme.*

♦ Polit. Répartition du pouvoir entre les quatre puissances alliées (États-Unis, U. R. S. S., Grande-Bretagne, France), après leur victoire, en Allemagne. *« Le dernier vestige du quadripartisme, c'est-à-dire du droit des alliés sur toute l'Allemagne »* (*l'Express*, 26 mai 1979, p. 121).

QUADRIPARTITION [kwadʀipaʀtisjɔ̃; kadʀipaʀtisjɔ̃] n. f. — 1802; de *quadri-*, et lat. *partitio.*

♦ Didact. Partage, division en quatre éléments.

QUADRIPÉTALE [kwadʀipetal; kadʀipetal] adj. — XVIIIe; de *quadri-*, et *pétale.*

♦ Bot. Qui a quatre pétales. *Fleur quadripétale.*

QUADRIPHONIE [kwadʀifɔni; kadʀifɔni] n. f. — V. 1970; de *quadri-*, et *-phonie.*

♦ Techn. et cour. Dispositif de reproduction sonore (stéréophonie) à quatre sources. ⇒ **Tétraphonie.** — Var. : *quadraphonie*, n. f. *« La quadraphonie restitue l'ambiance d'une salle de concert »* (*le Point*,

9 oct. 1972, Publicité). — Abrév. fam. (de *quadriphonie*) : *la quadri.* « *Une sono quadri* » (emploi par appos. ; *Actuel,* 1973, *in* D. D. L.).

DÉR. Quadriphonique.

QUADRIPHONIQUE [kwadʀifɔnik; kadʀifɔnik] adj. — 1973, in *l'Express,* 12 nov., p. 34.

♦ Techn. et cour. De la quadriphonie. — Abrév. : *quadri. Magnétophone, bande quadri* (*l'Express,* 12 nov. 1973, p. 34).

Alonso époussetait les enceintes quadriphoniques qui se trouvaient un peu partout dans la maison de telle sorte que la musique diffusée par la chaîne pouvait être entendue partout, même dans les deux latrines et les deux salles de bains.

J.-P. MANCHETTE, Trois hommes à abattre, p. 16.

QUADRIPLACE [kwadʀiplas; kadʀiplas] adj. et n. m. — Mil. XXe ; de *quadri-,* et *place,* d'après *bi-, triplace.*

♦ Rare. À quatre places. *Avion de tourisme quadriplace.*

QUADRIPLÉGIE [kwadʀipleʒi; kadʀipleʒi] n. f. ⇒ **Tétraplégie.**

QUADRIPOLAIRE [kwadʀipɔlɛʀ; kadʀipɔlɛʀ] adj. — V. 1950 ; de *quadri-,* et *polaire.*

♦ Techn. Qui a quatre pôles. ⇒ **Tétrapolaire.** « *Le rayonnement gravitationnel dépend de la variation d'une autre quantité, le moment quadripolaire (qui est une fonction quadratique des vitesses)* » (*la Recherche,* août 1979, p. 776).

QUADRIPÔLE [kwadʀipol; kadʀipol] n. m. — Mil. XXe ; de *quadri-,* et *pôle.*

♦ Techn. Conducteur électrique, diélectrique échangeant de la puissance électrique avec un système extérieur suivant deux accès (bornes). — Var. : *quadrupôle* [kwadʀypol; kadʀypol].

QUADRIQUE [kwadʀik; kadʀik] adj. et n. f. — 1888 ; du rad. du lat. *quadratus* « carré ».

♦ Géom. Se dit d'une surface qu'on peut représenter par une équation du second degré (sphère, ellipsoïde, hyperboloïde, paraboloïde). *Une surface quadrique,* ou, n. f., *une quadrique. Les sections planes d'une quadrique sont des coniques. Intersection de deux quadriques.* ⇒ **Biquadratique.**

QUADRIRÉACTEUR [kadʀiʀeaktœʀ; rarement kwadʀiʀeaktœʀ] n. m. — 1953 ; de *quadri-,* et *réacteur.*

♦ Avion propulsé par quatre réacteurs. — Adj. *Un long-courrier quadriréacteur* (→ Quadrimoteur).

QUADRIRÈME [kwadʀiʀɛm; kadʀiʀɛm] n. f. — 1777 ; lat. *quadriremis,* → -rème.

♦ Antiq. rom. Navire à quatre rangs de rameurs superposés.

QUADRISYLLABE [kwadʀisi(l)lab; kadʀisi(l)lab] n. m. — 1808 ; du bas lat. *quadrisyllabus.*

♦ Didact. Mot ou vers qui comprend quatre syllabes. ⇒ **Tétrasyllabe.** *Verlaine a écrit plusieurs poèmes en quadrisyllabes.*

DÉR. Quadrisyllabique.

QUADRISYLLABIQUE [kwadʀisi(l)labik; kadʀisi(l)labik] adj. — 1834 ; de *quadrisyllabe.*

♦ Didact. Qui comprend quatre syllabes. *Mot, vers quadrisyllabique.*

QUADRIVALENCE [kwadʀivalɑ̃s; kadʀivalɑ̃s] n. f., **QUADRIVALENT, ENTE** [kwadʀivalɑ̃, ɑ̃t; kadʀivalɑ̃, ɑ̃t] adj.

♦ Didact. ⇒ **Tétravalence, tétravalent.** — REM. *Quadrivalence* et *quadrivalent* ont l'avantage d'être formés de manière homogène sur deux radicaux latins, mais leurs concurrents hybrides en *tétra-* sont plus employés.

QUADRIVALVE [kwadʀivalv; kadʀivalv] adj. — 1839 ; de *quadri-,* et *valve.*

♦ Bot. Qui est pourvu de quatre valves. *Fruit quadrivalve.*

QUADRIVIUM [kadʀivjɔm; kwadʀivjum] n. m. — 1845 ; XIIIe, sous la forme francisée *cadruve* ; mot bas lat. signifiant en lat. class. « carrefour », de *quadri-,* et *via* « route ».

♦ Hist. *Le quadrivium :* les quatre arts libéraux à caractère mathématique (arithmétique, astronomie, géométrie, musique), dans l'Université médiévale. *Le trivium* et le quadrivium.*

QUADRUMANE [kadʀyman; rarement kwadʀyman] adj. et n. — 1776 ; comp. sav. de *quadru-,* et du lat. *manus* « main », sur le modèle de *quadrupède.* → Bimane, 1. -mane.

♦ Didact. Dont les quatre membres sont terminés par une main, un organe de préhension. ⇒ **Main.** *Un animal quadrumane,* ou, n. m., *un quadrumane :* un animal à quatre mains.

N. m. pl. *Les quadrumanes :* ancienne division des quadrupèdes. ⇒ **Singe.**

Ce singe de haute taille, appartenait au premier ordre des quadrumanes, on ne pouvait s'y tromper. Que ce fut un chimpanzé, un orang, un gorille ou un gibbon, il prenait rang parmi ces anthropomorphes, ainsi nommés à cause de leur ressemblance avec les individus de race humaine. 1

J. VERNE, l'Île mystérieuse, t. I., p 376.

Du point de vue fonctionnel, l'ensemble des quadrumanes constitue un monde animal très distinct aussi éloigné des quadrupèdes que des bipèdes, fondé sur un dispositif postural unique qui fait alterner la locomotion préhensive et la station assise plus ou moins redressée. 2

A. LEROI-GOURHAN, le Geste et la Parole, t. I, p. 82.

QUADRUPÈDE [kadʀypɛd; ou vx kwadʀypɛd] adj. et n. — 1495 ; lat. *quadrupes, -pedis,* de *quadru-* (→ Quadri-), et *pes, pedis* « pied ».

♦ **1.** Vx. Qui possède quatre pieds. ⇒ **Pied** (I., B.). *Animal quadrupède* (→ Membre, cit. 6, Buffon).

♦ **2.** N. m. Mod. Animal à quatre pieds (généralement un mammifère) ; → Haut, cit. 16 ; oiseau, cit. 4. — REM. *Quadrupède* ne se dit que des mammifères. *Tétrapode* se dit des animaux à quatre membres, mammifères ou non.

Pour les initier à l'histoire naturelle, ils tentèrent quelques promenades scientifiques. — Tu vois, disaient-ils en montrant un âne, un cheval, un bœuf, les bêtes à quatre pieds, on les nomme des quadrupèdes.

FLAUBERT, Bouvard et Pécuchet, X.

DÉR. Quadrupédie.

QUADRUPÉDIE [kadʀypedi; kwadʀypedi] n. f. — 1911, G. Hébert, *in* Petiot ; de *quadrupède.*

♦ Marche à quatre pattes. *La quadrupédie est l'un des exercices fondamentaux de l'éducation physique dite* hébertisme.

QUADRUPLE [kwadʀypl; plus cour. kadʀypl] adj. et n. — XIIIe ; lat. *quadruplus* ou *quadruplex,* de *quadru-* (→ Quadri-), et *plicare* « plier ».

★ **I.** ♦ **1.** Adj. Qui est répété quatre fois, qui vaut quatre fois (la quantité désignée) ou qui est formé de quatre choses de nature plus ou moins semblable (⇒ **Multiple**). « *Payer une amende quadruple de la somme retenue indûment* » (Académie). *Une quadruple rangée de pavés* (cit. 6). — Mus. *Quadruple croche*.* — Phys. *Point quadruple,* indiquant, pour une température déterminée, l'existence de quatre phases distinctes.

♦ **2.** N. m. Ce qui est égal à quatre fois (la chose désignée). « *Mon jardin est le quadruple du vôtre* » (Académie). *Rendre qqch. au quadruple,* quatre fois autant qu'on a reçu (→ aussi Pardonner, cit. 20, La Fontaine).

★ **II.** N. m. (1594). (Parfois employé au féminin dans ce sens). Ancienne monnaie d'Espagne (double pistole*). — Pièce d'or fabriquée en France sous Louis XIII et qui valait quatre écus.

DÉR. 1. **Quadruplement,** 2. **quadruplement, quadrupler, quadruplés, quadruplette, quadruplex.**
COMP. Sous-quadruple.

1. QUADRUPLEMENT [kwadʀypləmɑ̃; kadʀypləmɑ̃] n. m. — 1875, *quadruplément* ; de *quadrupler,* et suff. 2. *-ment.*

♦ Fait, action de quadrupler. *Le quadruplement des prix, du coût de la vie en vingt ans, en dix ans...*

2. QUADRUPLEMENT [kwadʀypləmɑ̃; kadʀypləmɑ̃] adv. — 1611 ; *quadrublement* « de quatre façons différentes » au XIIIe ; de *quadruple,* et 1. *-ment.*

♦ Rare. Quatre fois ; en multipliant par quatre. *Il s'est trompé triplement, et même quadruplement.*

QUADRUPLER [kwadʀyple; kadʀyple] v. — 1503 ; bas lat. *quadruplare,* de *quadruplex.* → Quadruple.

♦ **1.** V. tr. Multiplier par quatre, porter à une valeur quatre fois plus grande (→ Enjeu, cit. 1). *Quadrupler son capital, sa production.*

♦ **2.** V. intr. Devenir quatre fois plus élevé. *Ses bénéfices ont quadruplé en un an.*

QUADRUPLÉS, ÉES [kwadʀyple; kadʀyple] n. pl. — XXe; de *quadrupler* au p. p. subst.

♦ Se dit de quatre enfants qui sont nés d'un même accouchement. Syn. : *quadrijumeaux.* ⇒ **Jumeau.** « *La proportion (...) des "quadruplés" (est) de 1/500 000* » (J. Rostand, *l'Homme*, p. 42).
Var. : *quadruplets, quadruplettes.*

QUADRUPLET [kwadʀyplɛ; kadʀyplɛ] n. m. — 1903; de *quadruple.* → Triplet.

♦ **1.** Sc. Ensemble de quatre éléments. « *La réfraction double dans un champ magnétique à la proximité des composantes d'un quadruplet* » (*Rev. gén. des sc.*, août 1903, p. 839).

♦ **2.** Au plur. Var. de *quadruplés.*

QUADRUPLETTE [kwadʀyplɛt; kadʀyplɛt] n. f. — Fin XIXe; de *quadruple*, et suff. *-ette* de *bicyclette.*

♦ **1.** Vx. Bicyclette à quatre places.

♦ **2.** Au plur. Var. de *quadruplées.* → Quadruplés.

QUADRUPLEX [kwadʀyplɛks; kadʀyplɛks] n. m. — 1883; mot lat. → Quadruple.

♦ Techn. Système de transmission télégraphique qui permet d'expédier simultanément quatre messages distincts. ⇒ **Télégraphe.** « *Les duplex et quadruplex ont continué leur service (...) pendant que l'on communiquait par téléphone sur les mêmes fils* » (*Année sc. et industr.*, 1887, p. 85; 1886).

QUAI [ke] n. m. — 1167, *cai* (→ Chai); d'après le lat. médiéval *caiagium*, calque de *quayage*, mot normanno-picard, du gaulois *caio.* Cf. *Cai, cal*, « maison, haie », dans les langues celtiques.

♦ **1.** Ouvrage d'accostage d'un port, constitué par un mur de soutènement *(mur de quai)* et par une chaussée aménagée au bord de l'eau. *Quais sur voûtes, sur pieux ou palplanches. Quais et appontements, estacades, môles... d'un port**. *Partie en pente d'un quai.* ⇒ 2. **Cale.** *Quai d'embarquement et de débarquement.* ⇒ **Débarcadère, embarcadère.** *Bassin entouré de quais.* ⇒ **Dock.** *Quai flottant.* — À QUAI. *Navire qui arrive à quai* (⇒ **Accoster**); *navire à quai*, rangé le long du quai (→ aussi Chaudière, cit. 2).

1 Les quais noirs encombrés de tonneaux et de grues,
Les grands vapeurs fumant des routes parcourues,
Le bras de la jetée allongé dans la mer (...)
Albert SAMAIN, le Chariot d'or, « Élégie ».

1.1 Phileas Fogg, Mrs. Aouda et Passepartout prirent pied sur le continent américain, — si toutefois on peut donner ce nom au quai flottant sur lequel ils débarquèrent. Ces quais, montant et descendant avec la marée, facilitent le chargement et le déchargement des navires. J. VERNE, le Tour du monde en 80 jours, p. 213.

2 (...) ces senteurs incohérentes qui font de l'atmosphère des quais une encyclopédie ou une symphonie olfactive : le charbon, le goudron, les alcools, la soupe de poisson, la paille et le coprah, qui fermentent, se disputent la puissance et l'empire de nos associations d'idées (...) VALÉRY, Variété III, p. 238.

Loc. *Mise à quai* : renvoi d'un membre de l'équipage d'un navire.

2.1 Chaque fois qu'il avait constaté une absence, un renvoi immédiat s'en était suivi. Comme il s'en vantait, quarante mises à quai avaient gravé chez les autres le respect absolu de la consigne. Roger VERCEL, Remorques, p. 21.

Comm. *Trafic quai à quai* (par conteneurs).

Dr. *Droit, taxe de quai*, perçu par les douanes.

♦ **2.** (1671). Levée de terre, de pierres..., ordinairement soutenue par un mur de maçonnerie, et qui est faite le long d'un cours d'eau, d'un canal (pour donner à la berge un tracé régulier, pour rendre le chemin praticable, permettre aux embarcations d'aborder...). *Muraille d'un quai* (→ Éminence, cit. 2). *Quai surélevé, au ras de l'eau... ; quai de débarquement* (⇒ **Bas-port**).

Par ext. Voie publique, chaussée (route, rue, trottoir...) aménagée le long du quai, de la berge, entre les maisons et un cours d'eau ou un canal... *Un quai de la Seine* (→ Baigner, cit. 9), *du Nil* (→ Barioler, cit. 2). *Les quais de Paris* (→ Paraître, cit. 51). *Le quai Voltaire* (→ Indolent, cit. 6), *le quai Saint-Michel* (→ Numéro, cit. 2). *Le Quai d'Orsay*, siège du ministère des Affaires étrangères. — Par ext. Absolt. *Les diplomates du Quai d'Orsay.* Ellipt. *Le Quai* : le Quai d'Orsay. *Les diplomates du Quai.* — *Quai des Orfèvres* : siège de la police judiciaire. — *Se promener sur les quais. Les bouquinistes des quais* (à Paris). → 2. Bouquiner, cit. 1; fureteur, cit. 1.

3 Il était deux heures du matin; il gelait, et l'ombre était épaisse, lorsqu'un nombreux rassemblement s'arrêta sur le quai à peine pavé, alors, et occupa lentement et par degrés le terrain sablé qui descendait en pente jusqu'à la Seine.
A. DE VIGNY, Cinq-Mars, XIV.

Je pars et je vous abandonne 4
Longs quais de pierre sans personne
Veillant sur le fleuve profond
Où les désespérés s'en vont. ARAGON, le Roman inachevé, p. 48.

♦ **3.** (1846; on employait auparavant *embarcadère, débarcadère*). Trottoir, plate-forme* longeant la voie dans une gare, permettant l'embarquement (et le débarquement) des voyageurs, le chargement (et le déchargement) des marchandises dans les voitures (→ Gagner, cit. 51, Renan; longer, cit. 7, Gautier, 1858). *Les quais de la gare, d'une station de funiculaire. Le quai de l'arrivée. Quai du départ. Quai nº 4. Portillon d'accès au quai* (→ Billet, cit. 14). *Billet, ticket de quai.*

Celle-ci *(la machine)* s'était arrêtée, demandant de deux coups brefs la voie à l'aiguilleur, qui, presque immédiatement, l'envoya sur son train, tout formé, à quai sous la marquise des grandes lignes. ZOLA, la Bête humaine, I. 5

Loc. fam. *Les ballots* au bout du quai.*

♦ **4.** Techn. QUAI MOBILE : appareil élévateur à plateau mobile.

DÉR. Quayage.

QUAICHE [keʃ] n. f. — 1732, Trévoux; angl. *ketch.*

♦ Mar. Vx. Ketch*.

QUAKER, QUAKERESSE [kwɛkœʀ, kwɛkʀɛs] n. — 1657; mot angl. « trembleur : celui qui tremble à la parole de Dieu » (→ Fanatique, cit. 1, Bossuet). — REM. On a dit et écrit *quacre, quouacre*, Voltaire.

♦ Relig. Membre d'un mouvement religieux protestant, la « Société des Amis », fondée par George Fox en 1648-1650, qui prêchait le pacifisme, la philanthropie et la simplicité des mœurs (cf. Voltaire, *Lettres philosophiques*). *Les quakers sont des dissidents protestants*, de tendance puritaine. Les quakers tutoyaient tout le monde et ne se découvraient jamais.*

L'onction et la sérénité d'une vie sainte et courageuse, la douce gravité du quaker, la profondeur de sa prudence, la chaleur passionnée de ses sympathies et de ses prières, tout ce qu'il y a de sacré et de puissant dans son intervention paternelle, a été parfaitement exprimé par le talent (...) de M. Joanny. 1
A. DE VIGNY, Chatterton, Sur les représent. du drame...

Il portait un pantalon bleu, une redingote bleue et un chapeau à bords larges, qui paraissaient toujours neufs, une cravate noire et une chemise de quaker, c'est-à-dire éclatante de blancheur, mais de grosse toile. 2
HUGO, les Misérables, III, VI, I.

Je suis sûre que sous votre gravité de jeune quakeresse, vous êtes toute prête à vous brûler les ailes comme un petit insecte éphémère, à la première bougie venue (...) J. ANOUILH, la Répétition, p. 97. 3

Adj. invar. en genre. (1851). Des quakers. *Le mouvement, la foi quaker.* ⇒ **Quakeriste.**

DÉR. Quakerisme.

QUAKERISME [kwɛkœʀism] n. m. — 1701, *quakérisme; kouakerisme*, 1692; de *quaker*, et *-isme.*

♦ Hist. relig. Doctrine, religion des quakers (absence de sacrements et de hiérarchie, refus du serment, refus de porter les armes...).

QUAKERISTE [kwɛkœʀist] adj. et n. — XXe; de *quakerisme.*

♦ Hist. relig. Du quakerisme. — Adepte du quakerisme.

Ce n'est pas sans cause que le music-hall est un fait anglo-saxon, né dans le monde des brusques concentrations urbaines et des grands mythes quakeristes du travail.
R. BARTHES, Mythologies, p. 178.

QUALIFIABLE [kalifjabl] adj. — 1858; de *qualifier*, et *-able.*

♦ **1.** Qui peut recevoir une qualification (surtout en emploi négatif). *Sa conduite n'est guère qualifiable.*

♦ **2.** Sports. Qui peut être qualifié. *Un athlète qualifiable à la finale du saut en hauteur.*

QUALIFICATEUR [kalifikatœʀ] n. m. — 1665; du lat. médiéval *qualificator.*

♦ Hist. ecclés. Théologien du Saint-Office chargé de qualifier les crimes déférés aux tribunaux ecclésiastiques et d'examiner les livres soumis à l'index.

QUALIFICATIF, IVE [kalifikatif, iv] adj. et n. m. — 1740; dér. sav. du lat. scolast. *qualificare.* → Qualifier.

♦ **1.** Qui sert à qualifier, à exprimer une qualité. — Gramm. *Adjectif qualificatif* : adjectif qui « sert à préciser la manière d'être, l'aspect, la qualité ou le défaut d'un être, d'un objet, d'une abstraction, qualité objective ou subjective, vraie ou supposée » (Dauzat). *L'adjectif qualificatif et le nom* (cit. 48). *L'adjectif qualificatif peut être épithète ou attribut. On oppose généralement l'adjectif* qualificatif *à l'adjectif* déterminatif. *L'adjectif perd de sa valeur* *qualificative quand il précède le nom* (*ex.* : «En divers endroits» signifie «en plusieurs endroits»).

(...) le propre de l'adjectif qualificatif, c'est de n'être qu'une représentation *virtuelle* de la qualité et ne *se réaliser* que par référence à un nom.
FISCHER et HACQUARD, À la découverte de la grammaire franç., p. 117.

♦ **2.** N. m. Mot ou groupe de mots servant à qualifier un nom (→ Blé, cit. 15; par, cit. 54). *Le qualificatif* libéral (cit. 10), bon (→ Meilleur, cit. 1), populaire (cit. 6). *Cas où le participe* (cit. 5) *passif manifeste sa nature de qualificatif.* — Par ext. Manière de qualifier, d'appeler qqch. ou qqn (→ Précieux, cit. 14). *User envers qqn de qualificatifs regrettables. Un qualificatif injurieux.*

♦ **3.** Adj. (1944). Sports. *Épreuve qualificative,* servant à la qualification* (2.) des concurrents pour une épreuve ultérieure.

QUALIFICATION [kalifikasjɔ̃] n. f. — 1431; du lat. scolast. *qualificatio,* de *qualificare.* → Qualifier.

♦ **1.** Action ou manière de qualifier (qqn ou qqch.). ⇒ **Appellation, épithète, nom, qualité, titre.** *Les habiles* (cit. 18) *se sont décerné la qualification d'homme d'État. La qualification d'excellent mathématicien* (cit. 1). *Qualification emphatique inexacte. Qualification appliquée à une chose, à un fait* (→ Historique, cit. 4).

(Dr.). Détermination de la nature juridique d'un acte, d'un rapport de droit. *Conflits de qualification,* résultant de la même qualification différente que reçoit, selon les pays, un même rapport de droit. — Dr. pén. Désignation de l'infraction ou de la catégorie d'infractions dans laquelle rentre une action. *Qualification d'empoisonnement, de crime...* — Dr. canon. Se dit de l'appréciation du qualificateur*.

1 Le petit Conseil, excité par le Résident de France, et dirigé par le Procureur Général, donna une déclaration sur mon ouvrage, par laquelle, avec les qualifications les plus atroces, il le déclare indigne d'être brûlé par le bourreau, et ajoute avec une adresse qui tient du burlesque qu'on ne peut, sans se déshonorer, y répondre ni même en faire aucune mention. ROUSSEAU, les Confessions, XII.

Gramm. Caractérisation à l'aide d'un qualificatif (adjectif, apposition, complément du nom...).

2 De même qu'une qualification s'individue en nom d'être *(les fidèles),* de même, et inversement, le nom, au lieu de désigner des individus, prend un caractère général de nom d'espèce, et devient une qualification, qui s'applique comme un adjectif. En partant de *un père,* si on généralise, on arrive à la catégorie : *des pères,* d'où *être père.* F. BRUNOT, la Pensée et la Langue, p. 605.

♦ **2.** (1840; emprunt à l'angl.). Sports (d'abord turf). Le fait pour un cheval, pour un athlète, d'être qualifié ou de se qualifier pour une épreuve. *Athlète, équipe ayant obtenu sa qualification pour la finale. Épreuves de qualification.* ⇒ **Éliminatoire, série, tour** (contr. : *disqualification*), **élimination.**

♦ **3.** (1947). *Qualification professionnelle* : formation et aptitude d'un ouvrier (cit. 5), d'un employé. ⇒ **Qualifié.** *Carte de qualification professionnelle. Feuille d'emploi* (cit. 17) *portant la mention «qualification».*

CONTR. (De *qualification professionnelle*) **Apprentissage.**
COMP. Sous-qualification.

QUALIFIER [kalifje] v. tr. — XVe, *califier;* du lat. scolast. *qualificare,* de *qualis.* → Qualité.

♦ **1.** Caractériser (un signe) par un autre signe linguistique, affirmer d'un sujet une qualité par une appellation ou par l'emploi d'un adjectif dit *qualificatif.* ⇒ **Appeler, dénommer, désigner, déterminer, nommer.** *Qualifier un mot à l'aide d'une épithète* (→ An, cit. 20). — Par ext. (le sujet désigne le signe par lequel on qualifie). Gramm. *Adjectif qualifiant une chose.* ⇒ **Qualificatif** (→ Diaphane, cit. 1; exprimer, cit. 7; formidable, cit. 11). *L'adverbe* (cit. 1) *de manière qualifie une action.*

1 (...) celui qui doute et qui ne cherche pas, est tout ensemble malheureux et injuste (...) s'il est avec cela gai et présomptueux, je n'ai point de terme pour qualifier une si extravagante créature. PASCAL, Pensées, III, 194 bis (3).

Cour. Caractériser (une chose) par un signe du langage. *Désigner l'état* (cit. 68) *d'une personne, c'est la qualifier. Une conduite qu'on ne saurait qualifier.* ⇒ **Inqualifiable.**

2 Madame Couture et madame Vauquer ne trouvaient pas assez de mots dans le dictionnaire des injures pour qualifier cette conduite barbare.
BALZAC, le Père Goriot, Pl., t. II, p. 857.

(Avec un attribut «direct»). *Si le fait est qualifié crime* (cit. 11) *par la loi. Homicide volontaire qualifié meurtre* (cit. 1). *Sont qualifiés grands mutilés* (cit. 2) *de guerre... Pour qu'un fait soit qualifié miracle* (cit. 6). *Réduit qualifié laboratoire* (cit. 5). *Les gens avancés* (cit. 64) *ou qualifiés tels.*

3 Qualifier le droit crime et le mouvement rébellion, c'est là l'immémoriale habileté des tyrans. HUGO, Shakespeare, II, II, IV.

(L'attribut «indirect» étant précédé de *de*). ⇒ **Traiter.** *Si le chirurgien doit être qualifié d'artiste* (→ Exécution, cit. 3). *Batailles indécises* (cit. 2) *qualifiées de victoires.*

4 (...) il ne pardonnait pas à mon père, le 5 février 1915, jour où le secrétaire de mon oncle Charles l'avait qualifié dans un salon de pisse-vinaigre (...)
GIRAUDOUX, Bella, VIII.

♦ **2.** (1840; de l'angl. *to qualify.* → Qualifié). Sports. Donner une qualification (2.) à (un cheval, un sportif, une équipe). *Un but à la dernière minute a qualifié leur équipe.*

La seconde place aux championnats de France qualifie pour les Jeux Olympiques (...) Jean PRÉVOST, Plaisirs des sports, p. 192. 5

♦ **3.** Rendre qualifié, donner qualité. *Cela ne vous qualifie nullement pour étudier une telle question, pour un tel travail.*

▶ **SE QUALIFIER** v. pron. (1903).
Sports. Obtenir une qualification. *Il s'est qualifié pour la finale européenne du cent mètres. L'équipe de N... ne s'est pas qualifiée.*

▶ **QUALIFIÉ, ÉE** p. p. adj. (1556).
Qui a reçu une qualification. — Spécialt :

♦ **1.** a Dr. *Vol, délit qualifié,* exceptionnellement érigé en crime eu égard aux circonstances qui l'accompagnent et que la loi définit. *Le vol avec effraction, le vol domestique... sont des vols qualifiés.*

b (XVIIe). Vx. Qui a un titre de noblesse, ou un grand mérite.

♦ **2.** (1840; angl. *qualified*). *Cheval qualifié,* qui satisfait aux conditions de la course (âge, origine, courses gagnées, etc.). — *Coureurs qualifiés, équipes qualifiées,* auxquels leur victoire ou leur performance dans la précédente épreuve d'un championnat permet de disputer les épreuves suivantes. *Coureurs qualifiés selon les temps réalisés dans une série* (contr. : *éliminé*).

♦ **3.** (1907). Qui a qualité, compétence pour..., qui satisfait aux conditions requises pour... ⇒ **Autorisé, compétent.** *Le Premier Président, seul qualifié pour recevoir ce serment* (→ Bâtonnier, cit. 1). *Être mieux qualifié pour...* (→ Mystique, cit. 4). — Absolt. Qui a la qualité, la compétence qu'il faut. ⇒ **Capable, connaître** (s'y). *Un des peintres les plus qualifiés de son âge* (→ Mémorialiste, cit.). — OUVRIER (cit. 5) **QUALIFIÉ** ou **PROFESSIONNEL,** ayant une formation professionnelle reconnue. (Opposé à *ouvrier spécialisé**).

♦ **4.** Math. *Nombres qualifiés,* affectés d'un signe (+ ou −).

CONTR. (Du 2.) **Disqualifier, éliminer.**
DÉR. Qualifiable, qualification.
COMP. Sous-qualifié.

QUALITATIF, IVE [kalitatif, iv] adj. — Déb. XIXe (v. 1840, Balzac); de *qualité* ou du lat. scolast. *qualitativus* «excellent, distingué» (1539); ital. *qualitativo.*

Didactique ou littéraire.

♦ **1.** Relatif à la qualité*, qui est du domaine de la qualité (par oppos. à *quantitatif*). *La physique est sortie de l'état qualitatif en s'appuyant sur la mesure* (cit. 2). *Étude qualitative d'une courbe* : description de son allure générale (par oppos. à *l'étude quantitative,* qui en analyse l'équation). — Chim. *Analyse qualitative* : détermination de la nature chimique des substances, identification des substances présentes dans un mélange.

Une science qui considère tour à tour des périodes indivises de durée ne voit que des phases succédant à des phases, des formes qui remplacent des formes; elle se contente d'une description *qualitative* des objets, qu'elle assimile à des êtres organisés. Mais, quand on cherche ce qui se passe à l'intérieur d'une de ces périodes, en un moment quelconque du temps, on vise tout autre chose : les changements (...) ne sont plus, par hypothèse, des changements de qualité; ce sont dès lors des variations *quantitatives,* soit du phénomène lui-même, soit de ses parties élémentaires. H. BERGSON, l'Évolution créatrice, p. 332.

♦ **2.** Qui ne peut se traduire en termes quantitatifs, en rapports définis, mesurables (→ Devenir, cit. 16).

♦ **3.** N. m. *Le qualitatif pur.*

CONTR. Quantitatif.
DÉR. Qualitativement.

QUALITATIVEMENT [kalitativmɑ̃] adv. — Après 1850; «excellemment», XVe; de *qualitatif.*

♦ Didact. ou littér. Au point de vue qualitatif (opposé à *quantitativement*).

(...) plus vous y réfléchirez, plus vous verrez que ce sont là autant de sensations qualitativement distinctes (...) Pourtant vous parliez d'abord d'une seule et même sensation de plus en plus envahissante, d'une piqûre de plus en plus intense (...) Vous interprétiez inconsciemment la qualité en quantité (...)
H. BERGSON, Essai sur les données immédiates de la conscience, p. 32.

QUALITÉ [kalite] n. f. — XIe; lat. philos. *qualitas,* formé par Cicéron, Académie (I, 6, 24), sur *qualis* «quel», d'après le grec *poiotês,* sur *poios,* et repris par la philosophie scolastique.

★ **I.** Philos. *La qualité* : une des catégories* fondamentales de l'Être; manière d'être, attribut propre de l'Être (par oppos. à *l'Être, à la relation,* etc.). — *La qualité de..., une qualité,* manière d'être (d'un être); l'aspect sensible et non mesurable (des choses), opposé à *quantité*. Le domaine de la qualité et celui de la quantité* (cit. 7 et 10). ⇒ **Qualitatif.** — *Les qualités s'opposent aux phénomènes.*

La même qualité et la même quantité. ⇒ **Égal** (cit. 1). *L'épreuve* (cit. 1) *est la manière de s'assurer si une chose a les qualités qu'on lui attribue. Le goût* (cit. 24) *nous permet de discerner les qualités des choses.* — *Qualités sensibles :* « aspects sensibles de la perception qui ne consistent pas en déterminations géométriques ou mécaniques » (Lalande). → Immatérialisme, cit. ; intelligible, cit. 3. *Qualités de la matière* (cit. 2 ; et → Divisibilité, cit. ; impénétrabilité, cit. 3). ⇒ **Propriété.** *La scolastique distinguait dans la matière les qualités premières* (fondamentales : chaud, froid, sec, humide) *et les qualités secondes qui en dérivaient.*

1 Quant aux autres choses, comme la lumière, les couleurs, les sons, les odeurs, les saveurs, la chaleur, le froid, et les autres qualités qui tombent sous l'attouchement, elles se rencontrent dans ma pensée avec tant d'obscurité et de confusion, que j'ignore même si elles sont véritables, ou fausses et seulement apparentes, c'est-à-dire si les idées que je conçois de ces qualités, sont en effet les idées de quelques choses réelles, ou bien si elles ne me représentent que des êtres chimériques (...)
DESCARTES, Méditations, III, p. 292.

2 Dès le premier coup d'œil jeté sur le monde, avant même que nous y délimitions des *corps*, nous y distinguons des *qualités*. Une couleur succède à une couleur, un son à un son, une résistance à une résistance, etc. Chacune de ces qualités, prise à part, est un état qui semble persister tel quel, immobile, en attendant qu'un autre le remplace. Pourtant chacune de ces qualités se résout, à l'analyse, en un nombre énorme de mouvements élémentaires (...) Maintenant, dans la continuité des qualités sensibles nous délimitons des corps. Chacun de ces corps change, en réalité, à tout moment (...) Il n'y a pas de forme, puisque la forme est de l'immobile et que la réalité est mouvement (...) Enfin les choses, une fois constituées (...) nous disons (...) qu'elles *agissent* les unes sur les autres (...) L'esprit (...) aboutit ainsi (...) à trois espèces de représentations : 1° les qualités ; 2° les formes ou essences ; 3° les actes. A ces trois manières de voir correspondent trois catégories de mots : les *adjectifs*, les *substantifs* et les *verbes* (...)
H. BERGSON, l'Évolution créatrice, p. 300-303.

REM. Le terme général de *qualité* s'applique soit à des choses, soit à des êtres vivants, et prend dans certains cas des acceptions particulières.

Expression linguistique de la qualité. Noms abstraits désignant une qualité (par ex. : agrément, bonté, clarté, commodité, concision, délicatesse, finesse, laideur, noirceur, patience, sagesse, simplicité, etc.). *Adjectif précisant la qualité d'un être ou d'une chose.* ⇒ **Qualifier, qualificatif, qualification.** *Adverbes dits de qualité* (bien, mal, mieux [cit. 2], pis). Quel* *sert à interroger sur la qualité. Comparer deux qualités.*

★ **II.** Cour. **A.** (Choses). ♦ **1.** *(Une, des qualités).* Manière d'être plus ou moins caractéristique. ⇒ **Attribut, caractère, propriété.** *Qualités propres* d'une chose. Les qualités que les corps se communiquent* (→ Imprimer, cit. 19). *Qualité et intensité* (cit. 1) *de la chaleur, de la lumière* (→ Exposition, cit. 13). *La mutation* (cit. 2) *résulte d'un changement survenu dans le nombre ou la qualité des gènes. La couleur de la peau est une de ses qualités physiques importantes* (→ Pigment, cit. 1). *Qualités constitutives* (→ Participer, cit. 5) *essentielles* (⇒ **Essence**), *secondaires.* — *« Rien de juste ou d'injuste qui ne change* (cit. 35.1) *de qualité, en changeant de climat »* (Pascal). → aussi Imagination, cit. 10. *La qualité de son regard* (→ Iris, cit. 2), *de sa mémoire* (→ Particulier, cit. 16). *La force est une qualité palpable* (cit. 3), *la justice une qualité spirituelle.*

3 La langue dénomme (...) les objets en les désignant par une quelconque de leurs qualités. Dans les premiers temps, les noms de ces qualités éveillent dans l'esprit d'abord l'image de la qualité et subsidiairement celle de l'objet ; plus tard, ils n'éveillent que l'idée d'objet. Le *drapeau* (...) a d'abord été le morceau de drap attaché à la hampe (...) Puis, à force d'être appliqué à l'étendard, le terme finit par le représenter tout entier.
A. DARMESTETER, la Vie des mots, p. 44.

Log. Propriété formelle du jugement, consistant en ce qu'il est affirmatif ou négatif.

♦ **2.** Spécialt (matières élaborées, produits). *La qualité,* qualifiée. Ce qui fait qu'une chose est plus ou moins recommandable, par rapport à l'usage ou au goût humain, qu'une autre de même espèce ; degré plus ou moins élevé d'une échelle de valeurs pratiques. ⇒ **Aloi, ordre.** *Bonne qualité, mauvaise qualité. Vin* (→ Boucher, cit. 6), *viande de bonne qualité, de qualité médiocre. De bonnes qualités courantes* (→ 1. Courant, cit. 4). *Laine* (cit. 3) *de première qualité. Première qualité de soie* (→ Drapeau, cit. 4). *De qualité supérieure.* ⇒ **Excellent, extra-fin, super, super-fin, surchoix, surfin.** *Il y en a de toutes les qualités.* ⇒ **Acabit, catégorie, espèce.** *Tromper sur la qualité de la marchandise* (→ Exploiter, cit. 10). *Diverses qualités de blé, de grains...* (cit. 3). *Matériau* (cit. 4) *d'une meilleure qualité. Augmenter, améliorer la qualité d'un produit.* — Loc. *Rapport qualité-prix. « Leurs produits apportaient un "plus" dans le rapport qualité-prix, comparés aux produits étrangers »* (*le Nouvel Obs.*, 28 avr. 1981, p. 88).

4 Édouard est vêtu de bon drap. Il dit : « Je ne suis pas assez riche pour acheter des vêtements de mauvaise qualité ». G. DUHAMEL, Salavin, III, II.

Dr. *Statut de qualité,* consacrant la notion d'une qualité définie par des critères positifs. *Garantie de qualité,* fournie par les appellations* d'origine, les labels*, les marques*. *Marque nationale de qualité,* créée en 1946, certifiant officiellement la haute qualité des produits. *Qualité réglementée.*

(En parlant du domaine moral, esthétique, des personnes, etc.). *Tempérament de bonne qualité* (⇒ **Trempe**), *de médiocre qualité. Espion* (cit. 7) *de première qualité.* ⇒ **Bourre.** *Un gars d'une tout autre qualité.* ⇒ **Calibre.** *Gens d'une qualité intellectuelle très modeste* (cit. 3).

Qualité de l'environnement : état de l'environnement évalué en fonction de ses effets sur les êtres vivants et les biens. — (1970). *Qualité de la vie :* ensemble des conditions de vie (habitat, nourriture, travail, loisir...) permettant à l'individu de s'épanouir dans la société. *Un ministère de la Qualité de la vie a été créé en 1974.* (On trouve aussi la forme *qualité de vie*).

♦ **3.** Absolt. Bonne qualité, qualité positive. — *(Une, des qualités). Les qualités du style* (→ Clarté, cit. 11 et 12), *du dessin* (cit. 7), *d'une écriture* (→ Graphisme, cit. 1). *Qualités d'une aquarelle* (→ Gouacher, cit. 1). *Qualités du jugement* (→ Fonction, cit. 1).

Toutes les qualités de la ville de Nice, climat, site, population et organisation publique et privée, toujours prêtes à recevoir et à bien accueillir les visiteurs, font cette ville particulièrement propre à une expérience de signification universelle. 5
VALÉRY, Regards sur le monde actuel, p. 325.

La qualité : la bonne qualité, l'excellence. *La qualité de ce joyau* (cit. 2), *de ces inédits* (cit. 4)... *La production en série remplace la qualité* (→ Collectif, cit. 3). — *La qualité de l'esprit, du sentiment* (→ Culture, cit. 12). — **DE QUALITÉ** : excellent, supérieur. ⇒ **Choix** (de). *Un spectacle de qualité. Enregistrement de qualité* (→ Disque, cit. 2). *Reliure de qualité. De haute qualité.* — (Domaine abstrait, psychologique) :

Une fois, l'autre m'a dit, parlant de nous : « une relation de qualité » ; ce mot m'a été déplaisant : il venait brusquement du dehors, aplatissant la spécialité du rapport sous une formule conformiste. 5.1
R. BARTHES, Fragments d'un discours amoureux, p. 34.

B. (Personnes). ♦ **1.** Élément de la nature (cit. 2) de qqn, permettant de le caractériser, de le définir, particulièrement dans le domaine intellectuel et moral. ⇒ **Attribut, caractère.** *Le moi* (cit. 56, Pascal) *a deux qualités... Qualité individuelle* (→ Noble, cit. 6), *personnelle, propre, spécifique* (→ Perfectibilité, cit. 1). *Qualités naturelles, foncières, acquises.* ⇒ **Disposition.** *Bonnes qualités* (→ Attirer, cit. 32 ; dégénérer, cit. 9). *Mauvaises qualités* (→ Assigner, cit. 12 ; cause, cit. 33). *Belles qualités* (→ Ardeur, cit. 19). *Faire fructifier* (cit. 5), *gâter* (cit. 30) *de belles qualités. Qualité maîtresse* (→ Homme, cit. 151).

Que l'on a bien fait de distinguer les hommes par l'extérieur, plutôt que par les qualités intérieures ! PASCAL, Pensées, II, 319. 6

Il y a de méchantes qualités qui font de grands talents. 7
LA ROCHEFOUCAULD, Maximes, 468.

Toutes nos qualités sont incertaines et douteuses, en bien comme en mal, et elles sont presque toutes à la merci des occasions. 8
LA ROCHEFOUCAULD, Maximes, 470.

Retz était petit, laid, noir, assez mal fait et myope ; voilà des qualités peu propres à faire un galant, ce qui ne l'empêcha point de l'être, et avec succès. 9
SAINTE-BEUVE, Causeries du lundi, 20 oct. 1851.

♦ **2.** Absolt. (Ce qui rend une personne bonne, meilleure). Bonne qualité (sur le plan humain). ⇒ **Aptitude, capacité, don, mérite, valeur, vertu.** *Les qualités et les défauts* (cit. 32 et 38) *de qqn. Les qualités de l'écrivain, de l'artiste, du savant...* (→ Anxieux, cit. 4 ; doute, cit. 12 ; esprit, cit. 120 ; goût, cit. 48). *Les qualités d'un homme d'État* (→ Indifférence, cit. 6). *Les qualités du journaliste* (cit. 1). — *Les qualités de l'âme, de l'esprit* (→ Effectif, cit. 2 ; égalité, cit. 15). — *Le bon sens devait être la qualité dominante* (cit. 2) *de leur race. Qualités d'un peuple* (→ Exclusif, cit. 10). *Qualités rares, particulières, remarquables, exceptionnelles ; banales, communes. Il, elle a de grandes qualités. Faire valoir les qualités de qqn.* ⇒ **Avantage** (parler à l'). *Qui réunit toutes les qualités.* ⇒ **Parfait.**

Je me refuse, disait M (...) aux avances de M. de B (...) parce que j'estime assez peu les qualités pour lesquelles il me recherche, et que, s'il savait les qualités pour lesquelles je m'estime, il me fermerait sa porte. 10
CHAMFORT, Caractères et Anecdotes, Méprise.

On aime plus les qualités ; on estime davantage les vertus. 11
Joseph JOUBERT, Pensées, IX, XXI.

On voit les qualités de loin et les défauts de près. 12
HUGO, Post-scriptum de ma vie, Tas de pierres, II.

La Prudence n'est qu'une qualité ; il ne faut pas en faire une vertu. 13
J. RENARD, Journal, p. 274.

♦ **3.** (XIIIe). Qualifié par un adj. ou un compl. de nom. Condition sociale, civile, juridique. ⇒ **Condition, fonction, qualification, titre.** *La qualité de comte* (→ Gentilhomme, cit. 1), *la qualité ducale* (→ Fleuron, cit. 1). *La qualité de fonctionnaire* (→ Pétition, cit. 2), *d'homme de lettres* (→ 1. Gens, cit. 28). *Vu ma qualité de gendre* (→ Bienséance, cit. 14). *La considération due à sa qualité.* — Dr. « Titre sous lequel une partie ou un plaideur figure dans un acte juridique ou une instance » (Capitant). *La qualité d'époux, d'héritier, de créancier... Donnez vos nom, prénom et qualité. En faisant usage de faux noms ou de fausses qualités...* (→ Escroquer, cit. 4, Code pénal). *S'arroger une qualité. Contestation d'une qualité. Qualités qui constituent l'état** (cit. 67 et 68) *d'une personne. Les noms, qualités et domiciles habituels* (→ Logeur, cit. 2). — Loc. *Avoir qualité pour... :* être habilité* à... (⇒ **Compétence, droit** ; et → ci-dessus cit. 2), et, par ext., être autorisé à..., capable de... (→ 2. Déverser, cit. 4). ⇒ **Qualifié.**

Je n'ai point la présomption d'aspirer à la qualité de votre épouse. 14
Abbé PRÉVOST, Manon Lescaut, II, p. 215.

(...) ils auront qualité pour, conjointement avec monsieur le président, prononcer sur la majorité, quand nous déciderons par assis et levé sur les déterminations à prendre. 15
BALZAC, le Député d'Arcis, Pl., t. VII, p. 658.

16 Ayant inscrit mon nom d'une main déliée, elle me demanda si elle ne pourrait pas le faire suivre d'une qualité quelconque, telle qu'ancien négociant, employé, rentier, ou toute autre. Il y avait dans son registre une colonne pour les qualités.
FRANCE, le Crime de S. Bonnard, V, Œ., t. II, p. 408.

(1549). Dr. Par métonymie. (Au plur.). *Qualités :* acte d'avoué énumérant les noms, les qualités, les prétentions des parties, les points de fait ou de droit, etc. *Opposition à qualités :* opposition* destinée à faire rectifier les termes des qualités par le juge chargé du règlement dit *règlement de qualités.*

(1549). **EN (SA) QUALITÉ DE... :** comme ayant telle qualité (juridique, officielle). *Le tuteur agit en qualité de représentant de son pupille.* — *En qualité de doyen* (cit. 1), *de légat* (cit. 1), *d'ingénieur* (cit. 2), *de lieutenant* (cit. 1) *général... En cette qualité.* ⇒ **Tel** (comme). Par ext. À titre de..., comme... (→ Auxiliaire, cit. 8; dénoncer, cit. 15). Fig. *En qualité d'amant* (→ Forme, cit. 66), *de vieillard* (→ Glorifier, cit. 2), *de grisette* (→ Illettré, cit. 4). — (Choses). → Attribut, cit. 7.

17 Puis en autant de parts le cerf il dépeça,
Prit pour lui la première en qualité de sire (...)
LA FONTAINE, Fables, I, 6.

18 À la question : *En quelle qualité a-t-il demandé ces comptes? À quel titre?* on répond : *il a agi* comme tuteur *des enfants* (...) À *comme* comparez : À TITRE DE : à titre de *parrain;* — EN QUALITÉ DE : en qualité de *munitionnaire de la troupe, je tiens toujours en réserve quelque jambon de Bayonne* (GAUTIER, Capit. Frac., I, 34).
F. BRUNOT, la Pensée et la Langue, p. 676.

ÈS QUALITÉS : au titre de ses qualités (et non à titre personnel). *Ès qualité(s) de... :* au titre de, en qualité de...

♦ **4.** (1580, Montaigne). Spécialt. (Vx ou archaïsme). Condition noble. ⇒ **Noblesse.**

19 Ce Monsieur le Comte qui va chez elle lui donne peut-être dans la vue; et son esprit, je le vois bien, se laisse éblouir à la qualité.
MOLIÈRE, le Bourgeois gentilhomme, III, 9.

DE QUALITÉ : noble. *Homme de qualité; gens, personnes de qualité.* ⇒ **Grand, noble** (→ Apprendre, cit. 8, Molière; demoiselle, cit. 3). *Fille, femme de qualité* (→ Enlever, cit. 26; entremetteur, cit. 3). *« Tous les jours à la cour un sot de qualité... »* (→ Impunité, cit. 1, Boileau). Par ext. *Un air de qualité* (→ Étudier, cit. 13). Littér. *Mémoires et Aventures d'un homme de qualité,* roman de l'abbé Prévost (dont *Manon Lescaut* forme le 7e vol.).

20 Êtes-vous de qualité et fils de famille, mon ami? — Hélas! non (...) mon père est adonné à quelque art mécanique et à une sorte de négoce.
FRANCE, la Rôtisserie de la reine Pédauque, XV, Œ., t. VIII, p. 139.

CONTR. Quantité. — (Du laudatif) **Défaut, faible, faiblesse, imperfection, inconvénient, infériorité, tare.** — (De *gens de qualité*) **Canaille.**
DÉR. Qualitatif.

QUAND [kɑ̃] (la liaison du *d,* prononcé [t] se fait surtout lorsqu'il est conjonction : «quand il est venu» se prononce [kɑ̃tilɛvəny]..., mais selon Fouché, «quand irez-vous à Paris?» [kɑ̃irevu]; en fait la liaison semble reculer dans la langue relâchée). Conj. et adv. — xe, Saint-Léger, *quant;* du lat. *quando.*

★ **I.** Conj. (Relation temporelle de concordance, de simultanéité).

♦ **1.** Dans le même temps que... ⇒ **Lorsque** (1. ; REM. 1); **alors** (que), **moment** (au moment où..., que...). *Au bout de six mois, quand le printemps arriva, ils se trouvaient...* (→ Flamme, cit. 19). *Quand la nuit fut venue,...* (→ Oribus, cit.). — *« Quand l'Aurore* (cit. 19), *avec ses doigts de rose, entrouvrira les portes dorées de l'Orient... ». Quand le moment viendra* (→ Mourir, cit. 27). — Loc. prov. *Quand les poules auront des dents*.*

1 Quand vous serez bien vieille, au soir à la chandelle (...)
RONSARD (→ Émerveiller, cit. 1).

2 Ainsi il arriva à Louis XIV mourant de dire : *Quand j'étais roi.* Parole admirable!
STENDHAL, le Rouge et le Noir, I, XXIII.

Où il me paraît insupportable, c'est quand il se trouve spirituel. ⇒ **Où** (cit. 41, et *supra*).

REM. 1. *Quand* marque un rapport temporel assez vague et souvent partiel («fausse simultanéité» de G. et R. Le Bidois). Il arrive alors que le temps de la subordonnée soit antérieur à celui de la principale. *Quand il a eu fini son travail, il est sorti.*

3 (...) quand Dieu m'a eu donné une fille, je l'ai appelée Noémie.
RENAN, Souvenirs d'enfance..., Œ. compl., t. II, VI, p. 781.

2. La proposition amenée par *quand* énonce souvent l'idée principale (→ Lorsque, REM. 2) : *«J'étais en train de faire une manipulation* (cit.) *délicate..., quand j'entends s'ouvrir brusquement la porte».* Il arrive que la proposition temporelle se détache et devienne autonome (Sandfeld).

4 (...) elle attendait depuis trois quarts d'heure quand, tout à coup, elle aperçut Rodolphe (...)
FLAUBERT, Mme Bovary, II, XII.

5 Déjà elle se figurait son entrée chez ce procureur, ce qu'il disait, ce qu'elle répondrait. Quand tout à coup, de se voir seule, pataugeant dans cette boue déserte (...) elle fut anéantie d'un découragement immense.
Alphonse DAUDET, l'Évangéliste, XI, p. 222.

6 J'errais donc, l'œil rivé sur le pavé vieilli
Quand avec du soleil aux cheveux, dans la rue
Et dans le soir, tu m'es en riant apparue
MALLARMÉ, Premiers poèmes, «Apparition».

3. *Quand* se construit avec *pour* (cit. 20), *de, jusque,* et, dans la langue négligée, avec *à.* (*«Ça ressemble à quand nous voyageons...»* Gyp, *in* Sandfeld).

Brigitte Pian n'avait pas sa figure que je connaissais bien, de quand elle se préparait à livrer bataille.
F. MAURIAC, la Pharisienne, XII. 7

Elle m'a parlé *de quand* vous étiez petits tous les deux, qu'elle vous voyait au catéchisme.
M. AYMÉ, Gustalin, II, p. 27, *in* DAMOURETTE et PICHON, § 3098. 8

4. *Quand* peut être repris par *que... Quand enfin l'on est auteur, et* que *l'on croit marcher tout seul...* (→ Maltraiter, cit. 5).

La nuit, quand j'ai froid dans mon lit et que se choquent avec un bruit sourd mes vieux os glacés (...)
FRANCE, l'Île des pingouins, I, II. 9

5. La subordonnée qui dépend de *quand* peut se rapporter à un verbe non exprimé, indiqué par un substantif (*«Comment peindre ses excuses et son désespoir quand... il aperçut...»* Stendhal, *in* Le Bidois), sous-entendu dans une comparaison (*«Et, comme toujours quand un sentiment vif le poignait...»* Daudet) et dans certaines constructions familières (exclamatives, elliptiques...). *Quand je pense* (1. Penser, cit. 65) *qu'elle aura bientôt seize ans...,* sous-entendu : je suis étonné, je ne le pensais pas. *Quand je vous le disais!,* sous-entendu : j'avais raison (cf. Je vous le disais bien). *Quand on a vu ce que j'ai vu!*

Quand je vous disais que rien ne pourrait l'empêcher d'achever sa partie. 10
Alphonse DAUDET, les Contes du lundi, «Partie de billard».

6. *Quand,* introduisant une complétive (sujet, attribut ou complément) :

Mais leur grand succès fut quand ils brisèrent les palissades (...) 11
M. BARRÈS, la Colline inspirée, X.

J'aime aussi beaucoup quand il parle d'histoire naturelle. 12
GIDE, les Faux-monnayeurs, I, V. — N. B. Ce tour est familier.

♦ **2.** (Concomitance, corrélation répétée). Chaque fois que, toutes les fois que... — (Avec le présent et du fait de sa valeur neutre. ⇒ **Présent,** cit. 19). *« Quand on se fait entendre on parle* (cit. 13) *toujours bien». «On parle toujours mal quand on n'a rien à dire»* (Voltaire). *«Amour* (cit. 25), *amour, quand tu nous tiens...». «Quand on court* (cit. 17) *après l'esprit, on attrape la sottise»* (Montesquieu). *Quand le vin est tiré, il faut le boire* (→ 1. Boire, cit. 43). (Avec un temps antérieur dans la subordonnée). *«Quand on a souffert (...) on plaint* (cit. 12) *ceux qui souffrent; mais tandis qu'on souffre on ne plaint que soi».*

Quand tout le monde a tort, tout le monde a raison. 13
NIVELLE DE LA CHAUSSÉE, la Gouvernante, I, 3.

(Avec des temps passés dans les deux propositions). *Quand l'un disait oui, l'autre disait non* (→ Mourre, cit. 1). *Parfois, quand la pensée était subtile, elle approuvait* (cit. 16)... *Quand on s'est attendu que je brillerais dans une conversation, je ne l'ai jamais fait* (→ Approuver, cit. 22).

♦ **3. QUAND,** marquant la cause : du moment que..., dès lors que...

Dans certains cas, surtout si elle est subordonnée à une principale négative, une proposition amenée par *quand, lorsque, alors que,* peut prendre aussi une valeur causale : «Mais *quand l'homme change sans cesse,* Au passé *pourquoi* rien changer?» MUSSET. Au lecteur (Dédic.) : ici, *quand* énonce la raison qui explique, justifie le «pourquoi» de la question. Dans cet autre exemple, la nuance causale se combine avec une valeur d'opposition : «Et pourquoi jeûne-t-il *quand tout le monde mange?»* ROST., Samar., 91. 14
G. et R. LE BIDOIS, Syntaxe du franç. moderne, § 1469.

♦ **4. QUAND** peut exprimer une opposition entre les deux propositions simultanées, ou introduire une hypothèse.

a (Avec l'indic.). L'opposition résultant du contexte. *«Tu t'es subordonné, quand tu es fait pour ordonner»* (cit. 11). *Boire de l'eau froide quand il gèle au-dehors!* (→ Lampée, cit. 2). — *Même quand...* ⇒ **Même** (III., 2., REM. 1; → aussi Désagréable, cit. 4). — **QUAND MÊME..., QUAND BIEN MÊME** (et l'indic.). *«Les hommes ne sont que des hommes, quand bien même ils sont très grands»* (Duhamel, *Chronique des Pasquier*). ⇒ **Même** (III., 3.).

QUAND, suivi de l'indic. et introduisant une hypothèse.

(...) le présent de l'indicatif *(avec si)* remplace insuffisamment un futur. Il reste du moins la possibilité de l'employer avec *quand : (...) Et* **quand je** *le* **croirai,** *dois-je m'en réjouir?* (RAC., Bérén., 778); **quand tu** *te* **fâcheras,** *ça n'avance à rien, reprit judicieusement Rasseneur* (ZOLA, Germ., 268). 15
F. BRUNOT, la Pensée et la Langue, p. 889.

b (Avec le cond.). Même si*, alors même que, encore* que... *«Quand l'univers l'écraserait* (cit. 1) *l'homme serait encore plus noble que ce qui le tue...»* (Pascal).

Quand vous me haïriez, je ne m'en plaindrais pas (...) RACINE, Phèdre, II, 5. 16

Quand elle l'eût voulu, elle n'eût pas pu ne jamais blesser aucun des sots qui pullulaient à cette cour. 17
STENDHAL, la Chartreuse de Parme, I, VI.

Elle continuerait (la «plainte éternelle») *quand toutes les douleurs créées viendraient à se taire* (→ Lamentation, cit. 2). *Ces moments me seront toujours présents* (1. Présent, cit. 7) *quand je vivrais cent mille ans...* (→ aussi Aristocrate, cit. 3; intérêt, cit. 8).

QUAND MÊME... (et le cond.). ⇒ **Même** (III., 3.). *Quand, quand* (bien) *même vous seriez...* — Loc. adv. (Déb. XIXe). Absolt. Cependant, pourtant. Fam. Tout de même. *Quand même** (cit. 22, 23, et *infra*).

Quand même, dit Annie Desbaresdes en arrivant boulevard de la Mer, tu pourrais t'en souvenir, une fois pour toutes. 17.1
M. DURAS, Moderato cantabile, p. 27.

REM. *Quand bien,* dans ce sens, est exceptionnel : *« Quand bien je trouverais mal faites les lois fiscales, je ne puis en vouloir à cet homme de les appliquer »* (J. Schlumberger, in *le Figaro,* 2 déc. 1948).

Quand... il aurait une fois consenti..., il importerait peu ensuite... (→ Leurre, cit. 3). ⇒ **Fois** (I., 4.).

♦ **5. QUAND ET...** Loc. prép. Vx. Avec, en même temps que... — REM. Cette locution existe encore au Canada, et dans certaines régions de France, sous la forme *quand...* ou *quand et... (Il est venu quand moi, quand et moi).* On écrit parfois *quant et...,* par confusion avec *quant.*

18 Mon père me menait quant et lui à la chasse.
CHATEAUBRIAND, Mémoires d'outre-tombe, t. I, p. 117.

QUAND ET QUAND. Loc. adv. et prép. Vx. En même temps (cf. Guez de Balzac, Voiture et Chateaubriand, *in* Grevisse). *« Et quant et quant »* (→ Homme, cit. 49, Montaigne).

19 Elle n'avait plus personne pour lire avec elle, pour s'intéresser à la misère du monde avec elle, pour prier d'un même cœur et même pour badiner honnêtement quand et quand, en paroles de bonne foi et de bonne humeur.
G. SAND, François le Champi, XI.

★ **II.** Adv. interrogatif. Se prononce toujours [kɑ̃] sauf dans *quand est-ce que* [kɑ̃tɛskə].

(Dans l'interrogation directe). À quel moment...? Dans quel temps? *Quand est-il arrivé? Quand la marierons-nous?* (→ Gendre, cit. 1). *« Quand reverrai-je, hélas, de mon petit village, Fumer* (cit. 4) *la cheminée...? » — Quand donc ferait-on la paix* (cit. 7), *si on ne la faisait pas avant de partir? Où et quand est-il né?*

20 Hélas! quand reviendront de semblables moments?
LA FONTAINE, Fables, IX, 2.

21 Quand aurez-vous fini de conter votre histoire? HUGO, Hernani, I, 2.

Depuis quand...?* (→ 1. Livre, cit. 33; payer, cit. 24). — *De quand est cette lettre? « Mais de quand cela datait-il? »* (Proust, *À la recherche du temps perdu, Albertine disparue*). — *Jusqu'à quand, jusques à quand.* ⇒ **Jusque** (cit. 36 à 38, et *supra*). — *Pour quand est la réunion?* (Littré). — *À quand la partie est-elle remise?* (Littré).

22 Depuis quand croyez-vous que ma grandeur me touche? RACINE, Bérénice, II, 4.

(Dans l'interrogation indirecte). *Dites-moi quand vous viendrez. « Il était difficile qu'il ne connût pas quand on l'aimait »* (→ Pénétrant, cit. 8). *N'importe quand.*

23 Il lui avait déjà vu une fois une telle tristesse, mais ne savait plus quand.
PROUST, À la recherche du temps perdu, t. II, p. 88.

REM. 1. (Place de *quand*). Dans la langue très familière, *quand* se place parfois à la fin de la phrase interrogative. « Vous êtes libre à déjeuner *quand?* » (J. Romains, *les Hommes de bonne volonté,* t. I., III, p. 50); « Ils sont là *depuis quand?* » (J. Romains, *les Hommes de bonne volonté,* t. XV, VII, p. 84). *On se revoit où et quand?*

2. Renforcement de *quand?* par *est-ce que* (*« Quand est-ce que je vous avais vu la dernière fois...? »* Proust, *À la recherche du temps perdu, Sodome et Gomorrhe,* t. II, p. 203), et, fam., par *c'est que* (*« Quand c'est qu'elle est morte? »* Prévost, *Mort des ormeaux,* p. 262), et, pop., par *que* (*« Mais quand qu'il reviendra? »* Carco, *les Innocents,* p. 24).

3. Dans les dialogues, on emploie parfois *quand?* sans verbe. *Depuis quand cette montre?* (→ Horloger, cit. 1).

24 (...) il est mort. — Ah! et quand donc? — Après l'histoire des rats.
CAMUS, la Peste, p. 36.

HOM. Camp, khan, 1. quant, 2. quant.

1. QUANT, QUANTE [kɑ̃, kɑ̃t] adj. — XIIe; du lat. *quantus.* → Quantum.

♦ Vx. Combien de... *Quantes heures sont?* (Rabelais, *Pantagruel,* IV). — Loc. vieillie. *Quantes fois* (cit. 6) : combien de fois (→ Arbre, cit. 1, Marot). *Toutes et quantes fois que...* (→ Passer, cit. 144, (Diderot), *toutes fois et quantes que...* (Descartes, Bossuet, *in* Littré) : autant de fois que...

DÉR. Quantième.
HOM. Camp, khan, quand.

2. QUANT À [kɑ̃ta] loc. prép. — 842; de l'adv. *quant* « en tant que... », s'est employé jusqu'au XVIIe : *quant est de moi, de lui,* St-Amand, Scarron, *in* Hatzfeld; du lat. *quantum ad* neutre pris adv.; de *quantus.*

♦ Pour ce qui est de..., à l'égard de..., « autant que cela intéresse » (telle personne, chose ou question sur laquelle se fixe un moment la question). *Réserve faite quant au fond...* (→ Cohérent, cit. 2). — REM. *Quant à...* s'emploie en tête de phrase (ou de proposition) pour attirer l'attention sur un objet nouveau, dans le cours de la pensée (→ Fonder, cit. 19; meuble, cit. 3; peinture, cit. 5). *Quant aux yeux* (cit. 18), *il n'en exista jamais de pareils. Quant à son caractère, je le crois vif* (→ Piquer, cit. 31). — *Quant à moi...* (→ Bon, cit. 18 et 88; monde, cit. 46), *quant à nous* (→ 1. Passé, cit. 1) : pour ma part, pour notre part. *Il estimait, quant à lui, que...* (→ Musique, cit. 33). ⇒ **Côté** (de son côté), 1. **part** (pour ma..., sa... part). et aussi **Quant-à-soi.**

(...) La Fontaine nous en offre un exemple connu : « Et *quant au berger,* l'on peut dire Qu'il était digne de tous maux » (Fables, VII, I). Que suppose ce *quant à,* relativement à la pensée du sujet parlant? une sorte d'élan brusque de l'esprit, qui vivement se tourne vers un objet spécial (la considération du berger), et y trouve comme un point d'appui (...) 1
G. et R. LE BIDOIS, Syntaxe du franç. moderne, § 1174.

Quant à mes juges, être bien persuadé que je n'aurai pas moins de faveur à leurs pieds que mon adversaire assis au milieu d'eux; m'y présenter avec la plus grande confiance, est rendre au parlement ce que je lui dois. 2
BEAUMARCHAIS, Mémoires... dans l'affaire Goëzman, p. 51.

Quant au frère Gaucher (...) il n'en fut plus question dans le couvent. 3
Alphonse DAUDET, Lettres de mon moulin, « Élixir du R. P. Gaucher ».

(...) Dominique était chatouilleuse quant à son honneur. 3.1
R. QUENEAU, Loin de Rueil, p. 170.

Quant à..., suivi de l'inf. (→ Malvenu, cit. 1; piailler, cit. 3). *Quant à le demander* (cit. 51), *il m'eût fallu...*

(...) ils se séparèrent. Quant à proposer au président de monter avec lui, pas un n'y songea; c'était trop haut, *boufre!* 4
Alphonse DAUDET, Tartarin sur les Alpes, X.

COMP. Quant-à-soi.

QUANTA [kwɑ̃ta] n. m. pl. ⇒ Quantum.

QUANT-À-SOI [kɑ̃taswa] n. m. invar. — 1798; *quant-à-moi,* 1585; de *quant, à,* et *soi.*

♦ Les sentiments que l'on garde pour soi et que l'on prétend ne pas laisser influencer, modifier; la circonspection, la réserve un peu fière de celui qui garde de tels sentiments. *Chacun, tout en revendiquant son quant-à-soi, estime devoir s'encadrer dans la communauté* (→ Civisme, cit.). *Tenir son quant-à-soi* (→ Décent, cit. 2). *Le quant-à-soi farouche d'un cœur... qui ne se livre plus* (→ 1. Gens, cit. 24). *Rester, se mettre sur son quant-à-soi* : garder ses distances (cf. A. Hermant, *l'Aube ardente,* XIII, p. 186; Lacretelle, *Silbermann,* p. 75).

Les servantes de la maison ne l'appelaient que mademoiselle Marguerite, car elle avait un certain quant-à-soi. Du reste, comme disent les bonnes gens, elle était sage comme une image. 1
A. DE MUSSET, Nouvelles, « Margot », II.

Mais les oncles et tantes, assis sur leur quant-à-soi, sûrs et satisfaits d'eux-mêmes et persuadés qu'ils n'y sont pour rien, je les crache. Moi qui vous cause, je me sens coupable. 2
Benoîte et Flora GROULT, Journal à quatre mains, p. 60.

REM. La langue classique employait dans le même sens *quant-à-moi* (1585; cf. Scarron, La Fontaine, Th. Corneille, Diderot, etc., *in* Littré).

QUANTES [kɑ̃t] adj. pl. ⇒ 1. Quant.

QUANTIÈME [kɑ̃tjɛm] adj. et n. — Attestation isolée au XIVe; dér. de 1. *quant.*

♦ **1.** Adj. interrog. Vx. Quel, quelle..., dans le rang, l'ordre numérique. *« Je ne sais à la quantième visite ce fut »* (Furetière, *Roman bourgeois,* II). *Le quantième êtes-vous? Le sixième* (cf. le néol. populaire : *combientième*).

♦ **2.** N. m. Littér. Admin. Dr. Le jour du mois, désigné par un chiffre (de premier, deux..., à trente ou trente et un). *Le quantième, quel quantième sommes-nous?* ⇒ **Date, jour** (du mois); et aussi **combien** (2., REM.). *Cette montre marque les quantièmes.*

Quel quantième du mois tenons-nous? 1
DUMAS, le Comte de Monte-Cristo, I, XXI.

(...) une hystérie très prononcée, qui la fait, presque tous les mois, à un quantième, où elle dit aller chez elle pour donner son linge à la blanchisseuse, disparaître deux ou trois jours (...) 2
Ed. et J. DE GONCOURT, Journal, t. I, p. 24.

QUANTIFIABLE [kɑ̃tifjabl] adj. — XXe, *in* Larousse 1932; de *quantifier.*

♦ Didact. Que l'on peut quantifier. *Des données quantifiables.*

Les divers types de recherches tendant à atteindre la spécificité de la vie mentale ou du comportement dans la direction soit de données qualitatives internes (psychanalyse), soit des observables globaux et quantifiables (comportement), soit d'un structuralisme génétique, soit des modèles abstraits.
J. PIAGET, Épistémologie des sciences de l'homme, p. 134.

QUANTIFICATEUR [kɑ̃tifikatœʀ] n. m. — V. 1960; de *quantifier.*

♦ Log., math. Opérateur reliant une ou plusieurs variables à une quantité. — Symbole indiquant si une relation, une propriété est vérifiée pour tous les éléments d'un ensemble (*quantificateur universel* représenté par ∀ = « pour tout... ») ou pour un élément au moins (*quantificateur existentiel* : ∃ = « il existe au moins un [élément] tel que... »).

QUANTIFICATION [kɑ̃tifikasjɔ̃] n. f. — Mil. XIXe; angl. *quantification,* Hamilton, 1840; de *to quantify* « quantifier », de même orig. que *quantifier.*

♦ **1.** Log. Détermination de la quantité d'un terme. *Quantification du prédicat :* énonciation expresse de sa quantité, ou, selon Hamilton, attribution au prédicat d'une extension indépendante de la qualité de la proposition.

♦ **2.** (1929, de Broglie, *Matière et Lumière*). Fragmentation d'une grandeur physique, valeurs discrètes, multiples d'un quantum et exclusives de toute autre valeur. ⇒ **Quantique, quantum.** *Quantification des mouvements électroniques* (Bohr), *des ondes stationnaires* (de Broglie, Schrödinger). *Quantification de l'espace, quantification directionnelle. Niveau de quantification. Principe de quantification :* «à toute grandeur on peut associer un opérateur, les valeurs possibles de la grandeur considérée sont les valeurs propres de l'opérateur associé» (J.-L. Destouches).

Sa modification *(de Bohr)* revenait à faire choix, parmi les mouvements possibles de la mécanique classique, de certains mouvements comme monuments susceptibles d'être réalisés par les électrons des atomes.
Ces mouvements acceptables sont caractérisés par certains nombres entiers; on dit que ce sont des *mouvements quantifiés.* La *quantification* s'exprime ainsi par une restriction sur l'ensemble des mouvements possibles, et les seuls mouvements permis sont caractérisés par des nombres entiers; on les appelle les *nombres quantiques.* J.-L. DESTOUCHES, la Mécanique ondulatoire, p. 31.

♦ **3.** (1933 en économie, Labrousse, *in* D. D. L.). Le fait de mettre sous une forme quantitative. *Quantification d'une information.* ⇒ **Échantillonnage.**

QUANTIFIER [kɑ̃tifje] v. tr. — 1897, au sens 2, cit. 1; lat. médiéval *quantificare,* du lat. class. *quantus* (sens 1), ou de *quantum* (sens 3) et *facere.*

♦ **1.** Log. Attribuer une quantité* à (un terme).

♦ **2.** Didact., admin. Attribuer une quantité à (une chose). *Quantifier le coût d'une mesure sociale.*

1 Les gens d'ici ne distribuent que des propos de pédanterie. La beauté d'un décor naturel les excite à quantifier la valeur des pigments, la courbe des lignes, la radiation de la chaleur et de la lumière.
Paul ADAM, la Cité prochaine, p. 105-106, *in* D. D. L., II, 5.

♦ **3.** (1929). Phys. Appliquer une loi de quantification à (une grandeur physique); restreindre les valeurs possibles de (une variable) à un nombre discret.

▶ **QUANTIFIÉ, ÉE** adj. (1929).

♦ **1.** Phys. Se dit d'une grandeur physique qui ne peut prendre que certaines valeurs, caractérisées par des nombres entiers multiples d'une valeur discrète, le quantum*. *Énergie quantifiée.*

2 (...) seuls certains des mouvements prévus par la Mécanique classique, les mouvements dits quantifiés, peuvent exister dans la nature. La quantum *h* ayant la valeur extrêmement petite $h = 6.54.10^{-27}$ erg-seconde, la restriction des mouvements due à son existence ne joue aucun rôle sensible dans les phénomènes à grande échelle, mais à l'échelle des atomes, elle intervient d'une façon essentielle.
L. DE BROGLIE, Physique et Microphysique, p. 17.

♦ **2.** Qui a reçu une caractérisation quantitative. *Données, observations quantifiées.*

♦ **3.** Log. *Proposition quantifiée,* où certaines variables dépendent de quantificateurs.

QUANTIFIEUR [kɑ̃tifjœʀ] n. m. — V. 1960 en log.; angl. *quantifier* (1934), de *to quantify* «quantifier».
Anglicisme.

♦ **1.** Log. (Rare). Quantificateur.

♦ **2.** Ling. Déterminant exprimant l'idée de quantité *(un, deux, chaque, tout,* etc.).

QUANTIQUE [kwɑ̃tik; kɑ̃tik] adj. — V. 1920; de *quantum.*

♦ **1.** Relatif aux quanta. ⇒ **Quantum.** *Physique quantique; théories quantiques* (→ Position, cit. 3). *«La conception discontinue et quantique de la lumière...»* (L. de Broglie, *Physique et Microphysique,* p. 72). — *Mécanique quantique :* ensemble des théories et des méthodes de calcul qui résultent de la théorie des quanta. *Mécanique quantique relativiste, non relativiste. Théorie quantique de Bohr-Sommerfeld* (ancienne mécanique quantique). *Théorie quantique du rayonnement, des spectres... Statistique* quantique. Électrodynamique quantique.*

La physique quantique n'aboutit donc plus à une description objective du monde extérieur, conforme à l'idéal en quelque sorte instinctif de la physique classique : elle ne fournit plus qu'une relation entre l'état du monde extérieur et les connaissances de chaque observateur, relation qui ne dépend plus seulement du monde extérieur lui-même, mais aussi des observations et mesures effectuées par l'observateur. L. DE BROGLIE, Physique et Microphysique, p. 150.

Par ext. *Système mécanique quantique :* système pour lequel la mécanique classique conduit à des résultats inacceptables. *Efficacité* quantique* (dans les effets photo-électriques ou photoconducteurs, dans les réactions chimiques, etc.).

♦ **2.** Qui exprime des valeurs quantifiées (→ Quantification, cit.). *Nombres quantiques :* ensemble de quatre nombres (entiers ou demi-entiers) définissant les caractères de chacun des électrons planétaires d'un atome. *Nombre quantique principal,* noté *n; nombre quantique secondaire* ou *azimutal* (ou *nombre quantique de moment cinétique orbital),* noté *l; nombre quantique magnétique (orbital),* noté *m; nombre quantique magnétique de spin*. Les électrons d'un même atome diffèrent toujours par l'un au moins de leurs quatre nombres quantiques.*

QUANTITATIF, IVE [kɑ̃titatif, iv] adj. — 1845; attestation isolée, 1586; lat. médiéval *quantitativus,* du lat. class. *quantitas.* → Quantité.

♦ **1.** Qui concerne la quantité. *Changement quantitatif* (→ Gazeux, cit. 1), *modification purement quantitative* (qui n'affecte pas la qualité, la nature).

L'étude des lois quantitatives (lois des proportions définies, lois des proportions 1
multiples, etc...) suivant lesquelles les corps simples s'unissent pour former des corps composés a amené peu à peu les Chimistes à adopter l'hypothèse suivante : «Un corps simple est formé de petites particules toutes identiques entre elles qui sont, par définition, les atomes de ce corps simple».
L. DE BROGLIE, Physique et Microphysique, p. 12.

♦ **2.** Qui étudie, détermine la quantité, les quantités; qui traite de valeurs numériques. *Détermination quantitative d'un effet* (→ Mesure, cit. 1). *Science quantitative exacte* (→ Mesure, cit. 2). *Géométrie* (cit. 4) *quantitative et qualitative.* — Chim. *Analyse quantitative,* par laquelle on détermine la proportion en poids (gravimétrie) ou en volumes (volumétrie) des différents constituants d'un corps.

(1938, P. Lambert). Écon. *Théorie quantitative* (de la monnaie) : théorie selon laquelle le volume de la monnaie en circulation (métal et billets) influerait directement sur le niveau des prix. *La théorie quantitative établit la courbe des rapports existant entre les fluctuations de la circulation monétaire* (inflation, déflation) *et la fluctuation des prix.*

Irving Fisher établit la formule la plus élaborée de la théorie quantitative de la 2
monnaie en y introduisant la monnaie scripturale et la vitesse de circulation. Elle se présente comme une équation des échanges :
$MV + M'V' = PT$
M = quantité des espèces en métal et en billets; V = vitesse de circulation de ces espèces; M' = volume des dépôts bancaires; V' = vitesse de circulation de ces dépôts; P = prix moyen des transactions; T = volume des transactions.
J. ROMEUF, Dict. des sciences économiques, art. *Monnaie.*

♦ **3.** Gramm. Qui désigne des quantités. *Adverbes, termes quantitatifs,* de quantité*.

♦ **4.** N. m. *Le quantitatif et le qualitatif.* ⇒ **Quantité** (5.).

CONTR. Qualitatif.
DÉR. Quantitativement.

QUANTITATIVEMENT [kɑ̃titativmɑ̃] adv. — Mil. XIXe, Proudhon, *in* Pierre Larousse; de *quantitatif.*

♦ Relativement à la quantité.

Le vocabulaire d'un individu appartient à son idiolecte. Il varie quantitativement et qualitativement d'un individu à l'autre.
Josette REY-DEBOVE, Étude linguistique et sémiotique des dict. franç. contemporains, p. 65.

QUANTITATIVISTE [kɑ̃titativist] n. — Mil. XXe; de *quantitatif.*

♦ Écon. Théoricien ou partisan des conceptions quantitatives de la monnaie. *Théoricien quantitativiste.*

QUANTITÉ [kɑ̃tite] n. f. — Fin XIIe; v. 1190, *quantiteit;* lat. *quantitas,* de *quantus.*

♦ **1.** Nombre d'unités ou mesure (⇒ **Longueur, surface, poids, volume...**) qui sert à déterminer (une collection, un ensemble de choses considérées comme homogènes ou une portion de matière). *La quantité d'objets, des objets contenus dans cette boîte. La quantité d'eau que peut contenir un verre. La quantité de marchandises* (→ Achat, cit. 2; augmentation, cit. 2). ⇒ aussi **Lot, stock...; partie** (vx). *Acheter, vendre qqch. par petites, grandes quantités.* ⇒ **Détail, gros** (IV.). *Quantité d'argent.* ⇒ **Somme.** *Quantité consommée d'une marchandise.* ⇒ **Dépense.** *Quantité suffisante* (⇒ **Suffisance**), *insuffisante de qqch. Quantité d'un élément composant.* ⇒ **Dose.** *Quantité de nourriture* (⇒ **Bouchée, portion, ration...**), *de boisson* (⇒ **Coup, gorgée...**). *Petite quantité d'un liquide* (⇒ **Filet, goutte, larme, nuage** [de lait]), *d'un ingrédient...* (⇒ **Pointe, soupçon**). — *Quantité appréciable, considérable* (→ Cabriolet, cit. 1), *innombrable* (→ Oiseau, cit. 14), *prodigieuse* (→ Filet, cit. 3), *respectable..., copieuse* (cit. 1) *de... Énorme quantité de...* (→ Lessive, cit. 2). *Quantité faible, insignifiante, modique, négligeable, nulle* (⇒ **Rien**); *petite quantité de... — Quantité de substance contenue dans..., portée par...* ⇒ **Capacité, charge, contenance, contenu** (→ aussi Assiettée, bolée, cuillerée, fournée, platée, etc.). *Quantité de gaz, de liquide débitée.* ⇒ **Débit.** — Absolt. *Compenser la qualité par la quantité* (→ Jabot, cit. 1). *Quantité qui augmente* (⇒ **Accroissement, augmentation; multiplier**), *diminue* (⇒ **Diminution**)...

1 Une heure après qu'il eut absorbé la teinture d'opium, dans la quantité prescrite par le pharmacien, toute douleur avait disparu.
BAUDELAIRE, les Paradis artificiels, « Mangeurs d'opium », II.

(Choses abstraites). *Évaluer* (cit. 7) *la quantité et la qualité des risques. La quantité d'énergie* (cit. 1) *que chacun de nous possède. Une certaine quantité de désespoir* (→ 1. Éponge, cit. 6), *d'espérance* (→ Impliquer, cit. 3).

Expression linguistique de l'idée de quantité. ⇒ **Nombre** (*supra* cit. 30), **pluralité, unité.** *Adverbes de quantité.* ⇒ **Assez, autant, beaucoup, bien, combien, force, peu, plein, tant, tout, trop;** et aussi **considérablement, énormément, suffisamment,** etc. (→ Indéfini, cit. 11). *Adjectifs indéfinis de quantité.* ⇒ **Maint, plusieurs, quelque(s), tout; certain, divers...** *Le partitif exprime les quantités imprécises.*

2 On dit *une quantité, un grand nombre, une foule.* Les expressions figurées sont aussi fort nombreuses; *une file, une enfilée, une enfilade, une queue, une kyrielle, un chapelet.* Celles-là se rapportent à des choses formées en longues lignes (...) *Une pluie, un déluge, une avalanche* se disent des choses qui semblent tomber (...) D'autres sont des noms de mesure relatives au volume : *une poignée, une hottée.* La langue est extraordinairement riche en expressions de cette sorte.
F. BRUNOT, la Pensée et la Langue, p. 114.

Substantifs exprimant l'idée de grande quantité. ⇒ **Abondance, accumulation, affluence, armée** (fig.), **arsenal** (fig.), **avalanche** (fig.), **averse** (fig.), **collection, concours, contingent, débauche, déluge** (fig.), **encombrement, ensemble, entassement, essaim, fleuve, flopée, flot, foison, forêt** (fig.), **foule, fourmillement** (fig.), **grêle, immensité, jonchée, kyrielle, légion, luxe, masse, mer** (fig.), **mille, milliard, milliasse** (vx), **million, moisson, monceau, monde, montagne** (fig.), **multiplicité, multitude, myriade, nombre*, nuée, pluie** (fig.), **potée, pullulement, régiment** (fig.), **renfort** (à grand renfort...), **ribambelle, série, tas;** → les fam. Bordée, charibotée, chiée, muflée, tapée, traînée, tripotée. — *Petites quantités, quantités infimes.* ⇒ **Bout, bribe, brin, doigt, grain, parcelle, pincée, poignée, pouce, soupçon;** et les négations **goutte, pas, point...**

En grande, en petite quantité (→ Dromadaire, cit. 1; élément, cit. 10).

♦ **2.** (XVIIe). *Une, des quantités de,* grand nombre, abondance. *Elle avait une quantité de chaussures* (→ Gaspiller, cit. 1). *Il s'était procuré une quantité de médailles en plâtre* (→ 1. Moule, cit. 1). *Des quantités de drogues* (cit. 3), *de photographies* (→ Paternel, cit. 4). ⇒ **Beaucoup, force** (cit. 74). *Addition* (cit. 0.1) *d'une quantité de petits faits. Une quantité de mécontents* (→ Fulminer, cit. 1).

3 (...) sans les apprêts que je vois faire, et la quantité d'ouvrières qui viennent toutes pour moi, je croirais qu'on ne songe pas à me marier (...)
LACLOS, les Liaisons dangereuses, I.

Quantité de... : un grand nombre de... (→ Attention, cit. 4; passer, cit. 17). ⇒ **Beaucoup.** *Quantité de gens* (→ Fortuné, cit. 7). *Il y a, il est quantité de...* (→ Imaginaire, cit. 9; 1. loi, cit. 20; 1. marque, cit. 12). — REM. Lorsque *quantité de...* est sujet, le verbe s'accorde avec le complément de quantité. *Quantité de promeneurs allaient et venaient* (→ Guitare, cit. 7; quadrangulaire, cit.).

4 Quantité de bras se levèrent (...) FLAUBERT, Salammbô, XV.

EN QUANTITÉ : en grand nombre ou en grande quantité (→ Arrêter, cit. 29).

5 (...) qu'on m'aille quérir des médecins, et en quantité (...)
MOLIÈRE, l'Amour médecin, I, 6.

♦ **3.** (1665). Sc. Propriété de la grandeur mesurable; la chose même qui est susceptible d'être mesurée (et, spécialt., mesurée par une pluralité d'unités, nombrée*). *La quantité correspond à une élaboration de la notion de grandeur.* ⇒ **Grandeur, mesure, nombre.** *L'idée de grandeur implique celle de quantité, de proportion...* (→ Mathématique, cit. 6). *Choses qui ont la même quantité.* ⇒ **Égal** (cit. 1). *La masse* (→ 1. Masse, cit. 33), *quantité de matière. La quantité arithmétique, géométrique, physique...* (→ Agrandir, cit. 1). *Étude de la quantité par les mathématiques*. — Théorie du passage dialectique de la quantité à la qualité.*

6 (...) le raisonnement mathématique n'est autre que la simple logique appliquée à la forme et à la quantité.
BAUDELAIRE, Trad. E. POE, Histoires extraordinaires, « Lettre volée ».

7 La recherche scientifique (...) ne se soucie aucunement de montrer le passage de la quantité à la qualité : elle part de la qualité sensible, conçue comme une apparence illusoire et subjective, pour retrouver derrière elle la quantité, conçue comme la vérité de l'univers (...)
Pour le savant la quantité engendre la quantité; la loi est une formule quantitative et la science ne dispose d'aucun symbole pour exprimer la qualité en tant que telle.
SARTRE, Situations III, p. 150.

(Une, des quantités). Les choses qui sont susceptibles d'être mesurées, nombrées... ⇒ **Grandeur.**

REM. *Quantité* et *grandeur* sont souvent pris l'un pour l'autre, mais il est préférable de réserver *quantité* aux grandeurs mesurables. — *Newton définit le nombre* (cit. 1) *comme le rapport d'une quantité à une autre. Quantités continues,* qui ne sont pas composées d'éléments naturellement distincts. *Quantités discrètes, discontinues,* élaborées par l'esprit en partant d'éléments donnés (→ Grandeur, cit. 40). ⇒ **Quantum.** *Les nombres, les quanta, quantités discrètes. Quantités extensives et quantités « intensives »* (cit. 2, Bergson, et ci-dessous). — *Quantité positive, négative.* ⇒ **Négatif.** *Quantités infinitésimales* (cit. 1). *Quantité nulle égale à zéro. Quantité infinie* (cit. 9). → aussi Infini, n. m., cit. 22. — *Quantité constante, invariable* (⇒ **Constante**). *Quantité variable* (⇒ **Variable**). *Quantité périodique*. Maximum et minimum d'une quantité. Quantité qui tend vers une limite* (⇒ **Fonction**). — *Quantité prise pour terme de comparaison.* ⇒ **Mesure, unité.** *Détermination des quantités par la mesure, le calcul... Opérations* sur des quantités. Somme* de plusieurs quantités. Relation entre des quantités.* ⇒ **Raison, rapport.** *Quantités égales* (⇒ **Égalité, équation**), *inégales* (⇒ **Inégalité; différence, excès, moins, plus**). *Quantité plusieurs fois plus grande* (⇒ **Multiple**), *plus petite* (⇒ **Sous-multiple**). *Fonction* (cit. 16) *d'une ou de plusieurs quantités. Valeur d'une quantité présentée sous deux expressions* (cit. 15) *différentes.* ⇒ **Équation.** *Quantités que l'on multiplie.* ⇒ **Facteur** (cit. 2). *Affecter une quantité d'un coefficient*. Quantités connues et inconnues* (→ Équation, cit. 2). *Quantité indéterminée.*

Lorsque, par suite d'un choix convenable d'unités, plusieurs grandeurs se trouvent exprimées exactement par des nombres, on peut (...) effectuer sur les grandeurs ainsi exprimées, qui prennent alors le nom de *quantités,* les trois premières opérations de l'arithmétique. 8
COURNOT, Correspondance entre l'algèbre et la géométrie, p. 10, *in* LALANDE, art. *Quantité.*

Phys. *Quantité de mouvement* d'un corps,* produit de sa masse par sa vitesse. *Quantité de mouvement et position des particules* (→ Incertitude, cit. 6; onde, cit. 17; photon, cit. 2). *Quantité d'électricité :* charge électrique. — *Quantité de chaleur,* correspondant à une quantité d'énergie équivalente (cf. Équivalent mécanique de la chaleur). *Quantité de lumière* (éclairage, luminance, luminosité).

♦ **4.** (Mil. XVIIIe). Log. *Quantité d'une proposition :* extension des termes d'une proposition, ou de la proposition elle-même; le fait qu'elle soit prise particulièrement (qu'elle concerne un ou plusieurs individus indéterminés d'une classe), universellement (qu'elle concerne tous les individus d'une classe), ou indivisément (que le prédicat se rapporte au sujet comme à un tout indivis). — *Quantité d'un terme.* ⇒ **Extension.**

(...) le caractère en vertu duquel le sujet est pris comme un tout indivis, *dans son rapport avec l'attribut,* est plutôt une forme de la *quantité :* car le trait caractéristique de celle-ci est précisément de considérer ce rapport. Ce sont les jugements *indivis* par opposition aux jugements *divisés* ou *distributifs,* qui sont eux-mêmes soit universels, soit particuliers. 9
LALANDE, Voc. de la philosophie, art. *Extension,* Note.

♦ **5.** Philos. *La quantité :* l'ensemble des déterminations susceptibles de mesure, opposé aux qualités sensibles (on dit aussi : *le quantitatif*). *L'expression linguistique de la quantité* (→ ci-dessus, cit. 2 et *supra*).

(...) la science positive a pris pour elle tout ce qui est incontestablement commun à des choses différentes, la *quantité,* et il ne reste plus alors à la philosophie que le domaine de la *qualité,* où tout est hétérogène à tout (...) 10
H. BERGSON, la Pensée et le Mouvant, p. 147.

♦ **6.** Didact. En versification, Durée d'un élément de langage (ou du discours musical). (XVIe). Poésie. *Quantité d'une syllabe, en prosodie.* ⇒ **Mètre, pied.** *Vers métrique, fondé sur la quantité.*

(1736). Ling. Durée d'énonciation d'un phonème ou d'un groupe de phonèmes, par rapport à la durée moyenne, normale ou à la durée des phonèmes voisins. ⇒ **Prononciation; brève** (bref), **longue** (long, *infra,* cit. 21).

Chez les anciens, les syllabes étaient scandées d'après la nature des voyelles et les rapports des sons entre eux, l'harmonie seule en décidait : en allemand, tous les mots accessoires sont brefs, et c'est la dignité grammaticale, c'est-à-dire l'importance de la syllabe radicale, qui détermine sa quantité (...) 11
Mme DE STAËL, De l'Allemagne, II, IX.

Mus. Durée relative des syllabes; observation des valeurs qui leur sont attribuées, dans le chant, la prosodie.

CONTR. Qualité.

QUANTUM [kwɑ̃tɔm] plur. **QUANTA** [kwɑ̃ta] (le Comité du langage scientifique de l'Académie des Sciences recommande le pluriel *quantums*) n. m. — 1764, Voltaire; mot lat., neutre de *quantus.*

♦ **1.** Hist. philos. Quantité finie et déterminée (dans la scolastique). *« Quantité sans quantum »* (Voltaire).

Mod. Ce qui est susceptible de quantité*. *« Kant appelle le temps et l'espace les deux quanta originaires de notre intuition »* (Lalande).

Spécialt. Psychan. *Quantum d'affect :* « facteur quantitatif postulé comme substrat de l'affect vécu subjectivement, pour désigner ce qui est invariant dans les diverses modifications de celui-ci : déplacement, détachement de la représentation, transformations qualitatives » (Laplanche et Pontalis).

♦ **2.** (1911, Poincaré, *L'hypothèse des quanta;* all. *Quantum,* 1901, Max Planck). Phys. Valeur discrète à laquelle ou aux multiples de laquelle correspond une manifestation d'énergie. *Quantum d'action* (→ Noir, cit. 6). *Le quantum d'énergie électromagnétique est proportionnel à la fréquence de la radiation* (il correspond à cette fréquence multipliée par la constante de Planck, *h* — elle-même parfois désignée sous le nom de *quantum;* → Quantifier, cit. 2, De Broglie. ⇒ **Onde, photon,** cit. 1). *Quanta de lumière d'Einstein :* les photons* (→ Onde, cit. 17). — *Le photon représente un quantum* *dans un champ électromagnétique alors que, dans les théories du champ nucléaire, le méson est considéré comme le quantum du champ.* — *Théorie des quanta :* ensemble des théories et des procédés de calcul issu de l'hypothèse des quanta d'énergie de Planck, d'abord appliqué par Einstein à la lumière, par Bohr et Sommerfeld à la physique de l'atome (⇒ **Quantification, quantique**).

1 Vers 1922, la théorie quantique, qu'on appelle maintenant l'*ancienne théorie des quanta,* se trouvait dans une impasse (...) La solution vint de deux côtés : par la mécanique ondulatoire de Louis de BROGLIE, puis par la mécanique des matrices de HEISENBERG. Ensuite, SCHRÖDINGER montra que ces deux théories n'étaient que deux expressions mathématiques différentes d'une seule théorie (...)
J.-L. DESTOUCHES, la Mécanique ondulatoire, p. 32.

2 La discontinuité physique essentielle qu'on nomme aujourd'hui le quantum d'Action, il nous est pratiquement impossible de nous en représenter exactement la nature réelle parce qu'elle lie, d'une façon tout à fait contraire à notre intuition et à nos habitudes de pensée, la configuration des systèmes mécaniques dans l'espace et leur évolution dynamique dans le temps, mais son importance fondamentale dans la nature ne fait pas de doute. Au point de vue des idées générales, c'est certainement l'introduction progressive en deux étapes (ancienne et nouvelle théorie des quanta) des conceptions quantiques de la nouvelle Mécanique qui a été l'apport essentiel du développement de la Physique atomique entre 1900 et 1930. L. DE BROGLIE, Physique et Microphysique, p. 48.

♦ **3.** Inform. *Quantum de temps :* durée élémentaire maximale d'un programme, dans les systèmes « en temps partagé » d'un ordinateur.

DÉR. Quantifier, quantique.

QUARANTAINE [kaʀɑ̃tɛn] n. f. — Fin XIIe, *quaranteine ;* de *quarante,* et suff. *-aine.* → Vingtaine, trentaine, etc.

♦ **1.** Nombre d'environ quarante. *Une quarantaine de personnes* (→ Colonie, cit. 9), *de lits* (→ Dortoir, cit. 1), *de jours, d'années.*

♦ **2.** Rare. Espace de quarante jours. *La sainte quarantaine :* les quarante jours du carême.

♦ **3.** (1635). Cour. Isolement de durée variable (de quarante jours à l'origine) qu'on impose dans un lazaret* aux voyageurs et aux marchandises en provenance de pays où règnent (ou sont supposées régner) certaines maladies contagieuses, avant de les laisser entrer en contact avec le pays de leur destination. — *La quarantaine imposée à un navire, à ses passagers. Décider, lever la quarantaine.* — *Pavillon de quarantaine,* signalant que le bâtiment ne peut communiquer. — EN QUARANTAINE. *Navire maintenu* (cit. 24) *en quarantaine dans le port, assujetti à une quarantaine de vingt et un jours* (→ Lazaret, cit. 1). ⇒ **Consigner, quarantenaire.** — Par ext. Isolement imposé à des personnes contagieuses ou supposées contagieuses. *Faire la quarantaine* (→ Peste, cit. 3). *Quarantaine de sécurité à laquelle sont soumis les proches d'un malade* (→ Épidémie, cit. 4).

1 Cependant le choléra régnait alors dans la ville, et pour éviter les quarantaines, je me résolus à prendre la route de terre. NERVAL, les Filles du feu, « Octavie ».

Par métaphore :

2 Huit jours pendant lesquels je n'ai pas ouvert votre enveloppe : c'est une petite quarantaine que je fais subir à toutes les lettres de femmes, après quoi elles ont chance de n'être plus contagieuses. MONTHERLANT, les Jeunes Filles, p. 47.

(1772). Fig. (Surtout dans : *mettre en quarantaine*). Situation d'une personne exclue, par la volonté d'un groupe social, de tout rapport avec les éléments de ce groupe. ⇒ **Boycottage, index** (mise à l'), **interdit, ostracisme, proscription.** *Élève mis en quarantaine par ses camarades. Mettre en quarantaine un élément douteux.* ⇒ **Écarter.**

3 Je cesse, avec les gens qui m'aiment d'amour, ou qui le prétendent, toute relation intime, parce qu'ils m'ennuient d'abord, et puis parce qu'ils me sont suspects comme un chien enragé qui peut avoir une crise. Je les mets donc en quarantaine morale (...) MAUPASSANT, Bel-Ami, I, VI.

4 Nous fûmes tous deux mis en quarantaine. Personne, ni en récréation ni en classe, ne nous adressa plus la parole. Les groupes s'écartaient sur notre passage ; les bouches se fermaient. Jacques DE LACRETELLE, Silbermann, IV.

♦ **4.** (Av. 1690, Furetière). Âge de quarante ans. *Atteindre, franchir* (cit. 9) *la quarantaine.*

5 (...) ses cheveux tombaient, il lui manquait plusieurs dents, il sentait ses muscles se vider (...) L'approche de la quarantaine l'entretenait dans une mélancolie noire, maintenant la vieillesse serait vite là (...) ZOLA, la Joie de vivre, IX.

♦ **5.** Variété de pomme de terre hâtive, dite aussi *quarante-jours.*

(1829 ; de l'adj. dial. *quarantain* « de quarante jours »). *Giroflée quarantaine,* ou, absolt, *quarantaine :* crucifère annuelle du genre mathiole*, à fleurs en grappes allongées très décoratives.

DÉR. Quarantenaire, quarantenier.

QUARANTE [kaʀɑ̃t] adj. numéral et n. m. invar. — 1080, *Chanson de Roland ;* du lat. pop. *quaranta,* contraction du lat. class. *quadraginta,* dér. de *quattuor* « quatre ».

♦ **1.** Numéral cardinal invar. Quatre fois dix (40). *Quarante ans, quarante jours...* ⇒ **Quarantaine, quadragénaire, quadragésime.** *Pièce de quarante sous,* de deux francs. *Quarante mille hommes* (→ Multitude, cit. 9). *Quarante-huit heures :* deux jours. *Pendant quarante-huit heures.* Liturgie. *Prière des quarante heures,* ou, absolt, *quarante heures :* prières expiatoires, durant lesquelles le saint sacrement est exposé et qui ont lieu trois jours consécutifs (avant l'ouverture du carême, en cas de calamité publique, durant le jubilé...). — *Semaine* de quarante heures. Obtenir, réduire les quarante heures.*

QUARANTE-CINQ TOURS (minute) : vitesse de rotation de certains disques. — Ellipt. *Un quarante-cinq tours :* un tel disque, généralement petit format. « *Son premier 45 tours* (d'une chanteuse) » (*Elle,* 20 janv. 1975, *in* Gilbert).

Quarante points (dans des jeux). — Tennis. Troisième point au cours d'un jeu. « *Si chacun des deux joueurs a marqué trois points on appelle 40 A* » (Cochet, *le Tennis, in* Petiot).

♦ **2.** (Employé comme ordinal). ⇒ **Quarantième.** *Page quarante. La révolution de quarante-huit (1848). L'esprit des révolutionnaires de quarante-huit.* ⇒ **Quarante-huitard.** — *S'en moquer* comme de l'an quarante :* s'en moquer complètement (origine incertaine ; pour certains, expression employée par les royalistes pour signifier qu'ils ne s'inquiétaient pas plus de la chose que de l'an quarante de la République, qu'on ne verrait jamais).

♦ **3.** N. m. invar. (Av. 1690). Le nombre quarante. *Quarante et dix font cinquante. Jouer au trente* et quarante.* — Le numéro quarante. *Habiter au quarante de la rue.* — Au plur. *Les Quarante,* s'est dit de la Quarantie (tribunal de quarante membres, dans l'ancienne république de Venise). — Mod. Les membres de l'Académie française (→ Quatre, cit. 7, Piron). *Cet écrivain est l'un des Quarante.*

Si demain je suis « membre de l'Académie française », si je suis « l'un des Quarante », est-ce qu'il aura encore le toupet de me dire que je commence à me tirer d'affaire (...) J. ROMAINS, les Hommes de bonne volonté, t. XI, V, p. 59.

DÉR. Quarantaine, quarantième.

QUARANTE-HUITARD, ARDE [kaʀɑ̃tɥitaʀ, aʀd] n. et adj. — 1884 ; de *révolution de dix-huit cent quarante-huit,* et suff. *-ard.*

♦ N. Fam. Révolutionnaire de 1848. *Un quarante-huitard.*

Je veux supposer qu'ils sont francs, ceux des quarante-huitards qui font risette à la sociale. J. VALLÈS, le Matin, *in* le Cri du peuple, 30 avr. 1884. 1

Adj. Propre aux révolutionnaires de 1848. *Le socialisme quarante-huitard. Une attitude quarante-huitarde.* — Variante orthographique :

(...) c'est inouï tout ce qu'on a pu caser dans ce mois de mai quarante-huitard *(sic ; mai 1948)* comme exaltation mystique, patriotique, civique, sportive et lyrique. 2
Jacques PERRET, Bâtons dans les roues, p. 28.

QUARANTENAIRE [kaʀɑ̃tnɛʀ] adj. et n. — Av. 1830, Cormenin, *in* D. D. L. ; de *quarantaine.*

♦ **1.** Dr. Qui dure quarante ans. *Prescription quarantenaire.*

♦ **2.** Didact. Relatif à la quarantaine sanitaire. *Service, mesures quarantenaires. Maladies quarantenaires,* faisant l'objet d'une réglementation sanitaire spéciale (vaccination, isolement). ⇒ **Pestilentiel** (vx). — N. Personne qui est soumise à une quarantaine. — N. m. Lieu assigné pour une quarantaine.

QUARANTENIER [kaʀɑ̃tənje] n. m. — 1690 ; de *quarantaine.*

♦ Mar. anc. Cordage formé de trois petits torons servant à faire les enflèchures. ⇒ **Ganse.**

QUARANTIÈME [kaʀɑ̃tjɛm] adj. — XVe ; fin XIIe, *quarantisme ;* de *quarante.*

♦ **1.** Numéral ordinal de quarante. *Dans sa quarantième année. Quarantième degré de latitude* (cit. 2) *nord.* — Subst. *Il est le quarantième de la liste. La quarantième.*

♦ **2.** Se dit de la fraction d'un tout divisé également en quarante. *La quarantième partie d'une somme.* — N. m. (1690). *Un quarantième. Deux quarantièmes :* un vingtième.

♦ **3.** N. m. plur. *Les quarantièmes* (degrés de latitude sud) : la région maritime du globe comprise entre le quarantième et le cinquantième parallèle sud (cinquantième exclu), où le gros temps est très fréquent. (Souvent aussi : *les quarantièmes rugissants* — trad. de l'angl. *roaring forties* —, par allus. au bruit du vent et de la mer déferlante). *Avant d'arriver dans les quarantièmes, les anciens cap-horniers enverguaient leurs voiles neuves.*

DÉR. Quarantièmement.

QUARANTIÈMEMENT [kaʀɑ̃tjɛmmɑ̃] adv. — D. i. ; de *quarante.*

♦ En quarantième lieu.

QUARDERONNER [kaʀdəʀɔne] v. tr. — 1691 ; de *quart-de-rond.*

♦ Techn. Tailler en quart de rond. *Quarderonner les marches d'un perron. Poutre quarderonnée.*

QUARK [kwaʀk] n. m. — Après 1963 (1967, *l'Express, in* Höfler) ; mot angl. introduit par le physicien américain M. Gell'Mann (1962) ; mot

emprunté à *Finnegan's Wake* de J. Joyce, tiré de l'all. *Quark* «absurdité».

♦ Phys. Élément hypothétique proposé pour expliquer la structure des particules lourdes (hadrons). *Des quarks. «Si l'on admet que les premiers* (les baryons) *se composent de trois quarks et les seconds* (les hadrons) *d'une paire quark-antiquark (...)»* (*Sciences et Avenir*, mars 1978, p. 82). *Aux trois quarks initialement proposés, s'en sont ajoutés d'autres* (comme le *charme**).

En 1963, Murray Gell'Mann a introduit l'idée du quark (...) grain élémentaire aux propriétés mathématiques étranges puisque porteur d'une charge électrique fractionnaire. Science et Vie, nº 722, nov. 1977, p. 59.

QUARRABLE [kaʀabl] adj. — Mil. xxᵉ; de *quarrer.*

♦ Qui peut être quarré. *«Certaines* (lunules) *sont quarrables»* (F. Le Lionnais, *Revue du Palais de la Découverte*, nº 3, 1975).

QUARRER [kaʀe] v. tr. — 1549; *carrer* «rendre carré», xiiᵉ; lat. *quadrare*, de *quadrus* «carré», dér. de *quattuor* «quatre».

♦ Didact. Faire la quadrature* de... *Les tentatives pour quarrer le cercle.*

DÉR. Quarrable.

1. QUART, QUARTE [kaʀ, kaʀt] adj. — 1080, *Chanson de Roland*; du lat. *quartus.*

♦ Vx, sauf dans quelques expressions. Quatrième. *Le Quart Livre*, de Rabelais.

Un quart voleur survient qui les accorde net
En se saisissant du baudet.
La Fontaine, Fables, i, 13.

(V. 1240). Anc. Méd. *Fièvre* (cit. 1) *quarte* : «forme de fièvre intermittente, dans laquelle les accès reviennent le quatrième jour, laissant entre eux deux jours d'intervalle» (Garnier). *Fièvre double quarte*, où l'accès se répète deux jours de suite, avec apyrexie le troisième jour, etc.

(Vén.). *Quart an* (ou *quartan*) : quatrième année d'un sanglier. — (Art vétér.). *Science* quarte.*

REM. Cette forme vieillie a été réutilisée, dans l'expression *le quart-monde.* ⇒ **Quart-monde.**

N. m. *Le tiers* et le quart.* Mod. *Se moquer du tiers comme du quart, du tiers et du quart* : se moquer de tout.

HOM. 2. Quart. — Carte.

2. QUART [kaʀ] n. m. — xiiiᵉ; du lat. *quartum.*

♦ **1.** Fraction (d'un tout divisé en quatre parties égales); quatrième partie de... *Le mètre* (cit. 3), *dix-millionième partie du quart du méridien terrestre. Plus du quart de l'ensemble mondial* (→ Britannique, cit. 1). *Dépenser le quart, les trois quarts de son revenu. Manger un quart de poulet.* — REM. On ne dit pas : *les deux quarts de...* ⇒ **Moitié.** — (Dans des syntagmes fréquents). Anciennt. *Quart de lieue* (→ Bourbeux, cit. 1; garantir, cit. 16). *Quart d'aune* (ou *quartier**). *Quart d'écu* : ancienne monnaie. — **Quart de cercle** : secteur de 45º (→ 2. Patiner, cit. 4). Spécialt (géom.). Quadrant*. (1635, D. D. L.). Astron., mar. Ancien instrument qui servait à observer le passage des astres. — Techn. **Quart de rond.** ⇒ **Quart-de-rond.** — Mus. *Quart de soupir** (→ Demi-soupir). *Quart de ton**. — *Piano quart de queue*, de forme allongée mais plus court que le demi-queue. — Loc. *Quart de brie** (au fig., grand nez). — **Quatre-quarts.** Voir ce mot.

(xivᵉ, «pinte», repris xxᵉ). Spécialt. Quatrième partie (d'une mesure, d'une quantité utilisée en commerce). *Un quart de litre. Un quart de livre* (→ ci-dessous : *un quart*).

Par métonymie. Récipient d'un quart de litre (ou d'un quart de bouteille); son contenu. *Boire, commander un quart de vin, un quart*, au restaurant (petite bouteille, carafe, pichet). *Quarts de champagne, de bordeaux. Un quart d'eau minérale. Donnez-moi un quart Vichy, un quart Périer* (noms de marque).

0.1 (...) assis à cette terrasse éventée et déserte, et la serveuse qui vient de lui apporter son quart d'eau minérale (...) Claude Simon, le Vent, p. 44.

(1869, Littré). Spécialt. Gobelet contenant environ un quart de litre (dans l'armée, etc.); ration qu'il contient. *Vos musettes* (cit. 4), *votre gamelle... et votre quart. Quart de vin, de pinard* (cit. 1; et → Narrer, cit. 4), *de café, de jus* (cit. 6; et → Goulûment, cit. 2). *Emporter des gamelles et des quarts pour faire du camping.*

(Déb. xxᵉ). Spécialt. Cent vingt-cinq grammes (un quart de livre). *Voulez-vous une demi-livre de beurre? Non, un quart me suffit.* — *Un quart de beurre* : un paquet d'un quart de livre.

Quart de vent : aire* de vent. ⇒ **Rhumb.**

0.2 Après avoir doublé la pointe de l'Épave et le cap Griffe, Pencroff dut tenir le plus près, afin de prolonger la côte méridionale de l'île, et, après avoir couru quelques bords, il observa que la Bonadventure pouvait marcher environ à cinq quarts du vent, et qu'il se soutenait convenablement contre la dérive. J. Verne, l'Île mystérieuse, t. II, p. 478 (1874).

Loc. **Quart de tour** (d'un moteur à explosion; de la manivelle ou du démarreur qui déclenche son mouvement). *Le moteur est parti au quart de tour*, dès la première impulsion donnée par l'allumage. — (V. 1970). Fig. *Démarrer, partir au quart de tour*, du premier coup, sans difficulté, sans hésitation. *Il comprend au quart de tour.* — À la première impulsion, stimulation. *«Le public réagit au quart de tour, hilare...»* (*l'Express*, 26 avr. 1980, p. 53).

Dr. *Quart en réserve, de réserve* : quart de la surface des forêts soumises au régime forestier (en dehors des forêts de l'État), qui doit être réservé pour croître en futaie, et où les coupes ne sont autorisées qu'à titre extraordinaire.

♦ **2.** (xviᵉ, Montaigne). **Quart d'heure** : quinze minutes (→ Demeurer, cit. 5; 1. échanger, cit. 2; évanouir, cit. 25). *Plus, moins d'un quart d'heure. Trois bons* (cit. 28) *quarts d'heure. Tous les quarts d'heure* (→ Minuit, cit. 1). — Par ext. Bref espace de temps. ⇒ **Instant, moment.** *Ce quart d'heure singulier* (→ Bref, cit. 2; et aussi préparation, cit. 5). *Passer* (cit. 103) *un mauvais quart d'heure.* ⇒ **Épreuve.**

Apprends qu'il la destine à obtenir de moi secrètement, certain quart d'heure, seul à seule (...) Beaumarchais, le Mariage de Figaro, i, 1. 1

— Peut-être que pour vous c'est ça, dit le rougeaud qui décidément passe un joyeux quart d'heure. F. Mallet-Joris, le Jeu du souterrain, p. 119. 1.1

(1690, *sonner les quarts*). Ellipt. **Quart** : quart d'heure. *L'horloge carillonnait* (cit. 1) *l'heure, la demie et les quarts. Une heure moins un quart, moins le quart* (→ Filer, cit. 28). *Quatre heures un quart, quatre heures et quart.* — Régional. *Il est deux heures quart. — Deux heures trois quarts.*

Les heures monotones, les demies et les quarts au timbre fêlé, s'égouttaient dans le silence morne, que ponctuait le bruit de la pluie sur les toits. R. Rolland, Jean-Christophe, L'adolescent, i, p. 231. 2

Loc. (1704). *Le quart d'heure de Rabelais* : le moment où il faut payer la note (→ Monnaie, cit. 10), et, par ext., tout moment désagréable. ⇒ **Paiement.** — REM. L'expression vient d'une anecdote «fausse et peu vraisemblable» (Voltaire) : Rabelais, n'ayant pas de quoi payer son auberge, aurait connu un moment désagréable, mais s'en serait tiré par un stratagème.

(...) le maître d'hôtel apporta la facture de Chevet (...) — Le quart d'heure de Rabelais, dit Ragon en souriant. Balzac, César Birotteau, Pl., t. V, p. 468. 3

Le quart d'heure de Nogi (vx), *le dernier quart d'heure* : la dernière phase d'une bataille, d'une guerre, par allusion à un mot du général japonais Nogi (1849-1912), suivant lequel la victoire appartient à l'armée qui sait souffrir un quart d'heure de plus que son adversaire. *Il faut tenir bon, c'est le dernier quart d'heure.*

Mais peut-être ont-ils admis une fois pour toutes que M. Robert Lacoste s'exprime par antiphrase, et que lorsqu'il annonce, par exemple, le dernier quart d'heure en Algérie, nous devons frémir : c'est que la guerre va commencer tout de bon. F. Mauriac, le Nouveau Bloc-notes 1958-1960, p. 17. 3.1

Et les miracles de cette politique ne finissent pas d'étonner le monde, au long d'un dernier quart d'heure qui dure depuis plus de quatre ans. F. Mauriac, le Nouveau Bloc-notes 1958-1960, p. 47. 3.2

♦ **3.** (1529). Mar., cour. Période de quatre heures (primitivement six heures, quart de la journée) pendant laquelle une partie de l'équipage, à tour de rôle, est de service. ⇒ **Garde, service, veille.** → Piquer* (I., 5. : piquer l'heure). — Loc. (V. 1600). Vx. *Être au quart.* Mod. *Être de quart; officier, matelot de quart*, de service (→ Branle-bas, cit. 1; large, cit. 17). — *Prendre, rendre le quart* : prendre, remettre le service. *Quart par bordée*, assuré par chacune des deux bordées à son tour. *Petit quart*, de deux heures. *Grand quart*, de six heures du soir à minuit. — Par métonymie. *Les hommes de quart. Relever le quart. Quart de fond* : hommes désignés pour la veille dans un sous-marin posé sur le fond.

(...) pendant vingt minutes au moins, ils se promenèrent sur le trottoir, comme deux marins faisant leur quart. Flaubert, l'Éducation sentimentale, I, v. 4

L'équipage fut divisé en deux quarts : le premier fut composé de Fidèle Misonne, de Gradlin et de Gervique; le second, d'André Vasling, d'Aupic et de Penellan. Ces quarts ne devaient durer que deux heures, car sous ces froides régions la force de l'homme est diminuée de moitié. J. Verne, Un hivernage dans les glaces, p. 238. 4.1

♦ **4. Le, Un quart de...**, partie (d'un tout) représentant très approximativement un quart; partie appréciable (de qqch.). *Le premier quart de la vie s'écoule* (cit. 11). *Je n'ai pas fait le quart de ce que j'avais à faire*, je n'en ai fait qu'une petite partie.

(1666). **Les trois quarts** : la plus grande partie (→ Autodafé, cit. 3; mixte, cit. 2; 2. mort, cit. 24; mouton, cit. 17). *Les trois quarts du temps* : le plus souvent. *Église pleine* (cit. 11) *aux trois quarts.*

De trois quarts. *Portrait de trois quarts*, où le sujet présente à peu près les trois quarts du visage (position intermédiaire entre la face* et le profil*). *Se tenir de trois quarts. Il l'a photographiée de trois quarts.*

Au temps de ses prétentions, Rose affectait de mettre sa figure de trois quarts pour montrer une très jolie oreille qui se détachait bien au milieu du blanc azuré de son col et de ses tempes. Balzac, la Vieille Fille, Pl., t. IV, p. 254. 5

Adj. *Trois quarts*, se dit de vêtements ou parties de vêtement dont la longueur atteint les trois quarts de la longueur habituelle. — Adj. *Manteau, manche trois quarts.* ⇒ **Trois-quarts.**

♦ **5.** (Angl. *quarter final*). Sports. *Quart de finale.* ⇒ **Finale** (cit. 3). — REM. L'expression est suffisamment lexicalisée pour avoir donné naissance à un dérivé : *quart-de-finaliste* (1932, *in* G. Petiot), var. : *quart-finaliste* (1934, *in* G. Petiot ; d'après *demi-finaliste*).

DÉR. et **COMP.** (De 1. et 2. *quart*, et du rad. lat. *quartus*) **Quartager, quartanier, quartant, quarte, quartefeuille, quartidi, quartier.**
HOM. Car, carre.

QUARTAGER [kaʀtaʒe] v. tr. — 1701, *cartager* ; var. dial. de l'anc. v. *carter* « faire une quatrième fois », XVIᵉ ; de 1. *quart*.

♦ Agric. Donner un quatrième labour à. *Quartager un champ, une vigne.*

QUARTAINE [kaʀtɛn] adj. f. — 1213 ; lat. *quartanus* « du quatrième jour », de *quartus* « quatrième ».

♦ Vx (langue class.), fam. *Fièvre quartaine* : fièvre quarte*.

QUARTANIER ou **QUARTANNIER** [kaʀtanje] n. m. — Fin XVIᵉ ; de *quart** *an* « quatrième année ».

♦ Vén. Sanglier de quatre ans. Var. : *quartenier, quartan* (vx).

QUARTATION [kaʀtasjɔ̃] n. f. ⇒ **Inquart.**

QUARTAUT [kaʀto] n. m. — XIIIᵉ ; de 2. *quart*.
Vieux.

♦ **1.** Mesure de capacité d'un quart de muid (72 puntes ; à peu près 70 litres).

♦ **2.** Petit tonneau* (anciennement d'un quart de muid) d'une contenance variable selon les régions (environ 57 litres en Bourgogne). *Un quartaut de vin.*

Le soir (...) l'estomac roulant comme un quartaut de bière, je ne peux que répéter, la bouche sèche, à mes derniers électeurs :
« Regardez-moi ! Est-ce que j'ai l'air d'un malhonnête homme ? »
J. RENARD, Bucoliques, *in* Œ., t. II, Pl., p. 291.

QUART DE CERCLE [kaʀdəsɛʀkl] n. m. ⇒ 2. **Quart.**

QUART-DE-POUCE [kaʀdəpus] n. m. — 1869, Littré ; de *quart, de*, et *pouce*.

♦ Techn. Loupe destinée à compter les fils d'une étoffe sur une surface d'un quart de pouce carré anglais (env. 1 cm²). *Des quart-de-pouces.*

QUART-DE-ROND [kaʀdəʀɔ̃] n. m. — 1680 ; de 2. *quart*, et *rond*.
Technique.

♦ **1.** Moulure à profil convexe (section d'ellipse dans l'archit. grecque ; quart de cercle dans l'art romain). *Des quart-de-ronds.*

♦ **2.** (1724, *in* D. D. L.). Outil servant à faire cette moulure. ⇒ **Rabot.**

♦ **3.** Secteur de cercle de 45°, en décoration.

Une bourrasque de novembre siffle aux joints de l'œil-de-bœuf dans la salle de bains, dont les vitres en quart-de-rond, embuées à gros grains, sont aussi opaques que du verre cathédrale.
Hervé BAZIN, Cri de la chouette, p. 7.

QUART DE TOUR [kaʀdətuʀ] n. m. ⇒ 2. **Quart.**

QUART D'HEURE [kaʀdœʀ] n. m. ⇒ 2. **Quart.**

QUARTE [kaʀt] n. f. — XIIIᵉ ; de 2. *quart*.

♦ **1.** Métrol. Ancienne mesure de capacité valant deux pintes.

♦ **2.** (1611). Mus. Intervalle de quatre degrés dans la gamme diatonique (par ex. : *do-fa*). ⇒ **Consonance.** *Quarte juste* : intervalle de deux tons et un demi-ton (→ 1. Mineur, cit. 1). *Quarte augmentée* : intervalle de trois tons (par ex. : *do-fa dièse*). ⇒ **Triton.** *Quarte diminuée* : intervalle d'un ton et de deux demi-tons. *La contrebasse* (cit.) *est un instrument accordé par quartes. Deux octaves et une quarte* (→ Hautbois, cit. 1). *Accords de quarte et sixte* : deuxièmes renversements des accords consonants.

♦ **3.** (Av. 1650). Escr. La quatrième des huit positions classiques d'attaque ou de parade, dans la ligne haute et la ligne du dedans. *Pousser, parer* (→ 2. Parer, cit. 1) *en quarte. Contre de quarte* (→ Escrime, cit. 4).

Je ferraillais un peu dans ce temps, comme tout ce monde dont j'étais entouré, et j'avoue qu'en ma qualité d'amateur, elle me charmait avec de certaines passes. Elle avait, entre autres, un dégagé de quarte en tierce qui ressemblait à de la magie.
BARBEY D'AUREVILLY, les Diaboliques, « Bonheur dans le crime ».

♦ **4.** (1679). Vieilli. Quatrième (aux cartes). — Série de quatre cartes dans la même couleur.

HOM. Carte.

QUARTÉ [kaʀte] n. f. — 1976, in *le Monde* ; de *quart*, d'après *tiercé** (3.).

♦ Forme de pari mutuel où l'on parie sur quatre chevaux engagés dans une même course.

QUARTEFEUILLE [kaʀtəfœj] n. f. — 1690 ; de 1. *quart*, et *feuille*.

♦ Blason. Fleur héraldique à quatre feuilles pointues. ⇒ **Quatre-feuilles** (architecture).

QUARTELETTE [kaʀtəlɛt] n. f. — XVIᵉ ; de l'anc. franç. et dial. *carteler* « fendre en quatre ». → Écarteler.
Technique.

♦ **1.** Tonneau contenant environ un quart de tonne de savon noir.

♦ **2.** (1875 ; *cartelette*, 1721). Techn. Ardoise taillée de petites dimensions.

1. QUARTENIER [kaʀtənje] n. m. — XIVᵉ ; de *quartier*.

♦ Anciennt. Officier municipal préposé à la surveillance d'un quartier (→ Échevin, cit. 1).

(...) les observateurs y remarquaient les vestiges de deux gros anneaux de fer scellés dans le mur, un reste de ces chaînes que le quartenier faisait jadis tendre tous les soirs pour la sûreté publique.
BALZAC, Une double famille, Pl., t. I, p. 926.

2. QUARTENIER [kaʀtənje] n. m. ⇒ **Quartanier.**

1. QUARTER [kaʀte] v. intr. — 1662 ; de *quarte*.

♦ Techn. En escrime, Prendre la position de quarte.

2. QUARTER [kwaʀtɛʀ] n. m. — 1762 ; mot angl. (XIIIᵉ), d'orig. anglo-normande, du franç. *quartier*.

♦ **1.** Mesure anglaise de masse (28 livres, soit 12, 7 kg en Grande-Bretagne ; 25 livres, soit 11, 34 kg aux États-Unis).

♦ **2.** (1905 ; amér. *quarter*, 1783). Pièce de vingt-cinq cents, aux États-Unis ; quart de dollar.

Sur ces lèvres, un sourire, un sourire que je connais bien, car je l'ai souvent vu fleurir dans cette patrie du pourboire. Compris ! De mon gousset, je tire un quarter. Le garçon l'empoche, murmure un léger merci, fait un second sourire et reste bien droit à sa place.
G. DUHAMEL, Scènes de la vie future, p. 204, *in* REY-DEBOVE et GAGNON.

1. QUARTERON [kaʀtəʀɔ̃] n. m. — 1244 ; de *quartier*.

♦ **1.** Vx. Quart (d'une livre). Prov. *Il ne faut point tant de beurre pour faire un quarteron* : il ne faut pas tant d'affaire, de paroles (Molière, *George Dandin*, II, 1).

♦ **2.** (V. 1268). Régional. Quart d'un cent (pour les choses qui se vendent à la pièce et non au poids), souvent atteignant vingt-six, pour faire bonne mesure, ou même plus. *Un quarteron de noix, de pommes...* Prov. (vx). *Il n'y a pas trois douzaines au quarteron* : c'est une chose rare.

(...) des femmes qui vendaient des bottes de fougère et des paquets de feuilles de vigne, bien réguliers, attachés par quarterons. 1
ZOLA, le Ventre de Paris, I, t. I, p. 85.

Techn. Réunion de vingt-cinq feuilles d'or ou d'argent battu, entre les feuilles d'un cahier. — Outil d'épinglier à vingt-cinq pointes.

♦ **3.** (XXᵉ). Par ext., fig. Petit nombre, poignée (souvent péj.). — REM. Cette extension de sens est fréquente dans les mots désignant des grandeurs ou des quantités. Son emploi par le général de Gaulle lors du complot d'Alger en 1961 (*« un quarteron de généraux en retraite »*) a été critiqué (linguistiquement...).

Je l'entendais tout à l'heure (...) qui reprenait la vieille rengaine, comme quoi Bonaparte a fait tirer sur le peuple à Saint-Roch (...) Ce n'était pas le peuple qui était là, mais un quarteron de conjurés monarchistes (...) 2
ARAGON, la Semaine sainte, III.

2. QUARTERON, ONNE [kaʀtəʀɔ̃, ɔn] n. — 1722 ; 1688, cité comme mot esp. et écrit *quarteronne* ; esp. *cuarteron*, de *cuarto* « quart ».

♦ Fils, fille d'un blanc et d'une mulâtresse, ou d'un mulâtre et d'une blanche. ⇒ **Métis.**

(...) une maladie de la peau, qui quelquefois lui enlevait ses belles couleurs pour lui donner le teint d'une *quarteronne*.
STENDHAL, Romans et nouvelles, « Mina de Vanghel ».

1. QUARTET ou **QUARTETT** [kwaʀtɛt] n. m. ⇒ 1. **Quartette.**

2. QUARTET [kwaʀtɛt] n. m. — V. 1970; mot angl. «groupe de quatre».

♦ Anglic. Phys. Groupe formé par deux protons et deux neutrons, dans le noyau d'un atome. *La notion de quartet améliore l'explication de certains phénomènes par rapport à celles que fournissaient les modèles dits « en couches » ou « en gouttes ».* — REM. On pourrait franciser l'orthographe en *quartette* (→ 2. Quartette), ou encore franciser la prononciation en [kaʀtɛ].

1. QUARTETTE [kwaʀtɛt] n. m. — 1823, *quartetto*, cit.; 1869, *quartette*; ital. *quartetto.*

Musique.

♦ **1.** Vx. Ensemble de quatre musiciens, de quatre chanteurs. ⇒ **Quatuor.** *« Le mari, ténor d'un quartett amateur »* (Giraudoux, *Siegfried*, p. 83). — Morceau écrit pour quatre parties.

Le second acte de la Pietra del paragone s'ouvre par un quartetto unique dans les œuvres de Rossini. STENDHAL, Vie de Rossini, IV, 1823, p. 118.

♦ **2.** (V. 1935; angl. *quartet*, de même orig.). Ensemble de quatre musiciens de jazz, de musique légère, etc. (pour la musique classique, on dit *quatuor*). — On écrit aussi *quartet, quartett.*

2. QUARTETTE [kwaʀtɛt] n. m. — 1942; angl. *quartet*, même orig. que l'ital. *quartetto.* → 1. Quartette.

♦ Biol. Chaque groupe de quatre cellules produites par les blastomères (micromères), puis par les macromères.

Dans toutes ces espèces (...) le stade de huit cellules, en présente quatre plus grosses *(macromères)* et quatre plus petites *(micromères)* on appelle *quartette* chaque groupe de quatre cellules produites successivement par les macromères.
Maurice CAULLERY, l'Embryologie, p. 47.

QUARTETTISTE [kwaʀtetist] n. m. — Mil. XXe, 1952, L. Malson *in* Höfler; de *quartette**.

♦ Jazz. Musicien qui fait partie d'un quartette (→ 1. Quartette).

QUARTIDI [kwaʀtidi] n. m. — 1793, Fabre d'Églantine; du lat. *quartus* «quatrième», et *dies* «jour».

♦ Hist. Quatrième jour de la décade du calendrier républicain.

QUARTIER [kaʀtje] n. m. — 1080, *Chanson de Roland*; de *quart.*

★ **I. A.** Quart. ♦ **1.** Portion constituant environ un quart (d'un ensemble). *Quartier de pomme* (cit. 14). — Techn. (boucherie). *Quartier de veau, d'agneau :* une des quatre parties de l'animal, la partie antérieure et la partie postérieure étant chacune divisée en deux parties symétriques. *Poids des quatre quartiers :* poids net de l'animal à débiter. Par ext. *Le cinquième quartier :* les issues. ⇒ **Abat**(s). — *Criminel dont le corps était mis en quatre quartiers, en quartiers.* ⇒ **Écarteler.**

1 Sur le trottoir opposé, d'autres camions déchargeaient des veaux entiers (...) Il y avait aussi des moutons entiers, des quartiers de bœuf, des cuisseaux, des épaules.
ZOLA, le Ventre de Paris, I, t. I, p. 48.

2 Mon père servit un quartier de volaille à l'abbé (...)
FRANCE, la Rôtisserie de la reine Pédauque, II, Œ., t. VIII, p. 11.

Loc. fig. Vx. *Se mettre en quatre quartiers pour qqn.* ⇒ **Quatre** (se mettre en).

(XIIIe). Spécialt. Métrol. anc. Quart de l'aune* (→ Plus, cit. 58).

♦ **2.** (1611). Astron. Chacune des quatre phases* de la lune (cit. 1). ⇒ **Croissant.** *Le premier, le dernier quartier* (→ Funèbrement, cit.; incertain, cit. 13).

♦ **3.** (XVe). Vx. Espace de trois mois, pendant lequel certains officiers servaient à tour de rôle.

(V. 1360). Anciennt. Paiement par tranches, qui se fait tous les trois mois; somme ainsi payée. ⇒ **Terme, trimestre.** *Pension, rente payée par quartier* (→ Arriéré, cit. 6).

3 Leur précepteur jouirait de huit cents francs d'appointements payables non pas de mois en mois, ce qui n'est pas noble, dit M. de Maugiron, mais par quartier, et toujours d'avance. STENDHAL, le Rouge et le Noir, I, XXII.

♦ **4.** (Mil. XVe). Blason. Une des quatre parties de l'écu écartelé*. ⇒ **Franc-quartier** (se dit aussi d'une des parties, en nombre supérieur à quatre, d'un grand écusson).

Par ext. Degré de descendance noble, du côté paternel ou maternel. ⇒ **Généalogie.** *Un grand nombre de quartiers de noblesse* (→ Guérison, cit. 5). *Prouver ses quartiers. La preuve des quatre quartiers* (→ Noblesse, cit. 19).

4 (...) en France, sous notre Ancien Régime, pour avoir le droit de porter son titre, il fallait posséder, depuis au moins vingt ans, ses — comment disait-on? — ses quartiers nobles, n'est-ce pas (...) MARTIN DU GARD, les Thibault, t. VI, p. 97.

B. (XIIIe). Morceau ♦ **1.** Partie (d'une chose inégalement partagée). *Mettre qqch. en quartiers* (vx), en morceaux, en pièces. Vx. *Un quartier de pain, de gâteau* (⇒ **Morceau**); *de fromage* (⇒ **Tranche;** → Maie, cit. 2). Mod. *Quartier d'un fruit*. Quartier d'orange :* division de ce fruit. *Quartier de viande* (→ Frigo, cit. 2). *Quartier de sanglier, de bœuf* (→ Mariner, cit. 1; nectar, cit. 1). — REM. Pour la viande, *quartier* ne se dit que de gros morceaux. ⇒ **Pièce.**

(Fin XIIe). Gros bloc. *Quartiers de roche* (→ Architecture, cit. 2), *de glace* (→ Glisser, cit. 2), *de bois.*

D'énormes quartiers de roches nues étaient tombés jadis au milieu de la forêt du côté de la montagne. STENDHAL, le Rouge et le Noir, I, X. 5

♦ **2.** (1680). Techn. *Quartier de soulier :* partie de la chaussure qui emboîte le talon et à laquelle sont attachées les languettes permettant de fixer les boucles ou les courroies (→ Pantoufle, cit. 2 et 3).

♦ **3.** (1690). Sellerie. *Quartier d'une selle :* chacune des parties de la selle sur lesquelles portent les cuisses du cavalier.

♦ **4.** (Art vétér.). *Quartier du sabot :* chacune des parois latérales du sabot du cheval.

♦ **5.** Vx. *Quartier de terre :* terrain, pièce de terre. → Fossé, cit. 1.

★ **II.** (Abstrait). ♦ **1.** (XVe, aussi «région»). Division d'une ville (quant à la police et à certains services municipaux). ⇒ **Secteur.** *Chaque arrondissement de Paris comporte quatre quartiers. Commissariat de quartier, commissaire* (cit. 1) *du quartier.* — Par ext. Partie (d'une ville), ayant sa physionomie propre et une certaine unité. *Les différents quartiers d'une grande ville, de New York, de Tokyo... Le Quartier latin*, le quartier Saint-Germain* (→ Élever, cit. 67), *le quartier de la Goutte-d'Or* (→ Paye, cit. 1). — *Les beaux quartiers,* habités par les classes supérieures, riches (titre d'un roman d'Aragon). → Feu, cit. 35; périphérie, cit. 2; pot, cit. 21. *Quartiers pauvres* (→ Coudoyer, cit. 2), *populeux* (→ Éclairer, cit. 5). *Vieux quartiers* (→ Incruster, cit. 6). *Quartier neuf* (→ Innommable, cit. 3; loger, cit. 5). *Quartier excentrique* (cit. 1), *extérieur* (cit. 1), *perdu* (cit. 65). ⇒ **Faubourg.** *Quartier résidentiel, industriel, d'affaires. Le quartier noir de Chicago* (→ Entasser, cit. 12). *Le quartier juif des villes d'Europe centrale, autrefois.* ⇒ **Ghetto, juiverie.** *Quartier juif d'une ville marocaine.* ⇒ **Mellah.** — *Quartier réservé,* où sont les maisons de prostitution. *Quartier réservé, en Afrique du Nord.* ⇒ **Bousbir.** — Absolt. *Le quartier :* le quartier où l'on habite, dont on parle (→ Caisse, cit. 8; guet, cit. 6; noce, cit. 4; pain, cit. 4). *Être connu dans le quartier.* ⇒ **Voisinage.** *Être du quartier* (→ 2. Panne, cit. 2). *Les gens du quartier* (→ Plaque, cit. 9). *La vie de quartier. Le médecin du quartier* (→ Ictère, cit.). *Un médecin de quartier. Les mastroquets* (cit. 1) *du quartier. Les nouvelles* (cit. 11) *du quartier* (→ Commenter, cit. 12). *Être la fable* du quartier.* — **DE QUARTIER :** à l'usage des gens du quartier; que ne connaissent, ne fréquentent guère que les gens du quartier. *Cinéma de quartier* (par oppos. à *cinéma d'exclusivité*). *Bal de quartier.* — (1671). Par métonymie. Les gens du quartier. *Tout le quartier dormait* (→ 1. Lever, cit. 14). *Le corbillard révolutionnait le quartier* (→ Lambrequin, cit.; et aussi crâner, cit. 1; enquête, cit. 4).

Je retourne au quartier. Adieu. Il désignait ainsi le quartier par excellence, le quartier Latin. FRANCE, le Chat maigre, II, Œ., t. II, p. 161. 6

Cette plaine était alors couverte de maisons de bois, symétriquement disposées, de manière à laisser entre elles des avenues assez larges (...) Une certaine agglomération de ces cases, de toutes les grandeurs et de toutes les formes, formait un quartier différent, affecté à un genre spécial de commerce. Il y avait le quartier des fers, le quartier des fourrures, le quartier des laines, le quartier des bois, le quartier des tissus, le quartier des poissons secs, etc. 6.1
J. VERNE, Michel Strogoff, p. 72.

Il couche sur le port et mendie dans les quartiers excentriques. 6.2
B. CENDRARS, l'Or, *in* Œ. compl., t. II, p. 231.

Sur l'autre rive débutent les beaux quartiers. Ouest paisible, coupé d'arbres, aux édifices bien peignés et clairs, dont les volets de fer laissent passer à leurs fentes supérieures la joie et la chaleur, la sécurité, la richesse. 7
ARAGON, les Beaux Quartiers, II, I.

À New York, à Chicago, il n'y a pas de quartiers mais il y a une vie de quartier : l'Américain ne connaît pas sa ville; à dix «blocks» de chez lui il s'égare. 8
SARTRE, Situations III, p. 109.

Dans cette ville immense *(Tokyo)*, véritable territoire urbain, le nom de chaque quartier est net, connu, placé sur la carte un peu vide (puisque les rues n'ont pas de nom) comme un gros flash; il prend cette identité fortement signifiante que Proust, à sa manière, a explorée dans ses Noms de Lieux. Si le quartier est si bien limité, rassemblé, contenu, terminé sous son nom, c'est qu'il a un centre, mais ce centre est spirituellement vide : c'est d'ordinaire une gare. 8.1
R. BARTHES, l'Empire des signes, p. 52.

♦ **2.** (Mil. XVe). *(Les quartiers).* Bâtiments où une troupe est cantonnée. ⇒ **Cantonnement.** *Prendre ses quartiers dans une ville* (⇒ **Cantonner**). *Les troupes n'ont pas encore quitté leurs quartiers.* ⇒ **Campement.** *Quartiers d'hiver :* lieu où logent les troupes pendant l'hiver. (→ Par métaphore, 1. Fouine, cit. 2).

(1713). **QUARTIER GÉNÉRAL** (abrév. : *Q. G.* [kyʒe]) : emplacement où sont installés les logements et bureaux du commandant d'une armée et de son état-major. *Bonaparte au quartier général de l'armée d'Italie* (→ Manquer, cit. 3). — Par métaphore. Lieu habituel de réunion. *Le quartier général de l'émigration* (cit. 4), *des boulevardiers blagueurs* (cit. 1). — *Grand quartier général* (abrév. : *G. Q. G.*) quartier général du généralissime.

9 (...) trouvant la place bonne, ils *(les lapins)* en avaient fait quelque chose comme un quartier général, un centre d'opérations stratégiques : le moulin de Jemmapes des lapins (...) Alphonse DAUDET, Lettres de mon moulin, « Installation ».

10 L'adjudant commandant le détachement de territoriaux qui fait les corvées au Q. G. du C. A. — Au quoi? — Au quartier général du corps d'armée (...)
H. BARBUSSE, le Feu, I, II.

(XIXe). Admin. milit. Partie, bâtiments d'une ville ou d'une place forte où les troupes sont casernées. ⇒ **Caserne** (→ Parquer, cit. 2). *Quartier de cavalerie. Rentrer au quartier* (→ 2. Pays, cit. 2). *Corvée de quartier. L'adjudant Flick, plaie* (cit. 11) *et terreur du quartier.* — *Chien* de quartier :* adjudant. Loc. *Avoir quartier libre :* être autorisé à sortir de la caserne.

(1798). Vx. Partie d'un collège affecté aux élèves d'une catégorie, d'une classe. — Vx. Salle d'études. — (XXe). Partie d'une prison affectée à une catégorie de condamnés. *Quartier de haute sécurité* (Q. H. S.) ; *quartier de sécurité renforcée* (Q. S. R.).

Vén. *Sanglier dans son quartier.* ⇒ **Gîte.**

(1458). Loc. Vx (langue class.). **À QUARTIER :** à l'écart (Corneille, *Galerie du Palais,* 23).

♦ **3.** (*Donner quartier,* 1611 ; du sens 2, « lieu où l'armée est en sûreté et au repos »). **FAIRE, DEMANDER... QUARTIER.** [a] Vx. « Bon traitement qu'on promet à des troupes qui se rendent » (Furetière).

[b] (Dans des expressions verbales, sans déterminant). *Donner quartier* (vx) : accorder la vie sauve. — *Faire quartier* (même sens). — Mod. *Ne pas faire quartier, de quartier.* (1673, Mme de Sévigné). *Demander quartier.* ⇒ **Merci.** *Pas de quartier !* — Vieilli. *Sans quartier :* sans pitié. — Par ext. (vieilli). *Demander quartier :* demander grâce* (→ Imprimer, cit. 32). *Ne pas faire de quartier :* massacrer tout le monde, et, par ext., traiter sans ménagement (→ Insister, cit. 1).

11 Vous voulez la guerre, elle sera vive et sans quartier.
BALZAC, la Cousine Bette, Pl., t. VI, p. 375.

12 On les vit jeter leurs drapeaux et leurs armes ; ils demandèrent quartier.
MÉRIMÉE, Pierre le Grand, p. 119.

DÉR. Quartenier.
HOM. Cartier.

QUARTIER-MAÎTRE [kaʀtjemɛtʀ] n. m. — 1637 ; trad. de l'all. *Quartiermeister,* proprt « maître de quartier ». → Quartier II., 2.

♦ **1.** Anciennt. (Également sous la forme *quartier-mestre*). Officier chargé des subsistances, des distributions, de la comptabilité d'un corps de troupes. — Maréchal des logis d'un régiment de cavalerie étrangère.

♦ **2.** (XVIIe). Mar. Marin du premier grade au-dessus de celui de matelot dans les corps des équipages de la flotte (correspondant au grade de caporal, de brigadier dans les armées de terre). *Les galons de quartier-maître* (→ Campagne, cit. 5). — Plur. *Des quartiers-maîtres.*

C'est qu'il portait pour la première fois, sur sa manche, le double galon rouge des quartiers-maîtres qu'on venait de lui donner. LOTI, Mon frère Yves, III.

QUARTILAGE [kwaʀtilaʒ] (la prononciation [kaʀtilaʒ] est évitée par suite de l'homophonie avec *cartilage*) n. m. — 1953 ; de *quartile.*

♦ Statist. Division d'un ensemble ordonné de données statistiques en quatre classes d'effectif égal. — Calcul des quartiles*.

QUARTILE [kaʀtil] n. m. — 1953 ; dér. du lat. *quartus.*
Statistique.

♦ **1.** Chacune des trois valeurs de la variable partageant une distribution en quatre parties égales, et au-dessous desquelles se classent 1/4, 1/2, 3/4 des éléments d'une distribution statistique. *Premier quartile* ou *quartile inférieur. Le deuxième quartile est la médiane*. L'écart entre le premier et le troisième quartile* (ou *quartile supérieur*) *est dit* interquartile.

♦ **2.** Chacune des quatre parties, d'effectif égal, d'un ensemble statistique ordonné.

QUARTIQUE [kaʀtik] n. f. — 1904 ; de *quart.*

♦ Math. Courbe du quatrième ordre.

QUART MONDE [kaʀmɔ̃d] n. m. — 1965 ; de *quart,* adj. « quatrième », et *monde,* d'après *tiers monde.*

REM. Comme *tiers-monde* sur laquelle elle est formée, cette locution s'écrit indifféremment avec majuscule ou minuscule à *quart* et à *monde,* et avec ou sans trait d'union.

♦ **1.** Le sous-prolétariat des pays développés.

1 En passant de la notion de « tiers monde » à celle de « quart monde » on franchit par la pensée une distance considérable : on passe d'un territoire qui peut se définir horizontalement par des réalités géographiquement délimitées, à un groupe social constituant une couche de population que l'on atteint par une coupe verticale, en profondeur, une sorte de « bas-fond » qui est là tout près, chez nous, le quart monde est parmi nous, pour ne pas le voir il faut détourner les yeux.
Félicien MARS, la Croix, 23 juin 1979, *in* P. GILBERT.

♦ **2.** (V. 1973). Les pays les plus démunis du tiers monde.

Le quart-monde, comme on dit maintenant pour désigner ceux des pays en voie de développement qui sont restés pauvres parce que démunis de matières premières. Le Monde, 24 janv. 1974, *in* P. GILBERT. 2

QUARTO [kwaʀto] adv. — 1419, *in* D. D. L. ; mot lat. *quarto.*

♦ Rare. En quatrième lieu (dans une énumération commençant par *primo*). ⇒ **Quatrièmement.**

COMP. In-quarto.

QUARTZ [kwaʀts] n. m. — 1749, Buffon ; all. *Quarz,* d'orig. incert. ; mot employé par les mineurs longtemps avant d'être adopté par les naturalistes.

♦ **1.** Minér. Type du groupe des tectosilicates, dont la composition chimique correspond de façon constante à la formule $Si\ O_2$ (⇒ **Silice**), présent dans presque toutes les roches, notamment les roches ignées acides (⇒ **Granit,** cit. 1), les roches métamorphiques (⇒ **Gneiss, micaschiste**) et surtout les roches sédimentaires (⇒ **Grès, sable**). *Le quartz est stable jusqu'à 870 °C. Cristaux de quartz. Le quartz cristallise suivant le réseau hexagonal. Variétés de quartz :* cristal* de roche, cristal hyalin* et variétés colorées (⇒ **Améthyste, aventurine, jaspe, œil-de-chat**). *Quartz fumé* (brun), *quartz rose. La transparence du quartz à la lumière visible et aux rayons ultraviolets fait qu'on l'emploie dans la construction des appareils d'optique, dans l'industrie de la verrerie. Les propriétés piézo-électriques* du quartz sont utilisées dans la réalisation de microphones, de haut-parleurs, de détecteurs de vibration et d'oscillateurs à fréquence stable. Lampe* à tube de quartz.*

Cour. (**Montre, horloge, pendule...**) **À QUARTZ,** utilisant la piézoélectricité du quartz comme résonateur. *« L'arrivée des montres à quartz et l'affichage numérique direct »* (*Science et Vie,* nov. 1975, p. 147). *Horloge, pendule à quartz.*

♦ **2.** *Quartz fondu :* silice vitreuse (non cristallisée) employée dans les laboratoires et l'industrie (optique...).

DÉR. Quartzeux, quartzifère, quartzique, quartzite.

QUARTZEUX, EUSE [kwaʀtsø, øz] adj. — 1783, Buffon ; de *quartz.*

♦ Minér. De la nature du quartz. *Sables quartzeux de Fontainebleau.*

QUARTZIFÈRE [kwaʀtsifɛʀ] adj. — 1842 ; de *quartz,* et suff. *-fère.*

♦ Minér. Qui contient du quartz. *Roche quartzifère.*

QUARTZIQUE [kwaʀtsik] adj. — XXe ; de *quartz.*

♦ Minér. Composé de quartz. *Diorite quartzique.*

QUARTZITE [kwaʀtsit] n. f. ou m. — 1842 ; de *quartz.*

♦ Minér. Roche massive constituée de quartz en agrégats jointifs résultant du métamorphisme des grès (cit. 4). *Quartzites feldspathiques.*

QUASAR [kazaʀ] n. m. — 1965 ; mot anglo-américain (1963, Schmidt), abrév. de *« quas(i) (stell)ar (radiosource) ».*

♦ Astron. Radiosource de nature inconnue, dont l'émission est comparable à celle des étoiles (le mot est plus employé par les vulgarisateurs que par les astronomes qui distinguent les radiosources quasistellaires et les galaxies quasistellaires).

(...) les quasars ne sont pas des étoiles : diamètre des millions de fois plus grand que celui des plus grosses étoiles (...) émission lumineuse ultra-puissante dans le bleu et l'ultra-violet, émission radio du même ordre (...) ce ne sont pas non plus des galaxies (...)
R. DE LA TAILLE, *in* Science et Vie, no 571, 5 avr. 1965, p. 72.

1. QUASI [kazi] adv. — 980, *Passion du Christ ;* mot lat. *quasi* « comme si, pour ainsi dire ».

♦ Vx ou régional. Presque*, pour ainsi dire. — REM. Jugé vieux au XVIIe s. par les puristes, cet adverbe connaît un regain de faveur depuis le XIXe ; il est couramment employé dans certaines provinces (→ les cit. des romans paysans de G. Sand : brûler, cit. 60 ; dépouiller, cit. 7 ; fatigue, cit. 4). — (Modifiant un adj.). *Quasi enfantin* (→ 1. Fausset, cit. 4). *Quasi foudroyant* (cit. 4). *Quasi mûr* (→ 1. Froid, cit. 5 ; et aussi laid, cit. 7 ; liant, cit. 4 ; maison, cit. 32 ; pénombre, cit. 4 ; posthume, cit. 2).

(...) en le lui demandant en particulier, c'était quasi l'engager à lui parler de sa 1

passion (...) M. de Nemours, qui remarquait son embarras, et qui en devinait quasi la cause, s'approcha d'elle (...)
Mme DE LA FAYETTE, la Princesse de Clèves, II.

2 (...) jouant du luth, et dansant, et quasi
Tristes sous leurs déguisements fantasques.
VERLAINE, Fêtes galantes, « Clair de lune ».

3 Vides, elles l'étaient quasi, les poches et les mains de qui me venaient pourtant toutes grâces et toutes libéralités.
COLETTE, le Voyage égoïste, *in* Classe de franç., 1956, p. 333.

(Modifiant un terme, adverbe, pronom..., à valeur quantitative). *Quasi autant* (→ Dépouiller, cit. 7). *Quasi jamais* (→ Censeur, cit. 1). *Quasi toujours* (→ Moisissure, cit. 3). *Quasi tous ensemble* (→ Bourgeois, cit. 7). *Quasi personne* (→ Ingratitude, cit. 1). *Quasi point* (→ Brûler, cit. 60).

4 Des auteurs français de ma date, je suis quasi le seul qui ressemble à ses ouvrages : voyageur, soldat, publiciste, ministre, c'est dans les bois que j'ai chanté les bois, sur les vaisseaux que j'ai peint l'Océan (...)
CHATEAUBRIAND, Mémoires d'outre-tombe, t. VI, p. 334.

(Modifiant un substantif, les deux mots liés par un trait d'union formant une sorte de nom composé). *Cette quasi-sœur* (→ Compagne, cit. 6). *Sa quasi-pauvreté* (→ 2. Cravate, cit. 1). *Un quasi-mariage* (→ Liaison, cit. 11). *Une quasi-paralysie* (→ Perclus, cit. 1). *Une quasi-évidence. Quasi-impossibilité. Un quasi-monopole. À la quasi-unanimité.*

5 Cet homme était à peu près un monstre. Il n'avait pas voté la mort du roi, mais presque. C'était un quasi-régicide. Il avait été terrible.
HUGO, les Misérables, I, I, X.

REM. La formation de noms avec cet élément est très vivante.

6 (...) sans penser à ce que la quasi-cécité de l'universitaire donnait de triste et de comique à ces mots, il ajouta : « Toujours un petit œil pour les femmes. »
PROUST, Sodome et Gomorrhe, Pl., t. II, p. 922.

7 Que faites-vous alors de tous ces déments, quasi-déments, persécutés (...)
VALÉRY, l'Idée fixe, *in* Œ., t. II, Pl., p. 204.

8 Bussière, surtout après mon quasi-échec de ce matin, est très impatient de savoir comment cela tourne.
J. ROMAINS, les Hommes de bonne volonté, t. XXIV, p. 315.

9 Durant un temps, il *(Baudelaire)* habita la rue de Seine, au 56, dans une quasi-misère, ne sortant que la nuit et s'excusant, lorsqu'il écrivait à sa mère, de ne point affranchir sa lettre en raison de son dénuement.
Francis CARCO, Nostalgie de Paris, p. 50.

10 Pour la quasi-totalité des Français l'affaire du Maroc se ramène à une image d'Épinal (...)
F. MAURIAC, Bloc-notes 1952-1957, p. 45.

Dr. *Quasi-contrat. Quasi-délit* (voir ci-dessous). *Quasi-usufruit.* — Dr. rom. *Quasi-possession.* ⇒ **Possession** (cit. 3).

Sc. (Noms). *Quasi-particule. Quasi-étoile.* ⇒ **Quasar.** Ling. *Un quasi-nom.* — (Adj.). *« Fonctions quasi-périodiques »* (Esclangon, in *Rev. gén. des sc.*, sept. 1903, p. 919).

DÉR. Quasiment.
COMP. Quasi-certitude, quasi-contrat, quasi-délit, quasi-usufruit.

2. QUASI [kazi] n. m. — 1739; étym. inconnue, p.-ê. turc *kasï*, mais P. Guiraud suppose un rapport avec le provençal *casit*, p. p. de *casir* « mettre à sa place, à sa case », comme pour *gîte (gîté)*.

♦ Bouch. Morceau du haut de la cuisse du bœuf ou du veau, situé sous le gîte à la noix. — REM. *Quasi* se dit plutôt du veau que du bœuf (→ Tranche). *Quasi de veau au gratin. Rôti de veau dans le quasi.*

QUASI-CERTITUDE [kazisɛʀtityd] n. f. — 1892, *Journal amusant, in* D.D.L.; de 1. *quasi*, et *certitude*.

♦ Opinion, jugement qui est presque une certitude. *Des quasi-certitudes.*

Pareille énumération suffit pour nous permettre d'imaginer les projets qu'il *(Villon)* portait en lui et n'a pu malheureusement réaliser. Si l'on ajoute, à la liste, les ballades du manuscrit de Stockholm, révélées par Vitu, l'ensemble prend une telle force de suggestion que l'hypothèse devient une quasi-certitude. « Parmi ces onze ballades, fait judicieusement observer Marcel Schwob, quatre contiennent le nom de Coquillard ».
Francis CARCO, Nostalgie de Paris, p. 80.

QUASI-CONTRAT [kazikɔ̃tʀa] n. m. — 1675; du lat. jurid. *quasi contractus*; de 1. *quasi*, et *contrat*.

♦ Dr. « Fait volontaire de l'homme dont il résulte un engagement quelconque envers un tiers, quelquefois un engagement réciproque des deux parties » (d'après le Code civil, art. 1371). *Des quasi-contrats.*

La doctrine moderne a fait remarquer que les deux opérations juridiques que le Code range sous cette rubrique (le quasi-contrat, art. 1371 du Code civil), la gestion d'affaires et le paiement de l'indu peuvent se rattacher à une notion plus générale, celle de l'enrichissement sans cause.
JULLIOT DE LA MORANDIÈRE, Précis de droit civil, t. II, no 9.

QUASI-DÉLIT [kazideli] n. m. — 1690; lat. jurid. *quasi delictum*; de 1. *quasi*, et *délit*.

♦ Dr. civ. Tout fait illicite, causant à autrui un dommage, sans intention de nuire. *Des quasi-délits.*

Dans la langue du droit, on a pris l'habitude d'appeler faute ce que Pothier et le Code appellent quasi-délits, c'est-à-dire l'acte dommageable non-intentionnel, par opposition au délit, qui suppose l'intention de nuire.
JULLIOT DE LA MORANDIÈRE, Précis de droit civil, t. II, no 825, p. 290.

QUASIMENT [kazimɑ̃] adv. — 1607; de 1. *quasi.*

♦ Vieilli, par plais. ou régional. Quasi, à peu près, en quelque sorte. *Il est quasiment idiot. Il l'a quasiment injurié.*

(...) une maison quasiment méridionale, dont le toit plie sous la tuilerie à gouttières en usage dans l'Italie (...) BALZAC, le Député d'Arcis, Pl., t. VII, p. 681. 1

Je plaisante, parce que vous pourriez être quasiment mon père, et que ça ne tire pas à conséquence (...) ZOLA, la Terre, I, I. 2

(En réponse). Presque, en quelque sorte.

QUASIMODO [kwazimɔdo; kazimɔdo] n. f. — XIIIe; des mots lat. *quasi modo* par lesquels commence l'introït de la messe du premier dimanche après Pâques.

♦ Liturgie. Dimanche de l'octave de Pâques. *La Quasimodo*, ou, plus cour., *le dimanche de Quasimodo.* Vx. *Renvoyer à la Quasimodo*, à un terme éloigné, aux calendes*.

L'espèce d'être vivant qui gisait sur cette planche le matin de la Quasimodo, en l'an du Seigneur 1467, paraissait exciter à un haut degré la curiosité du groupe assez considérable qui s'était amassé autour du bois de lit.
HUGO, Notre-Dame de Paris, I, IV, I.

QUASI-USUFRUIT [kaziyzyfʀɥi] n. m. — Fin XIXe; de 1. *quasi*, et *usufruit*.

♦ Dr. civ. Usufruit, portant sur une chose consomptible, à charge de restituer la même. *Des quasi-usufruits.*

QUASSIA [kwasja] ou **QUASSIER** [kwasje] n. m. — 1771, *quassia*; 1832, *quassier*; empr. lat. bot. *quassia*, formé par Linné sur le nom d'un noir du Surinam, *Coissi*, qui avait révélé les vertus fébrifuges de l'écorce de cet arbre.

♦ Bot. Plante dicotylédone (*pierœna excelsa*, dit *quassia amara* de la Jamaïque; *Simarubacées*), petit arbre des régions tropicales communément appelé *bois amer de Surinam*, et dont le bois contient un principe amer, la *quassine.*

DÉR. Quassine.

QUASSINE [kwasin] n. f. — 1831; de *quassia*.

♦ Anc. méd. Principe amer du *quassia amara*, utilisé en médecine comme tonique, fébrifuge et vermifuge, et employé dans la fabrication du papier tue-mouches.

QUATER [kwatɛʀ] adv. — 1846; mot latin.

♦ Rare. Pour la quatrième fois. *Les numéros 12 ter et 12 quater d'une rue.*

QUATERNAIRE [kwatɛʀnɛʀ] adj. — 1488, arithm.; lat. *quaternarius*, de *quaterni* « quatre à la fois ».

♦ **1.** Qui est formé de quatre éléments, disposé, divisible par quatre*. — Mus. *Rythme quaternaire.* — Chim. *Composé quaternaire*, dont la molécule renferme quatre espèces différentes d'atomes (se dit aussi d'un composé pentavalent uni par quatre valences à quatre radicaux organiques). — *« Ammonium quaternaire »* (*Rev. gén. des sc.*, juil. 1903, p. 760).

♦ **2.** Qui vient en quatrième lieu. — (1829, Desnoyers, *terrains quaternaires*, nom donné aux terrains de transport, aux sédiments). Géol. *Ère quaternaire*, et, n. m., *le quaternaire* : l'ère (cit. 8) géologique la plus récente comprenant l'époque actuelle, d'une durée approximative d'un million d'années, dite aussi anthropozoïque parce qu'elle correspond à l'apparition de l'homme (I., 1. cit. 9). → Paléontologique, cit. 2. *Divisions du quaternaire* : pléistocène* (quatre glaciations : Günz, Mindel, Riss et Würm, et trois périodes interglaciaires. ⇒ **Paléolithique**) et holocène (correspondant au mésolithique*, au néolithique*, à la protohistoire et aux temps historiques). *Le glyptodonte, le mammouth, le mastodonte, le mégathérium, grands mammifères fossiles du quaternaire.*

QUATERNE [kwatɛʀn] n. m. et adj. — XIIIe; « coup de dés »; ital. *quaterno*, du lat. *quaterni*.

★ **I.** N. m. Vx. Jeux. Coup où chacun des deux dés amène quatre points, au tric-trac. — Série de quatre numéros d'une même ligne horizontale, au loto. — « Combinaison de quatre numéros pris ensemble... et sortis au même tirage » (Littré), à la loterie, autrefois.

Les hasards qu'il faut pour amener un terne ou un quaterne ne sont rien auprès de ce qu'il a fallu pour que la combinaison dont je touche les fruits ne fût pas dérangée.
RENAN, Souvenirs d'enfance..., VI, V, Œ. compl., t. II, p. 906.

★ **II.** Adj. (1897, in *Année biol.* II, p. 69). Sc. Qui comporte quatre éléments. *Groupes quaternes* (ou *tétrades*).

QUATERNION [kwatɛʀnjɔ̃] n. m. — 1862; angl., 1843; cf. l'anc. franç. *quaregnon* «parchemin plié en quatre, puis manuscrit de quatre feuilles», vx; du lat. *quaternio* «groupe de quatre», cf. esp. *cuaderno* «cahier».

♦ Math. «Quantité de la forme $S + ia + jb + kc$ où i, j, k sont des symboles dont la multiplication obéit à des lois non commutatives» (Uvarov).

QUATORZE [katɔʀz] adj. numéral et n. m. invar. — XIIe; du lat. *quatt(u)ordecim*, de *quattuor* «quatre».

♦ **1.** Adj. numéral cardinal. Dix plus quatre, en chiffres : 14. *Une gamine* (cit. 7) *de quatorze ans* (→ aussi Ingrat, cit. 12). *Les quatorze vers d'un sonnet. Quatorze cents* ou *mille quatre cents. Quatorze mille francs* (→ Parure, cit. 4).

♦ **2.** Adj. numéral ordinal. Quatorzième. *Le numéro quatorze. Louis quatorze* (XIV). *Quatorze heures* ou *deux heures de l'après-midi.* — Loc. (1675). *Chercher midi** (cit. 8 et 9) *à quatorze heures.* — *Le quatorze juillet 1789 :* date de la prise de la Bastille dont le premier anniversaire (fête de la Fédération, 14 juillet 1790) est célébré tous les ans. *Défilé militaire, feu d'artifice, illuminations* (cit. 11), *pétards* (cit. 3), *bals, retraite aux flambeaux du Quatorze-Juillet* (fête nationale française).

1 C'était le 14 juillet, les drapeaux à la fenêtre le matin qui font à la fois le bruit de la pluie et le bruit du feu, et les chevaux de bois qui tournent autour de l'arbre de la liberté (...) GIRAUDOUX, Suzanne et le Pacifique, I.

Dix-neuf cent quatorze, et, ellipt., *quatorze :* année où commença la Grande Guerre (1914-1918). *L'année quatorze. C'était en quatorze, bien avant quatorze. La guerre de quatorze* (ou *de quatorze-dix-huit*). — Loc. fam. *Repartir comme en quatorze :* recommencer qqch. avec le même élan, comme si rien ne s'était passé.

2 Quand je pense : encore une guerre! Mon mari a fait celle de quatorze, à présent c'est le tour de mon fils, je vous dis que les hommes sont fous. C'est donc bien difficile de s'entendre? SARTRE, le Sursis, p. 166.

♦ **3.** N. m. Le nombre, le numéro ainsi désigné. *Cent quatorze. Deux fois sept font quatorze. J'habite au quatorze de la rue.* — Spécialt (cartes). Au piquet, Nom d'un carré de cartes valant quatorze points. *Un quatorze de dames.* — À la belote, Le neuf d'atout. *Avoir le quatorze à pique.*

QUATORZIÈME [katɔʀzjɛm] adj. numéral et n. — XIIe; de *quatorze*, et suff. *-ième*.

♦ **1.** Adj. ordinal. Dont le numéro, le rang est quatorze. *Dans sa quatorzième année. Le quatorzième siècle* (→ Oasis, cit. 3). *Le quatorzième arrondissement* (→ 1. Ordinal, cit.). — Subst. *Au quatorzième* (siècle). *Louis le quatorzième* (vx). — Fam. *Faire le quatorzième à table :* être invité lorsqu'il y a treize personnes (ce nombre étant censé porter malheur). — Mus. *Une quatorzième,* octave de la septième.

♦ **2.** Adj. fractionnaire. Se dit d'une partie d'un tout également divisé en quatorze. *La quatorzième partie.* — N. m. *Un quatorzième* (1/14).

QUATORZIÈMEMENT [katɔʀzjɛmmɑ̃] adj. — 1798; de *quatorze.*

♦ En quatorzième lieu.

QUATRAIN [katʀɛ̃] n. m. — 1544; dér. de *quatre.*

♦ Petit poème de quatre vers. *Faire un quatrain* (→ Impromptu, cit. 4).

1 En effet, je trouve que c'est renchérir sur le ridicule, qu'une personne se pique d'esprit et ne sache pas jusqu'au moindre petit quatrain qui se fait chaque jour (...) MOLIÈRE, les Précieuses ridicules, 9.

2 J'ai une idée, dit Lesueur. Chacun de nous va faire un quatrain sur les bouts-rimés suivants : Issoire, Ambert, Passoire, Camembert. J. ROMAINS, les Copains, I.

Strophe ou suite de quatre vers. *Le premier quatrain d'un sonnet. Couplet en quatrain.*

3 Enfin les quatrains *(du sonnet)* sont admirables tous deux. MOLIÈRE, les Femmes savantes, III, 2.

4 (...) la strophe, dont le quatrain est en rimes croisées et le distique en rimes plates (...) VALÉRY, Variété V, p. 180.

QUATRE [katʀ] (la prononciation familière devant une consonne est [kat]) adj. numéral et n. m. invar. — Xe; du lat. *quattor,* lat. class. *quattuor.*

★ **I.** Adj. numéral cardinal. ♦ **1.** Trois plus un (en chiffres : 4, IV). *Les quatre saisons** (→ Camaïeu, cit. 1). *Les quatre éléments* (cit. 11) *d'Aristote. Les quatre points cardinaux* (→ Hangar, cit. 2). *Les quatre membres* (→ Livrer, cit. 35). *Les quatre roues d'un chariot* (→ 1. Flanquer, cit. 3). *Un moteur à quatre temps, un quatre temps. Les quatre routes d'un carrefour*. Trèfle à quatre feuilles. Partie à quatre* ou (vx) *partie carrée. Choses groupées par quatre, ayant quatre éléments semblables.* ⇒ **Quadri-, tétra-; carré.** *Quatre dizaines* (⇒ **Quarante**), *vingtaines* (⇒ **Quatre-vingts**). *Quatre mille cinq cents francs* (→ Arrenter, cit.). *Vingt-quatre ans* (→ Novice, cit. 1). *Partie de ce qui est également divisé en quatre.* ⇒ **Quart.** *Trois et quatre fois* (cit. 32) *béni, heureux... !*

0.1 Parfois, «ils» sont quatre : quatre passants qui sont aussi les quatre vieillards, les Évangélistes, les Coins du Monde, les Dimensions, les Cavaliers de l'Apocalypse. Henri LEFEBVRE, la Vie quotidienne dans le monde moderne, p. 12.

Loc. et syntagmes. *Tisane des quatre fleurs*. Preuve des quatre quartiers** (→ Noblesse, cit. 19). — *Un hôtel quatre étoiles;* ellipt., *un quatre étoiles.* — *Mesure à quatre temps. Morceau à quatre mains,* écrit pour deux pianistes jouant sur le même clavier de piano. — *Gâteau quatre-quarts.* ⇒ **Quatre-quart.** — *Voiture à quatre portes;* ellipt., *«une bonne quatre-portes des familles»* (Masson, *Drugstore,* p. 33). *Le quatre-cent-vingt-et-un.* (⇒ **Quatre-cent-vingt-et-un**). — *Un quatre-mille :* un sommet de plus de quatre mille mètres (et moins de cinq mille). — Loc. *Marcher à quatre pattes*. Tomber les quatre fers* en l'air* (→ Poudre, cit. 16). *Entre quatre yeux* [ɑ̃tʀəkatzjø]. ⇒ **Œil** (*infra,* cit. 48). *Être entre quatre planches** (cit. 7); *entre quatre murs*. Aux quatre coins* de...* (→ Multiplier, cit. 10). *Des quatre coins de l'horizon* (→ Oiseau, cit. 7). *Aux quatre vents*. Jouer aux quatre coins*. Marchande* (cit. 10) *de quatre-saisons.* ⇒ **Saison.** *Être tiré à quatre épingles* (cit. 5). *Faire les quatre cents coups** (*infra,* cit. 58). *Faire le diable* à quatre.* — *Se saigner* aux quatre veines.*

Vx. *Tirer un criminel à quatre chevaux :* mettre quelqu'un en quatre (morceaux). ⇒ **Écarteler.** — Fig. *Se mettre en quatre :* se donner beaucoup de mal, s'employer entièrement à... ⇒ **Décarcasser** (se), **démancher** (se), **démener** (se). → Carte, cit. 11. *Ils se sont mis en quatre pour nous faire plaisir.*

Voici l'ordre. Tu prends sa place. Agis, sois prompt. 1
Tu diras qu'elle était malade, et qu'elle est morte.
Sinon, je te fais mettre en quatre, à chaque porte
De la ville, où corbeaux et chiens te mangeront.
LECONTE DE LISLE, Poèmes tragiques, «Romance de Dona Blanca».

Aussi Corentin s'aperçut-il que l'aubergiste s'était, pour nous servir d'une expression populaire, mis en quatre, afin de plaire aux étrangers. 2
BALZAC, les Chouans, Pl., t. VII, p. 839.

Argot d'école. *Les Quat'z Arts* [lekatzaʀ] : les élèves de l'école des Beaux-Arts. *La fanfare des Quat'z Arts.*

Des taxis emportaient des passagers bizarres 3
Nus et peints de métal pour le bal des Quat'z Arts
Égyptiens Gaulois Romains Francs sans framées
ARAGON, le Crève-cœur, «Deux poèmes d'outre-tombe», I.

(En attribut). *Ils sont, ils étaient quatre. Les «trois mousquetaires» étaient quatre.*

Subst. *Les quatre* (quatre personnes). *La bande des quatre :* les quatre personnages politiques chinois accusés après la mort de Mao Tsê-tung.

♦ **2.** Par ext. (Pour désigner un petit nombre). Quelques. *À quatre pas* (cit. 32) *d'ici...* (Corneille) : tout près*. *Quatre mots seulement* (→ Après, cit. 71). *À quatre sous* (→ Bouiboui, cit. 1). *L'Opéra de quat'sous* nom français de *The Beggar's Opera,* de John Gay, remanié par B. Brecht.

(...) pour quatre jours qu'on a à vivre, je vivrais à ma mode (...) 4
Mme DE SÉVIGNÉ, 433, 21 août 1675.

(...) comme le monsieur très bien avait filé tout de suite, elle s'était vue forcée, pour vivre, de vendre ses quatre meubles (...) ZOLA, Fécondité, IV, IV. 5

— C'est un restaurant très chic, murmura Joseph en se rengorgeant. — Mais non, fit papa, lointain. C'est un restaurant de quatre sous. 6
G. DUHAMEL, Chronique des Pasquier, I, IV.

♦ **3.** (Pour désigner une pluralité ou un nombre appréciable, dans des syntagmes figés). Plusieurs. *Quatre hommes et un caporal*. La semaine des quatre jeudis*. Un de ces quatre matins* :* bientôt. Ellipt., fam. *Un de ces quatre.* — *Je n'irai pas par quatre chemins** (→ Phrase, cit. 5). *Il lui a dit ses quatre vérités*.* — *En quatre. Couper les cheveux** (cit. 34), *les fils** (cit. 11) *en quatre.* — *Comme quatre* (personnes ou choses dont il s'agit) : beaucoup*, très. *Manger comme quatre.* — *Comptez* (cit. 17) *-moi pour quatre. Un roi gras* (cit. 11) *comme quatre. Un œuf gros comme quatre* (→ Dieu, cit. 51). — *Avoir de l'esprit comme quatre,* beaucoup d'esprit. — *Quatre à quatre :* plusieurs marches à la fois, avec précipitation. *Monter, descendre* (cit. 37) *un escalier quatre à quatre. Dégringoler les étages, les escaliers quatre à quatre* (→ Gras, cit. 26; haleine, cit. 22).

Faire qqch. quatre à quatre, très vite (→ cit. 8.1). — *Tenir qqn à quatre* (personnes). — Fig. *Se tenir à quatre.* ⇒ **Tenir** (se).

Ils sont quarante *(les Académiciens),* qui ont de l'esprit comme quatre. 7
Alexis PIRON, Œ., t. I, p. 122, *in* DUPRÉ.

Pendant les trois semaines qu'elles étaient restées ensemble, elles n'avaient pas échangé quatre paroles (...) FLAUBERT, Mme Bovary, II, VII. 8

Ils avaient quatre à quatre revêtu des vêtements plus élégants, fait appeler une voiture et étaient venus chez la princesse de Guermantes sans être invités. 8.1
PROUST, le Temps retrouvé, Pl., t. III, p. 1013.

9 Tout à coup un môme de sept ans dévale quatre à quatre le grand escalier de marbre (...) B. CENDRARS, l'Or, 73.

10 Cyprien avait bâfré et pinté comme quatre; il se renversait un peu sur sa chaise et éprouvait le bien-être des appétits repus. HUYSMANS, En ménage, II.

11 (...) chez les coupeurs de poils en quatre, chez les arbres secs, chez les fricasseurs de mille-pattes. M. AYMÉ, le Vin de Paris, « La bonne peinture », p. 206.

♦ **4.** Adj. numéral ordinal. Quatrième (4 ou IV). *Numéro quatre. Henri quatre* (IV). *Le tome, la page quatre. La nuit du quatre Août. Il est quatre heures.* — N. m. ⇒ **Quatre-heures.**

★ **II.** N. m. Le nombre quatre. *Je crois que deux et deux sont quatre* (→ 2. Arithmétique, cit. 2). *Vrai, clair comme deux et deux** (cit. 6) *font quatre.* — Spécialt. Le chiffre ou le numéro quatre. *Un quatre en chiffres romains. Marqué d'un quatre. Le quatre du mois.* Par ext. Carte, face de dé, de domino présentant quatre marques. *Le quatre de cœur. Amener un quatre.* Sports. Embarcation à quatre rameurs. *Un quatre avec, sans barreur. Quatre de couple, de pointe.*

DÉR. et COMP. **Quatre-cent-vingt-et-un, quatre-de-chiffre, quatre-épices, quatre-feuilles, quatre-heures, quatre-huit, quatre-mâts, quatre-quarts, quatre-quatre, quatre-saisons, quatre-temps, quatre-vingts, quatrième, quatrièmement, quatrillion.**

QUATRE-CENT-VINGT-ET-UN [katsɑ̃vɛ̃teœ̃] n. m. invar. — V. 1950; n. de nombre.

♦ Jeu de dés dérivé du zanzi, où la combinaison la plus forte est composée d'un quatre, d'un deux et d'un as. On dit aussi *quatre-vingt-et-un.* Prononciation cour. : [katvɛ̃teœ̃].

QUATRE-DE-CHIFFRE [katʀədəʃifʀ; cour. katdəʃifʀ] n. m. invar. — 1740; de *quatre,* et *chiffre.*

♦ Chasse. Piège formé de bûchettes disposées en forme de quatre (4).

(...) l'assommoir « quatre de chiffre » (une planche soutenue par trois petits morceaux de bois assemblés à la façon d'un quatre) tendait son auvent fallacieux (...)
Pierre GASCAR, les Bêtes, p. 99.

QUATRE-ÉPICES [katʀepis] n. m. et f. invar. — 1839; de *quatre,* et *épices.*

♦ Nigelle* cultivée, dont les graines réduites en poudre donnent un assaisonnement rappelant le mélange dit des *quatre-épices* (poivre, girofle, muscade et gingembre).

QUATRE-FEUILLES [katʀəfœj; cour. katfœj] n. m. invar. — 1842; de *quatre,* et *feuille.*

♦ Archit. Ornement gothique, formé de quatre lobes. *Quatre-feuilles d'une fenêtre, d'un triforium* (⇒ **Quadrilobe, quadrilobé**). *Plan en quatre-feuilles.* → Quartefeuille (blason).

QUATRE-HEURES [katʀœʀ] n. m. invar. — D.i. (XXe); de *quatre,* et *heures.*

♦ Fam. (langage destiné aux enfants). Goûter, collation du milieu de l'après-midi. *Tiens, voilà des gâteaux secs pour ton quatre-heures.* — REM. Le mot est parfois écrit *quatre heures. « Les quatre heures »,* poésie de Ramuz.

Entre quatre et treize ans, j'ai été obligé à un quatre heures dont la pièce maîtresse était une banane. Jacques LAURENT, les Bêtises, p. 93.

QUATRE-HUIT [katʀəɥit; katɥit] n. m. invar. — Attesté XXe; de *quatre,* et *huit.*

♦ Mus. Mesure à quatre temps, avec la croche pour unité.

QUATRE-MÂTS [katʀəmɑ] cour. [katmɑ] n. m. invar. — 1907; de *quatre,* et *mât.*

♦ Grand voilier à quatre mâts.

QUATRE-QUARTS [katʀəkaʀ; cour. katkaʀ] n. m. invar. — 1893; de *quatre,* et 2. *quart.*

♦ Gâteau où entrent le beurre, la farine, le sucre et les œufs, respectivement pour le quart du poids total. *Un quatre-quarts breton. Une tranche de quatre-quarts.*

QUATRE-QUATRE [katʀəkatʀ; cour. katkat(ʀ)] n. m. — XXe; de *quatre.*

♦ Mus. *Mesure* (cit. 33) *à quatre-quatre* ($\frac{4}{4}$, ou C), à quatre temps avec une noire par temps.

QUATRE-SAISONS [katʀəsɛzɔ̃; cour. katsɛzɔ̃] n. f. invar. — 1875; de *quatre,* et *saison;* → Marchand de quatre saisons*.

♦ Comm. Variété de fraise.

QUATRE-TEMPS [katʀətɑ̃; kattɑ̃] n. m. pl. — XVIe; de *quatre,* et *temps.*

♦ Relig. cathol. Chacune des quatre périodes (au début de chaque saison) qui, dans l'année liturgique, comporte trois jours de jeûne et de prière. *Pendant les quatre-temps.*

QUATRE-VINGTIÈME [katʀəvɛ̃tjɛm] adj. numéral ordinal. — 1530; de *quatre-vingts.*

♦ Qui a le numéro quatre-vingt dans une suite. — N. m. *Un quatre-vingtième :* chacune des parties d'un tout divisé en quatre-vingts parties égales (1/80). *Un quatre-vingtième de la somme.*

QUATRE-VINGTS [katʀəvɛ̃] adj. numéral et n. m. invar. — XIIe, *quatre-vins;* de *quatre,* et *vingt,* survivance de l'ancienne numération par *vingt.* → Quinze-vingts, vx.
Huit * dizaines, en chiffres : 80. ⇒ **Huitante** (Suisse), **octante.** — REM. On écrit *quatre-vingt,* sans *s,* devant un nombre *(quatre-vingt-trois)* ou comme ordinal *(page quatre-vingt).* — On prononce *quatre-vingt huit :* [katʀəvɛ̃ɥit] et *quatre-vingts ans :* [katʀəvɛ̃zɑ̃].

♦ **1.** Adj. numéral cardinal. *À l'âge de quatre-vingts ans* (→ Attaque, cit. 16; mentor, cit.; ombre, cit. 52). *Quatre-vingts pieds* (→ 2. Noyer, cit. 1). *Quatre-vingt-huit piliers* (cit. 2). — *Quatre-vingt-dix* (XIVe s.), neuf dizaines, en chiffres : 90. (Littéralt : quatre fois vingt plus dix). ⇒ **Nonante** (cit.). *Quatre-vingt dix ans* (→ Ourler, cit. 1), *Quatre-vingt-onze* (91). *Quatre-vingt-dix-neuf* (99). → Juste, cit. 8.

Loc. (Belgicisme). *Employer des mots à quatre-vingt-quinze :* utiliser un vocabulaire recherché, prétentieux (dire *quatre-vingt-quinze* au lieu de *nonante-cinq,* comme tout le monde).

♦ **2.** Adj. numéral ordinal. *Numéro quatre-vingt. L'année quatre-vingt neuf,* ellipt., pour 1789, début de la Révolution française. — *Quatre-vingt-treize,* œuvre de V. Hugo (1793, année de la Terreur).

♦ **3.** N. m. Le nombre, le numéro ainsi désigné. *Trente et cinquante font quatre-vingts.*

QUATRIÈME [katʀijɛm] adj. numéral et n. — XIVe; de *quatre.*

♦ **1.** a Adj. ordinal. Qui vient après le troisième. ⇒ **Quart** (vx.). *Pour la quatrième fois.* ⇒ **Quater.** *Le quatrième étage. La quatrième dimension*. Le quatrième état de la matière* (→ Plasma, cit. 1). *La quatrième vitesse,* d'une automobile. Fig. *Faire qqch. en quatrième vitesse,* très vite. Loc. *La quatrième maladie :* fièvre éruptive des enfants, rappelant la scarlatine (celle-ci, la rubéole et la rougeole étant les trois autres).

b Adj. fractionnaire. Se dit d'une partie d'un tout également divisé en quatre. *La quatrième partie.* ⇒ **Quart.**

♦ **2.** N. a Quatrième personne. *Où est la quatrième? Faire le quatrième, aux cartes,* le quatrième joueur.

b N. m. Quatrième étage. *Loger au quatrième.* → Pensionnaire, cit. 1.

♦ **3.** N. f. a Quatrième classe... *Classe de quatrième :* classe de l'enseignement secondaire (la troisième du premier cycle). *Être, passer en quatrième.*

b Quatrième vitesse d'une automobile. *Passer en quatrième. Quatrième surmultipliée.*

c Série de quatre cartes consécutives dans une même couleur. ⇒ **Quarte.** *Une quatrième au roi,* dont la carte la plus forte est le roi.

QUATRIÈMEMENT [katʀijɛmmɑ̃] adv. — 1610; de *quatrième.*

♦ En quatrième lieu. ⇒ **Quarto.**

QUATRILLION [katʀiljɔ̃] n. m. ⇒ **Quadrillion.**

QUATTROCENTO [kwatʀotʃɛnto] n. m. — 1875, P. Larousse; mot ital., proprt « quatre cents », désignant ellipt. les années du XVe siècle.

♦ Hist. de l'art. Quinzième siècle italien, qui vit le début de la Renaissance. Par ext. Mouvement littéraire et artistique de cette époque. *Les artistes du quattrocento* ou *quattrocentistes* [kwatʀotʃɛntist] (1860, Vitet, in *Revue des Deux-Mondes*). REM. On emploie parfois l'adj. *quattrocentesque* [kwatʀotʃɛntɛsk] (ital. : *quattrocentesco*).

QUATUOR [kwatɥɔʀ] n. m. — 1722; lat. *quatuor,* autre forme de *quattuor* «quatre».

♦ **1.** Œuvre de musique d'ensemble écrite pour quatre instruments ou quatre voix d'importance égale. *Quatuor à cordes :* œuvre pour deux violons, alto et violoncelle. *Quatuor pour piano et cordes* (le piano remplaçant un violon). *Quatuor pour bois, cuivres. Quatuor vocal.* — Absolt. Quatuor à cordes. *Les quatuors de Mozart, de Beethoven, de Bartok* (→ Plonger, cit. 15). *Jouer un quatuor.*

♦ **2.** Les quatre musiciens (en emploi absolu : d'un *quatuor à cordes*), les quatre chanteurs qui exécutent une telle œuvre. *Un quatuor de renom international. Former un quatuor* (⇒ aussi **Quartette**). — *Le quatuor de l'orchestre* (symphonique) : les premiers et seconds violons, altos, violoncelles (et contrebasses).

1 Toute la puissance du quatuor à cordes, quand il fait revivre quelque œuvre immense de Beethoven, vient de ce que les artistes se font serviteurs de la musique et n'expriment plus alors autre chose que la nature humaine purifiée.
ALAIN, Propos, 24 nov. 1921, Emphase dans la musique.

♦ **3.** (1832, *Mémoires de Casanova, in* D. D. L.). Fig., fam. Groupe de quatre personnes.

2 Quatre commères causaient sur le pas d'une porte. L'Écosse a des trios de sorcières, mais Paris a des quatuors de commères (...)
HUGO, les Misérables, IV, XI, II.

1. QUE [kə] conj. et adv. — Fin xe; latin médiéval *que,* forme affaiblie de *qui,* simplification de *quia,* employé en bas latin au sens de *quod* «le fait que; que». — REM. *Que* s'élide en *qu'* dans les mêmes conditions que *lorsque.*

★ **I.** Conjonction.

1 (...) *que,* comme le conjonctif, unit les propositions; mais dans une certaine mesure, il désigne pour ainsi dire en montrant (...) C'est cette double valeur qui explique la multiplicité de ses emplois, son incessant usage dans une langue telle que la nôtre, si éprise d'ordre et de clarté.
G. et R. LE BIDOIS, Syntaxe du franç. moderne, § 583.

♦ **1.** Introduisant une proposition complétive directe dépendant d'un mot exprimé ou sous-entendu, généralement un verbe *(je pense qu'il va venir ; je veux qu'il vienne)* ou parfois un adjectif *(je suis certain qu'il viendra)* ou un nom faisant fonction de verbe *(la certitude qu'il allait venir).*

REM. 1. Pour l'emploi des modes (indicatif, subjonctif) après *que* et les nuances de sens qu'ils expriment, se reporter aux verbes ou aux adjectifs qui commandent la construction avec *que.* Par ex. : *croire, dire* (*supra* cit. 71), *penser* (*supra* cit. 45, REM.) *que,* etc.

2. La langue actuelle a tendance à remplacer *que,* après certains verbes, par les groupes analytiques *à ce que, de ce que : s'attendre, consentir, demander à ce que... S'informer, se souvenir de ce que...*

3. *Que* sert à passer du style direct (citation) au style indirect. *Elle a dit : «Je pars demain». Elle a dit qu'elle partait le lendemain. Que* ne peut fonctionner avec le style direct (cf. Pop. *«Viens ici», qu'il me dit* [kimdi] pour *«viens ici», me dit-il* (→ 2. Que, cit. 6, 7, 8, 9).

4. La proposition introduite par *que* est placée habituellement après la principale, mais elle peut aussi parfois se trouver en tête de la phrase; dans ce cas son verbe est toujours au subjonctif et l'idée qu'elle exprime est généralement reprise dans la principale par *ce, cela, le* ou *en : «Que Lucien fasse des vers, chacun s'en doute»* (Gide, *les Faux-monnayeurs,* p. 15).

1.1 Qu'il ait été un admirable élève, on le sait par cet exemplaire des «Géorgiques» découvert à Clermont, et dont il a couvert de notes érudites les marges.
F. MAURIAC, la Vie de Jean Racine, I.

Explicitant un tour impersonnel. ⇒ **Il.** *Il est bon* (cit. 103 et 105), *il est (c'est) dommage* (cit. 8 et 9), *douteux* (cit. 2; et *supra*), *heureux, impossible* (cit. 13; et *supra*), *possible* (cit. 15 et 16) *que... Il convient* (cit. 16 et 23), *il importe* (→ 2. Importer, cit. 6, 8 et 9) *que... Peu importe, qu'importe que...* (→ 2. Importer, cit. 17, 18, 19, et *supra*). *Il faut* (⇒ **Falloir**), *il paraît* (cit. 16, 48 et 49), *il se peut* (→ 1. Pouvoir, cit. 17 et 19) *que... — D'où vient que...* ⇒ **Venir.**

Suivi de *ne* explétif, dans une complétive. ⇒ **Ne, II.**

Introduisant une complétive précédée d'une relative. *Cet enfant sans parents qu'elle dit qu'elle a vu.* ⇒ 2. **Que.** Continuant une construction commençant par un infinitif, un nom objet, etc.

2 Mais voyant à leurs pieds tomber tous leurs soldats,
Et que seuls désormais en vain ils se défendent.
CORNEILLE, le Cid, IV, 3.

3 Honteux de n'avoir pu ni punir ni charmer,
Qu'on m'ait fait pour haïr, moi qui n'ai su qu'aimer.
HUGO, Hernani, III, 4.

4 (...) je pensais à ce que m'avait dit Abel et que c'était précisément pour «s'armer» contre moi qu'elle était restée si longtemps sans paraître.
GIDE, la Porte étroite, *in* Romans, Pl., p. 523.

Employé en tête d'un chapitre ou d'une partie de livre (sous-entendu : *Je vais dire, exposer que... Chapitre où l'on voit, où il est expliqué que...*). *«Qu'un prêtre et un philosophe sont deux»* (Hugo, *Notre-Dame de Paris,* titre du chapitre II du livre VII).

Marquant l'étonnement, l'indignation (équivalent à : *est-il possible, est-il vrai...*).

5 Moi, des tanches? dit-il, moi, héron, que je fasse
Une si pauvre chère? Et pour qui me prend-on?
LA FONTAINE, Fables, VII. 4.

Combiné avec un adverbe de modalité ou de jugement : *heureusement que, certainement que, naturellement que, peut-être que, possible* (cit. 17 et 18) *que, sans doute que, surtout que,* etc. *Avec* (cit. 33, 34 et 35) *ça que. Même que.* ⇒ **Même** (*infra* cit. 28).

♦ **2.** (Dans une formule de présentation ou d'insistance). **a** VOICI*..., VOILÀ* QUE..., servant à présenter une action ou un fait. *Tiens, voilà que le temps se couvre. Voilà qu'il* (cit. 27) *arrive des balles.*

Pour la cinquième fois, voici que la nuit tombe. 6
HUGO, la Légende des siècles, X, «Mariage de Roland».

Voilà que j'ai touché l'automne des idées (...) 7
BAUDELAIRE, les Fleurs du mal, «Spleen et idéal», X.

b **C'EST... QUE,** formule de présentation servant à mettre en relief une apposition, un objet indirect, un adverbe, une proposition, etc.

Trompeurs, c'est pour vous que j'écris (...) LA FONTAINE, Fables, I, 18. 8

C'est pour assouvir 9
Ton moindre désir
Qu'ils viennent du bout du monde.
BAUDELAIRE, les Fleurs du mal, «Spleen et idéal», LIII.

Depuis deux ans, c'est de là que nous sont venues toutes les mauvaises nouvelles (...) Alphonse DAUDET, Contes du lundi, «La dernière classe». 10

(...) ce canapé est, à mes yeux, un lieu sacré, car c'est étendu sur lui que, parfois, j'ai possédé le monde en rêve. G. DUHAMEL, Salavin, I, IV. 11

C'EST... QUE, servant à souligner un attribut. — REM. Dans ce tour, le verbe *être* ne fait pas partie de la «présentation», mais joue le rôle de copule.

C'est un serpent doré qu'un anneau conjugal. 12
A. DE MUSSET, Premières poésies, «À quoi rêvent...» I, 4.

Et c'était l'émerveillement de Thérèse que ce rire spirituel de son ami. 13
FRANCE, le Lys rouge, XXXI.

(Avec un infinitif). *«Mais c'est mourir deux fois que souffrir tes atteintes»* (cit. 7, La Fontaine). *«Et c'est n'estimer* (cit. 13) *rien qu'estimer tout le monde»* (Molière).

(...) ce n'est guère vivre que d'user ses jours sur de vieux textes. 14
FRANCE, le Crime de S. Bonnard, Œ., t. II, p. 284.

Ce que c'est que de... Ce que c'est que d'être séparé de son amour (→ Apprendre, cit. 13).

c Unissant un attribut préposé et un sujet, avec ellipse du verbe copule, en phrase affective, exclamative, *etc. Quel dégel continu que la vie!* (→ 1. Partir, cit. 20). *Quelles bêtes étranges que ces oreilles!* (cit. 39).

Quelle vanité que la peinture (...) PASCAL (→ 1. Original, cit. 4). 15

Effroyable levier que la pensée humaine! 16
A. DE MUSSET, la Confession d'un enfant du siècle, V, V.

Terrible chose dans la vie que ces gens qui ne sont rien! 17
R. ROLLAND, Jean-Christophe, L'aube, II, p. 31.

Ô récompense après une pensée 18
Qu'un long regard sur le calme des dieux!
VALÉRY, Poésies, Charmes, «Cimetière marin».

♦ **3.** (Dans une formule d'interrogation). *Est-ce que...* ⇒ 1. **Être** (cit. 93, 94 et 95). *Qu'est-ce que, qui est-ce que... Où* (cit. 70, 71 et 72) *est-ce que... Pourquoi* (cit. 7) *est-ce que... N'est-ce pas que...* (→ 1. Être, cit. 97).

REM. 1. La langue familière et populaire renforce l'interrogation par la formule sans inversion *c'est que. Pour qui c'est que vous me prenez? «Où c'est que vous êtes malade?»* (Céline, *Voyage au bout de la nuit,* I, 69).

2. *C'est que,* dans la langue populaire, se réduit souvent à *c'que* ou *sque. «Ousque vous allez donc?»* (Maupassant, *Yvette*).

3. Un autre tour populaire consiste à intercaler un *que* pléonastique entre le mot interrogatif et *c'est,* ou le groupe sujet-verbe. *Pourquoi* (cit. 8 et 9) *que... Pourquoi qu' c'est qu'il vient pas? «Avec quoi que ça se nettoie donc?»* (Balzac, *Eugénie Grandet,* pp. 87-88; exemples cités *in* G. et R. Le Bidois, *Syntaxe du franç. mod.,* §§ 858-859).

4. Dans la langue populaire également, il y a parfois omission du *que* de *est-ce que. «Qu'est-ce tu vois?»* (Benjamin, *Gaspard,* IV, p. 79). *«Qu'est-ce tu veux dire?»* (Carco, *les Innocents,* p. 94; exemples cités par R. Le Bidois, in *l'Inversion du sujet...,* p. 65).

♦ **4.** Entrant comme second élément dans la composition de conjonctions *(lorsque, puisque, quoique)* ou servant à former de nombreuses locutions conjonctives : *à cause que* (vx), *à ce que, à condition que, afin que, ainsi que, alors que, à mesure que, à moins que, après que, à présent que, à proportion que, à supposer que, attendu que, au cas que, au lieu que, au fur et à mesure que, aussi bien que, aussitôt que, avant que, bien que, cependant que, d'autant que, d'autant plus que, de ce que, de crainte que, de façon que, de manière que, de même que, de peur que, depuis que, de sorte que, dès que, en attendant que, en cas que, encore que, en sorte que, étant donné que, excepté que, jusqu'à ce que, loin que, lors même que, maintenant que, malgré que, moyennant que, outre que, parce que, pendant que, posé que, pour que, pourvu que, sans que, sauf que, selon que, si ce n'est que, sinon que, si tant est que, soit que, sitôt que, sous prétexte que, suivant que, supposé que, tandis que, tant il y a que, tant que, vu que,* etc.

♦ **5.** Introduisant une proposition circonstancielle.

a Équivalant à une conjonction ou à une locution conjonctive de temps et exprimant soit la concomitance de deux faits (→ cit. 22, Zola, ci-dessous), soit l'incidence d'un fait instantané par rapport à un fait continu (→ cit. 20, Mme de Sévigné, ci-dessous), soit la continuation d'un fait au delà du point d'achèvement d'un autre (→ cit. 21, Flaubert, ci-dessous), soit l'interruption d'un fait par un autre (→ cit. 19, Descartes, ci-dessous). Cf. G. et R. Le Bidois, *Syntaxe du franç. mod.*, §§ 1441-1442, à qui sont empruntés ces exemples.

19 (...) l'hiver n'était pas encore bien achevé que je me remis à voyager.
DESCARTES, Discours de la méthode, III.

20 (...) la mort nous prend que nous sommes encore tout pleins de nos misères et de nos bonnes intentions. Mme DE SÉVIGNÉ, 720, 27 juin 1679.

21 (...) la prière était finie que le *nouveau* tenait encore sa casquette sur ses deux genoux. FLAUBERT, Mme Bovary, I, I.

22 (...) Coupeau dormait déjà qu'elle continuait ses aménagements (...)
ZOLA, l'Assommoir, IV, t. I, p. 140.

À PEINE... QUE... ⇒ **Peine** (*supra* cit. 37, REM.).

b Introduisant une finale après une principale interrogative ou à l'impératif. *Voulez-vous venir chez moi un de ces jours, que nous parlions de cette affaire?* — REM. Après un impératif, on trouvait parfois *que... ne*, au sens de *de peur que... ne*. *« Fuyez, qu'à ses soupçons il ne vous sacrifie »* (Corneille, *Médée*, I, 5).

23 Asseyez-vous là que nous causions, me dit-elle.
E. FROMENTIN, Dominique, VII.

c **C'EST QUE...**, servant à introduire une explication. ⇒ 2. **Ce** (cit. 17). — *Ce n'est pas que*, avec le subjonctif, pour écarter une explication ⇒ 2. **Ce** (*infra* cit. 17), 2. **pas** (*supra* cit. 21).
NON QUE... ⇒ **Non** (cit. 47, 48 et 49).

d Après une interrogation ou une exclamation pour énoncer le motif de la question ou justifier l'exclamation.

24 Qu'avez-vous donc, dit-il, que vous ne mangez point? BOILEAU, Satires, III.

25 (...) est-ce que ces drôles sont dans un bénitier, qu'ils font ce bruit d'enfer?
HUGO, Notre-Dame de Paris, I, IV.

26 Comme elle dort, qu'il faut l'appeler si longtemps!
HUGO, la Légende des siècles, LII, V.

e Vx. **QUE**, introduisant une consécutive. *« J'ai une tendresse pour mes chevaux qu'il me semble que c'est moi-même quand je les vois pâtir »* (Molière, *l'Avare*, III, 1), une telle tendresse qu'il me semble. — Avec addition de *en*. *Elle mange que c'en est un plaisir.*

27 Il tousse qu'il en secoue toute sa maison (...) FLAUBERT, Mme Bovary, II, V.

28 (...) les piécettes d'or fondaient que c'était un plaisir.
Alphonse DAUDET, Lettres de mon moulin, « L'homme à la cervelle d'or ».

29 Les travaux domestiques terminés, elle se mettait au piano et chantait qu'on eût dit d'une sirène (...) APOLLINAIRE, l'Hérésiarque..., p. 141.

f Mod. En corrélation avec *si**, *tant**, *tel**, *tellement**, etc. et introduisant une consécutive. *« La chétive* (cit. 1) *pécore S'enfla si bien qu'elle creva »* (La Fontaine). *Elle mange avec tant d'appétit que c'est plaisir de la voir.* Littér. *À tant faire que* (de)... ⇒ **Tant.**
Suivi du subjonctif et en corrélation avec un adverbe, un adjectif ou un pronom pour marquer la concession ou l'opposition. *Où que..., d'où que...* ⇒ **Où** (cit. 47 à 52). *Si peu* (cit. 54), *pour peu* (cit. 56, 57 et 58) *que... Pour... que...* ⇒ **Pour.** *Quel que..., quelque... que..., qui que..., quoi que...* ⇒ **Quel, quelque, qui** (*supra* et *infra* cit. 52, Corneille), **quoi.** *Si... que...* ⇒ **Si.** — REM. Dans certains de ces tours, *que* pourrait être considéré comme un relatif. ⇒ 2. **Que** (I., 3).

g Liant deux propositions au conditionnel et donnant à la première la valeur d'une hypothétique avec une nuance de concession (→ Même* si).

30 Le totalitarisme n'est pas inéluctable mais le serait-il que, dès maintenant, je préfère celui dont la justification n'est pas de ce monde.
Jacques PERRET, Bâtons dans les roues, IV, p. 156.

h Suivi du subjonctif et introduisant une hypothétique (⇒ **Si**). — *Que... que...*, introduisant plusieurs données d'hypothèses. ⇒ **Soit** (soit que..., soit que...).

31 Que le tour du soleil ou commence ou s'achève,
D'un air indifférent je le suis dans son cours;
En un ciel sombre ou pur qu'il se couche ou se lève,
Qu'importe le soleil! je n'attends rien des jours.
LAMARTINE, Première méditation, I.

32 Qu'elle fût bien ou mal coiffée,
Que mon cœur fût triste ou joyeux,
Je l'admirais. C'était ma fée. HUGO, les Contemplations, IV, IX.

33 — Mais qu'il me demande ma main, je ne refuserai pas!
J. ROMAINS, les Hommes de bonne volonté, t. VIII, VIII, p. 87.

i **QUE... NE...**, équivalant à *sans que, avant que, à moins que, si... ne... pas*. *« Ne* (cit. 5) *saurait-il rien voir qu'il n'emprunte vos yeux ». L'esprit n'a point de cesse* (cit. 3) *qu'il n'ait mis...*

34 Il ne passait pas dans les rues, que les pères, les mères et les enfants n'allassent à lui, et ne lui criassent : « Bonjour, frère Jean; comment vous portez-vous, frère Jean? DIDEROT, Jacques le fataliste, Pl., p. 537.

35 Elle engageait Paul à les faire danser. Elle ne les quittait point qu'elle ne les vit contentes et satisfaites (...)
BERNARDIN DE SAINT-PIERRE, Paul et Virginie, p. 58.

36 (...) il ne se passait pas une semaine qu'il ne fût terrassé (...) par une migraine atroce. FRANCE, les Désirs de Jean Servien, XVI.

Ne pouvoir que... ne... ⇒ 1. **Pouvoir** (cit. 11 et 12).

♦ **6.** Substitut d'un autre mot-outil en propositions coordonnées.

a Remplaçant, dans une circonstancielle coordonnée, une conjonction de cause, de but, de condition, de temps, etc.
REM. 1. Dans le cas où *que* remplace *si*, il est toujours suivi du subjonctif. *« Si elle regardait et qu'il ne fût pas là, elle en était toute triste »* (Zola, *le Rêve*, p. 129).
2. Ce tour, malgré certains puristes, peut relier une finale au subjonctif à une autre à l'infinitif. *« Le marchand* (qui étale sa marchandise) *a le cati et les faux-jours, afin d'en cacher les défauts et qu'elle paraisse bonne... »* (La Bruyère, *les Caractères*, VI, 43). *« Un peu de peinture verte pour peindre le tout et que ce fût plus joli »* (Loti, *le Livre de la pitié et de la mort*, p. 21; cf. G. et R. Le Bidois, *Syntaxe du franç. mod.*, §§ 1447, 1473 et 1488, à qui sont empruntés les exemples précédents et suivants.)

(...) si elle est jolie, et que vous ne l'aimiez pas, gardez-la pour votre plaisir (...) 37
A. DE MUSSET, la Confession d'un enfant du siècle, IV, I.

(...) comme c'était le lendemain dimanche et qu'on ne se lèverait que pour la grand'messe (...) mon père (...) nous faisait faire une longue promenade (...) 38
PROUST, Du côté de chez Swann, Pl., t. I, p. 114.

Les enfants s'amusaient parfois à y mettre *(dans la salade)* des fils de soie rouge, afin qu'on les prît pour des chenilles et qu'on eût un moment de joie. 39
GIRAUDOUX, Églantine, V.

Quand la leçon fut finie, et que les autres élèves furent dispersés, Louis s'approcha. J. ROMAINS, les Hommes de bonne volonté, t. VI, XXIII, p. 199. 40

b Vx. Remplaçant *pourquoi* déjà exprimé dans une proposition précédente coordonnée. ⇒ **Pourquoi** (cit. 22).

c Vx (class.) ou archaïsme. **CAR... ET QUE...**, (tour critiqué : cf. Georgin, *Pour un meilleur français*, p. 151, qui cite La Varende, Vialar, É. Jaloux...).

Légende incroyable et sanglante, mais impossible à nier, car elle est restée dans trop d'âmes et qu'elle sut animer trop d'âmes. 41
J. DE LA VARENDE, l'Homme au gant de toile.

♦ **7.** Introduisant le second terme d'une comparaison et servant de corrélatif à des adverbes ou à des adjectifs tels que *autant, plus, plutôt, moins, mieux, autre, même*, etc. *Davantage que.* ⇒ **Davantage** (*supra* cit. 14). *Pareil que.* ⇒ **Pareil** (*supra* cit. 1, REM.).
REM. 1. Dans certains de ces emplois, *que* a remplacé *de*, fréquent en ancien français, mais qui ne se rencontre plus aujourd'hui que dans quelques tours exceptionnels : devant un nom de nombre ou devant des expressions désignant des portions de quantité (⇒ **Moins**, *infra* cit. 27, REM. 2; **plus**, *supra* cit. 51, REM.) et dans l'expression *en moins de rien*.
2. Si le *que* introduisant le second terme de la comparaison est précédé d'une proposition elle-même introduite par *que*, il peut être suivi immédiatement de *si* (après *aimer mieux*) : j'aime mieux que vous m'écriviez *que si* vous me téléphoniez (cf. aussi ci-dessous), mais *plutôt que* est plus courant.
Employé une seule fois dans une comparaison alors que la logique syntaxique exigerait la répétition : *je ne demande pas mieux qu'il réussisse*, alors que la phrase complète serait : *je ne demande pas mieux* que *qu'il réussisse*. Ce dernier tour, complètement abandonné de nos jours, a existé en français classique.

J'aimerais mieux souffrir la peine la plus dure, 42
Qu'il eût reçu pour moi la moindre égratignure. MOLIÈRE, Tartuffe, III, 6.

Si cet enfant est à elle, quoi de plus simple qu'elle l'ait pris (...) 43
Alphonse DAUDET, Sapho, VIII.

(...) il ne demandait pas mieux que l'on reconnût l'évêque de Nancy (...) 44
M. BARRÈS, la Colline inspirée, VII
(Exemples tirés de la *Syntaxe* de G. et R. LE BIDOIS).

QUE, suivi de *ne* explétif dans une comparaison. ⇒ **Ne** (III., 3).
Vx. **QUE**, suivi de *ne pas*. *« Ah! vous avez plus faim que vous ne pensez pas »* (Molière, *l'Étourdi*, IV, 4), que vous ne le pensez).
Loc. mod. *Tant bien que mal.* ⇒ **Bien** (*infra*, cit. 107). — Vx. *Que bien que mal* (cf. La Fontaine, *Fables*, IX, 2).

♦ **8.** **a** **NE... QUE...**, marquant l'exception, la restriction. ⇒ **Seulement.**

Le cor qui ne résonne que touché par des lèvres pures, le hanap magique qui n'est plein que pour l'amant fidèle, n'appartiennent vraiment qu'à nous. 45
RENAN, Souvenirs d'enfance..., II, Œ. compl., t. II, p. 762.

REM. 1. Dans la langue familière et populaire, *que* est employé tout seul, sans *ne*. *Il a que vingt ans.*
2. Dans la langue classique, *que* précédé de *pas* ou de *point* équivalait à *si ce n'est*. *« Tu ne mourras point que de la main d'un père »* (Corneille, *le Menteur*, V, 3), c'est-à-dire : « Tu mourras seulement de la main d'un père ». De nos jours, une telle construction signifierait : « Tu ne mourras pas seulement de la main d'un père ». ⇒ 2. **Pas** (I., 4., REM.), 2. **point** (cit. 12).

Je ne suis pas *que* fou, mais je suis, *aussi*, fou. 46
MONTHERLANT, Pitié pour les femmes, p. 100.

b Littér. **NE... QUE...**, accompagné de *nul, personne, rien*, etc. : si ce n'est. *« Rien n'est beau* (cit. 2) *que le vrai »* (Boileau).

Tout le reste le hait, personne ne le méprise, que les dévotes amies de ma mère. 47
STENDHAL, le Rouge et le Noir, II, XII.

SANS... QUE..., SANS AUTRE... QUE... ⇒ **Sans.**

c Littér. **QUE**, employé sans négation après une phrase interrogative, avec la valeur de *sinon, autre chose que*. *« Que puis-je* *peindre ici que l'occasion de la détresse...* » (Gide, *la Porte étroite*, VII).

48 Que vois-je autour de moi, que des amis vendus (...) RACINE, Britannicus, I, 4.

d Loc. *Il n'est que de...* ⇒ 1. **Être** (cit. 30). — *Ne faire que..., ne faire que de...* ⇒ **Faire** (cit. 72 et 73). — *Ne... que*, suivi d'un comparatif ou de *trop* et servant à renforcer l'idée affirmée :

49 Vos conseils sur mon cœur n'ont eu que trop d'empire (...)
RACINE, Iphigénie, I, 3.

50 L'auteur n'est pas l'ami du comte de Lally (...) son témoignage n'en est que plus recevable quand (...) VOLTAIRE, le Siècle de Louis XV, XXXIV.

51 Paresse de penser incurable, qui n'avait que trop d'excuses (...)
R. ROLLAND, Jean-Christophe, le Buisson ardent, I, p. 1290.

♦ **9.** Introduisant une proposition indépendante au subjonctif pour exprimer le commandement, la volonté, le souhait, l'imprécation, *etc. Qu'on le fasse entrer.*

52 Que son nom soit béni; que son nom soit chanté.
Que l'on célèbre ses ouvrages
Au-delà des temps et des âges,
Au-delà de l'éternité! RACINE, Esther, III, 9.

53 Que le diable m'emporte si je sais au fond ce que je suis.
DIDEROT, le Neveu de Rameau, Pl., p. 464.

54 Oh! que mon génie fût une perle, et que tu fusses Cléopâtre!
A. DE MUSSET, Histoire d'un merle blanc, VIII.

♦ **10.** (Emplois explétifs).

a **QUE SI,** équivalent oratoire et vieilli de *si*, marquant la condition (calque du latin *quod si*). « *Que si ce loup t'atteint, casse lui la mâchoire* » (→ Étendre, cit. 12, La Fontaine). — REM. Cette locution se rencontre encore quelquefois dans la langue littéraire recherchée (Duhamel, Valéry...).

55 Que si vous me demandez comment tant de factions opposées (...) ont pu si opiniâtrement conspirer ensemble contre le trône royal, vous l'allez apprendre.
BOSSUET, Oraison funèbre de Henriette-Marie de France.

56 Que si je m'avise à présent de m'informer de ces emplois, ou plutôt de ces abus du langage, que l'on groupe sous le nom vague et général de « figures », je ne trouve rien de plus que les vestiges très délaissés de l'analyse fort imparfaite qu'avaient tentée les anciens de ces phénomènes « rhétoriques ».
VALÉRY, Variété, *in* Œ., t. I, Pl., p. 1289.

57 Que si le petit chien de la maison vient folâtrer dans leurs jambes, ils se livrent aussitôt à de bruyantes démonstrations.
G. DUHAMEL, les Plaisirs et les Jeux, VI, XIII (Cf. Ibid., p. 53, 74, 128, 145).

b Mod. Renforçant un adverbe d'affirmation ou de négation (dans le langage familier). *Que non* (cit. 11 et 12). *Que oui* (cit. 3). *Que si.*

c (Dans la loc. vieillie). *Être que de...* (⇒ 1. **De**, cit. 89). — *Ne pas laisser que de...* ⇒ **Laisser** (cit. 65).

★ **II.** (1080). Adverbe interrogatif et exclamatif.

♦ **1.** Vieilli. (Interrogatif). ⇒ **Pourquoi.**

58 Que tardez-vous, Seigneur, à la répudier? RACINE, Britannicus, II, 2.

(Dans des loc.). En quoi, à quoi, pourquoi. *Qu'ai-je besoin* (cit. 59) *de gloire? qu'importe, que m'importe...* ⇒ 2. **Importer** (cit. 10 à 15, et 17 à 21). *Que sert de...* ⇒ **Servir.** *Qu'allez-vous...*, suivi d'un infinitif.

59 Vous chasserez et vous pêcherez (...) qu'avez-vous besoin de tant de conserves?
Alphonse DAUDET, Port-Tarascon, II, I.

60 (...) celui qui porte en lui le soleil et la vie, qu'irait-il les chercher hors de lui?
R. ROLLAND, Jean-Christophe, L'adolescent, I, p. 242.

61 Qu'allez-vous parler d'un sépulcre vide à ceux qui, devant la terre bouleversée par la dernière Apocalypse, pensent d'abord à des gisements?
F. MAURIAC, *in* le Figaro, 16 nov. 1948.

Employé devant le verbe *savoir* et amenant une interrogation indirecte. — REM. « Ce tour, qui tient à la fois de l'anacoluthe et du pléonasme, semble s'expliquer par le besoin de souligner fortement, dès le début, le caractère interrogatif de la phrase » (G. et R. Le Bidois, in *Syntaxe du franç. mod.*, § 637).

62 (...) que savons-nous ce que la Providence garde à M. de Vardes?
Mme DE SÉVIGNÉ, 893, 17 avr. 1682.

63 (...) que savons-nous si des créations de mondes ne sont point déterminées par des chutes de grains de sable? HUGO, les Misérables, IV, III, III.

64 Et que sait-elle si Dieu ne lui dira pas à son tour (...)
Ed. et J. DE GONCOURT, Mme Gervaisais, p. 157.

QUE NE..., servant, dans la langue littéraire, à l'expression du regret, du reproche, de la surprise... (→ Pourquoi* ne ... pas; aussi 1. Froid, cit. 1).

65 Dieux! que ne suis-je assise à l'ombre des forêts! RACINE, Phèdre, I, 3.

66 Olivier et Roland, que n'êtes-vous ici?
Si vous étiez vivants, vous prendriez Narbonne.
HUGO, la Légende des siècles, X, « Aymerillot ».

♦ **2.** Exclamatif. ⇒ **Comme.** « *Que peu de temps suffit pour changer toutes choses!* » (→ Métamorphose, cit. 9, Hugo).

67 Que vous êtes joli! que vous me semblez beau (...) LA FONTAINE, Fables, I, 2.

68 Que j'ai honte de nous, débiles que nous sommes!
A. DE VIGNY, Poèmes philosophiques, « La mort du loup ».

69 Que c'est donc bête, vieux, de vous tourmenter comme ça!
ZOLA, la Terre, IV, III.

REM. Dans cet emploi, la langue parlée préfère les expressions *qu'est-ce que, ce que.* ⇒ aussi 2. **Ce** (*supra* cit. 26).

Ah! nom de Dieu! cria le premier, ce que j'ai eu tort, en 48, de ne pas les saigner tous (...) ZOLA, la Terre, IV, III. 70

(...) qu'est-ce qu'elle a dû pleurer quand elle a appris la mort de son garçon! 71
PROUST, À la recherche du temps perdu, t. XIV, p. 187.

Ce que tu le respectes, l'ordre du monde. 72
A. MAUROIS, le Cercle de famille, II, II.

QUE DE, locution exclamative. ⇒ **Combien.** « *Ô liberté, que de crimes* (*infra*, cit. 18) *on commet en ton nom!* »

Quel heureux monde en ces bosquets! 73
Que de grands seigneurs, de laquais,
Que de duchesses, de caillettes,
A. DE MUSSET, Poésies nouvelles, « Sur trois marches de marbre rose ».

Que de difficultés, en effet, je prévois! que d'habitudes d'esprit j'aurai à changer! que de souvenirs charmants je devrai arracher de mon cœur! 74
RENAN, Souvenirs d'enfance..., II, I, Œ. compl., t. II, p. 758.

COMP. Lorsque, presque, puisque, quoique.

2. QUE [kə], **QU'** [k] (devant voyelle et *h* muet) pron. — 842, *les Serments de Strasbourg*; du lat. *quem*, accusatif de *qui*.

★ **I.** Pronom relatif (ou « conjonctif ») des deux nombres, de genre masculin, féminin ou neutre, désignant une personne ou une chose.

♦ **1.** (En fonction d'objet direct). *La nouvelle que j'apporte.* « *Les morts ne sont pas morts, qu'on croit encore vivants* » (Rostand). → Qui (I., A., 1., REM. 4), sur la place de l'antécédent. *Lui que j'aimais. Ce que je dis.* ⇒ 2. **Ce** (cit. 19, 22, 23). *Elle pleura, ce qu'elle ne faisait jamais. Ce que voyant*, ce que disant... Ce qu'il faut. Ce qu'il arrivera* ou *ce qui** (I., A., 1., REM. 3) *arrivera.* — REM. Ces deux tours différents sont souvent confondus à cause de la prononciation [ki] de *qu'il* devant consonne. — *Le livre que voici.* — *Quoi que vous fassiez.* Certains auteurs voient là une conjonction (que vous fassiez ceci ou cela). — Fam. *Ah! cette peau qu'ils ont!* (→ Pelure, cit. 1) : quelle* peau ils ont. — (Dans le présentatif). *C'est... que* (⇒ aussi 1. **Que**). *C'est lui que j'attends. Est-ce moi que vous cherchez? C'est cela qu'il me faut.*

(...) ce ne serait pas une couronne que le genre humain lui devrait, mais un autel. 1
MICHELET, Hist. de la Révolution franç., V, XI.

(Avec l'inversion du nom sujet). « Le conjonctif objet direct, étant nécessairement avant le verbe, tend à s'en rapprocher le plus possible » (G. et R. Le Bidois, in *Syntaxe du franç. mod.*, § 886).

Les choses les plus belles sont celles que souffle la folie et qu'écrit la raison. 2
GIDE, Journal, Fin sept. 1894.

(Lorsque la subordonnée relative est suivie d'une complétive introduite par la conjonction *que*). « *Cet enfant sans parents, qu'elle dit qu'elle a vu* » (Racine, *Athalie*, III, 4). — REM. On lui préfère souvent l'infinitif, de nos jours : *cet enfant qu'elle dit avoir vu.*

Tout de même, le luxe qu'ils croient que tu pourrais lui donner, les relations qu'on sait plus ou moins que nous avons, je crois que tout cela n'y est pas étranger... 3
PROUST, Sodome et Gomorrhe, Pl., t. II, p. 927.

Il osait rejeter l'édredon énorme qu'elle exigeait qu'il gardât toute la nuit. 4
F. MAURIAC, Destins, p. 58.

J'ai bien reconnu tout de suite le monsieur que tu dis qu'il s'appelle Marcel. 4.1
R. QUENEAU, le Chiendent, p. 221.

Lorsque le sujet de la complétive est l'antécédent de *que*, tour fréquent dans la langue classique : ⇒ **Qui** (I., A., 1., REM. 2).

Objet direct ayant pour antécédent une proposition. — (Avec un verbe d'opinion). *Il n'est pas marié, que je sache.* ⇒ **Savoir.** « *Tu n'es pas, que je pense, un homme scrupuleux* » (Hugo, *Ruy Blas*, I, 2). — REM. Seul, *que je sache* est d'un emploi courant et forme une locution figée, d'usage soutenu, parfois un peu prétentieux.

(...) mais nous ignorons, que je crois, la demeure de la postérité (...) 5
CHATEAUBRIAND, Mémoires d'outre-tombe, t. II, p. 107.

Fam. (Avec un verbe d'opinion ou un verbe déclaratif pour mettre en doute les paroles d'un interlocuteur). « *Je terminerai bientôt ce travail. — Que tu dis!* ». « *Elle ne l'aime pas. — Qu'elle croit!* »

Pop. (Employé pour éviter l'inversion dans les incises). *Alors, qu'i m'dit... ; tu parles! que j'lui réponds.*

Pauvre petit! nous allons mourir ensemble, qu'elle dit en regardant son enfant. 6
BALZAC, la Femme de trente ans, Pl., t. II, p. 831.

Il est malade, qu'il nous écrit... J'veux bien! 7
CÉLINE, Voyage au bout de la nuit, p. 122.

Vous ne me reconnaissez pas qu'il lui demande. Non qu'elle dit. 8
R. QUENEAU, Loin de Rueil, p. 76.

Quant au peuple, qui a le goût des racontars et du bavardage, il fait un grand usage de l'incise. Mais, plus soucieux de clarté et d'exactitude que de correction, il tourne la difficulté en rattachant la citation au moyen de la conjonction universelle *que* et en faisant ainsi de l'incise une véritable subordonnée (...) 9
Robert LE BIDOIS, l'Inversion du sujet dans la prose contemporaine, p. 201.

♦ **2.** (En fonction de complément indirect). Vx ou littér. (repris dans la langue familière). ⇒ **Dont.** *De l'air* (→ 2. Air, cit. 1) *qu'on s'y prend.* « *Me voyait-il de l'œil qu'il me voit aujourd'hui?* » (Racine, *Andromaque*, II, 1). *De la manière* (cit. 32) *qu'ils sont ici dépeints. Du ton que vous dites cela. Du train que vont les choses.*

De nos jours (pop. et incorrect). ⇒ **Dont.** *Celui que je vous parle et que je connais sa fille.* — *Lequel* ou *qui* (chaque fois qu'il s'emploie avec une préposition). *L'ami que je sors avec. Le pont qu'on est passé dessus.*

(Comme complément circonstanciel). ⇒ **Où** (I., 1.). — (Au sens propre). *Du côté qu'il penche. De l'endroit qu'il vient.* ⇒ **Où** (I., 2.). *Le jour, le moment que... L'été qu'il fit si chaud; la semaine qu'il est venu. Chaque fois, la fois que... Le temps* que...* (suivi du subjonctif). — REM. Les constructions sont parfois senties et dénoncées comme fautives, ce qui n'est pas le cas. — *Il y a... que, voici (voilà)... que,* exprimant le temps écoulé. *Il y a trois semaines qu'il est arrivé ici. « Mais voilà cinquante ans que nous habitons ici »* (Maupassant, *le Bonheur*). *Voilà longtemps, il y a longtemps que* (→ Longtemps, cit. 6 et *supra;* et aussi avoir, cit. 89 et *supra*).

REM. 1. La langue familière supprime parfois *il y a, voici, voilà. «Quatre jours que je marche depuis Toulon»* (Hugo, *les Misérables,* I, II, III).

2. Lorsque l'antécédent est déterminé, l'emploi de *que* pour *où* est vieilli ou familier.

10 (...) j'ai disputé votre cœur à Don Fadrique, jusqu'au jour que vous lui avez donné la préférence. A.-R. LESAGE, le Diable boiteux, XV.

(Comme complément de mesure). *Ce que coûte une maison. Et, rose, elle a vécu ce que vivent les roses* (→ Destin, cit. 13).

11 Il sentit le peu que pèse tout l'orgueil du monde, au prix d'un peu d'amour.
R. ROLLAND, Jean-Christophe, Le matin, III, p. 218.

♦ **3.** (En fonction d'attribut). [a] Avec un substantif pour antécédent de *que,* le sujet du verbe étant un pronom. *« La cruelle qu'elle est se bouche les oreilles »* (Malherbe). *Le vieillard que je suis.* — Le sujet du verbe étant un nom, et dans ce cas presque toujours en inversion. *Le savant qu'était mon père. Le mystique qu'était Gilles de Rais* (Huysmans, *in* G. et R. Le Bidois, *Syntaxe du franç., mod.,* § 886).

12 L'être que je serai après la mort n'a pas plus de raisons de se souvenir de l'homme que je suis depuis ma naissance que ce dernier ne se souvient de ce que j'ai été avant elle. PROUST, Sodome et Gomorrhe, Pl., t. II, p. 985.

13 Dans son livre *La route des Indes,* l'observateur qu'est Paul Morand faisait une observation du même ordre.
André SIEGFRIED, *in* Revue de Paris, juin 1950, p. 7.

Introduit par *en, comme.*

14 Elle les a rassurés sans difficulté, en gentille fourbe qu'elle était.
J. ROMAINS, les Hommes de bonne volonté, t. XI, XVIII, p. 177.

15 Le conquérant se relève, sanglotant comme un pauvre bébé qu'il est.
G. DUHAMEL, les Plaisirs et les Jeux, III, VIII.

[b] (Avec un adjectif. — En apposition). — REM. Certains grammairiens voient dans ce *que* un adverbe issu de la conjonction, au sens de «comme». ⇒ **1. Que.**

16 Oh! Misérables que nous sommes (...) HUGO, Notre-Dame de Paris, VIII, IV.

17 Infernal que tu seras toujours, disait le garde (...)
M. AYMÉ, la Jument verte, VII.

(Employé avec *tout, pour*). *« Tout Picard que j'étais, j'étais un bon apôtre »* (Racine, *les Plaideurs,* I, 1). *Pour grands que soient les rois, ils sont ce que nous sommes* (→ Autre, cit. 2, Corneille). — (Employé avec *quel*). *Quelles que soient vos opinions* (considéré parfois en ce cas comme une conjonction).

Introduit par *de* marquant l'état initial et le passage d'un état à un autre.

18 La duchesse (...) de timide et d'interdite qu'elle avait été au commencement de l'audience, se trouva vers la fin tellement à son aise (...)
STENDHAL, la Chartreuse de Parme, I, VI.

[c] Avec un participe. (Littér.). :

19 Ils ne se parlaient pas, trop perdus qu'ils étaient, dans l'envahissement de leur rêverie. FLAUBERT, Mme Bovary, II, XII.

♦ **4.** Vx. *Ce que* (compl. d'objet, de circonstance, d'attribut). *«Voicy que j'épreuve tous les jours»* (Montaigne, *Essais,* II, 6). *«Tel parle de mesnaisge* (ménage) *qui ne sait mie que c'est»* (Rabelais, *Tiers livre,* II, p. 357). — Loc. mod. *Coûte que coûte* (que cela coûte ce que cela coûte). *Vaille que vaille. Advienne que pourra.*

♦ **5.** (Employé comme sujet). ⇒ **Qui.** *Faites ce que bon vous semble.* — REM. La confusion de *que* et *qui* était facilitée jusqu'au XVIe s. par l'élision de *qui* devant une voyelle : *«J'escry naïvement tout ce qu'au cœur me touche»* (Du Bellay, *Regrets,* XXI).

★ **II.** Pronom interrogatif neutre, désignant une chose.

♦ **1.** [a] (En fonction d'objet direct). *Que sais-je? Que faisiez-* (cit. 42) *vous au temps chaud?* (La Fontaine). *Que me veut-on? Qu'en dites-vous? Qu'en dira-t-on?* ⇒ **Dire.** — (Devant un infinitif). *Que faire?* (cit. 41). *Que lui dire? Qu'y faire? Qu'en penser?* (renforcé par *diable, diantre...*). *«Que diable allait-il faire dans cette galère?»* (Molière, *les Fourberies de Scapin,* II, 7).

20 Que vouliez-vous qu'il fît contre trois? CORNEILLE, Horace, III, 6.

21 Que veux-tu? fleur, beau fruit, ou l'oiseau merveilleux?
HUGO, les Orientales, XVIII.

22 (...) même Basin, que dis-je, Gilbert! en profiteraient (...)
PROUST, le Côté de Guermantes, Pl., t. II, p. 593.

[b] (En fonction d'attribut). *Qu'est la mort? Qu'est ceci? Qu'est-ce? Ni quoi* ni qu'est-ce. Et les lions, que sont-ils?* (Hugo, *Quatre-vingt-treize,* p. 266). *Que deviens-tu? Que serai-je dans dix ans?* ⇒ **Quel** (*supra* cit. 1). *Que vous en semble?* (Devant un infinitif). *Que devenir?*

23 Vertu, douleur, pensée, espérance, remords.
Amour qui traversais l'univers d'un coup d'aile,
Qu'êtes-vous devenus?... LECONTE DE LISLE, Poèmes barbares, «Dernière vision».

Qu'est-ce que la mort? (pour : *qu'est la mort?*). *Qu'est-ce que mourir?* — REM. Dans le groupe *est-ce que,* le verbe *être* a son sens plein puisqu'il introduit l'attribut et son emploi est obligatoire; il ne faut pas confondre ce tour avec *est-ce que* interrogatif dans *qu'est-ce que* (2., ci-dessous).

Qu'est-ce que tout cela, qui n'est pas éternel? 24
LECONTE DE LISLE, Poèmes tragiques, «Illusion suprême».

Auprès de l'amphore arrondie et ceinte de guirlandes, qu'est-ce que l'humble et rude potier? FRANCE, le Lys rouge, XXIII. 25

Mais pourquoi faire tant d'histoires avec Oriane?... En somme, qu'est-ce qu'Oriane? PROUST, le Côté de Guermantes, Pl., t. II, p. 467. 26

(Renforcé par *c'est que*). *Qu'est-ce que c'est que ce paquet? Qu'est-ce que c'est que ça?* (→ la prononc. pop., cit. 28).

Qu'est-ce que c'est que cette logique? 27
MOLIÈRE, le Bourgeois gentilhomme, II, 4.

Et voyant que le boulanger, après avoir examiné les trois soupeurs, avait pris un pain bis *(il)* jeta au boulanger en plein visage cette apostrophe indignée : 28
— Keksekça?
Ceux de nos lecteurs qui seraient tentés de voir dans cette interpellation de Gavroche au boulanger un mot russe ou polonais, sont prévenus que c'est un mot qu'ils disent tous les jours (eux nos lecteurs) et qui tient lieu de cette phrase : qu'est-ce que c'est que cela? HUGO, les Misérables, IV, VI, II.

Sa sœur qui est malade! Et ben, quéque ça me fait, à moi? Est-ce que j'ai des sœurs qui sont malades, moi. 28.1
Germain NOUVEAU, Notes d'un réserviste, Pl., p. 450.

— La Zerbine? Qu'est-ce que c'est que ça? cria M. Verdurin comme s'il y avait le feu. PROUST, Sodome et Gomorrhe, Pl., t. II, p. 936. 29

(Dans l'interrogation indirecte, après certains verbes tels que *savoir, avoir...,* à la forme négative et devant un infinitif). *Je ne sais que faire* (objet direct), *que devenir* (attribut). → Heure, cit. 49. *Il ne savait plus que dire.* ⇒ **Quoi.**

REM. 1. Dans cet emploi *que* semble plus abstrait, plus vague que *quoi.* Ainsi on dira plutôt : *je ne sais plus que faire,* si l'on ne trouve rien pour s'occuper, et *je ne sais plus quoi faire,* si l'on se demande quelle est la meilleure solution. Néanmoins le langage familier emploie *quoi* dans tous les cas.

2. À l'affirmative, on emploie «quoi» devant l'infinitif *(je ne sais* quoi *faire),* «ce que» devant l'indicatif *(je sais* ce que *je ferai).*

Je ne sais qu'est devenu son fils (...) RACINE, les Plaideurs, II, 7. 30

Cet enfant dévore tout (...) on ne sait plus que lui donner! 31
F. MAURIAC, Journal, III, p. 8.

[c] (En fonction de compl. circonstanciel sans préposition). *«Que gagnez-vous par an?»* (La Fontaine, VIII, 2). *Que vaut cet objet?* ⇒ **Combien.**

[d] *Que* implicitant un sujet impersonnel. *Que faut-il? Qu'y a-t-il? Que se passe-t-il? Que vous manque-t-il pour être heureux? Qu'arrivera-t-il si...? Qu'importe! Que vous semble de cela?*

Que te semble de cette nouvelle acquisition (...) 32
STENDHAL, le Rouge et le Noir, I, VI.

(...) et que t'a-t-il fallu pour cela? un sourire! A. DE MUSSET, Barberine, I, 3. 33

♦ **2.** (Employé avec *est-ce que* pour éviter l'inversion et renforcer le monosyllabe *que*). — *Qu'est-ce que...* (compl. d'objet direct). *Qu'est-ce que vous faites? Qu'est-ce qu'ils ont à rire? Qu'est-ce qu'on mange aujourd'hui?* — (Attribut). *Qu'est-ce que c'est? Qu'est-ce qu'ils deviennent?* — (Impersonnel). *Qu'est-ce qu'il y a?,* pour : *Qu'est-ce qui se passe?,* → ci-dessous. — (Complément circonstanciel). *Qu'est-ce que ça vaut? Qu'est-ce que vous pesez?*

— Qu'est-ce que vous pensez de ce qui se passe? 34
HUGO, Quatre-vingt-treize, I, IV, IV.

— Qu'est-ce que vous avez donc, vous autres, à m'aimer tant que ça? 35
ZOLA, la Terre, IV, III.

(...) qu'est-ce que vous seriez devenu, gaspilleur comme vous êtes? 36
PROUST, Sodome et Gomorrhe, Pl., t. II, p. 847.

(Dans l'interrogation indirecte, pour *ce que*).

(...) Maman (...) vous savez qu'est-ce qu'elle fait?... — Ne dis pas : *qu'est-ce* qu'elle fait (...) *ce* qu'elle fait. A. MAUROIS, le Cercle de famille, III, XVI. 37

Pop. *Qu'est-ce que c'est que vous voulez?*

(Exclamatif). *Qu'est-ce qu'il a pris! Qu'est-ce qu'elle lui a passé comme savon! Qu'est-ce qu'il lui faut!*

(...) mais quand ils auront repéré la crête, qu'est-ce qu'on va déguster! 38
R. DORGELÈS, les Croix de bois, XI.

QU'EST-CE QUI... Locution servant à interroger sur le sujet lorsque c'est une chose. *Qu'est-ce qui fait ce bruit? Qu'est-ce qui vous prend?* (cit. 40 et 41). *Qu'est-ce qui vaut mieux?* ⇒ **Lequel.** — REM. Dans la langue classique, et encore au XIXe s., on employait *qui* pour les choses, au lieu de *qu'est-ce qui : «Qui fait l'oiseau, c'est le plumage»* (La Fontaine, II, 5). ⇒ **Qui** (II., REM.). — L'emploi de *que* est réservé à certains cas (sujet impersonnel ci-dessus, cit. 32 et 33, devant *est-ce que : «qu'est-ce que»,* ci-dessus, cit. 34 à 36). Aussi *qu'est-ce qui* est-il d'un usage très courant, et obligatoire dans la plupart des cas.

Qu'est-ce qui m'aide (moi, parmi d'autres, et à titre d'exemple)? Peut-être l'idée que, pour moi ça pourrait être encore pire. 39
J. ROMAINS, les Hommes de bonne volonté, t. XV, XV, p. 171.

— Eh ben, ça y est! dit Lubéron. — Quoi? Quoi? demanda Pierné brutalement. Qu'est-ce qui y est? SARTRE, la Mort dans l'âme, p. 67. 40

QUÉBÉCISME [kebesism] n. m. — V. 1970 ; de *Québec.*

♦ Ling. Fait de langue propre au français du Québec. *Certains canadianismes* (par ex. : les « acadianismes ») *ne sont pas des québécismes.*

QUÉBÉCOIS, OISE [kebekwa, waz] adj. et n. — 1754, *quebecois,* aussi écrit *quebequois* (XVIIIe), *québecquois* (XIXe) ; de *Québec* (1608), nom de la ville, mot algonquin, « détroit, resserrement, escarpement ».

♦ **1.** Adj. De Québec ; du Québec, et notamment de la province de Québec. *La politique québécoise au sein de la Confédération canadienne**. — *Le Parti québécois* (1968, R. Levesque), parti de tendance socialiste et indépendantiste (abrév. : *P. Q.* [peky]). *Membre du Parti québécois.* ⇒ **Péquiste.**

(Répandu v. 1965). Spécialt. Du groupe ethnique et linguistique canadien* français composant la majorité de la population du Québec. *Littérature québécoise ; cinéma québécois.*

♦ **2.** N. *Les Québécois. Québécois francophones, anglophones.* — *Les Néo-Québécois :* les immigrés établis au Québec. — (Au sens 1, spécialt). *« À la même époque, au Québec, de Canadiens français on devenait Québécois »* (J. Ferron).

♦ **3.** N. m. (V. 1970). **LE QUÉBÉCOIS :** le français propre au Québec. → Franco-canadien. *Le joual, forme de québécois urbain, fortement anglicisé, s'opposant au français de France.*

QUEBRACHO [kebʀatʃo] n. m. — 1883, *Année sc. et industr.* 1884, p. 1698 ; mot esp. d'orig. brésilienne.

♦ Arbre d'Amérique du Sud *(Apocynacées),* dont le bois est très riche en tanin (plusieurs espèces).

QUECHUA [ketʃɥa ; ketʃwa] adj. et n. m. ⇒ **Quichua.**

QUEL, QUELLE [kɛl] adj. et parfois pron. — 1050 ; *qual,* X^e ; du lat. *qualis.*

★ **I.** Adjectif interrogatif servant généralement à questionner sur la qualité ou la nature d'une personne ou d'une chose, mais parfois aussi sur l'identité (lat. *quis*), la quantité (lat. *quantus*), la numération et le rang (lat. *quotus*).

A. Interrog. directe ♦ **1.** En fonction d'attribut (identité). ⇒ **Qui,** II. *Quel est ce jeune homme qui a l'air d'un mannequin ?* (→ 1. Mannequin, cit. 4). *Quelle est donc cette femme ?* (cit. 69). *Quel est donc cet homme distingué qui a les palmes* (→ 1. Palme, cit. 7) *académiques ? Quel est le chef de la religion anglicane ?* (→ Papesse, cit.). — *Quel est cet arbre ? Un chêne...* (→ Nous, cit. 19). *Quel est le principe de la démocratie ? C'est la vertu* (→ 1. Parler, cit. 24). *Quel est le but de la vie ? De faire son salut* (→ 2. Plan, cit. 7). *Quelle est la signification première du présent ?* (→ 1. Présent, cit. 15). *« Quel est donc ce secret que tu me veux apprendre ? »* (cit. 53, Racine).

REM. 1. Pour interroger sur la personne, *quel* se trouve en concurrence avec *qui* (→ Qui, II., A., 2.) ; mais quand on interroge sur la chose, *quel* est seul possible (cf. G. et R. Le Bidois, *Syntaxe du franç. mod.,* §§ 626-627).

2. Quand on interroge sur la personne, et que le sujet du verbe est un pronom personnel, on ne peut aujourd'hui employer *quel ;* on emploie *qui* (identité, qualité) ou *que* (qualité). → 2. Que (*supra* cit. 23) : *Qui es-tu ? que serai-je dans dix ans ?* (→ cependant ci-dessous Valéry, qui, en opposant *qui* à *quel,* souligne la valeur d'interrogation sur la qualité qui est propre à *quel*).

1 Quelle est donc cette jeune fille qui chante à sa croisée derrière ces arbres ? — C'est Rosette, la sœur de lait de votre cousine Camille.
A. DE MUSSET, On ne badine pas avec l'amour, I, 4.

2 *Qui* sommes-nous ? Ou plutôt : *quels* sommes-nous, nous autres d'aujourd'hui, qui renonçons (...) à nommer la *vertu* (...) VALÉRY, Variété, *in* Œ., t. I, Pl., p. 946.

(Qualité). *Quelle est cette fièvre* (cit. 11) *d'écrire qui me prend ?... « Ouais ! Quel est donc le trouble où je vous vois paraître ? »* (Molière). *Quel était ce feu intérieur ?...* (→ Percer, cit. 15). — (Quantité). *Quelle est la superficie de ce champ ?* — (Numération, ordre). *Quel est son classement ?*

3 Et le souper fini, nous nous fûmes coucher. — Ensemble ? — Assurément. Quelle est cette demande ? MOLIÈRE, Amphitryon, II, 2.

4 Quelle est cette langueur
Qui pénètre mon cœur ?
VERLAINE, Romances sans paroles, « Ariettes oubliées », III.

♦ **2.** (En fonction d'épithète). *Quel homme ne regarde une jolie femme ?* (→ Œil, cit. 42). *Quelle mouche* (cit. 9) *vous pique ? Quel autre l'eût pu faire ?* (→ 2. Le, cit. 24). *Quel mal* (→ 3. Mal, cit. 36) *y a-t-il ? « Quelles gens* (→ 1. Gens, cit. 3) *êtes-vous ? quelles sont vos affaires ? »* (Racine). *« Qu'entends-je ? Quels conseils ose-t-on me donner ? »* (→ Perdre, cit. 45, Racine). *Quel cas en ferais-tu ?* (→ Ne, cit. 10). *Quelle raison aurait-on de...* (→ Œuvre, cit. 15). *De quel droit... ?* (→ Arène, cit. 9). *De quel front... ?* (cit. 20 et 23). *De quelle manière... ?* (cit. 1). *Par quel moyen... ?* (→ 2. Parer, cit. 3). *Dans quelle ville... ?* (→ Intituler, cit. 2). *Quelle heure est-il ?,* et, pop., *quelle heure qu'il est ? De quel jour partira* (→ 1. Partir, cit. 30) *votre abonnement ?* — (Avec ellipse du verbe). *Elle avait pris du poison ; mais quel poison ?* (cit. 4). *Je vais acheter cette maison. — Avec quel argent ?*

Quelle bête faut-il adorer ? Quelle sainte image attaque-t-on ? Quels cœurs briserai-je ? Quel mensonge dois-je tenir ? — Dans quel sang marcher ? 5
RIMBAUD, Une saison en enfer, « Mauvais sang ».

— J'ai fait bien des remarques depuis. — Lesquelles ? — Bien des observations. 6
— Quelles observations ? Henri BECQUE, la Parisienne, I, 3.

Spécialt. (*Quel* équivalant à *de qui ? de quoi ?*). *En quel honneur ?* — Vieilli. *De quelle part** *? :* de la part de qui ?

Vx. (Avec ellipse du subst.). ⇒ **Lequel.** *Juge-nous sur une gageure* (cit. 1) *que nous avons faite. — Et quelle ?*

Nulles marques de cette grandeur, nul reste de cette puissance. Je me trompe, j'en vois de grands restes et des vestiges sensibles ; et quels ? C'est le Saint-Esprit qui le dit (...) 7
BOSSUET, Sermon pour le jeudi de la 2e semaine de Carême, Sur la Providence.

— Il y avait tant, tant de choses ! — Quelles ? — Elle ne pouvait pas dire. 8
R. ROLLAND, Jean-Christophe, L'adolescent, II, p. 281.

Interrogatif en fin de phrase :

(...) il cherchait à se le persuader, pour quelles obscures raisons ? (...) 9
R. ROLLAND, Jean-Christophe, Le matin, III, p. 181.

B. Interrog. indirecte. ♦ **1.** (En fonction d'attribut). *Je sais quelle est ma faute* (cit. 14). *Vous demander quelle peut être votre affaire* (→ Indiscrétion, cit. 5), *quelle peut être la cause...* (→ Mouvant, cit. 4). — Littér. (avec d'autres verbes que *savoir, demander*). *Connaître quel est le malheur d'un homme sans Dieu* (cit. 47). *Ils supputaient quelle allait être la situation pécuniaire* (cit. 3).

Ils s'épuisaient à chercher quel pouvait être le misérable qui s'attachait à les poursuivre. R. ROLLAND, Jean-Christophe, La révolte, II, p. 533. 10

REM. 1. L'emploi de *quel* se rapportant à un nom de personne dans l'interrogation indirecte paraît vieilli :

Et quand je vous demande après quel est cet homme, 11
À peine pouvez-vous dire comme il se nomme (...) MOLIÈRE, le Misanthrope, I, 1.

2. *Quel,* attribut, dans l'interrogation indirecte de qualité, au sens plein de « de quelle nature, de quel caractère », n'est plus guère employé, alors qu'il était courant dans la langue classique :

Je sais quel est Pyrrhus. Violent, mais sincère. RACINE, Andromaque, IV, 1. 12

♦ **2.** (En fonction d'épithète). *On se demande quelle étrange nécessité pousse un artiste...* (→ Œuvre, cit. 24). *« Vous ignorez quels droits* (→ 3. Droit, cit. 25) *elle a sur toute l'âme »* (Corneille). *Imaginer, concevoir, apprendre* (cit. 39)... *par quel art, avec quelle facilité...* (→ Attacher, cit. 48), *à quel point...* (→ Injustice, cit. 13), *à quelle époque...* (→ Lunatique, cit. 2), *de quelle province...* (→ Patrie, cit. 12). — Loc. *Ne plus savoir sur quel pied danser* (→ Grossièreté, cit. 5), *à quel saint se vouer...* — Spécialt (→ ci-dessus, A., 2.). *Je lui demandai de quelle part* (→ Fièrement, cit. 1).

Avec ellipse du substantif :

(...) s'enquérir tout d'abord de l'histoire du lieu (...) quels hommes y ont passé (...) quels l'ont fondé (...) quels y ont gravé leur nom sur le mur (...) 13
SAINTE-BEUVE, Portraits littéraires, Gabriel Naudé, 1er déc. 1843.

Formant des locutions adjectives indéfinies. *Je ne sais quel souffle...* (→ Cabrer, cit. 12 ; et aussi 1. droit, cit. 16 ; grâce, cit. 63 ; lamentation, cit. 2). *On ne sait quel abri...* (→ Approfondissement, cit. 3). *N'importe** *quel...*

(Un détachement) qu'on a expédié pour Dieu sait quelle besogne de surveillance (...) J. ROMAINS, les Hommes de bonne volonté, t. XVI, XVII, p. 167. 14

(Léonard de Vinci) laisse debout des églises, des forteresses ; il accomplit des ornements pleins de douceur et de grandeur, mille engins, et les figurations rigoureuses de mainte recherche. Il abandonne les débris d'on ne sait quels grands jeux. 15
VALÉRY, Variété, Œ., t. I, Pl., p. 1155.

C. Exclamatif. ♦ **1.** En fonction d'attribut. *« O Fortune* (cit. 2), *quelle est ton inconstance ! »* (Molière). *« Ah ! ciel ! de mes soupçons quelle était l'injustice ! »* (cit. 5, Racine). *Quelle fut ma joie quand... !* (→ 1. Ombre, cit. 51). — Avec une négation de valeur rhétorique. *Quelle ne fut pas sa surprise... ! Quels ne furent pas mon horreur et mon étonnement !* (→ Pendre, cit. 13).

Dans l'Orient désert quel devint mon ennui ! RACINE, Bérénice, I, 4. 16

— Quelle est votre erreur ! ma chérie. Comme on voit bien que vous ignorez ces tourments. J. ROMAINS, les Hommes de bonne volonté, t. XVII, XI, p. 114. 17

(Vx). Exclamatif, attribut d'un pronom sujet et d'un pronom complément d'objet.

Quel devins-je au récit du crime de ma mère ! RACINE, Mithridate, I, 1. 18

Quel il m'a vu jadis, et quel il me retrouve ! RACINE, Phèdre, III, 6. 19

♦ **2.** En fonction d'épithète. *Quelle âme fiévreuse* (cit. 3) *habitait ce corps frêle ! Quel chemin il a fait depuis* (→ Nationalisme, cit. 2). *Quelle joie ce fut pour la cour !* (→ Prendre, cit. 5). *Quelle erreur est la tienne ! « Dans quelle inquiétude* (cit. 11), *Esther, vous me jetez ! »* (Racine). — Avec ellipse du verbe. *Quelle vanité que la peinture... !* (→ 1. Original, cit. 4, Pascal).

Quel dommage que je n'aie pas mes vingt-cinq ans ! (→ Perruque, cit. 6). *Quelle folie, d'accuser d'un amour platonique...* (cit. 2).

Quel égoïsme dans cette façon de filer (cit. 29) *à l'anglaise! « Manger l'herbe d'autrui!* (cit. 8) *quel crime abominable! »* (La Fontaine). *Se taire, quelle leçon!* (→ 1. Piquet, cit. 6). — *Quelle infamie!* (cit. 6). *Quelle horreur!* (→ Parapluie, cit. 5). *Quelle misère!* (→ 1. Pouvoir, cit. 30). *Quel plaisir! Quelle pureté, quelle exactitude!* (cit. 9). *Quelle grâce! Quel génie! Quel bonhomme, quel type! Quel crétin!* (→ fam. Tu parles* d'un crétin!). *Quel noceur!* (cit. 1). — Péj. *Quelle génération!* (→ Parodie, cit. 2). *Non, quelle armée!* (→ Marrer, cit.). *Quelle idée!* ⇒ **Ce, cet, cette** (→ Maîtresse, cit. 63). — Renforçant l'épithète. *Quelle belle image!* (→ Négatif, cit. 16). *Quel quartier pittoresque!* (cit. 2). *Quel beau temps!* (→ Pour, cit. 11). *Quelle jolie maison!* (→ Pièce, cit. 28). *Quels pitoyables* (cit. 5) *vers! Quel vilain mot!* (→ Objectivité, cit. 3).

Précédé de *et. Deux guerres, et quelles guerres...* (→ Bouleverser, cit. 5). *La parole et la rime jaillissaient en même temps, et quelle rime!* (→ Instantanéité, cit. 1; et aussi âpreté, cit. 4). — Sans reprise d'un terme précédent :

20 En voilà un (...) qui peut faire un personnage de vaudeville!... un Chinois pareil devrait servir d'enseigne aux *Deux Magots.* Et quelle redingote!
BALZAC, les Employés, Pl., t. VI, p. 1055.

Exclam. indirecte. *Il faut* (cit. 22) *voir quel émoi dans la maison. Dieu sait avec quelle sottise* (→ Pédant, cit. 4).

21 (...) en faisant appel à Dieu sait quels autres aventuriers.
J. ROMAINS, les Hommes de bonne volonté, t. XV, p. 99.

★ **II.** Pronom (ou nominal) interrogatif. ⇒ **Lequel, qui.**

REM. 1. L'ancienne langue ne faisait pas de différence dans l'interrogation, entre *quel* et *lequel,* mais aujourd'hui *quel* n'est plus guère employé que comme adjectif. Cependant, *quel* garde encore sa valeur de pronom, quand il s'accompagne d'un partitif. — (Interrog. dir.). *Quel est le plus grand des deux?* — (Interrog. ind.). *« Dire quelle était vraiment la plus belle des trois »* (→ Pomme, cit. 8, Henriot). *« Je voulais savoir quel était de nous deux le plus ignoble personnage! »* (→ Pompon, cit. 3, Flaubert). Mais *quel* ne s'emploierait plus en fonction d'objet, comme dans ce vers de Corneille : *« Quel de vos diamants me faut-il lui porter? »* (*Suite du Menteur,* II, 3).

2. Il ne faut pas confondre ce *quel,* réellement pronominal, avec le *quel* en fonction de pronom dans le cas d'ellipse du substantif (→ ci-dessus, cit. 7, 8 et 13).

22 Quel est le plus blâmable d'un bourgeois sans esprit et vain qui fait sottement le gentilhomme, ou du gentilhomme fripon qui le dupe?... Quel est le plus criminel d'un paysan assez fou pour épouser une demoiselle, ou d'une femme qui cherche à déshonorer son époux?
ROUSSEAU, Lettre à d'Alembert.

23 De nous deux, quel est le plus méprisable?
Alphonse DAUDET, Robert Helmont, p. 152, *in* K. SANDFELD, I, p. 315.

★ **III.** Adjectif relatif. **A.** Dans la locution *quel que,* marquant une concession d'extension indéterminée, dans le sens de « que telle personne, telle chose soit telle (identité, nature, quantité, etc.) qu'on voudra ».

♦ **1.** En fonction d'attribut. *D'un homme quel qu'il soit* (→ Caudataire, cit. 2). ⇒ **Quelconque.** *Le prix de revient quel qu'il soit* (→ Monopole, cit. 3). *Quelle que soit la chose qu'on veut dire* (→ Exprimer, cit. 7), *la ligne* (cit. 17) *politique qu'on suive. Quel que soit le total des voix obtenues* (→ Majoritaire, cit.). *Quels qu'en soient les risques* (→ Margoulin, cit. 2). *Quelles que soient ses qualités* (→ Néfaste, cit. 2).

24 Nous avons vu Corneille, sans doute sous l'influence de l'usage (ou plutôt en vue de l'euphonie), changer *(d'une édition à l'autre du Cid) qui qu'il soit* en *quel qu'il soit* (...) et nous avons dû constater que, dans la circonstance, cette correction n'était rien moins que juste. *Qui,* en effet, est le conjonctif propre pour marquer (...) l'identification. tandis que *quel* est (...) destiné à la qualification (...) Cela n'empêche que *quel* s'est de plus en plus substitué à *qui* dans toutes sortes de phrases où *qui* serait plus approprié (...) Dans la langue de nos jours, *quel* paraît avoir définitivement supplanté *qui,* devant la 3e personne. Comme de juste, on l'emploie en parlant des choses, et pour en présenter la qualité sous le jour de l'indéterminé (...) G. et R. LE BIDOIS, Syntaxe du franç. moderne, § 610.

25 (...) je m'aime et je me hais (...) m'acceptant tel que je suis, quel que je sois (...)
VALÉRY, Colloques, Œ., t. I, Pl., p. 366.

REM. La disjonction entre *quel* et *que* est rare et recherchée :

25.1 Comment après tout si je consens à l'existence c'est à condition de l'accepter pleinement en tant qu'elle remet tout en question; quels d'ailleurs et si faibles que soient mes moyens comme ils sont évidemment plutôt d'ordre littéraire et rhétorique; je ne vois pas pourquoi je ne commencerais pas, arbitrairement, par montrer qu'à propos des choses les plus simples il est possible de faire des discours infinis entièrement composés de déclarations inédites (...)
Francis PONGE, le Parti pris des choses, p. 173.

♦ **2.** Vx ou archaïsme. En fonction d'épithète. ⇒ **Quelque.**

26 Ce n'est pas faisant bloc ainsi *(dans la combinaison* quelque*)* que cette expression de l'indéfini s'offre à nous, au début du français, mais sous la forme de deux éléments conjonctifs, *quel... que,* d'autant plus distincts qu'ils étaient séparés par le nom sur lequel portait l'indétermination : *Quel part qu'il* alt, ne poet mie chaïr, littéralement : quelle part qu'il aille (= où qu'il aille), il ne peut pas choir (ROL, 2034)... Il serait regrettable que ce tour si dépouillé, si clair, disparût de l'usage.
G. et R. LE BIDOIS, Syntaxe du franç. moderne, §§ 604-605.

27 (...) mais quelle violence que je me fasse, c'est à moi de vous obéir (...)
MOLIÈRE, George Dandin, III, 7 (N. B. Correction, éd. 1672 : quelque violence).

28 C'est une sorte de loi absolue que partout, en tous lieux, à toute période de la civilisation, dans toute croyance, au moyen de quelle discipline que ce soit, et sous tous les rapports, — le faux supporte le vrai (...)
VALÉRY, Variété, Œ., t. I, Pl., p. 966.

Sous quelle forme que se montre à nous la Terreur (...) 29
J. PAULHAN, les Fleurs de Tarbes, p. 69.

B. TEL QUEL. ⇒ **Tel.**

DÉR. et COMP. Lequel, quelconque, quellement, quelque.

QUELCONQUE [kɛlkɔ̃k] adj. — XIIe; également pronom au sens de *quiconque* jusqu'au XVIIe; francisation, sur *quel,* du lat. *qualiscumque.*

♦ **1.** Adj. indéf. marquant l'indétermination absolue (→ Détermination, cit. 3). N'importe lequel, quel qu'il soit. *« Ceux qui auront arrêté* (cit. 35), *détenu ou séquestré des personnes quelconques »* (Code pénal). *Atteindre* (cit. 43) *à... implique un effort quelconque. Sous une forme quelconque* (→ Extérioriser, cit. 1). *D'une manière quelconque* (→ Fonction, cit. 16). *Pour une raison quelconque* (→ 2. Lieu, cit. 17). *D'un corpuscule quelconque, qu'il soit photon, électron, proton ou autre* (→ Onde, cit. 17).

Il fut heureux, cependant, de lui voir enfin manifester une volonté quelconque. 1
FLAUBERT, Mme Bovary, II, XIV.

Loc. (Vx). *Il n'y a raison quelconque :* il n'y a aucune raison.

Spécialt (log. et math.). [a] « Se dit de l'un des éléments d'une même classe en tant qu'il est considéré comme jouissant des mêmes propriétés que tout autre élément de cette classe » (Lalande). *Une propriété vraie d'un point quelconque du cercle est vraie de son centre. Une ellipse ou une courbe* (cit. 12) *quelconque.* — REM. Les mathématiciens et les philosophes renforcent souvent, en ce sens, l'adjectif *quelconque* par des adverbes : *généralement quelconque, tout à fait quelconque.*

Je suppose (...) que les coordonnées d'un point soient des fonctions continues, *d'ailleurs tout à fait quelconques,* des coordonnées du point correspondant. 2
Henri POINCARÉ, la Valeur de la science, p. 64.

Je me souviens de mon étonnement lorsque, élève de quatrième, mon professeur me dit un jour : Le triangle que vous tracez au tableau n'est pas quelconque, il est isocèle. Je lui répondis : Un triangle quelconque peut être aussi bien isocèle que non isocèle. Mon professeur se fâcha; il eut tort; il devait me dire : Il est imprudent d'associer dans votre esprit la propriété que vous voulez démontrer à l'image d'un triangle isocèle, car elle pourrait ne pas vous venir à l'esprit quand vous en aurez besoin, à propos d'un autre triangle. 3
Ed. GOBLOT, Sur l'induction en mathématiques, *in* Revue philosophique, janv. 1911, p. 65 (*in* LALANDE, Voc. de la philosophie, art. *Quelconque, note*).

[b] « Se dit d'un élément d'une classe quand il ne présente aucune propriété singulière relativement à l'ordre de choses que l'on considère » (Lalande). *On ne peut dire du centre d'un cercle qu'il est un point quelconque du cercle. Un point non quelconque.*

Intercalé entre un numéral et un partitif. *L'un quelconque des points cardinaux* (→ Orienter, cit. 1). *« Si de quatre choses exprimées* (cit. 13) *par les quatre lettres A, B, C, D, on permet d'en prendre, par exemple deux quelconques »* (Pascal). *Nous pensons à l'un quelconque de ces petits potentats* (cit. 2).

Il me recommandait bien de ne l'ouvrir *(ce pli)* que devant une quelconque des îles de l'Amirauté, par je ne sais quel degré, de latitude et de longitude. 4
Alphonse DAUDET, Port-Tarascon, III, 5.

(Déb. XXe; placé devant le subst.). Péj. *Ouvrier qu'on a réduit à n'être plus qu'un quelconque animal producteur* (→ Frustrer, cit. 5; et aussi figuration, cit. 2).

Un Rothschild quelconque, qui aura doté un quelconque observatoire d'une lunette (...) 5
O. MIRBEAU, Dingo, VII, *in* GREVISSE, p. 367.

♦ **2.** (Fin XIXe). Adj. qualificatif. Tel qu'on peut en trouver partout, sans qualité ou valeur particulière. ⇒ **Insignifiant, ordinaire.**

Dans la chambre (...) il n'y avait (...) que le morne mobilier abstrait, — le lit, la pendule, l'armoire à glace, deux fauteuils — comme des êtres de raison (...) Je n'ai jamais eu plus fortement l'impression du *quelconque.* C'était le logis quelconque, analogue au point quelconque des théorèmes. — et peut-être aussi utile. Mon hôte existait dans l'intérieur le plus général. VALÉRY, Monsieur Teste, p. 29. 6

(Euphémisme). Assez mauvais. ⇒ **Médiocre.** *Un homme très quelconque, insignifiant* (cit. 9). *Elle est bien quelconque dans ce nouveau rôle. Un décor de plus en plus quelconque* (→ Béotien, cit. 3). *C'est un livre que je trouve quelconque,* ni bien ni mal.

La famille, ce n'est pas mal, mais ce n'est pas très bien; c'est quelconque. 7
J. ROMAINS, les Hommes de bonne volonté, t. XIV, XXII, p. 239.

CONTR. (Du 2.) Curieux, fameux, miraculeux...

QUELLEMENT [kɛlmɑ̃] adv. — XIVe; de *quel.*

♦ Vx (et conservé seulement dans l'expression *tellement quellement*). ⇒ **Tellement.**

QUELQUE [kɛlk]; [kɛlkə] devant un mot commençant par une consonne. Adj. adverbialisé en certains cas depuis le XVIIe. — XIIe; de *quel,* et *que.* → Quel, III., A., 2.

S'emploie, d'une part en combinaison avec *que* pour former une locution concessive ou « interrogation non résolue » (Damourette et Pichon); d'autre part, comme adjectif indéfini.

★ **I.** Littér. QUELQUE... QUE, à valeur concessive, suivi du subjonctif.

♦ **1.** (Qualifiant un substantif). *Quelque soin qu'on apporte* (cit. 27) *à...* (→ Malgré* le soin qu'on apporte; bien* qu'on apporte du soin...). *Sur quelque sujet que se portât la conversation* (→ Assaut, cit. 21). *De quelque côté que je me tourne* (→ Auditoire, cit. 3). *À quelque prix que ce soit* (→ Hésiter, cit. 21). *De quelque nature qu'elle soit* (→ Impression, cit. 22). *Quelque temps qu'il fît* (→ Lacédémonien, cit. 1). *Pour quelque religion que ce soit* (→ Martyr, cit. 4). *En quelque matière* (cit. 17) *qu'il fallût composer. Sous quelque rapport que ce soit* (→ Mauvais, cit. 1). *En quelque point de l'espace que l'on considère le mobile* (→ Position, cit. 2).

1 (...) elle lui demandait de venir chez elle avant de rentrer, quelque heure qu'il fût.
PROUST, le Côté de Guermantes, Pl., t. II, p. 29.

REM. 1. Quand le substantif est accompagné d'une épithète, placée avant ou après, *quelque* porte sur le groupe substantif-adjectif, et non sur l'adjectif seul (→ *infra*, 2.). Au pluriel, il s'accorde donc naturellement avec le substantif (cf. G. et R. Le Bidois, *Syntaxe du franç. moderne*, § 609).

2 Quelques puissants appas que possède Amarante,
Je trouve qu'après tout ce n'est qu'une suivante (...)
CORNEILLE, la Suivante, I, 1.

3 De quelques gens exquis ou éminents que tel de ses anciens camarades de l'école du Louvre lui parlât (...) PROUST, le Côté de Guermantes, Pl., t. II, p. 47.

2. Quand le substantif introduit par *quelque* est sujet de la subordonnée, le français tourne la difficulté en substituant *qui* à *que*. *« Quelque différence* (cit. 4) *qui paraisse entre les fortunes »* (La Rochefoucauld).

4 Quelque haute raison qui règle leur courage,
L'un conçoit de l'envie, et l'autre de l'ombrage (...)
CORNEILLE, Polyeucte, III, 1.

5 (...) quelque lien qui pût nous unir (...) je l'avais rompu pour toujours.
A. DE MUSSET, la Confession d'un enfant du siècle, V, VI.

3. Cette substitution de *qui* à *que* est à l'origine des relatives avec *dont, où*, parfois employées au XVIIe s., au lieu du tour normal avec *que*; dans les citations ci-dessous, nous dirions aujourd'hui : *« Dans quelque trouble que... »* et *« De quelque indignation que... »*

6 Quelque trouble où tu sois, montre une âme tranquille (...)
CORNEILLE, Othon, IV, 3.

7 Quelque indignation dont leur cœur soit rempli (...)
LA FONTAINE, Fables, VIII, 14.

♦ **2.** (Adverbial, qualifiant un adjectif). ⇒ **Pour, si.** *Quelque grand que soit un espace* (→ Infini, cit. 28). *Quelque grossière que soit une créature* (→ Infusion, cit. 3). *Quelque inachevé que soit l'inventaire* (cit. 7). *« Quelque élevés qu'ils soient, ils sont ce que nous sommes »* (→ Mortel, cit. 1, J.-B. Rousseau). *Quelque méchants que soient les hommes* (→ Persécuter, cit. 7).

8 Je connaissais Manon ; je n'avais déjà que trop éprouvé que, quelque fidèle et quelque attachée qu'elle me fût dans la bonne fortune, il ne fallait pas compter sur elle dans la misère. Abbé PRÉVOST, Manon Lescaut, p. 54.

9 (...) tout en accordant plus d'estime *pratique* à Scribe, l'idée de tout parallèle entre Milton et ce dernier semblera (...) comme l'idée d'un parallèle entre un sceptre et une paire de pantoufles. Quelque pauvre qu'ait été Milton, quelque argent qu'ait gagné Scribe, quelque inconnu que soit longtemps demeuré Milton, quelque universellement notoire que soit, déjà, Scribe.
VILLIERS DE L'ISLE-ADAM, Contes cruels, « La machine à gloire ».

REM. Vaugelas a déclaré que *quelque*, dans ce cas, doit rester invariable. De nombreux écrivains classiques, qui avaient d'abord accordé *quelque* avec le sujet au pluriel, ont corrigé dans leurs dernières éditions.

10 Quelque profonds que soient les grands de la cour (...)
(Var. : « Quelques profonds », dans les éditions 1 à 7).
LA BRUYÈRE, les Caractères, IX, 26.

♦ **3.** (Suivi d'un adverbe). *Quelque peu que dure l'absence* (cit. 8). *Les couleurs, quelque industrieusement* (cit.) *qu'on les applique... Quelque fort qu'il ait plu.* ⇒ **Autant** (*supra* cit. 22), **si.**

11 Quelque haut qu'on puisse remonter pour rechercher dans les histoires (...)
BOSSUET, Oraison funèbre d'Henriette-Marie de France.

★ **II.** Emploi indéfini.

♦ **1.** Littér. Au singulier (faisant porter l'indétermination soit sur un individu, soit sur une substance non décomposable en individus).

[a] Un. ⇒ **Aucun, certain.** *Vous vous attirerez quelque méchante affaire* (cit. 46). *« Cherchons pour l'attaquer* (cit. 22) *quelque endroit plus sensible »* (Racine). *Employer quelque moyen* (→ Audience, cit. 4). — Loc. cour. *En quelque sorte*, en quelque façon*. Quelque part*. Quelque jour* (→ Division, cit. 1). *En quelque mesure*. Quelque chose*. Quelque autre chose. As-tu quelque autre peccadille* (cit. 3) *à te reprocher?* — (Devant un adjectif substantivé). *S'il avait affaire* (cit. 66) *à quelque maladroit. Quelque audacieux* (cit. 9). *Quelque autre :* un autre (→ Prendre, cit. 129).

12 Et quelle est cette peur dont leur cœur est frappé,
Seigneur? Quelque Troyen vous est-il échappé? RACINE, Andromaque, I, 4.

13 Et elle lui présentait quelque bon bouillon, quelque tranche de gigot, quelque morceau de lard, et parfois des petits verres d'eau-de-vie (...)
FLAUBERT, Mme Bovary, II, XI.

13.1 Il se mit à passionnément admirer l'accoutrement de Talon, en manifestant le brûlant désir de posséder quelque costume semblable.
Raymond ROUSSEL, Impressions d'Afrique, p. 397.

[b] (Faisant porter l'indétermination sur une substance). De (de l', de la), du ; un peu de... *On lave* (cit. 9) *l'enfant avec quelque eau tiède. Quelque temps, depuis quelque temps, à quelque temps* de là... À quelque distance** (→ Passeur, cit. 1). *Avec quelque retard* (→ Pichenette, cit. 2). *S'il me veut quelque bien* (→ Mouvement, cit. 38). *Non sans quelque solennité* (→ Fatidique, cit. 2). *Quelque fierté* (cit. 2). *Montrer quelque esprit* (→ Foule, cit. 23), *quelque savoir* (→ Lécher, cit. 9). *Avoir quelque peine à...* (→ Infidèle, cit. 11). — Spécialt (cour.). *Quelque peu* :* un peu (avec une nuance d'indétermination). (Devant un adjectif). *Il est quelque peu étourdi.*

♦ **2.** Cour. Au pluriel. Désigne un nombre assez petit qui n'a pas été compté (le dénombrement n'étant pas impossible, mais jugé inutile). ⇒ **Quantité** (petite).

(Devant un substantif). Un petit, un certain nombre de... ⇒ **Plusieurs.** *Il faudrait ici un sergent et quelques hommes* (→ Observatoire, cit. 3). *Faire quelques pas, dire quelques mots...* ⇒ **Deux.** *Quelques siècles après* (cit. 21). *À quelques jours de là. Quelques autres amis.* ⇒ **Divers** (→ Possible, cit. 12). — (Devant un adjectif substantivé). *Quelques méchants* (→ Pauvreté, cit. 2). *Quelques autres* (→ Ferveur, cit. 4 ; foi, cit. 39). — Spécialt (dans un dénombrement qui n'est pas poussé à la limite et s'il s'agit d'un nombre au moins égal à vingt). *Une somme de deux cents et quelques francs.* — Ellipt. *Deux cents francs et quelques. « Nous étions à cette réunion quarante et quelques »* (Académie).

(...) on arriva de la sorte à un chiffre de cinq cent cinquante et quelques francs, ce qui laissa les enfants agités, hors d'eux, car ils s'entêtaient à ne pas dépasser cinq cents francs tout ronds. ZOLA, la Terre, I, II. 14

Je ne prévois pas ce que j'aurais fait moi-même, si j'avais encore quarante ans au lieu de soixante et quelques. Henry BECQUE, les Corbeaux, II, 4. 15

(Précédé de l'article *les* ou d'un présentatif). *Les quelques personnes qui... :* le petit nombre de... *Les quelques ennuis qu'il en pouvait attendre* (→ Ordinaire, cit. 4). *Les quelques voies par où...* (→ Périphérique, cit. 1). *Ce n'est pas avec ses quelques ouvriers qu'il peut entreprendre cette fabrication.*

Les sommes ainsi réalisées servirent à purger les hypothèques dont étaient grévés les quelques biens qu'il tenait à conserver. Pierre BENOIT, Axelle, X. 16

(Devant *cent* ou *mille*, qu'il multiplie). — REM. Ce tour vieillit ; on dirait plutôt aujourd'hui : *quelques centaines, quelques milliers de...* ; cependant il apparaît, dans un emploi voisin du précédent, précédé de *et* : *« Le 7e corps entier, trente et quelques mille hommes »* (Zola, *Débâcle*, t. I, p. 123). — (Avec un déterminatif). *Les quelques mille francs qui...* (→ Lester, cit. 1). — REM. À ne pas confondre avec *quelque* invariable (→ ci-dessous, 3.).

La confusion se mit parmi eux ; mais quelques mille braves, conduits par La Rochejaquelein, vinrent se former en avant de la ville. 17
THIERS, Hist. de la Révolution franç., t. I, XIX, p. 734, *in* DAMOURETTE et PICHON, no 2809.

Plusieurs fois, à quelques cents mètres du cheval, de courtes ombres de sangliers (...) traversèrent. F. MAURIAC, le Baiser au lépreux, XIV, p. 149, *in* DAMOURETTE et PICHON, no 2809. 18

♦ **3.** Invar. (adverbialisé). Devant un nombre, et marquant l'approximation. ⇒ **Environ.** — REM. Le mot est encore souvent orthographié *quelques*, au XVIIe s., malgré Vaugelas. — *Une bande de feu de quelque cinquante mètres* (→ Investir, cit. 9).

(...) les quelque trente ans que j'ai de moins que vous (...) 19
J. ROMAINS, les Hommes de bonne volonté, t. XIX, VIII, p. 109.

DÉR. et COMP. Quelquefois, quelqu'un.

QUELQUE CHOSE [kɛlkəʃoz] ⇒ Chose.

QUELQUEFOIS [kɛlkəfwa] adv. — 1539, graphie moderne ; mais dès 1490, et souvent encore au XVIe, *quelque fois*, ou encore *quelques fois, quelquesfois* ; de *quelque*, et *fois*.

Adverbe de temps.

♦ **1.** Vx. (Au sens de *quelque fois*). Une fois, une certaine fois, un jour. *« J'ai quelquefois aimé »* (→ Changer, cit. 2, La Fontaine). *Si quelquefois, quand quelquefois... :* si par hasard..., si jamais...

Si vous le saluez quelquefois, c'est le jeter dans l'embarras de savoir s'il doit rendre le salut ou non (...) LA BRUYÈRE, les Caractères, II, 40. 1

De nos jours (pop.). *Quelquefois que... :* des fois que... (⇒ **Fois,** I., 5.).

En passant devant la loge de la concierge, il me disait (...) « On va regarder sur la table de Mme Tesson. Quelquefois qu'elle serait arrivée, votre lettre du Havre ». 2
G. DUHAMEL, Chronique des Pasquier, I, VIII.

(Même sens ; sans *que*) :

Le monsieur lui déplaisait? — Non, pas du tout. Sans ça, elle n'aurait pas accepté. — Quelquefois elle aurait pu accepter un peu par politesse. Sans trop réfléchir. Et puis après se dire que ce n'était pas son genre. 3
J. ROMAINS, les Hommes de bonne volonté, t. V, p. 20.

♦ **2.** Mod. (Au sens de *quelques fois*). Un certain nombre de fois (cit. 6), dans un certain nombre de cas (ce nombre étant peu élevé). ⇒ **Parfois, rarement.** *« Même il m'est arrivé* (cit. 69) *quelquefois de manger le berger »* (La Fontaine). *« Ajoutez* (cit. 12) *quelquefois, et souvent effacez »* (Boileau). *Quelquefois le dégoût et plus souvent la lassitude* (→ Désespérance, cit. 4). *« La modestie est quelquefois hypocrite* (cit. 28) *et la simplicité ne l'est jamais »* (d'Alembert). *Quelquefois..., d'autres fois...* (→ Joie, cit. 8). *Quelquefois..., quelquefois...* (→ Mer, cit. 1). *Tués quelquefois..., tuant souvent*

(→ Mousquetaire, cit.). *Quelquefois paradoxales* (cit. 1) *mais toujours touchantes. Quelquefois même* (→ Maltraiter, cit. 1; femme, cit. 81).

CONTR. Constamment, toujours.

QUELQU'UN, UNE [kɛlkœ̃, yn], QUELQUES-UNS, UNES [kɛlkəzœ̃, yn] pron. indéf.

— XIVᵉ; a éliminé peu à peu le nominal indéf. *un*, avec lequel il est encore en concurrence au XVIᵉ; de *quelque*, et *un*.

★ **I.** Au singulier. Nominal indéfini correspondant aux adjectifs indéfinis *quelque* et *un*.

A. (Suivi d'un partitif). Vieilli ou littér. (archaïsme). *Quelqu'un, quelqu'une.* Un, une... entre plusieurs (la personne ou la chose restant indéterminée, parce que son identité ou ses qualités sont inconnues ou considérées comme négligeables). *« C'est donc quelqu'un des tiens ! »* (→ Frère, cit. 15, La Fontaine). *Quelqu'un de ces sujets du jour qui...* (→ Filtrer, cit. 11). *« Et quelqu'un de ces jours* (cit. 38), *il faut que je me pende »* (Molière). *Dans quelqu'une des Antilles* (→ Navire, cit. 10, Baudelaire).

1 (...) j'aurais souhaité de pouvoir (...) vous mener voir sur ce chapitre quelqu'une des comédies de Molière. MOLIÈRE, le Malade imaginaire, III, 3.

2 (...) il serait difficile qu'entre un si grand nombre de citoyens (...) il ne s'en trouvât quelqu'un qui dirait de lui (...) LA BRUYÈRE, les Caractères, VII, 11.

3 J'ignore si quelqu'une des trois statues d'Isis du Musée de Naples aura été retrouvée dans ce lieu même (...) NERVAL, les Filles du feu, « Isis », III.

4 Tel était ce nénufar, pareil aussi à quelqu'un de ces malheureux dont le tourment singulier (...) excitait la curiosité de Dante (...)
PROUST, Du côté de chez Swann, Pl., t. I, p. 169.

B. Absolt. Mod., cour. Un être humain (dont la nature n'est pas précisée).

♦ **1.** Une personne totalement indéterminée. *Cathos vint me dire que quelqu'un demandait à me parler...* ⇒ **On** (→ Intriguer, cit. 2). *Quelqu'un habitait là pourtant* (→ Fumée, cit. 2). *« C'est imiter* (cit. 20) *quelqu'un que de planter des choux »* (Musset). *Vous étiez toujours à grogner* (cit. 7) *après quelqu'un. Quand j'ai à me plaindre de quelqu'un* (→ Manière, cit. 15). *On dirait que quelqu'un joue du piano quelque part* (→ Penser, cit. 62).

5 Mais quelqu'un troubla la fête
Pendant qu'ils étaient en train. LA FONTAINE, Fables, I, 9.

6 « Il est à l'heure, aujourd'hui », dit une voix. Et quelqu'un rectifia : « Presque ». Peut-être était-ce la même personne. A. ROBBE-GRILLET, le Voyeur, p. 12.

REM. 1. Le nominal peut signifier « un être humain quelconque ». *Il faut absolument que j'aime quelqu'un, j'ai soif d'affection* (cit. 13). *Le besoin de parler à quelqu'un* (→ Monologue, cit. 4). *Il lui* (cit. 3) *fallait toujours quelqu'un près d'elle.*

2. Dans ce dictionnaire, *quelqu'un* correspond souvent, dans les exemples, à « un complément désignant une personne, un être humain » (abrév. : *qqn*); il s'oppose alors à *quelque chose** (abrév. : *qqch.*).

♦ **2.** (Indétermination restreinte). Une personne indéterminée faisant partie d'un ensemble déterminé.

[a] **QUELQU'UN DE...** (et adj. qualificatif). *Trouver quelqu'un de sûr* (→ Inviolable, cit. 2). *Quelqu'un de comblé ne rêve pas* (→ Insatisfaction, cit.). *Être quelqu'un de notable* (cit. 3), *d'important* (→ ci-dessous, cit. 12, Romains). *Quelqu'un d'autre.* — Fam. *C'est quelqu'un de bien, de très bien, quelqu'un d'important* (→ ci-dessous, cit. 12).

[b] **QUELQU'UN QUI...** (→ Fainéant, cit. 3; fatiguer, cit. 23; forfanterie, cit. 3; guérisseur, cit. 2), **QUELQU'UN DONT...** (→ Apprécier, cit. 5; faiblir, cit. 2), **QUELQU'UN QUE...** (→ Immoler, cit. 13). *On ne peut être jaloux* (cit. 26) *de quelqu'un qu'on n'aime point.*

7 Écoute. J'ai besoin, pour un résultat sombre,
De quelqu'un qui travaille à mon côté dans l'ombre
Et qui m'aide à bâtir un grand événement. HUGO, Ruy Blas, I, 2.

♦ **3.** Suivi d'une relative (fausse indétermination). Une personne que l'on ne veut pas nommer ou préciser dans l'expression. *Je connais quelqu'un qui va être bien content ! Je monterai* (cit. 7) *parler à quelqu'un que je connais.*

8 Je voudrais bien pouvoir épargner à quelqu'un cette fâcheuse discussion; parce que je sens que ce quelqu'un est ici sur des charbons.
BEAUMARCHAIS, Mémoires... dans l'affaire Goëzman, p. 110.

9 C'est bien vous qui venez, et pour cette nuit même,
D'adresser ce message à quelqu'un qui vous aime
Et que vous savez bien ? HUGO, Ruy Blas, IV, 4.

REM. 1. On trouve souvent, après un premier *quelqu'un*, un second *quelqu'un* précédé d'un présentatif (→ ci-dessus, cit. 8). *Je ne suis jamais resté fidèle* (cit. 10) *à quelqu'un qu'autant que ce quelqu'un a été... Ce quelqu'un-là...*

10 — Voilà une étrange médisance ! Qui vous a dit cela, Monsieur ? — Quelqu'un qui croit le bien savoir. — Ce quelqu'un-là en a menti.
MOLIÈRE, George Dandin, I, 5.

11 Si quelqu'un venait prier monsieur de Valois de lui rendre un petit service qui l'eût dérangé, ce quelqu'un ne s'en allait pas de chez le bon chevalier sans être épris de lui (...) BALZAC, la Vieille Fille, Pl., t. IV, p. 215.

— C'est quelqu'un de bien. Soyez en toute confiance. Il ajouta après une hésitation : — Quelqu'un d'important. 12
Le quelqu'un d'important était assis dans un fauteuil (...) Il se leva d'un geste assez brusque, et tendit la main à Laulerque (...)
J. ROMAINS, les Hommes de bonne volonté, t. IX, XXII, p. 170.

2. *Quelqu'un* s'applique, en emploi absolu, à une femme comme à un homme : *« Quelqu'un l'avait pris par le bras... Une femme. Il suivait l'impulsion »* (cit. 3, Aragon).

Rare. **QUELQU'UNE.**

Quoique je n'aie pas eu de maîtresse et que les femmes que j'aie eues ne m'aient inspiré que du désir, j'ai éprouvé et je connais l'amour même : je n'aimais pas celle-ci ou celle-là, l'une plutôt que l'autre, mais quelqu'une que je n'ai jamais vue et qui doit exister quelque part, et que je trouverai, s'il plaît à Dieu. Je sais bien comme elle est, et, quand je la rencontrerai, je la reconnaîtrai. 13
Th. GAUTIER, Mˡˡᵉ de Maupin, I.

Vous avez l'air de quelqu'une qui ne soit pas loin de pleurer. 14
VALÉRY, Mon Faust, p. 102.

C. (Emplois spéciaux). ♦ **1.** (Emphatique). Un homme, une femme (→ cit. 16) de valeur, d'une forte personnalité (et, plus rarement, un personnage important*). *« Ne vous donnez pas pour but* (cit. 10) *d'être quelque chose, mais d'être quelqu'un »* (Hugo). (→ aussi Imposer, cit. 47). *C'était quelqu'un malgré tout* (→ Anoblir, cit. 6).

Pauvre, il fût devenu sans aucun doute un homme remarquable ou célèbre; né bien renté, il s'adressait l'éternel reproche de n'avoir pas su être quelqu'un. 15
MAUPASSANT, Notre cœur, I, I.

Comment voulez-vous que votre fille apprenne à être quelqu'un, si elle vous voit dire oui à tout ? Pierre BENOIT, Axelle, IX. 16

En un sens, c'est peut-être dommage, une bonne épouse aidant je serais peut-être quelqu'un à l'heure qu'il est, je serais peut-être vautré au soleil à têter ma pipe en tapotant les fesses des troisième et quatrième générations, considéré et respecté de tous (...) S. BECKETT, Têtes-mortes, p. 16-17. 16.1

♦ **2.** Pop. *Il y a quelqu'un :* il y a beaucoup de monde*.

♦ **3.** Pop. *C'est (c'était) quelqu'un !*, quelque chose d'extraordinaire.

(...) quel incendie ! Je ne l'ai pas vu, mais j'imagine, d'après le peu qu'il en restait, de l'Uni-Park. Des décombres fumants, monsieur. C'était quelqu'un. 16.2
R. QUENEAU, Pierrot mon ami, éd. L. de Poche, p. 162.

★ **II.** (Au pluriel). **QUELQUES-UNS, QUELQUES-UNES.**

A. (Accompagné d'un partitif, *dont, en* ...). Un petit nombre indéterminé de... (parmi plusieurs). *Quelques-uns des assistants* (→ Manteau, cit. 5). *Quelques-uns de ces maudits chiens* (→ 1. Lever, cit. 4). *Quelques-uns de ces malaises* (cit. 3). *Quelques-unes des plaisanteries de son père* (→ Moralement, cit. 2), *de ces phrases bien mijotées* (cit. 3)... *Beaucoup d'enfants dont quelques-uns...* (→ Écrouelle, cit. 1; et aussi godelureau, cit. 1). *À peine y en a-t-il quelques-uns* (→ 1. Pascal, cit.). *Ils en avaient gardé quelques-unes* (→ Préposer, cit. 1). — (Sans partitif exprimé, mais renvoyant à des personnes ou des choses précédemment mentionnées). *Quelques-unes portant encore le foulard* (cit. 4) *de soie. Les uns..., les autres..., quelques-uns* (→ Noble, cit. 16).

(...) les femmes (...) sortent en groupes tout noirs par les portiques d'en bas; autour d'une fosse fraîchement fermée, quelques-unes s'attardent et pleurent. 17
LOTI, Ramuntcho, I, IV.

B. Absolt. **QUELQUES-UNS** [kɛlkœzœ̃; fam. kekzœ̃].

♦ **1.** (Quantitatif). Un petit nombre indéterminé de personnes. *Quelques-uns meurent pour que les autres soient sauvés* (→ Peu, cit. 1). *Poète qui n'écrit que pour quelques-uns,* pour une petite élite. — (Avec un déterminatif). *« La détresse des quelques-uns qui aiment encore l'art »* (Huysmans, *Là-bas,* XVI).

♦ **2.** (Qualificatif). Certaines personnes. ⇒ **Aucun** (d'aucuns), **certains.** *« La scène que quelques-uns ont trouvée froide »* (→ 1. Froid, cit. 25, Molière). *« À quelques-uns (...) l'inhumanité* (cit. 2) *tient lieu de fermeté »* (La Bruyère). *Quelques-uns prétendent...* (→ Œuf, cit. 8, Balzac). *« L'exaspération que la notion d'inquiétude* (cit. 6) *provoque chez quelques-uns »* (Daniel-Rops). *« Je passe* (cit. 139) *auprès de quelques-uns pour un mauvais esprit »* (Bernanos).

Ainsi Nerval, par une sale nuit s'est-il pendu deux fois, pour lui d'abord qui était dans le malheur, et puis pour sa légende, qui aide quelques-uns à vivre. 18
CAMUS, l'Été, p. 126, *in* GREVISSE, nᵒ 590.

CONTR. Personne.

QUÉMANDAGE [kemɑ̃daʒ] n. m.

— 1903, Loti; de *quémander*, 2.

♦ Rare. Fait de quémander *Quémandage d'un poste par un solliciteur.* Demande, sollicitation d'une personne qui quémande. *Un, des quémandages. Il était excédé de ses perpétuels quémandages.*

(...) le salut à deux mains de l'hôtelier, et le muet quémandage des serviteurs de bronze, alignés devant ma charrette (...) LOTI, l'Inde (sans les Anglais), III, II.

QUÉMANDER [kemɑ̃de] v.

— 1719, *quey mander; caimander,* 1539; dér. de l'anc. franç. *caïmand* (1393), *caymant, quémand* « mendiant », probablt en rapport avec *mander, caye* représentant *écaille* au sens de « morceau de pain », selon Guiraud.

♦ **1.** V. intr. Vx. Mendier.

♦ **2.** V. tr. (1762). Péj. Demander*, solliciter humblement, et avec une insistance importune. ⇒ **Mendier, quêter.** *Quémander de l'argent, un emploi auprès de qqn.* — (En incise). → 2. Pipée, cit.

1 Une vieille religieuse joviale, et rebondie, faisait le tour du marché, deux grands paniers au bras, et, sans humilité, quémandait des légumes, en parlant du bon Dieu. R. ROLLAND, Jean-Christophe, La révolte, III, p. 610.

2 Dès que le danger fut connu, il quémanda de son cousin une réconciliation qui ne lui fut pas refusée. P.-J. TOULET, la Jeune Fille verte, VIII.

DÉR. Quémandage, quémandeur.

QUÉMANDEUR, EUSE [kemɑ̃dœʀ, øz] n. — 1740; de *quémander,* 2.

♦ Littér. Celui, celle qui quémande, a coutume de quémander. ⇒ **Demandeur, solliciteur.** *Être en posture* (cit. 6) *de quémandeur. Un quémandeur infatigable. Un quémandeur de...*

1 — Vous êtes venue chercher le feu du soir, mère Guillette, lui dit le vieillard. Voulez-vous quelque autre chose? — Non, père Maurice, répondit-elle; rien pour le moment. Je ne suis pas quémandeuse, vous le savez, et je n'abuse pas de la bonté de mes amis. G. SAND, la Mare au diable, V.

2 (...) elle se parait magnifiquement et recevait la foule des quémandeurs, accordant son appui aux uns et le refusant aux autres (...) Raymond ROUSSEL, Impressions d'Afrique, p. 253.

3 Pour être tranquille, m'a dit une vedette harcelée par les quémandeurs d'autographes, il faut aller dans les restaurants très chers : là, on fait semblant de ne pas vous reconnaître. Pierre DANINOS, Un certain Monsieur Blot, p. 198.

REM. Le fém. est rare.

QU'EN-DIRA-T-ON [kɑ̃diʀatɔ̃] n. m. sing. invar. — 1690, *in* D. D. L.; substantivation de la question *qu'en dira-t-on?* → Dire (cit. 53, 54).

♦ Les propos qui se tiennent sur le compte de qqn; l'opinion d'autrui (ne s'emploie qu'avec quelques verbes et substantifs). *Craindre le qu'en-dira-t-on. Avoir peur, se moquer du qu'en dira-t-on. La peur, la crainte du qu'en-dira-t-on.*

J'ajoute qu'il paraît assez peu préoccupé du qu'en-dira-t-on. René FLORIOT, La vérité tient à un fil, p. 173.

QUENELLE [kənɛl] n. f. — 1750; alsacien *Knödel* «boule de pâte».

♦ Préparation (petit cylindre ou boulette) faite le plus souvent d'une farce de viande (⇒ **Godiveau**), de volaille, de poisson..., mélangée à une pâte à chou ou à de la mie de pain. *Mouler, pocher des quenelles. Quenelles de brochet, de veau, de volaille.*

QUENOTTE [kənɔt] n. f. — 1642; mot normand, de l'anc. franç. *canne, kenne, quenne* «dent; joue», d'un francique* *kinni* «mâchoire». Cf. all. *Kin,* angl. *chin.*

♦ Fam. Dent (d'un enfant). — Par plais. Dent (d'un adulte, d'un animal...). → Financier, cit. 4.

Ce qui la rendait surtout friande *(Nana),* c'était une vilaine habitude qu'elle avait prise de sortir un petit bout de sa langue entre ses quenottes blanches (...) tout le long de la journée, pour faire la belle, elle tirait la langue. ZOLA, l'Assommoir, XI, t. III, p. 155.

QUENOUILLE [kənuj] n. f. — XIIIe; *quenoille,* XIe, var. *conoille;* du bas lat. *conucula,* de *colucula,* dér. du lat. class. *colus.*

♦ **1.** Anciennt. Petite canne, bâton (à l'origine souvent une tige de roseau) dont une extrémité porte une matière textile (chanvre, coton, laine, lin, soie...) que l'on file en la dévidant au moyen du fuseau* ou du rouet* (→ Lapis, cit. 2; 1. montre, cit. 1). *Étoupe, filasse qui garnit la quenouille.* ⇒ **Poupée** (4.). *Filer le lin* (cit. 2) *en quenouille.* — Mythol. *La quenouille des Parques.*

(XIIIe). Par ext. La matière textile dont une quenouille est chargée. *Filer* (cit. 2) *sa quenouille.*

1 (...) elle baissait les yeux et filait une petite quenouille attachée à sa ceinture. A. DE VIGNY, Cinq-Mars, XXII.

Le travail de la quenouille (→ Couture, cit. 1) : le filage, symbole des travaux de la femme.

Loc. (XVIe). Vx ou littér. **TOMBER EN QUENOUILLE,** se disait d'une maison dont une femme devenait l'héritière. (⇒ **Succession**). — (D'un homme). Tomber sous la domination d'une femme. — Par ext. Perdre sa force, sa valeur. *Coutume qui tombe en quenouille.* Tomber dans l'oubli, échouer.

2 Philippe *(le Long)* gagna sa cause, qui au fond était bonne, par des raisons absurdes. Il allégua en sa faveur la vieille loi allemande des Francs qui excluait les filles *de la terre salique.* Il soutint que la couronne de France était un trop noble fief pour tomber en quenouille, argument féodal dont l'effet fut pourtant de ruiner la féodalité. MICHELET, Hist. de France, V, V.

3 C'est terrible, un homme qui tombe en quenouille. Antoine est fini. A. MAUROIS, Bernard Quesnay, XXXII.

(Par compar.). Arbor. Taille effilée que l'on donne à certains arbres (arbres fruitiers, ornementaux...). *Taille en quenouille.*

4 (...) on suit de longues allées bordées de citronniers taillés en quenouille (...) NERVAL, Voyage en Orient, Femmes du Caire, III, XX.

♦ **2.** (1829). Arbre fruitier taillé en quenouille.

5 Le vent, par intervalles, secouait toute la surface de l'espalier, les tuteurs s'abattaient l'un après l'autre, et les malheureuses quenouilles en se balançant entrechoquaient leurs poires. FLAUBERT, Bouvard et Pécuchet, II.

Arbre, plante dont le port élancé, fusiforme, évoque une quenouille. *La quenouille noire des cyprès* (cit. 2). *Quenouille de maïs* (→ Bouillir, cit. 3).

(...) les naïades du ruisseau, pour mieux cacher cette jeune mère, plantent autour d'elle leurs quenouilles de roseaux, chargées d'une laine empourprée. 6
CHATEAUBRIAND, le Génie du christianisme, I, V, VII.

Spécialt. Typha ou massette (II.).

♦ **3.** (Fin XVIe). Par anal. de forme. Archéol. Colonne, pilier qui supporte un ciel de lit, un dais..., ou qui s'élève aux quatre coins d'un lit. *Lit* (cit. 5) *à quenouilles.*

♦ **4.** (1718, Leroux). Fam. et vx. Membre viril. ⇒ **Queue** (I., 2.).

♦ **5.** (Mil. XXe). Bot. Maladie cryptogamique de certaines graminées (formant des manchons en haut de la tige).

DÉR. (Du sens 1) **Quenouillée.**

QUENOUILLÉE [kənuje] n. f. — 1552; de *quenouille.*

♦ Vx. Quantité de matière textile dont on garnit une quenouille.

QUÉQUETTE [kekɛt] ou QUIQUETTE [kikɛt] n. f. — XXe (1920, Bauche); formation enfantine. → Kiki.

♦ Fam., enfantin. Pénis (d'un très jeune garçon).

(Il) tenait sur les genoux son petit frère, le dernier-né, dont on voyait la quéquette, 1
un poupon d'un an, à qui il donnait le biberon. B. CENDRARS, Bourlinguer, p. 255.

(...) un méchant petit gosse qui ne sait pas encore lire s'approche du mur et urine 2
contre les briques malpropres il urine longtemps et avant de refermer sa culotte il regarde froidement sa quéquette raidie tout d'un coup (...) Tony DUVERT, Paysage de fantaisie, p. 96.

Par ext. Pénis (d'un adulte).

Abrév. fam. (de *quiquette*) : *quique,* n. f. (1965, R. Giraud, *le Royaume d'argot*).

QUÉRABLE [keʀabl] adj. — 1765, *Encyclopédie,* art. *Requérable;* dér. de *quérir.*

♦ Dr. Qu'on doit aller quérir, chercher. *Créance, redevance, rente quérable,* que le créancier doit aller réclamer au débiteur (par oppos. à *portable**). — On dit aussi *requérable* (Académie).

REM. Le dér. *quérabilité* [keʀabilite] (1874) n. f. est rare.

QUERCINOIS, OISE [kɛʀsinwa, waz] adj. — 1875, *in* P. Larousse; de *Quercy.*

♦ Du Quercy (Lot, Lot-et-Garonne, Tarn-et-Garonne). — *Le quercinois,* n. m. : l'ensemble des parlers occitans du Quercy.

QUERCITRIN [kɛʀsitʀɛ̃] n. m. ou QUERCITRINE [kɛʀsitʀin] n. f. — 1845, Bescherelle; de *quercitron.*

♦ Techn. Colorant jaune tiré du quercitron.

QUERCITRON [kɛʀsitʀɔ̃] n. m. — 1806, Dict. de Lunier; angl., 1794; comp. hybride du lat. *quercus* «chêne», et *citron.*

♦ **1.** Bot. Chêne *(quercus coccinea)* de l'Amérique du Nord, dont l'écorce fournit un colorant jaune. Appos. *Chêne quercitron.* Écorce préparée du quercitron.

♦ **2.** Techn. Teinture tirée de l'écorce du quercitron. ⇒ **Quercitrin.**

DÉR. Quercitrin.

1. QUERELLE [kəʀɛl] n. f. — 1155, «procès»; «plainte», XIIIe; *faire querelle* «faire des reproches», XVIe; empr. lat. jurid. *querella* «plainte en justice», de *queri* «se plaindre».

♦ **1.** Vx. Procès; plainte en justice. Le parti, les intérêts de qqn dans un litige. «*Misérable* (cit. 1) *vengeur d'une juste querelle*» (→ aussi Bras, cit. 35, Corneille). Loc. mod. *Embrasser, épouser* (cit. 14) *la querelle de qqn.*

Rome aujourd'hui m'a vu père de quatre enfants; 1
Trois en ce même jour sont morts pour sa querelle (...) CORNEILLE, Horace, V, 3.
De puissants défenseurs prendront notre querelle. RACINE, Phèdre, V, 1. 2

♦ **2.** (1538). Différend* passionné, opposition assez vive pour entraîner un échange d'actes ou de paroles hostiles; cet échange de violences. ⇒ **Altercation, bisbille** (fam.), **brouille, chamaillerie, combat** (fig., cit. 12), **contestation, débat** (par ext.), **démêlé, désaccord, différend, discorde, dispute, dissension, guerre,** 1. **plaid** (vx). *Querelle qui entraîne des coups* (⇒ **Bataille; bagarre, batterie, rixe...**), *des cris, des éclats de voix* (⇒ **Algarade, attrapage, charivari, grabuge, prise** [de bec]). *Querelle verbale.* ⇒ **Discussion, dispute.** *Leur querelle a fini en un procès. Querelles intestines* (→ 1. Intestin, cit. 4). ⇒ **Division.** — *Les querelles de rues* (→ Canaille, cit. 5), *de* *cabarets* (→ Justice, cit. 23). *Querelle de famille,* entre les membres d'une famille (→ Médiateur, cit. 1; poursuite, cit. 3). *Querelles de clan* (→ Chicanier, cit. 2), *de clocher. Querelle entre amants* (→ Fêlure, cit. 4), *entre époux. Querelle qui éclate* (cit. 19), *s'aggrave* (→ Exciter, cit. 42), *s'envenime* (→ Hypocondrie, cit. 2). *Provoquer une querelle* (→ Brandon* de discorde). — *Allumer* (→ Potentat, cit. 1), *attiser* (cit. 7), *aviver* (cit. 6), *envenimer, exciter une querelle, les querelles* (cf. Mettre le feu aux étoupes, aux poudres). — *Accorder* (cit. 2), *apaiser* (cit. 9), *calmer* (→ Entorse, cit. 1), *étouffer une querelle. Éviter une querelle* (→ Concession, cit. 5). *Les querelles furent oubliées* (→ Fumée, cit. 14). *Réveiller de vieilles querelles* (→ Occuper, cit. 13). — *Prendre parti* (cit. 30) *dans une querelle. Rester à l'écart de la querelle. Arbitrer une querelle.*

3 Les querelles ne dureraient pas longtemps si le tort n'était que d'un côté.
LA ROCHEFOUCAULD, Maximes, 496.

4 La maladie est un des paravents que les femmes mettent le plus souvent entre elles et l'orage d'une querelle. BALZAC, la Cousine Bette, Pl., t. VI, p. 292.

5 Ainsi, donc, il n'y a pas de pures querelles d'idées. Il n'y a que des querelles de personnes, il n'y a que des querelles de sentiments et de passions. Quand deux amants, deux parents, deux amis se fâchent, ils invoquent les idées, ils appellent à la rescousse les doctrines et les philosophies; mais le nœud du discord n'est pas souvent dans l'esprit; il est dans la chair et le sang.
G. DUHAMEL, Chronique des Pasquier, VI, X.

Avoir une querelle (avec qqn). ⇒ **Quereller** (se); **maille** (avoir maille à partir). → Outrager, cit. 1. — Loc. (Vx). *Être en querelle* (cf. La Fontaine, *Fables,* II, 15). (V. 1690). *Chercher querelle,* en se comportant d'une manière agressive, hargneuse... Littér. *Chercher une querelle, des querelles à qqn.* ⇒ **Provoquer** (→ Chercher des poux*; et aussi espèce, cit. 6; piaillement, cit. 3). *La critique lui cherche querelle.* ⇒ **Attaque, tracasserie.** — Vieilli. *Faire querelle à...* (→ Billet, cit. 13; chicaneur, cit. 3). *Il lui a fait une mauvaise querelle.* ⇒ **Esclandre.** — *Se faire une querelle personnelle de qqch.,* un sujet de querelle (→ Dur, cit. 23). Vx. *Il arriva querelle.* (→ 1. Entre, cit. 32; état, cit. 13). — *Liquider, vider une querelle,* soit en se réconciliant, en s'entendant (vieilli); soit par la violence, le combat, la lutte. ⇒ **Expliquer** (s').

6 (...) nous avons eu querelle
Sur l'hymen d'Hippolyte, où je le vois rebelle,
Querelle? Oui, querelle, et bien avant poussée. MOLIÈRE, l'Étourdi, I, 7.

7 (...) le moment n'est pas mal choisi pour vider cette vieille querelle, et relever enfin l'honneur national! MARTIN DU GARD, les Thibault, t. VII, p. 108.

Loc. (XVIIe; *querelle d'Allemagne,* 1550). *Querelle d'Allemand* : mauvaise querelle, faite sans sujet ou pour un sujet insignifiant (soit d'après la réputation des Allemands d'être des querelleurs après boire, soit d'après les conflits répétés entre les petits princes allemands).

8 (...) vous ne me faites cette querelle d'Allemand que pour vous donner tout entier à Mlle de la Vergne. Mme DE SÉVIGNÉ, 21, 19 août 1652.

9 Christophe se disait que ce n'était pas la peine d'être venu d'Allemagne, pour trouver à Paris des querelles d'Allemands.
R. ROLLAND, Jean-Christophe, Foire sur la place, I, p. 685.

Par ext. Lutte* d'idées, contestation intellectuelle. *Querelles théologiques* (→ Gallican, cit. 2), *linguistiques* (→ Philosophie, cit. 9. *Querelles byzantines* (cit. 3). *La querelle des anciens et des modernes*,* au XVIIe siècle. *La frivole* (cit. 5) *querelle des romantiques et des classiques.* — *Querelle de plume* (→ Appel, cit. 18).

10 Les querelles de parti, les duels de cocarde peuvent se comprendre dans les crises politiques. Il peut sembler plaisant à un républicain de ferrailler avec un royaliste, uniquement parce qu'ils se rencontrent : les passions sont en jeu, et tout peut s'excuser. A. DE MUSSET, Contes, « Secret de Javotte », V.

Absolt. *La querelle :* l'opposition avec d'autres, la lutte (d'idées, etc.). ⇒ **Bataille.** *Goût pour la querelle, pour la contestation* (→ Escarpé, cit. 4).

♦ **3.** Littér. Conflit plus ou moins violent (⇒ **Guerre**) qui oppose des partis, des groupes, des pays (→ Fédération, cit. 4; indemne, cit. 1). *Une gigantesque querelle collective* (cit. 2). *La querelle de l'Angleterre avec ses colonies* (cit. 6). *Les huguenots, les papistes et leurs sanglantes querelles* (→ Éterniser, cit. 9). *La querelle de l'Empire et du Sacerdoce* (→ Gibelin, cit. 2).

CONTR. Accord, paix, réconciliation.
DÉR. Quereller.

2. QUERELLE [kəʀɛl] n. f. — 1776, *quoerelle, in* D.D.L.; orig. dial. incertaine; p.-ê. du préroman **carra* « pierre », → Carrière; var. graphique *kuerelle* (1805).

♦ Minér. Grès houiller du bassin du Pas-de-Calais.

DÉR. Querelleux.

QUERELLER [kəʀele] v. tr. — 1611; « intenter (un procès), réclamer »; XIIe; dér. de 1. *querelle.*

REM. Sans être forcément littéraire, le mot, dans ses emplois modernes, est marqué; le pron. est plus courant, mais n'est pas neutre comme *se disputer.*

♦ **1.** (XVIe). Vx. Disputer, réclamer (qqch. à qqn). « *Quereller une succession, un héritage* » (Académie, 1694).

♦ **2.** (1611). Attaquer (qqn), déclencher une querelle contre (qqn) par des actes ou des paroles hostiles. ⇒ **Chercher** (chicane, noise, querelle); → Pendant, cit. 11. — REM. Il ne se dit plus que des querelles en paroles, des disputes : « *Quereller... signifiait alors* (au temps de Corneille) *insulter, défier, et même se battre* » (Voltaire, *Commentaire sur Corneille,* le Menteur, II, 4).

Aussi se mettait-elle constamment en colère avant lui, et les postillons savaient, 1
aux querelles que leur faisait Minoret, quand il avait été querellé par sa femme, car la colère ricochait sur eux. BALZAC, Ursule Mirouët, Pl., t. III, p. 300.

Intrans. Vx ou archaïque. *Quereller avec qqn* (cf. Diderot, *in* Littré). *Quereller sur tel ou tel sujet* (→ ci-dessous, Se quereller).

Nous étions de mauvaise humeur et querellions. 2
VERLAINE, Jadis et Naguère, « Paysage ».

(...) la mine animée de gens qui viennent de manger ensemble et de quereller, 3
verre en main, sur quelque problème de leur état.
G. DUHAMEL, l'Archange de l'aventure, VII.

♦ **3.** (1636). Adresser des reproches à (qqn), sans qu'il y ait proprement de querelle. ⇒ **Disputer, gronder, houspiller; pouilles** (chanter pouilles). « *Nous querellons les malheureux* (cit. 17) *pour nous dispenser de les plaindre* » (Vauvenargues). « *C'est moi qui me viens plaindre et c'est moi qu'on* (cit. 15) *querelle?* » (Molière). *Quereller qqn de...* (cit. 20), *à cause de...* (→ Étiquette, cit. 4), *pour...* (qqch.).

(...) il sort en querellant son valet de ce qu'il ose le suivre (...) 4
LA BRUYÈRE, les Caractères de Théophraste, « De l'ostentation ».

Intrans. *Si vous avez le plaisir de quereller* (→ Côté, cit. 31).

♦ **4.** Vx. S'en prendre à..., s'emporter contre... « *Querellez ciel et terre...* » (Corneille, *Horace,* II, 4). « *Querellant les amants, l'amour et la fortune* » (Racine, *Bajazet,* III, 2), les maudissant.

Par ext. (Compl. n. de chose). Mettre en cause; attaquer, contester.

(...) nous ne querellons pas les motifs qui nous amènent un néophyte, pourvu qu'il 5
nous reste et qu'il devienne un frère de notre Ordre.
BALZAC, l'Initié, Pl., t. VII, p. 335.

▶ **SE QUERELLER** v. pron. (1642, Corneille).

♦ **1.** (Récipr.). Avoir une querelle, une dispute vive. ⇒ **Aguicher** (s') (vx), **battre (se), chamailler** (se), **désaccorder** (se), vx, **disputer** (se). → Se prendre aux cheveux; et aussi 2. calme, cit. 2; dispute, cit. 4; étourdir, cit. 22; loisir, cit. 1. « *Les hommes le plus souvent se querellent pour des mots* » (cit. 21, France). *Se quereller en paroles.* ⇒ **Discuter; engueuler** (s'). *Se quereller et s'insulter, s'injurier.* — *Se quereller avec quelqu'un.*

(...) nous avions le plus souvent dispute ensemble (...) Elle est morte : je la pleure. 6
Si elle était en vie, nous nous querellerions. MOLIÈRE, l'Amour médecin, I, 1.

(...) comment peut-on se quereller quand on s'aime, et perdre à se tourmenter l'un 7
l'autre des moments où l'on a si grand besoin de consolation?
ROUSSEAU, Julie ou la Nouvelle Héloïse, II, VII.

♦ **2.** (Réfl.). Se faire des reproches à soi-même.

L'art de vivre consiste d'abord, il me semble, à ne se point quereller soi-même sur 8
le parti qu'on a pris ni sur le métier qu'on fait. Non pas, mais le faire bien.
ALAIN, Propos, 12 déc. 1922, La fatalité.

CONTR. Apaiser, flatter, réconcilier...
DÉR. Querelleur.
COMP. Entre-quereller (s').

QUERELLEUR, EUSE [kəʀɛlœʀ, øz] adj. et n. — 1549; « celui qui intente un procès », XIIIe; de *quereller.* — REM. On a employé aussi la forme *querelleux, euse* (→ Humeur, cit. 11, La Bruyère).

♦ **1.** Adj. Qui aime les querelles, les disputes et cherche à les provoquer. ⇒ **Batailleur, chamailleur, criard, difficile, ferrailleur** (fig.), **hargneux, hutin** (vx); → Criard, cit. 1; éclopé, cit. 2; ivrogne, cit. 1; joueur, cit. 5. « *Tous les gens querelleurs...* » (→ Jusque, cit. 18, La Fontaine). *Une femme querelleuse* (→ Habiter, cit. 1; parti, cit. 9), *querelleuse et acariâtre*.* ⇒ **Pie-grièche.** *C'est un homme agressif, querelleur, prompt à se mettre en colère*.* — Par ext. *Humeur querelleuse.*

♦ **2.** N. (rare au fém.). *C'est un querelleur.* ⇒ **Batailleur, boute-feu, casseur** (d'assiettes), **chamailleur, coucheur** (mauvais), **tête** (mauvaise tête).

Et vous rappelez-vous les amis, et la table,
Et nos cris querelleurs (...) HUGO, les Contemplations, V, V.

CONTR. Aimable, conciliant, doux, placide...

QUERELLEUX, EUSE [kəʀɛlø, øz] adj. — 1805, *kaerelleux, in* D.D.L.; de 2. *querelle.*

♦ Régional (Nord). Constitué par du grès houiller. *Roc querelleux :* schiste gréseux.

QUÉRIMONIE [keʀimɔni] n. f. — 1460; *querymone,* fin XIVe; lat. *querimonia* « doléance », de *queri* « se plaindre ».

♦ **1.** Dr. canon. Requête pour obtenir la publication d'un monitoire*.

♦ **2.** Vx. Plainte, récrimination.

Il est impossible qu'ils en imposent sur rien à un Juge du pays. Mais je m'arrête, et cette quérimonie (comme on disait anciennement) ne me servira que de transition, pour amener la manière dont Edme R. rendait la justice.
RESTIF DE LA BRETONNE, la Vie de mon père, p. 217.

QUÉRIR [keʀiʀ] v. tr. — Défectif; seulement à l'infinitif. — Fin XIIe, réfection de *querre* (XIe), ancien infinitif du lat. *quærere* «chercher». → Enquérir.
REM. Le verbe *quérir* a été éliminé par *chercher* au XVIIe s., sauf à l'infinitif et avec les verbes *aller, venir, envoyer...*

♦ Vx, littér. ou régional. Chercher pour apporter, pour amener... ⇒ **Chercher.** *Aller quérir qqn* (→ Contrat, cit. 3), *qqch.* (→ Humidité, cit. 1). *L'on va soi-même quérir sa portion...* (→ Bouillon, cit. 12).

1 Je veux aller quérir la justice (...) MOLIÈRE, l'Avare, IV, 7.

2 — Non, c'est trop haut. Va quérir une échelle. ZOLA, la Terre, II, IV.

3 Je crois bien que, sans Pierre Louÿs, j'aurais continué de vivre à l'écart, en sauvage; non que le désir m'eût manqué de fréquenter les milieux littéraires et d'y quérir des amitiés; mais une invincible timidité me retenait (...)
GIDE, Si le grain ne meurt, I, X, p. 260.

4 (...) il dressait et débarrassait la table, allait quérir les mets chez le traiteur (...)
G. DUHAMEL, Salavin, VI, VI.

5 — Il est ben là, madame la baronne! Entrez donc seulement, je vas l'aller quérir. Il est à prendre le frais sous les arbres du jardin.
G. CHEVALLIER, Clochemerle, p. 235.

DÉR. Quérable.
COMP. Requérir.

QUERNAGE [kɛʀnaʒ] n. m. — XXe; étym. obscure.

♦ Techn. Opération qui consiste à diviser en plaques un bloc de schiste, à le débiter en répartons (⇒ **Ardoise**).

DÉR. Querneur.

QUERNEUR [kɛʀnœʀ] n. m. — XXe; de *quernage.*

♦ Techn. Ouvrier qui effectue le quernage. ⇒ **Ardoisier.** — On dit aussi *débiteur.*

QUÉRULENCE [keʀylɑ̃s] n. f. — Av. 1952 (*in* Porot); *quérulance,* 1951, Sivadon, *in* Piéron; du rad. de *quérulent,* et *-ence.*

♦ Psychiatrie. Tendance pathologique à rechercher les querelles, à revendiquer d'une manière hors de proportion avec la cause, la réparation d'un préjudice subi, réel ou imaginaire. ⇒ **Revendication.** *La quérulence des processifs, de certains hypocondriaques.*

QUÉRULENT, ENTE [keʀylɑ̃, ɑ̃t] adj. et n. — Av. 1952 (*in* Porot); lat. tardif *querulans* «qui se plaint; qui plaide en justice», du rad. de *querulus* «celui qui se plaint en justice d'un préjudice subi», de *queri* «se plaindre». Cf. Du Cange.

♦ Psychiatrie. Qui montre de la quérulence. *Réactions quérulentes épisodiques de certains excités querelleurs.*
N. *Une quérulente. Les quérulents se recrutent surtout parmi les revendicateurs**. ⇒ aussi **Processif.**

DÉR. Quérulence.

QU'ES-ACO [kɛzako] loc. adv. interrog. — 1730, *in* D.D.L.; dans la langue littéraire, 1774 (Beaumarchais, *Quatrième mémoire dans l'affaire Goezman;* puis *le Mariage de Figaro,* 1784); loc. provençale «qu'est ceci?».

♦ Fam. et par plais. (en français). Qu'est-ce? — REM. On écrit aussi *quèsaco, quès aco, qu'ès aco.*

Quès aco?... qui vive?... fit le Tarasconnais l'oreille tendue, les yeux écarquillés dans les ténèbres. Alphonse DAUDET, Tartarin sur les Alpes, III.

QU'EST-CE QUE [kɛskə] pron. interrog. ⇒ **Que.**

QU'EST-CE QUI [kɛski] pron. interrog. ⇒ **Qui.**

QUESTEUR [kɛstœʀ]; Académie [kɥɛstœʀ] n. m. — 1213, «magistrat chargé d'enquêter»; lat. *quæstor,* de *quærere* «chercher». → Question; quêteur.

♦ **1.** Antiq. rom. (sous la République). Magistrat romain, d'abord patricien élu par les consuls pour les assister en matière financière et criminelle, puis magistrat élu. *Questeurs urbains, de la ville,* chargés de la gestion des deniers publics, à Rome. *Questeurs militaires :* lieutenants des consuls ou des généraux aux armées. *Questeurs des flottes. Questeurs provinciaux :* assistants du gouverneur. *Les questeurs, élus pour un an, pouvaient être prorogés.* ⇒ **Proquesteur.** — Par ext. *Questeurs municipaux* (dans les villes italiques et provinciales). *Questeurs de corporations :* sortes de trésoriers.

♦ **2.** (1799). Dr. constit. Membre du bureau d'une assemblée parlementaire (⇒ **Parlement**), chargé d'ordonner les dépenses, de veiller au maintien de l'ordre et de la sécurité. *Les questeurs de l'Assemblée nationale.* ⇒ **Questure.**

QUESTION [kɛstjɔ̃] n. f. — 1140; lat. *quæstio* «recherche», d'où «enquête; litige», de *quærere* «chercher». → Quérir.

★ **I.** ♦ **1.** Action de s'adresser à qqn pour en apprendre qqch., en énonçant une phrase logiquement incomplète (⇒ **Interrogation**) qui appelle soit un complément, soit une confirmation ou une dénégation (la réponse); l'énoncé lui-même. ⇒ **Demande; interrogation.** *Question exprimée par les interrogatifs** que, qui, quel, quand, combien, comment, où, pourquoi, etc. *La question de savoir si..., la question si... Faire une question, des questions* (→ Contester, cit. 6; curieux, cit. 7; discrétion, cit. 7; fatalité, cit. 14). ⇒ **Demander, interroger, questionner.** *Adresser des questions à qqn. Poser* (cit. 17, et *supra*) *une question à qqn* (→ Gauche, cit. 16; présentation, cit. 2). *Poser brusquement une question embarrassante* (→ Pousser une botte*). — *Accabler* (→ Lâcher, cit. 24), *cribler, harceler* (cit. 8), *presser** *qqn de questions* (→ Hésitation, cit. 11). ⇒ aussi **Pousser** (I., 2.). *Torturer* (→ Inextinguible, cit. 6), *tourmenter qqn de questions* (→ Insistant, cit. 1). — *Répondre** *à une question* (→ Exempter, cit. 1), *y répondre évasivement* (cit.), *franchement. Détourner* (cit. 4), *éluder une question; se dérober* (cit. 17) *à une question.* — *Poser**, *énoncer, formuler* (cit. 5 et 6), *préciser une question. Question mal posée* (cit. 15). *Insister sur la question qu'on pose* (→ Ça, cit. 3). *Répéter une question.* — *Question directe, franche* (→ Fêlure, cit. 5). *Questions empressées* (→ Imputer, cit. 21). *Question captieuse, conpromettante, ennuyeuse* (cit. 3), *gênante, insidieuse, spécieuse... Question piège. Questions énigmatiques* (cit. 1). *Les questions du Sphinx à Œdipe. Question absurde, déplacée, saugrenue.* — Iron. *Quelle question! Belle question! — Les questions incessantes d'un enfant. Questions d'élève et questions de maître* (→ Interroger, cit. 7).

Je consens qu'une femme ait des clartés de tout (...) 1
Et j'aime que souvent, aux questions qu'on fait,
Elle sache ignorer les choses qu'elle sait (...) MOLIÈRE, les Femmes savantes, I, 3.

Aux questions d'usage, s'il se portait bien, s'il était reposé et content, je l'entendis répondre de son air tranquille : «Cela va bien, merci». 2
ALAIN, Propos, 9 sept. 1921, Orgueil et vanité.

Il l'interrogea sur elle, la forçant à des précisions, l'aidant à s'analyser. Elle y consentait sans trop d'effort. Elle ne se cabrait pas devant ses questions; peu à peu, elle lui savait même un certain gré de les avoir posées (...) 3
MARTIN DU GARD, les Thibault, t. VI, p. 221.

— Vial, je n'aime pas beaucoup ta manière de répondre toujours à une question par une question. COLETTE, la Naissance du jour, p. 100. 4

Vous êtes fatiguée, dit-elle. Ce n'est pas une question. La voix est redevenue neutre, basse, privée d'intonation, méfiante peut-être! 4.1
A. ROBBE-GRILLET, Dans le labyrinthe, p. 62.

Spécialt. *Les questions d'un examinateur* (cit. 1) : ce qu'il demande au candidat qu'il interroge. ⇒ **Colle** (5.), **interrogation.** — *La question rituelle du maire aux futurs époux* (→ aussi Mariage, cit. 5).

Question posée par écrit. Liste de questions. ⇒ **Questionnaire.** — *Question fermée :* dans une enquête, Question assortie des réponses entre lesquelles le sujet doit choisir. *Question ouverte,* qui ne prévoit pas à l'avance de réponses toutes faites. *Les questions du catéchisme, d'un aide-mémoire... Questions destinées à établir le niveau* (cit. 8) *mental d'un enfant. Manuel par questions et réponses.*

Dr. *Mode d'instruction par voie de questions.* ⇒ **Interrogatoire.** *Question au jury.* — Dr. constit. *Questions écrites, orales* (avec ou sans débat) : demandes d'explications adressées par un parlementaire à un ministre (par écrit ou en séance). — Loc. **QUESTION DE CONFIANCE :** en régime parlementaire (IIIe et IVe Républiques), Procédure par laquelle le gouvernement soulignait l'importance politique d'un vote en mettant en jeu le sort du cabinet. *Question de confiance et motion** *de censure.* — *Question préalable,* par laquelle une assemblée est appelée à décider si une discussion doit ou ne doit pas avoir lieu.

Par ext. (Question plus ou moins explicite que l'on pose à soi-même). *S'adresser* (→ Effarer, cit. 4), *se faire* (→ Ménager, cit. 12), *se poser* (cit. 20) *une question, des questions.* ⇒ **Demander** (se), **interroger** (s'). → Parce que, cit. 7.

Tant qu'on ne s'est pas adressé sur un auteur un certain nombre de questions et qu'on n'y a pas répondu (...) on n'est pas sûr de le tenir tout entier (...) Que pensait-il en religion? — Comment était-il affecté du spectacle de la nature? (...) Était-il riche, était-il pauvre? (...) Enfin, quel était son vice ou son faible? 5
SAINTE-BEUVE, Nouveaux lundis, 22 juil. 1862.

(Question qui formule un problème général, susceptible d'être posé par beaucoup; → ci-dessous, 2.). *La question finale* (cit. 1), *suprême...* (→ aussi Homme, cit. 18, Descartes; ignorance, cit. 12, Voltaire; nécessité, cit. 8). *Les questions terribles qui troublent l'esprit humain* (→ Âprement, cit. 2). *Question capitale* (→ Cap, cit. 4). *C'est une grande question de savoir si...* (→ Affaiblir, cit. 7). — Allus. littér. *Être ou ne pas être, telle est la question* (Shakespeare, *Hamlet,* III, 1).

6 C'est une grande question s'il s'en trouve de tels *(esprits).*
La Bruyère, les Caractères, xvi, 15.

7 Le philosophe n'en sait réellement pas plus que sa cuisinière; si ce n'est en cuisine, où elle s'entend réellement (en général) mieux que lui. Mais la cuisinière (en général) ne se pose point de questions universelles. Ce sont donc les *questions* qui font le philosophe. Valéry, Autres rhumbs, p. 193.

8 C'est une question si les esprits misanthropes ne sont pas les plus sensibles à la séduction des femmes (...) André Suarès, Trois hommes, « Ibsen », iii.

♦ **2.** (Fin xiie). Connaissance incomplète ou incertaine qui peut donner lieu à discussion, à examen; proposition, sujet, domaine qui implique des questions (au sens 1.), des difficultés à résoudre (dans le domaine des idées, de la théorie, ou dans celui de l'action, de la pratique). ⇒ **Matière** (III.); 1. **point** (V., 2.); **problème,** 3. **sujet.** *Question agitée, controversée, débattue...* (→ Ancêtre, cit. 9; atome, cit. 7; état, cit. 115; inoculation, cit. 2; nationaliste, cit. 3). *Questions en litige* (cit. 2). *Questions complexes, délicates, difficiles, obscures* (→ Pont* aux ânes). *Question insoluble. Question brûlante. Grave* (1. Grave, cit. 21), *importante question* (→ Nuage, cit. 5). *Question capitale, vitale* (→ 1. Fort, cit. 30). *Question générale; vaste question. Question particulière.* ⇒ **Article** (II.); **chapitre;** 1. **point.** — *Les côtés* (cit. 20), *les points* (1. Point, cit. 87) *de la question. Le cœur*, le nœud*, le vif d'une question. L'état* (cit. 49) *de la question* (→ Négociateur, cit.). —*Aborder* (→ Joint, cit. 2), *soulever une question. Entrer dans le vif d'une question.* ⇒ 3. **Sujet.** *L'angle sous lequel on envisage une question. Agiter, étudier, traiter une question* (→ 1. Détacher, cit. 10). *S'occuper d'une question* (→ Enterrement, cit. 8). *Approfondir, examiner une question; examen* (cit. 3) *d'une question. Débattre, discuter une question.* ⇒ **Controverse, discussion, examen; délibération.** *Mettre une question sur le tapis*. Diviser, scinder une question, sérier les questions. — Résoudre* (→ Géomètre, cit. 2), *trancher, vider la question* (→ Gueule, cit. 13; poème, cit. 3). *Éclaircir, élucider une question obscure. Passer à côté* de la question. S'écarter, sortir de la question.*

Questions de langage, de grammaire. Questions scientifiques (→ Écriture, cit. 16). *La question de l'espace* (cit. 4). *Développement sur une question d'érudition.* ⇒ **Dissertation.** *Énoncé d'une question de mathématiques.* ⇒ **Problème.** *Questions d'examen. — Les questions sociales* (→ Guillotine, cit. 2; impuissance, cit. 7), *économiques, politiques. La question juive* (cit. 4). — Hist., diplom. Ensemble des problèmes soulevés par une situation historique, dans une région du monde. *La question d'Orient,* posée par l'affaiblissement de l'Empire turc aux XVIIIe et XIXe siècles. — *Questions pratiques de la vie courante. La question du célibat* (cit. 6) *et du mariage. La question financière* (cit. 4) *se posa entre eux. Les questions d'argent* (→ Déprimer, cit. 2; gâter, cit. 24), *d'intérêt* (cit. 13)... ⇒ **Affaire, difficulté, problème.**

9 Croyez qu'il n'y a pas de remède social parce qu'il n'y a pas de question sociale (...) Gambetta, Disc. du Havre, 18 avr. 1872 (→ Panacée cit. 3).

10 À vrai dire, la question religieuse importe peu à Balzac, ne l'a jamais préoccupé. Il est remarquable que dans aucune scène de la *Comédie Humaine* elle n'ait jamais vraiment été posée. Gide, Nouveaux prétextes, p. 161.

Question de fait (cit. 30). *Question de principe. Question de droit, de fond, de forme...*

11 La seule question obscure était celle de la royauté. Question, non de pure forme, comme on l'a tant répété, mais de fond, question intime, plus vivace qu'aucune autre en France, question non de politique seulement, mais d'amour, de religion.
Michelet, Hist. de la Révolution franç., Introd., II, vii.

Dr. *Question d'ordre civil, commercial, pénal... Questions d'état,* relatives à l'état civil d'une personne. *Question préjudicielle*.* — Procéd. *Question préalable,* qui doit être jugée avant l'examen du fond (ex. : exceptions d'incompétence, de nullité de procédure). — Dr. constit. *Questions soumises à une assemblée* (→ Ordre, cit. 14). *Poser la question* (au sens 1.) *préalable avant l'examen d'une question.*

Loc. *Là est la question* (→ Foyer, cit. 21), *c'est toute la question :* c'est là le point litigieux, la difficulté. *Ce n'est pas la question,* se dit pour écarter une objection sans poids, etc. *C'est une autre question* (→ Donnée, cit. 2).

12 Les preuves que Jésus-Christ et les apôtres tirent de l'Écriture ne sont pas démonstratives; car ils disent seulement que Moïse a dit qu'un prophète viendrait; mais ils ne prouvent pas par là que ce soit celui-là, et c'était toute la question.
Pascal, Pensées, xiii, 843.

C'est une question de..., une affaire, un problème qui concerne tel ou tel point *(c'est une simple question de forme);* ou encore, une question qui peut être résolue par... *(c'est une question de prudence, de tact, de bon sens).* → Gros, cit. 28.

13 C'était pour moi une question de vie ou de mort. J'avais à peine de l'eau à boire pour huit jours. Saint-Exupéry, le Petit Prince, ii.

Ellipt. et fam. *Question de...* (en tête de phrase) : affaire de... (→ Fripouille, cit. 2). — Pop. *Question de...* (exprimant la finalité). ⇒ **Histoire** (cit. 60 : histoire de).

14 Question de me soigner le délire, je lui demandai à cet Espagnol s'il ne connaissait pas des fois quelque bonne médecine indigène qui m'aurait retapé.
Céline, Voyage au bout de la nuit, p. 165.

14.1 (...) je me suis seulement contenté de répéter que ça devait être tout de même bien compliqué de faire du patin à roulettes sur le pied gauche. Elle m'a crié : — Question d'habitude. J.-M. G. Le Clézio, la Fièvre, p. 95.

Fam. *La question* (suivi d'un nom en apposition) : la question de, du, de la...

Marie Stuart, moins occupée de la question église et plus occupée de la question femme, était peu respectueuse pour sa sœur Élisabeth (...) 15
Hugo, l'Homme qui rit, II, i, iii, ii.

Fam. *Il n'y a pas de question (y a pas de question) :* c'est une chose sûre, certaine (→ Il n'y a pas de problème*). — (En réponse). Certainement, évidemment. *Pensez-vous qu'il puisse s'en sortir? Il n'y a pas de question :* oui, il s'en sortira.

Il est question, il n'est pas question de... : il s'agit*, il ne s'agit pas de... *Articles, ouvrages où il est question de...,* qui traitent, s'occupent de..., dont le sujet est... ⇒ 1. **Parler** (II.). *Il est question dans mon esprit...* (→ Je veux parler* de...) *Il est bien question de cela!* (→ Hymne, cit. 6) : c'est de tout autre chose qu'il s'agit. *Il n'est question que de plaisirs* (→ Badinage, cit. 4). — *Il n'est pas, il n'est plus question de cela* (→ Individualisme, cit. 5). — (Suivi de l'infinitif). → Divertir, cit. 11; merveilleux, cit. 1. *Qu'il n'en soit plus question :* n'en parlons plus. *Il ne sera pas question de...* (→ Faire, cit. 71).

Ensuite, il fut question de la valeur des terrains dans la banlieue, une spéculation d'Arnoux, infaillible. Flaubert, l'Éducation sentimentale, I, v. 16

De groupe en groupe il n'était question que du « coup dur ». 17
Montherlant, le Songe, I, vii.

Il est question de... : c'est une éventualité que l'on envisage. *Il est question de le nommer directeur. Il est question de X... comme premier ministre. Il n'est pas question que la société pousse à la culture du génie* (cit. 46), la chose ne doit pas être envisagée. — *Il n'en est pas question.* — Fam. *Pas question, plus* (cit. 36) *question de...* (→ Poil, cit. 25). — Ellipt. *Pas question!*

— Que voulez-vous qu'on fasse? nous ne savons pas nos rôles (...) — Eh bien, nous voilà. Que prétendez-vous faire? — Quelle est votre pensée? — De quoi est-il question? Molière, l'Impromptu de Versailles, 1. 18

Tout ce qui assurait le style hérité disparaît d'un coup : les colonnes, la femme au bâton sur l'épaule, sont transformées, les figures au fond de la perspective sont supprimées, la femme aux colombes aussi. Plus question des portraits du premier plan. Malraux, les Voix du silence, p. 421. 19

(1845). Littér. ou didact. **Faire question :** « être douteux, discutable » (Académie), ou encore, devoir être envisagé, être probable. — (Au négatif). *Cela ne fait pas question.*

Dans tous les pays alliés, les socialistes voteront les crédits, ça ne fait pas question! Martin du Gard, les Thibault, t. VIII, p. 101. 20

Loc. *Être hors de question :* ne pas être envisagé (même sens que : *il n'en est pas question*). *C'est absolument hors de question, nous refusons.*

(1541, *mettre en question; la chose en question,* 1694). **En question :** qui fait ou peut faire l'objet d'une discussion, qui pose un problème. *La chose en question,* dont il est question, dont il s'agit. *Mettre un point de doctrine en question,* le soumettre à la discussion. ⇒ **Controverser, discuter.** *Chose qui peut* (⇒ **Discutable**), *ne peut pas* (⇒ **Indiscutable**) *être mise en question.*

Le livre le meilleur qui ait été écrit sur le tempérament d'une nation asiatique, c'est assurément le roman de Morier, intitulé : *Hadjybaba.* Il est bien entendu que les *Mille et une Nuits* ne sont pas en question : elles demeurent incomparables (...) 21
J.-A. de Gobineau, Nouvelles asiatiques, p. 13.

Mettre, remettre qqch. en question. **a** Mettre en cause (→ Clarté, cit. 15; perpétuel, cit. 1). *À cette heure où toutes les valeurs humaines semblent remises en question* (→ Hiérarchie, cit. 9). *Littérature où l'homme tout entier est en question* (→ Extrême, cit. 9), est mis en cause.

b Mettre en danger, en péril. ⇒ **Compromettre, ébranler.**

Le prince de Polignac craignait ma démission. Il sentait qu'en me retirant je lui enlèverais aux Chambres des votes royalistes, et que je mettrais son ministère en question. Chateaubriand, Mémoires d'outre-tombe, t. V, p. 162. 22

Ponge a commencé, comme beaucoup d'écrivains et d'artistes de sa génération, par un doute méthodique; mais il a refusé de mettre la science en question. 23
Sartre, Situations I, p. 259.

★ **II.** (Fin xive). Anciennt. Torture infligée pour arracher des aveux. ⇒ **Géhenne, gêne** (cit. 2), **supplice, torture** (→ Peau, cit. 10). *Le tourment de la question* (→ Disloquer, cit. 1). *Endurer* (cit. 5), *subir la question. Appliquer la question à qqn; appliquer à qqn la question. Donner la question à l'aide d'instruments de torture.*

La question est une invention merveilleuse et tout à fait sûre pour perdre un innocent (...) La Bruyère, les Caractères, XIV, 51. 24

On a dit souvent que la question était un moyen de sauver un coupable robuste, et de perdre un innocent trop faible (...) 25
Voltaire, Dict. philosophique, Question, torture.

— Eh bien! c'est qu'on a couché le curé entre deux grandes planches qui lui serrent les jambes, et il y a des cordes autour des planches. — Ah! c'est la question, dit un homme de la ville. A. de Vigny, Cinq-Mars, v. 26

CONTR. Affirmation, négation, réponse.

DÉR. 1. **Questionnaire,** 2. **questionnaire, questionner.**

1. QUESTIONNAIRE [kɛstjɔnɛʀ] n. m. — 1553; de *question.*

♦ Série de questions méthodiquement posées en vue d'une enquête, d'un examen; écrit, imprimé sur lequel une telle série de questions est inscrite. ⇒ **Formulaire** (→ Déclaration, cit. 8; exclusivisme, cit. 2). *Questionnaires de l'administration. Questionnaire à la fin d'une leçon, dans un livre de classe.*

(...) Parker remplissait pour l'état-major de la brigade de longs questionnaires imprimés. A. MAUROIS, les Silences du colonel Bramble, II.

Psychol., sociol. *Méthode des questionnaires. Interview par questionnaire. Le Questionnaire,* titre français d'un ouvrage de Ernst von Salomon.

HOM. 2. **Questionnaire.**

2. QUESTIONNAIRE [kɛstjɔnɛʀ] n. m. — Fin XVIe, d'Aubigné ; de *question* (II.).

♦ Vx. Bourreau*, tortionnaire qui donnait la question.

HOM. 1. **Questionnaire.**

QUESTIONNEMENT [kɛstjɔnmɑ̃] n. m. — Début XVIIIe ; de *questionner.*

♦ Didact. Le fait de poser un ensemble de questions ; cet ensemble de questions. ⇒ **Problématique.**

La pratique déborde toujours la pensée, et, plus riche qu'elle, l'appelle à prendre le risque de l'imagination, du questionnement de la recherche, de l'invention du futur. Roger GARAUDY, Parole d'homme, p. 131.

REM. Il n'existe pas de mot pour désigner l'action de questionner qqn, de l'interroger, au sens général.

QUESTIONNER [kɛstjɔne] v. — XIIIe ; de *question.*

★ **I.** ♦ **1.** Trans. Adresser, poser une question, des questions à (qqn). ⇒ **Consulter, interroger, poser** (des questions). → Affaire, cit. 22 ; faute, cit. 18 ; incurieux, cit. 1 ; novice, cit. 7 ; oreille, cit. 35. *Si je questionnais le chevalier de Boufflers, je lui demanderais...* ⇒ **Demander** (→ Follet, cit. 1). *Questionner qqn qur qqch., sur qqn* (→ Fourber, cit. 2) *à propos de... Questionner insidieusement* (cf. Tirer les vers du nez), *discrètement qqn.* ⇒ **Sonder, tâter** (fig.). — *Examinateur qui questionne un élève.* ⇒ **Sellette** (tenir sur la). *Questionner un prévenu, un accusé...* ⇒ **Cuisiner** (cit. 4).

1 Il était (...) homme questionneur comme vous, lecteur. — Et pourquoi questionnait-il ? — Belle question ! Il questionnait pour apprendre et pour redire comme vous, lecteur (...) DIDEROT, Jacques le fataliste, Pl., p. 543.

2 Mon interrogatoire a commencé aussitôt. Le président m'a questionné avec calme et même, m'a-t-il semblé, avec une nuance de cordialité. CAMUS, l'Étranger, II, III.

♦ **2.** Intrans. Poser souvent des questions. *Cet enfant questionne sans cesse. Laissez-le jaser, questionner...* (→ Endoctriner, cit. 2).

♦ **3.** Pron. *Se questionner soi-même. Se questionner* (les uns les autres). → Mécontentement, cit. 1.

3 Alors il erra sur le navire au milieu de ces gens affairés, inquiets, cherchant leurs cabines, s'appelant, se questionnant et se répondant au hasard, dans l'effarement du voyage commencé. MAUPASSANT, Pierre et Jean, IX.

★ **II.** (1349). Vx (ou par allus. au sens 1.). Soumettre à la question (II.), à la torture.

4 (...) cet homme qui légifère en notre nom admet que par exception un innocent soit violenté et torturé, qu'un innocent soit, de temps à autre, « questionné » un peu cruellement, cela ne lui fait ni chaud ni froid, à ce légiste. F. MAURIAC, Bloc-notes 1952-1957, p. 383.

DÉR. Questionnement, questionneur.

QUESTIONNEUR, EUSE [kɛstjɔnœʀ, øz] n. et adj. — 1554 ; « bourreau », 1580 ; de *questionner.*

♦ **1.** N. Personne qui aime à questionner, qui pose beaucoup de questions. « *C'est une questionneuse* » (Académie). — Péj. *Questionneur importun, indiscret.*

1 Vous jouez une pièce nouvelle aujourd'hui ? — Oui, Monsieur. N'oubliez pas... — C'est le Roi qui vous la fait faire ? — Oui, Monsieur. De grâce, songez... — Comment l'appelez-vous ? — Oui, Monsieur. — Je vous demande comment vous la nommez. — Ah, ma foi, je ne sais... — Comment serez-vous habillés ? — Comme vous voyez. Je vous prie... — Quand commencerez-vous ? — Quand le Roi sera venu. Au diantre le questionneur ! MOLIÈRE, l'Impromptu de Versailles, 2.

♦ **2.** Adj. Qui pose souvent des questions. *Cet enfant est très questionneur. Elle est curieuse et questionneuse.*

(XIXe, Balzac). Par ext. Qui pose une question, qui interroge. ⇒ **Interrogateur.** « *"Il habite Balbec?", chantonna le baron d'un air si peu questionneur...* » (→ Interrogation, cit. 5, Proust).

2 Il marchait. Des prostituées pirouettaient à des coins de rue, avec de pauvres jupes et des yeux questionneurs : il ne les regardait même pas. Ch.-L. PHILIPPE, Bubu de Montparnasse, I, I.

QUESTORIEN, IENNE [kɛstɔʀjɛ̃, jɛn] ; Académie [kɥɛstɔʀjɛ̃, jɛn] adj. — 1875, *in* P. Larousse ; dér. sav. du lat. *quæstor.* → Questeur.

♦ Hist. Du questeur.

QUESTURE [kɛstyʀ] ; Académie [kɥɛstyʀ] n. f. — 1574 ; lat. *quæstura,* de *quærere* « chercher ».

Didactique.

♦ **1.** Antiq. rom. Charge, dignité de questeur (⇒ **Magistrature**) ; durée des fonctions d'un questeur.

♦ **2.** (1799). Mod. Services dirigés par les questeurs*. *Le personnel de la questure est sous l'autorité du secrétaire général de la questure.* — Bureaux, services de la questure.

1. QUÊTE [kɛt] n. f. — XIIe ; du lat. *quæsita,* fém. subst. de *quæsitus,* p. p. subst. de *quærere* « chercher ». → Quérir ; enquête, requête.

★ **I.** ♦ **1.** Vx. Action d'aller à la recherche (de qqn, de qqch.).

(...) ce n'est plus le Graal que va quérir le Perceval de la deuxième moitié du vingtième siècle, ni même la Joie (bien que Patrice de la Tour du Pin ait emprunté son titre *la Quête de joie à Erec et Énide*). ARAGON, les Yeux d'Elsa, p. 103 (note). 1

(XIIIe). Chasse (à courre). Action de chercher le gibier. « *Un épagneul bon pour la quête* » (Académie). *Ton de quête :* sonnerie de la quête.

♦ **2.** Loc. verb. *Être à la quête de...* (vx), *être en quête de...,* à la recherche de... ⇒ **Chercher, recherche.** *Être en quête de butin* (→ Fourmi, cit. 3). *Ouvrier en quête d'ouvrage* (→ Placement, cit. 3). *Un client* (cit. 7) *en quête d'un placement. En quête de distraction, d'aventure* (→ Nomade, cit. 2). *Se mettre en quête de...* (→ Aviser, cit. 5).

(...) ils avaient été arrêtés à l'entrée de Montreuil par des gendarmes et des agents de police en quête d'un assassin. 2
BALZAC, la Femme de trente ans, Pl., t. II, p. 800.

Des corneilles innombrables tournoient parmi les pointes des cyprès, en quête de la branche où dormir. Claude FARRÈRE, l'Homme qui assassina, XXXIV. 3

★ **II.** (XIIIe). Action de demander et de recueillir des aumônes* pour des œuvres pieuses ou charitables. *Faire la quête.* ⇒ **Quêter.** *Quête dans une église. Quête sur la voie publique. Quête pour des œuvres sociales.* ⇒ **Collecte.** *Le produit, l'argent de la quête.*

Une autre voix lança : — La quête ! — Et tout le public, haletant, mais gai tout de même, répéta : — La quête... la quête... Alors six dames se mirent à circuler entre les banquettes et on entendit un petit bruit d'argent tombant dans les bourses. MAUPASSANT, Bel-Ami, II, III. 4

Fait de demander et de recueillir de l'argent auprès d'un public. *Il joue de la guitare et fait la quête* (cf. argot des banquistes puis fam. Faire la manche). *Il est interdit de faire la quête dans les voitures du métro.*

(1648). Par métonymie. Produit, argent recueilli par une quête.

CONTR. Distribution.
DÉR. Quêter.
HOM. 2.**Quête.**

2. QUÊTE [kɛt] n. f. — 1678 ; forme normande de *chette,* var. dial. du franç. *cheeite* « chute », du lat. *cadere.*

♦ Mar. Inclinaison vers l'arrière (surtout, d'un mât). — Angle de l'étambot et de la quille.

HOM. 1.**Quête.**

QUÊTER [kete] v. tr. — 1150, *quester ;* de 1. *quête.* → Quérir.

★ **I.** Chercher, quérir. ⇒ **Chercher,** 1. **quête** (I.). ♦ **1.** Vx. (Le compl. désigne une personne). « *Le père Wolf que j'envoyai quêter* » (Saint-Simon, I, 182).

♦ **2.** Techn. (chasse à courre). Chercher (le gibier). « *On le quête, on le lance* (le lièvre) » (La Fontaine, IV, 4).

Absolt. *On voyait le chien quêter.* ⇒ **Briller** (→ Piste, cit. 2). — Par ext. (→ Porc, cit. 1).

(...) j'ai aperçu M. le comte qui faisait quêter ses chiens le long du bois de Linières. BERNANOS, Journal d'un curé de campagne, p. 90. 1

★ **II.** ♦ **1.** (XVIe, *quester des aumônes,* et, absolt, *quester,* 1580). Demander et recueillir des aumônes pour des œuvres pieuses ou charitables. ⇒ 1. **Quête** (II.), **quêteur.** *Quêter à l'église, à la porte du temple* (→ Pain, cit. 4 ; 1. droit, cit. 6), *à domicile, chez qqn. Quêter pour les malades, les infirmes, les vieux, les sinistrés...*

(...) cette première qualité de dévotion a bien sa valeur, surtout réunie aux millions de Boissaux ; cela lui procure l'avantage de quêter dans les grandes circonstances. Je puis vous assurer, cher ami, qu'elle est à croquer avec sa bourse de velours rouge à glands d'or, qu'elle présente ouverte à tout le monde. STENDHAL, Romans et nouvelles, « Féder », II. 2

Vêtue de ma capote bleu horizon, je quêtai sur les grands boulevards, devant la porte d'un foyer franco-belge que dirigeait une amie de maman. « Pour les petits réfugiés belges ! » Les pièces de monnaie pleuvaient dans mon panier fleuri (...) S. DE BEAUVOIR, Mémoires d'une jeune fille rangée, p. 31. 3

Demander et recueillir pour soi-même des oboles, comme don ou comme rémunération.

Dans cette commune, le deuil se porte religieusement. Les pauvres quêtent pour pouvoir s'acheter leurs vêtements noirs. BALZAC, le Médecin de campagne, Pl., t. VIII, p. 379. 4

♦ **2.** Fig. Demander ou rechercher comme un don, une faveur. ⇒ **Mendier, quémander, rechercher, solliciter.** — (Le compl. désigne un jugement, un sentiment). *Quêter l'approbation* (cit. 13), *la pitié, les louanges, la sympathie, les suffrages de qqn.* — (Le compl. désigne un acte de langage). *Quêter une leçon* (→ Conseil, cit. 9), *des nouvelles* (→ Détraquer, cit. 2).

5 (...) déjà l'on prédisait l'investissement prochain de Paris. Chacun quêtait un mot d'encouragement, d'espoir (...) GIDE, Journal, 25 août 1914.

6 Cinq minutes plus tard elle partait, après un regard où elle croyait ne laisser paraître que de la sollicitude, mais qui quêtait en vain une vérité, l'explication d'un état de choses inexplicable. COLETTE, la Fin de Chéri, p. 63.

Rare. (Le compl. désigne un objet concret).

7 Elle quêta des yeux un coin où se cacher, un abri. Rien (...) MARTIN DU GARD, les Thibault, t. V, p. 239.

DÉR. Quêteur.

QUÊTEUR, EUSE [kɛtœʀ, øz] n. — Déb. XIIIe, *questeor;* doublet de *questeur**, var. *questeux* (XVe); de *quester, quêter.*

♦ **1.** Littér. *(Quêteur, quêteuse de...).* Personne qui recherche (telle chose), qui demande comme une faveur. *Un quêteur de compliments.*

Adjectif :

Elle continuait à frétiller doucement, toujours avec son petit sourire poli, son expression d'attente quêteuse. N. SARRAUTE, Tropismes, p. 95.

♦ **2.** Cour. Personne chargée de faire la quête. *Le quêteur, la quêteuse passe parmi les fidèles pendant les offices, avec une aumônière. Tronc, bourse d'une quêteuse.* — Par appos. *Frère quêteur des ordres mendiants.*

♦ **3.** (1869, *in* Littré). Chasse. Chien qui quête le gibier.

QUETSCHE [kwɛtʃ] n. f. — 1777, *couetche;* mot alsacien, de l'all. *Zwetsche.*

♦ **1.** Grosse prune oblongue de couleur violet sombre. *Tarte aux quetsches. Quetsches séchées* (⇒ **Pruneau**), *confites. Eau-de-vie de quetsche* (ou *de quetsches*).

♦ **2.** Eau de vie de quetsches. *Un verre de quetsche.*

1. QUEUE [kø] n. f. — 1080, *coe, cue; keue,* v. 1155; *queue,* v. 1220; du lat. *coda,* var. de *cauda.*

★ **I.** (Animaux). Prolongement, plus ou moins allongé, du corps, à l'opposite de la tête. ⇒ **Cerco-, -cerque, -oure,** 2. **uro-.** (Cf. les comp. du lat. *cauda*). ♦ **1.** (Chez la plupart des mammifères). Appendice plus ou moins long et poilu qui prolonge la colonne vertébrale. ⇒ **Caudal**. *Queue longue, courte; grande, petite. Petite queue du lapin.* ⇒ **Couette**. *La houppe* (cit. 9) *de la queue. Singe à longue queue* (→ Guenon, cit. 1). *Queue à poil ras du rat. Queue à longs poils du renard. Splendide queue d'un chat* (→ Ménage, cit. 4). *Extrémité de la queue.* ⇒ **Balai, fouet.** *Queue en tire-bouchon du cochon. Queue d'écureuil* (cit. 2) *relevée en panache*, en point d'interrogation* (→ Gratter, cit. 10). *La queue en l'air* (→ Détaler, cit. 2), redressée. *La queue basse,* pendante. *Chien qui a la queue basse* (→ Fermer, cit. 20), *la queue entre les jambes. Chien qui frétille* (cit. 3) *de la queue. Queue préhensile*. Queue servant à l'équilibre, servant à prendre appui* (cit. 5) *comme celle du kangourou. Queue qui chasse les mouches; vache qui se bat de sa queue* (→ Meugler, cit.). *La terrible queue du lion* (cit. 2). *Chien, cheval à queue coupée.* ⇒ **Courtaud; courtauder, écourter.** — Hippol. *Queue de cheval à tous crins* (non taillée), *en balai. Queue en catogan. Queue de crins coupés* ou *en éventail, courte queue, queue en sifflet. Queue à l'anglaise.* — Loc. fig. *Queue de rat,* qui a peu de crins. — *La queue en trompe, en trompette* (fam.), relevée.

1 Que faisons-nous, dit-il, de ce poids inutile,
Et qui va balayant tous les sentiers fangeux?
Que nous sert cette queue? Il faut qu'on se la coupe.
LA FONTAINE, Fables, V, 5 (Le renard ayant la queue coupée).

2 Elle m'a encore longtemps souffleté dans mon enfance quand je tirais la queue à son chien Azor (...) STENDHAL, Vie de Henry Brulard, 7.

3 On reconnut le chat, tout efflanqué, sans poil, la queue pareille à un cordon (...) FLAUBERT, Bouvard et Pécuchet, X.

Longe de cuir sous la queue d'un cheval. ⇒ **Croupière, trousse-queue.** — Blason. *Animal privé de sa queue.* ⇒ **Diffamé.** — Filature. *Laine de queue de mouton.* ⇒ **Couaille.** — Mode. *Collet garni de queues de martres,* de la fourrure des queues de martres.

Myth. et icon. *Queue de diable, de satyre.* — Fig. *Tirer le diable* par la queue.*

Loc. *Avoir la queue basse, la queue entre les jambes :* être piteux, confus après un échec. ⇒ aussi **Couard** (étym.). — *Quand on parle du loup*, on en voit la queue.* — *Chat à neuf queues.* ⇒ **Chat.**

Loc. adj. *Queue de vache,* d'un roux éteint, peu agréable (en parlant des cheveux).

4 *(Gervaise)* trouvait la femme très vieille pour ses trente ans, l'air revêche, malpropre avec ses cheveux queue de vache, roulés sur sa camisole défaite. ZOLA, l'Assommoir, II, t. I, p. 68.

Vx. *Pacha à une, deux, trois queues :* pacha qui avait le droit de faire porter devant lui, une, deux, trois queues de cheval, comme marque de sa dignité.

Asselineau pourrait fournir des étendards 5
Aux pachas à trois queues.
Th. DE BANVILLE, Odes funambulesques, «Autres guitares», Nadar.

(1656). **PAS LA QUEUE D'UN, D'UNE :** pas un seul, pas une seule (en parlant de choses qu'on cherche, qu'on devrait avoir). — Spécialt. Pas du tout d'argent. — (Par jeu avec le sens concret) :

Quant aux singes ou pigeons verts, oiseaux-mouches iridescents, toucans bariolés, paradisiers fluorescents, pas la queue d'un! P. GRAINVILLE, les Flamboyants, p. 184. 5.1

Embryol. *Queue de l'embryon* (cit. 3) *humain.*

♦ **2.** (XVIe). Fam. Membre viril. ⇒ **Pénis, sexe, verge;** fam. **bitte, quéquette.**

(...) coupez-vous la chose aux enfants? Il serait Monsieur sans queue. RABELAIS, Gargantua, XI. (1534). 6

Moulé dans un maillot qui fait deux plis sur l'aine il *(le gymnaste)* porte aussi, comme son Y, la queue à gauche. Francis PONGE, le Parti pris des choses, le Gymnaste. 6.1

REM. Ce sens, existant à titre de métaphore depuis le XVIe s. et donnant lieu à des allusions érotiques, n'a dû se lexicaliser qu'au XIXe s., avec le vieillissement de mots comme *vit*;* il est aujourd'hui le nom familier le plus fréquent pour désigner le pénis.

Par ext. Homme, en tant que partenaire sexuel. *«Une femme bien charmante (...) seulement elle aime trop les queues...»* (S. de Beauvoir, *in* Cellard et Rey).

♦ **3.** Loc. adv. (1490, *à la queue leu leu,* altér. de l'anc. franç. *à la queue le leu** «à la queue le [du] loup», l'un derrière* l'autre, comme on dit que marchent les loups; → À la suite*, en procession). **À LA QUEUE LEU LEU.** *Défiler, cheminer* (→ Guide, cit. 3), *se suivre à la queue leu leu. Chameaux attachés* (cit. 89) *à la queue leu leu par des ficelles.* ⇒ **Accouer.** — (Dans le même sens). *À la queue :* en file, à la suite. *Ils entrèrent tous à la queue.*

Tout de suite, M. Baillehache s'était installé à ce bureau, comme à un tribunal; tandis que les paysans, entrés à la queue, hésitaient, louchaient en regardant les sièges, avec l'embarras de savoir où et comment ils devaient s'asseoir. ZOLA, la Terre, I, II. 7

(...) précédées d'une demi-douzaine de poules, d'un coq, d'une oie et d'un canard qu'elles poussaient devant elles, les maintenant en lisière à la queue leu le long des chemins et les rabattant sur les trottoirs, quand une voiture approchait. M. JOUHANDEAU, Tite-le-Long, XIII. 8

Vx. *Être, se mettre à la queue de qqn,* le suivre.

M. le prince de Conty est à trois lieues de cette ville (...) On dit qu'il n'y a que des missionnaires et des archers à sa queue. RACINE, Lettres, 36, 25 juil. 1662. 9

♦ **4.** Extrémité postérieure allongée du corps (de certains vertébrés ou invertébrés). *Queue de lézard, de crocodile. Vipère dressée sur sa queue* (→ Guivre, cit.). *Batraciens à queue* (⇒ **Urodèles**), *sans queue* (⇒ **Anoure**). *Queue de têtard. Queue de poisson dont la nageoire a des lobes égaux* (⇒ **Homocerque**), *inégaux* (⇒ **Hétérocerque**). *Coup de queue d'un poisson, d'une morue* (cit. 1). *Queue de certains crustacés.* ⇒ **Macroure.** — Cuis. *Queues de langoustines, d'écrevisses,* l'abdomen, qui est la meilleure partie. — *Queue de scorpion** (arachnides). *Tête et queue d'un ver.* — Myth. *Queue de dragon, de sirène.*

(Le serpent) entendit que je marchais derrière lui sans me presser; alors, il se dressa sur la faucille de sa queue. J. GIONO, Jean le Bleu, VI. 10

Loc. fig. *Mesurer le poisson entre queue et tête* (→ Chaussure, cit. 1, La Bruyère).

QUEUE DE POISSON. *Finir en queue de poisson** (cit. 14 et 15). — *Faire une queue de poisson à une automobile.*

Loc. prov. *Dans la queue le venin* (cf. lat. *In cauda venenum*).

♦ **5.** (1080). Plumes du croupion (d'un oiseau), servant généralement de gouvernail. ⇒ **Rectrice**. *Queue du coq* (1. Coq, cit. 5). *Les plumes de sa queue qui s'éploya en éventail* (→ Croupion, cit. 2). *L'éventail de sa queue* (→ Dinde, cit. 3). *La riche queue ocellée* (cit. 1) *du paon* (cit. 2; et → 1. Lapidaire, cit. 1). *Queue en ciseaux* (→ Frégate, cit. 5).

(...) les faisans magnifiques, avec leur chaperon écarlate, leur gorgerin de satin vert, leur manteau d'or niellé, leur queue de flamme traînant comme une robe de cour. ZOLA, le Ventre de Paris, IV, t. II, p. 46. 11

Loc. *Mettre un grain* (cit. 16) *de sel sur la queue d'un moineau,* se dit d'une chose presque impossible à faire.

Techn. *Assemblage à queue d'aronde*,* en forme de queue d'hirondelle. — On dit aussi *queue(-)d'aronde.*

♦ **6.** Loc. *Queue de morue, queue de pie* (→ ci-dessous, III., 2.). *Queue de cheval* (→ ci-dessous, III., 3., et à l'ordre alphab.) ⇒ aussi **Queue-de-carpe, queue-de-chat, queue-de-cochon, queue-de-lion, queue-de-morue, queue-de-mouton, queue-de-paon, queue-de-rat, queue-de-renard, queue-de-vache, queue-de-vinaigre.**

(1865). Loc. fig. *Goût de queue de renard* (d'un vin) : goût «foxé».

★ **II.** (XIIIe; végétaux). ♦ **1.** Pédoncule* qui attache le fruit à la branche, la tige. *Queue de poire, de pomme, de melon, de cerise. Tisane de queues de cerise.*

♦ **2.** Pétiole* (de la feuille). *La queue d'une feuille de marronnier, de géranium.*

♦ **3.** Pédoncule (d'une fleur), surtout lorsqu'il est court et peu rigide. ⇒ **Tige.** *Queue de violette, de pâquerette, de capucine...* ⇒ aussi **Pédicule.**

12 Elle les prenait *(les camélias)* comme elle aurait pris des bijoux, délicatement (...) puis, c'était avec des précautions infinies qu'elle attachait sur des brins de jonc leurs queues courtes. ZOLA, le Ventre de Paris, IV, t. II, p. 16.

♦ **4.** Tige tenant à certaine partie comestible («tête» d'une plante). *Queue d'artichaut. Servir des radis avec les queues.* — Pour les asperges, les céleris, on dit *branches**.

★ **III.** Par métaphore (ou par anal. de forme). ♦ **1.** Ce qui termine qqch., en forme de queue. *Queue de cerf-volant,* ruban flottant attaché à la charpente. *La queue d'une comète :* traînée lumineuse qui suit le corps céleste.

13 Les comètes de braise elles-mêmes jamais
N'oseraient effleurer des flammes de leurs queues
Le chariot roulant dans les profondeurs bleues. HUGO, la Légende des siècles, LXI.

(Du sens I.). *La queue de la Grande Ourse* (→ Asseoir, cit. 43), *de la Petite Ourse,* les étoiles qui en prolongent le quadrilatère. — Techn. *Queue de bouton,* partie par laquelle on le coud (anneau, partie renflée et percée...). — Par ext. Longueur de fil laissée entre un bouton et le tissu auquel il est cousu.

Queue de note :* trait qui prolonge sur le côté, vers le haut ou le bas, le corps de la note. *Noire à queue, noire en losange* (cit. 1). *Queue de lettre,* hampe, trait d'une lettre qui descend sous la ligne d'écriture. *La queue d'un* p. *Les queues des majuscules* (cit. 1). *Ajouter une queue à un 0* (pour en faire un 9). — Prolongement ornemental d'un graphisme. *Queue d'un paraphe* (cit. 1).

13.1 L'encre a pâli, le papier a jauni, l'orthographe est peu sûre, l'écriture, pleine de paraphes et de queues compliquées, est difficile à déchiffrer. B. CENDRARS, l'Or, *in* Œ. compl., t. II, p. 185.

(V. 1155). Anciennt. *Queue de parchemin :* bande de parchemin ou de ruban à laquelle est suspendu le sceau d'un acte. *Sceaux de cire sur queue de soie* (→ Parchemin, cit. 4).

Techn. *Queue d'une pierre,* bout qui sert à faire la liaison en dedans d'un mur.

(1806). *Piano* à queue,* dont les cordes disposées horizontalement forment un prolongement au clavier. *Piano demi-queue, quart de queue.* — N. m. *Un grand queue de concert de fabrication autrichienne. Un demi-queue.* ⇒ **Demi.** — *Queue de violon,* partie où s'attachent les cordes. ⇒ **Cordier.**

Partie postérieure du fuselage (d'un avion) qui va en s'amincissant. *Roue de queue.* ⇒ **Béquille.**

Queue de casserole, de poêle. ⇒ 2. **Manche.** — Loc. fig. *Tenir la queue de la poêle*.*

Loc. (Vx). *Ruban de queue :* tronçon de route droit et plat.

♦ **2.** Partie d'un vêtement qui pend par derrière. — (Fin XIIe). Vx. Traîne d'une robe de femme. ⇒ **Traîne.** *Robe à queue et chapeaux à plumes* (→ Oripeau, cit. 2). Traîne d'un dignitaire, d'un prélat. *Porter la queue.* ⇒ **Porte-queue; caudataire.**

14 Dans un bel équipage, avec des chevaux gris pommelés, deux grands laquais, un petit nègre, et le coureur en avant, du rouge, des mouches, la queue portée. DIDEROT, le Neveu de Rameau, Pl., p. 440.

15 (...) et, dans les grands mouvements de passion, repoussant leur queue en arrière avec un petit coup de talon. Th. GAUTIER, Mlle de Maupin, XI.

Mod. (Souvent *queue de morue, de pie*). Basques plongeantes à l'arrière d'un habit. *Un habit à queue. Huissier en uniforme à queue* (→ Cagibi, cit. 1). *Queue de morue, de pie* (→ Habit, cit. 21 et 23; et aussi 1. pie, cit. 1). — N. f. L'habit lui-même. *Porter une queue de morue, une queue de pie.* ⇒ **Frac.** — S'écrit parfois avec des traits d'union : *queue-de-morue, queue-de-pie.*

16 L'habit, couleur cannelle, se recommandait au caricaturiste par une longue queue qui, vue par derrière, avait une si parfaite ressemblance avec une morue que le nom lui en fut appliqué. BALZAC, Une ténébreuse affaire, Pl., t. VII, p. 459.

♦ **3.** (1765). Faisceau de cheveux serrés derrière la tête. *Queue attachée par un ruban. Queue de perruque Louis XV. La queue de son chignon* (cit. 3).

QUEUE DE CHEVAL : coiffure de fillette, de jeune fille, dans laquelle les cheveux longs et non frisés sont tous ramenés et attachés haut, derrière la tête, d'où ils retombent comme une queue de cheval. — Mèche trop longue dans le cou lorsque les cheveux sont mal coupés.

17 (...) Marguerite, je vais peut-être vous surprendre, mais il y a une âme sous votre petite queue de cheval comme sous les lourdes tresses d'Yseult et c'est la même. J. ANOUILH, Ornifle, III.

♦ **4.** Techn. Large pinceau plat. *Queue à vernir, à laquer.* ⇒ **Queue-de-morue.**

♦ **5.** (Mil. XVIIIe). Long morceau de bois arrondi, légèrement conique, dont le petit bout est garni de cuir (⇒ **Procédé**), qui sert à pousser les billes au jeu de billard. ⇒ **Billard;** et aussi **cadette.** *Queue démontable. Faire fausse queue :* toucher la bille à faux. ⇒ aussi **Queuter.**

17.1 Il leva sa queue en l'air pour percuter ensuite la boule motrice afin de lui faire décrire un arc parabole. R. QUENEAU, Zazie dans le métro, Folio, p. 129.

★ **IV.** (V. 1155). ♦ **1.** Derniers rangs, dernières personnes d'un groupe en ordre de progression (→ Canard, cit. 2). *La tête et la queue d'une colonne d'armée, d'une escadre. Queue d'un cortège, d'une procession. Se mettre à la queue,* après le ou les derniers*. *À la queue!,* interpellation à l'adresse d'une personne qui cherche à passer avant d'autres dans une file d'attente. — Fig. *Être à la queue :* être le dernier.

Prenez encore une douzaine de bons lurons à la tête desquels vous mettrez le sous-lieutenant Lebrun, et vous les conduirez rapidement à la queue du détachement (...) BALZAC, les Chouans, Pl., t. VII, p. 785. 18

Mais il buvait de bon cœur la piquette dans un cabaret de campagne et se mettait à la queue pour aller au parterre. 19
A. DE MUSSET, Nouvelles, «Deux maîtresses», I.

Partie (d'un groupe) qui se trouve en arrière; les derniers. *Être dans la queue de la classe.* — (1801). Vx ou hist. Médiocres partisans entraînés à la suite d'un parti politique. — (1845). Derniers fidèles d'un homme qui a perdu sa puissance. *La queue de Robespierre.* Dernier adeptes d'une école. *Le classicisme et sa queue* (→ Naturalisme, cit. 2).

Lorsque les modérés de la Convention, par une épuration suprême, se furent délivrés de Robespierre et de la «queue de Robespierre», ils se retrouvèrent devant les mêmes difficultés que leurs prédécesseurs (...) 20
J. BAINVILLE, Hist. de France, XVI, p. 378.

♦ **2.** (1794). File de personnes qui attendent leur tour. *Queue à la porte d'un commerçant, à un guichet de location* (billets de théâtre, de chemin de fer, de métro). → Métro, cit. 9... **FAIRE LA QUEUE,** ou (moins usité) **FAIRE QUEUE :** attendre* avec les autres en prenant son tour (→ Emblée, cit.; matamore, cit. 3, 1. lieu, cit. 11). *Une longue queue; les premiers, les derniers de la queue. Il y a la queue, il y a queue pour voir, pour acheter telle chose.* ⇒ **Foule.** *À la queue!* (→ ci-dessus, IV., 1.).

Les cafés étaient toujours pleins : les spectacles étaient combles; il y avait queue aux maisons de jeu, à d'autres pires encore. 21
MICHELET, Hist. de la Révolution franç., IX, II.

Tout porte à croire que nous allons vers la famine (...) Devant chaque boutique où l'on vende encore occasionnellement quelque chose, ce sont des queues et des attentes interminables (...) GIDE, Journal, 24 janv. 1943. 22

Des hommes avec des musettes faisaient la queue devant le guichet. — Voulez-vous que j'aille vous chercher un journal pendant que vous faites la queue? 23
SARTRE, le Sursis, p. 314.

Par ext. Attente dans une queue. *Faire une heure de queue. Une queue de deux heures.*

Fait trois heures de queue à la mairie du dix-huitième arrondissement pour retirer ma carte de temps. M. AYMÉ, le Passe-muraille, p. 74. 23.1

♦ **3.** Arrière (d'un véhicule d'assez grande longueur). *Queue d'un bateau* (peu usité dans le lang. courant). *Aviron de queue* (→ Gouvernail, cit. 3). — Arrière d'une file de véhicules (surtout *de queue* ou *en queue*). *Les wagons de queue d'un train. Monter en queue. Faire tête-à-queue, un tête-à-queue.* ⇒ **Tête** (→ Lof, cit.). — (Pour *la queue d'avion,* il s'agit d'une métaphore concrète; → III., ci-dessus).

(...) on transportera les hommes dans les wagons de queue. 24
SARTRE, le Sursis, p. 188.

(...) vérifiant si à telle gare de métro la sortie se trouvait en tête ou en queue, se récitant les noms des stations de telle ou telle ligne, évaluant des itinéraires minimums (...) R. QUENEAU, Loin de Rueil, IV, p. 74. 25

♦ **4.** [a] (Rare ou emplois spéciaux). Fin* (de qqch.). *Queue d'un étang. La queue de l'hiver. Queue de l'orage, d'une tornade* (→ Pot, cit. 9). *Queue de phrase* (→ Bouffi, cit. 4). — Mus. *Queue de fugue.* ⇒ **Coda, conclusion.**

(...) je me porte bien, c'est-à-dire autant que l'on se porte bien de la queue d'un rhumatisme (...) Mme DE SÉVIGNÉ, 502, 12 févr. 1676. 26

Queue d'une dette, et, absolt, *queue :* reste d'une dette qui n'est pas encore payé. — Par ext. Dette. — (Vieilli). *Faire des queues chez le boulanger.*

(1832). Techn. Imprim. *Queue de page :* fin de texte qui laisse un blanc au bas de la page. Fin de page laissée en blanc, dans un livre. — *Tranche de queue,* formée par la partie inférieure des pages (en reliure). — (1690). Longueur d'une pierre prise dans le sens de l'épaisseur du mur.

(1892, in *Année sc. et industr.* 1893, p. 246). Mod. (Techn.). *Produits de queue d'une distillation :* substances qui, dans un mélange liquide, ont le point d'ébullition le plus élevé et passent les dernières (opposé à *produits de tête*). *Fraction de queue.* — *Queue de poussée :* poussée d'un propulseur en fin de combustion.

[b] Loc. *Commencer, prendre par la queue,* par la fin. *Prendre le roman par la queue* (→ Conjugal, cit. 1). — *Une histoire qui se mord la queue.*

La boucle est fermée et notre conversation, si j'ose dire, se mord la queue. 26.1
Claude MAURIAC, le Dîner en ville, p. 53.

SANS QUEUE NI TÊTE : qui n'a ni début ni fin ou semble ne pas en avoir. ⇒ **Incohérent.** *Histoire, canevas sans queue ni tête* (→ Imbroglio, cit. 4). *Improviser* (cit. 4) *au clavier des choses sans queue ni tête.*

Je n'ai pas besoin de réclamer ton indulgence, mon cher Silvio; elle m'est 27

acquise d'avance, et tu as la bonté de lire jusqu'au bout mes indéchiffrables barbouillages, mes rêvasseries sans queue ni tête (...)
Th. GAUTIER, Mlle de Maupin, XI.

28 J'ai une vague souvenance de vous avoir envoyé le mois dernier une lettre sans queue ni tête, ni rime ni raison.
LOTI, Aziyadé, I, XVIII.

♦ **5.** Loc. fig. (*Faire la coe*... «faire une infidélité amoureuse», XIIIe, *in* Littré; orig. incertaine; probablt de «agir en secret, derrière le dos de qqn», puis, par une autre métaphore, *faire une queue* «laisser qqch. à payer; avoir une dette non soldée»; cf. Furetière, 1690). Vx. **FAIRE LA QUEUE À QQN**, le tromper, et, spécialt, le voler. (Mil. XIXe). Vieilli. *Faire des queues à qqn,* le tromper, et, spécialt, tromper un partenaire amoureux.

29 — Tiens! il fait son nez, celui-là... Est-ce que madame ton épouse t'a fait des traits, cher ami! (...).
— Elle aurait joliment raison, quand on a sous le bras un vilain Chinois de ton espèce... on doit lui en faire de ces queues.
Ch. PAUL DE KOCK, la Grande Ville, t. I, p. 376.

30 (...) Je l'ai bien connu quand j'étais avec d'Orléans. C'était les deux inséparables. Il en faisait une noce à ce moment-là! Mais ce n'est plus ça; il ne lui fait pas de queues. Ah! elle peut dire qu'elle en a une chance.
PROUST, À l'ombre des jeunes filles en fleurs, Folio, p. 471-472.

CONTR. Tête.
DÉR. Queusot, queuter, quoailler.
COMP. Branle-queue, hoche-queue, paille-en-queue, porte-queue, trousse-queue. — Queue-de-carpe, queue de chat, queue-de-cheval, queue-de-cochon, queue-de-lion, queue-de-morue, queue-de-mouton, queue-de-paon, queue-de-rat, queue-de-renard, queue-de-vache, queue-de-vinaigre, queue-rouge.
REM. Queue d'aronde (→ Aronde); queue de pie (→ Queue); queue de poisson (→ Poisson) sont traités en syntagmes.
HOM. 2. Queue, 1. queux, 2. queux.

2. QUEUE [kø] n. f. — XIIIe; p.-ê. même étym. que le précédent.

♦ Anciennt. Futaille* d'un muid et demi environ.

HOM. 1. Queue, 1. queux, 2. queux.

QUEUE D'ARONDE ou QUEUE-D'ARONDE [kødaʀɔ̃d] n. f. ⇒ **Aronde.**

QUEUE-DE-CARPE [kødəkaʀp; kødkaʀp] n. f. — D. i.; de 1. *queue, de,* et *carpe.*

♦ Techn. Extrémité fendue et largement ouverte d'une patte de scellement. *Des queues-de-carpe.*

QUEUE DE CHAT [kødəʃa; kødʃa] n. f. — 1873; de 1. *queue, de,* et *chat.*

♦ Techn. (mar.). Cirrus, nuage d'altitude dont l'apparence évoque la queue d'un chat (forme allongée, courbure sous l'effet du vent régnant, filaments adventices d'aspect pubescent). *Des queues de chat.*

Ces queues de chat étaient des cirrhus effilés, éparpillés au zénith, et dont la hauteur n'est jamais inférieure à cinq mille pieds au-dessus du niveau de la mer.
J. VERNE, l'Île mystérieuse, t. II, p. 577.

On écrit aussi *queue-de-chat.*

QUEUE-DE-CHEVAL [kødʃəval] n. f. — Mil. XVIe; de 1. *queue, de,* et *cheval.*

★ **I.** Régional. Prêle*.

★ **II.** Coiffure dont la forme évoque la queue d'un cheval. ⇒ 1. **Queue** (cit. 17 et *supra).*

★ **III.** (Mil. XXe). Anat. Faisceau vertical de cordons nerveux (racines des trois derniers lombaires, des nerfs sacrés et coccydiens). *Syndrome de la queue-de-cheval :* troubles causés par une lésion de ce faisceau nerveux.
Des queues-de-cheval.

QUEUE-DE-COCHON [kødkɔʃɔ̃] n. f. — 1803; de 1. *queue, de,* et *cochon.*

Technique.

♦ **1.** Tarière terminée en vrille.

♦ **2.** Pointe en vrille d'une grille.
Des queues-de-cochon.

QUEUE-DE-LION [kødəljɔ̃] n. f. — 1762; de 1. *queue, de,* et *lion.*

♦ Léonure* (plante). *Des queues-de-lion.*

QUEUE-DE-MORUE [kødmɔʀy] n. f. — 1871; de 1. *queue, de,* et *morue.*

♦ **1.** Techn. Large pinceau plat de peintre, de doreur. ⇒ aussi 1. **Queue** (III., 4.).

♦ **2.** Basques d'habit. ⇒ 1. **Queue** (*supra* cit. 16).
Des queues-de-morue.

QUEUE-DE-MOUTON [kødmutɔ̃] n. f. — Mil. XXe; de 1. *queue, de,* et *mouton.*

♦ Archit. Ornement formant une guirlande épaisse. *Des queues-de-mouton.*

QUEUE-DE-PAON [kødəpɑ̃; kødpɑ̃] n. f. — 1694; de 1. *queue, de,* et *paon.*

♦ Archit. Motif décoratif formé de demi-cercles concentriques. *Des queues-de-paon.*

QUEUE DE PIE [kødpi] n. f. ⇒ 1. **Queue** (*supra* cit. 16).

QUEUE DE POISSON [kødpwasɔ̃] n. f. ⇒ **Poisson.**

QUEUE-DE-RAT [kødəʀa; kødʀa] n. f. — 1680; de 1. *queue, de,* et *rat.*

♦ **1.** [a] Queue de cheval sans crins.
Queue de cheveux longue et grêle.

Ses cheveux, bien tirés et poudrés, se réunissaient en une petite queue de rat, toujours logée entre le collet de l'habit et celui de son gilet blanc à fleurs. 1
BALZAC, le Contrat de mariage, Pl., t. III, p. 114.

[b] Vétér. Dartre allongée aux jambes des chevaux.

[c] Mar. Bout aminci d'un cordage.
Ligne de pêche qui s'amincit depuis la canne jusqu'à l'hameçon.

♦ **2.** Techn. Petite lime ronde fine et pointue.

♦ **3.** Tabatière dont le couvercle s'ouvre à l'aide d'une petite lanière de cuir.

Le piano refermé et au milieu des applaudissements, Maurice Rollinat (...) reprenait une nouvelle prise dans sa «queue de rat». 2
Georges LECOMTE, Ma traversée, p. 276.

Des queues-de-rat.

QUEUE-DE-RENARD [kødʀənaʀ] n. f. — 1538, «prêle»; de 1. *queue, de,* et *renard.*

♦ **1.** Techn. Outil taillé à deux biseaux servant à percer.

♦ **2.** [a] Bot. Ramification volumineuse d'une racine de plante terrestre qui se développe accidentellement dans l'eau.

[b] Mélampyre des champs. ⇒ **Mélampyre.**

♦ **3.** Sorte d'amarante.
Des queues-de-renard.

QUEUE-DE-VACHE [kødvaʃ] n. f. — Attesté XXe; de 1. *queue, de,* et *vache.*

♦ **1.** Arbor. Altération et décoloration du bois de chêne.

♦ **2.** Techn. Saillie d'un toit protégeant des eaux une façade et ses saillies inférieures.
Des queues-de-vache.

QUEUE-DE-VINAIGRE [kødvinɛgʀ] n. f. — XXe (*in* Larousse, 1932); de 1. *queue, de,* et *vinaigre.*

♦ Petit oiseau gris à queue et croupion rouge. *Des queues-de-vinaigre.*

QUEUE-ROUGE [køʀuʒ] n. m. — 1875; de 1. *queue,* et *rouge,* à cause du ruban rouge qui noue la queue de la perruque.

♦ Vx. Bouffon*, paillasse*. *Les pitres* (cit.) *et les queues-rouges du grand siècle.*

Il rit de ce qu'il est laid, de ce qu'il est vieux, de ce qu'il est grêlé, de toutes ces choses qui l'ont empêché de plaire à la femme qu'il aime, et il en fait rire le public, et il a la mort dans l'âme. Pauvre queue-rouge! que d'éternelles et incurables douleurs dans la gaieté d'un bouffon! Quel lugubre métier que le rire!
HUGO, Choses vues, Nouvelle série, IV, «Les comiques».

QUEURSAGE [kœʀsaʒ] n. m. — Fin XIXe; de *queurser.*

♦ Techn. Action de dépiler une peau à l'aide d'une queurse*. — **REM.** La graphie *queurçage* est attestée.

QUEURSE ou **QUEURCE** [kœʀs] n. f. — 1845, *queurse,* Bescherelle; *queurce, in* Littré, 1875; *queuz,* XIIe; *queue* ou *queux,* XIVe; *queuxe,* 1664; lat. *cos, cotis* «pierre à aiguiser».

♦ Techn. Pierre grenue analogue à une pierre à aiguiser et servant aux tanneurs pour dépiler les peaux. — En maroquinerie, Morceau d'ardoise taillé en couteau servant à façonner les peaux.

DÉR. Queurser.

QUEURSER [kœʀse] v. tr. — 1875; de *queurse.*

♦ Techn. Dépiler une peau avec une queurse. — Au p. p. *Peaux queursées.*

DÉR. Queursage, queursoir.

QUEURSOIR [kœʀswaʀ] n. m. — Attesté XXe; de *queurser.*

♦ Techn. Instrument servant à dépiler les peaux. ⇒ **Queurse.**

(...) il gagna la plage en chantonnant et en portant sous son bras valide la lourde et grasse toison d'Andoar. Il la rinça dans les vagues, et l'y laissa s'imprégner de sable et de sel. Puis, à l'aide d'un queursoir de fortune (...) il entreprit de dépiler la face extérieure (...) de la peau. M. TOURNIER, Vendredi..., p. 200.

QUEUSOT [køzo] n. m. — 1922, *in* Larousse; de 1. *queue,* par anal. de forme.

♦ Techn. Tube de verre qui sert à faire le vide dans les ampoules électriques avant de les souder.

QUEUSSI-QUEUMI [køsikømi] adv. — 1634; probablt de *quel soi, quel moi,* avec des formes dialectales.

♦ Vx (langue class.) et pop. (rural). Absolument de la même façon. → Mod. Kif-kif.

QUEUTAGE [køtaʒ] n. m. — 1875, *in* P. Larousse; de *queuter.*

♦ Rare. Action de queuter, au billard.

QUEUTER [køte] v. intr. — 1765; de 1. *queue,* terme euphonique.

♦ **1.** Jeux. Au billard. Pousser la bille au moment où elle en touche une deuxième, ou au contact de la bande (faute).

Au croquet. Pousser la boule en l'accompagnant au lieu de la frapper.

♦ **2.** Fam. ⇒ **Louper.** *Ça a queuté.*

▶ **QUEUTÉ, ÉE** p. p. adj.

Se dit d'un coup au billard fait en queutant. — N. m. :

Gabriel qui venait de louper un queuté-six-bandes les aperçut alors (...) R. QUENEAU, Zazie dans le métro, Folio, p. 129.

DÉR. Queutage.

1. QUEUX [kø] n. m. — 1080, *cous; queu,* XIIe; du lat. *coquus.* → aussi 2. Coq.

♦ Vx. Cuisinier*. — Ne s'emploie plus que dans le composé *maître queux,* parfois avec un trait d'union.

En fait de sanglier, j'en ai savouré d'excellent chez le conseiller aulique... Axël, je recommande la recette à ton maître-queux : un gentilhomme ne saurait trop prendre souci de sa table. VILLIERS DE L'ISLE-ADAM, Axël, II, 9.

HOM. 1. **Queue,** 2. **queue,** 2. **queux.**

2. QUEUX [kø] n. f. — XIIe, *queuz;* du lat. *cos,* proprt «pierre dure».

♦ Techn., vx. Pierre à aiguiser. — On a écrit aussi *queue.*

HOM. 1. **Queue,** 2. **queue,** 1. **queux.**

QUI [ki] pron. rel. et interrog. — 842, *Serments de Strasbourg;* du lat. *qui,* nominatif sing. qui a éliminé les formes du fém. et du neutre en bas latin. → aussi 2. Que; quoi.

★ **I.** Pronom relatif (ou «conjonctif») des deux nombres, de genre masculin ou féminin, désignant une personne ou une chose, qui fait fonction de sujet ou de complément indirect (prépositionnel), et qui relie un terme *(antécédent)* à un verbe subordonné.

REM. 1. Aujourd'hui seule la langue populaire élide *qui* devant une voyelle, mais cette élision était courante dans tout usage jusqu'au XVIe s., et facilitait la confusion de *qui* et de *que* sujet (→ 2. Que, I., 5.). *«Le v'là qu'a tout bu!»* (Zola, *la Terre,* p. 353). *«Des jumelles prismatiques qu'a pas d'prix»* (Barbusse, *le Feu,* II). *«(...) pas çui-là qu'est l'concierge d'ici, mais l'aut' qu'a un bistrot à Blagny, su'la ligne d'Obonne»* (R. Queneau, *le Chiendent,* p. 171).

2. (Valeur de *qui* relatif ou conjonctif). *Qui,* comme les autres relatifs (*que, quoi, lequel, dont*), peut avoir une *valeur forte de détermination (la personne qui est là)* et introduire une proposition indispensable à la clarté du discours. Il peut aussi ne servir qu'à *expliciter son antécédent* en énonçant un caractère secondaire, une circonstance (ex. : *la loi de Mahomet,* qui *défend de boire du vin* [→ Arabe, cit. 1], à comparer avec : *la loi* qui *défend de...*). Cette valeur est particulièrement sensible dans des phrases exclamatives, souvent avec un personnel pour antécédent (*et moi qui croyais..., et lui qui s'imaginait qu'il réussirait!*) ou en relation avec *c'est...* (*«c'est le curé qui va rire»,* Mérimée, *Colomba,* XVII). → aussi Jusque, cit. 46 et *supra.*

Comment trouvez-vous donc Marin, qui veut absolument que j'aille changer ma déposition? (= *«comment trouvez-vous le fait que Marin veuille...»*). BEAUMARCHAIS, Mémoires... dans l'affaire Goëzman, p. 37. 1

Et leur charrette qui est restée sous la grande porte? (...) Mais ce lambin d'Hivert qui n'arrive pas! FLAUBERT, Mme Bovary, II, I. 2

A. (En fonction de sujet ou d'attribut).

♦ **1.** (Avec l'antécédent exprimé). *Un homme qui paraissait si bon* (1. Bon, cit. 54) *enfant. Les gens que nous aimons et qui nous intéressent* (cit. 11). *L'Homme qui rit,* roman de V. Hugo. *Jean qui pleure et Jean qui rit. — Un âne qui se cabre* (cit. 4). — *Un flambeau* (cit. 12) *qui nous éclaire...*

REM. «On ne peut dire : il a fait cela par avarice, *qui* est capable de tout; il faut dire : par avarice, passion *qui* est capable de tout» (Littré).

Moi qui suis... C'est lui qui... Quelqu'un qui... (→ Forfanterie, cit. 3). *Je le vois, je l'entends qui vient. Le voici*, le voilà* qui vient. — Celui qui...* ⇒ **Celui** (cit. 3 et 4). *Ceux des Grecs qui... «Ceux qui, pieusement sont morts pour la patrie»* (Hugo). — *Ce qui...* ⇒ 2. **Ce** (cit. 20). *Ce* (2. Ce, cit. 27) *qui est de...* — REM. Pour l'emploi de *ce qui* et de *ce qu'il* devant les verbes impersonnels, → 2. Ce (*infra* cit. 27). → aussi ci-dessous, REM. 3.

Qu'est-ce qui... (avec un sujet n. de chose). ⇒ 2. **Que** (II., 2.). *Qui est-ce qui...* (sujet n. de personne). → ci-dessous, II. — *Tel qui rit vendredi, dimanche pleurera. Il en est qui... Il n'y en* (cit. 15) *a point qui... — Ils sont deux, plusieurs, beaucoup, quelques-uns qui...*

Qui (en fonction d'attribut).

Cela prend toujours un diable de temps en villégiature de savoir qui est qui, et les messieurs surtout (...) ARAGON, les Cloches de Bâle, I, I. 3

N. B. Le premier *qui* est l'interrogatif indirect.

REM. 1. Dans la langue contemporaine, *qui* ne peut plus se rapporter à toute une proposition si elle n'est pas reprise par le pronom *ce* (ou un n. tel que *chose, fait...*) : *elle avait bu,* ce qui *ne lui arrivait jamais* (*chose qui* ne lui arrivait jamais). La reprise de la proposition par *qui* subsiste dans les tours *qui plus est; qui mieux est* (→ Mieux, *supra* cit. 30); *qui pis* (2. Pis, cit. 5) *est.*

C'est une faute d'orthographe! et, qui plus est, vous ne barrez point vos *t.* FRANCE, les Désirs de J. Servien, XIX. 4

2. La proposition relative introduite par *qui* peut dépendre d'une complétive d'objet (*«Ce que l'on voulait* qui *fût dit»,* La Fontaine) ou d'une interrogative (*«*Qui *veux-tu* qui *jamais respire...»,* Comtesse de Noailles, *in* Le Bidois). → 2. Que, *infra* cit. 2).

J'en puis bien faire autant, moi qu'on sait qui le sers. LA FONTAINE, Fables, XII, 11. 5

Ne t'attache en toi qu'à ce que tu sens qui n'est nulle part ailleurs qu'en toi-même (...) GIDE, les Nourritures terrestres, Envoi. 6

On a expliqué ce tour par l'analogie avec des phrases contenant un verbe de perception (*l'homme que je vois qui vient* correspondrait à «je le vois qui vient» comme *l'homme que je vois venir* à «je le vois venir»); puis la construction aurait été étendue à d'autres verbes (Plattner, Sneyder de Vogel). Pour Gougenheim *(Grammaire du XVIe siècle),* il s'agirait de *qu'il* ou *qu'ils,* prononcé et interprété *qui* (puis étendu au féminin).

(...) pour notre part nous voyons là un fait de langue tout psychologique (...) L'esprit, par besoin naturel de concentrer et de cimenter la phrase, recourt instinctivement à la combinaison de deux éléments conjonctifs; il ne s'inquiète pas de savoir si le second est tout à fait dans son rôle propre et sous sa forme exacte; la quasi-identité phonétique de *qui* et de *qu'il* le rassurerait d'ailleurs (...) sur la justesse un peu légèrement présumée de cette équivalence. G. et R. LE BIDOIS, Syntaxe du franç. moderne, § 578. 7

3. *Qui* en concurrence avec *qu'il* devant des verbes employés impersonnellement (→ 2. Que). *Ce qui reste d'argent :* ce qu'il reste (→ Rester). — Pop. *Il faut ce qui faut* (confusion phonétique entre *qu'il* et *qui;* emploi vulgaire, le verbe *falloir** étant toujours impersonnel). *Prends ce qui te plaît* (et *ce qu'il* te plaît). → Plaire (cit. 27; et *supra* cit. 26, REM.). *Ce qui advient, ce qui arrive. Je ne sais ce qui lui prit* (cit. 43). → Prendre (cit. 40 et 41; et *supra* cit. 39). *Ce qui se passe** (cit. 135, 136 et 138), et *ce qu'il se passe* (*supra* cit. 141). → aussi Convenir (cit. 18); importer (2. Importer, cit. 5).

(...) quoi qui arrivât dans sa vie. MONTHERLANT, les Célibataires, I, V. 8

N'était-il pas payé pour savoir ce qui leur en coûtait? F. MAURIAC, Destins, XI. 9

4. *Qui,* séparé de son antécédent. Dans l'ancienne langue, *qui* pouvait être séparé de son antécédent par un ou plusieurs mots, ce qui nuisait souvent à la clarté de la phrase (→ ci-dessous, cit. 10, La Fontaine). *«Cette sérénité de nouveau l'habita qui ressemblait beaucoup au bonheur»* (Gide, *la Porte étroite,* II).

Puis je fus du jaloux relever le chapeau, 10
Qui dans ce temps cherchait ses gants et son manteau.
LA FONTAINE, le Florentin, IX, *in* LE BIDOIS, § 516.

La catastrophe approchait, qui terminerait l'antagonisme séculaire de la petite propriété et de la grande, en les tuant toutes les deux. ZOLA, la Terre, V, IV. 11

12 Mais la foi, principe de grandeur, ayant cessé de l'inspirer, qui bâtissait les cathédrales après avoir bâti les pyramides et les parthénons...
Émile HENRIOT, *in* le Monde, 6 sept. 1950.

Qui s'emploie encore de nos jours, séparé de son antécédent, dans certains cas :

[a] Quand *qui* a pour antécédent un pronom personnel *le, la, les,* ou *en...,* objet d'un verbe de perception. *J'en connais, j'en vois, je les vois qui... le voici qui...*

[b] Quand *qui* marque une relation faible (de caractérisation, de circonstance; → ci-dessus, I., REM. 2), et, spécialt, quand l'antécédent de *qui* est le sujet du verbe *être* et que la relative exprime une «coïncidence dans le temps» (Brunot, *la Pensée et la Langue,* p. 700), une «action en voie d'accomplissement» (Le Bidois, *Syntaxe du franç. moderne,* § 518).

13 Une servante entra, qui vint chercher l'enfant...
A. DE MUSSET, la Confession d'un enfant du siècle, IV, I.

14 — Elle est à la cuisine qui fond des balles... MÉRIMÉE, Colomba, XI.

15 Quelqu'un passait dans le corridor qui s'éloigna.
Paul BOURGET, le Sens de la mort, p. 120.

[c] Même avec sa pleine valeur, *qui* peut être séparé de son antécédent lorsque ce dernier est un pronom. *Tel est pris qui croyait prendre.* (→ aussi Autrui, cit. 9).

16 Maître Hauchecorne, économe en vrai Normand, pensa que tout était bon à ramasser qui peut servir... MAUPASSANT, Miss Harriet, «La ficelle».

[d] Il en est de même quand l'antécédent de *qui* est suivi de mots qui le caractérisent. *«Grimm, homme faux par caractère, qui ne m'aima jamais»* (→ Calomniateur, cit. 4). Cf. aussi le cas où le même mot sert d'antécédent à plusieurs relatifs :

17 Il y eut donc une noce, où vinrent quarante-trois personnes, où l'on resta seize heures à table, qui recommença le lendemain et quelque peu les jours suivants.
FLAUBERT, Mme Bovary, I, III

N. B. On emploie le plus souvent dans ce cas le tour *et qui.*

5. *Qui,* séparé de son antécédent par une conjonction *(et, ou...). «Depuis plus de sept mille ans qu'il y a des hommes, et qui pensent»* (La Bruyère, *Caractères,* I, 1). *Quelque chose de nouveau, et qui...* (→ Libertinage, cit. 6).

Dans la langue classique, *et qui...* servait fréquemment à représenter un antécédent plus ou moins éloigné et caractérisé par un adjectif, un participe passé, etc.

18 Ce héros dans mes bras est tombé tout sanglant,
Faible, et qui s'irritait contre un trépas si lent. RACINE, Mithridate, V, 4.

6. La relative introduite par *qui* peut parfois être placée avant l'antécédent, dans un usage recherché et littéraire.

19 (...) je me détourne, pas assez pour ne pas voir, qui pendent, ces jambes blanches et sanglantes de petit esclave crucifié. MONTHERLANT, les Olympiques, p. 161.

7. (Accord du verbe dépendant de *qui*). Il s'accorde en principe avec l'antécédent. *Les deux personnes qui sont venues. Eux, qui pensaient... Un* des... qui...*

[a] Lorsque l'antécédent est un pronom personnel de la première ou de la deuxième personne, le verbe s'accorde avec ce pronom. *«Vous, qui pleurez... Vous qui souffrez... Vous qui tremblez...»* (Hugo). *C'est toi qui le dis, c'est vous qui le dites. «C'est elle, et non pas moi, qui l'en a su chasser»* (Racine, *la Thébaïde,* I, 3). *C'est nous qui sommes les plus forts* (cf. la faute du lang. pop. *«C'est nous qui sont les plus malins»*). — (Dans une invocation, une interpellation, le pronom personnel étant sous-entendu). *«Notre Père,* (vous) *qui êtes aux cieux».*

[b] Lorsqu'un attribut suit *qui,* il arrive que l'accord se fasse avec l'attribut (*«Nous sommes ainsi quelques fossiles qui subsistent égarés dans un monde nouveau»,* Flaubert, *Lettre à G. Sand,* 187), et cet accord est régulier lorsque l'attribut est le démonstratif (*«Je suis... Celui qui va»,* Hugo).

20 C'est toi qui me flattant d'une vengeance aisée,
M'as vingt fois en un jour à moi-même opposée. RACINE, Athalie, V, 6.

21 (...) tu es fâché contre moi qui ai fait des lettres de change; mais moi, je ne le suis pas contre toi qui les as payées. Émile AUGIER, les Effrontés, I, 2.

22 (...) on nous volera. Ce n'est ni toi ni moi qui l'empêcherons.
Henry BECQUE, les Corbeaux, III, 3.

23 Nous sommes des arbres qui portent des fruits empoisonnés.
FRANCE, le Puits de sainte Claire, VII.

24 Moi qui ce matin eusse défailli de joie à l'idée d'un trafiquant, d'un négociant, je trouvais naturel que (...) GIRAUDOUX, Suzanne et le Pacifique, X.

25 Pour déterminer le véritable antécédent de *qui,* et par conséquent pour régler l'accord de son verbe, tout dépend (...) de l'attention que donne la pensée, soit au personnel conjoint du verbe principal et à la personne de ce verbe, soit à l'attribut lui-même... Si l'on compare ces deux phrases : «Je suis Diomède (...) *qui blessai* Vénus» (FÉN., Tél. XXI), et : «Je ne suis pas un historien *qui doive* vous développer les secrets des cabinets» (BOSS., Orais. fun., Henriette de France), on voit que dans l'une l'attention du sujet parlant est toute concentrée sur lui-même (...) tandis que, dans l'autre (...) l'orateur est surtout attentif à se distinguer de l'historien (...) G. et R. LE BIDOIS, Syntaxe du franç. moderne, § 526.

Avec la locution adverbiale *ne... que* (au sens de «seulement»), l'accord se fait de nos jours avec le personnel *(il n'y a, je ne vois que vous qui puissiez...),* mais, dans la langue classique, le verbe se mettait à la 3e pers. et s'accordait avec l'indéfini sous-entendu : *il n'y a* (personne d'autre) *que vous qui puisse...*

26 Et ne verrons que nous qui sache bien écrire.
MOLIÈRE, les Femmes savantes, III, 2.

Il ne voit dans son sort que moi qui s'intéresse. RACINE, Britannicus, II, 3. 27

Il n'y a que moi qui sois au courant. 28
ESTAUNIÉ, Les choses voient, Prologue, p. 19.

N. B. La première édition porte : *il n'y a que moi qui soit au courant.*

♦ **2.** (Employé sans antécédent exprimé, dans des propositions «substantives», selon Ayer, «relatives indépendantes», selon Sandfeld, et avec une valeur d'indéfini). — REM. Dans ces emplois, le verbe qui dépend de *qui* est toujours au singulier.

Quiconque; celui, celle qui... *Qui dort dîne. Qui vivra verra. Qui veut la fin veut les moyens. Qui veut voyager loin ménage sa monture* (→ Feu, cit. 15). *Qui peut le plus* (cit. 72) *peut le moins. Rira bien qui rira le dernier.*

Il est sans doute pénétré de cette vérité que «qui va lentement va sûrement»; que «les petits ruisseaux font les grandes rivières», et enfin que «qui trop embrasse mal étreint...» 29
BALZAC, Dict. des enseignes, Gagne-denier, *in* Œ. diverses, t. I, p. 192.

— Qui saura verra, qui saura verra... — Qui verra saura... 30
A. DE MUSSET, Barberine, II, 1.

Qui sauve le loup tue les brebis. HUGO, Quatre-vingt-treize, III, II, VI. 31

Il méprise qui le craint, il insulte qui l'aime, il craint qui le méprise, il aime qui l'insulte. G. SAND, Journal intime, 22 juin 1837. 32

Ils pensaient que le monde est mal fait. Qui aime n'est pas aimé. Qui est aimé n'aime point. Qui aime et est aimé est un jour, tôt ou tard, séparé de son amour (...) R. ROLLAND, Jean-Christophe, L'adolescent, II, p. 314. 33

REM. Dans certaines phrases où le verbe de la principale est au subjonctif et où *qui* est suivi du futur, les propositions sont interverties (→ aussi le tour *ne pas... qui veut**).

Je ne contrains personne à mon vers poétique : 34
Le lise qui voudra, l'achète qui voudra;
RONSARD, Discours des misères de ce temps, À Loys des Masures.

Promène qui voudra son cœur ensanglanté 35
Sur ton pavé cynique, ô plèbe carnassière!
LECONTE DE LISLE, Poèmes barbares, «Les montreurs».

(Après un adjectif). *Heureux qui, comme Ulysse* (→ Âge, cit. 2).

(En fonction d'attribut) :

Assez longtemps j'ai cherché de vous dire comment je devins qui je suis. 36
GIDE, l'Immoraliste, p. 238.

(Après une préposition). *Nous sommes attirés par qui nous flatte* (cit. 40). *Pour qui voulait* (→ Filer, cit. 1). *Donner à qui vous aime...* (→ Moqueur, cit. 4).

Mais j'ai tort d'en parler à qui ne peut m'entendre. CORNEILLE, Polyeucte, V, 3. 37

(...) le séjour des petites villes est insupportable pour qui a vécu dans cette grande république qu'on appelle Paris. STENDHAL, le Rouge et le Noir, I, I. 38

(...) je ne m'étonnai ni de cette attention (...) ni de l'audace de qui gardait ainsi la parole plus longtemps qu'on n'avait coutume de le faire (...) 39
BARBEY D'AUREVILLY, les Diaboliques, «le Dessous de cartes...».

REM. On notera que, dans ce genre de tours, *qui* n'est pas toujours sujet du verbe de la relative. Ainsi, dans la phrase : *«Heureux qui j'aimerai, mais plus heureux qui m'aime»* (Leconte de Lisle), le second *qui* est le sujet de *m'aime,* mais le premier est l'objet direct de *j'aimerai* (=«heureux celui *que* j'aimerai»). De même, dans cette phrase de Hugo : «(Cet argent) *vient de qui vous savez, pour ce que vous savez»* (*Ruy Blas,* IV, 3), *qui* équivaut à «celui que (vous savez)».

COMME QUI..., suivi de l'ind. (→ ci-dessous, cit. 40, Proust) ou du conditionnel (→ ci-dessous, cit. 41, Gide). — *Comme qui dirait* :* pour ainsi dire, en quelque sorte.

Bloch nous quitta, éreinté comme qui a voulu monter un cheval tout le temps prêt à prendre le mors aux dents (...) PROUST, le Côté de Guermantes, Pl., t. II, p. 382. 40

Il était en redingote, tuyau de poêle et gants noirs; comme qui reviendrait de baptême ou d'enterrement. GIDE, les Faux-monnayeurs, III, II. 41

Tu sais (...) dans quelles conditions je suis venu ici : invité comme qui dirait à titre amical. J. ROMAINS, les Hommes de bonne volonté, t. VIII, XXI, p. 221. 42

À QUI..., exprime la rivalité (surtout avec *c'est...* ou *c'était...*). *C'est à qui parlera le plus fort.* ⇒ 1. **Être** (IV., 2.).

REM. 1. On notera dans ce tour : que le verbe est souvent au futur ou au conditionnel; que la présence d'un superlatif y est quasi nécessaire.
2. Certains auteurs (Sandfeld) classent ce tour parmi les phrases d'interrogation indirecte.

(...) chacun s'ennuyait (...) c'était pourtant à qui ne partirait pas 43
FLAUBERT, Mme Bovary, III, IX.

(...) c'est à qui dormira le plus près du saint. 44
E. FROMENTIN, Un été dans le Sahara, p. 99.

Donc, tous les deux (...) venaient de parier dix litres, à qui éteindrait le plus de chandelles. ZOLA, la Terre, IV, III. 45

C'était à qui des deux, maintenant, serait le plus tendre. 46
R. ROLLAND, Jean-Christophe, L'aube, II, p. 39.

Loc. *À qui mieux mieux** (cit. 12, 13; et REM. *infra*).

(Introduisant une proposition hypothétique au conditionnel, avec la valeur de «si* l'on...», «si quelqu'un».

Pour exprimer une hypothèse généralisée à sujet indéfini, la vieille langue utilisait volontiers les conjonctifs : *qui l'eût vu, eût pensé...* Ce tour a vécu jusqu'au XVIIIe s.; il a été repris au XIXe : **Qui eût pu** *voir en ce moment la figure du malheureux collé aux barreaux vermoulus,* **eût cru voir** *une face de tigre* (HUGO, N.-D., II, 72); — *Bonne Thérèse,* **qui ne vous bénirait** *serait un ingrat* (SAND, Elle et lui, II); — *Ah!* **qui pourrait ouvrir** *mon cœur,* **n'y trouverait** *Qu'un tendre attachement à s'épancher tout prêt* (AUGER, Aventurière, III, 5). 47
F. BRUNOT, la Pensée et la Langue, p. 883.

48 Car qui ne mourrait pour conserver son honneur, celui-là serait infâme.
PASCAL, Pensées, II, 147.

49 Et qui m'aurait demandé au fond ce qui me faisait agir ainsi, je n'aurais su que lui répondre. A. DE MUSSET, la Confession d'un enfant du siècle, V, V.

50 Qui perd une femme et quinze sous, c'est grand dommage de l'argent (...)
Alphonse DAUDET, Tartarin sur les Alpes, IX.

51 Bah! qui prévoirait tous les risques, le jeu perdrait tout intérêt!
GIDE, les Caves du Vatican, V, II.

REM. *Qui* employé au sens de *si l'on...* n'étant plus guère compris de nos jours, la locution proverbiale *tout vient à point qui sait attendre* a-t-elle été modifiée en : *à* (ou *pour*) *qui sait attendre.*

*Qui de droit** (*infra* cit. 56).

Qui associé avec *que,* et marquant une concession indéterminée. ⇒ aussi **Quel, quoi.** — REM. Selon certains grammairiens, *qui* serait ici un interrogatif (cf. Damourette et Pichon, § 1351), et *que* serait soit le subordonnant (conjonction 1. *que*), soit le relatif *que.*

52 Non, non, avant ce coup Sabine aura vécu :
Ma mort le préviendra, de qui que je l'obtienne (...) CORNEILLE, Horace, II, 6.

Homme, ou qui que tu sois... (→ Ciel, cit. 61). — Vx. *Qui qu'il soit.* — REM. L'expression a été remplacée par *quel* qu'il soit. «Qui qu'il soit, même prix est acquis à sa peine»* (Corneille, *le Cid,* IV, 5).

QUI QUE CE SOIT, employé seul (*«Qui que ce soit, parlez, et ne le craignez pas»,* Racine, *Iphigénie)* ou introduisant une subordonnée *(Qui que ce soit qui..., que...).* — Absolt. *Qui que ce soit,* employé en fonction de nominal indéfini, au sens de «quiconque, n'importe* (2. Importer) qui» (ou, en phrase négative, «personne» : *Je ne le dirai à qui que ce soit*).

53 Qui que tu sois, voici ton maître;
Il l'est, le fut, ou le doit être. VOLTAIRE, Poésies mêlées, XXIII.

54 (...) je suis prêt à montrer mon livre de dépenses à M. de Rênal et à qui que ce soit (...) STENDHAL, le Rouge et le Noir, I, VII.

55 (...) il n'y avait plus en lui ni regret, ni amertume pour quoi que ce fût, contre qui que ce fût. R. ROLLAND, Jean-Christophe, Les amies, p. 1248.

(Répété avec une valeur de distributif). L'un... l'autre; celui-ci... celui-là (ou les uns... les autres). *Qui plus, qui moins. Qui... et qui...* (→ ci-dessous, cit. 59, Daudet).

56 *Qui..., qui.* Cette expression était suspecte à Vaugelas (I, 121; H. L., III, 298); mais, soutenue par l'Académie, elle finit par demeurer : *(ils n'ont pas manqué de dire que cela procédait* **qui** *du cerveau,* **qui** *des entrailles,* **qui** *de la rate,* **qui** *du foie* (MOL., Méd. m. l., II, 5); — **qui** *sortant des maisons,* **qui** *des petites rues adjacentes,* **qui** *des soupiraux des caves* (V.H., N.-D., I, 104). — *Ce qui* est généralement sujet. F. BRUNOT, la Pensée et la Langue, p. 130.

57 Reine de cette cour pleine de solliciteurs empressés autour d'elle, qui pour son livre, qui pour sa pièce, qui pour sa danseuse, qui pour son théâtre, qui pour son entreprise, qui pour une réclame (...) BALZAC, Une fille d'Ève, Pl., t. II, p. 133.

58 (...) tous les démons (...) laissent tomber, qui son bec, qui son museau, qui son groin et prennent une physionomie humaine (...)
Th. GAUTIER, Souvenirs de théâtre..., «Le diable boiteux».

59 (...) l'auditoire gémit, en voyant, dans l'enfer tout ouvert, qui son père et qui sa mère, qui sa grand'mère et qui sa sœur (...)
Alphonse DAUDET, Lettres de mon moulin, «le Curé de Cucugnan».

59.1 Sept types attendaient à l'entresol, qui Brice Parain, qui Hirsch, qui Seligman.
S. DE BEAUVOIR, la Force de l'âge, p. 304.

(En valeur neutre). Vx ou rare. — *Ce qui...* (pour *qui* interrogatif employé ainsi, → ci-dessous, II., REM.).

REM. Cette valeur neutre de *qui,* employé comme sujet sans antécédent, subsiste dans quelques tours figés : *qui plus* (cit. 68), *qui mieux, qui pis est,* employés seuls. Ces tours peuvent servir à reprendre une proposition, en cours de phrase (→ ci-dessus, I., A., 1., REM. 1), et après *voici* et *voilà. Voilà qui est bien.*

B. (En fonction de complément indirect). *Qui,* employé régulièrement si l'antécédent est un nom de personne (ou de chose personnifiée, ou encore d'animal).

♦ **1.** (Avec un antécédent exprimé). *Un homme à qui personne ne plaît* (cit. 1). *Un capitaine à qui tous les armateurs voudraient confier...* (→ Cabotage, cit. 2). *Un chien à qui on a mis une muselière. — Mon fils* (cit. 11) *bien-aimé, en qui j'ai mis toute mon affection. — Pour qui... — Sur qui...* (→ 1. Lever, cit. 5). — *Ceux vers qui je me sens entraîné* (→ Gêner, cit. 20). — REM. *C'est lui à qui vous aurez affaire* s'emploie en concurrence avec *c'est à lui que vous aurez affaire.*

De qui, en concurrence avec *dont**.

REM. La langue classique employait *qui* en parlant des choses (→ Lequel). *«La centaurée, en qui le ciel...»* (→ Âpreté, cit. 5). *«... l'unique secours À qui...»* (Corneille, *Rodogune,* III, 2). *Soutiendrez-vous un faix sous qui Rome succombe* (Corneille, *Pompée,* I, 1). *Le «plus juste courroux De qui le souvenir puisse aller jusqu'à vous»* (Corneille, *Cinna,* V, 3). — Cet usage de *qui* renvoyant à un nom de chose est encore possible aujourd'hui quand la chose est personnifiée ou représente une personne (*«Dans les cruelles mains par qui je fus ravie»,* Racine, *Iphigénie;* II, 1) ou, quand le nom de chose est l'attribut d'un nom de personne (*«Le pape est une idole à qui on lie* (cit. 28) *les mains...»,* Voltaire). Dans les autres cas, c'est un archaïsme ou une bizarrerie de style.

60 (...) la dorure du baromètre, sur qui frappait un rayon de soleil (...)
FLAUBERT, Mme Bovary, II, IX.

61 Cet étendard glorieux, par le secours de qui René II déconfit les Bourguignons (...)
M. BARRÈS, la Colline inspirée, I, III.

(...) sa figure sur qui tombe la pluie est tuméfiée (...) 62
H. BARBUSSE, le Feu, II, XX.

Dans la vallée à qui ces hauteurs cachaient le reste du monde... (= *les habitants de la vallée, à qui...*). PROUST, À la recherche du temps perdu, t. IV, p. 70. 63

♦ **2.** (Sans antécédent). *Souviens-toi de qui tu es fils* (→ Forligner, cit. 2). *Je ne me souviens pas avec qui* (→ Innocence, cit. 2).

On hait devant qui l'on ment. HUGO, les Travailleurs de la mer, I, VI, VI. 64

À qui vit aux champs et se sert de ses yeux, tout devient miraculeux et simple. 65
COLETTE, la Maison de Claudine, p. 66.

Paresseux, incapable, inutile à qui et à quoi, sa disparition était plutôt un bienfait (...) M. AYMÉ, la Vouivre, p. 174. 65.1

C. (En fonction de complément direct). *Qui,* employé sans antécédent, et seulement en parlant des personnes (→ Celui que*...). *Embrassez qui vous voulez.*

Si vous croyez que je vais dire 66
Qui j'ose aimer,
Je ne saurais, pour un empire,
Vous la nommer.
A. DE MUSSET, Poésies nouvelles, «Chanson de Fortunio».

(...) mais qu'est-ce que cela change si, qui vous recevez tous les jours, c'est Brigitte? GIDE, Paludes, *in* Romans, Pl., p. 122. 67

(L'ensemble de la relative étant objet indirect du verbe antérieur). → ci-dessus, *infra* cit. 39.

Quand l'on nuit sciemment à qui l'on aime! ARAGON, Anicet, IX, p. 137. 68

REM. *Qui que,* en fonction d'objet direct, est assez rare.

(...) qui qu'elle fréquentât, désormais elle resterait pour tout le monde marquise de Saint-Loup (...) PROUST, À la recherche du temps perdu, t. XIII, p. 307. 69

★ **II. QUI,** interrogatif (employé de nos jours en parlant de personnes seulement).

REM. *Qui* pouvait avoir dans la langue classique la valeur neutre de *qu'est-ce qui?* (→ 2. Que, II., 2.), notamment avec le verbe *valoir**.

Qui te rend si hardi de troubler mon breuvage? LA FONTAINE, Fables, I, 10. 70

— C'est vous que je cherchais! — Qui me vaut ce bonheur? 71
— Oh Dieu! rien, ou du moins peu de chose, seigneur. HUGO, Ruy Blas, II, 5.

Qui donc l'affligeait? Était-ce, par hasard, qu'on ne l'aimait pas? 72
FLAUBERT, l'Éducation sentimentale, II, VI.

Qui nous vaut cette bonne visite, madame la notairesse? 73
Alphonse DAUDET, la Petite Paroisse, IV, p. 73.

A. (Dans l'interrogation directe). ⇒ aussi **Lequel.**

♦ **1.** (En fonction de sujet). *Qui te l'a dit? Qui va là? Qui vive?* ⇒ **Qui-vive.** *«Et qui s'honorerait de l'appui* (cit. 29) *d'Agrippine?»* (Racine). *Qui sait?*

Si je vous le disais, pourtant, que je vous aime, 74
Qui sait, brune aux yeux bleus, ce que vous en diriez?
A. DE MUSSET, Poésies nouvelles, «À Ninon».

(Employé seul). *Ils... Qui, ils?* (cit. 17). — REM. *Qui* est souvent renforcé. *Qui ça?* (cit. 3). *Qui cela? Qui donc? Qui diable?* (cit. 33).

(...) qui donc ose à cette heure, 75
Hors moi, d'un pareil mort éveiller la demeure?
Qui donc? HUGO, Hernani, IV, 2.

C'est moi. — Qui, toi? — Maurice Levasseur, votre neveu. 76
ZOLA, la Débâcle, I, VII.

— Il ne bouge plus! — Qui cela? qui? Réponds! 77
Pierre BENOIT, les Compagnons d'Ulysse, VIII.

(Répété, avec ellipse du verbe) :

Qui donc décide des armements? Qui des effectifs? Qui des alliances? Qui de l'interprétation des alliances? ALAIN, Propos, 27 juil. 1922, Guerre sans visage. 78

♦ **2.** (En fonction d'attribut, en parlant des personnes). ⇒ **Quel** (A., 1., REM. 1 et 2). *Qui êtes-vous?*

Éva, qui donc es-tu? Sais-tu bien ta nature? 79
A. DE VIGNY, Poèmes philosophiques, «La maison du berger», III.

Qui est-ce? : quelle personne est-ce?

Qui est-ce qui...?, tour interrogatif (→ Avance, cit. 33). *«Qui est-ce qui te dit le contraire?»* (Becque, *les Corbeaux,* I, 1).

REM. La langue populaire néglige parfois l'inversion de *est-ce...* et le tour devient : *qui c'est qui... «Qui c'est qui a un briquet?»* (Dorgelès, *les Croix de bois,* p. 326).

Qui est-ce que...?

Qui diable est-ce donc qu'on trompe ici? tout le monde est dans le secret! 80
BEAUMARCHAIS, le Barbier de Séville, III, 11.

REM. La langue familière dit aussi : *qu'est-ce qui* (pour : *qui est-ce qui*). *Qu'est-ce qui m'a foutu un maladroit comme toi!*

Qu'est-ce qui m'a donné des découragés pareils! 81
R. ROLLAND, Jean-Christophe, Nouvelle journée, II, p. 1538.

♦ **3.** (En fonction d'objet). *Qui attendez-vous? Qui demandez-vous? — À qui souriais-tu?* (→ 1. Lieu, cit. 3). *À qui croyez-vous parler? De qui parlez-vous?* (→ 1. Le, cit. 37). *Sur qui...?* (→ Appuyer, cit. 37).

Pour qui sont ces serpents qui sifflent sur vos têtes? RACINE, Andromaque, V, 5. 82

Qui épouse-t-il donc? Alphonse DAUDET, l'Immortel, VIII. 83

Mais le nom de ton amant va tout éclairer, va tout nous dire, n'est-ce pas? Qui aimes-tu? Qui est-ce? GIRAUDOUX, Électre, II, 5. 84

(Dans des phrases elliptiques). *Devinez qui? Et avec qui?...* (→ Geôlier, cit. 1).

85 Et à présent, pourquoi vivre? pour qui?... A. DE VIGNY, Chatterton, II, 7.

REM. 1. (Genre et nombre des mots régis par *qui*). *Qui* peut régir un mot féminin.

86 — Quelles idiotes! — Qui est idiote? Ma sœur, ma mère, ma nièce?
GIRAUDOUX, Apollon de Bellac, 5.

Il peut se rapporter à un pluriel quand il est attribut (avec le verbe *être*). *Qui sont-ils? Qui sont-elles?*

87 Où en étaient les choses? Qui étaient nos ennemis, nos alliés?
J. ROMAINS, les Hommes de bonne volonté, t. XXV, XVII, p. 144.

2. *Qui* interrogatif se place avant le verbe *(Qui est là? De qui parlez-vous?)*. Cependant la langue familière place parfois *qui* après le verbe *(Tu as vu qui?)*. De même *qui*, reprenant une interrogation avec inversion normale ou demandant un supplément d'information, peut se placer après le verbe (cf. G. et R. Le Bidois, *Syntaxe du franç. moderne*, § 645).

88 — Et peut-on savoir ? ... — Qui j'aime? ...
Alors, moi, j'aime qui? Edmond ROSTAND, Cyrano de Bergerac, I, 5.

89 Il tournait le coin de l'avenue Malakoff, accompagnant qui? Sa bru elle-même.
Paul BOURGET, Geôle, VI.

(Dans une interrogation double) :

90 À l'autre bout de l'Europe, qui se battait contre qui? Qui tyrannisait qui ou se révoltait contre qui?
J. ROMAINS, les Hommes de bonne volonté, t. XXV, XVII, p. 144.

(Sans verbe exprimé) :

91 Bonjour. — Bonjour qui? — Bonjour papa.
René BOYLESVE, l'Enfant à la balustrade, I, II.

(Suivi d'un déterminatif). *Qui d'entre vous? Qui parmi vous? Qui de nous?* (→ Fielleux, cit. 2). ⇒ **Lequel.**

92 Qui, de l'âne ou du maître, est fait pour se lasser? LA FONTAINE, Fables, III, 1.

93 Qui de nous, qui de nous va devenir un Dieu?
A. DE MUSSET, Poésies nouvelles, « Rolla », I.

B. (Dans l'interrogation indirecte). — REM. *Qui* est alors en relation avec deux verbes, celui qui annonce la question ou l'ignorance (*demander, dire, ne pas savoir* qui...) et celui qu'il introduit. Il joue un rôle de relatif ou de «conjonctif» (Le Bidois), généralement sans antécédent, et il est souvent difficile de le distinguer de *qui* relatif.

(Avec les mêmes emplois que l'interrogatif direct). *Dites-moi qui est venu, qui vous fréquentez* (cit. 12). *Je ne sais pas même qui succédera* (→ Frétillant, cit. 1). — *Je ne me souviens pas avec qui* (→ Innocence, cit. 2).

94 Il ne savait à qui donner raison.
FRANCE, l'Anneau d'améthyste, XV, Œ., t. XII, p. 200.

Je ne sais qui. ⇒ **Savoir.** — *N'importe qui.* ⇒ 2. **Importer** (cit. 27 et *infra*).

Vx. Avec la valeur neutre de *ce qui* (→ ci-dessus, cit. 70 à 73).

95 Je ne sais qui m'arrête et retient mon courroux (...) RACINE, Iphigénie, IV, 1.

★ **III.** N. Le mot qui. *Les qui et les que* (→ Phobie, cit. 2; phrase, cit. 14).

QUIA (À) [akɥija; akwija] loc. adv. — 1460, *venir à quia;* mot lat., «parce que», passé en français par l'intermédiaire des milieux scolastiques où la connaissance d'après la cause, *scire quia...*, était considérée comme inférieure à la connaissance d'après l'essence, *scire propter quid...*

♦ Vx ou littér. *Mettre, réduire qqn à quia,* le mettre dans l'impossibilité de répondre, réfuter tous ses arguments. ⇒ **Embarrasser.** — *Être à quia :* n'avoir rien à répondre.

Je m'en vais l'engager dans un Labyrinthe où de plus grands Docteurs que lui demeureraient à « quia ». CYRANO DE BERGERAC, le Pédant joué, V, 4.

QUIBUS [kɥibys] n. m. — XVe; employé d'abord dans les milieux parlant latin; mot lat., «par lesquels, au moyen desquels»; cf., en franç. fam., *avoir de quoi.*

♦ Vx, pop. Argent, fortune. *Avoir du quibus. Manquer de quibus.*

1 — Balivernes que tout cela! As-tu du *quibus?* Il parut inquiet, il ne comprenait pas le mot *quibus.* La geôlière, voyant ce mouvement, jugea que les eaux étaient basses, et, au lieu de parler de napoléons d'or comme elle l'avait résolu, elle ne parla plus que de francs. STENDHAL, la Chartreuse de Parme, I, II.

2 Un jour qu'il avait pas mangé
Qu'i rôdait comme un enragé
Il a pour barboter l'quibus
D'un conducteur des omnibus
Crevé la panse et la sacoche
À la Bastoche A. BRUANT, À la Bastoche.

QUICHE [kiʃ] n. f. — 1807, cit.; adapt. de l'alsacien *küchen* «gâteau»; cf. all. *Kuchen.*

♦ Cuis. Sorte de tarte de pâte brisée garnie d'une préparation à base de crème et d'œufs (⇒ **Flan**), parfois de fromage, et qui contient des petits morceaux de lard et de jambon. *Quiche lorraine.*

Quiche, sorte de pâtisserie. La Quiche en Lorraine est un si excellent manger que les Parisiens adopteraient le mot, s'ils connaissaient la chose.
J.-F. MICHEL, Dict. des expressions vicieuses (usitées notamment) dans la ci-devant province de Lorraine ..., Suppl. (1807).

QUICHENOTTE [kiʃnɔt] n. f. — XXe; dans le parler saintongeais, 1869; l'angl. *kiss not* «ne (m') embrasse pas», de *to kiss,* est une étymologie très controversée.

♦ Régional (Vendée et Charente-Maritime). Coiffe en forme de demi-cylindre horizontal. *« Dans les villages, qui ont pour nom Petit-Cul-de-Sac ou Lorient, les vieilles femmes portent encore la "quichenotte", la coiffe en percale tuyautée »* (*l'Express,* 10 févr. 1979, p. 153).

QUICHOTTE [kiʃɔt] n. m. ⇒ **Don Quichotte.**

QUICHUA [kitʃwa] ou **QUECHUA** [ketʃwa] n. m. et adj. — 1765, *quichon;* mot indigène.

♦ Langue indienne comprenant plusieurs parlers, employée en Argentine, sur les hauts plateaux du Pérou et de la Bolivie. *Le quichua fut la langue des Incas; les missionnaires espagnols l'utilisèrent comme langue d'évangélisation et la répandirent au détriment d'autres langues. Un certain nombre de mots français sont empruntés au quichua, par l'intermédiaire de l'espagnol* (alpaga, inca, 1. lama, quinquina, quipo, vigogne, etc.).

Adj. *Dialectes quichuas.*

QUICK LUNCH [kwiklœnʃ] n. m. — 1905; mots angl., *quick* «rapide», et *lunch* «repas de midi».

♦ Anglic. Établissement servant des repas rapides. — REM. Cet anglicisme appartient à la série d'emprunts rencontrés dans le domaine de la restauration rapide (→ Drugstore, fast-food, self-service, snack, etc.).

QUICONQUE [kikɔ̃k] pron. rel. et indéf. — XIIe, *quiconques;* de l'anc. loc. *qui... qu'onque(s)* «qui jamais», autre forme de *ki ki onques, qui unques* (→ Onc); plus tard l'expression a été rapprochée du lat. *qui cumque* et écrite en un seul mot.

♦ **1.** (Relatif). Toute personne qui..., qui que ce soit qui... ⇒ **Qui** (I., A., 2.).

REM. 1. *Quiconque,* pronom relatif indéfini, remplit une double fonction : d'une part, il est sujet du verbe qui suit; d'autre part, dans la principale, il peut être soit sujet (*«Quiconque a beaucoup vu Peut avoir beaucoup retenu»;* → Apprendre, cit. 2, La Fontaine), soit complément d'objet direct (*«...ils auraient tué quiconque les eût contredits»;* → Fureur, cit. 1, Voltaire), soit complément indirect ou complément de nom ou d'adjectif (*«Le mépris qu'on doit à quiconque se cache d'un homme pour le diffamer»,* cit., Rousseau). *«C'est un devoir* (cit. 11), *étroite obligation de quiconque a une pensée...»* (P. L. Courier). *«Le langage imité* (cit. 25) *des livres est bien froid pour quiconque est passionné lui-même»* (Rousseau).

2. Dans la langue classique, on pouvait reprendre *quiconque* par *il* dans la principale : *«Quiconque veut donc prier, il doit commencer par se mettre (...) dans le cœur cette parole...»* (Bossuet, *Méditations sur l'Évangile*). Cette tournure serait incorrecte de nos jours; néanmoins on ne peut la blâmer si la distance est très grande entre *quiconque* et le verbe de la principale : *«Quiconque, fût-il le maître de l'univers, s'éloigne de la règle et de la sagesse, il s'éloigne du seul bonheur où l'homme puisse aspirer sur la terre»* (Massillon, *Petit carême,* Malheur des grands). Si la principale est au subjonctif et suit *quiconque,* la reprise par *il* est même obligatoire : *«Quiconque, en pareil cas, se croit haï des cieux, Qu'il considère Hécube, il rendra grâce aux dieux»* (La Fontaine, *Fables,* X, 13), et cette autre phrase de La Fontaine paraît de nos jours défectueuse : *«Quiconque est loup, agisse* (cit. 18) *en loup»* (cf. G. et R. Le Bidois, *Syntaxe du franç. moderne,* § 414); en revanche cet emploi de *quiconque* sans *il* est parfaitement correct : *«Puisse périr comme eux quiconque leur ressemble»* (Racine, *Athalie,* IV, 2).

3. Comme *qui,* son premier élément, *quiconque* n'a ni genre, ni nombre; cependant il se fait suivre du féminin quand il se rapporte clairement à une personne du sexe féminin. *Quiconque se marie à un homme plus âgé qu'elle...*

4. Dans la langue classique, *quiconque* a été parfois employé à la deuxième personne : *«Ô quiconque des deux avez versé son sang, Ne vous préparez plus à me percer le flanc»* (Corneille, *Rodogune,* V, 4).

Quiconque n'a pas de caractère n'est pas un homme; c'est une chose. 1
CHAMFORT, Maximes, Sur la dignité du caractère, III.

(...) quiconque n'a pas de tempérament personnel n'a pas de talent. 2
HUYSMANS, Là-bas, XVI.

Pour quiconque a l'habitude de la prière, la réflexion n'est trop souvent qu'un alibi (...) 3
BERNANOS, Journal d'un curé de campagne, p. 13.

♦ **2.** (Indéfini). N'importe qui, personne. *Je suis aussi sensible que quiconque à la force de son argumentation* (cit. 3). *Louis XIV sentait mieux que quiconque ce frémissement* (cit. 16) *de toute la nation.* — REM. Cet emploi, dont on cite quelques rares exemples aux XVIIe et XVIIIe s., est devenu fréquent surtout depuis la fin du XIXe s.; blâmé par certains grammairiens, il est très répandu (cf. Grevisse, *le*

Bon Usage, § 591, REM. 3, qui cite Gautier, Daudet, Renard, Rolland, Proust, Duhamel, Gide, Giraudoux, Saint-Exupéry, Mauriac, etc.).

QUID [kɥid ; kwid] adv. interrog. — XXe ; mot latin, « qui ».

♦ Fam. (Suivi de *de*). Que faut-il penser (de...) ? « *"J'aimerais mieux trouver un autre moyen pour ne plus sentir les mauvaise odeurs". Litanies de Martine mais aussi de Julie ou Célestine. Alors quid des odeurs ?* » (*F Magazine*, mars 1980, p. 13).

QUIDAM [kidam] ou [kɥidam] n. m. — XIVe ; mot lat., « un certain » ; employé d'abord en procédure pour désigner une personne qu'on ne pouvait ou qu'on ne voulait pas nommer.

♦ Fam., plaisant. Un certain individu (qu'on ne peut ou qu'on ne veut pas désigner avec plus de précision). ⇒ **Homme, individu,** 1. **personne** (→ Catéchiser, cit. 2 ; incommode, cit. 2). — Vieilli (au plur.). *Des quidams.*

1 Ainsi, vous êtes dans un jardin public, je suppose ; un quidam se présente, bien mis, décoré même, et qu'on prendrait pour un diplomate ; il vous aborde : vous causez (...) FLAUBERT, Mme Bovary, II, VI.

2 Rencontrions-nous un quidam d'une laideur excessive, papa levait les yeux au ciel et criait : « Il faut être beau ! (...) » G. DUHAMEL, Chronique des Pasquier, I, IX.

REM. On trouve la forme féminine francisée *quidamesse* en 1902 (*in* D.D.L.).

QUIDDITATIF, IVE [kɥiditatif, iv] adj. — 1534, Rabelais, harangue de Janotus de Bragmardo ; de *quiddité*.

♦ **1.** Philos. De la quiddité*.

♦ **2.** Littér., plais. Interrogatif, dubitatif. *Une mine ahurie et quidditative* (→ Viédaze, cit. 1).

QUIDDITÉ [kɥidite] n. f. — XIVe ; lat. scolast. *quidditas*, de *quid* « quoi ».

♦ Didact. L'essence* d'une chose, en tant qu'exprimée dans sa définition (par oppos. à son *existence*).

La philosophie scolastique avait trop longtemps et trop malheureusement abusé des termes généraux ou abstraits employés vaguement à désigner une multitude de *facultés, virtualités, quiddités,* improprement dites *causes occultes* des phénomènes. MAINE DE BIRAN, Du physique et du moral de l'homme, I, I.

DÉR. Quidditatif.

QUI DE DROIT [kidədʀwa] loc. nominale. ⇒ 3. **Droit** (*infra* cit. 56).

QUIESCENCE [kjesɑ̃s ; kɥijesɑ̃s] n. f. — Mil. XXe ; de *quiescent*.

♦ Méd. Caractère d'un organe, d'un organisme, d'un processus... quiescent. « *Pour cette période de semi-léthargie, les entomologistes emploient aussi le terme de "quiescence"* » (*Science et Vie*, août 1979, p. 48).

QUIESCENT, ENTE [kjesɑ̃, ɑ̃t ; kɥijesɑ̃, ɑ̃t] adj. — Mil. XXe ; du lat. *quiescens*, p. prés. de *quiescere* « se reposer ».

Didactique.

♦ **1.** Biol., méd. Se dit d'un organe en repos, d'un processus temporairement arrêté dans son développement, d'une cellule vivante qui ne se multiplie pas.

♦ **2.** Ling. Se dit, dans certaines langues, de lettres non prononcées.

DÉR. Quiescence.

QUI EST-CE QUE (QUI) [kiɛskə(ki)] loc. interrog. ⇒ **Qui.**

QUIET, QUIÈTE [kjɛ, kjɛt] adj. — XIIIe ; lat. *quietus*. → Coi ; quitter.

♦ Vx. ⇒ 2. **Calme, paisible, tranquille.**

1 Je me contente d'une mort recueillie en soi, quiète et solitaire, toute mienne, convenable à ma vie retirée et privée. MONTAIGNE, Essais, III, IX.

2 *(Il)* rentra dans sa bibliothèque dont il referma la porte de l'air le plus quiet. GIDE, Si le grain ne meurt, I, IV, p. 117.

CONTR. Inquiet.

DÉR. Quiètement. — (Du lat. *quietus*) V. **Quiétisme, quiétiste, quiétude.**

QUIÈTEMENT [kjɛtmɑ̃] adv. — Mil. XIXe ; attestation isolée, XVIe ; de *quiet*.

♦ Vx. Dans le calme, la quiétude.

Le meilleur moment du jour, c'est une demi-heure dans ma baignoire (...) à achever quiètement le premier chapitre de Ferrero (...) GIDE, Journal, 1er janv. 1907.

QUIÉTISME [kjetism ; kɥijetism] n. m. — V. 1671 ; en polit., « attentisme », 1798 ; lat. ecclés. *quietismus*, 1682 ; dér. sav. du lat. *quietus*.

♦ Hist. des relig., théol. Doctrine qui faisait consister la perfection chrétienne dans un état continuel d'union avec Dieu, où l'âme devient indifférente aux œuvres et même à son propre salut. ⇒ **Passivité ; quiet.** *L'hérésie** (cit. 5) *de quiétisme. Le prêtre espagnol Molinos* (⇒ **Molinosisme**) *et Mme Guyon furent les initiateurs du quiétisme, doctrine en partie adoptée par Fénelon, puis abandonnée par lui. La querelle, l'affaire du quiétisme* (→ Couleur, cit. 16).

Le quiétisme est l'hypocrisie de l'homme pervers, et la vraie religion de la femme tendre. DIDEROT, Sur les femmes, Pl., p. 983.

QUIÉTISTE [kjetist ; kɥijetist] n. et adj. — V. 1671 ; dér. sav. du lat. *quietus*.

♦ Personne qui professait le quiétisme. *Mme Guyon fut une quiétiste célèbre.* — Adj. Qui est relatif, qui appartient au quiétisme. *La doctrine quiétiste.* — Par ext. Qui rappelle l'attitude des quiétistes.

Le zen est une forme très dépouillée du bouddhisme qui tend à donner à l'homme une parfaite maîtrise de son esprit et de son corps par un détachement quiétiste. S. DE BEAUVOIR, Tout compte fait, p. 300.

QUIÉTUDE [kjetyd] ; vx [kɥijetyd] n. f. — 1482 ; lat. ecclés. *quietudo*, du lat. class. *quietus*. → Quiet.

♦ **1.** Théol. Paix mystique de l'âme. *Oraison de quiétude.*

♦ **2.** Littér. ou style soutenu. État de ce qui n'est pas troublé ni menacé, tranquillité (surtout morale et psychologique). ⇒ **Accalmie** (fig.), **apaisement, assurance** (vieilli), **ataraxie** (cit. 2), **béatitude, bien-être, bonace** (fig.), 1. **calme, paix, repos, tranquillité.** *Quiétude douce et balsamique* (cit. 5), *indolente* (→ Cicatrice, cit. 8). — REM. Ce mot ne s'emploie plus dans la langue courante que dans l'expression *en toute quiétude.*

Les sages, dit-on, vivant sans passion, vivent sans impatience ; et comme ils voient toutes choses d'un même œil, ils trouvent dans leur quiétude la paix et la dignité de la vie. É. DE SENANCOUR, Oberman, XLIII.

Par ext. (Littér.). *La quiétude d'un appartement bourgeois.* ⇒ **Douceur** (→ Confortable, cit. 2).

CONTR. Agitation, angoisse, anxiété, courroux, détresse, effervescence, effroi, inquiétude.

QUIGNON [kiɲɔ̃] n. m. — XIVe ; altér. de *coignon*, dér. de *coin*.

♦ Gros morceau de pain, généralement coupé dans un gros pain et comprenant une bonne part de croûte. *Un quignon de pain de seigle.*

Il avait acheté un gros saucisson, qu'il avait pendu à sa fenêtre ; avec une bonne tranche, un solide quignon de pain, et une tasse de café qu'il fabriquait, il faisait un repas des dieux. R. ROLLAND, Jean-Christophe, Foire sur la place, II, p. 793.

QUILLAJA [kilaʒa ; kɥijaxa] n. m. — 1839, *quillai* ; mot espagnol du Chili, mot local (indien ?).

♦ Bot. Plante dicotylédone (*Rosacées*, tribu des *spirées*), arbre d'Amérique du Sud à feuilles coriaces persistantes. *L'écorce de certaines variétés de quillaja contient de la saponine et est utilisée, sous le nom de* bois de Panama, *pour le dégraissage des étoffes et la fabrication de shampooings.*

1. QUILLARD [kijaʀ] n. m. — XXe ; de 2. *quille*.

♦ Mar. Voilier à quille, par oppos. à *dériveur*.

HOM. 2. **Quillard.**

2. QUILLARD [kijaʀ] n. m. — Mil. XXe ; de 1. *quille* (II.).

♦ Argot milit. Soldat qui est sur le point d'être libéré du service militaire, d'avoir la quille* (1. Quille, II.).

HOM. 1. **Quillard.**

1. QUILLE [kij] n. f. — Fin XIIIe ; empr. de l'anc. haut all. *Kegil*, all. mod. *Kegel*.

★ **I.** ♦ **1.** Pièce de bois cylindrique qu'on pose verticalement sur le sol, pour l'abattre d'une certaine distance au moyen d'une boule lancée à la main. ⇒ aussi **Siam.** *Un jeu de quilles comprend normalement neuf quilles.* ⇒ **Bowling** (anglic.), **quillier.** *Jouer aux quilles. Faire une partie de quilles* (→ Flâner, cit. 2). *Abattre, renverser des quilles, toutes les quilles. Renflement central* (dit *pomme*) *des quilles. Le bowling est un jeu à dix quilles.*

Loc. *Comme un chien** (cit. 34) *dans un jeu de quilles.* — Vx. *Un grand abatteur** (cit. 2) *de quilles.* — Vx. *Être, se tenir droit comme une quille,* très droit.

Vx. *Prendre son sac et ses quilles :* partir, s'esquiver. — *Donner à qqn son sac et ses quilles,* lui donner congé, le chasser. — *Ne laisser* (cit. 31) *à qqn que le sac et les quilles,* ne lui laisser que des choses sans valeur après avoir gardé pour soi ce qui est le plus avantageux.

♦ **2.** (V. 1460, Villon). Fam. Jambe*. *Jouer des quilles :* s'enfuir. *Être sur ses quilles :* être sur pied, être bien portant.

1 Ce colosse, excessivement fendu, sans beaucoup de poitrine et sans trop de chair sur les os, allait sur ses deux longues quilles d'un pas grave.
BALZAC, Splendeurs et Misères des courtisanes, Pl., t. V, p. 769.

1.1 Il s'était assis devant le poêle, il disait de sa voix tranquille :
— Je vais me rôtir un brin les quilles, tu comprends? (...) Il fait un froid du tonnerre de Dieu. ZOLA, le Ventre de Paris, t. I, p. 191.

♦ **3.** Bouteille mince et allongée.

2 Les longues quilles de vin du Rhin dépassaient de la tête les bouteilles de vin de Bordeaux (...) Th. GAUTIER, Voyage en Russie, XVI.

♦ **4.** (Mil. XIXe). Tige fixée à l'arrière d'une voiture à deux roues et qui sert à la soutenir quand elle est dételée. ⇒ **Béquille, chambrière.** — Partie du tronc d'un arbre qui est restée debout après que le haut a été brisé.

(1746). Vx. Parement le long d'une couture. — (1909). Mod. Pièce d'étoffe qu'on met au bas d'une robe ou d'une jupe pour lui donner de l'ampleur.

★ **II.** Fig. ♦ **1.** (1936; orig. obscure; il semble que l'usage actuellement répandu chez les soldats de symboliser la libération par une quille — au sens I., 1. — soit postérieur à l'apparition de l'expression; p.-ê. du sens fig. de *quille* «jambe» dans *jouer des quilles* «s'enfuir»). Argot milit. Fin du service militaire. *Avoir la quille :* être libéré du service militaire (→ Être de la classe*, être quillard*). *Avoir la quille à dix-huit mois, à vingt mois :* être libéré après dix-huit, vingt mois de service.

3 Le pire qui puisse arriver, c'est qu'on nous fasse prisonniers. Mais c'est pas grave (...) On signera la paix dans un mois, et à nous la quille!
J. DUTOURD, les Taxis de la Marne, I, XVII.

♦ **2.** Par ext. Libération de prison.

4 Le jour de la quille, je prends une piaule et je me pieute.
A. SARRAZIN, la Cavale, p. 232.

DÉR. 2. **Quillard, quiller, quillette, quilleur, quillier, quillon.**
HOM. 2. **Quille,** 3. **quille,** formes d v. **quiller.**

2. QUILLE [kij] n. f. — 1382; probablt du vx norrois *kilir,* plur. de *kjollr* «quille de bateau»; cf. angl. *keel,* all. *Kiel,* néerl. *kiel.*

♦ **1.** Pièce longitudinale de la charpente (d'un navire), allant de l'étrave à l'étambot, et sur laquelle s'insèrent les couples. *Quille d'un vaisseau* (→ Évasion, cit. 1), *d'une galère* (→ Pencher, cit. 13). *Déformation en arc d'une quille. Râblure ménagée dans la quille. Contre-quille*, carlingue*, qui doublent la quille intérieurement. Fausse quille,* qui double la quille extérieurement et la protège en cas d'échouage.

1 La fausse quille avait été séparée avec une violence inexplicable, et la quille ellemême, arrachée de la carlingue en plusieurs points, était rompue sur toute la longueur. J. VERNE, l'Île mystérieuse, t. II, p. 649.

♦ **2.** Par ext. Lest fixé (boulonné, le plus souvent) à la quille (au sens 1.). *Quille courte, profonde, en aileron, à bulbe. Voilier à quille* (⇒ 1. **Quillard**), par oppos. à *dériveur.* — *Quille fixe,* par oppos. à *quille mobile* (ou *rétractable*), de certains voiliers modernes, formée d'un lest coulissant ou pivotant verticalement dans un puits.

2 Le vent agit sur la voile inclinée; la quille résiste, et le bateau glisse dans la direction de la quille, sous la pression du vent. Par cette marche oblique, il gagne un peu contre le vent; bientôt il vire de bord et recommence (...)
ALAIN, Propos, 25 avr. 1908, Puissance du bateau.

Quilles de roulis : plans minces fixés perpendiculairement à la coque selon sa longueur, et servant à amortir le roulis.

DÉR. 1. **Quillard.**
COMP. Contre-quille.
HOM. 1. **Quille,** 3. **quille,** formes du v. **quiller.**

3. QUILLE [kij] n. f. — 1895, *in* Esnault; orig. inconnue; la finale de *fille* est certainement pertinente.

♦ Fam., vieilli. (Dans le lang. des enfants, des écoliers). Fille. *« Les quilles à la vanille et les gars au chocolat ».*

1 Elle se retourna, furieuse, et se trouva nez à nez avec un gamin hirsute et hilare : Eh! la quille! Pourquoi qu'on t'a mise ici? H. TROYAT, la Grive, p. 314.

2 Solange pense que c'est pas bien marrant d'être une quille.
E. HANSKA, la Mauvaise Graine, p. 45, *in* CELLARD et REY.

HOM. 1. **Quille,** 2. **quille,** formes du v. **quiller.**

QUILLER [kije] v. intr. — 1694; «jouer aux quilles», 1330; de 1. *quille.*

Au jeu de quilles.

♦ **1.** Lancer une quille en cherchant à la placer le plus près possible de la boule pour savoir qui jouera le premier ou quels joueurs seront associés dans une même équipe au cours de la partie. ⇒ **Abuter.**

♦ **2.** Remettre debout les quilles abattues.

▶ **SE QUILLER** v. pron.

♦ **1.** (1752). Vx. Se tenir debout comme une quille.

♦ **2.** Mod. (Semble peu usité à Paris et dans la région parisienne, assez fréquent dans les autres régions de France). Se placer (dans un endroit sûr, abrité, d'où l'on ne peut être délogé que difficilement). *Je m'étais quillé dans l'encoignure pour le guetter.*

HOM. Quillier.

QUILLETTE [kijɛt] n. f. — 1732; de 1. *quille.*

♦ Agric. Bouture d'osier.

QUILLEUR, EUSE [kijœʀ, øz] n. — 1916; mot canadien, de 1. *quille.*

♦ **1.** Canada. Personne qui joue aux quilles.

♦ **2.** (1933). Techn. (jeu de quilles, bowling). Celui qui est chargé de remettre les quilles en place, après chaque coup.

QUILLIER [kije] n. m. — 1370; de 1. *quille.*

♦ **1.** Vx. Espace carré dans lequel on dispose les quilles. *« Pousser une boule auprès du quillier »* (Académie).

♦ **2.** (1690). Techn. L'ensemble des neuf quilles qui composent un jeu. *Il a abattu tout le quillier.*

HOM. Quiller.

QUILLON [kijɔ̃] n. m. — 1570; de 1. *quille.*

Technique.

♦ **1.** Chacune des deux branches de la croix, dans la garde d'une épée ou d'une baïonnette. *Quillons droits, courbes.*

L'épée aux quillons droits d'où part la branche torse.
J.-M. DE HEREDIA, les Trophées, « Le moyen âge ».

♦ **2.** (XXe; *in* Larousse, 1932). Petite tige située près de l'embouchoir (3.) d'un fusil de guerre et qui permet de former les faisceaux sans le secours de la baïonnette.

QUIMPER [kɛ̃pe] v. — 1821; altér. pop. *de camper* «ficher le camp».

♦ Argot. V. tr. Faire tomber. — V. intr. *Laisser quimper qqn,* le laisser tomber.

QUINAIRE [kinɛʀ] adj. et n. m. — 1546; lat. *quinarius,* du rad. de *quinquo* «cinq».

Didactique et rare.

♦ **1.** Adj. Math. Divisible par cinq. *Quinze est un nombre quinaire. Numération quinaire,* qui prend pour base le nombre cinq.

♦ **2.** N. m. Antiq. rom. Monnaie qui valait cinq as. *Un quinaire d'argent.*

QUINAUD, AUDE [kino, od] adj. — 1532, Rabelais; p.-ê. du moy. franç. *quin* «singe» (déb. XVIe), d'orig. incert., p.-ê. d'une var. picarde de *chigner* «grimacer» (→ Rechigner), d'un rad. francique **kinan* (selon P. Guiraud).

♦ Vx (ou littér.), fam. Penaud. ⇒ **Confus, embarrassé, honteux.** *Faire, mettre, rendre qqn quinaud,* avoir l'avantage sur lui, lui en remontrer. ⇒ **Enquinauder.**

— Oui (...) c'est un joli travail et proprement exécuté; mais si l'on manque son coup, on est désarmé et l'on reste quinaud. 1
Th. GAUTIER, le Capitaine Fracasse, XII.

Un professeur d'ironie trouve son maître, et s'éveille, quinaud, d'un songe un peu niais, attendrissant. BERNANOS, Sous le soleil de Satan, II, XV. 2

J'avais en tout cas quitté Vienne sans lui, penaud, quinaud, capot. 3
Claude ROY, Nous, p. 200.

COMP. Enquinauder.

QUINCAILLE [kɛ̃kaj] n. f. — 1360, *quincalle,* altér. de *clincaille,* de l'anc. v. *clinquer.* → Clinquant.

♦ **1.** Vx. Ustensiles, objets de cuivre, de fer, etc. ⇒ **Ferblanterie, quincaillerie.** *De quincaille :* sans valeur (en parlant d'un ornement, d'un bijou). ⇒ **Toc.**

♦ **2.** (V. 1534). Vx. Petite monnaie de cuivre (cf. Clincaille).

♦ **3.** (Pour *quincaillerie,* pour traduire l'angl. *hardware*). Logiciel (d'un système informatique). *La quincaille et la « mentaille »* (Louis Armand). — REM. Cette équivalence plaisante de *hardware* n'est guère en usage.

DÉR. Quincaillerie, quincaillier.

QUINCAILLERIE [kɛ̃kɑjʀi] n. f. — V. 1268 ; de *quincaille.*

♦ **1.** Ensemble d'objets, d'ustensiles, d'appareils, de produits semi-finis en métal (fer, fer-blanc, cuivre, zinc, etc.) servant à des usages domestiques ou techniques. ⇒ **Ferblanterie, quincaille** (vx). *Commerçant qui vend de la quincaillerie.* ⇒ **Quincaillier.** *Grosse, petite quincaillerie.* — *Quincaillerie d'outillage* (outils divers, articles de taillanderie, etc.). — *Quincaillerie de bâtiment* (ferrures de portes et de fenêtres, grilles, appareils de chauffage, etc.). — *Quincaillerie d'ameublement* (articles de serrurerie, garnitures diverses, etc.). — *Quincaillerie de ménage* (ustensiles de cuisine, lessiveuses, récipients divers). — *Quincaillerie pour industries diverses,* pour la marine, les chemins de fer... — REM. La quincaillerie, du moins dans le langage courant, ne comprend pas les appareils ménagers d'une certaine complexité tels que réfrigérateurs, aspirateurs, machines à laver, mixers, etc.

♦ **2.** Industrie ou commerce de ces objets. *Le chiffre d'affaires de la quincaillerie française.*

♦ **3.** Magasin de quincaillier. *Entrer dans une quincaillerie.*

1 Certains magasins, qui s'intitulent modestement « quincaillerie », jusqu'à quand me seront-ils inaccessibles ? Je voudrais du moins coller mon nez contre leurs vitres, m'enivrer de bois verni, de hêtre rosé, de fer émaillé et d'aluminium, tant l'ingéniosité suisse éveille, à leur vue, l'idée d'art et d'harmonie.
COLETTE, le Fanal bleu, p. 23.

2 La dernière boutique où s'arrêta Arsène fut une quincaillerie. D'abord, il acheta quelques objets pour la ferme : un fer de pioche, une burette, des écrous, une corde, et en fit faire un premier paquet. Ensuite, s'aidant d'une liste qu'il avait dressée lui-même et qui était longue, il fit d'autres emplettes, telles que serrures, boutons de portes, gonds, pointes à chevrons, fil de laiton (...)
M. AYMÉ, la Vouivre, p. 113.

♦ **4.** (1770). Fam. Bijoux faux ou de mauvais goût, médailles, etc. ⇒ **Clinquant.**

Argot. Armement. ⇒ **Artillerie.**

QUINCAILLIER, ÈRE [kɛ̃kɑje, ɛʀ] n. — 1442 (1428, d'après Bloch et Wartburg) ; de *quincaille.*

♦ Personne qui vend de la quincaillerie. *Quincaillier en gros.*

QUINCITE [kɛ̃sit] n. f. — 1878, *in* P. Larousse, *Premier Suppl.* ; de *Quincy,* localité du Cher.

♦ Minér. Magnésite rouge (écume de mer).

QUINCONCE [kɛ̃kɔ̃s] n. m. — 1596 ; *« en ordre quincunce »,* Rabelais, 1534 ; du lat. *quincunx, -uncis,* proprt « monnaie de cuivre de cinq onces », marquée de cinq points, d'où, par ext., en latin déjà, le sens français.

♦ **1.** (Mil. XVIe). EN QUINCONCE, se dit d'une disposition d'objets par groupes de cinq, dont quatre aux quatre angles d'un carré et le cinquième au centre. ⇒ **Assemblage, échiquier.** *Arbres plantés en quinconce. Unité tactique disposée en quinconce.*

1 Les troncs rougeâtres de cette plantation régulière, qui s'étend en quinconce sur un espace de plusieurs lieues, semblent les colonnes d'un temple élevé à l'universelle nature (...)
NERVAL, Voyage en Orient, « Druses et Maronites », II, III.

2 Le papier de tenture présente, sur fond jaunâtre, un double motif en quinconce, qui est fait d'un petit vase à fleurs stylisé, et d'une corne d'abondance.
J. ROMAINS, les Hommes de bonne volonté, t. I, V, p. 57.

♦ **2.** Plantation d'arbres ainsi disposés (en sorte que, de quelque côté qu'on regarde, on ait toujours devant soi des allées égales et parallèles) ; promenade dont les arbres sont ainsi plantés (→ Jardin, cit. 5). *Les Quinconces, la place des Quinconces de Bordeaux.*

3 Ô bassins, quinconces, charmilles !
Boulingrins pleins de majesté (...)
A. DE MUSSET, Poésies nouvelles, « Sur trois marches de marbre rose ».

♦ **3.** Ensemble d'éléments verticaux (arbres, colonnes) qui alternent sur deux rangs (comme les coins d'un carré et l'intersection de ses diagonales).

Football. Formation des joueurs, comportant cinq avants disposés trois en ligne et deux (inters) en retrait.

QUINCONCIAL, ALE, AUX [kɛ̃kɔ̃sjal, o] adj. — 1845 ; lat. *quincuncialis* « qui contient cinq douzièmes », de *quincunx.* → Quinconce.

♦ **1.** Vx. Disposé en quinconce.

♦ **2.** (Mil. XXe). Bot. Se dit d'une disposition d'organes sur la tige, lorsque l'angle de divergence est de deux cinquièmes.

QUINDÉCEMVIR [kwɛ̃desɛmviʀ] n. m. — 1762, *quindecimvir ;* lat. *quindecimvir* « les quinze hommes », de *quindecim* « quinze », et *vir* « homme ».

♦ Antiq. rom. Chacun des magistrats (au nombre de quinze à l'origine) préposés à la garde des livres sibyllins et à l'organisation de certains sacrifices ou de certains jeux. ⇒ **Prêtre.** — On trouve aussi la graphie latine *quindecimvir* [kɛ̃desimviʀ].

QUINDÉCEMVIRAT [kwɛ̃desɛmviʀa] n. m. — 1875, *in* P. Larousse, *quindecimvirat ;* bas lat. *quindecimviratus,* de *quindecimvir.* → Quindécemvir.

♦ Antiq. rom. Dignité de quindécemvir ; sa durée.

1. QUINE [kin] n. m. — V. 1155, *quines,* au plur. ; du lat. *quinas,* accusatif fém. plur. de *quini,* distributif, « cinq par cinq, cinq chacun ».

♦ **1.** Vx. (Jeux). Aux dés, Coup amenant deux cinq. — Régional. — Au loto, Rang de cinq cases remplies. — (1783). Anciennt. Dans les loteries, Cinq numéros pris et sortis ensemble.

♦ **2.** Loc. fig. (Vx). *C'est un quine à la loterie,* une chance inespérée. ⇒ aussi **Terne.** — Par métaphore :

Qu'est-ce que Waterloo ? Une victoire ? Non. Un quine. Quine gagné par l'Europe, payé par la France.
HUGO, les Misérables, II, I, XVI.

DÉR. V. 2. **Quine.**
HOM. 2. **Quine.**

2. QUINE [kin] adv. — 1833 ; p.-ê. de 1. *quine,* au sens de « gros lot », d'où « gain » et « excès ».

♦ Argot. *En avoir quine :* en avoir assez (de qqn ou de qqch.). — Suivi d'un infinitif :

La dernière phrase, Johnny l'a accentuée, à la façon du fias *(homme, type)* qui en a quine d'entendre déraisonner, et va passer aux arguments frappants.
Albert SIMONIN, Hotu soit qui mal y pense, p. 132.

HOM. 1. **Quine.**

QUINÉ, ÉE [kine] adj. — 1803 ; dér. sav. du lat. *quini.* → 1. Quine.

♦ Bot. (Rare). Disposé cinq par cinq. *Feuilles quinées.*

QUINHYDRONE [kinidʀɔn] n. f. — D. i. ; de *quin(ine), hydr-,* et *-one,* d'après *hydroquinone.*

♦ Composé de couleur verte dérivant de la quinone* et de l'hydroquinone. *Électrode à quinhydrone,* pour déterminer l'acidité des solutions.

QUINIDINE [kinidin] n. f. — 1903, cit. ; de *quin(ine),* et *-idine.*

♦ Alcaloïde, stéréo-isomère de la quinine prescrit dans divers troubles du rythme cardiaque. *« La quinidine, isomère de la quinine, a la même fonction... »* (*Rev. gén. des sc.,* no 3, févr. 1903, p. 159.). — Syn. : *cinchotine, conquinine.* — *Sulfate de quinidine.*

QUININE [kinin] n. f. — 1820 ; dér. sav. de *quina,* anc. forme abrégée de *quinquina.*

♦ Chim., cour. Alcaloïde ($C_{20} H_{24} O_2 N_2$) extrait de l'écorce de quinquina (surtout du quinquina jaune), cristallisant en fines aiguilles de goût amer, peu solubles dans l'eau. *La quinine est une amine tertiaire donnant des sels basiques et des sels neutres ; le plus utilisé est le sulfate* (*communément appelé* quinine) *employé comme antithermique, sédatif, vaso-constricteur, cholagogue et surtout comme remède spécifique du paludisme* (→ Contracter, cit. 10). *Prendre de la quinine, sa dose de quinine. Cachet, suppositoires de quinine.*

DÉR. et **COMP. Quinhydrone, quinidine, quininisme** ou **quinisme, quinium, quinoléine, quinopyrine, quinotoxine.**

QUININISME [kininism] ou **QUINISME** [kinism] n. m. — XXe ; *quinisme,* 1878, *in* P. Larousse, *Premier Suppl. ;* de *quinine.*

♦ Didact. (méd.). Ensemble des troubles provoqués par l'abus de sels de quinine. *Le quininisme se manifeste par des vertiges, des bourdonnements d'oreilles ou une surdité temporaire.*

QUINIUM [kinjɔm] n. m. — D. i. (XXe) ; de *quinine,* et suff. lat. *-ium.*

♦ Didact. (pharm.). Produit résinoïde constitué par l'ensemble des alcaloïdes du quinquina.

QUINOA [kinɔa] n. m. — V. 1837 ; mot quichua, par l'espagnol.

♦ Rare. Chénopodiacée *(Chenopodium quinoa),* céréale du Chili et du Pérou, dont la graine renferme un albumen riche en amidon. *Le quinoa ressemble au sarrasin.*

QUINOLA [kinɔla] n. m. — XVIe ; mot espagnol.

♦ Vx. Valet de cœur, au reversi. — Par ext. Valet.

Je reviens, monseigneur, pimpant comme le valet de cœur, dont j'ai pris le nom : Quinola, pour vous servir (...) BALZAC, les Ressources de Quinola, Prologue, 3.

QUINOLÉINE [kinɔlein] n. f. — 1844 ; comp. sav. du rad. de *quinine*, de l'élément *olé-*, du lat. *oleum*, et du suff. *-ine*.

♦ Chim. Composé basique bicyclique hétéroatomique (C_9H_7N), à odeur aromatique. *La quinoléine peut s'obtenir en partant des goudrons de houille* (dans lesquels on l'a découverte et où elle accompagne son isomère, l'isoquinoléine), *de certains alcaloïdes des quinquinas, ainsi que par synthèse. La plupart des alcaloïdes des quinquinas* (quinine, cinchonine...) *et des strychnées* (strychnine, brucine...) *sont des dérivés de la quinoléine ; d'autres* (papavérine, narcotine...) *se rattachent à l'isoquinoléine. Dérivés de la quinoléine employés comme colorants (rouge, jaune de quinoléine), comme médicaments* (antiseptiques, antithermiques). — Syn. : *benzopyridine.*

DÉR. Quinoléique.

QUINOLÉIQUE [kinɔleik] adj. — Fin XIXe ; de *quinoléine*, et *-ique*.

♦ Chim. Qui se rapporte à la quinoléine. *Bases quinoléiques* (quinoléine, lépidine, dispoline...).

QUINONE [kinɔn] n. f. — Découverte en 1838 ; comp. sav. de *quina*, anc. forme abrégée de *quinquina*, et suff. *-one*.

♦ Chim. Composé organique cyclique dans lequel deux atomes d'hydrogène sont remplacés par deux atomes d'oxygène. *Principales quinones : benzoquinones,* dérivant du benzène (la *parabenzoquinone* ou *quinone ordinaire,* composé irritant et toxique, est transformée par les réducteurs en *hydroquinone*), *orthoquinone, anthraquinone** (point de départ de matières colorantes).

DÉR. Quinonique.

QUINONIQUE [kinɔnik] adj. — XIXe ; de *quinone*.

♦ Chim. Relatif aux quinones. *Le noyau quinonique entre dans la structure de la plupart des colorants.*

QUINOPYRINE [kinopiʀin] n. f. — D. i. (XXe) ; de *quin(ine)*, et *pyrine*.

♦ Chim. Soluté officinal de chlorhydrate basique de quinine et antipyrine (utilisé en injections).

QUINOTOXINE [kinotɔksin] n. f. — D. i. (XXe) ; de *quin(ine)*, et *toxine*.

♦ Chim. Alcaloïde isomère de la quinine.

QUINQUA- Élément, du lat. *quinque* « cinq ».

QUINQUAGÉNAIRE [kyɛ̃kwaʒenɛʀ] ; plus cour. [kɛ̃kaʒenɛʀ] adj. et n. — XVIe ; du lat. *quinquagenarius*, du rad. de *quinque* « cinq ».

♦ Qui a entre cinquante et cinquante-neuf ans. ⇒ **Cinquantaine, cinquantenaire.** — N. *Un, une quinquagénaire* (→ Dissipation, cit. 5).

Le Vert-Galant *(Henri IV)* a étalé dans ses amours de passage ou dans ses passions tenaces, un sans-gêne, un dédain de l'opinion et souvent, un cynisme, qui devaient choquer vivement son petit-fils. Sa folie de quinquagénaire pour la princesse de Condé faillit attirer sur la France de terribles catastrophes. Louis BERTRAND, Louis XIV, III, IV.

(1970, *in* D. D. L.). Abrév. fam. *Quinqua. Un, une quinqua. Des quinquas.*

QUINQUAGÉSIME [kyɛ̃kwaʒezim] ; cour. [kɛ̃kaʒezim] n. f. — 1281 ; dès le VIIIe, dans le lat. liturgique *quinquagesima*, fém. de *quinquagesimus* « cinquantième », de *quinque* « cinq ».

♦ Liturgie cathol. Dimanche précédant le premier dimanche de Carême (⇒ **Quadragésime**), ainsi appelé parce qu'il tombe environ cinquante jours avant Pâques. *Premier, second sermon de Bossuet pour le dimanche de la quinquagésime. La quinquagésime.*

QUINQUENNAL, ALE, AUX [kyɛ̃kenal, o] ; plus cour. [kɛ̃kenal, o] ; parfois [kyɛ̃kyɛnnal, o] ou [kɛ̃kɛnnal, o] adj. — 1541, sens 1. ; du lat. *quinquennalis, de quinque* « cinq », et *annus* (→ An), également dans les deux sens.

♦ **1.** Qui a lieu tous les cinq ans. *Renouvellement quinquennal d'une assemblée. Élection quinquennale. Jeux quinquennaux, fêtes quinquennales, dans l'antiquité.*

♦ **2.** (1740). Qui dure, qui s'étale sur cinq ans. *Magistrature quinquennale.*

Plan quinquennal.* — Spécialt. Plan général de l'économie soviétique à partir de 1928.

Agric. *Assolement quinquennal, rotation quinquennale.*

On a vu des voyageurs, nullement bolcheviks, revenir de Russie remplis d'admiration ou d'effroi, ce qui est à peu près la même chose, par les résultats du plan quinquennal. J. BAINVILLE, la Russie et la Barrière de l'Est, p. 129.

DÉR. Quinquennalité, quinquennat.

QUINQUENNALITÉ [kyɛ̃kyenalite ; kɛ̃kenalite] n. f. — 1830 ; de *quinquennal*.

♦ Didact. Fonction, mandat de cinq ans. ⇒ **Quinquennat.**

Les forces physiques, loin de se recruter insensiblement par quatre repas égaux, comme l'aurait été la Chambre par le système de la quinquennalité, sont révolutionnées brutalement.
BALZAC, Nouvelle théorie du déjeuner, *in* Œ. diverses, t. II, p. 43.

QUINQUENNAT [kyɛ̃kyena] ; cour. [kɛ̃kena] n. m. — Mil. XXe (1948, *in* D. D. L.) ; de *quinquennal*.

Didactique.

♦ **1.** Durée d'un plan quinquennal.

♦ **2.** Durée d'une fonction, d'un mandat de cinq ans. ⇒ **Quinquennalité.**

QUINQUENNIUM [kyɛ̃kyenjɔm ; kɛ̃kenjɔm] n. m. — 1762 ; lat. *quinquennium, de quinquennis.* → Quinquennal.

♦ **1.** Vx. Cours d'étude de philosophie (deux ans) et de théologie (trois ans).

♦ **2.** (1869, *in* Littré). Hist. rom. Espace de cinq ans (durée d'une magistrature, intervalle entre deux jeux quinquennaux...).

QUINQUERCE [kɛ̃kɛʀs] n. m. — 1765, *Encyclopédie* ; du lat. *quinquertium.*

♦ Antiq. rom. Épreuve sportive comportant cinq spécialités, équivalent chez les Romains du pentathle* grec (course, saut, lutte, disque, javelot).

QUINQUÉRÈME [kyɛ̃kyeʀɛm ; kɛ̃keʀɛm] n. f. — 1530 ; lat. *quinqueremis, de quinque* « cinq », et *remus* « rame ».

♦ Antiq. rom. Navire à cinq rangs de rameurs superposés.

QUINQUET [kɛ̃kɛ] n. m. — 1785, d'après Nyrop (IV, § 515), d'abord *lampe à la quinquet ;* du nom de *Quinquet,* pharmacien qui fabriqua, en la perfectionnant, une lampe inventée par le physicien Argand.

♦ **1.** Ancienne lampe à double courant d'air et à réservoir supérieur. *Quinquet à huile* (⇒ **Godet ;** → Lampisterie, cit.), *à pétrole* (→ Brûler, cit. 38). *Le quinquet de la pharmacie* (cit. 1) *de M. Homais. Quinquets employés à l'éclairage des anciens théâtres* (→ Frelon, cit. 6 ; lampiste, cit. 1 ; portant, cit. 3).

Les tables peintes en marbre (...) le quinquet à globe plein d'huile alimentant deux 1
becs, attaché par une chaîne au plafond et enjolivé de cristaux, commencèrent la célébrité du *Café de la Guerre.* BALZAC, les Paysans, Pl., t. VIII, p. 256.

♦ **2.** (1808). Fam., vieilli. Œil (surtout avec *ouvrir, fermer*). *Une jolie paire de quinquets. Allume, ouvre les quinquets :* regarde bien.

— Est-ce que vous avez à y foutre le nez ? Fermez les quinquets, taisez votre bec, 2
ou ça tournera mal ! ZOLA, la Terre, IV, II.

QUINQUINA [kɛ̃kina] n. m. — 1661, G. Patin, qui en 1653 écrivait *kinakina ;* empr. par l'interm. de l'esp. de *quinaquina,* mot quichua ; on a dit aussi *quin* ou *quina* au XVIIe. Cf. La Fontaine, *Poème du quinquina.*

♦ **1.** Écorce amère aux propriétés toniques et fébrifuges fournie par un arbuste du genre *cinchona. Alcaloïdes des quinquinas.* ⇒ **Quinine ; cinchonine.** *Quinquina rouge, jaune, gris. Prendre du quinquina pour guérir la fièvre* (cit. 2 ; et → Plein, cit. 4). *Le médecin prescrivit* (cit. 6) *une infusion de quinquina. Sirop, vin de quinquina.*

♦ **2.** Vin contenant une certaine proportion de quinquina, aux propriétés apératives et toniques. ⇒ 1. **Amer, fortifiant.** *Un verre de quinquina. La gentiane est parfois appelée « quinquina des pauvres ».*

(...) il ne déteste pas l'excitation que donne au milieu de la matinée un verre de vin blanc, ou même un quinquina.
J. ROMAINS, les Hommes de bonne volonté, t. IV, I, p. 8.

♦ **3.** (XVIIIe). Plante dicotylédone *(Rubiacées),* scientifiquement appelée *cinchona* (du nom de la comtesse El Cinchon, femme du vice-roi du Pérou, que le quinquina avait guérie), arbre ou arbuste de l'Amérique du Sud, dont l'écorce (→ ci-dessus, 1.) fournit la quinine et la cinchonine.

QUINT, QUINTE [kɛ̃, kɛ̃t] adj. et n. — 1080, *Chanson de Roland;* à peu près disparu après le XIVe; du lat. *quintus.*

♦ Vx. Cinquième (ordinal). *Charles-Quint. Le pape Sixte-Quint. La Quinte Essence* (Rabelais, V, 19 à 32). ⇒ **Quintessence** (cit. 1). — *Fièvre quinte,* qui revient tous les cinq jours. ⇒ **Quintane.**

N. m. (XIIIe). *Le quint :* la cinquième partie, le cinquième (a subsisté jusqu'à la Révolution comme terme de droit féodal).

DÉR. 1. **Quinte.**
COMP. **Quintefeuille.**

QUINT- Élément, du lat. *quintus* « cinquième ».

QUINTAINE [kɛ̃tɛn] n. f. — XIIe; du lat. *quintana (via),* désignant une rue transversale du camp romain et, par ext., selon Hatzfeld, un poteau destiné à l'exercice militaire.

♦ **1.** Manège. Ancienn^t (moyen âge). Poteau fiché en terre, contre lequel on s'exerçait à courir avec la lance, à jeter des traits; mannequin mobile (dit aussi *quintan* ou *faquin*) adapté au-dessus de ce poteau, armé d'un bouclier et d'un sabre, qui servait de cible aux chevaliers et leur assénait un coup chaque fois qu'ils le manquaient. *Courir, férir la quintaine. Joutes à la quintaine.* — Fig. *Servir de quintaine,* de plastron, de cible (aux plaisanteries).

(...) il avait à cœur de bien se montrer une fois devant sa nouvelle épouse, qui pouvait avoir pris pour lui peu de respect en le voyant, depuis plusieurs jours, servir de quintaine au militaire, avec cette différence que la quintaine rend quelquefois de bons coups pour ceux qu'on lui porte continuellement.
NERVAL, Contes et facéties, « La main enchantée », VIII.

♦ **2.** Blason. Pièce héraldique figurant un poteau auquel est suspendu un écu.

QUINTAL, AUX [kɛ̃tal, o] n. m. — XIIIe; lat. médiéval *quintale,* de l'arabe *quintâr* « poids de cent », lui-même tiré du bas lat. *centenarium* « poids de cent livres », par le grec byzantin *kentênarion,* puis par l'araméen.

♦ **1.** [a] Ancienn^t. Poids de cent livres (→ Par, cit. 56). — (Canada, après 1760). Mod. Poids de 112 livres.

[b] Mod. *Quintal* ou *quintal métrique :* masse de cent kilogrammes (symb. : *q*). *Rendement de 20 quintaux de blé à l'hectare.*

♦ **2.** Par hyperb. Élément d'un poids considérable. *Trente quintaux de chair* (cit. 17; et → Femmelette, cit. 1). — Fig. *Cent quintaux de mensonges* (→ Extraire, cit. 10). *Il y en a des quintaux.* ⇒ **Tonne.**

QUINTANE [kɛ̃tan] adj. f. — XVIe, *quintaine;* du lat. *quintana (febris),* de *quintanus,* adj. distributif, sur *quintus.* → Quint.

♦ Méd. anc. *Fièvre quintane :* fièvre intermittente dans laquelle les accès reviennent le cinquième jour, après trois jours de rémission.

Vieilli. Fièvre des tranchées, forme de rickettsiose, qui a sévi pendant la Première Guerre mondiale.

1. QUINTE [kɛ̃t] n. f. — 1372, *note quinte,* mus., de l'anc. franç. *quint* (1080); lat. *quintus* « cinquième ».

♦ **1.** (1611). Mus. Cinquième degré de la gamme diatonique. *Intervalle de quinte,* ou, ellipt., *quinte,* intervalle de cinq degrés (ex. : do-sol). → Contrebasse, cit.; 1. cor, cit. 7; échelle, cit. 15; 1. mineur, cit. 1; médiante, cit. *Quinte juste :* intervalle de trois tons et un demi-ton diatoniques. *Quinte augmentée :* intervalle de trois tons, un demi-ton diatonique et un demi-ton chromatique. *Quinte diminuée :* intervalle de deux tons et deux demi-tons diatoniques. *Accord de quinte et sixte :* accord formé par l'émission simultanée d'un ton fondamental avec sa tierce, sa quinte et sa sixte. ⇒ **Consonance.**

♦ **2.** (1654). Cartes (spécialt, au piquet). Cinq cartes de même couleur qui se suivent. *Abattre une quinte* (→ Pleuvoir, cit. 6). *Quinte majeure* (var. XVIIe, *quinte major*), *quinte à l'as. Avoir, annoncer quinte et quatorze.* — Au fig., vx. *Avoir quinte et quatorze :* avoir de sérieux atouts en mains. — (Poker). *Quinte flush**.

♦ **3.** (1670, La Touche). Escrime. Cinquième garde* (1. Garde, I., 4.), un des engagements ou parades en ligne haute dedans (ligne haute à gauche, main en pronation). *Commencer de prime et achever de quinte. Parade de quinte.*

♦ **4.** Loc. fam. (Probablt du poker). *En valoir une quinte :* en valoir cinq, beaucoup.

Le « Gorille » avait beau en valoir une quinte, il ne pouvait pas se permettre de résister à une foule pareille. A. L. DOMINIQUE, le Gorille sans cravate, p. 141.

DÉR. 3. **Quinte.**
HOM. 2. **Quinte,** 3. **quinte.**

2. QUINTE [kɛ̃t] n. f. — 1560 (le texte du XIIIe cité par Littré, *in Suppl.,* n'est pas clair); étym. incert., un rapport avec 3. *quinte* semble exclu, à cause des dates, p.-ê. allus. aux accès de la *fièvre quinte* (1557). → Quint, quintane.

Vieux.

♦ **1.** « Caprice, humeur fantasque » (Furetière), « accès de mauvaise humeur qui prend tout d'un coup » (Académie). *« Je ne sais quelle quinte m'a pris »* (Académie).

♦ **2.** Mouvement désordonné (d'un cheval rétif).

DÉR. 1. **Quinteux.**

3. QUINTE [kɛ̃t] n. f. — 1644; de 1. *quinte;* G. Patin : « M. de Baillon a fort parlé, en ses *Épidémies,* d'une certaine toux à laquelle sont sujets les petits enfants, que les Parisiens appellent une quinte, *quod quinta quaque hora fere videatur recurrere* », c'est-à-dire « parce qu'elle paraît revenir à peu près toutes les cinq heures ».

♦ Accès de toux. — Spécialt. Accès de toux caractéristique de la coqueluche (→ Immobiliser, cit. 3). *Quinte de toux. Avoir des quintes, être pris de quintes.*

(...) il s'échappait de son larynx un sifflement produit par chaque inspiration, de 1
plus en plus courte, sèche, et comme métallique. Sa toux ressemblait au bruit de ces mécaniques barbares qui font japper les chiens de carton.
(...) Bientôt les horribles quintes recommencèrent. Quelquefois, l'enfant se dressait tout à coup. Des mouvements convulsifs lui secouaient les muscles de la poitrine, et, dans ses aspirations, son ventre se creusait comme s'il eût suffoqué d'avoir couru. Puis il retombait la tête en arrière et la bouche grande ouverte.
FLAUBERT, l'Éducation sentimentale, p. 411.

Ce fut une quinte terrible qui lui déchirait la gorge; et, la face rouge, le front en 2
sueur, il étouffait dans sa serviette. Lorsque la crise fut calmée, il grogna (...)
MAUPASSANT, Bel-Ami, I, V.

DÉR. 2. **Quinteux.**

QUINTEFEUILLE [kɛ̃tfœj] n. — XIIIe; de *quint,* adj., et *feuille,* d'après le lat. *quinquefolium,* de *quinque* « cinq », et *folium* « feuille ».

♦ **1.** N. f. Potentille* rampante. *La racine de quintefeuille est utilisée en médecine pour ses propriétés astringeantes.*

♦ **2.** N. f. (1635). Blason. Pièce héraldique figurant une fleur à cinq pétales.

♦ **3.** N. m. (XIXe). Archéol. Rosace formée de cinq lobes, arrondis ou en arcs brisés.

QUINTESSENCE [kɛ̃tesɑ̃s] n. f. — 1265, *quinte essence;* du lat. scolast. *quinta essentia,* trad. du grec *pemptê ousia* « cinquième essence », chez Aristote.

♦ **1.** Ancienn^t. (Philos.). Cinquième essence ou élément, ajouté par certains physiciens anciens aux quatre éléments* d'Empédocle, appelé *éther* par Aristote qui en fait l'essence du ciel et des astres, alors que Cicéron en fait la matière de l'âme. — (Alchim.). La qualité pure, le principe essentiel d'une substance, en particulier les alcools obtenus par distillations répétées. *Abstracteur* (cit. 1) *de quintessence :* alchimiste « qui extrait la quintessence », nom que se donne plaisamment Rabelais dans le titre de *Gargantua* et de *Pantagruel.* — REM. Cette expression mal comprise, par confusion avec les sens de *abstraction* et de *abstrait,* a fini par désigner tout esprit qui se complaît à de vaines abstractions, à de laborieuses subtilités (→ Abstracteur, cit. 3). — Par métaphore (allus. à l'alchimie). → Extraire, cit. 12, Baudelaire.

(...) plus des deux tiers des vertus médicinales consistent en la quinte essence ou 1
propriété occulte des simples, de laquelle nous ne pouvons avoir autre instruction que l'usage : car quinte essence n'est autre chose qu'une qualité de laquelle, par notre raison, nous ne savons trouver la cause. MONTAIGNE, Essais, II, XXXVII.

Paracelse admettait, outre les quatre éléments (...) une cinquième sorte de matière, 2
résultant de la réunion des quatre autres sous leur forme la plus parfaite; car, d'après lui, le feu n'est pas tout à fait la chaleur, l'eau n'est pas l'humidité, et il regarde comme possible de dégager la qualité de la forme (...) C'est là l'élément prédestiné, la quintessence de Raymond Lulle, *quinta essentia* (...)
J.-B. DUMAS, Leçons sur la philosophie chimique, p. 43, *in* LALANDE.

Allus. littér. *« La dame Quinte Essence nommée Entéléchie »,* reine d'un royaume mythique au Ve livre de Rabelais, personnage allégorique complexe symbolisant à la fois la philosophie et l'alchimie.

♦ **2.** (Fin XVIe). Vieilli. Extrait le plus réduit, le plus concentré d'une substance, dont il contient les propriétés caractéristiques (→ Alambiquer, cit. 2; atome, cit. 4). — Spécialt (pharm.). Teinture.

Vous ne nierez pas non plus, je suppose, que le mets qui vous fut servi chez moi 3
le jour où vous me fîtes l'honneur de vous asseoir à ma table ne renfermât la quintessence de tous ceux qui salissaient hier votre magnifique vaisselle.
BALZAC, Gambara, t. IX, p. 468.

♦ **3.** (XVe). Fig., mod. Condensé où se résume, manifestation où s'exprime l'essentiel de quelque chose d'ordre moral, de la façon la plus pure. ⇒ **Meilleur** (le), **principal** (le). *Tirer toute la quintessence d'un sujet.* ⇒ **Moelle, suc.** *La quintessence de l'honneur* (→ Filet, cit. 10), *de l'admiration* (→ Pirouetter, cit. 2). *Des réflexions qui sont une quintessence d'idiotie* (cit. 2).

4 La pantomime est l'épuration de la comédie; c'en est la quintessence; c'est l'élément comique pur, dégagé et concentré.
BAUDELAIRE, Curiosités esthétiques, VI, VI.

5 (...) l'art est une quintessence de la vie, il l'expurge de ses déchets et n'offre que son sang pur. MONTHERLANT, les Lépreuses, I, VI.

6 Moi, je travaille dans l'esprit, dans l'essence et dans la quintessence de l'émanation. Je suis visité, moi.
M. AYMÉ, le Vin de Paris, « La bonne peinture », p. 206.

DÉR. Quintessencier.

QUINTESSENCIÉ, ÉE [kɛ̃tesɑ̃sje] p. p. adj. — 1611; de *quintessencier.*

♦ Littér. D'une subtilité excessive, raffiné avec affectation. ⇒ **Affecté, alambiqué.** *Pensées quintessenciées* (→ Gravement, cit. 2). *Un esprit quintessencié* (→ 1. Fort, cit. 30). *Femme précieuse et quintessenciée.* ⇒ **Sophistiqué.**

1 (...) le sentiment; mot par lequel il ne faut pas entendre un épanchement affectueux dans le sein de l'amour ou de l'amitié, cela serait d'une fadeur à mourir; c'est le sentiment mis en grandes maximes générales, et quintessencié par tout ce que la métaphysique a de plus subtil.
ROUSSEAU, Julie ou la Nouvelle Héloïse, II, XVII.

2 Banal, oui; puissamment banal. Et tout autre livre, à côté (je parle de ceux de notre époque), paraît aussitôt quintessencié, recherché, précieux. Oui, ces livres de solide et robuste bon sens s'opposent à la préciosité générale (...)
GIDE, *in* A. MAUROIS, Études littéraires, t. II, Martin du Gard, I.

QUINTESSENCIER [kɛ̃tesɑ̃sje] v. tr. — 1584; de *quintessence.*

Rare.

♦ **1.** Vx. Amener à la quintessence. *Quintessencier un parfum.*

♦ **2.** Fig., littér. Porter au plus haut point de pureté, de raffinement, de subtilité. *Tout ce système d'amour quintessencié par Mlle de Scudéry* (→ Gourme, cit. 3). — Absolt. Subtiliser à l'excès. ⇒ **Raffiner.** *« Il ne faut pas tant quintessencier »* (Académie).

▶ **SE QUINTESSENCIER** v. pron. (Réfl.).

Littér. S'épurer.

Et, lors même qu'il ne serait pas devenu en se quintessenciant un hommage de fait à ce que je veux brûler, ce passage au crible aurait été un moyen peu conforme au but que je visais (...) Michel LEIRIS, Frêle bruit, p. 375.

DÉR. Quintessencié.

1. QUINTETTE [kɛ̃tɛt; kɥɛ̃tɛt] n. m. — 1828; *quintet,* 1801, *in* D. D. L.; *quintetto,* 1826; ital. *quintetto,* dimin. de *quinto* « cinquième ». A remplacé *quinque,* XVIIIe, sur le modèle de *quatuor.*

Musique.

♦ **1.** Œuvre de musique d'ensemble, écrite pour cinq instruments *(quintette instrumental)* ou cinq voix concertantes *(quintette vocal). Quintette à cordes,* pour deux violons, deux altos et un violoncelle (ou deux violons, un alto et deux violoncelles). *Quintette pour instruments à vent, quintette à vent,* pour flûte, hautbois, clarinette, cor et basson. *Quintette pour piano et cordes, pour piano et quatuor à cordes* (ou pour piano, violon, alto, violoncelle et contrebasse). *Quintette pour piano et instruments à vent. Quintette vocal,* pour cinq voix (de femmes, d'hommes ou mixtes). *Le quintette la Truite,* de Schubert. *Quintettes de Boccherini, de Mozart... Le quintette en fa mineur de César Franck.* — Partie d'une œuvre, d'un opéra, écrite pour cinq voix.

— Voici maintenant un *quinquetto (sic)* comme Rossini en sait faire (...) Ce qui rend ce quintette une chose délicieuse et ravissante, est un retour aux émotions ordinaires de la vie (...) BALZAC, Massimilla Doni, Pl., t. IX, p. 361.
N. B. Balzac écrit également *quintetto* à la page suivante.

♦ **2.** (1934; anglic., de *quintet,* 1880; → Quartette). Orchestre de jazz composé de cinq musiciens. — Ensemble de cinq musiciens exécutant un quintette. — On disait autrefois *quintetto* [kwinteto].

HOM. 2. **Quintette.**

2. QUINTETTE [kɛ̃tɛt; kɥɛ̃tɛt] n. m. — 1931; angl. *quintet* ou ital. *quintetto.*

♦ Sports. Les cinq joueurs d'attaque, au football (avants et inters).

QUINTEUSEMENT [kɛ̃tøzmɑ̃] adv. — D. i.; de 1. *quinteux.*

♦ Rare. De manière capricieuse et colérique (→ Interdire, cit. 8).

1. QUINTEUX, EUSE [kɛ̃tø, øz] adj. — 1542; de 2. *quinte.*

♦ Vieilli. Qui est sujet à des quintes (2. Quinte), se fâche facilement; d'humeur fantasque. ⇒ **Acariâtre, capricieux.** *Un homme bizarre* (cit. 3) *et quinteux. Grincheux* (cit. 1) *et quinteux. Caractère quinteux* (→ Fâcher, cit. 11). *Esprit quinteux et tatillon* (→ Pharisien, cit. 5). — (En parlant du cheval). ⇒ **Rétif.** — Par métaphore. *« La gondole* (cit. 2) *quinteuse ou docile » (Chateaubriand).*

(...) pardonnez à madame de Mortsauf, les femmes ont besoin d'être quinteuses, leur faiblesse les excuse, elles ne sauraient avoir l'égalité d'humeur que nous donne la force du caractère. BALZAC, le Lys dans la vallée, Pl., t. VIII, p. 954.

DÉR. Quinteusement.
HOM. 2. **Quinteux.**

2. QUINTEUX, EUSE [kɛ̃tø, øz] adj. — 1835; de 3. *quinte.*

♦ Qui comporte des quintes. *Toux quinteuse.*

(...) au milieu de la rumeur des voix, des toux quinteuses, parmi les appels des garçons, des cireurs, des marchands de journaux (...)
Joseph PEYRÉ, Sang et Lumières, p. 50.

QUINTIDI [kɛ̃tidi] n. m. — 1793, Fabre d'Églantine; comp. sav., du lat. *quintus* « cinquième », et *dies* « jour ».

♦ Hist. Cinquième jour de la décade, dans le calendrier républicain.

QUINTIL [kɛ̃til] n. m. — 1765, *Encyclopédie;* autre sens en 1721 (astrol.); lat. *quintelius,* de *quintus* « cinquième ».

♦ Didact. Strophe de cinq vers, sur deux rimes.

QUINTILLION [kɛ̃tiljɔ̃] n. m. — 1877; comp. sav., du rad. lat. de *quintus* « cinquième », et finale de *million.*

♦ **1.** Vx. Mille quadrillions.

♦ **2.** (Conférence des Poids et Mesures de 1948). Mod. Un million de quadrillions (10^{30}).

DÉR. Quintillionième.

QUINTILLIONIÈME [kɛ̃tiljɔnjɛm] n. m. — 1895, in *Année sc. et industr.* 1896, p. 186; de *quintillion.*

♦ Fraction de un sur un quintillion.

QUINTO [kwinto; kwɛ̃to] adv. — 1419, *in* D. D. L.; mot lat., de *quintus* « cinquième ».

♦ Rare. En cinquième lieu, cinquièmement (dans une énumération commençant par *primo,* dans un compte). *Quinto s'écrit souvent* 5°.

QUINTOLET [kɛ̃tɔlɛ] n. m. — XXe (*in* Larousse, 1923); du lat. *quintus,* d'après *triolet.*

♦ Mus. Groupe de cinq notes considéré comme une unité rythmique (valant quatre ou six notes de même valeur).

QUINTUPLE [kɛ̃typl; kɥɛ̃typl] adj. — 1484; du lat. impérial *quintuplex,* de *quintus.*

♦ **1.** Cinq fois plus grand. ⇒ **Multiple.** *Somme, quantité quintuple d'une autre.* — N. m. *Payer le quintuple. Rendre au quintuple.*

♦ **2.** (1845, bot.). Partagé en cinq divisions, constitué de cinq éléments de nature à peu près semblable. *Naissance quintuple,* de quintuplés*

(...) cette main, comme celle du braconnier de jadis, étendit toute grande sur elle la menace de sa quintuple pince de chair musculeuse et perfide.
L. PERGAUD, De Goupil à Margot, p. 188.

DÉR. Quintupler.
COMP. Quintuplette. — Sous-quintuple.

QUINTUPLER [kɛ̃typle; kɥɛ̃typle] v. — 1789; de *quintuple.*

♦ **1.** V. tr. Rendre quintuple, multiplier par cinq. *Quintupler son capital* (→ Émission, cit. 3).

♦ **2.** V. intr. Devenir quintuple. *Les prix ont quintuplé en quinze ans.*

DÉR. Quintuplés.

QUINTUPLÉS, ÉES [kɛ̃typle; kɥɛ̃typle] n. pl. — 1934; de *quintupler.*

♦ Jumeaux* ou jumelles nés au nombre de cinq. *Trois des quintuplées ont survécu.*

Il n'est personne qui n'ait entendu parler des « quintuplées » du Canada, les petites Dionne, qui, nées le 23 mai 1934, offrent l'intérêt considérable d'être de *vraies jumelles.* Jean ROSTAND, l'Homme, II.

QUINTUPLETTE [kɛ̃typlɛt; kyɛ̃typlɛt] n. f. — 1898; de *quintuple*, et *bicyclette* (sens I.); et suff. *-ette* (sens II.).

★ **I.** Rare. Cycle à cinq places.

★ **II.** (1924, Montherlant, *les Olympiques*). Rugby. Quintette* (2. Quintette) des avants.

QUINZAINE [kɛ̃zɛn] n. f. — Fin XIIe; de *quinze*.

♦ **1.** Nombre d'environ quinze. *Une quinzaine d'ouvriers* (→ Jaune, cit. 13). *Une quinzaine de jours, d'années* (→ Pédagogue, cit. 4). *Cela doit valoir une quinzaine de francs.*

♦ **2.** Deux semaines. *Depuis une quinzaine* (→ Entrefilet, cit. 1), *au bout d'une quinzaine* (→ Maître, cit. 105), *dans la quinzaine* (→ Embarquer, cit. 2). — Dr. *Délai de quinzaine* (→ Audience, cit. 16). *Cause remise à quinzaine.* — *Les Cahiers de la Quinzaine*, revue fondée par Péguy à la fin de 1899. — (Avec un qualificatif). *La grande quinzaine des prix littéraires* (première moitié de décembre). → II, cit. 31. *Une éblouissante quinzaine* (→ Brouillard, cit. 12). — Liturgie. *La quinzaine de Pâques**. Par ext., se dit de l'office ainsi que du livre de piété contenant l'office et les exercices de cette quinzaine.

1 Je ne te demande nullement de m'envoyer une histoire du monde par quinzaine, ou une géographie du monde par quinzaine, ou une chronologie du monde par quinzaine. Je te prie de m'envoyer des cahiers de renseignement, sans esprit de parti, sur ce qui m'intéresse. Ch. PÉGUY, la République..., p. 17.

(Après 1850). Spécialt. Espace de deux semaines de travail payé; salaire de deux semaines. *La boisson des fins de quinzaine* (→ Lampée, cit. 1). *La paye* (cit. 1) *de quinzaine. Toucher sa quinzaine.*

2 Des ouvriers sortaient toujours (...) Il y en avait de rigolos, sautant d'un bond dans la rue, pressés de courir béquiller *(manger, dépenser)* leur quinzaine avec les amis. Il y en avait aussi de lugubres (...) serrant dans leur poing crispé les trois ou quatre journées sur quinze qu'ils avaient faites, se traitant de feignants et faisant des serments d'ivrogne. ZOLA, l'Assommoir, t. II, XII, p. 227.

QUINZE [kɛ̃z] adj. numéral et n. m. invar. — 1080, *Chanson de Roland;* du lat. *quindecim*, de *quinque* «cinq», et *decem* «dix».

★ **I.** ♦ **1.** Numéral cardinal invar. Quatorze plus un, trois fois cinq. *Tout attroupement* (cit. 1) *de plus de quinze personnes. Le rugby se joue à quinze ou treize joueurs.* — Ellipt. *Rugby à quinze. Quinze ans de différence* (→ Jeunesse, cit. 32). *Quinze minutes.* ⇒ **Quart** (d'heure). *Qui a quinze côtés.* ⇒ **Pentadécagone.** *Quinze cents pieds* (cit. 43). *Quinze cent mille francs :* un million cinq cent mille francs (→ Paraphernal, cit.). *Soixante-quinze, quatre-vingt-quinze mille francs.*

1 Quinze ans! ô Roméo! l'âge de Juliette!
L'âge où vous vous aimiez! où le vent du matin,
Sur l'échelle de soie, au chant de l'alouette,
Berçait vos longs baisers et vos adieux sans fin!
A. DE MUSSET, Poésies nouvelles, «Rolla», III.

Spécialt. *Quinze jours :* deux semaines. ⇒ **Quinzaine** (→ Léger, cit. 8; lire, cit. 19; patte, cit. 6). *Changer d'opinion tous les quinze jours* (→ Franchise, cit. 11). *Dans quinze jours, d'aujourd'hui en quinze :* le même jour (lundi, mardi...) dans deux semaines.

2 (...) je déjeune précisément, de demain en quinze (...) chez Leroy-Beaulieu (...) PROUST, À la recherche du temps perdu, t. VII, p. 104.

♦ **2.** (Employé comme ordinal). ⇒ **Quinzième.** *Page quinze. Louis quinze* (Louis XV). *L'an quinze avant Jésus-Christ.* — (Déb. XVIIIe). Ellipt. *Le quinze août.* ⇒ **Assomption.** *Le quinze du mois.*

★ **II.** ♦ **1.** N. m. invar. Le nombre quinze. *Quinze et cinq font vingt. Quinze est divisible par trois et par cinq. Cheval à quinze contre un* (→ Parieur, cit. 2).

Le numéro quinze. *Le quinze a gagné. Habiter au quinze de la rue.*

3 Papier, si tu ne te repais
Des espoirs les plus décevants,
C'est rue, au quinze, de la Paix
Qu'on te dépliera, chez Evans.
MALLARMÉ, Vers de circonstance, «Loisirs de la poste», LXXXII.

♦ **2.** (1771). Vx. Jeu de cartes où le gagnant était celui qui atteignait le premier quinze points.

♦ **3.** Sports. Équipe de quinze joueurs, au rugby*. *Les internationaux du quinze de France.* ⇒ **Quinziste.**

DÉR. **Quinzaine, quinzième.**
COMP. **Quinze-vingts, quinziste.**

QUINZE-VINGTS [kɛ̃zvɛ̃] adj. numéral — XIVe; composé de *quinze*, et *vingt*.

♦ Vx. Trois cents. — N. (1550). Spécialt. (Anciennt). *Hôpital des Quinze-Vingts*, et, ellipt., *les Quinze-Vingts :* hôpital fondé par saint Louis, destiné à recueillir trois cents aveugles. — (De nos jours). *Hospice national des Quinze-Vingts*, comprenant une clinique ophtalmologique.

Item, je donne aux Quinze-Vingts
(Qu'autant vaudrait nomer Trois Cents)
(...) Sans les étuis, mes grand(e)s lunettes. VILLON, le Testament, CLX.

Vx. *Un Quinze-Vingts :* un aveugle.

QUINZIÈME [kɛ̃zjɛm] adj. — XIVe; *quinzime*, v. 1119; de *quinze*.

♦ **1.** Ordinal de quinze. *Depuis sa quinzième année* (→ Métier, cit. 17). *Le quinzième siècle.* ⇒ **Quattrocento** (→ Architecture, cit. 2; imprimerie, cit. 1; moyen âge, cit. 2). *Assis au quinzième rang.* — Vx. *Au quinzième juin* (→ 1. Pas, cit. 51) : le quinze juin.

N. *Le quinzième de la liste, de la classe.*

N. f. Mus. *Une quinzième :* quinzième degré de l'échelle, ou double octave.

♦ **2.** Qui est contenu quinze fois dans le tout. *La quinzième partie.* — N. m. *Le quinzième. Fournir un quinzième du capital* (1/15).

DÉR. **Quinzièmement.**

QUINZIÈMEMENT [kɛ̃zjɛmmɑ̃] adv. — 1797; de *quinzième*.

♦ En quinzième lieu.

QUINZISTE [kɛ̃zist] n. m. — 1981; de *(rugby à) quinze*.

♦ Sports. Joueur de rugby à quinze. — Adj. Du rugby à quinze, par oppos. à *treiziste*, «du jeu à treize». *«Inspirés par le jeu treiziste, les quinzistes australiens ont su allier l'agressivité des avants à la vitesse des arrières»* (*l'Équipe*, 1er juil. 1981).

QUIPO [kipo], **QUIPOU** [kipu] ou **QUIPU** [kipy; kipu] n. m. — 1714, *quipo*, Frézier; mot quichua, «nœud».

♦ Hist. Faisceau de cordelettes dont la réunion, les couleurs, les combinaisons et les nœuds constituaient un mode de transmission de l'information, chez les Incas du Pérou, qui ignoraient l'écriture.

(...) la civilisation incasique n'a pas connu d'écriture. Tout se passe comme si les «quipou» — faisceaux de cordelettes dont les couleurs et les nœuds étaient dotés de significations conventionnelles — s'étaient développés au point d'étouffer pour ainsi dire le besoin d'une graphie. J. SOUSTELLE, *in* Encycl. Pl., Histoire des littératures, t. I, Littératures anciennes d'Amérique, p. 1506.

REM. Le mot est le plus souvent considéré comme invariable. Certains auteurs font l'accord du pluriel. *Des quipos, des quipous, des quipus.*

QUIPROQUO [kipʀoko] n. m. — 1566; *quid proquo*, 1452; *qui pro quo*, 1482; loc. du lat. médiéval *quid pro quo* «un quid pour un quod», désignant spécialt une erreur en pharmacie.

♦ Erreur qui consiste à prendre une personne, une chose pour une autre; situation qui en résulte. ⇒ **Coq-à-l'âne, malentendu, méprise.** *Une espèce de quiproquo intellectuel* (→ Équivoque, cit. 25). *Utilisation des quiproquo, des quiproquos dans la comédie.*

Mon cher Maître, la vie se passe en quiproquo. Il y a les quiproquo d'amour, les quiproquo d'amitié, les quiproquo de politique, de finance, d'église (...) 1
DIDEROT, Jacques le fataliste, Pl., p. 548.

Et le quiproquo est bien en effet une situation qui présente en même temps deux sens différents, l'un simplement possible, celui que les acteurs lui prêtent, l'autre réel, celui que le public lui donne. Nous apercevons le sens réel de la situation, parce qu'on a eu soin de nous en montrer toutes les faces; mais les acteurs ne connaissent chacun que l'une : de là leur méprise, de là le jugement faux qu'ils portent sur ce qu'on fait autour d'eux comme aussi sur ce qu'ils font eux-mêmes. 2
H. BERGSON, le Rire, II.

J'ai passé toute ma première vie dans des erreurs et des quiproquos, j'ai toujours pris quelqu'un pour un autre. Maintenant je veux prendre quelqu'un pour lui-même (...) 3
P.-J. JOUVE, Choix de textes, «Vagadu», p. 197.

QUIQUETTE [kikɛt] n. f. ⇒ **Quéquette.**

QUIQUI [kiki] n. m. — 1867, *in* Esnault; onomat. de piaillement, de cri aigu, transcrit aussi *kiki*.

Familier.

♦ **1.** Cou (d'abord cou de volaille, puis, 1883, cou humain). ⇒ **Kiki.** *Serrer le quiqui à qqn.* — Loc. *Couper le quiqui à qqn*, l'empêcher de parler (→ Couper le sifflet*).

— En avant, fis-je. Nous ne sommes pas encore arrivés (...) Au bout de vingt-cinq pas, le Boche me dit :
— Vous savez, ne croyez pas, je me suis perdu...
— Ta gueule! fis-je pour lui couper le quiqui.
B. CENDRARS, la Main coupée, Œ. compl., t. X, p. 163.

♦ **2.** (1877, Zola). Vx. Volaille, poulet ou poussin. *«Trembler comme un quiqui»* (Zola, *l'Assommoir*, éd. L. de Poche, p. 376).

QUIRAT [kiʀat] n. m. — XIXe (1875, *in* P. Larousse); de l'arabe *qirât.*

♦ Dr. mar. Part d'un navire en indivision. *« Le nom de tous les propriétaires, avec indication du nombre de leurs parts de quirat, doit figurer sur le fichier tenu par le bureau de douane du port d'attache »* (Loi du 27 oct. 1967, *Dr. mar. comm.*).

DÉR. Quirataire.

QUIRATAIRE [kiʀatɛʀ] n. — 1875; de *quirat.*

♦ Dr. mar. Personne qui possède un quirat.

QUIRITAIRE [kɥiʀitɛʀ] adj. — Mil. XIXe, Proudhon; de *quirite.*

♦ Hist. rom. Relatif au droit civil de la Rome antique.

QUIRITE [kɥiʀit] n. m. — 1732, Trévoux : « dans le dictionnaire de Moreri (première éd., 1674), on a mis ce mot comme s'il était français, pour signifier Romains »; lat. *quiris, -itis.*

♦ Hist. rom. Appellation, en certains cas, du citoyen romain dans sa vie de civil.

César qui apaisa une émeute militaire au Champ de Mars en apostrophant les mutins du nom de *Quirites*, comme qui dirait *Citoyens* ou *Messieurs.*
SAINTE-BEUVE, Nouveaux lundis, 1er nov. 1863.

DÉR. Quiritaire.

QUISCALE [kɥiskal] n. m. — 1808, Boiste; lat. zool. *quiscalus*, probablt mot d'une langue indienne.

♦ Zool. Oiseau passereau dentirostre d'Amérique centrale, dont le plumage noir a des reflets chatoyants.

QUITE [kwite] n. m. — Attesté XXe; mot espagnol, du verbe *quitar* « détourner ».

♦ Taurom. Action par laquelle un torero détourne le taureau, à l'aide de la cape, du cheval qu'il a renversé.

Ayant fourragé dans le ventre du second des chevaux qui l'affronta, le taureau eut l'air d'y voir encore plus mal, peut-être à cause du sang qui lui congestionnait maintenant les yeux, et, dans le quite qui suivit, on s'aperçut qu'il négligeait le leurre, pour charger au contraire une cape qui passait loin de lui.
Joseph PEYRÉ, Sang et Lumières, p. 382.

QUITTANCE [kitɑ̃s] n. f. — XIIe, « fait d'être quitte »; sens mod., XIIIe; de *quitter* (I.) « tenir quitte ».

♦ Dr. et cour. Écrit par lequel un créancier reconnaît avoir reçu paiement de sa créance, atteste que le débiteur a acquitté sa dette. ⇒ **Acquit, décharge, récépissé** (→ Imputation, cit. 5). *Quittance d'acompte. Quittance de loyer. Quittance par devant notaire, sur papier timbré... Timbre* de quittance. Dresser* (cit. 15) *des quittances.* — (Vx). *Donner quittance de qqch. à qqn* (⇒ **Libérer, quittancer**), au fig., le déclarer quitte (→ Hic, cit. 3; opération, cit. 10). — *Avoir, recevoir quittance. « J'ai reçu telle somme de M..., dont quittance »* (Académie).

Trois jours après, le vieillard avait les quittances en règle, les titres et toutes les pièces établissant la libération de Savinien.
BALZAC, Ursule Mirouët, Pl., t. III, p. 370.

Fin. « Titre qui emporte libération, reçu ou décharge » (Capitant). — Anciennt. *Quittance du prix d'un office, d'une charge, d'un titre de noblesse* (cit. 12).

DÉR. Quittancer.

QUITTANCER [kitɑ̃se] v. tr. — Conjug. *lancer.* — 1396, *quitancier*; de *quittance.*

♦ Dr., comptab. Libérer par une quittance. *Quittancer un mémoire, un contrat.*

QUITTE [kit] adj. — 1080, *quite, Chanson de Roland,* « à qui ses péchés sont remis », aussi « quitte (2.) de... », *clamer quite* « renoncer »; « qui a payé ses dettes », v. 1170; lat. jurid. *quietus*, devenu *quitus* au moyen âge, en lat. class. « tranquille ». → Quiet.

♦ **1.** (Surtout avec le verbe *être*). Libéré d'une obligation* juridique, d'une dette... *Rendre qqn quitte.* ⇒ **Acquitter, quitter** (I.). *Reconnaître un débiteur quitte de sa dette.* ⇒ **Quittance.** *Vous en serez quitte pour un million. — Être quitte à qqn* (vx), *envers qqn. Nous sommes quittes.*

1 (...) il voudra bien vous tenir compte de trois ou quatre cents livres, si je vous les dois, et nous serons quittes.
BEAUMARCHAIS, Mémoires... dans l'affaire Goëzman, p. 209.

Dr. Exonéré. *Immeuble quitte de dettes et d'hypothèques. Quitte de tous droits et taxes, quitte et net.* Dispensé (d'une contribution...).

Logé, nourri, chauffé, quitte d'impôts, son cheval et sa basse-cour défrayés, le comte lui permettait encore de cultiver un potager (...) 2
BALZAC, les Paysans, Pl., t. VIII, p. 113.

(Personnes). Déchargé (d'une responsabilité). *Après vérification des comptes, le comptable a été reconnu quitte.* ⇒ **Apurement, décharge, quitus.**

♦ **2.** (Avec quelques verbes : *tenir, considérer, estimer...*). Qui est dégagé, libéré d'une obligation morale, qui a accompli son devoir. ⇒ **Délivré, libre.** *Être quitte « d'un vœu »* (La Fontaine), *d'une promesse. Il ne sera quitte qu'après avoir réparé sa faute.* — Cour. *Être, se croire quitte avec, envers* (qqn ou qqch.). → Dieu, cit. 18; patrie, cit. 3. *Se croire quitte en faisant telle ou telle chose* (→ Discret, cit. 10). *Tenir quitte de...* ⇒ **Dispenser, exempter, quitter** (I., vx); → 1. Feu, cit. 16. *Je ne prétends pas l'en tenir quitte à si bon marché* (→ Ordinaire, cit. 9). *Nous sommes quittes.*

(...) ils se persuadent d'être quittes par là (...) de tous les devoirs de l'amitié (...) 3
LA BRUYÈRE, les Caractères, VIII, 29.

Si vous me rendez tout à fait cette chère créature, je ne croirai pas être quitte en versant tout mon sang pour vous servir. Abbé PRÉVOST, Manon Lescaut, I, p. 110. 4

Par ext. Vx. (Avec un nom de chose) :

Ta gloire est dégagée, et ton devoir est quitte (...) CORNEILLE, le Cid, V, 6. 5

♦ **3. ÊTRE QUITTE (DE)** : être débarrassé (d'une obligation désagréable), sauvé (d'un danger, d'une situation pénible)... *Être quitte « d'un grand souci »* (Corneille), *« des ennuis... »* (Corneille), *« d'une corvée »* (Académie)...

(...) j'ai évité les fatigues bien plus grandes de la vie sédentaire, un métier, la société permanente des imbéciles, l'inimitié des grands, les soucis de la propriété, une maison à conduire, des domestiques à morigéner, une femme à supporter, des enfants à élever. Voilà ce dont je suis quitte; n'est-ce rien? 6
J.-A. DE GOBINEAU, Nouvelles asiatiques, p. 300.

Être quitte de qqch., en être quitte à bon marché, à bas prix, à bon compte (cf. fam. S'en tirer à bon compte). — *En être quitte pour... :* n'avoir à endurer que (un inconvénient minime), relativement au danger, à la peine que l'on évite. — Loc. *En être quitte pour la peur* (→ Cauchemar, cit. 4). *Quitte pour la peur*, pièce de Vigny. — Par ext. Se tirer d'embarras, de difficultés par un moyen quelconque (→ Houppe, cit. 3).

Est-on sot, étourdi, prend-on mal ses mesures : 7
On pense en être quitte en accusant son sort. LA FONTAINE, Fables, V, 11.

Je comptais d'en être quitte pour des reproches ou par quelques mauvais traitements, qu'il me faudrait essuyer de l'autorité paternelle. 8
Abbé PRÉVOST, Manon Lescaut, I, p. 29.

Cependant le vicaire en fut quitte pour la peur, et le mari le mit à terre. 9
DIDEROT, Jacques le fataliste, Pl., p. 684.

La veille nous étions allés au commissariat et j'avais témoigné que la fille avait « manqué » à Raymond. Il en a été quitte pour un avertissement. On n'a pas contrôlé mon affirmation. CAMUS, l'Étranger, I, VI. 10

♦ **4.** Loc. (XVIIe). **QUITTE À...** (suivi le plus souvent d'un infinitif). *« Quitte à être grondé, à perdre sa place »* (Académie) : qui s'en tirera sans autre inconvénient que de..., par ext., au risque de... — Invar. (En loc. adv.). Sauf à..., en se réservant, en admettant le droit, la possibilité de... *Un système qui s'appelle aujourd'hui libéralisme* (cit. 1), *quitte à prendre demain un autre nom* (→ aussi Imitation, cit. 8). *« Quitte à ce que... »* (Zola, *in* Sandfeld).

(...) commençons toujours par en rire, quitte à en pleurer quand il sera temps. 11
A. DE MUSSET, Fantasio, II, 1.

J'aurais été fort embarrassé si j'avais reçu cet ordre. Peut-être me serais-je cru obligé d'y obéir, quitte à donner ma démission, après l'avoir rempli. 12
CHATEAUBRIAND, Mémoires d'outre-tombe, t. V, p. 162.

(...) il apprendra ses leçons le matin, sous prétexte de les repasser, quitte à se lever plus tôt. 13
J. ROMAINS, les Hommes de bonne volonté, t. VI, XXIV, p. 209.

REM. Dans la langue contemporaine, *quitte à* perd souvent sa valeur d'adjectif et peut rester invariable auprès d'un nom pluriel (cf. Flaubert, Dumas Fils, Renard, Benda, Duhamel, etc., *in* Grevisse, § 900). Certains écrivains font toutefois l'accord :

— Mon idée est de rester jusqu'au bout avec les amis, quittes à crever tous ensemble. 14
ZOLA, Germinal, V, VI.

Nous devons nous contenter de ce que la vie réelle nous offre, quittes à la magnifier. 15
Valery LARBAUD, Enfantines, p. 237.

♦ **5.** Loc. invar. (Fin XIVe). Vx. **QUITTE À QUITTE.** *Être, faire quitte à quitte :* ne rien se devoir de part et d'autre, et, par ext., se rendre la pareille (Molière, *le Malade imaginaire,* I, 1). *« (...) demeurons quitte à quitte (...) »* (Corneille, *la Place Royale,* II, 7).

(XIXe; *à quitte* et *à double,* mil. XVe). Mod. **QUITTE OU DOUBLE.** *Jouer à quitte ou double, jouer quitte ou double :* jouer de façon à réparer toutes ses pertes (à être quitte) ou à les doubler (pour l'autre joueur, à annuler son gain ou à le doubler). — Fig. *Jouer quitte ou double :* risquer le tout pour le tout.

— Avant d'arriver au dernier moyen, qui sera de me battre avec ce grand cadavre-là, répondit Maxence, il faut jouer quitte ou double en essayant un grand coup. 16
BALZAC, la Rabouilleuse, Pl., t. III, p. 1062.

N. m. *Un quitte ou double,* nom de jeux (radiophoniques, notamment) où le concurrent peut, à chaque épreuve, annuler son gain ou le doubler.

— Pourquoi avez-vous accepté de jouer au Quitte-ou-Double, alors? 17
(...) Ç'a été une erreur. Mais à ce moment-là, je ne savais pas à quel point ce peut

être dégradant, avilissant, de se servir de son cerveau afin d'amuser un public de cirque. J.-M. G. LE CLÉZIO, la Fièvre, p. 145.

CONTR. Débiteur, obligé.

QUITTER [kite] v. tr. — XIIe, « dispenser de payer, de faire... ; absoudre de ses péchés » ; du lat. médiéval *quitare*, var. de *quietare*, de *quietus*. → Quitte.

★ **I.** Vx. Libérer (qqn d'une obligation matérielle ou morale), tenir quitte*. *Quitter qqn d'une dette.* — REM. Le mot *quittance* vient de ce sens.

Fig. Dispenser (cf. Racine, *Mithridate*, v, 5).

★ **II.** (XVe). Vx (encore chez P.-L. Courier). Laisser (qqch.) à qqn. *Quitter une dette à qqn* (Bossuet, *in* Littré), la lui remettre. *Quitter qqch. à qqn.* ⇒ **Abandonner, céder.** — *Quitter le prix à... :* reconnaître la supériorité de... « *Je me ferai quitter le prix* » (Malherbe, *Ode à la Reine*).

Loc. Vx. *Quitter sa part. N'en pas quitter sa part (à un autre),* ne pas y renoncer (cf. Corneille, La Fontaine, Mme de Sévigné, Voltaire, *in* Littré).

Vieilli. *Quitter la place à... :* laisser seul, se retirer, et, fig., céder devant quelqu'un.

1 Mais depuis que notre jeunesse
Quitte la place à la vieillesse,
Le temps ne la ramène plus. H. DE RACAN, Odes, « Ode bachique », À M. Ménard.

Ellipt. Vx. *Je le quitte :* je m'avoue vaincu. « *Je ne saurais deviner votre énigme, je vous le quitte* » (Furetière).

★ **III.** Abandonner (cit. 6), laisser.

A. (Compl. n. de chose).

♦ **1.** (XVIe). Vieilli ou littér. Renoncer à (qqch.). *Quitter son intérêt* (cit. 5). « *(...) sans quitter l'envie De finir par tes mains ma déplorable vie* » (→ 1. Car, cit. 1, Corneille). *Quitter la proie pour l'image* (cit. 2), *pour l'ombre.* — *Quittez ce souci* (→ Naturel, cit. 24). « *Quittez le long espoir* (cit. 8) *et les vastes pensées* » (La Fontaine). « *Quittez... cette haine farouche* » (cit. 14, Racine). *Quittez cette grimace* (cit. 10). — *Quittez votre air fâché, triste.* ⇒ **Perdre** (I., A., 3.). — Vx. *Quitter une habitude* (→ Discontinuer, cit. 2).

2 Et vous pourrez quitter ce désir de vengeance. MOLIÈRE, le Misanthrope, IV, 2.

3 Mais pour quitter cette entreprise, qui lui avait paru si difficile et si glorieuse, il en fallait quelque autre dont la grandeur pût l'occuper.
Mme DE LA FAYETTE, la Princesse de Clèves, p. 307.

♦ **2.** Mod. Abandonner, laisser (une activité, un genre de vie). — *Quitter son métier* (→ Pelle, cit. 4), *son travail, ses occupations, ses fonctions.* ⇒ **Démettre** (se), **résigner** (v. tr.); **défection** (faire défection). *Quitter le théâtre, les planches* (→ Éprendre, cit. 16). *Quitter les armes :* renoncer au métier des armes. *Je quittais l'étude* (cit. 9) *des lettres. Quitter l'épée pour la plume* (→ Hardiesse, cit. 16), *la médecine pour la politique.* ⇒ **Changer** (de... pour...).

4 (...) la grandeur a besoin d'être quittée pour être sentie (...)
PASCAL, Pensées, VI, 355.

5 Le plus grand malheur des métiers infâmes est qu'on ne gagne rien à les quitter.
ROUSSEAU, les Amours de Mylord Édouard Bomston, *in* Œ. compl., t. II, p. 679.

Quitter le monde, les attachements (cit. 5) *du monde* (pour embrasser la vie religieuse, etc.). — *La vie que j'allais quitter pour toujours* (→ Angélus, cit. 2). *Ce que nous quittons, c'est une partie de nous-même* (→ Entrer, cit. 30). *La tristesse, l'angoisse de tout quitter* (→ Inconnu, cit. 34 et 35).

6 On supporte longtemps une vie pénible et douloureuse avant de se résoudre à la quitter; mais quand une fois l'ennui de vivre l'emporte sur l'horreur de mourir, alors la vie est évidemment un grand mal, et l'on ne peut s'en délivrer trop tôt.
ROUSSEAU, Julie ou la Nouvelle Héloïse, III, XXI.

7 Échappé comme par miracle à un grand danger, il fit vœu de quitter le monde et se retira à la Trappe. NERVAL, les Filles du feu, « Angélique », X.

Loc. *Quitter la partie** (III., 2.), l'abandonner.

Ne pas quitter l'écoute (cit. 2) : rester à l'écoute (d'un poste de radio, du téléphone...). *Ne quittez pas l'écoute...* (→ ci-dessous, IV., 1.).

B. Cour. (Compl. n. de personne).

♦ **1.** Laisser (qqn) en s'éloignant de lui, en prenant congé, en partant. ⇒ **Laisser** (III., 1.), **séparer** (se); **échapper** (s'échapper de..., vx). → Chacun, cit. 1; chance, cit. 4; désirable, cit. 3. *Quitter brusquement qqn* (cf. Brûler la politesse, camper là, planter là, fausser compagnie...). *Une dame de compagnie* (cit. 7) *qui ne la quitte jamais. Ne pas quitter qqn d'un pas, d'une semelle... Sur ce, là-dessus, je vous quitte. Prendre congé, dire adieu à qqn en le quittant.*

(XVIIIe). Par ext. *Ne pas quitter (qqn ou qqch.) de l'œil* (→ Mouvette, cit.), *des yeux* (→ Happer, cit. 2) : avoir les yeux fixés* sur. ⇒ **Regarder.**

(Avec un sujet n. de chose, de partie du corps, etc.). « *Ses bras* (cit. 6), *dans nos adieux, ne pouvaient me quitter* » (Racine).

Spécialt. *Ses yeux quittaient ses livres pour...* (→ For, cit. 2). *Ses yeux ne quittaient pas ceux de la maîtresse* (→ Café, cit. 2).

♦ **2.** Laisser (qqn) pour très longtemps ou pour toujours, rompre les liens qui unissent à qqn... ⇒ **Séparer** (se). *Quitter sa famille* (→ Frasque, cit. 4), *sa femme, ses enfants...* (→ Canarder, cit. 3; centuple, cit. 1, Bible). ⇒ **Abandonner, délaisser,** 1. **lâcher, partir...** « *Un traître, en nous quittant...* » (→ Lâche, cit. 7, Racine). — *Quitter un amant, une maîtresse* (→ Autant, cit. 40; éterniser, cit. 11; flotter, cit. 16; maîtresse, cit. 65). « *Je l'aime, je le fuis* (cit. 24), *Titus m'aime, il me quitte* » (Racine).

Pourtant il ne m'a pas « quittée », vraiment quittée, au sens où on l'entend en amour. Que j'essaye un peu de supposer cela : la lettre sur la table; la rupture; l'abandon définitif. J. ROMAINS, Quand le navire..., VII. 8

♦ **3.** (1642; sujet n. de chose : vie, état, pensée, sentiment...). Laisser (qqn); cesser d'habiter, d'occuper, d'affecter... *La vie l'a quitté :* il est mort. *La maladie ne le quitte plus. Une névralgie* (cit.) *qui ne la quittait pas. Cette pensée ne le quittait pas* (→ Angoisse, cit. 11). *Un désir qui ne nous quitte jamais* (→ Heureux, cit. 35; et aussi appréhension, cit. 8; croyance, cit. 11; matérialiser, cit. 3). — Allus. littér. « *Honteux attachements* (cit. 1) *Que ne me quittez-vous, quand je vous ai quittés ?* » (Corneille).

Quand les vices nous quittent, nous nous flattons de la créance que c'est nous qui les quittons. LA ROCHEFOUCAULD, Maximes, 192. 9

Quelques instants encore et sa résolution, en l'abandonnant comme le sommeil quitte le somnambule, la laisserait innocente et épuisée. 10
COLETTE, la Chatte, p. 145.

Par ext. (Le sujet désigne une chose concrète) :

Elle avait posé contre sa chaise la canne qui ne la quittait jamais. 11
ZOLA, la Terre, I, V.

C. (Compl. n. de chose : lieu, vêtements...).

♦ **1.** (1559). Laisser (un lieu), s'en éloigner, cesser d'y être. ⇒ **Absenter** (s'), **aller** (s'en), **partir.** *Quitter un lieu pour un autre.* ⇒ **Changer, passer** (III.). *Quitter les lieux* (1. Lieu, cit. 14 et 17). ⇒ **Évacuer, vider** (fam.); → Faire place nette*. — *Quitter un lieu où l'on devrait rester.* ⇒ **Déserter.** *Quitter une ville* (→ Arracher, cit. 22; étranger, cit. 21; habitation, cit. 1). *Quitter pour toujours son village* (→ Dot, cit. 6). *Le foyer que l'on quitte pour jamais* (cit. 18). Cf. Secouer la poussière de ses sandales, de ses souliers. — *Quitter la maison* (→ Assez, cit. 11; domicile, cit. 3). *Quitter une demeure et y revenir tous les ans* (→ Désirer, cit. 5). *Quitter son pays.* ⇒ **Émigrer, expatrier** (s'; cit. 4), **fuir.** *Quitter son appartement, son logement.* ⇒ **Déloger, déménager.** — Par ext. *J'ai quitté le lycée à treize ans,* les études (cit. 24).

Les riches quittent leur bien, les enfants quittent la maison délicate de leurs pères pour aller dans l'austérité d'un désert, etc. PASCAL, Pensées, XI, 724. 12

Ma journée est faite; je quitte l'Europe. L'air marin brûlera mes poumons; les climats perdus me tanneront. RIMBAUD, Une saison en enfer, « Mauvais sang ». 13

Sortir de... *Quitter une pièce, une maison* (→ Nourrir, cit. 20). *Quitter son bureau* (→ Flâne, cit. 2). *Le médecin lui interdit de quitter la chambre, le lit,* de sortir, de se lever. — *Quitter une place, sa place, son siège. Quitter la table* (→ Expédier, cit. 7; invoquer, cit. 9). — *Quitter le bord*, le navire.* — *Animaux qui quittent leur gîte* (cit. 7). — Loc. vieillie. *Quitter la place** (cit. 10). ⇒ **Déguerpir, lever** (le siège). *Sans quitter la place :* sans désemparer*. — « *Elle quittait ses bras pour tomber à ses pieds* » (→ Esclave, cit. 15, Stendhal). — *Sa main quitta son front.*

Quitter la main de qqn, cesser de la tenir.

Je lui donnai la main pour entrer dans le bateau; et, en m'asseyant à côté d'elle, je ne songeai plus à quitter sa main. 14
ROUSSEAU, Julie ou la Nouvelle Héloïse, IV, XVII.

Cependant nous ne pouvions pas rester ainsi (...) Nous avions besoin de nos mains pour dîner (...) Celle de Mlle Alberte quitta donc la mienne; mais au moment où elle la quitta, son pied, aussi expressif que sa main, s'appuya avec le même aplomb (...) BARBEY D'AUREVILLY, les Diaboliques, « Le rideau cramoisi ». 15

Par métaphore. *Quitter la terre* (→ Athée, cit. 9; hypothéquer, cit. 4), *le monde* (→ Prendre, cit. 5), *la vie* (→ Éclat, cit. 38). ⇒ **Disparaître, mourir.**

Du matin au soir ils disent du mal de la vie, et ils ne peuvent se résoudre à la quitter! DIDEROT, Jacques le fataliste, Pl., p. 664. 16

Quitter un chemin, une route, la voie..., s'en écarter. — Spécialt (autom.). *Quitter la route* (dans une course, sortir de la route par suite d'une faute de conduite). → Aller dans le décor*. — Par métaphore. *Quitter le sentier de la vertu, la voie du devoir... — Quitter les rangs.* ⇒ **Rompre.**

(Sujet n. de chose). *La voiture quitta la route,* alla au fossé. — *Navire qui quitte le port.* ⇒ **Démarrer.** *Avion qui quitte le sol.* ⇒ **Décoller.** — *Ses pieds ne quittaient pas le sol* (→ Bostonner, cit.).

À cet endroit, le chemin quittait le bord du plateau. ZOLA, la Terre, I, I. 17

Par ext. (Choses). Cesser d'être en un lieu. *Tous les fruits qui ont quitté le verger pour l'armoire* (→ Odeur, cit. 2). — *Les couleurs quittent ses joues* (→ Livide, cit. 2). *Un sourire de bienveillance ne quittait pas ses lèvres.*

♦ **2.** (1559). Enlever (ce que l'on a, ce que l'on porte sur soi). ⇒ **Débarrasser** (se), **défaire, dépouiller** (I., 2. et II.), **enlever, ôter.** *Quitter un vêtement, son pardessus* (→ Avant, cit. 20). *Il ne quit-*

tait plus ses gants, son chapeau. Quitter ses vêtements. ⇒ **Déshabiller** (se).

18 (...) le moujik est fidèle à sa touloupe comme l'Arabe à son burnous; une fois endossée, il ne la quitte plus : c'est sa tente et son lit; il l'habite nuit et jour, dort avec elle dans tous les coins, sur tous les bancs, sur tous les poêles.
Th. GAUTIER, Voyage en Russie, VI.

19 Elle quittait ses vêtements de la journée avec une liberté jeune, écartée de la pudeur et de l'impudeur, avec une hâte vers la nudité et l'eau qui divertit Chéri.
COLETTE, la Fin de Chéri, p. 161.

20 Pas de différence morale entre l'Angiola et moi, qui n'ai jamais, dans tous mes désordres, quitté mon scapulaire.
Valery LARBAUD, A.O. Barnabooth, Journal, 21 juin.

Par ext. *Elle prit le grand deuil* (cit. 6) *et ne le quitta jamais. Quitter l'habit* (cit. 19) *religieux. Quitter un masque* (cit. 16), *le masque* (fig.).

21 Ce n'était pas assez de porter chez eux le joug des prêtres, il fallait, chose intolérable aux barbares, que, quittant le costume, les mœurs, la langue de leurs pères, ils allassent se perdre dans les bataillons des Francs, leurs ennemis, vainquissent, mourussent pour eux.
MICHELET, Hist. de France, II, II.

♦ **3.** Vieilli. Cesser de tenir ou de se tenir à... « *Quitter sa proie* » (Littré). *Quitter les étriers. Quitter les armes.* ⇒ 1. **Poser** (I., 7.); → 2. Garde, cit. 6. — Loc. *Quitter prise.* ⇒ 1. **Lâcher** (→ Employer, cit. 8).

★ **IV.** V. intr. ♦ **1.** Vx. S'en aller, partir. « *Faut-il quitter impoliment* (cit.) *sans lui rien dire?* » (Rousseau). — Se séparer (en parlant d'un homme et d'une femme). — Cesser un travail, une occupation.

22 (...) il faut absolument que tous ceux qui ont travaillé avec vous quittent avec vous.
VOLTAIRE, Lettre à d'Alembert, 5 févr. 1758.

(Au téléphone). Quitter l'écoute. *Ne quittez pas, on vous parle de Lyon.* (→ ci-dessus, III., A., 2.).

♦ **2.** Vieilli ou régional. *Quitter de qqn.*

▶ **SE QUITTER** v. pron.

(Récipr.). Se séparer l'un de l'autre, les uns des autres (→ Fortuitement, cit. 1; frère, cit. 6; grelot, cit. 3; monde, cit. 40). *Ils se sont quittés bons amis.*

23 (...) la femme avec qui on se montre le plus indifférent sent tout de même obscurément qu'en se fatiguant d'elle, en vertu d'une même habitude, on s'est attaché de plus en plus à elle, et elle songe que l'un des éléments les plus essentiels pour se quitter bien est de partir en prévenant l'autre.
PROUST, À la recherche du temps perdu, t. XIII, p. 15.

(Sens passif). *Il n'est si bonne compagnie* qui ne se quitte* (→ Congé, cit. 3).

▶ **QUITTÉ, ÉE** p. p. adj. *Une maîtresse quittée,* abandonnée (→ Nostalgie, cit. 4). — *Les lieux définitivement quittés.* — Loc. prép. Littér., rare. **AU QUITTÉ** (ou **AU QUITTER**) **DE** : au sortir de.

24 Au quitter de Strasbourg en flamme, dans la traversée des Vosges, ils ont subi les attaques nombreuses des francs-tireurs et des mobiles (...)
M. BARRÈS, la Colline inspirée, XVII.

25 Quand, au quitté de ma rhétorique, je commençai de sortir et de fréquenter quelques salons (...)
GIDE, Journal, 29 janv. 1943.

CONTR. (Du III.) **Avoir, garder, maintenir, tenir. — Continuer, reprendre. — Approcher, chasser, poursuivre. — Fréquenter. — Rester, revenir, venir. — Accoster, atteindre, gagner. — Arriver, établir** (s').
DÉR. (Du I.) **Quittance.**

QUITUS [kitys] n. m. — 1421; lat. médiéval *quitus,* d'après *quite, quitte.*

♦ Comm., dr. Acte par lequel le responsable de la gestion d'une affaire est reconnu s'en être acquitté de manière à être déchargé de toute responsabilité. ⇒ **Décharge;** et aussi **acquit, quittance.** *Donner quitus à un caissier, à un administrateur, à un gérant. Arrêt de quitus. Quitus donné à un comptable après apurement, vérification de ses comptes*.*

Tous ces gens ont une façon de dire « je te pardonne » qui équivaut à dire « je t'accuse ». Eh bien! tant pis! La seule chose qui m'importe, c'est d'être quitte, d'obtenir un quitus, d'avoir dans mes archives, ce que le comptable appelle « une pièce de caisse ».
G. DUHAMEL, Cri des profondeurs, XII.

QUI-VA-LÀ ou QUI VA LÀ [kivala] loc. interj. — D. i.; de *qui, va* (du v. *aller*), et *là.*

♦ Injonction à décliner son identité, usitée normalement par les gardes, les sentinelles, etc. (cf. Halte là! Qui vive?). — REM. L'orthographe *qui-va-là,* avec les traits d'union, est celle de Littré et de l'Académie.

QUI-VIVE [kiviv] loc. interj. et n. m. invar. — 1419; probablt de la loc. *homme qui vive* « qui que ce soit, quelqu'un », XIe; cf. *Il n'y a âme qui vive* « il n'y a personne ».

♦ **1.** Interj. Cri par lequel une sentinelle, une patrouille... interroge ceux qui passent sur leur identité (→ 1. Feu, cit. 51; 1. garde, cit. 82). *Halte-là, qui-vive?* ⇒ **Halte.**

1 En ce moment, par une amère dérision, huit grosses voix crièrent *qui-vive!* et huit coups de fusil partirent aussitôt.
BALZAC, les Chouans, Pl., t. VII, p. 1019.

N. m. Le cri de *qui-vive.* « *Je restais là, l'arme haute, et le qui-vive! aux dents* » (→ 1. Garde, cit. 18).

Fig. *Un état de qui-vive perpétuel* (→ Détendre, cit. 12).

♦ **2.** Loc. adv. (1662). **SUR LE QUI-VIVE** : sur ses gardes* et comme dans l'attente d'une attaque. *Être, se tenir sur le qui-vive* (→ Malveillance, cit. 1; mobilité, cit. 2).

À l'instant de nombreux *qui-vive* retentirent, de sentinelle en sentinelle, depuis le 2
château jusqu'à la porte Saint-Léonard (...)
BALZAC, les Chouans, Pl., t. VII, p. 933.

Mazarin, qui ne peut faire de madame de Motteville, auprès de la reine, la 3
créature à lui qu'il aurait voulue, la chicane, l'inquiète quelquefois, la tient sur le « *qui-vive?* ».
SAINTE-BEUVE, Causeries du lundi, 1er déc. 1851.

(...) nous étions toujours sur le qui-vive et prêts à nous cacher dans les taillis à la 4
première alerte, car certains jours les surveillants faisaient du zèle et nous donnaient la chasse.
Valery LARBAUD, Fermina Marquez, III.

QUIZ [kwiz] n. m. — 1959, *in* Gilbert; mot anglo-amér., *quiz game* « jeu », de *game,* « jeu » et *quiz,* de *to quiz* « questionner, interroger ».

♦ Anglic. Jeu par questions et réponses. « *Les "quiz" télévisés* » (*l'Express,* 19 déc. 1977, p. 110). — REM. *Jeu* ou *concours* (ou *jeu-concours*) suffisent amplement à la désignation de ces jeux.

QUMQUAT [kumkwat; kɔmkwat] n. m. ⇒ **Kumquat.**

QUOAILLER [kɔaje] v. intr. — 1762; *coailler,* 1690; de 1. *queue.*

♦ **1.** (En parlant d'un chien de chasse). Quêter la queue haute. — REM. On écrit plutôt *coailler,* dans ce sens.

♦ **2.** (En parlant d'un cheval). Remuer continuellement la queue.

QUÔC-NGU [kwɔkngy] n. m. — 1948; mots vietnamiens, « langue nationale ».

♦ Didact. Translittération du vietnamien en caractères latins. *Le quôc ngu* (écrit *quôc-ngũ* ou — Meillet et Cohen — *quô'c-ngũ*) *est la seule écriture officielle du Viêt-nam.*

QUODLIBET [kwɔdlibɛt] n. m. ⇒ **Quolibet** (2.).

QUOI [kwa] pron. rel. et interrog. — XIIe; *quei,* 1080; forme tonique issue du lat. *quid.* → 1. Que.

★ **I.** Pronom relatif des deux nombres (désigne presque toujours une chose).

A. Régi par une préposition et suivi d'un verbe à un mode personnel.

♦ **1.** Vieilli ou littér. *Quoi* (avec un antécédent exactement déterminé). — REM. Cet usage était courant dans la langue classique, surtout après un nom abstrait. « *Ce n'est pas le bonheur après* (cit. 50) *quoi je soupire* » (Molière); l'antécédent pouvait même être un pluriel ou un féminin. « *Une lettre qui est plus plate que la feuille* (cit. 6) *de papier sur quoi elle est écrite* » (Mme de Sévigné). Cette liberté a été reprise par la langue littéraire pour éviter *lequel,* jugé trop lourd :

Il préférait, lui si franc, si ouvert, les louvoiements sournois à quoi cette fausse 1
situation l'obligeait. GIDE, Si le grain ne meurt, I, IX, *in* Souvenirs, Pl., p. 511.

(...) la bouteille d'amer qu'on avait débouchée pour nous la veille et à quoi nous 2
avions à peine touché, était à moitié vide (...)
GIDE, Voyage au Congo, 10 déc. 1925.

(...) prêt aussi à démonter pièce à pièce les piteux mécanismes grâce à quoi gloire 3
et succès s'obtiennent le plus souvent (...)
J. ROMAINS, les Hommes de bonne volonté, t. VIII, XII, p. 145.

♦ **2.** (Avec pour antécédent un mot de sens vague, tel que *chose, point, rien,* etc. ou un mot de sens précis mais dans une phrase à la forme négative). *L'éducation des enfants est une chose à quoi il faut s'attacher* (cit. 71, Molière) *fortement. Il n'y a rien de quoi il s'étonne.* ⇒ **Dont** (*supra* cit. 25).

— N'y a-t-il rien à quoi nous puissions nous occuper ensemble? 4
GIDE, la Porte étroite, VII.

(...) il n'était pas de sacrifice à quoi tu n'aurais consenti (...) 5
F. MAURIAC, le Nœud de vipères, VII.

♦ **3.** (Avec pour antécédent un mot déterminé, mais auquel on veut conférer une certaine indétermination). « *La mort seule, à quoi les athées veulent tout réduire, a besoin qu'on écrive en faveur de ses droits; car elle a peu de réalité pour l'homme* » : la mort, *chose à laquelle...* (Chateaubriand, *le Génie du christianisme,* t. I, V, 1).

♦ **4.** (Avec *ce* pour antécédent). *L'impossibilité de réussir à autre chose que ce pour quoi l'on a été créé* (→ Forfaire, cit. 2). *Ainsi l'on m'avait appris à réciter à peu près décemment les vers, ce à quoi déjà m'invitait* (cit. 14) *un goût naturel.* — REM. Après *voici, voilà, c'est,* le démonstratif *ce* est généralement omis. « *Voilà exactement en quoi la définition de Littré ne me semble pas exacte* » (→ Observation, cit. 5). *C'est de quoi je ne doute pas* (→ Immatériel, cit. 3).

(...) comme un peintre qui ne peut obtenir que de courtes séances de pose, pré- 6

pare sa palette, et a fait d'avance de souvenir, d'après ses notes, tout ce pour quoi il pouvait à la rigueur se passer de la présence du modèle.
PROUST, À la recherche du temps perdu, t. I, p. 43.

7 Ce pour quoi l'on se sent vocation paraît beau. GIDE, Journal, 4 févr. 1902.

8 Voilà donc à quoi me sert la médecine.
G. DUHAMEL, les Plaisirs et les Jeux, V, I.

♦ **5.** (Introduit par une préposition et se rapportant à l'idée contenue dans une proposition antérieure). *À quoi* (→ 1. Frais, cit. 34). *Après quoi* (→ Liasse, cit. 2; libelle, cit. 1). *Au lieu de quoi* (→ Filière, cit. 2). *Devant quoi* (→ Perdre, cit. 63). *En quoi* (→ Noce, cit. 3). *Faute de quoi. Moyennant* (cit. 1) *quoi. Sans quoi.* ⇒ **Autrement, sinon** (→ 1. Manger, cit. 12; nord, cit. 3; peinture, cit. 9). *Sur quoi* (→ Pièce, cit. 13). — REM. Ce genre de relative peut facilement se détacher de la phrase qui précède et en être séparée par un point ou un point-virgule.

9 Il fallut d'abord payer cette amende; après quoi il fut permis à Zadig de plaider sa cause (...) VOLTAIRE, Zadig, III.

10 — Son oncle a dix ou douze ans de service dans ce salon, sans quoi je le ferais chasser à l'instant. STENDHAL, le Rouge et le Noir, II, XXXII.

11 Sa merveilleuse intelligence *(de Valéry)*, sans rien d'inhumain toutefois, se doit des rigueurs exclusives. Auprès de quoi, je me parais patauger dans l'à-peu-près.
GIDE, Journal, 5 mai 1942.

12 Faute de quoi, je me laisse attirer par la spécieuse aristocratie du silence.
J. ROMAINS, les Hommes de bonne volonté, t. VIII, XII, p. 157.

COMME QUOI. [a] Vx. Comment.

[b] Fam. Ce qui prouve bien que... *Il a été vite enlevé, comme quoi nous sommes peu de chose sur la terre.*

[c] *Comme quoi* (simple outil de subordination). *On lui a fait un certificat comme quoi...* ⇒ aussi **Comme** (*infra* cit. 33).

13 La locution *comme quoi*, signalée en 1647 par Vaugelas comme nouvelle et «ayant souvent bonne grâce», a le sens de *comment* : «Elle décrivait dans l'espace *comme quoi* c'était impossible que l'on m'emmenât» (BOYL., Enf. balustr., I, 3). Elle peut d'ailleurs n'être qu'un simple outil de subordination : «Dieu voulut qu'il y vit *comme quoi* le sultan Envoyait touts les jours une sultane en terre» (MUSS., Namouna).
G. et R. LE BIDOIS, Syntaxe du franç. moderne, § 1749.

♦ **6.** Vx. (Avec pour antécédent un nom de personne). *«La femme de quoi l'on fait des contes par la ville».* — REM. Cet usage, abandonné à partir du premier tiers du XVIIe siècle, a été repris parfois dans la langue littéraire moderne. *«Un extraordinaire gentilhomme provincial auprès de quoi ceux de Barbey d'Aurevilly n'étaient rien»* (Proust, *À la recherche du temps perdu*, t. II, p. 200).

B. Relatif, suivi d'un infinitif, généralement pour exprimer la possibilité ou la conséquence (après des verbes comme *avoir, trouver, chercher*...). *Il ne trouvait rien sur quoi s'appuyer*, aucune chose telle qu'il pût s'y appuyer.

14 Les autres, soulevés de terre, ne trouvant rien à quoi s'accrocher, lançaient des coups de pieds furieux (...) M. GENEVOIX, Raboliot, III, VI.

15 (...) elle, qui parlait si peu avec son mari, trouvait mille sujets sur quoi interroger son beau-père. F. MAURIAC, Destins, III.

DE QUOI (après *voici, voilà, il y a*, etc., signifiant «ce qui est nécessaire ou suffisant pour...»). *Voilà de quoi vous attirer beaucoup de lecteurs* (cit. 4) *et beaucoup d'ennemis. Cinquante francs d'amende par exemplaire* (→ 2. Exemplaire, cit. 4) *saisi, c'est de quoi faire reculer les plus intrépides. Il n'y a pas de quoi fouetter un chat* (cit. 14). *Il n'y avait vraiment pas de quoi rire.* ⇒ **Matière, motif, raison, sujet** (→ Nature, cit. 21).

16 — Elle est morte (...) Ris bien, grand nigaud; il y a, en effet, de quoi rire (...)
DIDEROT, Jacques le fataliste, Pl., p. 589.

17 — Calmons-nous, les momignards. Voici de quoi souper pour trois. Et il tira d'une de ses poches un sou. HUGO, les Misérables, IV, VI, II.

Ellipt. (Dans une formule de politesse). *«Je vous remercie beaucoup. — Il n'y a pas de quoi»*, et, fam., *«pas de quoi».*

(Après un verbe personnel). *Ils demandaient aux passants de quoi pouvoir soulager leur misère* (cit. 9). *Il fallait bien qu'elle gardât* (cit. 30) *de quoi vivre. Elle n'a pas de quoi s'occuper* (→ Fainéantise, cit. 1). *Avoir de quoi vivre.*

18 Tout à coup la mère Plutarque tomba malade. Il est une chose plus triste que de n'avoir pas de quoi acheter du pain chez le boulanger, c'est de n'avoir pas de quoi acheter des drogues chez l'apothicaire. HUGO, les Misérables, IV, IX, III.

19 (...) vous savez, vous avez de quoi vous amuser si vous voulez regarder cela (...)
PROUST, À la recherche du temps perdu, t. I, p. 280.

Ellipt., fam. *Avoir de quoi* : avoir de l'argent, de la fortune. *Il a de quoi* : il peut se le permettre.

20 Il est honnête (...) il a donc de quoi? Émile AUGIER, les Effrontés, III, 8.

C. Associé avec *que* et marquant une concession indéterminée. *Quoi qu'il advînt* (→ Aussitôt, cit. 7). *Quoi qu'il arrive* : quelque chose qu'il arrive. ⇒ **Cas** (en tout cas); → Indifférence, cit. 2. — REM. Il ne faut pas confondre ce *quoi que*, pron. relatif indéfini, avec la conjonction *quoique**, qui en est issue.

Loc. **QUOI QU'IL EN SOIT** (→ En tout état de cause*, de toute façon*, n'importe comment*; et aussi caractère, cit. 13; morigéner, cit. 5; 2. parer, cit. 2), «formule d'indétermination très usitée; elle énonce une concession provisoire, ou plus exactement, elle marque, chez le sujet parlant, une indifférence (réelle ou simulée) quant à la vérité de quelque chose qui vient d'être dit» (G. et R. Le Bidois, *Syntaxe du franç. mod.*, § 603).

QUOI QUE CE SOIT, locution exprimant l'indétermination au plus haut degré. ⇒ 2. **Importer** (2.; *n'importe quoi*), **rien.** — REM. Cette locution, comme un nom véritable, peut dépendre d'une préposition (*«Au delà de tout ce qui ressemble À la forme de quoi que ce soit»*, Hugo, *la Légende des siècles*, «Trompette du Jugement») ou recevoir un complément qui la détermine (*«Cacher à M. de Rênal quoi que ce soit de relatif à mon argent»*, Stendhal, *le Rouge et le Noir*, VII); dans ce dernier cas elle peut même servir d'antécédent à un relatif (*Il n'a jamais fait un livre ou quoi que ce fût qui y ressemblât;* → Pion, cit. 2). — *Quoi que ce soit que...*

Quoi que ce soit que l'on fasse, ne point se demander si l'on a eu raison ou non de le faire (...) GIDE, Journal, 24 janv. 1929. 21

(...) je ne parvins plus à faire correctement quoi que ce fût de mon programme. 22
G. DUHAMEL, Salavin, I, VII.

QUOI QUE (employé en fonction de complément direct) → Auteur, cit. 31; maître, cit. 36. *«Jamais un lourdaud, quoi qu'il fasse, Ne saurait passer* (cit. 78) *pour galant»* (La Fontaine). ⇒ **Beau** (*supra* cit. 79 : *avoir beau faire*). — *Quoi qu'on dise*, ou, vx, *quoi qu'on die.* ⇒ 1. **Dire** (cit. 78 et 79).

Quel que soit le dédain du koran pour le psaume, 23
Et quoi que Jéhovah tente après Jupiter,
Quoi que fasse Jean Huss accouchant de Luther,
Quoi qu'affirme l'autel, quoi que chante le prêtre,
Jamais le dernier mot, le grand mot, ne veut être
Dit, dans cette ombre énorme où le ciel se défend,
Par la religion, toujours en mal d'enfant. HUGO, la Légende des siècles, XLII.

Quoi que je dise ou fasse, toujours une partie de moi reste en arrière, qui regarde l'autre se compromettre (...) GIDE, les Faux-monnayeurs, III, XVI. 24

REM. *Quoi que* s'est employé dans la langue classique en parlant d'une personne. *«On vous obéira, quoi qu'il vous plaise élire»* (Corneille, *Dom Sanche*, I, 2).

Vx. **QUOI QUE... DE...** : quelque quantité de... que... *«Et, quoi que mon amour dit sur moi de pouvoir, Je ne consulte pas pour suivre mon devoir»* (Corneille, *le Cid*, III, 3).

Littér. **QUOI QUE J'EN AIE, QU'IL EN AIT...** (croisement de *malgré que j'en aie* avec des tours tels que *quoi que j'en dise, quoi que je fasse*, etc.). — REM. Cette expression, condamnée par les puristes, est employée par beaucoup d'écrivains (cf. Grevisse, *le Bon Usage*, § 978, N. B. 2., b, qui cite Barrès, Colette, E. Henriot, M. Bedel, E. Jaloux, Genevoix...).

Mais il y a *(pour les esprits trop perçants)* une autre manière bien autrement vraie de saisir les gens et les personnages en scène, de les fouiller et de les sonder quoi qu'il en aient (...) SAINTE-BEUVE, Causeries du lundi, 13 janv. 1851. 25

Jallez, quoi qu'il en eût, avait été flatté par les attentions de Paul Fort. 26
J. ROMAINS, les Hommes de bonne volonté, t. IV, XXII, p. 241.

QUOI QUE (employé avec une préposition). *Sur quoi que l'on se fonde* (→ Fuir, cit. 29). *«À quoi que sa vertu puisse le disposer, Il est puissant, il m'aime, il vient pour m'épouser»* (Corneille, *Polyeucte*, II, 3).

★ **II.** Pronom interrogatif (ne s'emploie qu'en parlant des choses).

A. Dans l'interrogation indirecte.

♦ **1.** (Précédé d'une préposition et introduisant une proposition interrogative à un mode personnel). *Je me demande en quoi la «destinée» de l'homme m'intéresse* (→ 1. Penser, cit. 64).

(...) mais sait-on jamais à quoi rêvent les jeunes filles? 27
Alphonse DAUDET, Tartarin sur les Alpes, VI.

♦ **2.** (Précédé ou non d'une préposition et introduisant une proposition interrogative à l'infinitif).

[a] (En fonction de complément direct). *Il ne sait quoi faire.* ⇒ aussi 2. **Que** (*supra* cit. 30, REM. 1 et 2).

Mais, aujourd'hui, je ne sais plus que dire, et, ce qui est plus grave, je ne sais quoi penser. MARTIN DU GARD, les Thibault, t. I, p. 140. 28

[b] (En fonction de complément indirect). *Je saurai à quoi m'en tenir* (→ Peut-être, cit. 13). *Ils ne savaient à quoi employer leur vie* (→ Désœuvrer, cit. 2).

♦ **3.** Ellipt. **JE NE SAIS QUOI.** ⇒ **Savoir.**

♦ **4.** **N'IMPORTE QUOI.** ⇒ 2. **Importer** (cit. 27 et *infra*).

B. Dans une interrogation directe.

♦ **1.** (Avec une préposition). *À quoi pensez-vous?* (→ Formuler, cit. 10). *De quoi parliez-vous?* (→ 2. Marche, cit. 11). *À quoi sert-il d'être libre de parler et d'écrire si l'on n'a rien de vrai et de neuf* (→ 2. Neuf, cit. 7) *à dire? Pour quoi.* ⇒ aussi **Pourquoi.** *Vers quoi s'achemine la musique?* (cit. 17). — Fam. *Et dans quoi est-ce que cet argent* (cit. 21) *était? Dans quoi qu'il est? Ça sert à quoi?*

Oh! demain c'est la grande chose! 29
De quoi demain sera-t-il fait? HUGO, les Chants du crépuscule, V, II.

(Employé à la fin d'une phrase). *Il y voit un Jacques éteint, soumis, apathique, brisé* (cit. 33), *mais par quoi? Et tu le juges, ce pauvre monde pourri, du haut* (cit. 68) *de quoi?*

Ellipt. **À QUOI BON.** ⇒ 1. **Bon** (cit. 99 à 101.2; et *supra*).

♦ **2.** (En fonction de sujet). — REM. *Quoi* n'est guère employé comme sujet, dans une proposition complète, que lorsqu'il est séparé du verbe (surtout par *donc*) ou lorsqu'il est coordonné à *qui*. *«Quoi donc était hier ce qu'il sera demain?»* (Lamartine, *Jocelyn*, 2e époque, v. 242). *«Quoi, dans la vie, lui donnait le droit de parler ainsi?»* (Daniel-Rops, *Mort, où est ta victoire?*, II, 2, 4, p. 372).

♦ **3. QUOI DE...** (suivi d'un adjectif, avec ellipse du verbe). *Quoi de neuf?* (→ 2. Neuf, cit. 18) : qu'y a-t-il de neuf? *Quoi de plus limpide* (cit. 7) *que les préceptes de La Fontaine? Se libérer* (cit. 6) *d'une souffrance, quoi de plus naturel?* — (En emploi exclamatif). *Quoi de plus lugubre que le masque?* (→ 1. Masque, cit. 5).

30 Quoi de plus fatigant que cette manie de certains littérateurs, qui ne peuvent voir un objet sans penser aussitôt à un autre. GIDE, Journal, 20 août 1926.

♦ **4.** (En fonction de complément direct). Dans une phrase elliptique, surtout après un infinitif. *Devinez quoi?* — Fam. *En quoi faisant?*

31 Quoi faire? Car il fallait périr de misère, ou faire quelque chose.
DIDEROT, le Neveu de Rameau, Pl., p. 498.

32 Regretter quoi?... Je vous le demande? La jeunesse?... On n'en a pas eu nous autres de jeunesse! CÉLINE, Voyage au bout de la nuit, p. 343.

Fam. (Antéposé). *Quoi c'est que..., quoi que... «Quoi c'est qu'on bouffe?»* (Benjamin, *Gaspard*, I, p. 15). *«Quoi que vous voulez qu'on fasse avec ça?»* (Vercel, *la Clandestine*, p. 209).

C. Emplois elliptiques.

♦ **1.** (Employé dans un dialogue pour demander à l'interlocuteur d'achever une phrase qu'on juge incomplète). *«Quelle saleté!... — Quoi? — Ça! dit-elle en désignant sa tasse de café»* (→ Infect, cit. 5). *«Et autrement, vous savez la nouvelle, au moins? — Et autrement, quoi donc?»* (→ Moins, cit. 16). — Fam. *Quoi* servant à faire répéter une phrase ou un mot qu'on a mal compris. ⇒ **Comment** (*infra* cit. 1). — REM. Cet emploi au sens de *pardon?* ou *plaît-il?* est considéré comme peu poli. *«Tu viens? — Quoi? — Je te demande si tu viens».*

33 Qu'est-ce là? lui dit-il. — Rien. — Quoi rien? — Peu de chose.
LA FONTAINE, Fables, I, 5.

34 — Louise? Mme Roland entr'ouvrit la porte et répondit : — Quoi? mon ami.
MAUPASSANT, Pierre et Jean, VIII.

35 — Bah! ce n'est pas la première fois. — Que quoi? — Que je suis en retard, dit-elle, vexée de la question.
R. ROLLAND, Jean-Christophe, L'adolescent, III, p. 331.

Pop. **DE QUOI?**, formule interrogative (souvent répétée), s'emploie avec une nuance de menace, de défi, etc.

36 — Tu ferais mieux de dormir à cette heure-ci. — De quoi? — observa le jeune homme avec cet accent des voyous parisiens qui semble un râle (...)
NERVAL, les Nuits d'octobre, X.

Fam., ellipt. **QUOI** (formant le deuxième membre d'une interrogation double). *Tu l'as vu, ou quoi? Alors il se décide, ou quoi?* (cf. Oui ou non).

36.1 Non mais sans blague, elle est devenue dingue, ou quoi? Je vais quand même pas canoter en plein jour. Elle est folle à lier.
É. AJAR (R. GARY), l'Angoisse du roi Salomon, p. 273.

♦ **2.** (Employé comme interjection pour marquer l'étonnement, l'indignation, etc.). ⇒ **Comment, et** (*supra* cit. 32). *«Quoi! mortes! quoi déjà, sous la pierre couchées! Quoi! tant d'êtres charmants sans regards et sans voix!»* (→ Fleur, cit. 17, Hugo). *«Quoi! passés pour jamais? quoi! tout entiers perdus?»* (cit. 62, Lamartine). — REM. Dans cet emploi, *quoi* était généralement suivi autrefois d'un point d'interrogation : *«Quoi? vous avez le front* (cit. 22) *de trouver cela beau?»* (Molière). *«Quoi? Madame, un barbare osera m'insulter?»* (cit. 1, Racine).

37 — Quelle duperie! répondit-il. Quoi! faire des cadeaux à un homme dont nous sommes parfaitement contents, et qui nous sert bien?
STENDHAL, le Rouge et le Noir, I, VII.

38 L'Europe en rougissant dit : — «Quoi! j'avais des rois!»
Et l'Amérique dit : — «Quoi! j'avais des esclaves!»
HUGO, les Châtiments, «Lux», II.

Renforcé. *Eh quoi!* (→ Canaille, cit. 9), *mais quoi!* (→ Malheur, cit. 2), *quoi donc!* (→ Plus, cit. 27). — (1804, *in* D.D.L.). Fam. (Accompagnant une explication, avec une nuance d'impatience). *«Je sers au régiment étranger. Au régiment?... — À la Légion* (cit. 7), *quoi!»* (→ aussi Poulet, cit. 6).

38.1 — Vous avez ... — Oui : rompu mes fiançailles. Ma sœur... — Vos... — Oui, quoi! Rompu, cassé : fini, quoi. Comprenez pas?
Claude SIMON, le Vent, p. 154.

Fam. (Accompagnant un mot qui résume une idée, une énumération). → Indulgent, cit. 9. *«Un peuple de candidats à la bourgeoisie, un peuple d'aspirants à la bedaine. Les pantoufles* (cit. 6), *quoi!»* (Larbaud).

39 (...) tout ce qu'ils possédaient, leur campagne, les charrettes, brancards en l'air, leurs champs, leurs enclos, la route, les arbres et même les vaches, un chien avec sa chaîne, tout, quoi. CÉLINE, Voyage au bout de la nuit, p. 18.

39.1 Oh! avant de les conduire au Palais de Justice, on rend les victimes présentables (...) Un rien de toilette, quoi! F. MAURIAC, Bloc-notes 1952-1957, p. 152.

★ **III.** N. Vx, fam. *Ni quoi ni qu'est-ce, qui ni quoi :* rien. *«Comme vous êtes roi, vous ne considérez Qui ni quoi...»* (La Fontaine, *Fables*, V, 18).

À ces mots, il ne dit ni que ni quoi. J. PAULHAN, les Fleurs de Tarbes, p. 224. 40

COMP. Pourquoi, quoique.

QUOIQUE [kwakə] (le *e* s'élide, comme dans *lorsque*) conj. — XIIe, *quoi que*, et encore parfois au XVIIe; *que que*, 1080; de *quoi**, et *que*.

Conjonction introduisant une proposition circonstancielle d'opposition ou de concession (elle amène la circonstance défavorable, la difficulté malgré laquelle l'action principale s'accomplit).

REM. En dehors des cas d'ellipse du verbe et de propositions participiales, *quoique* se construit normalement avec le subjonctif. La construction avec l'indicatif est archaïque : *«quoique aux yeux elle n'est pas si forte»* (Molière, *l'École des femmes*); *«quoique (...) elle n'avait pas mérité»* (Bossuet, *Hist. des variations*, 1er disc.), ou correspond à des cas particuliers (lorsque le subordonnant se trouve loin du verbe et dans les cas mentionnés ci-dessous : 4.).

♦ **1.** (Suivi du subjonctif). ⇒ 1. **Bien** (que), **encore** (que), malgré (que). — REM. *Bien que* est moins fréquent et appartient surtout à la langue littéraire. — *Il suait à grosses gouttes* (→ 1. Goutte, cit. 18) *quoique ce fût au mois de janvier. Molière, quoiqu'il ait fait* les Précieuses ridicules, *fait parfois preuve de maniérisme* (cit. 1). *Une pièce qui, quoiqu'elle ait réussi, n'en est pas moins mauvaise.* ⇒ **Pour** (pour avoir réussi).

Les ligatures d'opposition-concession (...) se font régulièrement suivre, en français moderne, du mode subjonctif. M. Brunot voit dans cet usage une «servitude grammaticale» (Pensée, 866). Mais si, d'une part, la concession implique toujours quelque effort de l'esprit ou une intervention de la sensibilité, — et si, d'autre part, l'opposition déclenche naturellement ce ressort de la volonté qui met en jeu le subjonctif, — l'emploi de ce mode (...) semble parfaitement justifié. 1
Il faut reconnaître, du reste, qu'il n'en a pas toujours été ainsi (...) Ce n'est qu'à la fin du XVIIe siècle que les grammairiens s'accordent à déclarer que *quoique* et *bien que* «gouvernent le subjonctif».
G. et R. LE BIDOIS, Syntaxe du franç. moderne, § 1562.

♦ **2.** (Avec ellipse du verbe, surtout le verbe *être*). *Sa conversation, quoique assez agréable en cercle, était aride* (cit. 5) *en particulier.* ⇒ **Tout** (sens concessif). *«Un renard, jeune encor, quoique des plus madrés»* (cit. 1, La Fontaine). *Maxime mise en pratique, quoiqu'un peu tard, dans toute ma conduite* (→ Imprimer, cit. 5). *Rêverie délicieuse, quoique souvent sans objet* (→ Jeter, cit. 35). *Il se trouvait toujours, quoique indirectement, l'arbitre...* (→ Patriarche, cit. 1).

Il était, quoique riche, à la justice enclin (...) 2
HUGO, la Légende des siècles, II, «Booz endormi».

M. Swann, quoique beaucoup plus jeune que lui était très lié avec mon grand-père (...) PROUST, Du côté de chez Swann, Pl., t. I, p. 14. 3

Ma mère s'émerveillait qu'il fût si exact quoique si occupé, si aimable quoique si répandu, sans songer que les «quoique» sont toujours des «parce que» méconnus (...) PROUST, À l'ombre des jeunes filles en fleurs, Pl., t. I, p. 438. 4

(Le) croyant qui veut atteindre et imiter un Jésus adorable, quoique l'Inquisition, quoique la Croisade des Albigeois, quoique les trafics d'indulgence, quoique le dogme de l'Infaillibilité pontificale. Claude ROY, Nous, p. 99. 4.1

♦ **3.** (En proposition participiale, avec p. prés. ou p. p.). *Quoique sachant qu'elle n'était pas scrupuleuse...* (→ Lascif, cit. 7). *La mousqueterie, quoique gênée* (cit. 8), *était meurtrière. Quoique environné des ombres* (1. Ombre, cit. 26) *de la mort, il avait encore...*

Elle était atteinte d'une maladie du cœur, causée par ses angoisses, par l'attente perpétuelle de mon retour, espoir toujours renaissant, quoique toujours trompé. 5
BALZAC, le Médecin de campagne, Pl., t. VIII, p. 484.

Or cela n'est pas arrivé à vous, quoique vous n'en fussiez pas si loin, je le reconnais. Non plus, quoiqu'ayant rencontré le maître des maîtres, vous n'avez pas su vous jeter dans le *Timée* (...) 6
ALAIN, Propos, 11 juin 1923, Mon esprit, je veux parler à vous...

Quoique participant à (et participant de) cette mêlée voluptueuse, multiplicité impudique, fornicante, transpirante, gémissante, et y prenant plaisir (...) quoique donc, Sabine restait inapaisée et l'âme appétente. 6.1
M. AYMÉ, le Passe-muraille, p. 55.

♦ **4.** (Suivi de l'indicatif).

a Dans des emplois archaïques (→ ci-dessus, REM.).

b Avec une valeur adversative de conjonction de coordination.

Thérèse laissa entendre que c'était tout de même regrettable *(que Marie ne sache pas jouer du piano pour Georges).* — Pourquoi? insista Marie, puisqu'il peut s'offrir toute la musique qui lui plaît! — Bien sûr, ma chérie (...) Quoique, pour un musicien, c'est merveilleux d'avoir une femme capable de déchiffrer (...) 7
F. MAURIAC, Fin de la nuit, IV.

REM. *Quoique* n'est pas, dans ce type de phrase, un véritable subordonnant (cf. Brunot, *la Pensée et la Langue*, p. 27 et 864). Tandis que, dans le vers de Hugo : *«Il était généreux quoiqu'il fût économe»* (emploi 1.), les deux propositions opposées sont pensées simultanément et que l'ordre de leur énoncé ne modifie pas le sens, dans la phrase ci-dessus, *quoique* introduit une objection qui n'apparaît qu'après coup. Aussi la subordonnée doit-elle suivre la principale (et en être séparée par une ponctuation forte). *Quoique* prend alors la valeur d'une conjonction de coordination adversative (→ Cependant, mais, pourtant) employée avec l'indicatif. — Amenant une objection qui n'est pas formulée. *«Ça pourrait encore aller, quoique...»* (= et pourtant...), Romains, *les Hommes de bonne volonté*, t. XXII, I, p. 12.

c *Quoique,* avec sa pleine valeur concessive, peut régir le futur de l'indicatif, faute d'un temps futur du subjonctif (cf. G. et R. Le

Bidois, *Syntaxe du franç. mod.*, §§ 1563-1564), et là où le subjonctif présent fausserait la pensée.

8 *Quoiqu'il* n'y *ait* encore aucun de ceux qui composent en France le corps des Agriculteurs, qui ait exécuté cette nouvelle méthode, et *quoiqu'il* n'y en *aura* jamais (...) DE LA SALLE DE L'ÉTANG, Manuel d'agriculture, 1767, *in* BRUNOT, Hist. de la langue franç., t. VI, p. 1812.

9 Si Moreau ne s'y engage pas je mettrai monsieur de Troisville dans la chambre verte, quoique monsieur de Troisville sera là bien près de moi.
BALZAC, la Vieille Fille, Pl., t. IV, p. 291.

10 — Je ne crois pas qu'il se dérange, objecta Bovary. — Ni moi! reprit vivement M. Homais, quoiqu'il lui faudra pourtant suivre les autres, au risque de passer pour un jésuite. FLAUBERT, Mme Bovary, II, VI.

11 (...) et puis après, cela va être bientôt Noël et les vacances du jour de l'An. Peut-être on va m'emmener dans le Midi. Ce que ce serait chic! quoique cela me fera manquer un arbre de Noël (...)
PROUST, Du côté de chez Swann, Pl., t. I, p. 408.

♦ **5.** (Suivi du conditionnel présent ou passé, lorsque «la concessive-oppositive énonce une éventualité, ou fait partie d'un système hypothétique», G. et R. Le Bidois, *Syntaxe du franç. mod.*, § 1565).

12 Malgré tout mon amour, si je n'ai pu vous plaire,
Je n'en murmure point, quoiqu'à ne vous rien taire,
Ce même amour peut-être et ces mêmes bienfaits
Auraient dû suppléer à mes faibles attraits. RACINE, Bajazet, V, 4.

13 Mais tu ne vois pas dans la nature le citronnier produire des pommes, quoique, peut-être, cette année-là, elles lui coûteraient moins cher à former que des citrons.
VALÉRY, Eupalinos, p. 87.

14 Je me trouvais donc à l'intérieur de la salle appelée le billard, quoiqu'on *aurait* pu y chercher en vain ce meuble.
Ch. GÉNIAUX, les Faucons, *in* DAMOURETTE et PICHON, n° 1915.

REM. 1. La difficulté pourrait être tournée, dans les phrases de ce type, par l'emploi du subjonctif imparfait ou plus-que-parfait à valeur de conditionnel; mais le tour apparaîtrait comme recherché et légèrement inadéquat (cf. G. et R. Le Bidois, *Syntaxe du franç. mod.*, § 1566).

2. En dehors des véritables concessives, le conditionnel se rencontre après *quoique* dans des phrases analogues à celles où on trouve l'indicatif, et où la valeur de subordonnant de *quoique* n'apparaît plus.

15 Loin d'obscurcir la suite de l'histoire des rois de Perse, elle *(cette supputation)* l'éclaircit; quoiqu'il n'y aurait rien de fort surprenant, quand il se trouverait quelque incertitude dans les dates de ces princes (...)
BOSSUET, Discours sur l'histoire universelle, II, IX.

16 Et de peur qu'elle l'enfreignît jamais *(cet ordre)* j'ajoutai : «Quoique je serais furieux que vous me réveilliez». PROUST, la Prisonnière, Pl., t. III, p. 120.

♦ **6.** Fam. ou régional. (En fonction de préposition). *Quoique ça :* malgré cela, pourtant.

17 — Que tu es bête, mon pauvre petit! dit la vivandière, souriant au milieu de ses larmes; et quoique ça, tu es bien gentil.
STENDHAL, la Chartreuse de Parme, I, IV.

18 Et l'odeur violente de tout cela, une odeur de peau humaine, mêlée à des parfums (...) à des parfums qui sentaient bon, quoique ça (...)
O. MIRBEAU, le Journal d'une femme de chambre, p. 118.

♦ **7.** N. m. *Les quoique et les parce que* (→ ci-dessus, cit. 4, Proust).

QUOLIBET [kɔlibɛ] n. m. — V. 1300, Joinville; du lat. scolast. *disputationes, quaestiones de quolibet* «débats, questions sur n'importe quel sujet», du lat. *quolibet,* ablatif neutre de *quilibet,* de *qui,* et *libet* «il plaît», d'où, en abrégé, *un quolibet* «une question venue en discussion», et, par ext., ces questions étant souvent ridicules, le sens mod., 1501.

♦ **1.** Iron., péj. Propos gouailleur, plaisanterie à l'adresse de qqn. ⇒ **Plaisanterie, raillerie,** et, vx, **lardon** (→ Entrain, cit. 4; 1. garde, cit. 81; paroxysme, cit. 3). *Jeter, lancer des quolibets à qqn* (→ Amuser, cit. 19). *Essuyer des quolibets.* ⇒ **Cible** (servir de).

1 — Ah! ah! c'est tout de bon! — Non : ce n'est que pour rire,
Et répondre à tes quolibets. MOLIÈRE, Amphitryon, I, 2.

2 Les rires et les applaudissements éclatèrent. Un quolibet est tout de suite compris à Paris, et par conséquent toujours applaudi.
HUGO, Notre-Dame de Paris, I, IV.

3 Il paraît bien que Rivarol était noble, malgré toutes les plaisanteries et les quolibets qu'il eut à essuyer à ce sujet.
SAINTE-BEUVE, Causeries du lundi, 27 oct. 1851.

Vx. (Sans idée de raillerie). Mauvais trait d'esprit, calembour (d'où le dér. *quolibetier,* n. m., 1661, Racine).

♦ **2.** (1834, Fétis, *quodlibet, in* D. D. L.). Hist. de la mus. (surtout sous la forme *quodlibet*). Anciennt. Pièce musicale faite de thèmes, de fragments empruntés, souvent pour produire un effet comique (ex. : *la Bataille de Marignan, le Caquet des femmes,* etc., de Janequin).

♦ **3.** (Mil. XVIIe). Vx (langue class.). Sobriquet.

QUORUM [kɔʀɔm; kwɔʀɔm] n. m. — 1672, dans des ouvrages sur l'Angleterre; 1868, à propos d'assemblées françaises; angl. *quorum,* mot lat., «desquels», génitif plur. de *qui,* au sens partitif.

♦ Dr., admin. «Nombre minimum de membres présents exigé pour qu'une assemblée puisse valablement délibérer et prendre une décision» (Capitant). *Le quorum est atteint, n'est pas atteint. En droit parlementaire français, le quorum, depuis la Constitution de 1791, est la majorité absolue du nombre légal des membres d'une assemblée. Pour les sociétés, le quorum est déterminé par une fraction plus ou moins importante du capital social qui doit être représentée à l'assemblée.*

QUOTA [kɔta; kwɔta] n. m. — 1927; angl. *quota* (1668), mot lat., abrév. de *quota pars.* → Quote-part.

♦ Contingent ou pourcentage déterminé. *Immigrants soumis au système du quota aux États-Unis* (→ Barrière, cit. 6; et ci-dessous, cit. 1, Siegfried). — Comm. *Quotas d'importation**. ⇒ **Contingent.** *Quota de vente :* volume ou chiffre d'affaires imposé à un vendeur, établi grâce à l'étude des normes de vente et au calcul du marché potentiel.

(Aux immigrants) originaires de l'Europe, de l'Afrique, de l'Asie méditerranéenne ou russe, on applique le système du quota, c'est-à-dire que le contingent alloué à chaque pays ne peut s'élever qu'à 2 p. 100 des personnes nées dans ce pays qui résidaient aux États-Unis en 1890. 1
André SIEGFRIED, les États-Unis d'aujourd'hui, I, VIII.

Une conférence internationale ouverte à Genève le 25 octobre 1950 a examiné les moyens de maintenir la stabilité du marché de l'étain en constituant des stocks régulateurs et en organisant le contrôle de l'exportation au moyen de quota *(sic)* révisables, calculés en fonction de la demande mondiale. 2
Pierre GEORGE, les Grands Marchés du monde, p. 92.

Par ext. (Sociol.). Échantillon réduit proportionnellement. *Sondage par quota.*

QUOTE-PART [kɔtpaʀ] n. f. — 1490; *quote-partie,* XIVe; empr. du lat. *quota pars.* → Cote.

REM. Ne s'emploie qu'au singulier.

♦ **1.** Part qui revient à chacun dans la répartition d'une somme à recevoir ou à payer. *Payer, toucher sa quote-part, tant pour sa quote-part. Fournir, donner, apporter sa quote-part à telle ou telle dépense.* ⇒ **Contribution, cotisation.** *Banquet où chaque convive s'en donne pour sa quote-part* (→ Abondamment, cit. 1). ⇒ **Écot.** — Spécialt. (Dr.). «Part d'une chose ou d'une masse indivise, indiquée par une fraction» (Capitant). → Legs, cit. 2. ⇒ **Quotité.**

Si le vicaire de Saint-Étienne venait chez eux pour demander des secours, Sauviat ou sa femme allaient aussitôt chercher sans façons ni grimaces ce qu'ils croyaient être leur quote-part dans les aumônes de la paroisse. 1
BALZAC, le Curé de village, Pl., t. VIII, p. 542.

Ici, c'est comme chez les vivants; chacun paie un impôt, proportionnel à la richesse de la demeure qu'il s'est choisie; et si quelque avare refusait de délivrer sa quote-part, j'ai ordre, en parlant à sa personne, de faire comme les huissiers (...) 2
LAUTRÉAMONT, les Chants de Maldoror, I.

♦ **2.** Fig. ⇒ **Contribution, part.** *Humanitaire* (cit. 2)... *travaillant, pour sa quote-part, au perfectionnement du genre humain.*

(...) dans les salons dorés du faubourg Saint-Germain, où chacun apporte avec exactitude sa quote-part de ridicules (...) 3
BALZAC, Modeste Mignon, Pl., t. I, p. 511.

QUOTIDIEN, IENNE [kɔtidjɛ̃, jɛn] adj. et n. — 1120, *cotidian;* du lat. *quotidianus,* adj. tiré de l'adv. *quotidie* «chaque jour».

♦ **1.** De chaque jour; qui se fait, qui revient tous les jours. ⇒ **Journalier.** *Le pain* quotidien. La vie quotidienne* (→ Attacher, cit. 101; espérance, cit. 14). *L'humble* (cit. 40) *réalité quotidienne. La tâche quotidienne* (→ Accomplir, cit. 13; offrir, cit. 2). *La monotonie* (cit. 4) *des besognes quotidiennes.* ⇒ **Habituel.** *La lutte quotidienne pour la vie* (→ Franchir, cit. 12). *Travail, effort quotidien* (→ Discipline, cit. 14; excéder, cit. 9). *Nos ennuis quotidiens* (→ 1. Passé, cit. 3). *Application quotidienne* (→ Heureux, cit. 43). *Gymnastique* (cit. 17), *hygiène* (cit. 9) *quotidienne. Conversations, querelles quotidiennes* (→ 1. Fort, cit. 39; fouetter, cit. 5). *Le langage quotidien* (→ Café, cit. 5).

Il y a un tragique quotidien qui est bien plus réel, bien plus profond et bien plus conforme à notre être véritable que le tragique des grandes aventures. 1
MAETERLINCK, le Trésor des humbles, IX.

Méd. *Fièvre quotidienne :* forme de fièvre intermittente dans laquelle les accès reviennent tous les jours. *Fièvre quotidienne simple, double, triple* (suivant le nombre des accès quotidiens).

N. m. *Le quotidien :* ce qui appartient à la vie de tous les jours (→ Avouer, cit. 31; extrême, cit. 9; 2. logique, cit. 2).

♦ **2.** (1835). Vx. *Journal quotidien,* qui paraît tous les jours (→ Journal, cit. 8, Sainte-Beuve; plume, cit. 19, Balzac). — Mod. *La presse quotidienne.*

N. m. (1896). Journal quotidien. ⇒ **Gazette, journal.** *Envoyé spécial d'un grand quotidien* (→ Interview, cit. 4; et aussi nouvelle, cit. 12). *Les quotidiens du matin, du soir. Quotidien national, régional.*

REM. Le substantif n'est signalé dans aucun dictionnaire avant celui de l'Académie (1935), mais il est très antérieur; il faut noter que plusieurs journaux se sont appelés *la Quotidienne* (le premier en 1792), d'autres *le Quotidien* (→ Obscurantisme, cit. 1).

Je vais très probablement affermer à mon compte la rubrique immobilière d'un grand quotidien du matin. 2
J. ROMAINS, les Hommes de bonne volonté, t. V, XXII, p. 188.

♦ **3.** (1885, Laforgue). Littér. Monotone et banal comme tout ce qu'on voit tous les jours. *«Ah! que la vie est quotidienne...»* (→ On, cit. 29, Laforgue). *Villes désespérément familières et quotidiennes* (→ Exotisme, cit. 3). *Un médiocre* (cit. 5) *bonheur quotidien.*

3 Et pauvre Sund! flots abrutis par les autans inconstants, nostalgies bornées par les bureaux très quotidiens du Fortimbras d'en face!

Jules LAFORGUE, Moralités légendaires, «Hamlet».

DÉR. Quotidiennement, quotidienneté.
COMP. Biquotidien.

QUOTIDIENNEMENT [kɔtidjɛnmɑ̃] adv. — 1421; de *quotidien.*

♦ Style soutenu. Tous les jours. ⇒ **Journellement.** *Écrire quotidiennement dans un carnet* (cit. 3), *les pages de son journal* (→ aussi Étoile, cit. 19; montant, cit. 1). *Quotidiennement, ou presque* (→ Correspondance, cit. 6).

Et Emma quotidiennement attendait, avec une sorte d'anxiété, l'infaillible retour d'événements minimes, qui pourtant ne lui importaient guère.

FLAUBERT, Mme Bovary, II, XIV.

QUOTIDIENNETÉ [kɔtidjɛnte] n. f. — 1834, Boiste; de *quotidien.*

♦ Littér. ou didact. Caractère de ce qui est quotidien, répété chaque jour, habituel et banal.

1 Comment avais-je pu voir Renaud constamment le verre à la main sans y songer? La quotidienneté frappe d'aveuglement.

Christiane ROCHEFORT, le Repos du guerrier, I, IV, p. 83.

2 Le concept de quotidienneté provient de la philosophie et ne peut se comprendre sans elle. Il désigne le non-philosophique pour et par la philosophie.

Henri LEFEBVRE, la Vie quotidienne dans le monde moderne, p. 30.

Var. latinisée (lat. *quotidianus*) :

3 Tout cela redonnait à cette salle toutes les apparences de la quotidianité.

R. QUENEAU, Pierrot mon ami, éd. L. de Poche, p. 137.

QUOTIENT [kɔsjɑ̃] n. m. — 1484; lat. *quotiens,* var. de *quoties* «combien de fois, autant de fois que».

Didactique.

♦ **1.** Math. Résultat d'une division. *Quotient de deux nombres,* résultat que l'on obtient en les divisant l'un par l'autre. *Quotient d'un nombre par un autre nombre,* obtenu en divisant le premier par le second. *Quotient exact :* quotient obtenu dans le cas où la division de deux nombres entiers s'effectue sans reste*; fraction ayant pour numérateur le dividende et pour dénominateur le diviseur. *Quotient de deux fractions :* nombre (entier ou fractionnaire) qui, multiplié par la fraction diviseur, redonne la fraction dividende. — (Alg.). *Quotient d'une expression A par une expression B :* troisième expression qui, multipliée par B, reproduit A. ⇒ **Facteur, rapport, ratio.** *Quotient de deux nombres algébriques, de deux monômes, de deux polynômes.*

♦ **2.** Dr. *Quotient électoral :* résultat de la division du nombre des suffrages exprimés dans une circonscription par le nombre de sièges à pourvoir dans cette circonscription. *Dans certains systèmes de proportionnelle*, le quotient sert de commune mesure pour évaluer la force des partis et répartir entre eux les sièges à pourvoir.* — (Dr. fisc.). *Quotient familial,* obtenu en divisant le revenu imposable en un certain nombre de parts fixées d'après la situation et les charges de famille du contribuable. *Le système du quotient familial est destiné à tenir compte des charges de famille pour l'établissement de la surtaxe progressive.*

♦ **3.** Sc. Physiol. *Quotient respiratoire :* rapport du volume de gaz carbonique expiré à celui de l'oxygène inhalé. — REM. Se dit également pour la respiration des plantes — Bot. *Quotient chlorophyllien,* obtenu en divisant le volume d'oxygène dégagé par celui du gaz carbonique fixé dans le même temps par la plante.

(Av. 1951). Psychol. *Quotient intellectuel, mental* ou *quotient d'intelligence* (Stern, 1912) : rapport de l'âge mental (c'est-à-dire correspondant au niveau* mental d'un enfant), déterminé par la méthode de Binet-Simon, à l'âge réel (le quotient chez un sujet normal est 1). — Abrév. cour. : *Q. I.** «(le généticien Jensen) *a mesuré ce qu'on appelle les quotients intellectuels (Q. I.) dans les populations noires et blanches de statuts socio-économiques comparables*» (*le Nouvel Obs.,* 10 sept. 1973).

QUOTITÉ [kɔtite] n. f. — 1473; dér. sav. du lat. *quotus* (→ Cote), sur le modèle de *quantité.*

♦ Dr. Montant d'une quote-part (→ Legs, cit. 2). *Légataire d'une quotité,* celui auquel un défunt a légué une fraction de sa succession. ⇒ **Part.** *Quotité disponible :* «fraction de la succession dont le *de cujus* a pu librement disposer par acte à titre gratuit, malgré la présence d'héritiers réservataires» (Capitant). *Héritiers auxquels est réservée par la loi une quotité des biens du testateur* (→ Légataire, cit. 3). *La quotité engageable* (cit.) *de mes appointements. Constitution en dot* (cit. 8) *d'une quotité des biens de la femme.* — (Dr. fisc.). *Déterminer la quotité, l'assiette* (cit. 12, Déclaration des droits de l'homme, 1791)... *de la contribution publique. Impôt** (cit. 9) *de quotité,* établi par application d'un taux à la matière imposable. *Quotité d'imposition nécessaire pour être électeur ou éligible.* ⇒ **Cens.**

QUOTTEMENT [kɔtmɑ̃] n. m. — 1869, *in* Littré; de *quotter.*

♦ Techn. Fait de quotter (en parlant d'une dent de roue dentée).

QUOTTER [kɔte] v. intr. — 1869, *in* Littré; orig. inconnue.

♦ Techn. Porter sur l'engrenage, s'enclencher (en parlant d'une dent de roue dentée).

DÉR. Quottement.

R

R [ɛʀ] n. m.

♦ **1.** Dix-huitième lettre et quatorzième consonne de l'alphabet latin. R *majuscule,* r *minuscule. On prononce le* r *à la fin de* car-ter, *pas à la fin de* berger.

Loc. *Mois en R,* ceux dont le nom contient un *r,* et pendant lesquels on consomme les huîtres (de septembre à avril).

♦ **2.** Consonne dite parfois *liquide,* prononcée aujourd'hui dans une partie de la France et notamment à Paris comme une fricative uvulaire, notée dans le système de l'A. P. I. [R] et par commodité [ʀ] (r *parisien* ou *grasseyé*). *R roulé :* consonne vibrante sonore apicale, notée [r], qui se rencontre dans de nombreuses langues (espagnol, italien, russe, arabe...) ainsi que dans la prononciation du français en province (Bourgogne, Sud-Ouest).

(...) l'R *(se forme)* en portant le bout de langue jusqu'au haut du palais (...)
MOLIÈRE, le Bourgeois gentilhomme, II, 4.

♦ **3.** (Symboles et abréviations). Math. : *R* ou ℝ notation de l'ensemble des nombres réels. *Application de* ℝ *dans* ℝ. *L'ensemble* ℝ. $\mathbb{R}^+$, *ensemble des réels positifs.*

Phys. *R :* symbole du röntgen*.

R (utilisé comme abréviation). *R. F. :* abrév. de *République française; R. P. :* abrév. de *Révérend Père;* de *réponse payée;* de *représentation proportionnelle.* — Anciennt. *R. T. F. :* abrév. de *Radiodiffusion Télévision française* (devenu O. R. T. F., puis remplacé).

R- ⇒ **Re-.**

Ra [ɛʀa] Chim., phys. Symbole du radium*.

RA [ʀa] n. m. invar. — 1842; onomatopée.

♦ Vx. Coup de baguette frappé sur le tambour pour produire un roulement très bref. *Des ra et des fla.*

HOM. 1. **Ras,** 2. **ras,** 3. **ras, rat, raz.**

RAB [ʀab] n. m. — 1893; de *rabiot**, par apocope.

♦ Fam. Ce qui vient en plus de la quantité, de la dose, de la ration normale. ⇒ **Rabiot.** *Il y a du rab. Du rab de patates. Faire du rab.* — On écrit aussi *rabe.*

1 Un infirmier les servait une première fois, puis une seconde, après avoir crié rituellement :
— Au rab!
Jacques LAURENT, les Bêtises, p. 25.

Loc. (Argot milit.). *Du rab de rab :* un rabiot supplémentaire.

2 On le voyait s'amener à l'heure de la soupe. Il tendait sa gamelle, comptait les portions, rouspétait comme un beau diable à propos d'un bout de gras ou au sujet d'un os à moelle, surveillait de près la distribution du rabiot et du rab' de rabe quand il y en avait (...) B. CENDRARS, la Main coupée, Œ. compl., t. X, p. 13.

Loc. **EN RAB :** en surplus, en excédent. *Une boule de pain en rab* (→ Évider, cit. 2).

3 En attendant, je vais me coucher. Où cela? À l'école. Mais comment? Il n'y a pas de lit en «rab». Je dois dormir sur la table de pansements.
Alain BOMBARD, Naufragé volontaire, p. 143-144.

HOM. Rabes.

RABAB [ʀabab] n. m. ⇒ **Rebab.**

RABÂCHAGE [ʀabaʃaʒ] n. m. — 1735; de *rabâcher.*

♦ **1.** Action de rabâcher; accumulation de répétitions, de redites fastidieuses et oiseuses. ⇒ **Radotage** (→ Éculer, cit. 3). *Son sempiternel rabâchage.* ⇒ **Rengaine; refrain, ritournelle.** *On n'apprend rien dans sa classe, ce n'est que du rabâchage.*

1 Je vous envoie les deux Lettres. Vous les lirez ou vous ne les lirez pas : car ce perpétuel rabâchage, qui déjà ne m'amuse pas trop, doit être bien insipide pour toute personne désintéressée. LACLOS, les Liaisons dangereuses, LXXVI.

Tous les romans sont psychologiques; et les meilleurs sont tristes. Non pas tristes par les événements; mais par ce rabâchage sur soi-même : «Est-ce que j'aime? Est-ce que je hais? Suis-je triste ou gai?» 2
ALAIN, Propos, 4 avr. 1913, Les psychologues.

(Un, des rabâchages). Redite, répétition ennuyeuse et inutile.

♦ **2.** Fig. Longue et ennuyeuse répétition.

RABÂCHEMENT [ʀabaʃmɑ̃] n. m. — 1869; *rabaschement* «bruit», 1611; de *rabâcher.*

♦ Synonyme moins courant de *rabâchage.*

RABÂCHER [ʀabaʃe] v. — 1735; «faire du tapage», 1611; var. de l'anc. franç. *rabaster* (XIIe), d'un rad. expressif *rabb-*, selon Wartburg; P. Guiraud postule une préfixation en *re-, ra-,* de la famille de *bât, bâche* (lat. pop. **basitare* et **basicare,* du lat. class. *basis* «base», par l'anc. franç. ou le provençal *rabastar* «ramener sur sa base»), d'où «frapper», puis «faire du bruit, se quereller» (évolution sémantique peu évidente).

★ **I.** V. intr. ♦ **1.** Vx, littér. ou régional. *Rabâcher de qqn ou de qqch.,* en parler* continuellement.

Vos journaux continuent à rabâcher de moi. Je ne sais quelle mouche les pique. 1
CHATEAUBRIAND, Mémoires d'outre-tombe, t. V, p. 69.

J'y reviens beaucoup trop souvent à mon enfance : j'en rabâche en vérité. 2
LOTI, Mme Chrysanthème, XXXII.

(...) plongé dans des tableaux synoptiques affolants de tout ce que l'homme doit 2.1
faire et ne pas faire pour demeurer «naturel», et dans ce qu'on pourrait appeler les travaux forcés de la vie «naturelle», enfin rabâchant de la nature, qu'il ne pouvait atteindre que par les artifices les plus saugrenus (...)
MONTHERLANT, Pitié pour les femmes, p. 13.

♦ **2.** Absolt. Mod., cour. Revenir sans cesse et inutilement ou fastidieusement sur ce qu'on a déjà dit (→ fam. Chanter toujours la même antienne*). *Vieilles gens qui rabâchent* (→ Ahurir, cit. 1). ⇒ **Radoter.**

(Voltaire) répète, il rabâche. Il le sait, et il recommence. Une idée n'entre un peu 3
dans le public qu'à force d'être redite. Mais il faut varier la sauce pour prévenir le dégoût. Il y excelle. Gustave LANSON, Voltaire, VII.

♦ **3.** (Av. 1870). Techn. (En parlant d'un chien courant). Aboyer sans arrêt.

★ **II.** V. tr. (Déb. XVIIIe). Répéter souvent ou longtemps, d'une manière fastidieuse. *Rabâcher toujours les mêmes arguments* (cit. 6). ⇒ **Ressasser** (→ fam. Chanter* qqch. sur tous les tons, rebattre* les oreilles de). — *Rabâcher un air. Élève qui rabâche ses leçons.* ⇒ **Apprendre** (longuement).

Je puis rabâcher, pendant six heures d'horloge, montre en main, des choses super- 4
bes. HUGO, les Misérables, IV, I, VI.

(Th. Gautier) répète et rabâche amoureusement cette phrase : *De la forme naît* 5
l'idée, une phrase que lui a dite, ce matin, Flaubert.
Ed. et J. DE GONCOURT, Journal, p. 126-127.

Oh! vraiment, vous me feriez douter de votre présence d'esprit. Il faut vous rabâ- 6
cher les choses. Oui ou non, est-ce que je vous plais?
J. ANOUILH, le Bal des voleurs, p. 189.

DÉR. Rabâchage, rabâchement, rabâcherie, rabâcheur.

RABÂCHERIE [ʀabaʃʀi] n. f. — XVIIIe (v. 1760, Rousseau); de *rabâcher.*

♦ Vieilli. Répétitions ennuyeuses et inutiles d'une personne qui rabâche. ⇒ **Rabâchage.** *Les assommantes* (cit. 2) *rabâcheries des sermonneurs.*

RABÂCHEUR, EUSE [ʀabaʃœʀ, øz] n. et adj. — 1740; var. *rabacheux,* 1577, *in* D. D. L.; de *rabâcher.*

♦ Personne qui a l'habitude de rabâcher. ⇒ **Radoteur, ressasseur.** *Un vieux rabâcheur.* — Adj. *Il est un peu rabâcheur.* — *Une voix rabâcheuse.*

RABADIAUX [Rabadjo] n. m. pl. — 1845; orig. inconnue.

♦ Régional (Nord). Pinsons dont on crevait les yeux afin qu'ils chantent sans cesse.

RABAIS [Rabɛ] n. m. — 1397, *rabbez; de rabaisser.*

♦ **1.** Diminution faite sur le prix d'une marchandise, le montant d'une facture, d'un devis. ⇒ **Réduction; discount** (anglic.). *Accorder, consentir un rabais sur un produit.* ⇒ **Rabattre** (→ Escompter, cit. 1). *Rabais de 5 % sur tous les prix marqués. Vente au rabais.* ⇒ **Solde.** *Marchander pour obtenir, arracher un nouveau rabais* (→ Facilité, cit. 6). ⇒ aussi **Effort.** *Un rabais important. Rabais dont bénéficient les membres d'une coopérative de consommation.* ⇒ **Remise, ristourne; bonification.** *Rabais sur le montant d'une dette payée avant terme.* ⇒ **Escompte.**

1 (...) le rayon d'articles de Paris menaçait un bimbelotier de la rue Saint-Roch (...) il ne dérageait pas, en voyant le Bonheur afficher les porte-monnaie à trente pour cent de rabais. ZOLA, Au bonheur des dames, VIII.

Adjudication au rabais, au soumissionnaire qui s'offre à exécuter des travaux ou à livrer des fournitures au plus bas prix.

♦ **2.** (1639, *in* D. D. L.). Loc. fam. **AU RABAIS :** à vil prix.

2 (...) on vit que l'envoi était fait par une maison en liquidation, qui sans doute avait cédé au rabais une partie de son approvisionnement de réserve à quelque fabricant américain. Raymond ROUSSEL, Impressions d'Afrique, p. 422.

Refuser un travail au rabais, mal payé. *Un Don Juan au rabais,* de pacotille.

3 (...) et l'autre, le Brummel au rabais, arpentant les trois mètres carrés de carrelage laissés libres entre le lit et l'armoire (...) Claude SIMON, le Vent, p. 133.

♦ **3.** (1875). Techn. Décrue* d'une rivière.

CONTR. Augmentation, hausse.

RABAISSANT, ANTE [Rabɛsɑ̃, ɑ̃t] adj. — XXe; *de rabaisser.*

♦ Littér. Qui rabaisse, en dépréciant ou en humiliant. ⇒ **Avilissant, humiliant.**

Les interprétations saugrenues, et toujours rabaissantes, qu'ils donnent de notre conduite. MONTHERLANT, *in* G. L. E.

RABAISSEMENT [Rabɛsmɑ̃] n. m. — V. 1500; *de rabaisser.* Rare.

♦ **1.** Action de rabaisser, de dénigrer. ⇒ **Avilissement, dépréciation, dévalorisation.**

Cette manie du rabaissement, dont je parle, est profondément française, pays de l'égalité et de l'antiliberté. FLAUBERT, Correspondance, 321, 16 mai 1852.

♦ **2.** (1869). Action de diminuer la hauteur (de qqch.). *Le rabaissement d'une étagère.*

CONTR. Rehaussement.

RABAISSER [Rabese] v. tr. — V. 1160, *rabaissier,* fig.; *de re-,* et *abaisser.*

♦ **1.** (V. 1175). Rare. Baisser* davantage, mettre à un niveau moins élevé. ⇒ **Abaisser, baisser.** « *Ce tableau est trop haut, il faut un peu le rabaisser* » (Académie).

Baisser, rabattre. *Rabaisser ses jupons* (→ Prendre, cit. 35).

1 Elles rabaissent toutes deux leurs coiffes. CORNEILLE, la Suite du Menteur, III, 3, variante.

2 Ici l'attention de Boissaux redoubla; il prit l'air morne et la bouche de brochet, c'est-à-dire, à coins rabaissés, du marchand qui perd. STENDHAL, Romans et nouvelles, « Féder », VI.

Techn. Couper à la bonne dimension. *Rabaisser les cartons* (de la couverture d'un livre).

♦ **2.** (V. 1160). Rendre moins élevé, moins fort. *Rabaisser les exigences, les prétentions, l'orgueil de qqn* (→ Humilier, cit. 7). ⇒ **Abattre, rabattre.** — Loc. *Rabaisser le ton* (→ Haut, cit. 112), fam., *le caquet** (cit. 3), rare, *la chanterelle*, la crête de qqn.*

3 Je lui promis d'employer toute mon industrie et toute l'autorité qu'il lui plaisait me donner pour ruiner le Parti Huguenot, rabaisser l'orgueil des grands, réduire tous les sujets en leur devoir, et relever son nom dans les Nations étrangères, au point où il devait être. RICHELIEU, Testament politique, I.

♦ **3.** (1667). Ramener à un état ou à un degré inférieur. ⇒ **Abaisser, amoindrir, diminuer, réduire, restreindre.** *Rabaisser l'homme au niveau de la brute.* ⇒ **Ravaler; dégrader** (→ Exalter, cit. 20).

4 Vous voyez, par cette double expérience, l'importance des caractères profonds et durables, puisque leur manque rabaisse au second rang une œuvre de grand homme, et que leur présence élève l'œuvre d'un talent moindre au premier rang. TAINE, Philosophie de l'art, t. II, p. 263.

Ramener à une valeur ou à un prix inférieur. *Rabaisser le taux de crédit.*

Le tout (...) valant loyalement plus de quatre mille cinq cents livres, et rabaissé à la valeur de mille écus, par la discrétion du prêteur. MOLIÈRE, l'Avare, II, 1. 5

♦ **4.** (XVIIe). Estimer ou mettre (qqn, qqch.) très au-dessous de sa valeur réelle. ⇒ **Déprécier; dénigrer.** *Envieux qui cherchent à rabaisser les mérites d'autrui.* ⇒ **Détracter, écraser.** « *L'homme n'est pas si simple qu'il suffise de le rabaisser pour le connaître* ». ⇒ **Avilir, humilier** (→ 3. Mal, cit. 35, Valéry). *Des générations méconnues et rabaissées* (→ Honorer, cit. 8). *Rabaisser qqn en l'insultant* (cit. 3). → Mettre plus bas* (1. Bas) que terre.

Détestant ses rigueurs, rabaissant ses attraits, 6
Je défiais ses yeux de me troubler jamais. RACINE, Andromaque, I, 1 (1667).

(...) il s'occupait avec toute la méchanceté d'un ennemi à se les exagérer *(ses fautes),* et avec tout l'esprit d'un jaloux à rabaisser le prix de ses vertus par un examen rigoureux des motifs qui l'avaient peut-être déterminé à son insu. DIDEROT, Jacques le fataliste, Pl., p. 544. 7

Ce que j'en dis n'est point pour rabaisser la majesté des institutions divines et humaines : vous m'entendez bien. FRANCE, Pierre Nozière, p. 159. 8

▶ **SE RABAISSER** v. pron. (Fin XIIe). (Réfléchi). « *Plus nous nous rabaissons extérieurement...* » (cit. Racine). *Se rabaisser en parlant humblement de soi* (→ Feinte, cit. 7). ⇒ **Humilier** (s').

Différent génie, différent goût : ce n'est pas toujours par jalousie que réciproquement on se rabaisse. VAUVENARGUES, Réflexions et maximes, 208. 9

CONTR. Exhausser, rehausser, relever. — Diviniser, enorgueillir, exalter, glorifier, honorer, idéaliser, vanter.

DÉR. Rabais, rabaissant, rabaissement, rabaisseur.

RABAISSEUR, EUSE [Rabɛsœʀ, øz] n. — 1611; *de rabaisser.*

♦ Rare. Personne qui rabaisse.

RABAN [Rabɑ̃] n. m. — 1573; *du germanique rabant.*

♦ Mar. Tresse ou sangle servant à amarrer, à fixer. *Rabans de hamac; raban de ferlage*.*

DÉR. Rabaner ou **rabanter.**

RABANE [Raban] n. f. — 1877; *malgache rebana.*

♦ Tissu en fibres de raphia. *Nappe, tenture de rabane.*

RABANER [Rabane] ou **RABANTER** [Rabɑ̃te] v. tr. — 1867, *rabaner; rabanter,* 1783; *de raban.*

♦ Mar. Fixer, assujettir à l'aide de rabans. *Ferler et rabanter une voile.*

RABAT [Raba] n. m. — 1262; *de rabattre.*

★ **I.** ♦ **1.** Vx. *Rabat de prix.* ⇒ **Rabais** (cf. O. de Serres, *in* Littré).

♦ **2.** (Av. 1493). Vx. Action de rabattre. — Spécialt. Chasse où l'on rabat (II.) le gibier. ⇒ **Rabattage.**

Mod. Sports. Brusque changement de direction d'un attaquant, aux jeux de ballon. — On dit aussi *rabattement.*

★ **II.** ♦ **1.** (XVe). Anciennt. Grand col rabattu porté autrefois par les hommes (→ Antique, cit. 5). « *Et hors un gros Plutarque à mettre mes rabats...* » (→ 1. Livre, cit. 5, Molière). *Rabat de dentelle porté aux XVIIe et XVIIIe siècles.* ⇒ **Jabot.**

(1718). Mod. Large cravate formant plastron, portée par les magistrats, les professeurs en robe. *Rabat d'ecclésiastique* (cit. 4), *de prêtre. Rabat blanc, noir; petit, grand rabat. Rabat empesé.*

Sa cravate était toujours tordue sans apprêt, et jamais il ne rétablissait le désordre que son rabat de juge avait mis dans le col de sa chemise recroqueville. BALZAC, l'Interdiction, Pl., t. III, p. 20.

♦ **2.** Partie (d'un vêtement, d'un objet) rabattue ou qui peut se replier. *Poche à rabat. Rabat boutonné. Le rabat d'un sac à main. Modèle de sac à rabat découpé.*

RABAT-EAU [Rabao] n. m. invar. — 1763; aussi *rabat-l'eau,* 1812; *de rabattre, et eau.*

♦ Techn. Morceau de cuir, de feutre, placé au-dessus de l'auge, contre une meule, pour empêcher l'eau de gicler. *Des rabat-eau.* — REM. On trouve aussi (1812) la forme *rabat l'eau* [Rabalo].

RABAT-JOIE [Rabaʒwa] n. et adj. invar. — XIVe, sens 2.; *de rabattre, et joie.*

♦ **1.** (XVe). Vx. Sujet de tristesse.

(...) je suis affligée de cette cruelle néphrétique qui accable ce pauvre homme *(Lamoignon)* à tout moment : point de jours sûrs, c'est un rabat-joie continuel. Mme DE SÉVIGNÉ, 951, 4 févr. 1685.

♦ **2.** Mod. Personne chagrine, renfrognée et triste, qui vient troubler la joie, le plaisir des autres. ⇒ **Éteignoir** (fig.), **trouble-fête.** *Une mine de rabat-joie, maussade, sévère. Des vieux rabat-joie.* — Au fém. « *C'est une rabat-joie* » (Littré). — Adj. « *Elle est très rabat-joie* » (Académie). *Un père rabat-joie.* « *Vous n'aviez pas besoin d'une vieille grand-maman rabat-joie comme moi* » (Proust).

CONTR. Animateur, bouffon, boute-en-train.

RABATTAGE [rabataʒ] n. m. — 1730, « rabais » ; de *rabattre.*
Action de rabattre (dans quelques emplois techniques).

♦ **1.** (1869). Au sens I., 1. de *rabattre.* Opération qui consiste à couper une tige, un tronc, pour stimuler la pousse.
(1904). Mode d'exploitation des mines de charbon, dans lequel le charbon est abattu entre deux galeries.

♦ **2.** (xxᵉ). Au sens I., 3. de *rabattre.* Le fait de rabattre les languettes de caillé adhérant aux parois du moule sur le camembert.

♦ **3.** (1875). Au sens II. de *rabattre.* [a] Action de rabattre (le gibier).

[b] Fig., fam. Racolage.

1. RABATTANT [rabatɑ̃] n. m. — xxᵉ ; de *rabattre,* d'après *abattant.*

♦ Partie qui se rabat. — Spécialt. ⇒ **Abattant.**

1 Il y a huit ou dix tiroirs visibles et un tiroir secret, caché sous le rabattant.
J. DUTOURD, les Horreurs de l'amour, p. 119.

2 Une cuvette de W.C. à rabattant assorti au distributeur de papier (...)
Hervé BAZIN, Un feu dévore un autre feu, p. 191.

HOM. 2. **Rabattant.**

2. RABATTANT, ANTE [rabatɑ̃, ɑ̃t] adj. — Mil. xxᵉ ; de *rabattre.*

♦ Techn. *Exploitation rabattante :* exploitation qui procède en se rapprochant du puits d'extraction, dans une mine de houille.

HOM. 1. **Rabattant.**

RABATTEMENT [rabatmɑ̃] n. m. — 1727 ; « rabais », fin xiiiᵉ ; de *rabattre.*

♦ **1.** Dr. *Rabattement de défaut :* annulation d'une décision provisoire de défaut.

♦ **2.** (1869). Géom. Mouvement de rotation par lequel on applique un plan (et les figures qu'il contient) sur un des plans de projection. — Opposé à *relèvement.*

♦ **3.** Fait de se rabattre, de reprendre sa place dans une file, en voiture. *Rabattement brusque.* ⇒ 1. **Queue** (de poisson).
Sports. ⇒ **Rabat** (I., 2.).
Point de rabattement, utilisé pour coudre des ourlets.

RABATTEUR, EUSE [rabatœʀ, øz] n. — 1855 ; « qui diminue », 1585 ; de *rabattre.*

♦ **1.** Personne chargée de rabattre le gibier. *Organiser une battue* avec des rabatteurs.* ⇒ **Batteur.**

La chasse libre et solitaire donne des plaisirs vifs, parce que le chasseur fait son plan, le suit ou bien le change, sans avoir à rendre des comptes ni à donner ses raisons. Le plaisir de tuer devant des rabatteurs est bien maigre à côté (...)
ALAIN, Propos, 24 nov. 1922, Diogène.

(1878). Fig. Personne qui fournit des clients à un vendeur, des marchandises à un acheteur (→ Ameublement, cit. 1).
(1869). Techn. Ouvrier, ouvrière qui rabat (I., 3.). *Rabatteur de piqûres, de semelles. Rabatteuse en lingerie.*

♦ **2.** N. m. (1904). Techn. Ensemble de lattes qui rabattent les tiges sur la lame, dans une moissonneuse.

RABATTOIR [rabatwaʀ] n. m. — 1797 ; *rabathuoir,* 1504 ; de *rabattre.*

♦ **1.** Techn. Outil servant à détacher les ardoises du bloc.

♦ **2.** (1869). Outil servant à rabattre les bords d'une pièce quelconque.

RABATTRE [rabatʀ] v. tr. — Conjug. *battre.* — V. 1155, sens 2. ; de *re-,* et *abattre.*

★ **I.** ♦ **1.** (V. 1220). Diminuer en retranchant (une partie d'une somme). *Rabattre une somme, la moitié d'un prix.* ⇒ **Décompter, déduire, défalquer.** *Je ne rabattrai pas un liard* (cit. 2). ⇒ **Diminuer** (de). *Rabattre (une somme) sur les gages, le salaire* (→ 1. Politique, cit. 17). ⇒ **Retenir, retrancher.**

1 Votre Monsieur d'Aix a une abbaye de six mille livres de rente (...) il vous dira qu'elle en vaut douze ; rabattez la moitié. Mᵐᵉ DE SÉVIGNÉ, 1236, 20 nov. 1689.

2 Quand un marchand n'a pas ce que vous désirez, il se lève de dessus son tapis et vous mène chez un voisin. Mais quand il s'agit du prix, il faut, règle générale, commencer par rabattre les deux tiers.
FLAUBERT, Correspondance, 272, 24 nov. 1850.

Rabattre une certaine somme sur un prix, d'un prix ; il n'a pas voulu en rabattre un sou

— (...) je les vends cela (...) — je n'en puis rien rabattre. 3
MOLIÈRE, le Médecin malgré lui, I, 5.

(Cet écrit) qu'il avait fait recopier, assure-t-on, jusqu'à *dix-huit fois* (rabatez-en, si vous le voulez) avant de l'amener au degré de perfection qui le pût satisfaire. 4
SAINTE-BEUVE, Causeries du lundi, 21 juil. 1851.

Diminuer en abandonnant une partie (→ Accroire, cit. 4). « *Sans qu'il y ait à ce compliment aucune chose à rabattre* » (Mᵐᵉ de Sévigné, 12 févr. 1672). *Ne rien rabattre de ses éloges, de son estime..., de ses intentions...* — Intrans. **RABATTRE DE...** *Rabattre de ses prétentions** (et, absolt, *en rabattre*). ⇒ **Abandonner, caler** (fig.), **déchanter.** *Rabattre de l'opinion, de l'estime qu'on avait de qqch.* ⇒ **Décompter.** *Il n'en veut rien rabattre. Il a bien dû en rabattre,* abandonner de ses espoirs, de ses illusions... *Il en fallait rabattre* (→ Diapason, cit. 6).

Aussi ai-je grand intérêt que vous me connaissiez tout entier, et que vous rabattiez un peu de cette trop bonne opinion pour moi. 5
CORNEILLE, Lettres, éd. des grands écrivains, t. IX, p. 451.

Prenez cette critique, portez-la devant le tableau, et vous trouverez peut-être qu'on y peut ajouter, mais qu'on n'en peut rien rabattre. 6
DIDEROT, Salon de 1769, Greuze.

(Charles VI) était jeune alors, plein d'espoir, le cœur haut, tout dressé aux grandes pensées. Mais combien il avait fallu en rabattre ! 7
MICHELET, Hist. de France, VII, III.

Enlever une partie de (qqch.), en coupant, en retranchant. — Arbor. *Rabattre un arbre,* le tailler, en couper la cime jusqu'à la naissance des branches. *Rabattre une branche.* — Techn. Dégrossir, polir le marbre. ⇒ **Rabattoir.**

♦ **2.** Faire redescendre, remettre (qqch.) à un niveau plus bas, faire retomber* avec force ou vivacité. ⇒ **Rabaisser.** *Une chaleur que le plafond bas rabattait* (→ Exhaler, cit. 7). *Rabattre le bord de son chapeau sur ses yeux.* ⇒ **Baisser** (→ Pente, cit. 1). *Rabattre un capuchon sur son front.* — *Rabattre une balle* (au tennis, au ping-pong...).

Inutiles élans d'un vol impétueux 8
Que pousse vers le ciel un cœur présomptueux,
Que soutiennent en l'air quelques exploits de guerre,
Et qu'un coup d'œil sur moi rabat soudain à terre !
CORNEILLE, Don Sanche, IV, 3.

(Les nuages) s'avancent d'un vol vertigineux et lourd, cernant l'horizon de l'âme, et brusquement rabattant leurs deux ailes sur le ciel étouffé, éteignant la lumière. 9
R. ROLLAND, Jean-Christophe, La révolte, I, p. 382.

(...) les rafales de novembre ne cessèrent de rabattre la pluie sur le zinc du balcon (...) 10
MARTIN DU GARD, les Thibault, t. III, p. 98.

(xviᵉ, Amyot, *in* Littré). Vx (terme d'escrime). Fig. *Rabattre le fer de l'adversaire, rabattre un coup :* apaiser une querelle, préserver d'un danger, etc. (cf. Corneille, *la Suite du Menteur,* v. 1031). — Intrans. *Rabattre* (même sens).

♦ **3.** Mettre à plat, aplanir, ou mettre et appliquer (qqch.) contre qqch. ⇒ **Aplatir.** *Rabattre le poil d'une étoffe.* ⇒ **Coucher.** *Rabattre une boucle sur l'oreille* (→ Glisser, cit. 41). — Agric. *Rabattre les avoines, le gazon,* en passant le rouleau dessus. ⇒ **Rouler.** *Rabattre des ornières, des sillons,* en les remplissant de la terre qui est sur leurs bords. — Techn. *Rabattre et aplatir la pointe d'un clou*.* ⇒ **River.** *Rabattre la semelle, la couture de tige d'une chaussure* (à la fabrication).
(1553). Refermer, replier. *Rabattre un couvercle* (à charnières), *la capote d'une voiture... Rabattre les volets.* — *Rabattre les parties d'un dépliant. Plier et rabattre. Rabattre une couture. Rabattre le pan d'une chemise* (cit. 3), *en repassant.*
Géom. Effectuer un rabattement*.

♦ **4.** (xiiiᵉ). Diminuer la force, l'intensité de... ⇒ **Abaisser, abattre, atténuer, diminuer, rabaisser, réduire ; cesser** (faire). → Hautain, cit. 7. *Pour rabattre cette frénésie* (cit. 7). *Rabattre l'orgueil** (cit. 14), *les prétentions.* — Par métaphore, fig. *Rabattre la crête* à quelqu'un.*

Loc. *Rabattre le caquet** (cit. 1, 2 et 5), *la chanterelle*, la jactance de qqn.* ⇒ **Baisser** (faire baisser le ton), 1. **bas** (faire parler d'un ton plus bas).

★ **II.** (1577, chasse). Ramener* vivement ou par force. *Rabattre une armée ennemie vers son artillerie. Rabattre des poules sur le trottoir* (→ 1. Queue, cit. 8). — Chasse. Ramener, forcer (le gibier) à aller vers les chasseurs, en battant* la campagne. ⇒ **Rabattage, rabatteur.** — Par métaphore (→ ci-dessous, cit. 12, Mauriac).

Plusieurs, soit paresse ou prudence, étaient restés au seuil du défilé. Mais de la cavalerie, débouchant d'un bois, à coups de pique et de sabre, les rabattit sur les autres ; et bientôt tous les Barbares furent en bas, dans la plaine. 11
FLAUBERT, Salammbô, XIV.

Dieu est ce chasseur qui relève les pistes et qui guette sa proie à l'orée du taillis. Il sait par où passent nos tristes corps (...) il sait où tendre le collet qui étranglera la bête (...) Ceux qui ont mission de rabattre le gibier vers lui, souvent l'effarouchent. 12
F. MAURIAC, Souffrances et Bonheur du chrétien, p. 38-39.

Il se retourne : à présent il y a des milliers d'hommes derrière lui, on les a rabattus de partout, des champs, des hameaux, des fermes. 13
SARTRE, la Mort dans l'âme, p. 200.

Absolt, fam. ⇒ **Racoler.**

Par métaphore. *La misère des campagnes avait rabattu des troupeaux d'affamés* (cit. 4) *sur Paris.*

★ **III.** V. intr. En aviron, Nager de manière à faire virer une embarcation (→ ci-dessous, *Se rabattre).*

▶ **SE RABATTRE** v. pron.

♦ **1.** (1866). Être ou pouvoir être rabattu. *Somme qui se rabat.*

♦ **2.** Être replié, ramené vers le bas. *Fumée, brouillard qui se rabat au sol. Un nez dont le bout se rabattait sur la moustache* (→ Courbure, cit. 3). *Un mantelet* (cit. 2) *vitré qui se rabat,* se replie. *Portillon de métro* (cit. 9) *qui se rabat,* se referme.

♦ **3.** (xvie). Changer de direction en se portant brusquement de côté. *Gêner un concurrent en se rabattant à la corde. Voiture qui se rabat trop vite après un dépassement* (→ Faire une queue de poisson*). *Chien qui se rabat* (→ Empaumer, cit. 1; paille, cit. 1).

13.1 Je suis partie le jeudi à deux heures de l'après-midi par l'autostrade qui s'interrompait alors avant Fontainebleau; elle était noire de voitures; doubler, se rabattre, doubler : il fallait sans trêve surveiller mes arrières dans le rétroviseur.
S. de Beauvoir, Tout compte fait, p. 271.

♦ **4.** (1666). Fig. **Se rabattre sur (qqn, qqch.)** : en venir, après une déception, à accepter, à adopter faute de mieux. (→ Gymnaste, cit. 1; léger, cit. 29). *Se rabattre sur un sujet,* dans une conversation.

14 «(...) la pauvre petite», comme dit Pepys, ne parvient pas à chanter juste (...) La désolée et vaillante petite Mme Pepys, en désespoir de cause, se rabat sur le flageolet.
R. Rolland, Voyage musical au pays du passé, p. 38.

▶ **RABATTU, UE** p. p. adj.

♦ **1.** (1458, *épée rabattue* «sans pointe ni tranchant»). Enlevé. *Somme rabattue sur un prix :* rabais.

♦ **2.** (1753). Qui est replié, incliné vers le bas. *Bœufs* (cit. 15) *à cornes rabattues. Burnous rabattu jusqu'aux yeux* (→ Jusque, cit. 5). *Cagoule* (cit. 2) *rabattue. Chapeau rabattu* (→ Pipette, cit. 1; piqûre, cit. 10), *bord rabattu* (→ Coiffer, cit. 2). — *Col* rabattu.* — *Couture rabattue,* dont les dépassants sont repliés d'un même côté et fixés par un point d'ourlet.

15 Une petite bandelette de ruban maintenait les cheveux rabattus sur le front, — je dis rabattus et non coupés, car Mme de Noailles attachait une grande importance à ce détail.
Colette, Belles saisons.
Disc. de réception à l'Acad. royale belge, p. 219.

CONTR. Augmenter, enchérir. — Rehausser, relever, remonter. — Éloigner.
DÉR. Rabat, rabattage, 1. **rabattant,** 2. **rabattant, rabattement, rabatteur, rabattoir, rabattu, rabature.**
COMP. Rabat-eau, rabat-joie, rabat-vent.
HOM. (Du p. p. adj.) **Rabattu.**

RABATTU [Rabaty] n. m. — 1875; p. p. de *rabattre.*

♦ **1.** Techn. Technique de rabattage des coutures.

♦ **2.** (Déb. xxe). Partie rabattue, abaissée. *«Le rabattu de ses paupières»* (Rollinat, *in* G. L. L. F.).

HOM. Rabattu (p. p. adj. de *rabattre*).

RABATTURE [RabatyR] n. f. — 1833, *in* D. D. L.; de *rabattre.*

♦ Techn. Partie rabattue, dans un ouvrage de couture. ⇒ **Rabat.**

RABAT-VENT [Rabavɑ̃] n. m. invar. — 1718; de *rabattre,* et *vent.*

♦ **1.** Vx. Abat-vent (d'un clocher).

♦ **2.** (Mil. xxe). Techn. Aérage normal (d'une mine) dans lequel l'air descend le long du front de taille.

RABBI [Rabi] n. m. — 1690; mot araméen, de *rabb.* → Rabbin.

♦ Didact. (hist.). Rabbin (1.). *«Chaque scribe ouvre alors une école (...) dont il est le rabbi»* (Guignebert, *le Monde juif...,* p. 91). *Rabbi Hillel, Rabbi Schammaï. Des rabbis.*
Rabbin (2.).

RABBIN [Rabɛ̃] n. m. — 1540; *rabain,* 1351; lat. médiéval *rabbinus,* araméen *rabbîn,* plur. de *rabb* «maître».

♦ **1.** Hist. Docteur de la loi qui étudiait, commentait la Thora, et avait les fonctions juridiques et pédagogiques, dans la Palestine antique (→ Interprétation, cit. 1). ⇒ **Rabbi.** *Les rabbins sont appelés* scribes* *dans l'Évangile. Le Talmud, collection des enseignements des grands rabbins.*

♦ **2.** (1808). Mod. Chef religieux d'une communauté juive, qui préside au culte (⇒ **Synagogue**), prêche, instruit la jeunesse, célèbre les mariages, etc. (sans qu'aucun élément sacerdotal soit attaché à sa fonction). *Grand rabbin :* chef d'un consistoire israélite. *Le grand rabbin de France. Le grand rabbin de Palestine, de Jérusalem.*

— Monsieur le médecin-chef, c'est l'aumônier des juifs, paraît, qui demande à vous voir (...) Par la fenêtre, je surveillais l'arrivée du rabbin divisionnaire (...) Avec son calot noir, sa barbe en cascade, sa haute taille fléchissante, sa lévite, sa canne à crosse, il me fit, de loin, songer aux juifs polonais des romans populaires (...) Je (...) me trouvai tout à coup nez à nez avec (...) l'aumônier israélite. Je vis aussitôt que je m'étais trompé (...) C'était un homme du monde, sans âge appréciable, portant binocle, l'air studieux et attentif, avec quelque chose de distant et de professoral (...)
G. Duhamel, Récits des temps de guerre, ii, Un enterrement.

DÉR. Rabbinat, rabbinique, rabbinisme, rabbiniste.

RABBINAT [Rabina] n. m. — 1842, *in* D. D. L.; de *rabbin.*

Religion.

♦ **1.** Dignité, fonction de rabbin. *Le diplôme de rabbinat.*

♦ **2.** (xxe). Ensemble des rabbins. *Le grand conseil du rabbinat assiste le grand rabbin de Palestine.*

RABBINIQUE [Rabinik] adj. — 1611; de *rabbin.*

Didactique.

♦ **1.** Relatif ou propre aux rabbins ou rabbis, interprètes de la Loi. *La littérature rabbinique. L'enseignement rabbinique* (les «midrashim» ou interprétations, enseignements).
Hébreu rabbinique (ou talmudique) : hébreu post-biblique de la Michna («doctrine»); ou hébreu employé par les rabbins du moyen âge, langue savante, parfois mélangée d'araméen.

On nomme *littérature rabbinique* celle qui procède des docteurs juifs dont l'enseignement et les écoles se sont développés depuis le retour de l'Exil (...) Elle tournait tout entière autour de la Loi dont elle prétendait élucider la lettre et expliquer les préceptes : elle étudiait les *cas* qui se posaient à propos du texte sacré et, peu à peu, elle a constitué une ample jurisprudence religieuse et morale, en même temps qu'un code de vie pratique.
Ch. Guignebert, le Monde juif..., p. 33.

♦ **2.** Qui concerne les rabbins modernes. *École rabbinique,* qui forme les futurs rabbins.

RABBINISME [Rabinism] n. m. — Av. 1662; «subtilité de rabbin», 1600; de *rabbin.*

♦ Didact. Enseignement, doctrine des rabbins (commentaires, exégèses, prescriptions). ⇒ **Talmud.**

RABBINISTE [Rabinist] n. — 1552; de *rabbin.*

♦ Didact. Personne qui étudie la doctrine des rabbins, qui s'y conforme.

RABE [Rab] n. m. ⇒ Rab.

RABELAISERIE [RablɛzRi] n. f. — 1842, Académie; de *Rabelais,* et *-erie.*

♦ Vieilli. Plaisanterie rabelaisienne.

RABELAISIEN, IENNE [Rablɛzjɛ̃, jɛn] adj. — 1830, *in* D. D. L.; du nom de *Rabelais.*

♦ **1.** Qui se rapporte à Rabelais, est digne de Rabelais.
(1903). Par ext. Qui concerne l'œuvre de Rabelais. *Études rabelaisiennes.*

♦ **2.** Qui a la gaieté libre et truculente, parfois cynique et grossière, que l'on trouve chez Rabelais. *Plaisanterie, verve rabelaisienne.* ⇒ **Gaulois.** — *«Il est très rabelaisien dans ses propos»* (Académie).

Sous cette douce influence, Scarron, qui avait une liberté de langage toute cynique et toute rabelaisienne, se corrigea de ses vilains mots et de ses équivoques.
Th. Gautier, les Grotesques, x, p. 390.

RABES [Rab] ou RAVES [Rav] n. f. pl. — 1730, *rabes; raves,* 1679. → Rave.

♦ *Rabes* ou *raves de morue :* œufs de morue conservés dans le sel.

HOM. (De *rabes*) **Rab.** — (De *raves*) **Rave.**

RABÊTIR [RabetiR] v. — 1625; de *re-,* et *abêtir.*

Vieux.

♦ **1.** V. tr. Rendre bête, stupide, en abrutissant.

♦ **2.** V. intr. (1694). Devenir de plus en plus bête.

RABIAU [Rabjo] n. m., **RABIAUTAGE** [Rabjotaʒ] n. m., **RABIAUTER** [Rabjote] v. ⇒ **Rabiot, rabiotage, rabioter.**

RABIBOCHAGE [ʀabibɔʃaʒ] n. m. — 1867; de *rabibocher.*
Fam. Action de rabibocher; son résultat.

♦ **1.** Réparation sommaire.

♦ **2.** Réconciliation.

Il y a une heure, si on m'avait décrit cette scène de rabibochage feutré, je l'aurais déclarée impossible. Hervé BAZIN, Cri de la chouette, p. 17.

RABIBOCHER [ʀabibɔʃe] v. tr. — 1842; mot dial., p.-ê. d'un rad. onomatopéique *bib-* (→ Bibelot) ou (P. Guiraud) métathèse de *rabobicher* «raccommoder» (régional), var. de *rabobiner* (→ Bobine).
Familier.

♦ **1.** Réparer d'une manière sommaire ou provisoire. ⇒ **Rafistoler.**

♦ **2.** (1904). Fig. Réconcilier. — (1877). Pron. *Ils se sont rabibochés.*

DÉR. Rabibochage.

RABIOLE [ʀabjɔl] n. f. — 1549; du provençal mod. *rabo* «rave»; cf., en moy. franç., *rabette* «chou-rave».

♦ Régional. Chou cultivé pour sa racine comestible (choux-raves, turneps), ou oléagineuse (choux-navets, navettes).

RABIOT [ʀabjo] n. m. — 1831, Dict. de Willaumez : «*Rabiau :* nom que les matelots donnent à un résidu, restant de liqueur buvable... après la distribution faite à chaque homme», argot de marine, puis argot milit.; selon Wartburg, d'un dial. *rabiot* «reste de la pêche, que le distributeur s'adjuge», de *rave, rabe;* lat. *rapum* (→ Rave); selon Esnault, de *rebiots* «taxes en supplément», 1638, que P. Guiraud rattache à une forme romane **ratabellum* «râclette, chose raclée», du lat. *rutabulum* «instrument de boulanger, fourgon» (→ 1. Râble).
Familier.

♦ **1.** Supplément, surplus*, dans une distribution. *Rabiot de vin, de cigarettes. La ration et le rabiot.* ⇒ **Rab.**

1 Dans un coin *(du bureau),* quatre boules de son empilées, rabiot des hommes en permission opéré sur la distribution de la veille (...)
COURTELINE, le Train de 8 h 47, I, III.

♦ **2.** (1863). Temps supplémentaire que doit passer au régiment un soldat après sa libération, en cas de peines disciplinaires. *Faire du rabiot.*

1.1 — Et cela dure combien de temps cette plaisanterie?
— Trois ans.
— Tu vas être dans cet état pendant trois ans?
— Peut-être plus s'il fait du rabiot. R. QUENEAU, le Vol d'Icare, p. 144.

Figuré :

2 Le catholique prétendra que ce temps de «rabiot» m'est accordé par Dieu, dans son infinie bienveillance, pour me permettre une conversion soignée (...)
GIDE, Journal, 7 sept. 1948.

♦ **3.** (1832). Fig. Supplément.

3 Il fallut presque toujours la nuit faire encore travailler sa fatigue, souffrir un petit supplément, rien que pour manger, pour trouver le petit rabiot de sommeil dans le noir.
CÉLINE, Voyage au bout de la nuit, p. 37.

(1920). Temps de travail supplémentaire. *Il fait du rabiot.*

DÉR. Rabioter, rabioteur.

RABIOTAGE [ʀabjɔtaʒ] n. m. — 1867, Delvaux; de *rabioter.*

♦ Fam. Le fait de rabioter, de s'approprier le rabiot.

RABIOTER [ʀabjɔte] v. — 1832, *rabiauter;* de *rabiot.*
Familier.

♦ **1.** V. intr. Faire de petits profits supplémentaires. ⇒ **Grapiller, gratter.**

♦ **2.** V. tr. S'approprier, obtenir en supplément. *Il a rabioté une portion. Rabioter du tabac. — Elle a rabioté une place.*

DÉR. Rabiotage, rabioteur.

RABIOTEUR, EUSE [ʀabjɔtœʀ, øz] n. — 1848, *rabiauteur;* de *rabioter.*

♦ Fam. Personne qui rabiote.

(...) il n'y a pas un bricoleur, ni un rabioteur dans ses services, pas un embusqué, on ne peut pas récupérer un seul soldat dans sa prison. Sa conscience est tranquille. La France peut être tranquille. Il monte bonne garde et serait le premier à lui faire faire demi-tour si jamais il se présentait chez lui un de ces sacrés farceurs qui inventent des maladies à plaisir et font les fous pour ne pas retourner au feu. B. CENDRARS, Moravagine, Œ. compl., t. IV, p. 249.

RABIQUE [ʀabik] adj. — 1824; du lat. *rabies* «rage». → Antirabique.

♦ Didact. Relatif, propre à la rage.

Le microbe de la rage n'étant ni cultivé, ni isolé, il fallut d'abord se mettre à l'abri des erreurs (...) Puisque l'atteinte du système nerveux semblait marquer la phase clinique culminante de la maladie, la recherche du virus rabique dans le cerveau et l'inoculation d'un fragment de celui-ci devaient être des progrès.
Henri MONDOR, Pasteur, X.

COMP. Antirabique.

1. RÂBLE [ʀɑbl] n. m. — 1401, *raable; roable,* XIIIe; lat. *rutabulum* «fourgon, spatule», de *ruere.* → Ruer.

♦ Techn. Outil formé d'une barre munie d'un petit râteau, d'une plaque recourbée..., et qui sert à remuer des matières en fusion, des braises, à nettoyer des fours, des cuves, etc. ⇒ **Fourgon,** 1. **ringard.** *Râble de boulanger* (pour remuer le charbon, la braise dans le four), *de teinturier, de puddleur.*
Outil de saunier, servant à sortir le sel de la poêle*. ⇒ **Rouable.**

DÉR. Râbler, râblot, 3. **râble.** — V. 2. **Râble.**
HOM. 2. **Râble,** 3. **râble,** formes du v. **râbler.**

2. RÂBLE [ʀɑbl] n. m. — 1532, Rabelais; p.-ê. extension du précédent, «certains râbles (→ 1. Râble) étant munis de fourchons fixés dans la barre comme l'échine *(est munie)* de ses côtés» (Bloch).

♦ **1.** Partie charnue qui s'étend des côtes à la naissance de la queue, chez certains quadrupèdes. ⇒ **Dos, rein**(s). *Lévriers* (cit. 2) *minces de râble.*
Spécialt. Partie inférieure du dos du lapin et du lièvre, dont le goût est particulièrement estimé. *Un morceau de râble* (→ Compenser, cit. 3). *Râble à la moutarde.*

Que voulez-vous? J'ai des poulets, des pigeons, un râble de lièvre excellent, des 1
lapins : c'est le canton des bons lapins.
DIDEROT, Jacques le fataliste, Pl., p. 576.

(...) il ne sonnait mot et dévorait un râble aux tomates en roulant des yeux noyés 1.1
dans l'extase. VILLIERS DE L'ISLE-ADAM, Tribulat Bonhomet, p. 81.

♦ **2.** (1599). Fam. Partie du dos (d'une personne) qui correspond aux reins (→ Carrure, cit. 2). *Un râble puissant.* ⇒ **Râblé.**

Les princesses aux beaux râbles 2
Offrent leurs plus doux trésors.
Charles CROS, Liberté, Pl., p. 194.

Loc. **SUR LE RÂBLE :** sur le dos. — Fam. *Tomber sur le râble de qqn,* lui sauter dessus, l'agresser (cf. argot Râbler : agresser).

(...) un bleu d'ouvrier sur le râble et perché au sommet d'une escabelle, Sénac 3
badigeonnait les croisées en fumaillant des cigarettes.
G. DUHAMEL, Chronique des Pasquier, V, VI.

Fig. *Tu vas voir ce qui va te tomber sur le râble,* ce qui va t'arriver (de fâcheux).

DÉR. Râblé. — V. **Râblure.**
HOM. 1. **Râble,** 3. **râble,** formes du v. **râbler.**

3. RÂBLE [ʀɑbl] n. m. — 1625; de 1. *râble.*

♦ Techn. Traverse d'un bateau à fond plat.

HOM. 1. **Râble,** 2. **râble,** formes du v. **râbler.**

RÂBLÉ, ÉE [ʀɑble] adj. — 1574; var. *rablu, ue* (XVIIe); de 2. *râble.*

♦ Qui a le râble fort, épais, large; qui est trapu et fort. *Chiens, lièvres, chevaux râblés* (→ Fouet, cit. 5). *Un garçon râblé,* robuste et vigoureux, mais épais. ⇒ **Costaud, trapu.** *Ce petit* (cit. 19) *être râblé... Elle est un peu râblée.*

De près, c'est un homme un peu plus petit que Panturle, mais tout râblé, avec de bons angles, des épaules en devant de brouette et de bonnes mains.
J. GIONO, Regain, II, IV.

HOM. Râbler.

RÂBLER [ʀɑble] v. — 1788; de 1. *râble.*
Technique.

♦ **1.** V. tr. Remuer, nettoyer avec un râble. ⇒ aussi **Ratisser.** *Râbler le plâtre. Râbler le feu,* le remuer pour le débarrasser des cendres.
(1801). *Râbler la poêle :* nettoyer au râble la poêle où le sel se cristallise.

♦ **2.** V. intr. (XXe). Remuer une masse en ignition sous la surface.

HOM. Râblé.

RÂBLOT [ʀɑblo] n. m. — 1836; de 1. *râble.*

♦ Techn. Petit râble.

RÂBLURE [ʀɑblyʀ] n. f. — 1680, d'Estrées, *in* Littré; p.-ê. de 2. *râble,* par métaphore (les bordages étant comparés aux côtes).

♦ Mar. Rainure pratiquée dans la longueur et sur les deux côtés de la quille, de l'étrave ou de l'étambot, pour recevoir l'extrémité des bordages, dans les navires en bois.

RABOIN, INE [Rabwɛ̃, in] n. ⇒ **Rabouin.**

RABOLIÈRE [Rabɔljɛʀ] n. f. — xxe (Genevoix, 1925); var. régionale de *rabouillère.*

♦ Régional. Terrier de lapin. ⇒ **Rabouillère** (cit. 1).

RABOLIOT [Rabɔljo] n. m. — Attesté xxe (Genevoix, 1925); de *rabolier,* var. de *rabouiller, rabouillère**, du rad. germ. **rabbe* «lapin».

♦ Régional. Lapin de garenne (→ Rabouillère, cit. 1).

RABONNIR [Rabɔniʀ] v. — xiiie; de *re-,* et *abonnir.*

♦ **1.** V. tr. Vx. Rendre meilleur. ⇒ **Abonnir.**

♦ **2.** V. intr. (1798). Vx. Devenir encore meilleur. *« Le vin rabonnit en bouteilles »* (Académie). ⇒ **Bonifier** (se).

RABOT [Rabo] n. m. — 1342, au sens 3.; selon Wartburg, de *rabotte,* dial., «lapin»; moy. néerl. *robbe* «lapin» (→ Rabouillère, cit. 1), par anal. de forme, la lame oblique figurant les oreilles; cf., pour le procédé, Chevalet, chèvre, poutre...; selon P. Guiraud, du dial. *rebotter,* de *boter* «élaguer» (1611), de *bot* «émoussé», d'un rad **butt.*

♦ **1.** (V. 1354). Outil de menuiserie, formé d'une lame de métal oblique ajustée dans un fût qui en laisse un peu dépasser le tranchant, et qui sert à enlever les inégalités d'une surface de bois, à faire des moulures, des rainures... ⇒ **Bouvet,** 2. **colombe, doucine, feuilleret, gorget, guillaume, guimbarde, mouchette, riflard, tarabiscot, varlope, wastringue;** et aussi **rugine** (→ Copeau, cit.; glisser, cit. 7). *Passer le rabot sur une planche, donner un coup de rabot.* ⇒ **Raboter.** *Le fer, le ciseau, la lumière* (l'ouverture), *les joues* (les faces latérales), *la semelle d'un rabot. Rabot à dégrossir, à moulurer, à rainer... Rabot qui va bien; qui broute*. Aplanir, dresser une planche au rabot.*

1 Le bon maître huchier, pour finir un dressoir,
Courbé sur l'établi depuis l'aurore ahane,
Maniant tour à tour le rabot, le bédane
Et la râme grinçante ou le dur polissoir.
J.-M. DE HÉRÉDIA, les Trophées, « Le huchier de Nazareth ».

2 Les quinze jours derniers, mes apprentis et moi, afin de rattraper les chômages forcés, nous avons fait voler les copeaux et chanter le bois sous nos rabots.
R. ROLLAND, Colas Breugnon, IV.

Fig. *Passer le rabot, donner un coup de rabot* : corriger, polir, terminer (un ouvrage). *« Et reprenant vingt fois le rabot et la lime »* (cit. 3).

♦ **2.** Techn. Outil à aplanir, à moulurer les métaux. — Outil employé par les clicheurs pour dresser les pages de clichés. — (1812). Outil servant à polir le marbre, les glaces.

(1875). Outil utilisé pour couper les poils du velours de soie, des peluches (tissage à la main).

(Fin xve, pour le mortier). Outil à long manche, terminé par une planchette, une raclette, et servant à ramasser le grain, remuer l'eau, unir la surface d'une terre meuble, préparer et étaler le mortier, nettoyer les égouts, etc. — (1869). Agric. *Rabot à raies,* pour rabattre les arêtes formées par la charrue. — *Rabot de pré,* pour aplanir les taupinières.

(Mil. xxe). Appareil utilisé dans les mines de charbon, pour abattre et charger la houille.

♦ **3.** Techn. Pierre dure utilisée pour faire des pavages.

DÉR. Raboter, raboteux, rabotin.

RABOTAGE [Rabɔtaʒ] n. m. — 1765; *rabotement,* 1611; «copeaux», xvie; de *raboter.*

♦ **1.** Action de raboter. *Le rabotage des planches par le menuisier.* — Résultat de cette action. *Un rabotage lisse, égal.*

♦ **2.** (xxe; *in* Larousse, 1932). Usinage à l'aide d'une, de machine(s) à raboter.

RABOTE [Rabɔt] n. f. — 1869, *in* Littré; probablt d'une forme régionale de *rave.*

♦ Régional. Entremets fait d'une poire ou d'une pomme enrobée de pâte et cuite au four. — Syn. : *douillon.*

RABOTEMENT [Rabɔtmɑ̃] n. m. — 1611; de *raboter.*

♦ Vx. Rabotage.

RABOTER [Rabɔte] v. tr. — 1409; de *rabot.*

A. ♦ **1.** Aplanir, dresser au rabot. ⇒ **Dégauchir, polir; varloper.** *Raboter une planche, une pièce de bois.* ⇒ **Menuiserie.** — Au p. p. *Parquet raboté.* — Par métaphore. *Son corps plat* (cit. 5)..., *raboté comme une planche par le travail...*

Ils n'avaient plus ni peau ni chair, tout était glacé et raboté par l'eau froide. 1
J. GIONO, le Chant du monde, I, VII.

♦ **2.** Usiner en surface (une pièce), à l'aide d'une machine spéciale (raboteuse, mortaiseuse, dégauchisseuse, étau-limeur, etc.).

♦ **3.** (1869). Techn. Limer (le sabot d'un cheval). — Niveler (les dents d'un cheval).

B. Fig. ♦ **1.** (1654). Fig., vx. Corriger, polir* (son style). → Limer; et cf. Voltaire et Balzac, *in* Littré.

♦ **2.** (1888). Pop., vx. S'emparer illicitement de, voler. ⇒ **Chiper.**

C. V. intr. Faire, produire un bruit (en parlant d'un disque usé).

Des rondelles? On a une petite salade, Bechet, Barclay, Lafitte, Osterwald, Gillespie, Doggett, Holiday, une trentaine en tout et bien dix, je te préviens, qui rabotent. 2
Hervé BAZIN, Au nom du fils, p. 132.

DÉR. Rabotage, rabotement, raboteur, raboteuse, raboture.

RABOTEUR [Rabɔtœʀ] n. m. — 1576; de *raboter.*

♦ **1.** Ouvrier spécialisé dans le rabotage. *Raboteur de parquet.*

♦ **2.** Ouvrier qui conduit une machine à bois, une machine-outil comportant une raboteuse. *Raboteur à la machine; raboteur-mortaiseur.*

Haverkamp se faisait fort d'avoir revendu au moins un des immeubles du groupe, avant que les raboteurs de parquet ne fussent passés.
J. ROMAINS, les Hommes de bonne volonté, t. V, XVIII, p. 130.

♦ **3.** Ouvrier qui taille la pierre tendre avec le rabotin*.

Le fém. *raboteuse* est virtuel.

RABOTEUSE [Rabɔtøz] n. f. — 1876; de *raboter.*

♦ Machine-outil servant à raboter les grosses pièces (de bois ou de métal) : dégauchisseuse, limeuse, mortaiseuse, etc. *Raboteuse à porte-outil fixe et à table mobile, à porte-outil mobile. Raboteuse à chanfreiner les tôles* (chanfreineuse). *Raboteuse qui effectue le déroulage du bois.* ⇒ **Dérouleuse.**

Dans l'atelier du bois, une lumière blanche tombait des verrières, une lumière d'hôpital, les scies, les raboteuses tranchaient les planches avec des emballements de moteur, des colères d'hélice qui sort de l'eau, à la crête d'une lame, la sciure coulait. P. NIZAN, Antoine Bloyé, p. 195.

HOM. Raboteuse (fém. de *raboteux).*

RABOTEUX, EUSE [Rabɔtø, øz] adj. — 1539; de *rabot.*

♦ **1.** Dont la surface présente des aspérités, des inégalités désagréables au contact. ⇒ **Inégal, rêche, rude, rugueux, scabreux...** (→ Cygne, cit. 3; égal, cit. 31). *Un terrain, un chemin, un sol pierreux et raboteux.* ⇒ **Âpre, difficile.** *Le sillon raboteux* (→ Herse, cit. 1).

L'écorce tantôt nue, et tantôt raboteuse, 1
Lui déchirait les mains ou les faisait glisser.
Deux fois il retomba (...) FLORIAN, Fables, I, 21.

Il avait tiré parti des lieux les plus raboteux et accordé, par la plus heureuse harmonie, la facilité de la promenade avec l'aspérité du sol, et les arbres domestiques avec les sauvages. 2
BERNARDIN DE SAINT-PIERRE, Paul et Virginie, p. 43.

Marie, qui se plaignait sans cesse de ses cors, montrait peu d'enthousiasme pour les sentiers raboteux de la garrigue (...) GIDE, Si le grain ne meurt, I, II, p. 54. 3

Rare. *Une planche, une poutre raboteuse.*

♦ **2.** (1657). Fig., littér. *Style raboteux,* rocailleux; rude, heurté. *Une prose raboteuse. Style incorrect* (cit.) *et raboteux. Des vers contournés, raboteux...* (→ Mièvrerie, cit. 2).

Littér. (Personnes). Qui est d'un abord et d'une fréquentation difficile. ⇒ **Rude, rugueux.**

CONTR. Égal, lisse, poli, uni.
HOM. (Du fém.) **Raboteuse.**

RABOTIN [Rabɔtɛ̃] n. m. — 1904; de *rabot.*

♦ Techn. Outil de tailleur de pierre pour dresser, équarrir la pierre.

RABOTURE [Rabɔtyʀ] n. f. — D. i.; de *raboter.*

♦ Rare. Copeau formé par le rabot. *Balayer les rabotures.*

RABOUGRI, IE [Rabugʀi] adj. — 1653; p. p. de *rabougrir.*

♦ **1.** Qui s'est insuffisamment développé; mal venu. *Arbres, arbustes, genévriers* (cit. 2) *rabougris.* ⇒ **Chétif, difforme.** *Des arbres aux troncs rabougris* (→ Grotesque, cit. 6).

Méry, chêne au milieu d'arbustes rabougris, 1
A vaincu les épreuves.
Th. DE BANVILLE, Odes funambulesques, Autres guitares, « Nadar ».

2 (...) un clos plein de pommiers rabougris et perclus, argentés par des lichens et dorés par des mousses (...) HUYSMANS, En route, II, I.

♦ **2.** (1690). Qui est petit et mal conformé, chétif. ⇒ **Racorni, ratatiné, recroquevillé.** *Un enfant malingre et rabougri. « Un gibet* (cit. 3) *plein de pendus rabougris ». Un vieillard rabougri.* — Par ext. *Un air rabougri,* recroquevillé, rétréci.

3 (...) nous trouverions sans doute la malheureuse dans quelque attitude pauvre, rabougrie et rachitique, comme ces prisonniers des Plombs de Venise qui vieillissaient ployés en deux dans une boîte de pierre trop basse et trop courte. HUGO, Notre-Dame de Paris, I, IV, III.

4 Gottfried avait en effet l'air vieilli, ratatiné, rapetissé, rabougri; il respirait d'un petit souffle pénible et court. R. ROLLAND, Jean-Christophe, L'adolescent, III, p. 368.

♦ **3.** Fig. Petit et mesquin (cit. 2), desséché. *Un style rabougri et pauvre. Une vie mesquine et rabougrie. Des projets rabougris.*

RABOUGRIR [ʀabugʀiʀ] v. — 1600; de *re-,* et *abougrir* (1564), de *bougre* « petit, chétif ».

♦ **1.** V. tr. Rare. Gêner ou arrêter (un arbre, une plante) dans son développement normal. ⇒ **Étioler.** — (XXe; de *rabougri*). Fig. Entraver dans son développement, rendre rabougri. *Rabougrir son esprit, ses espérances; son style.*

♦ **2.** V. intr. Pousser mal, difficilement. *Les arbres rabougrissent dans ce terrain.*

▶ **SE RABOUGRIR** v. pron. (1690).
S'étioler, se recroqueviller. *Les arbres se rabougrissent à cause de la sécheresse.* — Fig. *Un vieillard qui se rabougrit, se ratatine.*

CONTR. Fort, sain.
DÉR. Rabougri, rabougrissement.

RABOUGRISSEMENT [ʀabugʀismɑ̃] n. m. — 1834; de *rabougrir.*

♦ **1.** Fait de devenir rabougri (végétaux; par ext., personnes, animaux; fig., abstractions). *Le rabougrissement des pins sur une côte battue des vents.* — Fig. *Un consternant rabougrissement des aspirations et des idéaux.*
État d'une plante, d'une personne rabougrie. ⇒ **Étiolement, ratatinement.**

♦ **2.** Arbor. Maladie des arbres qui provoque un étiolement de la plante.

♦ **3.** Fig. Chose, événement qui n'est qu'une dégradation, un appauvrissement (d'une autre). *Sa théorie est un rabougrissement du marxisme, du freudisme...*

RABOUILLAGE [ʀabujaʒ] n. m — 1842; de *rabouiller.*

♦ Régional. Action de rabouiller*.

RABOUILLER [ʀabuje] v. tr. — Attesté 1842, Balzac; de *bouiller.*

♦ Régional. Battre, troubler (l'eau) pour pêcher plus facilement. *Perche pour rabouiller.* ⇒ 1. **Bouille, rabouilloir.**

Rabouiller est un mot berrichon qui peint admirablement ce qu'il veut exprimer : l'action de troubler l'eau d'un ruisseau en la faisant bouillonner à l'aide d'une grosse branche d'arbre dont les rameaux sont disposés en forme de raquette. Les écrevisses effrayées par cette opération, dont le sens leur échappe, remontent précipitamment le cours d'eau, et dans leur trouble se jettent au milieu des engins que le pêcheur a placés à une distance convenable. Flore Brazier tenait à la main son *rabouilloir* avec la grâce naturelle à l'innocence. BALZAC, la Rabouilleuse, Pl., t. III, p. 963.

DÉR. Rabouillage, rabouilleur, rabouilloir.

RABOUILLÈRE [ʀabujɛʀ] n. f. — 1534, Rabelais; du rad. germanique *rabbe* « lapin ». (→ Rabot); var. *rabolier, rabouiller* (Furetière), etc. (→ Rabolière).

♦ Régional. Terrier, abri que les femelles du lapin de garenne creusent pour y faire leurs petits et les élever.

1 (...) on ne l'appelait que Raboliot (...) Déjà futé, remuant, le corps fin, l'œil vif et noir, c'était bien vrai qu'il ressemblait à un lapin de rabolière[1], à un raboliot bien venu (...) lapereau sauvage, bête de bois (...) M. GENEVOIX, Raboliot, I, I.
1. Rabouillère, nid de garennes (Note de l'auteur).

2 (...) des lapins couchés à « tout-touche » en ribambelle de frères jumeaux, montraient leur ventre blanc, leurs oreilles bleuissantes, leurs pattes jointes au ventre jauni par le fumier des rabouillères. M. GENEVOIX, Mon enfance au temps du Lapin Agile, *in* le Figaro littéraire, 9-15 sept. 1968.

RABOUILLEUR, EUSE [ʀabujœʀ, øz] n. — 1842, de *rabouiller.*

♦ Vx ou régional. Personne qui agite et trouble l'eau pour effrayer les écrevisses et les pêcher plus facilement. *La Rabouilleuse,* roman de Balzac.

— Après ça! cette Rabouilleuse mérite d'être rabouillée à son tour (...) BALZAC, la Rabouilleuse, Pl., t. III, p. 1108.

RABOUILLOIR [ʀabujwaʀ] n. m. — 1842; de *rabouiller.*

♦ Régional. Bâton, perche servant à rabouiller* (cit.). ⇒ 1. **Bouille.**

RABOUIN, INE ou RABOIN, INE [ʀabwɛ̃, in] n. — 1800, *rabouin; raboin,* v. 1741; fourbesque (ancien argot ital.) *rabuino* « diable ».

Vieux.

♦ **1.** N. m. Argot anc. Diable. *« Il lansquine à éteindre le riffe du rabouin... »* (Hugo) : il pleut à éteindre le feu du diable.

♦ **2.** N. (1901). Pop. Romanichel, bohémien.

RABOULER [ʀabule] v. — 1916, cit. 1; de *re-,* et *abouler.*

Familier, vieilli.

♦ **1.** V. pron. Venir, arriver (cf. Se ramener). — Revenir.

Or, à cinq heures, à la sortie d'la caserne, mes deux phénomènes se raboulent et s'plantent devant les biffins qui sortent. 1
H. BARBUSSE, le Feu, t. II, II, XX, p. 26.

♦ **2.** V. tr. Loc. *Rabouler sa peau, sa fraise...* : venir, arriver. ⇒ **Ramener.** Revenir.

Mais voilà. I'raboulera sa peau, çui-là. Au front, i's'rait emporté dans l'mouvement, mais pas si bête. 2
H. BARBUSSE, le Feu, t. I, I, IX, p. 50.

RABOUTAGE [ʀabutaʒ] n. m. — Attesté 1973, *Journ. off.,* sens 2.; de *rabouter.*

♦ **1.** Fait, action de rabouter. — *Le raboutage de deux tôles, de deux pièces. « Ce raboutage des tôles fines sur des petites surfaces ferait presque penser à du travail de dentellière » (Sciences et Avenir,* nov. 1980, p. 64).

♦ **2.** Techn. Remise en état d'une pièce usée grâce à l'ajout d'embouts.

RABOUTER [ʀabute] ou RABOUTIR [ʀabutiʀ] v. tr. — 1845, *rabouter; raboutir,* 1718; *rabouter* « établir une hypothèque », 1294; de *re-,* et *abouter, aboutir.*

♦ Régional ou techn. Assembler, joindre, réunir bout* à bout. Coudre bout à bout. ⇒ **Abouter.** *Rabouter des tôles. Raboutir des dentelles. Rabouter des vaisseaux, des fibres nerveuses, musculaires. « Sous microscope (...) on raboute la partie perméable de l'épididyme avec le canal déférent (...) il s'agit là d'un véritable exploit chirurgical » (le Monde,* 11 août 1982, p. 10). — Fig. *Le texte des originaux, interpolés* (cit. 3), *raboutés...*

DÉR. Raboutage, raboutissage.

RABOUTISSAGE [ʀabutisaʒ] n. m. — 1875, *in* P. Larousse; de *raboutir.*

♦ Rare. Fait de rabouter, de joindre bout à bout. ⇒ **Raboutage.**

RABROUEMENT [ʀabʀumɑ̃] n. m. — 1559; de *rabrouer.*

♦ Rare. Action de rabrouer (qqn); paroles par lesquelles on rabroue.

La deuxième nuit fut plus dure que la première; et le mercredi se passa mal. Pas de portières, le rabrouement partout où il allait mendier un emploi (...) ARAGON, les Beaux Quartiers, II, XXXVIII.

RABROUER [ʀabʀue] v. tr. — XIVe; de *re-,* et moy. franç. *brouer* « gronder, écumer, être en colère », de l'anc. franç. *breu, brou.* → Brouet.

♦ Accueillir, recevoir, traiter (qqn) avec brusquerie, rudesse, en le tançant ou en le repoussant. ⇒ **Gronder, promener** (envoyer promener); **rebuter, rembarrer** (fam.); cf. Envoyer au diable, à tous les diables; et → Bougonner, cit.; pied, cit. 13. *Il s'est fait vertement rabrouer.* — Absolt. *Rabrouant et criant* (→ Étincelant, cit. 4).

— Je suis à l'âge où l'on ne se corrige guère; mais si les premiers qui se sont adressés à moi m'avaient rabroué comme tu as fait, peut-être en serais-je devenu meilleur. DIDEROT, Jacques le fataliste, Pl., p. 586. 1

(...) il l'avait rabrouée quand elle disait ce mot banal de toutes les jeunes filles : « Je suis un phénomène » (...) il l'avait rabrouée encore quand elle disait qu'elle « n'était pas comprise » (...) MONTHERLANT, Pitié pour les femmes, p. 74. 2

CONTR. Câliner, choyer.
DÉR. Rabrouement, rabroueur.

RABROUEUR, EUSE [RabRuœR, øz] n. — 1537; de *rabrouer.*

♦ Rare. Personne brusque, qui rabroue, rebute ceux qui s'adressent à elle.

RAC [Rak] n. m. — 1950, Duras; empr. probable d'un mot vietnamien.

♦ Rare. Dans le Sud-Est asiatique, Rivière. *« L'eau trouble du rac »* (→ Sarcelle, cit. 2).

(...) la mère mit les agents de Kam au courant de ses nouveaux projets. Ceux-ci consistaient à demander aux paysans qui vivaient misérablement sur les terres limitrophes de la concession de construire, en commun avec elle, des barrages contre la mer. Ils seraient profitables à tous. Ils longeraient le Pacifique et remonteraient le rac jusqu'à la limite des marées de juillet.
M. DURAS, Un barrage contre le Pacifique, 1950, p. 28-29.

HOM. Formes du v. **raquer.**

RACA [Raka] interj. — 1672; *racha,* dans la Bible de 1553; mot araméen transcrit dans le lat. de la Vulgate.

♦ Dans l'Évangile, terme de mépris à l'adresse d'un frère. — (1836). Vx ou littér. *Crier raca sur qqn,* l'insulter.

« Quelle noblesse, dans cette paysanne ! » dit Sybilla à Sprangel. Quelle dignité ! — Je vous prends en flagrant délit de contradiction : est-ce qu'elle n'appartient pas à un de ces peuples contre lesquels vous criiez raca, tout à l'heure : *société à bout d'énergie, monde épuisé, pays d'esthètes et de voyeurs?* Il faudrait nous entendre.
J.-R. BLOCH, l'Aigle et Ganymède, p. 265.

On écrit aussi *racca.*

RACAGE [Rakaʒ] n. m. — 1634; de *raque,* anc. normand *rakki.*

♦ **1.** Mar. Collier fixé au bout d'un pic, d'une corne, etc., et entourant le mât, destiné à guider le mouvement de l'espar lorsqu'on hisse la voile.

(1736). *Pomme de racage :* chacune des boules de bois enfilées sur un racage pour faciliter son glissement le long du mât.

♦ **2.** (1904). Techn. Collier métallique qui réunit deux pièces de charpente.

RACAHOUT [Rakaut] n. m. — 1857; *racaou,* 1833; arabe (de forme mal assurée) *rāḥat-qût* « repos de la gorge ». → Rahat-loukoum.

♦ Vieilli. Mélange préparé de farines, de fécules, de cacao et de sucre, dont on fait des bouillies (→ Pharmacie, cit. 1).

RACAILLE [Rakaj] n. f. — Fin XIIe; *rascaille,* 1138; de l'anc. normand **rasquer* (cf. anc. provençal *rascar*); bas lat. **rasicare* « racler », class. *radere,* qui a donné ancienn *rasque, rache* en divers sens péjoratifs.

♦ **1.** Populace méprisable, rebut de la société. ⇒ **Canaille, lie, plèbe.** *Vous n'êtes que racaille, gens grossiers* (cit. 5)...

1 Les princes périrent tous.
La racaille, dans des trous
Trouvant sa retraite prête,
Se sauva sans grand travail.
LA FONTAINE, Fables, IV, 6.

2 Bien meilleure impression de la population de marins et pêcheurs de Cassis (...) À Marseille, vraiment, ce n'est plus le peuple, mais la racaille.
GIDE, Journal, Marseille, juin 1932.

♦ **2.** (Déb. XVIIe). Ensemble de fripouilles, de personnes que l'on méprise. *« La racaille philosophique »* (Bloy, *le Désespéré,* p. 141). *La racaille des médisants.* ⇒ **Meute.**

3 Il s'agissait d'un jeune employé de commerce qui avait tué un Arabe sur une plage. — Si l'on mettait toute cette racaille en prison, avait dit la marchande, les honnêtes gens pourraient respirer.
CAMUS, la Peste, p. 68.

(1690). Vx ou régional. (En parlant de choses, d'animaux). *Une racaille de vieilles hardes, de vieux outils.*

RACANETTE [Rakanɛt] n. f. — 1869, *in* Littré; orig. inconnue.

♦ Régional. Sarcelle.

RACCA [Raka] interj. ⇒ **Racca.**

RACCARD [RakaR] n. m. — 1224; orig. incertaine.

♦ Régional (Valais). Grange à blé.

On est assis ensemble devant la porte d'un raccard. On a les jambes qui pendent, parce qu'un raccard est bâti en l'air, porté aux quatre coins par des espèces de piliers; à chacun de ces piliers (...) est une grosse pierre plate, débordant de tous les côtés; c'est pour empêcher les souris d'entrer.
C.-F. RAMUZ, le Village dans la montagne, p. 61.

Var. (Aoste) : *rascart* /RaskaR].

RACCASTILLAGE [Rakastijaʒ] n. m. — 1846; de *raccastiller.*

♦ Mar. Vx. Action de raccastiller; son résultat.

RACCASTILLER [Rakastije] v. tr. — 1846; *racastiller, in* Littré; de *re-,* et *accastiller*.*

♦ Mar. Vx. Réparer l'accastillage de (un navire*).

DÉR. Raccastillage.

RACCOMMODABLE [Rakɔmɔdabl] adj. — 1845; de *raccommoder.*

♦ Rare. Qui peut être raccommodé. *Ces chaussettes sont trop usées, elles ne sont plus raccommodables.*

RACCOMMODAGE [Rakɔmɔdaʒ] n. m. — 1650; de *raccommoder.*

♦ **1.** Vx ou régional. Action d'arranger, de remettre en état. ⇒ **Rafistolage, rhabillage; réparation.** *Le raccommodage de qqch. (par qqn).* — Réparation. *Les raccommodages en pierre sèche d'une masure* (→ Maintenir, cit. 13).

♦ **2.** Mod. Action de raccommoder, manière dont est raccommodé (le linge, un vêtement). *Raccommodage de vêtements, de linge* (⇒ **Ravaudage**), *en passant des fils* (⇒ **Passefilure, reprise, stoppage**), *en remontant des mailles* (⇒ **Remmaillage**), *en posant des pièces* (⇒ **Rapiéçage**). *Faire les raccommodages* (→ 2. Neuf, cit. 20). *Faire du raccommodage.*

♦ **3.** *(Un, des raccommodages).* Partie raccommodée. *Un vieux pantalon tout effiloché, plein de pièces et de raccommodages.*

RACCOMMODAILLE [Rakɔmɔdɑj] n. f. — 1877, cit.; de *raccommoder.*

♦ Rare. (Généralt au plur.). Réconciliation. ⇒ **Raccommodement.**

Aujourd'hui je suis dégagé par le temps, les raccommodailles, la rentrée de Rochefort, l'inexactitude désolante du caissier du Radical.
J. VALLÈS, le Proscrit, 10 juil., p. 148, *in* D. D. L., II, 1.

RACCOMMODEMENT [Rakɔmɔdmɑ̃] n. m. — Déb. XVIIe, d'Aubigné; de *raccommoder.*

♦ (Fam. de nos jours; non marqué dans les cit. *infra*). Réconciliation. ⇒ **Rabibochage, raccommodaille** (→ Explication, cit. 10). *Le raccommodement qu'elle négociait* (cit. 6). *Le raccommodement est impossible* (→ Dispute, cit. 4).

Après les raccommodements, 1
On voit croître toujours la flamme des amants,
Et se surpasser elle-même;
Nous l'avons cent fois éprouvé :
C'est qu'on avait perdu quelque temps ce qu'on aime,
Et qu'on est trop heureux de l'avoir retrouvé.
BUSSY-RABUTIN, Maximes d'amour, II, *in* Hist. amoureuse...

Le peuple fit des feux de joie, il cria : « Vive la Reine ! » Il fallut qu'elle vînt au balcon. La foule lui demanda qu'elle lui montrât le Dauphin, en signe de réconciliation complète et de raccommodement. 2
MICHELET, Hist. de la Révolution franç., I, V.

RACCOMMODER [Rakɔmɔde] v. tr. — 1587; de *re-,* et *accommoder.*

♦ **1.** Vieilli ou régional. Remettre en état, arranger. ⇒ **Réparer, rhabiller;** → Remettre à neuf* (2. Neuf). *Charron qui raccommode des charrues* (→ Friponner, cit.). *Raccommoder des poêlons* (→ Gitan, cit. 1), *des jouets* (→ Pantin, cit. 1), *des porcelaines, les papiers des murs* (→ Miracle, cit. 14), *de vieux souliers* (⇒ **Carreler**), *une maison* (⇒ **Rafistoler, ravaler, retaper, restaurer**). → 2. Lézarder, cit. 2. — Par métaphore. Vx. *Édifice* (cit. 11) *plusieurs fois raccommodé.* — Fig. Au p. p. *Les grammairiens sont des ouvriers* (cit. 8) *qui raccommodent la langue. Raccommoder un texte,* le reprendre, le corriger.

(...) je ne puis jamais raccommoder ce qui vient naturellement au bout de ma plume. 1
Mme DE SÉVIGNÉ, 875, 3 avr. 1681.

Au moment où Grandet raccommodait lui-même son escalier vermoulu (...) 2
BALZAC, Eugénie Grandet, Pl., t. III, p. 500.

Les vieilles amours cassées ne sont pas comme les porcelaines : elles ne se raccommodent pas. 3
Paul LÉAUTAUD, Propos d'un jour, p. 30.

♦ **2.** (1671). Mod. Réparer à l'aiguille. ⇒ aussi **Raccoutrer.** *Raccommoder des torchons* (→ Manie, cit. 4), *du linge, des gilets* (→ Mettable, cit.). *Chaussettes à raccommoder.* ⇒ **Passefiler, ravauder, repriser.** *Faire raccommoder un habit déchiré* (⇒ **Stopper**), *des bas filés* (⇒ **Remmailler**). *Raccommoder les clairs* d'un tricot.* ⇒ **Renforcer.** *Raccommoder des filets de pêche. Raccommoder, en cousant une pièce* (⇒ **Rapetasser, rapiécer**), *une partie décousue* (⇒ **Recoudre**).

Il apportait ses nippes à raccommoder (...) 4
FLAUBERT, Trois contes, « Un cœur simple », III.

Au participe passé :

(...) ses gants, toujours les mêmes aussi, raccommodés bien proprement au bout de chaque doigt (...) 5
LOTI, Matelot, XXXV.

♦ **3.** (1633). Fam. Réconcilier (des personnes; une personne avec une autre). ⇒ **Accorder, concilier, rabibocher, réconcilier; raccommodement.** — *Raccommoder deux amis, un fils avec son père.* — (Sujet n. de chose). *Cet heureux événement les a raccommodés.* — Vx (non marqué). *Raccommoder deux souverains.* — *Raccommoder qqn avec qqch.*, lui en faire prendre une meilleure opinion. *« Cela me raccommode avec les voyages »* (Académie). ⇒ **Réconcilier.**

6 Raccommodez les gens qui se brouillent, prévenez les procès (...)
ROUSSEAU, Émile, II.

7 Il trouvait la cambuse triste, depuis que le camarade n'était plus là. Il le raccommodait avec Gervaise, s'il les voyait en froid.
ZOLA, l'Assommoir, t. II, X, p. 112.

▶ **SE RACCOMMODER.** v. pron.

♦ **1.** Passif. Pouvoir ou devoir être raccommodé. *Ces chaussettes usées ne se raccommodent plus.* — (1648). Fig., vx. S'arranger, redevenir normal (choses).

♦ **2.** Réfl. Se réconcilier (avec). *Les fils se raccommodent avec les pères* (→ Nasse, cit. 2).

♦ **3.** (Déb. XVIIe, d'Aubigné). Récipr. Se réconcilier. *Il faudra bien se raccommoder* (→ Brouiller, cit. 33). *Se raccommoder sur l'oreiller** (cit. 6).

8 Croyez-moi, rappelez au plus tôt le petit comte (...) Vous craignez que je vous le reproche si nous nous raccommodons jamais; mais d'abord nous ne nous raccommoderons peut-être pas (...) DIDEROT, Jacques le fataliste, Pl., p. 614.

9 ... (c'était sur une de ces causeuses qu'on appelait des *dos-à-dos*, le meuble le mieux inventé pour se bouder et se raccommoder sans changer de place).
BARBEY D'AUREVILLY, les Diaboliques, « Le plus bel amour... ».

CONTR. Détériorer. — Briser, brouiller.

DÉR. Raccommodable, raccommodage, raccommodaille, raccommodement, raccommodeur.

RACCOMMODEUR, EUSE [ʀakɔmɔdœʀ, øz] n. — 1612; de *raccommoder.*

♦ **1.** Vx. Réparateur, rhabilleur. — Mod. *Raccommodeur de faïences et de porcelaines.* ⇒ **Magnien.**

♦ **2.** (1875). Mod., techn. Ouvrier attaché à l'entretien des voies de roulage dans les mines.

♦ **3.** Mod. Ouvrier, ouvrière qui raccommode (du linge, des vêtements). ⇒ **Ravaudeur.** *Raccommodeur de filets de pêche, de sacs de toile, de tapis, de tapisseries.* ⇒ **Restaurateur.** *Raccommodeuse en tulles, en dentelles* (⇒ **Remplisseuse, stoppeur**), *en bonneterie* (⇒ **Raccoutreuse**). *Raccommodeuse de linge.* ⇒ **Lingère.**

RACCOMPAGNADE [ʀakɔ̃paɲad] n. f. — 1694; de *raccompagner*, et *-ade.* → Promenade.

♦ Rare. Action de raccompagner. — REM. Les formes *raccompagnage* et *raccompagnement* sont virtuelles.

Elle partage avec moi la banquette de ma vieille Lancia où tant d'autres avant elle sont tombées au piège de mes raccompagnades. Comme ses sœurs, elle s'est blottie loin de moi contre sa portière, dès que la voiture s'est arrêtée à la porte de sa maison. Geneviève DORMANN, le Chemin des Dames, p. 185.

RACCOMPAGNER [ʀakɔ̃paɲe] v. tr. — 1892; *racompaigner* « réunir », 1265; de *re-*, et *accompagner.*

♦ Accompagner (qqn qui s'en retourne, rentre chez lui). ⇒ **Reconduire.** *Raccompagner une cavalière à sa table après la danse. Raccompagner qqn chez lui, à pied, en voiture. Je vais vous raccompagner.*

Il ne me faisait jamais passer après ses passions. Certains soirs, pour me raccompagner à la maison, il avait dû laisser échapper ce que Webb appelait « de très belles occasions ». F. SAGAN, Bonjour tristesse, II, IX.

DÉR. Raccompagnade.

RACCORD [ʀakɔʀ] n. m. — XVIe; « réconciliation », XIIe; de *raccorder.*

A. ♦ **1.** Liaison de continuité établie entre deux choses, deux parties. *Le raccord de pièces métalliques par soudure*. Faire un raccord de maçonnerie, de peinture. Raccord de céramiques, de carrelages, de papiers à tapisser, de tissus... présentant des dessins.* — Cout. Assemblage de deux morceaux à l'aiguille.

Fam. *Faire un raccord :* remettre du fard là où il en est besoin, sans se remaquiller entièrement.

♦ **2.** (1835). Transition entre deux éléments (d'une œuvre, d'une pièce de théâtre). — (1867). Spécialt. (Théâtre). Répétition destinée à vérifier les enchaînements.

♦ **3.** (1919). *Raccord de plans*, au cinéma, Manière dont deux plans d'un film s'enchaînent (résultat de la prise de vue et du montage). *La script-girl surveille les raccords.* — *Faux raccord*, qui présente une faute technique de continuité. — Plan tourné pour assurer la continuité, l'homogénéité du film.

1 Le montage escamotera mes fautes et le peu d'importance que j'attache à l'exactitude des raccords (ce qui consterne Lucienne, ma script). Trop de soin, aucune porte ouverte au hasard, effarouchent la poésie (...) Des arbres où il n'y aura pas d'arbres, un objet qui change de place, un chapeau enlevé qui se retrouve sur la tête, bref une crevasse dans le mur et la poésie pénètre.
COCTEAU, la Belle et la Bête, p. 58.

Samedi, le son (...) se met en grève. Je tournerai les raccords muets du cerf, de Josette qui se trouve mal. 2
COCTEAU, la Belle et la Bête, p. 113.

B. (1875). Pièce servant à réunir deux parties qui doivent communiquer. *Raccord de tuyau :* pièce métallique tubulaire munie d'un ou de deux manchons* filetés qui sert à réunir deux tuyaux, un robinet et un tuyau. *Partie mâle, partie femelle d'un raccord. Raccord de pompe :* tube de caoutchouc à deux manchons filetés que l'on fixe d'un côté à la pompe, et de l'autre à la valve de l'objet à gonfler. *Changer un raccord.*

CONTR. Coupure, séparation.

DÉR. Raccorderie.

RACCORDEMENT [ʀakɔʀdəmɑ̃] n. m. — 1738; *racordement* « réconciliation », XIIe; de *raccorder.*

♦ **1.** Action, manière de raccorder. *Raccordement de deux bâtiments. Voie de raccordement, reliant deux voies ferrées. Raccordement de deux terrains.* — Spécialt. Jonction de deux voies. *Voie de raccordement :* voie de chemin de fer qui en relie deux autres.

♦ **2.** Pièce servant à raccorder. *Congé* servant de raccordement à deux saillies.* ⇒ aussi **Raccord.** — *Raccordement d'aile* (d'un avion). ⇒ **Karman.**

♦ **3.** Lieu, endroit où deux choses se raccordent.

(...) la commune n'aurait que trois kilomètres à sa charge, leurs voisins de Blanville ayant voté déjà l'autre tronçon, jusqu'au raccordement avec la grand'route de Châteaudun à Orléans. ZOLA, la Terre, II, V. 1

Si attentif que l'on soit, il faut voyager souvent sur une ligne de chemin de fer pour connaître les embranchements et raccordements, j'entends connaître les aiguilles et distinguer les voies principales (...) 2
ALAIN, Propos, 21 janv. 1914, Leçons de choses pour adultes.

Géom. *Ligne de raccordement de deux surfaces :* courbe commune à deux surfaces qui ont les mêmes plans tangents en tous les points de cette courbe.

RACCORDER [ʀakɔʀde] v. tr. — 1738; *racorder* « réconcilier, accorder », XIIe; de *re-*, et *accorder.*

♦ **1.** Vx. Accorder de nouveau. — Mus. *Raccorder un instrument désaccordé.*

♦ **2.** Relier par un raccord (des choses dissemblables ou disjointes). ⇒ **Réunir.** *Raccorder deux bâtiments par une construction. Raccorder une coupole* (cit. 3) *à un bâtiment par des gradins.* ⇒ **Racheter.** — *Raccorder deux terrains de niveaux différents. Raccorder deux tuyaux.* ⇒ **Rabouter; raccord.** *Raccorder avec du plâtre.* ⇒ **Ruiler.** Faire une liaison, une transition entre deux parties. *Raccorder des chapitres, des scènes de théâtre, des plans de cinéma.* ⇒ **Raccord.**

♦ **3.** (1845). Sujet n. de chose. Former un raccord. ⇒ **Assembler, joindre, unir.** *L'escalier qui raccorde deux bâtiments. Le tronçon qui raccorde l'autoroute à la route nationale.*

♦ **4.** Rattacher, relier. *Raccorder (une chose) avec une autre.*

Figuré :

(...) il n'avait aucune honte à prier pour la vie sauve de son ami. En faisant cela il lui venait une sorte de douceur, parce que cette aisance à s'oublier totalement pour un autre le raccordait, par-dessus une longue période plus contractée et plus sèche, avec cet âge d'or de la générosité qu'avait été pour lui l'époque du collège. 1
MONTHERLANT, le Songe, II, XII.

▶ **SE RACCORDER** v. pron. (V. 1175, « se réconcilier »).

♦ **1.** (1765). Être raccordé. *Papiers peints dont les dessins se raccordent. Tube qui se raccorde à un autre par un manchon. Voies qui se raccordent. Plans qui se raccordent bien.* — *Se raccorder avec (quelque chose).*

REM. L'usage technique du cinéma utilise un emploi intransitif de *raccorder*, dans le sens du pronominal.

Scène qui raccorde avec la scène mauvaise (...) que je me propose de refaire. 1.1
COCTEAU, la Belle et la Bête, p. 116.

♦ **2.** Fig. Se rattacher, se raccrocher à. *Paroles qui ne se raccordent pas au début du discours* (cit. 22).

Si le renseignement que je vous apporte ne se raccorde à rien, il perd naturellement beaucoup de son intérêt. 2
J. ROMAINS, les Hommes de bonne volonté, t. II, XIII, p. 135.

CONTR. Séparer. — Bifurquer.

DÉR. Raccord, raccordement.

RACCORDERIE [ʀakɔʀdəʀi] n. f. — 1973, *Journ. off.*; de *raccord.*

♦ Techn. Ensemble des raccords de tuyauterie, accessoires et garnitures.

RACCOURCI [ʀakuʀsi] n. m. — 1400; de *raccourcir.*

♦ **1.** Vx. Abrégé, résumé. *Le raccourci d'un texte, d'un discours.* ⇒ **Analyse, résumé.**

Loc. (1631). Mod. **En raccourci :** en bref, en abrégé, en résumé. *Voici l'histoire en raccourci.* — Vx. En plus petit. *Un génie en raccourci* (→ Au petit pied*).

1 (...) voici
Le personnage en raccourci.
Son menton nourrissait une barbe touffue,
Toute sa personne velue
Représentait un ours, mais un ours mal léché. La Fontaine, Fables, xi, 7.

2 (...) le théâtre n'est-il pas la vie en raccourci, le véritable microcosme que cherchent les philosophes en leurs rêvasseries hermétiques? Th. Gautier, le Capitaine Fracasse, v.

(Concret). Rare. Chose raccourcie, plus petite. *« Ce raccourci d'atome »* (→ 1. Enceinte, cit. 5, Pascal).

3 Avec leurs cheveux coupés et leurs raccourcis de jupes, elles font aux hommes une cour assez humble, dont la première règle est de leur ressembler. J. Romains, les Hommes de bonne volonté, t. XIX, i, p. 11.

♦ **2.** (1690). Ce qui est exprimé de façon abrégée, ramassée et vigoureuse; cette façon d'exprimer. *Les chroniques de Stendhal s'achèvent souvent par de saisissants raccourcis. La poésie des raccourcis* (→ Journal, cit. 4). *Les raccourcis et les ellipses d'un récit, d'un film.* — Expression, formule, tour très concis. *La langue d'Ibsen abonde en ellipses** (cit. 2), *en raccourcis rapides. Des raccourcis d'une prodigieuse aisance* (cit. 5).

4 De même que « l'on n'écrit pas bien sans sauter les idées intermédiaires » ainsi que disait Montesquieu — il n'y a pas d'œuvre d'art sans raccourcis. Gide, Journal, 4 déc. 1923.

5 Le même morceau qu'on lit paraît plus long si on l'écoute, et le théâtre demande des raccourcis dont le livre peut au besoin se passer. Paul Léautaud, le Théâtre de M. Boissard, xvi.

♦ **3.** (1651). Représentation selon les lois de la perspective* d'un objet dont la plus grande dimension, qui se trouve en profondeur, est rendue par un espace très court (sur la toile, le papier...). — **En raccourci.** *Le Christ mort, dit le Christ en raccourci,* tableau de Mantegna. *Figure en raccourci et plafonnante.*

Par ext. (Dans une perspective réelle). *Stamboul vu en raccourci, en enfilade* (cit. 5).

♦ **4.** (1837, Stendhal). *Un, des raccourcis.* Chemin plus court que le chemin ordinaire pour aller quelque part. *Prendre un raccourci. Vous irez plus vite par le raccourci qui coupe* à travers champs.* ⇒ 3. **Adresse** (vx).

6 (...) il eut l'idée de prendre un petit *raccourci* (sentier qui abrège, et qui n'a pas plus de deux pieds de large)... Stendhal, Mémoires d'un touriste, t. II, p. 152 (27 août 1837).

7 D'Étaples à Campagne, je pense, il y a bien quatre lieues de mauvaise route. Et sans moi l'étape était forcément plus longue encore. Le raccourci nous fait gagner deux kilomètres au moins. Bernanos, Sous le soleil de Satan, p. 160.

8 Non pas que la « maison de campagne » des Barbentane fût bien éloignée de la ville, il ne fallait pas dix minutes de marche par la route pour l'atteindre, et il y avait un raccourci qui diminuait cela de moitié (...) Aragon, les Beaux Quartiers, I, viii.

CONTR. Détour. — Détourné (chemin).
HOM. Raccourci (p. p. de *raccourcir*).

RACCOURCIR [ʀakuʀsiʀ] v. — 1237; de *re-,* et *accourcir.*

★ **I.** V. tr. ♦ **1.** Rendre plus court* (compl. n. de chose). ⇒ **Accourcir, apetisser, diminuer.** *Raccourcir une robe en coupant le bas, en faisant un grand ourlet. Raccourcir qqch. à l'excès.* ⇒ **Étriquer.** *Raccourcir les cheveux.* ⇒ **Couper.** *Raccourcir des branches en coupant le bout.* ⇒ **Ébouter, écimer, élaguer, émonder, tailler.** — Loc. *Raccourcir la bride :* tenir les rênes plus près de la tête. — Spécialt. *Raccourcir un texte, un discours,* le rendre plus bref* en supprimant* des parties. ⇒ **Abréger, écourter, réduire.** — (Temporel). *La représentation raccourcit la durée de l'action dramatique* (→ Effectuer, cit. 4). *Il a dû raccourcir ses vacances.*

1 M. Bernard, parlant de Jerphanion à table, avait déclaré (...) qu'il ferait bien de raccourcir sa barbe; mais qu'à part cela il était réellement calé. J. Romains, les Hommes de bonne volonté, t. III, vii, p. 104.

♦ **2.** Spécialt. *Chemin qui raccourcit la distance normale entre deux points.* ⇒ **Raccourci** (3.). — Absolt. *Passons par là, ça raccourcit,* et, fam., *ça nous raccourcira, ça va nous raccourcir.*

2 Il s'agissait du fameux chemin direct de Rognes à Châteaudun, qui devait raccourcir la distance d'environ deux lieues, car les voitures étaient forcées de passer par Cloyes. Zola, la Terre, I, iv.

♦ **3.** Fig., fam. *Raccourcir qqn.* ⇒ **Décapiter, guillotiner.**

3 Les brigands dirent, en entrant chez moi : « Où est-il ce grand homme? Nous venons le raccourcir ». C'est un des caractères de la révolution que ce mélange de plaisanterie et de férocité. Rivarol, Lettres, xxi, 12 mai 1797.

★ **II.** V. intr. (1835). Devenir plus court. *Les muscles raccourcissent en se contractant*. Cette jupe a raccourci au lavage.* ⇒ **Rétrécir.** — Fam. *Les robes, les cheveux... raccourcissent cette année,* se portent plus courts. — (Temporel). *Les jours raccourcissent en automne, commencent à raccourcir.* ⇒ **Diminuer.**

▶ **SE RACCOURCIR** v. pron.
Devenir plus court.

▶ **RACCOURCI, IE** p. p. adj.
Rendu, devenu plus court. *Texte raccourci de beaucoup. Nous avons la vue raccourcie à la longueur de notre nez* (cit. 25, Montaigne). — Loc. *À bras raccourcis. Tomber sur qqn à bras* raccourcis,* proprt avec les bras pliés pour frapper.

CONTR. Allonger, augmenter, développer, étendre, prolonger, rallonger.
DÉR. Raccourci, raccourcissement, raccours.
HOM. (Du p. p.) **Raccourci.**

RACCOURCISSEMENT [ʀakuʀsismɑ̃] n. m. — 1551; « abrégé », 1529; de *raccourcir.*

♦ **1.** Action de raccourcir. *Le raccourcissement d'une robe par la couturière.*

Plus cour. Fait de devenir plus court. *Le raccourcissement d'un muscle, d'un nerf.* ⇒ **Contraction, retirement, rétraction** (→ Gonflement, cit. 3).

♦ **2.** (Temporel). Fait de devenir moins long, plus bref. *Le raccourcissement des jours en automne. Raccourcissement de la journée de travail.* ⇒ **Diminution, réduction.**

♦ **3.** Fam. Le fait de raccourcir (qqn), de décapiter. *« Ils ont présenté sous les couleurs les plus aimables le roulement des têtes, le raccourcissement des personnes et des propriétés »* (Gorsas, 1793, *in* D. D. L., ii, 11).

CONTR. Allongement, augmentation, développement, prolongation, rallongement.

RACCOURS [ʀakuʀ] n. m. — 1802; *racour* « raccourcissement d'une étoffe à la teinture », 1723; de *raccourcir.*

♦ **1.** Comm. (Signalé comme dial. *in* Wartburg). Différence entre le métrage réel (d'une pièce d'étoffe) et le métrage sur facture.

♦ **2.** Techn. Raccourcissement.

La laine est très hygroscopique (...) la substance interne de la fibre est capable d'emmagasiner des quantités d'eau considérables. La fibre gonfle alors et se raccourcit parallèlement (...) La laine brute, non dessuintée, absorbe plus d'eau qu'une laine lavée (...) La chaleur humide, dévrillant la fibre — de manière telle que malgré le raccours cité, la longueur *apparente* est plus grande — et augmentant son élasticité, est utilisée industriellement en filature. Raymond Thiébaut, la Filature, p. 56. 1

♦ **3.** Rare. (Écrit *raccourt*). Élément raccourci (d'un vêtement).

(...) en blouse blanche, uniforme prescrit par le chef du secrétariat, mais non adopté par toutes les dames des bureaux, car on en voyait passer (...) avec des corsages multicolores, des jupes à raccourt et des tenues d'été (...) Pierre Hamp, la Peine des hommes (Moteurs), p. 20. 2

RACCOUTRAGE [ʀakutʀaʒ] n. m. — 1875; *racoustrage* « chose raccoutrée », déb. xviie; de *raccoutrer.*

♦ **1.** Vx ou régional. Raccommodage.

♦ **2.** (Mil. xxe). Techn. Réparation à l'aiguille des défauts de fabrication d'articles de bonneterie.

RACCOUTRER [ʀakutʀe] v. tr. — 1538, *raccoustrer;* de *re-,* et *accoutrer.*

♦ **1.** Vx ou régional. Raccommoder, remettre en état.

♦ **2.** (1935). Mod. Techn. Procéder au raccoutrage de. *Raccoutrer des bas de laine.*

DÉR. Raccoutrage, raccoutreuse.

RACCOUTREUSE [ʀakutʀøz] n. f. — 1875; *raccoustreur,* n. m., 1549; de *raccoutrer.*

♦ **1.** Vx ou régional. Raccommodeuse.

♦ **2.** (Mil. xxe). Techn. Ouvrière qui fait le raccoutrage.

Rem. Le masc. *raccoutreur* est virtuel.

RACCOUTUMER [ʀakutyme] v. tr. — 1538; de *re-,* et *accoutumer.*

♦ Vieilli. Accoutumer de nouveau. ⇒ **Réaccoutumer.** *Il faut raccou-*

tumer cet enfant à vivre avec ses parents qu'il a longtemps quittés. ⇒ **Réhabituer.** — Pron. *Nous nous raccoutumons à notre maison.*

Nous nous raccoutumons à la bonne ville insensiblement.
Mme DE SÉVIGNÉ, 705, 12 oct. 1678.

CONTR. Désaccoutumer, déshabituer.

RACCROC [ʀakʀo] n. m. — 1798; «reprise de fête», 1374; de *raccrocher.*

♦ **1.** Vx. Au billard, Coup heureux qui est le fruit du hasard plus que de l'habileté. *Faire un raccroc.*

1 (...) mais il se soutient par la rapidité de son esprit, par ces bonheurs de rencontre que les joueurs de billard nomment des raccrocs. Il est le plus habile tireur au vol des idées qui s'abattent sur Paris ou que Paris fait lever.
BALZAC, Une fille d'Ève, Pl., t. II, p. 91.

Loc. mod. **PAR RACCROC** : par un hasard qui arrange bien les choses. *Il a réussi par raccroc.* — Rare (plur.). *Par raccrocs.*

2 Ma mère se résignait à me traiter en malade et acceptait que je n'apprisse rien que par raccroc. GIDE, Si le grain ne meurt, I, V, p. 123.

3 Elle pense périssable, elle pense individuel, elle pense par raccrocs; et elle ramasse le meilleur de ses idées dans des occasions fortuites et secrètes qu'elle se garde d'avouer.
VALÉRY, Introd. à la méthode de Léonard de Vinci, I, p. 203.

DE RACCROC : dû au hasard, qui dépend du hasard.

3.1 Elle vaut mieux que la vie de raccroc qu'elle mène.
Claude COURCHAY, La vie finira bien par commencer, p. 153.

Fig. Rattrapage. *«Des mensonges de raccroc»* (Bernanos, *in* G. L. L. F.), pour se rattraper.

♦ **2.** Rare. Raccrochage, racolage.

4 (...) d'inquiétantes silhouettes, dans l'ombre bleue, les lumières, le grouillement, se perdaient pour réapparaître et se dérober encore, au milieu du raccroc obstiné des femmes. Francis CARCO, Jésus-la-Caille, II, I.

RACCROCHAGE [ʀakʀɔʃaʒ] n. m. — 1845; de *raccrocher.*

♦ **1.** Action de raccrocher (les passants, les clients). ⇒ **Racolage.**

♦ **2.** Action d'accrocher une nouvelle fois. *Le raccrochage d'une casserole. — Le raccrochage du téléphone.*

♦ **3.** Action de rattraper en dernière limite. *L'affaire était presque ratée; ç'a été un raccrochage in extremis.*

RACCROCHEMENT [ʀakʀɔʃmɑ̃] n. m. — 1931, cit.; de *raccrocher.*

♦ Rare. Action de se raccrocher (à quelque chose).

De quel peu de profit sont tous ses raccrochements au passé (...)
GIDE, Journal, 8 mars 1931.

RACCROCHER [ʀakʀɔʃe] v. tr. — Mil. XVIIe, «ressaisir, reprendre» (sens 3.); pron., «se rallier», 1310; de *re-*, et *accrocher.*

♦ **1.** (1675). Accrocher* de nouveau, remettre (ce qui était décroché). *Raccrocher un tableau, une casserole..., un essuie-main. Le marchand* (cit. 8) *raccrochait un vêtement à la tringle avec une perche.*

Spécialt. [a] Reposer (le combiné du téléphone; anciennt, l'écouteur) sur son support (interrompant ainsi la communication).

1 (...) j'entrai dans la cabine, la ligne était prise, quelqu'un causait qui ne savait pas sans doute qu'il n'y avait personne pour lui répondre (...) Je finis, en désespoir de cause, en raccrochant définitivement le récepteur, par étouffer les convulsions de ce tronçon sonore qui jacassa jusqu'à la dernière seconde (...)
PROUST, le Côté de Guermantes, Pl., t. II, p. 134.

Absolt. *Quelqu'un a appelé, mais on a raccroché immédiatement* (→ Écouteur, cit. 3; et ci-dessous, cit. 4.1). *Raccrochez, c'est une erreur. — Il m'a raccroché au nez!*

2 (...) il mit ses lèvres tout contre l'appareil, et fit le bruit d'un baiser. Puis, souriant, il raccrocha. MARTIN DU GARD, les Thibault, t. V, p. 178.

[b] Sports. *Raccrocher* (suivi d'un complément désignant ce qui symbolise le sport dont il est question) : renoncer à la compétition. *Coureur qui raccroche les pointes. Boxeur qui raccroche les gants. Hockeyeur sur glace qui raccroche les patins, la crosse.* — Aussi, emploi absolu. *Coureur, boxeur, hockeyeur qui raccroche.* — Par ext. *Chanteur, acteur qui refuse de raccrocher.* ⇒ **Abandonner.**

♦ **2.** Fig., vx. Rétablir (qqn) dans une bonne position. *«(...) ce qui pouvait le raccrocher et le conduire aux premières places»* (Saint-Simon, VIII, 422).

♦ **3.** Vx. Rentrer en possession de. *«Je vous raccroche mon argent»* (cit. 20), je vous le reprends.

Mod. (Abstrait). Rattraper par hasard (ce qui semblait perdu); obtenir (qqch. qu'on n'espérait plus). *Raccrocher des commandes. «Il a fini par raccrocher une place»* (Académie).

♦ **4.** (1798). Arrêter pour retenir (qqn qui passe, qui s'en va). *Il m'a raccroché au moment où je sortais.* ⇒ **Accoster.** — *Prostituée qui raccroche les clients.* ⇒ **Racoler.** *Les vendeurs raccrochaient les passants devant le magasin pour faire l'article.*

Comme il revenait d'une de ces sociétés littéraires, Edmond, déguisé en fille, alla le raccrocher dans la rue à vingt pas de la maison. Cela n'était pas mal gai. 3
STENDHAL, Vie de Henry Brulard, 40.

Des ouvrières généralement laides, mais égrillardes, raccrochaient les femmes par des paroles astucieuses, suivant la coutume et avec le langage de la Halle. Une grisette dont la langue était aussi déliée que ses yeux étaient actifs, se tenait sur un tabouret et harcelait les passants : — Achetez-vous un joli chapeau, madame? 4
BALZAC, Illusions perdues, Pl., t. IV, p. 693.

Fam. *Raccrocher qqn,* le rejoindre et le retenir.

— Qu'est-ce que je dois faire? — Raccroche. — Le récepteur? — Non, ce monsieur. Sacha GUITRY, N'écoutez pas, Mesdames!, p. 67. 4.1

♦ **5.** Rattacher à. *On peut raccrocher cette idée à une autre plus générale.*

♦ **6.** V. intr. (1940, *in* Petiot). Sports. Rattraper le peloton.

▶ SE RACCROCHER v. pron.

♦ **1.** (1765; récipr., «se réconcilier», 1690; «se rallier», XIVe). Se retenir, se cramponner (à qqch.). *Il tomba dans le ravin et se raccrocha à une branche d'arbre. Naufragé qui se raccroche à une épave, une planche* (cf. fig. Planche de salut). — Par métaphore. *Tout ce à quoi il se raccroche* (→ Enliser, cit. 2).

(1835). Fig. Prendre comme suprême point d'appui. *Se raccrocher à un espoir, à la morale* (→ Émanciper, cit. 9), *à la religion. Elle se raccrochait à ses espoirs* (→ Modicité, cit. 3). *Se raccrocher à quelqu'un.*

(Berlioz) veut se raccrocher à quelque tendresse, pour vivre, dans le désert de ce monde (...) R. ROLLAND, Musiciens d'aujourd'hui, Berlioz, p. 22. 5

Beaucoup d'asthmatiques ont souffert dans leur enfance soit d'un excès, soit d'un défaut d'amour maternel, ce qui les a amenés tantôt à dépendre entièrement de leur mère, tantôt à se raccrocher avec force à un autre appui : mari, ou femme, parent, ami, médecin. La suffocation serait en réalité un appel. 6
A. MAUROIS, À la recherche de Marcel Proust, I, III.

Ceux qui avaient survécu, de cette génération piétinée, ceux qui semblaient avoir été, sur le moment, épargnés par un destin furieux, ceux-là n'étaient-ils pas excusables s'ils perdaient le sens de l'équilibre, s'ils trébuchaient dans les ténèbres du siècle, s'ils cherchaient, certains du moins, à se raccrocher désespérément à des doctrines, à des dogmes, à des bouées de sauvetage. 7
G. DUHAMEL, le Voyage de P. Périot, XI.

♦ **2.** Vx. *Se raccrocher à qqn,* s'en rapprocher, se remettre avec lui.

♦ **3.** Fam. (Sujet n. de chose). Se rattacher, se raccorder à..., se rapporter à... *Un événement qui se raccroche à telle période de sa vie. Une idée qui se raccroche à cette théorie.*

CONTR. Décrocher.
DÉR. Raccroc, raccrochage, raccrochement, raccrocheur.

RACCROCHEUR, EUSE [ʀakʀɔʃœʀ, øz] n. et adj. — 1772; de *raccrocher.*

★ **I.** N. ♦ **1.** Rare. Personne qui raccroche. ⇒ **Racoleur.** — (1702). Spécialt, vx. *Une raccrocheuse* : une prostituée.

♦ **2.** (1842). Personne qui fait des raccrocs au billard.

★ **II.** Adj. (Fin XIXe). Destiné à accrocher l'attention. ⇒ **Accrocheur.** *Des enseignes raccrocheuses.*

RACE [ʀas] n. f. — V. 1500, sens I.; ital. *razza* «sorte, espèce», lat. *ratio* «ordre de choses, catégorie, espèce», en moy. lat. «descendance».

★ **I.** ♦ **1.** [a] (1512). Famille, considérée dans la suite des générations et la continuité de ses caractères (ne se dit que de grandes familles, familles régnantes, etc.). ⇒ **Ascendance, descendance** (cit. 1). *L'individu n'est que le moment d'une race* (→ Cours, cit. 3). *Le premier d'une race.* ⇒ **Souche.** *Des princes de même race.* ⇒ **Sang.** *Une race pleine de vertu* (→ Honnêteté, cit. 9). *La splendeur de sa race.* ⇒ **Généalogie** (cit. 1). *La force cachée dans une race* (→ Arbre, cit. 47). *Race appauvrie** (cit. 8) *et déclinante. Par le rang que me donne ma race* (→ 1. Passe, cit. 11). *La race des Atrides. Vous ne démentez point une race funeste* (cit. 8, Racine). *Le bon sens, qualité dominante* (cit. 2) *de la race des Capétiens. Race qui s'éteint avec le dernier descendant.* — Loc. *Tenir qqch. de race,* de famille. *Traître à sa race* (→ Draper, cit. 13).

(...) je veux imiter mon père, et tous ceux de ma race, qui ne se sont jamais voulu marier. 1
MOLIÈRE, le Mariage forcé, 8.

C'était une de ces femmes de vieille race, épuisée, élégante, distinguée, hautaine, et qui, du fond de leur pâleur et de leur maigreur, semblent dire : «Je suis vaincue du temps, comme ma race; je me meurs, mais je vous méprise!» 2
BARBEY D'AUREVILLY, les Diaboliques, «Bonheur dans le crime».

Une, la fin de race : les derniers représentants d'une famille noble. — Loc. adj. *Fin de race* : décadent. *Un homme très distingué, un peu fin de race.*

Quant à la particule (...) Darteau, *self made man,* n'avait pour elle aucune considération. En affaires, elle lui paraissait plutôt une tare : ou elle était vraie, et il craignait toujours de se trouver en face d'une «fin de race» incapable, ou elle était fausse et constituait quelquefois le premier maillon d'une escroquerie. 2.1
René FLORIOT, La vérité tient à un fil, p. 20.

b Les ascendants. ⇒ **Ancêtre, ascendance, extraction, lignage, origine, parage** (vx). *Être de race noble* (→ Estampille, cit. 2). *Daphnis, berger* (cit. 9) *de noble race. Un noble* (cit. 17) *de race,* par oppos. à *un anobli.*

3 Si je ne suis pas né noble, au moins suis-je d'une race où il n'y a point de reproche (...) MOLIÈRE, George Dandin, II, 2.

c (V. 1660, Desportes). Les descendants. ⇒ **Descendance, enfant**(s), **fils, lignée, postérité.** *La race d'Abraham* (→ Alliance, cit. 2), *de David* (→ Autant, cit. 41; éteindre, cit. 22).

4 Race d'Abel, dors, bois et mange;
Dieu te sourit complaisamment.
Race de Caïn, dans la fange
Rampe et meurs misérablement.
BAUDELAIRE, les Fleurs du mal, « Révolte », CXIX.

d (XVIe, Ronsard). Vx. Génération. *La race, les races futures.* ⇒ **Postérité** (→ Paraître, cit. 31). *Pendant ces deux races* (→ Imposition, cit. 3).

5 Que direz-vous, races futures,
Si quelquefois un vrai discours
Vous récite les aventures
De nos abominables jours? MALHERBE, Poésies, I, V.

6 Ce qui a donné l'idée d'un règlement général fait dans le temps de la conquête, c'est qu'on a vu en France un prodigieux nombre de servitudes vers le commencement de la troisième race (...) Dans le commencement de la première race, on voit un nombre infini d'hommes libres (...)
MONTESQUIEU, l'Esprit des lois, XXX, XI.

♦ **2.** Vieilli. Communauté plus vaste, considérée comme une famille, une lignée. *L'honneur* (cit. 23) *de notre race. Les Amazones* (cit. 1), *race fabuleuse de femmes guerrières. Une race de héros* (→ Entremise, cit. 5), *de géants disparus* (→ Entassement, cit. 1). *Exterminer* (cit. 3) *une race.* ⇒ **Génocide** (étymologie).

(XVIe). *La race humaine :* l'humanité. ⇒ **Espèce** (→ Abrégé, cit. 3; contribuer, cit. 2; geler, cit. 9).

♦ **3.** (1564). Fig. Catégorie de personnes apparentées par des comportements communs, des situations analogues. ⇒ **Espèce, sorte.** *La race des maîtres* (cit. 20). *La race des seigneurs* (Nietzsche). — Bibl. *Race incrédule* (cit. 1) *et dépravée. Race de vipères,* nom donné aux Pharisiens. *La race des bonnes gens est-elle épuisée?* (cit. 30). *La race des meuniers était éteinte* (cit. 67). *La race des hommes de loi* (1. Loi, cit. 19). *La race parlementaire française* (→ Magistrat, cit. 5). *La race des illuminés* (cit. 23). — *Quelle race, quelle sale race!* ⇒ **Engeance.** *Nous ne sommes pas de la même race. J'étais d'une autre race qu'eux* (→ Arrêt, cit. 2).

7 Il ne connaissait peut-être pas les hommes mais admirablement les grands hommes. Il connaissait les mœurs, les forces, les faiblesses de cette race internationale qui vit toujours, sinon au-dessus, du moins en marge des lois.
GIRAUDOUX, Bella, I.

8 J'aurais horreur de redevenir civil, pensa-t-il. D'ailleurs, c'est une race qui s'éteint.
SARTRE, la Mort dans l'âme, p. 106.

(Rare). Catégorie de choses. *Une race d'œuvres calomniées* (→ Appartenir, cit. 34).

9 (...) la vaste cour était pleine de véhicules de toute race, charrettes, cabriolets, chars à bancs, tilburys, carrioles innombrables (...)
MAUPASSANT, Miss Harriet, « La ficelle ».

★ **II.** (XVIIIe). **a** Sc., cour. Subdivision de l'espèce* zoologique (cit. 30 et 33), constituée par des individus réunissant des caractères communs héréditaires. *La race est divisée en sous-races ou variétés. Le caniche, l'épagneul sont des races de chien. Races canines, félines* (→ Guépard, cit. 2). *Races chevalines* (⇒ **Cheval**), *asines, mulassières, bovines, ovines, porcines...* (→ Bétail, cit. 1; comice, cit. 2). ⇒ aussi **Gent.** *Plus une race est ancienne, plus la force de l'atavisme* (cit. 0.1) *est grande. Croisement entre races.* ⇒ **Métissage.** *Animal qui n'est pas de race pure* (⇒ **Bâtard, croiser,** [p. p. adj.], **mâtiné, métissé**), *qui a perdu les qualités de sa race* (⇒ **Abâtardi, dégénéré**). *Animal de race pure. Livres, listes décrivant les animaux selon leurs races.* ⇒ aussi **Herd-book, pedigree, stud-book.** *Amélioration des races de chevaux.*

10 Ce cheval était (...) de cette petite race du Boulonnais qui a trop de tête, trop de ventre et pas assez d'encolure, mais qui a le poitrail ouvert, la croupe large, la jambe sèche et fine et le pied solide; race laide, mais robuste et saine.
HUGO, les Misérables, I, VII, V.

11 Dans le cadre de l'espèce la seule réalité objective c'est le génotype, c'est-à-dire l'ensemble des individus ayant même patrimoine héréditaire (...) En associant par croisement divers génotypes de manière à grouper à l'état homozygote une série de facteurs, nous réalisons une collectivité homogène formée par des individus de la même espèce, présentant un ensemble de caractères communs, transmissibles indéfiniment par hérédité (...) Cette collectivité est une race. L'ensemble des caractères considérés constitue le standard. La race sera pure, bien fixée ou homogène lorsque les caractères choisis sont tous à l'état homozygote. Elle est mal fixée, sans uniformité ou hétérogène, lorsque certains des facteurs sont à l'état hétérozygote et se disjoignent, réalisant des faits d'atavisme.
L. GALLIEN, la Sélection animale, p. 77-78.

Absolt. **DE RACE :** de pure race. *Un chien de race* (→ Fox-hound, cit.; parier, cit. 1). *Les papiers d'un cheval de race.*

Fig. (Personnes). Dont les qualités évoquent celles d'un animal de race. ⇒ **Racé.** *Les chevaux* (cit. 7) *de prix et les femmes de race. Un écrivain de race* (→ Notation, cit. 2). — (Choses). Rare. *Un style de race* (→ Lyrisme, cit. 2).

(1836, *in* D. D. L.). Par ext. *Avoir de la race :* être racé, avoir de la distinction et de l'aisance.

Il avait les yeux bleus étincelants des d'Esgrignon (...) la distinction de ces attaches du pied et du poignet, lignes heureuses et déliées qui indiquent la race chez les hommes comme chez les chevaux. 12
BALZAC, le Cabinet des antiques, Pl., t. IV, p. 355.

Loc. adv. Vx. *De race :* du fait de sa race. — Loc. prov. *Bon chien* chasse de race.*

b Abusivt. Espèce.

Je me dis que (...) la race bovine ne périclitera pas, que la race ovine se maintiendra, et qu'enfin la race porcine (...) gagnera encore, s'il est possible, en santé, en poids et en beauté! 12.1
A. ROBIDA, le Vingtième Siècle, p. 155.

★ **III.** (Groupes humains). ♦ **1.** (1684). Groupe ethnique qui se différencie des autres par un ensemble de caractères physiques héréditaires (couleur de la peau, forme de la tête, proportion des groupes sanguins, etc.) représentant des variations au sein de l'espèce. *L'anthropologie* (cit. 2) *classe les hommes en races d'après la pigmentation, la couleur de la peau, des cheveux et des yeux. Race blanche, jaune, noire.* ⇒ **Blanc, jaune, nègre, noir; couleur, pigment** (cit. 1). *La prétendue « race rouge » des Amérindiens est jaune.* ⇒ **Indien** (cit. 5), **peau** (peau-rouge). *Classement des races par la taille, la forme de la tête, du crâne, l'indice céphalique* (⇒ **Brachycéphale, dolichocéphale, mésocéphale**), *la forme des mâchoires* (⇒ **Prognathe**), *de l'œil, du cheveu, la proportion des groupes sanguins. Caractères d'une race.* ⇒ **Racial.**

Sous-race : type physique identifiable à l'intérieur d'une communauté. — Ex. : nordique, dinarique, alpine, méditerranéenne, etc. (dans la race blanche); sibérienne, nord- et sud-mongole, indonésienne, polynésienne, eskimo (inuit), amérindienne, etc. (race jaune); éthiopienne, mélano-africaine, mélano-indienne, etc. (race noire)... *La France réunit trois races, les nordiques, les alpins et les méditerranéens. — Croisement entre races.* ⇒ **Métis, métissage** (→ Fusionner, cit. 1). *Pureté de la race, caractère des populations géographiquement isolées où l'on retrouve un type très constant.* ⇒ **Dysgénique, eugénique.** *On a pu dire que les Pygmées, les Lapons étaient de race pure. Essai sur l'inégalité des races humaines,* œuvre de Gobineau. ⇒ **Racial; racisme.**

L'origine des noirs a dans tous les temps fait une grande question : les anciens, qui ne connaissaient guère que ceux de Nubie, les regardaient comme faisant la dernière nuance des peuples basanés, et ils les confondaient avec les Éthiopiens (...) qui, quoique extrêmement bruns, tiennent plus de la race blanche que de la race noire. 13
BUFFON, Hist. nat. de l'homme, Variétés espèce humaine.

Lorsqu'on eut pénétré au delà du Sénégal, on fut surpris de voir que les hommes étaient entièrement noirs au midi de ce fleuve (...) La race des nègres est une espèce d'hommes différente de la nôtre, comme la race des épagneuls l'est des lévriers. 14
VOLTAIRE, Essai sur les mœurs, CXLI.

Pour moi, je n'ai aucune peine à reconnaître mon frère humain, sous ces variétés de couleur (...) Les esprits tyrans, qui cherchent un miroir d'eux-mêmes, repoussent aussi bien l'Allemand que le noir; ils inventent des races, et vivent de mépriser. Je n'ai point cette maladie; j'aime les différences et les variétés. 15
ALAIN, Propos, 19 sept. 1921, Races.

La race est un fait de zoologie : elle représente la continuité d'un type physique. Une race se conserve d'autant mieux qu'elle est plus isolée (...) C'est pourquoi quelques-unes des races demeurées les plus pures sont aussi parmi les plus misérables. La race ne se confond ni avec la langue, ni avec la nationalité, ni avec la culture, ni avec la religion. Il n'existe pas de race latine, ni de race française, ni de race bretonne, ni de race aryenne, mais une culture latine, une nation française, un peuple breton, des langues aryennes ou indo-européennes. 16
Pierre GAXOTTE, Hist. des Français, I, I, « Il n'y a pas de race française ».

Sur le plan psychologique on peut admettre qu'il existe des différences équivalentes *(aux différences physiques)* et qu'il y ait, entre la moyenne des individus appartenant à des races diverses, certains écarts permanents dans leurs aptitudes intellectuelles et dans leurs prédispositions psycho-physiologiques respectives. Mais *ces tendances ou ces réflexes demeurent des formes vides* (...) on ne peut comparer les aptitudes innées des races ou des nations que si elles sont placées dans les (...) mêmes conditions sociales que les autres sociétés auxquelles on les compare. Il faut donc appliquer la principale règle en matière de comparaison, celle des « toutes choses égales d'ailleurs ». 17
Gaston BOUTHOUL, Traité de sociologie, p. 267-268.

♦ **2.** (XIXe). Par ext. (Abusif en sc.). Groupe naturel d'hommes qui ont des caractères semblables (physiques, psychologiques, sociaux, linguistiques ou culturels) provenant d'un passé commun. ⇒ **Ethnie, lignée, peuple; ethnique.** — *La race germanique* (→ Flexible, cit. 7), *celtique* (→ Nationalité, cit. 1), *flamande* (→ Difformité, cit. 2), *bretonne* (→ Erroné, cit. 2), *grecque* (→ Aiguiser, cit. 12; inconséquence, cit. 6), *juive* (cit. 6; → Apreté, cit. 9), *sémite. La France, dans laquelle tant de races sont venues se fondre* (cit. 32). *Le génie de notre race* (→ Esprit, cit. 172). *Walter Scott, chantre* (cit. 3) *des races opprimées. Des races plus ou moins douées* (cit. 3) *en musique. Frontières* (cit. 1) *entre les races.* — Vx. *La race aryenne* (Gobineau) : la communauté linguistique indo-européenne. *« Il n'y a pas de race pure »* (Renan; → Ethnographique, cit. 2). *Amélioration de la race.* ⇒ **Eugénique** (cit. 1). *D'une autre race que celle des habitants du même pays.* ⇒ **Allogène.** *« Sans distinction de race, de religion, ni de croyance »* (→ 3. Droit, cit. 8). *Théorie de Taine, de la race, du milieu* (cit. 29) *et du moment* (cit. 30).

Pour les anthropologistes, la race a le même sens qu'en zoologie; elle indique une descendance réelle, une parenté par le sang. Or l'étude des langues et de l'histoire ne conduit pas aux mêmes divisions que la physiologie (...) Ce qu'on appelle philologiquement et historiquement la race germanique est sûrement une famille bien distincte dans l'espèce humaine. Mais est-ce là une famille au sens anthropologique? Non, assurément. 18
RENAN, Discours et conférences, Qu'est-ce qu'une nation? Œ. compl., t. I, p. 897.

Au point de vue des sciences historiques (*en note :* Nous laissons à d'autres le soin 19 de parler des caractères physiologiques, anthropologiques ...) cinq choses constituent l'apanage essentiel d'une race, et donnent droit de parler d'elle comme d'une individualité dans l'espèce humaine (...) une langue à part, une littérature empreinte d'une physionomie particulière, une religion, une histoire, une civilisation. RENAN, Mélanges d'histoire et de voyages, Société berbère, I, Œ. compl., t. II, p. 553.

20 (...) nous n'avons *(dit Olivier)* qu'à nous défendre et à les tenir *(les Juifs)* à leur rang, qui est, chez nous, le second. Non que je croie leur race inférieure à la nôtre : — (ces questions de suprématie de races sont niaises et dégoûtantes). — Mais il est inadmissible qu'une race étrangère, qui ne s'est pas encore fondue dans la nôtre, ait la prétention de connaître mieux ce qui nous convient, que nous-mêmes. R. ROLLAND, Jean-Christophe, Dans la maison, II, p. 1007.

21 Si chaque famille du groupe linguistique indo-européen (...) ne correspond à aucune race mais est parlée par un métissage de peuples, comment concevoir encore une unité ethnique du groupe? Le plus curieux, c'est que les Allemands se croient le plus pur spécimen de cette « race » inexistante, alors que le germanique offre, seul dans l'indo-européen, des tendances aberrantes (...) qui ne peuvent être attribuées — Meillet l'a montré — qu'à un important substrat non indo-européen (...) A. DAUZAT, l'Europe linguistique, p. 15.

22 (...) je leur dis toujours : la race, qu'est-ce que c'est que ça, la race, est-ce que vous prendriez Ella pour une Juive, si vous la rencontriez dans la rue? Mince comme une Parisienne, avec le teint chaud des filles du Midi et un petit visage raisonnable et passionné, un visage équilibré, reposant, sans tare, sans race, sans destin, un vrai visage *français.* SARTRE, le Sursis, p. 77.

23 En 1911, au Congrès universel des races, aucun des nombreux rapporteurs, tous anthropologistes ou ethnologues, ne soutint l'infériorité foncière d'un groupe humain quelconque, et on proclama « l'égalité substantielle des races dans leur capacité innée de progrès » (G. Spiller). Malgré cela, la doctrine raciste, instrument politique d'États totalitaires, n'en continua pas moins à se développer (...) P. LESTER, *in* Encycl. Pl., Hist. de la science, Anthropologie, Paléontologie humaine, p. 1405.

En franç. d'Afrique. Ethnie, tribu.

24 (...) j'avais abandonné les cultes que faisaient mes ancêtres; j'ai en quelque sorte abandonné ma tribu pour me faire d'une autre race. P. TEISSERENG, le Dieu des autres, p. 103, *in* I. F. A.

REM. Une bonne part des aberrations scientifiques du racisme provient de la confusion entre la notion *génétique* de race (III., 1.), elle-même rapprochée sans précaution du sens zoologique (II.), et la notion extrêmement indécise de *sous-race* ou celle, littéraire ou socio-culturelle, traitée ici (III., 2.), si ce n'est la valeur initiale de « lignée » (I.). Ainsi, la notion scientifiquement aberrante de *race juive* relève en réalité de l'usage vague et traditionnel (I.), auquel certains ont tenté de donner un contenu pseudo-biologique.

DÉR. **Racé, raceur, racial, racisme, raciste.**
COMP. **Sous-race.**

RACÉ, ÉE [ʀase] adj. — 1894, sous la forme de l'inf., *in* D. D. L.; de *race.*

♦ **1.** (Animaux). Qui est de race, qui présente les qualités propres à sa race. *Un cheval racé.*

♦ **2.** (Personnes). Qui a une distinction, une élégance naturelle.

(...) cette petite fille publique, populaire et curieusement racée (...) P. MAC ORLAN, la Bandera, XIX.

RACÉMATE [ʀasemat] n. m. — 1869, *in* Littré; du rad. de *racémique,* et suff. *-ate.*

♦ Chim. Sel de l'acide racémique. *« On précipitera l'acide tartrique sous forme de racémate de calcium »* (J. Carles, *la Chimie du vin,* p. 120).

RACÉMEUX, EUSE [ʀasemø, øz] adj. — 1869; lat. *racemosus* « en grappe », de *racemus* « grappe (de raisin) ».

Didactique.

♦ **1.** Bot. Dont les fleurs sont disposées en grappes.

♦ **2.** Méd. Qui a une disposition, une structure en grappe. *Kyste racémeux de l'ovaire. Névrome racémeux.*

RACÉMIQUE [ʀasemik] adj. et n. m. — 1828; dér. sav. du lat. *racemus* « grappe (de raisin) ».

★ **I.** Adj. Chim. *Forme racémique :* forme d'une substance présentant le phénomène de stéréo-isomérie, composée d'un mélange équimoléculaire des deux inverses optiques (c'est-à-dire deux formes cristallisées dont l'une est l'image de l'autre dans un miroir). *Acide tartrique* racémique* (acide dl-tartrique) : forme racémique de l'acide tartrique.

★ **II.** N. m. (Mil. XXe). Substance formée par le mélange de deux inverses optiques, inactives sur la lumière polarisée.

DÉR. **Racémate.**

RACER [ʀesœʀ; ʀasœʀ; ʀasɛʀ] n. m. — 1846; mot angl., proprt « coureur ».

Anglicisme. Sports.

♦ **1.** Vx. Cheval de courses de plat.

♦ **2.** (1883, *in* Höfler). Yacht à voile ou à moteur destiné à la course.

♦ **3.** (1891, *le Cycle, in* Hölfer). Petite automobile de course, de faible cylindrée.

HOM. **Raceur.**

RACEUR, EUSE [ʀasœʀ, øz] n. — 1907; de *race.*

♦ Techn. Animal destiné à la reproduction, présentant de manière accusée les caractères raciaux recherchés.

HOM. **Racer.**

RACHAT [ʀaʃa] n. m. — V. 1175; de *racheter,* sous la forme anc. *rachater.*

♦ **1.** Action de racheter, d'acheter à nouveau. *Spéculateur à la baisse, procédant à un rachat de titres en bourse.* — Dr. *Faculté de rachat :* dans une vente, Convention par laquelle le vendeur se réserve le droit de reprendre la chose vendue, moyennant la restitution du prix principal et le remboursement de certains accessoires. ⇒ **Réméré.** *Rachat par l'État d'une concession administrative. Systèmes de socialisation de la terre prévoyant un rachat de la terre par l'État.* — *Rachat de police d'assurance,* par paiement anticipé de la « réserve mathématique », lors de la résiliation du contrat.

♦ **2.** (XIVe). Action de se libérer de (une servitude) par le versement d'une indemnité. ⇒ **Remboursement.** *Rachat d'une servitude, d'une pension. Rachat de rente :* libération du débiteur de la rente par le paiement du capital au créditeur.

♦ **3.** (V. 1175). Action d'obtenir la mise en liberté moyennant rançon*. ⇒ **Délivrance.** *Rachat des esclaves, des prisonniers.* — Par ext. Rédemption.

(1560). Action de se racheter moralement. ⇒ **Expiation** (cit. 8), **salut** (→ Homme, cit. 65).

C'était le temps où le grand livre de Tolstoï, *Résurrection,* était dans toutes les mains, et le rachat de la pécheresse dans toutes les imaginations. Léon DAUDET, la Femme et l'Amour, II. 1

Les gens d'ici sont de grands pécheurs, mais voici qu'ils se sont engagés dans la voie du rachat. SARTRE, les Mouches, I, 1. 2

CONTR. **Revente.**

RACHE [ʀaʃ] n. f. — 1836; de *racher.*

♦ Techn. Marque faite sur une pièce de bois, indiquant ce qu'il faut y faire.

RACHÉE [ʀaʃe] n. f. — 1869; de *racher,* régional, « gratter, couper ».

♦ Régional. Souche sur laquelle poussent des rejets.

HOM. **Racher.**

RACHER [ʀaʃe] v. tr. — 1836; « ciseler », 1388; lat. pop. *riscare* « racler »; lat. class. *radere.*

♦ Techn. Marquer (une pièce de bois) par une, des raches.

DÉR. **Rache, rachée, racheux.**
HOM. **Rachée.**

RACHETABLE [ʀaʃtabl] adj. — 1428; *raccataule,* 1347; de *racheter.*

♦ Susceptible d'être racheté. *Bien rachetable, dans une vente à réméré. Rente rachetable.* ⇒ **Réparable.** *Faute rachetable.*

Il fait partie intégrante de la matière rachetable, pour laquelle il est enseigné que le Fils de Dieu souffrit la mort. Léon BLOY, le Désespéré, p. 139.

RACHETER [ʀaʃte] v. tr. — V. 1175; *rachater,* v. 1120; de *acheter,* sous la forme anc. *achater* (→ Achat), puis sous la forme moderne.

♦ **1.** Acheter* de nouveau. [a] Récupérer par rachat (un bien vendu par soi) à la personne à qui on le rachète. *Racheter des livres, des actions, une maison...* (→ Herbier, cit. 1; hypothéquer, cit. 4; 2. importer, cit. 35; intendance, cit. 2).

Au bout de quelque temps il fit quelques profits,
Racheta des bêtes à laine (...) LA FONTAINE, Fables, IV, 2. 1

L'immeuble allait donc être vendu, au tribunal de Versailles, à la fin de février (...) L'intention plus que probable des Jésuites était de faire racheter l'immeuble sous main. ROMAINS, les Hommes de bonne volonté, t. V, p. 51. 2

[b] Acheter encore, de nouveau (un produit dont on manque, et dont on a déjà acheté une quantité). *Il faudra racheter du pain.*

[c] Acheter à qqn qui a acheté. *Vous l'avez payé cent francs, je vous le rachète cent cinquante.*

♦ **2.** (Fin XIIIe). Se libérer de (une obligation, une servitude) moyennant versement d'une indemnité. ⇒ **Rédimer** (se). *Racheter une pension, une redevance, une rente.* ⇒ **Rachat.**

♦ **3.** (V. 1207). Obtenir, moyennant rançon*, qu'on mette en liberté.

⇒ **Délivrer.** *Racheter un esclave, un prisonnier.* — Par ext. *Racheter sa liberté* (cit. 3).

3 Je fus enchaîné précisément dans la même galère et au même banc que monsieur le baron (...) nous recevions vingt coups de nerf de bœuf par jour, lorsque l'enchaînement des événements de cet univers vous a conduit dans notre galère, et que vous nous avez rachetés. VOLTAIRE, Candide, XXVIII.

♦ **4.** (XIIe). Sauver* (qqn) par la rédemption* (→ Endurcissement, cit. 3; grandeur, cit. 21; 2. importer, cit. 7). — Relever d'une déchéance morale (par ses sacrifices, ses vertus). *Des êtres dégradés* (cit. 14) *que les femmes veulent relever, racheter.*

♦ **5.** (1694). Compl. n. de chose. Expier. *Racheter les fautes, les péchés de qqn* (→ Expiation, cit. 4; expiatoire, cit. 6). *Racheter ses péchés par l'aumône, la pénitence, l'acceptation de la douleur* (cit. 21).

4 Louis ayant envahi le royaume de Charles en 859, le Concile de Metz lui envoya trois députés pour lui offrir l'indulgence de l'Église, pourvu qu'il rachetât, par une pénitence proportionnée, le péché qu'il avait commis en envahissant le royaume de son frère, et en l'exposant aux ravages de son armée. MICHELET, Hist. de France, II, III.

Réparer, par sa conduite ultérieure (une faute passée, une mauvaise action...). *Racheter ses erreurs, les erreurs* (cit. 35) *du passé* (→ Aveu, cit. 17). ⇒ **Effacer.**

5 Voilà le mot fameux, le mot inexcusable et fatal qui échappe à Barnave (...) Il fallut toute sa vie et surtout sa mort pour le racheter. SAINTE-BEUVE, Causeries du lundi, 8 avr. 1850.

Littér. Consentir un sacrifice pour retrouver, pour sauver... ⇒ **Payer.** *Des jours que nous rachèterions au prix de notre sang* (→ Empoisonner, cit. 7).

6 Mais ces mêmes héros, prodigues de leur vie,
Ne la rachetaient point par une perfidie.
RACINE, Bajazet, II, 3.

♦ **6.** (V. 1240). Compenser*, faire oublier ou pardonner. *Cette absence de tout préjugé qui rachète les défauts des Français* (→ 1. Goûter, cit. 12). *Racheter la grossièreté* (cit. 1) *de la matière par la magnificence des contours* (→ aussi 2. Idéal, cit. 2). *« Un si grand bonheur rachète bien des peines »* (Académie).

7 Vous avez des articles de théologie et de métaphysique qui me font bien de la peine; mais vous rachetez ces petites orthodoxies par tant de beautés et de choses utiles, qu'en général le livre *(l'Encyclopédie)* sera un service rendu au genre humain. VOLTAIRE, Lettre à d'Alembert, 24 mai 1757.

8 Petit et fluet, il rachetait sa piètre figure par cet air têtu qui sied aux Bourguignons. BALZAC, les Paysans, Pl., t. VIII, p. 89.

♦ **7.** (Déb. XVIe). Archit. Corriger, compenser (une irrégularité, une différence de plan, de forme) en ménageant une transition. ⇒ **Raccorder.** *Racheter le carré :* « passer, à l'aide de trompes ou de pendentifs, du plan carré de la base à un plan octogonal ou circulaire sur lequel on pourra poser la calotte hémisphérique d'une coupole » (Réau).

▶ **SE RACHETER.** v. pron. (V. 1160).

(Passif). *Des actions qui se rachètent plus cher. — De telles erreurs ne se rachètent pas, se rachètent difficilement. Tout peut se racheter par le repentir* (→ Dieu, cit. 44).

(Réfl.) Au sens 4. Retrouver sa dignité, l'estime, en se relevant d'une déchéance, en compensant une faute. ⇒ **Réhabiliter** (se). → Mécontent, cit. 4; pot, cit. 8.

▶ **RACHETÉ, ÉE** p. p. adj. *Fautes, erreurs rachetées.*

CONTR. Revendre.
DÉR. Rachat, rachetable, racheteur.

RACHETEUR, EUSE

[raʃtœr, øz] n. — 1611; *reachepteur*, 1588; *raacheterre*, v. 1120; de *racheter.*

♦ Rare. Personne qui effectue un rachat.

RACHEUX, EUSE

[raʃø, øz] adj. — 1869; n. m., « galeux », fin XIVe; de *racher*, régional, « racler ».

♦ Rare. Rugueux, plein d'irrégularités de surface.

RACHEVAGE

[raʃ(ə)vaʒ] n. m. — 1845; de *rachever.*

♦ Rare. Action de rachever. — Techn. Opérations de finissage d'une poterie ébauchée.

RACHEVER

[raʃ(ə)ve] v. tr. — 1675; de *r(e)-*, et *achever.*

♦ Techn., vx. Achever (un ouvrage, et, spécialt, une poterie).

DÉR. Rachevage.

RACHIALGIE

[raʃjalʒi] n. f. — 1795; de *rachis*, et *-algie.*

♦ Méd. Douleur qui a pour siège le rachis (colonne vertébrale).

DÉR. Rachialgique.

RACHIALGIQUE

[raʃjalʒik] adj. — 1795, *infra*, cit; de *rachialgie.*

♦ Méd. Relatif à la rachialgie.

La paralysie et la paraplégie rachialgiques, qui succèdent aux douleurs de coliques violentes. BOSQUILLON, Note, *in* Trad. de G. CULLEN, Éléments de médecine pratique, 1795, t. II, p. 229 (*in* D. D. L., II, 5).

RACHIANESTHÉSIE

[raʃjanɛstezi] n. f. — 1906, Garnier et Delamare; de *rachis*, et *anesthésie.*

♦ Méd. Méthode d'anesthésie partielle consistant à injecter dans le canal rachidien (le plus souvent au niveau de la colonne lombaire) une substance qui provoque l'anesthésie des régions innervées par les nerfs sous-jacents. — Abrév. *Faire une rachi* [raʃi].

RACHICENTÈSE

[raʃisɛ̃tɛz] n. f. — 1893; de *rachis*, et *-centèse.*

♦ Méd. Ponction* lombaire.

RACHIDIEN, IENNE

[raʃidjɛ̃, jɛn] adj. — 1806; dér. sav. de *rachis.*

♦ Anat. Du rachis (colonne vertébrale); qui appartient ou se rapporte à la colonne vertébrale. ⇒ **Spinal, vertébral.** *Canal rachidien*, constitué par l'ensemble des trous vertébraux et contenant la moelle épinière et ses enveloppes. *Bulbe* rachidien. Nerfs rachidiens. Trous* rachidiens.*

RACHIS

[raʃis] n. m. — 1560; grec *rhakhis.*

♦ **1.** Anat. Colonne vertébrale, épine dorsale. ⇒ **Échine.** — Corde* dorsale.

♦ **2.** Sc. nat. Axe (de la plume).

♦ **3.** (1817). Axe central (de l'épi).

♦ **4.** (1845). Partie du pétiole (d'une feuille) portant les folioles ou les divisions principales du limbe.

DÉR. et COMP. Rachialgie, rachianesthésie, rachicentèse, rachidien.

RACHITIQUE

[raʃitik] adj. — 1707; du lat. mod. *rachitis*, de *rachis.* → Rachitisme.

♦ **1.** Qui a rapport au rachitisme. *Affection rachitique.*

♦ **2.** Qui est atteint de rachitisme. *Enfant rachitique* (→ Hydrocéphale, cit. 1). — Abrév. fam. ⇒ **Racho.**

Par ext. ⇒ **Chétif, débile, difforme, maigre.** *Un poulet rachitique.* — N. *Un, une rachitique* (→ Emmailloter, cit. 1). ⇒ **Crétin; noué.**

(1752). Qui se développe mal. *Blé rachitique. Des arbres rachitiques.*

Par ext. Qui évoque le rachitisme. *Une apparence rachitique.* ⇒ **Atrophié, rabougri.**

Si maintenant nous essayions (...) de jeter tout à coup une vive lumière sur la psyché enchaînée au fond de cet antre, nous trouverions sans doute la malheureuse dans quelque attitude pauvre, rabougrie et rachitique, comme ces prisonniers des Plombs de Venise qui vieillissent ployés en deux dans une boîte de pierre trop basse et trop courte. HUGO, Notre-Dame de Paris, I, IV, III. 1

Après les légères souffrances de cette transition, s'accomplit pour l'individu le phénomène de sa transplantation dans un terrain qui lui est contraire, où il doit s'atrophier et mener une vie rachitique. BALZAC, la Femme abandonnée, Pl., t. II, p. 210. 2

COMP. Antirachitique.

RACHITISME

[raʃitism] n. m. — 1749; *rachitis*, 1650, mot du lat. méd.; de *rachis.*

♦ Maladie de la période de croissance, qui se manifeste par diverses déformations du squelette, due à un trouble du métabolisme du phosphore et du calcium, par carence en vitamine D (avitaminose D). ⇒ **Nouure.** *Enfant atteint de rachitisme précoce* (→ Consolider, cit. 1). *Rachitisme infantile, tardif.*

Une nourrice lui eût donné cinq ou six mois, mais elle avait un an peut-être, car la croissance dans la misère subit de navrantes réductions qui vont parfois jusqu'au rachitisme. HUGO, l'Homme qui rit, I, III, II.

Par ext. Développement incomplet (d'une plante).

RACHO

[raʃo] adj. et n. — 1965, Sandry et Carrère, *in* D. D. L.; abrév. de *rachitique.*

♦ Fam. Rachitique. Par ext. Petit et chétif (personnes, animaux); chétif (végétaux). *Ils sont rachos, tes géraniums.*

Plutôt chétif... racho... la tête rentrée dans les épaules
Alphonse BOUDARD, Cinoche, p. 128.

N. *Un, une racho.*

RACIAL, IALE, IAUX [Rasjal, jo] adj. — 1911; de *race.*

♦ Relatif à la race, aux races humaines. *Caractères raciaux étudiés par l'anthropologie physique, l'anthropographie, l'anthropométrie. Anthropologie raciale* (raciologie). *Hérédité* (cit. 12) *spécifique, raciale, individuelle. Carte raciale du monde. Théories raciales sur la hiérarchie des races.* ⇒ **Racisme.** *Politique raciale d'un chef d'État,* relative aux droits respectifs de races différentes dans un même pays. *Barrière raciale entre les Noirs et les Blancs* (→ Métis, cit. 2). ⇒ **Apartheid, ségrégation.**

1 (...) il est classique de répartir les peuples de l'Europe en Latins, Germains et Slaves. Cette répartition a une incontestable valeur du point de vue linguistique. Elle n'en a aucune du point de vue racial (...) De même, il ne faut pas parler de races sémites, mais de langues sémites.
H.-V. VALLOIS, les Races humaines, p. 7.

2 Le plan de construction *(du crâne anthropien)* est très uniforme, il est déjà acquis chez le Néanderthalien et seules les ouvertures d'angles varient légèrement. Cette variation n'est d'ailleurs, sauf pour quelques petits groupes primitifs comme les Australiens, pas un fait racial au sens courant, car les formes les plus évoluées se rencontrent dans tous les grands groupes raciaux.
A. LEROI-GOURHAN, le Geste et la Parole, t. I, p. 169.

(Dans un contexte d'hostilité, de racisme). *Les théories raciales qui amenèrent les nazis à exterminer les juifs.* ⇒ **Racisme, raciste.** *Discrimination raciale. Haine raciale. Conflits raciaux. — Émeutes raciales,* causées par des problèmes, des conflits raciaux (entre races différentes ou entre populations où les différences ethniques donnent lieu à du racisme).

COMP. Raciologie.

1. RACINAGE [Rasinaʒ] n. m. — 1674; de *raciner.*

Technique.

♦ **1.** Décoction brune de feuilles, d'écorces de noyer, d'enveloppes de noix, utilisée en teinture.

♦ **2.** (1827). Procédé par lequel on imite les veines et les loupes du bois sur le cuir d'une reliure; aspect du cuir ainsi traité.

2. RACINAGE [Rasinaʒ] n. m. — 1869; de *racine.*

♦ **1.** Techn. Ensemble des racines alimentaires.

♦ **2.** Régional. Ensemble des racines (d'un arbre).

(...) la mise en route d'arbustes qui auraient péri dans un temps de sécheresse, mais qui ne craindront plus rien, une fois qu'ils auront assez de racinage.
Charles-François LANDRY, Garcia, p. 217.

RACINAIRE [RasinɛR] adj. — Mil. XXe; de *racine.*

♦ Bot. Relatif aux racines. ⇒ **Radical.** *Système racinaire d'une plante.*

RACINAL, AUX [Rasinal, o] n. m. — 1578; de *racine.*

♦ Techn. Grosse pièce de charpente qui en supporte d'autres. *Le racinal d'un comble.* — (1676) Madrier qui réunit les têtes des pilots.

RACINE [Rasin] n. f. — V. 1130; du bas lat. *radicina,* de *radix, radicis* «racine», a supplanté l'anc. franç. *raiz.*

★ **I.** ♦ **1.** Partie axiale des plantes vasculaires, qui croît en sens opposé à la tige et par laquelle la plante se fixe et absorbe les éléments dont elle se nourrit. *Parties d'une racine.* ⇒ **Coiffe, collet, culasse, poil** (poils absorbants). *Faisceaux libériens* (⇒ **Liber**), *faisceaux ligneux de la racine. La racine n'a pas d'épiderme. Racine principale* (⇒ **Pivot**); *petite racine* (⇒ **Fibrille, radicelle**; → Gangue, cit. 3) *issue de ramifications. La, les racines d'une plante. Assise des racines.* ⇒ **Souche.** *Sortes de racines.* ⇒ **Fasciculé, fibreux, pivotant, tuberculeux.** *Les racines qui s'enfoncent plus ou moins profondément dans le sol ne doivent pas être confondues avec les tiges rampantes* (⇒ **Stolon**) *ou souterraines* (⇒ **Rhizome**). *Aspect des racines : racine fusiforme, didyme, tubéreuse* (⇒ **Griffe**), *présentant une partie renflée,* dite *racine bulbeuse* (⇒ **Bulbe, bulbille, caïeu, oignon**). *Racine en botte, en paquet, chevelue* (⇒ **Chevelu, queue-de-renard**). *Direction des racines* (→ Géotropisme, cit.). *Racine verticale, profonde; racine traçante*. Rejeton qui pousse sur la racine.* ⇒ **Accru, boulure.** *Racine de l'embryon, de la plantule.* ⇒ **Radicule.** *Racines qui naissent de la tige.* ⇒ **Adventif; crampon.** *Racines aériennes des orchidées épiphytes, du palétuvier. Racines munies de suçoirs. Plantes parasites sans racines, munies de suçoirs. Association d'une racine et d'un champignon.* ⇒ **Mycorhize.** *Relatif à la racine.* ⇒ **Racinaire; radical;** et **rhizo-, -rhize.** — Loc. *Prendre racine :* pousser, développer des racines servant à fixer et à nourrir. *Plante qui prend racine en un lieu* (→ Cimenter, cit. 2). ⇒ **Raciner; enraciner** (s'). *Rameau de figuier* (cit. 1), *marcotte, bouture qui prend racine* (→ aussi fig., ci-dessous, 2.). — *Arbre qui envoie, jette des racines.* ⇒ **Pivoter.** *Plantes qui maintiennent* (cit. 13) *des sols, fixent des sables par leurs racines. Enfouissement des racines pour les plantations* (cit. 1). *Pralinage des racines. Racine émottée*. Racines apparentes, noueuses des gros arbres* (→ Épaulement, cit. 2; parasite, cit. 9). *S'asseoir sur une racine* (→ 1. Canette, cit.). *Arracher une plante avec ses racines.* ⇒ **Déraciner** (→ Destin, cit. 17); **arrache-racines, arrachoir.** *Racine d'une plante déracinée* (cit. 3), *déchaussée* (→ aussi Hérisser, cit. 9).

Loc. fam. *Manger les pissenlits* par la racine* (cf. dans le même sens, *Fumer* [cit. 26] *les mauves par la racine*) : être mort et enterré. — Dr. *Les fruits* pendants par les racines sont des biens immeubles* (cit. 1).

On les voyait pendant des heures entières à genoux dans les plates-bandes, maculant leurs robes et leurs mains occupées à introduire la racine des jeunes plantes en des trous qu'elles creusaient d'un seul doigt piqué d'aplomb dans la terre. 1
MAUPASSANT, Une vie, XI.

(...) de formidables chênes dont les racines, échappées du sol, ressemblaient à des nids effarés de grands serpents. HUYSMANS, Là-bas, VIII. 2

La tige et la racine ordinairement comparables par leur forme à un cylindre ou à un cône, sont, comme eux, considérées par Van Tieghem comme symétriques par rapport à un axe; leur symétrie est une symétrie axiale et leur coupe transversale est un cercle, figure symétrique par rapport à un point, qui est son centre. La feuille, généralement aplatie, se montre au contraire symétrique par rapport à un plan (...) la tige est un axe qui porte des feuilles, la racine est un axe sans feuilles. 3
F. MOREAU, *in* Encycl. Pl., Botanique, p. 507.

Racines comestibles. ⇒ **Betterave** (cit. 2), **carotte, céleri, chicorée, chou-navet, chou-rave, gingembre, navet, radis, raifort, rutabaga, salsifis...** *Racine de curcuma.* ⇒ **Arrow-root.** *Racines fourragères* (→ Prairie, cit. 1). *Racine de gentiane, de guimauve, de jalap, de réglisse,* utilisées en pharmacie. *Racine de garance.* ⇒ **Alizari.** *Racine d'orcanète. Pipe en racine de bruyère.*

(...) on ne voyait que des carottes, des navets, des oignons, des salsifis, toutes les plantes dont les racines grasses sont bonnes et savoureuses, et dont la feuille inutile sert tout au plus à nourrir les bêtes. 4
MAUPASSANT, Clair de lune, «Légende du Mont Saint-Michel.»

(V. 1155). Vx. Racine comestible. *«Prenez six gros oignons, trois racines de carottes...»,* trois carottes (Brillat-Savarin, → Hacher, cit. 3). *La pomme de terre* (cit. 1), *racine farineuse. «Ils vivent de pain noir* (cit. 8), *d'eau et de racines»* (La Bruyère). *Manger des racines.*

Techn. Bois des racines d'un arbre, utilisé pour faire des marqueteries.

♦ **2.** (Av. 1690, Furetière). Loc. *Prendre racine :* rester longtemps debout au même endroit. *Il a pris racine au milieu de ces tulipes* (La Bruyère, → Planter, cit. 21). — Par ext. *Prendre racine chez qqn :* ne plus partir, s'installer. ⇒ **Enraciner** (s'), **implanter** (s'). — (Sujet inanimé; plus particult : sentiments, affects). S'enraciner. *Le désir qui prend racine en qqn* (→ Emporter, cit. 49).

(...) je n'avais plus la puissance de bouger, mes genoux vacillaient sous moi, et j'avais pris racine dans le sol, regardant fixement le cadavre (...) 5
BAUDELAIRE, Trad. d'E. POE, Nouvelles histoires extraordinaires, «Bérénice».

Enfin, les situations, les combinaisons de personnages, les sujets de récits et de drames ne trouvent pas en moi de quoi prendre racine et produire des développements dans une seule direction. VALÉRY, Variété, Œ., t. I, Pl., p. 1467. 6

Mais, autour d'eux, la foule semblait avoir pris racine. 7
MARTIN DU GARD, les Thibault, t. VII, p. 204.

(Mil. XIIe). Par métaphore, fig. Origine, liens profonds. *Les racines de l'orgueil* (cit. 8), *d'un amour* (→ 1. Mère, cit. 10), *de l'honneur* (cit. 30). — *Jeter, pousser, plonger des racines... L'esprit de sédition a poussé des racines profondes* (→ Libéralisme, cit. 1). *Attaquer* (cit. 40) *le mal à sa racine, dans ses racines; couper le mal à sa racine.* ⇒ **Principe.** *Les racines de la lignée capétienne.* ⇒ **Origine** (→ Légitimité, cit. 3). *Écrivain qui parvient jusqu'à la racine des choses.* ⇒ **Commencement** (→ Fulguration, cit. 2).

Les racines de la société française n'étaient point dans les Bourbons, mais dans la nation. Ces obscures et vivaces racines ne constituaient point le droit d'une famille, mais l'histoire d'un peuple. Elles étaient partout, excepté sous le trône. 8
HUGO, les Misérables, IV, I, I.

C'est là, c'est dans l'absolue ignorance de notre raison d'être qu'est la racine de notre tristesse et de nos dégoûts. FRANCE, le Jardin d'Épicure, p. 67. 9

Nos pensées, nos désirs, nos actes ne plongeaient aucune racine dans cette foi à laquelle nous adhérions des lèvres. F. MAURIAC, le Nœud de vipères, II, XX. 10

Les Français sont attachés sur la terre d'Algérie par des racines trop anciennes et trop vivaces pour qu'on puisse penser les en arracher. Mais cela ne leur donne pas le droit, selon moi, de couper les racines de la culture et de la vie arabes. 11
CAMUS, Actuelles III, p. 127.

★ **II.** ♦ **1.** (Fin XIIe). Origine, point de départ (d'une structure anatomique, d'un organe). ⇒ **Naissance.** *La racine du nez, de la langue, des ongles. Racine des cuisses* (→ Girl, cit. 2). *Racine des cornes.* ⇒ **Base.**

(Après 1650). Spécialt. *Racine d'une dent :* partie conique plus ou moins effilée, fixée au maxillaire dans une cavité alvéolaire. *Couronne, collet et racine(s) d'une dent. Dents à une racine* (incisives, canines, prémolaires), *à deux racines accolées ou non* (molaires inférieures), *à trois racines* (molaires supérieures). *Les racines sont recouvertes de cément, elles laissent en leur milieu le passage aux nerfs et aux vaisseaux aboutissant à la pulpe dentaire. Apex d'une racine.* — *Dent à racines recourbées.* ⇒ **Barré.** *Extraction d'une racine de molaire* (→ Flanchage, cit.). — *Dent à pivot enfoncé dans la racine.*

Racine des poils:* partie des poils enfoncée dans le follicule pileux. *Racines grumelées* (cit. 1) *des cheveux.* — Par ext. Partie des cheveux la plus proche du cuir chevelu. *Couper une mèche* (1. Mèche, cit. 8) *à la racine,* au ras du crâne. — *Racines blanchissantes des cheveux* (cit. 17) *teints.* — Cuir chevelu. *Frisson* (cit. 20) *né à la racine des cheveux.* — Fig. *Jusqu'à la racine des cheveux :* entièrement (→ Documenter, cit. 2).

12 Il était maintenant très près de cette Madeleine, retardant le moment de passer devant elle, s'occupant à regarder son oreille, la racine de ses cheveux épais, tordus, serrés comme un écheveau. LOTI, Matelot, XXXI.

13 (...) ses cheveux noirs de l'espèce qui se peigne si bien qu'on en voit les racines, qui fait des hommes chauves à trente ans, mais qui donne à vingt-cinq l'air d'être mieux nettoyé que les autres. ARAGON, les Beaux Quartiers, II, XVII.

Anat. *Racine rachidienne :* chacun des deux cordons (antérieur et postérieur) qui se détachent de la moelle épinière pour former, par leur réunion, un nerf rachidien (⇒ **Radiculaire**). *Racine postérieure, antérieure d'un nerf. Le ganglion spinal, renflement de la racine postérieure.*

Méd. *La racine d'une tumeur,* la partie la plus profonde. — *Racine d'un cor,* base de la partie centrale, très durcie.

14 Ils disent qu'il y a de l'eau dans le genou ; on croit que le mal est borné à la place brûlante que recouvre la couche de ouate. Mais il sent la racine bien plus profonde. J. CHARDONNE, les Destinées sentimentales, p. 497.

♦ **2.** Pêche. Crin solide, fil de nylon attaché au bas de la ligne pour supporter les hameçons. ⇒ **Florence.** *Racine anglaise.*

★ **III.** Fig. ♦ **1.** (XIIIe). Math. *Racine* $n^{ème}$ *d'un nombre* N : nombre qui, élevé à la puissance* n, est égal à N. *Symbole représentant la racine.* ⇒ **Radical.** *Racine carrée, cubique, quatrième de 10* ($\sqrt{10}$, $\sqrt[3]{10}$, $\sqrt[4]{10}$). *Calcul des racines par approximation*. Extraire, tirer une racine carrée,* la calculer (→ Effort, cit. 6). *Les racines carrées de 4 sont 2 et -2. La racine carrée d'un nombre* (cit. 6) *négatif est un nombre imaginaire* (cit. 6). — (1875). Alg. *Racine d'une équation :* valeur de l'inconnue qui satisfait à l'équation. ⇒ **Solution.**

♦ **2.** (1578, H. Estienne, *in* D. D. L.). Ling., gramm. Élément irréductible d'un mot, obtenu par élimination de tous les éléments de formation et indices grammaticaux, qui correspond à une productivité dans l'histoire (⇒ **Étymologie**) et qui constitue un support de signification. → aussi Mot primitif*, mot souche*. *« Bataille »* (cit. 1) *et « combat » ont la même racine « battre »* (*bat-*). *Racine et affixes*.* ⇒ aussi **Radical** (cit. 4) ; **base, formant, monème.** *Recherche de la racine.* ⇒ **Étymologie** (cit. 8). *Racine latine de mots français..., de mots des langues romanes. Racines grecques et latines servant à former des composés savants* en français, en allemand, en anglais... « Le Jardin des racines grecques »* de Lancelot (1657). *Racines germaniques, indo-européennes. Mots classés par racines. Dictionnaire des racines.*

15 Comme la langue française a des mots primitifs, et des mots dérivés et composés, on a jugé qu'il serait agréable et instructif de disposer le Dictionnaire par racines, c'est-à-dire de ranger tous les mots dérivés et composés après les mots primitifs dont ils descendent, soit que ces primitifs soient d'origine purement française, soit qu'ils viennent du latin ou de quelque autre langue. Dict. de l'Académie, 1694, Préface.

CONTR. Faîte.
DÉR. Racinaire, 2. **racinage, racinal, raciner.**
COMP. Déraciner, enraciner, indéracinable. — Arrache-racines, coupe-racines.

RACINER [ʀasine] v. — V. 1160 ; « se fixer, s'implanter », v. 1155 ; de *racine.*

♦ **1.** V. intr. Vx. Prendre racine. *La bouture, la marcotte commence à raciner.*

♦ **2.** V. tr. (1669). Vx. Teindre en brun fauve (avec une décoction de racines de noyer). — (1830). Mod. Orner d'un racinage.

▶ **RACINÉ, ÉE** p. p. adj.

♦ **1.** (XIIIe). Qui a des racines (plus ou moins fortes). *Plant bien raciné.*

Et justement fleurissait, aromatique, bien racinée, bonne pour l'escalade, dans les roches exposées au midi, une touffe de romarin bleu (...) A. ARNOUX, Suite variée, p. 30.

♦ **2.** Orné d'un racinage. *Reliure en veau raciné.*

DÉR. 1. **Racinage.**

RACING [ʀɛsiŋ, ʀasiŋ] n. m. —1851, *Revue des Deux-Mondes ;* mot angl., p. prés. de *to race* « courir ».

♦ Vx. Course à pied.

RACING-CLUB [ʀɛsiŋklœb ; ʀasiŋklœb] n. m. — 1882 ; mot angl.

♦ **1.** Vx. Association de sportifs pratiquant la course à pied.

♦ **2.** Mod. (Dans des noms de clubs). *Le Racing-club de N...* — Ellipt (1905, *in* Höfler). *Le Racing. Il va s'entraîner au Racing trois fois par semaine.*

RACINGMAN [ʀɛsiŋman ; ʀasiŋman] n. m. — 1898 ; de l'angl. *racing,* et *man* « homme ».

Sports. Anglicisme.

♦ **1.** Rare. Membre d'un racing-club. *Des racingmen.*

Quelques voix exacerbées ayant poussé dans un virage le « Allez Racing ! », tout ce que la foule comptait de racingmen reprit en houle le cri de guerre. René FALLET, le Triporteur, p. 357.

♦ **2.** (1911). Vx. Coureur à pied.

RACINIEN, IENNE [ʀasinjɛ̃, jɛn] adj. — 1776, Voltaire ; du nom du poète *Racine.*

♦ De Racine, propre à la pensée, aux œuvres de Racine, à son œuvre. *L'œuvre, la tragédie racinienne* (→ Achèvement, cit. 2). *Les héroïnes raciniennes* (→ Corps, cit. 35). *L'élégance racinienne. La tradition racinienne* (→ Noble, cit. 13).

(...) *Bérénice* (...) ne soutiendrait même pas le parallèle avec les autres pièces relativement secondaires, telles que *Mithridate* et *Bajazet,* et pourtant elle a sa grâce bien particulière, son cachet racinien. 1
SAINTE-BEUVE, Portraits littéraires, Sur la reprise de Bérénice, janv. 1844.

La tragédie racinienne est faite, au moins partiellement, de cette incompréhensible incompatibilité qui se manifeste dans la conscience, lorsque les circonstances forcent soudainement un être à comparer deux moments inconciliables de sa propre durée. Suis-je à la fois celui que je suis et celui que je fus ? Il semble que ce ne soit pas possible. Mais il est à peine plus croyable que je sois successivement deux êtres aussi manifestement dissemblables. 2
Georges POULET, Études sur le temps humain, t. IV, p. 58.

L'habitat racinien ne connaît qu'un seul rêve de fuite : la mer, les vaisseaux : dans Iphigénie, tout un peuple reste prisonnier de la tragédie parce que le vent ne se lève pas. 3
R. BARTHES, Sur Racine, p. 9.

N. (1911, *l'Illustration*). Personne qui est spécialiste ou amateur du théâtre de Racine.

RACIOLOGIE [ʀasjɔlɔʒi] n. f. — V. 1970 ; de *racial,* et *-logie.*

♦ Didact. Partie de l'anthropologie* physique qui étudie les phénomènes raciaux (syn. : *anthropologie raciale*).

(...) il existe toute une série de problèmes historiques à résoudre par la coopération de la raciologie et de l'ethnologie. Ces problèmes sont orientés dans un sens inverse de celui qui a guidé la raciologie raciste : si la race n'a pas d'influence sensible sur la culture, la culture peut déterminer le modelage racial (...) elle peut isoler des éléments raciaux disparates et créer un type racial commun.
A. LEROI-GOURHAN, l'Histoire et ses méthodes, *in* Encycl. Pl., p. 230.

COMP. Ethno-raciologie.

RACISME [ʀasism] n. m. — 1902, *in* D. D. L. ; de *race.*

♦ **1.** Théorie de la hiérarchie des races, qui conclut à la nécessité de préserver la race dite supérieure de tout croisement, et à son droit de dominer les autres. *Le racisme n'a aucune base scientifique.*

Est-ce que les écrivains de l'*Action française,* jaloux de fonder philosophiquement leur misérable doctrine purement politique, ne regardent pas les idées de race et de tradition comme le *substratum* du nationalisme et du monarchisme ? (...) Il ne m'appartient pas de refaire ici le procès du racisme et du traditionnalisme. 1
A. MAYBON, *in* Revue blanche, no 223, 15 sept. 1902, p. 146-148 (*in* D. D. L., II, 15).

(...) *Mein Kampf* est tout d'abord le livre d'une religion, l'Évangile du national-socialisme, ou, plus exactement, du racisme (...) Sa véritable naissance *(de Hitler)* à l'action date du jour où il découvre la notion de race. C'est ici qu'un Français ne peut s'empêcher de trouver *Mein Kampf* singulièrement pauvre et singulièrement primaire (...) Des puérilités ridicules s'y mêlent aux affirmations scientifiques les moins prouvées (...) Pour Hitler, ce sont les Aryens qui ont fait la civilisation éternelle (...) et parmi les Aryens, les plus purs (...) ce sont les Germains (...) Par malheur, en face de la rayonnante expansion de la civilisation helléno-germanique, se sont placés les Juifs. Hitler parle toujours des Juifs avec une haine profonde et une absence complète d'esprit critique. 2
J. BAINVILLE, les Dictateurs, 1935, p. 278-279.

Au dire de Freud *(Moïse et le Monothéisme),* un peu de différence mène au racisme. Mais beaucoup de différences en éloignent, irrémédiablement. Égaliser, démocratiser, massifier, tous ces efforts ne parviennent pas à expulser « la plus petite différence », germe de l'intolérance raciale. C'est pluraliser, subtiliser, qu'il faudrait, sans frein. 3
R. BARTHES, Roland Barthes, p. 74.

Attitude inégalitaire d'hostilité à l'égard d'un groupe ethnique. Ensemble de réactions qui, consciemment ou non, s'accordent avec cette théorie. *Ligue internationale contre le racisme et l'antisémitisme* (L. I. C. R. A. [likʀa]). *Le racisme nazi aboutit au génocide** (→ aussi Captif, cit. 2). *Faire preuve de racisme. Racisme et xénophobie. Les immigrés souffrent du racisme de la population.*

♦ **2.** (V. 1960). Hostilité violente contre un groupe social. *Racisme* *anti-jeunes. Racisme envers les intellectuels, les femmes* (⇒ **Sexisme**).

COMP. Antiracisme.

RACISTE [Rasist] n. et adj. — 1929, *in* D. D. L.; de *racisme.*

♦ **1.** N. Personne qui soutient le racisme, dont la conduite est imprégnée de racisme. *Bande de racistes !*

♦ **2.** Adj. Propre au racisme, inspiré par le racisme. *Doctrine, politique raciste. Nationalisme raciste. Pratiques racistes.*

Partisan du racisme ; qui pratique le racisme. *Il est raciste. Une police raciste. Je ne suis pas raciste mais...*

En adoptant une idéologie raciste, ces nations finissent par croire que leur position éminente n'est pas due à des mérites qu'il faut entretenir, mais uniquement à la faveur du sort, à leur beau physique (...)
Les groupes qui s'estiment éminents ne peuvent plus avoir désormais qu'une attitude haineuse et revendicatrice vis-à-vis des autres. Ils estiment que tout leur est dû puisqu'ils sont la « race suprême » (...) Seul le peuple élu a des droits sur toutes choses (...) Pour lui il n'y a pas de nations étrangères, il n'y a que des esclaves révoltés (...) Gaston BOUTHOUL, Traité de sociologie, p. 273.

COMP. Antiraciste.

1. RACK [Rak] n. m. ⇒ **Arack.**

2. RACK [Rak] n. m. — 1954, *Revue du soir, in* Höfler; mot angl. « râtelier » ; cf. anc. franç. *racquet* « herse », du néerl. *raecke,* même origine.

♦ Techn. (Anglic.). Montage des éléments d'un meuble radio-électrique sur des tiroirs métalliques (équivalent français : *montage en baie*). *« Cette machine d'enregistrement (...) se compose de deux éléments montés en rack »* (*Revue du Son,* nº 160, p. 363).

Cour. Meuble destiné à contenir les différents éléments superposés d'une chaîne haute fidélité.

RACKET [Rakɛt] n. m. — 1930 ; mot américain.

♦ Américanisme. Extorsion de fonds, par chantage, intimidation ou terreur, pratiquée par une association de malfaiteurs. ⇒ **Rançonnement.** *Une affaire de racket. Ce gang se livrait au racket et mettait à l'amende tous les commerçants. Un racket international.*

1 Ça devait être des terreurs de banlieue qui se croyaient des dons pour le rackett *(sic).* Albert SIMONIN, Touchez pas au grisbi, p. 111.

Par ext. Fait d'obtenir de l'argent par une pression, un chantage (moral, etc.).

2 (...) après tout je fais figure de pigeon dans le débat et que s'il a neuf enfants, le frère, pour excuser son racket, les miens ont aussi quatre bouches. Hervé BAZIN, Cri de la chouette, p. 42.

DÉR. Racketter, racketteur.
HOM. Raquette.

RACKETTER [Rakete] v. tr. — 1961, *in* Höfler; de *racket.*

♦ Soumettre à un racket. *Des truands rackettent les commerçants de la ville. Se faire racketter.*

Taxé par le fisc, racketté par les voyous, pressuré par la police (...) Roger BORNICHE, le Play-boy, p. 262.

RACKETTEUR [Rakɛtœr] n. m. — 1956 ; *racketeer* cité comme mot angl. par P. Morand, 1930 ; *racketter,* 1938 *in* Höfler; de *racket,* d'après l'amér. *racketteer.*

♦ Américanisme. Malfaiteur qui exerce un racket*. → Maître chanteur*. — REM. La graphie *racketter,* américaine, est plus ancienne ; elle s'emploie dans le contexte américain. *« Nous n'avions aucune sympathie pour les racketters »* (Beauvoir).

Je sens un peu d'inquiétude poindre chez ce racketteur minable. Joseph JOFFO, Baby-Foot, p. 89.

HOM. Raquetteur.

RACLAGE [Rɑklaʒ ; Raklaʒ] n. m. — 1845 ; de *racler.*

♦ **1.** Techn. Éclaircissement des taillis d'une forêt.

♦ **2.** (1875). Action de racler, de nettoyer en raclant. *Le raclage des peaux, des troncs.* ⇒ **Grattage.**

Chir. *Raclage d'un os à la rugine*. — Raclage d'un lupus,* par nettoyage à l'aide d'une curette, jusqu'à ce qu'on rencontre les tissus sains (ancien procédé de traitement des dermatoses).

♦ **3.** (1875). Techn. Lissage mécanique des fils textiles entourant des fils métalliques.

RACLARE [Rɑklar ; Raklar] n. m. — 1845 ; de *racler.*

♦ Techn. Filet de pêche servant à racler le fond.

RACLE [Rɑkl ; Rakl] n. f. — 1561 ; de *racler.*
Régional.

♦ **1.** Outil servant à racler. ⇒ **Curette, grattoir, raclette, racloir, rateau.** *Racle à fromage. Racle de boulanger, de cantonnier.* ⇒ **Rabot.**

♦ **2.** (1611). Heurtoir formé par un anneau de métal mobile dans un fond.

♦ **3.** (Mil. XXe). Techn. Instrument qui essuie les formes d'impression, en héliographie.

RACLE-DENIER [Rɑklədənje ; Raklədənje] n. m. — 1611 ; de *racler,* et *denier.*

♦ Vx. Personne avare.

RACLÉE [Rɑkle ; Rakle] n. f. — Fin XVIIIe ; de *racler.*

♦ Fam. Volée de coups. ⇒ **Branlée, brossée, correction, frottée, peignée, ratatouille, rossée, rouste, tannée, tatouille.** *Donner* (→ Gueux, cit. 8), *flanquer une raclée* (→ Pisser, cit. 6). ⇒ **Battre.**

Chaque soir, Nana recevait sa raclée. Quand le père était las de la battre, la mère lui envoyait des torgnoles, pour lui apprendre à bien se conduire. ZOLA, l'Assommoir, XI, t. II, p. 179.

Défaite complète. ⇒ **Pile.** *Ils vont prendre une belle raclée aux élections. On leur a fichu une raclée.*

RACLEMENT [Rɑkləmɑ̃ ; Rakləmɑ̃] n. m. — 1611 ; de *racler.*

♦ **1.** Action de racler. *Le raclement d'une peau par un tanneur, par un écharnoir.* — Fait de racler.

♦ **2.** Plus cour. Bruit résultant de ce qui racle. *Un lointain raclement de patins à roulettes* (→ Bruit, cit. 17). *Raclement de gorge sonore* (→ Couvrir, cit. 22). *Au raclement d'un violon* (→ Nasillement, cit. 1).

Puis les rangs se reforment en clopinant, et les semelles cloutées reprennent leur raclement sur le sol caillouteux. MARTIN DU GARD, les Thibault, t. VIII, p. 162. 1

Claire gémit encore sous le coup du souvenir des mains de Pierre serrées sur ses hanches découvertes. Mais l'habitude en vient comme celle du raclement feutré des respirations des enfants. M. DURAS, Dix heures et demie du soir en été, p. 62. 2

♦ **3.** Rare. Trace sur ce qui a été raclé.

RACLER [Rɑkle ; Rakle] v. tr. — XIVe ; anc. provençal *rasclar,* du lat. pop. **rasiculare,* class. *rasus,* p. p. passif de *radere* « racler, raser ».

♦ **1.** Frotter rudement (une surface) avec qqch. de dur ou de tranchant, de manière à égaliser ou à détacher ce qui adhère. ⇒ **Gratter.** *Racler des peaux, des parchemins. Racler ses semelles. Racler le fer d'une bêche pour enlever une terre glaiseuse* (cit. 1) *et collante.* ⇒ **Curer, nettoyer.** *Racler la grille d'un poêle avec un pique-feu* (cit. 3). *Racler une casserole, un plat, pour n'y rien laisser. Filet qui racle le fond de l'Océan* (→ Chalutier, cit.). *Racler des allées.* ⇒ **Ratisser.** *Racler un mur.* ⇒ **Regratter.** *Outils servant à racler.* ⇒ **Racle, raclette, racloir.** Méd. *Racler un os.* ⇒ **Ruginer.** — Loc. fam. *Racler les tiroirs, les fonds de tiroirs :* prendre tout l'argent disponible, jusqu'au dernier sou. — Pron. *Se racler la gorge,* la débarrasser de ses mucosités par une expiration brutale accompagnée de contraction. — *Racler une mesure de grain,* en passant la racloire*. ⇒ **Rader.**

Maintenant, il raclait le fond de l'écuelle avec la cuillère, rudement, pour ne rien perdre de sa portion. ZOLA, la Terre, V, II. 1

Le gros petit homme racla ses sabots sur le seuil, secoua sa courte blouse saupoudrée de neige et entra. ALAIN-FOURNIER, le Grand Meaulnes, III, I. 2

(...) il ne m'en reste pas beaucoup en caisse, mais en raclant bien mon tiroir, c'est grand malheur si je n'en tire pas ces dix mille francs. H. BOSCO, le Jardin d'Hyacinthe, p. 94. 3

♦ **2.** Enlever en frottant rudement, en raclant (1.). *Racler une pellicule* (cit. 3) *de boue.*

Il commençait de brosser sa veste et, de temps en temps, avec la pointe du canif, il raclait quelque petite tache d'un air appliqué. G. DUHAMEL, Chronique des Pasquier, VII, V. 4

Panturle mâche sa chique : une boule de tabac raclé au fond de sa poche, mélangée de brins d'herbe et de poils de bête. J. GIONO, Regain, I, II. 5

♦ **3.** Frotter rudement en entrant brutalement en contact. *La barque a raclé le fond* (→ aussi Frottement, cit. 4). *Les garde-boue* (cit.) *raclaient les pneus.* — Par hyperbole. *Ce vin racle la gorge, le gosier.* ⇒ **Râper.**

♦ **4.** (1690). Toucher, frotter sans délicatesse (les cordes, un instrument à cordes). — Jouer maladroitement de (un instrument à cordes). *Racler un violon* (→ Droguet, cit. 1), *une guitare* (cit. 2. ; → aussi Difficulté, cit. 14 ; jongleur, cit. 1 ; ménétrier, cit. 2).

(...) le Tzigane bat le fer quand ça lui chante, vole en toute saison et racle du violon (...) Jérôme et Jean THARAUD, l'Ombre de la croix, I. 6

7 Dans le soir, quelqu'un raclait une mandoline, et il y avait des voix fraîches qui chantaient dans la langue de là-bas. ARAGON, les Beaux Quartiers, I, XXV.

Jouer mal (un air).

8 La femme passait sa vie à tricoter (...) et le mari, timbré de musique, à racler sur son violon de l'ancienne musique de Viotti (...)
BARBEY D'AUREVILLY, les Diaboliques « Le rideau cramoisi ».

♦ **5.** (1845). Techn. Éclaircir (un taillis).

DÉR. Raclage, raclare, racle, raclée, raclement, raclette, racleur, racloir, racloire, raclon, raclure.
COMP. Racle-denier.

RACLETTE [ʀɑklɛt; ʀaklɛt] n. f. — 1869; dimin. de *racle,* XIIIe; de *racler.*

♦ **1.** Petit racloir. *Raclette de ramoneur, de fumiste. Raclette de cantonnier,* pour enlever la boue. *Raclette de boulanger, de tonnelier... Raclette à pâtisserie,* pour racler la planche à pâtisserie. *Raclette de table.* ⇒ **Ramasse-miettes.**

1 Elle alla sous la cheminée pour recueillir les cendres. Accroupie, de profil, dans sa robe de laine sombre, elle se mit à travailler sur l'âtre avec une raclette de fer et une pelle. H. BOSCO, le Jardin d'Hyacinthe, p. 172.

2 (...) quand nous reviendrons, nous serons accueillis par la chanson des raclettes qui tranchent du pissenlit à fleur de sablon.
Hervé BAZIN, Cri de la chouette, p. 242.

Cour. en Belgique. Instrument équipé de lamelles de caoutchouc, pour racler l'eau du sol.

♦ **2.** (Fin XIXe). Régional (Suisse). Plat valaisan préparé en présentant à la flamme un gros morceau de fromage du pays, dont on racle la partie ramollie au fur et à mesure qu'elle fond. *La raclette et la fondue*. Fromage à raclette.*

RACLEUR, EUSE [ʀɑklœʀ, øz; ʀaklœʀ, øz] n. et adj. — 1576; de *racler.*

♦ **1.** N. Techn. Ouvrier, ouvrière effectuant le raclage. *Racleur de peaux. Racleur de cheminées.*

♦ **2.** N. (V. 1660). Cour. Personne qui joue mal (d'un instrument).

1 Enfant, embrasse-moi (...) les frères Zemganno sont morts (...) il n'y a plus ici que deux racleurs de violon (...) et qui maintenant en joueront (...) le derrière sur des chaises. Ed. DE GONCOURT, les Frères Zemganno, LXXXVI.

♦ **3.** Adj. (1932). Techn. (Choses). Qui agit par raclage (pour nettoyer, etc.). *Segment racleur d'huile :* partie d'un piston destinée à empêcher les remontées d'huile dans une culasse de moteur. — N. m. Objet servant à nettoyer par raclage. Spécialt. Piston de nettoyage d'une conduite pour hydrocarbures.

♦ **4.** Adj. Qui racle.

2 Tout! les viandes! la camelote! les chars! se précipite dans les canons à chenilles broyantes et racleuses qui massacrent tous les empêchements sous la conduite d'un fourrier-chef! CÉLINE, Guignol's band, p. 8.

RACLOIR [ʀɑklwaʀ; ʀaklwaʀ] n. m. — 1538; de *racler.*

♦ **1.** Outil servant à racler. *Racloir à parquets. Racloir de tonnelier, de parcheminier, d'ébéniste. Racloir de jardinier.* ⇒ **Outillage** (agricole). — Spécialt. Grattoir utilisé par les graveurs pour ratisser leur planche dans les parties où ils veulent obtenir des clairs. — Techn. Morceau de fer plat dont les fondeurs se servent pour lisser et égaliser le sable d'un moule. *Rabot-racloir :* outil qui sert à dresser la surface d'un parquet.
Outil préhistorique fait d'un éclat de pierre retouché.

♦ **2.** Régional. Décrottoir* en fer.

Il frappe avec le poing la porte d'une de ces maisons, et, pendant qu'on vient lui ouvrir, il racle la semelle de ses bottes sur le racloir.
J. GIONO, Un roi sans divertissement, p. 76.

HOM. Racloire.

RACLOIRE [ʀɑklwaʀ; ʀaklwaʀ] n. f. — 1372, « racloir »; de *racler.*

♦ Techn. Réglette servant à égaliser une mesure de grain. ⇒ **Radoire.**

HOM. Racloir.

RACLON [ʀɑklɔ̃; ʀaklɔ̃] n. m. — 1842; de *racler.*
Régional.

♦ **1.** Agric. Engrais formé par du gazon qu'on laisse pourrir.

♦ **2.** (1875, P. Larousse). Morceau d'aliment attaché aux parois ou au fond d'un récipient de cuisson. *Gratter les raclons.*

RACLURE [ʀɑklyʀ; ʀaklyʀ] n. f. — 1372; de *racler.*

♦ **1.** Parcelle enlevée de la surface d'un corps en le raclant. ⇒ **Rognure.** *Raclure de bois, de corne, d'ivoire.*

♦ **2.** (1613). Fig. Personne méprisable, racaille.

♦ **3.** (XXe). Au plur. Déchets. *Ramasser les raclures.*

RACOLAGE [ʀakɔlaʒ] n. m. — Attesté 1747; de *racoler* (attesté antérieurement).

♦ **1.** Anciennt. Action de racoler (des soldats). *Racolage des soldats sous l'Ancien Régime.* ⇒ **Enrôlement, recrutement.**

♦ **2.** Mod. Action de recruter, d'attirer des gens. *Faire du racolage pour un spectacle, une manifestation.* ⇒ **Rabattage.**

♦ **3.** (1907). Mod. Fait de racoler, action d'une personne se livrant à la prostitution; qui racole. ⇒ **Retape.** *Se livrer au racolage. Répression légale du racolage. Racolage actif. Racolage passif,* par l'attitude, le contexte social, etc.

RACOLER [ʀakɔle] v. tr. — 1750; « embrasser de nouveau », XIIe; de *re-,* et *accoler.*

♦ **1.** Anciennt. Enrôler par force ou par ruse, en violation déguisée du principe de l'engagement volontaire. *Racoler des soldats.* ⇒ **Engager, recruter** (cf. Voltaire, *Candide,* II).

♦ **2.** (Av. 1794). Mod. Attirer, recruter par la parole, par des moyens publicitaires. *Racoler des partisans, des clients, des électeurs.* ⇒ **Procurer** (se).

Il est des philosophes comme des moines, dont plusieurs le sont malgré eux, et enragent toute leur vie. Quelques autres prennent patience; un petit nombre enfin est heureux, se tait et ne cherche point à faire des prosélytes, tandis que ceux qui sont désespérés de leur engagement, cherchent à *racoler des novices.* 1
CHAMFORT, Caractères et anecdotes, « Moines et philosophes ».

D'ailleurs, à coups d'annonces, à force de voyageurs, en offrant des avantages illusoires aux abonnés, on en avait raccolé *(sic)* deux mille. 2
BALZAC, Une fille d'Ève, Pl., t. II, p. 132.

Vers onze heures, les huissiers des Cinq-Cents racolèrent dans les auberges une centaine de législateurs qui se laissèrent ramener au palais. 3
Pierre GAXOTTE, la Révolution franç., XVI.

(Déb. XXe.). Solliciter, chercher à attirer (un client), en parlant d'une personne qui se livre à la prostitution. ⇒ **Accoster, raccrocher.** *Prostituée, travesti qui racole les passants* (et, absolt, *qui racole*). *Racoler sur la voie publique.*

Des chauffeurs sans clients y circulent d'une roue paresseuse; ils attardent sur Salavin un regard de prostituée qui racole, un regard si provocant que Salavin baisse les yeux. G. DUHAMEL, Salavin, III, XVI. 4

DÉR. Racolage, racoleur.

RACOLEUR, EUSE [ʀakɔlœʀ, øz] n. et adj. — 1747; de *racoler.*

♦ **1.** N. m. Anciennt. Recruteur qui faisait métier de racoler. *Sergent racoleur.* ⇒ **Recruteur** (→ Capucinade, cit. 1; enrôlement, cit. 1).

Dans toutes les grandes villes de France tout homme valide allant par les rues à ses affaires était exposé à être poussé par les racoleurs dans une maison appelée *four.* Là on l'enfermait pêle-mêle avec d'autres, on triait ceux qui étaient propres au service, et les recruteurs vendaient ces passants aux officiers. 1
HUGO, l'Homme qui rit, II, I, V, II.

Par métaphore :

Tu n'as pas besoin de prendre un air soupçonneux, je ne suis pas devenu sergent racoleur du P. C. Et puis entendons-nous bien : le Parti n'a aucun besoin de toi. 2
SARTRE, l'Âge de raison, p. 125.

♦ **2.** N. (XIXe). Fig. Recruteur ou propagandiste peu scrupuleux. *Les racoleurs d'un parti.*

♦ **3.** N. f. Fille qui racole. ⇒ **Ambulante** (vx), **raccrocheuse.**

♦ **4.** Adj. (1888, Daudet). Qui cherche à attirer, à racoler. *Une enseigne racoleuse. Un sourire racoleur. « Des publicités clinquantes, provocantes, racoleuses »* (Borniche, *le Ricain,* p. 232).

RACON [ʀakɔn] n. m. — 1968; mot angl. de *ra(dar),* et *(bea)con* « balise ».

♦ Mar. Balise de radionavigation à répondeur.

RACONTABLE [ʀakɔ̃tabl] adj. — Fin XIIe; de *raconter.*

♦ Qui peut être raconté (surtout en tournure négative). *Cela n'est guère racontable en public.*

... je me trouve à l'instant bouleversé, décapé, racorni, infect, au rang des larves empestantes, au dépit des bonnes intentions, abominé, étrillé vif, quelque chose de plus racontable... CÉLINE, Guignol's band, p. 28.

CONTR. Irracontable.

RACONTAGE [ʀakɔ̃taʒ] n. m. — 1845; de *raconter.*

♦ Vx. Chose qu'on raconte, dont on parle beaucoup. ⇒ **Commérage, racontar.**

Quoi qu'il en fût, après neuf ans d'épiscopat et de résidence à Digne, tous ces racontages, sujets de conversation qui occupent dans le premier moment les petites villes et les petites gens, étaient tombés dans un oubli profond.
HUGO, les Misérables, I, I, I.

RACONTAR [ʀakɔ̃taʀ] n. m. — 1853, Gautier, *l'Orient,* II, l'Égypte, p. 211; de *raconter.*

♦ Nouvelle peu sérieuse, propos médisant ou sans fondement sur le compte de qqn. ⇒ **Bavardage, cancan, commérage, conte, médisance, ragot** (→ Partialité, cit. 3). *Des racontars familiaux* (→ Patent, cit. 2), *Racontars de bistros* (→ Aveuglette, cit. 2).

Dans toutes ces petites villes de banlieue, du moment qu'elles s'éloignent de la banlieue ouvrière, sévissent les mêmes passions, la même soif de racontars qu'en province. R. RADIGUET, le Diable au corps, p. 91.

RACONTER [ʀakɔ̃te] v. tr. — XIIe; de *re-*, et anc. franç. *aconter*, de *conter*.

♦ **1.** Exposer par un récit (des faits vrais ou présentés comme tels). ⇒ **Conter, narrer, rapporter, relater, retracer.** *Raconter des faits* (→ Amas, cit. 11; bris, cit. 3), *des événements, des actions* (→ Miséricorde, cit. 1; mobile, cit. 3), *ce qui s'est passé* (cit. 138), *des aventures* (→ Attention, cit. 12; dramatique, cit. 3; entracte, cit. 4; 2. geste, cit. 2), *des guerres* (→ Engager, cit. 50), *une victoire* (→ Esprit, cit. 31), *une bataille* (→ Histoire, cit. 39), *ses malheurs, ses maux* (→ On, cit. 40), *sa vie* (→ Prendre, cit. 61)... *Raconter des anecdotes* (cit. 2 et 3), *une histoire* (→ Aborder, cit. 6; bouleverser, cit. 8; descendre, cit. 39; fuir, cit. 32). *Raconter des histoires* (→ Fade, cit. 14; fictif, cit. 2; flot, cit. 7; intégrant, cit. 3). ⇒ **Narrer** (cit. 1). *Ce qu'il raconte m'intéresse moins que sa façon de le raconter* (→ Livrer, cit. 23; et aussi manière, cit. 6). *Raconter qqch. en détail, par le menu.* ⇒ **Détailler, historier** (vx). — *Ce qu'on raconte de qqn* (→ Monsieur, cit. 2), *d'un événement* (→ Menterie, cit. 2). ⇒ **Dire.** — *À ce qu'on raconte* (→ Habitude, cit. 22); *raconte-t-on* (→ Obstacle, cit. 3), *comme on le raconte...* ⇒ **Dire** (dit-on). *Contrairement à ce que l'on raconte* (→ Incorporel, cit. 2).

1 (...) sa mémoire était une source inépuisable de faits divers, qu'on n'entendait pas toujours avec autant de plaisir qu'il les racontait. A.-R. LESAGE, Gil Blas, IV, I.

2 Raconter maintenant la vie d'un artiste, ce n'est autre chose qu'analyser ses idées, marquer sa place intellectuelle parmi ses contemporains et donner le catalogue de son œuvre; l'individu disparaît, l'idée seule se dégage. Th. GAUTIER, Portraits contemporains, Simart.

3 Le bon critique est celui qui raconte les aventures de son âme au milieu des chefs-d'œuvre. FRANCE, la Vie littéraire, I, Préface.

4 Mais on goûte un plaisir d'une qualité exceptionnelle quand par hasard on peut raconter quelque chose d'entièrement vrai qui vous fasse autant d'honneur qu'un mensonge. J. ROMAINS, les Hommes de bonne volonté, t. I, XXIII, p. 273.

Absolt. *Raconter bien, mal, parfaitement.* (→ Histoire, cit. 14). *Un témoin qui raconte* (→ Nouvelle, cit. 20). — *En raconter* : raconter bien des choses, souvent peu exactes.

4.1 Ce serait intéressant, après tout, que l'auteur de ce beau coup nous le raconte lui-même. « Alors, raconte! », comme chante Gilbert Bécaud. F. MAURIAC, Bloc-notes 1952-1957, p. 328.

(Avec une proposition complément). *Raconter que...* (→ Cesse, cit. 6; effarer, cit. 7; grignoter, cit. 5). *On raconte de cet empereur qu'il...* (→ Apparition, cit. 11). *Raconter comment...* (→ Drôlement, cit. 1; 1. goûter, cit. 9), *comme quoi...* (→ Garder, cit. 10), *quel sort les avait assemblés* (cit. 17), *quels applaudissements a eus* (→ 1. Avoir, cit. 50) *un discours...*

♦ **2.** Décrire, dépeindre. *Madame de Sévigné a raconté tout un siècle* (→ Agile, cit. 7). *Raconter barbarement* (cit. 3) *un âge barbare. Raconter les mœurs d'un pays* (→ 1. Goutte, cit. 9). *Analyser et raconter chaque œuvre* (→ Exposition, cit. 3). *Raconter des sentiments* (→ Froisser, cit. 21). « *Je vais te raconter les diverses beautés qui parent ta jeunesse* » (cit. 15, Baudelaire).

5 Les récits infinis du général eurent un succès rapide dans la société de Kœnigsberg. Tout le monde voulait l'entendre raconter Paris. STENDHAL, Romans et nouvelles, « Le rose et le vert », I.

Littér. Faire le récit de la vie, le portrait de (qqn). *Raconter qqn* (→ Perspective, cit. 11). « *L'auteur, en racontant le genre* (cit. 4, Hugo) *humain...* » *Vieilles épopées* (cit. 3) *qui racontent les hommes-chevaux.*

6 Écoutez plutôt ma chanson;
Je vous raconterai Térée et son envie. LA FONTAINE, Fables, IX, 18.

Fig. (Sujet n. de chose). « *Les cieux* (cit. 4, Bible) *racontent la gloire de Dieu* ». *Constructions en ruines qui racontent l'effondrement* (cit. 2) *des civilisations.*

7 La fièvre flambante de l'œil, le luisant malsain du teint, le décharnement du *faciès* et du cou, enfin la macération canaille de tout l'être harassé, vous racontaient les misères, les souffrances, les fringales, les refroidissements, les coups de soleil, les courbatures de la femme, avec un passé de jeune fille où l'eau-de-vie avait bien souvent remplacé le pain manquant. Ed. DE GONCOURT, les Frères Zemganno, II.

8 C'est samedi, et les pierres, et le plancher, fraîchement lavés, racontent tout un petit poème rustique et intime, auquel, je le sais, tu n'es point indifférent. LOTI, Aziyadé, II, IV.

9 On fait la guerre à la loi de Luther, on en brise la contrainte; mais on reste luthérien dans sa cravate; la redingote raconte le bourgeois et sa manie d'être considérable (...) André SUARÈS, Trois hommes, « Ibsen », III.

♦ **3.** (1877). Dire, débiter à la légère ou de mauvaise foi. *Raconter des histoires* (cit. 48), *des blagues. Je sais ce qu'on raconte sur nous* (→ Inexact, cit. 3). *Qu'est-ce que tu me racontes là?* ⇒ **Chanter** (→ Parterre, cit. 2). *C'est du moins ce qu'elle raconte,* ce qu'elle prétend (→ Pourrir, cit. 9).

10 (...) elle se laissa gronder d'un air sournois, en racontant qu'on ne pouvait pas marcher, à cause du verglas. ZOLA, l'Assommoir, VI, t. I, p. 241.

Péj. Dire. *Qu'est-ce qu'il raconte, le prof?* → Exercice, cit. 12.

▶ **SE RACONTER** v. pron. (XVIIIe).

(Réfl. dir.). Se décrire, s'analyser, parler de soi (→ Faire, cit. 50; gémeller, cit. 1).

(Réfl. indir.). *Se raconter des histoires, se raconter que...* (→ Malfaisant, cit. 3).

(Récipr.). *Ils se racontaient leurs histoires de collège.*

(Passif). *Ce qui se racontait de miraculeux* (cit. 1).

11 L'histoire manque d'ailleurs au dix-huitième siècle; la France, après le cruel effort des guerres de Louis XIV, souffre trop pour se raconter. Plus de Mémoires : personne n'a le courage d'écrire sa vie individuelle (...) MICHELET, Hist. de la Révolution franç., Introd., II, II.

12 Je ne me suis pas raconté dans ce roman. Les aveux en littérature sont rares : il faut prendre trop de peine pour dire ce que l'on ressent. J. CHARDONNE, Éva, p. 11.

13 Ce qu'on peut à vingt ans se raconter d'histoires ARAGON, le Roman inachevé, Beauté du diable.

DÉR. Racontable, racontage, racontar, raconteur.

RACONTEUR, EUSE [ʀakɔ̃tœʀ, øz] n. — V. 1462; *raconteor*, fin XIIe; de *raconter*.

♦ Rare. Personne qui raconte, aime à raconter. ⇒ **Conteur.** « *Les historiens* (cit. 6) *sont des raconteurs du passé...* » (Goncourt).

Tu vas anticipant sur le raconteur, et tu lui ôtes le plaisir qu'il s'est promis de ta surprise (...) DIDEROT, Jacques le fataliste, Pl., p. 705.

REM. À la différence de *conteur, raconteur* ne s'emploie guère aujourd'hui qu'avec un compl. en *de*; il semble être souvent péjoratif *(un raconteur d'histoires, de balivernes, de sornettes...).*

RACORNIR [ʀakɔʀniʀ] v. tr. — V. 1330, fig., sens 3.; concret, 1611; de *re-*, et *corne*.

♦ **1.** Faire prendre à (qqch.) la consistance, la dureté de la corne; rendre dur, coriace. ⇒ **Dessécher.** *Manipulation, travaux qui racornissent les doigts, la main. Le feu a racorni ce cuir.* ⇒ **Grésiller.**

Pronominal :

1 Cet homme, sans être beaucoup plus méchant qu'un autre, ne manquera pas d'aller à l'auto-da-fé, et cela le fera rire beaucoup de voir la chair grillée se racornir dans la flamme. Th. GAUTIER, Voyage en Russie, I, XIV.

♦ **2.** Rapetisser, raccourcir par dessèchement. Rabougrir, ratatiner. *Plante que la chaleur a racornie.* ⇒ **Griller, sécher.**

2 Je retrouvai le vieux Gosse à peine un peu vieilli; un peu racorni, aminci par endroits. GIDE, Journal, 3 oct. 1916.

♦ **3.** Fig. Rendre insensible, dur, sec, étroit.

▶ **SE RACORNIR** v. pron.

3 Il était fils d'un petit tailleur de la rue d'Aboukir. Il avait vu son père, assis à l'orientale au bord de l'établi luisant, se racornir et se consumer sous une lumière de cave. G. DUHAMEL, Chronique des Pasquier, III, IV.

▶ **RACORNI, IE** p. p. adj. (V. 1330). *Cuir racorni. Godillots* (cit. 1) *craquelés et racornis. — Plante racornie.*

Fig. (Personnes; facultés, etc.) → Racontable, cit. Céline. *Il est un peu racorni* (→ ci-dessus, cit. 2). — *Idées racornies.* « *Cœur racorni, fumé* (cit. 20) *comme un jambon* » (Baudelaire).

4 (...) je sens que les traces de mes vieilles idées, racornies dans mon cerveau, ne permettent plus à des idées si nouvelles d'y faire de fortes impressions. ROUSSEAU, Lettre à Mirabeau, 26 juil. 1767.

DÉR. Racornissement.

RACORNISSEMENT [ʀakɔʀnismɑ̃] n. m. — 1743; de *racornir*.

♦ Fait de se racornir. — État de ce qui est racorni.

RACQUITTER [ʀakite] v. — Fin XVIe; « racheter », v. 1360; de *re-*, et *acquitter*.

Vieux.

♦ Dédommager d'une perte éprouvée au jeu; délivrer d'une obligation contractée. *La seconde partie l'a racquitté de sa perte.*

▶ **SE RACQUITTER (de)** v. pron.

Prendre sa revanche au jeu, regagner (la somme qu'on a perdue). « *Je me suis racquitté de cette somme que j'avais perdue* » (Académie.). — Réparer (une perte quelconque). « *Ces orgueilleux ennemis (...) ne désespéraient pas de se racquitter de leurs pertes* » (Racine, *Campagnes de Louis XIV*).

RAD [ʀad] n. m. — 1953, *Commission internationale sur les Unités radiologiques*; de *radiation*.

♦ Phys. Ancienne unité d'irradiation, correspondant à l'absorption de 100 ergs par gramme de substance (soit 10^{-2} grays*).

HOM. 1. **Rade,** 2. **rade,** 3. **rade.**

RADADA [ʀadada] n. m. — Attesté mil. xxe; formation onomatopéique (→ Roudoudou) « évoquant la " chevauchée " sexuelle »; cf. Dada (Cellard et Rey).

♦ Argot plais. Acte sexuel, coït. (Surtout dans des loc., comme *aller au radada*).

Alors, à toi de prendre tes précautions. Avant d'aller au radada, tu lui examines la fente, bien partout. CAVANNA, les Ritals, p. 61.

RADAR [ʀadaʀ] n. m. — 1941; mot angl., sigle de *RA(dio) D(etecting) A(nd) R(anging)* « détection et télémétrie par radio-électricité ».

♦ Système ou appareil de détection, qui émet un faisceau d'ondes électromagnétiques très courtes et en reçoit l'écho, permettant ainsi de déterminer la direction et la distance d'un objet. ⇒ **Détecteur.** *Émetteur, antenne dirigée, récepteur, écran de radar* (→ Image, cit. 11). *Utilisation du radar en navigation. Interception d'un avion, surveillance d'un aérodrome, du sol..., par radar. Radar de bord. Radar à balayage électronique. Radars de surveillance, de veille, de tir, d'acquisition, d'altimétrie. Contrôle de la vitesse des voitures par radar. Détecteur de radar.*

1 L'utilisation des faisceaux d'ondes très courtes a conduit déjà à de merveilleux résultats. Nul n'ignore les services que le Radar a rendus aux armées des nations unies *(les Alliés pendant la Seconde Guerre mondiale)* pour le repérage et le guidage des avions. Déjà des procédés analogues permettent aux bateaux de reconnaître la proximité des côtes ou des icebergs, aux météorologistes de sonder l'atmosphère, aux aviateurs d'établir rapidement la topographie d'une région. L. DE BROGLIE, Physique et Microphysique, p. 333.

2 On dit d'un miroir qu'il réfléchit et on dit aussi d'un penseur qu'il réfléchit. De l'objet au sujet il y a une répercussion, un écho, un va-et-vient, quelque chose de comparable à la technique actuelle du *radar,* le sondage par l'émission d'un train d'ondes (...) Le découvreur ou l'inventeur va à la recherche dans l'inconnu d'un site, d'une série de points grâce auxquels par usage de l'intelligence il reconstruit un ensemble, il apprécie une activité. L'ébauche une fois établie, le jeu du *radar* permet d'étreindre l'hypothèse, d'en éprouver la solidité (...) CLAUDEL, la Pensée religieuse de Romain Rolland, 1948, *in* Œ. en prose, Pl., p. 608-609.

3 Les mots anciens glissent à l'intérieur des machines et tracent de petites raies sur les bandes magnétiques. Les sons de la langue et des dents font éclater sur les écrans de radar des sortes de fleurs déchirées qui s'effacent aussitôt. J.-M. G. LE CLÉZIO, les Géants, p. 164.

En appos. *Système radar, écran radar. — Couverture radar d'une région. Sondeur radar. Balise radar.* ⇒ **Racon.** — (En deuxième élément de mots composés). *Contrôle-radar. Émetteur-radar. Réflecteur-radar,* utilisé pour renvoyer les signaux du radar, sur les navires de plaisance.

Loc. fig. *Naviguer au radar :* se diriger à l'aveuglette; conduire sa vie en se laissant guider par les circonstances.

4 À l'époque j'étais tellement occupée à me contrôler et à faire la guerre à la chose que je ne voyais pas vraiment, je me sentais devenir aveugle, je naviguais au radar, c'était plutôt une sorte d'instinct qui m'empêchait de me heurter aux choses et aux gens. Marie CARDINAL, les Mots pour le dire, p. 23.

Fig. « *(Ce dictionnaire)... véritable radar du langage qui donne l'écho de chaque mot, à tous les horizons* » (André Chamson).

DÉR. Radariser, radariste.

COMP. Antiradar. — Radarastronomie, radarphotographie. — V. Racon.

RADARASTRONOMIE [ʀadaʀastʀɔnɔmi] n. f. — V. 1960 (1972, in *Encycl. Universalis*); de *radar,* et *astronomie,* d'après l'angl. *radar astronomy,* av. 1966.

♦ Astron. Branche de l'astronomie qui étudie les corps célestes au moyen de l'écho radar qu'ils renvoient d'ondes électromagnétiques émises dans leur direction par l'observateur. *Détermination de la vitesse de rotation d'une planète par radarastronomie. Pour des raisons techniques, la radarastronomie se limite au système solaire. À la différence de la radarastronomie, la* radioastronomie* *étudie les ondes émises par les astres eux-mêmes.*

RADARISER [ʀadaʀize] v. tr. — Mil. xxe; de *radar,* et *-iser.*

♦ Rare. Munir d'un radar.

Le cas de Gaston Ouvrieu (1917). Il prouve (inutilement en ce qui concerne la science) qu'il suffirait de très peu de chose pour radariser un cerveau humain. Ouvrieu peut conduire une voiture à toute vitesse les yeux bandés. Il peut répondre aux questions que son interlocuteur *pense.* Il ne s'agissait pas d'un phénomène médiumnique, mais d'un minuscule éclat d'obus dans les méninges. COCTEAU, Journal d'un inconnu, p. 182 (en note).

RADARISTE [ʀadaʀist] n. — 1946, *in* Höfler; de *radar.*

♦ Techn. Spécialiste assurant le fonctionnement et la réparation des radars.

RADARPHOTOGRAPHIE [ʀadaʀfɔtɔgʀafi] n. f. — 1978, → ex. *infra;* de *radar,* et *photographie,* probablt d'après l'angl. *radar photography.* → Radarastronomie.

♦ Sc., techn. Technique photographique dans laquelle l'image est obtenue à partir de l'énergie rétrodiffusée par l'objet étudié, en direction duquel on envoie des impulsions radar. ⇒ **aussi Télédétection.** *La radarphotographie a des applications en cartographie, en archéologie.* « *Pour fournir des images selon la technique de la radarphotographie, des énergies considérables deviennent nécessaires (...)* » (*Sciences et Avenir,* mars 1978, p. 26).

DÉR. Radarphotographique.

RADARPHOTOGRAPHIQUE [ʀadaʀfɔtɔgʀafik] adj. — 1978, *Sciences et Avenir,* mars 1978, p. 28, *radar-photographique;* de *radarphotographie.*

♦ Sc., techn. Relatif à la radarphotographie. *Photo-interprétation d'une image radarphotographique. Satellite radarphotographique.*

RADASSE [ʀadas] n. f. — 1913; de 3. *rade* « trottoir ».

♦ Pop. Prostituée de bas étage. ⇒ **Radeuse.**

Au comptoir, en fait de gentlemen en chapeaux, quelques abonnés au Ricard, des supporters d'une équipe de foot malchanceuse, des bavards, une ou deux radasses en mal de monnaie. Martin ROLLAND, la Rouquine, p. 24.

1. RADE [ʀad] n. f. — 1474; anc. angl. *rad.* → Raid, étymologie.

♦ **1.** Bassin* naturel de vastes dimensions, ayant issue vers la mer et dans lequel les navires peuvent trouver un bon mouillage ⇒ **Mouillage.** (→ Abri, cit. 4; peupler, cit. 8). *Rade fermée. Rade foraine*. Rade en eau profonde. Goulet d'une rade. Rade constituant un port naturel. La rade de Toulon, de Villefranche, de Brest, de Bizerte. Mouiller* (cit. 9) *sur rade, en rade. Sur rade de Nagasaki* (→ Pavois, cit. 3). *Navire que la tempête chasse hors d'une rade.* ⇒ **Dérader.** *Entrer en rade. — Grande rade* ou *grand'rade :* « plan d'eau qui sépare parfois les ports ou rades de la pleine mer et qui peut servir de mouillage aux bâtiments » (Gruss). *Mouiller en grande rade* (→ 1. Appareiller, cit. 3). *La grand'rade de Brest, de Cherbourg.*

La *Triomphante,* qui était sur rade (...) entre aujourd'hui au bassin, pour réparer ses flancs éraillés pendant le long blocus de Formose. 1
LOTI, Mme Chrysanthème, XXIV.

Là, tout de suite, dès l'entrée en rade, c'était le commencement de la désagrégation du navire et de l'équipage (...) quelques canots arrivaient à l'entour de la *Saône,* lourds et rudes canots de la rade de Brest (...) LOTI, Matelot, p. 203. 1.1

(...) la guerre n'avait pas encore éclaté; les gens dînaient tranquillement dans les villas; pas un canon, pas un soldat, pas de barbelés, la flotte était en rade, à Bizerte, à Toulon (...) SARTRE, le Sursis, p. 49. 2

♦ **2.** (1914). Loc. fam. **EN RADE.** *Laisser (qqn, qqch.) en rade :* l'abandonner. *Rester en rade :* être abandonné (cf. Rester en panne). *Projet qui reste, qui tombe en rade.*

DÉR. 2. **Rader.**

COMP. Dérader.

HOM. Rad, 2. **rade,** 3. **rade.**

2. RADE [ʀad] n. m. — 1844, « comptoir », hésitation sur le genre : « *la rade est le comptoir du marchand de vin* » (A. Monnier *in* Larchey); « boutique », 1815; de *radeau,* même sens.

♦ Argot. Bar. *Prendre un pot au rade. Consommer au rade.*

La grande glace courant derrière les boutanches *(bouteilles),* sur tout l'arrière du rade, lui renvoie son image. D'un soleil il a l'air dans toute cette grisaille, d'un milord parmi des gueux! Albert SIMONIN, Hotu soit qui mal y pense, p. 78. 1

Café. ⇒ **Bistrot.** *Se donner rendez-vous dans un rade.*

Il tenait un rade à Marseille, rue Longue. 1.1
Roger BORNICHE, le Play-boy, p. 208.

Ils me disent d'apporter la livraison à trois heures, par exemple, et ils s'amènent à cinq, et moi je me fais tartir dans ce rade à boire des Ricard (...) 2
A. SARRAZIN, l'Astragale, p. 127.

HOM. Rad, 1. **rade,** 3. **rade.**

3. RADE [ʀad] n. m. — 1892; normand *rade* « sentier »; anc. angl. *rad.* → Raid.

♦ Argot. (Vx). Loc. *Faire le rade :* faire le trottoir*, se prostituer.

DÉR. Radasse, radeuse.

HOM. Rad, 1. **rade,** 2. **rade.**

RADEAU [ʀado] n. m. — 1485; *radelle,* v. 1350; anc. provençal *radel,* dimin. de *rat,* du lat. *ratis.* → Ras.

♦ **1.** [a] Assemblage flottant de pièces de bois, de poutres, parfois de tiges de roseaux, etc., qui constitue une plate-forme susceptible de porter des personnes ou des marchandises (→ Dévaster, cit. 1). *Franchir un fleuve sur un radeau. Le jangada*, radeau utilisé sur les rivières du Brésil. Radeau de fortune. Naufragé** (cit. 1) *sur* *son radeau* (→ aussi Épave, cit. 2). — *Assemblage de radeaux formant une estacade**.

Le major aperçut à deux cents pas de là les ruines du pont fait pour les voitures, et qui s'était brisé l'avant-veille. — Construisons un radeau, s'écria-t-il. À peine avait-il laissé tomber cette parole que le groupe entier courut vers ces débris. Une foule d'hommes se mit à ramasser des crampons de fer, à chercher des pièces de bois, des cordes, enfin tous les matériaux nécessaires à la construction du radeau.
BALZAC, Adieu, Pl., t. IX, p. 776.

Le radeau de la Méduse, sur lequel se réfugièrent une partie des naufragés de la frégate *La Méduse* (1816), qui s'entredévorèrent. — Célèbre tableau de Géricault (1819), représentant les naufragés sur le radeau.

Plate-forme flottante, rectangulaire, sur laquelle se tiennent les ouvriers pour réparer les parties inférieures de la coque d'un navire. ⇒ **Ras.**

b *Radeau de sauvetage, radeau pneumatique :* embarcation de sauvetage pneumatique, le plus souvent à gonflage automatique. ⇒ **Bib.**

♦ **2.** (1690). Train* de bois transporté par flottage.

♦ **3.** (1821). Argot. (Vx). Comptoir d'un estaminet (planche de bois). ⇒ 2. **Rade.**

DÉR. (De 3.) 2. **Rade.**

RADÉE [Rade] n. f. — Attesté 1885 ; de l'anc. adj. *rade* « torrenteux » ; du lat. *rapidus*.

♦ Régional. Ondée violente, averse brutale.

RADELEUR [Radlœr] ou **RADELIER** [Radelje] n. m. — 1544, *radelier* ; « marchand de bois de construction », 1513, à Lyon ; provençal *radelier*, 1351 ; de *radel*, var. de *radeau** ; la forme *radeleur*, dér. du verbe *radeler* « transporter sur un radeau », semble originaire de Suisse (cf. Wartburg).

♦ Techn. Flotteur de bois ; conducteur de radeau. — (En Suisse) « Homme chargé de démarrer et d'amarrer les bateaux à vapeur » (*in* Wartburg).

Le radeleur s'approche : un grand sec, cuit par les vents.
Guy DE POURTALÈS, la Pêche miraculeuse, p. 43.

1. RADER [Rade] v. tr. — 1723 ; du rad. de *radoire* « règle pour mesurer à ras », 1321 ; lat. pop. **rasitoria*, de *radere* « raser ».

Technique.

♦ **1.** Vx. Mesurer ras (du blé, du sel, etc.), en passant sur les bords de la mesure une règle (appelée *racloire* ou *radoire*), de manière à faire tomber ce qui dépasse et à aplanir la surface.

♦ **2.** (1875). Entamer (un bloc de pierre) en dessus et en dessous, afin de le diviser.

2. RADER [Rade] v. tr. — 1762 ; v. intr., XVIe ; de 1. *rade*.

♦ Mar. Mettre en rade (un navire).

RADEUSE [Radøz] n. f. — 1898 ; de 3. *rade* « rue, trottoir ».

♦ Argot. Femme qui fait le trottoir, prostituée. ⇒ **Radasse.**

1 (...) tout un monde de clochards (...) en train de faire l'amour avec des chineuses en vacances et des radeuses sur le trimard (...)
B. CENDRARS, Bourlinguer, p. 306.

2 On la vit traîner, la nuit, au cœur de Lyon, en petite radeuse timide et famélique, qui ne trouvait pas toujours à vendre son corps.
G. CHEVALLIER, Clochemerle, p. 423.

RADIABLE [Radjabl] adj. — 1801 ; de *radier*.

♦ Rare. Qui peut être radié. *Il est radiable de cette liste. Des auxiliaires radiables et corvéables à merci.*

RADIAIRE [RadjɛR] adj. et n. — 1796 ; dér. sav. du lat. *radius* « rayon ».

Sciences naturelles.

♦ **1.** Adj. Qui est disposé en rayons autour d'un point central.

♦ **2.** N. m. pl. *Les radiaires :* animaux à symétrie radiée, ancienne division du règne animal dans laquelle on rangeait les scyphoméduses, et les échinodermes. — Au sing. *Un radiaire.*

DÉR. Radiairement.

RADIAIREMENT [RadjɛRmɑ̃] adv. — 1897 ; de *radiaire*.

♦ Sc. nat. Rare. Comme des rayons ; selon une disposition radiaire. ⇒ **Radialement** (plus courant).

Les spermatozoïdes se trouvent, comme toujours, disposés radiairement.
M. BEDOT, *in* l'Année biologique, 1899, p. 54.

RADIAL, ALE, AUX [Radjal, o] adj. et n. f. — Av. 1478 ; du lat. *radius*, et suff. *-al*.

★ **I.** Anat. Qui a rapport au radius ou à la partie de l'avant-bras correspondant au radius. *Nerf radial :* branche postérieure du plexus brachial. *Artère radiale :* l'une des branches de l'artère brachiale (humérale). *Veine radiale accessoire* (face dorsale de la main, de l'avant-bras). *Veine radiale superficielle :* veine médiane de l'avant-bras. — N. f. (1718). *Une radiale.*

★ **II.** ♦ **1.** (1898, *vitesse radiale des étoiles*, in *Année sc. et industr.* 1899, p. 16). Sc., techn. Relatif au rayon, disposé selon un rayon. *Vitesse radiale. Direction radiale.* — *Perceuse radiale*, à foret mobile. — *Pneu à carcasse radiale.* — *Spi à tête radiale*, dont les laizes sont coupées et disposées en rayons (la têtière figurant le centre).

Fonction de distribution radiale, dans la théorie cinétique des liquides (déterminée par des mesures de diffraction de rayons X).

(1615) Vx. Rayonné. — Qui a des rayons. *Couronne radiale*, figurée dans certaines médailles.

♦ **2.** (V. 1965). *Voie radiale*, et, n. f., *une radiale :* voie qui forme un rayon, qui joint une voie périphérique à une voie centrale (opposé à *rocade**, à *pénétrante**).

DÉR. Radialement.

RADIALEMENT [Radjalmɑ̃] adv. — 1876 ; de *radial*.

♦ Sc. Comme des rayons ; suivant une direction ou selon une disposition radiale. ⇒ **Radiairement.** « *Bien que le vent* (solaire) *s'éloigne radialement du Soleil, la rotation de ce dernier donne à la configuration du champ magnétique l'aspect d'une spirale d'Archimède* » (*Encycl. Universalis*, art. *Soleil*). « *Le matériau, sous l'effet des collisions, ne s'est pas répandu tout autour radialement* » (*la Recherche*, mars 1981, p. 300).

RADIAMÈTRE [RadjamɛtR] n. m. — 1968 ; 1875, *Année sc. et industr.* 1876, p. 130, autre sens ; de *radia(tion)*, et *-mètre*.

♦ Techn. Appareil utilisé pour mesurer l'intensité des radiations nucléaires (rayons alpha, bêta et gamma).

RADIAN [Radjɑ̃] n. m. — 1904 ; mot angl., 1879 ; du lat. *radius* « rayon ».

♦ Sc. Unité de mesure d'angle, correspondant à l'angle au centre qui intercepte, sur une circonférence, un arc de longueur égale à celle du rayon de la circonférence : $1 \text{ radian} = \frac{180°}{M} = 57° \; 17' \; 44''$.

(Symb. *rd*). *Donner la mesure d'un angle en degrés, grades ou radians. 2 π radians. Vitesse angulaire exprimée en radians par seconde (rd/s).*

HOM. Radiant.

RADIANCE [Radjɑ̃s] n. f. — 1875 ; « état de ce qui rayonne moralement », 1826 ; de *radiant*.

♦ **1.** Littér. Rayonnement, lumière ; ou émission d'une influence.

Il émanait de son corps souple et ascétique une radiance extraordinaire, et le public, captivé par le charme redoutable qui paraît ses moindres gestes, attendait (...)
Boris VIAN, l'Écume des jours, XXVIII, p. 94.

♦ **2.** (1904). Phys. Quotient du flux lumineux que rayonne une surface (*flux rayonnant*) par son aire, compte non tenu de la répartition spatiale de ce flux. ⇒ aussi **Éclairement.** — REM. On dit plus souvent *émittance.* — Par ext. *Radiance énergétique :* énergie rayonnée par unité de surface en un temps donné.

RADIANT, ANTE [Radjɑ̃, ɑ̃t] adj. — XIIIe ; du lat. *radians*, de *radiari* « rayonner ».

♦ **1.** Vx. Rayonnant.

(1880, in *Année sc. et industr.* 1881, p. 78-79). Mod. Sc. Qui rayonne, qui constitue un rayonnement ou émet des radiations. *Chaleur, énergie radiante.* — Occultisme. *Le magnétisme, la télépathie et les « propriétés insoupçonnées de la matière radiante... »* (→ Occulte, cit. 3).

L'activité radiante de l'uranium, que M. Curie a appelée, pour abréger, la radioactivité, a constitué un caractère nouveau capable aussi de s'appliquer à une méthode d'analyse chimique et cette application est l'œuvre de M. et Mme Curie.
J'avais indiqué, deux ans auparavant, les deux propriétés fondamentales de la radioactivité, l'action chimique sur les sels d'argent, révélée par la plaque photographique et la conductibilité communiquée aux gaz.
H. BECQUEREL, *in* Mémoires de l'Acad. des sciences, 1903, t. 46, p. 104-105.

♦ **2.** (1869). Astron. *Point radiant,* et, n. m. (1907), *le radiant :* point du ciel d'où paraissent provenir les météores d'un essaim (étoiles* filantes).

DÉR. Radiance.
HOM. Radian.

RADIATEUR [ʀadjatœʀ] n. m. — 1878, cit.; 1877, adj., «qui peut rayonner»; du lat. *radiari* «rayonner», de *radius.*

♦ **1.** Techn. Dispositif augmentant la surface de rayonnement d'un appareil de chauffage ou de refroidissement.

0.1 La chaleur est distribuée dans les maisons au moyen de radiateurs; c'est le nom que l'on donne aux tuyaux d'embranchement allant du tuyau principal de la rue à l'intérieur de la maison.
L. FIGUIER, l'Année scientifique et industrielle 1879, p. 410 (1878).

Cour. Appareil de chauffage muni de ce dispositif. *Radiateur de chauffage central, à la vapeur ou à l'eau chaude,* formé d'éléments juxtaposés. *Purger, ouvrir, fermer un radiateur. Mettre ses affaires à sécher sur le radiateur. Saturateur* d'un radiateur.* — *Radiateur électrique* (→ Électricité, cit. 6), *à gaz, à mazout, à convection, à bain d'huile, à infrarouges... Radiateur parabolique*.*

1 Elle sort du lit, frissonne (...) va toucher le radiateur qu'aucune main n'a rouvert. Le fer est froid (...)
Charles PLISNIER, Meurtres, II, p. 252.

♦ **2.** (1897, *in* D. D. L.). Organe de refroidissement des moteurs à explosion, formé d'un faisceau de tubes garni d'ailettes (ou d'un «*nid* d'abeille*») où l'eau de refroidissement circule et se refroidit (au contact de l'air et par l'action du ventilateur*). *Vidanger, remplir le radiateur. Calandre* de radiateur. Fuite dans le radiateur. Mettre de l'antigel dans le radiateur. Bouchon de radiateur.*

2 Il faut tâcher de voir Félicien Grousson ouvrant le matin les portes de son garage. Il vérifie le niveau d'eau de son radiateur (...) Il met son moteur en marche.
J. ROMAINS, les Hommes de bonne volonté, t. XXI, I, p. 29.

♦ **3.** (1934, cit.). Phys. Corps émettant soit de l'énergie sous forme de quanta ou de particules matérielles, soit un rayonnement électromagnétique. «*(une) antenne — qu'on appelle aussi radiateur*» (J.-J. Matras, *Radiodiffusion et télévision,* p. 22).

3 Nous avons entrepris de nouvelles expériences à l'appareil Wilson et nous avons montré que le nombre de positrons projetés par la source de glucinium irradié diminue de moitié quand on interpose 2 cm de plomb entre le glucinium irradié et le radiateur de plomb; nous en avons conclu que ces électrons sont projetés par le rayonnement γ, dont l'intensité est réduite de moitié et non par les neutrons qui sont peu absorbés.
La proportion des électrons positifs par rapport aux électrons négatifs (émis la plupart par effet Compton) augmente avec le poids atomique du radiateur.
F. JOLIOT et I. JOLIOT-CURIE, *in* Revue générale des sciences, 1935 (1934), t. 45, p. 232.

COMP. Cache-radiateur.

RADIATIF, IVE [ʀadjatif, iv] adj. — 1942, J. Thibaud, *Vie et transmutation des atomes,* p. 186; de *radiation.*

Physique.

♦ **1.** Qui concerne les radiations. *Théorie de l'équilibre radiatif des étoiles. Capture radiative* (capture d'un neutron par un noyau avec émission de rayons γ, etc.).

♦ **2.** (Mil. XXe, Larousse, 1968). Qui s'accompagne de l'émission d'un rayonnement gamma. *Chocs non radiatifs.*

1. RADIATION [ʀadjɑsjɔ̃] n. f. — 1378; du lat. médiéval *radiare,* latinisation de *rayer* par fausse étym. → Rayer.

♦ **1.** Action de radier* qqn ou qqch. d'une liste, d'un registre. *Radiation d'un compte.* ⇒ **Annulation.** *Mainlevée* qui permet la radiation de l'inscription d'une sûreté.* — (1804, Code Civil). Dr. *Radiation d'inscription hypothécaire* ou *radiation d'inscription :* «suppression totale ou partielle d'une inscription hypothécaire, opérée au moyen d'une mention en marge de cette inscription par le conservateur des hypothèques...» (Capitant). *Radiation du barreau (d'un avocat). Radiation de l'ordre des médecins, des listes électorales.* «*Je n'étais pas encore rayé de la liste des émigrés (...) Madame Bacciochi (...) sollicita et obtint ma radiation*» (Chateaubriand).

♦ **2.** Raie, trait qu'on trace sur un article d'un compte pour l'annuler.

CONTR. Inscription.
DÉR. 2. Radier.

2. RADIATION [ʀadjɑsjɔ̃] n. f. — 1448; lat. *radiatio,* de *radiari.*

★ **I.** ♦ **1.** Vieilli. Émission de lumière (→ Coquillage, cit. 3).

♦ **2.** (1814, en contexte médical, Nysten, *in* D. D. L.). Mod. (Sc., cour.). Énergie émise et propagée sous forme d'ondes à travers un milieu matériel (⇒ **Rayonnement**). Spécialt. Ondes sonores, ondes électromagnétiques (hertziennes, infrarouges, visibles, ultraviolettes, rayons X, rayons γ), ondes corpusculaires (rayons α, rayons β). *Radiation ionisante. — Période, fréquence, longueur d'onde d'une radiation. Intensité d'une radiation. — Radiation parasite :* radiation secondaire due à l'effet d'une radiation principale. *Radiation diffuse, réfléchie, diffractée, réfractée. Absorption et émission de radiations dans les phénomènes de fluorescence*, de phosphorescence*. Enceinte fermée absorbant les radiations :* corps noir* (*supra* cit. 5). — *Corps qui laisse, ne laisse pas passer les radiations infrarouges* (⇒ **Athermane, diathermane**). — Astron. *Pression* de radiation d'une étoile* (cit. 18).

Les Radiations simples. — La science des radiations qui n'était encore que celle de la lumière proprement dite, est restée dans l'enfance jusqu'à la découverte des radiations simples, faite par Newton vers 1680. La lumière est, en général, un mélange de radiations simples, que l'on peut séparer et isoler, dont chacune est un être indécomposable et non transformable en un autre (si ce n'est par l'intervention de la matière qui peut l'absorber et en réémettre une autre). Ces radiations sont en nombre infini; elles forment un ensemble continu ou, pour être plus précis, une multiplicité à une seule dimension, comme les points d'un segment de droite. Chacune de ces radiations sera définie, non pas par un adjectif, mais par un nombre et chacun de ces nombres peut être représenté par un point sur une droite; l'ensemble de ces points, dont chacun est affecté à une radiation simple définie, constitue ce que l'on appelle un *spectre.* Une radiation simple est aussi appelée monochromatique, c'est-à-dire d'une seule couleur, vocable emprunté au domaine des radiations visibles, mais dont il n'y a pas d'inconvénient à généraliser le sens.
Ch. FABRY, les Radiations, p. 4.

Émission de radiations par un corps radioactif. ⇒ **Radioactivité** (→ Insolation, cit. 2). *Élément radioactif résultant de l'émission de radiations α par le radium (le thorium, l'actinium).* ⇒ **Émanation.**

♦ **3.** Occultisme. Radiesthésie ⇒ **Fluide** (→ Expression, cit. 38).

★ **II.** (*In* Larousse, 1968). Fig. Biol. *Radiations évolutives :* lignées divergentes issues d'un ancêtre commun.

COMP. Antiradiations.

RADICAL, ALE, AUX [ʀadikal, o] adj. et n. — XIVe; bas lat. *radicalis,* de *radix* «racine».

★ **I.** Adj. **A.** ♦ **1.** Méd. anc. *L'humide* (cit. 2) *radical.*

♦ **2.** (1587). Qui tient à l'essence, au principe, à la racine* d'une chose, d'un être (⇒ **Foncier, fondamental, total; absolu**). *Vice radical* (→ Inextirpable, cit.). — Par ext. Complet, total. *Une impuissance radicale de la volonté* (→ Jansénisme, cit.). *Changement radical* (→ Mousson, cit. 2). *Disproportion, différence radicale* (→ Abrupt, cit. 2; participe, cit. 3). *Changer, transformer qqch. d'une manière radicale.* ⇒ **Radicalement.**

À cela, il fallait ajouter leur différence radicale d'opinions : le braconnier, républicain, un rouge comme on disait (...) le garde champêtre, un bonapartiste farouche (...) 1
ZOLA, la Terre, I, IV.

C'est à la vie même que se lie la religion; elle procède de l'instinct le plus radical dans l'homme, le désir de vivre. 2
André SUARÈS, Trois hommes, «Ibsen», IX.

Dr. *Nullité radicale,* qui vicie un acte de telle manière qu'il ne peut être validé en aucun cas.

Spécialt. Qui attaque ou concerne la racine même d'un phénomène, vise à agir sur la cause profonde des effets qu'on veut modifier. *Réforme radicale. Un moyen radical. Une méthode radicale.* — Chir. *Cure radicale :* opération par laquelle on corrige de façon durable une lésion ou une anomalie. *Une chirurgie radicale* (→ Abcès, cit.).

Didact. (d'une doctrine). Qui va jusqu'au bout de ses conséquences, qui ne fait aucune concession aux autres doctrines. *Finalisme* (cit.), *mécanisme* (cit. 7) *radical.*

♦ **3.** (1660). Gramm., ling. Qui fait partie de la racine ou du radical d'un mot (→ ci-dessous, II., 1.) *Dans* parler *le* a *est une voyelle radicale.* — Vx. *Mot radical :* mot qui, par composition ou dérivation, donne naissance à plusieurs autres mots d'une même langue. ⇒ **Primitif.** *Lettre radicale :* chacune des consonnes fondamentales qui constituent une racine trilittère, dans les langues sémitiques.

♦ **4.** (V. 1775). Bot. Qui est relatif, qui appartient à la racine * d'un végétal. — Qui prend naissance tout près de la racine, au collet. *Feuilles radicales* (par oppos. à *feuilles caulinaires*).

♦ **5.** Math. *Axe radical de deux cercles :* lieu géométrique des points qui ont la même puissance par rapport à deux cercles. — *Centre radical de trois cercles* (dont les centres ne sont pas situés sur une même droite) : point commun aux trois axes radicaux qu'admettent ces cercles pris deux à deux.

B. ♦ **1.** (1820). Hist. Des radicaux en politique (→ ci-dessous, II., B.).

♦ **2.** Mod. Relatif, propre au radicalisme, au radical-socialisme. —

Parti radical. Congrès, programme, journal radical (→ aussi Feuille, cit. 10).
Doctrine, politique radicale. ⇒ **Radicalisme.** « *Éléments d'une doctrine radicale* », ouvrage d'Alain (1926). *Gouvernement, ministère radical. Municipalité radicale.*

3 La politique radicale, une fois accomplies la réforme du personnel administratif et la séparation de l'Église et de l'État, ne pouvait devenir qu'un opportunisme et supposait, pour se maintenir un moment, la paix sociale et la paix internationale. Deux guerres en vingt-cinq ans et l'exaspération de la lutte des classes c'était trop; le parti n'a pas résisté mais plus encore que le parti, c'est l'esprit radical qui a été victime des circonstances. SARTRE, Situations II, p. 234.

3.1 (...) ce philosophe *(Alain)*, si bénin et si gracieux d'habitude, quand il touche à la religion, était très loin d'avoir éliminé le virus de l'anticléricalisme radical.
F. MAURIAC, Bloc-notes 1952-1957, p. 6.

Qui est membre du parti radical ou partisan du radicalisme (→ Instituteur, cit. 5). *Député, ministre radical. Les électeurs radicaux.*
Abrév. fam. (1881) *Radic*; (1912 *in* D.D.L.) *radi* (jeu de mots avec *radis*).

♦ **3.** (Américanisme). D'extrême-gauche en politique, aux États-Unis.

★ **II.** N. m. **A.** ♦ **1.** (Mil. XVIIIe). Toute forme particulière prise par la racine d'un mot. ⇒ **Racine, thème.** *Radical d'un verbe. Élément qui s'ajoute au radical.* ⇒ **Affixe.**

4 On peut quelquefois pousser à différents degrés l'analyse du radical : de *chanter* nous remontons au lat. *cantare*, dans lequel nous distinguons un radical *cant-*, mais de *cantare* lui-même à *canere* d'où nous dégageons un radical *can-*. Celui-ci est dit **primaire** ou **du premier degré** par rapport à l'autre dit **secondaire** ou **du second degré.** Lorsqu'on ne peut pas pousser plus avant la décomposition par comparaison de formes parentes, l'élément irréductible en présence duquel on se trouve est celui qu'on appelle communément la racine.
J. MAROUZEAU, Lexique de la terminologie linguistique, Radical.

Dans un caractère chinois complexe, la partie qui correspond à une classe de signifiés et d'objets désignés. Syn. : *clé.*

4.1 Les caractères (...) dits complexes phoniques, évoquent un mot en faisant d'abord songer (par leur radical) à une catégorie d'objets, puis en spécifiant (grâce à la phonétique) cet objet. Marcel GRANET, la Pensée chinoise, I.

4.2 Ces radicaux correspondent à des rubriques destinées à faciliter, non pas un classement à prétention d'objectivité, mais une recherche pratique dans les lexiques et, sans doute, un apprentissage plus aisé de l'écriture.
Marcel GRANET, la Pensée chinoise, I.

♦ **2.** (1812). Chim. « Groupement d'atomes, présents dans une série de composés, qui conserve son identité au cours des changements chimiques qui affectent le reste de la molécule » (Uvarov). *Radical ammonium* (NH_4), *radical carboxyle* (CO_2H), *radical méthyle* (CH_3), *radical éthyle* ($C_2\ H_5$), etc. *Certains radicaux organiques sont caractéristiques d'une fonction* (CH_2 OH, fonction alcool primaire; CO_2 H, fonction acide organique, etc.). *Radical univalent* (ou *monovalent*), *radical bivalent...* — On dit aussi *groupement. Radicaux libres :* radicaux qui ont été obtenus non associés à d'autres atomes ou groupement d'atomes malgré une brève durée de « vie » (une fraction de seconde); exemples : OH *(radical hydroxyle)*, CH_3, NH, etc. *Un radical libre peut être un atome libre* (H, O, etc.).

♦ **3.** (Av. 1780; *signe radical*, 1762). Alg. Symbole ($\sqrt[n]{\ }$) qui indique qu'on doit extraire la racine de degré *n* (⇒ **Indice**) de la quantité qui se trouve sous la barre horizontale du signe. ⇒ **Racine.** $\sqrt[5]{ab}$ *se lit :* racine cinq de *ab*. — *Le groupe* $2\sqrt[3]{\frac{a}{x}}$ *se lit :* deux racine cubique de *a* sur *x*.— REM. Pour la racine carrée, on ne met pas d'indice; ainsi $\sqrt{ab}$ se lit : racine carrée de *ab*.

♦ **4.** (1904). Didact. Signe typographique marquant les versets et les répons dans un psaume (℣ et ℟). ⇒ **Répons, verset.**

B. (1820; 1802 en angl.). ♦ **1.** Hist. Nom donné aux républicains partisans de réformes « radicales » dans le sens de la démocratie et de la laïcité.

♦ **2.** Mod. Ces républicains, organisés en parti après la chute du Second Empire (*parti radical*, puis *radical-socialiste*), situés de nos jours au centre gauche des partis politiques (les communistes et socialistes ayant adopté des attitudes plus « radicales »). ⇒ aussi **Radicalisme, radical-socialisme, radical-socialiste** (ci-dessous, comp.). *Un radical d'étroite* (cit. 23) *observance. Les radicaux* (→ Gauche, cit. 17; modéré, cit. 5). *Mouvement des radicaux de gauche.*
REM. Sur le plur. *radicaux*, on a forgé un sing. plais. *radicot* (régional).

5 D'autres fois, l'oncle attaquait des gens qui s'appelaient « les radicots ». Il y avait un M. Combe, qui était un radicot, et sur lequel il était difficile de se faire une opinion : mon père disait que ce radicot était un grand honnête homme, tandis que l'oncle le nommait « la fine fleur de la canaille » et offrait de signer cette déclaration sur papier timbré. M. PAGNOL, la Gloire de mon père, p. 159-160.

♦ **3.** (Américanisme). Personne qui a des opinions politiques d'extrême-gauche, aux États-Unis.

COMP. et DÉR. Radicalaire, radicalement, radicaliser, radicalisme, radical-socialisme, radical-socialiste.

RADICALAIRE [radikalɛʀ] adj. — V. 1960; de *radical.*

♦ Chim. *Réaction radicalaire*, au cours de laquelle interviennent des radicaux libres. *Addition, polymérisation radicalaire.*

RADICALEMENT [radikalmɑ̃] adv. — 1314; créé d'après le bas lat. *radicaliter*, remotivé par l'adj. *radical.*

♦ Dans son principe, dans son origine (→ 2. Politique, cit. 4), et, par ext., d'une manière radicale (I., 2.). ⇒ **Absolument, complètement, entièrement** (→ Banqueroute, cit. 6; inexploré, cit. 4; personne, cit. 16). *Guérir* (cit. 11 et 15) *radicalement. Détruire, extirper radicalement quelque chose. Des opinions radicalement opposées.* ⇒ **Totalement.**

RADICALISATION [radikalizɑsjɔ̃] n. f. — 1933, *in* D.D.L.; de *radicaliser.* Cf. angl. *radicalization.*

♦ Didact. Action de radicaliser, fait de se radicaliser. « *(La) radicalisation du climat social général* » (*le Nouvel Obs.*, 27 mars 1968). *La radicalisation des assemblées au cours de la Révolution. La radicalisation de ses positions politiques, du régime. La radicalisation d'attitudes théoriques.*

RADICALISER [radikalize] v. tr. — 1917; attestation isolée, 1845, Richard de Radonvilliers; de *radical*, et *-iser.* Cf. angl. *to radicalize.*

♦ Didact. Rendre radical, plus extrême. *Radicaliser les opinions, les attitudes, les revendications, les luttes.* ⇒ **Durcir.** *L'opposition a été radicalisée par cette mesure.* — Compl. n. de personne :

Des dizaines de milliers de jeunes sont passés (...) à une conscience politique élémentaire et radicale.
La répression fut assez brutale pour (...) radicaliser bon nombre d'étudiants et de jeunes. E. MORIN, *in* le Monde, 5 juin 1968.

(1938). Pron. « *Une* contestation universitaire *permanente qui n'a cessé depuis dix ans de se radicaliser* (en Amérique latine) », in *le Monde*, 9-10 juin 1968.

DÉR. Radicalisation.

RADICALISME [radikalism] n. m. — 1820; de *radical.* Cf. angl. *radicalism.*

♦ **1.** Hist., philos. Doctrine politique, économique et philosophique issue de philosophes anglais (dont J. Bentham, J. Mill, J. S. Mill), prônant le libéralisme sous toutes ses formes.

♦ **2.** (1823). Hist. Doctrine, attitude politique des républicains radicaux*.
Mod. Doctrine des radicaux et radicaux-socialistes (radical-socialisme). *Un pilier* (cit. 4) *du radicalisme.*

(...) j'imagine sa stupeur, peut-être sa tristesse, quand il a vu entre les deux guerres l'ancien radicalisme satisfait de soi céder peu à peu la place au socialisme revendicateur, et les jeunes instituteurs devenir trotskystes.
Raymond ABELLIO, Ma dernière mémoire, t. I, p. 46.

♦ **3.** (1854, *in* D.D.L.). Didact. Attitude intellectuelle qui vise à reprendre tous les problèmes à leur commencement, à faire table rase de l'acquis. *Radicalisme philosophique* (cf. Sartre, *Situations* I, p. 262). « *Le radicalisme des avant-gardistes russes va séparer les écoles* » (*l'Express*, 9 juin 1979).

RADICAL-SOCIALISME [radikalsɔsjalism] n. m. — Fin XIXe; de *radical-socialiste.*

♦ Polit. Doctrine des radicaux-socialistes. — Abrév. : *rad.-soc.*

(...) la petite bourgeoisie qui avait déjà son parti, le radical-socialisme, son association de secours mutuel, la Ligue des droits de l'homme, sa société secrète, la franc-maçonnerie, son quotidien, *L'Œuvre*, eut ses écrivains (...) Chamson, Bost, Prévost et leurs amis ont écrit pour un public de fonctionnaires, d'universitaires, d'employés supérieurs, de médecins, etc. Ils ont fait de la littérature radicale-socialiste. SARTRE, Situations II, p. 233.

RADICAL-SOCIALISTE [radikalsɔsjalist] adj. — 1880; de *radical*, et *socialiste.*

♦ *Parti républicain radical et radical-socialiste :* dénomination officielle du parti habituellement désigné sous le nom de *parti radical*, fondé en 1901. — Qui appartient, qui est relatif à ce parti. *Politique radicale-socialiste. Ministère, gouvernement radical-socialiste.* ⇒ **Radical.** *Ministre, député radical-socialiste.* — Subst. *Les radicaux-socialistes* (→ Improprement, cit.). Abrév. fam. et souvent péj. *les rad'soc'* ou *rad-soc* [radsɔk].
Par ext. *Mouvement de la gauche radicale-socialiste*, fondé en France en 1972.

RADICANT, ANTE [radikɑ̃, ɑ̃t] adj. — 1797; du lat. *radicari* « émettre des racines ».

♦ Bot. Qui émet des racines adventives. *Plante, tige radicante. Le lierre est une plante radicante.*

RADICELLE [radisɛl] n. f. — 1815; dér. sav. du rad. du lat. *radix.* → Racine, radicule.

♦ Bot. Chacun des petits filaments qui proviennent de la ramification des racines plus importantes. *Racine chevelue*, terminée par des radicelles.*

Comment aurai-je soupçonné que le chèvrefeuille, étroitement enlacé au chêne, boit, par ses racines et ses radicelles, une partie de la provision d'eau de l'arbre?

M. CONSTANTIN-WEYER, Source de joie, I.

Première et fine racine qui apparaît lors de la germination d'un grain. *La richesse des radicelles de l'orge en fait un aliment de choix pour le bétail.*

RADICICOLE [ʀadisikɔl] adj. — 1846, Bescherelle; du lat. *radix, icis* «racine», et *-cole,* de *colere* «habiter».

♦ Sc. nat. Qui croît et vit sur les racines. *Phylloxéra radicicole. « L'insecte appelé radicicole, dont les piqûres entraînent le dépérissement et la mort du cep... »* (*Année sc. et industr.* 1872, p. 395). Qui vit en symbiose avec les racines.

RADICIVORE [ʀadisivɔʀ] adj. — 1869, Littré; du lat. *radix, icis,* et *-vore.*

♦ Sc. nat. Rare. Qui se nourrit des racines des plantes.

RADICULAIRE [ʀadikylɛʀ] adj. — 1874; du lat. *radicula.*

♦ **1.** Bot. Qui appartient à la radicule.

♦ **2.** Méd. Qui concerne, qui touche les racines des nerfs crâniens ou rachidiens. *Paralysie radiculaire.* — Qui concerne les racines des dents. *Nécrose radiculaire.*

COMP. Uniradiculaire.

RADICULE [ʀadikyl] n. f. — 1676; du lat. *radicula,* dimin. de *radix.* → Racine.

♦ Bot. Partie inférieure de l'axe de l'embryon d'une plante qui, en se développant, deviendra la racine*.

DÉR. Radiculaire, radiculeux.

RADICULEUX, EUSE [ʀadikylø, øz] adj. — 1817; de *radicule.* Botanique.

♦ **1.** Qui a une longue radicule.

♦ **2.** Qui pousse sur les racines.

RADICULITE [ʀadikylit] n. f. — 1923; du lat. *radicula,* et *-ite.*

♦ Méd. Inflammation d'une racine nerveuse, et spécialt, des racines d'un nerf rachidien — On dit aussi *névrite radiculaire.*

RADICULO-DENTAIRE [ʀadikylodɑ̃tɛʀ] adj. — Mil. XXe (*in* Robert, Suppl., 1970); de *radiculaire,* et *dentaire.*

♦ Méd. Qui concerne à la fois la dent et sa racine. *Kyste radiculo-dentaire.*

1. RADIÉ, ÉE [ʀadje] adj. et n. — 1679; du lat. *radiatus,* p. p. de *radiare* «rayonner».

♦ **1.** Adj. Didact. Qui présente des lignes rayonnant à partir d'un point central. ⇒ **Rayon; rayonné.** *Un cercle d'argent radié en forme de soleil* (→ Incruster, cit. 1). *Couronne radiée :* symbole de l'apothéose sur un blason, une médaille. — *Opercule radié des mollusques.* — *Fleur radiée,* dont les pétales sont disposés en rayons. *La fleur radiée de la pâquerette.* — *Symétrie radiée* ⇒ **Radiaire.**

♦ **2.** N. f. pl. (1812). RADIÉES : division de la famille des *Composées** comprenant des plantes dont les fleurs ont la forme d'un tube au milieu du capitule et d'une languette sur le pourtour. *Principales radiées :* achillée, anthémis, arnica, aster, camomille, chrysanthème, dahlia, héliante, pâquerette, soleil, souci, topinambour, tournesol, etc. — Au sing. *Une radiée.*

HOM. 1., 2., 3. Radier.

2. RADIÉ, ÉE [ʀadje] adj. ⇒ 2. **Radier.**

1. RADIER [ʀadje] n. m. — 1684; au plur. «madrier» 1352; p.-ê. du même rad. que *radeau par un bas lat. ratarium,* de *rataria* «radeau», de *ratis* «assemblage de poutres» (Guiraud). Technique.

♦ **1.** Revêtement, plate-forme, massif (de charpente ou, plus généralement, de maçonnerie ou de béton) qui recouvre le sol d'une installation hydraulique, d'une construction (chambre d'écluse*, canal, égout, etc.), qui lui sert de fondation*, la protège contre les affouillements, les infiltrations souterraines. *Radier sur lequel tourne ou glisse la porte d'une écluse, d'un bassin de radoub.* — *Radier établi entre les piles d'un pont*.*

L'eau s'infiltrait dans de certains terrains sous-jacents, particulièrement friables; le radier, qu'il fût de pavé, comme dans les anciens égouts, ou de chaux hydraulique sur béton, comme dans les nouvelles galeries, n'ayant plus de point d'appui, pliait.

HUGO, les Misérables, V, III, 5.

♦ **2.** (1975). Cale d'un navire transporteur de chalands, que l'on peut remplir d'eau.

2. RADIER [ʀadje] v. tr. — 1819; de 1. *radiation.*

♦ Faire disparaître, rayer (un nom, une mention, etc.) d'une liste, d'un registre, d'un compte... ⇒ **Effacer, rayer.** *Radier une inscription hypothécaire.* ⇒ 1. **Radiation.** *Se faire radier des listes électorales.*

Tout cela est la conséquence de la trahison subite de Léopold. Il a été radié aujourd'hui de l'ordre de la Légion d'honneur.

Benoîte et Flora GROULT, Journal à quatre mains, p. 36.

▶ **RADIÉ, ÉE** p. p. adj. *Inscription radiée. Noms radiés.* — N. *Les radiés.*

CONTR. Immatriculer, inscrire.

3. RADIER [ʀadje] v. intr. — 1825; de *radieux.*

♦ Vx et rare. Rayonner de joie. — Briller d'un vif éclat. ⇒ **Irradier.**

RADIESTHÉSIE [ʀadjɛstezi] n. f. — 1930; du rad. de *radiation,* et *-esthésie.*

♦ Réceptivité particulière à des radiations qu'émettraient différents corps; procédé de détection fondé sur cette sensibilité ⇒ **Rhabdomancie.** *Personne qui pratique la radiesthésie.* ⇒ **Radiesthésiste, sourcier.** *Selon ses adeptes, la radiesthésie permettrait de découvrir les objets disparus, les sources* (⇒ **Hydroscopie**), *les gisements de minerai, etc.*

DÉR. Radiesthésiste.

RADIESTHÉSISTE [ʀadjɛstezist] n. — 1930; de *radiesthésie.*

♦ Personne qui pratique la radiesthésie ⇒ **Rhabdomancien, sourcier.** *Baguette, pendule de radiesthésiste.*

RADIEUSEMENT [ʀadjøzmɑ̃] adv. — 1845; de *radieux.*

♦ Littér. D'une manière radieuse, avec éclat.

Le soir, le soleil couchant, radieusement horizontal, éclaire dans les chemins creux le lent retour des génisses (...) 1

HUGO, l'Archipel de la Manche, VII.

Suzanne Munte, toute jeune encore et déjà radieusement belle (...) 2

COURTELINE, Boubouroche, Historique.

RADIEUX, EUSE [ʀadjø, øz] adj. — 1460; lat. *radiosus,* de *radius* «rayon». Littér. ou style soutenu.

♦ **1.** Qui brille d'un vif éclat. ⇒ **Brillant.** *Soleil radieux* (→ Éclairage, cit. 1; navire, cit. 7).

Par ext. Ensoleillé, lumineux. ⇒ **Beau.** *Il faisait un temps radieux. Une matinée radieuse.*

Il faisait une journée radieuse et le jardin embaumait. Une profusion de lilas répandait dans l'air immobile leur lourd et triste parfum. 1

J. GREEN, Adrienne Mesurat, II, I.

♦ **2.** (1671). Fig. (Personnes). Rayonnant de joie, de bonheur. ⇒ **Content, heureux, ravi, satisfait** (→ Noir, cit. 45).

Et la jeune femme, radieuse, emporta le marmot hurlant, comme on emporte un bibelot désiré d'un magasin. 2

MAUPASSANT, les Contes de la Bécasse, «Aux champs».

(1661). Qui exprime la joie, le bonheur. *Visage radieux.* ⇒ **Épanoui, heureux, joyeux, rayonnant.** *Sourire radieux.* ⇒ **Ensoleillé, lumineux.**

(...) quel radieux sourire brilla alors sous ses beaux cils mouillés (...) 3

FRANCE, le Crime de S. Bonnard, V, Œ., t. II, p. 436.

♦ **3.** Littér. Éblouissant, rayonnant de bonheur, de pureté, de perfection morale. ⇒ **Beau, étincelant** (→ Créer, cit. 3; espiègle, cit. 1; existence, cit. 25). *Souvenir radieux* (→ Exténuer, cit. 3). *Vertus radieuses* (→ Désordre, cit. 10). *Beauté radieuse.* ⇒ **Éclatant** (→ Célébrer, cit. 11; lauré, cit.). *Saint Michel, l'ange radieux et victorieux* (→ Porte-glaive, cit.). *«Ange pur, ange radieux...»*

N. m. (Rare). *Le radieux.*

CONTR. Assombri, chagrin, couvert, sombre, terne, triste.
DÉR. Radieusement.

RADIFÈRE [Radifɛʀ] adj. — 1904, *Rev. gén. des sc.*, nº 18, p. 840; du rad. de *radium*, et *-fère*.
Didactique.

♦ **1.** Vx. Radioactif.

♦ **2.** Mod. Qui contient du radium. *Roche radifère.*

RADIN, INE [Radɛ̃, in] adj. et n. — 1920; *redin*, 1885; argot *radin* «gousset, tiroir-caisse», 1835, var. de *radeau* «comptoir», en argot.

♦ Fam. Avare ⇒ **Rat** 2. *Il est gentil, mais un peu radin. Tu ne devrais pas être si radin avec nous. Elle est radine.* — Fém. invar. (plus cour.). *Elle est très radin.*

(...) elle ne pouvait pas comprendre certaines délicatesses, d'autant qu'elle était un peu radin. SARTRE, l'Âge de raison, p. 149.

N. (Rare au fém.). *Quel radin! C'est un vieux radin.*

RADINER [Radine] v. intr. — 1865; probablt de l'anc. franç., XIIe, et dial. *rade* «rapide, vite»; lat. *rapidus*.

♦ Fam. Arriver. ⇒ **Rappliquer.** *Il radine à toute allure.*

1 Mais l'quartier d'venait trop rupin
Tous les sans-sou, tous les sans-pain
Radinaient tous, mêm' ceux d'Grenelle,
À la Chapelle. A. BRUANT, Dans la rue, p. 182.

2 À l'instant où je gravis le perron, je vois radiner une bagnole noire des services.
SAN-ANTONIO, le Secret de Polichinelle, p. 170.

▶ **SE RADINER** v. pron. (Même sens). *« Un gars à cheval, qui se radinait de son côté »* (Dorgelès, *in* G.L.L.F.). ⇒ **Ramener** (se).

1. RADIO [Radjo] n. — 1907; abrév. de plusieurs comp. en *radio-*.

♦ **1.** N. m. Radiogramme. *Recevoir un radio.* ⇒ **Sans-fil.**

1 *« La grève générale est décrétée à Canton ».* Depuis hier, ce radio est affiché, souligné en rouge. MALRAUX, les Conquérants, I, 25 juin.

♦ **2.** N. m. **a** (1917, *in* D.D.L.). Opérateur de télégraphie sans fil, radiotélégraphiste. ⇒ **Sans-filiste.** *Le radio de bord d'un navire, d'un avion. Le radio et le navigateur. Radio navigant.* ⇒ **Radionavigant** (cit.). *Chef radio* (→ Naufragé, cit. 2).

2 Le radio, de ses doigts, lâchait les derniers télégrammes, comme les notes finales d'une sonate qu'il eût tapotée, joyeux, dans le ciel, et dont Rivière comprenait le chant, puis il remonta l'antenne, puis il s'étira un peu, bâilla et sourit : on arrivait.
SAINT-EXUPÉRY, Vol de nuit, XXII.

3 Le capitaine monta droit au poste de T.S.F., une cabine qui ouvrait sur le château-milieu, près de la chambre à cartes. Le chef radio y était assis, un crayon en main, un cahier sous les doigts, le casque aux oreilles.
Roger VERCEL, Remorques, p. 15.

REM. Le fém. serait possible, mais l'ambiguïté produite par 2. *radio* le rend d'emploi difficile.

b Personne qui émet et reçoit des messages radio-diffusés. *C'est un excellent radio amateur.*

♦ **3.** N. f. (1936, Céline, «radioscopie»). Radiographie. *Les salles de radio d'un hôpital. Passer à la radio.* — Cliché radiographique. *Faire une radio d'une fracture. Un négatif* (cit. 16) *de radio. Les radios sont bonnes.*
Radioscopie. ⇒ **Scopie.** *Passer à la radio.*

2. RADIO [Radjo] n. f. — 1932; aussi n. m., 1933, Alain, *Propos*; abrév. de *radiophonie*, ou *radiodiffusion*.

★ **I.** ♦ **1.** **a** Radiodiffusion. ⇒ **Onde** (cit. 16, et *supra*), **T.S.F.** (→ Fontaine, cit. 6; grégarisme, cit. 1). *Écouter la radio. Station de radio. Les auditeurs* de la radio. Parasites, fading d'une émission de radio. C'est un passionné de radio. Elle aimerait faire de la radio,* réaliser des émissions de radio ou y participer. *Il passe à la radio, ce soir,* participe à une émission (Cf. fam. et plais. *Il cause dans le poste*). *Bruitage, montage, mise en pages d'une émission de radio. Adaptation d'une pièce pour la radio* (⇒ **Radiothéâtre**). *Son discours est passé à la radio et à la télé.* ⇒ **Radiotélévisé.** *J'écoute les nouvelles à la radio* (⇒ **Radiojournal**). *Les programmes de radio. Animateur, animatrice de radio.* ⇒ **Annonceur, speaker, speakerine, présentateur.** *Homme de radio* (→ Radioteur).

1 La radio, qui pénètre dans l'intimité de presque toutes les maisons, est, pour un gouvernement, et quel que soit ce gouvernement, un très puissant moyen de pression ou même d'endoctrinement.
G. DUHAMEL, Manuel du protestataire, VI, p. 161.

2 Ajoutez (...) les conseils de la radio, des correspondances dans les journaux et surtout l'action des innombrables associations dont le but est presque toujours éducatif. Vous voyez que le citoyen américain est bien encadré.
SARTRE, Situations III, p. 80.

b Station* émettrice d'émissions en radiophonie. *Quelle radio écoutes-tu? Les radios périphériques. Radio-Londres. Radio-Moscou. Radio Armorique. Radio qui émet en modulation de fréquence* (M.F.), *sur grandes ondes.*
Radio pirate : station qui émet sans autorisation. *Radio pirate installée en Mer du Nord. Brouillage et dispositif antibrouillage d'une radio pirate.* — *Radio libre* (pouvant être autorisée). *Des grévistes, des écologistes, un parti ont lancé une radio libre. « Les radios pirates, rebaptisées radios libres, radios locales, radios de lutte ou, tout simplement, radios privées, narguent depuis six ans le monopole d'État. »* (*l'Express*, 21 mars 1981, p. 91.)

Des radio-je-ne-sais-quoi déversaient une sorte de vomissement musical, comme si tous les dîneurs des restaurants s'étaient mis à rendre de «concert», une sorte de guimauve sans nom, sans sexe et sans âge, musique de limbes, bonne pour faire danser les ombres, au ralenti, sur les prés d'outre-tombe. 3
MONTHERLANT, les Célibataires, II, VII.

c Spécialt. L'ensemble des stations nationales. *Travailler à la radio. Les speakers, les présentateurs de la radio. Les émissions régionales de la radio. Maison de la Radio :* à Paris, édifice groupant l'ensemble des services techniques de la radiodiffusion, et certains services de télévision.

Perfectionnement des polkas mécaniques 4
La radio descend du ciel sans escalier (...)
(..) J'écoute les appels d'un monde qui se noie
Un fou rire nerveux des pleurs à tour de rôle
J'écoute la grand'messe après le music-hall
Madame Butterfly et le Tango Chinois. ARAGON, les Yeux d'Elsa, p. 58.

(...) la radio surprend les gens à table ou dans leurs lits, au moment qu'ils ont le moins de défense, dans l'abandon presque organique de la solitude, elle en profite aujourd'hui pour les berner, mais c'est aussi l'instant où l'on pourrait le mieux en appeler à leur bonne foi (...) SARTRE, Situations II, p. 291. 5

d Par anal. En franç. d'Afrique (→ téléphone, dans *téléphone arabe*). *Radio-bambou, radio-baobab, radio-cancan, radio-trottoir :* la rumeur publique, les nouvelles transmises de bouche à oreille.

e (Sens I. ou II.). *Poste* (récepteur) de radio* (→ Détraquer, cit. 2; équipage, cit. 4) ou *radiorécepteur. L'alimentation* (secteur, batterie, pile...), *les dispositifs de réception* (antenne), *de détection, d'amplification* (haute, moyenne et basse fréquence), *de changement de fréquence, d'un récepteur de radio. L'antenne*, la prise de terre; l'amplificateur*, les condensateurs, les lampes, les valves; le haut-parleur d'un poste de radio. Récepteur de radio à galène*, muni d'écouteurs*. Poste de radio à transistors.* ⇒ **Transistor.** *Gamme d'ondes**(→ aussi Modulation de fréquence), *préréglage, réglage, sélectivité, sensibilité d'un poste de radio. Dispositif antiparasite d'un poste de radio. Récepteur de radio d'une chaîne* haute-fidélité.* ⇒ **Tuner.** *Démodulation, modulation, transmodulation par un poste de radio.*

♦ **2.** Récepteur de radio. *Une mauvaise radio braillait des chansons à la mode. Radio portative, à piles.* ⇒ **Transistor.** *Radio installée dans une automobile.* ⇒ **Autoradio.** *Radio stéréophonique. Radio combinée avec un tourne-disques* (combiné *« radiophono »*). *Allumer, éteindre, mettre la radio.* ⇒ **Poste.** *Je n'ai pas de radio* (→ Liquider, cit. 5). *J'ai une nouvelle radio. Radio d'une chaîne haute-fidélité* (détecteur dit *tuner*, anglicisme). — (Précédé de l'article défini, par confusion, superposition des sens 1. et 2. Cf. *Avoir l'électricité*, opposé à *avoir un lave-vaisselle*). *Il a la radio et la télé.*

Les deux radios marchent en même temps. L'une diffuse un air d'accordéon et l'autre une romance. Sacha GUITRY, Ils étaient neuf célibataires, p. 149. 6

J'avais la radio ouverte et, comme par hasard, la première chose qu'on a entendue, c'était les dernières nouvelles sur le naufrage (...) 7
É. AJAR (R. GARY), l'Angoisse du roi Salomon, p. 11.

★ **II.** ♦ **1.** Radiotéléphonie. *Communiquer par radio.*
Par appos. *Les postes radio* (d'émission). → Poste, cit. 9. *Émetteur radio. Appel, message radio. L'infrastructure radio d'un aérodrome. Les aides radio. Voiture radio.*

♦ **2.** Appareil émetteur et récepteur en radiophonie. ⇒ **Radiotéléphone, talkie-walkie** (anglicisme). *La radio du bord. Choix d'un canal* d'émission sur la radio.*

DÉR. Radioteur.
COMP. Autoradio, radiotélévision.

3. RADIO [Radjo] appos. ou adj. invar. — XXe; de 2. *radio*, II., abrév. de *radiotéléphonie*, et de l'élément 1. *radio-*.

♦ **1.** Radiotéléphonique. ⇒ 2. **Radio** II., 1. *Liaison radio.*

♦ **2.** (1965; de 1. *radio-*). Radioactif. *« Soleil radio »* (A. Boischot, *la Radioastronomie*, p. 65). ⇒ **Radiosoleil.** *Spectre radio* (*Ibid.*, p. 14).

REM. Cet emploi est exceptionnel, du fait de la fréquence du sens 1.

1. RADIO- Élément tiré du rad. lat. *radius* «rayon» ou de *radiation*.
En chimie, devant le nom d'un corps, il a la valeur de «radioactif» ou de «isotope». — REM. Les composés de *radio-* s'écrivent avec ou sans trait d'union. Cette seconde solution doit être préférée sauf si le second élément commence par un *o-*. Ce préfixe est très productif en physique pour former des noms de radioéléments* (→ ci-dessous Radiocarbone, radiocolbalt, etc.).

L'aluminium irradié dissous dans HCl perd son activité qui se retrouve dans l'hydrogène dégagé. La matière active s'est transformée probablement en hydrogène phosphoré. On peut aussi, après dissolution de l'aluminium faire précipiter l'activité en ajoutant un phosphate que l'on précipite sous forme de phosphate de 1

zirconium (insoluble en solution acide). La matière active se comporte comme du phosphore.
Nous proposons d'appeler ces radio-éléments nouveaux : *radio-azote, radio-phosphore.*

F. JOLIOT et I. JOLIOT-CURIE, *in* Revue générale des sciences, 1934, t. 45, p. 235.

2 Depuis 1934, l'étude de la radioactivité artificielle a été très poussée, et l'on sait créer aujourd'hui environ 200 radioéléments. On ne se contente plus de projeter les hélions sur de l'aluminium, on les lance sur du bore, ce qui donne du sodium radioactif, du *radiosodium;* sur du magnésium, ce qui donne du *radiosilicium,* etc. Malheureusement, ces radioéléments synthétiques ont la vie moins longue que leurs congénères naturels : tandis que le radium vit 2 300 ans et qu'il n'est à moitié détruit qu'au bout de près de 16 siècles, le radiophosphore perd toute activité un quart d'heure après sa création; le radioazote, lui, met 15 heures à se détruire de moitié. Pourtant, on a fabriqué des radioéléments qui durent plus longtemps; par exemple le radiohafnium et le radiothullium, qui perdent la moitié de leur pouvoir, le premier en quelques mois, le second en 1 an.

Pierre ROUSSEAU, De l'atome à l'étoile, p. 48-49.

2. RADIO- Élément tiré de *radio, radiophonie* (ex. : *radioreportage*).

REM. Cette valeur de *radio-* permet des formations évoquant ce moyen de communication alors même qu'elles empruntent la forme d'un mot formé sur 1. *radio* (ex. : le titre *Radioscopie* de l'émission de radio de J. Chancel).

3. RADIO- Élément tiré de *radius* « os du bras » (ex. : *radio-cubital*).

RADIOACTIF, IVE [ʀadjoaktif, iv] adj. — 1896; de 1. *radio-*, et *actif.*

♦ Doué de radioactivité*; qui a rapport à la radioactivité. ⇒ **Actinifère** (vx). — REM. On a écrit aussi *radio-actif* (vieilli) : *« La composition radio-active est régulière... »* (*Rev. gén. des sc.*, 15 janv. 1904, p. 11). *Éléments radioactifs, tels que les transuraniens*.* ⇒ **Radioélément.** *Équilibre radioactif :* équilibre du système constitué par un radioélément et ses produits de transformation. *Émanations radioactives. Familles radioactives,* comprenant les radio-isotopes de même origine (famille de l'actinium, du neptunium, du thorium, de l'uranium). *Certains isotopes des corps stables sont naturellement radioactifs.* — *Constante radioactive :* constante de la formule exponentielle qui permet de calculer le nombre des atomes transformés au bout d'un certain temps, dans une substance radioactive. ⇒ aussi **Période** (I., 4.).

1 Après la découverte de la Radioactivité, une quinzaine d'années allaient s'écouler pendant lesquelles la tâche des physiciens (...) fut (...) de dresser la liste des corps présentant la radioactivité spontanée, de les classer et d'établir les lois générales du phénomène (...) On découvrit ainsi l'existence de nombreux corps radioactifs, tous éléments de poids atomiques élevés, qui forment des familles où chaque élément est engendré par le précédent lors de la désintégration (...)

L. DE BROGLIE, Nouvelles perspectives en microphysique, p. 341.

Isotopes radioactifs artificiels : isotopes radioactifs d'éléments stables, créés par des réactions nucléaires (bombardement de neutrons, etc.). — *Traceur radioactif :* atome radioactif, incorporé à une substance stable, dans laquelle on peut le repérer et le suivre. — *Déchets radioactifs d'un réacteur atomique. Pluies, retombées radioactives,* après l'explosion d'une bombe atomique.

2 Quand un nuage énorme et très lourd est monté.
Sans doute n'était-il qu'un nuage ordinaire,
Mais comment oublier tous ceux qui vont porter
La mort radioactive au hasard sur la terre?

GUILLEVIC, Affaires, « H ».

RADIOACTIVATION [ʀadjoaktivasjɔ̃] n. f. — Av. 1963, *in* G. L. E.; de 1. *radio-*, et *activation.*

Didactique.

♦ **1.** Méd. Injection d'un radioélément dans un tissu, afin de lui conférer un rayonnement radioactif.

♦ **2.** Sc. et techn. Irradiation aux neutrons d'un échantillon d'un corps à analyser, dans le but d'étudier les rayonnements émis à la suite des interactions nucléaires ainsi provoquées. (On dit aussi *activation, activation neutronique.*) *Analyse par radioactivation. Applications industrielles, médicales, agronomiques, criminologiques de la radioactivation.*

RADIOACTIVITÉ [ʀadjoaktivite] n. f. — 1896; de 1. *radio-*, et *activité.*

♦ Propriété que possèdent certains éléments de se transformer par désintégration en un autre élément (par suite d'une modification du noyau de l'atome) tout en émettant des rayonnements corpusculaires (particules α ou hélions, particules β ou électrons) ou électromagnétiques (rayons γ). ⇒ aussi **Transmutation.**

REM. 1. On écrit aussi (vieilli) *radioactivité.*

2. « Par extension, on considère parfois comme *radioactivité* l'émission de *neutrons retardés* ou *de rayons X de fluorescence,* ou les transformations spontanées des mésons... » (H. Piraux, *Petit lexique de l'énergie atomique*).

Radioactivité α, β (désintégration α et désintégration « decay » β), *radioactivité* γ. *Radioactivité naturelle* de certains atomes lourds qui se trouvent dans la nature. *Radioactivité artificielle,* provoquée sur des corps naturellement stables, en faisant pénétrer dans leurs noyaux des particules neutres (neutrons) ou chargées électriquement (particules α, protons). — *Mesure de la radioactivité* (activité, doses d'exposition). ⇒ **Becquerel, curie; rad, rem, röntgen.** *Radioactivité d'une substance, de l'atmosphère... Décontamination de la radioactivité induite* (produite sur une substance stable par un dépôt de corps radioactifs). *Les dangers de la radioactivité.* (⇒ **Radiopathologie**). *Effets de la radioactivité sur les organismes vivants* (irradiation, contamination). *Applications médicales, biologiques de la radioactivité.* ⇒ **Alphathérapie, bêtathérapie, curiethérapie, radiobiologie, radiothérapie...**

Notre attention était attirée par un phénomène curieux, découvert en 1896 par Henri Becquerel. La découverte des rayons X par Roentgen excitait alors les imaginations, et plusieurs physiciens cherchaient si des rayons semblables n'étaient pas émis par les corps fluorescents, sous l'action de la lumière. Henri Becquerel étudiait, à ce point de vue, les sels d'urane, et, ainsi qu'il arrive parfois, trouva un phénomène différent de celui qu'il cherchait : l'émission spontanée par les sels d'urane de rayons d'une nature particulière. Ce fut la découverte de la *radioactivité...*
J'entrepris alors de rechercher s'il existait d'autres éléments possédant la même propriété, et j'examinai dans ce but tous les éléments alors connus; soit à l'état pur, soit à l'état de composés. J'ai trouvé que, parmi ces corps, les composés du thorium sont les seuls qui émettent des rayons analogues à ceux de l'uranium (...)
Il devint dès lors nécessaire de trouver un terme nouveau pour définir la propriété nouvelle de la matière manifestée par les éléments uranium et thorium. Je proposai le nom de *radioactivité,* qui a été depuis généralement adopté; les éléments radioactifs ont été dénommés *radioéléments.*

Marie CURIE, Pierre Curie, p. 57.

RADIOAGRONOMIE [ʀadjoagʀɔnɔmi] n. f. — Av. 1972, in *Encycl. Universalis*; de 1. *radio-*, et *agronomie.*

♦ Didact. Branche de l'agronomie qui utilise les radiations ionisantes à des fins de recherche ou de production.

RADIOALIGNEMENT [ʀadjoaliɲmɑ̃] n. m. — 1941; de 2. *radio,* et *alignement.*

♦ Techn. Méthode de balisage d'une ligne de navigation maritime ou aérienne par l'association de deux radiophares émettant sur la même fréquence des signaux complémentaires. (⇒ **Radiobalisage**). — On écrit aussi *radio-alignement. Radio-alignement de descente, de piste.*

RADIOALTIMÈTRE [ʀadjoaltimɛtʀ] n. m. — 1963; de 2. *radio,* et *altimètre.*

♦ Techn. Appareil radioélectrique donnant la distance entre un avion et le sol. ⇒ **Radiosonde.**

RADIOAMATEUR [ʀadjoamatœʀ] n. m. — 1963, *in* Larousse; de *radio-* et *amateur.*

♦ ⇒ 1. **Radio** 2.

RADIOAPPERTISATION [ʀadjoapɛʀtizasjɔ̃] n. f. — 1975, Suppl. au G. L. E.; de 1. *radio-*, et *appertisation.*

♦ Techn. Radiostérilisation*.

RADIOASTRONOME [ʀadjoastʀɔnɔm] n. — Mil. xxᵉ; de *radioastronomie.*

♦ Astronome spécialiste de la radioastronomie. *La guerre « allait fournir aux radioastronomes l'outil qui leur manquait* (le radar) » (*Science et Vie,* nº 571, p. 71). — On écrit aussi *radio-astronome.*

RADIOASTRONOMIE [ʀadjoastʀɔnɔmi] n. f. — 1953; de 2. *radio,* et *astronomie.*

♦ Sc. Branche de l'astronomie (astrophysique) qui étudie les ondes radioélectriques* des corps célestes dits *radiosources.* → Hertzien, cit. *Radioastronomie et radarastronomie*.* — On écrit aussi (vieilli) *radio-astronomie.*

Avec eux *(les instruments radioélectriques : radiotélescopes, interféromètres...),* les physiciens se livrent à l'observation de la galaxie et des nébuleuses extragalactiques, des étoiles et du Soleil (...) La radio-astronomie apporte une extraordinaire moisson de résultats nouveaux qui nous aident à comprendre la structure de l'Univers.

E. SCHATZMAN, Hist. de la science, Astronomie, *in* Encycl. Pl., p. 805.

DÉR. Radioastronome, radioastronomique.

RADIOASTRONOMIQUE [ʀadjoastʀɔnɔmik] adj. — Mil. xxᵉ; de *radioastronomie.*

♦ Didact. De la radioastronomie. *Observations radioastronomiques. L'observatoire radioastronomique de Nançay. Des « instruments radio-astronomiques de taille modeste »* (*la Recherche,* mars 1980, p. 362).

RADIOAUTOGRAPHIE [ʀadjootɔgʀafi] n. f. — 1972, in *la Clé des mots*; de 1. *radio-*, et *autographie*.

♦ Didact., techn. Utilisation d'émulsions photographiques pour déceler des radiations et localiser leur source (atomes radioactifs). — On dit aussi *autoradiographie*.

RADIOBALISAGE [ʀadjobalizaʒ] n. m. — 1945; de 2. *radio*, et *balisage*.

♦ Techn. Signalisation d'une route aérienne ou maritime par une suite de petits radiophares (⇒ **Radiobalise**) qui émettent des signaux aisément identifiables.

RADIOBALISE [ʀadjobaliz] n. f. — 1949; de 2. *radio*, et *balise*.

♦ Techn. Balise émettant des ondes hertziennes. — Spécialt. (Mar.). Radiophare automatique de portée inférieure ou égale à 10 milles nautiques.

DÉR. Radiobaliser.

RADIOBALISER [ʀadjobalize] v. tr. — 1948; de *radiobalise*.

♦ Techn. Équiper d'une signalisation par radiobalisage. *Radiobaliser une route aérienne.*

RADIOBIOLOGIE [ʀadjobjɔlɔʒi] n. f. — 1962; de 1. *radio-*, et *biologie*.

♦ Sc. Partie de la biologie étudiant l'effet des radiations sur les êtres vivants.

DÉR. Radiobiologique.

RADIOBIOLOGIQUE [ʀadjobjɔlɔʒik] adj. — 1970; de *radiobiologie*.

♦ Didact. De la radiobiologie. *Expériences radiobiologiques. « Le risque radiobiologique encouru n'est pas nul »* (*la Recherche*, juin 1979, p. 643).

RADIOBIOLOGISTE [ʀadjobjɔlɔʒist] n. — V. 1970; de *radiobiologie*.

♦ Didact. Spécialiste de radiobiologie. *« Les radiobiologistes s'aperçoivent que les différents types de rayonnement provoquent divers types de lésions... »* (*Sciences et Avenir*, Le risque nucléaire, p. 76).

RADIOBORNE [ʀadjobɔʀn] n. f. — 1963; de 2. *radio*, et *borne*.

♦ Techn. Émetteur de radionavigation aéronautique qui rayonne un faisceau vertical pour fournir une indication de position.

RADIOCARBONE [ʀadjokaʀbɔn] n. m. — 1953; de 1. *radio-*, et *carbone*.

♦ Sc. Carbone radioactif (carbone 14).

RADIOCARPIEN, IENNE [ʀadjokaʀpjɛ̃, jɛn] adj. — 1869, *radiocarpien*, Littré; de 3. *radio-* (→ Radius), et *carpien*.

♦ Anat. Relatif à la fois au radius et au carpe. *Articulation radiocarpienne*, ou, n. f., *la radiocarpienne.*

RADIOCHIMIE [ʀadjoʃimi] n. f. — Mil. xxᵉ (*in* Robert, 1962); de 1. *radio-*, et *chimie*.

♦ Sc. Étude des réactions chimiques produites par les radiations ionisantes ou sous leur influence.

DÉR. Radiochimique.

RADIOCHIMIQUE [ʀadjoʃimik] adj. — Mil. xxᵉ (*in* Larousse, 1968); de *radiochimie*.

♦ Didact. De la radiochimie.

RADIOCHRONOLOGIE [ʀadjokʀɔnɔlɔʒi] n. f. — 1971, cit. *infra*; de 1. *radio-*, et *chronologie*.

♦ Sc. Étude de l'âge des roches par dosage d'un élément radio-actif. *« Une partie des échantillons lunaires a été réservée à des expériences de radiochronologie. Cette science récente, fondée sur la découverte de chronomètres radioactifs applicables aux roches, a connu un développement extraordinaire. »* (*la Recherche*, mars 1971, p. 237).

RADIOCOBALT [ʀadjokɔbalt] n. m. — 1959; de 1. *radio-*, et *cobalt*.

♦ Sc. Isotope radioactif du cobalt.

RADIOCOMMANDE [ʀadjokɔmɑ̃d] n. f. — Mil. xxᵉ (*in* Larousse, 1963); de 2. *radio*, et *commande*.

♦ Techn. Commande à distance par radio. ⇒ **Radioguidage.** — On trouve aussi le dér. *radiocommandé*.

RADIOCOMMUNICATION [ʀadjokɔmynikasjɔ̃] n. f. — 1922; de 2. *radio*, et *communication*.

♦ Techn. Communication au moyen d'ondes électromagnétiques. Spécialt. Télécommunication (transmission de signaux, d'information) par un procédé radio-électrique (ondes hertziennes) : radiodiffusion (radiophonie), radiogoniométrie, radiotéléphonie et radiotélégraphie; télévision. ⇒ aussi **Télécommunication.**

RADIOCOMPAS [ʀadjokɔ̃pɑ] n. m. — 1922; de 2. *radio*, et *compas*.

♦ Aviat. Radiogoniomètre utilisé comme compas, permettant notamment de conserver un cap constant.

RADIOCONCENTRIQUE [ʀadjokɔ̃sɑ̃tʀik] adj. — Mil. xxᵉ (1946, *in* D.D.L.); de *radial* ou lat. *radius* « rayon », et *concentrique*.

♦ Didact. Où les voies de communication rayonnent à partir d'un point et sont reliées par des artères concentriques. *Agglomération nouvelle à plan radioconcentrique.*

RADIOCONDUCTEUR [ʀadjokɔ̃dyktœʀ] n. m. — 1898; de 1. *radio-*, et *conducteur*.

♦ Sc. Conducteur dont la résistance varie sous l'action des ondes électromagnétiques. ⇒ **Cohéreur, détecteur.**

Je vous affirme (...) que le radioconducteur hermétique et à réglage de E. Ducretet (...) ne le cède à aucun autre comme fixité, durée et sensibilité.
E. DUCRETET, Lettre à la Revue générale des sciences, nov. 1903, t. 14, p. 1164.

RADIOCONDUCTION [ʀadjokɔ̃dyksjɔ̃] n. f. — 1905, in *Année sc. et industr.* 1906, p. 58; de 1. *radio-*, et *conduction*.

♦ Sc. Conduction par radioconducteur.

RADIOCONSERVATION [ʀadjokɔ̃sɛʀvasjɔ̃] n. f. — 1970; de 1. *radio-*, et *conservation*.

♦ Techn. Conservation (de denrées alimentaires) par irradiation. *« En France, le décret du 12 avril 1970 stipule les conditions à remplir pour la radioconservation des denrées alimentaires »* (*Encycl. Universalis*, art. *Radioéléments*).

RADIOCRISTALLOGRAPHIE [ʀadjokʀistalɔgʀafi] n. f. — Mil. xxᵉ; de 1. *radio-*, et *cristallographie*.

♦ Didact. Étude cristallographique basée sur la diffraction des rayons X, des électrons, etc., dans les réseaux cristallins.

DÉR. Radiocristallographique.

RADIOCRISTALLOGRAPHIQUE [ʀadjokʀistalɔgʀafik] adj. — Mil. xxᵉ; de *radiocristallographie*.

♦ Didact. De la radiocristallographie.

RADIOCUBITAL, ALE, AUX [ʀadjokybital, o] adj. — 1869, Littré; de 3. *radio-*, et *cubital*.

♦ Anat. Relatif à la fois au radius et au cubitus. *Articulations radiocubitales.*

RADIODERMITE [ʀadjodɛʀmit] n. f. — 1905, in *Année sc. et industr.* 1906, p. 366; de 1. *radio-*, et *dermite*.

♦ Méd. Lésion cutanée due à l'action des radiations ionisantes.

RADIODÉTECTION [ʀadjodetɛksjɔ̃] n. f. — 1932, *in* Larousse; de 1. *radio-*, et *détection*.

♦ Techn. Détection à l'aide de radiations (électro-magnétiques, notamment).

RADIODIAGNOSTIC [ʀadjodjagnɔstik] n. m. — 1907; de 1. *radio-*, et *diagnostic.*

♦ Méd. Diagnostic établi par un examen aux rayons X.

RADIODIFFUSER [ʀadjodifyze] v. tr. — 1927; de 2. *radio-*, et *diffuser.*

♦ Émettre et transmettre par radiodiffusion, par ondes hertziennes. *Radiodiffuser un concert, une pièce de théâtre, un discours, des informations...*

— Eh bien! c'est une combine avec la presse du soir. Ils ne veulent pas radiodiffuser la traduction avant que les journaux l'aient publiée.

SARTRE, le Sursis, p. 259.

▶ **RADIODIFFUSÉ, ÉE** p. p. adj. *Conférence de presse radiodiffusée et télévisée.* ⇒ **Radiotélévisé.**

RADIODIFFUSION [ʀadjodifyzjɔ̃] n. f. — 1925; de 2. *radio*, et *diffusion.*

♦ Émission et transmission, par procédé radioélectrique (ondes* hertziennes), de programmes variés; organisation qui prépare et effectue cette transmission. ⇒ **Diffusion, émission** (cit. 4; et *supra*), **onde**(s) [absolt], **radio, radiophonie, T.S.F.** *Centre de production, studio de radiodiffusion* (⇒ aussi **Microphone, prise** [de son], **régie,...**). *Enregistrements pour les émissions différées de radio-diffusion. Programmes, chaînes de radiodiffusion. Station de radiodiffusion :* poste émetteur.

Anciennt. *Office de radiodiffusion-télévision française* (O.R.T.F. [ɔɛʀteɛf]).

Avec cette modulation des ondes entretenues « porteuses » devenait possible ce que nous appelons aujourd'hui la Radiodiffusion, c'est-à-dire la diffusion des nouvelles, des reportages, des émissions artistiques, etc. L'audition des émissions de radiodiffusion est devenue pour nous depuis vingt ans quelque chose de si naturel que nous en oublions toute la longue suite de progrès scientifiques et techniques successifs qu'il a fallu accomplir pour la rendre possible. Non seulement il a fallu découvrir l'existence des ondes hertziennes, en étudier les propriétés essentielles, savoir les émettre et les recevoir facilement, mais il a fallu aussi s'affranchir de l'amortissement que présentaient toujours à l'origine les ondes émises, il a fallu obtenir des émetteurs non amortis d'ondes entretenues et parvenir à moduler au rythme de la voix humaine ou de la musique l'amplitude des ondes qu'ils émettaient; et ceci n'a été réalisable qu'après la découverte et l'étude très délicate des propriétés des lampes triodes basées elles-mêmes sur la connaissance des électrons.

L. DE BROGLIE, Physique et Microphysique, p. 327.

DÉR. Radiodiffuser.

RADIODRAMATURGIE [ʀadjodʀamatyʀʒi] n. f. — V. 1922, G. Germinet-Vinot, directeur de Radio-Paris, 1922-1931 (→ Climatisation, cit.); de 2. *radio*, et *dramaturgie.*

♦ Didact. Théorie et pratique du théâtre radiophonique ou radiothéâtre.

RADIODURCISSABLE [ʀadjodyʀsisabl] adj. — V. 1970; de 1. *radio-*, *durcir*, et *-able.*

♦ Chim. Dont la résistance est améliorée par l'action appropriée de rayonnements ionisants. *Polymères radiodurcissables.*

RADIOÉCOLOGIE [ʀadjoekɔlɔʒi] n. f. — Attesté 1980; de 1. *radio-*, et *écologie.*

♦ Sc. Étude scientifique de l'influence de la radioactivité du milieu sur les organismes vivants.

Il a fallu attendre qu'un grave accident survienne à un bateau japonais « Le Dragon heureux », à la suite de l'explosion nucléaire américaine du 1er mars 1954, pour que la radioécologie prenne le rang de science à part entière. Son rôle est d'étudier les interactions entre les organismes vivants et la radioactivité du milieu ambiant.

la Recherche, juin 1980, p. 700.

RADIOÉLECTRICIEN, IENNE [ʀadjoelɛktʀisjɛ̃, jɛn] n. — 1931; de *radioélectrique*, d'après *électricien.*

♦ Technicien, technicienne en radioélectricité.

RADIOÉLECTRICITÉ [ʀadjoelɛktʀisite] n. f. — 1922; de 2. *radio*, et *électricité.*

Sciences.

♦ **1.** Ensemble des phénomènes radioélectriques.

♦ **2.** Branche de l'électrotechnique relative à la production et à l'utilisation des oscillations électriques de haute fréquence et des ondes qu'elles engendrent (ondes radioélectriques).

RADIOÉLECTRIQUE [ʀadjoelɛktʀik] adj. — 1913, *la Télégraphie sans fil*, E. Monier, p. 228; de 2. *radio*, et *électrique.*

♦ Relatif à la radioélectricité; qui relève des phénomènes étudiés par la radioélectricité. — On écrit aussi *radio-électrique. Ondes* (cit. 15) *radioélectriques :* ondes électromagnétiques de longueur supérieure aux radiations visibles et infrarouges (⇒ **Hertzien**). *Image* (cit. 11) *radio-électrique sur un écran de radar. Émission, signal... radioélectrique. Techniques radioélectriques de navigation* (radioguidage, radionavigation...), *de communication* (radiocommunications)... *Étude astronomique des ondes radioélectriques.* ⇒ **Radioastronomie.** — *Instruments de musique radioélectriques.* ⇒ **Onde** (ondes Martenot). *Orgue radioélectrique* (cour. *orgue électrique*).

Non seulement, comme cela est naturel, les problèmes de la Télévision sont étroitement liés à ceux de *(la)* Radiotélégraphie et de la Radiotéléphonie, mais encore la technique des soupapes et redresseurs de courant, celle des tubes à Rayons X, celles même, plus récentes, de l'optique électronique et de la diffraction des électrons, qui toutes font intervenir les propriétés des corpuscules élémentaires d'électricité, sont apparentées à la technique radioélectrique.

L. DE BROGLIE, Physique et Microphysique, p. 328.

RADIOÉLECTRONICIEN, IENNE [ʀadjoelɛktʀɔnisjɛ̃, jɛn] n. — Mil. xxe; de 2. *radio, électrique*, et *électronicien.*

♦ Spécialiste technicien de la radioélectricité (mot mélioratif employé au lieu de *radioélectricien*).

RADIOÉLECTRONIQUE [ʀadjoelɛktʀɔnik] adj. — 1975; de 2. *radio*, et *électronique.*

♦ Techn. Relatif à l'appareillage électronique des émetteurs et récepteurs d'ondes radioélectriques. — On écrit aussi *radio-électronique.*

RADIOÉLÉMENT [ʀadjoelemɑ̃] n. m. — Av. 1914, Marie Curie *in* D.D.L.; 1923, A. Boutaric, *la Vie des atomes*; 1903, en angl. *radio-element*; de 1. *radio-*, et *élément.*

♦ Sc. Élément radioactif* naturel ou artificiel. — On écrit aussi (vieilli) *radio-élément.* ⇒ **Radio-isotope.**

À la fin du siècle dernier, la découverte de la radio-activité par Henri Becquerel et des radio-éléments par Pierre et Marie Curie, a fourni à la science le premier exemple de la transformation d'un élément chimique en un élément chimique différent; ces transmutations sont spontanées et nous ne disposons d'aucun moyen pour les provoquer ou les empêcher. 1

F. JOLIOT et I. JOLIOT-CURIE, *in* Revue générale des sciences, 1934, t. 45, p. 229.

Les radioéléments naturels n'émettent jamais de positons, mais seulement des rayons β formés d'électrons négatifs : il n'en est pas de même pour les radioéléments artificiels parmi lesquels certains émettent des rayons β négatifs formés d'électrons et d'autres des rayons β positifs formés de positons. 2

L. DE BROGLIE, Physique et Microphysique, p. 27.

RADIOÉTOILE [ʀadjoetwal] n. f. — 1953; de 2. *radio*, et *étoile.*

♦ Sc. Étoile invisible, identifiée par son émission d'ondes radioélectriques. ⇒ **Radiosource.** — On écrit aussi *radio-étoile.*

RADIOEXPOSITION [ʀadjoɛkspozisjɔ̃] n. f. — 1968; de 1. *radio-*, et *exposition.*

♦ Sc. Exposition d'un corps à un rayonnement ionisant. — On écrit aussi *radio-exposition.*

RADIOFRÉQUENCE [ʀadjofʀekɑ̃s] n. f. — 1949; de 2. *radio*, et *fréquence.*

♦ Sc. Fréquence utilisée dans les ondes radiophoniques.

RADIOGALAXIE [ʀadjogalaksi] n. f. — Attesté mars 1971, *la Recherche*; probablt antérieur; de 2. *radio*, et *galaxie.*

♦ Sc. Galaxie accompagnée d'une radiosource.

On sait depuis la fin des années 50 que la structure des radiosources intenses associées à certaines galaxies elliptiques (appelées pour cette raison radiogalaxies) est le plus souvent très différente de celle de l'objet optique. Une composante radio faible est généralement superposée à la galaxie visible, mais la plupart de l'émission radio provient de structures étendues, souvent doubles et symétriques par rapport à la galaxie, et dont les dimensions totales peuvent atteindre plusieurs dizaines de fois celles de l'objet optique. la Recherche, févr. 1978, p. 148.

RADIOGÈNE [ʀadjoʒɛn] adj. — 1904, in *Rev. gén. des sc.*, no 1, p. 38; de 1. *radio-*, et *-gène.*

♦ Didact. Qui émet des rayons X. *Appareil, ampoule radiogène.*

RADIOGÉNIQUE [ʀadjoʒenik] adj. — 1930, A. Cœuroy, *Panorama de la radio*; de *radio-*, et *-génique.*

♦ **1.** (De 1. *radio-*). Didact. Qui se forme au cours d'une transformation radioactive. *Hélium radiogénique.*

♦ **2.** (De 2. *radio-*, d'après *photogénique*). Rare. Qui a des qualités que la radio met en valeur, qui passe bien à la radio, en parlant d'une voix. *Timbre radiogénique.* → Télégénique.

RADIOGONIOMÈTRE [ʀadjogɔnjɔmɛtʀ] n. m. — 1906; de 2. *radio,* et *goniomètre.*

♦ Techn. Appareil récepteur permettant de déterminer avec précision l'angle, la direction d'un signal radioélectrique et de son émetteur. *Radiogoniomètre de bord,* sur un navire, un avion (fam. *gonio,* n. m. ou f., sous l'infl. de *radiogoniométrie*). *Radiogoniomètre automatique, utilisé comme compas.* ⇒ **Radiocompas.**

DÉR. Radiogoniométrie.

RADIOGONIOMÉTRIE [ʀadjogɔnjɔmetʀi] n. f. — 1922; de *radiogoniomètre.*

♦ Techn. Ensemble des procédés permettant de déterminer la direction et la position d'un poste émetteur de radio; navigation à l'aide du radiogoniomètre.

RADIOGONIOMÉTRIQUE [ʀadjogɔnjɔmetʀik] adj. — 1949; de *radiogoniométrie.*

♦ Techn. Relatif au radiogoniomètre, à la radiogoniométrie. *Relèvement radiogoniométrique. « Un ensemble d'émetteurs de radio, assez mobiles pour échapper pendant quelques jours à la localisation des stations radiogoniométriques de recherche »* (*le Figaro littéraire,* 9-15 sept. 1968).

1. RADIOGRAMME [ʀadjɔgʀam] n. m. — 1907; *radiogram,* en angl., 1905; contraction de *radiotélégramme.*

♦ Message transmis par radiotélégraphie (abrév. : *radio*).

2. RADIOGRAMME [ʀadjɔgʀam] n. m. — 1897; de 1. *radio-,* et *-gramme.*

♦ Techn. Image photographique des éléments structuraux d'un corps traversé par un rayonnement ionisant.

RADIOGRAPHE [ʀadjɔgʀaf] n. m. — 1888, cit. *infra;* de 1. *radio-,* et *graphe.*

Sc. Vieux.

♦ **1.** Photomètre inscripteur et régulateur.

Le *photomètre inscripteur et régulateur,* décrit par M. Louis Olivier, a reçu de l'inventeur le nom de *radiographe.*

L. FIGUIER, l'Année scientifique et industrielle 1889, p. 117 (1888).

♦ **2.** Radiologue*.

RADIOGRAPHIE [ʀadjɔgʀafi] n. f. — 1896; «étude des rayons lumineux», 1893; de *radiophotographie.*

♦ **1.** Technique d'enregistrement photographique de la structure interne d'un corps traversé par des rayons X (abrév. cour. : *radio.* ⇒ 1. **Radio,** 3.). *Photographie* et radiographie. Applications de la radiographie* (et de la radioscopie*) *en médecine, en métallographie, dans l'examen des documents et œuvres d'art... Appareils, salle de radiographie d'un hôpital.* — Épreuve, image obtenue par la radiographie. *Radiographie d'une mince couche d'organe du corps humain.* ⇒ **Tomographie.** *Médecin qui fait des radiographies.* ⇒ **Radiologue.**

Par ext. Radiographie aux rayons γ (ou *gammagraphie*), aux particules radioactives.

♦ **2.** Figuré :

(...) la radiographie du roman par le film nous demande avec insistance pourquoi l'adaptation par le théâtre fut indifférente aux écrivains.

MALRAUX, l'Homme précaire et la Littérature, p. 183.

DÉR. Radiographier, radiographique.
COMP. Autoradiographie.

RADIOGRAPHIER [ʀadjɔgʀafje] v. tr. — 1896; de *radiographie.*

♦ **1.** Photographier au moyen des rayons X. *Radiographier un malade, un organe, une fracture. Se faire radiographier* (fam. Passer à la radio).

♦ **2.** Fig. Examiner d'un œil scrutateur.

J'avais beau dîner en ville, je ne voyais pas les convives, parce que, quand je croyais les regarder, je les radiographiais.

PROUST, le Temps retrouvé, Pl., t. III, p. 718-719.

RADIOGRAPHIQUE [ʀadjɔgʀafik] adj. — 1897; in *Année sc. et industr.* 1898, p. 55; de *radiographie.*

♦ Relatif à la radiographie, obtenu par la radiographie. *Image, épreuve, plaque* (cit. 6) *radiographique.* — Fig. Se dit d'une image, d'une description qui révèle les éléments cachés d'une chose.

Les branches des arbres des bois transparaissaient merveilleusement au travers des bourgeons et des feuilles ou des fleurs moins épaisses comme la charpente osseuse d'un vertébré transparaît dans les images radiographiques de son corps.

Ch. PÉGUY, Œuvres en prose 1898-1908, *in* D. D. L. II, 12.

DÉR. Radiographiquement.

RADIOGRAPHIQUEMENT [ʀadjɔgʀafikmɑ̃] adv. — 1898, cit. *infra;* de *radiographique.*

♦ Didact. En utilisant la radiographie. *« (...) deux botanistes (...) ont déterminé radiographiquement les caractères des tubercules de la pomme de terre »* (*Année sc. et industr.,* p. 72).

RADIOGREFFAGE [ʀadjogʀefaʒ] n. m. — Av. 1970; de 1. *radio-,* et *greffage.*

♦ Chim. Procédé de copolymérisation dans lequel la réaction est amorcée *(amorçage radio-induit)* à partir de radicaux (macroradicaux) obtenus par l'irradiation de polymères. *Le radiogreffage, qui aboutit à une copolymérisation dite* en greffe, *permet de combiner des macromolécules aux propriétés complémentaires, impossibles à associer par les voies chimiques classiques.*

DÉR. V. Radiogreffé.

RADIOGREFFÉ, ÉE [ʀadjogʀefe] adj. — 1972, *Encycl. Universalis;* de 1. *radio-,* et *greffer,* au p. p., d'après *radiogreffage.*

♦ Techn. Fixé par radiogreffage sur les molécules d'un autre corps.

RADIOGUIDAGE [ʀadjogidaʒ] n. m. — 1941; de 2. *radio,* et *guidage.*

♦ Guidage des navires, des avions par des méthodes radioélectriques (balises, radiophares), fournissant au pilote un système de références facilement interprétable. *Radioguidage à l'atterrissage* (dit *radio-atterrissage*).

(V. 1964). Information radiophonique sur la circulation routière, destinée aux automobilistes.

DÉR. Radioguider.

RADIOGUIDER [ʀadjogide] v. tr. — 1953, Quillet, au p. p.; de *radioguidage.*

♦ Guider à distance par ondes radioélectriques (⇒ **Téléguider**). — P. p. et adj. *Fusées radioguidées.*

RADIOIMMUNISATION [ʀadjoimynizasjɔ̃] n. f. — 1963; de 1. *radio,* et *immunisation.*

♦ Sc. Action de rendre insensible aux rayons X un tissu vivant. ⇒ **Radiorésistance.** — On écrit aussi *radio-immunisation.*

RADIO-IMMUNOLOGIE [ʀadjoimynɔlɔʒi] n. f. — V. 1970; de 1. *radio-,* et *immunologie.*

♦ Sc., techn. Technique de dosage des grosses molécules biologiques qui consiste à évaluer la quantité d'un antigène dans une solution, à partir des modifications qu'entraîne sa présence dans la réaction immunochimique du même antigène marqué avec l'anticorps spécifique, ce dernier ayant été introduit en quantité connue dans la solution. *La découverte de la radio-immunologie est due à Berson et Yalow (1956-1964).*

RADIO-IMMUNOLOGIQUE [ʀadjoimynɔlɔʒik] adj. — V. 1970; de *radio-immunologie.*

♦ Sc., techn. Relatif à la radio-immunologie. *Dosage radio-immunologique des hormones, de certains stéroïdes. « Une méthode radio-immunologique du dosage de la rénine »* (*la Recherche,* juil. 1979, p. 769).

RADIO-INDICATEUR [ʀadjoɛ̃dikatœʀ] n. m. — 1932, Larousse; de 1. *radio-,* et *indicateur.*

♦ Techn. Isotope radioactif introduit dans un milieu à étudier, dont le comportement et les déplacements renseignent sur les réactions qui s'effectuent dans ce milieu, ou entre celui-ci et un autre. (On dit aussi *indicateur** [cit.], *marqueur, radiotraceur*, traceur, élément marqué*). *Usage des radio-indicateurs en chimie, en biochimie, en médecine, en métallurgie, en géologie, en agronomie... Étude physiologique de la thyroïde par radio-indicateurs.*

L'emploi de radio-indicateurs à courte période ne fera que s'intensifier, étant donné les avantages dosimétriques qu'ils présentent, ce qui entraînera certainement une généralisation des cyclotrons compacts, uniquement prévus pour l'utilisation médicale.

P. BLANQUET et D. BLANC, la Médecine nucléaire, p. 123.

RADIO-INDUIT, ITE [Radjoɛ̃dɥi, it] adj. — Av. 1972 (in *Encycl. Universalis*); de 1. *radio-*, et *induit*.

♦ Chim. Qui est obtenu sous l'action de rayonnements ionisants (à propos d'une réaction chimique, de son produit). *Amorçage radio-induit de certaines polymérisations.*

RADIO-INTERFÉROMÈTRE [Radjoɛ̃tɛRfeRɔmɛtR] n. m. — 1963; de 2. *radio*, et *interféromètre*.

♦ Sc., techn. Interféromètre utilisé en radioastronomie pour l'étude des radiosources. *Radio-interféromètre solaire.*

RADIO-IODE [Radjojɔd] n. m. — 1968; de 1. *radio-*, et *iode*.

♦ Didact. Isotope radioactif de l'iode (iode 129 et iode 131).

RADIO-ISOTOPE ou **RADIOISOTOPE** [Radjoizɔtɔp] n. m. — 1947; de 1. *radio-*, et *isotope*.

♦ Isotope radioactif* (d'un élément quelconque), par oppos. aux *isotopes stables.* ⇒ **Radio-élément.** *Radio-isotope du carbone* (⇒ **Radio-carbone**), *du cobalt* (⇒ **Radio-cobalt**), *de l'iode* (⇒ **Radio-iode**). *Utilisation des radio-isotopes comme indicateurs ou traceurs* (en biologie, médecine, industrie). *« Les radioisotopes sont des isotopes radioactifs pouvant se fixer dans les organes... »* (*la Recherche*, mars 1980, p. 260).

DÉR. **Radio-isotopique.**

RADIO-ISOTOPIQUE ou **RADIOISOTOPIQUE** [Radjoizɔtɔpik] adj. — Mil. XXe; de *radio-isotope*.

♦ Didact. Relatif aux radio-isotopes. *Substances radio-isotopiques. Générateur radio-isotopique.*

RADIO-JOURNAL ou **RADIOJOURNAL** [Radjoʒurnal] n. m. — 1922, G. Vinot, *« exploiter un poste de T. S. F. à usage téléphonique, en vue de la publicité d'un radio-journal »*, demande adressée au sous-secrétaire d'État aux P. T. T.; de 2. *radio*, et *journal*.

♦ Vx. Nouvelles radiophoniques transmises à intervalles réguliers. ⇒ **Journal** (parlé).

RADIOLABILE [Radjolabil] adj. — 1970; de 1. *radio-*, et *labile*.

♦ Didact. Qui peut être dégradé, détruit par les radiations (et notamment par les rayons X).

RADIOLAIRES [Radjɔlɛr] n. m. pl. — 1885; lat. zool. *radiolaria*, de *radiolus*, dimin. de *radius* « rayon ».

♦ Zool. Classe de protozoaires *(Actinopodes)* pourvus d'un squelette siliceux, à pseudopodes fins et rayonnants, appartenant au plancton marin. *La reproduction des radiolaires se fait par sporulation. Boue à radiolaires*, formée par les squelettes siliceux déposés. — Au sing. *Un radiolaire.*

DÉR. **Radiolarite.**

RADIOLARITE [radjɔlarit] n. f. — 1963; de *radiolaires*.

♦ Géol. Roche sédimentaire composée en grande partie de squelettes de radiolaires.

RADIOLE [Radjɔl] n. f. — 1819, *in* D. D. L.; lat. *radiolus*.

♦ **1.** Petite plante des sables humides *(Linacées)*.

♦ **2.** Sc. nat. Piquant des oursins.

RADIOLÉSION [Radjolezjɔ̃] n. f. — Mil. XXe; de 1. *radio-*, et *lésion*.

♦ Méd. Trouble somatique provoqué par une exposition aux rayonnements ionisants (brûlures, plaies, etc.). *Les radiolésions peuvent être génératrices de cancers.*

RADIOLOCALISATION [Radjolɔkalizasjɔ̃] n. f. — Mil. XXe (Larousse, 1963); de 1. *radio*, et *localisation*.

♦ Didact. Méthode pour la détermination de la position d'un obstacle par réflexion d'ondes électromagnétiques. Syn. (anglicisme) : *radiolocation* (angl. *location* « localisation »).

RADIOLOGIE [Radjɔlɔʒi] n. f. — 1904; de 1. *radio-*, et *-logie*.

♦ Science traitant des rayonnements et de leurs applications médicales (diagnostic, traitement), industrielles, scientifiques. ⇒ **Radiographie, radioscopie, radiothérapie.** *Service de radiologie d'un hôpital.*

DÉR. **Radiologique, radiologue.**
COMP. **Électroradiologie.**

RADIOLOGIQUE [Radjɔlɔʒik] adj. — 1904; de *radiologie*.

♦ Qui se rapporte à la radiologie. *Examens radiologiques.* Cour. *Examens radio.*

RADIOLOGUE [Radjɔlɔg] ou **RADIOLOGISTE** [Radjɔlɔʒist] n. — 1922; de *radiologie*.

♦ **1.** Didact. Physicien ou technicien spécialiste de la radiologie.

♦ **2.** Méd. et cour. Médecin spécialisé en radiologie. *Une excellente radiologue.*

RADIOLUMINESCENCE [Radjolyminesɑ̃s] n. f. — 1932; de 1. *radio*, et *luminescence*.

♦ Sc. Luminescence due au bombardement par l'énergie rayonnante, et, spécialt, à l'excitation des atomes d'une substance par une émission radioactive.

RADIOLUMINESCENT, ENTE [Radjolyminesɑ̃, ɑ̃t] adj. — Mil. XXe; de 1. *radio-*, et *luminescent*, d'après *radioluminescence*.

♦ Phys. Qui émet de la lumière par radioluminescence. *Graduer le cadran d'un instrument de mesure au moyen d'une peinture radioluminescente.*

RADIOLYSE [Radjoliz] n. f. — 1968; de 1. *radio-*, et *lyse*.

♦ Didact. Décomposition par l'action de radiations ionisantes (rayons alpha, bêta, gamma, X...).

DÉR. **Radiolytique.**

RADIOLYTIQUE [Radjolitik] adj. — 1980, exemple *infra*; de *radiolyse*.

♦ Relatif à la radiolyse. *« Le retraitement de combustibles fortement irradiés provoque ainsi l'apparition de réactions radiolytiques et chimiques extrêmement complexes (...) »* (*la Recherche*, mai 1980, p. 530). *Effets radiolytiques.*

RADIOMANOMÉTRIE [Radjomanɔmetri] n. f. — 1953, Larousse; de 1. *radio-* (dans *radioscopie, radiographie*), et *manométrie*.

♦ Méd. « Étude, sur des clichés radiographiques en série, de certains conduits ou vaisseaux injectés de liquide opaque aux rayons X sous une pression contrôlée » (Garnier et Delamare, 1959). *Radiomanométrie biliaire. La radiomanométrie fournit des renseignements morphologiques et physiologiques.*

RADIOMARITIME [Radjomaritim] adj. — 1932, Larousse; de 2. *radio-*, et *maritime*.

♦ Mar. Relatif aux radiocommunications en provenance et à destination de navires.

RADIOMENSURATION [Radjomɑ̃syrasjɔ̃] n. f. — 1931; de 1. *radio-*, et *mensuration*.

♦ Didact. Mensuration du squelette et des divers organes au moyen de la radiologie. *La radiomensuration est notamment utilisée en orthopédie dento-faciale.*

RADIOMESURE [Radjom(ə)zyr] n. f. — 1973; de 2. *radio-*, et *mesure*.

♦ Techn. Mesure effectuée au moyen d'un instrument situé à distance, grâce à une radiocommunication.

RADIOMÉTALLOGRAPHIE [Radjometalɔgrafi] n. f. — 1922; de 1. *radio-*, et *métallographie*.

♦ Techn. Étude de la structure des métaux à l'aide de rayons X.

RADIOMÈTRE [Radjomɛtr] n. m. — 1876, cit. *infra*; angl. *radiometer*, Crookes; de 1. *radio-*, et *-mètre*.
Physique.

♦ **1.** Appareil destiné à mesurer l'intensité d'un rayonnement lumineux, et, spécialt, des rayons solaires.

M. Crookes, physicien anglais (...) est arrivé à construire une sorte de *boussole lumineuse* à laquelle il donne le nom de *radiomètre*, c'est-à-dire instrument mesurant l'intensité du rayonnement de la lumière.
L. FIGUIER, l'Année scientifique et industrielle 1877, p. 68 (1876).

♦ **2.** Appareil destiné à mesurer l'énergie de radiations d'un type donné (ondes électromagnétiques, radiations acoustiques...). *Radiomètre acoustique.*

RADIOMÉTRIE [ʀadjometʀi] n. f. — 1875; de 1. *radio-*, et *-métrie*, d'après *radiomètre*.
Physique.

♦ **1.** Vieilli. Mesure de la force mécanique des ondes lumineuses au moyen du radiomètre; expérimentation où l'on utilise le radiomètre.

♦ **2.** (Av. 1953, Quillet). Mesure de l'intensité d'un rayonnement. ⇒ aussi **Actinométrie.** *Appareils de radiométrie* (actinomètre, bolomètre, dosimètre, gammamètre, ionomètre, scintillomètre, tube Geiger-Müller; capteurs, détecteurs radioactifs, jauges radioactives).
Spécialt. Méthode d'investigation qui utilise la mesure de la radioactivité, naturelle ou provoquée, émise ou renvoyée par un objet. ⇒ **Emanométrie, gammamétrie.** *Utilisation de la radiométrie pour la détection des gisements d'uranium.*

DÉR. Radiométrique (2.).

RADIOMÉTRIQUE [ʀadjometʀik] adj. — 1878, Larousse; de *radiomètre*.
Physique.

♦ **1.** Vieilli. Relatif au radiomètre, à la radiométrie (1.). *Appareil radiométrique.*

♦ **2.** (De *radiométrie*). Relatif à la radiométrie (2.); par radiométrie. *Méthode, techniques radiométriques. Recherche radiométrique des cryptes dans une pièce de fonderie.*

RADIOMICROMÈTRE [ʀadjomikʀomɛtʀ] n. m. — 1890, P. Larousse, *Deuxième Suppl.*; angl. *radiomicrometer*, 1887, créé par Boys d'après *radiometer*. → Radiomètre et 1. *radio-*, *micro-*, et *mètre.*

♦ Phys. Appareil thermoélectrique qui permet de mesurer des radiations calorifiques très faibles.

RADIOMIMÉTIQUE [ʀadjomimetik] adj. — 1952, *Larousse mensuel*, XIII, p. 44; de 1. *radio-*, et *mimétique.*

♦ Sc. Qui a une action comparable à celle des rayonnements ionisants, en parlant d'une substance médicamenteuse. *Drogue radiomimétique.* « *Ces drogues ont reçu le nom de* substances radiomimétiques, *leur action étant comparable à celle des rayons X...* » (*la Recherche*, janv. 1974, p. 79).

RADIOMUCITE [ʀadjomysit] n. f. — 1972, Manuila; de 1. *radio-*, *muqueuse*, et *-ite.*

♦ Méd. Inflammation d'une membrane muqueuse (de la bouche, du rectum, des voies génitales), consécutive à une irradiation des tissus voisins.

RADIOMUTAGENÈSE [ʀadjomytaʒənɛz] n. f. — Mil. xxe; de 1. *radio-*, *muta(tion)*, et *-genèse.*

♦ Sc. (Biol., radioagronomie). Provocation de mutations par l'action de radiations ionisantes. *Applications de la radiomutagenèse en agronomie* (création de variétés de céréales plus résistantes).

RADIONAVIGANT [ʀadjonavigɑ̃] n. m. — 1931, cit. *infra*; de 1. *radio*, 2., n. m., et *navigant.*

♦ Techn. Spécialiste assurant, à bord d'un avion de ligne, les liaisons par radio. ⇒ 1. **Radio, 2., radiotélégraphiste.**

Le radio navigant *(sic)* passait la nouvelle à tous les postes de la ligne.
SAINT-EXUPÉRY, Vol de nuit, I.

RADIONAVIGATION [ʀadjonavigasjɔ̃] n. f. — 1932; de 2. *radio-*, et *navigation.*

♦ Techn. Ensemble des techniques de détermination de la position, de repérage et de guidage des navires et des avions par des procédés radioélectriques; navigation (sens 2.) maritime et aérienne utilisant les aides radioélectriques. ⇒ **Radiogoniométrie; radioguidage.** *Système consol* de radionavigation.*

RADIONÉCROSE [ʀadjonekʀoz] n. f. — 1963; de 1. *radio-*, et *nécrose.*

♦ Didact. (méd.). Destruction des tissus provoquée par une exposition à des doses élevées de rayonnements ionisants.

RADIONUCLIDE [ʀadjonyklid] ou **RADIONUCLÉIDE** [ʀadjonykleid] n. m. — 1958; de 1. *radio-*, et *nuclide, nucléide.*

♦ Didact. Nuclide radioactif. « *La radioactivité (...) rejette 38* (curies) *dues aux autres radionucléides* (que le tritium) » (*Sciences et Avenir*, mars 1978, p. 34). « *Des radionuclides à période longue* » (*Ibid.*, « Le risque nucléaire », p. 7).

RADIO-OBSERVATOIRE [ʀadjoɔpsɛʀvatwaʀ] n. m. — Av. 1972 (*le Nouvel Obs.*, 18 sept. 1972, p. 84); de 2. *radio*, et *observatoire.*

♦ Sc. Observatoire de radioastronomie. *Le radio-observatoire de Nançay, dans le Cher.*

RADIO-PALMAIRE [ʀadjopalmɛʀ] adj. et n. f. — 1869, Littré; de 3. *radio-*, et *palmaire.*
Anatomie.

♦ **1.** Adj. Relatif au radius et à la paume.

♦ **2.** Adj. *Artère radio-palmaire*, ou, n. f., *la radio-palmaire* : branche de l'artère radiale qui part de la gouttière du pouls.

RADIOPASTEURISATION [ʀadjopastœʀizasjɔ̃] n. f. — V. 1970; de 1. *radio-*, et *pasteurisation.*

♦ Techn. Destruction des germes pathogènes de produits alimentaires par radiations ionisantes (à distinguer de *radiostérilisation**).

RADIOPATHOLOGIE [ʀadjopatɔlɔʒi] n. f. — 1904; de 1. *radio-*, et *pathologie.*

♦ Méd. Étude des affections provoquées par les radiations ionisantes.

RADIOPELVIMÉTRIE [ʀadjopɛlvimetʀi] n. f. — 1907; de 1. *radio-*, et *pelvimétrie.*

♦ Méd. Mesure des différents diamètres du bassin sur des clichés radiographiques.

RADIOPHARE [ʀadjofaʀ] n. m. — 1911; écrit *radio-phare*, *Année sc. et industr.* 1912, p. 87; de 2. *radio*, et *phare.*

♦ Techn. Poste émetteur qui produit des ondes hertziennes fournissant un signal caractéristique et permettant aux navires et aux avions de relever leur position (au radiogoniomètre*...). *Radiophares tournants. Radiophare de petite portée.* ⇒ **Radiobalise.** *Radiophares d'alignement.* ⇒ **Radioalignement.** *Radiophare à réflecteur, à cadre-antenne. Identifier un radiophare. Relever un radiophare à l'aide du radiogoniomètre. Indicatif en morse d'un radiophare.*

RADIOPHONIE [ʀadjɔfɔni] n. f. — 1880, E. Mercadier; de 2. *radio*, et *phonie*. Cf. *Radiophone*, désignant l'appareil de G. Bell et Mercadier, *Année sc. et industr.* 1890, p. 111.

♦ Techn. Ensemble des procédés et techniques de transmission du son par ondes hertziennes. ⇒ **Radiotéléphonie ; radiodiffusion; radio, T. S. F.** (→ Niveler, cit. 6).

DÉR. Radiophonique.

RADIOPHONIQUE [ʀadjɔfɔnik] adj. — 1883, *in* D. D. L.; de *radiophonie.*

♦ Techn. (plus cour. que *radiophonie*). Qui concerne la radiophonie, la radiodiffusion. *Poste récepteur, émetteur* (cit. 2) *radiophonique* (→ Fading, cit.). *Programmes radiophoniques* (→ Méticuleusement, cit. 2). *Jeux radiophoniques. Pièce radiophonique* (⇒ **Radiothéâtre**). — Syn. cour. : *radio* (en appos.).

DÉR. Radiophoniquement.

RADIOPHONIQUEMENT [ʀadjɔfɔnikmɑ̃] adv. — 1932, *in* Larousse; de *radiophonique.*

♦ Techn. Par la radio, la radiophonie.

RADIOPHOSPHORE [ʀadjofɔsfɔʀ] n. m. — 1968; de 1. *radio-* (cit. Curie), et *phosphore**.

♦ Didact. Isotope radioactif du phosphore. « *Le radiophosphore perd toute activité un quart d'heure après sa création* » (→ 1. Radio-, cit. 1).

RADIOPHOTOGRAPHIE [ʀadjofɔtɔgʀafi] n. f. — 1948; de 1. *radio-*, et *photographie.*

♦ Techn. Photographie en format réduit d'une image radioscopique projetée sur écran fluorescent. *Radiophotographie prise lors d'une radioscopie pulmonaire.*

RADIO-PIRATE [ʀadjopiʀat] n. f. ⇒ 2. **Radio**, I., 1.

RADIO-PISTAGE [ʀadjopistaʒ] n. m. — 1979, ex. *infra;* de 2. *radio,* et *pistage.*

♦ Techn. Technique qui utilise, pour surveiller les déplacements d'un mobile (objet, animal, etc.), les signaux fournis par un radio-émetteur dont on a préalablement muni celui-ci. *« (...) le radiopistage est maintenant de plus en plus fréquemment utilisé dans le but de localiser les animaux afin de pouvoir ensuite les observer en vue directe »* (*la Recherche,* sept. 1979, p. 900).

RADIOPROTECTION [ʀadjopʀɔtɛksjɔ̃] n. f. — 1968; de 1. *radio-*, et *protection.*

♦ Didact. Ensemble des moyens destinés à protéger les individus contre les rayonnements ionisants. *Société internationale de radioprotection. Techniques de radioprotection contre les risques radioactifs (contamination, irradiation.* ⇒ aussi **Radiotoxicité**). *« Tout le monde est d'accord : le danger nº 1 est constitué par les rayonnements ionisants. Les divergences portent plutôt sur la nature et le degré de radioprotection nécessaire »* (*Science et Vie,* nº 106, p. 119, 1974).

RADIORÉCEPTEUR [ʀadjoʀesɛptœʀ] n. m. — 1949, *in* Larousse; de 2. *radio-*, et *récepteur.*

♦ Didact. (on dit couramment : *récepteur, récepteur radio* et *une radio*). Poste récepteur de radiocommunication. *Radio-émetteur et radiorécepteur.*

RADIOREPORTAGE [ʀadjoʀ(ə)pɔʀtaʒ] n. m. — 1930, *in* Höfler; de 2. *radio-*, et *reportage.*

♦ Reportage radiophonique.

RADIOREPORTER [ʀadjoʀ(ə)pɔʀtɛʀ] n. m. — 1932; de 2. *radio-*, et *reporter;* → Radioreportage.

♦ Journaliste spécialisé dans le radioreportage.

Il pensa avec un pincement de cœur au commentaire aigre-doux que devait donner de ce loupé magistral le radioreporter (...) R. FALLET, le Triporteur, p. 373.

RADIORÉSISTANCE [ʀadjoʀezistɑ̃s] n. f. — 1963; de 1. *radio-*, et *résistance.*

♦ Biol. Résistance d'un organisme, d'un tissu ou de cellules aux rayonnements ionisants. ⇒ **Radioimmunisation.**

RADIORÉTIFICATION [ʀadjɔʀetifikasjɔ̃] n. f. — Mil. xxᵉ; de 1. *radio-*, *réti-* « réseau », d'après *réticulation,* et *-fication,* ou de **rétification.* → Rétifié.

♦ Chim. Réticulation* effectuée sous rayonnements ionisants. *La radiorétification s'applique aux silicones et à de nombreux caoutchoucs.*

RADIOSCOPIE [ʀadjɔskɔpi] n. f. — 1897; de 1. *radio-*, et *-scopie.*

♦ Didact., techn. Examen de l'image que forme, sur un écran fluorescent, un corps traversé par des rayons X. *Passer à la radioscopie* (fam. *à la radio;* argot méd. *à la scopie*). → Radiostéréoscopie.

DÉR. Radioscopique.

RADIOSCOPIQUE [ʀadjɔskɔpik] adj. — 1898, ex. *infra;* de *radioscopie.*

♦ Didact., techn. Relatif à la radioscopie. *« L'ombre radioscopique due à l'opacité relative du cœur dans le thorax... »* (*Année sc. et industr.,* 1899, p. 42).

RADIOSENSIBILITÉ [ʀadjosɑ̃sibilite] n. f. — 1926, *in* D.D.L.; de 1. *radio-*, et *sensibilité.*

♦ Biol. Sensibilité (d'un organisme) aux rayons X. *De nombreuses substances sont capables de diminuer la radiosensibilité des animaux.*
Fait de réagir aux rayons X, de pouvoir les détecter.

RADIOSENSIBLE [ʀadjosɑ̃sibl] adj. — Mil. xxᵉ; de 1. *radio-*, et *sensible.*

♦ Biol. Sensible aux radiations ionisantes; sujet aux affections causées par ces radiations. *Les gonades sont particulièrement radiosensibles.*

RADIOSEXTANT [ʀadjosɛkstɑ̃] n. m. — Av. 1970; de 2. *radio-*, et *sextant.*

♦ Techn. Instrument de navigation dont le fonctionnement repose sur la réception des radiations électromagnétiques de certains astres (Soleil, Lune, certaines étoiles).

RADIOSOLEIL [ʀadjosɔlɛj] n. m. — 1963, Larousse; de 1. *radio-*, et *soleil.*

♦ Astron. Soleil, en tant que source d'ondes radio. — Image radioastronomique du Soleil. — REM. On dit aussi, dans les deux sens, *Soleil radio.* (→ 3. Radio, 2.).

RADIOSONDAGE [ʀadjosɔ̃daʒ] n. m. — 1932; de 2. *radio,* et *sondage.*

♦ Sc., techn. Exploration de l'atmosphère à l'aide de la radiosonde*. — Exploration du sous-sol à l'aide d'un détecteur de radiations placé dans le forage.

RADIOSONDE [ʀadjosɔ̃d] n. f. — 1942; de 2. *radio,* et *sonde.*

♦ Techn. Appareil émetteur placé dans un ballon-sonde et transmettant au sol des renseignements météorologiques. — Équipement radioélectrique placé dans un avion et donnant son altitude. — On dit aussi *radioaltimètre.*

RADIOSOURCE [ʀadjosuʀs] n. f. — 1963; de 1. *radio-*, et *source.*

♦ Astron. Source qui émet des ondes radioélectriques, et qui est étudiée par la radioastronomie. ⇒ **Radioétoile, radiogalaxie,** et aussi **Quasar.** *Radiosource compacte, diffuse. Radiosource extragalactique. Radiosource associée à une galaxie. « L'énergie mise en jeu dans les radiosources est colossale : ainsi, la radiosource Cygnus A émet cent millions de fois plus d'énergie que notre Galaxie dans le domaine radio (...) »* (*la Recherche,* nº 112, juin 1980, p. 696.) — On écrit aussi *radio-source.*

RADIOSPECTROGRAPHE [ʀadjospɛktʀɔgʀaf] n. m. — Mil. xxᵉ (*in* Larousse, 1963); de 1. *radio-*, et *spectrographe.*

♦ Astron. Appareil de radioastronomie qui permet d'obtenir à chaque instant le spectre des ondes émises par le corps céleste étudié.

RADIOSPECTROMÈTRE [ʀadjospɛktʀɔmɛtʀ] n. m. — 1975; de 1. *radio-*, et *spectromètre.*

♦ Techn. Appareil permettant d'analyser les ondes électromagnétiques captées de l'espace.

RADIOSTÉRÉOSCOPIE [ʀadjostereɔskɔpi] n. f. — 1922, Larousse; de 1. *radio-*, et *stéréoscopie.*

♦ Didact. Procédé de radioscopie utilisant deux ampoules radiogènes voisines pour donner, sur l'écran, l'impression de relief.

RADIOSTÉRILISATION [ʀadjosteʀilizasjɔ̃] n. f. — V. 1970; de 1. *radio-*, et *stérilisation.*
Technique.

♦ **1.** Stérilisation génésique par irradiation. *Radiostérilisation des mâles d'insectes.*

♦ **2.** Destruction complète des micro-organismes par irradiation (à distinguer de *radiopasteurisation*). Syn. : *radioappertisation. Radiostérilisation de denrées alimentaires, de cosmétiques, de matériel médical. La radiostérilisation nécessite un rayonnement de 2000 à 5000 krad, la radiopasteurisation, un rayonnement de seulement 250 krad environ.*

DÉR. V. Radiostérilisé.

RADIOSTÉRILISÉ, ÉE [ʀadjosteʀilize] adj. — V. 1970; de 1. radio-, et *stériliser* au p. p.; d'après *radiostérilisation.*

♦ Techn. Dont on a éliminé les micro-organismes par radiostérilisation. *Seringue, sonde radiostérilisée.*

RADIOSTRONTIUM [ʀadjostʀɔ̃sjɔm] n. m. — Mil. xxᵉ; de 1. *radio-*, et *strontium.*

♦ Didact. Isotope radioactif du strontium (strontium 89 et strontium 90).

RADIOSUSCEPTIBILITÉ [ʀadjosysɛptibilite] n. f. — 1968; de 1. *radio-*, et *susceptibilité.*

♦ Techn., sc. ⇒ **Radiosensibilité.**

RADIOSYNTHÈSE [ʀadjosɛ̃tɛz] n. f. — 1964; de 1. *radio-*, et *synthèse.*

♦ Didact. Synthèse effectuée sous l'action d'un rayonnement.

RADIO-TAXI [ʀadjotaksi] n. m. — V. 1950; de 2. *radio*, et *taxi.*

♦ Taxi muni d'un poste émetteur-récepteur de radio qui lui permet de rester en liaison avec sa compagnie et d'aller chercher ses clients aux points désignés par ceux-ci. *Des radio-taxis.* Syn. : *taxi radio.*

1 (...) je me précipite à la fenêtre pour voir s'enfuir à une allure insensée (...) le radio-taxi où elle vient de monter (...) ARAGON, Blanche..., I, v, p. 95.

2 Pour une fois j'avais voulu mener la grande vie. Pour me rendre à Versailles, j'avais appelé un radio-taxi par téléphone. J'étais à la pointe du progrès. Dans la ville de Louis XIV! (...)
Le taxi roulait à cent vingt à l'heure sur l'autoroute de l'Ouest. Son chauffeur recevait par radio les ordres de son garage, qui lui annonçait ses futurs clients : *48, rue Mouton-Duvernet... 76, avenue Victor-Hugo* (...)
P. GUTH, le Mariage du naïf, XII, p. 106.

RADIOTECHNIQUE [ʀadjotɛknik] n. f. et adj. — 1927; aussi *radiotechnie*, 1932; de 2. *radio*, et *technique.*

♦ Techn. Ensemble des procédés qui se rapportent à la science radioélectrique et à ses applications industrielles.
Adj. Relatif à ces procédés.

RADIOTÉLÉGRAMME [ʀadjotelegʀam] n. f. — 1903, *Rev. gén. des sc.*, 15 juil., p. 740; de 1. *radio*, et *télégramme.*

♦ Didact. Télégramme transmis par radio. ⇒ 1. **Radiogramme.**

RADIOTÉLÉGRAPHIE [ʀadjotelegʀafi] n. f. — 1905, *Rev. gén. des sc.*, p. 714; de 1. *radio*, et *télégraphie.*

♦ Télégraphie sans fil, transmission par ondes hertziennes de messages en alphabet Morse (ou *radiotélégrammes).* ⇒ **Radio** (n. f.).

DÉR. Radiotélégraphier, radiotélégraphique, radiotélégraphiste.

RADIOTÉLÉGRAPHIER [ʀadjotelegʀafje] v. tr. — 1910, *Larousse mensuel*, août; de *radiotélégraphie.*

♦ Transmettre par radiotélégraphie. — Absolt. Envoyer un radiotélégramme.

RADIOTÉLÉGRAPHIQUE [ʀadjotelegʀafik] adj. — 1905, *Rev. gén. des sc.*, index; de *radiotélégraphie.*

♦ Relatif à la télégraphie sans fil. *Station radiotélégraphique* (→ Émission, cit. 4).

RADIOTÉLÉGRAPHISTE [ʀadjotelegʀafist] n. — 1910; de *radiotélégraphie.*

♦ Vieilli. Opérateur de télégraphie sans fil (abrév. mod. : *un radio*). *Casque, manipulateur de radiotélégraphiste.*

Un des radiotélégraphistes de Commodoro Rivadavia, escale de Patagonie, fit un geste brusque, et tous ceux qui veillaient, impuissants, dans le poste (...) se penchèrent. Ils se penchaient sur un papier vierge (...) La main de l'opérateur hésitait encore, et le crayon se balançait (...) — Orages? Le radio fit « oui » de la tête. Leur grésillement l'empêchait de comprendre.
SAINT-EXUPÉRY, Vol de nuit, XVII.

RADIOTÉLÉMÉTRIE [ʀadjotelemetʀi] n. f. — Av. 1973; de 1. *radio*, et *télémétrie.*

♦ Techn. Détermination de la distance d'une station ou d'un objet émetteur d'ondes.

DÉR. Radiotélémétrique.

RADIOTÉLÉMÉTRIQUE [ʀadjotelemetʀik] adj. — V. 1973; de *radiotélémétrie.*

♦ Techn. De radiotélémétrie. *Un satellite comportant « un système radiotélémétrique pour une transmission de la Terre des données sur le fonctionnement de systèmes de bord »* (*Sciences et Avenir*, févr. 1980, p. 103).

RADIOTÉLÉPHONE ou (vieilli) **RADIO-TÉLÉPHONE** [ʀadjotelefɔn] n. m. — 1903, cit. *infra*; rare av. mil. XXe; de 2. *radio-*, et *téléphone.*

♦ Techn. Appareil téléphonique utilisant les ondes électromagnétiques (sans fil). *Radiotéléphone à bord d'un taxi, d'un navire.*

(le) radio-téléphone à aiguilles Popoff-Ducretet (...) : cet appareil portatif ne se dérègle pas et il est de très longue durée.
E. DUCRETET, Lettre du 2 nov. 1903 à la Revue générale des sciences, t. 14, p. 1164.

RADIOTÉLÉPHONIE [ʀadjotelefɔni] n. f. — 1906; de 2. *radio-*, et *téléphonie*; *téléradiophonie*, *in* P. Larousse, *Deuxième Suppl.*, 1890; de *téléphonie.*

♦ Téléphonie sans fil, transmission de sons par ondes* hertziennes (par modulation de l'onde porteuse,...).

C'est également l'emploi des émetteurs à lampes qui, en permettant d'obtenir aisément des ondes entretenues modulées, a rendu possible la radiotéléphonie et par la suite la radiodiffusion telle qu'elle est pratiquée aujourd'hui.
L. DE BROGLIE, Physique et Microphysique, p. 306.

DÉR. Radiotéléphonique.

RADIOTÉLÉPHONIQUE [ʀadjotelefɔnik] adj. — 1923, Larousse; de *radiotéléphonie.*

♦ De la radiotéléphonie.

RADIOTÉLÉPHONISTE [ʀadjotelefɔnist] n. — Mil. XXe; de 1. *radio*, et *téléphoniste.*

♦ Techn. Opérateur en radiotéléphonie; personne qui utilise un radiotéléphone.

RADIOTÉLESCOPE [ʀadjoteleskɔp] n. m. — 1953; de 1. *radio-*, et *télescope.*

♦ Astron. Récepteur des ondes radioélectriques émises par les corps célestes, utilisé en radioastronomie. *Antenne parabolique d'un radiotélescope. Utilisation du radio-interféromètre dans un radiotélescope.*

RADIOTÉLÉVISÉ, ÉE [ʀadjotelevize] adj. — 1960; de *radio (diffusé)*, et *télévisé.*

♦ Qui est à la fois radiodiffusé et télévisé. *Reportage, interview radiotélévisé.*

RADIOTÉLÉVISION [ʀadjotelevizjɔ̃] n. f. — V. 1950; de 2. *radio*, et *télévision.*

♦ Ensemble constitué par la radio et la télévision.

Donner la parole alternativement aux deux extrêmes, comme le fait si souvent la radiotélévision, pour « ne pas prendre parti », éloigne de la vérité scientifique, donc de l'affranchissement, l'important étant moins ce qui est dit que ce qui ne l'est pas.
A. SAUVY, Croissance zéro?, p. 316.

RADIOTEUR [ʀadjɔtœʀ] n. m. — V. 1960; Cf. *Radioter*, chez J. Gracq en 1950 *(la Littérature à l'estomac)*; de 2. *radio*, d'après *radoter, radoteur.*

♦ Fam. et plais. Personne qui parle (professionnellement) à la radio; homme de radio. — REM. Le mot reste stylistique; il a été assez utilisé par les critiques du langage radiophonique; mais on le rencontre aussi sans connotation péjorative : *« le monopole ne pourra pas résister, confie un "radioteur" pirate »* (*l'Express*, 21 mars 1981, p. 91).

RADIOTHÉÂTRE [ʀadjoteɑtʀ] n. m. — V. 1922; de 2. *radio-*, et *théâtre.*

♦ Rare. Théâtre radiophonique. ⇒ **Radiodramaturgie.**

RADIOTHÉRAPEUTE [ʀadjoteʀapøt] n. — 1908, *in* D. D. L.; de *radiothérapie*, d'après *thérapeute.*

♦ Méd. Médecin spécialiste en radiothérapie.

RADIOTHÉRAPIE [ʀadjoteʀapi] n. f. — 1901, *in* D.D.L.; de 1. *radio-*, et *thérapie.*

♦ Méd. Application thérapeutique des radiations ionisantes (l'appli-

cation thérapeutique de la radioactivité du radium est appelée *curiethérapie* ou *radiumthérapie**). ⇒ aussi **Électronothérapie, photothérapie.**
Cour. Traitement aux rayons X.

DÉR. Radiothérapeute, radiothérapique.

RADIOTHÉRAPIQUE [ʀadjoteʀapik] adj. — 1904; de *radiothérapie.*

♦ Méd. Relatif à la radiothérapie. *Traitement radiothérapique.*

RADIOTOMIE [ʀadjɔtomi] n. f. — 1963; de 1. *radio-*, et *-tomie.*

♦ Méd. ⇒ **Tomographie.**

RADIOTOXICITÉ [ʀadjotɔksisite] n. f. — Av. 1970; de 1. *radio-*, et *toxicité.*

♦ Didact. Toxicité des corps radioactifs, des rayonnements ionisants.

RADIOTRACEUR [ʀadjotʀasœʀ] n. m. — Av. 1970; de 1. *radio-*, et *traceur*, probablt d'après l'angl. *radiotracer*, av. 1966 *(Webster's dict.)*, le français ayant déjà *radio-indicateur.*

♦ Techn. Radioélément qu'on associe à une substance, à un objet matériel pour les repérer, les identifier, les suivre au cours de processus déterminés. — On dit aussi *élément marqué, indicateur*, marqueur, radio-indicateur, traceur* (radioactif).*

RADIS [ʀadi] n. m. — 1611; *radice*, 1507, mot ital. «racine».

♦ **1.** Plante crucifère dont plusieurs variétés sont cultivées pour leurs racines comestibles. *Le radis cultivé est une plante à racine pivotante, «surmontée par une rosette de feuilles oblongues (...) d'où émerge une tige florale rameuse, à fleurs blanches ou lilas»* (Omnium agricole). *Radis rond rose, radis rond à bout blanc, radis demi-long. Potage aux fanes de radis. Radis longs ou raves*. Radis noir long d'hiver. — Radis sauvage* (ravenelle).
Racine comestible de cette plante, rose ou noire, à saveur légèrement piquante, que l'on mange crue (→ 2. Pêcher, cit. 11 ; poivrade, cit.). *Manger des radis en hors-d'œuvre. Radis accompagnés de beurre et de sel* (en t. de restauration : *radis beurre*). *Servir des radis dans un ravier. — Un petit enfant «rond et rose comme un radis»* (→ Emplir, cit. 1).

♦ **2.** (1842). Pop. *Pas (plus) un radis* : pas (plus) un sou*. *Je n'ai plus un radis.* ⇒ **Kopeck, rotin.**

1 — Tu n'as pas d'argent, toi? — Non. — C'est vrai, que je suis bête! Jamais un radis, pas même les six sous pour leur omnibus (...) ZOLA, Nana, XIII.

2 J'ai ainsi (...) douze francs cinquante centimes par semaine, je ne dépense pas un radis de plus! J. VALLÈS, le Bachelier, IV.

RADIUM [ʀadjɔm] n. m. — 1898; de *radioactif*, et suff. *-ium* des métaux.

♦ Élément radioactif (symb. *Ra*; poids at. 226,05; n° at. 88), de la famille de l'uranium, métal blanc du groupe des alcalino-terreux. *Le radium a 13 isotopes dont certains se rencontrent dans les quatre familles radioactives; parmi ces 13 isotopes, quatre sont naturels;* par ex. : le *radium 226 qui a la période la plus longue* (1622 ans). *Le radium est présent dans tous les minerais d'uranium, en particulier dans la pechblende* où il a été découvert* (P. et M. Curie et Bémont). *Émanation du radium.* ⇒ **Radon.**
Vx. Élément appartenant à une série radioactive. *Radium A* ou polonium 218, *radium B* ou plomb 214, *radium C* ou bismuth 214, *radium D* ou plomb 210 (ou encore radioplomb), *radium E* ou bismuth 210, *radium F* ou polonium 210, *radium G* ou plomb 206 (stable, non radioactif).

— *Sur une nouvelle substance fortement radioactive contenue dans la pechblende.*
La nouvelle substance radioactive, que nous venons de trouver, a toutes les apparences chimiques du baryum presque pur (...) Nous croyons que cette substance, quoique composée en majeure partie par le baryum, contient en plus un élément nouveau, qui lui communique la radioactivité et qui, d'ailleurs, est très voisin du baryum par ses propriétés chimiques (...)
Les diverses raisons que nous venons d'énumérer nous portent à croire que la nouvelle substance radioactive renferme un élément nouveau, auquel nous proposons de donner le nom de *radium.*
M. et Mme Pierre CURIE et M. G. BÉMONT, Note (Compte rendu Académie des Sciences, 26 déc. 1898).

DÉR. Radon.
COMP. Radiumbiologie, radiumthérapie.

RADIUMBIOLOGIE [ʀadjɔmbjɔlɔʒi] n. f. — 1923, *in* Larousse; de *radium*, et *biologie.*

♦ Biol. Étude de l'influence du radium sur les phénomènes biologiques.

RADIUMTHÉRAPIE [ʀadjɔmteʀapi] n. f. — 1905, *Rev. gén. des sc.*, n° 3, p. 127; de *radium*, et *-thérapie.*

♦ Méd. Curiethérapie utilisant le radium ou le radon. ⇒ **Curiethérapie, gammathérapie.**

(...) Pierre Curie entreprit, en collaboration avec des médecins, l'étude citée ci-dessus, faite sur des animaux soumis à l'action de l'émanation du radium. Ces recherches ont été le point de départ de la *radiumthérapie* (...) Ainsi la radiumthérapie, branche importante de la *Curiethérapie*, a pris naissance en France et a été développée d'abord par des médecins français.
Marie CURIE, Pierre Curie, p. 76.

RADIUS [ʀadjys] n. m. — 1538; lat. *radius* «rayon», par compar. avec un rayon de roue.

♦ **1.** Anat. Os long, situé à la partie externe de l'avant-bras, — en dehors du cubitus. *Extrémité inférieure ou carpienne du radius. Apophyse styloïde du radius. Col du radius. Relatif au radius.* ⇒ **Radial,** 3. **radio-.**

♦ **2.** Zool. Troisième nervure de l'aile, chez les insectes (nervure radiale).

RADJAH [ʀadʒa] n. m. ⇒ **Rajah.**

RADOIRE [ʀadwaʀ] n. f. — Fin XIe, *rastoire;* puis : *ratoire*, XIIIe; *radouire*, 1322; *radouere*, 1611; *radoire*, XVIIe; lat pop. **rasitoria*, du lat. class. *rasitare*, de *rasum*, supin de *radere* «gratter». → Rader.

♦ Techn. anc. Instrument de bois plat qui servait à égaliser la surface des mesures de grain, de sel (en enlevant le trop-plein).

RADOME ou **RADÔME** [ʀadom] n. m. — 1962; mot angl., de *ra(dar)*, et *dome.*

♦ Techn. Dôme en matière plastique protégeant une grande antenne de radar.

Le sisal a été l'une des premières fibres à être stratifiée pour la fabrication de radômes en 1940. J.-C. DESJEUX et J. DUFLOS, les Plastiques renforcés, p. 36.

RADON [ʀadɔ̃] n. m. — 1923, découvert en 1908 et nommé *émanation du radium*, puis *niton;* de *radium*, et *-on.*
Physique.

♦ **1.** Émanation du radium*, gaz inerte radioactif de n° at. 86.

♦ **2.** (V. 1960). Émanation radioactive. ⇒ **Emanon.** *Radon 219 :* actinon. *Radon 220 :* thoron. *Radon 222 :* le radon au sens 1.

RADOTAGE [ʀadɔtaʒ] n. m. — 1740; de *radoter.*

♦ **1.** Vx. Sénilité.

N'est-ce pas une sorte de radotage, une espèce de faiblesse d'esprit, que de s'occuper de lettres dans ce moment? 1
CHATEAUBRIAND, Mémoires d'outre-tombe, t. V, p. 294.

♦ **2.** Action de radoter, habitude de radoter.

♦ **3.** État d'une personne qui radote par faiblesse d'esprit. *Il, elle est en plein radotage.*

♦ **4.** *(Un, des ratotages).* Discours d'une personne qui radote* (aux sens 1. et 2.). ⇒ **Rabâchage ;** → Imiter, cit. 22.

(...) il *(l'historien)* aime mieux imprimer sérieusement les radotages qu'Hérodote a écrits pour s'amuser. ALAIN, Propos, 1er déc. 1909, Une page d'histoire. 2

RADOTANT, ANTE [ʀadɔtɑ̃, ɑ̃t] adj. — Fin XIXe, cit. *infra;* p. prés. de *radoter.*

♦ Qui radote, qui constitue un radotage (choses).

J'avais hâte surtout de m'arracher à sa reconnaissance, à ce besoin qu'elle avait, en sa détresse radotante, de me remercier sans cesse de mon dévouement, de mon héroïsme (...) O. MIRBEAU, le Journal d'une femme de chambre, p. 163 (1900).

RADOTER [ʀadɔte] v. intr. — XIIIe; *redoter*, v. 1175; *redoté* «tombé en enfance», 1080; comp. de *re-*, et d'un radical germanique *dot-*, attesté par le moyen néerl. *doten* «rêver, tomber en enfance» (Cf. angl. *to dote*), p.-ê. avec infl. du lat. *addubitare* «hésiter» (→ Doute, douter).

♦ **1.** Tenir des propos décousus, des discours dénués de sens. ⇒ **Déraisonner** (→ Enfant, cit. 19). — Tenir ces propos par sénilité. *Il commence à radoter, il devient gâteux. Vieillard qui radote* (→ aussi Ganache, cit. 4).

Sais-tu, mon pauvre Figaro, que tu commences à radoter? Si je sais tout cela, qu'est-il besoin de me le dire? BEAUMARCHAIS, la Mère coupable, I, 2. 1

(...) que veux-tu? si j'ai déjà les maladies des vieillards, il me sera bien permis de radoter comme eux. FLAUBERT, Correspondance, 84, févr. 1844. 2

♦ **2.** (1690). Répéter sans nécessité les mêmes choses, se répéter en parlant. ⇒ **Rabâcher.**

(...) je crois avoir déjà parlé de tout cela, et peut-être plus d'une fois. J'en garde la 3

vague conscience. Oui, conscience que, dans ce que j'écris aujourd'hui, il m'arrive souvent de me redire. C'est ce que l'on appelle irrévérencieusement : radoter.
GIDE, Ainsi soit-il, p. 127.

DÉR. Radotage, radotant, radoterie, radoteur.

RADOTERIE [ʀadɔtʀi] n. f. — 1640; de *radoter.*

♦ Vieilli. Radotage (4.). *Des radoteries.*

Six heures pendant lesquelles ils se sont raconté ce qu'ils savaient déjà, l'un contant à l'autre sa propre histoire (...). Et ce passé n'est ni intéressant, ni bien gai, ni bien dramatique. Pourquoi donc ce charme de ces radoteries vieillotes?
Ed. et J. DE GONCOURT, Journal, t. I, p. 76.

RADOTEUR, EUSE [ʀadɔtœʀ, øz] n. et adj. — 1546; de *radoter.*

♦ Celui, celle qui radote (1. et 2.). *Un vieux radoteur. « C'est une radoteuse, elle a perdu l'esprit »* (cit. 69). — Adj. *Il est un peu radoteur. Des discours radoteurs.* — REM. On emploie encore parfois l'ancien adjectif *radoteux, euse* (1560) : *« cent mille mensonges radoteux »* (Céline, *Voyage au bout de la nuit*, p. 180).

Dirait-on que moi, vieux radoteur, rongé de soucis et de peines, je me surprends quelquefois à pleurer comme un enfant en marmottant ces petits airs d'une voix déjà cassée et tremblante?
ROUSSEAU, les Confessions, I.

RADOUB [ʀadu] parfois [ʀadub] n. m. — 1532; dér. de *radouber.*

♦ Mar. Opération par laquelle on entretient ou on répare la coque d'un navire, dans un bassin affecté à cet usage. *Bassin*, cale** (2.), *forme** (IV., 5.) *de radoub.* ⇒ aussi **Dock** (1.); **radouber** (→ Coque, cit. 12; œuvre, cit. 28). Rare en emploi libre; surtout dans *de, en, au radoub. Navire* en radoub, au radoub.* ⇒ **Carénage** (2.). *Travaux de radoub.*

1 La charpenterie maritime de Guernesey est renommée; le carénage regorge de bâtiments au radoub. On tire les navires à terre au son de la flûte.
HUGO, l'Archipel de la Manche, VIII.

Par métaphore :

2 J'avais besoin de me mettre en radoub et de me calfater sérieusement le coffre.
B. CENDRARS, Moravagine, Œ. compl. t. IV, p. 201.

RADOUBER [ʀadube] v. tr. — 1268, « réparer »; fig. au XVe, *se radouber* « se racommoder (avec quelqu'un) »; de *re-*, et *adouber* au sens d'« arranger ». → Adouber (2.).

♦ **1.** Mar. Faire des réparations ou des travaux d'entretien importants à la coque, au corps de (un bâtiment, un navire). ⇒ **Calfater, caréner.**

Pêche. *Radouber un filet :* en raccommoder les mailles.

♦ **2.** (Fin XIIIe). Fig. et fam. (Vx). Remettre en état (une chose abstraite).

Paris goûtait la vivifiante joie de la résurrection. On avait relevé les ruines, radoubé les Finances, reconstitué une Armée (...)
Georges LECOMTE, Ma traversée, p. 69.

♦ **3.** (1828). Techn. Traiter (une matière explosive instable pour la rendre utilisable).

DÉR. Radoub, radoubeur.

RADOUBEUR [ʀadubœʀ] n. m. — XVe, « raccommodeur »; de *radouber.*

♦ Ouvrier qui travaille à un bassin de radoub. ⇒ **Calfat.** — REM. Le fém. *radoubeuse* est virtuel.

RADOUCIR [ʀadusiʀ] v. tr. — V. 1175; au sens moral; de *re-*, et *adoucir.*

♦ **1.** Vieilli. Rendre plus doux, moins rude le caractère, l'humeur, le ton, les discours... de (qqn). *Radoucir quelqu'un,* son humeur, son caractère. ⇒ **Adoucir, apaiser, calmer.** *Les années l'ont radouci, ont radouci sa colère.*

1 Il ne leur resta plus que le choix (...) d'achever de me perdre ou de tâcher de me ramener. Grimm prit le premier parti, mais je crois que Mme d'Épinay eût préféré l'autre, et j'en juge par sa réponse à ma dernière lettre, où elle radoucit beaucoup le ton qu'elle avait pris dans les précédentes, et où elle semblait ouvrir la porte à un raccommodement.
ROUSSEAU, les Confessions, X.

♦ **2.** (XIIIe). Rendre (le temps) plus doux. *La pluie a radouci le temps, la température.*

REM. À la différence d'*adoucir, radoucir* s'emploie beaucoup plus au participe passé et au pronominal qu'à l'actif. Il ne s'emploie guère au sens propre d'*adoucir* (on ne dit pas « radoucir une confiture en y rajoutant du sucre »).

▶ **SE RADOUCIR** v. pron. *Il se mit en colère, puis il se radoucit. Il finira par se radoucir* (→ Mettre de l'eau dans son vin*). *Son ton se radoucit. Votre cœur justement irrité s'est radouci* (→ Miséricorde, cit. 2). — *Le temps se radoucit au printemps.*

2 Le temps se radoucit beaucoup, et il n'y avait plus guère que trois ou quatre degrés de froid, ce qui est une température tout à fait printanière pour la Russie à cette époque de l'année.
Th. GAUTIER, Voyage en Russie, XXI.

▶ **RADOUCI, IE** p. p. adj. (Déb. XVIIIe) *Un ton radouci* → Face, cit. 1. *Successivement furieux, radouci...* (→ Imiter, cit. 1).

CONTR. Aigrir, exaspérer.
DÉR. Radoucissement.

RADOUCISSEMENT [ʀadusismɑ̃] n. m. — 1657; de *radoucir.*

♦ **1.** Vieilli. Retour à un état de douceur plus grande. *Le radoucissement de la voix, de la fièvre, de la colère* (Littré).

Cependant, ma fille, j'ai souvent éprouvé ces manières si peu honnêtes; ce qui fait que je vous en parle, c'est que cela est changé, et que j'en sens la douceur (...) Ce n'a point été un raccommodement, c'est un radoucissement de sang, entretenu par des conversations douces et assez sincères (...)
Mme DE SÉVIGNÉ, 868, 6 nov. 1680.

♦ **2.** Mod. Fait de se radoucir. *Le radoucissement de la température, du temps.*

RADULA [ʀadyla] n. f. — 1895, *in* D.D.L.; du lat. *radula* « racloir », de *radere* « raser ».

♦ Didact. Langue rapeuse des mollusques (bivalves exceptés).

RAFALE [ʀafal] n. f. — 1640; de *re-* et *affaler* au sens « d'être porté sur la côte et couché sur le côté par le vent », avec influence de l'ital. *raffica.*

♦ **1.** Coup de vent* soudain et assez violent. ⇒ **Bourrasque, grain** (7.), **risée** (→ Disperser, cit. 1, Hugo; espar, cit. 1; plein, cit. 64; ployer, cit. 2). *Les rafales d'un ouragan, d'une tornade... La rafale avait beau souffler...* (→ Agrès, cit.). *Des rafales effeuillaient* (cit. 1) *le jardin. — Une rafale de vent d'ouest, une rafale d'ouest* (→ Chavirer, cit. 6). — *Rafale de grêle, de pluie, de neige* (→ Hurler, cit. 15). — *Pluie qui tombe par rafales, en rafales.*

Il arrivait parfois des rafales de vent, brises de la mer qui, roulant d'un bond sur tout le plateau du pays de Caux, apportaient, jusqu'au loin dans les champs, une fraîcheur salée. 1
FLAUBERT, Mme Bovary, I, VII.

Sous le fouet redoublé des rafales d'hiver 2
La tour du vieux Komor dressait sa masse haute (...)
LECONTE DE LISLE, Poèmes barbares, « Jugement de Komor ».

Devant lui, il ne voyait même pas le sol noir, et il n'avait la sensation de l'immense horizon plat que par les souffles du vent de mars, des rafales larges comme sur une mer, glacées d'avoir balayé des lieues de marais et de terres nues. 3
ZOLA, Germinal, I, I.

(...) les bouffées de pluie et de neige qui se succédaient en rafales les incitaient à gagner au plus vite un refuge. 4
MARTIN DU GARD, les Thibault, t. IV, p. 67.

Par métaphore et fig. *Une rafale de bruits* (→ aussi Gosier, cit. 9). *Une rafale de passion et d'espoir* (→ Irrationalisme, cit.).

♦ **2.** (1904). Ensemble des coups tirés rapidement, à intervalles variables (par plusieurs armes, par une batterie ou par une arme automatique). ⇒ **Tir** (→ Exploser, cit. 1). *Rafales d'artillerie. Rafale de mitrailleuse, de pistolet-mitrailleur. Tir en rafale(s), par rafales.*

Et toujours, dans sa monotonie forcenée, la rafale de feu et de fer continue : les shrapnells avec leur détonation sifflante (...) et les gros percutants, avec leur tonnerre de locomotive lancée (...) 5
H. BARBUSSE, le Feu, II, XIX.

Plus loin, au hasard des campagnes, de temps à autre, des chasseurs ennemis volant bas cracheront une rafale de mitrailleuse sur ce lamentable troupeau. 6
SAINT-EXUPÉRY, Pilote de guerre, XVI.

♦ **3.** (1931). Sports. Descente des avants groupés, au rugby.

♦ **4.** Techn. (transports urbains). Succession rapprochée (de trains).

DÉR. Rafalé.

RAFALÉ, ÉE [ʀafale] adj. — 1810; de *rafale.*

♦ **1.** Vx. Fam. Qui a subi des revers de fortune.

♦ **2.** (1845). Qui a subi l'effet des rafales, du gros temps (navire).

RAFFERMIR [ʀafɛʀmiʀ] v. tr. — 1394 « consolider »; de *re-*, et *affermir.*

♦ **1.** (1690). Rendre plus ferme, plus dur. ⇒ **Durcir.** *Raffermir les chairs par un massage. La douche froide raffermit les tissus.*

(...) je serai pour ce nouvel athlète de la vie l'huile qui raffermissait les muscles des anciens lutteurs. 1
BAUDELAIRE, les Paradis artificiels, « Du vin et du haschisch », II.

♦ **2.** (1640, Corneille). Fig. Remettre dans un état plus ferme, plus stable. ⇒ **Affermir** (cit. 2), **cimenter, confirmer, consolider, fortifier.** *Raffermir la santé, le courage* (⇒ **Ranimer**), *l'autorité de qqn. Raffermir les princes sur leurs trônes* (→ Dicter, cit. 13). *L'émeute* (cit. 4) *raffermit les gouvernements qu'elle ne renverse pas. — Raffermir quelqu'un dans sa résolution, dans ses intentions.* Littér. Retrouver sa fermeté, son assurance.

2 Bien qu'il ne s'y fût pas montré fort ému, M. Homais, néanmoins, s'était efforcé de le raffermir, de lui *« remonter le moral ».* FLAUBERT, Mme Bovary, II, VI.

♦ **3.** Vx. ou littér. Consolider.

♦ **4.** Techn. *Raffermir une pâte céramique :* l'épaissir.

▶ **SE RAFFERMIR** v. pron.
Devenir plus ferme. *Le sol, la pâte se raffermit.* — Fig. *Sa santé s'est raffermie.*
(1690). Personnes. *Se raffermir devant le danger. Se raffermir dans sa résolution.*

3 Le Roi rougit involontairement, comme surpris en flagrant délit. Mais bientôt, se raffermissant, il prit un air de hauteur résolue, qui n'échappa point au ministre. A. DE VIGNY, Cinq-Mars, VIII.

▶ **RAFFERMI, IE** p. p. adj. *Chairs raffermies. — Santé raffermie.*

CONTR. Affadir, affaiblir, alanguir, amollir, avachir, aveulir, décourager, désorienter, ébouler, ébranler, émouvoir, fléchir, ramollir.
DÉR. Raffermissement.

RAFFERMISSEMENT [rafɛrmismɑ̃] n. m. — 1669; de *raffermir.*

♦ **1.** Fait de se raffermir, état de ce qui redevient ferme, stable ou de ce qui est raffermi. *« Le raffermissement d'une santé... »* (La Bruyère). ⇒ **Consolidation.** *Raffermissement du courage.* ⇒ **Raidissement.**

♦ **2.** (1669). Concret. Fait de devenir plus ferme.

(...) la terre était mouillée. Il a fallu attendre un peu de raffermissement pour que l'artillerie pût manœuvrer. HUGO, les Misérables, II, I, III.

CONTR. Affaiblissement, alanguissement, amollissement, découragement, ébranlement, fléchissement, ramollissement.

RAFFINAGE [rafinaʒ] n. m. — 1611; dér. de *raffiner.*

♦ Opération ou ensemble d'opérations par lesquelles on sépare un mélange (homogène ou hétérogène) de substances, de manière à obtenir un ou plusieurs corps purs ou un ou plusieurs mélanges doués de propriétés déterminées. ⇒ **Affinage, épuration, purification.** *Raffinage électrolytique des métaux.* — REM. En parlant des métaux, on dit plutôt *affinage.* — *Raffinage du papier :* mélange des pâtes, des colorants, des colles et des divers produits minéraux (« charges ») qui fournit la pâte utilisée dans la fabrication du papier. → Raffineur, cit. — *Raffinage du sucre :* opération par laquelle on obtient le sucre blanc du commerce en partant de sucres colorés (sucre « roux »), par décoloration, réduction en sirop, cuisson et cristallisation. ⇒ **Blanchissage** (2.).

1 On sait que les colons n'avaient à leur disposition d'autre sucre que cette substance liquide qu'ils tiraient de l'érable, en faisant à cet arbre des incisions profondes (...) un jour Cyrus Smith annonça à ses compagnons qu'ils allaient se transformer en raffineurs.
« Raffineurs ? répondit Pencroff. C'est un métier un peu chaud, je crois ?
— Très chaud ! répondit l'ingénieur.
— Alors, il sera de saison ! » répliqua le marin.
Que ce mot de raffinage n'éveille pas dans l'esprit le souvenir de ces usines compliquées en outillage et en ouvriers. Non ! pour cristalliser cette liqueur, il suffisait de l'épurer par une opération qui était extrêmement facile. J. VERNE, l'Île mystérieuse, t. I, p. 291.

Raffinage du pétrole, des hydrocarbures, et, absolt, *raffinage :* ensemble des opérations qui permettent d'obtenir les produits commerciaux (gaz, essences, pétroles, gas-oil, huiles combustibles, lubrifiants, asphaltes) en partant des pétroles bruts : distillation, fractionnement, transformations moléculaires, épuration physique et chimique. ⇒ **Raffinerie.** *Raffinage au plombite de soude, raffinage acide. Unités de raffinage d'une raffinerie*.*

2 Le raffinage *(du pétrole)* a d'abord consisté en un simple fractionnement physique de ses composants (...) les méthodes modernes de raffinage pratiquent un « craquage » des molécules lourdes du pétrole en éléments plus simples, qu'on regroupe ensuite (...) Les gaz de raffinage et de craquage (...) produits en même temps que les vapeurs d'essence, constituent les principales matières premières de la pétrochimie. Raymond GUGLIELMO, la Pétrochimie dans le monde, p. 18.

RAFFINÉ, ÉE [rafine] adj. ⇒ Raffiner.

RAFFINEMENT [rafinmɑ̃] n. m. — 1600, « action de raffiner »; de *raffiner,* II.

♦ **1.** Caractère de ce qui est raffiné, très délicat. ⇒ **Délicatesse, préciosité, subtilité** (→ Exquis, cit. 7). *Le raffinement de leur politesse* (cit. 6). *Le raffinement d'un dandy, d'un élégant* (⇒ **Élégance**). *Raffinement affecté, excessif, dans les manières, le langage.* ⇒ **Affectation.** — *Le raffinement d'une société décadente, d'une cour* (cit. 28) *d'amour... Vivre dans le luxe et le raffinement. Éprouver jusqu'au raffinement une impression, une sensation...* (→ Fort, cit. 70).

1 Les tripots, dans ce temps-là, n'étaient pas publics, et l'on n'avait pas encore inventé ce raffinement de civilisation qui permet au premier venu de se ruiner à toute heure, dès que l'envie lui en passe dans la tête. A. DE MUSSET, Nouvelles, « Croisilles », V.

♦ **2.** *(Un, des raffinements).* Acte, chose qui dénote ou qui exige de la recherche, de la subtilité, une certaine finesse de goût. *Des raffinements d'expression, de style.* ⇒ **Recherche** (→ Faire, cit. 171). *Raffinements intellectuels, dialectiques* (→ Dispute, cit. 3). *Raffinements de théologie.* ⇒ **Minutie** (→ Devoir, cit. 32). — *Des raffinements gastronomiques* (→ Amateur, cit. 4), *sensuels* (→ Prendre, cit. 106). *Les raffinements de la nonchalance* (cit. 4) *orientale.*

Dieu a égard aux siècles. Il pardonne aux uns leurs grossièretés, aux autres leurs raffinements. Joseph JOUBERT, Pensées, I, XXIX. 2

Frédéric (...) n'avait vu chez aucune femme une pareille aisance de manières, cette simplicité, qui est un raffinement, et où les naïfs aperçoivent l'expression d'une sympathie instantanée. FLAUBERT, l'Éducation sentimentale, I, V. 3

♦ **3.** *Un raffinement de... :* ce qui est rare, recherché ou poussé à un degré extrême (dans le domaine indiqué par le complément). *Un raffinement d'intempérance* (→ Autant, cit. 25), *de l'orgueil* (cit. 6). *Des raffinements de cruauté*, de méchanceté...*

Me voici donc seul sur la terre, n'ayant plus de frère, de prochain, d'ami, de société que moi-même. Le plus sociable et le plus aimant des humains en a été proscrit par un accord unanime. Ils ont cherché, dans les raffinements de leur haine, quel tourment pouvait être le plus cruel à mon âme sensible et ils ont brisé violemment tous les liens qui m'attachaient à eux. ROUSSEAU, Rêveries..., 1re promenade. 4

CONTR. Barbarie, grossièreté, simplicité.

RAFFINER [rafine] v. — 1468, « raffiner le sucre »; comp. de *re-,* et *affiner.*

★ **I.** V. tr. (Concret); (correspond à *raffinage, raffinerie*). Débarrasser (une substance) de ses impuretés; diviser (un corps) en parties homogènes par des opérations effectuées au cours de la fabrication. ⇒ **Affiner, épurer, purifier** (vieilli). *Raffiner par sublimation, distillation, dissolution, cristallisation. Raffiner le sucre, le pétrole* (⇒ **Raffinage**; et aussi **distiller**). *Raffiner le papier* (⇒ **Raffineur**).
REM. Pour les métaux, on dit plutôt *affiner.*
Raffiner (ou affiner) *le fromage :* lui donner un goût plus fin par la fermentation (fromages* affinés).

★ **II.** (Abstrait; correspond à *raffinement*). ♦ **1.** (1650). Rendre plus fin, plus délicat, plus subtil. ⇒ **Affiner.** *Raffiner qqch. avec excès.* ⇒ **Alambiquer, subtiliser.** *Raffiner son langage, son style* (⇒ **Fignoler**), *ses manières* (⇒ **Policer**). *Une haine qui raffinait sa sensibilité* (→ Essentiel, cit. 2). — Pron. *Se raffiner* (→ Gastronomique, cit. 2).

(...) voyez (...) comme tout s'est raffiné sur notre Loire, et comme nous étions grossiers autrefois (...) Mme DE SÉVIGNÉ, 807, 9 mai 1680. 1

(...) les femmes y sont *(faubourg Saint-Germain)* trop grandes dames pour, quand elles sont fines, y *raffiner la finesse* comme une actrice qui joue Marivaux. BARBEY D'AUREVILLY, les Diaboliques, « Dessous de cartes... ». 2

♦ **2.** V. intr. Rechercher la finesse, la délicatesse la plus grande (⇒ **Raffinement**). *Raffiner sur la propreté :* mettre, porter un excès de recherche, de raffinement dans ce domaine (→ Passer, cit. 54). — Aller, pousser très loin (dans tel ou tel domaine).

(...) ils (...) raffinent sur le luxe et sur la dépense (...) LA BRUYÈRE, les Caractères, VIII, 18. 3

(...) nous sommes en période de lutte, la situation est simple et les positions bien tranchées : pourquoi raffiner? Le militant communiste ne doit pas s'embarrasser de tant de nuances. SARTRE, Situations III, p. 171. 4

▶ **RAFFINÉ, ÉE** p. p. adj.

♦ **1.** (1690). Rendu plus pur par une opération de raffinage. ⇒ **Affiné, fin.** *Essence* (cit. 21) *raffinée. Sucre raffiné. La cassonade, sucre raffiné une seule fois. Fromage raffiné* (ou affiné), qui a subi une fermentation. — N. m. Produit pétrolier raffiné. *Du brut et du raffiné.*

Favorisez le raffinage véritable (...) Mais obtenez que la douane ne se laisse pas passer sous le nez comme pétrole brut un raffiné astucieusement sali. J. ROMAINS, les Hommes de bonne volonté, t. III, XVI, p. 208. 5

♦ **2.** (1642). Qui est d'une extrême délicatesse, d'une grande finesse, d'une grande subtilité... ⇒ **Délicat, subtil.** *Une longue analyse raffinée* (→ Captieux, cit. 3). — *Le goût le plus raffiné* (→ Exotique, cit. 7). *Fantaisie* (cit. 37) *raffinée. Manières raffinées.* ⇒ **Élégant, gracieux.** *Politesse*, courtoisie raffinée. Amusements cyniques et raffinés* (→ Épicurisme, cit. 3). *Nourriture raffinée, cuisine, table raffinée.* — *Langage, style raffiné* (⇒ **Précieux**), *compliqué* et raffiné. L'art raffiné des grands rhétoriqueurs. Les produits les plus raffinés de l'art* (→ 2. Plante, cit. 7). *Architecture élégante et raffinée* (→ Dentelle, cit. 5).

(Debussy) a le dédain aristocratique de ces orgies de sons, auxquelles l'art de Wagner nous a habitués; il est sobre et raffiné, comme une belle phrase classique de la fin du XVIIe siècle. R. ROLLAND, Musiciens d'aujourd'hui, p. 204. 6

(Mallarmé) aima les mots pour leur sens possible plus que pour leur sens vrai et il les combina en des mosaïques d'une simplicité raffinée. R. DE GOURMONT, le Livre des masques, p. 59. 7

(Personnes). *Hommes raffinés* (→ Incroyable, cit. 15). *Gourmet* (cit. 4) *raffiné.* ⇒ **Délicat, difficile.** *Des sybarites raffinés. — Peuple raffiné.* ⇒ **Évolué, poli** (1.). — *Esprit raffiné et subtil.* ⇒ aussi **Adroit, fin, habile.**

(...) les Français, si délicats en matière de goût, et si raffinés sur les plaisirs en tout genre (...) D'ALEMBERT, Éloge de Régnier-Desmarais, Œ. compl., t. II, p. 450. 8

N. (Fin XVIe; au sens de «gentilhomme pointilleux sur l'honneur»). *Un, des raffinés :* des personnes de mœurs raffinées, de goût raffiné, etc. (→ Aristocrate, cit. 1; muguet, cit. 4).

9 Ses amis, d'ailleurs, étaient pareils à lui, des raffinés aussi, sans foi, sans prière, échangeant entre eux, à demi-mots légers, des pensées d'abîmes (...)
LOTI, Ramuntcho, I, I.

10 Voilà toute la pensée de ce raffiné de vertu *(La Rochefoucauld)*, qui n'admet le bien dans l'homme, qu'à l'insu de l'homme (...)
Émile FAGUET, Études littéraires, XVIIe s., p. 220.

REM. Certains dictionnaires distinguent une valeur péjorative, qui ne semble usuelle qu'avec le substantif.

CONTR. (Du p. p.) **Barbare, bestial, brut, campagnard, canaille, fruste, gros, grossier, lourd.**
DÉR. **Raffinage, raffinement, raffinerie, raffineur, raffinose.**

RAFFINERIE [ʀafinʀi] n. f. — 1666; de *raffiner.*

A. ♦ **1.** Lieu, usine où s'effectue le raffinage (d'une substance). *Une raffinerie de sucre.* ⇒ **Sucrerie.**

1 Va maintenant jusqu'à la sucrerie et jusqu'à la raffinerie, tu verras d'autres hommes, presque nus, cuits par les chaudières (...) qui montent et descendent, toujours courant, et chargés comme des mulets.
ALAIN, Propos, 20 oct. 1908, Café sans sucre.

Spécialt. *Raffinerie de pétrole,* et, absolt, *raffinerie :* ensemble des installations où le pétrole brut est raffiné (⇒ **Raffinage**). *Colonnes de fractionnement à plateaux, fours tubulaires, réservoirs... d'une raffinerie. Raffinerie intégrée,* effectuant diverses opérations pétrolochimiques et produisant, outre les substances énergétiques, du soufre, des bitumes, etc.

♦ **2.** Industrie du raffinage.

B. Vx (langue classique). Le fait de raffiner (fig.) ⇒ **Raffinement.**

2 Mais à mesure qu'on a raffiné, le Méchant a raffiné aussi pour éluder la loi trop raffinée; et de raffinerie en raffinerie, on en viendra un jour à ne faire que finasser ensemble, le Maître et les Sujets (...)
RESTIF DE LA BRETONNE, la Vie de mon père, p. 63.

RAFFINEUR, EUSE [ʀafinœʀ, øz] n. — 1611; *refineour* (de sucre), 1468; de *raffiner.*

♦ **1.** Personne qui possède, dirige, exploite une raffinerie.

Spécialt. Personne, entreprise qui effectue le raffinage des hydrocarbures.

♦ **2.** (1846). RAFFINEUSE, n. et adj. fém. *Pile raffineuse* (par anal. avec la pile à défiler, qui, à l'origine «pilait» les chiffons) ⇒ 3. **Pile.** Bassin dans lequel s'effectue le raffinage de la pâte à papier.

Le raffinage (...) se fait dans la pile raffineuse, qui ne diffère essentiellement de la pile défileuse que par ce qu'elle n'a pas de tambour laveur. Les pâtes sont mélangées intimement dans la pile aux charges, aux colorants et aux colles qui sont nécessaires à la fabrication du papier.
F. MEYER et L.-J. OLMER, le Papier et les Dérivés de la cellulose, p. 49.

N. m. *Raffineur à disques.*

♦ **3.** Ouvrier, ouvrière qui effectue le raffinage (de certaines substances). *Raffineur d'alcool* (distillateur), *de suif* (fondeur)... *Raffineurs de sucre* (→ Raffinage, cit. 1).

RAFFINOSE [ʀafinoz] n. m. — 1889, in *Année sc. et industr.* 1890, p. 177; de *raffiner,* et *-ose.*

♦ Chim. Substance glucidique *(oside)* que l'on extrait, avec le saccharose, de la betterave à sucre.

RAFFLESIA [ʀaflezja] ou **RAFFLÉSIE** [ʀaflezi] n. f. — 1839, *rafflesia; rafflésie,* 1845; 1820 en angl.; du nom d'un gouverneur de Sumatra, *Raffles,* qui découvrit cette plante.

♦ Bot. Plante dicotylédone d'Insulinde *(Rafflésiacées),* à appareil végétatif, presque nul, mais à fleurs gigantesques (jusqu'à 1 m de diamètre), qui croît en parasite sur les racines de vignes sauvages, et dont la variété la plus connue, la *rafflésie d'Arnold,* porte une fleur rouge d'odeur nauséabonde.

RAFFOLER [ʀafɔle] v. tr. ind. — 1762; XIVe, «être fou, radoter»; XVIe, v. tr., «rendre amoureux»; de *re-,* et *affoler.*

♦ RAFFOLER DE... : aimer* follement (qqch. ou qqn); avoir un goût très vif pour (qqn, qqch.). ⇒ **Fou** (être fou de); **adorer, passionner** (se). *Il sait plaire aux femmes : elles raffolent toutes de lui. Vieille femme qui raffole de sucreries* (→ Dérober, cit. 31). *Jeu dont raffole un enfant* (→ Kaléidoscope, cit. 2). *Raffoler de musique.* ⇒ **Éprendre** (être épris de). *J'en raffole. J'aime bien, j'aime assez le jazz, mais je n'en raffole pas.*

1 Sachez pourtant que la petite Volanges a déjà fait tourner une tête. Le jeune Danceny en raffole.
LACLOS, les Liaisons dangereuses, V.

2 (...) ses moindres souhaits y étaient des lois pour ses sœurs, pour ses frères, pour sa mère, et même pour son père. Tous ses parents raffolaient d'elle.
BALZAC, le Bal de Sceaux, Pl., t. I, p. 78.

Elle raffolait des fêtes foraines, m'apprit-il (...) Ça tombait bien! 3
CÉLINE, Voyage au bout de la nuit, p. 429.

RAFFUT ou **RAFUT** [ʀafy] n. m. — 1867; du dial. *raffuter* «rosser, battre, gronder», 1777, probablt de *fuster* «battre à coups de bâton» *(fust, fût).*

♦ **1.** Fam. Tapage, vacarme. *C'est bientôt fini, ce raffut?*

Être aboyé par un petit niais (...) que personne n'écoute, cela ne sert à rien. Mais Massis, mais Béraud surtout font un raffut de tous les diables... Leurs attaques m'ont fait plus célèbre en trois mois que mes livres n'avaient fait en trente ans. 1
GIDE, Journal, 3 déc. 1924.

Ce mot déchaîna le raffut. Esther (...) hurla soudain (...) comme une bête (...) La bonne s'en mêlait, le chien faisait chorus, le café fut renversé (...) 2
ARAGON, les Beaux Quartiers, II, X.

♦ **2.** Sport. Rugby. Geste de l'attaquant qui écarte son adversaire en le repoussant de sa main ouverte, tendue.

RAFFÛTER [ʀafyte] v. tr. — 1845; XVe, *rafuster;* XVIIIe, t. de chapellerie; de *re-,* et *affûter.*

♦ Techn. Remettre en état. Spécialt. Redonner le fil à (une lame). *Raffûter des ciseaux, un rasoir, des outils.* Var. : *réaffuter* [ʀeafyte].

RAFIAU [ʀafjo] n. m. Vx. ⇒ **Rafiot.**

RAFIOT [ʀafjo] n. m. — 1867; *rafiau,* 1792; orig. obscure, p.-ê. à rapprocher du rad. germanique *rapt-, raft,* angl. *raft* «radeau» ou (P. Guiraud) par la métaphore de la «coquille de noix», d'un déverbal de *rafler, érafler,* «copeau».

♦ **1.** Vx. Petite embarcation méditerranéenne à rames, et qui porte une petite voile.

♦ **2.** Mod. (1867). Bateau, navire qui ne tient pas la mer; vieux bateau de piètre apparence.

Si j'avais un yacht... Il est temps d'avouer qu'agencé selon ma chimère «mon» yacht ne serait pas un yacht, mais le dernier des «sales rafiots». 1
COLETTE, Prisons et Paradis, p. 98.

Il avait une confiance quasi mystique en son organisme, comme l'aviateur en son zinc qui tangue, comme le capitaine en son rafiot, roulant, prenant l'eau, mais qui toujours arrive au port. 2
MONTHERLANT, les Lépreuses, II, XII.

RAFISTOLAGE [ʀafistɔlaʒ] n. m. — 1833; de *rafistoler.*

Familier.

♦ **1.** Action de rafistoler.

Moi, ce n'est jamais que du rafistolage de godillots. G. DUHAMEL, Salavin, V, VI.

♦ **2.** Résultat de cette action; réparation* sommaire.

RAFISTOLER [ʀafistɔle] v. tr. — 1649, attestation isolée; repris au XIXe; de *re-,* et anc. franç. *afistoler* «tromper par de belles paroles» et «ajuster, parer, bien s'habiller» (XVe); rad. lat. *fistula,* ital. *fistola* «chalumeau»; l'évolution sémantique est à comparer avec l'anc. franç. *flageoler* «jouer de la flûte», ensuite «tromper, piper» (Bloch); P. Guiraud fait remonter le mot à un bas lat. **fixitare,* de **fixicare* «fixer, arranger».

♦ Fam. Raccommoder*, réparer* grossièrement, avec des moyens de fortune. *Rafistoler une marche d'escalier* (→ Fier, cit. 11).

(...) cet ingénieux employé rafistolait son soulier avec un morceau de ficelle (...) 1
COURTELINE, Messieurs les ronds-de-cuir, 2e tableau, II.

Les traces des coups sur son visage, son corsage déchiré, rafistolé avec une épingle de nourrice, elle n'avait pas bonne mine, non. 2
ARAGON, les Beaux Quartiers, I, XXIV.

(Abstrait). Remettre en état sommairement, par des moyens de fortune. ⇒ **Replâtrer.**

DÉR. **Rafistolage, rafistoleur.**

RAFISTOLEUR, EUSE [ʀafistɔlœʀ, øz] n. — 1904; de *rafistoler.*

♦ Fam. Personne qui rafistole, répare grossièrement (qqch.).

(...) et s'en venait une rafistoleuse de faïence avec une pile de cuvettes et de tians fêlés sur la tête (...) B. CENDRARS, Bourlinguer, p. 147.

1. RAFLE [ʀafl] n. f. — Fin XVIe; XIIIe, «instrument pour racler le feu»; av. 1589, sens I («jeu de dés», 1371); du germanique *Raffel,* rad. *raffen,* «emporter promptement».

★ **I.** Jeu. Coup où chacun des dés amène le même point (ce qui fait gagner la mise); le jeu où ce coup est possible. *Rafle de rois, de dix... Amener, faire rafle.*

♦ **1.** (XVIe; rapidement senti comme déverbal de *rafler*). Cour. et vieilli. Action de rafler*, résultat de cette action. *Gang opérant une rafle* (de bijoux, de tableaux, etc.). ⇒ **Razzia.**

♦ **2.** (1867). Arrestation massive opérée à l'improviste par la police dans un quartier suspect, un établissement mal famé... *Pris dans une rafle, il a été relâché après vérification d'identité. Rafles effectuées dans les milieux interlopes de la capitale.* ⇒ **Descente** (de police); **filet** (coup de), **souricière** (fig.).

1 L'été, à douze ou quinze, ils *(les agents)* opéraient des rafles sur le boulevard, ils cernaient un trottoir, pêchaient jusqu'à des trente femmes en une soirée.
ZOLA, Nana, VIII.

2 Soudain des sifflets déchirèrent la nuit. Des gens se mirent à courir, il y avait des femmes qui fuyaient dans l'allée, venant des Acacias vers la Porte Dauphine... En un clin d'œil, il y eut une trentaine de personnes rassemblées sur le bord de la chaussée, entre deux barrages d'agents. La rafle.
ARAGON, les Cloches de Bâle, II, XIX.

★ **II.** Par ext. (1680). Ce qui sert à prendre et emporter promptement. Filet d'oiseleur à double mailles. — Filet de pêche à plusieurs entrées pour prendre des poissons en quantité.

DÉR. Rafler.

2. RAFLE [ʀafl] n. f. — 1549; orig. incert.; p.-ê. par allus. à l'égrappage qui dépouille promptement une grappe de ses grains.

♦ **1.** Ensemble du pédoncule et des pédicelles d'une grappe (de raisin, de groseille....). *La rafle, charpente de la grappe, lui donne une forme qui est un des caractères distinctifs des divers cépages* (On dit aussi *raffe* ou *râpe*).

Un kilogramme de raisins est constitué par 25 à 50 g de rafles et 950 à 975 g de grains (...)
Jules CARLES, la Chimie du vin, p. 54.

♦ **2.** [a] (1845). Axe renflé de l'épi de maïs. *Les épillets sont disposés en rangées sur la rafle.*

[b] Partie centrale d'un régime de noix de palme.

RAFLER [ʀafle] v. — 1573; de *rafle.*

♦ **1.** V. tr. (De *rafle,* II.). Fam. Enlever, emporter rapidement (ce qui tombe sous la main), sans rien laisser. *Des maraudeurs ont raflé tous les fruits du verger.* ⇒ **Prendre, ratiboiser, voler; emparer** (s'). *Joueur qui rafle un joli banco.* ⇒ **Gagner** (2.; → Jeton, cit. 3).

1 Une famille de voleurs qui ne vit que de rapines!... Et vous voyez ce qu'ils font de leur fille : une mendiante, une voleuse qu'ils envoient chez les gens, pour râfler *(sic)* tout ce qui traîne (...)
ZOLA, la Joie de vivre, IV.

2 Tu peux te rendre, à l'heure du marché, sur le méchouar, tu les verras rafler, pour leur déjeuner, toutes les meilleures choses de la terre. Ils ne regardent pas au prix, car ils ne savent pas acheter.
P. MAC ORLAN, la Bandera, XIV.

♦ **2.** V. intr. (De rafle, I.). Jeu. Amener, faire une rafle*. — REM. On écrit souvent, à tort, *râfler.*

♦ **3.** Franç. d'Afrique. V. intr. Faire une rafle. *La police rafle.* — V. tr. Prendre (qqn) dans une rafle.

RAFRAÎCHIR [ʀafʀɛʃiʀ] v. tr. — XIIe, *rafreschir, refreschir* sens II., 1.; de *re-,* et anc. franç. *freschir* «reposer, restaurer». → Fraîchir.

★ **I.** (Déb. XIIIe). **A.** Rendre frais ou plus frais* (I.). ♦ **1.** Refroidir* modérément. *Mettre de la bière, du vin blanc... dans une glacière, un réfrigérateur... pour les rafraîchir. Seau à rafraîchir.* ⇒ **Rafraîchisseur.** — *L'averse* (cit. 7) *ne suffit pas à rafraîchir l'atmosphère. Rafraîchir la température d'un local par conditionnement de l'air.* ⇒ **Réfrigérer.** — Pron. (passif). *Fumée de tabac qui se rafraîchit en passant par les tuyaux d'un houka* (cit. 2). *Le temps, le vent se rafraîchit.* ⇒ **Fraîchir.** — (Avec ellipse du réfléchi) *Mettre un melon* (cit. 3) *à rafraîchir.*

1 — J'ai grand'soif, dit-il. Donnez-moi du vin! Et qu'il soit frais... hâtez-vous de l'aller mettre rafraîchir dans la fontaine, car la journée promet d'être brûlante.
FRANCE, la Rôtisserie de la reine Pédauque, XX, Œ., t. VIII, p. 275.

2 Juin commençait, les soirées devenaient brûlantes, à peine rafraîchies par la brise de la mer.
ZOLA, la Bête humaine, VI.

♦ **2.** Méd. anc. (opposé à *échauffer*). *Aliments, plantes qui rafraîchissent les intestins,* et, absolt, *qui rafraîchissent,* qui facilitent la défécation. ⇒ **Rafraîchissant.** *La salade rafraîchit* (→ Conforter, cit. 2). — Méd. anc. *Rafraîchir le sang au moyen de dépuratifs* (→ Adoucir, cit. 2).

♦ **3.** Imprégner de fraîcheur.

3 (...) les superbes palais et les magnifiques théâtres (...) que la verdure égaye, et que cent jets d'eau rafraîchissent.
MOLIÈRE, le Grand Divertissement royal, I.

♦ **4.** Pénétrer d'une sensation de fraîcheur. *Rafraîchir sa main à la panse d'un alcarazas* (cit.). *Rafraîchir le front d'un malade avec une compresse humide. — Servez-nous à boire quelque chose qui nous rafraîchisse.* Absolt. *Une boisson qui rafraîchit.* ⇒ **Rafraîchissant, rafraîchissement.** — Pron. (réfléchi). *Se rafraîchir à l'eau d'une fontaine :* se donner une sensation de fraîcheur. (→ Creux, cit. 24). *Se baigner, s'éventer pour se rafraîchir.* — (Réfl. ind.) *Se rafraîchir la gorge, le gosier...* Absolt. Prendre un rafraîchissement. *Auberge où les voyageurs viennent se rafraîchir.* ⇒ **Boire** (→ Liquide, cit. 10).

4 Heureux vieillard, désormais en ces prées *(sic),*
Entre ruisseaux et fontaines sacrées,
A ton plaisir tu te rafraîchiras (...)
Clément MAROT, Traductions, I.

(...) ces arbres ne produisent que de mauvais fruits; il n'y a pas seulement ici un tamarin ou un citron pour te rafraîchir. 5
BERNARDIN DE SAINT-PIERRE, Paul et Virginie, p. 32.

(...) pour se rafraîchir il venait de plonger la tête dans le bassin de la fontaine publique. 6
STENDHAL, le Rouge et le Noir, I, VI.

(...) le soleil inondait d'un déluge de feu tout le côté des gradins sur lesquels nous étions assis. Comme nous portions envie aux privilégiés qui se rafraîchissaient dans le bain d'ombre projetée par les loges supérieures! 7
Th. GAUTIER, Voyage en Espagne, p. 208.

— Trempe tes mains, cria Albine. Au fond, l'eau est glacée. En effet, ils purent se rafraîchir les mains. Ils se jetèrent de l'eau au visage (...) 8
ZOLA, la Faute de l'abbé Mouret, II, XII.

B. V. intr. (1690). Devenir plus frais. *Le vent rafraîchit.* ⇒ **Fraîchir.**

★ **II.** Rendre frais ou plus frais* (II., III., IV.). ♦ **1.** (Choses). Redonner de la fraîcheur, de la vitalité, de l'éclat... (à). *Les pluies ont rafraîchi les prés* (→ 1. Feuillé, cit. 1). *Fleurs fanées* (cit. 13) *que la rosée ne peut plus rafraîchir. — Rafraîchir un tableau, une tapisserie...,* en raviver les couleurs.

(...) à l'occasion de cette cérémonie (...) saint Gildas et saint Corentin *(des statues)* avaient été rafraîchis (...) 9
NERVAL, le Marquis de Fayolle, I, XII.

♦ **2.** (XVIIe; dans l'ordre moral, psychologique). Redonner de la vivacité, de la jeunesse, de la pureté... (à). *Lectures, spectacles qui rafraîchissent l'âme, le cœur.* ⇒ **Rajeunir, revivifier;** (→ aussi Pieusement, cit. 2). — Pron. (réfl. ind.). *Voyager pour se rafraîchir les idées, la tête.*

(...) on se rafraîchit l'esprit en changeant de lecture. 10
CHATEAUBRIAND, Mémoires d'outre-tombe, t. VI, p. 176.

Les courses au dehors me rafraîchissaient le cœur, je trouvais quelque réconfort dans le spectacle d'hommes sains ménagés par la bataille. 11
G. DUHAMEL, Récits des temps de guerre, II, Sur la Somme.

♦ **3.** Fig. (Fam.). *Rafraîchir la mémoire** (cit. 17), *les souvenirs de qqn* (→ Imprimer, cit. 7). — Fam. (En manière de menace à une personne qui semble oublier ses promesses ou négliger un ordre reçu). *Je vais vous rafraîchir la mémoire!*

♦ **4.** Remettre en état. [a] Vx. (Compl. n. de personne, d'être vivant). *«Les troupes sont fatiguées, il faut les remettre au repos pour les rafraîchir»* (Académie). — Pron. ⇒ **Restaurer** (se). — (Avec ellipse du pronom). *Faire rafraîchir son équipage.*

[b] (Compl. n. de chose). Remettre à neuf*. ⇒ **Rénover, réparer.** — *Rafraîchir un mur, une boiserie, du mobilier... Couturière qui rafraîchit de vieilles robes.* ⇒ **Retaper** (fam).

♦ **5.** (1680, en parlant des cheveux). Spécialt. Revigorer, embellir (une chose) en coupant* ses extrémités (⇒ **Tailler**). *Le coiffeur lui a rafraîchi les cheveux. Rafraîchir les racines d'une plante.*

▶ **SE RAFRAÎCHIR** v. pron. Voir à l'article.

▶ **RAFRAÎCHI, IE** p. p. adj. *Coupe de fruits rafraîchis. — Vin, champagne rafraîchi.* ⇒ **Frappé.**

CONTR. Brûler, chauffer, réchauffer, tiédir.

DÉR. Rafraîchissant, rafraîchissement, rafraîchisseur, rafraîchissoir.

RAFRAÎCHISSANT, ANTE [ʀafʀɛʃisɑ̃, ɑ̃t] adj. — 1579; p. prés. de *rafraîchir.*

♦ **1.** Qui rafraîchit (I., 1.), qui abaisse la température : *Ô rafraîchissantes ténèbres!* (→ Nuit, cit. 4, Baudelaire). *Il est tombé une petite pluie rafraîchissante.*

L'ardeur de l'été y est toujours tempérée par des zéphyrs rafraîchissants, qui viennent adoucir l'air vers le milieu du jour.
FÉNELON, Télémaque, VII.

♦ **2.** Qui donne une sensation de fraîcheur, et spécialt, qui désaltère. *Servir des boissons* rafraîchissantes* (→ Limonade, cit. 2).

Méd. anc. Qui a des propriétés émollientes, laxatives. *Régime rafraîchissant à base de légumes verts, de laitages, de fruits. — Tisane rafraîchissante.* Vx. *Médicament rafraîchissant.* — N. m. *Prescrire des rafraîchissants à un goutteux.* ⇒ **Calmant.**

♦ **3.** (Mil. XIXe). Qui plaît par sa fraîcheur, sa simplicité. *Un spectacle rafraîchissant. Une œuvre naïve et rafraîchissante.*

CONTR. Brûlant, échauffant.

RAFRAÎCHISSEMENT [ʀafʀɛʃismɑ̃] n. m. — XIIIe au sens II.; sens I. au XVIIe (Richelet, Furetière); de *rafraîchir.*

★ **I.** ♦ **1.** Action de rafraîchir (I.) ou de se rafraîchir; résultat de cette action. *Orage suivi d'un brusque rafraîchissement de la température.* Par métaphore :

Croyez-vous (...) que si saint François d'Assise avait été raisonnable, il aurait versé sur la terre, pour le rafraîchissement des peuples, les eaux vives de la charité et tous les parfums de l'amour? 1
FRANCE, le Lys rouge, IX.

♦ **2.** Fig. Méd. anc. Effet émollient de certaines substances. *Rafraîchissement provoqué par la consommation d'épinards, de pruneaux...*

♦ **3.** Ce qui rafraîchit. Spécialt. (vieilli). Boisson fraîche prise en dehors des repas. *Prendre un rafraîchissement dans un café.* ⇒ **Consommation.**

(1765). Mod. Plur. Boissons fraîches, glaces*, fruits rafraîchis... servis notamment au cours d'une réception. *Service (de verres) à rafraîchissements. Passer, présenter, servir des rafraîchissements* (→ Entracte, cit. 1). *Prier quelqu'un de venir prendre des rafraîchissements* (→ Gaillard, cit. 19).

2 Adeline (...) fit repasser les rafraîchissements. Les messieurs, fatigués de leur longue immobilité, se mirent debout pour vider leurs verres.
Philippe HÉRIAT, Famille Boussardel, XII.

★ **II.** Vx ou littér. ♦ **1.** (V. 1460). Action de restaurer; résultat de cette action. Action de revigorer, de rajeunir; résultat de cette action. *Le rafraîchissement de la mémoire.*

3 (...) être ou avoir été amis, avoir eu, à une certaine heure de jeunesse, des sentiments vifs et purs en commun (...) Tout cela se retrouve ou devrait se retrouver en nous, vers la fin de la vie, avec un rafraîchissement et un ravivement de souvenirs mêlés d'une secrète tendresse.
SAINTE-BEUVE, Nouveaux lundis, 30 mars 1863, III.

4 *(La révolution)* ne vaut que si elle apporte ce merveilleux renouvellement, ce merveilleux rafraîchissement de l'humanité, par approfondissement, qui donne tant de jeune ivresse aux véritables crises révolutionnaires (...)
Ch. PÉGUY, la République..., p. 105.

♦ **2.** Vx. (Le plus souvent au plur.). Ce qui sert à réparer les forces; vivres, provisions de bouche... (→ Équipage, cit. 1).

♦ **3.** (XIXe). Concret. Action de réparer, de rénover. *Le rafraîchissement d'un immeuble, d'une tenture.*

RAFRAÎCHISSEUR [ʀafʀɛʃisœʀ] n. m. — 1842; 1812, en techn.; a remplacé *rafraîchissoir*; de *rafraîchir*.

♦ **1.** Récipient, plus couramment appelé *seau à rafraîchir, seau à glace,* dans lequel on met à rafraîchir certains vins; petit meuble, généralement à roulettes, comportant un ou plusieurs de ces récipients. *Rafraîchisseur en acier inoxydable, en métal argenté, en cristal, en matière plastique...* — Techn. ⇒ **Réfrigérant.**

♦ **2.** Techn. ⇒ **Rafraîchissoir** (2.).

RAFRAÎCHISSOIR [ʀafʀɛʃiswaʀ] n. m. — Mil. XVIe; 1547, *rafraischissouer*; de *rafraîchir*.

♦ **1.** Vx. Rafraîchisseur.

♦ **2.** (1719 *in* D.D.L.) Techn. Cuve où les sirops se refroidissent, dans le raffinage du sucre.

RAG [ʀag] n. m. ⇒ **Ragtime.**

RAGAILLARDIR [ʀagajaʀdiʀ] v. tr. — XVe; de *re-*, et anc. franç. *agaillardir*, de *gaillard*.

♦ **1.** Rendre de nouveau gai, gaillard*; redonner de la vigueur à (un être fatigué ou déprimé). Réconforter, revigorer. *Sa cure devrait le ragaillardir.* ⇒ **Fortifier.** *Il se sent tout ragaillardi.* — Pron. *Se ragaillardir.* — REM. La forme *regaillardir* est vieillie.

♦ **2.** Par ext. Vx. *Ragaillardir l'affection, l'amitié.* ⇒ **Raffermir, raviver.**

1 (...) cinq ou six coups de bâton, entre gens qui s'aiment, ne font que ragaillardir l'affection.
MOLIÈRE, le Médecin malgré lui, I, 2.

▶ **RAGAILLARDI, IE** p. p. adj. (plus cour. que l'actif).

2 Cette heure de repos et une musette d'avoine donnée par Scapin avaient rendu un peu de vigueur au pauvre vieux cheval fourbu. Il paraissait ragaillardi et capable de fournir la traite.
Th. GAUTIER, le Capitaine Fracasse, VI.

CONTR. Contrister, excéder.

1. RAGE [ʀaʒ] n. f. — 1080, *Chanson de Roland;* du lat. pop. *rabia, lat. class. *rabies*.

♦ **1.** Mouvement ou sentiment de mauvaise humeur, de colère, de dépit, de haine, etc., très violent et qui peut même aller jusqu'à la fureur* (⇒ **Colère, furie, passion**). *Rage folle* (→ Impie, cit. 6), *impuissante* (cit. 18), *aveugle* (→ Pour, cit. 1). *Un ton, un regard plein de rage.* ⇒ **Rageur.** *Hurlement, cri de rage* (→ Malédiction, cit. 9). *Bouillonnements, excès de fureur et de rage.* ⇒ **Transport** (→ Note, cit. 23; perdre, cit. 64). *Déchaîner, provoquer la rage de qqn* (→ Braver, cit. 10). *Il a la rage au cœur, dans le cœur.* ⇒ **Enragé, exaspéré.** *Assouvir* (cit. 3), *satisfaire sa rage. Sa rage s'est apaisée.* —*Avec rage.* ⇒ aussi **Rageusement** (→ Abattre, cit. 5 et 6; intempestif, cit. 2). — *Dans sa rage* (→ Fournir, cit. 11). *Dans sa rage de...*, suivi d'un infinitif (→ Furieux, cit. 2). — Allus. littér. «*Ô rage, ô désespoir* (cit. 11), *ô vieillesse ennemie!*» (Corneille). «*Patience et longueur de temps Font plus que force* (cit. 1) *ni que rage*» (La Fontaine).

1 Ceux qui n'ont pas été tués peuvent donc enfin sortir. Mais la rage n'est pas épuisée. On leur arrache leurs habits, l'uniforme national, on leur arrache la cocarde, on la foule aux pieds.
MICHELET, Hist. de la Révolution franç., III, VIII.

Poét. et vx (langue class.). «*Déployez toutes vos rages, Princes, vents, peuples, frimas*» (Boileau, *Odes,* I). «*Le sang de Polyeucte a satisfait leurs rages*» (Corneille, *Polyeucte,* I, 3).

Par métaphore. (En parlant d'une chose, des éléments déchaînés, etc.). *La rage du vent, de l'océan, des flots.* → ci-dessous : *faire rage.*

(...) dans la furibonderie de la musique, dans la rage du finale, dans le mugissement du porte-voix (...) 2
Ed. DE GONCOURT, les Frères Zemganno, VI.

DE RAGE : sous l'effet de la rage, de la fureur. *Écumer** (cit. 6), *étouffer, frémir, crier* (→ Entasser, cit. 6), *pleurer de rage* (→ Galopin, cit. 2). *Écumant, pâle* (cit. 6), *ivre de rage* (→ Panique, cit. 5). *Être fou de rage.*

(...) je le trouvai assis sur mon lit, les poings fermés, les dents serrées de rage. 3
LOTI, Mon frère Yves, XXXII.

Vieilli. **À LA RAGE :** avec excès, à la folie. *Aimer quelqu'un, quelque chose à la rage* (→ 1. Parler, cit. 81). — *Jusqu'à la rage* (→ Irriter cit. 8; jalousie, cit. 23). — Cf. aussi le sens 3 ci-dessous.

EN RAGE. *Être en rage :* rager. *Mettre qqn en rage.* ⇒ **Enrager.** *Son indolence me met en rage.* ⇒ **Colère** (en).

♦ **2. FAIRE RAGE** [a] Vx. (Personnes). Agir avec énergie, se démener; faire des prouesses, en bien ou en mal (→ Ferrailler, cit. 1, et cf. La Fontaine, *Fables,* IX, 19). *Les assiégeants faisaient rage* (→ Décharger, cit. 4). *Faire rage pour (contre) quelqu'un* (Cf. Molière, *l'Avare,* II, 1). — Vx. *Faire des rages,* des prouesses (Cf. Molière, *Amphitryon,* II, 1).

[b] Mod. (Le sujet désignant un phénomène naturel violent, un agent de destruction, des actes hostiles, etc.). Se déchaîner, atteindre un très haut degré de violence. *La tempête continuait à faire rage sans accalmie* (→ Mouton, cit. 20). *Incendie qui fait rage* (→ aussi Éteindre, cit. 1). *À l'est, au nord, le tir faisait rage* (→ Mitraille, cit. 2).

Puis tout se tut. Le vent faisait rage au dehors; 4
Et la mer, soulevant ses lames furibondes,
Ébranlait l'escalier crevassé de ses bords.
LECONTE DE LISLE, Poèmes barbares, «Jugement de Komor».

Au loin, dans le détroit, la tempête faisait rage; la flamme du bivac se courbait sous la rafale (...) 5
Alphonse DAUDET, Lettres de mon moulin, «Agonie de la Sémillante».

♦ **3.** (XIIIe). **RAGE DE... :** passion violente, goût excessif pour. ⇒ **Fièvre** (*supra* cit. 10), **fureur** (*supra* cit. 11), **manie** (2.). *Cette rage d'aventures, ce besoin d'émotions fortes, cette folie de voyages* (→ Diantre, cit. 2). *La rage de...*, suivi d'un infinitif (→ Conclure, cit. 13; personnage, cit. 1). *La rage de vivre, d'aimer.*

Je ne suis en peine que de savoir comment la rage d'écrire a pu te prendre; cela me paraît digne de ma curiosité. 6
A.-R. LESAGE, Gil Blas, VII, XIII.

(Sans compl. en *de*). Loc. cour. *Ce n'est plus de l'amour, c'est de la rage :* c'est une véritable passion, violente, dévastatrice (souvent employé ironiquement). — Par une paraphrase plaisante de cette loc. :

C'est plus de la connerie; c'est de la rage. 6.1
R. QUENEAU, le Dimanche de la vie, p. 253.

♦ **4.** Vx. Douleur violente, extrêmement vive. — *Rage de dents :* mal de dents qui provoque de très vives douleurs (se dit spécial de la pulpite aiguë). → Piquer, cit. 23.

Il se rappela tout à coup que, huit jours plus tôt, il avait prêté à son frère une fiole de laudanum pour calmer une rage de dents. 7
MAUPASSANT, Pierre et Jean, V.

DÉR. Rager.
COMP. Dérager, enrager.

2. RAGE [ʀaʒ] n. f. — Déb. XIVe; *rabe,* 1288; emploi spécialisé de 1. *rage.*

♦ Maladie infectieuse (méningo-encéphalite diffuse) due à un virus filtrant neurotrope (virus rabique*), qui peut présenter différentes formes cliniques : forme agitée ou furieuse (anxiété, hyperesthésie douloureuse, spasmes du larynx et du pharynx avec hydrophobie*, aérophobie, peur des miroirs, écoulement de salive hors de la bouche, agressivité, hallucinations, délire, tremblements, syncopes), formes paralytiques, stuporeuses, celles-ci succédant parfois à celle-là. *Rage muette* (syn. : *rage mue**) : rage prenant d'emblée la forme paralytique. *La rage évolue généralement vers la mort. Relatif à la rage.* ⇒ **Rabique.** *La rage est commune à certains animaux* (chien, chat, loup, etc. ⇒ **Épizootie**) *et à l'homme; elle se transmet généralement par morsure. Qui est atteint de la rage.* ⇒ **Enragé, hydrophobe.** *Animal malade de la rage, qui bave, écume*... Remède, vaccin contre la rage.* ⇒ **Antirabique.** *La passerage* était considérée jadis comme un remède contre la rage. Les travaux de Pasteur sur la rage.*

Prov. *Qui veut noyer son chien** (cit. 42) *l'accuse de la rage.*

COMP. Passerage.

RAGEANT, ANTE [ʀaʒɑ̃, ɑ̃t] adj. — Mil. XXe; de *rager.*

♦ Fam. Qui fait rager. *C'est rageant :* c'est exaspérant. ⇒ **Enrageant.**

RAGENCER [ʀaʒɑ̃se] v. tr. — V. 1175; de *re-* et *agencer.*

♦ Vx. Agencer de nouveau (on dirait de nos jours *réagencer*).

RAGER [ʀaʒe] v. intr. — Conjug. *bouger* — XVIIe-XVIIIe; *ragier* au sens de «devenir enragé» (1150), puis de «folâtrer» en anc. franç.; de *rage.*

♦ Fam. Être en rage (1. Rage, 1.), être en proie à la mauvaise humeur, à un vif sentiment de colère, de dépit, d'envie, etc. ⇒ **Enrager, fumer** (*infra* cit. 19), **pester.** → Fam. Bisquer, endêver (vx).

On a beau n'être pas envieux, on rage toujours quand les autres chaussent vos souliers et vous écrasent. ZOLA, l'Assommoir, X, t. II, p. 108.

Faire rager quelqu'un (→ Furieux, cit. 9). — *Ça me fait rager de...* suivi d'un infinitif (→ Martyriser, cit. 2).

DÉR. **Rageant, rageur.**

RAGEUR, EUSE [ʀaʒœʀ, øz] adj. — 1832; XVIe, *femme rageuse* «légère, folâtre»; de *rager.*

♦ **1.** (Personnes). Qui est sujet à des accès de rage, de colère, de dépit, de hargne, etc. ⇒ **Hargneux** (cit. 5). *Un garçonnet turbulent, rageur, autoritaire* (→ 2. Mollet, cit. 2). — En parlant d'un animal (→ Hurler, cit. 3).

1 Elles avaient l'acrimonie facile des filles, mais aussi le manque absolu de toute rancune, pareilles à ces pierrots rageurs bataillant sur les toits, du bec et de la griffe, pour une simple miette de pain (...) COURTELINE, le Train de 8 h 47, II, VII.

Par ext. Qui dénote, qui exprime la colère, la mauvaise humeur. *Regard, ton rageur. Voix rageuse* (→ Malédiction, cit. 5).

♦ **2.** (Déb. XXe). Violent, brutal comme la colère (sons). *Le bruit rageur d'une motocyclette, d'une arme automatique.*

2 Une mitrailleuse se mit à tirer par courtes rafales, rageuse et seule dans le silence plein de grattements. MALRAUX, l'Espoir, II, I, VII.

DÉR. **Rageusement.**

RAGEUSEMENT [ʀaʒøzmɑ̃] adv. — V. 1840; de *rageur.*

♦ Avec rage (1. Rage, 1.), avec hargne (→ Marmonner, cit. 3).

Nombre d'entre eux *(les symbolistes)* demeuraient ignorés du public, rageusement discutés par une fraction de l'élite instruite, rejetés par la littérature savante et universitaire. G. DUHAMEL, la Défense des lettres, II, I.

RAGLAN [ʀaglɑ̃] n. m. — V. 1855 (1858, la Bédollière); du nom de lord *Raglan,* chef de l'armée anglaise en Crimée.

♦ **1.** Vx. Manteau à pèlerine, à la mode au moment de la guerre de Crimée.

♦ **2.** Mod. (1904). Pardessus assez ample, avec des manches droites sans couture sur les épaules, et dont l'emmanchement remonte jusqu'à l'encolure. *Un raglan gris foncé.* — Adj. (1915). *Un pardessus raglan* (→ Descendre, cit. 29). *Des manches raglan.*

RAGONDIN [ʀagɔ̃dɛ̃] n. m. — 1867; écrit parfois aussi *rat gondin;* étym. obscure.

♦ **1.** Mammifère rongeur d'Amérique du Sud, animal à la fourrure estimée, de la taille d'un lapin, qui vit dans les marécages et les cours d'eau. ⇒ **Myopotame.**

♦ **2.** (1904, *in* Larousse). Fourrure de cet animal et de certains rongeurs d'Amérique tels que l'ondatra. *Le ragondin, fourrure de luxe. Un manteau de ragondin.*

1. RAGOT, OTE [ʀago, ɔt] n. m. et adj. — 1665; au sens de «cochon de lait» en 1392; selon Wartburg d'un rad. onomatopéique *rag-,* bas lat. *ragire* «pousser des cris, braire, grogner, etc.»; selon P. Guiraud, dér. du lat. *radere* «retrancher», par l'idée de «chose rognée, émoussée».

★ **I.** (1665). Jeune sanglier mâle âgé de plus de deux ans et de moins de trois ans, qui ne vit plus avec les bêtes de compagnie* (5.). — REM. En parlant d'une femelle, on dit *laie ragotée.*

★ **II.** (1680). Par anal. de forme. ♦ **1.** Vx, fam. Personne petite, courte et grosse. *Un petit ragot.* ⇒ **Ragotin** (vx). — Au fém. *Une ragot.* — Adj. *Un homme ragot. Une femme ragote.* ⇒ **Boulot** (mod.).

(...) le contraste d'un jeune corps dru, mal équarri et d'un séraphique visage qui faisait dire aux dames que Noémi d'Artiailh était jolie comme un tableau. Vierge de Raphaël qui eût été ragote (...) F. MAURIAC, le Baiser au lépreux, II, éd. L. de Poche, p. 32.

♦ **2.** Manège. Cheval de taille ramassée et à cou très court. — Adj. *Une jument ragote.*

DÉR. **Ragotin.** V. aussi 2. **Ragot.**

2. RAGOT [ʀago] n. m. — 1800, *ragote,* n. f.; «reproche insultant», XVe; «reproche», 1409; de *ragoter* «grogner comme un porc, un sanglier», d'où «quereller». → 1. Ragot.

♦ Bavardage, racontar (généralement malveillant). ⇒ **Cancan, médisance.** — REM. Le mot s'emploie rarement au singulier. — *Faire des ragots* (→ Loyer, cit. 3). *Démentir des ragots* (→ Galant, cit. 13). *Les ragots qui courent sur son compte. Des ragots d'office* (cit. 10).

Le café Faidherbe (...) bruissant vers l'heure du crépuscule de cent médisances, ragots et calomnies (...) CÉLINE, Voyage au bout de la nuit, p. 135.

DÉR. **Ragoter.**

RAGOTER [ʀagɔte] v. intr. — 1642, Oudin; de 1. *ragot.*

♦ Faire des ragots, des bavardages. *Il ragote sur vous.*

Il ragota sur des acteurs de cinéma en ponctuant chaque rosserie d'un vigoureux coup de tête en avant et en ajoutant : «Et toc!» R. SABATIER, Trois sucettes à la menthe, p. 176.

RAGOTIN [ʀagɔtɛ̃] n. m. — 1839; du nom d'un des personnages du *Roman comique* de Scarron (1651), lui-même formé sur 1. *Ragot,* II.

♦ Fam. et vx. Homme petit, contrefait. ⇒ **Difforme, nain;** (cf. fam. Mal foutu).

RAGOUGNASSE [ʀaguɲɑs] n. f. — 1881; de *ragoût,* et suff. péjoratif.

♦ Fam. Mauvais ragoût; mauvaise cuisine. ⇒ **Ratatouille.**

(...) nous déjeunions chez la mère Jacques, une épicière-aubergiste dont les ragougnasses n'étaient guère digérables que pour l'estomac imaginatif de Michel. 1
Francis JOURDAIN, Sans remords ni rancune, p. 169.

La soupe est servie au rez-de-chaussée par deux soubrettes armées de louches, 2
s'activant derrière deux galetouses géantes, soupe et ragoûgnasse *(sic)* surchargées les jours gras par un récipient genre dîner sur l'herbe où nagent à l'aise, dans une sauce aqueuse et pâle, les rations de barbaque ou de poiscaille. A. SARRAZIN, la Cavale, p. 52.

Variante : *Ragouillasse.*

Et ce n'était plus autour d'eux qu'une ragouillasse dégueulasse de débris organi- 3
ques (...) CÉLINE, Voyage au bout de la nuit, 1932, p. 382

RAGOÛT [ʀagu] n. m. — 1623, *ragoust;* de *ragoûter.*

♦ **1.** Vx. Assaisonnement, préparation, sauce qui relève le goût d'un mets, qui excite l'appétit. *«On y mange un peu de grosse viande sans ragoût»* (Fénelon, *Télémaque,* 5).

♦ **2.** (Mil. XVIIe : 1660, Corneille). Fig. (vx ou littér.). Ce qui donne du piquant à qqn ou qqch.; ce qui excite le désir, ce qui réveille l'intérêt, l'attention (→ Aiguillette, cit. 1; piment, cit. 3). *Le ragoût de la nouveauté.* ⇒ **Attrait.**

(...) elle sait trop bien aussi ce qu'un juste retard donne de vivacité au désir, et le 1
ragoût qu'une demi-résistance ajoute au plaisir, pour se livrer à vous tout d'abord, si vif que soit le goût que vous lui ayez inspiré. Th. GAUTIER, Mlle de Maupin, III.

♦ **3.** (1665). Mod. Mets composés de morceaux de viande, de poisson ou de légumes cuits ensemble avec une sauce plus ou moins relevée. ⇒ 2. **Blanquette, bourguignon, brussoles, capilotade** (vx), **cassoulet, chipolata, civet, compote** (1., vx), **galimafrée** (vx), **haricot** (1.), **hochepot, miroton, navarin, olla-podrida** (vx), **rata, ratatouille** (fam.), **salmigondis, salmis, salpicon** (→ aussi Bouillabaisse, bourride, matelote, oille, potage (2., vx), pot-pourri (vx). *Mauvais ragoût.* ⇒ **Ragougnasse.** *Viande en ragoût.* ⇒ **Fricot** (fam.). — REM. Dans le langage courant, *ragoût* ne se dit guère qu'en parlant d'un mets composé de morceaux, généralement assez petits, de viande de boucherie (bœuf, mouton, porc...) cuits avec des légumes (surtout des pommes de terre ou des haricots). *Ragoût de mouton* (→ Poêlon, cit. 1).

(...) elle lui proposa de prendre part à son souper qui consistait en un ragoût de 2
mouton aux pommes de terre. BALZAC, l'Initié, Pl., t. VII, p. 406.

Lise, le nez dans un ragoût de veau aux carottes, et qui avait chargé sa sœur de 3
surveiller une épinée de cochon à la broche, voulut empêcher celle-ci d'obéir. ZOLA, la Terre, III, VI.

Au Canada. *Ragoût de boulettes; ragoût de pattes* (de cochon) : pieds* de porc. *«Un cochon de lait, un ragoût de pattes et une demi-douzaine de petites tourtières»* (Anne Hébert).

♦ **4.** (1767, Diderot) Peint. Facture grasse, savoureuse et expressive.

DÉR. **Ragougnasse.**

RAGOÛTANT, ANTE [ʀagutɑ̃, ɑ̃t] adj. — 1672; de *ragoûter.*

♦ **1.** Qui flatte le goût, excite l'appétit. ⇒ **Appétissant.** *Mets ragoûtant.*

♦ **2.** Qui a de l'attrait, qui plaît, ⇒ **Agréable.**

1 (...) voilà maintenant que vous vous lavez les pieds ici! Est-ce que vous perdez la tête? Vous ne pouviez pas choisir un autre endroit pour y aller faire vos ordures? — Mes ordures! dit Soupe; mes ordures! — Oui, vos ordures! c'est ragoûtant, peut-être, ce que vous faites-là! (...)
COURTELINE, Messieurs les ronds-de-cuir, 4e tableau, I.

REM. *Ragoûtant* ne s'emploie guère que dans des tours négatifs ou par antiphrase, du fait de la fréquence de *dégoûtant*. L'exemple de Mirbeau est archaïque :

2 Très droit, très vif, très ragoûtant, ma foi! il sautillait, en marchant, comme une petite sauterelle dans les prairies.
O. MIRBEAU, le Journal d'une femme de chambre, p. 16.

CONTR. Dégoûtant.

RAGOÛTER [ʀagute] v. tr. — XIIIe; de *re-*, *a-* (lat. *ad*) et *goût*.

♦ **1.** Vx. Redonner de l'appétit à (qqn). *« Il a perdu l'appétit, il faut le ragoûter »* (Académie). — Fig. *« Il est difficile de ragoûter les gens blasés »* (Littré).

♦ **2.** (Par oppos. à *dégoûter*). Rare. Plaire à quelqu'un flatter son goût.

Le métier d'argousin ne me ragoûte pas; je ne tiens pas à pourvoir la potence de gibier.
TH. GAUTIER, le Capiaine Fracasse, IV.

DÉR. Ragoût, ragoûtant.

RAGRAFER [ʀagʀafe] v. tr. — 1680; de *re-*, et *agrafer*.

♦ Agrafer de nouveau. *Ragrafer sa ceinture, sa robe.*

RAGRÉAGE [ʀagʀeaʒ] n. m. ⇒ **Ragrément.**

RAGRÉER [ʀagʀee] v. tr. — 1554; de *re-*, et anc. franç. *agréer* (2.). → Gréer.

♦ **1.** Techn. Terminer (une construction), polir les parements de (une paroi, un mur...). *Ragréer une maison.* — Remettre à neuf (un édifice, une façade). ⇒ **Ravaler.** — Techn. Polir (un ouvrage de menuiserie, de serrurerie).

♦ **2.** Arbor. Égaliser au moyen d'un outil tranchant (serpette, etc.) la surface de. (En particulier, en taillant les moignons des branches ou des rameaux sciés.) *Ragréer une branche, un arbre.* — On dit aussi *parer.*

♦ **3.** (1832, Balzac) Régional. Rajuster (un vêtement).

▶ **SE RAGRÉER.** v. pron.

Mar. Vx. Remettre en état son gréement. *Se ragréer après une tempête. — Se ragréer de... :* réparer (telle partie du gréement). *Se ragréer du mât de misaine.*

DÉR. Ragréeur, ragrément.

RAGRÉEUR [ʀagʀeœʀ] n. m. — Mil. XXe; de *ragréer.*

♦ Techn. Ouvrier qui ajuste des éléments, en orfèvrerie. — Maçon qui ragrée (1.). Appos. *Maçon ragréeur.*

RAGRÉMENT [ʀagʀemɑ̃] ou **RAGRÉAGE** [ʀagʀeaʒ] n. m. — 1762, *ragrément*; de *ragréer.*

♦ Techn. Opération qui consiste à ragréer* un ouvrage. *Ragrément d'une façade.* ⇒ **Ravalement.** — On a écrit *ragréement.*

RAGTIME ou (vieilli) **RAG-TIME** [ʀagtajm] n. m. — 1913, cit.; mot amér. (1897), de *rag* « chiffon » et *time* « temps ».

♦ **1.** Vx. Jazz de style ancien (tel qu'il était joué, notamment, à la Nouvelle-Orléans au début du XXe siècle).

1 Au coucher du soleil, il se forma un grand cortège précédé des musiques jouant le rag-time.
APOLLINAIRE, la Vie anecdotique, *in* Mercure de France, 1er avr. 1913, p. 639 (*in* HÖFLER).

Morceau de cette musique.

2 *(Il écoutait)* debout contre la porte fermée, un rag-time enivrant qu'on jouait chez les gens du monde. ARAGON, Anicet, IV, p. 77.

♦ **2.** Mod. Musique de piano née du ragtime (au sens 1), et caractérisée d'une part par une forme mélodique et harmonique plus ou moins fixée (de deux à quatre thèmes, le plus souvent de seize mesures chacun, séparés ou non par une transition de quatre mesures), et d'autre part par une technique pianistique particulière (main gauche marquant régulièrement les quatre temps de la mesure, à raison d'une basse sur les temps forts et d'un accord dans un registre plus élevé sur les temps faibles). *Les grands compositeurs de ragtime* (James P. Johnson, Jelly Roll Morton, Scott Joplin). — Morceau de cette musique. *De nombreux ragtimes ont été composés pour le piano mécanique.*

(1914). Abrév. *Rag* [ʀag]. *« Passer de la ballade au swing, du rag au rock... »* (*l'Express*, 19 mai 1979, p. 7).

RAGUER [ʀage] v. — 1682; néerl. *ragen* « brosser ».

♦ **1.** V. tr. User*, déchirer par l'effet du frottement. — Pron. *Se raguer.* — P. p. adj. *Un câble ragué.*

♦ **2.** V. intr. Être frotté contre..., se déchirer ou s'user par le frottement. *Cordage qui rague. Navire dont la quille rague sur un haut-fond.*

RAGUSAIN, AINE [ʀagyzɛ̃, ɛn] adj. et n. — 1875, P. Larousse; de *Raguse*, bas lat. *Ragusa.*

♦ Hist. De Raguse, ville de l'Adriatique (aujourd'hui Dubrovnik).

RAGUSER [ʀagyze] v. intr. — V. 1840, Balzac; du nom du duc de *Raguse*, maréchal de France, qui fut accusé de trahison en 1814.

♦ Vx (mot employé entre 1815 et 1848). Trahir (d'où le dér. *ragusade* [ʀagyzad] n. f., *in* Balzac).

RAHAT-LOUKOUM [ʀaatlukum], cour. [ʀatlukum] n. m. — 1853; arabe *rāhătū-l-hūlqūm* « le repos de la gorge ». → Racahout.

♦ Confiserie orientale faite d'une pâte aromatisée, recouverte d'une fine poudre de sucre. — REM. On dit plus souvent *lokoum* et surtout *loukoum. Des loukoums aux amandes, aux pistaches.*

(...) les *cafedjis* encombraient la voie publique de leurs petites tables toujours garnies, et ne suffisaient plus à servir les narguilés, les skiros, le lokoum et le raki. 1
LOTI, Aziyadé, I, XVI.

Elle posait sa main sur ma tête enfantine 2
me donnait des loukoums poudrés comme ses doigts
ARAGON, le Roman inachevé, p. 35.

Mme Darbédat tenait un rahat-loukoum entre ses doigts. Elle l'approcha de ses lèvres avec précaution et retint sa respiration de peur que ne s'envolât à son souffle la fine poussière de sucre dont il était saupoudré : « Il est à la rose », se dit-elle. Elle mordit brusquement dans cette chair vitreuse, et un parfum de croupi lui emplit la bouche. 3
SARTRE, le Mur, La chambre, éd. L. de Poche, p. 39.

RAHBA [ʀaba] n. f. — Attesté mil. XXe; mot arabe *rahba* « remplacement ».

♦ Cercle au milieu duquel doivent se tenir des lutteurs, au Maghreb. — Combat de lutte.

RAI ou (rare) **RAIS** [ʀɛ] n. m. — 1138; du lat. *radius* « rayon ».

★ **I.** Vx ou poét. Rayon de lumière. *Les rais du soleil, de la lune.*
REM. 1. L'orthographe *rais* (pour *rai*) n'est pas justifiée au singulier, elle est néanmoins très fréquente. *Un rais de soleil* (→ Illuminé, cit. 5), *de lumière* (cit. 4; → aussi Éclairage, cit. 4).

2. Le mot *rai*, vieux et poétique, a été repris dans la prose littéraire contemporaine où l'on s'en sert surtout en parlant d'un faisceau lumineux qui se détache sur un fond plus ou moins sombre (→ Perspective, cit. 3; phare, cit. 5); dans ce sens le mot *raie* est parfois employé pour *rai.* ⇒ **Raie** (1.).

(...) ce furtif papillon, éclos d'un rai de la lune ou d'une goutte de rosée. 1
Aloysius BERTRAND, Gaspard de la nuit, Le nain.

Un rai de soleil fuse des volets mi-clos, fait fulgurer sur la cheminée le cadre d'une photographie chère à Félicité (...) 2
F. MAURIAC, Génitrix, VII.

De longs rais de soleil traversaient la futaie, coulaient sur les troncs pâles verdis de lichens froids, allumaient en rasant, aux bosses soulevées par les racines, des plaques de mousses velouteuses. 3
M. GENEVOIX, Raboliot, IV, I.

Qu'est-ce que ton père aurait dit, s'il avait vu la lumière chez toi à cette heure, par le rai sous la porte? 4
MONTHERLANT, les Lépreuses, II, XVI.

★ **II.** ♦ **1.** (1681) Blason. Chacun des rayons qui partent du centre de l'escarboucle*; chacune des pointes d'une étoile. *D'azur à une étoile à huit rais d'or.*

♦ **2.** (XIIe). Techn. Rayon (d'une roue en bois). → Porc, cit. 3. *Placer les rais dans les mortaises du moyeu* et des jantes*.* ⇒ 2. **Enrayer; enrayage.**

♦ **3.** (1676). Archit. *Rai de cœur :* ornement d'une moulure* formé de feuilles aiguës en forme de cœur qui alternent avec des fers de lance.

HOM. 1. **Raie,** 2. **raie, rets.**
COMP. et **DÉR.** 2. **Enrayer, rayon** (de lumière).

RAÏA ou **RAYA** [ʀaja] n. m. — XVIIIe, Lebrun; m. turc; arabe *răεĭyyăh* « troupeau » puis « peuple ».

♦ Hist. Dans l'ancien empire ottoman, terme de mépris dont les Turcs se servaient pour désigner leurs sujets non musulmans. *Les raïas étaient soumis à de lourdes redevances.* → Roumi.

RAID [ʀɛd] n. m. — 1864; var. écossaise de l'anc. angl. *rad*, de nos jours *road* « route ».

♦ **1.** Opération de reconnaissance exécutée par un groupe de cavaliers s'avançant très loin en territoire ennemi. — Par ext. Opération, menée généralement avec des troupes peu nombreuses, qui vise à atteindre un point éloigné plutôt qu'à occuper le terrain. *Raid opéré par un commando.* ⇒ **Commando, coup** (de main). *Raid de blindés* (→ Pointe, III., 1.). — *Les raids des anciens Normands sur les côtes d'Europe.* ⇒ **Descente** (1., *supra* cit. 6), **expédition.** *Raid de nomades pillards.* ⇒ **Incursion, razzia.**

(1915; Nansouty, *in* D.D.L.). Attaque aérienne contre un objectif éloigné.

C'était l'époque où il y avait continuellement des raids de gothas (...)
PROUST, À la recherche du temps perdu, t. XIV, p. 102.

♦ **2.** (1904; 1885, *raid vélocipédique* dans l'armée, *in* G. Petiot). Épreuve collective ou randonnée individuelle destinée à mettre en valeur la résistance ou le rayon d'action du matériel (avion, automobile...) ainsi que l'endurance des hommes. *Raid aérien autour du monde. Raid automobile à travers l'Afrique.* ⇒ **Rallye.**

HOM. Raide.

1. RAIDE [Rɛd] adj. — V. 1190; *roide,* v. 1160; forme fém. de l'adj. *reit, roit* (au fém. *reide, roide, raide*), fin XIe-déb. XIIe; lat. *rigidus,* de *rigere* « être dur, et fig., insensible ». → Rigide.

REM. Les graphies sont hésitantes avant la période classique, où l'on écrit *roide, roidement, roideur, roidir. Raide* devient usuel aux XVIIIe-XIXe s., mais *roide* subsiste, encore de nos jours, surtout en tant que survivance graphique : la prononciation [Rwad] semble inconnue en français central. — La survivance de *roide* n'affecte que les usages anciens, (notamment I., 1., 2. et 4.; II., 1. et 2.). Dans l'usage écrit, notamment littéraire, *roide,* en tant que forme marquée, peut avoir une valeur intensive, stylistique.

★ **I.** (Concret). ♦ **1.** Qui ne se laisse pas plier, qui manque de souplesse. ⇒ **Rigide.** — REM. À la différence de *rigide,* mot du langage technique ou savant, *raide* appartient uniquement au vocabulaire courant. *Caractère de ce qui est raide.* ⇒ **Raideur.** *Devenir raide.* ⇒ **Raidir** (se). *Faire cesser d'être raide.* ⇒ **Déraidir.** *Avoir les jambes raides.* ⇒ **Ankylosé, engourdi** (→ Fatigue, cit. 10).

1 Elle *(ma vieille robe de chambre)* moulait tous les plis de mon corps sans le gêner; j'étais pittoresque et beau. L'autre, raide, empesée, me mannequine.
DIDEROT, Regrets sur ma vieille robe de chambre.

Sous la forme *roide.* → 1. Livre, cit. 7. *Des manchettes roides d'empois* (cit.; → aussi Calotte, cit. 3).

Cheveux raides, qui ne frisent pas, qui sont difficiles à coiffer. ⇒ aussi **Hérissé** (→ Indéterminable, cit. 2; permanent, cit. 6). — *Poils raides* (→ Friser, cit. 8; fuser, cit. 7).

Qui suggère l'idée de rigidité, de sécheresse, par des lignes droites, des angles vifs; qui manque de moelleux. *Un beau coupé* (cit. 3) *aux longues lignes raides.* — (Beaux-arts). *Contours, draperies raides.*

2 Parmi ces lignes, il y avait des dessins raides, rêches et secs, tracés comme à l'équerre, qui se repliaient avec des angles pointus, comme le coude d'une femme maigre. Il y en avait d'onduleux, qui se tortillaient comme des fumées de cigares.
R. ROLLAND, Jean-Christophe, Foire sur la place, I, p. 688.

♦ **2.** (V. 1220; personnes). Qui se tient droit et ferme sans se plier, sans se courber. ⇒ 1. **Droit** (I., 1.), 1. **ferme** (I., 2.). *Être raide comme un échalas, comme un mannequin, comme un pieu* (→ Galvanisme, cit.), *comme un piquet* (1. Piquet, cit. 3). — *La tête raide sur son grand col* (→ Gourmé, cit. 4).

3 Deux longues jambes raides tendues de chaque côté d'un âne minuscule, des cheveux verticaux sortant comme un blaireau d'un bandage arrivèrent sur le ciel : le second pilote, Langlois.
MALRAUX, l'Espoir, III, III.

Sous la forme *roide* [Rwad]. *Le cou roide.* → Calumet, cit. 3.

♦ **3.** Qui est tendu* au maximum. *Câble, corde raide.* — Fig. *Être sur la corde raide.* ⇒ **Corde** (I., 4.).

♦ **4.** (V. 1175). Vx. Qui se déplace avec un mouvement rapide, violent, selon une trajectoire tendue. — REM. Cet emploi ancien est attesté sous la forme *roide.*

♦ **5.** (XIIIe). Qui est très incliné par rapport au plan horizontal, qui est difficile à gravir ou à descendre. ⇒ **Abrupt.** *Pente raide* (→ Bâton, cit. 7; couler, cit. 21; établissement, cit. 8). *Chemin raide.* ⇒ **Ardu** (1.), **difficile, escarpé.** *Petit sentier raide.* ⇒ **Raidillon.** *Escalier raide* (→ Logement, cit. 6).

Sous la forme *roide :*

4 Les rues fort roides *(de Saint-Pierre-Port)* sont montées et descendues au galop par les excellents attelages anglo-normands.
HUGO, l'Archipel de la Manche, VIII.

♦ **6.** Fam. et vx. (Mil. XIXe; de l'idée de vigueur). Remarquable, très réussi.

4.1 — Tiens, il y a longtemps qu'on ne vous a vu! Où diable étiez-vous donc? parti en voyage, en Italie? Poncif, hein, l'Italie? pas si raide qu'on dit? N'importe! apportez-moi vos esquisses, un de ces jours?
FLAUBERT, l'Éducation sentimentale, II, I.

★ **II.** (Abstrait). ♦ **1.** (XVIIIe). Littér. Qui manque de grâce, d'abandon, de spontanéité. *Air, attitude, maintien raide* ⇒ **Affecté, austère, compassé, empesé, empoté, engoncé, gourmé, grave, guindé.** *Un style raide et compassé.*

Sous la forme *roide. Pièce de théâtre dans le genre roide, rude, tendu et emphatique* (cit. 2). *Barcelone à un air un peu guindé* (cit. 15) *et un peu roide.*

(...) un homme roide et sévère, habillé de noir de la tête aux pieds, me retint par le bras avec un mélange de politesse et d'autorité. Je le saluai; il me répondit d'une faible inclinaison de tête, et reprit sa pose inflexible en cillant un œil solennel (...) 5
Charles NODIER, Contes, « La fée aux miettes », Conclusion.

♦ **2.** (Fin XIIe). Vieilli. Qui se refuse aux concessions, aux compromissions, aux ménagements. ⇒ **Inflexible, rigide, rigoureux.** *« Ces âmes vigoureuses et raides de l'antiquité »* (Fontenelle). *Il est raide comme une barre de fer.* → Barre (*supra* cit. 2). — *Sa manière de commander était raide, cassante.* ⇒ **Autoritaire, brusque.** — *Une morale souple et une morale raide* (→ Astreignant, cit.). Fam. *Raide comme la justice.*

(...) c'est fausser la couleur des faits que d'appliquer une théorie raide et inflexible à l'homme des différentes époques. Ce qui est universel, ce sont les grandes divisions et les grands besoins de la nature (...) 6
RENAN, l'Avenir de la science, Œ. compl., t. III, p. 868.

Sous la forme *roide.*

(...) dans l'église la plus roide en discipline, il y a peut-être plus de place pour la foi des démocrates que dans le moi le plus libre. 7
André SUARÈS, Trois hommes, « Ibsen », VII.

♦ **3.** (Mil. XIXe). Fam. Dur à supporter, à accepter, à croire. ⇒ **Fort** (*supra* cit. 32). *« C'est possible; mais comme dit l'autre, c'est raide »* (→ Intact, cit. 4). — Ellipt. *Elle est raide, celle-là! Je la trouve raide* (→ 1. Plante, cit. 1). — Spécialt. ⇒ **Licencieux.** *Il y a dans ce roman des passages assez raides. Plaisanterie, histoire raide.*

— Dévoué! Assidu!... Qui donc? C'est pour Lahrier que vous dites ça? — Dame! 8
— Ah bien, elle est un peu raide!... Un employé qui ne vient jamais!
COURTELINE, Messieurs les ronds-de-cuir, 4e tableau, III.

(...) une jeune femme d'allures faciles, avec laquelle il échangeait des propos assez raides. 9
Paul LÉAUTAUD, le Théâtre M. Boissard, IV.

Elle est raide, celle-là! Vous accusez Maurice d'avoir tué Briguar! (...) 9.1
H.-G. CLOUZOT et J. FERRY, Quai des Orfèvres, *in* l'Avant-scène, p. 31.

Fam. (En parlant d'une boisson). Qui est à la fois riche en alcool, sec et âpre au goût. *Une eau-de-vie très raide.* — N. m. *Du raide :* une boisson d'un degré élevé en alcool. — N. m. pl. *En faire des raides* (des actions, des tours, des fredaines). *Il en a fait des raides.*

C'est vrai que le père n'est pas fâché. En rentrant, il dit à Claudius, sévèrement : Alors, t'en fais des raides, paraît ben, sacré trousse-filles! 9.2
G. CHEVALLIER, Clochemerle, p. 88.

♦ **4.** (1880). Fam. Qui est sans argent. *Raide comme un passe-lacet* (⇒ **Passe-lacet**).

♦ **5.** Fam. (Peut-être, comme le sens suivant, par allusion à une personne *raide morte,* allongée sans mouvement). Complètement ivre. *Il supporte mal l'alcool, deux apéritifs et il est raide.*

♦ **6.** Argot milit. *Soldat qui se fait porter raide* (→ Se faire porter malade*).

★ **III.** Adv. ♦ **1.** (1559; *roit,* XIIIe). Brusquement, vivement, violemment, sèchement. *Frapper raide. Renvoyer la balle raide. Des cartouches à pleine charge dont la poudre* (cit. 15) *claque raide.* Selon un angle aigu, sous une forte inclinaison, etc. *Escalier, sentier qui grimpe raide* (→ ci-dessus, I., 5.).

Fam. (même valeur que *corde raide*). *Pisser raide.*

Fig. *Parler raide,* brutalement, durement. ⇒ **Raidement.** Fam. *Raide comme balle :* sans hésitation, ni ménagement.

♦ **2.** Fam. et vieilli. Dur.

(...) je vais me mettre à piocher *(travailler)* raide et j'espère en un mois avoir fini mon examen (...) 10
FLAUBERT, Correspondance, 68, 12 nov. 1842.

♦ **3.** (XVe). *Tuer quelqu'un raide, l'étendre raide mort :* le tuer tout d'un coup. *« Raide mort étendu sur la place il le couche »* (→ Archer, cit. 2, La Fontaine). *Tomber raide mort* (→ Peur, cit. 1). — REM. Dans la locution *raide mort, raide* s'accorde comme un adjectif. *Elles sont tombées raides mortes.*

Sous la forme *roide :*

Emma poussa un cri et tomba roide par terre, à la renverse. 11
FLAUBERT, Mme Bovary, II, XIII.

CONTR. Élastique, flasque, flexible, moelleux, mou, onduleux, souple. — Frisé. — Bossu, courbé. — Enjoué.
DÉR. Raidement ou **roidement, raideur, raidillon.**
HOM. Raid.

2. RAIDE [Rɛd] n. m. — 1926; « faux rouleau de pièces d'or », 1840; de l'adj. *raide.*

♦ Argot. Billet, somme de dix francs. ⇒ **Sac.** *« J'avais un peu plus de deux cents raides sur moi »* (A. Simonin, *Touchez pas au grisbi,* p. 188). *Mille raides.* ⇒ **Brique.** — Syn. et dér. : *raidillard* [Rɛdijar] n. m.

Passer bécif *(vite)* à la banque faire virer deux cents raidillards au compte de Max, lequel a toute sa fraîche *(argent)* dans un coffiot *(coffre)* mais en briques de jonc *(or)* d'un kilo. Albert SIMONIN, Hotu soit qui mal y pense, p. 228.

RAI-DE-CŒUR [ʀɛd(ə)kœʀ] n. m. ⇒ **Rai** (II., 3.).

RAIDEMENT [ʀɛdmɑ̃] adv. — 1175; de 1. *raide.*

♦ Au propre et surtout au fig. D'une manière raide*, énergique, sèche. ⇒ 1. **Raide** (III., 1.). *Répondre raidement.*

Conan, qu'il a salué aussi raidement que faire se peut, l'observe (...) Roger VERCEL, Capitaine Conan, XII, p. 192.

Var. (vx, plus rare que pour l'adj.) : *roidement* [ʀwadmɑ̃].

RAIDEUR [ʀɛdœʀ] n. f. — V. 1320; *reddur,* puis *roidor,* XIIe; de *raide.* → 1. Raide.

État, caractère (d'une chose ou d'une personne) raide.

REM. La forme archaïque *roideur* est moins attestée en français mod. (XIXe-XXe) que *roide* (→ ci-dessous, cit. 1.).

♦ **1.** (Concret). État de ce qui est raide ou raidi. ⇒ 1. **Raide** (I., 1., REM. et 2.). *Raideur cadavérique.* ⇒ **Rigidité.** *Raideur des membres.* ⇒ **Ankylose, engourdissement.** *Raideur convulsive des muscles.* ⇒ **Tension** (→ 2., Contracter, cit. 3). *Empois qui donne de la raideur au linge* (→ Empesage).

1 Agostin se courba, parut fouiller au fond de la fosse, se redressa tenant entre les bras une forme humaine d'une roideur cadavérique, qu'il jeta sans cérémonie sur le bord du trou. Th. GAUTIER, le Capitaine Fracasse, IV.

2 Son accident lui avait laissé au genou droit une raideur qui, certains jours, le faisait boiter légèrement. MARTIN DU GARD, les Thibault, t. V, p. 35.

Raideur des draperies, des contours dans une œuvre plastique. La ligne droite dans sa raideur et sa pureté (→ Perpendiculaire, cit. 2).

3 (...) lentement, les couples avançaient, le menton levé, les paupières battantes, entre les colosses de pierre, les dieux de marbre noir muets dans leur raideur hiératique, les bêtes monstrueuses (...) ZOLA, l'Assommoir, III, t. I, p. 94.

Vx. *Lancer un projectile avec raideur.* ⇒ 1. **Raide** (I., 4.); → Ours, cit. 4.

Raideur d'un escalier, d'une montée, d'une pente. ⇒ 1. **Raide** (I., 5.).

♦ **2.** (XIIIe). Fig. Caractère de ce qui est rigide, compassé. *Raideur de l'attitude.* ⇒ 1. **Raide** (II., 1.). *Raideur empesée* (cit. 4), *vaniteuse et infatuée* (cit. 6), *solennelle.* ⇒ **Affectation, austérité, gravité.** — En parlant d'un ouvrage de l'esprit (→ Maigreur, cit. 7). *Raideur du style.* — En parlant des mœurs, de l'esprit, etc. ⇒ 1. **Raide** (II., 2.). « *Cette grande roideur des vertus des vieux âges* » (cit. 64, Molière). ⇒ **Rigueur.** *Raideur dogmatique. Raideur de l'esprit* (→ Indécision, cit. 4), *des principes.* ⇒ **Rigidité** (fig.). — Vx. ⇒ **Fermeté, ténacité.**

4 Mettez le théoricien le plus décidé à la barre d'un navire : quelle que soit la raideur de ses principes ou de ses préjugés, jamais, s'il n'est aveugle ou contraint par des aveugles, il ne s'obstinera à gouverner toujours à gauche ou toujours à droite.
TAINE, les Origines de la France contemporaine, t. I, III, p. 206.

5 Le caractère d'Alceste est celui d'un parfait honnête homme. Mais il est insociable, et par là même comique. Un vice souple serait moins facile à ridiculiser qu'une vertu inflexible. C'est la *raideur* qui est suspecte à la société. C'est donc la raideur d'Alceste qui nous fait rire, quoique cette raideur soit ici honnêteté.
H. BERGSON, le Rire, p. 105.

CONTR. Flexibilité, mollesse, souplesse. — Courbure. — Abandon, enjouement, familiarité, liberté.

RAIDILLON [ʀɛdijɔ̃] n. m. — 1762; *roidillon,* encore chez Littré, est vieux; de 1. *raide.*

♦ **1.** Partie d'un chemin, d'une route, qui est en pente rapide, mais sur une faible longueur. ⇒ aussi **Côte** (*supra* cit. 9), **montée** (3.).

♦ **2.** Petit chemin, sentier, raccourci, ruelle qui escalade une pente raide* (I., 5.). *Gravir un raidillon.*

1 (...) il se décidait à prendre une ruelle escarpée, un raidillon qui menait devant l'église, lorsque la vue d'un vieux paysan l'arrêta. ZOLA, la Terre, I, IV.

2 Passé la rue Montholon, en effet, la pente de la rue Rochechouart se relevait vivement. Les deux raidillons les plus traîtres se trouvaient de part et d'autre du carrefour Condorcet. Et chaque raidillon était précédé d'une halte, qui coupait l'élan de la voiture.
J. ROMAINS, les Hommes de bonne volonté, t. I, XXII, p. 260.

RAIDIR [ʀɛdiʀ; ʀediʀ] v. tr. — XIIIe; de *raide.* → 1. Raide (REM.).

REM. La var. ancienne *roidir* est très littéraire dans l'usage moderne. → cit. 3, 4, 5.

♦ **1.** Faire devenir raide* (I.); maintenir droit; tendre énergiquement (surtout passif et p. p.). *Corps raidi par le froid.* ⇒ **Figer.** *Être raidi de courbatures* (→ Éloigner, cit. 12). *Tissu, vêtement raidi de boue, de plâtre...* (→ aussi Grimpant, cit. 4; kaki, cit. 1). — *Raidir ses muscles.* ⇒ aussi **Bander, contracter.** — *Raidir un cordage.* ⇒ **Souquer, tendre, tirer.** *Raidir une écoute* (→ Étarquer, cit.). *Raidir un fil de fer avec un raidisseur*.*

1 Tout à coup il aperçut la longue chaîne que l'on tirait pour manœuvrer la bascule de la porte. D'un bond il s'y cramponna, en roidissant ses bras, en s'arc-boutant des pieds; et, à la fin, les battants énormes s'entr'ouvrirent.
FLAUBERT, Salammbô, V.

Sous la caresse fraîche du parfum, Mrs Hockley avait raidi et cambré tout son corps, et les pointes de ses seins tendaient le surah transparent. 2
Claude FARRÈRE, la Bataille, XIV.

♦ **2.** Fig. *Raidir son âme contre les coups du sort.* ⇒ **Affermir** (→ Tenir ferme*; fermeté d'âme).

♦ **3.** Intrans. Devenir raide. « *Le linge mouillé raidit par la gelée* » (Académie).

▶ **SE RAIDIR** v. pron. (Mil. XVIe). *Les membres se raidissent par l'effet de l'immobilité.* ⇒ **Ankyloser** (s'). — *Ses mucles se raidirent dans un dernier effort.* ⇒ aussi **Bander** (se).

Il se dressa, se roidit, bandant tous ses muscles pour ne pas perdre une ligne de sa taille. G. DUHAMEL, Chronique des Pasquier, V, II. 3

Fig. Tendre ses forces pour résister. *Se raidir contre l'adversité* (cit. 5). *Si vous le heurtez de front, il va se raidir.* ⇒ **Hérisser** (se).

C'en est fait! pourquoi se roidir davantage et résister 4
Contre l'évidence de ta joie et contre la véhémence de ce souffle céleste? il faut céder! CLAUDEL, Cinq grandes odes, p. 116.

▶ **RAIDI, IE** p. p. adj.

Et il regardait avec une curiosité pleine d'effroi ce vieux prêtre à l'ordinaire si courtois, tout à coup roidi, imperturbable, le regard si dur. 5
BERNANOS, Sous le soleil de Satan, I, II.

CONTR. Amollir, assouplir, décontracter, déraidir. — Courber, fléchir. — Alanguir, attendrir, avachir, aveulir. — Abandonner (s'), **alanguir** (s'), **détendre** (se), **mollir, relâcher** (se).

COMP. et **DÉR. Déraidir, raidissage, raidissement** ou **roidissement, raidisseur.**

RAIDISSAGE [ʀɛdisaʒ; ʀedisaʒ] n. m. — 1876, *in* Littré, *Suppl.*; de *raidir.*

♦ Techn. Opération qui consiste à raidir.

RAIDISSEMENT [ʀɛdismɑ̃; ʀedismɑ̃] n. m. — 1547; pour les formes *rai-, roidissement.* → 1. Raide; de *raidir.*

♦ **1.** État de ce qui est raidi. *Raidissement des muscles.* ⇒ **Contraction.**

♦ **2.** Fig. et par métaphore. Fait de perdre sa souplesse, de se durcir moralement. *Le raidissement du syndicat sur ses positions.*

Ceux de la génération de mon grand-père gardaient vivant encore le souvenir des persécutions qui avaient martelé leurs aïeux, ou du moins certaine tradition de résistance; un grand raidissement intérieur leur restait de ce qu'on avait voulu les plier. GIDE, Si le grain ne meurt, I, II, p. 45.

CONTR. Alanguissement, amollissement, assouplissement, courbure, relâchement.

RAIDISSEUR [ʀɛdisœʀ; ʀedisœʀ] n. m. — 1873, *roidisseur,* forme inusitée de nos jours; de *raidir.*

Technique.

♦ **1.** Appareil, dispositif qui sert à raidir un fil de fer et à le maintenir tendu (dans une clôture, un espalier, etc.). ⇒ **Tendeur.**

♦ **2.** Pièce fixée à une structure mince (plaque, panneau, table, etc.) destinée à la raidir, à diminuer sa flexion. « *Une tôle soudée sur montants verticaux et raidisseurs horizontaux* » (*la Vie du rail,* 25 janv. 1976, p. 4).

1. RAIE [ʀɛ] n. f. — XIIe, *roie;* bas lat. *riga,* VIe; d'un gaulois *rica,* restitué d'après le gallois *rhych,* et l'anc. breton *rec,* irlandais *rech* « sillon ».

♦ **1.** Sillon tracé par la charrue (→ Enrayure, cit.). « *Plaines où les sillons croisent leurs mille raies* » (→ Ocre, cit. 2). *Les perdrix* (cit. 2) *qui piètent par une raie.* — Au plur. Bandes de terre parallèles faites par les labours (entre les sillons).

Raies d'écoulement, pour l'évacuation des eaux superficielles.

♦ **2.** Séparation entre les cheveux, qui marque une ligne où le cuir chevelu est apparent. ⇒ **Cheveu** (cit. 24). → Milieu, cit. 1; natter, cit. 1. *Perruque avec une raie de chair factice* (→ Incroyable, cit. 10). *Porter la raie au milieu, sur le côté, à gauche...*

(...) une raie soignée ouvrait sa chevelure en deux parties égales, juste au milieu du crâne. MAUPASSANT, Bel-Ami, I, I. 1

♦ **3.** (V. 1175). Ligne droite ou bande mince et longue sur quelque chose. [a] *Murailles où le joint* (cit. 1) *des briques est marqué par de fines raies blanches. Marquer de raies.* ⇒ **Ligner** (1.), **rayer.**

Spécialt. Ligne tracée en entamant une surface. ⇒ **Entaille** (1.), **rayure** (→ Gélatine, cit.).

Ligne tracée avec une plume, un crayon. ⇒ **Trait.** *Faire, tracer une raie sur...* ⇒ **Raturer; radiation.** *Raies parallèles.* ⇒ **Hachure.**

Bande ou ligne de couleur différente de celle du fond (dans un tissu, un papier...). ⇒ 1. **Bande** (2.). *Maillot* (cit. 6) *blanc à raies bleues. Raie formant bordure, lisière.* ⇒ **Liseré, liteau** (2.). *Tissu* *à raies.* ⇒ **Rayé** (→ Limousine, cit. 1). *Pantalon à raies* (→ Populariser, cit. 1). *Indienne* (cit. 3) *à mille raies.* ⇒ **Mille-raies.**

b Ligne ou bande naturelle (sur la peau. ⇒ **Ride, vergeture;** sur le pelage, le plumage d'un animal. ⇒ **Bande, zébrure**). *Oiseau dont la queue est marquée de raies blanches* (→ Hoazin, cit.).

Spécialt (XIIIe). *La raie du dos* (→ Lentille, cit. 3). — *La raie des fesses, du cul.* Absolt (dans des loc. argotiques). *La raie. Je lui pisse à la raie.*

Vétér. *Raie de mulet :* bande noire qui va du garrot à la naissance de la queue, chez les mulets, les petits ânes gris, les chevaux isabelle ou gris clair.

Loc. *Raie de misère :* sillon sur la cuisse des chevaux (il est marqué lorsque le cheval est amaigri).

1.1 L'entraîneur a observé : « Il est bien, nous allons faire une bonne course, mais (...) sa raie de misère est un peu saillante ».
Pierre DANINOS, Un certain Monsieur Blot, p. 262.

♦ **4.** (XIIIe). *Raie de lumière, de soleil... sur le sol, dans une pièce obscure* (→ Matin, cit. 8), à ne pas confondre avec *rai :* rayon.

2 (...) je baissai le store bleu qui ne laissa passer qu'une raie de soleil.
PROUST, Sodome et Gomorrhe, Pl., t. II, p. 784.

3 (...) dans les raies de la lumière projetée, fuyantes en avant de nous sur la route, l'ombre des papillons de nuit (...)
GIDE, les Cahiers d'André Walter, Le cahier blanc.

♦ **5.** (1861, cit.). Phys. Bande fine de largeur variable qui, dans un spectre*, caractérise un rayonnement de fréquence donnée ou correspond à un corps déterminé. *Raie d'émission :* raie brillante dans un spectre d'émission. *Raie d'absorption :* raie sombre dans un spectre d'absorption. — *Raies telluriques :* raies d'absorption du spectre solaire, dues au passage des rayons dans l'atmosphère terrestre. *Raies coronales :* raies d'émission de la couronne solaire. — (1882). *Raies de Fraunhofer :* raies d'absorption photosphériques. — *Spectre de raies,* composé de raies isolées (constitué par des longueurs d'onde discrètes et par opposition aux spectres continus). — *Raie de résonance,* correspondant à la fréquence absorbée par un atome à l'état fondamental.

4 On sait qu'il existe dans le spectre solaire ce que l'on nomme improprement des raies, effet provenant de l'interruption de l'action lumineuse.
L. FIGUIER, l'Année scientifique et industrielle 1862, p. 106 (1861).

HOM. Rai, 2. raie, rets.

2. RAIE [ʀɛ] n. f. — 1115; empr. lat. *raia.*

♦ Poisson sélacien (sous-ordre des rajiformes *Rajidés*), à corps aplati en losange, à queue étroite et souple armée d'un aiguillon, de couleur gris cendré ou brun noirâtre parsemée de taches (et face ventrale blanche). *Jeune raie.* ⇒ **Rajeton.** *Raie bouclée* (⇒ **Boucle,** 3.). *Raie lisse. Raie à bec. Raie étoilée... — Raie meunière, au beurre, à la crème.*

1 (...) les raies élargies à ventre pâle bordé de rouge tendre, dont les dos superbes, allongeant les nœuds saillants de l'échine, se marbrent, jusqu'aux baleines tendues des nageoires, de plaques de cinabre coupées par des zébrures de bronze florentin, d'une bigarrure assombrie de crapaud et de fleur malsaine (...)
ZOLA, le Ventre de Paris, t. I, III, p. 149.

Loc. fam. (Injure). *Face, gueule de raie.*

2 — Dis donc, toi, gueule de raie ultra-plate, tu veux du galon?
MALRAUX, l'Espoir, II, II, V.

Par ext. Nom commun des rajidés (*raies* proprement dites et genres voisins. ⇒ **Myliobate, pastenague, torpille**).

HOM. Rai, 1. raie, rets.

RAIFORT [ʀɛfɔʀ] n. m. — 1549; une première fois au XVe, *raiz fors;* de l'anc. franç. *raiz,* « racine » (et spécialt « raifort », v. 1155); du lat. *radix, -icis,* et *fort.*

♦ **1.** Plante crucifère *(Cochlearia armoracia),* cultivée pour sa racine, et employée comme aromate, comme assaisonnement (⇒ **Moutardelle**), et en médecine comme antiscorbutique*, diurétique... *Poudre de racine de raifort. Le raifort sauvage est appelé* cran de Bretagne, cranson, moutarde d'Allemand, de capucin... *Raifort d'eau* (nasturtium).

♦ **2.** Radis noir d'hiver, employé aussi comme assaisonnement.

♦ **3.** Régional. *Raifort champêtre :* gros radis employé comme fourrage (syn. : *radis de l'Ardèche*).

RAIL [ʀaj] n. m. — 1825, *in* Wexler, *Journal hebdomadaire des arts et métiers;* cité en 1817 comme mot angl.; auparavant, on disait *guide, bande, tringle, ornière,* etc; angl. *rail* (1734) proprt « barre, rambarde », de l'anc. franç. *reille, raille* « poutrelle, barre », du lat. *regula.*

A. ♦ **1.** Chacune des deux barres d'acier profilées, mises bout à bout sur deux lignes parallèles et posées sur des traverses pour constituer une voie ferrée (pour les trains, les tramways...); chacune des deux bandes continues ainsi formées. ⇒ **Chemin de fer** (cit. 1), **voie** (ferrée). *Rails en saillie, à ornière* (*rails de tramways,* → Plot, cit.). *Rail de quinze, dix-huit mètres de long. Écartement* des rails. Profil d'un rail* (⇒ **Profilé,** n. m.). *Champignon* (partie supérieure), *patin*, semelle* ou champignon* (partie inférieure fixée) *d'un rail. Fixation des rails sur longrines* ou sur traverses*.* ⇒ **Coussinet** (4.; cit. 3). *Tire-fond* fixant un rail à la traverse. Éclisses* raccordant les rails. — Pose des rails. — Rails droits, courbes; fixes, mobiles* (⇒ **Aiguillage, aiguille,** II.). *Rails coudés d'un croisement de voies.* ⇒ **Contre-cœur.** *Rails d'une plaque tournante. L'inextricable lacis* (cit. 2) *des rails. — Véhicules sur rails.* ⇒ **Aérotrain, automotrice, autorail, draisine, locomotive, train, tramway, voiture, wagon.** *Locomotive* (cit. 2) *qui court sur les rails. Sortir des rails.* ⇒ **Dérailler.** — *Les rails du métro. Rail conducteur,* fournissant le courant électrique à la motrice.

(*À Saint-Étienne*) à la fin de 1823 (...) il est question pour la première fois des *barreaux;* pendant les trois années suivantes, c'est le seul terme employé. Puis un rapport de Beaunier, du 19 octobre 1826, parle de la « Pose de rails, ou barreaux de fonte » (...); quelques mois plus tard, c'est *rails* tout court. 1
P.-J. WEXLER, la Formation du voc. des chemins de fer..., p. 51.

(...) seule, au milieu des rails, avec son mécanicien et son chauffeur, noirs de la poussière du voyage, une lourde machine de train omnibus restait immobile (...) 2
ZOLA, la Bête humaine, I.

Dans la prairie, on avançait à raison d'un mille et demi par jour. Une locomotive roulant sur les rails de la veille, apportait les rails du lendemain, et courait à leur surface au fur et à mesure qu'ils étaient posés. 2.1
J. VERNE, le Tour du monde en 80 jours, p. 224.

Chemin de fer sur rail unique. ⇒ **Monorail** (→ Funambulesque, cit. 4).
Rail électrique, rail d'alimentation (métro).

♦ **2.** (1830). Collectivt. *Le rail :* la voie, les deux rails (cet emploi a été courant au XIXe). Par métaphore. *Deux locomotives* (cit. 6) *lancées sur le même rail.*

Un tramway à petit toit emporte sur un rail qui mène aux grilles d'un Fort, des ouvriers (...) 3
Léon-Paul FARGUE, Poèmes, 58.

♦ **3.** (1933, *in* Höfler; au sing.). Transport par voie ferrée, chemin de fer. *Abandonner le rail pour mettre en circulation des cars* (cit.). *Coordination du rail et de la route.*

On a beaucoup parlé, ces temps derniers, et parfois même, sagement, de l'espèce de compétition qui, en France notamment, oppose le rail à la route. 4
G. DUHAMEL, Manuel du protestataire, IV.

♦ **4.** (1958). Loc. fig. *Mettre* ou *remettre le train sur les rails :* mettre ou remettre une entreprise, une affaire, une politique... en marche, sur la bonne voie. *Mettre* ou *remettre (qqch. ou qqn) sur les rails,* sur la bonne voie; rendre capable de marcher, d'avancer (à nouveau). *Être sur les rails :* être en marche ou sur le point de partir. — (Même sens). Par métaphore. *Le train est sur les rails.*

B. (Réemprunts à l'anglais). ♦ **1.** *Rail de sécurité,* et, ellipt., *rail* (1970) : barrière métallique de protection disposée sur le bord des routes, des autoroutes, des pistes de course automobile..., afin d'éviter les sorties de route. ⇒ **Glissière.**

♦ **2.** Navigation mar. ⇒ **Couloir.** « *Quatre croisements du "rail" des navires marchands* » (*le Point,* 7 août 1978).

COMP. Autorail, contrerail, dérailler, monorail.

RAILÉ, ÉE [ʀɛle] adj. — 1869, Littré; peut-être de l'anc. franç. *reille* « barre, règle » et dans ce cas beaucoup plus ancien que l'attestation. → Rail.

♦ Vén. *Chiens railés,* tous de la même taille, dans une meute.

RAILLE [ʀaj] n. f. — 1821; « groupe hostile » 1799, *in* Esnault; orig. incert., peut-être en rapport avec *railler.*

♦ Argot anc. Police.

RAILLER [ʀɑje] v. — 1450; de l'anc. provençal *ralhar* « plaisanter », selon Wartburg d'un lat. vulg. **ragulare,* dér. du bas lat. *ragere* « braire » (→ Raire), hypothèse douteuse pour le sens; selon Guiraud de *érailler* (lat. **radiculare* « râcler ») par l'idée de « égratigner ».

♦ **1.** V. intr. Vx. ⇒ **Badiner, goguenarder** (vx), **ironiser, plaisanter.** « *Dans les triomphes, les soldats ont accoutumé de railler avec leurs empereurs* » (Voiture, Lettre 66, *in* Richelet).

— Vous me rosserez, dites-vous? — Je le disais en raillant. — Et moi, je ne prends point de goût à votre raillerie *(il lui donne des coups de bâton).* Apprenez que vous êtes un mauvais railleur. 1
MOLIÈRE, l'Avare, III, 2.

Pron. Vieilli. *Se railler :* se moquer, ne pas parler sérieusement.

Comment? vous appelez cela réciter? C'est se railler : il faut dire les choses avec emphase. 2
MOLIÈRE, l'Impromptu de Versailles, 1.

♦ **2.** (1636). Tourner en dérision, en ridicule; faire rire aux dépens de qqn (ou de qqch.), par des propos moqueurs, des écrits ou des actes plaisants... ⇒ **Amuser** (s'), **bafouer, berner, blaguer, blasonner, brocarder, charrier, chiner,** 1. **dauber, draper** (4., vx), **entreprendre** (fam.), **ficher** (se), **foutre** (se), **fronder** (II.), **gausser** (se), **gouailler, jouer** (III.), **moquer** (I.), **nasarder** (vx), **persifler, plaisanter** (trans.), **ridiculiser, satiriser** (→ Montrer du doigt*; faire la figue* à; faire marcher*, mettre en boîte*; se payer* la tête de; et aussi geôlier, cit. 4; médecin, cit. 4; monstrueux, cit. 5). *Railler un homme* *politique, un régime, par des dessins* (⇒ **Caricaturer**), *des placards* (⇒ **Placarder,** vx), *des chansons* (⇒ **Chansonner, chanter,** II., 4.), *des parodies* (⇒ **Parodier**)... *Il est sans cesse à le railler* (→ Après, *supra* cit. 53; être après quelqu'un). *Railler qqn en gardant son sérieux.* ⇒ **Pincer** (sans rire, vx). *Railler cruellement.* ⇒ **Blesser.** *Elle me dit, en me raillant* (→ Fondre, cit. 3). *« Tel vous semble applaudir* (cit. 3) *qui vous raille et vous joue ». Juger, disséquer* (cit. 3) *ou railler toutes choses. Railler qqn sur qqch.* (→ Goguenard, cit. 1; plaire, cit. 17). *Être raillé d'un défaut* (→ Haïr, cit. 31).

3 — Ce que je trouve de beau dans Bixiou, dit Blondet, c'est qu'il est complet : quand il ne raille pas les autres, il se moque de lui-même.
BALZAC, la Maison Nucingen, Pl., t. V, p. 617.

4 Nous ne comprenons pas tout, mais nous n'insultons rien. Nous sommes à égale distance de l'hosanna de Joseph de Maistre qui aboutit à sacrer le bourreau et du ricanement de Voltaire qui va jusqu'à railler le crucifix.
HUGO, les Misérables, II, VI, XI.

5 (...) je n'étais pas d'humeur à supporter qu'il me raillât de n'avoir pas embrassé Marthe en cachette. R. RADIGUET, le Diable au corps, p. 37.

6 (...) devant Minna, elle parlait de Christophe avec ironie, et raillait impitoyablement ses ridicules : elle le démolit en quelques mots. Elle n'y mettait aucun calcul, elle agissait d'instinct, avec la perfidie d'une bonne femme, qui défend son bien. Minna eut beau se rebiffer, bouder, dire des impertinences, et s'obstiner à nier la vériter des observations (...)
R. ROLLAND, Jean-Christophe, Le matin, III, p. 204.

Absolt. *Tancer et railler* (→ Badiner, cit. 10). *Railler, gouailler* (cit. 2). *Il raillait agréablement* (→ Emporter, cit. 13). *Il aimait à railler* (→ Épigramme, cit. 7).

7 Et son cœur à railler trouverait moins d'appas,
S'il avait observé qu'on ne l'applaudît pas. MOLIÈRE, le Misanthrope, II, 4.

8 Il y a douze ans, quand parut le premier cahier (...) le Parti Intellectuel se récria. Ils riaient entre eux (...) Ils raillaient. Ils ricanaient.
Ch. PÉGUY, la République..., p. 273.

♦ **3.** V. tr. ind. (Vx). *Railler de qqn, de qqch.*

9 Ne raillons point ici de la magistrature (...) RACINE, les Plaideurs, II, 13.

▶ **SE RAILLER** v. pron.

♦ **1.** Vx. Plaisanter, se moquer, tourner les choses en plaisanterie*. *Vous vous raillez !*

♦ **2.** Vieilli. Se gausser, se moquer (de...). *Se railler du ciel* (→ Libertin, cit. 7).

10 Se railler de la gloire, de la religion, de l'amour, de tout au monde, est une grande consolation pour ceux qui ne savent que faire (...)
A. DE MUSSET, la Confession d'un enfant du siècle, I, I.

CONTR. Admirer, célébrer, louer.
DÉR. Raillerie, railleur.

RAILLÈRE [RajɛR] n. f. — XIXe, *in* Littré; 1803, *reillère* « conduit qui amène l'eau à la roue du moulin »; Cf. anc. franç. *rahiere,* 1272; gascon *ralhéro.*

♦ Régional. Couloir d'avalanche; versant caillouteux à pente rapide, dans les Pyrénées.

1 La neige l'a roulée dans la raillère.
Francis JAMMES, Choix de poèmes, « Jean de Noarrieu ».

Variante orthographique : *raillière.*

2 (...) on quitta le ravin pour une vallée escarpée, une sorte de raillière croulante.
Roger VERCEL, Capitaine Conan, XII, p. 203.

RAILLERIE [RajRi] n. f. — 1490, au sens A., 2.; tous les sens au XVIIe; dér. de *railler.*

Action de railler; son résultat.

A. ♦ **1.** Vieilli et en loc. Plaisanterie, absence de sérieux. *« Point de raillerie »* (→ Clin, cit. 1, Molière). *« C'est sans raillerie que vous parlez? »* (→ Bon, cit. 125, Molière). ⇒ **Sérieusement.**

Vx. *Faire raillerie :* plaisanter (→ Diable, cit. 23). *Passer la raillerie :* se dit d'une mauvaise plaisanterie, que l'on juge excessive, déplacée. — (1619). *Raillerie à part :* en parlant sérieusement. *Entendre raillerie :* comprendre la plaisanterie (→ Choquer, cit. 4; épigramme, cit. 7). Fig. *Il n'entend pas raillerie là-dessus :* il n'aime pas qu'on plaisante sur ce sujet, il est sévère, pointilleux là-dessus (→ Matière, cit. 18).

1 J'avais, dans un sac de cuir, cent pistoles; il faut que je les retrouve. Je vais chez le juge du bourg, qui n'entend pas raillerie là-dessus, et vous allez tous avoir la question, jusqu'à ce que vous ayez confessé le crime et rendu l'argent.
A.-R. LESAGE, Gil Blas, I, III.

2 (...) mais son père n'entendait pas raillerie sur les questions d'étiquette familiale et d'égards que l'on doit aux ancêtres (...)
R. ROLLAND, Jean-Christophe, La révolte, II, p. 457.

REM. Ces locutions sont plutôt comprises au sens 2., de nos jours.

♦ **2.** Vx. *(Une, des railleries).* Plaisanterie.

3 Ce qui n'était que jeu doit-il faire un divorce?
Et d'une raillerie a-t-on lieu de s'aigrir? MOLIÈRE, Amphitryon, II, 6.

B. Mod. ♦ **1.** Action ou habitude de tourner en dérision les gens et les choses; disposition ou aptitude à railler (2.). ⇒ **Dérision, gouaillerie, ironie, malice, moquerie, persiflage, risée, satire** (→ Bannir, cit. 19; épigramme, cit. 2). *Bonhomie* (cit. 2) *vaut mieux que raillerie. Redresser les ridicules avec la raillerie* (→ Lance, cit. 4). *Un ton de raillerie. — L'art de la raillerie et de la plaisanterie. Chef-d'œuvre de haute raillerie* (→ 1. Feu, cit. 5). *Passage où la raillerie pleut* (cit. 11). — *Raillerie fine et délicate* (→ Antique, cit. 3). *La raillerie froide des « Provinciales »* (→ Chicane, cit. 5). — *Une expression de mélancolie et de raillerie envers soi-même* (→ Éteindre, cit. 30).

Il est malaisé d'avoir un esprit de raillerie sans affecter d'être plaisant, ou sans aimer à se moquer; il faut une grande justesse pour railler longtemps, sans tomber dans l'une ou l'autre de ces extrémités. La raillerie est un air de gaieté qui remplit l'imagination, et qui lui fait voir en ridicule les objets qui se présentent; l'humeur y mêle plus ou moins de douceur ou d'âpreté : il y a une manière de railler, délicate et flatteuse, qui touche seulement les défauts que les personnes dont on parle veulent bien avouer, qui sait déguiser les louanges qu'on leur donne sous des apparences de blâme, et qui découvre ce qu'elles ont d'aimable, en feignant de le vouloir cacher. LA ROCHEFOUCAULD, Réflexions diverses, 16. 4

La raillerie est l'épreuve de l'amour-propre. 5
VAUVENARGUES, Réflexions et maximes, 454.

Il faut qu'ils *(les monarques)* soient extrêmement retenus sur la raillerie (...) une raillerie piquante est bien moins permise qu'au dernier de leurs sujets, parce qu'ils sont les seuls qui blessent toujours mortellement. 6
MONTESQUIEU, l'Esprit des lois, XII, XXVIII.

La raillerie est un discours en faveur de son esprit contre son bon naturel. 7
MONTESQUIEU, Pensées diverses, « Variétés ».

Parmi nous, il est vrai, Socrate n'eût point bu la ciguë; mais il eût bu, dans une coupe encore plus amère, la raillerie insultante, et le mépris pire cent fois que la mort. ROUSSEAU, Disc. sur les sciences et les arts, I. 8

(...) votre raillerie, oui, cette façon moqueuse que vous avez de me parler, m'afflige et me semble sans objet. 9
G. DUHAMEL, Chronique des Pasquier, VII, XXV.

Tourner (qqn, qqch.) en raillerie, en dérision, en ridicule (→ 2. Mal, cit. 7). — *Entendre raillerie :* se dit de celui qui comprend et prend en bonne part les plaisanteries que l'on dit ou fait à ses dépens, qui supporte la moquerie (→ Effaroucher, cit. 6; épigramme, cit. 7).

♦ **2.** *(Une, des railleries).* Propos, discours, écrit ou action par lesquels on raille qqn ou qqch. ⇒ **Affront, brocard, critique, épigramme, égratignure** (fig.), **flèche, gausserie** (vx), **goguenardise** (vx), **lardon** (vx), **lazzi, moquerie, nasarde, pasquinade** (vx), **plaisanterie, pointe, quolibet, sarcasme, trait...** (→ Cynique, cit. 2; édification, cit. 1; méchanceté, cit. 3). *Railleries acérées* (→ Aigreur, cit. 9), *amères, cinglantes, cuisantes, féroces, méchantes, piquantes... Railleries cocasses* (→ Insulte, cit. 7), *innocentes. — Être le plastron* des railleries de quelqu'un.* ⇒ **Jouet** (servir de), **souffre-douleur, tête** (de Turc).

Leurs airs insolents, leur puérile vanité, ne leur attirent que mortifications, dédains, railleries; ils boivent les affronts comme l'eau (...) ROUSSEAU, Émile, II. 10

Ils vous vendent bien cher de basses flatteries, 11
Tandis qu'il font de vous cent fades railleries.
Ph. DESTOUCHES, le Dissipateur, I, 8.

CONTR. Admiration, hommage.

RAILLEUR, EUSE [RajœR, øz] n. et adj — 1465, *Pathelin,* comme nom; adj. au XVIIe; on trouve la forme *railleresse* en 1390; de *railler.*

♦ **1.** Vx. Celui, celle qui plaisante, qui raille.

♦ **2.** N. Celui, celle qui aime à railler, à se moquer. ⇒ **Moqueur; chineur, ironiste...** (→ Interloquer, cit. 3). *Le plaisant et le railleur* (→ Garant, cit. 5, Chamfort). *« Le railleur sera raillé »* (Molière, *l'Impromptu de Versailles,* 5). — Fig. *Le hasard est un grand railleur* (→ Destinée, cit. 11).

(...) vous faites la railleuse, mais vous passerez par nos mains quelque jour. 1
MOLIÈRE, l'Amour médecin, III, 2.

(...) les railleurs s'égayaient là-dessus à nos dépens; mais nous ressemblions aux avares qui se consolent des huées du peuple en revoyant leur or. 2
A.-R. LESAGE, Gil Blas, VIII, IX.

♦ **3.** (1690). Adj. Qui raille, se moque; qui exprime la moquerie. *Il est très railleur.* ⇒ **Goguenard, gouailleur, malicieux, moqueur, narquois, persifleur.** *Esprit un peu railleur* (→ Emporter, cit. 13). *Humeur, verve railleuse d'un chansonnier.* ⇒ **Frondeur.** *Coquetterie* (→ Désorienter, cit. 3), *curiosité railleuse. Propos railleurs, interrogations railleuses.* ⇒ **Ironique** (→ Ironie, cit. 1). *Air, sourire, ton... railleur* (→ Gourmé, cit. 2; incrédule, cit. 9). ⇒ **Malin; dérisoire.** *Une lumière railleuse dans l'œil* (→ Moqueur, cit. 5).

Au milieu de ces folies, Emmeline était railleuse : elle avait un oncle tout rond, avec un rire bête, excellent homme. Elle lui avait persuadé que de figure et d'esprit elle était tout son portrait, et cela avec des raisons à faire rire un mort. 3
A. DE MUSSET, Nouvelles, « Emmeline », I.

(...) cette voix grave et sereine (...) à peine railleuse et prête au combat (...) 4
Ch. PÉGUY, la République..., p. 260.

CONTR. Admirateur.
DÉR. Railleusement.

RAILLEUSEMENT [Rajøzmɑ̃] adv. — 1847; de *railleur.*

♦ Avec raillerie.

RAILROAD [RɛlRod] n. m. — 1818; comme mot angl. écrit *rail-road,* 1800, *in* Höfler; mot angl. (1775), de *rail* (→ Rail) et *road* « route », employé surtout aux États-Unis (*railway* en Grande-Bretagne).

♦ Américanisme. Vx. Chemin de fer (aux États-Unis). — REM. Le mot, en usage en français au XIXe s., ne s'est guère employé qu'en parlant des États-Unis, alors que *railway**, également vieux, a eu des emplois plus larges.

1 On connaît la façon de voyager sur les railroads américains. On sait de quels avantages, de quelle liberté y jouit le voyageur, alors qu'il est emprisonné chez nous comme un véritable colis. Là-bas il n'existe qu'une seule classe de voitures ; s'il y a des wagons plus confortables, c'est seulement pour les dames et les personnes qui les accompagnent.
M. et Mme AGASSIZ, Voyage au Brésil, *in* le Tour du monde, 1868, p. 228.

2 C'est en 1862 que, malgré l'opposition des députés du Sud, qui voulaient une ligne plus méridionale, le tracé du rail-road fut arrêté entre le quarante et unième et le quarante-deuxième parallèle. Le président Lincoln, de si regrettée mémoire, fixa lui-même, dans l'État de Nebraska, à la ville d'Omaha, la tête de ligne du nouveau réseau.
J. VERNE, le Tour du monde en 80 jours, p. 224.

RAILROUTE [ʀajʀut] n. m. — 1949 ; 1837, *railroute* « chemin de fer », trad. de l'angl. *railroad* (1775), plus ancien que *railway ;* de *rail* et *route.*

♦ Techn. Mode de transport des marchandises utilisant conjointement la voie ferrée et la route. (On écrit aussi *rail-route.*). — Adj. (Plus courant). *Parcours, transport railroute,* qui emprunte le rail et la route.

RAILWAY [ʀɛlwɛ] n. m. — 1800-1801, *in* Höfler ; usuel à partir de 1825. Cf. Wexler ; mot anglais, de *rail.* (→ Rail), et *way* « chemin, route ».

♦ Vx. Chemin de fer, voie ferrée (→ Longer, cit. 7, Gautier). — REM. Ce mot n'a pas vécu, pas plus que *railroad* ou *railroute* (dans ce sens), proposé pour le remplacer. Il était usuel au XIXe s. et on trouve même le dér. *railwayen,* adj. (chez Jules Verne).

1 Partout où l'on place, sur la lisière d'une capitale, l'embarcadère d'un chemin de fer, c'est la mort d'un faubourg et la naissance d'une ville (...)
Depuis que la gare du railway d'Orléans a envahi les terrains de la Salpêtrière, les antiques rues étroites qui avoisinent les fossés Saint-Victor et le Jardin des Plantes s'ébranlent.
HUGO, les Misérables, II, IV, I.

2 (...) un tumulte prodigieux de calèches, d'ânes, d'âniers, de portefaix, de domestiques de place, de drogmans, faisait comme une émeute devant le débarcadère du railway, qui aboutit près de Boulak, à une petite distance du vieux Caire.
Th. GAUTIER, l'Orient, t. II, l'Égypte, IV, p. 190 (1869).

3 La terre et l'eau semblaient être à la dévotion de son maître. Steamers et railways lui obéissaient *(à Phileas Fogg).* Le vent et la vapeur s'unissaient pour favoriser son voyage.
J. VERNE, le Tour du monde en 80 jours, p. 144 (1873).

RAIN [ʀɛ̃] n. m. — 1376 ; francique **rain.*

Régional.

♦ **1.** Lisière (d'un bois).

♦ **2.** Talus en pente raide.

♦ **3.** Arbuste (d'une haie) ; branche (Cf. le mot dialectal *dérincer* « couper les épines d'une haie »).

Sa mère cassait des fascines à côté du fourneau sur lequel cuisait la soupe au bœuf, et coupait les plus gros rains à la serpe sur un trépied.
M. AYMÉ, la Vouivre, p. 94.

HOM. Rein.

RAINAGE [ʀɛnaʒ] n. m. — XXe ; de *rainer.*

♦ Techn. Opération par laquelle on pousse une rainure (dans du bois), on trace un sillon (dans du cuir).

RAINE [ʀɛn] n. f. — 1120 ; du lat. *rana.*

♦ Vx ou régional. Grenouille (→ Adopter, cit. 2, Buffon).

DÉR. Rainette, reinette.
HOM. Reine.

RAINEAU [ʀeno] n. m. — 1752, du rad. de *rainure,* et suff. *-eau.*

♦ Techn. Pièce de charpente servant à assembler les éléments de pilotis.

RAINER [ʀene ; ʀɛne] v. tr. — 1832 ; d'après *rainure ; roisner,* XIIIe ; de *roisne,* var. anc. de *rouanne.*

♦ Techn. Menuis. Faire une rainure, des rainures dans (une pièce de bois)... *Rabot, outil à rainer.* ⇒ **Bouvet, gorget,** 2. **rainette.** *Machine à rainer.*

Sellerie, maroquinerie, etc. Creuser (du cuir) avec la rainette (→ 2. Rainette, 2.), pour faciliter un pliage, une couture.

Faire une rainure sur (une surface d'une matière dure quelconque). Au p. p. *Moulure d'aluminium rainé pour encadrements.*

DÉR. 2. Rainette, raineuse.

RAINETER [ʀɛnte] v. tr. — Conjug. *jeter* — 1762, *rénetter* (un sabot) ; sens mod., 1904 ; de *rainer, rainette.*

♦ Techn. Creuser, marquer à la rainette (→ 2. Rainette).

1. RAINETTE [ʀɛnɛt] n. f. — 1425 ; *ranette,* XIVe ; dimin. anc. franç. de *raine* « grenouille », XIIIe ; lat. *rana.*

♦ **1.** Batracien amphibien anoure dont les doigts sont munis de ventouses. *La variété de rainette commune en France est appelée communément* grenouille verte *ou* grenouillette, graisset. *Le chant des rainettes* (→ Bestiole, cit. 1 ; grésillement, cit. 3).

Il ne régna plus sur les campagnes que les rouges lueurs du crépuscule, tous les chants d'oiseaux avaient cessé. La rainette seule jetait sa note longue, claire et mélancolique. BALZAC, le Curé de village, Pl., t. VIII, p. 753. 1

J'entends cette nuit le chœur ininterrompu des rainettes, pareil à une élocution puérile, à une plaintive récitation de petites filles, à une ébullition de voyelles. 2
CLAUDEL, Connaissance de l'Est, « Nuit à la vérandah ».

♦ **2.** ⇒ **Reinette.**

2. RAINETTE [ʀɛnɛt] n. f. — XIIIe, *royenette ;* de *rainer.*

Techn. Outil à rainer.

♦ **1.** Outil de charpentier, griffe tranchante utilisée pour marquer le bois.

♦ **2.** (1765). Outil à bec d'acier fixé sur un manche et servant à tracer des lignes dans le cuir (Sellerie, maroquinerie).

RAINEUSE [ʀɛnøz] n. f. — XXe ; de *rainer.*

♦ Techn. Machine à rainer (bois).

Après passage à la quatre faces, les frises sont triées par longueurs (...) puis passent par transfert automatique dans une raineuse qui détermine le profil en bout des lames. La machine est en principe une raineuse double analogue à une tenonneuse.
J.-C. REGGIANI, Industries et Commerce du bois, p. 92.

RAINURAGE [ʀenyʀaʒ ; ʀɛnyʀaʒ] n. m. — 1932 ; de *rainurer.*

Technique.

♦ **1.** Opération qui consiste à tracer des rainures dans le bois, le métal, la pierre, etc.

♦ **2.** Tracé de rainures parallèles dans le revêtement des autoroutes. *Attention, rainurage.*

RAINURE [ʀenyʀ ; ʀɛnyʀ] n. f. — 1464 ; *roynure,* 1410 ; dér. de *roisner* « faire une rainure avec la roisne », de *roisne,* anc. forme de *rouanne.*

♦ **1.** Moulure creuse, fine et longue ; entaille faite en long dans une pièce de bois. ⇒ **Cannelure, creux, entaille, jable, sillon, strie** (→ Chevalet, cit. 1). *Rabot à faire des rainures,* à rainer*. ⇒ **Bouvet.** *Assemblage à languettes et à rainures des cloisons, des parquets** (→ Lame, cit. 2 ; languette, cit.). *Rainures d'une pièce de charpente**. — *Rainure le long de laquelle une pièce mobile, une cloison peut glisser.* ⇒ **Coulisse** (→ Glisser, cit. 6 ; inopinément, cit. 3).

L'appartement de papier est composé de compartiments successifs que divisent des cloisons glissant sur des rainures. 1
CLAUDEL, Connaissance de l'Est, « Çà et là ».

♦ **2.** (Déb. XIXe). Entaille longue et étroite, (à la surface d'un objet quelconque). *La rainure d'un encrier* (cit. 1) *de verre.* Archit. Moulure creuse, très déliée. ⇒ **Canal, cannelure.** — Mécan. *Assemblage métallique à rainures. Pièce mobile guidée par rainures.* ⇒ **Glissière, guide.** *Rainure circulaire, hélicoïdale...* (⇒ **Gorge**). *Canon de fusil à rainures.* ⇒ **Rayé, rayure.** — Sillon de certains fers à chevaux.

(...) un bâtiment, sur la façade duquel deux rainures profondément entaillées trahissaient l'existence primitive d'un pont-levis réduit à l'état de sinécure par le nivelage du fossé (...) 2
Th. GAUTIER, le Capitaine Fracasse, I.

♦ **3.** (1803). Anat. Sillon ou dépression allongée à la surface d'un os. *Rainure de l'astragale, du calcanéum. Rainures condylo-trochléennes.* — *Rainure* (gouttière) *unguéale.*

DÉR. Rainurer.

RAINURER [ʀenyʀe ; ʀɛnyʀe] v. tr. — 1913 ; de *rainure.*

♦ Techn. Marquer d'une rainure, de rainures. Rainer.

▶ **RAINURÉ, ÉE** p. p. adj.

Canon rainuré. ⇒ **Rayé.** Marqué d'entailles. *La valve rainurée d'une coquille Saint-Jacques* (→ Madeleine, cit.).

DÉR. Rainurage, rainureuse.

RAINUREUSE [ʀenyʀøz ; ʀɛnyʀøz] n. f. — xxe (*in* Larousse, 1932) ; de *rainurer.*

♦ Techn. Machine-outil traçant des rainures.

RAIPONCE [ʀɛpɔ̃s] n. f. — 1636 ; *responce,* 1460 ; ital. *raponzo ;* empr. lat. médiéval *rapuntium,* class. *rapa.* → Rave.

♦ Plante de la famille des Campanulacées dont les tiges et les feuilles souterraines peuvent se manger en salade. Nom sc. : *Phyteuma.*

RAIRE [ʀɛʀ] v. — Conjug. *traire* — ou **RÉER** [ʀee] v. intr. — xive, *raire ; réer,* 1383 ; attestation isolée xiiie, « crier » ; du bas lat. *ragere.* → Railler. — N. B. Ne pas confondre avec l'anc. v. *raire* « raser ».

♦ Vx. Crier, en parlant du cerf, du chevreuil... ⇒ **Bramer.** (On dit aussi *raller*).

RAIS [ʀɛ] n. m. ⇒ **Rai.**

1. RAÏS [ʀais] n. m. — Attesté v. 1900, mais très antérieur ; mot provençal, cf. anc. franç. *rei* (v. 1120), *raiz, rais,* lat. *rete* « filet ».

♦ Régional. Épervier* (filet de pêche lancé à la main).

DÉR. Raisson, raissou.

2. RAÏS [ʀais] n. m. — V. 1956-1958 ; mot arabe d'Égypte *răʾīs* « chef ».

♦ Chef suprême, dans certains États arabes (Égypte notamment). « *Le raïs libyen* » (Rivarol, cité par *le Monde,* 9 févr. 1977).

Durant la période allant de 1956 (nationalisation du canal de Suez) à 1958-1961 (union avec la Syrie) et jusqu'en 1963 (nationalisation des principales banques), la propagande nassérienne présente le Raïs comme le Rassembleur des musulmans, le Commandeur des croyants.

Jean ZIEGLER, Main basse sur l'Afrique, p. 141.

RAISIN [ʀɛzɛ̃] n. m. — 1275 ; 1200, *resin,* du lat. pop. *racimus,* lat. class. *racemus* « grappe », qui a éliminé le lat. *uva* du gallo-romain.

♦ **1.** Fruit de la vigne, ensemble de baies (couramment appelées *grains*), réunies en grappes par une tige ligneuse ramifiée, la rafle*. ⇒ **Uval, vigne.** — REM. *Raisin* ne s'emploie qu'au pluriel *(les raisins, des raisins)* ou avec le sens collectif et partitif *(le raisin est bon cette année, le muscat est un bon raisin, manger du raisin ; grain* (cit. 13), *grappe* (cit. 1) *de raisin(s). — Le « grain » de raisin est formé d'une pulpe, de graines* (⇒ **Pépin**) *raccordées aux pédicelles par une zone dite « pinceau », d'une enveloppe* (⇒ **Pellicule**) *souvent appelée peau. Pruine* du raisin. Composition chimique du raisin :* sucres (glucose, fructose), acides organiques (malique, tartrique) et minéraux, corps odorants, matières pectiques, tanins, vitamines B et C. — *Raisin qui bourgeonne.* ⇒ 1. **Mailler.** *Raisin vert,* non arrivé à maturité. *Raisin mûr* (→ 1. Froid, cit. 5). *L'automne mûrira* (cit. 1) *les raisins. Pourriture* (cit. 4) *noble du raisin. Maturation, véraison du raisin. — Variétés de raisin.* ⇒ **Cépage, aligoté, aramon, cabernet, chasselas, clairette, gouet, grenache, madeleine, malaga, malvoisie, morillon** (cit.), **muscadelle, muscadet, muscat, olivette, picpouille, pineau** ou **pinot, sémillon.** *Raisin blanc, rouge, noir... Raisins de cuve, cultivés pour donner du vin. Raisins de table* (ex. : chasselas, muscat...). — *Raisins sur pied, sur ceps ; en grappes. Raisins d'un espalier, d'une treille*... Cueillir le raisin.* ⇒ **Vendange, vendanger** (→ Benne, cit.). *Égrappage du raisin.* ⇒ **Égrappeur, égrappoir, grapiller.** *Soins donnés au raisin.* ⇒ **Cisellement.**

(...) des raisins vermeils et blonds comme l'ambre (...) 1

Th. GAUTIER, Fortunio, XVI.

Manger du raisin, des raisins. Se gaver (cit. 2) *de raisin. Cure de raisins.* ⇒ **Uval.** — Prov. *Les pères ont mangé des raisins verts...* (→ Agacer, cit. 1, Bible). Allus. littér. « *Le Renard et les Raisins* », fable de La Fontaine (→ Faim, cit. 1).

Sécher les raisins (→ Liquoreux, cit.). *Raisins secs : raisins de Corinthe* (1549), petits et noirs, *raisins de Damas* (1690), plus gros et rougeâtres, *raisins de Malaga,* gros et noirs. ⇒ aussi **Mendiant** (cit. 5). *Pain, gâteau, cake aux raisins* (→ Plum-cake, plum-pudding).

Je combattis (...) la faim avec un de ces petits pains aux raisins secs, un de ces 2
pains de seigle qui ont fait les délices de mon enfance.

G. DUHAMEL, Salavin, I, XXI.

Presser le raisin. Jus de raisins. ⇒ aussi **Verjus.** *Confiture de jus de raisin.* ⇒ **Raisiné.** *Sucre de raisin. — Foulage* (⇒ **Fouler** cit. 1, **fouloir**) *et pressurage* (⇒ **Pressoir,** cit. 1) *du raisin.* ⇒ **Moût.** *Fermentation des moûts de raisin.* ⇒ **Vin, vinification ; cuvage, cuver.** *Vins fabriqués avec des raisins très murs, atteints de pourriture noble ; avec des raisins mûris sur de la paille.* ⇒ **Paille** (vin de). *Arrêt de la fermentation des moûts de raisin.* ⇒ **Mistelle ; muter.** *Résidu des raisins pressés.* ⇒ **Marc.** *Eau-de-vie de marc de raisin distillée.* ⇒ **Marc.** *Boisson faite de marc de raisin et d'eau.* ⇒ **Râpé.** *Huile de pépin de raisin.*

(...) les plus gros raisins ne font pas le meilleur vin (...) 3

A. THIBAUDET, Hist. de la littérature franç., p. 239.

Vendange, joie précipitée, urgence de mener au pressoir, en un seul jour, raisin 4
mûr et verjus ensemble (...) COLETTE, la Naissance du jour, p. 50.

Loc. *Mi-figue, mi-raisin.* ⇒ **Figue.**

♦ **2.** (1550, ... *de renard*). *Raisins de... :* baies en grappes (de certaines plantes). *Raisin d'ours* (⇒ **Arbousier, busserole**), *de loup* (⇒ **Morelle**), *de renard* (⇒ **Parisette**), *raisin des bois* (⇒ **Airelle**), etc. — *Raisin d'Amérique :* plante d'origine américaine acclimatée en Europe depuis le XVIIe siècle, et dont les fruits rouges fournissent un colorant alimentaire. (Nom sc. : *Phytolacca*).

♦ **3.** (1752). Agglomération en grappes (cit. 7) des œufs de certains mollusques. *Raisins de mer :* œufs de seiche, de poulpe... — *Raisins de mer ; raisins des tropiques,* se dit aussi de certaines algues fucacées.

♦ **4.** (1710). Format (cit. 2) de papier (50 sur 65 cm), caractérisé à l'origine par un filigrane représentant une grappe. Appos. *Un inhuit raisin.*

DÉR. Raisiné.

RAISINÉ [ʀezine ; ʀɛzine] n. m. — 1606 ; *résiné,* 1508.

♦ **1.** Confiture préparée avec du jus de raisin concentré (auquel on peut ajouter des poires, des coings, etc.).

(...) elle ne manquait pas de préparer le raisiné à la fin des vendanges (...) 1

J. CHARDONNE, les Destinées sentimentales, p. 36.

♦ **2.** Fig. (1808, *faire du raisiné* « saigner du nez »). Argot. Sang.

Si j'avais seulement levé la main, dit-il aux pensionnaires, ces trois mouchards-là 2
répandaient tout mon « raisiné » sur le *trimar* domestique de maman Vauquer.

BALZAC, le Père Goriot, Pl., t. II, p. 1014.

Cet ouvrage
a été réalisé en photocomposition programmée
par M.C.P., 45401 Fleury-les-Aubrais,

imprimé en France par AUBIN, 86240 Ligugé

et relié par la SIRC, 10350 Marigny-le-Châtel,

pour le compte des DICTIONNAIRES LE ROBERT,
107, avenue Parmentier, 75011 Paris.

Dépôt légal : septembre 1985
N° d'imprimeur : L 20391

Collection « les usuels du Robert » (volumes reliés) :

— *Dictionnaire des difficultés du français,*
par Jean-Paul COLIN,
prix Vaugelas.

— *Dictionnaire étymologique du français,*
par Jacqueline PICOCHE.

— *Dictionnaire des synonymes,*
par Henri BERTAUD DU CHAZAUD,
ouvrage couronné par l'Académie française.

— *Dictionnaire des idées par les mots*
(dictionnaire analogique),
par Daniel DELAS et Danièle DELAS-DEMON.

— *Dictionnaire des mots contemporains,*
par Pierre GILBERT.

— *Dictionnaire des anglicismes*
(les mots anglais et américains en français),
par Josette REY-DEBOVE et Gilberte GAGNON.

— *Dictionnaire des structures du vocabulaire savant*
(éléments et modèles de formation),
par Henri COTTEZ.

— *Dictionnaire des expressions et locutions,*
par Alain REY et Sophie CHANTREAU.

— *Dictionnaire de proverbes et dictons,*
par Florence MONTREYNAUD, Agnès PIERRON et François SUZZONI.

— *Dictionnaire de citations françaises,*
par Pierre OSTER.

— *Dictionnaire de citations du monde entier,*
par Florence MONTREYNAUD et Jeanne MATIGNON.

Ouvrages édités par les DICTIONNAIRES LE ROBERT
107, avenue Parmentier, 75011 PARIS (France).